LAROUSSE
LE NOUVEAU
MÉMO
encyclopédie

Distributeur exclusif au Canada : Messageries ADP, 1751 Richardson, Montréal (Québec)

ISBN 2-03-515-108-2

LAROUSSE
LE NOUVEAU
MÉMO
encyclopédie

LAROUSSE

21 Rue du Montparnasse 75283 Paris cedex 06

Préface

Mettre à la disposition de tous un savoir en perpétuel progrè un savoir vivant ; offrir des informations de référence, précises, sûre actuelles ; permettre que chacun, quels que soient son niveau de cultu et sa formation, participe intellectuellement à l'évolution du monde aux débats de notre temps ; rendre accessible et agréable le tissu vast et complexe des connaissances : tel est l'objectif que nous nous fixo en publiant le NOUVEAU MÉMO LAROUSSE.

« Nouveau », parce que nous entrons dans le troisième millénair « Nouveau », parce que le savoir, tel un organisme vivant, se renouvelle san cesse, tout comme les centres d'intérêt, les interrogations, les habitudes d lecture et les goûts eux-mêmes. « Nouveau », parce que le *Mémo Larouss* paru il y a plus de dix ans, a été totalement repensé. Cet ouvrage a connu u succès considérable en France et dans les nombreux pays qui l'ont adopt et traduit : à l'écoute du monde et de nos lecteurs, nous l'avons entièremer réorganisé, complété, enrichi et agrémenté.

Le NOUVEAU MÉMO, assemblant de façon logique et naturelle les connais sances, demeure une grande encyclopédie thématique. Mais l'ouvrage es réellement nouveau. L'index alphabétique général a été enrichi pou que le lecteur puisse aller plus vite dans ses recherches et se concentrer su l'essentiel ; les encadrés ont été multipliés, prodiguant exemples, démonstra tions, citations, à la fois utiles et attractifs ; enfin, l'illustration a été revue e actualisée, avec introduction, notamment, d'une nouvelle cartographie e couleurs pour les continents et les pays.

Au lecteur, maintenant, de découvrir et de s'approprier le NOUVEAU MÉMC La reliure et la mise en page soignées confèrent attrait et maniabilité à cett encyclopédie. Qu'elle soit utile au lecteur et à ses proches jusqu'à deveni indispensable, tel est le vœu que nous formulons.

L'ÉDITEUR

Utilisation de l'ouvrage

Le NOUVEAU MÉMO LAROUSSE a été conçu pour être utilisé quotidiennement, et par tous. Tout a été mis en œuvre pour qu'il soit à la fois agréable à lire et facile à consulter.

En début d'ouvrage, une **Table d'orientation** permet de visualiser simultanément les onze grands pôles de la connaissance autour desquels l'ouvrage s'organise. Chacun de ceux-ci est défini et présenté brièvement.

Chacune des onze grandes parties du NOUVEAU MÉMO LAROUSSE s'ouvre sur un **sommaire** détaillé. Après un texte disant les enjeux du domaine concerné, le lecteur trouvera, classés par chapitres, les grands thèmes traités, suivis de l'indication des pages.

Au fil des pages, sous la mention « voir aussi », des renvois à des textes ou à des illustrations invitent le lecteur à approfondir une question ou à aller à la découverte de sujets proches.

Au début de l'ouvrage, une **Table des cartes** géographiques, historiques, économiques…, classées selon les grandes parties du livre, permet d'utiliser celui-ci comme un véritable atlas en couleurs.

À la fin de l'ouvrage, un **Index général**, présenté suivant l'ordre alphabétique, permet au lecteur d'aller directement à des informations sur les notions, les noms propres, les œuvres, qui l'intéressent, qu'il s'agisse de textes ou d'illustrations. L'index est lui-même précédé d'un bref mode d'emploi.

Les légendes des nombreuses **illustrations** sont titrées en gras, proposant ainsi une lecture à deux vitesses. Dans le cas de reproductions d'œuvres d'art, le lieu de conservation est indiqué à la fin de la légende, permettant au lecteur de savoir où celles-ci se trouvent.

Enfin, les lecteurs intéressés pourront consulter en fin d'ouvrage les **crédits photographiques** qui leur indiqueront les noms des auteurs et agences fournisseurs de toutes les photographies sélectionnées pour le NOUVEAU MÉMO LAROUSSE.

TABLE D'ORIENTATION

Table des cartes

1. L'Univers et la Terre

2. Le Monde vivant

3. L'Homme et sa santé

4. Les Sciences et les Techniques

5. L'Histoire du monde

6. Les Religions

7. Le Monde géopolitique

Europe

Asie

Table des cartes *(suite)*

8. La Vie économique

Notions clés

9. L'Homme en société

* Photographies de cartes anciennes.

Direction de la publication
Bertrand Éveno, président-directeur général

Direction du projet
Yves Garnier

Conception et direction éditoriales
Éditions d'Alembert
Édition
Annie Edinger
Laurence Challamel, Florence Daniel, Antoine Derouin
Assistants
Emmanuel Mitteault, Sylvie Marsaoui, Florian Rubis

Maquette
Jean Castel

Saisie et PAO
Bibliopolis,
avec les contributions de
L'Agence, Jean-Claude Auger, Guy Calka,
Irène de Moucheron

Coordination
Brigitte Laurent, assistée de Vincent Auger,
Caroline Corvez, Delphine Crapart

Correction
Jean-Pierre Lacroux, Trudi Strub, Raymond Leroi, Anne Cantal,
Édith Lançon, Yolande Le Douarin, Hue Trinh Bâ, Catherine Chevalot,
Chantal Elisabeth, Dominique Montembault

Indexation
Jean-Pierre Lacroux, Tewfik Allal, Anne Cantal, Odile Berthemy,
Chantal Elisabeth, Valeria Ciezar, Astrid Galuska

Iconographie
Nathalie Bocher-Lenoir, Monique Trémeau,
Valérie Vidal, Marie Vorobieff

Dessins
Jacqueline Pajouès,
Gilles Alkan, Laurent Blondel, Denis Horvath, Dominique Petter,
François Poulain, Michel Saemann, Tom Sam You, Léonie Schlosser,
Patrick Taëron et Archives Larousse

Cartographie
CART pour les cartes de régions et pays,
Archives Larousse pour les autres cartes

Conception graphique de la reliure
Michel Delporte

Secrétariat Larousse
Marie-Thérèse Sobusiak

Direction de la production
Antoine Giard, Martine Toudert

Table des auteurs

1 - L'Univers et la Terre

L'Univers
Jean Matricon
Professeur de physique à l'université Paris-VII

La Terre
Yves Gautier
Docteur en sciences de la Terre

L'Homme et l'environnement
François Ramade
Professeur d'écologie et de zoologie à l'université Paris-XI (Paris-Sud) ; président de la Société française d'écologie ; membre d'honneur de l'UICN
Yves Gautier
Docteur en sciences de la Terre

2 - Le Monde vivant

Ensemble de la section
Paule Roch
Ingénieur en agronomie

Notions clés d'écologie, protection de la nature
François Ramade
Professeur d'écologie et de zoologie à l'université Paris-XI (Paris-Sud) ; président de la Société française d'écologie ; membre d'honneur de l'UICN

3 - L'Homme et sa santé

Ensemble de la section
Corinne Tutin
Docteur en médecine

4 - Les Sciences et les Techniques

Découvertes et inventions
Jean Matricon
Professeur de physique à l'université Paris-VII

Notions clés de mathématiques
Marcel Maarek
Maître de conférences de logique des mathématiques à l'université Paris-VIII (Saint-Denis)

Notions clés de physique
Jean Matricon
Professeur de physique à l'université Paris-VII

Notions clés de chimie
Isabelle Masson
Docteur ès-sciences

Notions clés d'informatique
Laurent Bloch
Directeur du Centre d'informatique de l'Institut Pasteur

Les Techniques aujourd'hui
Bernard Rolet
Ingénieur des arts et manufactures (École centrale de Paris) ; ingénieur-conseil

5 - L'Histoire du monde

De la préhistoire au Moyen Âge
Thierry Delcourt
Docteur ès-lettres ; archiviste paléographe

De la Renaissance aux Temps modernes
Fabrice Lascar
Ancien élève de l'École normale supérieure de Fontenay – Saint-Cloud ; agrégé d'histoire

XXe siècle
Camille Grand
Maître de conférences à l'Institut d'études politiques de Paris et à l'École spéciale militaire de Saint-Cyr

6 - Les Religions

Ensemble de la section
Michel Meslin
Professeur d'histoire des religions à l'université Paris-Sorbonne
Mireille Estivalèzes
Historienne et sociologue des religions

7 - Le Monde géopolitique

Régions et pays (ensemble du chapitre)
Camille Grand
Maître de conférences à l'Institut d'études politiques de Paris et à l'École spéciale militaire de Saint-Cyr

Régions et pays (XXe siècle)
Jean Savoye
Diplômé de l'Institut d'études politiques de Paris ; titulaire d'un DESS d'études stratégiques (université Paris-XIII) ; professeur à l'Institut catholique ; administrateur adjoint à l'Assemblée nationale

Organisations internationales
Thierry Tardy
Docteur en sciences politiques ; chargé de recherche à la Fondation pour la recherche stratégique ; maître de conférences à l'Institut d'études politiques de Paris

8 - La Vie économique

Notions clés d'économie
EMMANUEL COMBE
Docteur en sciences économiques ; maître de conférences à l'université Paris-XI
ÉTIENNE PFISTER
Chercheur en sciences économiques

Agriculture, élevage et pêche
JULIEN COLÉOU
Ingénieur agronome ; président fondateur du Centre d'étude et de recherche sur l'économie et l'organisation des productions animales ; professeur émérite

Énergies, industries et services
MICHEL GOUSSOT
Agrégé de géographie

9 - L'Homme en société

Ensemble de la section
JACQUES LAUTMAN
Professeur de sociologie générale à l'université de Provence

Langues et écritures
DOMINIQUE MAINGUENEAU
Docteur d'État en linguistique ; professeur de linguistique à l'université d'Amiens

Travail et société
LAURENCE COUTROT
Docteur en sociologie ; ingénieur de recherche au CNRS

Développement durable
FRANÇOIS RAMADE
Professeur d'écologie et de zoologie à l'université Paris-XI (Paris-Sud) ; président de la Société française d'écologie ; membre d'honneur de l'UICN

10 - Les Œuvres artistiques et littéraires

Conseil pour l'ensemble de la section
THIERI FOULC
Homme de lettres

Arts visuels
THIERI FOULC

Littérature
LAURENCE CAMPA
Maître de conférences de lettres et littérature française à l'université Paris-XII (Paris – Val-de-Marne – Créteil)
BARBARA PASCAREL
Docteur ès-lettres

Théâtre
GILLES COSTAZ
Critique théâtral

Musiques écrites et musiques traditionnelles
ALAIN GALLIARI
Musicologue

Jazz et chanson
DIDIER FOULC
Historien du jazz

Danse
MARIA-DANIELLA STROUTHOU
Historienne de la danse

Cinéma
JACQUES PINTURAULT
Historien du cinéma

11 - Les Sports, les Jeux et les Loisirs

Sports
PASCAL LOISEAU
Historien du sport

Jeux et loisirs
BRUNO MARESCA
Sociologue

Ont également collaboré à la rédaction du *Nouveau Mémo Larousse*

Luc Abbadie, Tewfik Allal, Sylvie Allemand-Baussier, Odile Berthemy, Marc Baudoux, Richard Beugné, Sophie Calvez, Anne Cantal, Valeria Ciezar, Florence Daniel, Michel Descaves, Renato Giovanella, Chantal Guéniot, Christine Jost, Joëlle Klotz, Jean-Pierre Lacroux, Yolande Le Douarin, Raymond Leroi, Stéphanie Ménasé, Didier Pemerle, Inès Piovesan, Laurent Palet, Patrick Pasques, Dominique Petitfaux, Guillaume Pô, Isabelle Repiton, Manon Robin, Olivier Razemon, Étienne Schelstraete, Trudi Strub, Nicolas Sauvage, Camille Scalabre, Florence Sebaoun.

Ont collaboré à la première édition de l'encyclopédie *Mémo*

Pierre Albert, Dominique Anglésio, Jean-Christophe Balouet, Thérèse Baranes, Jean-Jacques Barloy, Michèle Beaucourt, Nicole Belayche, Norbert Bellaiche, Marie-Claude Benattar-Arnold, Marcel Blanc, Marie-Claude Bonnichon, René Bureau, Jean de Butler, Éric Cachelot, Élisabeth Cazenave, Jean-Michel Clément, Jean-Michel Cohen, Philippe Coppé, Isabelle Cordonnier, Martine Couderc, Gérard Cuvelier, Christian Cuxac, Madeleine Delpierre, Michel Dousse, Bruno Drai, Hélène Eck, Éric-Alexandre Enkaoua, Gilles Feyel, Benoît France, Michel Gaud, Philippe Gentilhomme, Jean Gribenski, Pierre Grou, Michel de Guibert, Élisabeth Kohler, Philippe Lamarque, Nadeije Laneyrie-Dagen, Jean-Marc Langé, Nathalie Lecomte, Christian Mandel, Ysé Masquelier, Bruno Mathon, Caroline Mauriat, Michel Meslin, Maurice Meuleau, Catherine Mével, Patrick Mioulane, Claire Mouradian, Éric Nataf, Philippe Obadia, Jacques Pasqualini, Claude Poizot, Floriane Prévôt, Bernard Roux, Maurice Soustiel, Jean-Claude de Tymowsky, Nicolas Witkowski.

1 L'Univers et la Terre

Grâce à des outils d'observation et d'exploration de plus en plus performants, l'homme commence à prendre véritablement la mesure de l'Univers dans lequel il vit, de la dimension des différents jalons – système solaire, Galaxie, amas – qui s'étendent entre lui et les immenses structures qui tapissent l'extrême fond du ciel, ainsi que des vertigineuses ɿistances qui sont en jeu, dans le temps et dans l'espace.

.'homme décrypte aussi de mieux en mieux les forces qui animent la Terre et la transforment au fil des temps ɟéologiques. S'il n'en maîtrise pas les caprices, il s'efforce de les prévoir et d'en limiter les conséquences. Depuis ɔeu, enfin, s'apercevant que ses ɩctivités peuvent altérer dangeeusement la planète qui l'a vu ɩaître, il se pose la question des ɱesures à prendre.

◆ **La Terre vue depuis la Lune.**

Les constituants du système solaire

Une étoile et des astres

Le système solaire est formé d'une étoile, le Soleil, et de l'ensemble des astres, en particulier des planètes, qui gravitent autour. Les planètes circulent dans un disque d'environ 6 milliards de km de rayon, une distance que la lumière parcourt en moins de 6 heures. On suppose cependant qu'il existe une vaste concentration de comètes à des distances comprises entre 1 et 1,5 année-lumière. L'étoile la plus proche du système solaire, Proxima du Centaure, se trouve à une distance de 4,22 années-lumière.

Les planètes principales. En dehors du Soleil lui-même, le système solaire comprend neuf planètes principales, des milliers d'astéroïdes, des comètes, des météorites et des poussières interplanétaires. Les neuf planètes principales sont, de la plus proche du Soleil à la plus éloignée : Mercure, Vénus, la Terre, Mars, Jupiter, Saturne, Uranus, Neptune et Pluton. Elles se répartissent en deux familles :

1. près du Soleil, les planètes telluriques (Mercure, Vénus, la Terre, Mars), petites mais denses, dotées d'une croûte solide et qui ont profondément évolué depuis leur formation ;

2. plus loin du Soleil, les planètes géantes (Jupiter, Saturne, Uranus et Neptune), nettement plus massives et plus volumineuses, mais peu denses, et dont l'atmosphère, à base d'hydrogène et d'hélium, a gardé une composition très proche de celle de la nébuleuse dont elles sont issues. Pluton, encore mal connue, paraît s'apparenter aux planètes telluriques par ses dimensions et aux planètes géantes par sa densité.

La loi de Titius-Bode. Jusqu'à Uranus, les distances moyennes D des planètes au Soleil sont données approximativement (e astronomiques) par la relation : D = 0,4 avec *n* égal à – ∞ pour Mercure, à 0 pou à 1 pour la Terre, à 2 pour Mars, etc. Cett empirique, appelée loi de Titius-Bode, l place vacante entre Mars et Jupiter : occ la ceinture des astéroïdes, elle correspond à une planète avortée.

Petit lexiqu

astéroïde : objet céleste de petite taille (d compris entre 100 m et 100 km) appartenar tème solaire et dont l'orbite se situe génér entre celles de Mars et de Jupiter.

astre : nom générique de tout corps céleste

étoile : corps céleste émettant sa propre lu formé d'un objet unique.

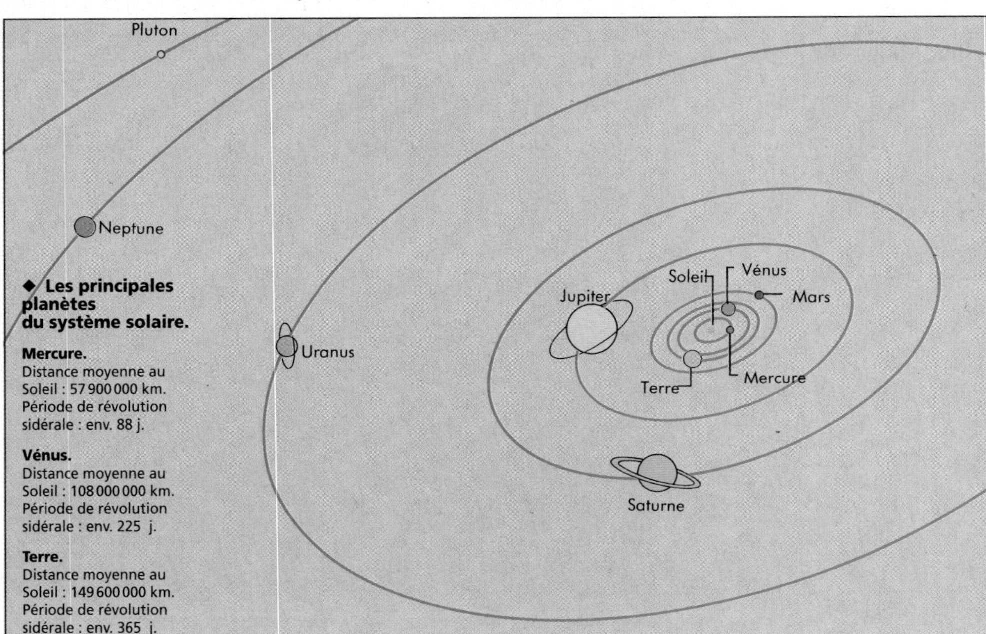

◆ **Les principales planètes du système solaire.**

Mercure. Distance moyenne au Soleil : 57 900 000 km. Période de révolution sidérale : env. 88 j.

Vénus. Distance moyenne au Soleil : 108 000 000 km. Période de révolution sidérale : env. 225 j.

Terre. Distance moyenne au Soleil : 149 600 000 km. Période de révolution sidérale : env. 365 j.

Mars. Distance moyenne a 228 000 000 km. Période de révolutio sidérale : env. 687 j.

Jupiter. Distance moyenne a 778 400 000 km. Période de révolutio sidérale : 11,8 ans.

Saturne. Distance moyenne a 1 427 000 000 km. Période de révolutio sidérale : 29,5 ans.

Uranus. Distance moyenne a 2 869 500 000 km. Période de révolutio sidérale : 84 ans.

Neptune. Distance moyenne a 4 497 000 000 km. Période de révolutio sidérale : 164,8 ans.

Pluton. Distance moyenne a 5 900 000 000 km. Période de révolutio sidérale : 248,4 ans.

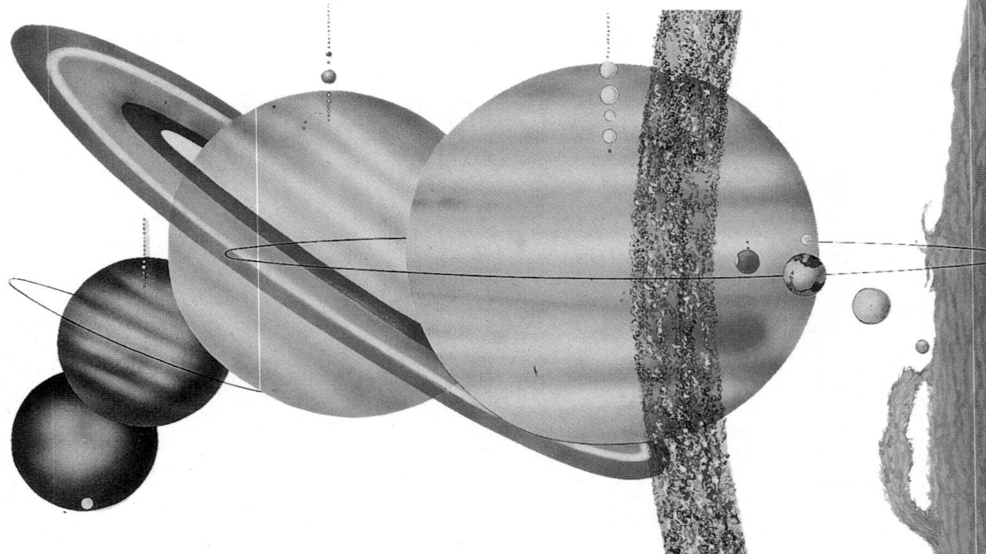

◆ **Dimension comparées des planètes.** Les planètes du s solaire sont toute représentées à la échelle, avec leur connus (pour les l'échelle n'est pa À partir du Soleil une portion appa à droite, on renc Mercure (env. 48 de diamètre), pu (env. 12 100 km), (env. 12 700 km) la Lune, Mars (er et ses 2 minuscul Jupiter (env. 140 et sa vingtaine d Saturne (env. 120 et sa vingtaine d Uranus (env. 51 0 et ses 15 satellite (env. 49 000 km) 8 satellites, enfin (env. 2 200 km), a de son satellite C

L'étoile Soleil

Une étoile ordinaire

Le rayon du Soleil est de 696 000 km environ; sa masse, évaluée à $2 \cdot 10^{30}$ kg, soit quelque 333 000 fois la masse de la Terre, est constituée d'hydrogène (73 %) et d'hélium (25 %); d'autres éléments, comme le carbone, l'oxygène, le fer, existent également mais en très faible quantité. La masse volumique moyenne est voisine de 1 400 kg/m³ mais, au centre de l'astre, la masse volumique effective est à peu près 100 fois plus forte tandis que, dans les régions superficielles, elle est au contraire 1 000 fois plus faible. Le Soleil rayonne avec une puissance d'environ $4 \cdot 10^{26}$ watts, ce qui correspond à la conversion de 600 millions de tonnes d'hydrogène en hélium chaque seconde. À ce rythme, l'astre, déjà âgé de 4,5 milliards d'années, dispose de réserves lui assurant encore une dizaine de milliards d'années de fonctionnement. Outre le rayonnement électromagnétique (lumineux et infrarouge), le Soleil émet un important flux de neutrinos, ainsi que des particules électriquement chargées formant le « vent solaire ».

Petit lexique

photosphère : couche superficielle lumineuse d'une étoile, en particulier du Soleil, d'où provient la quasi-totalité du rayonnement visible de l'astre.

plasma : état excité de la matière, formé d'un mélange d'atomes ionisés et d'électrons.

Protubérances et taches solaires

Dans l'intérieur du Soleil, tous les atomes sont ionisés et forment un plasma dont la circulation, dans la zone convective, crée des champs magnétiques qui interagissent avec les mouvements convectifs de façon complexe. Une des manifestations en est l'apparition de boucles de champ, sortes de tubes refermés sur eux-mêmes dans lesquels règne un champ magnétique intense, qui se déplacent et peuvent émerger dans la photosphère. Le plasma est moins dense et plus froid dans le tube qu'autour, ce qui fait apparaître les points d'émergence du tube comme des zones sombres, les taches solaires. Ces taches, surtout présentes dans les zones de faible latitude, sont entraînées par la rotation du Soleil, dont la période est de 27 jours dans la région équatoriale et de 32 jours aux pôles. Les lignes de champ qui émergent dans les taches se prolongent dans la couronne où le plasma qu'elles entraînent s'étale en arches gigantesques, s'élevant jusqu'à 100 000 km au-dessus de la surface. Ces traînées apparaissent comme des filaments sombres sur la photosphère, mais lors d'éclipses totales, on les voit s'étaler dans la couronne en protubérances. Si la boucle magnétique s'ouvre, le plasma n'est plus retenu et s'échappe, formant des jets qui alimentent le vent solaire.

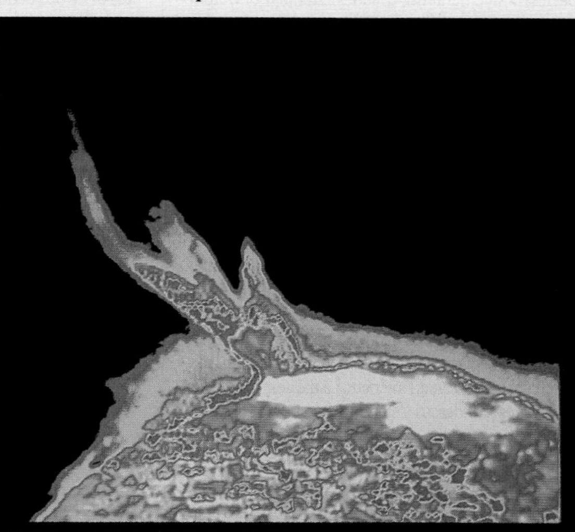

◆ **Protubérances solaires.**

◆ **La structure du Soleil.**

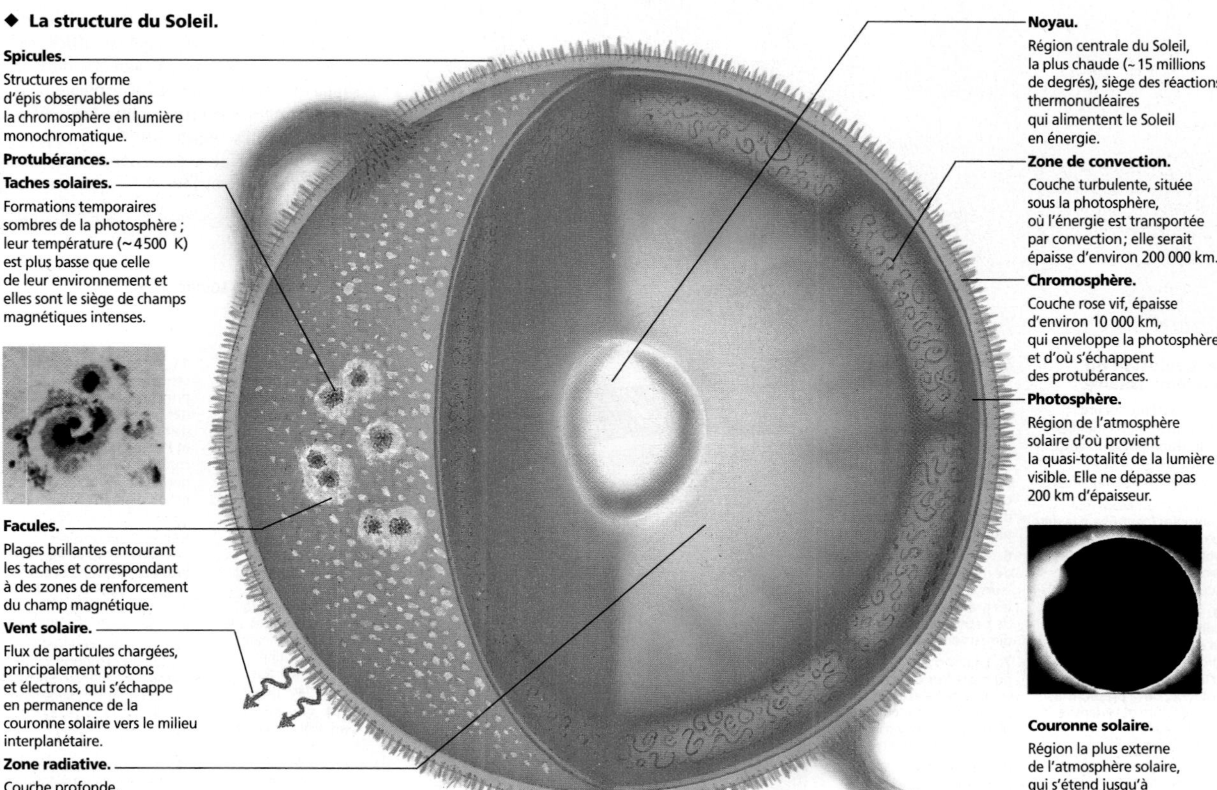

Au centre du Soleil

Les rayonnements électromagnétiques qui nous viennent du Soleil sont émis principalement dans la photosphère. Ils ne nous apprennent rien sur l'intérieur de l'étoile. Pour le connaître, les deux sources dont nous disposons sont les neutrinos et les oscillations. Ces dernières sont des modes vibratoires de l'ensemble du Soleil liés à la circulation d'ondes acoustiques qui se propagent dans les couches concentriques de gaz ionisés plus ou moins denses et se réfléchissent sur les zones séparant ces couches. On observe ces modes par les mouvements des couches externes qui vibrent et modulent par effet Doppler la lumière qu'elles émettent. Cette héliosismologie nous permet de construire un modèle du Soleil en couches distinctes jouant des rôles spécifiques dans le fonctionnement de la chaudière solaire.

Les réactions thermonucléaires, dont le bilan global est la fusion de quatre noyaux d'hydrogène pour donner un noyau d'hélium avec émission d'énergie sous forme de photons γ, de deux neutrinos et de deux positrons, se produisent dans le noyau. L'énergie progresse lentement à travers la couche radiative : chaque photon émis au centre est diffusé, absorbé et réémis par le plasma au cours de cette traversée qui dure un million d'années. La zone convective transporte l'énergie par des déplacements de matière, chaude vers l'extérieur, plus froide vers l'intérieur. Là naissent les modes vibratoires ; au-dessus s'étend l'atmosphère solaire.

L'activité solaire

On sait depuis le XVIIe siècle que le Soleil présente un aspect changeant au cours du temps : on voit apparaître puis disparaître à sa surface des ensembles de taches sombres et de facules claires qui subsistent quelques semaines ou mois. On observe également dans la couronne des filaments fluctuants qui, sur le bord du Soleil, apparaissent comme d'immenses boucles lumineuses, appelées protubérances. On voit parfois dans la chromosphère se développer des éruptions qui durent une vingtaine de minutes, et au cours desquelles de grandes quantités d'énergie sous forme de rayonnements X et γ, ainsi que des électrons et des protons sont émis dans l'espace.

On sait depuis le siècle dernier que l'abondance des taches obéit à une loi cyclique d'une période apparente de 11 ans, la vraie période étant en réalité double, soit 22 ans. Cette périodicité se manifeste par des époques d'accalmie, où le nombre de taches est faible, et des époques d'activité, où les taches, les filaments et les éruptions sont nombreux. Les flux intenses de photons X et de particules chargées qui accompagnent les éruptions quittent le Soleil et voyagent dans l'espace. Quand ils atteignent la Terre, ils interagissent avec l'atmosphère terrestre en modifiant l'ionisation de la haute atmosphère, ce qui peut avoir de graves conséquences sur les radiocommunications. Les particules chargées sont canalisées vers les régions polaires par le champ terrestre et donnent naissance à des aurores boréales.

Les archives d'observations solaires montrent que même d'un cycle à l'autre, le nombre de taches et l'activité générale peuvent fluctuer de façon importante. Il est avéré qu'aucune tache n'a été visible pendant 50 ans à la fin du XVIIe siècle. Bien que le climat sur Terre ait été particulièrement froid durant cette période, il n'existe actuellement aucune preuve que l'activité solaire agisse sur le climat terrestre.

Le mystère des neutrinos solaires

Du fait qu'ils n'interagissent pratiquement pas avec la matière, les neutrinos produits en abondance dans le noyau du Soleil arrivent à sa surface, puis se propagent dans l'espace sans altération. Connaissant le flux énergétique total du Soleil, on en déduit la cadence des réactions de fusion nucléaire, donc le taux de neutrinos produits, et on s'attend par conséquent à recevoir sur terre un flux de neutrinos traduisant exactement, en nombre et en énergie, les conditions des réactions dont ils sont issus.

On a donc construit en 1968 aux États-Unis un réacteur permettant, grâce à la transmutation, lors de la capture d'un neutrino, d'atomes de chlore en atomes d'argon radioactif, de mesurer le flux de neutrinos venant du Soleil, dans une gamme d'énergie bien définie. Bien que le nombre d'événements détectés soit très faible, le comptage sur plusieurs années a été formel : le nombre de neutrinos reçus est le tiers de ce qu'on attendait. Une expérience similaire, mais avec un détecteur utilisant la conversion du gallium en germanium, a été entreprise à la fin des années 1980 au Gran Sasso en Italie. Bien que n'ayant pas le même spectre que le détecteur au chlore, le détecteur Gallex a donné le même résultat. Il n'existe pas actuellement d'explication de ce déficit.

On peut remettre en cause les modèles de fonctionnement solaire, ce qui est difficile car ils sont très cohérents par ailleurs, ou bien supposer que ce défaut traduit le phénomène d'oscillation des neutrinos entre leurs différentes familles (neutrinos électroniques, muoniques et tauiques. Ce serait alors une preuve que les neutrinos ont une masse.

VOIR AUSSI • **Énergie solaire** p. 363

◆ **Le vent solaire.**
Les lignes de champ du champ magnétique solaire peuvent former des boucles qui se referment dans la chromosphère où elles emprisonnent un tube de plasma. Parfois, la boucle s'ouvre et les lignes se reconnectent au champ magnétique solaire global. Le plasma est alors violemment éjecté, constituant ainsi le vent solaire.

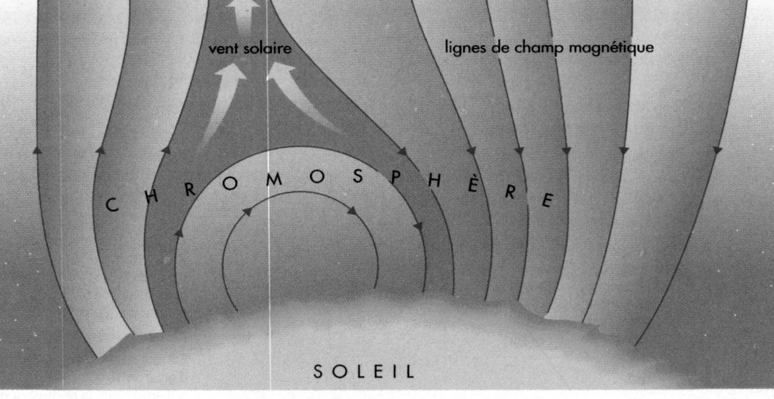

◆ **Évolution du système solaire.**

1. Le système solaire est vraisemblablement issu d'un fragment d'un vaste nuage de gaz et de poussières interstellaires.

2. Pour des raisons mal comprises (peut-être à la suite de l'explosion de supernovae voisines), cette nébuleuse a commencé à s'effondrer sous son propre poids.

3. Sous l'effet de sa contraction gravitationnelle, la nébuleuse a pris progressivement la forme d'un disque aplati en rotation, où la pression, la température et la densité augmentaient du bord vers le centre.

4. Il y a 4,6 milliards d'années, le Soleil s'est condensé dans la partie centrale de la nébuleuse, la plus chaude et la plus dense.

5. Après l'« allumage » des réactions nucléaires au cœur du Soleil, sa luminosité diminua et le disque de matière qui l'entourait se refroidit. Son environnement gazeux se solidifia en grains constitués, près du Soleil, d'éléments réfractaires et, plus loin, de glaces diverses.

6. Par accrétion progressive de matière, sous l'effet de leurs collisions mutuelles, les grains engendrèrent de petits planétoïdes de dimensions kilométriques.

7. La poursuite du processus d'accrétion collisionnelle aboutit à la formation d'embryons planétaires d'environ 1 000 km de diamètre.

8. Les embryons planétaires, par leurs interactions gravitationnelles mutuelles, ont achevé leur croissance et donné naissance aux planètes. L'ensemble du processus de formation des planètes s'est déroulé sur quelque 100 millions d'années.

9. Dans 5 milliards d'années environ, le Soleil aura épuisé ses réserves d'hydrogène et changera de structure. Tout en se contractant au centre, deviendra beaucoup plus volumineux avec une température de surface plus basse.

10. Lorsque sa température centrale dépassera 100 millions de degrés, le Soleil commencera à brûler son hélium. Ce sera alors une géante rouge, au rayon 50 fois plus grand qu'aujourd'hui, et la Terre sera une fournaise.

11. Quand ses régions centrales seront principalement composées des produits de fusion de l'hélium, le carbone et l'oxygène, le Soleil connaîtra une nouvelle période d'instabilité, et son diamètre oscillera.

12. Lorsqu'il aura épuisé tout son combustible nucléaire, le Soleil éjectera brutalement son enveloppe, et cette coquille de gaz en expansion engendrera une nébuleuse planétaire.

13. Le noyau résiduel du Soleil s'effondrera pour former une naine blanche, petite étoile très dense de la taille de la Terre, ayant une température de surface d'environ 10 000 K.s

14. Le rayonnement de la naine blanche déclinera peu à peu et celle-ci se transformera finalement en une naine noire, très froide et inobservable.

Les planètes et leurs satellites

Des planètes grosses et petites

Parmi les planètes principales du système solaire, les cinq les plus proches de la Terre (Mercure, Vénus, Mars, Jupiter, Saturne) sont visibles à l'œil nu et observées depuis l'Antiquité. Les trois plus lointaines ont été découvertes au télescope : Uranus en 1781, Neptune en 1846 (à la suite de calculs) et Pluton en 1930. Malgré leur extrême diversité, elles partagent un certain nombre de caractéristiques qui traduisent leur origine commune : elles décrivent des orbites presque circulaires (sauf Mercure et Pluton) dans le même sens autour du Soleil, et les plans de ces orbites sont voisins, sauf pour Pluton dont l'orbite fait un angle de 17° avec l'écliptique (plan de l'orbite terrestre). Leur diversité provient de leur composition chimique – qui diffère énormément selon qu'il s'agit de planètes telluriques ou de planètes géantes –, de l'existence et de la nature d'une atmosphère, mais aussi de leur bilan énergétique, dans lequel le Soleil joue un rôle d'autant plus faible qu'elles en sont plus éloignées.

◆ **Jupiter.**
Un monde géant d'hydrogène et d'hélium, en rotation rapide. Sa masse représente plus de 300 fois celle de la Terre.

Des mondes différents

Les deux planètes extrêmes du système solaire, Mercure et Pluton, ont sensiblement le même diamètre, mais la puissance moyenne que reçoit Mercure du Soleil est 10 000 fois celle que reçoit Pluton. Les températures qui règnent à la surface des planètes dépendent du flux d'énergie solaire, de l'existence et de la nature de leur atmosphère, et de l'apport de leur propre chaleur interne. Les durées des « jours » et des « nuits » dépendent de la période de rotation propre des planètes, mais aussi de l'orientation de leur axe polaire par rapport à l'écliptique : elles vont de 5 heures pour Jupiter à 42 ans pour Uranus. Les observations des sondes spatiales ont révélé que même pour des objets soumis à des conditions comparables, comme les satellites galiléens de Jupiter, les aspects de leurs surfaces sont extrêmement différents, allant du bouillonnement volcanique d'Io à l'univers minéral glacé et statique de Callisto.

◆ **Vénus.**
La sœur jumelle de la Terre, devenue un esnfer par suite de son épaisse atmosphère de gaz carbonique et de la plus grande proximité du Soleil.

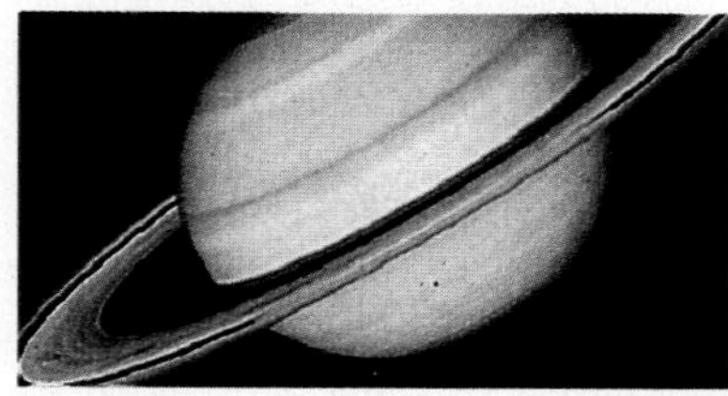

◆ **Saturne.**
Un autre géant entouré d'une nappe de débris glacés, structurés en un impressionnant système d'anneaux.

VOIR AUSSI
Illustrations
• **Découverte de Neptune** p. 287

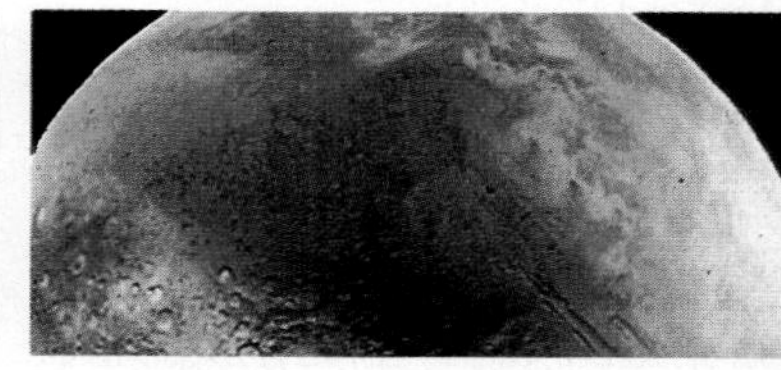

◆ **Mars.**
La planète rouge, jadis siège d'un volcanisme intense et sur laquelle de l'eau paraît avoir coulé. L'homme ira l'explorer.

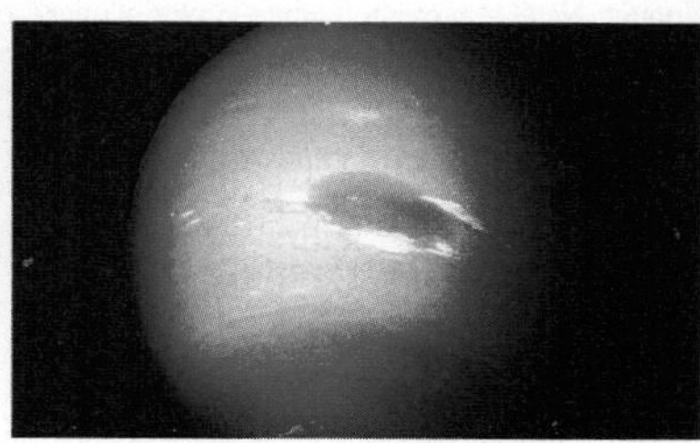

◆ **Neptune.**
La plus lointaine des planètes géantes, découverte par le calcul en 1846, et survolée en 1989 par une sonde spatiale.

◆ **Caractéristiques des planètes du système solaire.**

	Mercure ☿	Vénus ♀	Terre ♁	Mars ♂
Caractéristiques orbitales				
Révolution sidérale	87,95 j	224,70 j	365,26 j	686,98 j
Révolution synodique	115,88 j	583,92 j	–	779,94 j
Distance moyenne au Soleil (ua)	0,387	0,723	1,0	1,524
Distance moyenne au Soleil (millions de km)	57,90	108,2	149,6	227,99
Distance max.-min. à la Terre (millions de km)	80-219	42-257	-	50-380
Excentricité de l'orbite	0,2056	0,0068	0,0167	0,0934
Inclinaison de l'écliptique	7° 00′	3° 24′	0°	1° 51′
Vitesse orbitale (km/s)	48	35	30	24
Caractéristiques physiques				
Période de rotation	59 j	243 j (rétr.)	23 h 56 min	24 h 37 min
Aplatissement	0,0	0,0	0,003353	0,005
Rayon équatorial (km)	2 439	6 052	6 378,14	3 397,2
Rayon apparent max.-min.	6″,5-2″,5	32″-5″	-	12″,5-1″,7
Masse rapportée à celle de la Terre	0,0553	0,815	1,00	0,1074
Densité moyenne	5,4	5,2	5,52	3,97
Température moyenne diurne au sol	400 °C	470 °C	20 °C	0 °C
Champ magnétique (gammas)	350	0	35 000	0
Nombre de satellites connus	0	0	1	2

	Jupiter ♃	Saturne ♄	Uranus ⛢	Neptune ♆	Pluton ♇
Caractéristiques orbitales					
Révolution sidérale	11,86 ans	29,46 ans	84,01 ans	164,79 ans	248,4 ans
Révolution synodique	398,88 j	378,09 j	369,66 j	367,49 j	366,74 j
Distance moyenne au Soleil (ua)	5,203	9,539	19,18	30,07	39,44
Distance moyenne au Soleil (millions de km)	778,37	1 427,0	2 869,5	4 497,0	5 900
Distance max.-min. à la Terre (millions de km)	590-965	1 200-1 650	2 700-3 100	4 347-4 647	5 700-6 100
Excentricité de l'orbite	0,0485	0,0556	0,0472	0,0086	0,25
Inclinaison de l'écliptique	1° 18′	2° 29′	0° 46′	1° 46′	17° 10′
Vitesse orbitale (km/s)	13	10	7	5	5
Caractéristiques physiques					
Période de rotation	9 h 55 min	10 h 24 min	17 h 14 min	16 h 07 min	6 j 9 h 18 min
Aplatissement	0,062	0,096	0,06	0,02	?
Rayon équatorial (km)	71 398	60 330	25 600	24 800	~ 1 150
Rayon apparent max.-min.	25″-16″	10″-7″	1,8″	1″	< 1″
Masse rapportée à celle de la Terre	317,892	95,168	14,559	17,617	0,17
Densité moyenne	1,33	0,69	1,27	1,64	?
Température moyenne diurne au sol	– 103 °C	– 138 °C	– 218 °C	– 224 °C	– 200 °C
Champ magnétique (gammas)	420 000	20 000	25 000	10 000	?
Nombre de satellites connus	≃ 20	≃ 20	15	8	1

Les satellites naturels

On connaît aujourd'hui une soixantaine de satellites planétaires naturels dans le système solaire : 1 autour de la Terre (la Lune), 2 autour de Mars, une vingtaine autour de Jupiter, une vingtaine autour de Saturne, une vingtaine autour d'Uranus, 8 autour de Neptune et 1 autour de Pluton ; 27 ont été découverts sur des photographies obtenues par des sondes spatiales. Le plus gros, Ganymède, autour de Jupiter, a 5276 km de diamètre ; les plus petits ne sont que des rochers d'environ 10 km. Le plus proche de sa planète mère est Phobos, qui tourne à 9380 km de Mars ; le plus éloigné, Sinope, qui circule, en moyenne, à 23 725 000 km de Jupiter. Néréide présente l'orbite la plus allongée : en 360 jours, sa distance à Neptune varie de 140000 km à 9 500 000 km. Io (3 632 km de diamètre), l'un des principaux satellites de Jupiter, est le siège de volcans : on y a décelé une centaine de cheminées volcaniques, parmi lesquelles au moins 8 volcans en activité, d'où s'échappent des panaches d'anhydride sulfureux à des altitudes atteignant jusqu'à 280 km. Miranda (480 km de diamètre), autour d'Uranus, présente le relief le plus accidenté. Les satellites sont en général beaucoup plus petits que les planètes autour desquelles ils orbitent, à deux exceptions près, le couple Terre-Lune et le couple Pluton-Charon.

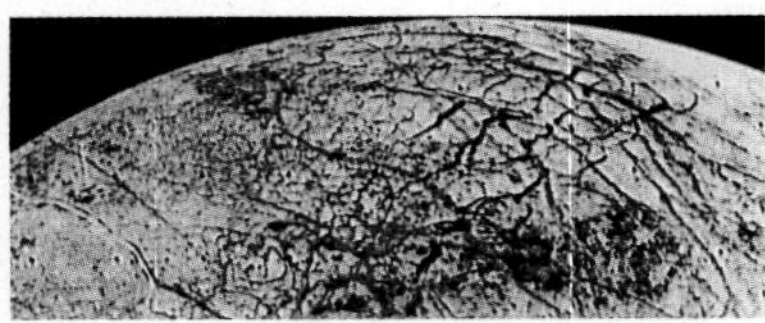

◆ **Europe.** Ce satellite de Jupiter, un peu plus petit que la Lune, est un monde de glace à la surface exceptionnellement lisse, striée de fractures.

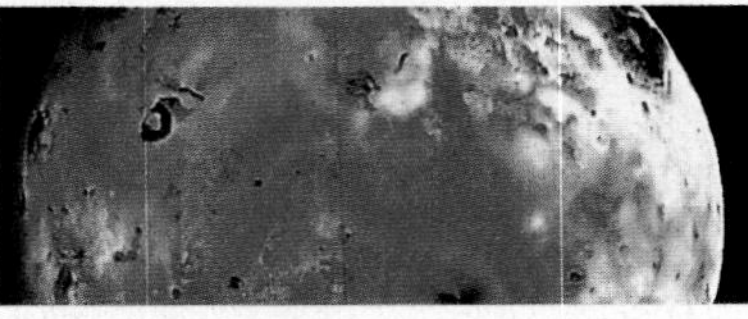

◆ **Io.** Autre satellite de Jupiter, de même dimension que la Lune, il est le siège d'un volcanisme actif.

La Lune, notre première voisine

Satellite naturel de la Terre, la Lune tourne, en moyenne, à 384 400 km de notre planète (356 375 km au plus près, 406 720 km au plus loin), à une vitesse d'environ 3 700 km/h.

La Lune en chiffres. Son diamètre moyen est de 3476 km (0,27 fois le diamètre équatorial de la Terre). Sa masse est estimée au 1/81 de celle de la Terre et sa densité à 3,34. L'accélération de la pesanteur à l'équateur n'y dépasse pas 1,627 m/s², de sorte que les corps, à sa surface, paraissent environ 6 fois plus légers que sur la Terre. Sa rotation par rapport aux étoiles (révolution sidérale) s'effectue en 27 j 7 h 43 min 11,5 s, mais il lui faut en moyenne 29 j 12 h 44 min 2,8 s (révolution synodique) pour revenir dans la même position par rapport au couple Soleil-Terre, cette durée correspondant au cycle des phases lunaires (lunaisons).

La Lune est animée d'un mouvement de rotation sur elle-même dont la période est exactement égale à la révolution sidérale ; en conséquence, elle nous présente toujours la même face. Elle n'émet aucune lumière par elle-même, mais réfléchit celle du Soleil et dans une moindre mesure celle de la Terre (lumière cendrée).

Le relief lunaire. On distingue principalement sur la Lune :
– des mers, vastes étendues planes, sombres, constituées de roches basaltiques et généralement bordées de montagnes ; les premiers observateurs, au XVIIe s., les avaient prises pour des étendues d'eau, d'où leur nom ; certaines, au contour irrégulier, se ramifient en golfes, caps, lacs ou marais ;
– des continents, régions claires, montagneuses et saturées de cratères ; les plus hautes montagnes (monts Leibniz) culminent à 8 200 m ;
– des cratères (ou cirques pour les plus vastes, bordés de remparts montagneux), dépressions circulaires ou polygonales creusées par des météorites ; le plus grand (Bailly) a 270 km de diamètre ; le plus profond (Newton), 7 250 m de profondeur, les plus petits discernables de la Terre, environ 1 km de diamètre.

Privée d'atmosphère, la Lune est soumise en permanence à l'action des météorites qui viennent percuter contre sa surface et érodent ses reliefs.

◆ **Cratères lunaires.** Ce document provient de la mission Apollo 16 (21-27 avril 1972), au cours de laquelle les astronautes américains Duke et Young sont restés 76 heures sur le sol lunaire. Durant cette mission, ils ont effectué trois excursions sur la surface de la Lune, parcourant ainsi 26 km en 20 h 14 min à bord de leur « jeep lunaire » (*lunar roving vehicle*), que l'on aperçoit derrière le cratère. Les cratères d'impacts météoritiques constituent l'un des traits majeurs du relief lunaire.

◆ **Les satellites naturels des planètes.**

Nom	N°	Année de découverte	Diamètre (km)
Terre			
Lune			3476
Mars			
Phobos	I	1877	27 x 21 x 19
Deimos	II	1877	15 x 12 x 11
Jupiter *			
Métis	XVI	1979	~40
Adrascée	XV	1979	~40
Amalthée	V	1892	270 x 170 x 150
Thébé	XIV	1979	~80
Io	I	1610	3 632
Europe	II	1610	3 126
Ganymède	III	1610	5 276
Callisto	IV	1610	4 820
Leda	XIII	1974	~10
Himalia	VI	1904	180
Lysithea	X	1938	~20
Elara	VII	1905	~80
Ananke	XII	1951	~20
Carme	XI	1938	~30
Pasiphae	VIII	1908	~40
Sinope	IX	1914	~10
Saturne *			
1981 S13	XVIII	1990	~20
Atlas	XV	1980	20 x 40
Prométhée	XVI	1980	140 x 100 x 80
Pandore	XVII	1980	110 x 90 x 70
Épiméthée	XI	1980	140 x 120 x 100
Janus	X	1966	220 x 200 x 160
Mimas	I	1789	390
Encelade	II	1789	510
Calypso	XIV	1980	34 x 22 x 22
Téthys	III	1684	1 060
Telesto	XIII	1980	34 x 28 x 26
Dioné	IV	1684	1 120
Hélène	XII	1980	36 x 32 x 30
Rhéa	V	1672	1 530
Titan	VI	1655	5 150
Hypérion	VII	1848	410 x 260 x 220
Japet	VIII	1671	1460
Phœbé	IX	1898	220
Uranus *			
Cordelia	VI	1986	~40
Ophélia	VII	1986	~50
Bianca	VIII	1986	~50
Cressida	IX	1986	~60
Desdémona	X	1986	~60
Juliet.	XI	1986	~80
Portia	XII	1986	~80
Rosalind	XIII	1986	~60
Belinda	XIV	1986	~60
Puck	XV	1985	~170
Miranda	V	1948	480
Ariel	I	1851	1 160
Umbriel	II	1851	1 190
Titania	III	1787	1 580
Obéron	IV	1787	1 526
Neptune			
Naïade		1989	50
Thalassa		1989	80
Despina		1989	180
Galatée		1989	150
Larissa		1989	190
Protée		1989	400
Triton	I	1848	2 705
Néréide	II	1949	340
Pluton			
Charon	I	1978	1 200

* Ne sont mentionnés ici que les principaux satellites.

Les éclipses

Le mouvement de la Lune autour de la Terre permet d'observer périodiquement des éclipses de Lune et de Soleil. Une éclipse de Lune se produit lorsque la Lune traverse l'ombre de la Terre ; elle peut être totale ou partielle et survient toujours à la pleine lune. Une éclipse de Soleil se produit lorsque la Lune occulte le Soleil dans le ciel ; les diamètres apparents des deux astres sont très voisins (environ 32′), celui de la Lune variant en fonction de la distance Terre-Lune. L'éclipse peut donc être totale, partielle ou annulaire et survient toujours à la nouvelle lune. Les éclipses de Soleil et de Lune se reproduisent identiquement au terme d'un cycle de 18 ans et 10, 11 ou 12 jours, appelé saros, durant lequel se produisent, en moyenne, 84 éclipses (42 de Lune et 42 de Soleil). À la différence d'une éclipse de Lune, une éclipse de Soleil n'est observable que dans une zone relativement restreinte de la surface terrestre ; en un lieu donné, il est donc plus rare d'en être témoin.

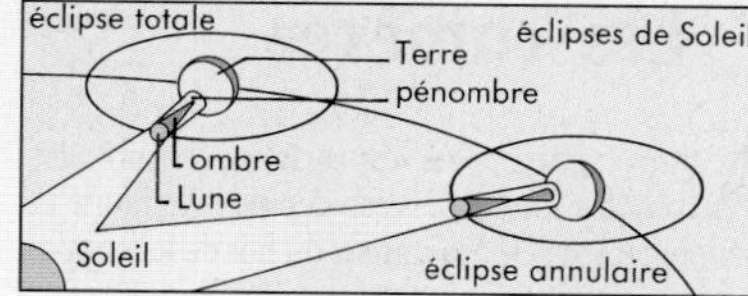

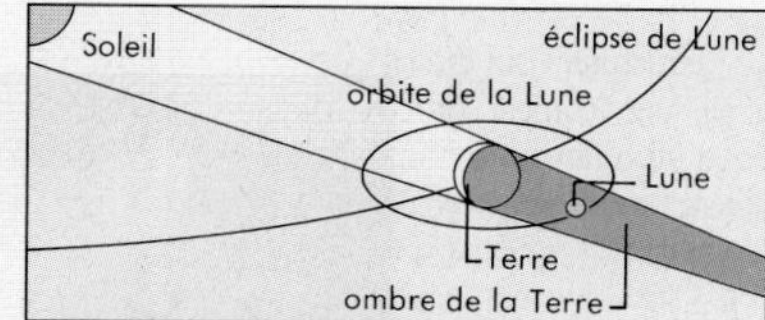

◆ **Éclipses de Soleil et de Lune.**

◆ **Les différents types d'éclipses de Soleil.**

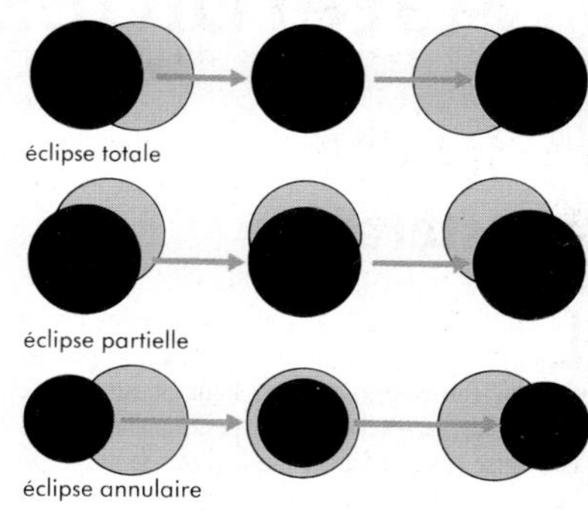

◆ **Les prochaines éclipses totales de Soleil.**

Date	Lieu d'observation	Durée
21 juin 2001	sud de l'Afrique et Madagascar	4 min 56 s
14 déc. 2002	Afrique du Sud, Australie	2 min 4 s
23 nov. 2003	Antarctique	1 min 57 s
29 mars 2006	Nigeria, Libye, Turquie, Russie	4 min 7 s
1er août 2008	Sibérie, Alaska, Groenland	2 min 28 s
22 juill. 2009	sud de l'Asie, Népal	6 min 40 s

◆ **Une lunaison.**
De haut en bas :
nouvelle lune (invisible), premier quartier, lune gibbeuse, pleine lune, dernier quartier, dernier croissant.
Au premier quartier, on voit l'équivalent de la partie supérieure d'un p (initiale de premier) ; au dernier quartier, l'équivalent de la partie inférieure d'un d (initiale de dernier).

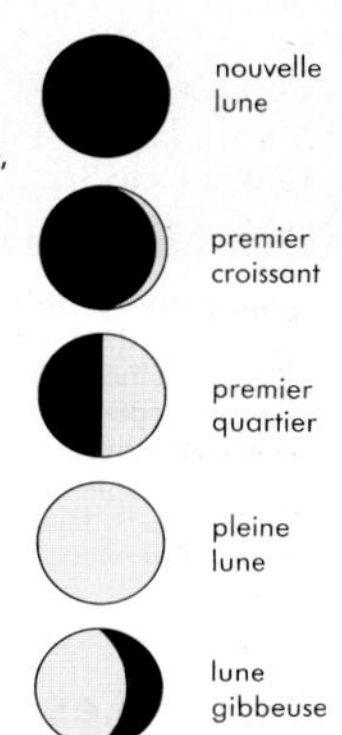

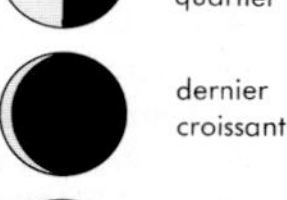

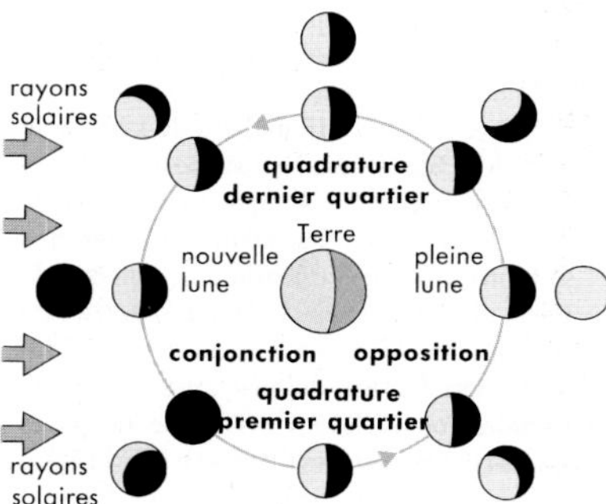

◆ **Le cycle des phases lunaires.**
Les phases de la Lune se reproduisent au terme d'un cycle de 29,5 j (lunaison, ou mois lunaire). Celui-ci débute à la nouvelle lune : située dans la direction du Soleil, la Lune tourne vers nous sa face obscure et est invisible. Puis apparaît, le soir, un fin croissant qui s'épaissit de jour en jour. Au premier quartier, la Lune est en quadrature avec le Soleil. On voit la moitié droite de son hémisphère éclairé et elle se couche à minuit. Sa phase augmente encore (lune gibbeuse) jusqu'à la pleine lune. La Lune se trouve alors à l'opposé du Soleil et brille toute la nuit en nous montrant la totalité de sa face éclairée. Ensuite, sa phase décroît. Au dernier quartier, on voit la moitié gauche de son hémisphère éclairé et elle se lève à minuit. Puis sa portion visible se réduit à un croissant qui finit par disparaître.

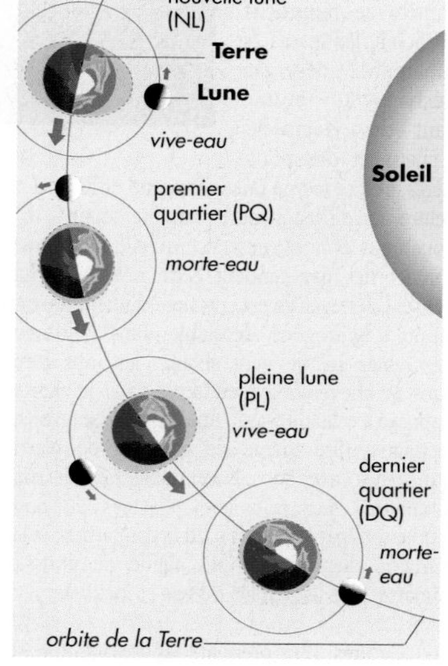

◆ **Le phénomène des marées.**
Soumise à l'attraction simultanée de la Terre, de la Lune et du Soleil, la surface des océans se déforme et présente un renflement qui se déplace en suivant la direction de la Lune. L'existence d'un second renflement à l'opposé de celui qui suit la Lune s'explique par le fait que la force de gravitation exercée par la Lune, qui décroît avec la distance, est plus grande sur la face de la Terre dirigée vers la Lune que sur la face opposée. Cette différence d'attraction est donc, pour la face opposée à la Lune, l'équivalent d'une répulsion. L'effet du Soleil se traduit par une modulation de l'amplitude de marée au cours du cycle lunaire.

◆ **Les prochaines éclipses de Lune.**

Date	Lieu d'observation	Type
21 janv. 2000	France, Amérique	totale
16 juill. 2000	Australie, Pacifique	totale
9 janv. 2001	Europe, Afrique, Asie	totale
5 juill. 2001	Australie	partielle
16 mai 2003	Amérique du Sud	totale
9 nov. 2003	Europe	totale
4 mai 2004	Europe centrale	totale
28 oct. 2004	France, Amérique	totale
17 oct. 2005	Pacifique	partielle
7 sept. 2006	Europe centrale	partielle
3 mars 2007	France	totale
28 août 2007	Pacifique	totale
21 févr. 2008	France, Amérique	totale

Ce tableau ne contient pas les éclipses par la pénombre.

VOIR AUSSI • **La lune d'après Galilée** p. 267

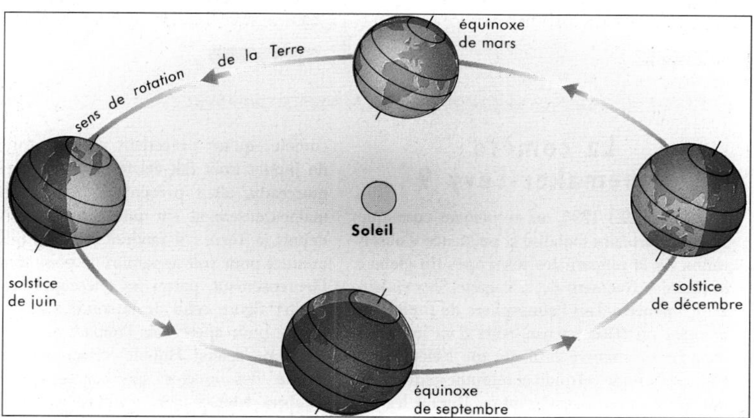

◆ **Le principe des saisons.**
La division de l'année en saisons résulte de l'inclinaison (23° 26′) de l'axe de rotation de la Terre par rapport à son plan de translation autour du Soleil. Au solstice de juin, l'hémisphère Nord connaît les jours les plus longs ; au solstice de décembre, c'est l'hémisphère Sud. Aux équinoxes (mars et septembre), le Soleil se trouve exactement dans le plan de l'équateur : en tout point du globe, la durée du jour est égale à celle de la nuit.

Astéroïdes, comètes et météorites

400 000 astéroïdes

Le 1er janvier 1801, à Palerme, Giuseppe Piazzi eut la surprise de découvrir dans la constellation du Taureau un astre ne figurant sur aucune carte et qui se révéla être une petite planète circulant entre Mars et Jupiter à une distance moyenne de 414 millions de kilomètres du Soleil, avec une période de révolution de 1 680 jours. Mais cette petite planète, qui fut nommée Cérès, n'était pas unique. Dans les années suivantes, on découvrit successivement Pallas (1802), Junon (1804), Vesta (1807) et Astrée (1845). Depuis 1848, il ne s'est pas passé d'année sans nouvelle découverte. Actuellement, plus de 5 000 astéroïdes ont reçu un nom et plusieurs milliers attendent que l'on ait pu calculer leurs éléments orbitaux. Enfin, des milliers d'autres restent probablement à découvrir : on estime à 400 000 environ le nombre d'objets circulant entre Mars et Jupiter dont le diamètre est supérieur à 1 km. La plus grosse de ces petites planètes, Cérès, a moins de 1 000 km de diamètre, et la masse totale de matière observée dans la ceinture d'astéroïdes est évaluée à 3,8 milliards de milliards de tonnes, soit environ 1/1 600 de la masse de la Terre.

De dangereux voyageurs. La plupart des petites planètes se concentrent entre l'orbite de Mars et celle de Jupiter, à une distance moyenne du Soleil comprise entre 2,17 et 3,3 unités astronomiques. Toutefois certains astéroïdes s'écartent notablement de cette zone. Leurs orbites, très excentriques, leur valent de s'approcher périodiquement de la Terre, de Vénus, voire de Mercure. Parmi ceux qui peuvent ainsi frôler la Terre (*earth-grazers* ou *earth-grazing asteroids*, en abrégé EGA), on distingue :

– les astéroïdes du type Apollo (ou *earth-crossers*), dont le périhélie est situé à l'intérieur de l'orbite terrestre et dont l'orbite coupe donc celle de la Terre ;

– les astéroïdes du type Amor, dont le périhélie est situé légèrement à l'extérieur de l'orbite terrestre et qui peuvent s'approcher fortement de la Terre lors de leur retour au périhélie ;

– les astéroïdes du type Aten, qui circulent essentiellement à l'intérieur de l'orbite terrestre. Le 30 oct. 1937, Hermès, un petit astéroïde du type Apollo, de 800 m environ de diamètre, est passé à moins de 800 000 km de la Terre (soit 2 fois seulement la distance à la Lune).

Les comètes

Autres petits corps du système solaire, les comètes sont observées depuis l'Antiquité et ont longtemps semé la terreur du fait de leur apparition soudaine et de leur aspect insolite.

Structure. Loin du Soleil, une comète se réduit à un noyau irrégulier, de dimensions kilométriques, en rotation sur lui-même, constitué d'un mélange de glaces, de fragments rocheux et de poussières. Lorsque la comète se rapproche du Soleil, les glaces se subliment ; des gaz s'échappent, entraînant des fragments rocheux et des poussières, et il se forme une nébulosité diffuse, la chevelure. La diffusion de la lumière solaire par les poussières et la fluorescence qu'elle provoque au contact des gaz rendent cette nébulosité lumineuse. La chevelure est entourée d'une vaste enveloppe d'hydrogène décelable dans l'ultraviolet. Repoussés par le vent solaire, les ions formés dans la chevelure engendrent, dans la direction opposée à celle du Soleil, une longue queue bleutée rectiligne, dite queue de gaz (ou de plasma), qui peut s'étirer sur des centaines de millions de kilomètres. Les poussières éjectées du noyau, repoussées par la pression du rayonnement solaire, forment elles-mêmes une queue de poussières jaunâtre, plus large, plus diffuse et incurvée.

Orbites. En première approximation, une comète décrit une conique (ellipse, parabole ou hyperbole) autour du Soleil. En fait, les orbites sont perturbées par l'action gravitationnelle des planètes massives et par des forces non gravitationnelles.

Nombre. Plus de 1 200 apparitions de comètes ont été recensées depuis l'Antiquité, représentant moins de 1 000 comètes distinctes, et l'on découvre ou retrouve chaque année une vingtaine de comètes. Mais il en existerait près de mille milliards, réparties dans un vaste halo, aux confins du système solaire.

Petit lexique

météorite : objet naturel provenant de l'espace et atteignant la Terre. Les plus petits se volatilisent dans la haute athmosphère (étoiles filantes).

perihélie : point de l'orbite d'une planète ou d'une comète le plus proche du Soleil (contr. aphélie).

◆ **La comète Hale-Bopp.**
Cette comète a été magnifiquement visible durant le printemps 1997. On distingue ici la queue de poussières, blanche et légèrement arquée, et la queue ionique, bleutée et rectiligne. L'activité exceptionnelle de cette comète a permis de faire d'importantes découvertes sur la nature, l'origine et le fonctionnement des comètes. Son prochain retour est prévu dans 2 400 ans.

La comète Shoemaker-Levy 9.

Le 16 juillet 1994, un événement cosmique spectaculaire mobilise la puissance d'observation de la plupart des télescopes du globe : le premier fragment de la comète Shoemaker-Levy 9 pénètre dans l'atmosphère de Jupiter en donnant un flash intense, suivi d'un immense panache de matière brûlante qui s'élève dans l'atmosphère, se refroidit et retombe en formant une sorte de croissant sombre. Durant les six jours suivants, 20 autres fragments suivent le même chemin et donnent des spectacles comparables. Depuis 14 mois, on savait que cette comète, qu'un précédent passage trop près de Jupiter avait fait éclater en un chapelet de morceaux, allait percuter la planète géante, malheureusement sur une partie non visible depuis la Terre : il faudrait attendre quelques minutes pour voir apparaître le point d'impact. Heureusement, parmi les télescopes rivés sur Jupiter figure celui de la sonde Galileo, bien placée pour apercevoir l'impact en direct. Le télescope spatial Hubble, récemment réparé, donne des images saisissantes des traces sombres laissées dans l'atmosphère jovienne. Les résultats sont à la hauteur des espérances et la moisson d'informations obtenues tant sur la comète que sur Jupiter est considérable.

Les traqueurs de comètes

La plus célèbre des comètes périodiques est la comète de Halley. Elle porte le nom de l'astronome britannique Edmond Halley, le premier qui reconnut son caractère périodique et calcula son orbite (en 1705). Circulant entre 88 et 5300 millions de kilomètres du Soleil, elle revient près du Soleil tous les 75 à 79 ans et a été observée à chacun de ses retours depuis 240 av. J.-C.

Nettement moins spectaculaire, la comète d'Encke est la comète dont la période de révolution est la plus courte : 3,3 ans. Elle circule entre 51 et 615 millions de kilomètres du Soleil. Elle a reçu le nom de l'astronome allemand Johann Encke, qui, en 1818, reconnut son caractère périodique et détermina son orbite. Autre célébrité, la comète de Biéla, découverte en 1826 par l'Autrichien Wilhelm von Biela, s'est fragmentée en 1846 a engendré l'essaim de météorites des Andromédides (ou Biélides), à l'origine de pluies specta-culaires d'étoiles filantes en 1872 et 1885.

Parmi les découvreurs de comètes les plus illustres, on peut encore citer le Français Charles Messier (1730-1817 ; 16 comètes découvertes, plus de 40 observées), surnommé «le Furet des comètes» par Louis XV ; le Français Jean-Louis Pons (1761-1831 ; 37 comètes découvertes), surnommé «l'Aimant des comètes» ; l'Allemand Wilhelm Tempel (1811-1889 ; 17 comètes découvertes) ; l'Américain Edward Emerson Barnard (1857-1923 ; 19 comètes découvertes) ; l'Australien William Bradfield (13 comètes découvertes jusqu'en 1989).

Récemment, l'équipe formée de Carolyn et Gene Shoemaker et de David Levy s'est illustrée grâce à la 9e comète de leur palmarès, l'illustre Shoemaker-Levy 9.

Les météorites

On divise les météorites en trois grandes classes : les sidérites, qui contiennent principalement du fer et du nickel, mélangés à de petites quantités de minéraux ; les météorites pierreuses, composées surtout de silicates ; les sidérolithes (ou lithosidérites), contenant en quantités à peu près égales du fer-nickel et des silicates. Les météorites pierreuses se divisent en chondrites et achondrites, suivant qu'elles contiennent ou non des chondres, petites inclusions sphériques de silicates inconnues dans les roches terrestres.

Des fragments rocheux terrestres projetés dans l'atmosphère lors de l'impact d'une grosse météorite retomberaient parfois très loin du point d'impact, formant des tectites.

Quelle qu'en soit leur composition, les météorites représentent des échantillons de la matière primitive à partir de laquelle s'est formé le système solaire. En effet, des méthodes précises de datation, reposant sur l'évolution isotopique d'éléments radioactifs, permettent de conclure que la formation des météorites a eu lieu il y a 4,55 milliards d'années, ce qui concorde avec l'âge présumé du Soleil et des planètes.

Chutes célèbres de météorites

Lorsqu'elles explosent dans l'atmosphère, les grosses météorites peuvent engendrer des pluies de fragments comme à L'Aigle (Orne) le 26 avril 1803 (2000 à 3000 météorites recueillies dans une zone de 11 km sur 4, la plus grosse pesant 9 kg) ; à Knyahinya (Ukraine) le 9 juin 1866 (500 kg de fragments récupérés, dont un de 293 kg) ; entre Pultusk et Ostrolenka (Pologne) le 30 janvier 1868 (plus de 200 fragments de plus de 1 kg recueillis) ; dans la région de Mocs, près de Cluj (Roumanie), le 3 février 1882 (près de 300 kg récupérés) ; près de Holbrook (Arizona) le 19 juillet 1912 (210 kg récupérés) ; à Sikhote-Alin (Sibérie orientale) le 12 février 1947 (plus de 20 t de débris récupérés sur une aire de 50 km² avec un fragment majeur de 1,7 t) ; enfin, à Kirin (Chine) le 8 mars 1976 (plus de 4 t de débris récupérés avec un fragment majeur de 1,77 t).

◆ Caractéristiques des principaux essaims de météorites connus.

Nom	Comète d'origine	Période d'activité	Date*	Coordonnées** ascension droite	déclinaison
Quadrantides	Kozik-Peltier	1/01 au 4/01	3 janv.	15 h 28 min	+50°
Lyrides	Thatcher	19/04 au 24/04	21 avr.	18 h 08 min	+32°
η Aquarides	Halley	1/05 au 8/05	4 mai	22 h 24 min	0°
Ariétides		29/05 au 19/06	7 juin	3 h 00 min	+23°
ζ Perséides		1/06 au 17/06	9 juin	4 h 08 min	+24°
β Taurides	Encke	24/06 au 2/07	28 juin	5 h 48 min	+20°
δ Aquarides S		21/07 au 15/08	29 juill.	22 h 36 min	–17°
δ Aquarides		15/07 au 18/08	29 juill.	22 h 36 min	0°
α Capricornides	Mrkos	15/07 au 20/08	1er août	20 h 32 min	–10°
ι Aquarides S		15/07 au 25/08	5 août	22 h 32 min	–15°
ι Aquarides		15/07 au 25/08	5 août	22 h 04 min	–6°
Perséides	Swift-Tuttle	22/07 au 18/08	12 août	3 h 04 min	+58°
κ Cygnides		18/08 au 22/08	20 août	19 h 20 min	+55°
Giacobinides (ou Draconides)	Giacobini-Zinner	9/10 au 10/10	9 oct.	16 h 08 min	+54°
Orionides	Halley	18/10 au 26/10	20 oct.	6 h 24 min	+15°
Taurides S	Encke	15/09 au 15/12	5 nov.	3 h 44 min	+14°
Taurides	Encke	15/10 au 30/11	10 nov.	3 h 44 min	+22°
Léonides	Tempel	14/11 au 20/11	16 nov.	10 h 08 min	+22°
Géminides		7/12 au 15/12	13 déc.	7 h 28 min	+32°
Ursides	Tuttle	17/12 au 24/12	22 déc.	14 h 28 min	+78°

* approximative du maximum.
** équatoriales moyennes du point radian (1950).

◆ Cratères météoritiques certains à la surface de la Terre.

Site	Latitude	Longitude	Nombre de cratères	Diamètre*	Année de découverte
Meteor Crater, Barringer, Arizona (É.-U.)	35° 02′ N	111° 01′ O	1	1200	1891
Wolf Creek (Australie)	19° 10′ S	127° 47′ E	1	850	1937
Boxhole (Australie)	22° 37′ S	135° 12′ E	1	185	1937
Odessa, Texas (É.-U.)	31° 48′ N	102° 30′ O	3	168	1921
Henbury (Australie)	24° 34′ S	133° 10′ E	14	150	1931
Kaalijärvi (Estonie)	58° 24′ N	22° 40′ E	7	110	1928
Morasko (Pologne)	52° 29′ N	16° 54′ E	7	100	
Wabar (Arabie saoudite)	21° 30′ N	50° 28′ E	2	97	1932
Campo del Cielo (Argentine)	27° 38′ S	61° 42′ O	20	90	1923
Sobolev, Sibérie (Russie)	46° 18′ N	137° 52′ E	1	51	
Sikhote Alin, Sibérie (Russie)	46° 07′ N	134° 40′ O	122	26,5	1947
Dalgaranga (Australie)	27° 43′ S	117° 05′ E	1	21	1923
Haviland, Kansas (É.-U.)	37° 37′ N	99° 05′ O	1	11	1933

* du cratère principal (m).
Source : R.A.F. Grieve et P.B. Robertson, 1978.

◆ Le Meteor Crater.
Le plus grand cratère météoritique connu sur la Terre est le Meteor Crater, dans l'Arizona. Découvert en 1891, il a 1200 m de diamètre et 180 m de profondeur. Il aurait été creusé il y a quelque 50000 ans par une météorite dont le diamètre était de l'ordre de 25 m et la masse d'environ 65000 t. La surface de la Terre, à la différence de celle d'astres comme Mercure ou la Lune, est rapidement remodelée par le volcanisme et l'érosion et ne conserve que des vestiges d'impacts assez récents à l'échelle géologique.

◆ Les plus grosses météorites retrouvées.

Lieu	Masse (t)	Année de découverte
Hoba (Afrique du Sud)	60	1920
Ahnighito, Cape York (Groenland)	36	1895
Chingo (Chine)	30	?
Bacubirito (Mexique)	27	1863
Mbosi (Tanganyika)	25	1930
Armanty (Mongolie)	20	?
Agpalilik (Groenland)	17	1963
Willamette (Oregon, É.-U.)	15	1902
Chapaderos (Mexique)	14	1852
Otumpa (Argentine)	13,6	1783
Mundrabilla (Australie)	12	1966
Morito (Mexique)	11	1600

Un saupoudrage permanent

On estime qu'il tombe chaque année sur la Terre près de 200000 météorites, représentant environ 10000 tonnes de matière cosmique. Les très petites particules, inférieures à 0,1 mm, sont très vite ralenties dans l'atmosphère et finissent par atteindre le sol. Les particules dont la taille est comprise entre 0,1 mm et quelques centimètres se volatilisent complètement dans l'atmosphère, donnant des « étoiles filantes ». Seules les particules plus grosses que quelques centimètres arrivent jusqu'au sol, fortement dégradées par la chaleur. Les météorites encore plus grosses explosent avant d'arriver au sol et donnent lieu à des pluies de fragments. Contrairement à ce qui se passe sur la Lune, l'érosion fait disparaître les cratères. Néanmoins, il subsiste des traces de cratères anciens, dont plus de 400 ont été identifiés, par observation à partir de satellites, puis par identification minéralogique. Depuis 500 millions d'années, la masse de la Terre aurait augmenté de 1/100000 (soit près de 6 millions de milliards de tonnes) grâce à l'apport de matière météoritique.

VOIR AUSSI
• **Premiers astéroïdes** p. 279
Illustrations
• **Comète de Halley** p. 275

La Galaxie et ses constituants

La stucture de la Galaxie

Le Soleil est l'une des 200 milliards d'étoiles rassemblées dans une immense agglomération d'étoiles et de matière interstellaire : la Galaxie, dont la cohésion est assurée par la gravitation.

En première approximation, on peut voir la Galaxie comme un disque très aplati dont le diamètre est voisin de 100000 années-lumière, dont l'épaisseur est à peu près uniforme, et dont le centre est occupé par une grosse boursouflure (15000 années-lumière), appelée bulbe. Pour nous, le centre est situé vers la constellation du Sagittaire. Le Soleil se situe à 28000 années-lumière du centre et légèrement au nord du plan moyen, l'épaisseur du disque au niveau du Soleil étant d'environ 3 000 années-lumière. La concentration diminue quand on se rapproche des bords du disque.

Le disque comprend environ 70 % de la masse totale de la Galaxie ; il contient des étoiles d'âges et de masses variés, et toute la matière interstellaire. Cette dernière et les étoiles les plus jeunes sont réparties le long de bras spiraux dans un disque d'épaisseur très faible, de l'ordre de 200 années-lumière. Les étoiles plus vieilles et les nébuleuses planétaires, moins concentrées dans le disque galactique se répartissent dans une épaisseur moyenne de l'ordre de 700 à 1 000 années-lumière.

Le bulbe contient une très faible proportion de gaz ; il est pour l'essentiel constitué d'étoiles vieilles riches en métaux, et d'étoiles de population II. La répartition du gaz interstellaire, révélée par les observations radioastronomiques de l'hydrogène neutre à 21 cm de longueur d'onde et du monoxyde de carbone, indique une structure complexe et d'importants mouvements d'expansion du gaz à partir du centre galactique, avec en particulier une concentration en anneau à environ 10 000 années-lumière du centre. La région centrale, la plus dense, est appelée noyau. Le centre même de la Galaxie coïncide avec une radiosource compacte, Sagittarius A, d'un diamètre inférieur à 20 fois la distance Terre-Soleil. C'est aussi une source de rayons X et d'infrarouge.

Le halo est essentiellement peuplé d'étoiles âgées de population II réparties dans les amas globulaires. Certaines observations récentes donnent à penser qu'il y a également une large couronne gazeuse autour du disque.

Un cœur énigmatique

À 28000 années-lumière du Soleil, dans la direction de la constellation du Sagittaire se trouve le cœur de la Galaxie, caché à la vue par d'épais nuages de poussières. Cependant, l'observation en infrarouge et en radioastronomie, dans des domaines de longueur d'onde qui traversent les poussières, montre une zone extrêmement active. Celle-ci, formée d'un disque de matière dont le plan ne coïncide pas avec le plan galactique, contient en son centre une source infrarouge et radio intense, et elle est flanquée de structures filamentaires évoquant des jets perpendiculaires au plan du disque. Avec une meilleure résolution, cette source centrale fort brillante s'est révélée formée d'une concentration très élevée d'étoiles, dont certaines brillent cent mille fois plus que le Soleil. Une telle concentration de matière laisse supposer en son centre l'existence d'un trou noir supermassif qui happerait la matière qui l'entoure en dégageant un énorme flux d'énergie. L'observation dans les domaines X et γ confirme bien l'existence de ce flux intense.

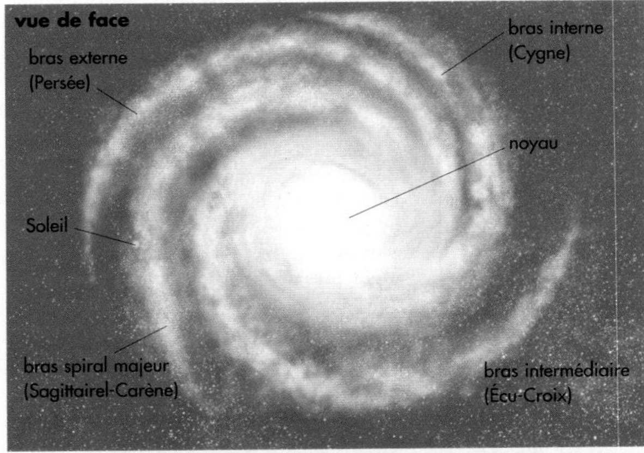

◆ **Vues schématiques de la Galaxie.** Déduite d'observations essentiellement radioastronomiques, cette carte schématique de notre Galaxie montre l'existence de quatre bras principaux enroulés autour d'un bulbe. Le système solaire est situé légèrement à l'extérieur du bras Sagittaire-Carène. Vue en coupe, la Galaxie, dont ce que nous voyons depuis la Terre constitue la Voie lactée, est représentée barrée par une large traînée sombre, composée de poussières qui arrêtent la lumière. L'épaisseur croît progressivement de la périphérie vers le centre : celle du bulbe central atteint environ 15 000 années-lumière.

La rotation de la Galaxie

La matière du disque galactique est animée d'un mouvement de rotation qui s'exerce autour du centre sur un axe perpendiculaire au disque. Cette rotation d'ensemble ne s'effectue pas comme celle d'un corps solide : il s'agit d'une rotation différentielle qui peut être caractérisée par une courbe donnant la vitesse de rotation en fonction de la distance au centre. Dans les régions centrales, à moins de 2000 années-lumière du centre, cette vitesse reste proportionnelle à la distance au centre, ce qui traduit une rotation semblable à celle d'un corps solide. Plus loin du centre, la vitesse augmente, passe par un maximum (voisin de 250 km par seconde) puis diminue constamment.

Le Soleil et le système solaire décrivent dans la Galaxie une trajectoire circulaire avec une vitesse d'environ 250 km/s ; il leur faut environ 240 millions d'années pour effectuer un tour complet : depuis sa naissance, le Soleil a dû effectuer une vingtaine de tours. En plus de ce mouvement d'ensemble, le Soleil a, par rapport aux étoiles de son voisinage, un mouvement particulier. Celui-ci s'effectue à une vitesse de 19,6 km/s dans une direction du ciel appelée apex, située dans la constellation d'Hercule.

VOIR AUSSI
• **Année-lumière** p. 13 (Les distances stellaires)
• **Galaxies** p. 16

◆ **Matière interstellaire.** Une nébuleuse avec des zones brillantes d'hydrogène ionisé et des zones obscures d'hydrogène neutre et de poussières.

◆ **Un amas globulaire.** Des centaines de milliers de très vieilles étoiles se concentrent dans l'amas M 13 d'Hercule, à 25000 années-lumière.

◆ **Un berceau d'étoiles.** Des étoiles viennent de naître, d'autres sont en cours de formation dans cette région de la Galaxie.

◆ **Un amas stellaire ouvert.** La « Boîte à bijoux », dans la constellation de la Croix du Sud, est un amas de jeunes étoiles à 6800 années-lumière.

La matière interstellaire

Constituée de gaz diffus et de poussières, la matière interstellaire est répartie en nuages plus ou moins denses entre les étoiles. Le gaz interstellaire neutre diffus se manifeste par des raies d'absorption dans le spectre des étoiles, observées dans le visible et dans l'ultraviolet.

Les constituants. En plus de l'hydrogène, qui en est le principal constituant (90 %), les nuages de gaz interstellaire contiennent des atomes neutres (calcium, potassium, sodium), des ions (calcium, fer, titane) et quelques molécules (CN, CH^+, CH, H_2, CO, OH, C_2). L'hydrogène se manifeste par l'émission de la raie à 21 cm de longueur d'onde, détectée pour la première fois en 1951. Ce gaz interstellaire neutre diffus est très dilué (un atome par centimètre cube environ, soit une masse volumique de l'ordre de 10^{-24} g/cm^3) et très froid (de quelques kelvins à 100 K).

Depuis l'avènement de la radioastronomie, de très nombreuses molécules ont été détectées dans le milieu interstellaire neutre et froid. En 1989, une soixantaine de molécules interstellaires, dont certaines très complexes (jusqu'à 13 atomes), sont déjà connues. Toutes sont construites à partir des éléments fondamentaux : hydrogène, oxygène, carbone, azote. Elles se trouvent dans des nuages particulièrement denses, appelés nuages denses moléculaires. La concentration de cette matière y dépasse plusieurs centaines de molécules par centimètre cube, et sa masse est de l'ordre de 10 000 fois la masse du Soleil. C'est au sein de ces régions que se forment les étoiles.

Le gaz interstellaire situé à proximité des étoiles chaudes est ionisé et se manifeste sous forme de nébuleuses brillantes (ou régions H II) à des températures de quelques milliers de degrés.

Des observations récentes ont mis en évidence une autre composante du milieu interstellaire, répartie entre les nuages et appelée milieu interstellaire internuage. Il s'agit d'un gaz chaud (température de l'ordre de 1 000 K), mais encore neutre.

Les poussières interstellaires. Quant aux poussières interstellaires, dans les régions où elles sont particulièrement abondantes, elles forment des nuages absorbants, appelés nébuleuses obscures, qui masquent les astres situés derrière. D'une façon générale, elles provoquent l'absorption et le rougissement de la lumière des étoiles ainsi qu'une diffusion et une polarisation de cette lumière.

De nouvelles planètes

Depuis longtemps, les astronomes pensent qu'il existe de nombreux systèmes planétaires comparables au système solaire, mais aucune preuve n'avait pu en être donnée jusqu'en 1995. Bien que la détection directe de planètes gravitant autour d'une étoile soit encore hors de portée des instruments actuels, on découvrit cette année-là que l'étoile 51 Pegasi présentait un déplacement Doppler périodique de la fréquence de ses raies spectrales, tradui-sant un mouvement de va-et-vient par rapport à nous que seul un mouvement orbital couplé à celui d'une planète géante très proche pouvait expliquer.

Depuis lors, plusieurs autres systèmes planétaires ont été mis en évidence par la même méthode, mais toujours pour des planètes de masse comparable à Jupiter, ayant des orbites du même ordre que l'orbite terrestre. La mise en service prochaine de télescopes à haute résolution permet d'espérer qu'une observation directe de planètes géantes deviendra possible, et, dans un avenir plus lointain, celle de planètes comparables en masse, à la Terre.

VOIR AUSSI
- **Trou noir** p. 12
- **Parsec** p. 13

Illustrations
- **Diagramme de Hertzsprung-Russell** p. 13

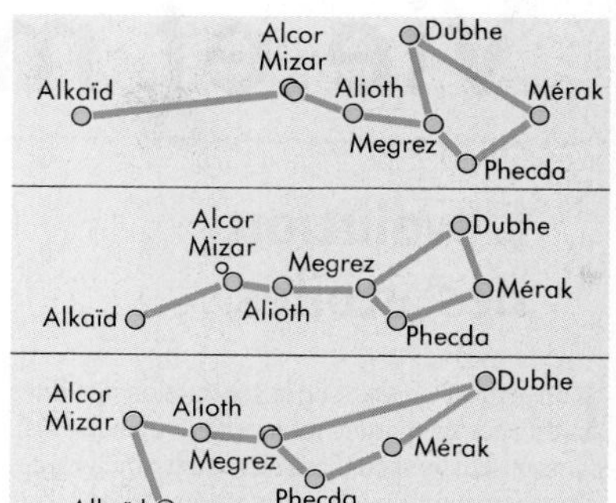

◆ **Le mouvement propre des étoiles.** Toutes les étoiles sont animées d'un mouvement qui les fait se déplacer sur la sphère céleste : de ce fait, les constellations se déforment lentement au cours du temps. Ce dessin montre l'aspect de la figure formée par les sept étoiles brillantes de la Grande Ourse il y a 100 000 ans (en haut), aujourd'hui (au centre) et dans 100 000 ans (en bas). Le ciel que voyait l'homme préhistorique était quelque peu différent de celui que nous observons.

Éclat et magnitude

L'éclat d'un astre peut être caractérisé par un nombre, appelé magnitude de l'astre. Si deux astres ont respectivement pour éclat E et E_0, leurs magnitudes apparentes sont liées par la relation : $m - m_v^0 = -2{,}512 \log E_0/E$. Plus un astre est brillant, plus sa magnitude est faible. À une différence de 1 magnitude entre deux astres correspond un rapport d'éclat de 2,512 ; à une différence de *n* magnitudes, un rapport d'éclat de $(2{,}512)^n$. L'œil nu permet de discerner les astres jusqu'à la magnitude 6 (près de 6 000 étoiles pour l'ensemble du ciel).

La magnitude apparente d'un astre dépend non seulement de sa luminosité intrinsèque, mais aussi de sa distance. Pour pouvoir comparer la luminosité des astres, on considère la magnitude qui les caractériserait s'ils se trouvaient à une distance uniforme de 10 parsecs (magnitude absolue). En mesurant l'éclat apparent d'un astre dont on connaît l'éclat absolu (par référence à son type stellaire), on peut calculer sa distance.

Luminosité et dimensions

D'après leur luminosité, on distingue trois grandes familles d'étoiles : les supergéantes (10 000 fois la luminosité du Soleil), les géantes (100 fois la luminosité du Soleil) et les naines (luminosité comparable ou inférieure à celle du Soleil). À ces différences de luminosité correspondent des différences de dimensions. Les étoiles les plus volumineuses sont les supergéantes rouges (environ 1 000 fois le rayon du Soleil) et les géantes rouges (environ 100 fois le rayon du Soleil). Les naines regroupent aussi bien les étoiles de la séquence principale du diagramme de Hertzsprung-Russell, comme le Soleil (environ 700 000 km de rayon), que les naines blanches (environ 5 000 km de rayon) et les étoiles à neutrons (environ 10 km de rayon).

La plus grosse étoile connue est ε du Cocher, dont le diamètre atteint 2 700 fois celui du Soleil : si elle se trouvait au centre du système solaire, elle engloberait toutes les planètes jusqu'à Saturne.

◆ **Principaux types spectraux des étoiles.**

Type spectral	Couleur	Température	Caractéristiques spectrales	Exemples
O	bleu	> 30 000 K	raies de l'hélium ionisé et neutre, du carbone doublement ionisé, du silicium triplement ionisé, raies de l'hydrogène faibles	λ Orion
B	bleu	10 000 à 30 000 K	raies de l'hélium neutre, du silicium simplement et doublement ionisé, de l'oxygène et du magnésium ionisés, raies de l'hydrogène plus intenses qu'en O	Rigel Spica Deneb
A	bleu	7 500 à 10 000 K	raies de l'hydrogène et du calcium ionisé intenses	Sirius Véga
F	bleu à blanc	6 000 à 7 500 K	nombreuses raies de métaux neutres ou ionisés une fois, raies de l'hydrogène moins intenses	Canopus Procyon
G	blanc à jaune	5 000 à 6 000 K	raies dominantes intenses de métaux neutres	le Soleil Capella
K	orange à rouge	3 500 à 5 000 K	raies de métaux neutres et bandes moléculaires	Arcturus Aldébaran
M	rouge	< 3 500 K	raies de métaux neutres et bandes moléculaires	Bételgeuse Antarès

Vie et mort des étoiles

L'évolution des étoiles

Les étoiles naissent de la contraction de vastes nuages de matière interstellaire (nébuleuses). Lorsque leur température s'élève suffisamment, des réactions thermonucléaires s'amorcent dans leurs régions centrales et leur permettent de rayonner. Pendant la majeure partie de leur vie, elles tirent leur énergie de la transformation d'hydrogène en hélium (c'est le cas du Soleil actuel). Il s'agit d'une phase d'équilibre, où la pression due au rayonnement de l'énergie libérée par les réactions nucléaires compense exactement la pression gravitationnelle. Une fois l'hydrogène du cœur épuisé, les étoiles subissent, sous l'effet de leur propre gravitation, une série de contractions, durant lesquelles elles s'échauffent, ce qui permet l'allumage de nouvelles réactions de fusion nucléaire, mettant en jeu des atomes de plus en plus lourds. La phase ultime, qui fait suite à l'épuisement du combustible, dépend de la masse initiale de l'étoile.

Géantes rouges et naines blanches. Les étoiles de faible masse (inférieure à quelques masses solaires), devenues géantes et rouges, projettent dans l'espace leur enveloppe externe, tandis que leur cœur, relativement dense (pour une masse voisine de celle du Soleil, leur rayon est comparable à celui de la Terre), devient une « naine blanche » qui se refroidit progressivement. Certaines étoiles, en explosant, deviennent soudainement et temporairement beaucoup plus brillantes. Elles semblent ainsi constituer des étoiles nouvelles : les « novas » deviennent de 10 000 à 100 000 fois plus brillantes avant de reprendre leur éclat initial en quelques mois ou années. Ce sont des naines blanches dont les couches superficielles explosent. Cette explosion fait suite à l'accrétion de la matière d'une géante proche, avec laquelle la naine blanche forme une étoile double serrée. La matière libérée par l'explosion forme autour de l'étoile une bulle de gaz en expansion, appelée nébuleuse planétaire.

Supernovae et trous noirs. Les étoiles massives (plus de 10 masses solaires) parcourent les étapes précédentes très rapidement, et leur effondrement final s'accompagne de l'expulsion explosive de leur enveloppe. Ces « supernovae » deviennent alors de 10 à 100 milliards de fois plus brillantes que le Soleil, avant de décliner inexorablement. Seul subsiste le cœur très dense de l'étoile, qui se contracte ensuite pour donner une étoile à neutrons ou un trou noir. La matière éjectée lors de l'explosion forme une nébuleuse en expansion (reste de supernova), qui se disperse progressivement, comme la nébuleuse du Crabe, issue de la supernova observée en 1054 par les Chinois dans la constellation du Taureau.

La théorie prévoit que le stade ultime de l'évolution des étoiles massives (4 fois la masse du Soleil) doit être un trou noir, résultant de la contraction gravitationnelle indéfinie de la masse stellaire. De tels objets doivent leur nom au fait que leur champ de gravitation est si intense que rien, pas même la lumière, ne peut en sortir. Bien que non décelable par son rayonnement, un trou noir peut être détecté indirectement par les effets gravitationnels et électromagnétiques qu'il exerce sur des astres voisins. C'est ainsi que l'analyse du mouvement périodique de certaines étoiles a révélé quelques spécimens de systèmes binaires dont l'une des composantes serait un trou noir. Le cas le plus convaincant est celui de la source X appelée « Cygnus X-1 », découverte en 1965.

◆ **Des étoiles en gestation.** Ces nuages sombres qui se détachent sur le fond stellaire de la Voie lactée sont des embryons d'étoiles en contraction, opaques à la lumière parce que riches en poussières.

◆ **Nébuleuse typique.** Ce vaste complexe d'hydrogène et de poussières interstellaires, entouré d'un halo d'étoiles jeunes, se trouve à 4 500 années-lumière environ dans la direction du centre galactique.

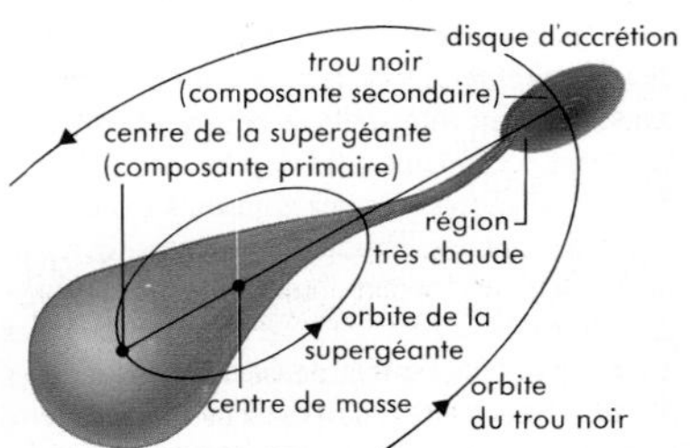

◆ **Binaire avec trou noir.**

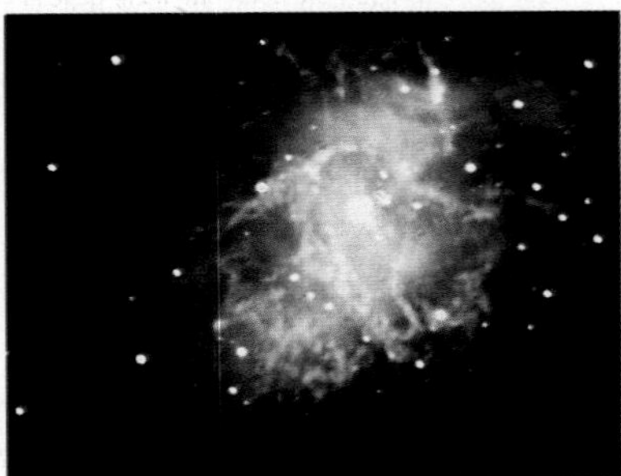

◆ **Reste de supernova : la nébuleuse du Crabe.**

Les pulsars

Les étoiles à neutrons sont de petites étoiles (~ 10 km de rayon), extrêmement denses (10^{11} kg/cm³), constituées essentiellement de matière dégénérée réduite à un gaz de neutrons. Les pulsars, découverts en 1967, caractérisés par des émissions très brèves de rayonnement dans le domaine radio se reproduisant suivant des périodes extrêmement régulières (de 1,5 milliseconde à 4 secondes), sont des étoiles à neutrons en rotation rapide, dotées d'un champ magnétique intense (un milliard de teslas). Des électrons, arrachés de la surface de l'étoile, sont piégés par les lignes de champ et émettent un rayonnement, confiné dans un faisceau étroit, qui balaie l'espace à la manière d'un phare tournant. Certains pulsars sont des systèmes binaires dont le ralentissement traduit l'émission d'ondes gravitationnelles.

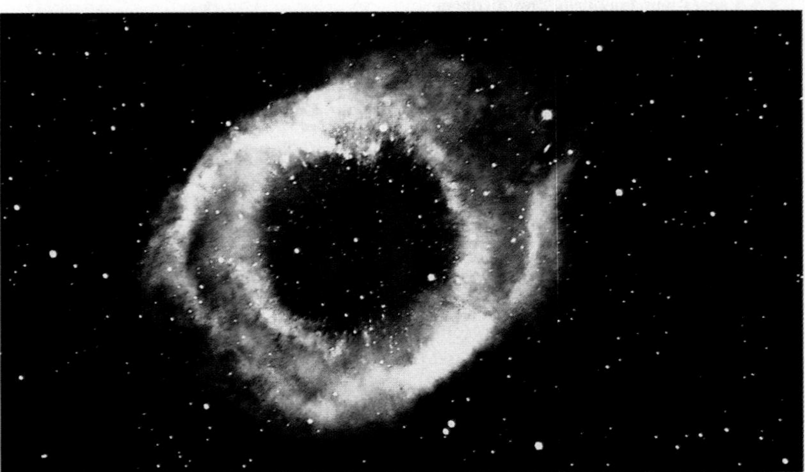

◆ **Nébuleuse planétaire NGC 3918.** Observée par le télescope spatial Hubble, cette nébuleuse planétaire nous montre l'agonie d'une étoile, qui expulse et illumine son enveloppe externe dans son ultime phase énergétique. Le diamètre de ce nuage est de 0,3 année-lumière, soit 600 fois celui du système solaire. Le Soleil finira de cette manière dans 5 milliards d'années.

Des étoiles de tous âges

Notre galaxie est très vieille (15 milliards d'années), mais son contenu est en perpétuelle évolution : certaines régions contiennent exclusivement des étoiles très anciennes, formant des amas compacts (amas globulaires) datant de 7 à 15 milliards d'années. Ces amas sont répartis de façon uniforme dans toutes les directions autour du centre galactique. D'autres régions, toujours situées dans les bras de la Galaxie, sont au contraire des « pouponnières » d'étoiles, constituées de vastes nuages opaques de gaz et de poussières, à l'intérieur desquels des étoiles nouvelles se forment. On trouve souvent celles-ci regroupées en « amas ouverts ».

Contrairement aux amas globulaires, ces formations jeunes sont éphémères, et les étoiles se répartissent ensuite dans le disque galactique. Ce processus de création est permanent et s'est produit depuis la naissance de la Galaxie. Les bras de la Galaxie contiennent donc un mélange d'étoiles de tous âges et de tous types stellaires : c'est bien ce qu'on observe dans l'environnement solaire.

Petit lexique

accrétion : processus intervenant dans un couple d'étoiles, au cours duquel de la matière est arrachée d'une des étoiles et précipitée sur l'autre, provoquant en général une forte émission d'énergie.

géante rouge : étape intermédiaire de la vie d'une étoile, marquant la fin de la transformation de l'hydrogène en hélium. L'évolution ultérieure dépend entièrement de la masse de l'étoile.

naine blanche : étape finale de l'évolution d'étoiles de petite taille, dans laquelle la matière s'est condensée de façon extrêmement dense et ne produit plus d'énergie.

naine brune : astre trop petit pour que s'amorcent les réactions thermonucléaires productrices d'énergie, et n'émettant donc pas de lumière.

Les distances stellaires

VOIR AUSSI
• **Premier trou noir** p. 312
Illustrations
• **Parallaxe d'une étoile** p. 285

Pour exprimer les distances des étoiles, on utilise deux types de mesure :
– l'année-lumière, ou année de lumière (al), distance parcourue par la lumière dans le vide en un an : 1 al = $9{,}46 \cdot 10^{12}$ km (soit près de 10 000 milliards de km). L'étoile la plus proche du système solaire, Proxima du Centaure, est située à 4,22 années-lumière ;
– le parsec (pc), abréviation de parallaxe-seconde, distance d'où l'on voit le rayon de l'orbite terrestre sous un angle (ou parallaxe) de 1 seconde d'arc : 1 pc = 3,26 années-lumière. On utilise aussi deux multiples de cette unité, le kiloparsec (kpc), qui vaut 1 000 pc, et le mégaparsec (Mpc), qui vaut 10^6 pc.

Les mesures de distance jouent un rôle fondamental en astronomie. Ce n'est qu'après 1750 que l'on est parvenu à déterminer correctement les distances du Soleil et des planètes, et vers 1840 qu'ont été mesurées les premières distances stellaires par l'Allemand F. Bessel, le Russe F.G.W. Struve et le Britannique T. Henderson. La méthode utilisée est celle de la « parallaxe », qui consiste à évaluer le (petit) déplacement angulaire apparent d'une étoile proche sur la voûte céleste lorsque la Terre parcourt son orbite. Récemment, le satellite Hipparcos a mené à bien un énorme travail de mesure des distances stellaires portant sur 20 000 étoiles.

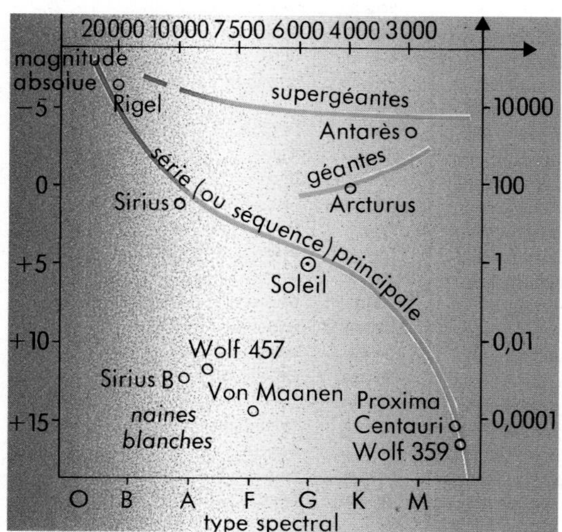

◆ **Diagramme de Hertzsprung-Russell.** C'est une classification des étoiles d'après leur type spectral et leur luminosité, qui revêt une importance capitale en astrophysique stellaire. Le Soleil est une étoile de la série principale.

◆ **Correspondances entre les diverses unités de distance utilisées en astronomie.**

Unité (abréviation)	Kilomètre (km)	Unité astronomique (ua)	Année-lumière (al)	Parsec (pc)
kilomètre (km)	1	$6{,}684\,587\,1 \cdot 10^{-9}$	$1{,}057\,0 \cdot 10^{-13}$	$3{,}240\,78 \cdot 10^{-14}$
unité astronomique (ua)	149597870	1	$1{,}581\,3 \cdot 10^{-5}$	$4{,}848\,14 \cdot 10^{-6}$
année-lumière (al)	$9{,}460\,7 \cdot 10^{12}$	63241	1	0,306 595
parsec (pc)	$3{,}085\,68 \cdot 10^{13}$	206265	3,261 633	1

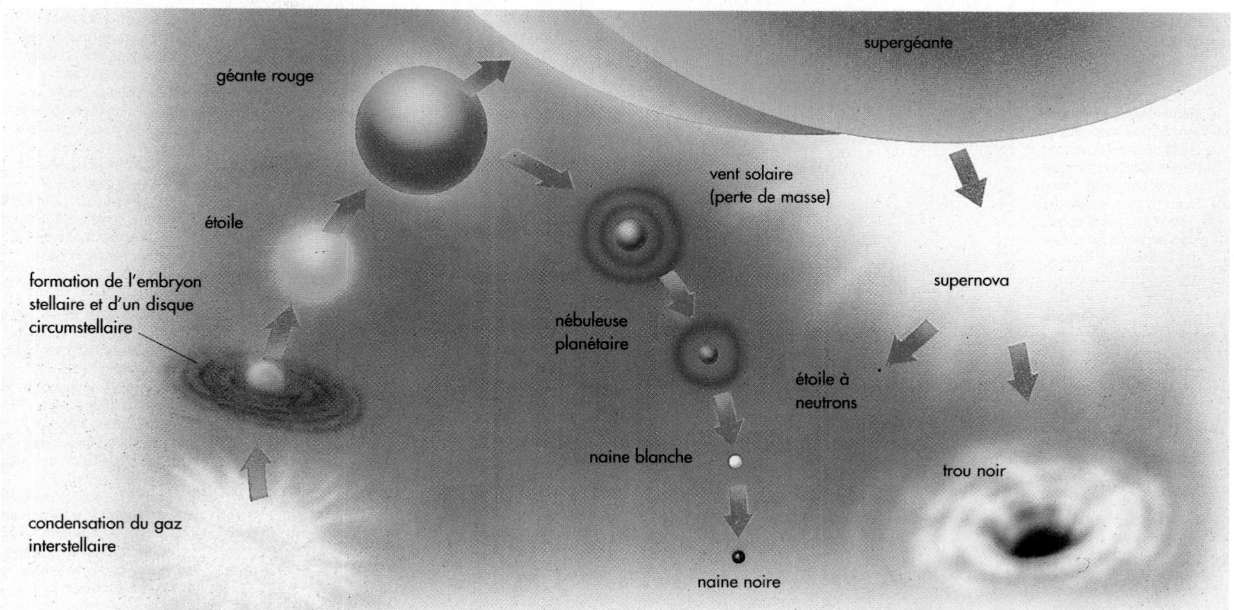

◆ **Les phases de l'évolution d'une étoile.**
La naissance d'une étoile se produit dans un nuage moléculaire d'hydrogène et d'hélium. La contraction gravitationnelle de la protoétoile entraîne un échauffement qui déclenche la réaction de fusion nucléaire de l'hydrogène. Quand celle-ci s'achève, l'étoile devient géante rouge et son évolution ultérieure, qui dépend de sa masse initiale, fera d'elle soit une naine blanche, soit une supergéante qui explosera en supernova et laissera un noyau superdense formant une étoile à neutrons (pulsar) ou un trou noir.

Le ciel et ses constellations

Nomenclature des étoiles

On désignait jadis une étoile par un nom rappelant sa position dans la figure mythologique identifiant la constellation dans laquelle se trouve cette étoile. Les étoiles les plus brillantes reçurent, notamment des Arabes, au Moyen Âge, des noms propres que l'usage a conservés : Sirius, Rigel, Aldébaran…

En 1603, l'astronome allemand Johann Bayer eut l'idée d'introduire, dans son *Uranometria*, une nomenclature simple et rationnelle, utilisant les lettres de l'alphabet grec : dans chaque constellation, l'étoile la plus brillante est désignée par α, celle d'éclat immédiatement inférieur, par β, puis γ et ainsi de suite. Cette nomenclature, aujourd'hui universellement adoptée, comporte quelques exceptions imposées par l'usage : ainsi, l'étoile la plus brillante de la Grande Ourse est ε et non α. Lorsque l'alphabet grec est épuisé, on utilise l'alphabet latin, puis des nombres. Encore ne parvient-on ainsi qu'à désigner les étoiles visibles à l'œil nu. Les étoiles d'éclat plus faible, révélées par les lunettes et les télescopes, sont désignées seulement par leur numéro d'ordre dans des catalogues de référence. Comme les constellations sont désignées officiellement par leurs noms latins (compréhensibles dans le monde entier), le nom officiel d'une étoile s'obtient en faisant suivre la lettre qui désigne cette étoile du génitif du nom latin de la constellation à laquelle elle appartient.

◆ Les 25 étoiles les plus brillantes à l'œil nu.

Nom usuel	Constellation	Magnitude visuelle apparente	Distance en années-lumière
Sirius	Grand Chien	−1,4	8,6
Canopus	Carène	−0,7	190
Rigel			
Kentarus	Centaure	−0,3	4,3
Arcturus	Bouvier	0	36
Véga	Lyre	0	26,5
Capella	Cocher	+0,1	45
Rigel	Orion	+0,2	660
Procyon	Petit Chien	+0,4	11,4
Achernar	Éridan	+0,5	130
Agena	Centaure	+0,6	390
Altaïr	Aigle	+0,7	16
Bételgeuse	Orion	+0,8*	650
Aldébaran	Taureau	+0,8	68
Acrux	Croix du Sud	+0,8	260
Épi	Vierge	+1	260
Antarès	Scorpion	+1**	425
Pollux	Gémeaux	+1,1	36
Fomalhaut	Poisson austral	+1,1	23
Deneb	Cygne	+1,3	1 600
Mimosa	Croix du Sud	+1,3	490
Régulus	Lion	+1,4	85
Adhara	Grand Chien	+1,5	680
Castor	Gémeaux	+1,6	45
Shaula	Scorpion	+1,6	310
Bellatrix	Orion	+1,6	140

* En moyenne (magnitude apparente variable entre 0,4 et 1,3).

** En moyenne (magnitude apparente variable entre 0,9 et 1,8).

Nomenclature des constellations

L'ensemble du ciel est divisé en 88 constellations comprenant chacune, outre le groupement d'étoiles brillantes ayant servi à lui donner un nom, une région céleste conventionnellement délimitée par des arcs de parallèles et de méridiens. La plus grande est l'Hydre femelle, la plus petite la Croix du Sud. Celle du Grand Chien abrite l'étoile qui nous apparaît la plus brillante, Sirius. Les 12 constellations du zodiaque sont celles que traverse le Soleil au cours de l'année.

La nomenclature actuelle des constellations s'inspire largement de la mythologie grecque. C'est, semble-t-il, Aratos, médecin et poète à la cour du souverain macédonien Antigonos Gonatas, au IIIe s. avant notre ère, qui eut l'idée d'attribuer aux diverses constellations des noms tirés de la mythologie. La carte de l'hémisphère céleste boréal est fondée sur celle établie au IIe s. par Ptolémée, qui répertoria 48 constellations. Les constellations australes, en revanche, sont d'origine beaucoup plus récente, les astronomes n'ayant pu observer le ciel de l'hémisphère Sud que beaucoup plus tardivement. Ce sont principalement Johann Bayer et Johannes Hevelius, au XVIIe s., Joseph Jérôme Lalande et Nicolas Louis La Caille, au XVIIIe s., qui les baptisèrent. La plupart ont reçu des noms d'oiseau ou d'instrument scientifique.

Petit lexique

constellation : ensemble d'étoiles brillantes et voisines sur la sphère céleste, regroupées traditionnellement pour évoquer l'image d'un personnage mythique, d'un animal ou d'un objet.

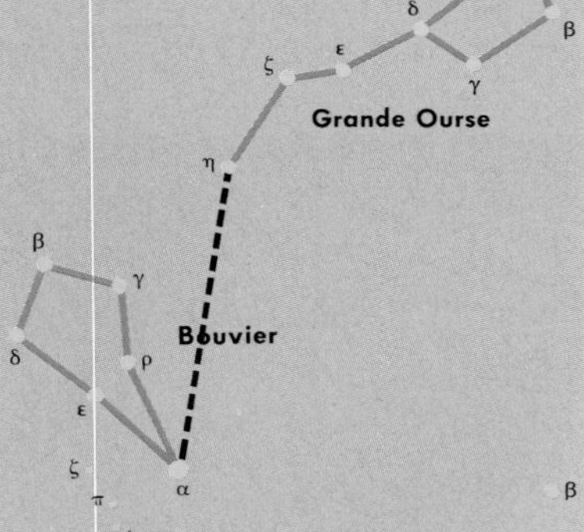

◆ La Grande Ourse et le Bouvier. Les sept étoiles les plus brillantes de la Grande Ourse dessinent la silhouette d'un chariot avec son timon ou celle d'une casserole. Elles portent des noms d'origine arabe : α, Dubhé; β, Mérak; γ, Phecda; δ, Mégrez; ε, Alioth; ζ, Mizar; η, Alkaïd. La ligne Mérak-Dubhé prolongée d'environ 5 fois sa longueur, au-delà de Dubhé, aboutit à l'étoile Polaire. La queue de l'ourse (le timon du chariot, le manche de la casserole) pointe vers Arcturus, principale étoile du Bouvier.

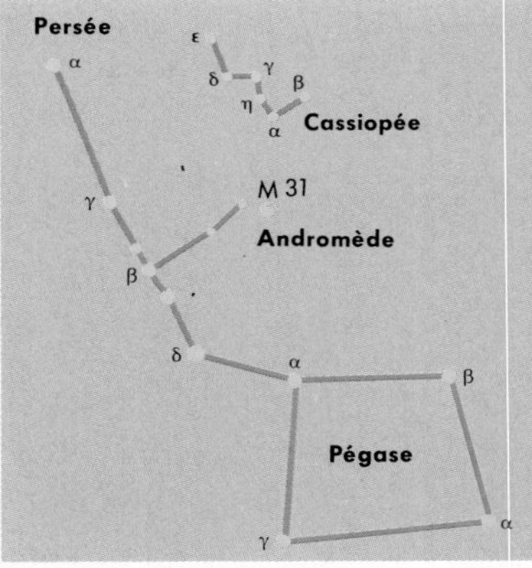

◆ Cassiopée, Andromède et Pégase. La constellation de Cassiopée est facile à repérer dans l'hémisphère Nord, à l'opposé de la Grande Ourse par rapport à la Polaire : ses cinq étoiles principales dessinent, selon l'époque, un W ou un M. Plus bas sur l'horizon se trouve la constellation d'Andromède, qui abrite la seule galaxie visible à l'œil nu dans l'hémisphère Nord, M 31, une spirale analogue à la nôtre, distante de 2,2 millions d'années-lumière. L'étoile α d'Andromède forme avec α, β et γ de Pégase le Carré de Pégase.

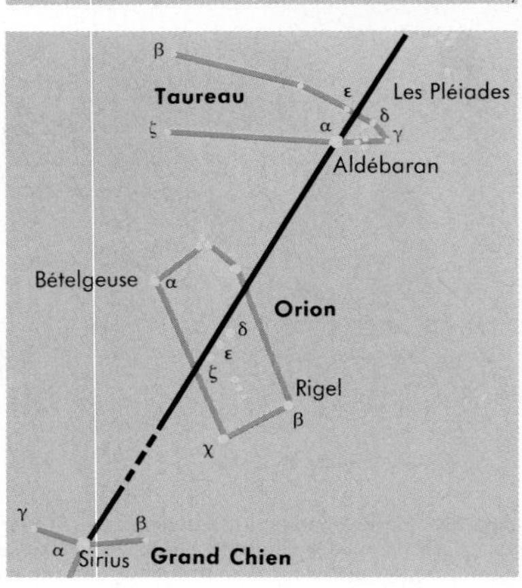

◆ Orion. Aux latitudes moyennes de l'hémisphère Nord, le ciel d'hiver est dominé par la belle constellation d'Orion. Elle est dessinée par un grand quadrilatère d'étoiles brillantes (α, Bételgeuse; β, Rigel; γ, Bellatrix; δ, Saïph) au centre duquel trois étoiles moins lumineuses sont alignées obliquement. En prolongeant cet alignement vers l'ouest, on aboutit à la brillante étoile rougeâtre Aldébaran, de la constellation du Taureau, près de laquelle se localisent les amas d'étoiles des Hyades et des Pléiades; en le prolongeant vers l'est, on aboutit à Sirius.

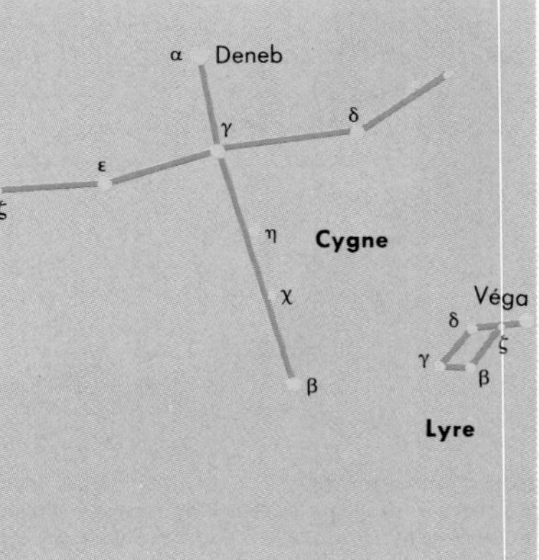

◆ Le Cygne et la Lyre. Aux latitudes moyennes de l'hémisphère Nord, on peut admirer dans le ciel d'été un grand triangle isocèle formé par trois étoiles très brillantes : Véga (constellation de la Lyre), Altaïr (constellation de l'Aigle) et Deneb (constellation du Cygne). Véga, d'une belle teinte bleutée, brille presque au zénith, à proximité d'un petit parallélogramme d'étoiles peu lumineuses. Le Cygne est dessiné par une grande croix d'étoiles couchée dans la Voie lactée dont Deneb figure la tête. Aussi appelle-t-on parfois cette constellation la Croix du Nord.

◆ **Nomenclature des constellations.**

Nom latin (et terminaison du génitif)	Nom français	Étendue (en degrés carrés)
Andromeda *(-ae)*	Andromède	722
Antlia *(-ae)*	Machine pneumatique	239
Apus *(-odis)*	Oiseau de Paradis	206
Aquarius *(-ii)*	Verseau	980
Aquila *(-ae)*	Aigle	652
Ara *(-ae)*	Autel	237
Aries *(-tis)*	Bélier	441
Auriga *(-ae)*	Cocher	657
Bootes *(-is)*	Bouvier	907
Caelum *(-i)*	Burin	125
Camelopardalis (-)	Girafe	757
Cancer *(-cri)*	Cancer (ou Écrevisse)	506
Canes *(-um)* Venatici *(orum)*	Chiens de Chasse	465
Canis (-) Major *(-is)*	Grand Chien	380
Canis (-) Minor *(-is)*	Petit Chien	183
Capricornus *(-i)*	Capricorne	414
Carina *(-ae)*	Carène	494
Cassiopeia *(-ae)*	Cassiopée	598
Centaurus *(-i)*	Centaure	1060
Cepheus *(-i)*	Céphée	588
Cetus *(-i)*	Baleine	1 231
Chamaeleon *(-ontis)*	Caméléon	132
Circinus *(-i)*	Compas	93
Columba *(-ae)*	Colombe	270
Coma *(-ae)* Berenices	Chevelure de Bérénice	386
Corona *(-ae)* Australis	Couronne australe	128
Corona *(-ae)* Borealis	Couronne boréale	179
Corvus *(-i)*	Corbeau	184
Crater *(-is)*	Coupe	282
Crux *(-cis)*	Croix du Sud	68
Cygnus *(-i)*	Cygne	804
Delphinus *(-i)*	Dauphin	189
Dorado *(-us)*	Dorade	179
Draco *(-nis)*	Dragon	1 083
Equuleus *(-i)*	Petit Cheval	72
Eridanus *(-i)*	Éridan	1 138
Fornax *(-acis)*	Fourneau	398
Gemini *(orum)*	Gémeaux	514
Grus *(-is)*	Grue	366
Hercules *(-is)*	Hercule	1 225
Horologium *(-ii)*	Horloge	249
Hydra *(-ae)*	Hydre femelle	1 303
Hydrus *(-i)*	Hydre mâle	243
Indus *(-i)*	Indien (Oiseau)	294
Lacerta *(-ae)*	Lézard	201
Leo *(-nis)*	Lion	947
Leo *(-nis)* Minor *(is)*	Petit Lion	232
Lepus *(-oris)*	Lièvre	290
Libra *(-ae)*	Balance	538
Lupus *(-i)*	Loup	334
Lynx *(-cis)*	Lynx	545
Lyra *(-ae)*	Lyre	286
Mensa *(-ae)*	Table	153
Microscopium *(-ii)*	Microscope	210
Monoceros *(-otis)*	Licorne	482
Musca *(-ae)*	Mouche	138
Norma *(-ae)*	Règle	165
Octans *(-tis)*	Octant	291
Ophiuchus *(-i)*	Ophiucus (ou Serpentaire)	948
Orion *(-is)*	Orion	594
Pavo *(-nis)*	Paon	378
Pegasus *(-i)*	Pégase	1 121
Perseus *(-i)*	Persée	615
Phoenix *(-cis)*	Phénix	469
Pictor *(-is)*	Peintre (Chevalet du)	247
Pisces *(-ium)*	Poissons	889
Piscis (-) Austrinus *(-i)*	Poisson austral	889
Puppis (-)	Poupe	673
Pyxis *(-idis)*	Boussole	221
Reticulum *(-i)*	Réticule	114
Sagitta *(-ae)*	Flèche	80
Sagittarius *(-ii)*	Sagittaire	867
Scorpius *(-ii)*	Scorpion	497
Sculptor *(-is)*	Sculpteur (Atelier du)	475
Scutum *(-i)*	Écu (de Sobieski)	109
Serpens *(-tis)*	Serpent	637
Sextans *(-tis)*	Sextant	314
Taurus *(-i)*	Taureau	797
Telescopium *(-ii)*	Télescope	252
Triangulum *(-i)*	Triangle	132
Triangulum *(-i)* Australe *(-is)*	Triangle austral	110
Tucana *(-ae)*	Toucan	295
Ursa *(-ae)* Major *(-is)*	Grande Ourse	1 280
Ursa *(-ae)* Minor *(-is)*	Petite Ourse	256
Vela *(-orum)*	Voiles	500
Virgo *(-inis)*	Vierge	1 294
Volans *(-tis)*	Poisson volant	141
Vulpecula *(-ae)*	Petit Renard	268

◆ **Principales constellations du ciel, avec les étoiles les plus brillantes.**

hémisphère Nord

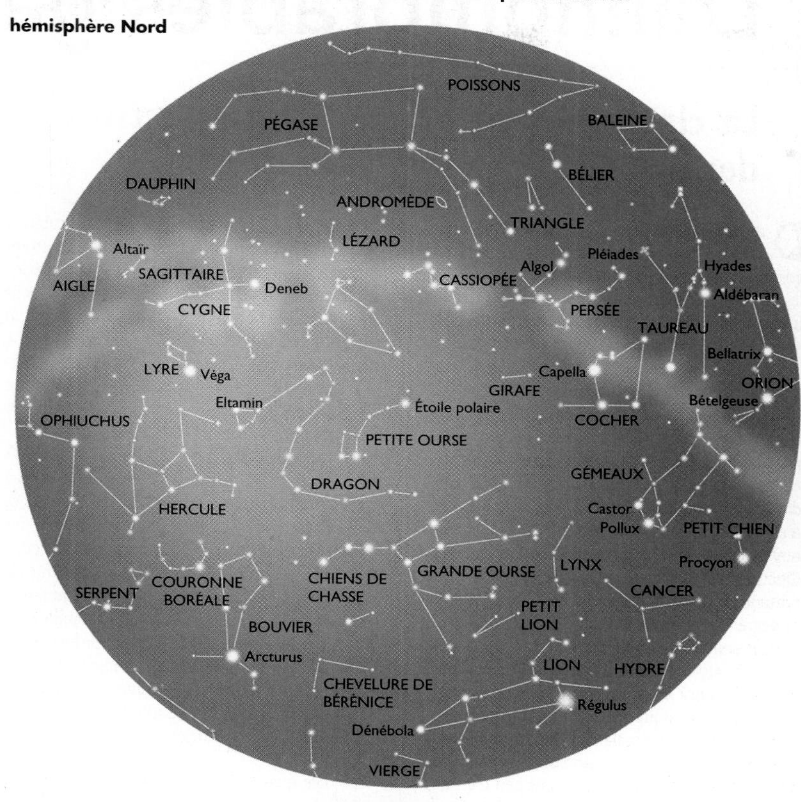

hémisphère Sud

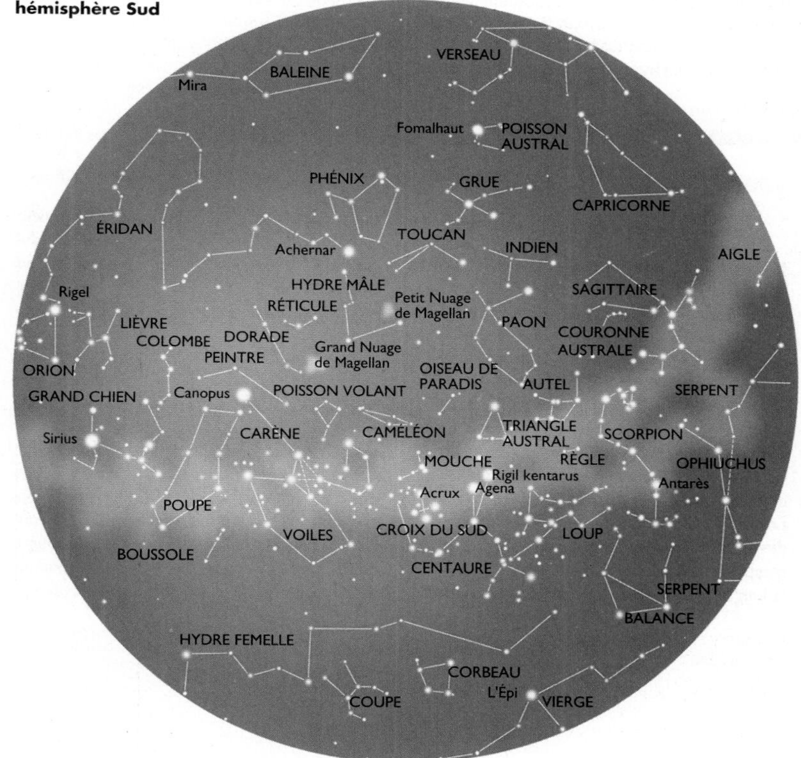

D'innombrables galaxies

La classification des galaxies

Dans la classification morphologique dérivée de celle de Edwin Hubble (1926), on distingue 4 catégories de galaxies selon leur forme : les spirales (60 %), les elliptiques (15 %), les lenticulaires (20 %) et les irrégulières (3 %). Seulement 2 % de galaxies, dites « particulières », échappent à cette classification. Dans chaque catégorie, des subdivisions plus fines caractérisent le type morphologique des galaxies.

Les galaxies spirales, majoritaires, présentent un noyau sphérique au centre d'un disque peuplé d'étoiles et de matière interstellaire qui se concentrent le long de bras spiraux. Elles se subdivisent en spirales normales (S) et spirales barrées (SB) selon que les bras partent directement du noyau ou des extrémités d'une barre diamétrale. Quatre classes, notées *a, b, c, d,* caractérisent l'importance relative du noyau et des bras ainsi que le degré d'enroulement des bras. Notre galaxie est une spirale normale de type S*b*.

L'analyse du contenu des galaxies montre que la séquence des types morphologiques a une signification physique liée à la proportion d'étoiles jeunes et de gaz. Les galaxies elliptiques ne possèdent ni étoiles jeunes ni poussières et très peu de gaz. Les galaxies spirales S*a* ont peu d'étoiles jeunes et de gaz, et cette proportion augmente régulièrement quand on parcourt la séquence vers les irrégulières. Ces dernières sont très riches en étoiles jeunes et en hydrogène interstellaire neutre ou ionisé.

Galaxies actives et quasars

Certaines galaxies (moins de 5 % du total), à la différence des galaxies ordinaires, émettent une part importante de leur rayonnement dans les domaines autres que le visible. Ce rayonnement très intense, en particulier dans les domaines radio et X, met en jeu de très hautes énergies liées le plus souvent à des phénomènes violents localisés dans les noyaux de ces galaxies. Celles-ci sont appelées galaxies actives (ou à noyau actif). Ce sont notamment :

– les galaxies de Seyfert (découvertes en 1943 par l'Allemand C. K. Seyfert), galaxies spirales à noyau très lumineux d'où s'échappent des nuages d'hydrogène à grande vitesse, constituant des sources intenses de rayonnement infrarouge ;

– les radiogalaxies, galaxies (elliptiques géantes le plus souvent) émettrices d'un rayonnement radioélectrique très intense (de l'ordre de un million de fois supérieur à celui d'une galaxie ordinaire).

À cette famille d'objets célestes se rattachent aussi les quasars (abréviation de *quasi stellar astronomical radiosources*), découverts en 1960 par l'Américain A. Sandage.

Les quasars. Ce sont des astres qui, optiquement, ont l'apparence d'étoiles mais qui peuvent être des sources intenses de rayonnement radio et dont le spectre se caractérise par des raies d'émission toujours fortement décalées vers le rouge. Interprété comme un effet Doppler-Fizeau lié à l'expansion de l'Univers, ce grand décalage vers le rouge conduit à regarder les quasars comme des astres très lointains : le record est détenu, depuis 1989, par le quasar PC 1 158 + 4635, dont le spectre, décalé de 473 % vers le rouge, indique une vitesse d'éloignement approchant 95 % de la vitesse de la lumière et permet d'estimer la distance entre 12 et 16 milliards d'années-lumière.

Des observations récentes, faites en particulier par le télescope spatial Hubble, ont montré qu'un quasar représente la partie très lumineuse d'un noyau de galaxie active lointaine qu'on est arrivé presque toujours à distinguer. Le stade de galaxie active représenterait lui-même une étape primitive de l'évolution des galaxies. La présence de trous noirs « supermassifs » au cœur de ces astres est envisagée.

La distribution des galaxies

Les galaxies apparaissent rarement isolées et leur distribution dans l'Univers n'est pas uniforme. La plupart sont associées en paires, triplets, groupes (jusqu'à quelques dizaines de membres) ou amas (jusqu'à plusieurs milliers de membres), dont la cohésion est assurée par la gravitation.

Les amas. On connaît aujourd'hui plusieurs dizaines de milliers d'amas de galaxies. Ceux-ci sont classés en deux types principaux : les amas riches ou réguliers, à concentration centrale et symétrie sphérique, avec une prédominance de galaxies elliptiques ou lenticulaires, et les amas pauvres, ou irréguliers, sans concentration

◆ **Type E0.** Galaxie elliptique géante M 87, dans la constellation de la Vierge. Distance : 50 · 10^9 al.

◆ **Type Sc.** Galaxie spirale M 83, dans la constellation de l'Hydre femelle. Diamètre : 30 000 al. Distance : 10^7 al.

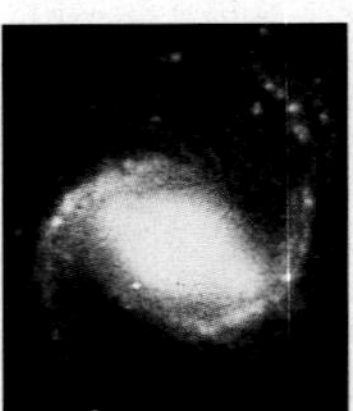

◆ **Type SB*b*.** Galaxie spirale barrée M 91, dans la constellation de la Chevelure de Bérénice. Distance : 250 · 10^9 al.

◆ **Type Ir.** Le Grand Nuage de Magellan, galaxie irrégulière, la plus proche de la nôtre. Distance : 170 000 al.

L'effet Doppler-Fizeau

Lorsqu'une source de rayonnement (lumière visible, ondes radio, etc.) est en mouvement par rapport à un observateur, celui-ci perçoit le rayonnement de la source à une longueur d'onde (ou, ce qui revient au même, à une fréquence) différente de celle d'émission. Ce phénomène constitue l'effet Doppler-Fizeau. L'amplitude du décalage permet, en astrophysique, de déterminer la vitesse d'approche ou d'éloignement de l'astre observé (étoile, nébuleuse, galaxie...).

Les objets stellaires émettent de la lumière à des longueurs d'onde déterminées par leur composition *(a)*. S'ils s'éloignent de la Terre *(b)*, la longueur d'onde de la lumière observée est supérieure à celle de la lumière émise, et la lumière visible est décalée vers le rouge. S'ils s'approchent *(c)*, la longueur d'onde observée est, au contraire, inférieure à celle émise et la lumière visible est décalée vers le bleu. En raison de l'expansion de l'Univers, les galaxies s'éloignent globalement de la Terre et la lumière venant de leur centre nous apparaît décalée vers le rouge (*d*, au centre). Cependant, dans le cas des galaxies spirales, l'un des bras (*d*, à gauche) s'éloigne moins vite que le centre et sa lumière est donc moins fortement décalée vers le rouge, tandis que l'autre (*d*, à droite) s'éloigne plus vite et apparaît donc avec une lumière plus fortement rougie. En comparant les décalages vers le rouge, on peut ainsi déterminer les vitesses de rotation de n'importe quelle région d'un bras de la galaxie.

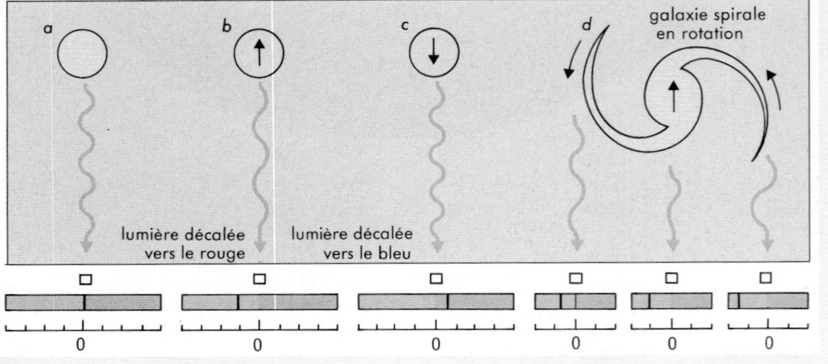

centrale ni symétrie sphérique, avec des galaxies de tous types en proportions variables. Les amas de galaxies eux-mêmes se concentrent souvent au sein d'immenses superamas pouvant s'étendre sur 100 millions d'années-lumière ou plus. On observe ainsi une structure hiérarchisée de l'Univers en systèmes de plus en plus étendus, mais de densité de plus en plus faible, comme l'envisageait déjà au début du siècle le Suédois C.V. L. Charlier (1862-1934).

Le groupe local. Notre galaxie appartient à un petit amas de galaxies d'une trentaine de membres, le Groupe local (ou Amas local), contenu dans un volume ellipsoïdal d'environ 7 millions d'années-lumière d'extension maximale et dont la masse totale est estimée à 650 milliards de fois celle du Soleil. Outre la galaxie naine du Sagittaire, notre plus proche voisine, et Dwingeloo 1, presque complètement cachée par la Voie lactée, toutes deux découvertes en 1994, ce groupe renferme notamment deux petites galaxies irrégulières satellites de la nôtre, le Grand Nuage de Magellan (distant de 170 000 al) et le Petit Nuage de Magellan (distant de 200 000 al), visible dans l'hémisphère Sud, ainsi que la galaxie M 31 d'Andromède, grande galaxie analogue à la nôtre, située à 2 200 000 al (c'est l'objet céleste le plus lointain visible à l'œil nu). La plupart des galaxies de l'Amas local sont des galaxies naines. Notre galaxie, d'une part, la galaxie M 31 d'Andromède et la galaxie M 33 du Triangle, d'autre part, constituent les deux pôles autour desquels se concentrent les autres galaxies de l'amas.

Superamas et vide. En 1953, l'astronome franco-américain G. de Vaucouleurs a établi que le Groupe local et l'ensemble des groupes proches de galaxies font partie d'un système aplati plus vaste, d'environ 50 millions d'années-lumière de rayon, le Superamas local, centré sur l'amas de la Vierge. Des observations plus récentes ont conduit à la mise en évidence d'autres superamas, séparés par de grands vides. La « Grande Muraille », découverte en 1989, est une structure cosmique gigantesque qui s'étend sur 500 millions d'années-lumière de long, 200 millions de large et 15 millions d'épaisseur. La distribution à grande échelle des galaxies semble indiquer qu'elles se concentrent le long de grandes structures filamentaires.

Structure de l'Univers. L'Univers pourrait avoir une structure cellulaire rappelant celle de la mousse de savon, les galaxies se disposant préférentiellement sur les parois de gigantesques « bulles » dont l'intérieur est pratiquement dépourvu de matière visible. L'origine de cette étonnante structure remonterait aux premiers instants après le Big Bang.

Le problème des distances

La distance qui nous sépare des constituants du système solaire et des étoiles les plus proches est connue depuis le XIXe s. Il n'en est pas de même pour les objets plus lointains, dont l'estimation de distance pose de sérieux problèmes. La méthode choisie est celle des étalons intermédiaires, pour lesquels deux méthodes de mesure sont valables simultanément. La méthode absolue des parallaxes donne la distance exacte d'environ 20 000 étoiles. Parmi celles-ci figurent des « céphéides », dont l'éclat varie périodiquement et pour lesquelles existe une relation connue entre éclat et période : la mesure de la période donne la magnitude absolue, qui, comparée à la magnitude relative, donne la distance. Grâce au télescope spatial Hubble, on a repéré des céphéides jusque dans des galaxies situées à 50 millions d'années-lumière. À partir de là, on estime que certains objets, comme les novae ou les amas globulaires, sont suffisamment semblables dans toutes les galaxies pour pouvoir servir d'étalons. Enfin, c'est l'éclat des galaxies elliptiques les plus brillantes d'un amas qui sert de référence. La mesure précise des distances est un élément crucial de tout modèle cosmologique.

La masse « cachée »

Différentes méthodes existent pour évaluer la masse totale d'une galaxie et celle d'un amas de galaxies. Ces méthodes reposent sur l'observation du mouvement des constituants (les étoiles pour une galaxie, les galaxies pour un amas), dont on suppose qu'ils sont régis par les forces de gravitation dues à la masse totale de l'objet considéré. Or, dans tous les cas, on trouve que la masse « observée », c'est-à-dire celle des constituants visibles, est très insuffisante pour expliquer les mouvements que l'on mesure, qu'il s'agisse de la vitesse de rotation des bras d'une galaxie spirale ou de la vitesse de déplacement des galaxies à l'intérieur de l'amas. On a donc fait l'hypothèse que la masse réelle des galaxies était environ 10 fois supérieure à celle que donne l'observation directe, et que cette masse invisible était distribuée de façon homogène dans l'ensemble du halo de chaque galaxie.

Nature de la masse manquante. Plusieurs hypothèses ont été avancées pour expliquer l'origine de cette masse manquante, question qui apparaît comme l'une des énigmes majeures de la cosmologie.
– Il pourrait s'agir d'étoiles froides, donc invisibles, soit qu'elles n'aient pas atteint une masse suffisante pour s'allumer (naines brunes), soit qu'elles se soient éteintes depuis longtemps (étoiles supergéantes devenues des trous noirs).
– Étant donné leur nombre extrêmement élevé, les neutrinos, s'ils ont une masse, même très faible, pourraient contribuer à la masse manquante.
– La physique des particules permet de supposer l'existence de particules massives non encore détectées, car interagissant très faiblement avec la matière.

Chacune de ces hypothèses donne lieu à un programme actif de recherches, dont aucun pour l'instant n'a donné de résultats définitifs.

◆ **Exploration du ciel en champ profond (deep field).** Au cours de prises de vue étalées sur plus de cent heures, dans une direction où rien n'avait encore été vu (celle du pôle Nord galactique), le télescope spatial Hubble a donné s d'une minuscule portion de ciel (moins de1/30 du diamètre de la Lune) une image étonnante révélant plusieurs milliers de galaxies situées aux confins de l'Univers visible, de formes et de couleurs variées. Cette image, qui nous révèle l'aspect de l'Univers peu de temps après le Big Bang, est une source d'informations d'une extrême richesse, mise librement à la disposition de la communauté scientifique.

VOIR AUSSI 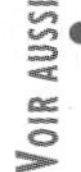
• **Galaxie et galaxies** p. 302
Illustrations
• **Vues schématiques de la Galaxie** p. 10
• **Quasar** p. 19

L'histoire de l'Univers

Le Big Bang

On admet en général aujourd'hui l'hypothèse selon laquelle l'Univers, primitivement très chaud et très condensé, serait brutalement entré en expansion *(Big Bang)* il y a environ 15 milliards d'années, ne cessant depuis lors de se dilater et de se refroidir. Son évolution dans les premiers instants qui suivirent le Big Bang est retracée sur la base des plus récents acquis de la physique des particules, qui prennent en compte la nature des différentes sortes de particules et de leurs interactions. Cette évolution aurait alors été ponctuée par des « transitions de phase » provoquées par son refroidissement progressif, au cours desquelles le mélange indiscernable de matière et d'énergie présent initialement se serait progressivement organisé, de la même façon que de la vapeur d'eau qu'on refroidit devient de l'eau liquide puis de la glace.

Les preuves. Proposée à la fin des années 1920 par les astrophysiciens Friedman (1888-1925) et Lemaître (1894-1966), l'hypothèse d'une évolution de l'Univers à partir d'une explosion initiale (hypothèse dite « de l'atome primitif ») n'a été admise comme modèle cosmologique que lorsque des « preuves » expérimentales et observationnelles lui ont donné une certaine cohérence. Les plus convaincantes sont les suivantes :

– l'expansion de l'Univers, mise en évidence avec la découverte, par l'Américain Edwin Hubble, dans les années 1920, du décalage spectral systématique vers le rouge des galaxies (excepté les plus proches) et d'une relation de proportionnalité entre ce décalage et la distance des galaxies considérées ;

– le rayonnement radioélectrique isotrope correspondant à celui d'un corps noir à 2,73 K, découvert en 1965 par les Américains A. Penzias et R. Wilson, puis confirmé en 1989-1990 par les mesures du satellite COBE, et regardé comme un vestige de l'Univers primordial très chaud ;

– l'abondance relative des éléments les plus légers (deutérium, hélium 3 et 4, lithium 7) dans la matière observable, qui implique que l'Univers a connu une phase très chaude (températures dépassant 1 000 milliards de degrés) et très dense (masses volumiques supérieures à 100 kg/cm^3) ;

– l'existence, prouvée en 1989, de trois familles au plus de particules élémentaires : on suppose que l'Univers est homogène et isotrope, à l'exception d'irrégularités locales.

Le scénario du Big Bang et de sa suite. 10^{-43} secondes après le Big Bang, l'Univers était encore colossalement chaud (10^{32} K) et dense, avec un diamètre un million de milliards de fois plus petit que celui d'un atome d'hydrogène. À partir de 10^{-35} seconde se formèrent des quarks, des leptons (électrons, neutrinos) et leurs antiparticules (ère hadronique).

Cette « soupe » de particules resta présente jusqu'à une température de 10^{28} K, correspondant à un « âge » de 10^{-6} seconde. La plupart des protons et des neutrons (formés à partir des quarks) s'annihilèrent ensuite avec leurs antiparticules, et un infime excédent de matière par rapport à l'antimatière fit que l'Univers se peupla de baryons, de leptons et de photons (ère leptonique).

La période comprise entre 10^{-35} et 10^{32} s après le Big Bang a peut-être coïncidé avec une phase d'expansion très rapide (inflation) durant laquelle le volume de l'Univers se serait multiplié par 10^{50} environ. Une seconde après le Big Bang, la température s'était déjà abaissée à 6 milliards de degrés environ. Les leptons cessèrent d'être en équilibre entre eux et avec les photons. L'annihilation massive des paires électron-positron emplit l'Univers d'un énorme excès de photons (3 milliards de photons pour un électron) et laissa des électrons en nombre égal à celui des protons. La physique de l'Univers commença à être gouvernée par les photons (ère radiative).

Ensuite, en quelques centaines de secondes, apparurent les premiers noyaux d'atomes (nucléosynthèse primordiale) : hydrogène, hélium, deutérium, lithium. Quinze minutes après le Big Bang, la température atteignait encore 1 million de degrés, mais la synthèse des noyaux d'atomes d'hydrogène et d'hélium était déjà terminée. Quelques centaines de milliers d'années plus tard, l'Univers s'était assez refroidi pour permettre aux électrons de se combiner aux noyaux pour former des atomes d'hydrogène et d'hélium. Les électrons, liés aux noyaux, n'empêchant plus les photons de se propager, la lumière se découpla alors de la matière et l'Univers devint transparent, laissant ainsi circuler le flux de photons que nous observons aujourd'hui sous la forme d'un rayonnement électromagnétique « fossile » presque homogène, d'une température de 2,73 K (ère de la matière).

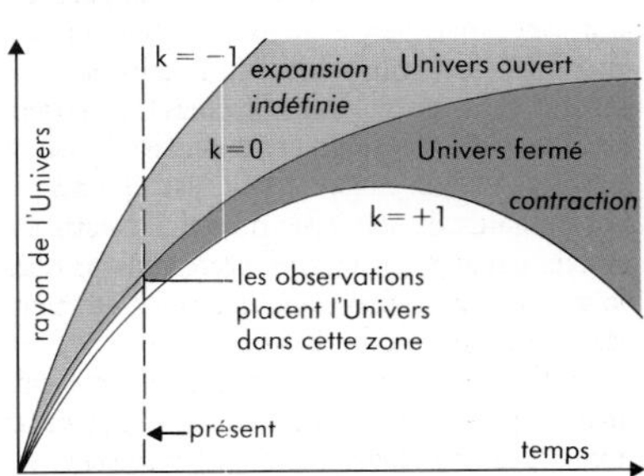

◆ **L'Univers est-il ouvert ou fermé ?**
Les observations actuelles suggèrent qu'il est ouvert, mais restent sujettes à caution.

L'expansion de l'Univers

Au début des années 1920, l'astronome américain Edwin Hubble, observant les spectres lumineux de plusieurs galaxies, remarqua un décalage des raies vers les grandes longueurs d'onde, qu'il interpréta comme un effet Doppler-Fizeau traduisant une vitesse d'éloignement de ces galaxies par rapport à nous. Connaissant la distance qui nous séparait de ces galaxies, il découvrit que cette vitesse de récession était proportionnelle à l'éloignement (appelée « constante de Hubble », la constante de proportionnalité entre vitesse et distance s'exprime comme l'inverse d'un temps). Il en conclut que l'Univers était en expansion, tous les points de celui-ci s'éloignant les uns des autres à une vitesse d'autant plus grande qu'ils étaient plus éloignés. Cette « loi de Hubble » avait été établie sur un échantillon initial assez faible (29 galaxies), mais elle a été confirmée depuis sur toutes les galaxies dont on a pu mesurer la distance, à l'exception des galaxies proches, dont la distance est trop faible pour être comparée à leurs vitesses propres de déplacement.

Cette expansion traduit un éloignement progressif d'objets – sans doute initialement confondus – et l'inverse de la constante de Hubble mesure le temps qui nous sépare de cet instant initial. La découverte de Hubble a donc ouvert des questions sur l'origine de l'Univers, (pour laquelle la théorie du Big Bang propose une réponse), et sur son devenir.

Les modèles cosmologiques. Les modèles développés dans le cadre de la théorie de la relativité générale prévoient soit une expansion permanente de l'Univers (Univers ouvert, à courbure négative), soit le ralentissement de son expansion suivi d'une phase de contraction (Univers fermé, à courbure positive), selon la valeur d'un paramètre k lié à la densité de matière qu'il renferme. Les observations actuelles plaident en faveur d'une expansion permanente mais conduisent à une valeur de k très proche de la valeur limite $k = 0$ (Univers plat, en expansion indéfiniment ralentie).

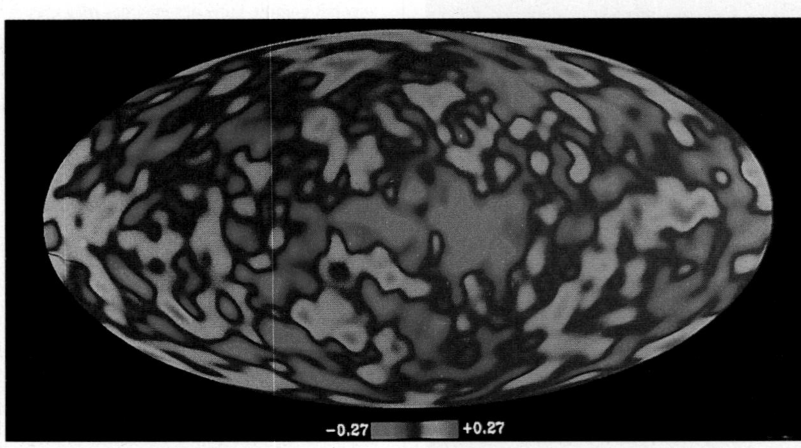

◆ **Le fond diffus cosmologique.**
Cette image en fausses couleurs de l'Univers, prise dans le domaine des ondes millimétriques (53 GHz, soit une longueur d'onde de 5,7 mm) par la sonde COBE, montre les infimes variations de température du rayonnement thermique diffus qui baigne actuellement tout l'Univers. Ce rayonnement froid, d'une température de 2,736 K, témoigne du rayonnement extrêmement chaud qui régnait après le Big Bang, et qui s'est progressivement refroidi depuis 15 milliards d'années. Le document montre qu'il varie entre 2,736 – 0,0066 K (bleu) et 2,736 + 0,0066 K (rose), en raison du déplacement du système solaire dans la Galaxie. Une fois ces variations corrigées, le rayonnement se révèle remarquablement homogène, propriété qu'attendaient les astrophysiciens pour confirmer leur théorie du Big Bang.

L'évolution future de l'Univers

Si son expansion actuelle se poursuit indéfiniment, l'Univers, à force de se dilater, deviendra progressivement de plus en plus vide, car toutes les galaxies continueront sans trêve à s'éloigner les unes des autres. Simultanément, l'espace deviendra de plus en plus froid. Avec le temps, les étoiles finiront par s'éteindre et leurs cadavres s'accumuleront dans le cosmos. L'Univers peu à peu s'enfoncera dans une profonde léthargie...

Il se pourrait aussi que l'Univers cesse un jour de se dilater et se contracte. En s'effondrant peu à peu sur lui-même, il atteindrait alors des températures colossales qui détruiraient tout, jusqu'aux noyaux des atomes eux-mêmes *(Big Crunch)*. Mais la catastrophe n'est pas pour demain : au pis, peut-être, dans 100 milliards d'années...

Ce destin est scellé par la quantité de matière présente dans l'Univers. Einstein, dans sa théorie de la relativité généralisée, a établi que les astres, par leur masse, courbent l'Univers. Plus il y a de matière par unité de volume, plus la courbure est prononcée. Si cette densité reste inférieure à une certaine valeur, l'Univers continuera de se dilater indéfiniment : il est ouvert. Son expansion sera ralentie par la gravitation, mais jamais stoppée. Mais, si la densité atteint ou dépasse la valeur critique, viendra une époque où la gravitation l'emportera : l'Univers est fermé et il est appelé à retrouver son état extrêmement condensé primitif.

VOIR AUSSI • **Quasar** p. 16

Un âge controversé

L'âge de l'Univers se mesure par l'inverse de la constante de Hubble, grandeur estimée à partir de mesures de distances et de vitesses d'éloignement de galaxies. Calculées par le décalage Doppler des raies spectrales, les mesures de vitesses sont d'une bonne précision et entachées par aucune erreur systématique. En revanche, les mesures de distances sont imprécises, d'autant plus que les objets mesurés sont plus éloignés.

Il est donc très difficile de donner une valeur précise de l'âge de l'Univers, et plusieurs écoles se sont affrontées sur cette question, les valeurs proposées allant de 1 à 20 milliards d'années. Un grand pas a été franchi grâce au télescope spatial Hubble, mis en orbite autour de la Terre en 1990 et qui a fourni, grâce à l'observation de ces étalons irremplaçables que sont les étoiles dites « céphéides variables » dans les galaxies de l'amas de la Vierge, situé aux environs de 50 millions d'années-lumière, des valeurs non contestables de distance. Ainsi, pour des objets dont la vitesse d'éloignement est bien connue, on a pu cerner de beaucoup plus près la valeur de la constante de Hubble, ce qui a permis de réconcilier les astrophysiciens et d'attribuer à l'Univers un âge compatible avec celui des objets qu'il contient.

Petit lexique

céphéide : étoile dont la luminosité varie de façon périodique au cours du temps. L'existence d'une corrélation entre la période et la luminosité absolue permet d'utiliser les céphéides situées dans des galaxies lointaines pour estimer la distance de ces galaxies.

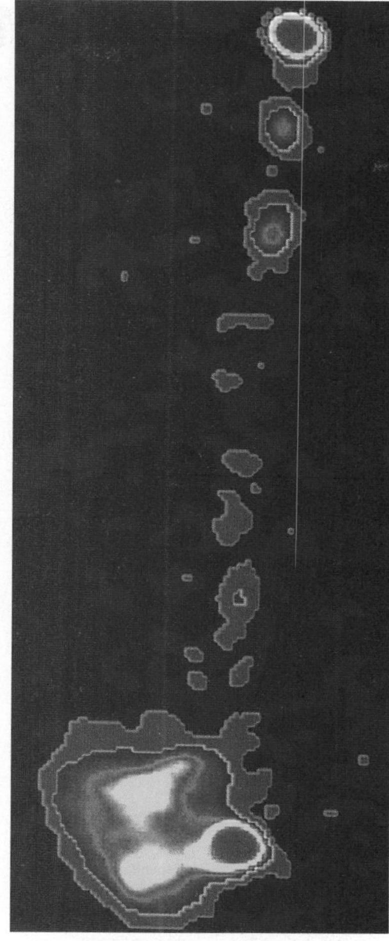

◆ **Le quasar 1007+417, témoin des premiers moments de l'Univers.**
Observé à la longueur d'onde radio de 6 cm du télescope Very Large Array (Nouveau-Mexique, États-Unis), ce quasar apparaît comme une source très ramassée (point rouge au haut de l'image), émettant un long jet de matière terminé par un lobe émetteur (en bas de l'image). Ce jet est probablement une émission intense de plasma projetée perpendiculairement au plan de la jeune galaxie associée au quasar. Cette émission est due à l'absorption de matière par un trou noir très massif situé au cœur de cette galaxie.

◆ **L'évolution de l'Univers après le Big Bang.**
Sur ce schéma est représentée l'évolution de l'Univers dans le temps et dans l'espace, à l'aide d'échelles logarithmiques. Ce type d'échelle permet en effet d'amplifier considérablement les tout premiers instants.

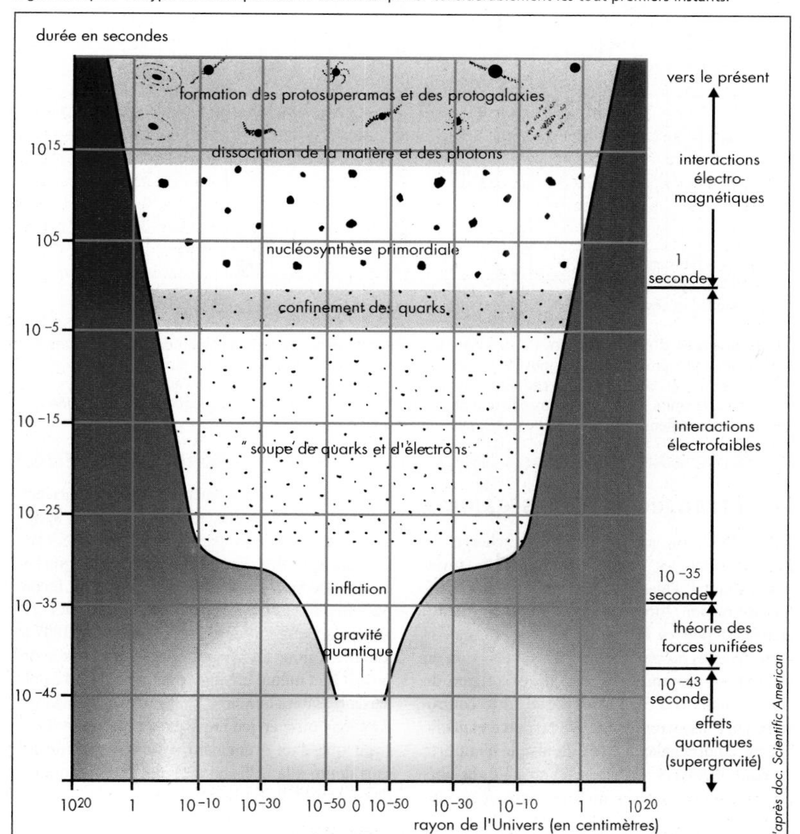

Une preuve du Big Bang

Quand on analyse les abondances relatives des différents éléments dans l'Univers, la matière apparaît constituée (en masse) de 75 % env. d'hydrogène, de 23 % à 24 % d'hélium-4, de moins de 0,01 % de deutérium et d'hélium-3, d'un dix-milliardième de lithium-7 et de fractions beaucoup plus faibles des éléments plus lourds. S'il est clair depuis plus de 30 ans que la synthèse des éléments les plus lourds se fait dans les étoiles, il ne en être de même des éléments les plus légers. En particulier, les presque 25 % d'hélium ne peuvent avoir été produits au cours de l'évolution stellaire, alors qu'une nucléosynthèse primordiale dans un modèle de Big Bang fournit le bon ordre de grandeur : la température de l'Univers tombant à 3 milliards de degrés environ, protons et neutrons se combinent en noyaux de deutérium puis d'hélium.

Repères et signaux de l'Univers

Sphère céleste et coordonnées

Pour repérer les astres, on les suppose fixés à une sphère fictive de rayon indéterminé, la sphère céleste, ayant pour centre l'œil de l'observateur. Celle-ci paraît tourner autour de la ligne des pôles (ou axe du monde), qui prolonge la ligne des pôles terrestres. Le plan perpendiculaire à cette ligne est l'équateur céleste. À la verticale de l'observateur se trouvent, au-dessus de l'horizon, le zénith et, au-dessous de l'horizon, le nadir. Le plan perpendiculaire à la verticale du lieu et où se tient l'observateur est l'horizon. Le plan formé par la verticale et la ligne des pôles est le méridien du lieu : c'est le plan nord-sud, qui passe par le zénith.

De même que l'on définit la position d'un point sur la Terre par ses coordonnées géographiques – la latitude et la longitude –, on définit la position des astres sur la sphère céleste à l'aide de paramètres appelés « coordonnées célestes ». On distingue plusieurs systèmes de coordonnées, qui diffèrent par le plan de référence adopté et l'origine choisie dans ce plan.

◆ **Coordonnées célestes.**

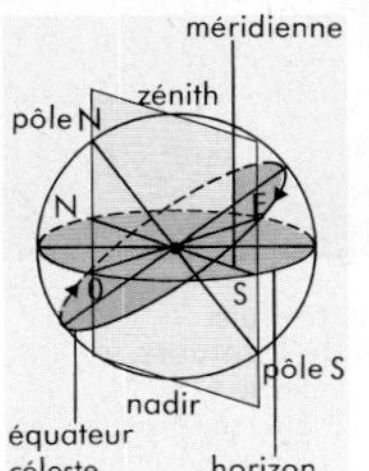

La sphère céleste. Certains de ses éléments (pôles, équateur) sont indépendants du lieu d'observation (sphère des fixes, liée aux étoiles), et d'autres (zénith, nadir, points cardinaux, horizon, méridien...) spécifiques de ce lieu (sphère céleste locale).

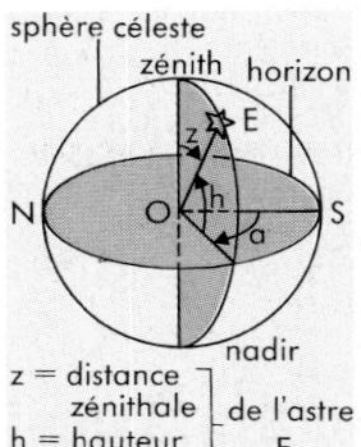

Coordonnées horizontales. Ce sont l'azimut et la hauteur. Le plan de référence est l'horizon et l'origine, la direction du sud. Ces coordonnées sont liées au lieu d'observation. La hauteur est parfois remplacée par son complément algébrique, la distance zénithale.

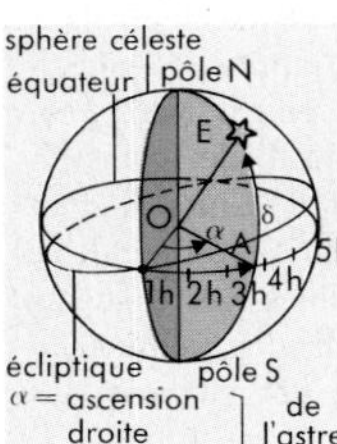

Coordonnées équatoriales. Ce sont l'ascension droite et la déclinaison. Le plan de référence est l'équateur céleste et l'origine, le point vernal. Par suite de la précession de l'axe des pôles, ces coordonnées varient lentement au cours du temps.

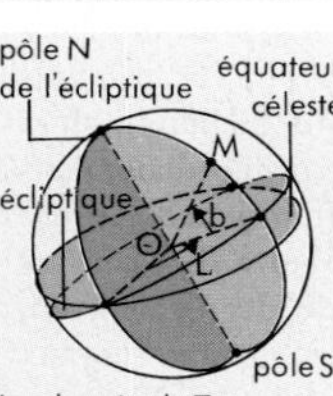

Coordonnées écliptiques. Ce sont la longitude et la latitude écliptiques. Le plan de référence est l'écliptique (plan de l'orbite terrestre) et l'origine, le point vernal (intersection de l'écliptique et de l'équateur céleste).

Les méthodes d'observation

L'astronomie optique étudie les sources célestes de lumière visible (longueurs d'onde comprises entre 400 et 800 nanomètres). Ses instruments de base sont la lunette et le télescope, dont la monture peut être altazimutale (mobile autour d'un axe horizontal et d'un axe vertical) ou équatoriale (mobile autour de l'axe des pôles [axe horaire] et d'un axe perpendiculaire [axe de déclinaison]). La lumière collectée par ces instruments est observée visuellement ou, le plus souvent, enregistrée par un détecteur photographique, photoélectrique ou électronique. Elle peut faire l'objet d'une analyse spectrale à l'aide de spectrographes. Le principal ennemi de l'observation optique est l'atmosphère, parfois opaque et toujours turbulente. On recherche donc des sites de plus en plus élevés dans des pays secs ; la nouvelle technique de l'optique adaptative permet en outre d'éliminer une grande partie de la turbulence.

La radioastronomie. Depuis la fin de la Seconde Guerre mondiale s'est développée l'étude des sources célestes de rayonnement radioélectrique. Celle-ci s'effectue, à partir du sol, à des longueurs d'onde comprises entre 1 mm et 15 m environ, à l'aide d'instruments appelés radiotélescopes. Les observations présentent l'avantage de pouvoir être effectuées de jour comme de nuit, quelle que soit la nébulosité. En revanche, le pouvoir séparateur des instruments est limité par les longueurs d'onde auxquelles on les utilise. On l'améliore par les techniques d'interférométrie, consistant à observer simultanément le même astre avec plusieurs instruments espacés (parfois à l'échelle d'un continent : c'est l'interférométrie à très grande base ; dans ce cas, les signaux reçus sont enregistrés sur bande magnétique et corrélés en différé).

L'astronomie spatiale. L'astronomie spatiale met en œuvre des ballons stratosphériques, des fusées, des satellites et des sondes automatiques. Grâce aux satellites, qui gravitent au-dessus de l'atmosphère terrestre, il est possible d'étudier l'Univers sur l'ensemble du spectre électromagnétique. En effet, l'atmosphère constitue un écran opaque pour la plupart des longueurs d'onde du spectre électromagnétique, à l'exception de quelques « fenêtres ». Même dans le domaine de la lumière visible, il peut être utile de s'affranchir de l'atmosphère et de ses turbulences. Depuis une quarantaine d'années, des satellites d'observation astronomique ont été mis en orbite, pour observer le ciel dans tous les domaines de longueurs d'onde, hormis le domaine radio, qui n'est pas gêné par l'atmosphère. Les données recueillies dans l'infrarouge, l'ultraviolet, les rayons X et γ, et même dans le visible avec le télescope spatial Hubble, ont profondément modifié notre vision de l'Univers et de son histoire. Les sondes spatiales, envoyées loin de la Terre, ont permis l'étude *in situ* de la Lune, des planètes, des comètes, du Soleil et du milieu interplanétaire.

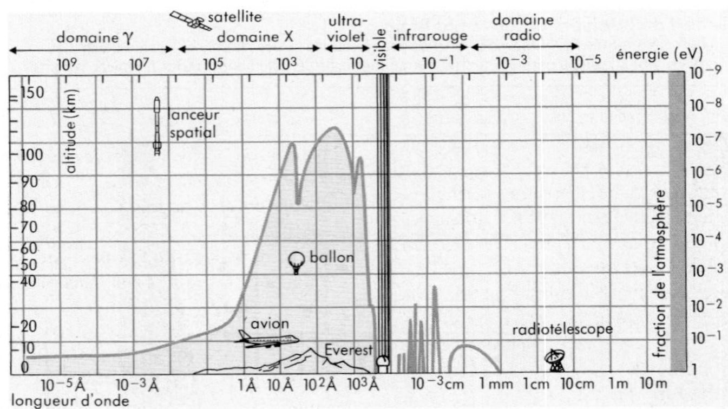

◆ **Les fenêtres d'observation.** L'atmosphère terrestre absorbe ou réfléchit la plupart des rayonnements électromagnétiques provenant du cosmos. Au sol, on ne dispose ainsi que de deux fenêtres d'observation : la fenêtre optique et la fenêtre radio. Les autres rayonnements ne peuvent être détectés qu'en altitude : sur le schéma, la limite supérieure de la zone orange indique l'altitude à laquelle, pour chaque longueur d'onde, l'intensité du rayonnement est réduite de moitié par rapport à sa valeur initiale.

Les étranges sursauts gamma

En 1973, un satellite américain chargé de surveiller les explosions nucléaires soviétiques donnait l'alerte sur de mystérieuses bouffées de rayons γ dont l'origine cosmique fut vite établie. Depuis ce temps, on les observe régulièrement : elles durent quelques secondes et on en observe en moyenne une par jour. L'origine de ces événements a été l'objet d'une forte controverse chez les astrophysiciens : la source était-elle interne à notre galaxie ou se situait-elle n'importe où dans l'Univers ? L'extrême intensité du phénomène laissait penser qu'il ne pouvait qu'être galactique, sinon les énergies en jeu auraient été trop considérables, mais les mesures systématiques effectuées par le satellite américain Gamma Ray Observer (GRO) ont montré que les sources de sursauts étaient distribuées de façon parfaitement isotrope, ce qui excluait de fait l'origine galactique. En outre, on est arrivé en 1997 à identifier, pour un sursaut donné, une source de rayons X et même un objet optique situé à 12 milliards d'années-lumière. La gigantesque quantité d'énergie mise en jeu implique qu'il ne peut donc s'agir que d'un événement cosmique majeur, lié sans doute à la collision d'objets massifs comme des noyaux galactiques ou des trous noirs.

Le message des neutrinos

Les neutrinos, particules élémentaires évoluant dans l'Univers, pourraient passer complètement inaperçus, sauf qu'une très faible interaction avec la matière fait que l'un d'entre eux heurte parfois un atome et le casse. Cela suffit pour le détecter et obtenir une information sur son énergie. L'Univers est rempli de neutrinos (et sans doute d'antineutrinos) de très faible énergie, qui gardent l'information de leur origine, remontant aux tout premiers instants du Big Bang, mais qui sont malheureusement encore impossibles à détecter actuellement. D'autres neutrinos, issus du Soleil, intriguent les physiciens et les astrophysiciens, car on n'en trouve pas assez. L'explosion d'une supernova produit un flux énorme de neutrinos, et celle qui fut détectée en 1987 dans le Grand Nuage de Magellan a été la première dont les neutrinos aient été reçus sans ambiguïté dans plusieurs détecteurs. Malgré la difficulté que l'on a à les détecter, les neutrinos, qui sont des messagers fidèles des circonstances de leur naissance, excitent la curiosité et suscitent un intérêt croissant chez les astrophysiciens.

L'optique adaptative

Les images dansantes de l'horizon par une chaude journée résultent des mouvements aléatoires de l'air chauffé par le sol. L'indice de réfraction de l'air varie d'un point à un autre avec la température et deux rayons lumineux voisins n'ont plus les mêmes trajets optiques : l'image est déformée et fluctuante. Ce phénomène se produit également pour la lumière qui pénètre dans un télescope après avoir traversé toute l'épaisseur de l'atmosphère, et l'image de l'étoile observée est irrémédiablement floue et mouvante. L'optique adaptative permet de pallier ce défaut en corrigeant en permanence le trajet optique des différents rayons qui ont pénétré dans le télescope.

Le principe en est le suivant : puisque le défaut de l'image tient au fait que certains rayons sont en avance ou en retard sur leurs voisins, on compense la différence en allongeant ou en raccourcissant le trajet qu'ils parcourent. On envoie le faisceau sur un miroir déformable dont des centaines de petits vérins modifient en permanence la surface. Ces déplacements sont asservis à un capteur qui mesure en continu l'état optique de l'image d'un objet de référence situé dans le champ du télescope, une étoile par exemple.

Ce dispositif équipera tous les nouveaux télescopes, en particulier les quatre du VLT *(Very Large Telescope)* construits par l'European South Observatory (ESO) au Chili. Ils permettront alors d'atteindre le pouvoir séparateur théorique des instruments, de l'ordre de 0,054'' d'arc.

Petit lexique

interférométrie : méthode de mesure de très grande précision, fondée sur les phénomènes d'interférence.

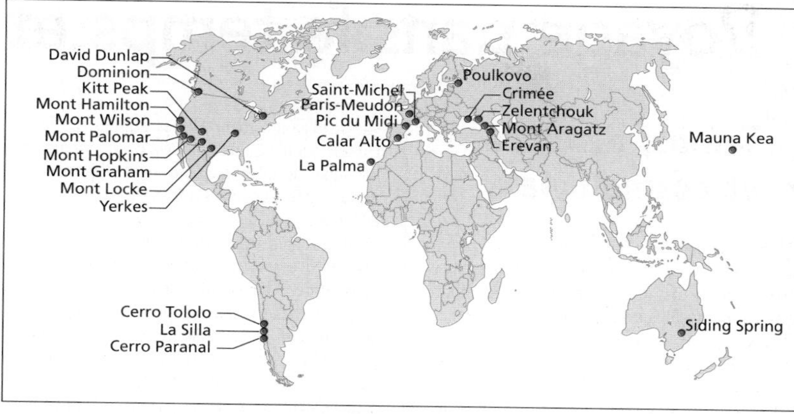

◆ **Les principaux observatoires optiques du monde.**

Les ondes gravitationnelles

Parmi les prédictions de la relativité générale figure l'existence d'ondes émises par des corps massifs accélérés, dites ondes gravitationnelles. Cette émission s'accompagne d'une perte d'énergie qui, dans le cas de deux corps en orbite l'un autour de l'autre, se manifeste par un ralentissement de leur période de rotation. Cet effet, observé dans le cas de deux étoiles dont l'une est un pulsar, constitue la première preuve de l'existence de ces ondes. Une preuve plus convaincante consisterait à les observer directement, en mettant en évidence l'infime « ride » de l'espace-temps qu'elles provoquent. Seuls des phénomènes très violents, comme l'explosion d'une supernova ou la capture d'une étoile par un trou noir sont susceptibles d'émettre des ondes dont les effets pourraient être détectables : la variation relative des longueurs n'excéderait cependant pas 10^{-20}. Des mesures interférométriques réalisées dans des cavités de plusieurs kilomètres, exemptes de toute vibration sismique et de toute fluctuation thermique, permettent seules d'atteindre une telle sensibilité.

Malgré les difficultés que cela représente, plusieurs projets, dont le projet franco-italien VIRGO, sont en cours de réalisation pour que l'astronomie gravitationnelle voie le jour à l'aube du XXIe siècle.

VOIR AUSSI
- **Structure de la matière** p. 336
- **Masse du neutrino** p. 337
- **Instruments de l'astronomie** p. 386

Illustrations
- **Télescope VLT** p. 317

La moisson de Hubble

Placé en orbite par la navette américaine, à 600 km d'altitude, le 25 avril 1990, et télécommandé depuis la Terre, le télescope spatial Hubble, de 2,40 m de diamètre, permet des observations dans une gamme de longueurs d'onde 1 000 fois plus étendue que celle accessible aux télescopes implantés au sol, avec un pouvoir de résolution meilleur que celui des instruments terrestres les plus performants.

Conçu en 1977, mis en orbite en 1990, corrigé de son défaut optique en 1993, le télescope spatial Hubble a déjà apporté et continuera encore pendant plusieurs années à fournir aux astronomes, mais aussi à l'ensemble du monde, des images remarquables d'objets aussi divers que des astéroïdes de quelques centaines de mètres de diamètre ou des amas de galaxies situés aux confins de l'univers visible. Parmi ses missions essentielles figure la détermination des distances galactiques, destinée à améliorer la précision sur la valeur de la « constante de Hubble », ce dont il s'est déjà fort bien acquitté. Dans le système solaire, il a donné des images étonnantes de la dynamique atmosphérique des planètes géantes ; on lui doit les premières vraies photos de Pluton et de son satellite Charon, et il a permis l'observation en direct de la chute d'une comète en morceaux sur Jupiter. On lui doit des images, parmi les plus belles de l'astronomie, mais aussi les plus riches d'informations inédites, sur les « pouponnières d'étoiles », ainsi que sur les zones les plus lointaines de l'Univers, là où un minuscule coin de ciel dans une région en apparence vide s'est révélé peuplé de milliers de galaxies aux formes et aux couleurs surprenantes... Cependant, une nouvelle génération d'instruments terrestres est en train de voir le jour, qui pourraient lui apporter une sérieuse concurrence.

◆ **Réparation du télescope Hubble en 1993.** Le léger défaut optique qui enlevait au télescope spatial une grande partie de son intérêt a été corrigé lors d'une mission spatiale particulièrement médiatisée, fin 1993. On voit ici les deux cosmonautes en train de remplacer une des caméras du télescope. La maintenance de ce télescope hautement performant de 2,40 m de diamètre exige, en routine, une mission spatiale tous les trois ans environ.

Voyage dans le temps et dans l'espace

Temps, distances et cosmologie

La vitesse de la lumière est de 300 000 km par seconde. Aucune information en provenance du cosmos ne peut circuler plus rapidement, donc les nouvelles que nous recevons dans nos télescopes sont vraiment les « dernières nouvelles » des galaxies.

Mesurer l'éloignement d'une galaxie. La théorie du Big Bang et de l'expansion de l'Univers nous dit que, depuis les origines, l'espace grandit à vitesse uniforme, ce qui signifie que tous les objets s'éloignent les uns des autres à une vitesse d'autant plus grande qu'ils sont plus éloignés. Chaque point peut se considérer comme le centre du monde puisqu'il voit tous les autres points s'éloigner de lui et qu'il a le sentiment d'être immobile. Ceci n'est évidemment qu'une approximation, car ce mouvement d'expansion cosmologique se superpose à une multitude d'autres mouvements, plus « locaux », qui peuvent inverser localement ce processus d'éloignement.

Cet éloignement se traduit par l'effet Doppler-Fizeau, repérable optiquement par un décalage vers les grandes longueurs d'onde des raies spectrales. Ce décalage se traduit également par un « ralentissement » des fréquences de vibration des atomes : un objet qui s'éloigne de nous semble vivre à un temps différent du nôtre, ses rythmes internes paraissant plus lents puisque ses atomes semblent vibrer moins vite. Le ralentissement de ces fréquences permet d'estimer la vitesse d'éloignement de ces atomes. La loi de Hubble stipule qu'un objet est d'autant plus éloigné que ce ralentissement des fréquences est important (bien que des observations très récentes effectuées sur des supernovae très lointaines paraissent remettre partiellement en cause ce résultat : il semblerait en effet que la vitesse d'expansion de l'Univers ne soit pas constante, mais aille en s'accélérant). Nous pouvons alors estimer la longueur du trajet parcouru par la lumière entre une lointaine galaxie et la Terre, longueur qui n'a rien à voir avec la « distance » à laquelle se trouve actuellement cette galaxie, distance à laquelle la relativité nous interdit de donner un sens.

Le paradoxe de la distance. Ce ralentissement permet de lever un paradoxe. En effet, si l'Univers est en expansion depuis le Big Bang, cela signifie qu'au « début », lorsqu'il était tout petit, tous les objets qui le composaient étaient proches les uns des autres ; en particulier, tel quasar, que nous situons à 12 milliards d'années-lumière, était donc à l'époque (il y a 12 milliards d'années) très proche de notre galaxie (si tant est qu'elle existât alors, mais cette question est sans importance pour le raisonnement). Certes, ce quasar s'éloignait déjà de nous à la même vitesse qu'aujourd'hui, ses raies étaient rougies par la vitesse, mais elles émanaient d'un objet encore proche dans l'espace et le temps. Il y a donc paradoxe puisque nous recevons actuellement de ce quasar presque la même quantité de lumière que celle que nous recevions il y a 12 milliards d'années ! La réponse tient dans le ralentissement évoqué précédemment : depuis 12 milliards d'années, nous recevons de ce quasar de la lumière, mais c'est celle d'un objet qui, en raison du ralentissement, a très peu vieilli : nous « voyons » ce quasar vivre 10 fois plus lentement que nous. Comme nous ne connaissons rien de lui, excepté la lumière qu'il nous a envoyée, nous pouvons considérer que le temps, sur le quasar, s'écoule 10 fois moins vite que sur Terre. La question de savoir ce qu'est devenu cet objet aujourd'hui n'a aucun sens, puisque les seules informations que nous avons sur lui nous viennent de sa lumière, vieille de 12 milliards d'années.

Il n'y a pas lieu de s'attrister de cette situation, qui nous interdit de savoir ce qui se passe en ce moment aux confins de l'Univers, car, en revanche, elle nous permet d'observer en direct ce qui s'y est passé il y a environ 12 milliards d'années...

Petit lexique

cosmogonie : science de la formation des objets célestes (planètes, étoiles, galaxies, etc.).

cosmologie : science qui étudie la structure et l'évolution de l'Univers considéré dans son ensemble.

VOIR AUSSI
Illustrations
• **Effet Doppler-Fizeau** p. 16

◆ **L'architecture de l'Univers.**
La description actuelle de l'Univers s'accommode assez bien d'une hiérarchie de structures bien identifiées, chacune étant environ mille fois plus grande que la précédente. On passe ainsi, en cinq étapes successives, du couple Terre-Lune aux superamas de galaxies.

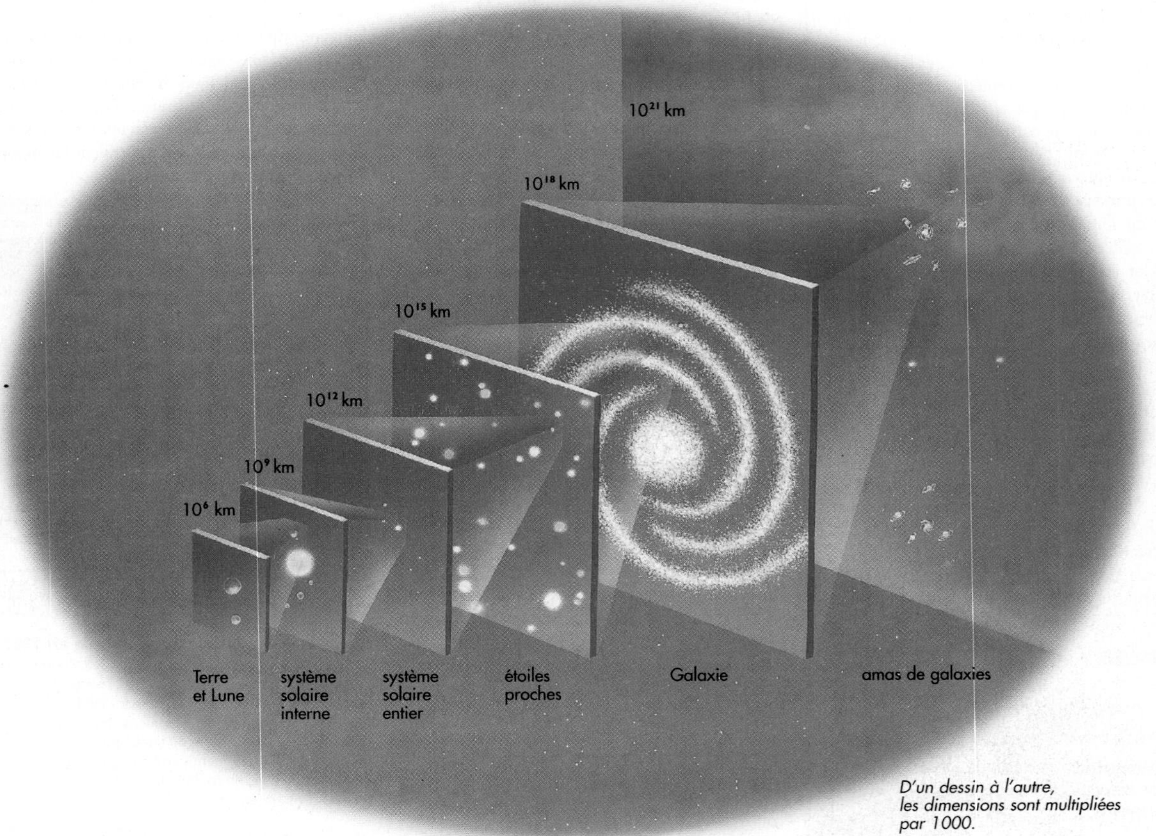

D'un dessin à l'autre, les dimensions sont multipliées par 1000.

L'aventure spatiale

Du rêve à la réalité

Les lecteurs de Jules Verne et de H.G. Wells ont tous voyagé en rêve à travers l'espace, mais bien peu s'attendent au bip-bip de Spoutnik 1, lancé le 4 oct. 1957 ; un mois plus tard, Spoutnik 2 emporte à son bord la chienne Laïka. Cette entrée fracassante des Soviétiques dans l'espace va déclencher une vertigineuse rivalité avec les Américains durant cette fiévreuse époque de guerre froide, jalonnée par les mises en orbite de satellites de plus en plus performants, tant par les orbites qu'ils atteignent que par les instruments qu'ils transportent. La Lune est rapidement visée, et atteinte dès 1959 par les sondes soviétiques Luna 1, 2 et 3, cette dernière nous révélant la face cachée de notre satellite.

Certes, ces succès (entrecoupés d'échecs cuisants) n'ont pu être obtenus que grâce à une maîtrise des lanceurs conçus initialement dans un but guerrier, mais le désir de conquérir l'espace est très vite devenu une fin en soi. Il est stupéfiant de voir qu'il a fallu si peu de temps (4 ans à peine) pour passer des premiers satellites aux premiers hommes dans l'espace (le Soviétique Iouri Gagarine, le 12 avr. 1961), puis 8 années pour arriver aux énormes machines du programme Apollo, qui ont permis à l'Américain Neil Armstrong de poser le pied sur la Lune le 21 juill. 1969. Dans la conquête et l'exploration de l'espace, les missions Apollo marquent bien la fin du premier acte (dernière mission, Apollo 17, en déc. 1972).

VOIR AUSSI

Illustrations
- **Spoutnik 1** p. 309
- **Iouri Gagarine** p. 310

Le programme Apollo

◆ **L'homme sur la Lune.**
Notre connaissance de la Lune a considérablement progressé depuis qu'elle a été explorée par l'homme. Dans le cadre du programme américain Apollo, 12 astronautes ont foulé son sol, entre 1969 et 1972, et rapporté sur la Terre, pour analyse, 382 kg d'échantillons de roches lunaires.

En 1961, le président Kennedy annonce que l'homme ira sur la Lune avant 1970 et le pari sera tenu. Le programme Apollo prévoit des missions habitées à partir d'un module satellisé autour de la Lune d'où se détache le module lunaire proprement dit, qui descend se poser, permettant à ses occupants de sortir et d'explorer. Grâce à ses fusées, le module quitte le sol lunaire, rejoint le module de service auquel il se rattache et regagne la Terre. Commençant de façon dramatique (3 hommes sont brûlés vifs au sol dans le module Apollo 1), les 10 premières missions Apollo ont permis, étape par étape, de mettre au point toute la séquence. Le triomphe arrive le 21 juillet 1969, lorsque le premier homme pose le pied sur la Lune, consacrant la supériorité des Américains dans la conquête spatiale. Les six missions suivantes enchaînent les succès (à l'exception d'Apollo 13, qui frise la catastrophe), et l'épopée lunaire s'achève en décembre 1972, avec, en plus de l'aura de gloire dont bénéficient ses auteurs, une ample moisson de résultats scientifiques.

◆ **La station orbitale Mir.**
La station spatiale russe Mir est le plus grand objet mis en orbite actuellement. Il s'agit d'un ensemble d'unités assemblées progressivement qui permet d'accueillir jusqu'à 5 cosmonautes et de nombreux équipements scientifiques. Cette station est équipée pour se connecter à différents types de vaisseaux convoyeurs. Lancée par les Soviétiques en 1986, elle a fonctionné régulièrement jusqu'en 1999 grâce à une collaboration internationale.

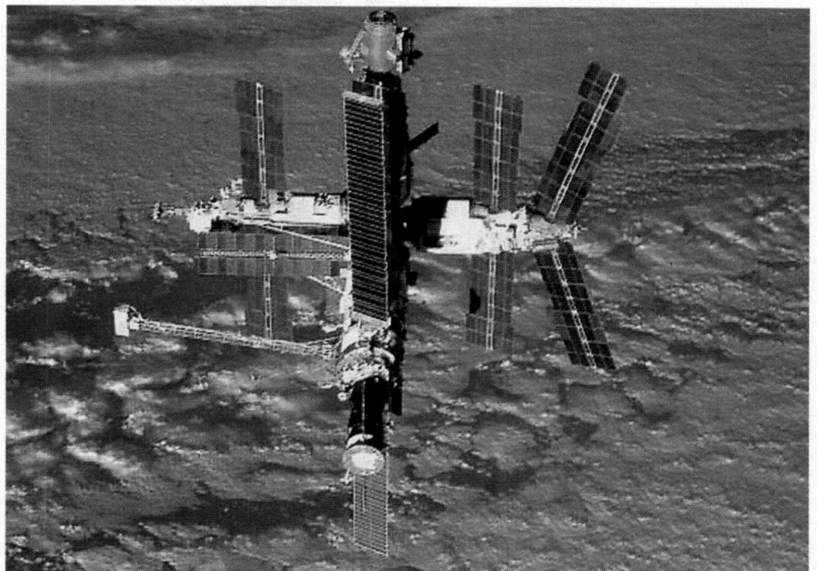

◆ **Principaux lanceurs spatiaux.**

Lanceur (et année du premier tir)	Hauteur (m)	Nombre d'étages
Américains		
Atlas-G-Centaur-DI-A (1990)	40	2
Delta 3914*	35,4	3
Delta 3920 PAM	35,4	3
Saturn I (1961)*	58	2
Saturn I-B (1966)*	68,3	2
Saturn V (1967)*	111	3
Scout B (1960)	22	3
Titan 2*	33,5	2
Titan 4	54	3
Titan 34 D (1981)	50	2
Titan 3-C*	38,3	3
Titan 3-Centaur*	30	3
Navette (1981)	56	1
Chinois		
Longue-Marche 1 (1970)*	29,5	3
Longue-Marche 2C (1982)*	32,6	2
Longue-Marche 3 (1986)	43,3	3
Longue-Marche 4 (1988)	41,9	3
Longue-Marche 2E (1990)*	51	2,5
Longue-Marche 3A (1994)	52,5	3
Longue-Marche 3B (1996)	54,8	3
Longue-Marche 3C (1997)	54,8	3
Européens		
Europa 1 à 10 (1966-1971)*		
Ariane 1 (1979)*	47,8	3
Ariane 2* (1984)	49	3
Ariane 3 (1984)	49	3
Ariane 4 (1988)	58	3
Ariane 5 (1996)	50 à 57	3
Français		
Diamant A (1965)*	17,9	3
Diamant B (1970)*	23,5	3
Diamant BP4 (1975)*	21,6	3
Indiens		
ASLV (1987)	24	5
GSLV (1997)	51	3
PSLV (1993)	44	4
Israéliens		
Shavit (1988)		
Japonais		
H1 (1986)*	40,3	3**
H2 (1994)	50	2
H2A (2001)	52	2
J1 (1996)	33,1	3
M-5 (1997)	30,7	3
M-3C (1974)*	20,2	3
M-3H (1977)*	23,8	3
M-3S (1980)*	23,8	3
M-3S2 (1985)	27,8	3
M-4S (1970)*	23,6	4
N1 (1975)*	32,6	3
N2 (1981)*	35,4	3**
Ex-soviétiques et russes		
Cosmos 3M (1994)		
Energya (1987)*	59,6	2
Rokot (1994)		3
Lance-Cosmos C1 (1964)*	32	2
L-Proton D1-E (1968)*	42	3
L-Soyouz A2-e (1961)*	49	2
L-Soyouz (1963)	49	2
Lance-Spoutnik (1957)*	28	1
L-Vostok (1959)*	30	2
RUS (1997-1999)	51,2	3
SL 11 (1966)*		
Tsyklon-3 (SL 14) (1977)	39,3	3
Zenit 2 (1985)	57	2

* Ne sont plus utilisés.
** 1er lancement en version biétage.

Satellites, sondes, capsules

Ces trois noms désignent des objets spatiaux dont les finalités sont différentes. Dès le début de l'ère spatiale, Américains et Soviétiques en ont envoyé de nombreux, mais pas toujours avec succès.

Les satellites. Inhabités, ils tournent autour de la Terre. Leurs missions principales appartiennent à trois domaines.

Les télécommunications : ces satellites servent de relais entre des stations terrestres pour la trans-mission intercontinentale d'informations, qu'il s'agisse de communications téléphoniques ou de programmes de télévision. Ils sont en général placés sur des orbites géostationnaires, à 35 900 km d'altitude au-dessus de l'équateur : tournant à la même vitesse que la Terre, ils gardent par rapport à elle une position fixe dans le ciel.

La surveillance : l'observation de la Terre depuis l'espace s'est révélée très fructueuse dans de multiples domaines. Les principaux sont :
– la météorologie, avec transmission en permanence de l'état de la couverture nuageuse établie pour de vastes surfaces, et de la mesure du rayonnement infrarouge, renseignant sur la température des différentes couches de l'atmosphère ;
– la géodésie, la télédétection, et l'observation du sol et des océans, pour la détermination des structures géologiques, des ressources minières, agricoles et piscicoles ;
– la navigation, grâce à des satellites balises permettant à un récepteur terrestre de déterminer sa position. D'abord militaires, ces balises ont été progressivement ouvertes aux civils ;
– l'espionnage militaire.

L'observation de l'espace : elle est possible sans les contraintes que fait peser l'atmosphère terrestre, en particulier la turbulence atmosphérique, l'opacité des nuages et l'absorption de nombreuses longueurs d'onde par les gaz atmosphériques.

Récit d'un spationaute

Dans son ouvrage *L'Espace habité*, le spationaute français Patrick Baudry explique comment il a vécu la mise sur orbite de la navette américaine Discovery en tant que passager. La navette vient de décoller... «L'accélération» a pris pour elle la devise : "Toujours plus !" Dans mon siège, je subis 2 g, je pèse deux fois mon poids, ce qui doit faire 140 kg tout ronds. Bientôt je suis écrasé par l'accélération qui nous pousse à Mach 15. C'est à peine si je réalise que l'orbiteur dépasse Mach 20 pour atteindre Mach 25, puis Mach 26. Vingt-six fois la vitesse du son. Le ciel reste d'un noir d'encre et je ne vois toujours pas la Terre, puisque nous volons à l'envers. Je suis au pont inférieur que les Américains appellent «*Mid-deck*». Je jubile parce que je sais que notre poussée nous a déjà placés sur une trajectoire orbitale. Même si un moteur nous lâche maintenant, nous pourrons faire au moins une orbite autour de la Terre.
Ça pousse encore plus, je suis complètement écrasé, enfoncé dans mon siège. À 3 g je pèse 210 kg, mes côtes me font mal, mon dos aussi. Coupez !
Les moteurs s'arrêtent. C'est "MECO", le Main Engine Cut Off. Le moment d'arrêt des moteurs principaux et la séparation du réservoir ventral dans une grande explosion sèche. Nous sommes en zéro-g, en apesanteur.
Alors que le grand réservoir doit se consumer dans l'atmosphère au-dessus de l'océan Indien, je dégrafe à Mach 2 mon harnais de sécurité, j'enlève mon casque. Je me sens un oiseau, non je "suis" un oiseau, je flotte léger, léger, je vole. Nous avons gagné ! Fantastique ! C'est la liberté absolue et on va pouvoir "bosser" à présent.»

Les sondes. Ce sont des objets destinés à s'affranchir de l'attraction terrestre pour aller observer les autres corps du système solaire, la Lune d'abord, puis Mars et Vénus. Certaines sont satellisées autour de ces astres, d'autres sont destinées à atteindre le sol, soit en s'écrasant dessus après avoir transmis des informations sur leur atmosphère, soit en se posant en douceur pour devenir des observatoires.

Les capsules. Elles peuvent abriter un équipage humain. Les premières permettaient tout juste un séjour de quelques heures dans l'espace pour un, puis deux cosmonautes rivés à leur siège. Rapidement, la préparation du vol lunaire amène Soviétiques et Américains à réaliser des capsules plus vastes, préfigurant les futures stations spatiales.

Petit lexique

géodésie : étude de la forme de la Terre et mesure de ses dimensions, menée surtout maintenant grâce aux informations fournies par les satellites.

orbite géostationnaire : orbite équatoriale située à 36 000 km de la Terre, où les satellites ont une période de révolution égale à la période de la rotation terrestre (23 h 56 min), ce qui leur permet de demeurer en permanence à la verticale d'un même lieu.

télédétection : ensemble des techniques permettant d'effectuer à bord d'engins circulant en altitude (avions et satellites) des mesures concernant la surface de la Terre (météorologie, couverture agricole, etc.).

Quitter la Terre, puis y revenir

Envoyer un satellite inhabité dans l'espace demande la maîtrise du lanceur, qui doit posséder une poussée suffisante pour faire envoler, non seulement le satellite qu'il emporte, mais surtout sa propre masse, formée essentiellement des substances (les propergols) que vont consommer ses fusées en quelques secondes.
En général, on se soucie peu de ce que deviendra le satellite une fois sa mission terminée : il se volatilisera en entrant dans l'atmosphère ou disparaîtra dans le cosmos. La question est autre pour les capsules habitées, car le retour sur la Terre est un problème délicat. En effet, quelle que soit son orbite, une capsule qui regagne la Terre doit traverser l'atmosphère à une vitesse considérable, ce qui provoque un énorme échauffement ; elle doit également ralentir pour ne pas se fracasser en touchant le sol. Soviétiques et Américains ont choisi des stratégies différentes, pour la traversée de l'atmosphère comme pour le contact final, amerrissage chez les Américains, atterrissage chez les Soviétiques.
Il faut également que la cabine offre les éléments essentiels à la survie, comme une atmosphère respirable et une température correcte, pour ne pas parler d'un espace minimum de déplacement. Durant la première phase de la conquête spatiale, la mise au point des vols habités a représenté le principal effort des deux superpuissances.

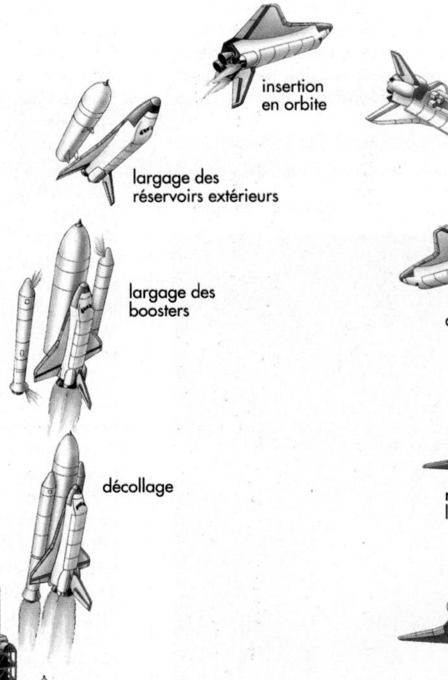

◆ **La trajectoire d'une navette spatiale.** Le décollage d'une navette spatiale s'effectue verticalement, comme celui de tous les satellites, grâce à des fusées détachables. La mise en orbite basse (300 km) est contrôlée parles réacteurs de la navette. Le temps passé en orbite est variable et dépend des missions. Le retour sur Terre commence par une désatellisation obtenue par les réacteurs fonctionnant en freinage. Compte tenu l'échauffement intense dans l'atmosphère, l'étape finale aboutissant à l'atterrissage doit être menée de façon très précise.

VOIR AUSSI
• Télédétection p. 27
• À la conquête de l'espace p. 309
• L'homme dans l'espace p. 310
• Satellites et stations orbitales p. 387

La colonisation du ciel

Le développement d'un nouveau marché

Forte de son succès, l'Amérique de l'après-Apollo va tenter de devenir le principal gestionnaire de l'espace, marché fructueux du fait d'une demande croissante de satellites, surtout pour les télécommunications. Jusqu'à l'écroulement de l'URSS, la guerre froide va également maintenir la pression entre les deux blocs, les Soviétiques maintenant leur supériorité quant au nombre et à la qualité de leurs lanceurs. Entre-temps, de nouveaux pays sont entrés dans le marché, la France, puis l'Europe avec le programme Ariane, la Chine, le Japon. Durant les années 1970 et 1980, les Américains misent sur le développement de la navette spatiale, véhicule habité capable d'emporter avec lui une cargaison, qu'il satellise, et de revenir au sol après un séjour en orbite. La navette est également prévue pour accomplir des rendez-vous spatiaux de ravitaillement et d'entretien avec des satellites déjà en orbite.

Le premier vol de Discovery en 1981 semble prometteur, et la vingtaine de vols qui suit confirme ce succès, mais l'explosion quelques secondes après décollage de Challenger avec 7 astronautes à bord en janv. 1986 remet le programme en question pour au moins deux ans. Pendant ce temps, le programme Ariane se développe et le lanceur européen prend progressivement la première place sur le marché mondial.

Vivre dans l'espace

Pour conclure le programme Apollo, les Américains décident d'en utiliser les reliquats pour équiper un laboratoire spatial, « Skylab », qui tient l'espace de mai 1973 à févr. 1974 et accueille des équipes de trois astronautes pendant des durées atteignant 84 jours. Cette première est sans lendemain pour la NASA, alors que les Soviétiques entament dès 1971 le programme des stations Saliout qui se prolongera pendant 15 ans, de Saliout 1 à Saliout 7, avec toutes sortes de records : durée de séjour, nombre de rendez-vous et de ravitaillements, rencontre russo-américaine, équipages internationaux... Les Russes sont indéniablement devenus, au cours de cette période, les champions de la vie dans l'espace et ont acquis une irremplaçable expérience des vols habités.

Entre-temps, la guerre froide s'est apaisée, la collaboration a remplacé la concurrence féroce, et les performances spatiales ont perdu de l'impact sur les opinions, toutes raisons qui font que les budgets correspondants se sont considérablement réduits. La station soviétique Mir, mise en orbite en févr. 1986, brillant successeur des Saliout, ne survivra à la disparition de l'URSS que grâce à l'aide de la NASA..., et le gigantesque projet ISS (*International Space Station*, 470 t et 100 m d'envergure), dont le premier élément a été mis en orbite en 1998 et qui doit être opérationnel en 2003, comportera des éléments russes, américains, européens et japonais.

◆ **Décollage d'Ariane 5 depuis la base de Kourou** (Guyane française).
La base de Kourou est située très près de l'équateur, ce qui représente un avantage important pour les mises en orbite, car c'est à cet endroit que la vitesse empruntée à la rotation terrestre est maximale. On voit ici le décollage depuis cette base, le 21 octobre 1998, du dernier-né des lanceurs de l'ESA (European Space Agency) : la puissante fusée Ariane 5, pesant 747 tonnes et capable de mettre en orbite de transfert géostationnaire près de 7 tonnes de matériel.

◆ **Chambre de test électromagnétique de satellites de télécommunications.**
Pour mesurer très précisément les conditions spatiales de réception et d'émission des ondes radio par un satellite de télécommunications, il est nécessaire de le tester dans un environnement comparable à l'espace. C'est ce qui est recherché dans cette salle dont les parois sont revêtues de structures en forme de piques qui constituent des pièges empêchant toute réflexion des ondes électromagnétiques. On peut alors mesurer exactement ce qu'émet le satellite, sans perturbations par la réflexion des ondes sur les murs du local.

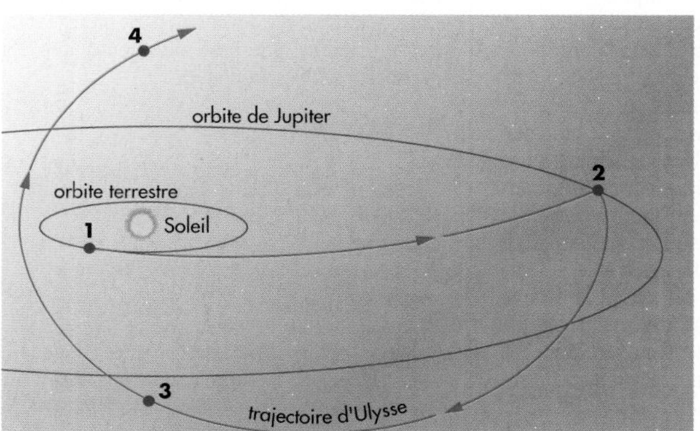

◆ **La trajectoire de la sonde Ulysse.**
Destinée à mesurer le champ magnétique solaire dans la direction des pôles, la sonde Ulysse, lancée dans le plan de l'écliptique, est allée chercher le champ gravitationnel de Jupiter pour changer de plan orbital et pouvoir ainsi accomplir sa mission.

L'exploration du système solaire

Dès 1959, une sonde rudimentaire est envoyée vers la Lune : Luna 1, suivie de Pioneer 4 puis des Luna 2 et 3, cette dernière faisant le tour de la Lune et photographiant la face inconnue. Ainsi, dès l'aube de l'ère spatiale, le désir de s'échapper de la Terre et d'aller visiter le cosmos était-il une motivation profonde des décideurs. Ce désir n'a pas faibli après quarante années, pendant lesquelles de nombreuses sondes ont été envoyées dans l'espace interplanétaire. Certaines missions ont connu une intense médiatisation, comme les missions Apollo, mais aussi la visite de Mars (1976-1982) par les sondes Viking 1 et 2, qui ont analysé le sol martien et montré qu'il ne contenait aucune trace de vie, et plus récemment (1997) par la mission Pathfinder et son véhicule Sojourner.

D'autres missions moins spectaculaires sont aussi importantes quant aux informations scientifiques qu'elles ont apportées. Vénus a été visitée neuf fois, Mercure un peu moins, mais les missions les plus impressionnantes ont été Pioneer 10 et 11, puis Voyager 1 et 2, partis pour un long voyage vers les planètes lointaines. Voyager 2, en particulier, parti en 1977, atteignit Jupiter en 1979, puis Saturne en 1981, Uranus en 1986, et enfin Neptune en 1989. La sonde Galileo, partie en 1989, orbite maintenant autour de Jupiter dont elle visite les satellites l'un après l'autre. Dernière née, la sonde Cassini est partie fin 1997 pour atteindre et inspecter Saturne, ses anneaux et ses satellites à partir de 2005, et de là envoyer la sonde Huygens qui se posera sur Titan. Le Soleil n'a pas été oublié, puisque le satellite Ulysse en a visité les pôles en 1994 et 1995 et les revisitera en 2000 et 2001.

Une vision nouvelle de l'Univers

Une des toutes premières applications de l'exploration de l'espace fut, en 1946, l'étude du rayonnement cosmique à l'aide d'une fusée V2 récupérée de l'armée allemande, envoyée par les Américains à 116 km d'altitude. Depuis, l'intérêt d'observer l'espace hors atmosphère a motivé de nombreuses missions, dont la plus célèbre est l'envoi du télescope spatial Hubble (HST). Prévue pour 1983, puis 1986, la mise en orbite de cet énorme engin (13 m de long, 4,3 m de diamètre et 11,6 t) fut retardée jusqu'en 1990 à la suite de l'explosion de la navette Challenger. Il ne devint totalement fonctionnel qu'en 1993, après une mission de correction d'un défaut optique. Depuis cette époque, la moisson d'informations qu'il a données, à toutes les échelles de distance est impressionnante. L'absence d'atmosphère permet d'obtenir des images d'une netteté parfaite, à la limite théorique qu'autorisent les 2,40 m de diamètre du miroir. L'absence de toute lumière diffusée donne accès à des objets extraordinairement peu brillants. Qu'il s'agisse des planètes du système solaire, des nuages de poussière où naissent des étoiles dans notre galaxie, des clignotements des céphéides dans de lointaines galaxies ou de quasars situés aux extrêmes confins de l'Univers visible, Hubble fournit régulièrement des images d'une étonnante beauté et d'un intérêt scientifique unique. D'autres instruments d'observation en orbite ont apporté d'inestimables informations, et de nouveaux instruments terrestres vont peut-être bientôt le concurrencer, mais Hubble restera comme une des plus prestigieuses réussites de l'exploration de l'espace.

◆ **Le robot Sojourner sur Mars.**
Arrivée sur Mars le 4 juillet 1997, la sonde Mars Pathfinder s'est ouverte en libérant le robot Sojourner, petit véhicule de 360 kg destiné à explorer de façon autonome le sol martien et d'y faire des photos et des analyses minéralogiques. Mû par des panneaux solaires, il a pu s'éloigner de quelques centaines de mètres du point d'impact, baptisé Carl Sagan Memorial Station.

La nouvelle station orbitale

Le grand projet spatial des années qui viennent est le montage en orbite de l'ISS *(International Space Station)*, fruit d'une collaboration internationale dirigée par les États-Unis, avec la participation de la Russie, de neuf pays d'Europe et du Japon. Cet énorme objet, qui va coûter entre 50 et 100 milliards de dollars, est destiné à abriter jusqu'à 7 astronautes dans 6 laboratoires. Il prendra à partir de 2003, en tant que centre de recherche scientifique spatiale, le relais de la station Mir, qui n'est pas censée survivre au XXe siècle.

Les recherches qu'on effectue dans l'espace sont liées à la situation de microgravité qui règne dans un objet en orbite, c'est-à-dire l'absence quasi-totale de pesanteur. Ces recherches concernent la vie en apesanteur, important chapitre de biologie et de physiologie expérimentale, mais aussi l'élaboration de matériaux. On utilise également les conditions de vide qui règnent à 400 km d'altitude pour la fabrication de substances d'une extrême pureté. Tout ceci se fait déjà depuis des années, et c'est là que le bât blesse, car de nombreuses voix se sont fait entendre, aussi bien chez les scientifiques que dans le monde de l'espace, pour dire que ces recherches n'avaient guère d'intérêt, qu'elles n'avaient rien apporté de fondamentalement nouveau, et qu'elles coûtaient bien cher, au détriment d'autres projets potentiellement bien plus riches d'information, mais ne comportant pas d'astronautes. La question se pose alors de savoir pourquoi cet énorme projet a vu le jour, et il est probable que des questions de prestige et de poids politique ont pesé plus lourd que les interrogations des scientifiques.

La NASA

Organisme officiel de recherche spatiale civile du gouvernement américain, la NASA (National Aeronautic and Space Administration) est créée en 1958 pour coordonner les efforts en vue de reprendre aux Soviétiques l'avantage en matière de conquête de l'espace. Dès 1960, la NASA met sur pied un ambitieux programme visant à envoyer des hommes sur la Lune avant la fin de la décennie, et des sondes spatiales vers les différentes planètes. On sait avec quelle rigueur et efficacité ce programme est mené à bien et comment, étape par étape, l'Amérique réussit à égaler, puis à dépasser les Soviétiques dans à ≤près tous les domaines de la conquête spatiale. Ce succès est dû à une organisation très soigneuse des infrastructures et à une attention de tous les instants dans la préparation de chaque étape d'une mission, en particulier par d'innombrables répétitions.
Forte de ses succès, la NASA développe des projets de plus en plus ambitieux au cours des années 1970 et 1980, en particulier le programme «navette spatiale», peut-être au détriment de la rigueur des premiers temps. L'échec retentissant qu'est l'explosion juste après décollage de la navette Challenger en 1987 stoppe net les programmes, et contraint l'Administration à revoir toute sa politique, ce qui entraîne d'importants retards sur de nombreuses missions. Ce n'est qu'au cours de la décennie suivante que la NASA renoue avec le succès, malgré des contraintes budgétaires très sévères. La guerre froide terminée, la conquête de l'espace cesse d'être un enjeu politique pour devenir un terrain de compétition économique, ce à quoi la NASA est mal préparée. Mais encouragée la réussite de ces derniers programmes, comme l'envoi de la sonde Mars Pathfinder, la NASA annonce pour le XXIe s. un vaste programme de missions habitées qui fait l'objet d'un débat vigoureux.

Petit lexique

bioastronomie : ensemble des activités centrées autour de la recherche et de l'étude de la vie extraterrestre.

sonde spatiale : véhicule spatial non habité destiné à explorer les autres corps célestes que la Terre, essentiellement ceux du système solaire.

VOIR AUSSI
- **Vie extraterrestre** p. 95
- **Satellites et stations orbitales** p. 387

Illustrations
- **Réparation du télescope Hubble** p. 21
- **Station spatiale internationale** p. 316

Observer et représenter la Terre

La cartographie

La cartographie a pour objet la conception et la réalisation de cartes, représentations géographiques du monde où nous vivons, répondant ainsi au besoin légitime et ancestral de pouvoir se repérer facilement (carte géographique, carte des fonds océaniques, carte du ciel, etc.). En cela, la cartographie est une science exacte, d'essence mathématique, mais aussi un art par le fait, en dehors de la beauté indéniable de certaines cartes, qu'elle produit des supports de la pensée : elle donne des interprétations subjectives à des mesures objectives. Comme toutes les sciences, elle reste tributaire des avancées technologiques, dont les photographies aériennes et les données satellitaires ont été les plus importantes.

Les projections. Un planisphère est une représentation du globe terrestre sur un document plan. Cette opération géométrique est appelée « projection » ; on compte plus de 200 types de projections, qui peuvent être réparties en trois catégories. Les projections conformes respectent les angles et conviennent surtout aux cartes détaillées, à moyenne et à grande échelle ; les projections équivalentes respectent les surfaces, mais déforment les tracés et sont mieux adaptées aux traitements de grandes surfaces (cartes à petite échelle) ; les autres projections ne possèdent aucune de ces qualités, étant bien entendu qu'une projection ne peut être à la fois conforme et équivalente.

La projection cylindrique de Mercator, la plus utilisée, est une projection conforme. Les méridiens sont des droites parallèles équidistantes, mais la distance entre les parallèles augmente avec la latitude. Ainsi, elle donne une importance exagérée aux zones tempérées et, encore plus, aux zones polaires par rapport aux zones intertropicales. L'Afrique a, en réalité, une surface presque double de celle de l'ensemble États-Unis - Canada, ce qui n'est pas le cas sur ce type de planisphère. Mais cette représentation est d'une grande utilité pour la confection de cartes maritimes et aériennes. En effet, sur une carte établie selon cette projection, il suffit de tracer une ligne droite entre deux points pour obtenir la route la plus directe (sans changement de cap).

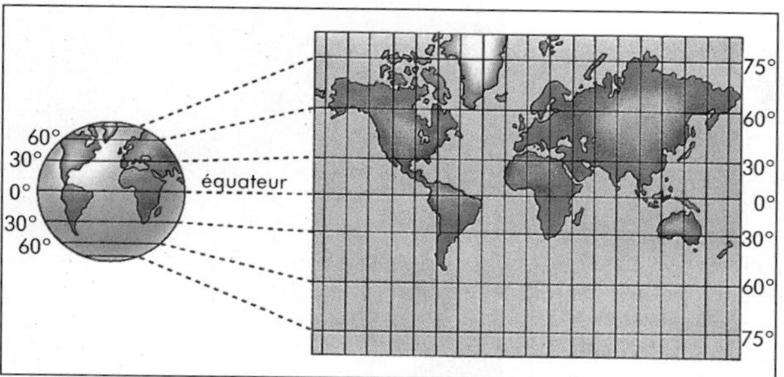

◆ Projection cartographique de Mercator. Introduite en 1569 par le géographe flamand Gérard Mercator, cette projection s'apparente à un développement cylindrique le long de l'équateur. Les méridiens sont représentés par des droites verticales équidistantes, et les parallèles, par des droites horizontales. Plus on s'écarte de l'équateur, plus les distances sont exagérées.

◆ Carte de Cassini. Au XVIIIe s. se déroulèrent de vastes opérations géodésiques et cartographiques. César François Cassini de Thury établit en 1789 une grande carte de France au 1/86 400, qui servit plus tard de modèle à la carte d'état-major.

L'apport de l'informatique. Au fil des besoins, les cartes thématiques sont devenues de plus en plus nombreuses : cartes topographiques, cartes géologiques, cartes météorologiques, cartes aériennes, cartes démographiques, etc. Toutes ces cartes bénéficient de l'outil informatique pour leur élaboration. Opérationnelle depuis 1960 environ, la cartographie automatique se perfectionne sans cesse : du stockage des informations sous forme de fichiers numérisés à la production automatique de documents graphiques, y compris des représentations en trois dimensions.

◆ Image satellitaire. Les images prises par le satellite SPOT ont une résolution de 10 m et un format standard d'environ 100 ou 150 km de côté. La bande spectrale utilisée convient très bien à l'observation des ressources terrestres, comme ici des terres agricoles dans la forêt amazonienne.

La télédétection

La télédétection a décuplé les possibilités d'observation de la Terre. Cette technique, mise en œuvre à bord d'aéronefs ou de satellites, permet d'étudier la surface terrestre (ou celle d'autres planètes) en utilisant les propriétés des ondes électromagnétiques que la Terre émet (rayonnement infrarouge), qu'elle réfléchit ou diffracte (lumière visible du Soleil, ondes hyperfréquences ou micro-ondes produites par des radars embarqués). La manière dont une zone de la surface terrestre émet ou renvoie ces ondes dépend de certaines caractéristiques de celle-ci : la température, le taux d'humidité de l'air, la quantité de biomasse végétale et sa nature, le type de sols, la salinité des océans, etc.

C'est en 1972 que la télédétection a vraiment pris son essor avec le satellite Landsat 1, spécialisé dans les ressources naturelles (cartographies générale et géologique, explorations minière et pétrolière, inventaire des ressources en eau, étude de la couverture végétale et de l'utilisation des sols, prévision des récoltes, etc.). Depuis, d'autres Landsat et d'autres familles de satellites ont été mis en orbite. Parmi ces derniers, on peut citer Seasat (1978), destiné à l'étude des océans (hauteur des vagues, vitesse et direction des vents et des courants de surface, étude des glaces de mer et détection des icebergs…), les satellites Météosat (à partir de 1977), pour la météorologie et l'océanographie, les satellites SPOT (à partir de 1984) et ERS (1991), pour la « surveillance » de l'ensemble de la planète avec des missions diverses. Le satellite Topex-Poséidon, lancé en 1992 par la fusée Ariane, étudie les océans et leurs influences sur l'atmosphère ; il permet, par exemple, de mesurer le niveau moyen de la mer avec une précision de 3,5 mm, de suivre les variations des courants marins de surface et, à ces divers titres, d'aider à la prévision des arrivées d'El Niño et d'autres phénomènes résultant des interactions océans-atmosphère comme les cyclones.

VOIR AUSSI
- **Débuts de l'aventure spatiale** p. 23
- **Satellites et stations orbitales** p. 387

Illustrations
- **Atlas de Ptolémée** p. 262
- **Portulan** p. 960

Petit lexique

télédétection : technique d'étude de la surface terrestre par analyse et traitement d'images provenant d'avions, de satellites, etc.

Structure et histoire de la Terre

L'origine de la Terre

Comme les neuf autres planètes du système solaire, la Terre s'est sans doute formée par accrétion de matière dans un nuage de poussières et de gaz entourant le Soleil primitif. On imagine que les particules se sont d'abord accolées en petits corps isolés, se regroupant progressivement jusqu'à former un gros corps unique, la Terre primitive, il y a 4,5 milliards d'années. Il a été calculé qu'il faut environ 100 millions d'années pour qu'une planète de diamètre initial égal à 10 km atteigne, par accrétion, la taille de la Terre.

Lors de cette accrétion, le choc des particules libère de l'énergie et dégage de la chaleur. La matière de la Terre a donc dû être en grande partie fondue. La gravité a provoqué une différenciation interne, les éléments les plus lourds (fer, nickel) migrant vers le centre pour former le noyau, les plus légers (silicium, aluminium) vers la périphérie. Une croûte s'est formée en surface par refroidissement; elle a été bombardée de météorites et secouée par des éruptions volcaniques gigantesques. Les gaz, libérés par ces dernières, ont formé une atmosphère primitive, différente de l'actuelle, puisque dépourvue d'oxygène.

Après l'éjection, par l'activité volcanique, de grandes quantités de vapeur d'eau dans l'atmosphère primitive, l'eau (chargée d'acides) s'est condensée avec le refroidissement du globe et a rempli les dépressions, conduisant à la formation des océans. L'azote, constituant 78 % de l'atmosphère actuelle, provient de ce volcanisme des débuts. Une grande partie du gaz carbonique, libéré aussi par le volcanisme, a été rapidement piégé dans les roches, l'autre partie est demeurée dans l'atmosphère, ce qui a permis un effet de serre modéré et a fixé la température à environ 20 °C. La jeune Terre a alors 500 millions d'années, et toutes ces nouvelles conditions vont permettre l'apparition des premières molécules de la vie. Aujourd'hui, les océans recouvrent 71 % de la surface de la Terre, il en est ainsi depuis 3 milliards d'années. Peu à peu, l'oxygène libéré par les premiers organismes vivants s'est accumulé, d'abord dans l'eau, puis dans l'atmosphère vers – 1700 millions d'années pour atteindre le taux actuel de 21 %, il y a seulement 100 millions d'années, et ne plus varier. Ce processus a permis l'épanouissement d'êtres vivants de plus en plus perfectionnés.

◆ Le patatoïde.
La surface des océans, appelée « géoïde », n'est pas plane. Grâce aux mesures altimétriques par satellite, on met en évidence l'attraction gravitationnelle des eaux par les reliefs sous-marins et leur moindre attirance au-dessus des fosses océaniques, ce qui donne ce patatoïde aux reliefs volontairement exagérés.

◆ Caractéristiques physiques et orbitales de la Terre.

Diamètre équatorial : 12 756 km
Diamètre polaire : 12 713 km
Aplatissement : 0 003 4
Masse : $5{,}98.10^{24}$ kg
Densité moyenne : 5,52
Accélération de la pesanteur à l'équateur : 9,78 m/s²
Période de rotation sidérale : 23 h 56 min 4 s
Inclinaison de l'équateur sur l'orbite : 23° 26′
Demi-grand axe de l'orbite : 149 897 570 km, soit 1 ua (unité astronomique)
Distance maximale du Soleil : 152 100 000 km
Distance minimale du Soleil : 147 100 000 km
Période de révolution sidérale : 365 j. 6 h 9 min 9 s 05
Vitesse orbitale moyenne : 29,79 km/s

La structure de la Terre

La Terre a la forme d'une sphère légèrement aplatie aux pôles, sous l'effet des forces de la pesanteur et sous l'effet de son mouvement de rotation sur elle-même. Les irrégularités du relief, dont l'ampleur dépasse 8 km dans les montagnes et 11 km dans les fosses océaniques, sont négligeables par rapport au rayon terrestre, qui est de 6378 km à l'équateur.

La mesure des dimensions de la Terre fait l'objet de la géodésie. Mais, pour connaître sa structure interne, on fait appel à des méthodes indirectes, en particulier la sismologie. Elle nous renseigne grâce à l'analyse des ondes sismiques, naturelles ou provoquées, qui se propagent à l'intérieur du globe : celles-ci vont d'autant plus vite que les roches traversées sont denses; de plus, leur mode de propagation dépend de la composition chimique de ces roches.

L'intérieur du globe est constitué de trois zones concentriques, de composition différente.

La croûte constitue l'enveloppe solide externe, limitée à sa base par la discontinuité de Mohorovic, ou moho. Sous les océans, la croûte océanique, de composition basaltique, est très homogène : son épaisseur est de l'ordre de 10 km. Sous les continents, la croûte continentale atteint jusqu'à 70 km d'épaisseur; sa composition, plus hétérogène, est principalement granitique.

Le manteau est subdivisé en deux : le manteau supérieur, d'environ 700 km d'épaisseur; et le manteau inférieur, jusqu'à la discontinuité de Gutenberg, à environ 2900 km de profondeur.

Le noyau est composé d'un noyau externe, liquide et animé de mouvements qui sont responsables du champ magnétique terrestre, et d'un noyau interne, ou graine, solide et très dense, constitué essentiellement de fer (90 %) et de nickel.

Une autre subdivision est adoptée, tenant compte de la rhéologie des roches, c'est-à-dire de leur comportement mécanique. Ainsi, l'ensemble constitué par la croûte et une partie du manteau supérieur forme la lithosphère, épaisse de 70 km sous les océans et de 150 km environ sous les continents. Elle est rigide et fragmentée en plaques, dites « lithosphériques ». L'asthénosphère rassemble toutes les autres couches plus profondes; sa partie supérieure (la majeure partie du manteau et le noyau externe) est visqueuse et animée de mouvements permettant de grands déplacements de matière. Ainsi, la lithosphère flotte sur l'asthénosphère, les déplacements des plaques lithosphériques commandant la physionomie externe du globe.

La température augmente avec la profondeur : 1 °C tous les 30 m. Cette élévation n'est pas continue et varie à chaque passage d'une couche interne; elle atteint environ 6000 °C dans la graine.

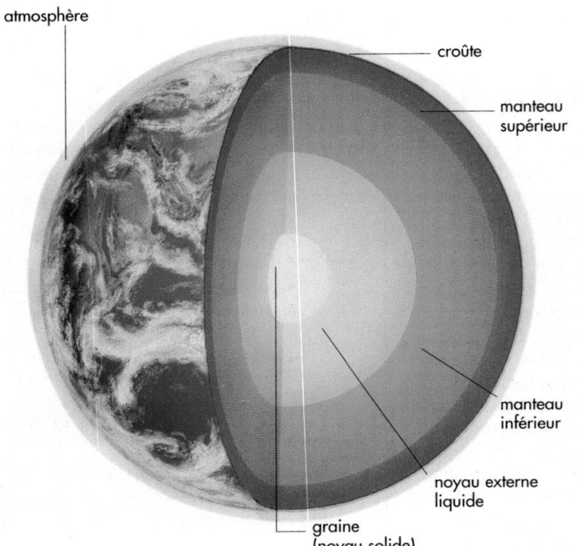

◆ La structure de la Terre.
La Terre présente une structure en couches grossièrement concentriques ; le manteau (inférieur et supérieur) représente les 4/5 du volume terrestre alors que la croûte, qui supporte la vie, n'en représente que les 1/500. Le noyau interne est solide, contrairement au noyau externe liquide, en raison des fortes pressions qui règnent au centre de la planète.

VOIR AUSSI
• **Système solaire** p. 2 à 9
• **Observer et représenter la Terre** p. 27
• **Tectonique des plaques** p. 30
• **Roches** p. 36
• **Climats du passé** p. 68
• **Histoire du vivant** (du précambrien au quaternaire) p. 95 à 103

L'histoire de la Terre

En confrontant toutes les informations apportées par l'étude de la surface du globe, on a élaboré une échelle des temps géologiques : l'échelle stratigraphique. Elle compte cinq ères, subdivisées en périodes.

À un moment donné de l'histoire de la Terre, la nature des terrains qui se mettent en place, leur extension géographique, leur éventuelle déformation, les fossiles qu'ils contiennent renseignent sur la physionomie du globe : extension des océans, des chaînes de montagnes, climat, etc.

Le précambrien. L'ère précambrienne est la plus ancienne, dont les âges sont supérieurs à 530 millions d'années. C'est de loin la plus longue des ères, mais c'est aussi la plus mal connue. Les bouleversements ultérieurs qui ont affecté la croûte terrestre rendent difficile le déchiffrement des terrains les plus anciens.

Les datations absolues montrent que l'on trouve les roches les plus anciennes dans des boucliers rigides qui constituent l'ossature de nos actuels continents. Ils sont formés de terrains métamorphiques et granitiques, qui ont été plissés et replissés, témoignant de la superposition de plusieurs cycles orogéniques. Ils affleurent au Canada, en Sibérie, au Brésil, en Afrique, en Antarctique, en Australie. La disposition de ces masses continentales était certainement très différente de celle d'aujourd'hui. Le démantèlement de chaînes de montagnes a alimenté le dépôt des premiers sédiments. Les roches les plus anciennes sont datées de plus de 3,85 milliards d'années. Les premières traces sûres de vie dans les océans sont des organismes déjà relativement évolués (vers, algues, stromatolites, etc.), âgés de 3,5 milliards d'années. Ces organismes, par la photosynthèse, ont permis l'accumulation d'oxygène dans l'atmosphère.

Le primaire. L'ère primaire, ou paléozoïque, est marquée par la formation de deux grandes chaînes de montagnes, d'abord la chaîne calédonienne, dont on retrouve les racines en Scandinavie et au Groenland, puis la chaîne hercynienne, qui structure toute l'Europe. Le Massif armoricain, le Massif central et les Vosges en sont les témoignages en France. À la fin du paléozoïque, toutes les terres continentales sont soudées en une masse unique, la Pangée.

Les espèces vivantes se diversifient. Toutes sortes d'invertébrés (coquillages, trilobites, coraux, éponges) peuplent les mers. De nouvelles espèces, les reptiles, commencent à envahir les continents. La fin de l'ère est marquée par un climat chaud et humide qui favorise le développement de forêts luxuriantes, notamment de fougères arborescentes.

Le secondaire. L'ère secondaire, ou mésozoïque, voit la dislocation des masses continentales par l'ouverture de nouveaux océans. L'ouverture de l'océan Atlantique, d'abord au sud puis au nord, éloigne progressivement l'Amérique de l'Afrique et de l'Europe. L'ouverture de l'océan Indien fragmente le bloc Afrique-Australie-Antarctique, mais l'Inde reste soudée à l'Afrique. L'océan Téthys sépare l'Afrique du bloc Eurasie, puis commence à se refermer.

De nouvelles espèces vivantes apparaissent et certaines atteignent leur apogée, tels les ammonites ou les reptiles géants, qui disparaîtront à la fin du secondaire, comme 60 % des autres espèces peuplant la Terre. Vers la fin du secondaire apparaissent les mammifères et les végétaux angiospermes.

Le tertiaire. L'ère tertiaire, ou cénozoïque, est surtout marquée par la formation de la chaîne alpine. La fermeture de l'océan Téthys et la collision de l'Inde, détachée de l'Afrique, avec l'Eurasie, expliquent la formation des Alpes et de l'Himalaya. Les sédiments accumulés sont intensément plissés, métamorphisés, et ces hautes montagnes alimentent une sédimentation détritique très abondante.

Après l'extinction de nombreuses espèces à la fin du mésozoïque, la vie est marquée par le développement et la diversification des mammifères, des oiseaux et des poissons. Les végétaux angiospermes deviennent prépondérants. Les animaux et les plantes préfigurent la faune et la flore actuelles.

Le quaternaire. Le début de l'ère quaternaire correspond à l'apparition de l'homme, il y a environ 2 millions d'années. La position des continents était proche de l'actuelle. Quatre grandes glaciations successives, séparées par des périodes de réchauffement, ont façonné les reliefs et sont largement responsables des paysages actuels. Ainsi, toute l'Europe du Nord et l'Amérique du Nord étaient recouvertes par une calotte glaciaire qui les a rabotées et a laissé, en fondant, de multiples lacs.

Les mouvements relatifs des plaques continuent, notamment dans la mer Rouge et dans le golfe d'Aden, où on assiste à l'ouverture d'un nouvel océan qui éloignera progressivement l'Afrique du Moyen-Orient.

Les datations

Les terrains exposés à la surface de la Terre nous renseignent sur les événements qui ont eu lieu au cours des temps géologiques. Mais pour reconstituer l'histoire de la Terre, il faut être capable de dater ces événements : c'est le but de la géochronologie, qui distingue les datations relatives et les datations absolues.

Les datations relatives. Les datations relatives permettent de reconstituer la chronologie des événements les uns par rapport aux autres. Elles sont fondées sur l'étude des relations entre les terrains. Les terrains sédimentaires sont particulièrement précieux puisqu'ils se déposent en strates empilées les unes sur les autres, des plus anciennes aux plus récentes. Ils contiennent des fossiles, débris ou empreintes d'êtres vivants. Du fait de l'évolution, ces fossiles sont caractéristiques des époques auxquelles ils ont vécu, et permettent donc la comparaison entre des terrains éloignés. Les relations intrusives des roches magmatiques renseignent sur l'âge relatif de leur mise en place. Les formations des chaînes de montagnes, qui provoquent des plissements, sont marquées par des discontinuités dans la superposition des roches, les discordances.

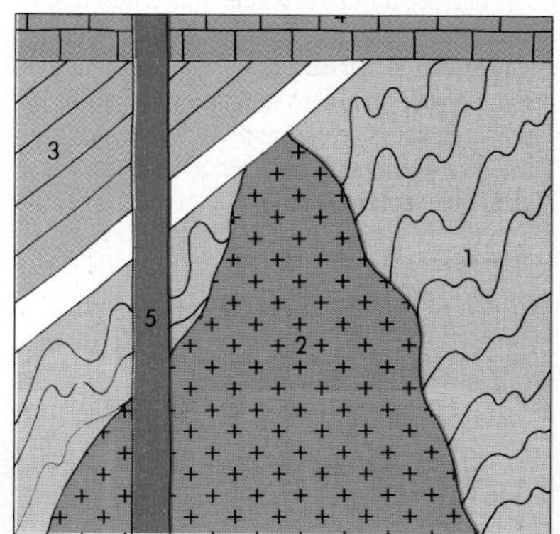

◆ Âge relatif des terrains montré par leurs relations.
Un socle ancien (1) a été plissé et métamorphisé puis traversé par une intrusion magmatique (2) avant d'être aplani et recouvert par une série sédimentaire (3). Les sédiments ne sont plus disposés horizontalement : cela montre que des mouvements tectoniques ont basculé l'ensemble qui a été de nouveau aplani par l'érosion. Une nouvelle série sédimentaire (4) s'est déposée horizontalement sur cette nouvelle surface d'érosion, juxtaposant des terrains variés, et est restée dans sa position initiale. Un filon magmatique (5) tardif recoupe tout cet ensemble de terrains.

Les datations absolues. Les datations absolues, ou radiochronologiques, permettent de mesurer l'âge d'une roche ou d'un fossile, sans comparaison avec un autre élément terrestre connu. Elles sont fondées sur la transformation (ou désintégration) d'éléments radioactifs, tel le carbone 14, en éléments radiogéniques fils. Plus le temps est long, moins le rapport élément radioactif/élément fils est grand. Par exemple, la quantité de carbone 14 dans un fossile diminue en se désintégrant en azote (l'élément fils) ; elle n'est plus que de moitié après 5630 ans, d'un quart après 11260 ans, d'un huitième après 16890 ans, etc. Les datations absolues ont permis ainsi de caler dans le temps l'échelle stratigraphique, de mesurer la longueur des ères, de dater des événements.

◆ Tableau stratigraphique.

Âge (millions d'années)	Ère	Période
0,01-auj.	quaternaire	holocène
1,8-0,01		pléistocène
5-1,8		pliocène
23-5		miocène
34-23	tertiaire	oligocène
52-34		éocène
65-52		paléocène
130-65		crétacé
204-130	secondaire	jurassique
245-204		trias
290-245		permien
360-290		carbonifère
400-360	primaire	dévonien
425-400		silurien
495-425		ordovicien
530-495		cambrien
4500-530	précambrien	

Petit lexique

bouclier (géologie) : vaste surface de terrains très anciens (précambrien) nivelés par l'érosion et formant l'ossature des continents.

échelle stratigraphique : chronologie des événements qui se sont succédé à la surface de la Terre au cours des temps géologiques.

orogenèse : ensemble des processus de formation des chaînes de montagnes.

Pangée : continent unique de la fin du primaire, qui regroupait toutes les terres émergées, et qui s'est ensuite divisé entre le Gondwana au sud et la Laurasie au nord.

Téthys (géologie) : océan qui sépara le Gondwana et la Laurasie à partir du secondaire et pendant la majeure partie du tertiaire.

La tectonique des plaques

L'expansion des fonds océaniques

Les progrès de la géophysique après 1945 ont révélé un monde nouveau, bien que couvrant les deux tiers du globe, les fonds océaniques. La croûte océanique est beaucoup plus mince et homogène que la croûte continentale, et composée essentiellement de roches volcaniques (des basaltes), surmontées de sédiments. Mais les fonds océaniques sont accidentés par de gigantesques chaînes de montagnes sous-marines, les dorsales, qui s'allongent sur des milliers de kilomètres et forment des reliefs continus et escarpés.

Selon l'hypothèse de l'expansion des fonds océaniques, les dorsales sont le lieu où se forme la croûte océanique basaltique, par remontée de magma provenant du manteau terrestre sous l'effet de mouvements de convection en profondeur. La croûte nouvelle se crée par injection constante de magma basaltique. Puis elle s'écarte latéralement, de part et d'autre des dorsales, à la vitesse de quelques centimètres par an. Plus on s'éloigne de la dorsale, plus la croûte océanique est donc ancienne, ce qui a été confirmé par des prélèvements et des datations de roches océaniques. Mais c'est surtout l'existence d'anomalies magnétiques dans les basaltes qui a confirmé l'hypothèse de l'expansion des fonds océaniques.

Les anomalies magnétiques. Quand les basaltes cristallisent, ils acquièrent une faible aimantation dont la direction et l'intensité sont fonction de celles du champ magnétique terrestre régnant à l'époque de leur formation. Des mesures ont montré que, pour des raisons encore inconnues, le champ magnétique est capable de se retourner complètement : le nord devient le sud et *vice versa*. À l'échelle géologique, ces inversions s'effectuent rapidement (de 500 à 10 000 ans) et elles sont fréquentes (par exemple, quatre au cours des quatre derniers millions d'années).

Une anomalie magnétique est la différence entre le champ calculé et le champ effectivement mesuré. Si le basalte des fonds océaniques s'est formé à une époque où le champ était orienté comme aujourd'hui (normal), le champ fossile du basalte s'ajoute au champ actuel, et l'anomalie est positive; dans le cas contraire (champ inverse), l'anomalie est négative.

La dérive des pôles magnétiques

Les laves émises par les volcans, en particulier les basaltes, contiennent des minéraux qui s'orientent selon le champ magnétique terrestre régnant au moment de leur formation, telles des aiguilles aimantées. Au milieu des années 1950, des mesures effectuées en Europe du Nord sur des roches volcaniques d'âges différents montrèrent que, au cours des temps géologiques, le pôle Nord n'était pas fixe et suivait chronologiquement un déplacement régulier. Des mesures similaires en Amérique du Nord confirmèrent que le pôle Nord se déplaçait aussi en suivant un cheminement différent de celui qui fut observé outre-Atlantique. À une époque donnée, le pôle ne peut pas occuper deux positions différentes. La conclusion de ces mesures apporta une preuve de la dérive des continents : le pôle reste fixe et ce sont les continents qui se déplacent.

Le magnétisme fossile, ou paléomagnétisme, des roches fut ainsi mesuré sur l'ensemble des continents et à différentes époques géologiques. Pour déterminer la position relative de deux blocs continentaux à une certaine époque, il suffit de les déplacer jusqu'à ce que leurs pôles coïncident. En multipliant ce procédé, les géologues possèdent ainsi le moyen de suivre, époque par époque, l'éclatement de la Pangée jusqu'à la position actuelle des continents.

Des mesures prises à l'aide de magnétomètres traînés par des bateaux ou des avions à travers l'Atlantique ont montré que les anomalies se disposent en bandes alternées (positive, négative, positive, etc.) représentant sur une carte une « peau de zèbre ». Et surtout, ces bandes sont parallèles à la dorsale, symétriques de part et d'autre, et leur âge augmente en s'éloignant d'elle. Ces résultats ont conduit à supposer, dans les années 1960, que les fonds océaniques se forment au niveau des dorsales, puis avancent des deux côtés, à la manière d'un double tapis roulant.

Petit lexique

aimantation d'une roche : propriété d'une roche due à la présence de certains cristaux, comme la magnétite, qui se comportent comme des petits aimants et enregistrent le champ magnétique qui régnait à l'époque où cette roche s'est formée.

asthénosphère : couche profonde et visqueuse de la Terre située sous la lithosphère.

convection : mouvement, dans l'asthénosphère, des matériaux à faible viscosité, dû à des transferts de chaleur des zones chaudes vers les zones froides.

croûte terrestre : couche la plus superficielle de la Terre formée essentiellement de basalte sous les océans (croûte océanique) et de granite sous les continents (croûte continentale).

lithosphère : couche rigide et superficielle de la Terre, composée de la croûte et d'une partie du manteau supérieur.

manteau terrestre : couche interne terrestre située sous la croûte et au-dessus du noyau, c'est-à-dire entre 30 ou 70 km et 2 900 km de profondeur.

Les plaques lithosphériques

Si de la croûte océanique nouvelle se forme aux dorsales, comme le volume de la Terre est constant, il doit exister des zones où la croûte ancienne se détruit. Ce sont les zones de subduction, marquées dans la topographie sous-marine par les fosses océaniques. Dans ces zones, la croûte ancienne plonge et va se résorber dans le manteau. Le plongement est matérialisé par le plan de Benioff, siège d'une activité sismique intense qui se ressent jusque vers 700 km de profondeur.

L'étude de la distribution des dorsales et des zones de subduction a permis de montrer que la surface du globe est constituée de grandes plaques rigides de lithosphère, de 70 à 150 km d'épaisseur, qui se créent aux dorsales océaniques, migrent latéralement et se détruisent aux zones de subduction. Les continents sont ancrés dans les plaques et se déplacent solidairement avec elles. Les plaques rigides migrent sur une couche visqueuse, appelée l'« asthénosphère ».

On a dénombré sept plaques principales et de nombreuses autres petites plaques secondaires. Chaque plaque se déplace, individuellement, à une vitesse variant de 1 à 18 cm par an.

◆ Schéma synthétique de la tectonique des plaques.
Le schéma montre les trois types de limites entre les plaques lithosphériques (dorsales, zones de subduction et failles transformantes) et les mouvements de convection mantellique responsables du mouvement (écartement ou rapprochement) des plaques.

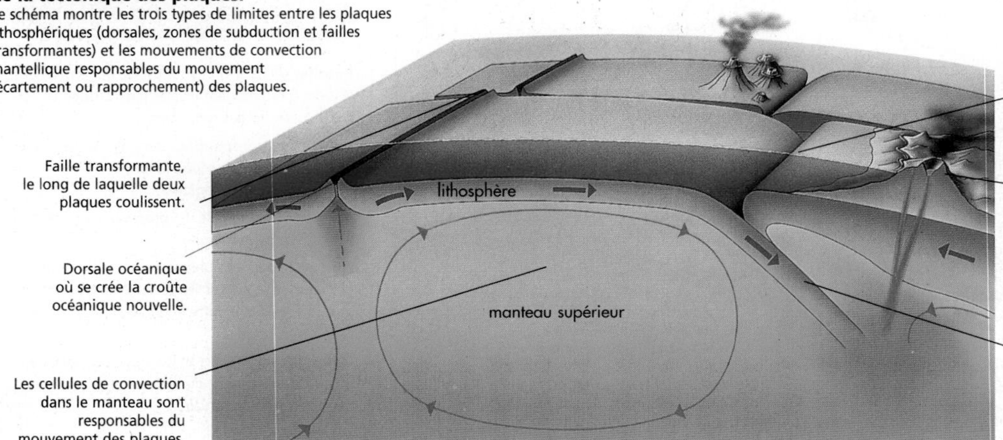

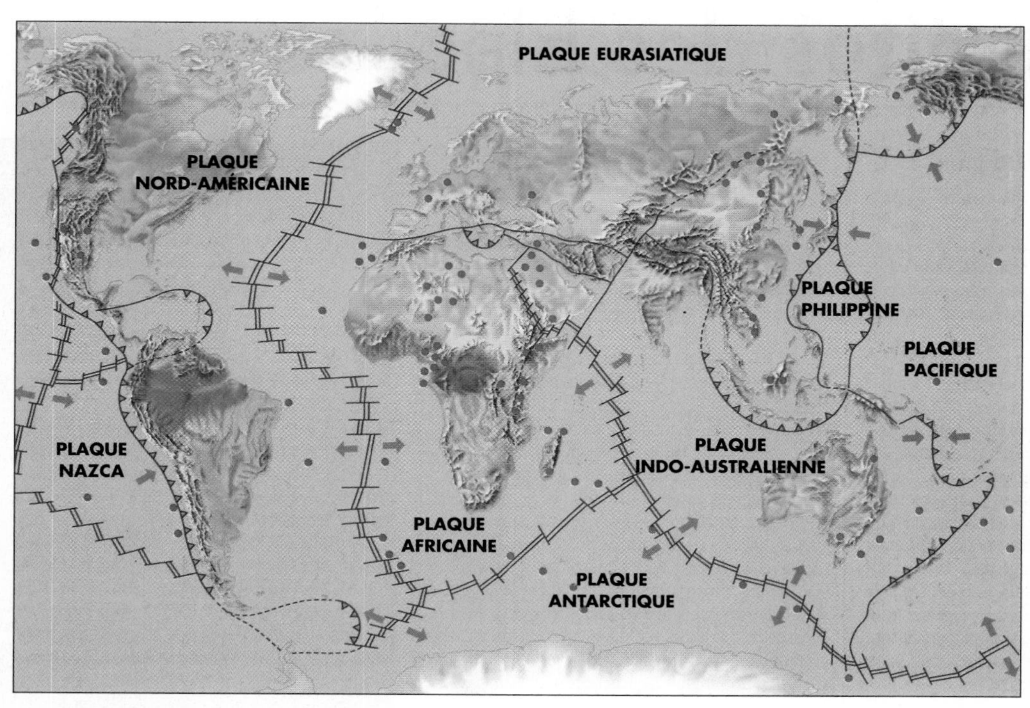

◆ **Carte des principales plaques lithosphériques.** Les différentes frontières qui les séparent sont également représentées ainsi que la répartition des points chauds. C'est dans les zones où les plaques convergent que se produisent les phénomènes géologiques les plus importants qui modèlent la surface de la Terre.

La dérive des continents. Dès 1915, Alfred Wegener énonçait la théorie de la dérive des continents, qui comparait les continents à des radeaux se déplaçant sur un fond visqueux. À l'époque, il fut violemment contesté par le monde scientifique. Mais la théorie de la tectonique des plaques a réactualisé ses idées.

On sait maintenant que c'est l'ensemble de la lithosphère qui se déplace, entraînant avec elle les continents. Les positions relatives des continents ont donc varié au cours des temps géologiques. Il y a 200 millions d'années, les continents étaient tous soudés en une masse unique, la Pangée. De nos jours, l'Europe et l'Amérique continuent à s'écarter à une vitesse de 2 à 3 cm par an, par création de croûte nouvelle à la dorsale médio-atlantique. Et les plaques arabique et africaine s'écartent aussi : les fossés de la mer Rouge et du golfe d'Aden s'élargissent.

Il manquait, en fait, au moins deux choses à la théorie de la dérive des continents, qu'allait apporter la théorie de la tectonique des plaques, formulée en 1967-1968 : le concept de plaques lithosphériques rigides dans lesquelles sont enchâssés les continents et, surtout, le moteur permettant d'en expliquer la dérive.

Le moteur du déplacement

Pourquoi les plaques bougent-elles ? L'intérieur du globe est un moteur thermique. Le noyau, dont la partie externe liquide est riche en fer et conductrice d'électricité, est animé de mouvements de brassage de matière, ou convection. Ces mouvements sont responsables du champ magnétique (le noyau métallique agit comme une dynamo) et évacuent de la chaleur vers les couches externes. Par ailleurs, la désintégration des éléments radioactifs contenus dans le manteau produit d'importantes quantités de chaleur. Toute cette chaleur est évacuée par des mouvements de convection dans l'asthénosphère. La matière chaude, plus légère, subit une ascendance vers la surface, à l'aplomb des dorsales, où elle se refroidit et, alors plus dense, redescend au niveau des zones de subduction. Ces cellules de convection sont responsables du mouvement des plaques.

La géométrie et le régime de la convection mantellique sont encore sujets à controverses. De même, s'il ne semble pas que les courants ascendants sous les dorsales aient une origine profonde, d'importants « panaches » de matières chaudes sont issus de l'interface noyau-manteau et aboutissent aux points chauds : remontées fixes de magma au cours des temps géologiques et qui traversent les plaques en mouvement.

Une théorie globale. La théorie de la tectonique des plaques a littéralement révolutionné les sciences de la Terre en apportant une explication globale. Elle permet de comprendre la distribution très particulière des séismes et des volcans, dans des zones étroites et allongées correspondant aux limites des plaques. Ces limites sont de trois types : les dorsales océaniques, qui sont les zones de divergence des plaques; les zones de subduction, qui sont les zones de convergence des plaques ; et certaines failles transformantes, où deux plaques coulissent l'une contre l'autre, sans qu'il y ait création ou destruction de matière, contrairement aux deux autres types. Dans toutes ces zones, les frictions entre les plaques expliquent les séismes. Le volcanisme s'exprime au niveau des dorsales, par remontées de magma provenant du manteau, et au niveau des zones de subduction, par fusion de la plaque plongeante lorsqu'elle atteint une certaine profondeur.

La tectonique des plaques permet aussi de comprendre les grands traits morphologiques de la Terre (ouverture des océans, distribution des continents, formation des montagnes).

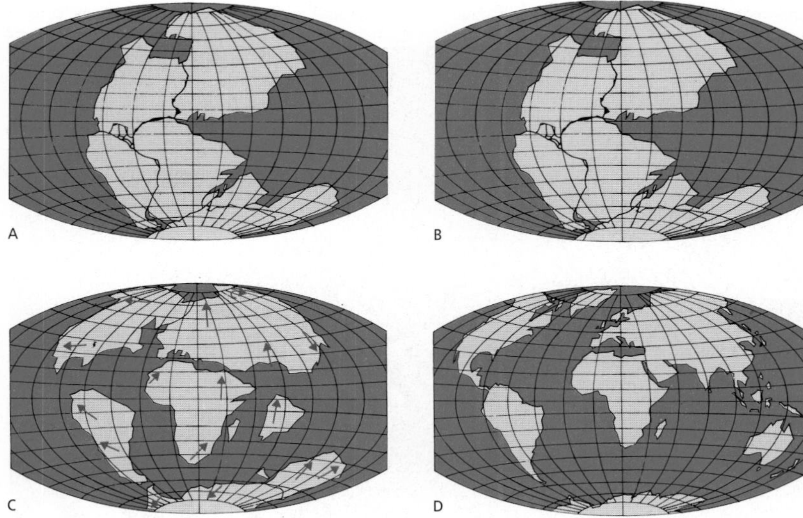

◆ **La dérive des continents.**
Il y a environ 200 millions d'années, les continents étaient réunis en une masse unique, la Pangée (A). L'ouverture progressive des océans Indien et Atlantique a provoqué sa fragmentation. L'Amérique s'est éloignée de l'Europe et de l'Afrique, l'Antarctique s'est déplacé vers le sud (B et C). L'Inde, initialement solidaire de l'Afrique, s'est finalement détachée et a migré vers l'Asie, jusqu'à entrer en collision et à provoquer la formation de la grande chaîne de l'Himalaya (C et D).

VOIR AUSSI
- **Limites des plaques** p. 32
- **Formation des océans** p. 42
- **Formation des montagnes** p. 43
- **Continents à la dérive** p. 301
- **Plaques de la Terre** p. 311

Les limites des plaques

Les dorsales océaniques

Les dorsales sont les lieux d'ouverture et de formation des fonds océaniques. Elles parcourent l'océan mondial en une immense chaîne continue de montagnes, longue de 60 000 km et haute en moyenne de 2 000 m au-dessus des plaines abyssales. Ce relief gigantesque s'étend sur une largeur de 1 000 à 3 000 km, occupant ainsi le tiers de la surface des océans, soit presque autant que celle de tous les continents réunis. L'axe de la dorsale est régulièrement décalé par de grandes failles qui lui sont perpendiculaires. Appelées « failles transformantes », celles-ci peuvent atteindre plusieurs milliers de kilomètres de longueur et décaler la dorsale de quelques centaines de kilomètres.

Tout le long de l'axe de la dorsale s'allonge une vallée centrale appelée « rift », large de 20 à 30 km et profonde jusqu'à 2 km par rapport au sommet de la dorsale. C'est là que remonte le magma issu de la fusion du manteau.

Les roches océaniques. Ce magma s'accumule dans une cavité, appelée « chambre magmatique », située sous la dorsale. Le magma refroidit lentement sur le pourtour de la chambre, cristallise et forme une roche plutonique : le gabbro. Mais le magma ne demande qu'à s'écouler vers la surface; pour cela, il s'infiltre à travers le plancher océanique en constituant un réseau serré de petites cheminées, appelé « complexe filonien ». En arrivant à la surface, la lave (des basaltes) se refroidit brusquement au contact de l'eau de mer; elle prend alors une forme caractéristique arrondie et craquelée : la lave en coussins, ou *pillow-lavas.*

Ainsi, au niveau des dorsales, se constituent les plaques océaniques montrant la succession suivante, de bas en haut : péridotites (roches du manteau), gabbros, complexe filonien et laves en coussins, que recouvrent par la suite des sédiments. La production de ces roches au niveau des dorsales est énorme puisqu'elle est estimée à plus de 20 km^3 par an. Ces roches nouvellement formées dans l'axe de la dorsale poussent les précédentes de part et d'autre du rift, conduisant à l'expansion des fonds océaniques, à une vitesse variant de 1 à 18 cm par an.

Des sources chaudes. Le relief des dorsales résulte des failles qui bordent le rift et du gonflement dû aux remontées de magma. L'eau de mer s'infiltre par ces failles et ces fissures, elle se réchauffe jusqu'à atteindre une température de 450 °C vers 2 ou 3 km de profondeur – cette température de l'eau, sans ébullition, est possible grâce à la forte pression ambiante. Elle remonte vers l'axe de la dorsale en dissolvant des métaux et le soufre contenus dans les basaltes. En débouchant dans l'eau de mer froide, les éléments dissous dans le fluide chaud précipitent, construisant ainsi peu à peu des cheminées. Des eaux chaudes surgissent de ces conduits, formant des sources dites « hydrothermales » (on les appelle aussi des « fumeurs »). À la fin des années 1970, l'exploration de ces milieux extrêmes, grâce à des submersibles, a permis de découvrir, autour de ces fumeurs, tout un monde vivant et foisonnant composé de nombreuses espèces inconnues jusqu'alors : ce sont les premières formes de vie connues sur la Terre à ne pas dépendre de l'énergie solaire et de la photosynthèse.

◆ **Fumeur noir sur la dorsale est-pacifique.** De l'eau chaude à 300-400 °C s'échappe de cheminées qui ont été construites peu à peu par les minéraux qui précipitent à la sortie.

Des dorsales émergées. On connaît deux régions sur la Terre où on peut étudier une dorsale océanique à pied sec : l'Islande, qui est à cheval sur la dorsale médio-atlantique séparant la plaque nord-américaine et la plaque eurasiatique; la région des Afars (république de Djibouti), où un véritable plancher océanique émergé est en train de se former.

Dans cette zone, les événements sismiques et volcaniques de novembre 1978 permirent de bien observer le processus de naissance d'une dorsale. Les séismes provoquèrent des mouvements le long des failles contribuant à un écartement de 1 à 2 m des deux bords du rift. L'activité volcanique se caractérisa par l'émission de laves créant, par endroits, un véritable plancher océanique émergé.

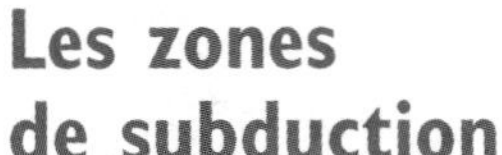

Les zones de subduction

Les zones de subduction sont les lieux où une plaque lithosphérique plonge sous une autre, pour s'engloutir dans le manteau. Plus une plaque s'éloigne de son lieu de création, une dorsale océanique, plus elle se refroidit et plus elle supporte le poids des sédiments. Devenue plus dense et plus épaisse, elle est donc plus lourde et tend à s'enfoncer dans l'asthénosphère sur laquelle elle flotte : c'est le phénomène de subduction. De fait, plus une croûte océanique est vieille, plus la hauteur d'eau qui la recouvre est importante. À l'inverse, plus une croûte océanique est jeune et donc proche de la dorsale, plus la hauteur est faible, ce qui explique en partie les reliefs élevés des dorsales. On constate en effet qu'il n'existe pas de fonds marins plus âgés que 200 millions d'années, alors que les continents atteignent plusieurs milliards d'années, 3,85 milliards pour les roches les plus anciennes datées. Les lieux où plongent les plaques sont les endroits les plus profonds des océans, ce sont les fosses océaniques (le record étant détenu par la fosse des Mariannes, dans le Pacifique, à 11 011 m). La lithosphère s'enfonce dans l'asthénosphère en plongeant selon un plan incliné de 15 à 75°, ce dernier est appelé « plan de Wadati-Benioff », du nom des géophysiciens qui l'ont mis en évidence. La vieille plaque océanique s'enfonce ainsi sous une plaque plus légère : une plaque océanique plus jeune ou une plaque continentale moins dense. Les frottements entre ces plaques sont la cause de nombreux séismes, superficiels au lieu de plongement, de plus en plus profonds à mesure que l'on s'éloigne de la fosse océanique, mais ne dépassant jamais 700 km de profondeur. On imagine en effet que, passé ce niveau, la plaque est complètement fondue, intégrant ainsi le manteau. Cette fusion a une consé-

◆ **La faille de San Andreas.** À la limite des plaques Pacifique et nord-américaine, elle est longue d'environ 1 000 km, du golfe de Californie au nord de San Francisco, en passant par l'agglomération de Los Angeles. Elle fait l'objet d'une surveillance attentive.

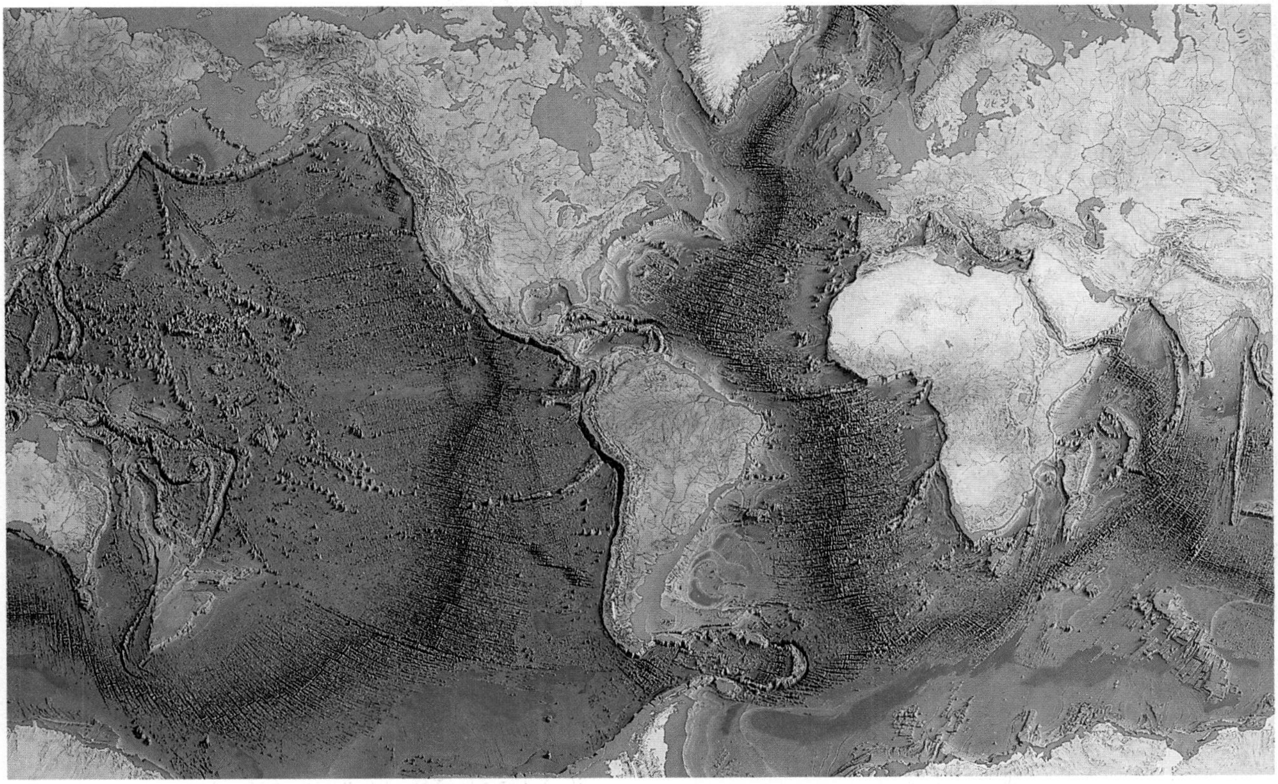

◆ **Carte du fond des océans.**
Cette carte, réalisée par les océanographes américains Bruce C. Heezen et Marie Tharp en 1977, est probablement le plus beau document des sciences de la Terre. Elle donne la première vision globale et concrète de la théorie de la tectonique des plaques, avec d'immenses dorsales océaniques hachées par des failles transformantes et les fosses de subduction qui bordent notamment l'océan Pacifique. On peut remarquer aussi les nombreux volcans sous-marins qui s'élèvent au-dessus des plaines abyssales.

quence volcanique : des poches de magma plus chaudes et donc plus légères remontent vers la surface et forment des volcans; ces derniers sont de type explosif, ce sont les plus dangereux.

Les failles transformantes

Une faille transformante est une cassure de la lithosphère où deux plaques coulissent horizontalement de part et d'autre. Il n'y a donc ni création de lithosphère, contrairement aux dorsales océaniques, ni destruction de lithosphère, contrairement aux zones de subduction.

Il existe différents types de failles transformantes. Celles qui hachent et décalent la dorsale océanique mondiale sont très nombreuses. Mais elles peuvent aussi décaler une zone de subduction ou encore relier une dorsale et une zone de subduction. Quelques rares failles transformantes peuvent s'observer sur les continents. Ainsi, la faille de San Andreas traverse la Californie en décalant la dorsale pacifique sur environ 1500 km. Il s'agit en réalité de tout un réseau de failles qui fait glisser la plaque pacifique le long de la plaque nord-américaine à une vitesse moyenne de 6 cm par an. Ce déplacement n'est pas continu dans le temps, car les deux plaques se bloquent jusqu'au jour du tremblement de terre. Ainsi, le 18 avril 1906, la plaque pacifique avança brusquement de 6 m vers le nord, libérant l'énergie accumulée pendant plus d'un siècle et provoquant le terrible tremblement de terre de San Francisco. Un autre exemple est celui de la faille du Jourdain, qui joint la dorsale de la mer Rouge à la zone de collision, en Iran, entre la plaque arabique et la plaque eurasiatique. Il s'agit là aussi d'un réseau de failles qui est à l'origine, entre autres, de la vallée du Jourdain et de la mer Morte.

Voir aussi
- **Tectonique des plaques** p. 30
- **Séismes** p. 38
- **Volcans** p. 40
- **Formation des océans** p. 42
- **Formation des montagnes** p. 43
- **Vie autour des sources chaudes** p. 149

Les points chauds

Le volcanisme ne se limite pas aux frontières de plaques. Des volcans existent en effet au milieu de certaines plaques : ce sont les points chauds. Ils peuvent apparaître aussi bien en milieu continental (comme le mont Cameroun) qu'en milieu océanique (comme l'île de la Réunion). La source de montée magmatique semble beaucoup plus profonde que celle des autres volcans, probablement à l'interface noyau-manteau, et sa position reste fixe au cours des temps géologiques. Ce dernier point fournit d'ailleurs une preuve de la dérive des continents : les remontées épisodiques et fixes de magma finissent par percer la plaque lithosphérique sus-jacente qui, elle, se déplace; il en résulte un alignement de volcans où l'âge des édifices est d'autant plus ancien qu'il est éloigné de l'aplomb du point chaud. C'est ainsi qu'ont émergé les îles Hawaii, la chaîne des Tuamotu et les îles Australes. De même, le piton de la Fournaise de l'île de la Réunion est alimenté par un point chaud qui a autrefois (il y a 65 millions d'années) « transpercé » l'Inde (plateau volcanique du Deccan) avant que celle-ci ne dérive de l'Afrique vers l'Asie pour y entrer en collision.

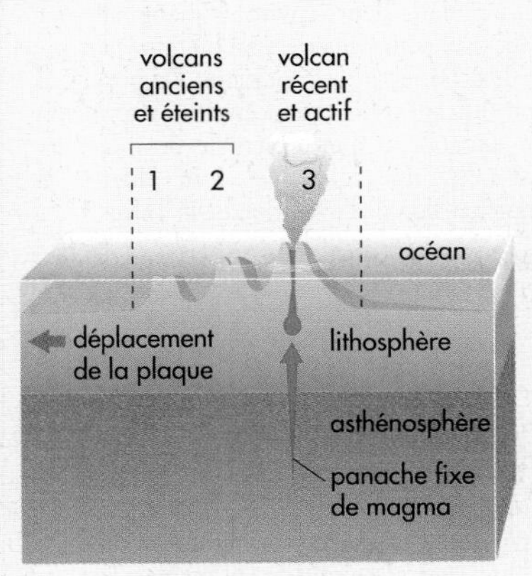

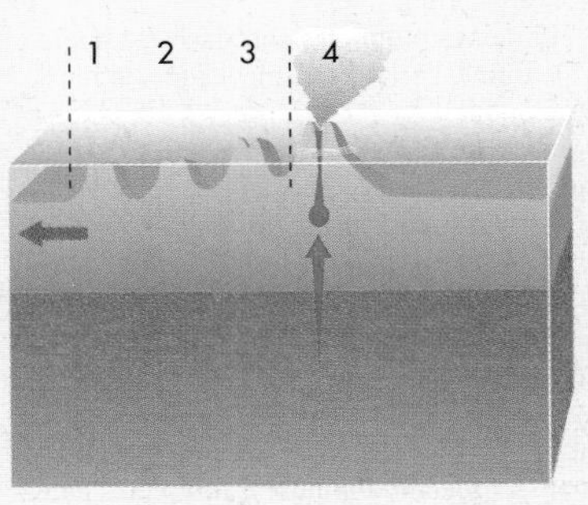

Les minéraux et les gemmes

La matière cristallisée

Les minéraux sont des espèces chimiques naturelles se présentant le plus souvent sous forme de solides ; si ces derniers montrent des formes géométriques caractéristiques, avec des faces et des arêtes, ils sont alors appelés cristaux.

À l'échelle de l'infiniment petit, la matière est constituée par un empilement d'atomes. L'état cristallin est caractérisé par une répartition périodique de ces atomes dans l'espace. À partir d'un atome quelconque d'un cristal, on obtient une maille élémentaire en le reliant aux atomes les plus proches. La répétition de cette maille élémentaire dans l'espace donne le réseau cristallin qui, à cause de sa périodicité, a des propriétés particulières. Les atomes y sont disposés d'une manière régulière dans des séries de plans parallèles et équidistants qui font entre eux des angles constants. Des propriétés de symétrie relient ces plans les uns aux autres. Mais l'arrangement des atomes est généralement différent selon les trois dimensions de l'espace, ce qui fait que la matière cristallisée n'a pas les mêmes propriétés dans toutes les directions : on dit qu'elle est anisotrope.

C'est la forme de la maille élémentaire (distance entre les atomes, angles entre les faces) qui détermine les propriétés de symétrie du réseau cristallin. On peut ainsi définir sept systèmes cristallins, caractérisés par des propriétés de symétrie particulières.

Les minéraux se forment dans la croûte terrestre et reflètent la composition chimique de celle-ci. Mais chaque espèce ne peut se former que dans des conditions particulières de température et de pression. L'étude des minéraux naturels dans leur environnement et leur synthèse expérimentale en laboratoire permettent de déterminer ces conditions. On peut ainsi reconstituer les circonstances de la formation d'un minéral ou d'un ensemble de minéraux (c'est-à-dire une roche), et donc aider à la compréhension de l'évolution de la Terre.

◆ **Les systèmes cristallins.**

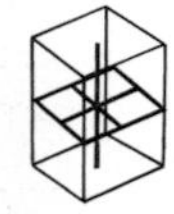

Système cristallin quadratique. Cristaux de wulfénite provenant de l'État de Chihuahua (Mexique).

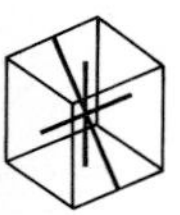

Système cristallin cubique. Cristaux de fluorite provenant des Asturies (Espagne).

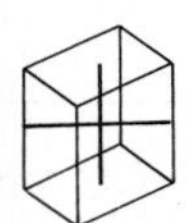

Système cristallin orthorhombique. Cristal de topaze provenant de Sibérie (Russie).

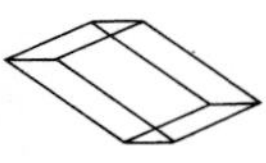

Système cristallin monoclinique. Cristal d'azurite provenant du Mexique.

Système cristallin hexagonal. Émeraude provenant de Colombie.

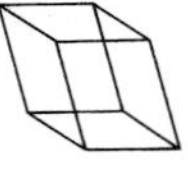

Système cristallin triclinique. Cristal d'amazonite provenant du Colorado (États-Unis).

Système cristallin rhomboédrique. Cristaux de rhodochrosite provenant du Colorado (États-Unis).

◆ **Échelle de dureté de Mohs.**

1	talc	sont rayés par l'ongle
2	gypse	
3	calcite	
4	fluorine	
5	apatite	
6	orthose	
7	quartz	rayent le verre
8	topaze	
9	corindon	
10	diamant	

L'identification des minéraux

Pour identifier un minéral, il faut réunir le plus d'informations possible sur ses propriétés physiques et chimiques de manière à pouvoir le caractériser.

Certaines propriétés sont faciles à apprécier : la forme, l'éclat (gras, métallique, vitreux), la dureté (que l'on étalonne de 1 à 10, grâce à l'utilisation de l'échelle de Mohs). Des cristaux d'une même espèce sont souvent accolés suivant des plans particuliers, donnant des macles dont la forme est toujours caractéristique d'une espèce. La disposition des plans de faiblesse des minéraux, qu'on appelle « clivages », est liée à la structure cristalline.

La couleur des minéraux est généralement liée à leur composition chimique, mais peut aussi provenir d'impuretés présentes dans les cristaux. Il suffit souvent d'un élément chimique en faible quantité pour colorer un cristal, et la couleur n'est pas un bon critère d'identification. Par exemple, le quartz, souvent incolore, peut être blanc (quartz laiteux), noir (quartz fumé), jaune (citrine) ou violet (améthyste). Un même élément chimique peut donner des couleurs différentes : ainsi, c'est le chrome qui rend le rubis rouge et – associé au vanadium – l'émeraude verte.

Mais il est toujours indispensable de recourir aux études de laboratoire pour compléter l'identification. Les propriétés optiques, c'est-à-dire la manière dont la lumière se propage à travers le cristal, sont déterminées au microscope polarisant. La diffraction des rayons X par un cristal permet de déterminer son réseau. Enfin, de nombreuses méthodes permettent de définir la composition chimique.

Les silicates

Un très grand nombre d'espèces minérales existent dans la nature. Si la plupart sont rares, quelques-unes sont très répandues. Dans la croûte terrestre, les plus communes sont les silicates, puisque le silicium est, après l'oxygène, l'élément le plus abondant.

Tous les silicates sont constitués par un empilement de tétraèdres de silice, avec un atome de silicium au centre et un atome d'oxygène aux quatre sommets. Ils sont liés entre eux directement ou par l'intermédiaire de cations de nature variée, par exemple le fer, le magnésium, le calcium, le sodium ou des molécules d'eau.

Dans les olivines ou les grenats, les tétraèdres sont isolés. Ils se disposent en

◆ **Système cubique :** exemples de formes cristallines dérivant du cube par troncature des sommets.

◆ **Exemples de macles dans lesquelles deux cristaux sont accolés.**

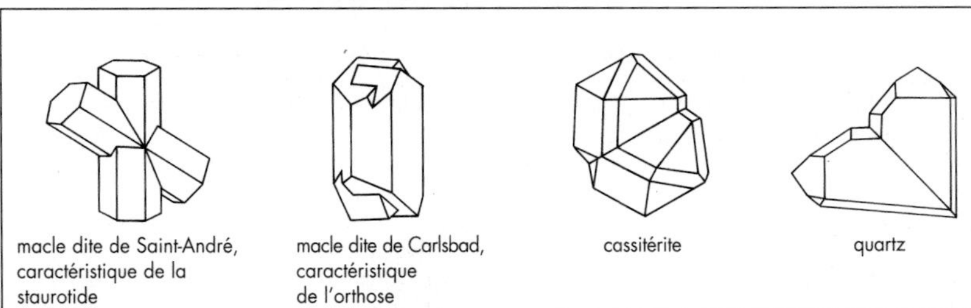

anneaux dans le béryl, l'épidote ou la tourmaline. Dans d'autres minéraux, les tétraèdres sont unis en chaînes. Dans les pyroxènes, ces chaînes sont simples ; dans les amphiboles, elles sont doubles, accolées par des molécules d'eau. Dans les silicates en feuillets, les tétraèdres se disposent dans des plans empilés les uns sur les autres. Ces plans sont bien matérialisés dans les micas, qui se clivent facilement en fines lamelles. Enfin, les tétraèdres peuvent s'organiser en un réseau dans les trois dimensions. C'est le cas du quartz et des feldspaths, qui sont les minéraux les plus répandus de la croûte terrestre.

Les autres minéraux

Bien qu'ils soient beaucoup moins communs que les silicates, ils peuvent, dans certains contextes, former des masses importantes.

Dans les carbonates, un oxyde de carbone fixe la structure. Dans la calcite, c'est le calcium qui relie les ions. Dans la dolomite, c'est le calcium et le magnésium. Il existe aussi des carbonates de fer (sidérite) ou de cuivre (malachite). Les carbonates, en particulier la calcite, sont les principaux constituants des roches calcaires, et sont donc très répandus dans les roches sédimentaires.

Les sels sont des minéraux peu répandus. Le sel gemme est du chlorure de sodium qui s'est déposé dans des lagunes. La fluorite est un fluorure de calcium qui forme de beaux cristaux verts, jaunes ou violets.

Les oxydes sont des minéraux essentiels, car ils constituent les principaux minerais. L'hématite et la magnétite sont des oxydes de fer. La pechblende est un oxyde d'uranium. Les oxydes hydratés d'aluminium (diaspore et gibbsite) sont les constituants principaux des bauxites, minerais d'aluminium.

Les sulfures jouent également le rôle de minerais. La pyrite et la marcassite sont des sulfures de fer ; la chalcopyrite, un sulfure de fer et de cuivre ; la blende, un sulfure de zinc ; la galène, un sulfure de plomb.

Dans les sulfates, un cation est combiné au soufre et à l'oxygène. Le gypse, connu pour ses macles en fer de lance ou encore sous sa forme de rose des sables, est un sulfate de calcium.

Dans les phosphates, un cation est combiné au phosphore et à l'oxygène. Le plus commun, l'apatite, est un phosphate de calcium qui est l'un des constituants de notre squelette.

Certains éléments existent à l'état natif, c'est-à-dire non combinés à quelque autre élément. C'est le cas de l'or, que l'on peut trouver en pépites, de l'argent, du platine, du carbone (diamant et graphite), du cuivre ou encore du soufre.

Les minéraux organiques dérivent de la destruction de la matière organique et ont en commun le fait de contenir du carbone, ce qui les rend combustibles. Ils forment les charbons, le pétrole et le gaz naturel.

◆ **Cristaux de halite** ou **sel gemme,** provenant de Wintershall, Allemagne.

◆ **Cristaux de diopside.** Variété de pyroxène provenant de Madagascar.

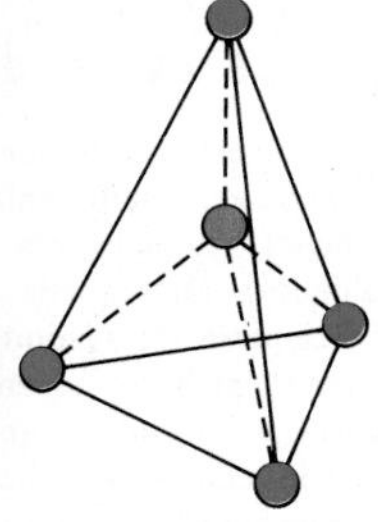

◆ **Tétraèdre de silice.** 1 atome de silicium, 4 atomes d'oxygène.

Voir aussi
- **Roches** p. 36
- **Matière (physique)** p. 336
- **Éléments** p. 348
- **Minerais** p. 924 à 927

Petit lexique

anion : atome chargé négativement par gain d'un ou de plusieurs électrons.

cation : atome chargé positivement par perte d'un ou de plusieurs électrons.

gemme : pierre précieuse ou pierre fine utilisée pour sa rareté, sa beauté ou ses caractéristiques physiques en bijouterie, joaillerie, glyptique ou orfèvrerie.

géode ou **druse :** cavité dans une roche dont les parois sont tapissées de cristaux à la croissance orientée vers le centre.

Pierres précieuses et pierres fines

Certains minéraux sont particulièrement recherchés pour leur beauté et leur rareté, et sont utilisés en joaillerie et en ornementation. Quatre espèces seulement ont droit au statut de pierre précieuse : diamant, émeraude, saphir et rubis. Le diamant est du carbone pur cristallisé à très forte pression ; l'Afrique du Sud en est le principal producteur. C'est le plus dur des minéraux, d'où son intérêt industriel, bien que l'industrie utilise surtout des diamants synthétiques. L'émeraude, variété verte du béryl, a pour principal producteur la Colombie. Saphir et rubis sont des variétés respectivement bleue et rouge du corindon ; les plus beaux spécimens viennent de Birmanie. La valeur des pierres précieuses dépend de leur grosseur (mesurée en carats, 1 carat = 2 dg), de leur pureté et de leur couleur, mais aussi du polissage et de la taille qui en renforcent l'éclat.
Les pierres fines sont des minéraux moins rares, mais elles peuvent néanmoins avoir une grande valeur. Les pierres fines limpides sont taillées en facettes comme les pierres précieuses : topaze, béryl, quartz, tourmaline, grenat, aigue-marine. D'autres, comme le jade, la turquoise, l'opale ou le lapis-lazuli, sont recherchées pour leurs nuances et servent à fabriquer des bijoux ou de petits objets décoratifs.
Certaines variétés de minéraux, comme l'améthyste ou la célestine, tapissent des cavités, formant des géodes parfois très spectaculaires puisqu'elles peuvent dépasser un mètre de diamètre. Enfin, il faut citer parmi les espèces non minérales utilisées en joaillerie, les perles et le corail, qui ont une origine animale, et l'ambre, qui est une résine fossile.

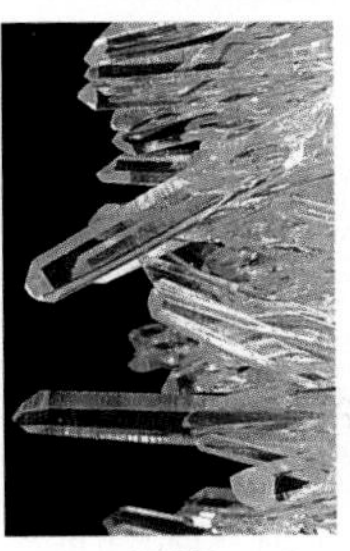

quartz améthyste

◆ **La couleur d'une espèce minérale.** Elle peut varier et n'est donc pas caractéristique. Le quartz, généralement incolore, est teinté de violet dans la variété améthyste.

Les roches

La formation des roches

Les roches sont les matériaux constitutifs de la lithosphère terrestre. Cette définition inclut toutes les roches solides, les plus nombreuses, mais aussi le pétrole et le gaz naturel. Les roches solides sont composées de minéraux, de nature et de proportions variées. Si la roche est entièrement cristallisée, c'est-à-dire constituée de grains de minéraux juxtaposés, la roche est dite « holocristalline » ; en revanche, si la roche n'est pas du tout cristallisée et qu'elle ressemble à une pâte solide, elle est dite « vitreuse » ou « hyaline ».

Les roches se forment dans des conditions diverses, et leur étude apporte des renseignements sur l'histoire de la Terre. On en distingue trois grandes familles : les roches magmatiques, les roches sédimentaires et les roches métamorphiques. Les roches magmatiques résultent de la cristallisation d'un magma issu du manteau ou de la croûte terrestres. Les roches sédimentaires se forment en surface par amoncellement et compactage de matériaux produits par l'altération et l'érosion de roches préexistantes. Les roches métamorphiques résultent de la transformation, à l'état solide, de roches, du fait d'une élévation de température et/ou de pression, avec cristallisation de nouveaux minéraux et acquisition de structures particulières.

Pour comprendre l'origine et les conditions de formation des roches, il faut d'abord déterminer leur mode de gisement, c'est-à-dire les relations qu'elles ont avec leur environnement (roches avoisinantes, failles...). Ce travail passe par l'établissement de cartes géologiques. Puis il faut déterminer les minéraux qu'elles contiennent, observer comment ils sont agencés et analyser leur composition chimique.

Les roches magmatiques

Dans des zones d'instabilité particulière du manteau et de la croûte terrestres, il peut se produire une fusion partielle qui donne naissance à un liquide de composition silicatée, le magma. Ce magma remonte vers la surface et, en se refroidissant, se solidifie progressivement et donne les roches magmatiques. On distingue deux sortes de roches magmatiques : les roches plutoniques et les roches volcaniques. Les roches plutoniques se forment lentement, en profondeur, avant que le magma n'atteigne la surface. Mais, si le magma s'épanche en surface lors d'éruptions volcaniques, il se solidifie brutalement au contact de l'air, donnant les roches dites « volcaniques ».

Le magma. La composition des magmas varie dans des limites relativement restreintes, en fonction de divers paramètres. Elle dépend de la profondeur où a lieu la fusion et de la nature des matériaux qui fondent : la fusion du manteau donne essentiellement des magmas péridotitiques ou des magmas basaltiques ; la fusion de la croûte, des magmas granitiques ou des magmas andésitiques. Par ailleurs, on constate une évolution au cours du temps : les premiers minéraux qui se forment durant le refroidissement ont une composition différente de la composition globale du magma qui se trouve donc appauvri en certains éléments et enrichi en d'autres. Ce processus, appelé « différenciation magmatique », produit des liquides de plus en plus riches en silice.

Les principaux mi-néraux qui cristallisent à partir des magmas sont relativement peu nombreux, et c'est leur nature et leurs proportions relatives qui servent à la classification des roches magmatiques. La distinction entre roches plutoniques et roches volcaniques repose sur la taille et l'agencement de ces minéraux.

Les roches plutoniques. Elles forment l'essentiel de la croûte continentale profonde, et on les voit affleurer dans les chaînes de montagnes érodées, comme le Massif armoricain. Comme elles cristallisent lentement, en profondeur, les roches plutoniques sont formées de gros minéraux, visibles à l'œil nu, qui ont eu tout le temps de croître (la structure de ces roches est dite « grenue »). Le granite est de loin le plus répandu, formant des massifs qui peuvent couvrir des milliers de kilomètres carrés. Le magma granitique peut prendre naissance dans le manteau et se différencier au cours de son ascension, mais, le plus souvent, il résulte de la fusion partielle de la croûte, ou anatexie, lors de la formation des chaînes de montagnes. Sous les dorsales océaniques, du magma de composition mantellique peut cristalliser lentement dans de vastes chambres magmatiques. Les cristaux s'accumulent progressivement, donnant à la roche (des gabbros) une apparence litée.

Les roches volcaniques. Elles cristallisent souvent en deux temps. De gros minéraux peuvent se former lors du séjour du magma dans une chambre en profondeur, suivis par des cristaux plus petits et allongés, les microlites. Puis, au moment de l'éruption, le magma liquide, dans lequel baignent ces minéraux, se fige très rapidement, par refroidissement brutal au contact de l'air, en une pâte très fine dont on ne peut discerner les composants à l'œil nu (la structure de ces roches est dite « microlitique »). Les édifices volcaniques ainsi formés signalent les zones d'instabilité de l'écorce terrestre : dorsales océaniques, zones de subduction, points chauds. Les volcans des dorsales sont formés d'un empilement de laves évoluant des basaltes aux rhyolites. Dans les zones de subduction, les andésites dominent largement. D'énormes épanchements de basaltes ont formé de vastes plateaux en Inde, au Brésil ou dans le nord-ouest des États-Unis. Mais les basaltes sont surtout le constituant principal de la croûte océanique.

Les roches sédimentaires

Les roches sédimentaires proviennent du démantèlement des reliefs par l'érosion. Les roches préexistantes se désagrègent sous l'action conjuguée de l'eau, du vent et des variations de température. Les particules arrachées sont transportées par les rivières, les glaciers ou le vent jusqu'aux zones basses, lacs ou mers où elles se

Le cycle des roches

Les roches ont une origine soit externe (roches sédimentaires), soit interne (roches magmatiques et roches métamorphiques). Mais quelle que soit leur origine, l'orogenèse (formation des chaînes de montagnes) peut les amener en surface et les déformer jusqu'à ce que l'érosion et le transport les emmènent à l'état de sédiments. Ceux-ci peuvent alors se transformer en roches sédimentaires qui, à leur tour, peuvent devenir métamorphiques si l'enfouissement est important et si la pression et la température augmentent. À noter, cependant, que des roches plutoniques ou déjà métamorphiques peuvent aussi se métamorphiser sans jamais avoir atteint la surface. Enfin, si la température s'élève beaucoup, les roches peuvent fondre totalement et donner un magma à l'origine de futures roches magmatiques.

Toutes les roches peuvent ainsi dériver les unes des autres selon un cycle faisant intervenir des processus géologiques internes et/ou externes. La durée des différentes phases du cycle peut être très variable. Une roche sédimentaire peut mettre des millions d'années à se former ou à s'éroder. Une roche mise au contact d'un magma peut se métamorphiser en quelques jours. À partir d'une lave, une roche volcanique peut se former en quelques heures.

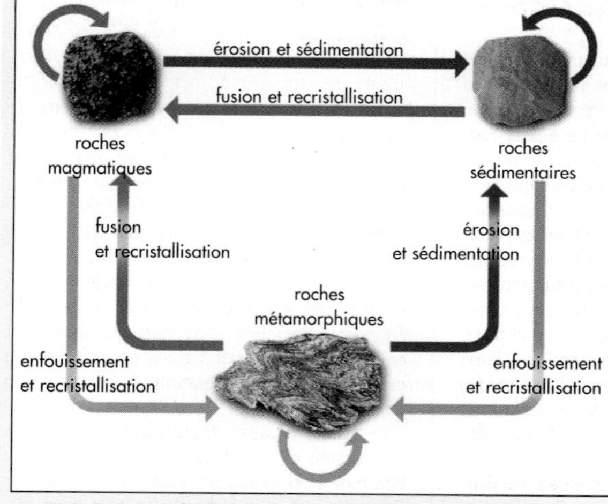

déposent. Les couches successives se superposent, formant des strates, caractéristiques des roches sédimentaires, et se solidifient progressivement. L'ensemble des divers processus d'enfouissement avec élévation relative de pression et de température, de compaction avec perte d'eau et de cimentation des particules sédimentaires par cristallisation à partir des fluides intragranulaires – processus conduisant à la formation de la roche – s'appelle la diagenèse.

Le transport peut avoir lieu sous forme de particules solides. Les roches sédimentaires qui en résultent sont alors dites « détritiques » puisqu'elles sont constituées de débris. Plus le transport est long, plus la taille des fragments s'amenuise. Les débris très grossiers forment des brèches (s'ils sont anguleux) ou des poudingues (s'ils sont arrondis). Des grains plus petits, de l'ordre du millimètre, forment des sables, ou des grès si les grains sont cimentés. Enfin, les particules les plus fines, qui forment des pélites, peuvent parcourir de grandes distances.

Mais le transport peut se faire sous forme de particules dissoutes. Les roches ont dans ce cas une origine chimique. Les minéraux précipitent directement, si la concentration devient trop forte, ou par l'intermédiaire d'organismes vivants qui les fixent dans leur coquille ou leur squelette.

Dans certaines roches siliceuses, comme le silex, la silice précipite directement. Dans d'autres, comme les radiolarites, ce sont des organismes, les radiolaires, qui fixent la silice.

D'une manière générale, les roches calcaires résultent de la fixation de la calcite par des organismes vivants. Ceux-ci peuvent être microscopiques, comme les coccolites de la craie, ou bien de taille respectable, comme les coquilles fossiles que l'on trouve dans de nombreux calcaires (ammonites, huîtres, etc.).

Les roches salines, comme le sel gemme, proviennent toujours de la précipitation directe du sel dans des zones de lagunes où se produit une évaporation intense.

Enfin, certaines roches sédimentaires proviennent de la décomposition d'organismes vivants. Ce sont les roches organiques. La houille résulte de la décomposition de vastes forêts. Le pétrole et le gaz naturel proviennent de la décomposition de micro-organismes, dans des mers peu profondes ; les hydrocarbures qui en résultent sont piégés sous des niveaux imperméables et imbibent une roche, la roche-réservoir.

◆ La Chaussée des Géants.
Le paysage si curieux de la Chaussée des Géants (Irlande du Nord) est dû à un refroidissement brusque du basalte. Cette roche volcanique a ainsi produit des milliers de prismes en forme d'escaliers ou de colonnades qui s'avancent dans la mer. Cet ensemble est inscrit sur la liste du patrimoine mondial culturel et naturel.

◆ Chaos granitique.
Le chaos (ici au Portugal) est un paysage caractéristique des massifs granitiques : à la faveur d'un réseau dense de fissures, de grosses boules de la roche plutonique sont peu à peu dégagées par l'érosion, tandis que le sol se couvre d'un sable (l'arène granitique) résultant de la désagrégation de la roche mère.

◆ Les gorges du Tarn.
Ouvertes par l'érosion dans les calcaires des Causses, les gorges du Tarn constituent l'un des grands sites naturels français. Elles s'étirent sur plus de 50 km, de Sainte-Enimie au Rozier, entre le causse de Sauveterre et le causse Méjean. La rivière a entaillé la roche, y creusant un étroit canyon très profond.

◆ Échantillon de gneiss.
Cette roche métamorphique présente une texture nettement orientée, ou foliée. Disposés dans des plans parallèles, les minéraux donnent au gneiss un aspect rubané. Des lits à quartz et feldspath rose (d'environ 5 mm d'épaisseur) alternent avec des lits à quartz et mica noir.

Les roches métamorphiques

Quand des roches sédimentaires ou magmatiques se trouvent dans des conditions de pression et de température différentes de celles qui régnaient lors de leur formation, elles se transforment ; ce processus s'appelle le métamorphisme. Il entraîne l'apparition de nouveaux minéraux résultant des nouvelles conditions. Lors de la formation des chaînes de montagnes, le métamorphisme affecte des portions entières de croûte terrestre – il est alors appelé « métamorphisme régional ». Des compressions s'exercent et les terrains sont déformés, plissés, et peuvent être enfouis à de grandes profondeurs dans la croûte. Ils sont alors soumis à de très fortes pressions et à une augmentation de température, due au flux de chaleur qui vient de l'intérieur de la Terre. À cause des contraintes qui règnent lors des plissements, les nouveaux minéraux se disposent dans des plans préférentiels, ce qui donne aux roches un aspect orienté. Elles sont dites schisteuses si elles ont tendance à se déliter, ou foliées si elles sont plus massives.

Mais le métamorphisme peut simplement résulter de la mise en place d'un massif de roches plutoniques. En se refroidissant, elles dégagent de la chaleur qui se propage dans les roches à leur contact et les transforme. Ce type de métamorphisme est dit « de contact » ; il n'affecte qu'une auréole autour du massif plutonique.

Les espèces minérales qui apparaissent dans les roches sous l'effet du métamorphisme traduisent les conditions dans lesquelles elles se sont formées. Leur étude permet de déterminer la pression et la température qui régnaient quand elles ont cristallisé et aide à reconstituer l'histoire de la formation des chaînes de montagnes. Mais la nature des minéraux traduit également la composition chimique des roches avant leur métamorphisme. Les schistes, riches en quartz et en micas, se forment par métamorphisme des argiles sédimentaires. Les gneiss, formés de quartz, de feldspaths et de micas, résultent généralement du métamorphisme d'un granite, et les amphibolites, d'une marne sédimentaire ou d'un basalte. Les marbres, composés de calcite, proviennent du métamorphisme des calcaires.

VOIR AUSSI

- **Minéraux et gemmes** p. 34
- **Volcans** p. 40
- **Formation des océans** p. 42
- **Formation des montagnes** p. 43
- **Érosion et sédimentation** p. 44
- **Fossiles** p. 96 à 103
- **Combustibles fossiles** p. 356

Petit lexique

andésite : roche volcanique montrant une pâte généralement grise et vacuolée dans laquelle baignent de petits cristaux allongés (des microlites) de plagioclases.

basalte : roche volcanique à pâte généralement noire, non bulleuse, dans laquelle baignent des cristaux de plagioclases, de pyroxènes et de péridots.

granite : roche plutonique claire montrant une juxtaposition de grains constitués essentiellement de quartz, de feldspaths, de plagioclases et de micas.

péridotite : roche magmatique vert noirâtre, constituant l'essentiel du manteau supérieur et contenant principalement des minéraux ferromagnésiens, notamment l'olivine.

rhyolite : roche volcanique de teinte claire contenant du quartz cristallisé.

schistosité : feuilletage plus ou moins serré présent dans certaines roches métamorphiques, qui est dû à l'action des pressions tectoniques.

Les séismes

La source sismique

Les mouvements relatifs des plaques lithosphériques entraînent, à leurs frontières, l'accumulation de contraintes gigantesques.

Lorsque celles-ci deviennent trop importantes, la lithosphère, couche rigide la plus externe de la Terre, épaisse de 70 à 150 km, casse brusquement ; il se produit alors une secousse ou une série de secousses : c'est le séisme, ou tremblement de terre. L'énergie accumulée est alors libérée et les roches glissent rapidement les unes par rapport aux autres le long d'une faille.

La majorité des séismes sont dits « superficiels », c'est-à-dire qu'ils se produisent dans les cent premiers kilomètres. Cependant, les séismes de très grande intensité sont d'origine plus profonde : ils surviennent au niveau des zones de subduction (zones où une plaque lithosphérique plonge sous une autre). Ces séismes profonds se produisent lors de la relaxation brutale des contraintes dues aux frottements entre les deux plaques; ils peuvent se produire jusqu'à 700 km de profondeur. Au-delà, il n'y a plus de séisme, car, à ces profondeurs, les roches sont ductiles (souples), c'est-à-dire qu'elles peuvent se déformer continûment sans se rompre.

L'endroit d'où part le séisme est appelé le « foyer »; l'épicentre est le point qui, à la surface de la Terre, est situé à la verticale du foyer.

Les ondes sismiques

Lors d'un séisme, la rupture brutale de l'écorce terrestre donne naissance à des vibrations : les ondes sismiques, qui sont de différents types. Les ondes P, dites « primaires » car elles arrivent les premières, sont comparables aux ondes acoustiques et se propagent dans tous les milieux (roches, océans, atmosphère). Les ondes de type S, dites « secondaires », sont des ondes de cisaillement qui ne se diffusent que dans les solides. Bien plus énergétiques que les ondes P, elles provoquent, lorsqu'elles arrivent en surface, un mouvement d'oscillation horizontale de la surface terrestre qui se transmet aux structures et aux constructions. Ce sont les ondes S qui infligent l'essentiel des dommages. Il existe aussi des ondes plus complexes, comme les ondes L, qui ne se propagent qu'en surface.

Les ondes P et S peuvent parcourir de très grandes distances et même être enregistrées par des appareils situés aux antipodes du séisme qui les a produites. Lorsqu'elles traversent le globe, leur trajet et leur vitesse dépendent du type de matériaux qu'elles rencontrent, de leur densité, de leur température, etc. Quand une onde P ou une onde S rencontre une discontinuité (une limite entre deux couches de matériaux différents), elle peut se réfléchir ou se réfracter, c'est-à-dire traverser la discontinuité et prendre une direction différente. Aussi, en multipliant les enregistrements tout autour du globe, les scientifiques ont-ils pu déterminer les caractéristiques des séismes (foyer, intensité, etc.) et, de plus, distinguer plusieurs couches terrestres : graine solide, noyau liquide, manteau inférieur, manteau supérieur et croûte. On observe aussi que la plupart des séismes coïncident bien avec les limites des plaques lithosphériques.

◆ **Les séismes les plus meurtriers (plus de 40 000 morts).** Le dernier séisme important a eu lieu en Turquie, à Izmit, le 17 août 1999, faisant probablement plus de 15 000 morts et de 30 000 à 35 000 personnes disparues sous les décombres.

Date	Site	Magnitude	Victimes
1201	mer Égée	–	100 000
27 sept. 1290	Chih Li (Chine)	–	100 000
2 fév. 1556	Shaanxi (Chine)	–	830 000
nov. 1667	Shemakha (Caucase)	–	80 000
18 nov. 1727	Tabriz (Iran)	–	77 000
11 oct. 1737	Calcutta (Inde)	–	300 000
1er nov. 1755	entre Açores et Gibraltar (dit « de Lisbonne »)	–	60 000
28 déc. 1908	Messine (Italie)	7,2	58 000
16 déc. 1920	Shaanxi (Chine)	8,6	200 000
1er sept. 1923	Tokyo (Japon)	8,2	99 331
22 mai 1927	Qinghai (Chine)	8,0	40 912
31 mai 1970	Ancash (Pérou)	7,8	66 794
27 juill. 1976	Tangshen (Chine)	7,9	de 300 000 à 1 000 000
21 juin 1990	nord-ouest de l'Iran	7,7	50 000

Source : Catastrophes naturelles, Y. Gautier, coll. Explora/Cité des sciences et de l'industrie, Pocket, 1995.

◆ **Les ondes sismiques de type P.** Ce sont des ondes de compression-décompression ; la déformation s'effectue dans la direction de propagation de l'onde.

L'intensité des séismes

Pendant longtemps, l'intensité d'un séisme fut évaluée à partir du taux de destruction des constructions ou de témoignages. L'échelle d'intensité, comprenant douze degrés, établie en 1902 par le géologue italien Giuseppe Mercalli (1850-1914), est fondée sur ces principes. Elle est encore utilisée de nos jours; elle est

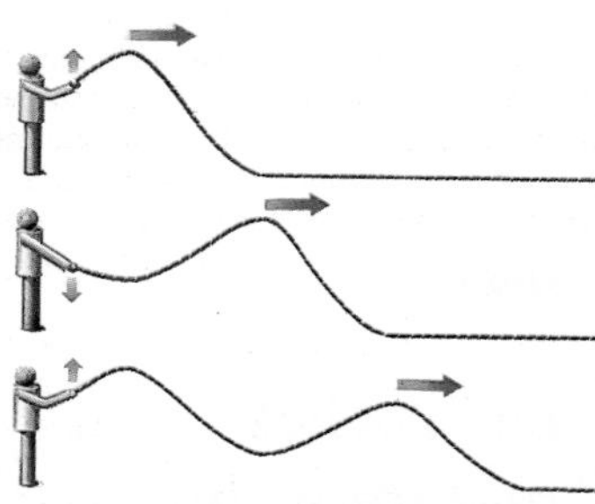

◆ **Les ondes sismiques de type S.** Ce sont des ondes de cisaillement ; la déformation s'effectue perpendiculairement à la direction de propagation de l'onde. Ce sont ces ondes qui infligent les plus sévères dommages aux constructions.

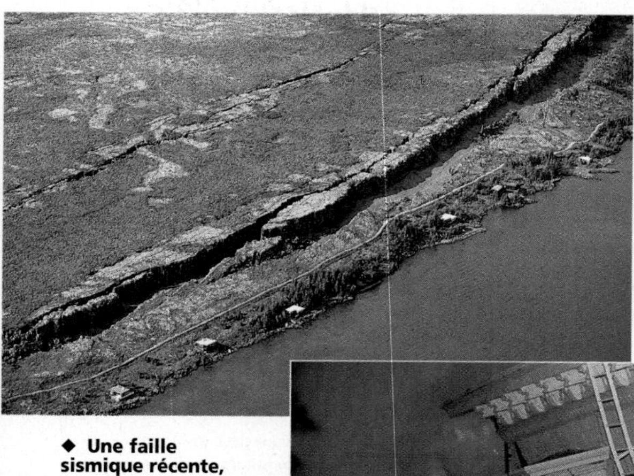

◆ **Une faille sismique récente,** celle de Pingvellir, dans le sud-ouest de l'Islande.

◆ **Dégâts provoqués par le tremblement de terre de San Francisco.** Ce séisme, de magnitude 7, se produisit le 17 octobre 1989.

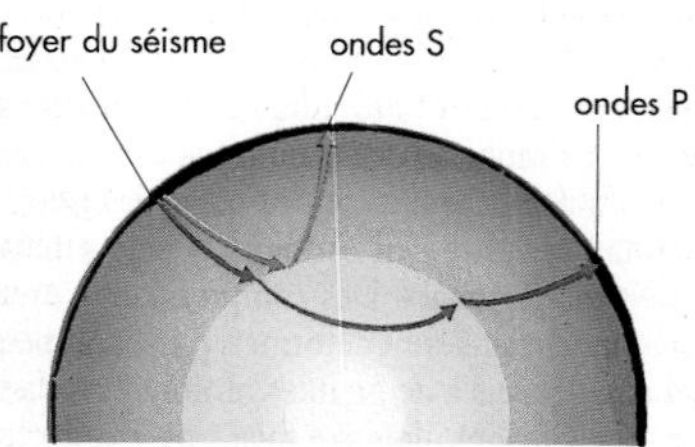

◆ **Le trajet des ondes P et S.** La propagation des ondes sismiques dépend de la nature des matériaux traversés : les ondes se réfléchissent ou se réfractent (changent de direction) sur les interfaces des couches du globe. C'est par cette méthode que l'on a mis en évidence la structure interne de la Terre.

toutefois empirique et valable seulement dans les zones habitées. Aussi, les géophysiciens ont-ils utilisé une grandeur, la magnitude, directement liée à l'énergie émise par le séisme. L'échelle la plus connue est celle qu'a définie le géophysicien américain Charles Richter (1900-1985) ; elle est fondée sur l'amplitude des ondes de cisaillement (ondes S). Chaque élévation d'un degré sur l'échelle de Richter correspond à une multiplication par 30 environ de l'énergie sismique libérée : par exemple, un séisme de magnitude 8 libère 30 fois plus d'énergie qu'un séisme de magnitude 7.

De 1975 à 1999, seulement 0,4 % des séismes ont eu une magnitude supérieure ou égale à 8, mais ils représentent presque 30 % de l'énergie libérée par l'ensemble des séismes. En revanche, les séismes de magnitude 6 à 6,4 sont les plus nombreux (environ 70 %) mais ils ne totalisent que 5,4 % de l'énergie totale. La magnitude la plus importante jamais enregistrée est de presque 9 (celle d'un séisme au Japon, en 1933).

◆ **Échelles de Mercalli et de Richter.**

Intensité (Mercalli)	Magnitude (Richter)	Effets
I	1 à 3	secousse non perceptible
II		secousse ressentie aux étages supérieurs
III		légers balancements d'objets suspendus
IV		secousse largement ressentie
V		réveil des dormeurs
VI*	3 à 4,75	frayeur, légers dommages dans les constructions
VII*	4,75 à 5,9	difficulté à rester debout dommages aux constructions
VIII*	5,9 à 6,5	frayeur et panique destruction de bâtiments petits glissements de terrain
IX*		panique générale dommages généralisés aux constructions nombreux glissements de terrain
X*	6,5 à 7,75	destruction générale des bâtiments changements de l'hydrologie
XI		dommages sévères à tous les ouvrages terrain considérablement déformé
XII	> 7,75	toutes les structures au-dessus et au-dessous du sol endommagées ou détruites, changement du paysage

* Les dégâts aux constructions dépendent du type de construction.
Source : Catastrophes naturelles, Y. Gautier, coll. Explora/Cité des sciences et de l'industrie, Pocket, 1995.

◆ **Une faille normale.**
Elle est due à des contraintes extensives : le bloc de gauche s'abaisse en glissant le long du plan de faille, appelé « miroir ».

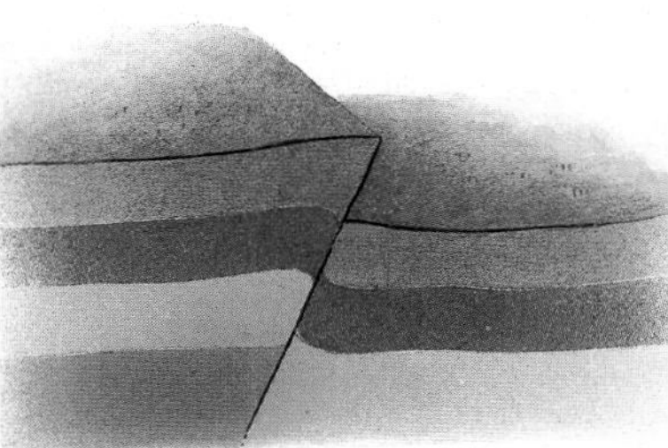

◆ **Une faille inverse.**
Elle est due à des contraintes compressives : le bloc de gauche vient surmonter celui de droite en glissant le long du plan de faille.

Prévision, prédiction et prévention

La gravité d'une catastrophe sismique ne dépend pas seulement de la magnitude, elle est aussi étroitement liée à d'autres facteurs : densité de la population, type des constructions, heure du séisme, préparation de la population à ce type de catastrophe, etc. Tous ces facteurs sont les clés de voûte de la prévision et de la prévention.

La prévision à long terme. Elle permet de déterminer plus ou moins précisément les zones à risques sismiques en étudiant les données historiques et en identifiant les failles actives. En revanche, elle ne permet pas de dire si un séisme aura lieu dans un, deux ou… cent ans.

La prédiction. C'est une prévision à court terme (de quelques heures à quelques jours) ; elle est fondée sur un ensemble de phénomènes précédant certains séismes. Ces observations n'ont, pour l'instant, pas permis d'établir de méthode réellement fiable. Un séisme majeur peut être précédé par une série de petits séismes, appelés « précurseurs ». La variation d'altitude du sol, l'émission de certains gaz comme le radon, l'augmentation de la conductibilité électrique et de la perméabilité du sol, les variations du rapport des vitesses des ondes P et S sont autant de phénomènes qui peuvent précéder un séisme sans que cela soit systématique.

Ainsi, le séisme de 1964 à Niigata, au Japon (magnitude 7,4), fut précédé de variations d'altitude (10 cm) du sol. Mais, la même année, une surélévation de 85 cm à Palmdale, près de la faille de San Andreas, ne fut suivie d'aucun séisme. En Chine, le séisme des 4-5 févr. 1975 détruisit totalement la ville de Haicheng. Heureusement, les variations du champ magnétique et du niveau d'eau des puits, le comportement étrange des poules et des poissons rouges avaient décidé les autorités à faire évacuer deux jours plus tôt les 3 millions d'habitants de la région. Mais le 27 juillet de l'année suivante, à 300 km à l'ouest de Haicheng, un séisme de magnitude 7,6 sans aucun signe annonciateur fit de 300 000 à 1 million de morts (selon les sources).

La prévention. Elle vise à réduire au minimum le nombre de victimes et les dégâts aux constructions en cas de catastrophe. Elle réunit les compétences de nombreux spécialistes (géologues, physiciens des matériaux, architectes, etc.) afin de construire des ouvrages parasismiques (immeubles, installations industrielles, ponts, etc.) capables de résister aux déplacements et aux accélérations du sol. Les deux séismes de même magnitude (7) qui se sont produits en 1988 en Arménie et en 1989 à San Francisco ont fait respectivement 25 000 et 100 morts. Malgré la plus forte densité de population en Californie, le bilan fut beaucoup moins lourd grâce aux constructions parasismiques.

Le niveau de développement économique, les fortes densités de population, les grandes concentrations urbaines, l'éducation des populations à bien réagir individuellement et collectivement en cas d'évacuation d'un site, l'organisation efficace des secours sont autant de facteurs influant sur les conséquences d'un séisme.

Les tsunamis

Les tsunamis sont d'énormes vagues qui viennent s'abattre sur certaines côtes et qui balaient tout sur leur passage. Quelquefois, la mer se retire dans un premier temps, laissant des poissons sur la grève découverte, pour revenir soudainement avec force. Plusieurs puissantes vagues peuvent ainsi se succéder, écrasant ou propulsant à l'intérieur des terres hommes et bêtes, bateaux et maisons, puis aspirant dans les flots les victimes et les débris.

Les tsunamis, appelés aussi à tort raz de marée, sont dus à des séismes sous-marins ou à tout autre déplacement important des fonds océaniques (éruption volcanique, glissement de terrain, etc.). Toute la colonne d'eau à l'aplomb de ce déplacement est poussée brutalement, et ce mouvement se propage telle une onde à travers l'océan à une vitesse de 700 à 800 km/h. En surface, les vagues qui en résultent n'atteignent guère plus d'un mètre de hauteur en pleine mer. Mais lorsque le fond sous-marin se relève progressivement à l'approche des côtes, les vagues deviennent de plus en plus hautes. Ce sont alors des murs d'eau, pouvant atteindre 30 m de haut (la hauteur d'un immeuble de douze étages), qui s'abattent sur le littoral. Cela explique que, bien souvent, les pêcheurs ne ressentent pas en pleine mer le train de vagues qui passe sous leur bateau mais découvrent, au retour, leur port dévasté. Un laps de temps allant d'une minute à plus d'une heure peut s'écouler entre deux vagues successives, dont la puissance n'est pas toujours décroissante.

Les sismographes

On mesure les ondes sismiques à l'aide d'appareils, les sismographes, qui permettent d'enregistrer les mouvements du sol en un point donné. Ces mouvements sont amplifiés par le sismographe plusieurs centaines de milliers de fois avant d'être enregistrés, ce qui permet de déceler des secousses imperceptibles à l'être humain. Ainsi, environ un million de séismes sont enregistrés chaque année, mais une grande majorité ne sont pas ressentis.
Une station sismique est généralement équipée de trois sismographes, qui enregistrent les composantes des ondes sismiques dans trois directions, deux horizontales et une verticale. Il existe tout un réseau de stations sismiques à la surface du globe, plus ou moins dense selon les régions. Lors d'un tremblement de terre, les enregistrements, ou sismogrammes, réalisés par différentes stations sont confrontés. On peut alors déterminer la profondeur du foyer et la localisation précise de l'épicentre.

VOIR AUSSI 
- **Tectonique des plaques** p. 30
- **Catastrophes naturelles** p. 71
- **Ondes** p. 338

Les volcans

Les éruptions

On compte sur la Terre environ 800 volcans aériens et 3000 volcans sous-marins en activité. La plupart se situent aux limites des plaques lithosphériques (dorsales et fosses océaniques) : ainsi la célèbre ceinture de feu du Pacifique parcourt la cordillère des Andes, l'Amérique centrale, les îles Aléoutiennes et Kouriles, le Japon, les Philippines et les îles du Pacifique sud. D'autres volcans se trouvent à l'intérieur des plaques : ce sont les points chauds. Un volcan se construit par remontées et épanchements successifs de magma. La nature du magma et son évolution déterminent le type de volcan et le type d'éruption.

La chambre magmatique. Le magma monte à travers des fractures, car il est plus chaud, donc plus léger, que les roches du manteau et de la croûte terrestres. Entre 2 et 15 km de profondeur, le magma s'accumule dans une sorte de cavité située sous le volcan : la chambre magmatique. Parfois, deux chambres magmatiques peuvent se superposer, reliées entre elles par un réseau de fractures.

La nature chimique du magma évolue dans la chambre quand les premiers minéraux commencent à cristalliser, ce qui appauvrit ou enrichit relativement le magma liquide en certains éléments chimiques. De même, la fusion des roches qui cernent la chambre ou des liquides (eau) provenant de la surface par infiltration peuvent contaminer le magma et modifier sa composition. Il se peut que le magma cristallise entièrement en profondeur, formant alors une roche plutonique, comme le granite, enfouie jusqu'à ce que l'érosion décape les terrains sus-jacents.

Les éruptions. L'éruption se produit lorsque la pression dans la chambre devient trop importante. Cette augmentation de pression est due à celle des gaz dissous dans le magma (vapeur d'eau, gaz carbonique, fluor, chlore, etc.), qui s'accumulent progressivement dans la chambre.

Ensuite, le type d'éruption dépend de la composition chimique du magma. Ce dernier varie entre un extrême basique (de 30 à 50 % de silice) et un extrême acide (de 70 à 80 % de silice).

Plus un magma est riche en silice, plus sa viscosité est grande ; il remonte alors lentement dans la cheminée et, ayant le temps de se refroidir, il se solidifie en formant un bouchon, jusqu'à l'explosion violente. Les volcans des zones de subduction (plongement d'une plaque lithosphérique sous une autre) correspondent à une montée de magma due, en partie, à la fusion de la croûte continentale, riche en silice. C'est pour cela que ce type de volcan donne généralement des éruptions explosives, les plus dangereuses. Un magma pauvre en silice est plus fluide : il remonte rapidement et s'épanche en surface sous forme de longues coulées de lave. C'est le cas du volcanisme des dorsales océaniques, mais aussi de celui des points chauds, dû à la montée du magma basique du manteau.

VOIR AUSSI
- **Tectonique des plaques** p. 30
- **Limites des plaques** p. 32
- **Roches** p. 36
- **Catastrophes naturelles** p. 71

◆ **Un volcan de type hawaiien et un volcan de type péléen.**
Les volcans de type hawaiien ont des pentes douces et des éruptions effusives de laves fluides alors que les volcans de type péléen sont caractérisés par des pentes raides et un volcanisme explosif (nuées ardentes). Tous les volcans ont une forme conique qui résulte de l'accumulation de laves et de cendres émises lors des éruptions. Sous cet édifice se trouve la chambre magmatique, qui contient le magma en fusion. Les cheminées volcaniques sont les conduits qui relient cette chambre magmatique à la surface.

Les divers types de volcans

Le volcan est un relief construit par l'empilement des laves et des projections. Certains sont gigantesques : le plus grand du monde, le Mauna Kea, à Hawaii, construit sur le fond de l'océan Pacifique, est plus haut que l'Everest ! La forme des volcans est liée au type d'éruption, à la fréquence des explosions et donc à l'abondance des projections. Dans les éruptions dominées par l'émission régulière de laves très fluides, comme à Hawaii ou à la Réunion, les volcans ont la forme de vastes boucliers surbaissés. Les éruptions à caractère explosif marqué produisent des laves peu fluides qui construisent un cône très raide. Les laves peuvent même obstruer la cheminée, et c'est alors qu'ont lieu les explosions dévastatrices comme celle de la montagne Pelée, à la Martinique en 1902, ou du Pinatubo, aux Philippines en 1991. Des éruptions de type intermédiaire ont produit des volcans comme le Stromboli ou le Vulcano, en Italie.

Les dangers

Moins un volcan est actif, plus il est dangereux. Les populations viennent s'installer sur ses pentes fertiles et oublient qu'il peut sortir brutalement d'un long sommeil. Ainsi, le mont Unzen (Japon) et le Pinatubo (Philippines) se sont réveillés en 1991 après respectivement deux et six siècles de calme. On estime que, depuis le XVIIIe s., 270 000 personnes sont mortes des conséquences des éruptions volcaniques, dont la moitié en Indonésie.

Les nuées ardentes. Elles sont responsables d'environ la moitié des victimes de toutes les éruptions. La nuée ardente, ou coulée pyroclastique, est un mélange de gaz chauds (de 200 à 900 °C), de cendres et de blocs en suspension. Elle est le résultat de l'explosion du bouchon de la cheminée ou de l'éclatement du sommet du volcan.

◆ **Nuée ardente sur le Pinatubo** (Philippines, 15 juin 1991).
Les nuées ardentes sont des mélanges de cendres et de gaz à très haute température qui peuvent être expulsés du volcan et descendre ses pentes. Ce type d'éruption, explosif, est le plus dangereux, les nuées ardentes dévalant les pentes des volcans à des vitesses pouvant atteindre 500 km/h.

◆ **Fontaines de lave sur le Mauna Loa** (Hawaii).
Ces jets de matière en fusion peuvent atteindre plusieurs centaines de mètres de hauteur. Ils sont caractéristiques des volcans à laves très fluides.

La nuée ardente dévale les pentes à plusieurs centaines de kilomètres/heure, brûlant et étouffant tout sur son passage. C'est une telle coulée, issue de la montagne Pelée, qui, en 1902, anéantit en moins de 2 minutes Saint-Pierre et les 28 000 personnes présentes alors dans la ville. Plus récemment, en 1997, les nuées ardentes qui s'échappèrent de la Soufrière de l'île de Montserrat (Caraïbes) détruisirent totalement la capitale, Plymouth, et la moitié sud de l'île, heureusement évacuée. Les nuées ardentes sont caractéristiques des volcans situés dans les zones de subduction.

Les coulées de boue. Appelées également « lahars », elles représentent la deuxième cause de mortalité due aux éruptions. Elles correspondent au dévalement de grandes quantités de cendres, de terrain et de blocs entraînés généralement par l'eau d'importantes précipitations. Ainsi, plusieurs kilomètres cubes de cendres déposées par l'éruption du Pinatubo furent emportés par les pluies torrentielles du typhon Yunya. Ce phénomène se poursuit chaque année à l'époque des moussons. En 1919, c'est le débordement du lac de cratère du Kelut (Java) qui, lors de l'éruption de ce dernier, produisit des lahars et fit plus de 5 000 victimes. En 1985, l'éruption du Nevado del Ruiz (Colombie) fit fondre le glacier sommital, propulsant un immense lahar qui recouvrit la ville d'Armero, pourtant située à 50 km du volcan, et 22 000 de ses habitants.

Les éruptions sous-glaciaires peuvent aussi produire des lahars : celle qui eut lieu en 1996 sous le glacier Vatnajökull (Islande) entraîna des coulées de boue de 4 à 5 m de hauteur, dont le débit atteignit 45 000 m³/s, et provoqua d'importants dégâts dans le sud de l'île.

◆ **Une coulée de lave sur l'Etna** (Sicile).
Ce type de coulée, sans danger direct pour l'homme, est en revanche très dévastateur pour les habitations, les cultures et les infrastructures, car il est très difficile de dévier son parcours naturel.

Autres dangers. Les coulées de lave acide sont souvent très fluides et peuvent atteindre des vitesses de 100 km/h. Généralement, l'homme peut y échapper, mais il s'avère très difficile de les contourner, et elles détruisent tout sur leur passage : habitations, cultures, végétation.

Certains lacs de cratère peuvent piéger, dans leurs eaux profondes, de grandes quantités de gaz magmatiques, tel le CO_2. Une petite secousse sismique, ou un glissement de terrain le long des pentes du lac, peut brasser les eaux et amener en surface les gaz toxiques, qui s'épandent alors aux alentours. Ce phénomène se produisit, par exemple, en 1986, au lac Nyos (Cameroun) : 1750 personnes et des milliers d'animaux périrent enveloppés par le gaz mortel.

En milieu océanique, de fortes explosions volcaniques peuvent provoquer des tsunamis (raz de marée). L'explosion du Krakatoa (Sumatra), en 1883, libérant une énergie équivalant à 7 000 fois celle de la bombe de Hiroshima, propagea des tsunamis sur les côtes environnantes, tuant 36 000 personnes.

Enfin, les fortes émissions de cendres peuvent recouvrir toute une région, la privant immédiatement de tout couvert végétal, présenter un réel danger pour le trafic aérien, et même perturber le climat lorsque les fines particules forment un voile réfléchissant la lumière solaire vers l'espace.

Prédiction et prévention

En matière de risques naturels, on distingue prévision, prédiction et prévention. La prédiction est la prévision d'un risque à court terme (de l'ordre de quelques jours à une semaine). Alors que la prédiction sismique demeure difficile, il est désormais possible de prédire une éruption volcanique si, bien sûr, le volcan en question est sous surveillance. Cette dernière s'appuie sur les données historiques et sur le contexte géologique qui définit la dangerosité d'un volcan. La surveillance proprement dite repose sur des observations au sol et par satellite : séismes précurseurs ; déformations du volcan (gonflements, bombements, ouvertures de fractures) ; émissions ou modifications de la composition chimique des fumerolles, des gaz (notamment le radon) ou des laves ; mesures gravimétriques (de la pesanteur) et magnétiques indicatrices d'une montée de magma et d'une surpression dans la chambre, etc. Lorsque les spécialistes sont convaincus de l'imminence d'une éruption, ils établissent une carte des risques montrant les trajectoires et les portées probables des coulées de lave, des nuées ardentes et des diverses retombées pyroclastiques, selon la topographie de la région et les vents dominants. Il appartient ensuite aux autorités locales de décider l'évacuation des populations menacées.

◆ **Les phénomènes volcaniques les plus meurtriers de l'histoire (plus de 4 000 morts).**

Année	Site	Victimes
1586	Kelut (Java)	10 000
1681	Vésuve (Italie)	4 000
1738	Laki (Islande)	10 500
1792	Unzen (Japon)	15 200
1815	Tambora (Sumbawa)	92 000
1822	Galunggung (Java)	4 000
1883	Krakatoa (Sumatra)	36 400
1902	montagne Pelée (Martinique)	28 000
1902	Santa-Maria (Guatemala)	6 000
1919	Kelut (Java)	5 100
1982	El Chichón (Mexique)	35 000
1985	Nevado del Ruiz (Colombie	22 000

Source : Catastrophes naturelles, Y. Gautier, coll. Explora, Cité des sciences et de l'industrie, Pocket, 1995.

◆ **La surveillance des volcans.**
Ce robot marcheur, prototype mis au point en collaboration avec la NASA, doit permettre de mesurer *in situ* les paramètres précurseurs d'une éruption, évitant ainsi une approche dangereuse pour les volcanologues.

L'explosion du Pinatubo

Le 2 avril 1991, après six siècles de sommeil, le Pinatubo (Philippines) reprend son activité, marquée par plusieurs séismes et fissurations annonciateurs d'une montée de magma. Ce volcanisme est dû à la fusion en profondeur de la plaque asiatique qui plonge sous la plaque Philippines. Le 7 juin, la montée en pression du magma fait sauter le bouchon qui obturait la cheminée : l'explosion propulse alors un nuage de cendres et de gaz à 7 km de hauteur. Les autorités décident d'évacuer la région sur un rayon de 25 km. Du 12 au 16 juin se produit l'explosion finale, qui déverse d'importantes nuées ardentes sur les flancs du volcan et expulse un panache gris qui monte à plus de 24 km de hauteur. Le Pinatubo aura ainsi vomi 10 km³ de magma, le record du XXᵉ siècle. Il a fait près d'un millier de victimes, la plupart tuées par l'écroulement de leur toit sous le poids des cendres ou par des coulées de boue. Les particules éjectées dans l'atmosphère ont fait plusieurs fois le tour de la Terre, voilant partiellement la lumière solaire et provoquant une baisse de la température globale au sol de 0,2 °C.

Petit lexique

lithosphère : couche supérieure, solide et indéformable, de la Terre, comprenant la croûte terrestre et une partie du manteau supérieur.

magma : liquide visqueux, d'une température supérieure à 600 °C, constitutif du manteau terrestre ou provenant de la fusion de roches enfouies.

viscosité : résistance qu'oppose un liquide ou un solide déformable à son écoulement (contraire : fluidité).

volcan : relief généralement conique, à travers lequel le magma remonte du manteau terrestre avant d'atteindre, sous forme de laves et de gaz chauds, la surface de l'écorce terrestre.

La formation des océans

Du rift à l'océan

Les océans ne sont pas des étendues d'eau immuables, leur surface varie dans le temps selon que les continents, portés par les plaques lithosphériques, se rapprochent ou s'éloignent. Ainsi, un océan peut naître d'une fracture ouverte dans un continent, grandir, puis se refermer pour disparaître complètement. La mer Rouge est un océan jeune, né il y a seulement 20 millions d'années ; à cette époque, l'Arabie et l'Afrique étaient soudées. L'océan Atlantique est arrivé à maturité, mais il continue d'éloigner l'Amérique de l'Europe et de l'Afrique de quelques centimètres par an. La mer Méditerranée est une étendue océanique en train de se refermer par rapprochement de l'Afrique et de l'Europe. Enfin, des océans ont aujourd'hui disparu, c'est le cas de la Téthys.

Comment s'ouvre un océan? Au début, une remontée de magma issu du manteau terrestre provoque un bombement de la croûte terrestre. Celle-ci, étirée, se fracture en de longues failles normales qui dessinent une vallée. C'est le stade de «rift continental», dont l'exemple le plus connu est le Grand Rift dans l'est de l'Afrique, mais il en existe d'autres comme celui du lac Baïkal, en Russie, du Rio Grande, aux États-Unis, ou encore du fossé rhénan en France. Le magma continue à s'accumuler, sa pression, qui augmente, multiplie alors les séismes, qui ouvrent de nouvelles failles. La lave basaltique finit par se frayer un passage dans ces fractures et par envahir la vallée du rift, construisant ici et là des cônes volcaniques. C'est le stade de «rift océanique». Un tel rift est observable dans le triangle des Afars (république de Djibouti), où l'altitude moyenne se situe à plus de 100 m au-dessous du niveau de la mer. L'injection de lave écarte ensuite progressivement les bords du rift, qui évolue en dorsale : il y a création de croûte océanique avec un plancher basaltique, et envahissement par la mer.

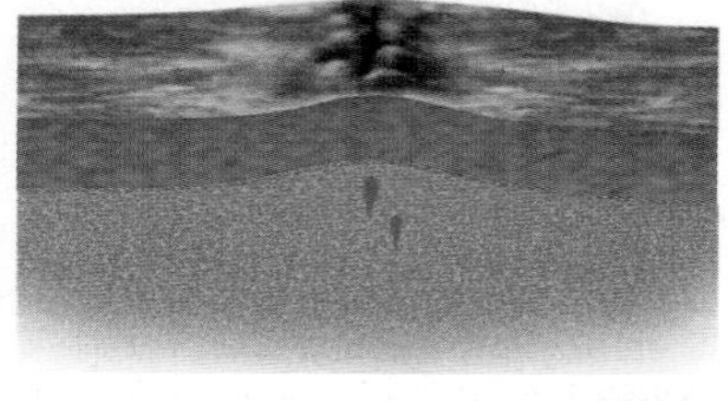

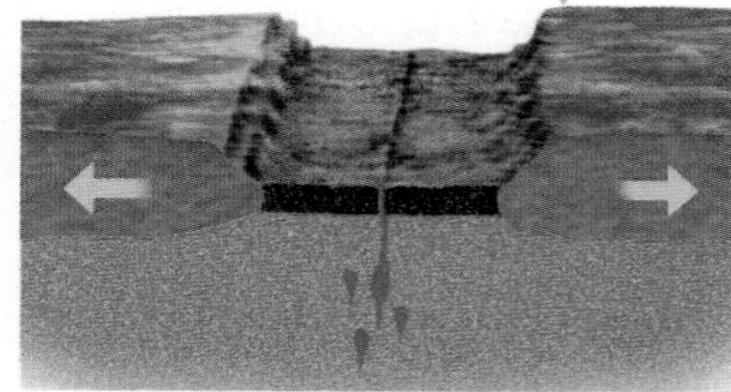

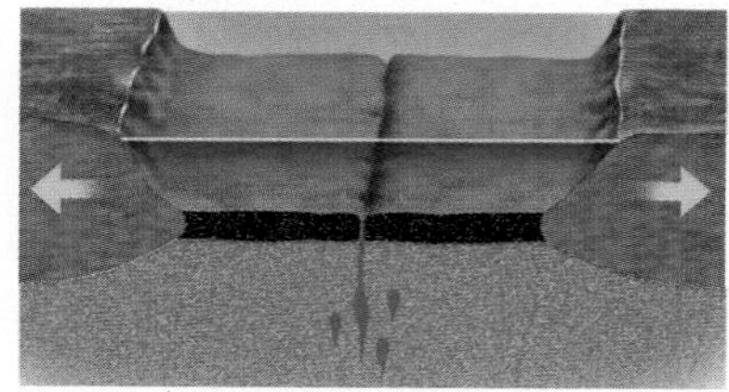

◆ **La naissance d'un océan.**
Un océan naît à l'intérieur d'un continent. Une montée de magma bombe d'abord la croûte continentale, provoquant sa fissuration. Le magma basaltique parvient alors à s'infiltrer jusqu'en surface tout en poussant les deux bords de l'ouverture, qui s'agrandit jusqu'à l'envahissement par la mer.

La Téthys, un océan disparu

La Téthys était un vaste océan dont l'évolution a été complexe. Il y a environ 280 millions d'années, elle séparait le Gondwana (continent regroupant alors l'Afrique, l'Arabie, l'Inde et l'Australie) et la Laurasie (principalement l'Eurasie). Cet océan, que l'on appelle plus précisément Paléo-Téthys pour le distinguer d'une autre ouverture océanique postérieure, s'est refermé au début du secondaire (il y a environ 240 millions d'années) par subduction (plongement) sous la partie la plus orientale de l'Eurasie. La collision qui s'est ensuivie est à l'origine des chaînes de montagnes, appelées parfois Cimmérides (Rhodopes, Pontides, Petit Caucase, Tibet, péninsule thaïlandaise). La partie sud de la mer Caspienne pourrait être un reste de la Paléo-Téthys.

Au trias et au lias (de – 240 à – 190 millions d'années), alors que la Paléo-Téthys se referme, s'ouvre un autre grand domaine océanique, la Néo-Téthys, au sein du Gondwana, séparant le nord de la Turquie, l'Iran, l'Afghanistan, le Pakistan, le Tibet et la plupart des péninsules et des îles du Sud-Est asiatique des autres terres gondwaniennes situées plus au sud. Vers – 200 millions d'années, cet océan s'étend progressivement vers l'ouest jusqu'à la mer des Caraïbes. La fermeture finale de la Néo-Téthys au cours du tertiaire (de – 65 à – 2 millions d'années) est à l'origine des chaînes alpines, dont les Alpes et l'Himalaya. On trouve de nombreux témoins géologiques de cette fermeture, de l'Amérique centrale à l'Asie, sous forme d'ophiolites, qui sont des restes de roches océaniques aujourd'hui incorporés dans les chaînes montagneuses à la suite des mouvements compressifs. La Méditerranée orientale est une flaque préservée de cet océan aujourd'hui disparu.

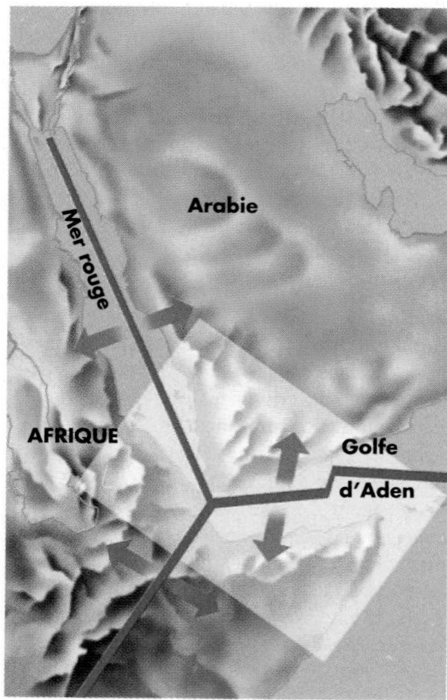

◆ **La mer Rouge et le golfe d'Aden.**
La mer Rouge est un océan en formation dont l'ouverture progressive éloigne peu à peu l'Afrique de l'Arabie. La dorsale de la mer Rouge se poursuit, vers le sud-est, en Afrique, sous la forme d'un rift. Dans la région des Afars, les basaltes du manteau s'écoulent en surface : c'est un rift océanique. Plus au sud, le Grand Rift est-africain correspond à une immense zone de fractures jalonnée de volcans : c'est un rift continental. Ainsi, cet ensemble tectonique en extension permanente ressemble un peu à une fermeture Éclair dont le curseur se trouverait au niveau des Afars.

Histoire de l'océan Atlantique

L'océan Atlantique n'existait pas il y a 165 millions d'années. À cette époque, un grand continent, la Pangée, réunit l'Europe, l'Amérique et l'Afrique. La montée du magma commence à la fracturer, créant une croûte océanique entre le bloc Afrique-Amérique du Sud et les continents du Nord. L'Amérique du Nord est alors séparée de l'Afrique par l'Atlantique et de l'Amérique du Sud par la mer des Caraïbes.

Il y a environ 125 millions d'années, alors que la profondeur de l'Atlantique nord ne dépasse pas 4 000 m, l'Atlantique sud commence à s'ouvrir, éloignant l'Afrique de l'Amérique du Sud. Par la suite, cet écartement a pour effet de rapprocher les deux Amériques, refermant progressivement la mer des Caraïbes. Toutefois, il y a 80 millions d'années, les eaux de l'Atlantique nord peuvent encore s'écouler vers le Pacifique par la mer des Caraïbes et vers la Téthys (mer située entre le domaine africain et l'Eurasie) par le détroit de Gibraltar, encore très large à cette époque. La profondeur de l'Atlantique nord dépasse 5 000 m, et le Groenland commence à se séparer de l'Amérique du Nord.

Il y a 36 millions d'années, l'Atlantique devient un domaine océanique profond. L'expansion océanique s'accompagne d'un fort rapprochement de l'Afrique et de l'Europe, et les deux Amériques se soudent.

VOIR AUSSI
- **Tectonique des plaques** p. 30
- **Limites des plaques** p. 32
- **Océan mondial** p. 56

Petit lexique

Gondwana : masse continentale ayant existé du carbonifère au trias et aujourd'hui dissociée en plusieurs morceaux (Amérique du Sud, Afrique, Antarctique, Madagascar, Inde et Australie).

Laurasie : masse continentale, contemporaine du Gondwana, qui regroupait l'Amérique du Nord et l'Eurasie ; la Laurasie (ou Laurasia) était séparée du Gondwana par une mer, la Téthys.

rift : fossé d'effondrement, continental ou situé au milieu d'une dorsale océanique, qui est le siège d'une activité volcanique et sismique et qui constitue une zone d'ouverture et d'expansion de la croûte terrestre.

La formation des montagnes

Montagnes vieilles ou jeunes

Les chaînes de montagnes se forment lors de la convergence de deux plaques lithosphériques, et leurs structures géologiques (roches plissées, failles, chevauchements, etc.) témoignent d'une compression et d'un épaississement de la lithosphère (couche externe de la Terre).

Les mécanismes de rencontre entre deux plaques sont peu nombreux, mais la formation des montagnes est toujours complexe à déchiffrer, car elle associe en général plusieurs mécanismes.

Une chaîne de montagnes met des millions d'années à se former et à évoluer, mais elle finit toujours par disparaître sous l'action de l'érosion. Plusieurs formations de reliefs montagneux, ou orogenèses, se sont succédé au cours des temps géologiques, entraînant la formation de diverses chaînes d'âge différent. Ainsi, l'orogenèse calédonienne (– 480 à – 420 millions d'années) est à l'origine des reliefs de Norvège, d'Écosse ou d'Irlande; l'orogenèse hercynienne (– 320 à – 260 millions d'années), des reliefs visibles en Bohême, dans les Ardennes, le Massif armoricain, le Devon et les Cornouailles, les Appalaches, etc. ; enfin, l'orogenèse alpine (– 100 à – 20 millions d'années) a constitué les Alpes, les Carpates, le Caucase, l'Himalaya, etc.

La croûte continentale est plus légère que le manteau supérieur. Lorsque des reliefs montagneux s'élèvent, l'augmentation de poids en surface est compensée par un enfoncement dans le manteau des matériaux qui forment la montagne : c'est sa racine, un peu comme la quille d'un navire s'enfonce quand on le charge; ce processus géophysique est appelé l'isostasie. Quand la montagne vieillit, l'érosion décape peu à peu la couverture sédimentaire et la racine remonte. Une chaîne ancienne montre des reliefs aplanis, sans couverture sédimentaire, et des roches profondes (granitiques et métamorphiques) affleurent. L'épaississement crustal, la racine, a disparu.

◆ **Une chaîne de collision : l'Himalaya.**
La chaîne himalayenne résulte des effets conjugués et consécutifs d'une subduction de la croûte océanique (en noir) téthysienne et de grands chevauchements intracontinentaux dus à la collision entre les deux blocs continentaux.

Différents types de montagnes

Globalement, les chaînes de montagnes jeunes se répartissent soit autour du Pacifique, soit d'ouest en est à travers l'Eurasie (des Alpes à l'Himalaya). Dans le premier cas, ce sont des chaînes de subduction; dans le second, des chaînes de collision.

Les chaînes de subduction sont dues au plongement d'une plaque lithosphérique sous une autre : la plaque plongeante fond à une certaine profondeur, le magma produit remonte en surface, construisant des volcans et donc des reliefs. C'est le cas typique de la cordillère occidentale des Andes.

Les chaînes de collision sont dues à l'affrontement direct de deux masses continentales. Ces deux masses étant de densité égale, aucune d'entre elles ne peut s'enfoncer sous l'autre, et c'est donc la collision, lente mais puissante, et l'élévation des reliefs. C'est le cas typique de la chaîne himalayenne.

À ces deux principaux types, qui présentent de nombreuses variantes, il faut ajouter les chaînes de coulissage telle la chaîne palmyrénienne, au Moyen-Orient. Dans cet exemple, la plaque arabique et le Sinaï coulissent de part et d'autre de la faille du Jourdain; leur blocage, respectivement contre l'Europe et l'Afrique, est à l'origine du plissement de la chaîne palmyrénienne.

Cette classification en trois types est très schématique. Différents types de convergence peuvent se succéder au cours des temps géologiques, et un grand nombre de combinaisons sont possibles : l'histoire d'une chaîne de montagnes est souvent complexe et unique.

L'exemple de l'Himalaya

L'histoire de la plus haute chaîne du monde débute il y a 200 millions d'années, lorsque l'Inde amorce sa séparation de l'Afrique et se prépare à dériver vers le nord-est en direction de l'Eurasie. Sept mille kilomètres d'océan (la Téthys) les séparent alors.

Vers – 110 millions d'années, une subduction océan-océan commence à se produire entre les deux blocs continentaux, qui se rapprochent à une vitesse d'environ 10 cm par an. Par la suite, la croûte océanique glisse au nord sous l'Asie, provoquant une subduction et le surgissement d'une chaîne de type andin, alors qu'au sud elle surmonte l'Inde ; un tel phénomène est appelé « obduction ». La collision entre les deux continents a lieu vers – 45 millions d'années, coinçant entre eux des lambeaux de la croûte océanique. Ces ophiolites, témoins d'un océan refermé, la Téthys, sont bien visibles dans la vallée de l'Indus et du Tchang-po, au sud du Tibet. Vers – 25 millions d'années, la compression se poursuivant, d'importantes cassures affectent la partie indienne bien au sud de la zone de collision proprement dite. Ce sont des chevauchements intracontinentaux, dont un ou deux majeurs, apportant du matériel continental nord sur du matériel sud, qui ont en fait créé la chaîne de l'Himalaya, dont les plus hauts sommets dépassent 8 000 m.

L'Himalaya, qui s'étend sur plus de 2 500 km, résulte donc d'au moins trois mécanismes de formation de reliefs : subduction, collision, chevauchements intracontinentaux.

Depuis leur collision, on estime à 2 000 km le rapprochement entre les deux continents à une vitesse de 5 cm par an. Bien sûr, toute cette partie de l'Asie est très sismique, et certains sommets continuent de s'élever de 5 mm par an.

VOIR AUSSI
- **Tectonique des plaques** p. 30
- **Limites des plaques** p. 32
- **Séismes** p. 38
- **Volcans** p. 40
- **Érosion et sédimentation** p. 44

◆ **Roches plissées dans la région de Pilbara, en Australie.**

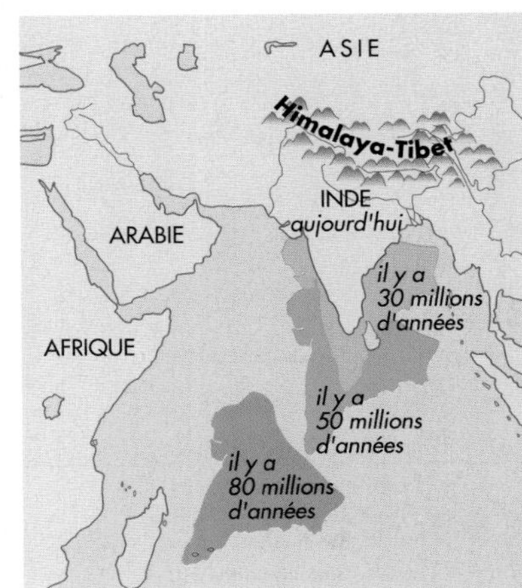

◆ **Dérive et collision de l'Inde avec l'Asie à l'origine de la chaîne Himalaya-Tibet.**

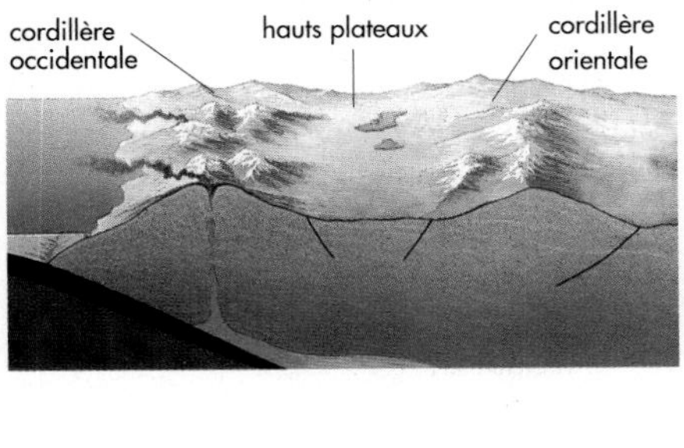

cordillère occidentale — hauts plateaux — cordillère orientale

◆ **Une chaîne de subduction : les Andes.**
La cordillère des Andes est constituée de deux chaînes parallèles : la cordillère occidentale résulte du volcanisme dû à la subduction de la plaque de Nazca sous la plaque sud-américaine ; la cordillère orientale est due à des mouvements de compression entre les deux plaques.

Érosion et sédimentation

Le cycle de l'érosion

Tous les reliefs sont soumis à une attaque vigoureuse des agents météoriques, qui provoque leur démantèlement. Le ruissellement des eaux de pluie, le gel, les alternances de température et le vent fragmentent les roches, produisant des débris de taille variée. L'infiltration de l'eau de pluie exerce une action chimique en dissolvant certaines roches, comme les calcaires. La végétation altère la partie superficielle des terrains, formant des sols plus ou moins épais, qui, eux, peuvent jouer un rôle protecteur.

Les fragments ainsi formés sont transportés, d'abord le long des versants, puis par les rivières, par les glaciers ou par le vent. Au cours du transport, ils sont polis, usés, triés et vont se déposer dans les zones basses, au débouché des montagnes, dans les lacs, et surtout dans les mers, où ils s'accumulent pour former les sédiments. Ainsi, on distingue les formes de relief sculptées par l'érosion (canyons et gorges, vallées fluviatiles ou vallées glaciaires, cheminées des fées, karsts, etc.) et celles qui résultent de l'accumulation des produits de l'érosion (dépôts terrigènes, lacustres, fluviatiles ou marins, moraines, dunes, flèches et cordons littoraux, etc.).

Les cours d'eau déversent dans les océans environ 20 milliards de tonnes de sédiments par an. Cette quantité de matière érodée correspondrait à un abaissement moyen du niveau des masses continentales de 3 cm environ tous les mille ans. Les régions les plus érodées sont les zones montagneuses – mais l'érosion n'équivaut pas pour autant à un nivellement, car certaines montagnes jeunes, comme les Alpes et l'Himalaya, continuent malgré tout de s'élever sous la pression des plaques tectoniques.

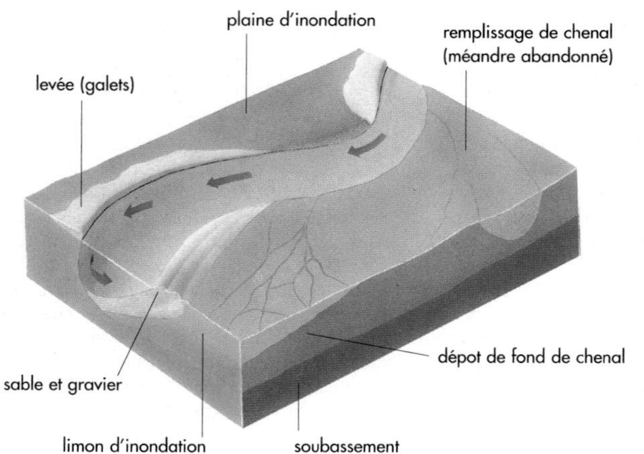

◆ Une plaine alluviale.
Une rivière au tracé en méandres érode sa rive concave, tandis que des alluvions se déposent sur sa rive convexe. Une crue provoque le dépôt immédiat, de part et d'autre du chenal (lit mineur), des galets et graviers qui forment ainsi des levées ou digues naturelles, tandis que l'inondation du fond de vallée (lit majeur) permet la sédimentation, par décantation, des limons fins en suspension.

L'érosion correspond à l'ensemble de ces processus qui concourent à l'aplanissement des reliefs. Elle aboutit à la formation d'une pénéplaine, vaste zone basse et plate, à partir de montagnes jeunes au relief vigoureux. Le cycle de l'érosion fait qu'après l'accumulation des sédiments et leur transformation en roches ces dernières peuvent servir à leur tour de matériau de base pour une nouvelle érosion si elles sont incorporées dans une nouvelle chaîne de montagnes. Le cycle de l'érosion fait partie d'un autre cycle beaucoup plus global : le cycle des roches. Il n'est pas forcément continu : le relief peut en effet être «rajeuni» par un brusque soulèvement ou un plissement, par une baisse du niveau marin ou un changement climatique qui redonne de la vigueur aux cours d'eau, accélérant ainsi le creusement.

VOIR AUSSI
- **Roches** p. 36
- **Formation des montagnes** p. 43
- **Milieux naturels** p. 46 à 55
- **Atmosphère** (climats) p. 58

L'influence du climat

Les écarts de température, la fréquence et la violence des pluies, l'abondance de la neige rendent l'érosion plus ou moins agressive. Tous ces facteurs dépendent essentiellement du climat. Ils déterminent aussi la densité et la continuité de la couverture végétale, dont le rôle protecteur est fondamental.

C'est dans les régions tempérées que l'érosion est la moins active. Les versants sont protégés par une couverture végétale continue qui limite le rôle du ruissellement, et les rivières transportent peu de débris solides. Les paysages sont doux, avec des reliefs émoussés. Seules les régions méditerranéennes, où la forêt est discontinue à cause de la sécheresse d'été (et des incendies), ont un relief plus contrasté.

Dans les régions désertiques, l'absence de végétation et l'extrême rareté des pluies rendent le rôle du vent prépondérant (érosion éolienne). Il balaie de vastes surfaces qui se transforment en plateaux empierrés, les regs. Le sable qu'il

◆ Carte morphologique de la planète.
Les montagnes jeunes, les plus élevées, occupent tout l'ouest du continent américain, de l'Alaska à la Terre de Feu, et s'étalent d'ouest en est dans l'Ancien Monde, des Pyrénées à l'Indonésie par les Alpes et l'Himalaya. Les socles et bassins sédimentaires, au relief plus monotone, occupent de vastes surfaces, notamment en Afrique et en Amérique du Nord.

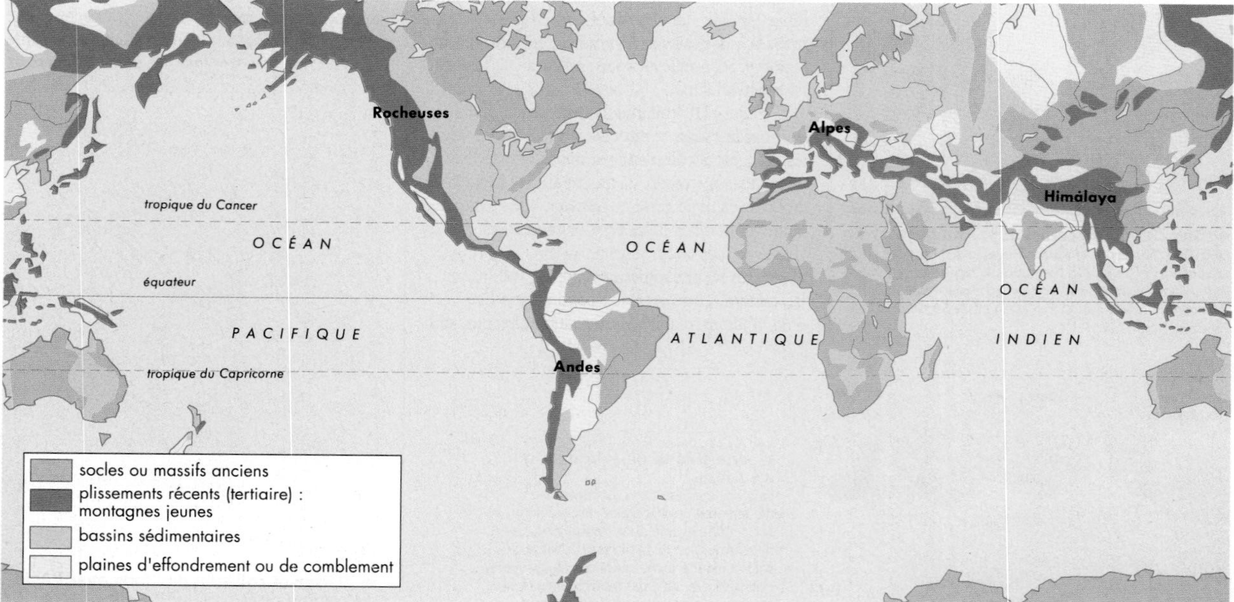

soulève se dépose plus loin en vastes champs de dunes qui se remodèlent continuellement et menacent parfois les oasis.

Dans les régions équatoriales, la chaleur et l'abondance des pluies rendent l'érosion chimique prépondérante. Les forêts, très denses, provoquent la formation de sols très épais, très protecteurs. Mais une longue saison sèche ou le défrichage immodéré de la forêt peuvent entraîner la formation de croûtes très dures à la surface des sols, les latérites, qui les rendent impropres à la culture.

Dans les régions froides, le gel joue le rôle primordial. L'alternance gel-dégel fait éclater les roches, mal protégées par une végétation rabougrie, et des quantités énormes de débris s'accumulent (c'est la gélifraction). En hiver, tout est figé par le gel, mais le brutal dégel du printemps provoque de violentes inondations. Aux plus hautes latitudes, la température reste toujours très froide et l'eau est emprisonnée dans de vastes glaciers, les inlandsis, qui rabotent les terrains qu'ils parcourent. Dans les montagnes, des glaciers s'accumulent dans des cirques et se prolongent en langues dans les vallées, qu'ils façonnent en forme d'auges (érosion glaciaire). Les glaciers transportent d'abondants débris rocheux qu'ils amoncellent en moraines sur leur pourtour.

Les grands paysages morphologiques

La géomorphologie est l'étude des formes du relief terrestre. Intermédiaire entre la géographie physique et la géologie, elle se propose de décrire et d'expliquer – donc d'étudier – des formes et des processus.

Les formes du relief peuvent arbitrairement être considérées à deux échelles différentes : une échelle régionale (massifs anciens, bassins sédimentaires, montagnes jeunes) et une échelle locale pour des formations particulières (vallées, falaises, éboulis, etc.), les secondes formes caractérisant bien souvent les premiers milieux.

Les massifs anciens. Ils correspondent aux racines d'anciennes chaînes de montagnes qui ont été aplanies. L'érosion a ainsi fait apparaître les niveaux les plus profonds, et les roches granitiques et métamorphiques y prédominent largement. Les massifs les plus anciens se sont formés au précambrien, il y a plus d'un milliard d'années. Ils ont subi une très longue histoire et se sont consolidés en vastes boucliers au cœur des continents, comme les boucliers africain, australien ou brésilien. Au primaire (de – 530 à – 245 millions d'années), les orogenèses calédonienne et hercynienne ont largement façonné le relief de l'Europe et de l'Amérique du Nord. Parce qu'ils sont très anciens, ces massifs ont tous été aplanis par l'érosion et ont alimenté des bassins sédimentaires situés sur leur pourtour. Ils présentent donc l'aspect de vastes plateaux peu élevés et peu accidentés. Mais leur relief peut avoir été rajeuni par des mouvements ultérieurs les soulevant en bloc. Le réseau hydrographique s'y enfonce en creusant des gorges, parfois spectaculaires. C'est notamment le cas du Massif central français, qui a été « rajeuni » lors de la formation des Alpes.

◆ **La vallée en auge.**
C'est une forme spectaculaire de l'action de l'érosion par les glaciers. Ceux-ci ont élargi une vallée précédemment étroite, profilée en V, lui donnant une forme en U, avec des versants encore plus abrupts et un fond plat.

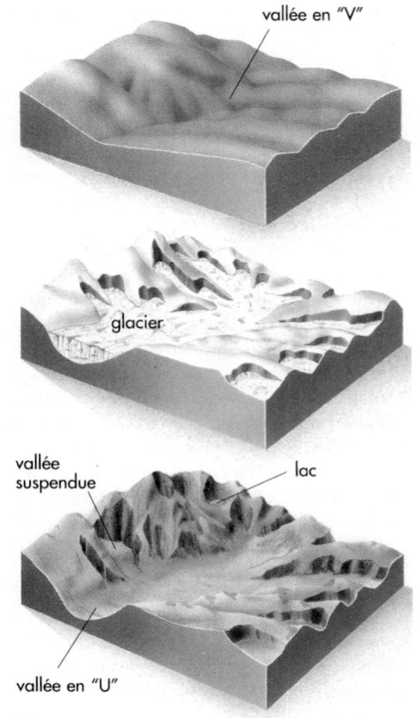

◆ **L'action des glaciers.**
L'action des glaciers transforme considérablement le paysage préexistant. Les langues glaciaires canalisées par les vallées exercent une action de creusement qui tend à accentuer les irrégularités initiales (cirques, vallées en auge et vallées suspendues, verrous).

Les bassins sédimentaires. Ils correspondent aux zones basses où des centaines, voire des milliers de mètres d'épaisseur de sédiments se sont accumulés pendant de longues périodes. Ces sédiments proviennent du démantèlement progressif de montagnes avoisinantes. Ils sont généralement détritiques et grossiers au début, reflétant une érosion agressive qui s'attaque aux sommets élevés ; puis ils deviennent plus fins, et d'origine surtout chimique (calcaires). Le poids même des sédiments qui s'empilent est responsable de l'enfoncement progressif de tels bassins : c'est le phénomène de subsidence. Il est maximal au centre du bassin, provoquant un léger redressement des couches vers la périphérie. Le relief des bassins sédimentaires est peu accentué puisque les couches y sont horizontales ou faiblement inclinées. L'érosion met en valeur les différences de résistance des roches des divers niveaux, faisant apparaître en saillie les terrains les plus durs comme les grès ou les calcaires et évidant facilement les marnes et les argiles tendres. Quand les couches sont faiblement inclinées, du fait de l'enfoncement du centre du bassin, il se développe un relief de côte, ou cuesta : un long revers en pente douce est parallèle au pendage d'une couche dure et se termine par un front à pente raide dominant une dépression évidée dans les terrains tendres. Ce relief caractérise notamment l'est du Bassin parisien, où se succèdent la côte de l'Île-de-France, les côtes de Meuse et les côtes de Moselle.

◆ **Les Dolomites.**
Partie des Alpes orientales, en Italie, les Dolomites offrent des paysages ruiniformes, résultant de l'action de l'érosion sur une variété de calcaire (la dolomie).

Les montagnes jeunes. L'érosion attaque les montagnes au fur et à mesure qu'elles se forment. Les pentes sont donc toujours très raides et les zones plates très réduites. Les sommets élevés des montagnes jeunes sont soumis à des variations de température extrêmes qui favorisent la fragmentation des roches. Les chutes de neige alimentent des glaciers qui façonnent de larges vallées à fond plat, vallées dites « en auge ». Les eaux de ruissellement se rassemblent en torrents violents qui creusent des vallées profondes aux versants escarpés. Tous les débris arrachés aux sommets s'amoncellent au pied des versants en cônes de déjection, dès que la pente diminue. Au débouché des montagnes, les débris s'accumulent en vastes glacis de piémont.

◆ **Calcaire de Guilin (ou Kouei-lin).**
Les paysages des environs de Guilin (Guangxi, province du sud-est de la Chine) ont inspiré nombre de poètes et de peintres chinois.
Le climat quasi subtropical, humide et chaud, a modelé le calcaire en pics qui s'élèvent de 300 à 600 m au-dessus des rizières.

Les plaines et les plateaux

Les plaines

Les plaines sont de vastes étendues géographiques planes et généralement peu élevées. L'altitude n'est cependant pas un critère déterminant (ex. : les hautes plaines en bordure de formations montagneuses et les plaines des boucliers, montagnes très anciennes aplanies par l'érosion).

Les plaines sédimentaires s'étendent à l'intérieur des grands bassins sédimentaires, qui sont de grandes dépressions à fond plat et aux flancs en pente douce, où la mer a déposé des sédiments pendant plusieurs millions d'années, avant de se retirer. La Beauce, dans le Bassin parisien (France), la vaste plaine du sud-est de l'Angleterre, la grande plaine du nord de l'Allemagne et de la Pologne, les plaines de Russie, les Plaines centrales des États-Unis (Middle West), en sont des exemples. La végétation primaire présente un tapis herbeux régulier qui prend différentes appellations selon les régions et le climat : prairie, lande, pampa, savane ou steppe. Les plaines herbeuses peuvent aussi être parsemées de bois et de forêts. Ces végétations primitives sont souvent remplacées par des paysages ruraux constitués de pâturages et de cultures aux parcelles de dimensions très variables selon les régions.

Les plaines alluviales sont formées par les limons déposés lors des crues des grands fleuves ; c'est le cas notamment des deltas. Les plaines du fleuve Jaune (ou Huang He) en Chine, du Mississippi aux États-Unis, de la Volga au nord de la Caspienne, ou du Nil en Égypte sont des plaines alluviales, appelées aussi par les géomorphologues « plaines de niveau de base ».

Les plateaux

Un plateau est une surface de terrain relativement plane, entaillée ou délimitée par des vallées ou des gorges assez encaissées, et à une altitude plus élevée que les surfaces environnantes.

Les plateaux des boucliers sont les plus nombreux car ils constituent la majeure partie de la surface des continents : boucliers fennoscandien, russo-sibérien, canadien, africain, australien, de l'Arabie, du Deccan (en Inde) et de l'Amérique du Sud. Tous ces boucliers sont constitués d'un soubassement de roches métamorphiques ou magmatiques, vieux de plus de 3 milliards d'années, surmonté d'une couverture sédimentaire (calcaires) ou volcanique (coulées de lave) plus récente. Les effets cumulés de l'érosion entaillent les surfaces en créant des vallées étroites et en épargnant d'autres zones, les plateaux. Ainsi, le plateau du Colorado (États-Unis) est creusé par le Grand Canyon. L'érosion peut aussi décaper de vastes surfaces et former de larges cuvettes, ce sont les plaines des boucliers, que bordent les plateaux. Les plateaux se terminent par des falaises ou s'étagent en une succession de gigantesques marches d'escalier ; des talus de quelques dizaines à plusieurs centaines de mètres de hauteur séparent les marches, et sont entaillés par d'impressionnantes gorges où s'écoulent des rapides et des cascades. Dans les plaines de bouclier, certains reliefs sont les témoins de l'ancien plateau érodé : ce sont de simples buttes rocheuses ou de véritables montagnes ; ainsi se sont formés les chaînes de l'Atakora (641 m) au Bénin, de Sfariat et de la Kedia d'Idjil en Mauritanie occidentale, les monts Aravalli (1722 m) au nord-ouest de l'Inde et le mont Quartzite (1160 m) au Labrador (Canada).

◆ **Le Grand Canyon.**
Le Grand Canyon du Colorado est l'un des sites naturels les plus grandioses des États-Unis. Situé dans le nord de l'Arizona, le site, protégé depuis la fin du XIXe s., fait partie d'un parc national qui couvre 4860 km². Sur près de 450 km, le fleuve a entaillé un haut plateau sédimentaire sur une profondeur de 1600 m environ et sur une largeur atteignant jusqu'à 20 km.

VOIR AUSSI
- Formation des montagnes p. 43
- Érosion et sédimentation p. 44

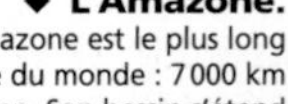

◆ **L'Amazone.**
L'Amazone est le plus long fleuve du monde : 7000 km environ. Son bassin s'étend sur près de 7 millions de kilomètres carrés, au Brésil, mais aussi en Bolivie, au Pérou, en Équateur, en Colombie, au Venezuela et dans les Guyanes.

◆ **Le relief karstique.**
Il caractérise les plaines et les plateaux calcaires ; il résulte de l'action des eaux qui dissolvent le carbonate de calcium, formant des grottes, dolines, lapiés, etc.

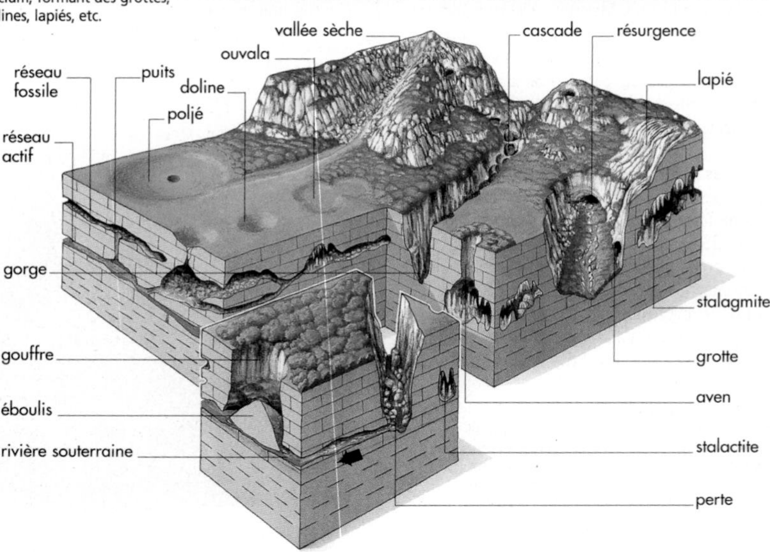

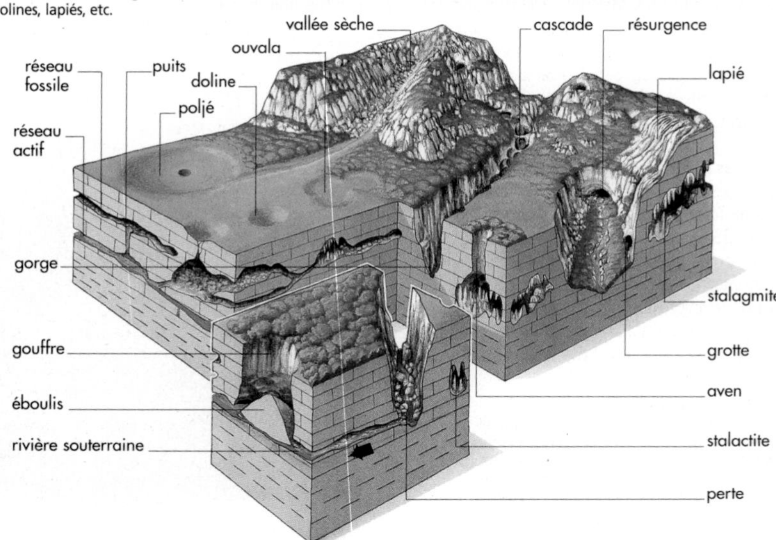

Les grottes

Les eaux façonnent les vallées et les gorges ; elles peuvent aussi s'enfoncer dans les terrains en empruntant des fissures et creuser ainsi des cavités souterraines, les grottes. Ces formations apparaissent presque exclusivement en région calcaire, car l'eau dissout le carbonate de calcium, constituant essentiel de ces roches.
Un gouffre est une cavité béante profonde et résulte de l'effondrement du toit d'une cavité souterraine ; le puits menant à une grotte est appelé « aven ». Les cavités souterraines s'organisent souvent en réseaux, formés de salles que relient des galeries. L'eau chargée de carbonate de calcium dépose, goutte après goutte, des concrétions de calcite. De tels dépôts sont appelés « stalactites » lorsqu'ils s'allongent du toit de la cavité vers le bas, « stalagmites » lorsqu'ils s'élèvent du sol.
Les réseaux souterrains peuvent être parcourus par un cours d'eau provenant soit de la perte d'une rivière aérienne, soit de l'infiltration : la source correspondante est alors nommée « exsurgence ». Le cours d'eau souterrain peut ressortir sous la forme d'une source à fort débit : c'est la résurgence.

Les côtes et les îles

Les côtes

Les côtes sont les rivages des mers et des océans. Cette définition simple s'applique à une grande diversité de rivages, des côtes basses et sableuses aux côtes abruptes avec des falaises. Les différents modelés des côtes dépendent au moins de deux facteurs : l'énergie de la mer qui se heurte aux terres émergées et la nature géologique (type de roches, structure des terrains) du littoral soumis à l'action de la mer.

Les fjords et les rias. L'envahissement par la mer des vallées creusées jadis par des rivières (on les appelle des « rias ») ou par des glaciers (ce sont alors des fjords) dépend peu de l'énergie de la mer. Les côtes à rias ou à fjords figurent parmi les plus découpées de la planète, et les paysages sont souvent grandioses (fjord de l'île de Jade en Nouvelle-Zélande, ria-estuaire de Chesapeake sur la côte atlantique des États-Unis, fjord de Saguenay au Québec, ria de Galice en Espagne et, bien sûr, les fjords scandinaves).

Les falaises. Les côtes à falaise résultent surtout de l'action des vagues. Leur verticalité dépend cependant de la nature de la roche constituant le littoral. Les falaises de craie (roche tendre), comme celles du pays de Caux, en France, ou de la région de Douvres, en Angleterre, sont verticales, avec une limite nette entre la mer et la terre. Les falaises argileuses présentent une pente progressive due à de nombreux éboulements. Les falaises calcaires, très abruptes, comme celles d'Étretat en France, ont souvent, en avant de l'escarpement, des buttes-îlots, témoins du recul de la côte au profit de la mer; elles sont parfois découpées par des calanques (cas particuliers de rias se terminant en cul-de-sac), comme entre Cassis et Marseille.

◆ **La Grande Barrière.**
Sur 2 500 km environ, au large du Queensland, la Grande Barrière longe la côte australienne, dont elle est séparée par un chenal d'une largeur variant entre 25 et 600 km. L'ensemble couvre environ 210 000 km² et est inscrit sur la liste du Patrimoine mondial culturel et naturel. Sur une chaîne montagneuse submergée à la fin du tertiaire se sont développés des récifs coralliens.

◆ **Paysage de Hawaii.**
Situé dans le Pacifique nord, l'archipel des îles Hawaii est d'origine volcanique due à la présence d'un point chaud. L'alignement des îles traduit le déplacement de la plaque Pacifique au-dessus de ce point chaud : l'île Hawaii proprement dite porte les deux volcans actifs du Mauna Loa et du Kilauea, les autres îles sont d'autant plus anciennes que l'archipel s'étend vers le nord-ouest.

Les côtes rocheuses. Elles désignent généralement des bordures continentales constituées de roches métamorphiques ou magmatiques, leur donnant un aspect très découpé en raison de l'érosion différentielle. La tectonique acquise antérieurement (plis, failles, schistosité) a modelé une surface faite de bourrelets, de creux et de bosses que la mer a envahis en laissant émerger de nombreux îlots, cordons rocheux, caps escarpés, qui bordent des criques rocheuses ou des baies sableuses.

Les côtes basses. Elles sont entièrement façonnées par l'énergie de la mer, parfois associée à celle des vents. Elles sont constituées de sédiments très meubles et récents, comme ceux déposés par les fleuves près de leur embouchure. Ces paysages côtiers sont souvent très changeants sous l'action combinée de la houle et du vent, qui construit des dunes, des flèches, des cordons littoraux et des tombolos.

Les îles

Une île est un espace de terre isolé de tous côtés par les eaux. À cet égard, le Groenland (2 186 000 km²) et l'Australie (7 700 000 km²) sont des îles au même titre que des petits îlots de quelques centaines de mètres carrés. Deux grandes catégories doivent être distinguées, les îles continentales et les îles océaniques.

Les îles continentales. Elles sont plus ou moins proches de la côte et présentent des caractères géologiques communs avec le continent qu'elles bordent. Elles peuvent avoir deux origines : l'inondation des régions les moins élevées après une avancée de la mer ou la séparation d'un bloc du reste du continent par les mouvements des plaques. Le premier cas est bien illustré par la Grande-Bretagne et l'Irlande, qui sont devenues des îles après une élévation du niveau de la mer due à la fonte des glaces de la dernière glaciation, il y a environ 18 000 ans ; ce type d'îles continentales est le plus fréquent. Madagascar est un exemple du second type d'îles continentales : elle s'est séparée du continent africain par l'ouverture d'un rift (fossé d'effondrement) il y a environ 135 millions d'années.

Les îles océaniques. Elles sont les plus nombreuses. Elles sont soit volcaniques, soit coralliennes. Les îles volcaniques se situent dans les régions à forte activité volcanique : d'une part, dans les zones de points chauds où des panaches de magma remontent du manteau terrestre, d'autre part, dans les zones de subduction, où une plaque lithosphérique plonge sous une autre. Dans le premier cas, les îles volcaniques sont alignées : les Kerguelen, les Açores, Hawaii, la Réunion, l'Islande et la plupart des nombreux îlots volcaniques de l'ouest du Pacifique. Dans le second cas, les îles volcaniques dessinent un arc à l'aplomb de la zone de subduction : l'archipel du Japon, des Kouriles, des Aléoutiennes, des Antilles, de la Sonde, etc.

Les îles océaniques coralliennes (ou madréporaires) ne se situent que dans la zone intertropicale, bande dont les eaux chaudes et claires permettent l'existence des coraux (entre 23 et 28 °C). Ces îles se forment en bordure des côtes. Ainsi, la Grande Barrière de corail, au nord-est de l'Australie, étire un chapelet d'îles et de récifs sur environ 2 400 km de longueur. L'archétype de l'île corallienne est l'atoll, couronne de récifs de coraux qui isole en son centre un lagon peu profond.

VOIR AUSSI
- **Limites de plaques** p. 32
- **Volcans** p. 40
- **Océan mondial** p. 56
- **Exploitation des milieux** p. 72 (milieux côtiers)

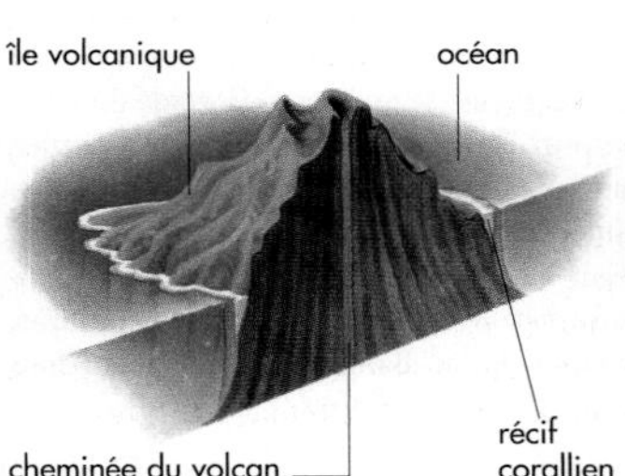

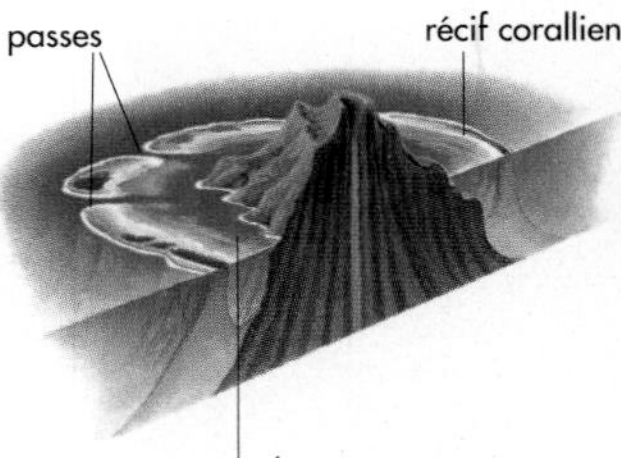

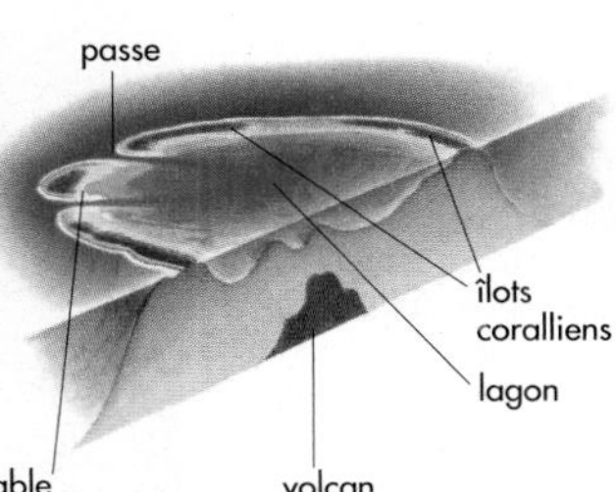

◆ **Formation d'un atoll.**
Un atoll correspond à l'évolution finale d'une île volcanique : un récif frangeant ceinture d'abord une île volcanique ; le récif frangeant se décolle ensuite de l'île, par enfoncement de celle-ci dans l'océan, et devient un récif-barrière ; enfin, si l'île disparaît complètement sous e niveau de la mer, apparaît la structure en atoll.

Rivières, fleuves, lacs et marais

Les cours d'eau

Un cours d'eau est un écoulement continu d'une masse d'eau : ruisseau, rivière ou fleuve. Les ruisseaux, de petite taille, alimentent les rivières et les fleuves. Par définition, le fleuve est un cours d'eau qui atteint la mer, alors que la rivière rejoint le fleuve (ou une autre rivière). Cette distinction ne préjuge ni de la longueur (encore que les cours les plus importants soient tous des fleuves), car il existe des fleuves très peu longs (les fleuves dits « côtiers »), ni de l'étendue du bassin du cours d'eau.

De la source à l'embouchure. Un fleuve est caractérisé par un cours supérieur, un cours moyen et un cours inférieur. Le cours supérieur correspond à la partie la plus en amont du fleuve, où celui-ci prend naissance ; il comprend une source et tous les petits rus qui, canalisant les eaux de ruissellement, convergent vers un torrent qui grossit rapidement en allant vers l'aval. Le cours moyen est la partie principale d'un fleuve ; l'ensemble du fleuve et de ses affluents (rivières et ruisseaux) constitue le bassin hydrographique ; la zone géographique que drainent le fleuve et ses affluents s'appelle le « bassin-versant ». Le parcours du fleuve dépend de la topographie, traversant des gorges que creusent des rapides si la pente est forte ou dessinant des méandres dans les plaines. Dans ces derniers endroits, le fleuve peut sortir de son lit principal (ou lit mineur) en période de crue pour envahir son lit majeur ; c'est la plaine d'inondation. Le cours inférieur désigne le lieu où le fleuve se jette dans la mer : l'embouchure. Celle-ci est appelée « estuaire » si elle prend une forme longue et évasée ; en revanche, si elle se divise en plusieurs bras séparant des zones inondables d'eaux saumâtres, elle est nommée « delta ».

◆ **Les grands fleuves du monde.**

Nom	Bassin (en km²)	Longueur (en km)
Amazone	7 000 000	7 000
Nil	3 000 000	6 700
Yangzi Jiang	3 222 000	5 980
Huang He	745 000	4 845
Zaïre	3 800 000	4 700
Mackenzie	1 760 000	4 600
Amour	1 845 000	4 440
Ob	2 999 000	4 345
Lena	2 490 000	4 270
Mékong	800 000	4 200
Niger	1 100 000	4 200
Volga	1 360 000	3 690

Régimes et débits. Mis à part sa longueur et la superficie du bassin hydrographique, un cours d'eau se caractérise par son régime (rythme de l'écoulement au cours de l'année) et son débit (mesure du volume d'eau écoulé à un endroit pendant une unité de temps déterminée). Débits et régimes sont étroitement liés aux conditions climatiques (précipitations, naturellement, mais aussi températures), pétrographiques (la restitution dépend de la nature des roches : l'eau ruisselle sur le granite ou s'infiltre dans le calcaire), humaines également (les prélèvements pour l'irrigation ou la construction de barrages modifient à la fois le régime et le débit).

◆ **Les chutes du Zambèze.** En Afrique australe, aux confins de la Zambie et du Zimbabwe (les anciennes Rhodésies), les chutes Victoria comptent parmi les plus spectaculaires du monde. Les eaux du Zambèze franchissant un affleurement basaltique font un saut de 108 m, environ le double de la hauteur des chutes du Niagara.

Les régimes fluviaux peuvent être simples ou complexes. Les régimes simples présentent une seule saison de hautes eaux (les crues), une seule de basses eaux (les maigres ou étiages). Il en est ainsi du régime glaciaire (hautes eaux d'été liées à la mise en réserve des précipitations sous forme de neige, puis de glace fondant en saison chaude), du régime de montagne (hautes eaux résultant de la fonte des neiges) ; du régime nival de plaine (hautes eaux de printemps ; dans les trois cas, l'hiver est la saison des basses eaux. Le régime pluvial tropical pur est caractérisé par des hautes eaux pendant l'été, qui est aussi la saison pluvieuse. Dans le régime pluvial océanique, les écarts sont en moyenne moins contrastés et les variations thermiques (la pluviosité, par définition régulière, est secondaire) déterminent les saisons des basses eaux (l'été, quand l'évaporation est maximale) et des hautes eaux (souvent en janvier ou février).

Mais il existe en fait beaucoup de régimes complexes, où l'on retrouve les influences successives, parfois plus ou moins mêlées, d'au moins deux facteurs. On parle alors, par exemple, de régime nivo-pluvial (facteur principal : la fonte des neiges) ou « pluvio-nival » (facteur principal : des pluies) avec des situations intermédiaires parfois fort différentes selon les années.

Ces définitions caractérisent une station. Les fleuves, drainant un bassin aux conditions morphoclimatiques diverses, ont des régimes se modifiant d'amont en aval.

Le débit est généralement exprimé en mètres cubes par seconde. Par exemple, celui de

◆ **Méandres.** Le fleuve Diamantina (Queensland, Australie) dessine d'amples méandres en raison du faible dénivelé du grand bassin artésien où il s'écoule.

Le lac Baïkal

Le lac Baïkal, en Sibérie, avec son immense réservoir de 23 000 km³, représente un cinquième des réserves d'eau douce de la planète (hormis les glaces des inlandsis polaires). Situé à 457 m d'altitude, long de 640 km, large de 25 à 80 km, c'est aussi le lac le plus profond de la planète (1 637 m). Bien que 544 affluents alimentent le lac, il n'a cependant qu'un seul émissaire, l'Angara. Son bassin-versant s'étend sur 570 000 km². Le lac Baïkal s'est formé, il y a environ 25 millions d'années, dans une dépression tectonique (rift) toujours active, puisque les rives du lac continuent de s'écarter de quelques centimètres par an.

Il représente un patrimoine biologique important ; en effet, à côté des espèces dites « paléarctiques », c'est-à-dire réparties aussi dans d'autres réserves d'eau douce de l'hémisphère Nord, de 80 à 90 % des organismes végétaux et animaux qui peuplent le lac sont endémiques, c'est-à-dire qu'ils n'existent que dans le lac Baïkal. Cependant, la situation écologique s'est dégradée depuis les années 1960, en raison de la pollution en certains endroits du lac (eaux usées, flottage du bois, transport fluvial, industries de pâte à papier et complexes agroalimentaires). Grâce à des campagnes d'information et de recommandation en faveur de la protection de la nature, et à la mobilisation de l'opinion publique, le lac Baïkal est aujourd'hui une réserve de la biosphère.

◆ **Lac glaciaire en Islande.**
Ce type de lac se forme au front des glaciers : les glaciers creusent des cuvettes qu'ils libèrent lors de leur retrait, les débris de roches transportés et laissés par les glaciers (les moraines) constituent des barrages naturels, le lac est alimenté par les eaux de fonte.

l'Amazone à l'embouchure est estimé à 150000-200000 m³/s ; celui de la Seine à Paris est de l'ordre de 300 m³/s. Le débit moyen annuel est appelé « module ». Le débit spécifique exprime l'écoulement en litres par seconde par kilomètre carré de bassin. Les variations de débit peuvent naturellement être énormes, même pour des cours d'eau des régions tempérées océaniques, en principe régulièrement arrosées.

Les lacs

Les lacs sont des nappes intérieures d'eau stagnante douce, entourées de terre de tous côtés. Les plus vastes (Grands Lacs nord-américains) sont d'origine glaciaire, formés après le retrait des inlandsis (grands glaciers des périodes froides du quaternaire). Plus de quarante lacs naturels dans le monde ont une superficie supérieure à 4 000 km² et une quarantaine ont une profondeur qui dépasse 300 m. Les autres lacs notables sont souvent d'origine endoréique, tels le lac Victoria et la mer d'Aral ; peu profonds, avec une superficie variant parfois considérablement (lac Tchad) selon les saisons, avec une alimentation et une évaporation irrégulière, ce sont des nappes occupant des dépressions peu prononcées dans des régions semi-arides. Les lacs d'origine tectonique, parfois d'étendue considérable, comme le lac Baïkal ou le lac Malawi, résultent de failles provoquant des dénivellations souvent accentuées.

Il existe encore des lacs d'origine volcanique – ce sont des lacs de cratère, de petites dimensions, dont le lac Pavin est un exemple en France – ou karstique, occupant les fonds de dolines ou de poljés. Enfin, il faut mettre à part les lacs de barrage, retenus par un obstacle naturel ou, plus souvent, par un ouvrage ; ils sont utilisés pour l'irrigation et/ou la production d'électricité.

Les lagunes et les mangroves

Les lagunes sont des marais qui communiquent plus ou moins avec la mer. On distingue la lagune « vivante » et la lagune « morte ». La première est alimentée à la fois par des eaux fluviatiles et par des eaux marines. Ces dernières arrivent dans la lagune par un chenal, appelé « grau », qui coupe le cordon littoral. Les eaux y subissent des variations de salinité, de niveau et de température, selon les apports relatifs des eaux douces et des eaux salées, conditions qui permettent l'établissement d'une faune et d'une flore spécifiques. Certaines de ces lagunes aux eaux calmes sont aménagées à des fins touristiques (navigation de plaisance) ou comme refuge pour les navires marchands ; Venise en est un des exemples les plus remarquables. Les lagunes « mortes », ou lagunes proprement dites, sont totalement isolées du monde marin par obturation sédimentaire du grau. Elles évoluent vers un lac littoral en voie de dessalure ou, au contraire, de sursalure, selon l'importance de l'évaporation.

Les mangroves sont des associations animales et végétales colonisant des embouchures de fleuves ou des lagunes vivantes en régions intertropicales. La flore est essentiellement représentée par des arbres (les palétuviers, par ex.) dotés d'un système racinaire aérien qui leur permet de respirer hors des sols vaseux asphyxiants et plus ou moins salés. La faune est composée de crabes, de mollusques et de poissons ; tous sont amphibies et passent alternativement de l'air à l'eau, comme le poisson périophtalme, qui peut glisser sur la terre à l'aide de ses nageoires.

Mares, étangs et marais

Les mares sont de très petits lacs naturels ou artificiels de faible profondeur. Il en existe une grande diversité, des mares de ferme riches en matières organiques d'origine animale aux mares très pauvres de forêt sur terrains siliceux.

Les étangs ne sont pas des milieux naturels ; ce sont des réservoirs d'eau pouvant être vidangés, creusés et emplis par l'homme pour la pêche, la pisciculture ou la plaisance. S'ils ne sont plus exploités, ils évoluent vers un état d'équilibre proche de celui d'un lac.

◆ **Les grands lacs du monde.**

Nom	Superficie en km²
mer Caspienne (Caucase, Asie centr.)	360 000
lac Supérieur (Amér. du N.)	82 700
lac Victoria (Afrique)	68 100
lac Huron (Amér. du N.)	59 800
lac Michigan (États-Unis)	58 140
mer d'Aral (Kazakhstan)	39 000
lac Tanganyika (Afrique)	31 900
lac Baïkal (Sibérie)	31500
grand lac de l'Ours (Canada)	30 000
grand lac des Esclaves (Canada)	28 930
lac Malawi (Afrique)	26 000
lac Ladoga (Russie)	17 700

◆ **Mangrove au Kenya.**
Les arbres qui poussent dans ce type d'écosystème sont caractérisés par un système racinaire aérien leur permettant de respirer dans ce milieu vaseux asphyxiant et plus ou moins salé.

Les marais se rencontrent partout sur Terre, dans des lieux à la limite entre le milieu terrestre et le milieu aquatique : dans un lac comblé par la vase, dans une zone où la nappe phréatique affleure en surface, entre les diverticules d'un delta ou entre les méandres d'un fleuve. Par définition, les marécages sont les étendues de terrain couvertes de marais. Les marais sont en partie envahis par la végétation : les marais verts sont couverts d'une végétation uniforme qui les font ressembler à une prairie. Certains marais sont asséchés pour permettre la mise en culture, ce sont par exemple les polders des Pays-Bas. Enfin, les marais salants, composés de canaux et de bassins, sont l'œuvre de l'homme. Le sel marin est obtenu par évaporation de l'eau de mer dans des bassins peu profonds conçus à cet usage.

VOIR AUSSI
• **Inondations** p. 66
• **Pollution** p. 77 (eaux)
• **Plantes des bords des eaux** p. 176
Illustrations
• **Plaines et plateaux** p. 46 (relief karstique)

Petit lexique

émissaire (hydrologie) **:** cours d'eau qui prend naissance dans un lac et en évacue les eaux, à l'inverse des affluents, ou tributaires, qui s'y jettent.

endoréisme : caractère des régions dont les eaux, même si elles s'écoulent en permanence, ne rejoignent pas la mer.

exoréisme : caractère des régions dont les eaux courantes rejoignent les mers ou les océans.

Les milieux polaires

L'Arctique et l'Antarctique

Les géographes limitent les milieux polaires aux zones situées au-delà des cercles polaires, soit à des latitudes supérieures à 66° 34'. Les climatologues et les biogéographes proposent, eux, comme limite maritime des milieux polaires la disparition des glaces de mer, et comme limite terrestre l'apparition de la forêt. C'est cette dernière définition, tenant mieux compte des saisons, qui est actuellement préférée. Les milieux polaires nord (Arctique) et sud (Antarctique) présentent une différence fondamentale : le premier est essentiellement un océan gelé, le second est un continent.

L'Arctique. Il est formé par l'océan Arctique, recouvert par la banquise, et par les terres arctiques : nord de l'Amérique et de l'Eurasie, ainsi que des régions insulaires, comme l'archipel canadien, le Groenland (Danemark), le Spitzberg (Norvège), la Nouvelle-Zemble, l'archipel François-Joseph et les îles de Nouvelle-Sibérie (Russie). L'océan Arctique, d'une profondeur de 3 000 à 5 000 m et d'une superficie de quelques millions de kilomètres carrés, ne possède qu'une seule ouverture profonde vers l'Atlantique située entre le Spitzberg et le Groenland, appelée l'auge de la Lena. Au centre de l'océan, l'épaisseur de la glace est de 3 à 5 m ; en été, la glace fond en surface et la périphérie de la banquise se fragmente. Les glaciers des îles et, surtout, de l'inlandsis groenlandais déchargent aussi, par rupture, d'énormes blocs de glace d'eau douce : les icebergs. Toutes ces glaces dérivent vers l'Atlantique nord, de part et d'autre du Groenland.

L'Antarctique. Il couvre une surface de 16,5 millions de km² dont l'essentiel est un continent recouvert d'une calotte de glace, l'inlandsis antarctique, qui peut atteindre 4 800 m d'épaisseur, d'où affleurent quelques pics de roche à nu : les nunataks. Ces quelque 30 millions de km³ de glace représentent 90 % des réserves d'eau douce de la planète. La chaîne Transantarctique, d'orientation grossière nord-sud, comprend plusieurs sommets à plus de 4 000 m, dont le mont Vinson 4 897, point culminant de l'Antarctique. Elle sépare l'Antarctique de l'Est, bloc continental très ancien (antérieur à 600 millions d'années), de l'Antarctique de l'Ouest, plus récent.

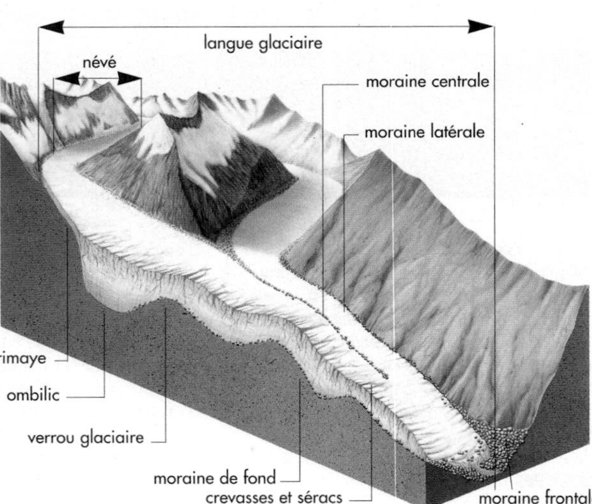

◆ Vue d'un glacier en coupe. Un glacier est une masse de glace formée par l'accumulation de la neige et animée de mouvements lents. Les glaciers des calottes polaires peuvent s'étirer jusqu'à la mer et se fragmenter alors en gros blocs, les icebergs, qui dériveront au gré des courants marins.

Les icebergs détachés de la calotte antarctique sont les plus impressionnants : au total, 2000 km³ de glace par an. Les fragments des deux principales banquises, celle de Ross au sud et surtout celle de Filchner au nord, dérivent longtemps dans les mers australes ; ils ont parfois des dimensions exceptionnelles de plusieurs dizaines de milliers de kilomètres carrés (plusieurs fois la taille de la Corse). Ces radeaux de glace sont de plus en plus nombreux, ce qui est peut-être lié au réchauffement climatique global de la planète.

Les climats

Le froid polaire est dû, d'une part, à de longues périodes d'absence d'ensoleillement – la nuit dure 6 mois aux pôles, 4 mois à 80° de latitude – et, d'autre part, à un faible rayonnement solaire durant l'été : le Soleil reste bas à l'horizon, et les rayons, qui traversent une grande épaisseur d'atmosphère, se dispersent sur une grande surface. Enfin, en Antarctique, l'altitude élevée des régions centrales contribue à la baisse des températures.

Durant l'hiver arctique, les températures descendent en dessous de – 10 °C, voire – 20 °C, ce qui explique la formation de la banquise et la présence d'un sol gelé en profondeur sur les îles et le pourtour continental. En été, la moyenne au pôle est proche de 0 °C. Les eaux de fonte de la neige des terres arctiques provoquent des crues brutales des fleuves venant du sud et se déversant dans l'océan Arctique : c'est la débâcle des glaces fluviatiles accompagnée de la fragmentation de la banquise. En Antarctique, la température est, à latitude égale, toujours inférieure de 15 à 20 °C à celle de l'Arctique. En été, c'est-à-dire en janvier, les températures moyennes varient de 0 °C sur les côtes, à – 30 °C sur le plateau ; celles de juillet, en hiver, sont comprises entre – 20 °C et – 65 °C. On y a enregistré la température la plus basse mesurée sur la Terre : – 89,6 °C, en juillet 1983, à la station néo-zélandaise de Vanda.

Au-dessus des zones polaires, les anticyclones sont quasi permanents. Des vents violents, soufflant de 100 à 200 km/h, divergent de ces zones de hautes pressions. C'est encore dans l'Antarctique qu'a été mesuré le vent le plus violent : plus de 320 km/h à la base française Dumont-d'Urville.

Les expéditions scientifiques en Antarctique

En 1840, Jules Dumont d'Urville (1790-1842) découvre la terre Adélie en recherchant le pôle magnétique de l'hémisphère Sud. En 1947, Paul-Émile Victor (1907-1995) crée les Expéditions polaires françaises et installe, en 1950, la première base française en terre Adélie. Depuis le traité de Washington (1959) qui confère à l'Antarctique un statut international, les missions scientifiques s'inscrivent dans le cadre d'une collaboration entre plusieurs États. Ces missions ont mis en évidence en 1985 un « trou » dans la couche d'ozone stratosphérique au-dessus de l'Antarctique. Cette couche qui protège notre planète du rayonnement solaire ultraviolet est dégradée par les chlorofluorocarbures (CFC) dont en 1987 les pays industrialisés se sont engagés à limiter la production (protocole de Montréal). Par ailleurs, l'accumulation des neiges, année après année, sur la calotte antarctique constitue des archives uniques des variations du climat, des grandes éruptions volcaniques, etc. Ainsi, en 1997, un forage d'une profondeur de 3 523 m a permis d'interpréter les climats sur une période de plus de 500 000 ans. En biologie, grâce aux recherches entreprises, on peut désormais mieux estimer et suivre les populations de baleines, de phoques, de poissons et d'oiseaux colonisant ces régions. Enfin, en sciences de l'Univers, la transparence de l'air polaire et la proximité des pôles géographique et magnétique permettent une meilleure observation de l'Univers et du champ magnétique terrestre.

VOIR AUSSI
- **Atmosphère** p. 58
- **Climats du passé** p. 68
- **Effet de serre** p. 79
- **Antarctique** (grandes régions et pays) p. 747
- **Glaciologue au travail** p. 317

Petit lexique

banquise : couche de glace salée qui se forme lorsque l'eau de mer des régions polaires gèle.

iceberg : glace d'eau douce provenant des précipitations neigeuses.

inlandsis : mot scandinave désignant les épaisses couches de glace couvrant des surfaces continentales importantes près des pôles.

vêlage (glaciologie) **:** mécanisme de rupture en gros blocs d'un glacier en bord de mer, conduisant à la formation des icebergs.

Les milieux froids

Les paysages

Les milieux froids s'étendent entre les milieux glaciaires et les milieux tempérés. Situées, dans chacun des hémisphères, entre le cercle polaire et 55° de latitude, soit approximativement la latitude d'Édimbourg ou de Copenhague, avec de fortes variations climatiques selon les influences océaniques ou continentales, ces régions couvrent l'Alaska, le nord du Canada, les pays scandinaves et le nord de la Russie dans l'hémisphère Nord, la Terre de Feu et les îles Falkland dans l'hémisphère Sud.

Les paysages sont conditionnés par les climats froids qui règnent dans ces régions; on distingue, des plus hautes latitudes vers les plus basses : les déserts de gélifraction, la toundra et la taïga.

Les déserts de gélifraction. On appelle gélifraction le phénomène de fracturation des roches sous l'action du gel. Le climat très froid et très sec ne permet guère à la végétation de s'établir ; les paysages s'apparentent aux déserts et offrent de vastes champs de pierres et de larges plaines d'accumulation de sédiments fluviatiles provenant de la débâcle des fleuves. Ces déserts de gélifraction sont réduits aux bordures continentales sibérienne et nord-américaine de l'océan Arctique.

La toundra. Plus au sud, les climats moins rudes permettent l'établissement d'une végétation basse composée de mousses, de lichens, de quelques graminées et de rares petits arbustes : c'est la toundra. Le sol est gelé en permanence, plus ou moins profondément, c'est le permafrost, ou pergélisol. Pendant le bref été, lors de la période du dégel, ou raspoutitsa, le sol peut dégeler en surface, donnant le mollisol, qui n'excède guère quelques mètres d'épaisseur ; ce sol, boueux, est instable en raison de l'imperméabilité du permafrost sous-jacent. Cette instabilité entraîne certaines modifications de la topographie et de l'aspect du terrain, caractéristiques des paysages de la toundra. Parmi ces modifications, les cryokarsts sont des effondrements de terrain dus à la fonte de la glace et à son évacuation, provoquant une diminution du volume total du terrain. Les pingos sont des monticules circulaires souvent effondrés en leur centre : à la période froide, une poche d'eau contenue dans le sol gèle, sa dilatation soulève ce dernier, formant un cône : lors du réchauffement, la glace fond, provoquant l'affaissement de la partie centrale du dôme.

Certains pingos atteignent 90 m de hauteur et 200 ou 400 m de diamètre. La gélifraction associée aux alternances gel-dégel induit dans le paysage de nombreuses figures de cryoturbation, dues à des déplacements de particules de terre et de cailloux. Ainsi, le glissement du mollisol sur le permafrost (mouvement appelé « gélifluxion ») forme différentes figures géomorphologiques : cercles de pierres ou sols polygonaux que dessinent les cailloux en terrain plat, alignements de pierres ou coulées de boue si la pente est suffisante.

La taïga. Plus au sud de la toundra apparaissent les paysages de la forêt boréale, appelée « taïga », avec des espèces adaptées au froid, c'est-à-dire des conifères (sapins, épicéas, mélèzes, pins). Bien que peu denses, ces forêts, allant continûment du nord du Canada à l'Eurasie au 50e parallèle, représentent environ un tiers des surfaces forestières mondiales.

Les climats

Les climats de ces régions sont caractérisés par un long hiver et un été bref, les périodes de transition (automne, printemps) étant quasi inexistantes. Le froid de ces milieux est dû à leur position géographique, les hautes latitudes ne recevant qu'un faible rayonnement solaire. L'hiver est une saison longue et sèche, où les jours ne durent que quelques heures. Les températures des mois les plus froids (février pour le nord de l'Amérique, mars pour l'Eurasie) sont comprises entre –20 et –30 °C, avec des pics à –50 °C, voire exceptionnellement –70 °C.

Les côtes de l'Europe du Nord bénéficient des remontées des eaux de l'Atlantique nord, réchauffées par le Gulf Stream, qui pénètrent largement en mer de Norvège et jusqu'en mer de Barents. En revanche, les eaux du Pacifique sont bloquées par l'étroit passage du détroit de Béring et ne peuvent réchauffer la mer de Beaufort, bordant l'Alaska, et la Sibérie orientale. Aussi la banquise recouvrant l'océan Arctique y est-elle particulièrement développée. La position continentale de la Sibérie accentue encore les rigueurs de l'hiver dans cette région.

Les températures moyennes sont généralement négatives de septembre à mai, et bien des fleuves ne dégèlent qu'en juin : c'est la débâcle, redoutable pour la navigation et les ouvrages d'art. En aval, l'accumulation des glaces brisées et des débris divers obstrue les passages étroits : c'est l'embâcle, qui peut former des barrages et provoquer des inondations.

L'été, marqué par l'allongement des jours, est bref (trois mois en moyenne) et les températures oscillent entre 0 et 10 °C, exceptionnellement jusqu'à 30 °C. Les précipitations sont plus importantes qu'en hiver, surtout sur les façades continentales ouest. Globalement, le temps est maussade et frais.

VOIR AUSSI
- **Atmosphère** p. 58 (climats)
- **Forêt boréale** p. 162

◆ **Paysage de toundra en Alaska.**
La toundra est composée d'une végétation basse et résistante au froid, ce dernier ne permettant pas l'établissement des arbres.

◆ **Forêt boréale en Alaska.**
Ce paysage caractérisant la taïga, située plus au sud de la toundra, montre des forêts peu denses constituées d'espèces adaptées au froid, principalement des conifères.

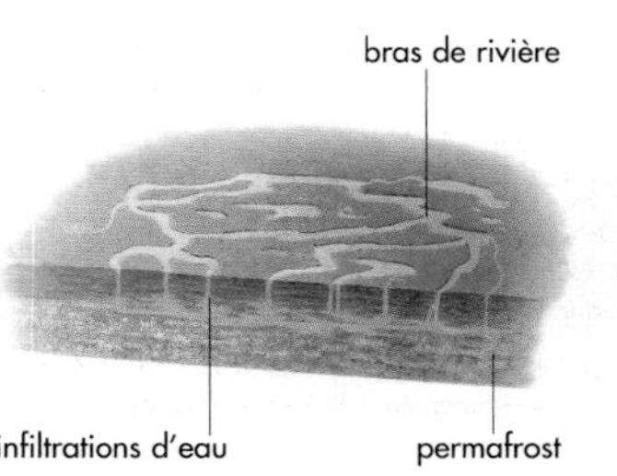

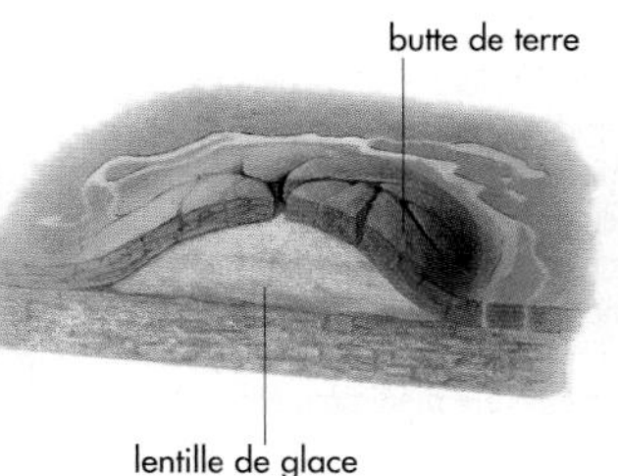

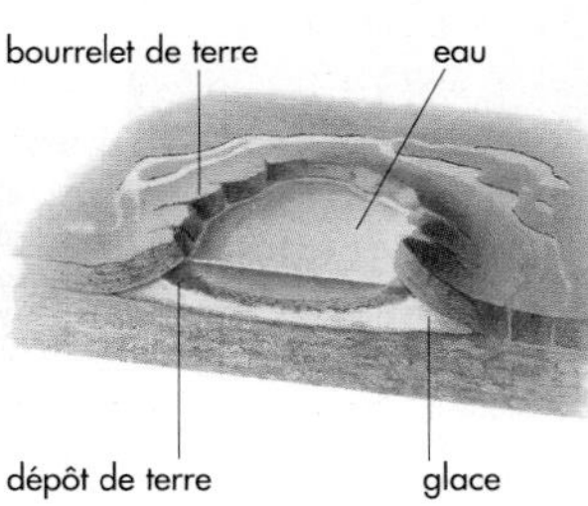

◆ **Formation des pingos.**
Les pingos sont des buttes de terre soulevées par le gel des eaux qui se sont infiltrées dans le sol, la glace occupant un volume plus important que l'eau liquide. Si la poche de glace vient à fondre, le sommet du pingo s'effondre et laisse place à un trou central rempli d'eau.

Les milieux tempérés

Caractéristiques

Les milieux tempérés correspondent aux régions du globe comprises entre 30 et 60° de latitude dans chacun des hémisphères. Ces régions sont soumises aux affrontements des masses d'air froid descendant des hautes latitudes et de celles d'air chaud venant des zones tropicales. À ces latitudes, les vents d'ouest sont prédominants, mais il peut y avoir des écarts climatologiques, et donc biotiques, significatifs selon les régions ; il convient donc de distinguer le milieu océanique, le milieu continental et le milieu méditerranéen.

Tous ces milieux bénéficient, tout au long de l'année, de variations des conditions climatiques progressives qui définissent quatre saisons : l'hiver, le printemps, l'été et l'automne.

Différents milieux

Le milieu tempéré océanique. Il est conditionné par des vents d'ouest, aussi bien près de la surface du sol qu'en altitude. Il en résulte un climat venteux avec des précipitations tout au long de l'année, des étés relativement frais et des hivers doux. Ce milieu correspond aux façades ouest continentales (ex. : l'Irlande, la moitié ouest de la France, la façade ouest du Canada, une partie du Chili).

En été, l'air subit un réchauffement modéré en raison des échanges thermiques au-dessus des surfaces marines, les radiations solaires assurant en permanence l'évaporation de l'eau de mer. En revanche, en automne et en hiver, le domaine océanique emmagasine des stocks de chaleur importants, qui sont progressivement cédés à l'atmosphère. Ces échanges thermiques expliquent les températures modérées de ces régions. De plus, la présence des masses d'air humide est à l'origine des perturbations qui se déplacent d'ouest en est, déversant des pluies à chacune des quatre saisons. Perturbations, anticyclones et dépressions se succèdent, ce qui engendre une grande diversité des types de temps ; on peut même enregistrer des vagues de froid en hiver et des vagues de chaleur en été, écarts sensibles au climat tempéré et humide habituel.

Les paysages naturels des milieux tempérés océaniques présentent des forêts composées principalement de feuillus. Les sous-bois sont riches en arbustes, en plantes diverses, dont la floraison s'étale au fil des saisons, et en champignons. Près des côtes, si les vents d'ouest sont trop forts et l'humidité trop importante pour que se développe la forêt, s'établit un paysage de lande composée d'arbustes (ajoncs, genêts, bruyère, petits conifères) et de plantes diverses.

◆ **Steppe en Mongolie.**
Cette vaste étendue herbeuse et caillouteuse résulte des hivers froids et secs qui règnent dans les milieux tempérés continentaux.

◆ **Paysage irlandais.**
Il est typique du milieu tempéré océanique : les dépressions poussées par les vents d'ouest arrosent abondamment les prairies bien vertes et les forêts de feuillus.

Le milieu tempéré continental. Il est caractérisé par un climat sec et froid en hiver, et relativement pluvieux et chaud en été. Il concerne les Grandes Plaines du Canada et des États-Unis, l'intérieur de la Scandinavie, l'est de l'Eurasie et les pampas de l'Argentine. Les vents d'ouest ont déchargé leur humidité bien avant d'atteindre ces régions continentales, et de plus, en hiver, les inversions fréquentes du gradient thermique vertical (augmentation de la température avec l'altitude) induisent des hautes pressions qui empêchent l'arrivée des perturbations d'ouest. Ces caractéristiques expliquent le climat froid et sec hivernal, d'autant plus marqué que l'effet de continentalité est important. Parfois, les cellules anticycloniques faiblissent ou se déplacent, les perturbations d'ouest amènent alors des précipitations neigeuses accompagnées de températures moins basses. Entre mars et mai, dans l'hémisphère Nord, les journées deviennent plus longues, les températures remontent et la neige fond. Des masses d'air chaud et humide, en raison de l'évaporation, se mettent en place et des cellules de basses pressions s'organisent, permettant l'incursion des perturbations d'ouest. Ces caractéristiques expliquent les étés relativement pluvieux et chauds de ces régions.

Ce type de climat ne permet guère aux forêts de se développer, et le paysage présente de grandes étendues herbeuses, faites de graminées plus ou moins hautes et denses selon l'aridité de la région (steppes d'Asie centrale et d'Europe orientale, pampas d'Amérique du Sud).

Le climat tempéré « méditerranéen ». Il est caractérisé par des hivers et des saisons intermédiaires pluvieux et peu froids, alors que les étés sont chauds et secs. Ce type de climat est peu répandu sur le globe, il est surtout caractéristique du pourtour méditerranéen, mais il est aussi présent dans la région du Cap en Afrique du Sud, au Chili vers 40° de latitude sud, en Californie et dans le sud de l'Australie (région de Perth et d'Adélaïde).

Les trois saisons autres que l'été sont assez proches de celles du domaine tempéré océanique, avec cependant des températures plus douces, les circulations atmosphériques d'ouest amenant les pluies. Dans le cas particulier du pourtour méditerranéen, la mer devient plus chaude en automne : l'évaporation fournit donc davantage de vapeur d'eau, formant des systèmes nuageux importants à l'origine de pluies parfois très abondantes. Le printemps est un peu plus sec. L'été, chaud et sec, fait en réalité l'originalité du climat méditerranéen. Cette quasi-aridité estivale est due à un déplacement des anticyclones subtropicaux vers les hautes latitudes, assurant ainsi une protection contre les dépressions.

Les paysages des régions méditerranéennes sont couverts d'espèces végétales résistant à la sécheresse de l'été. Les forêts sont composées d'arbres à l'écorce épaisse et au feuillage peu développé limitant l'évaporation. À côté de la forêt, ou en remplacement lorsque celle-ci a été incendiée, se développent le maquis et la garrigue.

◆ **Paysage méditerranéen.**
Il est composé d'arbres à petites feuilles (oliviers, cyprès, etc.) pour limiter l'évaporation, de maquis (genévrier, myrte, ciste, bruyère, etc.), très dense, sur des sols siliceux, et de garrigue (chêne kermès, lavande, romarin, thym et buis), moins dense, sur des sols calcaires.

◆ **Les saisons.**

Saison	Hémisphère Nord	Hémisphère Sud
hiver	décembre janvier février	juin juillet août
printemps	mars avril mai	septembre octobre novembre
été	juin juillet août	décembre janvier février
automne	septembre octobre novembre	mars avril mai

VOIR AUSSI
- **Saisons** p. 6
- **Atmosphère** p. 58 (climats)
- **Météorologie** p. 67 (perturbations et fronts)
- **Forêts tempérées** p. 163
- **Plantes méditerranéennes** p. 170
- **Prairies** p. 174

Les déserts

Diversité

Tous les déserts ont une caractéristique commune : le déficit en eau, qui entraîne une quasi-absence de végétation et de sols. Ce déficit résulte non d'une faible pluviosité, bien que celle-ci soit souvent inférieure à 100-150 mm/an, mais d'une évaporation plus forte que les précipitations.

Les déserts couvrent environ 15 % des terres émergées. Les déserts des latitudes tropicales sont les plus vastes. L'air équatorial, chaud et humide, se condense lors de son élévation en altitude et déverse alors ses pluies ; cet air, devenu chaud et sec, redescend au niveau du tropique du Capricorne (hémisphère Sud) et du tropique du Cancer (hémisphère Nord), sur lesquels s'alignent les déserts, dont le Sahara (Afrique du Nord), le Kalahari (sud de l'Afrique), le Rubal-Khali (péninsule Arabique) et les déserts australiens.

Aux latitudes tempérées, les régions orientales des grands domaines continentaux ne sont pas atteintes par les précipitations venant de l'ouest. Cet effet de continentalité explique la présence de zones arides, telles celles qui s'étendent de la mer Caspienne à la Mongolie, où se situe le désert de Gobi, le plus grand désert du monde après le Sahara.

Certaines côtes longées par des courants froids, qui ne permettent pas l'évaporation de l'eau de mer et donc sa condensation sous forme de pluies, peuvent aussi être le siège de déserts locaux : le Namib, en Afrique, l'ouest de l'Atacama, en Amérique du Sud.

Enfin, d'autres déserts s'établissent dans des zones abritées des vents humides océaniques par des barrières montagneuses. De tels déserts, dits d'abri, sont connus en Amérique du Nord, à l'est des montagnes Rocheuses, et en Amérique du Sud, à l'est de la cordillère des Andes.

Les paysages des déserts présentent une grande diversité selon leur latitude (c'est-à-dire le climat), leur altitude, leur nature géologique et les effets des érosions éolienne et hydrique.

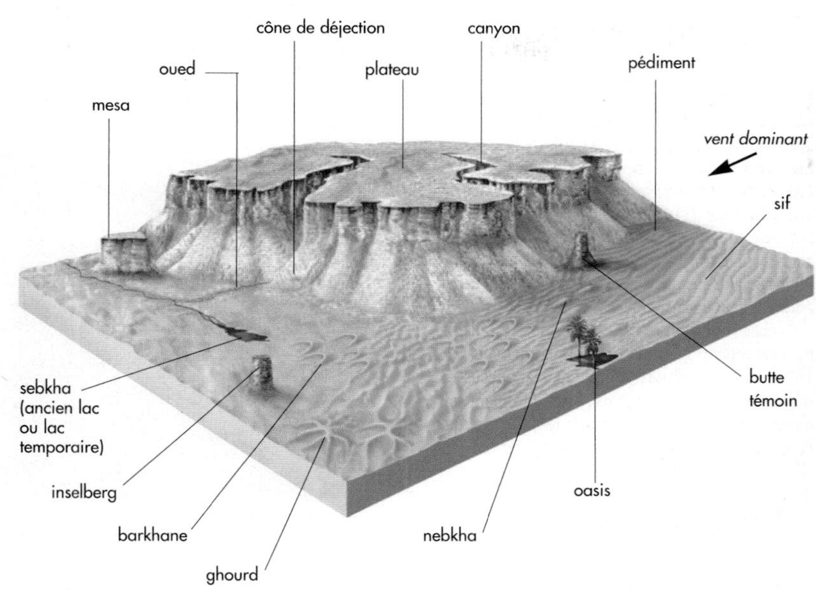

◆ **Paysage désertique.**
Le vent et le ruissellement des eaux de pluie, rare mais souvent soudaine et violente, sculptent le paysage en diverses formes caractéristiques.

Les déserts à hiver chaud. Dans les déserts tropicaux, l'importante insolation (de l'ordre de 4 000 heures/an) et l'absence de nuages expliquent les températures brûlantes de l'été : de l'ordre de 50 °C, avec des records supérieurs à 70 °C à la surface du sol. La nuit, les températures chutent sensiblement (en moyenne 30 °C) en raison de l'absence de vapeur d'eau dans l'atmosphère, qui réduit l'effet de serre. Les hivers sont doux, bien que les températures puissent être négatives et apporter plusieurs jours de gel.

Les précipitations sont très variables : de 7 à 160 mm/an à Tamanrasset (Algérie), de 100 à 400 mm/an dans le désert australien. Elles sont aussi très irrégulières, alternant de longues périodes (parfois plusieurs années) sans pluie et des averses quelquefois très violentes donnant naissance à des rivières temporaires (oueds) qui s'infiltrent rapidement pour aller rejoindre les nappes phréatiques.

Ces forts contrastes thermiques et l'érosion hydrique, associés à des vents violents, façonnent continuellement les paysages. Le Sahara n'est pas un désert de sable : les dunes, appelées ergs, ne représentent que 20 % de sa superficie, le reste est un sol caillouteux appelé reg. Les ergs peuvent prendre différentes couleurs (orangé à rouge, blanc…). D'autres déserts présentent de vastes étendues planes, blanches et salées : faites de réseaux de polygones de dessiccation et d'efflorescences salines, elles résultent du dessèchement d'une immense sebkha (dépression inondable salée).

Dans les regs peuvent surgir des formes rocheuses sculptées par les vents de sable : elles sont appelées inselbergs, tels les rochers champignons gréseux du tassili des Ajjer, en Algérie.

Les déserts à hiver froid. Les déserts des moyennes latitudes sont caractérisés par un hiver marqué, où la température moyenne est négative pendant un ou plusieurs mois : déserts de haute altitude de l'Asie centrale (Mongolie, Takla-Makan, en Chine), déserts de l'Asie moyenne (autour de la mer d'Aral), déserts semi-arides à l'est des Rocheuses, déserts intra-andins (Atacama) et désert de Patagonie. En revanche, les températures d'été sont aussi torrides que celles des déserts tropicaux. Les déserts à hiver froid subissent donc les plus grands écarts thermiques ; ainsi, dans le désert du Kyzylkoum, au sud de la mer d'Aral, entre les rivières Syr-Daria et Amou-Daria, les températures estivales atteignent souvent 50 °C, voire plus, alors que, l'hiver, ces deux fleuves sont gelés pendant 2 à 3 mois, ainsi que le sol sur plus de 2 m de profondeur. Les précipitations y sont inférieures à 150 mm/an.

Les sols sont recouverts de graviers, de cailloux, d'argile et, le plus souvent, de sable. Ainsi le désert de Gobi, qui occupe la moitié de la Mongolie, est sablonneux dans l'ouest, pierreux dans l'est.

◆ **Vallée de la Mort (États-Unis).**
Polygones de dessiccation. Ce désert californien est long de 225 km.

L'eau dans les déserts

Les déserts ne sont pas dépourvus d'eau, mais elle y est souvent éphémère ou peu accessible. Les eaux de surface sont rares car l'évaporation dépasse toujours les précipitations. On les trouve dans les *gueltas* (citernes naturelles recueillant les pluies, ménagées dans des roches cristallines imperméables) ou dans des mares et des plans d'eau temporaires ou permanents (lac Tchad). Certaines régions désertiques sont traversées par des fleuves (le Nil en Égypte, le fleuve Niger au Mali, par ex.).
Toutefois, l'essentiel des ressources en eaux se situe en profondeur dans le sous-sol. Nombreuses, elles peuvent être exploitées grâce à des puits, autour desquels s'organisent des oasis, îlots de relative verdure au milieu des sables. Certaines de ces nappes phréatiques sont renouvelables. Ces dernières se sont accumulées à des époques géologiques plus pluvieuses. Leur exploitation a commencé au XIXe s. en divers pays et a produit des milliards de mètres cubes d'eau (Australie, Algérie, Tunisie, Arizona et Middle West des États-Unis), dans d'autres pays, elle est plus récente (Libye, Arabie saoudite).

VOIR AUSSI 
- **Atmosphère** p. 58 (climats)
- **Désertification** p. 76
- **Plantes des zones arides** p. 172

Les milieux tropicaux

Le climat

Les milieux tropicaux se situent grossièrement, dans chacun des hémisphères, entre 5 et 15° de latitude, avec des variations selon les régions. Plus précisément, ils se situent entre le tropique du Cancer dans l'hémisphère Nord et le tropique du Capricorne dans l'hémisphère Sud, à l'exclusion de la bande équatoriale et des milieux arides (déserts) alignés sur les tropiques. Le climat tropical est donc intermédiaire entre le climat équatorial et le climat aride (chaleur permanente et humidité saisonnière).

Les températures moyennes de ces milieux ne descendent généralement pas au-dessous de 18 °C et les amplitudes thermiques annuelles ne dépassent pas 10°C ; ainsi, contrairement au domaine tempéré, ce n'est pas la température qui détermine les saisons (il n'y a pas d'hiver au sens climatique du terme), mais les précipitations. On distingue une saison sèche et une saison pluvieuse (cette dernière durant au moins trois ou quatre mois), toutes deux chaudes. Les milieux tropicaux sont soumis à des vents d'est (et non d'ouest comme le domaine tempéré), appelés alizés, et l'effet de continentalité (influence maritime faible) s'exprime d'autant plus que l'on se déplace d'est en ouest (c'est le contraire en domaine tempéré) : par exemple, en Afrique centrale et occidentale, la savane soudanaise laisse peu à peu la place à la steppe à acacias sahélienne, annonciatrice du Sahara (milieux de plus en plus arides).

La saison sèche correspond aux mois de l'hiver et du printemps ; elle s'explique par la présence d'anticyclones. La saison pluvieuse (été et automne de l'hémisphère Sud) fait appel à des mécanismes plus complexes. Pour qu'il pleuve, il faut des déplacements de masses d'air humide, l'air s'étant chargé d'humidité lors d'un passage au-dessus d'un océan, et une ascendance de ces masses d'air pour que la condensation déclenche des pluies. Pendant l'été, l'air continental se réchauffe plus vite que celui des océans, puis s'élève pour laisser la place à l'air humide venant des océans. Il en résulte, dans l'hémisphère Nord, une inversion de la circulation atmosphérique : des vents du sud-ouest chargés d'humidité, car ils ont eu un long parcours maritime, s'établissent au détriment des alizés. L'ascendance de ces vents humides au-dessus de reliefs continentaux explique les pluies de ces zones tropicales : c'est la mousson d'été. En hiver, le processus s'inverse, et ce sont des vents de nord-est qui déversent des pluies au sud de l'équateur : le sud de l'Afrique orientale, le nord-est de l'Australie et le Brésil.

À la fin de l'été, les milieux tropicaux sont aussi parfois soumis à des cyclones (dépressions atmosphériques, vents violents, pluies diluviennes).

◆ **La mousson.** Pluie tropicale en Nouvelle-Géorgie (une des îles Salomon).

◆ **Paysage de savane arborée en Tanzanie.**

Les paysages

La chaleur et l'humidité des milieux tropicaux permettent l'établissement d'une végétation caractéristique : la savane, dont l'aspect dépend à la fois du climat et de la nature du sol. Si la saison sèche est la plus longue, la savane est seulement couverte de graminées de hauteur variable (l'herbe à éléphant peut atteindre 5 m), de plantes à tubercules, d'épineux, etc., tous résistants à une sécheresse prolongée : c'est la savane herbeuse. Si la savane est parsemée de buissons, on parle alors de « brousse ». Dans les régions plus arrosées apparaissent des arbres, comme le baobab au tronc gorgé d'eau, le karité ou le palmier, dont la densité croissante définit respectivement la savane arborée et la savane boisée (ou savane-parc).

La déforestation en bordure du milieu équatorial peut conduire à la savane boisée, avec des arbres « pyrophytes » (résistants au feu), de même que la dégradation de la savane herbeuse peut conduire à la steppe, puis à la désertification.

La savane herbeuse s'établit aussi dans des zones relativement pluvieuses, mais où le sol est trop pauvre pour que se développent des arbres. Dans ces régions, l'eau est le principal agent d'érosion ; elle entraîne avec elle la totalité de la silice de roches telles que le granite ou le gneiss et laisse sur place des hydroxydes de fer ou d'aluminium en forte concentration. Il en résulte un sol argileux aux nuances colorées jaunes et rouges, dont l'épaisseur peut dépasser une cinquantaine de mètres.

Lorsque les argiles arrivent à saturation, le fer peut précipiter sous forme de petites billes (des pisolites) ou en couches indurées. Ces dernières, véritables cuirasses épaisses parfois de plusieurs mètres, appelées latérites, se sont surtout formées au cours de l'ère tertiaire (entre – 65 et –2 millions d'années) ; la savane s'est maintenue depuis, alors que les racines des arbres n'ont pu traverser ces sols trop durs pour aller puiser de l'eau en profondeur. Les pluies torrentielles tropicales peuvent venir à bout des latérites en creusant des ravines, appelées *lavakas*, que surplombent des plateaux appelés *bowals*. Parfois, des dômes ou des pitons rocheux de gneiss ou de granite surgissent des surfaces latéritiques : ils se sont dégagés, au cours des temps géologiques, par érosion différentielle ; ce sont les « pains de sucre » du Brésil ou les « mornes » des Antilles.

En terrain calcaire, la puissance et l'acidité des eaux de ruissellement permettent la dissolution des roches carbonatées, qui modèlent les karsts tropicaux : dolines, avens, reliefs ruiniformes, creusements souterrains.

Le « climat chinois »

Le « climat chinois » est un type de climat tropical de l'hémisphère Nord (été chaud et humide), avec la particularité d'un hiver assez froid. Ce type de climat affecte les façades orientales des continents, notamment la Chine des dix-huit provinces et le sud-est des États-Unis.

Le froid hivernal est dû à l'arrivée des masses d'air en provenance de l'intérieur du continent eurasiatique ou nord-américain, qui sont des réservoirs d'air froid. L'humidité estivale est apportée soit par des moussons qui remontent suffisamment vers le nord (Chine), soit par des masses d'air océaniques poussées par les alizés (États-Unis et Chine). Ce climat, intermédiaire entre le climat tropical et le climat tempéré, est parfois appelé « climat subtropical » ou « climat tempéré humide à été chaud » pour le distinguer des autres climats tempérés *stricto sensu*.

VOIR AUSSI
- **Déserts** p. 53
- **Milieux équatoriaux** p. 55
- **Vents** p. 60 (la mousson)
- **Cyclones, tornades et trombes** p. 62
- **Forêts intertropicales** p. 168
- **Savane** p. 169

Les milieux équatoriaux

Le climat

Le milieu équatorial est caractérisé par un climat chaud et humide tout au long de l'année. Il s'étend de manière discontinue le long de l'équateur : pays africains bordant le golfe de Guinée; Brésil et Guyane, en Amérique du Sud; Indonésie. Ce n'est pas un milieu cantonné aux très basses latitudes, on l'observe jusqu'à 20° sur les bordures continentales de l'Asie du Sud-Est (Birmanie, Thaïlande, Viêt Nam et Philippines) et sur la façade orientale de l'Amérique centrale (sud-est du Mexique, Honduras, Nicaragua et Panamá).

Les températures oscillent entre 24 et 32 °C avec une humidité quasi permanente comprise entre 70 et 90 %. Les précipitations varient en moyenne entre 1 500 et 2 500 mm/an. Elles sont plus importantes en Guinée, en Indonésie, en Guyane et aux Antilles, où elles atteignent de 3 000 à 5 000 mm/an (par comparaison, Paris reçoit en moyenne 630 mm d'eau par an). D'autres régions (Amazonie, Gabon, Congo…) subissent une saison plus sèche pendant 1 à 3 mois, mais les précipitations mensuelles y sont toutefois supérieures à 40 mm et les réserves d'eau accumulées dans le sol et par la végétation le reste de l'année permettent le maintien de la forêt.

Chaleur et humidité. La chaleur est due à la forte insolation de la zone équatoriale : le Soleil monte très haut au-dessus de l'horizon et les jours sont de durée sensiblement égale à celle des nuits. Les températures n'atteignent cependant pas les valeurs observées en milieu tropical en raison de la forte humidité de l'air ; cette même cause limite aussi les écarts de température entre le jour et la nuit. La forte humidité, l'évapotranspiration de la forêt et la chaleur sont responsables d'importantes ascendances d'air et de colossales formations nuageuses qui, en se condensant en altitude, sont à l'origine des précipitations. Ces nuages limitent aussi l'élévation des températures diurnes par l'albédo (réflexion du rayonnement solaire) relativement important et la diminution des températures nocturnes par effet de serre.

Une large bande nuageuse. Les masses nuageuses sont concentrées le long de l'équateur par les alizés du nord-est dans l'hémisphère Nord et par ceux du sud-est dans l'hémisphère Sud, délimitant ainsi une bande appelée « zone de convergence intertropicale » (ZCIT). Cette convergence a pour effet d'accentuer les ascendances d'air. Le long de la ZCIT, les vents sont relativement faibles, voire nuls, aussi qualifie-t-on de « calmes équatoriaux » les régions continentales des milieux équatoriaux et de « doldrums » les régions océaniques. La ZCIT se déplace en latitude selon la période de l'année : elle est plus au nord vers la fin de l'été boréal et plus au sud vers la fin de l'été austral.

◆ **La bande nuageuse intertropicale.** Cette photo satellite permet de voir la zone de convergence intertropicale (ZCIT) marquée par une longue bande nuageuse s'allongeant au-dessus de l'équateur ; elle est due aux ascendances d'air chaud et humide des milieux équatoriaux. Le vert de la forêt équatoriale tranche avec la couleur des déserts tropicaux au-dessus (Sahara, Arabie) et en dessous (Namibie), milieux caractérisés par une absence de couverture végétale et nuageuse.

La présence d'un climat équatorial jusqu'aux environs de 20° de latitude dans certaines régions, comme aux Antilles ou aux Philippines, s'explique par l'influence des alizés qui se chargent d'humidité au cours de leur long trajet au-dessus de l'Atlantique ou du Pacifique.

La canopée

La canopée est la partie supérieure des forêts équatoriales, formant une surface continue de feuillages et de branches enchevêtrés, d'où émergent seulement quelques espèces d'arbres de grande dimension. Vue d'avion, cette voûte forestière, qui se situe à environ 30 m au-dessus du sol, ressemble à une plaine verdoyante mamelonnée. La canopée inondée de lumière est grouillante de vie. Pour y étudier la faune et la flore épiphyte, dont de nombreuses espèces sont encore inconnues, les scientifiques utilisent le « radeau des cimes », large structure d'observation transportée par une montgolfière, qui permet de se poser sur la canopée. Mesures biologiques et climatiques, observations sur les floraisons et les fructifications, étude de la croissance des grands arbres, échantillonnage d'insectes, etc., constituent quelques-uns des programmes de recherche.

Les paysages

La chaleur moite quasi constante et les fortes précipitations favorisent le développement des espèces végétales, aussi le paysage dominant du milieu équatorial est-il essentiellement celui d'une forêt dense. Dans cette apparente uniformité, il convient pourtant de distinguer différentes strates, dues à des microclimats.

Du sous-sol à la canopée. Le sous-sol n'affleure pratiquement jamais. Le sol est épais mais seule la partie superficielle contient suffisamment d'éléments minéraux qui, absorbés par les racines, peuvent servir de nourriture aux plantes.

Ces minéraux ont en effet tendance à être entraînés par les eaux de pluie dans les couches profondes du sol (c'est le lessivage) ; ils ne sont présents dans la couche superficielle que parce que la dégradation rapide de la matière organique morte (débris végétaux tombés à terre, notamment) en produit en permanence.

En conséquence, les racines des plantes se développent surtout dans les premiers décimètres du sol (parfois pas plus de 20-30 cm). Pour pallier cette insuffisance de l'enracinement, la plupart des arbres possèdent un système racinaire aérien qui s'étale en largeur, permettant une assise suffisante (ce sont les racines-contreforts). Dans les premiers mètres au-dessus du sol, la lumière est très faible ; aussi, les rares espèces qui y vivent sont-elles adaptées à l'ombre ; les autres ont déplacé leurs systèmes reproducteur et de photosynthèse plus en hauteur, telles les lianes, qui s'enracinent dans le sol et s'élèvent en s'accrochant, les espèces hémi-épiphytes, qui se fixent sur les arbres et développent des racines aériennes jusqu'à ce qu'elles atteignent le sol, et les espèces épiphytes (par exemple, les orchidées), sans contact avec le sol. Jusqu'à 8 m de hauteur, c'est le domaine des arbustes, des fougères et des palmiers, qui poussent au hasard des trouées. L'essentiel de la forêt est constitué d'arbres culminant à environ 30 m de hauteur, formant une couverture quasi continue, appelée la « canopée », de laquelle émergent quelques arbres géants, pouvant atteindre 80 m de hauteur. Les vents de ces régions étant très faibles, la pollinisation est assurée par les animaux.

Les fleuves. En raison des fortes précipitations, le milieu équatorial est parcouru par de grands fleuves qui traversent la forêt, à l'instar de l'Amazone et du fleuve Zaïre, aux nombreux affluents. Au travers de ces milieux de forêts denses, ce sont souvent les seules voies de communication naturelles, toutefois entrecoupées de rapides et de chutes. Le long des rives vaseuses de ces fleuves s'installent des espèces arbustives adaptées à la submersion intermittente par les eaux. La forêt équatoriale colonise aussi les estuaires et les deltas des fleuves, avec des espèces adaptées aux eaux plus ou moins salées, comme les palétuviers roses, dont les racines aériennes constituent une barrière presque impénétrable et très efficace contre l'érosion du littoral.

◆ **Un paysage de forêt dense équatoriale.**

Voir aussi
- **Rivières, fleuves, lacs et marais** (mangroves) p. 48
- **Atmosphère** (climats) p. 58
- **Biomes** p. 82
- **Forêts intertropicales** p. 168
- **Plantes du bord des eaux** p. 176
- **Déforestation** p. 189

Petit lexique

évapotranspiration : processus d'incorporation d'eau dans l'atmosphère, que ce soit par évaporation de l'eau du sol et des nappes liquides ou par transpiration de la végétation.

L'océan mondial

Caractéristiques

Les océans couvrent plus de 70 % de la sur face terrestre (soit près de 361 millions de km²) et renferment 1 322 millions de km³ d'eau. Cet ensemble se partage en trois grandes masses : l'océan Pacifique, entre l'Asie, l'Océanie et l'Amérique, en occupe près de la moitié (180 millions de km²), loin devant l'océan Atlantique (106 millions de km² entre l'Europe et l'Amérique) et l'océan Indien (75 millions de km²). Le planisphère montre une répartition très inégale : l'océan mondial est légèrement plus étendu (53 %) que les terres émergées dans l'hémisphère Nord, alors qu'il occupe près de 90 % de la surface dans l'hémisphère Sud.

L'eau marine (qui représente 97,5 % de toute l'hydrosphère) se caractérise d'abord par sa salinité, généralement comprise entre 33 et 37 ‰. Elle contient beaucoup de gaz inertes, mais aussi de l'oxygène (diffusé en profondeur par les courants), des particules minérales et organiques qui lui donnent une fertilité variable. Par sa composition, l'eau de mer a une densité (de 1,02 à 1,03) légèrement supérieure à l'eau douce.

Les reliefs

Au large des marges continentales, les plaines abyssales sont traversées par de longues chaînes de montagnes, les dorsales océaniques, et entaillées par des gorges profondes, les fosses.

Les marges continentales sont situées en bordure des continents. Elles sont formées de deux étages : la plate-forme continentale (ou plateau continental), peu profonde (de 0 à 200 m), et la pente continentale qui descend jusqu'au domaine océanique profond vers les plaines abyssales ou les fosses. On distingue les marges actives (cas de l'océan Pacifique), et les marges passives (cas de l'océan Atlantique). La plate-forme des marges actives est plus étroite et la pente continentale descend rapidement vers une fosse parallèle à la marge. L'extension des plates-formes des marges passives de type atlantique peut atteindre 1500 km; les pentes, larges de 20 à 100 km, souvent entaillées par des canyons sous-marins, descendent vers les plaines abyssales.

Ces dernières, relativement planes, sont à une profondeur moyenne de 4000 à 5000 m. De ces vastes étendues abyssales s'élèvent des pics sous-marins escarpés, d'origine volcanique, fréquents dans le Pacifique ouest. Quant aux dorsales océaniques, elles constituent de véritables chaînes de montagnes sous-marines, dont la longueur totale dépasse 60000 km. Les lignes de crête, décalées par de grandes fractures transversales (les failles transformantes), sont à une profondeur moyenne de 2500 m (soit environ 2 km au-dessus de la moyenne des fonds océaniques). Elles portent par-

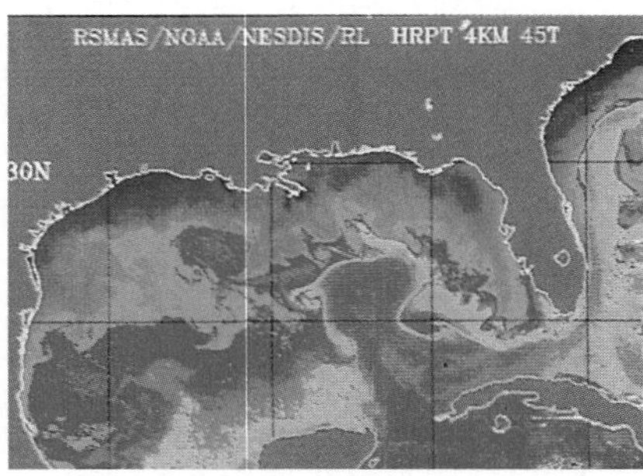

◆ **Le Gulf Stream vu par satellite.**
Cette image satellite, en fausses couleurs, montre la distribution des eaux chaudes dans le golfe du Mexique, à l'origine du Gulf Stream.

Les mers

La différence entre les mers et les océans mérite d'être précisée. Les océans présentent trois caractéristiques : leur grande superficie, leur profondeur (3800 m en moyenne) et leurs rivages appartenant à des continents différents. De plus, les océans sont reliés entre eux : on parke de l' « océan mondial ». Toutes les autres étendues d'eau marine sont appelées « mers ». On distingue plusieurs types de mers. Les mers « épicontinentales » ou « bordières » sont en relation avec l'océan mondial, mais en sont considérées comme une petite partie, plus ou moins isolée : mer Celtique, Manche, mer du Nord, mer de Norvège et Méditerranée, pour les connections avec l'Atlantique; mer de Chine, pour le Pacifique; golfe Persique, pour l'océan Indien, etc. Les mers « marginales » communiquent aussi avec l'océan mondial, mais sont séparées de celui-ci par un arc insulaire volcanique : mer du Japon, golfe du Mexique, mer des Caraïbes, etc. Les mers « intérieures » ne communiquent pas avec l'océan mondial mais avec une autre mer : ainsi, la mer Baltique s'ouvre sur la mer du Nord et la mer d'Azov s'ouvre sur la mer Noire, qui elle-même communique avec la Méditerranée par le Bosphore. Enfin, les mers « fermées » sont sans équivoque, elles ne communiquent ni avec l'océan mondial ni avec une autre mer, ainsi la mer Caspienne et la mer d'Aral.

◆ **Les courants océaniques.**
1. Courant nord-équatorial;**2**. Courant sud-équatorial;**3**. Contre-courant équatorial;**4**. Dérive nord-pacifique;**5**. Dérive nord-atlantique;**6**. Courant de Norvège;**7**. Courant ouest-Spitzberg;**8**. Courant d'Irminger;**9**. Courant circumpolaire-antarctique; **10**. Courant d'Alaska et des Aléoutiennes;**11**. Courant est-Groenland et ouest-Groenland;**12**. Courant du Labrador;**13**. Oyashio;**14**. Courant des Falkland; **15**. Courant du Portugal et des Canaries;**16**. Courant de Benguela;**17**. Courant de Californie;**18**. Courant du Pérou-Chili;**19**. Courant ouest-australien;**20**. Gulf Stream;**21**. Kuroshio;**22**. Courant du Brésil;**23**. Courant de Guyane;**24**. Courant est-australien;**25**. Courant de Somalie; **26**. Courant de Mozambique; **27**. Courant des Aiguilles.

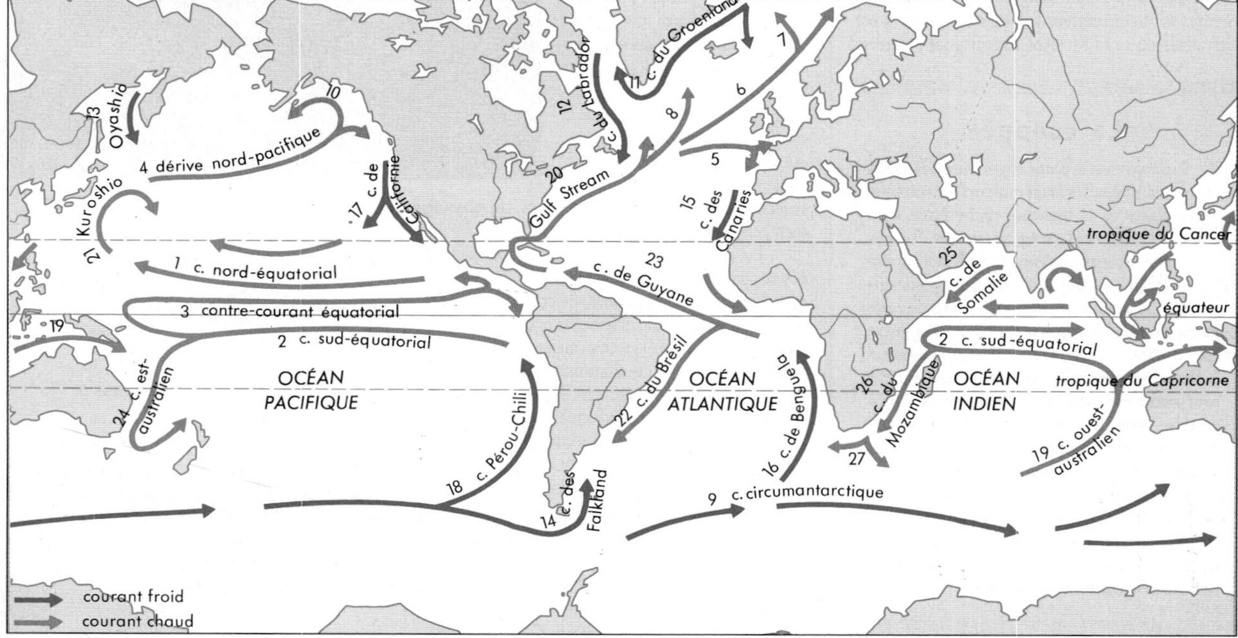

Les explorations sous-marines

L'observation directe des fonds océaniques est devenue possible grâce au développement des submersibles habités et des engins pilotés depuis la surface. La première plongée habitée, en août 1953, au large de Toulon, a été effectuée par les Français Pierre Willm et Georges Houot, qui ont atteint la profondeur de 2 100 m à bord du bathyscaphe *F.N.R.S. 2.* Le 23 janvier 1962, le *Trieste 1*, piloté par Jacques Picard et Don Walsh, est descendu à 10 916 m dans la fosse des Mariannes; en juillet de la même année, l'*Archimède* a atteint 9 500 m dans la fosse des Kouriles, au large du Japon. Après l'épopée de ces bathyscaphes, qui ont réalisé avant tout des exploits techniques, ont succédé des explorations à caractère scientifique. La première qui ait fait réellement date est l'expédition franco-américaine FAMOUS, en 1973-1974, à laquelle ont participé l'*Archimède* et les submersibles *Cyana* (français) et *Alvin* (américain), sur la dorsale atlantique, permettant la première observation du plancher océanique. Depuis, les explorations des fonds marins, principalement celles des dorsales océaniques qui ont révélé d'étonnantes découvertes géologiques et biologiques, se sont multipliées à bord de submersibles comme le *Nautile* (français) ou le *Shinkai* 6 500 (japonais), ou à l'aide d'engins inhabités tels que les ROV (Remotely Operated Vehicle), téléguidés depuis un bateau.

fois des îles ou des archipels, comme dans l'Atlantique (Islande, Açores, Sainte-Hélène, île de l'Ascension). Ces chaînes occupent une superficie importante au fond de l'océan mondial : la dorsale médio-atlantique, par exemple, couvre environ un tiers de la surface du fond de l'océan, qu'elle parcourt du nord au sud.

Les fosses sont, en négatif, les reliefs majeurs de la Terre, puisque huit d'entre elles offrent, à partir du zéro marin, une dénivellation supérieure à l'altitude de l'Everest. Elles dépassent toutes une profondeur supérieure à 6 000 m : la plus profonde, celle des Mariannes, atteint -11 034 m au large de l'Indonésie. Ces fosses correspondent aux zones où une plaque lithosphérique plonge sous une autre. Elles sont parallèles aux marges continentales, mais il arrive qu'un arc insulaire, essentiellement volcanique, comme celui du Japon ou des Caraïbes, s'intercale entre la fosse et le continent, délimitant ainsi une mer marginale.

Petit lexique

bathyscaphe : engin autonome de plongée profonde, habitable, dont la descente est assurée par un lest largable (grenaille de fer), et la remontée par un liquide plus léger que l'eau de mer (par ex. de l'essence); les déplacements horizontaux sont effectués par des moteurs électriques.

hydrosphère : couche discontinue de la planète regroupant les océans, la banquise, les glaciers et les eaux douces continentales.

submersible : engin autonome de plongée à taux de flottabilité important; son type de propulsion lui permet une maniabilité dans toutes les directions de l'espace marin.

courants chauds de surface

courants froids profonds

◆ **La boucle des courants.** L'ensemble des courants de surface (en rouge) et des circulations d'eaux profondes (en bleu) forme un vaste mouvement de convection qui mobilise les trois quarts de l'océan mondial.

VOIR AUSSI
- **Marées** p. 7
- **Limites des plaques** p. 32
- **Pollution des eaux** p. 78
- **Poissons** (nature) p. 115

Illustrations
- **Pêche** p. 866
- **Poissons** (industrie) p. 912

◆ **Les vagues.** Elles sont dues à la poussée du vent sur la surface de la mer ; si la profondeur d'eau devient insuffisante, la crête de la vague s'écroule en déferlant en volute ou rouleau, comme ici à Hawaii.

Les courants de surface

La carte des courants océaniques de surface (de 0 à 600-800 m de profondeur) est en partie calquée sur les grands mouvements de la circulation atmosphérique. Les variations de pression — et donc le vent — expliquent dans une mesure notable l'existence et la direction des courants de surface. Ceux-ci sont liés aussi à des forces internes, comme les différences de densité entre masses d'eau, résultant elles-mêmes du jeu combiné de la température et de la salinité. Ainsi, les courants de surface forment de grandes boucles de circulation tournant dans le sens des aiguilles d'une montre dans l'hémisphère Nord, dans le sens inverse dans l'hémisphère Sud. De part et d'autre de l'équateur, les eaux sont poussées vers l'ouest par les alizés. Ces eaux sont ensuite redistribuées par un contre-courant équatorial (d'ouest en est) et par des courants méridiens le long des continents vers les moyennes latitudes. Les eaux dévient ensuite progressivement vers l'est sous l'influence combinée de la force de Coriolis et des vents d'ouest des moyennes latitudes.

Les courants océaniques déplacent des masses d'eau considérables (débit de l'ordre de 50 millions de m^3/s pour le Gulf Stream) et ont une vitesse faible (généralement inférieure à 1m/s). Ils exercent une influence importante, à la fois interne (renouvellement des eaux, répartition des substances nutritives) et externe (modifiant le climat des régions littorales qu'ils longent ou atteignent). On connaît l'influence adoucissante de la dérive nord-atlantique, prolongement du Gulf Stream, sur la côte norvégienne. On estime ainsi que les courants transportent autant de chaleur de l'équateur vers les pôles que le fait l'atmosphère. Si ce transfert thermique n'existait pas, le climat de la planète serait différent : plus chaud à l'équateur, plus froid aux hautes latitudes.

Les courants profonds

Dans l'Atlantique, les eaux salées du Gulf Stream se refroidissent progressivement vers le nord. Ainsi, à l'approche des régions subpolaires (mers de Norvège, du Labrador et du Groenland), les eaux du Gulf Stream, refroidies encore par les vents venant de l'Arctique, deviennent plus denses que les eaux sous-jacentes car elles sont plus salées et plus froides (c'est pourquoi on parle de « convection thermohaline »). La conséquence est leur descente vers le fond de l'océan, où elles s'écoulent ensuite du nord de l'Atlantique vers le sud. Lors de leur plongée, ces eaux emportent avec elles du gaz carbonique (CO^2) dissous, pris à l'atmosphère, ce qui fait des océans le principal réservoir de carbone de la planète. Les eaux s'écoulent au fond de l'océan mondial jusqu'à ce qu'elles soient suffisamment réchauffées et allégées pour remonter à la surface, dans le nord de l'océan Indien et du Pacifique. Les eaux sont ensuite redistribuées par le système des courants de surface, bouclant ainsi un cycle qui met en mouvement près des trois quarts du volume des eaux océaniques et qui s'effectue sur une période de 600 à 800 ans.

L'atmosphère

Structure et composition

L'atmosphère est la couche gazeuse qui enveloppe la Terre. Elle filtre les rayons ultraviolets du Soleil et régule les températures par ses mouvements.

La structure de l'atmosphère terrestre est liée à de nombreux paramètres, dont les valeurs, en général couplées, peuvent varier très sensiblement en fonction de l'heure, de la latitude, etc. Il est d'usage de stratifier cette atmosphère en zones, désignées par le suffixe -sphère, dans lesquelles un paramètre reste constant ou varie de façon monotone (la troposphère, par exemple); ces zones sont séparées par des surfaces désignées par le suffixe -pause (tropopause, entre troposphère et stratosphère).

En fonction des variations de la température, on distingue, à partir du sol :
— la troposphère, où la température décroît d'environ 6 °C par kilomètre d'altitude. Elle contient l'essentiel des nuages et constitue le principal domaine d'étude de la météorologie. Elle s'achève à la tropopause (8 km d'altitude aux pôles, 17 km à l'équateur), où la température se stabilise autour de – 57 °C en moyenne;
— la stratosphère, où la température croît lentement. Elle contient la « couche d'ozone » et s'achève à la stratopause vers 50 km d'altitude, où la température est de 0 °C;
— la mésosphère, où la température diminue de nouveau jusqu'à – 100 °C à la mésopause (85 km environ);
— la thermosphère, où la température augmente à nouveau avec l'altitude mais de plus en plus lentement avant de se stabiliser à la thermopause, dont l'altitude (400-800 km) et la température (400-1800 °C) dépendent de l'activité solaire. Elle contient aussi de l'ozone.

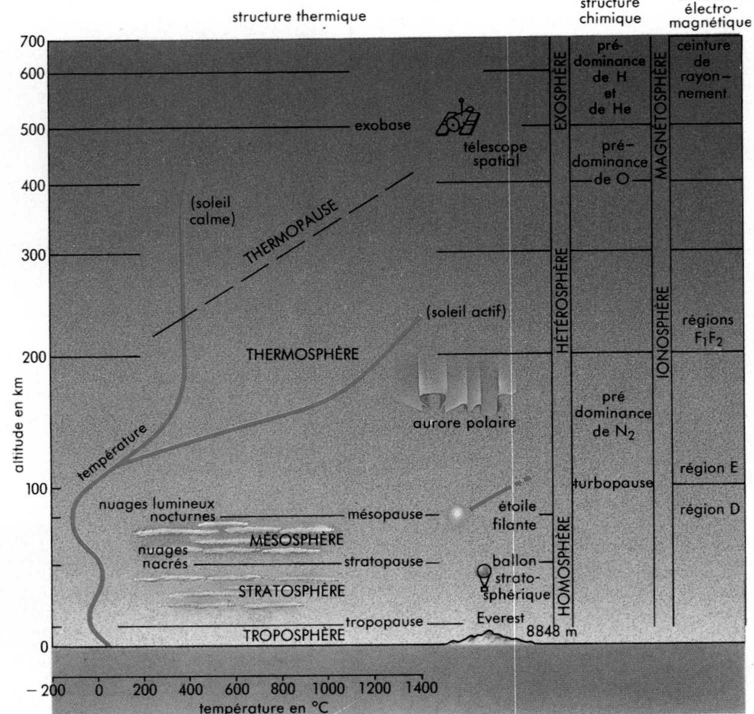

◆ **Structure de l'atmosphère.**

◆ **Les climats du monde.**

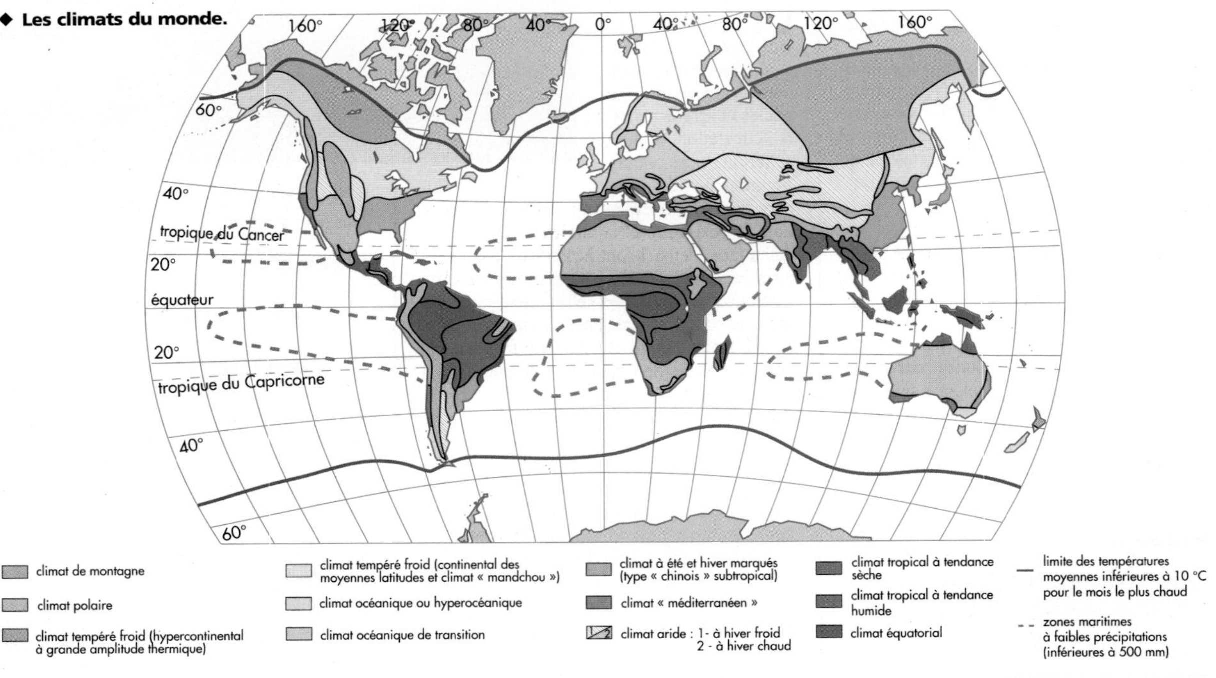

La force de Coriolis

La force de Coriolis est une force, due à la rotation de la Terre, qui dévie tout corps en mouvement vers sa droite dans l'hémisphère Nord et vers sa gauche dans l'hémisphère Sud. Par exemple, les alizés, qui sont des vents soufflant vers l'ouest de part et d'autre de l'équateur, sont déviés vers le nord dans l'hémisphère boréal, et vers le sud dans l'hémisphère austral. Il en va de même avec les courants marins de surface qui décrivent schématiquement une boucle de sens horaire dans l'hémisphère Nord et de sens contraire dans l'hémisphère Sud. Le sens d'enroulement des masses nuageuses des perturbations et des cyclones suit la même règle. Cette force de Coriolis est nulle à l'équateur, augmente avec la latitude et est maximale aux pôles.

D'autres caractéristiques chimiques ou physiques permettent d'autres subdivisions de l'atmosphère :

— au-dessous de 100 km d'altitude, la composition chimique reste pratiquement constante : c'est l'homosphère. Les constituants principaux sont l'azote (environ 78 % en volume) et l'oxygène (environ 21 %) moléculaires; les constituants secondaires sont l'eau, les gaz rares, le méthane, l'hydrogène, l'ozone, des oxydes d'azote et le gaz carbonique;

— vers 100 km, les molécules gazeuses commencent à se dissocier (turbopause);

— au-dessus de 100 km, cette dissociation est prédominante : c'est l'hétérosphère. À 150 km, le constituant principal est l'oxygène atomique ; vers 500 km, l'hélium; plus haut encore, l'hydrogène atomique.

En outre, entre 60 et 600 km d'altitude, l'atmosphère comprend plusieurs couches fortement ionisées qui réfléchissent les ondes hertziennes : c'est l'ionosphère. Au-delà s'étend la magnétosphère, jusqu'à plus de 60 000 km du côté jour et dix fois plus loin du côté nuit.

La pression atmosphérique

Pascal a montré expérimentalement, en 1648, que la pression atmosphérique à un niveau donné était égale au poids de la colonne d'air située au-dessus de ce niveau. Mesurée à l'aide du baromètre, cette pression s'exprime en hectopascals (hPa).
La pression atmosphérique moyenne au niveau de la mer est de 1 013 hPa, soit la pression qu'exerce un corps de 1 kg de masse sur une surface de 1 cm2. En fait, la pression atmosphérique varie selon la température et oscille entre 950 et 1 050 hPa au niveau de la mer. Cette variation distingue les zones de hautes pressions, ou anticyclones, et les zones de basses pressions, ou dépressions. Ces différences ont une grande importance en météorologie : les déplacements des masses d'air, c'est-à-dire les vents, soufflent des zones de hautes pressions vers les zones de basses pressions. La pression atmosphérique décroît aussi avec l'altitude puisque la colonne d'air devient plus faible.

Circulation atmosphérique et climats

Une même quantité d'énergie solaire se répartit sur une plus grande surface aux hautes latitudes qu'à l'équateur. En conséquence, l'air est plus chauffé, par unité de surface, à l'équateur qu'aux pôles. Un principe de la physique (thermodynamique) indique que, pour rétablir un équilibre thermique, le « chaud » s'écoule vers le « froid »; ainsi, si le globe terrestre était immobile, l'air chaud de l'équateur s'élèverait en altitude puis se dirigerait vers les pôles, où, refroidi et donc plus lourd, il descendrait avant de converger vers l'équateur. Mais la Terre tourne, et ce schéma simple de deux boucles de circulation de l'atmosphère est perturbé par la force de rotation de la Terre, appelée « force de Coriolis ».

◆ **Les cellules atmosphériques.**
La circulation générale de l'atmosphère s'établit suivant un régime de trois types de cellules, qui donnent les vents dominants à la surface de la Terre.

À l'équateur, les masses d'air chaud qui s'élèvent condensent leur humidité sous forme de pluie; ainsi, le climat équatorial est chaud et humide. En altitude, ces masses d'air, déchargées de leur humidité, se dirigent vers les pôles, mais, freinées par la force de Coriolis, elles se refroidissent et donc descendent vers 30° de latitude nord ou sud (aux tropiques). Ces masses d'air sec se réchauffent lors de leur descente; des vents secs et chauds, des vents d'est appelés « alizés » balaient alors des régions qu'ils rendent désertiques, avant de converger vers l'équateur. Ces circulations atmosphériques bouclées entre les tropiques et l'équateur sont appelées « cellules de Hadley ».

Au voisinage des pôles se produit un mécanisme analogue, mais inverse : l'air froid, plus lourd, s'écoule en surface vers des latitudes plus basses, puis se réchauffe et remonte vers 55-65° de latitude et retourne vers les pôles. Dans ces cellules polaires prédominent des vents d'est qui amènent donc un climat océanique « moins » froid et plus humide sur les marges continentales est, alors que l'intérieur des terres (les inlandsis) subit un temps plus sec et glacial.

Entre les cellules polaires et les cellules de Hadley, aux moyennes latitudes, se trouvent les zones dites « tempérées », où s'affrontent les masses d'air chaud venant du nord et les masses d'air froid descendant des pôles. Les vents d'ouest, prédominants, imposent un climat océanique doux sur les façades continentales ouest et un climat continental plus rigoureux sur les côtes est, avec des étés plus chauds et des hivers glacials.

L'ozone atmosphérique

L'ozone (O_3) est un corps simple constitué de trois atomes d'oxygène. Il se forme principalement dans la stratosphère et dans la troposphère où les rayons ultraviolets solaires dissocient en partie les molécules d'oxygène (O_2) pour les recomposer en O_3.

L'ozone absorbe donc le rayonnement ultraviolet, néfaste aux cellules vivantes. Certains produits naturels ou artificiels ralentissent la formation d'ozone et quelques-uns dégradent la « couche » protectrice de la vie sur terre. Il en est ainsi des chlorofluorocarbures (CFC), qui étaient utilisés comme gaz réfrigérants ou comme gaz propulseurs dans les aérosols. Les principaux producteurs de ces produits purement artificiels se sont engagés à abandonner progressivement leur fabrication (protocole de Montréal, 1987).

L'ozone peut aussi être produit dans la troposphère, c'est-à-dire dans la couche d'air que nous respirons, si le rayonnement solaire est suffisant, à partir de réactions chimiques qui font intervenir la combustion des carburants et des oxydes d'azote. Ces conditions sont réunies en été dans l'air pollué par un fort trafic automobile. Ce phénomène grandissant devient un problème réel de santé publique, car l'ozone est nocif lorsqu'il est inhalé.

Voir aussi
• **Milieux naturels** p. 46 à 55
• **Vents** p. 60
• **Nuages** p. 63
• **Précipitations** p. 64
• **Météorologie** p. 67
• **Effet de serre** p. 79

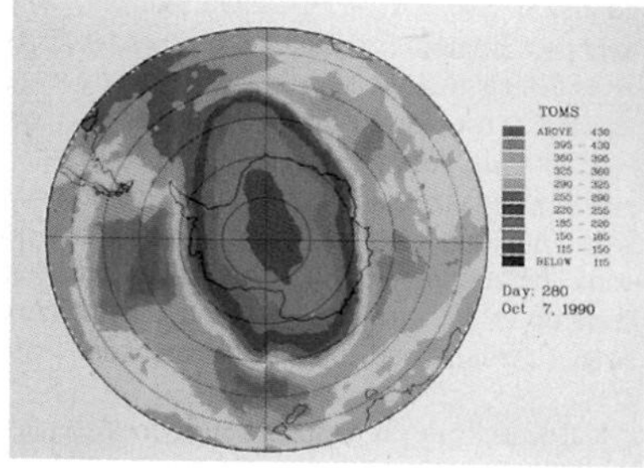

◆ **Le trou d'ozone en Antarctique.**
Ces deux images satellites, centrées sur le pôle, montrent la diminution de la teneur en ozone dans la stratosphère, au-dessus de l'Antarctique, entre octobre 1990 (en haut) et octobre 1994 (en bas).

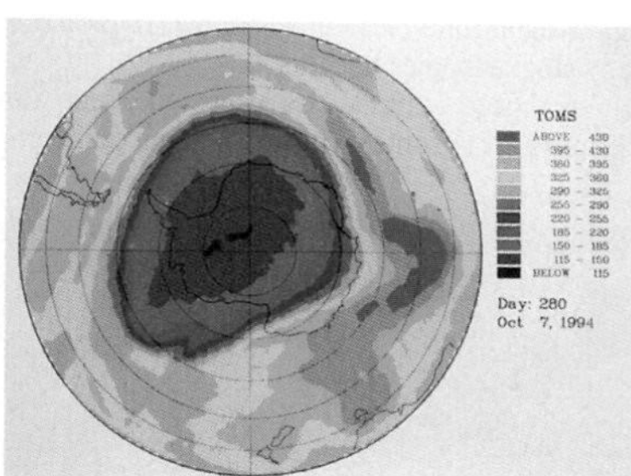

Petit lexique

air : gaz respirable de l'atmosphère terrestre; l'air pur a une composition volumétrique d'environ 78 % d'azote, 21 % d'oxygène et de divers éléments très minoritaires.

climat : ensemble des phénomènes météorologiques définis par les conditions de température, des précipitations et des vents d'une région du globe terrestre; ces conditions moyennes peuvent varier au cours de l'année et elles caractérisent les saisons.

latitude : ligne parallèle à l'équateur du globe terrestre; elle permet de décrire la position de régions situées entre l'équateur (0° de latitude) et les 2 pôles (90° de latitude maximale).

longitude : position angulaire déterminée sur l'équateur, ou sur un cercle parallèle (latitude) à partir d'un méridien de référence reliant les deux pôles géographiques (le méridien de Greenwich 0°, choisi conventionnellement comme origine); la longitude varie jusqu'à +180° vers l'ouest et – 180° vers l'est.

magnétosphère : zone de l'atmosphère où domine le champ magnétique terrestre.

Les vents

À l'échelle du globe

Le réchauffement inégal de l'atmosphère, de l'équateur aux pôles, est la principale cause des vents. Plus l'air est chaud, moins il est dense; plus léger, il s'élève, créant un « vide » vers lequel s'écoule l'air environnant plus froid et plus dense. Les vents, qui sont la manifestation des déplacements d'air, soufflent des zones de hautes pressions atmosphériques vers les zones de basses pressions.

La rotation de la Terre crée une force qui modifie la trajectoire des vents. À l'équateur s'étend une zone humide de basses pressions, connue sous le nom de « zone des calmes », où le vent peut être totalement absent pendant plusieurs jours (les navigateurs appellent encore cette zone le « pot au noir » en domaine océanique). De part et d'autre de l'équateur, jusqu'à 30° de latitude, soufflent les alizés, qui sont des vents de nord-est dans l'hémisphère Nord, et des vents de sud-est dans l'hémisphère Sud. Aux moyennes latitudes, entre 30 et 60°, soufflent des vents d'ouest; aux hautes latitudes soufflent principalement des vents d'est.

Les vents de l'hémisphère Sud sont généralement plus forts que ceux de l'hémisphère Nord, car ils rencontrent moins de reliefs (l'hémisphère Sud est occupé à 90% par des océans ; ce facteur de ralentissement est appelé la « rugosité ». Ainsi, les vents d'ouest soufflant entre 30 et 60° de latitude sud, zone largement océanique, portent des noms significatifs : les « quarantièmes rugissants », les « cinquantièmes hurlants ».

En haute altitude, les vents obéissent aux mêmes lois : ce sont les courants-jets qui ceinturent la planète sur plusieurs centaines de kilomètres de largeur. Le courant-jet subtropical est le plus régulier et le plus puissant (de 150 à 400 km/h) et se situe entre 11 et 14 km d'altitude.

La mousson

Les pluies de mousson apportent plus de 80 % des précipitations sur les régions habitées par la moitié de la population mondiale. Le climat de mousson est une composante saisonnière du climat tropical; il varie d'une année à l'autre, tant dans sa date d'arrivée que dans son intensité. Ses anomalies sont catastrophiques : des pluies trop abondantes s'accompagnent d'inondations et de glissements de terrain; des pluies trop faibles ou absentes prolongent la période de sécheresse. Le mécanisme de la mousson dépend essentiellement des vitesses très inégales de réchauffement ou de refroidissement entre les terres et les océans.

En hiver, l'hémisphère Nord se refroidit, alors que l'hémisphère Sud se réchauffe. Ainsi, en Asie, des vents de nord-est, provenant de l'anticyclone centré aux environs du lac Baïkal, soufflent vers l'Inde et l'Asie du Sud-Est : c'est la mousson sèche d'hiver dans ces secteurs. Ces vents franchissent ensuite l'équateur, se chargent d'humidité au-dessus de l'océan Indien et du Pacifique ouest, sont déviés vers l'est en raison de la rotation de la Terre et vont finalement décharger leur humidité sous forme de pluie sur l'Indonésie et le nord de l'Australie.

En été, le flux de mousson s'inverse. L'air de la région Himalaya-Tibet se réchauffe plus vite que celui des zones océaniques situées plus au sud; il s'élève et laisse l'air marin humide. Ce dernier se refroidit en arrivant sur l'Inde et le Sud-Est asiatique, et libère son humidité sous forme de pluies violentes : c'est la mousson d'été.

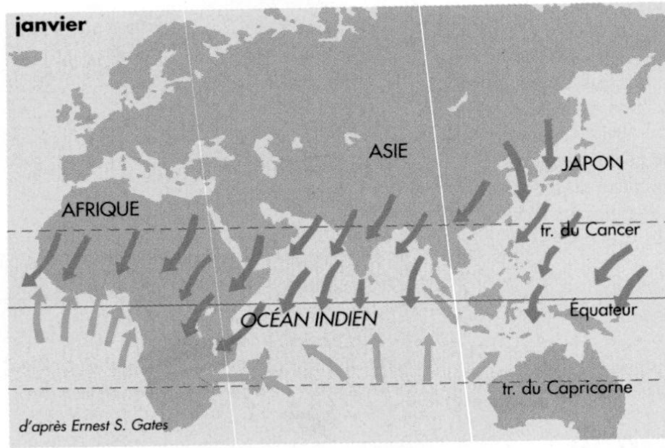

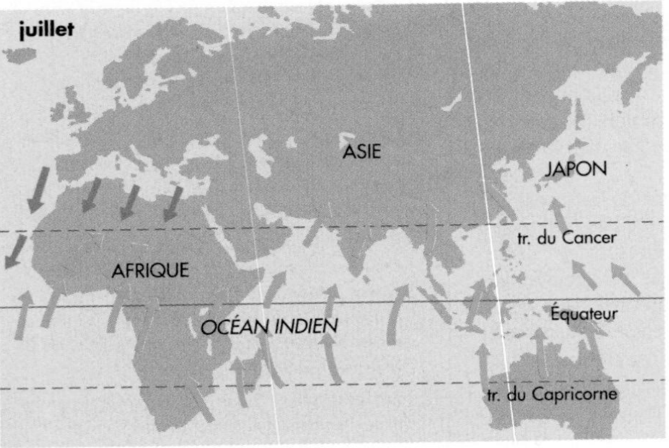

◆ **La mousson d'hiver et la mousson d'été.** En janvier, l'hémisphère Nord est plus froid que l'hémisphère Sud : des vents secs du nord-est (flèches bleues) «descendent» des masses continentales, c'est la mousson sèche. En juillet, les flux s'inversent : des vents océaniques et chargés d'humidité (flèches rouges) déversent leurs pluies sur les continents, c'est la mousson d'été.

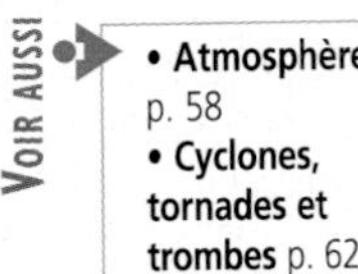
VOIR AUSSI
• **Atmosphère** p. 58
• **Cyclones, tornades et trombes** p. 62
• **Météorologie** p. 67

Si la mousson concerne surtout l'Asie et l'Indonésie, elle apporte aussi des pluies bénéfiques dans certaines régions de l'Afrique et de l'Amérique du Sud, en dessous de l'équateur en hiver, au-dessus en été.

Les vents régionaux

Les vents régionaux apparaissent lorsque des différences de pression particulières et périodiques s'installent sur une région, un pays, voire un continent. En raison de leur fréquence, on leur donne généralement un nom. Par exemple, le mistral et la tramontane soufflent lorsqu'un anticyclone s'établit dans le nord-ouest de l'Europe, couplé à une dépression dans le golfe de Gênes, au large des côtes italiennes. Les masses d'air, qui se déplacent de l'anticyclone vers la dépression, empruntent les voies topographiques les plus faciles : la vallée du Rhône, entre le Massif central et les Alpes, pour le mistral; entre le Massif central et les Pyrénées, pour la tramontane.

D'autres vents régionaux balaient de grands espaces dépourvus de reliefs. Ainsi, dans les Grandes Plaines d'Amérique, où aucune barrière naturelle ne s'élève entre l'océan Arctique et le Texas, une masse d'air froid peut glisser librement depuis le Canada : c'est le norther. Chaque hiver, la côte est des États-Unis et du Canada subit les effets d'un vent glacial soufflant de l'Atlantique, qui apporte la neige et la glace : c'est le blizzard. Ailleurs, ce sont au contraire des vents chauds qui transportent les sables des déserts tropicaux : le sirocco du Sahara, le brûlant simoun d'Arabie, le haboob du désert de Syrie ou l'harmattan d'Afrique occidentale.

Le blizzard

Le blizzard est un vent du nord, glacial, violent et accompagné de tempêtes de neige, qui souffle sur le Canada et le nord des États-Unis en hiver et au printemps. On a parfois étendu ce nom aux vents hivernaux de conditions équivalentes qui soufflent dans d'autres régions du globe. Presque chaque année, le blizzard immobilise l'est du continent nord-américain sous la neige et la glace, bloquant les routes, les voies ferrées, les aéroports, etc. Le « blizzard du siècle », en 1993, paralysa 26 États de tout l'est des États-Unis, provoquant la mort de 165 personnes, des dizaines de disparus et des dégâts considérables. Le « grand blizzard » de mars 1888 fut particulièrement spectaculaire. Le 10 mars de cette année, la température était de 10° C et personne ne s'attendait à la catastrophe. Le 11, la neige commença à tomber (plus de 1m en 24 h dans certains États) ; le 12, les rafales de vent atteignaient 135 km/h, brisant toutes les lignes électriques et téléphoniques couvertes de glace. Le 15 mars, quand le thermomètre remonta au-dessus de 0° C, on déplora plusieurs centaines de victimes.

Les vents locaux

Entre le pied et le sommet d'un relief, du fait des différences d'altitude et de température, et parfois de la nature du sol, s'établissent généralement des différences de pression génératrices de vents.

L'effet de fœhn se produit en zone montagneuse. Lorsqu'un vent humide s'élève d'une vallée le long d'une pente montagneuse, il se refroidit, se condense et décharge son humidité sous forme de pluie ou de neige. Arrivé au sommet, l'air est devenu sec. En descendant le versant opposé, il se comprime du fait de l'accroissement de la pression et il se réchauffe : environ 1 °C tous les 100 m. Cet effet de fœhn se traduit par un vent sec et chaud, qui peut faire fondre la neige et assécher la végétation. Il est présent dans les Alpes, on le connaît aussi ailleurs : c'est le bora lorsqu'il descend des Alpes dinariques de l'ex-Yougoslavie, le chinook, sur les versants des Rocheuses orientales, le Santa-ana, au sud de la Californie.

Les brises de vallée et de montagne résultent d'un autre principe. Dans une vallée, les flancs sont plus exposés au soleil, l'air y est donc plus chaud et s'élève pour laisser la place à l'air plus froid du fond de la vallée : c'est la brise de vallée. La nuit, le phénomène s'inverse car l'air du fond de la vallée est plus chaud que celui plus élevé des pentes et de l'amont de celle-ci.

Le long des côtes, un processus similaire se produit mais résulte d'une différence de température entre l'air « terrestre » et l'air océanique, différence qui s'inverse le jour et la nuit : ce sont respectivement la brise de mer et la brise de terre.

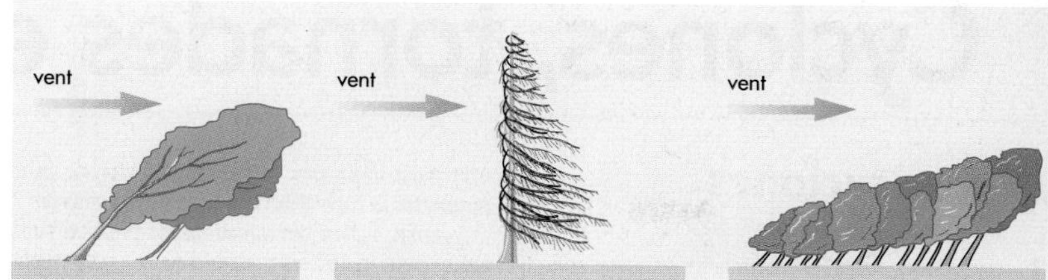

◆ **Incidence du vent sur la structure de la formation végétale.**

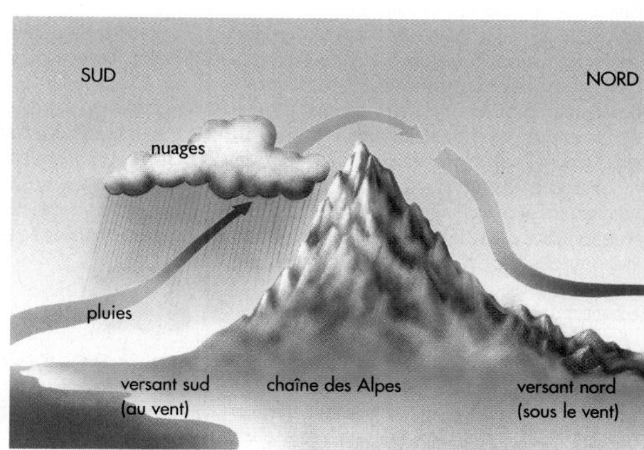

◆ **Le fœhn.** C'est un vent sec et chaud descendant le versant sous le vent d'un relief ; sec car l'humidité des masses d'air a été déchargée sous forme de pluies sur le versant au vent, chaud car, passé la crête, l'air est comprimé et donc échauffé au cours de sa descente.

◆ **Échelle des vents de Beaufort.**

Degré	Vitesse (en km/h)	Terme	Hauteur des vagues (État de la mer)	Effets à terre
0 à 1	0 à 5	calme	0	girouette immobile
2	6 à 11	ridée	0 à 0,1 m	perception du souffle du vent sur le visage
3	12 à 19	belle	0,1 à 0,5 m	feuilles agitées
4	20 à 28	peu agitée	0,5 à 1,25 m	poussière et papiers soulevés
5	29 à 38	agitée	1,25 à 2,5 m	arbustes se balançant
6	39 à 49	forte	2,5 à 4 m	fils télégraphiques bougeant, usage des parapluies difficile
7 à 8	50 à 74	très forte	4 à 6 m	arbres agités, peine à marcher contre le vent, branches brisées
9	75 à 88	très forte à grosse	6 à 7 m	légers dégâts aux constructions
10	89 à 102	grosse	7 à 9 m	graves dégâts aux constructions
11	103 à 117	très grosse	9 à 14 m	ravages étendus
12 à 17	118 et plus	énorme	14 m et plus	cyclone

Source : Les Catastrophes naturelles, Yves Gautier, Cité des Sciences et de l'Industrie, Pocket, 1995.

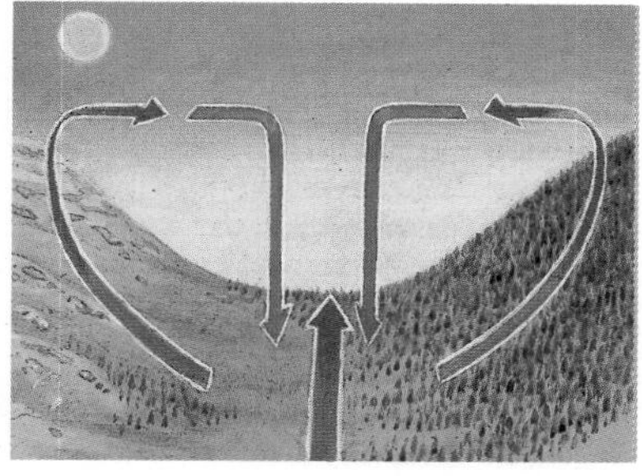

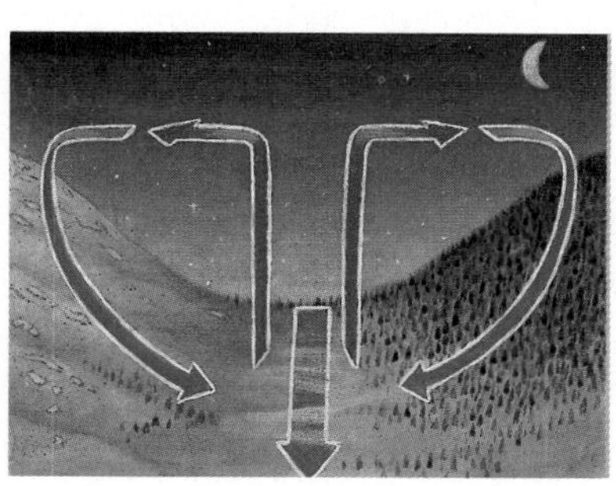

◆ **Brise de vallée et brise de montagne.** En montagne, le jour, l'air des versants au soleil est plus chaud que celui du fond de la vallée à l'ombre ; il s'ensuit un appel d'air qui remonte les pentes : la brise de vallée (ci-dessus). La nuit, l'air du fond de la vallée se refroidit moins que celui des pentes engendrant la brise de montagne (ci-contre).

◆ **Brise de mer et brise de terre.** Le jour, la terre, qui se réchauffe plus vite que l'eau de mer, produit une ascendance que vient combler l'air marin, c'est la brise de mer (ci-contre). La nuit, la mer se refroidit moins vite que la terre : les appels d'air s'inversent, c'est la brise de terre (ci-dessous).

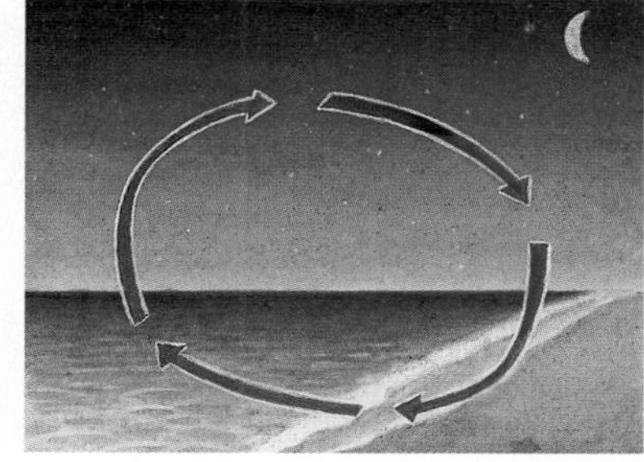

Les vents de tempête

Les vents de tempête ne sont ni des vents régionaux, comme le mistral, ni des vents locaux, comme la brise, ni des vents saisonniers, comme la mousson. Ils apparaissent à la suite d'une forte dépression, qui peut s'établir en un endroit et à un moment quelconques. Un important travail de prévision doit alors être entrepris car de telles conditions sont souvent à l'origine de catastrophes. Un avis de tempête est lancé par les services météorologiques lorsque les vents sont supérieurs à 90 km/h. Lors des fortes tempêtes, ces vents peuvent atteindre 120 km/h. À des vitesses supérieures, il s'agit de tempêtes cycloniques ou de cyclones. La violente tempête d'octobre 1987 a surpris les météorologues; elle a ravagé le sud de l'Angleterre et le nord-ouest de la France, faisant une vingtaine de victimes et causant d'importants dégâts.

Cyclones, tornades et trombes

Les cyclones

Les cyclones sont des perturbations tourbillonnaires qui se forment au-dessus des eaux chaudes intertropicales. Ils se caractérisent par de fortes dépressions atmosphériques, des pluies torrentielles et des vents soufflant à plus de 118 km/h. Chaque année, une cinquantaine de cyclones, en moyenne, font de nombreuses victimes et des dégâts importants. Toutefois, les cyclones jouent, d'un point de vue climatique, un rôle de soupape de sécurité dans les transferts thermiques qui s'exercent entre les régions équatoriales et qui sont celles situées à plus haute latitude.

Plusieurs conditions thermiques et dynamiques sont nécessaires pour qu'un cyclone puisse se former. La température de l'eau de mer doit être supérieure à 26 °C dans les 60 premiers mètres de profondeur. Cette condition permet les échanges de chaleur et d'humidité adéquats entre l'océan et l'atmosphère, et explique que les cyclones se forment dans les zones intertropicales, principalement à la fin de l'été dans chaque hémisphère. De plus, la force de Coriolis, due à la rotation de la Terre, doit être suffisante pour déclencher le mouvement tourbillonnaire initial. Cette force est nulle à l'équateur et croît avec la latitude. Ainsi les cyclones ne peuvent-ils pas se former à l'équateur, bien que l'océan y soit le plus chaud. Sur l'ensemble du globe, 22 % prennent naissance entre 5 et 10° de latitude, 65 % entre 10 et 20° ; ils sont absents au-delà de 30°, car l'eau de mer n'est alors pas suffisamment chaude pour permettre la formation des masses nuageuses.

Enfin, il faut des variations de pression suffisantes pour mettre les masses d'air en mouvement. Dans la zone centrale du cyclone, ou œil du cyclone, la pression atmosphérique est très faible; l'air y subit des mouvements descendants, un calme apparent y règne, le ciel est clair et les vents sont relativement faibles. Au niveau de l'océan, l'air marin humide est attiré vers la zone dépressionnaire de l'œil en décrivant une spirale de plus en plus rapide ; il se heurte à l'air descendant et se trouve alors expulsé en altitude, provoquant la formation d'énormes murs nuageux. À haute altitude, l'air est évacué vers l'extérieur. Ce mécanisme explique qu'un cyclone s'essouffle après avoir passé les côtes d'un continent : privé de son carburant (l'air chaud et humide de la mer) il perd de sa puissance.

Les tornades et les trombes

Les tornades sont des phénomènes météorologiques locaux qui se produisent lorsque de l'air chaud et humide au sol est rapidement recouvert par de l'air froid et sec : ce contraste thermique aspire l'air chaud en altitude en tourbillonnant. Les effets conjugués de la différence rapide de pression et de la violence des vents ascendants, qui peuvent atteindre une vitesse de 600 km/h, engendrent les phénomènes météorologiques les plus violents à la surface de la Terre, capables de détruire des bâtiments, de soulever des voitures et des locomotives comme de simples fétus de paille. Pourtant, les caractéristiques d'une tornade sont modestes, hormis la force exceptionnelle des vents ascendants : un diamètre moyen compris entre 40 et 200 m, une vitesse de déplacement de 30 à 50 km/h et une durée de vie moyenne de quelques dizaines de minutes.

Du fait de leur apparition rapide et de leur situation très localisée, les tornades sont difficiles à prévoir, rendant quasiment inopérante toute organisation préventive. Les spécialistes peuvent tout au plus détecter les orages et les conditions météorologiques générateurs de tornades. L'alerte peut alors être donnée, au mieux quelques minutes seulement avant le passage de la tornade, ce qui est parfois suffisant. Les États-Unis sont les plus touchés par les tornades, qui se forment quand l'air chaud et humide du Mexique se glisse sous l'air froid et sec du Canada. Les trombes sont la forme maritime des tornades.

VOIR AUSSI
- **Climats tropicaux** p. 54
- **Vents** p. 60
- **Inondations** p. 66
- **Catastrophes naturelles** p. 71

◆ **Une tornade.**
Le tuba de cette tornade au Texas relie le sol, dont il arrache divers éléments, au cumulo-nimbus, sus-jacent. Le tuba est matérialisé par la condensation de la vapeur d'eau dans l'air.

La prévision des cyclones

Si les zones où naissent les cyclones sont bien connues, il est surtout important d'anticiper leur trajectoire ainsi que les paramètres météorologiques qui leur sont associés afin de déclencher les alertes à bon escient. Les cyclones sont observés au sol par radar; en altitude, par des avions et par des satellites. Lorsque le cyclone est encore éloigné, la marge d'erreur sur sa trajectoire est d'environ 100 km par 12 heures, soit 200 km lorsque le cyclone est à 500 km, celui-ci se déplaçant à une vitesse moyenne de 20 km/h. La marge d'erreur reste toutefois de 30 à 60 km moins de 24 heures à l'avance, ce qui est finalement peu comparé à la taille de ces phénomènes, de 200 à 800 km de diamètre.

L'Organisation météorologique mondiale (OMM) a créé cinq grands centres régionaux : Miami (États-Unis), pour la zone Caraïbes et Atlantique nord; New Delhi (Inde), pour le golfe du Bengale et la mer d'Oman; Tokyo (Japon), pour le Pacifique nord; et Saint-Denis de la Réunion (France), pour le sud-ouest de l'océan Indien. Ces centres ont notamment pour mission de diffuser les messages d'alerte.

◆ **Le cyclone Mitch vu par satellite.**
Cette image satellite du cyclone qui aborda l'Amérique centrale fin octobre 1998, laisse imaginer l'ampleur du phénomène : un œil central entouré d'une masse nuageuse tourbillonnante d'environ 700 km de diamètre, animée de vents dépassant les 250 km/h et déversant des pluies diluviennes. Le bilan fait état d'une dizaine demilliers de morts, de 14 000 disparus et de plus de 2,5 millions de sans-abri.

Petit lexique

baggio : nom donné aux cyclones des Philippines.

ouragan : (de l'arawak, langue indienne d'Amérique du Sud, puis de l'espagnol *huracan*) terme désignant les cyclones tropicaux de la zone des Caraïbes et de l'Atlantique nord.

tuba : colonne nuageuse en forme d'entonnoir renversé.

typhon : nom donné aux cyclones d'Extrême-Orient.

willy-willy : nom donné aux cyclones du nord de l'Australie et de la Nouvelle-Zélande.

Les nuages

La formation des nuages

Les nuages sont composés de minuscules particules d'eau (sous forme liquide ou sous forme de glace, ou les deux à la fois), en suspension dans l'atmosphère.

Le rayonnement solaire sur les océans et sur les continents provoque l'évaporation de l'eau. L'atmosphère contient ainsi des milliards de tonnes de vapeur d'eau, invisible. Plus l'air est chaud, plus il peut contenir de la vapeur d'eau; mais, au-delà d'une certaine quantité, il y a saturation et la vapeur d'eau se condense sous la forme de fines gouttelettes, de un ou deux centièmes de millimètre.

Ces gouttelettes se forment autour de minuscules particules d'environ 10^{-4} mm, qui peuvent être des poussières arrachées au sol, des particules issues d'éruptions volcaniques, des pollens, etc. On les appelle « noyaux de condensation ». Les gouttelettes, trop légères pour tomber, se regroupent, formant un amas suffisamment dense pour qu'il soit visible : c'est le nuage.

Les nuages sont souvent à des températures inférieures à 0 °C, néanmoins les gouttelettes, coexistant avec des cristaux de glace, peuvent continuer à se maintenir à l'état liquide. Ce phénomène, qui permet à l'eau de rester liquide en dessous de 0 °C, parfois jusqu'à – 30 °C, s'appelle la « surfusion ». Cet état est très instable et, au moindre choc, les gouttelettes se transforment en cristaux de glace.

La classification des nuages

Les nuages présentent une infinité de formes, mais trois principaux types peuvent être distingués : les cirrus, qui sont des nuages blancs très élevés et à l'aspect filamenteux; les cumulus, qui sont des nuages à forme arrondie; les stratus, qui sont des voiles nuageux horizontaux gris.

Tous les nuages dérivent ou sont des combinaisons de ces trois types; le terme *nimbus* désigne des nuages de pluie, et celui de *alto* des nuages de haute altitude. L'Organisation météorologique mondiale (OMM) distingue ainsi dix types de nuages selon leur forme : cirrus, cirrocumulus, cirrostratus, altocumulus, altostratus, nimbo-stratus, strato-cumulus, stratus, cumulus et cumulo-nimbus. Les huit premiers sont des nuages stratiformes, c'est-à-dire qu'ils se développent parallèlement à la surface terrestre; les deux derniers sont des nuages cumuliformes, c'est-à-dire à développement vertical.

Leur signification. Les cirrus, les cirrostratus et les cirrocumulus se forment entre 3 et 18 km d'altitude selon la latitude; ils sont constitués uniquement de glace. Les cirrus ne donnent jamais de précipitations; ils ont une couleur rose ou rouge avant le lever ou après le coucher du soleil. Les cirrostratus laissent passer la lumière solaire et lunaire, ce qui produit des halos. Les cirrocumulus annoncent l'arrivée d'une perturbation. Les altocumulus et les altostratus se développent entre 2 et 8 km d'altitude. Les premiers donnent un aspect moutonné au ciel, ils annoncent l'orage; les seconds, plus gris et plus denses, opacifient le ciel d'un voile et annoncent la pluie.

Les nimbo-stratus, les strato-cumulus et les stratus apparaissent à une altitude inférieure à 2 km. Les nimbo-stratus, nuages gris et épais masquant complètement le ciel, sont à l'origine de pluies ou de neiges assez continues. Les strato-cumulus obscurcissent le ciel sous forme de gros rouleaux placés côte à côte; ils peuvent donner quelques précipitations. Les stratus sont les nuages les plus bas; ils sont synonymes de temps maussade et humide. Les stratus peuvent planer juste au-dessus du sol : si la visibilité est inférieure à 1 km, on parle de « brouillard »; au-delà (entre 1 et 5 km de visibilité), on emploie le terme de « brume ».

Nuages cumuliformes aux formes arrondies, les cumulus s'étagent de quelques dizaines de mètres à plus de 10 km de hauteur, alors que les cumulo-nimbus ont une base proche du sol et un sommet pouvant dépasser 18 km d'altitude. Les cumulus, qui ont un aspect de grosse masse cotonneuse blanche aux contours nets tranchant avec le ciel bleu environnant, peuvent donner des averses. Les cumulo-nimbus sont associés aux orages; ils sont à l'origine de la foudre et des averses torrentielles de pluie et de grêle.

◆ **Cumulo-nimbus.**
Ces cumulo-nimbus aux sommets caractéristiques en forme d'enclume sont vus, depuis la navette spatiale américaine, au-dessus de la zone de convergence intertropicale (Afrique de l'Ouest).

VOIR AUSSI

• **Atmosphère** p. 58
• **Précipitations** p. 64
• **Orages et foudre** p. 65
• **Météorologie** p. 67

Petit lexique

condensation : passage d'un corps de l'état gazeux à l'état liquide ou solide.

évaporation : passage d'un corps de l'état liquide à l'état gazeux.

saturation (climatologie) **:** état de l'atmosphère contenant, pour une température et une pression atmosphérique données, la quantité maximale de vapeur d'eau sans que celle-ci se condense.

◆ **Cycle de l'eau.**
L'action du Soleil sur les mers, les eaux douces et la biomasse végétale provoque une évaporation à l'origine des nuages, constitués essentiellement de vapeur d'eau. Ces derniers donnent des pluies qui alimenteront les nappes phréatiques ou qui retourneront aux lacs et aux océans par les cours d'eau. Cet ensemble constitue le cycle de l'eau.

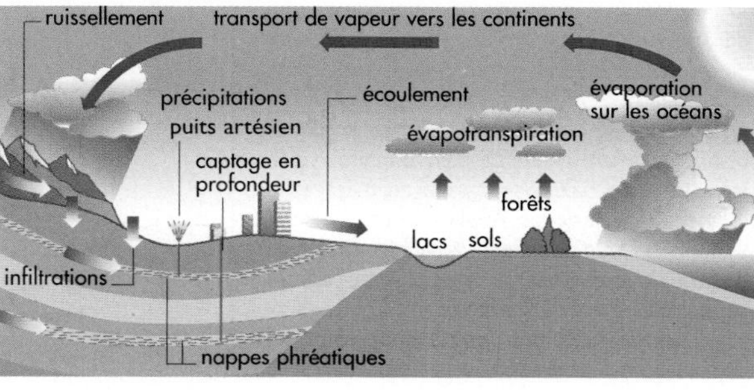

Les précipitations

La pluie et la bruine

Les précipitations prennent naissance dans certains nuages, principalement les nimbo-stratus et les cumulo-nimbus. Les gouttelettes d'eau qui composent les nuages sont des centaines de fois plus petites que les gouttes de pluie ordinaire. La pluie ne résulte pas de l'agglomération de gouttelettes, mais a son origine dans des cristaux de glace. Dans un nuage coexistent en effet des cristaux de glace et de l'eau en surfusion, c'est-à-dire de l'eau qui reste liquide à des températures inférieures à 0 °C. Les cristaux de glace, parce qu'ils attirent les gouttelettes, s'alourdissent au point de descendre à des niveaux plus chauds, où ils fondent pour donner une précipitation pluvieuse. Lorsque les gouttes de pluie atteignent une taille supérieure à 6 mm, elles se divisent en plusieurs petites gouttes. En arrivant au sol, si les gouttes mesurent plus de 0,5 mm, la précipitation prend le nom de « pluie »; si leur taille est inférieure à 0,5 mm, on parle de « bruine ». Cette dernière ne peut provenir que de nuages bas, comme les stratus. En effet, dans les régions tempérées, une goutte de 1 mm de diamètre peut parcourir 1 km avant de s'évaporer, alors qu'une goutte de 0,4 mm s'évapore au bout de 100 m seulement. À des températures inférieures à 0 °C, les gouttes de pluie peuvent être à l'état de surfusion; dans cet état particulier, l'eau se transforme immédiatement en glace au moindre choc. La pluie surfondue frappant le sol recouvre ce dernier d'une couche de glace : c'est le verglas, ou givre limpide.

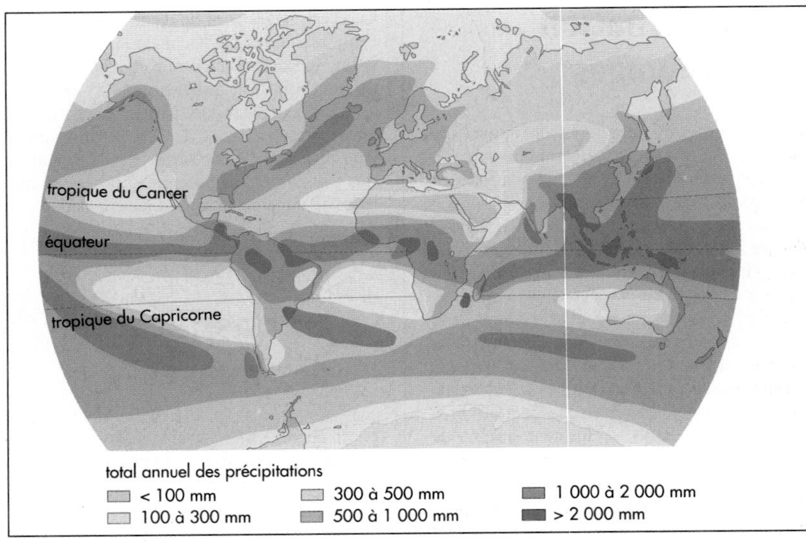

◆ **Les précipitations annuelles dans le monde.**

La neige, la grêle et le grésil

Si la température est suffisamment basse, les cristaux de glace provenant des nuages ne fondent pas au cours de leur descente; ils fusionnent pour donner des flocons de neige, qui arrivent intacts ou non au sol selon la température des couches d'air qu'ils traversent. Un flocon de neige est beaucoup plus léger qu'une goutte de pluie en raison de la structure hexagonale de ses cristaux qui ménage des espaces où circule de l'air. Ainsi les flocons tombent-ils avec beaucoup de lenteur : venant d'une altitude de 3000 m, ils peuvent mettre deux jours, ballottés par les vents, avant de se déposer au sol.

La grêle se forme principalement dans les cumulo-nimbus : la température au sommet y est de l'ordre de –50 à –80 °C et la glace y domine. Des granules de cette glace s'en échappent et descendent vers les zones plus basses, où ils captent de l'eau en surfusion qui se transforme immédiatement en une couche de glace superficielle. De forts courants ascendants se produisent dans les cumulo-nimbus, où les grêlons peuvent effectuer plusieurs aller et retour entre la base et le sommet des nuages. Ces mouvements font grossir les grêlons et expliquent que ces derniers aient une structure sphérique en couches concentriques, analogue à celle d'un oignon. Le diamètre moyen d'un grêlon est d'environ 1 cm, mais il peut atteindre exceptionnellement plusieurs dizaines de centimètres. Lorsque le diamètre est inférieur à 5 mm, on parle de « grésil ».

◆ **Le givre.** La gelée, ou givre blanc, apparaît sur les surfaces à l'air libre quand la température au sol est suffisamment basse pour condenser l'humidité de l'air, puis transformer en givre les gouttelettes d'eau.

La rosée et la gelée

La nuit, si l'humidité de l'air est importante et la température assez basse au sol, la condensation de la vapeur d'eau entraîne la formation d'un brouillard, c'est-à-dire un stratus reposant sur la surface terrestre. En revanche, si l'humidité de l'air est plus faible, si la nuit est assez claire pour permettre une température au sol inférieure au point de condensation, la vapeur d'eau se transforme en gouttelettes qui se fixent sur les surfaces à l'air libre : c'est la rosée, signe de beau temps. Si la température au sol est encore plus basse, inférieure à 0 °C, la rosée se transforme en gelée, ou givre blanc. La gelée, qui recouvre la végétation, absorbe toutes les gouttelettes environnantes, donnant lieu à une croissance des cristaux de glace sous forme d'aiguilles qui étincellent au lever du Soleil.

VOIR AUSSI
• **Nuages** p. 53
• **Orages et foudre** p. 55
• **Mousson** p. 60
• **Inondations** p. 66

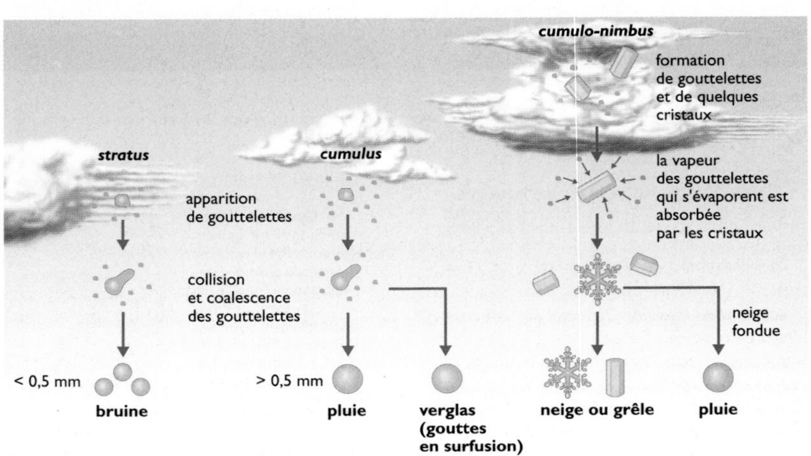

◆ **Principe de formation des divers types de précipitations.** La nature des précipitations dépend du type de nuage où celles-ci prennent naissance et des conditions de température ambiante.

Les orages et la foudre

La naissance d'un orage

L'orage est caractérisé par des pluies intenses et de la foudre, dont les éclairs et le tonnerre sont respectivement les manifestations visuelles et sonores. Ce sont des phénomènes fréquents puisque l'on compte environ 1800 orages par minute sur l'ensemble du globe, provoquant des dégâts dans les cultures, endommageant des bâtiments et causant parfois des victimes (la foudre tue près d'un millier de personnes par an).

L'orage prend naissance dans un cumulonimbus. Ce type de nuage se forme lorsque des ascendances importantes et localisées d'air chaud et humide viennent alimenter un cumulus. Lors de sa montée, la vapeur d'eau qu'il contient se condense sous forme de gouttelettes. Cette transformation d'état de l'eau, de gaz en liquide, libère de la chaleur, ce qui augmente encore la température de l'air, qui continue de s'élever car plus léger que l'air environnant. Ainsi, le cumulus initial se transforme peu à peu en un énorme cumulo-nimbus d'une dizaine de kilomètres de hauteur et de 15 à 25 km de diamètre. Limité par les vents d'altitude (les courants-jets), le sommet du cumulonimbus est souvent aplati, ce qui lui donne une forme d'enclume caractéristique. Le cumulo-nimbus apparaît donc comme une formidable machine thermique aspirant plusieurs milliers de kilomètres cubes d'air chaud et humide. Cette aspiration est telle qu'elle entraîne parfois la formation de tornades ou de trombes, mais le plus souvent c'est l'orage qui éclate.

Du fait de son extension verticale, un cumulonimbus présente un gradient thermique important : la température au sommet du nuage est de l'ordre de – 20 à – 30 °C, alors qu'elle est supérieure à 0 °C à sa base. Il en résulte que l'eau est essentiellement sous forme de cristaux de glace au sommet, et sous forme de gouttelettes à la base. Les cristaux de glace subissent une circulation intense dans le haut du nuage : alourdis par les pellicules de glace provenant du captage de nouvelles gouttelettes, ils tombent sous l'effet de leur poids, mais sont rapidement remontés par les forts courants ascendants intermittents. Ce brassage induit de multiples chocs entre les cristaux : des électrons leur sont arrachés et ils prennent une charge électrique positive. Ainsi, dans un cumulo-nimbus d'orage, le sommet est chargé positivement alors que les gouttes à la base sont chargées négativement.

La foudre, les éclairs et le tonnerre

Le cumulo-nimbus se comporte comme un énorme condensateur électrique : il accumule les charges et, lorsque la différence de potentiel électrique entre le sommet et la base devient trop importante (plusieurs dizaines de millions de volts), il se produit un courant de décharge, qui redonne une certaine stabilité au système : c'est la foudre. Cette décharge électrique peut aussi s'effectuer entre la base du cumulo-nimbus, chargée négativement, et la surface terrestre, chargée positivement : c'est la foudre au sol. La décharge peut enfin se produire entre deux nuages d'orage de charges électriques opposées.

La foudre se propage selon un trait en zigzag de quelques millimètres de diamètre. Les molécules d'air, traversées par la foudre, sont excitées et émettent alors une lumière : l'éclair. Sa durée varie d'un millième de seconde à une seconde, car il peut être composé de plusieurs décharges successives donnant l'impression qu'il clignote. L'air traversé par la foudre est rapidement porté à une forte température, de l'ordre de 30000 °C, ce qui provoque brutalement sa forte dilatation accompagnée d'une onde de choc : le tonnerre.

Dans le monde, la foudre au sol frappe de 50 à 100 fois par seconde. Les impacts atteignent préférentiellement les points élevés : pylônes, clochers, arbres, etc. Lorsque la foudre atteint un arbre, l'eau qu'il contient entre brutalement en ébullition, augmente de volume et le fait exploser : c'est le foudroiement. La prévision des orages et de la foudre passe par celle de la formation des cumulo-nimbus et le suivi de leur évolution. En zone urbaine, la prévention consiste essentiellement dans la protection des bâtiments par des systèmes canalisant les courants de décharge électrique vers la terre : le paratonnerre en est la forme la plus traditionnelle. En zone rurale, il convient de ne pas s'exposer en des lieux prédisposés au foudroiement, sous les arbres par exemple, et de ne pas porter des objets qui feraient office de paratonnerre (parapluie à structure métallique ; piolet, en montagne, etc.).

◆ **Éclairs.**
La vitesse de la lumière est de l'ordre de 300 000 km/s : on peut donc dire que l'on voit instantanément un éclair. La vitesse du son dans l'air est de 330 m/s ; il suffit donc de compter le nombre de secondes écoulées entre l'éclair et le bruit du tonnerre et de multiplier approximativement par 300 pour connaître la distance qui nous sépare de l'orage.

◆ **Mécanisme de la foudre au sol.**
La foudre au sol s'établit entre la base d'un cumulonimbus et un objet (ou un être vivant) de la surface terrestre. Lorsqu'une petite décharge, dite «pilote», s'approche d'un point de la surface terrestre, celui-ci envoie ses charges positives à sa rencontre. Lorsqu'elles se rejoignent, s'effectue l'éclair principal, ou «trait de retour», canalisant les charges négatives du nuage vers le sol.

VOIR AUSSI
- **Atmosphère** p. 58
- **Cyclones, tornades et trombes** p. 62
- **Nuages** p. 63
- **Catastrophes naturelles** p. 71
- **Électricité** p. 346

Les inondations

Les divers types d'inondations

Une inondation est l'envahissement, par de l'eau douce ou salée, de lieux terrestres habituellement émergés. Plusieurs processus aboutissent à ce phénomène, dont l'ampleur peut conduire à une catastrophe naturelle. La force de l'eau en mouvement est en effet considérable : un litre d'eau pèse 1 kg, ce qui revient à dire que 1 m^3 d'eau pèse une tonne. Une couche d'eau de 55 mm d'épaisseur sur 1 km^2 dévalant 300 m de dénivelé possède une énergie potentielle équivalente à celle dégagée par la bombe d'Hiroshima. Quand cette énergie est maîtrisée, elle fournit par exemple de l'électricité grâce aux barrages de retenue; mais, lors des inondations, elle peut emporter des voitures, des maisons ou des ponts avec une étonnante facilité.

Les crues. Les inondations les plus fréquentes surviennent lors de crues importantes. À la suite de pluies abondantes et prolongées, le lit mineur d'un fleuve ne suffit plus à canaliser l'écoulement des eaux, ces dernières débordent alors pour emplir le lit moyen ou le lit majeur de plus grande extension. Ces zones inondables couvrent des surfaces considérables : par exemple, en France, elles représentent 7 % du territoire national. Or, situées par définition au fond des vallées, elles représentent des voies de communication aisées entre les régions, où les populations s'installent préférentiellement.

Les orages. La crue d'un fleuve est un phénomène généralement lent, qui laisse aux riverains le temps de quitter les lieux inondables. Il en va tout autrement des « crues subites ». Ces dernières sont dues à des pluies importantes d'orage. Les eaux ruissellent car elles ne peuvent plus s'infiltrer dans des sols déjà gorgés d'eau ou imperméabilisés par des surfaces construites. Ces arrivées massives et soudaines dévalent alors les pentes vers les zones les plus basses, où elles s'accumulent, emportant tout sur leur passage.

Les catastrophes du Grand-Bornand dans les Alpes françaises (1987, 23 morts), de Donka et dans la vallée du Nil environnante (1994, plus de 300 morts), et de Biescas dans les Pyrénées aragonaises (1996, 83 morts) sont des exemples de crues subites. Généralement, l'homme n'a pas le temps de réagir au moment de la catastrophe, c'est donc bien avant qu'il doit prévoir son éventualité.

Les cyclones. Les inondations les plus redoutables, car elles font le plus de victimes, sont liées aux tempêtes cycloniques et aux cyclones. Certes, un cyclone déverse de grandes quantités de pluie, mais ce sont surtout les faibles pressions atmosphériques régnant en son cœur qui sont à craindre. En effet, la dépression associée au cyclone peut élever le niveau de la mer de 8 à 10 m. Poussés par des vents violents, ce sont alors des murs d'eau qui s'abattent sur les côtes et les submergent, d'autant plus facilement que celles-ci sont basses, comme au Bangladesh où les composantes cyclones-inondations-épidémies font chaque fois, avec une fréquence de 1,5 cyclone par an, plusieurs milliers de victimes.

◆ **Quelques grandes inondations.**

Pays	Année	Nombre de morts
Chine	1969	2 000 000
Pays Bas	1228	100 000
Russie	1287	50 000
Guatemala	1949	40 000
Pakistan	1953	10 000
Inde	1979	10 000 à 15 000
Honduras	1974	9 000
Viêt Nam du Sud	1964	7 000
Bangladesh	1974	2 000
Etats-Unis	1889	2 000
Iran	1954	2 000
Mexique	1959	2 000

Le plan Delta aux Pays-Bas

Pour se protéger des inondations, les Néerlandais ont mis en œuvre le plan Delta, important ouvrage de génie hydraulique constitué de digues et de barrages. Les travaux, réalisés de 1958 à 1986, à la suite du raz de marée désastreux de 1953, ont permis la constitution de réserves d'eau douce, l'amélioration des communications routières, l'aménagement de la navigation entre l'Escaut et le Rhin et enfin, dans une certaine mesure, la création de polders.

Petit lexique

bassin versant : région drainée par un cours d'eau et ses affluents, et délimitée par une ligne de partage des eaux.

crue : élévation du niveau d'un cours d'eau due à la fonte des neiges ou à des pluies abondantes pouvant conduire celui-ci à sortir de son lit mineur.

lit : partie du fond de la vallée où s'écoulent les eaux d'un cours d'eau; on distingue le lit mineur (ou lit apparent), où s'écoule normalement le cours d'eau, du lit majeur (ou plaine d'inondation), occupé par les eaux seulement lors des grosses crues, et parfois le lit moyen, intermédiaire entre le lit mineur et le lit majeur.

Influence de l'homme

Une fois arrivée au sol, l'eau a trois possibilités : s'infiltrer, s'évaporer ou ruisseler. Dans un cycle purement naturel, l'eau qui tombe du ciel s'évapore pour 60 à 70 % par l'intermédiaire de la végétation (évapotranspiration); ce qui demeure au sol s'infiltre (pour la moitié ou les deux tiers selon la nature du terrain), ou ruisselle et va grossir rapidement les cours d'eau. Ce cycle est aujourd'hui perturbé par les activités humaines. Tout ce qui favorise le ruissellement augmente les risques d'inondations. Plusieurs facteurs contribuent au ruissellement.

C'est le cas de certaines pratiques agricoles, et notamment du remembrement des terres : depuis 1940, on estime qu'en France ont été détruits plus de 150 000 km de haies et de palisses, barrières naturelles qui diminuaient le ruissellement. Mais c'est probablement l'urbanisation des bassins versants qui contribue à augmenter les risques de crue. En effet, en zone urbaine, le goudronnage et le bétonnage d'importantes superficies empêchent toute infiltration et favorisent l'écoulement des eaux en surface; en outre, l'approfondissement du lit mineur ou l'édification de digues peuvent empêcher les inondations localement, mais elles accroissent le risque plus en aval.

Enfin, les populations qui occupent les lits majeurs des rivières s'exposent à un danger qui est permanent. On estime aujourd'hui que, à l'échelle mondiale, le nombre de personnes concernées par les inondations augmente de 6 % par an, alors que l'accroissement démographique est d'environ 2 %.

VOIR AUSSI
• Cyclones, tornades et trombes p. 62
• Orages et foudre p. 63
• Catastrophes naturelles p. 71

◆ **Inondations en Chine, en août 1998.**
Si ces inondations causées par la crue du Yangzi Jiang (officiellement 3 000 morts) sont dues à de fortes pluies de mousson, la déforestation le long du fleuve, favorisant le ruissellement et le mauvais entretien des digues traditionnelles, ont incontestablement aggravé la catastrophe.

La météorologie

Les perturbations et les fronts

La météorologie observe et étudie essentiellement les phénomènes atmosphériques qui se déroulent dans les trente premiers kilomètres de l'atmosphère afin de prévoir leur évolution, et donc le « temps qu'il fera ».

En zone intertropicale, la météorologie doit prévoir des phénomènes généralement violents tels que les tempêtes tropicales, les cyclones ou les pluies de mousson. Mais c'est surtout dans les régions tempérées que les conditions atmosphériques sont le plus changeantes et que les météorologues doivent se prononcer quotidiennement, heure par heure. En effet, ces moyennes latitudes sont le lieu d'affrontement des masses d'air chaud venant de l'équateur et des masses d'air froid descendant des régions polaires. L'air chaud, plus léger, vient surmonter l'air froid en enroulant ses masses nuageuses dans le sens des aiguilles d'une montre dans l'hémisphère Sud et dans le sens inverse dans l'hémisphère Nord : c'est la perturbation. Celle-ci, large de quelques centaines de kilomètres, se déplace d'ouest en est à une vitesse d'environ 50 km/h. À l'avant, la séparation entre l'air froid au sol et l'air chaud en altitude est appelée le « front chaud », il est accompagné de cirrus en altitude et de stratus situés plus bas; des nimbo-stratus peuvent donner des averses. À l'arrière de la perturbation, la séparation entre les deux masses d'air de température et de pression différentes est appelée le « front froid ». Ce dernier est jalonné par des nuages cumuliformes (cumulus et cumulo-nimbus), qui déversent d'importantes précipitations et déclenchent d'éventuels orages plus ou moins violents. Entre les deux fronts, c'est de l'air chaud qui recouvre la surface terrestre, alternant éclaircies et pluies fines. Les nuages du front froid s'effilochent après le passage de la perturbation en petits cumulus moutonnés : c'est le ciel de traîne.

La perturbation est active sur plusieurs milliers de kilomètres jusqu'à ce que le front froid, plus rapide, rattrape le front chaud. L'air chaud est alors entièrement expulsé en altitude, les contrastes des champs de pression et de température s'atténuent : on dit que la perturbation est « occluse » ; le temps devient plus stable, jusqu'à l'arrivée d'une nouvelle perturbation.

◆ **Vue satellite d'une perturbation au-dessus des îles Britanniques.**
L'air chaud surmonte l'air froid en enroulant ses masses nuageuses.

La prévision météorologique

Les réseaux d'observation. Le 14 nov. 1854, durant la guerre de Crimée, une violente tempête en mer Noire détruisit une grande partie de la flotte française. L'astronome Urbain Le Verrier (1811-1877), chargé d'enquêter sur les causes du désastre, s'aperçut que la tempête ne s'était pas formée en mer, mais avait traversé l'Europe de l'Ouest en moins de trois jours. Le passage de cette grosse perturbation fit prendre conscience de l'intérêt des prévisions météorologiques et, en 1856, était installé le premier réseau français (24 stations, dont 13 reliées par télégraphe), puis, en 1865, le réseau météorologique européen (59 stations).

Aujourd'hui, les prévisionnistes doivent traiter des millions d'informations provenant de multiples sources : stations fixes relevables ou automatiques, bouées dérivantes ou fixes, bateaux, avions, ballons-sondes, radars, satellites, etc. Toutes ces données renseignent sur l'humidité de l'air, les vents, l'intensité et la durée du rayonnement solaire, les nuages, les températures, les pressions, etc., en mer comme à terre, en surface comme en altitude ; elles sont transmises par un vaste réseau de communications qui relie toutes les stations aux centres météorologiques, et tous les centres entre eux.

La prévision numérique. Dans les années 1910-1920, la quantité d'informations était déjà fort importante, mais la capacité de traitement bien insuffisante. À quoi bon tenter de calculer le temps qu'il fera demain si cela doit prendre une année, disait-on. C'est d'abord la simplification des systèmes d'équations complexes traduisant les lois de la thermodynamique et de la dynamique des fluides appliquées à l'atmosphère, puis l'avènement des calculateurs et enfin celui des ordinateurs qui permirent de réduire les temps de calcul, permettant ainsi l'essor de la prévision météorologique numérique. Aujourd'hui, c'est dans les centres météorologiques que se situent les ordinateurs les plus puissants.

Pour intégrer la multitude de données, on divise l'atmosphère en « boîtes » de quelques dizaines de kilomètres de côté sur quelques centaines de mètres d'épaisseur. Les paramètres météorologiques fournis par chaque boîte permettent de définir l'état initial, c'est-à-dire de schématiser le « temps qu'il fait » sur l'ensemble de la Terre à un moment donné. La prévision numérique consiste, à partir des lois physiques appliquées à l'atmosphère, à définir, pas à pas, pour chaque boîte, ses nouveaux états successifs. Le résultat de tous ces calculs fournit des images, des cartes, des animations permettant de simuler en accéléré le temps des prochains jours. Il y aura toujours un écart, que les météorologues essaient de réduire, entre les prévisions calculées à partir des données observées et la réalité à venir. Cet écart augmente bien sûr avec la durée de la prévision ; aujourd'hui, on estime qu'il n'est pas possible de faire des prévisions au-delà d'une dizaine de jours, et guère utile au-delà de cinq jours.

VOIR AUSSI
- **Milieux tempérés** p. 52
- **Atmosphère** p. 58
- **Nuages** p. 63

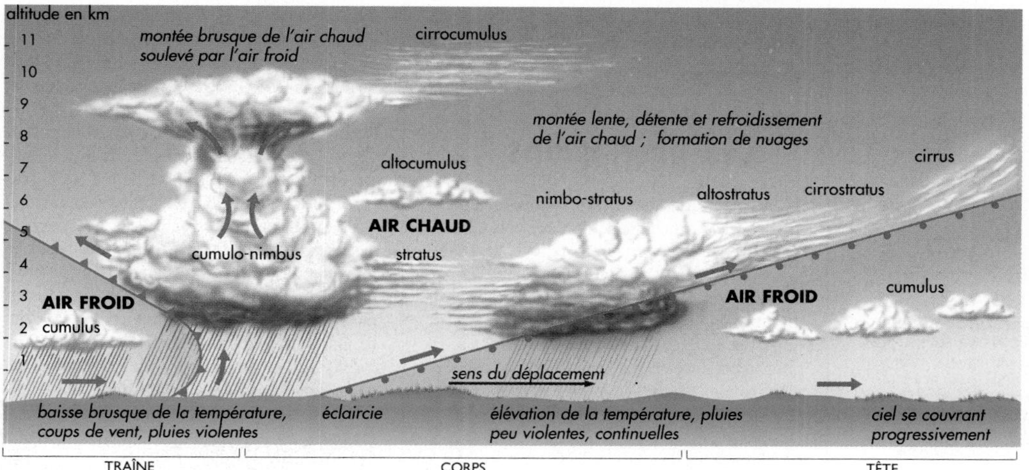

◆ **Perturbations, fronts et nuages.**
Ce dessin pourrait être la coupe verticale de la perturbation ci-dessus vue par satellite. L'air chaud est au-dessus de l'air froid ; à l'avant, le front chaud ; les principales précipitations et d'éventuels orages accompagnent ensuite le front froid ; puis un ciel de traîne indique que la perturbation est passée. Cette dernière est occluse quand le front froid a rattrapé le front chaud.

Les climats du passé

Les causes des variations climatiques

Le climat de la Terre n'a cessé de varier, passant de périodes plus chaudes à des périodes plus froides. Les causes, qui peuvent se superposer, sont de trois types : géologiques, lorsque les variations sont à corréler avec la dérive des continents ; astronomiques, le climat dépendant de la quantité d'énergie solaire reçue par la Terre ; chimiques, si les variations sont liées à une modification de la composition de l'atmosphère.

La dérive des continents. La dérive des continents induit une répartition des continents et des océans qui change au cours des temps géologiques. Cette répartition peut modifier les processus d'absorption et de réflexion de l'énergie solaire, changer les courants océaniques et atmosphériques, et donc influencer le climat de la Terre. La position des continents (latitude) détermine le climat qui y règne. Par exemple, au carbonifère, il y a environ 300 millions d'années, des calottes de glace recouvraient le sud de l'Afrique, de l'Amérique du Sud, de l'Inde et de l'Antarctique car ces terres ne formaient alors qu'une seule masse continentale, le Gondwana, proche du pôle Sud. En revanche, à la même époque, l'Europe et l'Amérique du Nord occupaient une position équatoriale qui permit l'établissement, sous un climat chaud et humide, d'une végétation de type tropical, à l'origine des combustibles fossiles que nous exploitons aujourd'hui.

estimation de la température globale moyenne

âge (en millions d'années)		température inférieure à l'actuelle	température supérieure à l'actuelle
0,0	holocène		
0,01	pléistocène		
1,8	pliocène		
	miocène		
	oligocène		
	éocène		
	paléocène		
65	crétacé		
	jurassique		
	trias		
245	permien		
	carbonifère		
	dévonien		
	silurien		
	ordovicien		
	cambrien		
530			
1000			
2000	précambrien		
3000			
4000			
4600			

◆ **Évolution de la température moyenne à la surface de la Terre depuis sa formation.**
On peut lire sur ce graphe très schématique deux périodes glaciaires au précambrien (2 300 et 1 000 millions d'années), des alternances chaudes et froides au primaire, une élévation des températures tout au long du secondaire, une baisse progressive des températures au tertiaire, qui s'achève avec deux glaciations. Ce refroidissement se poursuit au quaternaire, qui a été marqué par quatre glaciations.

La quantité d'énergie solaire. Le climat de la Terre dépend directement de la quantité d'énergie solaire qu'elle reçoit. Cette grandeur est fonction de plusieurs facteurs. L'activité du Soleil est évolutive ; il y a 4,5 milliards d'années, alors que la Terre se formait, l'énergie du Soleil était de 25% plus faible qu'elle n'est aujourd'hui. Cette énergie oscille dans le temps et se matérialise à la surface de l'étoile par la présence plus ou moins marquée de taches et de protubérances solaires. Au niveau des taches, la température de l'astre est plus faible : 4000 °C au lieu de 6000 °C ; les protubérances, qui sont de gigantesques éruptions déchirant l'espace sur plusieurs centaines de milliers de kilomètres, témoignent en revanche d'une plus forte activité. La traversée de nuages stellaires par le système solaire au cours de son mouvement dans la Galaxie affecterait aussi la quantité d'énergie solaire reçue par la Terre. Enfin, les paramètres orbitaux de la Terre (inclinaison de l'axe de rotation, par exemple) ne sont pas constants mais varient périodiquement, modifiant la quantité d'éclairement reçue.

La composition de l'atmosphère. La composition chimique de l'atmosphère intervient dans la redistribution de l'énergie solaire vers la surface terrestre. Pendant les deux premiers milliards d'années au cours desquels l'atmosphère s'est constituée, celle-ci était plus riche en gaz carbonique, en méthane et en eau ; ces gaz à effet de serre entraînaient une température au sol relativement élevée. Il y a 1,8 milliard d'années, la concentration en oxygène, résultant de la photosynthèse, a progressivement augmenté jusqu'à il y a 800 millions d'années et n'a pas varié depuis; en revanche, la teneur en gaz minoritaires de l'atmosphère a pu varier. On explique, par exemple, les températures plus fortes (de 10 à 15 °C) sous les hautes latitudes durant l'ère secondaire (de –245 à – 65 millions d'années) par une teneur plus forte en gaz carbonique dans l'air. De fortes crises volcaniques peuvent aussi modifier notablement le climat en injectant dans la haute atmosphère des quantités importantes de poussières et de gaz (vapeur d'eau, gaz carbonique, chlore, dioxyde de soufre, etc.), voilant la lumière solaire et provoquant un « hiver volcanique ».

Les glaciations

Les glaciations sont des périodes durant lesquelles la quantité de glace présente à la surface du globe est supérieure à la moyenne, en raison d'une température globale plus faible. Les glaciations sont accompagnées d'une baisse du niveau marin, ce qui fait émerger de nouvelles terres ; ce processus est appelé « régression ». Le phénomène inverse, correspondant aux périodes plus chaudes pendant lesquelles les mers s'avancent sur les terres, s'appelle « transgression ».

La première période glaciaire connue date de 2,3 milliards d'années ; elle pourrait être due à une intense activité volcanique et au développement des micro-organismes (algues bleues, bactéries, etc.) qui, par leur activité photosynthétique, auraient piégé le gaz carbonique de l'atmosphère et dégagé de l'oxygène. D'autres glaciations se sont déroulées plus ou moins épisodiquement au cours des ères qui suivirent, à l'exception de l'ère secondaire, où la Terre était totalement dépourvue de glaces. Le dernier maximum glaciaire date de 18000 ans. Le volume supplémentaire des glaces, estimé à 50 millions de kilomètres cubes, s'est traduit par un abaissement du niveau marin, situé à environ 120 m au-dessous du niveau actuel. À cette époque, les calottes glaciaires recouvraient une grande partie du nord de l'Amérique et de l'Europe, descendant jusqu'aux latitudes de New York, Manchester et Berlin. Les massifs montagneux, tels que les Rocheuses ou les Alpes, étaient couverts par les glaces. La température moyenne des eaux de surface de l'Atlantique nord était de 6 à 10 °C plus basse que celle d'aujourd'hui, celle des eaux tropicales étant voisine de l'actuelle. Cette dernière glaciation faisait suite à plusieurs autres : deux au tertiaire, trois autres au quaternaire. Les observations paléoclimatiques ont montré que ces dernières glaciations suivaient un certain cycle : des périodes de glaciation d'une durée d'environ 100000 ans, entrecoupées par des interglaciations d'une durée de 10000 à 20000 ans, comme celle que nous traversons aujourd'hui. C'est le mathématicien et astronome yougoslave Milutin Milanković (1879-1958) qui expliqua cette périodicité en se fondant sur les cycles des paramètres

◆ **Extension des glaces il y a environ 20000 ans.**
Le Canada et le nord de l'Europe étaient sous d'énormes calottes et la glace de mer (en bleu clair) recouvrait tout le nord de l'Atlantique.

◆ **Extension des glaces actuelles.**

◆ ***L'Hiver (février),*** tableau du peintre flamand Lucas Van Valckenborch (v. 1530-1597). Cette œuvre illustre le climat rigoureux qui régnait en Europe durant le Petit Âge glaciaire. Des historiens invoquent les dures conditions climatiques de ces époques pour expliquer la formation de la Fronde à partir de l'été 1648, puis le déclenchement de la Révolution française de 1789 après plusieurs années de famine et de misère.

orbitaux de la Terre, cycles qui modifient la quantité d'éclairement reçue par notre planète. Ces paramètres sont au nombre de trois.

L'orbite de la Terre autour du Soleil varie d'une forme quasi circulaire à une forme très elliptique tous les 100 000 ans environ. L'inclinaison de l'axe de rotation par rapport au plan orbital passe de 22° à 24° tous les 41 000 ans. Aujourd'hui, cet axe est incliné de plus de 23°, de telle façon que la distance Terre-Soleil est minimale début janvier : les hivers sont donc plus doux dans l'hémisphère Nord, plus froids dans l'hémisphère Sud. Enfin, cet axe de rotation décrit un cône, appelé « mouvement de précession », qu'il parcourt en 25 600 ans. Les effets conjugués de ces trois paramètres peuvent induire un déficit de réception de l'énergie solaire qui peut atteindre 20 % selon une périodicité correspondant aux époques glaciaires.

Les témoins des climats passés

Dans un ordre chronologique, allant des périodes les plus récentes vers les plus anciennes, les premiers témoins des climats passés sont des documents historiques (le prix du blé, les dates de vendange, le nombre de jours de gel sur les canaux de Hollande, etc.), permettant d'estimer les variations climatiques sur une période d'environ un millier d'années. Les cernes de croissance des arbres, plus ou moins resserrés selon les années plus humides ou plus arides, donnent, par recoupement des informations, des renseignements jusqu'à 10 000 ans.

Des méthodes isotopiques, en particulier la mesure du rapport entre deux isotopes de l'oxygène, ^{16}O et ^{18}O, sont également employées : ces deux isotopes, contenus par exemple dans les coraux ou dans la neige, ont un rapport qui est fonction de la température régnant à l'époque de leur formation. Les coraux des régions tropicales enregistrent ainsi au fil des ans les variations de température et renseignent sur une période couvrant environ 100 000 ans. Les forages dans les calottes polaires, lesquelles résultent de l'accumulation, année après année, des neiges qui emprisonnent des bulles d'air, permettent même de décrypter des séquences climatiques pouvant remonter jusqu'à 500 000 ans.

L'étude des pollens, contenus dans les sédiments, permet de caractériser certains végétaux, et donc les conditions climatiques qui ont permis leur épanouissement ; les pollens se conservent bien et sont identifiables jusqu'à un âge d'environ 100 000 ans. Les sédiments lacustres et les lœss contiennent aussi d'autres fossiles végétaux et éléments qui donnent une idée sur les précipitations et l'activité végétale jusqu'à 1 million d'années. Enfin, les sédiments marins renferment des indicateurs biochimiques (carbonates, coquilles de foraminifères enregistrant le rapport $^{16}O/^{18}O$, etc.) et géologiques renseignant sur la température des eaux, l'activité biologique, les phénomènes d'altérations chimiques, caractérisant les conditions climatiques pour des périodes couvrant plusieurs dizaines ou centaines de millions d'années.

Les climats d'hier

Au cours de l'interglaciation actuelle, le climat fut tantôt plus chaud, tantôt plus froid qu'actuellement. La dernière glaciation s'est achevée il y a environ 11 000 ans, marquant un réchauffement progressif qui atteignit son maximum entre –8000 et –5000 ans ; pendant cette période, appelée le « Grand Optimum climatique », les températures estivales étaient supérieures d'environ 2 à 3 °C à celles observées de nos jours. Des rivières coulaient cependant dans le Sahara, et les premières civilisations de cultivateurs sédentaires s'établissaient. Suivirent un millénaire plus froid et une autre période plus chaude de 500 av. J.-C. à l'an 1250. Durant cette dernière, appelée le « Petit Optimum climatique », les Vikings, profitant des conditions climatiques favorables aux explorations maritimes, implantèrent des colonies sur la côte sud-ouest du Groenland (littéralement « terre verte ») et envahirent nombre de côtes de l'Europe du Nord. Puis ils furent victimes, entre 1400 et 1500, d'une disette due à un refroidissement climatique. Ce dernier, appelé le « Petit Âge glaciaire », s'installa sur tout l'hémisphère Nord, et particulièrement sur l'Europe, du XVe au XVIIIe s. La température était alors, selon les régions, de 1 à 4 °C plus basse qu'aujourd'hui. Les hivers étaient plus longs et plus rigoureux, les étés plus courts et moins chauds. Les cultures en souffraient, notamment les céréales : le prix du pain monta, la famine sévit. Puis, à la fin du XVIIIe s., les températures commencèrent à remonter et, globalement, n'ont cessé de s'élever, accompagnant l'ère de l'essor industriel, qui pose aujourd'hui le grave problème du réchauffement climatique dû aux activités humaines.

VOIR AUSSI
- **Structure et histoire de la Terre** p. 28
- **Tectonique des plaques** p. 30
- **Atmosphère** p. 58 (climats)
- **Effet de serre** p. 79
- **Histoire du vivant** (du précambrien au quaternaire) p. 95 à 103

Petit lexique

isotope : variété d'un élément chimique qui comporte le même nombre de protons que l'élément principal, mais possède un nombre de neutrons différent.

paléoclimat : climat passé ayant régné à une certaine époque géologique.

◆ **Les pingouins de la grotte Cosquer.** En 1991, un plongeur, Henri Cosquer, découvre dans une calanque marseillaise, par 40 m de profondeur, une grotte ornée, qui porte son nom depuis. Les peintures préservées (dessins de pingouins, notamment) dans la partie supérieure et émergée de la grotte datent de 20 000 ans. Cette époque correspond à la période la plus froide de la dernière glaciation, ce qui explique la présence de pingouins dans cette région.

L'environnement global

La Terre, un système global

La Terre est une planète active, c'est-à-dire qu'elle est animée de multiples mouvements. Certains d'entre eux sont rapides et donc facilement observables : l'alternance jour et nuit, le rythme des saisons, la course des nuages, le va-et-vient des marées, l'écoulement des rivières et celui des courants océaniques, etc. D'autres mouvements sont plus lents, comme celui des plaques lithosphériques (quelques centimètres par an) qui s'écartent, se rapprochent ou se glissent les unes sous les autres, mouvements à l'origine des séismes et des éruptions volcaniques, ouvrant des océans ou élevant des montagnes.

Tous ces mouvements remuent la planète dans les différentes couches qui la composent : le noyau, le manteau et la croûte terrestre; les océans, les glaciers et les eaux douces qui composent l'hydrosphère ; l'atmosphère, qui est la couche gazeuse de la planète ; mais aussi la biosphère, rassemblant les espèces vivantes, végétales ou animales. Toutes ces couches interagissent entre elles; dès qu'un phénomène se produit au sein de l'une d'elles, il induit des conséquences dans une ou plusieurs autres. Par exemple, un volcan résulte de remontées de magma du manteau terrestre; lorsqu'il y a éruption volcanique de type explosif, de grandes quantités de gaz, de cendres et de particules sont éjectées dans la haute atmosphère, à 15 ou 20 km d'altitude. Ces particules peuvent former un voile tout autour de la Terre, renvoyer ainsi une partie du rayonnement solaire vers l'espace et donc causer des dérèglements climatiques.

L'idée majeure qui se dégage, ces dernières décennies, des sciences de la Terre, est que notre planète est une machine compliquée mais entière, c'est-à-dire que les phénomènes qui s'y produisent ne peuvent être compris que globalement, à l'échelle de toute la Terre. Il en est ainsi des principaux processus qui régissent notre environnement global : les cycles biogéochimiques des éléments fondamentaux de la vie (eau, carbone, azote, etc.), le réchauffement de la planète annoncé par les climatologues, ou encore d'autres phénomènes comme El Niño, qui illustre bien les interactions existant entre les océans, l'atmosphère et les continents.

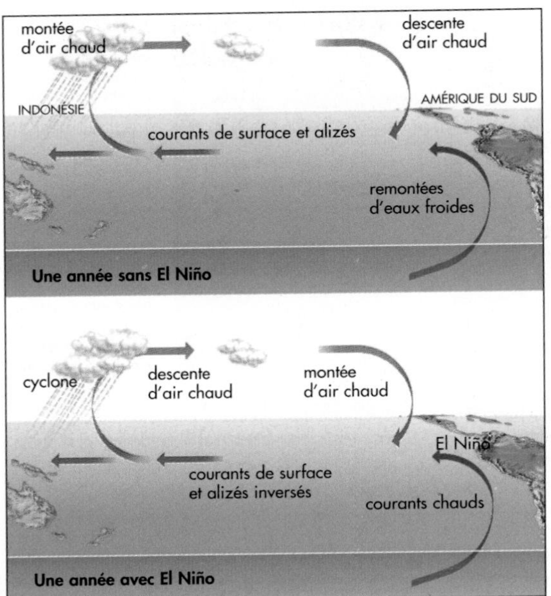

◆ Le courant El Niño.
En situation normale, un courant froid longe le Chili et le Pérou, alors que les eaux chaudes sont poussées par les alizés dans l'ouest du Pacifique, apportant des pluies bénéfiques à l'Indonésie et à l'Australie. Les années avec El Niño, les eaux chaudes sont redistribuées dans l'est du Pacifique, provoquant sécheresse en Indonésie et pluies catastrophiques en Amérique centrale.

El Niño

Habituellement, les côtes ouest de l'Amérique du Sud sont bordées par un courant froid de surface appelé « courant du Pérou » ou « courant de Humboldt », provenant des profondeurs des eaux antarctiques. Ces eaux froides sont riches en nutriments (planctons) et donc en poissons, qui fournissent abondamment l'industrie de la pêche des pays côtiers comme le Chili et le Pérou. Épisodiquement, un courant chaud inverse vient recouvrir les eaux froides, chassant les bancs de poissons au large du Pacifique : c'est El Niño. Ce changement de température des eaux n'a pas seulement des conséquences sur les productions de pêche, il influe sur le climat de cette région et induit même des répercussions en d'autres lieux de la planète.

Des interactions planétaires. C'est dans les années 1920-1930 que l'on comprit que ce phénomène local était dû à des interactions océan-atmosphère plus vastes. Habituellement, un anticyclone est stabilisé au-dessus de l'île de Pâques, dans l'est du Pacifique, couplé à un régime dépressionnaire dans l'ouest du Pacifique (au large de l'Indonésie et de l'Australie). Les alizés intertropicaux, qui sont des vents d'est, poussent les eaux chaudes du Pacifique vers l'ouest. Il en résulte une accumulation des eaux chaudes dans l'ouest du Pacifique malgré, notamment, le contre-courant équatorial qui ramène une partie des eaux vers l'est. Ainsi, les eaux du Pacifique ouest sont plus chaudes de 7 à 8 °C et plus élevées de 50 cm que celles du Pacifique est. Régulièrement, tous les 3 à 7 ans, l'anticyclone de l'île de Pâques se déplace vers l'ouest ; les alizés faiblissent, voire s'inversent localement : non seulement les eaux chaudes ne s'accumulent plus dans l'ouest du Pacifique, mais le contre-courant équatorial, que ne retiennent plus les alizés, les redistribue largement d'ouest en est jusqu'aux côtes américaines, où elles descendent le long du Pérou et du Chili : c'est El Niño. Le déplacement de l'anticyclone vers l'ouest est appelé « oscillation australe » (*southern oscillation*, en anglais) ; la combinaison de l'oscillation australe et du courant El Niño constitue un événement ENSO *(El Niño southern oscillation)*.

Un dérèglement climatique. Les répercussions climatiques d'un événement ENSO sont redoutables. Alors que, normalement, la façade ouest de l'Amérique intertropicale est préservée des précipitations par la présence de l'anticyclone, la forte évaporation des eaux chaudes d'El Niño forme d'énormes masses nuageuses, qui déchargent leurs pluies diluviennes sur les côtes des États-Unis, du Mexique, de l'Équateur et du Pérou, accompagnées de vents violents, provoquant des inondations et des glissements de terrain. À l'inverse, dans l'ouest du Pacifique (où habituellement la zone dépressionnaire apporte des pluies poussées par les alizés, pluies vitales pour l'Indonésie et l'Australie), la dérive de l'anticyclone installe la sécheresse, provoquant la perte des cultures et de gigantesques incendies de forêts.

Les événements ENSO affectent aussi l'océan Indien, en même temps que le Pacifique, et l'océan Atlantique, de 12 à 18 mois après. Les deux événements ENSO majeurs du XXᵉ s. se sont déroulés en 1982-1983 et en 1997-1998, bouleversant la climatologie de toute la planète et provoquant de nombreuses catastrophes.

◆ Feux de forêts en Indonésie.
Les gigantesques incendies de 1997-1998 en Indonésie ont deux causes principales : un événement ENSO exceptionnel, qui a amené la sécheresse, et les brûlis des zones forestières destinées aux plantations de palmiers à huile.

VOIR AUSSI 

- **Océan mondial** p. 56
- **Atmosphère** p. 58
- **Inondations** p. 66
- **Effet de serre** p. 79
- **Biosphère et écosystèmes** p. 82 à 84

Les catastrophes naturelles

La diversité des catastrophes

Une catastrophe naturelle est le résultat d'effets gravement préjudiciables à l'homme, dus à un phénomène ou à un processus naturel. Pour qu'il y ait catastrophe naturelle, il faut donc deux paramètres : une cause naturelle, des dégâts importants ou des victimes. Il est souvent difficile de faire la part des choses entre la cause naturelle et les effets aggravants imputables à l'action de l'homme. Ainsi, si une sécheresse est généralement un processus naturel dû à l'absence de pluies, la désertification et les incendies de forêts qui peuvent en résulter sont le plus souvent déclenchés par l'homme. De même, si l'effet de serre est un phénomène purement naturel, son accroissement actuel est bien lié aux activités humaines.

Il est difficile de classer les catastrophes naturelles. S'en tenir à leur fréquence ou à leur gravité (par ex. le nombre de victimes) ne rend pas bien compte de l'impact des catastrophes sur les sociétés. Certains fléaux, comme les sécheresses, les inondations ou les invasions de criquets ravageant les zones cultivées, produisent des effets secondaires tout aussi redoutables, mais difficilement chiffrables : famines, épidémies, etc. On peut proposer une classification plus « naturaliste » : les catastrophes à caractère géologique (séismes, éruptions volcaniques, tsunamis, glissements et affaissements de terrain, etc.), les catastrophes climatiques (tempêtes, cyclones, tornades, trombes, sécheresses, inondations, etc.) et les catastrophes biologiques ou écologiques (épidémies : choléra, sida, tuberculose, peste, etc. ; épizooties : maladie de la « vache folle », rage, fièvre aphteuse, etc. ; invasions d'espèces, etc.). Si on met à part ce dernier type de catastrophes, de loin les plus meurtrières, les cyclones et les raz de marée associés sont responsables à eux seuls de 60 % du nombre cumulé de victimes : deux fois plus que les séismes, douze fois plus que les éruptions volcaniques et deux cents fois plus que tous les orages, tempêtes, tornades et trombes réunis. Pour fixer un peu ces comparaisons, on estime, depuis le XIIe s., à environ 2,2 millions le nombre de morts dus aux séismes (dont 900 000 en Chine) et à 270 000 les personnes décédées des conséquences d'une éruption volcanique (dont 160000 en Indonésie).

◆ **Classification des catastrophes naturelles.**

Type	Fréquence Nombre d'événements majeurs (de 1977 à 1997)	Gravité	
		Pertes humaines	**Conséquences**
séisme	26	généralement très importantes, mais variables selon le niveau technique des sociétés	destructions importantes, endettements des États et des sociétés fragiles
éruption volcanique	3	épisodiquement importantes dans le tiers-monde	destructions de récoltes et parfois d'habitations
glissement de terrain	1	faibles	Perturbations localisées de l'environnement
avalanche	-	faibles, non chiffrées	faibles, localisées, éphémères
tsunami	2	variables	dégâts localisés aux côtes
inondation	10	événements toujours très meurtriers	graves destructions : habitat, récoltes, infrastructures, risques d'épidémies
cyclone	28	événements les plus catastrophiques	
tornade	6	faibles	dégâts localisés, destructions d'habitations, de récoltes
orage	6	faibles	
tempête océanique	11	faibles	naufrages, érosions des côtes
sécheresse		mortalité par effets induits : famines	graves perturbations économiques, sociales, écologiques, migrations de populations
vague de froid	1	affectant surtout les personnes fragiles (vieillards, enfants)	destructions de récoltes
vague de chaleur	4		

◆ **Avalanche de poudreuse au Pakistan.**

Les inégalités

La première inégalité est géographique, car les catastrophes naturelles ne se produisent pas au hasard mais en des lieux bien déterminés. Il en est ainsi des séismes qui surviennent le long de failles actives (faille de San Andreas, en Californie, par ex.), à l'aplomb des zones de subduction (la ceinture de feu du Pacifique) ou à l'arrière des zones de collision (collisions Inde-Asie, par ex.). Les éruptions volcaniques se produisent au-dessus des zones de subduction ou des points chauds (Hawaii, île de la Réunion, Islande, etc.). Il en est de même des cyclones, qui prennent naissance au-dessus des eaux chaudes des tropiques, et des sécheresses récurrentes qui sévissent entre les tropiques et les régions équatoriales humides.

Seconde inégalité, le faible niveau économique, et donc technique, d'un pays accroît souvent considérablement le nombre de victimes en cas de catastrophe. L'inégalité économique intervient à trois niveaux. D'abord, les habitations ne sont pas construites pour résister aux éléments (inondations, cyclones, séismes) et, même si le risque est prévu, les pays pauvres n'ont pas les moyens d'évacuer les populations menacées. On peut rappeler que les États-Unis, pays riche, avaient évacué quelque 2,8 millions de personnes, grâce à de lourds et coûteux moyens, avant l'arrivée du cyclone Andrews sur la Floride en août 1992. Ensuite, après la catastrophe, les pays pauvres ne possèdent pas les moyens suffisants pour porter secours aux survivants qui sont confrontés aux problèmes de soins et d'épidémies. Enfin, plus tard, récoltes et infrastructures étant détruites, ces pays, déjà très endettés, entrent dans une irrémédiable récession qui conduit souvent les populations à la famine ou à l'exil.

VOIR AUSSI

- **Séismes** p. 38
- **Volcans** p. 40
- **Cyclones, tornades et trombes** p. 62
- **Orages et foudre** p. 65
- **Inondations** p. 66
- **Désertification** p. 76 (Sécheresse)
- **Effet de serre** p. 79

Les invasions d'espèces

Parmi les catastrophes naturelles, l'invasion d'une espèce dans une région peut devenir dramatique. L'exemple historique le plus connu est celui des lapins en Australie, qui, à partir d'une vingtaine d'individus introduits en 1874, se comptaient par milliards en 1940 avant que l'on ne leur inocule la myxomatose. Mais la dégradation du couvert végétal puis l'érosion des sols furent irréversibles. Les exemples d'invasions d'espèces sont nombreux, et chaque année apporte de nouveaux cas : le phylloxéra de la vigne, qui ruina la viticulture européenne au XIXe s. ; le doryphore, qui ravagea les champs de pommes de terre en Europe entre 1920 et 1940 ; l'algue *Caulerpa taxifolia*, qui envahit actuellement la Méditerranée, au détriment des herbiers locaux, etc. Pour tous ces cas, les invasions résultent de l'introduction (accidentelle ou volontaire) d'espèces dans des habitats éloignés de leurs régions d'origine, et donc isolées de leurs prédateurs et des parasites naturels qui limitent leurs effectifs. La parade consiste d'ailleurs à importer le prédateur – lorsqu'il est connu – de l'espèce envahissante pour réduire sa prolifération.

À côté de ces invasions favorisées par l'homme, il existe aussi des pullulations « naturelles » de type cyclique : campagnols, méduses, moustiques, pucerons et, surtout, criquets. Le criquet pèlerin et le criquet migrateur deviennent dangereux lorsqu'ils se regroupent en essaim de 100 à 200 millions d'individus, dévorant chaque soir une centaine de tonnes de végétation, ravageant les cultures au cours de leur déplacement sur plusieurs milliers de kilomètres.

L'exploitation des milieux

L'exploitation des mers

Les mers et les océans du globe recèlent d'importantes ressources naturelles, dont l'exploitation soulève des problèmes considérables et de plus en plus préoccupants, tant au plan écologique qu'économique.

Pêcheries maritimes. L'exploitation des ressources vivantes océaniques par les pêcheries a connu une croissance considérable au cours des toutes dernières décennies. Aux prélèvements d'animaux marins sauvages – surtout des poissons et des céphalopodes (calmars) – doit être ajouté l'élevage de poissons et de coquillages (huîtres, moules...).

Les flottilles de pêche modernes utilisent des techniques très sophistiquées : repérage par rayonnement infrarouge des fronts marins (zones superficielles de l'océan, très riches en poissons où s'affrontent eaux froides et eaux chaudes), repérage des bancs au sonar, etc. Les captures sont réalisées à l'aide d'engins de plus en plus performants : chaluts capables de racler les fonds du talus continental à des profondeurs de 800 m, filets dérivants pouvant dépasser 100 km de long et hauts de 40 m ; de nombreux mammifères et oiseaux marins protégés (dauphins, albatros, etc.) en sont victimes.

◆ Évolution des prises des pêcheries maritimes depuis 1950.
En une cinquantaine d'années, l'activité des pêcheries maritimes a présenté une évolution spectaculaire, tant au plan qualitatif – dans la nature des techniques de pêche – que quantitatif. La première phase, qui s'est achevée à la fin des années 1980, a été marquée par une croissance continue des prises. Ces dernières ont tendance à stagner depuis une dizaine d'années par suite de l'épuisement des stocks.

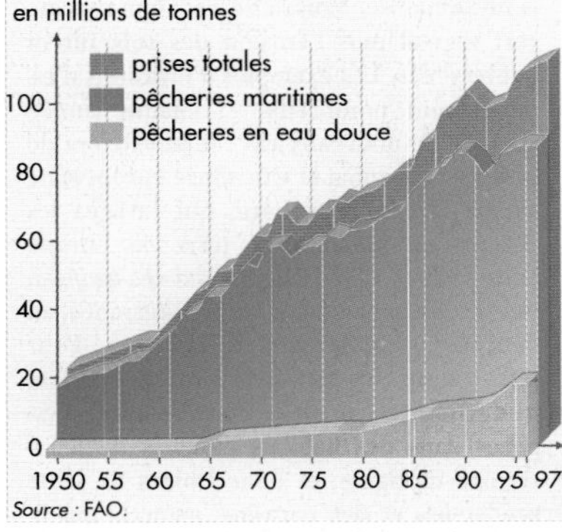

La surexploitation des stocks de poissons. Au cours du dernier demi-siècle, les captures prélevées sur les principales espèces d'animaux marins d'importance économique ont crû hors de toutes proportions, devenant incompatibles avec une exploitation durable. Les prises des pêcheries maritimes, de l'ordre de 15 millions de tonnes de poissons par an en 1950, ont atteint 85 millions de tonnes en 1989. Elles stagnent, et même ont légèrement décru, depuis 1990.

Les espèces de poissons marins ayant un intérêt économique sont de nos jours tellement surexploitées que les flottilles des pays dont la pêche constitue une activité traditionnelle importante (Japon, Corée, Russie, Espagne...) en viennent à piller les zones océaniques les plus reculées, telles que les eaux des mers australes, y compris celles du plateau continental antarctique.

◆ Grand chalutier de pêche hauturière avec chalut géant.
Au cours des dernières décennies, les techniques de pêche ont fait des progrès considérables, permettant de pêcher dans des eaux profondes – celles de l'étage bathyal, à plus d'un kilomètre sous la surface, parfois – et de réaliser en un seul coup de filet des prises se chiffrant en dizaines de tonnes.

Ainsi, les stocks des principales espèces exploitées (morue, églefin, flétan, carrelet, thon, anchois du Pérou, lieu, merlu...) se sont réduits de façon préoccupante, voire se sont épuisés. À cet égard, le cas de la sardine du Pacifique, exploitée sur la côte ouest des États-Unis et du Canada à partir des années 1920, a été particulièrement exemplaire. Ses prises culminèrent à 800000 t en 1939 puis s'effondrèrent subitement à la fin des années 1940, tombant à quelques milliers de tonnes par an, ce qui provoqua la fermeture de toutes les pêcheries qui vivaient de son exploitation. Ses stocks ne se sont jamais reconstitués depuis lors.

À l'heure actuelle, la situation des pêcheries océaniques mondiales est si désastreuse que seule une stricte politique de quotas de prises, y compris dans les eaux marines internationales, pourrait assurer leur avenir.

◆ Pulvérisation aérienne de pesticides.
L'agriculture industrielle et intensive qui s'est répandue dans l'ensemble du monde fait un recours systématique aux pesticides. Ces traitements dits « phytosanitaires », effectués de plus en plus souvent par avion ou hélicoptère, sont à l'origine d'une pollution diffuse de l'environnement, car cette technique favorise la dérive de brouillards de traitement chargés de ces substances toxiques.

L'exploitation des ressources minérales océaniques. Les ressources minérales du fond des océans sont exploitées de façon de plus en plus intense. Tel est le cas du pétrole offshore, qui représente aujourd'hui plus de 30 % des quantités totales extraites chaque année dans le monde. La technique de forage offshore, à partir de plates-formes dont certaines sont hautes de plus de 100 m et pèsent plus d'un million de tonnes, permet aujourd'hui l'exploitation commerciale de gisements situés à près de 600 m de profondeur, même dans des eaux aussi dangereuses que celles de l'océan Glacial arctique. Les risques d'accident sont ici d'autant plus préoccupants que les interventions sur les installations situées sur le fond (têtes de puits) sont techniquement difficiles.

Les techniques d'exploration des fonds marins, qui ont donné accès aux plus profondes des grandes fosses océaniques, ont permis la découverte de concrétions (nodules) métallifères de quelques centimètres de diamètre. Généralement, ces nodules, qui, par endroits, tapissent de vastes surfaces de la plaine abyssale, renferment de fortes concentrations de métaux non ferreux : cobalt, nickel, cuivre, molybdène, titane. Dans le Pacifique, certaines aires abyssales renferment 120 000 t/km^2 de manganèse, ce qui a conduit à envisager leur exploitation. Toutefois, celle-ci est restée à l'état de projet, du fait de la chute des cours des matières premières – pour ne rien dire des difficultés techniques non encore résolues.

Les milieux côtiers

Les côtes plates présentent divers types d'écosystèmes littoraux, plus particulièrement dans les zones d'estuaires et de deltas, qui ont une grande importance écologique.

Les vasières peuvent couvrir de vastes surfaces. Ce sont des sites de nourrissage importants pour les oiseaux migrateurs. Elles constituent aussi l'habitat de nombreux invertébrés marins, mollusques par exemple, exploités de façon artisanale. Les lagunes littorales, parfois converties en marais salants, servent de nurseries pour de nombreuses espèces de poissons : dorades, muges, bars, etc. Il en va de même des mangroves, dont les arbres dominants sont les palétuviers. Outre qu'elles protègent les côtes basses contre les tempêtes, elles sont d'une importance vitale pour les pêcheries tropicales. En effet, elles jouent un rôle primordial dans le cycle de vie des poissons et des diverses crevettes exploités par les pêcheries industrielles.

L'aménagement du littoral. Les zones littorales constituent des sites privilégiés d'urbanisation et d'industrialisation. En outre, les lagunes et les marais côtiers peuvent être poldérisés (c'est-à-dire asséchés) afin d'être convertis en terres agricoles.

Dans certaines régions du monde, la demande d'aménagement s'est accrue face aux besoins du tourisme. Tel est le cas de la Méditerranée, qui accueille déjà sur son littoral plus de 100 millions de visiteurs par an. Ce qui entraîne l'altération ou la destruction de nombreux habitats côtiers d'une importance écologique exceptionnelle, en particulier des dunes, massivement éliminées au cours des dernières décennies.

Les eaux continentales

Elles correspondent à une grande diversité d'écosystèmes d'eaux douces – définies par une salinité inférieure à 3 ‰ (cours d'eau, lacs, étangs, marais, marécages) – ou d'eaux saumâtres (salinité comprise entre 3 et 20 ‰), voire sursalées dans le cas des lagunes littorales.

Les fleuves aménagés. Les cours d'eau ont, eux aussi, été transformés par l'action humaine, qui a concerné l'ensemble des bassins versants. Le déboisement fréquent de la partie amont est la cause d'inondations, aux effets amplifiés par le « remembrement » rural. Pour prévenir ces dernières, les hommes ont entrepris très tôt d'endiguer et de canaliser les fleuves, avec pour conséquence la disparition des plaines d'inondation. La construction de barrages hydroélectriques a également contribué à la perturbation de l'écologie fluviale. Ces divers bouleversements ont entraîné la rupture du cycle vital de la plupart des espèces de poissons et provoqué la disparition des populations de migrateurs tels les saumons, la partie amont des rivières leur étant souvent devenue inaccessible.

Les lacs. Bien que moins modifiés par l'action de l'homme, les lacs sont également victimes d'une pollution de leurs eaux par les rejets d'effluents (eaux usées) des agglomérations riveraines et (ou) par les apports de nitrates et de phosphates résultant du lessivage des terres cultivées de leur bassin versant. En conséquence, et tant en Europe qu'en Amérique du Nord, se manifeste le phénomène de la dystrophisation des eaux lacustres, lequel se traduit par une prolifération des algues qui envahissent les eaux libres, par une désoxygénation de l'eau et par la disparition des poissons nobles (ombles et corégones).

L'espace rural

De nos jours, la quasi-totalité des terres cultivables a déjà été défrichée à des fins de mise en valeur agricole. En Europe et dans les autres régions habitées du monde, ce que l'on appelle aujourd'hui « nature » correspond avant tout à l'espace rural, c'est-à-dire à des paysages profondément transformés par l'action de l'homme, qu'il s'agisse de cultures, de pâturages ou même de forêts. Cette empreinte humaine est particulièrement apparente dans les zones de relief, où les cultures en terrasses, destinées à prévenir l'érosion des sols et qui remontent souvent à l'Antiquité –, montrent à quel point la nature a été domestiquée de longue date dans les pays d'ancienne civilisation, principalement en Extrême-Orient et dans le Bassin méditerranéen.

Le remembrement agricole. L'espace rural a connu dans les toutes dernières décennies des bouleversements plus importants qu'au cours du dernier millénaire. Ceux-ci sont dus à l'intensification considérable de la production qui a marqué l'agriculture contemporaine, liée à la recherche des rendements maximaux, quel qu'en soit le coût écologique. L'un des aspects les plus apparents de ces transformations a été le « remembrement » agricole. Systématique dans toute l'Europe, il s'est soldé par l'arrachage des haies et l'arasement des talus afin de permettre l'utilisation des machines agricoles modernes. Cette modification de la structure de l'espace rural s'est accompagnée de sa pollution croissante, résultant de l'usage excessif des produits chimiques, engrais et pesticides, dans les cultures, sur les herbages et les forêts.

L'élevage hors sol. La recherche inconditionnelle de la productivité a aussi marqué l'élevage moderne, lequel se caractérise par l'abandon des pâturages au profit du nourrissage des animaux domestiques en étable (stabulation permanente) au moyen d'aliments artificiels. Aux fourrages ont été substituées des farines renfermant de la poudre de poisson ou de viande. Ces pratiques aberrantes ont conduit au désastre de la maladie de la « vache folle », due à ce que des bovins ont été nourris avec des farines de viande de moutons atteints d'une grave maladie neurologique : la tremblante avec pour conséquences l'embargo sur la viande de bœuf britannique dans l'ensemble de l'Union européenne et l'abattage de troupeaux entiers, soit des pertes se chiffrant en milliards de francs par an.

◆ **Plantation d'*Eucalyptus robustus* au Portugal après arrachage du boisement naturel de pins maritimes.**
La sylviculture moderne, en privilégiant de façon démesurée la production ligneuse, participe à la disparition de la biodiversité et compromet la durabilité de ses activités, en raison de l'impact négatif de ses pratiques sur l'équilibre des écosystèmes forestiers ainsi modifiés.

La catastrophe de la mer d'Aral

Constituant l'un des plus vastes lacs d'eau douce du monde avec 60 000 km² (avant 1960), la mer d'Aral a perdu depuis le début des années 1960 quelque 40 % de sa surface et s'est enrichie en sels. Cette transformation résulte de la dérivation des eaux de l'Amou-Daria et du Syr-Daria, réalisée pour irriguer les cultures de coton en Ouzbékistan. Il s'agit d'un désastre écologique d'une considérable ampleur. En effet, l'augmentation de la salinité a entraîné la disparition de la faune d'eau douce, dont les 24 espèces de poissons endémiques qui vivaient dans ce lac avec pour conséquence l'arrêt définitif de ses pêcheries, autrefois prospères.

Les forêts

Les écosystèmes forestiers couvrent quelque 30 % des continents émergés. Il en existe quatre types principaux : les forêts tropicales pluvieuses ou de mousson, les forêts méditer-ranéennes, les forêts tempérées d'arbres à feuilles caduques et les forêts boréales de conifères.

Parmi les modes d'exploitation des forêts pour la production de bois, le plus ancien consiste à effectuer des coupes sélectives, en extrayant seulement quelques troncs ayant une valeur commerciale, sans perturber l'ensemble du boisement. En Europe s'est développée la technique des futaies jardinées, caractérisée par la coupe progressive des arbres adultes.

Mais la méthode des coupes rases est de nos jours la plus courante. Elle consiste à couper la totalité des arbres. Le boisement se reconstitue ensuite selon une succession qui va du gaulis à la futaie, en passant par le perchis et le taillis. Des coupes d'éclaircissement interviennent au stade du taillis, puis au début de la futaie. On obtient ainsi une structure dite « équienne », c'est-à-dire où le boisement adulte est constitué d'arbres du même âge.

Un mode d'exploitation plus récent consiste à planter, après la coupe rase, l'essence que l'on veut privilégier. Cette méthode est souvent combinée à l'introduction d'espèces exotiques : pins douglas et *ponderosa* d'Amérique du Nord, *Eucalyptus robustus* en Europe méditerranéenne, divers autres eucalyptus et pins des Caraïbes dans les régions tropicales.

Malgré une certaine prise de conscience, les forêts continuent à être dégradées par diverses interventions humaines. Le remplacement, partiel ou total, d'un peuplement d'arbres feuillus par des résineux (l'enrésinement), effectué sans discernement, provoque une dégradation des sols en podzols (sols lessivés, appauvris en nutriments) sous les climats froids et humides, ou en latérites en milieu tropical. À plus vaste échelle, les forêts souffrent d'une dégénérescence due aux pluies acides, conséquence de la pollution atmosphérique.

VOIR AUSSI
- **Milieu naturel** p. 46 à 55
- **Océan mondial** p. 56
- **Plantes dans leur milieu** p. 162 à 176
- **Déforestation** p. 189
- **Pétrole** p. 356
- **Pêche et aquaculture** p. 866

Urbanisation et industrialisation

Urbanisation et mégalopoles

Depuis le milieu du XIXe siècle, la croissance des villes s'effectue à un rythme nettement supérieur à celui de la croissance démographique générale. Ce phénomène, fortement accéléré durant de la seconde moitié du XXe s., affecte toujours les pays industrialisés, mais est encore plus rapide dans ceux du tiers-monde, qui subissent une explosion démographique. Dans certains pays d'Amérique latine (Venezuela par exemple), plus de 30 % de la population totale s'agglutine déjà dans les métropoles.

Actuellement, 14 villes excèdent 10 millions d'habitants. Alors que seulement 29 % de la population mondiale était urbaine en 1950, on estime que cette proportion excédera 62 % en 2020. À cette date, le tiers de l'humanité vivra dans des villes de plus d'un million d'habitants, et il existera dans le monde dix mégalopoles dépassant 20 millions d'habitants : Mexico, São Paulo, Le Caire, Karachi, New Delhi, Calcutta, Bombay, Dacca, Shanghai et Jakarta.

◆ **Proportion relative des populations rurale et urbaine entre 1900 et 2020.**

Année	Population rurale*	Population urbaine*
1900	86,4	13,6
1950	71,1	28,9
1985	56,7	43,3
2020	37,5	62,5

* en % de la population totale.

L'exode rural, cause essentielle d'urbanisation. L'exode rural représente un facteur majeur d'urbanisation. Après la Seconde Guerre mondiale, il a pris en France une telle ampleur que l'on a pu parler de« désertification » des campagnes.

Essentiellement rurale jusqu'aux années 1980, la population mondiale est devenue majoritairement urbaine vers la fin du XXe siècle. Dans les zones rurales des pays en voie de développement, le raz de marée démographique provoque l'exode massif vers les villes d'un nombre croissant de paysans sans terre, qui s'entassent dans d'immenses bidonvilles à la périphérie, ou parfois même au centre des villes.

L'environnement urbain en crise

Au cours des dernières décennies, l'urbanisation s'est souvent effectuée de façon anarchique, et cela même dans les pays «avancés». Et que dire des villes du tiers-monde, où manquent en général les infrastructures de voirie et d'assainissement les plus élémentaires !

Une sévère crise touche aujourd'hui l'environnement urbain, crise dont les problèmes de transports, de pollution de l'air, de traitement des eaux usées et des déchets domestiques constituent les aspects les plus apparents.

La priorité donnée aux véhicules individuels au détriment des transports collectifs est, par exemple, la source d'une pollution atmosphérique de gravité croissante, et elle induit aussi une occupation de l'espace aberrante, au détriment d'autres usages : à Los Angeles, 35 % de la surface totale de l'agglomération sont couverts par des routes !

◆ **Grande décharge urbaine survolée par des mouettes.** La gestion des déchets urbains a été longtemps assurée par la mise en décharge. Cette dernière devient impraticable, par manque de sites disponibles mais aussi à cause des problèmes d'environnement qui en résultent.

La pollution atmosphérique des villes soulève également de redoutables problèmes, entre autres d'hygiène publique. Elle génère des pics aigus de pollution provoquant la formation de smog (de *smoke* de l'anglais « fumée » et *fog* «brouillard»), avec une réduction de la visibilité – donc de l'éclairement au sol. Il existe deux types de smogs. Le premier, dit «acide», se rencontre sous des climats froids et humides, et résulte de la présence d'aérosols (suspensions de particules dans l'air) renfermant notamment de l'acide sulfurique (formé à partir du dioxyde de soufre produit par certaines combustions). Le second type, dit «photo-oxydant», se forme sous des climats secs et ensoleillés et se caractérise par la formation d'ozone et de PAN. Particulièrement fréquent sous des climats méditerranéens, il peut se produire par beau temps à de plus hautes latitudes, comme celles de l'Europe occidentale. Au cours des dernières années, Paris a connu plusieurs épisodes de smog oxydant.

Le problème des déchets. La gestion des déchets urbains, en particulier des ordures ménagères, soulève d'immenses problèmes. Comme la mise en décharge sera proscrite à partir de 2002, divers pays – dont la France – ont adopté la solution de facilité, celle de l'incinération, avec pour conséquence un transfert de pollution vers l'atmosphère. Dès à présent, les dioxines, benzofurannes et HAP rejetés lors de l'incinération ont provoqué de graves contaminations de l'air et des productions animales. Seuls le tri sélectif et le recyclage systématique des déchets peuvent apporter une solution durable à ces questions très préoccupantes. La production de moins de déchets, notamment par la fabrication de biens de consommation plus durables, pourrait aussi être envisagée.

L'écosystème urbain. Les villes peuvent être considérées comme un écosystème artificiel possédant un climat particulier, différent de celui des campagnes environnantes. C'est ainsi que l'« îlot de chaleur » urbain – nom donné par les météorologues à l'air urbain, d'une température supérieur à celle des zones rurales voisines – résulte du chauffage de l'habitat, de la présence d'industries et de la circulation des véhicules à moteur.

Une partie de ces différences est due à la pollution atmosphérique des villes et, en particulier, au phénomène de smog. À Los Angeles, située dans le sud de la Californie, où, avant la construction de cette ville, on dénombrait une cinquantaine de jours de temps couvert par an, on était arrivé, au début des années 1970, à 250 jours par an de visibilité réduite à cause du smog. Depuis, des mesures ont été prises pour limiter la pollution de l'air. C'est aussi à la pollution atmosphérique par des particules qu'il faut attribuer la plus grande fréquence des orages et leur plus forte intensité sur les zones urbaines.

D'autres différences, telle la plus faible vitesse du vent, résultent de la présence de hauts immeubles. Ces derniers, contribuent aussi, par leur ombre portée, à une baisse de l'intensité du rayonnement solaire moyen au niveau du sol. Cette atténuation de l'ensoleillement favorise la pollution bactérienne de l'air urbain, le rayonnement solaire ayant un effet bactéricide.

◆ **Le climat urbain comparé à celui des campagnes environnantes.**

Facteurs météorologiques	Comparaison entre milieu urbain et zones rurales voisines
brouillards (smog)	
hiver	+ 100 %
été	+ 30 %
nébulosité	de + 5 à + 10 %
poussières atmosphériques	de + 10 à + 20 %
rayonnement ultraviolet	
moyenne annuelle	– 10 %
été	– 40 %
précipitations	de + 5 à + 10 %
température	
moyenne annuelle	de + 0,5 à + 1 °C
moyenne hivernale	de + 1 à + 2 °C
vitesse du vent	
moyenne annuelle	de – 20 à – 30 %
lors de tempêtes	de – 10 à – 20 %

Énergie et industrialisation

L'histoire de l'humanité va de pair avec une maîtrise progressive de l'énergie, grâce à des technologies de plus en plus complexes. La première fut la découverte du feu, voici au moins 700 000 ans, qui conféra aux hommes primitifs des moyens d'action sur leur environnement. La seconde, qui marqua l'avènement des premières civilisations au début du néolithique, fut celle de l'agriculture. La civilisation scientifique moderne, qui continue à se développer, est marquée par l'usage des combustibles fossiles et, depuis quelques décennies, par celui de l'énergie nucléaire

Production d'énergie. La production d'énergie a connu une augmentation considérable au cours du dernier siècle. Son taux de croissance à l'échelle mondiale, estimé à 3 % par an vers 1900, s'élevait à 5,6 % par an au cours des années 1960, et approchait les 7,5 % par an à la veille du « choc pétrolier » d'octobre 1973. Il s'est depuis ralenti, tombant à une valeur comprise entre 3 et 4 % par an dans les années 1990.

◆ **Mine de bauxite abandonnée, dans le Var, près de Brignoles.**
Les carrières et mines à ciel ouvert présentent un impact considérable sur l'environnement. Les immenses cavités qu'elles laissent derrière elles après épuisement du gisement enlaidissent le paysage.

VOIR AUSSI
- **Pollution** p. 77
- **Effet de serre** p. 79
- **Traitement des déchets** p. 365

Petit lexique

benzofuranne : molécule hétérocyclique constituée de deux cycles benzéniques associés à un atome d'oxygène.

dioxine : molécule hétérocyclique constituée de deux cycles benzéniques associés à deux atomes d'oxygène. Ses dérivés chlorés, comme ceux des benzofurannes, constituent de redoutables polluants de l'environnement.

HAP : abréviation de « hydrocarbures aromatiques polycycliques ». Il s'agit de molécules complexes constituées par l'association de 2 à 6 groupements benzéniques. Ceux à 5 cycles, tels les benzopyrènes, constituent de dangereux cancérogènes.

PAN : abréviation de « peroxy-acétyl-nitrate ». Il s'agit de contaminants secondaires formés par oxydation d'hydrocarbures et réaction de ces derniers avec le dioxyde d'azote. Les PAN sont très toxiques, tant pour les plantes que pour les animaux.

En valeur absolue, la production mondiale d'énergie atteignait, au milieu des années 1990, quelque $8{,}03 . 10^9$ tep (tep = tonne d'équivalent pétrole). Sur ce total, le charbon représente 27,3 %,le pétrole 38,6 %, le gaz naturel 21,15 %, l'hydroélectricité 6,75 %, et le nucléaire 5,73 %.

Cette production est donc essentiellement liée à l'usage des combustibles fossiles. Ceux-ci, produits par raffinage dans les installations pétrochimiques (fuels et carburants), sont brûlés dans des chaufferies industrielles et dans les divers types d'engins de transport. Les carburants (essence, gazole, kérosène) représentent plus de 30 % de la consommation mondiale d'hydrocarbures. Une fraction encore plus importante des combustibles fossiles est utilisée dans les centrales électriques « thermiques ».

L'énergie hydraulique. L'hydroélectricité constitue la forme principale d'utilisation de l'énergie des cours d'eau. Certaines installations sont de dimensions colossales, telle celle des Trois Gorges, en Chine, dont la puissance électrique atteindra 17 MW lors de sa mise en service en 2005. Bien que non polluante, cette forme d'énergie présente un impact considérable sur l'environnement. En effet, les barrages, entravant la circulation des éléments nutritifs dissous ou en suspension dans les eaux, perturbent les populations de poissons, provoquant même parfois leur disparition.

L'énergie nucléaire. L'utilisation pacifique de cette énergie se caractérise par un ensemble de risques d'accidents – avec pour certains des dimensions potentiellement catastrophiques – et que par la libération, dans l'environnement, d'une pollution radioactive. Cet impact environnemental de l'énergie nucléaire varie en importance aux diverses étapes de ce que l'on dénomme le « cycle du combustible », c'est-à-dire les stades successifs allant de l'extraction de l'uranium dans les mines jusqu'au stockage des déchets radioactifs produits par l'industrie nucléaire. Au niveau des mines existe une pollution de l'atmosphère par un gaz rare radioactif, le radon, et un risque de contamination des eaux superficielles par des éléments radioactifs naturels (radium, par exemple) par suite du lessivage des stériles de mines. Cependant, les risques principaux d'accidents et les pollutions liés au fonctionnement normal des installations concernées se situent en aval du cycle (centrales nucléaires et surtout usines de retraitement des combustibles irradiés, comme par exemple La Hague, en France). Ces installations rejettent dans l'atmosphère des gaz rares radioactifs (en particulier du krypton 85) et dans les eaux des rivières, ou marines selon le cas des effluents, contaminés par divers radionucléides. Ces derniers sont constitués par les produits de fission de l'uranium et du plutonium (dont les redoutables strontium 90 et césium 137) et des produits dits d'activation : tritium, manganèse 54... Il convient de préciser que ces polluants, après dilution dans les eaux naturelles, ne doivent pas excéder une concentration maximale, définie par la loi afin d'assurer la protection des populations habitant dans le voisinage. Mais l'essentiel de la pollution radioactive produite par l'industrie nucléaire se retrouve en fin de cycle, sous forme de déchets de haute activité qui sont vitrifiés et dont le stockage doit être assuré sur des durées considérables – se chiffrant en siècles voire en millénaire – dans des centres adéquats (mines de sel désaffectées, par exemple).

Mines et carrières. Les besoins en charbon, minerais et autres matériaux minéraux, en particulier pour la construction, conduisent la civilisation moderne à développer sans cesse les industries extractives. Les gisements à ciel ouvert sont devenus prépondérants, car le coût d'extraction y est bien plus faible. D'autre part, l'épuisement des gîtes les plus riches amène à exploiter des minerais de teneur de plus en plus basse, ce qui implique le déplacement de volumes considérables et croissants de roches.

L'impact des exploitations minières sur l'environnement s'accroît, les gisements à ciel ouvert perturbant la circulation des eaux souterraines par rupture du plancher des nappes phréatiques et provoquant l'acidification des eaux, superficielles et souterraines, et (ou) leur pollution par des éléments toxiques. Par ailleurs, l'absence de réhabilitation de ces sites miniers après exploitation laisse des paysages dévastés.

Usines. L'industrie moderne se caractérise par des usines de taille gigantesque, en particulier dans la sidérurgie, dans l'industrie automobile, le secteur pétrolier et dans l'industrie chimique lourde, laquelle synthétise des tonnages considérables de certains composés toxiques.

De telles installations sont d'autant plus polluantes que leurs productions sont importantes. Les pollutions concernent aussi bien l'atmosphère que les milieux aquatiques. Certaines usines présentent un risque catastrophique en cas d'accident, comme l'attestent les désastres de Bhopal ou de Seveso. Depuis ce dernier accident en Europe, la réglementation dite « Seveso » recense les installations potentiellement dangereuses et en organise la surveillance.

La catastrophe de Bhopal

Survenu le 3 décembre 1984 à Bhopal (Inde), dans une usine qui fabriquait des insecticides, cet accident fut provoqué par une explosion due à une infiltration d'eau dans un réservoir renfermant du méthylisocyanate, violent poison respiratoire utilisé dans la synthèse de ces pesticides. Une trentaine de tonnes de ce composé, qui est volatil, inflammable et explosif, fut libérée dans l'atmosphère et contamina toute la population qui se trouvait sous le vent. Ce composé causa la mort de plus de 2 000 personnes et en intoxiqua 170 000 autres, dont beaucoup, environ 30 000, atteintes de lésions irréversibles, restèrent invalides.

◆ **La population des agglomérations du monde.**

Agglomération	Population* en millions d'hab.
1 Tokyo (Japon)	29,6
2 Central-Megalopolis/New York (É.-U.)	24,5
3 Séoul (Corée du Sud)	19,6
4 Mexico (Mexique)	17,8
5 São Paulo (Brésil)	16,8
6 Manille (Philippines)	15,6
7 Los Angeles/Riverside/Oxnard (É.-U.)	15,0
8 Bombay (Inde)	15,0
9 Osaka (Japon)	15,0
10 Jakarta (Indonésie)	14,3
11 Delhi (Inde)	12,6
12 Calcutta (Inde)	12,3
13 Buenos Aires (Argentine)	12,0
14 Shanghai (Chine)	11,5
15 Le Caire (Égypte)	11,1
16 Karachi (Pakistan)	10,6
17 Rio de Janeiro (Brésil)	10,4
18 Moscou (Russie)	10,2
19 Paris (France)	9,6
20 Dacca (Bangladesh)	9,0
21 Chicago/Milwaukee (É.-U.)	9,0
22 Istanbul (Turquie)	8,9
23 Londres (Royaume-Uni)	8,1
24 Téhéran (Iran)	8,1
25 Bangkok (Thaïlande)	7,7
26 Taipei (Taïwan)	7,7
27 Pékin (Chine)	7,7
28 Hongkong/Shenzhen (Chine)	7,3
29 Lima (Pérou)	6,9
30 Nagoya (Japon)	6,9

* Population estimée à l'aide des derniers recensements ou estimations officiels.
Données 1997. *Source :* Géopolis – FME.

La désertification

L'avancée des déserts

La désertification correspond à une dégradation de la végétation puis à l'érosion de la couche de terre, qui met la roche sous-jacente à nu. Ce processus est dû à des conditions climatiques inhabituelles (absence de pluies, vents violents ou chauds, froids ou chaleurs excessifs) et à certaines activités humaines (incendies, surpâturage, agriculture intensive, etc.).

Les régions sèches. Les régions les plus exposées à la désertification, dites «sèches», reçoivent entre 150 et 750 mm d'eau (en deçà de 150 mm par an, les régions sont qualifiées de «désertiques»). Les régions sèches occupent environ 20 % des terres émergées, soit 30 millions de kilomètres carrés, sur lesquels vivent 150 millions de personnes. Elles bordent naturellement les déserts, qui s'alignent principalement sur les tropiques, mais elles existent aussi à l'abri de certaines montagnes car celles-ci arrêtent les pluies et/ou sont à l'origine d'un vent sec et chaud, le fœhn. Dans d'autres régions, l'aridité est due à des courants océaniques froids apportant donc peu de pluie aux côtes qu'ils longent, tel que le courant de Humboldt qui assèche le Chili.

Des zones désertiques de plus en plus vastes. Dans toutes ces régions sèches, les faibles précipitations concourent ainsi par endroits à la mort de la végétation, voire à sa disparition. Ces secteurs s'étendent peu à peu jusqu'à ne laisser que quelques «îlots» de couverture végétale qui disparaissent à leur tour si le processus se poursuit. En absence de végétation, l'eau des pluies, rares mais souvent violentes en zone subtropicale, ruisselle plutôt que de s'infiltrer et arrache des particules du sol nourricier, dont les tourbillons d'air et les vents achèvent l'érosion. Lorsque la roche apparaît, décapée de son sol, la désertification est irréversible.

Les déserts gagnent du terrain partout dans le monde et dans des proportions considérables. Au début des années 1990, les Nations unies estimaient à 60 000 km² la surface transformée chaque année en désert. Par exemple, la frange méridionale du Sahara progresse sur la bande sahélienne à une vitesse moyenne de 2 km par an depuis plusieurs décennies. Dans cette région, pendant la grave sécheresse qui a sévi entre 1968 et 1985, les savanes sahéliennes se sont transformées rapidement en désert : une progression vers le sud de l'ordre d'une centaine kilomètres a été observée certaines années, notamment au Soudan, au Tchad et en Mauritanie.

Les sécheresses

Les sécheresses correspondent à des périodes de déficit en eau, pouvant aller jusqu'à l'absence de précipitations ou de réserves d'eau.

En régions tempérées, les sécheresses sont dues à la persistance d'un anticyclone à basse altitude; les pluies faibles d'été sont vite absorbées par la végétation, les pluies d'hiver alimentent insuffisamment les nappes aquifères pour les besoins annuels. En outre, il peut y avoir coïncidence entre inondations en hiver et sécheresse en été. En effet, du fait d'une urbanisation croissante et de certaines pratiques agricoles, le ruissellement des eaux se trouve accru aux dépens de leur infiltration; ce processus favorise les crues des fleuves en hiver, tandis que les nappes aquifères se trouvent asséchées en été.

En zone intertropicale, la sécheresse est un phénomène plus récurrent, qui revêt un caractère saisonnier ou cyclique. Ainsi, en Afrique, notamment dans la bande du Sahel, la sécheresse est due au déplacement vers le sud de l'anticyclone normalement positionné au-dessus du Sahara : la mousson, venant de l'Atlantique sud, condense et précipite son humidité à plus basse latitude au lieu de décharger ses pluies sur le Sahel qui est plus au nord. El Niño peut aussi être la cause de sévères sécheresses dans les zones intertropicales, particulièrement sur les façades continentales est (Indonésie et Australie, Éthiopie, Brésil, etc.).

L'action de l'homme

Si les sécheresses récurrentes jouent un rôle prédominant dans le processus d'aridification, l'action de l'homme amplifie le phénomène et donne un caractère irréversible à la désertification.

L'exemple du Sahel. L'absence de pluies intervient régulièrement, à chaque fois que la mousson n'atteint pas cette bande africaine. Mais dès que survient une année plus humide, la végétation reprend. La grande différence entre sécheresse et désertification, c'est la présence de sol nourricier (la terre) : sans lui, rien ne pousse, qu'il pleuve ou non. L'érosion du sol de ces régions due aux activités humaines provient peut-être de changements de mode de vie.

Autrefois, les peuples étaient des pasteurs nomades, qui profitaient, quand les pluies étaient favorables, des graminées du tapis végétal du nord du Sahel et qui descendaient plus vers le sud en cas de sécheresse en emmenant, ou plutôt en suivant, leurs troupeaux. D'ailleurs, c'est ce que font les gazelles, les antilopes et autres ongulés sauvages depuis des millions d'années.

Aujourd'hui, ces peuplades sahéliennes se sont sédentarisées. Beaucoup y voient la raison de la détérioration de leur existence et de leur niveau économique. Cette sédentarisation est rarement volontaire ; elle est généralement dictée par les gouvernements, soucieux de fixer les populations errantes, comme au Niger et en Somalie, et trop souvent imposée par des conflits guerriers, comme au Tchad, au Soudan et en Éthiopie. Une fois fixées, les tribus exploitent au maximum les ressources locales. La déforestation permet de subvenir aux besoins en bois de chauffage et de mettre en place des cultures. Pour développer ces dernières, il faut puiser dans les réserves des eaux de surface et dans celles des nappes phréatiques. L'irrigation gorge les sols d'eau et dégrade ceux-ci par salinisation. L'accroissement des troupeaux, qui suit la croissance démographique, et le surpâturage qui en résulte détruisent le couvert végétal et érodent les sols. Ainsi hommes et bêtes ne laissent pas le temps à la biomasse de se régénérer. En contre-exemple, le Tibesti, après le conflit tchado-libyen, a reverdi, non pas en raison d'un climat plus clément, mais parce que la région, truffée de mines, a été désertée par les hommes.

La salinisation

La salinisation d'un sol est son enrichissement excessif en sels solubles (chlorures, sulfates, carbonates) de sodium, de calcium ou de magnésium. Appelée «érosion hydrique» par les pédologues, par analogie avec l'érosion éolienne, elle aboutit à la dégradation du sol. Ce phénomène se produit surtout sur les terres irriguées pour les besoins des cultures. Le processus de salinisation résulte de l'évaporation des eaux gorgeant les sols en y déposant ces sels, à l'instar des marais salants. Un sol est considéré comme salé lorsque son contenu en sels solubles dépasse 1 ou 2 % dans les 20 cm supérieurs. La présence de ces sels affaiblit la capacité des plantes à puiser l'eau. Ces dernières finissent par disparaître, et les processus de dégradation des sols s'enchaînent alors d'autant plus rapidement que la salinisation modifie les propriétés physico-chimiques de ceux-ci, aboutissant à la désertification.

D'autres exemples. L'action de l'homme menant à la désertification touche d'autres régions de la planète. C'est le cas du Rajasthan (État du nord-ouest de l'Inde), qui était encore couvert de steppes au XIXe s. Autre exemple, sous des latitudes tempérées : celui de la désertification des Grandes Plaines des États-Unis. La mise en culture céréalière des steppes semi-arides du Centre-Ouest (allant des Rocheuses à 100° de longitude ouest) ne prit pas en compte la faible épaisseur du sol, peu appropriée au défrichage. Lorsque survint la sécheresse des années 1930, l'érosion éolienne (par les vents) transforma les plaines en *dustbowls* («cuvettes à poussières»), désertifiant des territoires couvrant jusqu'à 450 000 km² et poussant les agriculteurs à l'exode vers la Californie. En pleine crise économique, cette catastrophe écologique fut considérable ; elle fournit à John Steinbeck le sujet de son célèbre roman, *les Raisins de la colère*.

◆ **Une habitation envahie par le sable en Mauritanie.**

VOIR AUSSI
- **Déserts** p. 53
- **Environnement global** (El Niño) p. 70
- **Catastrophes naturelles** p. 71
- **Déforestation** p. 189

La pollution

Définition, causes et effets

La pollution se définit comme « un changement défavorable de l'environnement dû à l'action humaine qui provoque une modification des flux de l'énergie, des niveaux de radiations, de la constitution physico-chimique ou microbiologique du milieu naturel ».

Ce n'est qu'à l'aube de la civilisation industrielle, au milieu du XVIII^e^s., que les phénomènes de pollution prirent une importance significative. Ils sont, depuis lors, allés en s'accroissant de façon exponentielle et atteignent une telle ampleur à l'heure actuelle qu'ils contribuent à la modification accélérée de l'équilibre climatique à l'échelle planétaire.

Principaux types et causes de pollution. La production d'énergie vient largement en tête des innombrables sources de pollution dans la civilisation industrielle moderne. L'usage des combustibles fossiles en est la cause principale. Mais le développement du nucléaire éveille l'inquiétude.

Les activités industrielles modernes, en particulier les industries chimiques et métallurgiques, sont à l'origine de diverses émissions polluantes, depuis le stade de la production jusqu'à celui de l'élimination des déchets. Enfin, l'agriculture et la sylviculture sont devenues des sources considérables de pollution diffuse au travers de l'épandage systématique, sur d'immenses surfaces, de produits chimiques – engrais et pesticides –, dont certains de très forte toxicité.

On distingue deux modalités principales de pollution : la première, dite « ponctuelle », provient d'installations industrielles ou d'agglomérations (rejetsd'égouts ou fumées d'usines); la seconde, dite « diffuse », est générée par de multiples sources (échappements d'automobiles ou traitements pesticides en agriculture).

La dispersion des polluants dans l'environnement est un phénomène complexe qui ne se limite jamais à un fait en apparence ponctuel comme l'égout se déversant dans une rivière ou le panache d'une cheminée d'usine qui s'élève dans l'air. Les polluants ainsi dispersés aboutissent en général fort loin de leur point de rejet, par le jeu de la circulation atmosphérique et (ou) du cycle de l'eau.

◆ **Forêts dégradée par les pluies acides dans les Adirondacks.** Comme toutes les forêts propres aux massifs anciens au terrain cristallin, celle des Adirondacks, dans l'État de New York (É. U.), a été très affectée par les pluies acides. Les conifères, plus sensibles que les feuillus, ont présenté une défoliation et même une mortalité importante, très visible sur ce cliché, les arbres affectés ayant perdu leurs aiguilles (celles qui persistent ont une couleur vert jaunâtre due à la moindre teneur en chlorophylle).

Tout polluant,même solide, finit par passer dans l'air à partir du moment où il se trouve à l'état de particules de faible diamètre. Il est ensuite pris par les grands courants de circulation atmosphérique, et cela d'autant plus aisément qu'il estintroduit plus haut. Il peut parfois faire le tour du globe en deux semaines et changer d'hémisphère.

Le temps moyen de séjour des polluants croît rapidement avec l'altitude : d'une semaine vers 3 000 m, il atteint un mois vers 9 km et 3 ans dans la stratosphère – vers 30 km d'altitude. Ils sont ensuite ramenés de l'atmosphère vers la surface terrestre par les précipitations. Puis, compte tenu du cycle de l'eau et, en outre, des rejets directs dus aux apports d'effluents urbains et industriels, la plupart des polluants produits en milieu terrestre finissent par se retrouver dans les zones littorales marines et même dans l'océan, au large.

La contamination des êtres vivants. Les polluants ne demeurent pas dans l'air, les sols ou les eaux ; ils passent aussi dans les organismes vivants, où ils peuvent présenter des phénomènes de bioconcentration, voire de bioamplification dans les chaînes alimentaires.

La bioconcentration tient au fait qu'un polluant peut s'accumuler dans un organisme exposé à des concentrations supérieures à celle qui se trouve normalement dans son milieu. La bioamplification consiste en une croissance de la concentration d'un polluant dans les êtres vivants d'une même chaîne alimentaire, particulièrement chez les derniers de la chaîne. Ce phénomène s'observe très souvent pour de nombreuses substances polluantes non, ou peu, biodégradables.

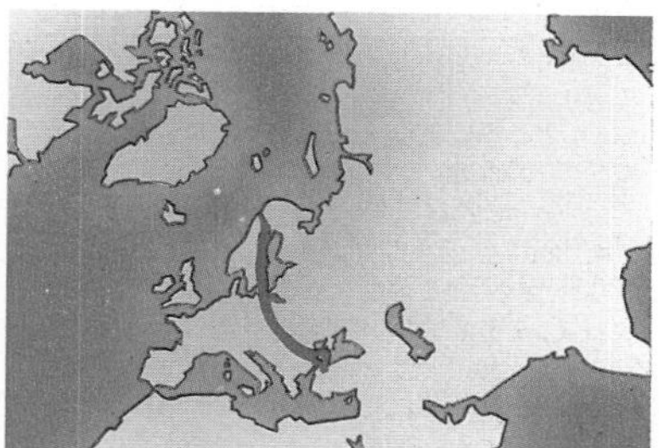

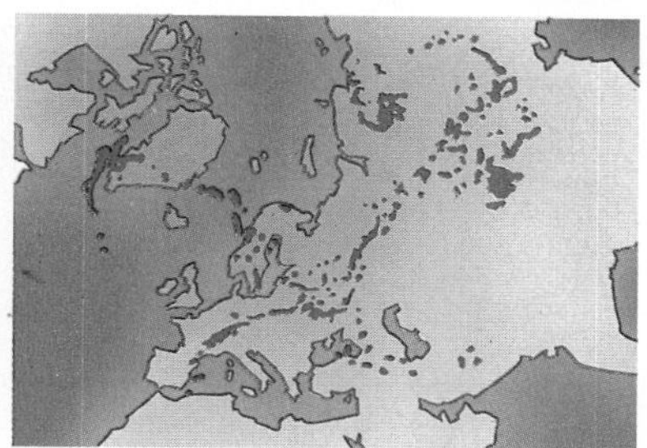

◆ **La catastrophe de Tchernobyl.** Diffusion du nuage de Tchernobyl sur l'Europe puis l'hémisphère Nord. La figure du haut représente la situation le 28 avril 1986, avec diffusion du nuage vers la Scandinavie et le sud de l'Ukraine ; celle du bas, la situation au 5 mai avec extension du nuage vers le Groenland et l'Amérique du Nord. Les retombées n'ont pas été continues mais localisées en des points chauds de radioactivité anormalement élevée.

Pollution de l'air

De nombreux aéropolluants présentent une forte toxicité pour les organismes terrestres et peuvent affecter des écosystèmes tout entiers (voir le cas des pluies acides).

Effets sur les végétaux. Les plantes supérieures sont très sensibles au dioxyde de soufre (SO_2). Les arbres les plus vulnérables sont les conifères, qui ne peuvent croître dans une atmosphère renfermant plus de 80 ppb (v) de ce gaz. Il est aussi très toxique pour les arbres à feuilles caduques et, chez les plantes cultivées, pour les composées et les légumineuses. Il s'attaque aux tissus des feuilles en altérant les chloroplastes dans les cellules et il détruit la chlorophylle. Il présente aussi une forte toxicité pour les cryptogames, en particulier les lichens. Ces derniers organismes, résultant de la symbiose entre algues et champignons, sont d'une telle sensibilité au SO_2 qu'ils constituent d'excellents bio-indicateurs de pollution atmosphérique par ce gaz. L'ozone et les PAN attaquent aussi le limbe foliaire des plantes supérieures.

La pollution de l'air par le fluor peut aussi détruire les cultures et les forêts ; l'accumulation de cet élément dans leur feuillage, en provoque la nécrose puis la mort.

Les pluies acides sont à l'origine de la dégénérescence de vastes surfaces de forêts. Elles agissent sur les végétaux croissant sur sols acides en solubilisant l'aluminium des sols, élément très toxique pour le système racinaire des plantes.

Effets sur l'homme et sur les animaux. La plupart des aéropolluants engendrent une irritation de la muqueuse bronchique. C'est, en particulier, le cas du SO_2 (rejeté par les combustions de charbon et de pétrole), qui, par exposition à long terme, peut provoquer une redoutable affection, la bronchite chronique. Bien que la cause principale de cette affection soit le tabagisme, on a pu montrer qu'elle survient chez des non-fumeurs dans les villes très polluées et qu'il existe en outre un phénomène de synergisme avec le tabac.

Une autre menace pour la santé publique résulte de la présence croissante dans l'air urbain d'hydrocarbures aromatiques poly-cycliques, qui sont de puissants agents cancérogènes, produits en abondance par les moteurs Diesel. Des études épidémiologiques suggèrent de plus que l'exposition aux fumées noires des échappements de ces moteurs accroîtrait l'incidence des crises d'asthme. Par ailleurs, la pollution des pâturages par le fluor se déposant au sol provoque chez le bétail une grave affection, la fluorose, conduisant à la mort des animaux exposés.

Pollution des eaux

La pollution des eaux, qui sont déjà quantitativement insuffisantes dans de nombreux pays, représente sans aucun doute l'un des plus graves problèmes d'environnement.

La principale cause de cette pollution se trouve dans le rejet d'eaux d'égout chargées de matières organiques fermentescibles (MOF) contenues dans les effluents urbains (déchets de cuisine, matières fécales), dans ceux des industries agroalimentaires et des papeteries – en l'absence d'épuration préalable. Ces effluents renferment des matières en suspension, qui rendent les eaux courantes troubles, ce qui empêche le développement de la flore d'eaux propres sur une distance variable vers l'aval. Par ailleurs, la consommation d'oxygène par les bactéries aérobies assurant la biodégradation de ces MOF se traduit rapidement par une forte diminution de l'oxygène, déjà en faible quantité dans les eaux propres. Les conséquences s'avèrent catastrophiques pour la faune aquatique, qui peut être asphyxiée lors des périodes les plus défavorables, en particulier en été, au moment où la teneur en oxygène est naturellement la plus faible.

Pollution chimique des eaux. Les eaux continentales et littorales sont exposées à une pollution « ponctuelle » ou « diffuse » par d'innombrables substances minérales ou organiques.

La contamination des eaux superficielles et des nappes phréatiques par les nitrates représente de nos jours un sérieux problème d'hygiène publique. Cela provient de leur emploi à vaste échelle comme engrais chimiques, leur usage moyen en Europe excédant 200 kg par hectare et par an. En conséquence, les eaux des réseaux d'adduction urbains renferment souvent déjà des concentrations de nitrates excédant 25 mg/l, limite de potabilité pour l'Union européenne.

Les déchets

La gestion des déchets chimiques dangereux soulève de difficiles problèmes. Ceux qui sont dégradables par la chaleur – en principe la totalité des composés organiques de synthèse – peuvent être détruits dans des fours spéciaux à haute température, les dioxines ou encore les PCB nécessitant plus de 1 200 °C pour que leur destruction totale soit assurée. Ceux qui sont stables, comme les métaux toxiques, doivent être stockés avec des procédés proches de ceux utilisés dans le nucléaire : ils sont enrobés dans un béton spécial de haute résistance chimique et conditionnés sous forme de cylindres de quelques centimètres de diamètre et d'environ 1 m de long, puis stockés dans des décharges de catégorie I sous haute surveillance environnementale.

La « production » d'ordures ménagères se concentre sur de faibles surfaces et engendre des volumes considérables. En France, par exemple, elle atteint en moyenne dans les grandes ville plus de 1 kg par personne et par jour. Il en résulte de graves problèmes de protection de l'environnement, et cela est d'autant plus préoccupant que leur mise en décharge sera interdite à partir de 2002 en Europe.

◆ **Effets de la pollution d'un cours d'eau par un rejet d'égout.**
Le déversement d'un effluent chargé d'eaux usées d'origine domestique provoque un apport considérable de matières organiques fermentescibles (MOF), dissoutes ou en suspension. Ces matières vont provoquer une diminution de la transparence des eaux et de leur teneur en oxygène dissous, lequel est consommé par les bactéries qui utilisent ces MOF pour leur propre croissance. Dans certains cas la désoxygénation des eaux est complète, avec pour conséquence l'apparition de fermentations anaérobies qui dégagent des odeurs nauséabondes.

Les métaux toxiques (mercure, cadmium, plomb, zinc, cuivre et autres éléments tel l'arsenic) représentent de redoutables polluants des eaux. Ils sont aujourd'hui décelables dans de nombreux écosystèmes aquatiques, même dans des zones reculées telles que des rivières d'Amazonie polluées par les rejets de mercure des chercheurs d'or. La pollution des eaux littorales par cet élément fut la cause, au Japon, au cours des années 1950 et 1960, de la maladie de Minamata, qui affecta de nombreuses familles de pêcheurs, gros consommateurs de poissons.

Les eaux naturelles sont également contaminées par de nombreuses substances organiques persistantes : composés organochlorés, hydrocarbures aromatiques polycycliques, pesticides, chlorophénols, etc.

La bioamplification de certaines de ces substances menace, dans leurs chaînes alimentaires, les populations d'oiseaux piscivores et de mammifères marins, derniers consommateurs dans la chaîne. Ainsi, la pollution de la mer Baltique par les PCB a partiellement stérilisé ses populations de phoques. De même, la contamination par le DDT et autres insecticides organochlorés des poissons dont se nourrit l'aigle à tête blanche – emblème des États-Unis – a failli conduire à l'extinction de cette espèce, dont il ne subsistait plus que 1700 individus en 1975 pour toute l'Amérique du Nord.

Pollution des sols

L'agriculture est à l'origine d'une contamination à très vaste échelle des terres cultivées par des pesticides et par des métaux toxiques contenus dans les engrais.

Certains insecticides, mais aussi les produits de dégradation de fongicides et même d'herbicides, peuvent également persister dans les sols. Il en résulte, en particulier, une contamination du lait chez la femme par les insecticides organochlorés qui passent du sol dans l'herbage puis dans le lait et la viande bovine et de là chez la femme qui allaite.

La bioamplification de ces insecticides est telle aujourd'hui dans cette chaîne que, dans de nombreux pays, le taux de DDT dans le lait des femmes excède les normes édictées par l'OMS.

Les pollutions industrielles peuvent également contaminer les sols à la suite d'apports par voie atmosphérique de PCB et de dioxine ou encore de métaux toxiques (cadmium, plomb) provenant des rejets d'installations métallurgiques ou de pollutions diffuses.

VOIR AUSSI 
- **Effet de serre** p. 79
- **Biosphère et écosystèmes** p. 82
- **Traitement des déchets** p. 365

◆ **Les différents types de pollution.**

Cause de pollution	Nature	Source
pollution thermique	rejets d'eau chaude	centrales électriques
radioactivité	radio-isotopes	installations nucléaires
micro-organismes	bactéries, virus entériques, champignons	effluents urbains élevages, secteur agroalimentaire
matières organiques fermentescibles	glucides, protides, lipides	effluents domestiques, agricoles, industries agroalimentaires et du bois
fertilisants	nitrates, phosphates	agriculture, lessives
métaux et métalloïdes toxiques	mercure, cadmium, plomb, aluminium, arsenic	industrie, agriculture, combustion, pluies acides
pesticides	insecticides, fongicides, herbicides	agriculture, industrie
détersifs	agents tensioactifs	effluents domestiques
hydrocarbures	pétrole brut et dérivés	industries pétrolières, transports
composés organochlorés	PCB, insecticides, solvants chlorés	industrie
autres composés organiques de synthèse	nombreuses molécules	industrie

L'effet de serre

Un phénomène naturel

L'essentiel de l'énergie reçue par la Terre provient du Soleil sous forme de lumière visible (longueur d'onde comprise entre 0,4 et 0,7 µm). Une partie de ce rayonnement (30 % en moyenne) est réfléchie par les nuages ou par la surface terrestre ; cette fraction réfléchie, l'albédo, peut osciller entre 5 % sur une mer calme et 85 % sur de la neige fraîche. Une autre partie (20 %) est absorbée par l'atmosphère, mais l'essentiel du rayonnement solaire (c'est-à-dire 50 %) l'est par la surface terrestre (océans et continents). Il est alors transformé en rayonnement infrarouge, c'est-à-dire en chaleur, puis il est renvoyé vers l'espace, où il échauffe l'atmosphère.

Certains gaz contenus dans l'atmosphère absorbent ce rayonnement thermique et réémettent de la chaleur vers la surface terrestre : c'est l'effet de serre. Tout ce processus est comparable, très schématiquement, au principe d'une serre dont la couverture transparente laisse passer la lumière solaire, mais piège la chaleur en la renvoyant vers les cultures.

L'effet de serre est donc un phénomène naturel. Il induit ainsi une température globale moyenne de + 13 °C à la surface de la Terre, permettant à l'eau de se maintenir à l'état liquide et donc à la vie de se développer. Sans l'effet de serre, la température serait de – 18 °C. En revanche, l'augmentation de l'effet de serre, observée aujourd'hui et attribuée aux conséquences de certaines activités humaines, n'est absolument pas naturelle.

Les gaz à effet de serre

Les gaz contenus dans l'atmosphère qui piègent le rayonnement infrarouge thermique émis par la surface terrestre comportent trois atomes ou plus. Ce sont la vapeur d'eau (H_2O) et le gaz carbonique (CO_2, appelé aussi dioxyde de carbone), puis le méthane (CH_4), le protoxyde d'azote (NO_2), l'ozone (O_3) et des gaz purement artificiels – les chlorofluorocarbures (CFC). Tous ces gaz sont très minoritaires dans l'atmosphère – moins de 1 % pour la vapeur d'eau, 0,035 % pour le CO_2 et quantités infimes pour les autres –, mais leur effet de serre est important. Pour s'en rendre compte, on peut

◆ **Atmosphère polluée sur Paris.** La loi sur l'air du 19 décembre 1996 (loi Lepage) prévoit des plans régionaux de protection de l'atmosphère ainsi que des mesures d'urgence en cas de pic de pollution, notamment une diminution du trafic automobile dès l'atteinte du seuil d'alerte de niveau 2 (sur une échelle qui en compte 3).

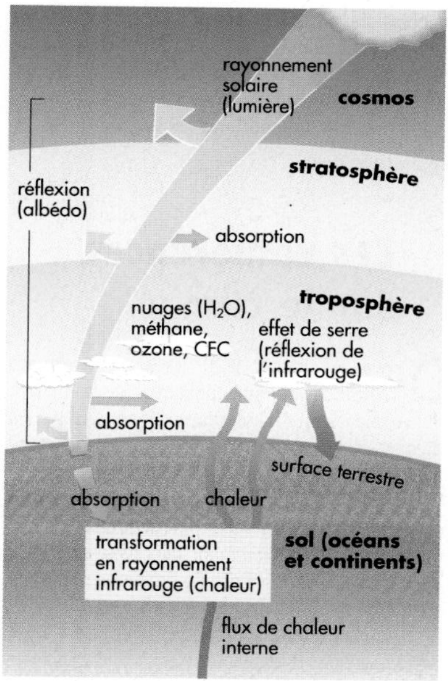

◆ **Le bilan radiatif de la Terre et l'effet de serre.** La partie de l'énergie solaire (sous forme lumineuse) qui n'est pas réfléchie est absorbée par la Terre puis transformée en rayonnement thermique. Cette chaleur est captée par des gaz à effet de serre qui la renvoient vers la surface de la Terre en la réchauffant.

comparer leur action dans l'atmosphère de deux planètes voisines de la Terre : Mars et Vénus. Sur Mars, l'atmosphère, principalement constituée de CO_2, est très peu dense ; l'effet de serre y est donc peu important et la température moyenne à la surface de cette planète est de – 40 °C. En revanche, sur Vénus, l'atmosphère (essentiellement constituée de CO_2) est très dense. Sans effet de serre, Vénus aurait une température au sol de – 18 °C ; mais l'effet de serre important y impose une température de + 460 °C.

L'impact des activités humaines

L'homme, par ses activités, produit des gaz qui amplifient l'effet de serre naturel.

Le gaz carbonique. Le CO_2 se mélange très vite à l'atmosphère ; afin d'en annihiler les effets locaux ou saisonniers, les études sur la corrélation entre les variations de température et les teneurs en CO_2 de l'atmosphère se sont portées sur des sites éloignés de toute production industrielle de ce gaz ou sur des grands écosystèmes végétaux, comme Hawaii, le Groenland ou l'Antarctique. Les résultats ont ainsi montré que, depuis le début de l'ère industrielle (début du XXe s.), la teneur en CO_2 augmente de 0,5 % par an. La moitié du CO_2 contenu dans l'atmosphère serait d'origine anthropique (combustion de pétrole, de gaz et de charbon, incendies de forêts), soit 7 milliards de tonnes de carbone par an, soit encore 4 kg par habitant et par jour. En excluant la vapeur d'eau, le CO_2 est responsable à lui seul pour ces dernières décennies de 55 % de l'effet de serre.

Les CFC. Ils ont été fabriqués par l'homme comme gaz réfrigérants, pour la production de mousses plastiques et pour la propulsion d'aérosols. On connaît leur impact dramatique sur la couche d'ozone stratosphérique (située entre 10 et 50 km d'altitude) ; ils ont aussi un potentiel de réchauffement considérable de la troposphère (première couche de l'atmosphère, épaisse d'une dizaine de kilomètres) : des milliers de fois celui du CO_2, à masse égale. Heureusement, d'une part, leur teneur est infime par rapport à celle du CO_2 – ils représentaient tout de même, dans les années 1990, 20 % de l'effet de serre – et, d'autre part, la signature du protocole de Montréal en 1987 a permis la limitation de leur production. Leur durée de vie dans l'atmosphère varie de 58 à 520 ans selon le type de CFC.

Autres gaz. Parmi les autres gaz à effet de serre produits par l'homme, il faut citer le méthane (CH_4), issu de la culture des rizières et de l'élevage des ruminants, le dioxyde d'azote (NO_2), provenant de l'usage intensif des engrais azotés, et l'ozone (O_3) troposphérique, formé à partir de la combustion des hydrocarbures et des forêts. Ce dernier pose, de surcroît, un problème plus immédiat que le réchauffement climatique, celui de la pollution et de la santé publique, lorsque la combinaison d'un fort ensoleillement et du trafic automobile favorise sa formation.

Le cycle du carbone perturbé

Le gaz carbonique (CO_2) joue un rôle important dans l'effet de serre : l'augmentation de sa teneur dans l'atmosphère se traduit par une croissance de la température à la surface de la Terre. Pour tenter de comprendre cette tendance, qui est bien réelle, il convient de mesurer les échanges de cet élément qui s'effectuent entre l'atmosphère, les océans, les continents et la biosphère (ensemble des êtres vivants) : c'est le cycle du carbone.

La biosphère et l'atmosphère sont sources d'échanges incessants, mais équilibrés : les êtres vivants se développent en partie à partir du CO_2 contenu dans l'atmosphère, molécule essentielle à la matière organique. Par exemple, pour les végétaux, c'est la chlorophylle qui capte le CO_2, avec l'aide de l'eau et de la lumière solaire, permettant leur croissance : c'est la photosynthèse. En compensation, les espèces biologiques restituent le carbone à l'atmosphère par respiration et en incorporent une partie dans la lithosphère (enveloppe externe de la Terre, épaisse d'une centaine de kilomètres) par fossilisation. La lithosphère contient en effet d'importantes réserves de carbone qui ne sont livrées à l'atmosphère que si elles sont exploitées par l'homme (pétrole, gaz naturel et charbon). Et, comme elles le sont effectivement, l'équilibre naturel est rompu ; on estime la quantité de carbone supplémentaire dans l'atmosphère à 7 milliards de tonnes par an.

En revanche, dans les échanges entre l'atmosphère et l'océan, ce dernier apparaît comme une pompe à carbone (2 milliards de tonnes de carbone par an). En effet, les courants océaniques – notamment celui des eaux froides et salées de la mer de Norvège – emportent du CO_2 pris à l'atmosphère lorsqu'ils plongent vers les abysses.

Globalement, la teneur en carbone augmente donc dans l'atmosphère ; on ignore si les océans peuvent absorber cet accroissement rapide alors que la boucle des courants océaniques se referme en plusieurs siècles.

Un réchauffement annoncé

La température moyenne à la surface de la Terre a augmenté de 0,6 °C depuis le début de l'ère industrielle, il y a environ un siècle. Ce réchauffement est confirmé par le recul des glaciers sur toute la surface du globe, l'accroissement de la dérive des icebergs et de la fragmentation des banquises. Si on a pu envisager à une époque que ce réchauffement suivait un cycle naturel débuté à la fin du Petit Âge glaciaire (période froide du XVe au XVIIIe s.), la quasi-totalité des scientifiques pensent à présent qu'il est dû à un renforcement de l'effet de serre consécutif à certaines activités humaines.

Les modélisations. Elles prévoient une augmentation de la température globale de 1 à 5,5 °C d'ici à 2010 si rien n'est changé dans nos productions anthropiques de carbone. Cela peut paraître insignifiant, mais il faut noter qu'il s'agit de valeurs moyennes, avec des écarts plus importants pour certaines régions, amplifiés par le cycle des saisons. Pour bien s'en persuader, il suffit de comparer les températures globales actuelles avec celle du Petit Âge glaciaire (environ 1 °C plus basse) et celle de la dernière glaciation, il y a 20 000 ans (de 4 à 5 °C plus basse). À ces époques, le climat était bien différent; avec le réchauffement actuel, la variation climatique s'effectue beaucoup plus rapidement que lors des cycles naturels.

Les modélisations sont délicates, car elles doivent prendre en compte de nombreux facteurs. Par exemple, l'océan absorbera-t-il ou non l'excédent en gaz carbonique de l'atmosphère? De plus, la température augmentant, l'évaporation, et donc la quantité de vapeur d'eau (principal gaz à effet de serre), va croître dans l'atmosphère : cet effet dérivé qui amplifie la cause est appelé une « contre-réaction positive ». En revanche, la fonte partielle des glaces arctiques amènera de fortes quantités d'eau douce et légère dans l'Atlantique nord, ce qui bloquera la circulation océanique générale et les arrivées d'eaux chaudes du Gulf Stream, et provoquera des baisses de température temporaires en Europe. Ce type de processus est appelé une « contre-réaction négative ». Nombre d'actions et de contre-réactions rendent ainsi difficiles les modélisations, sans que cela interdise pour autant d'émettre des hypothèses.

Les conséquences. Si les conditions actuelles ne varient guère, il est raisonnable de penser que la fonte partielle des glaces polaires, ajoutée à la dilatation des océans, provoquerait une élévation du niveau de la mer de 30 à 100 cm par rapport au niveau actuel, vers la fin du XXIe s. L'avancée des mers inonderait les régions les plus basses comme le Bangladesh ou les Pays-Bas, les deltas des grands fleuves (Nil, Niger, Gange, etc.) et de nombreux atolls et îles situés à fleur d'eau. De plus, les cyclones, qui se forment au-dessus des eaux chaudes, seraient plus fréquents. Sur les continents, une augmentation du CO_2 dans l'atmosphère devrait permettre une meilleure croissance des plantes, si toutefois l'augmentation des précipitations due à une plus grande quantité de vapeur d'eau atmosphérique compense la plus forte évaporation. Ce scénario favorable pourrait se produire au Canada, en Europe du Nord, en Russie (Sibérie), mais aussi dans certaines régions tropicales; en revanche, on peut s'attendre à une aridification du sud de l'Europe et du pourtour méditerranéen. Tous les modèles prévoient des pluies plus abondantes dans les régions tropicales (moussons plus intenses).

Dans tous les cas de figure, l'inégalité entre le Nord et le Sud devrait se renforcer. Les pays les mieux informés et disposant des moyens nécessaires pourront adapter leurs cultures au changement climatique; il en sera tout autrement pour les pays du Sud, plus durement touchés et plus faibles économiquement, ce qui laisse présager d'importants flux migratoires.

Les conférences sur le climat

Depuis les années 1970, les scientifiques ont informé les autorités politiques de la menace d'un réchauffement climatique, pris en relais par les médias et les organisations non gouvernementales (ONG) à tendance écologique (Greenpeace, WWF, etc.). Des conférences internationales sur ce sujet ont lieu régulièrement. On peut en citer trois qui ont été particulièrement décisives, au moins dans la prise de conscience du problème : celles de Montréal, de Rio de Janeiro et de Kyoto.

La conférence de Montréal de 1987 reste celle qui a permis les résolutions les plus concrètes à ce jour. Les principaux pays producteurs de chlorofluorocarbures (CFC) s'y sont engagés à abandonner, progressivement mais rapidement, la fabrication et l'utilisation de ces gaz qui, une fois dans l'atmosphère, d'une part, détruisent la couche d'ozone stratosphérique qui protège la biosphère des ultraviolets et, d'autre part, contribuent à l'effet de serre. On peut dire qu'aujourd'hui les engagements ont été tenus.

La Conférence des Nations unies sur l'environnement et le développement (CNUED), qui a eu lieu à Rio en 1992, s'est consacrée à la compatibilité entre le développement et la protection de l'environnement. Cette conférence, qualifiée de « Sommet de la Terre » en raison de son ampleur diplomatique considérable (participation de 117 chefs d'État et de gouvernement), a abouti à un certain nombre de résolutions d'intention, qui ne furent guère suivies d'effets concrets, malgré les milliards de dollars investis, qui traduisent cependant la portée de l'engagement international.

À Kyoto, en décembre 1997, le Groupement intergouvernemental sur l'évolution du climat (GIEC) s'est réuni pour tenter de stabiliser l'effet de serre. Pour la première fois, le réchauffement climatique est devenu une certitude pour tous, et un protocole de réduction chiffrée des gaz à effet de serre est établi pour chaque pays. Des divergences subsistent encore, en particulier sur la participation à cette réduction des pays en développement; c'est pourquoi les États-Unis, principal « pays pollueur », n'ont signé l'accord qu'un an plus tard, lors de la conférence de Buenos Aires, en novembre 1998. Il reste à mettre en application les résolutions prises, mais si le protocole de Kyoto apparaît comme un petit pas pour enrayer le réchauffement climatique, c'est toutefois un grand bond dans la prise de conscience du problème.

VOIR AUSSI
- **Océan mondial** p. 56
- **Atmosphère** p. 58
- **Climats du passé** p. 68
- **Environnement global** p. 70
- **Développement durable** p. 1038

2 Le Monde vivant

La connaissance du monde vivant a accompli des progrès spectaculaires au cours des toutes dernières décennies, principalement dans les domaines de la biologie moléculaire et de l'écologie, éclairant les mécanismes de l'évolution et ceux qui conditionnent la stabilité des communautés d'êtres vivants.
Un effort de recherche s'impose encore néanmoins dans l'exploration des écosystèmes, celle des forêts pluvieuses tropicales en particulier. Une évaluation plus précise des grands règnes animaux et végétaux est aussi nécessaire. C'est à ces conditions que pourront être mises en œuvre efficacement les mesures que requiert la conservation de la nature et de sa biodiversité, l'un des enjeux majeurs du XXIe siècle.

◆ **Fonds coralliens des îles Fidji** (Pacifique sud).

NOTIONS CLÉS D'ÉCOLOGIE

LA CLASSIFICATION

L'ÉVOLUTION

LES ANIMAUX

LES VÉGÉTAUX

LES CHAMPIGNONS

LA PROTECTION DE LA NATURE

La biosphère et les écosystèmes

La biosphère

Le terme de « biosphère », créé par le géochimiste russe Alexandre Vernadsky en 1925, désigne le système complexe associant, à la surface de notre planète, des milieux aux caractéristiques physico-chimiques uniques (océan, atmosphère et couches supérieures de la lithosphère) et l'ensemble des êtres vivants.

La biosphère se compose de trois compartiments :
– la pédosphère, qui correspond aux sols (la fine couche la plus superficielle de la lithosphère), à laquelle il faudrait associer les sédiments marins ;
– l'hydrosphère, qui réunit l'océan mondial, les eaux continentales et les calottes polaires ;
– l'atmosphère, dont les basses couches représentent l'enveloppe externe et gazeuse.

Elle se caractérise par un état d'équilibre dynamique résultant des innombrables interactions entre les processus biologiques et physico-chimiques propres aux compartiments dans lesquels la vie a pu se développer.

La biosphère est subdivisée en des entités nettement individualisées, à la fois par leur structure et leur fonctionnement : ce sont les écosystèmes, dont chacun est caractérisé par un ensemble de particularités physico-chimiques et biologiques uniques, et occupe une zone géographique déterminée de surface variable.

Origine et évolution. La biosphère est apparue voici environ 4 milliards d'années, période durant laquelle s'acheva la condensation de l'océan mondial. L'apparition des cyanobactéries photosynthétiques (il y a 3,5 milliards d'années), celle des algues unicellulaires du phytoplancton marin (voici environ 2 milliards d'années), enfin celle des plantes vertes terrestres (au début du primaire) constituent les étapes essentielles de l'évolution biosphérique.

En effet, les organismes photosynthétiques marins furent à l'origine de l'oxygène atmosphérique, dont l'accroissement du taux suscita la formation de la couche d'ozone stratosphérique, voici au moins 1,7 milliard d'années. Son achèvement, il y a 800 millions d'années, a permis le développement de la vie sur les continents.

L'écosphère

Elle est constituée par l'atmosphère, l'océan mondial et la partie supérieure de la lithosphère. Ainsi, l'ensemble des couches géologiques susceptibles d'être ramenées en surface par les mouvements tectoniques appartient à l'écosphère. Il en est de même des couches les plus élevées de l'atmosphère (stratosphère, mésosphère et ionosphère). L'écosphère crée donc les conditions nécessaires à l'existence de la biosphère, qui en est un sous-ensemble. Ainsi, la couche d'ozone stratosphérique, bien qu'extérieure à la biosphère, permet la présence de la vie à la surface des continents.

Les biomes

On peut distinguer dans la biosphère, à la surface des divers continents, des écosystèmes très étendus, dénommés macro-écosystèmes, chacun étant associé à un type de climat particulier. On désigne sous le terme de « biome » chacune des communautés vivantes spécifiques à un macro-écosystème, ceux-ci se caractérisant en effet par des communautés d'espèces vivantes qui leur sont propres. Ainsi, les forêts pluvieuses tropicales, les forêts méditerranéennes ou encore les steppes tempérées correspondent à autant de biomes distincts. Bien que ce terme ne soit pas usuellement utilisé en écologie marine, il est aussi possible de distinguer un certain nombre de biomes en milieu océanique.

On distingue un certain nombre de types de biomes continentaux. Les forêts pluvieuses tropicales forment un ruban circumterrestre quasi continu au niveau de l'équateur ; les forêts tropicales, dites « de mousson », puis les savanes tropicales, les remplacent partout où les précipitations deviennent insuffisantes. Les déserts leur font progressivement suite vers les plus hautes latitudes.

Viennent ensuite les forêts méditerranéennes, qui sont propres aux régions tempérées chaudes marquées par une période de sécheresse estivale prolongée. Les forêts tempérées d'arbres à feuilles caduques s'étendent aux moyennes latitudes de l'hémisphère Nord. Les steppes, biomes de formations herbacées, se développent lorsque les pluies sont insuffisantes pour permettre la croissance des arbres.

◆ **Répartition géographique des biomes.**

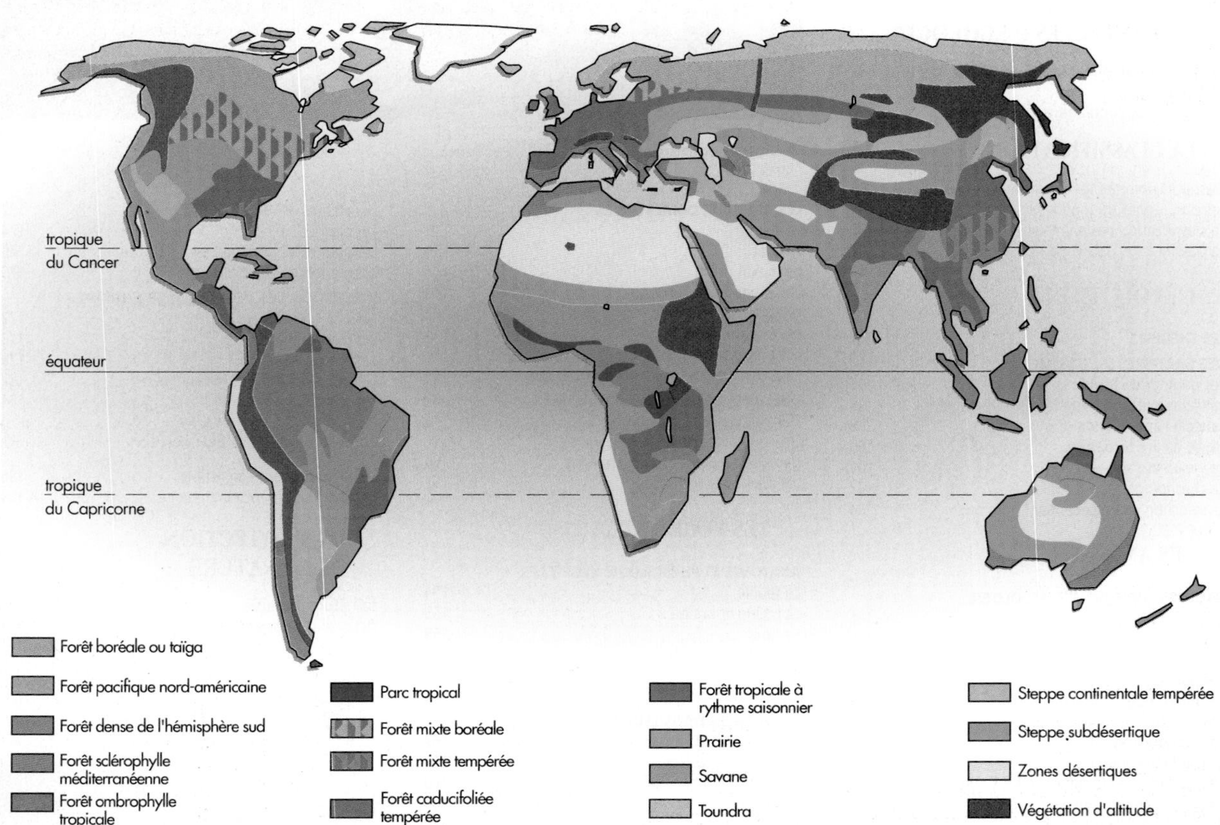

La taïga, immense forêt boréale de conifères, couvre sans discontinuité l'ensemble des zones subarctiques de l'Amérique et de l'Eurosibérie. Vers le nord lui fait suite la toundra, laquelle s'étend jusqu'à la limite des glaces arctiques.

La délimitation des biomes océaniques est moins aisée, par suite de l'homogénéité du milieu marin. Les mieux définis sont : les récifs coralliens propres à certaines zones littorales des mers chaudes ; les communautés des eaux tropicales des océans, au large ; les herbiers propres aux zones côtières de certains océans tempérés ; enfin, les peuplements du plateau continental des mers arctiques et antarctiques.

La distribution des biomes. Leur distribution n'est pas aléatoire. Elle présente une régularité, tant en altitude qu'en latitude. Les biomes se succèdent dans une zonation en altitude, depuis le fond des abysses océaniques jusqu'à la limite supérieure en altitude où la vie est possible. On peut diviser les eaux marines en deux zones ayant chacune leurs macro-écosystèmes propres : la zone profonde, dite « aphotique », où la lumière est absente en permanence, et la zone superficielle, dite « euphotique », traversée par le rayonnement solaire ; celle-ci est la seule où peuvent vivre les organismes océaniques effectuant la photosynthèse : algues marines et phytoplancton. En milieu terrestre, la limite extrême des forêts se situe sur les montagnes équatoriales vers 4 000 m, celle des cultures vers 4 500 m et celle des plantes vers 6 000 m dans les situations les plus favorables. L'altitude maximale atteinte par les divers biomes terrestres décroît régulièrement de l'équateur vers les pôles ; ainsi, aux moyennes latitudes de l'hémisphère Nord, celle des forêts s'abaisse vers 2 500 m.

Si les grands types de biomes présentent une zonation en latitude assez régulière de l'équateur jusqu'aux zones polaires, en milieux continental et océanique, les surfaces couvertes varient d'un hémisphère à l'autre par suite de l'extension variable des continents et des océans.

Les forêts tropicales sont régulièrement disposées de part et d'autre de l'équateur avec un maximum de surface dans une zone comprise entre ± 10° de latitude. Les déserts forment une ceinture continue autour du globe, à cheval sur les tropiques.

Les écosystèmes méditerranéens, présents sur les cinq continents, se rencontrent entre 30° et 45° de latitude. Les forêts caducifoliées se rencontrent aux moyennes latitudes tempérées ; elles sont quasi absentes des régions australes, où les terres émergées font défaut au-delà des 45° sud. Il en est de même de la taïga et de la toundra, qui sont des biomes propres au seul hémisphère boréal.

Il existe de façon très apparente une homologie, en altitude et en latitude, dans la répartition des grands écosystèmes et de leurs biomes respectifs. Par exemple, un déplacement en altitude du bord de la Méditerranée jusqu'à un sommet du parc national du Mercantour équivaut à un déplacement, en latitude, sur plusieurs milliers de kilomètres vers le nord de l'Europe.

◆ **Exemple de zonation en altitude :**
les types de biomes dans le parc national du Mercantour.

Nature du biome	Étage altitudinal	Limite supérieure en altitude
toundra de montagne (pelouses alpines)	étage alpin	3 000 m
taïga (forêt de conifères)	étage subalpin	2 400 m
forêt mixte (hêtres et sapins)	étage montagnard	1 600 m
forêt d'arbres à feuilles caduques tempérée	étage collinéen	1 000 m
forêt de chênes à feuilles persistantes (sclérophylles)	étage méditerranéen	500 m

◆ **Schéma général de la structure et du fonctionnement d'un écosystème.**
La matière est alternativement convertie en substances vivantes dans les chaînes alimentaires propres aux communautés de chaque écosystème, puis retransformée par les décomposeurs en substances minérales libérées dans l'atmosphère et, selon le cas, dans les sols ou les eaux. Le flux de l'énergie constitue l'unique moteur du cycle de la matière.

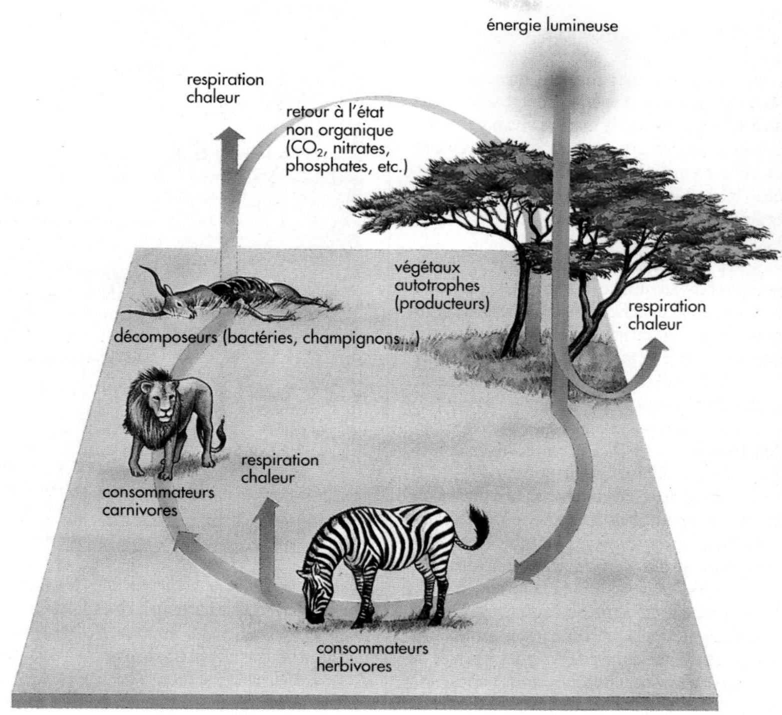

L'écosystème

Le terme d'« écosystème », créé par le botaniste britannique Tansley, en 1935, désigne l'unité écologique fondamentale en laquelle peut se réduire, sur le plan tant structural que fonctionnel, tout système biologique plus complexe et d'étendue supérieure : paysages, « régions » biogéographiques, et la biosphère prise dans son ensemble.

L'écosystème est constitué par l'association de deux composantes en constante interaction l'une avec l'autre : le biotope, qui est l'environ-nement physico-chimique dit « abiotique », car inerte, et la biocénose, qui est la communauté vivante, constituée par la totalité des organismes qui peuplent l'écosystème (bactéries, champignons, végétaux et animaux). D'où la relation :

écosystème = biotope + biocénose.

L'écosystème constitue une unité fonctionnelle caractérisée par un flux de l'énergie et un recyclage de la matière permanents entre ses différentes composantes inertes et vivantes.

On peut toujours répartir la totalité des organismes constituant la biocénose en trois catégories fonctionnelles. Les producteurs sont représentés par l'ensemble des végétaux ; ils sont dits « autotrophes » car ils sont capables de réaliser la photosynthèse qui leur permet de convertir le flux solaire en énergie biochimique (donc en matière vivante). Les deux autres catégories sont dites « hétérotrophes », car leur alimentation se fonde sur l'ingestion de substances biologiques seules capables de répondre à leurs besoins métaboliques. On distingue celle des consommateurs, correspondant à l'ensemble des animaux (herbivores et carnivores) et celle des décomposeurs, représentée par les champignons et les bactéries des sols ou des eaux qui dégradent l'ensemble des détritus végétaux, des excreta et cadavres animaux en substances minérales, bouclant ainsi le cycle de la matière.

Ces trois catégories fonctionnelles vont donc être réunies par des liens « alimentaires », dits « trophiques », caractérisés par des échanges d'énergie et de matière s'effectuant uniquement dans le sens : producteurs → consommateurs → décomposeurs.

VOIR AUSSI
• **Milieux naturels** p. 46 à 55
• **Océan** p. 56
• **Atmosphère** p. 58
• **Environnement global** p. 70
• **L'homme et l'environnement** p. 72 à 80
• **Vie au précambrien et à l'ère primaire** p. 96
• **Protection de la nature** p. 189 à 192

◆ **Le « radeau des cimes » au-dessus de la canopée de la forêt tropicale en Guyane.**
La canopée d'une forêt pluvieuse tropicale représente la dernière frontière inexplorée de la biosphère, car l'accès en est très difficile. Elle est aussi d'une importance fondamentale pour la recherche en écologie à cause de sa grande biodiversité.

Chaînes et cycles écologiques

La seule entrée d'énergie dans les écosystèmes est l'énergie solaire, qui est ensuite fixée par la photosynthèse sous forme d'énergie biochimique (c'est-à-dire, l'énergie contenue dans les molécules constituant la matière vivante : sucres, graisses, protéines...).Cette énergie est convertie en une certaine masse de substance vivante dénommée « biomasse végétale », qui est consommée par les autres catégories fonctionnelles.

Les chaînes alimentaires. La circulation de l'énergie et celle de la matière s'effectuent donc dans les écosystèmes au travers des chaînes alimentaires (ou trophiques) qui constituent des liens entre les organismes occupant les niveaux trophiques successifs.

Les chaînes de consommateurs répondent au schéma d'organisation suivant :

niveaux trophiques

végétal → herbivore → carnivore 1 → carnivore 2

I II III IV

Dans toute chaîne trophique, une fraction de l'énergie contenue dans la biomasse végétale sera disponible pour les herbivores, qui la transformeront en biomasse animale ; les carnivores vont à leur tour se nourrir des herbivores et donc utiliser une fraction de la biomasse de ces derniers et ainsi de suite jusqu'au dernier niveau trophique. Les chaînes alimentaires d'un écosystème sont elles-mêmes réunies et interconnectées sous forme de réseaux trophiques.

La productivité des écosystèmes. Tout au long d'une chaîne trophique circule un double flux d'énergie et de matière, la première étant stockée dans la biomasse vivante sous forme de composés organiques. Une partie de la biomasse végétale fournit l'énergie produite par la respiration, *via* le glucose, qui est le véritable carburant des êtres vivants (et indirectement des autres glucides). Le reste (soit la partie non « brûlée ») correspond à la production primaire nette, c'est-à-dire la matière disponible pour le réseau trophique. Les herbivores en utilisent une fraction dont découle la production secondaire, contrepartie en biomasse animale de l'énergie contenue dans les végétaux qu'ils ingèrent. Une fraction de cette production est à son tour utilisée par les carnivores 1 et ainsi de suite jusqu'au dernier niveau trophique.

Ces échanges d'énergie ne se font pas avec un rendement maximal, en raison des pertes fatales survenant au cours des transferts d'énergie dans les écosystèmes. Selon la loi de Lindeman, seule une fraction de l'énergie accédant à un niveau trophique donné (souvent de l'ordre de 10 %) est transmise aux niveaux trophiques supérieurs.

Si l'on superpose les divers transferts d'énergie effectués à chacun des niveaux trophiques, on obtient une figuration de la pyramide des énergies dans un écosystème.

Les activités physiologiques assurant la croissance et l'entretien des divers organismes propres à chaque écosystème se traduisent par une production de biomasse. Cette production est dite brute si l'on considère les quantités totales de matière vivante produites par unité de temps, et nette si l'on considère la quantité restante sous forme de biomasse avant ou après réutilisation d'une fraction de cette dernière par la respiration des organismes.

Le terme « productivité » désigne, en écologie, la quantité de biomasse produite par unité de surface et unité de temps. La productivité primaire d'un écosystème correspond à la totalité de la production de matière végétale résultant de l'activité des plantes vertes et (ou) des autres types d'organismes autotrophes. Elle s'exprime en tonnes de matières sèches produites par hectare et par an ou par la quantité de carbone organique fixé exprimée en grammes de carbone par mètre carré et par an. La productivité secondaire, qui correspond à l'ensemble de la production de matière vivante par les animaux, s'exprime en kilogrammes de matière animale sèche produite par hectare et par an.

Les cycles biogéochimiques. Dans tout écosystème, la circulation de la matière s'effectue des nutriments minéraux vers les végétaux, puis vers les animaux. La matière organique morte, tant végétale qu'animale, est ensuite consommée par les décomposeurs hétérotrophes, qui finissent par la minéraliser entièrement, bouclant ainsi le cycle de la matière. On dénomme cycle biogéochimique un mode déterminé de circulation des éléments constitutifs de la matière vivante, caractérisé par leur passage alternatif de l'état minéral à l'état organique, cela à diverses échelles spatiales y compris celle de la biosphère tout entière.

Les cycles les plus importants sur le plan écologique sont ceux des éléments biogènes, constitutifs de la matière vivante. Pris par ordre d'abondance quantitative décroissante dans la biosphère, ce sont les cycles du carbone, de l'oxygène, de l'hydrogène, de l'azote, du phosphore, du soufre, etc., auxquels il faut ajouter le cycle de l'eau, qui présente des caractéristiques uniques.

◆ Une chaîne alimentaire.
Liaisons trophiques entre les plantes d'un alpage, symbolisées par un orpin et l'aigle royal (superprédateur, ici en position de carnivore de 3e ordre). Les échelons intermédiaires sont représentés par la chenille de l'apollon (herbivore), des oiseaux insectivores (carnivores 1) et leur prédateur, l'hermine (carnivore 2).

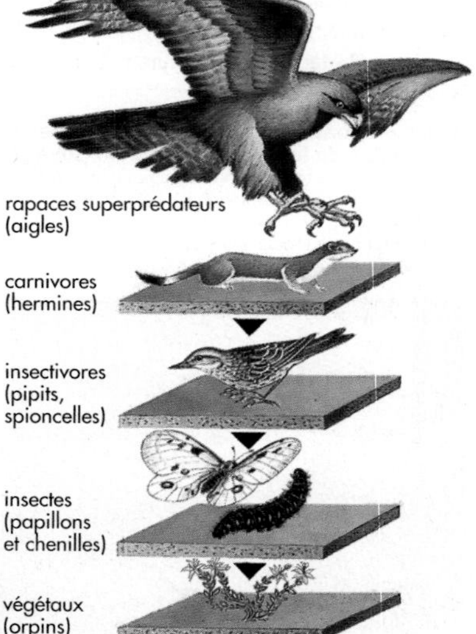

◆ Schéma général du cycle du carbone et de sa perturbation par les activités humaines.
Les nombres représentent des milliards de tonnes d'équivalent carbone, soit dans les stocks (dans les cartouches), soit dans les flux. Le cycle du carbone, qui est normalement équilibré, est perturbé par l'introduction annuelle, sous forme de gaz carbonique, de cinq milliards de tonnes dues à la combustion des réserves fossiles, comme le pétrole.

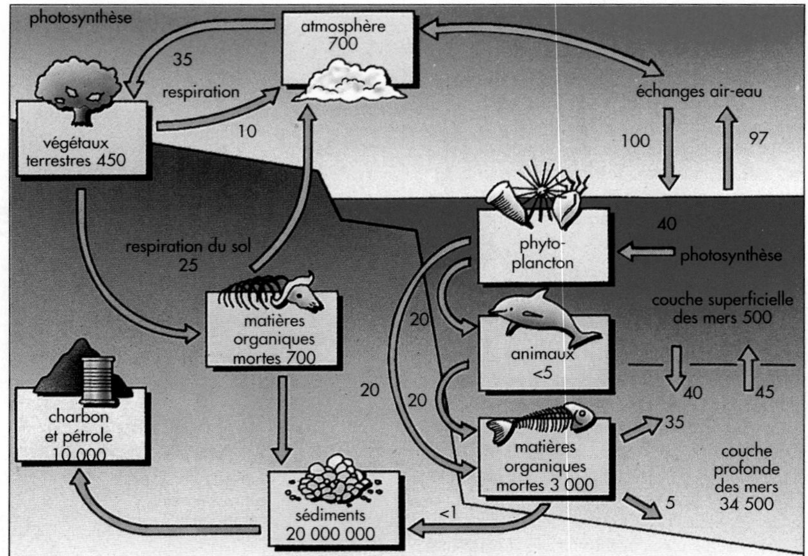

Petit lexique

biomasse : masse de matière vivante dans un milieu donné (elle se mesure par unité de surface en milieu terrestre et par unité de volume dans le milieu aquatique).

L'écologie

Très utilisé de nos jours, le terme d'« écologie », étymologiquement « étude de l'habitat », fut créé par le zoologiste allemand Ernst Haeckel en 1866, pour désigner « la science globale dont l'objet est l'étude des interactions des êtres vivants avec leur environnement ». L'originalité et la spécificité de l'écologie tiennent à ce qu'elle étudie à la fois les adaptations des êtres vivants à leur milieu et leurs interactions avec ce dernier et entre eux. Le domaine couvert par l'écologie se situe au sommet de l'échelle d'organisation de la vie, parce qu'il concerne les systèmes biologiques à leur niveau maximal de complexité. On distingue dans ce champ d'étude quatre niveaux d'organisation de complexité croissante. Le plus simple correspond à l'autoécologie qui étudie l'individu dans son environnement naturel et a pour objet de comprendre les facteurs écologiques (température, pluviométrie, acidité des eaux). Le suivant concerne les populations (démoécologie). La partie la plus spécifique de cette discipline, dénommée synécologie, concerne l'étude des écosystèmes. Enfin, on assiste depuis quelque temps au développement de l'écologie globale, dont l'objet est l'étude de la biosphère prise dans son ensemble.

L'adaptation

Les phénomènes et les lois

De l'échelle de l'individu à celle de la biosphère, les systèmes biologiques se caractérisent par une adaptation permanente aux conditions de leur environnement. Il en résulte un perpétuel équilibre dynamique, lié à un certain nombre de facteurs écologiques. Il suffit qu'un seul de ces facteurs soit modifié pour que cet équilibre le soit également; si les limites des capacités d'adaptation sont dépassées, l'équilibre se rompt, ce qui provoque la mort des individus ou l'effondrement du système.

On dénomme « homéostasie » l'aptitude d'un individu, d'une population, d'une communauté ou de tout autre système biologique, à se maintenir dans cet état d'équilibre face à une variation du milieu ambiant (épisode climatique de froid rigoureux ou de sécheresse, par exemple).

Les principales lois propres aux phénomènes d'adaptation. Diverses lois régissent les modalités des réactions d'adaptation. La loi des facteurs limitants (encore dénommée « loi du minimum »), énoncée par le chimiste allemand Justus von Liebig au siècle dernier, stipule que la réponse des êtres vivants sera conditionnée par le facteur écologique qui est présent dans le milieu en la plus faible quantité. Ainsi, ce sera l'élément minéral nutritif (phosphore, azote, potassium, magnésium, etc.) présent dans un sol à la plus faible teneur qui limitera la croissance des plantes.

Selon la seconde loi, appelée « loi de tolérance », il existe, pour un individu, une population ou tout autre système écologique plus complexe, un domaine de valeur dit « intervalle de tolérance » dans lequel son développement sera possible. On définit aussi dans cet intervalle une valeur optimale, le *preferendum*, pour laquelle toute réponse écologique (la croissance, la reproduction, etc.) sera maximale. Au-delà existent des zones d'aptitude moindre dans lesquelles la survie sera encore possible, mais où la réponse écologique tendra à s'annuler.

La combinaison des deux principaux facteurs limitants permet d'établir un diagramme représentant les conditions dans lesquelles une espèce ou un peuplement déterminé peut exister.

Les principaux types adaptatifs. En fonction de la nature de l'adaptation à des facteurs écologiques, on distingue un type d'adaptation physiologique et un type morphologique. Le premier se caractérise par des modifications métaboliques qui permettent à un système biologique considéré de se développer dans des conditions situées à la limite, voire au-delà, des bornes normales de l'intervalle de tolérance. Ainsi, on pourra, en les exposant progressivement, adapter une population de poissons à des eaux de température anormalement élevée, la température maximale tolérée passant par exemple de 26 à 38 °C.

Chez les invertébrés, la diapause est une adaptation physiologique affectant une forme donnée du cycle vital (nymphe, par exemple). Elle se caractérise par un arrêt du développement qui permet aux individus de survivre lors d'une période climatique défavorable.

Plus complexe, l'accommodation résulte d'une modification de forme d'un individu, par l'action sur sa croissance d'un ou de plusieurs facteurs écologiques. Ainsi, la sagittaire présente un port en rosette, un système racinaire puissant et des feuilles lancéolées (en forme de lance) quand elle pousse sur les rives et, au contraire, un port dressé, des racines faibles et des feuilles allongées et flexueuses quand elle croît dans l'eau. Chacun de ces types morphologiques représente un « accommodat ».

Sélection naturelle et adaptation écologique. Si une perturbation se prolonge indéfiniment, les populations exposées subissent une sélection génétique qui leur permet d'être parfaitement adaptées aux nouvelles conditions. Cette évolution se traduit par l'apparition d'écotypes. L'achillée *(Achillea lanulosa)* en fournit un bon exemple. Lorsqu'elle pousse en plaine, c'est une plante au port dressé d'environ 80 cm de haut; en revanche, en altitude, elle possède un port en rosette (feuilles étalées à la surface du sol) et ne dépasse pas une vingtaine de centimètres. Il s'agit là d'une adaptation au froid intense et à la présence de neige. Si l'on sème des graines d'achillée d'altitude en plaine, les sujets qui croîtront conserveront les caractères des individus de montagne. Il s'agit donc bien d'un écotype.

Un autre exemple plus général, qui constitue une remarquable démonstration du rôle de la sélection naturelle dans l'adaptation à un facteur écologique, est donné par l'étude du mimétisme. Ici, l'adaptation concerne un facteur biotique : la prédation. Au cours des générations successives ont été sélectionnées des espèces mimant le substrat afin d'en être indiscernables par les prédateurs, comme certains insectes corticoles dont le corps imite les lichens croissant sur les branches. Dans d'autres cas, le mimétisme conduit l'espèce proie à imiter une espèce toxique (tels certains papillons qui miment ceux de la famille des danaïdes, dont l'organisme renferme des alcaloïdes qui les rendent inconsommables par les oiseaux et autres insectivores), ou encore à prendre l'apparence d'espèces prédatrices comme les *Calligo*, papillons d'Amazonie dont les ailes imitent la tête d'un rapace nocturne…

◆ **Un exemple d'adaptation : le mimétisme.** Certains animaux, comme cet insecte de la famille des fulgoridés, ont une morphologie et une couleur si bien adaptés à leur milieu qu'ils peuvent y passer complètement inaperçus.

Voir aussi
- **Interactions** p. 87
- **Sélection naturelle** p. 93
- **Adaptation des animaux à leur milieu** p. 122, 124 à 127
- **Adaptation des plantes à leur milieu** p. 170, 172, 175, 176

Les facteurs écologiques

Les facteurs écologiques sont tous les paramètres physico-chimiques ou biologiques propres à l'environnement et susceptibles d'agir directement sur les êtres vivants, qui contrôlent le développement d'une entité biologique, depuis l'individu jusqu'à l'écosystème tout entier.
On en distingue plusieurs sortes :
– les facteurs abiotiques, qui sont de type climatique (lumière, température, pluviométrie, hygrométrie, vent, neige, etc.), édaphique (texture ou structure du sol, sels minéraux présents dans les sols), topographique, hydrologique (courant, pH des eaux, teneur en oxygène dissous, teneur en nitrates, etc.) ;
– les facteurs alimentaires dits « trophiques », qui se divisent en deux groupes : ceux propres à la nutrition des plantes (strictement minéraux, donc abiotiques), et ceux qui concernent l'alimentation des animaux (de nature organique, donc d'origine biotique) ;
– les facteurs biotiques, dont certains sont favorables à des interactions positives entre individus et populations (commensalisme, mutualisme et symbiose), et d'autres défavorables, générant des interactions négatives (compétition intraspécifique et interspécifique, prédation, parasitisme et maladies).

◆ **Représentation de la loi de tolérance (dite « de Shelford », qui l'a énoncée le premier).** Ce schéma représente l'intervalle de tolérance pour une espèce de poisson à l'égard d'un facteur écologique. En ordonnée est figurée la densité de population dans un gradient de température de l'eau.

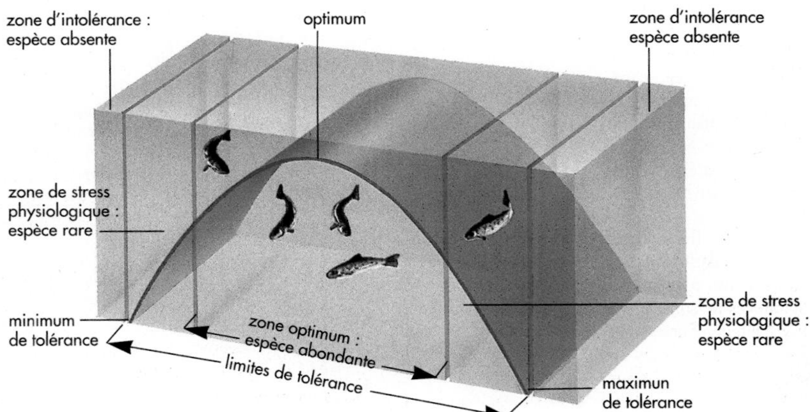

L'écologie des populations

Structure et dynamique

On dénomme « population » un ensemble d'individus appartenant à une même espèce et cohabitant dans un même biotope, qui échangent librement leurs gènes dans les processus reproductifs. Il n'existe donc entre eux aucune barrière génétique.

La structure d'âge d'une population. Une population présente un ensemble de caractéristiques particulières (taux de natalité ou de croissance, structure d'âge, sex-ratio, etc.).

La structure d'âge d'une population dépend de la proportion relative des individus des diverses classes d'âge qui la constituent. Elle est conditionnée par la natalité et la mortalité. On l'évalue par l'établissement des tables de survie, qui représentent, en fonction du temps, les effectifs d'une classe d'âge depuis la naissance des individus qui la composent jusqu'à la mort du dernier survivant.

Les pyramides des âges en sont la représentation graphique la plus répandue. Pour les construire, on superpose des rectangles de largeur constante, qui représentent un intervalle d'âge donné (une année par exemple) et dont la longueur est proportionnelle à l'effectif de la classe d'âge correspondante.

On distingue, en fonction des valeurs relatives du taux de natalité (N) et du taux de mortalité (M), trois grands types de pyramides des âges. Le premier correspond aux populations en expansion (N>M) où les jeunes sont prépondérants, le deuxième aux populations stables (N=M) où se rencontre un nombre égal d'individus dans chaque classe d'âge, et le troisième aux populations déclinantes (N< M) où les individus âgés sont majoritaires.

Les lois de croissance des populations. La tendance naturelle d'une population est de s'accroître quand les conditions environnementales sont favorables. Le taux de croissance d'une population dépend du rapport entre la natalité et la mortalité.

On distingue deux types de loi de croissance démographique selon qu'existent ou non des facteurs limitants.

Lorsqu'ils manquent, la population croît de façon exponentielle. En présence de facteurs limitants, ce qui est la règle pour les populations naturelles, la courbe représentative de la croissance est une sigmoïde : dans une phase initiale, la vitesse d'accroissement de la population augmente jusqu'à une valeur maximale, puis elle ralentit et enfin elle s'annule. L'effectif de la population tend ainsi vers une valeur dénommée « capacité limite du milieu » à mesure qu'augmentent les contraintes écologiques dues à la raréfation des ressources naturelles.

Les fluctuations des populations. Les effectifs des populations naturelles ne sont jamais constants, mais présentent au contraire, au cours du temps des fluctuations généralement importantes.

◆ **Exemple de peuplement d'oiseaux d'eau sur les rives d'un marécage africain.**
On reconnaît sur ce cliché des hérons et des ibis, et plusieurs aigrettes, qui constituent les espèces dominantes du peuplement d'échassiers.

On distingue des populations stables – dont les effectifs varient peu dans le temps –, et cycliques – en expansion ou en déclin. Une majorité des espèces, tant animales que végétales, présentent des variations cycliques régulières de leurs effectifs, de période annuelle. Dans certains cas, le cycle est de durée supérieure, pluriannuelle : 4 ans pour les lemmings des toundras boréales, 10 ans pour le lynx et le lièvre variable dans le Grand Nord canadien, près de 50 ans pour certaines espèces de papillons dont les chenilles dévorent le feuillage des forêts en Europe centrale. D'autres espèces dites « cycliques apériodiques » sont invasives : elles présentent une ou deux fois par siècle de fortes pullulations. Les populations en expansion correspondent en général à des espèces introduites par l'homme, tel le lapin en Australie. À l'opposé, les populations déclinantes, de plus en plus nombreuses, correspondent aux espèces en danger de disparition du fait de l'action de l'homme sur la biodiversité.

VOIR AUSSI
• **Comportement animal** p. 124
• **Longévité** p. 153
Illustrations
• **Un lichen** p. 89
• **Combat de tigres** p. 126

◆ **Pyramide des âges du cerf-mulet.**
Les données se rapportent à une cohorte de cerfs. La pyramide est construite par convention en figurant la classe d'âge atteinte par la femelle la plus âgée. On peut voir, que par tranche d'âge, les mâles ont une longévité moindre que les femelles.

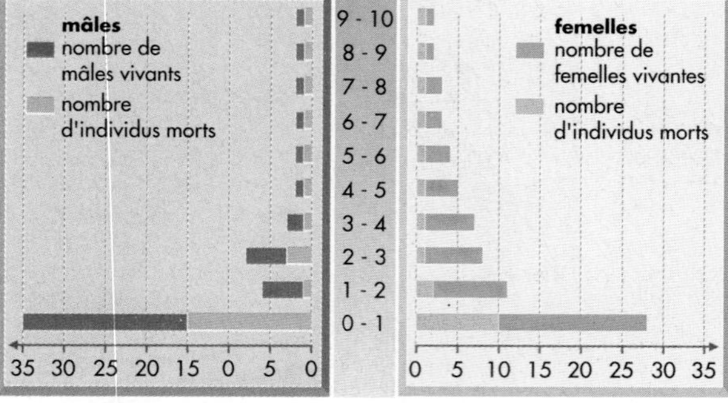

La niche écologique

On dénomme « peuplement » un ensemble constitué par les populations de toutes les espèces écologiquement et systématiquement voisines qui cohabitent à l'intérieur d'un même écosystème. Toute communauté peut être divisée en une série de peuplements, qui en constituent autant de sous-ensembles. On parlera par exemple du peuplement d'arbres de la forêt de Fontainebleau ou encore du peuplement d'ongulés d'une savane africaine.

La niche écologique peut se définir comme la place et la spécialisation d'une espèce à l'intérieur d'un peuplement. Elle correspond à l'ensemble des paramètres qui caractérisent les exigences écologiques (climatiques, alimentaires, reproductives, etc.) propres à une espèce vivante et qui la différencient de toute autre espèce d'un même peuplement.

La biodiversité

On désigne sous ce terme la variété structurale et fonctionnelle des diverses formes de vie qui peuplent la biosphère.
Il existe diverses échelles de la biodiversité allant de l'individu jusqu'à la biosphère tout entière.
Il ne faut pas confondre biodiversité et richesse spécifique. Cette dernière est le nombre total d'espèces peuplant un écosystème ou toute autre entité écologique. La biodiversité intègre à la fois le nombre d'espèces présentes dans une commnauté et leur abondance relative, selon qu'elles sont rares ou très communes.
La biodiversité n'est pas répartie de façon uniforme dans la biosphère. Il existe à l'intérieur de certains biomes des zones de très forte richesse spécifique dénommées « centres de biodiversité », surtout localisées dans les forêts tropicales. En surexploitant la flore et la faune, en détruisant de nombreux écosystèmes, l'homme se rend responsable de la disparition de nombreuses espèces. De ce fait, la préservation de la biodiversité est l'un des problèmes d'environnement les plus préoccupants.

◆ Niches écologiques des rongeurs dans le désert de Sonora (Amérique du Nord).
Chaque espèce consomme des graines en rapport avec son poids corporel (indiqué sur le schéma).
Cette diversité des exigences alimentaires permet à ces espèces de coexister dans un même milieu.

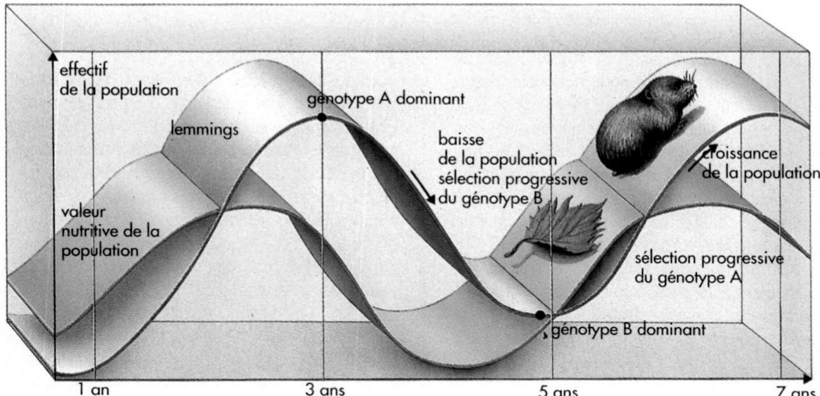

◆ Fluctuation des populations de lemmings.
En Laponie, ces rongeurs sont sujets à des variations d'abondance, de l'ordre de 1 à 1 000, sur des périodes de 4 ans. Lors des pullulations, les individus de génotype A dominent : ils sont agressifs et le stress dû au surpeuplement diminue leur fécondité. La population décline, alors que les individus peu agressifs et féconds, de génotype B, deviennent plus fréquents en période de faible abondance. Une sélection inverse rendra les individus de génotype A prédominants. À ces fluctuations de nature génétique se superposent des modifications du biotope dues à la consommation de la végétation par les lemmings : au pic de pullulation, la végétation est rare et les sols sont pauvres en nutriments; à l'opposé, elle est abondante au minimum de densité avec des sols enrichis en phosphore et autres éléments minéraux.

Il ne faut pas confondre niche écologique et habitat. Ce dernier correspond aux lieux particuliers où l'espèce considérée se rencontre, en un sens à son « adresse ». La niche, elle, représente la fonction de l'espèce dans un écosystème, sa « profession » en quelque sorte.

Il est fréquent que de nombreuses espèces se rencontrent dans un même habitat. Une étude détaillée de leur biologie confirme cependant qu'elles occupent toujours une niche écologique bien distincte.

Les interactions

Les facteurs régissant les interactions, depuis le niveau des individus jusqu'à celui des communautés, sont divers : compétition, prédation, parasitisme, mutualisme, notamment.

La compétition. On distingue la compétition intraspécifique, s'effectuant entre individus d'une même population, et la compétition interspécifique, s'effectuant entre individus d'espèces différentes. La première joue un rôle dans l'accès à la nourriture et à l'espace. Chez les animaux, elle conduit au comportement territorial : un individu ou un couple s'approprie une certaine surface d'écosystème qu'il défend contre les individus de la même population.

La compétition interspécifique caractérise les relations entre individus d'espèces différentes, ayant des exigences écologiques voisines, qui cohabitent dans un même peuplement. Ainsi, des espèces d'oiseaux de mer peuvent nicher ensemble, mais la dimension alimentaire de leur niche sera différente, car elles ne présenteront aucune compétition alimentaire.

La prédation. Nombre d'animaux ont un régime alimentaire carnivore. Ces prédateurs jouent un rôle important dans l'équilibre écologique. En effet, ils n'ont pas intérêt à éliminer leurs proies sous peine de mourir à leur tour d'inanition.

En outre, le prédateur éliminera spontanément en premier lieu les jeunes en surnombre et les animaux âgés ou malades, limitant ainsi les risques d'épidémies. La prédation, considérée au premier abord comme une interaction négative, exerce donc une action positive sur la régulation des effectifs des proies.

Le parasitisme et les maladies. Le parasitisme est une interaction dans laquelle un individu d'une espèce va vivre aux dépens de celui d'une autre espèce. On distingue des ectoparasites et des endoparasites. Les premiers vivent accrochés au tégument de leur hôte, beaucoup d'entre eux, tels les poux ou les puces, étant hématophages. Les seconds sont des parasites internes vivant dans le sang ou dans certains organes. Les uns et les autres peuvent causer de graves affections, voire la mort de leur hôte.

◆ Association de pique-bœufs et d'une girafe.
Le pique-bœuf est un passereau qui se perche sur les grands mammifères herbivores africains, notamment sur les girafes, pour les débarrasser leur parasites, dont il se nourrit; chacun des deux associés trouve donc son intérêt dans cette symbiose.

De façon générale, la mortalité par parasitisme ou par maladie est d'autant plus forte dans une population que celle-ci a été exposée depuis peu à un agent pathogène. Ainsi, la myxomatose, affection virale transmise aux lapins par les piqûres de moustiques ou de puces provoque 99,9 % de mortalité dans les populations nouvellement contaminées. En revanche, dans les zones où elle est endémique, la mortalité est inférieure à 10 %.

Le mutualisme. À l'opposé du parasitisme et de la maladie, il constitue une interaction positive, deux espèces trouvant mutuellement profit à vivre ensemble. On parle alors de symbiose pour désigner une association devenue si étroite entre deux espèces qu'elles ne peuvent vivre isolément.

Au nombre des cas de symbiose les plus spectaculaires est celui des lichens, qui associent si étroitement un champignon constituant le thalle et une algue que l'on en fait des espèces particulières.

À la différence de la symbiose, le commensalisme se place à la limite entre mutualisme et interactions négatives. Ici, une espèce cohabite avec la population ou des individus d'une autre espèce dont elle dépend pour l'habitat et la nourriture. Le commensalisme est très fréquent chez les insectes sociaux. Il existe par exemple dans les fourmilières ou les guêpiers, un grand nombre de commensaux qui profitent des déchets produits par les activités de la colonie sans que cette dernière tire nécessairement bénéfice de leur présence.

Les successions

Malgré leur apparente stabilité, les écosystèmes sont en perpétuel changement par suite des variations des conditions écologiques. Ils doivent de ce fait constamment s'adapter aux perturbations de l'environnement.

On dénomme « succession écologique » les divers stades successifs qui caractérisent les changements survenant dans une biocénose par suite d'une modification initiale des conditions environnementales.

Un tel exemple de succession peut être donné par un champ abandonné. Dans les années qui suivent l'abandon, de nouveaux peuplements se réinstallent, constituant une communauté pionnière de plantes annuelles puis vivaces. Après quelques années s'installeront des végétaux ligneux, d'abord buissonnants, puis des arbres. En quelques décennies, la biocénose évoluera en s'enrichissant en espèces de taille et de longévité de plus en plus grandes, constituant un boisement ouvert qui, peu à peu, se transformera – aux moyennes latitudes – en une forêt. Celle-ci atteindra en un ou deux siècles son stade ultime de développement, trouvant l'équilibre en rapport avec son environnement : le climax, où est atteint le maximum de biodiversité et d'accumulation de matière vivante.

Classer et nommer les organismes

Une classification hiérarchique

La biodiversité (diversité du monde vivant) est immense. Environ 1,8 million d'espèces différentes vivent aujourd'hui sur Terre mais il en existe sans doute 10 millions au moins car on en découvre toujours de nouvelles. Pour mettre un peu d'ordre dans cette diversité, pour mieux caractériser et comparer les différents organismes, une classification est utile. Sa réalisation n'est pas simple et le résultat dépend notamment de l'importance accordée à chacun des multiples critères possibles de classification. Il ne faut pas s'étonner que les remaniements dans la classification soient fréquents. Ils sont liés, en particulier, à une amélioration des connaissances concernant les êtres vivants, ou à la découverte de nouveaux fossiles, qui éclairent la classification des espèces actuelles.

Les systèmes de classification utilisés aujourd'hui sont tous directement inspirés du système mis en place par le naturaliste suédois Carl von Linné (1707-1778) au XVIIIe s. Il s'agit d'une classification hiérarchique : chaque être vivant est placé dans un groupe (une « unité taxinomique », ou « taxon »), qui est lui-même inclus dans un groupe plus vaste (un taxon de rang supérieur), et ainsi de suite. Les unités taxinomiques les plus couramment utilisées sont les suivantes (dans l'ordre croissant de rang) : espèce, genre, famille, ordre, classe, embranchement (ou phylum), règne ; mais on peut en définir d'autres (super-famille, sous-ordre...).

L'unité taxinomique de plus haut niveau est le règne ; la plupart des systématiciens en reconnaissent aujourd'hui cinq (bactéries, protistes, champignons, animaux et végétaux).

L'espèce

Dans la classification hiérarchique des êtres vivants, l'espèce est l'unité élémentaire, l'une des plus petites subdivisions ; elle rassemble des individus très étroitement apparentés les uns aux autres (quant à l'aspect, la physiologie, le mode de vie...). Ce critère d'étroite parenté étant plutôt vague et subjectif, un critère plus rigoureux a été recherché, vers les années 1940. Puisque seuls des individus étroitement apparentés peuvent se reproduire entre eux, l'espèce a été définie comme un ensemble d'organismes interféconds dans leur milieu naturel (c'est-à-dire susceptibles de se reproduire entre eux, seulement entre eux, et d'avoir des descendants fertiles).

La notion d'espèce, cependant, demeure parfois assez floue. Le critère d'interfécondité peut ne pas avoir été vérifié pour toutes les espèces, définies, avant les années 1940, sur d'autres critères. D'autre part, ce critère ne peut s'appliquer ni aux organismes fossiles, dont la reproduction n'a évidemment pas été observée, ni aux organismes qui se reproduisent uniquement par voie asexuée (bactéries, certains champignons, certains protozoaires...). De même, l'interfécondité est difficile à prouver pour des organismes appartenant à deux populations géographiquement éloignées. Enfin, si les individus issus du croisement, entrepris par l'homme, entre espèces différentes sont en effet souvent stériles (croisement cheval/âne, tigre/lion...), il faut remarquer que certains sont fertiles (chou – radis ou canard colvert – canard pilet...) ; qui plus est, des croisements entre individus d'espèces supposées différentes surviennent également dans la nature, notamment pour les végétaux (colza – ravenelle, par ex.).

Certaines espèces, montrant en leur sein une relative diversité, naturelle ou créée par l'homme, peuvent être subdivisées en unités de rang inférieur : sous-espèces, variétés, cultivars ou races.

Les critères de classement

Les caractères morphologiques sont utilisés en premier lieu. Ainsi, pour déterminer à quelle espèce, ou à quelle famille, appartient une plante à fleurs, on se base en particulier sur la disposition, le nombre, la forme ou la couleur des diverses parties de la fleur (sépales, pétales, etc.).

L'utilisation des seuls critères morphologiques a toutefois des limites. Il existe notamment des phénomènes de convergence morphologique, qui font que deux individus, par ailleurs très différents l'un de l'autre, ont des formes ou des organes semblables, qui leur permettent d'être bien adaptés à un milieu. Ainsi, tous les animaux capables de se déplacer rapidement en milieu aquatique (les poissons, mais aussi des oiseaux tels que les manchots, ou des mammifères comme les dauphins) ont un corps hydrodynamique et des appendices natatoires.

D'autres critères sont donc indispensables pour classer les êtres vivants. Ce sont notamment des caractères anatomiques, physiologiques, le comportement (s'il s'agit d'animaux), les caractéristiques génétiques (nombre et forme des chromosomes, structure chimique de l'ADN composant ces chromosomes) ou biochimiques (nature des molécules synthétisées par l'organisme).

En général, la classification des êtres vivants reflète plus ou moins leurs évolutions respectives au cours des temps géologiques (plus l'ancêtre commun à deux espèces est « récent » – toute proportion gardée –, plus ces espèces sont proches dans la classification). Certaines méthodes de classification privilégient ce critère de parenté phylogénétique par rapport aux autres critères cités ci-dessus.

Un nom pour chaque espèce

La nomenclature proposée par Linné dès le XVIIIe s. désigne chaque espèce par un nom qui peut être compris dans le monde entier. Cette nomenclature est dite « binominale », car elle attribue à chaque espèce un nom composé de deux termes. Ceux-ci sont dérivés du latin et doivent donc être écrits en italique. Le premier, commençant par une majuscule, désigne le genre (unité de la classification qui regroupe ces espèces proches), le second, sans majuscule, identifie l'espèce. Ainsi, le loup commun et le coyote, qui appartiennent tous deux au genre *Canis* sont respectivement appelés *Canis lupus* et *Canis latrans.*

Les noms scientifiques évoquent le plus souvent l'aspect de l'animal (*Larus argentatus*, le goéland argenté), son habitat ou ses mœurs (*Rallus aquaticus*, le râle d'eau), ou bien encore sa localisation géographique (*Podarcis hispanica*, le lézard hispanique).

Certains êtres vivants, notamment la plupart des plantes à fleurs et des grands animaux, ont reçu, en plus de leur nom scientifique, un nom commun, dans la langue des pays où ils vivent.

◆ Les remaniements de la classification : l'exemple des toupayes. Les toupayes (une vingtaine d'espèces de mammifères des forêts asiatiques) ressemblent, à première vue, à des écureuils (ordre des rongeurs) mais en diffèrent nettement par bien des caractères. Ils ont été classés alternativement dans l'ordre des insectivores (celui des taupes), dans l'ordre des rats à trompe ou dans l'ordre des primates (celui des lémuriens et des singes). On a finalement créé pour eux seuls l'ordre des scandentia (appelés aussi tupaiiformes).

Petit lexique

phylogenèse ou **phylogénie :** histoire de la formation et de l'évolution d'une espèce ou d'un groupe d'espèces.

systématique ou **taxinomie :** science dont le but est de comparer, classer et nommer les organismes vivants.

taxon : unité du système de classification hiérarchique, constituée par un ensemble d'organismes vivants, présentant des similitudes (plus ou moins grandes, selon le niveau hiérarchique considéré).

◆ Principes de la classification hiérarchique : l'exemple du loup commun.

espèce *Canis lupus*	tous les loups communs
genre *Canis*	espèce *Canis lupus* + d'autres espèces (coyote, loup roux, chacal...)
famille des canidés	genre *Canis* + d'autres genres (renard, lycaon...)
ordre des carnivores	famille des canidés + d'autres familles (félins, hyénidés...)
classe des mammifères	ordre des carnivores + d'autres ordres (rongeurs, cétacés, chauve-souris...)
embranchement des vertébrés	classe des mammifères + d'autres classes (reptiles, oiseaux...)
règne animal	embranchement des vertébrés + d'autres embranchements (mollusques, arthropodes, éponges...)

VOIR AUSSI
• **Théories de l'évolution** p. 93
• **Découverte de nouveaux animaux** p. 150
• **Histoire de la classification** p. 261, 272, 280, 282

Les cinq règnes du monde vivant

Les bactéries

Les bactéries se distinguent des autres êtres vivants par leur caractère procaryote (absence de noyau cellulaire). Elles sont constituées d'une seule cellule et sont donc très petites (la plupart entre 1 et 10 micromètres).

On trouve dans ce règne une variété de métabolismes (ensemble des réactions chimiques que peut réaliser un être vivant) beaucoup plus grande que dans les autres règnes. Certaines bactéries sont capables d'utiliser l'azote gazeux, par exemple. Celles du groupe des archaeobactéries, notamment, parviennent à vivre dans des milieux très inhospitaliers dans lesquels aucun autre être vivant ne peut survivre (températures de plus de 100° C, milieux très salés, très acides ou fortement radioactifs, polluants, etc.). Les bactéries se multiplient très rapidement et sont présentes en grande quantité, un peu partout (10 000 milliards sur et dans notre corps par exemple). Environ 10 000 espèces sont connues actuellement.

Les bactéries participent à la décomposition de la matière organique morte et au recyclage des différents éléments chimiques (carbone, azote, etc.). Certaines provoquent des maladies chez l'homme mais d'autres lui sont utiles à bien des égards (production d'antibiotiques, aliments fermentés tels les yaourts, manipulations génétiques, etc.).

Les animaux et les végétaux

On connaît environ 1,2 million d'espèces animales et 300 000 espèces végétales vivant actuellement. Animaux et végétaux sont tous des eucaryotes constitués de plusieurs cellules mais les organismes de ces deux règnes diffèrent par leur mode de nutrition. Presque tous les végétaux sont autotrophes, c'est-à-dire qu'ils sont capables de synthétiser les substances organiques complexes dont ils ont besoin, à partir de molécules minérales simples (gaz carbonique, eau et azote minéral, en particulier). Une partie de ces synthèses doit se faire en présence de lumière ; c'est le processus de photosynthèse, réalisé grâce à des chlorophylles (à l'origine de la couleur verte des plantes). Tous les animaux, au contraire, sont hétérotrophes, c'est-à-dire qu'ils doivent manger, ou parasiter, d'autres êtres vivants pour disposer de molécules organiques déjà élaborées. Les animaux se nourrissent en ingérant des particules solides, grâce à des organes spécialisés (bouches), alors que seules des substances en solution dans le milieu extérieur peuvent pénétrer dans les cellules végétales.

Les champignons

On connaît environ 250 000 espèces actuelles de champignons (ou mycètes). Ce sont des êtres pluricellulaires, dont les cellules, comme celles des végétaux, sont entourées par une paroi rigide. À la différence des végétaux, toutefois, les champignons ne peuvent pas réaliser la photosynthèse et doivent se nourrir de matières organiques déjà élaborées par d'autres êtres vivants (ils sont hétérotrophes, comme le sont aussi les animaux). La plupart ne peuvent ingérer des aliments solides ; ils absorbent des substances en solution.

Ils se présentent la plupart du temps sous la forme d'un mycélium, c'est-à-dire d'un ensemble de filaments (files de cellules), plus ou moins ramifiés, qui peuvent s'agglomérer pour former des organes de fructification (ainsi nommés car il s'y forme les spores qui seront disséminées pour donner naissance à un autre individu).

Chez les champignons dits inférieurs, chaque filament contient de nombreux noyaux, car les différentes cellules ne sont pas séparées par des parois transversales ; leurs organes de fructification sont petits.

Chez les champignons dits supérieurs, comprenant notamment les espèces comestibles, les différentes cellules des filaments du mycélium sont au contraire séparées par des parois.

Les protistes

Certains groupes étaient auparavant difficilement classables dans un règne. Ainsi, certaines espèces de la classe des euglénophycées (des organismes eucaryotes unicellulaires) sont autotrophes, ce qui les rattacherait au règne végétal, tandis que d'autres, hétérotrophes, capturent de petites proies ou vivent en parasites, ce qui les rapprocherait du règne animal. Une même espèce peut même être tour à tour autotrophe et hétérotrophe. C'est surtout afin de pouvoir classer de tels organismes qu'a été créé le règne des protistes.

Pour certains, ce règne rassemble l'ensemble des organismes eucaryotes qui ne peuvent être classés ni dans le règne animal, ni dans le règne végétal, ni dans le règne des champignons. Y sont alors placés, entre autres, les groupes évoqués ci-dessus, les protozoaires (organismes proches des animaux mais constitués d'une seule cellule) ou les myxomycètes (rejetés du règne des champignons car ils peuvent ingérer des particules solides et se déplacer en rampant, comme des animaux).

Le règne des protistes peut aussi être défini différemment, comme étant l'ensemble des organismes constitués d'une seule cellule eucaryote. Cela inclut en particulier les algues unicellulaires. Mais le fait de placer algues unicellulaires et algues pluricellulaires dans deux règnes différents (protistes et végétaux), sans réviser simultanément la classification des algues, est très gênant. Cela explique que certains systèmes de classification placent toutes les algues dans le règne des protistes, où elles font alors partie des protophytes (protistes ayant des affinités avec les végétaux, parce qu'ils sont autotrophes).

Les virus

Ces organismes microscopiques sont encore plus petits que les bactéries (de 200 à 20 millionièmes de millimètre). Ce ne sont pas, à proprement parler, des êtres vivants, car ils ne sont pas constitués de cellules comme le sont tous les êtres vivants, ils ne peuvent effectuer de réactions biochimiques et ils sont donc incapables de se reproduire seuls, en dehors d'un organisme vivant (bactérie, animal, végétal) qu'ils parasitent. Toutefois, les virus sont constitués des molécules caractéristiques du monde vivant : certains contiennent des protéines et des phospholipides (comparables à ceux de la membrane de la cellule animale), et tous contiennent des acides nucléiques (de l'ADN, qui est le constituant des chromosomes de tous les êtres vivants, ou de l'ARN).

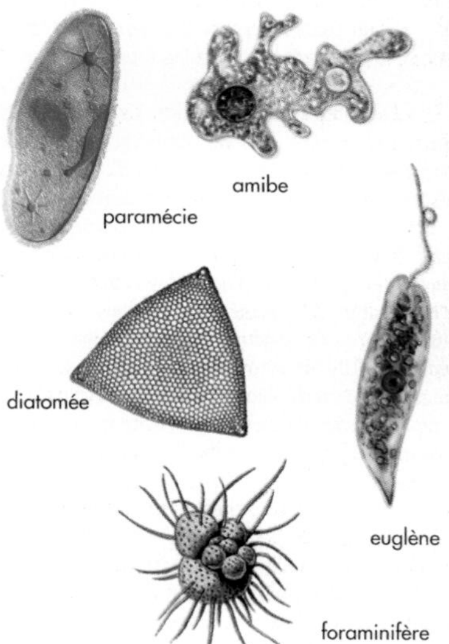

◆ **Quelques protistes.** Les paramécies sont recouvertes de cils. Les amibes peuvent se déformer, ce qui leur permet de se déplacer et d'englober les organismes et les particules dont elles se nourrissent. Les foraminifères sécrètent une minuscule coquille calcaire, au travers de laquelle sortent des pseudopodes (longues expansions de la cellule). Paramécies, amibes et foraminifères sont des protozoaires (organismes unicellulaires microscopiques ayant des affinités avec les animaux). Les diatomées, constituées d'une seule cellule enfermée dans une coque de silice ornementée, ont en revanche le même mode de nutrition que les végétaux car elles sont capables de réaliser la photosynthèse. Quant à l'euglène (*Euglena gracilis*), constituée d'une seule cellule, elle peut être tour à tour autotrophe (comme les représentants du règne végétal), quand elle est élevée à la lumière, et hétérotrophe (comme les représentants du règne animal), à l'obscurité.

◆ **Un lichen.** Les lichens résultent de l'association de deux espèces appartenant à des règnes différents : un champignon, d'une part, et, d'autre part, une algue verte unicellulaire ou une cyanobactérie.

VOIR AUSSI

- **Classification des animaux** p. 90
- **Classification des végétaux** p. 91
- **Évolution** p. 93 à 103
- **Champignons** p. 186 à 188
- **Cellule** p. 194
- **Bactéries et virus** p. 228

Petit lexique

eucaryote : organisme dont les cellules possèdent un noyau.

micro-organisme ou **microbe :** organisme de très petite taille, invisible à l'œil nu (ex. : bactéries, virus, protistes, etc.).

procaryote : organisme constitué d'une seule cellule dont les chromosomes ne sont pas isolés, dans un noyau, du reste de la cellule.

règne : unité de plus haut niveau dans le système de classification hiérarchique.

La classification des animaux

Principaux groupes

Le règne animal est subdivisé en groupes, appelés « embranchements » (leur nombre, variable selon les différents systèmes de classification, est plus ou moins de 35). Le nombre d'espèces dans un embranchement est très variable, de une espèce à près de un million (embranchement des arthropodes, qui contient en particulier tous les insectes).

Les critères de classification. La classification des animaux dans les divers embranchements est basée principalement sur leur plan d'organisation anatomique. On tient compte par exemple :
- du nombre de feuillets selon lesquels s'organisent les cellules de l'embryon (2 chez les spongiaires et les cnidaires, 3 chez la plupart des autres) ;
- de la nature de la symétrie (en général bilatérale ; – un seul plan de symétrie –, parfois rayonnée, avec plusieurs plans de symétrie autour d'un axe commun, dans le cas des échinodermes et des cnidaires) ;
- de l'existence d'un cœlome (cavité interne remplie de liquide) entre le tube digestif et la couche externe du corps (absente chez les plathelminthes, ou vers plats ; présente chez les mollusques, annélides, arthropodes, vertébrés...) ;
- d'une éventuelle segmentation interne du corps (les arthropodes et les annélides, ou vers annelés, sont composés de segments [ou métamères] successifs, comprenant chacun à peu près les mêmes organes) ;
- de la présence d'un squelette, externe (ex. : cuticule épaisse et imperméable qui recouvre les arthropodes) ou interne (vertébrés).

Les vertébrés et les invertébrés. Les vertébrés (poissons, oiseaux, mammifères...) possèdent un squelette interne, osseux ou cartilagineux, comprenant une colonne vertébrale. Cet embranchement est important aux yeux des hommes car il rassemble, en plus de l'espèce humaine, les animaux les plus gros, les animaux domestiques et ceux dont les hommes se nourrissent ; il ne représente cependant qu'une toute petite partie du règne animal. Tous les autres embranchements du règne animal sont constitués par des invertébrés.

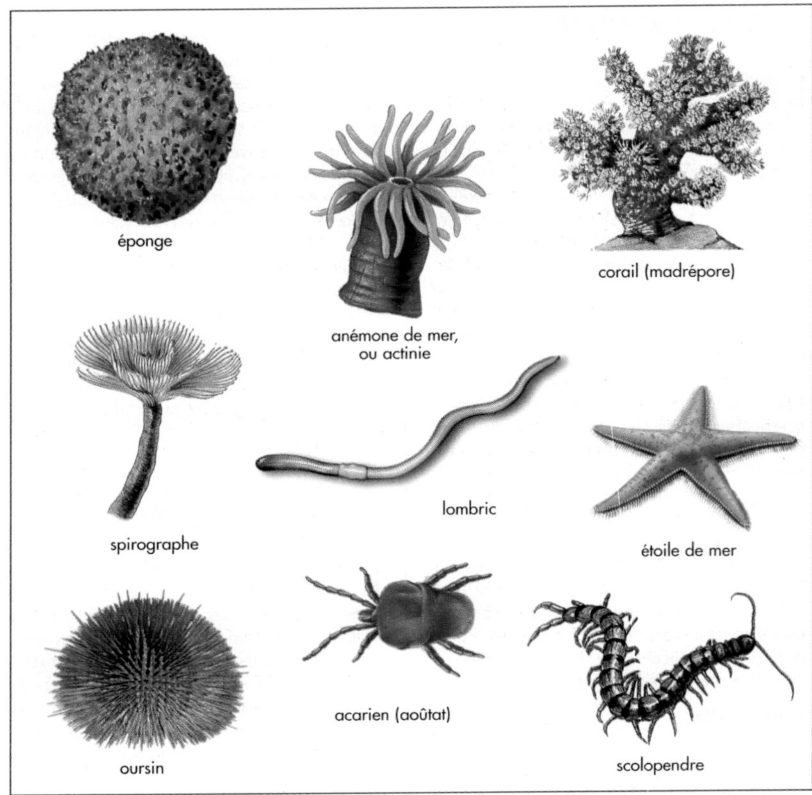

◆ **Quelques représentants des divers embranchements d'invertébrés.**
Spongiaires (éponge) ; cnidaires (anémone de mer, corail) ; annélides (spirographe, lombric ou ver de terre) ; échinodermes (étoile de mer, oursin) ; arthropodes (acarien, scolopendre).

◆ **Les principaux embranchements et classes du règne animal.**

Embranchement	Classe	Exemples
vertébrés (48 500)	mammifères (4 000)	souris, chevaux, hommes
	oiseaux (9 000)	aigles, moineaux, oies
	reptiles (6 500)	serpents, tortues, lézards
	amphibiens (4 100)	grenouilles
	poissons cartilagineux (900)	raies, requins
	poissons osseux (24 000)	truites, thons
	agnathes (63)	lamproies
échinodermes (6 000)	crinoïdes	lys de mer, comatules
	holothuroïdes	concombres de mer
	échinoïdes	oursins
	stelleroïdes	étoiles de mer
arthropodes (950 000)	insectes (800 000)	mouches, abeilles, libellules
	myriapodes (17 000)	scolopendres, mille-pattes
	arachnides (80 000)	araignées, scorpions, acariens
	mérostomes (1)	limules
	crustacés (40 000)	crevettes, homards
annélides (12 000)	polychètes	spirographes
	oligochètes	vers de terre
	achètes	sangsues
mollusques (100 000)	céphalopodes (700)	pieuvres, calmars
	gastéropodes (80 000)	escargots, limaces
	bivalves (15 000)	moules, huîtres
	polyplacophores (1 000)	chitons
nématodes (15 000)		oxyures, ascaris
plathelminthes (15 000)		ténias, planaires, douves
cnidaires (10 000)		actinies, coraux, méduses
porifères ou spongiaires (5 000)		éponges

N.B. Entre parenthèses : nombre approximatif d'espèces actuelles connues dans le groupe. Toutes les classes d'un embranchement ne sont pas nécessairement citées.

VOIR AUSSI 
• **Classer et nommer les organismes** p. 88
• **Règnes du monde vivant** p. 89
• **Évolution** p. 93 à 105
• **Groupes d'animaux** p. 106 à 119

◆ **Les principaux groupes de mammifères.**

Sous-classe	Ordre	Exemples
monotrèmes (3)		ornithorynques, échidnés
marsupiaux (250)		kangourous, koalas, opossums
placentaires (3 870)	xénarthres (29)	fourmiliers, tatous, paresseux
	insectivores (343)	taupes, hérissons
	dermoptères (2)	galéopithèques
	chiroptères (900)	chauves-souris
	primates (180)	lémuriens, singes, hommes
	pholidotes (7)	pangolins
	cétacés (76)	baleines, cachalots, dauphins
	carnivores (240)	loups, ours, lions, tigres, belettes
	pinnipèdes (32)	phoques, otaries, morses
	lagomorphes (54)	lapins, lièvres
	rongeurs (1700)	rats, souris, hamsters, castors
	tubulidentés (1)	oryctéropes
	proboscidiens (2)	éléphants
	hyracoïdes (11)	damans
	périssodactyles (17)	chevaux, zèbres, rhinocéros
	artiodactyles (184)	bœufs, porcs, cerfs, girafes
	siréniens (4)	lamantins, dugongs

N.B. Entre parenthèses : nombre d'espèces actuelles connues dans le groupe.

La classification des végétaux

Les algues

Comme les plantes, les algues réalisent la photosynthèse. La classification des diverses espèces est d'ailleurs en grande partie basée sur la nature des pigments (chlorophylles et autres) qui interviennent dans la photosynthèse et donnent aux algues leur couleur (rouge, verte, brune ou dorée). Certaines ne sont pas visibles à l'œil nu, tandis que les plus grandes (les varechs) dépassent 50 m de long. Les algues sont à la base des chaînes alimentaires dans tous les milieux aquatiques (mais tout végétal aquatique n'est pas une algue) ; elles vivent aussi dans les milieux terrestres humides (sur les troncs d'arbres, par exemple).

Plusieurs caractères différencient pourtant les algues des autres végétaux. À l'exception des algues vertes, elles ne possèdent pas de chlorophylle b, présente chez tous les autres végétaux. Leur organisation est simple : certaines ne sont constituées que d'une seule cellule ; les autres, pluricellulaires, n'ont pas d'organes différenciés tels que tiges, feuilles et racines. Leur mode de reproduction, d'autre part, n'est pas très élaboré : l'embryon algal n'est pas protégé par des tissus spécialisés de l'organisme mère, comme c'est le cas au début du développement embryonnaire des autres végétaux. À cause de tout cela, certains systèmes actuels de classification excluent les algues du règne végétal.

Les bryophytes

Les mousses (environ 10 000 espèces) constituent une classe au sein de l'embranchement des bryophytes, qui compte deux autres classes, celle des hépatiques (6 500) et celle des anthocérotes (100 seulement). Contrairement aux algues, les bryophytes poussent généralement sur la terre ferme (quelques espèces vivent toutefois dans les eaux douces) et sont recouvertes d'une couche cireuse qui les protège partiellement de la déshydratation. La plupart des bryophytes, notamment les mousses, ont des tiges et des feuilles. Elles n'ont pas de véritables racines mais sont fixées dans le sol par des rhizoïdes, de fins et courts filaments. Elles n'ont pas de tissus spécialisés pour conduire la sève (uniquement un système conducteur rudimentaire, dans les tiges des mousses), ni de tissus de soutien. C'est pourquoi elles ne peuvent se dresser très haut au-dessus du sol (20 cm au maximum) et forment plutôt des tapis denses. Comme elles ne peuvent aller chercher l'eau loin dans le sol et que leurs spermatozoïdes doivent nager pour aller féconder une cellule sexuelle femelle, elles poussent souvent dans des zones humides et ombragées et ont une grande capacité à retenir l'eau.

Les ptéridophytes

Les ptéridophytes ont des tiges et des feuilles et la plupart possèdent aussi des racines. À la différence des algues et des bryophytes, ils ont des tissus spécialisés qui transportent la sève (ces tissus rappellent les vaisseaux sanguins ; c'est pourquoi on parle de végétaux vasculaires). La plupart des ptéridophytes poussent sur la terre ferme ; quelques-uns vivent dans les eaux douces.

Les ptéridophytes actuels sont répartis dans 4 classes. Celle des fougères rassemble la grande majorité des espèces (12 000 sur 13 000). Leurs feuilles, appelées « frondes », sont généralement grandes et souvent enroulées en crosse quand elles sont jeunes. Quelques espèces de fougères équatoriales atteignent 20 m de haut et ressemblent à des arbres. Les fougères poussent le plus souvent dans des lieux assez humides, car leur reproduction sexuée nécessite de l'eau (les spermatozoïdes se déplacent en nageant). Deux autres classes de ptéridophytes sont représentées en Europe. L'une ne compte aujourd'hui qu'une vingtaine d'espèces, les prêles ; l'autre comprend environ 1 000 espèces (lycopodes, sélaginelles, isoètes…). La quatrième classe de ptéridophytes rassemble une quinzaine d'espèces tropicales, dont l'organisation est assez rudimentaire (pas de vraies racines, par exemple).

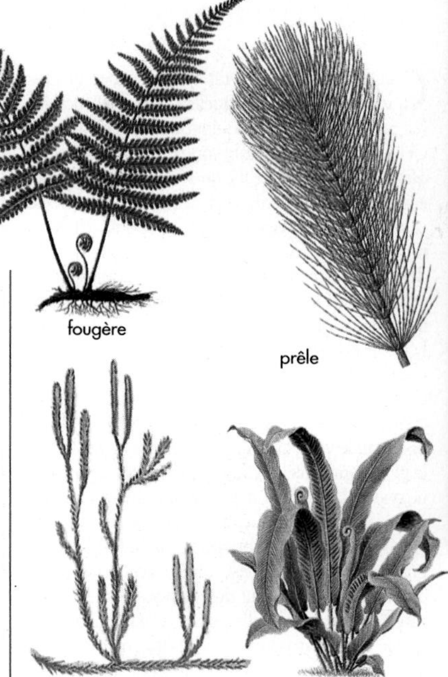

◆ **Des ptéridophytes.**
Nombre de fougères ont des feuilles très divisées, mais il existe aussi des espèces de fougères à feuilles entières (scolopendre, ou langue de cerf). Les prêles, communément appelées queues de renard ou queues de cheval, ont un aspect caractéristique, lié à la disposition des rameaux tout autour de la tige ; leurs feuilles sont petites et forment plusieurs étages de gaines dentées entourant la tige. Les lycopodes sont d'autres ptéridophytes de la flore européenne, moins connus que les précédents ; les épis situés à l'extrémité de certains rameaux contiennent des spores (cellules qui sont disséminées et forment de nouvelles plantes).

◆ **Laitue de mer** *(Ulva lactuca)*.
Les algues vertes, dont fait partie la laitue de mer, sont les seules algues à avoir les mêmes pigments photosynthétiques que les autres végétaux.

mousse
hépatique

◆ **Deux bryophytes.**
L'embranchement des bryophytes comprend notamment les mousses et les hépatiques, ainsi nommées parce qu'elles ont souvent la forme d'un foie. C'est dans les capsules situées au bout d'une longue tige (mousses), ou dans les sortes de « parapluie » (hépatiques), que se forment les spores qui seront dispersées et redonneront naissance à d'autres plants un peu plus loin.

VOIR AUSSI
• **Classer et nommer les organismes** p. 88
• **Règnes du monde vivant** p. 89
• **Évolution** p. 93 à 105
• **Anatomie et physiologie végétales** p. 154 à 161

◆ **Subdivisions du règne végétal.**

Caractères	Embranchement			
	Algues	Bryophytes	Ptéridophytes	Plantes à graines
nombre d'espèces	25 000	17 000	13 000	environ 250 000
présence de tiges, feuilles, racines	non (thallophytes)	partiellement	oui (cormophytes)	oui
présence de vaisseaux conducteurs de sève	non (végétaux non vasculaires)		oui (végétaux vasculaires ou trachéophytes)	
appareil reproducteur visible ; graines	non (cryptogames)			oui (phanérogames ou spermaphytes)

N.B. Rappelons que les champignons et les algues bleu-vert (cyanophycées) ne sont plus classés dans le règne végétal et que divers systèmes actuels de classification excluent également de ce règne les algues unicellulaires, ou même toutes les algues.

Petit lexique

cormophyte : végétal possédant des organes différenciés (tels que tiges, feuilles et racines).

cryptogame : végétal dont les organes reproducteurs sont peu développés et qui ne forme pas de graines.

phanérogame ou **spermatophyte** ou **spermaphyte :** végétal dont les organes reproducteurs sont bien développés et qui produit des graines.

thallophyte : végétal sur lequel on ne peut distinguer des organes différenciés (tels que tiges, feuilles et racines).

trachéophyte : végétal possédant des cellules spécialisées, organisées en tissus, assurant le transport de la sève dans toutes les parties de la plante.

Les plantes à graines, ou spermatophytes

Cet embranchement est constitué des plantes vasculaires (dans lesquelles des tissus spécialisés transportent la sève) qui produisent des graines. Celles-ci protègent l'embryon et lui fournissent de quoi se nourrir au début de son développement ; elles assurent également la dispersion de chaque espèce (fonction assumée par les spores, chez les mousses et les fougères). Les plantes à graines ont des organes reproducteurs bien développés (c'est pourquoi on les appelle aussi phanérogames, des mots grecs *phaneros*, visible, et *gamos*, mariage). Leur reproduction sexuée ne nécessite généralement pas la présence d'eau, comme c'est le cas chez les autres végétaux ; le spermatozoïde, contenu dans le grain de pollen, peut être transporté par le vent, des animaux, ou par le seul fait de la pesanteur, vers la cellule sexuelle femelle qu'il va féconder. L'essentiel des plantes cultivées aujourd'hui, ainsi que les plus belles espèces décoratives appartiennent à l'embranchement des plantes à graines. Ce dernier est divisé en deux sous-embranchements, celui des gymnospermes (environ 800 espèces actuelles, dont la plupart sont des arbres ou des arbustes) et celui des angiospermes, ou plantes à fleurs (250 000 espèces).

Les gymnospermes. Leurs graines ne sont pas complètement enfermées dans un organe protecteur ; elles peuvent néanmoins être bien protégées (à l'intérieur des écailles très serrées des cônes de sapins, par exemple). Bien qu'elles comptent beaucoup moins d'espèces que les plantes à fleurs, les gymnospermes sont dominantes dans certaines régions froides (montagnes ou zone boréale) et fournissent une grande quantité de bois. Elles sont réparties dans 4 classes.

C'est la classe des conifères (sapins, épicéas...) qui rassemble la majorité des espèces (630). Arbres ou arbustes, ils présentent la particularité de former des cônes, constitués de feuilles modifiées, qui abritent les cellules sexuelles puis, après la fécondation, les graines. De nombreux conifères demeurent verts en toute saison, car leurs feuilles (souvent réduites à l'état d'écailles ou d'aiguilles) vivent plusieurs années et ne tombent pas toutes en même temps ; mais certains, comme le mélèze d'Europe, jaunissent en automne et perdent toutes leurs aiguilles.

Les gymnospermes de la classe des cycadinées (90 espèces, dont les cycas) ressemblent davantage à des palmiers qu'à des sapins. Ils poussent dans les régions intertropicales et possèdent encore certains caractères des fougères. La classe des ginkgoïnés constitue le plus ancien groupe de plantes à graines (apparu il y a environ 270 millions d'années). Elle ne comprend aujourd'hui qu'une seule espèce, le ginkgo biloba, un arbre aux feuilles en éventail. Originaire de Chine, il est bien acclimaté en Europe comme arbre d'ornement. La classe des gnétinés, ou chlamydospermes, rassemble environ 70 espèces appartenant à trois genres assez différents (les éphédras, présents en Europe, les gnétums et le welwitschia). Ces plantes possèdent certaines des caractéristiques des plantes à fleurs (nature des tissus conducteurs de sève, par exemple).

Les angiospermes, ou plantes à fleurs. Leurs organes reproducteurs, les fleurs, ont généralement une structure complexe ; elles sont composées de diverses pièces : sépales, pétales, étamines et pistils. Les ovules, contenant les cellules sexuelles femelles, sont complètement enfermés dans un organe protecteur, l'ovaire. Celui-ci se transforme, après fécondation, en un fruit, qui entoure et protège efficacement les graines.

Le groupe des plantes à fleurs est, dans le règne végétal, celui qui montre actuellement la plus grande diversité spécifique : on en connaît environ 250 000 espèces, réparties dans environ 300 familles, certaines ne comptant qu'une seule espèce, d'autres en comprenant des milliers. Ces familles sont rassemblées dans deux classes : celle des monocotylédones (60 000 espèces) et celle des dicotylédones (190 000), dont les représentants diffèrent notamment par le nombre de cotylédons (premières feuilles de la plante, déjà contenues dans la graine).

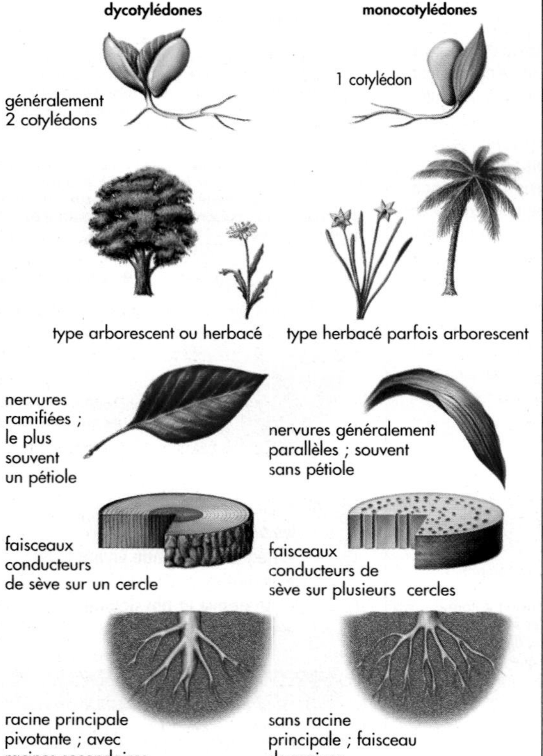

◆ Principales différences entre monocotylédones et dicotylédones. Monocotylédones et dicotylédones diffèrent en particulier par le nombre de leur cotylédons (les premières feuilles émergeant de la graine au moment de la germination).

◆ Quelques familles de dicotylédones.

Famille	Exemples
composées	marguerite, pissenlit
crucifères	colza, moutarde, chou, navet
labiées	menthe, thym, lavande, origan, sauge
cucurbitacées	concombre, cornichon, courge, melon
solanacées	pomme de terre, tomate, tabac
rosacées	roses, prunus, pommier, fraisier
légumineuses	pois, haricot, lentille, soja, arachide
cactées	cactus, figuier de Barbarie
ombellifères	carotte, persil, ciguë
renonculacées	renoncule, pivoine, anémone
nymphacées	nénuphar, lotus
violacées	violette, pensée
primulacées	primevère, cyclamen
rutacées	oranger, citronnier
fagacées	chêne, hêtre, châtaignier
bétulacées	bouleau, noisetier
salicacées	saule, peuplier

welwitschia

◆ Quelques familles de monocotylédones.

Famille	Exemples
graminées	blé, orge, riz, maïs
orchidées	orchis, cattleya, vanillier
palmiers	palmier-dattier, cocotier, raphia, rotin
liliacées	tulipe, lis, oignon, poireau
iridacées	iris, crocus, glaïeul
amaryllidacées	narcisse, amaryllis
broméliacées	ananas
musacées	bananier

◆ Diversité des gymnospermes. La famille des pinacées contient à elle seule près de la moitié des espèces de gymnospermes, dont le sapin de Nordmann ; ce sont les conifères tels qu'on les imagine typiquement. Les représentants des autres classes de gymnospermes sont loin de ressembler à des sapins ; les cycas ont plutôt l'aspect de palmiers ; le welwitschia, qui vit dans des déserts africains, peut supporter de très longues périodes de sécheresse.

cycas

sapin de Nordmann

Les théories de l'évolution

Microévolution et macroévolution

Le fixisme, théorie selon laquelle les êtres vivants n'ont pas changé depuis leur apparition sur la Terre, était une idée très répandue jusqu'au XVIIIe s., sous l'influence du créationnisme, qui stipule que tous les êtres vivants ont été créés par Dieu il y a quelques milliers d'années, tels qu'ils sont aujourd'hui et indépendamment les uns des autres.

À partir du XVIIIe s., sur la base de divers indices, apparaît le concept d'évolution biologique, qui implique que les êtres vivants ne sont pas immuables mais que leurs caractéristiques changent au cours du temps. On distingue souvent deux types d'évolution, intervenant à des échelles différentes.

La microévolution est l'évolution au fil des générations des différentes populations composant une espèce. Elle se traduit notamment par l'individualisation de sous-groupes au sein d'une espèce. La microévolution peut aller jusqu'à la formation d'une nouvelle espèce à partir d'une autre.

La macroévolution est un ensemble de changements plus importants et se traduit par l'apparition des principaux groupes du monde vivant (unités telles que la famille, l'ordre ou l'embranchement, regroupant plus ou moins d'espèces proches) depuis l'apparition de la vie sur la Terre, il y a plus de 3,5 milliards d'années, jusqu'à nos jours. Tous les êtres vivant actuellement dérivent d'un même ancêtre, et l'on peut dessiner un arbre (l'arbre phylogénétique), qui est l'équivalent d'un arbre généalogique, rendant compte de la succession de nombreuses espèces ou groupes d'espèces, issus les uns des autres.

Fossiles et autres indices

Les fossiles, objet d'étude de la paléontologie, sont les restes ou les empreintes laissés par les organismes morts dans les couches successives de roches. La comparaison des fossiles dans les diverses couches et leur datation ont montré que des organismes appartenant à des espèces différentes, mais aussi à des familles ou à des embranchements différents s'étaient succédé au cours des temps géologiques.

D'indiscutables ressemblances (à la base du système de classification du monde vivant) ont d'autre part été observées entre les divers organismes actuels ou fossiles, suggérant qu'ils avaient une origine commune. Certains caractères se retrouvent ainsi chez tous les êtres vivants (à l'exception, parfois, des virus, qui sont d'ailleurs à la frontière du monde vivant). Tous sont construits à partir de la même unité de base, la cellule, et sont constitués par les mêmes types de molécules : protéines, lipides, glucides, ou ADN (constituant des gènes).

L'analyse de séries de fossiles d'âge différent, présentant des similitudes, permet très souvent de dégager un enchaînement logique. Ainsi, les plus vieux poissons (animaux à vertèbres, dépourvus de pattes, et dont l'œuf est perméable à l'eau) sont plus vieux que les plus vieux amphibiens (animaux à vertèbres, pourvus de pattes, et dont l'œuf est perméable à l'eau), qui eux-mêmes sont plus vieux que les plus vieux reptiles (animaux à vertèbres, pourvus de pattes, et dont l'œuf est imperméable à l'eau). Cela suggère que des caractères nouveaux (pattes, imperméabilité de l'œuf) se sont successivement ajoutés à un caractère plus ancien (squelette vertébré). L'existence de certains fossiles intermédiaires entre deux groupes étaie cette hypothèse (poissons fossiles possédant des nageoires charnues au squelette proche de celui des pattes des plus anciens amphibiens connus).

La théorie synthétique

Le naturaliste français Buffon (1707-1788) est l'un des premiers à pressentir que la ressemblance entre certaines espèces peut être liée à une transformation des espèces au cours du temps. Un autre naturaliste français, Lamarck (1744-1829), reprend ensuite cette idée de modification progressive des espèces et en propose une explication, qui s'est révélée fausse (car elle reposait notamment sur l'hérédité des caractères acquis). Charles Darwin (1809-1882), naturaliste britannique, publie en 1859 un ouvrage intitulé *De l'origine des espèces par voie de sélection naturelle*, dans lequel il développe une théorie bien argumentée sur l'évolution. À l'hypothèse déjà évoquée de la transformation progressive des espèces, il ajoute l'idée que tous les organismes ont un ancêtre commun et, surtout, il propose une explication séduisante du phénomène évolutif. Il met en avant l'existence de nombreuses variations héréditaires (c'est-à-dire transmises à la descendance) au sein d'une population et indique que c'est la sélection naturelle qui joue un rôle moteur dans l'évolution en retenant ou, au contraire, en éliminant l'une ou l'autre de ces variations. C'est vers 1940 que divers chercheurs (Theodosius Dobzhansky, Julian Huxley, Ernst Mayr...) élaborent la théorie synthétique de l'évolution. Celle-ci reprend en partie les idées de Darwin (sur le rôle de la sélection naturelle, en particulier) et certaines autres idées évolutionnistes. Elle intègre aussi des connaissances récentes, concernant notamment la génétique, et considère l'évolution au niveau de chaque population.

Petit lexique

adaptation : ajustement des caractéristiques morphologiques, physiologiques ou comportementales d'une espèce ou d'un individu à un milieu particulier.

arbre phylogénétique : schéma illustrant l'apparition successive des principaux groupes d'êtres vivants, à partir d'ancêtres communs, au cours des temps géologiques.

spéciation : formation d'une nouvelle espèce biologique.

VOIR AUSSI
- **Histoire de la Terre** p. 29
- **Adaptation** p. 85
- **Classer et nommer les organismes** p. 88
- **Des bactéries à l'homme** p. 95 à 105
- **Génétique et hérédité** p. 195
- **Découverte de l'évolution** (Buffon) p. 274, (Lamarck) 279, (Darwin) 288, (néodarwinisme) 295

Un exemple de sélection naturelle

Avant le XIXe s., la plupart des phalènes du bouleau (des papillons vivant sur ces arbres) étaient de couleur blanche. Vers 1850, les populations d'Angleterre ont commencé à comporter de plus en plus d'individus de couleur noire. Ce changement s'est produit alors qu'apparaissaient les premières pollutions dues à l'usage intensif du charbon comme combustible dans les industries. Les fumées noires produites se sont déposées sur les troncs des bouleaux, qui de blanc-gris sont devenus gris foncé. Les phalènes blanches, auxquelles cette couleur conférait jadis un certain mimétisme avec l'écorce du bouleau, sont devenues plus visibles aux yeux des oiseaux prédateurs et ont été dévorées par ceux-ci. Les quelques phalènes de couleur plus foncée, jadis minoritaires, étaient, au contraire, plus protégées des prédateurs. C'est ainsi que les phalènes noires, ayant plus de chances de survivre et de se reproduire dans ce milieu pollué, sont devenues les plus nombreuses. La pollution ayant régressé, la proportion d'individus blancs est désormais à nouveau en augmentation.

Naissance des espèces

Les théories concernant les mécanismes de formation de nouvelles espèces sont dues en particulier à Ernst Mayr (né en 1904). Elles supposent que l'espèce soit définie comme un ensemble d'individus potentiellement aptes à se reproduire entre eux.

Pour Mayr, une douzaine de processus peuvent conduire à la naissance d'une nouvelle espèce, soit par remplacement progressif d'une espèce (ou de deux espèces) par une autre, soit par séparation de deux espèces à partir d'une seule.

Parmi ces processus figure la formation d'une nouvelle espèce par isolement géographique. Le territoire occupé par une population peut en effet être coupé en deux parties (ou plus) par l'apparition d'un obstacle physique, de chaque côté duquel se trouvent isolées deux fractions de la population initiale. L'obstacle peut être d'origine géologique (apparition d'une faille ou d'un cours d'eau, surgissement d'une montagne, éloignement de deux continents, modification locale du relief par érosion...) ou, dans la période récente, être lié aux activités humaines (murs, routes, fossés...).

Les deux fractions de population ainsi isolées se mettent à évoluer de façon indépendante, puisque aucun flux de gènes (lié à la migration des individus ou à la dissémination) n'est possible entre elles.

L'évolution divergente des deux fractions de population ne se traduit pas nécessairement par l'apparition d'une nouvelle espèce ; si l'obstacle disparaît entre elles, les individus de chaque fraction peuvent parfois se reproduire à nouveau entre eux. Mais il arrive aussi que la reproduction entre deux individus issus chacun d'une sous-population ne soit plus possible (et dans ce cas, on considère qu'ils appartiennent à des espèces différentes).

Sélection et mutations

Les facteurs provoquant la microévolution, c'est-à-dire l'évolution d'une population au fil des générations, ont été explicités dans la théorie synthétique de l'évolution. Les tenants de cette théorie expliquent la macroévolution par une succession graduelle de microévolutions.

Quelques rappels sur les gènes. Chaque être vivant possède dans chacune de ses cellules un ensemble de gènes, qui sont regroupés sur divers chromosomes. Chaque gène détermine la synthèse d'une protéine particulière ou d'une partie de celle-ci, et l'ensemble des gènes (le génotype) détermine les caractéristiques de chaque individu. Ce dernier transmet en effet à ses descendants tous ses gènes (s'il se reproduit par voie asexuée) ou seulement la moitié (si la reproduction est sexuée).

La sélection naturelle. La reproduction de deux individus produit généralement un grand nombre d'embryons (milliers ou millions d'œufs de poissons, par exemple), dont seuls quelques-uns forment des adultes, qui se reproduisent à leur tour. Les tenants de la théorie synthétique de l'évolution, suivant en ceci Darwin, pensent que la disparition d'un individu plutôt que d'un autre n'est pas le fruit du hasard mais d'une élimination sélective, appelée « sélection naturelle », fondée sur les caractéristiques de chaque individu. Il est important de souligner en effet que tous les individus d'une population ne sont pas identiques, même s'ils ont en commun un certain nombre de caractères. La différence entre les individus peut se traduire dans leur aspect extérieur (le phénotype), mais elle est surtout très nette au niveau des gènes. Au terme de la sélection naturelle ne sont conservés que les individus les mieux adaptés à leur milieu de vie (parce qu'ils sont plus efficaces pour recueillir leur nourriture, moins visibles aux yeux des prédateurs, supportent mieux la sécheresse...). L'existence d'une telle sélection est de fait confirmée par de nombreux exemples, dont le plus connu concerne un papillon, la phalène du bouleau.

La connaissance des mécanismes de l'hérédité a permis de mieux comprendre comment la sélection naturelle, qui agit sur chaque individu, peut se traduire par l'évolution de la population tout entière. C'est le phénotype de chaque individu qui détermine son adaptabilité au milieu, mais ce phénotype est lui-même déterminé par l'ensemble des caractéristiques génétiques (génotype) de l'individu. Si un individu a plus de chances de survivre que d'autres, il a plus de chances de se reproduire et de transmettre son génotype à ses descendants (on dit que ce génotype a une bonne valeur adaptative). Ce génotype favorisé par la sélection naturelle (et le phénotype correspondant) sera donc de plus en plus fréquent à chaque génération, alors que des génotypes dont la valeur adaptative est moindre seront de moins en moins fréquents.

Les mutations génétiques. Les gènes et, de façon plus générale, les chromosomes peuvent subir des modifications de diverses natures.

Certaines mutations sont qualifiées de « ponctuelles » car elles ne concernent qu'une zone très réduite d'un gène, mais leur effet sur la nature des protéines synthétisées par le gène muté peut être très important. D'autres mutations sont liées à la cassure de certains fragments de chromosomes et à leur réarrangement ou encore à la présence sur les chromosomes d'éléments transposables (les transposons, ou gènes sauteurs), qui ont la capacité de se multiplier et de s'insérer à d'autres endroits des chromosomes.

Les mutations sont sources d'innovations génétiques au niveau d'une population et au niveau d'une espèce, car elles se traduisent par l'apparition d'un génotype nouveau. Si une mutation confère à un individu un avantage par rapport aux autres individus de la population, l'individu muté va produire plus de descendants que les individus non mutés, et, au fil des générations, de plus en plus d'individus de la population porteront le gène muté. C'est donc le couple mutations + sélection naturelle qui provoque l'évolution de la population, et non les mutations en elles-mêmes.

La modification du génotype d'un individu peut également se faire par ce qu'on appelle des transferts horizontaux de gènes entre deux espèces différentes. On a encore peu d'informations sur la fréquence de tels événements et sur l'influence qu'ils peuvent avoir sur l'évolution.

Autres causes de l'évolution. D'autres mécanismes que le couple mutation–sélection naturelle peuvent provoquer l'évolution d'une population. Il est rare qu'une population soit isolée des autres populations de l'espèce pendant une très longue période (lorsque c'est le cas, son évolution se traduit souvent par la formation d'une nouvelle espèce). Elle peut donc recevoir ou perdre certains génotypes par migration d'individus ou par la dissémination de spores, pollen ou graines. La nature des gènes reçus ou perdus de cette manière est le seul fait du hasard, mais les gènes reçus peuvent ensuite être soumis aux effets de la sélection naturelle, qui n'intervient plus au hasard.

Enfin, une modification importante et inhabituelle du milieu (inondation, conditions climatiques extrêmes...) ou l'action de l'homme peuvent provoquer l'élimination d'un grand nombre d'individus de la population, au hasard (c'est-à-dire sans prise en compte de la valeur adaptative des individus). Le génotype des individus restants étant le résultat du hasard, il est très probable que la population qui va se reformer à partir de ces individus sera bien différente de la population initiale.

Questions et débats

L'évolution biologique est un concept très largement admis aujourd'hui. De même, la plupart des idées incluses dans la théorie synthétique de l'évolution font la quasi-unanimité parmi la communauté scientifique. Il est cependant quelques points sur lesquels existent des divergences.

Sélection ou mutations neutres ? La sélection naturelle, s'exerçant sur les innovations génétiques apportées par les mutations, est la clé de voûte de la théorie synthétique de l'évolution. Cependant, certains évolutionnistes, dont Motoo Kimura (1924-1994), pensent que quelques mutations, très défavorables à l'individu qui les porte, sont très rapidement éliminées par la sélection naturelle, mais que la plupart des autres mutations sont neutres, c'est-à-dire qu'elles ne procurent à l'individu qui en hérite aucun avantage ni aucun inconvénient. Ces mutations ne seraient donc pas sujettes à la sélection naturelle, et le gène muté correspondant ne serait transmis aux générations futures que par le fait du hasard.

Évolution graduelle ou par une succession de sauts ? Les tenants de la théorie synthétique de l'évolution estiment que la macroévolution résulte principalement d'une somme de petits changements (microévolutions) et qu'elle se fait de manière très progressive. D'autres évolutionnistes, parmi lesquels Stephen J. Gould et Niles Eldredge, penchent pour la théorie des équilibres ponctués, selon laquelle la macroévolution s'est faite à un rythme très lent à certaines périodes, mais beaucoup plus rapidement à d'autres.

La coévolution

Les diverses espèces présentes dans un même milieu entretiennent parfois des relations très étroites, de diverses natures (broutage, prédation, parasitisme, association à bénéfice réciproque...). Si la sélection naturelle est le moteur principal de l'évolution, celle-ci se fera dans un sens tel qu'en moyenne les individus d'une population de l'espèce A soient de mieux en mieux adaptés à la présence d'autres espèces dans leur milieu (évolution se traduisant par exemple pour la plante A par la production de composés toxiques pour les insectes de l'espèce B, qui la mangent). Mais l'acquisition de nouveaux caractères par l'espèce A provoque un réajustement de la sélection naturelle sur l'espèce B, de sorte que l'évolution de B tend à annuler l'effet des innovations de l'espèce A (les insectes B deviennent résistants aux composés toxiques de A, car ils produisent une enzyme qui les dégrade). Ainsi, de génération en génération, les espèces liées évoluent de concert, sans pour autant que l'une ou l'autre y trouvent finalement un avantage décisif. L'hypothèse de la coévolution éclaire la complexité de certaines relations entre espèces.

◆ **La convergence adaptative.** Des espèces appartenant à des groupes systématiques éloignés (la baleine est un mammifère, le thon est un poisson) ont parfois des caractères communs. Ce phénomène (la convergence adaptative) est lié au fait que, face à des contraintes identiques (la résistance au mouvement exercée par l'eau, par exemple), la sélection naturelle a favorisé des mécanismes d'adaptation semblables (une forme fuselée, qui permet à l'animal de se déplacer rapidement dans l'eau en dépensant le moins d'énergie possible).

baleine franche

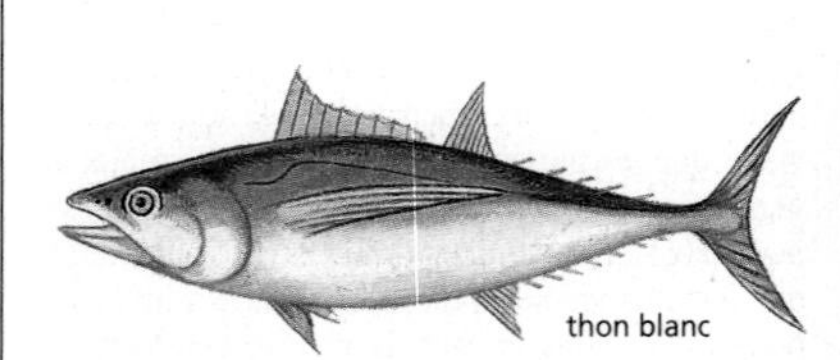

thon blanc

Les origines de la vie

Qu'est-ce que la vie ?

Distinguer le vivant de l'inerte, réunir dans une même définition le platane, la gazelle et la bactérie, n'est pas aussi simple qu'il y paraît. Les formes vivantes sont toutes caractérisées par leur individualisation (existence d'une membrane limitante chez les unicellulaires, corps chez les êtres pluricellulaires), par leur aptitude à échanger de la matière ou de l'énergie avec leur environnement, par leur capacité à croître et à se reproduire, par leur faculté à réagir aux stimuli venus de leur environnement. Mais tous les êtres vivants ne réunissent pas toujours toutes ces conditions. Par exemple, certains animaux, comme la mule, sont stériles et ne peuvent se reproduire. Les virus posent un problème délicat : isolés, ils sont proches de la matière inerte; en contact avec leur hôte, ils peuvent se reproduire; de plus, alors que tous les autres êtres vivants sont constitués soit d'une seule cellule soit d'un assemblage de cellules, cette unité fonctionnelle de base n'apparaît pas chez les virus. La définition de la vie doit donc faire preuve de souplesse.

Les molécules du vivant. Les êtres vivants sont aussi caractérisés par une composition chimique bien particulière. Dans tous les êtres vivants autres que les virus, on trouve de l'eau et des molécules appartenant à chacun de ces groupes : protéines, lipides, glucides (sucres) et ADN (constituant des gènes). Certaines de ces molécules, qu'on qualifie de polymères, sont formées par un enchaînement de molécules plus petites, appelées des monomères. Chaque protéine est ainsi un polymère constitué par une combinaison particulière de 20 acides aminés; certaines protéines, les enzymes, ont un rôle fondamental dans le mécanisme de la vie : ce sont elles qui catalysent les réactions biochimiques utilisées par chaque être vivant pour synthétiser les substances dont il a besoin, ce qui lui permet de croître et de se maintenir en vie. Les acides nucléiques (ADN et ARN) sont également des polymères, constitués d'un enchaînement de nucléotides. L'ADN a un rôle déterminant, puisqu'il peut se copier à l'identique, ce qui est l'origine de la capacité des êtres vivants à se reproduire.

La vie extraterrestre

Aucune trace de vie n'a encore été découverte sur d'autres planètes et satellites du système solaire, ou même en dehors du système solaire. Des sondes (Viking 1 et 2 en 1976, Pathfinder avec le robot Rocky en 1997) ont été envoyées sur Mars, mais les observations réalisées n'ont révélé aucun signe de vie. Parmi les planètes proches, Mars est la plus susceptible d'avoir accueilli la vie, parce que la température y est relativement modérée et qu'elle a contenu de l'eau liquide, élément indispensable à la vie. Par ailleurs, les écoutes réalisées par les grands centres de radioastronomie pour capter des signaux de vie extraterrestre dans l'Univers sont restées muettes jusqu'à ce jour. Enfin, les sondes Voyager, lancées en 1977, ont emporté dans l'espace notre image gravée, nos coordonnées spatiales, des images et des musiques représentatives de la Terre et de ses civilisations, mais sans résultat jusqu'à présent.

◆ **La Terre à l'apparition de la vie.** Quand la Terre s'est formée, il y a environ 4,6 milliards d'années, sa température était si élevée que l'ensemble des roches y étaient en fusion. En se refroidissant, les premières roches devaient apparaître vers 4 milliards d'années. Il fallut encore attendre que la température de l'atmosphère descendît au-dessous de 100 °C pour que l'eau liquide fasse son apparition. La composition de l'atmosphère était, à cette époque, très différente de ce qu'elle est aujourd'hui. Il n'y avait pas d'oxygène libre (O_2). L'atmosphère était chargée de vapeur d'eau, cependant que l'activité volcanique l'enrichissait en gaz carbonique (CO_2), en ammoniac (NH_3) et en méthane (CH_4).

Les molécules de la matière vivante sont fabriquées à partir de quelques atomes : carbone, oxygène, hydrogène et azote, pour les principaux. Le carbone y joue un rôle central, au point de dire que la chimie de la vie est la chimie du carbone (chimie organique) : cet atome fait office d'ossature dans des molécules complexes et variées.

D'où vient la vie ?

La question de l'origine de la vie n'a cessé, tant sa complexité est grande, d'occuper les penseurs et les scientifiques. Au-delà des hypothèses religieuses sur l'origine de la vie, il a fallu que Pasteur proclame, en 1864, que la génération spontanée (naissance d'un organisme à partir du néant) était une chimère pour que le débat et de véritables recherches commencent à s'organiser.

Le rôle de l'eau. Pour les scientifiques, la vie n'aurait sans doute pas pu apparaître sans eau. Cela tient aux propriétés physico-chimiques de l'eau : elle permet de solubiliser de nombreux composés et entre dans un grand nombre de réactions chimiques. Cette théorie est largement confortée par le fait que chez tous les êtres vivants l'eau est le composé le plus abondant (jusqu'à 85 % chez les méduses).

Recréer la vie en laboratoire. En 1924, le russe Aleksandr Oparine explique l'apparition de la vie par une suite de réactions chimiques, favorisées par les conditions physico-chimiques très particulières qui devaient régner à la surface de la Terre il y a 4 millions d'années. En 1953, un Américain, Stanley Miller, vérifie expérimentalement que la première étape de ce scénario est plausible. D'autres expériences suivront afin d'affiner et de vérifier la théorie d'Oparine ou ses variantes.

Dans la première étape du scénario, une molécule simple, contenant du carbone, et des molécules minérales (les gaz atmosphériques, par exemple) réagissent en présence d'une source d'énergie (rayonnements lumineux, éclairs, etc.) pour former des molécules organiques simples (acide cyanhydrique et formaldéhyde, notamment). Lorsque celles-ci sont en solution dans l'eau, constituant ce qu'on nomme « la soupe primitive », elles réagissent entre elles pour former d'autres molécules organiques, plus complexes, dont certaines sont présentes dans la matière vivante (acides aminés, sucres, lipides, éléments des nucléotides...). Ces dernières servent de matériaux pour l'étape suivante, à savoir l'obtention des polymères biologiques caractéristiques du vivant (les protéines sont assez faciles à obtenir à partir des acides aminés mais on n'a pas encore réussi, dans ces conditions expérimentales, à obtenir de l'ADN à partir des éléments de nucléotides). Il reste ensuite à obtenir la formation de structures microscopiques qui soient entourées par une sorte de membrane et qui préfigurent ainsi la cellule, unité fonctionnelle élémentaire de tous les êtres vivants. Ces microstructures ont été observées dans diverses conditions expérimentales mais ne sont pas très stables. La membrane présente l'avantage d'isoler du milieu extérieur les molécules biologiques qui, ainsi concentrées dans un petit volume, assurent plus efficacement leurs fonctions pour le maintien de la vie.

Où la vie est-elle née ? Le scénario décrit ci-dessus paraît plausible dans ses grandes lignes, mais divers sujets de controverse demeurent. On peut se demander notamment si les conditions supposées indispensables à sa réalisation (absence d'oxygène, présence de méthane) étaient bien réalisées il y a 4 milliards d'années; on a en effet peu d'éléments pour déterminer précisément la composition de l'atmosphère ou des eaux d'alors. La principale question concerne toutefois le lieu où s'est déroulé le scénario de l'apparition de la vie. Selon les premières théories, il aurait eu pour cadre les eaux, sans doute peu profondes de la surface terrestre (la première étape ayant lieu dans l'atmosphère). La découverte des sources hydrothermales marines, riches d'une vie que l'on était loin de soupçonner présente si profondément, a fait dire à certains scientifiques qu'il s'agissait là des milieux où la vie est apparue. Mais les vérifications expérimentales d'un tel scénario ne sont pas concluantes pour le moment. Désormais, on pense plutôt que la vie s'est amorcée dans l'espace extraterrestre. On a en effet trouvé de nombreuses molécules organiques, et notamment certains des acides aminés des êtres vivants, dans l'espace interstellaire et dans les météorites qui parviennent régulièrement sur Terre. La formation des molécules biologiques plus complexes tels que protéines ou ADN, à partir des molécules de base venues de l'espace, et leur organisation en cellules auraient toutefois, selon cette hypothèse, été réalisée sur Terre.

VOIR AUSSI
- **Histoire de la Terre** p. 29
- **Cellule** p. 194
- **Molécules d'ADN** p. 195

La vie au précambrien et au primaire

La vie au précambrien

Les plus anciens indices de vie datent de 3,8 milliards d'années et ont été retrouvés dans des roches du Groenland. Ce ne sont pas des fossiles qui ont été découverts mais la composition particulière de la roche indique indirectement qu'elle a été le siège de la photosynthèse (réaction caractéristique de certains êtres vivants). Les plus vieux fossiles, des bactéries comparables à celles des stromatolites actuels (concrétions calcaires issues d'une activité bactérienne), datent de 3,55 milliards d'années, en Australie. D'autres ont également été retrouvés en Afrique du Sud (3,5 milliards d'années) ou au Canada (2 milliards d'années). Parmi ces bactéries ont été reconnues notamment des formes filamenteuses ressemblant aux cyanobactéries actuelles (organismes, appelés autrefois algues bleues, qui réalisent la photosynthèse). Tous ces organismes étaient de petite taille (moins de 60 micromètres) et appartenaient au groupe des procaryotes (organismes constitués d'une seule cellule sans noyau).

Les cyanobactéries qui ont peuplé la Terre au début de l'histoire de la vie ont joué un rôle fondamental. Par leur activité photosynthétique, elles ont produit l'oxygène. Dans la haute atmosphère, ce gaz a été transformé en ozone, un bouclier protégeant les êtres vivants contre les radiations cosmiques. Plus tard, il a pu être utilisé par le métabolisme respiratoire d'autres êtres vivants. Vers – 1,45 milliard d'années apparaissent des cellules de grande taille (100 à 600 micromètres) dont on pense qu'il pourrait s'agir des premiers eucaryotes (cellules à noyau) connus. Ces organismes diffèrent considérablement de leurs ancêtres, car ils possèdent un noyau, qui isole les chromosomes du reste de la cellule, et des organites (mitochondries, chloroplastes). On pense généralement que ces organites étaient, à l'origine, des cellules procaryotes, qui se sont associées par symbiose à d'autres, pour constituer une seule cellule, eucaryote. Les chloroplastes, présents dans les cellules des algues et des plantes et dans lesquels ont lieu toutes les réactions de la photosynthèse, seraient ainsi issus de cyanobactéries. Les mitochondries, qui sont présentes dans les cellules de tous les eucaryotes et sont spécialisées dans la respiration cellulaire, seraient issues d'autres bactéries.

Entre – 800 et – 700 millions d'années, les premiers organismes pluricellulaires envahissent les océans. Ces animaux au corps mou (méduses, anémones, vers…) connaissent un développement extraordinaire, prenant des formes d'une grande complexité et d'une grande diversité.

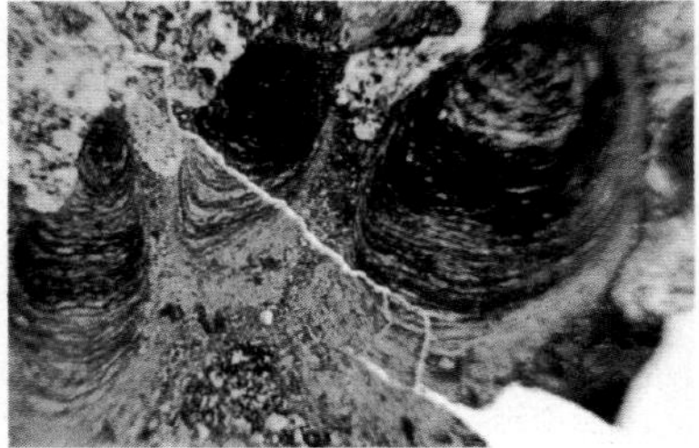

◆ Indices de vie au précambrien.
Les stromatolites, des édifices calcaires construits par des peuplements de bactéries dominés par des cyanobactéries, sont apparus il y a environ 3,5 milliards d'années. Les cyanobactéries semblent avoir été capables d'une photosynthèse très active et avoir joué un rôle fondamental dans la formation d'oxygène gazeux dans l'atmosphère.

À la fin du précambrien, le climat se modifie profondément : une période glaciaire s'installe, bientôt suivie d'un grand réchauffement. Ce bouleversement signe les débuts de l'ère primaire et va être accompagné d'une grande vague évolutive : beaucoup d'animaux à corps mou disparaissent, tandis que des espèces à squelette minéral se développent.

La vie à l'ère primaire

L'ère primaire (de – 530 à – 245 millions d'années) voit la naissance, amorcée au précambrien, des principaux groupes d'invertébrés, mais aussi l'avènement des vertébrés. Elle est également marquée par la conquête de la terre ferme par les plantes (au silurien, – 425 à – 400 millions d'années), puis par les animaux (au dévonien, – 400 à – 360 millions d'années). Les fossiles deviennent beaucoup plus nombreux. Cette abondance est en partie due au fait que la conservation des restes est favorisée par la présence de parties résistantes (squelette, coquille, etc.). Elle n'est donc pas forcément le signe d'une plus grande diversité par rapport au précambrien. L'histoire de l'ère primaire a été ponctuée de plusieurs grandes crises évolutives, dont les causes sont encore inconnues, et qui ont conduit à la disparition de nombreuses espèces. La plus importante a eu lieu à la fin du permien (vers – 250 millions d'années), provoquant l'extinction de 80 à 90 % des espèces.

◆ L'un des premiers vertébrés.
Sacabamdaspis janvieri, découvert en 1987 en Bolivie, remonte à – 470 millions d'années. Cet agnathe mesurait 37 cm et nageait comme un têtard.

Explosion de la vie dans les mers

Au précambrien, la vie est exclusivement marine mais ne fait pas défaut en diversité, surtout vers la fin de cette ère. La faune précambrienne est connue des paléontologues par le site d'Ediacara (découvert en 1947) situé dans une région montagneuse du sud de l'Australie. Les animaux pluricellulaires sont bien représentés (plus de la moitié des espèces identifiées). Des vers segmentés, des méduses, des coraux mous, des échinodermes (ancêtres des oursins), des arthropodes primitifs, mais aussi quelques animaux n'ayant plus de descendants aujourd'hui ont été identifiés. Tous ces invertébrés, vieux de 680 millions d'années, avaient un corps mou, et quand ils avaient une coquille ou des spicules, ces derniers étaient flexibles et composés de matières organiques. Les végétaux sont représentés par de nombreuses formes d'algues, unicellulaires ou pluricellulaires, menant un mode de vie libre ou fixé sur le substrat (rocher, fond marin…).

Les premiers poissons. Dès le cambrien (de – 530 à – 495 millions d'années), la vie se diversifie, et de nouvelles espèces d'invertébrés porteurs de coquilles, de tests ou de carapaces apparaissent : des spongiaires (éponges), des brachiopodes, des vers, des gastéropodes, des échinodermes (oursins) et des céphalopodes (ancêtres des seiches et des pieuvres). Les trilobites constituent le groupe le plus représentatif de cette période géologique.

Les premiers vertébrés ont été des agnathes : le plus vieux spécimen est daté de – 470 millions d'années. Les agnathes ressemblent un peu à des poissons, mais ils s'en distinguent par l'absence de mâchoires et de nageoires paires (nageoires disposées par paire, symétriquement de chaque côté du corps, et dont les poissons possèdent deux paires). Alors que les supports des branchies ne s'étaient pas encore modifiés pour former la mâchoire, ces vertébrés possédaient déjà des écailles faites de dentine, et une cuirasse osseuse. Vers – 420 millions d'années apparaissent les premiers poissons, les acanthodiens, caractérisés par leur mâchoire et leurs nageoires paires. Les placodermes sont d'autres poissons apparus un peu plus tard, caractérisés par une armure épaisse et dont les formes géantes pouvaient dépasser les 10 m. Ils vont régner pendant 50 millions d'années puis vont laisser la place à des poissons plus évolués, comme les chondrichtyens (poissons cartilagineux tel le requin) et les ostéichtyens (poissons osseux). Peu de temps après l'apparition de la mâchoire, les dents vont se développer à partir des écailles en dentine qui entourent la bouche. Elles sont déjà présentes chez certains acanthodiens.

Les végétaux. Les premières plantes terrestres apparaissent et se développent durant l'ère primaire. Toutes dérivent vraisemblablement d'algues vertes pluricellulaires, apparues avant l'ère primaire. Les bryophytes, groupe des mousses actuelles, et les ptéridophytes, groupe des fougères actuelles, commencent la conquête du milieu terrestre, suivies des plantes à graines, représentées par les gymnospermes.

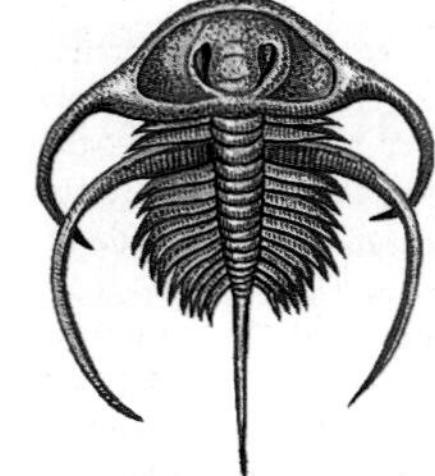

◆ Les trilobites de l'ère primaire.
Ce sont des arthropodes caractéristiques de l'ère primaire. Leur apparition marque le début de cette ère. Aucun des 1 500 genres connus n'a survécu.

Des végétaux terrestres existaient déjà il y a 430 millions d'années, comme en témoigne la découverte de spores (structure microscopique de dissémination) fossiles. Ils appartiennent au groupe des bryophytes et à celui des ptéridophytes. Les bryophytes sont encore assez mal adaptées à la vie terrestre, notamment car elles ne disposent pas de tissus vasculaires, servant à la fois pour transporter la sève et pour soutenir la plante (l'eau étant un milieu plus porteur que l'air, les végétaux aquatiques plus anciens n'avaient pas besoin d'un tel soutien); elles restent de hauteur modeste.

Les ptéridophytes, au contraire, sont des plantes vasculaires, qui peuvent pousser en hauteur (ce qui peut présenter pour une plante un avantage, pour aller chercher la lumière nécessaire à la croissance plus haut que les voisines qui lui font de l'ombre). Les premiers ptéridophytes du primaire appartiennent au groupe des psilophytes (encore représenté actuellement, mais par une quinzaine d'espèces seulement, qui sont les moins perfectionnées des ptéridophytes actuels). Le plus ancien, une espèce du genre *Cooksonia*, date de – 420 millions d'années ; il n'a ni feuilles, ni vraies racines. Vers – 400 millions d'années, on trouve, par exemple, des représentants du genre *Rhynia*, dont la structure est aussi simple, ou du genre *Asteroxylon* qui, eux, ont des feuilles. D'autres groupes de ptéridophytes apparaissent peu après les psilophytes; ce sont en premier lieu les lycophytes (groupe des lycopodes actuelles), suives des sphénophytes (prêles) et des filicophytes (fougères).

Puis, vers – 350 millions d'années, apparaissent les premières plantes du groupe des gymnospermes (le groupe des conifères actuels). Les gymnospermes sont également des plantes vasculaires mais, comparées aux ptéridophytes, elles possèdent des structures nouvelles, l'ovule et la graine. L'ovule entourant la cellule reproductrice femelle fécondée se transforme en graine qui se détache par la suite pour produire ailleurs de nouvelles plantes. La graine est un progrès : c'est une structure résistante, riche en réserves alimentaires, qui offre de meilleures chances de survie à la descendance. Les gymnospermes, premières plantes à graines, domineront la planète jusqu'à l'apparition d'un autre groupe de plantes à graines, celui des plantes à fleurs (les angiospermes), au cours de l'ère secondaire.

Vers – 340 millions d'années, de vastes forêts recouvraient les continents. Ces forêts, situées dans les plaines côtières et dans les marécages, étaient des endroits particulièrement humides. Des ptéridophytes (fougères arborescentes et lycophytes) ainsi que des ptéridospermales (groupe disparu, composé de gymnospermes à allure de fougère) y étaient abondamment représentés. L'enfouissement rapide de ces grandes productions végétales donnera naissance aux gisements de charbon.

Des animaux sur la terre ferme. Après les végétaux, c'est au tour des animaux de conquérir la terre ferme. Vers –380 millions d'années, quelques espèces de poissons présentent des nageoires paires charnues, véritables membres dotés de muscles. Certains d'entre eux possèdent également des sacs, près des branchies, assimilables à des poumons, ainsi que des narines externes. Le cœlacanthe, découvert en 1952 aux Comores, est l'un des rares survivants de ce groupe de poissons à nageoires charnues que l'on croyait éteints. La conquête de la terre ferme a été réalisée par des vertébrés de ce type, sortis d'eaux peu profondes. Le premier groupe de vertébrés à apparaître hors de l'eau est celui des amphibiens. Ces animaux durent faire face à de nouveaux problèmes : respirer l'oxygène de l'air et vaincre la force de pesanteur. Pour pouvoir se déplacer efficacement sur la terre ferme, leurs nageoires se sont progressivement transformées en pattes. De même, les branchies, trop fragiles pour rester au contact de l'air, ont été petit à petit remplacées par des poumons. Le plus vieil amphibien connu, l'ichtyostéga, date de – 370 millions d'années. Des fossiles de cet animal, retrouvés au Groenland, possèdent encore une queue et des os operculaires attestant qu'il avait des branchies à l'état adulte. L'évolution ultérieure de certains amphibiens est d'un autre groupe de vertébrés terrestres, les reptiles.

Mais les vertébrés ne sont pas les seuls animaux à être sortis des eaux : on trouve des insectes, des vers, des crustacés aussi bien dans le milieu aquatique que dans le milieu terrestre. Des représentants de chaque groupe ont donc subi la même évolution indépendamment les uns des autres. Le précurseur du nouveau mode de vie est sans doute un petit myriapode (mille-pattes) de 2 cm de long : il est venu sur la terre ferme il y a 415 millions d'années, soit bien avant l'ichtyostéga. Il aurait été suivi par des acariens, des collemboles et des araignées. Les opilions, les insectes ailés et les mollusques auraient accompagné les premiers vertébrés, précédant de peu les vers.

◆ **Libellule géante.**
Cette libellule géante du genre *Meganeura* (son fossile mesure près de 80 cm d'envergure) fait partie des insectes géants qui habitaient les forêts du carbonifère. Il semble que nombre d'amphibiens s'en nourrissaient.

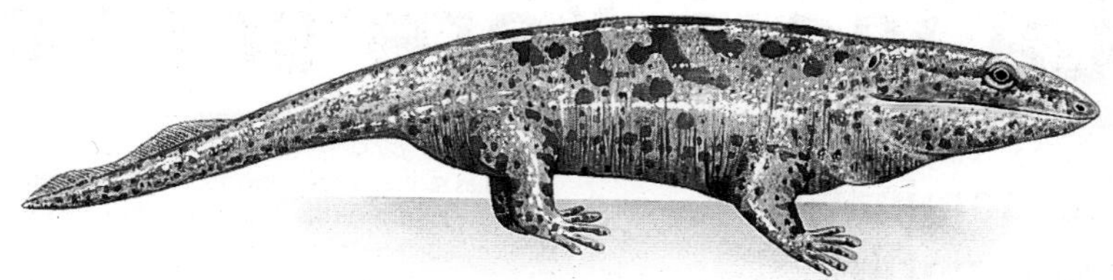

◆ **Un des premiers amphibiens.**
Les membres de cet amphibien primitif, l'ichtyostéga, révèlent d'importantes acquisitions favorisant les déplacements à terre. Les doigts sont libres; radius et cubitus, de même longueur, facilitent les mouvements de la main, tandis que l'insertion du fémur et de l'humérus se fait désormais par une véritable articulation. Les membres restent toutefois en position très latérale et le corps ne peut se soulever totalement.

◆ **Une plante terrestre**
(espèce du genre *Rhynia*).
Cette plante vieille de 400 millions d'années est l'une des premières plantes du groupe des ptéridophytes à avoir colonisé la terre ferme. Elle a encore une structure très simple, étant dépourvue de feuilles et de véritables racines ; ses tiges sont terminées par des capsules, où sont produites des spores assurant la dissémination.

◆ **Le dimétrodon.**
Reptile apparu à la fin du carbonifère, le dimétrodon n'est pas un dinosaure. Il arborait un voile remarquable. Plus ou moins déplié, cet appendice devait sans doute lui permettre de réchauffer ou de refroidir son corps.

Les reptiles

Ces animaux, qui forment aujourd'hui une classe très hétérogène, apparaissent à l'ère primaire vers – 290 millions d'années. À l'ère secondaire, ils connaîtront un développement extraordinaire, occupant tous les milieux et donnant naissance aux oiseaux et aux mammifères. Les premiers reptiles mammaliens, ancêtres des mammifères, seraient apparus il y a environ 280 millions d'années. Les reptiles apportent une innovation fondamentale : l'œuf amniotique. Il est désormais fécondé dans le corps de la femelle. Le vitellus constitue une grande réserve de nourriture pour le fœtus. Ce dernier se développe au sein de la cavité amniotique, délimitée par une membrane, l'amnios, elle-même enveloppée par une membrane protectrice, le chorion, protégée par la coquille. L'allantoïde joue un rôle important dans la respiration et l'élimination des déchets. Cette structure de l'œuf assure une meilleure protection de l'embryon vis à vis des chocs, des écarts de température ou de la dessication.

VOIR AUSSI
- **Histoire de la terre** p. 29
- **Classification** (animaux et végétaux) p. 88 à 92

Petit lexique

chloroplaste : organite cellulaire, siège de la photosynthèse.

eucaryote : cellule possédant un noyau renfermant le matériel génétique.

mitochondrie : organite cellulaire, siège de la respiration et des transferts d'énergie.

procaryote : cellule dont le matériel génétique (chromosome) n'est pas entouré par une membrane.

La vie à l'ère secondaire

La domination des reptiles

L'extraordinaire diversification du groupe des reptiles est, avec l'apparition des oiseaux et des mammifères, une des grandes caractéristiques de l'ère secondaire (– 245 à – 60 millions d'années). Les reptiles sont surtout célèbres par leurs représentants les plus spectaculaires : les dinosaures.

Les dinosaures. Ces animaux, dont les premiers spécimens dateraient de – 200 millions d'années, se distinguent des autres reptiles par le développement remarquable de leur système locomoteur. Ils se divisent en deux grands groupes en fonction de la structure de leur bassin : les saurischiens, ou sauripelviens (« à bassin de reptile »), dont l'os pubien pointe en général vers l'avant, et les ornithischiens, ou avipelviens (« à bassin d'oiseau »), dont l'os pubien pointe vers l'arrière.

Les saurischiens sont divisés en théropodes et sauropodes. Chez les théropodes, des bipèdes carnivores, on trouve notamment le tyrannosaure, un carnassier aussi lourd qu'un éléphant, mesurant une dizaine de mètres, dont les mâchoires portaient de redoutables dents crénelées ; l'oviraptor, dont la tête ressemble à celle d'un casoar ; l'allosaure, un carnivore de 2 t porté par des pattes puissantes et arborant une petite corne triangulaire sur le front. Chez les sauropodes, des herbivores essentiellement quadrupèdes, on compte notamment le brachiosaure, qui devait peser entre 30 et 50 t et se nourrissait de conifères, et le diplodocus, dont la taille de la tête à la queue dépassait les 25 m.

Les ornithischiens, tous herbivores, sont divisés en ornithopodes, stégosauriens, cératopiens et ankylosauriens. Les ornithopodes à allure d'oiseau regroupent notamment l'iguanodon, un des tout premiers dinosaures à avoir été découvert, et le maïasaure, qui vivait en troupeau et devait faire de longues migrations en quête de nourriture. Le stégosaure (groupe des stégosauriens) doit son nom aux plaques osseuses disposées le long de son dos et de sa queue. Le tricératops (groupe des cératopiens) était une proie difficile pour les carnassiers, car il était bien protégé par sa collerette et disposait de cornes redoutables. L'ankylosaure (groupe des ankylosauriens) était recouvert d'une armure de grosses plaques osseuses hérissées de pointes.

Les recherches récentes ont permis de mieux connaître les mœurs de ces grands reptiles. En particulier, la découverte de nids contenant des œufs fossilisés, ainsi que des squelettes de jeunes vivant à proximité laisse supposer que certaines espèces de dinosaures, comme le maïasaure, surveillaient étroitement leur couvée. Les mères devaient même protéger leurs petits pendant le temps de leur croissance. De ce fait, l'idée que l'on se fait des dinosaures, habituellement celle de monstres sanguinaires, tend à se modifier.

Les autres reptiles. Les premières tortues seraient apparues au trias supérieur, vers – 210 millions d'années, en même temps que les premiers crocodiles. Les premiers serpents seraient apparus plus tardivement, vers – 80 millions d'années. Dominants sur terre, les reptiles ont également développé, au secondaire, des formes marines très adaptées, comme les plésiosaures et les ichtyosaures, et des formes volantes, comme les ptéranodons.

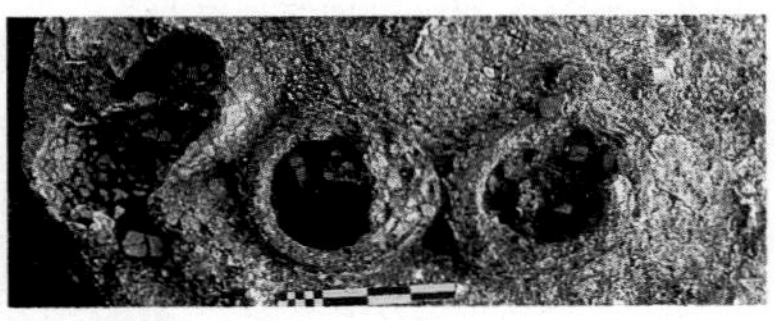

◆ **Œufs de dinosaure.**
Les dinosaures pondaient leurs œufs à même le sol. Ces œufs de dinosaure proviennent d'un gisement de Provence daté (comme les gisements de Mongolie ou du Montana, États-Unis) de – 80 à – 90 millions d'années. Les plus vieux œufs de dinosaures connus remontent à près de 200 millions d'années.

Oiseaux et mammifères

Ces deux grands groupes font leur apparition au jurassique (– 200 à – 130 millions d'années).

Les oiseaux. Ils résultent de l'évolution de certains reptiles, à rechercher sans doute parmi les dinosaures du groupe des théropodes (des carnivores bipèdes). La découverte, en 1998, en Chine, de deux espèces de théropodes recouverts de plumes semble en faveur de cette hypothèse, même si ces nouvelles espèces, datant de – 145 millions d'années, ne peuvent être directement les ancêtres des oiseaux, dont les plus anciens connus datent à peu près de la même époque (trois espèces découvertes en Chine, datant de – 140 à – 130 millions d'années, et l'archéoptéryx, âgé de 150 millions d'années). L'archéotéryx présente encore des caractères reptiliens : morphologie du bassin, dents, queue constituée de nombreuses vertèbres, griffes au bout des ailes. Il n'est pas l'ancêtre direct des oiseaux actuels ; la lignée à laquelle il a donné naissance s'est éteinte.

Les mammifères. Ils sont issus d'un groupe particulier de reptiles communément appelés « reptiles mammaliens », ces derniers ayant connu leur heure de gloire au permien (– 290 à – 245 millions d'années), avant de disparaître et de donner naissance aux mammifères primitifs. Discrets pendant la plus grande partie de l'ère secondaire, les mammifères occupent les niches écologiques laissées vacantes par les dinosaures ou les autres reptiles. Ils sont généralement de petite taille (jamais plus gros qu'un castor), et les premiers représentants sont végétariens. Le groupe des monotrèmes (représentés aujourd'hui par l'ornithorynque et les échidnés pondeurs d'œufs à la manière de leurs ancêtres reptiles) est le premier à apparaître mais il est rapidement concurrencé par les autres lignées de mammifères, les marsupiaux et les placentaires.

La température interne des mammifères et des oiseaux est constante (homéothermie), ce qui leur a fourni un avantage évolutif certain : ils sont moins dépendants de la température du milieu et moins sensibles aux variations climatiques. Toutefois, on estime aujourd'hui que certains dinosaures devaient aussi maintenir une température corporelle à peu près constante. Leur grande taille, par exemple, pouvait faire office de réservoir de chaleur et atténuer ainsi les variations de température extérieure.

◆ **L'archéoptéryx.**
Cet oiseau primitif de la taille d'une pie possédait des plumes, mais aussi de nombreux caractères hérités de ses ancêtres reptiles, comme une longue queue et des dents. On avait imaginé qu'il pouvait tout juste planer d'arbre en arbre. Mais des études récentes semblent indiquer qu'il pouvait bien décoller du sol, en courant et en battant des ailes.

VOIR AUSSI 
• **Histoire de la Terre** p. 29
• **Classification** (animaux et végétaux) p. 88 à 92

◆ **Quelques dinosaures.**
Le diplodocus fait partie des dinosaures les plus longs ayant été identifiés. Il était toutefois relativement léger (10 tonnes) par rapport à d'autres dinosaures herbivores, tels que le brachiosaure ou d'autres espèces de sa famille dont certains représentants devaient atteindre près de 100 tonnes. Le tyrannosaure d'Amérique du Nord, lui, a longtemps été considéré comme le champion de la catégorie des dinosaures carnivores mais on a découvert récemment deux autres espèces carnivores un peu plus grandes, l'une en Amérique du Sud, l'autre au Maroc. Mais tous les dinosaures n'étaient pas des géants ; l'un des plus petits avait le gabarit d'une poule. Parmi les nombreuses espèces récemment découvertes, celles qui ont sans doute suscité le plus d'intérêt sont des espèces chinoises du groupe des théropodes, recouvertes de plumes. Ces découvertes permettront peut-être de mieux comprendre comment certains petits dinosaures de ce groupe ont un jour évolué pour donner naissance aux oiseaux.

Les plantes à fleurs

Après l'invention de la graine par les gymnospermes, une nouvelle lignée végétale va inaugurer un mode de reproduction encore plus sophistiqué. À l'aide d'un appareil reproducteur révolutionnaire, la fleur, les angiospermes vont partir à la conquête du monde et coloniser tous les milieux, même les plus hostiles. Leur domination perdure encore aujourd'hui, où elles représentent la grande majorité des espèces végétales. Selon certains spécialistes, cette part serait encore en progression, au point de compromettre un jour l'existence des conifères et autres espèces voisines.

Les plantes à fleurs apparaissent vers –100 millions d'années. Désormais, les organes reproducteurs mâles et femelles sont situés sur un organe floral bien visible. Les étamines produisent le pollen, que les animaux ou le vent disséminent jusqu'à ce qu'il se dépose sur le stigmate et féconde les ovules. La fleur, avec ses couleurs et son parfum, attire les animaux nectarivores (insectes, chauve-souris), qui vont participer à la dispersion des grains de pollen. Signe d'une plus grande efficacité, les plantes à pollinisation entomophile (par les insectes) produisent beaucoup moins de pollen que les plantes à pollinisation anémophile (par le vent). Les plantes comme les insectes trouvent leur avantage dans ce nouveau mode de reproduction : pour preuve, la diversification des plantes à fleurs s'accompagne d'une diversification des insectes (papillons, hyménoptères). Autre amélioration des plantes à fleurs, l'ovule est protégé par une enveloppe supplémentaire, l'ovaire, qui se transforme en fruit après la fécondation. Ce système favorise la dissémination des graines au loin : les fruits sont consommés par des animaux frugivores, qui délaisseront les graines en chemin.

La vie dans les mers

Le monde des invertébrés marins est dominé par deux grands groupes de céphalopodes : les ammonites et les bélemnites. Les premières, proches des nautiles actuels, regroupent plusieurs centaines de genres qui se succèdent au cours de l'ère secondaire et sont une aide précieuse à la datation des sites fossilifères. Des formes géantes ont existé, mesurant près de 2,5 m de diamètre. Les secondes sont apparentées aux seiches actuelles. On n'en recueille, le plus souvent, que le rostre fortement minéralisé qui prolongeait l'« os » (coquille interne). Là encore, des formes géantes sont apparues qui pouvaient mesurer une dizaine de mètres. Fixés sur les fonds marins, les crinoïdes sont des échinodermes à symétrie pentaradiée (symétrie d'ordre 5). Quelques spécimens ont été pêchés en 1986 entre la Nouvelle-Calédonie et la Nouvelle-Zélande.

Les reptiles ont également conquis les mers avec quelques représentants considérés comme de redoutables carnivores. Ce sont notamment les plésiosaures, et les élasmosaures pendant le crétacé (–130 à –65 millions d'années). Ces animaux de 14 m de long, dont 8 pour le cou, devaient être des pêcheurs infaillibles car leur tête était extrêmement mobile. Les mosasaures étaient aussi des reptiles marins, appartenant au groupe des lézards actuels. Chez toutes ces espèces marines, les membres ont la forme de nageoires.

◆ **Plantes de l'ère secondaire.** Les gymnospermes, tels que cet araucaria (groupe des conifères) et cette espèce du genre *Cycadella* (groupe des cycadinées, ayant peu de représentants aujourd'hui), sont les plantes dominantes du secondaire, avant d'être supplantées par les plantes à fleurs, qui font à cette époque leur première apparition.

La disparition des dinosaures

À la fin du crétacé, il y a 65 millions d'années, les dinosaures, les ammonites et des milliers d'autres espèces disparaissent. Phénomène étrange, cette catastrophe touche tous les écosystèmes : les plantes autant que les animaux, 60 à 75 % des espèces marines, des milliers d'espèces terrestres, en particulier les animaux pesant plus de 25 kg, les espèces vivant dans les milieux tropicaux ou fréquentant les eaux douces des continents. Toutes s'éteignent quasi simultanément. Le processus d'extinction fut rapide, affectant l'ensemble de la planète et de ses mers.

La météorite. L'étude des couches géologiques déposées au moment de la crise a permis de découvrir un taux anormalement élevé d'iridium, métal lourd de numéro atomique 77. On suppose que cela pourrait être la conséquence de la chute d'une météorite gigantesque, de 10 km de diamètre, dont la collision avec la Terre aurait libéré une énergie supérieure à plusieurs dizaines de bombes atomiques. D'ailleurs, les restes d'une météorite de grande taille, ou tout au moins son cratère d'impact, ont été retrouvés dans le golfe du Mexique. Cette donnée récente conforte l'hypothèse de collision.

Dans sa chute, la météorite aurait provoqué une onde de choc colossale, aurait explosé en de nombreux fragments et répandu une telle poussière dans l'atmosphère que, les rayons du Soleil n'atteignant quasiment plus notre planète, il s'en serait suivi un arrêt de la photosynthèse et un refroidissement climatique général. La traversée de notre atmosphère par cette météorite aurait provoqué, par oxydation de l'azote atmosphérique, une pollution en dioxyde d'azote (NO_2). Avec la disparition d'une grande partie des plantes et du plancton, le taux de dioxyde de carbone (CO_2, auparavant assimilé par ces organismes photosynthétiques) se serait anormalement élevé, provoquant une importante augmentation de la température par effet de serre. La présence dans l'atmosphère de gaz tels que NO_2 et CO_2 aurait amené, à chaque pluie, la précipitation d'énormes quantités d'acides nitrique et carbonique (les « pluies acides ») nocives pour les êtres vivants.

◆ **Les ammonites.** Céphalopodes proches des nautiles actuels, les ammonites peuplaient les mers du secondaire. La grande crise biologique de la fin du crétacé marque la fin de l'apogée de ces grands prédateurs.

Toutefois, il demeure un fait inexpliqué : tous les animaux et toutes les plantes n'ont pas été affectés par la catastrophe.

Autres théories. Des scientifiques avancent qu'une augmentation générale du volcanisme, identifiée dans les couches géologiques de la fin du secondaire par le taux anormalement élevé d'iridium, aurait provoqué un bouleversement climatique si brutal et si rapide que les espèces les plus fragiles n'auraient pas pu s'adapter. Elle représente l'hypothèse la plus probable si l'on ne retient pas celle de la météorite. Dans un autre scénario, le bouleversement climatique aurait été provoqué par la dérive des continents. Mais, en pareil cas, les changements n'auraient pas été suffisamment rapides pour expliquer le caractère brutal de l'extinction. Enfin, plus anecdotique, on a fait l'hypothèse de l'apparition de nouvelles espèces de plantes à fleurs toxiques qui auraient décimé nombre d'herbivores, et par là même bouleversé l'ensemble des écosystèmes.

Des extinctions massives

La catastrophe survenue à la fin du secondaire, qui a touché 75 % des espèces, en particulier les dinosaures, n'est pas la seule, ni la plus grave qui advint au cours de l'histoire de la Terre. Entre l'ère primaire et le secondaire (il y a 245 millions d'années) par exemple, plus de 95 % des espèces se sont éteintes. Les extinctions sont à peine moins graves à la fin de l'ordovicien (85 % d'extinctions, il y a 425 millions d'années) ou à la fin du dévonien (50 à 70 % d'espèces ont disparu selon les estimations, il y a 360 millions d'années). Ces diverses catastrophes écologiques restent encore inexpliquées.

Certains paléontologues ont cru détecter des phases d'extinctions plus ou moins marquées tous les 26 millions d'années. Ce cycle est-il associé à un cycle astronomique, comme le passage de la Terre à intervalles réguliers dans un nuage de météorites? Cette hypothèse non confirmée laisse grand ouvert le champ d'étude des extinctions massives.

À côté de ces grandes périodes d'extinctions, il existe continuellement des disparitions plus discrètes d'êtres vivants, supplantés par d'autres mieux adaptés, ou incapables de réagir à un changement mineur de leur niche écologique. Ce sont des milliards d'espèces qui se sont ainsi succédé au cours des millions d'années passées, sacrifiées sur l'autel de l'évolution.

◆ **L'ichtyosaure.** C'est un reptile marin dont les formes sont particulièrement adaptées à la nage. Il offre un bel exemple de convergence de forme, tant son aspect extérieur est proche de celui du dauphin.

La vie à l'ère tertiaire

Les oiseaux

En comparaison avec l'abondante documentation que nous avons sur les mammifères, les fossiles d'oiseaux restent rares. Cela est dû à la structure creuse des os d'oiseau et à leur plus grande fragilité. Tandis que s'éteignent progressivement la plupart des espèces du secondaire, les groupes actuels d'oiseaux apparaissent pendant la seconde moitié du tertiaire. Parmi les premières formes représentées, et encore présentes de nos jours, il faut citer les hiboux, les vautours et les canards. De nombreuses formes géantes ont vécu sur tous les continents et dans les grandes îles. Certains de ces grands oiseaux étaient des carnivores féroces et devaient constituer un véritable danger pour les mammifères herbivores. Cette menace était sans doute bien plus sérieuse que celle que représentaient les mammifères carnivores, de taille encore modeste au début du tertiaire. Les plus grands, les oiseaux-éléphants de Madagascar, pouvaient dépasser 3 m de hauteur. Les passereaux, dernier grand groupe apparu, dateraient d'environ – 20 millions d'années.

Les australopithèques

Ayant vécu à la fin du tertiaire et au début du quaternaire, les australopithèques sont classés dans la même sous-famille que les hommes car ils sont, parmi tous les primates connus, ceux qui en sont les plus proches. Ils étaient plus petits que l'homme actuel, avaient un cerveau nettement moins volumineux et devaient passer une part importante de leur temps dans les arbres, mais ils pouvaient, comme les hommes, marcher à terre sur deux pieds. Les plus vieux fossiles de ce groupe, identifiés de façon sûre, datent d'il y a 4,2 millions d'années et sont donc plus anciens que les plus vieux fossiles attribués au genre humain. Il est donc tentant de faire des australopithèques les ancêtres immédiats des hommes.

Tous les fossiles d'australopithèques connus à ce jour ont été trouvés en Afrique. Les découvertes se sont multipliées ces dernières années et on dénombre actuellement 8 espèces (peut-être 9), que la plupart des spécialistes répartissent dans deux genres : le genre *Paranthropus* rassemble des australopithèques robustes, relativement récents (de 2,6 à 1,2 millions d'années), alors que les fossiles les plus anciens appartiennent au genre *Australopithecus*, qui regroupe les australopithèques qualifiés de « graciles », de petite taille. La fameuse Lucy, un fossile qui a été très étudié en raison de sa relative complétude, fait partie de ce genre ; les individus de son espèce devaient mesurer 1,10 m environ. Cette espèce a longtemps été présentée – à tort – comme notre ancêtre ; les spécialistes ont aujourd'hui bien du mal à déterminer les relations entre toutes les espèces découvertes et à définir la succession d'espèces ayant conduit à l'apparition du genre humain.

Les mammifères

Les mammifères actuels sont répartis dans trois grands groupes : les monotrèmes (ornithorynques et échidnés), les marsupiaux (kangourous, par exemple) et les placentaires. Ces trois groupes, déjà représentés à l'ère secondaire, poursuivent leur évolution au tertiaire. Les placentaires, notamment, connaissent pendant cette période une prodigieuse diversification, car la disparition des dinosaures à la fin de l'ère secondaire leur a sans doute donné la possibilité de conquérir de nouveaux milieux.

Alors que les premiers mammifères de l'ère secondaire étaient tous de petite taille et de mœurs nocturnes, nombreux sont ceux du tertiaire qui sont de grande taille et plusieurs espèces sont même géantes. Ainsi, les « rhinocéros-girafes » sont les plus gros mammifères terrestres ayant jamais vécu sur Terre (poids évalué à 15 tonnes, soit l'équivalent de deux très gros éléphants).

La diversification au sein du groupe des mammifères placentaires se traduit par l'apparition de nombreux sous-groupes (des ordres), inconnus au secondaire. Plusieurs sont encore représentés aujourd'hui : par exemple, les chauves-souris, les cétacés, les proboscidiens (éléphants actuels), les artiodactyles (vaches, cerfs...) ou les périssodactyles (chevaux).

Les primates. L'ordre des primates regroupe aujourd'hui deux sous-ensembles, celui des prosimiens (comprenant notamment les lémuriens) et celui des simiens, qui rassemble les singes et l'homme. Les premiers primates ont dû apparaître dès le début du tertiaire, mais c'est seulement à partir de – 55 millions d'années que de nombreux fossiles trouvés un peu partout dans le monde peuvent être classés de façon certaine dans cet ordre.

L'évolution des primates est généralement étudiée sous un angle très anthropomorphique, le but étant surtout d'estimer à quelle époque les diverses lignées donnant naissance aux différents groupes de primates actuels ont divergé de la lignée qui a donné naissance aux hommes. Ces dates sont sujettes à une grande incertitude et peuvent être remises en question à chaque découverte d'un nouveau fossile ou à la lumière d'une nouvelle interprétation d'un fossile ancien.

La période qui suscite sans doute le plus d'intérêt est celle qui précède immédiatement la divergence des homininés par rapport à la lignée des grands singes africains, car on rêve de trouver enfin le plus récent ancêtre commun à l'homme et aux chimpanzés ; malheureusement les fossiles datant de cette période (autour de – 10 millions d'années) sont très rares. La période succédant à la divergence homininés/grands singes est en revanche mieux connue : on a trouvé de nombreux fossiles d'australopithèques, les plus anciens homininés connus avec certitude à ce jour, et l'un d'entre eux est peut-être l'ancêtre direct des hommes. Les plus anciens fossiles classés dans le genre humain datent de 2,4 millions d'années (peut-être même avant, selon certains scientifiques), c'est-à-dire un peu avant la fin de l'ère tertiaire.

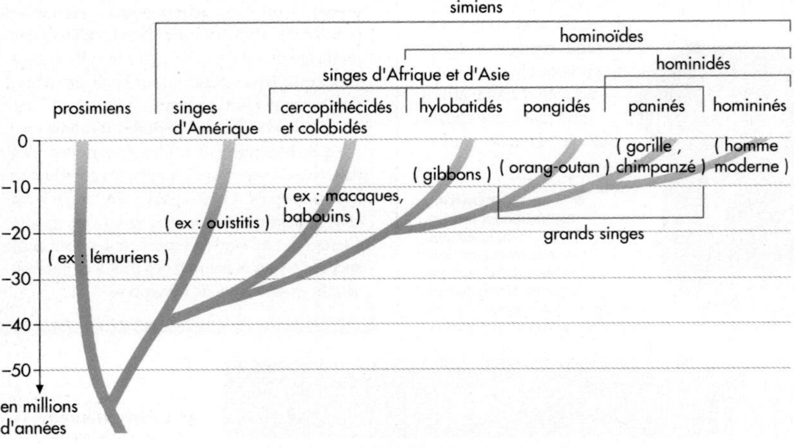

◆ **Origine des différents groupes actuels de primates.**
Ce schéma simplifié illustre l'une des nombreuses hypothèses possibles concernant l'évolution relative des différents groupes actuels de primates. Les dates de divergence des différentes lignées par rapport à la lignée conduisant aux hommes sont estimées avec une très grande incertitude, peut-être avec une marge d'erreur de 10 millions d'années pour les divergences les plus anciennes. Plus l'époque de divergence est récente, plus le groupe considéré présente de ressemblances avec notre espèce humaine (ainsi, le chimpanzé est-il plus proche des hommes actuels que ne le sont les gibbons).

VOIR AUSSI
- **Mammifères** p. 106
- **Préhistoire** p. 410

Petit lexique

hominidés : famille rassemblant les homininés (hommes, australopithèques) et les paninés (grands singes africains, représentés actuellement par une espèce de gorilles et 2 espèces de chimpanzés).

homininés : groupe rassemblant les hommes (espèces actuelles et fossiles du genre *Homo*) et les australopithèques, c'est-à-dire les primates hominoïdes capables de marcher sur deux pieds de façon prolongée.

hominoïdes : groupe rassemblant les hominidés (hommes, australopithèques, gorilles, chimpanzés), les grands singes asiatiques (famille des pongidés, représentée aujourd'hui par l'orang-outan) et la famille des hylobatidés, représentée actuellement par les gibbons et le siamang.

La vie à l'ère quaternaire

L'homme moderne

L'ère quaternaire, qui débute il y a 1,8 million d'années et dans laquelle nous sommes encore aujourd'hui, a été marquée par l'apparition de l'homme moderne (espèce *Homo sapiens sapiens* à laquelle nous appartenons). Tout anthropocentrisme mis à part, d'un point de vue strictement zoologique, éthologique ou évolutif, c'est un animal particulièrement intéressant, car son intelligence et ses capacités d'adaptation lui ont permis de coloniser tous les milieux, même les plus hostiles. Aucune autre espèce n'avait encore connu une telle expansion. Il peut par ailleurs influencer, pour le meilleur et pour le pire, les milieux naturels et l'évolution des autres espèces (en les éliminant, les protégeant ou les domestiquant).

Comparaison avec les grands singes. L'homme moderne est un primate de la famille des hominidés. Il se distingue très nettement des trois autres représentants actuels de cette famille que sont les grands singes africains (le gorille et les deux espèces de chimpanzés). Il possède un langage articulé, que les singes n'ont pas, est capable de fabriquer des outils complexes et n'a pas le même mode de locomotion. Il se déplace essentiellement sur le sol en étant debout sur ses deux jambes (il est bipède) alors que les grands singes se déplacent surtout à 4 pattes ou en se suspendant aux branches (les chimpanzés peuvent marcher sur 2 pieds, mais de manière très occasionnelle). La bipédie s'accompagne de nombreuses modifications du squelette. La colonne vertébrale de l'homme possède trois courbures, contre deux chez un singe. Le trou occipital, permettant de relier le cerveau à la moelle épinière, est situé au centre de la base du crâne de l'homme, ce qui détermine la position verticale de la tête, dans l'alignement du corps (chez les singes, ce trou est plus en arrière et la tête penche vers l'avant). Les membres antérieurs de l'homme, qui ne servent plus au déplacement, sont un peu moins longs que les membres postérieurs. Le bassin est quelque peu fermé afin de mieux porter les viscères. L'articulation du genou est modifiée, permettant au fémur et au tibia de s'aligner. Le calcanéum bien développé forme le talon et il existe une voûte plantaire.

D'autres différences s'observent au niveau du crâne. La denture, en forme de U chez les grands singes, a celle d'une parabole chez l'homme moderne. Les canines sont plus petites. Le volume du cerveau, qui n'est que de 350 à 550 cm^3 chez les grands singes, dépasse les 1200 cm^3 chez l'homme moderne. Son développement s'accompagne d'une réduction de la face et de l'apparition du front.

Date et lieu de naissance. Les fossiles les plus anciens d'hommes modernes ont été retrouvés en Afrique et au Moyen-Orient et datent d'environ – 100000 ans. Plusieurs dizaines de milliers d'années les séparent des plus anciens hommes modernes d'Europe (tels que l'homme de Cro-Magnon, qui vivait en France vers – 33000 ans).

D'autres hommes

Un homme est un individu appartenant au genre *Homo* (genre humain, désigné par « *H.* » dans les noms d'espèces). L'homme moderne est le seul représentant actuel de ce genre mais d'autres hommes, appartenant à d'autres espèces ou sous-espèces, ont vécu sur Terre à l'ère quaternaire ou, pour certains, à la fin de l'ère tertiaire.

Un scénario un peu simpliste. Dans les années 1980, l'histoire du genre humain paraissait assez claire. Les ancêtres directs des premiers hommes se trouvent parmi les australopithèques, qui pratiquaient déjà la bipédie. Cette première espèce humaine, appelée *Homo habilis* (en abrégé : *H. habilis*), est apparue en Afrique entre – 2,5 et – 2 millions d'années et est à l'origine des premiers outils rudimentaires de pierre trouvés dans cette région. Elle a ensuite évolué pour donner naissance, toujours en Afrique, entre – 2 et – 1,5 million d'années, à une autre espèce, *H. erectus*. Celle-ci a ensuite migré et colonisé l'Asie et l'Europe, puis a évolué vers l'espèce *H. sapiens*, comprenant plusieurs sous-espèces, caractéristiques de différentes régions, comme *H. sapiens neandertalensis*, l'homme de Neandertal, qui vécut en Europe et au Moyen-Orient, ou *H. sapiens sapiens*, l'homme moderne, né en Afrique, qui a ensuite colonisé toute la planète. Au fur et à mesure de l'évolution, les hommes ont acquis le squelette leur permettant de marcher parfaitement sur deux pieds (et même de courir, ce que ne pouvaient faire les premiers hommes), une plus grande taille, un gros cerveau, des dents plus petites, une face réduite et plus plate, une importante technicité et un langage articulé complexe.

Une situation actuelle confuse. La découverte de nouveaux fossiles dans les années 1990 et l'utilisation d'approches et de techniques nouvelles ont mis à mal le scénario linéaire décrit ci-dessus et semé la confusion. On commence à douter que l'ancêtre direct des hommes soit un australopithèque ou que la fabrication d'outils ait été l'exclusivité du genre humain (des australopithèques contemporains des premiers hommes pourraient aussi en avoir créé).

Le langage articulé

Le langage articulé nécessite la présence d'une zone cérébrale spécialisée et d'un appareil phonatoire.
Les anthropologues évaluent les capacités phonatoires des fossiles du passé en se fondant à la fois sur la position supposée du larynx dans le pharynx, lorsque cela est possible, et sur le volume crânien. L'augmentation du volume des hémisphères cérébraux, qui est une constante de l'évolution des premiers hommes à l'homme moderne, s'accompagne de la spécialisation d'une zone de l'hémisphère gauche pour le contrôle du langage, déjà visible sur *H. habilis*, vers – 2 millions d'années. On s'accorde aujourd'hui pour dire que l'origine d'un langage complexe remonte à *Homo erectus*, apparu entre – 2 et – 1,5 million d'années.

D'autre part, certains fossiles ont changé de dénomination; de nouvelles espèces humaines ont été définies, entre lesquelles les filiations sont très confuses. Il est probable, par exemple, que l'on ait d'abord placé dans l'espèce *H. habilis* des fossiles très différents les uns des autres. Quelques-uns, notamment les plus anciens (vers – 2,5 millions d'années), ont été attribués à une autre espèce, *H. rudolfensis*.

De même, certains fossiles de *H. erectus* sont désormais attribués à une nouvelle espèce, *H. ergaster*, et de nouveaux scénarios supposent que c'est cette dernière qui a migré hors d'Afrique et a évolué vers *H. erectus*. Il est parfois très difficile, il est vrai, de placer des frontières qui délimitent, plus ou moins arbitrairement, les espèces, car les changements se font de manière plutôt progressive.

VOIR AUSSI
• **Préhistoire** p. 410 à 415
• **Migrations de la préhistoire** p. 946
• **Art du paléolithique et du néolithique** p. 1042

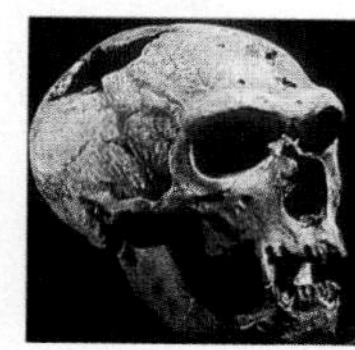

◆ **L'homme de Neandertal** *(Homo sapiens neandertalensis)*. Il a vécu en Europe et au Moyen-Orient, entre – 120 000 et – 30 000 et a pu y côtoyer l'homme moderne pendant plusieurs millénaires. Il est le premier homme à enterrer ses morts; il a un cerveau volumineux mais, plus trapu que l'homme moderne, il se distingue aussi par son front fuyant et des bourrelets osseux au-dessus des orbites. Il est en général classé dans la même espèce que l'homme moderne, dans laquelle il constitue une sous-espèce à part, mais divers arguments (forme de l'oreille interne, analyses génétiques,...) sont en faveur d'un classement dans une espèce différente.

Ma = millions d'années

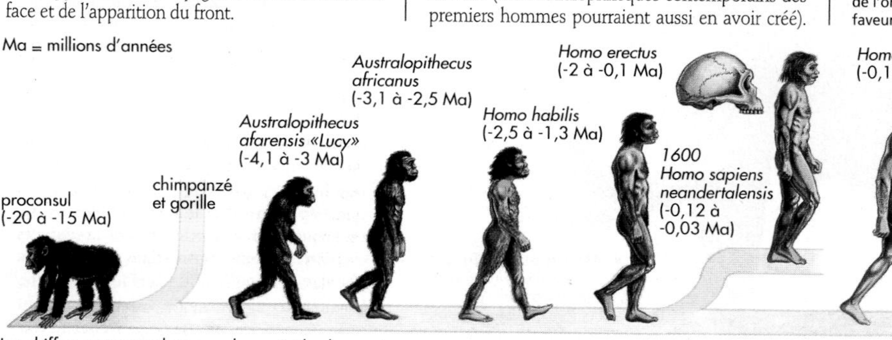

Les chiffres correspondent au volume cérébral en cm^3.

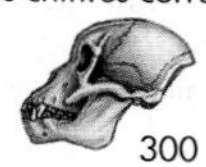
300
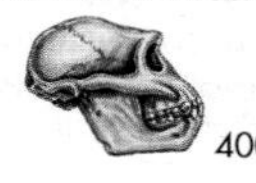
400
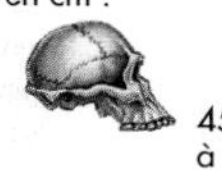
450 à 550

700 à 800
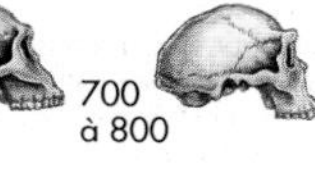
1 000 à 1 200
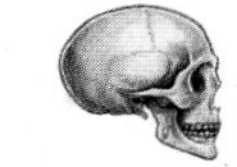
1 500

◆ **Les origines de l'homme moderne** *(Homo sapiens sapiens)*. Ce schéma simple est aujourd'hui contesté, mais il montre les grandes tendances évolutives : aplatissement de la face, augmentation de la taille et du cerveau.

La faune et la flore

L'ère quaternaire est séparée en deux périodes : l'holocène (de – 8000 à nos jours) et le pléistocène (de – 1,8 million d'années à – 8000), caractérisé (plus nettement dans l'hémisphère Nord) par une alternance de phases de glaciation (4 principales) et de phases interglaciaires.

À chaque glaciation, les glaciers s'étendent, bordés par des zones de toundra, et le climat devient en moyenne plus sec ; les latitudes moyennes sont occupées en majorité par des étendues herbeuses assez arides (steppes), avec quelques zones boisées d'arbres résistant au froid (conifères, bouleaux…) ; dans les zones intertropicales se trouvent surtout des déserts et des savanes. Lorsque le climat se réchauffe, des forêts de feuillus se développent sous les latitudes moyennes et la forêt s'étend à nouveau largement entre les tropiques.

Au début de cette ère, un climat tempéré règne sous les latitudes moyennes d'Amérique du Nord et d'Eurasie. Parmi les familles de mammifères du tertiaire encore représentées au début du quaternaire, certaines disparaissent ensuite ; c'est le cas des deux familles de mastodontes (gros mammifères proches des éléphants). D'autres se maintiennent jusqu'à nos jours, mais leur aire de répartition se modifie, certains de leurs représentants disparaissant, d'autres apparaissant. Chez les équidés, l'hipparion coexiste quelque temps avec ses proches parents, les chevaux ; ces derniers, apparus en Amérique du Nord, gagnent l'Eurasie au quaternaire seulement. Chez les cervidés, c'est au quaternaire, vers – 200 000, qu'apparaît le renne, qui forme de vastes troupeaux et constitue un gibier de choix.

Au quaternaire, l'Amérique du Sud, à nouveau en contact avec l'Amérique du Nord depuis la fin du tertiaire, accueille de nouvelles familles d'animaux, venues du Nord (félins, cerfs, chameaux, chevaux…). Mais plusieurs groupes très caractéristiques de la faune sud-américaine du tertiaire disparaissent, comme les paresseux terrestres, dont certains ont la taille d'un éléphant, ou les glyptodontes, ressemblant à de gros tatous.

La faune d'Australie demeure très isolée du reste du monde pendant une grande partie du quaternaire. Les mammifères sont essentiellement des marsupiaux, parmi lesquels on remarque des espèces nettement plus grandes que les actuelles, tel le diprotodon, herbivore de la taille d'un rhinocéros.

L'introduction par l'homme d'animaux non indigènes (chien, rat, lapin) provoque des bouleversements importants dans la faune.

La population humaine

Certains représentants d'une ou de plusieurs espèces humaines aujourd'hui disparues ont quitté l'Afrique de leurs origines, sans doute à partir de 2 millions d'années av. J.-C., pour gagner l'Asie et l'Europe. Les autres parties du monde ont été colonisées plus tard, à partir de 60 000 av. J.-C., par l'homme moderne (notre espèce).

La colonisation de l'Amérique du Nord (par des hommes venus de Sibérie) s'est faite, à pied sec, par le détroit de Béring, alors recouvert de glace, aux environs de – 30 000. Celle de l'Australie s'est faite par voie maritime, à partir de l'Asie continentale ou de l'Indonésie, il y a environ 60 000 ans. Le Japon a été colonisé aux environs de – 33 000 l'Amérique du Sud à partir de – 15 000 seulement. Le peuplement des îles du Pacifique proches de l'Australie s'est fait à partir de – 30 000 ; celui des îles les plus éloignées, beaucoup plus tardif, date pour l'essentiel de – 3 000 à – 1 000.

La population humaine a, pendant longtemps, été extrêmement faible. Les spécialistes estiment que les hommes de l'espèce *Homo erectus* n'étaient que 1 million, il y a 1,5 million d'années. L'explosion démographique commencera avec la sédentarisation de l'homme moderne et l'augmentation des ressources alimentaires grâce à l'agriculture et à l'élevage. Les hommes modernes devaient être environ 10 millions en – 6 000, 50 millions en – 5 000, pour atteindre 400 et 500 millions en l'an 0.

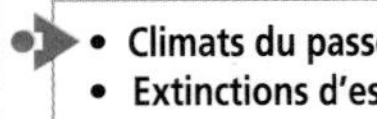

VOIR AUSSI
- **Climats du passé** (glaciations) p. 68
- **Extinctions d'espèces** p. 190

◆ **Le rhinocéros laineux**
(espèce du genre *Cœlodonta*).
Au début d'une glaciation, les animaux des latitudes moyennes migrent vers le sud pour trouver un climat favorable ou disparaissent, laissant la place à des espèces plus adaptées au froid, tel le rhinocéros à la toison épaisse, qui vécut en Eurasie pendant la dernière glaciation.

◆ **Un vestige des époques glaciaires.**
Quand les glaciers qui recouvraient presque toute l'Europe ont progressivement reculé sous l'influence du lent réchauffement, les plantes adaptées au froid ont trouvé refuge dans les régions péri-arctiques ou, comme la dryade à huit pétales *(Dryas octopetala)*, dans les montagnes de l'Europe tempérée, un milieu adapté à leur mode de vie. Les plantes de ce type sont appelées « relictuelles », car elles sont les restes d'une période révolue.

◆ **Un tigre à dents de sabre**
(espèce du genre *Megantereon*).
À certaines époques interglaciaires, vivaient en Europe des animaux que l'on associe aujourd'hui aux climats chauds : hyène, éléphant, ou gros félins tels que le lion des cavernes ou les tigres à dents de sabre.

L'homme et la faune du quaternaire

En chassant, l'homme a joué un grand rôle dans la disparition de certaines espèces. Ainsi disparaissent les mammouths, chassés sur l'ensemble de leur habitat pendant plusieurs dizaines de milliers d'années (mais les modifications climatiques ont aussi contribué à leur extinction).

L'introduction, volontaire ou non, de certaines espèces domestiques (chien, chat…) ou sauvages (rat, parasite…) dans des régions où elles ne vivaient pas naturellement a souvent bouleversé les équilibres écologiques et fait disparaître des animaux indigènes. La conséquence des introductions de prédateurs est particulièrement grave dans de petites îles car, dans ces milieux de surface restreinte, les animaux indigènes ne disposent souvent que de peu de refuges et ne peuvent fuir très loin pour échapper à ces prédateurs auxquels ils ne sont pas adaptés. 60 % des oiseaux des îles Hawaii ont disparu de cette façon.

◆ **Mammouth laineux**
(Elephas primigenius).
Les mammouths laineux se sont éteints au quaternaire, il y a environ 10 000 ans. On en a retrouvé de nombreux spécimens prisonniers dans les glaces de Sibérie. Certains étaient dans un si bon état de conservation que des plantes étaient encore mêlées à leurs poils, et leur épaisse toison dégageait, une fois la glace enlevée, l'odeur qu'elle avait dû avoir quelques millénaires plus tôt.

La chronologie du vivant

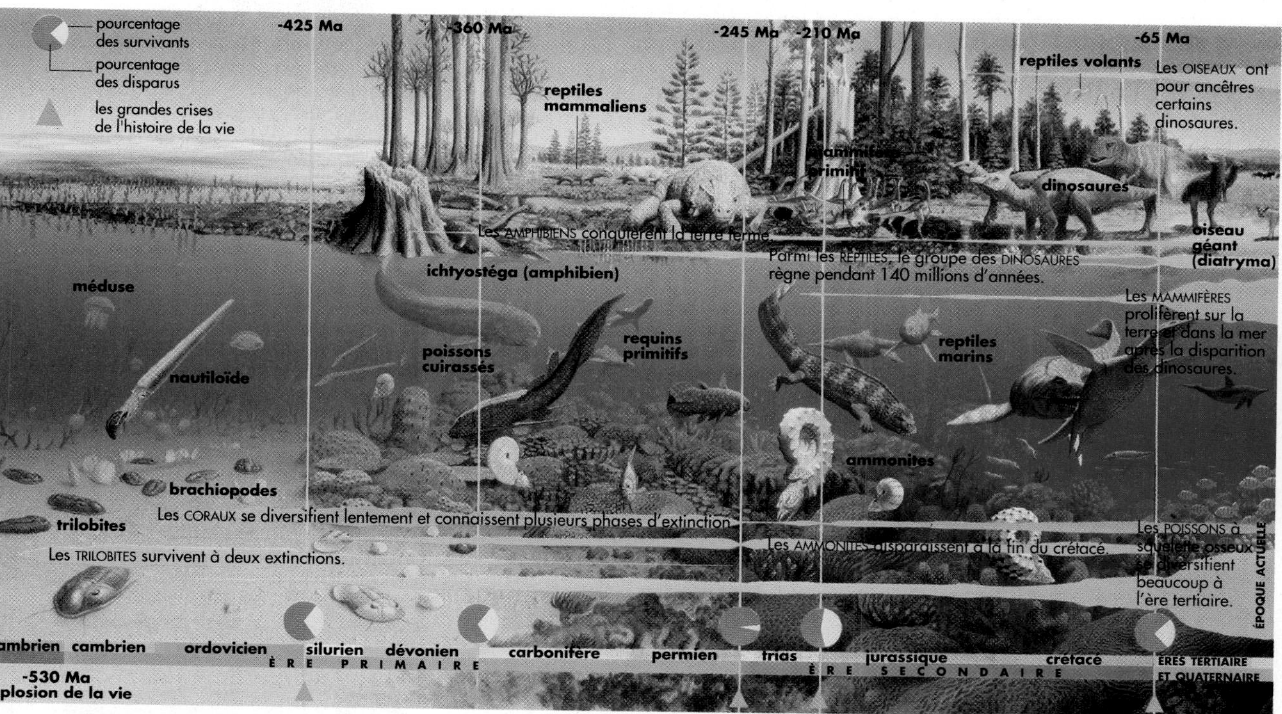

◆ **L'histoire de la vie.**
La vie est apparue assez rapidement après la formation de la Terre, il y a environ 3,5 milliards d'années, sous la forme d'organismes unicellulaires (les bactéries). On ne sait pas bien quand sont apparus les premiers organismes constitués de plusieurs cellules mais ils montraient déjà une grande diversité au début de l'ère primaire, vers – 550 millions d'années.

◆ **De la nageoire à la patte.**
Les amphibiens, premiers vertébrés à avoir vécu sur la terre ferme, il y a environ 370 millions d'années, résultent de l'évolution d'un groupe de poissons aux nageoires charnues et articulées, qu'ils devaient balancer d'avant en arrière pour se déplacer sur le fond. On retrouve dans le squelette de la patte des amphibiens certains des os de la nageoire des poissons.

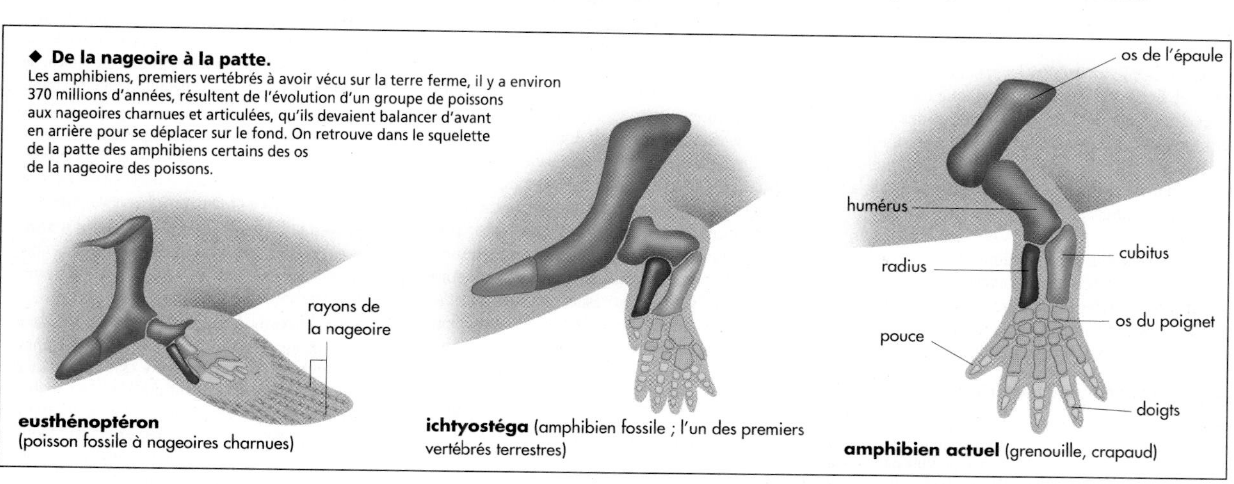

eusthénoptéron (poisson fossile à nageoires charnues)

ichtyostéga (amphibien fossile ; l'un des premiers vertébrés terrestres)

amphibien actuel (grenouille, crapaud)

◆ **Des dinosaures aux oiseaux.**
Les oiseaux résultent de l'évolution d'un groupe de petits dinosaures carnivores, les théropodes; des fossiles de théropodes mis au jour en Chine possèdent d'ailleurs des plumes, attributs que l'on croyait jusqu'alors réservés aux oiseaux. Le plus vieux fossile d'oiseau connu, âgé de 150 millions d'années, présente encore certains caractères des dinosaures (dents, longue queue, main à 3 doigts non fusionnés dont les griffes dépassent des ailes) qui ont disparu chez les oiseaux actuels.

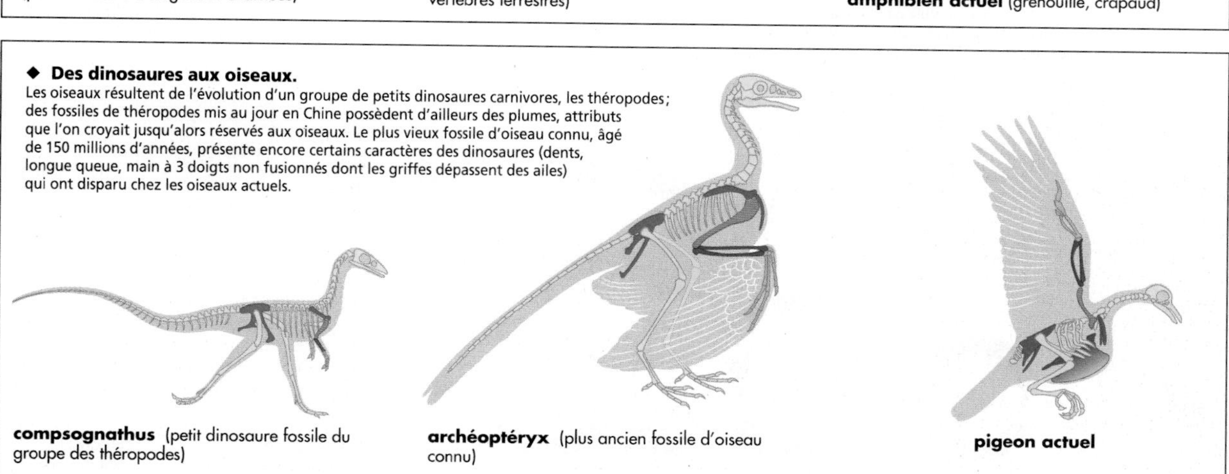

compsognathus (petit dinosaure fossile du groupe des théropodes)

archéoptéryx (plus ancien fossile d'oiseau connu)

pigeon actuel

Sélection des espèces par l'homme

L'homme et l'évolution des espèces

Plus que tout autre être vivant, l'homme intervient de façon très importante dans le processus naturel d'évolution des autres espèces. De son fait, de nombreuses espèces ont disparu de la Terre, tandis que d'autres ont proliféré, notamment celles qu'il a domestiquées et auxquelles il offre des conditions de croissance très favorables.

Au sein de chaque espèce biologique existe une grande diversité génétique (se traduisant, par exemple, chez un animal par la variabilité de la couleur du pelage). Or l'homme a parfois favorisé, dans une espèce donnée, certains gènes au détriment d'autres. Il a ainsi volontairement opéré une sélection parmi les êtres vivants qu'il cultivait ou élevait. En utilisant massivement antibiotiques et pesticides, il a aussi, involontairement, sélectionné parmi les bactéries, les insectes ou les plantes, ceux qui possédaient des gènes de résistance à ces produits (actuellement, plusieurs centaines d'espèces d'insectes sont résistantes à au moins un insecticide). En clonant certains organismes, il intervient encore dans le processus de l'évolution car, en fabriquant de multiples copies de chacun de leurs gènes, il augmente leur chance de transmission aux générations futures. Enfin, il s'est mis à fabriquer de nouveaux organismes qui étaient jusqu'alors inconnus dans la nature (hybrides entre deux espèces, organismes transgéniques).

L'homme intervient même sur le devenir des gènes de sa propre espèce. La généralisation et les progrès des soins médicaux, ainsi que l'amélioration des conditions de vie permettent dès lors à certains individus de survivre et de transmettre leurs gènes aux générations futures, alors qu'ils n'auraient pu le faire s'ils avaient été soumis à la sélection naturelle.

Les objectifs. Pour produire de plus en plus, sans trop augmenter les surfaces cultivées, l'homme a très vite cherché à accroître le rendement des espèces domestiquées. Il a voulu également faciliter au maximum l'élevage, la culture ou la récolte (dans cette optique a été créé, au stade expérimental, un haricot vert... rouge, facilement repérable à la récolte et dont la pigmentation rouge disparaît à la cuisson). Une meilleure qualité, gustative ou diététique, ou une conservation plus longue des produits sont d'autres critères recherchés. Dans le cas des plantes décoratives ou celui des animaux de compagnie, on a cherché essentiellement à diversifier l'aspect extérieur.

L'homme a voulu élargir le domaine d'utilisation des organismes vivants (autrefois restreint à l'agriculture, à l'emploi de plantes médicinales et à l'élaboration de quelques produits fermentés, comme le pain ou le vin). Il a cherché à augmenter le nombre d'espèces à son service, afin de disposer de divers produits, de traiter ses déchets, de faciliter certains processus industriels, etc.

Principes de la sélection artificielle

L'homme a profité de la diversité génétique naturelle des espèces qu'il avait domestiquées ; il a choisi certains des caractères présentés par quelques individus d'une espèce et a favorisé la transmission de ces caractères (donc des gènes correspondants) aux générations futures.

La sélection s'opère par le choix des couples d'individus que l'on fait se reproduire. De façon intuitive, le paysan d'autrefois semait les graines des plantes qui lui avaient fourni la meilleure récolte l'année précédente. Puis, les mécanismes de l'hérédité étant mieux connus, la sélection a été plus raisonnée. Les sélectionneurs ont fait se reproduire entre eux les individus ayant un caractère intéressant (la couleur d'une fleur, par exemple), afin de retrouver à coup sûr ce caractère parmi toute leur descendance. Ils ont essayé aussi de réunir chez certains descendants des caractères initialement présents chez des individus différents : si l'on croise un blé à gros grains, peu résistant à une maladie, avec un autre blé résistant à la maladie, mais dont les grains sont plus petits, on peut espérer obtenir, par le hasard des recombinaisons génétiques au cours de la reproduction sexuée, certains plants de blé qui aient à la fois de gros grains et une bonne résistance à la maladie.

La sélection est souvent fastidieuse et très longue (10 à 15 ans pour obtenir une nouvelle variété de rose, par exemple), car elle doit se faire sur plusieurs générations, et il faut attendre que la plante ou l'animal de chaque génération soit en âge de se reproduire (plusieurs dizaines d'années pour certains arbres...).

Les nouvelles techniques

La sélection artificielle est désormais facilitée par le développement de nouvelles techniques, qui permettent notamment de multiplier le nombre de descendants, et de réduire les temps d'obtention de nouvelles générations. Sont ainsi réalisées en laboratoire des cultures de cellules ou la fusion de cellules qui permet de croiser des variétés ou des races (voire des espèces) différentes, sans passer par la reproduction sexuée.

Petit lexique

clonage génique : réalisation de multiples copies d'un gène.

génie génétique (ou **manipulation génétique**) **:** ensemble des techniques permettant de modifier la structure de molécules d'ADN et éventuellement de modifier le patrimoine génétique d'un être vivant.

hybridation : croisement de deux organismes vivants ou de deux cellules ayant des patrimoines génétiques assez différents (car appartenant à des espèces, sous-espèces, races ou variétés différentes), donnant naissance à des individus ou à des cellules hybrides.

plasmide : petite molécule circulaire d'ADN, présente dans certaines bactéries, en plus de l'ADN chromosomique, et se multipliant de façon indépendante du chromosome.

transgenèse (ou **transgénose**) **:** introduction dans un organisme vivant d'un ou de plusieurs gènes « étrangers » (issus d'une autre espèce) de façon que ce ou ces gènes soient présents dans toutes les cellules de l'organisme et soient transmis aux descendants de celui-ci ; par extension : toute modification du patrimoine génétique d'un organisme, par génie génétique.

◆ **Fabrication d'une bactérie transgénique.**
Le vecteur utilisé ici pour introduire le gène « étranger » (gène humain, dans ce cas) est un plasmide ; il a l'avantage de pénétrer spontanément dans la cellule bactérienne et de s'y multiplier (on peut toutefois faciliter sa pénétration par l'utilisation d'un milieu riche en calcium). La fabrication du vecteur (assemblage de fragments d'ADN issus de différentes sources) est rendue possible par l'utilisation d'une enzyme de restriction, qui coupe la molécule à des endroits précis, et d'une ADN ligase, une autre enzyme qui recolle des morceaux d'ADN.
Les bactéries transgéniques mises en culture fabriquent la protéine humaine, dont la synthèse est commandée par le gène humain qui a été introduit.

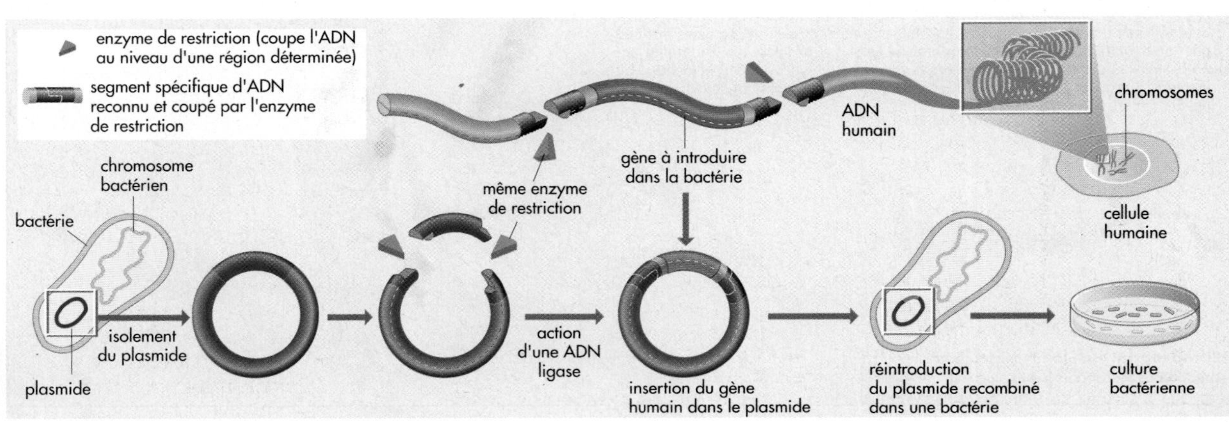

Parmi les nouvelles techniques utilisées pour les plantes figure aussi le clonage : on peut en effet régénérer de nombreuses plantes, au patrimoine génétique identique, à partir de n'importe quelle cellule d'une plante mère. Les nouvelles techniques concernant plus particulièrement les animaux sont l'insémination artificielle, la congélation des cellules sexuelles et des embryons, la fécondation *in vitro* suivie de la réimplantation des embryons (éventuellement chez une mère porteuse) et, peut-être bientôt à grande échelle, le clonage.

L'ADN (molécule constituant les gènes) peut désormais être très facilement « bricolé », notamment grâce à l'utilisation des enzymes de restriction, qui coupent la molécule à des endroits précis, et des ADN ligases, d'autres enzymes qui recollent des morceaux d'ADN. Si ces morceaux proviennent d'organismes différents, on fabrique de l'ADN recombiné, ou hybride, qui sert à la fabrication d'organismes complètement nouveaux dans le monde vivant.

Des organismes nouveaux

Provoquer des mutations. Le sélectionneur tire parti de la diversité génétique naturelle de chaque espèce, mais il peut aussi augmenter cette diversité en provoquant des mutations (modifications) sur les gènes, grâce à divers agents (substances chimiques, rayons X, radioactivité...).

La création d'espèces hybrides. L'accouplement de deux individus appartenant à des espèces différentes, conduisant à des individus qualifiés d'« hybrides », est assez rare dans la nature. Il peut être plus facilement provoqué quand il s'agit d'animaux captifs ou de plantes cultivées. Les animaux hybrides (tigre + lion, chameau + lama, zèbre + cheval...) sont généralement stériles, et leur existence n'a pas d'influence sur l'évolution des espèces, puisqu'ils n'ont pas de descendants. Les végétaux hybrides sont plus souvent féconds, et c'est ainsi qu'ont été créées de nouvelles espèces végétales, telles que le triticale (hybride de seigle et de blé) ou le chou-radis.

La création de nouvelles espèces végétales peut s'affranchir de la reproduction sexuée, grâce à la technique de fusion de deux protoplastes (cellules végétales ayant subi un traitement pour perdre leur paroi épaisse) appartenant à des espèces différentes. Une plante entière, hybride, peut ensuite être régénérée par multiplication végétative *in vitro*. Ainsi fut créée la pomate, un hybride de pomme de terre et de tomate, dont on récolte à la fois les tubercules et les fruits.

Les organismes transgéniques. Un organisme transgénique, qualifié également d'« organisme génétiquement modifié » (OGM) ou d'« organisme recombinant », contient dans toutes ses cellules un ou plusieurs gènes étrangers (provenant d'une autre espèce), qu'il transmet à ses descendants. Cette technique, d'abord appliquée aux bactéries, au début des années 1970, a été étendue aux animaux puis aux plantes, une dizaine d'années plus tard. L'organisme transgénique a acquis des capacités qu'aucun individu de son espèce ne possède (comme la production de l'hémoglobine, constituant du sang humain, par un plant de tabac).

La fabrication d'OGM requiert l'isolement du gène souhaité chez un organisme d'une autre espèce, sa multiplication, puis son intégration dans une molécule d'ADN, appelée « vecteur ». Celui-ci est construit à partir de fragments d'ADN de diverses origines, de façon que le gène souhaité puisse être fonctionnel dans les cellules où il sera introduit (cellules hôtes) et puisse aussi se multiplier, en même temps que les cellules hôtes.

L'introduction du vecteur dans une cellule hôte se fait de diverses manières.

Les OGM ont un immense domaine d'applications, mais leur utilisation doit se faire avec les plus grandes précautions, car elle comporte des risques, encore mal connus (production de substances toxiques ou allergisantes, dangereuses pour l'homme ou l'animal consommant un aliment ou un médicament fabriqué à partir d'OGM, perturbations de l'environnement, transmission des gènes introduits dans les OGM à d'autres espèces, dans lesquelles ils ne seraient pas désirables).

Le clonage

Cloner un organisme vivant consiste à en réaliser des copies (appelées « clones ») qui, ayant le même patrimoine génétique, lui sont identiques en tout point. Le clonage est un phénomène naturel, fréquent chez les bactéries, les protistes (paramécie, par exemple) ou les végétaux (tous les processus de reproduction asexuée, comme le bouturage, génèrent des clones) ; il existe également dans le règne animal (bourgeonnement d'hydre, certains cas de reproduction par parthénogenèse...).

Ces clones « naturels » sont identiques entre eux et identiques à l'individu qui les a produits. Un clonage peut intervenir aussi au cours de la reproduction sexuée des mammifères, l'œuf à peine fécondé pouvant en effet se scinder en deux pour former de vrais jumeaux (semblables entre eux, mais différents de leurs parents).

Le clonage a été étendu aux espèces qui ne le pratiquent pas naturellement. La plupart des plantes peuvent désormais être clonées en laboratoire, et le clonage des animaux a été expérimenté dès 1952 sur des grenouilles. Celui des mammifères s'est avéré plus délicat, mais a finalement réussi en 1984 chez le mouton (un peu plus tard pour les bovins, les chèvres...). La technique utilisée a alors permis d'obtenir, à partir d'un seul embryon, plusieurs individus tous identiques les uns aux autres, mais différents aussi bien de leur père que de leur mère.

Puis vint, en 1996, la fameuse Dolly, une brebis dont la conception a pu se faire, par une autre technique, en dehors de toute reproduction sexuée ; elle n'a pas de père et possède toutes les caractéristiques génétiques de sa mère, dont elle est un clone.

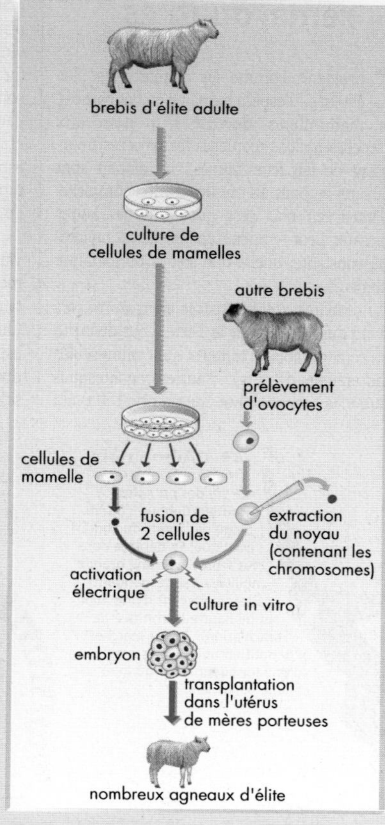

◆ **Clonage d'un mammifère à partir de cellules d'un adulte.**
C'est la technique qui a été utilisée pour créer la fameuse brebis Dolly en 1996. Son originalité consiste à utiliser une cellule adulte (provenant de mamelles) que l'on fait fusionner avec un ovocyte (cellule précurseur des cellules reproductrices femelles) privé de son matériel génétique. Les techniques utilisées précédemment pour le clonage des mammifères réalisaient en effet la fusion de l'ovocyte sans noyau avec une cellule issue d'un embryon (c'est cet embryon qui était donc cloné).

Les applications

La sélection et la fabrication d'organismes nouveaux trouvent le plus souvent leurs applications en agriculture, dans les industries agroalimentaires et pharmaceutiques.

Ainsi, bactéries, mammifères, plantes et levures (champignons microscopiques) transgéniques sont largement utilisés pour fabriquer des molécules utiles (que l'on récupère dans le milieu de culture, dans le lait ou l'urine des animaux...). Les premiers résultats obtenus en ce domaine concernent la production industrielle de l'insuline (servant à traiter le diabète) et de l'hormone de croissance humaine par des bactéries. Parmi les autres produits, on peut citer pêle-mêle antibiotiques, interférons (traitement des maladies virales ou des tumeurs), hormones stéroïdes (anti-inflammatoires, contraceptifs, anticancéreux), calcitonine (hormone permettant de lutter contre l'ostéoporose), vaccins, etc.

Une autre application, en plein essor, est celle du traitement des déchets et de la dépollution. Les organismes recherchés sont essentiellement des micro-organismes (bactéries, champignons...) : plusieurs d'entre eux sont capables de dégrader certaines substances (produits pétroliers, produits contenant du chlore ou du fluor, produits entrant dans la composition d'explosifs...) ou peuvent concentrer le polluant (métaux lourds, notamment) dans leurs cellules, rendant ainsi son élimination plus facile.

Grâce à des conditions de culture bien choisies, on peut sélectionner parmi les micro-organismes présents naturellement dans les eaux, le sol ou les sites pollués ceux qui sont le plus aptes à traiter la pollution et on peut favoriser leur multiplication. C'est ainsi que les sols d'anciens sites industriels pétroliers ont été dépollués (au Canada, notamment). D'autres procédés de dépollution par voie biologique impliquent en revanche des micro-organismes transgéniques, sans que l'on sache toutefois bien évaluer les risques de cet apport d'OGM dans l'environnement.

VOIR AUSSI
- **Biodiversité** p. 86
- **Théories de l'évolution** p. 93
- **Reproduction** p. 120 et 161
- **Génétique et hérédité** p. 195
- **Biotechnologie** (agriculture) p. 847

Les mammifères

TC = longueur tête et corps
Q = longueur de la queue
HG = hauteur au garrot

▲ Espèce menacée
✱ Espèce en danger d'extinction immédiate dans le monde

Aspects remarquables

Considérés comme les animaux les plus évolués – l'espèce humaine en fait partie –, les mammifères doivent leur nom aux mamelles (grâce auxquelles les femelles nourrissent de lait leurs jeunes). La plupart sont couverts de poils. Ils ont un cerveau complexe, relativement plus gros que celui des autres animaux. Leur température interne est maintenue constante, quelle que soit la température extérieure.

Environ 4 000 espèces de mammifères vivent aujourd'hui sur la Terre. Leur diversité est remarquable : certains sont minuscules (musaraigne de 2 g), d'autres gigantesques (certaines baleines bleues de plus de 150 t). En fonction de leur mode de reproduction, les diverses espèces sont classées dans trois grands groupes (monotrèmes, marsupiaux, placentaires), eux-mêmes subdivisés en une vingtaine d'ordres au total. À 3 exceptions près (groupe des monotrèmes), toutes les espèces sont vivipares (les embryons se développent dans l'utérus maternel). L'ordre des rongeurs est numériquement le plus important (1 700 espèces) tandis que d'autres ont moins de dix représentants (2 espèces d'éléphants dans l'ordre des proboscidiens).

Les mammifères occupent des milieux variés (sur terre et sous terre, eaux douces, mers), sous pratiquement tous les climats ; certains sont volants, d'autres peuvent planer. Quelques espèces prolifèrent, mais 25 % des espèces sont, à des degrés divers, menacées de disparition.

▲◆ Écureuil roux *(Sciurus vulgaris)*. Ordre des rongeurs. TC : 25 cm ; Q : 20 cm. Hôte des forêts d'Europe et d'une partie de l'Asie. Très agile dans les arbres, où il s'aménage un nid. Sa queue lui sert de balancier ou de parachute.

◆ Rat d'égout ou **surmulot** *(Rattus norvegicus)*. Ordre des rongeurs. TC : 25 cm ; Q : 18 cm. Il a conquis le monde en profitant des réserves de nourriture des hommes. A besoin d'eau à proximité. Concurrence son parent, le rat noir (un peu plus petit), qui est relégué dans les lieux secs (habitations, par ex.)

◆ Marmotte des Alpes *(Marmota marmota)*. Ordre des rongeurs. TC : 55 cm ; Q : 15 cm. Vit dans les Alpes, plutôt entre 1 500 et 3 200 m d'altitude, et dans quelques autres montagnes d'Europe (présente dans les Pyrénées, à la suite d'une introduction volontaire vers 1900). Émet un sifflement en cas de danger. Vit en petites colonies dans des terriers. Passe tout l'hiver plongée dans un profond sommeil (hibernation).

▲◆ Gibbon noir *(Hylobates concolor)*. Ordre des primates. Hauteur debout : 80 cm. Singe des forêts du Sud-Est asiatique. Se déplace dans les arbres avec une grande agilité, en se suspendant alternativement d'une main et de l'autre (technique de la brachiation). Il peut marcher debout en utilisant ses bras (d'une longueur remarquable) comme balanciers.

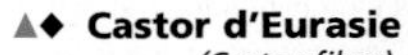

▲◆ Castor d'Eurasie *(Castor fiber)*. Ordre des rongeurs. TC : 80 cm ; Q : 30 cm. Il vit dans les cours d'eau d'Europe et d'Asie où il peut construire des grandes digues et des huttes avec les arbres qu'il abat. Il peut aussi vivre dans un terrier. Queue plate et pattes arrière palmées. Une autre espèce vit en Amérique du Nord.

▲◆ Maki catta *(Lemur catta)*. Ordre des primates. TC : 50 cm ; Q : 50 cm. Appartient au groupe des lémuriens (au sens strict : une vingtaine d'espèces vivant uniquement à Madagascar ; au sens large : ces espèces malgaches plus d'autres espèces – loris et galagos – d'Afrique ou d'Asie). Il a un museau pointu, de grands yeux et une queue annelée.

▲◆ Galéopithèque volant *(Cynocephalus volans)*. Ordre des dermoptères. TC : 40 cm Q : 25 cm. Mammifère d'Asie du Sud-Est. La membrane *(patagium)* tendue entre ses pattes antérieures, ses pattes postérieures et sa queue lui permet d'exécuter de longs vols planés entre les arbres.

▲◆ Chimpanzé *(Pan troglodytes)*. Ordre des primates. Hauteur debout : 1,40 m. Grand singe africain habitant la forêt tropicale, parfois la savane. Son intelligence est réelle ; il utilise des outils naturels (bâtons, par exemple) et peut apprendre à communiquer avec l'homme. Le bonobo, ou chimpanzé nain, est une espèce proche.

◆ Ouistiti à pinceaux *(Callithrix jacchus)*. Ordre des primates. TC : 18 cm ; Q : 25 cm. Minuscule singe d'Amérique du Sud, caractérisé par les touffes de poils qui ornent ses oreilles. Proche parent du singe-lion (ou tamarin à crinière) et du ouistiti mignon, qui est le plus petit singe du monde.

▲◆ Macaque rhésus *(Macaca mulatta)*. Ordre des primates. TC : 60 cm ; Q : 30 cm. Singe habitant l'Asie, comme la majorité des espèces de macaques. Très utilisé dans les expérimentations médicales, il est à l'origine de la découverte du facteur sanguin Rhésus.

▲◆ Orang-outan *(Pongo pygmaeus)*. Ordre des primates. Hauteur debout : 1,40 m. Grand singe roux, localisé à Sumatra et Bornéo, devenant de plus en plus rare. Les vieux mâles ont des bourrelets graisseux de chaque côté du visage. Parmi les grands singes (chimpanzé, gorille et orang-outan), c'est celui qui passe le plus de temps dans les arbres.

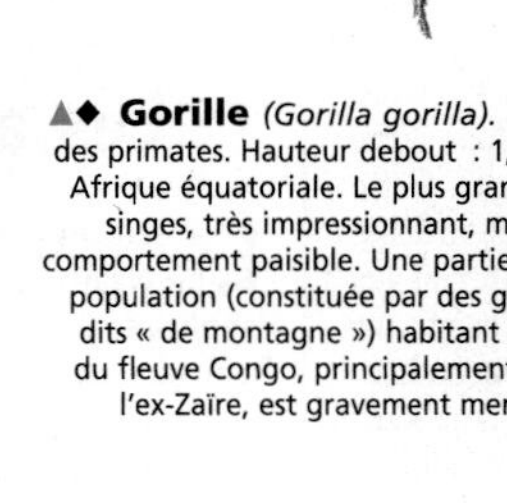

▲◆ Gorille *(Gorilla gorilla)*. Ordre des primates. Hauteur debout : 1,80 m. Afrique équatoriale. Le plus grand des singes, très impressionnant, mais au comportement paisible. Une partie de la population (constituée par des gorilles dits « de montagne ») habitant à l'est du fleuve Congo, principalement dans l'ex-Zaïre, est gravement menacée.

▲◆ Mandrill *(Papio sphinx)*. Ordre des primates. TC : 80 cm ; Q : 10 cm. Ce robuste singe africain fait partie du groupe des babouins, caractérisés par leur museau allongé, rappelant celui d'un chien (d'où leur autre nom de cynocéphales, du grec kuôn, *kunos* « chien » et *kephalê* « tête »). Le postérieur et la face, dépourvus de poils, sont vivement colorés (surtout ceux du mâle).

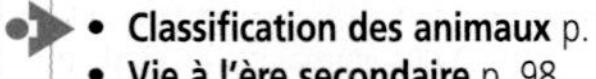

VOIR AUSSI
- **Classification des animaux** p. 90
- **Vie à l'ère secondaire** p. 98
- **Vie à l'ère tertiaire** p. 100
- **Animaux domestiques** p. 130 à 145
- **Animaux : données remarquables** p. 146 à 153

◆ **Hérisson commun** *(Erinaceus europaeus).* Ordre des insectivores. TC : 25 cm ; Q : 3 cm. Abondant en Europe et en Asie bien qu'il soit victime de la circulation automobile (pour 100 m de route nationale un hérisson meurt chaque année). S'attaque à des proies variées, y compris à des serpents. Se roule en boule en cas de danger. Hiberne dans les régions à hiver froid, mais se réveille de temps en temps.

◆ **Taupe commune** *(Talpa europaea).* Ordre des insectivores. TC : 15 cm ; Q : 3 cm. En Europe et en Asie. En grand nombre dans les prairies et jardins. Presque aveugle, la taupe, avec son corps en torpille et ses pattes avant en forme de pelle, est parfaitement adaptée à la vie souterraine et au creusement de galeries.

◆ **Daman.** Ordre des hyracoïdes. TC : 30 à 60 cm (selon les espèces) ; Q : 5 cm. Malgré leur allure de marmotte, ces mammifères d'Afrique et du Proche-Orient ne sont pas des rongeurs ; la nature de leurs ongles et de leurs dents les apparente plutôt à l'éléphant. Certaines espèces vivent dans les arbres, d'autres dans les rochers ou la savane.

◆ **Lièvre commun** *(Lepus capensis).* Ordre des lagomorphes. TC : 60 cm ; Q : 10 cm. En Europe, en Asie et en Afrique. Excellent coureur, très bon sauteur, adapté aux grands espaces. Plus grand que le lapin de garenne, il s'en distingue également par le fait qu'il ne creuse pas de terrieret que ses petits naissent couverts de poils.

▲◆ **Grand cachalot** *(Physeter catodon).* Ordre des cétacés. Longueur totale : 10 à 20 m. Dans tous les océans. Le plus grand des cétacés à dents (seulement sur la mâchoire inférieure). Énorme tête rectangulaire. Attaque, pour s'en nourrir, les calmars géants, en de terribles combats. Plonge très profondément (régulièrement jusqu'à 1 000 m, exceptionnellement à 3 000 m).

◆ **Pipistrelle commune** *(Pipistrellus pipistrellus).* Ordre des chauves-souris. TC : 4 cm ; Q : 3 cm ; envergure (ailes étalées) : 20 cm. La plus commune et la plus petite des chauves-souris d'Europe ; vit aussi en Asie et en Afrique du Nord. S'abrite dans les habitations (greniers, volets), les arbres ou les grottes. Se nourrit d'insectes.

✱◆ **Phoque moine de Méditerranée** *(Monachus monachus).* Ordre des pinnipèdes. Longueur totale : 2,50 m. En Méditerranée et sur la côte atlantique du nord de l'Afrique. Carnivore (se nourrit de poissons). Espèce très menacée, notamment par la pollution, le tourisme et les sports de mer, qui perturbent sa reproduction.

▲◆ **Baleine bleue** ou **rorqual bleu** *(Balaenoptera musculus).* Ordre des cétacés. Longueur totale : 25 à 30 m. Dans tous les océans. Le plus gros animal de la planète (jusqu'à 150 t). N'a pas de dents mais de longues lames cornées, appelées « fanons », qui retiennent les petits animaux marins dont elle se nourrit. Intensivement chassée jusqu'au milieu du XXe siècle, elle est protégée depuis les années 1960, mais ses effectifs augmentent peu.

▲◆ **Dugong** *(Dugong dugong).* Ordre des siréniens. Longueur totale : 3 m. Dans l'océan Indien et le Pacifique ouest. Membres antérieurs transformés en nageoires, membres postérieurs atrophiés. La position des mamelles (pectorale, comme chez la femme) et le bruit fait par les dugons lorsqu'ils vont respirer à la surface sont sans doute à l'origine des légendes sur les sirènes. Broutent plantes et algues sur les fonds marins. Les lamantins (3 espèces) sont des espèces proches.

◆ **Pangolin géant** *(Manis gigantea).* Ordre des pholidotes. TC : 80 cm ; Q : 60 cm. En Afrique tropicale. Couvert de grosses écailles ; dépourvu de dents ; grande langue (70 cm) sur laquelle se collent les insectes (fourmis et termites) dont il se nourrit. Il existe six autres espèces de pangolins (3 en Afrique et 3 en Asie), dont certaines vivent dans les arbres.

◆ **Ornithorynque** *(Ornithorhynchus anatinus).* Groupe des monotrèmes. TC : 40 cm ; Q : 15 cm. En Australie. Mammifère très particulier : il pond des œufs mais la mère allaite ses petits ; il est doté d'un bec de canard mais il est couvert de poils. Vit en partie dans l'eau, en partie sur terre.

Mammifères intelligents

On a constaté que le coefficient de céphalisation, qui mesure le volume relatif du cerveau par rapport à la taille de l'animal, prend ses valeurs les plus élevées chez certaines espèces de mammifères réputées pour leur intelligence : homme, dauphin et grands singes (notamment le chimpanzé).
La capacité des chimpanzés à perfectionner des outils « naturels » (bâton, pierre...) est signe d'intelligence. La faculté de « mentir », pour en tirer avantage, est un autre indice. On a vu ainsi un jeune babouin faire semblant d'être agressé par un de ses congénères ; sa mère chassa ce dernier et le jeune put alors tranquillement manger ce que le supposé agresseur était en train de déterrer. Des chimpanzés, des gorilles et des orangs-outans ont appris à communiquer avec l'homme, par l'intermédiaire d'images ou par le langage des signes utilisé par les sourds-muets ; certains connaissent ainsi une centaine de mots. Parmi tous les animaux testés, chimpanzés et orangs-outans sont les seuls à avoir conscience de leur propre image (face à un miroir, ils se grattent la tête pour enlever une tache de peinture qu'on leur a faite à leur insu).

▲◆ **Éléphant d'Afrique** *(Loxodonta africana).* Ordre des proboscidiens. HG : 3 m ; Q : 1,20 m. Plus grand que l'éléphant d'Asie ; ses oreilles et ses défenses sont également plus développées. Comportements remarquables (aide aux blessés, aux femelles accouchant). Menacé par le trafic de l'ivoire.

Petit lexique

monotrème : mammifère pondant des œufs (ex. : l'ornithorynque).

marsupial : mammifère dont les petits terminent leur développement dans le marsupium (poche formée par un repli de peau sur le ventre de la mère et abritant les mamelons).

placentaire : mammifère dont les embryons se développent entièrement dans l'utérus de la mère et sont nourris par l'intermédiaire d'un placenta.

primate : mammifère au cerveau développé, dont le pouce est généralement opposable aux autres doigts, dont les mamelles sont situées sur la poitrine et les yeux dirigés vers l'avant.

◆ **Grand dauphin** *(Tursiops truncatus).* Ordre des cétacés. Longueur totale : 3,50 m. Dans presque toutes les mers chaudes et tempérées. Nombreuses autres espèces de dauphins au psychisme développé et d'une étonnante bienveillance à l'égard des hommes. Se repèrent, chassent et communiquent entre eux grâce aux ultrasons qu'ils émettent. Trop souvent victimes des immenses filets de pêche utilisés actuellement.

TC = longueur tête et corps
Q = longueur de la queue
HG = hauteur au garrot

▲ **Espèce menacée**
✱ **Espèce en danger d'extinction immédiate dans le monde**

◆ **Petit fourmilier** ou **tamandua** *(Tamandua tetradactyla).* Ordre des xénarthres. TC : 60 cm ; Q : 55 cm. En Amérique centrale et du Sud. Tête et museau en tube, sans dents, d'où sort une langue gluante : il l'utilise pour capturer fourmis et termites. Vit dans les arbres. Le tamanoir, ou grand fourmilier, est une espèce proche, habitant les mêmes régions.

◆ **Ours brun** *(Ursus arctos).* Ordre des carnivores. TC : 2 m. Présent en Amérique du Nord, en Asie et en Europe (nord et centre, surtout), il est en voie de disparition en France (une dizaine d'individus dans les Pyrénées), malgré des essais de réintroduction. Représenté en Amérique du Nord par des formes géantes : le grizzly (montagnes Rocheuses) et le kodiak (Alaska). Classé parmi les carnivores, il a néanmoins un régime partiellement végétarien.

✱ **Rhinocéros noir** *(Diceros bicornis).* Ordre des périssodactyles. TC : 3,30 m ; HG : 1,50 m ; Q : 60 cm. Vit en Afrique. Les deux espèces africaines de rhinocéros, de même qu'une espèce asiatique, ont deux cornes sur le nez. Deux autres espèces d'Asie n'ont qu'une corne. Végétariens. Ils ont été exterminés et sont toujours victimes des braconniers, car les cornes, très recherchées pour leurs prétendues vertus aphrodisiaques et comme matière première dans des objets d'art, se vendent très cher (40 000 F le kg en 1998).

◆ **Renard roux** *(Vulpes vulpes).* Ordre des carnivores. TC : 70 cm ; Q : 40 cm. Largement répandu en Europe, Afrique du Nord, Asie, Amérique du Nord, il s'adapte à des milieux très divers (vit dans certaines grandes villes). Chasse surtout lapins et petits rongeurs, mais mange aussi des végétaux. Sa vaccination contre la rage, par hélicoptère, a permis la quasi-éradication de la maladie en France (1997).

Les marsupiaux

Les trois quarts des espèces de marsupiaux, comme les kangourous et le koala, ne vivent qu'en Australie ou dans les îles voisines (Papouasie-Nouvelle-Guinée et îles de l'Indonésie) ; les autres (notamment les opossums habitent l'Amérique, essentiellement celle du Sud.

Ces mammifères se distinguent par leur mode de reproduction. L'embryon commence par se développer dans le corps maternel. Après la gestation, la mère met bas une larve qui n'a pas terminé son développement : ainsi, le kangourou géant (1,5 m à l'âge adulte) donne naissance à une larve de la taille d'une graine de haricot. La larve, s'agrippant à la fourrure de sa mère, se dirige vers une mamelle ; elle y reste accrochée pendant plusieurs semaines, achevant alors son développement. Les mamelles se trouvent dans des replis de peau de la mère, formant chez certaines espèces (ex. : kangourous) une véritable poche ventrale, le marsupium, plus ou moins bien fermée, qui assure la protection du petit.

▲◆ **Hyène tachetée** *(Crocuta crocuta).* Ordre des carnivores. TC : 1,20 m ; Q : 30 cm. Espèce africaine. Considérée comme charognarde, mais elle capture aussi des proies vivantes (chasse en groupe). Pousse des cris sinistres. L'hyène rayée est une espèce proche, vivant en Afrique et en Asie.

▲◆ **Lion** *(Panthera leo).* Ordre des carnivores. TC : 1,70 m ; Q : 80 cm. « Roi » de la savane, en Afrique tropicale, il subsiste aussi en Inde (une centaine d'individus seulement). Se nourrit de chair fraîche et, parfois, de cadavres. Vit en groupe organisé (comportement rare pour un félin). Ce sont surtout les femelles qui chassent.

◆ **Hippopotame amphibie** *(Hippopotamus amphibius).* Ordre des artiodactyles. TC : 3,50 m ; HG : 1,40 m ; Q : 40 cm. Habite les eaux douces africaines. Végétarien, il va à terre, surtout la nuit, pour paître. Naît souvent dans l'eau. Peau sans poils. Canines inférieures parfois très développées. L'hippopotame nain, de plus petite taille, est une espèce proche, également africaine.

◆ **Oryx gazelle** *(Oryx gazella).* Ordre des artiodactyles. TC : 2 m ; HG : 1,20 m ; Q : 70 cm. Splendide antilope africaine aux longues cornes. Herbivore. Plusieurs sous-espèces (gemsbok et beisa, notamment). Deux espèces très proches sont en voie de disparition : l'oryx algazelle (en Afrique) et l'oryx d'Arabie (qui pourrait être sauvé grâce à un programme d'élevage et de réintroduction).

◆ **Loup commun** *(Canis lupus).* Ordre des carnivores. TC : 1,20 m ; Q : 30 cm. Vit en Europe, en Asie et en Amérique du Nord. Habite les fourrés ou les landes plus que les forêts. Couleur du pelage très variable. Vit en groupe (la meute, comptant en général moins de 20 individus) organisé autour d'un couple dominant ; communique avec ses congénères par des odeurs, des hurlements ou des postures (positions de la queue ou des oreilles, qui traduisent des relations hiérarchiques.

Des loups en France

Le loup a disparu de France dans les années 1930. Or, à partir de 1992, des loups, venus d'Italie, sont observés dans le parc national du Mercantour (Alpes-Maritimes). En 1998, une vingtaine d'individus, dont des petits nés en France, y étaient installés. La présence du loup a également été confirmée (photos, analyses génétiques) en Savoie et en Isère.

Depuis 1993, le loup est protégé en France. Le braconnage et le poison ont pourtant fait, depuis, quelques victimes. Chasseurs et éleveurs apprécient peu ces carnassiers qui dévorent chamois, mouflons et moutons. Les éleveurs sont pourtant indemnisés par l'État, pour chaque animal tué par un loup (environ 900 en 1997). De plus, il est possible que les chiens errants soient à l'origine d'un bon nombre des victimes attribuées au loup. Il est recommandé aux bergers d'acquérir des chiens de garde et de regrouper les moutons en enclos, la nuit.

▲ **Bison d'Amérique** *(Bison bison).* Ordre des artiodactyles. TC : 2,80 m ; HG : 1,80 m ; Q : 60 cm. En Amérique du Nord. Il a été massacré au XIXe siècle et n'a dû sa survie qu'à de strictes mesures de protection. Le bison d'Europe, une espèce proche, ne subsiste plus, à l'état sauvage, qu'en Europe de l'Est.

◆ **Sanglier commun** *(Sus scrofa).* Ordre des artiodactyles. TC : 1,40 m ; Q : 20 cm ; HG : 80 cm. Habite les forêts d'Europe, d'Asie et d'Afrique du Nord. Ressemble beaucoup au porc domestique, dont il est l'ancêtre. Les jeunes (marcassins) ont le pelage rayé. Régime omnivore (végétaux et proies animales). Prend des bains de boue pour se débarrasser des parasites. Excellent nageur.

◆ **Cerf élaphe** *(Cervus elaphus).* Ordre des artiodactyles. TC : 2 m ; HG : 1,20 m ; Q : 15 cm. Hôte des forêts d'Europe ; présent aussi en Afrique, Asie et Amérique (sur ce continent, il est connu sous le nom de wapiti). Se manifeste bruyamment (il brame) au moment des accouplements. Lorsqu'il n'est plus attaqué par des prédateurs naturels (cas en France en l'absence de loups, ours, lynx), des populations nombreuses peuvent se former et causer d'importants dégâts aux arbres.

◆ **Zèbre des steppes** *(Equus quagga).* Ordre des périssodactyles. TC : 2,20 m ; HG : 1,30 m ; Q : 90 cm. Habite la savane africaine, où il est une des proies du lion. Vit en groupe. Herbivore. Deux autres espèces de zèbres, différentes par la largeur ou la répartition de leurs rayures, vivent en Afrique (beaucoup plus rares).

▲◆ **Kangourou géant** *(Macropus giganteus).* Groupe des marsupiaux. TC : jusqu'à 1,50 m ; Q : jusqu'à 1 m. Australie et îles voisines. Pattes postérieures plus longues que les antérieures. Très bon sauteur (sauts de 5 à 10 m). Il utilise sa queue comme appui lorsqu'il est au repos. Se nourrit de végétaux. Nombreuses autres espèces de kangourous, de taille très variable, toutes limitées à l'Australie et à la Nouvelle-Guinée.

▲◆ **Girafe** *(Giraffa camelopardalis).* Ordre des artiodactyles. Hauteur totale : 5,5 m ; Q : 80 cm. Hôte des savanes africaines, où elle broute les épineux. Doit écarter les pattes pour pouvoir boire. Marche l'amble (soulève en même temps les deux pattes situées d'un même côté). Dessin du pelage variable.

▲◆ **Buffle d'Afrique** *(Syncerus caffer).* Ordre des artiodactyles. TC : jusqu'à 2,60 m ; HG : jusqu'à 1,70 m ; Q: 80 cm. Robuste herbivore ruminant africain, plus grand en savane qu'en forêt. Ne pas le confondre avec le buffle de l'Inde, dont il existe des millions d'individus domestiques, un peu partout dans le monde, mais très peu d'individus sauvages (en Asie du Sud-Est).

▲◆ **Panda géant** *(Ailuropoda melanoleuca).* Ordre des carnivores. TC : 1,40 m. Il vit dans les forêts de bambous du centre de la Chine. Son appareil digestif est bien celui d'un carnivore, justifiant sa classification, mais il se nourrit presque exclusivement de pousses de bambous. Très protégé, car il reste sans doute moins de 1 000 individus en liberté.

▲◆ **Koala** *(Phascolartos cinereus).* Groupe des marsupiaux. TC : 60 cm. Mammifère australien, aux allures d'ourson. La mère porte son petit dans sa poche marsupiale, puis sur le dos. Vit dans les arbres et se nourrit essentiellement de feuilles d'eucalyptus. Autrefois chassé pour sa fourrure, il fut en danger d'extinction ; il est aujourd'hui protégé.

▲◆ **Tigre** *(Panthera tigris).* Ordre des carnivores. TC : 2 m ; Q : 1 m. Habite en Asie des milieux très variés, de la Sibérie à l'Indonésie ; la population la plus importante se trouve en Inde. Il se nourrit de grands animaux, mais sa réputation de « mangeur d'hommes » est imaginée. S'est beaucoup raréfié ; demeure la cible de braconniers.

▲◆ **Chameau** *(Camelus bactrianus).* Ordre des artiodactyles. Hauteur totale : 2 m. Habite les zones désertiques froides d'Asie centrale. Il a été domestiqué, comme le dromadaire, ou chameau à une bosse, qui vit dans le nord de l'Afrique et en Asie occidentale. Ces deux herbivores sont adaptés à la sécheresse.

Les cornes et les bois

Les bois sont essentiellement composés d'os, tandis que les cornes contiennent, en qualité plus ou moins grande, de la kératine, matière dont sont faits également les ongles, les cheveux et les sabots. Les seuls mammifères à porter des cornes ou des bois appartiennent au groupe des ongulés (mammifères herbivores possédant des sabots). Le long appendice du narval (mammifère marin) que l'on nomme parfois « corne » est en réalité une dent démesurée (constituée d'ivoire) ; de même les défenses des éléphants ne sont ni des cornes, ni des bois, mais des dents.

Les cornes des rhinocéros sont situées sur le museau. Certaines espèces n'ont qu'une corne, d'autres deux, situées l'une derrière l'autre. Elles sont pleines, composées essentiellement de kératine, et permanentes ; elles peuvent repousser si elles sont cassées. Au contraire, les cornes ornant le front des bovidés (famille des vaches, moutons, antilopes...) sont creuses, constituées d'un fourreau de kératine reposant sur une partie osseuse. Elles sont permanentes et ne peuvent repousser si elles sont coupées ; elles prennent des formes très variées (lyre, guidon, spirale, épée...) et sont parfois très longues (1 m chez certains oryx).

Les bois sont l'apanage des cervidés (famille du cerf et du renne) et sont souvent l'exclusivité des mâles. Ils sont pleins, souvent ramifiés, et couverts de peau (appelée le velours) ; de plus ils tombent, et repoussent, chaque année. Les appendices (de 2 à 5) situés sur le front de la girafe ressemblent aux bois des cervidés, car ils sont constitués d'os et recouverts de peau, mais ils sont permanents.

Bois et cornes peuvent servir à la défense contre d'éventuels ennemis. Ils peuvent également avoir un rôle important dans les relations entre individus d'une même espèce (hiérarchie au sein d'un groupe et « succès » auprès des femelles).

◆ **Panthère** *(Panthera pardus).* Ordre des carnivores. TC : 1,20 m ; Q : 70 cm. Habite l'Asie et l'Afrique. La plupart des individus sont tachetés (appelés aussi « léopards »), mais certains individus, principalement en Asie, sont entièrement noirs (panthères noires). Grimpe volontiers sur les arbres. La panthère a été largement chassée pour sa fourrure ; elle est menacée de disparition dans de nombreuses régions.

Les oiseaux

L = longueur totale, de l'extrémité du bec à celle de la queue
E = envergure

▲ Espèce menacée
✱ Espèce en danger d'extinction immédiate dans le monde

Aspects remarquables

La plume, à elle seule, caractérise les oiseaux : elle n'existe en effet que chez eux. Leurs membres antérieurs sont transformés en ailes, mais celles-ci sont réduites chez certaines espèces (autruches, kiwis, manchots), de ce fait inaptes au vol. La faculté de voler s'accompagne de nombreux caractères anatomiques particuliers (faible densité, liée en particulier à l'existence d'os creux ; battements des ailes assurés par de puissants muscles pectoraux attachés sur un sternum très développé ; respiration très efficace, permettant de faire face aux considérables dépenses énergétiques pendant le vol…). Leurs mâchoires sont recouvertes d'un bec, constitué de corne, dont la forme et la longueur sont adaptées au régime alimentaire (bec recourbé des rapaces déchiquetant la chair de leurs proies, long bec des oiseaux limicoles qui recherchent leur nourriture dans la vase…). Quant à l'écologie des oiseaux, elle abonde en aspects remarquables (parades nuptiales spectaculaires chez certaines espèces, construction de nids d'architecture variée, migrations de grande ampleur, etc.). On trouve des oiseaux sur tous les continents et dans tous les milieux (océans, déserts, régions polaires, forêts, villes…).

◆ **Petit pingouin** *(Alca torda).* L : 40 cm ; E : 70 cm. Le petit pingouin et les espèces proches (guillemots, macareux) nichent sur les falaises de l'Arctique et de l'Atlantique nord (Europe et Amérique). Ils volent bien. Le grand pingouin, dépourvu d'ailes, a été exterminé au milieu du siècle dernier. Le pingouin capture des poissons en plongée.

▲◆ **Albatros hurleur** *(Diomedea exulans).* L : 1,10 m ; E : 3,20 m. Très grand oiseau de mer, qui plane sur des distances considérables au-dessus des océans, dans l'hémisphère austral surtout. Se nourrit de charognes, d'animaux variés. Rarissime en Europe.

◆ **Pélican blanc** *(Pelecanus onocrotalus).* L : 1,60 m ; E : 3 m. La poche qui est attachée à la mandibule inférieure est son caractère le plus frappant. Très grande envergure. Se nourrit de poissons. Diverses espèces de pélicans habitent les côtes ou les marais des régions chaudes (sud-est de l'Europe, Asie, Afrique).

◆ **Canard colvert** *(Anas platyrhynchos).* L : 60 cm ; E : 90 cm. La plus commune parmi les nombreuses espèces de canards en Europe ; présent dans tout l'hémisphère nord. Ancêtre du canard domestique, c'est un canard de surface. Il se nourrit de végétaux et de petits animaux aquatiques.

◆ **Grèbe huppé** *(Podiceps cristatus).* L : 50 cm ; E : 85 cm. Très commun sur les lacs et sur les côtes d'Europe ; également en Asie, Afrique, Australie et Nouvelle-Zélande. Doigts bordés d'une étroite palmure qui les laisse libres. Nid flottant. Parades nuptiales spectaculaires. Porte souvent ses petits sur son dos. Bon plongeur. Se nourrit de petits poissons.

◆ **Cormoran huppé** *(Phalocrocorax aristotelis).* L : 90 cm ; E : 1,40 m. Grand oiseau plongeur noirâtre au long cou. Commun sur les côtes de l'Atlantique nord-est, du nord de l'Europe au Maroc ; également sur les côtes de Méditerranée. Il est souvent posé sur un rocher ou une balise. Vole au ras de l'eau, le cou tendu en avant. Se nourrit de poissons.

◆ **Goéland marin** *(Larus marinus).* L : 70 cm ; E : 1,70 m. Oiseau de mer aux longues ailes noires. Omnivore. Plusieurs autres espèces sont abondantes en Europe : le goéland argenté, notamment, envahit les villes du littoral et se nourrit dans les décharges à l'intérieur des terres. Proches parentes, les mouettes sont plus petites.

◆ **Cigogne blanche** *(Ciconia ciconia).* L : 1,10 m ; E : 1,80 m. En Europe, dans l'ouest de l'Asie et en Afrique. Un temps menacée, la cigogne blanche a amorcé une reconquête du territoire français. Elle évite de survoler la mer lors des migrations et franchit la Méditerranée par Gibraltar ou par Suez. Se nourrit de petits animaux.

◆ **Héron cendré** *(Ardea cinerea).* L : 90 cm ; E : 1,70 m. En Europe, Asie et Afrique. Redevenu très commun au bord des étangs européens, il niche en colonies (héronnières) au sommet de grands arbres. Habile pêcheur.

◆ **Poule d'eau** *(Gallinula chloropus).* L : 30 cm ; E : 50 cm. Très commune au bord des lacs et des cours d'eau, même en ville, presque partout dans le monde (sauf l'Australie). Mange graines et petits animaux. Les poussins sont tout noirs ; les jeunes de la première couvée aident souvent les parents à nourrir ceux de la seconde.

◆ **Vanneau huppé** *(Vanellus vanellus).* L : 30 cm ; E : 85 cm. En Afrique, en Asie et en Europe. Vol mou, avec des sortes de virevoltes au printemps. Abondant dans les champs et les marais. Vit en bandes et se nourrit de petits animaux.

Les plongeurs

Certains oiseaux comme les fous, les martins-pêcheurs ou les balbuzards (aigles pêcheurs) plongent en vol. D'autres, plus nombreux, s'immergent depuis la surface. C'est le cas des pingouins, des grèbes, des manchots et de nombreux canards ; certains canards, appelés canards plongeurs, s'immergent entièrement alors que d'autres, dits canards de surface, ne plongent que la tête et la partie antérieure du corps. Pour progresser sous l'eau, les oiseaux plongeurs utilisent leurs pattes ou leurs ailes, ou les deux. Certains oiseaux peuvent demeurer plusieurs minutes sous l'eau (record de 18 min atteint par le manchot empereur, qui peut plonger à plus de 250 m de profondeur). Quant au cincle, il est capable de marcher sous l'eau des torrents.

◆ **Manchot empereur** *(Aptenodytes forsteri).* Hauteur : 1,20 m. Oiseaux incapables de voler, les manchots peuplent en grandes colonies les rivages de l'Antarctique et les îles australes. Leur vie sociale est remarquable. Très bons plongeurs, ils se nourrissent surtout de poissons.

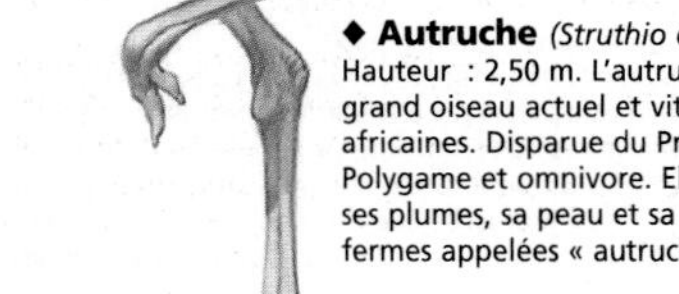

◆ **Autruche** *(Struthio camelus).* Hauteur : 2,50 m. L'autruche est le plus grand oiseau actuel et vit dans les savanes africaines. Disparue du Proche-Orient. Polygame et omnivore. Elle est élevée pour ses plumes, sa peau et sa chair dans des fermes appelées « autrucheries ».

◆ **Chouette hulotte** *(Strix aluco).* L : 40 cm ; E : 95 cm. Abondante dans les bois et les parcs d'Europe, y compris en ville, mais rarement observable. Aussi en Asie et Afrique du Nord. Niche dans les troncs d'arbres. Chasse les rongeurs et les petits oiseaux. Hululement caractéristique.

▲◆ **Hibou grand duc** *(Bubo bubo).* L : 70 cm ; E : 1,70 m. Le plus grand rapace nocturne d'Europe ; également dans le nord de l'Afrique et en Asie. Habite les montagnes rocailleuses. Capture de grosses proies (tétras, etc.). Ses appels portent à 5 km.

◆ **Bécasse des bois** *(Scolopax rusticola).* L : 35 cm ; E : 60 cm. Vit dans les bois d'Europe et d'Asie. S'envole au dernier moment lorsqu'on s'en approche. Se nourrit d'invertébrés des sols forestiers.

◆ **Cygne tuberculé** *(Cygnus olor).* L : 1,60 m ; E : 2,10 m. Se présente à l'état sauvage (en Europe et en Asie), semi-domestique ou domestique (introduit notamment en Amérique et en Australie). Vol magnifique, le cou tendu. Végétarien.

✷ ◆ **Ara hyacinthe** *(Anodorhynchus hyacinthinus).* L: 1,05 m ; E : 80 cm. L'un des plus grands perroquets du monde. Vit en Amérique du Sud, où il niche dans les trous d'arbres. Très bruyant quand il vole. Se nourrit de graines et de fruits. Il existe une quinzaine d'autres espèces d'aras.

◆ **Faucon crécerelle** *(Falco tinnunculus).* L : 35 cm ; E : 75 cm. Le rapace le plus commun en Europe, jusque dans les villes comme Paris. Également en Asie et Afrique. Fait souvent du surplace en battant des ailes. Niche sur les falaises, sur les édifices, dans les arbres. Chasse rongeurs et insectes, parfois de petits oiseaux.

Les parades nuptiales

Les parades nuptiales des oiseaux sont souvent spectaculaires. Certains oiseaux de paradis se suspendent la tête en bas. C'est en général le mâle qui est actif. La frégate mâle gonfle le « sac » rouge qu'elle porte sous le bec. Chez le grèbe huppé, le mâle et la femelle se font face, sur l'eau, tout en secouant la tête et en redressant leur huppe. L'oiseau-lyre mâle rabat sur son dos sa queue extraordinaire, au point qu'elle le dissimule complètement. L'oiseau-jardinier de Nouvelle-Guinée construit une sorte de tonnelle et dépose près de celle-ci des ornements variés, qu'il offre ainsi à la femelle.

◆ **Vautour fauve** *(Gyps fulvus).* L : 1 m ; E : 2,80 m. Grand rapace charognard d'Afrique du Nord, du sud-ouest de l'Asie et du sud de l'Europe. Habite en particulier les Pyrénées occidentales et les Cévennes, où il a été réintroduit avec succès. Excellent planeur.

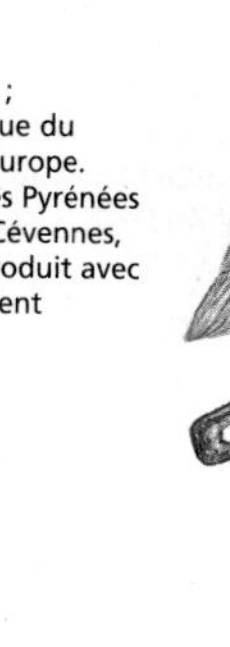

◆ **Pigeon ramier** ou **palombe** *(Columba palumbus).* L : 40 cm ; E : 75 cm.Très familier en ville, où il niche dans les arbres (ne pas le confondre avec le pigeon biset de ville). En Europe, nord de l'Afrique et ouest de l'Asie. Franchit en bandes les cols pyrénéens. Végétarien.

▲◆ **Flamant rose** *(Phoenicopterus ruber)* L : 1,30 m ; E : 1,50 m. « Échassier » par sa silhouette, « palmipède » par ses palmures. Dans le sud de l'Europe également en Afrique, Asie, et Amérique, il niche en grandes colonies dans les lacs ou les lagunes, par exemple en Camargue. Se nourrit de petits crustacés et autres invertébrés aquatiques.

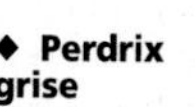

◆ **Perdrix grise** *(Perdix perdix).* L : 30 cm ; E: 45 cm. Oiseau typique des grandes plaines cultivées d'Europe et de l'ouest de l'Asie ; introduite en Amérique du Nord. Formes lourdes, mais vol rapide. Se nourrit de graines. La perdrix rouge est plus méridionale ; la perdrix bartavelle est montagnarde.

◆ **Aigle royal** *(Aquila chrysaetos).* L : 85 cm ; E : 2,20 m. Grand rapace des montagnes de l'hémisphère Nord. Chasse les marmottes, les lagopèdes, les jeunes chamois. Installe son aire dans les falaises. Descend en plaine l'hiver.

Petit lexique

échassier : oiseau à longues pattes recherchant généralement sa nourriture dans les eaux peu profondes ou dans les sols humides.

envergure : longueur comprise entre les pointes des deux ailes largement étalées.

palmipède : oiseau dont les doigts sont reliés par des surfaces de peau appelées palmures, qui facilitent la nage.

parade : comportement particulier de certaines espèces pendant la période de reproduction.

passereau : oiseau percheur et chanteur, tel le merle, le corbeau ou le moineau ; l'ensemble de ces espèces constitue l'ordre des passériformes, auquel appartiennent environ 6 espèces d'oiseaux sur 10.

rapace ou **oiseau de proie :** oiseau carnivore, au bec crochu et aux puissantes griffes ; on distingue l'ordre des rapaces diurnes (aigle, vautour...) et celui des rapaces nocturnes (chouette, hibou).

◆ **Quelques chiffres.**

Monde

- Nombre d'espèces : environ 9 000, réparties en une trentaine de groupes (ou ordres), dont le plus diversifié est l'ordre des passereaux (5 200 espèces).
- Tailles extrêmes : de 2 g (colibri) à 120 kg (autruche).
- Espèces gravement menacées ou vulnérables : plus de 1 000.
- Espèces disparues depuis 400 ans : environ 110, dont les 3/4 dans les îles.

France métropolitaine

- Nombre d'espèces visibles : environ 320, dont 280 nicheuses et 40 uniquement de passage ou hivernantes.
- Espèces chassables : 66.
- Espèces totalement protégées par la loi : 269.
- Espèces gravement menacées ou vulnérables (selon la liste rouge nationale) : 51, dont 10 espèces chassables.

L = longueur totale de l'extrémité du bec à celle de la queue
E = envergure

▲ Espèce menacée
✷ Espèce en danger d'extinction immédiate dans le monde

◆ **Hirondelle de cheminée** *(Hirundo rustica)*. L : 20 cm ; E : 35 cm. Passereau très populaire. Présent en Europe, essentiellement pendant la belle saison ; migre en Afrique, également en Asie et Amérique du Nord. Construit son nid de boue dans les étables, écuries, etc. Chasse les insectes au vol. En ville, c'est plutôt l'hirondelle de fenêtre que l'on voit.

◆ **Bouvreuil pivoine** *(Pyrrhula pyrrhula)*. L : 15 cm ; E : 25 cm. Passereau. L'un des plus beaux oiseaux d'Europe. Également en Asie. Vit plutôt caché dans les buissons. Cris très doux. Végétarien.

◆ **Coucou gris** *(Cuculus canorus)*. L : 35 cm ; E : 60 cm. En Europe (en été seulement), en Afrique et en Asie. Chant caractéristique auquel il doit son nom. Mœurs parasites ; la femelle pond dans un nid de passereaux ; ceux-ci élèvent le jeune coucou. Insectivore .

◆ **Toucan à poitrine jaune** *(Rhamphastos sulfuratus)*. L : 50 cm ; E : 90 cm. En Amérique du Sud. Son bec est énorme mais léger. Se plie, bec sur le dos et queue rabattue par-dessus, pour tenir dans les trous d'arbres où il niche. Se nourrit de fruits.

Les regroupements d'oiseaux

Tant pour nicher que pour migrer ou hiverner, les oiseaux peuvent se rassembler en troupes considérables. La nuit, les « dortoirs » d'étourneaux regroupent facilement 2 ou 3 millions de sujets. Les bandes de pinsons du Nord (espèce d'Eurasie, présente en France en hiver) peuvent réunir 50 millions de spécimens, formant un véritable tapis mouvant lorsqu'ils se nourrissent sur le sol. Le pigeon migrateur américain, aujourd'hui disparu, survolait les États-Unis en vols de plusieurs centaines de millions de têtes. Lorsqu'ils couvent leur unique œuf sur les glaces de l'Antarctique, les manchots empereurs se serrent les uns contre les autres, par milliers. Chacun se déplace régulièrement de façon à se trouver alternativement soit au centre du groupe, bien protégé du froid, soit sur les bords.

◆ **Pivert** *(Picus viridis)*. L : 30 cm ; E : 40 cm. En Europe. Creuse son nid dans les troncs d'arbres, le long desquels il grimpe, aidé en cela par la disposition de ses doigts (deux vers l'avant, deux vers l'arrière). Se nourrit d'insectes, en particulier de fourmis. Son cri est une sorte d'éclat de rire.

◆ **Merle noir** *(Turdus merula)*. L : 25 cm ; E : 35 cm. Passereau très abondant en Europe ; également en Asie et Afrique du Nord. Chant mélodieux. Grand amateur de vers de terre, il mange aussi des fruits et des baies. Bien implanté dans les espaces verts urbains.

Le vol

Certains oiseaux, notamment les manchots et les ratites (autruche, émeu, nandou, casoar, kiwi), ne volent pas. À l'inverse, d'autres, comme les martinets noirs, passent presque toute leur vie en l'air.

Le vol battu est le plus fréquent ; il consiste à battre les ailes de façon régulière, plus ou moins vite (2 battements par seconde pour un héron ; jusqu'à 70 pour certains colibris).

Le vol plané (ailes immobiles, largement étalées) est plus rare. Certains oiseaux se laissent simplement glisser, profitant de la vitesse acquise précédemment en vol battu ; d'autres, comme les grands rapaces, se servent des courants d'air chauds pour s'élever très haut.

Le vol sur place est également possible ; le faucon crécerelle, à l'affût d'une proie, le pratique couramment. L'un des champions du vol en piqué est le faucon pèlerin (près de 300 km/h en piqué). Les colibris, eux, sont les seuls à pouvoir voler à reculons.

◆ **Martinet noir** *(Apus apus)*. L : 16 cm ; E : 40 cm. En Europe (en été, seulement), en Afrique et en Asie. Ailes en faux. Chasse les insectes au vol en les poursuivant les soirs d'été au-dessus des villes, en poussant des cris stridents. Très rapide (vitesse de pointe : jusqu'à 200 km/h). Capable de dormir en vol.

◆ **Corneille noire** *(Corvus corone)*. L : 45 cm ; E : 95 cm. Grand passereau très commun en Europe. Souvent confondue avec le corbeau freux (qui a la base du bec nue et claire, et les cuisses couvertes de plumes ébouriffées), la corneille noire niche par couples isolés (alors que le corbeau niche en colonies). Relativement intelligente (mémorisation, apprentissage rapide). Régime alimentaire varié.

◆ **Moineau domestique** *(Passer domesticus)*. L : 14 cm ; E : 25 cm. Passereau très abondant. Originaire d'Europe, d'Asie et d'Afrique du Nord ; répandu dans une grande partie du monde, y compris dans les villes. Nid en boule sur un édifice, parfois dans un arbre. Régime alimentaire varié.

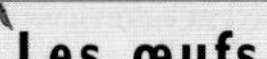

Les œufs

Les plus petits, ceux des colibris, mesurent moins de 1 cm et pèsent environ 0,3 g. Ceux de l'autruche atteignent 20 cm et pèsent de 1 à 2 kg chacun ; ce sont les plus gros œufs pondus actuellement. Mais les plus gros œufs connus (12 kg chacun) sont ceux de l'oiseau-éléphant, énorme oiseau de Madagascar, disparu depuis plus de 500 ans. Les coquilles présentent toute une gamme de couleurs : blanche, bleue, jaune, grise, rougeâtre, etc. Beaucoup sont tachetées, pointillées, striées de marques diverses ; cela contribue à camoufler l'œuf lorsqu'il est pondu dans des nids peu protégés ou, pour certaines espèces, à même le sol.

Leur forme, en général oblongue, peut présenter des variations. Certains ont presque une forme de poire (petits échassiers) ; d'autres sont sphériques (chouette, martin-pêcheur ...).

VOIR AUSSI
- **Classification des animaux** p. 90
- **Évolution des êtres vivants** p. 98 à 100
- **Anatomie et physiologie animales** p. 120 à 123
- **Comportement animal** p. 124 à 127
- **Sur les traces des animaux** p. 128-129
- **Oiseaux de cage** p. 143

◆ **Étourneau sansonnet** *(Sturnus vulgaris)*. L : 20 cm ; E : 30 cm. Passereau très abondant en Europe et un peu partout dans le monde (a été introduit par l'homme dans plusieurs pays). Niche dans les trous d'arbres ou d'édifices. Forme parfois, l'hiver, de gigantesques groupes, très bruyants. Peut imiter le chant d'autres oiseaux. Régime alimentaire varié.

◆ **Un colibri** (ici *Colibri corruscans*). L : 5 cm ; E : 10 cm. Le groupe des colibris, ou oiseaux-mouches, comprend les plus petits oiseaux. Habitent en Amérique, principalement entre les tropiques. Volent sur place et à reculons. Se nourrissent en particulier de nectar, qu'ils vont chercher au fond des fleurs ; participent de ce fait à la pollinisation.

◆ **Mésange bleue** *(Parus caeruleus)*. L : 12 cm ; E : 20 cm. Passereau. L'une des mésanges les plus communes en Europe ; vit aussi en Afrique du Nord et en Asie. Adopte facilement les nichoirs installés par l'homme. Mange insectes et graines. Plusieurs autres mésanges sont communes en Europe : charbonnière, nonnette, noire, huppée, à longue queue.

Les reptiles et les amphibiens

Caractéristiques des reptiles

Les reptiles vivant actuellement sont répartis en 4 ordres : les tortues (270 espèces), les crocodiliens (24), les squamates (3000 serpents, 3000 lézards et 150 amphisbéniens) et les rhynchocéphales (1 seule espèce, le sphénodon). Les espèces sans pattes se déplacent en rampant (origine du mot « reptile »); beaucoup d'autres espèces ont le corps qui touche presque le sol en marchant, car leurs pattes ne sont pas verticales sous le corps, mais sur le côté. Les reptiles ont une peau sèche, souvent recouverte d'écailles en corne, sous lesquelles peuvent exister des plaques osseuses (ex. : carapace des tortues).

Les reptiles ne peuvent généralement contrôler leur température interne qui varie donc beaucoup plus que celle des mammifères, en fonction de la température externe. Toutefois, ils régulent un peu leur température en adaptant leur comportement (se dorant au soleil ou se cachant à l'ombre). La fécondation est interne. Les embryons de la plupart des espèces se développent à l'extérieur de la mère, bien protégés par la coquille d'un œuf. La ponte a toujours lieu à terre. Les reptiles sont en majorité carnivores et vivent plutôt dans les régions chaudes. De nombreuses espèces sont menacées de disparition, particulièrement certaines tortues et certains crocodiliens.

L = longueur totale

▲ Espèce menacée
✱ Espèce en danger d'extinction immédiate dans le monde

◆ **Lézard des murailles** ou **lézard gris** (*Podarcis muralis*). L : 15 cm. Petit lézard commun en Europe et en Asie. Se cache notamment dans les fissures des murs. Souvent près des maisons.

◆ **Iguane vert** (*Iguana iguana*). L : 1,50 m. Lézard des régions chaudes d'Amérique. Vit dans les arbres, d'où il plonge dans l'eau. Nombreuses autres espèces d'iguanes, essentiellement en Amérique; souvent de couleurs vives, avec une crête sur le dos.

◆ **Lézard ocellé** (*Lacerta lepida*). L : 70 cm. Le plus grand lézard d'Europe (uniquement dans le Sud), également en Afrique. Se plaît dans les milieux secs, broussailleux.

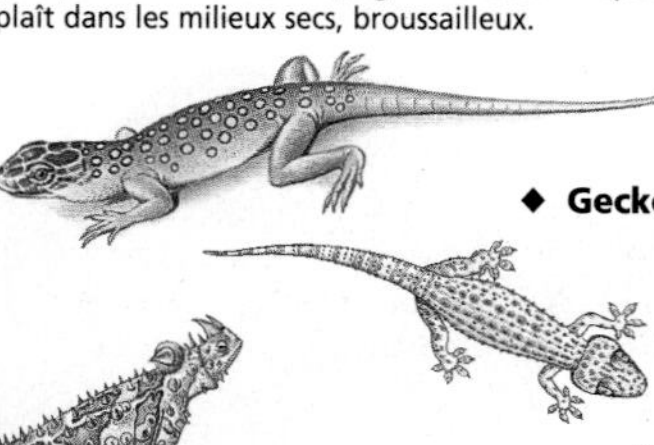

◆ **Orvet fragile** (*Anguis fragilis*). L : 40 cm. Ce n'est pas un serpent, mais un lézard sans pattes. Commun en Europe (également en Asie), mais discret. Habite prairies, broussailles. Coloration variable. Ovovivipare (les œufs éclosent tout de suite après la ponte).

◆ **Caméléon commun** (*Chamaeleo chamaeleo*). L : 25 cm. Unique espèce de caméléon présente en Europe (Espagne, Crète). Nombreuses autres espèces, la plupart en Afrique et à Madagascar. Lézards caractérisés par leurs yeux mobiles et leurs changements de couleur, leur longue langue collante, qu'ils projettent à distance sur les insectes.

◆ **Gecko des habitations** (*Gecko gecko*). L : 30 cm. Lézard du Sud-Est asiatique, aux pattes munies de ventouses. Gros yeux. Généralement nocturne. Quatre autres espèces de geckos (dont la tarente) vivent en Europe.

◆ **Varan géant d'Australie** (*Varanus giganteus*). L : 1,50 m. Grand lézard d'Australie. La famille des varans compte une trentaine d'espèces, en Afrique, Asie ou Océanie. L'un deux, le varan (ou dragon) de Komodo, qui vit sur une île d'Indonésie, est le plus grand lézard actuel (3 m).

◆ **Moloch épineux** ou **diable cornu** (*Moloch horridus*). L : 15 cm. Lézard des déserts d'Australie. Couvert d'épines. Recherche des insectes dans le sol.

◆ **Crocodile du Nil** (*Crocodilus niloticus*). L : jusqu'à 5 m. En Afrique en eau douce surtout (parfois en mer, près des côtes). Capture des oiseaux et des mammifères qu'il entraîne sous l'eau pour les noyer. Avale des pierres pour se lester.

Petit lexique

amphisbénien : reptile squamate vivant toujours dans le sol, ayant la forme d'un gros ver annelé et les yeux atrophiés.

crocodilien : grand reptile amphibie, recouvert d'écailles très dures, pourvu de pattes, d'une queue puissamment musclée, d'un museau allongé et de fortes mâchoires.

lézard (ou **saurien) :** reptile squamate allongé, terminé par une longue queue et généralement pourvu de pattes et de paupières mobiles.

serpent (ou **ophidien) :** reptile squamate très allongé, sans pattes ni paupières mobiles.

squamate : reptile dont les fines écailles forment un revêtement continu, se détachant périodiquement, en un seul morceau (serpents) ou en lambeaux (lézards), pour permettre à l'animal de grandir.

tortue (ou **chélonien) :** reptile au corps massif, protégé par une carapace généralement épaisse et rigide.

Tortues encombrantes

La tortue de Floride est une tortue d'eau douce, originaire des États-Unis. De jeunes individus de 2 ou 3 cm sont vendus en Europe. Mais, quelques années plus tard, ils mesurent 15 à 20 cm et deviennent encombrants. Chaque année, plusieurs milliers de ces tortues sont alors relâchées par leurs propriétaires dans les rivières et les lacs, partout en France. La tortue de Floride se nourrit des mêmes animaux aquatiques que la cistude, notre tortue d'eau douce indigène. Plus agressive, se reproduisant plus précocement, elle pourrait bien concurrencer sérieusement cette dernière, par ailleurs menacée par la disparition de ses habitats. L'importation des tortues de Floride en Europe est désormais interdite.

▲◆ **Tortue géante des Galápagos** (*Geochelone nigra*). L (carapace) : 1,20 m. Énorme tortue terrestre, vivant uniquement dans les îles Galápagos. Semble vivre longtemps (plus d'un siècle). Des tortues de taille comparable existent sur les îles de l'océan Indien.

▲◆ **Tortue d'Hermann** (*Testudo hermanni*). L (carapace) : 15 cm. Tortue terrestre de l'Europe méridionale. Devenue rare en France (captures excessives et destruction de son milieu, notamment à cause des incendies de forêts), elle fait l'objet d'actives mesures de protection (« Village des tortues », dans les Maures). Surtout végétarienne.

▲◆ **Sphénodon** ou **hattéria** (*Sphenodon punctatus*). L : 60 cm. Uniquement sur de petites îles près de la Nouvelle-Zélande. Malgré son aspect, ce n'est pas un lézard; il est le seul représentant actuel du groupe des rhynchocéphales. Possède des vestiges d'un troisième œil sur le sommet de la tête (œil pinéal, sensible aux variations de la lumière). S'abrite le jour dans un terrier (parfois volé à des oiseaux de mer).

▲◆ **Caouanne** (*Caretta caretta*). L (carapace) : jusqu'à 1 m. Tortue marine, présente dans de nombreuses mers. Effectue de très longues migrations. Carnivore.

▲◆ **Tortue-luth** (*Dermochelys coriacea*). L (carapace) : 2 m. Dans la plupart des mers chaudes et tempérées. C'est la plus grande des tortues. Ne vient à terre que pour se reproduire. Mange surtout des méduses. Carapace recouverte d'une peau coriace, ayant l'aspect du cuir.

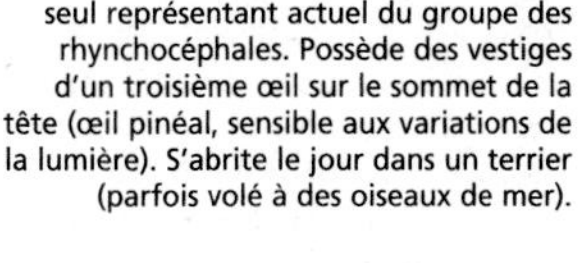

▲◆ **Cistude d'Europe** (*Emys orbicularis*). L (carapace) : 20 cm Tortue d'eau douce d'Europe, d'Asie et d'Afrique. Dans les étangs et les petits cours d'eau. Aime se chauffer au soleil. Carnivore (capture invertébrés et petits poissons). Concurrencée par la tortue de Floride dans certains pays.

▲◆ **Gavial du Gange** (*Gavialis gangeticus*). L : jusqu'à 6 m. Crocodilien des fleuves de l'Inde et des pays voisins. Mangeur de poissons, il possède un museau long et mince, muni de dents disposées en quinconce.

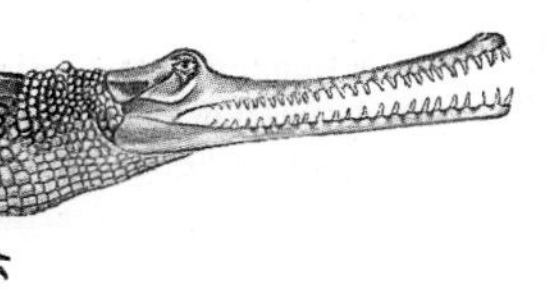

L = Longueur tête et corps (et éventuellement queue)
▲ **Espèce menacée**
✳ **Espèce en danger d'extinction immédiate dans le monde**

◆ **Anaconda** *(Eunectes murinus)*. L : jusqu'à 10 m. Serpent constricteur (étouffe ses proies en les enserrant) du groupe des boas, habitant l'Amérique équatoriale. Vit en partie dans les eaux douces, en partie dans les arbres qui bordent celles-ci. L'un des plus grands serpents. Attaque oiseaux et mammifères (jusqu'à la taille des jaguars) quand ils viennent boire.

◆ **Vipère aspic** *(Vipera aspis)*. L : 60 cm. Serpent venimeux du sud de l'Europe. Coloration très variable. Possède, comme toutes les vipères, un dispositif très efficace pour injecter son venin. N'attaque l'homme que pour se défendre. La vipère péliade est une autre vipère répandue en Europe ; les deux espèces vivent en France.

◆ **Boa émeraude** *(Boa caninus)*. L : 1,50 m. Serpent constricteur d'Amérique tropicale. Vit dans les arbres.

◆ **Couleuvre de Montpellier** *(Malpolon monspessulanus)*. L : jusqu'à 2,50 m. Le plus grand serpent d'Europe occidentale ; vit aussi en Afrique du Nord et dans l'ouest de l'Asie. Habite des milieux secs (maquis, garrigues, broussailles). Les dents spécialisées dans l'injection de venin sont situées à l'arrière du maxillaire.

◆ **Crotale diamantin** ou **serpent à sonnette diamantin** *(Crotalus adamanteus)*. L : jusqu'à 2,50 m. Serpent venimeux nord-américain. Possède au bout de la queue une « sonnette » faite d'anneaux de vieille peau, et de produire un son. Les crotales appartiennent à la même famille que les vipères et ont, comme elles, un appareil inoculateur de venin très efficace.

tête vue de face

◆ **Cobra indien** ou **serpent à lunettes** *(Naja naja)*. L : 2 m. Serpent venimeux d'Asie. Son « capuchon » (partie de peau soutenue par les côtes, caractéristique de tous les cobras) est orné d'un dessin ressemblant à des lunettes. Autre espèce remarquable : le cobra royal d'Asie, qui est le plus grand des cobras (plus de 5 m).

◆ **Couleuvre à collier** *(Natrix natrix)*. L : 1 m. L'un des serpents les plus communs en Europe ; également présent en Asie et en Afrique du Nord. Vit souvent près de l'eau ; nage très bien. Se nourrit surtout de grenouilles et de crapauds. Sans danger pour l'homme (n'a pas de dents spécialisées dans l'injection de venin).

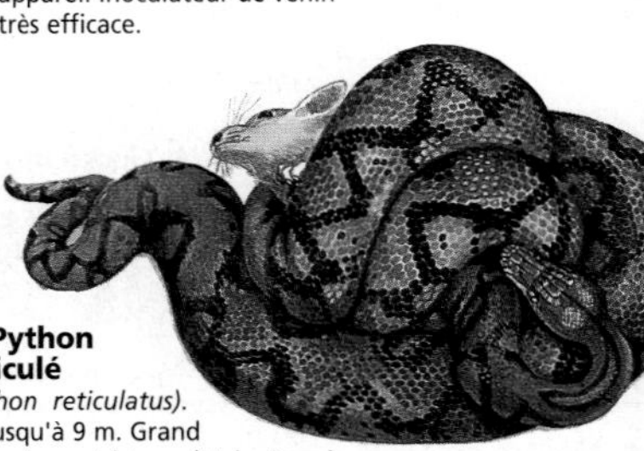

◆ **Python réticulé** *(Python reticulatus)*. L : jusqu'à 9 m. Grand serpent constricteur d'Asie. Parmi les autres espèces de pythons de grande taille : le python de Seba en Afrique, et le python molure en Asie tropicale.

Caractéristiques des amphibiens

Les espèces d'amphibiens vivant actuellement sont classées dans 3 groupes : les urodèles (environ 400 espèces, dont les tritons et les salamandres), les anoures (3 500 espèces, dont les grenouilles et les crapauds) et les apodes (200 espèces).

Comme leur nom l'indique, la plupart des amphibiens sont amphibies : ils partagent leur temps entre la terre ferme et les eaux douces. Tous dépendent étroitement de l'élément liquide car leur peau, non recouverte d'écailles, les protège mal de la déshydratation. Leurs œufs (sauf chez quelques espèces où ils sont conservés dans le corps de l'un des parents jusqu'à l'éclosion) sont pondus dans l'eau ou dans un endroit très humide ; leur fine enveloppe ne leur permettrait pas de résister à un environnement sec.

Les nouveau-nés de nombreuses espèces sont bien différents des adultes et sont appelés larves, ou têtards. Vivant dans l'eau, ils respirent l'oxygène dissous à l'aide de branchies (comme les poissons), alors que la plupart des adultes respirent l'oxygène de l'air, grâce à des poumons ou à travers la peau. Ces jeunes subissent une série de transformations (métamorphoses) avant de ressembler à des adultes miniatures. Les amphibiens ne sont pas équipés pour produire leur propre chaleur, et leur température interne dépend de la température externe.

▲ **Salamandre géante du Japon** *(Andrias japonicus)*. L : jusqu'à 1,70 m. Le plus grand des amphibiens, appartenant au groupe des urodèles. Habite les ruisseaux des montagnes du Japon. Devenue rare, car elle a été chassée pour être mangée. Peau couverte de verrues.

▲ ◆ **Axolotl** *(Ambystoma mexicanum)*. L : 25 cm. Curieux amphibien urodèle du Mexique, vivant dans les eaux douces. Souvent blanc. Les organes respiratoires externes (branchies) indiquent qu'il s'agit en fait d'un têtard (nom donné aux jeunes amphibiens, bien différents des adultes). Il est toutefois capable de se reproduire (phénomène de néoténie). On peut provoquer artificiellement sa métamorphose en adulte (appelé ambystome).

◆ **Salamandre commune** *(Salamandra salamandra)*. L : 17 cm. Amphibien urodèle vivant en Europe, en Afrique du Nord et en Asie. Les adultes vivent à terre, généralement non loin de l'eau ; les jeunes se développent dans les eaux douces. Discrète ; sort de sa cachette la nuit, surtout en cas de pluie.

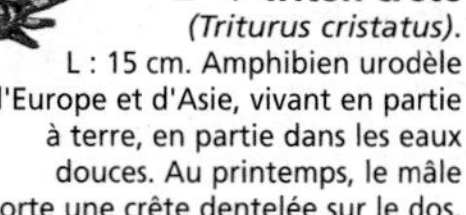

▲ ◆ **Triton crêté** *(Triturus cristatus)*. L : 15 cm. Amphibien urodèle d'Europe et d'Asie, vivant en partie à terre, en partie dans les eaux douces. Au printemps, le mâle porte une crête dentelée sur le dos.

Petit lexique

anoure : amphibien pourvu de pattes et ne possédant pas de queue à l'âge adulte.

apode (ou gymnophione) : amphibien sans pattes, à l'aspect de ver de terre, vivant essentiellement dans le sol des régions tropicales.

batracien : vx. Amphibien.

urodèle : amphibien pourvu de pattes, et d'une longue queue à l'état adulte.

◆ **Rainette verte** *(Hyla arborea)*. L : 5 cm. Petite grenouille d'Europe et d'Asie. Vit perchée sur les branches et les herbes. Les ventouses qui terminent ses doigts lui permettent de bien s'agripper. Couleur variable suivant l'environnement. Bruyante, surtout au moment de la reproduction.

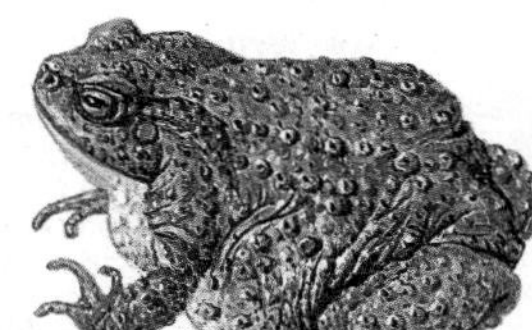

◆ **Crapaud commun** *(Bufo bufo)*. L : 12 cm. Amphibien anoure très commun en Europe ; également en Asie et Afrique du Nord. Peau recouverte de glandes formant des verrues. Nocturne, vit caché le jour. À l'âge adulte, il vit essentiellement à terre et ne gagne les eaux douces que pour s'y reproduire. Se nourrit surtout d'insectes.

◆ **Grenouille verte** *(Rana esculenta)*. L : 10 cm. Amphibien anoure commun en Europe. Vit la plupart du temps dans l'eau, quelquefois à terre. Bonne sauteuse. Bruyante : chœurs sonores au crépuscule. Peau lisse.

VOIR AUSSI 

- **Classification des animaux** p. 90
- **Vie au précambrien et à l'ère primaire** p. 96-97
- **Vie à l'ère secondaire** p. 98-99
- **Métamorphoses** p. 121
- **Respiration et circulation interne** p. 122
- **Animaux : données remarquables** p. 146 à 153

Les poissons

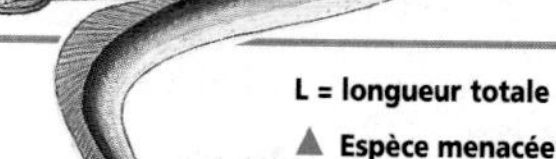

L = longueur totale

▲ Espèce menacée
✱ Espèce en danger d'extinction immédiate dans le monde

Aspects remarquables

Les poissons ne sortent pratiquement jamais de l'eau et respirent l'oxygène dissous, grâce à des branchies internes. Quelques espèces sont toutefois capables de respirer l'oxygène de l'atmosphère, grâce à diverses adaptations anatomiques. Les poissons ont des nageoires et leur corps est en général couvert d'écailles. Ils possèdent des organes sensoriels spécifiques, comme la ligne latérale, sensible aux vibrations de l'eau. Certains peuvent détecter, voire créer, des champs électriques.

C'est le groupe de vertébrés qui compte actuellement le plus d'espèces (environ 25 000) mais aussi le plus grand pourcentage d'espèces menacées (1 sur 3). Les poissons actuels sont classés dans 2 grands ensembles, différant par la nature de leur squelette interne : les poissons cartilagineux (900 espèces seulement, dont les raies et requins) et les poissons osseux. Une cinquantaine d'espèces de poissons osseux se distinguent nettement des autres par le fait qu'elles possèdent une, ou plusieurs, des particularités suivantes : nageoires épaisses (cœlacanthe), poumons (amie, dipneustes), squelette incomplètement ossifié (esturgeons, spatules) ou écailles épaisses (lépisostées). Tous les autres poissons osseux (plus de 24000 espèces) forment le groupe des téléostéens.

▲ ◆ **Lamproie de rivière** *(Lampetra fluviatilis).* L : 30 cm. Vertébré du groupe des agnathes. Vit en Europe de l'Ouest, soit en mer, soit en rivière, selon son âge. Contrairement aux poissons, n'a pas de mâchoires, mais une bouche en ventouse, équipée pour perforer la peau et arracher la chair des animaux qu'elle parasite. Peau sans écailles.

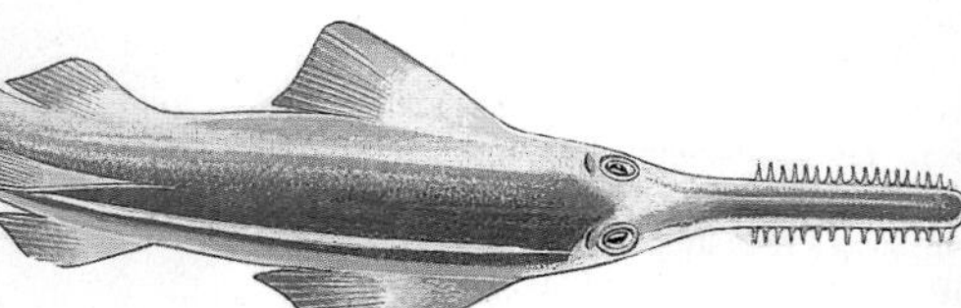

◆ **Poisson-scie** (espèce du genre *Pristis*). L : jusqu'à 7 m. Poisson marin cartilagineux, apparenté aux raies. Plusieurs espèces, vivant en eaux peu profondes, chaudes ou tempérées. Leur tête se prolonge par un rostre muni de « dents », avec lequel ils fouillent le fond, à la recherche des petits animaux dont ils se nourrissent.

◆ **Raie manta** *(Manta birostris).* L : 5 m. Poisson cartilagineux des zones chaudes de l'océan Atlantique. Très grande taille (jusqu'à 7 m d'envergure). Exécute des bonds spectaculaires au-dessus de la mer. Mange du plancton (algues et animaux de petite taille) et des poissons.

▲◆ **Requin-pèlerin** *(Cetorhinus maximus).* L : jusqu'à 15 m. Poisson cartilagineux de très grande taille, vivant dans presque toutes les mers (excepté en zone tropicale). Inoffensif ; mangeur de plancton (algues et petits animaux). Il a été chassé pour l'huile que contient son foie.

◆ **Protoptère** ou **dipneuste de l'Est africain** *(Protopterus aethiopicus).* L : jusqu'à 2 m. Poisson osseux des eaux douces africaines, considéré comme un fossile vivant. L'un des rares poissons actuels à posséder à la fois des branchies et des poumons ; grâce à ces derniers il peut respirer l'oxygène de l'air. Autres espèces de dipneustes : le lépidosirène (Amérique du Sud) et le barramunda (Australie).

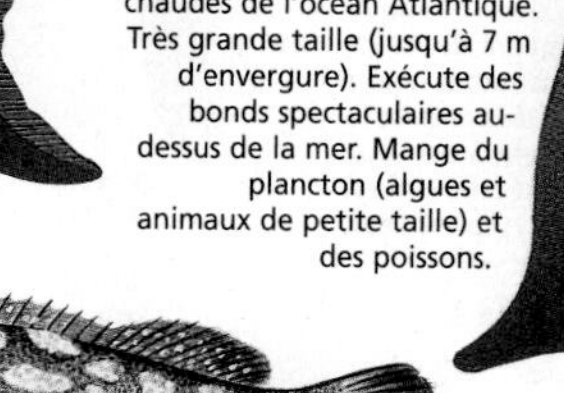

▲◆ **Mérou brun** *(Epinephelus marginatus).* L : jusqu'à 1,20 m. Poisson osseux de l'Atlantique et de la Méditerranée. Se cache dans une anfractuosité pour attendre ses proies. Change de sexe au cours de sa vie : d'abord femelle, ensuite mâle.

▲◆ **Murène commune** L : jusqu'à 1,30 m. Poisson osseux commune en Méditerranée, également dans l'Atlantique Est. Corps très allongé, portant une longue nageoire dorsale. Dents acérées pouvant infliger de douloureuses morsures aux plongeurs. Chasse à l'affût, cachée parmi les rochers.

◆ **Requin-marteau commun** *(Sphyrna zygaena).* L : jusqu'à 4 m. Poisson cartilagineux présent dans toutes les mers chaudes et tempérées. Forme de tête très particulière. Considéré comme dangereux pour l'homme.

Des poissons très anciens

Un fossile étant constitué des restes d'un organisme mort depuis des temps très anciens, il est étonnant qu'il soit qualifié de vivant. Souvent utilisée à propos du cœlacanthe, une espèce de poisson vivant de nos jours dans l'océan Indien, l'expression « fossile vivant » traduit le fait que ce poisson est le seul représentant actuel d'un groupe très ancien, que l'on croyait disparu depuis 70 millions d'années. Découvert en 1938 seulement, il est, de par la structure de ses quatre nageoires paires, proche de l'ancêtre de tous les animaux terrestres à quatre pattes. Les 6 espèces actuelles de dipneustes (dont les protoptères), qui possèdent un ou deux poumons, sont également les survivants d'un autre groupe ancien.

◆ **Chimère commune** *(Chimaera monstrosa).* L : jusqu'à 1,50 m. Poisson cartilagineux de l'Atlantique et de la Méditerranée. Grosse tête et gros yeux. Nageoire dorsale précédée d'une épine venimeuse. Corps terminé par un long filament (d'où le nom de rat qu'on lui donne aussi). Il vit en assez grande profondeur (souvent vers 500 m de fond, parfois plus).

◆ **Cœlacanthe** *(Latimeria chalumnae).* L : jusqu'à 1,90 m. Poisson osseux marin, considéré comme un fossile vivant. Observé pendant longtemps dans la seule région des Comores (océan Indien), il est peut-être plus largement répandu (individus de cette espèce, ou d'une espèce très proche, trouvés récemment en Indonésie). Ses nageoires, articulées et charnues à leur base, sont bien différentes des fines nageoires de la plupart des poissons. Vit entre 100 et 500 m de fond.

▲◆ **Spatule du Mississippi** *(Polyodon spathula).* L : jusqu'à 2m. Poisson osseux des eaux douces du bassin du Mississippi, apparenté aux esturgeons (squelette incomplètement ossifié). Tête terminée par un long rostre aplati. Œufs consommés sous forme de caviar. Autre espèce de spatule, plus grande, en Chine.

VOIR AUSSI

- **Classification des animaux** p. 90
- **Vie au précambrien et à l'ère primaire** p. 96
- **Respiration et circulation interne** p. 122
- **Poissons d'aquarium** p. 144
- **Animaux : données remarquables** p. 146 à 153
- **Pêche et poissons** p. 866-867, 912-913

◆ **Brochet commun** *(Esox lucius).* L : jusqu'à 1,40 m. Poisson osseux des eaux douces d'Europe, d'Asie et d'Amérique du Nord. Ce redoutable prédateur chasse à l'affût poissons, grenouilles, rats d'eau et même des oiseaux aquatiques.

Petit lexique

agnathe : vertébré aquatique respirant grâce à des branchies, mais, contrairement aux poissons, dépourvu de mâchoires.

sélaciens : groupe de poissons cartilagineux comprenant raies et requins.

Animaux : les poissons *(suite)*

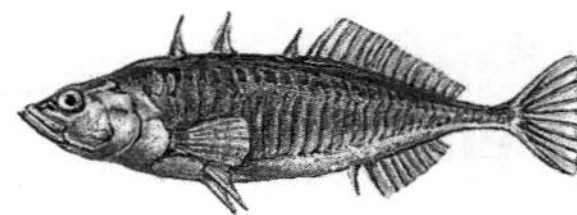

L = longueur totale
▲ Espèce menacée
✳ Espèce en danger d'extinction immédiate dans le monde

Les poissons migrateurs

Certains poissons parcourent de longues distances pour se reproduire. Ils peuvent alors passer du milieu marin aux eaux douces, ou l'inverse.
Ainsi, le jeune saumon vit pendant 2 ou 3 ans en rivière puis se laisse entraîner par le courant jusqu'à l'embouchure. Après avoir passé plusieurs années loin en mer, il regagne la partie amont de la rivière où il est né. À l'issue de cet épuisant voyage de quelques mois à contre-courant, il se reproduit et, dans bien des cas, meurt avant d'avoir pu repartir en mer.
L'anguille européenne effectue 5 000 km pour aller se reproduire dans la mer des Sargasses, au N.-E. des Antilles. Les larves y naissent puis, portées par les courants, rejoignent les côtes européennes en 3 ans environ. Elles subissent alors une métamorphose, prenant le nom de civelles, et commencent à remonter les fleuves, où elles resteront de 4 à 10 ans.

◆ **Tanche commune** *(Tinca tinca).* L : 40 cm. Poisson osseux commun dans les eaux douces tranquilles d'Europe et d'Asie. Se nourrit sur les fonds vaseux. Élevée en étang, en même temps que la carpe.

◆ **Piranha rouge** *(Serrasalmus natteri).* L : 30 cm. Poisson osseux des eaux douces sud-américaines. Sa « férocité » a été exagérée. Solides mâchoires aux dents triangulaires. Chasse en bandes.

◆ **Poisson-lune commun** ou **môle** *(Mola mola).* L : jusqu'à 3 m. Énorme et indolent poisson osseux marin, vivant dans les mers chaudes et tempérées (quelquefois en Europe). Se nourrit de petits animaux. La ponte atteint des chiffres records : jusqu'à 300 millions d'œufs.

◆ **Épinoche à 3 épines** *(Gasterosteus aculeatus).* L : 7 cm. Poisson osseux largement répandu (Europe, Amérique du Nord, Asie). Vit généralement en mer ou dans les eaux saumâtres et migre en rivière pour se reproduire. Le mâle, très coloré au moment de la reproduction, construit un nid d'herbes et le surveille après que plusieurs femelles y ont pondu.

◆ **Daurade** ou **dorade royale** *(Sparus aurata).* L : 30 cm. Poisson osseux de l'Atlantique est et de la Méditerranée. Se nourrit de poissons, crustacés et mollusques (peut faire des ravages dans les élevages d'huîtres ou de moules). Tache dorée sur le front, disparaissant sur les poissons morts.

◆ **Poisson-papillon à 4 yeux** *(Chaetodon capistratus).* L : 15 cm. Poisson osseux des zones chaudes de l'Atlantique ouest, notamment des récifs coralliens. Les taches noires et rondes situées près de la queue ressemblent à des yeux et trompent un éventuel prédateur.

▲ **Hippocampe à long museau** *(Hippocampus ramulosus).* L : 12 cm. Étrange petit poisson osseux, à tête de cheval. En Méditerranée et dans l'Atlantique est. S'attache aux algues avec sa queue. Au moment de la ponte, la femelle place ses œufs dans la poche ventrale que possède le mâle. C'est ce dernier qui accouche des petits, deux mois plus tard.

La protection des œufs

La plupart des espèces de poissons pondent leurs œufs dans l'eau et ne s'en occupent plus ensuite. Toutefois, certaines espèces les protègent de diverses manières en attendant qu'ils éclosent. Les femelles de quelques espèces (notamment certaines raies et certains requins) conservent leurs œufs dans leurs voies génitales. D'autres poissons les gardent dans une poche incubatrice (les hippocampes) ou dans leur bouche. La bouvière, un petit poisson habitant les eaux douces, notamment en Europe, pond ses œufs à l'intérieur d'un mollusque. Quelques poissons, comme l'épinoche, aménagent un nid, à proximité duquel ils restent pour protéger les embryons et les oxygéner en agitant vigoureusement leurs nageoires.

◆ **Grand silure** ou **silure glane** *(Silurus glanis).* L : jusqu'à 5 m. Poisson osseux d'eau douce. Originaire de l'Europe centrale et orientale, il a été introduit dans de nombreux fleuves de l'Ouest, notamment en France. Immense parent du poisson-chat. Carnivore, très vorace.

◆ **Sole commune** *(Solea solea).* L : 40 cm. Poisson osseux plat, très commun dans les mers d'Europe. Vit tapie sur les fonds sableux, sur lesquels elle passe presque inaperçue. Repose sur le côté gauche ; ses 2 yeux sont donc disposés sur le côté droit (l'œil gauche migrant au cours du développement, puisque les jeunes, eux, nagent en pleine eau). Autres espèces de poissons plats européens : limande, plie, turbot, flétan, etc.

◆ **Goujon commun** *(Gobio gobio).* L : 15 cm. Poisson osseux, hôte des eaux douces d'Europe et d'Asie. Vit surtout sur le fond, où il se nourrit de petits animaux invertébrés.

◆ **Grand barracuda** *(Sphyraena barracuda).* L : jusqu'à 1,80 m. Poisson prédateur des mers chaudes. Dents très acérées. Peut s'attaquer aux plongeurs.

◆ **Saint-pierre** *(Zeus faber).* L : 50 cm. Poisson osseux marin, à la chair très appréciée. Dans l'Atlantique est et en Méditerranée. Nageoire dorsale portant de longs filaments. Selon la légende, la tache noire sur les flancs serait l'empreinte laissée par saint Pierre en le saisissant pour prendre une pièce d'or dans la bouche du poisson.

◆ **Rascasse rouge** *(Scorpaena scrofa).* L : 30 cm. Poisson osseux de l'Atlantique et de la Méditerranée. Corps épineux. Des lambeaux de peau pendants et une coloration marbrée la rendent peu visible, lorsqu'elle guette une proie sur le fond. Les épines peuvent provoquer des blessures d'autant plus douloureuses que le venin sécrété par l'animal y pénètre.

◆ **Un tétrodon** ou **poisson-globe** (espèce de la famille des tétraodontidés). L : jusqu'à 50 cm. Poisson osseux des mers chaudes (observé à l'occasion dans les eaux du sud de l'Europe). Pour tenter d'échapper à un ennemi, il peut remplir d'eau une annexe de son estomac ; il augmente ainsi considérablement son volume et fait se redresser les épines qui recouvrent son ventre.

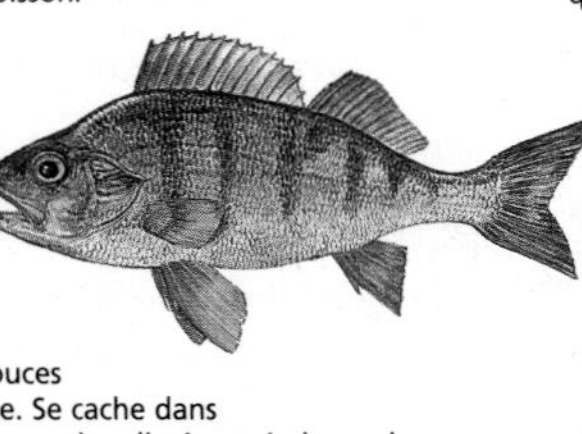

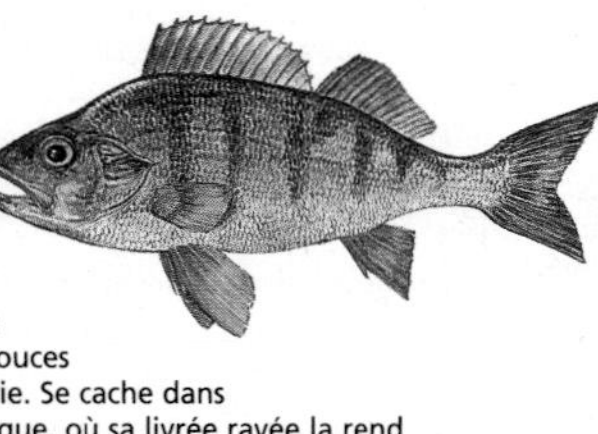

◆ **Perche commune** *(Perca fluviatilis).* L : 30 cm. Poisson osseux, hôte fréquent des eaux douces d'Europe et de Sibérie. Se cache dans la végétation aquatique, où sa livrée rayée la rend peu visible. Œufs pondus en longs rubans muqueux autour des plantes ou des pierres.

◆ **Espadon** *(Xiphias gladius).* L : jusqu'à 5 m. Poisson osseux. Nageur rapide, présent dans toutes les mers chaudes et tempérées. La longue « pique » qui prolonge sa tête lui sert sans doute à assommer ses proies. Autres espèces de poissons avec une « pique » : le marlin et le voilier.

Les mollusques et les crustacés

Caractéristiques des mollusques

Ce sont des invertébrés (animaux sans colonne vertébrale) au corps mou, composé de 3 parties. Le pied, musculeux, sert habituellement aux déplacements; la masse viscérale rassemble les principaux organes; le manteau l'enveloppe et sécrète, chez la plupart des espèces, une coquille calcaire. Celle-ci est souvent externe et bien développée, et constitue alors une excellente protection pour l'animal. Elle peut aussi être interne (ex. : l'« os » de seiche), ou manquer totalement (ex. : chez les pieuvres). La plupart des mollusques vivent en mer ou en eau douce.

Quelques espèces (uniquement dans le groupe des gastéropodes) sont terrestres.

Les quelque 100 000 espèces vivant actuellement sont classées dans 7 groupes, dont celui des gastéropodes (environ 80 000 espèces comprenant escargot, limace…), celui des bivalves (15 000, dont les moules, huîtres…) et celui des céphalopodes (700 espèces : pieuvre, seiche…). Les autres groupes rassemblent moins de 2 000 espèces, peu connues (les plus familières étant sans doute les chitons, pourvus d'une sorte de carapace formée de 8 plaques articulées, que l'on peut voir sur les rochers à marée basse).

L = longueur totale

▲ Espèce menacée
✱ Espèce en danger d'extinction immédiate dans le monde

◆ **Pieuvre commune** ou **poulpe** (*Octopus vulgaris*). L : 60 cm. Céphalopode des mers européennes. La pieuvre nage peu et vit sur les fonds rocheux où elle se cache dans les anfractuosités. Huit tentacules, de taille égale, munis de ventouses, dans lesquels elle enferme ses proies. Pas de coquille interne. Cerveau complexe qui lui confère d'étonnantes capacités d'apprentissage.

◆ **Bucarde à papilles** (*Acanthocardia echinata*). L : 4 cm. Bivalve marin présent sur les côtes d'Europe, où il vit enfoui dans le sable. C'est l'une des espèces de bivalves connues sous le nom de « coque ». Coquille ornée de côtes parallèles.

◆ **Escargot petit-gris** (*Helix aspersa*). L (coquille) : 2 cm. Gastéropode terrestre vivant en Europe. Hermaphrodite (chaque individu est à la fois mâle et femelle). Pond dans un trou qu'il a creusé. Végétarien. Nombreuses autres espèces en Europe, dont l'escargot de Bourgogne, plus gros.

◆ **Huître creuse japonaise** (*Crassostrea gigas*). L (coquille) : jusqu'à 12 cm. Bivalve originaire de l'océan Pacifique qui a remplacé l'huître creuse portugaise dans les élevages français, depuis les années 1970. Une autre espèce, l'huître plate (ou belon), est également produite, en plus petites quantités.

◆ **Grande limace** (*Limax maximus*). L : jusqu'à 15 cm. Gastéropode terrestre d'Europe. Parente de l'escargot, mais sa coquille est très petite et interne. Hermaphrodite (chaque individu est à la fois mâle et femelle). Autre espèce fréquente : la limace rouge, ou arion roux, dont la couleur varie de l'orange au noir, et qui n'a pas de coquille du tout.

◆ **Calmar commun** (*Loligo vulgaris*). L : 50 cm. Céphalopode de haute mer, présent dans les eaux européennes. Très bon nageur. Il possède dix tentacules, huit petits et deux plus longs, munis de ventouses, et une coquille interne cornée, la plume. Parmi les autres espèces de calmars, certaines sont géantes (17 m).

◆ **Bigorneau** (*Littorina littorea*). L: 3 cm. Gastéropode marin, commun sur les côtes européennes. Il se fixe sur les rochers ou les algues dont il se nourrit.

◆ **Moule comestible** (*Mytilus edulis*). L : 6 cm. Bivalve présent dans l'Atlantique et la Manche. Fait l'objet d'élevages. Produit une touffe de filaments cornés, le byssus, qui lui permet de se fixer solidement aux rochers ou à des supports artificiels.

Caractéristiques des crustacés

Ces invertébrés (animaux sans vertèbres) appartiennent, comme les insectes, à l'embranchement des arthropodes. Leur cuticule, couche imperméable et rigide qui les recouvre, est imprégnée de sels de calcium, formant ainsi une sorte de croûte (d'où le nom de « crustacé »). Chez de nombreuses espèces, un repli de cuticule enveloppe tout ou partie du corps, formant une carapace. Le corps comprend 3 parties : la tête, le thorax (parfois soudé à la tête) et l'abdomen. Il porte de nombreux appendices latéraux, qui ont différentes fonctions (marche ou nage, reproduction, alimentation…). Les crustacés ont 2 paires d'antennes.

Ils vivent en majorité en mer (où ils sont les animaux les plus abondants, notamment dans le plancton) ou en eau douce; toutefois quelques espèces, telles que les cloportes et certains crabes, sont terrestres.

Les 40000 espèces vivant actuellement montrent une grande diversité et leur classification dans différents sous-ensembles est complexe. Les crustacés comestibles appartiennent au groupe des décapodes (10000 espèces). De très nombreuses espèces, notamment celles qui vivent en parasites sur d'autres animaux et celles qui font partie du plancton, sont microscopiques.

◆ **Crevette grise** (*Crangon crangon*). L : 5 cm. Crustacé décapode nageur. Dans les mers européennes et le long de l'Afrique. S'enfouit souvent dans le sable. Autre espèce commune sur les côtes européennes : la crevette rose, ou bouquet.

◆ **Langoustine** (*Nephrops norvegicus*). L : 13 cm. Crustacé décapode marcheur. Dans l'Atlantique et en Méditerranée, surtout entre 100 et 300 m de profondeur. S'enfonce dans les fonds sableux ou vaseux. Les pattes de la première paire se terminent par de longues pinces étroites.

◆ **Homard commun** (*Homarus vulgaris*). L : jusqu'à 50 cm. Crustacé décapode marcheur. Dans les mers européennes. Il vit dans les crevasses de rochers, par 10 à 50 m de fond. Les pattes de la première paire se terminent par d'énormes pinces. Souvent l'objet d'une surpêche.

◆ **Écrevisse à pattes rouges** (*Astacus astacus*). L : 13 cm. Crustacé décapode marcheur, hôte des eaux douces européennes. Tolérant mieux les eaux polluées, les écrevisses américaines introduites en Europe ont souvent pris sa place.

VOIR AUSSI

- **Classification des animaux** p. 90
- **Animaux extraordinaires** p. 147 à 149
- **Pêche et fruits de mer** p. 862 à 867 ; 914

◆ **Tourteau** ou **crabe dormeur** (*Cancer pagurus*). Largeur de la carapace : 25 cm. Crustacé décapode marcheur, présent près des côtes européennes. Les pattes antérieures ont des pinces très puissantes.

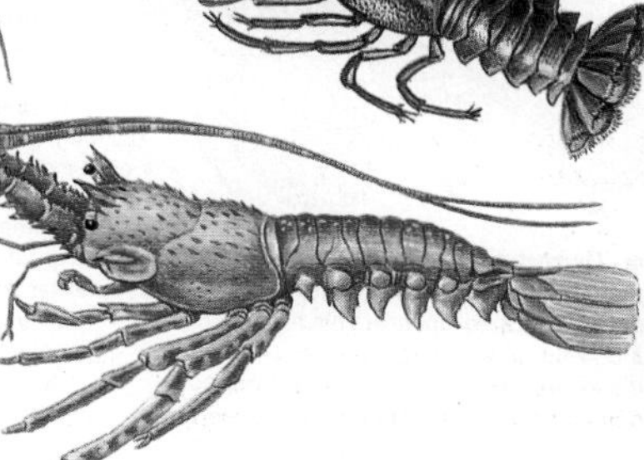

◆ **Langouste commune** (*Palinurus vulgaris*). L : jusqu'à 50 cm. Crustacé décapode marcheur vivant dans les mers européennes, parmi les rochers, entre 5 et 50 m de fond. Les pinces des pattes antérieures sont petites (contrairement à celles des homards). Longues antennes. Surexploitée, elle est devenue rare en bien des endroits.

Les insectes

Aspects remarquables

Parmi les espèces animales connues à ce jour, environ sept sur dix sont des insectes. Ce sont des invertébrés (animaux sans vertèbres), appartenant à l'embranchement des arthropodes (animaux recouverts d'une couche imperméable et rigide, formant un squelette externe). Leur corps en trois parties (tête, thorax et abdomen) porte six pattes (une paire sur chacun des trois segments du thorax) alors que les autres arthropodes en ont 8 (araignées et scorpions), 10 (la plupart des crustacés) ou plus (myriapodes, …). Le thorax porte également deux paires d'ailes, parfois seulement une paire ; certains insectes en sont dépourvus. Pour de nombreuses espèces, le développement s'accompagne de transformations importantes (métamorphoses).

Les insectes sont largement répandus dans tous les milieux terrestres et d'eau douce mais sont très peu nombreux en mer. Leurs comportements présentent des aspects très intéressants (vie en société…) et leur rôle écologique, voire économique, est important ; ils contribuent, par exemple, à la décomposition des matières organiques et à la pollinisation; en revanche, certaines espèces ravagent cultures et stocks alimentaires.

L = Longueur tête et corps
E = envergure (entre les extrémités des ailes étalées)
▲ Espèce menacée
✱ Espèce en danger d'extinction immédiate dans le monde

◆ **Scarabée goliath** (espèce du genre *Goliath*). L : 10 cm. Énorme coléoptère africain. Il s'accroche aux arbres avec ses fortes griffes. Il se nourrit de sève, pollen, nectar, etc. Les larves se développent dans le bois.

◆ **Coccinelle à 7 points** (*Coccinella 7-punctata*). L : 5 mm. Coléoptère vivant en Europe. Élytres (ailes antérieures dures) brillamment colorés, marqués de 7 points. La coccinelle se nourrit de pucerons et de cochenilles (insectes nuisibles pour les cultures) ; elle est donc parfois utilisée dans la lutte biologique.

◆ **Lucane** ou **cerf-volant** (*Lucanus cervus*). L : jusqu'à 7 cm (mâle). Gros coléoptère européen au fort dimorphisme sexuel: les mandibules du mâle, évoquant des cornes, sont beaucoup plus grandes que celles de la femelle. La larve habite les vieux arbres ; les adultes se nourrissent de sève.

◆ **Doryphore** (*Leptinotarsa decemlineata*). L : 1 cm. Coléoptère d'Amérique du Nord, introduit accidentellement en Europe. Larves et adultes dévorent les feuilles de pomme de terre, causant des ravages considérables.

◆ **Éphémère commune** ou **mouche de mai** (*Ephemera vulgata*). L : 1,5 cm. Présent en Europe. Larve vivant dans les eaux douces, pendant 2 ans. Parvenu au stade adulte, l'éphémère s'envole hors de l'eau et ne vit pas plus de quelques jours, le temps de se reproduire.

◆ **Hanneton commun** (*Melolontha melolontha*). L : 2,5 cm. Coléoptère présent en Europe, mais devenu rare. Autrefois très abondant, il était un véritable fléau pour les cultures. Sa larve, appelée ver blanc, vit 3 ans dans la terre, où elle ronge les racines. L'adulte mange les feuilles des arbres et des arbustes.

◆ **Une libellule : l'anax empereur** (*Anax imperator*). L : 7 cm. Commune en Europe. Sa larve, carnivore vorace, vit dans les eaux douces. À la période des accouplements, mâle et femelle volent accrochés l'un à l'autre. Les demoiselles (plusieurs espèces communes), à la silhouette plus élancée, appartiennent à un autre groupe de libellules et ne s'éloignent guère du bord des eaux.

◆ **Sphinx tête-de-mort** (*Acherontia atropos*). E : 10 cm. Papillon crépusculaire et nocturne, venant d'Afrique pour se reproduire en Europe. Doit son nom au dessin qui orne son thorax. Pénètre souvent dans les ruches pour manger le miel. La chenille vit sur les plants de pomme de terre ; son corps se termine par une sorte de corne. La plupart des autres sphinx ont une très longue trompe (jusqu'à 28 cm de long) pour butiner les fleurs.

Le chant des insectes

Pour chanter, les cigales mâles disposent, de chaque côté de l'abdomen, de deux « tambours » dont la membrane vibre sous l'action de puissants muscles. Le son produit par ces vibrations est amplifié dans plusieurs cavités internes qui jouent le rôle de caisses de résonance. Les grillons et les sauterelles frottent l'une contre l'autre leurs deux ailes antérieures dures. Le système est assez semblable chez les criquets, mais ce sont leurs pattes postérieures qui frottent contre les ailes. Le chant est en général émis par les mâles (les femelles de quelques espèces de criquets chantent) et joue un rôle dans le rapprochement des sexes. Chaque espèce a un répertoire qui lui est propre et qui peut comprendre des chants destinés à attirer les femelles ou des chants de rivalité entre mâles.

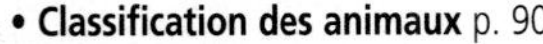

◆ **Piéride du chou** (*Pieris brassicae*). E : 6 cm. Papillon diurne blanchâtre, très commun en Europe. La chenille, vert-jaune, vit sur le chou et d'autres plantes de la même famille. Migrateur.

◆ **Morpho** (*espèce du genre Morpho*). E : jusqu'à 20 cm, selon les espèces. Papillons d'Amérique du Sud, dont certaines espèces ont de splendides couleurs.

VOIR AUSSI
- **Classification des animaux** p. 90
- **Métamorphoses** p. 121
- **Respiration et circulation interne** p. 122
- **Comportement animal** p. 124 à 127
- **Animaux dangereux** p. 146

◆ **Machaon** ou **grande porte-queue** (*Papilio machaon*). E : 8 cm. Très beau papillon diurne européen, surnommé aussi « queue d'hirondelle ». La chenille, vert, noir et rouge, vit sur des plantes de la famille des ombellifères (carotte, notamment).

◆ **Grand paon de nuit** (*Saturnia pyri*). E : jusqu'à 15 cm. Le plus grand des papillons européens. Vole le soir, à la belle saison. Chenille verte, ornée d'excroissances bleu clair, portant des poils raides ; elle vit sur les arbres fruitiers.

Petit lexique

coléoptère : insecte dont les ailes antérieures, appelées élytres, sont dures et ne se chevauchent pas sur le dos en position de repos (ex. : coccinelle).

diptère : insecte pourvu d'une seule paire d'ailes membraneuses, les ailes antérieures étant réduites à de minuscules balanciers (ex. : mouche).

hyménoptère : insecte pourvu de 2 paires d'ailes membraneuses et transparentes, les ailes postérieures étant plus petites (ex. : abeille).

lépidoptère : insecte pourvu, à l'âge adulte, de 4 ailes membraneuses recouvertes d'écailles. Les larves sont appelées chenilles ; les nymphes, chrysalides ; les adultes, papillons.

papillon : lépidoptère parvenu au stade adulte.

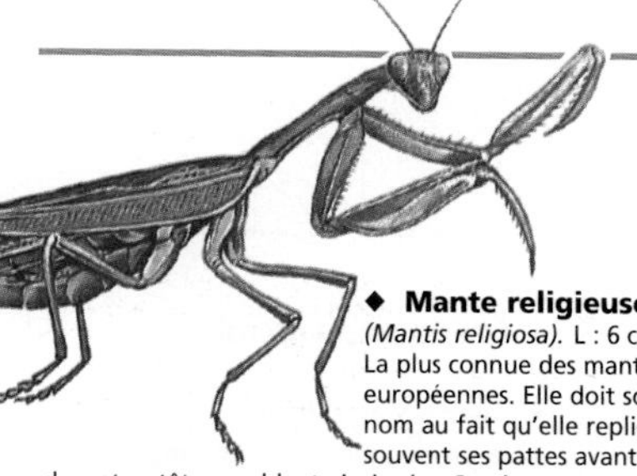

◆ **Mante religieuse** (*Mantis religiosa*). L : 6 cm. La plus connue des mantes européennes. Elle doit son nom au fait qu'elle replie souvent ses pattes avant devant sa tête, semblant ainsi prier. Carnivore vorace, elle attrape ses proies en projetant en avant sa première paire de pattes, garnies d'épines. La femelle dévore parfois le mâle après l'accouplement.

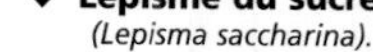

◆ **Lépisme du sucre** (*Lepisma saccharina*). L : 1 cm. Insecte sans ailes, luisant, dit « petit poisson d'argent ». Commun dans les habitations, où il se nourrit de débris de colle, farine, papier...

◆ **Blatte** ou **cafard de cuisine** (*Blatta orientalis*). L : 2 cm. Disséminée à travers le monde, car elle est transportée en même temps que des marchandises. Originaire de régions chaudes, elle recherche ailleurs les lieux chauffés, notamment les habitations, où elle peut proliférer.

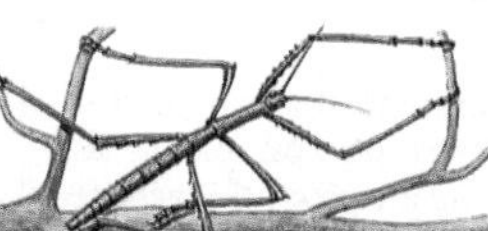

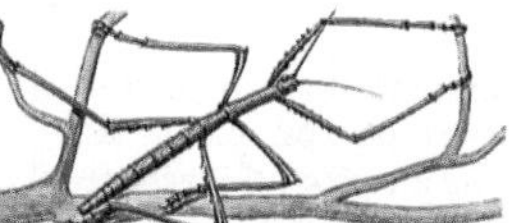

◆ **Termite du Natal** (*Bellicositermes natali*). L : 5 mm (ouvriers) ; 12 cm (reine). En Afrique. Vie en société organisée complexe, comprenant des ouvriers, des soldats, un roi et une reine (gonflée d'œufs), dans d'immenses termitières. Les termites se nourrissent de bois, de papier.

◆ **Un phasme : le bacille de Rossi** (*Bacillus rossi*). L : 7 cm. Présent dans le sud de l'Europe. Se tient souvent immobile et passe inaperçu, grâce à son aspect de brindille. Un phasme d'Indonésie est l'un des plus longs insectes du monde. D'autres espèces de phasmes ressemblent à des feuilles.

◆ **Forficule auriculaire** ou **perce-oreille** (*Forficula auricularia*). L : 1 cm. Son corps est terminé par des pinces, mais son surnom est injustifié. Vit souvent sous les écorces ou les pierres. Pond dans un terrier et, fait rare chez les insectes, s'occupe de ses œufs et de ses larves.

◆ **Une guêpe : le poliste gaulois** (*Pollistes gallicus*). L : 1,5 cm. Hyménoptère européen, redouté pour ses piqûres. Vit en sociétés organisées, pendant quelques mois chaque année, car seules les femelles fécondées - les reines - vivent plus d'un an. Nid composé d'un petit nombre d'alvéoles, construit à base de végétaux mastiqués et ayant l'aspect de papier mâché. Contrairement aux larves d'abeilles, les larves de guêpes sont carnivores (nourries d'insectes ou de morceaux de cadavres).

◆ **Abeille domestique** (*Apis melifera*). L : 1,5 cm. Hyménoptère européen. Un des rares insectes élevé, pour son miel. Société organisée en plusieurs castes (reine, ouvrières, mâles). Comportements élaborés. Populations d'abeilles et production de miel en nette baisse depuis quelques années en France, pour des raisons encore mal connues (insecticide, virus, toxine... ?).

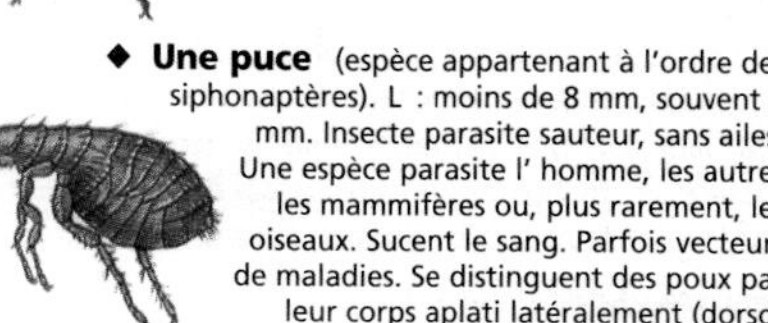

◆ **Bourdon terrestre** (*Bombus terrestris*). L : 2 cm. Hyménoptère velu d'Europe, proche de l'abeille domestique. Possède un dard mais pique rarement l'homme. Se nourrit uniquement du pollen et du nectar des fleurs. Chaque printemps, les femelles fécondées, qui sont les seules à vivre plus d'un an, forment chacune une nouvelle colonie. Nids dans la terre.

◆ **Une puce** (espèce appartenant à l'ordre des siphonaptères). L : moins de 8 mm, souvent 2 mm. Insecte parasite sauteur, sans ailes. Une espèce parasite l' homme, les autres les mammifères ou, plus rarement, les oiseaux. Sucent le sang. Parfois vecteurs de maladies. Se distinguent des poux par leur corps aplati latéralement (dorso-ventralement pour les poux).

◆ **Un puceron** (espèce du groupe des aphidiens). L : pas plus de 8 mm, souvent 2 à 3 mm. Très petits insectes, nuisibles pour les végétaux, qu'ils piquent pour se nourrir de leur sève. Plusieurs milliers d'espèces dans le monde. Très prolifiques, peuvent parfois pulluler. On commence à employer la lutte biologique pour les éliminer.

◆ **Fourmi rousse** (*Formica rufa*). L : 1 cm. Hyménoptère européen. Nid (fourmilière) dans le sol, formant parfois un gros monticule à la surface. Vie sociale complexe, faisant intervenir plusieurs types d'individus : mâles, femelles, ouvrières. Seuls les individus reproducteurs ont des ailes, qui tombent après l'accouplement. Les fourmis présentent des comportements remarquables (communication par voie chimique, échange de nourriture, élevage de pucerons, culture de champignons...).

◆ **Tipule géante** (*Tipula maxima*). L : 4 cm. Diptère européen. Sorte de grand moustique (non piqueur) aux très longues et fines pattes. La larve ronge les racines et peut causer des ravages dans les cultures.

◆ **Une punaise des bois** (espèce de la famille des pentatomidés). L : 5 mm à 4 cm. L'une des nombreuses espèces de punaises terrestres (souvent colorées), qui perforent les végétaux pour sucer leur sève. D'autres espèces piquent les animaux pour sucer leur sang ; ainsi la punaise des lits, qui vit dans les habitations, pique l'homme. Autres espèces de punaises dans l'eau. De nombreuses punaises dégagent une odeur nauséabonde.

◆ **Mouche domestique** (*Musca domestica*). L : 1 cm. Diptère largement répandu dans le monde. Nombreuses autres espèces de mouches, se nourrissant souvent de matières en décomposition ou vivant en parasites. La drosophile (ou mouche du vinaigre), minuscule, a fait l'objet de nombreuses études en génétique. En Afrique, la mouche tsé-tsé est le vecteur de la maladie du sommeil.

◆ **Pou de l'homme** (*Pediculus humanus*). L : 1 mm. Insecte parasite sans ailes, comme tous les poux. Pique le derme, et se gorge de sang. Présente 2 formes, le pou de corps et le pou de tête. Les œufs sont appelés lentes. Tous les mammifères, sauf les marsupiaux, peuvent être parasités par une espèce de poux. Parfois vecteurs de maladies.

◆ **Un moustique : l'anophèle à ailes tachetées** (*Anopheles maculipennis*). L : 5 mm. Diptère présent en Europe. C'est l'une des 70 espèces de moustiques pouvant transmettre le paludisme. A besoin d'eau à proximité car sa larve est aquatique. Nombreuses autres espèces de moustiques. Seules les femelles piquent.

◆ **Criquet migrateur** (*Locusta migratoria*). L : jusqu'à 5 cm. En Europe méridionale, Afrique et Asie du Sud. Les criquets, insectes sauteurs et chanteurs, se distinguent des sauterelles par leurs antennes courtes. Certains (rarement en Europe, plutôt en Afrique) peuvent se regrouper en très grand nombre (énormes nuages) et migrent, dévastant les cultures sur leur passage.

◆ **Grillon domestique** (*Acheta domestica*). L : 2 cm. Insecte « musicien » qui vit souvent près des hommes, dans les endroits chauds (par ex. dans les boulangeries). A colonisé le métro parisien. Mange des déchets variés. Chant stridulant.

◆ **Grande sauterelle verte** (*Tettigonia viridissima*). L : 4 cm. Commune en Europe dans les jardins ou les prairies. Carnivore. Bonne sauteuse. Longues antennes. Chant stridulant.

◆ **Cigale de l'orne** (*Cicada orni*). L : 3 cm. Insecte méditerranéen, au chant caractéristique. Gros yeux. Suce la sève des arbres avec sa trompe. La larve vit dans la terre.

La lutte biologique

Cultures et denrées sont attaquées par toutes sortes d'animaux, qualifiés de ravageurs. Afin d'éviter les insecticides chimiques, qui présentent bien des inconvénients, on tente de recourir à la lutte biologique. Cette méthode consiste à éliminer un animal ravageur en utilisant son prédateur ou son parasite naturel, tels que des virus (ex. : contre la chenille de la noctuelle du chou), des champignons (essais concluants menés sur des criquets) ou d'autres insectes. Les coccinelles sont d'efficaces dévoreuses de pucerons et de cochenilles (de terribles ravageurs).

Cependant, leur utilisation dans la lutte biologique est encore assez limitée et elle prend plutôt valeur de symbole, car leur élevage reste artisanal et assez coûteux. Parmi les autres insectes, plus faciles à produire en quantité, figurent plusieurs hyménoptères parasites. Ainsi, de minuscules guêpes, appelées trichogrammes, sont épandues chaque année sur des dizaines de milliers d'hectares de culture afin d'éliminer la pyrale du maïs (papillon dont la chenille se régale de cette céréale); en pondant dans les œufs de ce papillon, elles les empêchent de se développer. De même, un autre hyménoptère est utilisé en serre pour lutter contre la mouche blanche (ou aleurode), qui fait dépérir les plants de tomate.

La reproduction

La reproduction asexuée

La reproduction est l'ensemble des processus biologiques et comportementaux par lesquels les êtres vivants perpétuent leur espèce ; elle présente chez les animaux des aspects très variés.

Il existe d'abord une reproduction (ou multiplication) asexuée, qui ne fait donc pas appel à la sexualité. Elle s'observe chez certains animaux peu évolués et se subdivise en deux possibilités : la scissiparité et le bourgeonnement. La scissiparité consiste en une division d'un spécimen, qui aboutit à... une multiplication. Les planaires (vers plats de l'embranchement des plathelminthes) peuvent s'étirer et se séparer en deux moitiés : une postérieure et une antérieure, l'une et l'autre reconstituant ensuite un individu entier.

Le bourgeonnement est, par exemple, le fait de l'hydre d'eau douce. Sur un spécimen de ce petit animal en forme de sac vont bourgeonner des individus fils : ceux-ci grandissent et se séparent du sujet qui leur a donné naissance. Parfois, reproduction sexuée et multiplication asexuée alternent dans le cycle vital d'une espèce, comme chez la méduse.

La reproduction sexuée

La reproduction sexuée présente, elle aussi, deux grandes modalités : l'hermaphrodisme et le gonochorisme.

L'hermaphrodisme. Il consiste en la réunion des deux sexes chez le même individu. Ce dernier possède alors naturellement des organes génitaux mâle et femelle. Le ténia, la sangsue, le lombric, l'escargot, la limace sont hermaphrodites. Mais, contrairement à ce que l'on pourrait penser, à quelques exceptions près (le ténia), les animaux hermaphrodites doivent toujours se reproduire deux à deux, l'un jouant le rôle du mâle et l'autre de la femelle, ou chacun jouant les deux rôles en même temps.

Chez certains vertébrés, une situation se rapprochant de l'hermaphrodisme peut exister : il s'agit de l'intersexualité. Dans ce cas, l'animal passe progressivement d'un sexe à l'autre. Les crépidules, des petits mollusques vivant empilés les uns sur les autres, changent ainsi de sexe avec l'âge. Des poissons (lamproies, anguilles, girelles, mérous) évoluent également, devenant mâles en vieillissant ou sous l'influence de la vie sociale.

Le gonochorisme. Généralement, les animaux sont gonochoriques, c'est-à-dire qu'ils sont à sexes séparés. Mâle et femelle présentent des organes génitaux différents : les glandes génitales (ou gonades), qui produisent les gamètes, correspondent aux testicules chez le mâle et aux ovaires chez la femelle. La fécondation de l'ovule (gamète femelle) par un spermatozoïde (gamète mâle) donnera un œuf (ou zygote), point de départ d'un nouvel individu. La fécondation peut être interne et s'effectuer lors d'un accouplement (ou copulation), le plus souvent à l'aide d'organes particuliers. Chez les groupes aquatiques, elle est le plus souvent externe.

Le développement. Une faible proportion d'animaux assurent le développement des petits dans les voies génitales de la mère et mettent bas des jeunes totalement constitués. Ces espèces sont dites vivipares. Ce sont, bien sûr, les mammifères (sauf les monotrèmes), des poissons (tels que certains requins), et quelques autres espèces comme des scorpions. L'immense majorité des espèces sont ovipares, c'est-à-dire qu'elles pondent des œufs qui éclosent après une période d'incubation. Une situation intermédiaire existe : la plupart des vipères, par exemple, sont dites ovovivipares, car leurs œufs éclosent juste lors de la ponte.

Comportements

La fécondation est souvent précédée ou accompagnée de rites compliqués : les parades nuptiales.

Les rites nuptiaux. Ils sont particulièrement spectaculaires chez les oiseaux, car, chez eux, le dimorphisme sexuel est souvent prononcé. On appelle ainsi les différences d'aspect existant entre mâle et femelle. Chez beaucoup d'espèces d'oiseaux, le mâle est plus coloré que la femelle. La baudroie abyssale montre un dimorphisme disproportionné : la femelle mesure 1 m, contre 8 cm pour le mâle, qui vit en parasite sur elle.

Lors de la parade, le mâle se met en valeur et adopte toute une série de postures stéréotypées. Dans quelques cas, il offre un « cadeau » (une brindille, une plume, un caillou...) à la femelle. Il peut aussi y avoir des combats entre mâles pour la possession des femelles (chez les cerfs, par exemple).

VOIR AUSSI 
• **Comportement animal** p. 124 à 127
• **Animaux en chiffres** p. 151 à 153
• **Reproduction chez l'homme** p. 206 à 208

La nidification. Chez de très nombreux animaux, la reproduction est associée à la construction d'un nid (nidification). Celle-ci est très variée chez les insectes : nids maçonnés (termitières, fourmilières), terriers, nids creusés dans le bois, etc. Chez les poissons, le nid de l'épinoche est tissé de plantes aquatiques. Les plus connus, les nids des oiseaux, ont typiquement une forme de coupe, comme ceux du merle ou du pinson. D'autres sont en boule (tisserins), ou maçonnés (tels ceux des hirondelles), ou creusés dans les troncs d'arbres ou les sablières. D'autres encore sont installés sur le sol, parfois réduits à un simple creux. Nombre de mammifères creusent des terriers ; d'autres, comme l'écureuil ou le loir, s'aménagent un nid, tandis que le castor se construit une hutte.

◆ **Nid de tisserin.**
Certains oiseaux de la famille des moineaux construisent des nids très élaborés, accrochés à la végétation : les tisserins tissent des nids individuels, parfois suspendus par dizaines sur un même arbre, tandis que les républicains font d'énormes nids collectifs.

La parthénogenèse

Ce mode de reproduction se fait sans l'intervention des cellules sexuelles mâles. Le processus de fécondation est donc omis. Les individus ainsi produits sont des copies conformes de leur mère. La parthénogenèse existe par exemple chez les phasmes, les abeilles et les pucerons (insectes), les rotifères (invertébrés aquatiques), un lézard du Caucase. Elle est pour certaines espèces le seul mode de reproduction ; pour la plupart des autres, elle alterne avec une reproduction normale. Son inconvénient majeur est de ne plus faire intervenir un apport de gènes extérieurs, favorisant les capacités d'adaptation de l'espèce. Dans bien des cas, la parthénogenèse n'intervient que pendant la période de l'année la plus favorable. Chez la daphnie par exemple, un petit crustacé d'eau douce, elle permet de multiplier rapidement le nombre d'individus.

◆ **Tandem de libellules.**
Très complexe, l'accouplement des libellules nécessite que la femelle recourbe complètement son abdomen ; il s'accompagne souvent d'un vol en tandem. Le mâle emporte la femelle dans les airs grâce à la pince située à l'extrémité de son abdomen. Ce duo aérien peut durer des heures. La ponte, qui suit de peu l'accouplement, peut se faire alors que le mâle tient encore sa partenaire par le cou.

Les métamorphoses

Généralités

Le nouveau-né issu d'un œuf est parfois bien différent des adultes de son espèce et reçoit alors le nom de « larve ». Il devra, avant de devenir adulte, passer par un ou plusieurs stades intermédiaires, séparés par de courtes périodes d'intenses transformations morphologiques, anatomiques et physiologiques appelées « métamorphoses ». De nombreux invertébrés (insectes et autres), presque tous les amphibiens, de même que quelques poissons comme l'anguille, subissent des métamorphoses. On dit de ces animaux qu'ils sont à « développement indirect ». Le têtard de la grenouille, le leptocéphale de l'anguille sont des larves. Au cours des métamorphoses, sont détruits certains organes larvaires (queue ou branchies des têtards, par exemple), tandis que sont formés de nouveaux organes.

D'autres animaux sont dits « à développement direct ». À leur naissance, la seiche, l'escargot, l'araignée, l'oiseau ou le mammifère, par exemple, ressemblent déjà beaucoup à leurs parents. Ils ne subissent pas de métamorphoses mais des modifications très progressives.

Les insectes

Chez certains insectes primitifs dépourvus d'ailes à l'état adulte (collemboles, par exemple), les nouveau-nés ressemblent particulièrement aux adultes. Ils ont un développement direct, sans métamorphoses, qui se traduit simplement par la maturation des organes sexuels et une augmentation de taille. Comme chez tous les insectes, cette dernière se fait de façon discontinue, à l'occasion de mues successives (l'individu perd le tégument rigide qui l'enveloppe pour en acquérir un nouveau, un peu plus grand).

Chez les insectes dits hémimétaboles (sauterelles, libellules, cafards, par exemple), la seule différence entre larves et adultes, outre la maturité sexuelle, est l'absence d'ailes. Le développement, et notamment l'apparition des ailes, est relativement progressif et la métamorphose est qualifiée d'incomplète.

Chez les diptères (mouches...), les papillons, les hyménoptères (abeilles...) et les coléoptères (coccinelles...), les larves ont un aspect et un mode de vie très différents de ceux des adultes. Chez ces insectes, dit holométaboles, le passage de la larve à l'adulte se fait par une métamorphose brutale (qualifiée de complète) qui prend place au cours d'un stade particulier, le stade nymphal.

◆ De la chenille au papillon.
1. Chenille.
2. Chenille se transformant en chrysalide.
3. Chrysalide.
4. Naissance du papillon.
Il y a tant d'opposition entre la chenille et le papillon que ce cycle a toujours intrigué et inspiré les hommes. Ils l'ont aussi exploité à des fins pratiques. La soie naturelle est fournie par le ver à soie, qui n'est autre que la chenille du bombyx du mûrier. Pour filer son cocon, un ver à soie produit de 300 à 1 500 m de soie...

Les papillons. De l'œuf pondu par un papillon sort une larve appelée chenille. Elle possède trois paires de pattes thoraciques et cinq paires de « fausses pattes » abdominales. La chenille se transformera en une nymphe, plus précisément une chrysalide. Ce stade nymphal se caractérise par une immobilité à peu près totale et une absence d'alimentation : la chrysalide est souvent cachée dans un cocon de soie, tissé par la chenille. C'est de la chrysalide que, par une déchirure, sortira le papillon, encore humide, les ailes plissées.

Des larves étonnantes. Celle de l'éristale, espèce proche des mouches, est surnommée ver à queue de rat en raison de son long tube respiratoire : elle vit dans les eaux souillées.

La larve de la libellule, espèce proche des mouches, est dotée d'un masque, ou « bras mentonnier », qui est en fait une lèvre inférieure très allongée : c'est un engin de capture redoutable qui permet à la libellule, si elle le projette en avant d'attraper de petits poissons.

Le fourmilion adulte ressemble à une libellule : c'est au comportement de sa larve qu'il doit son nom de « lion des fourmis ». Celle-ci est terrestre et pourvue de fortes mandibules. Elle creuse dans le sable une sorte de petit entonnoir et s'embusque au fond. Si une fourmi passe à sa portée, elle la bombarde de sable pour la faire tomber dans son trou et s'en empare.

Les larves de nombreuses phryganes sont aquatiques et doivent leur nom populaire de « porte-faix » à leurs mœurs bizarres. Elles se construisent un fourreau composé de graviers, petites coquilles, brindilles, etc., réunis par de la soie, dans lequel elles vivent.

Autres exemples

De l'œuf de la grenouille, du crapaud ou des autres amphibiens éclôt un têtard qui possède des branchies externes. Sa grosse tête et sa longue queue lui donnent une allure caractéristique. Ses branchies externes sont tout d'abord remplacées par des branchies internes, protégées par un opercule. Les pattes postérieures poussent ensuite, puis les antérieures. Enfin, les poumons remplacent les branchies internes, et la queue disparaît. Certains amphibiens gardent, durant des années, leurs caractères larvaires. Le cas extrême est celui du célèbre axolotl du Mexique. C'est en effet une larve capable de se reproduire : il s'agit du phénomène qu'on appelle néoténie.

La plupart des invertébrés marins passent par des stades larvaires extrêmement différents de l'état adulte. Ces larves sont en général planctoniques, c'est-à-dire qu'elles dérivent en pleine mer, puis elles tombent sur le fond et se fixent. Ainsi, la larve de l'oursin est le plutéus : c'est une larve de forme pointue, munie de quatre « bras ».

Le cycle larvaire des animaux parasites est souvent fort complexe, car il se déroule dans plusieurs hôtes, intermédiaires ou définitifs. C'est le cas pour le bothriocéphale, un ver proche des ténias atteignant 10 m de longueur. De l'œuf, apporté dans les rivières ou les lacs par les égouts, sort une larve ciliée, qui sera avalée par un petit crustacé du plancton d'eau douce. Elle se transforme à l'intérieur de celui-ci. Si le crustacé est avalé par un poisson mangeur de plancton, la larve se métamorphose à nouveau dans ce nouvel hôte. Si un animal carnivore – ou un homme – mange ce poisson, il sera infesté à son tour, et la larve, parvenue dans son intestin, se transformera en bothriocéphale adulte. Ses œufs seront rejetés avec les excréments de l'hôte. Fréquemment, à l'âge adulte, les espèces parasites sont si « dégradées » par leur mode de vie qu'elles en sont devenues informes, et donc difficiles à classer. L'examen de leurs larves est souvent la seule chance de pouvoir les identifier.

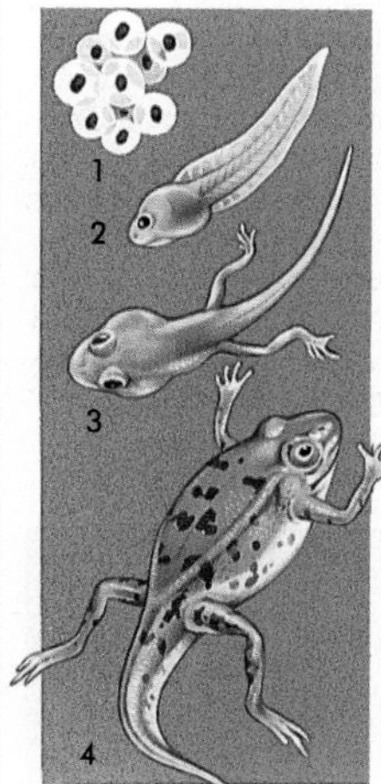

◆ Du têtard à la grenouille.
1. Œufs fécondés.
2. Têtard à branchies externes.
3. Têtard à branchies internes et pattes postérieures.
4. Têtard à quatre pattes.
Certains têtards atteignent une forte taille : jusqu'à 16 cm pour ceux du pélobate, un crapaud européen. La durée du stade têtard est très variable.

◆ Le cycle des méduses acalèphes.
1. Méduse adulte. 2. Larve ciliée. 3. Larve fixée sur un rocher. 4. Petit polype (le scyphistome). 5. Polype divisé en bourgeons à huit bras (éphyrules). 6. Éphyrules se transformant en adulte. Ces méduses que nous trouvons souvent échouées sur les plages proviennent des divisions transversales, en « pile d'assiettes », d'un polype. Elles se reproduisent ensuite par voie sexuée : l'œuf donne une larve qui se transforme en polype.

Petit lexique

chrysalide : stade nymphal des lépidoptères, entre la chenille et le papillon.

cocon : enveloppe plus ou moins résistante entourant un animal ou des œufs.

larve : stade initial de développement d'un animal à métamorphose.

nymphe : stade précédant la forme adulte définitive.

pupe : stade nymphal des diptères (mouches).

La respiration et la circulation interne

La respiration

La respiration est une des fonctions fondamentales et vitales des êtres vivants. Son rôle est d'apporter, au cœur des tissus et des cellules, l'oxygène nécessaire à la dégradation des aliments (oxydation). Cette dégradation produit l'énergie indispensable au fonctionnement de l'organisme. La respiration permet également l'élimination de déchets, en particulier le dioxyde de carbone issu de l'oxydation des aliments.

Schématiquement, la respiration peut être décomposée en trois grandes étapes : échange des gaz au niveau des organes respiratoires, transport des gaz jusqu'aux cellules, oxydation des molécules organiques (provenant des aliments) dans les organites cellulaires spécialisés (les mitochondries). Chez les animaux les plus simples, les échanges gazeux se font directement entre le milieu extérieur et les cellules en contact avec celui-ci. Par contre, les espèces plus complexes et de taille plus importante disposent d'un véritable appareil respiratoire.

◆ **La respiration chez les insectes.**
Les trachées sont fermées par des stigmates qui ne s'ouvrent qu'en cas de besoin en oxygène, toutes les 5 à 10 secondes en moyenne.

Les appareils respiratoires

Selon leur milieu de vie, les animaux procèdent à l'échange des gaz respiratoires avec l'air ou avec l'eau. Ils ont donc développé différents types d'organes spécialisés : trachées, branchies ou poumons.

Les trachées. Ce type d'appareil respiratoire est commun chez les animaux aériens de petite taille comme les insectes. Il est constitué par un réseau plus ou moins dense de conduits creux (les trachées) reliant directement les cellules à l'atmosphère extérieure. Ces canalicules ramifiés se terminent à leurs extrémités par des trachéoles n'ayant plus qu'un dixième de micron de diamètre. Cette taille extrêmement réduite leur permet de pénétrer dans les cellules jusqu'à proximité immédiate des mitochondries, où ont lieu les échanges gazeux.

Leur ouverture vers l'extérieur, au niveau de la carapace de l'animal, est contrôlée par les stigmates, ceux-ci pouvant se fermer ou s'ouvrir selon les besoins. Ainsi, ils interdisent l'entrée aux minuscules grains de poussière ou à l'eau qui pourraient boucher les conduits.

Le renouvellement des gaz dans cet appareil respiratoire est assuré par la simple diffusion des molécules et les divers mouvements de l'abdomen de l'animal.

Les branchies. De nombreux invertébrés aquatiques (mollusques, crustacés, annélides, etc.), mais également des vertébrés comme les poissons ou les amphibiens (le plus souvent durant leur période larvaire, pour ces derniers), sont dotés de branchies. Celles-ci peuvent être directement en contact avec le milieu extérieur (jeune têtard) ou protégées par une pièce anatomique (têtard âgé ou poissons téléostéens).

L'eau en contact avec ces appendices est régulièrement renouvelée afin d'optimiser les échanges gazeux. À cette fin, les branchies de larves aquatiques d'insectes ou de divers amphibiens sont animées de mouvements réguliers; chez un mollusque comme la moule, ce sont des mouvements ciliaires qui assurent le renouvellement de l'eau; pour les poissons, deux solutions sont possibles : soit les mouvements bucco-operculaires assurent le pompage de l'eau (carpe), soit l'irrigation est assurée par un déplacement continu de l'animal (thon, requin).

Classiquement, une branchie est constituée par une succession de lamelles soudées à un arc branchial; outre une riche vascularisation, celles-ci possèdent de nombreux replis qui accroissent d'autant la surface d'échange.

Les poumons. Organes respiratoires par excellence des mammifères, des oiseaux et des reptiles, ils sont composés de plusieurs lobes logés dans la cage thoracique. Les poumons sont reliés à l'atmosphère extérieure par un système de conduits rigides : la trachée, qui débute au fond de la gorge (larynx) et se scinde ensuite en deux bronches principales. Dans chaque poumon, ces bronches se divisent un grand nombre de fois jusqu'aux ramifications extrêmes que sont les bronchioles. Ces dernières débouchent dans les lobules pulmonaires qui constituent l'unité anatomique du poumon. Mais à ce niveau, les divisions de l'arbre respiratoire se poursuivent encore de nombreuses fois pour donner finalement les canaux alvéolaires, dont chacun se termine dans une alvéole en cul-de-sac.

La vascularisation des poumons est très importante. La ramification des artères venant du cœur aboutit à un réseau capillaire qui tapisse les parois des alvéoles, lieu des échanges gazeux entre l'air et le sang. Cette surface d'échange est particulièrement grande : chez l'homme, elle couvre près de la moitié de la surface d'un terrain de tennis. L'appareil pulmonaire des oiseaux ne se termine pas par un système clos d'alvéoles, mais par des conduits aboutissant aux sacs aériens, eux-mêmes en communication avec les os pneumatiques du squelette. Ce dispositif permet d'alléger le squelette et de faciliter le vol.

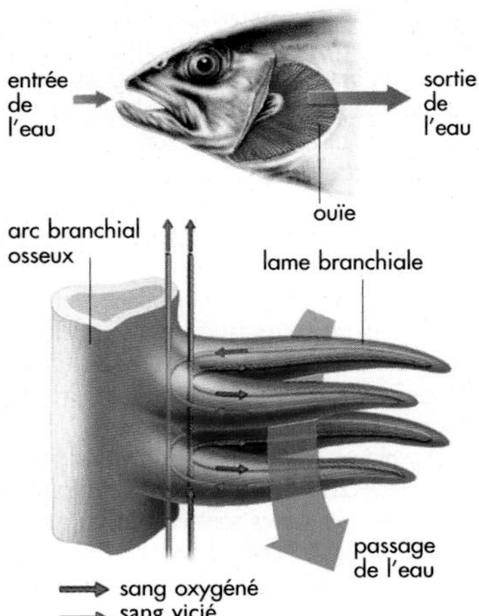

◆ **Les branchies d'un poisson.**
Les branchies richement vascularisées constituent un organe respiratoire particulièrement performant, bien plus efficace que les poumons. Cette efficacité est d'ailleurs absolument nécessaire car l'eau, douce ou marine, contient beaucoup moins d'oxygène dissous (30 fois moins) que l'air ambiant. Malgré ce handicap, 95 % de l'oxygène présent dans l'eau sont extraits à chaque passage sur les branchies.

Petit lexique

diffusion : mouvement spontané des molécules vers les zones de moindre concentration.

surface respiratoire : surface par laquelle s'effectuent les échanges gazeux entre l'extérieur et l'intérieur d'un organisme.

ventilation : ensemble des mouvements d'inspiration et d'expiration de l'air.

Les besoins en oxygène

Les besoins sont susceptibles de varier très largement selon les animaux, leur mode de vie et leur degré d'activité générale.

Un premier niveau d'adaptation est observé sur le plan anatomique. Par exemple, les poissons pélagiques, qui passent la plus grande partie de leur temps à nager, disposent, avec leurs branchies, d'une surface respiratoire cinq fois supérieure à celle des formes sédentaires vivant sur les fonds marins. Cette plus grande capacité à capter l'oxygène de l'eau permet la dépense énergétique nécessaire à leur activité.

Sommeil et respiration chez les mammifères marins

Tous les mammifères marins (dauphins, baleines, cachalots, phoques, morses) doivent périodiquement revenir à la surface pour respirer. Mais ce comportement ne peut pas se dérouler normalement pendant le sommeil, car les réponses motrices de l'animal sont alors inhibées. Pour résoudre ce problème, les animaux marins ne dorment que par épisodes successifs, chacun d'eux étant entrecoupé par une sorte de petit éveil, juste suffisant pour un cycle expiration/inspiration en surface. On observe alors un phénomène tout à fait remarquable : la moitié de leur cerveau dort encore profondément tandis que l'autre moitié présente toutes les caractéristiques d'une structure nerveuse parfaitement éveillée.

Le second niveau d'adaptation s'observe sur le plan de la fonction respiratoire elle-même. La fréquence de la ventilation, rapidité d'inspiration et d'expiration, peut être adaptée en fonction des besoins. En particulier, elle augmente pendant l'effort pour accélérer les échanges gazeux. Cette régulation est de type réflexe, car elle ne fait pas intervenir la volonté. Elle est commandée par des centres nerveux spécialisés qui détectent les besoins de l'organisme en analysant les concentrations en oxygène et en dioxyde de carbone dissous dans le sang.

Chez l'homme, la volonté mais également les émotions sont susceptibles d'influencer la fonction respiratoire. L'accélération de la ventilation lors d'une émotion forte (la peur, par exemple) a pour but de préparer la réponse motrice de l'organisme. Ainsi, en cas de besoin, les muscles disposent immédiatement d'une ration d'oxygène supplémentaire.

Les liquides internes

Les liquides contenus dans les organismes vivants, tout au moins chez les plus complexes, sont répartis en plusieurs compartiments.

Le compartiment intracellulaire est toujours présent, sauf chez les virus, qui ont une structure très particulière. Il est situé à l'intérieur des cellules.

Le compartiment extracellulaire est de structure beaucoup plus complexe. On peut définir plusieurs sous-compartiments : le milieu interstitiel, dans lequel baignent les cellules; la lymphe, qui n'est autre qu'un drainage du milieu interstitiel, canalisé par un ensemble de vaisseaux spécifiques, dits vaisseaux lymphatiques; le sang; le liquide céphalo-rachidien, dont le rôle est de protéger le système nerveux. La constance de la composition de tous les liquides du milieu intérieur, ou homéostasie, est indispensable à la survie d'un organisme. Pour s'en convaincre, il suffit de constater l'importance vitale, pour un être vivant, du maintien de sa teneur en eau. Une déshydratation très rapide peut entraîner la mort en quelques heures. De même, toute carence en sels minéraux, présents dans tous ces liquides, peut provoquer de nombreuses perturbations (troubles nerveux, musculaires, etc.).

Les systèmes sanguins

Les organismes simples et de taille réduite peuvent assurer leurs échanges (gaz respiratoires, eau, nutriments) avec l'extérieur par une simple diffusion des composés au travers des membranes cellulaires. Chez des animaux plus complexes ou plus volumineux, comme le sont les pluricellulaires, ce mécanisme devient insuffisant. Le système circulatoire a été la solution retenue par la nature pour amener rapidement tous les éléments nutritifs nécessaires aux tissus et les débarrasser des déchets.

La structure générale de ce système circulatoire comprend un système de canalisation et une pompe (le cœur) dont le rôle est de faire circuler les liquides.

Les systèmes des invertébrés. Chez beaucoup d'invertébrés (insectes, crustacés, nombreux mollusques...), le système circulatoire est dit ouvert, car les vaisseaux sont interrompus et débouchent dans une grande cavité, le cœlome. Lymphe et sang mêlés (constituant l'hémolymphe) sont ensuite aspirés du cœlome par un ou des cœurs (souvent un simple renflement contractile des gros vaisseaux) pour être à nouveau propulsés dans le réseau vasculaire.

Chez des invertébrés plus complexes (vers de terre, mollusques céphalopodes, par exemple), le réseau est dit fermé, le sang ou l'hémolymphe circule en continu entre les parois des vaisseaux. Le système le plus simple est celui d'un unique vaisseau dont le parcours suit une boucle ovale très allongée avec un cœur logé dans un des virages. Les systèmes plus complexes montrent un réseau de vaisseaux plus important. Dans ce cas, plus l'animal est volumineux, plus le réseau est dense. Chez des invertébrés plus évolués, comme les mollusques, le cœur est également beaucoup plus sophistiqué. Le cœur des céphalopodes (seiches, calmars, etc.) est composé de 2 ou 4 oreillettes et d'un ventricule.

Petit lexique

lymphe : liquide riche en protéines et en lymphocytes (impliqués dans l'immunité) circulant dans les vaisseaux lymphatiques.

plasma : partie liquide du sang, contenant de l'eau et des solutés (ions, protéines, glucides, déchets, etc.) mais dépourvue de cellules.

sang : tissu liquide composé du plasma et de divers types de cellules : globules rouges (transporteurs d'oxygène), globules blancs (jouant un rôle dans l'immunité) et plaquettes (intervenant dans la coagulation).

vaisseau : canal dans lequel circule le sang; selon sa taille et sa fonction, il prend le nom d'artère (sortant du cœur), de veine (arrivant au cœur) ou de capillaire (vaisseau de petit diamètre).

La double circulation des vertébrés. L'un des rôles du sang est de transporter les gaz des organes respiratoires vers les tissus de l'organisme et inversement. Cette fonction a largement contribué à lui donner sa structure générale.

Chez les animaux dotés de poumons, l'évolution a favorisé l'émergence d'un type particulier de circuit vasculaire : la double circulation. La première, appelée petite circulation, part du cœur pour aller aux poumons et revenir vers le cœur; elle est chargée d'oxygéner le sang. La seconde, appelée grande circulation, part du cœur pour aller vers les organes périphériques et revenir au cœur. L'anatomie de ce dernier s'est également modifiée au cours de l'évolution. Chez les mammifères, le cœur se comporte comme deux pompes séparées, quoique intimement associées, chacune assurant la propulsion du sang dans l'une des circulations. Ce système circulatoire en deux parties n'est véritablement complet que chez les oiseaux et les mammifères, et est en cours d'élaboration chez les autres groupes de pulmonés (reptiles et amphibiens).

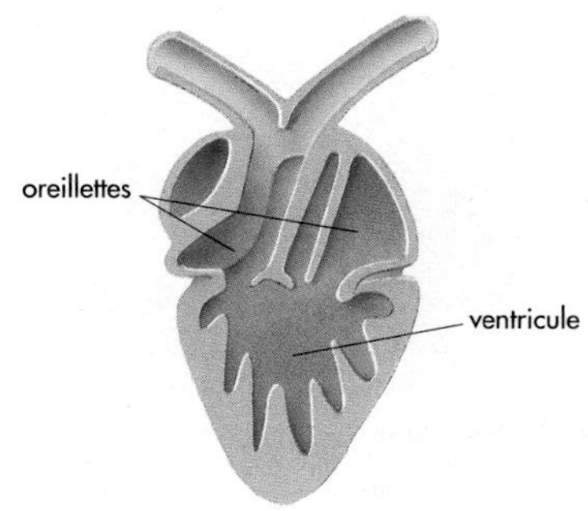

◆ **Le cœur d'amphibien.**
Il comprend deux oreillettes et un seul ventricule,dans lequel le sang oxygéné provenant du poumon *via* l'oreillette gauche se mélange en partie avec le sang désoxygéné provenant des divers organes *via* l'oreillette droite.

VOIR AUSSI
• **Cellule** p. 194
• **Respiration et circulation** (homme) p. 198

Les transporteurs d'oxygène. L'oxygène est soluble dans le sang, mais pas suffisamment pour être transporté de cette façon jusqu'aux organes. Chez tous les animaux, sauf les plus simples, il se fixe sur une grosse molécule de transport, généralement une protéine associée à des ions métalliques (hémocyanine, hémoglobine). Chez les animaux les plus complexes, la protéine elle-même est renfermée dans des cellules (les globules rouges, par exemple) pour augmenter la quantité d'oxygène transportée.

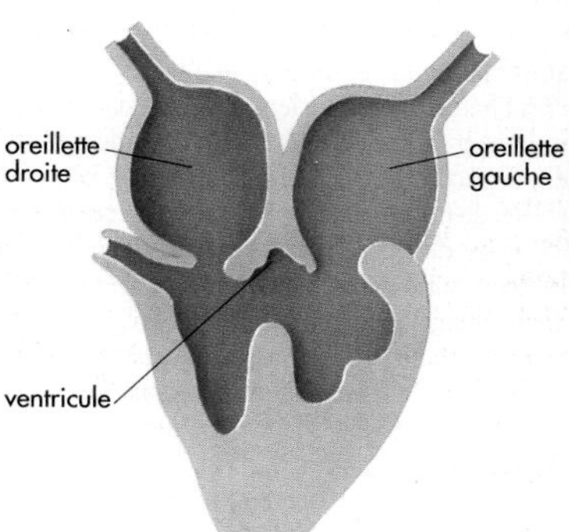

◆ **Le cœur de tortue.**
Il est un peu plus perfectionné que celui des amphibiens car le ventricule est partiellement séparé en deux par une cloison et le sang oxygéné ne se mélange donc que très peu avec le sang désoxygéné. Les crocodiliens sont les seuls reptiles à posséder deux ventricules, évitant le mélange des sangs oxygéné et désoxygéné.

Des adaptations à la plongée

Les pinnipèdes (phoques, otaries, etc.) et les cétacés (baleines, dauphins, etc.) ont un certain nombre de dispositifs qui leur permettent d'économiser l'oxygène en plongée. On observe ainsi une vasoconstriction périphérique qui interdit toute circulation dans les nageoires ou les orteils. Des sphincters artériels se contractent pour empêcher le sang de circuler dans certains organes comme le tube digestif, afin que le cerveau et le cœur disposent de plus d'oxygène. De plus, pour limiter cette consommation, le rythme cardiaque est réduit de moitié et la consommation énergétique globale est réduite de quatre cinquièmes. Ces animaux peuvent également, à chaque inspiration, renouveler plus efficacement l'air contenu dans leurs poumons (80 % du volume pulmonaire échangé chez la baleine, contre 20 % habituellement chez l'homme). Enfin, les muscles de ces animaux contiennent souvent beaucoup plus de myoglobine, une molécule capable de stocker l'oxygène puis de la libérer en cas de besoin. Il faut noter que les plongeurs humains très entraînés développent des compensations analogues. Grâce à ces adaptations, le phoque peut rester près de 20 minutes en plongée, la baleine plus de 2 heures, la tortue 20 minutes, le rat musqué 12 minutes et l'hippopotame 4 minutes.

Le comportement animal

Communication

Tous les animaux quelque peu évolués entrent en communication les uns avec les autres, utilisant différents moyens pour cela : signaux sonores, visuels, odeurs, etc.

Les signaux sonores. La plupart des oiseaux possèdent des cris extrêmement variés. Le cri d'alerte sert à prévenir les congénères d'un danger, mais il peut souvent être compris par d'autres animaux : ainsi, les rhinocéros ou les buffles réagissent aux cris d'alerte des hérons garde-bœufs qui se perchent fréquemment sur leur dos. Les jeunes oiseaux réclament la becquée avec un cri particulier et il existe encore des cris de ralliement, de ponte, de colère, de menace, etc. Le chant est essentiellement l'apanage du mâle. Dans les régions tempérées, on l'entend surtout au printemps (rossignol, merle, grive musicienne, etc.). Cependant, bien des oiseaux chantent durant l'automne et l'hiver. L'oiseau qui chante affirme, vis-à-vis des autres mâles de son espèce, sa présence sur son territoire. Il peut chercher aussi à attirer une femelle.

Les mammifères communiquent également par signaux sonores. Ainsi, le rugissement du lion, qui porte jusqu'à 9 km, est une signalisation du territoire de la bande. Le brame du cerf, dans nos forêts, est émis en octobre, lors du rut. Quant aux singes hurleurs d'Amazonie, leurs cris sont amplifiés par une véritable caisse de résonance ; ils signalent ainsi leur présence à leurs congénères. Les émissions sonores jouent un rôle très important dans la vie des cétacés (dauphins, orques, baleines, etc.). Ce sont des sortes de sifflement ou de piaillement, à ne pas confondre avec les ultrasons qu'ils utilisent pour s'orienter.

◆ **Hurlements de loups.** Le loup dispose de tout un répertoire d'aboiements, de glapissements et de hurlements pour communiquer. Ces signaux codés servent aussi bien à établir la hiérarchie au sein du groupe qu'à maintenir la cohésion de la meute lorsqu'elle est en chasse ou à informer les meutes voisines de sa présence.

Beaucoup d'amphibiens produisent des émissions vocales, amplifiées par des sacs vocaux. Le chant de la cigale et du grillon est émis à l'aide d'organes particuliers.

Les odeurs. De nombreux mammifères (comme le chien qui dépose quelques gouttes d'urine sur un mur) « marquent » leur territoire avec des substances odorantes sécrétées par des glandes particulières. Par exemple, le chevreuil se frotte la tête contre les arbres pour y déposer son odeur. De telles substances sont appelées phéromones. Elles sont facilement détectées par les membres de la même espèce, bien que leur concentration soit extrêmement faible. Elles jouent un très grand rôle chez les insectes, notamment les criquets, les abeilles et les fourmis. Chez les abeilles, la reine produit une substance que lèchent les ouvrières : il s'agit d'un véritable « signal » chimique qui permet aux abeilles d'une même ruche de se reconnaître.

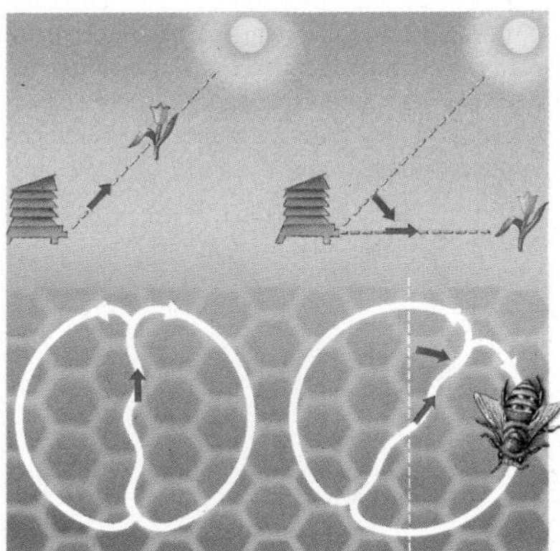

◆ **La danse des abeilles.**
Elle s'effectue sur un rayon de la ruche selon un déplacement représentant un huit :
- à gauche, la fleur est dans la direction du Soleil car l'axe de la danse est orienté à la verticale du rayon ;
- à droite, la barre du huit est inclinée de *x* degrés par rapport à la verticale : la fleur est à *x* degrés à droite du Soleil. Si l'abeille descend cet axe, c'est que la fleur est dans la direction opposée au Soleil.

Autres signaux. Des signaux tactiles existent chez les rongeurs, qui se frottent le nez pour se reconnaître lorsqu'ils se rencontrent. Les insectes se livrent à des jeux d'antennes dans un but d'identification. La danse des abeilles permet aux ouvrières de savoir où se trouve un champ de fleurs riches en nectar. Cette danse se déroulant dans l'obscurité, c'est par leurs antennes que les abeilles suivent son déroulement.

Les signaux visuels sont importants chez les oiseaux comme chez les mammifères. Ainsi, les loups utilisent, pour communiquer et maintenir la hiérarchie dans la meute, des mouvements de leur

Le dialogue homme-animal

On entend classiquement par langage la capacité de communiquer par un ensemble de signaux symboliques conventionnels. Les singes et les gorilles, par exemple, sont capables, après apprentissage, de communiquer avec l'homme par des signes symboliques (figurines colorées abstraites ou gestes du langage des sourds et muets). Le nombre d'éléments mémorisés est faible, environ 300, mais des structures de phrases, telles que « moi », « vouloir », « banane » peuvent être assimilées et utilisées de façon adéquate. Malheureusement, ces singes ne communiquent, à l'aide de ces signes, qu'avec l'homme et rarement entre eux, même lorsqu'ils en ont la possibilité. De plus, de nombreux linguistes ne considèrent pas ce mode de communication comme un véritable langage. Pour eux, un langage ne se définit pas seulement par l'utilisation de quelques éléments et la formation de quelques phrases, mais aussi par la qualité et la forme des informations transmises. Il est vrai que, dans tous les cas de communication animale, les informations restent, jusqu'à preuve contraire, relativement simples : signaler un prédateur, agresser, se soumettre, etc. Mais peut-être le langage humain ne doit-il pas seul servir de référence absolue à une telle définition.

Le chant des oiseaux

L'apprentissage du chant chez les oiseaux est un exemple de comportement à mi-chemin entre l'inné et l'acquis, influencé à la fois par les gènes et par l'environnement.
Le chant d'une espèce est, en premier lieu, largement gouverné par les gènes. Ainsi, un merle élevé par un couple de rossignols chantera comme un merle une fois adulte et non comme ses parents adoptifs. Il en va de même pour un oiseau élevé loin de ses semblables. Progressivement, au cours de sa croissance et de la maturation des structures nerveuses associées au chant, l'individu acquiert les aptitudes vocales caractéristiques de son espèce.
Toutefois, il existe une composante acquise dans le chant. Les rouges-gorges et les mésanges situés dans une région nordique ne chantent pas exactement comme leurs congénères résidant plus au sud. Des sortes de dialectes ou accents locaux sont ainsi observables chez de nombreuses espèces. Dans ce cas précis, un oiseau du Nord élevé par des oiseaux du Sud chantera avec l'accent de ses parents adoptifs et non de ses géniteurs, preuve d'une influence de l'environnement dans l'acquisition du chant.

queue ou de leurs oreilles. Les taureaux de Camargue grattent le sol ou se frottent le cou à terre en signe de menace. Chez les oiseaux, la huppe redresse... sa huppe pour impressionner un intrus, et la pie agite violemment sa queue.

Migrations

Chez les oiseaux, tous les intermédiaires existent entre le sédentaire strict et le voyageur au long cours.

Dans les régions tempérées, hirondelles, martinets, rossignols, coucous, loriots, etc., vont, à la fin de l'été, hiverner en Afrique et reviennent ensuite aux beaux jours. Inversement, durant l'hiver, les canards et les oies venus des régions nordiques rejoignent les zones tempérées. D'autres espèces enfin, comme la grue cendrée, ne font que traverser ces régions sans s'arrêter, au printemps et à l'automne. Le déterminisme des migrations est élucidé dans ses grandes lignes. Lorsque la durée des jours baisse, annonçant une période climatique moins clémente et la diminution des ressources alimentaires, l'hypothalamus (un centre nerveux situé à la base du cerveau) et l'hypophyse induisent, par des sécrétions hormonales, l'apparition du comportement migrateur.

De nombreux mammifères marins se livrent à d'importants déplacements. Les baleines quittent les eaux antarctiques à la mauvaise saison pour gagner les mers tropicales, riches en plancton, où naîtront les baleineaux. Les orques relient l'Arctique à l'Antarctique pour les mêmes raisons.

En Scandinavie, de petits rongeurs, les lemmings, sont célèbres par leurs migrations périodiques, dues à une surpopulation, qui se terminent par la mort d'une grande partie d'entre eux (chutes dans la mer, noyades dans les lacs, etc.).

Les poissons comptent aussi de grands migrateurs. Les anguilles d'Europe naissent dans la mer des Sargasses, au large des Bermudes. Ce ne sont d'abord que des larves transparentes, les leptocéphales, qui se transforment en civelles, lesquelles franchissent les estuaires d'Europe. Après plusieurs années de vie en eau douce, les anguilles regagnent la mer des Sargasses pour y pondre et vraisemblablement y mourir. Au contraire, les saumons, aloses et esturgeons se reproduisent en rivière et passent une bonne partie de leur vie en mer.

◆ **Vol d'oies sauvages.**
Nombre d'oiseaux migrent en ligne ou en V. Cette disposition présente des avantages aérodynamiques : chacun profite des remous produits par les ailes de celui qui le précède. D'autres espèces voyagent en formation désordonnée.

◆ **Migration des saumons.**
Au cours de leur remontée des cours d'eau, les saumons bondissent au-dessus des cascades. Les barrages sont infranchissables pour eux, à moins qu'ils ne soient équipés d'« ascenseurs à saumons ».

Chez les insectes, les criquets, formant d'immense nuages, ravagent périodiquement l'Afrique. Ces exodes massifs surviennent après une succession de périodes climatiques favorables à la reproduction.

Un papillon nord-américain, le monarque, migre, par millions de spécimens, de l'Alaska au Mexique quand vient la mauvaise saison. Et n'oublions pas les fourmis légionnaires, dont les colonnes belliqueuses, toujours en quête de nourriture, sont la terreur des régions tropicales.

Hibernation

L'hivernation est l'ensemble des processus qui permettent aux animaux de résister au froid et au manque de nourriture en hiver. Ces processus sont divers : migration, pelage plus épais, réserves de nourriture... De nombreux animaux entrent dans une période de quiescence (ou léthargie) ; ils s'engourdissent, ralentissant leur activité pour limiter leurs dépenses énergétiques, et se tiennent à l'abri. Des insectes (papillons, coccinelles, etc.) passent ainsi l'hiver cachés dans quelque recoin ; beaucoup de poissons s'enfouissent dans la vase.

L'hibernation est une technique d'hivernation, définie par une baisse de température interne très importante et prolongée. La marmotte, le hérisson, les chauves-souris, le loir, par exemple, hibernent ; à l'approche de l'hiver, ils accumulent de la graisse, qui fera office de réserve d'énergie, puis leur température interne diminue (de près de 30 °C, pour s'approcher de 5 à 2 °C), et leur métabolisme se réduit. Ils se réveillent éventuellement au cours de l'hiver, pour de courtes périodes, puis de façon définitive aux premiers beaux jours. Le loir dort jusqu'à sept mois sur douze... Chez les oiseaux, seul un engoulevent nord-américain hiberne. Les ours ne sont pas de vrais hibernants : leur température interne ne baisse que d'environ 5 °C pendant leur sommeil hivernal.

VOIR AUSSI
- **Écologie** p. 82 à 87
- **Reproduction** p. 120 (comportements)

L'orientation des oiseaux

De nombreuses recherches ont montré que le principal repère des oiseaux migrateurs est le Soleil (ou les étoiles, car beaucoup voyagent de nuit). Une telle orientation implique que l'oiseau effectue une correction en raison du mouvement apparent du Soleil ou des étoiles. Si le ciel est couvert, l'oiseau utilise des repères terrestres : fleuves, côtes, montagnes, etc. Maintes espèces sont capables, comme moyen de secours, d'utiliser le champ magnétique terrestre. La mémoire des lieux intervient évidemment, mais elle n'est pas indispensable : l'orientation des oiseaux est en partie innée. Les distances parcourues sont souvent prodigieuses; pourtant l'hirondelle qui capture des insectes pour ses jeunes abat plus de kilomètres en un jour qu'au cours d'une journée de migration. La vitesse de vol est très variable : de 30 à 80 km/h en général. De même que l'altitude : les migrateurs peuvent aussi bien raser la mer que survoler l'Everest.

Petit lexique

apprentissage : processus d'acquisition d'informations ou de comportements nouveaux.

empreinte : processus inné, par lequel un animal, peu après sa naissance, mémorise l'appartenance à son espèce.

éthologie : science dont l'objet d'étude est le comportement animal.

instinct : ensemble des comportements innés, commandés par les gènes.

◆ **Marmotte en hibernation.**
Dans les Alpes, on a, pour leur bien, déterré des marmottes endormies. Elles étaient en effet menacées par la création d'un lac de barrage. Elles ont été replacées dans un lieu tranquille où elles ont pu continuer leur sommeil.

Vie en société

Une harde de biches dans une forêt, une bande de corbeaux dans un champ, une fourmilière sont autant de manifestations de la vie sociale des animaux. Beaucoup de ceux-ci vivent en effet en sociétés, qui groupent des familles, elles-mêmes fondées sur un couple ou un harem, dans le cas des animaux polygames. Les animaux domestiques présentent aussi une vie sociale élaborée, des chiens jusqu'aux abeilles en passant par les vaches. Dans la nature, la vie en société a des avantages : protection contre les prédateurs, meilleure exploitation des ressources alimentaires, mise en commun des capacités de chacun, etc.

On utilise des termes variés pour désigner de telles sociétés : une harde de cerfs, une horde de loups, une colonie d'oiseaux de mer ou d'otaries, un troupeau d'éléphants, etc. Dans le cas des oiseaux, le terme de colonie doit être réservé aux associations en vue de la reproduction.

La diversité des groupements. Les groupements sont plus ou moins structurés et les relations entre les individus plus ou moins stables. Les insectes d'une même espèce qui volent autour d'une lumière ou d'une ressource alimentaire se regroupent simplement parce qu'ils sont attirés par les mêmes stimuli. Certains oiseaux constituent des colonies uniquement pour se reproduire et vivent en solitaires le reste de l'année. C'est chez les insectes et les vertébrés que se rencontrent les cas de vie sociale les plus évolués. Cette vie en société repose sur une communication entre les individus. Parfois, des espèces différentes s'associent en une même colonie ou en un même troupeau. Ces regroupements peuvent être observés pendant des migrations (troupeaux de gnous et de gazelles en transhumance vers des pâturages) ou en période de reproduction (colonies mixtes d'oiseaux).

Enfin, des colonies tout à fait particulières sont celles formées par des invertébrés marins, soudés entre eux au point de former un superorganisme (les coraux, par ex.). Ainsi, les ressources alimentaires captées par un individu profitent également à ses voisins.

Hiérarchie et vie sociale. Depuis plusieurs dizaines d'années, les éthologistes ont multiplié les recherches sur la structure des sociétés d'oiseaux et de mammifères. Ils ont découvert que celles-ci étaient presque toujours hiérarchisées. Cela permet une bonne coordination des différentes activités du groupe (défense, fuite, déplacement, recherche de nourriture, chasse, etc.).

Dans beaucoup de cas, le statut de dominant confère à l'animal une priorité absolue en ce qui concerne la nourriture et la reproduction. Seuls le loup dominant et sa louve se reproduisent dans la meute. De même, ils s'octroient les meilleurs morceaux de la chasse. Toutefois, ce type de comportement n'est pas une règle absolue. Chez les éléphants, par exemple, c'est une femelle âgée qui conduit le troupeau. Grâce à son expérience, elle sait vers quels pâturages il faut se diriger en cas de sécheresse. Pour autant, elle ne bénéficie d'aucun avantage particulier. Chez les babouins, le mâle dominant et ses aides, qui par ce statut sont autorisés à courtiser les femelles, assurent la sécurité et la défense du groupe contre les prédateurs. En général, la hiérarchie s'impose par la force. Ainsi, la vache dominante dans un troupeau a conquis cette position après des affrontements avec les autres vaches.

Dans quelques cas, toutefois, le statut de dominant n'est pas lié à une suprématie physique. Il peut être le résultat de diverses alliances (deux ou trois jeunes lions peuvent s'allier pour détrôner un mâle dominant, par exemple) ou être hérité de l'un des parents. Ainsi chez les macaques du Japon, singes chez lesquels on observe une hiérarchie au sein des mâles du groupe et une hiérarchie au sein des femelles, les mâles héritent du rang de leur mère ; le mâle dominant tous les autres mâles n'est pas nécessairement le plus athlétique mais il est le fils de la femelle dominant toutes les autres.

◆ **Une colonie de manchots royaux.**
Les manchots royaux *(Aptenodytes patagonicus)* se réunissent par milliers afin de nicher sur les côtes rocheuses subantarctiques. Lorsque les jeunes ont acquis leur plumage d'adulte très imperméable, ils partent pêcher en mer et la colonie se disloque.

La vie en groupe : avantages et inconvénients

Pour les herbivores, la protection contre les prédateurs est une des raisons essentielles à la constitution des troupeaux. Un buffle isolé dans la savane a peu de chance d'échapper aux hyènes ou aux lions. Ses chances de survie sont nettement plus grandes lorsqu'il fait partie d'un grand troupeau. Il en va de même pour les carnivores. La chasse en groupe est souvent plus efficace, et demande surtout une dépense d'énergie moins importante, que la chasse en solitaire. Mais la vie en communauté a son revers : la compétition pour la nourriture. En effet, plus une troupe est nombreuse, plus elle exploite les ressources de son environnement ce qui peut, dans certains cas, conduire à la famine.

Les sociétés d'insectes. Chez les insectes sociaux, termites, fourmis, guêpes et abeilles, la vie coloniale se double d'un polymorphisme, c'est-à-dire que, selon leur « caste », ces insectes n'ont pas le même aspect. Il existe ainsi, chez les termites, un roi, une reine, d'autres « sexués » et des neutres, ou « asexués », qui se divisent en ouvriers et en soldats. Chez les abeilles, la colonie comprend une reine, des mâles (ou faux bourdons) et des ouvrières, qui sont des femelles stériles. Ces appellations ne sont pas toujours bien choisies. Certes, dans une ruche, les ouvrières se livrent à tous les travaux : elles construisent les alvéoles, assurent le nettoyage, vont chercher le nectar, etc. Chez les termites, les soldats, malgré leur nom, ne sont pas des combattants très efficaces : ce sont plutôt les ouvriers qui défendent la termitière contre les attaques des fourmis. Quant au roi ou à la reine, ils ne sont nullement les « chefs » d'une société d'insectes : leur rôle est essentiellement reproducteur.

La vie sociale des termites, abeilles et fourmis est extrêmement complexe. On a pu comparer une fourmilière à une humanité en miniature : il existe en effet des fourmis moissonneuses, cultivatrices, esclavagistes, éleveuses de pucerons, etc.

◆ **Un combat de tigres.** Solitaires, les tigres défendent un territoire de chasse en le marquant par des jets d'urine mêlée à la sécrétion de glandes anales, en griffant l'écorce des arbres ou en labourant la terre. Si un intrus vient à traverser le domaine, des manœuvres d'intimidation, voire un véritable combat, désigneront le seul occupant des lieux.

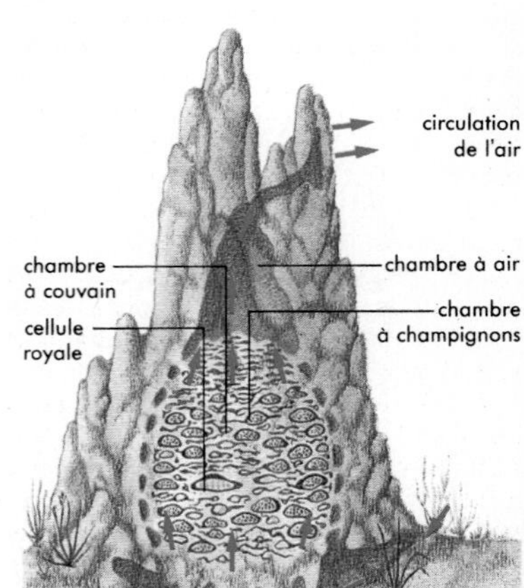

◆ **La termitière.** La cellule royale se trouve au centre de la « nourricière », reposant sur un « plateau » d'argile, soutenu par des piliers. Les parois externes de la termitière, formant la « muraille », protègent les habitants des ardeurs du soleil. Un astucieux système de circulation de l'air maintient une température optimale à l'intérieur de l'édifice, qui peut mesurer de 6 à 7 m de hauteur.

Utilisation d'outils

Pour les préhistoriens, un primate fossile est véritablement un homme s'il a utilisé des outils. Il demeure exact que l'outil travaillé et aménagé demeure une exclusivité humaine, et pourtant un petit nombre d'espèces animales sauvages utilise des outils rudimentaires.

Des outils pour se nourrir. Les animaux utilisent parfois des outils pour saisir une proie ou un aliment qui est inaccessible par des moyens simples et naturels. Ainsi, les corbeaux s'emparent de noix, s'envolent avec elles et, pour les casser, les laissent tomber sur le sol. Les goélands font de même avec les coques, et les grands rapaces, avec les tortues. Pour briser les coquilles d'escargot, les grives les frappent sur des cailloux dépassant du sol, qui font office d'enclumes. On a vu un merle noir, durant l'hiver, ramasser une branchette et balayer environ 900 cm^2 de neige de 4 à 5 cm d'épaisseur, pour ensuite chercher sa nourriture dans le sol. Le pinson des Galápagos a un bec court et conique qui ne lui permet pas de capturer les insectes qui se cachent dans les crevasses des troncs d'arbres. Alors, il ramasse une épine de cactus et l'introduit dans les fentes pour embrocher les insectes. Si l'épine est trop longue, il la casse en deux pour obtenir la longueur appropriée. Le corbeau néo-calédonien agit de façon comparable : il emploie une brindille de bois pour capturer les insectes. Il choisit visiblement des brindilles recourbées mieux adaptées à cet usage, et les effeuille préalablement avec son bec. S'il l'a mal prise dans son bec, il la pose et la reprend à un autre endroit. Après avoir empalé un petit invertébré sur la brindille, il coince cette dernière entre ses pattes et mange sa proie. Ce corbeau fabrique également un autre outil : avec son bec, il coupe et entaille méthodiquement une feuille dure et plate d'un arbre de la région pour en faire une pointe effilée dont les bords sont hérissés de piquants ; celle-ci lui sert également à attraper les petits animaux. L'araignée magnifique utilise comme une fronde le fil de soie qu'elle a sécrété : elle le fait tourner avec ses pattes et le lance sur les insectes qui passent en vol.

Des outils pour construire des nids. Les fauvettes dites couturières, qui habitent l'Asie orientale et l'Australie, attachent, avec des fils d'araignée ou autres filaments, les bords d'une grande feuille. Elles obtiennent ainsi un cornet où elles installeront leur nid. Certaines perforent même les feuilles pour y passer le fil. Une espèce de fourmi des régions tropicales présente un comportement assez voisin. Deux colonnes de cette espèce rapprochent les bords de deux feuilles. Puis certaines d'entre elles s'emparent d'une de leurs propres larves sécrétrices de soie. Ensuite, elles l'utilisent comme une navette vivante et fixent ainsi les deux feuilles avec le fil visqueux qui sort de la larve. L'ouvrière tient celle-ci entre ses mandibules et coud véritablement les deux feuilles.

L'oiseau-jardinier, ou oiseau à berceau, est un passereau d'Australie et de Nouvelle-Guinée qui construit une sorte de tonnelle devant laquelle le mâle parade. Mieux encore, celui-ci fabrique un pinceau avec des fibres d'écorces, puis l'imprègne d'une peinture faite de charbon ou de baies écrasées. Enfin, il prend ce pinceau dans le bec et badigeonne avec lui les parois intérieures de sa tonnelle.

Des outils pour se défendre. Un rongeur nord-américain, le neotoma, tapisse les sentiers qui mènent à son terrier avec des épines de cactus disposées dans tous les sens : de quoi faire rebrousser chemin à un ennemi éventuel. Certaines ammophiles, insectes apparentés aux guêpes, pour faire disparaître l'orifice de leur terrier, prennent un petit caillou entre leurs mandibules et dament le sol avec lui.

L'exemple des singes. Certains macaques nettoient leurs aliments en les frottant avec des feuilles, avant de les manger.

Les chimpanzés, pour boire l'eau croupissant dans la crevasse d'un tronc, prennent une poignée de feuilles qu'ils trempent dedans et sucent ensuite. Souvent, ils mâchonnent les feuilles avant de les utiliser ; rendues ainsi plus poreuses, elles absorbent plus d'eau. Les feuilles leur servent également d'éponges pour leur toilette. Pour casser des noix, ils utilisent de gros cailloux qu'ils ont parfois apportés sur place. Pour « pêcher » les termites, ils enfoncent dans un tunnel de la termitière une tige, parfois longue de 50 à 75 cm, attendent qu'elle soit couverte d'insectes, la retirent et la sucent. Il est remarquable de constater que le singe effeuille la tige pour la rendre plus propice à l'opération. Mais dans la plupart des cas, à chaque fois qu'il est en quête de termites, il fabrique un nouvel outil. Il conserve rarement une brindille même si celle-ci s'est révélée très bien adaptée. Dans le cas des chimpanzés, comme dans d'autres exemples d'animaux utilisateurs d'outils, on constate que tous les représentants d'une espèce ne sont pas capables de telles prouesses. Ce ne sont parfois que certaines populations au sein d'une espèce : chez les chimpanzés, ce sont ceux de Tanzanie et de Guinée équatoriale surtout qui vont à la pêche aux insectes. On peut supposer qu'un jour un sujet particulièrement doué a imaginé le procédé. Puis ses voisins l'ont imité, et le comportement s'est propagé parmi la population. Les jeunes sujets apprennent peu à peu à en faire autant, d'abord avec maladresse puis avec une assurance croissante. L'utilisation d'outils par les chimpanzés constitue donc une véritable culture (c'est également le cas pour le corbeau néo-calédonien).

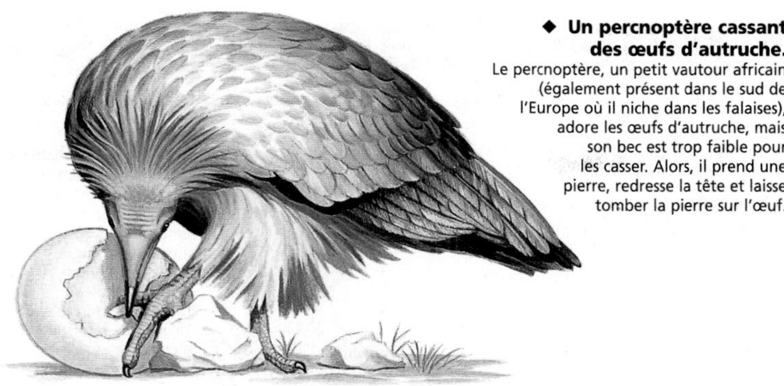

◆ Un percnoptère cassant des œufs d'autruche.
Le percnoptère, un petit vautour africain (également présent dans le sud de l'Europe où il niche dans les falaises), adore les œufs d'autruche, mais son bec est trop faible pour les casser. Alors, il prend une pierre, redresse la tête et laisse tomber la pierre sur l'œuf.

◆ Une loutre de mer cassant des coquillages.
La loutre de mer du Pacifique nord a l'habitude de faire la planche sur la mer. Elle pose alors un caillou sur son ventre et frappe dessus les coquillages dont elle se nourrit pour les casser. Jadis pourchassée à cause de sa fourrure, cette espèce a pu, grâce à des mesures de protection draconiennes, reconstituer une partie de ses effectifs.

VOIR AUSSI
- **Outils des premiers hommes** p. 412-413
- **Mammifères intelligents** p. 107

◆ Un chimpanzé « pêchant » des termites.
C'est la célèbre zoologiste Jane Van Lawick-Goodall qui a découvert cet étonnant comportement du chimpanzé. Ce singe est classiquement considéré comme le plus intelligent des animaux, bien qu'il soit hasardeux d'établir une hiérarchie.

Des moyens de protection vivants

Les actinies sont des anémones de mer qui capturent de petites proies à l'aide de leurs tentacules venimeux. Elles vivent habituellement fixées sur un support rocheux mais quelques espèces de crabes les hébergent sur leur carapace. Cette association est profitable aux deux partenaires : le crabe est protégé de ses ennemis par le venin de l'actinie tandis que cette dernière profite d'un support mobile et des restes de repas de son porteur. Certains crabes, et même des bernard-l'ermite, vont jusqu'à se saisir d'une anémone pour la poser sur leur carapace ou leur coquille. Parfois, on rencontre ces crustacés avec deux ou trois actinies sur le dos.

Sur les traces des animaux

Les indices de présence

Les empreintes. Reconnaître les empreintes est un art délicat. Sur une plage, celles des goélands et des mouettes se distinguent par la trace laissée par la palmure qui réunit les trois doigts antérieurs ; elles contrastent avec les traces aux trois longs doigts libre de l'huîtrier-pie. En forêt, cerfs et chevreuils laissent des empreintes à deux sabots, les doigts postérieurs ne marquant généralement pas (sauf chez un chevreuil en fuite). Au contraire, l'empreinte du sanglier montre quatre doigts, les « gardes », bien nettes en arrière des « pinces ».

Du côté des carnivores, une empreinte de félin, avec ses quatre doigts, est assez semblable à celle d'un canidé : les griffes marquent plus souvent s'il s'agit d'un animal de ce type que chez un félin aux griffes rétractiles, mais la différence n'est pas toujours visible. L'empreinte du loup, souvent comparée à une fleur de lis, ressemble beaucoup à celle d'un grand chien. L'empreinte du renard est, de même, assez comparable à celle d'un chien, mais elle est plus ovale, et les griffes sont plus marquées. Celle du blaireau est typique d'un plantigrade : la paume et les cinq doigts griffus sont bien nets. Deux traces allongées et deux petites sont celles d'un lièvre ou d'un lapin de garenne qui se sont assis. Avec le mulot comme avec le castor, la trace de la queue est visible.

D'autres traces. Les mammifères laissent beaucoup d'autres indices. Un cône (ou pomme de pin) auquel il ne reste plus qu'un « toupet » d'écailles est la signature d'un mulot ou d'un écureuil. Les sangliers font de nombreuses traces en fouillant la terre. Les cerfs « écorcent » les arbres en frottant leurs bois. Des trous dans un tronc indiquent la présence du pic noir, le plus grand des pics. Un squelette d'oiseau auquel restent attachées les grandes plumes des ailes est celui d'un faucon pèlerin. Il est plus fréquent de trouver des plumes isolées d'espèces variées : les identifier n'est pas toujours facile, mais peut donner d'intéressantes indications sur la présence d'espèces difficiles à voir. Avec beaucoup de chance, l'hiver, il est possible de découvrir en forêt une splendide paire de bois de cerf, tombée de la tête de son propriétaire.

De nombreux naturalistes se passionnent pour l'étude des pelotes de réjection des rapaces nocturnes. En effet, chouettes et hiboux recrachent par le bec les parties non digestibles de leurs proies : os, poils, ailes cornées (élytres) des insectes, etc. Ils les rejettent sous forme de pelotes, longues de quelques centimètres, qu'on trouve surtout au pied des arbres. Ces pelotes ont un triple intérêt. Elles renseignent sur la présence de ces rapaces, qui vivent en général très cachés, et aussi sur leur régime alimentaire. Et elles apportent d'utiles informations sur les campagnols et autres petits mammifères mangés par ces oiseaux et qui habitent la région. C'est pourquoi les ornithologistes comme les mammalogistes s'intéressent tant à ces pelotes.

Au bord de la mer. Le bord de la mer est un endroit particulièrement riche en indices de toutes sortes. Chacun sait reconnaître l'os de seiche, souvent rejeté par la mer : c'est la « coquille » interne de ce céphalopode. Les calmars ont une structure comparable, mais cornée, la plume, tandis que les pieuvres n'en possèdent pas.

Une grappe de « raisin » noir est une ponte de seiche. Une grosse masse d'œufs blanchâtres est une ponte de buccin, sorte de grand bigorneau : la taille de la masse s'explique par le fait que plusieurs femelles réunissent leurs pontes. Une coque noire et cornée, et éventrée, aux quatre angles prolongés par des pointes est un œuf de raie. Parfois, des sortes de masses charnues en forme de langue, de couleur vive, souvent orange, atteignant une trentaine de centimètres, attirent l'attention : ce sont des éponges peu connues, les ficulines.

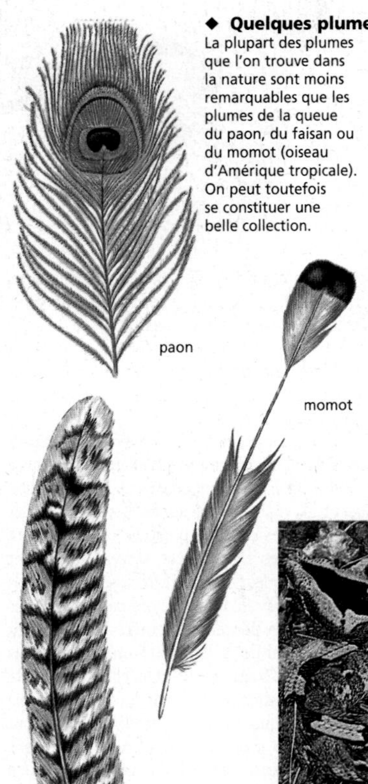

◆ **Quelques plumes.** La plupart des plumes que l'on trouve dans la nature sont moins remarquables que les plumes de la queue du paon, du faisan ou du momot (oiseau d'Amérique tropicale). On peut toutefois se constituer une belle collection.

Conserver une empreinte

Pour conserver le motif d'une belle empreinte découverte au détour d'un chemin, rien de plus simple. On peut, bien évidemment, la dessiner soigneusement, mais l'idéal, et la méthode la plus rigoureuse, est d'en faire un moulage.

La première étape est de construire un petit muret tout autour à l'aide de planchettes de bois. Ensuite, il faut préparer du plâtre avec de l'eau et le couler doucement dans la zone ainsi délimitée. Après un séchage de une heure ou deux, le plâtre a durci, et on peut retirer le moulage. En le retournant, on observe une belle empreinte en positif.

◆ **Mue de serpent.** Deux ou trois fois par an, les serpents perdent la couche cornée de leur peau. Elle se retourne en doigt de gant à partir de la tête. Il arrive de découvrir ainsi une « mue » de serpent, dont l'animal s'est débarrassé par frottements.

◆ **Pelotes de rapaces nocturnes.** Longues de 3 à 5 cm, elles sont en général grisâtres. On y découvre de nombreux ossements. Les pelotes de la hulotte et du moyen duc se trouvent au pied des arbres, celles de l'effraie dans les greniers.

◆ **Empreinte de cerf.** Elle mesure environ 9 cm, contre 5 cm pour celle du chevreuil. L'empreinte de la biche est plus pointue que celle du cerf, chez qui les « pinces » s'arrondissent avec l'âge. En vieillissant, il pose le pied postérieur de plus en plus en arrière de l'antérieur.

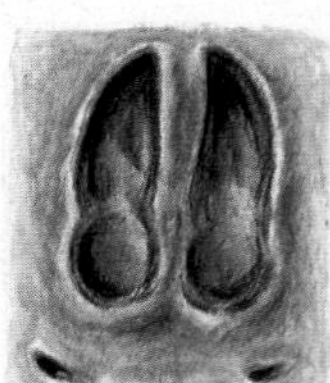

◆ **Empreinte de sanglier.** Les gardes (ou doigts postérieurs) sont bien marquées en arrière et en dehors des pinces (ou doigts antérieurs). Chez la laie, les pinces sont plus pointues que chez le mâle.

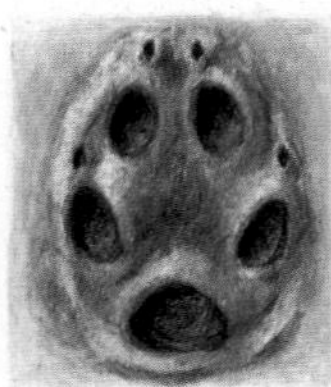

◆ **Empreinte de renard.** Comparée à celle du chien, l'empreinte est plus ovale et les griffes sont davantage marquées. De plus, les doigts latéraux (sans les griffes) dépassent à peine l'arrière des doigts médians, alors qu'ils le dépassent nettement chez la plupart des chiens.

Repérer la loutre

Devenue fort rare en France, la loutre est très difficile à voir, d'autant plus qu'elle est nocturne. Sa présence peut être decelée d'abord à ses empreintes en forme d'étoile (la palmure ne marque guère) ; ensuite à ses excréments, les épreintes, déposés bien en vue sur des pierres, toujours aux mêmes endroits : ils mesurent environ 4 cm. On peut aussi repérer des coulées, passages que la loutre trace à travers les herbes. Des restes de repas, poisson à moitié dévoré par exemple, sont des indices moins caractéristiques. Le nid de la loutre, ou catiche, peut être découvert près de l'eau, entre des racines. Des cris stridents, vibrants ou rauques signalent parfois la présence de cet animal fascinant. Attention ! La loutre est souvent confondue avec d'autres espèces (ragondin, rat musqué...).

Respecter la nature. Si l'on peut ramasser plumes, ossements ou coquilles vides, il faut, au contraire, résister à la tentation de collections qui seraient nuisibles à la protection de la faune (et souvent contraires à la loi), notamment celles des œufs et des insectes. Les espèces protégées se comptent non plus seulement chez les mammifères et les oiseaux, mais aussi chez les reptiles, les amphibiens, les mollusques, etc. : capturer des tritons ou certains escargots est, par exemple, désormais interdit.

Comment observer

Pour observer, patience, discrétion, souci de ne pas déranger sont de règle. Tous les animaux ne sont pas également visibles. Les plus gros ne sont pas toujours les plus faciles à voir. Dans une forêt, 5 geais agités et bruyants se remarqueront plus vite que 100 cerfs et biches. Pour qu'une observation soit valable, il faut que l'espèce en cause soit identifiée avec certitude. Ce n'est pas toujours aisé en raison des conditions mêmes de l'observation (distance, visibilité, durée, etc.) et aussi de la diversité des espèces.

L'observation visuelle est primordiale. Dans le cas des oiseaux et des mammifères, l'emploi de jumelles et de longues-vues est souvent indispensable. La photo et le cinéma (avec un matériel adapté, téléobjectifs notamment) ont désormais de nombreux adeptes. Le camouflage, dans des abris spéciaux, pour dissimuler le matériel est alors nécessaire. Mais le dessin, même s'il ne s'agit que d'un simple croquis, garde son importance. Enfin, le rôle de l'ouïe est loin d'être négligeable : avec de l'expérience, il est possible d'identifier par leurs cris ou leurs chants non seulement les oiseaux, mais aussi des mammifères, des amphibiens et des insectes.

◆ **Lardoir de pie-grièche.** Un insecte embroché sur une épine, ou parfois sur du fil de fer barbelé : c'est ainsi qu'une pie-grièche, passereau aux mœurs rapaces, fait des réserves de ses proies : insectes, grenouilles, lézards, jeunes oiseaux, petits rongeurs, etc.

Ne pas déranger. Tout observateur et amoureux de la nature prend naturellement soin de ne pas déranger les animaux qu'il tente d'observer. D'une manière générale, un animal qui se sent épié se méfie et même s'enfuit, car l'homme représente toujours un danger et un ennemi potentiel. L'approche doit donc être particulièrement discrète, au point de s'apparenter parfois à une épreuve de patience.

De même, une observation sans retenue de la nature peut en troubler l'ordre. Venir trop près d'un nid, par exemple, pour mieux voir les oisillons blottis au fond peut conduire à l'abandon du nid par les parents et à la mort inévitable des petits.

Où observer les animaux. L'observation « passive » demeure souvent le meilleur moyen de connaître véritablement le comportement d'un animal, car elle ne le perturbe pas. Et il n'est pas nécessaire d'être un zoologiste professionnel pour réussir des observations susceptibles de faire progresser ses connaissances. Les informations recueillies auprès des habitants et des associations naturalistes de la région ou dans des ouvrages spécialisés sont souvent une aide appréciable pour trouver la trace d'espèces rares ou discrètes.

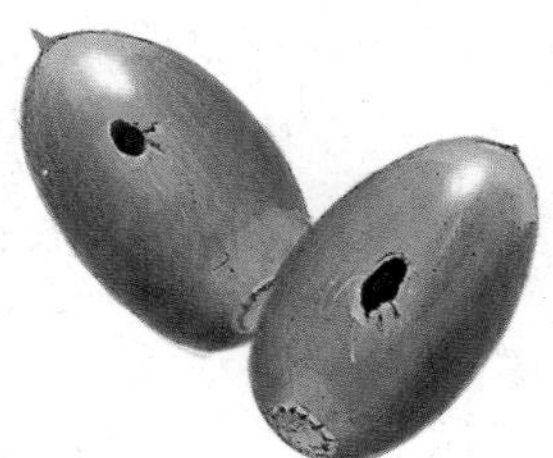

◆ **Restes de repas.** Chaque espèce animale a sa propre méthode pour manger les fruits. Ces glands percés indiquent sans doute la présence d'une mésange charbonnière tandis que les noisettes ont été rongées par des mulots ou des campagnols.

Certains domaines, comme l'ornithologie, ont maintenant beaucoup d'adeptes : en Grande Bretagne, par exemple, le *bird-watching* est un hobby national. Les ornithologistes rêvent de faire le plus de « coches » possible : une coche est une espèce de plus, vue dans la nature, que l'on peut alors cocher sur la liste des oiseaux d'Europe ou d'Amérique. Certains passionnés sont prêts à parcourir des centaines de kilomètres pour faire une coche. En Angleterre, lorsqu'un oiseau rare a été signalé, d'innombrables *bird-watchers* se mettent en route dans la nuit et se retrouvent au petit matin sur les lieux.

Un jardin à l'aspect un peu « sauvage » jonché de branches mortes ou envahi, par endroits, de mauvaises herbes accueille généralement une faune d'une richesse surprenante, qu'il s'agisse d'oiseaux, de mammifères, d'amphibiens, d'insectes ou d'invertébrés. Une mare se peuple vite d'une foule d'espèces aquatiques. Les arbustes à baies attirent les oiseaux, tout comme le nourrissage hivernal, très apprécié, notamment, des mésanges et des verdiers. Des nichoirs, installés de préférence à l'automne, facilitent la nidification de nombreuses espèces.

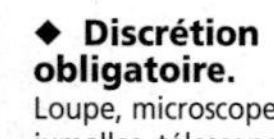

◆ **Discrétion obligatoire.** Loupe, microscope, jumelles, télescope sont autant d'instruments d'observation nécessaires au zoologiste. Pour l'amateur, il suffit, bien souvent, de savoir regarder.

VOIR AUSSI • **Groupes d'animaux** p. 106 à 119

Le chien

Des origines à la domestication

Le chien est un mammifère carnivore de la famille des canidés, qui comprend aussi le loup, le chacal et le coyote, du genre *Canis*. Mais c'est bien le loup, et lui seul, qui est l'ancêtre sauvage du chien. Diverses ressemblances morphologiques, anatomiques ou biologiques, ainsi que l'existence de maladies ou de comportements identiques chez le chien et chez le loup en sont autant d'indices. Une des preuves est issue d'analyses comparatives d'ADN (molécules, présentes dans chaque cellule du corps, qui déterminent les caractères héréditaires de tout individu) : l'ADN du chien est beaucoup plus proche de celui du loup que de celui du coyote ou du chacal.

Tout au long du processus de domestication, les loups domestiqués ont sans doute continué à se reproduire, à l'occasion, avec des individus sauvages. Actuellement encore, certains chiens peuvent se reproduire avec des loups (ou même des coyotes), dans la nature. Assez rapidement (il y a plusieurs milliers d'années), plusieurs races de chiens se sont individualisées, sans doute en raison même de la variabilité morphologique des loups dont ils étaient issus (ex. : loups plus petits dans le sud de l'Europe que dans le nord).

D'après les squelettes qui ont été étudiés, les chiens préhistoriques se distinguaient déjà des loups par leur plus petite taille, leur museau relativement plus court par rapport à la tête, leurs mâchoires plus petites. La morphologie du crâne ainsi que certains comportements permettent de définir le chien comme un loup qui aurait gardé, à l'âge adulte, des caractéristiques juvéniles. Ainsi il joue, aboie, gémit, toutes choses que fait le louveteau, mais non le loup adulte.

La domestication. Le chien a été le premier animal domestiqué par l'homme. Une hypothèse récente, fondée notamment sur des analyses génétiques, suggère que la domestication du loup daterait de près de 135 000 ans, mais cela est encore controversé. Il est sûr, en tout cas, qu'il était déjà domestiqué 14 000 ans av. J.-C. : un squelette de chien a été trouvé dans une tombe humaine, sur un site archéologique de cette époque, en Allemagne.

Loups et hommes, chassant plus ou moins les mêmes proies, étaient sans doute amenés à se côtoyer fréquemment à cette époque. Diverses hypothèses existent sur la façon dont s'est faite la domestication ; il est par exemple tentant de penser qu'elle a débuté par la prise en charge de louveteaux orphelins par des hommes. Le processus a pu être facilité par le comportement même du loup. Contrairement au chacal et au coyote, qui sont solitaires, le loup vit en effet en société ; il obéit à un sujet dominant, le chef de meute, tout en conservant longtemps un caractère infantile. L'homme, en cumulant le rôle de chef et de seconde mère, pouvait donc entreprendre avec succès la domestication du loup.

Celle-ci s'est très vite propagée à travers l'Europe, le nord de l'Afrique et l'Asie occidentale. Pendant la préhistoire, le chien a servi de viande et de bête de somme, a participé à la chasse et a fourni peau et os pour la fabrication d'outils et de vêtements. Toutes les grandes civilisations ont connu, utilisé – voire vénéré – le chien. Aujourd'hui, il est un animal de compagnie et, à bien des égards, un précieux auxiliaire de l'homme.

Anatomie et physiologie

De tous les animaux domestiques, les chiens sont ceux qui présentent la plus grande diversité morphologique (taille, forme du corps et de la tête, longueur relative des pattes…). Quelle que soit leur race, toutefois, ils ont en commun un certain nombre de caractères.

Le squelette des chiens comprend de 279 à 282 os selon les races. L'anatomie du chien le désigne comme un coureur d'endurance. Ses muscles constituent la part la plus importante de son corps. L'adaptation à la course est également liée à l'allongement des membres et au fait que seule l'extrémité des doigts repose au sol (on dit que le chien est digitigrade).

Les mâchoires sont actionnées par des muscles puissants et peuvent, en se refermant, exercer une pression considérable. Le chien adulte possède 42 dents, dont certaines, les carnassières, sont utilisées pour mordre les substances coriaces. L'apparition des dents de lait intervient entre le 20ᵉ et le 30ᵉ jour, et à 6 mois le chien a sa dentition définitive.

Le cerveau d'un chien de taille moyenne pèse 15 % du poids de celui d'un humain. La région réservée à l'odorat comprend en revanche 40 fois plus de cellules que la même région du cerveau de l'homme. L'odorat constitue en effet le sens le plus remarquable du chien ; on estime qu'il est 1 million de fois plus sensible que le nôtre. En ce qui concerne la vision, le chien voit bien dans l'obscurité et décèle correctement les mouvements à distance.

De précieux auxiliaires de l'homme

La liste est longue des fonctions assurées par les chiens, dont la moindre n'est peut-être pas celle d'animal de compagnie. Depuis des siècles, les chiens gardent les troupeaux ; même dans les pays industrialisés, où cette fonction semblait amenée à disparaître, on redécouvre les mérites d'un chien de berger pour tenir les loups à distance. Ils veillent à la sécurité des demeures ou des centres commerciaux. Grâce à leur odorat très développé, ils peuvent repérer gibier, drogue, explosifs, truffes, ou personnes en difficulté sous des avalanches ou des décombres. Certains chiens sont dressés pour être guides d'aveugles ou pour assister les personnes sourdes ou handicapées motrices. Les chiens de traîneaux, autrefois indispensables dans le Grand Nord, tendent à être remplacés par des engins motorisés. Mais les attelages de chiens ont trouvé une autre fonction, plus touristique. Enfin, rappelons que le premier être vivant envoyé dans l'espace fut une chienne russe, du nom de Laïka.

Le rythme des battements cardiaques d'un chien en bonne santé est de 90 à 120 par min. Celui de la ventilation pulmonaire, qui fait entrer l'air oxygéné dans les poumons et en rejette l'air vicié, est de 18 à 20 mouvements par min. La température rectale au repos du chien sain varie entre 38 et 39 °C.

Cet animal, bien qu'il soit carnivore, digère rapidement (la nourriture ne séjourne que trois à quatre heures dans son estomac). Si la femelle n'est pubère qu'à l'âge de 10 mois, en moyenne, le mâle produit des spermatozoïdes dès 6 mois.

◆ **La dentition du chien.**

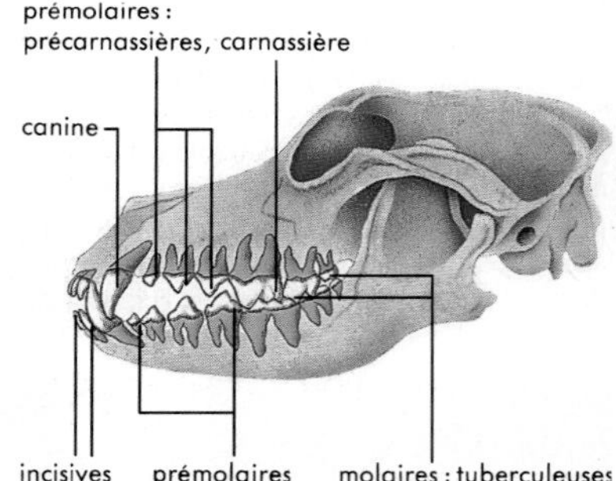

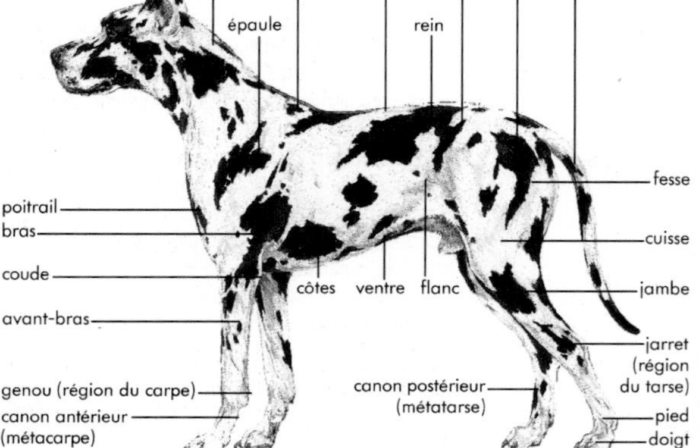

◆ **L'anatomie du chien.**
La cassure du nez, appelée le stop, est l'une des caractéristiques apparues avec la domestication; elle n'est pas visible chez le loup, ancêtre du chien. Les yeux, en amande chez le loup, sont ronds chez le chien.

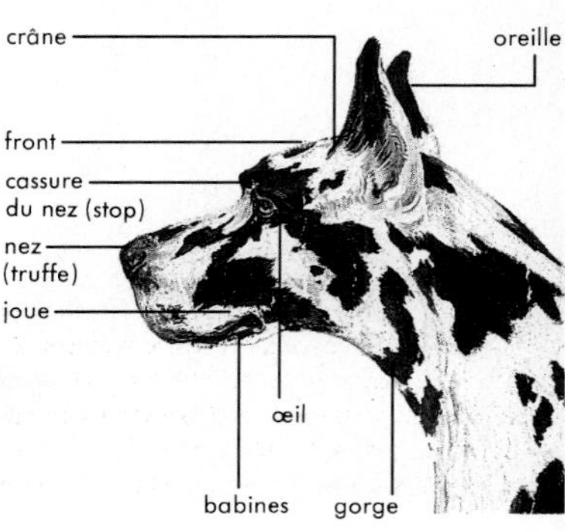

Les races

Quelque 350 races de chiens sont reconnues officiellement aujourd'hui. Cette diversité est le fruit de la sélection intensive menée par l'homme depuis longtemps (elle était pratiquée par les Romains).

Pour avoir un pedigree, un chiot doit être né de parents de même race et ayant eux-mêmes un pedigree, et il devra être examiné par un expert, vers l'âge de 1 an, pour vérifier qu'il possède bien toutes les caractéristiques qui définissent la race.

Il n'est pas aisé de classer les races. Depuis 1987 est utilisée une classification en 10 groupes, fondée sur la morphologie et l'utilisation des chiens. Les 1er et 2e groupes comprennent essentiellement des chiens de berger et de bouvier (personne gardant les bœufs) et des chiens de garde. Le 3e groupe est celui des terriers, des chiens dressés à l'origine pour chasser les animaux dans leurs terriers. Le 4e groupe compte une seule race, le teckel. Dans le 5e groupe, on trouve notamment des races nordiques, à fourrure épaisse et à museau pointu (ex. chien de traîneau). Les chiens des 6e, 7e et 8e groupes sont des chiens de chasse. On distingue les chiens courants (dressés à poursuivre le gibier) et les chiens d'arrêt (qui s'immobilisent lorsqu'ils sentent le gibier). Certains ont des spécificités, comme leur aptitude à rapporter le gibier ou à chasser dans l'eau. Les chiens d'agrément et de compagnie constituent le 9e groupe, tandis que le 10e est celui des lévriers.

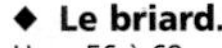

HG = hauteur au garrot
P = poids

◆ Le caniche.
Hg = 25 à 58 cm. P = 7 kg (caniches toys) à 30 kg (grands caniches). Le caniche est le chien de compagnie par excellence. On en a fait parfois un chien de cirque. Mais c'est à l'origine un chasseur de canards.

◆ Le teckel.
Hg = 15 à 25 cm. P = 4 à 7 kg. Créé en Allemagne pour chasser blaireaux et renards, il est aussi apprécié comme chien de compagnie.

◆ Le berger allemand.
Hg = 57 à 62 cm. P = 30 à 40 kg.
Chien très populaire dans le monde entier. Son exceptionnelle faculté d'adaptation en fait l'auxiliaire privilégié de l'homme en de multiples circonstances, en même temps qu'un remarquable compagnon.

◆ Le siberian husky.
Hg = 51 à 60 cm. P = 15 à 28 kg.
Ce chien de traîneau, originaire de Sibérie, a besoin de mener une vie très active. Ses yeux sont marron ou bleus (cette couleur contribuant alors à son succès).

◆ Le cocker anglais.
Hg = 38 à 41 cm. P = 12 à 15 kg. Chien de chasse, utilisé à l'origine en Grande-Bretagne pour chasser faisans et bécasses. Il se faufile aisément dans les broussailles.

◆ Le briard.
Hg = 56 à 68 cm. P = 25 à 35 kg. Ce chien de berger originaire de France avait pour première vocation de garder les moutons ; aujourd'hui, c'est un animal de compagnie très recherché.

◆ Le setter anglais.
Hg = 61 à 68 cm.
P = 25 à 30 kg. Le setter anglais est avant tout un chien de chasse, et une vie de chien de compagnie ne peut pas lui convenir totalement. Il a la réputation d'être le chien qui parvient le mieux à approcher la bécasse.

◆ Le yorkshire-terrier.
Hg = 19 à 23 cm. P = 1,2 à 3 kg. C'est pour déloger les lapins de leurs terriers que des ouvriers écossais ont créé au XIXe s. cette petite race très rustique et appréciée devenue aujourd'hui un chien de compagnie.

◆ Le berger d'Écosse, ou colley à poils longs.
Hg = 51 à 61 cm. P = 18 à 30 kg. Ce chien est à l'origine un chien de berger, utilisé pour encadrer les troupeaux de moutons ; c'est aussi un bon gardien et un agréable compagnon. Il doit en partie sa réputation aux films « Lassie ».

◆ Le labrador.
Hg = 54 à 57 cm. P = 25 à 34 kg. Cet excellent nageur aidait autrefois les pêcheurs de Terre-Neuve à rattraper les poissons qui s'échappaient de leurs filets. Utilisé dans le dépistage des stupéfiants, il excelle aussi à la chasse, fait un bon guide d'aveugles et un compagnon idéal pour les enfants.

◆ L'épagneul breton.
Hg = 46 à 52 cm. P = 13 à 17 kg. C'est le plus petit des épagneuls. Chien idéal pour tout type de chasse, il est très répandu en France, dont il est originaire. C'est aussi un agréable chien de compagnie.

◆ Les chiens de race en France.
- 1,5 million de chiens (soit environ 20 % des chiens) avec un pedigree
- 148 316 naissances de chiens de race enregistrées en 1997
- Naissances les plus nombreuses en 1997, en ordre décroissant : berger allemand (13 781), labrador (9 938), yorkshire-terrier (5 456), setter anglais (5 423), épagneul breton (5 215)
- Races les plus petites : les chihuahuas et les yorkshire-terriers (certains pesant environ 1 kg)
- Races les plus lourdes : les saint-bernard et les mastiffs (80-90 kg)

◆ Le chihuahua.
Hg = 15 à 23 cm. P = 1 à 3 kg. C'est à cette race qu'appartiennent les plus petits chiens du monde. Certains individus ont un poil long, d'autres ont un poil court. Originaire du Mexique, et plus précisément de la région de Chihuahua, ce chien est un bon gardien.

HG = hauteur au garrot
P = poids

◆ Le barzoï ou **lévrier russe.** Hg = 66 à 82 cm. P = 35 à 48 kg. Utilisé autrefois en Russie pour chasser le loup, ce lévrier d'allure aristocratique est aujourd'hui un chien de salon.

◆ Le saint-bernard. Hg = 61 à 72 cm. P = 50 à 90 kg. Ce chien robuste et résistant au froid est dressé pour le sauvetage en montagne. Barry, le plus exceptionnel représentant que cette race ait jamais compté, a sauvé 40 personnes en 12 années de travail.

◆ Le lévrier irlandais ou **irish wolfhound.** Hg = 71 à 90 cm. P = 40 à 55 kg. Utilisé à l'origine pour la chasse au loup, c'est le plus grand chien du monde.

◆ Le shar pei. Hg = 42 à 51 cm. P = 16 à 20 kg. Originaire de Chine, le shar pei était un chien de garde et de combat. Il aurait pu disparaître si quelques éleveurs américains n'avaient entrepris de le sauver. Son poil est très court et des replis de peau sillonnent son corps trapu.

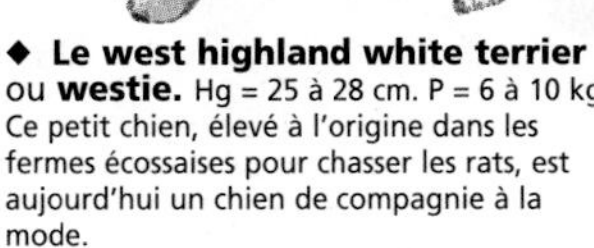

◆ Le west highland white terrier ou **westie.** Hg = 25 à 28 cm. P = 6 à 10 kg. Ce petit chien, élevé à l'origine dans les fermes écossaises pour chasser les rats, est aujourd'hui un chien de compagnie à la mode.

◆ Le bobtail. Hg = 51 à 60 cm. P = 25 à 30 kg. Il est un des rares chiens à marcher l'amble (soulevant en même temps les deux pattes situées du même côté). Autrefois chien de berger, en Angleterre notamment, il est devenu un chien de compagnie très apprécié.

◆ Le basset hound. Hg = 33 à 38 cm. P = 18 à 27 kg. Très court sur pattes, originaire de Grande-Bretagne, c'est un chien de chasse, poursuivant les lièvres, lapins ou chevreuils.

◆ Le boxer. Hg = 53 à 63 cm. P = 20 à 30 kg. C'est un bon chien de garde, qui peut être dressé pour d'autres usages (chien policier, chien-guide).

◆ Le chien chinois à crête. Hg = 25 à 33 cm. P = 2 à 5 kg. Certains individus de cette race sont presque nus ; ils n'ont des poils qu'au bout de la queue et sur le dessus du crâne.

◆ Le saint-hubert ou **bloodhound.** Hg = 58 à 67 cm. P = 36 à 45 kg. Ce chien de meute, connu pour son flair, poursuit le gibier sur de longues distances. Guillaume le Conquérant avait donné pour ordre que tous les autres chiens de son domaine subissent une amputation de trois doigts, afin qu'ils ne puissent le concurrencer dans sa quête du gibier.

◆ Le dalmatien. Hg = 55 à 61 cm. P = 22 à 25 kg. Aujourd'hui chien de compagnie, il fut autrefois chien de trait et de cocher (accompagnait les voitures à cheval pour les protéger des brigands).

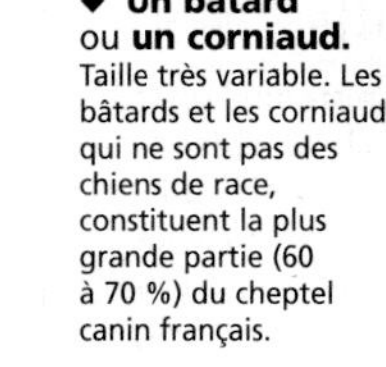

◆ Un bâtard ou **un corniaud.** Taille très variable. Les bâtards et les corniauds, qui ne sont pas des chiens de race, constituent la plus grande partie (60 à 70 %) du cheptel canin français.

◆ Le bouledogue français. Hg = 25 à 35 cm. P = 7 à 13 kg. C'était à l'origine un chien de combat (contre d'autres chiens ou des taureaux). Ce petit chien musclé a une grosse tête carrée, présentant de nombreux replis de peau.

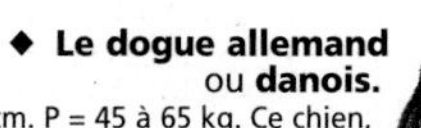

◆ Le dogue allemand ou **danois.** Hg = 70 à 81 cm. P = 45 à 65 kg. Ce chien, qui a eu Bismarck pour admirateur, fut à l'origine un chasseur ; sa taille imposante en fait un bon chien de garde. Parmi ses ancêtres figurent des lévriers.

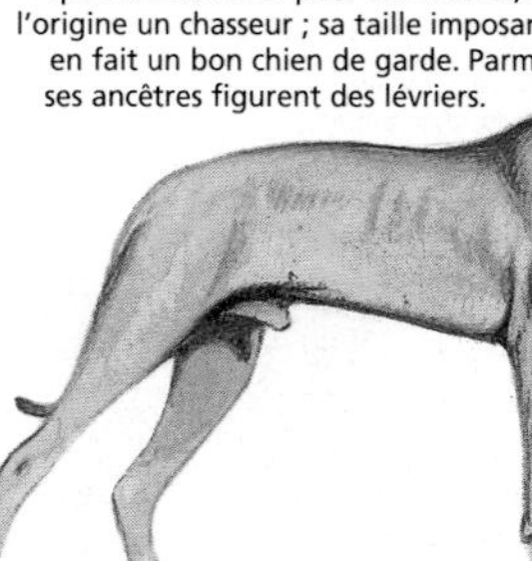

◆ Le lévrier afghan. Hg = 62 à 74 cm. P = 23 à 30 kg. À l'origine chien de chasse des montagnes afghanes, il est devenu chien de compagnie et d'agrément. Ses poils soyeux sont très longs, sauf sur la face. Il fut le chien préféré de Picasso.

◆ Le fox-terrier. Hg = 36 à 39 cm. P = 7 à 9 kg. Originaire de Grande-Bretagne, il excelle à la chasse au renard. A inspiré Hergé, pour dessiner Milou, le chien de Tintin.

Vie quotidienne

Le chien a besoin d'attention et de soins quotidiens; il doit bénéficier régulièrement d'un toilettage et recevoir une éducation (propreté et obéissance à quelques ordres simples).

Certaines vaccinations (rage, maladie de Carré, hépatite, leptospirose...) sont obligatoires ou très conseillées.

Les compagnies de transport acceptent généralement les chiens, mais elles ont leurs propres règlements. Pour les voyages à l'étranger, certains pays (États-Unis, Royaume-Uni, notamment) imposent une mise en quarantaine et certaines vaccinations.

L'alimentation et la reproduction. Un régime équilibré se compose des aliments suivants : un tiers à une moitié de viande (car le chien est, à l'origine, un carnivore), le reste étant composé de farineux et de légumes verts.

La chienne parvient à maturité sexuelle entre 6 et 24 mois, selon sa race. Pendant la plus grande partie de l'année, elle refuse tout accouplement. La période dite « des chaleurs », pendant laquelle la fécondation peut avoir lieu, revient tous les 6 mois environ, le plus souvent en hiver et en été, et se décompose en deux phases. Pendant 7 à 10 jours, la chienne perd du sang, attire les mâles, mais refuse toujours l'accouplement. Puis c'est la phase de l'ovulation (5 à 15 jours) : les pertes de sang diminuent et la chienne accepte le mâle.

La limitation des naissances fait appel à des méthodes chirurgicales ou contraceptives. Les premières, pratiquées à partir de 8 à 10 mois, ont l'avantage ou l'inconvénient, selon les points de vue, d'être définitives. La contraception se pratique sous forme d'injections à intervalles réguliers ou sous une forme orale (la pilule).

Le tatouage. Obligatoire en France, par exemple, il consiste en une suite de 3 chiffres et 3 lettres, inscrite sur l'oreille ou sur la cuisse droite. Enregistré sur un fichier central, il permet d'identifier chaque chien et son propriétaire. En 1996, il a permis de retrouver 68 000 chiens perdus ou volés (en France).

La rage

La rage est une maladie contagieuse mortelle pouvant atteindre l'homme et de nombreux animaux (mammifères et oiseaux). Elle est provoquée par un virus qui se transmet par la salive à l'occasion d'une morsure. Réapparue en France en 1968, près de la frontière allemande, elle a progressé d'année en année vers l'ouest et le sud et a été diagnostiquée chez près de 50 000 animaux, dont 10 000 animaux domestiques. Le renard, accusé d'être le principal responsable de la progression de la maladie, a d'abord fait l'objet d'une vaste campagne de destruction (pièges, empoisonnement, gazage des terriers), ce qui n'a pas empêché la rage de progresser. C'est seulement après une dizaine d'années de vaccination massive des animaux sauvages (largage par hélicoptère d'appâts contenant le vaccin) que la rage a pu régresser. Ainsi, seuls deux cas de rage ont été diagnostiqués en 1997 en France. Toutefois la vaccination des chiens contre la rage demeure obligatoire dans certains départements et pour les chiens séjournant dans des lieux publics (campings, expositions canines...) ou devant être introduits en Corse ou encore dans certains pays étrangers.

◆ Dressage d'un chien destiné à aider les handicapés moteurs.
Les chiens, qui peuvent effectuer des tâches très diverses, sont de précieux auxiliaires de l'homme. Les chiens-guides d'aveugles sont bien connus mais ceux destinés à assister les handicapés sont encore très rares. Ils doivent suivre un long et coûteux dressage. Ils peuvent ainsi apprendre à reconnaître les sonneries de téléphone, à saisir et à présenter le combiné à leur maître qui, de cette façon, peut communiquer plus facilement avec le monde extérieur.

◆ Les chiens en France.

- 8 millions de chiens
- 2,7 millions de chiens de chasse
- Environ 1 foyer sur 3 a au moins un chien (record européen)
- 20 % des chiens vivent en appartement.
- 500 000 chiens à Paris
- 100 000 chiens abandonnés en 1993
- Les chiens errants, conduits en fourrière, peuvent être abattus s'ils ne sont pas réclamés, après 4 jours s'ils ne sont pas tatoués, après 8 jours s'ils le sont.
- Une dizaine de cynodromes
- 10 t de crottes de chien par jour à Paris (600 personnes hospitalisées par an, à la suite d'une « glissade »); 42 millions de FF consacrés par an au nettoyage
- 500 000 plaintes par an pour morsure par un chien (1 400 facteurs mordus en 1996).

Les pitbulls

Très nombreux aux États-Unis (près d'un million), les pitbulls sont arrivés en France vers 1985 et y étaient, officiellement, environ 1 500 en 1998. Ces chiens font peur : plusieurs personnes ont été gravement blessées par certains d'entre eux ; surtout, ils ont souvent des maîtres qui n'hésitent pas à les utiliser comme une arme ou à organiser des combats clandestins. Les meilleurs combattants se négocient d'ailleurs à prix fort (plus de 50 000 FF parfois). Le rôle de l'éducation est primordial, pour les pitbulls, comme pour les autres chiens. Les pitbulls, lorsqu'ils sont élevés dans de mauvaises conditions (enfermés, attachés, peu nourris, battus), excités et dressés à mordre sans lâcher prise, deviennent très agressifs et font alors usage de la très grande puissance de leurs mâchoires. En France, une loi a été votée en 1998 pour réglementer leur possession (assimilée, depuis 1996, à « l'usage d'une arme par destination ») et les faire disparaître du pays dans les prochaines années (leur reproduction est désormais interdite).

Santé

Un chien en bonne santé peut vivre jusqu'à 20 ans, la longévité moyenne variant beaucoup cependant en fonction de la race du chien et de sa taille. Les chiens de race et les grands chiens vivent en général moins longtemps que les petits chiens et les bâtards. La santé du chien est liée à une bonne hygiène de vie (alimentation équilibrée, exercices suffisants...), surtout lors de certaines périodes de grande vulnérabilité : croissance, gestation, allaitement, travail, vieillesse.

Les parasites. Les parasites externes sont très nombreux. Les insectes (puces et poux) et les acariens (tiques, aoûtats) provoquent allergies et démangeaisons, et peuvent transmettre des maladies infectieuses graves (gale, piroplasmose...). Parmi les mycoses, infections provoquées par des champignons, figure la teigne. Les parasites internes sont également variés : le chien peut abriter plus de 20 espèces de vers. Parmi les vers ronds, les plus courants sont les ascaris, visibles à l'œil nu dans les selles; presque tous les chiots et 10 à 20 % des adultes les hébergent. Moins fréquents mais plus dangereux sont les ankylostomes et les trichures. Parmi les vers plats, le ténia du chien, qui peut atteindre 80 cm, joue les premiers rôles. Il vit d'abord chez la puce, et c'est le plus souvent en avalant l'une d'entre elles que le chien s'infeste.

Les maladies infectieuses. Plusieurs peuvent avoir de graves conséquences, voire une issue fatale. La maladie de Carré, due à un virus, affecte surtout les jeunes chiens et, dans sa phase finale, s'attaque au système nerveux. L'hépatite infectieuse, ou « maladie de Rubarth », touche le foie. La parvovirose est une maladie des intestins et de l'appareil digestif. La leptospirose, provoquée par une bactérie, est une maladie du foie ou des reins transmise par l'urine de rongeurs. Transmise par les tiques, la piroplasmose (ou babésiose) est une maladie du sang due à un protozoaire, parasite des globules rouges. Elle provoque anémie et fièvre, parfois des complications hépatiques et rénales.

La prévention. La vaccination contre la rage est la seule qui soit obligatoire, dans un certain nombre de cas. Cependant, des vaccins contre les maladies évoquées ci-dessus existent et sont vivement conseillés. Il est indispensable d'éliminer les parasites (grâce à des vermifuges, colliers antipuces, poudre antiparasites).

Petit lexique

pedigree : document attestant l'appartenance d'un chien à une race.

Le chat

Des origines à la domestication

Le chat est un mammifère carnivore appartenant à la grande famille des félidés. Cette dernière comprend aujourd'hui les grands félins (lion, tigre…) et différentes espèces de plus petite taille, appelées « chats ». Dans ce dernier groupe, on trouve, outre le chat domestique, plusieurs espèces sauvages, dont le chat sauvage, qui est l'ancêtre du chat domestique.

Le chat sauvage. L'espèce comporte trois sous-espèces, différant notamment par leur pelage : l'une vit en Europe et dans le nord de l'Asie, une autre dans le sud de l'Asie, et la troisième (« chat ganté ») en Afrique. Ce dernier, au pelage fauve clair tacheté, a longtemps été considéré comme l'unique ancêtre des chats domestiques, car c'est lui qui vivait en Égypte à l'époque où apparaissent les premières preuves tangibles de la domestication. Il est probable cependant que les diverses races actuelles de chats domestiques sont issues de croisements successifs entre les 3 sous-espèces. Les chats sauvages d'Europe, qui vivent en forêt, pourraient à première vue passer pour des chats domestiques tigrés, mais ils sont plus grands et massifs, et possèdent une queue touffue, qui ne se termine pas en pointe.

Le chat domestique. La date à laquelle le chat a été domestiqué n'est pas connue avec précision. On avance parfois les dates de 7 000 ou 5 000 ans av. J.-C., mais les preuves les plus anciennes de la domestication remontent seulement au début du IIIe millénaire av. J.-C., en Égypte. Ainsi une peinture datant de 2600 av. J.-C. représente un chat avec un collier, indiquant que l'animal était à cette époque devenu un animal familier des Égyptiens. Peintures et sculptures de cette époque nous font découvrir un animal élancé, longiligne, haut sur pattes, aux épaules droites et à la poitrine étroite, évoquant le chat abyssin, une race actuelle.

Les Égyptiens ont très vite fait du chat un animal sacré. La déesse Bastet, considérée comme mère de la beauté, dame du ciel, déesse de l'amour, était représentée avec une tête de chat. De nombreux Égyptiens croyaient descendre d'un chat, et beaucoup de femmes, dont Cléopâtre, cultivaient une allure féline. À leur mort, les chats étaient momifiés et placés dans des sarcophages ; on en a retrouvés jusqu'à 300 000 dans un seul lieu.

À partir de l'Égypte, le chat domestique allait envahir le monde. Grand chasseur, il fut embarqué sur les navires pour éliminer les rats et souris qui sévissaient dans les cales, et c'est ce qui a favorisé sa propagation. C'est par la Grèce et Rome qu'il a atteint l'Europe, et ce sont probablement les soldats romains qui l'ont introduit en Gaule, où il a dû se maintenir d'abord en assez petit nombre.

Considéré, au Moyen Âge, comme une créature diabolique, amie des sorcières, ce félin fut persécuté en Europe et fit les frais du zèle de l'Inquisition ; il faudra attendre le XVIIe et surtout le XVIIIe s. pour qu'intervienne sa réhabilitation.

Anatomie et physiologie

Tout dans le physique du chat est lié à sa fonction de chasseur. Souplesse, rapidité, don de l'observation le rendent très efficace dans cette activité. Il possède les particularités anatomiques et physiologiques de tous les carnivores : fin squelette, système digestif réduit, sens aiguisés et dents acérées.

Squelette et musculature. Le squelette du chat est comparable à celui de l'homme en de nombreux points, mais présente cependant quelques différences fondamentales. Ainsi, il n'a pas de clavicule, mais un os atrophié dans le muscle pectoral ; sa poitrine est donc étroite, et il peut se faufiler dans des endroits exigus. Ses vertèbres sont reliées les unes aux autres de façon moins rigide que celles de l'homme, ce qui lui confère une grande souplesse. Sa musculature s'adapte parfaitement à la finesse de son squelette et lui procure la puissance nécessaire pour chasser. Lorsqu'il marche, il dépense peu d'énergie. Ses membres antérieurs supportent le poids de son corps alors que les postérieurs le propulsent vers l'avant. Le chat est digitigrade, c'est-à-dire qu'il marche sur le bout des doigts. Sa mâchoire est puissante. Ses dents (30 à 32 dès l'âge de 7 ou 8 mois) sont celles d'un carnivore : canines acérées pour mordre et molaires coupantes pour cisailler la viande.

La vision de nuit

Le chat sauvage chasse essentiellement à l'aube et au crépuscule, et peut parfaitement bien voir dans la pénombre. Le chat domestique a gardé cette faculté. Il dispose pour cela de trois atouts. Sa pupille, tout d'abord, se dilate au maximum, jusqu'à devenir complètement ronde, afin de faire entrer le maximum de lumière. D'autre part, sa rétine présente une sorte de miroir, constitué de grandes cellules plates, qui est situé derrière les cellules photoréceptrices captant la lumière extérieure. Ce miroir, qui par ailleurs fait briller les yeux des chats dans la nuit, renvoie vers les photorécepteurs les particules lumineuses qui n'ont pas été captées lorsque, venant de l'extérieur, elles ont frappé une première fois la rétine. La moindre lumière extérieure est donc utilisée par l'œil avec une grande efficacité. Enfin, le pourcentage de cellules photoréceptrices de type bâtonnets est beaucoup plus élevé dans la rétine du chat, notamment dans la zone centrale de vision, que dans la nôtre. Ces cellules ne permettent pas la vision en couleur, contrairement aux cellules appelées cônes, mais sont beaucoup plus sensibles à la lumière que ces dernières. Elles sont donc très utiles pour voir (en noir et blanc) lorsque l'éclairement est faible.

Perception. L'odorat du chat est beaucoup plus développé que celui de l'homme. Il est particulièrement sensible à l'odeur des produits azotés. Plusieurs plantes très odorantes, telle la valériane officinale, appelée herbe aux chats, provoquent chez lui une excitation très vive. Il est également capable de distinguer divers goûts et peut être très difficile quant au choix de sa nourriture. Sa vue est excellente. Son champ visuel est de 280 degrés (200 seulement chez l'homme), dont 130 degrés de chevauchement (zone vue en même temps par les deux yeux, à l'intérieur de laquelle on voit en relief) ; il peut donc repérer ses proies avec une grande précision. Il distingue les couleurs, mais sans doute dans une gamme de pastels. Ses pupilles s'adaptent à la quantité de lumière et, dans la pénombre, la vision du chat reste très bonne. Le chat entend aussi bien que l'homme et même mieux pour certaines vibrations sonores. Les moustaches réagissent au moindre contact, et leur perte peut perturber gravement le chat. Cet animal a un sens de l'équilibre étonnant et la faculté de se retourner pendant une chute pour retomber, la plupart du temps, sur ses pattes.

Autres caractéristiques. Comparable à celle du chien, la respiration du chat est 2 à 4 fois plus rapide que celle de l'homme. Comme il ne transpire pas, il halète lorsqu'il fait chaud (en accélérant sa respiration, il augmente l'évaporation d'eau dans les voies respiratoires).

◆ **Le squelette, les pupilles, les coussinets et les griffes.**

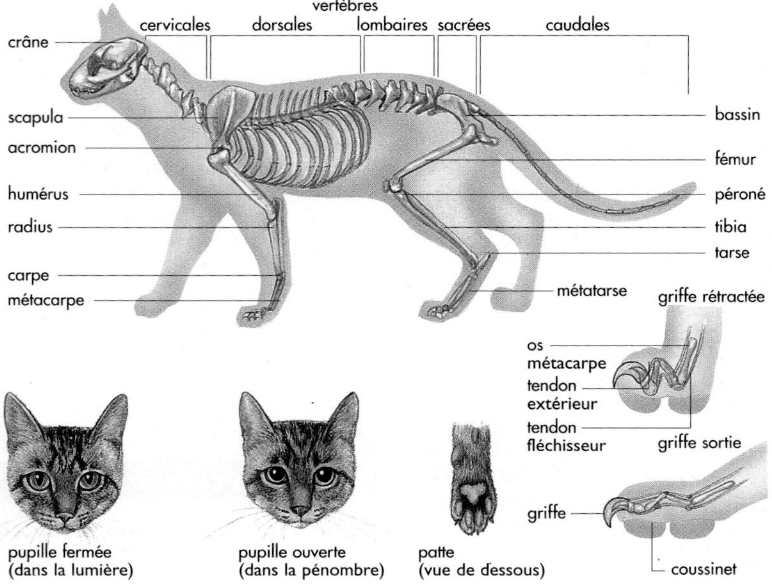

Les races

Les chats ne présentent pas une aussi grande diversité morphologique que les chiens ; leur poids (3 kg en moyenne) et leur taille (50 cm en moyenne, queue non comprise), en particulier, varient assez peu. Il existe pourtant une soixantaine de races. Elles sont au départ le fruit du hasard des mutations génétiques et des croisements. C'est seulement depuis une centaine d'années que les éleveurs ont véritablement « fabriqué » des races, d'aspect parfois très surprenant, en réalisant des croisements mûrement réfléchis. Chaque race est définie par des caractéristiques se transmettant de génération en génération et peut elle-même présenter diverses variétés. Sur les 8 millions de chats vivant en France, seulement 10 % environ ont un pedigree, les autres étant dits de gouttière.

En tenant compte de la morphologie des chats, on peut regrouper les races en trois types. Les chats de certaines races, comme les persans, ont la tête carrée et une silhouette massive, avec des membres courts. Dans le groupe du siamois, ils ont une tête triangulaire, un corps longiligne et de longues pattes. Le troisième groupe, celui de l'européen, rassemble des chats intermédiaires entre ces deux extrêmes, à la tête ronde. Une classification plus simple tient compte de la longueur des poils : courts (l'européen et le siamois, par exemple, comme tous les félins sauvages), mi-longs (le balinais) ou longs (le persan).

◆ Le burmese.
C'est un chat musclé à la fourrure lustrée, douce et courte. Il est originaire d'Asie du Sud-Est ; il a des ancêtres siamois.

◆ L'abyssin.
Cette race a été créée, à partir d'un chat d'Éthiopie, de façon que ses représentants ressemblent au chat sacré d'Égypte. Il s'accommode mal d'une vie sans liberté. À partir de cette race à poils courts a été obtenue une race à poils mi-longs : le somali.

◆ L'américain à poil court.
Cette race rustique, créée aux États-Unis à partir de chats de gouttière dûment sélectionnés, est l'équivalent de la race européenne. Elle se décline en de nombreuses colorations.

◆ Le manx.
Originaire de l'île anglaise de Man, ce chat à poils courts possède deux caractéristiques notoires. Il a perdu sa queue à la suite d'une mutation génétique spontanée, et ses pattes arrière sont plus longues que ses pattes avant, ce qui lui donne l'allure d'un lapin.

◆ Le siamois.
Ce chat à poils courts était présent à la cour royale du Siam (Thaïlande) au XIVe s. Son miaulement très rauque est caractéristique de la race.

◆ Le ragdoll.
Ce chat californien à poils mi-longs est encore très rare en Europe. Sa particularité est d'avoir un corps qui, lorsqu'il relâche ses muscles, devient aussi mou qu'une poupée de chiffon. Il en existe de différentes couleurs.

◆ Le sphinx.
C'est le seul chat à n'avoir pas de poils, mais seulement un fin duvet sur quelques parties du corps. Sa peau est douce au toucher et elle forme quelques rides. C'est un chat très recherché et très cher.

◆ Le maine coon.
La queue en panache du maine coon ainsi que la couleur de sa robe ont fait naître la légende selon laquelle il résulterait du croisement d'un chat errant et d'un raton laveur (ce qui est biologiquement impossible). Ce chat à poils mi-longs est d'origine américaine.

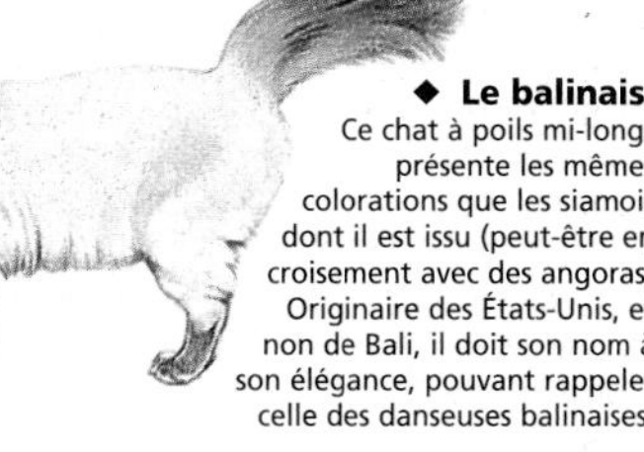

◆ Le balinais.
Ce chat à poils mi-longs présente les mêmes colorations que les siamois dont il est issu (peut-être en croisement avec des angoras) Originaire des États-Unis, et non de Bali, il doit son nom à son élégance, pouvant rappeler celle des danseuses balinaises.

◆ Le persan.
C'est le plus célèbre des chats de race. En exposition, il constitue parfois 90 % des chats présentés. Ayant un poil long, les persans, pour être beaux, doivent être brossés très souvent. Il existe un nombre très important de variétés, de diverses couleurs. Le persan blanc aux yeux bleus est sujet à la surdité.

◆ Le bobtaill japonais.
Venu du Japon, ce chat à poils courts possède une queue d'une dizaine de centimètres, qu'il maintient enroulée, un peu comme un chignon. Au Japon, les individus tricolores (blanc, noir et roux) portent bonheur.

◆ Le persan colourpoint.
Fruit d'un croisement entre un siamois et un persan, il possède des yeux bleu saphir et des poils longs

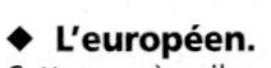

◆ L'européen.
Cette race à poils courts a été créée au XXe s. à partir de beaux chats de gouttière, que l'on a savamment croisés, afin de maintenir dans leur descendance certaines caractéristiques. Leurs couleurs sont très variées ; on distingue les unicolores (entièrement blanc, crème, noir ou roux), les marbrés (à dominante de roux, d'argenté ou de brun), les tigrés, les bicolores et les tricolores.

◆ L'angora.
C'est le premier chat à poils longs qu'a connu l'Europe, où il est arrivé au XVIe s. Comme il n'a pas de sous-poil laineux, il est moins volumineux que le persan, avec lequel on le confond parfois. Il est le plus souvent blanc, mais peut présenter d'autres couleurs (noir de jais, roux, brun, ivoire) et être tacheté.

◆ Le birman ou chat sacré de Birmanie.
Le corps de ce chat à poils mi-longs est blanc crème ou blanc-gris ; la queue, la face et les pattes sont plus foncées mais les pieds sont toujours d'un blanc immaculé.

◆ Le chartreux.
Cette race, créée en France, est connue depuis le XVIe s. (Belaud, le chat de Joachim du Bellay, était un chartreux). Sa fourrure courte est gris-bleu.

La santé

Le chat adopte devant la maladie un comportement différent de celui du chien : lorsqu'il est malade, il a tendance à se cacher. En dehors des soins courants destinés à procurer au chat une bonne hygiène de vie, un certain nombre de mesures préventives assurent une efficace protection contre de nombreuses affections : parasites, externes ou internes, et maladies virales.

Les chats vivent une quinzaine d'années ; le record de longévité connu est de 36 ans.

Les parasites. Les parasites externes s'installent sur la peau et le pelage. Transmissibles d'un chat à l'autre, ils se développent surtout sur les animaux affaiblis ou mal entretenus. Les puces, par exemple, constituent un véritable danger, car elles peuvent transmettre le ténia. La gale n'est pas due à des insectes mais à de petits acariens, aux pattes munies de ventouses, qui se déplacent dans l'épaisseur de la peau, provoquant de fortes démangeaisons. La teigne, elle, est une mycose (maladie due à un champignon), transmissible à l'homme ; elle laisse sur l'animal une tonsure aux contours bien marqués.

Pour éliminer les parasites, il existe toute une gamme de colliers, de produits insecticides, acaricides ou fongicides, sous diverses formes. Chaque chaton naît et grandit avec un important stock de parasites internes, transmis par la mère lors de la gestation. Il s'agit le plus souvent d'ascaris (vers ronds formant des pelotes) ou de ténias (vers plats et très longs). Ils provoquent des troubles digestifs, un amaigrissement et des démangeaisons au niveau de l'anus que l'on traite en administrant régulièrement un vermifuge au jeune chat, comme à l'adulte.

La toxoplasmose

La toxoplasmose est une maladie commune à l'homme et au chat, due à un protozoaire (organisme vivant constitué d'une seule cellule) parasite. L'infection passe souvent inaperçue, mais elle peut être dangereuse pour les personnes âgées ou affaiblies, notamment les sujets dont les défenses immunitaires sont faibles (à cause du sida ou du traitement de certains cancers), et pour les femmes enceintes. La toxoplasmose peut en effet entraîner un avortement, la mort du bébé à la naissance ou des malformations graves de l'enfant (cécité, notamment). Une femme enceinte ne possédant pas d'anticorps spécifiques de la toxoplasmose devra donc prendre quelques précautions, éviter notamment de manier la litière du chat (car celui-ci élimine le parasite dans ses selles), laver soigneusement fruits et légumes, susceptibles de contenir des parasites, et bien cuire sa viande.

Les maladies. Le chat est particulièrement sensible aux maladies virales. Heureusement, il existe des vaccins efficaces pour chacune des quatre maladies suivantes. Tout chat devant être vendu en France doit d'ailleurs être vacciné contre le coryza, le typhus et la rage (dans les départements contaminés encore récemment).

Le typhus, ou leucopénie infectieuse, provoque de violents troubles digestifs ; le chat se déshydrate très vite et meurt le plus souvent. Le coryza est une affection des voies respiratoires, mortelle si elle n'est pas soignée. Le symptôme le plus classique est l'éternuement ; il s'accompagne le plus souvent d'une conjonctivite et d'une perte complète de l'appétit. La rage se transmet par la salive et ne peut être guérie. La vaccination est obligatoire dans les départements touchés encore récemment par la maladie (nord et est de la France) et pour les chats devant fréquenter des endroits publics ou franchir une frontière.

La leucose féline est très dangereuse pour les chats. Elle évoque le sida humain (on l'appelle parfois le sida du chat) car elle est causée par des rétrovirus (deux types) et provoque une déficience du système immunitaire. Mais elle n'est pas transmissible à l'homme. Des contrôles systématiques ont montré que 30 % des chats, apparemment bien portants, en sont infectés (ils sont séropositifs) et peuvent transmettre le virus à leurs congénères. Au pire, le chat contaminé souffrira d'une leucémie, mortelle la plupart du temps. Les sujets plus résistants présenteront, à la moindre baisse de forme des affections dites « opportunistes » (coryza, gingivite...).

La vie quotidienne

Sur les 400 millions de chats recensés dans le monde, 8 millions habitent en France, où ils représentent 20 % des animaux familiers et sont désormais aussi nombreux, sinon plus, que les chiens. Le chat semble mieux adapté à notre vie moderne et notamment à la surface limitée de nos habitations.

Le tatouage. Il est bon d'accrocher à son collier une plaque sur laquelle figurent son nom et l'adresse de son maître. Depuis 1992, tout chat vendu en France doit être tatoué ; près de 1 million de chats sont actuellement identifiés de cette façon, sur l'oreille ou sur la cuisse. Un fichier central informatisé conserve les références des animaux et de leurs maîtres ; ce qui aide en particulier à retrouver les chats perdus. Quelques-uns sont cependant capables de retrouver seuls la maison de leur maître après avoir effectué de très longs trajets (parfois plusieurs centaines de kilomètres).

L'alimentation. Une alimentation équilibrée devrait respecter les proportions suivantes : 50 % de viande ou de poissons, 20 % de riz ou de pâtes bien cuits, 20 % de carottes et légumes verts, 10 % d'huile, de levure et de sels minéraux. Viande, poissons et abats apportent protéines et matières grasses. Les céréales (riz et pâtes) sont sources de sucres mais l'organisme du chat sait aussi transformer les matières grasses en sucres. Dans les légumes, le chat trouve les fibres végétales qui facilitent sa digestion ainsi que des vitamines. Le cholestérol qui imbibe le poil du chat se transforme, à la lumière du soleil, en vitamine D qui est ingérée lors du léchage. Les sels minéraux sont particulièrement importants pour les chatons et les chattes allaitantes. Près de 95 % des chats français reçoivent désormais une alimentation industrielle, conçue pour être équilibrée.

Les soins courants. Le chat passe beaucoup de temps à se lécher et il a la réputation d'être propre. Cependant un brossage régulier est indispensable, surtout pour les races à poils longs. Les yeux doivent toujours être propres et brillants, et les écoulements peuvent être suspects. Les dents sont sujettes au dépôt de tartre qui peut être éliminé par un nettoyage.

La reproduction. Selon la race, la chatte atteint sa maturité sexuelle entre 7 et 12 mois (10 à 14 pour le mâle). La durée et la fréquence des périodes de chaleurs (périodes où la femelle est prête à s'accoupler) sont assez variables. Ces périodes sont en tout cas beaucoup plus fréquentes que chez la chienne (qui n'est en chaleur que 2 fois par an) ; elles surviennent surtout au printemps et, dans une moindre mesure, en automne. Pendant les chaleurs, la vulve de la chatte est légèrement congestionnée et laisse échapper un écoulement discret. La chatte a, d'autre part, un comportement inhabituel : elle manifeste son affection pour son maître, paraît inquiète, miaule sans cesse et prend des postures caractéristiques.

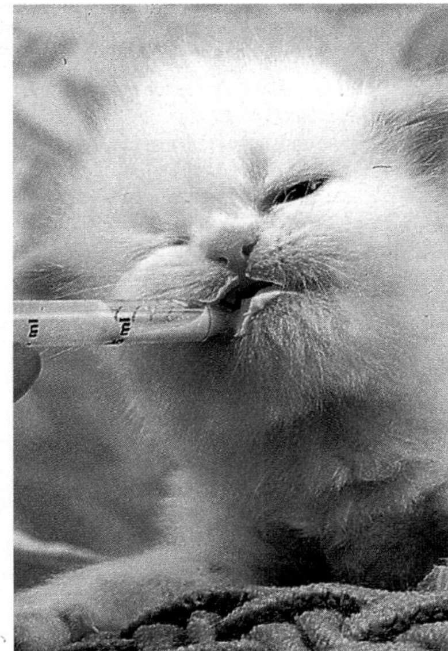

◆ **Chaton au biberon.**
Les chatons tètent leur mère pendant près de 2 mois. L'allaitement artificiel est indiqué lorsque les chatons sont orphelins ou lorsque la mère ne peut les allaiter. Il existe dans le commerce des laits et des biberons spécialement adaptés.

La chatte n'ovule pas régulièrement mais uniquement lorsqu'elle est soumise à une excitation. Si l'accouplement a lieu, l'ovulation intervient en 24 heures et les chaleurs s'arrêtent alors très vite. La gestation dure environ 63 jours. Les chatons sont aveugles et sourds à la naissance ; ils n'ouvrent les yeux que 5 à 10 jours plus tard et ne marchent bien que vers l'âge de 2 à 3 semaines.

Pour limiter les naissances et éviter les désagréments des périodes de chaleurs, on peut donner à la femelle des hormones, sous forme de pilules ou d'injections, mais leur emploi prolongé est contraignant. On peut aussi avoir recours à des opérations chirurgicales (ablation des testicules ou des ovaires, et éventuellement de l'utérus). Les chats castrés sont plus doux, plus sociables, mais il faut veiller à ce qu'ils ne prennent pas trop de poids.

Boules de poils

En se léchant, il arrive que le chat absorbe des poils. Ceux-ci s'entourent du mucus qui est naturellement présent dans le tube digestif et s'agglomèrent pour former des boules à l'intérieur de l'estomac et de l'intestin. Ces boules peuvent finir par gêner les fonctions digestives. Parfois, les chats régurgitent naturellement ces boules de poils, mais souvent il faut avoir recours à l'huile de paraffine pour éviter des obstructions trop graves.

Le cheval

Caractéristiques

Comme les zèbres et l'âne, le cheval *(Equus caballus)* est un mammifère de la famille des équidés, famille appartenant à l'ordre des périssodactyles. Ces derniers sont des ongulés (leurs ongles, bien développés, forment des sabots) avec un nombre impair de doigts. Les équidés, pour leur part, n'ont qu'un seul doigt bien développé à chaque patte.

L'aspect extérieur. On distingue l'avant-main, région située en avant du cavalier en selle, et l'arrière-main, en arrière du cavalier. La morphologie détermine les aptitudes d'un cheval (traction, galop, course, saut…). La robe (ensemble du pelage) a des couleurs variées. Les crins (poils de la crinière et de la queue) peuvent avoir la même couleur que les autres poils (ex. : robe alezane, de couleur brun-rouge) ou, au contraire, une couleur différente (ex. : robe baie, aux poils bruns et aux crins noirs). Des poils de diverses couleurs peuvent être mêlés sur tout le corps (ex. : robe rouanne, à poils blancs, noirs et roux) ou former des taches, petites ou grandes (robe pie).

Le squelette et la dentition. Le squelette et la musculature du cheval traduisent une bonne adaptation à la course.

Chaque patte compte un doigt unique, dont seule l'extrémité, protégée par l'ongle (ou sabot), repose au sol (le cheval est dit onguligrade). La réduction de la surface reposant au sol est un avantage pour se déplacer rapidement. Le canon est la partie du membre correspondant au métacarpe (ensemble des os constituant chez l'homme la paume de la main) ou au métatarse (pour les membres postérieurs); ces os sont allongés, permettant ainsi de longues foulées.

Les muscles sont puissants et les divers tendons qui assurent leur insertion sur les os sont mis à rude épreuve pendant la course.

La denture du cheval est bien adaptée à son régime herbivore. Les canines sont absentes chez les femelles, petites chez le mâle. Les incisives (6 en haut, 6 en bas) ont une extrémité en biseau, bien utile pour couper l'herbe. Les prémolaires et molaires sont hautes et présentent une table d'usure, constituée de crêtes d'émail, sur laquelle peuvent être broyées les herbes les plus dures (comme certaines graminées, riches en silice).

La perception. Le champ visuel est limité vers le bas par le chanfrein, mais très étendu sur les côtés. Les œillères que l'on place sur la tête du cheval limitent son champ de vision et lui évitent des distractions lorsqu'il travaille. L'acuité des chevaux est difficile à définir et varie selon les races : 75 % des chevaux de trait sont myopes. L'odorat est bien développé, de même que l'ouïe; la grande mobilité des oreilles permet à l'animal de capter au mieux les sons environnants.

Le maintien et les allures. Un bon cheval doit avoir un bon équilibre, déterminé par la position de son centre de gravité. Les aplombs (positions des membres lorsque le cheval est debout au repos) sont particulièrement importants pour les chevaux de course; ils doivent être bien verticaux. Le cheval peut également adopter la station couchée (décubitus). Lorsqu'il exécute des mouvements sur place, cela peut être un cabrer (pattes avant soulevées), une ruade (pattes arrière soulevées) ou un piaffer

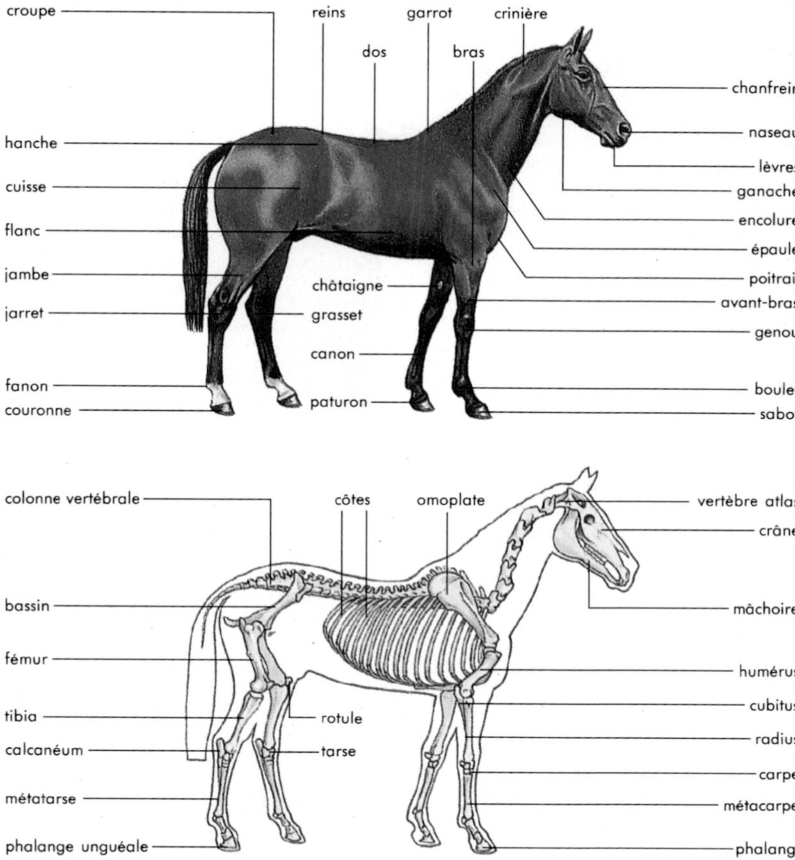

◆ **L'anatomie du cheval.**
Le cheval repose au sol sur la pointe des doigts (un seul à chaque patte). Cette position fait que le jarret (équivalent du talon chez l'homme) est situé très haut au-dessus du sol ; l'articulation équivalente pour les pattes antérieures porte le nom de genou, mais elle est en fait homologue de notre poignet. Le boulet, articulation entre le métacarpe (ou métatarse) et la première phalange, sert d'amortisseur.

(levant en même temps la patte avant droite et la patte arrière gauche, puis les deux autres pattes).

Le cheval se déplace selon différentes allures, dont les principales sont le pas, le trot et le galop. Le pas est à 4 temps, car chacun des 4 pieds est soulevé successivement; il est diagonal (lorsqu'un pied se pose, c'est celui qui lui est opposé en diagonale qui se soulève); la vitesse normale est environ de 6 km/h. Au trot, elle est de 14 km/h tandis que le cheval au galop va de 20 km à 60 km/h.

L'appareil digestif et le régime alimentaire. À l'écurie, le cheval est nourri avec des fourrages (foin, paille, avoine, orge), éventuellement complétés par d'autres aliments (seigle, blé, maïs, riz, féverole, son, tourteau), qui apportent les quantités nécessaires d'énergie, de protéines et de vitamines. Le cheval boit de 20 à 30 l d'eau par jour. L'herbe n'est pas très énergétique et le cheval au champ doit en brouter beaucoup (environ 40 kg par jour) pour subvenir à ses besoins. La digestion de l'herbe est lente et nécessite un intestin très long et d'un grand volume. La mastication est lente, mais complète; l'estomac est assez réduit et ne garde que peu de temps les aliments; le passage dans l'intestin grêle (long de 22 m et de 3 ou 4 cm de diamètre) est assez rapide, mais le séjour dans les réservoirs volumineux du gros intestin (cæcum : 30 à 35 l; gros côlon : 80 à 90 l) est prolongé.

La reproduction. La puberté du cheval survient vers 18 mois. Le cheval mâle peut être castré et reçoit alors le nom de « hongre ». Chez un étalon (cheval mâle non castré) la fonction reproductrice peut débuter entre 2 et 4 ans. Il peut à tout moment effectuer une monte, c'est-à-dire féconder une femelle (jument); cette dernière, en revanche, peut être fécondée uniquement pendant les quelques jours de la période des chaleurs, période revenant en moyenne tous les 22 jours, de février à l'automne. La gestation dure en moyenne 11 mois.

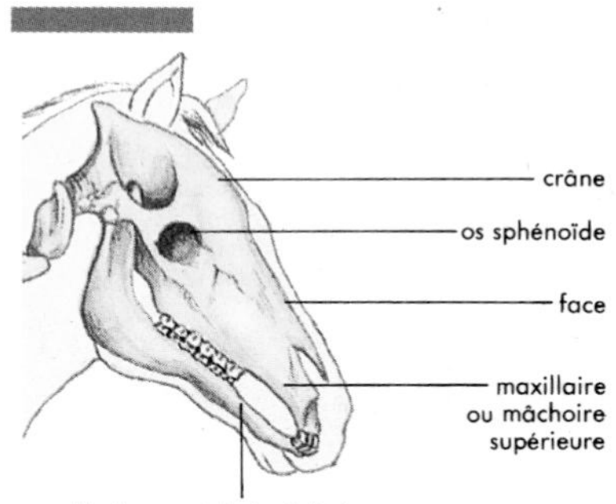

◆ **Le squelette de la tête et la denture du cheval.** Entre les incisives (ou les canines, quand elles existent) et les prémolaires existe sur les mâchoires un espace sans dents, appelé la barre, utilisé pour passer le mors.

VOIR AUSSI
• **Viandes de boucherie** p. 906
• **Sports équestres** p. 1266 à 1268

Les races

Les peuples conquérants se déplaçant à cheval ont contribué à la dispersion des différents types de chevaux et ont favorisé les mélanges, qui sont à l'origine de multiples races, dans le monde entier.

Une race est définie par un ensemble de caractéristiques (taille, couleurs, morphologie, aptitudes particulières…) se transmettant de génération en génération. Les plus grands chevaux (1,80 m au garrot) sont ceux de la race shire (chevaux de trait anglais); les plus petits (moins de 75 cm au garrot) sont de la race falabella, d'Argentine.

On peut regrouper les races de chevaux en trois catégories.

– Les chevaux légers, appelés aussi chevaux de sang, ont une tête légère, une poitrine profonde, un dos long et des cuisses longues et musclées. Ce sont les chevaux de course (deux races essentielles : le pur-sang et le trotteur français) et les chevaux de selle, utilisés pour le saut d'obstacles, l'attelage, la voltige, la promenade…

– Les chevaux lourds ont des lignes écourtées et des muscles développés en épaisseur; leur masse est imposante. Dans les pays industrialisés, où la motorisation a remplacé la traction animale, leur principale destination est maintenant la boucherie. Leur population en Europe a nettement baissé depuis le début du siècle et certaines races locales sont menacées de disparition.

– Les poneys se caractérisent par leur petite taille (moins de 1,47 m au garrot). Ils sont d'une endurance remarquable.

H = hauteur au garrot

◆ **Le shetland.**
H : 1 m. Le plus populaire des poneys est originaire des îles Shetland, au large de l'Écosse. Malgré sa petite taille, il est très robuste.

◆ **Le pur-sang.**
H : 1,65 m. Sélectionné en Angleterre (on l'appelle parfois pur-sang anglais), le pur-sang est le cheval de course par excellence. Longiligne, il pèse rarement plus de 500 kg et peut atteindre des vitesses proches de 70 km/h.

◆ **L'ardennais.**
H : 1,60 m. C'est une race ancienne, à partir de laquelle ont été créées de nombreuses autres races de chevaux de trait en Europe. C'est, de nos jours, un des meilleurs chevaux de boucherie.

◆ **L'arabe.**
H : 1,50 m.
C'est la plus ancienne race de chevaux de selle. Il est à la fois léger et résistant. Il est fréquemment utilisé pour les loisirs équestres et, facile à dresser, apparaît souvent dans les cirques.

◆ **Le barbe.**
H : 1,55 m. C'est un cheval de selle, sobre et endurant, dont les origines sont très anciennes. Présent depuis longtemps en Afrique du Nord, c'est le cheval des fantasias marocaines (manifestations pendant lesquelles les cavaliers évoluent en tirant des coups de fusil).

◆ **Le percheron.**
H : 1,65 m. Cette race est le produit de croisements de chevaux normands et arabes, effectués il y a plusieurs siècles. Ce cheval massif peut peser jusqu'à 1 200 kg. Sa popularité est grande et il est présent dans de nombreux pays du monde, où ses qualités génétiques sont appréciées. Il participe à des courses de chevaux de trait, courses disputées à l'origine au Japon, que l'on commence à voir en France.

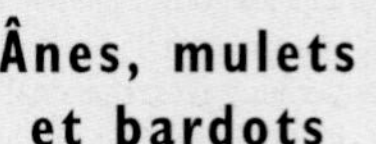

◆ **Le selle français.**
H : 1,65 m.
Ce cheval de selle, appelé autrefois anglo-normand, est apprécié pour son excellent caractère. Très complet, athlétique, il peut être utilisé pour toutes les formes d'équitation.

◆ **Le camargue** ou **camarguais.**
H : 1,40 m. L'origine de la race est très ancienne. En Camargue, ces chevaux vivent dehors toute l'année, en totale liberté, sans recevoir de soins, et forment des bandes, appelées manades, d'une quarantaine de têtes. Leur robe est presque toujours gris clair.

◆ **Le boulonnais.**
H : 1,65 m. Avant le développement des chemins de fer, les boulonnais se rendirent célèbres en effectuant chaque jour une étape de 120 km pour transporter le poisson de Boulogne à Paris. Ils sont aujourd'hui d'excellents chevaux de boucherie.

Ânes, mulets et bardots

L'âne domestique *(Asinus asinus)* est une espèce proche du cheval, appartenant comme lui à la famille des équidés. Il se distingue notamment par ses longues oreilles. Mulets et mules proviennent du croisement entre un âne et une jument mais eux-mêmes sont généralement stériles (quelques mules, cependant, peuvent avoir une descendance). Un bardot a pour parents un cheval et une ânesse ; il est également stérile. Tous ces animaux sont très résistants, se contentent d'une nourriture simple et d'un entretien minimal, et peuvent porter de lourdes charges ; ils ont donc rendu, et rendent encore, de multiples services à l'homme, notamment dans les zones escarpées et arides. Ils ont tendance, cependant, à disparaître, dans les pays industrialisés.

Il existe environ 40 millions d'ânes à travers le monde, dont 11 millions en Chine.

◆ **L'âne.**

◆ **Le mulet.**

Origines et domestication

L'ancêtre du cheval domestique est apparu en Amérique il y a un million d'années et s'est ensuite largement répandu en Asie puis en Europe. Il y a près de 20 000 ans, par exemple, il a été peint par les hommes préhistoriques dans la grotte de Lascaux, en France. Il devait exister plusieurs formes de chevaux sauvages, notamment des petits chevaux à crinière dressée, comme le tarpan et le cheval de Prjevalski, qui vivaient plutôt en milieu découvert (steppes, prairies), et des chevaux plus massifs, vivant en forêt. Les diverses races actuelles de chevaux domestiques trouvent leur origine chez l'une ou l'autre de ces formes sauvages. Petit à petit, les chevaux sauvages se sont réfugiés dans des zones à l'écart des hommes : grandes forêts d'Europe de l'Est ou étendues sauvages de l'Asie. Les derniers tarpans sauvages se sont éteints à la fin du XIXe s. et le cheval de Prjevalski, redécouvert en Mongolie en 1879, ne vit plus aujourd'hui que dans des parcs animaliers ou en semi-liberté.

Certains chevaux, toutefois, tels les mustangs d'Amérique du Nord, vivent en totale indépendance de l'homme ; ce sont des individus domestiques échappés qui sont redevenus sauvages. Le cheval sauvage a disparu d'Amérique bien avant d'avoir disparu d'Europe (il y a 12 000 ans) et ce n'est que tardivement (au XVe s.) que le cheval domestique y a fait son apparition, importé par les Espagnols.

La date de la domestication du cheval est, comme celle de la plupart des animaux domestiques, sujette à controverses. Il est à peu près certain, cependant, que la domestication était chose faite dans la région de l'Ukraine, vers 4000 ans av. J.-C. Sur un site archéologique de cette époque, on a en effet retrouvé des mors en bois de cerf et remarqué sur les dents des chevaux des traces d'usure, provoquées par ces mors.

◆ Le dressage.
Le dressage est une discipline équestre à part entière. L'école nationale d'équitation de Saumur, le Cadre noir, perpétue la tradition de l'école française. On peut voir ici une courbette, une des figures les plus spectaculaires.

◆ Quelques records.

Vitesse (au galop) :	70 km/h (sur 400 m)
Vitesse (au trot) :	49 km/h
Saut en hauteur :	2,47 m
Saut en longueur :	8,40 m

Petit lexique

cheval de selle : dans son sens le plus large, cheval pouvant être monté ; dans un sens plus restreint, tout cheval, autre que cheval de course, pouvant être monté.

cheval lourd ou **cheval de trait :** cheval massif utilisé pour tirer de lourdes charges.

poney : cheval appartenant à une race de petite taille.

pur-sang : race de cheval de course.

stud-book : document retraçant la généalogie de tous les chevaux d'une race.

Utilisations

Depuis sa domestication, le cheval a toujours été lié à l'homme, qui l'a utilisé de diverses manières.

Très vite, et pendant plus de 3 000 ans, le cheval fut un élément important des armées ; il n'y tient plus désormais qu'un rôle figuratif dans les manifestations officielles. Certains pays sont toutefois dotés d'une police montée (Canada, par ex.). Il a été pendant longtemps l'un des plus efficaces moyens de transport, d'hommes et de marchandises, et par là même un moyen de communication (service postal), et il a effectué un travail considérable dans les champs et dans les mines. Dans de nombreux pays en voie de développement, il est encore, à tous ces titres, très précieux.

Dans les pays riches, on reconnaît encore aux chevaux quelques avantages sur la machine dans des cas bien particuliers (débardage du bois dans les forêts, par exemple) mais sa participation directe à la vie économique a considérablement diminué. On l'élève toujours pour sa viande mais, progressivement, son utilisation pour le sport et les loisirs est devenue prédominante. Apparues d'abord en Angleterre au XVIIIe s., les courses (de galop, de trot ou d'obstacles) sont pratiquées maintenant dans nombre de pays et font l'objet de paris, où de grosses sommes d'argent sont mises en jeu. Le saut d'obstacles, le dressage et d'autres disciplines (voltige, attelage, raid d'endurance...) font l'objet de divers concours. Le cheval joue également un rôle important au polo, dans les corridas, les rodéos, au cirque, dans les chasses à courre, etc. Enfin, le tourisme équestre s'est beaucoup développé ces dernières années.

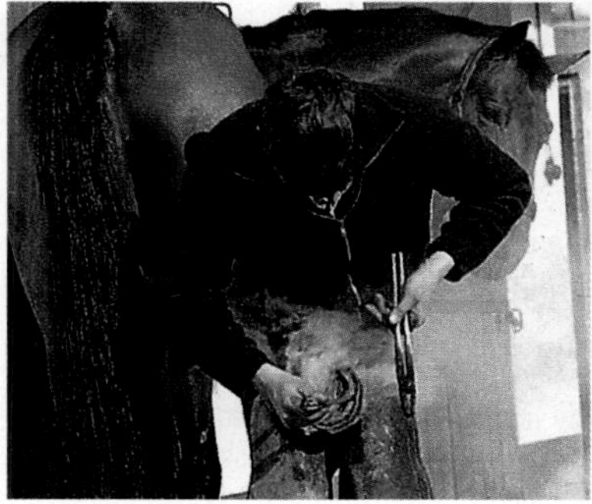

◆ Le ferrage.
La ferrure protège le sabot d'une usure excessive ; elle permet une meilleure adhérence au sol et contribue également à améliorer l'équilibre du pied. Le maréchal-ferrant entretient la ferrure, en moyenne toutes les six semaines. Il existe différentes formes de fers, dont l'application se fait à chaud ou à froid. Ces fers sont maintenus par des clous enfoncés obliquement et dont les extrémités sont repliées, courbées et limées.

Vie quotidienne

Un cheval coûte cher, à l'achat et à l'entretien, et il doit faire l'objet de soins quotidiens.

La santé, l'hygiène et l'entretien. Les vaccinations contre la rage et la grippe (2 vaccins obligatoires dans certains cas) et contre le tétanos, et l'administration régulière de vermifuges sont conseillées. Certains signes (manque d'appétit ou d'entrain, œil rouge, respiration accélérée, température supérieure à 38,5 °C) doivent inciter à faire appel au vétérinaire. Les blessures des membres sont fréquentes lorsque l'animal travaille, car muscles, tendons et os sont soumis à rude épreuve. Par ailleurs, les chevaux craignent une chaleur ou un froid excessifs et une lumière trop vive. Les soins quotidiens sont nombreux : renouvellement de la litière, pansage, séchage du cheval après une activité, inspection des fers et des pieds, etc.

Le harnachement. Il existe différents types de selles, adaptés aux divers usages du cheval, mais les selles dites « tous usages » conviennent dans bien des cas. Pour la course, la selle doit être très légère ; elle ne sert qu'à tenir les étriers (pièces sur lesquelles le cavalier appuie ses pieds).

La bride la plus simple (encore appelée bridon ou filet) se compose de deux montants de taille réglable, réunis par une têtière qui se place en arrière des oreilles. Ces montants retiennent le mors de filet, dont une partie, le canon, entre dans la bouche du cheval. De la bride partent aussi les rênes, prises en mains par le cavalier pour diriger sa monture.

◆ Le trot.
C'est une allure sautée, à 2 temps : deux pieds, situés en diagonale, se soulèvent en même temps puis c'est au tour des deux autres pieds.

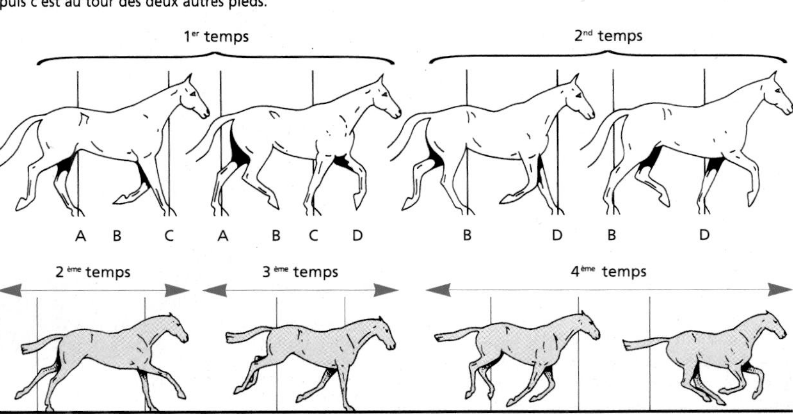

◆ Le galop « normal ».
C'est une allure sautée, à 4 temps (3 d'appui au sol et un de suspension). Il peut se faire à droite ou à gauche. Pour le premier, les appuis au sol sont : pied postérieur gauche, postérieur droit et antérieur gauche puis antérieur droit. Au 4e temps, aucun pied ne touche le sol. Pour le galop à gauche, il suffit d'inverser « droit » et « gauche ».

Les animaux de la ferme

Bovins

La vache et le taureau domestiques *(Bos taurus)* sont des ruminants. Ils appartiennent à la famille des bovidés, qui regroupe des animaux (buffles, chèvres, moutons, bisons, antilopes, gazelles…) plus ou moins grégaires, les bovins ou bovinés (bœufs, bisons, zébus, buffles…) constituant une sous-famille. La vache est la femelle, le taureau est le mâle et le veau leur petit. Le bœuf est un taureau sans testicules. Le taureau est avant tout un reproducteur. Aujourd'hui, grâce à des techniques d'insémination artificielle, un seul individu peut inséminer en une vie plus de 50 000 femelles. Une faible proportion de mâles sont donc retenus comme reproducteurs, si bien que la diversité génétique des bovins a tendance à s'affaiblir.

La vache laitière est légère et a des mamelles bien développées, tandis que la silhouette de la vache à viande est lourde et massive. On mange du bœuf, mais aussi de la vache. La robe peut être unie ou composée de taches disposées sur un fond blanc.

◆ **La vache Prim'holstein.**
Rustique, elle s'est adaptée à toutes les conditions d'élevage industriel. Elle est également une des vaches à lait les plus productrices. D'un poids voisin de 700 kg, habillée de noir et de blanc, elle a le poitrail large, des membres robustes, une tête courte et des hanches saillantes.

Domestication. La domestication des bovins, comme celle des ovins, est, semble-t-il, intervenue au néolithique, peu après la sédentarisation de l'homme, qui est alors devenu agriculteur et éleveur.

L'ancêtre de la vache domestique est l'aurochs, qui vivait autrefois à l'état sauvage en Eurasie et en Afrique du Nord et qui a diparu à la fin du XVIIe s. à cause d'une chasse intense. En croisant diverses races rustiques de vaches domestiques, on a plus ou moins réussi à reconstituer cette espèce disparue.

La vache n'est pas la seule espèce de bovin à avoir été domestiquée. En Afrique, le zébu tient une place importante, tout comme le yack ou le buffle en Asie. Le bison d'Europe, comme celui d'Amérique, fait maintenant l'objet d'un élevage.

Races. En France, on recense une trentaine de races différentes, la plupart étant attachées à une région bien délimitée.

La plus importante des vaches françaises est la Maine-Anjou ; elle pèse 1 000 kg au minimum. La blonde d'Aquitaine, presque aussi lourde, est reconnaissable à sa robe dorée. La charolaise est une vache à la robe claire, tandis que la montbéliarde est identifiable à sa robe pie rouge (larges taches rouges et blanches) et à sa tête toute blanche. Contrairement aux trois races précédentes, la montbéliarde est une vache à lait. La robe de la normande, autre laitière, est formée d'une mosaïque de taches brunes et blanches. La Prim'holstein, noire et blanche, est la plus courante des vaches et la plus grande productrice de lait. La

◆ **Le bœuf charolais.**
On utilisait autrefois les bœufs comme animaux de trait. Aujourd'hui, ils sont élevés uniquement pour leur viande. Le charolais, très réputé pour sa viande, a un poids qui peut approcher la tonne. Hauteur du garrot : 1,40 m

Simmental suisse a été acclimatée en Australie. La brune, suisse également, est une des races les plus anciennes et une des plus résistantes. La Ayrshire canadienne, des taches brunes sur fond blanc, est très appréciée pour la production de beurre. La bleue du Nord, réputée pour sa viande, a la particularité d'avoir des taches bleu-noir sur fond blanc.

Un grand nombre de races jugées peu rentables ont déjà disparu ou sont en voie de disparition. Si ce phénomène continue, la biodiversité des variétés domestiques sera condamnée.

Chèvre et mouton

Comme la vache, le mouton et la chèvre sont des ruminants de la famille des bovidés mais ils appartiennent à une sous-famille distincte de celle de la vache, celle des caprinés (qui comprend également les mouflons et les bouquetins).

Le mouton domestique *(Ovis occidentalis)* est un animal grégaire. Le mâle, ou bélier, porte généralement des cornes recourbées en arc de cercle. La brebis est la femelle. Les agneaux sont des jeunes de moins d'un an. Par définition, le mouton est un animal castré de plus d'un an, destiné à la production de viande.

La chèvre domestique *(Capra hircus)* est un animal rustique ; le mâle est appelé bouc.

Domestication. La chèvre et le mouton ont été parmi les premiers animaux domestiqués par l'homme : des traces de domestication de ces ruminants apparaissent 10 000 ans av. J.-C. Ils ont de tout temps été appréciés pour leur viande, leur lait, leur peau, leur poil, leur laine.

La chèvre domestique descendrait d'un ancêtre sauvage moyen-oriental (la chèvre sauvage *Capra aegagrus*), tandis que le mouton serait issu de diverses variétés (parfois considérées comme des espèces différentes d'un mouflon, vivant encore aujourd'hui à l'état sauvage en Eurasie (espèce *Ovis ammon*).

◆ **La chèvre.**
C'est un herbivore ruminant, à cornes arquées, pesant entre 40 et 80 kg. Elle peut tirer parti d'aliments totalement inassimilables par d'autres animaux et vivre dans des milieux très pauvres en végétaux.

Races. Le mérinos est sans doute le plus connu des moutons élevés pour leur laine. Il a été croisé avec de nombreuses races. Parmi les races à viande les plus réputées, il faut citer la berrichonne et la charmoise française, la Oxford-down et la South-down britanniques.

La grande chèvre allemande colorée, au poil court et lisse, est recherchée pour son lait, tout comme la Saanen à robe blanche aux petites taches de couleur. En France, 55 % des chèvres laitières sont de race alpine chamoisée. La cachemire d'Asie et l'angora de Turquie sont élevées pour leur laine. En Roumanie, la chèvre des Carpates, à la robe unicolore, est une des plus anciennes races.

Porcins

Le porc domestique (*Sus scrofa domesticus*), appartient à la famille des suidés, qui comprend aussi le phacochère, le potamochère et plusieurs espèces de sangliers. Son corps, lourd et rond, est porté par de courtes pattes terminées par des sabots fendus. Sa tête se termine par un groin souple, plus ou moins allongé. Sa peau, qui peut présenter diverses couleurs, est épaisse et en partie recouverte par des soies. Sa denture compte 44 dents, dont 2 grosses canines.

Domestication. Les porcs domestiques ont pour ancêtres les sangliers communs (*Sus scrofa*), vivant à l'état sauvage en Eurasie et en Afrique du Nord (introduits ailleurs), qui ont été domestiqués à partir de 8000 ans av. J.-C., sans doute dans diverses régions d'Eurasie. Les porcs domestiques ont été importés en Amérique beaucoup plus tard par les exportateurs.

Races. Plus de 90 races et 200 variétés de porcs ont été obtenues mais huit d'entre elles seulement sont particulièrement répandues dans les pays occidentaux : les Yorkshire ou Large White, les Berkshire, les Chester White, les Hampshire, les Poland China, les Duroc, les Landraces et les Spotted.

◆ **Le porc.**
La filiation entre le porc et le sanglier commun est confirmée par le fait que les porcs domestiques redevenus sauvages reprennent, au fil des générations, une apparence proche de celle des sangliers. Le porc pèse entre 300 et 500 kg.

◆ **Le mouton.**
Par suite de la sélection humaine, le pelage du mouton possède un sous-poil très dense et très long. À cause de cette toison, il redoute les climats chauds et humides. Son poids varie de 30 à 130 kg selon les races.

VOIR AUSSI
• **Élevage** p. 862 à 865
• **Lait, fromages, viandes et œufs** p. 904 à 910

Volailles

Les volailles sont l'ensemble des oiseaux qui font l'objet d'un élevage (poules, poulets, pintades, dindons, canards et oies, principalement).

La poule et le poulet. La poule et le coq *(Gallus gallus)* sont des oiseaux appartenant à l'ordre des galliformes et à la famille des phasianidés, dans laquelle on trouve les perdrix, les faisans ou les cailles. Leur ancêtre sauvage est très probablement le coq sauvage Bankiva, vivant en Asie du Sud-Est et en Inde. La domestication de ces volatiles remonte au moins à 5 000 ans avant notre ère, d'abord en Inde, puis en Chine. La poule arrive en Europe 600 ans avant notre ère.

Les poules sont élevées pour leurs œufs (colorés ou blancs, ils ont le même goût) et pour leur chair.

Le poulet, qui est un jeune, mâle ou femelle, n'ayant pas encore atteint la maturité sexuelle, est une volaille destinée à la boucherie. Les coqs servent essentiellement à la reproduction.

Depuis le début de la domestication, l'élevage des poules s'est beaucoup développé, donnant naissance à de très nombreuses races. On en distingue sept qui ont valeur de référence mondiale et servent de réservoir génétique pour la création de nouvelles races : la Leghorn (blanche, à crête simple et à pattes jaunes), la Rhode Island (rouge, à crête simple et à pattes jaunes), la New Hampshire (rouge clair), la Wyandotte (blanche, à crête rosacée et à pattes jaunes), la Bresse noire (noire, à crête simple et à pattes bleues), la Sussex (blanche, à crête simple et à pattes roses) et enfin la Gâtinaise (blanche, à crête simple et à pattes blanches).

La pintade. D'origine africaine, et encore très répandue à l'état sauvage, la pintade *(Numida meleagris)*, de l'ordre des galliformes, fait désormais l'objet d'une exploitation fermière et industrielle car elle est très recherchée pour ses qualités gastronomiques. Sa domestication en Europe remonte au XVe s. Il existe quelques variétés qui se distinguent par la couleur de leur plumage (gris, blanc, lilas, ocre et même bleu).

Le dindon. Domestiqués par les Indiens, les dindons *(Meleagris gallopavo)*, de l'ordre des galliformes, ont fait leur apparition en Europe au XVIe s. Ils descendent tous d'un dindon sauvage vivant sur les hauts plateaux du Mexique. Les races élevées en France, comme le noir du Gers ou le noir de Bresse, sont des dindons noirs, marqués de quelques taches blanches, légers et à chair fine. Leur poids est de 12 kg pour le mâle et de 6 à 7 kg pour la femelle. Le rouge des Ardennes est une autre race très appréciée. Le noir du Norfolk, originaire de Grande-Bretagne, est à l'origine de toutes les races à plumage noir. Les races américaines sont également très réputées pour leur chair, comme le blanc de Beltsville, dont la femelle n'excède pas 5 kg, ou le bronzé d'Amérique.

Le canard. Cet oiseau aquatique aux pattes palmées et au bec spatulé appartient à l'ordre des ansériformes. L'ancêtre de tous les canards domestiques (sauf le canard de Barbarie, qui est une autre espèce sauvage domestiquée), est le colvert *(Anas platyrynchos)*. On compte de nombreuses races de canards, réparties sur les cinq continents. En France, on connaît surtout : le canard de Rouen (peu prolifique, au plumage proche de celui du colvert) et le canard de Pékin (blanc jaunâtre, pesant de 3,5 à 4 kg). Le canard de Barbarie est un familier des cours de ferme, le mâle pesant 4,5 kg.

Les œufs de canard ne sont plus guère utilisés que dans la confection industrielle des pâtisseries. En revanche, leur chair est toujours très appréciée, notamment les magrets, qui constituent un débouché très lucratif. Certains canards sont également élevés pour obtenir du foie gras. Enfin, quelques races sont des canards d'ornement.

L'oie. L'oie cendrée *(Anser anser)*, un oiseau migrateur du nord de l'Europe appartenant à l'ordre des ansériformes, serait l'ancêtre des oies domestiques. Domestiquée plusieurs siècles avant notre ère, elle est recherchée pour sa viande, ses œufs, ses plumes, son duvet (confection de couettes) et son foie gras. Son poids varie entre 6 et 12 kg selon le type d'élevage.

En France, on distingue les oies blanches (de petite taille et élevées pour leur chair, comme l'oie de Bresse, l'oie de Touraine, l'oie du Bourbonnais, l'oie d'Alsace, l'oie du Poitou) et les oies grises (de plus grande taille et utilisées pour la fabrication du foie gras, comme l'oie de Toulouse, l'oie de Gimont et l'oie des Landes). Des races étrangères sont également réputées comme la frisée du Danube (Roumanie).

Lapin

C'est un mammifère appartenant à l'ordre des lagomorphes. Le lapin domestique *(Oryctolagus cuniculus domesticus)* est un descendant du lapin de garenne sauvage *(Oryctolagus cuniculus)*. Il commence par être apprécié des Romains, pour finalement être véritablement domestiqué au Moyen Âge. Il est élevé pour sa chair, à l'exception du lapin angora, dont seuls les poils sont exploités. Les lapins sont capables de se reproduire dès l'âge de 4 ou 5 mois et les portées oscillent entre 1 et 12 petits. C'est donc un animal fort prolifique.

On distingue un très grand nombre de variétés de lapins dans le monde, comme notamment le Beveren belge (musclé et au pelage bleu), le blanc de Vienne autrichien (gris et pouvant peser 5 kg), le californien des États-Unis (blanc aux extrémités noires), l'argenté anglais (de couleur gris à brun).

En France, on élève plusieurs races, dont le géant des Flandres, le fauve de Bourgogne ou l'argenté de Champagne.

L'élevage des autruches

Depuis quelques années, dans certains pays comme les États-Unis, l'Australie ou la France, des agriculteurs se sont mis à l'élevage de l'autruche *(Struthio camelus)*. Leur principal objectif est la commercialisation de sa viande, positionnée comme un produit « haut de gamme ». On trouve à présent du steak d'autruche dans les restaurants, les boucheries et même les supermarchés ; son goût est moins marqué que celui de la viande de bœuf. Les élevages disposent de débouchés annexes car ils produisent également du cuir, utilisé en maroquinerie depuis très longtemps, des plumes très prisées dans la confection, et plus accessoirement des œufs.

L'autruche, originaire des savanes africaines, s'est parfaitement acclimatée à nos régions et offre de bons rendements, si bien que son élevage est devenu une affaire florissante quoique le marché soit encore peu implanté.

Petit lexique

aviculture : élevage des oiseaux et des volailles.

cuniculture : élevage des lapins.

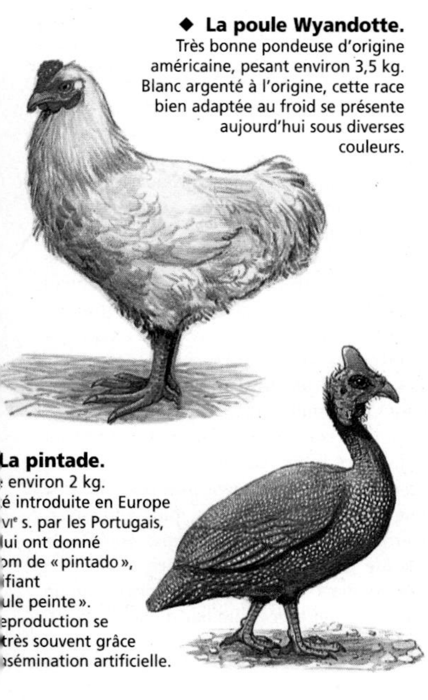

◆ **La poule Wyandotte.** Très bonne pondeuse d'origine américaine, pesant environ 3,5 kg. Blanc argenté à l'origine, cette race bien adaptée au froid se présente aujourd'hui sous diverses couleurs.

◆ **La pintade.** …e environ 2 kg. …é introduite en Europe …VIe s. par les Portugais, …ui ont donné …om de « pintado », …fiant …ule peinte ». …eproduction se …très souvent grâce …nsémination artificielle.

◆ **La poule Sussex.** Bonne pondeuse, également appréciée pour sa chair, pesant environ 3,5 kg. Race rustique d'origine anglaise supportant relativement bien le froid. Parfois brun-rouge.

◆ **La poule New Hampshire.** Bonne pondeuse d'origine américaine, également élevée pour sa chair, pesant environ 3,5 kg.

◆ **L'oie domestique.** Pèse entre 6 et 12 kg selon les races. D'autres espèces d'oies, telle la bernache du Canada, font l'objet d'élevage afin d'ornementer certaines pièces d'eau.

◆ **Le lapin.** Le fauve de Bourgogne est un lapin domestique de moyen format, élevé, comme la plupart des lapins, pour sa chair. Il pèse de 4 à 5 kg à l'âge adulte, et son élevage est assez facile.

Les petits animaux de compagnie

Le lapin nain

C'est un descendant direct du lapin de garenne européen *Oryctolagus cuniculus.* Ce petit lagomorphe se caractérise par une double paire d'incisives à la mâchoire supérieure (ce qui le distingue des rongeurs tels que la souris, qui n'en ont qu'une paire). Le poids d'un lapin nain se situe autour de 800 g (les plus gros sujets pouvant peser 2 kg et les plus petits 600 g). C'est la richesse des couleurs qui fait la grande diversité des races de lapins nains. Sous le qualificatif de « polonais », les éleveurs désignent le lapin nain albinos, encore appelé « lapin hermine ». Le « petit russe » est un albinos partiel portant des marques noires ou bleues. Le « lapin noir » est quant à lui entièrement noir.

Un lapin nain peut, comme tous les lapins, attraper la myxomatose, la plus grave des maladies de cette espèce. Elle est provoquée par un virus que transmettent certains moustiques. Elle se traduit par une inflammation des yeux et un gonflement des muqueuses. L'animal meurt en quelques jours. Il faut enterrer profondément le cadavre et désinfecter très soigneusement la cage et les ustensiles. Cette maladie est si contagieuse qu'il faut la déclarer à la mairie ou aux services vétérinaires.

Le hamster

Le hamster doré *(Mesocricetus auratus)*, qui vit à l'état sauvage au Moyen-Orient, fut ramené de Palestine par les membres d'une mission britannique vers les années 1930 et devint rapidement un animal familier des enfants.

D'une allure proche de celle du campagnol, ce rongeur pèse entre 50 et 200 g pour une longueur de 15 à 30 cm. Son corps rond est recouvert d'un pelage épais et soyeux pouvant revêtir une grande variété de coloris, le roux restant la couleur la plus courante.

Solitaire, le hamster s'apprivoise vite et fait preuve d'une grande activité. Il doit toujours avoir quelque chose à ronger car ses incisives croissent sans arrêt et se recourbent sous le palais, bloquant ainsi rapidement les mâchoires si elles ne travaillent pas.

Le hamster est un glouton, mais ses menus, variés, ne doivent pas excéder 200 g par jour : croûtons de pain, biscuits, tranches de pomme, morceaux de carottes sont autant d'aliments qu'il affectionne. Ce régime doit être complété de salade, de petits morceaux de fromage et même de viande crue. Le hamster a la particularité de stocker la nourriture dans ses bajoues. Comme la souris, le cobaye et le rat, le hamster a été largement utilisé à des fins d'expérimentations.

◆ **Le hamster.**
Il adore faire des provisions. On estime qu'il peut transporter plus de 500 kg de grains par an dans ses poches joufflues. Il peut mesurer plus d'une vingtaine de cm et son poids peut dépasser les 250 g.

Le cobaye, ou cochon d'Inde

Ce petit rongeur d'Amérique du sud (*Cavia porcellus*) fut rapporté en Europe par les conquistadores au XVIᵉ s. Les Indiens le sacrifiaient en hommage aux dieux inca, maya ou aztèques. Le mot « cobaye » viendrait de « cabiai », terme indigène. Il est aussi appelé « cochon d'Inde » parce qu'il couine comme un porcelet. Le cobaye restera peu connu jusqu'aux années 1950, où il est devenu un animal de compagnie très apprécié. Long de 15 à 35 cm, c'est un animal tout en rondeur. Grâce à une importante diversité de pelages, on recense aujourd'hui de nombreuses variétés déclinées à partir de trois races principales : le cobaye lisse commun (au poil ras et lisse), l'abyssinien (au poil court et dur formant des rosettes et des crans) et le shelty péruvien (angora). Le cochon d'Inde est un boulimique qu'il faut surveiller : 200 g de nourriture en deux repas quotidiens sont suffisants. Foin, orge, pain, seigle, maïs constituent la base de son alimentation. Carottes, pommes, biscuits aideront ce rongeur à se faire les dents. Le cobaye a besoin de beaucoup d'eau fraîche et trouve dans le jus d'orange offert de temps en temps un bon fortifiant.

Comme la plupart des rongeurs, le cobaye est très prolifique. La femelle peut se reproduire dès l'âge de 2 mois. À la naissance, les petits pèsent 60 g et commencent à s'alimenter seuls dès le deuxième jour.

VOIR AUSSI
- **Chien** p. 130 à 133
- **Chat** p. 134 à 136
- **Animaux de la ferme** p. 140
- **Protection des animaux domestiques** p. 145

◆ **Le cobaye.**
Les Indiens d'Amérique du Sud l'élèvent depuis plus de 5 000 ans, pour sa viande ; il a été aussi utilisé dans de nombreuses expérimentations scientifiques et, depuis quelques décennies, il fait le bonheur des enfants occidentaux.

La souris blanche

Avec un poids de 30 g pour une longueur de 80 mm environ, la souris blanche est le plus petit des mammifères de compagnie. Ce rongeur est une variété albinos de la souris grise *(Mus domesticus)*. Son nez rose, son joli museau, son pelage ont séduit des générations d'enfants qui apprécient ce compagnon toujours actif et facile à apprivoiser. Pain, verdures et fruits constituent son alimentation. Une souris peut, dès l'âge de 1 mois et demi, donner naissance toutes les 5 à 6 semaines à une portée de 4 à 15 souriceaux. Elle vit de 2 à 4 ans.

◆ **Le lapin nain.**
Cet animal s'adapte très bien aux appartements. Herbivore, il exige une alimentation équilibrée à base de foin, légumes et luzerne. Normalement, le lapin nain peut vivre 10 ans.

Petits animaux à sang froid

Moins affectueux mais beaucoup plus exotiques que les petits rongeurs, quelques insectes ont leurs adeptes et s'accommodent fort bien d'une place dans notre foyer. Les phasmes, par exemple, en forme de branches brunes ou vertes, s'élèvent très bien dans un terrarium (sorte d'aquarium sans eau). Ils ne sont pas très actifs et se déplacent avec une infinie langueur.
Les tortues, terrestres ou aquatiques, nous sont beaucoup plus familières. Si les premières sont herbivores, les secondes sont volontiers plus carnivores. Les tortues terrestres sont également plus paisibles que leurs cousines aquatiques, plus agressives. Certaines espèces aquatiques, comme la cistude d'Europe, peuvent être laissées en liberté dans l'appartement, pourvu qu'on leur laisse un accès à un bac d'eau.

Les oiseaux de cage

Les espèces

On recense plus de 9 000 espèces d'oiseaux, réparties en plus de 150 familles, mais toutes ne se prêtent pas aux conditions de cage ou de volière. C'est l'élevage qui a permis l'émergence de nombreuses variétés d'oiseaux, de couleurs très diverses.

Les oiseaux de cage peuvent être séparés en deux grands groupes qui ne correspondent pas à une classification zoologique : les parleurs et les siffleurs.

La famille des psittacidés, qui comprend les perroquets et les perruches, rassemble les plus populaires des oiseaux parleurs. La taille de ces oiseaux peut varier énormément en fonction de l'espèce et leur plumage est souvent très coloré.

Les sturnidés, avec le mainate, constituent une autre famille d'oiseaux parleurs. Reconnaissables à un pelage noir aux reflets métalliques et au pourtour jaune de l'œil, les mainates sont réputés pour leur aptitude à parler, souvent mieux que les perroquets.

Les oiseaux siffleurs comptent un nombre très important d'espèces et de variétés, impossibles à énumérer. Les plus connus appartiennent à la famille des fringillidés, composée de passereaux de petite taille. Les serins, et notamment le serin des Canaries, que l'on désigne plus souvent sous le terme de « canari », appartiennent à cette famille. Ce sont tous d'excellents chanteurs.

L = longueur totale, de l'extrémité du bec à celle de la queue

La vie quotidienne

L'éleveur débutant sera sage de choisir des oiseaux parmi les plus courants ; si l'on suit quelques règles élémentaires d'élevage, les individus seront apparemment « épanouis » et capables de se reproduire (ce qui n'est pas le cas de toutes les espèces malgré leur captivité).

Les cages. Les oiseaux doivent être hébergés dans des cages dont les dimensions sont appropriées à la taille et au mode de vie de l'espèce. Installée dans une pièce sans courant d'air, loin de toute source de chaleur, mais bénéficiant de la lumière du jour, cette cage doit être facile d'entretien. L'espacement entre les barreaux doit être assez étroit pour interdire à l'oiseau d'y passer la tête. La nuit, la cage sera recouverte d'un tissu, la protégeant à la fois du froid, du bruit et d'une lumière artificielle qui tiendrait l'oiseau en éveil trop longtemps.

L'aménagement de la cage ou de la volière est primordial : perchoirs, mangeoires, abreuvoirs, baignoire, etc. disposés de façon à permettre à l'oiseau de voler le mieux possible sans s'abîmer les plumes des ailes ou de la queue.

L'alimentation. En fonction de l'espèce à laquelle ils appartiennent, les oiseaux adoptent des comportements alimentaires différents.

Les granivores constituent la grande majorité des oiseaux de cage (canaris, pigeons, perroquets) et se reconnaissent à leur bec aux fortes mâchoires destinées à broyer les graines. Il faut leur donner un mélange de graines qui couvrent leurs besoins. Dans la nature, les insectivores, comme les passereaux ou les rossignols du Japon, capturent les insectes vivants. En captivité, on leur offre des pâtées à base d'insectes, de crevettes séchées, d'œuf ou de viande. Les nectarivores, par exemple les colibris et les loris, sont nourris d'aliments liquides à base d'eau, de lait, de miel et autres bouillies. Les omnivores mangent toutes sortes d'aliments et leur régime, à condition d'être varié, ne pose guère de difficultés.

À cette alimentation de base, il faut ajouter des aliments complémentaires, présentés sous forme de friandises. Des fruits seront par exemple très appréciés du canari. Les apports de vitamines, oligoéléments, minéraux, préviennent les carences qui sont généralement à l'origine des troubles physiologiques et psychiques. Enfin, bien que le sable ne constitue pas un véritable aliment, il est consommé régulièrement par les oiseaux qui le stockent dans leur gésier où son action abrasive va réduire les aliments en des morceaux plus petits. Il ne faut jamais oublier de laisser à la disposition de l'oiseau de l'eau fraîche et propre.

La santé. La santé des oiseaux repose sur un équilibre très délicat. Exposés à de multiples dangers, les oiseaux en liberté disposent de mécanismes de défense naturels. Mais ils ne sont pas préparés aux agressions non naturelles auxquelles ils sont confrontés en cage. D'où l'importance à accorder à leurs problèmes de santé. Les oiseaux sont victimes de maladies virales, bactériennes ou de parasites externes (acariens, poux, champignons).

Quelques symptômes permettent de reconnaître qu'un oiseau est malade : il mange moins, ou ne mange plus ; son plumage est terne, ébouriffé ; il est peu actif et ses paupières se ferment ; il est incapable de rester perché ; il maigrit.

Les oiseaux peuvent aussi être affectés par des maladies psychiques, dont l'ennui et le manque d'espace sont les principales causes. Ces troubles peuvent se manifester par le picage (l'oiseau s'attaque à son plumage ou à celui de ses congénères), l'agressivité, la boulimie et même la ponte chronique.

En cas de problème, le mieux est de consulter un vétérinaire. L'idéal est alors de transporter l'oiseau dans sa cage, recouverte afin de limiter les pertes de chaleur.

◆ **Les inséparables** (espèce du genre *Agapornis*). L = 15 cm. Leur façon originale de se faire mutuellement la toilette ainsi que la fidélité du couple qu'ils forment leur a valu leur surnom. D'origine africaine, les inséparables (9 espèces) sont généralement verts, avec des taches orange, jaunes, bleues, noires, grises ou blanches. Ils sont assez querelleurs lorsqu'ils sont placés avec d'autres oiseaux.

◆ **Le diamant mandarin** (*Poephila guttata*). L = 11 cm. C'est un des oiseaux de cage les plus sociables. Robuste, dépourvu de toute agressivité, facile à apprivoiser, c'est un oiseau idéal pour l'ornithologue amateur.

◆ **Le serin du Mozambique** (*Serinus mozambicus*). L = 11 cm. Facile à vivre et se reproduisant sans difficulté, cet oiseau originaire d'Afrique appartient à une espèce proche du canari ; c'est également un très bon chanteur.

◆ **Le serin des Canaries** ou **canari** (*Serinus canaria*). L = 12 à 20 cm. C'est l'un des oiseaux de cage les plus répandus. Il en existe de très nombreuses races, sélectionnées pour leur chant ou pour leurs couleurs (l'individu présenté ici a un aspect proche de celui des individus sauvages mais certains sont entièrement jaunes, blancs, roses...).

◆ **Le mainate religieux** (*Gracula religiosa*). L = 30 cm. Le mainate est recherché pour ses dons de parleur et d'imitateur. Doté d'une voix moins nasillarde que les perroquets, il peut retenir 40 phrases distinctes en reproduisant les sons qu'il entend fréquemment. Le jaune qu'il arbore sur les pattes et sur le pourtour de l'œil aide à connaître l'âge de cet oiseau. Pâle lorsque le mainate est jeune, le jaune devient plus vif à mesure que l'oiseau vieillit.

◆ **Le bengali rouge** ou **bengali de Bombay** (*Amandava amandava*). L = 10 cm. À la saison des amours, le bengali mâle revêt un plumage très coloré. C'est un oiseau facile à élever et dont la reproduction est très aisée. Très robuste, le bengali est apprécié pour la pureté de son chant.

◆ **Le youyou du Sénégal** (*Poicephalus senegalus*). L = 25 cm. Ce perroquet est gris, jaune et vert ; chez une espèce proche (le youyou de Meyer, également africain), la couleur grise est plus dominante.

◆ **La perruche ondulée** (*Melopsittacus undulatus*). L = 19 cm. C'est la plus célèbre et la plus répandue de toutes les perruches. Recherchée pour sa silhouette gracieuse, elle fait preuve d'une grande indépendance de caractère. Elle peut vivre en liberté dans un appartement et sa longévité peut atteindre une vingtaine d'années.

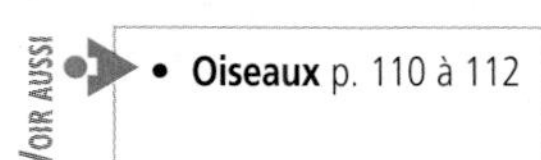

VOIR AUSSI • **Oiseaux** p. 110 à 112

Les poissons d'aquarium

Les espèces

Du poisson rouge, le plus commun de tous nos compagnons aquatiques, aux superbes espèces de poissons des mers tropicales, le choix pour l'aquariophile est infini.

Toutefois, il faut bien faire attention à ne pas mélanger des espèces incompatibles et se méfier des importations illégales d'espèces protégées.

Les poissons d'eau douce. On conseille généralement aux aquariophiles débutants de commencer par s'intéresser aux poissons d'eau douce. Ceux-ci en effet sont d'un élevage beaucoup plus facile et moins coûteux, tout en étant aussi intéressants à observer et agréables à contempler.

Il faut distinguer les poissons d'eau douce froide de ceux des eaux douces tropicales. Les premiers, moins nombreux et moins spectaculaires, appartiennent pour la plupart à la famille des cyprinidés. Parmi eux, on trouve les diverses variétés de poisson rouge (le carassin doré, le poisson comète, le queue de voile, identifiable à sa belle queue, le télescope, etc.) mais des poissons de rivières (le gardon, la perche, la carpe, l'ablette, le vairon, le goujon...) peuvent aussi être acclimatés.

Les poissons tropicaux d'eau douce comptent un très grand nombre d'espèces, souvent très colorées. Les plus populaires de ces poissons d'ornement appartiennent à la famille des pœciliidés, qui regroupe des espèces très robustes, originaires d'Inde ou d'Amérique centrale, tels le guppy ou le xipho. Ces deux espèces ont deux caractéristiques assez inhabituelles chez les poissons. Elles sont ovovivipares : les embryons se développent dans les voies génitales des femelles (celles-ci ne pondent donc pas d'œufs mais donnent naissance à des petits). Ces femelles, d'autre part, ont la possibilité de stocker le sperme et peuvent donc avoir plusieurs portées successives de petits, issus d'un seul accouplement. Les cyprinidés (tels les danios et les barbus) comprennent 2 000 espèces. Petits, très jolis, généralement pacifiques, les tétras composent l'essentiel de la famille des characidés. On trouve les plus grands poissons d'eau douce tropicale chez les cichlidés : le scalaire peut atteindre 130 mm et le Jack Dempsey ainsi que le chanchita, 175 mm. Les anabantidés possèdent un mécanisme respiratoire spécial, nommé labyrinthe, grâce auquel ils peuvent retenir l'air qu'ils viennent respirer à la surface. Certains d'entre eux, comme le betta combattant, sont très agressifs. La famille des callichthyidés rassemble des poissons qui ont pour particularité de nettoyer les aquariums en mangeant tout ce que leurs congénères dédaignent. On comprend qu'ils soient particulièrement appréciés des aquariophiles.

Les poissons de mer. L'amateur pourra commencer par acclimater des poissons-clowns. Reconnaissables à leur robe rayée de larges bandes blanches, ils nagent en se dandinant et passent le plus clair de leur temps auprès des anémones de mer. Le baliste-clown est un autre très beau poisson de mer, portant diverses taches de couleur, notamment de grosses taches rondes blanches sur la partie inférieure du corps. Il est plutôt agressif et ne peut être élevé qu'en solitaire.

L'amateur de gros poissons appréciera d'avoir un mérou. Il en impose surtout par sa taille et atteint en moyenne et selon les espèces 25 cm.

Le poisson-scorpion détient sans nul doute la palme de l'originalité. Zébré et tout hérissé d'épines, c'est un solitaire pacifique, lent, calme et gourmand.

Les balistes ont la réputation d'être résistants et très intelligents. On leur prête la manie de changer le décor de leur aquarium en transportant les plantes et les pierres qui s'y trouvent. Ils émettent aussi, en se frottant les dents, un grognement caractéristique. Enfin, ils peuvent se dresser et se maintenir à la verticale.

L'alimentation

Chaque espèce de poisson a des exigences particulières, mais la majorité d'entre elles acceptent de la nourriture vivante, complétée selon le cas avec des préparations inertes et un apport végétal constitué d'algues, de feuilles de salade ou d'épinard.

Les excès de nourriture sont pour les poissons encore plus néfastes qu'une eau de mauvaise qualité. Nourris en surabondance, les poissons vont accumuler des graisses qui écourteront leur durée de vie. En outre, si leur ration est trop importante, ils ne mangeront pas tout, et l'eau de l'aquarium sera vite souillée, ce qui peut avoir des conséquences graves sur leur santé.

La ration alimentaire d'un poisson se constitue, selon les espèces, de nourriture fraîche (moules, chair de poisson, œufs de poisson, viande crue, végétaux), de proies vivantes (larves d'insectes, vers aquatiques, crustacés) et de nourriture artificielle (paillettes ou granulés industriels), cette dernière réservée, de préférence, aux jours de pénurie en aliments frais ou en proies vivantes.

Les aquariums

En fonction de la température de l'eau, on distingue trois types d'aquarium :

– l'aquarium régional. C'est un aquarium d'entretien facile, dépourvu de climatisation où la température varie en fonction des saisons. Il abrite des poissons des régions tempérées et des poissons rouges ;

– l'aquarium tempéré. La température de l'eau y oscille entre 18 et 22 °C, mais une petite résistance électrique maintient une quinzaine de degrés l'hiver et lors des nuits trop fraîches. Il accueille les poissons exotiques les plus résistants comme les guppys et les danios ;

– l'aquarium tropical. Il contient une eau douce ou salée, chauffée par un système de thermorégulation. La température varie de 23 à 28 °C grâce à l'utilisation de résistances électriques et est régulée par un thermostat.

Tous ces aquariums doivent être équipés d'un système efficace de filtration de l'eau et d'un éclairage automatique.

Les plantes aquatiques jouent un rôle vital dans cet écosystème en réduction, car des échanges constants se produisent entre les végétaux et les poissons. Elles absorbent le gaz carbonique, libèrent l'oxygène et offrent de nombreux refuges où les poissons peuvent s'isoler ou échapper à un prédateur. Un aquarium de qualité doit compter une plante pour deux litres d'eau.

Le poisson rouge

Originaire d'Asie, le plus populaire de tous les poissons d'ornement a été introduit en Europe par les navires de la Compagnie des Indes. À l'état sauvage, c'est un poisson brun verdâtre *(Carassius auratus)* ; le rouge qu'il arbore aujourd'hui n'est que le fruit d'un élevage industriel. Ce sont les Japonais qui, au terme d'un patient travail de sélection, ont produit ces spécimens aux formes diverses que nous connaissons maintenant. Rustique, le poisson rouge mange de tout. Une pincée quotidienne de nourriture lyophilisée lui suffit. Il supporte bien l'eau froide. Il peut vivre une vingtaine d'années.

L = longueur totale, de l'extrémité de la tête à celle de la queue

◆ **Le guppy** *(Poecilia reticulata).* L = de 3 cm (mâle) à 6 cm (femelle). Ce poisson d'eau douce est sans hésitation possible le plus répandu dans les aquariums. Il est peu cher à l'achat, d'une grande diversité dans les couleurs et il se reproduit facilement.

◆ **Le xiphophore ou xipho** *(Xiphophorus helleri).* L = 10 cm. Ses lignes sont élégantes et sa couleur varie, selon les variétés, du blanc au rouge. Le mâle porte une nageoire caudale effilée comme une épée alors que la femelle est de morphologie plus ronde. Il se reproduit très facilement en aquarium.

◆ **Le scalaire** (espèce du genre *Pterophyllum).* L = 13 cm. Avec sa forme très particulière, corps aplati et nageoires très développées, il ne passe pas inaperçu dans un aquarium. Attention toutefois, il peut être un peu agressif ; il aime bien, par exemple, dévorer les petits ou les œufs des autres espèces. C'est un poisson d'eau douce.

VOIR AUSSI • Poissons p.115

La protection des animaux

Les droits de l'animal

Le mouvement de protection des animaux domestiques est, au départ, assez différent dans son esprit de celui des espèces sauvages. Dans le cas des premiers, en effet, il ne s'agit pas de préserver une espèce en tant que telle. Par le fait même qu'elle est domestique, une espèce ne peut être menacée de disparition, bien que de nombreuses races domestiques le soient aujourd'hui, parce que leur élevage a été délaissé. La proximité entre l'homme et les animaux domestiques a fait que les premières sociétés de protection animale se sont d'abord fondées pour défendre les chiens, les chats et les chevaux, ces derniers étant à l'époque nombreux dans les villes. Par la suite, ce sont toutes les espèces domestiques qui ont bénéficié des lois.

Alors que la protection de la nature s'intéresse surtout aux espèces, la protection des animaux concerne essentiellement l'animal en tant qu'individu. Elle combat aussi bien les mauvais traitements et les actes de cruauté émanant d'une seule personne que ceux relevant de loisirs, de traditions ou de pratiques comme l'expérimentation animale et l'élevage en batterie.

En 1978, dans les bureaux de l'Unesco à Paris, était proclamée une Déclaration universelle des droits de l'animal. Remaniée en 1989, elle est largement inspirée de la Déclaration des droits de l'homme de 1789. Ainsi, l'article premier stipule : « Tous les animaux ont des droits égaux à l'existence dans le cadre des équilibres écologiques. Cette égalité n'occulte pas la diversité des espèces et des individus. »

L'article deux souligne la responsabilité de l'homme à l'égard des autres espèces animales. La déclaration condamne les mauvais traitements et, si elle n'interdit pas formellement la mise à mort des animaux, notamment ceux d'élevage destinés à l'alimentation, elle recommande de leur donner une mort sans douleur. Article III : « 1. Aucun animal ne sera soumis ni à des mauvais traitements ni à des actes cruels. 2. Si la mise à mort d'un animal est nécessaire, elle doit être instantanée, indolore et non génératrice d'angoisse. » Une Ligue internationale des droits de l'animal tente de faire passer dans les faits les 14 articles de cette constitution. Elle est relayée dans de nombreux pays par des ligues nationales. En France, la Ligue française des droits de l'animal agit parallèlement aux associations plus anciennes (Société protectrice des animaux, Assistance aux animaux) et à d'autres, plus spécialisées.

Les animaux victimes

Parmi les actes individuels dont sont victimes les animaux domestiques, le problème de l'abandon des chiens et des chats lors des départs en vacances est l'un de ceux qui ont le plus mobilisé les défenseurs des animaux. D'une façon générale, la vogue des animaux de compagnie se retourne souvent contre ceux-ci, qui sont victimes de trafics, de vols ou d'euthanasie dans les fourrières. Stérilisation et tatouage sont de plus en plus vivement conseillés pour lutter contre ces pratiques et diminuer les risques de vol ou d'abandon. Les chiens de chasse sont, dans certaines régions, particulièrement convoités et revendus ailleurs à des chasseurs peu scrupuleux.

Nombre de jeux, sports ou traditions cruels sont la cible des défenseurs des animaux. Parmi ceux qui concernent les espèces domestiques, citons le tir aux pigeons vivants (aujourd'hui interdit en France après une longue lutte), les combats de coqs ou de chiens et les courses de taureaux. Les corridas sont particulièrement réglementées et ne peuvent avoir lieu que dans les régions où elles appartiennent à des traditions ancestrales. Ces dernières sont critiquées par les partisans de la protection des animaux, même si elles ne comportent pas de mise à mort.

De telles pratiques sont d'ailleurs condamnées par l'article 10 de la Déclaration des droits de l'animal.

L'expérimentation animale

Bien qu'elle ait été pratiquée depuis l'Antiquité, l'expérimentation animale a seulement pris de l'importance au XIXᵉ s. D'abord limitée aux domaines scientifique et médical, elle s'est étendue, au XXᵉ s., à beaucoup d'autres secteurs. Ainsi, l'efficacité ou la toxicité de nombreux produits (cosmétiques, teintures, pesticides, peintures, armes) sont testés sur les animaux.

On avance les chiffres de 800 millions d'animaux sacrifiés annuellement dans le monde, 4 millions en France, la plupart étant utilisés à des fins commerciales (pour tester des produits autres que des médicaments). Le terme d'« expérimentation animale » est aujourd'hui préféré à celui de « vivisection » (dissection ou opération réalisée sur un animal vivant non anesthésié dans un but expérimental) : l'emploi de ce dernier, à forte portée émotionnelle, n'est plus justifié car les opérations (du moins celles concernant les vertébrés) sont aujourd'hui réalisées sous anesthésie.

La liste des expérimentations effectuées est très importante et recouvre pratiquement tous les domaines de la biologie, de la médecine et des sciences du comportement. Pourtant, durant longtemps, la plupart des associations de protection animale restèrent assez modérées en face de ce problème, considéré comme un mal nécessaire.

Si la contestation des expérimentations commerciales est moralement assez facile, elle est peut-être plus délicate sur un plan économique, sauf à retirer du marché un grand nombre de produits (dentifrices, crèmes, etc.), ou à faire de l'homme lui-même un consommateur cobaye.

La contestation des expériences à but scientifique et médical (recherche sur le cancer, l'épilepsie, le sida, etc.) se heurte à des difficultés bien plus grandes. Certes, l'extrapolation de certains résultats (ceux des tests de toxicité, par exemple) de l'animal à l'homme est loin d'être toujours valable. Mais les solutions proposées ne permettent nullement de répondre à toutes les questions posées, quand elles ne sont pas totalement inadaptées. Peu à peu, cependant, les méthodes de substitution à l'expérimentation animale gagnent du terrain, qu'il s'agisse des cultures de cellules, des simulations par ordinateurs, des modèles mathématiques et de bien d'autres techniques. Beaucoup de chercheurs eux-mêmes sont désormais les premiers à les promouvoir et à les utiliser.

Les animaux d'élevage

Autre domaine ayant pris une très grande importance au XXᵉ s., l'élevage en batterie, ou élevage industriel, est également devenu une préoccupation majeure des défenseurs des animaux. Apparu vers 1950, il était un résultat de l'essor démographique et des besoins alimentaires des pays occidentaux et aussi de la réduction de l'espace disponible pour l'élevage traditionnel.

Dans certains de ces élevages, les veaux sont enfermés dans des boxes où ils ne peuvent pas bouger. Au bout de trois mois d'une telle détention, le veau est complètement déformé, et il doit être traîné à l'abattoir. Quant aux poules, elles sont entassées au sol ou sur des treillis métalliques à raison de 20 ou 25 au mètre carré. Les pondeuses sont enfermées, sur plusieurs étages, par 4 ou 5 par cage de 40 x 40 cm. Le plancher de ces cages descend vers une gouttière dans laquelle roulent les œufs.

Ces élevages sont un champ d'expériences pour de multiples techniques nouvelles, qui, toutes, rabaissent l'animal au rang d'objet. Ainsi, des porcelets, délivrés par césarienne, sont enfermés dans des bulles de plastique qui les isoleront du monde pendant un mois. Ce sont des animaux IOPS, c'est-à-dire « indemnes d'organismes pathogènes spécifiques ».

Depuis quelques années, sous la pression des consommateurs, mais aussi pour créer de nouveaux débouchés commerciaux, un élevage traditionnel amorce un retour timide. Les conditions d'abattage ont, de même, été réglementées, la mise à mort en pleine conscience étant interdite (ce qui ne veut pas dire que la loi soit toujours respectée). De même le gavage des oies pour obtenir le foie gras a fait l'objet de vigoureuses campagnes.

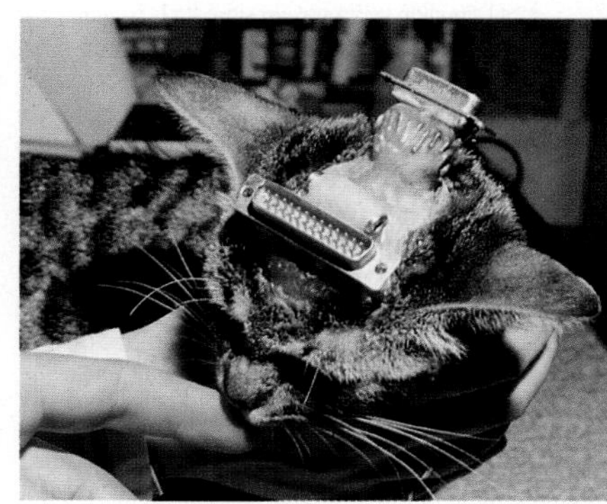

◆ **Une expérimentation.**
C'est surtout le sort des chiens, des chats et des singes qui émeut l'opinion publique. Mais les souris, les rats et les mouches paient un tribut plus lourd encore à l'expérimentation.

VOIR AUSSI
• **Protection de la nature** p. 189 à 192
• **Sélection des espèces par l'homme** p. 104

Des animaux dangereux

L'agressivité animale

L'agressivité est une des caractéristiques du comportement animal. Toutefois, cette «violence» n'est jamais gratuite. Les animaux sont sans cesse confrontés à des individus d'autres espèces prêts à les dévorer ou à s'attaquer à leurs jeunes ou à leurs œufs. Lorsque la fuite n'est pas possible, ils doivent faire face et se montrer le plus agressif possible pour que leur espèce survive. Tous les carnivores tuent pour manger, car ils se nourrissent exclusivement de viande. Il est rare cependant que ces animaux cherchent à tuer plus de proies qu'il ne leur est nécessaire. Il y a au moins deux bonnes raisons à cela : préserver les ressources alimentaires et limiter la dépense d'énergie qu'exige la capture d'une proie.

L'agressivité au sein d'une même espèce permet d'établir une hiérarchie entre dominants et dominés. Elle favorise également la reproduction des individus les plus forts. Toutefois, les combats entre mâles rivaux, par exemple pour la possession des femelles, sont très ritualisés et entraînent rarement la mort de l'un des protagonistes. En général, le plus faible des deux se soumet rapidement. Deux individus d'une même espèce peuvent aussi combattre pour la possession d'un territoire; ils défendent alors des ressources alimentaires.

Les animaux venimeux

On rencontre des espèces venimeuses dans la plupart des groupes zoologiques : chez les échinodermes (oursins), les céphalopodes (pieuvres), les gastéropodes (cônes), les insectes (abeilles, guêpes, fourmis), les arachnides (araignées, scorpions), les myriapodes (scolopendres), les poissons, les reptiles (serpents, lézards) ou les amphibiens (crapauds, dendrobates des forêts tropicales d'Amérique)...

Quelques poissons venimeux sont remarquables : les raies, telles que la pastenague, et la vive, dont l'aiguillon venimeux est situé sur la nageoire, par exemple. Les amphibiens peuvent sécréter du venin par la peau, mais n'ont pas d'organes pour l'inoculer. Chez les reptiles, outre de nombreux serpents, il existe des lézards venimeux : les hélodermes des déserts nord-américains. Très peu de mammifères sont venimeux : c'est le cas de quelques musaraignes et de l'ornithorynque, qui est doté d'un éperon venimeux. En revanche, aucun oiseau n'est venimeux. La production de venin permet aux animaux de tuer ou d'immobiliser leurs proies (cas des serpents ou des araignées) ou de se protéger vis-à-vis de leurs prédateurs.

◆ **Le scorpion.** Les scorpions appartiennent comme les araignées à la classe des arachnides; ils ont quatre paires de pattes et non trois comme les insectes. Ils possèdent une paire de pattes supplémentaires transformée en pinces et un aiguillon venimeux à la terminaison de leur abdomen.

VOIR AUSSI
- **Reptiles** p. 113
- **Insectes** p. 118
- **Morsures et piqûres** p. 251

Les hyménoptères. Les femelles de certains de ces insectes (abeilles, guêpes, frelons, fourmis...) possèdent un aiguillon relié à un sac à venin. Lorsque l'insecte pique, le dard est enfoncé dans la victime, puis retiré rapidement pendant que le venin passe entre les deux lancettes qui le constituent. Dans certains cas, l'insecte (par exemple, l'abeille) ne peut retirer son aiguillon du corps de sa victime et abandonne avec lui une partie de ses viscères. Il est alors condamné à périr.

La piqûre du frelon est particulièrement redoutée en Europe, car cette espèce de grande taille (près de 4 cm de long) est impressionnante. Guêpes, abeilles et frelons peuvent, dans de rares cas, provoquer la mort de la personne qu'ils piquent. Ce sont surtout les piqûres multiples qui peuvent présenter un danger, notamment en cas d'attaque massive de guêpes ou d'abeilles. Si la victime est piquée dans la bouche, l'œdème qui en résulte peut alors empêcher la respiration et entraîner la mort. Les risques sont également importants chez les sujets allergiques ou les jeunes enfants.

Les méduses. Comme tous les cnidaires (coraux, anémones de mer...), elles sont urticantes, un peu à la façon des orties. À la surface de leurs tentacules se trouvent d'innombrables petits cils qui agissent à la manière de minuscules gâchettes : au moindre contact avec une proie, chacun de ces cils déclenche l'expulsion d'un fin filament barbelé, relié à une réserve de venin. Ce filament, jusqu'alors enroulé en spirale à l'intérieur du corps de la méduse, est propulsé tel un ressort sur la proie. Comme de nombreux filaments frappent en même temps, la sensation de brûlure peut être très forte.

Le venin de certaines méduses appartenant au groupe des cuboméduses (appelées « guêpes de mer ») peut provoquer la mort d'un homme, parfois en quelques minutes; celui de l'espèce *Chironex fleckeri,* qui fréquente les eaux d'Australie, de Nouvelle-Guinée et des Philippines, est particulièrement redoutable.

Dans la plupart des autres cas, notamment dans les eaux européennes, le sujet atteint ressent de violentes démangeaisons. Celles-ci sont éventuellement accompagnées de nausées, sueurs, crampes, etc., et parfois d'une perte de connaissance (ce qui peut avoir alors des conséquences dramatiques si le baigneur est seul ou loin de la côte). Ces dernières années, des invasions de méduses ont été observées sur les côtes atlantiques et méditerranéennes d'Europe. Les causes de ces spectaculaires pullulations semblent complexes. Les poissons qui se nourrissaient de ces méduses sont devenus trop peu nombreux. De même, l'abondance de plancton et la température jouent un rôle, tout comme les courants marins.

Les serpents. Le risque d'être mordu par un serpent est surtout important dans les régions tropicales où les espèces venimeuses (cobras, crotales, mambas, vipères, etc.) sont nombreuses. Chaque année, 30 000 personnes environ décèdent dans le monde (essentiellement en Asie, en Afrique et en Amérique du Sud) par suite d'une morsure de serpent. Tous les serpents ne sont pas venimeux. Chez ceux qui le sont, ce venin est sécrété par une glande salivaire modifiée, devenue une glande à venin.

La présence éventuelle de dents spécialisées dans l'inoculation du venin et le degré de perfectionnement de cet appareil inoculateur déterminent la dangerosité du serpent venimeux pour l'homme. De nombreuses couleuvres ne produisent pas de venin ou, si elles en produisent, n'ont pas de dents spécialisées pour l'injecter à leur victime (leur venin est très dilué dans la salive, ce qui les rend inoffensives pour l'homme).

Seules trois des couleuvres habitant l'Europe (la couleuvre de Montpellier, en particulier) possèdent des dents en forme de crochets pour injecter le venin; ces crochets étant situés au fond de la bouche du serpent, il y a relativement peu de risque qu'ils puissent atteindre une personne et la morsure de ces couleuvres est généralement sans gravité. Au contraire, les vipères et les crotales sont dotés de crochets placés à l'avant de la gueule. Ils sont rabattus vers l'arrière quand la bouche est fermée et se redressent au moment de la morsure injectant profondément le venin sous pression. Le venin de la plupart des vipères et des crotales est essentiellement hémotoxique : il détruit les cellules et les vaisseaux sanguins et provoque œdèmes et hémorragies; il peut entraîner la mort (quelques rares cas en Europe). Le venin d'autres serpents (cobras, notamment) est neurotoxique : il agit sur le système nerveux, provoquant une paralysie et éventuellement la mort.

Mangeurs d'hommes : mythes et réalités

La férocité des crocodiliens a été maintes fois exploitée dans les récits d'aventures, mais seules quelques espèces, parmi les plus grandes, attaquent l'homme. Certaines attaques sont le fait de l'alligator du Mississippi (États-Unis) ou du caïman noir (Amérique du sud), mais la grande majorité sont dues au crocodile du Nil (Afrique) ou au crocodile marin (Asie, Australie et Océanie).

Plusieurs grandes espèces de requins ont acquis une solide réputation de mangeurs d'hommes. Alors que les deux plus grands requins, le requin-baleine et le requin-pèlerin, se nourrissent de plancton, le requin-tigre, le requin-marteau et surtout le requin blanc peuvent effectivement être dangereux. Troisième requin par la taille (il atteint exceptionnellement 10 m), surnommé le « grand blanc » ou la « mort blanche », le requin blanc est le plus terrifiant. Des accidents surviennent, de temps à autre, sur les côtes d'Australie notamment. À l'inverse, diverses espèces de requins, victimes de la surpêche et de la mauvaise réputation du groupe auquel elles appartiennent, sont aujourd'hui menacées de disparition.

Les loups, fort nombreux en Europe au Moyen Âge, ont été véritablement décimés. Ils vivent encore dans les régions montagneuses de l'Europe de l'Est, mais également en Italie et en Espagne. Quelques individus vivent depuis peu dans les Alpes françaises. La peur ancestrale que peut susciter leur présence sur ces territoires est sans commune mesure avec la menace qu'ils représentent réellement. Malgré toutes les légendes et les récits existant à ce sujet, il est difficile d'affirmer que les loups ont jamais mangé des hommes.

◆ **La méduse.** Ce sont les longs filaments des méduses qui portent les cellules urticantes. Habituellement, ces appendices servent à capturer les proies.

Des animaux extraordinaires

Les animaux électriques

Les animaux électriques sont tous des poissons; il y a une bonne raison à cela : l'eau, à la différence de l'air, est conductrice d'électricité.

Les torpilles. Parmi les poissons électriques, les plus connus sont des sortes de raies, les torpilles (longue de 40 à 80 cm, la torpille marbrée, par exemple, est relativement commune sur les côtes d'Europe). Leurs organes électriques se présentent comme des amas de petites colonnettes qui occupent une partie de leur corps. Ces nombreuses colonnettes sont forées de centaines de disques, que l'on peut assimiler à des piles électriques fonctionnant en série. L'électricité est produite par un influx nerveux. Une torpille peut ainsi envoyer de véritables décharges soit pour capturer les poissons dont elle se nourrit, soit pour se défendre contre un prédateur.

Autres poissons. Des organes comparables existent chez quelques autres poissons, notamment le gymnote, ou anguille électrique, d'Amérique du Sud : il peut produire des décharges de 600 volts pour tuer ses proies. Chez des poissons africains, les mormyres et les gymnarques, les organes électriques servent uniquement à recueillir des informations sur l'environnement : situés dans la queue, certains, émettent un champ électrique de faible intensité; les perturbations de ce champ par des obstacles ou d'autres animaux sont détectées par des organes récepteurs et permettent au poisson de s'orienter et de repérer ses proies. Le poisson-couteau *(Eigemannia)* et l'espèce *Apteronotus* des eaux douces sud-américaines, parents plus ou moins proches du gymnote africain, utilisent également leurs organes électriques pour s'orienter et détecter leurs proies, mais jamais pour tuer celles-ci ou se défendre. Le poisson-couteau, ainsi nommé en raison de l'aspect allongé de son corps et de sa queue, émet un signal électrique dont la fréquence est de 250 à 600 impulsions par seconde (250 à 600 Hz). Chez l'espèce *Apteronotus*, le rythme des décharges atteint le millier à la seconde.

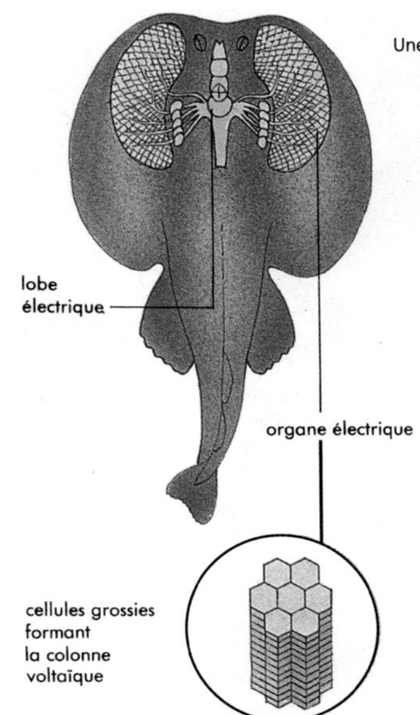

◆ La torpille.
Une torpille a un corps en forme de disque. Elle peut doser sa décharge électrique en fonction de la taille de la proie qu'elle convoite. Cette modulation est une mesure d'économie, car ses organes électriques doivent se recharger entre chaque impulsion. Les pêcheurs ont surnommé les torpilles « trembleuses » ou « engourdisseuses », ce qui donne une idée de l'effet de leur décharge.

Les organes électriques

Les organes générateurs d'électricité sont, chez toutes les espèces de poissons, formés à partir de tissus musculaires profondément modifiés. Les impulsions électriques générées par ces organes sont en fait de même nature, quoique plus intenses, que celles qui sont produites normalement par les muscles ou les nerfs. Chez beaucoup d'espèces, la puissance de ces courants est très faible, de l'ordre de quelques millivolts. Les fortes décharges observées chez les torpilles et les gymnotes (jusqu'à 600 volts et d'une intensité de 1 ampère) sont la conséquence d'un fonctionnement synchrone d'un très grand nombre de modules élémentaires fonctionnant en série. Contrairement à une croyance fort répandue, elles ne sont pas suffisantes pour tuer un homme, bien qu'elles soient susceptibles de lui faire perdre connaissance.

Les animaux lumineux

L'émission de lumière (luminescence) par un objet ou un être vivant se fait parfois en réponse à l'action d'un facteur extérieur (ultrasons, rayons X, lumière...). Selon que la luminescence persiste ou non après l'arrêt du facteur l'ayant provoquée, on parle de fluorescence ou de phosphorescence. Dans de nombreux cas toutefois, la luminescence d'un animal ne relève pas d'un tel phénomène; l'animal est capable de produire sa propre lumière, en l'absence de tout stimulus extérieur, grâce à une réaction biochimique spéciale : une molécule, la luciférine, est oxydée par une enzyme appelée « luciférase ». Une telle production de lumière existe aussi chez d'autres êtres vivants (algues microscopiques, bactéries, champignons) et porte le nom de « bioluminescence ».

Les animaux bioluminescents se rencontrent dans la plupart des embranchements. Il existe divers animaux marins lumineux, comme des méduses, des étoiles de mer, des mollusques (notamment des calmars), des crustacés, etc. Durant la guerre du Pacifique, des officiers japonais utilisèrent, pour communiquer la nuit par des signaux lumineux, de la poudre d'ostracodes, minuscules crustacés.

La faune bioluminescente des abysses. Le céphalopode *Vampyroteuthis infernalis* doit son appellation à ses extraordinaires organes lumineux qui clignotent dans les grands fonds. C'est également dans les abysses – où la lumière solaire ne parvient jamais – que se rencontre le plus grand nombre de poissons lumineux. Ils émettent des lumières de toutes les couleurs : rouges, bleues, blanches, etc. Ces poissons sont munis d'organes lumineux appelés « photophores ». Ces derniers, en nombre très variable, sont situés sur la tête, la queue et l'ensemble du corps. Certains ne sont constitués que de simples amas cellulaires, mais d'autres montrent une structure beaucoup plus complexe, dotée de diverses annexes optiques (écrans, réflecteurs, lentilles, paupières, etc.). La production de lumière peut être continue, clignotante ou variable.

Ces poissons n'utilisent pas leurs photophores comme des lanternes. Il s'agit, pour eux, non de s'éclairer, mais de se repérer entre individus ou d'attirer des proies. D'ailleurs, des poissons lumineux s'observent aussi dans des zones plus éclairées, bien au-dessus des abysses.

Les insectes bioluminescents. Diverses espèces d'insectes sont également lumineuses. L'une des plus célèbres est le ver luisant. Ce coléoptère, assez commun en Europe, présente un fort dimorphisme sexuel. La femelle, qui n'a pas d'ailes, est plus grande que le mâle. C'est essentiellement elle qui brille, à l'extrémité de son abdomen : sa lumière a pour rôle d'attirer les mâles.

Il existe d'autres coléoptères lumineux. Les lucioles, qui appartiennent à la même famille que le ver luisant, exécutent de véritables féeries lumineuses, tandis que les pyrophores (appelés aussi « mouches de feu » ou *cucuyos*) sont tellement lumineux qu'ils servent parfois de lanternes aux Indiens d'Amérique du Sud.

Autres phénomènes lumineux. Les yeux du chat, du chien, du renard, etc., paraissent lumineux dans l'obscurité s'ils sont éclairés (par exemple, par des phares). Un tapis irisé recouvrant la choroïde de leur rétine est responsable de ce phénomène; il s'agit comme un miroir réfléchissant une source lumineuse. Un scorpion, éclairé par une lampe à ultraviolets, présente une magnifique fluorescence jaune vif. Il en est de même pour certains coraux.

Petit lexique

bioluminescence : production de lumière par un être vivant, en l'absence de tout stimulus extérieur et grâce à des réactions biochimiques internes.

fluorescence : production de lumière par un matériau ou un être vivant provoquée par un facteur extérieur (éclairement, par exemple) et cessant immédiatement après la disparition de ce facteur.

phosphorescence : production de lumière par un matériau ou un être vivant provoquée par un facteur extérieur (éclairement, notamment) et persistant longtemps après la disparition de ce facteur.

◆ Le ver luisant.
Ce sont les derniers segments abdominaux de la femelle du ver luisant qui émettent la
Elle peut l'éteindre à volonté. Le mâle, qui
des ailes, peut également luire, mais plus

Les animaux planeurs

Au cours de l'histoire du monde animal, la faculté de voler est apparue indépendamment chez les insectes et chez les oiseaux, ainsi que dans un groupe de mammifères, les chauves-souris. Jadis, pendant l'ère secondaire, une lignée de reptiles, les ptérosauriens, était également douée pour le vol.

D'autres animaux sont qualifiés de volants mais ils ne sont en réalité capables que de planer, en maintenant de manière passive leurs ailes (ou les membranes qui en font office) étalées. Pendant le vol, au contraire, oiseaux ou insectes battent activement des ailes (même si certains oiseaux pratiquent à l'occasion le vol plané).

En Amazonie et en Guyane vit un poisson extraordinaire, le poisson-hachette, encore appelé « hachette volante ». Long de 4 cm, il est de couleur nacrée, avec un ventre extrêmement caréné. De plus, le poisson-hachette est doté de muscles pectoraux très puissants, qui s'insèrent sur une sorte de sternum. Ces muscles commandent des nageoires pectorales en forme de faux. En battant rapidement de celles-ci, un peu comme le fait un colibri, ce poisson décolle au-dessus de l'eau, tout en bourdonnant. Il parvient ainsi à capturer des insectes en vol. Le poisson-hachette est le seul à voler véritablement, alors que les autres poissons dits « volants » ne font que planer.

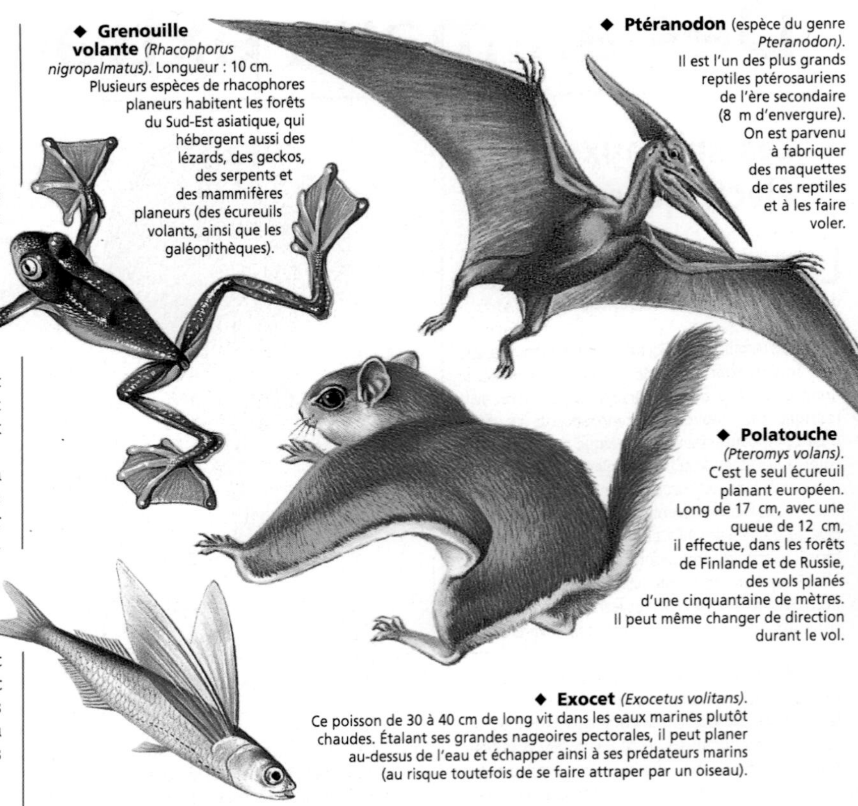

◆ **Grenouille volante** *(Rhacophorus nigropalmatus)*. Longueur : 10 cm. Plusieurs espèces de rhacophores planeurs habitent les forêts du Sud-Est asiatique, qui hébergent aussi des lézards, des geckos, des serpents et des mammifères planeurs (des écureuils volants, ainsi que les galéopithèques).

◆ **Ptéranodon** (espèce du genre *Pteranodon)*. Il est l'un des plus grands reptiles ptérosauriens de l'ère secondaire (8 m d'envergure). On est parvenu à fabriquer des maquettes de ces reptiles et à les faire voler.

◆ **Polatouche** *(Pteromys volans)*. C'est le seul écureuil planant européen. Long de 17 cm, avec une queue de 12 cm, il effectue, dans les forêts de Finlande et de Russie, des vols planés d'une cinquantaine de mètres. Il peut même changer de direction durant le vol.

◆ **Exocet** *(Exocetus volitans)*. Ce poisson de 30 à 40 cm de long vit dans les eaux marines plutôt chaudes. Étalant ses grandes nageoires pectorales, il peut planer au-dessus de l'eau et échapper ainsi à ses prédateurs marins (au risque toutefois de se faire attraper par un oiseau).

Les poissons. Les poissons planeurs les plus connus sont les exocets. Leurs nageoires pectorales sont très développées.

Pour échapper à un prédateur, ils se dirigent à grande vitesse vers la surface en battant l'eau avec leur nageoire caudale, qui fonctionne comme une godille, et en maintenant leurs nageoires paires repliées contre leur corps. En sortant de l'eau, ils déploient leurs nageoires pectorales et se mettent à planer. Certaines espèces ont aussi de grandes nageoires pelviennes qu'elles déploient également, ce qui améliore encore le vol plané. L'exocet plane ainsi sur 200 à 300 m, à une vitesse qui peut atteindre 90 km/h. Les rougets volants (ou dactyloptères) sont capables de prouesses comparables et progressent par ricochets sur les vagues. Les poissons volants d'eau douce sont moins connus. En Afrique, le pantodon, long de 10 cm, parvient à planer sur plusieurs mètres, lui aussi grâce à ses nageoires pectorales développées.

Les amphibiens et les reptiles. Parmi les amphibiens, des grenouilles du Sud-Est asiatique, les *rhacophores* (appartenant à la famille des agames), ont les palmures des pattes antérieures et postérieures très développées. Grâce à cette particularité anatomique, elles peuvent sauter d'arbre en arbre ou effectuer des descentes en « parachute ».

De même, il existe des reptiles planeurs. Dans le Sud-Est asiatique, le dragon volant, un petit lézard de 20 cm, doit son nom aux membranes vivement colorées qui soutiennent, de chaque côté du corps, des prolongements de côtes. Dans les mêmes contrées se rencontrent des geckos volants, pourvus de membranes entre les doigts, le long du corps et de chaque côté de la queue, ainsi que des couleuvres volantes, qui s'élancent d'un arbre et descendent en planant, en étendant latéralement les côtes : un sillon se creuse alors le long de leur ventre et freine leur chute.

Les mammifères. La faculté de planer s'est éveloppée, par phénomène de convergence, dans ois lignées bien distinctes de mammifères. En ustralie et en Nouvelle-Guinée, des marsupiaux sont nis de membranes velues entre les pattes antéres et les pattes postérieures. Ces membranes forment ce qu'on appelle le « patagium ». De plus, la queue, chez certaines espèces, montre une double rangée de longs poils raides qui la fait ressembler à une plume : elle leur sert ainsi de gouvernail lorsqu'ils planent. La taille de ces marsupiaux volants varie de 7 cm (queue non comprise) pour l'acrobate, à plus de 50 cm pour le pygmée, grand phalanger volant. La femelle emporte son petit dans les airs, accroché à son dos.

Les deux espèces de galéopithèques de l'Asie du Sud-Est constituent à elles seules le petit ordre des dermoptères. Il s'agit d'un groupe très ancien, apparenté aux insectivores. Les galéopithèques mesurent environ 40 cm (queue non comprise). Leur patagium part du cou et atteint l'extrémité de la queue, en englobant les membres. Grâce à cette membrane, le galéopithèque, tel un cerf-volant, glisse d'arbre en arbre ; la femelle emporte son petit accroché à ses mamelles. Cette structure anatomique est particulièrement bien adaptée : l'animal perd seulement un cinquième de son altitude durant le vol plané.

Le troisième groupe de mammifères planeurs est celui des rongeurs volants. Répandus dans des régions variées (Asie, Amérique, etc.), les écureuils planeurs ont, eux aussi, un patagium tendu entre pattes antérieures et pattes postérieures. Certains parviennent à planer sur une distance de 100 m. De petits rongeurs africains, les anomalures, sont surnommés les « souris volantes », ils peuvent monter ou descendre à la faveur des moindres courants d'air.

Petit lexique

patagium : membrane tendue entre les membres des mammifères volants ou planeurs et servant d'aile.

convergence adaptative : présence de caractères (anatomiques, physiologiques...) semblables chez des espèces animales très différentes soumises aux mêmes contraintes évolutives (par exemple, le corps fuselé des dauphins et des poissons comme adaptation à la nage).

L'envol des calmars

Les céphalopodes (calmars, pieuvres...) progressent le plus souvent à reculons, selon le principe de la réaction (en expulsant violemment de l'eau à travers une sorte d'entonnoir orientable situé sous la tête). Les calmars ont un corps si hydrodynamique qu'emportés par leur vitesse ils décollent parfois au-dessus de la surface de la mer. Ils peuvent ainsi s'élever jusqu'à 7 m de hauteur. Les plus malchanceux d'entre eux peuvent même atterrir sur le pont d'un navire.

VOIR AUSSI
- **Dorsales océaniques** p. 32
- **Explorations sous-marines** p. 57
- **Oiseaux** (vol) p. 112
- **Poissons** p. 115
- **Insectes** p. 118
- **Animaux lumineux** p. 147

◆ **Chauve-souris** (espèce de l'ordre des chiroptères). De tous les mammifères, les chauves-souris sont les seules à véritablement voler et non planer. Quatre des cinq doigts se sont largement développés pour servir de support au patagium. Le pouce, de taille réduite, est muni d'une griffe pour leur permettre de se suspendre.

Les animaux des profondeurs

Les animaux des abysses, c'est-à-dire des grands fonds marins, sont des « monstres » beaucoup plus par l'aspect que par la taille. C'est en effet à des profondeurs moindres qu'il faut chercher les grands animaux marins, car les maigres ressources alimentaires des abysses ne pourraient guère les nourrir.

Les grands fonds constituent un exemple de milieu extrême, aux conditions écologiques particulières. L'intensité de la lumière diminue avec la profondeur : à 600 m déjà, l'obscurité est totale, ce qui implique l'absence de vie végétale. De même, la température diminue avec la profondeur, alors que la pression augmente de 1 atmosphère tous les 10 m. Ainsi, la pression est de 10 fois la pression atmosphérique à 100 m, et de 100 fois à 1 000 m, etc.

Les poissons. Les animaux abyssaux – et spécialement les poissons – doivent donc faire face à des conditions de vie particulières et extrêmes. En fait, on considère que l'étage abyssal des mers commence à la profondeur de 2 000 m. Faute d'algues, les animaux y sont donc forcément carnivores, charognards ou limivores (c'est-à-dire mangeurs de boue). Les poissons résistent à la pression grâce aux échanges osmotiques qui se produisent, à travers leurs téguments, entre l'eau et leur milieu intérieur. Le poisson vivant le plus profondément a été observé à 10 900 m de profondeur.

La silhouette des poissons abyssaux qui vivent en pleine eau est très variée. Généralement de couleur noire ou rouge violacé, ils possèdent souvent de longs filaments, qui ne sont autres que des rayons de leurs nageoires. Ils sont souvent dotés d'organes lumineux (répartis sur le corps ou au bout d'un filament), bien que bioluminescence et vie abyssale ne soient pas forcément associées.

Leurs adaptations à la préhension des aliments sont particulièrement remarquables. Ils peuvent avoir des dents très développées (celles de l'espèce des *Chauliodus sloani*, par exemple, sont longues et recourbées vers l'arrière, pour empêcher la proie de glisser), ou encore un estomac extrêmement dilatable (cas des poissons des genres *Saccopharynx* ou *Eurypharynx*, appelés « grandgousiers des mers » ou « poissons-pélicans »). Cette adaptation tient à la rareté des proies : lorsque l'une est capturée, il ne faut surtout pas la laisser échapper, quelle que soit sa taille. L'eurypharynx a un aspect extraordinaire : long de 60 cm environ, il a un corps terminé en fouet, tandis que sa bouche immense peut engloutir des proies beaucoup plus grosses que lui.

D'autres poissons abyssaux se tiennent près du fond. C'est, par exemple, le cas des chimères. Ces poissons nagent lentement, en fouillant la vase. Trapus à l'avant, effilés à l'arrière, ils sont noirs, bruns, violets ou transparents.

La vie autour des sources chaudes

Les fumeurs sont des sources hydrothermales découvertes il y a peu (à partir de 1977), sur les dorsales océaniques, des chaînes de montagnes volcaniques qui se dressent dans la zone abyssale. Les abords immédiats de ces sources constituent de véritables « oasis océaniques » car elles sont beaucoup plus riches en organismes vivants que la zone abyssale. Ils permettent le développement d'un véritable écosystème autonome dont la chaîne alimentaire s'organise à partir de bactéries qui oxydent les composés sulfurés rejetés par la source. L'eau de mer jaillit à une température très élevée, parfois proche des 350 °C, mais la température baisse très rapidement en s'éloignant de la source, pour atteindre quelques degrés seulement au-dessus de zéro. Dans ce lieu chaud et fertile où règne une obscurité totale, les bactéries jouent donc le rôle de producteurs primaires au même titre que le phytoplancton (algues) des eaux éclairées ou les végétaux de la terre ferme. À la différence des algues et des végétaux, qui puisent leur énergie dans la lumière du soleil, elles captent une énergie d'origine chimique, utilisant l'hydrogène sulfuré pour réaliser la synthèse de composés organiques consommés par les organismes animaux. Grâce à cette production primaire, une très grande variété d'espèces est capable de survivre dans le milieu inhospitalier des abysses. Parmi les animaux les plus caractéristiques des sources hydrothermales figurent les espèces du genre *Riftia*, de grands vers abrités dans de longs tubes blancs (parfois plus de 4 m), d'où sort un panache de branchies rouge vif. Ces milieux abritent aussi des grands coquillages proches des moules, le ver de Pompéi (un ver du groupe des annélides abrité dans un tube gris d'une trentaine de centimètres), des crustacés (crevettes, crabes, galathées) et des poissons; toutes ces espèces ne se trouvent dans aucun autre milieu marin.

Certains poissons, des genres *Bathysaurus* ou *Bathypterois* notamment, ont de longues épines, sur la pointe desquelles ils se posent sur les fonds vaseux, attendant, la bouche ouverte, que passent à proximité de petites proies planctoniques. On les nomme « poissons-trépieds ».

Les invertébrés. Les poissons ne sont pas les seuls animaux des abysses : toutes sortes d'invertébrés les peuplent également. Ce sont, par exemple, des échinodermes : oursins, holothuries (ou concombres de mer) et surtout crinoïdes ; ces derniers sont portés par de longs pédoncules fixés sur le fond, d'où leur surnom de « lys de mer ». Avec eux voisinent des actinies (anémones de mer), des madréporaires (sortes de coraux), des éponges, des mollusques, des brachiopodes. Ces derniers sont des invertébrés très particuliers, enfermés dans une coquille bivalve qui les fait ressembler aux lamellibranches (mollusques tels que les moules). Ce sont des fossiles vivants, qui ont peu évolué depuis l'ère primaire. Les grands fonds sont, en effet, le refuge d'animaux très anciens… et en même temps très nouveaux pour la science, car certains n'ont été découverts que fort récemment. En 1952, par exemple, était trouvé, dans les fonds du Pacifique, au large du Costa Rica, un mollusque très curieux, le néopilina. C'est un survivant du groupe des monoplacophores, que l'on croyait éteint depuis le dévonien (il y a plus de 300 millions d'années). Le néopilina présente des traces de segmentation qui le font considérer comme faisant peut-être la transition entre mollusques et annélides (vers cannelés comme le ver de terre). Une quinzaine d'autres espèces de monoplacophores ont été découvertes depuis 1952, toutes en eaux profondes.

Sur les grands fonds déambulent des crabes épineux, des isopodes (crustacés du groupe des cloportes) longs de 20 cm, et aussi les extraordinaires pycnogonides (ou pantopodes). Il s'agit d'une lignée très spéciale d'arthropodes dont le corps ne dépasse pas 10 cm, mais porte 8, 10 ou 12 pattes très longues. Aussi, les pycnogonides ont-ils l'allure de grandes araignées dégingandées, qui vivent jusqu'à 7 000 m de pronfondeur.

Des calmars géants. À des profondeurs moins grandes se tiennent (sans doute entre 1 000 m et 2 000 m) les calmars géants. Leur record officiel de taille est de 19 m, dont 16 m pour les plus longs tentacules. De couleur souvent rougeâtre, ces calmars, qui appartiennent au genre *Architeuthis*, ont des yeux de 40 cm de diamètre. Différents indices (les restes de tentacules trouvés dans l'estomac des cachalots, notamment) font penser qu'il en existe de plus grands. Hôtes mal connus de toutes les mers, ils montent parfois en surface et s'échouent de temps en temps, sans doute victimes des courants froids, sur les côtes de l'Atlantique nord.

Ces calmars géants ont un prédateur : le cachalot. En général, les mammifères marins ne descendent pas à de grandes profondeurs, parce qu'ils sont obligés de remonter constamment à la surface pour respirer. Cependant les cachalots « sondent », comme l'on dit, jusqu'à 1 000 m, et même parfois jusqu'à 3 000 m. Un autre cétacé, du groupe des baleines à bec, plus petit, l'hypérodon, est capable de s'enfoncer jusqu'à 1 300 m et de rester en plongée encore plus longtemps que le cachalot.

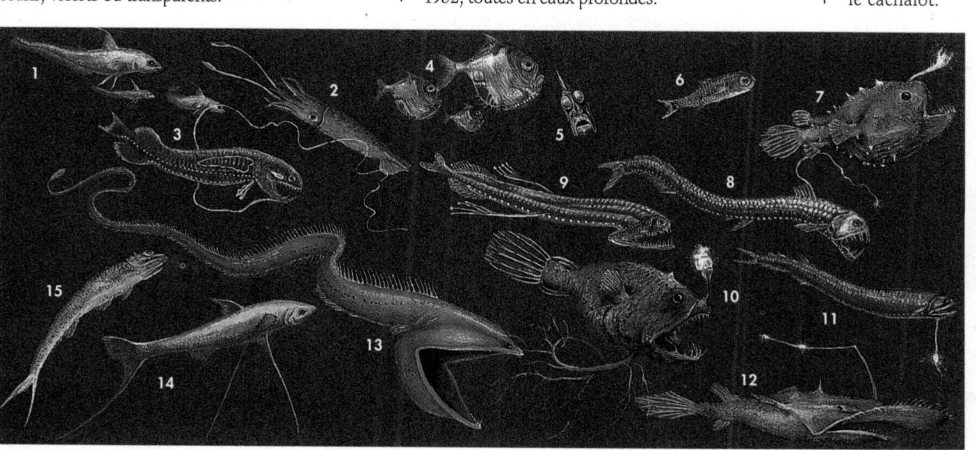

◆ **La faune abyssale.** Parmi ces poissons, nombreux sont ceux qui possèdent de longs filaments servant de trépieds ou d'appâts, des organes lumineux ou une grande gueule armée de dents redoutables.
1. *Nematonurus armatus.*
2. Calmar géant.
3. *Lamprotoxus.*
4. *Sternopyx diaphana.*
5. *Argyropelecus hemigymnes.*
6. *Myctophum asperum.*
7. *Himantolophus.*
8. *Chauliodus.*
9. *Photostomias.*
10. *Lynophryne.*
11. *Eustomias.*
12. *Lasionathus saccostoma.*
13. *Eurypharynx.*
14. *Bathysaurus.*
15. *Gonostoma.*

Découverte de nouveaux animaux

Des groupes d'animaux peu étudiés

Chaque année, les naturalistes découvrent de nouvelles espèces animales. Ce type de découverte est assez rare chez les vertébrés, notamment chez les oiseaux (en moyenne, moins de 5 nouvelles espèces identifiées par an) et chez les mammifères (une dizaine d'espèces par an). Dans ce dernier groupe, ce sont surtout des rongeurs, des chauves-souris ou des musaraignes que l'on découvre, mais aussi, récemment, des lémuriens et des singes (un cercopithèque au Gabon, en 1988, par exemple), et même des mammifères de plus grande taille, tels que la chèvre saola et deux espèces de cerfs (respectivement en 1992, 1994 et 1997, au Viêt Nam).

Dans 99 % des cas, cependant, une nouvelle espèce identifiée de nos jours est un animal invertébré, dont la découverte passe assez inaperçue. En effet, les invertébrés (environ 1,15 million d'espèces de mollusques, insectes, araignées, crustacés, vers de toutes sortes, méduses, etc.) ont été nettement moins étudiés que les vertébrés (poissons, amphibiens, reptiles, oiseaux et mammifères), qui sont pourtant beaucoup moins nombreux (48 500 espèces seulement), mais avec lesquels l'homme a toujours entretenu des rapports plus étroits. Il y a 150 ans, on connaissait déjà la moitié des oiseaux répertoriés à ce jour, mais seulement 5 % des araignées ou crustacés et 0,5 % des nématodes (vers ronds tels que l'ascaris) identifiés aujourd'hui. D'ailleurs, si maintenant on connaît environ 15 000 espèces de ces nématodes, il est probable qu'il en existe au total quelques centaines de milliers (à titre indicatif, une grosse cuillerée de vase peut contenir un millier de ces vers, appartenant à plus de 30 espèces différentes !).

Les insectes eux aussi, dont on connaît aujourd'hui 800 000 espèces (soit environ 70 % des espèces d'invertébrés identifiées), sont en réalité beaucoup plus diversifiés (au moins 3 millions d'espèces). On a ainsi trouvé récemment plus de 1 000 nouvelles espèces de punaises dans une seule petite région de la forêt tropicale indonésienne… Les invertébrés comptent quelques représentants de très grande taille (calmars ou méduses géantes, par exemple), mais ils sont dans l'ensemble plus petits que les vertébrés : les tardigrades (nombreux notamment dans la pellicule d'eau qui recouvre les mousses), la plupart des rotifères (une des composantes du plancton) ou de nombreux acariens ne dépassent pas 1 mm. On conçoit alors que ces animaux soient peu connus.

Des nouveaux fossiles

Les découvertes ne concernent pas seulement les espèces vivant actuellement. On découvre également très régulièrement des fossiles que l'on attribue à de nouvelles espèces, disparues parfois depuis des millions d'années. Mais, en paléontologie, la décision de fonder une nouvelle espèce est souvent délicate, car les scientifiques disposent rarement d'un squelette complet. Aussi, il arrive fréquemment qu'une dent ou un fémur soient attribués à un animal et une vertèbre à un autre. Ce n'est, en général, que quelques années plus tard, grâce à la découverte d'un squelette plus complet, que chaque élément peut être attribué à sa véritable espèce. Il n'est pas rare non plus qu'un paléontologue découvre une nouvelle espèce simplement en observant attentivement des fossiles conservés depuis des décennies dans les tiroirs d'un musée.

Des milieux méconnus

Répertorier toutes les espèces vivant dans un milieu n'est pas toujours simple. En effet, la faune de certains pays a été peu étudiée pour diverses raisons (guerre prolongée, isolement politique et manque de naturalistes autochtones…), et certains milieux ne sont pas aisément explorables ; c'est le cas des milieux souterrains, des hautes montagnes, ou de la zone tropicale, qui est pourtant considérée comme l'une des zones les plus riches de la planète sur le plan de la diversité biologique. La découverte de 130 nouvelles espèces de blattes pour la seule année 1991 en Guyane est une illustration de cette richesse.

L'étude des fonds marins nécessite un matériel de très haute technologie et très coûteux (sous-marins, robots…). C'est pourquoi la faune qui s'est développée autour des sources chaudes hydrothermales, extrêmement riche et présentant un intérêt scientifique majeur, n'a été découverte que tardivement (1997), et n'est pas complètement inventoriée. L'inventaire systématique réalisé sur une vingtaine de mètres carrés des grands fonds de l'Atlantique, révélant la présence de 460 espèces nouvelles sur un total de 800, laisse présager du nombre élevé d'espèces marines restant encore à découvrir.

Au Venezuela se dressent des plateaux gréseux : situés au milieu d'une jungle inextricable, protégés par des falaises verticales pouvant atteindre 1 500 m de haut, ils recèlent une faune et une flore passionnantes, mais encore très peu connues. De même, Madagascar comporte une zone de forêt hérissée d'innombrables pics calcaires acérés (les « tsingys »), qui est très difficilement explorable et abrite sans doute de nombreux animaux inconnus. Des animaux et des plantes hébergent dans leur organisme d'autres êtres vivants qui y vivent en parasites ou en symbiose.

Parfois microscopiques, ils passent facilement inaperçus, et ne sont souvent découverts qu'à l'occasion d'une dissection ou d'un examen au microscope de leurs hôtes. En 1996 a par exemple été annoncée la découverte d'un minuscule animal (environ 0,3 mm) vivant sur les appendices buccaux des langoustines. L'originalité de cette nouvelle espèce *(Symbion pandora)* est telle que l'on a dû créer pour elle seule un nouvel embranchement du règne animal.

◆ Quelques nouvelles espèces de vertébrés récemment découvertes.

Espèce découverte	Année, pays
grenouille vivant dans les torrents	1990, Espagne
chèvre appelée « saola »	1992, Viêt Nam
cerf géant muntjac	1994, Viêt Nam
cœlacante (poisson)	1998, Indonésie
primate proche des lémuriens	1998, Chine
primate fossile proche des hommes	1999, Éthiopie

La grotte de Movilé

En 1986, les scientifiques ont découvert une grotte encore inexplorée dans la région de Dobroudja, en Roumanie. Elle renferme une faune étrange, passionnante à plus d'un titre, car elle vit dans l'obscurité la plus totale, en présence de très peu d'oxygène, sans contact avec l'extérieur depuis plusieurs millions d'années. Dans cet écosystème isolé, les producteurs primaires sont des bactéries chimiotrophes (capables de tirer leur énergie d'un substrat minéral) et la vie en autarcie a favorisé l'émergence d'espèces totalement inconnues jusqu'à présent. On a répertorié 34 espèces terrestres (collemboles, cloportes, araignées, mille-pattes, coléoptères…), une vingtaine d'espèces aquatiques (scorpions d'eau, sangsues, vers…), des bactéries, des champignons et des protozoaires. Les animaux montrent, outre des adaptations classiques à la vie des grottes comme la dépigmentation des téguments, des adaptations spécifiques (symbiose avec des micro-organismes, régime alimentaire particulier, nouveau mode de reproduction…).

VOIR AUSSI
• **Biodiversité** p. 86
• **Classification** p. 88 à 92

◆ L'onza. Ce félin, identifié en 1986, ressemble beaucoup au puma, mais il a des pattes nettement plus longues, qui lui donnent une silhouette plus svelte, proche de celle du guépard. Il semble être un chasseur à courre, alors que le puma guette ses proies à l'affût : ainsi n'entreraient-ils pas en concurrence. Les avis divergent quant à savoir s'il s'agit là d'une espèce à part entière (donc une nouvelle espèce) ou d'une sous-espèce de l'espèce *Felis concolor* (puma).

◆ Le requin grande gueule. Ce grand squale de 4,50 m, capturé en 1976, au large des îles Hawaii, s'est révélé être un requin d'une espèce tout à fait inconnue. Il possède une large gueule dont le bord est couvert d'un tissu luminescent qui attire sans doute les proies. Plusieurs autres exemplaires de cette espèce ont été observés depuis 1976.

Les animaux en chiffres

La taille et le poids

Au sein de chaque grand groupe animal, la taille des espèces varie dans des proportions importantes. Par exemple, chez les mammifères, la longueur du corps va de 33 m chez la baleine bleue à 4 cm chez la musaraigne étrusque. Comme n'importe quel caractère, la taille d'une espèce a été soumise aux lois de l'évolution : elle a subi la sélection naturelle et doit donc être considérée comme un caractère adaptatif. Autrement dit, dans un environnement donné, et compte tenu de l'ensemble des caractères morphologiques, physiologiques, comportementaux, etc., d'une espèce, la taille est le meilleur compromis possible entre les avantages et les inconvénients à être gros ou petit. La taille peut, par exemple, s'expliquer par rapport à la prédation : être gros impressionne le prédateur, mais être petit permet de se cacher facilement ; toutefois, la taille d'un prédateur est rarement très éloignée de celle de sa proie.

Interpréter tel trait biologique comme une réponse à telle particularité de l'environnement physique ou vivant est, à quelques rares exceptions près, difficile, pour ne pas dire arbitraire. Il en est de la taille comme des autres caractères d'une espèce : elle est à la fois une réponse à l'ensemble des contraintes imposées par l'environnement physique et par les autres êtres vivants, et la résultante de l'ensemble des autres caractères de l'espèce en matière de reproduction, de métabolisme...

La meilleure preuve en est l'étroitesse des relations qui ont été mises en évidence entre la taille et l'âge de la maturité sexuelle, la longévité, la quantité d'œufs pondus, l'intensité de la respiration.

Le poids est évidemment fonction de la taille ; il augmente de façon exponentielle lorsque la longueur augmente. Le squelette d'un animal peut avoir du mal à supporter la masse des muscles et des autres tissus, lorsqu'elle atteint une valeur élevée. On remarque que tous les animaux actuels les plus lourds (baleines, requins) sont des animaux marins. L'eau offre en effet une bien meilleure portance que l'air (un objet porté dans l'eau paraît moins lourd que sur terre) et, à poids égal, le squelette est soumis à un moindre effort dans cet élément liquide. Des animaux très lourds ont pourtant vécu jadis sur la terre ferme : certains dinosaures pesaient sans doute aux alentours de 100 tonnes, comme les baleines bleues actuelles.

◆ **La mygale de Leblond** *(Theraphosa leblondi)*. La plus grande araignée actuelle habite l'Amérique du Sud ; son corps peut mesurer 10 cm et son envergure atteindre près de 30 cm.

VOIR AUSSI • **Groupes d'animaux** (taille) p. 106 à 119

Petit lexique

envergure : longueur mesurée entre l'extrémité des ailes, des membres supérieurs ou appendices apparentés.

garrot : région du corps des quadrupèdes correspondant au-dessus de l'épaule.

◆ **Poids** (en tonnes).

baleine bleue	120
cachalot	50
baleine franche	50
requin-baleine	43
requin-pèlerin	40
éléphant d'Afrique	11
requin blanc	5
éléphant de mer	4
hippopotame	3
raie manta	3
rhinocéros blanc	2
poisson-lune	2
crocodile marin	1,5
bison d'Amérique	1,5
tortue luth	0,8
ours kodiak	0,74
gorille	0,35
anaconda	0,23

◆ **Envergure des oiseaux** (en mètres).

albatros hurleur	3,60
pélican blanc	3,60
marabout	3,30
condor des Andes	3,20
cygne tuberculé	3
gypaète barbu	3
vautour fauve	2,80
grue cendrée	2,50
aigle royal	2,50
cigogne blanche	1,80
héron cendré	1,70
fou de Bassan	1,70
goéland marin	1,70

◆ **Poids des petits** (en grammes).

baleine grise	1 500 000
morse	55 000
girafe	55 000
dauphin	7 000
renne	6 000
homme	3 000
chimpanzé	1 800
lion	1 300
ours polaire	600
ours brun	300
guépard	280
chat	100
chinchilla	45
fouine	30
koala	5,5
hermine	2
opossum	0,09

◆ **Diamètre des yeux** (en millimètres).

calmar géant	380
baleine bleue	150
cheval	50
girafe	47
éléphant	40
autruche	35
lion	35
homme	24
lapin	15
kiwi	8
souris	3
rhinolophe	<1

◆ **Poids des œufs** (en grammes).

autruche	1 500
émeu	600
casoar	550
albatros	470
kiwi	455
cygne muet	350
cygne noir	290
vautour fauve	240
grue cendrée	190
pélican	165
flamant rose	155
aigle royal	140
cigogne	118
paon	110
poule	70
roitelet	0,8
colibri	0,5

◆ **Taille** (en mètres).

Mammifères	
cétacés :	
baleine bleue	33
ongulés :	
éléphant d'Afrique (hauteur au garrot)	4
carnivores marins :	
éléphant de mer	6,50
carnivores terrestres :	
ours kodiak (debout)	2,70
primates :	
gorille de montagne (debout)	2
Oiseaux	
autruche (hauteur totale)	2,50
Reptiles	
crocodiles :	
crocodile marin	10
serpents :	
anaconda	10
python de Seba	10
lézards :	
varan de Komodo	3
Amphibiens	
salamandre géante	1,85
Poissons	
poissons marins :	
requin-baleine	20
poissons d'eau douce :	
esturgeon	4
silure	4
Mollusques	
calmar	19
pieuvre	3
Vers	
vers rubannés :	
ver lacet (genre *Lineus*)	60
vers annelés :	
eunice, vers de terre	3
vers plats parasites :	
ténia, bothriocéphale	12
Méduses	
cyanea (tentacules)	37
Insectes	
phasme	0,30
papillon	0,30
scarabée goliath	0,12

Le déplacement

La capacité à se déplacer dans l'espace est une caractéristique d'une grande partie des animaux : seuls les éponges, les anémones de mer et quelques autres invertébrés, marins pour la plupart, mènent une vie fixée. Même dans ces derniers cas, seuls les adultes sont statiques, puisque la reproduction implique des cellules sexuelles ou des larves mobiles. Il existe différents modes de déplacement : la marche et la course, bien sûr, mais aussi la reptation, la nage et le vol. Tous permettent d'explorer le milieu en réponse à des nécessités multiples : trouver de la nourriture, rencontrer un partenaire sexuel, échapper à un prédateur, repérer un site pour déposer ses œufs ou élever ses petits. Cette aptitude à se mouvoir repose sur toute une gamme d'adaptations. Celle des appendices, tout d'abord : pattes postérieures des dytiques (insectes aquatiques), élargies et couvertes de poils, qui servent de rames et qui sont très efficaces pour rejoindre le fond des mares; nageoires des poissons, qui sont des replis cutanés soutenus par des rayons squelettiques; ailes des oiseaux, dérivées des nageoires des poissons au cours de l'évolution des espèces, couvertes de plumes, qui permettent la sustentation et la propulsion dans l'air; pattes des autres vertébrés terrestres, elles aussi issues des nageoires des poissons.

Parfois s'ajoutent quelques caractères supplémentaires qui augmentent l'efficacité des déplacements : replis de peau entre les doigts des amphibiens pour former une palme; grand développement de l'os calcanéum des pattes postérieures du kangourou, ainsi transformées en véritables « machines à sauter »; puissance de l'ensemble de l'appareil musculaire du guépard, qui en fait le mammifère le plus rapide de la planète. Enfin, certains animaux sont capables de déplacements très rapides en cas de danger grâce à des organes spécialisés comme la furca (organe fourchu, replié sous l'abdomen, se détendant vers l'arrière comme un ressort), qui permet aux collemboles de sauter très haut, ou l'entonnoir des pieuvres, qui leur permet de se propulser brutalement en arrière. Quant aux animaux lents, c'est grâce à la présence d'une coquille ou d'une carapace, ou bien encore grâce au mimétisme, qu'ils se protègent et assurent la pérennité de l'espèce.

◆ **Le grand dauphin** (*Tursiops truncatus*). Leur silhouette hydrodynamique permet aux dauphins de nager très rapidement. De plus, la structure de leur peau très lisse produit un écoulement laminaire de l'eau, sans aucun tourbillon. Le grand dauphin a également la faculté de sauter haut hors de l'eau et ses talents sont exploités dans les spectacles des delphinariums.

◆ **Le guépard** (*Acinomyx jubatus*). Le plus rapide des mammifères terrestres habitait jadis presque toute l'Afrique et l'Asie occidentale jusqu'à l'Inde et au Turkestan. Il s'est beaucoup raréfié, victime des trafics de fourrure et d'animaux vivants. Il peut faire des pointes de 100km/h mais ne poursuit pas ses proies sur de longues distances (en général pas plus de 200 m).

◆ **Vitesse dans l'air** (en km/h).

Mammifères	
chauve-souris	20 à 50
Oiseaux (en piqué)	
faucon pèlerin	360
aigle royal	300
Oiseaux (en ligne droite)	
martinet	200
sarcelle	120
huîtrier-pie	100
cygne	90
canard	85
perdrix	84
faisan	60
grue	50
mouette	40
corneille	40
Poissons	
exocet	90
Insectes	
libellule	75
sphinx	50

◆ **Saut en hauteur** (en mètres).

lion	5,00
chien (bouvier)	5,00
puma	4,50
tigre	4,00
bouquetin	3,70
saumon	3,00
impala	3,00
cheval	2,50
homme	2,40
zèbre	2,30
lièvre	2,10
kangourou	2,00
gerboise	0,50
puce	0,19

◆ **Vitesse sur terre** (en km/h).

Mammifères	
guépard	110
chevreuil	98
antilope	95
lion	80
cerf	78
lièvre	70
cheval	69
zèbre	65
lévrier	60
girafe	50
loup	45
éléphant	40
Oiseaux	
autruche	50
Reptiles	
crocodile	13
serpent (mamba)	11

◆ **Saut en longueur** (en mètres).

springbok	15,00
kangourou	12,80
antilope	12,00
puma	11,00
cheval	8,00
lion	6,50
tigre	6,00
grenouille africaine	4,50
ours blanc	4,00
mouflon	3,00
gerboise	2,50
grenouille	2,00
fennec	1,20
sauterelle	1,20
puce	0,33

◆ **Vitesse dans l'eau** (en km/h).

Mammifères	
dauphin	64
orque	55
baleine	48
otarie	40
Oiseaux	
manchot	40
Reptiles	
tortue luth	35
Poissons	
voilier	110
espadon	90
requin bleu	70
thon	70
saumon	40
truite	37
brochet	33

◆ **Distances de migration** (en kilomètres).

sterne arctique (Antarctique/Arctique)	20 000
baleine grise (mer de Béring/Basse-Californie)	9 600
rorqual bleu (Alaska/Indonésie)	8 000
anguille (mer des Sargasses/Europe)	6 000
criquet (Afrique)	5 000
thon blanc (îles Canaries/Islande)	5 000
otarie à fourrure (Alaska/Californie)	4 500
tortue verte (île Ascension/Brésil)	4 000
oie des neiges (Antarctique/Floride)	4 000
tortue marine (plage de ponte/haute mer)	2 000
éléphant de mer (océan Antarctique)	1 500
hirondelle (Europe/Afrique)	1 000
cigogne (Europe/Afrique)	1 000
chauve-souris (Amérique du Nord/Bermudes)	1 000
éléphant (Afrique)	650

La longévité

Certains animaux vivent une centaine d'années, d'autres ne vivent que quelques jours ou quelques heures. La longévité est une des caractéristiques, parmi de nombreuses autres, soumise à la sélection naturelle et contribuant à la stratégie de survie des espèces. Chaque espèce doit avoir un nombre suffisant de jeunes pour remplacer les individus qui meurent régulièrement. On pourrait croire qu'une longévité élevée est avantageuse pour la survie de l'espèce, chaque femelle pouvant procréer pendant une période plus longue, mais ce n'est pas si simple. La démographie d'une population animale dépend de nombreux facteurs (longévité, longueur de la période de reproduction, nombre de nouveau-nés à chaque ponte ou mise-bas, intervalle entre deux pontes ou mise-bas, mortalité des jeunes...). Parce que les ressources, énergétiques notamment, sont toujours limitées, une espèce ne peut optimiser tous ces facteurs en même temps. Une vie adulte longue, qui entraîne des dépenses d'entretien importantes, n'est, par exemple, guère compatible avec la production d'un nombre élevé de jeunes, eux aussi coûteux à fabriquer. En revanche, une vie brève n'est pas un handicap pour la survie de l'espèce si elle s'accompagne d'une production élevée de jeunes capables d'atteindre l'âge de la reproduction.

◆ **Records de longévité** (en années).

tortue terrestre géante	200
crocodile	100
tortue grecque	100
actinie	100
éléphant	70
grand corbeau	70
ara	64
cheval	61
aigle	55
salamandre géante	55
anguille	50
silure	50
orang-outan	50
hippopotame	50
lion	49
carpe	47
chimpanzé	45
autruche	40
chien	29
chat	35
ours	34
larves d'insectes	30
baleine	30
trichine	30
moineau	23
dauphin	20
loup	16
lapin	15
renard	14
coléoptères	12
lièvre	12
pigeon	12
lombric	10
hérisson	7
abeille	5
souris	4
hippocampe	4
éphémères	quelques heures à quelques jours

◆ **Incubation des œufs des oiseaux** (en jours).

moineau	13
pigeon	13–17
colibri	16–21
corneille	19–20
poule	21
vanneau	27
canard colvert	28
cigogne	33
cormoran	35
cygne tuberculé	35
grand duc	35
autruche	42
manchot	53
gypaète	55
albatros	60 – 90
kiwi	75 – 80

◆ **Éléphant et éléphanteau.**
Après une gestation de près de deux ans, l'éléphanteau naît enfin, bien protégé par les membres de la troupe. Il porte une sorte de duvet sur le dos, ainsi que des défenses de lait.

La fécondité

S'il est un caractère qui varie avec une amplitude rarement atteinte, c'est bien la fécondité des animaux. Mais, attention, la fécondité n'est rien d'autre que le nombre d'œufs pondus ou de petits mis monde, ce qui ne signifie pas grand-chose par rapport à la survie de l'espèce. En effet, celle-ci ne dépend finalement que du nombre de descendants qui atteignent la maturité sexuelle, c'est-à-dire un état qui leur permet à leur tour de procréer. Et, dans la plupart des cas, il n'y a guère de rapport entre la fécondité et ce nombre de descendants sexuellement matures ; heureusement d'ailleurs, car la planète risquerait alors de se trouver couverte d'espadons ! La fécondité n'est donc qu'une composante de la stratégie mise en œuvre par une espèce pour se perpétuer, c'est-à-dire, en gros, pour remplacer un adulte âgé par un adulte jeune. Bien des combinaisons sont possibles : produire une grande quantité d'œufs, mais laisser le hasard assurer leur avenir, comme chez la plupart des poissons ou des amphibiens ; ou mettre au monde un seul petit, mais passer beaucoup de temps à le protéger des agresseurs et à le nourrir, comme chez les primates. Mais tout n'est pas possible en même temps : par exemple, produire une multitude d'œufs et faire en sorte que tous deviennent des adultes reproducteurs. Quand l'effort des parents est mis sur la production massive d'œufs ou de jeunes, il ne peut plus être mis sur les soins apportés aux jeunes, qui présenteront alors des taux de mortalité très élevés.

◆ **Fécondité des vertébrés**
(en nombre d'œufs par ponte ou en nombre de petits par portée).

Poissons	
espadon	16 millions
lieu noir	200 000 – 4 millions
brochet	30 000–60 000
raie bouclée	70 –170
Reptiles	
crocodile du Nil	50–80
tortue luth	1 000
python	100
vipère aspic	2–12
Amphibiens	
grenouille verte	10 000
triton	300–400
Mammifères	
pipistrelle commune	1–2
koala	1
hérisson	2–10
gorille	1
ours brun	1 – 3
loup	4–8
panthère	2–3
phoque gris	1
dauphin	1
baleine	1
souris grise	5–9
sanglier	3–12
cerf	1–2
girafe	1
Oiseaux	
aigle royal	2
hirondelle de cheminée	4–5
mésange charbonnière	9–12
moineau domestique	4–5

VOIR AUSSI
• **Œufs** (oiseaux) p. 112
• **Vol** (oiseaux) p. 112
• **Œufs** (poissons) p. 116
• **Reproduction** p. 120
• **Migrations** p. 125
• **Orientation des oiseaux** p. 125

◆ **Gestation des mammifères** (en jours).

opossum	8 – 13
souris	21
rat	23
lapin	29
écureuil	36
hérisson	38
chat	60
chien	63
castor	105
lion	110
macaque	160
cerf	240
gorille	255
vache	280
phoque	300
baleine	305 – 365
chameau	320
cheval	335
dauphin	350
éléphant	600 – 750

Petit lexique

fécondité : aptitude à se reproduire; peut caractériser un individu ou une espèce dans son ensemble (mesurée dans ce dernier cas par le nombre moyen de nouveau-nés ou d'œufs générés par femelle, soit à chaque ponte ou mise-bas, soit au cours d'une période donnée – une vie ou une année).

gestation : période, comprise entre la fécondation et la mise-bas, pendant laquelle une femelle d'une espèce vivipare porte ses petits dans ses voies génitales.

incubation : période pendant laquelle les œufs sont couvés, maintenus au chaud, jusqu'à éclosion.

La feuille

Structure et forme

Les feuilles sont des organes généralement verts qui sont répartis le long des tiges et dans lesquels se déroule l'essentiel de l'activité photosynthétique des végétaux.

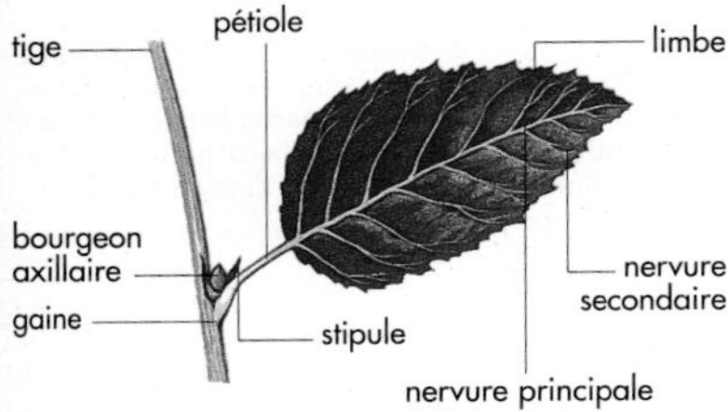

◆ **Les différentes parties d'une feuille typique.** Certaines plantes s'écartent plus ou moins de ce schéma classique. Ainsi, quelques-unes n'ont pas de pétiole et sont qualifiées de feuilles sessiles (celles du blé et des autres graminées, par ex.).

Les différentes parties de la feuille. Le limbe est la partie généralement aplatie de la feuille. Il est strié de nervures, plus ou moins apparentes et colorées, qui contiennent des tissus conducteurs de sève (absents ou très rudimentaires chez les bryophytes). C'est généralement sur sa face inférieure que se trouvent la plupart des stomates. Le limbe est souvent relié à la tige par une partie plus étroite, la queue, ou pétiole. Celui-ci contient des tissus conducteurs de sève qui rejoignent les tissus conducteurs des nervures et ceux de la tige. Il se termine souvent par une partie plus élargie, la gaine, qui enserre la tige et protège le bourgeon axillaire (bourgeon qui donnera naissance à un nouveau rameau ou à une fleur). À la base du pétiole se trouvent parfois des stipules, qui peuvent ressembler au limbe d'une feuille (très grosses chez le pois) ou être épineuses (robinier faux acacia).

Les formes des feuilles. On distingue les feuilles simples, dont le limbe n'est pas divisé en parties distinctes (il peut toutefois être très découpé), et les feuilles composées, dont le limbe est constitué de plusieurs parties, appelées folioles, complètement séparées les unes des autres.

Les feuilles simples, ou les folioles des feuilles composées, peuvent être classées suivant leur forme : ovale (magnolia, prunier), linéaire (jonquille), en forme d'aiguille (pin), triangulaire (peuplier du Canada), en cœur (tilleul), peltées, c'est-à-dire arrondies (capucine), palmées (érable, platane)... Le bord du limbe peut être lisse, légèrement denté (bouleau, orme), crénelé ou épineux, ou plus profondément entaillé, les échancrures ne dépassant pas la moitié du limbe (certains chênes) ou arrivant presque à la nervure principale (certains chrysanthèmes). La disposition des nervures les plus grosses est, selon les espèces, parallèle, palmée ou pennée.

Les feuilles composées se caractérisent par le nombre et la disposition relative des folioles. Certaines n'ont que trois folioles (trèfle). Les autres ont des folioles disposées en éventail (on dit qu'elles sont composées-palmées, comme c'est le cas du marronnier) ou, plus souvent (frêne, noyer, pois de senteur), disposées comme les barbes d'une plume, de part et d'autre de la nervure centrale (on les qualifie alors de composées-pennées).

Autres caractéristiques

La plupart des feuilles sont vertes, car c'est la couleur des chlorophylles qu'elles contiennent. Chez certains végétaux (notamment chez des variétés de plantes ornementales obtenues par sélection artificielle), la couleur des chlorophylles est masquée par la présence d'autres pigments, de couleur différente. Les feuilles peuvent donc être uniformément pourpres (certains noisetiers ou pruniers) ou dorées (variétés de conifères dites «Aurea»). Les colorations panachées sont également courantes, les feuilles ayant des taches d'une couleur autre que verte (dorée, blanche, argentée ou pourpre).

La position sur la tige. La disposition des feuilles sur les tiges est identique chez toutes les plantes d'une même espèce. Si une seule feuille est insérée en un point donné de la tige, les feuilles sont dites alternes (poirier, impatiens, tomate). Quand elles sont insérées par deux, ce sont des feuilles opposées (menthe, valériane). Lorsque plus de deux feuilles s'attachent à un même niveau de la tige, on parle de feuilles verticillées (laurier-rose).

Petit lexique

foliole : chaque partie distincte d'une feuille composée.

stomate : sorte de pore situé à la surface des feuilles et permettant les échanges gazeux entre la plante et l'extérieur.

La chute des feuilles. Chez les plantes vivaces dont la partie aérienne subsiste plusieurs années (chez les arbres, notamment), seules les tiges vivent de nombreuses années (parfois plusieurs centaines d'années); leurs feuilles ne durent qu'une saison (cas des espèces caducifoliées, c'est-à-dire à feuillage caduc) ou au maximum 7 à 8 ans (cas des espèces à feuillage persistant). La chute et la repousse des feuilles sont liées au climat. Dans les pays tropicaux marqués par une alternance de saisons sèches et humides, c'est le taux d'humidité qui agit sur les feuilles. Dans les pays ayant une saison froide marquée, tous les éléments nutritifs contenus dans les feuilles migrent vers les tiges lorsque la longueur du jour et les températures diminuent à l'automne. La feuille ne produit plus de chlorophylle; elle perd donc sa couleur verte et prend cette coloration souvent magnifique que l'on admire à l'automne. Une hormone déclenche à la base du pétiole la formation d'un cal qui isole la feuille de la tige; la feuille meurt et, généralement, tombe très rapidement.

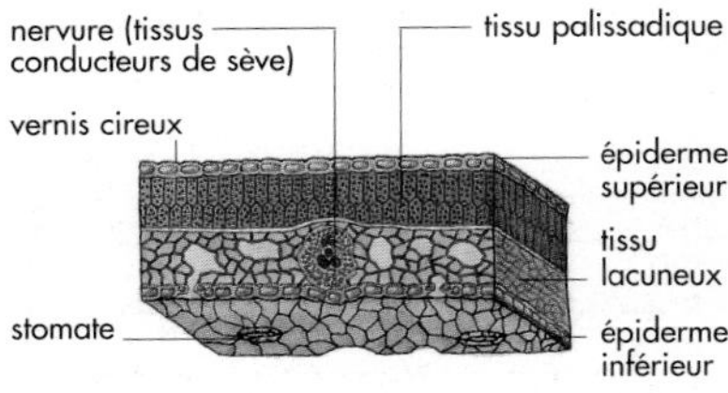

◆ **Structure du limbe d'une dicotylédone.** Chaque face est protégée par un épiderme cireux qui limite la déshydratation et présente des stomates, par lesquels entrent ou sortent divers gaz (gaz carbonique, oxygène, vapeur d'eau). Les lacunes situées dans la partie inférieure permettent au gaz carbonique d'atteindre les cellules chlorophylliennes où a lieu la photosynthèse.

Feuilles singulières

Les bractées, organes situés à l'aisselle d'une fleur ou d'un groupe de fleurs, sont des feuilles. Elles n'ont souvent ni la même forme ni la même taille que les autres feuilles; celles des poinsettias (plantes d'intérieur), par exemple, sont grandes et rouges. Les écailles des bourgeons sont des feuilles, de même que celles des bulbes et des rhizomes.

D'autres feuilles, celles des cactus par exemple, sont réduites à des épines. Chez certaines plantes grimpantes (clématites, pois), ce sont les feuilles, ou une partie de celles-ci, qui forment les vrilles, accrochant les plantes à leur support. Les feuilles de quelques plantes aquatiques présentent des tissus remplis d'air jouant le rôle de flotteurs. Mais les feuilles les plus surprenantes sont sans doute celles des plantes carnivores : par exemple, les deux moitiés de la feuille des dionées (plantes des États-Unis) se referment l'une sur l'autre pour emprisonner l'insecte imprudent.

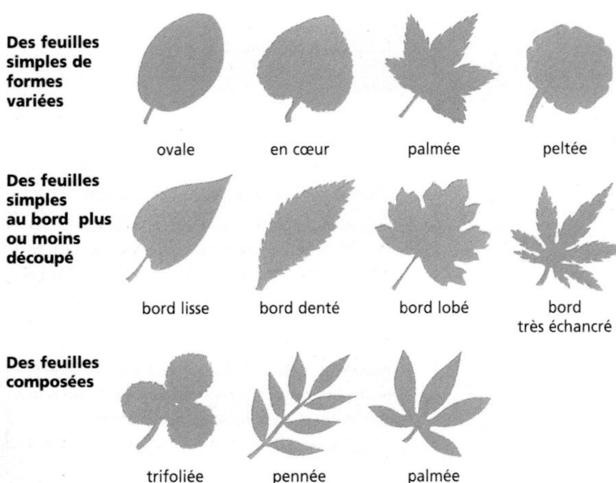

◆ **Diverses formes de feuilles.** Les feuilles montrent une grande variété de formes, mais aussi de couleurs et de tailles. Certaines sont minuscules (moins de 1 mm pour les lentilles d'eau, par exemple), tandis que d'autres sont énormes (2 m de diamètre pour un nénuphar d'Amérique du Sud, 20 m de long pour des palmiers du genre *Raphia*).

VOIR AUSSI
• Classification des végétaux p. 91
• Nutrition des végétaux p. 160

La racine et la tige

Caractéristiques des racines

Les racines, le plus souvent souterraines ou en contact avec le sol, fixent la plante et vont puiser la nourriture dans le sol ; leur structure tissulaire est assez voisine de celle de la tige mais elles ne portent pas de feuilles. Tous les organes souterrains d'un végétal ne sont pas nécessairement des racines, certaines tiges poussant aussi dans le sol. Certains végétaux sont dépourvus de racines, soit qu'ils ne sont pas fixés dans le sol (cas de quelques plantes aquatiques comme les cératophylles ou certaines lentilles d'eau), soit qu'ils possèdent des organes de fixation rudimentaires (cas des mousses, par exemple, qui sont fixées par de simples poils, fins et courts, appelés rhizoïdes).

Collet. C'est la limite entre la tige et la racine principale

Racine primaire. Appelée aussi racine principale, ou pivot.

Radicelle. C'est une fine racine secondaire.

Zone pilifère de la racine primaire. De très nombreux poils absorbants forment un manchon à l'extrémité de chaque racine (primaire ou secondaire). C'est dans cette zone que sont absorbés les éléments nutritifs du sol.

Coiffe de la racine principale. Elle a un rôle protecteur.

◆ **Structure d'une racine pivotante.**

Fonctions. Les racines ancrent la plante dans le sol. Plus elles sont grosses, profondes et ramifiées, meilleure est la résistance du végétal aux grands vents.

Les extrémités des racines, dont le revêtement est bien perméable à l'eau et possède de nombreux poils absorbants, pompent l'eau du sol ainsi que les éléments minéraux qui y sont en solution. Ce liquide puisé dans le sol constitue la sève brute ; il passe dans les tissus conducteurs de la racine, tissus spécialisés dans le transport de la sève, et parvient dans les tiges puis dans les feuilles, où il apporte les éléments nécessaires à la croissance et au fonctionnement des cellules.

Les racines accumulent des réserves, en quantité plus ou moins grande ; certaines sont de ce fait fortement renflées et charnues (carottes, betteraves, navets, dahlias, etc.). Ces réserves sont utilisées par la plante lorsqu'elle doit faire face à de mauvaises conditions climatiques. Elles peuvent permettre à certaines plantes de survivre d'une année sur l'autre.

◆ **Les racines fasciculées du blé** (espèce du genre *Triticum*). Le blé, comme la plupart des autres plantes du groupe des monocotylédones, n'a pas une grosse racine pivotante mais a de nombreuses racines disposées en faisceau qui ont toutes plus ou moins le même diamètre.

◆ **Les racines renflées du dahlia** (espèce du genre *Dahlia*). De nombreuses racines, pivotantes (ex. : navet) ou fasciculées (ex. : dahlia), ont pour fonction de stocker des réserves. Ce sont des racines tubéreuses, appelées aussi tubercules. Ceux de la pomme de terre, en revanche, ne sont pas des racines tubéreuses, mais sont des tiges souterraines tubéreuses.

Forme et structure. On distingue deux grands types de système racinaire.

Celui en pivot comprend une racine principale (le pivot), qui est nettement plus grosse que les autres racines et qui s'enfonce verticalement dans le sol. De la racine principale partent des racines secondaires, dont les plus fines sont appelées radicelles. Cette organisation se rencontre chez la plupart des plantes à fleurs du groupe des dicotylédones (carotte, navet, betterave, pissenlit, chardon…). La racine pivotante est séparée de la tige par un petit renflement ou une dépression, le collet, qui est très visible chez certaines plantes comme la laitue ou la carotte.

Le système racinaire fasciculé, au contraire, est formé par un grand nombre de racines assez fines, qui ont plus ou moins le même diamètre et sont disposées en faisceau. Ce type de racines s'observe notamment chez les plantes à fleurs du groupe des monocotylédones (blé, maïs, et autres graminées, par ex.).

L'extrémité des racines porte généralement une structure appelée « coiffe », qui protège la zone d'allongement de la racine. Elle sert de tête foreuse pour la pénétration de la racine dans le sol ; ses cellules, soumises à rude épreuve, sont remplacées en permanence. Un peu au-dessus de la coiffe se trouve la zone pilifère, caractérisée par la présence de petits poils qui sont les prolongements des cellules superficielles de la racine. Leur présence, en très grand nombre, permet d'augmenter considérablement la surface de contact entre la racine et le sol et favorise l'absorption d'eau et de sels minéraux par la plante. Ces poils absorbants ont une durée de vie limitée et sont remplacés au fur et à mesure de la croissance de la racine.

La longueur des racines. La longueur totale de toutes les racines d'une plante mises bout à bout peut être considérable : le système racinaire de certaines graminées (seigle, par ex.) mesure plus de 600 km. Les racines les plus profondes que l'on connaisse sont celles d'un figuier d'Afrique du Sud, qui s'enfonçaient jusqu'à 120 m de profondeur (celles d'un orme anglais allaient jusqu'à 110 m).

Des racines aériennes

Les racines-contreforts caractérisent certains grands arbres tropicaux ; elles constituent la partie « émergée » de racines souterraines et ont la forme de grands plateaux, qui prolongent le tronc et lui donnent une plus grande assise au sol. Les racines-échasses sont des racines adventives, qui se développent à la base de la tige puis s'enfoncent dans le sol. En formant des sortes d'arceaux tout autour de la tige, elles consolident cette dernière. Ces racines existent, par exemple, chez le maïs et chez certains palétuviers qui, poussant sur le sol marécageux instable des mangroves, ont besoin d'être solidement ancrés. Les racines-piliers, comme celles des grands figuiers tropicaux, sont d'autres racines adventives, qui naissent sur des branches latérales puis plongent vers le sol.

Les racines aériennes n'ont pas seulement une fonction de soutien mais peuvent aussi participer à la nutrition de la plante. Celles du philodendron ou des plantes épiphytes (de nombreuses orchidées tropicales, par exemple, qui ne poussent pas sur le sol mais sur d'autres plantes) absorbent la vapeur d'eau contenue dans l'air ambiant.

◆ **Les racines-piliers d'un figuier tropical** (espèce du genre *Ficus*). Certaines plantes possèdent des racines particulières, qui naissent sur leurs tiges, tombent jusqu'au sol et s'y ancrent. Celles du figuier des pagodes, arbre originaire d'Inde, sont très nombreuses et parfois si grosses qu'on les prend pour des troncs. Elles servent à la fois de pompes à humidité et de soutien aux branches de l'arbre, qui peuvent ainsi se développer sur une très grande surface (parfois dans un rayon de 60 m autour du véritable tronc).

◆ **Les racines-crampons du lierre** (*Hedera helix*). Certaines plantes grimpantes possèdent des racines particulières ; ce sont des racines aériennes en forme de crampons ou de vrilles (cas du vanillier) qui aident la plante à s'accrocher à son support. Très puissants, les crampons du lierre s'infiltrent dans les interstices des pierres ou des briques, parvenant même à les desceller.

VOIR AUSSI

- **Classification des végétaux** p. 91
- **Nutrition des végétaux** p. 160
- **Plantes dans leur milieu** p. 162 à 176
- **Arbres et arbustes d'ornement** p. 182
- **Racines et tubercules** (alimentation) p. 850
- **Textiles naturels** p. 858
- **Bois** p. 860

Petit lexique

racine adventive : racine qui n'est pas issue de la croissance de la radicule (racine embryonnaire contenue dans la graine) mais qui se forme dans un second temps, à partir d'une tige ou, parfois, d'une feuille.

tubercule : partie souterraine renflée d'une plante, formée à la suite de l'accumulation de réserves, soit dans une tige, soit dans une racine.

Croissance des racines

C'est la racine qui se développe en premier lors de la germination de la graine. Sa croissance est ensuite très rapide. La racine pénètre dans le sol à la manière d'une tarière, en spirale, pour plus d'efficacité. Elle pousse presque toujours vers le bas : la croissance présente donc un géotropisme positif (dans la même direction que les forces de pesanteur, liées à l'attraction terrestre). Même si on modifie la position de la racine de façon à ce que son extrémité soit dirigée vers le haut, la racine se retourne et plonge à nouveau vers les profondeurs du sol. La direction dans laquelle se fait l'allongement de la racine dépend également de l'humidité. Les racines sont fortement attirées par tous les milieux humides : il s'agit là d'un hydrotropisme positif. C'est ce phénomène qui explique l'envahissement de certaines canalisations par les racines, qui forment de véritables bouchons. Par ailleurs, lorsque la racine se trouve accidentellement éclairée, elle se détourne de la lumière (phototropisme négatif). Ces diverses orientations sont liées à des différences de concentration en auxines (des hormones de croissance) dans les diverses parties de la racine.

Caractéristiques de la tige

Les tiges sont des organes, généralement aériens, qui portent des feuilles et, éventuellement, les organes de la reproduction sexuée (fleurs, par ex.). Sur certains végétaux, notamment quelques hépatiques (représentants de l'embranchement des bryophytes), on ne peut distinguer ni tiges ni feuilles. Chez quelques autres plantes, qualifiées d'acaules (tel le pissenlit), la tige paraît inexistante, tant elle est courte, et les feuilles sont au ras du sol.

Tiges herbacées ou tiges ligneuses. Les tiges ligneuses contiennent de la lignine, une substance qui imprègne les parois de certaines cellules, les rigidifiant et les rendant imperméables. Les troncs et les branches des arbres en sont des exemples typiques mais des tiges plus fines peuvent également être ligneuses (bruyères, thym...). Les tiges herbacées, celles des herbes des prairies, par exemple, contiennent peu de lignine. Elles meurent chaque année à la mauvaise saison, contrairement aux tiges ligneuses, qui vivent plusieurs années.

Phloème et xylème : des tissus conducteurs de sève. La tige est le lien entre les racines, qui sont sources de sève brute (eau et éléments minéraux puisés dans le sol), et les feuilles, qui fabriquent la sève élaborée (liquide contenant les substances organiques produites grâce à la photosynthèse). La sève brute et la sève élaborée doivent circuler dans toute la plante afin de nourrir chaque cellule. Chez les végétaux vasculaires (embranchements des ptéridophytes et des plantes à graines), leur transport est assuré par des tissus spécialisés. Ces tissus conducteurs, qui se prolongent dans les racines et les feuilles, sont le phloème (pour la sève élaborée) et le xylème (pour la sève brute). Les cellules dans lesquelles circule la sève ont plus ou moins la forme de cylindres allongés ; elles sont disposées bout à bout, parallèlement à l'axe de la tige et communiquent entre elles par des perforations.

Des tiges record

Les tiges les plus longues sont des lianes; certaines mesurent près de 200 m. La plus grande tige dressée ayant jamais été mesurée est le tronc d'un eucalyptus d'Australie qui atteignait 132 m ; les séquoias d'Amérique du Nord deviennent également très hauts. Quant au plus grand arbre français, c'est sans doute un sapin, poussant dans le Doubs ; il atteint un peu plus de 50 m. Certains arbres (baobabs, châtaigniers, chênes...) peuvent avoir, à leur base, plus de 3 m de diamètre.

Le record de vitesse de croissance des tiges appartient au bambou, qui peut pratiquement grandir d'un mètre dans une journée. À l'opposé, d'autres espèces poussent très lentement. C'est le cas notamment des plantes des régions froides proches de l'Arctique. Quant au pin hickory, qui pousse dans des zones montagneuses sèches, dans l'ouest des États-Unis, son diamètre ne s'accroît que d'un centimètre par siècle (mais il peut vivre très longtemps, plus de 4 000 ans).

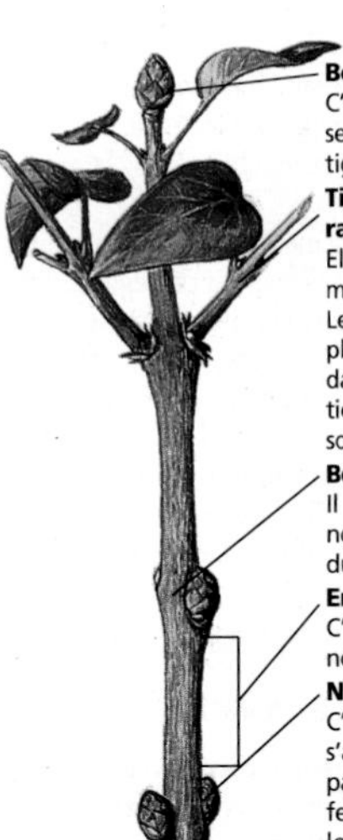

◆ **Structure d'une tige.**

Différents types de tiges

De nombreuses tiges (bleuet, marguerite...) sont dressées mais d'autres ne sont pas assez rigides pour se soutenir seules. C'est le cas des lianes ou des plantes grimpantes, qui s'accrochent à un support grâce à divers organes tels que crampons ou vrilles (lierre, vigne vierge, petit pois...) ou qui s'enroulent autour de leur support (liseron). Les tiges rampantes, elles, trouvent un appui sur le sol (pervenche, par ex.). Les stolons (tels ceux du fraisier) sont des tiges poussant à l'horizontale, plus ou moins rampantes.

Tiges souterraines. Présentes chez certaines espèces de plantes, elles se distinguent des racines par les bourgeons et les feuilles qu'elles portent.

Les racines respirent

Comme tous les organes végétaux, la racine respire : elle absorbe de l'oxygène (présent dans les interstices du sol qui sont remplis d'air) et dégage du gaz carbonique. La respiration est parfois difficile, lorsque l'air manque.

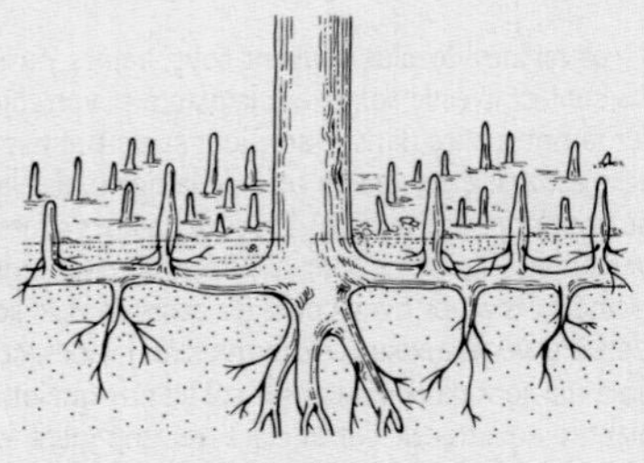

◆ **Pneumatophores d'un palétuvier** (genre *Sonneratia*).

C'est le cas notamment dans les sols tassés, dans les sols très humides, dans lesquels l'eau chasse l'air de tous les interstices, ou dans les sols recouverts d'un revêtement imperméable à l'air (asphalte, béton). Les arbres plantés sur les trottoirs en ville peuvent ainsi manquer d'oxygène, ce qui provoque des taches sombres sur les feuilles, la chute prématurée du feuillage dès l'été, et même la mort des arbres. Les espèces vivant les pieds dans l'eau présentent diverses adaptations leur permettant de se procurer de l'oxygène. Certains palétuviers (arbres vivant dans les mangroves) ainsi que le cyprès chauve, qui vit également dans des milieux régulièrement inondés, possèdent des racines, appelées racines-asperges ou pneumatophores, qui poussent vers le haut (selon un géotropisme négatif, contrairement à la majorité des racines) et sortent hors de l'eau, pour puiser de l'oxygène dans l'atmosphère.

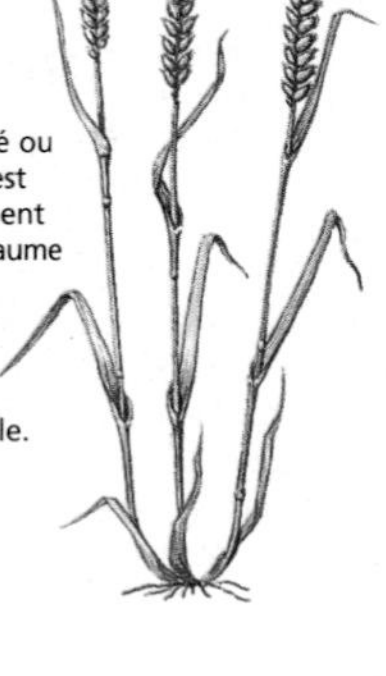

◆ **Chaumes de blé** (espèce du genre *Triticum*).
Le chaume est la tige aérienne des graminées (céréales, telles que le blé ou l'avoine, bambous...). Il est cylindrique et généralement creux. On appelle aussi chaume la partie des céréales restant en terre après la moisson, et qui, autrefois, était récoltée pour servir de combustible.

◆ **Tige volubile du liseron des haies** (*Calystegia sepium*).
Certaines tiges grimpantes s'enroulent autour de leur support, dans le sens des aiguilles d'une montre (houblon, chèvrefeuille) ou en sens inverse (liseron, haricot).

◆ **Tiges souterraines : tubercules et rhizomes.**
Les tubercules de pomme de terre *(Solanum tuberosum)* ne sont pas des racines, mais des tiges souterraines, riches en eau et possédant des réserves glucidiques (amidon).
Les rhizomes du sceau-de-Salomon multiflore *(Polygonatum multiflorum)* émettent chaque année des racines et des tiges aériennes.

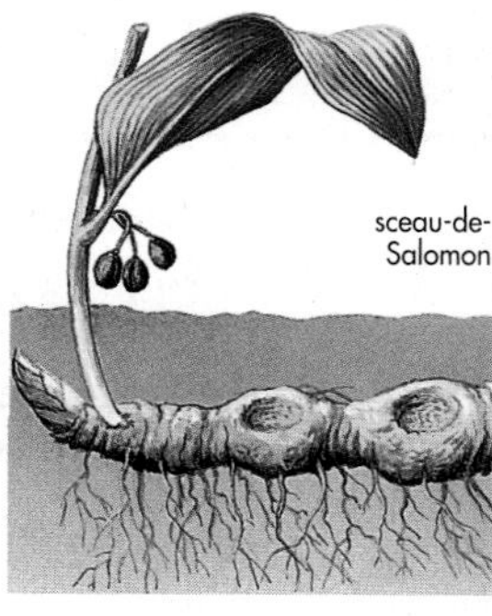

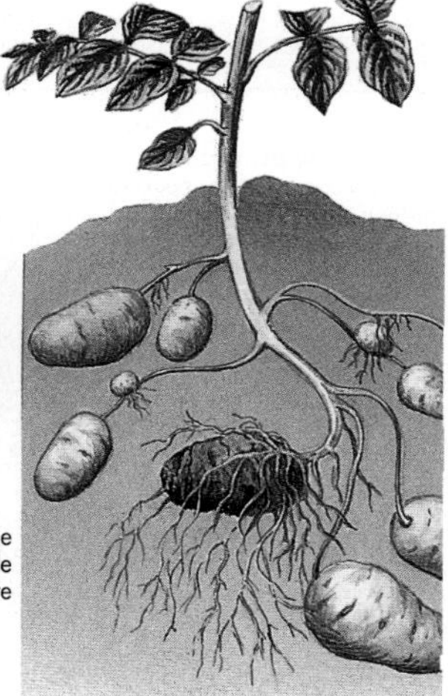

◆ **La tige d'une euphorbe spécialisée dans le stockage d'eau**
(espèce du genre *Euphorbia*). Les tiges charnues, chargées d'eau, permettent aux plantes grasses de résister à de longues périodes de sécheresse. Cette euphorbe à tige succulente n'appartient pas à la famille des cactus, bien qu'elle partage avec ces espèces plusieurs caractères (réserves d'eau, forme globuleuse, feuilles réduites à des épines), qui sont autant d'adaptations à un climat sec.

Elles contiennent souvent des substances nutritives de réserve, en quantité variable. Celles qui en ont accumulé beaucoup ont une forme renflée ; ce sont des tubercules (mais ce nom désigne également des racines). Les rhizomes, eux, sont plutôt allongés ; ils poussent généralement à l'horizontale et possèdent de minuscules feuilles en forme d'écailles. Les bulbes, appelés couramment « oignons », sont plus globuleux que les rhizomes et leur croissance se fait généralement vers le haut ; la plupart portent des feuilles bien développées.

Les plantes possédant des tiges souterraines peuvent survivre d'une année sur l'autre (elles sont vivaces). Pendant la mauvaise saison (froide ou sèche), seuls les organes souterrains subsistent ; quand le climat redevient favorable, les réserves qu'ils contiennent sont utilisées pour former de nouveaux organes aériens. Les tiges souterraines interviennent également dans la reproduction végétative des plantes.

Tiges spécialisées. L'adaptation de la plante à des modes de vie ou des climats particuliers est rendue possible par une morphologie spéciale de leurs tiges. Ainsi c'est grâce à certaines parties de tige, constituant des vrilles, que la vigne s'accroche à un support. Des rameaux en forme d'épines (pyracantha, aubépine, prunellier) constituent une protection contre les animaux herbivores.

Croissance des tiges

Allongement. C'est le bourgeon terminal, situé à l'extrémité de la tige, qui permet l'allongement de celle-ci et forme de nouvelles feuilles. Les tiges secondaires, ou ramifications, sont produites par les bourgeons axillaires, se trouvant à la base des feuilles. Des tiges, appelées drageons, peuvent aussi être émises par des bourgeons naissant sur des racines ; d'autres se forment à l'emplacement d'une blessure ou d'une coupe.

La température et l'humidité du milieu influent sur la vitesse de croissance, les valeurs optimales variant d'une espèce végétale à une autre. La croissance des tiges, contrairement à celle des racines, se fait généralement vers le haut, dans la direction opposée aux forces de pesanteur (il s'agit d'un géotropisme négatif). Les tiges poussent en direction de la lumière (phototropisme positif) ; lorsque la lumière manque, elles s'allongent démesurément, c'est l'étiolement.

Formation d'un tronc. Le tronc d'un arbre ou d'un arbuste est une tige ligneuse de grosse épaisseur, qui ne présente pas de ramifications dans sa partie basale. Parmi les plantes actuelles, seules les plantes du groupe des gymnospermes (pin, épicéa...) et tous les arbres du groupe des dicotylédones (chêne, châtaignier...) forment un tronc. La croissance en épaisseur est dite « secondaire » car elle ne débute dans une portion de tige que lorsque l'allongement, ou croissance primaire, est achevé.

Elle s'accompagne de la mise en place de nouveaux tissus végétaux, qui prennent progressivement la place des tissus préexistants et qui sont disposés en anneaux concentriques. En allant de l'intérieur du tronc vers sa périphérie, se succèdent donc le bois, le liber, le phelloderme (un parenchyme généralement peu épais) puis le suber, ou liège. Le bois, qui occupe la plus grande partie du tronc, est un xylème (tissu conducteur de sève brute) ; on le qualifie de xylème secondaire pour le différencier du xylème primaire formé au moment de l'allongement des tiges. À sa fonction de transporteur de sève, s'ajoute une fonction de soutien, très importante pour les végétaux de grande taille que sont les arbres. Le liber est le phloème secondaire ; il assure le transport de la sève élaborée. Le liège est un tissu protecteur ; ses cellules ont une paroi imprégnée d'une cire qui les rend imperméables. Il peut être très épais chez certains arbres (chêne-liège). L'ensemble du liber, du phelloderme et du liège constitue l'écorce de l'arbre.

Des tiges à réserves d'eau

Certaines plantes stockent de l'eau dans des tissus spéciaux, appelés tissus aquifères, se situant soit dans les feuilles, soit dans les tiges. Diverses espèces de baobabs ont des troncs ventrus, remplis d'eau, d'où le nom d'« arbres-bouteilles » qu'on leur donne. Mais les tiges à réserve d'eau existent surtout chez les plantes grasses, ou plantes succulentes, notamment chez la plupart des espèces de la famille des cactées. Un cierge (cactus du genre *Cereus*) de 15 m de haut peut ainsi contenir 3 000 litres d'eau.
Ces réserves d'eau permettent à la plante de faire face à de longues périodes de sécheresse. De surcroît, les tiges succulentes présentent d'autres adaptations leur permettant de réduire les pertes d'eau par évaporation. De forme plus ou moins globuleuse, elles ont en particulier une surface relativement réduite par rapport à leur volume, ce qui limite les effets desséchants du rayonnement solaire.

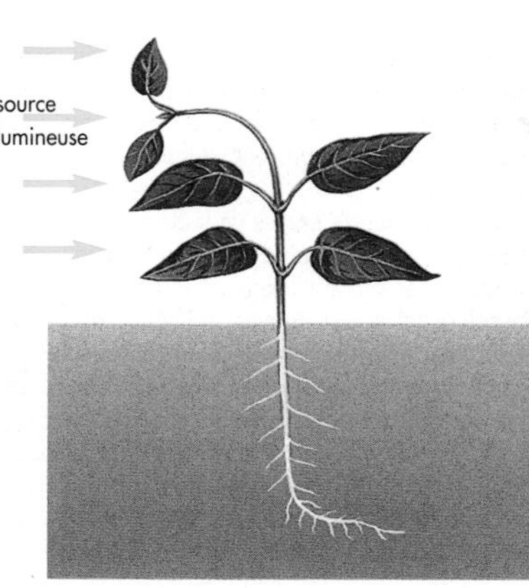

◆ **Phototropisme des tiges.**
La croissance en longueur des tiges se fait dans la direction de la source de lumière ; elle est donc soumise à un phototropisme positif (à l'inverse de la racine). Quand l'éclairage est latéral, comme c'est souvent le cas pour les plantes d'intérieur, les tiges s'incurvent vers la source lumineuse.

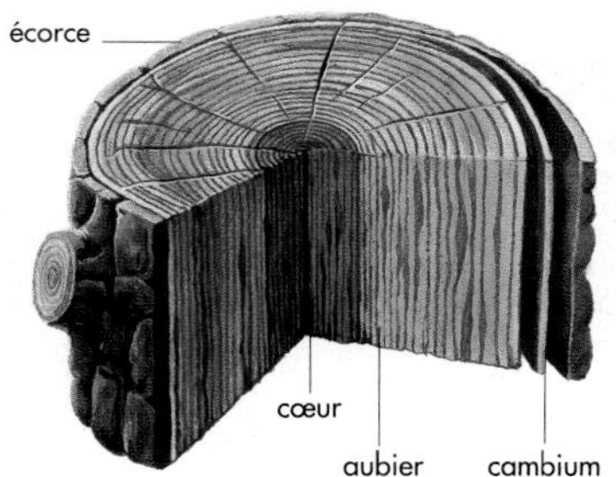

◆ **Coupe d'un tronc d'arbre.**
Le bois est formé grâce à l'activité d'un méristème en anneau, le cambium. Chez certains arbres, il comprend deux parties : l'aubier, constitué de cellules vivantes, dans lesquelles circule la sève, et un cœur très dur, généralement plus sombre (constitué de cellules mortes, il a surtout un rôle de soutien).

Petit lexique

bois ou **xylème secondaire :** tissu végétal lignifié présent dans les tiges ou les racines en phase d'épaississement et assurant le soutien du végétal et le transport de la sève brute.

bourgeon : organe végétal de petite taille, généralement protégé par des feuilles coriaces, contenant un méristème et des ébauches de feuilles et de portions de tige.

méristème : tissu végétal qui est constitué de cellules se divisant activement et qui permet ainsi la croissance de la plante.

tropisme : réaction d'orientation de la croissance en réponse à des facteurs extérieurs, tels que la lumière (phototropisme) ou la pesanteur (géotropisme).

La fleur

Fonctions et structure

Organe spécialisé dans la reproduction sexuée, la fleur n'existe que chez les végétaux appartenant au groupe des angiospermes (ceux qu'on appelle couramment plantes à fleurs). La forme, la couleur et la disposition des fleurs des diverses espèces d'angiospermes sont extrêmement variées ; ce sont autant de critères simples qui permettent de distinguer facilement les plantes à fleurs entre elles. La plupart des fleurs sont aériennes ; quelques espèces, toutefois, fleurissent sous l'eau.

Les différentes parties de la fleur. La fleur est portée par une portion de tige, appelée pédoncule (ou, plus couramment, la queue). Elle est constituée de différentes pièces florales, qui sont portées par un réceptacle habituellement charnu et sont plus ou moins disposées sur 4 cercles concentriques. Les sépales, généralement verts, constituent le calice, l'enveloppe florale externe. Ils sont tout d'abord resserrés, de façon à protéger la fleur lorsqu'elle est encore en bouton. La corolle est l'enveloppe florale située à l'intérieur du calice ; elle est composée de plusieurs pétales qui, le plus souvent, sont colorés. L'épanouissement du calice et de la corolle rend visibles les pièces florales reproductrices. L'androcée regroupe les étamines, qui sont les pièces florales mâles. Chacune d'entre elles est formée d'une petite tige allongée nommée filet, portant en son extrémité un renflement, l'anthère. C'est sur l'anthère que se trouvent les sacs polliniques contenant les cellules reproductrices mâles des grains de pollen. Le gynécée, ou pistil, se trouve au centre de la fleur ; il est formé par un ou plusieurs carpelles, qui sont les pièces florales femelles. Un carpelle typique présente à sa base une partie renflée, l'ovaire, qui contient les ovules et se prolonge par une sorte de tube, le style, lui-même terminé par un organe récepteur de pollen, le stigmate. La protection des ovules est réalisée à son plus haut degré de perfection chez les plantes à fleurs, puisque les ovules sont enfermés dans un ovaire clos, ce qui n'est pas le cas chez les végétaux appartenant à d'autres groupes.

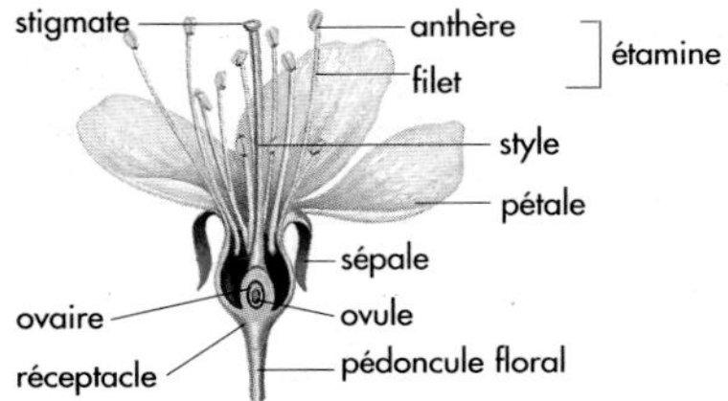

◆ **La fleur de cerisier.**
L'ensemble des sépales constitue le calice ; l'ensemble des pétales forme la corolle. Le pistil ne comprend chez cette espèce qu'un seul carpelle constitué d'un style, terminé par un stigmate, et d'un ovaire, contenant un seul ovule.

◆ **Capitule du tournesol**
(Helianthus annuus). Les fleurs composant un capitule peuvent être de deux types : en forme de tube, ou en forme de languette. Certains capitules (ceux de l'absinthe, par ex.) ne portent que des fleurs en tube ; d'autres (pissenlit) n'ont que des fleurs en languette. Chez d'autres encore, comme le tournesol, les fleurs du centre sont en tube tandis que celles des bords, parfois de couleur différente, sont en forme de languette ; l'ensemble reproduit un peu la structure d'une fleur unique, les languettes rappelant des pétales.

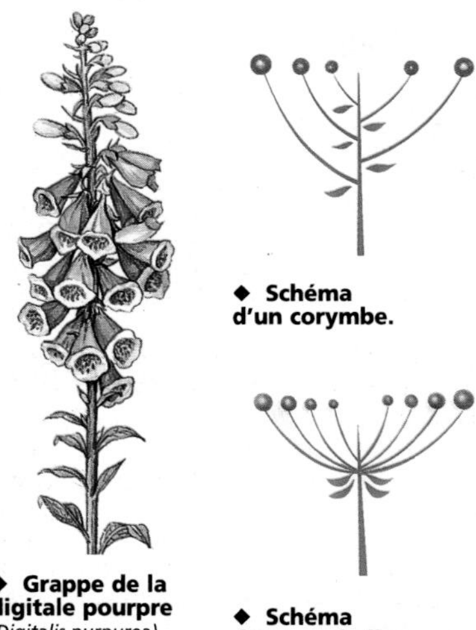

◆ **Grappe de la digitale pourpre** *(Digitalis purpurea).*

◆ **Schéma d'un corymbe.**

◆ **Schéma d'une ombelle.**

VOIR AUSSI
- **Classification des végétaux** p. 91
- **Reproduction des végétaux** p. 161
- **Fleurs des jardins** p. 179
- **Jardinage** p. 1312

Inflorescences

Certaines plantes, comme la tulipe, n'ont qu'une seule fleur par plant. D'autres (violette, bouton d'or…) en comptent plusieurs, qui sont dispersées, sans ordre apparent, sur les tiges. Mais chez la plupart des espèces à multiples fleurs, ces dernières sont regroupées sur la tige selon une architecture bien particulière, constituant une inflorescence.

Des fleurs record

Les plus grandes fleurs du monde végétal actuel sont celles des rafflésies, des plantes parasites poussant en Indonésie et aux Philippines ; elles peuvent dépasser 90 cm de diamètre et peser plus de 7 kg. La fleur de l'espèce *Aristolochia gigantea* est également très volumineuse, à tel point que les habitants des berges du rio Magdalena, en Colombie, s'en servaient de chapeau. Des fleurs de taille plus modeste, mais regroupées en très grand nombre, peuvent constituer des inflorescences fort volumineuses, dépassant plusieurs mètres de long. C'est le cas notamment des agaves, qui poussent dans les régions arides d'Amérique et ne fleurissent qu'une seule fois dans leur vie, et des puyas, plantes des montagnes d'Amérique du Sud, dont chaque inflorescence peut compter 8 000 fleurs environ.

Le sexe des fleurs

Les gamètes (cellules reproductrices) sont produits uniquement par les étamines (mâles) et les carpelles (femelles). Quand une fleur présente l'ensemble de ces organes, elle est dite hermaphrodite (renoncule, pommier, anémone). Une fleur peut aussi être unisexuée ; si elle ne porte que des étamines, c'est une fleur mâle, si elle ne porte que des carpelles, c'est une fleur femelle. Lorsque fleurs mâles et fleurs femelles sont présentes sur un même plant, l'espèce est dite monoïque (noisetier, bouleau, ricin). Quand fleurs mâles et fleurs femelles sont portées par des pieds séparés, l'espèce est dite dioïque ; moins de 5 % des espèces de plantes à fleurs, parmi lesquelles le houx et le dattier, sont dans ce cas.

Grappe, épi, corymbe et ombelle. Dans une grappe (groseillier, muguet, giroflée), les fleurs sont disposées le long d'un axe principal, leurs pédoncules étant tous à peu près de même longueur. L'épi (plantain) a la même structure qu'une grappe mais ses fleurs n'ont pratiquement pas de pédoncule. Les chatons (noisetier, bouleau, saule, peuplier) sont des sortes d'épis, généralement pendants ; leurs fleurs ont la particularité de n'avoir ni sépales ni pétales (les organes reproducteurs étant protégés par de simples écailles). Le corymbe (poirier, sureau, cerisier, prunier) se distingue de la grappe par le fait que les pédoncules, de longueur inégale, se terminent tous à la même hauteur, portant les fleurs sur un plan horizontal. Dans l'ombelle (lierre), tous les pédoncules floraux s'insèrent au même point et ont la même longueur.

Capitule. Il est formé de petites fleurs sans pédoncule, serrées les unes contre les autres sur un réceptacle charnu et large. Il est caractéristique, notamment, des espèces de la famille des composées (marguerite, tournesol, chardon, pissenlit…).

Inflorescences composées. Elles sont formées de plusieurs inflorescences simples (celles décrites ci-dessus), disposées les unes par rapport aux autres selon un schéma caractéristique de chaque espèce végétale. De nombreuses graminées (le blé ou l'orge, par ex.) possèdent un épi composé : les épillets (petits épis), constitués chacun de plusieurs fleurs, sont disposés en épi. Les fleurs de la vigne sont groupées en grappes, elles-mêmes disposées en grappes. Il existe de la même façon des ombelles composées de petites ombelles, ou ombellules (nombreuses ombellifères, comme la carotte), des grappes composées de capitules (séneçon) ou des grappes composées d'épis (avoine, yucca).

◆ **Ombelle composée d'une carotte** *(Daucus carotta).*

Le fruit et la graine

Formation et fonctions

La graine résulte de la transformation de l'ovule (contenant les cellules sexuelles femelles) après sa fécondation par un grain de pollen. Elle caractérise uniquement les plantes appartenant à l'embranchement des spermatophytes (ou phanérogames), qui comprend les gymnospermes (pin, sapin...) et les angiospermes, ou plantes à fleurs. La graine protège l'embryon et lui fournit de quoi se nourrir au début de son développement. Elle peut demeurer un certain temps (parfois plusieurs années) en phase de repos, avant de germer. Cela constitue un avantage pour la jeune plante qui ne se développe que lorsque les conditions lui sont favorables.

Le fruit, lui, ne se trouve que chez les plantes à fleurs, les seules plantes à posséder des ovaires, qui entourent les ovules. Le fruit est le résultat de la transformation, après la fécondation, de l'ensemble constitué par un ou plusieurs ovaires entourant un ou plusieurs ovules. Il protège la graine et assure la dissémination.

VOIR AUSSI

- **Classification des végétaux** p. 91
- **Fleur** p. 158
- **Reproduction des végétaux** p. 161
- **Céréales, fruits et légumes** p. 848, 854, 868 à 873, 882 à 887

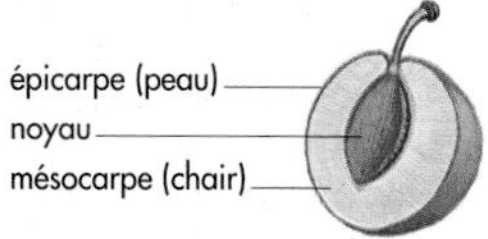

◆ Structure d'un fruit charnu à noyau : la prune.
Dans ce type de fruit on distingue bien les trois couches constituant le péricarpe. L'épicarpe est la partie superficielle, c'est-à-dire la peau du fruit; le mésocarpe est la partie médiane, charnue; l'endocarpe, la partie la plus interne, directement en contact avec l'unique graine, est très dure et forme l'enveloppe externe du noyau.

◆ La fraise et la pomme : de faux fruits.
La partie charnue de la fraise ne provient pas de la transformation des ovaires de la fleur, mais de la transformation du réceptacle sur lequel sont insérés les carpelles; les véritables fruits (issus des ovaires) sont de minuscules fruits secs de type akène, qui correspondent aux petits « grains » qui parsèment la surface de la fraise. Dans la pomme, seule la partie charnue la plus interne provient de l'ovaire de la fleur, la partie externe provenant du réceptacle de la fleur.

Fruits divers

La structure d'un fruit issu d'une seule fleur reflète la structure du pistil de cette fleur. Les fruits les plus simples sont ceux provenant d'un pistil composé d'un seul carpelle (cerise, prune...). Si le pistil est constitué de plusieurs carpelles, le fruit sera formé de plusieurs parties, plus ou moins soudées les unes aux autres. C'est le cas notamment des framboises, qui sont composées de très nombreux petits éléments charnus.

Lorsque c'est une partie autre que l'ovaire qui est à l'origine d'une grande partie des tissus du fruit, ce dernier est qualifié de faux fruit, ou fruit accessoire (fraise, pomme...).

Certains fruits (ananas, figue...) ont une structure complexe car ils ne résultent pas de la transformation d'une seule fleur, mais de toute une inflorescence (un groupe de fleurs).

Les fruits charnus. Ils contiennent un tissu volumineux, riche en eau, constituant ce qu'on appelle la pulpe ou la chair.

Les drupes sont les fruits charnus à noyaux (cerise, prune, pêche...). Ils n'ont qu'une seule graine et l'endocarpe (partie la plus interne du péricarpe) est épais et très dur; le noyau est l'ensemble constitué par l'endocarpe et la graine.

Les baies, ou fruits à pépins (raisin, groseille, etc.) sont des fruits charnus dont l'endocarpe est mince et qui contiennent généralement plusieurs graines (les pépins), dispersées dans la pulpe.

Les fruits secs. Les tissus qui entourent les graines dans ce type de fruits sont assez minces, peu hydratés, souvent durs. De nombreux fruits secs s'ouvrent pour libérer leurs graines mûres : on dit qu'ils sont déhiscents. Les gousses des légumineuses (pois, haricot, fève), les siliques de nombreuses crucifères (chou, giroflée) et les capsules du pavot sont des exemples de fruits secs déhiscents.

Les fruits secs qui ne s'ouvrent pas sont dits indéhiscents. La plupart (tournesol, bleuet, etc.) sont des akènes, des fruits dont le péricarpe n'est pas soudé à l'unique graine. Le caryopse (blé, orge, maïs) est un fruit sec indéhiscent dont l'unique graine adhère au péricarpe.

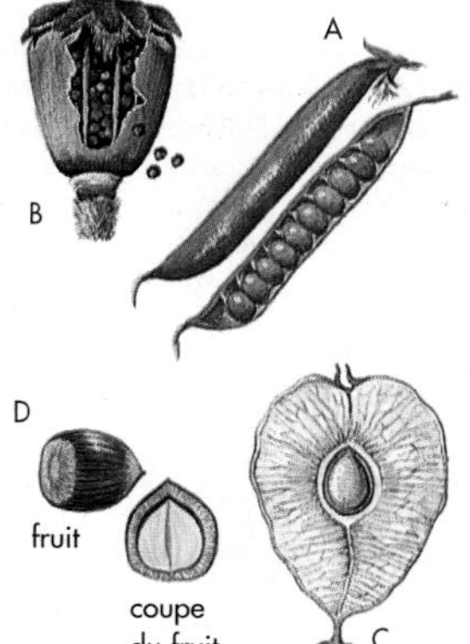

◆ Quelques fruits secs.
Le fruit sec du petit pois (A) est une gousse; celui du pavot (B) est une capsule; tous deux s'ouvrent pour libérer leurs graines. Les fruits secs de l'orme (C) et du noisetier (D) ne s'ouvrent pas. Celui de l'orme est un akène entouré d'une partie membraneuse qui lui permet de se faire emporter par le vent; on l'appelle un samare.

Petit lexique

amande : graine contenue dans un noyau, ou graine de l'amandier.

carpelle : organe de la fleur dont la base constitue l'ovaire contenant les cellules sexuelles femelles; un ou plusieurs carpelles forment le pistil de la fleur.

grain : fruit sec typique des céréales.

noyau : partie dure contenant la graine à l'intérieur d'un fruit charnu de type drupe.

pépin : graine des fruits charnus de type baie.

péricarpe : partie du fruit résultant de la transformation de l'ovaire et entourant la ou les graines.

La graine des plantes à fleurs

La graine est la partie du fruit qui contient l'embryon issu de la reproduction sexuée. Elle est entourée d'une enveloppe protectrice, le tégument, dont l'aspect extérieur est très varié. Après la fécondation, la graine entreprend une phase de maturation, pendant laquelle l'embryon se développe un petit peu, tout en restant à l'intérieur de la graine. Il forme des feuilles embryonnaires, les cotylédons, puis une ébauche de racine (la radicule) et une ébauche de tige feuillée (la gemmule ou plumule).

La graine contient beaucoup de matières nutritives en réserve, de manière à fournir une alimentation suffisante à la survie de la plantule (jeune plante) au moment de la germination. Ces réserves sont d'abord stockées dans un tissu situé à l'extérieur de l'embryon (l'albumen), et peuvent ensuite être absorbées par les cotylédons de l'embryon.

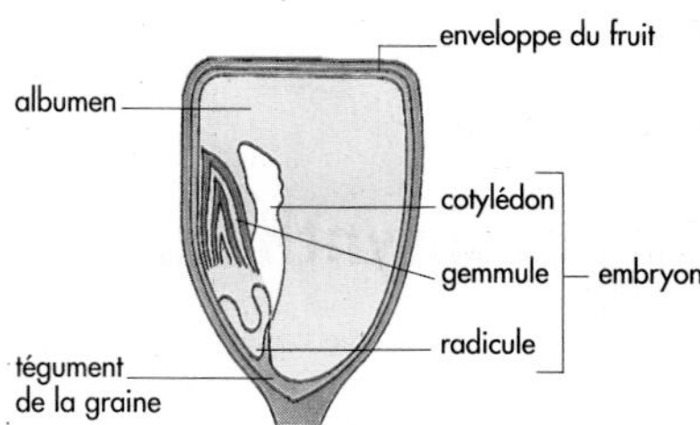

◆ Structure de la graine contenue dans un grain de maïs.
Le grain de maïs est un fruit sec de type caryopse, puisque l'enveloppe du fruit, le péricarpe, est soudé à l'enveloppe externe de la graine.

La dissémination

Elle permet à une espèce de coloniser de nouveaux espaces. Le mode de dissémination le plus simple est la chute du fruit sur le sol. Si ce fruit est déhiscent (marronnier, châtaignier), il s'ouvre pour libérer les graines; s'il ne l'est pas (pomme, prune), les graines ne sont libérées que lorsque le fruit a pourri. Les graines peuvent être expulsées du fruit alors que celui-ci est encore en place sur la plante. Elles tombent alors simplement au pied de la plante ou sont projetées au loin.

Le transport par le vent est le propre des fruits ailés. Le fruit du pissenlit possède ainsi une aigrette lui permettant de voler plus loin.

Les animaux participent souvent à la dissémination: ils transportent involontairement des fruits crochus (bardane, carotte) qui s'accrochent à eux, ou avalent les fruits (cerise, raisin...) et rejettent dans leurs excréments les graines non digérées.

La nutrition

Besoins des végétaux

Comme tous les organismes vivants, une plante absorbe des éléments nutritifs et de l'eau, respire, transpire, grandit, se multiplie et meurt. La plupart des végétaux, à l'exception des plantes parasites, sont autotrophes, puisqu'ils ont la capacité, grâce à la photosynthèse, de synthétiser les substances organiques dont ils ont besoin. Ils sont de ce fait à la base des réseaux alimentaires, puisqu'ils servent de nourriture aux êtres vivants hétérotrophes (les animaux, notamment) qui, eux, sont incapables de fabriquer tous leurs constituants organiques.

Le carbone et l'oxygène nécessaires à la plante entrent dans celle-ci sous forme de gaz carbonique, prélevé dans l'atmosphère par les feuilles. Les autres éléments minéraux indispensables sont puisés dans le sol par les racines. L'azote (N) est un élément moteur de la croissance, car il entre dans la composition des protéines et des enzymes. Le phosphore (P) entre notamment dans la composition des gènes et des membranes ; il agit sur la floraison, donne de la rigidité aux tiges et favorise la résistance aux maladies. Le potassium, le magnésium (constituant de la chlorophylle), le soufre et le calcium sont également indispensables aux végétaux. Les oligo-éléments (fer, zinc, bore, molybdène...) doivent aussi entrer dans la nourriture des végétaux, mais en quantités moindres. L'absence ou l'insuffisance de minéraux dans l'alimentation provoque chez la plante des carences (se traduisant par une croissance plus lente, des jaunissements...). Les végétaux ont également besoin d'eau, car celle-ci constitue une grande partie de leur masse (de 90 % chez l'épinard à 40 % environ dans le bois des arbres).

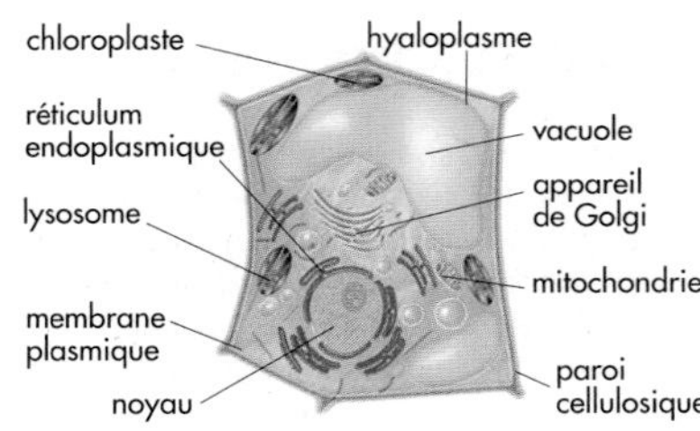

◆ **La cellule végétale.**
Comme la cellule animale, la cellule végétale contient notamment un gros noyau, qui renferme les gènes, et des mitochondries, corpuscules qui sont le siège de la respiration cellulaire. La cellule végétale se distingue par plusieurs caractères. Sa membrane externe est doublée d'une paroi de cellulose. Un grand volume de la cellule est occupé par des vacuoles, sortes de sacs remplis de liquide, qui participent à la régulation des échanges de substances avec l'extérieur, au soutien de la plante et au stockage de déchets. Les chloroplastes, qui contiennent la chlorophylle et sont le siège de la photosynthèse, sont également typiques des végétaux.

Photosynthèse

La majorité des végétaux contient des pigments, notamment de la chlorophylle, qui ont la particularité d'absorber une partie de la lumière que reçoit la plante. La chlorophylle, contenue dans les chloroplastes, en grande quantité dans les feuilles, est de couleur verte ; c'est pourquoi la plupart des plantes sont vertes. Les plantes aux feuilles blanches n'ont pas de chlorophylle et doivent vivre en parasites sur d'autres végétaux. En présence de lumière et grâce à la chlorophylle, la plante réalise la photosynthèse, qui consiste en une suite de réactions chimiques, dont le bilan est le suivant : à partir de gaz carbonique (prélevé dans l'atmosphère) et d'eau (provenant essentiellement du sol), la plante produit des sucres et de l'oxygène.

La photosynthèse peut se décomposer en deux phases. Au cours de la première phase (appelée « phase lumineuse », car la lumière lui est indispensable), l'énergie lumineuse absorbée par la chlorophylle permet la décomposition de l'eau en ses éléments constitutifs (oxygène et hydrogène). L'oxygène est libéré sous forme gazeuse ; l'hydrogène se combine provisoirement avec une autre molécule. La phase lumineuse s'accompagne de la production d'un élément clé du métabolisme cellulaire chez tous les êtres vivants, l'adénosine triphosphate (ATP), formée à partir d'adénosine diphosphate (ADP). Dans la seconde phase de la photosynthèse (dite « phase obscure », car elle ne fait pas intervenir l'énergie lumineuse), l'ATP est recyclé à nouveau en ADP ; l'énergie fournie permet à l'hydrogène (présent sous une forme intermédiaire) de se combiner cette fois avec le gaz carbonique et de produire ainsi un sucre.

Les sucres produits par photosynthèse sont utilisés pour synthétiser les constituants essentiels des plantes et pour produire de l'énergie. Le second produit de la photosynthèse, l'oxygène, retourne dans l'atmosphère.

Petit lexique

autotrophie : capacité d'un être vivant à croître en se nourrissant uniquement de substances minérales et en synthétisant ses propres substances organiques.

chlorophylle : pigment vert absorbant l'énergie lumineuse qui déclenche la suite de réactions que constitue la photosynthèse.

chloroplaste : organite caractéristique des cellules végétales contenant de la chlorophylle et dans lequel s'effectue la photosynthèse.

sève : liquide circulant dans les différents organes des plantes pour leur apporter l'eau et les éléments nutritifs dont ils ont besoin.

VOIR AUSSI
- **Classification des végétaux** p. 91
- **Feuille, tige et racine** p. 154 à 157
- **Cellule** (métabolisme, respiration) p. 194

La circulation de la sève

Elle est rendue nécessaire par l'extrême spécialisation des différents organes des plantes vasculaires. En général, les racines ne réalisent pas la photosynthèse ; elles pompent dans le sol de l'eau chargée de sels minéraux. Cette solution constitue la sève brute, ou sève montante, qui, à partir des racines, irrigue tiges et feuilles. Dans les feuilles, qui sont spécialisées dans la photosynthèse, la sève se charge d'éléments organiques, et devient la sève élaborée, ou sève descendante, qui descend des feuilles jusqu'aux racines. Une telle circulation est possible grâce à l'existence, chez les plantes vasculaires, de tissus conducteurs élaborés, formant des sortes de vaisseaux où circule la sève.

◆ **Le rôle des bactéries dans la nutrition azotée des plantes.**
Les racines de certaines plantes (haricot, aulne...) portent de petites excroissances dans lesquelles se trouvent des bactéries. Celles-ci transforment l'azote gazeux présent dans les interstices du sol en une source d'azote utilisable par la plante (on parle de « fixation de l'azote »).

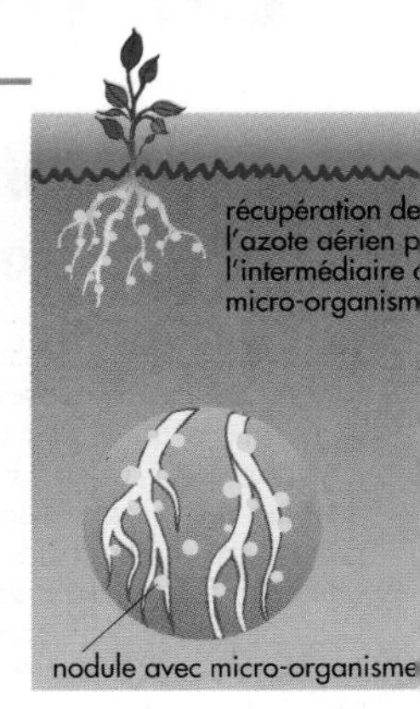

Échanges gazeux

Les échanges gazeux se font surtout par les stomates, des pores situés principalement à la surface inférieure des feuilles.

Transpiration. Les végétaux rejettent de la vapeur d'eau. Un grand chêne perd environ 110 t d'avril à septembre. La transpiration est d'autant plus grande que l'atmosphère ambiante est sèche et chaude ; mais les plantes des zones arides présentent diverses adaptations leur permettant de limiter les pertes en eau.

Échanges de gaz carbonique et d'oxygène. Toutes les cellules de la plante respirent, afin de produire l'énergie qui leur est nécessaire. La respiration a lieu dans des structures cellulaires spécialisées, les mitochondries, aussi bien en absence qu'en présence de lumière. On observe également chez les plantes un phénomène de photorespiration, qui débute dans les chloroplastes et nécessite la présence de lumière. Respiration et photorespiration diffèrent par leur localisation et leurs mécanismes, mais leur bilan concernant les gaz est le même : absorption de l'oxygène atmosphérique et rejet de gaz carbonique. Ces deux processus vont donc en sens inverse de la photosynthèse, mais finalement il entre dans la plante plus de gaz carbonique qu'il n'en sort et il sort plus d'oxygène qu'il n'entre.

◆ **La circulation de la sève chez les végétaux vasculaires.**

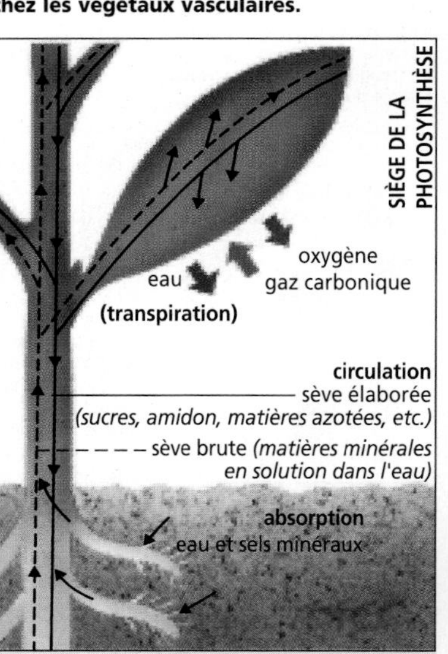

La reproduction

La reproduction asexuée

Elle n'est pas le résultat d'une fécondation. À partir d'une plante se forment, par reproduction asexuée (ou végétative), une ou plusieurs autres plantes, qui sont en général génétiquement identiques à la plante dont elles sont issues ; il s'agit donc d'un clonage. La reproduction asexuée est très largement utilisée par les végétaux (beaucoup plus que chez les animaux). Elle peut se faire par simple fragmentation de la plante ou par bourgeonnement (de petites excroissances se développent, par exemple, sur les feuilles du kalanchoe, puis s'en détachent, s'enracinent et forment un nouveau plant). Elle peut se faire aussi grâce aux bourgeons des tiges souterraines ou des racines (phénomène du drageonnement), ou par le biais de la multiplication des organes souterrains de réserve (ainsi, pour une pomme de terre plantée, on récolte plusieurs tubercules, dont chacun peut former une nouvelle plante l'année suivante).

L'homme multiplie certains végétaux par bouturage ou par la division de touffes, tubercules, bulbes ou rhizomes. La greffe est une variante du bouturage, dans laquelle la bouture est mise en contact non avec le sol ou avec un liquide nutritif, mais avec la tige d'une autre plante, qui va la nourrir.

De nombreuses plantes sont désormais multipliées en laboratoire grâce à des cultures *in vitro*. À partir d'un minuscule fragment (quelques cellules) de la plante mère, dans des milieux de culture soigneusement mis au point, se reforme rapidement une plante entière.

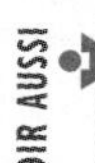

VOIR AUSSI
- **Classification des végétaux** p. 91
- **Fleur** p. 158
- **Fruit et graine** p. 159

Illustrations
- **Méiose** p. 194

◆ **Reproduction végétative par drageonnement.**
Un drageon est une tige aérienne formée à partir d'un bourgeon situé sur une racine (chez le lilas, par exemple) ; il sort du sol à quelque distance de la plante mère et forme un nouveau plant, qui paraît isolé de la plante mère (il peut d'ailleurs s'en séparer si la plante mère meurt ou si les racines se fragmentent).

La reproduction sexuée

La reproduction sexuée est caractérisée par deux processus, la méiose et la fécondation, qui font que l'individu fils issu d'une telle reproduction est génétiquement différent des individus parents.

Le cycle de développement des végétaux. Chaque végétal se présente, au cours de son développement, sous deux formes, le gamétophyte et le sporophyte. Le gamétophyte est constitué de plusieurs cellules haploïdes, dont un ou plusieurs gamètes (cellules reproductrices). La fécondation d'un gamète femelle par un gamète mâle s'accompagne de la fusion de leurs noyaux, contenant chacun n chromosomes (n étant un nombre caractéristique de chaque espèce). La cellule qui en résulte, le zygote, contient 2 fois n (ou $2n$) chromosomes ; elle est diploïde. Elle donne naissance, après une succession de divisions cellulaires, au sporophyte (diploïde). Quelques cellules de ce sporophyte subissent une méiose, donnant alors naissance à des spores, qui sont haploïdes. Chaque spore, après une succession de divisions cellulaires, génère un nouveau gamétophyte.

L'exemple de la reproduction sexuée des plantes à fleurs. L'ovule est une structure caractéristique des plantes à fleurs et des plantes du groupe des gymnospermes, telles que le pin. Il est contenu, en un ou plusieurs exemplaires, dans le pistil (organe femelle) de chaque fleur. L'une de ses cellules subit une méiose, qui conduit à la formation d'une spore appelée « macrospore ». De la même façon, de nombreuses cellules situées dans les étamines (organes mâles des fleurs) subissent une méiose et produisent des spores appelées « microspores ». Macrospores et microspores sont haploïdes. À la suite de divisions successives, la macrospore donne naissance au gamétophyte femelle, appelé « sac embryonnaire », contenant 8 cellules haploïdes, dont l'une est l'oosphère, c'est-à-dire la cellule reproductrice, ou gamète, femelle. Chaque microspore donne naissance à un gamétophyte mâle microscopique, le grain de pollen, qui contient 2 cellules haploïdes, dont l'une sera le gamète mâle.

La pollinisation. C'est le transport du grain de pollen depuis les étamines jusqu'au stigmate, situé à l'extrémité du pistil d'une fleur. Le transport du pollen peut se faire par le simple fait de la pesanteur, ou par le vent (pollinisation anémophile).

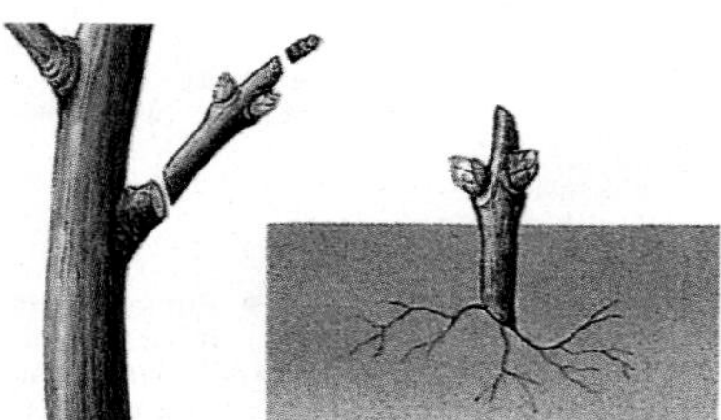

◆ **Reproduction végétative par bouturage.**
Le bouturage existe parfois dans la nature, mais c'est surtout une technique développée par l'homme : un fragment (de tige, le plus souvent, mais quelquefois de feuille, pour les bégonias, par exemple) est détaché d'une plante et placé dans le sol ou dans une solution nutritive ; il peut former de nouvelles racines et constituer une nouvelle plante.

La pollinisation par les animaux

De nombreuses fleurs présentent des adaptations morphologiques ou physiologiques étonnantes (couleur, parfums, formes...) qui leur permettent d'attirer les animaux et d'assurer le succès de leur pollinisation. L'animal visitant une fleur est saupoudré de pollen, qu'il pourra déposer involontairement sur la prochaine fleur qu'il visitera. Certaines plantes, comme les sauges, ont des fleurs possédant de véritables « pistes d'atterrissage » pour les abeilles ; la souplesse de ce pétale plat sur lequel se pose l'insecte entraîne automatiquement la flexion de l'étamine, qui dépose son pollen sur le dos de l'animal. Les fleurs de certaines orchidées (ophrys-mouche, ophrys-bourdon, etc.) ressemblent à s'y méprendre à des femelles de bourdons, de mouches ou d'abeilles ; les insectes mâles viennent en vue de s'accoupler avec ces leurres et transportent le pollen.

◆ **Pollinisation d'un ophrys-bourdon par un bourdon.**

La pollinisation par l'eau concerne surtout les plantes aquatiques, dont le pollen est entraîné par les courants. Le transport peut également être effectué par des insectes (cette pollinisation entomophile concerne environ 80 % des plantes à fleurs), mais aussi par des oiseaux, des chauves-souris, etc., la plupart de ces animaux visitant les fleurs pour y trouver leur nourriture (pollen et nectar).

Une fois parvenu sur le stigmate, à l'issue de la pollinisation, le grain de pollen germe, c'est-à-dire qu'il émet un long tube (le tube pollinique), qui traverse les tissus du pistil puis les tissus d'un ovule contenu dans ce pistil, afin de rejoindre le gamète femelle, bien protégé au sein de l'ovule. Le zygote résultant de la fécondation subit quelques divisions et forme un embryon (ou plantule). Ce dernier est protégé par une graine (résultat de la transformation de l'ovule après la fécondation), elle-même contenue dans un fruit (résultat de la transformation de l'ovaire entourant l'ovule).

Petit lexique

diploïde : état d'une cellule contenant deux exemplaires de chaque chromosome.

haploïde : état d'une cellule contenant un seul exemplaire de chaque chromosome.

méiose : succession de deux divisions cellulaires, dont l'une ne s'accompagne pas d'une duplication des chromosomes et qui se traduit donc par le passage d'un état diploïde des cellules à un état haploïde.

La forêt boréale et la toundra

La toundra

C'est la végétation des zones arctiques, caractérisées par des vents souvent violents, un long hiver très froid et un été très court, encore très frais. Seule la partie superficielle du sol dégèle en été.

La flore de la toundra est peu diversifiée, car peu d'espèces végétales sont capables de supporter un tel climat extrême. C'est l'un des rares milieux où les lichens et les mousses constituent une part très importante de la flore. Les plantes à fleurs sont représentées par des plantes herbacées et des plantes ligneuses de petite taille (arbrisseaux de la famille des éricacées, tels que bruyère ou myrtille, ou arbres nains, comme les bouleaux, les saules ou les aulnes).

Les arbustes de la toundra ne produisent que quelques feuilles par an (parfois pas plus de 2 ou 3). La croissance des végétaux se fait en effet très lentement, à cause du froid, et ne peut avoir lieu que pendant une période très courte (2 à 3 mois). La faible hauteur des végétaux ou leur port rampant constituent une adaptation aux vents violents.

La forêt boréale

La forêt boréale occupe une large bande de l'hémisphère Nord, entre la toundra, plus au nord, et les forêts de feuillus, au sud. C'est la plus grande forêt du monde ; sa surface (environ 13 millions de kilomètres carrés) est légèrement supérieure à celle de la forêt équatoriale humide. Elle est constituée de deux grandes parties, l'une au Canada, l'autre en Eurasie, de la Scandinavie à la Sibérie. Elle est en majorité composée de conifères, principalement ceux de la famille des pinacées (sapins, mélèzes, pins et épicéas). Elle offre en général le même aspect tout au long de l'année, car la plupart des conifères ont des feuilles persistantes, qui ne changent pas de couleur et ne tombent pas avant l'hiver.

Adaptations des végétaux au climat. Dans la zone occupée par la forêt boréale, les températures moyennes sont légèrement plus élevées que dans la zone de toundra, mais restent encore très basses ; les précipitations (surtout sous forme de neige) y sont plus abondantes. La plus grande partie de l'année, toutefois, le sol est gelé, il n'y a pas d'eau liquide disponible dans le sol, et les plantes se trouvent donc confrontées à la sécheresse.

Les conifères de la forêt boréale résistent particulièrement bien au froid ; leurs cellules se déshydratent progressivement à l'approche de l'hiver et accumulent certaines molécules, de façon à augmenter la concentration en substances dissoutes dans le milieu liquide interne, qui gèle alors moins facilement. Pour résister à la sécheresse hivernale, les conifères ferment leurs stomates (pores situés à la surface des feuilles, par lesquels la vapeur d'eau sort de la plante) ; la transpiration des feuilles est également réduite par la présence d'une épaisse couche imperméable superficielle. Certaines espèces comme les mélèzes perdent leurs aiguilles l'hiver, ce qui limite aussi les pertes en eau par transpiration. Les arbres ont parfois une silhouette colonnaire, qui réduit au minimum leur prise au vent et le poids de neige qu'ils doivent supporter.

Principales espèces de la forêt boréale. La flore de la forêt boréale compte peu d'espèces. Les espèces dominantes de conifères varient selon les régions. Les plus typiques de la forêt boréale canadienne sont l'épinette blanche et l'épinette noire (deux épicéas), le mélèze laricin et le pin de Banks. Le sapin baumier, qui fournit le fameux baume du Canada, est un peu moins résistant au froid. Dans la forêt boréale russe poussent l'épicéa, ou sapinette, de Sibérie, le sapin de Sibérie, le mélèze de Sibérie ou le mélèze de Dahurie. La forêt de conifères scandinave accueille le pin sylvestre.

Les arbres à feuilles caduques ne sont pas complètement absents ; on peut trouver dans la forêt boréale des bouleaux, des trembles, l'aulne blanc, etc.

Le sous-bois est assez peu favorable à la croissance des végétaux, car l'éclairement est faible et le sol acide. Il y pousse des arbrisseaux (bruyère, airelle, framboisier), quelques arbustes et plantes herbacées, des mousses et des lichens.

◆ **Tsuga du Canada** ou **pruche de l'Est** *(Tsuga canadensis)*. Vers le sud, la forêt boréale laisse progressivement la place à la forêt de feuillus. Cette zone de transition est occupée par une forêt mixte, où coexistent conifères et feuillus. Ainsi, autour des Grands Lacs américains, les feuillus tels que les frênes, les bouleaux, les tilleuls, les ormes et les fameux érables à sucre côtoient des conifères comme le pin de Weymouth ou le tsuga du Canada. À l'automne, cette forêt présente une mosaïque de couleurs (vert des conifères, rouge ou jaune des feuillus).

◆ **Épinette,** ou **sapinette, blanche,** ou **épicéa blanc** *(Picea glauca)*.

◆ **Pin de Banks** *(Pinus banksania)*.

◆ **Pin sylvestre** *(Pinus sylvestris)*. Ce conifère de la forêt boréale européenne pousse également jusqu'au sud de l'Europe, dans les régions montagneuses ; c'est une espèce pionnière qui n'occupe que des terres pauvres, délaissées par les épicéas. Il enrichit progressivement le sol de ses débris, de sorte que d'autres espèces plus exigeantes peuvent occuper les lieux après sa disparition.

◆ **Bouleau à canot** *(Betula papyrifera)*. Parmi les conifères largement dominants dans la forêt boréale poussent quelques feuillus, qui perdent leurs feuilles à l'automne. Le bouleau à canot est un arbre du nord de l'Amérique ; les Indiens se servaient de son écorce pour fabriquer leurs canoës.

Petit lexique

conifère : arbre ou arbuste du groupe des gymnospermes, dont les feuilles sont en forme d'aiguilles ou d'écailles et dont les organes reproducteurs sont généralement regroupés en cônes.

feuillu : arbre appartenant au groupe des angiospermes et dont les feuilles sont relativement larges, comparées à celles des conifères.

taïga : terme désignant la forêt boréale russe, ou employé, plus largement, comme synonyme de « forêt boréale ».

VOIR AUSSI
- **Milieux froids** p. 51
- **Biomes** p. 82
- **Classification des végétaux** p. 91

Les forêts tempérées

Principales caractéristiques

La principale caractéristique d'un climat tempéré est l'existence de saisons, due aux variations cycliques des températures au cours de l'année. Il existe presque toujours un risque de gel durant l'hiver. Si le sol est gelé, ou si les précipitations tombent sous forme de neige, l'eau sous forme liquide n'est plus disponible pour les racines et l'arbre se trouve confronté à la sécheresse.

La plupart des forêts tempérées sont des forêts caducifoliées : la majorité des arbres qui les constituent sont des feuillus (par opposition aux conifères, tels que pins ou sapins) dont les feuilles sont caduques (elles vivent moins d'un an et tombent toutes à l'automne). L'absence de feuilles pendant l'hiver permet à l'arbre de limiter les pertes d'eau par transpiration (très importantes au niveau de la surface des feuilles), ce qui est essentiel en situation de sécheresse. Quelques forêts tempérées, cependant, sont composées en majorité d'arbres conservant leurs feuilles en toute saison. Ainsi, des forêts de feuillus à feuilles persistantes, qui sont verts toute l'année, poussent sous des climats à hiver relativement doux, où les risques de gel sont faibles. D'autres forêts tempérées toujours vertes sont constituées de conifères, dont les aiguilles peuvent supporter le froid hivernal et ne pas perdre trop d'eau par transpiration.

La forêt tempérée occupe une surface très réduite dans l'hémisphère Sud (dans une partie du Chili, en Amérique du Sud, également en Tasmanie – île faisant partie de l'Australie – et en Nouvelle-Zélande), car le climat tempéré est très peu représenté dans cet hémisphère. Dans l'hémisphère Nord, au contraire, la place prise par la forêt tempérée est importante, en Europe, en Extrême-Orient, comme en Amérique du Nord. Bien que le climat méditerranéen puisse être considéré comme un climat tempéré, il présente certaines caractéristiques (relative douceur de l'hiver et, surtout, sécheresse marquée pendant l'été), qui font de la forêt méditerranéenne une forêt particulière.

La localisation et la composition de la forêt tempérée actuelle sont le résultat des activités humaines (défrichage, plantations d'espèces non indigènes).

Les forêts de l'Extrême-Orient

La végétation naturelle d'une partie de la façade est de la Chine, jouissant d'un climat tempéré, est une forêt caducifoliée, composée en majorité d'arbres à feuilles caduques. Il n'en subsiste plus que des vestiges, car, poussant sur un sol extrêmement fertile, elle a été beaucoup défrichée pour faire place aux cultures. Les arbres qui la composent appartiennent à des genres également représentés en Amérique du Nord et en Europe (chênes, hêtres, frênes, tilleuls, noyers…), mais aussi à d'autres genres plus typiques (sophoras, ailantes…).

Cette forêt tempérée d'arbres à feuilles caduques laisse progressivement la place, vers le sud, à une forêt composée à la fois de quelques essences à feuilles caduques et de nombreuses essences à feuilles persistantes. Dans le sud-est de la Chine, au sud du Yangzi Jiang, ainsi que dans une partie de la Corée et du Japon, règne en effet un climat « tempéré chaud », à été humide, que l'on qualifie aussi de « subtropical ». La forêt subtropicale asiatique est très diversifiée et son sous-bois est dense, composé d'arbrisseaux, de lianes, de plantes herbacées basses, de fougères. Parmi les arbres à feuilles persistantes figurent quelques conifères et des feuillus dont les feuilles, grandes, coriaces et brillantes, rappellent celles des lauriers (ce sont notamment certains magnolias et le camphrier, qui appartient à la famille du laurier). Parmi les arbres à feuilles caduques figurent le paulownia, le ginkgo et le métaséquoia, des arbres bien connus car plantés comme arbres d'ornement un peu partout dans le monde. La présence de palmiers traduit bien le caractère relativement chaud du climat subtropical chinois.

VOIR AUSSI
- **Milieux tempérés** p. 52
- **Biomes** p. 82
- **Classification des végétaux** p. 91
- **Plantes méditerranéennes** p. 170
- **Déforestation** p. 189

Des arbres exotiques en Europe

Grâce à la nature tempérée de son climat, l'Europe constitue un terrain plutôt favorable à l'acclimatation d'espèces exotiques de régions très diverses (autres régions à climat tempéré équivalent, mais aussi zones subtropicales un peu plus chaudes ou milieux plus froids). Ainsi, de nombreux arbres originaires d'autres régions du monde font désormais partie à part entière du paysage européen, qu'ils soient cultivés pour leurs fruits, leur bois ou leur beauté. Certaines espèces introduites ne se reproduisent pas dans leur nouvel habitat et ne poussent qu'avec l'aide de l'homme, qui doit les arroser, les protéger du froid ou éliminer les plantes indigènes qui les concurrenceraient. D'autres espèces, au contraire, se reproduisent désormais spontanément (en dehors de toute intervention humaine) dans le pays où elles ont été introduites ; on dit qu'elles sont naturalisées dans ce pays. C'est le cas, par exemple, du robinier faux acacia, originaire des États-Unis. Le douglas et l'épicéa de Sitka, des conifères utilisés pour le reboisement, en France notamment, sont également originaires d'Amérique du Nord, de même que le catalpa commun, certains thuyas et certains magnolias. Le mimosa argenté, que l'on associe aux rivages méditerranéens, est en fait originaire d'Australie. L'abricotier, le pêcher, le saule pleureur, le ginkgo, d'autres magnolias et thuyas trouvent leurs origines en Asie. Le ginkgo, le paulownia impérial, l'ailante ou le sophora du Japon proviennent des forêts tempérées d'Extrême-Orient.

rameau mâle

◆ **Ginkgo**, ou **arbre aux quarante écus** *(Ginkgo biloba)*.
Le ginkgo est considéré comme un fossile vivant, car il est le dernier représentant du plus ancien des groupes actuels de plantes à graines. Il y a plus de 100 millions d'années, il poussait sur différents continents mais n'a survécu qu'en Chine, où la relative stabilité du climat au cours des temps géologiques a sans doute été favorable à sa conservation. Il appartient au sous-embranchement des gymnospermes, tout comme les conifères (sapins, pins…) ses feuilles, en forme d'éventail et qui jaunissent à l'automne, sont toutefois bien éloignées des aiguilles de pin.

◆ **Le saule pleureur** *(Salix babylonica)*.
Originaire d'Asie, ce saule est souvent planté dans diverses régions à climat tempéré, notamment en Europe où il fait désormais partie intégrante des paysages, au point que l'on ignore souvent qu'il ne s'agit pas d'une espèce indigène.

◆ **Ailante**, ou **faux vernis du Japon** *(Ailanthus altissima = Ailanthus glandulosa)*.
L'ailante est un arbre présent aussi bien dans la forêt tempérée que dans la forêt subtropicale d'Extrême-Orient. Il est maintenant considéré comme une espèce naturalisée dans de nombreuses régions d'Europe, où il se reproduit et se répand sans intervention humaine.

Les forêts tempérées

Les forêts caducifoliées d'Europe

Elles sont caractérisées par la prédominance de feuillus (arbres n'appartenant pas au groupe des conifères) dont les feuilles meurent à la fin de chaque été, puis tombent. Ces feuilles sont qualifiées de « caduques », et les forêts correspondantes sont dites « caducifoliées ». Elles changent de couleur et d'aspect selon les saisons.

Ces forêts se développent dans l'ouest et le centre de l'Europe, sous un climat océanique ou moyennement continental. À l'est, leur développement est limité par un climat continental aux saisons très contrastées. Elles n'occupent pas le Nord, domaine de la forêt mixte, mêlant feuillus et conifères, et de la forêt boréale de conifères. Au sud, elles laissent progressivement place à une végétation de type méditerranéen.

Les végétaux qui composent les forêts tempérées sont adaptés à l'alternance des saisons. Les arbres perdent leurs feuilles pendant les mois froids ; ils ralentissent ainsi la circulation de la sève jusqu'au printemps et réduisent la perte d'eau par transpiration (importante au niveau de la surface des feuilles). Les bourgeons, formés dès l'automne, entrent dans une phase de repos (la dormance) et sont prêts à former de nouvelles tiges feuillées, à l'arrivée des beaux jours.

La végétation se répartit en plusieurs étages : les grands arbres, pouvant atteindre 30 m de haut, les arbustes (jusqu'à 6 m de haut) et diverses plantes basses (fougères, mousses, plantes herbacées à fleurs, arbrisseaux), qui constituent le sous-bois.

Le nombre d'espèces d'arbres est moins élevé que dans d'autres forêts tempérées (d'Extrême-Orient ou d'Amérique du Nord), à cause de l'histoire climatique ancienne (influence des glaciations à l'ère quaternaire, notamment). Les principales espèces d'arbres feuillus sont le chêne sessile, le chêne pédonculé et le hêtre. Elles sont accompagnées, en proportion plus ou moins grande, et selon les conditions écologiques (température, éclairement, nature et humidité du sol…), de diverses autres espèces (charme, frêne, orme, tilleul, bouleau…). Ces essences (espèces d'arbres) s'associent pour constituer trois grands types de forêt : la chênaie-charmaie (où dominent chênes et charmes), la chênaie-hêtraie et la hêtraie. Il ne reste plus grand-chose de la forêt caducifoliée primaire, végétation naturelle qui occupait une grande partie de l'Europe il y a plusieurs milliers d'années, car elle a été largement coupée pour faire place aux cultures. Par ailleurs, la majorité des forêts actuelles d'Europe sont cultivées et exploitées ; même si elles paraissent « sauvages », elles ne ressemblent guère à la forêt naturelle, notamment à cause des reboisements réalisés avec de nouvelles espèces (conifères, espèces exotiques).

◆ **Les diverses espèces de chênes.**
Le chêne pédonculé, ou chêne commun (*Quercus pedunculata* ou *Quercus robur*), a souvent une silhouette imposante. Ses feuilles, qui s'élargissent généralement en leur sommet, sont portées par un pétiole très court; ses fruits (glands), en revanche, pendent au bout d'un long pédoncule. Le chêne sessile, ou chêne rouvre (*Quercus sessiliflora* ou *Quercus petraea*) est tout aussi imposant; il s'oppose à l'espèce précédente par ses feuilles à pétiole assez long et par ses glands, dépourvus de pédoncule (ils sont sessiles). Le chêne pubescent, ou chêne blanc (*Quercus pubescens* ou *Quercus lanuginosa*), est plus méridional et plus petit que les précédents; un duvet blanc recouvre ses rameaux de l'année de même que ses jeunes feuilles (surtout sur leur face inférieure); feuilles et glands ont une queue, assez courte.

Les ormes malades

Trois espèces d'ormes poussent en Europe. Elles ne sont jamais dominantes dans la flore forestière mais constituent des espèces d'accompagnement, autrefois très répandues. Elles étaient également fréquentes dans les campagnes (haies, bords des routes, bosquets…) et souvent plantées en ville. Mais ces ormes ont été décimés par deux épidémies successives, d'abord dans les années 1920, puis vers 1970. La maladie responsable, la graphiose, est due à un champignon microscopique du nom de *Graphium ulmi*, qui est transporté d'un arbre à l'autre par deux espèces d'insectes (le grand et le petit scolyte de l'orme). Le champignon parasite se développe dans les vaisseaux conducteurs de sève de l'arbre, provoquant son dépérissement puis sa mort.
Afin de pouvoir réimplanter des ormes qui ne soient pas sensibles à la graphiose, l'on tente de sélectionner des variétés résistantes à partir des rares individus européens ayant survécu aux épidémies.

◆ **Hêtre commun,**
ou **fayard**
(Fagus sylvatica).

La vie du sol en forêt

Des débris variés (feuilles, brindilles, fruits, animaux morts) s'accumulant sur le sol constituent la litière, dont la masse totale est d'environ 4 t/ha. Dans la partie superficielle, les débris sont encore très reconnaissables ; dans les couches plus profondes, ils sont de plus en plus fragmentés et pourris. Leur dégradation débute grâce à de nombreux petits animaux (insectes, acariens, cloportes, mille-pattes, vers de terre notamment) qui circulent dans la litière ; ils se nourrissent des débris, les fragmentent et commencent à les décomposer. La dégradation se poursuit grâce à l'action de bactéries et de champignons. Elle aboutit à la formation d'une couche sombre, l'humus, qui recouvre la roche mère, dont la composition chimique (basique ou acide) détermine l'installation de végétaux adaptés.

◆ **Châtaignier** (espèce du genre *Castanea*)
Arbre des régions tempérées de l'hémisphère Nord, à feuilles longues et dentelées, à fleurs en chatons, dont les fruits (chataîgnes), entourés d'une cupule épineuse (bogue), sont comestibles.

◆ **Charme commun** (*Carpinus betulus*)
Cet arbre, avec le chêne pédonculé, prédomine dans les chênaies-charmaies, qui se développent surtout dans la région parisienne et l'ouest de la France (s'y associent également une certaine proportion d'érables sycomores et de tilleuls). Sous le charme et ces arbres se développent le noisetier et le sureau, abondants en limite de forêt, là où il y a davantage de soleil.

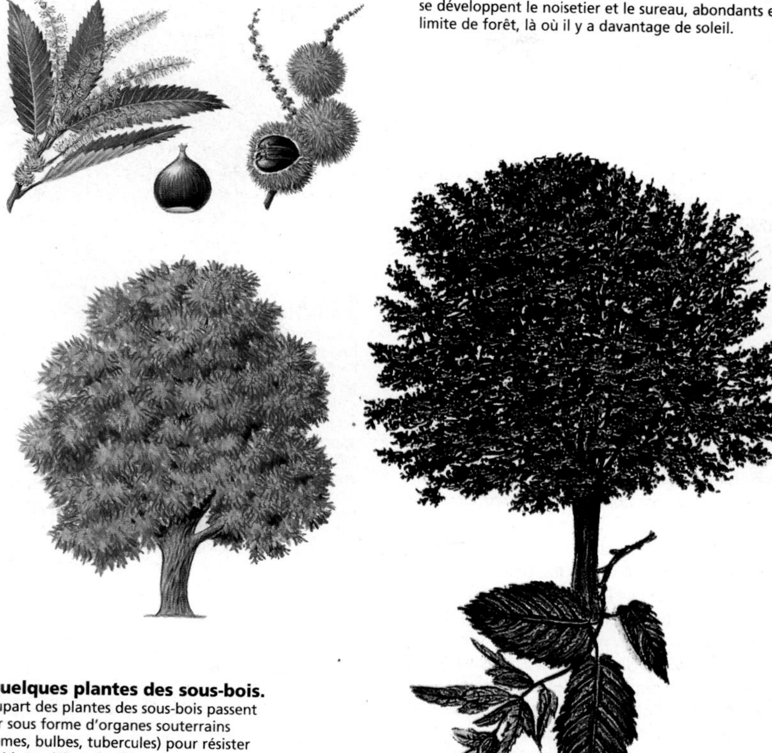

◆ **Quelques plantes des sous-bois.**
La plupart des plantes des sous-bois passent l'hiver sous forme d'organes souterrains (rhizomes, bulbes, tubercules) pour résister au froid. Au début du printemps, quand les feuilles des arbres commencent juste à pousser, l'ombre dans le sous-bois est légère, ce qui permet à beaucoup de petites plantes de fleurir.

Futaies et taillis

La culture des arbres en forêt, la sylviculture, se fait selon trois principaux modes. Le type de forêt le plus majestueux est sans doute la futaie, dont les arbres sont très vieux, très droits. S'il s'agit d'une futaie jardinée, les arbres d'une parcelle sont de diverses grosseurs car ils sont d'âge différent. Dans la futaie régulière, au contraire, tous les arbres d'une parcelle ont été plantés en même temps ; leurs troncs ont donc plus ou moins le même diamètre.
Entre le semis et l'obtention d'une futaie régulière, on distingue différents stades (gaulis, bas-perchis et haut-perchis). Les arbres les moins robustes, les plus tordus, sont régulièrement supprimés, pour laisser de l'espace aux plus beaux.
Contrairement à la futaie, le taillis n'est pas issu de semis. Les arbres sont régulièrement coupés, et on laisse la forêt se régénérer à partir de rejets (nouvelles pousses issues de la souche ou des racines de l'arbre coupé). Le taillis est donc constitué de bouquets de troncs d'assez faible diamètre. Cette technique n'est pas utilisable pour les conifères (pins, sapins...), car ils ne produisent généralement pas de rejets.
Dans le taillis sous futaie, de grands arbres dominent un sous-bois touffu ; ce traitement combine semis et utilisation des rejets.

◆ **La forêt en Europe.**

Surface boisée (% par rapport à la surface totale) :
– dans le monde : 35 millions de km² (27 %)
– en Europe : 3 millions de km² (31 %)
– en France : 150 000 km² (27 %)

Pays possédant la plus grande surface boisée :
– dans le monde : Russie (7,6 millions de km²)
– en Europe (hors Russie européenne) : Suède (240 000 km²)

Pays possédant le plus fort pourcentage de surface boisée :
– dans le monde : Guyana et Suriname (94 %)
– en Europe : Finlande (66 %)

Part des principaux arbres dans la surface boisée française :
chêne pédonculé (18 %), chêne rouvre (14 %), pin maritime (10 %), hêtre (10 %), pin sylvestre (9 %), chêne pubescent (7 %), épicéa commun (6 %), sapin pectiné (4 %), châtaignier (4 %), frêne (3 %), douglas (2 %)

Part des résineux dans la surface boisée :
– en Europe : 69 %
– en France : 34 %

Évolution du pourcentage de la surface boisée en France :
vers l'an 0 : 90 % ; vers 1300 : 30 % ; vers 1800 : 15 % ; 1950 : 20 % ; 1997 : 27 %

Pourcentage d'arbres sérieusement malades :
atteints par la pollution, les conditions climatiques ou les ravageurs : environ 20 % en Europe

Ces chiffres concernent tous les types de forêts (en Europe, cela inclut les forêts tempérée, boréale, méditerranéenne et de montagne).

Les forêts de l'est des États-Unis

Une forêt caducifoliée, c'est-à-dire composée essentiellement de feuillus (arbres n'appartenant pas au groupe des conifères) perdant toutes leurs feuilles à l'automne, occupe l'est des États-Unis. Cette forêt, qui change d'aspect au gré des saisons, est appelée « forêt appalachienne » car elle pousse notamment dans la chaîne montagneuse des Appalaches. Elle est bordée au nord par la forêt laurentienne, une forêt mixte, mêlant feuillus et conifères, qui annonce la forêt boréale toujours verte. Vers l'ouest, elle laisse la place aux grandes prairies. Cette forêt caducifoliée est très riche en espèces; on y a dénombré, par exemple, plus d'une vingtaine d'espèces de chênes à feuilles caduques (contre 6 en Europe). Le hêtre américain, ou hêtre à grandes feuilles, est dispersé à travers les bois et ne forme pas de grandes forêts comme en Europe. Outre les chênes et les hêtres, les arbres les plus répandus sont des ormes, des bouleaux, des érables, des tilleuls, des noyers, appartenant donc tous à des genres connus en Europe. Les caryers, ou noyers d'Amérique, que les Américains appellent « hickory » et dont certaines espèces donnent des noix comestibles, sont également très fréquents. Ils appartiennent à un genre qui est absent de la flore indigène européenne. Il en est de même pour le tulipier de Virginie, caractérisé par ses fleurs ressemblant à des tulipes, et pour le liquidambar.

Vers le sud, le climat devient plus chaud et plus humide (c'est un climat intermédiaire entre un climat tempéré et un climat tropical, que l'on qualifie de subtropical). De nouvelles espèces apparaissent, dont certaines n'ont plus des feuilles caduques, mais des feuilles persistantes qui ressemblent souvent aux feuilles coriaces du laurier. C'est le cas notamment de certains magnolias, du chêne de Virginie, qui est un peu l'équivalent du chêne vert des forêts méditerranéennes, et de nombreux petits arbustes (le houx, par exemple). À l'extrême sud-est pousse une forêt de pins, entrecoupée de zones marécageuses, le long des fleuves, notamment.

◆ **Noyer blanc d'Amérique** *(Carya ovata).* Les espèces du genre *Carya* sont connues sous les noms de « caryers », « hickorys » ou « noyers d'Amérique »; elles appartiennent en effet à la même famille que le noyer européen (mais elles ne poussent pas naturellement en Europe). L'écorce du noyer blanc d'Amérique a la particularité de se fragmenter en grands lambeaux, qui hérissent le tronc. Avant de tomber, ses feuilles deviennent jaune doré en automne.

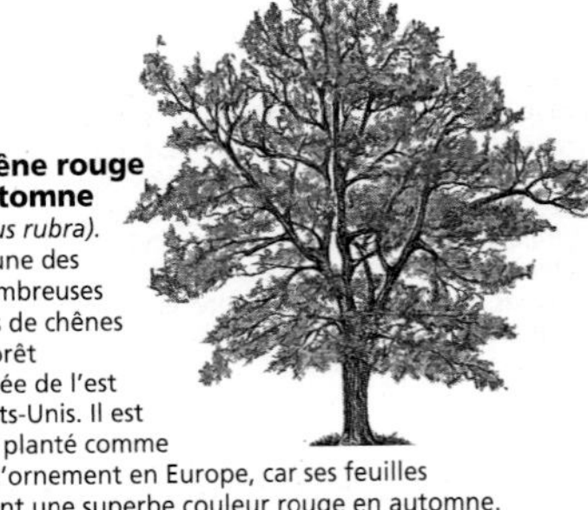

◆ **Chêne rouge en automne** *(Quercus rubra).* C'est l'une des très nombreuses espèces de chênes de la forêt tempérée de l'est des États-Unis. Il est parfois planté comme arbre d'ornement en Europe, car ses feuilles prennent une superbe couleur rouge en automne.

◆ **Liquidambar**, ou **copalme d'Amérique** *(Liquidambar styraciflua).* Il a, surtout quand il est jeune, une silhouette conique semblable à celle de certains conifères (sapins, par exemple). Mais il s'agit bien d'un arbre feuillu ; ses feuilles, qui ressemblent un peu à celles des érables, prennent des tons rouge-orangé à l'automne (qui lui valent d'être planté en Europe comme espèce d'ornement).

Des magnolias en Europe

Les magnolias sont ainsi nommés en l'honneur du Français Pierre Magnol (1638-1715), un des premiers botanistes qui a tenté de classer les plantes. Ils sont aujourd'hui cultivés comme arbres d'ornement dans de nombreux pays, mais ne poussent spontanément qu'en Asie et en Amérique, sous un climat tempéré chaud. L'étude des pollens anciens montre qu'ils étaient présents en Europe au début de l'ère quaternaire, il y a environ 2 millions d'années, mais ils ont disparu de la flore européenne à la suite des grandes glaciations. Le premier magnolia réintroduit en France au XVIIIe s. fut rapporté des bords du Mississippi par un capitaine qui le planta aux environs de Nantes. Il mit très longtemps avant de fleurir. Ses grosses fleurs crème, odorantes, suscitèrent alors tant d'admiration que le roi Louis XV demanda qu'il soit transporté dans les jardins de Versailles. Heureusement, les botanistes et les jardiniers, prudents, l'en dissuadèrent, car ils craignaient que l'arbre ne meure dans le transport.

◆ **Fleurs du magnolia à grandes fleurs** *(Magnolia grandiflora).* Le magnolia à grandes fleurs a des feuilles persistantes (qui restent sur l'arbre pendant l'hiver); il pousse dans les plus chaudes des régions tempérées.

La forêt marécageuse

Les bords du Mississippi et de ses nombreux bras, les bayous, ainsi que maintes régions côtières du sud-est des États-Unis sont occupés par des marais. Par ailleurs, la plupart de ces zones marécageuses bénéficient d'un climat subtropical (plus chaud que le climat tempéré moyen) humide. Elles abritent des végétaux caractéristiques, tels que le cyprès chauve, qui forme une forêt typique, autrefois surexploitée mais maintenant très protégée. Cet arbre appartient au groupe des conifères (comme le sapin ou le pin). Cependant, contrairement à la plupart des autres conifères, il perd toutes ses feuilles avant chaque hiver. En forme d'aiguilles aplaties, elles deviennent orangées à l'automne, puis tombent avec les jeunes rameaux qui les portent. Le cyprès chauve a un tronc élargi à la base, qui lui permet de bien se fixer dans le sol marécageux instable. Lorsqu'il pousse sur un sol inondé, pauvre en oxygène, ses racines émettent de curieuses excroissances verticales, les pneumatophores, qui dépassent de l'eau ou du sol et alimentent les racines souterraines en oxygène.

◆ **Cyprès chauve des forêts marécageuses** *(Taxodium distichum).* Sur ses branches vit souvent une plante de l'espèce *Tillandsia usneoides*, qui forme de longues lanières pendantes et que l'on appelle communément la « barbe espagnole ». Cette plante n'a pas de racines; grâce à des poils absorbants qui tapissent ses feuilles, elle puise l'eau dont elle a besoin dans l'atmosphère très humide qui caractérise les zones marécageuses du sud-est des États-Unis.

Les forêts de l'Amérique du Nord-Ouest

Prolongeant la forêt boréale de conifères du Canada et de l'Alaska, une autre forêt de conifères occupe la bordure nord-ouest de l'Amérique. C'est une des forêts les plus longues du monde, puisqu'elle s'étend sur plus de 3 000 km, de la Colombie-Britannique, au Canada, jusqu'au nord de la Californie, aux États-Unis, formant un ruban qui peut parfois se rétrécir à quelques kilomètres, mais qui peut atteindre 500 km de large.

Elle bénéficie, le long de la côte pacifique, d'un climat océanique très humide (beaucoup de pluie en saison froide, notamment), sous lequel les températures varient assez peu tout au long de l'année. Ce climat est très favorable à la croissance des végétaux, et les arbres sont beaucoup plus hauts que ceux qui poussent sous d'autres climats tempérés : nombreux sont ceux qui atteignent plus de 60 m de haut (100 m pour certains). Bien qu'il y ait une grande surface à occuper, les espèces botaniques sont relativement peu nombreuses. On peut citer le douglas, improprement appelé « sapin de Douglas » (car il n'appartient pas au même genre que les sapins), le tsuga du Nouveau Monde, ou pruche de l'Ouest, le thuya géant, l'épicéa de Sitka, le sapin de Vancouver ou le sapin noble. Dans le sud de l'Oregon et dans le nord de la Californie se trouvent les impressionnantes forêts de séquoias verts, parfois associés aux douglas.

Les forêts tempérées d'Amérique du Sud

Elles occupent le centre et le sud du Chili, qui bénéficient d'un climat tempéré océanique, proche de celui de la côte ouest de l'Amérique du Nord. On y trouve à la fois des conifères et des feuillus. Les conifères ne sont pas ceux que l'on connaît dans l'hémisphère Nord (pins, sapins, épicéas…) ; ce sont notamment des représentants du genre *Podocarpus* ainsi que l'espèce *Fitzroya cupressoides,* dont certains sujets peuvent atteindre plus de 60 m de haut et plus de 3 m de diamètre. Les feuillus les plus fréquents sont les pseudo-hêtres, ou hêtres australs ; ils appartiennent au genre *Nothofagus,* représenté par plusieurs espèces, qui se succèdent du nord au sud de la forêt tempérée chilienne. Les espèces de pseudo-hêtres des parties sud et nord de la forêt chilienne ont des feuilles caduques, qui vivent moins d'un an et tombent chaque automne, après avoir pris de belles couleurs rouge ou orangé. Les espèces de pseudo-hêtres de la partie centrale de la forêt chilienne ont au contraire un feuillage vert en toute saison, car leurs feuilles sont persistantes (elles vivent plus d'un an). Dans cette partie centrale de la forêt règne en effet un climat qualifié d'« hyperocéanique », extrêmement pluvieux (aucun mois de sécheresse en été) et doux, qui permet aux arbres de garder leurs feuilles toute l'année. La forêt qui pousse dans cette région très humide est luxuriante ; son sous-bois comprend beaucoup de lianes, de fougères, de mousses et d'épiphytes (plantes qui vivent sur d'autres plantes, sans aucun contact avec le sol).

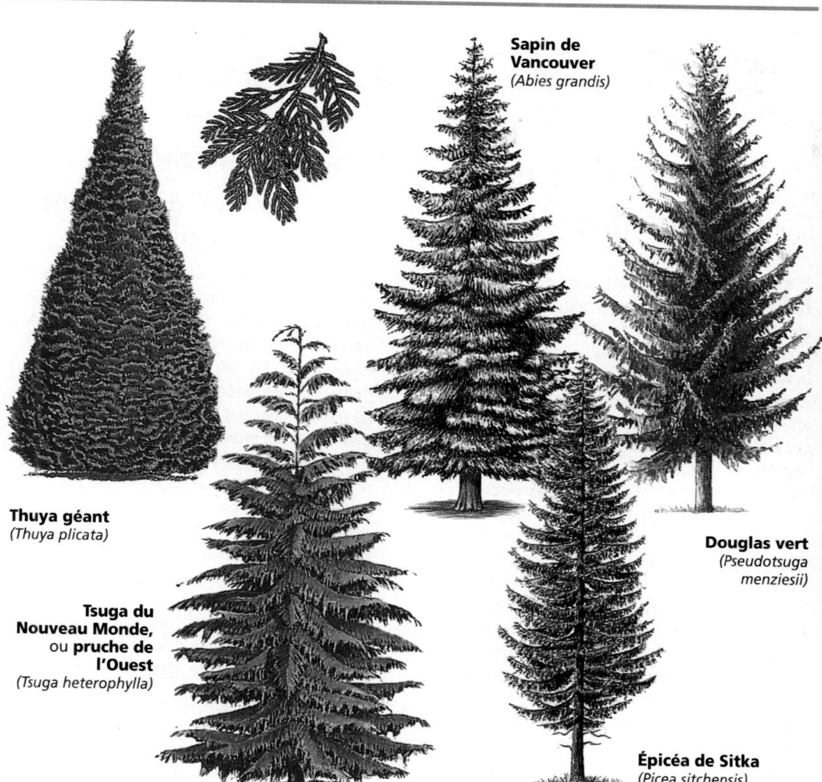

◆ **Quelques conifères de la forêt tempérée du nord-ouest de l'Amérique.** Le thuya géant se reconnaît à ses feuilles en forme de petites écailles, appliquées sur le rameau. Le sapin de Vancouver a de longs cônes dressés dont les écailles se détachent une à une ; ses aiguilles laissent un creux rond bien net sur le rameau, quand on les arrache. La pruche de l'Ouest a de petits cônes pendants et des aiguilles plates, assez larges. Le douglas vert a des aiguilles qui laissent après leur chute une cicatrice nette et ovale sur le rameau ; ses longs cônes pendants tombent tout entiers de l'arbre et sont caractérisés par les languettes à trois pointes qui dépassent des écailles. L'épicéa de Sitka a des cônes pendants et se détachant entiers de l'arbre ; ses aiguilles laissent une cicatrice allongée et irrégulière sur le rameau, quand on les arrache.

◆ **Pseudo-hêtre** (genre *Nothofagus*) **de la forêt tempérée d'Amérique du Sud.** Les espèces appartenant au genre *Nothofagus* sont les seuls membres de la famille des fagacées (famille des hêtres, chênes et châtaigniers) à pousser dans les régions australes, c'est-à-dire dans l'hémisphère Sud. Ils ressemblent par certains aspects aux hêtres et sont donc appelés « pseudo-hêtres » ou « hêtres australs ». Plusieurs espèces, les unes à feuilles caduques, les autres à feuilles persistantes, se succèdent du nord au sud de la forêt tempérée chilienne.

Les séquoias

Sur un territoire de 60 000 ha, situé le long de la côte pacifique, dans le sud de l'Oregon et le nord de la Californie, la forêt tempérée d'Amérique du Nord-Ouest prend la forme d'une forêt de séquoias verts, impressionnante par la hauteur et la densité de ses arbres. Les séquoias verts, *Sequoia sempervirens,* sont, avec les eucalyptus, les arbres les plus grands que nous connaissions ; certains d'entre eux mesurent 110 m de haut et beaucoup sont âgés de plus de 2 000 ans. Ces conifères ont une écorce caractéristique, brun-rouge, crevassée et très épaisse. Leurs feuilles sont de deux types : quelques-unes sont courtes et appliquées sur le rameau ; la plupart sont plus longues et bien étalées de chaque côté du rameau. Le séquoia vert ne pousse actuellement à l'état sauvage que dans cette région du monde, mais il a été introduit dans d'autres régions, en Europe notamment. C'est également le cas d'une autre espèce de séquoia, le séquoia géant.

◆ **Séquoia géant,** ou **wellingtonia** *(Sequoiadendron giganteum).* Malgré son nom, le séquoia géant est plus petit que le séquoia vert (il peut atteindre tout de même 90 m de haut), mais il est souvent plus massif. Il se distingue aussi par ses feuilles, qui sont toutes en forme de petites écailles appliquées sur le rameau. Contrairement au séquoia vert, il n'habite pas la région côtière, mais les montagnes de la Californie (sierra Nevada) et ne forme pas de forêt à lui seul.

Les forêts intertropicales

La forêt dense équatoriale

Dans les régions équatoriales, il n'y a pas de saison ; le climat est chaud et extrêmement pluvieux toute l'année. La forêt qui y pousse est donc qualifiée de « pluvieuse » ou d'« ombrophile ». Elle est toujours verte, car elle est composée d'arbres à feuilles persistantes, qui vivent plus d'un an et ne tombent pas toutes en même temps. Une autre de ses caractéristiques est la densité de sa végétation. Sa luxuriance et sa perpétuelle verdeur lui ont d'ailleurs valu le nom d'« enfer vert ».

La végétation s'étage sur plusieurs niveaux : à l'ombre des grands arbres (en moyenne 40 m de haut) vivent des arbres plus petits et des arbustes (on distingue jusqu'à 3 niveaux successifs d'arbres) ; les plantes de petite taille sont peu abondantes, car très peu de lumière parvient jusqu'au sol. Des lianes courent d'un arbre à l'autre, certaines atteignant plus d'une centaine de mètres de long. De nombreuses plantes poussent non sur le sol, mais en hauteur, sur d'autres plantes. La biomasse végétale (masse des organismes vivants de nature végétale) est considérable (parfois 2 à 3 fois plus forte que dans une forêt tempérée européenne).

La diversité de la flore (et de la faune) est très grande. On compte environ 30 à 50 espèces différentes d'arbres par hectare, parfois près d'une centaine dans certaines forêts d'Indonésie (moins d'une dizaine dans la forêt tempérée d'Europe). Aucun des arbres de la forêt équatoriale n'appartient au groupe des conifères.

La forêt équatoriale est présente en Amérique du Sud (forêt amazonienne), en Afrique (Gabon, Congo, ex-Zaïre, notamment), en Asie (sud-est du continent et Indonésie) et en Océanie (Nouvelle-Guinée notamment). Sa surface, toutefois, se réduit de plus en plus ; alors que dans les années 1980, environ 2 000 km² de forêt amazonienne étaient défrichés tous les ans, c'est en moyenne 20 000 km² qui ont disparu chaque année, entre 1995 et 1997. Plusieurs centaines de milliers de kilomètres carrés de forêt équatoriale sont partis en fumée en 1997 et 1998, en Amazonie et, surtout, en Indonésie, à cause de la pratique des brûlis, réalisés en une période de sécheresse exceptionnelle.

Des plantes qui vivent sur les plantes

Certaines plantes, appelées « épiphytes », poussent sur d'autres plantes, sans toutefois les parasiter. Ce type de plantes est particulièrement fréquent dans la forêt équatoriale. La végétation y est tellement dense que les débris végétaux qui tombent ne parviennent pas tous sur le sol ; ils s'accumulent sur les branches des arbres, et les épiphytes profitent de l'humus produit par leur décomposition pour se développer. Les épiphytes n'ont pas tous les mêmes exigences : certains s'adaptent à l'ombre très épaisse et vivent à quelques mètres au-dessus du sol ; d'autres se développent dans les hauteurs, là où il y a plus de soleil. Parmi les épiphytes figurent des fougères, des orchidées, des espèces de la famille des broméliacées (famille à laquelle appartient l'ananas).

La forêt tropicale à rythme saisonnier

Au fur et à mesure que l'on s'éloigne de l'équateur, le climat change et la forêt dense équatoriale fait place à d'autres formations végétales. La savane pousse sous un climat tropical sec, tandis que la forêt tropicale caractérise le climat tropical humide, encore chaud et pluvieux, mais se distinguant du climat équatorial par l'existence d'une courte saison sèche (c'est pourquoi on parle de forêt à rythme saisonnier ou de forêt sèche).

L'existence d'une saison sèche se traduit de différentes façons dans la forêt. Plus cette saison est longue, plus la forêt comprend d'espèces caducifoliées, c'est-à-dire des arbres dont toutes les feuilles tombent à la même période. Le fait de ne pas avoir de feuilles pendant la période de sécheresse permet en effet à l'arbre de réduire ses pertes d'eau par transpiration, importantes au niveau de la surface des feuilles. La hauteur moyenne et la densité des arbres, ainsi que le nombre d'étages de végétation diminuent. Les plantes épiphytes (poussant sur d'autres plantes), les palmiers et les fougères sont moins nombreux.

Les forêts tropicales occupent de nombreuses régions du globe. Elles couvrent une partie de l'Asie soumise aux moussons (en Inde, Birmanie, Thaïlande…) et le sud de l'Australie, et sont présentes en Amérique du Sud (en limite de la forêt équatoriale amazonienne) et en Afrique (Angola, Zambie, ex-Zaïre, Tanzanie…).

◆ **Un arbre de la forêt tropicale indienne, le grand teck** *(Tectona grandis)*. Les grands tecks poussent dans la forêt de mousson de l'Inde du Nord-Est ; ils perdent leurs feuilles pendant la saison sèche. Leur bois, couleur de miel, ne pourrit pas ; il était donc très recherché au XIXᵉ s. pour la construction des bateaux, et il est très lié à l'histoire de la marine à voiles. Il est utilisé de nos jours en marqueterie et en ébénisterie, essentiellement.

◆ **Un figuier étrangleur.** Les graines de certains figuiers tropicaux (espèces appartenant au genre *Ficus*) germent sur un arbre d'une autre espèce. Les racines, semblables à des lianes, qui sont issues de ces graines, descendent vers le sol pour s'enraciner. Elles peuvent enserrer le tronc de l'arbre qui les accueille et, en grossissant, finissent par étouffer leur arbre support.

◆ **Un arbre à contreforts de la forêt équatoriale.** De nombreux grands arbres de la forêt équatoriale présentent à leur base des contreforts épais qui leur permettent de mieux s'amarrer dans le sol et de résister aux tornades. Ces contreforts apparaissent comme des lames verticales partant du tronc et qui s'enfoncent dans le sol (il s'agit en fait de racines d'une forme particulière).

Petit lexique

jungle : forêt à rythme saisonnier de l'Inde tropicale ou, par extension, toute forêt dense située entre les tropiques.

ombrophile : qualifie une forêt ou un végétal poussant sous un climat constamment très pluvieux (en grec *ombros* signifie « pluie »).

sempervirent : qualifie un arbre ou une forêt qui, conservant des feuilles toute l'année, est toujours vert.

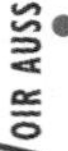

VOIR AUSSI
- **Milieux tropicaux** p. 54
- **Milieu équatorial** p. 55
- **Biomes** p. 82
- **Biodiversité** p. 86
- **Déforestation** p. 189

La savane

Principales caractéristiques

La savane se développe entre les zones arides (déserts, steppes), d'une part, et les forêts intertropicales, d'autre part, sous un climat tropical à longue saison sèche. Elle se trouve aussi dans des régions plus pluvieuses, soit parce que le sol est trop pauvre pour permettre le développement d'une forêt, soit parce qu'elle succède à une forêt défrichée. La savane occupe une grande surface en Afrique et en Amérique du Sud; on la trouve également dans l'ouest de l'Inde et en Australie.

Les arbres ne sont pas toujours absents de la savane, mais ils sont plus ou moins isolés les uns des autres, de sorte que l'on peut apercevoir sur le sol un tapis d'herbes persistant. Les herbes des savanes appartiennent surtout à la famille des graminées (famille à laquelle appartiennent aussi le blé, le maïs, les roseaux...). Elles possèdent des tiges souterraines (des rhizomes), à partir desquelles peuvent se développer de nouvelles tiges aériennes, tout près de la tige mère; cela leur permet de survivre aux feux, qui sont fréquents dans la savane, et se traduit par une croissance en touffes serrées. Les rhizomes forment dans la couche superficielle du sol un matelas si dense et si épais qu'il est impossible aux autres plantes d'y enfoncer leurs racines. Elles sont donc obligées de croître dans les espaces laissés vacants, et il se forme ainsi une mosaïque d'espèces se côtoyant en plaques mutuellement impénétrables. Les graminées atteignent facilement 3 m de haut, parfois 5 m (parmi les plus hautes figure l'herbe à éléphant). Elles constituent une pâture abondante pour les grands herbivores, et l'homme y trouve aussi des matériaux, par exemple l'herbe dont on couvre les paillotes.

◆ **Paysage de savane.**

Les arbres de la savane

Certaines savanes sont uniquement composées d'herbes, mais d'autres comprennent des buissons, des arbustes, ou des arbres en plus ou moins grande quantité (nombreux et plus ou moins regroupés, dans la savane dite « boisée », plus rares et isolés dans la savane dite « arborée »). Ces arbres appartiennent notamment à la famille des mimosacées (acacias, par exemple), à celle des palmiers (palmier doum, palmier rônier...), à celle des sapotacées (comme le karité), à celle des myrtacées (eucalyptus, dans les savanes australiennes) ou à celle des bombacacées (baobabs). Ils ne sont pas très hauts (généralement moins de 10 m) et ont souvent des troncs tortueux. Ils présentent diverses adaptations au feu (fréquent dans la savane) et à la sécheresse : écorce épaisse, chute des feuilles à la saison sèche pour réduire les pertes en eau par transpiration, accumulation d'eau dans les troncs, grand développement des racines (en profondeur ou horizontalement dans la couche superficielle du sol) de façon à absorber le maximum d'eau.

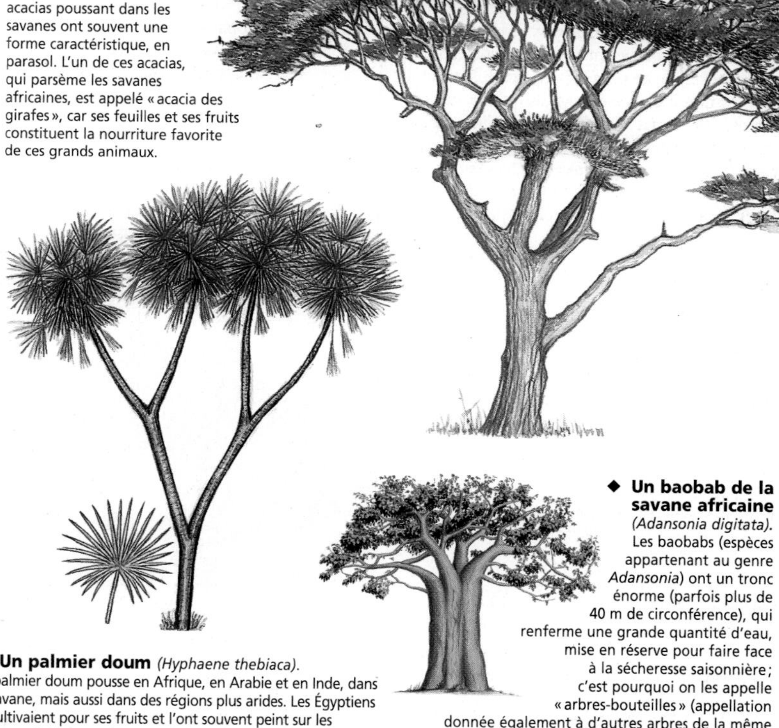

◆ **Un acacia.**
Le genre *Acacia*, qui compte plus de 1 000 espèces, est largement répandu dans les régions tropicales du monde entier. Les acacias poussant dans les savanes ont souvent une forme caractéristique, en parasol. L'un de ces acacias, qui parsème les savanes africaines, est appelé « acacia des girafes », car ses feuilles et ses fruits constituent la nourriture favorite de ces grands animaux.

◆ **Un palmier doum** *(Hyphaene thebiaca)*.
Le palmier doum pousse en Afrique, en Arabie et en Inde, dans la savane, mais aussi dans des régions plus arides. Les Égyptiens le cultivaient pour ses fruits et l'ont souvent peint sur les fresques de leurs tombeaux; c'était pour eux un arbre sacré.

◆ **Un baobab de la savane africaine** *(Adansonia digitata)*.
Les baobabs (espèces appartenant au genre *Adansonia*) ont un tronc énorme (parfois plus de 40 m de circonférence), qui renferme une grande quantité d'eau, mise en réserve pour faire face à la sécheresse saisonnière; c'est pourquoi on les appelle « arbres-bouteilles » (appellation donnée également à d'autres arbres de la même famille ou de familles proches).

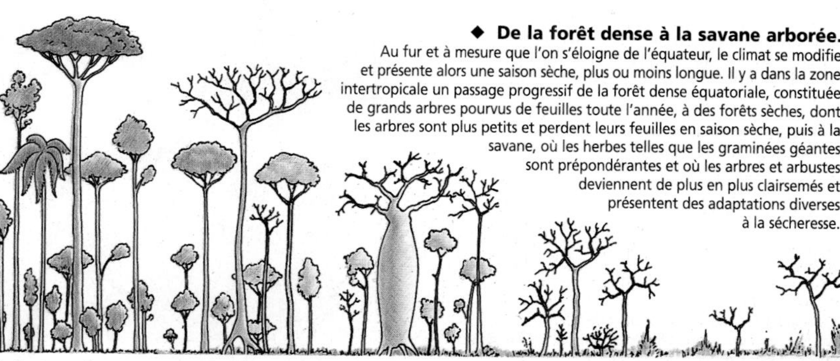

◆ **De la forêt dense à la savane arborée.**
Au fur et à mesure que l'on s'éloigne de l'équateur, le climat se modifie et présente alors une saison sèche, plus ou moins longue. Il y a dans la zone intertropicale un passage progressif de la forêt dense équatoriale, constituée de grands arbres pourvus de feuilles toute l'année, à des forêts sèches, dont les arbres sont plus petits et perdent leurs feuilles en saison sèche, puis à la savane, où les herbes telles que les graminées géantes sont prépondérantes et où les arbres et arbustes deviennent de plus en plus clairsemés et présentent des adaptations diverses à la sécheresse.

VOIR AUSSI
- **Milieux tropicaux** p. 54
- **Biomes** p. 82

Les plantes méditerranéennes

Principales caractéristiques

Le climat méditerranéen est un climat tempéré caractérisé par une température moyenne annuelle assez élevée et par une période de sécheresse estivale qui peut durer plusieurs mois. Il règne non seulement autour de la Méditerranée, mais aussi en plusieurs autres régions du globe, sur la façade ouest des continents : Afrique du Sud, sud-ouest de l'Australie, Californie et nord du Chili.

La végétation est parfaitement adaptée à l'existence d'un été sec ; elle est xérophile (des mots grecs *xêros*, «sec», et *philos*, «qui aime»). De nombreuses espèces ont des feuilles persistantes : elles vivent plus d'un an et, ne tombant pas toutes en même temps, ne laissent jamais le végétal dépouillé. Ces feuilles sont souvent coriaces et dures (on qualifie les plantes qui les portent de «sclérophylles»), et présentent diverses adaptations pour réduire en été les pertes d'eau par transpiration (importantes au niveau de la surface des feuilles). Elles sont souvent petites, ce qui limite la surface d'échange entre l'air et la feuille. Elles peuvent être recouvertes d'une épaisse couche imperméable (laurier-sauce, chêne vert…) ou de poils (olivier, ciste…), qui limitent les flux d'air desséchants au niveau des stomates (pores situés à la surface des feuilles, par lesquels sort la vapeur d'eau). Les stomates peuvent également être protégés grâce à l'enroulement des feuilles (thym, lavande…) sur elles-mêmes ou parce qu'ils sont enfoncés assez profondément dans la feuille (laurier-rose).

Le pourtour méditerranéen

La forêt. Elle est composée en majorité de plantes à feuilles coriaces et persistantes, qui lui confèrent une couleur verte en toute saison. Les deux principaux arbres de cette forêt sont le chêne vert et le chêne-liège. Ils sont parfois mêlés à diverses espèces de pins et font progressivement place aux conifères (pins, sapins ou cèdres) dans certaines régions montagneuses. Le sous-bois est composé, selon les régions et le type de sol, de divers arbustes et arbrisseaux tels que la viorne-tin, ou laurier-tin, le nerprun-alaterne, des bruyères (dont certaines, comme la bruyère arborescente, peuvent atteindre 3 m de haut), des arbousiers, etc.

Maquis et garrigue. La forêt sclérophylle typique n'existe plus guère sur le pourtour de la Méditerranée, car elle a été fréquemment brûlée, défrichée et dévastée par les moutons. Elle est donc souvent remplacée par diverses formations végétales dites «dégradées», regroupées sous le terme de « matorral », dans lesquelles dominent des arbustes et des buissons. En France, on distingue deux principaux types de matorral, portant le nom de «maquis» et celui de «garrigue»; d'autres termes désignent des formations équivalentes dans d'autres pays. Le maquis est un matorral très dense, impénétrable, pouvant atteindre de 3 à 4 m de haut, qui se développe surtout sur des sols siliceux. Il est composé de chênes kermès ou de petits chênes verts, ainsi que des arbustes et buissons présents dans les sous-bois de la forêt sclérophylle (arbousier, pistachier, genévrier, ciste, bruyère…).

La garrigue apparaît plutôt sur les terrains calcaires; c'est un matorral plus bas que le maquis, et ne couvrant parfois pas complètement le sol. Elle est constituée en grande partie de chênes kermès et contient aussi d'autres espèces du maquis, ainsi que de nombreuses plantes aromatiques ligneuses de plus petite taille (thym, romarin, lavande…).

Les adaptations au feu

Les feux, fréquents en région méditerranéenne, sont favorisés par la sécheresse, par les vents, par la présence de broussailles basses et par le caractère inflammable de nombreux végétaux (inflammabilité liée à la production par les plantes d'essences aromatiques volatiles et à la faible teneur en eau de ces plantes, ligneuses pour la plupart).
Mais les végétaux méditerranéens sont, pour la plupart, bien adaptés à survivre au feu. La végétation peut se réinstaller en quelques années, sans intervention humaine, à condition que les feux ne soient pas trop fréquents. Le tronc et les grosses branches des chênes-lièges, bien protégés par leur écorce épaisse, parviennent parfois à ne pas brûler; de nouveaux rameaux feuillés réapparaissent à partir de bourgeons situés sous l'écorce, et, en une dizaine d'années, la zone brûlée a de nouveau l'aspect d'une forêt. Chez différents arbres et arbustes, des rejets (nouvelles tiges) peuvent naître à partir de la souche ou de tiges souterraines, qui étaient à l'abri du feu dans le sol.

◆ **Quelques arbustes et arbrisseaux du pourtour de la Méditerranée.**
Ils poussent dans le sous-bois de la forêt sclérophylle, dans le maquis ou la garrigue.

1 - Chêne kermès *(Quercus coccifera)*.
Il ne dépasse généralement pas 2 m de haut et forme des buissons impénétrables dans la garrigue (c'est du nom provençal de ce chêne, *gariga*, qu'est dérivé le nom «garrigue»). Ses feuilles ressemblent à celles du houx, en plus petit.

2 - Myrte commun *(Myrtus communis)*.
Il appartient à la même famille que les eucalyptus et que le giroflier produisant les clous de girofle (dont il a d'ailleurs un peu l'odeur).

3 - Genévrier oxycèdre ou **cade** *(Juniperus oxycedrus)*, rameau et baies. Il appartient au groupe des conifères, bien que ses petits cônes, constitués d'écailles charnues rouge-brun, ne soient pas très typiques de ce groupe.

4 - Pistachier térébinthe *(Pistacia terebinthus)*, rameau avec fruits. Deux pistachiers poussent naturellement dans la région méditerranéenne européenne, le térébinthe, qui perd ses feuilles en hiver, et le pistachier lentisque, qui est vert toute l'année.

5 - Romarin officinal *(Rosmarinus officina)*.
Cette espèce typique de la garrigue est utilisée comme plante médicinale et comme aromate.

6 - Ciste de Montpellier *(Cistus monspeliensis)*.
Il peut coloniser de grandes étendues et constituer alors une cistaie, formation végétale très sensible au feu. Plusieurs autres espèces de cistes poussent également dans la région méditerranéenne.

7 - Arbousier unédo *(Arbutus unedo)*.
Ses feuilles, épaisses et brillantes, sont vertes en toute saison. Il produit des fruits ronds, rouge vif, qui lui valent le nom d'«arbre à fraises».

Les autres régions

En Afrique du Sud, près du Cap, se trouve une des flores les plus diversifiées du monde. La végétation est une sorte de maquis, qui a reçu le nom de « fynbos », car elle est constituée en majorité d'arbustes à petites feuilles (en anglais *fine*, « petit » ; *bush*, « buisson »). Elle comprend un grand nombre d'espèces appartenant à la famille des protéacées, qui se développent en grands buissons pouvant atteindre près de 6 m de haut, ou à la famille des éricacées (représentées en Europe par les bruyères).

Les forêts méditerranéennes d'Australie sont constituées de divers eucalyptus ; on retrouve en sous-bois des espèces de la famille des protéacées et des éricacées, comme en Afrique du Sud. Lorsque la forêt a disparu du fait des activités humaines se développe le « mallee », une formation végétale arbustive abritant des eucalyptus nains et des acacias épineux. Quand ces derniers sont prédominants, ce maquis prend le nom de « mulga ».

Dans la forêt méditerranéenne de Californie poussent notamment diverses espèces de chênes, les unes perdant leurs feuilles à l'automne, les autres conservant des feuilles toute l'année ; il s'y mêle parfois des pins. Le chaparral est une formation végétale plus basse (environ 3 m de haut) qui est plutôt localisée sur les versants secs des montagnes ou qui succède à la forêt dégradée par l'homme. Il comprend notamment des chênes nains et de nombreuses espèces de céanothes (plantées en Europe comme arbustes ornementaux).

Dans le nord du Chili, on trouve un groupement végétal dense analogue au maquis. Les arbustes les plus répandus sont les boldos, au-dessus desquels se dressent quelques grands arbres, comme le quillaja, ou bois de Panamá. Dans certaines zones plus arides, la végétation est plus basse et comprend des épineux (parmi lesquels des acacias) et des végétaux succulents (c'est-à-dire gorgés d'eau), comme le grand cactus cierge, car ils sont mieux adaptés encore à la sécheresse estivale.

◆ Un eucalyptus d'Australie (espèce du genre *Eucalyptus*). Les eucalyptus sont les arbres typiques de l'Australie, qui en compte plusieurs centaines d'espèces; on les trouve dans tous les milieux, y compris dans la zone à climat méditerranéen (notamment l'espèce *Eucalyptus marginata*, appelée « jarrah »). Leurs feuilles, persistantes et coriaces, pendent de telle sorte qu'elles sont moins exposées aux rayons du soleil (ce qui leur permet de limiter les pertes d'eau par transpiration).

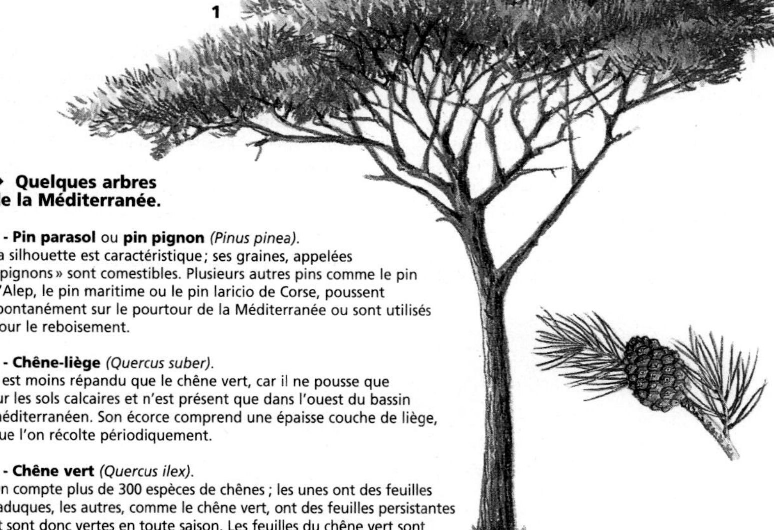

◆ Quelques arbres de la Méditerranée.

1 - Pin parasol ou **pin pignon** *(Pinus pinea)*.
Sa silhouette est caractéristique ; ses graines, appelées « pignons » sont comestibles. Plusieurs autres pins comme le pin d'Alep, le pin maritime ou le pin laricio de Corse, poussent spontanément sur le pourtour de la Méditerranée ou sont utilisés pour le reboisement.

2 - Chêne-liège *(Quercus suber)*.
Il est moins répandu que le chêne vert, car il ne pousse que sur les sols calcaires et n'est présent que dans l'ouest du bassin méditerranéen. Son écorce comprend une épaisse couche de liège, que l'on récolte périodiquement.

3 - Chêne vert *(Quercus ilex)*.
On compte plus de 300 espèces de chênes ; les unes ont des feuilles caduques, les autres, comme le chêne vert, ont des feuilles persistantes et sont donc vertes en toute saison. Les feuilles du chêne vert sont de forme assez variable, parfois épineuses comme celles du houx.

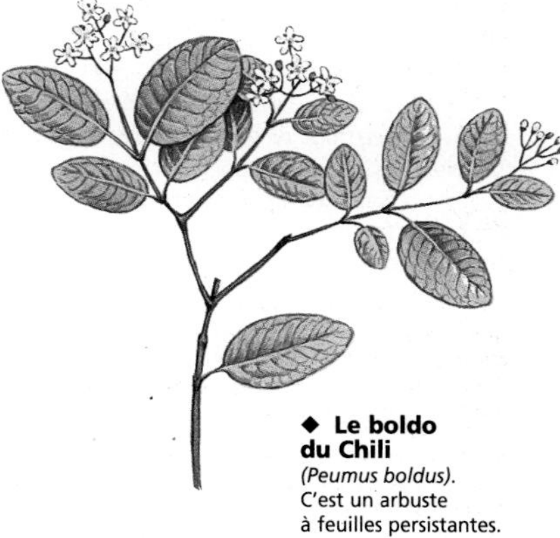

◆ Le boldo du Chili *(Peumus boldus)*. C'est un arbuste à feuilles persistantes.

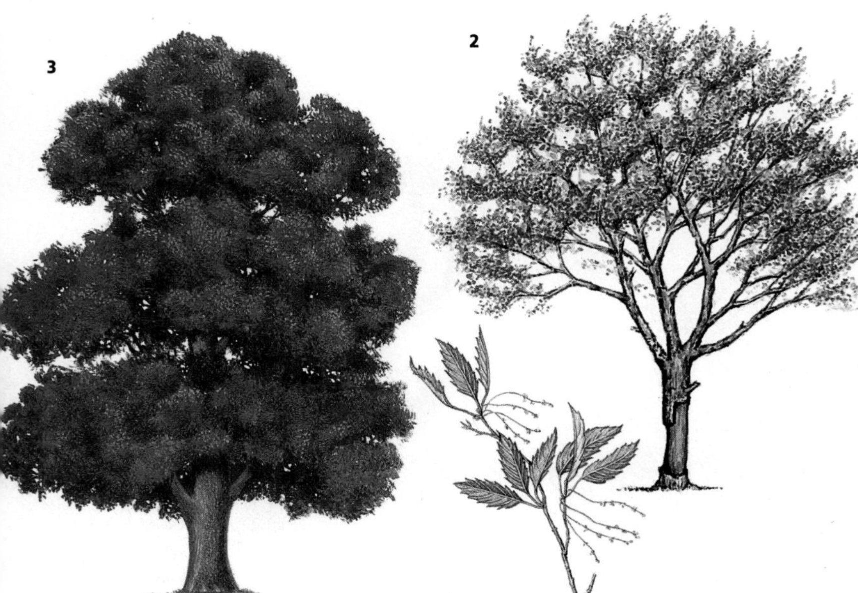

◆ Une plante de la famille des protéacées, d'Afrique du Sud.

VOIR AUSSI 

- **Milieux tempérés** p. 52
- **Biomes** p. 82
- **Feuille** p. 154
- **Nutrition des végétaux** p. 160

Les plantes des zones arides

Adaptations à la sécheresse

Les zones arides sont caractérisées par la faiblesse et l'irrégularité des pluies (dans certaines régions, il ne pleut pas pendant plusieurs années). Les zones hyperarides, les plus sèches, sont souvent dépourvues de toute végétation (c'est le désert, au sens premier du terme) et, dans l'ensemble, la flore des milieux arides est pauvre, car assez peu d'espèces végétales sont capables de survivre dans ces conditions extrêmes. Certains végétaux présentent toutefois des adaptations morphologiques ou physiologiques qui leur permettent de résister à une importante sécheresse ou leur évitent de se déshydrater.

Des cycles de vie très courts. Ainsi, certaines plantes annuelles (vivant moins d'un an) passent la plupart du temps sous la forme de graines (qui n'ont aucune activité métabolique et ne craignent pas la sécheresse); ces dernières germent, à la faveur de courtes pluies, et le cycle de végétation (de la germination d'une graine à la production de nouvelles graines) est accompli très rapidement (en une dizaine de jours pour certaines graminées). Ces plantes sont appelées des « éphémérophytes ».

Des racines très longues. Nombreuses sont les plantes des zones arides qui évitent la déshydratation grâce à des racines très longues, qui vont chercher l'eau où elle se trouve. Le développement des racines est souvent beaucoup plus rapide et plus important que celui des parties aériennes (de jeunes plantes de quelques centimètres de haut ont déjà des racines de 1 ou 2 m de long). Certaines espèces, comme le mesquite (arbre des déserts américains), enfoncent leurs racines jusqu'à la nappe phréatique, à 20 ou 30 m de profondeur. Les racines des cactées exploitent plutôt la couche superficielle du sol (pour profiter de la moindre petite averse humectant les premiers centimètres de sol seulement).

Des réserves d'eau. Les plantes peuvent aussi éviter la déshydratation en constituant des réserves d'eau dans des tissus spéciaux, les parenchymes aquifères. Ces tissus se trouvent dans les organes souterrains (racines, tubercules, rhizomes) de la plante, parmi le bois dans le tronc de certains arbres, appelés « arbres-bouteilles » (comme les baobabs), dans les tiges non ligneuses (cas des cactées et de certaines plantes de la famille des euphorbiacées, notamment) ou dans les feuilles (cas des agaves, des aloès ou des plantes-cailloux de la famille des aizoacées, par exemple).

La zone aride de Madagascar

Un des paysages d'épineux les plus curieux du monde est celui de l'extrême sud-ouest de Madagascar. On y observe notamment une famille de plantes qui n'existent que dans cette minuscule région, les didieréacées. Elles comprennent 11 espèces réparties en 4 genres (*Didierea*, *Alluaudia*, *Alluaudiopsis* et *Decarya*). Ce sont des arbres ou des arbustes à branches renflées et cylindriques dont la surface est couverte de petites feuilles et d'épines acérées. L'intérieur des tiges est constitué d'un tissu aquifère capable de stocker une grande quantité d'eau pour les longues périodes de sécheresse. Les individus du genre *Alluaudia* peuvent atteindre 10 à 15 m de haut. L'espèce *Didierea madagascariensis* porte au sommet d'un tronc court un bouquet de branches dressées, qui lui vaut le surnom d'« arbre-pieuvre ». La flore de cette région comprend aussi d'autres épineux (des acacias, notamment) et le baobab de l'espèce *Adansonia fony*, qui fait partie des arbres-bouteilles (dont le tronc contient d'importantes réserves d'eau). Les plantes grasses sont également bien représentées, notamment par des espèces de la famille des iridacées (aloès), des crassulacées (kalanchoe) et des euphorbiacées (euphorbes).

Les sols salés

Les sols de certaines zones en cuvettes des régions arides connaissent, du fait de la sécheresse, des remontées de sel, peu propices à la croissance des végétaux, exception faite de quelques plantes, qualifiées d'« halophiles ». En dehors de ces zones, de telles plantes poussent aussi le long des côtes, sous divers climats. Certaines des adaptations morphologiques et physiologiques permettant aux plantes halophiles de supporter de fortes concentrations de sel sont les mêmes que celles qui permettent aux xérophytes de supporter la sécheresse (grand développement des racines, feuilles de petite taille à revêtement épais, feuilles charnues accumulant des réserves d'eau...). La famille des chénopodiacées (famille de l'épinard et de la betterave) est la plus représentée dans les milieux salés du monde entier, notamment dans les régions arides salées. Elle comprend par exemple les espèces des genres *Salsola* et *Kochia*, les soudes, les salicornes, ainsi que les arroches. L'arroche halime est un arbrisseau à feuilles argentées qui pousse notamment dans certaines zones salées arides au nord du Sahara (où elle est connue sous le nom de « guetaf ») et sur le littoral méditerranéen; on la plante dans d'autres régions côtières européennes pour former des haies.

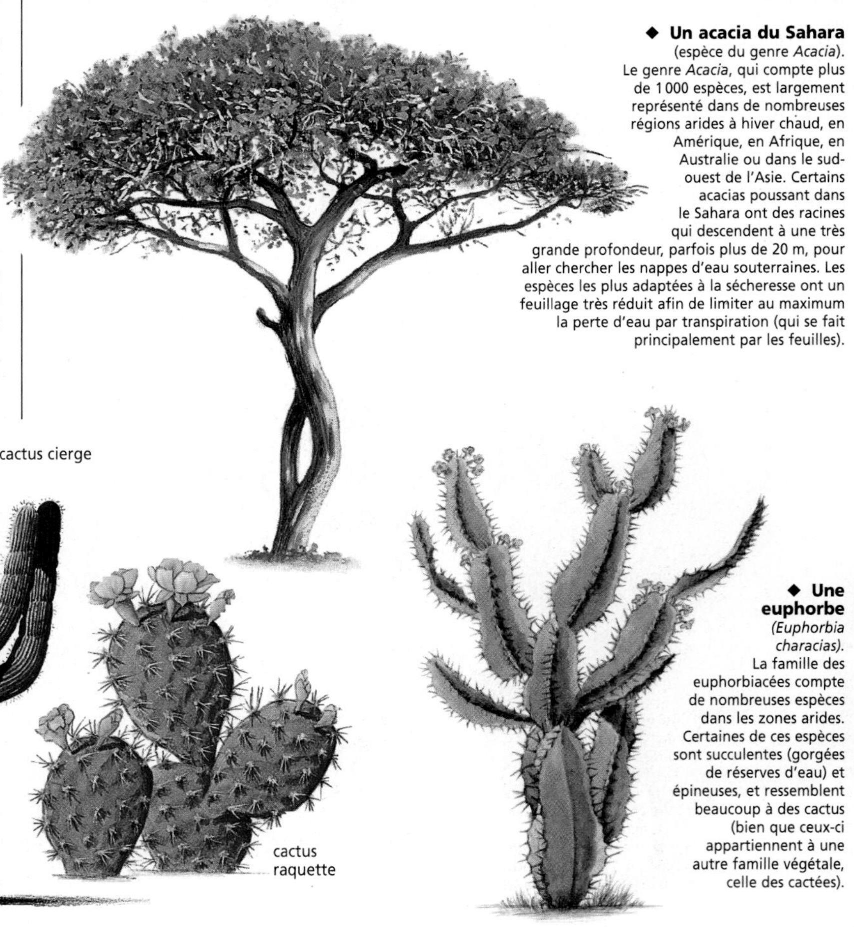

◆ **Un acacia du Sahara** (espèce du genre *Acacia*). Le genre *Acacia*, qui compte plus de 1 000 espèces, est largement représenté dans de nombreuses régions arides à hiver chaud, en Amérique, en Afrique, en Australie ou dans le sud-ouest de l'Asie. Certains acacias poussant dans le Sahara ont des racines qui descendent à une très grande profondeur, parfois plus de 20 m, pour aller chercher les nappes d'eau souterraines. Les espèces les plus adaptées à la sécheresse ont un feuillage très réduit afin de limiter au maximum la perte d'eau par transpiration (qui se fait principalement par les feuilles).

◆ **Cactus cierge et cactus raquette.** Tous les cactus, plantes de la famille des cactées, sont originaires d'Amérique. Ce sont, par exemple, les fameux cactus cierges (espèces du genre *Cereus*), appelés aussi « candélabres », les échinocactus (du genre *Echinocactus*) et des opuntias, appelés aussi « cactus raquettes » (espèces du genre *Opuntia*). Ce sont des plantes bien adaptées à la sécheresse, car leurs tiges accumulent des réserves d'eau (plusieurs tonnes dans un grand cactus); leurs feuilles sont réduites à des épines.

◆ **Une euphorbe** (*Euphorbia characias*). La famille des euphorbiacées compte de nombreuses espèces dans les zones arides. Certaines de ces espèces sont succulentes (gorgées de réserves d'eau) et épineuses, et ressemblent beaucoup à des cactus (bien que ceux-ci appartiennent à une autre famille végétale, celle des cactées).

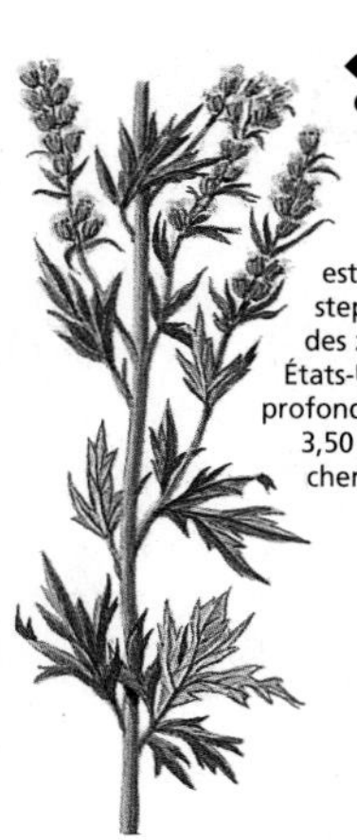

◆ Une armoise de la steppe nord-américaine *(Artemisia tridentata).* Cette espèce, qui atteint 1 m de haut (parfois 2), est la plante dominante d'une steppe qui occupe une partie des zones arides de l'ouest des États-Unis. Ses racines s'enfoncent profondément dans le sol (jusqu'à 3,50 m de profondeur) pour aller chercher l'eau.

◆ Le pachypode de Geay, un arbre de la zone aride de Madagascar *(Pachypodium geayi).* La famille des apocynacées (famille des pervenches et du laurier-rose) comprend l'étonnant pachypode de Geay, que l'on pourrait facilement confondre avec un palmier au tronc couvert d'épines.

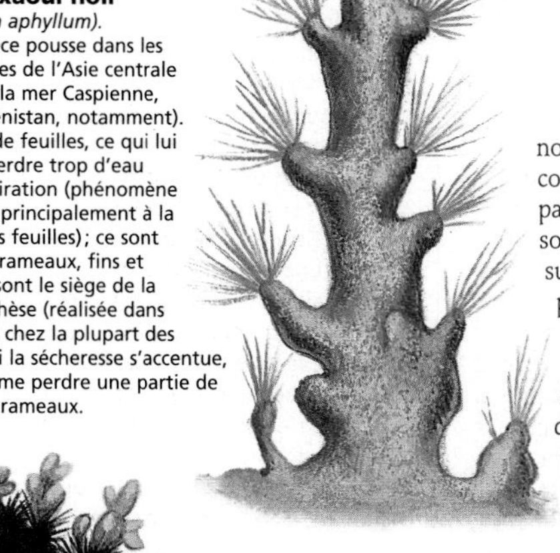

◆ Le saxaoul noir *(Haloxylon aphyllum).* Cette espèce pousse dans les zones arides de l'Asie centrale (à l'est de la mer Caspienne, au Turkménistan, notamment). Il n'a pas de feuilles, ce qui lui évite de perdre trop d'eau par transpiration (phénomène ayant lieu principalement à la surface des feuilles); ce sont les jeunes rameaux, fins et verts, qui sont le siège de la photosynthèse (réalisée dans les feuilles chez la plupart des plantes). Si la sécheresse s'accentue, il peut même perdre une partie de ses jeunes rameaux.

◆ Le yucca à feuilles courtes, ou **arbre de Josué** *(Yucca brevifolia).* Cet arbre, qui peut atteindre 10 m de haut, pousse notamment dans les zones arides du sud-ouest des États-Unis et du Moyen-Orient. Ses feuilles persistantes sont hérissées de piquants. Il appartient à la famille des agavacées, qui compte diverses espèces adaptées aux zones arides.

◆ Le drinn des Touareg *(Stipagrostis pungens = Aristida pungens).* Cette herbe de la famille des graminées forme des touffes éparses dans les sables du Sahara. Ses longues feuilles sont repliées en gouttière, afin de protéger les stomates (pores, situés à la surface de la feuille, par lesquels sort l'eau) de l'air desséchant et de réduire ainsi les pertes d'eau par transpiration. Ses racines, très longues, vont puiser l'eau en profondeur; elles sécrètent un mucus qui, mélangé aux grains de sable, forme autour d'elles un manchon qui les protège de l'action abrasive des grains de sable.

Limiter les pertes en eau. Un grand nombre d'adaptations à la sécheresse concernent la réduction des pertes d'eau par transpiration. L'eau sort de la plante sous forme de vapeur d'eau, par toute la surface de la feuille, mais surtout par des pores (appelés « stomates ») situés à la surface des feuilles (surtout sur la face supérieure). Plus l'air en contact avec la feuille est chaud et sec, plus l'eau a tendance à sortir de la feuille, ce qui est préjudiciable en période de sécheresse. La réduction de la transpiration passe par différentes adaptations. Les feuilles peuvent être recouvertes d'une épaisse couche imperméable, qui empêche l'eau de sortir. La réduction de la transpiration peut être liée à la réduction de la surface de feuille en contact avec l'air ; c'est pourquoi de nombreuses plantes des zones arides ont de petites feuilles (parfois réduites à de minuscules écailles); certaines espèces (comme le saxaoul noir) sont même totalement dépourvues de feuilles. Pour limiter la transpiration, les plantes peuvent perdre leurs feuilles lorsque la sécheresse arrive. Les stomates peuvent être protégés de l'air desséchant en étant placés au fond d'une sorte de puits ou grâce à l'enroulement de la feuille sur elle-même. Les stomates peuvent aussi se fermer périodiquement pour limiter les pertes d'eau. Dans ce cas, la plante doit se mettre en état de vie ralentie, car elle ne dispose plus de gaz carbonique pour réaliser la photosynthèse et fabriquer les nouvelles substances dont elle a besoin.

Des paysages variés

Les diverses zones arides ont des climats assez variés : en fonction de leur latitude, de leur éloignement de la mer, de la proximité de montagnes, notamment, la sécheresse est plus ou moins prolongée et forte, et l'hiver peut être chaud ou, au contraire, froid. La diversité des climats et des sols et l'influence de l'homme se traduisent par une grande diversité de paysages.

Steppes, fourrés ou forêts. Le paysage est notamment conditionné par la hauteur et la densité de la végétation. Dans certaines régions parviennent à pousser des arbres d'une dizaine de mètres, qui, s'ils sont suffisamment serrés, peuvent former une forêt. À l'opposé, dans d'autres régions, la végétation, qui porte le nom de steppe herbacée, n'est constituée que de plantes herbacées (dont les tiges sont relativement fines et ne contiennent pas de tissus ligneux tels que le bois). Dans la steppe à alfa des plateaux de l'Afrique du Nord, par exemple, pousse l'alfa, une graminée qui couvre relativement bien le sol, pendant toute l'année. D'autres steppes sont plus clairsemées. De la steppe herbacée à la forêt, on observe tous les intermédiaires possibles (steppes constituées en majorité de plantes herbacées, mais contenant quelques arbres et arbustes, fourrés plus ou moins denses formés d'arbustes et de buissons…).

Les forêts et les steppes à épineux. Sur les marges de nombreux déserts se développent des formations végétales très particulières, constituées de diverses plantes épineuses.

En Afrique, les formations à épineux occupent par exemple le Sahel, c'est-à-dire une large bande allant de la Mauritanie à l'Éthiopie, entre le désert du Sahara, au nord, et la zone de savane, au sud. Elles sont notamment composées d'acacias ou de balanites. Dans les zones les moins sèches et les plus fertiles se constitue une forêt; ailleurs, la végétation, moins haute, prend la forme d'une steppe à épineux, mêlant arbustes ou buissons épineux et touffes d'herbes. Dans l'est du Brésil, mais aussi au Venezuela et en Argentine, la végétation (portant au Brésil le nom de « caatinga ») présente un caractère épineux. Elle prend différentes formes (forêt, fourré ou steppe parsemée de buissons) et se compose, en plus des arbres ou buissons épineux, de cactées (cactus raquettes, cactus cierges, par exemple).

◆ Un agave (espèce du genre *Agava*). Les agaves peuvent constituer des réserves d'eau dans leurs feuilles (chez d'autres plantes grasses, comme les cactus, ce sont les tiges qui se gorgent d'eau). Certains fournissent des fibres – comme le sisal, au Mexique – utilisées pour faire des cordages, des nattes, des sacs, etc.; la sève et le fruit peuvent aussi servir d'ingrédients de base pour la fabrication de boissons alcoolisées (tequila, notamment).

Petit lexique

éphémérophyte : plante accomplissant son cycle de développement (de la germination d'une graine à la production de nouvelles graines) en un temps très court.

plante grasse ou **plante succulente :** plante possédant des organes charnus gorgés d'eau.

xérophyte : plante xérophile, c'est-à-dire adaptée à la sécheresse.

VOIR AUSSI
- **Déserts** p. 53
- **Biomes** p. 82
- **Feuille, tige et racine** p. 154 à 157
- **Nutrition des végétaux** p. 160

Les prairies

Principales caractéristiques

La prairie est dépourvue d'arbres, d'arbustes et de buissons ; elle est donc composée uniquement de plantes herbacées (dont la tige est assez fine et ne contient pas de tissus ligneux tels que le bois). Les feuilles des plantes de la prairie jaunissent généralement à l'automne et meurent ; cependant, dans certaines régions bien arrosées et à hiver assez doux, la prairie reste verte en toute saison. De nombreuses plantes de la prairie sont vivaces, c'est-à-dire qu'elles vivent plus de deux ans. Elles possèdent en effet des organes souterrains (rhizomes, bulbes, tubercules), qui contiennent des réserves et leur permettent de survivre dans le sol à la mauvaise saison (alors que la partie aérienne de la plante est morte) et de former de nouvelles tiges lorsque les conditions redeviennent favorables. Les herbes de la prairie peuvent atteindre 2 m de haut, dans les régions bien arrosées ; une prairie à herbes très courtes est désignée sous le nom de « pelouse » (fréquente sur les terrains calcaires, notamment).

Dans les régions tempérées. C'est dans l'hémisphère Nord, sous un climat tempéré continental, que se trouvent les plus grandes surfaces de prairies naturelles. En Amérique du Nord, elles occupent les vastes plaines du centre des États-Unis et débordent un peu sur le sud du Canada. En Asie, elles s'étendent d'ouest en est en une longue bande, de l'Ukraine jusqu'en Sibérie. Dans l'hémisphère Sud, des prairies se trouvent en Nouvelle-Zélande, en Afrique du Sud et en Amérique du Sud (la pampa argentine, par exemple).

Pour éviter toute confusion, il est préférable d'utiliser le terme « prairie » plutôt que celui de « steppe » (qui désigne les prairies asiatiques, mais aussi d'autres types de formations végétales des zones très sèches).

Une majorité de graminées. Les prairies comportent une grande variété d'espèces végétales, couvrant entièrement le sol, mais souvent une dizaine d'espèces seulement accaparent les 90 % de la surface. Ce sont en majorité des plantes de la famille des graminées, dont les fleurs, peu colorées, n'attirent pas le regard. Un petit nombre de genres de graminées se retrouvent dans la plupart des prairies du monde ; ce sont notamment les fétuques (genre *Festuca*), les pâturins *(Poa)*, les genres *Stipa* et *Andropogon.* D'autres plantes, plus ou moins nombreuses selon les régions, accompagnent les graminées, et leurs fleurs apportent un peu de couleur dans les prairies au printemps. Elles appartiennent à diverses familles : celles des légumineuses (trèfle, luzerne...), des composées (marguerite, aster), des renonculacées (bouton d'or, renoncule), des iridacées (iris), des liliacées (tulipe, jacinthe), etc.

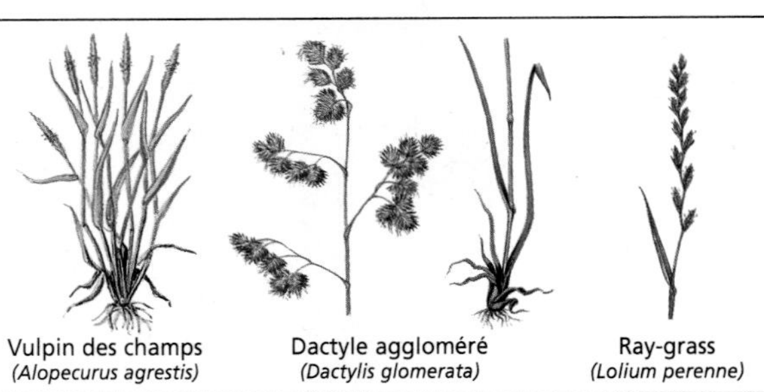

◆ **Bouton d'or**
(Ranunculus acris).

◆ **Graminées des prairies européennes.**
Les plantes de la famille des graminées, à longues feuilles étroites, constituent souvent la majorité des espèces de la prairie naturelle, dans le monde entier. Certaines (le ray-grass, notamment) sont également semées pour constituer des gazons ou des prairies artificielles servant à l'alimentation du bétail.

Les prairies américaines

La partie est de la région des prairies est la plus pluvieuse. Elle est occupée par de hautes herbes (facilement 1,50 m de haut, mais certaines espèces peuvent s'élever jusqu'à plus de 3 m). Il s'agit essentiellement de graminées, comme la grande herbe bleue (« big blue stem » en anglais) et l'herbe indienne (« indian grass »). Une prairie à herbes courtes occupe les espaces plus secs situés à l'ouest. La proportion de graminées est légèrement plus faible, et l'on trouve plus d'espèces à bulbes et à rhizomes, mieux adaptées à la sécheresse. Les principales graminées sont l'herbe à bison et celle que les cow-boys appellent le *Blue Grass,* qui forment des tapis ne dépassant jamais 40 cm de haut.

Les graminées des prairies américaines tissent à l'intérieur du sol un réseau racinaire très dense, jusqu'à près de 2 m de profondeur ; ce réseau ne peut souvent être percé que par des plantes à racines pivotantes appartenant à la famille des composées ou à celle des légumineuses, qui vont chercher l'eau encore plus en profondeur et évitent ainsi la compétition avec les graminées.

L'influence de l'homme

De nombreuses prairies, notamment dans l'Europe à climat océanique (où la végétation naturelle est plutôt la forêt), doivent leur existence à l'homme, qui a défriché les forêts, il y a bien longtemps, pour faire place à des zones d'élevage. Leur flore actuelle est fortement influencée par des siècles d'exploitation humaine (fauche, mise en pâturage, apport éventuel d'engrais, drainage des prairies humides). On les qualifie pourtant de prairies naturelles, parce que leur création remonte très loin dans le temps et parce qu'elles s'opposent aux prairies artificielles, entièrement créées par l'homme. Ces dernières sont issues du semis d'un nombre réduit d'espèces, voire d'une seule espèce, et sont généralement temporaires (après quelques années, la surface est labourée et occupée par une autre culture).

Mais l'homme est également à l'origine de la disparition d'une grande partie des prairies mondiales, car les terres extrêmement riches sur lesquelles elles poussaient étaient aussi très favorables à des cultures. Les prairies américaines aux longues herbes et les prairies de l'Ukraine sont ainsi devenues des terres à maïs ou à blé.

En trente ans environ (de 1970 à 1998), près de 25 % des surfaces occupées en France par des prairies ont disparu pour diverses raisons (urbanisation, déclin de l'élevage traditionnel...). La disparition des prairies s'accompagne souvent de la raréfaction de certaines espèces végétales et animales qui dépendent étroitement de ce genre de milieu.

◆ **Herbe de la pampa,** ou **gynérium**
(espèce du genre *Gynerium*).
Les Argentins appellent leur prairie la pampa ; elle recouvre les régions jouxtant les abords du Río de la Plata. C'est de la pampa que provient l'herbe du même nom, une graminée de grande taille, dont l'inflorescence (groupe de fleurs), en forme de plumeau blanc très décoratif, peut mesurer près de 2 m.

◆ **Trèfle blanc**
(Trifolium repens).
Les légumineuses (diverses espèces de trèfles, luzernes, vesces, gesses, mélilots...) sont assez fréquentes dans les prairies naturelles et dans les prairies semées par l'homme (elles sont utiles comme fourrages pour les animaux, car riches en azote).

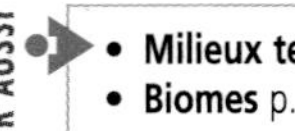
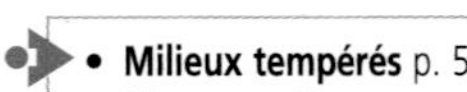
VOIR AUSSI
• **Milieux tempérés** p. 52
• **Biomes** p. 82

Petit lexique

graminée : plante du groupe des monocotylédones dont les feuilles, généralement linéaires, présentent à leur base une gaine qui enveloppe longuement la tige cylindrique et dont les fleurs, petites et peu colorées, sont réunies en épillets, eux-mêmes groupés en épis, panicules...

pelouse : surface cultivée couverte de plantes herbacées que l'on maintient à une faible hauteur, mais aussi prairie naturelle composée de plantes basses.

steppe : prairie d'Asie, mais aussi formation végétale composée (au moins en partie) de plantes herbacées et occupant des zones arides.

Les plantes des montagnes

Adaptations au climat montagnard

Les plantes poussant en haute montagne sont généralement très basses, ce qui leur permet d'offrir moins de prise au vent et de profiter éventuellement de conditions moins rigoureuses, à l'abri d'une pierre ou dans un creux. Les plantes d'une même espèce sont souvent serrées les unes contre les autres, constituant des coussinets ; d'autres espèces (comme les androsaces, dans les Alpes) se développent en boule ; chez d'autres plantes encore, les feuilles sont appliquées les unes contre les autres – formant une rosette au ras du sol – ou rabattues le long de la tige (cas des lobélies géantes d'Afrique). Toutes ces dispositions contribuent à créer à proximité des organes aériens du végétal un microclimat plus chaud (parfois 10 °C de plus que dans l'air ambiant) et à les protéger le plus possible du vent.

Celui-ci a un effet mécanique sur les plantes (arbres et arbustes de montagne sont souvent tordus), mais aussi un effet desséchant, car il augmente les pertes d'eau par transpiration à la surface des feuilles. Cela est d'autant plus grave pour les plantes qu'elles manquent parfois d'eau (le sol étant gelé, l'eau n'est plus disponible sous forme liquide). Pour limiter les pertes d'eau par transpiration, les plantes de montagne présentent donc souvent les mêmes adaptations que certaines plantes poussant en milieu aride : feuilles petites, recouvertes d'une épaisse couche imperméable, ou poilues.

La période d'enneigement est longue en haute montagne, ce qui ne laisse que peu de temps à la plante pour se développer ; c'est pourquoi de nombreuses plantes de montagne sont vivaces (elles vivent plusieurs années). Pendant l'hiver, elles subsistent en état de vie ralentie sous la forme d'organes souterrains (bulbes, tubercules, rhizomes) ; à partir des réserves nutritives contenues dans ces organes, elles forment rapidement de nouvelles tiges, dès que les conditions sont favorables.

L'étagement de la végétation

Plus l'altitude augmente, plus la température moyenne diminue, plus la période d'enneigement est longue, plus les vents sont forts ; il n'est donc pas étonnant que la végétation des montagnes se caractérise par la succession, du bas vers le sommet, d'espèces aux exigences écologiques différentes.

Une montagne tempérée : les Alpes. On distingue 4 étages de végétation (dont les limites et la composition peuvent varier selon l'exposition du versant au soleil). L'étage collinéen (jusqu'à 500 m d'altitude) est occupé par des cultures ou des forêts de feuillus, tels que des chênes et des châtaigniers. Dans le bas de l'étage montagnard (de 500 à 1300 m environ) poussent plutôt des hêtres communs, parfois mélangés à des érables à feuilles d'obier. Dans le haut de cet étage (de 1300 à 1600 m environ), les feuillus laissent place aux conifères : des sapins pectinés, parfois des pins sylvestres ou des pins noirs d'Autriche, ou d'autres espèces plantées par l'homme. L'étage subalpin (1600 à 2300 m environ) abrite d'abord des épicéas communs, puis, sur les positions les plus hautes, là où les vents deviennent de plus en plus forts, divers pins (pin cembro, pin à crochets, pin noir) et le mélèze d'Europe. À la frontière avec l'étage supérieur (l'étage alpin), les arbres disparaissent et ne restent que quelques arbrisseaux, dont beaucoup appartiennent à la famille des éricacées (rhododendrons, myrtilles...). L'étage alpin, qui atteint 2800 m environ, est le domaine des pelouses. Elles sont constituées de nombreuses herbes (espèces à feuilles linéaires et à fleurs discrètes, appartenant à la famille des graminées ou à celle des cypéracées), mêlées à des plantes à fleurs plus attirantes. Enfin ne subsistent, encore un peu plus haut, avant les neiges éternelles, que des lichens et quelques touffes de plantes dans les creux des rochers, comme la renoncule des glaciers.

◆ **Rhododendron ferrugineux** *(Rhododendron ferrugineum).* La famille des éricacées, à laquelle appartiennent les rhododendrons, compte beaucoup d'espèces d'arbustes et d'arbrisseaux (bruyères arborescentes, airelles, busserole...) poussant dans des zones montagneuses, au-dessus de la limite de croissance des arbres. Le genre *Rhododendron* compte lui-même environ 1 200 espèces, dont de nombreuses croissent dans la chaîne de l'Himalaya. Le rhododendron ferrugineux est une espèce des montagnes européennes.

Une montagne tropicale : le mont Kenya. Au pied de cette montagne d'Afrique de l'Est, qui culmine à plus de 5000 m, prospère une savane. Lui succède, jusque vers 2500 m d'altitude, une forêt dense, composée en majorité de conifères (genévriers et espèce du genre *Podocarpus*). Plus haut, jusque vers 3000 m, existe une zone typique des montagnes tropicales, la « forêt des nuages », ou « forêt des brouillards », très humide et peu ensoleillée, à cause d'une couche nuageuse permanente ; c'est le domaine des bambous. Au-dessus de 3 000 m, les grands arbres disparaissent peu à peu et font place à des arbustes et arbrisseaux, plus ou moins hauts et denses, appartenant notamment à la famille des éricacées (par exemple des bruyères de grande taille). De 3500 à 4500 m s'étendent des pelouses de végétaux bas qui sont parsemées de plantes de grande taille, en densité plus ou moins forte. Ces plantes sont des lobélies et des séneçons arborescents (dont les feuilles sont plantées en bouquet au sommet du tronc). Au-delà de 4500 m, la végétation est très rare.

◆ **Renoncule des glaciers** *(Ranunculus glacialis).* On la trouve jusqu'à plus de 4000 m d'altitude dans les Alpes et les Pyrénées, ainsi que dans la zone arctique. C'est l'une des plantes alpines qualifiées de « relictuelles », qui sont les témoins des temps lointains où les glaciers couvraient toute l'Europe (le climat s'étant ensuite progressivement réchauffé, ces plantes adaptées au froid n'ont subsisté que dans les régions les plus froides d'Europe).

◆ **Mélèze d'Europe** *(Larix decidua).*

◆ **Sapin pectiné** ou **sapin blanc** *(Abies alba = Abies pectinata)*

◆ **Gentiane à feuilles d'asclépiade** *(Gentiana asclepiadea).* Les gentianes (espèces du genre *Gentiana*) sont présentes dans pratiquement toutes les chaînes de montagnes du monde (sauf en Afrique).

◆ **Myrtille,** ou **airelle myrtille** *(Vaccinium myrtillus).* Le genre *Vaccinium*, auquel appartient cette espèce, est présent dans les montagnes de presque tous les continents (Australie et Nouvelle-Zélande exceptées).

VOIR AUSSI
- **Formation des montagnes** p. 43
- **Érosion et sédimentation** p. 44
- **Biomes** p. 82

Les plantes du bord des eaux

Les mangroves

Les estuaires et les côtes vaseuses situés entre les tropiques (soit plusieurs milliers de kilomètres) sont occupés par une forêt appelée «mangrove». Ces zones soumises à la marée ont la particularité d'être submergées pendant des périodes plus ou moins longues par de l'eau saumâtre. Les arbres typiques de la mangrove sont les palétuviers. Beaucoup ont des racines particulières, aériennes, telles que racines échasses et pneumatophores. Elles leur permettent de bien se fixer dans le sol mouvant ou de puiser dans l'air l'oxygène, qui fait souvent défaut dans le sol constamment inondé et dont ils ont besoin pour respirer. Ils présentent également des adaptations à la présence de quantités importantes de sel (chlorure de sodium, essentiellement) dans leur milieu de croissance. Les palétuviers disposent parfois de mécanismes qui leur permettent d'absorber de façon sélective les minéraux, afin de minimiser les concentrations de chlorure de sodium dans leurs cellules (ces concentrations parviennent toutefois à un niveau qui serait toxique pour de nombreuses autres plantes). Certaines espèces se débarrassent du sel en l'excrétant par leurs feuilles (sur lesquelles se trouvent des organes spécialisés appelés «glandes à sel»).

Au bord et dans les eaux douces

Au bord des eaux ou dans les marécages vivent nombre de plantes dont seule la base de la tige est immergée, en permanence ou de façon temporaire. Certaines, comme l'iris jaune ou la salicaire, ont de jolies fleurs de couleur vive, mais beaucoup sont des herbes, à longues feuilles étroites et à fleurs peu voyantes, de la famille des graminées (comme la glycérie ou les roseaux), de celle des joncacées (joncs) ou des cypéracées (les scirpes et les carex, ou laîches).

D'autres plantes, au contraire, sont presque complètement immergées dans l'eau et, parmi celles-ci, quelques rares espèces comme les cératophylles (recherchés par les possesseurs d'aquariums) fleurissent même sous l'eau. Certaines espèces (certains potamots, les myriophylles...) ont leurs feuilles immergées mais pas les fleurs. Chez les lentilles d'eau, les hépatiques (plantes sans fleurs proches des mousses) aquatiques du genre *Riccia,* ou les nymphéacées, comme les nénuphars et les lotus, toutes les feuilles flottent à la surface. Les renoncules aquatiques ou les sagittaires ont deux sortes de feuilles, les unes immergées, les autres flottant à la surface.

◆ **Petites lentilles d'eau** *(Lemna minor).* Les minuscules lentilles d'eau peuvent former de véritables tapis flottant à la surface des eaux douces et calmes, un peu partout dans le monde.

Adaptations à la vie aquatique

Les plantes immergées d'eau douce ont diverses façons de s'approvisionner en éléments nutritifs. Celles qui possèdent des feuilles flottantes puisent dans l'air le gaz carbonique nécessaire à la photosynthèse; leurs stomates (pores par lesquels entre le gaz carbonique) sont situés sur la face supérieure des feuilles, en contact avec l'air, alors qu'ils sont essentiellement localisés sur la face inférieure dans le cas des végétaux terrestres. Les feuilles immergées n'ont pas de stomates (ou en ont quelques-uns, qui ne sont pas fonctionnels), mais elles peuvent absorber, sur toute leur surface, l'eau, les éléments minéraux et les gaz (gaz carbonique et oxygène) dissous dans l'eau. Il ne leur est donc pas indispensable de posséder des racines.

L'approvisionnement des plantes aquatiques en oxygène (nécessaire à la respiration) est souvent problématique. Le sédiment dans lequel sont fixées les racines est généralement asphyxié (l'eau remplissant tous les interstices où pourrait circuler l'air) et l'oxygène dissous ne se trouve dans l'eau qu'en faible concentration (30 fois plus faible que dans l'air). Les plantes aquatiques possèdent souvent des tissus aérifères, présentant des lacunes dans lesquelles l'oxygène peut être stocké et où il peut circuler pour atteindre les différents organes. Ces tissus participent également à la flottabilité de la plante.

◆ **Iris jaune,** ou **iris des marais** *(Iris pseudacorus).* Il forme des touffes de plus de 1 m de haut au bord des eaux, en Europe et dans l'ouest de l'Asie.

◆ **Massette à larges feuilles** *(Typha latifolia).* Cette espèce, largement répandue dans le monde entier, pousse les pieds dans l'eau douce. Sa tige se termine par un groupe de fleurs mâles jaunâtres, au-dessous duquel se trouve un groupe de fleurs femelles, brunes et serrées, formant une sorte de massue caractéristique.

◆ **Nénuphar blanc** *(Nymphaea alba).* Il possède de grosses fleurs et de grandes feuilles flottantes, portées au bout d'un long pétiole (partant de la tige souterraine fixée sur le fond, il peut atteindre 2 m). Il pousse dans les eaux douces et calmes d'Eurasie.

Les plantes carnivores

Les plantes carnivores poussent dans des milieux pauvres en minéraux (azote, phosphore...). Beaucoup d'entre elles vivent dans des marécages ou des tourbières, notamment dans certaines tourbières où les conditions acides sont très peu favorables au recyclage de la matière organique morte (déchets végétaux et animaux) en minéraux. Tout comme la majorité des végétaux, les plantes carnivores réalisent la photosynthèse et absorbent les rares éléments minéraux du sol pour élaborer les substances organiques dont elles ont besoin. Mais elles compensent les déficiences minérales du milieu en se procurant des éléments nutritifs par un autre moyen : grâce à leurs feuilles-pièges, elles capturent de petits animaux (insectes, minuscules crustacés aquatiques...), sécrètent des enzymes qui digèrent leur proie, puis absorbent les substances issues de la digestion.

◆ **Drosera à feuilles rondes** (*Drosera rotundifolia*). Cette plante carnivore pousse dans les tourbières d'Eurasie et d'Amérique du Nord.

◆ **Un palétuvier** (genre *Rhizophora*). De nombreux palétuviers, comme les espèces du genre *Rhizophora,* se singularisent par leurs grandes racines échasses arquées, qui leur permettent de s'ancrer solidement dans un sol vaseux instable, et par leur mode de reproduction (la graine commence à germer à l'intérieur du fruit encore en place sur l'arbre). Les jeunes plantes finissent par se détacher de l'arbre, sont transportées par les courants et s'enracinent, parfois très loin de l'endroit où elles sont nées. Elles sont alors capables de faire face aux conditions très particulières régnant dans le sol de la mangrove (rareté de l'oxygène et présence de sel).

Petit lexique

tourbière : zone marécageuse à la surface de laquelle se trouve une couche épaisse de tourbe (débris végétaux partiellement dégradés) dont l'accumulation est due à la lenteur de la décomposition de la matière organique morte.

VOIR AUSSI

- **Rivières, fleuves et marais** p. 48
- **Milieux équatoriaux** p. 55
- **Feuille, tige et racine** p. 154 à 157
- **Nutrition des végétaux** p. 160

Les plantes cultivées

De multiples usages

Les végétaux ont surtout un rôle essentiel dans notre alimentation, ainsi que dans celle de nombreux animaux, notamment de tous les herbivores. Ils peuvent aussi avoir toute sorte d'effets sur le corps humain, bénéfiques ou néfastes (effet stimulant, traitement d'une maladie, empoisonnement...). Souvent belles à regarder, agréables à sentir, les plantes contribuent à la qualité de notre cadre de vie. Le nombre d'espèces ornementales cultivées est d'ailleurs beaucoup plus élevé que celui des plantes alimentaires.

Aux divers usages actuels des plantes, il convient d'ajouter tous ceux, des plus variés et inattendus, que laisse envisager le développement des manipulations génétiques; on a fabriqué, par exemple, un tabac capable de produire de l'hémoglobine humaine (molécule transportant l'oxygène dans le sang).

Les végétaux alimentaires. On évalue à environ 300000 le nombre d'espèces végétales poussant sur la Terre actuellement. Plusieurs dizaines de milliers sont jugées comestibles et, au cours de l'histoire, l'homme en aurait utilisé 7000 pour se nourrir. Aujourd'hui, une ou deux centaines seulement sont cultivées, certaines cultures peu rentables ayant été progressivement abandonnées. On consomme les végétaux pour leur valeur nutritive mais aussi pour leurs qualités aromatiques (aromates, épices, condiments).

Les plantes sources de matières premières industrielles. La production de nombreuses matières premières a été réalisée à grande échelle, par culture des plantes appropriées. Puis on a souvent cherché à produire ces matières par une voie physico-chimique, dans bien des cas plus rentable. C'est ainsi qu'aujourd'hui la production de caoutchouc synthétique est deux fois plus importante que celle de caoutchouc naturel. Il n'en demeure pas moins que l'on continue à chercher des plantes capables de produire des substances intéressantes (c'est pourquoi il est essentiel d'éviter toute disparition d'espèce végétale, potentiellement utilisable). Ainsi, depuis quelques années, l'huile produite à partir du jojoba (arbre des milieux arides américains) suscite un vif intérêt : pour bien des usages (huile pour mécanique de précision, cosmétiques...), elle peut remplacer le spermaceti (huile de cachalot, introuvable depuis l'interdiction de chasser le cachalot).

Les plantes sources d'énergie. Le bois ainsi que divers déchets végétaux produisent de l'énergie en brûlant, directement ou après avoir été transformés en charbon de bois, en gaz ou en pétrole. Les sucres contenus dans les plantes entières et les déchets végétaux (ensemble constituant ce qu'on appelle la biomasse végétale) peuvent également être transformés en carburant, par voie biologique (grâce à des champignons microscopiques de type levure ou à des bactéries). Ces carburants, appelés biocarburants, sont principalement des alcools et leurs dérivés. Le Brésil a été l'un des pionniers en ce domaine et produit actuellement d'importantes quantités d'éthanol, à partir de canne à sucre. En Europe, plusieurs milliers d'hectares sont désormais réservés aux cultures « énergétiques » : blé ou betterave pour produire de l'éthanol (incorporé dans l'essence), colza pour fabriquer un ester (mélangé au gazole, il permet notamment de réduire les émissions de polluants).

Des plantes pour fixer ou enrichir les sols. Les racines des plantes forment une sorte d'armature qui protège le sol de l'érosion. Elles évitent ainsi que le vent et/ou la pluie n'enlèvent la couche superficielle de terre, la plus fertile. Pour éviter l'avancée du sable des dunes vers l'intérieur des terres, des oyats ont été plantés dès le XVIIIe s. sur le littoral français. Cette plante de la famille des graminées, présente de façon naturelle dans les dunes, est parfaitement adaptée à la sécheresse qui y règne et son réseau de racines est très dense. On expérimente actuellement une technique identique sur le littoral africain.

La pratique des engrais verts consiste à semer une plante de la famille des légumineuses (trèfle, luzerne ou autre) entre deux cultures de céréales, puis à enfouir ces légumineuses dans le sol. Elle évite de laisser le sol à nu pendant l'hiver et limite l'érosion. D'autre part, elle enrichit le sol en azote, car les légumineuses sont capables d'incorporer l'azote de l'air.

Des plantes pour limiter ou détecter la pollution. Les eaux d'égouts sont riches en composés azotés et phosphorés, dont l'élimination dans les stations d'épuration est coûteuse. Diverses expériences sont menées dans le monde pour que, dans les petites agglomérations, cette épuration soit réalisée grâce à des plantes (arbres ou végétaux de milieux humides). Ainsi des saules, s'étant nourris de l'azote et du phosphore contenus dans les eaux d'égouts qui les arrosaient, sont coupés tous les 2 ans et servent de bois de chauffage.

Les plantes pourraient également être utiles d'une autre manière dans le domaine de l'environnement, en servant d'indicateurs de pollution (expérimentation en France avec des plants de tabac, dont les feuilles se tachent et s'abîment lorsqu'il y a trop d'ozone dans l'air).

Des plantes pour délimiter et protéger. Les haies du bocage ont sans doute été créées pour délimiter les champs de chacun et pour empêcher le bétail de s'échapper. Il se trouve qu'elles assurent d'autres fonctions : elles servent en particulier de brise-vent (protégeant les cultures ou le bétail), limitent le ruissellement et l'érosion des sols, et sont le refuge de nombreux petits animaux. Malheureusement, ces haies « de campagne » ne sont aujourd'hui plus guère nombreuses.

◆ Quelques matières premières d'origine végétale (à usage autre qu'alimentaire ou médicinal).

Matières premières	Usages
papier, carton	livres, journaux, emballages...
bois, bambou, liège	construction, meubles, bouchons...
rotin, osier, jonc, paille	vannerie
raphia, chiendent	cordes, brosses...
caoutchouc	pneus, joints...
lin, jute, chanvre, coton	textiles
garance, indigo	colorants pour textiles (rouge, bleu)
henné	teinture pour cheveux
extraits d'encens, patchouli, santal, violette, jasmin, lavande...	parfums
huile de ricin	lubrifiant, fabrication de peintures ou de textiles synthétiques
gutta-percha	isolant électrique, soins dentaires...
gomme arabique	colle, apprêt pour textiles
tanins	tannage des peaux
térébenthine	solvant
curare	poison pour la chasse ou la pêche
citronnelle	insectifuge

◆ Jasmin blanc *(Jasminum officinale).* Primulacée. Hauteur : 5 m. Cette plante grimpante a des fleurs très odorantes, dont des extraits entrent dans la composition de nombreux parfums.

◆ Bambou (genres *Bambusa, Dendrocalamus* ...). Graminée. Hauteur : jusqu'à 40 m. Leurs longues tiges creuses ont des usages variés (fabrication de meubles, d'outils, d'objets décoratifs, de cannes à pêche, etc.).

◆ Colza *(Brassica napus oleifera).* Crucifère. Hauteur : 1 m. Il est cultivé comme fourrage ; sa graine sert à la fabrication d'huile alimentaire, de tourteau (pour l'alimentation animale) et d'un biocarburant.

◆ Cotonnier *(Gossypium hirsutum).* Malvacée. Hauteur : 1 m. Ses graines sont couvertes de poils fins, qui servent à fabriquer le coton ; riches en matières grasses, elles sont également utilisées pour produire de l'huile alimentaire.

◆ Goémon frisé *(Chondrus crispus).* Algue rouge. Longueur : 10 cm. Appelée aussi lichen, ou mousse, d'Irlande, cette algue du littoral atlantique sert à produire des carraghénanes, utilisés comme gélifiants dans les industries alimentaire et cosmétique ou dans le traitement des ulcères.

◆ Cerisier (espèce du genre *Prunus*). Rosacée. Hauteur : 10 m. Diverses variétés produisant d'excellents fruits ont été sélectionnées à partir de quelques espèces de cerisiers sauvages (ou merisiers) ; le bois de merisier est également recherché en ébénisterie.

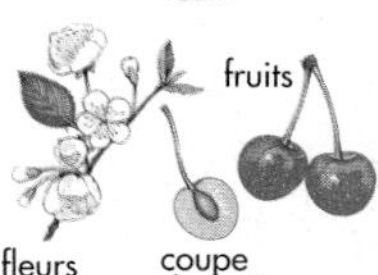

VOIR AUSSI
• Sélection des espèces par l'homme p. 104
• Plantes ornementales p. 178 à 183
• Plantes alimentaires p. 868 à 901
• Jardinage p. 1312

Végétaux

Les plantes d'intérieur

Grandes caractéristiques

Les plantes capables de vivre longtemps à l'intérieur des maisons sont essentiellement des plantes tropicales, qui trouvent dans les appartements la chaleur caractéristique de leur milieu d'origine. Certaines sont adaptées à la sécheresse (cactus et autres plantes grasses) et s'accommodent fort bien de l'atmosphère sèche de la maison. En revanche, les plantes originaires des régions tropicales humides peuvent souffrir du faible taux d'humidité dans l'air ; on peut y remédier en vaporisant de l'eau sur leur feuillage ou en plaçant sous les pots de la mousse ou de la tourbe humides, qui dégagent de la vapeur d'eau. À part quelques fougères et certains bonsaïs (pins, ginkgo et autres), toutes les plantes d'intérieur appartiennent au groupe des angiospermes, ou plantes à fleurs. Certaines plantes à fleurs, cependant, ne fleurissent pas en pot car les conditions nécessaires à leur floraison (éclairement, alternance de température, etc.) ne sont pas réunies. Ces plantes sont appréciées pour leur feuillage ; on leur donne parfois le nom de plantes vertes, par opposition aux plantes fleuries, mais par le biais de la sélection génétique leurs feuilles ont parfois acquis des couleurs très diverses. La réussite des cultures dépend de différents facteurs (température, arrosage, apport d'engrais appropriés, ensoleillement, surveillance de l'état sanitaire...).

◆ **Bonsaï de type « shakan ».**

Les bonsaïs

Dans des conditions particulièrement défavorables (froid, vent, sécheresse, sol pauvre), certains arbres (des pins, notamment) poussent très lentement et n'atteignent que quelques dizaines de centimètres au bout de plusieurs siècles. Leurs feuilles sont alors très petites et leurs rameaux à peine développés. C'est ce phénomène naturel qu'ont reproduit en culture les Japonais, dès le XIIe s. Un véritable art du paysage miniature (art appelé au Japon *Saikei*) était né. La culture se fait dans une sorte de vaste plat creux (d'où le nom de bonsaï, qui signifie en japonais « arbre en pot »), dans lequel on peut placer un ou plusieurs arbres. Le processus de miniaturisation, très long, nécessite beaucoup de patience et de savoir-faire ; il faut ne donner que très peu de terre à l'arbre et tailler régulièrement rameaux et racines. Mais cela ne suffit pas ; il faut aussi, en ligaturant les branches, les contraindre à pousser dans des directions bien définies afin que la silhouette du bonsaï finisse par ressembler à celle des arbres tels qu'on les observe dans la nature et tels que les artistes japonais les ont décrits et peints.

◆ **Croton panaché** *(Codiaeum variegatum)*. Euphorbiacée. Hauteur : jusqu'à 1 m. Les feuilles de cette plante originaire de Malaisie présentent une grande diversité de formes et de couleurs (taches jaunes, rouges, brunes, ...).

◆ **Une azalée** (espèce du genre *Rhododendron*). Éricacée. Hauteur : 40 cm. Ces plantes, originaires d'Extrême-Orient, sont très proches des rhododendrons des montagnes. Il en existe plusieurs espèces et de nombreuses variétés, qui fleurissent du début de l'hiver au printemps.

détail de la fleur

◆ **Zygocactus** *(Zygocactus truncatus)*. Cactée. Longueur (plante retombante) : jusqu'à 1 m. Plante grasse, originaire du Brésil, dont les tiges sont formées d'une suite d'articles aplatis. Elle se couvre de fleurs au moment de Noël (c'est pourquoi on l'appelle « cactus de Noël »).

◆ **Poinsettia** ou **étoile de Noël** *(Euphorbia pulcherrima)*. Euphorbiacée. Hauteur : 50 cm. Les fleurs de cette plante originaire du Mexique sont assez discrètes, mais sont entourées d'une collerette de feuilles de couleur vive (généralement rouges).

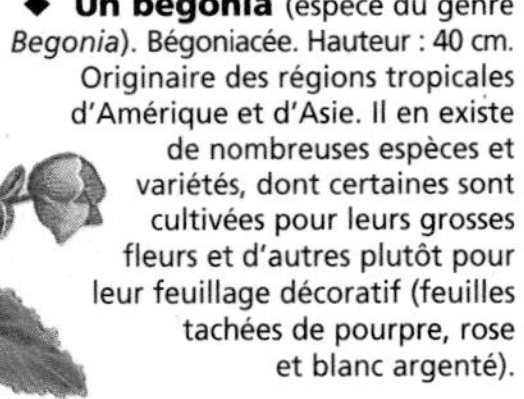

◆ **Un bégonia** (espèce du genre *Begonia*). Bégoniacée. Hauteur : 40 cm. Originaire des régions tropicales d'Amérique et d'Asie. Il en existe de nombreuses espèces et variétés, dont certaines sont cultivées pour leurs grosses fleurs et d'autres plutôt pour leur feuillage décoratif (feuilles tachées de pourpre, rose et blanc argenté).

◆ **Une orchidée** (espèce du genre *Oncidium*). De nombreuses espèces de la famille des orchidées ont des fleurs très décoratives, mais nécessitent les soins d'un spécialiste pour être cultivées à l'intérieur. Originaires d'Amérique latine, elles ont souvent besoin d'une atmosphère très humide et d'un support spécial car nombreuses sont celles qui, dans la nature, poussent sur d'autres plantes et non dans la terre. Elles peuvent toutefois être maintenues à l'intérieur pendant quelques semaines.

◆ **Caoutchouc** ou **gommier** *(Ficus elastica)*. Moracée. Hauteur : jusqu'à 2 m. Plante originaire d'Amérique du Sud. Les grandes feuilles coriaces sont panachées de blanc ou de jaune chez certaines variétés.

◆ **Capillaire cheveu-de-Vénus** *(Adiantum capillus-veneris)*. Polypodiacée. Hauteur : 30 cm. Cette fougère, originaire des régions tempérées (Europe et Amérique du Nord), a besoin d'une atmosphère humide et d'ombre.

◆ **Coléus** (espèce du genre *Coleus*). Labiée. Hauteur : jusqu'à 1 m. Originaires des régions tropicales (le plus connu vient de Java), les coléus ont des feuilles très colorées (marquées de rose, pourpre, jaune ou brun).

◆ **Cyclamen de Perse** *(Cyclamen persicum)*. Primulacée. Hauteur : 30 cm. Ses fleurs sont très décoratives. Cette plante originaire du Moyen-Orient ne supporte pas la chaleur.

◆ **Yucca** *(Yucca elephantipes* ou *Yucca aloifolia)*. Agavacée. Hauteur : jusqu'à 3 m. Originaires d'Amérique centrale, ces plantes ont d'épaisses tiges ligneuses surmontées d'une touffe de feuilles.

VOIR AUSSI
- **Fleurs des jardins** p.179 à 181
- **Arbres et arbustes d'ornement** p. 182
- **Jardinage** p. 1312

Les fleurs des jardins

Grandes caractéristiques

Pour bien organiser un jardin d'agrément, notamment dans un pays où les saisons sont bien marquées, il importe de connaître le cycle de vie des plantes.

Celui des plantes annuelles (pétunias, œillets d'Inde, etc.) s'effectue dans une année : en moins de 12 mois, une graine germe et donne naissance à une plante qui fleurit, forme à nouveau des graines et meurt. Les plantes bisannuelles (comme certaines giroflées) ne fleurissent généralement pas la première année, mais la seconde.

Les plantes vivaces sont de deux types : les unes ont des tiges qui subsistent plusieurs années (cas des rosiers), les autres possèdent des organes souterrains permanents (tubercules des dahlias, bulbes des jacinthes, par ex.), à partir desquels se développent de nouvelles tiges chaque printemps. Certaines plantes cultivées, bisannuelles ou vivaces, peuvent ne pas résister aux rigueurs de l'hiver si elles sont originaires de régions à hiver doux ; il faut protéger les tiges ou mettre à l'abri les plantes, les bulbes ou les tubercules.

La disposition des différentes espèces dans le jardin doit tenir compte des exigences de chacune (vis-à-vis de l'éclairement, notamment), de leur hauteur relative et du calendrier de floraison, si l'on veut qu'en toute saison les taches de couleurs soient bien réparties. Mais l'organisation du jardin est avant tout affaire de goût personnel. Certains jardiniers apprécient les massifs géométriques bien dessinés ; d'autres veulent au contraire donner à leur jardin l'aspect le plus naturel possible.

◆ **Pâquerette vivace** *(Bellis perennis).* Composée vivace, cultivée comme bisannuelle. Hauteur : 5 cm. Originaire d'Europe et de l'ouest de l'Asie. Fleurs réunies en capitule, de divers coloris allant du blanc au rouge. Peut fleurir pendant presque toute l'année. Elle est fréquente dans les pelouses.

◆ **Narcisse trompette** ou **jonquille** *(Narcissus pseudo-narcissus).* Amaryllidacée vivace à bulbe. Hauteur : 30 cm. Originaire d'Europe. Fleurs jaunes, blanches ou bicolores, au début du printemps (mars-avr.).

fleur

◆ **Jacinthe commune** *(Hyacinthus orientalis).* Liliacée vivace à bulbe. Hauteur : 25 cm. Originaire de l'ouest de l'Asie. Grappes dressées de fleurs blanches, roses, jaunes, mauves, bleues, très odorantes, au début du printemps dans le jardin (mars à mai), plus tôt dans la maison.

◆ **Tulipe** (espèce du genre *Tulipa*). Liliacée vivace à bulbe. Hauteur : 35 cm. Originaire d'Europe, d'Asie et d'Afrique du Nord. Fleurs de couleurs très variées (sauf bleu), de mars à mai. Cette plante est très cultivée depuis 300 ans, notamment aux Pays-Bas.

fruit

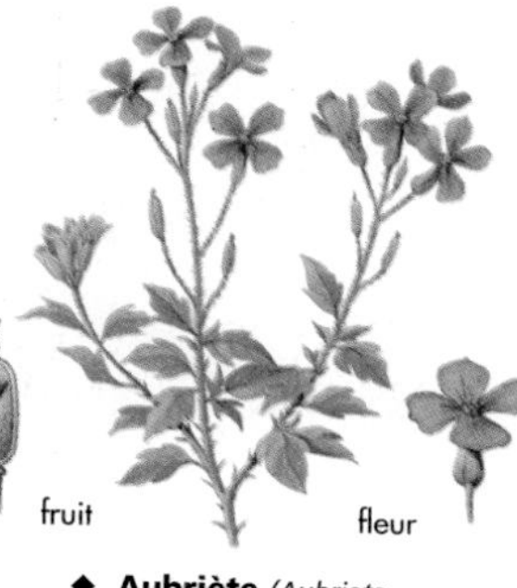

fruit

fleur

◆ **Aubriète** *(Aubrieta deltoidea).* Crucifère vivace. Hauteur : 10 cm. Originaire du pourtour de la Méditerranée. Nombreuses fleurs pourpres, roses ou violettes, d'avril à juin.

◆ **Giroflée ravenelle** *(Cheiranthus cheirii).* Crucifère vivace, cultivée comme bisannuelle. Hauteur : 30 à 60 cm. Originaire du sud-est de l'Europe et de l'ouest de l'Asie. Fleurs parfumées de couleurs variées, souvent dans des tons chauds de rouge, orange et jaune, de mars à juin.

◆ **Hellébore** ou **rose de Noël** *(Helleborus niger).* Renonculacée vivace. Hauteur : 25 cm. Originaire d'Europe. Fleurs blanches. Une des rares plantes à fleurir en plein hiver, de déc. à mars.

fleur

◆ **Primevère des jardins** *(Primula vulgaris).* Primulacée vivace. Hauteur : 15 cm. Originaire d'Europe, de l'ouest de l'Asie et d'Afrique du Nord. Fleurs blanches, roses, jaunes, rouges et violettes, dès le début du printemps (mars à mai).

◆ **Crocus botanique** *(Crocus chrysanthus).* Iridacée vivace à bulbe. Hauteur : 10 cm. Originaire de l'est de l'Europe. Fleurs bleues, violettes, rouges ou jaunes, apparaissant dès févr.-mars (d'autres espèces de crocus fleurissent en automne).

◆ **Perce-neige** *(Galanthus nivalis).* Amaryllidacée vivace à bulbe. Hauteur : 15 cm. Originaire d'Europe et de l'ouest de l'Asie. Fleurs blanches, en fin d'hiver (févr.-mars).

Le parfum des fleurs

Les plantes fabriquent diverses substances volatiles, qui leur confèrent une odeur, plus ou moins perceptible par le nez humain.
La couleur, la forme des fleurs mais aussi leur parfum attirent les insectes, assurant ainsi la pollinisation (étape nécessaire à la fécondation, car le pollen doit être transporté d'une fleur à une autre). L'odeur joue un rôle particulièrement important lorsque les fleurs, petites ou faiblement colorées, sont peu visibles ou que les pollinisateurs visitent les fleurs pendant la nuit (cas des papillons de nuit). Ces odeurs peuvent être agréables pour un nez humain et servent parfois à faire des parfums ; elles peuvent aussi être fort désagréables : les arums, par exemple, émettent une odeur de pourriture pour attirer les mouches qui les pollinisent.
Il semble que la sélection génétique, opérée par l'homme pendant des années pour modifier la forme et les couleurs des fleurs, se soit faite au détriment des parfums. Ainsi, sur les milliers de variétés actuelles de roses, ce sont en général les variétés les plus anciennes (les roses musquées, notamment) qui sont les plus parfumées.

Petit lexique

plante annuelle : plante dont la durée de vie est d'un an, au plus.

plante bisannuelle : plante dont le cycle de vie est de 2 ans.

plante vivace : plante dont la durée de vie est de plus de 2 ans.

VOIR AUSSI
- **Classification des végétaux** p. 91
- **Fleur** p. 158
- **Reproduction des végétaux** p. 161
- **Arbres et arbustes d'ornement** p. 182
- **Plantes médicinales** p. 184
- **Art des jardins** p. 1084
- **Jardinage** p. 1312

◆ **Œillet des fleuristes** *(Dianthus caryophyllus).* Caryophyllacée vivace, éventuellement cultivée comme annuelle. Hauteur : 25 cm. Originaire du sud de l'Europe et d'Afrique du Nord. Fleurs blanches, roses, rouges, jaunes, de mai à juill.

◆ **Pivoine de Chine** *(Paeonia actiflora).*Renonculacée vivace. Hauteur : 70 cm. Originaire d'Asie. Grosses fleurs parfumées, rouges, blanches ou roses, en mai-juin.

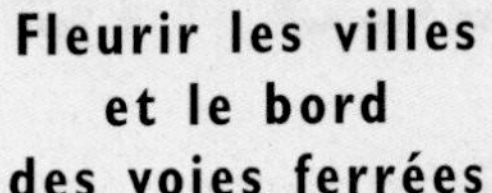

Fleurir les villes et le bord des voies ferrées

Les Français jardinent de plus en plus, si l'on en croit l'évolution du chiffre d'affaires des jardineries. De même, les villes consacrent une part non négligeable de leur budget aux espaces verts ; ainsi, la ville de Paris emploie 3 000 personnes dans ce secteur et y consacre plus de 1 milliard de francs, soit 4 % de son budget total. Les fleurs jouent un rôle essentiel dans l'embellissement des lieux publics ; plus de 10 000 communes françaises (soit environ une commune sur trois) participent au concours des villes et villages fleuris.

Les fleurs font également partie des préoccupations de la Société nationale des chemins de fer français, qui projette de semer en masse des plantes sauvages, d'abord le long des voies du TGV-Méditerranée ; plus de cent tonnes de graines, d'espèces très variées, devraient ainsi être semées d'ici l'an 2000. Les buts sont multiples : éviter l'érosion des talus qui bordent les voies, offrir aux voyageurs une vue sur d'agréables paysages « naturels », constituer des refuges et des sites d'étude pour les plantes sauvages, dont certaines sont menacées.

◆ **Anémone des fleuristes** *(Anemone coronaria).* Renonculacée vivace. Hauteur : 30 cm. Originaire de l'Europe méditerranéenne et d'Asie occidentale. Fleurs de couleurs variées (sauf jaune), en avr.-mai.

◆ **Pensée de jardin** (espèce du genre *Viola*). Violacée vivace, cultivée comme bisannuelle. Hauteur : 15 cm. Issue du croisement de plusieurs espèces originaires de divers continents. Fleurs de couleurs variées (jaune, violet, blanc...). Floraison s'étalant sur une longue période, de févr. à la fin de l'automne. Il existe également des variétés à floraison hivernale.

◆ **Glaïeul** (espèce du genre *Gladiolus*). Iridacée vivace à bulbe. Hauteur : 80 cm. Originaire d'Afrique, du sud de l'Europe ou de l'Ouest asiatique. Grosses fleurs en épi de couleurs très variées (sauf bleu), de juin au début de l'automne.

◆ **Pétunia** (espèce du genre *Petunia*). Solanacée vivace, généralement cultivée comme annuelle. Hauteur : 20 à 40 cm. Issue du croisement d'espèces originaires d'Amérique latine. Fleurs blanches, bleues, roses ou rouges. Longue période de floraison (juin à oct.).

◆ **Achillée** (espèce du genre *Achillea*).Composée vivace. Hauteur : 10 à 120 cm. Originaire d'Europe, d'Asie ou d'Amérique, selon les espèces. Minuscules fleurs jaunes, blanches ou roses, regroupées en petits capitules, eux-mêmes réunis en bouquets serrés, de juin à oct.

◆ **Impatiens** ou **balsamine** (espèce du genre *Impatiens*). Impatiente ou balsaminacée vivace, cultivée comme annuelle. Hauteur : 10 à 60 cm. Originaire d'Europe, d'Asie ou d'Afrique, selon les espèces. Fleurs blanches, roses, rouges, orangées ou violettes, de juin à oct.

◆ **Lis blanc** ou **lis de la Madone** *(Lilium candidum).* Liliacée vivace à bulbe. Hauteur : 1 m. Originaire du Proche-Orient. Très belles fleurs blanches, parfumées, en juin et juill. Plante cultivée depuis plus de 3 500 ans.

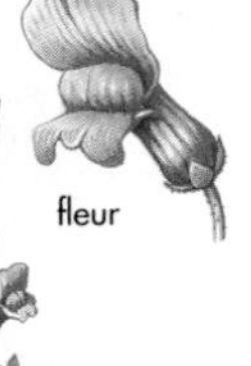

◆ **Muflier** ou **gueule-de-loup** *(Antirrhinum majus).* Scrofulariacée vivace, cultivée comme annuelle ou bisannuelle. Hauteur : 30 à 120 cm. Originaire du sud de l'Europe, d'Afrique du Nord et de l'ouest de l'Asie. Fleurs jaunes, rouges, roses ou blanches, de forme irrégulière (évoquant le mufle d'un loup), de juin à sept.

◆ **Rosier** (espèce du genre *Rosa*). Rosacée vivace. Hauteur variable selon les variétés (de 20 à 200 cm), les plus grands formant de véritables arbustes, d'autres étant grimpants. Nombreuses espèces et variétés, issues du croisement d'espèces asiatiques pour la plupart. Fleurs de couleurs très variées (sauf bleu et violet), simples (peu de pétales) ou doubles (nombreux pétales). Floraison s'échelonnant de mai aux premières gelées, selon les variétés. La culture des rosiers date de l'Antiquité. Les rosiers sauvages se trouvent surtout dans les milieux tempérés de l'hémisphère Nord.

◆ **Rose trémière** ou **passerose** (espèce du genre *Althaea*). Malvacée vivace, annuelle ou bisannuelle. Hauteur : 1 à 2,5 m. Originaire d'Europe, d'Asie ou d'Afrique du Nord, selon les espèces. Grosses fleurs roses, rouges, jaunes ou blanches, de juin à sept.

◆ **Cosmos** (espèce du genre *Cosmos*). Composée cultivée comme annuelle. Hauteur : 30 à 120 cm. Originaire du Mexique. Fleurs réunies en capitule présentant de larges languettes rayonnantes roses, rouges, jaunes, oranges ou blanches ; de juin à oct.

◆ **Reine-marguerite** ou **aster de Chine** *(Callistephus chinensis).* Composée annuelle. Hauteur : 20 à 70 cm. Originaire de Chine et du Japon. Fleurs réunies en capitules de diverses couleurs (blanc, rouge, rose, jaune...) et formes (capitule ressemblant à ceux de la marguerite, boule...) de juill à oct.

◆ **Pois de senteur** (espèce du genre *Lathyrus*). Légumineuse annuelle ou vivace, selon les espèces. Hauteur : 30 cm à 3 m (variétés grimpantes). Originaire d'Europe ou d'Asie. Fleurs odorantes de couleurs très variées, de juin à sept., ou au printemps (espèce précoce).

◆ **Lupin** (espèce du genre *Lupinus*). Légumineuse annuelle ou vivace, selon les espèces. Hauteur : 40 cm à 1,30 m. Originaire d'Europe ou d'Amérique. Fleurs de couleurs variées (parfois bicolores), regroupées en longs épis, de mai à sept.

◆ **Capucine** (espèce du genre *Tropaeolum*). Tropaeolacée annuelle ou vivace, selon les espèces. Hauteur : 20 cm à plus de 3 m (variétés grimpantes). Originaire d'Amérique du Sud et centrale. Fleurs de couleurs variées (crème, orange, rouges ou jaunes), de juin à oct.

◆ **Dahlia** (espèce du genre *Dahlia*). Composée vivace à tubercules. Hauteur : de 20 à 140 cm. Originaire du Mexique. Fleurs réunies en grands capitules de couleurs variées (sauf bleu). Longue période de floraison (juill. à nov.).

◆ **Belle-de-nuit** *(Mirabilis jalapa)*. Nyctaginacée vivace, cultivée comme annuelle. Hauteur : 50 à 80 cm. Originaire d'Amérique tropicale. De juin à oct., fleurs en entonnoir, de couleurs variées, s'ouvrant en fin d'après-midi et se refermant le matin.

◆ **Chèvrefeuille** (espèce du genre *Lonicera*). Caprifoliacée vivace. Hauteur : jusqu'à 6 m (espèces grimpantes). Originaire de tout l'hémisphère Nord. Fleurs blanches, jaunes ou roses, souvent très parfumées, de mai à sept.

◆ **Chrysanthème** (espèce du genre *Chrysanthemum*). Composée annuelle ou vivace, selon les espèces. Hauteur : 20 à 100 cm. Fleurs réunies en gros capitules de couleurs variées (sauf bleu). Nombreuses espèces et variétés, originaires de diverses régions de l'hémisphère Nord, fleurissant à partir de juill. et, pour certaines, très tardivement (oct.-nov.).

◆ **Campanule à grosses fleurs** *(Campanula medium)*. Campanulacée bisannuelle. Hauteur : 50 à 80 cm. Originaire du sud de l'Europe. Fleurs en cloche, roses, mauves ou blanches, de mai à juill. Nombreuses autres espèces de campanules cultivées.

◆ **Iris** (espèce du genre *Iris*). Iridacée vivace à bulbe ou à rhizome. Hauteur : 15 cm à 1,20 m. Originaire d'Europe, d'Asie, d'Afrique du Nord. Fleurs très décoratives, de couleurs variées, de mars à juill. ou en plein hiver (selon les espèces).

◆ **Monnaie du pape** ou **lunaire** *(Lunaria annua)*. Crucifère bisannuelle. Hauteur : 60 cm à 1 m. Originaire d'Europe. Fleurs pourpres, au printemps. Fruits membraneux plats et à reflets argentés, ressemblant à des pièces de monnaie.

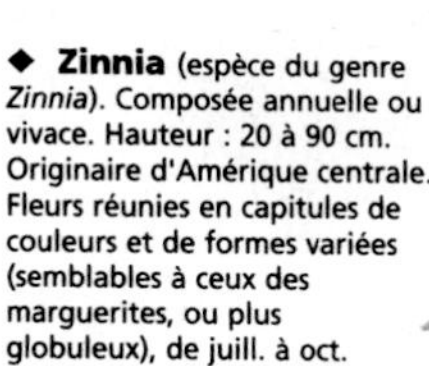

◆ **Zinnia** (espèce du genre *Zinnia*). Composée annuelle ou vivace. Hauteur : 20 à 90 cm. Originaire d'Amérique centrale. Fleurs réunies en capitules de couleurs et de formes variées (semblables à ceux des marguerites, ou plus globuleux), de juill. à oct.

◆ **Chardon bleu** ou **panicaut** (espèce du genre *Eryngium*). Ombellifère vivace ou bisannuelle, selon les espèces. Hauteur : 30 cm à 1,20 m. Originaire d'Europe, d'Afrique du Nord ou d'Amérique. Fleurs bleues, regroupées en une inflorescence globuleuse, de juill à oct.

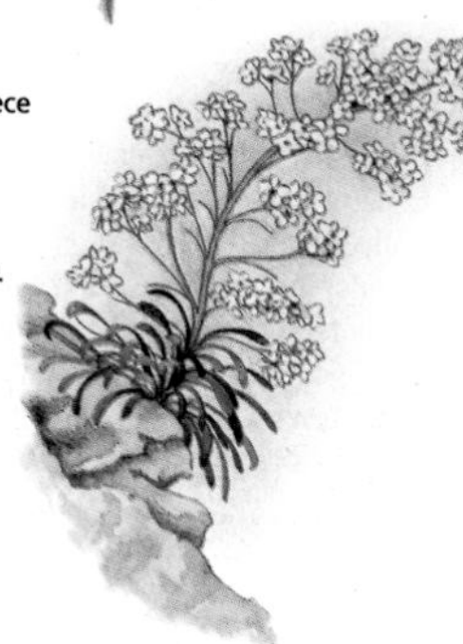

◆ **Saxifrage** (espèce du genre *Saxifraga*). Saxifragacée vivace. Hauteur : 5 à 60 cm. Originaire d'Europe, d'Asie ou d'Amérique. Nombreuses petites fleurs de couleurs variées (souvent blanches ou roses), de févr. à oct., selon les espèces. Souvent dans les rocailles.

◆ **Pied-d'alouette** ou **delphinium** (espèce du genre *Delphinium*). Renonculacée annuelle ou vivace. Hauteur : 30 cm à 1,80 m. Originaire d'Europe, d'Asie ou d'Amérique. Fleurs prolongées par un éperon, réunies en grappes blanches, roses, bleues, rouges ou violettes, surtout de juin à août.

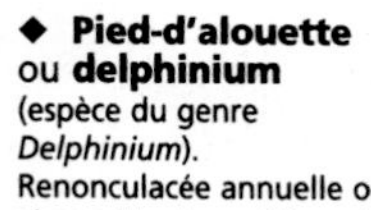

◆ **Physalis** ou **coqueret** ou **amour en cage** (espèce du genre *Physalis*). Solanacée vivace ou annuelle. Hauteur : 40 à 70 cm. Originaire d'Asie ou d'Amérique. Fleurs blanches en clochette, en été. Fruit enfermé dans une capsule membraneuse rouge, très décorative.

fruit

coupe du fruit

◆ **Géranium cultivé** ou **pélargonium** (espèce du genre *Pelargonium*). Géraniacée vivace. Hauteur 20 à 100 cm. Originaire d'Afrique du Sud. Fleurs dans divers tons de rose, rouge ou mauve, ou blanches, de mai aux premières gelées. Le géranium-lierre, à tiges retombantes, est très utilisé pour le fleurissement des balcons.

◆ **Ancolie** (espèce du genre *Aquilegium*). Renonculacée vivace. Hauteur : 20 cm à 1 m. Originaire d'Europe, d'Amérique du Nord et du Japon. Élégantes fleurs, de couleurs variées (parfois bicolores), principalement de mai à juillet.

feuilles inférieures

◆ **Pervenche** (espèce du genre *Vinca*). Apocynacée vivace. Hauteur : 40 cm. Originaire d'Europe, d'Afrique ou d'Asie. Fleurs bleu-violet, blanches ou roses, de mars à août. Certaines variétés ont un feuillage panaché de blanc crème.

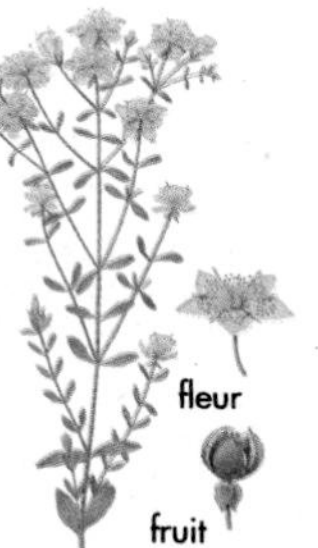

◆ **Millepertuis** (espèce du genre *Hypericum*). Hypericacée vivace. Hauteur : 20 cm à 1,80 m. Originaire d'Europe ou d'Asie. Fleurs jaunes, portant en leur centre un bouquet d'étamines, de juin à sept.

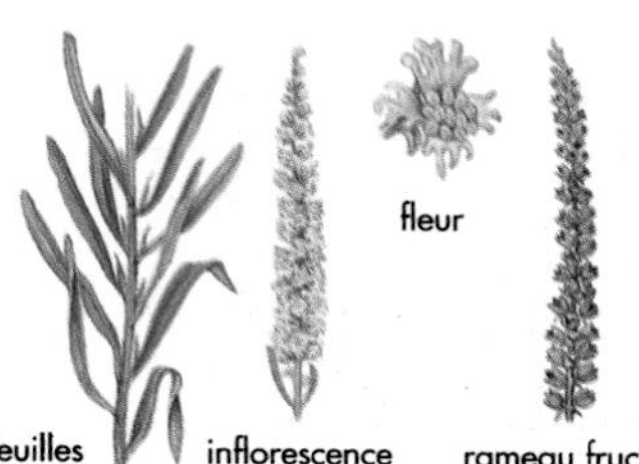

◆ **Réséda odorant** *(Reseda odorata)*. Résédacée annuelle. Hauteur : 30 à 50 cm. Originaire d'Afrique du Nord. De juin à sept., petites fleurs jaune-vert, parfois teintées de rouge, en grappes, au parfum très agréable.

Les arbres et arbustes d'ornement

Caractéristiques remarquables

Quelques fougères de très grande taille (20 m) servent de plantes ornementales dans certains pays. Cependant, l'immense majorité des arbres et arbustes ornementaux appartiennent au groupe des plantes à fleurs (ou angiospermes) ou à celui des gymnospermes (sapin, par exemple).

Arbres et arbustes sont des plantes vivaces : leurs tiges (tronc, rameaux ou branches, selon leur épaisseur) ont une durée de vie de plusieurs années. Ces tiges sont ligneuses, c'est-à-dire qu'elles contiennent du bois (tissu végétal constitué d'une importante quantité de lignine, une substance qui rigidifie et imperméabilise les parois des cellules).

Les frontières entre arbres, arbustes et arbrisseaux sont plutôt floues, surtout pour les espèces cultivées. La hauteur maximale définissant arbustes ou arbrisseaux est fixée de façon assez arbitraire et varie, selon les avis, entre 5 et 10 m. La hauteur d'une plante dépend, d'autre part, du climat et de la nature du sol ; une espèce peut être un arbre dans son pays d'origine, un arbuste ailleurs. De même, la taille que l'on peut faire subir à une plante modifie son mode de ramification et sa silhouette. Remarquons enfin que, dans le langage courant, les termes « arbuste » et « arbrisseau » sont souvent considérés comme équivalents.

Les arbres et arbustes d'ornement sont soit des espèces indigènes, soit des espèces exotiques, les unes et les autres étant éventuellement modifiées par la sélection génétique (on peut changer ainsi la silhouette, la couleur des feuilles ou des fleurs). Les espèces exotiques ont connu une grande vogue en Europe à partir du XVIIe s., quand ont commencé les grandes explorations botaniques, et surtout aux XVIIIe et XIXe siècles.

Choisir arbres et arbustes

Le choix doit évidemment tenir compte du climat, de la nature du sol (beaucoup d'espèces ne supportent pas les sols calcaires, par exemple) et de l'exposition au soleil (certaines espèces préfèrent une ombre légère, d'autres ne donneront qu'une pâle floraison si elles ne jouissent pas du soleil). Le choix se fait aussi en fonction de la place dont on dispose et du type de plantation (isolée, en massif ou en haie). La valeur ornementale de chaque espèce est importante mais la beauté du jardin, en toute saison, tient aussi à la juxtaposition d'espèces variées.

Les fleurs sont souvent un élément décoratif important. La période de floraison d'une espèce dépend des conditions climatiques ; elle varie donc d'une région à une autre (les floraisons du midi de la France sont près d'un mois en avance sur celles du nord) et change également d'une année sur l'autre. Il est bon, dans un jardin ou un parc, que les floraisons des divers arbres et arbustes soient échelonnées sur toute l'année. Les espèces fleurissant entre la fin de l'automne et le tout début du printemps sont assez rares et fort intéressantes.

L'intérêt d'autres espèces tient en la valeur décorative de leur feuillage. Les plantes à feuillage persistant sont à cet égard bien utiles pour agrémenter le jardin en hiver. Certaines espèces, à feuilles caduques comme à feuilles persistantes, se distinguent par la couleur de leur feuillage (vert panaché de blanc, argenté, pourpre…), cette couleur particulière n'apparaissant parfois qu'à une certaine période de l'année (couleurs d'automne).

Les fruits peuvent également apporter dans le jardin une touche de couleur, appréciable à la mauvaise saison.

On utilise les arbustes de différentes manières : isolément pour mettre en valeur une espèce d'origine exotique à la forme originale, en massif pour obtenir un effet de couleur plus spectaculaire, ou en haies. La haie libre est un alignement d'arbustes dont on respecte le plus possible le port naturel, souvent spontanément gracieux ; elle s'apparente à la haie des campagnes bocagères. La haie taillée, aux formes géométriques, s'emploie de préférence près des habitations, dont elle adopte en quelque sorte les formes rigoureuses. Tous les arbustes, cependant, ne supportent pas bien les tailles.

Les haies

Les thuyas, des conifères originaires d'Amérique ou d'Asie, sont très souvent utilisés pour constituer les haies autour des habitations françaises et contribuent ainsi à l'uniformisation du paysage dans les zones pavillonnaires. Ces arbustes sans fleurs, dont il existe plusieurs espèces, ont l'avantage d'être assez peu exigeants quant à la nature du sol, de bien supporter la taille et de former rapidement de hautes haies très denses, vertes en toute saison, qui protègent efficacement des regards. Cependant, bien des haies de thuyas ont été victimes de maladies (dues à des champignons microscopiques), spécifiques de ces espèces.

Une haie constituée, au contraire, d'arbustes variés risque moins d'être tout entière détruite par un parasite car toutes les espèces ne sont pas sensibles aux mêmes maladies. Cela permet aussi, en jouant sur les formes et les couleurs (feuillages, fleurs, fruits) de former des haies moins monotones que les haies de thuyas et dont l'aspect change selon la saison. Les arbustes indigènes (poussant naturellement dans la région) sont préférés aux espèces exotiques par les jardiniers soucieux d'écologie, car ils sont plus susceptibles d'offrir refuge et nourriture aux petits animaux sauvages, qui ont leur rôle à jouer dans le jardin (insectes pollinisateurs, coccinelles, oiseaux, etc.). Aubépine, épine-vinette, cornouiller, charme, prunellier, noisetier, églantine, etc., peuvent ainsi être plantés en France.

rameau — fleur

◆ **Fuchsia** (une des espèces hybrides dérivées de *Fuchsia magellanica*). Onagracée. Hauteur : jusqu'à 1,50 m. Originaire d'Amérique latine. Fleurs dans divers tons de rose, rouge, violet, orange, de juill. à oct. Feuilles caduques, en forme de fer de lance, vertes, opposées.

◆ **Hortensia** (une espèce du genre *Hydrangea*). Saxifragacée. Hauteur : jusqu'à 1,80 m. Originaire de l'est de l'Asie. En été, fleurs blanches, roses, rouges ou bleues (ce coloris n'étant obtenu que sur un sol acide ou en présence d'aluminium), regroupées en corymbes globuleux. Feuilles caduques, vertes.

◆ **Camélia** (espèce du genre *Camellia*). Théacée. Hauteur : jusqu'à 7 m. Originaire d'Asie. Feuilles ovales, terminées en pointe, persistantes, vert foncé et luisantes. Grandes fleurs blanches, roses ou rouges, rappelant un peu les roses, de février à mai.

feuilles — fleurs

◆ **Forsythia** (une espèce du genre *Forsythia*). Oléacée. Hauteur : jusqu'à 3 m. Originaire d'Asie. Fleurs jaune d'or très nombreuses, dès la fin de l'hiver (févr.-avr.). Feuilles caduques, en forme de fer de lance, vert sombre.

◆ **Genêt** (espèce des genres *Cytisus*, *Genista* ou *Spartium*). Légumineuse. Hauteur : généralement moins de 2 m. Originaire du sud et de l'ouest de l'Europe ou d'Afrique du Nord. Feuilles caduques, généralement petites. Au printemps et au début de l'été, couvert de fleurs, généralement jaune vif (variétés à fleurs roses, rouges ou crème).

inflorescence — fleur

◆ **Lilas commun** (*Syringa vulgaris*). Oléacée. Hauteur : jusqu'à 5 m. Originaire de l'est de l'Europe. Fleurs blanches, roses, rouges, mauves, formant des grappes, en avr.-mai. Feuilles caduques, en forme de cœur.

◆ **Cornouiller à bois rouge** (*Cornus alba*). Cornacée. Hauteur : jusqu'à 3 m. Originaire de l'est de l'Asie. Petites fleurs blanches, au printemps. Feuilles caduques, vertes (parfois panachées de blanc ou de jaune). Certaines variétés ont des branches jaunes ou rouge vif, très décoratives en hiver, lorsque les feuilles sont tombées.

◆ **Araucaria du Chili** *(Araucaria araucana)*. Conifère. Hauteur : jusqu'à 40 m. Originaire d'Amérique du Sud. Feuilles coriaces en forme de grandes écailles triangulaires, cachant complètement les branches et persistant toute l'année. Cône, portant les graines, constitué de nombreuses écailles terminées par une longue pointe.

◆ **Mimosa de Nice** *(Acacia dealbata)*. Légumineuse. Hauteur : jusqu'à 10 m. Originaire du sud-est de l'Australie ; craint le froid. Fleurs jaune clair, regroupées en petits capitules globuleux, eux-mêmes rassemblés en grappes, apparaissant en plein hiver (déc.-mars). Feuilles très découpées, d'un gris argent, persistant pendant l'hiver.

◆ **Magnolia de Soulange** (espèce hybride *Magnolia x soulangiana*). Magnoliacée. Hauteur : jusqu'à 6 m. Originaire de Chine. Grosses fleurs roses, en forme de tulipes, en avr.-mai. Feuilles caduques entières, vert clair, duveteuses au revers.

◆ **Marronnier d'Inde** *(Aesculus hippocastanum)*. Hippocastanacée. Hauteur : jusqu'à 20 m. Originaire des Balkans. Feuilles caduques vertes composées de 5-7 folioles disposées en éventail. Fleurs blanches, en grappes dressées de 15-20 cm de long, apparaissant en avr.-mai. Fruits (marrons, ressemblant aux châtaignes) non comestibles.

fruit

fleur

◆ **Catalpa commun** *(Catalpa bignonioides)*. Bignoniacée. Hauteur : jusqu'à 15 m. Originaire des États-Unis. Grandes feuilles vertes luisantes, tombant à l'automne. Fleurs blanches tachées de jaune et de rouge, en grappes dressées, en juil. Fruits (longues gousses semblables à des haricots) restant sur l'arbre tout l'hiver. Une variété, le catalpa boule, a une silhouette caractéristique.

fruits

fleurs et feuilles groupées en panicule

◆ **Buisson-ardent** ou **pyracantha** (espèce du genre *Pyracantha*). Rosacée. Hauteur : jusqu'à 4 m. Originaire d'Europe et d'Asie. Petites feuilles ovales persistantes.Branches épineuses. Fleurs blanches, à la fin du printemps. Couvert de baies rouges ou orange à l'automne.

◆ **Buis** *(Buxus sempervirens)*. Buxacée. Hauteur : jusqu'à 6 m. Originaire d'Europe, d'Afrique du Nord, d'Asie et d'Amérique. Petites feuilles luisantes, persistantes, entièrement vert foncé ou panachées de blanc ou de jaune. Petites fleurs jaune-vert au printemps.

feuilles et fruits

arbre non taillé

◆ **Noisetier** (espèce du genre *Corylus*). Bétulacée. Hauteur : jusqu'à 5 m. Originaire de l'hémisphère Nord. Feuilles caduques en forme de cœur, généralement vertes (pourpres ou jaunes chez certaines variétés). Petites fleurs, les fleurs mâles étant réunies en chatons pendants décoratifs, à la fin de l'hiver.

◆ **Érable champêtre** *(Acer campestris)*. Acéracée. Hauteur : jusqu'à 15 m. Originaire d'Europe, de l'ouest de l'Asie et de l'Afrique du Nord. Feuilles caduques découpées en 5 lobes, vertes puis devenant d'un beau jaune orangé à l'automne. Petits bouquets de fleurs jaune-vert à la fin du printemps.

◆ **Platane à feuilles d'érable** *(Platanus x acerifolia)*. Platanacée. Hauteur : jusqu'à 30 m. Issu du croisement d'une espèce américaine avec une espèce du sud-est de l'Europe et de l'Ouest asiatique. Feuilles caduques coriaces, découpées en 3 à 5 lobes. Minuscules fleurs regroupées en chatons globuleux, en avril-mai.

◆ **Arbre de Judée** *(Cercis siliquastrum)*. Légumineuse. Originaire d'Europe méridionale. Hauteur : jusqu'à 8 m. Feuilles rondes, vertes, tombant à l'automne. Fleurs roses apparaissant souvent à même le tronc, en avr.-mai, avant les feuilles.

Les arboretums

Les espèces d'arbres et arbustes cultivées, indigènes ou exotiques sont très nombreuses ; de plus, à l'intérieur de chaque espèce, on distingue diverses variétés et cultivars (variantes naturelles ou fabriquées par l'homme). Pour mieux connaître toutes ces espèces et conserver les spécimens rares, ou les variétés anciennes qui ne sont plus cultivées, ont été créées des collections appelées arboretums (on emploie parfois un terme différent, le fruticetum, pour les collections d'arbustes).

Les arboretums implantés au sein de parcs publics ont essentiellement un but pédagogique (sur chaque arbre sont apposées quelques-unes de ses caractéristiques, son nom et son pays d'origine, en particulier). D'autres arboretums ont un but plus scientifique (on y étudie par exemple l'influence du sol, de la sécheresse ou du froid sur la croissance ou la floraison). En France, l'arboretum de Chèvreloup (Versailles) et celui des Barres (présentant près de 3 000 espèces, dans le Loiret) sont particulièrement riches en espèces ; ils sont ouverts au grand public.

◆ **Arbre de soie** *(Albizzia julibrissin)*. Légumineuse. Originaire d'Asie. Hauteur : jusqu'à 10 m. Feuilles caduques vertes, divisées en petites folioles. En été, fleurs roses dont les étamines forment une aigrette plumeuse.

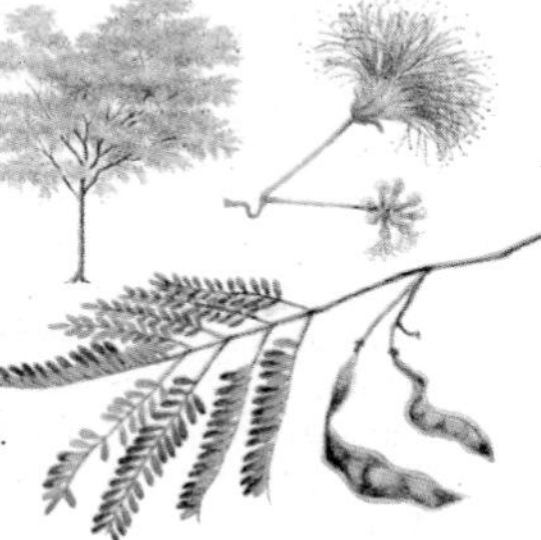

◆ **Acacia commun** ou **robinier** ou **faux-acacia** *(Robinia pseudoacacia)*. Légumineuse. Hauteur : jusqu'à 20 m. Originaire des États-Unis. Feuilles vertes et caduques, composées de 13-15 folioles, disposées de part et d'autre de la nervure principale. Fleurs blanches et odorantes en grappes, en mai-juin.

VOIR AUSSI
- **Anatomie végétale** p. 154 à 159
- **Forêts tempérées** p. 163
- **Fleurs des jardins** p. 179
- **Fruits** p. 882 à 885
- **Jardinage** p. 1312

Petit lexique

arbre : plante vivace ligneuse, de plus de 6 m de haut, possédant une tige principale (le tronc) qui ne se ramifie qu'à partir d'une certaine hauteur.

arbrisseau : plante vivace ligneuse, de moins de 6 m de haut, ramifiée dès la base.

arbuste : plante vivace ligneuse, de moins de 6 m de haut, possédant une tige principale (le tronc) qui ne se ramifie qu'à partir d'une certaine hauteur.

Les plantes médicinales

Caractéristiques remarquables

La thérapeuthique par les plantes a sans doute débuté dès la préhistoire et a été pratiquée dans toutes les civilisations anciennes. Le plus vieux texte concernant les plantes médicinales date de 4 000 ans. Aujourd'hui encore, la phytothérapie occupe une grande place dans les pays peu industrialisés.

L'ethnobotanique est une discipline scientifique dont le but est de mieux connaître les pharmacopées traditionnelles utilisées dans certaines régions. L'inventaire partiel établi dans divers pays par l'Organisation mondiale de la santé répertorie environ 20 000 plantes médicinales. Parmi les 250 000 espèces de plantes que compte actuellement notre planète, moins de 10% ont fait l'objet d'analyses chimiques fines pour détecter d'éventuels principes actifs. Une étude plus systématique des plantes médicinales pourrait se traduire par la découverte de nouveaux médicaments utilisables.

Tous les organes d'une plante médicinale ne sont pas forcément actifs ; suivant les espèces, on utilise les fleurs, les feuilles, les fruits, les tiges, les écorces ou les racines. L'époque et le moment de la cueillette ont une grande influence sur l'activité thérapeutique, car les phénomènes biochimiques qui ont lieu dans les cellules végétales dépendent de la photosynthèse et de phénomènes hormonaux qui dépendent du rythme solaire. Les substances contenues dans les plantes sont de nature chimique variée : certaines sont solubles dans l'eau, d'autres dans l'alcool éthylique, d'autres encore dans l'huile. À partir des plantes médicinales, on peut obtenir différentes préparations : infusion, décoction, macération dans l'alcool (teinture) ou dans l'huile (extraction huileuse, plus rare), etc. Les plantes peuvent aussi être consommées entières, fraîches ou sèches, réduites en débris plus ou moins fins, éventuellement conditionnées en gélules. Les sèves et sécrétions sont également utilisées dans certains cas. Il est enfin possible d'en extraire chimiquement des principes actifs en vue de leur utilisation thérapeutique.

Certaines plantes sont inoffensives, mais d'autres, très nombreuses (digitale, belladone, colchique, etc.), sont toxiques et ne sont utilisées que sous des formes bien contrôlées, exclusivement commercialisées en pharmacie. L'emploi inconsidéré de plantes cueillies dans la nature peut aboutir à des intoxications graves, voire mortelles.

◆ **Saule blanc** *(Salix alba).* Salicacée. Hauteur : 20 m. Souvent près de l'eau, en Europe, Asie et Afrique du Nord. Son écorce, qui était utilisée plusieurs siècles av. J.-C., pour traiter douleurs et fièvres, contient de la salicine, une molécule proche de l'aspirine.

bourgeons ou fruits

chaton femelle

chaton mâle

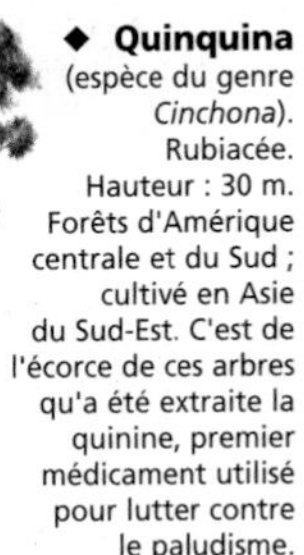

◆ **Quinquina** (espèce du genre *Cinchona*). Rubiacée. Hauteur : 30 m. Forêts d'Amérique centrale et du Sud ; cultivé en Asie du Sud-Est. C'est de l'écorce de ces arbres qu'a été extraite la quinine, premier médicament utilisé pour lutter contre le paludisme.

◆ **Arnica des montagnes** *(Arnica montana).* Composée. Hauteur : 50 cm. Montagnes d'Europe. Floraison au début de l'été. La teinture d'arnica est utilisée pour traiter les ecchymoses, les contusions, les entorses. Parties utilisées : fleurs ; sous forme de teinture (macération dans l'alcool) ; usage externe.

◆ **Aubépine épineuse** *(Crataegus oxyacantha).* Rosacée. Hauteur : 3 m. Haies et bois, en Europe, Asie occidentale et Afrique du Nord. Floraison au printemps. Elle contribue à soigner l'hypertension, les irrégularités du rythme cardiaque. Ses propriétés calmantes en font un remède contre l'insomnie, la nervosité. Parties utilisées : fleurs ; sous forme d'infusion, de décoction, de gélules...

feuilles et fruits

◆ **Guimauve officinale** *(Althaea officinalis).* Malvacée. Hauteur : 1 à 2 m. Zones humides, surtout en bord de mer ou de rivière, en Europe, Afrique du Nord et Asie. Floraison de juin à sept. Elle possède des propriétés adoucissantes ; c'est un remède contre les inflammations et les irritations (toux, affections des voies respiratoires et digestives). En gargarismes, elle est utilisée pour le traitement des aphtes, angines, gingivites... Parties utilisées : racine, fleurs, feuilles ; en infusions ou décoctions.

◆ **Camomille allemande** ou **matricaire camomille** *(Matricaria chamomilla).* Composée. Hauteur : 50 cm. Champs, en Europe et en Asie. Floraison de mai à août. Elle favorise la digestion, est antispasmodique et soigne les inflammations des paupières et les conjonctivites. Parties utilisées : fleurs ; sous forme d'infusion, en usage interne ou externe.

fleur

◆ **Lavande** (espèce du genre *Lavandula*). Labiée. Hauteur : jusqu'à 1 m. Plusieurs espèces, principalement sur les coteaux arides méditerranéens. Floraison de juin à sept. C'est un remède contre les maladies respiratoires (bronchite, toux, laryngite...). En usage externe, l'huile essentielle est un antiseptique (plaies et certaines dermatoses). Parties utilisées : fleurs, en infusion, sous forme d'huile essentielle (essence) ou de teinture.

Médicaments d'origine végétale

On oppose souvent la thérapeutique par les plantes à la médecine moderne, qui utilise des médicaments synthétisés de manière industrielle. Les plantes ne sont toutefois pas absentes, loin de là, de la médecine moderne. Près de la moitié des médicaments employés dans les pays industrialisés sont d'origine végétale, soit indirectement (ils contiennent des composés synthétiques qui ont d'abord été identifiés dans une plante ou dont la structure chimique est proche de celle d'un composé végétal), soit directement (les principes actifs sont extraits de plantes car ils ne peuvent être synthétisés facilement par voie chimique). La morphine est toujours extraite du pavot. La quinine (antipaludéen) a été identifiée dans le quinquina, un arbre originaire des Andes. Le ginkgo biloba (arbre de Chine) fournit un extrait actif permettant d'améliorer la circulation sanguine dans le cerveau, chez les personnes âgées notamment. La salicine, principe actif présent dans le saule (dont l'écorce était déjà utilisée plusieurs siècles av. J.-C. pour traiter douleur et fièvres), a servi de modèle pour synthétiser une molécule de structure proche, l'aspirine. Plus récemment, une substance permettant de traiter les cancers du sein et de l'ovaire a été identifiée dans l'if. La pervenche rose de Madagascar a fourni plusieurs molécules efficaces contre le cancer du système lymphatique et des leucémies.

fleur

racine

◆ **Gentiane jaune** *(Gentiana lutea).* Gentianacée. Hauteur : 1 m. Prairies de montagne, en Europe et en Asie de l'Ouest. Floraison de juin à août. Elle stimule l'appétit (utilisée pour la fabrication d'apéritifs) et elle exerce une action tonique. Parties utilisées : racines, en décoction ou macérées dans de l'eau ou du vin. Ne pas la confondre avec le vératre blanc, qui est très toxique (feuilles alternes et non opposées, fleurs tirant sur le vert et disposées en une grappe au sommet de la tige).

◆ **Bourrache officinale** *(Borrago officinalis).* Borraginacée. Hauteur : de 30 à 60 cm. Jardins et abords des lieux habités, en Europe, Asie et Afrique du Nord. Floraison de mai à sept. Elle est préconisée, par exemple, dans le traitement des affections des bronches (propriétés adoucissantes) ou des fièvres (favorise la transpiration). Parties utilisées : fleurs, feuilles, tiges ; sous forme de décoction et d'infusion principalement.

VOIR AUSSI 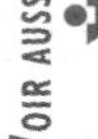

- **Fleurs des jardins** p. 179 à 181
- **Phytothérapie** p. 225

◆ **Mélisse officinale** *(Melissa officinalis)*. Labiée. Hauteur : 1 m. Bord des chemins, champs, dans les régions méditerranéennes. Floraison de juin à sept. Elle traite les spasmes et apaise certains troubles nerveux : insomnie, migraines, palpitations, vertiges, nervosité, et, par voie de conséquence, les crampes d'estomac d'origine nerveuse. Parties utilisées : feuilles et fleurs ; en infusion ou macérées dans du vin ou de l'alcool (préparation improprement appelée « eau de mélisse »).

fleur

fruit

◆ **Belladone** *(Atropa belladonna)*. Solanacée. Hauteur : jusqu'à 1,50 m. Dans les clairières et les haies, en Europe et dans l'ouest de l'Asie. Contient de l'atropine, très toxique, mais qui, à très faibles doses, a des applications en médecine. Consommer 2 ou 3 baies provoque la mort.

Drogues et poisons végétaux

Les plantes soignent, mais elles peuvent aussi rendre malade, et même tuer. La digitale, par exemple, fournit la digitaline, indispensable pour le traitement de certaines insuffisances cardiaques, mais elle constitue un poison redoutable. L'un des cas les plus connus d'empoisonnement intentionnel est celui du philosophe grec Socrate, condamné à boire de la ciguë, en 399 av. J.-C. Les empoisonnements involontaires par des plantes concernent essentiellement les enfants ; certains fruits, notamment, paraissent appétissants, mais sont hautement toxiques (belladone, arum, muguet). Parmi les plantes toxiques, toutefois, nombreuses sont celles qui ont également des effets bénéfiques sur la santé humaine, à condition qu'elles soient bien employées. Certains curares, poisons violents dans lequel les Indiens d'Amazonie trempent leurs flèches pour tuer le gibier, peuvent être utilisés, à des doses contrôlées, au cours des anesthésies, pour favoriser le relâchement des muscles. La morphine, issue du pavot, est indispensable en médecine pour lutter contre la douleur, mais elle permet aussi de préparer une puissante drogue qui agit sur le psychisme et provoque un état de dépendance extrême.

◆ **Menthe** (espèce du genre *Mentha*). Labiée. Hauteur : jusqu'à 1 m. Plusieurs espèces, dans les lieux humides, dans de nombreux pays à climat tempéré ou subtropical. Floraison de juin à sept. Elle facilite la digestion, évite les fermentations et les lourdeurs digestives après les repas. Elle contient du menthol, aux propriétés antiseptiques et rafraîchissantes. Parties utilisées : fleurs et feuilles ; en infusion, sous forme d'huile essentielle, d'alcool de menthe.

◆ **Pavot somnifère** *(Papaver somniferum)*. Papaveracée. Hauteur : 30 cm à 1,20 m. Originaire d'Asie. Ses fruits contiennent de l'opium, à partir duquel on prépare la morphine, indispensable pour le traitement de la douleur. Mais la morphine et l'héroïne, qui en est un dérivé, sont aussi de terribles drogues.

capsule

graines

◆ **Digitale pourpre** *(Digitalis purpurea)*. Scrofulariacée. Hauteur : 30 cm à 1,50 m. Dans les clairières et sur les lisières, en Europe ; naturalisée en Amérique. Contient de la digitaline, utilisée à faibles doses pour traiter des insuffisances cardiaques, mais constituant par ailleurs un poison violent.

◆ **Plantain majeur** *(Plantago major)*. Plantaginacée. Hauteur : 20-40 cm. Chemins et lieux incultes, prairie, un peu partout dans le monde, sous climat tempéré. Floraison de juin à oct. Il est utile contre les affections respiratoires. Les feuilles, bien lavées à l'eau bouillante, peuvent être appliquées sur les gerçures et piqûres (action adoucissante). Il est préconisé en cas d'inflammation des paupières ou de conjonctivite. Parties utilisées : essentiellement les feuilles, en infusion, pour usage local…

◆ **Thym vulgaire** *(Thymus vulgaris)*. Labiée. Hauteur : 20 cm. Lieux secs et arides des régions méditerranéennes. Floraison de mai à juill. Il est proposé pour le traitement des affections respiratoires, toux bénignes, rhinite…) Parties utilisées : fleurs, tiges et feuilles ; en infusion, décoction.

fleur

rameau

◆ **Tabac** *(Nicotiana tabacum)*. Solanacée. Hauteur : jusqu'à 2 m. Originaire d'Amérique tropicale. Rapporté en Europe au XVIe s., il est d'abord utilisé pour traiter migraines, troubles nerveux et digestifs. Fumé de façon régulière, il constitue cependant un véritable poison.

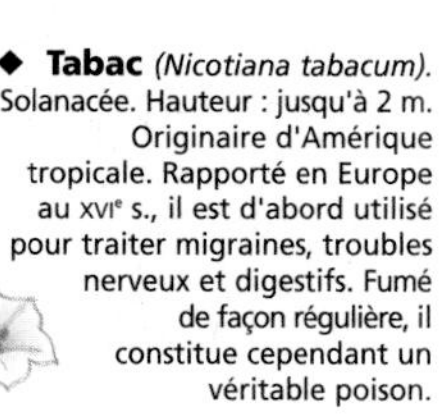

◆ **Tilleul** (espèce du genre *Tilia*). Tiliacée. Hauteur : jusqu'à 15 m. En Europe. Floraison en juin-juill. C'est un calmant, utile pour le traitement des troubles mineurs du sommeil. Il favorise la digestion. Parties utilisées : fleurs ; l'aubier (partie interne de l'écorce) est utilisé en décoction pour faciliter la digestion.

inflorescence et feuilles

fruit

fleur

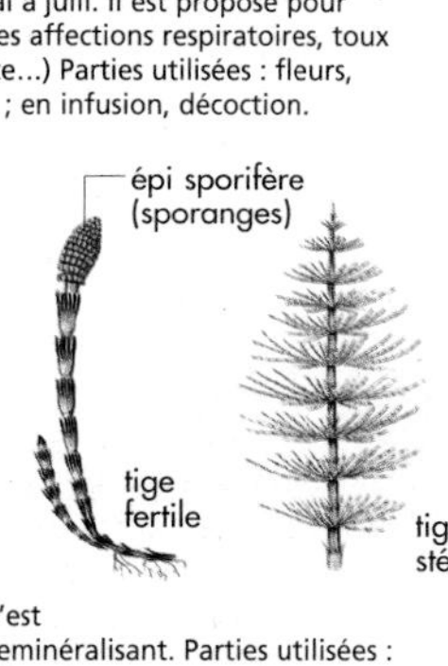

◆ **Prêle des champs** *(Equisetum arvense)*. Ptéridophyte (plante sans fleurs, ni graines). Hauteur : jusqu'à 1 m. Lieux humides, en Europe, Afrique, Asie et Amérique du Nord. C'est un diurétique et un reminéralisant. Parties utilisées : tiges et feuilles ; en décoction ou en poudre.

feuilles et fleurs

◆ **Coca** ou **cocaïer** *(Erythroxylum coca)*. Erythroxylacée. Hauteur : jusqu'à 3 m. Originaire d'Amérique du Sud. Ses feuilles, mâchées par les Amérindiens, contiennent de la cocaïne, qui est utilisée comme anesthésique local, mais est aussi une dangereuse drogue.

fruit

◆ **Ronce commune** *(Rubus fruticosus)*. Rosacée. Hauteur : 1,50 m. Bois, haies, terrains incultes, en Europe, Asie, Afrique du Nord. Floraison de juin à oct. Elle est traditionnellement utilisée dans les traitements des insuffisances veineuses (jambes lourdes, hémorroïdes) et des diarrhées. En usage externe, employée en gargarismes, elle calme les maux de gorge et les inflammations buccales (aphtes, gingivites). Parties utilisées : feuilles ; en décoction.

◆ **Sauge officinale** *(Salvia officinalis)*. Labiée. Hauteur : 60 cm. Lieux secs et arides des régions méditerranéennes. Floraison de mai à juill. Elle favorise la digestion et peut être employée en usage local pour l'hygiène buccale. Parties utilisées : feuilles ; en infusion, macérées dans le vin ou l'alcool.

Petit lexique

décoction : opération consistant à maintenir dans l'eau en ébullition une plante médicinale.

huile essentielle : mélange des substances aromatiques volatiles extraites d'une plante par distillation ou par pressage.

infusion : opération consistant à verser de l'eau bouillante sur une plante médicinale et à laisser refroidir.

principe actif : molécule responsable de l'activité thérapeutique d'une plante ou d'un médicament.

teinture : préparation liquide obtenue par action d'un alcool sur une substance végétale sèche.

Les champignons comestibles

Principales caractéristiques

Tous les champignons comestibles sont des champignons supérieurs. Ils se présentent la plupart du temps sous la forme d'un mycélium, généralement peu visible (il se développe dans le sol ou, pour certains champignons, à l'intérieur du bois). Ce n'est que dans certaines conditions (de température, d'éclairement…) que les filaments de mycélium s'agglomèrent pour former un organe de fructification, qui est la partie comestible, ayant généralement la forme d'un parapluie. Il contient des spores qui assurent la dissémination de chaque espèce.

Ascomycètes et basidiomycètes. Les champignons supérieurs appartiennent à deux grands groupes. Celui des ascomycètes compte un grand nombre d'espèces, mais relativement peu d'espèces comestibles (truffes, morilles). Leurs spores sont contenues à l'intérieur d'un organe appelé asque. La majorité des espèces comestibles sont des basidiomycètes. Leurs spores forment des excroissances à l'extrémité des basides, organes en forme de massue.

Saprophytes, parasites et mycorhizes. Les champignons saprophytes sont ceux qui poussent sur de la matière organique morte (végétaux ou animaux en décomposition dans le sol, bois mort, parties mortes d'un arbre encore sur pied). Ils participent, dans le sol, au recyclage des éléments chimiques (carbone, azote…). Les autres champignons comestibles vivent sur des végétaux vivants, principalement sur les racines ou les parties aériennes des arbres car ils se nourrissent de la matière organique élaborée par eux. Ils peuvent établir avec leur hôte une relation soit de parasitisme, provoquant l'affaiblissement des arbres ou leur mort, soit de symbiose (relation dont les deux partenaires tirent profit). Dans ce dernier cas, le mycélium est étroitement associé aux racines des plantes pour former des mycorhizes. C'est pourquoi il n'est pas étonnant que de nombreuses espèces de champignons poussent sous les arbres.

◆ **Morille conique** *(Morchella conica).* Ascomycète. Pousse plutôt en montagne, dans les bois de conifères, à la fin du printemps. Hauteur : de 5 à 15 cm. Chapeau conique, habituellement assez sombre, parcouru de côtes longitudinales et transversales qui délimitent des alvéoles plus ou moins rectangulaires. Pied plus clair que le chapeau, généralement plus large au sommet qu'à la base et parfois très court.

◆ **Russule charbonnière** *(Russula cyanoxantha).* Basidiomycète. Commune dans les bois en été et en automne. Chapeau de 5 à 15 cm de diamètre, d'abord convexe puis s'aplatissant et se creusant en son centre ; de couleur très variable : bleu-noir, gris-violet ou vert. Lamelles blanches et semblant grasses au toucher. Pied cylindrique et épais, blanc, parfois taché de mauve. Chair blanche, passant au gris lorsqu'elle est exposée à l'air.

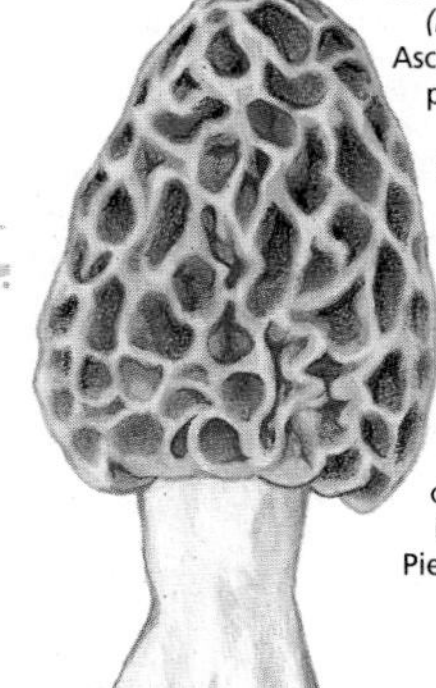

◆ **Morille commune** *(Morchella vulgaris).* Ascomycète. Pousse au printemps, en lisière de forêt, dans les haies d'ormes et de frênes, mais aussi dans les parcs, jardins, vergers. Hauteur : de 5 à 15 cm. Chapeau allongé, avec des alvéoles de formes irrégulières ; de couleur variable (du brun-gris au beige). Pied de couleur claire, souvent élargi à la base.

◆ **Agaric champêtre** ou **rosé des prés** *(Agaricus campestris = Psalliota campestris).* Basidiomycète. Proche parent du champignon de Paris. Commun dans les prés, et parfois dans les jardins, à la fin de l'été et en automne. Chapeau de couleur claire, soyeux en surface, d'abord bombé puis s'aplatissant et atteignant de 4 à 14 cm de diamètre. Lamelles rose pur au début de la croissance, devenant brun-rouge. Pied assez court, cylindrique et légèrement rétréci à la base ; possède un anneau mince, membraneux, blanc, qui disparaît quand le champignon grandit. Chair blanche qui rosit légèrement quand elle est exposée à l'air.

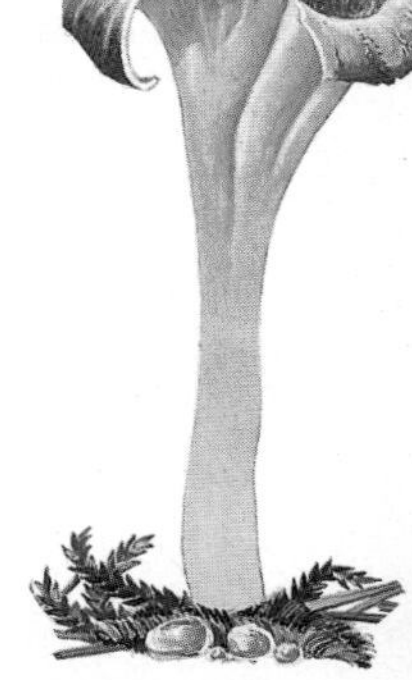

◆ **Chanterelle jaunâtre** *(Cantharellus lutescens).* Basidiomycète. Pousse plutôt en montagne, sous les conifères et les châtaigniers, en été et à l'automne. Diffère de la chanterelle commune par son pied creux et son chapeau de 2 à 5 cm de diamètre, de couleur sombre, qui a la forme d'un entonnoir, parfois percé en son centre. Les lamelles, formant des plis, sont jaune orangé, de même que le pied.

◆ **Chanterelle commune** ou **girolle** *(Cantharellus cibarius).* Basidiomycète. Pousse en forêt, de mai à oct. Chapeau jaune de 3 à 10 cm de diamètre, d'abord bombé, puis en forme d'entonnoir à bord festonné. Lamelles formant des plis d'un jaune vif. Pied court, souvent rétréci à la base. Chair jaune très parfumée.

◆ **Amanite des Césars** ou **oronge** *(Amanita caesarea).* Basidiomycète. Très appréciée des Romains et, sans doute, de leurs empereurs (d'où son Apparaît en été et au début de l'automne dans les bo chênes et de châtaigniers, plutôt dans les régions sèch chaudes. Chapeau orange de 6 à 20 cm, d'abord très ε puis s'aplatissant. Lamelles d'un vrai jaune d'or, ce qui distingue de l'amanite tue-mouches (espèce vénéneus qui a des lamelles blanches et un pied blanc). Pied jau d'or, cylindrique et muni d'un large anneau retomban même jaune d'or et d'une volve membraneuse épaisse blanche. Chair blanche (jaune dans la partie la plus ex du chapeau).

Petit lexique

champignon inférieur : champignon dont le mycélium est constitué par des files de cellules qui ne sont pas séparées les unes des autres par une paroi transversale.

champignon supérieur : champignon dont le mycélium est constitué par des files de cellules séparées les unes des autres par une paroi.

mycélium : ensemble des fins filaments, sous la forme desquels se présentent les champignons dans le sol ; couramment appelé blanc de champignon, car il est souvent de couleur blanche.

spore : élément microscopique produit par le champignon, qui est disséminé et donne alors naissance à un autre filament de mycélium.

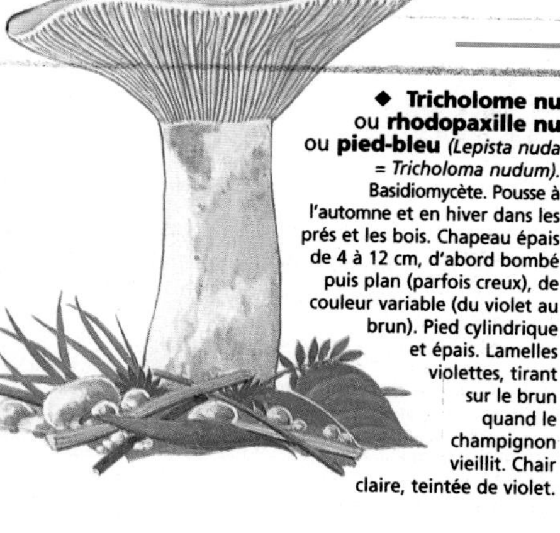

◆ **Tricholome nu** ou **rhodopaxille nu** ou **pied-bleu** *(Lepista nuda = Tricholoma nudum).* Basidiomycète. Pousse à l'automne et en hiver dans les prés et les bois. Chapeau épais de 4 à 12 cm, d'abord bombé puis plan (parfois creux), de couleur variable (du violet au brun). Pied cylindrique et épais. Lamelles violettes, tirant sur le brun quand le champignon vieillit. Chair claire, teintée de violet.

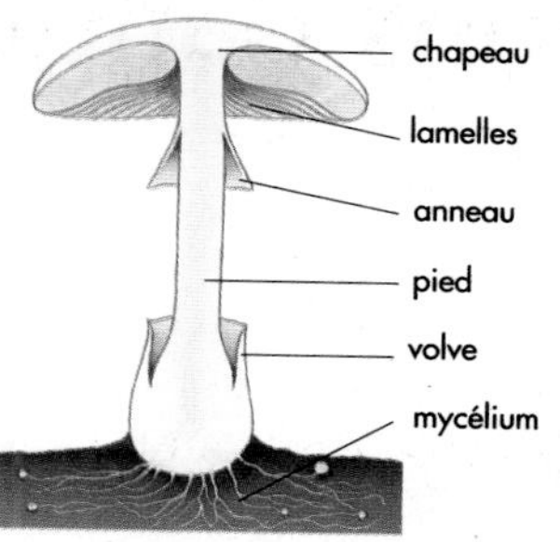

◆ **Les différentes parties d'un champignon basidiomycète typique.**
Les lamelles sont remplacées, chez certaines espèces, par des tubes ou des aiguillons, toutes ces structures étant les lieux de formation des spores. L'anneau et la volve ne sont pas présents chez toutes les espèces; ce sont les restes laissés par un voile qui unit parfois le chapeau au pied, en enveloppant plus ou moins complètement le très jeune champignon, et qui se déchire quand le champignon grandit.

VOIR AUSSI
• **Règnes du monde vivant** p. 89
• **Champignons dangereux** p. 188
• **Champignons cultivés** p. 886

◆ **Truffe noire** ou **truffe du Périgord** *(Tuber melanosporum).* Ascomycète. Vit en symbiose (association à bénéfice réciproque) avec des racines d'arbres, principalement celles des chênes (est nourrie par les sucres synthétisés par l'arbre et lui facilite en retour l'absorption des sels minéraux contenus dans le sol). Organe de fructification souterrain, se formant en automne ou en hiver; de 2 à 10 cm de diamètre; brun-noir et couvert de grosses verrues à 6 côtés. Chair noire quand elle est mûre, avec des veines caractéristiques encadrées de deux lignes translucides.

◆ **Lactaire délicieux** *(Lactarius deliciosus).* Basidiomycète. Commun, pousse uniquement dans les bois de conifères (principalement sous les pins), en été et en automne. Les lactaires laissent échapper un liquide sur leurs lamelles ou quand on les coupe; chez le lactaire délicieux, ce liquide est orange lorsqu'il s'écoule et devient rouge sombre ensuite. Chapeau de 5 à 13 cm de diamètre, d'abord bombé et orangé, se tachetant ensuite de vert et se creusant en son centre. Lamelles serrées, orangées et tachées de vert aux endroits blessés. Pied grossièrement cylindrique et courbé à la base. Chair jaune pâle quand on vient de la couper, passe rapidement à l'orange puis au vert.

◆ **Tricholome de la Saint-Georges** ou **mousseron de printemps** *(Tricholoma georgii).* Basidiomycète. Assez commun, pousse au printemps dans les lieux clairs : prés, haies, lisières, clairières. Chapeau épais de 5 à 15 cm, d'abord bombé puis s'aplatissant. Lamelles très serrées; blanches au début, elles virent au crème par la suite. Pied massif, cylindrique. Chair blanche à odeur agréable de farine.

◆ **Lépiote élevée** ou **coulemelle** *(Lepiota procera).* Basidiomycète. En été et en automne, très commune dans les bois, les clairières ou les prés. Chapeau brun, jusqu'à 25 cm de diamètre, couvert d'écailles plus foncées; d'abord ovale, puis devenant plus plat et présentant un mamelon en son centre. Lamelles blanches. Pied cylindrique très long (de 20 à 40 cm), tigré de peluches brunes et renflé à la base. Anneau épais, frangé et coulissant le long du pied quand le champignon est vieux. Chair mince et blanche (brunissant à l'air).

◆ **Coprin chevelu** *(Coprinus comatus).* Basidiomycète. Dans les jardins, les champs, le long des routes, du printemps à l'automne. Chapeau de 5 à 15 cm de haut, recouvert de lambeaux pelucheux. Lamelles blanches devenant noires et déliquescentes.

◆ **Hydne sinué** ou **pied-de-mouton** *(Hydnum repandum).* Basidiomycète. Commun dans les bois, de l'été à la fin de l'automne; pousse en groupes. Chapeau jaune-ocre clair de 3 à 15 cm de diamètre, épais et bosselé. Spores contenues dans des aiguillons très fragiles, situés sous le chapeau et de même couleur que celui-ci. Pied épais et court. Chair blanche, s'oxydant en roux à l'air, d'odeur agréable.

◆ **Fistuline hépatique** ou **langue-de-bœuf** *(Fistulina hepatica).* Basidiomycète. Pousse sur les chênes ou les châtaigniers, en été et en automne. Chapeau brun-rouge de 10 à 20 cm de large. Pied très court et excentré. Tubes jaunâtres, devenant brun-rouge. Chair épaisse, teintée de rouge (seuls les sujets jeunes sont bons à consommer).

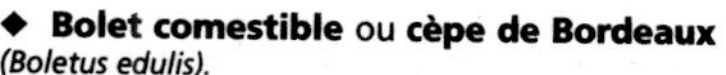

◆ **Bolet comestible** ou **cèpe de Bordeaux** *(Boletus edulis).* Basidiomycète. Commun dans les bois, en été et en automne. Chapeau brun, bombé, de 5 à 20 cm de diamètre. Sous le chapeau, on ne trouve pas de lamelles mais des tubes (d'abord blancs, puis jaune-vert), contenant les spores. Pied très gros, souvent renflé à la base. Chair ferme et blanche (ne changeant pas de couleur quand on l'expose à l'air), de nuance brun-rose à la périphérie du chapeau.

Quelques champignons utiles

Les champignons comestibles ne représentent qu'une infime partie des espèces de champignons. D'autres espèces peuvent être très utiles à l'homme. Des levures (champignons microscopiques se présentant généralement sous la forme d'une seule cellule) interviennent dans la fabrication du pain, du vin ou de la bière, par exemple. Une espèce de pénicillium constitue la moisissure verte dans le roquefort et une autre forme la croûte du camembert. Les pénicilliums produisent aussi des antibiotiques, dont la fameuse pénicilline.

Le glutamate, qui renforce le goût des aliments, est synthétisé grâce à des cultures de champignons, de même que la lysine, un acide aminé que l'on incorpore aux aliments du bétail, la riboflavine (vitamine B2), utilisée comme colorant jaune en pâtisserie et confiserie, ou le carotène, également jaune, dont on se sert en charcuterie et qui donne une teinte appétissante aux poulets d'élevage.

Les manipulations génétiques, qui permettent d'introduire dans un être vivant certains gènes d'un autre organisme, vont considérablement élargir le domaine d'utilisation des champignons, notamment des levures, qui ont l'avantage de pouvoir être cultivées facilement, à faible coût. Une levure de boulanger génétiquement manipulée peut ainsi produire des hormones humaines appartenant au groupe des stéroïdes, qui sont des anti-inflammatoires (comme la cortisone), des contraceptifs ou des anticancéreux, et dont la synthèse par voie chimique est longue et coûteuse.

Les champignons dangereux

VOIR AUSSI
• **Maladies de la peau** (mycoses) p. 245
• **Intoxications** p. 251

Des champignons indésirables

De nombreux champignons supérieurs ne sont pas comestibles et sont vénéneux, voire mortels. Les couleurs et la forme des champignons d'une même espèce varient souvent d'un individu à un autre et changent lorsque le champignon vieillit, de sorte qu'il est souvent difficile de décider si un champignon est inoffensif ou non; il convient alors de demander conseil à des spécialistes (pharmacien par ex.). D'autres, microscopiques pour la plupart, ont aussi des conséquences néfastes pour la santé de l'homme. Certains contaminent des aliments et y produisent des toxines (les mycotoxines) qui peuvent causer de graves intoxications. Les mycoses, qui affectent le plus souvent la peau, mais aussi des organes vitaux (poumons, cerveau...), sont dues à des champignons parasites. Enfin, les spores de champignons présentes dans l'air peuvent provoquer des allergies.

Des champignons détériorent divers matériaux : bois, papier, tissus, denrées alimentaires, mais aussi circuits électroniques, kérosène, pierre des monuments... Ces pourritures, moisissures et autres dégradations ont des conséquences variées (économiques, culturelles – destruction d'œuvres d'art, de manuscrits et d'archives anciens – ou même historiques – immobilisation de la plupart des bateaux de la marine militaire anglaise à une certaine époque). Les champignons sont responsables des trois quarts des maladies des plantes (mildious, oïdiums, rouilles, etc.) et de la perte d'environ 10 % des récoltes.

◆ **Clitocybe blanc** *(Clitocybe dealbata).* Basidiomycète. Vénéneux, parfois mortel. Dans les prés et tous les lieux herbeux, en été et en automne. Chapeau de 2 à 4 cm de diamètre; d'abord légèrement bombé, il s'étale ensuite et se creuse en son centre; blanc jaunâtre poudré de blanc. Lamelles minces et serrées, blanchâtres ou crème. Pied plein et fibreux, assez court, blanchâtre. Chair blanchâtre.

◆ **Entolome livide** *(Entoloma lividum = Rhodophyllus lividus).* Basidiomycète. Vénéneux, parfois mortel. En été et en automne, souvent en petits groupes, dans les bois de feuillus (chênes, notamment). Chapeau de 6 à 20 cm de diamètre; arrondi ou plus ou moins conique au début, s'étalant ensuite; jaunâtre ou gris-brun; parcouru de fibrilles rayonnantes. Lamelles d'abord jaunâtres puis roux orangé pâle. Pied épais, souvent renflé à la base, blanchâtre, se tachant ensuite de jaune ou de brun. Chair épaisse et blanche.

◆ **Tricholome tigré** *(Tricholoma pardinum).* Basidiomycète. Vénéneux. Apparaît, souvent en groupes, dans les forêts de montagne, en été ou à l'automne. Chapeau hémisphérique au début, plus plat ensuite; de 5 à 20 cm de diamètre, bord enroulé vers le bas, souvent festonné ou fendu; couvert d'écailles gris-brun, se détachant sur un fond plus clair. Lamelles blanchâtres puis jaunes teintées de vert ou de gris-brun. Pied très épais, renflé vers le bas, blanc crème, marqué de brun, de rouge ou de jaune vers sa base. Chair blanche, devenant par endroits brune ou rougeâtre.

◆ **Amanite phalloïde** *(Amanita phalloides).* Basidiomycète. Mortelle. En été et en automne, dans les bois, parfois dans les landes ou les pâturages. Chapeau mesurant de 5 à 15 cm de diamètre, luisant, généralement verdâtre ou jaune, parfois plus brun ou presque blanc, souvent strié de fines fibres rayonnantes brunes, presque sphérique au début et s'étalant par la suite. Lamelles serrées, blanches avec un reflet jaune-vert. Pied cylindrique, blanchâtre, strié de vert-jaune; inséré dans une volve membraneuse blanchâtre et persistante qui entoure largement sa base renflée; porte un anneau de couleur claire, retombant, qui n'est pas toujours très visible. Chair blanche.

◆ **Amanite tue-mouches** *(Amanita muscaria).* Basidiomycète. Vénéneuse, parfois mortelle. Commune à la fin de l'été et en automne dans les bois, souvent sous les bouleaux mais aussi sous les conifères. Chapeau d'abord pratiquement sphérique, s'étale ensuite pour atteindre de 6 à 20 cm de diamètre; rouge vermillon, moucheté d'écailles floconneuses blanchâtres (pouvant disparaître à la pluie); bord strié chez les champignons les plus âgés. Lamelles serrées, blanches ou crème. Pied cylindrique, robuste et blanc; large anneau blanc ou jaune clair, retombant; volve réduite à trois ou quatre rangées de bourrelets squameux disposés autour du bulbe. Chair assez ferme, blanche (excepté à la périphérie du chapeau, où elle est jaune orangé).

◆ **Cortinaire des montagnes** ou **cortinaire couleur de roucou** *(Cortinarius orellanus).* Basidiomycète. Mortel. À la fin de l'été et en début d'automne, dans les bois de feuillus. Chapeau de 3 à 8 cm de diamètre; bombé ou en forme de cloche au début, s'étale ensuite un peu; d'un roux orangé généralement assez éclatant; bord ondulé, parfois fendu. Lamelles assez espacées, jaunes puis rouille. Pied cylindrique s'amincissant à la base; d'ocre et de roux mêlés. Chair jaune-roux pâle.

◆ **Amanite printanière** *(Amanita verna).* Basidiomycète. Mortelle. Dès le printemps et jusqu'en automne, dans les forêts. Chapeau de 5 à 10 cm de diamètre, blanc ou crème, d'abord très arrondi, étalé par la suite. Penche un peu sur le côté et ne présente pas de stries sur ses bords. Lamelles blanches serrées. Pied blanc, lisse et cylindrique, dont la base renflée est enserrée dans une volve membraneuse, et qui porte un anneau mince. Chair molle et blanche.

◆ **Amanite panthère** *(Amanita pantherina).* Basidiomycète. Vénéneuse, parfois mortelle. En été et en automne, dans les bois. Chapeau gris-brun, couvert de nombreuses petites écailles blanches assez régulièrement disposées; d'abord très arrondi puis s'étalant pour atteindre de 6 à 12 cm de diamètre; bord strié. Lamelles blanches et serrées. Pied blanc, cylindrique, renflé à la base en un bulbe globuleux; porte un anneau blanc retombant, qui peut ne plus être visible chez les champignons âgés. Volve réduite à un ou plusieurs bourrelets qui s'enroulent en hélice et remontent ed. Chair blanche.

◆ **Amanite vireuse** *(Amanita virosa).* Basidiomycète. Mortelle. En été et en automne, dans les forêts. Chapeau blanc, de 6 à 10 cm de diamètre; d'abord très rond, puis conique ou en forme de cloche, s'aplatissant de plus en plus mais en conservant toujours une bosse au centre; bord non strié, parfois un peu ondulé. Lamelles serrées, étroites et blanches. Pied blanc, élancé; base bulbeuse enveloppée par une volve membraneuse épaisse et blanche; fibreux et couvert de mèches ascendantes caractéristiques; anneau fragile, le plus souvent déchiré et parfois peu visible.

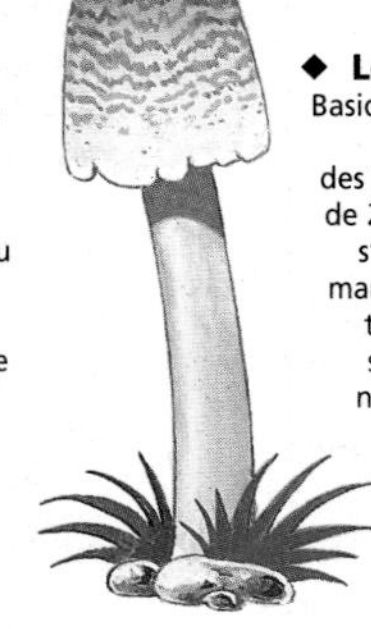

◆ **Lépiote brunâtre** *(Lepiota helveola).* Basidiomycète. Vénéneuse, parfois mortelle. En automne, dans les prés, à la lisière des forêts, dans les bois lumineux. Chapeau de 2 à 6 cm de diamètre; bombé au début, s'aplanit par la suite conservant un léger mamelon en son centre; d'abord ocre, il se teinte ensuite de rose-rouge; souvent la surface se craquelle, faisant apparaître de nombreuses écailles. Lamelles blanches ou crème, assez serrées. Pied mince, brun rosé, possédant un anneau très discret. Chair blanche, devenant rosée quand elle est exposée à l'air.

◆ **Inocybe de Patouillard** *(Inocybe patouillardi).* Basidiomycète. Vénéneux, parfois mortel. Au printemps et en début d'été, souvent en groupes, dans les bois clairs, sur les lisières, dans les parcs et jardins. Chapeau de 3 à 9 cm de diamètre; d'abord conique, puis s'étale en conservant un large mamelon en son centre; blanc crème, puis jaune-brun, marqué de rouge; surface présentant des rayons fibreux; le bord se fendille en vieillissant et divise parfois le chapeau en plusieurs lobes. Lamelles serrées, assez épaisses, d'abord blanches ou rosées puis brunissant. Pied blanc, strié de rouge, devenant plus foncé. Chair ferme, blanche ou rose.

3 L'Homme et sa santé

Les progrès étonnants de la biologie, de la médecine et des techniques, permettent à l'homme d'aujourd'hui de connaître le fonctionnement de son corps, de le visualiser dans sa complexité et aussi de traiter plus efficacement de nombreuses pathologies. La prévention est mieux assurée, qu'elle repose sur une meilleure maîtrise de l'alimentation ou sur des actions médicamenteuses ou vaccinales.
Cependant, si, à l'aube d'un nouveau millénaire, des perspectives riches de promesses s'ouvrent dans bien des spécialités médicales, elles sont aussi source d'interrogations éthiques tandis que la question de l'accès de tous à la santé, à l'échelle de la planète reste posée avec, parfois, une terrible acuité.

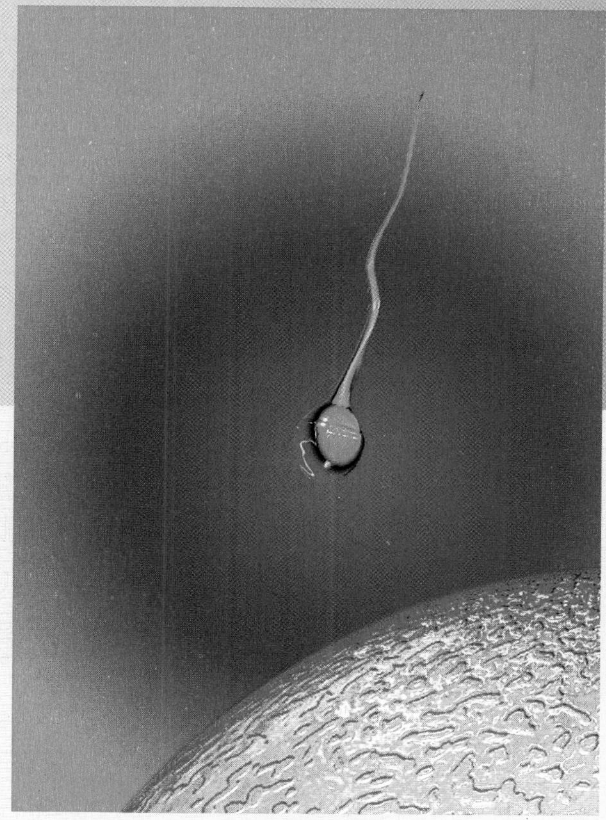

◆ **Fécondation d'un ovule (en rose) par un spermatozoïde.**
Image de synthèse.

NOTIONS DE BIOLOGIE

LES ORGANES ET LES GRANDES FONCTIONS

ÉTAPES DE LA VIE

DIÉTÉTIQUE ET ALIMENTATION

HYGIÈNE DE VIE ET SOINS DU CORPS

PRÉVENTION ET DÉPISTAGE

DIAGNOSTIC ET TRAITEMENT

LES PRINCIPALES PATHOLOGIES

LA SANTÉ DANS LE MONDE

La cellule

Le rôle de la cellule

La cellule constitue la structure de base de l'organisme et le plus petit élément doté de capacité de vie. Le corps est formé de plusieurs milliards d'entre elles, aux rôles très variés et de tailles très diverses (de 7 microns pour les globules rouges à plusieurs mètres pour les neurones). La majorité des cellules sont différenciées, ou matures, ce qui signifie qu'elles ont une forme particulière et sont dotées d'une fonction spécialisée. Les cellules qui exercent une fonction identique à l'intérieur du corps constituent un tissu, dont il existe de nombreux types (respiratoire, musculaire, nerveux...). Les cellules d'un tissu sont étroitement connectées entre elles. L'activité cellulaire fait l'objet d'un contrôle strict, qui implique des mécanismes de régulation à distance (hormones, système nerveux) ou de modulation locale, à laquelle la cellule répond en retour. La plupart des signaux extracellulaires mettent en jeu une interaction entre des substances modulatrices (hormones...) et des récepteurs cellulaires ancrés dans la membrane ou localisés dans le noyau. La capacité de renouvellement cellulaire est très variable selon les tissus : élevée pour les cellules sanguines, les cellules de l'épiderme et du tube digestif, dont la durée de vie est brève, lente pour les cellules musculaires, faible ou nulle pour les cellules nerveuses (neurones).

◆ La division cellulaire : mitose et méiose.
La mitose (A) est le mode de division habituel de la plupart des cellules. Elle comporte 4 phases : la prophase, la métaphase, l'anaphase et la télophase. Pendant la prophase, les 46 chromosomes (chez l'Homme) deviennent peu à peu plus visibles sous l'aspect de bâtonnets et commencent à se dédoubler. Au cours de la métaphase, chacun d'entre eux se place en ligne au milieu de la cellule, le long d'une plaque dite « équatoriale ». Un fuseau formé de filaments s'est alors constitué au sein de la cellule. Pendant l'anaphase, les 2 brins des chromosomes migrent le long du fuseau aux 2 pôles de la cellule vers l'un des 2 centrioles qui sous-tendent les éléments du fuseau. Pendant la télophase, les chromosomes redeviennent indistincts et une membrane nucléaire se forme de nouveau pour individualiser les 2 noyaux fils contenant chacun 46 chromosomes. L'interphase correspond à la période séparant 2 divisions cellulaires.
La méiose (B) ne se produit dans l'espèce humaine que dans les ovaires et les testicules, donnant naissance aux 2 gamètes (spermatozoïdes et ovules). Elle comporte 2 séries de divisions. Au cours de la première division, le nombre de chromosomes reste de 46 dans chacune des cellules filles. En revanche, au cours de la seconde, le stock chromosomique est réduit de moitié et 2 cellules possédant 23 chromosomes chacune sont formées. La fécondation permettra de redonner naissance à une cellule (le futur embryon) à 46 chromosomes.

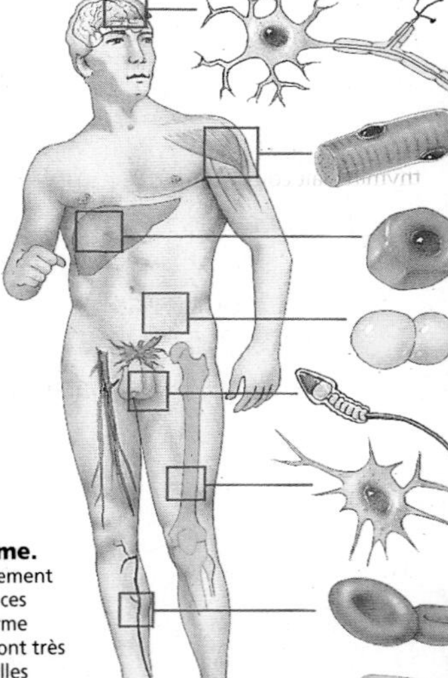

◆ Les types de cellules.
1. Cellule nerveuse. 2. Cellule musculaire. 3. Cellule du foie. 4. Cellule graisseuse. 5. Spermatozoïde. 6. Cellule osseuse. 7. Globules rouges. 8. Cellule de la peau.

◆ Globules blancs parmi des globules rouges.
Les globules blancs ou leucocytes jouent un rôle important dans la lutte contre les infections et la réponse immunitaire. Les globules rouges transportent l'oxygène par l'intermédiaire de l'hémoglobine.

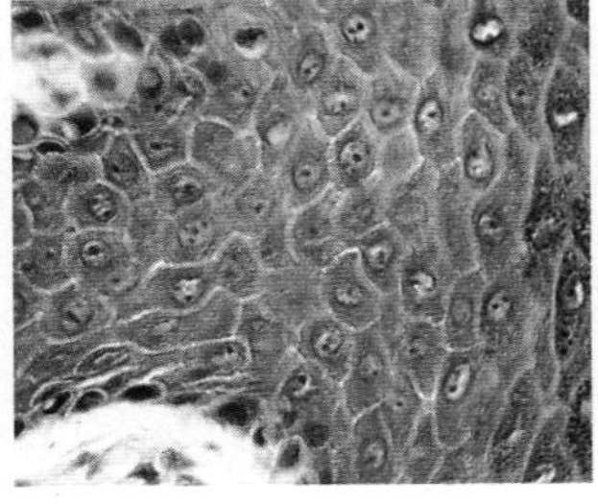

◆ Cellules de l'épiderme.
Appelées également kératinocytes, ces cellules, de forme polyédrique, sont très nombreuses. Elles sont serrées les unes contre les autres de manière à former une barrière entre le milieu extérieur et l'organisme.

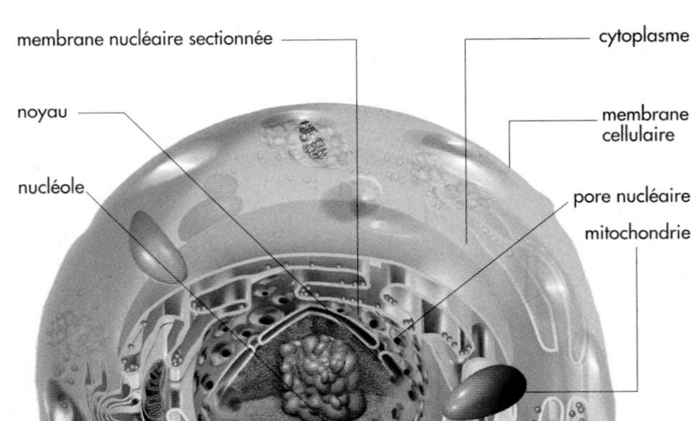

◆ L'organisation de la cellule.
Les cellules humaines ont, pour la plupart, une structure identique, qui se compose de trois éléments essentiels.

Le noyau, délimité par la membrane nucléaire, est le véritable poste de commandement de la cellule, dont il règle le fonctionnement, les divisions et la mort. Il contient l'ADN (acide désoxyribonucléique), support physique de l'hérédité, qui commande la fabrication des protéines (enzymes, hormones) intervenant dans toutes sortes de réactions de l'organisme et dans le contrôle de l'activité des organes. Au repos, le noyau se présente sous une forme compacte (chromatine), mais l'ADN qu'il contient se condense en chromosomes en forme de X au cours des divisions cellulaires. Il comporte également un ou plusieurs nucléoles, qui comportent de l'ARN (acide ribonucléique), copie de l'ADN.

Le cytoplasme est un gel aqueux contenant de nombreux organites, petits organes spécialisés, assurant des activités chimiques et physiques. Le centriole est situé dans le cytoplasme à proximité du noyau et peut être unique ou double. Il est formé de 9 groupes de tubules et joue un rôle clef dans la division cellulaire. Le réticulum endoplasmique est un lieu de synthèse et d'assemblage des protéines; c'est aussi un fin réseau de canaux qui draine certaines substances dans la cellule. L'appareil de Golgi conditionne les protéines pour le transport. Les ribosomes sont de petites sphères qui lisent l'ARN copié à partir de l'ADN et participent à l'assemblage des protéines. De forme ovale, les mitochondries exercent un rôle essentiel dans la respiration cellulaire : elles produisent l'énergie indispensable. Leur combustible principal est l'ATP (adénosine triphosphate), produit à partir de sources multiples comme le glucose. Les lysosomes sont des sacs d'enzymes qui détruisent ou digèrent différentes particules dans la cellule.

La membrane cellulaire sépare la cellule du milieu extérieur et intervient dans les échanges. Semi-perméable, elle contient des récepteurs qui lui permettent de réguler le passage de certaines molécules, de détecter la présence d'autres cellules, de réagir aux signaux extérieurs. Elle se compose d'une double couche de lipides (graisses) contenant des protéines. Elle se comporte comme une mosaïque fluide en mouvement constant.

Génétique et hérédité

L'ADN, support de l'hérédité

L'ADN, ou acide désoxyribonucléique, assure le contrôle des activités cellulaires de l'organisme, notamment celui de la synthèse protéique. On le trouve dans les noyaux cellulaires par l'intermédiaire de l'ARN messager.

L'ADN est une molécule de haut poids moléculaire constituée de 2 chaînes enroulées l'une autour de l'autre et formant une double hélice. Chacun de ces brins est un polymère de mononucléotides (en l'occurrence de désoxyribonucléotides), qui se compose de 3 éléments : l'acide phosphorique, un sucre (le désoxyribose) et une base pyrimidique (thymine ou cytosine) ou purique (adénine ou guanine). Les 2 brins de l'ADN sont inversement orientés et les bases appariées de façon à respecter des règles de complémentarité. Ainsi, la cytosine d'une chaîne d'ADN est toujours en regard de la guanine de l'autre chaîne ; la thymine fait constamment face à l'adénine.

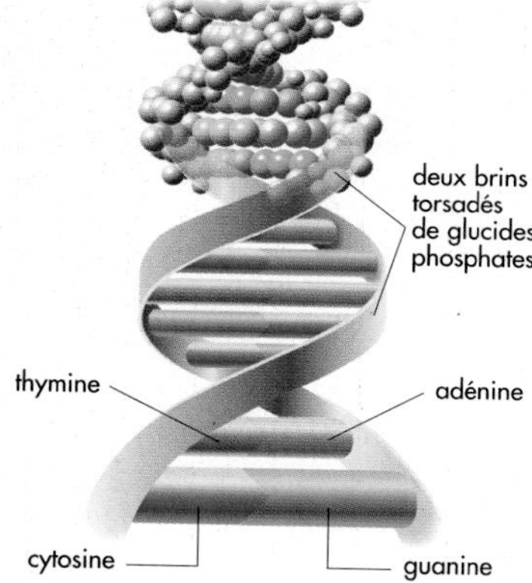

◆ **Molécule d'ADN.**
La molécule d'ADN est formée de 2 chaînes appariées entre elles, constituées de polymères de nucléotides associant le désoxyribose, l'acide phosphorique et des bases puriques ou pyrimidiques.

Constituant essentiel des chromosomes, l'ADN s'associe à des nucléoprotéines (protamine, histones). Selon que la cellule se divise ou non, il existe sous plusieurs formes : compacte ou déroulée. Il porte des milliers de gènes (environ 100 000 dans l'espèce humaine), dont certaines parties sont exprimées (exons) et d'autres non (introns). Lors de la division cellulaire, les 2 brins de l'ADN se séparent sous l'action d'enzymes et 2 nouvelles molécules d'ADN sont créées, chaque nouveau brin étant synthétisé à partir de l'ancien. Entre 2 cycles cellulaires, l'ADN, pelotonné sur lui-même, forme la chromatine et les chromosomes demeurent invisibles.

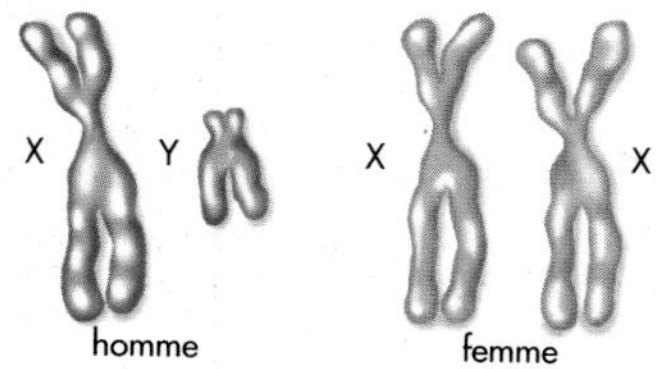

◆ **Chromosomes XX et XY.**
Les chromosomes comportent 2 bras longs et 2 bras courts, qui se réunissent au niveau du centromère. Ils sont formés d'une longue molécule d'ADN, associée à des protéines, et deviennent visibles (condensation) au cours de la division cellulaire. Dans les cellules diploïdes, les chromosomes sont présents sous forme de paires. Le nombre de paires chromosomiques est de 23 dans l'espèce humaine. Elles diffèrent par leur forme, leur taille et la position de leur centromère, mais sont identiques chez 2 individus normaux de même sexe, définissant ainsi le caryotype.
La 23e paire est constituée de 2 chromosomes sexuels, 2 chromosomes X chez la femme, un chromosome X et un chromosome Y chez l'homme.

L'ARN messager. Il est formé par copie à partir de l'ADN au cours d'une étape dénommée transcription. Comme l'ADN, l'ARN (acide ribonucléique) est constitué par une succession de nucléotides, mais il diffère de ce dernier par sa composition en sucre (ribose et non désoxyribose) et en base (l'uracile remplace la thymidine).

L'ARN messager (ou ARN-m.) passe dans le cytoplasme et est traduit dans les ribosomes en protéines, grâce à la participation de deux autres types d'ARN, l'ARN ribosomique (ou ARN-r.) et l'ARN de transfert (ou ARN-t.). Une vingtaine d'ARN de transfert assurent ainsi la traduction des triplets de bases de l'ARN messager en acides aminés (les constituants de base des protéines) et ceux-ci s'ajoutent les uns aux autres pour former une chaîne protéique. Cette traduction respecte les règles du code génétique, où chaque triplet de bases définit un acide aminé. Par exemple, le triplet adénine-cytosine-guanine (ou ACG) correspond à la fabrication de thréonine.

La transmission de l'hérédité

Les principaux modes de transmission des traits et des affections héréditaires sont :
– le mode autosomique dominant, dans lequel le gène responsable est porté par un chromosome non sexuel (autosome), l'affection touchant une personne sur deux de la descendance ;
– le mode autosomique récessif où un enfant sur deux est porteur de l'anomalie et un sur quatre, malade ;
– le mode récessif lié au sexe, où l'anomalie est présente sur le chromosome X, une fille sur deux étant transmettrice de l'anomalie, un garçon sur deux étant atteint.

La plupart des maladies génétiques sont récessives. Les affections portées par le chromosome Y sont exceptionnelles. D'autres modes de transmission ont été identifiés : anomalies portées par l'ADN des mitochondries (de transmission maternelle, les spermatozoïdes ne contenant pas ces organites), altérations génétiques dues à des « bégaiements » de l'ADN (répétition multiple de triplets de bases nucléotidiques), phénomène d'empreinte parentale (le défaut ne concerne pas un chromosome sexuel, mais il n'est pas indifférent qu'il soit transmis par le père ou par la mère).

Petit lexique

caryotype : ensemble des chromosomes d'une cellule, spécifique d'une espèce donnée. Par extension, représentation des chromosomes cellulaires.

diploïde : qui possède 2 lots de chromosomes (2 *n*). Par opposition à haploïde (*n* chromosomes).

génétique : science de l'hérédité qui étudie la transmission des caractères anatomiques et fonctionnels entre les générations d'êtres vivants.

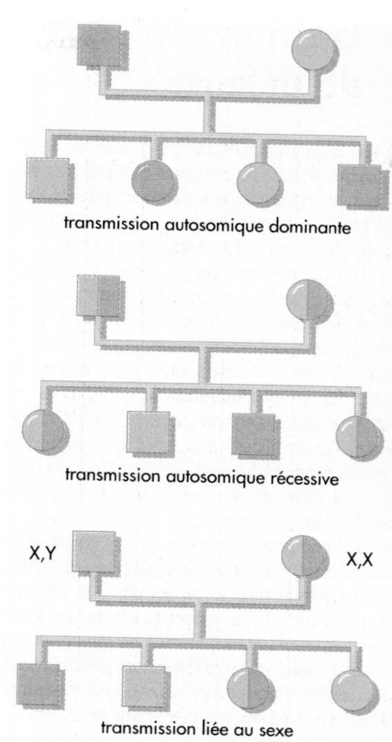

◆ **Modes de transmission d'une maladie génétique.** Les carrés représentent des hommes, les cercles, des femmes ; les individus sains sont signalés par un symbole vert, les individus atteints, par un symbole orange ; ceux qui sont sains mais porteurs du gène défectueux sont repérés par un symbole vert et orange.

VOIR AUSSI

- **Clonage** p. 104
- **Thérapie génique** p. 223
- **Maladies et génétique** p. 227
- **Découvertes sur l'ADN** p. 306, 308
- **Génie génétique** p. 313

Bioéthique et génétique

C'est aujourd'hui la possibilité de réaliser un clonage humain qui suscite probablement les plus grandes craintes. En effet, si une vingtaine de pays, dont la France, ont ratifié en janvier 1998 un texte du Conseil de l'Europe interdisant cette pratique, d'autres, comme l'Allemagne, ne l'ont pas signé et aucune loi ne paraît empêcher la diffusion de cette technique aux États-Unis. Dans ce dernier pays, des médecins se sont d'ailleurs déclarés prêts à entreprendre de tels clonages pour donner un enfant à des couples infertiles et d'aucuns pensent même qu'il serait légitime de fabriquer par clonage des êtres humains dépourvus de cerveau, dans le but d'en faire une réserve d'organes. Les recherches sur l'embryon humain semblent aussi diviser les pays de l'Union européenne. Ainsi, bien que la Convention européenne de bioéthique, adoptée en 1994, interdise la constitution d'embryons humains à fin expérimentale, les positions des différents pays européens sont, dans les faits bien plus complexes, car certains autorisent des recherches sur l'embryon afin de diagnostiquer de graves maladies génétiques chez l'embryon ou de pallier certaines stérilités.

Les défenses de l'organisme

Les moyens de défense

Pour se prémunir contre les agressions, l'organisme dispose de différents moyens. Les premiers sont constitués par les barrières physiques et chimiques, qui agissent souvent de concert. Les seconds font appel au système immunitaire.

Une des meilleures protections est constituée par la peau, car l'épaisseur de l'épiderme limite la pénétration des agents infectieux. La sécrétion de mucus au niveau des orifices naturels assure également une fonction défensive, car elle permet de piéger des germes. Les poils du nez filtrent certaines particules. Le tapis de cils vibratiles recouvert de mucus, qui revêt trachée et bronches souches, permet d'éliminer les poussières ainsi que les corps étrangers qui sont parvenus à pénétrer dans les voies respiratoires.

De nombreuses substances participent aussi à ces défenses corporelles, car elles ont une action antibactérienne, tels le lysozyme, une enzyme présente dans le lait maternel, la salive et les sécrétions nasales, la lactotransferrine contenue dans les larmes, ou les molécules retrouvées dans la sueur. La sécrétion d'acide chlorhydrique par l'estomac participe à la destruction de certains microbes.

Le système immunitaire

L'immunité non spécifique. Elle met en jeu certaines catégories de globules blancs. Ainsi, les polynucléaires, des globules blancs dont le noyau est polylobé et semble multiple (d'où leur nom), qui détruisent les germes en les incorporant (phagocytose). Les macrophages, une autre catégorie de globules blancs, de grande taille, à un seul noyau et dont le cytoplasme comprend de nombreux prolongements, exercent aussi la phagocytose et présentent en outre la substance étrangère qu'ils ont ingérée à d'autres cellules de l'immunité intervenant secondairement, les lymphocytes B et T. Enfin, les *natural killer*, cellules « tueuses », détruisent certaines cellules tumorales ou les cellules infectées par des virus de façon non spécifique.

La migration des polynucléaires sur le lieu de l'infection (chimiotactisme), leur activation, etc., sont influencées par les molécules présentes dans le sang. Les cellules infectées par un virus sécrètent d'autres protéines, pour protéger les cellules voisines.

L'immunité spécifique. Activée dans un second temps, elle possède la propriété d'agir spécifiquement contre l'antigène et de le garder en mémoire. Ce fait explique que la substance étrangère soit en général éliminée plus rapidement et plus efficacement lors d'un second contact. Cette notion sous-tend le principe de la vaccination. L'immunité spécifique est de deux sortes : humorale et cellulaire.

L'immunité humorale repose sur la sécrétion de protéines particulières, les anticorps (ou immunoglobulines), qui se fixent sur l'antigène. Les immunoglobulines sont fabriquées par les plasmocytes. Il en existe de différentes classes (IgA, IgD, IgM, IgG, IgE, etc.). Les IgA participent aux défenses locales des muqueuses. Les IgM sont les premières immunoglobulines à être synthétisées après le contact avec la substance étrangère ; les IgG qui les remplacent ensuite circulent dans l'organisme et jouent un rôle important dans la lutte contre les infections ; les IgE sont impliquées dans les réactions allergiques et dans la défense contre les parasites. La fonction des IgD demeure mal connue, mais cette classe d'immunoglobulines pourrait contribuer à la maturation des lymphocytes.

L'immunité cellulaire fait intervenir une catégorie particulière de globules blancs, les lymphocytes B et T, qui sont formés dans la moelle osseuse et le thymus (petite glande de la base du cou), puis maturent et se multiplient dans les ganglions lymphatiques. Les lymphocytes B se transforment en plasmocytes dans les organes lymphoïdes (rate et ganglions) après contact avec l'antigène puis élaborent des anticorps dirigés électivement contre lui. Les lymphocytes T sont de deux sortes :

– les lymphocytes *helper*, (auxiliaires), qui aident les macrophages et les lymphocytes B dans la phagocytose et la fabrication des anticorps ;

– les lymphocytes T suppresseurs ou cytotoxiques qui exercent des rôles inverses et détruisent spécifiquement les cellules infectées par les virus ainsi que les cellules cancéreuses.

Les interactions entre lymphocytes et la destruction par les lymphocytes T cytotoxiques des cellules infectées n'ont lieu que si les cellules partagent les mêmes antigènes d'histocompatibilité à leur surface. La réalisation d'une greffe exige donc de considérer ce système antigénique, afin d'éviter un rejet.

Petit lexique

anticorps : protéine engendrée par l'organisme après introduction d'un antigène.

antigène : substance étrangère à l'organisme et susceptible de déclencher en lui, contre elle, une réaction immunitaire ou une production d'anticorps.

tissu envahi
antigène
vaisseau sanguin
macrophage du tissu
bactérie
défense
phagocytose
vaisseau lymphatique
ganglion lymphatique
présentation de l'antigène
lymphocyte T-CD4
restes de la bactérie
anticorps spécifique
activation des autres lymphocytes
lymphocyte B
lymphocyte T cytotoxique
transformation en plasmocyte
plasmocyte
sécrétion des mêmes anticorps en grand nombre

◆ **Les deux types d'immunité spécifique.**

La peau

Enveloppe élastique, la peau couvre environ 1,75 m² chez l'adulte et représente autour de 10 % du poids corporel. Elle joue un rôle de protection envers les agents étrangers, mais exerce aussi d'autres fonctions. Ainsi, elle participe au maintien de la température interne grâce à la contraction ou à la dilatation des vaisseaux cutanés et à l'évaporation de sueur. De plus, la peau agit comme un véritable organe sensoriel grâce aux récepteurs nerveux qu'elle contient. Enfin, elle constitue une réserve importante de graisses et produit la vitamine D.

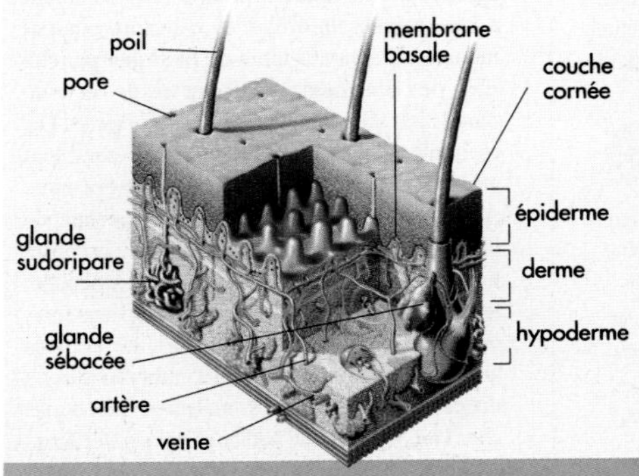

◆ **Coupe de peau.**
La peau contient 3 couches superposées : l'épiderme, le derme et l'hypoderme. L'épiderme comprend lui même une membrane basale qui renferme les mélanocytes (ils produisent la mélanine, pigment responsable du bronzage) ; une couche muqueuse, dite de Malpighi, formée de cellules vivantes qui sécrètent la kératine, une protéine protectrice ; enfin, en superficie, une couche cornée, formée de cellules mortes qui se détachent (squames) et recouverte d'un film hydrolipidique, le sébum. Le derme est un tissu conjonctif qui procure à la peau son élasticité et sa résistance, grâce à la présence de fibres élastiques et collagènes. L'hypoderme se compose de lobules de tissu adipeux (cellules graisseuses), séparés par des travées de tissu conjonctif, de vaisseaux et de nerfs.

VOIR AUSSI • **Maladies auto-immunes** p. 226

Le corps

Organes, appareils et systèmes

Les tissus, formés de cellules différenciées, s'associent dans le corps pour former des organes capables d'assurer une ou plusieurs fonctions. Par exemple, le rein épure le sang de ses substances toxiques pour former l'urine, l'œil est impliqué dans la vision, le cœur assure grâce à ses contractions la circulation du sang. Certains organes travaillent en équipe et dans la continuité anatomique pour assumer une même fonction physiologique. Ils constituent un « appareil ».

Les principaux appareils de l'organisme sont représentés par : l'appareil digestif, l'appareil circulatoire, l'appareil respiratoire, l'appareil génital, l'appareil urinaire, l'appareil locomoteur, l'appareil lacrymal. Les grands appareils qui travaillent pour notre organisme dépendent les uns des autres : par exemple, l'appareil respiratoire a besoin de l'appareil circulatoire pour transporter l'oxygène jusqu'aux organes et récupérer le gaz carbonique produit par ces derniers.

Les systèmes regroupent un ensemble d'organes ayant une fonction en commun, mais sans pour autant posséder de lien anatomique entre eux. Les principaux sont le système endocrinien, qui secrète des substances, les hormones, agissant à distance sur les organes ; le système nerveux qui intervient dans la réception des messages sensoriels, la commande de l'appareil locomoteur et des viscères, le langage et l'élaboration de la pensée… ; le système immunitaire qui assure les défenses de l'organisme contre les agents étrangers ; le système lymphatique qui exerce un rôle à la fois circulatoire et immunologique.

Le système lymphatique

Il rassemble les ganglions et les vaisseaux lymphatiques. Les vaisseaux lymphatiques drainent la lymphe, produite au sein du tissu interstitiel se trouvant entre les cellules, vers la circulation sanguine. Ils proviennent de toutes les zones du corps et sont situés le plus souvent à faible distance des vaisseaux sanguins. Sur leur trajet se trouvent des ganglions lymphatiques. Le vaisseau lymphatique le plus important est le canal thoracique, qui conduit l'ensemble de la lymphe sous-diaphragmatique. Il naît dans l'abdomen, circule dans le thorax et se jette à la base du cou dans la veine sous-clavière gauche, par le confluent de Pirogoff. Les vaisseaux lymphatiques transportent principalement les cellules immunitaires provenant des ganglions lymphatiques, les graisses absorbées par la muqueuse intestinale après la digestion, et les grosses protéines, récupérées à leur sortie des capillaires. Les ganglions lymphatiques sont de localisation superficielle (pli de l'aine, aisselles, cou) ou profonde (le long de l'aorte, au centre du thorax) et font partie du système immunitaire. Leur rôle principal est d'assurer la multiplication de certains globules blancs se comportant comme des cellules immunitaires matures (lymphocytes B et T).

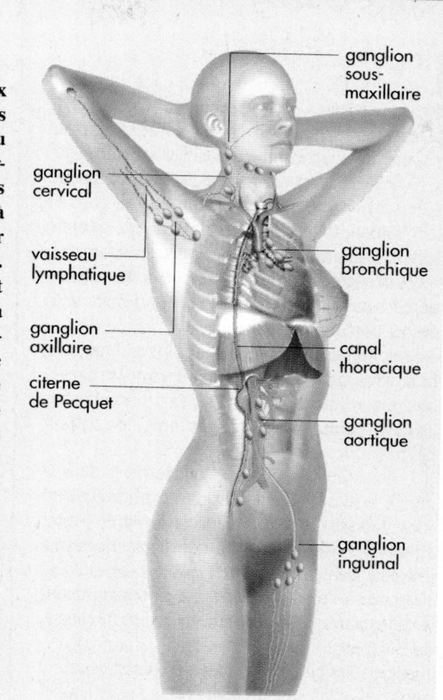

VOIR AUSSI
• **Défenses de l'organisme** p. 196

◆ **Le corps humain.**
Principaux appareils et systèmes de l'organisme.

Appareil respiratoire.
Il regroupe : les voies respiratoires, c'est-à-dire les voies aériennes supérieures (fosses nasales, cavité buccale, pharynx, larynx), la trachée, les bronches, et les poumons, chargés d'organiser les échanges gazeux entre sang et air.

Appareil circulatoire.
Il comporte : une pompe, le cœur, et les différents vaisseaux (artères, artérioles, capillaires, veinules, veines, vaisseaux lymphatiques) qui transportent le sang ou la lymphe dans le corps.

Appareil digestif.
Il est formé d'organes dont le rôle principal est d'assimiler les aliments pour fournir de l'énergie à l'organisme. Il se compose de 2 parties : le tube digestif, dont la fonction est avant tout de transporter les aliments (bouche avec langue et dents, pharynx, œsophage, estomac, intestin grêle, gros intestin subdivisé en cæcum et côlon, rectum, anus), et les glandes digestives, chargées de digérer les aliments : glandes salivaires (parotides, sous-maxillaires et sublinguales), foie, pancréas, glandes de l'intestin grêle.

Appareil génital.
Il permet la reproduction et, chez la femme, la grossesse.
Dans le sexe féminin, il regroupe les ovaires, les trompes utérines ou trompes de Fallope, l'utérus, le vagin et la vulve.
Dans le sexe masculin, il est étroitement associé à l'appareil urinaire, et comprend : les testicules, les épididymes, les canaux déférents, les vésicules séminales, les canaux éjaculateurs, la prostate, le pénis ou verge.

Système nerveux.
Il se compose de 2 ensembles :
– le système nerveux central, qui regroupe l'encéphale (cerveau, cervelet, tronc cérébral) et la moelle épinière ;
– le système nerveux périphérique, qui est raccordé au système nerveux central et rassemble les nerfs et les ganglions nerveux.

Appareil lacrymal.
Il est constitué des organes (glandes lacrymales principales et accessoires, canalicules lacrymaux, sac lacrymal, conduit lacrymal…), qui produisent et excrètent les larmes.

Système endocrinien.
Il synthétise les hormones, qui régulent de nombreuses fonctions de l'organisme. Les principales glandes endocrines sont représentées par : l'hypophyse, petite glande de la base du cerveau, la glande thyroïde et les glandes parathyroïdes (situées à la face postérieure de la thyroïde), les glandes médullosurrénales, le pancréas endocrine (sécrétion de l'insuline), les gonades (ovaires, testicules), qui assurent, outre la fabrication des cellules reproductrices, la synthèse des hormones sexuelles.

Appareil urinaire.
Il regroupe l'ensemble des organes chargés de fabriquer l'urine et de l'évacuer. Il se compose : du haut appareil urinaire (reins et uretères) et du bas appareil urinaire (vessie et urètre).

Appareil locomoteur.
Il est constitué par : les os, les articulations des membres et de la colonne vertébrale, les ligaments, les tendons et les muscles qui relient les os entre eux et sont impliqués dans la mobilité articulaire.

Circulation sanguine et respiration

Le sang

L'organisme contient de 4 à 5 litres de sang, liquide vital rouge et visqueux. Placé dans un tube, il se sépare en deux parties : un liquide jaune clair, le plasma (représentant 55 % du volume total) et un ensemble brun constitué de cellules sanguines.

Le plasma contient de nombreux éléments, dont :
- des substances nutritives, comme les graisses (cholestérol, triglycérides, acides gras), le glucose, les acides aminés, les sels minéraux, les vitamines ;
- des déchets, comme l'urée (issue de la dégradation des protéines) et la bilirubine (provenant de la destruction des globules rouges) ;
- de nombreuses protéines (hormones, enzymes, facteurs de croissance, protéines impliquées dans la coagulation [fibrinogène…], la réaction inflammatoire, les défenses de l'organisme [anticorps], le transport des molécules [albumine]…).

Les cellules sanguines sont formées dans la moelle osseuse et appartiennent à trois catégories :
- les globules rouges (ou hématies) sont de petites cellules de 7 microns environ, dépourvues de noyau. Ils contiennent un pigment (l'hémoglobine) qui peut s'associer à l'oxygène et au gaz carbonique pour les transporter. Leur durée de vie est, en moyenne, de 120 jours ;
- les globules blancs (ou leucocytes) sont les défenseurs de l'organisme. Ils sont plus gros que les globules rouges et moins nombreux (il y en a 1 pour 700 globules rouges). Ils possèdent un noyau et sont de plusieurs types (polynucléaires, lymphocytes, monocytes) ;
- les plaquettes sont les plus petites cellules sanguines (2 à 4 microns) ; dénuées de noyau, elles jouent un rôle très important dans la coagulation. Lorsqu'un vaisseau est lésé, elles adhèrent puis s'agrègent à la brèche pour la colmater. Ensuite, en libérant une partie de leur contenu, elles provoquent des réactions chimiques dans lesquelles interviennent les facteurs de la coagulation. Il se forme alors un caillot de fibrine.

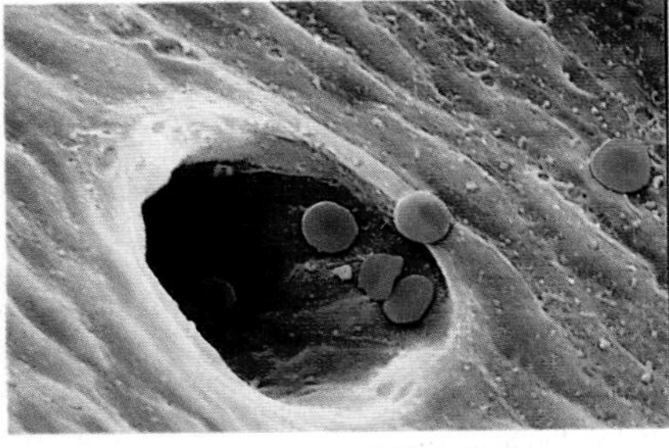

◆ **Globule rouge.** Les globules rouges transportent l'oxygène. Leur capacité de se déformer leur permet de passer dans des vaisseaux de petit calibre.

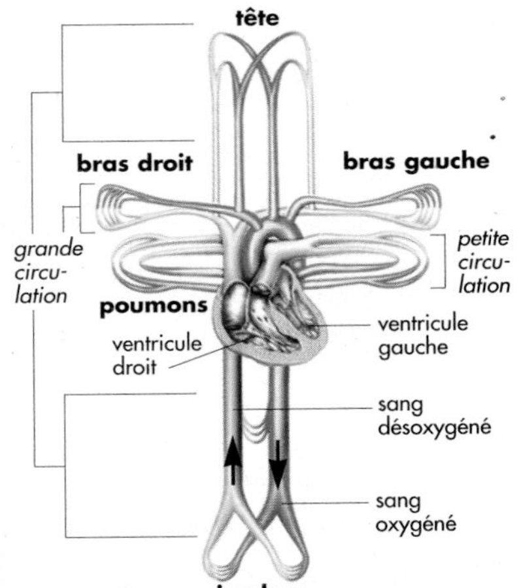

Les groupes sanguins

Les globules rouges se caractérisent par la présence à leur surface d'antigènes A, B ou AB, qui déclenchent la production d'anticorps et de réactions potentiellement mortelles. Les individus du groupe O sont donneurs universels mais ne peuvent recevoir que du sang O, car ils ne possèdent aucun antigène. Les personnes du groupe AB sont receveurs universels, car leurs globules rouges possèdent à leur surface à la fois les antigènes A et les antigènes B. Les groupes A et B sont incompatibles entre eux pour la transfusion. D'autres antigènes sont présents sur les globules rouges, comme ceux du système Rhésus (Rh). En France, 85% des sujets sont Rhésus positif (Rh+).

VOIR AUSSI
- **Défenses de l'organisme** p. 196
- **Maladies cardiovasculaires** p. 232
- **Maladies respiratoires** p. 243

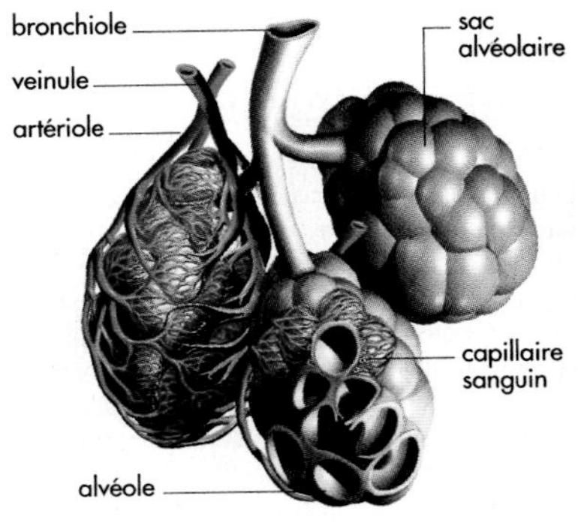

◆ **Alvéole pulmonaire.** La respiration, qui consiste en l'inspiration et en l'expiration quotidiennes de quelque 20000 litres d'air, fournit aux cellules l'oxygène dont elles ont besoin. Elle les débarrasse aussi du gaz carbonique produit au cours des combustions vitales. Divers organes interviennent dans la respiration. L'air est aspiré dans le pharynx, passe dans le larynx, dans la trachée, puis dans 2 bronches souches, qui se divisent à l'intérieur du poumon en bronches lobaires, puis en bronchioles, lesquelles aboutissent aux alvéoles. Les bronches sont dotées de cils vibratiles, qui évacuent les poussières inhalées. Les poumons sont 2 masses spongieuses, recouvertes d'une membrane, la plèvre. Leur travail consiste à permettre des échanges très rapides, entre le sang et l'air, au niveau des alvéoles. Il existe dans le cerveau un centre respiratoire qui détermine le rythme des muscles entraînant les poumons selon la teneur du sang en oxygène et en gaz carbonique.

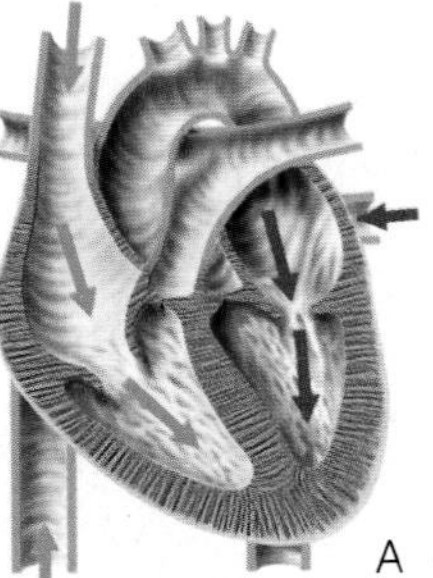

Le sang remplit les cavités du cœur (diastole).

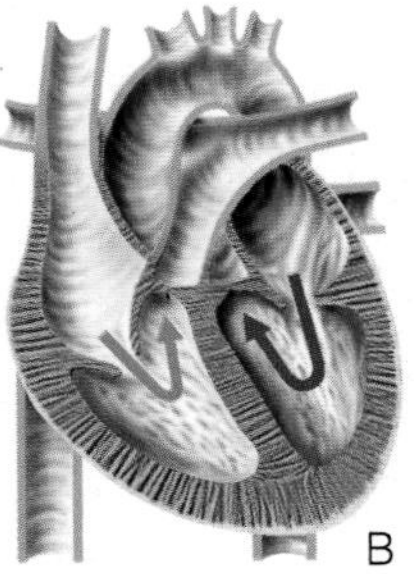

La systole (contraction) est d'abord auriculaire.

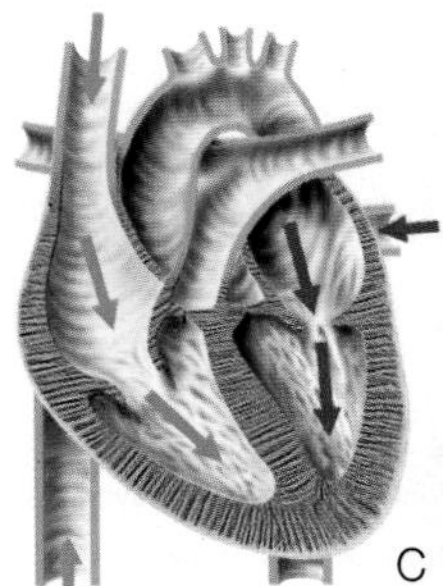

La contraction des ventricules expulse le sang.

◆ **Le fonctionnement cardiaque.** Le cœur se contracte environ 70 fois par minute. Il envoie entre 65 et 100 cm³ de sang à chaque fois, soit 5 à 7 litres par minute. À 75 ans, un cœur humain a battu près de 3 milliards de fois et pompé 200 millions de litres de sang. La pompe cardiaque fonctionne grâce au muscle cardiaque, le myocarde. Le cœur est divisé en 2 parties (gauche et droite) comprenant chacune une oreillette et un ventricule. Il est enveloppé d'une membrane, le péricarde, et ses cavités sont tapissées d'une couche de cellules, l'endocarde. Le myocarde dispose d'une large autonomie de fonctionnement. Habituellement, il bat à un rythme régulier et accomplit un cycle, ou révolution cardiaque, qui comprend 2 grandes étapes : la diastole et la systole. Pendant la diastole (A), ou relâchement, le cœur se remplit de sang. La systole, ou contraction, concerne au début les oreillettes (B), puis les ventricules (C). Le ventricule gauche expulse le sang oxygéné dans l'aorte (circulation générale) ; le ventricule droit expulse le sang pauvre en oxygène dans les artères pulmonaires (petite circulation).

◆ **La circulation.** La circulation permet la distribution aux organes de l'oxygène et d'autres molécules indispensables à la vie, et participe à l'élimination de déchets, comme le gaz carbonique. Elle s'effectue grâce à l'action d'une pompe : le cœur. Les artères conduisent le sang du cœur vers les organes ; les veines font le contraire. Les vaisseaux lymphatiques participent à cette circulation de retour et débouchent dans le système veineux par l'intermédiaire du canal thoracique. Les échanges gazeux entre sang et organes se produisent au niveau des capillaires, ramifications très fines et très perméables des vaisseaux sanguins. La circulation comprend 2 grands systèmes, l'un pulmonaire, encore dénommé « petite circulation », l'autre systémique (général) ou « grande circulation ».
La circulation pulmonaire apporte aux poumons, par les artères pulmonaires, du sang « bleu » pauvre en oxygène et riche en gaz carbonique. Au niveau des capillaires, qui tapissent les alvéoles, ce sang devient rouge en se chargeant en oxygène et en perdant son gaz carbonique. Il revient alors à l'oreillette gauche du cœur par les veines pulmonaires. Cette circulation s'effectue à basse pression.
La circulation systémique part du cœur par une grosse artère : l'aorte, qui se divise en branches, lesquelles se ramifient à leur tour en artérioles. Cette circulation se fait à haute pression. Ce flux sanguin irrigue les principaux organes. Après passage dans les capillaires, le sang, appauvri en oxygène et enrichi en gaz carbonique, est reconduit au cœur par de petites veines (veinules), puis par les veines de gros calibre, qui débouchent pour la moitié inférieure du corps dans la veine cave inférieure, pour l'autre dans la veine cave supérieure. Ces 2 gros troncs veineux se jettent dans l'oreillette droite.

Les appareils digestif et urinaire

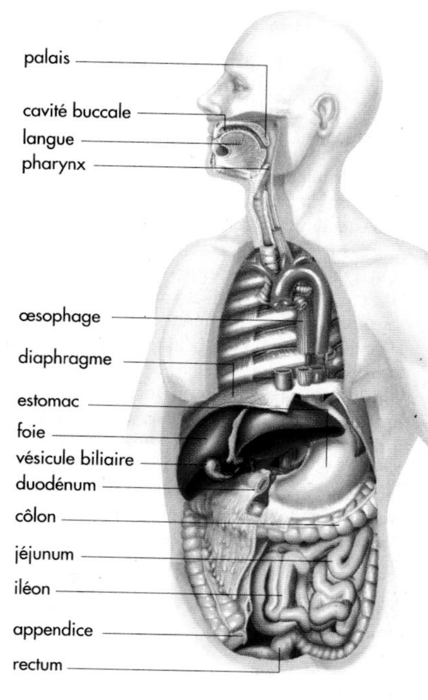

◆ L'appareil digestif.

La digestion s'opère grâce à une succession de phénomènes mécaniques et chimiques. Tout au long du parcours, des enzymes, faisant office d'accélérateurs de réactions chimiques, fragmentent les aliments en sous-unités assimilables par le tube digestif. Les aliments mettent environ 24 heures pour parcourir les 10 m de longueur du tube digestif.
Des contractions (péristaltisme) font avancer la nourriture de la bouche vers l'estomac, par le pharynx et l'œsophage (dont la longueur est de 25 cm). Les contractions de l'estomac brassent les aliments, imprégnés de la salive (qui renferme des amylases, enzymes qui transforment l'amidon en sucres simples, de type glucose), avec le suc gastrique (1 à 2 litres par jour). Ce dernier, composé entre autres d'acide chlorhydrique et de pepsime (enzyme qui transforme les protéines et acides animés), détruit la plupart des bactéries et entame la digestion. Les aliments sont transformés en une bouillie, le chyme, qui passe dans la première portion de l'intestin grêle, le duodénum. Il y est soumis à l'action de la bile et du suc pancréatique. L'intestin grêle comprend 2 autres portions, le jéjunum et l'iléon, et a une longueur de 7 m. C'est au niveau de sa muqueuse que sont réabsorbés la plupart des aliments, une fois ceux-ci dégradés, ainsi que fer, calcium, vitamines et eau.
Les déchets non digérés parviennent au cæcum (qui contient l'appendice), puis au côlon. Après stockage dans le rectum, les fèces, ou selles, sont évacuées par l'anus.

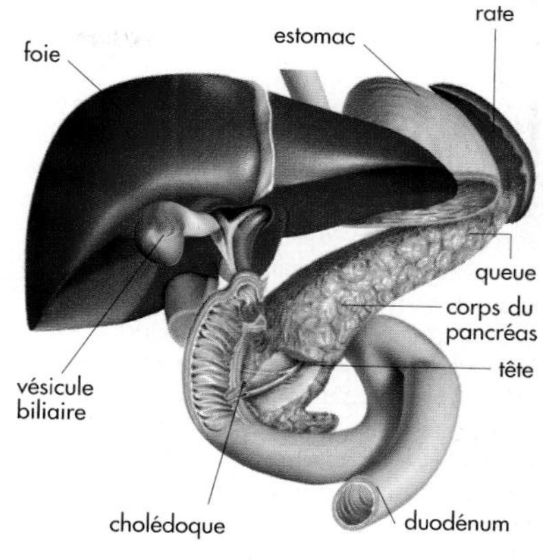

◆ Le pancréas et le foie.

Le foie est un organe volumineux, qui pèse environ 1,5 kg chez l'adulte. Logé sous le diaphragme, il joue le rôle d'une usine chimique, indispensable à la vie. Les cellules du foie (hépatocytes) produisent la bile, qui aide à la digestion des graisses. Le foie stocke le glucose sous forme de sucre complexe, le glycogène; c'est grâce à celui-ci et à certaines hormones pancréatiques que le taux de glucose est maintenu constant dans le sang. Les hépatocytes débarrassent également le sang des vieux globules rouges (récupération des pigments sanguins) et de l'alcool, ils synthétisent des graisses, des protéines (facteurs de la coagulation) transformant les toniques, etc. La vésicule biliaire est un petit sac en forme de poire, de 10 cm de long. Sa fonction est d'emmagasiner la bile en dehors des repas. Le pancréas est une glande d'environ 18 cm de long, qui possède deux fonctions : digestive et endocrine (sécrétion de l'insuline impliquée dans le métabolisme du glucose). Il sécrète différentes enzymes.

◆ Mécanisme de la digestion.

Lors de la digestion, les aliments sont réduits en composants alimentaires qui peuvent être absorbés par la muqueuse de l'intestin grêle, puis assimilés par l'organisme (acides aminés pour les protéines, acides gras pour les lipides, glucides simples pour les sucres). Ils seront utilisés ensuite pour fabriquer de nouvelles protéines ou fournir des ressources énergétiques.

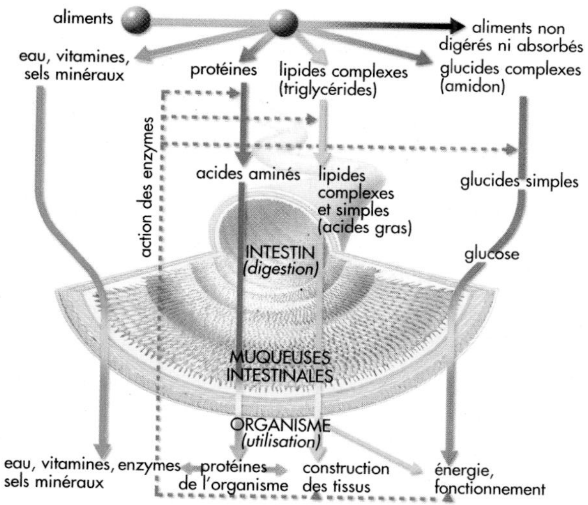

◆ Le néphron.

L'unité de base du rein est constituée par le néphron. Chaque néphron comprend un fin réseau de capillaires : le glomérule. Ce dernier est entouré d'une mince membrane filtrante (percée de petits trous qui permettent le passage de certaines molécules). L'urine primitive extraite du sang à ce niveau passe dans des tubules. Là, eau, acides aminés, glucose et environ 70 % des sels minéraux sont réabsorbés et passent dans de fins capillaires « collant » à leur paroi.

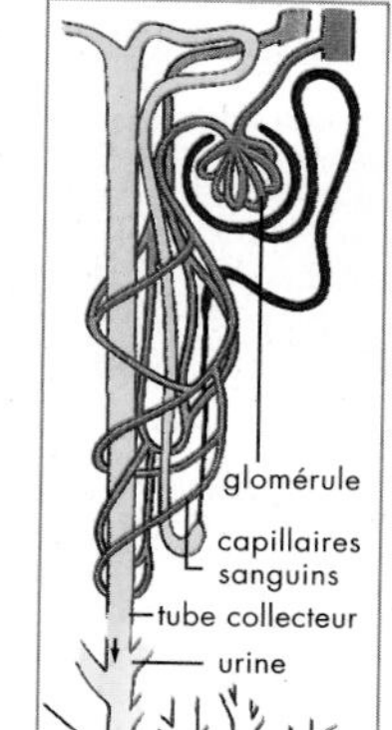

VOIR AUSSI
- **Glandes endocrines** p. 201
- **Maladies de l'appareil digestif** p. 234
- **Maladies de l'appareil urinaire** p. 244

◆ L'appareil urinaire.

La principale fonction des reins est de filtrer les déchets, notamment azotés, déversés dans le sang, et de fabriquer ainsi l'urine.

Le haut appareil urinaire (reins et uretères).
Les reins sont situés à l'arrière du corps, sous les côtes, et ressemblent à une paire de haricots de 12 cm environ. Ils sont entourés par une capsule fibreuse, et sont constitués d'une substance périphérique corticale et d'une substance centrale médullaire. Le sang à filtrer parvient au rein par l'artère rénale, passe dans un fin tamis, puis repart purifié vers le cœur par la veine rénale. L'urine est déversée dans le bassinet puis passe dans l'uretère.
Hors la filtration du sang, les reins participent à la régulation de la tension artérielle, à la sécrétion de l'érythropoïétine, une hormone indispensable et à la fabrication des globules rouges et à la transformation de la vitamine D en sa forme active. Les uretères sont des conduits de 25 à 30 cm de long, qui assurent l'écoulement de l'urine. Ils se contractent de façon à éviter que l'urine ne remonte et s'abouchent à la paroi postérieure de la vessie par une sorte de valve dont le rôle est d'empêcher un reflux d'urine.

Le bas appareil urinaire (vessie et urètre).
La vessie stocke l'urine. Elle a une capacité moyenne de 300 à 400 millilitres. Lorsqu'elle est pleine, apparaît le besoin d'uriner qui entraîne sa contraction, un relâchement de son col, ainsi que celui de l'urètre, et donc une miction. L'urètre a une longueur différente selon le sexe (3–4 cm chez la femme, 12 cm chez l'homme). Dans le sexe masculin, il participe aussi aux fonctions reproductrices en assurant l'écoulement du sperme.

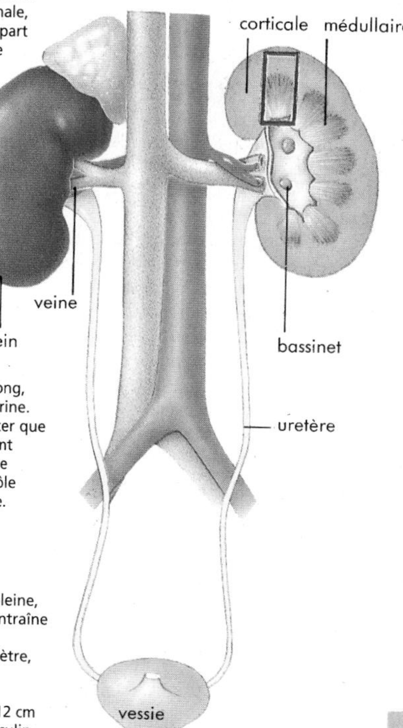

Os, muscles et articulations

Les os

Les os du squelette forment une charpente qui protège et soutient les organes du corps. Le crâne abrite le cerveau, tandis que la cage thoracique héberge le cœur et les poumons. L'os est recouvert d'une fine couche blanchâtre – le périoste – sillonnée de nerfs et de vaisseaux sanguins qui le nourrissent. Sous cette couche se trouve l'os compact, dense et dur. La moelle osseuse est située au centre de l'os compact. Son rôle, primordial, est de produire des globules rouges, des globules blancs et des plaquettes. L'os est un organe vivant qui évolue. Le squelette d'un bébé se compose essentiellement de cartilage, dont la plus grande partie se transforme en os à mesure que les cellules s'imprègnent de composés durs de calcium. L'ossification se termine entre 18 et 25 ans. Les cellules osseuses se renouvellent en permanence, ce qui explique la croissance et la réparation des fractures. Les os s'assemblent de différentes façons; le point de contact est appelé «articulation». Ils sont rattachés les uns aux autres par des fibres résistantes, nommées «ligaments».

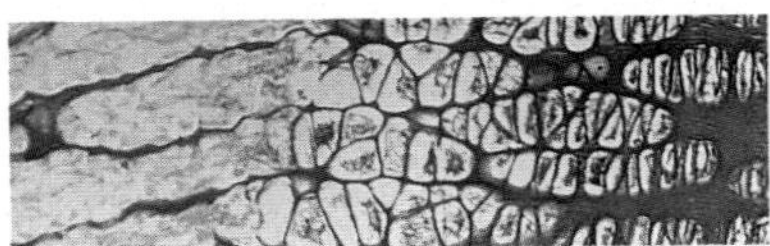

◆ **Coupe de cartilage.**
Le squelette de l'embryon ou du nouveau-né est formé de cartilage.

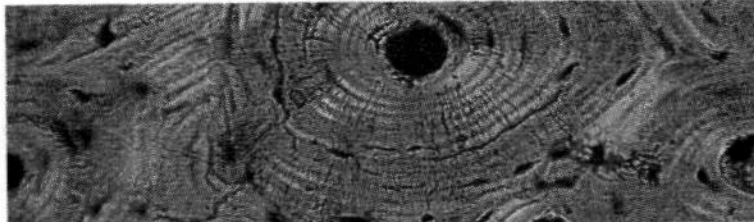

◆ **Coupe de tissu osseux.**
Les cellules osseuses se présentent sous forme de structures circulaires sombres.

Les muscles

Le muscle est un tissu contractile qui forme plus d'un tiers du poids du corps. Le phénomène de la contraction musculaire résulte de réactions chimiques complexes.

On distingue 3 catégories de muscles : les muscles striés, le muscle cardiaque et les muscles lisses.

Les muscles striés jouent un rôle crucial dans les mouvements et la locomotion. Un influx nerveux provenant du cerveau ou de la moelle épinière provoque la décharge d'une substance chimique (l'acétylcholine), à l'origine de leur contraction. Les muscles striés sont unis aux os par des tendons. Certains plient les articulations (fléchisseurs); d'autres les redressent (extenseurs). Ils peuvent aussi écarter les membres (abducteurs) ou les rapprocher (adducteurs) de l'axe du corps. Lors de leurs contractions, ces muscles consomment de l'énergie et dégagent de l'eau, du gaz carbonique et de l'acide lactique. Après un effort intense, ce dernier s'accumule ; il en résulte une sensation douloureuse : crampe ou courbature.

Le muscle cardiaque, ou myocarde, est proche par sa structure des muscles striés, mais ses contractions sont autonomes et involontaires.

Les muscles lisses commandent le fonctionnement du système digestif, des vaisseaux sanguins, des voies urinaires et d'autres organes. Ce sont des muscles au contrôle involontaire.

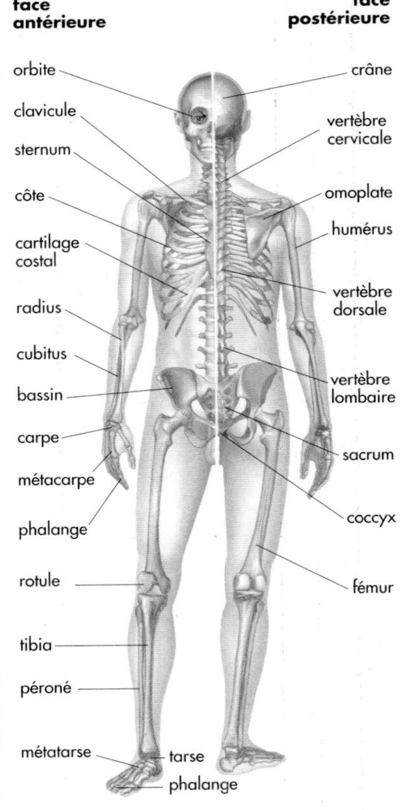

◆ **Squelette humain.**
Le crâne, la colonne vertébrale et la cage thoracique représentent 80 % des 206 os du corps humain.
Le crâne possède 28 os. À sa partie inférieure s'ouvre un large trou qui permet le passage de la moelle épinière.
La colonne vertébrale supporte la tête et protège la moelle épinière. Les 7 premières vertèbres – les cervicales, dont l'atlas (la première) et l'axis (la deuxième) – précèdent 12 vertèbres dorsales, 5 lombaires, 5 sacrées (sacrum), enfin 4 caudales soudées qui forment le coccyx, soit 33 vertèbres en tout. Les vertèbres sont séparées les unes des autres par un disque intervertébral.

1 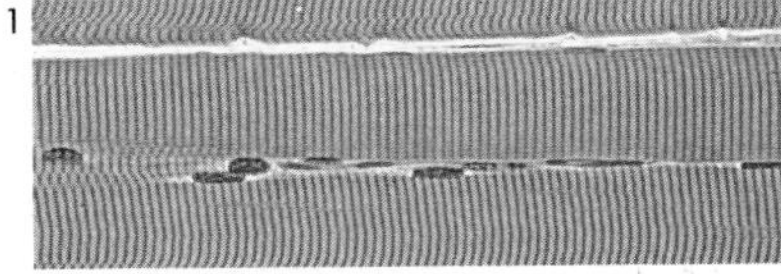

2 

3 

◆ **Les trois types de muscles.**
La coupe d'un muscle strié (1) révèle qu'il ressemble à un câble. On distingue un faisceau de fils et chacun d'entre eux est constitué de fils plus petits. Ces derniers sont appelés « myofibrilles ». Ils sont constitués par des filaments de protéines : l'actine et la myosine.
Les muscles striés sont de deux sortes : à contraction rapide ou à contraction lente. Les photographies 2 et 3 montrent respectivement une coupe de muscle lisse et une coupe de muscle cardiaque.

Articulations

Les articulations se différencient par leur degré de mobilité. Certaines ne bougent pas du tout, comme les sutures crâniennes. D'autres sont légèrement mobiles, comme l'articulation du bassin. Enfin, certaines se meuvent très librement, comme l'épaule. Chacune procure le niveau de mobilité nécessaire à la fonction des structures osseuses et musculaires qui lui sont associées : protection et rigidité pour le crâne, flexibilité pour le coude et le genou, rotation pour la base du crâne.

L'articulation mobile type se compose de couches de cartilage permettant aux zones osseuses contiguës d'entrer en contact. Une membrane (la synoviale), incluse dans la capsule articulaire, entoure les surfaces articulaires et sécrète un liquide (dit synovial) qui sert d'amortisseur et de lubrifiant. Certaines articulations comportent des disques plats chargés d'amortir les chocs : ménisques, disques invertébraux.

◆ **Les cinq types d'articulations.**
Il existe cinq types d'articulations. Quatre d'entre eux sont représentés ici, le cinquième étant l'articulation « fixe », qui est agencée pour procurer un maximum de rigidité (crâne).

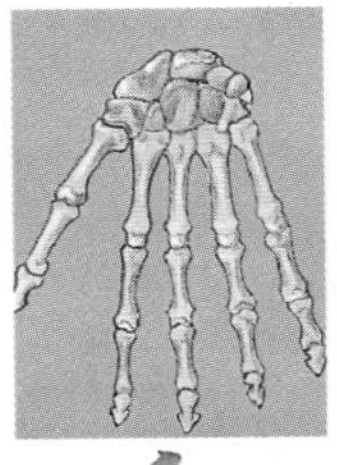

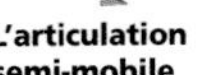

L'articulation semi-mobile
Type poignet, pouce. Les mouvements sont possibles dans 2 directions à angle droit : la forme de chaque os interdit toute rotation de l'articulation.

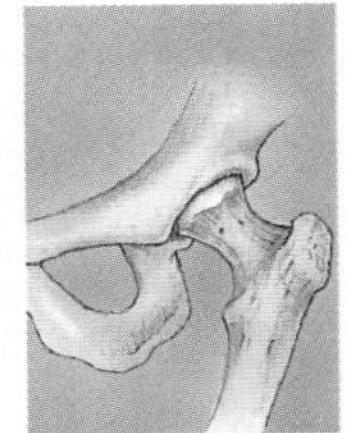

L'articulation à rotule ou multidirectionnelle
Type hanche ou épaule. Elle permet des mouvements dans toutes les directions. Une sphère pivote dans une cavité, les os jouant le rôle de levier.

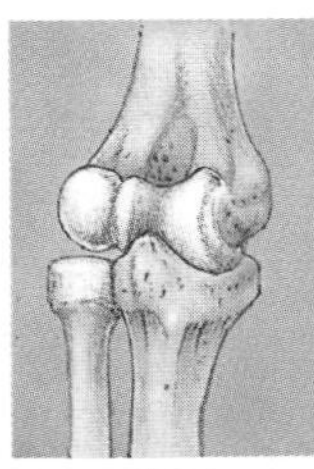

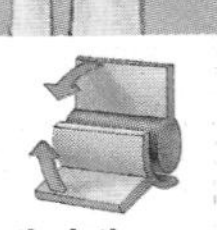

L'articulation charnière
Type coude et genou. Elle permet des mouvements de flexion-extension.

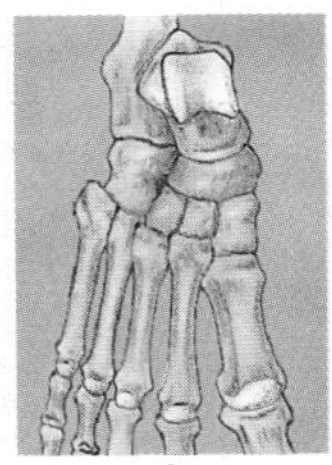

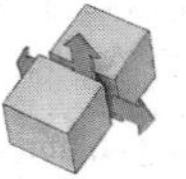

L'articulation plate
Type os du pied, tarse, vertèbres. Elle ne permet que de faibles mouvements.

Les glandes endocrines

Le système endocrinien

Le système endocrinien ou hormonal coordonne, avec le système nerveux, de nombreuses fonctions corporelles, notamment celles qui interfèrent avec la croissance, la reproduction, le métabolisme, les réactions au stress. Il réunit plusieurs glandes, qui agissent sur l'ensemble des systèmes de l'organisme. Certaines, comme la thyroïde, les corticosurrénales, les ovaires et les testicules sont sous le contrôle d'une petite glande cérébrale, l'hypophyse, ou glande pituitaire, elle-même étroitement régulée par une autre structure cérébrale localisée immédiatement au-dessus : l'hypothalamus. D'autres, comme les quatre parathyroïdes, petites glandes situées derrière la thyroïde, les médullosurrénales ou le pancréas endocrine ont un fonctionnement plus autonome.

Les glandes endocrines possèdent toutes la caractéristique commune de sécréter des hormones (du grec *hormaô*, « j'excite »), substances véhiculées par le sang qui transportent des messages à distance vers certaines cellules cibles. La quantité d'hormones circulant dans le corps peut augmenter ou diminuer selon les situations. En fait, la régulation hormonale est un équilibre complexe. En premier lieu, le rythme de sécrétion d'une hormone est fonction de la concentration de la substance dont elle contrôle le taux (par exemple, le taux sanguin de glucose module la production d'insuline par le pancréas). Ensuite, il est influencé par les concentrations sanguines de l'hormone elle-même, selon un phénomène de rétrocontrôle faisant intervenir les hormones hypothalamiques et hypophysaires. Le système endocrinien se distingue ainsi par sa capacité de s'autocontrôler en grande partie.

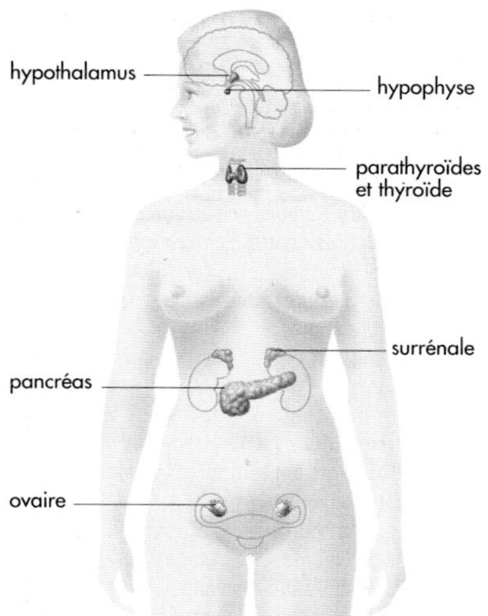

◆ **Glandes endocrines chez la femme.**
Hypothalamus. Hormones de contrôle de la sécrétion d'hormone hypophysaire (libérines activant les stimulines), ocytocine (contractions utérines de l'accouchement), hormone antidiurétique ou vasopressine (rétention d'eau par le rein).
Hypophyse (en deux parties : antéhypophyse à l'avant, posthypophyse à l'arrière). Antéhypophyse : hormone de croissance, prolactine (production de lait), hormones (stimulines) activant le fonctionnement des autres glandes endocrines (surrénales, ovaires, testicules).
Posthypophyse : stockage de l'hormone antidiurétique et de l'ocytocine produites par l'hypothalamus.
Thyroïde. Hormones thyroïdiennes : tri-iodothyronine et thyroxine (métabolisme de base, développement du cerveau et des os).
Parathyroïdes. Parathormone (elle accroît le taux de calcium dans le sang).
Glandes surrénales (deux parties : corticosurrénale en périphérie, médullosurrénale en profondeur).
Corticosurrénale : corticoïdes naturels (réaction aux situations d'urgence), aldostérone (contrôle des concentrations de sel et d'eau), androgènes (delta-4-androstènedione, déhydroépiandrostérone ou DHA, testostérone).
Médullosurrénale (relations avec le système nerveux sympathique) : adrénaline et noradrénaline (réaction au stress, multiples fonctions).
Pancréas endocrine (îlots de Langerhans). Insuline (cellules bêta, diminution du taux de sucre dans le sang), glucagon (cellules alpha, accroissement du taux de sucre dans le sang).
Ovaires. Œstrogènes et progestérone (ovulation, règles, développement sexuel, gestation).

Les hormones

On dénombre plus de 100 hormones différentes. Leur nature chimique est de trois types :
– tantôt protéique, comme l'insuline, la parathormone, les hormones hypophysaires ;
– tantôt se composant de stéroïdes dérivés du cholestérol, comme les hormones sexuelles (œstrogènes, progestérone, testostérone) ou celles fabriquées par la corticosurrénale ;
– tantôt constitué par des hormones, qui comme les hormones thyroïdiennes (thyroxine) ou l'adrénaline (hormone produite par la médullosurrénale) dérivent d'un acide aminé aromatique.

Les hormones sont principalement fabriquées par les glandes endocrines, mais aussi par certaines cellules rénales (qui produisent une hormone impliquée dans la fabrication des globules rouges, l'érythropoïétine) et par le placenta (sécrétion de plusieurs hormones dont l'hormone chorionique gonadotrophique, les œstrogènes, la progestérone…). Elles peuvent agir en synergie, comme dans le cas des œstrogènes et de la progestérone, ou exercer des rôles antagonistes : par exemple, le glucagon augmente le niveau de sucre dans le sang tandis que l'insuline le diminue.

Les hormones circulent souvent en se liant à une protéine qui module leurs effets. Elles agissent le plus souvent à faible concentration sur les organes cibles en entrant en contact avec des récepteurs qui sont situés sur la membrane cellulaire (hormones polypeptidiques) ou présents dans le noyau (hormones stéroïdes). Ensuite, se produit une cascade de réactions chimiques et éventuellement une synthèse par la cellule de nouvelles protéines par lesquelles s'exprime le message hormonal. Certaines hormones ou leurs dérivés sont utilisés à titre thérapeutique (insuline dans le diabète, progestatifs et œstrogènes pour le traitement de la ménopause…).

Petit lexique

endocrine : se dit de sécrétions glandulaires (hormonales) directement déversées dans le sang sans l'intermédiaire d'un canal excréteur.

exocrine : se dit de sécrétions glandulaires déversées dans le milieu extérieur ou dans une cavité organique en continuité avec celui-ci, soit directement, soit par l'intermédiaire d'un canal excréteur.

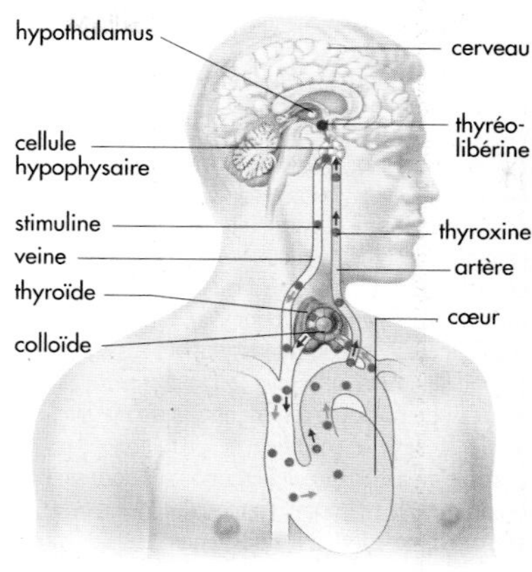

◆ **Fonctionnement de la glande thyroïde.**
Le fonctionnement de la glande thyroïde est contrôlé par l'hypothalamus et l'hypophyse selon un mécanisme de feed-back. La thyréolibérine, ou TRH *(thyrotrophin releasing hormone)*, sécrétée par l'hypothalamus, stimule la production de thyréostimuline ou TSH *(thyroid stimulating hormone)* par l'antéhypophyse. L'hormone TSH passe dans la circulation sanguine et parvient à la glande thyroïde, où elle favorise la croissance et la prolifération des cellules thyroïdiennes et active la synthèse d'hormones thyroïdiennes. Lorsque la concentration sanguine de thyroxine et de tri-iodothyronine devient excessive, la production de TSH est freinée. À l'inverse, lorsqu'elle est insuffisante, cette production est activée.

Mélatonine et rythmes biologiques

De nombreuses constantes biologiques, physiologiques et comportementales fluctuent dans le corps humain, avec une périodicité d'environ 24 heures. L'alternance lumière-obscurité joue un rôle essentiel dans la synchronisation de ces rythmes qui sont contrôlés par l'hypothalamus.
La mélatonine exerce une fonction importante à ce niveau. Chez l'homme, cette hormone est produite exclusivement par la glande pinéale, située près du centre du cerveau. Les concentrations de mélatonine sont basses pendant le jour, mais s'élèvent à partir de 20-23 h pour atteindre un pic de 2,5 · 10^{-14} g entre 1 et 5 h du matin.
La mélatonine pourrait être associée aux variations saisonnières du pic de l'hormone lutéinisante (LH), qui détermine l'ovulation, et pourrait ainsi expliquer la conception plus fréquente de vrais jumeaux en été, dans certains pays scandinaves.
Aux États-Unis, l'utilisation de mélatonine en tant que complément nutritionnel est banale et cette hormone est proposée à diverses fins (ralentissement du vieillissement, stimulation de l'immunité, prévention de la cataracte, de la chute de cheveux…), mais pour la plupart sans résultats attestés.

VOIR AUSSI 
- **Cerveau** p. 202
- **Système nerveux et organes des sens** p. 203
- **Organes génitaux et puberté** p. 205
- **Affections endocriniennes** p. 244

Le cerveau

Rôle de l'encéphale

L'encéphale constitue la partie supérieure du système nerveux central tandis que la moelle épinière en forme la partie inférieure. Il regroupe le cerveau, constitué des deux hémisphères cérébraux et du cerveau intermédiaire, ou diencéphale (thalamus, hypothalamus, hypophyse), le cervelet et le tronc cérébral, et contrôle la plupart des fonctions corporelles. Ainsi, il régule le fonctionnement des viscères, de l'appareil respiratoire et circulatoire, est impliqué dans le maintien de l'équilibre, dans le contrôle de la vigilance, les émotions, le désir sexuel, le sommeil, la mémoire, l'intégration des messages sensoriels, la motricité consciente. Les fonctions intellectuelles supérieures comme le langage et l'élaboration de la pensée mettent en jeu le cortex.

Ce travail extraordinairement complexe du cerveau est possible grâce aux 100 milliards de neurones qui le composent. Bien que son poids soit inférieur à 1,5 kg, il utilise à lui seul plus d'un quart de l'alimentation en sang du corps.

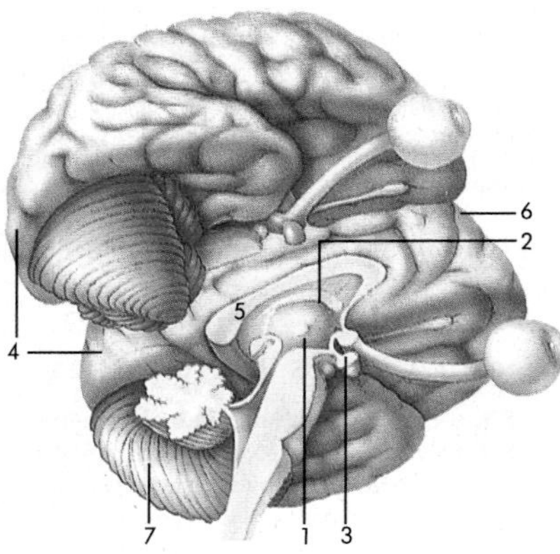

◆ **Structures encéphaliques.**
Sur ce schéma, on distingue le thalamus (1), l'hypothalamus (2), l'hypophyse (3), les hémisphères cérébraux (4), le corps calleux (5), le cortex (6) et le cervelet (7).

Le cerveau comprend une unité primitive, ou tronc cérébral, qui contrôle les rythmes cardiaque et respiratoire, la température corporelle... et relie le cerveau à la moelle épinière. Le tronc cérébral comporte lui-même 3 parties; de bas en haut : le bulbe rachidien, la protubérance annulaire et les pédoncules cérébraux. Les nerfs crâniens sont issus du tronc cérébral. La substance réticulée, présente au sein du tronc cérébral, régule l'alternance veille-sommeil en contrôlant les influx sensitifs allant de la moelle épinière à l'encéphale ; durant certaines heures, elle les amplifie (veille), pendant d'autres, elle les inhibe (sommeil). En arrière du tronc cérébral se trouve le cervelet, dont les fonctions principales sont le maintien de l'équilibre et la coordination motrice. Unité intermédiaire, le diencéphale regroupe le 3e ventricule, bordé par le thalamus, dont la fonction est d'intégrer les messages sensoriels pour les transmettre au cortex. Il se prolonge en avant par l'hypothalamus, et par 2 petites glandes : l'hypophyse, en bas, et l'épiphyse, en arrière.

Enfin, l'unité la plus élaborée est formée des 2 hémisphères cérébraux, qui remplissent la partie supérieure du crâne et communiquent entre eux par l'intermédiaire du corps calleux. Le cortex constitue la couche superficielle des hémisphères et se compose de substance grise (corps cellulaires des neurones). Il assure l'analyse complexe des informations et est le siège de la conscience. Cette substance grise entoure une couche de substance blanche composée de fibres nerveuses myélinisées, qui assure les connexions entre cellules nerveuses. La substance grise corticale se prolonge dans la profondeur du cerveau pour former des noyaux gris centraux (noyau caudé, noyau lenticulaire, noyau sous-thalamique ou corps de Luys, et *locus niger,* qui interviennent dans le contrôle des mouvements volontaires). Des cavités, ou ventricules, remplies de liquide céphalorachidien, creusent chaque hémisphère (ventricule latéral). Elles se rejoignent pour former le 3e ventricule au niveau du diencéphale puis, plus bas, le 4e ventricule qui se prolonge par le canal épendymaire dans la moelle épinière.

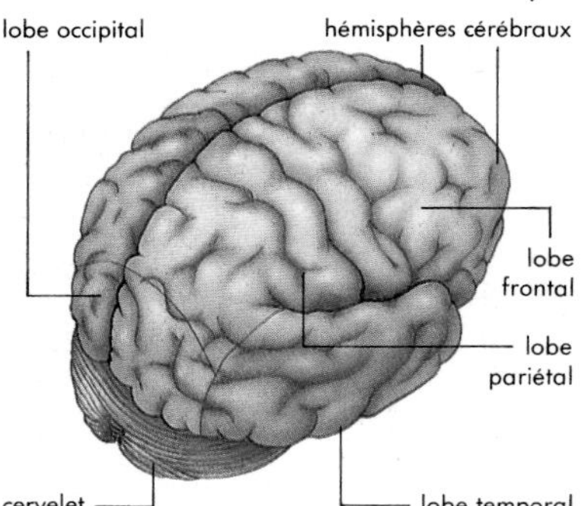

◆ **Hémisphères cérébraux.**
Les 2 hémisphères cérébraux représentent 70% de l'encéphale. Ils sont parcourus de circonvolutions et subdivisés en scissures qui forment des lobes : frontaux à l'avant, temporaux et pariétaux sur les côtés, occipitaux à l'arrière.

Les 2 hémisphères cérébraux n'ont pas un rôle équivalent et, chez la plupart des individus, un hémisphère domine l'autre (le gauche, chez les droitiers). Les fibres nerveuses croisant la ligne médiane, l'hémisphère droit régit le côté gauche et *vice versa.* Le cortex est spécialisé, chacune de ses zones correspondant à une aire fonctionnelle précise. Les lobes temporaux ont un rôle complexe (olfaction, audition et plus généralement rôle associatif entre les différents lobes). Les lobes pariétaux sont le siège de la sensibilité consciente, les lobes occipitaux celui de la vision, les lobes frontaux celui des fonctions supérieures (pensée...) et de la motricité volontaire. Chaque zone de notre épiderme se projette à la surface de notre cortex de manière non proportionnelle à la taille réelle de la partie considérée. Ainsi, la main, qui représente environ 1 % de notre surface corporelle, voit s'attribuer au niveau des cortex sensitif et moteur près de la moitié de la surface dévolue au reste du corps. Le centre du langage, l'aire de Broca, se trouve au sein de la 3e circonvolution gauche.

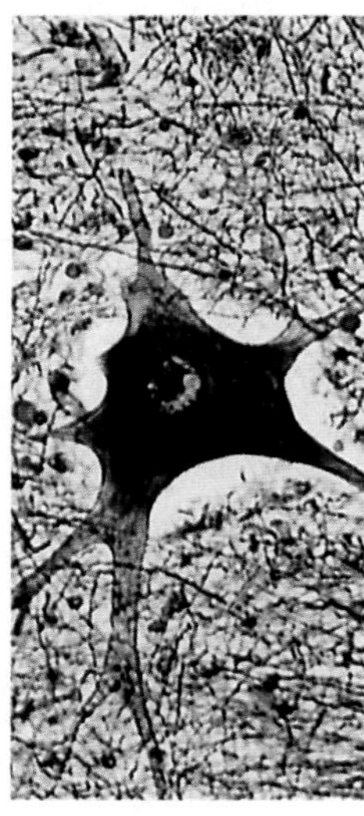

◆ **Neurone.**
L'unité élémentaire du fonctionnement cérébral est la cellule nerveuse, ou neurone. La transmission de l'information d'un neurone à l'autre s'effectue par l'intermédiaire d'un signal électrique, l'influx nerveux.

Fonctions cérébrales

Le cerveau régit plusieurs fonctions essentielles ou vitales.

La mémoire. Elle met en jeu plusieurs structures cérébrales, notamment l'hippocampe, l'hypothalamus et les corps mamillaires, et implique l'acétylcholine comme neurotransmetteur.

Elle est classiquement divisée en mémoire à court terme (quelques minutes) et à long terme et comprend 3 phases : apprentissage, stockage de l'information, puis restitution. Bien qu'elle tende à s'abaisser naturellement avec l'âge, des exercices de gymnastique cérébrale ou la pratique d'une activité intellectuelle peuvent permettre de la maintenir.

Le sommeil. Le sommeil est essentiel à la vie. Une horloge interne située dans les noyaux suprachiasmatiques de l'hypothalamus est responsable de son apparition à intervalles réguliers. Il comprend 2 phases :
– celle du sommeil lent, d'environ 90 minutes (composé lui-même de 4 stades), où l'activité cérébrale est de faible intensité ;
– et celle du sommeil paradoxal, d'environ 20 minutes, qui se caractérise par des mouvements oculaires rapides, pendant laquelle la plupart des rêves sont émis.

Les deux types de sommeil se répètent chacun 4 à 5 fois par nuit et se manifestent par des modifications électriques caractéristiques sur l'électroencéphalogramme. La fonction des rêves est encore impartiellement connue, mais le sommeil paradoxal pourrait jouer un rôle important dans les processus d'apprentissage et de mémorisation.

Les émotions. Les émotions et les comportements mettent en jeu l'hypothalamus, ainsi que le système limbique (ou formation limbique), une structure qui est située à la face interne des hémisphères cérébraux et englobe les noyaux gris centraux. Les principaux comportements alimentaires, sociaux et sexuels dépendent ainsi de ces 2 structures cérébrales, elles-mêmes en relation étroite avec le cortex frontal.

VOIR AUSSI
• **Glandes endocrines** p. 201
• **Affections neurologiques** p. 242
• **Maladies psychiques** p. 246

Système nerveux et organes des sens

Le système nerveux

Le système nerveux regroupe des centres nerveux et des nerfs ; il est impliqué dans des rôles aussi divers que la transmission des signaux sensoriels, la motricité, le fonctionnement des viscères, la mémoire, les fonctions intellectuelles.

Le système nerveux central (SNC) comporte le tissu nerveux formant le cerveau et la moelle épinière, à l'exclusion des nerfs. Il est entouré par les méninges et protégé par un liquide clair dont le volume varie entre 130 et 150 ml : le liquide céphalorachidien (LCR). Ce dernier est sécrété par certaines cellules cérébrales spécialisées et résorbé par le SNC. Celui-ci est constitué de milliards de cellules nerveuses étroitement interconnectées par l'intermédiaire de synapses et d'un tissu de soutien, la névroglie ou tissu glial.

Le système nerveux périphérique se compose des nerfs et de leurs ganglions. Il comprend :
- le système somatique, qui permet de percevoir les sensations transmises par les organes des sens, et qui contrôle les actions volontaires et la motricité ;
- le système végétatif, ou autonome, qui contrôle les organes sans intervention de la volonté. Il comporte lui-même 2 systèmes : sympathique et parasympathique, aux fonctions antagonistes.

Les nerfs diffèrent entre eux par leur composition en fibres nerveuses : fibres sensitives véhiculant les messages sensoriels vers le SNC (nerfs sensitifs), fibres motrices transmettant les ordres du SNC aux muscles (nerfs moteurs), nerfs végétatifs innervant les viscères et les glandes. En réalité, de nombreux nerfs sont mixtes et regroupent plusieurs types de fibres. Certaines fibres nerveuses (dites myélinisées) sont entourées d'une gaine blanche de myéline accélérant la vitesse de conduction de l'influx nerveux.

La transmission de l'influx nerveux passe, en général, par plusieurs neurones. Elle met en jeu des phénomènes électriques et la libération, au niveau des synapses, de substances chimiques, les neurotransmetteurs, comme l'acétylcholine (système nerveux volontaire et parasympathique), l'adrénaline et la noradrénaline (système sympathique).

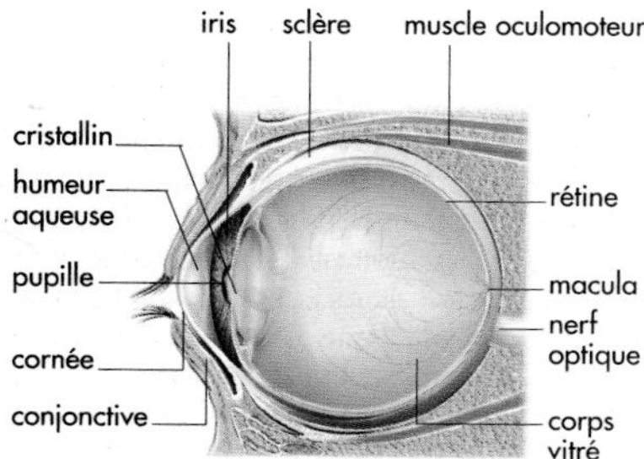

◆ **L'œil.**
L'homme dispose de 2 yeux, qui donnent de chaque objet 2 images en 3 dimensions, différant un peu l'une de l'autre. Les paupières, tapissées à l'intérieur par la conjonctive et bordées de cils, protègent le globe oculaire. Les larmes, produites par des glandes lacrymales, éloignent les corps étrangers et ont une action protectrice contre les bactéries grâce à certaines protéines (lysozyme et lactotransferrine). Cornée (lentille transparente) et cristallin (lentille résistante biconvexe) assurent la mise au point des objets lointains ou proches (accommodation). L'iris donne à l'œil sa couleur. La pupille, en changeant de diamètre, règle l'entrée de la lumière dans l'œil. Lorsque l'œil ne présente pas d'anomalie, l'image d'un objet se forme sur la rétine, où la reçoivent 2 types de cellules sensibles : les cônes, responsables de la vision des couleurs, et les bâtonnets, actifs lorsque l'éclairage est faible. Ces cellules rétiniennes transforment les messages visuels en impulsions nerveuses, qui sont transmises au cerveau par le nerf optique.

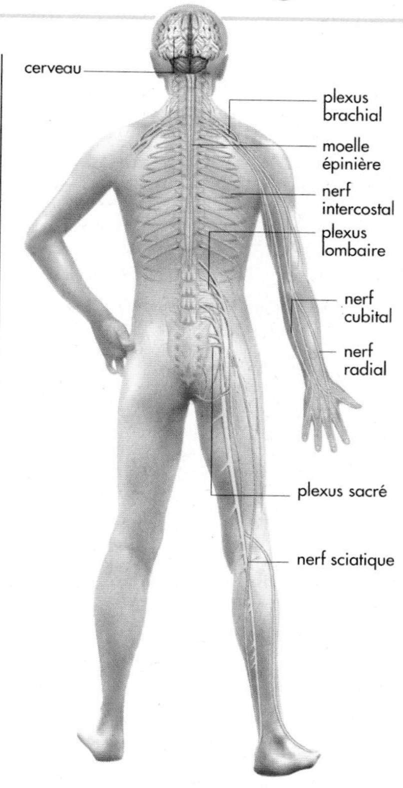

◆ **Principaux nerfs et plexus nerveux.**
On compte 12 paires de nerfs crâniens, rattachés à l'encéphale, et 31 paires de nerfs rachidiens reliés à la moelle épinière : 8 de nerfs cervicaux, 12 de nerfs dorsaux ou thoraciques, 5 de nerfs lombaires, 5 de nerfs sacrés et 1 de nerfs coccygiens. Certaines branches antérieures et postérieures de ces nerfs s'anastomosent pour former un réseau de filets nerveux ou plexus, comme les plexus brachial (qui donne naissance aux nerfs des membres supérieurs), lombaire (innervation des organes génitaux externes et des membres inférieurs), sacré (nerf sciatique) ou solaire (innervation des viscères abdominaux).

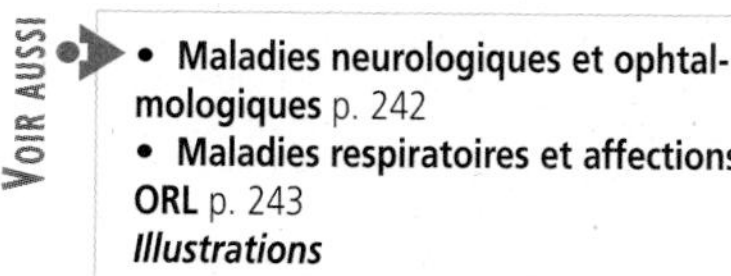
VOIR AUSSI
• **Maladies neurologiques et ophtalmologiques** p. 242
• **Maladies respiratoires et affections ORL** p. 243
Illustrations
• **Coupe de peau** p. 196

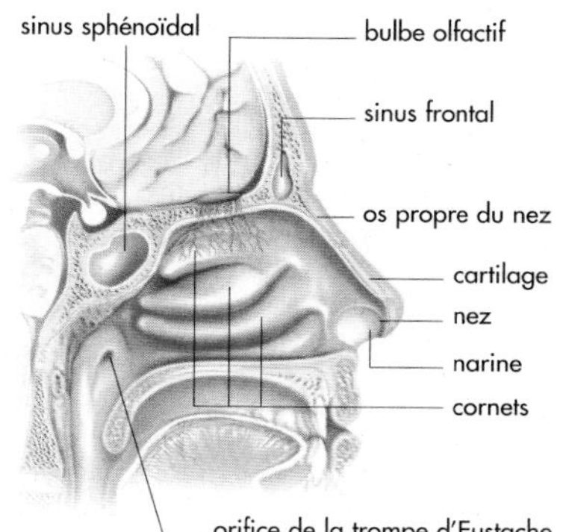

◆ **Le nez.**
L'homme peut distinguer quelque 3 000 odeurs dont certaines, les phéromones contenues dans la sueur, influeraient sur son comportement sexuel. Les 5 millions de récepteurs olfactifs sont situés dans la muqueuse revêtant le plafond des fosses nasales et concentrés sur une surface de 6 cm². De là, des milliers de fibres nerveuses vont jusqu'au bulbe olfactif, relais qui envoie l'information au cortex temporal grâce à d'autres fibres nerveuses (ou axones).

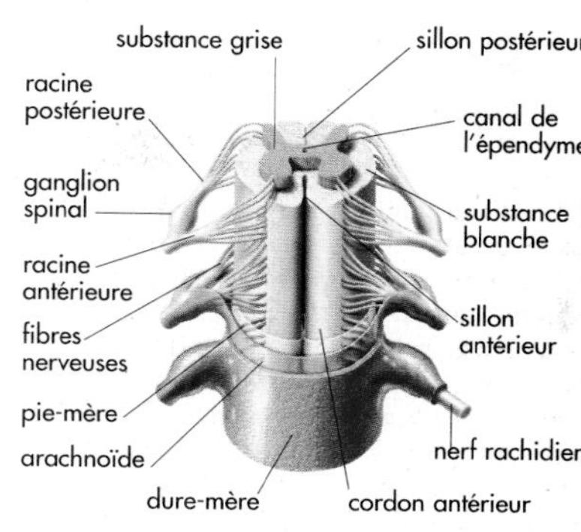

◆ **Nerfs et méninges de la moelle.**
Située dans le canal rachidien, en arrière des corps vertébraux, la moelle épinière a une longueur de 45 cm environ et prolonge le bulbe rachidien. Elle est entourée de 3 membranes ou méninges : la dure-mère, l'arachnoïde et la pie-mère, entre lesquelles circule la plus grande partie du liquide céphalorachidien. 31 racines nerveuses (antérieures ou postérieures) s'échappent de chaque côté de la moelle pour former 31 nerfs rachidiens. Les racines antérieures contiennent les fibres nerveuses motrices, et les racines postérieures, les fibres sensitives. La moelle comporte 2 types de tissus nerveux : la substance grise, qui se compose de neurones et de cellules gliales, et la substance blanche, constituée de fibres nerveuses myélinisées. Au centre de la substance grise se trouve le canal de l'épendyme, qui communique avec le 4e ventricule cérébral et dans lequel circule une petite proportion du liquide céphalorachidien. Des ordres moteurs simples, comme celui de retirer sa main en cas de brûlure, peuvent être transmis par la substance grise médullaire sans que l'information ait été relayée par le cerveau. En revanche, les informations et les ordres complexes transitent par la substance blanche.

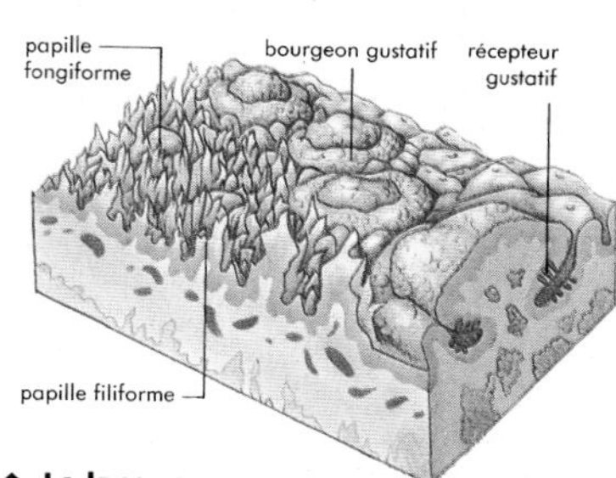

◆ **La langue.**
Grâce aux nombreuses papilles gustatives de la face supérieure de la langue et à leurs bourgeons, l'homme est capable de reconnaître une saveur. La langue est sensible à quatre saveurs de base (salé, sucré, amer, acide), qui peuvent se combiner entre elles. Chaque région de la langue est spécialisée dans la détection d'une seule de ces saveurs.

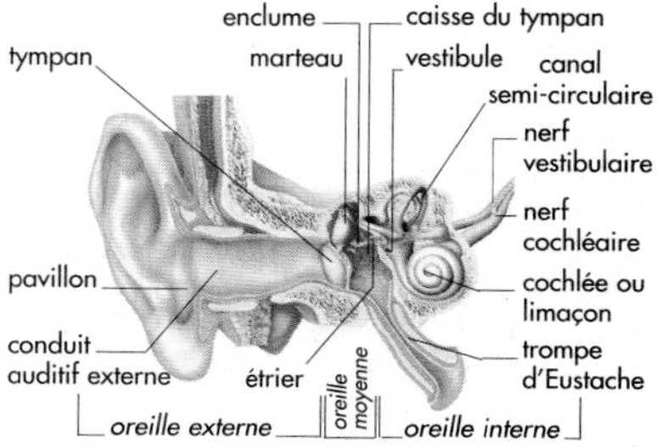

◆ **L'oreille.**
L'oreille participe à l'audition mais aussi à l'équilibre. L'oreille externe comprend le pavillon, le conduit auditif externe et enfin la membrane du tympan, qui vibre sous l'effet des ondes sonores autres que les infrasons et les ultrasons. L'oreille moyenne est une petite cavité aplatie de l'os temporal. Elle communique avec les fosses nasales par la trompe d'Eustache et amplifie les vibrations du tympan par l'intermédiaire de 3 osselets, qui entrent successivement en jeu (le marteau, l'enclume et l'étrier). Ce dernier communique les vibrations à l'oreille interne ou labyrinthe, qui transforme le son en signal électrique envoyé au cerveau par le nerf auditif. Une autre partie du labyrinthe est responsable du contrôle de l'équilibre.

La croissance

Le développement physique

Le poids d'un enfant né à terme (soit entre 37 et 41 semaines de grossesse) se situe entre 2,5 et 4,5 kg, sa taille entre 45 et 55 cm, son périmètre crânien autour de 35 cm. Sa tête est disproportionnée par rapport au corps. Son crâne, de consistance molle, comprend deux dépressions palpables, ou fontanelles, l'une à l'avant de la tête de 2 à 3 cm de diamètre, l'autre à l'arrière, qui disparaîtront, pour la première, entre 8 et 24 mois (en moyenne à 1 an) et, pour la seconde, tout de suite après la naissance.

L'enfant se développe physiquement, intellectuellement et affectivement. Le développement physique met en jeu à la fois un processus de croissance somatique des différentes parties du corps (augmentation de la taille et du poids), par multiplication des cellules, et un phénomène de maturation. Ce dernier correspond au perfectionnement de la structure et de la fonction des organes au cours de leur évolution vers l'âge adulte (maturation dentaire, sexuelle...).

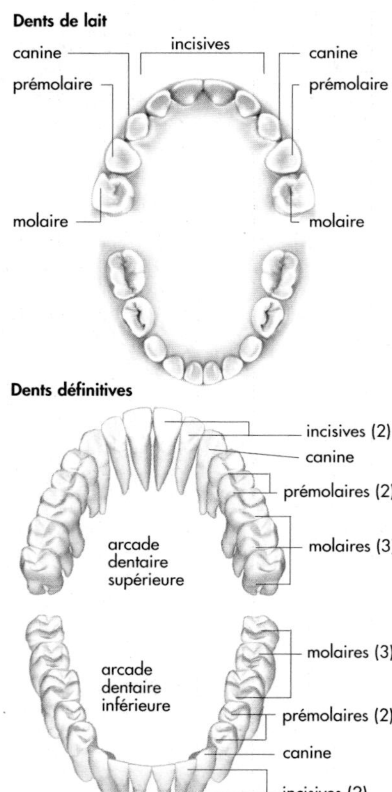

◆ **Maturation dentaire : dents de lait et dents définitives.**
Les premières dents provisoires (incisives inférieures) apparaissent vers 6-7 mois, et la denture temporaire qui comprend 20 dents est acquise en totalité entre 2 et 3 ans. Elle demeure jusqu'à l'âge de 6 ans. L'éruption des dents définitives est plus progressive et la denture définitive est en place vers 12-14 ans. Après les incisives inférieures apparaissent en général les incisives supérieures, les prémolaires, les canines et les molaires. Les dents permanentes sont normalement au nombre de 32 chez le sujet de plus de 21 ans (8 incisives, 4 canines, 8 prémolaires, 8 molaires, 4 dents de sagesse), mais bien souvent elles ne sont pas plus de 28, car de nombreux adultes sont dépourvus de dents de sagesse.

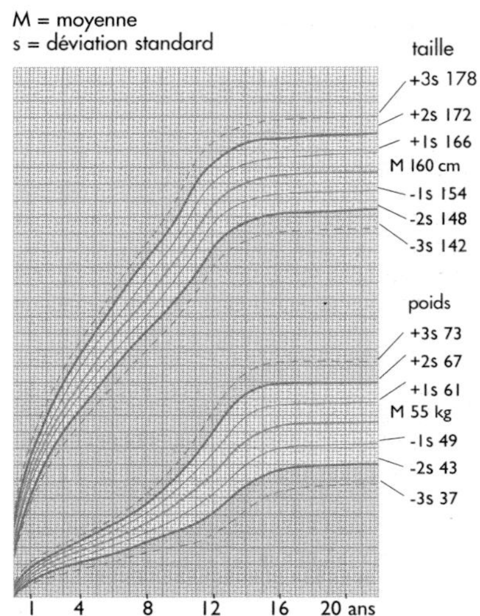

◆ **Courbe de croissance chez la fille.**
Pour être considérée comme harmonieuse, la croissance staturale (taille) et pondérale (poids) doit respecter certains critères :
– se situer autour d'une valeur médiane, définie selon le sexe sur des courbes de poids et de taille correspondant à l'âge. Des normes existent pour chaque pays ;
– avoir une vitesse d'augmentation variant autour d'une moyenne. Une « cassure de la courbe » exige la recherche d'une cause qui peut se révéler être une affection cachée. Une correspondance doit s'établir entre le poids et la taille, indépendamment de l'âge.

Les facteurs influençant la croissance. Le développement somatique de l'enfant dépend des paramètres suivants :
– les paramètres génétiques. La taille et le poids sont fonction de ceux des parents ;
– les paramètres sexuels. À âge égal, la croissance est plus rapide chez le garçon, la maturation chez la fille ;
– les paramètres nutritionnels. Un manque de vitamines et de protéines peut retarder la croissance et certaines carences caloriques engendrent d'importants retards de taille et de poids ;
– les paramètres psychologiques. Certains nanismes, dits « psychoaffectifs », sont en partie induits par un environnement défavorable et par le manque d'affection ;
– les paramètres sociaux. Des différences de taille significatives sont relevées entre les enfants de milieu aisé et ceux de milieu modeste. Les enfants sont souvent plus grands que leurs ascendants ;
– les paramètres endocriniens. Les principales hormones qui interviennent dans le développement physique de l'enfant sont : l'hormone de croissance (croissance staturale), les hormones thyroïdiennes et les hormones sexuelles (maturation) ;
– les paramètres liés à des maladies. Certaines affections chroniques, la prise au long cours de médicaments corticoïdes peuvent retarder la croissance.

La surveillance. En pratique, le développement physique de l'enfant est évalué par la mesure du périmètre crânien (jusqu'à 3 ans), qui renseigne sur le développement cérébral, de la taille (mesurée en position allongée en dessous de 2-3 ans, en position debout au-delà de cet âge), du poids, par l'analyse de la courbe de croissance, l'étude de la dentition (nombre de dents présentes), les caractères sexuels secondaires à la puberté, l'âge des premières règles chez la fille. L'âge osseux, qui témoigne de la maturation du cartilage de croissance, peut être calculé en étudiant le nombre et la dimension des points d'ossification sur une radiographie de poignet. En l'absence de tout problème, l'âge chronologique est identique à l'âge statural et à l'âge osseux.

La croissance de l'enfant est rapide de 0 à 4 ans (100 cm à 1 an), puis linéaire et de l'ordre de 5 à 6 cm par an jusqu'au début de la puberté, où elle s'accélère à nouveau.

La croissance des différents organes n'est pas identique. Le développement cérébral est très actif dans la première année de vie et pratiquement achevé à 5 ans. La croissance des membres est plus rapide avant la puberté, tandis que celle du rachis ne s'accélère qu'à la fin de celle-ci. Le développement des gonades s'effectue, lui, pendant la puberté.

◆ **Calendrier des principales acquisitions psychomotrices chez le nourrisson normal.**

Âge	Développement psychomoteur
à la naissance	conservation des réflexes archaïques (marche automatique ; grasping : capacité de refermer la main sur un objet ; réflexe de Moro : écartement des bras en réaction à un bruit ou à une hyperextension de la tête...).
4-6 semaines	sourire relationnel (en réponse).
3 mois	tenue stable de la tête, « gazouillis ».
4-6 mois	début de la préhension des objets.
6-7 mois	se retourne seul lorsqu'il est couché sur le ventre, s'oriente au son, passe les objets d'une main à l'autre.
8-9 mois	tient assis seul sans appui, rampe.
9 mois	prend un objet entre le pouce et l'index.
10 mois	marche à quatre pattes, se met debout tout seul, utilise des monosyllabes.
12-18 mois	marche seul.
24 mois	parle (associe plusieurs mots).

Le développement psychomoteur

Le développement psychique de l'enfant a différentes composantes – motrice, sensorielle, cognitive, affective, sociale –, qu'il est parfois difficile de dissocier et qui varient d'un enfant à un autre.

Le nouveau-né, dont le développement neurologique est normal, est en possession de réflexes dits « archaïques » (capacité de refermer la main sur un objet, de faire quelques pas lorsqu'il est maintenu debout), qui disparaîtront peu de temps après la naissance. Chez l'enfant de 1 mois à 2 ans, l'analyse du développement psychomoteur prend en compte le tonus et la motricité, les capacités manuelles (préhension) et de réaction, le langage, les acquisitions oculomotrices (capacité de suivre du regard). La marche est normalement acquise avant 18 mois et l'enfant commence à émettre quelques mots entre 9 et 15 mois. Entre 24 et 30 mois, il peut tracer un trait vertical ou horizontal, dessiner des gribouillis. À 2 ans, son vocabulaire est de 100 mots et il connaît le « je ».

VOIR AUSSI
• **Puberté** p. 205
• **Hygiène quotidienne** p. 215
• **Pathologies bucco-dentaires** p. 235
• **Maladies infantiles** p. 240

Les organes génitaux et la puberté

Les organes génitaux

Les organes génitaux de l'homme sont externes, ceux de la femme internes, exception faite pour la vulve. Tandis que le système de reproduction masculin joue un rôle limité à la conception, celui de la femme est organisé pour le développement du fœtus, l'accouchement et la nutrition de l'enfant après sa naissance.

Chez l'homme. Les testicules (1) fabriquent les spermatozoïdes et sécrètent l'hormone mâle : la testostérone. Ils se situent dans les bourses (2) externes : la production des spermatozoïdes nécessite en effet une température ambiante moins élevée que celle du corps. La prostate (3) sécrète un liquide laiteux qui nourrit les spermatozoïdes et permet leur transport. Les vésicules séminales (4) sont de petits réservoirs qui sécrètent un autre liquide donnant énergie et mobilité aux spermatozoïdes. Le pénis, ou verge (5), est l'organe sexuel de l'homme. Mou au repos, il gonfle, s'allonge et se durcit en cas d'excitation sexuelle. Le sperme chemine dans le pénis par le conduit urétral (6). Celui-ci sert également à l'émission de l'urine, ce qui n'est pas le cas chez la femme.

◆ **L'appareil génital masculin.**

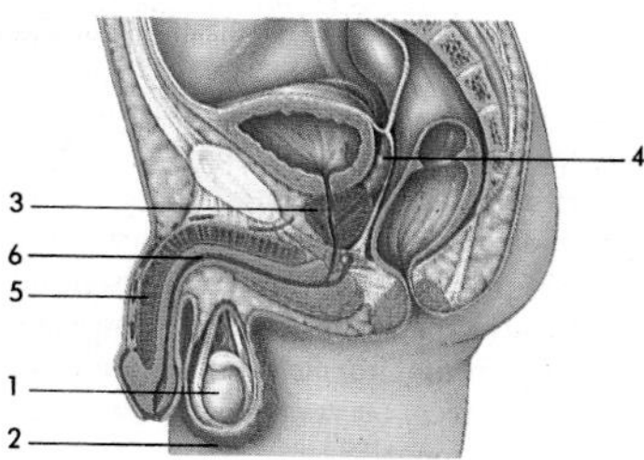

Chez la femme. Les ovaires (1) fabriquent les hormones sexuelles féminines (œstrogènes et progestérone) et produisent chaque mois, de la puberté à la ménopause, les cellules directement précurseurs des ovules (les ovocytes de 2e ordre). À la naissance, ils contiennent 300 000 ovules potentiels (les ovocytes de 1er ordre) mais, au cours de la vie génitale féminine, seules 300 à 400 de ces cellules deviendront matures.

L'utérus (2) est formé de trois parties : le corps musculaire, le col (3), et l'isthme, qui unit les deux premières. Sa cavité est tapissée d'une muqueuse « basale » (permanente) et d'une muqueuse menstruelle qui se renouvelle cycliquement et s'élimine en l'absence de grossesse sous forme de « règles ». Le vagin (4) relie l'utérus à l'extérieur. La vulve est formée des grandes (5) et des petites lèvres (6). Ces dernières se rejoignent pour former le clitoris (7).

◆ **L'appareil génital féminin.**

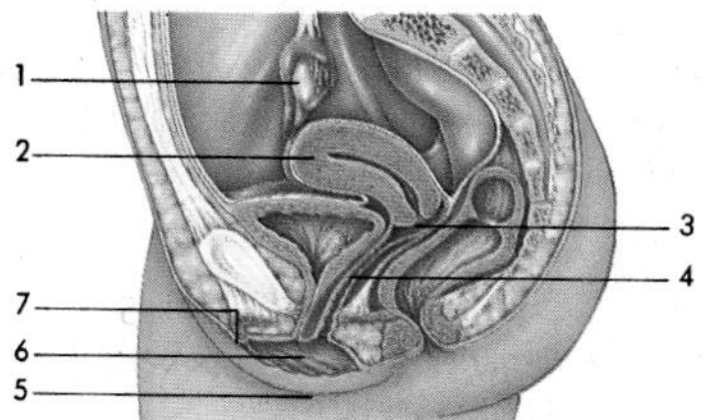

Les modifications pubertaires

Marquant le passage de l'enfance à l'âge adulte, la puberté débute entre 11 et 13 ans chez la fille, entre 13 et 15 ans chez le garçon. La croissance staturale s'accélère, les caractères sexuels secondaires apparaissent. Cette période est souvent difficile à vivre pour les adolescents. Les changements corporels dépendent d'hormones hypothalamiques et hypophysaires, qui provoquent la sécrétion d'hormones sexuelles : œstrogènes et progestérone pour la fille, testostérone pour le garçon. Le développement de la pilosité sexuelle est également lié à la sécrétion de certaines hormones (déhydroépiandrostérone ou DHA) par les glandes surrénales.

Chez le garçon. La puberté commence par un accroissement de la taille des testicules. Le pénis s'allonge, la prostate augmente de volume. Plus tard, la pilosité apparaît. La taille augmente rapidement et la musculature se développe. Le larynx s'élargit, la voix mue. À la fin de la puberté, les testicules fabriquent jusqu'à 200 millions de spermatozoïdes par jour.

VOIR AUSSI
- **Glandes endocrines** p. 201
- **Croissance** p. 204
- **Sexualité** p. 206
- **Fécondation et contraception** p. 207
- **Maladies de la femme** p. 236
- **Maladies de l'homme** p. 237
- **Stérilité** p. 239

Chez la fille. Les premiers signes sont constitués par le développement des seins et/ou de la pilosité pubienne, puis par la pilosité axillaire et les premières règles (en moyenne à 13 ans). Pour des motifs inexpliqués, peut-être liés à des changements alimentaires, les règles surviennent plus tôt qu'il y a cent ans. Elles sont souvent irrégulières au début et les premiers cycles sont dépourvus d'ovulation.

Une puberté précoce ou retardée (avant 8 ans ou après 15-16 ans) doit faire l'objet d'un examen médical.

Petit lexique

clitoris : petit organe érectile situé à la partie antérieure de la vulve.

endomètre : muqueuse tapissant la face interne de l'utérus.

follicule ovarien : cavité de l'ovaire dans laquelle se développe un ovule.

menstruation : phénomène physiologique caractérisé par un écoulement sanguin périodique (règles) dû à l'élimination de la muqueuse utérine, se produisant chez la femme, lorsqu'il n'y a pas eu fécondation, de la puberté à la ménopause.

ovulation : libération d'un ovule par l'ovaire. Ce phénomène commence à la puberté et cesse à la ménopause.

vagin : conduit musculo-membraneux d'environ 8 cm de long, dont la paroi est constituée de replis longitudinaux et transversaux, ouvrant au fond sur le col de l'utérus.

◆ **Le cycle menstruel.** Le cycle menstruel dure en moyenne 28 jours. Il met en jeu des modifications cérébrales et génitales, et se déroule en deux phases : folliculaire (14 premiers jours) et lutéale (14 derniers).

Au niveau cérébral. Pendant la 1re partie du cycle, l'hypophyse produit de l'hormone folliculostimulante (FSH), qui induit la maturation de plusieurs follicules ovariens, dont un seul parviendra à maturité. Au 14e jour, le pic de sécrétion par l'hypophyse de l'hormone lutéinisante (LH) détermine le déclenchement de l'ovulation, c'est-à-dire la rupture du follicule ovarien mature et la libération d'un ovocyte de 2e ordre dans la trompe.

Au niveau ovarien. Le développement du follicule, sous l'effet de la FSH, engendre la sécrétion d'œstrogènes. La croissance folliculaire atteint son maximum au 14e jour. L'action des œstrogènes sur l'hypophyse modifie l'équilibre entre la sécrétion cérébrale de FSH et de LH et provoque l'ovulation. Après celle-ci, le follicule rompu se transforme en corps jaune et produit de la progestérone en sus des œstrogènes. Ces deux types d'hormones agissent en synergie et préparent l'endomètre à recevoir l'œuf.

Au niveau de la muqueuse utérine. Inexistante le 1er jour des règles, la muqueuse se développe sous l'effet des œstrogènes, se recouvre de vaisseaux, acquiert des glandes de plus en plus importantes. Elle atteint son épaisseur maximale au 14e jour. Après l'ovulation, les sécrétions de progestérone stoppent la croissance glandulaire. La muqueuse est alors apte à loger l'œuf. Le corps jaune dégénère en l'absence de fécondation et la chute du taux de progestérone provoque l'apparition des règles au 28e jour (nouveau cycle). En revanche, il se maintient en cas de grossesse et assure, grâce à ses sécrétions hormonales, la croissance de l'embryon pendant les 3 premiers mois (le placenta prendra ensuite le relais).

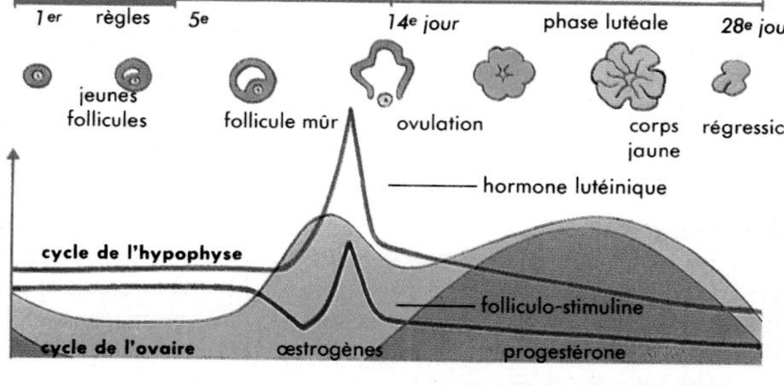

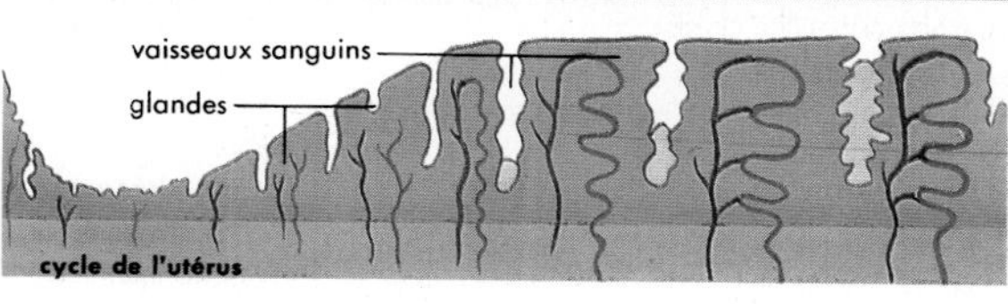

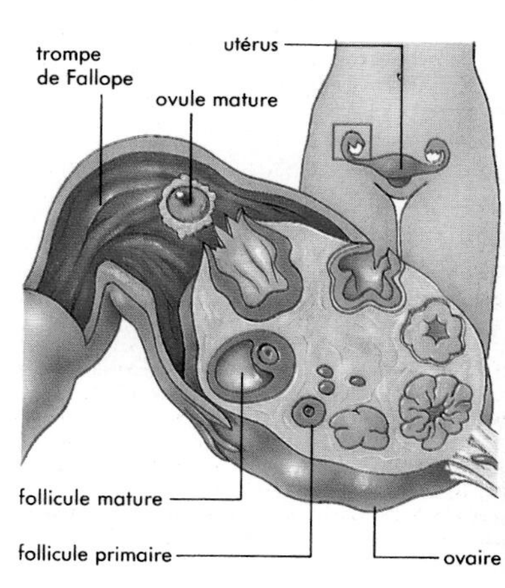

La sexualité

Les étapes de la sexualité

Freud distinguait quatre stades dans la sexualité enfantine :
– le stade oral (première année). Le nourrisson tire un plaisir érotique des activités de succion et de la tétée en particulier. Les baisers amoureux seraient une réminiscence de ce stade ;
– le stade anal (de 1 à 3 ans). La zone érogène principale n'est plus la bouche, mais la région anale, et le plaisir est lié à la fonction de défécation. L'ambivalence de ce plaisir, parfois proche de la douleur, a conduit la psychanalyse à y voir l'origine des perversions sadomasochistes ;
– le stade phallique (de 3 à 5 ans). L'enfant prend conscience de la différence des sexes et concentre son attention sur ses organes génitaux externes. C'est l'âge de la masturbation et, pour les garçons, de l'angoisse de castration ;
– la phase de latence. De 7 ans jusqu'à la puberté, l'activité sexuelle paraît se mettre en veilleuse, tandis que l'enfant développe une grande activité sociale.

En fait, la sexualité de l'enfant semble déborder largement de cette classification rigide. Déjà dans le ventre de sa mère, le fœtus fait courir ses mains sur ses organes génitaux, et le petit garçon a des érections. Il est difficile de ne pas voir là une première ébauche des expériences sexuelles qui conduiront l'enfant à découvrir, au cours de sa croissance, différentes facettes de la sexualité. Le nourrisson réagit aux caresses et tire un plaisir intense des sollicitations cutanées. Dès l'âge de 1 an, une activité masturbatoire peut apparaître. Vers 6 ou 7 ans, loin d'être assoupie, la curiosité sexuelle suscite de nombreux jeux par lesquels l'enfant découvre le corps de l'autre et met en scène la vie des adultes. L'orgasme sans éjaculation est possible.

À la puberté, le désir sexuel devient de plus en plus fort et s'accommode difficilement des interdits familiaux. La masturbation est très fréquente, surtout chez les garçons. La difficulté que l'adolescent éprouve souvent pour affirmer sa maturité sexuelle peut le conduire à nouer des amitiés passionnées, parfois érotisées, avec une personne de même sexe. Celles-ci ne présagent pas forcément d'une homosexualité ultérieure.

Une enquête française indique que la précocité des premiers rapports n'a pratiquement pas augmenté depuis une vingtaine d'années. À 15 ans, 20 % des générations nées au milieu des années 1970 ont déjà eu des rapports sexuels avec pénétration. À 18 ans, la proportion est de 80 %. Cependant, l'entrée dans la sexualité génitale est très progressive. Une période de flirts, de trois ans en moyenne, sépare le premier baiser du premier rapport sexuel, ce dernier étant, par ailleurs, le plus souvent dissocié d'une vie de couple et du mariage.

La fréquence et les causes de l'homosexualité restent difficiles à cerner. Selon une enquête nationale française, menée en face à face, 4 % des hommes et 2,6 % des femmes auraient eu au moins un rapport homosexuel. Mais ce sont les femmes qui déclarent le plus souvent avoir éprouvé une attirance sexuelle pour une personne de même sexe (6,6 %, contre 4,6 %). Les partenaires multiples semblent, d'une manière générale, une pratique rare (15 % des hommes et 6 % des femmes), même si, là encore, une sous-déclaration est possible.

À partir de 50 ans, la fréquence des rapports sexuels chute chez les femmes, pour des raisons probablement plus sociales que physiologiques. Une femme sur quatre n'a plus de rapports entre 55 et 59 ans, une sur trois entre 60 et 64 ans, une sur deux entre 65 et 69 ans. Les proportions sont divisées par deux chez les hommes.

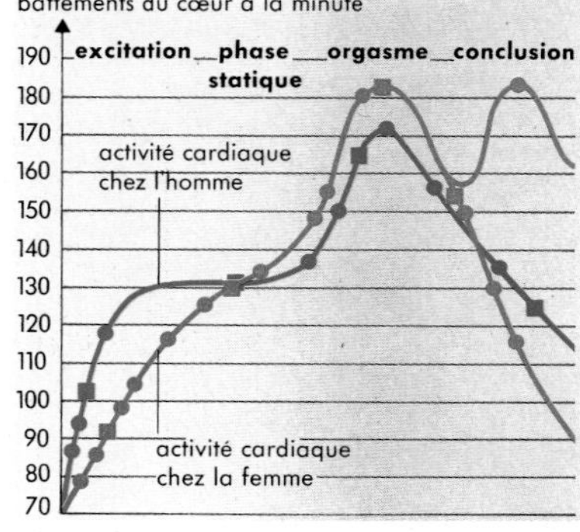

◆ **Cœur et sexualité.**
L'activité cardiaque se modifie au cours du rapport sexuel. Elle augmente jusqu'à un maximum au moment de l'orgasme, puis décroît, plus rapidement chez la femme que chez l'homme.

L'acte sexuel

La première étape de l'acte sexuel chez l'homme est l'érection, qui va rendre le pénis suffisamment rigide pour permettre l'intromission. Sous l'effet de l'excitation sexuelle, les fibres musculaires du pénis se contractent, puis se relâchent, entraînant l'afflux de sang dans les corps caverneux. Le pénis triple ainsi de volume, la peau du scrotum se tend et les testicules remontent dans les bourses. Chez la femme, l'excitation provoque un afflux sanguin dans les parois du vagin, avec pour résultat la dilatation du canal vaginal et la production de sécrétions lubrifiantes qui vont faciliter la pénétration. L'érection se prolonge tant que les stimulations péniennes maintiennent les fibres musculaires du pénis relâchées (phase de plateau).

Au cours de l'acte sexuel, le souffle des deux partenaires se raccourcit, leur rythme cardiaque s'accélère, leur pression artérielle augmente, des contractions musculaires plus ou moins volontaires se produisent, la peau rougit en raison d'une vasodilatation cutanée. Progressivement, le cerveau est envahi par les prémices de la jouissance imminente. Avant l'éjaculation, quelques gouttes de sécrétions contenant des spermatozoïdes peuvent être émises (sécrétions prééjaculatoires).

L'orgasme. L'éjaculation déclenche l'orgasme chez l'homme et marque le début de la détumescence. Elle est suivie d'une phase réfractaire pendant laquelle une nouvelle érection est impossible. L'ensemble de ces phénomènes semble dépendre étroitement de la dopamine, une substance sécrétée dans certaines zones du cerveau. Sous l'effet du désir, la dopamine, produite en plus ou moins grande quantité, déclenche un message nerveux, qui sera transmis, par l'intermédiaire de la moelle épinière, jusqu'au pénis.

Chez la femme, l'orgasme peut être déclenché par les stimulations du clitoris ou les mouvements de va-et-vient de la verge dans le vagin. Pendant la phase préorgasmique, le clitoris devient discrètement tumescent et le tiers externe du vagin se rétrécit, enserrant étroitement le pénis. L'orgasme s'accompagne, chez l'homme comme chez la femme, de contractions rythmiques des muscles du bassin, mais son siège est cérébral. La jouissance intense et irrépressible qui le caractérise est déclenchée par les influx nerveux qui cheminent dans la moelle jusqu'à des centres cérébraux encore indéfinis. La femme n'a pas de période réfractaire comme il en existe chez l'homme. Elle peut donc éprouver plusieurs orgasmes successifs.

Le véritable point de départ de l'acte sexuel est le désir. Grâce à la caméra à émission de positrons, il a été possible d'en identifier les étapes qui font intervenir différentes régions du cerveau. Certaines sont impliquées dans le traitement des informations transmises par les organes des sens, d'autres dans le déclenchement des émotions et dans les réponses hormonales et végétatives. C'est la stimulation successive de ces centres qui fait naître le désir et aboutit à l'excitation sexuelle comme à l'érection.

Troubles de l'érection et frigidité

Des injections intracaverneuses aux prothèses péniennes, de nombreuses méthodes ont été mises au point pour traiter les troubles de l'érection. Elles possèdent une efficacité certaine, quand les indications sont bien posées, mais ont l'inconvénient d'être plus ou moins traumatisantes et difficiles à mettre en œuvre. La mise sur le marché d'une pilule capable d'induire des érections dans l'heure qui suit la prise a constitué un véritable coup de théâtre : le sildénafil, ou Viagra®, développé à l'origine pour le traitement de l'insuffisance coronarienne, dans le début des années 1990, inhibe la phosphodiestérase, une enzyme qui maintient contractées les fibres musculaires lisses des corps caverneux. Le succès phénoménal de cette molécule fait craindre des effets secondaires, cardiaques notamment. Les recherches se poursuivent néanmoins et une autre molécule, capable de déclencher des érections dans les 24 heures qui suivent la prise, serait en cours de développement.

Chez la femme, la frigidité désigne l'absence de satisfaction sexuelle pendant les rapports. Elle peut être associée à une dyspareunie (douleur au cours de la pénétration) ou à un vaginisme (contraction douloureuse du vagin lors des rapports). Dans certains cas, la frigidité est totale, s'accompagnant d'une absence de désir. Souvent, elle n'est que partielle, la femme éprouvant un certain plaisir, mais sans parvenir à l'orgasme. Des traitements hormonaux peuvent se révéler efficaces, en restaurant notamment une lubrification suffisante.

VOIR AUSSI
• **Organes génitaux et puberté** p. 205

La fécondation et la contraception

La fécondation

La fécondation est la réunion d'un gamète mâle (spermatozoïde) et d'un gamète femelle (ovule). Lors de chaque rapport sexuel, environ 250 millions de spermatozoïdes, contenus dans 3 ml de sperme (le volume moyen d'une éjaculation), sont déposés dans le vagin. Chaque spermatozoïde présente une tête (noyau et ses 23 chromosomes, appelé « acrosome »), une pièce intermédiaire (productrice d'énergie) et un flagelle (servant à la propulsion). Seuls 1 % des spermatozoïdes déposés dans le vagin franchissent le col de l'utérus et pénètrent dans la cavité utérine (l'acidité propre au vagin engendre la mort des 99 % restants). La substance que les spermatozoïdes rencontrent lors de leur traversée du col de l'utérus s'appelle « glaire cervicale ». Celle-ci permet aux spermatozoïdes de survivre 3 ou 4 jours. De la cavité utérine, ils pénètrent dans les trompes, progressant grâce aux contractions de celles-ci et à leur flagelle. La fécondation a lieu dans le tiers externe de la trompe, et seuls quelques milliers de spermatozoïdes y parviennent.

◆ **Fécondation et nidation.**
La fécondation se produit au niveau du tiers de la trompe. La nidation s'effectue dans l'utérus 7 jours après, soit au 21e ou au 22e jour du cycle menstruel, lorsque la muqueuse utérine est apte à recevoir l'œuf.

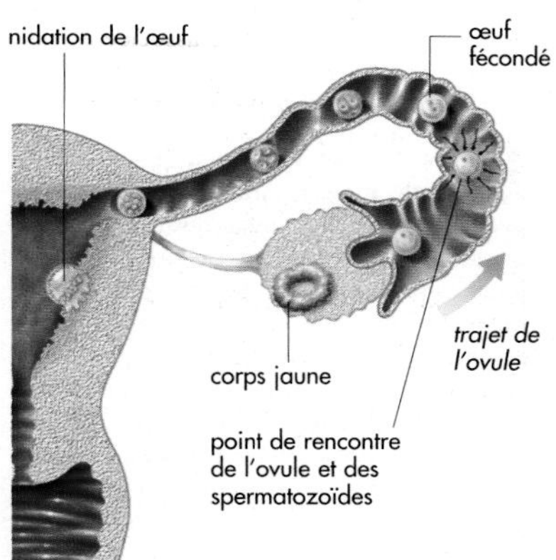

L'ovulation se produit chez la plupart des femmes au 14e jour du cycle. Une cellule précurseur de l'ovule, l'ovocyte de 2e ordre (ou ovocyte II), est alors expulsée de la surface de l'ovaire par rupture du follicule mature, et happée par le pavillon de la trompe voisine. L'ovocyte de 2e ordre est entouré d'une membrane épaisse (la zone pellucide) et de plusieurs couches de petites cellules (la *corona radiata*). Lors de la fécondation, seul le noyau du spermatozoïde pénètre dans l'ovocyte de 2e ordre, tandis que le contenu de l'acrosome se déverse et digère la *corona radiata* et la zone pellucide. Dès que cette pénétration a eu lieu, l'ovocyte II libère une substance qui l'imperméabilise à une nouvelle pénétration. La fécondation achève la division de l'ovocyte II, qui expulse une petite cellule contenant 23 chromosomes, appelée « deuxième globule polaire » et se transforme en un ovule comprenant également 23 chromosomes. Le noyau de l'ovule et celui du spermatozoïde se réunissent pour former une cellule à 46 chromosomes, et s'ébauche alors la première division cellulaire du nouvel organisme, l'embryon.

◆ **Quelques méthodes de contraception.**

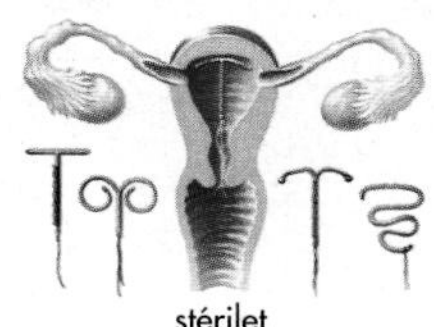
stérilet

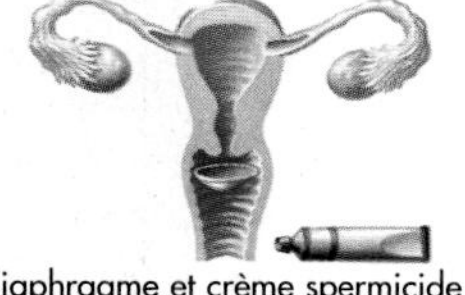
diaphragme et crème spermicide

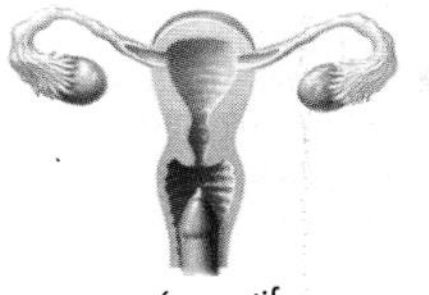
préservatif

La contraception

Les **méthodes dites « naturelles ».** Elles sont aujourd'hui déconseillées en raison de leur manque de fiabilité. Elles sont principalement représentées par : le coït interrompu (retrait de l'homme avant l'éjaculation), la méthode d'Ogino-Knaus (abstinence entre le 9e et le 19e jour du cycle), celle des températures (abstinence en cas d'élévation de la température, témoignant d'une ovulation). Certains tests salivaires ou urinaires, que la femme réalise elle-même, permettent de déterminer la période d'ovulation.

Les méthodes mécaniques. Elles sont plus efficaces et sont souvent associées aux méthodes chimiques pour plus de sécurité. Le préservatif masculin (lubrifié ou non, avec ou sans réservoir) offre l'intérêt de protéger contre les maladies sexuellement transmissibles (MST) et le sida. Toutefois, ses échecs ne doivent pas être négligés et l'on recommande aux adolescents de l'associer à la pilule. Des préservatifs féminins existent également. À la différence des diaphragmes et des capes cervicales, qui se contentent de recouvrir le col de l'utérus, ils revêtent entièrement la paroi vaginale, et ils protègent donc contre les MST.

Les méthodes chimiques. Qu'il s'agisse d'ovules, de crèmes ou d'éponges spermicides, elles agissent en détruisant les spermatozoïdes.

Les stérilets. Ce sont des dispositifs que le gynécologue pose dans l'utérus et qui peuvent être laissés en place plusieurs années. Il en existe de différents types, en cuivre, ou associés à un progestatif pour en renforcer l'efficacité. Ils agissent en empêchant l'œuf de s'implanter. Ils sont efficaces, mais à cause du risque d'infection des trompes entraînant la stérilité, ils sont prescrits chez les femmes ayant déjà eu des enfants.

La pilule. Il s'agit là d'une méthode extrêmement sûre, qui consiste à administrer des œstrogènes et des progestatifs synthétiques, pour inhiber l'ovulation en agissant au niveau de l'hypothalamus et de l'hypophyse. Les doses d'hormones utilisées sont de plus en plus faibles. Des micropilules à base de progestatif seul peuvent être proposées à certaines femmes, chez qui l'usage de la pilule est contre-indiqué (diabétiques, femmes à risque cardio-vasculaire). Elles sont cependant moins efficaces et doivent être prises à heure fixe. Dans certains pays, notamment anglo-saxons, des implants fixés sous la peau délivrant des hormones en continu, ou des injections trimestrielles d'hormones sont également effectuées dans un but contraceptif. La pilule « du lendemain », en revanche, agit à la manière du stérilet en s'opposant à la nidation de l'œuf.

La stérilisation. Cette méthode est fréquemment utilisée aux États-Unis par exemple. La ligature des canaux déférents consiste à bloquer l'émission des spermatozoïdes et il existe des dispositifs qui permettent une certaine réversibilité de ce geste. La ligature des trompes, intervention toujours irréversible, est autorisée dans certains pays. Le consentement éclairé de la personne concernée est exigé pour toute stérilisation, mais des abus ont pu être constatés dans les pays ou chez des populations défavorisés (pays en développement à natalité forte, handicapés mentaux).

L'avortement

Les avortements se pratiquent dans deux types de circonstances.
Dans de nombreux pays, l'interruption volontaire de grossesse (IVG) est permise, si elle est pratiquée avant la 12e ou la 14e semaine suivant l'arrêt des règles. Elle est le plus souvent réalisée par aspiration grâce à une canule reliée à une pompe aspirante introduite dans l'utérus par le vagin (méthode de Karman).
L'intervention dure quelques minutes et se pratique sans hospitalisation, mais sous anesthésie. Avant 49 jours d'aménorrhée, elle peut être effectuée en France par ingestion orale de mifépristone (RU 486), une molécule dotée d'une puissante action antiprogestérone qui provoque, associée à des prostaglandines, une expulsion de l'œuf. Après ce délai, la prise de ce produit n'est plus autorisée, car elle peut provoquer des hémorragies. En fait, compte tenu du contexte législatif, l'IVG médicamenteuse est assez rarement pratiquée en France.
L'interruption volontaire de grossesse pour motif thérapeutique, ou interruption médicale de grossesse (IMG), est permise dans de nombreux pays, dont la France, quel que soit le terme. Il est cependant nécessaire que deux médecins aient préalablement attesté que l'enfant à naître est atteint d'une affection d'une particulière gravité, reconnue comme incurable au moment du diagnostic.

Petit lexique

aménorrhée : absence de règles.

VOIR AUSSI
- **Puberté** p. 205
- **Grossesse et accouchement** p. 208
- **Problèmes liés à la grossesse** p. 238
- **Stérilité** p. 239

Illustrations
- **Fécondation** p. 193

La grossesse et l'accouchement

Le fœtus

L'œuf subit des divisions, qui engendrent 2, 4 puis 8 cellules. Pendant la migration de 6 jours qui le conduit des trompes vers l'utérus, il devient une petite sphère contenant un « amas de cellules » : le blastocyste. La paroi extérieure du blastocyste donne le trophoblaste, à l'origine du placenta, par l'intermédiaire duquel se font les échanges mère-enfant. La paroi interne du blastocyste délimite le futur embryon et le liquide amniotique. Au 7e jour de grossesse environ, le blastocyste pénètre dans la paroi utérine : c'est la nidation.

Au 1er mois, l'œuf se transforme en un embryon mesurant 0,5 cm de long. Son cœur bat déjà depuis une semaine. Sa tête porte des ébauches d'yeux et d'oreilles, et contient un cerveau primitif. De petites bosses apparaissent à l'emplacement des futurs membres. À la 5e semaine, l'embryon atteint la taille d'une fève. Les bourgeons des membres se transforment en petites pattes. La tête s'agrandit, permettant le développement du cerveau.

À partir du 3e mois, les organes se développent et l'embryon est devenu un fœtus. Les ovaires et les testicules commencent à produire, les uns des œufs primitifs, les autres les précurseurs des spermatozoïdes. Au 4e mois, les cheveux apparaissent ; au 5e, le fœtus mesure environ 25 cm de long et flotte dans le liquide amniotique, qui le protège des chocs. Il peut avaler, digérer, uriner et sécréter des hormones. Au 7e mois, il possède les principaux organes du futur adulte. Au 9e mois, il est prêt à venir au monde.

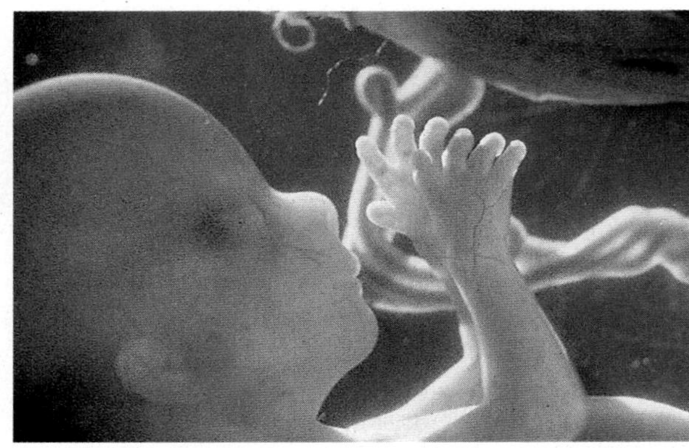

◆ **Fœtus humain au 4e mois.**
Ses mains sont complètement formées. Le fœtus ouvre et ferme les poings, suce son pouce, avale le liquide amniotique. La peau est fine, rougeâtre et laisse transparaître les vaisseaux sanguins. Les cheveux commencent à pousser. Le système digestif fonctionne. Les articulations se forment, les muscles se développent. À la fin du 4e mois, le fœtus mesure 20 centimètres et pèse 250 grammes.

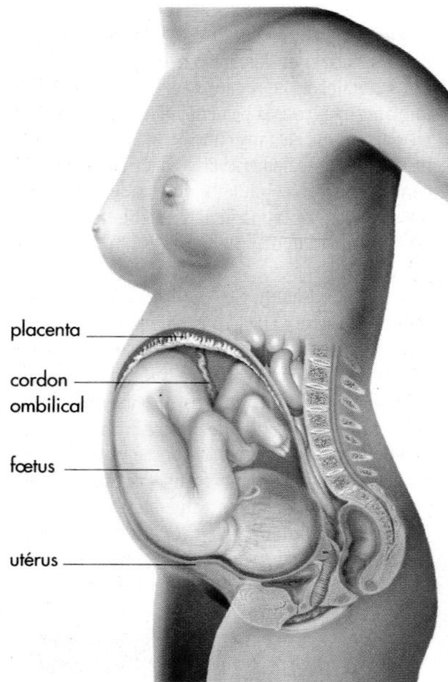

◆ **Le corps d'une femme enceinte.**
La grossesse dure, en moyenne, 9 mois et s'accompagne d'une importante augmentation de la taille de l'utérus, qui atteint le niveau du nombril à 4 mois.

La grossesse

L'absence de règles constitue le premier signe de la grossesse. Ce diagnostic peut être confirmé dès les premiers jours de retard de règles par la mesure de l'hormone chorionique gonadotrophique (HCG) dans les urines et, surtout, par son dosage (plus fiable) en laboratoire dans le plasma sanguin. La date de la grossesse est, le plus fréquemment, évaluée en prenant en compte la date des dernières règles (semaines d'aménorrhée), car il est souvent difficile de déterminer la date de fécondation. Elle dure, en moyenne, 9 mois (280 jours) avec ce mode de calcul. Une visite médicale par mois est conseillée pendant les 7 premiers mois de la grossesse, puis 2 par mois au cours des 2 derniers mois. La prise totale de poids conseillée durant la grossesse est d'environ 10 kg.

1er **trimestre.** Les premières manifestations sont constituées par un gonflement des seins, un utérus augmenté de volume et de consistance molle à l'examen gynécologique, signes auxquels peuvent s'ajouter une irritabilité, des envies ou des dégoûts alimentaires, des nausées matinales. Une échographie est habituellement réalisée entre 8 et 12 semaines d'aménorrhée pour dater la grossesse, évaluer la vitalité de l'embryon (battements cardiaques), rechercher une grossesse gémellaire ou extra-utérine. Un appareil à ultrasons (Doppler) permet d'entendre les battements du cœur de l'enfant après 10-12 semaines d'aménorrhée.

2e **trimestre.** L'utérus grossit et son fond atteint l'ombilic à 4 mois. La grossesse devient visible (prise de poids de 5 à 7 kg). Les nausées s'estompent ; la peau peut se recouvrir de vergetures. Une échographie entre 20 et 22 semaines permet de rechercher une malformation et, fréquemment, de déterminer le sexe de l'enfant.

3e **trimestre.** La prise de poids s'accroît de 4 kg en moyenne. Au 8e mois, le fœtus se place tête en bas et, pendant le 9e mois, sa tête s'engage dans le petit bassin. La réalisation d'une échographie vers la 33e semaine permet l'analyse de la croissance du fœtus, de sa position, du volume de liquide amniotique, ainsi que la localisation du placenta.

L'accouchement

L'accouchement survient à l'issue d'une période appelée « travail », qui est marquée par des contractions utérines de fréquence et d'intensité croissantes. Quelques jours auparavant, une perte du bouchon muqueux, mélange de glaire ou de sang recouvrant le col de l'utérus, peut se produire. De nos jours, le travail est souvent déclenché (rupture artificielle de la poche des eaux et injection de médicaments ocytociques dans le but de provoquer les contractions) et il se pratique de plus en plus fréquemment sous anesthésie péridurale. Une préparation à l'« accouchement sans douleur » est la plupart du temps également proposée aux femmes : elle leur apprend à mieux contrôler leur respiration.

◆ **Le travail.** Il se déroule en trois phases : la dilatation, l'expulsion et la délivrance.

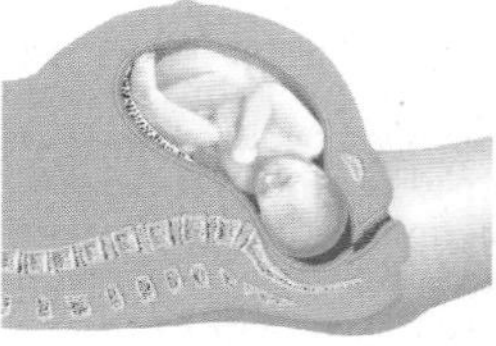

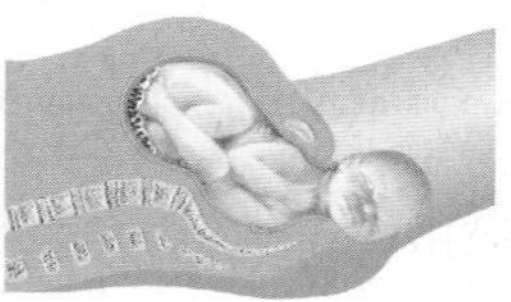

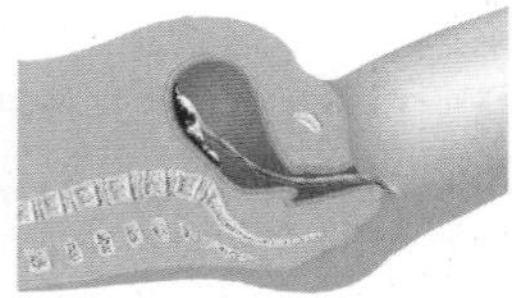

1. La dilatation. Elle dure de 2 à 20 heures et correspond au ramollissement, à l'effacement (raccourcissement) puis à l'ouverture du col utérin (jusqu'à 10 cm), sous l'effet des contractions. La rupture de la poche des eaux se produit normalement au début du travail, mais est souvent effectuée par la sage-femme ou l'obstétricien dès que le diamètre du col atteint 3-4 cm. Le rythme cardiaque fœtal et les contractions utérines sont systématiquement enregistrés (monitorage).

2. L'expulsion. Elle dure de 2 minutes à 2 heures, les efforts de poussée de la mère accélérant la progression de l'enfant, qui se présente normalement la tête en premier. La tête est tournée par la sage-femme ou l'obstétricien pour faciliter le passage des épaules, et le reste du corps de l'enfant suit sans difficulté. Une petite incision de la vulve (épisiotomie) est souvent effectuée pour éviter une déchirure du périnée lors de la sortie du bébé. À la naissance, le cordon ombilical est ligaturé puis coupé et l'enfant est immédiatement examiné.

3. La délivrance. Ce terme définit l'expulsion du placenta et se produit environ 20 minutes après la naissance, après reprise de contractions d'intensité moindre. Le placenta est inspecté pour vérifier qu'un fragment n'est pas resté dans l'utérus (cause d'hémorragie et d'infection).

VOIR AUSSI
- **Fécondation et contraception** p. 207
- **Échographie** p. 221
- **Grossesse** p. 238
- **Maladies infantiles** p. 240

Le vieillissement

Le vieillissement cellulaire

L'homme vieillit parce que son corps s'use, comme s'use toute machine, au point de devenir incapable d'assurer les fonctions indispensables à la vie. Pourtant, à la différence des machines, l'homme est formé de cellules vivantes qui ne cessent de se reproduire et pourraient lui garder une éternelle jeunesse. Or, loin de préserver de la sénescence, la division cellulaire est probablement l'une des principales clés du vieillissement.

Chaque fois qu'une cellule se divise, des enzymes recopient ses informations génétiques contenues dans l'ADN. Or ces enzymes sont de piètres ouvrières. Leur travail de copie est entaché d'erreurs (mutations), que les systèmes de réparation ne suffisent pas à corriger. Au fil du temps, les mutations s'accumulent alors et finissent par empêcher les cellules de remplir leurs fonctions correctement.

En outre, certaines substances toxiques agressent les cellules. C'est le cas, en particulier, des radicaux libres, produits lorsque les cellules travaillent et consomment de l'oxygène. Ces radicaux libres s'attaquent aux différents composants de la cellule et altèrent l'ADN, créant des mutations. Toutefois, il existe une enzyme : la superoxyde dismutase, capable de les neutraliser. Introduit dans des mouches drosophiles, le gène responsable de la fabrication de cette enzyme augmente de 50 % leur durée de vie. De nombreuses recherches sont ainsi menées pour trouver des molécules antioxydantes.

La lutte contre le vieillissement

La sécrétion de certaines hormones, notamment l'hormone de croissance, la mélatonine ou la DHA (déhydroépiandrostérone), décline avec l'âge. Ce fait peut être pris pour une des causes du vieillissement et les Américains sont de plus en plus nombreux à consommer ces produits dans l'espoir de garder leur jeunesse. Pourtant, les données scientifiques sur l'efficacité et les risques de ces traitements sont encore limitées. La mélatonine est antioxydante chez l'animal, mais seulement lorsqu'elle est administrée à doses très élevées. Chez l'homme, son seul effet démontré concerne la régulation du cycle veille-sommeil.

L'administration d'hormone de croissance augmente la masse musculaire et osseuse, mais est souvent mal tolérée. La DHA a fait l'objet d'études plus approfondies en France et ses taux semblent refléter fidèlement le vieillissement physiologique. Un essai en cours devrait permettre de dire si elle peut réellement améliorer les conséquences du vieillissement.

Actuellement, le seul traitement dont l'efficacité ait été démontrée pour combattre les effets du vieillissement est le traitement hormonal de la ménopause par œstrogène et progestatif. Celui-ci diminue le risque d'ostéoporose et de maladies cardiovasculaires, et possède peut-être un effet préventif sur la maladie d'Alzheimer.

Les cellules vieillissent aussi naturellement, indépendamment de toute mutation et de tout effet toxique. Ce vieillissement est programmé génétiquement et pourrait être responsable des écarts considérables de longévité observés entre les espèces animales. À chaque extrémité de la chaîne d'ADN se trouvent des petites séquences d'acides nucléiques qui se répètent des milliers de fois : les télomères. Ces derniers ne renferment pas d'information génétique, mais ont une importance capitale pour la réplication de l'ADN. En effet, les enzymes sont incapables de copier le dernier maillon de la chaîne d'ADN. De ce fait, à chaque division cellulaire, un petit bout de télomère disparaît et le chromosome se raccourcit. Lorsque le télomère est réduit à sa portion congrue, la cellule devient incapable de se reproduire et subit les effets de la sénescence. Tout se passe comme si, par ce mécanisme, chaque cellule disposait d'une horloge interne, fixant le nombre de divisions qu'elle pourra effectuer. Ce nombre, variable selon les espèces animales, conditionne le vieillissement cellulaire et celui de l'individu.

Une enzyme, toutefois, est capable d'arrêter l'horloge. C'est la télomérase, présente dans les cellules de l'embryon, dans les cellules germinales (ovules et spermatozoïdes), mais aussi dans les cellules cancéreuses, devenues immortelles. Cette enzyme ajoute de l'ADN à l'extrémité du chromosome, afin de reconstituer le télomère. En introduisant le gène correspondant dans les cultures de cellules humaines âgées, il est possible de les rajeunir et de provoquer la reprise de la division.

◆ **Les différentes manifestations du vieillissement.**

articulations	usure du cartilage (arthrose), perte de souplesse.
cerveau	diminution de 10 à 15 % du volume du cerveau, baisse de la mémoire, concernant le rappel plus que le stockage des informations.
cœur	diminution du débit cardiaque, diminution de la tolérance à l'effort.
muscles	diminution de la force musculaire, sans modification de l'endurance.
œil	augmentation de la pression intraoculaire (glaucome), presbytie, cataracte.
organes génitaux	stérilité chez la femme, troubles de l'érection chez l'homme, diminution de la libido.
oreille	presbyacousie.
os	perte de 15 % de la masse osseuse chez l'homme et de 30 % chez la femme.
poumons	diminution de la surface pulmonaire, baisse des débits respiratoires, gênant l'adaptation à l'effort.
système digestif	diminution des sécrétions salivaires et gastriques, constipation.
vaisseaux	épaississement et perte d'élasticité des parois vasculaires, athérome.

Des signes de vieillesse

Le vieillissement est le corollaire de la vie. Déjà à 30 ans, la mémoire n'est plus celle de l'adolescence. Le QI culmine entre 18 et 25 ans, avant d'amorcer une lente décroissance et, à 65 ans, l'être humain a fait le deuil d'un dixième de ses neurones. À partir de 8 ans, l'acuité visuelle commence à décliner. Les capacités d'accommodation diminuent progressivement pour disparaître complètement aux alentours de 55 ans (presbytie). Le cristallin s'opacifie (cataracte) et la dégénérescence maculaire, en partie liée à l'âge et en partie due à un gène de prédisposition, est une cause fréquente de cécité. Les cellules ciliées de l'oreille interne, premier maillon de la perception des sons, sont altérées par l'âge et les traumatismes sonores, ce qui entraîne une presbyacousie délicate à appareiller.

La composition du corps se modifie : la masse musculaire et osseuse diminue, tandis que la masse grasse augmente, engendrant une modification de la silhouette et une augmentation progressive de poids jusqu'à 50 ans chez l'homme et 65 ans chez la femme. La perte osseuse (ostéoporose) est particulièrement importante chez la femme après la ménopause. Les poils et les cheveux se raréfient et blanchissent en raison d'un arrêt de la synthèse de pigments (mélanine). La peau s'épaissit et perd de sa souplesse, la graisse a tendance à se concentrer dans certains sites, entraînant poches sous les yeux ou double menton. Une diminution progressive de la taille se produit dès 50 ans, pour atteindre en moyenne 3 cm chez l'homme, 5 cm chez la femme. Le corps a de plus en plus de mal à s'adapter à des efforts violents. L'efficacité du cœur et des poumons diminue, de même que celle des mitochondries, qui produisent l'énergie pour les cellules.

La paroi des vaisseaux devient plus rigide et plus épaisse, entraînant une élévation de la pression artérielle. Dès l'adolescence, des graisses se déposent sur les artères (athérome), et cela d'autant plus si l'individu est fumeur ou a une hyperlipidémie. Plus le sujet avance en âge et plus ces dépôts risquent d'entraîner des occlusions, dans le cœur (infarctus) ou dans les petites artères du cerveau. C'est une cause fréquente de déficit intellectuel.

Et pourtant, si les tissus évoluent en permanence, ils restent le plus souvent en mesure d'assurer les fonctions essentielles, même à des âges très avancés. C'est pourquoi certains préfèrent parler de remodelage plutôt que de déclin. Les neurones gardent la capacité d'établir de nouvelles connexions et plusieurs études indiquent que le travail intellectuel constitue une prévention contre la maladie d'Alzheimer. Les muscles perdent en puissance, mais conservent leur endurance. Si la sexualité disparaît parfois, c'est pour des raisons plutôt sociales que physiologiques.

Petit lexique

hyperlipidémie : augmentation anormale du taux de lipides dans le sang.

presbyacousie : diminution progressive de l'acuité auditive due au vieillissement du système auditif.

VOIR AUSSI
- **Maladies de la femme** p. 236
- **Maladies liées à l'âge** p. 241

Les nutriments

Les glucides

Les glucides sont les sucres. Il en existe 2 types : les sucres simples (auparavant dénommés sucres d'absorption rapide) et les glucides complexes (autrefois appelés « d'absorption lente »).

Les sucres simples sont constitués d'une molécule glucidique (glucose, fructose, galactose) ou de deux (saccharose, lactose). Ils sont rapidement absorbés par la muqueuse digestive et ont une saveur sucrée. On les trouve dans les bonbons, les confitures, les pâtisseries..., mais aussi dans les fruits; les glucides complexes se composent d'assemblages de sucres (polysaccharides) formant des chaînes plus ou moins ramifiées et sont le plus souvent dépourvus de saveur sucrée. Certains, comme l'amidon, présent dans les féculents et les tubercules, ou le glycogène (participant à la constitution du foie des animaux) peuvent être transformés en sucres simples par une enzyme et être absorbés par la muqueuse digestive. D'autres, comme la cellulose, qui entre dans la constitution des fibres végétales, ne peuvent subir cette transformation chimique et ne sont pas assimilables par le corps humain.

Les glucides (notamment le glucose) sont des aliments énergétiques de choix. Une alimentation saine devrait se composer pour 50 à 55 % de l'apport énergétique de glucides complexes, avec au plus 10 % de sucres simples.

Les protéines

Les protéines sont constituées de sous-unités de base, les acides aminés, au nombre de 20, et sont formées d'une ou de plusieurs chaînes assemblées entre elles. Huit acides aminés, dits essentiels, doivent être apportés par l'alimentation car l'organisme est incapable de les produire (l'isoleucine, la leucine, la lysine, la méthionine, la phénylalanine, la thréonine, la valine, le tryptophane). Il s'y adjoint l'histidine chez le nourrisson.

Les protéines exercent des fonctions très importantes. En premier lieu, elles sont le support architectural de l'organisme et entrent dans la composition du tissu conjonctif, de la trame de l'os. Ensuite, elles sont impliquées dans de nombreux phénomènes physiologiques. Par exemple, les enzymes, les anticorps, l'hémoglobine sont des protéines. Dans l'intestin, les protéines apportées par les aliments sont dégradées en acides aminés, qui servent à élaborer de nouvelles protéines. La synthèse protéique est sous le contrôle des gènes et fait l'objet d'une modulation très fine, qui est elle-même sous la dépendance de protéines régulatrices.

La plupart des aliments comprennent des protéines, mais en proportion variable. Les protéines d'origine animale sont présentes dans les viandes, les poissons, les œufs et les laitages. C'est dans ces produits que l'on trouve le nombre le plus important de protéines ayant une valeur biologique élevée car ils contiennent des acides aminés essentiels. En revanche, les protéines d'origine végétale (soja, céréales, légumineuses) sont de moindre valeur biologique, car elles sont carencées en certains acides aminés essentiels.

Les protéines doivent représenter de 12 à 15 % de l'apport énergétique total.

Les lipides

Les lipides, ou graisses, sont retrouvés dans les aliments d'origine animale ou dans les végétaux. Certains d'entre eux sont apparents, comme les matières grasses d'apprêt culinaire (huile, beurre, margarine); d'autres sont cachés (viandes, poissons...). Ils participent à la constitution de la membrane cellulaire.

Les lipides se composent d'acides gras, dont certains ne peuvent être fabriqués par l'organisme (acides gras essentiels). Mais le corps a la possibilité de synthétiser des lipides à partir des glucides : il stocke les lipides dans les cellules graisseuses (sous forme de triglycérides), qui constituent ainsi des réserves énergétiques. Les lipides sont les aliments les plus riches en calories : 1 g de lipides fournit 9 kilocalories (contre respectivement 4 pour les glucides et pour les protéines). Ils circulent dans le sang sous forme de cholestérol et de triglycérides. Les acides gras diffèrent par la longueur de leur chaîne et par la quantité et la position de certaines liaisons dites saturées à l'intérieur de cette chaîne. Ils se répartissent en acides gras saturés, mono-insaturés et poly-insaturés (huile de tournesol), dont la proportion varie d'un aliment à un autre, et qui n'exercent pas les mêmes effets sur l'athérosclérose (dépôts de lipides dans la paroi artérielle); les acides gras saturés, nombreux dans les produits laitiers, exercent une action défavorable en accroissant l'augmentation du taux de cholestérol sanguin total, tandis que les mono-insaturés (que l'on retrouve en quantité importante dans l'huile d'olive) exercent plutôt une action protectrice contre les affections cardiovasculaires.

La proportion optimale de graisses dans une alimentation est de 30 à 35 % de l'apport énergétique total et il importe de respecter un équilibre entre acides gras saturés, mono-insaturés et poly-insaturés.

Les vitamines

Au nombre de 13, les vitamines sont des substances organiques que l'organisme ne peut synthétiser, ou qu'il produit en quantité insuffisante et qui doivent être apportées par l'alimentation. Elles agissent à de très faibles doses sur le métabolisme cellulaire, sont dépourvues de valeur énergétique et se divisent en 2 catégories : les vitamines liposolubles (solubles dans les graisses), stockables dans le foie (risque de surdosage), sont les vitamines A, D, E et K; les vitamines hydrosolubles (solubles dans l'eau), dont la durée de vie est courte et qui sont éliminées rapidement, sont les vitamines du groupe B et la vitamine C.

Les vitamines liposolubles. La vitamine A (rétinol) est indispensable à la vision, ainsi qu'à la différenciation des tissus, à la protection de la peau et des muqueuses. Sa carence entraîne l'apparition de problèmes ophtalmologiques. Les besoins estimés se situent entre 800 et 1300 µg/j. Ses principales sources sont : le foie, les œufs, les matières grasses du lait et le fromage. Certains fruits (citrons, oranges) et légumes verts contiennent des précurseurs de la vitamine A (caroténoïdes), qui se transforment partiellement en vitamine A dans l'organisme. La vitamine A ou ses dérivés sont utilisés dans le traitement de certaines leucémies rares, en cosmétique (réduction des rides) ou pour lutter contre l'acné et le psoriasis.

La vitamine D (calciférol) intervient dans la régulation du métabolisme du phosphore et du calcium, et participe à la constitution du squelette. Sa carence provoque une déminéralisation osseuse (rachitisme chez l'enfant, ostéomalacie chez l'adulte). Les apports conseillés sont de 10 à 15 µg/j. Ses principales sources sont les poissons gras, le foie (autrefois l'huile de foie de morue), le jaune d'œuf, les matières grasses du lait. Elle est également synthétisée, sous l'action des ultraviolets, à partir des stérols de la peau.

Le terme de vitamine E regroupe 4 substances dénommées tocophérols. Elle se comporte comme un antioxydant qui pourrait ralentir le vieillissement et contribuer à la protection contre les maladies coronariennes. Les besoins sont de 3 à 12 mg/j. La vitamine E se trouve dans les huiles végétales, les fruits secs oléagineux, le beurre et les poissons gras.

Suppléments vitaminiques en question

La plupart des nutritionnistes français considèrent que la consommation de nombreux suppléments vitaminiques est inutile et même parfois dangereuse car, chez les personnes normales, les besoins vitaminiques sont couverts par une alimentation quotidienne variée. Cependant, des suppléments en fer, en acide folique ou en calcium peuvent être utiles lors de certaines étapes de la vie (grossesse, croissance, vieillissement), chez les personnes carencées (anémie due au manque de fer ou d'acide folique). De plus, une supplémentation en vitamine D (chez l'enfant), fluor et iode est réalisée systématiquement sous différentes formes (médicaments, dentifrice, sel de table) pour prévenir rachitisme, carie dentaire ou goitre. Chez les végétaliens, l'addition de vitamines B12 et D, de calcium ou de fer peut être nécessaire pour pallier certaines insuffisances d'apports vitaminiques et minéraux.

Les résultats de travaux en cours permettront de préciser, dans un avenir proche, quel impact peuvent avoir sur la santé les suppléments vitaminiques réguliers chez les personnes bien portantes. D'autres essais devront être réalisés afin d'analyser l'intérêt de la consommation de vitamines lors de traitements médicaux; par exemple, celle de la vitamine C pour lutter contre la grippe et le rhume, ou encore de la vitamine A et de ses précurseurs pour éviter la transformation de lésions précancéreuses en cancer. En effet, aucun de ces effets n'est encore démontré avec certitude.

La vitamine K est indispensable à la coagulation sanguine. Les apports conseillés sont de 10 à 55 µg/j. Elle est partiellement fabriquée par les bactéries de la flore intestinale à partir des légumes verts (choux, épinards, salade...).

Les vitamines hydrosolubles. La vitamine C, ou acide ascorbique, participe à de nombreuses fonctions cellulaires et favorise l'absorption digestive du fer. Les apports conseillés sont de 35 à 100 mg/j. Elle se rencontre principalement dans les légumes et les fruits frais mais la cuisson en diminue la teneur dans les aliments. Sa carence se traduit par l'apparition du scorbut.

Les vitamines du groupe B ont plusieurs fonctions. La vitamine B1, ou thiamine, est impliquée dans le métabolisme énergétique des cellules. Sa carence provoque le béribéri, qui se manifeste par une atteinte des nerfs périphériques. La vitamine B12 intervient dans la maturation des globules rouges, et sa carence détermine l'anémie de Biermer. La vitamine B5, ou acide pantothénique, favorise la repousse des cheveux. La vitamine B9, ou acide folique, intervient dans la synthèse de l'ADN et dans la formation des cellules sanguines. Un supplément de cette vitamine est souvent prescrit aux femmes enceintes. La vitamine B3 (niacine, ou vitamine PP) correspond à 2 composés (l'acide nicotinique et le nicotinamide), et elle est impliquée dans les fonctions d'oxydoréduction de la cellule. La vitamine B8 (biotine, ou vitamine H) participe au métabolisme des acides gras, du glucose et de certains acides aminés. Les vitamines du groupe B sont présentes dans la plupart des aliments : céréales non raffinées, légumes et fruits secs, viandes, poissons et produits laitiers.

VOIR AUSSI
- **Appareil digestif et urinaire** p. 199
- **Glandes endocrines** p. 201
- **Prévention en pratique** p. 218
- **Cancers** p. 230
- **Maladies cardiovasculaires** p. 232
- **Produits alimentaires** p. 868 à 918

Les éléments minéraux

Les éléments minéraux sont indispensables à l'organisme car ils jouent un rôle de constitution, d'activation et de régulation des réactions enzymatiques, hormonales, physiologiques, etc. Ils représentent 4 à 5 % du poids total d'un individu. Une alimentation variée, ne descendant pas au-dessous de 1 800 kilocalories par jour, couvre normalement les besoins de l'organisme en éléments minéraux, mais des carences en fer peuvent se rencontrer, notamment en cours de grossesse. On distingue deux catégories : les sels minéraux et les oligoéléments.

Sels minéraux. Appelés également macroéléments, les sels minéraux correspondent aux éléments dont les besoins sont de l'ordre du gramme ou du milligramme (calcium, magnésium, phosphore, potassium et sodium). Ils constituent plus de 0,005 % du poids corporel.

Oligoéléments. Nommés aussi microéléments, les oligoéléments sont nécessaires en quantité infime, de l'ordre du microgramme (iode, fer, zinc, cuivre, manganèse, fluor, sélénium, etc.). Ils représentent moins de 0,005 % du poids corporel.

L'eau

Le corps humain se compose pour 60 % environ d'eau, dont 55 % sont contenus dans les cellules, le reste entrant dans la composition du plasma, des liquides interstitiels (entre les cellules), de la lymphe, du liquide céphalorachidien.

Cela explique pourquoi l'eau est le nutriment dont l'absence entraîne le plus vite la mort. On ne survit pas à 5 jours de déshydratation totale. Chez l'homme, les pertes d'eau sont de 2,5 litres environ par jour, et se produisent en majeure partie par le biais des urines, mais aussi par le tube digestif (selles), les poumons (respiration) et la peau (transpiration). Ces pertes peuvent augmenter considérablement en cas d'effort (un sportif de haut niveau peut perdre 5 litres en 2 heures) ou d'exposition à une forte chaleur. Qu'ils soient fournis par les boissons ou par l'eau contenue dans les aliments ou provenant de la combustion de ces derniers (eau métabolique), les apports hydriques doivent compenser les pertes afin d'éviter une déshydratation.

L'un des premiers éléments contribuant à cette régulation est la soif. Cette modulation de l'équilibre hydrique de l'organisme est étroitement associée à celle du sodium qui, lui, retient l'eau. Elle fait intervenir plusieurs hormones dont la principale est représentée par l'hormone antidiurétique (ou vasopressine) sécrétée par l'hypothalamus et favorisant la réabsorption d'eau au niveau des tubes collecteurs du rein. L'eau ou les boissons obtenues par infusion ou décoction (café, thé, tisanes) sont dépourvues de calories, si on ne leur ajoute pas de sucre.

Petit lexique

aliment : substance liquide ou solide (en général complexe) servant de nourriture.

nutriment : élément contenu dans les aliments (et souvent formé à partir d'eux sous l'action des sucs digestifs) pouvant être directement assimilé par les cellules de l'organisme sans subir de transformation digestive.

nutrition : ensemble des phénomènes par lesquels les êtres vivants (végétaux ou animaux) utilisent les aliments pour assurer leur croissance, le fonctionnement des organes, et leur approvisionnement en énergie.

nutritionniste : médecin spécialisé dans l'étude de la nutrition, de la diététique.

supplémentation : terme utilisé pour désigner l'addition d'une vitamine, ou d'un élément minéral, à des boissons, des préparations alimentaires ou leur emploi sous forme de médicaments.

◆ **Quelques éléments minéraux importants.**

	Calcium	Fer	Iode	Magnésium	Phosphore	Potassium	Sodium
Rôle	participe à la formation des os et des dents, à la contraction musculaire, à la transmission des messages hormonaux et cellulaires	entre dans la constitution de l'hémoglobine du sang (transport de l'oxygène)	essentiel à la fabrication des hormones thyroïdiennes	activateur enzymatique, essentiel à l'excitabilité neuromusculaire, à la coagulation sanguine et la perméabilité cellulaire	impliqué dans la constitution des os et des dents	règle avec le sodium les mouvements d'eau dans l'organisme ; joue un rôle important dans la contraction musculaire	maintient l'équilibre hydrique de l'organisme
Signes de carence (ou de surdosage)	déminéralisation osseuse, fourmillements dans les mains	anémie fréquente chez la femme (règles), la femme enceinte, et le nourrisson (besoins élevés)	rares car les besoins sont en général couverts par une alimentation équilibrée, et le sel est supplémenté en iode	troubles neuro-musculaires (tétanie) assez fréquents ; surdosage responsable d'insuffisance rénale sévère	déminéralisation osseuse	troubles neuro-musculaires, crampes ; carence favorisée par les vomissements et par la prise de diurétiques, qui favorisent son élimination urinaire	troubles digestifs et surtout neurologiques (allant de la simple confusion mentale au coma) ; surdosage responsable de troubles neurologiques
Sources	laitages	viandes rouges, boudin, poissons, lentilles, épinards, fruits secs...	eau, produits de la mer, sel iodé	chocolats, fruits et légumes secs, fruits oléagineux (amande, noix...)	céréales, viandes, poissons, œufs	fruits, chocolat, légumes secs et, à un degré moindre, viande et poisson	pratiquement dans tous les aliments

Les régimes alimentaires

Une bonne alimentation

Une nourriture saine n'impose guère de règles strictes, mais plutôt le respect de quelques conseils de bon sens. Il est avant tout nécessaire de diversifier les sources alimentaires, d'observer un certain équilibre entre les repas, qui sont habituellement au nombre de 3 chez les adultes et de 4 (goûter) chez les enfants, d'éviter le grignotage qui favorise la prise de poids.

L'apport calorique quotidien recommandé est, en moyenne, de 2 050 kcal chez la femme, de 2 500 kcal chez l'homme adulte, et doit être constitué pour 50 à 55 % de glucides, pour 30 à 35 % de lipides, pour 12 à 15 % de protéines. Toutefois, plusieurs études réalisées dans des pays occidentaux, dont la France, ont révélé que ces recommandations ne sont pas suivies.

Contrairement à certaines idées préconçues, les apports énergétiques sont légèrement inférieurs chez les Français adultes des deux sexes, aux apports recommandés, ce qui n'est pas grave dans la mesure où l'homme et la femme modernes font peu d'exercice. Le problème réside plutôt dans le fait que la composition de la ration alimentaire est déséquilibrée. Ainsi, la part des lipides est trop forte (40 %). De même, la consommation de protéines est trop élevée, tout particulièrement chez les enfants de 2 à 6 ans, ce qui pourrait prédisposer à l'apparition ultérieure d'une obésité, voire de maladies de surcharge comme le diabète.

À l'inverse, les glucides sont globalement consommés en quantité insuffisante chez l'adulte (moins de 40 % de l'apport énergétique), notamment pour le sexe féminin. Or, ils sont intéressants à plus d'un titre : tout d'abord parce qu'ils apportent – sous forme de fruits, de légumes ou de céréales – des fibres, des vitamines et des sels minéraux, ensuite parce qu'ils contrebalancent les apports lipidiques qui sont excessifs. Néanmoins, ce sont les glucides complexes fournis par les féculents et les produits céréaliers qui doivent être privilégiés, et non les sucres simples contenus dans les sodas, glaces et confiseries qui représentent déjà une part trop forte de l'alimentation.

Principales recommandations. En pratique :
– il faut manger suffisamment de céréales et de légumes verts, d'autant que leur apport en fibres permet de lutter contre la constipation et paraît exercer une certaine action protectrice contre le cancer de l'intestin;
– consommer des fruits, tout en se méfiant de certains de leurs apports en sucres simples (raisins...);
– ne pas manger trop de viandes (d'autant qu'elles comprennent beaucoup de graisses cachées), et ne pas oublier les poissons, qui sont plus maigres;
– préférer les huiles végétales riches en acides gras insaturés (huile d'olive) aux huiles moins pourvues de ces lipides protecteurs ou aux matières grasses animales (beurre, crème...);
– boire régulièrement pour éviter la constipation et certaines complications urinaires (calculs);
– prendre un petit déjeuner suffisamment copieux, et limiter les apports en graisses lors du dîner.

Les édulcorants de synthèse

Il en existe de plusieurs types, représentés par la saccharine (pouvoir sucrant de 300), les cyclamates (pouvoir sucrant de 30), le xylitol (alcool à pouvoir sucrant), ou les édulcorants protidiques dont le dernier en date se nomme l'aspartame (pouvoir sucrant de 200). Apparemment dépourvu de danger, l'aspartame est utilisable sous forme de comprimés, de suspension ou de poudre, et intégré dans de nombreuses boissons et préparations.
Les édulcorants de synthèse sont de plus en plus utilisés sous forme de mélanges et peuvent rendre service dans le cadre de certains régimes hypocaloriques.

◆ **Exemple de menu journalier équilibré pour un adulte.**

	Composition du repas
petit déjeuner	bol de café au lait 1 yaourt nature avec 20 g de sucre en poudre 50 g de pain beurré 1 tranche (80 g) de jambon
déjeuner	carottes râpées (150 g) au citron ou à la vinaigrette tranche de thon à la provençale (100 g) avec riz blanc (100 g) salade d'endives à l'huile d'olive 30 g de fromage de chèvre 1 poire 50 g de pain 1 verre de vin
dîner	soupe de cresson (1 assiette) 1 tranche de rôti de dinde (100 g) avec des épinards 1 yaourt 1 pomme 50 g de pain 1 verre de vin

Des alimentations adaptées. L'alimentation de l'enfant doit, pour assurer sa croissance, être plus abondante et plus riche en glucides. Chez l'adolescente et la femme enceinte, les besoins en fer et en calcium doivent être couverts par l'alimentation, ou si nécessaire par un supplément. De même, il est important que les femmes âgées consomment suffisamment de laitages pour éviter une ostéoporose due à un manque de calcium. La consommation d'un ou de deux verres de vin par jour est aujourd'hui préconisée, car elle protège contre l'apparition de certaines affections cardiovasculaires.

Les différents régimes

L'alimentation constitue une préoccupation majeure des hommes et des femmes d'aujourd'hui. Dans ce contexte, nombreux sont ceux qui suivent un régime, que ce soit dans un but curatif, prophylactique, voire philosophique. Les régimes hypocaloriques, qui sont plus ou moins restrictifs selon l'importance de la surcharge pondérale, limitent l'apport calorique, en particulier celui des graisses et des sucres simples. L'objectif n'est pas toujours de parvenir à un poids normal, mais du moins à un poids inférieur, réduisant les complications. Cette prise en charge diététique est en général réalisée dans des centres spécialisés; malheureusement l'amaigrissement obtenu est rarement durable.

Les régimes recommandés aux personnes présentant un excès de cholestérol dans le sang visent à limiter les sources les plus importantes de cette graisse (œufs, beurre, fromages, viandes grasses).

Les régimes proposés aux diabétiques sont le fruit d'un équilibre associant les glucides complexes (riz, pâtes, bananes) aux glucides simples, qui assurent une délivrance immédiate de glucose dans le sang en cas de malaise et donc d'hypoglycémie.

Les régimes pauvres en sel sont de nouveau préconisés par certains cardiologues chez les patients hypertendus, car des études récentes ont attesté leur intérêt.

On conteste notamment le rôle des produits d'origine animale dans ce contexte, d'où l'émergence d'écoles qui refusent la nourriture carnée.

Le végétarisme. Il évite la viande, le poisson, la volaille, mais autorise les laitages et les œufs. Lorsque les laitages sont consommés régulièrement, ce type de régime est d'une relative innocuité, car il apporte une ration protéique suffisante. Certaines études ont même suggéré que les personnes végétariennes présenteraient moins de maladies cardiaques que les autres.

Le végétalisme. Il interdit strictement toute protéine d'origine animale, l'alimentation se limitant aux fruits et légumes. Ce régime peut induire des carences protéiques, en raison de la pauvreté en certains acides aminés essentiels des protéines végétales. La vitamine B12, apportée par les produits laitiers et les œufs, peut manquer aussi et provoquer une anémie (dite de Biermer). Il est important de veiller au choix des sources de protéines végétales lors d'un tel régime, qui est déconseillé chez l'enfant en raison des besoins dus à la croissance.

La macrobiotique. Elle se réfère à la philosophie du *yin* et du *yang* et s'intéresse à la valeur cosmique de chaque aliment. Le moins strict de ces régimes est à base de céréales complètes accompagnées de légumes et de quelques fruits frais ou secs. Ce régime déséquilibré n'a pas de fondement scientifique.

Fromages et yaourts allégés

La dénomination « allégé » désigne la diminution de la valeur calorique des aliments. L'usage de ces produits n'est véritablement intéressant qu'en cas d'obésité ou de troubles du métabolisme des lipides. Pour ce qui est des yaourts, il faut bien distinguer ceux qui comprennent des additifs de ceux qui en sont dépourvus. Les additifs contribuent en effet à augmenter la valeur calorique du produit. Ainsi, un yaourt 0 % aux fruits peut contenir plus de calories qu'un yaourt nature, en raison de l'adjonction de sucre. Cependant, l'addition possible d'édulcorants aux produits laitiers facilite désormais l'utilisation de produits à teneur calorique très abaissée.

Les dépenses énergétiques

Notre organisme doit, en permanence, équilibrer apports et dépenses énergétiques pour éviter l'apparition d'un amaigrissement ou d'un excès pondéral. Les dépenses énergétiques possèdent plusieurs composantes :
– le métabolisme de base (deux tiers des dépenses environ), soit les dépenses indispensables lorsque nous sommes au repos à 37 °C ; sous le contrôle de la glande thyroïde, elles varient selon les individus ;
– la thermogénèse, qui regroupe les dépenses induites par la transformation des aliments en énergie, celles qui sont en rapport avec l'exposition au froid et, accessoirement, les dépenses énergétiques liées aux émotions et à certains médicaments ;
– les dépenses liées à l'activité physique, qui sont évidemment fluctuantes.

Ces diverses formes de dépenses énergétiques influent sur le poids. Ainsi, certains obèses pourraient présenter un métabolisme de base prédisposant à la prise de poids. Le fait qu'un obèse qui a maigri après un régime tend à retrouver un poids plus élevé que son poids antérieur s'il relâche ses efforts alimentaires (« effet yo-yo »), s'explique par des modifications du métabolisme énergétique. Le sevrage tabagique peut entraîner un gain pondéral, parce qu'il favorise par phénomène de compensation l'ingestion de nourriture, mais aussi parce qu'il augmente les dépenses énergétiques.

Maigreur et obésité

Êtes-vous trop gros, trop gras ? L'indice de masse corporelle (IMC), ou indice de Quetelet, est considéré par les spécialistes comme le meilleur paramètre permettant d'apprécier l'existence d'une obésité ou d'une maigreur chez l'adulte. Il correspond au rapport du poids (en kg) sur la taille (en m) au carré. Les spécialistes de l'Organisation mondiale de la santé établissent le classement suivant selon les valeurs de l'IMC : < 18 : sous-poids sévère ; 18-20 sous-poids ; 20-25 poids normal ; 25-27 poids normal, léger surpoids ; 27-30 surpoids ; ≥ 30 surpoids sévère, obésité. Au-dessus de 40, l'obésité est considérée comme massive.

La maigreur est en général d'origine constitutionnelle dans les pays développés, et sans réelle gravité. Les régimes hypercaloriques sont souvent peu efficaces à son égard. Les amaigrissements résultent de maladies diverses (diabète de type I, cancer) ou d'une anorexie d'origine mentale.

L'obésité est devenue un problème de santé publique dans de nombreux pays (8 % d'obèses en France, plus de 20 % aux États-Unis) et est de plus en plus souvent considérée comme une véritable maladie. En effet, elle diminue l'espérance de vie et accroît le risque de diabète, de maladies cardiovasculaires, d'insuffisance respiratoire et d'arthrose. Elle augmente de fréquence avec l'âge et est plus répandue au sein des classes socio-économiques modestes.

Les causes de l'obésité sont complexes. On reconnaît aujourd'hui un rôle important aux graisses alimentaires. Les personnes sujettes à l'excès de poids ne mangent pas toujours excessivement, mais souvent se nourrissent mal, « grignotent » et ne font pas assez d'exercice. Néanmoins, certaines obésités ne découlent pas d'erreurs alimentaires. L'obésité humaine met en jeu au moins une vingtaine de gènes. La part respective de l'hérédité et de l'alimentation est diversement appréciée selon les auteurs, mais l'on sait que la probabilité d'être obèse est multipliée par environ 4 pour un enfant si un parent l'est, par 8 si les deux le sont. Un gène de susceptibilité (le gène ob1) semble être associé à l'apparition de l'obésité commune.

Traitement de l'obésité. Il repose essentiellement sur l'emploi de régimes hypocaloriques, sur la pratique d'un exercice physique (comme la natation), et sur une aide psychothérapique, car les facteurs psychologiques exercent une influence importante dans cette affection, qui modifie l'image de soi. Les anorexigènes (qui bloquent la faim) ne sont plus utilisés que dans les obésités massives, car leur emploi est dangereux. Certains médicaments récents, qui limitent l'absorption des graisses, peuvent parfois être prescrits, mais ils provoquent de nombreux effets secondaires. Plusieurs techniques chirurgicales sont proposées dans certains cas d'obésité sévères, notamment lorsque plusieurs tentatives de prise en charge diététique ont échoué, et que le patient refuse les contraintes de ces régimes. La technique la plus employée vise à limiter le volume de l'estomac pour réduire les prises alimentaires.

Des aliments dangereux ?

Risques infectieux. Les principales toxi-infections alimentaires sont liées à la présence de salmonelles, de staphylocoques ou d'*Escherichia coli.* Par ailleurs, la consommation de lait frais de chèvre et de brebis non pasteurisé peut transmettre la brucellose, dans les pays méditerranéens. Quant aux fromages au lait cru, ils ont pour certains été à l'origine de listériose, une infection dangereuse, voire mortelle. Ce risque a débouché sur l'émission de recommandations européennes de fabrication faisant l'objet de polémiques. Le botulisme, lié à la sécrétion, par un germe dénommé *Clostridium botulinum,* d'une toxine entraînant une paralysie des muscles respiratoires, est parfois observé après consommation de charcuteries artisanales, en raison d'un chauffage insuffisant des aliments. La probabilité de développer une maladie de Creutzfeldt-Jakob, provoquée par des prions, en consommant du bœuf européen (notamment de la cervelle) contaminé par l'encéphalopathie spongiforme bovine, est difficile à apprécier en raison du long délai d'incubation de l'affection (de 15 à 20 ans). Mais le nombre de cas humains paraît limité. Des interrogations demeurent quant à la contamination d'autres cheptels (bœuf américain) et aux risques de transmission de la tremblante du mouton.

Risques liés à l'emploi d'OGM. Les aliments génétiquement modifiés (OGM), proviennent de plantes dans lesquelles un gène étranger a été introduit dans le but d'en augmenter la résistance contre des parasites, d'en accroître le rendement, d'en améliorer l'aspect… Plusieurs sont cultivées à grande échelle (tomate, maïs, soja) aux États-Unis, mais la législation européenne demeure plus restrictive. Les dangers potentiels liés à la production et à la consommation de ces aliments ne sont pas connus et diffèrent vraisemblablement selon la nature du gène transféré. Ainsi, c'est probablement avec les gènes de résistance aux antibiotiques introduits dans certains aliments, comme le maïs, que les dangers, s'ils existent, sont les plus importants. Le risque serait que ces OGM diminuent l'efficacité des traitements antibiotiques chez l'homme, d'où les moratoires pour interdire les cultures de maïs transgénique dans certains pays européens.

Autres risques. Certains aliments, comme les cacahuètes, le kiwi, sont à l'origine d'un nombre croissant d'allergies parfois graves. L'emploi d'antibiotiques dans l'élevage des bœufs, des porcs et de la volaille pourrait, selon nombre de scientifiques, rendre résistantes certaines bactéries comme les salmonelles. Celui d'hormones, couramment pratiqué aux États-Unis, prédispose peut-être à la survenue de cancers (sein, prostate…). La persistance de pesticides dans l'alimentation ou les boissons a été suspectée d'accroître le nombre des cancers des ganglions ou d'être responsable de la baisse des spermatozoïdes relevée chez certains hommes. Enfin, la présence dans le lait de vache de dioxine émise dans l'atmosphère par les incinérateurs d'ordures ménagères pourrait exercer des effets cancérigènes.

Petit lexique

diététique : discipline qui étudie la valeur nutritive des aliments et détermine les régimes alimentaires.

VOIR AUSSI
- **Intoxications et accidents** p. 251
- **Aliments du futur** p. 917

◆ **Teneur de quelques aliments courants.**

Aliments	Valeur énergétique	Glucides	Lipides	Protéines	Eau	Autres apports
viandes	en moyenne 250 cal/100 g	quasi nulle	de 10 à 30 %	20 % en moyenne	60 %	fer, phosphore, cuivre
poissons	de 75 à 125 cal/100 g	quasi nulle	de 1 à 20 %	de 15 à 25 %	75 %	phosphore, potassium, iode, vitamines A, D et B
laitages	65 cal/100 g	5 %	de 0 % à 4 %	3 %	85 %	calcium, phosphore
fromages	de 50 à 400 cal/100 g	quasi nulle	de 0 à 75 %	20 % en moyenne	de 35 % à 70 %	calcium, phosphore
légumes et fruits	faible (50 cal/100 g en moyenne)	de 10 % à 20 % de sucres simples 20 % de sucres complexes	nulle dans les légumes à feuilles, importante dans les oléagineux	de 1 à 2 %	de 40 à 95 % (salade)	vitamines C et A, calcium et potassium, fibres alimentaires
pain	en moyenne : 250 cal/100 g (pain blanc)	50 % de sucres complexes	2 % environ	8 %	35 % environ	vitamines PP et B, magnésium, potassium, cellulose

L'exercice physique

Sport et santé

La notion de forme physique recouvre plusieurs réalités. Chez le sportif de compétition, elle est associée au niveau de performance dans la discipline concernée. Chez le sportif occasionnel, la forme physique se confond avec le besoin de se sentir en bonne condition afin de s'adapter et de répondre favorablement à tout effort physique.

Si l'état de « non-maladie » est une condition nécessaire pour « avoir la forme », il n'est pas une condition suffisante. La « forme » suppose une aptitude physique minimale, une disponibilité musculaire, cardiaque et respiratoire susceptibles de s'adapter sans préparation à des efforts tels que la course, les escaliers gravis à vive allure ou un jeu de ballon.

Bénéfices du sport. Le sport a une action bénéfique :
– dans le domaine de l'hygiène de vie. Le sport a une action préventive à l'égard : d'une consommation excessive de tabac, d'alcool, de médicaments ; de la suralimentation, de la régulation du sommeil, etc. ;
– dans le domaine médical. L'activité physique ou sportive constitue un complément thérapeutique dans de nombreuses affections : infarctus du myocarde ; réadaptation à l'effort des enfants opérés d'une maladie cardiaque congénitale, etc. ;

◆ **Entraînement dans un gymnase club.**

– dans le domaine psychologique. Le sport est un facteur d'équilibre. Il procure aussi une meilleure relation avec autrui (esprit de groupe, sociabilité), une sensation de bien-être et de plaisir. Il est également l'antidote contre le stress ;
– dans le domaine traumatologique. Le sport permet une meilleure résistance aux accidents ostéo-articulaires, tendineux et musculaires ;
– dans le domaine physiologique. Le sport favorise un développement harmonieux, la coordination motrice, la souplesse, la précision du geste ; il entretient la mobilité et la souplesse des articulations et des ligaments ; il permet une meilleure adaptation à l'effort ; il ralentit le vieillissement cardio-vasculaire, musculaire et respiratoire.

Le sport a un rôle préventif concernant :
– l'ostéoporose, par augmentation du capital osseux et freinage de la perte osseuse physiologique due au vieillissement ;
– l'hypertension, par une meilleure adaptation à l'effort des petits et des gros vaisseaux, qui opposent moins de résistance et se dilatent mieux, ce qui entraîne une diminution de la tension ;
– l'athérosclérose. L'exercice physique, à condition qu'il soit suffisamment intense et prolongé, protège la paroi artérielle par une augmentation importante du bon cholestérol et une baisse très nette des graisses.

Risques du sport. Les risques du sport relèvent surtout du domaine de la traumatologie :
– risque de traumatismes dangereux (boxe, équitation, rugby, trempoline, etc.) ;
– accident macrotraumatiques avec risque de séquelles (fractures, entorses et luxations à répétition, élongations, claquages, etc.) ;
– accidents macrotraumatiques, à révélation retardée, par hyperfonctionnement ou surcharge de travail des muscles, ligaments ou articulations (lésions du cartilage de croissance chez l'enfant et l'adolescent, surtout au niveau du genou et de la colonne vertébrale ; fracture de fatigue au niveau des os du membre ; tendinites de localisations diverses [bassin, genou, plante des pieds, talon, etc.] et inhabituelle des os (périostite au niveau de la jambe) ;
– pathologie à révélation tardive, à long terme (effet favorisant l'arthrose.)

La plupart de ces accidents ou incidents sont dus à un entraînement intensif, à une mauvaise préparation, à l'utilisation d'un matériel inadapté, à des erreurs diététiques et à l'absence d'examen médical d'aptitude ou de surveillance. C'est le cas notamment de ceux qui participent aux courses d'endurance (20 km, marathon, cross divers) dans le cadre d'épreuves organisées du « sport pour tous » et ne savent ni doser leurs efforts ni apprécier leur condition physique. À ce propos, le risque cardiaque grave n'existe que chez les sujets présentant une anomalie du cœur.

Du sport à tout âge

Pour le jeune. Le jeu, le développement de l'adresse, de la souplesse, de la force musculaire et de l'endurance procurent aux enfants un épanouissement physique, mental et social indispensable :
– de la naissance à 3 ans. Il s'agit principalement de promenades, d'escalades d'obstacles élémentaires ou de jeux de ballon ;
– moyenne enfance (3 à 9 ans). L'éducation physique à l'école doit comporter des jeux de plein air, des jeux de balle, des jeux d'équilibre avec franchissement d'obstacles, sans mouvements de force. Le tricycle, puis la bicyclette ainsi que la danse vont ensuite discipliner le geste. L'apprentissage d'autres sports tels que la natation ou l'équitation pourra être abordé ;
– grande enfance (9 à 12 ans). C'est l'âge de l'acquisition de la technicité. L'enfant peut, quasiment, s'attaquer à tous les sports, car il est apte à comprendre toutes les stratégies de jeu et sa santé n'est pas particulièrement vulnérable à cet âge. La compétition est possible, notamment en sports d'équipe qui ont l'avantage de socialiser le jeu. C'est une période où l'entraînement doit être très surveillé par des contrôles médico-sportifs fréquents et l'alimentation adaptée aux dépenses supplémentaires ;
– période pubertaire et adolescence (11-17 ans). La compétition est possible pour presque tous les sports mais toujours sous la stricte réserve d'une surveillance médicale étroite.

Vers 40 ans. À partir de 40 ans environ, la pratique sportive, toujours bénéfique, doit s'accompagner de certaines précautions. Après une longue interruption, il faut compter quelque 3 mois d'entraînement à raison de 2 ou 3 séances hebdomadaires d'une demi-heure pour retrouver une bonne forme physique. La principale précaution consiste à observer une surveillance médicale régulière incluant un électrocardiogramme et une prise de tension artérielle. Trois éventualités sont à envisager :
– la poursuite d'une activité sportive : le sujet a toujours pratiqué une activité sportive, il ne boit et ne fume que peu ou pas, il ne cherche pas la performance. Chez lui, les risques sont minimes ;
– l'initiative tardive : le sujet, n'ayant jamais fait de sport, désire s'initier. Ce débutant de 40 ans doit être considéré comme un « jeune » et passer un examen médical d'aptitude centré sur les systèmes ostéoarticulaire et cardiaque ;
– la reprise après interruption : le sujet, ayant arrêté le sport depuis plusieurs années, veut reprendre. C'est un sujet à haut risque, car il va essayer de retrouver d'emblée les sensations qu'il a connues des années auparavant. C'est le candidat type aux accidents traumatiques et cardio-vasculaires, d'autant plus s'il boit, fume et présente une surcharge de poids. Il devra commencer par des sports tels que la marche rapide ou la course lente et prolongée, la gymnastique générale, la natation qui vont le réhabituer à l'effort, ou bien des sports purement techniques ou d'adresse.

À partir de 55 ans. Une activité physique régulière, en groupe si possible, est souhaitable pour ces sujets. Une surveillance médicale une ou deux fois par an s'impose. Entre 20 et 60 ans, les grandes fonctions biologiques sont diminuées de 15 à 20 %, ce qui laisse une marge confortable pour pratiquer un sport. En outre, des travaux scientifiques ont démontré qu'un exercice physique régulier pendant 1 an entraîne chez les personnes âgées de 60 à 96 ans une augmentation d'amplitude de 25 % pour les articulations de l'épaule, de la hanche et du genou. Mais des mises en garde sont nécessaires : il faut ne pas forcer, savoir s'arrêter...

Sport et grossesse

La grossesse est une contre-indication formelle à toute activité physique intense et aux sports qui comportent des risques importants de traumatisme ou de choc au niveau de l'abdomen (ski, équitation, sports collectifs ou de combat). De même sont contre-indiqués les sports à haut risque (automobile, motocyclette, parachutisme, alpinisme, plongée sous-marine). Seront en revanche conseillées les activités physiques d'intensité moyenne comme la marche, la natation, la gymnastique d'entretien, les sports d'endurance ou à dominante respiratoire, comme la promenade à bicyclette, qui peuvent être poursuivis pendant toute la grossesse. Après l'accouchement, les activités sportives peuvent être reprises au bout de un à deux mois, après l'avis du médecin traitant.

L'hygiène quotidienne

Le rôle essentiel de l'hygiène

L'hygiène exerce une influence extrêmement importante en matière de prévention des maladies et ne doit pas être négligée. Ainsi, la consommation d'eau propre, l'emploi de latrines, permettent, en évitant les germes transmis par les selles, de réduire ou de supprimer les risques liés à la diffusion d'affections comme le choléra, l'amibiase et l'hépatite A. Un lavage régulier des mains est également indispensable pour éviter la transmission interhumaine des germes, voire pour éviter aux malades de se réinfecter.

Ainsi, une étude menée en Afrique avec la collaboration de l'Organisation mondiale de la santé a révélé que cette simple mesure d'hygiène permet d'augmenter considérablement l'efficacité d'une antibiothérapie locale dans le cas du trachome, une maladie ophtalmologique fréquente due à une bactérie, *Chlamydia trachomatis*, responsable d'un nombre important de cécités dans le tiers-monde. Les données historiques révèlent aussi que l'hygiène, associée à l'amélioration de l'alimentation et à celle de l'habitat, a exercé une influence essentielle dans la diminution des maladies infectieuses à la fin du XIXe s. et au début du XXe s. dans les pays occidentaux.

L'hygiène bucco-dentaire

Chez l'enfant comme chez l'adulte, une hygiène dentaire quotidienne s'impose. En empêchant le dépôt de la plaque dentaire, elle prévient en effet l'apparition des caries et de certaines maladies des gencives.

À ses débuts, la plaque dentaire se présente comme une fine pellicule constituée de mucus, de lipides et de sucres, dont la présence favorise la multiplication des bactéries. Puis elle s'enrichit de débris alimentaires utilisés par les bactéries pour produire des acides. Ceux-ci peuvent attaquer l'émail dentaire, puis les autres tissus des dents, provoquant ainsi leur destruction et l'apparition d'une carie. En outre, la plaque dentaire se calcifie avec l'apport de calcaire salivaire, d'où la formation de tartre.

La plaque dentaire se reformant environ 6 heures après le dernier brossage, il est important de se nettoyer régulièrement les dents, de préférence après chaque repas. La pratique d'un détartrage est également recommandée. Enfin, plaque et tartre se déposant sur les prothèses dentaires amovibles ainsi que sur les appareils orthodontiques, ceux-ci doivent être nettoyés régulièrement. Rappelons également que la consommation de sucres en dehors des repas est à bannir et qu'une visite au minimum annuelle chez le dentiste est conseillée, idéalement dès le plus jeune âge (les dentistes le préconisent dès l'âge de 1 an).

◆ L'hygiène en Europe.

Dentifrice (en tubes par personne et par an)	
Allemagne	4,9
Espagne	4,5
France	3,9
Italie	3,3
Grande-Bretagne	2,9
Douches (par personne et par semaine)	
Espagne	4,7
France	4,4
Allemagne	4,4
Italie	3,8
Grande-Bretagne	3,7
Savon (par personne et par an)	
France	1 300 g*
Grande-Bretagne	1 300 g
Allemagne	1 000 g

* dont 600 g de savon de Marseille.
Source : d'après G. Mermet, *Francoscopie 1999*, Larousse.

Le rôle du fluor. La carie peut également être évitée par l'administration de fluor, dont les effets préventifs sont liés à sa capacité de renforcer l'émail dentaire vis-à-vis des agressions acides produites par les bactéries... Dans certains pays, le fluor est incorporé à l'eau. Dans d'autres, comme la France, il est ajouté au sel de cuisine. Du fluor est également ajouté dans les pâtes dentifrices ou peut être utilisé par le dentiste sous forme de bains de bouche, de gel, de résines de scellement. Il est également prescrit, sous forme de gouttes ou de comprimés, chez le jeune enfant et chez la femme enceinte.

Peau et soleil

Le soleil est indispensable à la vie. Bon pour le moral, participant au cycle de la reproduction chez l'animal et chez l'homme et au réglage de l'horloge interne biologique, il est ainsi essentiel à la synthèse de vitamine D, qui est fabriquée au niveau de la peau sous l'action des ultraviolets B contenus dans le rayonnement solaire. Néanmoins, de très faibles doses d'ensoleillement suffisent pour assurer la production de cette vitamine régulant le métabolisme phosphocalcique.

Les dangers liés à l'exposition. À l'inverse, de nombreux travaux parus depuis une dizaine d'années ont prouvé les dangers d'une exposition solaire excessive. En effet, non seulement celle-ci peut induire des effets aigus parfois dramatiques : coups de soleil avec brûlures, déshydratation chez le jeune enfant, réactions dermatologiques en rapport avec la prise conjointe de médicaments, mais en outre elle favorise le vieillissement de la peau et l'apparition des cancers cutanés. Les ultraviolets B provoquent des altérations du matériel héréditaire (ADN), qui contribuent au processus de cancérisation des cellules cutanées. Quant aux UVA, dont le rôle nocif a été découvert plus récemment, l'on sait qu'ils diminuent la production par la peau de fibres collagènes et de fibres élastiques, ce qui engendre l'apparition de rides. En déterminant la production de radicaux libres, ils accélèrent très probablement aussi la cancérogenèse.

Les précautions. Pour vivre en harmonie avec le soleil, quelques précautions s'imposent

VOIR AUSSI 
- **Croissance** p. 204
- **Choisir son alimentation** p. 212
- **Exercice physique** p. 214
- **Maladies infectieuses** p. 228
- **Cancers** p. 230
- **Pathologies bucco-dentaires** p. 235
- **Maladies de la peau** p. 245

donc : éviter les expositions au soleil entre 12 et 16 heures, se protéger en utilisant une crème protectrice d'indice élevé, active contre les UVA et les UVB, porter un chapeau et des lunettes, se méfier de la réflexion des rayons sur le sable (ce qui explique que l'action protectrice d'un parasol ne soit que partielle) et... se méfier des idées reçues (l'activité physique ne protège en rien contre les rayonnements, les crèmes autobronzantes n'ont aucune action contre les ultraviolets, les baignades répétées évitent les coups de chaleur mais non les coups de soleil). Enfin, il est très important de protéger les plus jeunes, car on sait que la survenue de coups de soleil dans l'enfance joue un rôle important dans l'apparition, à l'âge adulte, du mélanome, un cancer de la peau parfois grave. Pour cette raison, les nourrissons de moins de 6 mois n'ont pas droit au bronzage ; les jeunes enfants doivent porter un tee-shirt. Toutes ces précautions sont particulièrement importantes chez les personnes à phototype clair (peau blanche, cheveux roux, taches de rousseur), qui sont particulièrement exposés au risque de brûlures et de cancer. Les mêmes conseils de prudence sont recommandés aux personnes qui fréquentent les cabines de bronzage, pour des motifs équivalents.

L'hygiène de vie

Une bonne hygiène de vie nécessite le respect de trois éléments : un temps de sommeil suffisant, une alimentation équilibrée, la pratique régulière d'un exercice physique.
Le sommeil possède une double fonction : réparatrice sur le plan physique, compensatrice sur le plan psychique. Sa durée varie d'un individu à l'autre et selon l'âge. À 4 ans, les besoins de sommeil journalier sont ainsi de 12 heures ; à 12 ans, ils sont de 9 heures. Chez la plupart des adultes, le temps de sommeil se situe entre 6 et 8 heures. La durée de sommeil tend à diminuer chez les personnes âgées. Le respect de courts temps de sommeil pendant la journée peut alors être préconisé.
L'alimentation devra, bien sûr, être diversifiée, mais l'on essaiera aussi, dans la mesure du possible, de limiter les excitants (café) et l'alcool, de s'abstenir de fumer, de réduire les sources de stress et le surmenage.
Une activité physique régulière est nécessaire à tous les âges de la vie. Son choix prend en considération des critères personnels, mais doit également tenir compte des performances physiques de chacun, tout comme de l'éventuelle existence de contre-indications médicales.

Le corps embelli

Le traitement de la cellulite

Au sens strict, la cellulite est une inflammation douloureuse du tissu sous-cutané. Mais on désigne ainsi habituellement des dépôts graisseux localisés à certains points clés du corps féminin : cuisses, taille, fesses, genoux. Il s'agirait d'une précaution de la nature face aux anciennes périodes de famine, la femme devant être capable de survivre tout en enfantant et en allaitant. La cellulite serait donc une « graisse de réserve » devenue inutile de nos jours. Et d'autant plus encombrante à l'ère de la minceur.

Si cette graisse « gynoïde » est normale, c'est son exagération qui doit être traitée. Divers facteurs, héréditaires, ethniques, prouvent une programmation de la tendance à l'excès cellulitique, que l'on peut rencontrer éventuellement sur des femmes par ailleurs maigres.

L'amas cellulitique négligé s'accentue et devient dur, capitonné, douloureux. On peut améliorer l'état cellulitique par : une alimentation équilibrée qui supprime les excès de graisses, sucres, alcool; des exercices physiques réguliers; des traitements médicaux (rééquilibre hormonal ou digestif); une psychothérapie d'élimination des stress, ou angoisses; l'utilisation d'appareils de gymnastique passive; l'application de crèmes cosmétiques qui activent la circulation et ramollissent les amas graisseux anciens; ou encore l'utilisation des techniques chirurgicales de « dégraissage » localisé.

Les soins des dents

Les techniques étant de plus en plus perfectionnées, on peut, désormais, remédier à tous les défauts de la dentition.

Dents mal placées. Leur correction relève d'une technique particulière pour laquelle un spécialiste est nécessaire : l'orthodontiste. Après une étude préalable portant sur les radiographies de la denture, des moulages de la mâchoire, etc., le traitement proprement dit est long : de 6 mois minimum à 3 ans lorsqu'il s'agit d'un enfant dont il faut suivre la pousse dentaire.

On a longtemps conseillé d'intervenir très tôt pour corriger une implantation défectueuse; aujourd'hui, on conseille d'attendre 12 ans pour commencer une orthodontie, et nombre de travaux de cet ordre effectués sur des adultes donnent d'excellents et durables résultats. Les appareillages destinés à l'orthodontie adulte sont plus légers et, surtout, plus discrets que ceux des enfants. Dans les deux cas cependant, une hygiène très stricte s'impose, principalement lorsqu'il s'agit d'appareils fixes.

Dents cassées. Il y a deux possibilités de réparation : la jaquette en céramique qui « habille » complètement la dent et la cache si elle est dévitalisée, ou la reconstitution de la partie manquante si la dent est vivante et en bon état. On remplace l'émail manquant par un composite qui est fixé et solidifié par un rayon lumineux. Le dentiste joue sur la couleur du composite pour l'harmoniser avec celle des dents du patient.

Dents manquantes. Si la dent a été dévitalisée et s'il reste un moignon plus ou moins important et la racine, on conseille :
– la dent à pivot si le moignon est très petit. On le supprime au ras de la gencive et une dent en céramique vient se ficher par un pivot de métal dans l'os de la racine;
– la couronne, qui recouvre le moignon utilisable. C'est aussi ce qui est préférable pour les dents très actives : molaires et prémolaires. Désormais, même si elles sont à base de métal, les couronnes se dissimulent sous une céramique.

Si la dent est totalement extraite et s'il ne reste plus aucune racine, la solution est le bridge, ou « pont » de une ou plusieurs dents. Il réclame l'appui sur deux dents de soutien aux extrémités qui, conservées vivantes ou non, seront couronnées. Les ponts se font en céramique complète ou partielle, mais sont toujours invisibles.

La chirurgie esthétique

En même temps qu'acte chirurgical réel, la chirurgie dite « esthétique » ou « plastique » constitue une démarche d'ordre psychologique. Elle aide à se sentir « bien dans sa peau ». Son champ d'action s'est considérablement élargi.

Chirurgie correctrice. Les principales interventions concernent :
– le nez (rhinoplastie). Nécessité d'une étude morphologique préalable. Incisions internes suivies du remodelage du squelette osseux et cartilagineux. Anesthésie locale; aucune cicatrice. Hospitalisation : 2 à 4 jours. Suite : port d'un plâtre 2 semaine, ecchymoses. Résultat : réel après 6 mois ;
– les oreilles. Remodelage des cartilages non ourlés et formation des courbures et plis absents. Cicatrices derrière l'oreille visibles mais discrètes. Anesthésie générale. Hospitalisation : 24 heures. Suites douloureuses : pansements 10 à 15 jours. Résultat : immédiat;
– les poches sous les yeux. Incision au ras des cils et retrait de l'excès graisseux. Aucune cicatrice. Hospitalisation : 24 heures. Suites : retrait des fils au 4e jour. Ecchymoses 10 jours. Résultat : réel après 1 mois;
– les seins trop petits. Inclusion d'une prothèse entre la glande et le muscle. Incision au-dessous de l'aréole ou sous le sein ou sous l'aisselle. Cicatrices discrètes. Anesthésie générale. Hospitalisation : 3 jours. Suites : immobilisation de 10 jours. Précautions : 1 mois; certaines prothèses en silicone se sont révélées dangereuses pour la santé;
– les seins trop gros. Retrait plus ou moins important de glande et de peau. Remodelage total du sein. Incisions importantes. Cicatrices visibles. Anesthésie générale. Hospitalisation : 4 jours. Suites : immobilisation 1 mois avec précautions et port de soutien-gorge 24 h/24. Résultat : réel après 1 bon mois;
– la cellulite. La liposuccion, ou aspiration des masses graisseuses sous anesthésie locale. Cicatrices discrètes. Sans hospitalisation ni suites. Résultat : immédiat.

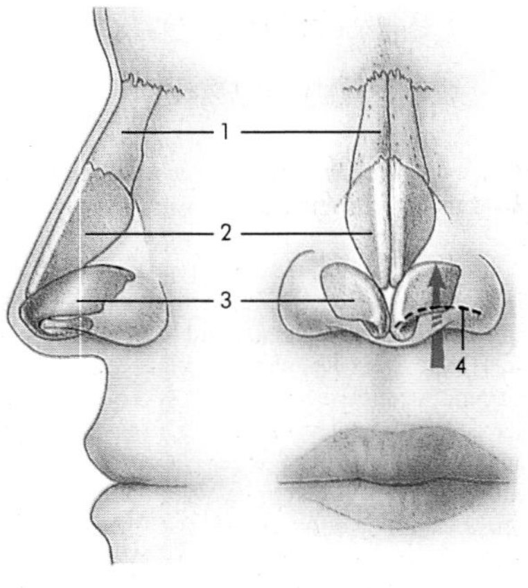

◆ **Rhinoplastie de réduction.**
Le squelette ostéo-cartilagineux du nez, vu de face et de profil.
1. Auvent osseux formé par les os propres qui s'attachent par leur partie médiane à la cloison osseuse.
2. Auvent cartilagineux formé par les cartilages latéraux qui s'attachent à la cloison cartilagineuse.
3. Cartilages alaires, dont la forme détermine celle des ailes et de la pointe du nez.
4. Emplacement de l'incision. Quelle que soit l'opération, le choix du chirurgien et l'étude esthétique sont des facteurs de réussite déterminants.

Autres chirurgies. La chirurgie anti-vieillissement comprend, comme principale intervention, le lifting. Le lifting cervico-facial, qui vise à corriger l'affaissement du visage, se fait par incisions dans le cuir chevelu et le long des oreilles. Le lifting fronto-temporal supprime les rides frontales et les paupières tombantes. Le *peeling* (par laser) rajeunit l'apparence de la peau.

La lipoaspiration aux ultrasons, qui consiste à aspirer la graisse après incision, est indiquée dans le cas de silhouette rendues disgracieuses par excès de poils.

La chirurgie du ventre (abdominoplastie) corrige les ventres abîmés.

VOIR AUSSI 
• **Vieillissement** p. 209
• **Hygiène quotidienne** p. 215

La calvitie

La calvitie masculine est liée à un excès de l'hormone mâle (testostérone). Probable pour 1 homme sur 4, elle est souvent héréditaire. Dans ce cas, elle est précoce. Plus tôt survient la chute et plus rapide sera l'installation de la calvitie. Un homme de 30 ans qui possède encore la moitié de sa chevelure ne sera jamais totalement chauve. Si les premières chutes sérieuses apparaissent vers 50 ans, le sujet conservera jusque dans la vieillesse une chevelure correcte.
La perte de cheveux (alopécie) touche plus les hommes que les femmes. On a remarqué cependant que, de plus en plus, les femmes hyperactives perdent leurs cheveux. Mais l'alopécie demeure diffuse. Si l'on peut freiner la chute voire retarder la calvitie définitive, il n'existe aucun produit faisant repousser véritablement les cheveux. Prothèses et chirurgie suppléent souvent avec succès à la calvitie.

La prévention et ses objectifs

Les différents types de prévention

La prévention s'exerce selon différents modes dont les buts diffèrent.

La prévention primaire. Elle tend à réduire les facteurs de risque ou les causes des maladies afin d'en abaisser le nombre. De nombreuses affections sont susceptibles d'une prévention de ce type. C'est tout particulièrement le cas des maladies infectieuses, évitées grâce aux vaccinations. Les vaccins permettent une protection individuelle, mais aussi collective en éradiquant certaines affections ou en diminuant notablement leur pouvoir contagieux. Le respect d'une alimentation saine permet de limiter la survenue des maladies cardiovasculaires, du cancer du côlon et de l'obésité. Une consommation suffisante de calcium dans l'adolescence peut prévenir la survenue, des décennies plus tard, d'une ostéoporose, car le bon capital osseux ainsi constitué résistera mieux à la déminéralisation et donc à la fragilisation des os, cause principale de nombreuses fractures et source de l'ostéoporose. Un traitement hormonal tel qu'il est proposé à un nombre croissant de femmes à la ménopause retarde également l'apparition de cette affection osseuse, ce qui constitue une autre méthode de protection. En outre, ce traitement hormonal s'oppose au développement de l'athérosclérose et des maladies cardiovasculaires, voire de la maladie d'Alzheimer, et au bout du compte pourrait augmenter légèrement l'espérance de vie des femmes traitées. Le respect des règles de sécurité au travail, à la maison ou pendant les loisirs, la suppression des comportements à risque (conduite automobile trop rapide ou en état d'ébriété, gestes violents envers les autres ou contre soi-même, toxicomanies de tous types, rapports sexuels non protégés) sont en outre préconisés.

La prévention secondaire. Elle n'est pas une véritable prévention, mais correspond au dépistage des maladies. Elle tend non à en diminuer le nombre, mais à en restreindre l'impact en les identifiant à un stade plus précoce, où elles sont encore curables. Cette approche est pratiquée pour certains cancers, comme celui du sein, du col de l'utérus, du côlon et, en Chine, où il est assez fréquent, du cancer de l'œsophage. Le dépistage de plusieurs affections héréditaires, guérissables lorsqu'elles sont décelées dans les premiers mois de vie, est effectué chez tous les nouveau-nés français depuis plusieurs décennies, au moyen d'une simple prise de sang. La reconnaissance de l'hypertension grâce à la mesure systématique de la pression artérielle explique la baisse notable du nombre d'accidents vasculaires cérébraux dans les pays développés.

La prévention tertiaire. Elle répond à des objectifs plus vastes et peut être utilisée dans de nombreuses affections, en particulier cardiovasculaires. Elle vise à prévenir l'aggravation d'une maladie ou l'apparition d'une récidive en recommandant par exemple à des patients ayant présenté un infarctus du myocarde d'avoir une meilleure hygiène de vie.

Il serait préférable de parler de dépistage et de soins pour la prévention secondaire et tertiaire, et de réserver le concept de prévention aux actions visant à réduire les causes et les facteurs de risque de maladies. Néanmoins, dans la pratique, ces termes sont souvent confondus.

Les critères de décision. La prévention primaire et le dépistage sont loin de pouvoir être appliqués à toutes les affections, non seulement pour des raisons de mise en œuvre, mais aussi parce que la décision d'effectuer de telles actions prend en compte différents critères. Il est en effet nécessaire de considérer la fréquence de la maladie, le rapport coût-bénéfice de la prévention, les capacités du système de santé d'assumer de tels programmes et les éventuels effets pervers qu'ils risquent d'engendrer. Par exemple, dans le cas du dépistage d'un cancer, il faut prouver que cette action permet réellement d'obtenir un gain de survie et ne se contente pas de reconnaître des tumeurs encore petites sans en modifier le cours évolutif (auquel cas le dépistage ne servirait à rien), mais aussi en estimer les coûts, qui peuvent être très importants, s'assurer que les hôpitaux disposent d'un nombre suffisant de professionnels de santé pour prendre en charge ces nouveaux patients, et évaluer le nombre de faux diagnostics et d'interventions chirurgicales inutiles qu'est susceptible de provoquer ce dépistage. De tels choix sont souvent difficiles à opérer et dans bien des pays la plupart des dépistages ne sont pas organisés collectivement, mais réalisés à titre individuel : leur prix est alors souvent élevé pour une efficacité moindre.

Le cas de la France. Plusieurs actions prioritaires de prévention ont été définies par le Haut Comité de la Santé publique. Elles concernent la possible réduction des morts prématurées, en particulier par le biais de la lutte contre l'alcoolisme, le tabagisme et les différentes formes de toxicomanies, la prévention du suicide et des décès par accidents de la route, plus nombreux en France que dans d'autres États européens, la diminution (notamment grâce à l'extension du système du tiers payant) des inégalités de santé d'ordre social ou interrégional, particulièrement importantes en France, et la baisse du nombre d'accidents liés aux traitements.

Le difficile dépistage des cancers

Depuis de nombreuses années, les pays scandinaves disposent de programmes collectifs de dépistage des cancers, qui ont prouvé leur utilité. Grâce à la pratique systématique de mammographies tous les 2 ans chez les femmes de 50 à 60 ans, certains pays comme l'Islande ont vu la mortalité liée au cancer du sein diminuer de 30 %. En France, le dépistage est désormais recommandé chez les femmes de cette tranche d'âge. Néanmoins, en pratique, seulement 26 départements l'avaient organisé fin 1998. Dans le cas du cancer du col de l'utérus, les frottis qui révèlent les lésions précancéreuses sont préconisés tous les 3 ans. Cependant, les femmes âgées ou de milieu socio-économique modeste échappent encore trop souvent à ce geste de prévention.

Le débat porte actuellement sur le dépistage du cancer du côlon, grâce au test Hémoccult®, qui détecte les hémorragies intestinales minimes et guide la pratique des coloscopies. Trois essais menés aux États-Unis, au Royaume-Uni et au Danemark ont démontré l'efficacité de ce dépistage, et les autorités sanitaires françaises ont, à plusieurs reprises, émis le souhait de l'instituer. Cependant, certaines caisses régionales de sécurité sociale ont refusé de financer des campagnes pilotes et, fin 1998, le test Hémoccult® demeurait non remboursé. Alors que le dépistage des cancers apparaît aux cancérologues comme le meilleur moyen de sauver rapidement des vies, le financement de cette politique de santé publique demeure mal résolu.

◆ **Le sida : contamination et prévention.**

Mode de contamination	Risque	Moyen de prévention
relations sexuelles	élevé en cas de pénétration vaginale ou rectale non protégée ; faible pour les contacts bouche-organes génitaux, bouche-anus	préservatif
transfusion sanguine	exceptionnel	dépistage systématique des dons du sang en France depuis 1985 ; traitement d'inactivation virale pour les produits stables préparés à base de plasma humain
toxicomanie	élevé en cas d'échange ou de réutilisation d'aiguilles ou de seringues	emploi personnel des seringues et aiguilles, matériel à usage unique
grossesse d'une femme séropositive	élevé dans les pays en développement (jusque 20-30 %), abaissé à moins de 5 % en France	dépistage proposé en début de grossesse ; prescription d'AZT aux femmes séropositives (essais de bithérapie en cours)
insémination artificielle	non chiffré, possible si présence du VIH dans le sperme après congélation	dépistage systématique chez les donneurs
allaitement par une femme séropositive	non chiffré, mais possible	contre-indiqué dans les pays riches, problème non résolu dans les pays pauvres
transplantation d'organe	non chiffré, possible si présence du VIH dans l'organe à transplanter	dépistage systématique et obligatoire avant transplantation

Petit lexique

dépistage : recherche systématique d'une maladie chez des sujets apparemment sains. Le dépistage peut être individuel (choix du médecin) ou collectif et organisé (décision de la collectivité).

santé publique : discipline qui définit les objectifs de santé à l'échelle de la population.

La prévention en pratique

Les maladies infectieuses

La vaccination représente actuellement un des meilleurs moyens de prévention. Néanmoins, pour de nombreuses maladies infectieuses, les vaccins sont inexistants (sida) ou demeurent imparfaitement efficaces (paludisme, tuberculose, pneumocoques) et une recherche active est entreprise dans le monde pour en fabriquer de nouveaux.

Les vaccinations chez l'enfant. En France, la vaccination contre la tuberculose, la diphtérie, le tétanos, la poliomyélite est obligatoire. Contre la première, on inocule le BCG (bacille de Calmette et Guérin); pour les 3 autres maladies, on a recours à des vaccins pentavalents (réunissant 5 antigènes), qui immunisent en outre contre la coqueluche et les méningites à *Haemophilus influenzae* (DTCP). Le vaccin ROR (rougeole, oreillons, rubéole) et le vaccin contre l'hépatite A sont fortement recommandés, mais non obligatoires. En 1998, un nouveau vaccin contre la coqueluche, fabriqué à partir d'extraits de protéines (vaccin acellulaire), et non à partir du germe entier, est apparu en France; il peut désormais être utilisé pour le premier rappel de vaccination qui doit être fait à l'âge de 18 mois et est recommandé pour le rappel de 11-13 ans. Utilisé au Japon depuis plusieurs années, ce type de vaccin pourrait exposer le patient à un nombre d'effets secondaires moins important. Cependant, il n'est pas tout à fait prouvé qu'il soit aussi efficace d'un point de vue collectif. La contamination de très jeunes nourrissons par leurs parents, vaccinés dans l'enfance, pourrait favoriser dans les années à venir la pratique d'un rappel anticoquelucheux à l'âge adulte. La vaccination contre la varicelle est fréquemment réalisée aux États-Unis et pourrait éviter les rares mais graves complications de cette maladie.

Les vaccinations chez l'adolescent et l'adulte. S'ils ne l'ont pas été auparavant, les adolescents peuvent être vaccinés contre l'hépatite B, maladie très contagieuse par voie sexuelle, et, dans le cas des filles, contre la rubéole, car celle-ci peut déterminer des atteintes parfois graves chez le fœtus (surdité, anomalies oculaires, etc.).

Les adultes doivent pratiquer régulièrement leurs rappels de vaccinations antitétanique, anti-poliomyélitique et, s'ils voyagent dans certains pays de l'Est, antidiphtérique.

Les vaccinations chez les personnes âgées. Les personnes âgées de plus de 70 ans peuvent bénéficier gratuitement de la vaccination contre la grippe, qui évite ses complications les plus sévères. La vaccination contre le pneumocoque, à l'origine de pneumonies parfois mortelles chez les personnes âgées, peut être réalisée chez les sujets de plus de 65 ans vivant en collectivité ou fragilisés (cardiaques, alcooliques, bronchitiques chroniques). Certains pays, comme le Canada et les États-Unis, qui ont promu à titre systématique cette vaccination chez les « seniors », ont obtenu une réduction importante de la mortalité due à ce germe (laquelle est estimée à environ 10 % en France).

La prévention du cancer

Pour limiter le risque de tumeur maligne, le Code européen contre le cancer préconise dix « commandements » à respecter.
D'une part, certains cancers peuvent être évités :
– en évitant de fumer;
– en modérant la consommation de boissons alcoolisées (bière, vin ou alcool);
– en évitant les expositions excessives au soleil;
– en respectant les consignes professionnelles de sécurité lors de la manipulation ou de l'usage de toute substance cancérogène;
– en consommant fréquemment des légumes frais et des aliments riches en fibres;
– en évitant l'excès de poids et en limitant la consommation d'aliments riches en graisses.
D'autre part, un grand nombre de cancers seront guéris s'ils sont détectés plus tôt :
– en consultant un médecin en cas d'évolution anormale ou de changement d'aspect d'un grain de beauté;
– en consultant un médecin en cas de troubles persistants tel que toux ou enrouement, troubles du transit intestinal, ou perte de poids inexpliquée.
Et, en outre, pour les femmes :
– en procédant régulièrement à un frottis vaginal;
– en effectuant un examen régulier des seins (palpation) et si possible, après 50 ans, en ayant un suivi médical (mammographies).

◆ **Les vaccinations les plus courantes de l'enfant et de l'adulte.**

Maladie	Calendrier des vaccinations
diphtérie, tétanos, coqueluche, poliomyélite, infections à *Haemophilus influenzae* de type B (vaccins DTCP ou DTCP-HIB)	3 injections à partir de 2, 3, 4 mois pour le DTCP-HIB ; 1er rappel DTCP-HIB à 16-18 mois ; 2e rappel DTP à 6 ans ; 3e rappel DTP à 11-13 ans ; rappels contre le tétanos et la poliomyélite tous les 10 ans ; rappel anticoquelucheux avec le vaccin acellulaire à 11 ans
fièvre jaune	vaccination en 1 injection unique, obligatoire à l'entrée dans de nombreux pays d'Afrique subsaharienne et d'Amérique du Sud ; rappel tous les 10 ans
grippe	vaccination pratiquée à titre gratuit chez les plus de 70 ans en France ; recommandée chez le sujet fragilisé (maladies respiratoires, cardiaques)
hépatite A	1 injection ou 2 ; rappel 6 à 12 mois plus tard, puis tous les 10 ans
hépatite B (vaccination pouvant être couplée à celle contre l'hépatite A)	suspendue en milieu scolaire, mais toujours recommandée en ville : 3 injections à partir de 2, 3 et 4 mois, 4e injection à 16-18 mois ; rappel à 11-13 ans, puis tous les 5 ans
pneumonies à pneumocoque	vaccination en 1 seule injection pratiquée chez les enfants atteints de drépanocytose, dépourvus de rate, et chez les plus de 65 ans à risque (bronchite chronique, etc.) ou vivant en collectivité ; rappel tous les 5 ans
rage	2 à 3 injections, rappel à 1 an ; vaccin recommandé chez le personnel de laboratoire, les services vétérinaires
rougeole-oreillons-rubéole (ROR)	1 injection à partir de 12 mois, recommandée avant l'entrée à l'école ; puis une autre entre 3 et 6 ans ; vaccination contre la rubéole recommandée chez les adolescentes et chez les femmes de moins de 45 ans non vaccinées et non immunisées
tuberculose (BCG)	obligatoire en France avant l'entrée en collectivité, mais possible dès le premier mois ; épreuve tuberculinique 3 à 12 mois plus tard ; pratiquée à la naissance dans les pays du tiers-monde
typhoïde	vaccination en 1 injection unique, à conseiller chez les voyageurs en zone tropicale ; rappel tous les 3 ans

Polémique à propos d'un vaccin

À l'automne 1998, le secrétaire d'État à la Santé français suspendait les campagnes scolaires de vaccination contre l'hépatite B, réalisées chez les préadolescents, une étude de l'Agence du médicament ayant suggéré que ce vaccin pourrait favoriser, chez certaines personnes prédisposées, l'apparition d'affections neurologiques démyélinisantes (sclérose en plaques). Dans le même temps, la vaccination restait recommandée en ville chez ces mêmes préadolescents, chez les adultes à risque ainsi que chez les nourrissons. Cette décision a donné lieu à une vive polémique nationale et internationale. Un certain nombre d'experts réfutent en effet l'existence de ce danger. L'Organisation mondiale de la santé, qui a lancé en 1992 un plan d'éradication de l'hépatite B, rappelait notamment le 2 octobre 1998 que plus de 350 millions de porteurs chroniques de l'hépatite B courent un risque élevé de cirrhose ou de cancer du foie et « que les données scientifiques disponibles ne permettent pas de mettre en évidence une association causale entre la vaccination anti-hépatite B et des affections démyélinisantes du système nerveux central ». Par ailleurs, le caractère favorable du rapport bénéfice-risque en faveur du vaccin n'est pas contesté, y compris par l'Agence du médicament française. Toutefois, le doute sur les risques de ce vaccin demeure.

Les maladies cardiovasculaires

Première cause de mortalité dans les pays développés, les maladies cardiovasculaires représentent une priorité de la santé publique. Bien que la France soit moins concernée par ce fléau que les pays anglo-saxons ou scandinaves, plus de 173 000 décès lui ont toutefois été imputables en 1996.

La prévention des cardiopathies ischémiques (infarctus du myocarde), responsables de plus de 47 000 décès chaque année en France, passe par celle de l'athérosclérose (dépôt de graisses à l'intérieur des artères), et par le dépistage et le traitement des facteurs de risque contrôlables qui en favorisent la survenue. En pratique, il est conseillé, pour limiter l'apparition des affections cardiovasculaires,
– de pratiquer un exercice physique régulier, même léger (marche, vélo, natation);
– d'avoir une alimentation équilibrée, pas trop lourde ni riche en graisses animales. Plusieurs études ont ainsi montré qu'une alimentation de type méditerranéen et plus spécifiquement de type crétois (pas trop de viandes, mais beaucoup de céréales, de légumes et de fruits, consommation d'huile d'olive à la place du beurre...) peut réduire de façon notable le nombre de récidives chez les personnes ayant été victimes d'un infarctus du myocarde. La consommation modérée de vin (un ou deux verres par jour) semble également exercer une action protectrice, probablement en modifiant certains paramètres de la coagulation;
– de surveiller son poids, car l'obésité est un facteur d'hypertension artérielle, elle-même important paramètre de risque cardiovasculaire;
– d'éviter de fumer, car le tabac potentialise l'action des autres facteurs d'athérosclérose. De plus, il accroît le risque de formation d'un caillot, chez les femmes sous pilule contraceptive.

Il est d'autant plus important de suivre ces conseils de prudence qu'il existe des cas d'affection cardiovasculaire dans la famille : l'hérédité peut en effet jouer un rôle considérable.

Chez les malades cardiaques, divers médicaments peuvent aussi être administrés pour éviter la survenue de rechutes (prévention tertaire) : l'aspirine, à petites doses pour fluidifier le sang et limiter le développement de caillots, les bêta-bloquants pour prévenir un nouvel infarctus... Ces prescriptions contribuent à accroître l'espérance de vie des malades cardiaques.

Le tabagisme

Le tabagisme est responsable d'une importante diminution de la durée de vie, que l'on chiffre à 3 ans pour 10 cigarettes par jour, 6 ans pour 20 cigarettes et à 8 ans pour 2 paquets par jour. Soixante mille décès lui sont imputables chaque année en France, dont les neuf dixièmes chez les hommes, mais les femmes sont touchées de plus en plus souvent. Si le tabagisme se poursuit au rythme actuel, la mortalité pourrait s'élever vers 2015 à 160 000 décès par an en France, dont 50 000 chez les femmes. Les pays en développement sont des cibles de plus en plus visées par les fabricants de

◆ Évolution de la population adulte de fumeurs en France.

	1991	1993	1995	1997
hommes	39,4	36,9	34,3	32,3
femmes	28,2	27,8	28,3	27,3

En pourcentage.
Source : Centre de documentation et d'information sur le tabac.

tabac, et l'Organisation mondiale de la santé a fait de la lutte contre le tabagisme l'une de ses priorités. La tabacologie, discipline médicale s'intéressant aux mécanismes de la dépendance tabagique, est désormais reconnue et les consultations d'aide au sevrage se multiplient. La réglementation devient de plus en plus stricte aux États-Unis et en Europe en raison de la pression accrue des non-fumeurs et d'une meilleure prise de conscience des dangers du tabagisme passif.

Outre son impact sur le taux de mortalité, les nuisances du tabac sont nombreuses. La fumée de cigarette contient, en effet, plus de 10 000 molécules chimiques, que l'on regroupe en 4 types principaux : les substances irritantes, qui altèrent le système de nettoyage de l'arbre respiratoire; l'oxyde de carbone, qui se fixe sur l'hémoglobine (protéine des globules rouges) et y prend la place de l'oxygène; la nicotine, qui agit au niveau du système nerveux et est à l'origine du phénomène d'accoutumance, de l'élévation de la fréquence cardiaque et de la pression artérielle (contribuant au dépôt de graisses dans les artères); les goudrons et agents cancérogènes (en particulier le benzopyrène).

Les risques respiratoires. Les effets irritants de la fumée sont responsables de bronchite chronique, d'emphysème du poumon (dilatation excessive des alvéoles pulmonaires, avec rupture des cloisons) et peuvent aboutir au développement d'une insuffisance respiratoire chronique. Par ailleurs, le fumeur supporte moins bien l'effort physique et les séjours en altitude, car son sang est moins oxygéné.

Les risques cardiovasculaires. Le tabac favorise l'athérosclérose, participe à la survenue de l'artérite des membres inférieurs et, dans une moindre mesure, de l'angine de poitrine et de l'infarctus du myocarde.

Les risques cancéreux. En France, environ la moitié des 60 000 décès annuels imputables au cancer est due au tabac. Les principaux sont les cancers du poumon, de l'œsophage et des voies aériennes supérieures (langue, cavité buccale, pharynx, larynx), pour lesquels l'association tabac-alcool est particulièrement néfaste : en effet, l'irritation provoquée par l'alcool permet aux substances cancérogènes de la fumée de mieux pénétrer dans les tissus. Le tabac accroît aussi le risque de cancer du rein et de la vessie.

Le tabagisme passif. L'inhalation passive de fumée augmente faiblement la probabilité d'un cancer du poumon. Il est recommandé aux femmes enceintes de ne pas fumer, car la nicotine passe dans la circulation fœtale et diminue le poids de l'enfant à la naissance. Les parents de jeunes enfants, notamment les mères, doivent s'abstenir de fumer à leur contact, car le tabac favorise probablement chez eux l'apparition d'infections respiratoires et d'otites.

L'alcoolisme

L'alcoolisme touche en France environ 3 millions de personnes, mais la consommation moyenne d'alcool diminue d'année en année (10,4 l en 1997 chez les adultes de plus de 15 ans contre 22,3 l en 1970). Les comportements se modifient : le nombre des gros buveurs diminue, mais celui des petits augmente; chez les jeunes, la consommation de bière et de cocktails alcoolisés tend à remplacer celle de vin. La consommation d'alcool est, en France, fortement associée à celle de médicaments

◆ Consommation de tabac dans quelques pays.

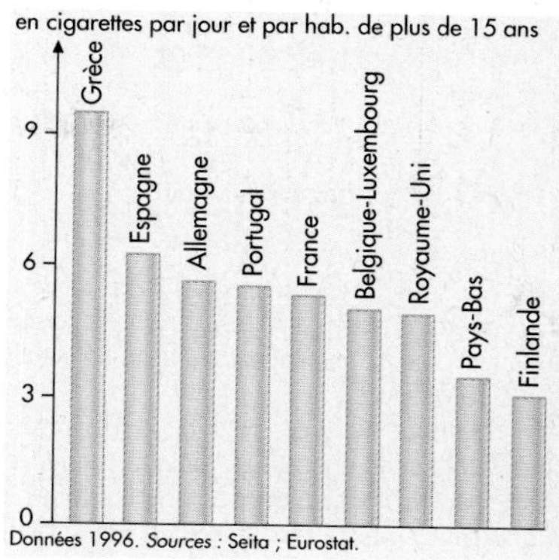

Données 1996. *Sources* : Seita ; Eurostat.

tranquillisants. En dépit du renforcement de la législation visant les conducteurs automobiles, nombreux sont les professionnels de santé qui considèrent que le problème de l'alcoolisme n'est pas suffisamment pris en considération par les pouvoirs publics.

Les effets de l'alcool diffèrent selon les personnes et le sexe (les femmes sont beaucoup plus sensibles). Une prise de boisson importante agit sur le système nerveux et peut entraîner une ivresse qui risque d'aboutir à des actes de délinquance ou d'accidents de la circulation. L'influence de l'alcool sur l'organisme s'exerce en plusieurs phases : l'excitation psychomotrice et la désinhibition sont suivies de l'incoordination des mouvements (démarche titubante), d'une incohérence verbale et d'agressivité; le coma éthylique enfin (pour des alcoolémies dépassant 3 g/l) peut entraîner le décès. Une consommation chronique excessive d'alcool provoque une dégradation des fonctions hépatiques pouvant induire une cirrhose par substitution de cellules fibreuses aux cellules du foie, et parfois un cancer. De plus, l'alcool altère la personnalité, rend les sujets agressifs, provoque des tremblements et des paralysies des membres (polynévrite). Son arrêt brutal peut déclencher un état de manque appelé *« delirium tremens »*, véritable crise d'agitation aiguë risquant de provoquer la mort par déshydratation. Enfin, l'alcool favorise certains cancers en association avec le tabac, accroît les inflammations du pancréas (pancréatites) et peut être à l'origine de malformations fœtales, s'il est consommé pendant la grossesse.

◆ Évolution de la consommation d'alcool dans quelques pays.

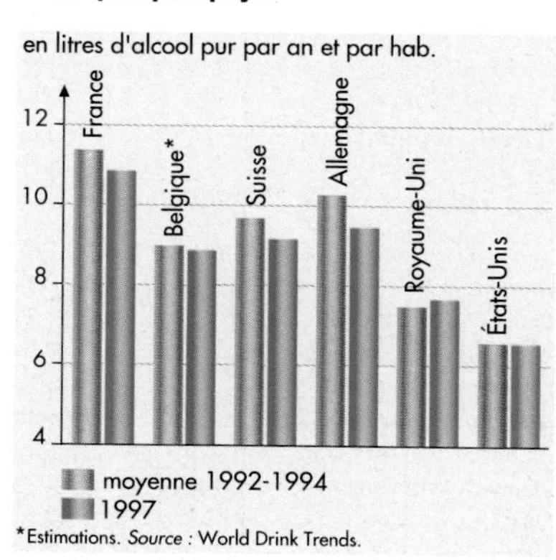

*Estimations. *Source* : World Drink Trends.

VOIR AUSSI
• **Vaccins** p. 223
• **Maladies infectieuses** p. 228
• **Cancers** p. 230
• **Maladies cardiovasculaires** p. 232
• **Toxicomanie** p. 250

Les méthodes de diagnostic

Les examens diagnostiques

Le diagnostic est le temps de l'acte médical permettant d'identifier la nature et la cause de l'affection dont un patient est atteint. Il s'établit en plusieurs étapes.

– Le diagnostic proprement dit, ou diagnostic positif, comprend un examen clinique : entretien avec le patient, qui permet de retracer l'histoire de la maladie, de préciser les antécédents familiaux, chirurgicaux, gynécologiques, l'hygiène et le mode de vie, et un examen physique, général ou orienté, à la suite de l'entretien. Au terme de la consultation, l'examen clinique peut être complété par des examens paracliniques ou complémentaires nécessitant éventuellement une hospitalisation.

– Le diagnostic différentiel correspond à la phase où le médecin écarte la possibilité d'affections présentant des signes communs avec la maladie.

– Le diagnostic étiologique, enfin, consiste à identifier la cause de l'affection (identification d'un germe, mise en évidence d'un dérèglement hormonal, etc.).

On appelle « examen » l'observation minutieuse d'un patient permettant de déterminer un diagnostic.

– L'examen clinique fait suite à l'interrogatoire (recueil d'informations sur les antécédents personnels et familiaux, l'hygiène et le mode de vie, l'histoire de la maladie) : il comprend l'inspection (par exemple recherche d'une éruption cutanée), la palpation (examen des ganglions, etc.), la percussion (du thorax par exemple, à la recherche d'un son mat, révélant un épanchement pleural) et l'auscultation des différentes parties du corps et de certains organes (cœur, poumons); il peut être général ou orienté en fonction des symptômes présentés par le malade.

– Des examens complémentaires (analyses biologiques, radiographies, endoscopie, électrocardiogramme, etc.) peuvent être prescrits afin de compléter l'examen clinique.

Les analyses

Les analyses sont des examens microscopiques ou chimiques d'une substance ou d'un tissu corporel, faits au laboratoire en vue de déterminer la cause de certains symptômes. Selon les laboratoires, les méthodes diffèrent, ce qui explique les différences de résultats dans certains cas. Parfois, il est indispensable de confirmer un résultat obtenu par une méthode donnée (comme la séropositivité lorsque l'on cherche des anticorps spécifiques) par la réalisation de la même analyse, mais par une méthode différente. Les analyses portent sur de nombreux liquides biologiques et sur de nombreux tissus humains. L'analyse du sang permet de dépister certaines infections (augmentation des leucocytes ou globules blancs), des anémies, des saignements, l'insuffisance rénale, hépatique… L'analyse d'urine apporte des indications sur le fonctionnement de l'appareil rénal, sur le diabète, sur l'ovulation, sur la grossesse. L'examen cytobactériologique des urines (ECBU) permet de dépister les infections et d'identifier les germes en cause. Grâce aux analyses, de nombreuses fonctions peuvent être explorées, comme la coagulation, la fonction hépatique, rénale. Les antibiogrammes sont utiles pour connaître les antibiotiques les plus actifs sur un germe donné. Dans tous les cas c'est la confrontation des résultats individuels aux normes habituelles, associées aux données cliniques dont le médecin est le seul juge, qui déterminera un diagnostic précis et donc un traitement adapté.

Tension et pouls

La tension mesure la pression du sang dans les artères. Le médecin prend la tension au cours de la contraction (systole) puis du relâchement (diastole) cardiaques. La normale, variable en fonction des individus, est en moyenne de 11,5 (systolique)/7 (diastolique), en cm de mercure, chez l'adulte jeune. Elle augmente de façon naturelle chez le sujet âgé. Lorsque la pression est trop forte, on parle d'hypertension; dans le cas contraire, il s'agit d'hypotension. Prendre son pouls, c'est mesurer le nombre de battements cardiaques. Aux points de pulsion on peut sentir le battement régulier du sang dans les artères. Plusieurs points sont accessibles pour mesurer son pouls. Pour le trouver, on peut poser, sans trop appuyer, le bout des doigts d'une main sur le poignet de l'autre en arrière du pouce. Au repos, le pouls oscille de 60 à 90 par minute. Il varie d'une personne à l'autre.

◆ **Principaux dosages sanguins et urinaires.**

Éléments figurés du sang	Principales causes de diminution	Nombre par millimètre cube	Principales causes d'augmentation
hématies (globules rouges)	anémie	de 4 000 000 à 6 200 000 (selon l'âge et le sexe)	polyglobulie
leucocytes (globules blancs)	infections virales, hémopathie, chimiothérapie	de 4 000 à 10 000	état infectieux, hémopathie maligne
Formule leucocytaire			
polynucléaires			
neutrophiles	ethnie (Afrique), infection virale, toxicité médicamenteuse, hémopathie	de 1700 à 7 500	infection bactérienne, inflammation, tabagisme, certains médicaments, hémopathie
éosinophiles		de 0 à 500	allergie, parasitose
basophiles		de 0 à 200	
mononucléaires			
lymphocytes	déficit immunitaire	de 500 à 4 500	infection virale et bactérienne, hémopathie
monocytes		de 0 à 1 000	inflammation, hémopathie
thrombocytes (plaquettes)	atteinte de la moelle osseuse, maladie immunologique, toxicité médicamenteuse	de 150 000 à 450 000	état inflammatoire, ablation de la rate, stimulation de la moelle osseuse
Principaux constituants de l'urine	**Principales causes de diminution de ces valeurs**	**Valeurs moyennes**	**Principales causes d'augmentation de ces valeurs**
Éléments minéraux			
sodium (natriurie)	régime sans sel, déshydratation	de 3 à 7 g/24 h	insuffisance surrénalienne (maladie d'Addison, par exemple)
potassium (kaliurie)	insuffisance surrénalienne	de 2 à 4 g/24 h	syndrome de Conn
calcium (calciurie)	hypoparathyroïdie, insuffisance rénale	de 100 à 400 mg/24 h	hyperparathyroïdie
Éléments organiques			
créatinine (créatininurie)	insuffisance rénale	de 0,5 à 2,5 g/24h (valeur fixe pour un même individu)	myopathie
Constituants chimiques anormaux			
glucose (glycosurie)		absence	hyperglycémie (diabète sucré), diabète rénal
protéines (protéinurie)		< 0,05 g/24h	protéinurie orthostatique, protéinurie d'effort, néphropathie glomérulaire, myélome multiple
hématies		inférieur à 5 000/min	affection vésicale, prostatique, urétrale ou rénale
leucocytes		inférieur à 5 000/min	infection des voies urinaires (pyélonéphrite, prostatite)

L'imagerie médicale

Le corps transparent

En permettant d'entrer sans effraction dans les profondeurs du corps humain, la découverte des rayons X, à la fin du siècle dernier, a été le point de départ d'une véritable révolution médicale. Depuis, les techniques d'imagerie n'ont cessé de se développer, transformant le diagnostic et la prise en charge des maladies.

La radiographie. Première méthode à avoir mis en image l'intérieur de l'organisme, la radiographie, tout en étant plus que centenaire, continue toujours d'évoluer. Au départ simple photographie, elle utilise la propriété qu'ont les rayons X de traverser la matière vivante et d'impressionner un film pour y reproduire le dessin des tissus traversés. Elle reste un examen de base pour le dépistage des lésions pulmonaires et osseuses, mais s'est enrichie de nouvelles possibilités. L'administration de produits de contraste, opaques aux rayons X, permet d'examiner notamment les voies urinaires (urographie intraveineuse), le tube digestif (transit œso-gastroduodénal, lavement baryté...) et les vaisseaux (coronarographie, phlébographie). Les tomographies, réalisées en déplaçant simultanément le tube émetteur de rayons X et le film photographique, fournissent des images en coupe d'un organe.

Le scanner. La technique de la radiographie est souvent utilisée en première intention pour explorer les poumons ou les os, en raison de sa simplicité. Mais elle devrait peu à peu faire place à d'autres techniques plus performantes. C'est le couplage de la radiographie traditionnelle à l'informatique, donnant naissance en 1973 au scanner, ou tomodensitométrie, qui a véritablement transformé la radiologie. Grâce à l'analyse de la diffusion des rayons X par ordinateur, il est possible de détecter des lésions de quelques millimètres dans des organes jusque-là peu accessibles à la radiologie comme le cerveau, le pancréas ou le foie. L'ensemble de ces méthodes utilisant les rayons X constitue la radiologie.

La scintigraphie. De nombreuses autres techniques ont élargi entre-temps le champ de l'imagerie moderne. La scintigraphie, mise en œuvre dans les services de médecine nucléaire, analyse les radiations émises par des molécules très faiblement radioactives, qui vont se concentrer dans certains organes. Elle permet de détecter des anomalies thyroïdiennes (scintigraphie thyroïdienne), par exemple, des troubles de l'oxygénation du myocarde (scintigraphie au thallium) ou une embolie pulmonaire (scintigraphie pulmonaire).

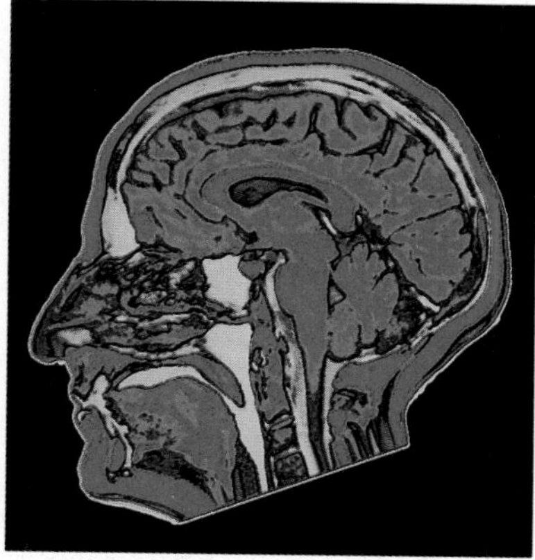

◆ **IRM de la tête.**
L'IRM permet une exploration plus fine que le scanner. Elle présente également l'avantage de n'entraîner aucune irradiation.

L'échographie. Elle consiste à envoyer des ultrasons par une sonde et à en recueillir les échos. Cette méthode est très intéressante pour l'examen de nombreux organes (cœur, foie et vésicule, pancréas, utérus, prostate...) et apporte des informations irremplaçables pour le dépistage des anomalies fœtales. Couplée au Doppler, elle permet d'explorer la circulation dans les veines et les artères, sans aucun geste invasif.

L'IRM. Le développement de l'imagerie par résonance magnétique (ou IRM), dans les années 1980, a constitué un nouveau pas en avant en permettant d'obtenir des images bien plus fines et plus précises que le scanner. Elle est fondée sur la propriété des protons, contenus dans les tissus de l'organisme, de résonner lorsqu'ils sont soumis à un champ magnétique très intense. Cette technique est particulièrement précieuse pour l'examen du cerveau et de la moelle épinière, des articulations et des organes abdominaux et pelviens.

Le PET-scan, ou caméra à émission de positrons, permet d'étudier le fonctionnement du cerveau, en évaluant très précisément les débits sanguins dans les différentes régions. C'est avant tout un outil de recherche, destiné à établir progressivement une carte anatomique de plus en plus précise des zones du cerveau impliquées aussi bien dans nos actes volontaires que dans nos émotions.

◆ **Radiographie d'un bassin doté d'une hanche artificielle.**
Sur cette radiographie de bassin, on remarque une hanche artificielle (en violet).

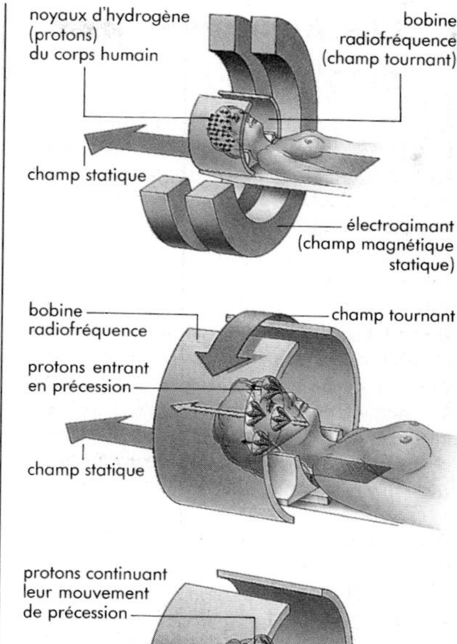

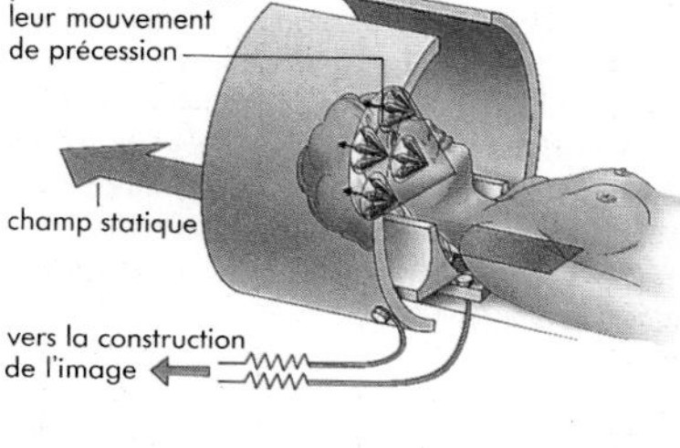

◆ **Principe de fonctionnement de l'IRM.**
L'imagerie par résonance magnétique, ou IRM (appelée aussi résonance magnétique nucléaire, ou RMN), met à profit la propriété qu'ont certains noyaux atomiques placés dans un champ magnétique et stimulés par une onde radio de réémettre une partie de l'énergie absorbée sous forme de signal radio. L'intensité de la résonance est proportionnelle à la quantité d'hydrogène se trouvant dans le volume excité et montre la différence de concentration en eau des différents tissus. Cette méthode permet ainsi non seulement de reconstituer la forme d'un organe, mais également de détecter les variations biochimiques entraînées par les processus pathologiques au sein des tissus.

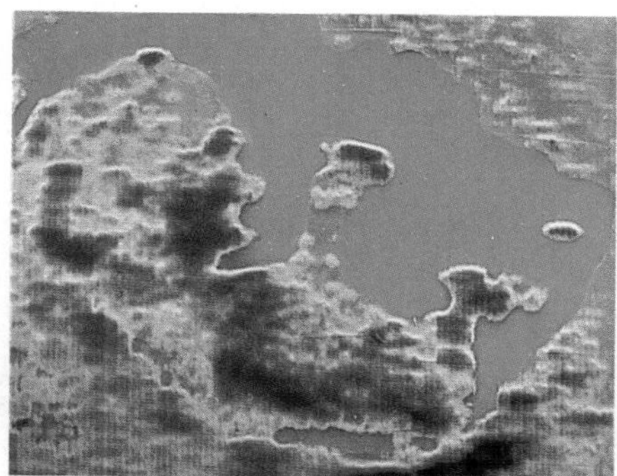

◆ **Échographie du fœtus à la 12e semaine.**
Sur cette échographie, on distingue nettement la tête et les membres du fœtus, qui mesure déjà quelque 7,5 cm et pèse environ 30 g.

VOIR AUSSI
Illustrations
- **Scanner de l'abdomen** p. 226
- **Scintigraphie osseuse** p. 230
- **Tomographie du cerveau** p. 241

Médicaments et traitements

Les médicaments

Un médicament est une préparation utilisée pour prévenir, diagnostiquer, soigner une maladie, un traumatisme ou pour restaurer, corriger, modifier les fonctions organiques.

Fabrication. Longtemps, les médicaments n'ont été préparés qu'à partir de végétaux (digitaline, morphine), d'animaux (vaccins) ou de minéraux (aluminium). Aujourd'hui, l'ensemble des médicaments est fabriqué par l'industrie pharmaceutique, ce qui permet une meilleure précision et une plus grande sécurité d'emploi. Parallèlement, la pharmacie propose de plus en plus de produits synthétiques, qui copient plus ou moins fidèlement des substances naturelles ou sont entièrement originaux (benzodiazépines).

Commercialisation. L'introduction sur le marché de nouveaux médicaments obéit à des directives administratives complexes variables suivant chaque pays. Les nouveaux médicaments doivent subir des tests (sur des animaux de laboratoire, sur des volontaires humains sains en milieu hospitalier puis sur des malades) destinés à évaluer l'efficacité et les effets secondaires de leurs principes actifs avant que les pouvoirs publics (le ministère de la Santé en France, l'Office intercantonal de contrôle des médicaments en Suisse, Santé et Bien-Être social au Canada, Food and Drug Administration aux États-Unis, etc.) ne délivrent une autorisation de mise sur le marché.

Nouvelles voies d'administration. Des progrès considérables ont été réalisés ces dernières années concernant les diverses étapes du passage des médicaments dans l'organisme. Les formes galéniques, dites « à libération contrôlée », permettent de maîtriser l'absorption du principe actif et de moduler ainsi sa durée d'action. Dans ce domaine, les formes effervescentes et les lyophilisats accélèrent la libération du médicament. Les systèmes transdermiques (patchs), une voie d'administration de plus en plus utilisée, la prolongent. Des comprimés bioadhésifs à libération prolongée sont en cours de développement : adhérant à la muqueuse digestive, ils libèreraient pendant plusieurs heures, voire plusieurs jours, le principe actif. Utilisés pour le traitement de maladies chroniques (hypertension, ostéoporose...), ils réduiraient le nombre de prises médicamenteuses.

À terme, les formes « pulsées », encore à l'étude, devraient, elles, permettre de déclencher la libération du principe actif au moment voulu. Quant aux sprays, absorbés par la voie nasale, ils permettent l'administration de peptides et de protéines, des molécules produites aujourd'hui par biotechnologies et qui sont détruites par voie orale sous l'action des enzymes. Enfin, les formes dites « autorégulées » distribuent le principe actif en fonction du facteur à corriger. De leur côté, les systèmes « à distribution modulée », vecteurs de médicaments, rendent plus spécifique le principe actif, diminuant du même coup ses effets secondaires. Différents types de vecteurs, tous prévus pour pouvoir être utilisés par voie intraveineuse, sont actuellement à l'essai.

Le traitement des maladies

Le traitement d'une maladie fait appel aux principes de la thérapeutique, que le médecin adapte au mieux des connaissances actuelles à chaque cas particulier. On distingue les traitements médicaux, utilisant les médicaments et divers moyens physiques (kinésithérapie, radiothérapie, thermalisme), et les traitements chirurgicaux, pratiqués, selon les interventions, avec divers instruments et sous différents modes d'anesthésie.

Les différents types de traitement. On en distingue quatre, selon leur but.

– Les traitements curatifs se déroulent en plusieurs phases : traitement d'attaque, initial et intensif, suivi au besoin d'un traitement d'entretien, moins lourd, mais souvent plus prolongé. Par exemple, au cours d'une phlébite, le traitement d'attaque consiste en des injections intraveineuses d'héparine pendant quelques jours; le traitement d'entretien qui lui succède comprend la prescription d'antivitamines K pendant une période de 3 à 6 mois.

– Les traitements palliatifs concernent les mesures qui peuvent être employées lorsqu'une maladie grave, un cancer par exemple, approche de son terme fatal, afin de permettre au malade de la vivre dans les conditions le moins pénibles possible (par exemple injections intrarachidiennes de morphine aidant à surmonter la douleur).

– Les traitements préventifs cherchent à empêcher l'apparition d'une maladie, par la vaccination par exemple, ou encore à supprimer un facteur de risque (lutte contre le tabagisme ou l'hypercholestérolémie) ou à lutter contre ses conséquences.

– Les traitements symptomatiques visent à soulager les symptômes d'une maladie sans pour autant lutter contre les causes ou la nature même de cette maladie; la prescription d'analgésiques, qui atténuent la douleur, en est un exemple.

La médecine fœtale

Après avoir suscité un fort engouement, la médecine fœtale connaît actuellement un certain ralentissement. La reconnaissance de certaines malformations (de 2 à 3 % des naissances) grâce à l'échographie permet aujourd'hui d'opérer *in utero* certains enfants. Toutefois, cette chirurgie demeure peu pratiquée, car elle exige d'ouvrir l'utérus maternel et provoque souvent des complications importantes chez l'enfant. Les anomalies qui bénéficient le plus fréquemment de ce type de chirurgie sont les hernies diaphragmatiques (saillie anormale du diaphragme et de son contenu dans le thorax). En revanche, certains gestes sont réalisés couramment pendant la grossesse, devant une anomalie chez l'enfant : drainage d'un épanchement du péritoine, de la plèvre ou de voies urinaires anormalement dilatées, ponction de kyste, transfusion de dérivés sanguins dans le sang du cordon, administration de médicaments à la mère pour traiter l'enfant (produits visant à corriger une défaillance cardiaque, corticoïdes permettant d'accélérer la maturation fœtale...).

◆ **Les classes de médicaments.**

Classe	Sous-classe	Action
antidépresseurs		traitement de la dépression
antihistaminiques		s'opposent à l'action de l'histamine de l'organisme, qui déclenche les effets de l'allergie
anti-infectieux	antibiotiques	traitement des infections causées par les bactéries
	antifongiques	traitement des mycoses (infections dues à des champignons microscopiques)
	antiparasitaires	traitement des maladies dues aux parasites
	antiviraux	traitement des maladies dues aux virus
anti-inflammatoires		traitement local de l'inflammation ou traitement général des maladies inflammatoires
antihypertenseurs	bêtabloquants	inhibent en partie l'action des médiateurs du système nerveux sympathique, comme l'accélération cardiaque et la bronchodilatation ; utilisés notamment dans le traitement des troubles du rythme cardiaque, de l'infarctus du myocarde et de l'hypertension artérielle
	diurétiques	augmentent l'excrétion urinaire de l'organisme; utilisés dans le traitement de l'hypertension artérielle et des œdèmes
antipyrétiques		traitement symptomatique de la fièvre
anxiolytiques		traitement de l'anxiété et de ses différentes manifestations
corticoïdes		utilisés comme anti-inflammatoires et comme immunosuppresseurs ; les dermocorticoïdes sont utilisés pour traiter les affections cutanées
immunosuppresseurs		atténuent ou suppriment les réactions immunitaires de l'organisme ; utilisés lors d'une greffe et dans les maladies auto-immunes
psychotropes		agissent sur le psychisme

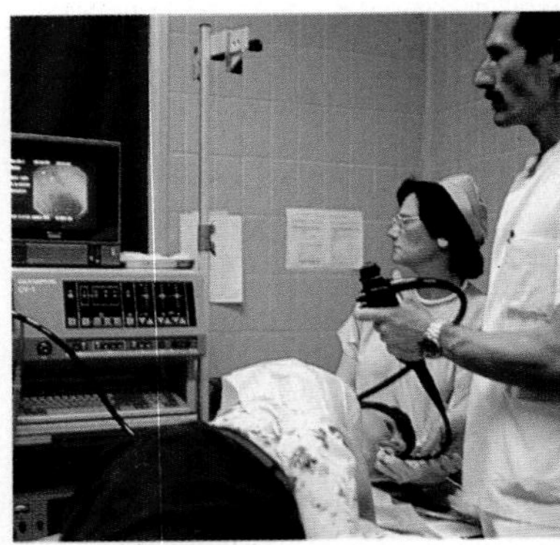

◆ **Vidéo-endoscopie de l'estomac.**
L'endoscopie joue un rôle important dans le diagnostic et la prévention de certaines maladies digestives.

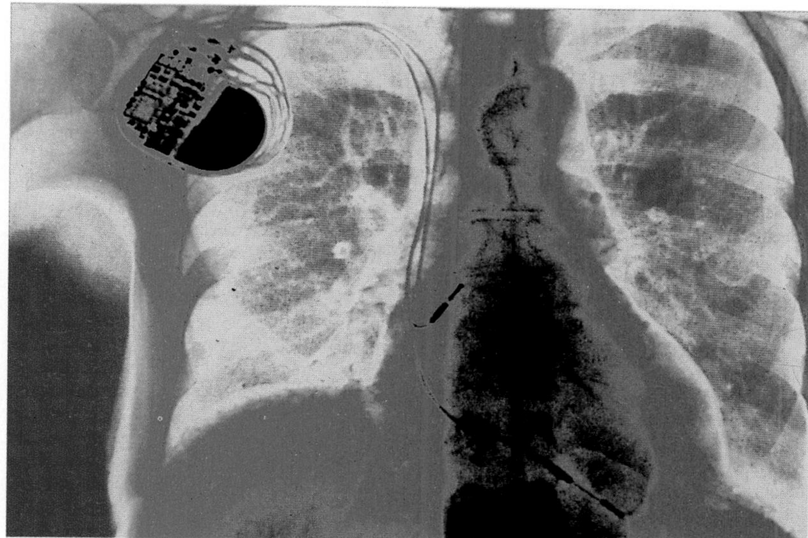

◆ **Stimulateur cardiaque.**
La radiographie du thorax permet de voir (tache ronde, en haut du document) un stimulateur cardiaque (en anglais, *pacemaker*). Cet appareil électronique implanté dans le corps provoque la contraction cardiaque quand celle-ci ne s'effectue pas normalement.

La thérapie génique

Cette méthode thérapeutique utilise les gènes et l'information dont ils sont porteurs pour traiter une maladie génétique ou pour modifier un comportement cellulaire. Elle est aussi envisagée comme une technique thérapeutique applicable à des maladies non héréditaires telles que le cancer ou le sida. Dans ces cas, la stratégie consiste à faire entrer dans les cellules malades (et dans aucune autre) un gène capable de les tuer.

Historique. La thérapie génique a été appliquée pour la première fois à l'homme en 1959, aux États-Unis, mais c'est en 1990 seulement que la première expérience à visée véritablement thérapeutique a eu lieu, dans le même pays, au bénéfice d'un enfant atteint d'une maladie héréditaire rarissime, le déficit en adénosine désaminase. Peu après, cette nouvelle méthode gagne l'Europe; elle est expérimentée pour la première fois en France en 1993.

Principe. La thérapie génique utilise un gène qu'elle introduit dans des cellules du malade; selon la nature des cellules touchées, on distingue deux méthodes : germinale et génique.

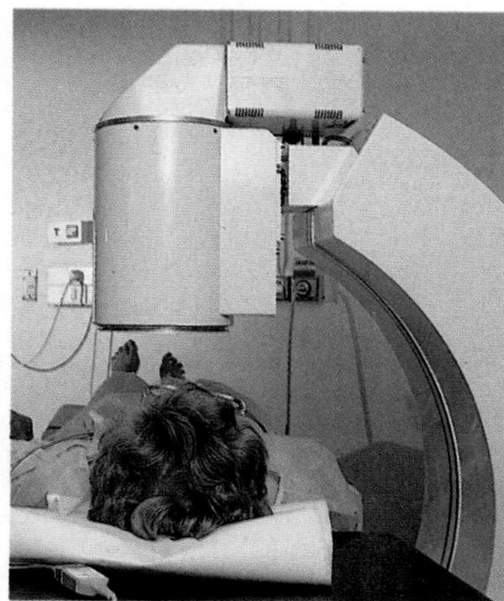

◆ **Lithothripsie extracorporelle.**
Cette technique consiste à pulvériser des calculs urinaires à distance, sous contrôle échographique, à l'aide d'ultrasons.

La thérapie génique germinale consisterait à appliquer la thérapie génique à un embryon, au stade où celui-ci est formé d'un amas de cellules, ou aux cellules germinales (ovules, spermatozoïdes) d'un adulte. Le gène introduit serait alors transmis à toutes les cellules filles des premières cellules embryonnaires, c'est-à-dire à toutes les cellules du futur individu : il y aurait donc modification du patrimoine génétique de l'espèce humaine et transmission héréditaire du nouveau patrimoine à toute sa descendance. Une telle approche thérapeutique viole le principe qui veut qu'on ne touche jamais au patrimoine héréditaire d'un individu, et est donc formellement interdite, de peur qu'elle ne soit progressivement utilisée à des fins d'eugénisme.

La thérapie génique somatique consiste à remplacer dans les cellules somatiques (non sexuelles) du malade le « gène défectueux » (qui est responsable de la maladie) par un gène normal; dans certains cas, il suffit d'introduire le gène normal sans qu'il soit nécessaire de retirer le gène qui ne fonctionne pas. C'est à cette technique que se limite actuellement le champ d'activité et de recherche en thérapie génique.

Efficacité à long terme. Le principe général de la thérapie génique est d'introduire le bon gène dans une cellule, qui lira l'information qu'il contient et fabriquera la protéine manquante. Si cette cellule meurt, la correction qui avait été obtenue disparaît donc avec elle. Or, à quelques exceptions près (cellules nerveuses, par exemple), les cellules ne vivent pas très longtemps et sont constamment remplacées par de nouvelles. Dans l'état présent de la technique, l'effet thérapeutique obtenu ne peut donc être que transitoire.

Pourtant, dans la phase actuelle des recherches, il s'agit d'un avantage et le maximum est fait pour que les cellules corrigées ne vivent pas trop longtemps. En effet, pendant toute cette période expérimentale, les risques d'échec et d'effets secondaires graves ne peuvent être exclus. Il est donc préférable que la correction ne soit que brève : cela oblige à renouveler fréquemment le geste thérapeutique, mais le gain de sécurité est considérable.

Dans l'avenir, le problème de la longévité de la correction sera fonction de la pathologie à traiter. Dans le traitement du cancer ou du sida, une faible durée d'efficacité ne poserait pas de problème car, une fois la tumeur ou les cellules infectées par le VIH détruites, la maladie est guérie. En revanche, en cas de maladie héréditaire, la correction doit persister tout au long de la vie. Il conviendra pour cela de trouver des cellules à durée de vie particulièrement longue et de renouveler périodiquement la thérapie.

Les vaccins

Un vaccin est une préparation d'origine microbienne introduite dans l'organisme afin de provoquer la formation d'anticorps (ou de cellules tueuses) contre le microbe en cause.

Principe. Un germe pénétrant naturellement chez un individu est responsable de deux effets. Le premier, presque immédiat, est l'infection, avec des signes particuliers caractéristiques de l'agent responsable et un signe commun, la fièvre. Le second effet est la mise en place d'une protection future contre ce germe pathogène, car celui-ci active le système immunitaire, qui produit des anticorps ou des lymphocytes spécialisés. Ceux-ci seront capables de neutraliser le même germe s'il pénètre de nouveau dans l'organisme ainsi protégé. Cette protection n'est pas immédiate lors de la première pénétration du germe, d'où l'apparition de la maladie. En effet, le système immunitaire met entre 6 et 8 jours pour synthétiser les anticorps ou générer les cellules défensives en nombre suffisant. Ensuite, il garde le souvenir de la première intrusion du germe, souvenir inscrit définitivement dans une variété particulière de lymphocytes, les lymphocytes-mémoires. Ceux-ci vont circuler durant toute la vie de l'individu, et réagir immédiatement et fortement lors d'une invasion ultérieure en neutralisant les germes dès leur entrée dans l'organisme. Cela explique, par exemple, pourquoi une personne n'est jamais atteinte deux fois par le virus de la rougeole.

Les nouveaux vaccins. La découverte de la vaccination a été révolutionnaire. En deux siècles, de nombreuses maladies infectieuses ont pu, grâce à elle, être combattues. Ainsi en est-il de la diphtérie et du tétanos, deux affections hier encore redoutables, mais aussi des maladies infantiles telles que la coqueluche, la rougeole, la rubéole, la poliomyélite et les méningites. Au début des années 1980, les vaccins se sont encore améliorés, notamment dans le domaine des hépatites A et B. Aujourd'hui, il est possible de réduire le nombre d'injections en protégeant les individus contre plusieurs infections en même temps. En France, les enfants bénéficient de telles associations, tant pour les premières injections que pour les rappels. De même, il existe un vaccin qui concerne les hépatites A et B. Demain, des vaccins par voie orale ou nasale devraient voir le jour. En effet, les muqueuses sont la porte d'entrée privilégiée de la plupart des bactéries et des virus. L'administration d'un vaccin localement, et non plus par voie générale, semble donc être la meilleure voie possible. Autre avantage, ces deux modes d'administration, sans injection douloureuse, sont mieux adaptés aux enfants.

Les scientifiques orientent leurs recherches vers la mise au point de vaccins plus efficaces, mais demandant moins d'injections plus stables par ailleurs, et sans effets secondaires. Pour atteindre ces objectifs, une voie semble prometteuse : celle du développement de vaccins recombinants (obtenus par génie génétique) qui miment l'infection naturelle, et qui confèrent par conséquent une protection optimale.

VOIR AUSSI
- **Vaccins** p. 218
- **Traitements des pathologies** p. 226 à 252
- **Génie génétique** p. 313
- **Industries pharmaceutiques** p. 931

La chirurgie

Spécialisée dans le traitement des maladies et des traumatismes, la chirurgie consiste à pratiquer, manuellement et à l'aide d'instruments, des actes opératoires sur un corps vivant.

Applications. Ses applications peuvent se classer de la manière suivante :
– correction des conséquences des traumatismes osseux, articulaires et viscéraux;
– traitement de lésions infectieuses (abcès, ostéites, arthrites, péritonites);
– ablation de tumeurs bénignes ou malignes;
– lutte contre les effets des troubles métaboliques (ablation de calculs urinaires), neurologiques (libération de nerf en cas de douleur) ou endocriniens (ablation de la glande thyroïde);
– correction de malformations de membres ou d'organes, en particulier du cœur;
– remplacement d'organes déficients (rein, cœur, foie, poumons).

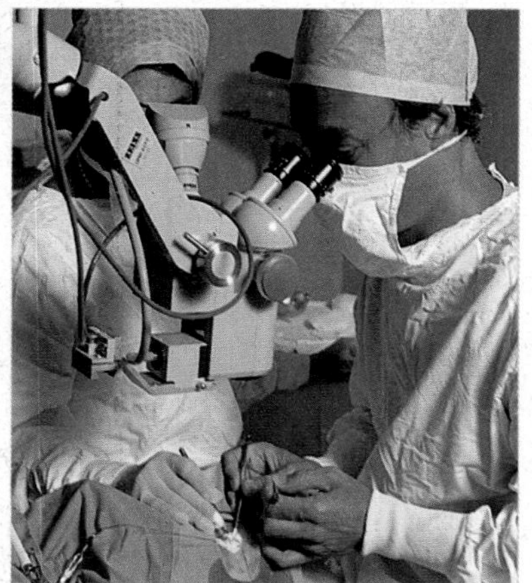

◆ **La microchirurgie.**
Elle a permis à la chirurgie de formidables progrès : traitement de certaines stérilités, correction de la myopie par la chirurgie de la cornée, autogreffes de mains, de pieds, de jambes, sutures vasculaires...

Le traitement de la douleur

La douleur est une sensation pénible se manifestant sous différentes formes (brûlure, piqûre, crampe, pesanteur, étirement, etc.), d'intensité et d'extension variables. Elle est associée à des lésions tissulaires, réelles ou potentielles, ou décrite comme si ces lésions existaient. La diversité de la douleur et le fait qu'elle soit toujours subjective expliquent qu'il soit difficile d'en proposer une définition satisfaisante.

Les mécanismes de la douleur. Celle-ci est due le plus souvent à l'excitation de récepteurs communément appelés nocicepteurs (terminaisons nerveuses sensibles aux stimulations douloureuses), siégeant essentiellement dans la peau et, dans une moindre mesure, dans les vaisseaux, les muqueuses, les os et les tendons. Les organes internes en contiennent peu.

Lorsqu'un récepteur de la douleur est stimulé, les influx nerveux véhiculant le message cheminent dans les nerfs sensitifs vers la moelle épinière; là, l'information douloureuse est soumise à un certain nombre de contrôles, en particulier inhibiteurs; puis l'information est transmise vers le thalamus, où la sensation de douleur est perçue.

Le traitement de la douleur. La lutte contre celle-ci représente l'une des priorités de la médecine. Outre celui de la cause, le traitement consiste généralement en l'administration d'analgésiques non narcotiques (aspirine, paracétamol) pour les douleurs faibles, d'anti-inflammatoires non stéroïdiens pour les douleurs moyennes, d'analgésiques narcotiques (proches de la morphine) pour les douleurs importantes. Le traitement des douleurs chroniques rebelles peut également faire appel à l'injection locale d'opiacés, dans la moelle ou dans le cerveau. Des traitements non médicamenteux, comme la cryothérapie (application de froid), les massages, l'acupuncture, voire des interventions de neurochirurgie visant à interrompre les voies de la sensibilité, peuvent également être utilisés.

Les greffes

Une greffe est un transfert, sur un malade receveur, d'un greffon constitué de cellules, d'un tissu, d'une partie d'organe ou d'un organe entier.

La greffe de cellules ou de tissu est techniquement simple : injection intraveineuse de cellules (greffe de moelle osseuse) ou application locale d'un tissu (greffe de peau, de tissu osseux, de cornée).

Si la greffe concerne un organe (cœur, foie, poumon, pancréas, rein), il faut rétablir la continuité de la circulation sanguine en abouchant chirurgicalement les vaisseaux (artères et veines) du receveur à ceux du greffon. On parle alors de transplantation d'organe.

L'autogreffe consiste à prélever le greffon sur le malade lui-même. L'intérêt de cette technique est d'éviter le rejet du greffon par le système immunitaire du malade.

L'allogreffe consiste à prélever le greffon sur une autre personne, en général décédée. Le problème posé par cette technique est que, souvent, le système immunitaire du receveur, différent de celui du donneur, tend à rejeter le greffon. Cependant, depuis quelques années, les progrès considérables réalisés dans la sélection du donneur et dans la lutte contre le rejet grâce aux immunosuppresseurs (ciclosporine en particulier) ont donné un nouvel essor à l'allogreffe, au point que le problème crucial devient, pour certains organes, le nombre insuffisant de donneurs par rapport aux demandes.

VOIR AUSSI
Illustrations
• **Hanche artificielle** p. 221

Petit lexique

greffe : transfert sur un individu humain ou animal d'un tissu tel que la peau ou la moelle osseuse, prélevé sur lui-même ou sur un autre; transplantation d'un organe.

transplantation (chirurgie) **:** greffe d'un organe comportant un rétablissement de la continuité de vaisseaux sanguins et éventuellemnt des canaux.

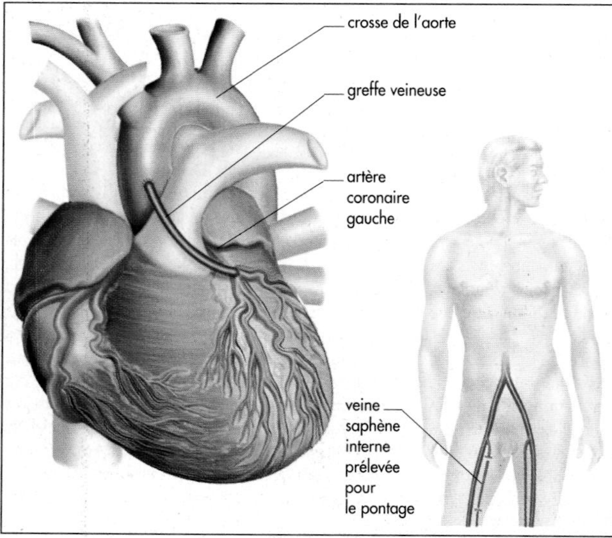

◆ **Pontage coronaire : revascularisation du muscle cardiaque par une greffe veineuse.**
La technique du pontage aortocoranien, intervention chirurgicale aujourd'hui parfaitement maîtrisée, consiste à suturer un greffon de veine, prélevé sur le malade lui-même, entre l'aorte et l'artère coronaire. Cette intervention est indiquée en cas d'insuffisance coronarienne en prévention de l'infarctus du myocarde. Lorsque le pontage utilise un greffon veineux classique, le chirurgien prélève dans un premier temps un segment de veine superficielle, le plus souvent sur la veine saphène interne, en pratiquant une incision le long de son trajet sur la face interne de la jambe ou de la cuisse.

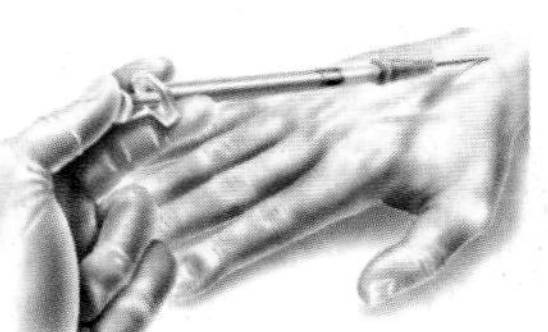

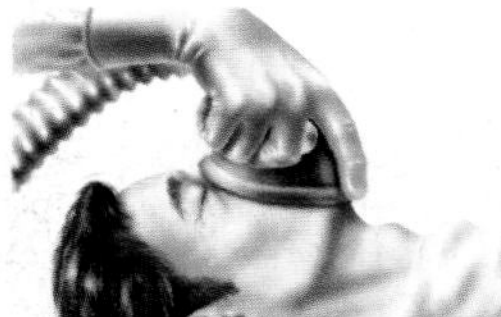

Anesthésie générale

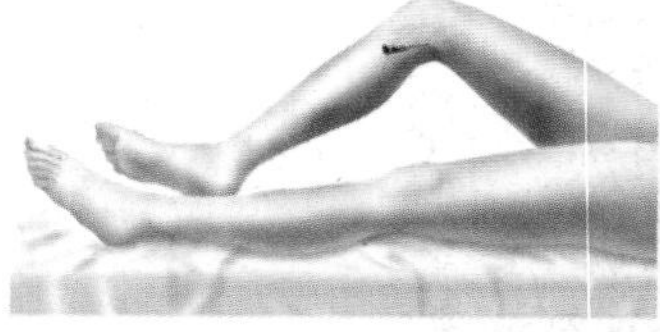

Anesthésie locorégionale

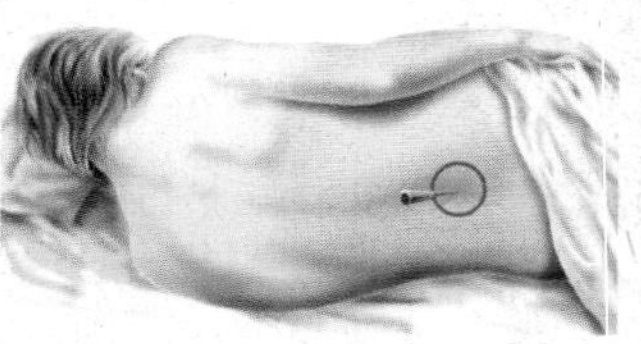

Anesthésie péridurale

◆ **Les types d'anesthésie.**
L'endormissement est en général obtenu par une injection de liquide anesthésique dans une veine superficielle. L'autre méthode utilisée est l'inhalation par un masque d'un gaz anesthésique mélangé à de l'oxygène. L'anesthésie péridurale pratiquée dans la région lombaire permet d'insensibiliser toute la partie inférieure du corps.

Les médecines différentes

L'acupuncture

Méthode thérapeutique millénaire née dans la vallée du fleuve Jaune, en Chine, l'acupuncture a été introduite en Europe par les jésuites. Elle présuppose l'existence d'un réseau énergétique qui couvre toute la surface du corps, avec des ramifications intérieures et des points de commande, au niveau de ce réseau, qui permettent de stimuler ou de ralentir l'énergie, de la faire diverger ou converger. Ces points, au nombre de 787, peuvent être activés non seulement par des aiguilles métalliques, mais aussi par des massages, de la chaleur ou de l'électricité.

L'acupuncture est utilisée dans le traitement des douleurs (algies articulaires, douleurs musculaires, sciatique, névralgies faciales, céphalées, migraines, zona), les affections spasmodiques (spasmes gastriques, intestinaux, viscéraux, constipation et diarrhées), les troubles du sommeil, les états dépressifs légers, l'angoisse et le trac, les affections allergiques (rhume des foins, rhinite spasmodique, eczéma).

Aujourd'hui viennent s'ajouter à ces indications la désintoxication tabagique, l'accouchement et certaines anesthésies chirurgicales. Des techniques qui dérivent de l'acupuncture sont également pratiquées, comme l'auriculothérapie. Cette dernière consiste à traiter différentes affections par la piqûre de points déterminés du pavillon de l'oreille.

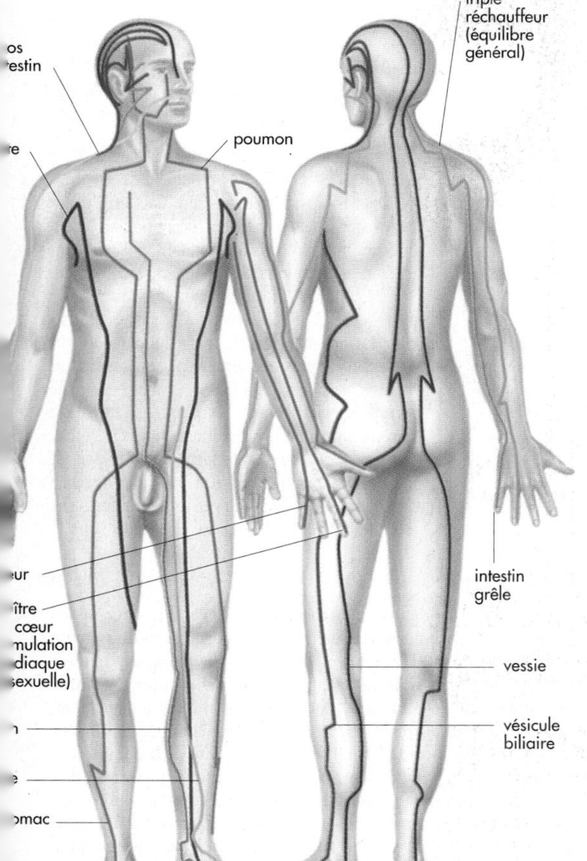

◆ Méridiens d'acupuncture. L'acupuncture présuppose l'existence de méridiens le long desquels circule l'énergie, et qui portent chacun le nom d'un organe ou d'une fonction. Les principaux d'entre eux sont au nombre de 24 (6 devant, 6 derrière, 12 sur les côtés du corps).

Les médecines manuelles

Ces médecines agissent par le biais de manipulations, de massages, par le toucher. La chiropractie (ou chiropraxie) ou vertébrothérapie repose sur des manipulations brèves et brusques des vertèbres, le principe de cette médecine étant que la majorité des affections découlent de déplacements vertébraux lésant les fonctions nerveuses. Elle est proposée dans le cadre de douleurs variées (migraines, douleurs thoraciques, abdominales, vertébrales), de symptômes digestifs (constipation...), de troubles fonctionnels cardiovasculaires, respiratoires...

L'ostéopathie repose sur l'emploi de techniques de pression, d'élongation au niveau du système musculo-squelettique, de manipulations des os, notamment ceux du crâne (ostéopathie crânienne).

L'homéopathie

Le mot « homéopathie » vient du grec *homoios*, «semblable», et *pathos*, «maladie». L'homéopathie est régie par la loi de similitude. Mise au point par le médecin allemand Samuel Hahnemann (1755-1843), elle consiste à administrer un médicament végétal, minéral ou organique provoquant des symptômes identiques à ceux de la maladie, mais en utilisant des préparations dynamisées par agitation et fortement diluées.

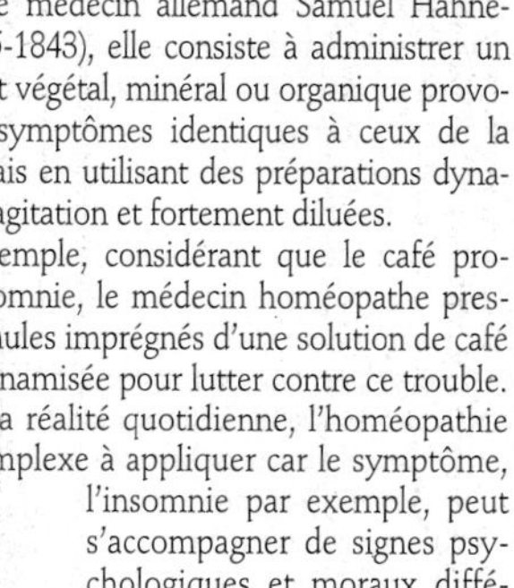

Par exemple, considérant que le café provoque l'insomnie, le médecin homéopathe prescrit des granules imprégnés d'une solution de café diluée et dynamisée pour lutter contre ce trouble.

Dans la réalité quotidienne, l'homéopathie est plus complexe à appliquer car le symptôme, l'insomnie par exemple, peut s'accompagner de signes psychologiques et moraux différents, de circonstances d'apparition variables. Dans la pratique, le médecin homéopathe recherche la « pathogénésie » la plus proche. Cette pathogénésie comprend des signes physiques, psychologiques et moraux. Il s'aide pour cela de « répertoires homéopathiques », comme celui de Kent, le plus célèbre, et de répertoires informatiques. Les maladies les plus couramment traitées par l'homéopathie sont certaines affections de la sphère ORL, l'asthme, la colite, l'anxiété, l'insomnie...

La phytothérapie

La phytothérapie, ou utilisation des plantes médicinales, est employée depuis la nuit des temps dans tous les pays. Cinq mille ans av. J.-C., l'empereur Chen Nong avait répertorié « les 5 céréales et les 100 plantes utiles à l'homme ». Les rois de France faisaient appel à un « simpliste », qui cultivait les plantes médicinales (les simples) et les préparait pour un usage thérapeutique.

La phytothérapie comprend :

–la gemmothérapie, qui utilise des tissus embryonnaires de la plante (bourgeons, jeunes pousses, radicelles), préparés dans des macérats glycérinés dilués ;

–l'aromathérapie, qui recourt aux huiles essentielles des plantes, censées posséder des propriétés germicides, fongicides et bactéricides.

La phytothérapie se sert aussi des infusions et de décoctions. Les produits choisis sont des plantes ayant une teneur constante en principes actifs, dont la solution est rendue homogène par vibration (dynamisation).

Une nouvelle forme de la phytothérapie utilise l'extrait sec total de plantes sélectionnées obtenu sous vide à basse température. Ces nouveaux extraits secs peuvent se prescrire sous forme de gélules. On peut aussi, en associant ces principes à un gel spécial, réaliser une pommade pour applications locales. Enfin, certaines plantes exotiques sont venues compléter la panoplie phytothérapique.

Autres médecines

L'iridologie est surtout employée comme moyen de diagnostic et de pronostic, l'altération de certaines régions de l'iris laissant suspecter une affection de l'organe correspondant. Au fur et à mesure de la thérapeutique, on peut constater la disparition des anomalies.

La mésothérapie utilise souvent des médicaments traditionnels et consiste en l'injection dans le derme des substances médicamenteuses. Elle est utilisée pour certaines affections rhumatismales comme l'arthrose, dans l'obésité et les algies.

La neurothérapie part du principe qu'il existe dans certaines affections un foyer perturbateur agissant à distance (par exemple, une pathologie rhumatismale peut apparaître à la suite de foyers infectieux dentaires). Cette thérapeutique préconise l'injection dans la zone suspecte de produits anesthésiants qui coupent le réflexe perturbateur.

L'oligothérapie repose sur l'administration de solutions d'oligoéléments. Une panoplie d'oligo-éléments est employée dans les maladies fonctionnelles et chroniques, notamment rhumatologiques.

Les causes des maladies

Une origine souvent complexe

Aujourd'hui encore, nombreuses sont les affections dont la cause n'est pas totalement déterminée. À l'exception de rares maladies génétiques monofactorielles, qui sont dues à une altération bien spécifique du patrimoine héréditaire, elles font en effet intervenir de multiples paramètres, le plus souvent intriqués, liés aussi bien à l'environnement qu'à l'hérédité. Ainsi, si elle offre l'avantage d'être pratique, la classification des maladies d'après leur cause apparaît donc souvent comme arbitraire. Quelques facteurs étiologiques peuvent tout de même être dégagés schématiquement.

Les principales causes des maladies. Ce sont :
– les paramètres génétiques ;
– les agents infectieux (virus, bactéries ou parasites) ;
– les toxiques et les drogues : à eux seuls, tabac et alcool sont responsables en France de 65 000 décès par an ;
– la pollution, sous ses différentes formes (atmosphérique, liée à l'habitat...) ;
– l'alimentation : par exemple, les erreurs diététiques favorisent l'apparition de l'obésité, sans être pour autant seules à intervenir ; l'alimentation exerce une influence déterminante sur le développement des maladies cardiovasculaires et vraisemblablement sur celui de nombreux cancers ;
– les modifications hormonales : après la ménopause, l'arrêt des sécrétions ovariennes accélère la survenue de maladies osseuses, comme l'ostéoporose, ou cardiovasculaires, comme l'angine de poitrine ;
– le vieillissement, bien que peu de maladies soient directement liées à ce facteur ; en revanche, nombreuses sont celles dont la fréquence augmente avec l'âge en raison de facteurs mécaniques contribuant à user les articulations (arthroses), d'un accroissement des dépôts lipidiques à l'intérieur des artères (affections cardiovasculaires), de modifications métaboliques (diabète, hypercholestérolémie...) ; on désigne souvent ces maladies sous le terme de « dégénératives » ;
– les anomalies de la division et de la différenciation cellulaire : il est aujourd'hui probable que les cancers de l'adulte ont pour point de départ une accumulation d'erreurs de l'ADN, non réparées au fur et à mesure des divisions cellulaires ; ceux de l'enfant, bien plus rares, pourraient être dus à une anomalie des programmes mis en jeu par la cellule lors de sa différenciation ;
– les causes immunologiques : certaines affections sont liées à une trop forte stimulation de certains anticorps de classe E, sous l'action d'allergènes alimentaires, respiratoires ou cutanés (allergies) ; d'autres résultent d'une agression de l'organisme par le système immunitaire lui-même ; enfin, certaines manifestations pathologiques découlent d'un déficit spontané (maladies génétiques) ou secondaire de l'immunité (sida) ;
– les causes psychiques : elles interviennent tant dans les maladies dites mentales ou psychiatriques que dans les affections psychosomatiques, où le malaise psychique se manifeste sous la forme de plaintes corporelles ; en fait, à l'heure actuelle, il demeure difficile de préciser la place respective de l'inné et de l'acquis, des paramètres biologiques et psychologiques intervenant dans de nombreuses maladies ;
– les causes iatrogènes : certaines affections résultent d'une réaction à l'emploi d'un médicament ou sont la conséquence de problèmes opératoires ; ces maladies secondaires aux traitements sont qualifiées d'iatrogènes.

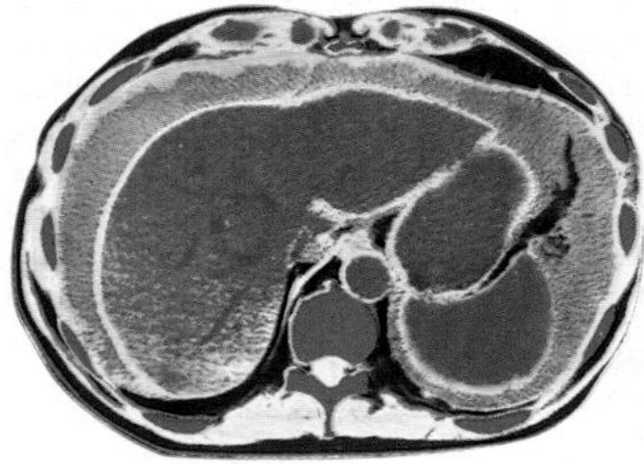

◆ **Scanner d'un abdomen distendu par une ascite.**
Une ascite se caractérise par un excès de liquide (en vert, sur le document) entre les deux membranes du péritoine, provoquant une distension de l'abdomen et plus particulièrement ici du foie (en rouge, à gauche). Elle est souvent due à une cirrhose, à un cancer du péritoine ou à une insuffisance cardiaque.

◆ **Répartition des sites d'infections nosocomiales**
(dans 830 établissements hospitaliers français).

Site infecté	en %
voies urinaires	36,3
poumons	12,5
site opératoire	10,6
peau, tissus mous	10,5
voies aériennes supérieures	8,2
sang	5,9
ORL, œil	5,7
cathéter	3,8
appareil digestif	2,6
autres	3,9

Données 1997. *Sources* : DGS ; Comité technique des maladies nosocomiales.

Quand le médicament provoque la maladie

Une étude réalisée en 1997 à l'initiative de l'Agence du médicament dans les 31 centres de pharmacovigilance français a estimé à 3,2 % la proportion d'hospitalisations motivées par un effet secondaire médicamenteux : hémorragies digestives, problèmes cardiovasculaires, réactions cutanées, etc. Ces chiffres soulignent que la prise de médicaments ne doit pas être considérée comme anodine. Si certaines réactions sont inévitables, parce qu'elles sont directement liées à la puissance des produits délivrés, d'autres découlent, en effet, d'un abus de l'automédication.

Les infections contractées à l'hôpital

Les infections nosocomiales constituent aujourd'hui une des principales priorités des administrations hospitalières. À cela, il y a plusieurs raisons. En premier lieu, leur nombre est élevé (6,7 % dans une enquête française menée de mai à juin 1996 par la Direction générale de la santé et le Comité technique des infections nosocomiales auprès de 830 établissements hospitaliers et plus de 236 000 patients). En outre, la multiplication des gestes invasifs (cathéters, sondes, trocarts...), liés pour certains aux progrès de l'endoscopie et de la chirurgie cœlioscopique, fait craindre l'accroissement du nombre de ces infections dans l'avenir. Les médecins sont tout particulièrement préoccupés par les risques d'hépatite C, qui pourrait être transmise non seulement par voie sanguine mais aussi par des endoscopes insuffisamment décontaminés. Cette infection pourrait avoir atteint 600 000 personnes en France, dont un tiers à la suite de transfusions.

La probabilité d'infection nosocomiale est plus élevée dans les services de soins intensifs et chez les malades âgés. Chez les adultes, les sites d'infection le plus fréquemment observés sont urinaires, et souvent liés à la pose d'une sonde ; chez les enfants, ils sont gastro-intestinaux. Les voies de transmission sont fort nombreuses (mains, inhalation, système de climatisation). Le lavage des mains du personnel, la désinfection des locaux, la non-réutilisation du matériel à usage unique constituent les meilleurs moyens de prévention.

VOIR AUSSI
- Défenses de l'organisme p. 196
- Principales pathologies p. 226 à 252

Petit lexique

étiologie : discipline médicale qui étudie les causes des maladies.

nosocomial : qualifie une infection contractée à l'hôpital et sans rapport direct avec l'affection pour laquelle le malade a été hospitalisé.

nosologie : classification des maladies.

pathologie : étude des maladies, de leurs causes et de leurs symptômes. Qualifie aussi l'ensemble des manifestations d'une maladie.

Maladies auto-immunes

La fonction du système immunitaire est de défendre l'organisme contre les agressions par des agents étrangers, notamment infectieux. Néanmoins, il arrive que ce système se dérègle et que, sous l'action de paramètres extérieurs (virus, médicaments, hormones, rayonnements...), apparaissent des anticorps dirigés contre des constituants de l'organisme ou provoquant des réactions d'autodestruction. Relativement rares, les maladies auto-immunes sont plus répandues chez le sexe féminin et à l'intérieur de certaines familles. Elles sont également plus courantes chez certaines personnes possédant des antigènes particuliers du système HLA (*Human Leucocyte Antigen*) que portent les globules blancs et quasiment toutes les autres cellules de l'organisme au niveau de leur membrane. Elles peuvent toucher de multiples organes : thyroïde (thyroïdite d'Hashimoto...), surrénale (maladie d'Addison), pancréas (diabète insulinodépendant), système nerveux (myasthénie, sclérose en plaques) ou revêtir une forme plus diffuse atteignant divers appareils (lupus érythémateux disséminé...). Leur traitement repose sur l'emploi de médicaments corticoïdes ou immunosuppresseurs.

Maladies et génétique

La prédisposition aux maladies

Si les maladies purement génétiques sont peu communes, en revanche de nombreuses affections de l'adulte sont favorisées par des facteurs de prédisposition, qui se transmettent à la descendance. Le terme de « gènes de susceptibilité » est souvent employé pour les désigner. Les avancées de la biologie moléculaire ont permis d'identifier des gènes de prédisposition dans des maladies aussi courantes que l'hypertension artérielle, l'infarctus du myocarde, l'asthme, la maladie d'Alzheimer, plusieurs formes de diabète et d'obésité, entre autres. Divers travaux ont démontré que les individus ne sont pas génétiquement égaux devant des maladies infectieuses comme le sida, la lèpre.

En fait, tous les secteurs de la médecine, et même de la psychologie, sont peu ou prou « investis » par la génétique. Ce qui pourrait, bien sûr, ouvrir de vastes champs de recherche, mais ne manque pas de poser des problèmes éthiques, notamment en raison de l'usage que pourraient faire certains professionnels (employeurs, assurances, etc.) de ces données.

Cancers et hérédité

De 5 à 10 % des cancers sont considérés comme héréditaires et des gènes exposant à un risque très élevé de développer cette maladie ont été isolés au sein de familles atteintes de cancer du sein (gènes BRCA1 ou Breast Cancer 1, BRCA2 et BRCA3), de cancers du côlon (gènes hMSH2, hMLH1), de cancers rares de l'enfant (rein et rétine), de syndromes multitumoraux (maladie de Li Fraumeni), pour ne citer qu'eux.

Néanmoins, la plupart des cancers sont d'origine multifactorielle et la part de l'hérédité y est certainement moins importante qu'il n'y paraît. Mais la génétique n'est pas pour autant absente de ces affections. En effet, certaines cellules cancéreuses se caractérisent par des anomalies chromosomiques (cassure puis fusion de 2 chromosomes, disparition d'un bout) qui sont propres à la tumeur et pourraient en expliquer la survenue, ces modifications pouvant entraîner une perte du contrôle du cycle cellulaire et des mécanismes de mort programmée (apoptose), normalement à l'œuvre lors de la différenciation et du renouvellement des tissus. L'analyse de ces altérations, qui n'existent pas dans les cellules normales, y compris sexuelles (et ne peuvent donc être transmises à la postérité) représente une nouvelle branche de la génétique (la génétique somatique). Cette dernière connaît un important développement, car l'étude de ces perturbations de l'ADN des cellules cancéreuses permet de mieux comprendre les phénomènes de cancérogenèse, mais aussi d'aider au diagnostic, d'affiner le pronostic, de repérer les récidives tumorales.

Petit lexique

amniocentèse : prélèvement de liquide amniotique dans l'abdomen maternel à des fins d'analyse.

À terme, elle pourrait permettre la fabrication de protéines, de gènes ou d'autres substances anticancéreux.

Les maladies génétiques

Environ 5 000 maladies génétiques ont été identifiées à ce jour. Certaines, très rares, sont qualifiées d'« orphelines », et une procédure a été mise en place aux États-Unis et au Japon, puis plus récemment dans l'Union européenne, pour favoriser sur le plan législatif et financier la recherche de thérapeutiques appropriées. La majorité des maladies génétiques sont récessives et correspondent à une perte de fonction d'un gène par altération de celui-ci (mutation) ou disparition (délétion). Selon que le défaut porte sur un chromosome non sexuel ou sur le chromosome X, elles sont dites autosomiques ou liées au sexe. Plus rarement, elles sont transmises sur un mode dominant ou mettent en jeu des répétitions à haute fréquence de régions de l'ADN chromosomique ou des altérations de l'ADN des mitochondries. Elles peuvent aussi être constituées par des anomalies du nombre de chromosomes, soit en excès (trisomie 21, caractérisée par l'existence de 3 chromosomes 21), soit par défaut (syndrome de Turner, où le chromosome X n'est pas apparié à un autre chromosome sexuel).

Les principales affections. Dans de nombreux pays occidentaux, la mucoviscidose représente l'une des maladies génétiques les plus fréquentes. Cette affection est due à la déficience d'une protéine impliquée dans les échanges ioniques (protéine CFTR) et se traduit par un épaississement anormal du mucus des bronches, qui altère les échanges respiratoires et favorise les infections. En Afrique et aux Antilles, la drépanocytose, une maladie de l'hémoglobine qui donne une forme de faucille aux globules rouges, est également courante. Elle fait l'objet d'un dépistage ciblé chez les nouveau-nés, en métropole et dans les départements antillais. Observées uniquement chez les garçons, la myopathie de Duchenne, une grave maladie du muscle, et l'hémophilie A, une affection sanguine liée au déficit du facteur VIII de la coagulation, sont également relativement répandues. Citons parmi les maladies transmises sur le mode dominant la chorée de Huntington, une affection neurologique donnant lieu à des mouvements incontrôlés, la maladie de Recklinghausen, qui associe la présence de taches cutanées café au lait à des tumeurs bénignes de la peau, ou la maladie polykystique (développement de kystes au niveau des reins et du foie).

La trisomie 21 (autrefois dénommée mongolisme) peut être reconnue pendant la grossesse grâce au dosage de marqueurs sanguins et à l'amniocentèse. Comme sa fréquence augmente avec l'âge de la mère, les examens de dépistage ne sont réalisés, en pratique, que chez les femmes enceintes les plus âgées. Une autre cause de retard mental est, chez le garçon, le syndrome du X fragile. Cette anomalie est en rapport avec une fragilité du chromosome X, provoquée par des répétitions de petits segments d'ADN devenant plus importantes à chaque génération.

Le diagnostic. La reconnaissance des facteurs responsables des maladies génétiques repose fréquemment de nos jours sur le clonage positionnel. Cette technique consiste à repérer la région de l'ADN en cause, en étudiant, au sein des familles, la transmission de marqueurs moléculaires, puis à reconnaître le gène anormal, ce dernier travail pouvant être guidé par la consultation de banques de données génomiques. Un nombre croissant de gènes ont été identifiés, ce qui permet de proposer de plus en plus souvent un diagnostic génétique prénatal. Néanmoins, ces tests sont longs à réaliser et difficiles à effectuer.

Le traitement. La plupart de ces affections ne peuvent malheureusement être guéries et les thérapeutiques proposées se bornent souvent à améliorer la qualité de vie. Néanmoins, certaines maladies génétiques peuvent être corrigées grâce à l'administration de la protéine déficiente. C'est le cas des hémophilies A et B, traitées par administration des facteurs anticoagulants VIII et IX. Quelques autres, comme le déficit en adénosine déaminase, une maladie métabolique, ont d'ores et déjà bénéficié de thérapies géniques, souvent associées à des traitements classiques.

VOIR AUSSI
- **Génétique et hérédité** p. 195
- **Thérapie génique** p. 223
- **Cancers** p. 230
- **Maladies infantiles** p. 240

◆ **Principales maladies génétiques (Europe du Nord).**
La plupart des maladies génétiques sont héréditaires, car dues à la présence d'un ou de plusieurs gènes défectueux dans le patrimoine génétique de l'individu. Selon la nature du chromosome atteint, elles sont alors autosomiques ou liées au sexe et se transmettent selon un mode récessif ou dominant (les maladies dominantes liées au sexe étant rarissimes). En revanche, les maladies génétiques dues à une anomalie du nombre de chromosomes ne sont pas héréditaires.

Type de maladie	Maladie	Fonction ou organe atteints	Fréquence (pour 1000 naissances)
maladie autosomique récessive	mucoviscidose	métabolisme	0,5
	maladie de Tay-Sachs	métabolisme	0,3
	phénylcétonurie	métabolisme	0,1
maladie autosomique dominante	hypercholestérolémie familiale	métabolisme	2
	maladie polykystique	reins et foie	0,8
	chorée de Huntington	système nerveux	0,5
maladie liée au sexe récessive	myopathie de Duchenne	appareil locomoteur	0,2
	hémophilie A	sang	0,1
anomalie chromosomique	trisomie 21	système nerveux	1,5
	syndrome de Turner	ovaires	0,4

Les maladies infectieuses

Les agents infectieux

L'homme est en contact permanent avec des agents infectieux présents dans le milieu extérieur (air, sol, eau et presque toutes les surfaces), susceptibles de pénétrer dans le corps par différentes voies (cutanée, respiratoire, digestive, sanguine, sexuelle) et de s'y multiplier. Cependant, une infection n'apparaîtra que si le système immunitaire est mis en défaut. Les germes sont de plusieurs types : bactéries, virus, champignons, parasites.

Les bactéries. Elles se caractérisent par la capacité de se diviser sans nécessiter l'aide d'autres organismes. De formes très diverses, elles se développent à l'extérieur ou à l'intérieur des cellules. C'est contre elles que les antibiotiques agissent. Certaines bactéries sont présentes dans le corps à l'état normal, notamment au sein du tube digestif (flore intestinale), et les prescriptions d'antibiotiques peuvent favoriser à leurs dépens la multiplication de bactéries pathogènes résistant à ce traitement. Les bactéries intracellulaires (bacilles de la tuberculose, de la lèpre, chlamydia) partagent certaines caractéristiques avec les virus et provoquent des infections souvent plus difficiles à traiter que celles qui sont engendrées par les bactéries à développement extracellulaire. Certains bacilles ont la capacité de produire des toxines à l'origine de multiples symptômes (botulisme, diphtérie, etc.).

Les virus. Ce sont des organismes plus rudimentaires, au patrimoine génétique limité (un seul acide nucléique, ADN ou ARN), qui ne peuvent se reproduire qu'à l'intérieur de la cellule. Les virus ont une structure régulière (cubique, hélicoïdale ou mixte) ; leur matériel génétique est enfermé dans une coque (capside), elle-même parfois entourée d'une enveloppe constituée de lipoprotéines. Ils sont à l'origine de très nombreuses affections bénignes (rhume) ou beaucoup plus sévères (hépatites, sida, poliomyélite, rage, fièvre jaune…).

Les champignons. Plus gros que les bactéries, ils existent sous forme de levures ou de filaments. Ils peuvent déterminer des mycoses, en particulier chez les personnes à l'immunité réduite.

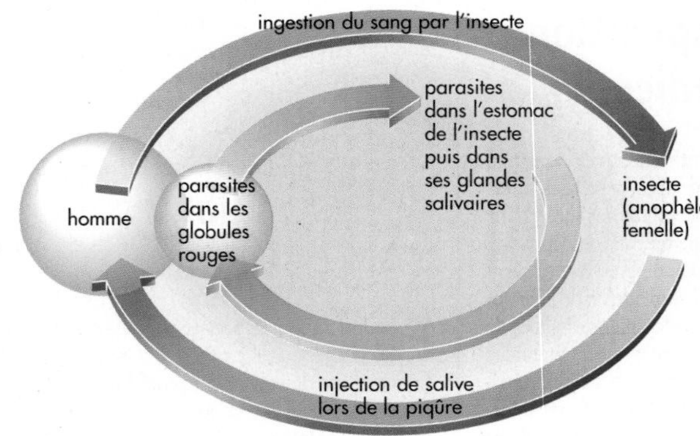

◆ **Cycle parasitaire du paludisme.** Parasite responsable du paludisme, le plasmodium est transmis à l'homme par la piqûre d'un moustique, l'anophèle. Celui-ci envahit le foie, puis les globules rouges. Ces derniers se déchirent, libérant le parasite qui devient capable d'infester à son tour les moustiques lors de la piqûre d'une personne atteinte.

Les parasites. Unicellulaires ou pluricellulaires, ils ne peuvent se multiplier qu'à l'intérieur d'autres organismes. Leur cycle reproductif peut comprendre une phase asexuée et une phase sexuée, et se dérouler à l'intérieur de plusieurs hôtes animaux et humains. Par exemple, dans le cas du paludisme, le plasmodium infecte successivement une variété de moustiques (anophèles), puis l'homme. Leur capacité de muter constamment et de s'adapter en permanence aux caractéristiques de l'hôte explique la difficulté de fabriquer des vaccins.

◆ **Les différents types d'agents infectieux.**

Groupe	Agent
bactéries	**bacilles** (en forme de bâtonnet) : bacille de Koch (tuberculose), tétanique, diphtérique colibacilles, shigelles, salmonelles **coques** (bactéries rondes) : staphylocoques, streptocoques, méningocoques **spirochètes** (forme spiralée) : tréponèmes (syphilis), leptospira (maladie des égoutiers) borrelia (maladie de Lyme)
virus	**à ADN** : virus de l'hépatite B, du groupe herpès, cytomégalovirus **à ARN** : virus du sida, de l'hépatite C
champignons	**filaments :** *Aspergillus fumigatus* **levures** : candida, *Cryptococcus neoformans*
parasites unicellulaires (protozoaires)	**ciliés** : agent de la balantidiose (maladie parasitaire des intestins) **rhizoflagellés** : amibes, trypanosomes, leishmanies, flagellés intestinaux et végétaux **sporozoaires** (capables de former des spores) : toxoplasmes, coccidies (coccidiose intestinale), hématozoaires (plasmodium)
parasites pluricellulaires(vers)	**vers plats** : ténia, douves, bilharzies **vers ronds** (nématodes) : ascaris, oxyures, trichocéphale, trichine, anguillule, ankylostome

Le paludisme

Le paludisme est une maladie parasitaire due au plasmodium, qui est transmis à l'homme par la piqûre d'un moustique femelle infesté, l'anophèle. Il pénètre dans le foie, puis dans les globules rouges et l'éclatement de ces derniers entraîne l'apparition d'accès fébriles. Il existe 4 types de plasmodium *(vivax, ovale, malariæ, falciparum),* responsables de paludismes différant par leurs cycles parasitaires et leurs manifestations cliniques (fièvre tierce réapparaissant toutes les 48 heures, ou quarte toutes les 72 heures), ainsi que par leur capacité de résurgence. Le paludisme secondaire à *Plasmodium falciparum* est le seul à pouvoir déclencher des accès de fièvre parfois mortels, dits pernicieux.

Endémique dans une centaine de pays, le paludisme est la maladie la plus répandue dans le monde, touchant chaque année de 300 à 500 millions de personnes. Il est responsable de plus de deux millions de décès par an, atteignant surtout les enfants en bas âge. Le paludisme « d'importation » n'est plus si rare qu'autrefois en raison de la multiplication des voyages (2 364 cas au Royaume-Uni en 1997). Il se prévient par l'application de répulsifs antimoustiques, l'emploi de moustiquaires imprégnées de pyréthrinoïdes et la prise de dérivés de la quinine, mais les plasmodiums résistent de plus en plus aux diverses thérapeutiques.

Le sida

Le sida, ou syndrome immunodéficitaire acquis, est une infection due au virus de l'immunodéficience humaine (VIH) qui provoque, après une phase de latence variable selon les individus mais en moyenne de 10 ans, l'effondrement du système immunitaire. Ce phénomène est lié à la capacité du virus de se multiplier à l'intérieur d'une catégorie spécifique de globules blancs responsables des défenses de l'organisme, les lymphocytes T4 ou CD4 (du nom du marqueur qui les caractérise). Cette immunodépression détermine l'apparition d'infections opportunistes provoquées par des bactéries (tuberculose), des virus (atteintes rétiniennes par le cytomégalovirus), des parasites ou des champignons (pneumocystose pulmonaire, crystosporidiose digestive, toxoplasmose cérébrale), ainsi que la formation de tumeurs cutanées (sarcome de Kaposi), ganglionnaires ou du col de l'utérus.

Deux virus ont été associés au sida, le VIH-1 et le VIH-2. Ils se transmettent par trois voies : sexuelle, sanguine et maternofœtale. En France, le nombre de séropositifs était estimé à 110 000 en 1999 et le nombre de nouvelles contaminations, à 5 000 par an.

La prévention. Elle repose sur l'emploi de préservatifs pendant les rapports sexuels, sur la surveillance du sang et des produits de transfusion, sur l'usage de seringues propres chez les toxicomanes et, chez les femmes enceintes séropositives, sur l'emploi de drogues antivirales (AZT, bithérapie) pendant la grossesse. Grâce à cette dernière mesure, le taux de transmission maternofœtale est passé dans les pays occidentaux de 20 % à moins de 5 % en quelques années. Des recherches sont actuellement menées sur des crèmes vaginales pouvant retarder la propagation du virus. Certaines études, encore préliminaires, suggèrent que le port de préservatifs féminins pourrait constituer un moyen de protection supplémentaire, recommandé chez les prostituées. La lutte contre les maladies sexuellement transmissibles (MST) est également importante, car les lésions des muqueuses génitales, qui leur sont associées, favorisent la contamination, notamment chez les femmes. Plusieurs essais vaccinaux sont en cours, dont l'un chez 5 000 volontaires américains (programme AIDSVAX), mais leurs résultats ne sont pas disponibles.

Le traitement. Dans les pays riches, le traitement associe de plus en plus aux produits destinés à lutter contre les infections opportunistes une trithérapie. Celle-ci est constituée par la prise de deux médicaments antiviraux de nature nucléosidique, qui empêchent la multiplication du virus (AZT, ddI, ddC, 3TC, D4T), et d'un inhibiteur de protéase (ritonavir, saquinavir, nelfinavir, indinavir, par ex.), qui agit à un stade plus tardif en bloquant l'assemblage des protéines virales. Véritable révolution thérapeutique, ce traitement a diminué de près de moitié environ en 2 ans la mortalité due au sida, aux États-Unis et en Europe. Mais il a l'inconvénient d'être onéreux, de ne pouvoir être proposé qu'à 15 ou 20 % des malades, d'être contraignant (multiples prises journalières), pas toujours bien toléré et de faire l'objet de résistances. En outre, des données récentes suggèrent qu'il serait difficile de l'arrêter, car le virus pourrait persister très longtemps sous une forme latente dans des zones « sanctuaires » (comme les ganglions). De très nombreux travaux se consacrent actuellement aux récepteurs membranaires du virus, ce qui pourrait offrir des voies de recherche. En fait, le problème en matière de sida est aujourd'hui autant économique que médical : comment permettre l'accès à des médicaments de pointe aux 33 millions de personnes infectées dans le monde, dont plus de 95 % vivent dans un pays en développement ?

Les MST

Les maladies sexuellement transmissibles (MST), dites aussi maladies vénériennes, sont dues à des bactéries, des virus et des champignons. Elles ont vu leur profil changer au cours du temps. Autrefois, elles étaient principalement représentées par la syphilis, la blennorragie, le chancre mou, etc. Aujourd'hui, les plus fréquentes sont les infections à chlamydia, l'herpès génital, la trichomonase, le sida et les condylomes génitaux, de petites tumeurs bénignes d'origine virale. Beaucoup plus contagieux que le VIH, le virus de l'hépatite B est très fréquemment transmis lors des relations sexuelles, d'où l'intérêt de la vaccination en cas de partenaires multiples. Une MST peut être suspectée devant des signes d'irritation locale (démangeaisons, rougeurs, pertes vaginales, brûlures urinaires), mais elle peut aussi se développer insidieusement, en particulier chez la femme. Elle doit toujours être traitée, car elle peut compromettre la fertilité.

◆ Laboratoire de virologie de Lyon.
En mars 1999 a été inauguré à Lyon le premier laboratoire européen de haute sécurité biologique P4, financé par la fondation Mérieux. Ce laboratoire doit permettre aux chercheurs, vêtus de scaphandres parfaitement étanches, de manipuler et d'étudier en toute sécurité les virus les plus dangereux de la planète, notamment les virus Ebola et Lassa. Afin de garantir l'inviolabilité du laboratoire, tous les scénarios catastrophes ont été envisagés : incendie, tremblement de terre, attentat...

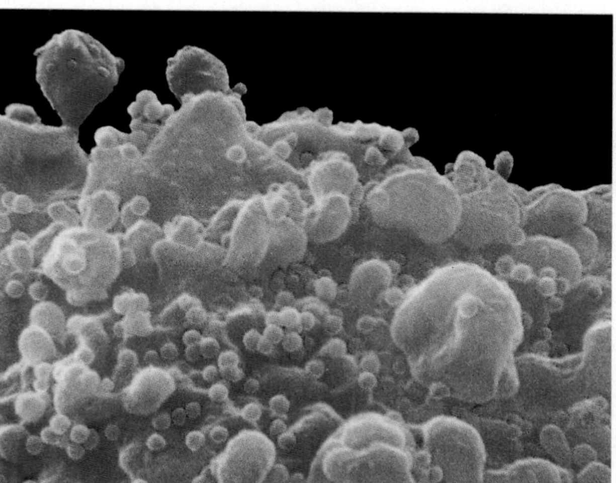

◆ Le virus du sida.
Cette photo, réalisée à l'aide d'un microscope électronique, montre la surface d'un lymphocyte T4 (en bleu) infecté par le virus du sida (petites particules sphériques rouges). Un lymphocyte infecté a une apparence grumeleuse et apparaît couvert de protubérances irrégulières. L'attaque des lymphocytes T4 par le virus du sida représente la principale cause de destruction du système immunitaire.

La lutte contre les infections

Aujourd'hui, la médecine dispose, pour lutter contre les infections, de tout un arsenal de médicaments.

Les antibiotiques. Ces substances agissent sur les bactéries en inhibant la formation de leur paroi, en bloquant la fabrication de protéines par ces germes, en intervenant sur des molécules dont les bactéries ont besoin pour se multiplier. Il en existe de nombreuses classes : pénicilline et ses dérivés, aminosides, macrolides, tétracyclines, fluoroquinolones, qui peuvent être administrées par voie orale ou intraveineuse. Malheureusement, leur utilisation de plus en plus vaste est à l'origine d'une augmentation des résistances bactériennes qui devient parfois préoccupante (pneumocoque, bacille tuberculeux).

Les antiviraux. Ils sont malheureusement moins nombreux et l'on ne dispose pas de produit actif contre tous les virus. Ils agissent en bloquant la réplication du virus (aciclovir utilisé dans le traitement de l'herpès, AZT), ou en bloquant l'activité de certaines enzymes de la cellule, entravant ainsi la formation de nouvelles particules virales (amantadine employée dans la grippe).

Les antifongiques. Ces médicaments peuvent être administrés par voie sanguine dans les infections sévères provoquées par les champignons et les levures, mais ils possèdent alors souvent l'inconvénient d'être très toxiques. Dans les mycoses cutanées, ils sont utilisés sous forme d'application locale.

Certaines maladies à composante infectieuse peuvent également être prévenues ou traitées grâce à des préparations d'anticorps, plus ou moins spécifiques (maladie de Kawasaki), ou par des thérapeutiques ayant pour objectif de renforcer l'immunité (médicaments immunostimulants utilisés dans les infections respiratoires et ORL récidiventes de l'enfant).

VOIR AUSSI
- **Défenses de l'organisme** p. 196
- **Vaccins** p. 223
- **Maladies infectieuses : prévention** p. 217-218 ; **état dans le monde** p. 255-256

Petit lexique

germe : microbe, agent infectieux.

infection : invasion d'un organisme vivant par des micro-organismes pathogènes (bactéries, virus, champignons, parasites).

infection opportuniste : infection qui apparaît lors d'un affaiblissement des défenses immunitaires de l'organisme.

Vers un retour des germes ?

En 1995 réapparaissait, au Zaïre, une curieuse épidémie de fièvre hémorragique, due au virus Ebola, qui allait tuer en quelques semaines plusieurs centaines de personnes dans ce pays. Pourtant, ce virus n'avait guère été rencontré depuis 1976, année où il avait provoqué des infections au Zaïre et au Soudan. Dans les années qui suivirent, des foyers inquiétants de peste étaient déclarés en Inde. Depuis 1993 ont été décrits aux États-Unis des syndromes pulmonaires dus à un nouveau virus, transmis par les rongeurs, le virus Sin Nombre. Aujourd'hui, les médecins s'inquiètent, car un nouveau virus à ADN, le TTV, découvert en 1997 par une équipe japonaise, paraît assez fréquent chez les donneurs de sang et pourrait provoquer l'apparition d'hépatites après transfusion.

En fait, il est prouvé chaque jour que les germes qu'on croyait pouvoir facilement juguler il y a une vingtaine d'années ont conservé leur capacité de nuisance. Le XXe siècle sera-t-il infectieux ? En tout cas, la multiplication des voyages et des modifications climatiques font craindre aux experts de l'Organisation mondiale de la santé que les germes continuent à être responsables d'une mortalité importante dans les décennies à venir.

Les cancers

La formation des cancers

Pourquoi certaines cellules deviennent-elles cancéreuses ? Si cette question était résolue, on saurait vaincre le cancer, ce qui n'est encore que partiellement le cas. Néanmoins, il est indiscutable que les mécanismes de formation des tumeurs (cancérogenèse) sont aujourd'hui beaucoup mieux compris. Par définition, le cancer est une tumeur dont la prolifération est incontrôlée. À la différence des tumeurs dites bénignes, le tissu cancéreux (ou malin) possède la propriété d'envahir et de détruire les tissus voisins, voire de se disséminer à distance : son contenu est hétérogène, et ses limites sont mal définies et irrégulières.

Il est aujourd'hui admis que le développement des cancers nécessite de nombreuses étapes et, très vraisemblablement, l'accumulation d'erreurs des mécanismes de contrôle qui permettent normalement à l'organisme de repérer, puis de détruire les cellules cancéreuses. Cette implication d'événements multiples expliquerait le long délai de survenue de la plupart des cancers humains. Deux grandes phases paraissent se succéder au cours du processus de cancérisation : l'initiation, liée à une modification du génome de la cellule, et la promotion, caractérisée par une irritation tissulaire stimulant la prolifération des cellules. Les virus oncogènes et les agents mutagènes (capables de provoquer une mutation) agiraient sur l'initiation ; d'autres substances, comme l'alcool, interviendraient plutôt en accroissant la multiplication cellulaire.

Des anomalies caractéristiques. On note ainsi des altérations du matériel héréditaire des cellules cancéreuses (cassures puis fusion de chromosomes avec production d'une protéine anormale, amplification exagérée de certains gènes ou au contraire perte de gènes suppresseurs de tumeur). Une mutation du gène suppresseur de tumeur P53 est ainsi relevée dans la moitié des cancers humains. À l'état normal, ce gène joue un rôle essentiel dans le contrôle du cycle cellulaire en dirigeant les cellules vers le repos dès qu'apparaissent des lésions du génome, le temps que celles-ci soient réparées. Lorsque les dégâts sont trop importants, il provoque la mort de la cellule pour éviter la propagation des anomalies aux cellules filles.

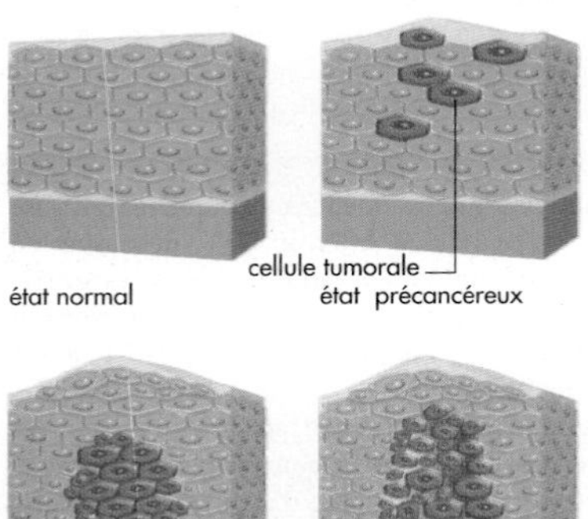

Source : Ligue nationale contre le cancer.

◆ **Formation des tumeurs cancéreuses.** Les cellules cancéreuses se caractérisent par leur capacité d'envahir les tissus voisins et de se disséminer pour former des métastases.

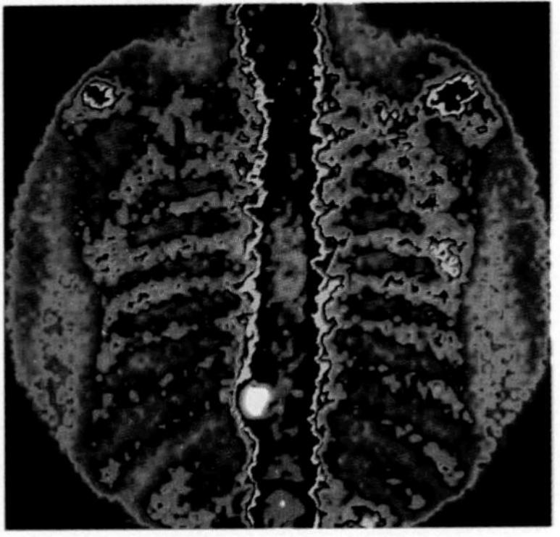

◆ **Scintigraphie osseuse avec métastases.** La scintigraphie permet de visualiser les métastases osseuses qui accompagnent souvent l'évolution de certains cancers (sein, prostate...). Sur le document, la tache blanche permet d'en repérer au niveau de la vertèbre D10.

On constate aussi des anomalies dans les systèmes enzymatiques de réparation des lésions du matériel génétique bien mises en évidence dans certaines maladies génétiques rares favorisant l'apparition de cancers, comme l'ataxie-télangiectasie ou la xérodermie pigmentaire.

Enfin, il faut citer comme facteurs vraisemblables des perturbations du système immunitaire, système qui contribue à la reconnaissance par l'organisme des petites formations tumorales et à leur élimination. Par ailleurs, les cellules cancéreuses possèdent la propriété de sécréter de nombreuses substances (enzymes, facteurs de croissance), qui modifient à leur profit leur environnement local, afin par exemple de développer une néovascularisation contribuant à l'irrigation de la tumeur, de détruire pour le pénétrer le tissu environnant, etc.

Les métastases

L'apparition de métastases définit le développement à distance du cancer primitif : un nouveau foyer de cellules cancéreuses se forme alors dans un autre organe. Constituant toute la gravité de la maladie cancéreuse, les métastases s'effectuent par pénétration des cellules malignes dans les ganglions lymphatiques situés à proximité, puis dans les canaux lymphatiques, ou par effraction dans les capillaires et par conséquent passage dans la circulation sanguine. Selon l'opinion actuelle des chercheurs, le processus métastatique, loin de correspondre aux seuls stades terminaux des cancers, apparaîtrait très tôt au cours de leur évolution. Cette hypothèse a conduit à renforcer dans un nombre croissant de cancers (sein, côlon, etc.) la pratique de chimiothérapies, après ou avant chirurgie, pour éliminer ces micrométastases invisibles et éviter les récidives. Le processus métastatique met très vraisemblablement en jeu des gènes différents de ceux qui interviennent lors des premières étapes de la formation des cancers. Il est probablement influencé à la fois par les caractéristiques de la tumeur initiale et par celles de l'hôte. Les cellules tumorales ont, selon leur origine, une certaine prédilection pour les organes dans lesquels elles vont s'introduire (par exemple, l'os pour les cancers du sein et de la prostate, le foie pour les cancers de l'intestin, le poumon pour les cancers du tissu conjonctif [sarcomes], le cerveau pour les cancers des bronches).

Les paramètres prédisposant aux cancers

Les facteurs innés, qui sont les anomalies génétiques héritées des parents, doivent être distingués des facteurs acquis. Ces derniers sont très divers.

Le tabac et l'alcool. Ils provoquent 40 % des décès par cancer en France. Le tabac, responsable de 90 % des cancers bronchiques, est impliqué dans ceux du rein ou de la vessie, etc., l'alcool produit les cancers du foie, et l'association alcool-tabac est un facteur favorisant les cancers des voies aérodigestives supérieures.

Les virus. Plusieurs cancers sont associés à des maladies virales (d'où l'espoir de les prévenir grâce à la vaccination) : le cancer du col de l'utérus (papillomavirus), le cancer primitif du foie (virus de l'hépatite B et C), très fréquent sur les continents africain et asiatique, certaines tumeurs des ganglions en rapport avec un virus proche de celui de l'herpès (virus d'Epstein-Barr) ou celui du sida.

Les rayonnements. Les rayonnements ultraviolets sont considérés comme responsables de l'importante augmentation du nombre de cancers cutanés (mélanomes et épithéliomas), observés depuis quelques années chez les sujets à peau claire.

Les rayonnements émis par les irradiations peuvent provoquer l'apparition de leucémies ou de tumeurs. Néanmoins, en dehors d'accidents, le rôle des faibles radiations émises dans l'atmosphère par les centrales nucléaires est controversé. Certaines publications récentes ont rapporté une augmentation discrète du nombre de leucémies. L'émission d'iode radioactif lors de l'accident de Tchernobyl a accru le nombre de cancers de la thyroïde chez les enfants, en raison de sa concentration dans cette glande.

Les hormones. Elles jouent un rôle dans la survenue du cancer du sein et de la prostate, et l'on sait que l'allaitement et des grossesses à un âge relativement jeune exercent un effet protecteur contre l'apparition d'un cancer du sein. En revanche, l'influence des contraceptifs oraux et des traitements hormonaux de la ménopause est probablement très modeste. Parce qu'elle bloque l'ovulation, la pilule contraceptive protège en partie contre le cancer de l'ovaire.

L'alimentation. Son rôle est discuté, mais il pourrait être important. Une alimentation trop riche en graisses et pauvre en fibres végétales (fruits, légumes) favorise l'apparition d'un cancer du côlon ; un excès de poids accroît légèrement la probabilité de cancer du sein. La consommation d'aliments fumés prédispose à la survenue d'un cancer de l'estomac.

Les toxiques et la pollution. Au moins 9 % des salariés seraient exposés à des substances cancérogènes à leur travail. Les produits le plus fréquemment mis en cause sont les huiles minérales (réparation et industrie automobile, transformation des métaux, etc.), les poussières de bois, l'amiante, les goudrons et les brais de houille, le benzène. Le rôle de la pollution est difficile à

◆ **Décès par cancer chez l'homme et chez la femme dans le monde.**

Hommes	Nombre de décès
poumon	911 000
estomac	518 000
foie	433 000
œsophage	289 000
côlon-rectum	284 000
prostate	239 000
bouche-pharynx	233 000
système lymphatique	144 000
Femmes	
sein	412 000
poumon	333 000
estomac	304 000
côlon-rectum	273 000
col de l'utérus	237 000
foie	176 000
œsophage	147 000
bouche-pharynx	120 000

Source : OMS.Estimations 1998.

déterminer, mais les pesticides pourraient influencer la survenue de cancers des ganglions, et peut-être ceux du sein et du testicule.

Les médicaments. En raison de leur mode d'action, certains médicaments anticancéreux et immunosuppresseurs (greffes d'organe) exposent à une probabilité accrue de cancer secondaire. Une meilleure maîtrise de la chimiothérapie et de la radiothérapie a permis toutefois d'abaisser ce risque.

Les chiffres

Les localisations les plus fréquentes de cancers sont, en France, le sein (34 000 cancers de ce type sur 239 800 cas de cancers en 1995 ; 11 000 décès) ; le côlon et le rectum (33 000 cas, 16 000 décès) ; la prostate (26 000 cas) ; puis, à égalité, le poumon et les voies aérodigestives supérieures (22 000 cas). Deuxième cause de mortalité dans le monde (6,3 millions par an), les cancers constituent, en France, la première cause de décès avant 65 ans. Le cancer du poumon représente la première cause de décès par cancer, en France (24 000 décès sur 142 635 en 1995).

La mortalité par cancer et la répartition des cancers diffèrent dans les pays en développement où ceux de l'estomac et du foie sont beaucoup plus répandus. À elle seule, la Chine concentre ainsi 55 % des cas mondiaux des cancers hépatiques, en raison d'une haute fréquence de l'hépatite B.

Quelques tendances encourageantes ont été relevées ces dernières années. Ainsi, dans les pays occidentaux, la mortalité par cancer du col de l'utérus, de l'ovaire et des voies aérodigestives supérieures est en baisse, et le nombre de cancers de l'estomac a été très fortement réduit en raison d'une diminution de la consommation d'aliments en conserve, salés et fumés. Dans les pays développés, le nombre de décès par cancer de l'intestin ou du sein paraît aussi diminuer légèrement dans certaines tranches d'âge, en raison de progrès thérapeutiques et de la réalisation de campagnes de dépistage. En revanche, la mortalité par cancer de la peau (1 100 décès en 1995 en France) continue de s'élever fortement (+ 9 % entre 1990 et 1995 chez les hommes, + 6 % chez les femmes) et l'on craint, dans les 20 ans à venir, une « épidémie » de cancers bronchiques liés au tabagisme féminin.

Petit lexique

cancérigène ou **cancérogène** ou **carcinogène** ou **oncogène :** se dit d'une substance capable d'induire ou de favoriser la formation de cancers.

cancérologie ou **carcinologie** ou **oncologie :** spécialité médicale qui s'intéresse aux cancers.

génome : ensemble des gènes portés par les chromosomes.

métastase : foyer pathologique secondaire, infectieux ou surtout cancéreux, dû à la propagation à distance d'un foyer primitif (par voie sanguine, lymphatique, etc.).

néoplasie ou **néoplasme malin** ou **tumeur maligne :** cancer.

tumeur : prolifération anormale, non inflammatoire, de cellules groupées ou disséminées, plus ou moins indifférenciées et autonomes.

Les traitements

Les avancées peuvent paraître limitées dans le traitement des cancers, si l'on excepte certaines tumeurs comme les cancers de l'enfant ou le cancer du testicule, qui ont énormément bénéficié de l'emploi d'agents anticancéreux (chimiothérapie). Néanmoins, elles sont réelles et l'on guérit aujourd'hui plus d'un cancer sur deux.

Le traitement repose sur la conjonction de plusieurs méthodes associant la chirurgie, qui demeure indispensable dans la plupart des tumeurs, à la radiothérapie (aujourd'hui de plus en plus précise) et à la chimiothérapie. Cette dernière joue un rôle de plus en plus important en cancérologie et est utilisée pour prévenir les récidives ou réduire le volume tumoral dans des tumeurs où elle était auparavant peu utilisée (cancers bronchiques, cancers ORL). L'emploi de procédés ou de médicaments limitant les vomissements, ou réduisant la toxicité sanguine de la chimiothérapie (greffes de moelle ou facteurs de croissance), a permis d'en améliorer l'efficacité et la tolérance, et d'utiliser dans certains cancers du sang (leucémies), des ganglions et du sein, de très fortes doses de produits.

Plus récemment, l'arrivée de médicaments chimioprotecteurs (amifostine) a permis de diminuer les effets secondaires neurologiques et cardiaques des médicaments anticancéreux usuels.

Des techniques plus spécifiques. Certaines techniques, aux indications plus limitées, sont également très intéressantes : hormonothérapie dans les cancers du sein et de la prostate, destruction par laser ou par la lumière (thérapie photodynamique, par ex.) de tumeurs demeurées superficielles ou, au contraire, inopérables en raison de leur volume (vessie, œsophage, etc.).

En outre, la qualité de vie des malades est désormais mieux prise en compte grâce à des techniques chirurgicales de plus en plus conservatrices (cancer du sein, des os), à la diffusion de techniques de traitement à visée de confort (mise en place de prothèses dans le cancer évolué de l'œsophage), à la création d'unités de soins palliatifs et à une meilleure lutte contre la douleur, qui concerne un cancéreux sur deux.

Les voies nouvelles

À court terme, les plus grandes avancées dans la prise en charge du cancer sont à attendre de la suppression des facteurs de risque (tabagisme, alcool) et de la détection des tumeurs à un stade précoce, plus facilement curable. Néanmoins, d'autres perspectives peuvent être envisagées. Ainsi, la plupart des marqueurs sanguins sont actuellement utilisés pour la surveillance de cancers traités. Mais ils pourraient dans l'avenir permettre de reconnaître la présence de quelques cellules cancéreuses seulement et donc d'intervenir plus rapidement. La mise au point de nouvelles techniques d'imagerie (tomographie à émission de positrons, analyse de signaux de fluorescence, etc.) pourrait permettre de mieux identifier la présence de petites métastases.

Sur le plan thérapeutique, les progrès devraient venir dans un avenir proche d'une meilleure utilisation de la chimiothérapie, grâce à de nouvelles combinaisons de médicaments anticancéreux, à son couplage aux techniques classiques (radiothérapie, chirurgie). Cette approche pragmatique, sans aucune découverte de produit nouveau, a fait que le taux de guérison dépasse aujourd'hui 80 % dans la maladie de Hodgkin, un cancer des ganglions. La chronothérapie (administration de la chimiothérapie à certaines heures de la journée), les nouveaux agents anticancéreux (dérivés de l'if, irinotécan, topotécan, oxaliplatine, vinorelbine, suramine, gemcitabine, entre autres) devraient voir leurs indications s'élargir. Des médicaments capables de s'opposer aux mécanismes de résistance que développent peu à peu les cellules cancéreuses pourraient être plus largement employés.

Vaccins, anticorps et thérapie génique. D'autres approches plus novatrices se dessinent, comme la mise au point de vaccins dirigés contre les cellules tumorales pour prévenir les récidives (cancer de la peau), ou l'emploi d'anticorps spécifiques des cellules tumorales couplés à des produits anticancéreux (cancer mammaire). Enfin, à l'automne 1998, 80 % des 350 études de thérapie génique effectuées dans le monde (2 000 sujets) concernaient des malades cancéreux. Si la plupart d'entre elles demeuraient préliminaires, des prolongations de survie ont tout de même été observées chez des patients atteints de cancer du cerveau (glioblastome) en phase terminale. Ces essais recourent à des technologies complexes, l'injection du gène étranger ayant pour but soit d'éliminer les cellules tumorales grâce à des méthodes « suicide » dirigées contre les cellules en division, soit d'apporter à l'organisme des substances (interleukine 2, interféron) renforçant l'immunité.

Éviter la vascularisation. L'emploi de produits s'opposant à la vascularisation des cancers semble également offrir des perspectives intéressantes, et des régressions importantes de tumeurs et de leurs métastases auraient été obtenues chez l'animal avec des agents de ce type (angiostatine, endostatine, urokinase et leurs dérivés).

VOIR AUSSI

• **Dépistage des cancers** p. 217
• **Prévention du cancer** p. 218
• **Médicaments et traitements** p. 222
• **Maladies et génétique** p. 227
• **Santé et pollution** p. 249
Illustrations
• **Principales causes de mortalité dans le monde** p. 255

Les maladies cardiovasculaires

Athérosclérose et artériosclérose

L'athérosclérose est à l'origine de la plupart des maladies cardiovasculaires. Elle correspond au dépôt de corps gras, qui s'accumulent sur la paroi interne des artères et aboutissent à la formation d'une plaque d'athérome. Peu à peu, ces dépôts lipidiques rétrécissent le calibre du vaisseau et perturbent le flux sanguin, ce qui provoque l'agglutination sur les parois de plaquettes sanguines responsables de la coagulation et induit ainsi l'apparition d'un caillot ou thrombus. Celui-ci peut à son tour migrer dans la circulation et provoquer une oblitération artérielle à distance (embolie).

La pénétration des corps lipidiques dans les couches profondes des vaisseaux favorise également l'accumulation de calcium, d'où un durcissement (artériosclérose) de nombreuses artères de l'organisme. Ayant perdu leur élasticité, certaines artères peuvent se dilater considérablement (anévrysme) puis se rompre, ce qui a souvent des conséquences mortelles dans le cas de gros vaisseaux comme l'aorte.

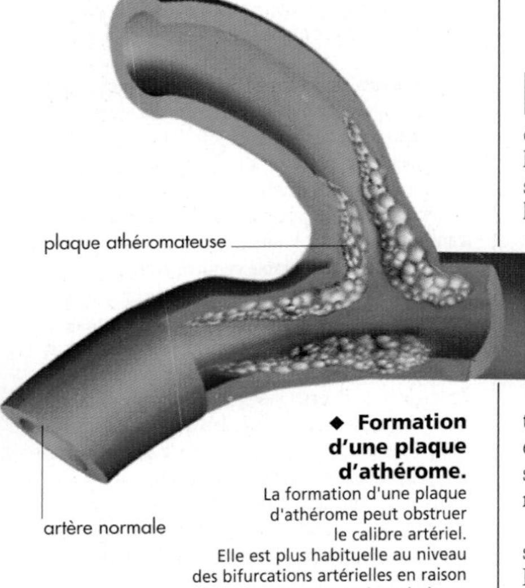

◆ **Formation d'une plaque d'athérome.** La formation d'une plaque d'athérome peut obstruer le calibre artériel. Elle est plus habituelle au niveau des bifurcations artérielles en raison des mouvements de turbulence dans le flux sanguin.

Des autopsies de soldats américains morts en Corée ont montré que l'athérosclérose est présente dès l'âge de 20 ans. Son développement est accéléré par de nombreux facteurs de risque qui sont classés en paramètres incontrôlables et paramètres maîtrisables. Les premiers sont : l'âge, le terrain génétique et le sexe (prépondérance masculine jusqu'à la cinquantaine). Les seconds sont : l'excès de poids, la sédentarité, le tabagisme, le diabète, l'hypertension artérielle, des modifications des lipides sanguins, soit en excès (cholestérol, triglycérides), soit par défaut, car certains lipides exercent une fonction protectrice (HDL-cholestérol, par ex.), et peut-être le stress.

La prévention de ces facteurs de risque joue un rôle crucial dans la lutte contre les maladies cardiovasculaires.

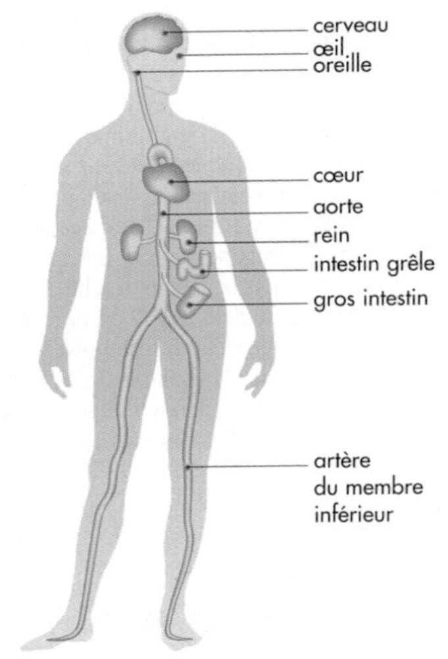

◆ **Localisation de l'artériosclérose.** Les lésions d'artériosclérose s'observent le plus souvent dans les artères du cœur (coronaires), de l'aorte, du rein, des membres inférieurs et à destination du cerveau (carotides).

L'hypertension

L'hypertension artérielle est une élévation anormale de la pression sanguine, qui s'exerce sur la paroi vasculaire. Elle correspond, selon l'Organisation mondiale de la santé, à une pression artérielle maximale, ou systolique (celle que l'on mesure lorsque le cœur se contracte), qui dépasse 160 mm de mercure, et à une pression artérielle minimale, ou diastolique (celle que l'on détermine lorsque le cœur se dilate), au-dessus de 95 mm. Si les pressions systolique et diastolique sont respectivement au-dessous de 140 et de 90 mm de mercure, on considère la pression comme normale. Enfin, entre 140 et 160 mm de mercure, on parle d'hypertension limite.

L'hypertension concerne environ 10 % des sujets de 20 à 65 ans et 20 % des plus de 65 ans. Dans plus de 9 cas sur 10, aucune cause n'est retrouvée (hypertension essentielle). Plus rarement, la maladie est consécutive à un problème rénal ou endocrinien. Des symptômes n'apparaissent qu'à un stade très évolué (maux de tête, mouches volantes, vertiges, etc.), d'où la nécessité de mesurer régulièrement la pression artérielle au moyen d'un tensiomètre. Il est toutefois nécessaire de réaliser ce geste dans de bonnes conditions (position couchée, après un temps de repos) et de le répéter plusieurs fois, car la pression artérielle varie fortement d'un jour à l'autre.

La nécessité d'un traitement. L'hypertension doit être traitée, car elle favorise le développement de l'athérosclérose, des accidents vasculaires cérébraux, d'une insuffisance rénale et de troubles rétiniens. De plus, l'augmentation de la résistance à l'écoulement sanguin fatigue le cœur, contribuant à l'apparition d'une insuffisance cardiaque. Le traitement a pour objectif de ramener les chiffres tensionnels en dessous de 90 et de 140 mm de mercure. Dans les hypertensions limites, il débute toujours par des règles d'hygiène de vie : perte de poids, arrêt du tabagisme, pratique d'une activité physique. En revanche, l'emploi d'un et souvent de plusieurs médicaments antihypertenseurs est fréquemment nécessaire dans les hypertensions vraies.

L'insuffisance cardiaque

Ce terme définit l'incapacité de la pompe cardiaque d'assurer le débit sanguin nécessaire aux besoins de l'organisme. Elle peut atteindre le cœur gauche, le cœur droit ou être globale.

L'insuffisance cardiaque gauche est souvent consécutive au développement d'une hypertension artérielle, d'une maladie coronarienne, ou plus rarement à une atteinte du muscle cardiaque (cardiomyopathie) ou à des lésions des valvules. Elle se manifeste sous la forme d'un essoufflement, au début lors des efforts, puis au repos. En raison d'un mécanisme réflexe de compensation, elle tend à augmenter le volume du cœur. L'insuffisance cardiaque droite apparaît le plus souvent à la suite d'une insuffisance cardiaque gauche ou d'une affection pulmonaire (embolie, bronchite chronique). Une prescription de médicaments diurétiques, digitaliques et vasodilatateurs est souvent proposée pour éliminer eau et sel en excès, et faciliter le travail cardiaque.

Les maladies coronariennes

Angine de poitrine et infarctus du myocarde ont la particularité commune de découler le plus fréquemment d'une athérosclérose des artères coronaires, les vaisseaux qui irriguent le cœur. Ces affections coronariennes n'ont toutefois pas la même gravité.

Dans l'angine de poitrine (ou angor), l'obstruction artérielle demeure incomplète. La baisse de perfusion sanguine tissulaire ne permet plus au cœur d'effectuer son travail lorsque les besoins augmentent, à l'exercice par exemple, d'où l'apparition d'une douleur dans ces circonstances. Au fur et à mesure que la maladie évolue, la douleur survient pour des efforts de plus en plus faibles, puis au repos.

L'infarctus du myocarde correspond à la destruction (infarctus) d'une partie du muscle cardiaque, en raison de l'obstruction brutale d'une artère coronaire, le plus souvent liée à la formation d'un caillot sanguin sur une plaque d'athérome. Dans la moitié des cas environ apparaît une douleur thoracique intense en étau, qui irradie vers le bras gauche. Néanmoins, certains infarctus sont indolores.

Diagnostics et traitements. Le diagnostic des maladies coronariennes est établi par l'électrocardiogramme, qui met en évidence des modifications électriques caractéristiques, et par la radiographie des artères coronaires (coronarographie), qui visualise leur rétrécissement. Un taux anormalement élevé de certaines enzymes musculaires suggère l'existence d'un infarctus.

L'angine de poitrine et l'infarctus sont combattus par divers traitements médicamenteux comme les dérivés nitrés, les inhibiteurs calciques et les bêta-bloquants. L'aspirine peut être utilisée à petites doses pour prévenir l'apparition de nouveaux caillots. L'administration très précoce de médicaments détruisant le thrombus (thrombolytiques) est de plus en plus souvent pratiquée dans les heures qui suivent l'infarctus. Un traitement chirurgical par pontage ou angioplastie peut être proposé. Dans tous les cas, il importe d'adopter un mode de vie équilibré et une alimentation saine pour limiter le risque d'aggravation ou de récidive.

L'artérite

L'artérite ou artériopathie des membres inférieurs est une maladie fréquente chez les grands fumeurs, en rapport avec une obstruction des artères de ces membres par des dépôts lipidiques. La réduction du flux sanguin détermine l'apparition de crampes dans les jambes et les pieds au bout de quelques centaines de mètres de marche, qui disparaissent à l'arrêt. À un stade ultérieur, les pieds peuvent devenir froids et sensibles aux petites blessures et aux infections, en particulier chez les personnes sujettes au diabète. Une douleur brutale intense, associée à une pâleur cutanée, doit faire craindre une embolie artérielle.

Le diagnostic est établi par l'artériographie. L'obstacle à l'écoulement du sang pourra être levé par angioplastie ou par microchirurgie artérielle, en enlevant l'artère abîmée ou en dérivant la circulation à l'aide d'un vaisseau artificiel en Dacron.

Autres maladies

Les malformations cardiaques sont souvent reconnues dès la grossesse, grâce à l'échographie, et constituent la première cause des malformations de l'enfant. Les plus répandues sont constituées par une communication entre les ventricules (25 % des maladies cardiaques congénitales) ou entre les oreillettes, ou encore par la persistance du canal (dit artériel) qui relie aorte et artère pulmonaire pendant la vie fœtale et qui se ferme normalement après la naissance. La plupart de ces anomalies sont curables.

Les maladies des valvules ont des origines et des localisations diverses. Dans les pays développés, les rétrécissements ou les dilatations des valvules aortique, mitrale, pulmonaire ou tricuspide ont le plus fréquemment une origine congénitale ou athéroscléreuse. Dans les pays en développement, certaines angines streptococciques sont encore à l'origine d'atteintes valvulaires (rhumatisme articulaire aigu).

Les péricardites ou atteintes de l'enveloppe cardiaque sont en général d'origine virale ou bactérienne (tuberculose).

Les atteintes du muscle cardiaque (myocardiopathies) sont de différents types et fréquemment héréditaires. Elles justifient parfois l'emploi de greffes cardiaques, car les malades sont souvent jeunes et les traitements médicamenteux pas toujours assez efficaces.

Les troubles du rythme sont dus à une altération du nœud sinusal, localisé entre les deux oreillettes, ou du tissu de conduction situé entre les deux ventricules, qui assurent le déclenchement puis la propagation des contractions cardiaques. Si certains de ces troubles sont d'origine génétique, la majorité sont liés au vieillissement ou découlent de la destruction du tissu cardiaque par un infarctus. Certains d'entre eux peuvent être prévenus par la pose de stimulateurs (pacemakers), qui déclenchent une contraction du cœur en cas de trop fort ralentissement de son rythme. L'implantation d'un défibrillateur peut également être proposée dans d'autres types de troubles du rythme cardiaque.

La chirurgie

Le pontage des artères coronaires permet de traiter l'angine de poitrine ou l'infarctus, notamment lorsque les lésions athéroscléreuses sont étendues ou multiples, ou que les douleurs persistent après un traitement médical bien conduit. Il consiste à dériver le sang qui ne peut plus circuler dans l'artère obstruée, grâce à l'implantation d'un morceau d'artère mammaire ou de veine saphène. Ce geste chirurgical est réalisé à cœur ouvert sous anesthésie générale.

L'angioplastie, inventée par Andreas Gruentzig en 1977, consiste à rétablir la structure (plastie) de l'artère envahie par l'athérosclérose grâce à un ballonnet. Cette méthode peut être utilisée pour traiter les rétrécissements des artères coronaires, rénales, des membres inférieurs, et plus récemment des artères cérébrales. Elle présente moins de risques que le pontage, mais donne souvent aussi des résultats moins durables, car un rétrécissement réapparaît dans 25 ou 30 % des cas par suite d'une prolifération des cellules de la paroi. Pour éviter ces récidives, une sorte de ressort miniature *(stent)* est souvent laissé en place au niveau de la dilatation.

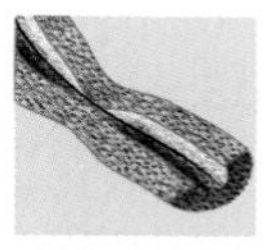

Un guide métallique très fin est poussé à travers l'aiguille piquée dans l'artère, jusqu'à l'endroit du rétrécissement.

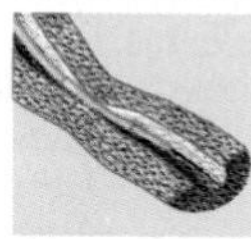

Un cathéter à ballonnet est enfilé sur le guide métallique, jusqu'à ce que le ballonnet arrive au rétrécissement.

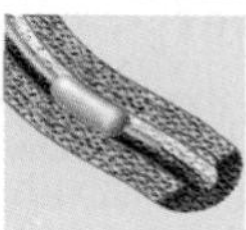

Le ballonnet est gonflé plusieurs fois, pendant quelques secondes chaque fois, jusqu'à dilatation de l'artère.

◆ **L'angioplastie.**

On peut aussi utiliser le laser pour désobstruer les artères ou employer une sorte de fraise qui abrase les lésions d'athérome. Une nouvelle technique (laser transmyocardique) consiste à réaliser de 50 à 60 petites perforations à l'intérieur de la paroi du ventricule gauche, grâce à un rayonnement laser très puissant, de façon à permettre au sang de circuler dans les minuscules canaux ainsi créés et d'irriguer de nouveau le cœur.

La chirurgie valvulaire vise à dilater ou à remplacer les valvules cardiaques rétrécies ou altérées. Des prothèses mécaniques, en métal ou en carbone, ou des bioprothèses, fabriquées à partir de tissu animal (souvent de porc), sont utilisées. Les dilatations des valvules mitrales sont de plus en plus fréquemment effectuées en introduisant dans le cœur une sonde porteuse d'un ballonnet, grâce à un cathéter placé dans une veine de l'aine. Cette méthode a reçu le nom de valvuloplastie.

La greffe cardiaque est pratiquée chez des malades cardiaques de plus en plus âgés, mais le manque de greffons en limite l'emploi.

L'insuffisance veineuse

Fréquente chez la femme, l'insuffisance veineuse est favorisée par les grossesses, le vieillissement, la station debout, l'excès de poids. Elle se manifeste d'abord par une simple lourdeur des jambes, quelques varicosités. Puis, peu à peu, la dilatation veineuse conduit au développement de varices, voire de troubles trophiques et d'ulcères de jambes. Plus répandue au sein de certaines familles, l'insuffisance veineuse est due à une incapacité de la paroi des veines des membres inférieurs d'assurer le retour du sang au cœur. Elle se prévient en pratiquant la marche, en évitant les excès de chaleur (qui dilatent les veines), en portant des collants de contention qui exercent une pression sur la jambe, en dormant les pieds surélevés. Des médicaments veinotoniques peuvent apporter un certain soulagement, mais au stade de varices, la suppression des troncs veineux *(stripping)* ou la chirurgie sont souvent nécessaires.

VOIR AUSSI
- **Prévention des maladies cardiovasculaires** p. 218

Illustrations
- **Stimulateur cardiaque** p. 223

L'infarctus est-il d'origine infectieuse?

Cette hypothèse est prise très au sérieux par les cardiologues. En effet, la présence d'une bactérie, *Chlamydia pneumoniae*, a été décelée sous la forme de corps élémentaires ou de matériel génétique au sein des plaques d'athérome. De plus, des formes virulentes de cette bactérie ont pu être mises en culture et leur inoculation a déterminé l'apparition de lésions coronaires, similaires à celle que l'on observe dans l'infarctus, chez des lapins et chez des souris. Par ailleurs, chez les malades victimes d'un infarctus, on enregistre d'autant plus de récidives que leur taux d'anticorps anti-*Chlamydia pneumoniae* est élevé. Enfin, après un traitement antibiotique actif contre ce germe (azithromycine), on constate 5 fois moins de rechutes.

Petit lexique

angiologie : discipline médicale s'intéressant aux maladies des vaisseaux.

infarctus : diminution ou arrêt de la circulation artérielle dans une région plus ou moins étendue d'un organe ou d'un tissu.

ischémie : foyer de nécrose (mort cellulaire) dans un organe dû à l'arrêt brutal de la circulation artérielle.

Les maladies de l'appareil digestif

Le tube digestif et le pancréas

On entend par tube digestif l'ensemble des organes par lesquels passe la nourriture en allant de la bouche à l'anus.

L'œsophage et l'estomac. Observé chez 1 adulte sur 10, le reflux gastro-œsophagien se traduit habituellement par des sensations de brûlure et correspond à une remontée du contenu acide de l'estomac dans l'œsophage. Il provient d'un relâchement du sphincter inférieur de l'œsophage et peut provoquer une inflammation de ce dernier (œsophagite). Un tel reflux est également courant chez les nourrissons, car le sphincter œsophagien ne devient pleinement fonctionnel qu'à l'âge d'un an. Le traitement met en jeu l'administration de médicaments anti-reflux ou antiacide ; une intervention chirurgicale est rarement nécessaire. Chez l'adulte, il arrive que le reflux soit favorisé par la saillie de l'estomac dans le thorax à travers le diaphragme (hernie hiatale). Ce problème concerne près de la moitié des personnes de plus de 50 ans, mais a en général peu de conséquences.

Plus étendus que de simples érosions ou ulcérations, les ulcères correspondent à une véritable perte de substance de la muqueuse digestive et siègent le plus souvent au niveau de la première portion de l'intestin grêle, le duodénum, moins fréquemment sur l'estomac. Ils se manifestent par l'apparition de douleurs, 2 à 3 heures après le repas. Si l'on sait depuis longtemps que de nombreux facteurs sont impliqués dans leur survenue (tabagisme, trop forte sécrétion d'acide chlorhydrique et d'une hormone locale, la gastrine, stress...), le rôle favorisant d'une bactérie, *Helicobacter pylori*, a été prouvé plus récemment. Cette découverte a changé le traitement de la maladie, qui associe désormais, lorsque ce germe est retrouvé (ce qui n'est pas toujours le cas), la prise d'antibiotiques aux médicaments antiacides et anti-sécrétoires. La présence d'*Helicobacter pylori* favorise également la survenue de cancers, assez rares, de l'estomac (lymphomes).

L'intestin. Côlon et intestin grêle font souvent l'objet d'infections par toutes sortes de germes, qui induisent diarrhées (colibacilles, rotavirus, amibes) et/ou toxi-infections alimentaires. Ces dernières sont provoquées par l'ingestion de nourriture contaminée par des germes (staphylocoque doré...) fabriquant des toxines ; ils peuvent s'accompagner de vomissements. Deuxième par sa fréquence chez la femme, troisième chez l'homme, le cancer du côlon ou du rectum est à lui seul responsable de 15 000 décès par an en France. Ses premiers signes sont constitués par des saignements dans les selles et par des troubles du transit (constipation...).

Le pancréas. Cet organe peut être sujet à une inflammation aiguë ou chronique (pancréatites). Touchant en particulier les individus autour de la quarantaine, la pancréatite aiguë est souvent due à l'alcoolisme ou à la migration de calculs dans les voies biliaires. L'infection est soignée par traitement antibiotique, et parfois chirurgical (ablation de la vésicule biliaire). Généralement liée à l'alcoolisme chronique, la pancréatite chronique se déclare après de nombreuses années d'intoxication. Le pancréas peut être aussi le foyer de tumeurs cancéreuses.

Le foie et la vésicule biliaire

Les hépatites ou inflammations du foie peuvent être provoquées par de nombreux agents chimiques, par des toxiques et des solvants, par de nombreux médicaments ou, plus souvent, par l'alcool ou des virus. Au moins 7 types de virus, différents sur le plan moléculaire et quant à leur mode de transmission, ont été identifiés (A, B, C, delta, E, F et G). Seules les hépatites A et B peuvent être prévenues par des vaccins. En général bénignes, les hépatites A exposent au risque de décompensation aiguë des fonctions hépatiques (hépatite fulminante) pouvant entraîner le décès, en l'absence de greffe. Les hépatites B et C peuvent évoluer sur un mode chronique et induire l'apparition d'une fibrose du foie (cirrhose), aux conséquences parfois graves. En effet, la cirrhose altère certaines fonctions hépatiques vitales pour l'organisme (facteurs de la coagulation, rôle de détoxification) et expose au développement d'un cancer du foie.

La vésicule biliaire. Elle a pour fonction de stocker la bile secrétée par le foie et indispensable à la digestion des graisses. Il arrive fréquemment que des calculs (constitués dans 80 % des cas de cholestérol) se forment par cristallisation à l'intérieur de la vésicule biliaire, qui peut alors développer une réaction inflammatoire ; ou bien, ces calculs (lithiases) obstruent les voies biliaires lors de leur migration vers le duodénum. Cela se traite soit en dissolvant les calculs (s'ils restent de petites dimensions) au moyen de médicaments, soit en ôtant la vésicule (souvent par cœliochirurgie) et en extrayant les calculs des voies biliaires.

Les urgences abdominales

Les hémorragies digestives hautes (vomissements de sang) sont une complication fréquente de la cirrhose alcoolique. En effet, lorsque le foie est envahi par la fibrose, le sang tend à emprunter des voies de circulation anormales, et des varices œsophagiennes ont tendance à se former. Les veines de la paroi œsophagienne, dilatées et plus fragiles, sont alors susceptibles de se rompre. Ces hémorragies peuvent être arrêtées par la mise en place d'une sonde à ballonnet gonflable dans l'œsophage ou par l'injection de produits sclérosants à travers un fibroscope.

L'appendicite, ou inflammation de l'appendice, organe situé au point de jonction entre l'intestin grêle et le côlon, se traduit classiquement par une douleur de la fosse iliaque droite, de la fièvre et des troubles digestifs. Cependant, ces signes manquent souvent et le diagnostic peut être difficile. L'appendice doit être enlevé d'urgence pour éviter une extension de l'infection au péritoine (péritonite), la membrane recouvrant les viscères.

Les occlusions intestinales ont des origines variées : étranglement d'une anse intestinale en raison d'adhérences provoquées par une intervention chirurgicale antérieure, étranglement d'une hernie inguinale ou crurale, torsion d'une portion de l'intestin, obstruction par une tumeur, infection de diverticules constitués aux dépens de la paroi digestive. Elles nécessitent une intervention rapide.

Très fréquente chez l'enfant de 3 mois à un an, l'invagination intestinale aiguë correspond à la pénétration d'un segment d'intestin dans le segment sous-jacent. Son diagnostic par radiographie de l'intestin (lavement avec de la baryte radio-opaque) permet souvent de faire disparaître l'invagination en évitant tout acte chirurgical.

Les hernies

Une hernie est la saillie d'un organe ou d'une partie d'organe hors de la cavité où il se situe normalement, par un orifice naturel ou accidentel. Certaines concernent le diaphragme (comme la hernie hiatale, où une partie de l'estomac remonte au-dessus du diaphragme), d'autres la paroi abdominale. Dans ce dernier cas, on distingue la hernie ombilicale, caractérisée chez l'adulte par une saillie souvent volumineuse d'une portion de l'intestin au niveau du nombril ; la hernie inguinale, plus fréquente chez l'homme, qui fait saillie au pli de l'aine, près des bourses, dans lesquelles elle peut descendre ; la hernie crurale, plus petite, qui siège au haut de la cuisse et qui atteint tout particulièrement les femmes obèses.

La chirurgie digestive

La chirurgie digestive est de plus en plus pratiquée par voie endoscopique, ce qui permet de limiter la taille de la cicatrice et de raccourcir le temps d'hospitalisation. Ainsi, l'ablation de la vésicule biliaire est souvent réalisée par cœliochirurgie (technique utilisant un endoscope introduit par une petite ouverture), lorsqu'elle est remplie de calculs qui n'ont pu être dissous par l'acide ursodésoxycholique. Le reflux gastro-œsophagien, les hernies et, chez certains adultes obèses, l'appendicite sont de plus en plus opérés de cette façon. En revanche, l'ablation d'un morceau d'intestin en cas de cancer, est, pour des raisons de sécurité, encore le plus souvent effectuée en ouvrant l'abdomen. Cette intervention peut nécessiter provisoirement ou (plus rarement) définitivement l'abouchement de l'intestin à la peau (anus artificiel).

Les polypes, petites tumeurs développées à partir de la paroi intestinale, susceptibles de dégénérer en cancer, sont enlevées par coloscopie.

L'ablation chirurgicale des hémorroïdes, varices des veines situées autour de l'anus, peut être indiquée lorsque les autres traitements (médicaments, suppositoires) utilisés pour soulager les douleurs ont échoué ou devant des complications (hémorragies, formation d'un caillot...). D'autres gestes peuvent aussi être pratiqués (ligature des hémorroïdes, traitement par le froid : cryothérapie...).

VOIR AUSSI
- **Appareil digestif** p. 199
- **Vaccin de l'hépatite B** p. 218

Illustrations
- **Scanner de l'abdomen** p. 226

Les pathologies bucco-dentaires

Les affections et leurs traitements

La carie dentaire est une maladie infectieuse due à la production d'acides (à partir des sucres) par les bactéries de la plaque dentaire, en particulier du streptocoque mutans, du lactobacille et d'actinomyces. Se développant en 1 ou 2 ans pour les dents définitives, en moins longtemps dans le cas des dents de lait, la carie dentaire peut se manifester par une douleur, mais est en général indolore à ses premiers stades et donc le plus souvent découverte lors d'un examen systématique. C'est à ce moment qu'il faut agir et non au stade des complications.

Le traitement des caries varie selon leur importance. Si la carie est récente, le dentiste se contente de nettoyer la dent grâce à l'emploi d'une fraise ou, depuis quelques années, d'une technique de microabrasion qui envoie un jet d'air comprimé chargé de microparticules d'oxyde d'alumine. Puis il comble le trou avec un matériau d'obturation de composition variable (amalgame ou « plombage »).

Lorsque la dent est davantage cariée, elle risque de ne pas tolérer une couche trop épaisse de matériau d'obturation qui peut se fracturer. Le dentiste peut alors, après avoir pris une empreinte de la dent, réaliser une « couronne ». Dans ce cas, il obture la partie détruite de la dent par du ciment ou de l'amalgame, puis il recouvre celle-ci d'une couronne formée de résine ou de céramique. Une dévitalisation de la dent peut être pratiquée en cas de délabrements plus importants. Ce geste consiste à enlever la pulpe dentaire (nerfs et vaisseaux), puis à remplir la dent de ciment et d'un matériau inerte, la gutta-percha. Le développement d'un abcès au niveau de la racine dentaire requiert parfois un traitement antibiotique en sus du nettoyage de la dent. Enfin, l'extraction de la dent peut s'imposer lorsque l'os alvéolaire est touché à son tour par l'infection. La carie étant une maladie infectieuse, des recherches d'un vaccin anticaries sont en cours.

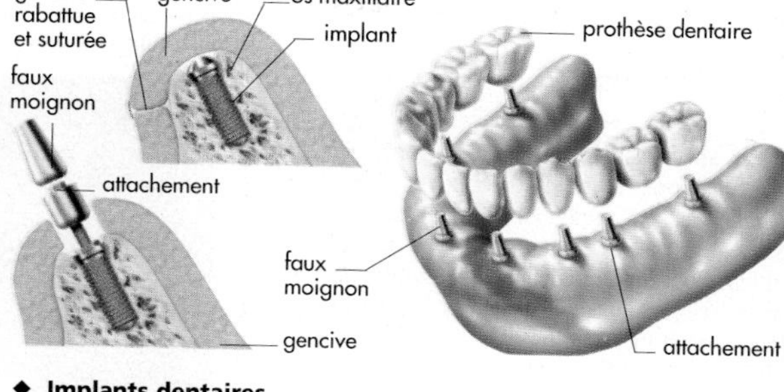

◆ **Implants dentaires.**
Ils sont constitués de racines en titane implantées dans l'os maxillaire sur lesquelles sont ajustées une dent prothétique isolée, un bridge ou un appareil dentaire. Ces implants sont proposés aux patients qui ont perdu une ou plusieurs dents à la suite de caries ou de déchaussements, et qui ne supportent pas les dentiers classiques pour des motifs psychologiques ou physiques (gêne lors de la mastication).

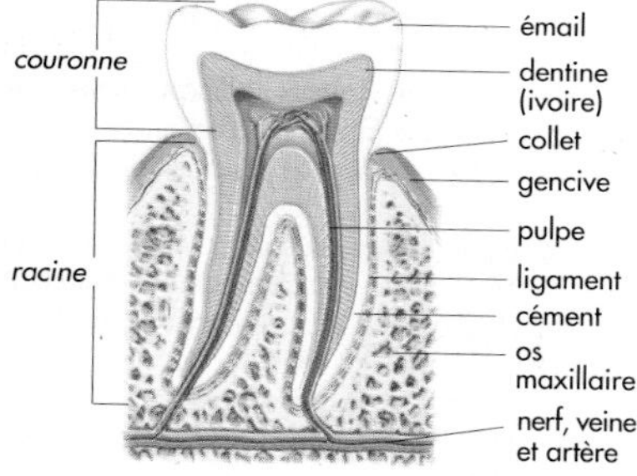

◆ **La dent.**
Elle se compose de 2 parties principales, la couronne et la ou les racines formées d'ivoire, ou dentine, substance poreuse. La couronne, seule partie visible dans la bouche, est recouverte d'émail blanc et translucide, la substance la plus minéralisée, donc la plus dure, de l'organisme. La racine, recouverte de cément, substance analogue à l'os, est plus longue et noyée dans une alvéole osseuse de la mâchoire. Elle y est reliée solidement par un ensemble de fibres formant le ligament alvéolaire. La jonction entre la couronne et la racine est appelée collet dentaire et peut constituer une zone de faiblesse si elle n'est pas recouverte par l'émail ou le cément.Enfin, la dent a un contenu, la pulpe, située dans la chambre pulpaire, au niveau de la couronne, et dans le canal radiculaire, dans la racine. Elle se compose de vaisseaux qui l'irriguent et de nerfs, à l'origine de la douleur en cas d'agression.

Les maladies du parodonte. Le parodonte regroupe les gencives, le ligament et l'os alvéolaire. Les affections dont il est atteint sont à prendre très au sérieux, car elles représentent le 2e motif de perte de dents après les caries. Des gencives molles, rouges, saignant au brossage évoquent l'existence d'une inflammation des gencives, ou gingivite, très fréquente après 45 ans. Cette maladie est favorisée par une mauvaise hygiène dentaire et par le dépôt de tartre sur les gencives. Elle nécessite en général, de ce fait, un détartrage. L'emploi régulier de bains de bouche contenant des antiseptiques sera également conseillé pour limiter la croissance bactérienne. La gingivite peut évoluer vers une parodontite plus grave, qui correspond à l'atteinte du ligament dentaire et de l'os alvéolaire. Du pus est susceptible de se former et les dents de bouger (c'est ce qu'on appelle « déchaussement »). Un traitement chirurgical peut alors être réalisé au niveau de la gencive, et parfois de l'os, pour ôter les tissus infectés.

Les affections de la bouche. Les lésions de la langue et de la bouche sont le plus souvent bénignes, mais ne doivent pas être négligées si elles persistent, notamment chez un fumeur. Il peut en effet s'agir d'une lésion précancéreuse ou d'un cancer de la bouche à traiter rapidement pour conserver les meilleures chances de guérison. Des plaques blanches se développant à l'intérieur des joues, sur la langue, une grosseur doivent amener à consulter un médecin.

Les aphtes sont de petites ulcérations de la muqueuse buccale, dont la cause est mal connue. Ils disparaissent en général spontanément entre 7 et 10 jours. Le muguet, provoqué par une levure, *Candida albicans,* est plus fréquemment observé chez le nourrisson, chez les personnes immunodéprimées, atteintes du sida, après une prise d'antibiotiques prolongée. On évoquera ce diagnostic devant la présence d'un enduit blanchâtre à l'intérieur de la bouche et de la gorge. Le muguet se traite par la prise d'antifongiques.

Une mauvaise haleine (halitose) peut avoir de multiples origines : gingivite, parodontite, infection pulmonaire, mauvaise digestion, consommation d'aliments à goût fort, maladie générale…

VOIR AUSSI

- **Hygiène bucco-dentaire** p. 215
- **Soins des dents** p. 216

Les traitements orthodontiques

Ils ont pour objectif de réaligner les dents. Leur but n'est pas seulement esthétique, mais aussi de permettre à l'ensemble des dents de trouver leur place au sein de la mâchoire, d'assurer une mastication correcte des aliments… La pose de bagues, ou brackets, pendant une durée de 6 mois à 2 ans permet d'exercer une pression sur elles et de les déplacer dans le sens souhaité.
Les appareillages orthodontiques sont, en général, proposés après l'éclosion des dents définitives, fréquemment après 6 ans, mais on peut intervenir plus tôt. Ils sont de plus en plus souvent posés chez des adultes, parfois sur la face interne des dents. Dans certains cas, des traitements orthodontiques chirurgicaux peuvent être effectués.
Chez bien des adultes, les dents de sagesse ne peuvent émerger de la mâchoire, ne parvenant à trouver leur place. Ces dents incluses peuvent alors provoquer une infection ou des douleurs, perturber l'alignement des autres dents. Ces problèmes disparaissent après l'extraction de la dent.

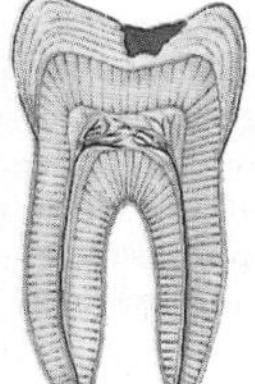
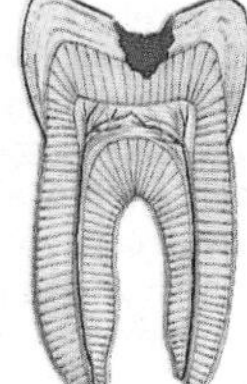
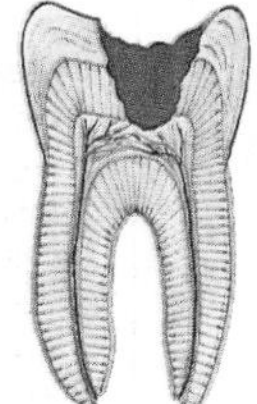
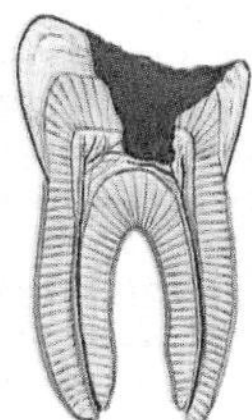
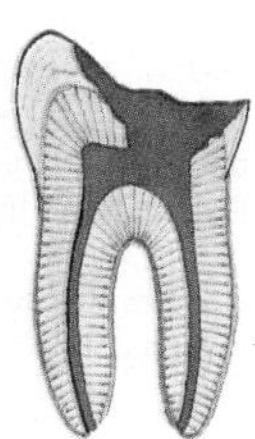

◆ **Extension d'une carie dentaire.**
L'émail est d'abord attaqué ; sa déminéralisation permet aux bactéries d'envahir la dentine, plus poreuse. À ce stade, une douleur intense et brève apparaît au froid ou après ingestion de sucres. Si rien n'est fait, la pulpe dentaire est atteinte plus ou moins rapidement. Son inflammation détermine une douleur pulsatile : la rage de dents. Quand la dent n'est pas dévitalisée, la pulpe se nécrose et provoque un abcès dentaire prenant naissance au bout des racines, pouvant se diffuser dans l'os et provoquer un gonflement de la joue ; la douleur concerne toute la moitié de l'arcade où est située la dent atteinte.

Les maladies de la femme

Les maladies du sein

Les affections bénignes du sein sont fréquentes. Ainsi, chez de nombreuses femmes, les seins gonflent et sont douloureux immédiatement avant les règles. Une irritabilité et un ballonnement abdominal peuvent accompagner ce syndrome prémenstruel, inquiétant certes, mais sans danger, dû aux modifications hormonales de la fin du cycle. Très courantes également, les tumeurs bénignes du sein sont de types divers : adénofibrome (petites tumeurs rondes observées chez la femme jeune), kystes remplis de liquide, s'associant parfois à la présence de placards fibreux pour former, chez la femme âgée de 35 à 50 ans, une mastopathie fibrokystique, ou encore lipomes (petites formations graisseuses). Le diagnostic de ces grosseurs requiert souvent, outre la mammographie ou l'échographie, une ponction à l'aiguille ou une biopsie. Des infections du sein, parfois cause d'abcès, peuvent aussi être observées, notamment pendant l'allaitement. L'écoulement de lait en dehors de tout accouchement récent doit, enfin, faire évoquer une tumeur bénigne de l'hypophyse, l'adénome à prolactine sécrétant une quantité anormale de cette hormone régulant la fabrication du lait.

Le cancer. Cette maladie du sein demeure une cause importante de décès, d'où l'importance de la reconnaître à ses premiers stades, où le taux de guérison dépasse 90 %. Le cancer du sein se manifeste habituellement par une opacité ou par de fines calcifications sur la mammographie. Les tumeurs diagnostiquées tendent à être aujourd'hui de plus en plus petites, grâce à la diffusion de la mammographie. Néanmoins, même aux stades plus évolués, des progrès notables ont été effectués grâce à l'emploi de la chimiothérapie et, chez les femmes ménopausées, de celui d'une thérapeutique hormonale, le tamoxifène, pour prévenir les récidives. L'arrivée de nouveaux agents anticancéreux (dérivés du taxane), l'intensification de la chimiothérapie dans certaines formes graves, pourraient encore améliorer les résultats. Des essais de thérapie génique ont fourni des résultats intéressants dans des modèles animaux.

◆ Cancer du sein.
Cette tumeur est aujourd'hui diagnostiquée de plus en plus précocement.

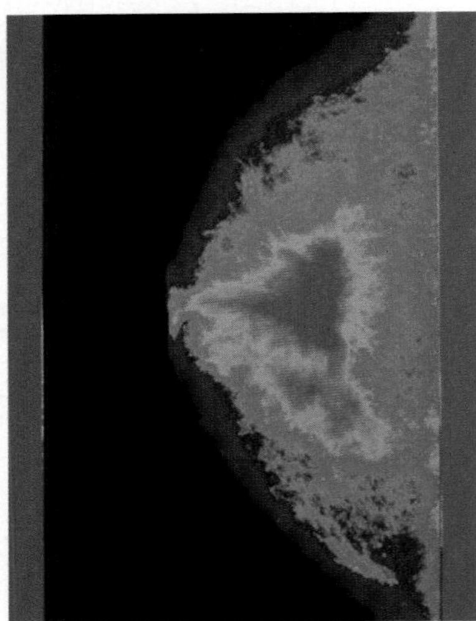

Les affections gynécologiques

Les troubles du cycle ou des règles sont habituels chez les jeunes filles et dans les années précédant la ménopause (règles irrégulières ou trop espacées) en raison de changements hormonaux. Des règles trop abondantes peuvent être en rapport avec la formation d'une tumeur fibreuse bénigne dans l'utérus (fibrome) ou être dues au port d'un stérilet. De nombreuses femmes se plaignent de règles douloureuses – un symptôme vraisemblablement lié à une production excessive par l'utérus de certaines substances, les prostaglandines.

Les maladies de l'utérus. De taille variable, allant de celle du petit pois à celle du pamplemousse, le fibrome se développe plus particulièrement chez les femmes dont le climat hormonal est déséquilibré (excès probable d'œstrogènes). Unique, ou plus fréquemment multiple, il demeure souvent silencieux, mais peut se tordre sur lui-même lorsqu'il est formé à partir de la paroi externe de l'utérus, ou entraver la conception. Il peut régresser sous traitement hormonal, mais doit être enlevé par chirurgie lorsqu'il est trop volumineux, ou provoque des troubles gênants (hémorragies, signes mictionnels liés à une compression des voies urinaires). Des polypes peuvent également se former à partir de la muqueuse interne de l'utérus (endomètre). Ils sont en général sans conséquence, mais peuvent se tordre et s'infecter. Il est alors possible de les enlever en introduisant un petit appareil, l'hystéroscope, par le col de l'utérus. L'endométriose se caractérise par l'implantation anormale de fragments d'endomètre près des ovaires, des trompes, dans l'abdomen. Cette anomalie peut conduire à la formation de kystes parfois douloureux et empêcher une grossesse.

Le cancer de l'utérus peut toucher le col ou le corps de cet organe. Ce cancer est plus répandu chez les fumeuses, chez les femmes ayant eu de nombreux partenaires sexuels, et est associé à la présence de certains virus (les papillomavirus). Il peut être prévenu par la reconnaissance des lésions précancéreuses grâce à la pratique régulière de frottis. Ces derniers consistent à prélever par grattage sous examen gynécologique quelques cellules du col utérin, puis à les examiner au laboratoire. Le cancer du corps de l'utérus se manifeste par des saignements et survient souvent après la ménopause. Il se développe lentement et guérit le plus souvent. Enfin, chez 1 femme sur 5 environ, l'utérus est incliné vers l'arrière et non, comme il devrait l'être, vers l'avant. Cette rétroversion utérine est sans gravité et, en général, asymptomatique, mais elle engendre parfois des douleurs dans le dos lors des règles et des rapports sexuels.

Les affections de l'ovaire. Les ovaires sont fréquemment l'objet de kystes de nature variée, qui peuvent être bénins et disparaître spontanément, mais aussi correspondre au développement d'un cancer, notamment après 50 ans. Certains de ces kystes peuvent se tordre et déterminer l'apparition d'un syndrome abdominal aigu. Par ailleurs, certains ovaires présentent des microkystes à leur surface, qui peuvent diminuer la fertilité. Enfin, l'ovulation est douloureuse chez certaines femmes.

VOIR AUSSI
- **Organes génitaux et puberté** p. 205
- **Fécondation et contraception** p. 207
- **Vieillissement** p. 209
- **Prévention** p. 217
- **Cancers** p. 230
- **Problèmes liés à la grossesse** p. 238

Les affections des trompes. Les trompes peuvent donner lieu à la formation d'une infection, en particulier à la suite d'une MST à gonocoques, à chlamydiae ou à mycoplasmes, et celle-ci peut réduire la fertilité en les obstruant. Comme celle des ovaires, l'exploration des trompes s'effectue souvent en introduisant un petit tube au travers de la paroi abdominale (cœlioscopie).

Les affections du vagin et de la vulve. Les vaginites, ou inflammations du vagin, sont banales, s'extériorisent par des pertes blanches ou grisâtres et impliquent souvent des champignons ou des bactéries (*Candida albicans*, trichomonas, *Gardnerella vaginalis*). Les bartholinites correspondent à une infection des glandes de Bartholin, situées de chaque côté du vagin et responsables de la sécrétion d'un liquide incolore qui sert de lubrifiant lors des rapports sexuels. Elles peuvent requérir, après échecs répétés des traitements antibiotiques, une incision et un drainage de l'abcès par chirurgie.

Les prolapsus génitaux et l'incontinence. Les prolapsus génitaux (descentes d'organes) se manifestent par une sensation de pesanteur dans le bas-ventre et sont répandus chez les femmes âgées ou qui ont eu de nombreux enfants. L'incontinence urinaire touche également un nombre important de femmes. Prolapsus et incontinence peuvent exiger une rééducation du périnée, mais aussi bénéficier d'une chirurgie de reconstruction.

Le traitement hormonal de la ménopause

L'arrêt de certaines sécrétions hormonales, qui définit la ménopause, provoque assez souvent des symptômes gênants, tels que les bouffées de chaleur, l'irritabilité, que l'on peut soulager par plusieurs médicaments. Cependant, ceux-ci n'ont pas de conséquences sur ses autres effets au long cours, qui résultent de l'arrêt de la production par les ovaires des œstrogènes et de la progestérone : sécheresse cutanée et vaginale pouvant perturber la vie sexuelle, accélération de la déperdition osseuse, accroissement de l'athérosclérose et des maladies coronariennes, et peut-être augmentation du risque d'incontinence urinaire. Un traitement hormonal substitutif associant œstrogènes et progestatifs de remplacement est donc de plus en plus souvent proposé pour éviter ces problèmes.

De nombreuses études ont montré que ce traitement permet, lorsqu'il est administré pendant au moins cinq ans, de retarder l'ostéoporose. Il pourrait aussi réduire le nombre d'affections cardio-vasculaires, en particulier d'angines de poitrine.

Les maladies de l'homme

Les maladies testiculaires

Les testicules peuvent faire l'objet de traumatismes (chocs…), en général peu graves. Une torsion du testicule se produit parfois également chez les jeunes garçons, souvent en dehors de tout effort. Cet accident, très douloureux, nécessite le plus souvent une intervention chirurgicale en urgence pour éviter une destruction irrémédiable du testicule. Plus fréquemment, il arrive que les testicules ne migrent pas, comme ils le devraient, dans les bourses pendant la vie fœtale et demeurent dans l'abdomen (ectopie testiculaire). Chez la plupart des enfants atteints, cette migration se fera spontanément dans les premières années de vie. Dans les autres cas, une intervention s'imposera pour éviter l'apparition d'une stérilité.

Enfin, une grosseur d'une bourse et, parfois, une simple sensation de pesanteur peuvent être les premiers signes d'un cancer testiculaire chez un homme jeune. Fort heureusement, cette tumeur a beaucoup bénéficié de l'emploi de la chimiothérapie, couplée à la chirurgie, et la guérison est de règle. L'hydrocèle se manifeste par un gonflement mou du scrotum, l'enveloppe des bourses, et correspond à une accumulation excessive du liquide qu'elle contient normalement. Souvent, elle ne demande pas de traitement. Une varicocèle est une dilatation variqueuse des veines du cordon, qui se manifeste par un gonflement indolore du scrotum, le plus souvent à gauche, réduisant parfois la fertilité. Sa ligature chirurgicale peut rétablir les capacités de reproduction. L'orchite, ou inflammation du testicule, est le plus souvent due chez l'adulte aux oreillons et peut diminuer la fertilité. Elle doit être différenciée de l'épididymite (inflammation de l'épididyme, organe situé à la partie postéro-supérieure du testicule). L'épididymite est le plus souvent d'origine bactérienne et disparaît habituellement après traitement antibiotique.

Les affections du pénis et de l'urètre

Le phimosis se rencontre très fréquemment chez le petit garçon (origine congénitale) mais peut aussi découler d'une inflammation. Il est dû à une étroitesse du prépuce, la peau qui recouvre le gland du pénis, et en empêche le décalottage. S'il ne disparaît pas spontanément, il peut exiger une petite intervention chirurgicale. Le paraphimosis définit l'étranglement du gland par un anneau préputial rétréci. Lorsqu'il ne peut être réduit manuellement, il peut également nécessiter une circoncision chirurgicale.

Le cancer de la verge est exceptionnel. Plus couramment, le pénis est le siège de verrues d'origine virale, qui peuvent être transmises aux partenaires sexuels et requièrent donc un traitement médical ou leur ablation par laser ou chirurgie par le froid (cryochirurgie). L'incurvation du pénis ou maladie de La Peyronie, du nom du médecin français qui l'a décrite, atteint souvent des hommes entre deux âges et correspond à la production d'un tissu cicatriciel dans la verge. D'origine inconnue, elle peut rendre difficiles les rapports sexuels. La balanite, ou inflammation du gland, est assez fréquente chez les hommes non circoncis, notamment chez ceux dont le prépuce se rétracte mal, et est plus répandue chez les diabétiques. Elle peut être due à des champignons (mycose).

Les urétrites (inflammations de l'urètre) se manifestent par des douleurs lors de la miction ou de l'éjaculation, par des envies fréquentes d'uriner et par des écoulements de couleur et de consistance variées. Elles sont souvent d'origine vénérienne (gonocoques, chlamydiae) et doivent amener à consulter, car elles peuvent déterminer un rétrécissement de l'urètre, s'étendre à d'autres organes de voisinage (prostatite, épididymite), être cause de stérilité. Le partenaire sexuel doit être prévenu, car il risque d'être infecté.

Petit lexique

circoncision : résection partielle du prépuce suivie de suture circulaire. Elle peut être réalisée dans un but médical (phimosis, paraphimosis), à titre religieux (religions juive et musulmane). Son intérêt dans la prévention des MST est discuté.

spermatozoïde : gamète (cellule reproductrice) mâle mature, apte à féconder l'ovule pour former un œuf.

sperme : liquide produit par l'éjaculation, composé de spermatozoïdes en suspension dans le liquide séminal, mélange des sécrétions des différentes glandes génitales mâles.

testostérone : principale hormone mâle produite, chez l'homme, par les cellules de Leydig du testicule.

Les maladies prostatiques

Les prostatites aiguës ou chroniques sont des infections de la prostate, qui peuvent, lorsqu'elles ne sont pas traitées à temps, provoquer l'apparition d'abcès et entraver l'évacuation des urines en comprimant le col de la vessie. Les prostatites chroniques sont souvent délicates à traiter et exigent l'administration prolongée d'antibiotiques. L'adénome de la prostate correspond à l'hypertrophie de cette glande et est observé chez environ la moitié des hommes de 50 à 60 ans et chez près de 90 % d'entre eux à 80 ans. En effet, le volume de la prostate tend, vraisemblablement pour des raisons hormonales, à augmenter dès l'âge de 40 ans. La maladie peut rester silencieuse, mais l'hypertrophie de la glande se développe souvent dans sa partie médiane, située près du col de la vessie, et peut de ce fait gêner l'émission d'urines. Le diagnostic de cette affection est établi par échographie. Des médicaments sont souvent proposés, qui agissent soit en supprimant les symptômes d'irritation de la vessie (alphabloquants), soit en s'opposant à l'augmentation du volume prostatique (médicaments fabriqués à partir de plantes, finastéride). Lorsque les troubles deviennent trop gênants ou que des complications apparaissent (infections urinaires, rétention d'urine), l'adénome doit être enlevé par traitement chirurgical.

Cancer de la prostate. Il est assez fréquent et peut être dépisté par le toucher rectal, un geste certes désagréable, mais qui s'impose chez tout homme de plus de 55 ans, car il permet de déceler la présence de cette tumeur (tout en dépistant un éventuel cancer anal ou rectal). L'échographie et le dosage d'un marqueur sanguin prostatique, le PSA (Prostate Specific Antigen), permettent de le distinguer d'un simple adénome. Le traitement, différent selon l'importance de l'envahissement tumoral, repose principalement sur la chirurgie, la radiothérapie et l'hormonothérapie (qui a pour but d'empêcher la testostérone de stimuler la prolifération des cellules prostatiques).

VOIR AUSSI
- Organes génitaux et puberté p. 205
- Sexualité p. 206
- Fécondation et contraception p. 207
- Cancers p. 228
- Stérilité p. 247

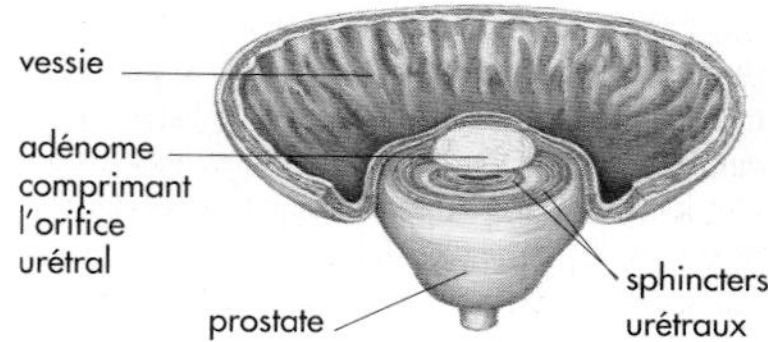

◆ **L'adénome de la prostate.**
Le traitement chirurgical de l'adénome de la prostate peut être réalisé par voie haute en passant au travers de la vessie, souvent sous anesthésie péridurale, ou par les voies naturelles. Dans ce cas, une sonde pourvue d'une anse de résection est introduite par l'urètre jusqu'à la vessie, et de petits copeaux de prostate sont enlevés et aspirés, tandis que la périphérie de la glande est laissée en place.

Moins de spermatozoïdes

Plusieurs études menées en Europe et aux États-Unis et ayant porté sur des milliers d'hommes ont suggéré que le nombre de spermatozoïdes aurait diminué de moitié en 50 ans. Pis, cette baisse se poursuivrait à l'heure actuelle au rythme de 1 à 2 % par an. Pour le moment, ce phénomène ne menace en rien la fertilité, mais il pourrait être inquiétant d'ici à quelques décennies, s'il persiste. Il demeure inexpliqué, mais le fait que cette réduction de la densité des spermatozoïdes n'est pas retrouvée dans toutes les régions géographiques du monde occidental et qu'elle s'associe souvent, lorsqu'elle est mise en évidence, à d'autres anomalies de la reproduction masculine (augmentation du nombre de cancers du testicule…) laisse penser que des paramètres environnementaux joueraient un rôle. Sont notamment suspectés les pesticides, qui pourraient être présents dans l'eau du robinet ou les légumes, et dont on sait qu'ils peuvent, à fortes doses, perturber la fécondité masculine, mais aussi les insecticides organochlorés, les œstrogènes… D'autres scientifiques évoquent plutôt le stress ou la vie dans des ambiances surchauffées, car on sait que la température idéale pour fabriquer les spermatozoïdes est de 33-35 °C.

Les problèmes liés à la grossesse

Grossesses pathologiques

La grossesse est qualifiée de pathologique lorsqu'elle s'accompagne de dangers pour la mère ou pour l'enfant. Ceux-ci diffèrent selon le stade de la grossesse.

1er trimestre. Les problèmes sont dominés par les fausses couches, qui sont fréquentes chez certaines femmes et nécessitent parfois un curetage ; le développement d'une grossesse extra-utérine ; la rubéole, source de cataracte et de malformations cardiaques chez le fœtus ; la toxoplasmose, à l'origine d'anomalies oculaires et cérébrales. Rarement se forme une môle hydatiforme, une tumeur développée aux dépens du tissu placentaire, à enlever d'urgence.

2e trimestre. Peut apparaître une menace d'accouchement prématuré (MAP) sous la forme de contractions utérines. Elle impose le repos, la prise de médicaments agissant contre ces contractions, et parfois un cerclage qui consiste à passer un fil autour du col de l'utérus pour l'empêcher de s'ouvrir. Il est, en effet, important que l'enfant naisse à terme, car la prématurité (moins de 37 semaines de grossesse) expose à de nombreuses complications.

3e trimestre. En dehors de la MAP, les principales complications sont représentées par : la toxémie gravidique, un syndrome entraînant l'apparition d'œdèmes et d'hypertension artérielle ; les hémorragies, en particulier celles qui sont liées à une insertion trop basse du placenta *(placenta prævia)*. Le fœtus peut présenter un retard de croissance intra-utérin et le volume du liquide amniotique être excessif ou, au contraire, insuffisant. Le dépassement de terme (plus de 42 semaines d'arrêt des règles) peut exiger le déclenchement artificiel de l'accouchement, car l'enfant est moins oxygéné, en raison du vieillissement du placenta. Le risque de transmission du sida à l'enfant existe en fin de grossesse et pendant l'accouchement chez les femmes séropositives.

Les maladies maternelles. Les principales affections qui compliquent la grossesse sont : l'hypertension artérielle, le diabète, les affections cardiaques (notamment valvulaires), l'épilepsie (qui augmente le risque de malformations). En revanche, l'âge ne constitue pas une véritable complication, même s'il est vrai qu'après 35-40 ans le risque de diabète, de toxémie gravidique, de fausse couche, de *placenta prævia* et de trisomie 21 est accru. La probabilité de prématurité est augmentée chez les adolescentes et chez les femmes ayant eu de nombreux enfants.

L'incompatibilité Rhésus. Lorsque la mère ne présente pas le facteur Rhésus à la surface de ses globules rouges (femme Rhésus négatif) et que l'enfant est Rhésus positif, peuvent apparaître chez celle-ci des anticorps, qui lèsent les globules rouges fœtaux et induisent une anémie sévère. Cette incompatibilité est prévenue par l'injection d'anticorps anti-Rhésus, qui détruisent les globules rouges fœtaux présents dans le sang maternel et évitent que la femme réagisse contre son enfant.

Les grossesses multiples. Représentant 1 à 2 % des naissances en Europe, leur nombre s'accroît en raison de la diffusion des techniques d'assistance médicale à la procréation. Ce sont des grossesses à risque qui exposent à une probabilité accrue de prématurité, d'hémorragies, de *placenta prævia*… Elles peuvent être monozygotes (un seul œuf, vrais jumeaux) ou dizygotes (2 œufs issus de la fécondation de 2 ovules par des spermatozoïdes différents, faux jumeaux).

◆ **Grossesse extra-utérine.**

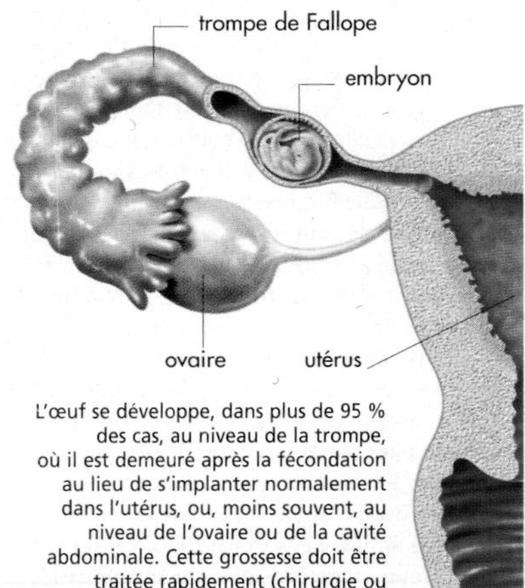

L'œuf se développe, dans plus de 95 % des cas, au niveau de la trompe, où il est demeuré après la fécondation au lieu de s'implanter normalement dans l'utérus, ou, moins souvent, au niveau de l'ovaire ou de la cavité abdominale. Cette grossesse doit être traitée rapidement (chirurgie ou injection locale de méthotrexate pour détruire les cellules de la grossesse), car elle menace la vie de la femme.

VOIR AUSSI
- Fécondation et contraception p. 207
- Grossesse et accouchement p. 208
- Échographie p. 221

◆ **Quelques techniques de diagnostic anténatal (en dehors de l'échographie).**

diagnostic pré-implantatoire
- prélèvement par aspiration d'une cellule sur un embryon ;
- terme : 2-3 jours ;
- indications : sexe, maladies génétiques (mucoviscidose…).

prélèvement de trophoblaste (bouts de placenta)
- prélèvement de villosités trophoblastiques, analyse des cellules de l'enfant ;
- terme : 9 à 12 semaines d'aménorrhée ;
- indications : sexe, trisomie 21 et malformations chromosomiques, maladies génétiques, infections, affections métaboliques.

amniocentèse
- ponction de 10 à 20 ml de liquide amniotique, analyse des cellules fœtales ;
- terme : 16-18 semaines ;
- indications : sexe, trisomie 21, spina bifida, affections métaboliques et héréditaires (hémophilies), incompatibilité Rhésus…

prélèvement de sang maternel
- analyse des cellules fœtales passées dans le sang maternel ;
- terme : dès le 3e mois ;
- indications : technique en cours de développement.

ponction de sang fœtal
- prélèvement d'un peu de sang par le cordon ombilical ;
- terme : dès le 4e mois ;
- indications : certaines infections fœtales, incompatibilité Rhésus, retard de croissance intra-utérin, anomalies chromosomiques.

Troubles de la grossesse

1. Les nausées et les vomissements se manifestent surtout au cours des 3 premiers mois. Il s'y associe parfois des troubles de l'appétit et une hypersalivation.
2. Les lésions des dents ou des gencives risquent de s'aggraver pendant la grossesse (« ramollissement » du tissu gingival).
3. Les taches cutanées sont dues à des troubles de la pigmentation et réalisent le « masque de grossesse ».
4. Les vergetures sont des lignes rougeâtres présentes sur l'abdomen, les cuisses, les fesses et les seins, et correspondent à des endroits où les fibres élastiques cutanées ont « lâché ».
5. Le pyrosis est la sensation d'une brûlure traçante, qui part de l'estomac et remonte jusqu'à la gorge. Il disparaît habituellement après l'accouchement.
6. La constipation vient d'une réduction des contractions intestinales et de la compression du côlon par l'utérus.
7. Les hémorroïdes, dues à l'hyperpression pelvienne, régressent après l'accouchement.
8. Les infections urinaires sont favorisées par une stagnation de l'urine dans la vessie.
9. Les varices tendent à s'aggraver en fin de grossesse.
10. Le prurit (vives démangeaisons) apparaît le plus souvent lors du dernier trimestre.

Accouchements difficiles

Les présentations anormales du fœtus affectent environ 4 % des naissances. La plus habituelle est la présentation en siège complet (bébé assis en tailleur, pieds se présentant en premier) ou décompleté (jambes relevées, fesses apparaissant en premier). Elle est assez courante en cas d'accouchement prématuré, car, souvent, l'enfant ne se positionne correctement dans l'utérus qu'au cours des dernières semaines de grossesse. Parfois, le bébé apparaît la tête tournée vers le haut ou par l'épaule (présentation dangereuse qui exige la césarienne).

Un travail trop long ou inefficace peut obliger l'accoucheur à extraire l'enfant par un forceps, une sorte de pinces à deux branches, ou grâce à une ventouse placée sur la tête du bébé.

La césarienne consiste à inciser chirurgicalement l'utérus pour extraire l'enfant et se pratique sous anesthésie générale ou péridurale. Ses principales indications sont la prématurité, un bébé trop gros ou un bassin trop étroit de la mère, un travail qui se prolonge, une souffrance de l'enfant lors de l'accouchement, une césarienne antérieure, une présentation anormale, un *placenta prævia*, une maladie maternelle (herpès génital, diabète…).

Il arrive, rarement, que des hémorragies importantes se produisent lors de la délivrance. Elles sont dues au fait que l'utérus ne se contracte pas assez pour limiter les petits saignements observés lors du décollement du placenta. Plus souvent, le placenta ne se décolle pas comme il le devrait dans les 30 à 45 minutes suivant l'accouchement. Le médecin pourra alors enlever le placenta sous anesthésie (délivrance artificielle).

La stérilité

Causes et diagnostics

La stérilité est un problème que rencontrent de 1 à 7 % des couples, et qui peut être due à la femme, à l'homme ou aux deux partenaires. Les causes de stérilité sont nombreuses dans les deux sexes et mettent en jeu une anomalie des spermatozoïdes ou des ovules, ou un obstacle à leur rencontre.

Chez la femme. La stérilité est souvent due à une inflammation (salpingite) et à une obstruction des trompes apparue à la suite d'une maladie sexuellement transmissible, ou plus rarement à une endométriose, à une malformation ou à une tumeur (fibrome) de l'utérus, à une anomalie de son col ou à une composition anormale de la glaire cervicale entravant la pénétration des spermatozoïdes. Dans d'autres cas, la stérilité découle d'une difficulté à ovuler ou de l'apparition anormale d'anticorps dirigés contre les spermatozoïdes. Plusieurs causes de stérilité peuvent être intriquées et des facteurs psychologiques entrer en jeu.

Chez l'homme. Les causes de stérilité sont constituées par l'absence ou un nombre insuffisant de spermatozoïdes dans le sperme, lui-même parfois en rapport avec un déséquilibre hormonal, un dysfonctionnement testiculaire ou une infection. Parfois, l'infécondité est liée à des anomalies de la forme ou de la mobilité des spermatozoïdes, ou à la présence de varicosités développées sur les veines entourant les testicules (varicocèle).

Le bilan d'une stérilité dans un couple peut exiger beaucoup de temps et débute toujours par un interrogatoire et un examen clinique soigneux, visant à apprécier la durée du problème et à détailler les antécédents gynécologiques et infectieux. Il comprend une batterie d'examens ayant pour but de préciser la qualité de l'ovulation (courbe de température, dosages hormonaux), de rechercher une cause d'ordre anatomique chez la femme (examen radiologique et endoscopique de l'utérus et des trompes), d'analyser la qualité du sperme (spermogramme) et de la glaire cervicale (prélèvement), ainsi que leurs interactions (tests postcoïtaux).

Petit lexique

stérilité : incapacité pour un couple de concevoir un enfant. *Syn.* : infertilité. En pratique, on ne peut parler de stérilité qu'après un délai de 2 ans dans le cas d'un couple ayant des relations sexuelles régulières.

Traitements

Le traitement d'une stérilité est souvent long et pénible. De ce fait, il doit être réalisé en accord avec le couple et prendre en compte les paramètres psychologiques.

Chez la femme. Le traitement diffère selon l'origine de la stérilité. Dans les troubles de l'ovulation, il repose sur l'administration d'hormones qui la stimulent. Les anomalies de la glaire cervicale relèvent elles aussi d'un traitement médical reposant sur la prise d'œstrogènes. Les infections seront traitées par antibiotiques. Les tumeurs, les fibromes utérins, les endométrioses non guéries par le seul traitement médical peuvent exiger un acte chirurgical. Les obstructions des trompes nécessitent souvent l'emploi de techniques de microchirurgie.

Chez l'homme. La varicocèle peut être corrigée chirurgicalement, mais ce geste ne rétablit la fertilité que dans 30 % des cas environ. Lorsqu'une infection entrave la production des spermatozoïdes, les thérapeutiques anti-infectieuses peuvent restaurer les capacités reproductrices. En revanche, les anomalies du sperme et des spermatozoïdes ne sont guère sensibles aux traitements.

Il faut avouer que de nombreuses stérilités sont impossibles à traiter, que les échecs de l'assistance médicale à la procréation sont importants et que la seule solution consiste fréquemment pour les couples à recourir à l'adoption.

L'assistance médicale à la procréation

L'assistance médicale à la procréation, ou AMP, met en jeu plusieurs techniques.

L'insémination artificielle. Elle consiste à déposer du sperme au niveau de l'utérus au moment de l'ovulation. L'insémination artificielle avec sperme du conjoint (IAC) est utilisée quand celui-ci contient un nombre suffisant de spermatozoïdes sains. L'insémination artificielle avec sperme de donneur (IAD) est proposée en cas d'absence ou d'anomalies des spermatozoïdes ou, moins souvent, lorsque l'homme peut transmettre une maladie génétique ou infectieuse (sida…).

La fécondation *in vitro* (FIV). Cette technique revient à réunir dans une éprouvette un ovule et des spermatozoïdes, et à réimplanter l'œuf fécondé dans l'utérus, au stade de 4 à 8 cellules. Les ovules sont prélevés par ponction des ovaires sous échographie, après une stimulation ovarienne médicamenteuse. La FIV peut être pratiquée avec des ovules et du sperme provenant des conjoints ou de donneurs. Les embryons obtenus peuvent ou non être congelés. Les principales indications de cette technique sont représentées par les stérilités féminines liées à une anomalie incurable des trompes et par certaines stérilités masculines.

Le GIFT (Gamete Intra Fallopian Transfer). Ce transfert de gamète intratubaire est une variante de la FIV, dans laquelle le mélange du sperme et des ovules est injecté dans la trompe.

L'ICSI (IntraCytoplasmic Sperm Injection). Cette technique consiste à injecter un spermatozoïde unique dans l'ovule grâce à une micropipette. Cette méthode est employée dans certaines stérilités masculines ne pouvant être traitées par FIV classique. Une variante de l'ICSI consiste à réaliser la fécondation non avec un spermatozoïde, mais avec un gamète mâle immature (spermatide).

L'AMP en question

La législation gouvernant les techniques d'AMP varie d'un pays à un autre. Par exemple, selon les États, ces méthodes sont ou non offertes aux femmes célibataires, aux couples homosexuels ; le recours à des mères porteuses est ou non autorisé. Le désir de femmes ménopausées d'avoir accès à ces techniques, les demandes d'autres, dont le conjoint est décédé, de pouvoir utiliser son sperme ou de récupérer leurs embryons congelés ont révélé à de multiples reprises que les problèmes soulevés par ces méthodes vont bien au-delà de la médecine et posent de nombreuses questions éthiques.

Aujourd'hui, de nombreux scientifiques s'inquiètent des nouvelles méthodes d'AMP employées pour traiter les stérilités masculines, notamment de l'emploi de gamètes mâles immatures (spermatides) au lieu de spermatozoïdes. Ne risque-t-on pas de favoriser la dissémination de maladies génétiques ou de malformations ? Dans le cas de l'ICSI, certaines études ont rapporté un doublement de certaines anomalies, notamment cardiaques, mais ce fait n'a pas été confirmé. En revanche, les techniques classiques de fécondation *in vitro* et la congélation des embryons semblent très sûres, comme l'a révélé le suivi de milliers d'enfants.

◆ **Technique de la fécondation *in vitro*.**

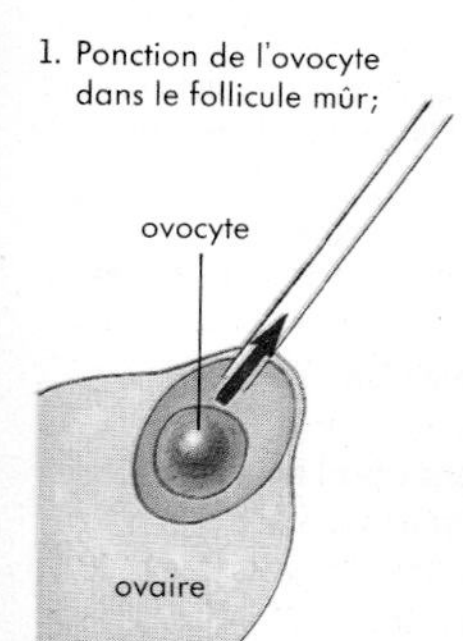

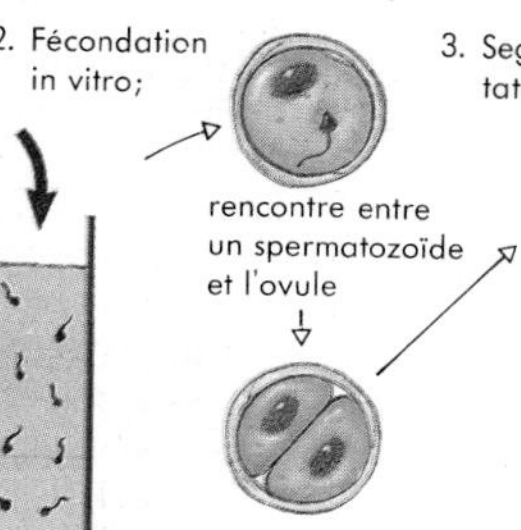

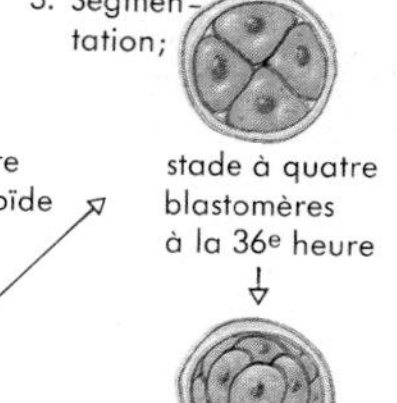

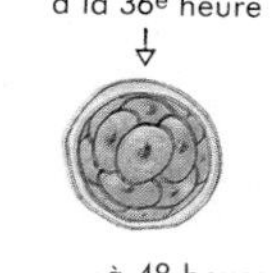

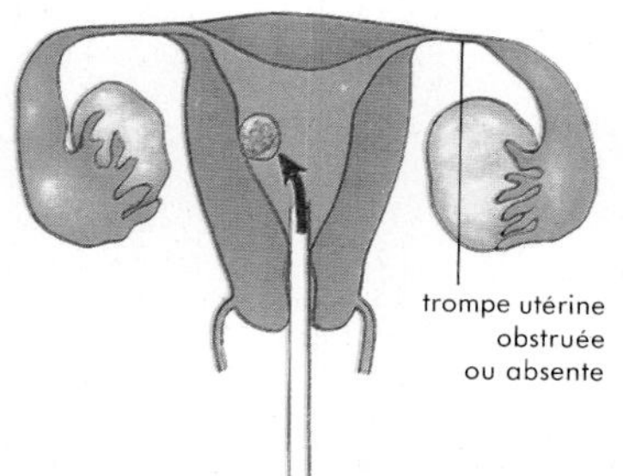

4. Transfert de l'œuf.

VOIR AUSSI
• Fécondation et contraception p. 207
• Maladies de la femme p. 236
• Maladies de l'homme p. 237

Les maladies infantiles

Le nouveau-né

L'examen du nouveau-né comporte un certain nombre de gestes de base, qui ont pour objectif de vérifier que l'enfant n'est pas porteur de malformation, d'infection, qu'il n'a pas souffert au cours de l'accouchement, que son état neurologique est satisfaisant. Un dépistage de la luxation congénitale de la hanche est systématiquement réalisé grâce à un examen clinique, ainsi que celui de maladies héréditaires, comme la phénylcétonurie, par dosage sanguin. À la sortie de la maternité, l'enfant est de nouveau examiné (consultation obligatoire du 8e jour).

La prématurité (terme inférieur à 37 semaines) et la grande prématurité (moins de 34 semaines) exposent à de nombreux problèmes respiratoires, neurologiques, digestifs, en rapport avec l'immaturité de l'organisme. Les progrès médicaux permettent aujourd'hui de sauver un nombre de plus en plus important de ces nouveau-nés. Néanmoins, il existe, chez les enfants les plus jeunes, le risque d'observer à long terme des séquelles neurologiques, souvent difficiles à prévoir initialement. Or, du fait de la diffusion des techniques de procréation médicalement assistée, le nombre de grands prématurés s'accroît actuellement.

Parmi les autres affections médicales pouvant être observées à la naissance se rencontrent les infections maternofœtales, dont certaines sont graves (herpès, hépatite B, VIH), les malformations congénitales sévères (taux de 10 à 15‰ des nouveau-nés vivants) ou encore l'hypotrophie (trop faible croissance par rapport à l'âge gestationnel de l'enfant).

L'ictère du nouveau-né (jaunisse) est banal. Il est dû à un excès de bilirubine dans le sang et souvent favorisé par l'allaitement au sein. Il se traite par l'exposition des enfants pendant quelques jours à une lumière bleue, qui décompose la bilirubine en ses métabolites. D'autres anomalies, courantes chez le nouveau-né, peuvent régresser spontanément. C'est par exemple le cas de la hernie ombilicale, assez répandue chez les enfants noirs, de l'urticaire néonatale, et du milium, qui correspond à la présence de petits points blanchâtres sur le nez et sur les joues de l'enfant et est en rapport avec une rétention de kératine.

Le nourrisson et l'enfant

Deux consultations sont imposées à 9 mois et à 2 ans, pour suivre le développement de l'enfant et vérifier que les vaccinations obligatoires (BCG) et recommandées (ROR) ont bien été effectuées. Ces renseignements donnent lieu à l'émission de certificats, qui sont reportés dans le carnet de santé.

Maladies du nourrisson. Les principales affections auxquelles sont confrontées le nourrisson et le jeune enfant sont des maladies infectieuses banales, dont les complications sont devenues rares dans les pays développés. La rougeole se raréfie avec l'extension de la vaccination ROR, mais la couverture vaccinale (au-dessus de 80 % en 1998) demeure inférieure en France à celle observée dans des pays scandinaves comme la Finlande (où pratiquement 100 % des enfants sont vaccinés). La coqueluche tend aujourd'hui à être observée chez de jeunes nourrissons encore non protégés par la vaccination et infectés par le biais de leurs parents. Elle peut provoquer des complications respiratoires, imposant alors une hospitalisation. La bronchiolite touche un nourrisson sur 3 et est à l'origine d'épidémies hivernales aux conséquences heureusement souvent limitées. Il y a peu d'années, un assez grand nombre de nourrissons mouraient subitement pour des raisons inexpliquées, mais le nombre de ces décès s'est beaucoup abaissé depuis que l'on encourage de nouveau le couchage des enfants sur le dos (le nombre de décès est passé en France de 1 494 en 1991 à 451 en 1996). Ce phénomène explique pour moitié à lui seul le recul de 2 points de la mortalité infantile relevé en France entre 1991 et 1996 (4,66 ‰, contre 7,26 ‰). Si la cause exacte de ces morts subites reste incomprise, certaines facteurs de risque ont été identifiés, comme le tabagisme parental, les infections virales.

Maladies de l'enfant. Avant l'âge de 5 ans, 5 types de pathologies prédominent : maladies de l'appareil respiratoire, de la peau, infections, pathologies ORL et de l'appareil digestif. Après l'âge de 5 ans, les infections, notamment respiratoires, demeurent courantes, mais les consultations motivées par un problème dentaire deviennent habituelles, et les accidents et les intoxications se répandent.

Les principales affections chroniques observées chez l'enfant sont l'asthme, dont la fréquence s'accroît actuellement et dont les relations avec la pollution atmosphérique sont encore mal cernées, l'obésité, qui atteint également un nombre croissant d'enfants (notamment aux États-Unis) en raison d'une déstructuration grandissante des repas et du manque d'exercice, les maladies rénales, les rhumatismes, les atteintes inflammatoires du tube digestif. La mucoviscidose et la drépanocytose (DOM-TOM) sont les maladies génétiques le plus fréquemment rencontrées.

Le dépistage néonatal

Depuis 25 ans, les nouveau-nés français sont soumis à un dépistage au 5e jour de vie grâce à un simple prélèvement de sang par piqûre au talon, puis dépôt du sang sur papier buvard, qui est adressé au laboratoire pour analyse. Ce procédé n'est employé que pour dépister des maladies fréquentes, graves et curables lorsqu'elles sont reconnues rapidement. Quatre affections sont concernées à ce jour : la phénylcétonurie depuis 1975 (1/15 000 naissances), l'hypothyroïdie congénitale (1/4 000 naissances), la drépanocytose au sein de certaines populations à risque (Antillais, Africains, DOM-TOM) et, depuis 1995, l'hyperplasie congénitale des surrénales.

◆ **Causes de décès chez l'enfant en France métropolitaine.**

	Sexe masculin			Sexe féminin		
	<1 an	1-4 ans	5-14 ans	<1 an	1-4 ans	5-14 ans
causes extérieures de traumatismes et empoisonnements	4,0	42,4	49,4	4,9	31,6	39,1
tumeurs	0,6	14,2	20,3	0,9	12,5	19,2
maladies du système nerveux et des organes des sens	4,4	7,9	6,0	5,1	8,9	8,2
anomalies congénitales	22,2	9,4	5,6	26,2	15,5	9,8
symptômes, signes et états morbides mal définis	22,5	8,8	5,0	19,1	8,7	2,8
maladies infectieuses et parasitaires	1,8	5,4	3,5	2,6	7,9	3,8
maladies de l'appareil circulatoire	1,3	2,1	2,9	1,6	3,3	6,4
maladies de l'appareil respiratoire	1,6	3,8	2,6	1,4	3,3	3,0
affections dont l'origine se situe dans la période périnatale	38,2	-	-	35,1	0,5	0,2
Nombre de décès	**2 002**	**479**	**719**	**1 543**	**393**	**501**

Données : 1998. En % du nombre de décès. *Source* : Inserm.

◆ **Enfant dyslexique chez un orthophoniste.**
La dyslexie concerne de 5 à 10 % des enfants et correspond à un trouble de l'apprentissage de la lecture, lié à une difficulté à décrypter le sens des mots, alors que l'intelligence est tout à fait normale. Elle se traite par rééducation orthophonique. Longtemps mise en rapport avec des facteurs psychologiques, elle est aujourd'hui considérée par de nombreux spécialistes comme une maladie possédant une composante neurologique. Ainsi, le cerveau des dyslexiques pourrait traiter moins rapidement certaines informations sensorielles. Des programmes pilotes tentent de dépister cette affection dès l'école maternelle.

VOIR AUSSI
- **Croissance** p. 204
- **Puberté** p. 205
- **Vaccinations chez l'enfant** p. 218
- **Maladies et génétique** p. 227
- **Problèmes liés à la grossesse** p. 238
- **Bilan de la santé** p. 255

Les maladies liées à l'âge

Vieillissement et pathologies

Le vieillissement expose à un accroissement de l'apparition probable de maladies. Néanmoins, peu d'affections lui sont directement associées et l'âge intervient plutôt comme un facteur de risque surajouté.

Le recul de la mortalité globale est, en France, expliqué par les progrès obtenus dans le traitement des affections cardiovasculaires dans les années 1980-1990. Cependant la réduction de la mortalité chez les personnes les plus âgées est apparemment en rapport avec une pratique accrue de la vaccination antigrippale. Même s'il n'est que partiellement efficace quant à la prévention de l'infection, ce vaccin réduit en effet les complications de la grippe, à l'origine de nombreux décès chez les vieillards.

Aujourd'hui, on vieillit « physiologiquement » moins vite qu'autrefois, mais les deux sexes demeurent inégaux sur ce point. Ainsi, les femmes ont dans tous les pays développés une espérance de vie très supérieure à celle des hommes (82 ans en France en 1996 contre 74 ans pour les hommes) et elles sont jusqu'à la ménopause relativement protégées contre les affections cardiovasculaires, en raison des sécrétions hormonales ovariennes.

Les affections que l'on note chez les personnes vieillissantes touchent plus particulièrement :

Soins palliatifs et euthanasie

L'idée de prodiguer des soins palliatifs, c'est-à-dire de rendre la vie tolérable à un malade qui n'a plus d'espoir de guérison, est due à la Britannique Cicely Saunders, qui les a développés dès 1967 en Grande Bretagne.

Depuis 1986, des unités de soins palliatifs fixes, puis des équipes mobiles ont été fondées en France (leur nombre est en 1999 de 54 pour les unités fixes, de 87 pour les unités mobiles). Mais le nombre de mourants (essentiellement des personnes atteintes de cancer ou de sida) pouvant être accueillis dans ces structures demeure très faible, aux alentours de 9 000 par an. À titre de comparaison, le chiffre des décès annuels dépasse 530 000 en France (dont plus de 140 000 décès par cancer). Le développement de ces unités est lent en raison d'obstacles administratifs et psychologiques.

L'euthanasie, mot dérivé des mots grecs, *eu* (bon) et *thanatos* (mort) peut, quant à elle, être provoquée de façon délibérée (euthanasie active) ou passivement. Elle est interdite dans la plupart des pays, mais en fait très couramment pratiquée. Ainsi, une enquête menée en France auprès de 113 services de réanimation (7 500 malades) a révélé qu'un patient sur deux était décédé dans ces unités à la suite d'une décision d'abstention thérapeutique.

L'euthanasie active est autorisée sous condition aux Pays-Bas, le suicide médicalement assisté dans l'État américain de l'Oregon, mais les textes législatifs semblent être peu appliqués.

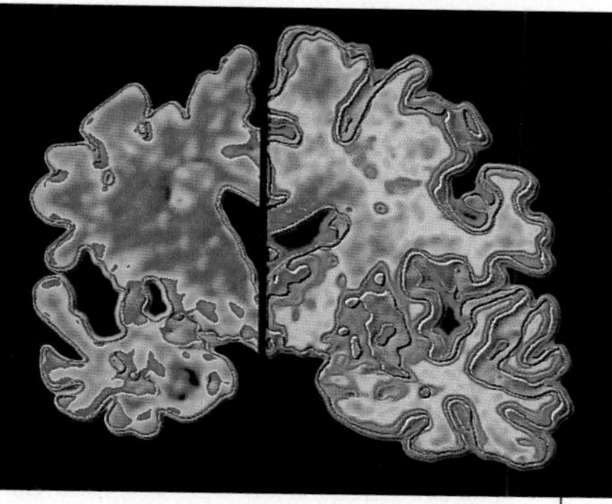

◆ **Coupe du cerveau chez une personne atteinte de la maladie d'Alzheimer, à gauche, et chez un sujet normal, à droite.**
Le volume cérébral est diminué dans la maladie d'Alzheimer en raison de la mort des cellules nerveuses. La maladie se caractérise également par une dégénérescence neurofibrillaire à l'intérieur des neurones et par le dépôt dans le cerveau d'une protéine, dite bêta-amyloïde.

– le cerveau et le système nerveux : de la banale perte de mémoire à la démence ;
– le cœur et les vaisseaux sanguins (hypertension artérielle, insuffisance cardiaque, maladies coronariennes) ;
– le métabolisme (athérosclérose, diabète de type II dit de la maturité) ;
– les os et les articulations (arthrose, ostéoporose…) ;
– les organes de sens (cataracte, surdité, glaucome, troubles rétiniens, dégénérescence maculaire liée à l'âge…) ;
– la vessie et les organes génitaux (adénome de la prostate chez l'homme, incontinence urinaire, descente du plancher pelvien chez la femme) ;
– le rein.

La baisse physiologique de la fonction rénale doit être prise en compte pour la prescription de médicaments, car la perte de la capacité de cet organe à filtrer puis à éliminer les déchets peut être à l'origine de surdosages. Ce danger est d'autant plus important que les sujets âgés prennent souvent plusieurs thérapeutiques.

Enfin, s'ils sont loin de ne toucher que des personnes âgées, les cancers voient leur fréquence augmenter avec le vieillissement.

Vieillissement et dépendance

En France, la prolongation de l'espérance de vie actuellement observée s'accompagne d'une augmentation du nombre d'années de vie sans incapacité et donc d'une meilleure qualité de vie globale des personnes âgées. Néanmoins, le vieillis-sement de la population devrait se traduire prochainement par un accroissement du nombre de personnes dépendantes. Ainsi, au début des années 1990, environ 38 % des femmes et 28 % des hommes de plus de 75 ans vivant en France étaient dépendants et certains démographes craignent qu'en 2050 ces taux soient au minimum doublés, une hypothèse pessimiste qui pourrait toutefois être infirmée grâce à des progrès médicaux. Ce phénomène de société aux redoutables conséquences sociales potentielles a, quoi qu'il en soit, incité certains pays comme la France à créer des prestations spécifiques pour les personnes dépendantes.

Les causes les plus habituelles de la dépendance sont représentées par les démences, au premier rang desquelles la maladie d'Alzheimer, le handicap moteur, notamment celui qui découle des suites d'une fracture du col du fémur et les déficits sensoriels. En France, les données statistiques révèlent que 17 % environ des personnes âgées, vivant à l'hôpital dans un service de long séjour ou en maison de retraite, sont confinées au lit ou au fauteuil, que 32 % sont aidées pour la toilette etl'habillage, 14 % pour quitter l'établissement et 40 % sont considérées comme dépendantes sur le plan psychique.

Les démences

Le terme de démence définit une diminution des capacités intellectuelles et sociales. Ces affections résultent de lésions neurologiques ou vasculaires, deux causes qui peuvent d'ailleurs s'associer.

Maladie d'Alzheimer. Forme la plus courante de démence, cette maladie, d'origine mal comprise, concerne environ 400 000 personnes en France. Une grande étude américaine a révélé qu'elle touche 1 personne sur 5 à 80 ans et 1 sur 2 à 90 ans. L'affection se manifeste au début par des pertes de mémoire portant sur les faits récents, puis s'aggrave peu à peu, le patient devenant incapable au bout de plusieurs années de communiquer avec son entourage. La plupart des cas sont isolés, mais il existe aussi des formes héréditaires. Des gènes de susceptibilité ont été décrits. La maladie est due à une dégénérescence des cellules nerveuses cérébrales et se caractérise par la présence visible en microscopie d'altérations spécifiques (des plaques séniles se composant de protéine bêta-amyloïde). Elle s'associe à une diminution du taux d'acétylcholine, un neurotransmetteur impliqué dans le processus de mémorisation. L'emploi de médicaments qui corrigent le déficit cérébral en acétylcholine est aujourd'hui proposé dans le but de retarder le cours de l'affection, mais ceux-ci exposent à des risques toxiques.

Autres démences. D'autres démences résultent d'accidents vasculaires cérébraux répétés qui ont provoqué de petits infarctus cérébraux. Ils sont tout particulièrement observés chez les personnes hypertendues mal soignées. Des pertes de la mémoire récente sont également au premier plan du tableau clinique. Certaines affections neurologiques, comme la maladie de Parkinson, comportent parfois un certain degré de détérioration mentale. Enfin, il faut savoir que chez une personne âgée une dépression peut revêtir l'aspect trompeur d'une altération des facultés intellectuelles.

VOIR AUSSI
- **Vieillissement** p. 209
- **Corps embelli** p. 216

Autres grandes pathologies

Les affections neurologiques

Les affections neurologiques sont souvent dues à des troubles vasculaires et dégénératifs, ce qui explique leur fréquence chez les personnes âgées.

La baisse soudaine de l'irrigation du cerveau peut déterminer l'apparition d'un accident vasculaire cérébral par destruction d'une partie de cet organe. Dans 8 cas sur 10, la cause en est l'obstruction d'une artère cérébrale par des plaques d'athérosclérose ou un caillot ; dans 20 % des cas, il est provoqué par un épanchement de sang dans le tissu cérébral.

La maladie de Parkinson. Elle est due à la dégénérescence progressive des cellules nerveuses d'une petite structure cérébrale, le *locus niger*, responsable de la sécrétion de dopamine, une substance qui intervient dans le contrôle de la motricité. Elle détermine l'apparition de tremblements, une certaine rigidité corporelle et d'altération de la marche, qui surviennent très progressivement. L'administration de médicaments à base de lévodopa (qui est transformée en dopamine) ou de produits reproduisant l'action de la dopamine permet d'en retarder l'évolution. D'autres techniques sont expérimentées dans les formes graves, comme la chirurgie stéréotaxique, qui détruit une partie du thalamus (en cas de tremblements gênants), ou la greffe cérébrale de cellules de surrénale fœtale (lesquelles fabriquent de la dopamine).

Autres affections. La chorée de Huntington est une affection d'origine génétique, qui se caractérise par des mouvements involontaires et saccadés des bras et du visage. La sclérose en plaques, affection probablement auto-immune, se manifeste sous la forme de poussées (paralysies, engourdissements) et résulte d'une destruction par plaques de la gaine de myéline recouvrant les fibres nerveuses. Motif fréquent d'invalidité majeure chez les adultes, elle est actuellement traitée par l'interféron. La maladie de Charcot (ou sclérose latérale amyotrophique) est une affection grave des neurones moteurs, dont l'origine demeure inconnue et qui évolue vers la paralysie. Un nouveau médicament , le riluzole, est utilisé pour son traitement.

L'épilepsie

L'épilepsie correspond à une activation anormale des neurones du cortex, qui survient par décharges. Il en existe de toutes sortes, dont la plus habituelle est constituée par l'apparition chez le nourrisson, à l'occasion d'une fièvre, de crises convulsives qui disparaîtront ensuite sans séquelles. Les crises d'épilepsie peuvent survenir isolément (cas le plus fréquent) ou compliquer une affection neurologique ou une tumeur, demeurer partielles ou se généraliser, se traduire par des manifestations motrices ou sensorielles, des sentiments d'étrangeté… Le « grand mal » est une épilepsie généralisée, qui associe une perte totale de conscience, avec chute, suivie d'une contraction intense du corps qui dure de 15 à 20 secondes et, fréquemment, d'une morsure de la langue. Surviennent ensuite des secousses des membres et souvent une perte d'urine. Le « petit mal » ou « absence » est observé chez l'enfant. Pendant quelques secondes ou quelques minutes, l'enfant cesse de répondre aux questions, suspend son activité, pour la reprendre aussitôt sans conserver de trace de l'épisode.

Les migraines

Les migraines sont des crises de maux de tête qui durent de 4 à 72 heures, sont situées ou prédominent d'un côté, entravent les activités quotidiennes. Elles sont aggravées par l'effort physique, le bruit et la lumière, s'accompagnent de nausées et de vomissements, sont précédées de signes annonciateurs (trouble de l'humeur, signes oculaires), et se répètent dans certaines circonstances (avant les règles, après consommation de certains aliments…). Lorsqu'elles sont fréquentes, de nombreux médicaments peuvent être proposés avec plus ou moins de succès (produits à base d'ergot de seigle, dérivés de la sérotonine, bêta-bloquants…), pendant la crise ou de façon permanente (traitement de fond).

Les maladies ophtalmologiques

Les affections ophtalmologiques peuvent concerner différentes parties de l'œil.

– Les conjonctivites sont des inflammations allergiques ou infectieuses de la muqueuse revêtant l'intérieur des paupières.

– La cataracte correspond à une opacification du cristallin et, dans la plupart des cas, elle est due au vieillissement. Son traitement est le plus fréquent des gestes chirurgicaux réalisés en France (environ 250 000 actes par an) ; il se pratique, même à un âge avancé, sous simple anesthésie locale.

– Le glaucome correspond à un accroissement de la pression à l'intérieur du globe oculaire, dans l'espace séparant le cristallin et la cornée. Aigu ou plus souvent chronique (95 %), le glaucome doit être traité rapidement, car l'augmentation de pression altère les fibres du nerf optique.

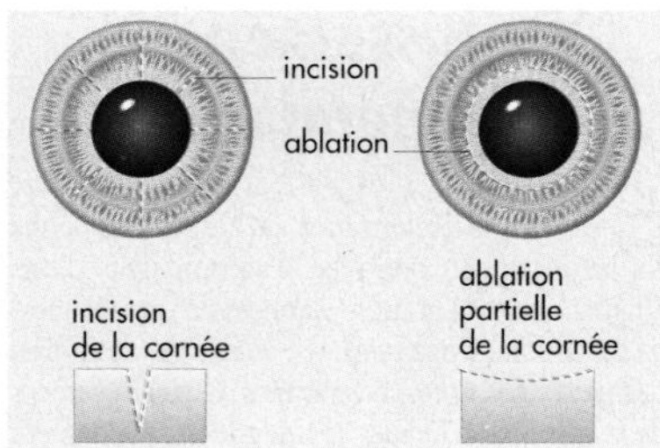

◆ **La chirurgie ophtalmologique.** La chirurgie est devenue, grâce aux progrès techniques, un moyen souvent utilisé dans le traitement des affections ophtalmologiques.
La kératotomie radiaire est une technique utilisée pour la myopie. Elle consiste à réaliser des incisions radiales de la cornée (à gauche, sur le dessin) pour l'aplatir et permettre de nouveau à l'œil myope de focaliser les images sur la rétine. Elle est parfois remplacée par la photoablation (à droite), une technique qui consiste à enlever par laser la couche superficielle de la cornée.

– Les maladies de la rétine peuvent être dues à des affections générales qui en perturbent la vascularisation (hypertension artérielle, diabète) et sont souvent en rapport avec le vieillissement (dégénérescence maculaire liée à l'âge). Les décollements de rétine sont fréquents chez les myopes et doivent être opérés d'urgence. Ils sont souvent précédés de petites déchirures, qui nécessitent un traitement laser.

– Le strabisme définit une déviation des axes oculaires. Le strabisme convergent atteint souvent les jeunes enfants et doit être traité par rééducation ou chirurgie.

– L'amblyopie (diminution de la vision d'un œil) est rencontrée chez les jeunes enfants. Elle doit être traitée avant l'âge de 6 ou 7 ans (souvent par rééducation, en cachant l'œil non atteint).

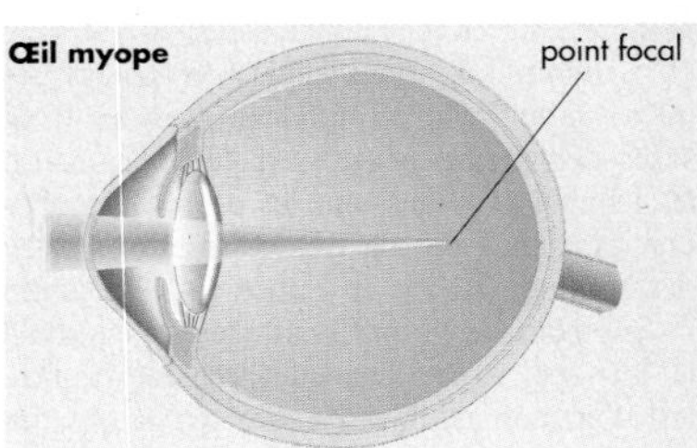

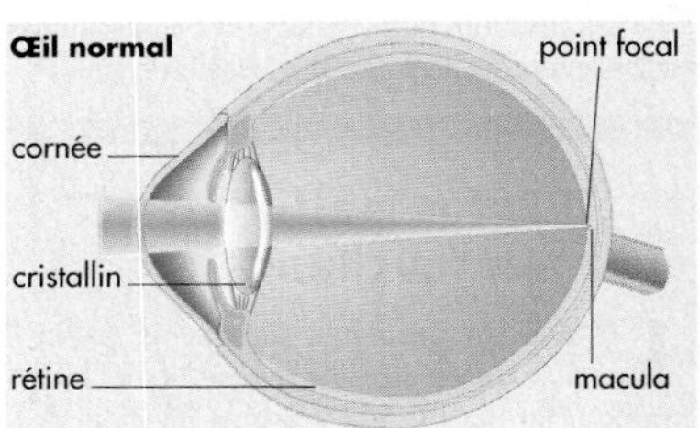

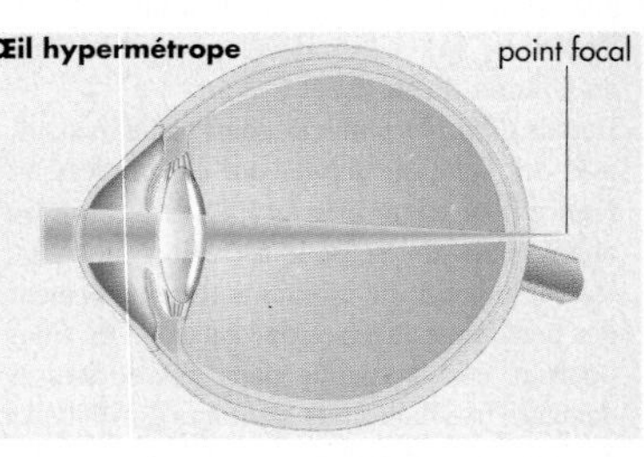

◆ **Les troubles de la réfraction oculaire.** Certains troubles de la vision découlent d'anomalies de réfraction du cristallin ou de la cornée, en rapport avec une modification de l'axe antéropostérieur du globe oculaire.
La myopie. Les images lointaines se focalisent en avant de la rétine et non sur celle-ci comme dans l'œil normal, car le globe oculaire est anormalement long, entraînant une diminution de la vision de loin.
L'hypermétropie. C'est une diminution de la vision de près ; l'image se focalise en arrière de la rétine, du fait d'un globe oculaire trop court.
La presbytie. Elle caractérise par une difficulté de voir nettement les objets proches ; elle apparaît chez les individus vers 45 ans. Elle est due à l'incapacité du cristallin de se bomber lors de la vision de près (accommodation). La vision des objets situés à moins de 35 cm devient floue, car leurs images se projettent en arrière de la rétine. En revanche, la vision de loin n'est pas touchée , car elle n'exige pas d'accommodation.
L'astigmatisme. Il correspond, en général, à une cornée irrégulière et non sphérique. Les images apparaissent souvent déformées. Ce trouble occasionne fréquemment une fatigue visuelle. Le port de lunettes ou de lentilles de contact permet de focaliser les images sur la rétine pour les rendre de nouveau nettes.

Les maladies respiratoires

Les atteintes des bronches (bronchites) sont particulièrement fréquentes. Se manifestant par une toux, soit elles sont aiguës, et souvent en rapport avec une infection virale, soit elles tendent à évoluer sur le mode chronique, notamment chez les fumeurs. La destruction du revêtement interne de l'appareil bronchique peut aboutir à la formation d'un emphysème (aspect de poumon clair à la radiographie) par fusion des alvéoles pulmonaires. Touchant un nourrisson sur trois en France, particulièrement en hiver, les bronchiolites sont des inflammations aiguës des bronchioles, d'origine virale. L'asthme est une affection assez courante, qui demeure à l'origine d'une mortalité non négligeable. À composante allergique bien souvent, il est dû à une hypersensibilité des bronches, qui, par une contraction des petits muscles les entourant et par une inflammation de leur paroi, réagissent exagérément à certaines substances. Il se prévient en évitant les allergènes à l'origine des crises (pollens, poils d'animaux...) et en prescrivant des médicaments dilatant les bronches ou luttant contre l'inflammation (corticoïdes). Le cancer pulmonaire, en fait un cancer bronchique, est dans 90 % des cas provoqué par le tabac. Il demeure très difficile à traiter.

Les affections pulmonaires. La pneumonie est une infection du tissu pulmonaire, généralement occasionnée par le pneumocoque ; elle est en ce cas synonyme de gravité chez les personnes de plus de 65 ans, les cardiaques et les fumeurs ; toutefois, elle peut être prévenue grâce à un vaccin. Provoquée par le bacille de Koch, la tuberculose connaît actuellement une certaine recrudescence. Elle peut se traduire, après un premier contact qui reste le plus souvent inaperçu (primo-infection), par l'apparition d'opacités ou de clartés (cavernes), visibles à la radiographie, ou être à l'origine de dilatations des bronches. Des abcès pulmonaires, dus à des germes provenant, en général, de la bouche ou de la gorge, peuvent également être observés. On constate enfin, chez les malades atteints du sida, des lésions du tissu pulmonaire causées par un microorganisme, *Pneumocystis carinii* (pneumocystose).

De nombreux matériaux peuvent induire des maladies pulmonaires professionnelles (pneumoconioses) : asbtestose, due à l'amiante ; anthracose et silicose des mineurs de fond, dues à l'inhalation de poussière de charbon ou de silice ; byssinose des travailleurs du coton, etc. Enfin, le poumon est parfois victime de maladies cardiaques ou veineuses (œdème aigu, embolie pulmonaire), de sarcoïdose (une affection d'origine inconnue, dont les aspects cellulaires ressemblent à ceux de la tuberculose) ou de mucoviscidose, une maladie génétique où le mucus bronchique est anormalement épais.

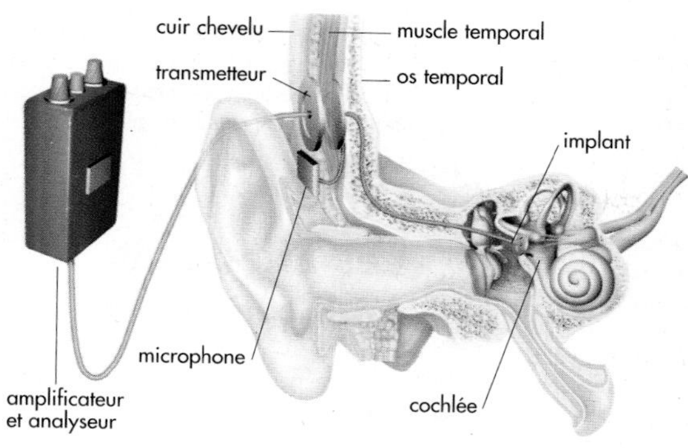

◆ **Implant cochléaire.** Les implants cochléaires sont utilisés dans certaines surdités de perception profondes, notamment celles d'origine congénitale. Leur principe consiste à stimuler, grâce à des électrodes, les cellules de l'oreille interne de manière à transmettre artificiellement au cerveau des messages sensoriels. Un boîtier placé au-dessus du pavillon de l'oreille recueille les sons et les transforme en impulsions électriques.

Les affections ORL

Le terme ORL recouvre toutes les maladies qui concernent les oreilles, le nez et la gorge.

L'oreille. Les otites sont des inflammations des cavités de l'oreille moyenne et de la muqueuse qui les tapisse, le tympan. Généralement d'origine bactérienne (pneumocoque, *Hæmophilus influenzæ*) elles peuvent nécessiter une paracentèse, opération qui consiste à perforer le tympan, grâce à une petite aiguille, pour permettre l'évacuation du pus. Des lésions, voire des perforations du tympan, sont parfois occasionnées par des bruits dépassant 90 décibels, d'où l'importance des mesures de protection. Les surdités ont de multiples causes : génétiques, ou infectieuses (otites). Chez l'adulte, elles peuvent être secondaires à une croissance anormale d'os spongieux (otospongiose), conduisant à immobiliser l'étrier (l'osselet qui assure normalement, grâce à ses vibrations, la transmission des ondes sonores à l'oreille interne). Une personne de plus de 65 ans sur trois présente une baisse de l'audition (presbyacousie), qui résulte d'une modification de structure de la cochlée et du nerf auditif, empêchant la perception des signaux sensoriels par le cerveau. La tendance actuelle est d'appareiller ces surdités de plus en plus tôt.

Le nez. Les rhinites (ou rhumes) peuvent être secondaires à des virus (plus de 200 espèces) ou d'origine allergique (rhume des foins). Elles se compliquent parfois de sinusites, infections souvent bactériennes de la muqueuse d'un ou de plusieurs sinus, dont les cavités se remplissent de pus. Les sinusites peuvent imposer un drainage en cas d'échec du traitement antibiotique. La répétition de troubles allergiques peut provoquer l'apparition de petites excroissances de la muqueuse des fosses nasales (polypes), source d'une difficulté à respirer et d'une perte de l'odorat parfois très gênantes.

La gorge. Les pharyngites (infections du pharynx) et les angines (infections des amygdales) sont le plus souvent virales, mais parfois d'origine streptococcique : elles risquent alors de provoquer, en absence de traitement, des complications articulaires ou cardiaques (rhumatisme articulaire aigu). Les phlegmons ou abcès amygdaliens (autrefois assez fréquents) sont devenus rares grâce à la multiplication des traitements antibiotiques. En revanche, les jeunes enfants présentent fréquemment de grosses amygdales, devenues incapables, au fur et à mesure des infections, d'exercer leur rôle habituel : servir de filtre contre les germes. Leur ablation par amygdalectomie, intervention chirurgicale simple exigeant seulement 1 ou 2 jours d'hospitalisation, évitera la répétition des épisodes infectieux tout en permettant à l'enfant de mieux respirer. Ce geste est souvent associé à l'ablation des végétations adénoïdes (adénoïdectomie). Ces formations proviennent de l'hypertrophie des amygdales pharyngées, situées en arrière des fosses nasales, et peuvent être à l'origine de rhinopharyngites et d'otites répétées.

VOIR AUSSI
• **Défenses de l'organisme** p. 196
• **Respiration** p. 198
• **Système nerveux et organes des sens** p. 203
• **Maladie d'Alzheimer** p. 241
• **Maladies professionnelles** p. 248

Les allergies

La forme la plus habituelle d'allergie est caractérisée par une réaction d'hypersensibilité immédiate (réaction de type I). Dans un premier temps, la substance étrangère (dénommée antigène ou allergène) déclenche la production d'anticorps spécifiques qui se fixent sur certains globules blancs, les mastocytes. Lors d'un contact avec l'allergène, celui-ci s'unit avec les anticorps, ce qui déclenche la libération d'histamine par les mastocytes et l'apparition des diverses manifestations de l'allergie : asthme ou toux spasmodique, réactions cutanées (urticaire ou eczéma), écoulement nasal (rhume des foins), conjonctivite, œdème du larynx (dit de Quincke) parfois mortel, choc dit anaphylactique... Les allergènes sont nombreux : pollens d'arbres ou de graminées, acariens (animaux microscopiques contenus dans la literie), moisissures, aliments, venins d'insecte, etc. Certains jouent aujourd'hui un rôle croissant (cacahuètes, latex...). Une désensibilisation est parfois possible (acariens, venins d'insectes, certains pollens) ; son principe consiste à limiter la réaction immunitaire en introduisant dans la peau de petites doses de l'allergène lors de séances successives. Des médicaments antihistaminiques peuvent également être proposés pour réduire les symptômes.

◆ **La réaction allergique.** Les anticorps (immunoglobulines E) se fixent sur certains globules blancs, les mastocytes, dont les granulations libèrent de l'histamine lors d'un deuxième contact avec l'allergène. Cette réaction provoque les symptômes allergiques.

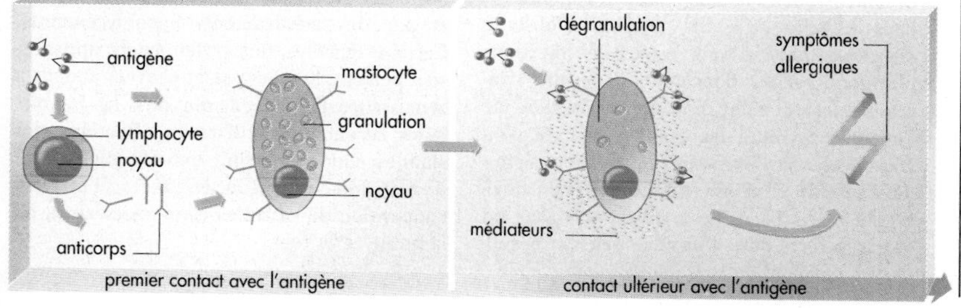

Les maladies de l'appareil urinaire

Les maladies du rein peuvent se traduire par une atteinte des glomérules (glomérulonéphrites), dont la fonction de filtre est altérée, d'où l'apparition anormale de protéines et de sang dans les urines. Les causes de ces affections sont infectieuses, toxiques, en rapport avec des maladies générales ou apparemment primitives. Lorsqu'il est mal traité, le diabète peut, après des années d'évolution, provoquer de graves lésions du rein. Cet organe peut aussi être le siège d'anomalies congénitales (rein unique, reins fusionnés, rein double) ou donner lieu à la formation de kystes, en général sans gravité. Certains rétrécissements de l'artère rénale, dus à l'épaississement de sa paroi, sont la source d'une hypertension artérielle sévère, mais l'on peut souvent dilater l'artère par angioplastie. Le cancer du rein s'observe vers 55-60 ans et se guérit le plus souvent. Les infections urinaires peuvent retentir en amont sur le rein et l'infecter ; il est donc important de ne jamais les négliger.

La vessie et les uretères. La vessie peut être le siège de diverticules qui en déforment le contour, de calculs ou, moins souvent, de cancer, dont le premier signe est représenté, comme pour le cancer du rein, par l'apparition de sang dans les urines. Le reflux de l'urine contenue dans la vessie vers les uretères est l'anomalie des voies urinaires la plus répandue chez l'enfant. Il est lié à un défaut des mécanismes anti-reflux des uretères, une sorte de valve placée au niveau de leur orifice dans la vessie. Un reflux de faible importance peut disparaître spontanément. En revanche, la chirurgie s'impose fréquemment devant un reflux sévère, pour éviter une infection rénale. Les cystites (inflammations de la muqueuse de la vessie) s'expriment par des brûlures lors de la miction. Elles sont souvent dues à une infection par des colibacilles, par un germe dénommé *Proteus mirabilis,* ou moins souvent par un champignon, *Candida albicans.*

L'urètre. Les infections de l'urètre (urétrites) sont provoquées par divers germes : *Chlamydia*, gonocoques... et sont transmissibles par voie sexuelle. Elles peuvent donner des complications locales et être cause de stérilité. Chez la femme, elles sont parfois difficiles à distinguer des infections de la vessie.

Les traitements. La dialyse est employée lorsque le rein ne peut plus assurer ses fonctions d'épuration du sang, notamment lorsqu'il est en attente de greffe. Le principe en est de filtrer le sang au travers d'une membrane semi-perméable qui retient les grosses molécules dans le sang mais laisse passer les molécules de petite taille dont font partie les substances toxiques comme l'urée. Deux techniques sont employées : l'hémodialyse, où le sang est pompé au niveau du bras et relié à une machine dotée d'une membrane semi-perméable artificielle, et la dialyse péritonéale, où le péritoine, membrane tapissant la cavité abdominale, sert de filtre naturel. Plusieurs séances par semaine sont nécessaires chez les insuffisants rénaux.

La greffe de rein représente une des meilleures indications de la transplantation (80 % de succès). En raison du manque de greffons, il arrive que l'on utilise l'un des deux reins d'un donneur vivant, par exemple celui d'un des parents dans le cas d'un enfant.

La lithotripsie extracorporelle consiste à pulvériser les calculs rénaux à distance par des ultrasons, sous contrôle échographique. Les fragments de calculs sont ensuite éliminés spontanément dans l'urine. L'opération se pratique, en général, sans hospitalisation ni anesthésie générale.

Les affections endocriniennes

Les glandes endocrines sont sujettes à différentes affections.

La thyroïde et les parathyroïdes. Les affections de la thyroïde sont assez courantes. La maladie de Basedow a pour principale caractéristique l'apparition d'une hypertrophie de la glande, ou goitre. Elle est due à la production d'anticorps anormaux, qui simulent l'action de certaines hormones hypophysaires (TSH ou *Thyroid Stimulating Hormone*) régulant normalement le fonctionnement de la thyroïde et entraînent une hyperstimulation de celle-ci. Les goitres dus au manque d'iode sont devenus exceptionnels en Europe mais peuvent se rencontrer dans certaines régions montagneuses de pays pauvres, où l'iode manque à l'état naturel et où cet élément n'est pas ajouté au sel de cuisine. Les cancers de la thyroïde peuvent être diagnostiqués à l'aide d'une scintigraphie à l'iode marqué ; on constate alors des zones où l'iode se fixe moins. Ces cancers se soignent dans la plupart des cas.

Les hyperparathyroïdies sont liées à un excès de parathormone, une hormone qui régule l'équilibre calcique de l'organisme, sécrétée par les parathyroïdes, de minuscules glandes situées au-dessus de la glande thyroïde. Il en résulte une libération excessive de calcium à partir des os, qui peut les fragiliser, et parfois la formation de calculs rénaux calciques. Dans 80 % des cas, une petite tumeur bénigne est en cause, qui sera enlevée par chirurgie.

Les glandes surrénales et l'hypophyse. Certaines maladies des glandes surrénales peuvent déterminer un syndrome de Cushing, qui associe vergetures, hypertension artérielle, ostéoporose... Elles sont dues à l'excès d'hormones glucocorticoïdes, le plus souvent en raison de la formation d'une tumeur. À l'inverse, la maladie d'Addison, affection le plus souvent auto-immune, découle d'une insuffisance de la production d'hormones stéroïdes et d'aldostérone par les surrénales. Elle se traduit par une accentuation de la pigmentation de la peau et parfois par des crises aiguës de déshydratation avec diarrhées et vomissements.

Les altérations de la glande hypophyse peuvent déterminer un retard de croissance (insuffisance de production d'hormone de croissance) ou au contraire le gigantisme lorsque la fabrication de cette hormone est excessive. Elles sont souvent d'origine tumorale. D'autres maladies sont associées à des perturbations de cette glande : retard pubertaire, diabète insipide (soif augmentée, mictions nombreuses...) ; ce dernier trouble est en rapport avec une insuffisance d'hormone antidiurétique (fabriquée par le lobe postérieur de l'hypophyse).

Petit lexique

colibacille ou **Escherichiacoli :** bacille, responsable d'infections variées, notamment urinaires.

diverticule : cavité anatomique ou pathologique en forme de sac, de taille variable, communiquant avec un conduit naturel.

manifestation primitive : manifestation initiale d'une affection (maladie, tumeur...).

VOIR AUSSI
- **Appareil urinaire** p. 199
- **Glandes endocrines** p. 201
- **Lithotripsie extracorporelle** p. 222
- **Greffes** p. 224
- **Maladies auto-immunes** p. 226

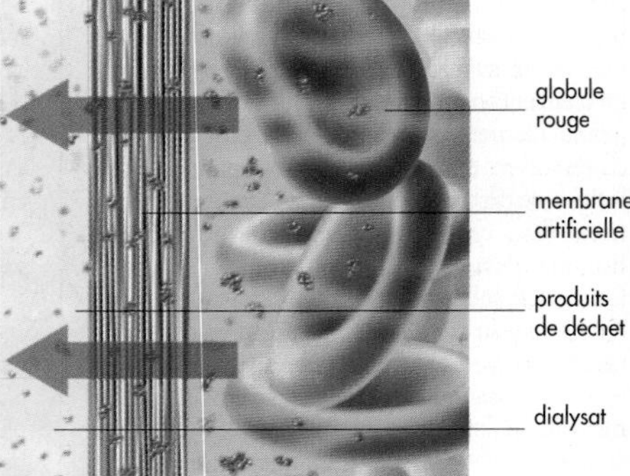

◆ **Dialyse.**
Il s'agit d'une technique d'épuration du sang utilisée chez les insuffisants rénaux. L'eau et les substances de petite taille (urée) contenues dans le sang (à droite) peuvent traverser la membrane semi-perméable vers le dialysat (à gauche).

Les diabètes

Le diabète insulinodépendant, ou de type I, est lié à l'absence de sécrétion d'insuline par le pancréas. Comme la fonction de l'insuline est de faire pénétrer le glucose à l'intérieur de la cellule, ce déficit aboutit à un excès de glucose dans le sang, puis à son passage dans les urines. Ce diabète, parfois observé chez les enfants, se traite grâce à des injections pluriquotidiennes d'insuline. Il résulte vraisemblablement d'une réaction auto-immune de l'organisme contre les cellules bêta du pancréas sécrétant l'insuline. Les premiers signes de la maladie sont une soif intense et un amaigrissement. L'excès de sucre dans le sang ou une trop forte dose d'insuline peuvent engendrer un coma. Le diabète non insulinodépendant, ou de type II, est plus fréquent (85 % des cas). Moins grave, il apparaît souvent après 40 ans et s'associe fréquemment à un excès de poids. Il est dû à une résistance des cellules à l'action de l'insuline, alors que les taux de cette hormone peuvent être normaux. Ce diabète se traite par un régime pauvre en sucres rapides et par des médicaments hypoglycémiants. Certains diabètes, dits gestationnels, apparaissent pendant la grossesse et peuvent aboutir à la naissance d'enfants de plus de 4 kg. Les diabètes secondaires à d'autres affections des glandes endocrines sont exceptionnels. Tout diabète doit être pris au sérieux, car il favorise l'apparition de maladies cardiovasculaires, de la rétine et du rein.

Les affections de l'appareil locomoteur

Les articulations sont souvent victimes d'un processus de dégénérescence, donnant lieu à la formation d'une arthrose. Plus fréquente chez le sexe féminin, cette affection se caractérise par un amincissement du cartilage, une prolifération du tissu osseux adjacent et une déformation des articulations. Elle provoque souvent l'apparition de douleurs à l'effort, notamment chez les personnes de plus de 60 ans. Les rhumatismes sont des atteintes inflammatoires de l'articulation. Il en existe de multiples formes. La polyarthite rhumatoïde, un rhumatisme probablement d'origine auto-immune, se manifeste sous la forme de gonflements et de déformations multiples des doigts, qui sont déviés sur le côté. La spondylarthrite ankylosante, plus fréquente chez certains hommes possédant un terrain génétique particulier, peut bloquer le rachis par soudure des vertèbres ; elle peut compliquer certaines affections inflammatoires digestives (maladie de Crohn, rectocolite hémorragique). La goutte, qui atteint souvent le gros orteil, est due à la libération de cristaux d'acide urique dans l'articulation. Très douloureuse, elle se traite par la colchicine et peut apparaître après une consommation trop forte d'aliments, en particulier de viandes, qui entraînent la formation d'acide urique.

Les maladies tendineuses, ligamentaires, musculaires et méniscales. Chez les sportifs, les élongations musculaires ne sont pas rares et résultent d'un effort trop intense demandé à un muscle. Les entorses correspondent à une atteinte des ligaments, qui deviennent incapables d'assurer leur fonction de maintien de l'articulation. Souvent traitées par une simple contention grâce à des bandes élastiques, elles peuvent nécessiter l'emploi de la chirurgie en cas de rupture ligamentaire. Les inflammations des tendons (tendinites) sont assez fréquentes et dues à des microtraumatismes sportifs et professionnels répétés, ou au vieillissement. La douleur qui les accompagne disparaît, en général, au repos. L'atteinte du ménisque, courante chez les joueurs de tennis, peut se traduire par sa fissure ou par une déchirure allant jusqu'à la rupture complète et conduit à une instabilité ou à un blocage du genou. L'ablation totale ou partielle des ménisques lésés est de plus en plus souvent réalisée sous arthroscopie.

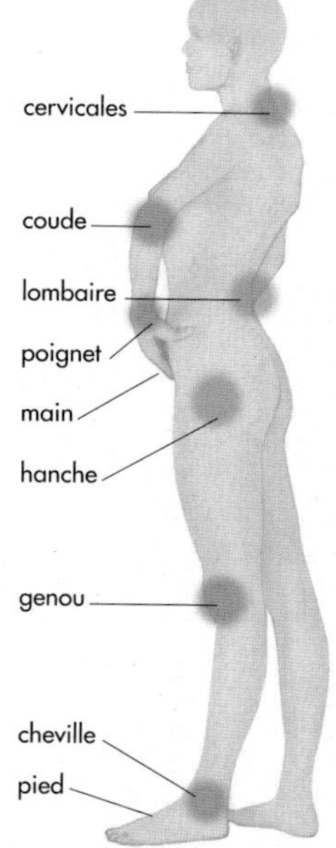

◆ **Les localisations les plus fréquentes de l'arthrose.** L'arthrose atteint de nombreuses articulations, mais elle touche particulièrement celles qui sont les plus sollicitées sur le plan mécanique (genou, hanche, vertèbres...).

Les atteintes dorsales. Véritable maladie de civilisation, le mal de dos est favorisé par les transports automobiles, le port de charges... Parfois, il n'est dû qu'à une tension des muscles du dos. Dans d'autres cas, il résulte d'une hernie discale, le noyau dense qui compose la partie interne du disque intervertébral faisant saillie à l'extérieur de la colonne vertébrale. Cette hernie peut irriter le nerf sciatique et déterminer une douleur aiguë irradiant dans les cuisses. La hernie discale est opérable. Cependant, elle est souvent traitée aujourd'hui par chimionucléolyse. Ce traitement consiste à détruire le noyau du disque en y injectant une enzyme, la papaïne. Maladie de l'adolescent, la scoliose est une déviation anormale de la colonne vertébrale. Elle se corrige par le port d'un lombostat et, dans les formes graves, par la chirurgie.

Les maladies osseuses. L'ostéoporose est une exagération de la perte osseuse qui se produit graduellement dès l'âge de 20 ans, une fois la masse osseuse acquise. Elle représente un important problème de santé publique, car elle expose au risque de tassements vertébraux, de fracture du poignet et de fracture du col du fémur, et elle risque de faire basculer de nombreuses personnes âgées dans la dépendance. D'autres affections osseuses se rencontrent plus rarement (maladie de Paget, ostéomalacie). Les fractures demeurent fréquentes chez l'enfant. En revanche, l'emploi systématique de vitamine D a rendu le rachitisme, maladie de la minéralisation osseuse, exceptionnel dans les pays développés. Les tumeurs primitives de l'os, assez rares, sont plus fréquemment bénignes que cancéreuses. En revanche, l'os demeure le site privilégié de métastases de nombreux cancers (sein, prostate). De nouvelles thérapeutiques (bisphosphonates, administration de produits radioactifs, chirurgie spécifique) permettent de mieux lutter contre les douleurs qui leur sont souvent associées.

Les maladies de la peau

Les maladies de la peau sont très banales et parfois fonction de l'âge.

L'acné. Rencontrée chez trois adolescents sur quatre, cette affection est due à l'obturation des follicules pileux par un excès de sébum, substance produite par les glandes sébacées annexées aux follicules. Les modifications hormonales de la puberté en favorisent l'apparition. Lorsque le follicule demeure ouvert, des points noirs (comédons) peuvent apparaître à la surface de la peau. Des réactions inflammatoires peuvent s'y associer, occasionnant la formation de boutons. Les dermatologues disposent actuellement de thérapeutiques médicamenteuses assez efficaces pour traiter cette affection : antibiotiques, peroxyde de benzoyle, isotrétinoïne (un dérivé de la vitamine A acide). Cependant, les plus actifs (rétinoïdes oraux) peuvent déterminer des anomalies chez le fœtus et ne doivent donc être employés que sous couvert d'une contraception chez les jeunes femmes. En pratique, ils sont réservés aux acnés sévères, tandis que des traitements locaux sont proposés dans les acnés banales. Certaines formes particulières d'acné du visage, dite rosacée, se rencontrent chez des personnes plus âgées.

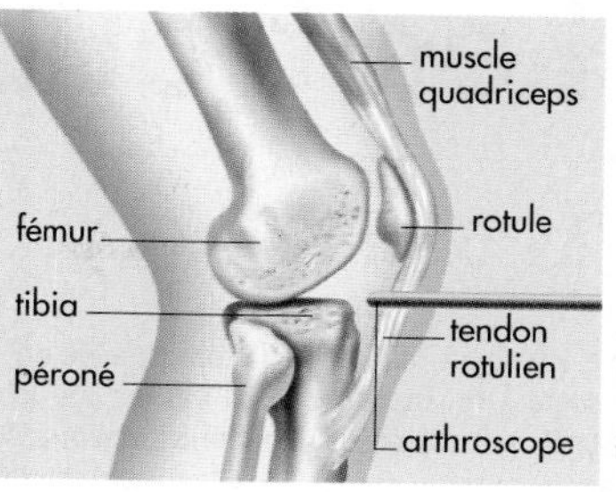

◆ **L'arthroscopie.** L'arthroscopie consiste à introduire dans l'articulation (ici, un genou) un petit tube rigide muni d'un système optique, couplé à des instruments. Permettant de visualiser l'intérieur de l'articulation, elle est de plus en plus pratiquée à titre thérapeutique.

Dermite séborrhéique et psoriasis. La dermite séborrhéique est peut-être due à un petit champignon. Elle provoque rougeurs, démangeaisons et squames grasses au niveau du visage, tout particulièrement là où les sécrétions de sébum sont importantes (ailes du nez, sourcils...) et elle s'accompagne fréquemment de pellicules.

Le psoriasis est une affection d'origine inconnue, qui touche environ 2 % de la population et se caractérise par l'apparition de plaques rouges assez grandes, recouvertes de squames épaisses et blanches. Chez les enfants, les plaques peuvent être plus petites (psoriasis en goutte). Ses localisations préférentielles sont la face postérieure des coudes, la face antérieure des genoux, le dos et le cuir chevelu, et il se complique dans environ 1 cas sur 10 de rhumatismes (coudes et genoux). Il évolue par poussées et se traite par des bains et divers médicaments locaux et généraux (goudrons, corticoïdes, etc.) ou, dans les formes recouvrant plus de 30 % de la surface corporelle, par la PUVA thérapie (exposition en cabine aux ultraviolets A). Malheureusement, les récidives sont habituelles dans le psoriasis, d'où l'intérêt de proposer un accompagnement psychologique aux patients.

Urticaire, eczéma et cancer. Caractérisée par la survenue rapide de plaques rouges en relief, s'accompagnant de fortes démangeaisons, l'urticaire est une réaction souvent allergique, liée à la libération d'histamine. Elle est observée après une prise de médicaments, une piqûre d'insecte ou l'ingestion de certains aliments (coquillages, poissons, œufs, lait...). Cependant, certaines urticaires chroniques sont liées à l'exposition au froid, au soleil ou à un effort intense.

L'eczéma est une autre maladie allergique, qui peut évoluer sur un mode chronique et est la cause de près d'un tiers des consultations de dermatologie. Il se traduit au début sous la forme de petites plaques rouges et suintantes, responsables de démangeaisons intenses. Les cancers de la peau (mélanomes et épithéliomas) sont favorisés par l'exposition aux ultraviolets B et A contenus dans le rayonnement solaire. Ils représentent une proportion notable des cancers dans certaines régions du monde, comme l'Australie. Leur prévention repose sur la photoprotection et, dans le cas du mélanome, sur la suppression de certains grains de beauté.

VOIR AUSSI
- **Peau** p. 196
- **Os, muscles et articulations** p. 200
- **Peau et soleil** p. 215
- **Cancers** p. 230
- **Maladies du vieillissement** p. 241

Les troubles psychiques

La dépression

De 15 à 20 % de la population générale présente à un moment de sa vie un épisode dépressif, qui se caractérise par une humeur triste et douloureuse et par un ralentissement de l'activité psychomotrice. Pour des raisons inexpliquées, la dépression touche deux fois plus souvent les femmes que les hommes. L'importance des sentiments de tristesse, de dévalorisation de soi, l'existence de troubles du sommeil et de l'appétit la distinguent d'un simple découragement passager. Bien que des sentiments d'angoisse soient souvent présents, elle doit aussi être différenciée des troubles anxieux banals. La prescription d'antidépresseurs peut constituer un test thérapeutique, car les personnes non déprimées n'y réagissent en général pas, mais il faut savoir que ces médicaments mettent plusieurs semaines pour agir et doivent souvent être prescrits pendant plusieurs mois.

On distingue plusieurs formes de dépression :
– réactionnelle, consécutive à un deuil, une maladie physique, etc., en général alors assez sensible au traitement psychothérapique ou médicamenteux ;
– post-natale, correspondant à une exagération du *baby-blues,* dépression passagère qui atteint de nombreuses accouchées ;
– consécutive à une affection organique (certaines maladies endocriniennes, notamment thyroïdiennes, sont source de dépression) ;
– saisonnière, apparaissant à l'automne avec la diminution de l'ensoleillement et pouvant être traitée par l'exposition à la lumière ;
– survenant sur un fond de personnalité dépressive ou fragile (névrose ou psychose) ;
– endogène, survenant sans cause évidente et pouvant être grave (mélancolie), et exigeant alors une hospitalisation pour éviter tout risque de suicide.

Ces formes de dépression pour lesquelles on suspecte l'influence de paramètres héréditaires sont parfois traitées, en cas de résistance aux médicaments antidépresseurs (inhibiteurs de la monoamine-oxydase, tricycliques, inhibiteurs du recaptage de la sérotonine, par ex.) par des électrochocs, dont l'efficacité est aujourd'hui attestée.

Certaines dépressions apparaissent dans le cadre d'une maladie maniaco-dépressive (trouble bipolaire), où les épisodes dépressifs succèdent à des crises d'excitation (manie) pendant lesquelles l'humeur est anormalement euphorique. Leur prévention repose sur l'emploi d'un médicament régulateur de l'humeur, le lithium.

Corps et psychisme

Le terme de maladie psychosomatique est issu des travaux du psychiatre allemand Georg Groddeck (1866-1934) et du psychanalyste américain Franz Alexander (1891-1964), et sert à désigner des affections caractérisées par la transformation (ou conversion) d'un trouble psychologique mettant en jeu l'esprit (la psyché) en trouble organique ou corporel (le soma). Ces affections apparaîtraient plus volontiers chez certaines personnes prédisposées à des réactions exagérées contre le stress en raison d'un conflit psychique inconscient ou d'un manque de moyen de défenses contre l'angoisse (fantasmes, rêves, sublimation).

Les maladies habituellement reconnues comme ayant une composante psychosomatique sont :
– les ulcères gastroduodénaux et les troubles fonctionnels intestinaux (ballonnements, colites, etc.) ;
– certaines maladies chroniques de la peau, comme l'eczéma ;
– certains asthmes.

Le stress. Le rôle de ce dernier dans les maladies cardiaques est probable, mais difficile à évaluer. Chez les hommes, certaines personnalités de type hyperactif, ayant tendance à se réfugier dans le travail, seraient plus particulièrement sensibles au risque d'infarctus du myocarde. Dans les problèmes sexuels (impuissance, frigidité), l'influence des facteurs d'ordre psychique est prépondérante, et elle peut jouer un rôle dans certains troubles du jeune enfant comme l'énurésie (pipi au lit) et l'encoprésie (émission de selles dans la culotte).

Plus généralement, divers travaux ont montré chez l'animal que des situations de stress peuvent accroître la vulnérabilité à des maladies infectieuses ou à des tumeurs, et l'on sait que des interactions étroites existent entre le système immunitaire et le cerveau. Néanmoins, en l'état actuel des connaissances, la part du psychisme dans de nombreuses affections humaines demeure difficile à préciser.

Petit lexique

autisme : rupture mentale pathologique avec la réalité extérieure et repli plus ou moins total dans le monde de l'imaginaire et des fantasmes.
dyslexie : difficulté d'apprentissage plus ou moins importante de la lecture, sans déficit sensoriel ni intellectuel.

Des névroses aux psychoses

Créé au XVIIIe s. par le médecin britannique William Cullen (1710-1790), repris par l'Autrichien Sigmund Freud (1856-1939) et les psychanalystes, le terme de névrose définit des troubles mentaux qui ne modifient pas les fonctions essentielles de la personnalité et dont le sujet a conscience.

Anxiété, phobie, obsession et hystérie. Les troubles à dominante anxieuse se caractérisent par une exagération des sentiments de peur dans les situations de la vie courante. L'angoisse peut demeurer libre, flottante (« névrose d'angoisse ») ou donner lieu à l'apparition d'attaques de panique qui submergent pendant quelques heures le sujet et s'accompagnent souvent de manifestations somatiques (sueur, gêne respiratoire, palpitations) et d'une impression de mort imminente. De nombreux médecins considèrent que les véritables crises de spasmophilie, caractérisées par un état d'hyperexcitabilité neuromusculaire et liées à un manque de calcium ou de magnésium ou à une maladie neurologique sont en fait rares et que la plupart des troubles qui lui ressemblent (modifications de la sensibilité des extrémités, spasmes, etc.) sont des modes d'extériorisation de l'angoisse. L'état anxieux peut être aggravé par l'abus de café, et il induit souvent la prise d'alcool, de médicaments psychotropes et autres.

D'autres troubles de la personnalité sont plus structurés et souvent plus difficiles à traiter. Dans les phobies, la crainte est déclenchée par un objet, une situation ou une idée (peur des espaces ouverts ou agoraphobie, des lieux clos, ou claustrophobie, etc.) et s'évanouit avec la disparition du facteur déclenchant. Dans les troubles obsessionnels compulsifs, le sujet lutte en permanence contre des obsessions qui s'imposent à lui et se livre à des rites conjuratoires qui entravent sa vie de tous les jours (lavage des mains pour lutter contre la saleté, rites de vérification, etc.). De même que dans les phobies, les psychothérapies comportementales peuvent avoir une certaine efficacité sur ces troubles. L'hystérie se manifeste sous des formes somatiques diverses, souvent bien moins spectaculaires qu'à l'époque de Jean Martin Charcot (1825-1893), qui l'a décrite au XIXe s. : crise de nerfs, perte de connaissance, etc. Elle s'associe à un comportement théâtral et de séduction. Une cure psychanalytique peut aider à la guérison.

Les psychoses. Elles se caractérisent par une déstructuration de la personnalité et par une perte du sens du réel.

La plus fréquente d'entre elles est la schizophrénie (association des termes grecs *schizen,* «séparer, couper», et *phrênos,* «penser», dont il existe des formes très diverses, mais qui associe à des degrés variables une perte du sentiment de soi (dépersonnalisation), un délire, des hallucinations, des perturbations des émotions, des mouvements automatiques ou stéréotypés, une forte angoisse. En revanche, les capacités intellectuelles du patient sont conservées, du moins au début. Cette maladie mystérieuse, qui apparaît dans 3 cas sur 4 entre 15 et 35 ans, est plus répandue chez les personnes apparentées à des schizophrènes. De très nombreuses hypothèses, d'ordre social ou psychologique, ont été évoquées pour l'expliquer

Les troubles du langage

Le langage traduit l'activité psychique au moyen du système verbal (les mots) et de composantes (intonation, rythme, débit, cohérence). Les troubles du langage sont de trois types.
Les troubles neurologiques sont d'origine purement organique (accident vasculaire cérébral, tumeur, traumatisme, infection cérébrale), parmi lesquels on peut citer l'aphasie (difficulté à parler), certaines logorrhées (flux intarissable de paroles), etc.
Les troubles psychobiologiques résultent d'une atteinte à la fois organique et psychologique : bégaiement, dysphonie (perturbation de la voix), dyslexie, etc.
Les troubles psychopathologiques sont dus à une affection mentale (manie, psychose, schizophrénie...). Ils peuvent se traduire de multiples manières : mutisme, logorrhée, glossolalie (utilisation d'un vocabulaire inventé, incompréhensible pour autrui), coprolalie (tendance à proférer des mots orduriers), blocage, etc...

mais, depuis quelques années, les théories biologiques semblent prendre le dessus. L'arrivée de nouveaux médicaments antipsychotiques a permis de modifier quelque peu l'évolution de cette maladie grave : aujourd'hui, il est courant que les patients retrouvent une certaine vie sociale grâce à un traitement médicamenteux, et à une aide psychothérapique personnelle ou institutionnelle.

Les bouffées délirantes aiguës (hallucinations, interprétations erronées du réel) sont, en général, observées chez des adultes jeunes, parfois à la suite d'un stress (guerre, traumatisme, décès d'un proche). Elles disparaissent le plus souvent en quelques semaines sous traitement neuroleptique. Certains médicaments et toxiques, de même que l'alcool ou les drogues hallucinogènes (LSD, etc.) peuvent également entraîner des psychoses aiguës, et les malades peuvent alors présenter une certaine confusion mentale.

Une forme assez courante de délire chronique est constituée par la paranoïa. Le sujet, souvent rigide, méfiant, orgueilleux, se plaint d'être persécuté, trompé par son partenaire. Il peut avoir la certitude d'être aimé par un inconnu qu'il poursuit de ses assiduités ou se met à multiplier les actions en justice.

Certains troubles des conduites alimentaires, comme l'anorexie mentale, sont à prendre très au sérieux car ils peuvent menacer la vie. Enfin, certaines affections de la personne âgée (démences, dépression) peuvent comporter des manifestations (peur d'être empoisonné, d'être suivi, perte des repères) parfois difficiles à différencier de celles d'une maladie mentale.

Origine des maladies psychiques

Sans renier l'influence des paramètres environnementaux, un nombre croissant d'arguments laisse penser que les troubles mentaux les plus graves ont une composante organique. Ainsi, des facteurs génétiques transmis sur le mode dominant ont été identifiés dans les maladies maniaco-dépressives. Par ailleurs, des altérations du fonctionnement des neurotransmetteurs ont été mises en évidence dans de nombreuses maladies psychiques, et le mécanisme d'action des antidépresseurs et des neuroleptiques (médicaments administrés dans les maladies mentales graves) met en jeu des changements de la concentration intracérébrale de ces substances.

Des modifications du métabolisme cérébral d'un neurotransmetteur, la sérotonine, semblent caractériser certaines dépressions, tandis que la schizophrénie paraît s'accompagner d'une altération de la transmission de dopamine, autre neurotransmetteur. Des travaux récents suggèrent d'ailleurs que la plus forte propension à fumer que l'on observe chez certains malades schizophrènes pourrait être expliquée par des irrégularités de la sécrétion des neuromédiateurs que le tabagisme détermine dans le cerveau. Des modèles animaux de schizophrénie ont été mis au point et certains chercheurs évoquent la possibilité de perturbations du fonctionnement cérébral, peut-être en rapport avec des gènes de développement.

L'institution psychiatrique

En France, sur plus de 13 335 000 entrées dans les hôpitaux en 1996, plus de 56 000 ont eu lieu dans un service de psychiatrie et le nombre de journées d'hospitalisations dans ce secteur représentait environ un septième du total.

Certains malades souffrant d'affections psychiques, notamment les déprimés, sont traités dans les services de psychiatrie des hôpitaux universitaires ou dans des cliniques privées. En revanche, la plupart des malades mentaux sont hospitalisés dans des établissements psychiatriques, fonctionnant de façon autonome, soit à leur demande (régime du placement volontaire), soit sur placement d'office, régime qui nécessite un ordre préfectoral et doit être motivé par un certificat médical.

La part des hospitalisations sous contrainte n'a cependant pas dépassé 11 % en 1996. Depuis la circulaire ministérielle du 15 mars 1960, la protection de la santé mentale est organisée par secteurs géographiques et une équipe médicale est désignée pour prendre en charge les malades qui y sont rattachés. Les patients peuvent ainsi bénéficier de soins gratuits dans les dispensaires d'hygiène mentale dont ils dépendent, tout en gardant la possibilité de consulter les médecins privés de leur choix.

Le nombre de patients suivis en ville ne cesse d'augmenter depuis quelques années. Après hospitalisation, la sortie des malades est organisée de plus en plus souvent de manière progressive, de façon à faciliter leur réintégration sociale. Les soins en hôpital de jour, dont le nombre va croissant, sont parfois suivis d'un hébergement en foyer de post-cure pour les patients dépourvus de famille. Les malades peuvent demander à bénéficier de l'allocation pour adultes handicapés. En cas d'incapacité majeure, la protection de leurs biens peut être assurée par des dispositions législatives (mesure de sauvegarde de justice, tutelle, curatelle).

Psychothérapie et psychanalyse

Fondée sur un travail interactif entre le patient et le thérapeute, la psychothérapie permet à certaines personnes de mieux appréhender leur propre fonctionnement mental, de mieux gérer les contraintes ou les épreuves de la vie quotidienne.

Parmi les méthodes le plus couramment proposées, il faut citer en premier les psychothérapies psychanalytiques, où le patient verbalise ses émotions et ses souvenirs, de façon à mettre en évidence certains conflits psychiques au travers d'entretiens en face-à-face.

Par leur travail d'introspection, elles se rapprochent des cures psychanalytiques, qui tentent de décrypter les processus inconscients à l'œuvre dans la vie du sujet, mais sont souvent plus longues, plus exigeantes et se pratiquent alors que le patient est allongé sur un divan, de façon à favoriser la détente psychique.

Dans les psychothérapies de soutien, le travail d'accompagnement du thérapeute est important et celui-ci aide son patient à exprimer ses sentiments.

On peut en rapprocher les thérapies familiales, qui peuvent être proposées dans certains contextes, par exemple dans le cas d'une dépression d'un jeune enfant.

Des approches plus pragmatiques. Les thérapies comportementales peuvent être utilisées, à titre individuel ou collectif, notamment pour aider certains sujets à se débarrasser de leurs phobies, à éliminer des comportements déviants (agressions sexuelles), à faciliter le sevrage de l'alcool ou du tabac. Pragmatiques, leur objectif est d'aider le patient à mieux faire face aux situations anxiogènes en les affrontant ou grâce à un apprentissage. Elles tentent aussi d'améliorer l'affirmation de soi, de renforcer les capacités de socialisation.

Les thérapies cognitives essayent de faire prendre conscience au sujet de ses attitudes négatives et conduites d'échec pour les modifier. Elles peuvent faire appel à l'écrit.

D'autres méthodes agissent sur le corps : relaxation, massages, sexothérapie sont utilisés pour favoriser le bien-être, ou aider à la correction de troubles sexuels ou organiques.

Certaines techniques sont collectives (ergothérapie, psychodrame), réalisées pour accélérer un travail de deuil, effectuées dans un cadre institutionnel pour renforcer la cohésion du groupe.

Enfin, quelques psychothérapies sont aujourd'hui soutenues aux États-Unis par l'emploi de l'informatique. Des programmes de « perfectionnement cognitif », couplés à des exercices de groupe, sont ainsi proposés sur ordinateur à des malades schizophrènes pour les aider à aborder les problèmes qu'ils rencontrent dans la vie quotidienne.

VOIR AUSSI 
- **Génétique et hérédité** p. 195
- **Cerveau** p. 202
- **Système nerveux** p. 203
- **Psychanalyse ; folie ; suicide** p. 971

◆ **Principaux médicaments psychotropes.**

Type de médicament	Classe thérapeutique	Maladie
tranquillisants	benzodiazépines, méprobamate, buspirone	états anxieux, sevrage des conduites addictives (alcool, tabac)
somnifères	benzodiazépines, barbituriques (phénobarbital...)	correction des troubles du sommeil
antidépresseurs	tricycliques, inhibiteurs de la monoamine-oxydase (IMAO), inhibiteurs du recaptage de la sérotonine (IRS), psychostimulants	tous états dépressifs, douleurs
thymorégulateurs	lithium	maladies maniaco-dépressives
neuroleptiques	phénothiazines, butyrophénones...	schizophrénies, accès maniaques, états délirants

Santé et travail

Des maladies aux accidents

La législation distingue les risques permanents, dus à la nature même du travail (maladies professionnelles), et les risques occasionnels, souvent liés à une erreur humaine (accidents du travail).

Les risques physiques. Représentés en premier lieu par les traumatismes, à l'origine d'un grand nombre d'incapacités, d'invalidités ou même de décès, ils constituent la première cause d'accidents du travail et sont particulièrement fréquents dans le bâtiment, les travaux publics. Courantes chez les travailleurs du bâtiment, les lombalgies (mal de dos) sont, depuis 1998, reconnues maladies professionnelles.

Certains troubles musculo-squelettiques (douleur périarticulaire du poignet) sont observés avec une fréquence accrue chez les personnes soumises à des gestes répétitifs (ouvriers à la chaîne, secrétaires, etc.), notamment lorsque le travail doit être effectué rapidement et dans une ambiance stressante. Les autres risques physiques sont :
– le bruit et les vibrations de machines-outils, à l'origine d'un nombre croissant de déclarations pour maladie professionnelle (surdité, désordres psychiques graves) ;
– les radiations, dont le danger est en général insidieux, provoquant à long terme des leucémies et cancers divers, et des lésions cutanées (radiodermites) ; sont particulièrement exposés les personnels travaillant avec des rayons X (radiologues, douaniers, etc.) et avec des rayons α, β ou γ (physiciens) ;
– les variations de pression, qui concernent les plongeurs (non-respect des paliers de décompression), avec risque d'embolie gazeuse, et le personnel navigant en aéronautique (otites et sinusites barotraumatiques) ;
– les facteurs climatiques qui peuvent déterminer des gelures par grand froid (bâtiment) ou, à l'inverse, une hyperthermie maligne par chaleur excessive ;
– le travail informatique sur écran, qui favorise l'apparition d'une fatigue visuelle et peut aggraver certaines presbyties ou hypermétropies légères. En France, il donne lieu depuis 1991 à une surveillance ophtalmologique annuelle.

◆ Décès dus à un accident du travail en France.

Branche professionnelle	Nombre de décès
agriculture	100
métallurgie	101
bâtiment et travaux publics	214
bois	10
chimie	11
pierres et terres à feu	21
caoutchouc, papier, carton	7
industrie du livre	8
industrie du textile	4
vêtements	2
cuirs et peaux	1
alimentation	58
transports et manutention	161
eau, gaz, électricité	6
commerces non alimentaires	55
interprofessionnel	147
Total	**906**

Données 1994. *Sources :* CNAMTS et MSA.

Les risques chimiques. Ils sont induits par un grand nombre de substances. Le silicium et ses composés (en particulier l'amiante) sont les agents respectifs de la silicose et de l'asbestose. Les personnes atteintes de silicose, souvent des anciens mineurs, souffrent d'insuffisance respiratoire. L'inhalation de fibres d'amiante expose certains personnels du bâtiment (pose d'enduits isolants par flocage, emploi de fibrociment) ou de l'industrie (construction navale) à développer, en sus de la maladie respiratoire chronique qu'est l'asbestose, un cancer de la plèvre de mauvais pronostic (mésothéliome) ou un cancer bronchique.

L'utilisation à grande échelle de l'amiante dans les années 1970 pourrait provoquer dans les années à venir plusieurs milliers de cas annuels de maladies dues à ce composé. Depuis juill. 1996, la fabrication et la transformation de l'amiante est, à quelques exceptions près (tenues de pompiers, garnitures de freins automobiles), interdite en France. Seulement un dixième des professionnels atteints de maladies dues à l'amiante ont, semble-t-il, été indemnisés. Les dangers liés à l'utilisation de faibles doses d'amiante ou de ses fibres de remplacement (laine de verre, laine de roche, par ex.), peut-être elles-mêmes cancérogènes, font l'objet de discussions scientifiques. Les poussières de fer (sidérose) et de houille (anthracose) peuvent également déterminer des atteintes respiratoires.

La sciure de bois peut provoquer des cancers de l'ethmoïde (muqueuse nasale).

Les solvants, qui sont utilisés comme dégraissants dans presque toutes les industries, touchent plus particulièrement les travailleurs du cuir, du caoutchouc, les teinturiers.

Les amines aromatiques (aniline), employées comme colorants, sont extrêmement toxiques. L'aniline provoque notamment des cystites hémorragiques et, à long terme, des tumeurs de la vessie.

D'autres produits déterminent des risques chimiques, comme le plomb, responsable de saturnisme (coliques, paralysies) et très présent dans l'industrie (vernis, carburants), le mercure, à l'origine de troubles neurologiques et rénaux, le phosphore.

Les risques biologiques. Liés à la contamination par des germes, ils sont fréquents dans l'élevage et l'agriculture et mal couverts par la législation du travail. La brucellose se rencontre chez les vétérinaires et les fermiers (fièvre, ganglions) et peut être prévenue par la vaccination des troupeaux. Les hépatites virales, autrefois nombreuses chez le personnel de santé et de laboratoire, ont beaucoup diminué grâce à la vaccination. De nombreux produits peuvent aussi déclencher l'apparition d'allergies cutanées, souvent à type d'eczéma (produits de coiffure), ou d'affections respiratoires (« poumon de fermier » en rapport avec l'inhalation de foin moisi, etc.).

Les risques psychiques. L'extension du travail précaire, la multiplication des plans sociaux, l'augmentation fréquente de la charge de travail sont à l'origine d'un nombre accru de plaintes pour maladies psychosomatiques en médecine du travail (troubles du sommeil, crises d'angoisse, migraines, ulcères digestifs, eczéma, etc.). La privation de travail semble favoriser la détérioration de l'état de santé, ainsi que l'ont révélé plusieurs études entreprises chez des chômeurs de longue durée.

Petit lexique

benzolisme : intoxication chimique dûe au benzol ou à ses constituants, ainsi qu'aux essences de pétrole.

VOIR AUSSI
• **Causes des maladies** p. 226
• **Cancers** p. 230
• **Maladies ophtalmologiques** p. 242

◆ Les principales maladies professionnelles en France.

Type d'affection	1980	1990	1994
maladies causées par le plomb et ses composés	48	44	25
benzolisme	71	32	28
affections provoquées par les rayonnements ionisants	17	16	21
affections causées par les ciments	804	379	242
affections dues à l'acide chromique et aux chromates	84	64	43
affections dues aux dérivés chlorés de l'éthylène	96	35	30
affections provoquées par des amines aromatiques	95	52	48
brucellose	370	111	47
silicose	549	332	247
affections provoquées par les poussières d'amiante	149	396	728
affections dues aux huiles d'origine minérale ou de synthèse	202	93	76
maladies causées par les oxydes de nickel	14	18	24
affections dues aux bacilles tuberculeux	20	17	34
affections provoquées par les bruits	248	819	797
affections causées par l'aldéhyde formique et ses polymères	25	42	32
hépatites virales	498	64	41
maladies causées par les bois	54	104	101
affections dues aux amines aliphatiques et alicycliques	18	16	18
maladies provoquées par les résines époxydiques et leurs constituants	82	72	54
affections périarticulaires	299	1 198	4 517
affections dues aux isocyanates organiques	57	77	83
lésions eczématiformes de mécanisme allergique	111	292	441
affections respiratoires de mécanisme allergique	103	218	269
affections provoquées par les vibrations de certaines machines-outils	67	132	155
affections dues aux solvants organiques liquides	n.d.	57	60
rouget du porc	n.d.	26	20
Total	**4 315**	**4 925**	**8 408**

En nombre de cas constatés. *Sources :* CNAMTS et MSA.

Santé et pollution

Les différents types de pollution

La pollution est devenue un problème majeur pour les pays industrialisés et représentera l'un des grands défis du XXIe siècle. Ses origines sont multiples, aussi bien industrielle qu'agricole et domestique.

La pollution de l'air. La pollution atmosphérique a globalement diminué à la fin du XXe siècle. Nous sommes loin, aujourd'hui, des grands pics de pollution des années 1950, à Londres, qui avaient entraîné de véritables vagues de décès parmi les personnes les plus fragiles. Mais si le risque individuel a régressé, grâce à une meilleure maîtrise des rejets industriels, en revanche, il touche une très grande partie de la population (90 % en France), car la pollution est plus diffuse, en raison, notamment, de la pollution automobile.

En dehors des accidents entraînant la libération massive d'une substance toxique, la pollution est presque toujours composée d'un mélange de polluants. Aussi est-il difficile de distinguer les dangers propres à chaque substance. Les études expérimentales permettent cependant de dégager quelques caractères particuliers à chaque agent polluant.

Le dioxyde de soufre, lié essentiellement aux activités industrielles, constituait autrefois le principal polluant atmosphérique. C'est un gaz irritant qui, à dose élevée, altère la fonction pulmonaire. Son importance a diminué au profit d'autres polluants. Le dioxyde d'azote, ou NO_2, est produit par les moteurs de véhicule. C'est également un gaz irritant, qui pourrait aggraver les symptômes des maladies respiratoires. L'ozone (ou O_3) est un polluant secondaire, formé à partir de divers composés volatils, en particulier le NO_2, sous l'effet des rayons ultraviolets. C'est pourquoi les taux les plus élevés sont observés l'après-midi, en été, les jours de fort ensoleillement. Quasiment insoluble dans l'eau, l'ozone pénètre jusque dans les alvéoles et a un effet oxydant puissant. Il a été accusé de pouvoir déclencher des crises d'asthme et une aggravation des insuffisances respiratoires, au point qu'une directive européenne recommande aux asthmatiques, aux personnes âgées et aux insuffisants respiratoires chroniques d'éviter de sortir l'après-midi et en début de soirée, les jours de pic de pollution d'ozone.

Les particules fines, autrefois appelées fumées noires, sont de petites particules émises par la combustion industrielle et par les moteurs automobiles, diesels avant tout. Ces petites particules s'infiltrent dans les voies respiratoires et se déposent sur les parois des petites bronches. Elles sont d'autant plus dangereuses qu'elles transportent d'autres polluants à leur surface, et pourraient en outre susciter des effets cancérogènes. Une étude récente a montré que des taux élevés de particules fines et de SO_2 dans l'air provoquent une augmentation de la viscosité sanguine. Cet effet pourrait expliquer l'augmentation des hospitalisations pour maladie cardio-vasculaire observée les jours de forte pollution.

Enfin, la présence de centrales nucléaires vétustes, dans les pays de l'Est en particulier, continue à faire peser la menace d'accidents nucléaires tels que celui de Tchernobyl, en 1986, qui fut à l'origine d'une catastrophe écologique locale, mais dont les retombées ont été beaucoup plus larges, en raison des nuages radioactifs qui ont traversé une grande partie de l'Europe. En se déposant sur le sol, les particules radioactives ont entraîné une contamination mesurable dans certaines régions de l'est et du sud de la France. L'accident de Tchernobyl a été suivi d'une augmentation brutale de l'incidence des cancers de la thyroïde chez les enfants en Ukraine et en Biélorussie. Dans les pays voisins, exposés à des doses d'irradiation nettement plus faibles, aucun effet sur la santé n'a encore pu être mis en évidence.

Les polluants ont aussi des effets plus généraux sur l'écologie de la planète. Le dioxyde de carbone rejeté par les automobiles et les CFC (ou chlorofluorocarbones) utilisés comme agent propulseur dans les aérosols détruisent la couche d'ozone de la stratosphère, qui filtre les rayons ultraviolets : l'atteinte à cet écran naturel augmenterait le facteur de risque du cancer de la peau. Par ailleurs, le dioxyde de carbone contribue à l'effet de serre, qui participe au réchauffement progressif de la Terre. Les conséquences de ces deux phénomènes restent néanmoins débattues.

La pollution des eaux. L'air et l'eau sont intimement liés. Ainsi, les oxydes de soufre et d'azote engendrent des pluies acides. Les mouvements climatiques poussent les nuages chargés d'acide nitrique et sulfurique vers la Scandinavie, où les pluies entraînent la mort des arbres et la contamination des nappes phréatiques. L'eau se charge en sels métalliques qui tuent les poissons ou les rendent impropres à la consommation.

Les phosphates, produits par les usines de pâtes à papier, les eaux usées des villes, les usines de traitement des métaux, provoquent une grave pollution des eaux. Il en est de même pour les nitrates, qui proviennent des industries chimiques et agroalimentaires, et du lisier de porc, largement utilisé comme engrais dans certaines régions. La situation est particulièrement préoccupante, car les nitrates se transforment dans l'estomac en nitrites et nitrosamines, dont les effets cancérogènes ont été démontrés chez l'animal. La pollution par les nitrates et les phosphates n'épargne pas la mer : déversées par les fleuves et rivières, ces substances entraînent une prolifération des algues et du phytoplancton, qui consomment l'oxygène dissous dans l'eau, supprimant ainsi toute forme de vie animale.

La pollution intérieure. La pollution à l'intérieur des habitations a considérablement augmenté, en raison d'une isolation plus draconienne et de l'utilisation de très nombreux produits polluants. Elle comprend notamment les fumées et particules produites par le tabagisme, la cuisson des aliments ou les déjections d'acariens, les composés organiques volatils et le formaldéhyde libérés par les matériaux de construction, les peintures et les produits nettoyants. Ce type de pollution, insidieux, a un impact bien plus grand que la pollution atmosphérique sur la survenue de crises d'asthme.

La pollution automobile

La circulation automobile constitue aujourd'hui, et de loin, la principale source de pollution atmosphérique urbaine. L'ampleur de ses effets sur la santé est encore débattue et certains spécialistes estiment que le risque est modeste, bien inférieur à celui engendré par le tabagisme passif, par exemple. Pourtant, les données aggravantes s'accumulent.

Ainsi, deux grandes études américaines ont montré que la mortalité par maladie cardiaque et pulmonaire et par cancer du poumon est plus élevée dans les villes les plus polluées, sans qu'il soit cependant possible d'affirmer une relation de cause à effet. Différentes analyses récentes indiquent que les pics de pollution atmosphérique dans la région parisienne sont suivis d'une augmentation des consultations pour des troubles respiratoires (asthme, bronchiolite), oculaires (conjonctivite) et ORL (rhinites), en particulier chez les enfants. Selon un autre travail, le nombre d'hospitalisations et la mortalité liée à des maladies cardio-vasculaires ou pulmonaires s'accroissent lorsque la pollution augmente. Il est probable que les pics de pollution ne feraient en fait que précipiter le décès de personnes ayant une maladie cardiaque ou pulmonaire déjà très évoluée. Ces données inquiétantes, mais insuffisantes, soulignent la nécessité de mener d'autres études et l'urgence de développer des carburants moins polluants.

Les incinérateurs en question

L'incinération des ordures ménagères dans des usines de traitement semble *a priori* constituer un moyen propre et radical pour supprimer les immenses décharges à ciel ouvert, qui polluent la nature et défigurent les paysages.

Malheureusement, le fait de brûler les ordures n'évite pas la pollution, car la combustion de certains matériaux, matières plastiques en particulier, dégage des substances toxiques, comme les dioxines. Les incinérateurs les plus anciens en libèrent dans leurs fumées des quantités bien supérieures aux normes admises. Or les dioxines pourraient être dangereuses, même à faible dose. Les études chez l'animal ont montré qu'elles sont cancérogènes, perturbent le système immunitaire, les sécrétions hormonales, et diminuent la fécondité.

Il existe très peu de données pour évaluer les effets de faibles doses de ces dioxines chez l'homme et le risque encouru par les personnes habitant au voisinage des usines d'incinération suscite des controverses. Cependant, la libération de dioxines dans l'atmosphère pourrait avoir des conséquences indirectes, en contaminant la chaîne alimentaire. Les nourrissons sont les premiers exposés. En effet, les dioxines se retrouvent en quantité significative dans le lait des vaches qui paissent à proximité d'incinérateurs. Par ce biais, certains enfants en absorberaient des quantités atteignant le seuil jugé nocif par des scientifiques.

VOIR AUSSI
- **Pollution** p. 77
- **Effet de serre** p. 79

Les toxicomanies

Drogues douces, drogues dures

Le terme de « drogue » qualifie toute substance qui agit sur le psychisme en entraînant un état d'euphorie. L'abus de ces substances engendre la toxicomanie. Cette dernière est étroitement liée à deux phénomènes dont l'intensité varie en fonction des produits utilisés : la tolérance (nécessité d'augmenter la dose pour obtenir les mêmes effets) et la dépendance (besoin impérieux de reprendre le produit pour éviter le malaise psychique et, parfois, physique qui caractérise l'état de manque). Ce dernier critère permet d'établir la différence entre ce que l'on appelle les « drogues douces » et les « drogues dures ».

Les drogues douces sont constituées par les dérivés du cannabis, ou chanvre indien, produits à partir des sommités fleuries et des feuilles (« herbe », marijuana) ou de la résine (haschisch, « shit ») de la plante. Le cannabis entraîne une sensation d'euphorie et de relaxation d'une durée d'une à deux heures. La dépendance à cette substance est faible et uniquement psychique.

Les drogues dures comprennent les opiacés (opium, morphine et héroïne), dérivés du pavot, et la cocaïne, extraite de la feuille de coca. L'héroïne, généralement injectée par voie intraveineuse, se présente sous la forme d'une poudre blanche, qui contient des quantités très variables de drogue. Ces variations imprévisibles sont la cause d'un risque réel de décès par surdosage (228 décès en 1997, en France). L'héroïne engendre, en outre, une dépendance psychique et physique majeure, qui rend le sevrage extrêmement difficile et entraîne un risque d'isolement social. La cocaïne, le plus souvent aspirée par voie nasale (« lignes »), est fréquemment utilisée pour ses effets stimulants. Elle entraîne une faible dépendance physique, mais une dépendance psychique parfois importante. La consommation de cocaïne au cours de la grossesse a été incriminée dans la survenue de malformations congénitales.

Le « crack », essentiellement fumé, est un mélange de chlorhydrate de cocaïne et de bicarbonate de soude ou d'ammoniaque sodique. Ses effets, intenses, sont pratiquement immédiats et ne durent que 5 minutes. Une telle brièveté suscite des administrations répétées, puissantes, extrêmement dangereuses, car elles provoquent une dépendance psychique considérable en quelques jours. Le prix élevé de toutes ces substances est une cause non négligeable de délinquance.

Bien que leur consommation soit tout à fait licite, alcool et tabac remplissent également tous les critères de définition des drogues. Ils exercent une action psychique indéniable et entraînent des risques élevés de dépendance. De plus, ils entraînent des effets toxiques particuliers, connus depuis longtemps. Un rapport remis en juin 1998 au secrétariat d'État à la santé a établi un classement des drogues selon leurs dangers. Dans le premier groupe figurent les drogues les plus toxiques : opiacés, cocaïne et alcool. Le deuxième groupe comprend le tabac, les hallucinogènes, les amphétamines et les anxiolytiques. Le cannabis est le seul représentant du troisième groupe, considéré comme le moins dangereux.

Le système de récompense

En 1954, deux scientifiques à la recherche d'un « centre du plaisir » font une expérience sur des rats en implantant dans certaines régions de leur cerveau une électrode, reliée à un générateur et à une pédale, que les animaux peuvent actionner pour recevoir un faible courant électrique. Dès qu'ils ressentent les premiers effets de cette autostimulation, les animaux se mettent à appuyer frénétiquement sur la pédale, oubliant même de boire et de manger.

Or, il a été montré que ces régions où semble naître le plaisir correspondent aux voies dopaminergiques, c'est-à-dire aux endroits où les neurones communiquent par l'intermédiaire de la dopamine. Toutes les drogues agiraient d'une manière ou d'une autre sur ce système, baptisé « système de récompense ». Cependant, seule une minorité des personnes qui font l'expérience de ces sensations devient réellement dépendante. L'administration prolongée de dérivés de la morphine contre la douleur, par exemple, n'entraîne de toxicomanie que dans quatre cas sur dix mille.

Les nouvelles drogues

Depuis les années 1980, de nouveaux modes de consommation de drogues se sont développés, qui touchent une population large et très éloignée de l'image classique du toxicomane marginal, enfermé dans sa dépendance. Les adeptes de ces nouvelles formes de toxicomanie sont au contraire bien intégrés au sein de la société et ne se sentent pas liés aux produits qu'ils utilisent. Certains de ces produits sont d'ailleurs autorisés et présentent un intérêt thérapeutique indéniable lorsqu'ils sont prescrits à bon escient. C'est le cas de médicaments qui agissent sur le psychisme, comme les anxiolytiques, capables d'induire de véritables états de dépendance, avec des syndromes de manque, rendant l'arrêt de la prise difficile. D'autres produits, comme les amphétamines, sont consommés pour améliorer les capacités de travail, un peu à l'image des produits dopants chez les sportifs.

Ecstasy. Certaines substances, entraînant peu de dépendance, sont utilisées dans un but purement récréatif. La plus courante d'entre elles est actuellement l'ecstasy, apparue aux États-Unis au début des années 1980 et qui connaît depuis une expansion préoccupante. Cinq pour cent des jeunes Français en auraient consommé au moins une fois. Il s'agit d'une amphétamine qui provoque un état d'euphorie, avec levée des inhibitions et accroissement de l'énergie physique. Les comprimés, dont la composition est très variable, circulent le plus souvent dans les discothèques et au cours de « raves » (rassemblements festifs dansants des amateurs de house ou de techno dans un lieu plus ou moins secret). Souvent considérée – à tort – comme inoffensive, l'ecstasy a été responsable de quelques décès, par hépatite ou hyperthermie. Ces accidents sont totalement indépendants de la dose ingérée. Ils peuvent se déclarer après la prise d'un seul comprimé.

Les produits de substitution

L'injection de drogue par voie intraveineuse entraîne un risque infectieux majeur. Près d'un tiers des héroïnomanes français seraient infectés par le virus du sida et la moitié par le virus de l'hépatite C. Pour prévenir ces complications dramatiques, de nombreux pays ont mis en œuvre une politique dite « de réduction des risques », qui repose en particulier sur des programmes de substitution, consistant à remplacer l'héroïne par d'autres substances (méthadone, buprénorphine) délivrées sur prescription médicale. Ces substances, prises par voie orale, se fixent sur les mêmes récepteurs du cerveau que l'héroïne, mais ont une durée d'action beaucoup plus longue, ce qui permet de supprimer la sensation de manque et l'envie de reprendre de l'héroïne. Il s'agit en fait de remplacer une toxicomanie par une autre, moins dangereuse, en y associant, dans la mesure du possible, un soutien social, psychologique et médical. Malgré cet accompagnement, la substitution est parfois détournée de son but. C'est le cas en particulier pour la buprénorphine orale (Subutex®), que certains toxicomanes s'injectent par voie intraveineuse, pour obtenir des effets plus intenses, au prix d'un risque élevé de complications graves (abcès, délabrement veineux). Privilégier des produits de substitution n'exposant pas à ce type d'accident devrait constituer une priorité.

Acides et champignons hallucinogènes. Le LSD, puissant hallucinogène célèbre dans les années 1960 et 1970, est à nouveau consommé, parfois en association à l'ecstasy. Il se présente sous la forme de petits buvards imprégnés ou de comprimés désignés sous le nom de « LSD 25 » ou « acides ». Après la période d'hallucinations qui dure de 5 à 12 heures, le retour à la réalité est souvent pénible.

Les champignons hallucinogènes (psilocybes, en particulier) ont des effets moins puissants que le LSD. D'autres produits arrivent régulièrement sur le marché de la drogue : ils ont en commun d'être des molécules de synthèse faciles à produire. Les risques de toxicité ou d'accidents sont d'autant plus élevés que ces substances sont associées entre elles ou à de l'alcool.

Petit lexique

sevrage (médecine) **:** privation totale de la drogue.

syndrome de sevrage : ensemble de troubles physiques (douleurs, sueurs, vomissements, tremblements...) et psychiques (excitation, agressivité) qui peuvent se produire lors du sevrage.

VOIR AUSSI

- **Alcoolisme; tabagisme** p. 219
- **Trafic de stupéfiants** p. 1000
- **Dopage** p. 1283

Illustration
- **La drogue dans le monde** p. 1001

Intoxications et accidents

Des intoxications en recrudescence

Les intoxications peuvent être classées selon la nature de leur origine.

Intoxications alimentaires. Appelées encore toxi-infections, ce sont des infections aiguës, provoquées par l'ingestion d'aliments contaminés par des bactéries. Elles connaissent une recrudescence inquiétante dans les pays industrialisés, liée en grande partie au développement de la restauration collective. Plus ou moins rapidement après le repas apparaissent des signes d'intolérance digestive : douleurs abdominales, diarrhées, vomissements, parfois associés à la fièvre. Ces épisodes, généralement bénins lorsqu'ils touchent des personnes jeunes et en bonne santé, peuvent se révéler très graves lorsque les victimes sont des personnes âgées ou fragiles.

Les salmonelloses représentent de loin la toxi-infection alimentaire la plus fréquente en France. Les œufs ou les préparations à base d'œufs sont responsables de plus de 80 % des cas recensés. Les signes apparaissent en moyenne de 5 à 24 heures après le repas et régressent en quelques jours. La typhoïde, rare dans les pays industrialisés, est due à une salmonelle particulièrement virulente.

Contrairement aux salmonelloses, les toxi-infections staphylococciques se déclarent très rapidement (de 1 à 4 heures) après le repas. Il n'y a pas ou peu de fièvre, mais une diarrhée liquide et une salivation abondante, entraînant des risques de déshydratation. La guérison est rapide. La prévention de ces intoxications repose sur une hygiène stricte des personnes manipulant les aliments (lavage des mains) et sur le respect scrupuleux de la chaîne du froid.

Le botulisme, beaucoup plus grave, est dû à la toxine botulinique : un poison extrêmement violent sécrété par *Clostridium botulinum,* un bacille qui prolifère dans des charcuteries et des conserves artisanales mal stérilisées. Dans un délai de 12 à 36 heures, cette toxine entraîne des troubles neurologiques parfois mortels. En 1997, 17 cas non mortels ont été déclarés en France. Le traitement repose sur l'injection d'un sérum antitoxine et sur les mesures de réanimation.

Intoxications médicamenteuses. Elles sont généralement liées à des tentatives de suicide ou à des prises de médicaments accidentelles chez l'enfant. Le premier réflexe doit être d'appeler les urgences ou le centre antipoison le plus proche, même si la prise paraît anodine. Quelques comprimés d'antalgique peuvent suffire à entraîner des lésions irréversibles chez un petit enfant.

Intoxications par l'oxyde de carbone. Dues à des appareils de chauffage ou des chauffe-eau défectueux, elles sont fréquentes dès l'apparition des premiers froids. Elles se manifestent par un mal de tête, des douleurs abdominales, des vertiges, une confusion, puis un coma. Les sauveteurs doivent couper le courant et ouvrir les fenêtres avant de sortir les victimes, car une explosion peut se produire à la moindre étincelle. Le traitement de ces intoxications fait appel à l'oxygénation en caisson hyperbare (caisson où la pression est supérieure à la pression atmosphérique).

Les accidents de la route

En France, 8000 morts par accident de la circulation ont été dénombrés en 1997. La vitesse excessive et l'alcool sont les deux principaux facteurs incriminés pour expliquer cette mortalité supérieure à celle de la plupart des autres pays d'Europe.

Les jeunes de 15 à 24 ans sont les premières victimes de ces imprudences. Ils comptent pour plus d'un tiers des décès en deux-roues et plus d'un quart en voiture. Les accidents de la route représentent la première cause de mortalité dans cette tranche d'âge.

Sensibiliser les jeunes conducteurs est indispensable pour conforter les mesures (amélioration des infrastructures routières, vitesse limitée, limitation de l'alcool au volant, ceinture de sécurité obligatoire) qui ont contribué à rendre progressivement les routes plus sûres. Au cours des vingt dernières années, en France, le nombre de blessés par accident de la circulation a diminué de moitié, et celui des décès de 40 %.

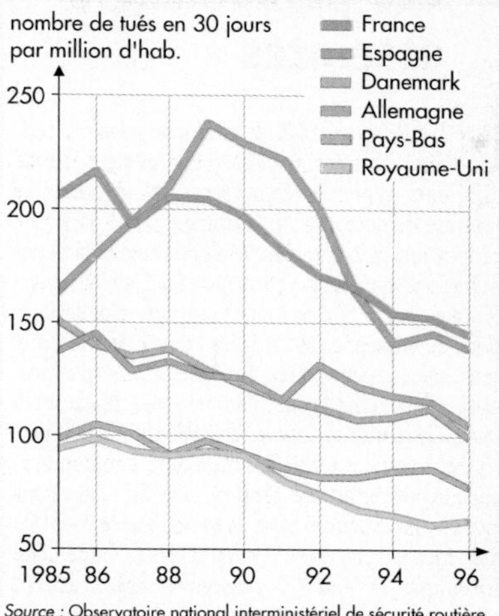

Source : Observatoire national interministériel de sécurité routière.

◆ **Évolution du nombre de tués sur la route.**

Morsures et piqûres

Chaque année, 400000 morsures sont répertoriées en France. Les risques d'infection étant très élevés, une consultation médicale pour désinfecter la plaie et mettre en œuvre un traitement antibiotique est indispensable. Il est absolument nécessaire d'alerter au moindre doute un centre antirabique. Le délai d'incubation de la rage (90 jours en moyenne) permet de vacciner à temps toute personne mordue par un animal suspect.

Abeilles et guêpes provoquent des piqûres très douloureuses, mais bénignes. Trois exceptions : les piqûres à l'intérieur de la bouche qui peuvent entraîner la mort par asphyxie, les piqûres multiples et celles qui atteignent des personnes allergiques aux venins de ces hyménoptères. Dans ces cas, il faut appeler au plus vite les secours d'urgence. Les personnes allergiques doivent voyager avec une trousse d'injection d'adrénaline, pour prévenir un choc anaphylactique.

Les vipères sont les seuls serpents dangereux en Europe. Quelques centaines de morsures sont recensées chaque année en France, dont 1 à 3 sont mortelles. Le sérum antivenimeux ne doit être utilisé que sous surveillance médicale.

Certains poissons provoquent des piqûres extrêmement douloureuses. On peut généralement calmer la douleur en baignant la plaie dans l'eau chaude ou en l'approchant de l'extrémité d'une cigarette incandescente.

Les champignons toxiques

Sur les milliers d'espèces de champignons qui se ramassent dans nos forêts, une cinquantaine seulement sont toxiques pour l'homme, entraînant des symptômes d'intensité et de nature extrêmement variables selon l'espèce en cause. D'une manière générale, il faut retenir que les intoxications à incubation longue sont plus graves que celles à incubation courte. Ainsi, un délai supérieur à six heures entre la consommation des champignons et l'apparition des premiers symptômes doit faire craindre une intoxication grave et impose une prise en charge en urgence à l'hôpital. Les décès recensés en France sont dûs dans 80 % des cas à l'amanite phalloïde.

Les âges vulnérables

Les âges extrêmes de la vie, vieillesse et petite enfance, sont les plus touchés par les accidents de la vie courante. Près des deux tiers des décès concernent des personnes de plus de 75 ans. Les chutes sont particulièrement fréquentes et graves à cet âge, avec un risque élevé de séquelles et de perte de l'autonomie. Malgré le vieillissement de la population, la mortalité par accident a baissé depuis quinze ans, ce qui semble attribuable en partie à une meilleure prise en charge des victimes.

Même s'ils sont plus rares, les accidents domestiques représentent une cause très importante de mortalité infantile (un décès sur cinq entre 1 et 4 ans). Les chutes sont les accidents les plus fréquents, mais ce sont les noyades qui représentent la première cause de décès jusqu'à 14 ans. La sensibilisation des parents au risque de noyade est indispensable, et il est illusoire de penser pouvoir assurer une prévention satisfaisante sans protéger par des clôtures l'accès des piscines privées, de plus en plus nombreuses. Dans certains États des États-Unis, où la mortalité par noyade avait pris des proportions dramatiques, des mesures rendant les clôtures de protection obligatoires ont permis une baisse de 70 % des accidents. Une proposition de loi est à l'étude en France.

VOIR AUSSI
- **Animaux venimeux** p. 146
- **Champignons dangereux** p. 188
- **Maladies professionnelles** p. 248

Le handicap

Les personnes atteintes

Le handicap découle de multiples causes : accidents, maladies, vieillissement, et peut être de différents types : moteur, sensoriel, mental. Le nombre de personnes handicapées varie dans une proportion de 1 à 5 selon les définitions et la dénomination « handicap » correspond à des réalités différentes, selon que ce mot se rapporte aux déclarations de personnes interrogées lors d'enquêtes, aux seuls handicapés sévères, aux bénéficiaires d'allocation... Par exemple, dans l'enquête décennale sur la santé entreprise en France en 1991, 5 480 000 personnes vivant à domicile ont déclaré être handicapées ou ressentir une gêne ou une difficulté dans leur vie quotidienne. Mais, la même année, 940 000 individus « seulement » bénéficiaient d'une aide spécifique et 430 000 personnes âgées étaient confinées au lit ou au fauteuil, ou encore avaient besoin de l'aide d'un tiers pour se laver et s'habiller. En réalité, le chiffre de 2 millions de handicapés est souvent fourni par les médecins et les associations, sans que l'on puisse toutefois en vérifier la véracité.

Âge des handicapés. Le profil des handicapés est, pour les mêmes motifs, mal connu, mais on sait qu'ils sont en moyenne plus âgés que les valides, le handicap étant d'autant plus fréquent que l'on vieillit.

Si, dans l'enquête décennale de 1991, 10 déficiences ont ainsi été déclarées en moyenne pour 100 adultes, ce nombre ne dépassait pas 2,6 chez les sujets de moins de 20 ans, mais atteignait 6,8 chez les adultes de 21 à 59 ans et 27,4 chez les personnes de plus de 60 ans. Les individus âgés sont également plus nombreux à déclarer 2 déficiences.

La technique au service du handicap

La technique est aujourd'hui de plus en plus au service du handicap. Ainsi, depuis plus d'une dizaine d'années, l'emploi d'ordinateurs à clavier braille permet à de nombreux non-voyants de travailler. Le Minitel et l'Internet, de plus en plus répandu, offrent la possibilité aux déficients auditifs de communiquer sans difficulté particulière avec d'autres personnes. Les implants cochléaires permettent en outre à certains enfants sourds de naissance de retrouver en partie des capacités d'audition. Et les systèmes de reconnaissance vocale proposent à des paraplégiques de diriger à distance l'ouverture de volets, la télécommande de la télévision... leur permettant ainsi de retrouver une certaine autonomie. Plusieurs dispositifs techniques ont également été testés dans le but de redonner une certaine mobilité aux paraplégiques. Ainsi, le projet SUAW (*Stand Up and Walk*), lancé dans 6 pays européens, a-t-il pour objectif de stimuler, grâce à l'implantation d'électrodes, les nerfs et les muscles situés sous la lésion, afin de remplacer l'influx nerveux qui assure normalement la contraction musculaire par un courant électrique. D'autres espoirs pourraient venir de greffes de rétine, ou de tissu nerveux, ou encore de l'emploi de médicaments renforçant la capacité de régénération naturelle des fibres nerveuses.

◆ **Petit singe aidant un paraplégique dans les tâches quotidiennes.**

Le nombre de vieillards dépendants est délicat à établir, car les données statistiques disponibles sur ce thème sont multiples et pas toujours très fiables. Mais on considère que 376 800 personnes dépendantes étaient accueillies en 1994 dans les maisons de retraite et les services de long séjour, dont 360 000 âgées de 65 ans et plus.

Types de handicap. Les troubles moteurs et visuels sont les plus fréquents et atteignent respectivement 2 165 000 personnes (3,9 % de la population) et 1 950 000 (3,5 %) en France. Chez les adultes actifs, la déficience visuelle est la plus représentée. En revanche, c'est le handicap moteur, considéré comme plus gênant que la déficience visuelle, car il nécessite un soutien extérieur pour les déplacements, qui vient au premier plan chez les personnes âgées.

Souvent jeunes, les déficients visuels (59 % de moins de 60 ans) se différencient nettement des autres personnes déclarant un handicap et sont les plus autonomes. Bien qu'ils bénéficient moins fréquemment que d'autres handicapés d'une aide à la vie quotidienne, notamment financière, ils peuvent se déplacer seuls dans 9 cas sur 10 et parviennent, en dépit des difficultés, à adopter une vie relativement normale. Les déficients auditifs reçoivent une aide à la vie quotidienne dans les mêmes proportions que les déficients visuels, mais sont nettement plus âgés (72 % de plus de 60 ans). Enfin, les handicaps liés à la présence d'une maladie psychique ou d'un déficit intellectuel concernent respectivement 0,6 % et 0,5 % de la population française. Les personnes qui en sont atteintes dépendent davantage de la société et reçoivent plus souvent une aide financière que les autres handicapés. Ce sont les individus présentant à la fois une déficience intellectuelle et un trouble psychiatrique qui sont les plus dépendants, et ils sont d'ailleurs reconnus dans un cas sur deux comme handicapés par les organismes d'aide spécifiques.

Vivre avec un handicap

Des progrès ont été obtenus en matière de qualité de vie des handicapés français. Toutefois, dans son rapport paru en septembre 1998, le Haut Comité de la santé publique notait que l'accessibilité des transports ou la diffusion des techniques de suppléance pour l'aide à la vie quotidienne demeure insuffisante. Ce rapport officiel rappelait également que la loi réserve normalement en France 6 % des emplois aux travailleurs handicapés. Or, même si elle continue de progresser, la proportion de handicapés atteignait tout au plus 4,1 % en 1995 au sein des entreprises de plus de 20 salariés, fluctuait autour de 3,1 % dans la fonction publique d'État, et ne dépassait pas 1,1 % dans les établissements de moins de 20 salariés.

Une possibilité d'accès à une activité professionnelle est offerte en France par les centres d'aide par le travail (CAT), dont le nombre tourne autour de 13 000, et par les ateliers protégés (au nombre de 382 seulement en 1995). Cependant, même si le nombre de personnes handicapées reçues dans ces structures a augmenté depuis une quinzaine d'années, le nombre de places disponibles demeure fort limité et les ateliers protégés sont très inégalement répartis sur le territoire national. En outre, le travail en milieu protégé, qui était considéré à l'origine comme devant demeurer provisoire, tend à devenir permanent, peu de handicapés parvenant à passer du travail en atelier protégé à celui en milieu ordinaire (3 % en 1990).

Logement et aide financière. De même, le nombre de places dans les établissements médicosociaux demeure dramatiquement insuffisant, notamment dans le cas des handicapés adultes dont la prise en charge est moins bonne que celle des enfants. Malgré tout, on estimait en 1996 que 278 000 personnes bénéficiaient d'une place en institution ou au sein d'un service spécialisé. Notons également que le logement des handicapés est souvent mal conçu. Ainsi, une enquête réalisée par l'Association des paralysés de France a révélé que 35 % des personnes se déplaçant en fauteuil roulant vivent dans un logement mal adapté à leur handicap. Malgré la loi de juin 1975 qui oblige les constructeurs à rendre les logements accessibles et en dépit des mesures législatives prises en faveur des handicapés, plus d'un logement sur deux ne répond pas en France à des critères d'accessibilité.

Plusieurs dispositifs d'allocations existent pour les handicapés : allocation d'éducation spéciale destinée à permettre aux parents de se consacrer à l'éducation de leurs enfants (98 000 enfants en 1994), allocation pour adulte handicapé (563 000 bénéficiaires fin 1993), pensions d'invalidité (483 000 bénéficiaires fin 1993) et pensions militaires d'invalidité (558 000 fin 1993), allocation compensatrice pour tierce personne (259 000 personnes fin 1993). Mais la prise en charge des personnes handicapées demeure malgré tout très médiocre en comparaison de celle qui est observée dans certains pays du monde occidental, comme en Scandinavie et au Québec.

VOIR AUSSI
- **Maladies génétiques** p. 227
- **Maladies infantiles** p. 240
- **Troubles psychiques** p. 246
- **Maladies professionnelles** p. 248

Illustrations
- **Implant cochléaire** p. 243
- **Handisport** p. 1282

Les soins et la recherche médicale

La protection sociale

La France se caractérise par un système de santé original, où l'offre de soins est de type libéral, mais où les remboursements sont assurés par un système centralisé de sécurité sociale, dont le financement est depuis 1997 voté par le Parlement. Créée en 1945, la Sécurité sociale comprend trois branches : assurance-maladie, assurance-vieillesse et prestations familiales, et elle est gérée par différents régimes, dont les principaux sont représentés par le régime général des salariés (80 % des Français), le régime agricole et celui des travailleurs indépendants. L'ensemble de la population bénéficie en théorie, depuis 1999, d'une couverture maladie universelle. Les ressources proviennent pour les trois quarts des cotisations salariales et patronales assises sur les salaires, mais leur part relative s'est abaissée de 3,2 points depuis 1990 par le biais de l'augmentation des impôts et des taxes affectés au financement de la Sécurité sociale. Les trois quarts des prestations de protection sociale (2 359 milliards en 1996) sont versés au titre de la maladie et de la vieillesse, un peu plus de 15 % à celui de la famille et environ 7 % à celui de l'emploi (chômage, inaptitude au travail).

En 1996, les remboursements des soins étaient assurés pour 73,5 % d'entre eux par les caisses de Sécurité sociale (un taux qui a diminué de 3 points entre 1980 et 1996), le reste du financement étant assumé par les mutuelles (7 %), les sociétés d'assurances (3,1 %), les institutions de prévoyance (1,7 %), l'État et les collectivités locales (0,9 %) ; 13,8 % demeuraient à la charge des ménages.

D'autres systèmes ont été adoptés dans certains pays occidentaux pour assurer la prise en charge des soins : système fondé quasi exclusivement sur des prestataires privés aux États-Unis, à l'exception des populations les plus démunies ou âgées, nationalisation des soins au Royaume-Uni, mise en concurrence des caisses d'assurance maladie en Allemagne… Le mode de financement de la sécurité sociale diffère également d'un pays européen à l'autre (part des cotisations employeurs et employés, impôts, contributions publiques, etc.).

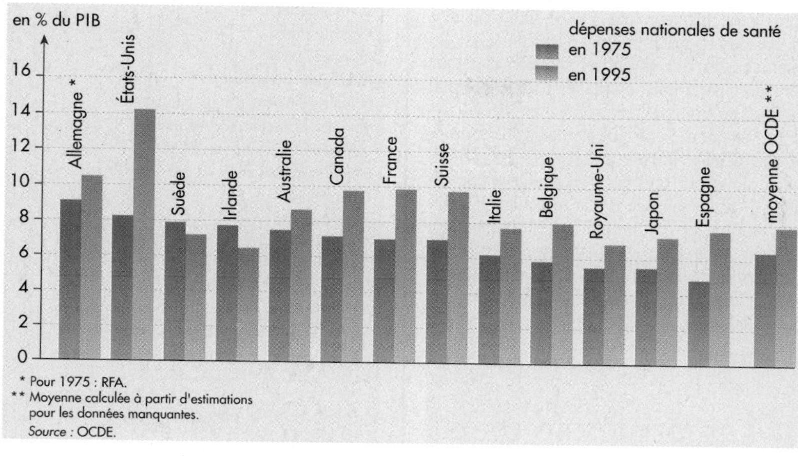

◆ **Les dépenses nationales de santé dans plusieurs pays de l'OCDE.**

Les coûts de santé. La part de la richesse nationale consacrée au financement de la santé (9,8 % du PIB) se situe en France au 3ᵉ rang mondial derrière les États-Unis (14,2 %) et l'Allemagne (14,4 %), et continuait de s'accroître au rythme de 2,9 % en 1996. Afin de limiter l'augmentation des coûts de santé, diverses réformes ont été entreprises, dont les principales comportent des mesures de maîtrise des dépenses médicales. Ces réformes ont consisté à proposer aux médecins des références de traitement, à favoriser l'emploi des médicaments génériques (aussi efficaces et moins coûteux que les médicaments brevetés), à autoriser les pharmaciens à remplacer un médicament par un autre moins onéreux, à favoriser l'informatisation des cabinets médicaux pour permettre la transmission des feuilles de soins grâce à une carte magnétique (carte Vitale), à créer à titre expérimental un système de filières de soins avec une possibilité pour les malades de consulter un médecin généraliste, dit référant, sans avancer le coût des traitements.

En 1996, la consommation de soins des Français représentait 716,6 milliards de francs, soit environ 12 300 F par habitant, dont la moitié était consacrée aux soins hospitaliers, un peu plus du quart aux soins ambulatoires (de ville), aux consultations médicales, analyses, etc., et 18 % aux médicaments. Une légère diminution des dépenses des hôpitaux a été relevée depuis l'instauration en 1984 d'une dotation globale de leur financement. Les sommes affectées à la prévention ne dépassaient pas 2,1 % des dépenses courantes de santé en 1996, soit moins de 300 F par habitant.

La consommation de soins ambulatoires est plus élevée chez les femmes que chez les hommes pour des raisons diverses (plus grande attention aux problèmes de santé, consultations pour contraception, grossesse).

◆ **Consommation médicale en France métropolitaine.**

Secteurs	1980	1990	1996
Soins hospitaliers et en sections médicalisées	**102 330**	**256 448**	**348 121**
soins hospitaliers publics	79 536	192 129	259 325
soins hospitaliers privés	22 430	59 274	79 254
soins en sections médicalisées publics	273	3 913	7 075
soins en sections médicalisées privés	91	1 132	2 467
Soins ambulatoires, aide aux malades	**50 605**	**155 114**	**194 142**
médecins	23 753	72 990	94 187
auxiliaires médicaux	5 920	23 248	30 834
dentistes	13 804	35 766	43 969
analyses	5 161	17 542	19 030
cures thermales	1 967	5 568	6 122
Transports de malades	**1 985**	**7 452**	**10 534**
Médicaments	**33 687**	**96 125**	**129 355**
Prothèses	**3 720**	**13 262**	**19 249**
lunetterie	2 658	8 464	12 012
orthopédie	1 062	4 798	7 237
Consommation de soins et de biens médicaux	**192 327**	**528 401**	**701 401**
Médecine préventive	**5 841**	**11 634**	**15 202**
Consommation médicale totale	**198 168**	**540 035**	**716 603**

En millions de francs.
Sources : Ministère de l'Emploi et de la Solidarité ; SESI.

Les hôpitaux et les cliniques

La capacité d'hébergement des établissements de santé français (508 075 lits au 1ᵉʳ janv. 1997, soit 9,2 lits pour 1 000 habitants), assumée pour les deux tiers par le secteur public et pour un tiers par le secteur privé, est l'une des plus élevées d'Europe et est aujourd'hui considérée comme excédentaire, notamment en ce qui concerne les lits de court séjour et de psychiatrie. Une restructuration est prévue : elle conduirait à regrouper des services pour optimiser l'utilisation des équipements lourds, à en fermer d'autres, à transformer des lits de court séjour en lits de moyen et de long séjour, destinés à la prise en charge des personnes âgées. Elle pourrait néanmoins se heurter à des problèmes sociaux et structurels. Depuis 1970, une carte sanitaire détermine la nature des équipements nécessaires pour répondre aux besoins de la population à l'échelon régional. Cette politique a été renforcée en 1996 avec la création des agences régionales d'hospitalisation, qui coordonnent désormais l'activité des établissements de santé aussi bien publics que privés, favorisent la coopération entre eux, et déterminent leurs ressources par la conclusion de contrats pluriannuels d'objectifs et de moyens.

Le financement de l'activité des services dépend d'un budget global dans le secteur public, d'un prix de journée dans les établissements privés à caractère commercial ; une procédure d'accréditation des établissements de soins a été mise en place. Les séjours tendent à se raccourcir, notamment en chirurgie, et les régimes alternatifs à l'hospitalisation classique sont de plus en plus employés : ainsi l'hôpital de jour, où traitements (chimiothérapies, dialyse) ou examens sont réalisés dans une journée ou une demi-journée sans hébergement, l'hôpital de nuit pour une prise en charge thérapeutique de fin de journée et une surveillance médicale de nuit, et l'hospitalisation à domicile, où les soins sont effectués à la maison sous la responsabilité de médecins et d'infirmières rattachés à un service d'hospitalisation à domicile, public ou privé.

Les professionnels de santé

En 1997, près de 1,5 million de personnes travaillaient dans le secteur de la santé, dont 1 million à l'hôpital, les membres des professions médicales et paramédicales représentant plus de la moitié d'entre elles. Les plus nombreux de ces professionnels sont le personnel infirmier, au nombre de 340 000, suivis par les médecins, dont le nombre atteignait 178 500 en 1998, parmi lesquels 118 000 médecins libéraux. La densité médicale actuelle, relativement forte en comparaison avec d'autres pays européens, est expliquée par une forte croissance du corps médical au cours des 30 dernières années, mais la répartition des professionnels de santé est très inégale sur le territoire national, dense en région parisienne et dans le Midi, plus faible dans le nord de l'Hexagone. Le nombre d'omnipraticiens et de médecins spécialistes est approximativement le même, à la différence d'autres pays européens. La répartition des spécialistes n'est pas toujours parfaitement adaptée aux besoins sanitaires, tantôt excédentaire, tantôt déficitaire, notamment dans certaines disciplines hospitalières à contraintes élevées comme l'anesthésie-réanimation, la chirurgie générale, l'obstétrique. Depuis 1992, la formation à la profession d'infirmier, qui comprenait auparavant 2 spécialités aux voies d'accès différentes (infirmier général et infirmier psychiatrique), a été unifiée.

Les autres professions de santé sont représentées par les sages-femmes, les chirurgiens dentistes et les pharmaciens, et sont régies par un ordre professionnel. Les principaux auxiliaires médicaux sont les pédicures-podologues, les masseurs-kinésithérapeutes, les orthophonistes (des professionnels qui participent à la rééducation des troubles de la parole), les orthoptistes, qui interviennent pour rééduquer certains troubles de la vision. Citons également les manipulateurs d'électroradiologie médicale, les psychomotriciens, etc.

La recherche médicale

La recherche médicale, qui comporte plusieurs aspects, est pratiquée par des professionnels ayant des compétences et des formations diverses. La recherche fondamentale est effectuée le plus souvent par des biologistes ou par des médecins ne dispensant plus de soins, et concerne la plupart des champs de la biologie actuelle, qu'il s'agisse de neurosciences, de biologie cellulaire et moléculaire, de génétique, d'hormonologie, des mécanismes de la cancérogenèse. Elle s'exerce au sein de l'Institut Pasteur, de laboratoires universitaires, dans les centres anticancéreux et, surtout, dans le cadre d'organismes publics comme l'INSERM et le CNRS (Centre national de la recherche scientifique).

La recherche appliquée, souvent pratiquée par des cliniciens, concerne la mise au point ou l'amélioration de techniques diagnostiques, la réalisation d'études à visée thérapeutique, et est parfois menée en collaboration avec l'industrie pharmaceutique.

Enfin, la recherche pharmaceutique est réalisée presque exclusivement au sein de compagnies pharmaceutiques privées. Le temps de développement d'un médicament est souvent fort long (parfois près de 10 ans) et passe par différentes étapes, dont des études de toxicologie et de pharmacologie chez l'animal. Les essais cliniques chez l'homme analysent la tolérance du médicament, précisent les doses nécessaires, valident le rapport efficacité/tolérance du produit dans des maladies précises, enfin, une fois le médicament commercialisé, apprécient son profil de tolérance au long cours dans des conditions d'emploi habituelles (pharmacovigilance).

En France, la recherche fondamentale est souvent performante, mais la recherche appliquée, et notamment clinique, souffre d'une insuffisance de moyens tant matériels qu'humains. En outre, les interfaces entre les deux types de recherches demeurent insuffisantes. Certains domaines, comme la recherche sur les biomatériaux ou le génie biomédical, restent également peu explorés.

◆ **Les professions de santé en France métropolitaine.**

Professions médicales et pharmaceutiques	Nombre en 1981	Nombre en 1996	Densité en 1996 (2)
médecins	108 054	171 704	294,4
chirurgiens-dentistes	31 872	39 565	67,8
sages-femmes	8 479	12 662	86,1
pharmaciens (1)	37 820	55 153	91,8
Auxiliaires médicaux			
infirmiers diplômés d'État et autorisés	192 913	289 974	497,2
infirmiers du secteur psychiatrique	56 537	53 680	92,0
masseurs-kinésithérapeutes	32 229	48 819	83,7
pédicures-podologues	5 736	—	—
orthophonistes	7 110	12 649	21,7
orthoptistes	1 200	1 886	3,2

(1) Jusqu'en 1990, pharmaciens inscrits à l'Ordre, toutes activités confondues, chaque pharmacien n'étant compté qu'une fois (activité principale).
(2) Densité pour 100 000 habitants ou pour 100 000 femmes de 15 à 49 ans (sages-femmes).
Sources : Ministère de l'Emploi et de la Solidarité ; SESI ; Ordre des pharmaciens.

L'INSERM

Placé sous la double tutelle du ministère de la Recherche et du ministère de la Santé, l'INSERM (Institut national de la santé et de la recherche médicale) est, avec le département des sciences de la vie du Centre national de la recherche scientifique (CNRS), la plus grosse structure se consacrant à la recherche médicale en France.
Disposant d'un budget de 2,6 milliards de francs, il rassemble plus de 2 000 chercheurs qui poursuivent des travaux variés dans le cadre de 270 laboratoires, situés le plus souvent au sein d'hôpitaux et d'universités. L'activité de recherche est organisée dans une dizaine de commissions spécialisées et concerne aussi bien les aspects les plus fondamentaux de la recherche biologique que l'épidémiologie, qui s'intéresse aux causes et aux facteurs de risque des maladies, la santé publique, la biotechnologie et même, depuis quelques années, la recherche thérapeutique, car l'INSERM a été impliqué dans la découverte de plusieurs médicaments. Un quart de l'activité de recherche est consacré à la recherche clinique. L'INSERM participe également à des missions d'expertise scientifique et mène des actions de communication destinées au public scolaire, médical ou général.

La médecine d'urgence

Les urgences sont gérées en France par des services d'aide médicale urgente (SAMU), les appels étant transmis par un numéro national, le 15, puis triés par des médecins régulateurs. Ont également été institués, à l'intérieur des hôpitaux, des services mobiles d'urgence et de réanimation (SMUR), qui travaillent en collaboration étroite avec les SAMU. Certains de ces SMUR, dits pédiatriques, ont pour rôle principal d'assurer le transport des nouveau-nés, notamment prématurés, d'une maternité à un centre de réanimation. Les pompiers effectuent également un grand nombre de gestes d'urgence. Enfin, de nombreuses structures médicales privées existent, qui prennent en charge les urgences les moins graves (SOS Médecins, etc.) ; elles peuvent être spécialisées (SOS Psychiatrie…) ou assurer des rapatriements sanitaires (Europ Assistance, par ex.). Les services d'urgence des hôpitaux, dont l'activité augmente actuellement de 4 % par an, connaissent d'importantes difficultés, liées à un manque de personnel qualifié et à l'accroissement du nombre de personnes qui consultent ces services pour des pathologies de faible gravité et pour des motifs sociaux. Le SAMU social fonctionne sur le principe des SAMU, grâce à un numéro d'appel unique, le 115. Il fournit une aide humaine et sanitaire aux personnes vivant dans la rue.

VOIR AUSSI
• **Médicaments et traitements** p. 222
• **Médecine de pointe** p. 316
• **Sécurité sociale** p. 994

Le bilan de la santé

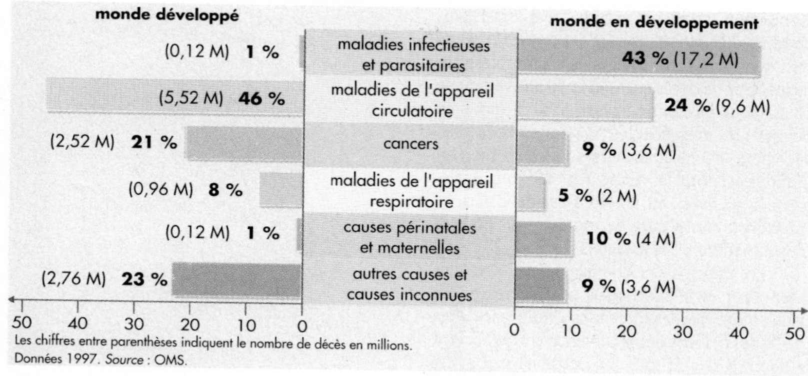

◆ **Les principales causes de mortalité dans le monde.**

Espoirs et inquiétudes

Aujourd'hui, l'espérance moyenne de vie, calculée pour la population entière du globe, a atteint 66 ans et elle pourrait, selon les experts de l'Organisation mondiale de la santé (OMS), être de 73 ans en 2025, alors qu'elle ne dépassait pas 48 ans en 1955. Un nombre croissant d'individus ont accès aux soins de santé essentiels et à un approvisionnement en eau potable. Malgré tout, bien des problèmes sanitaires persistent pour les 5,8 milliards d'habitants qui peuplent la planète. Ainsi, 2 décès sur 5 peuvent encore être considérés comme prématurés, car plus de 20 millions de personnes meurent chaque année avant l'âge de 50 ans. La prolongation de la durée de vie et la baisse des taux de fécondité laissent penser qu'en 2025 la population mondiale atteindra 8 milliards d'habitants et que la proportion de personnes de plus de 65 ans y sera de 10 %, contre 6,6 % en 1997. À l'aube du XXIe siècle, les problèmes de santé diffèrent selon l'âge.

Le nourrisson et l'enfant. Des progrès considérables ont été effectués dans ces deux tranches d'âge, et 80 % des enfants du monde de moins d'un an sont actuellement vaccinés contre les 6 grandes maladies de l'enfance que sont : la rougeole, la poliomyélite, la tuberculose, la diphtérie, la coqueluche et le tétanos. Cependant, 11 millions d'enfants environ sont encore décédés en 1995 avant l'âge de 5 ans ; 97 % d'entre eux vivaient dans un pays en développement : il est donc essentiel que la réduction spectaculaire de la mortalité des jeunes enfants se poursuive. Cet objectif semble réalisable, car la plupart de ces décès sont évitables et les vaccins existants devraient permettre d'en épargner 2 millions par an. Plus généralement, les enfants devraient bénéficier de la lutte contre les maladies infectieuses, qui a connu plusieurs victoires ces dernières années. Après la variole, éradiquée en 1980, la poliomyélite a disparu du continent américain et la réalisation de très vastes campagnes de vaccination dans de nombreux pays asiatiques laisse penser que le nombre de cas devrait beaucoup s'abaisser sur ce continent. La lèpre est également en fort recul. L'arrivée de nouveaux vaccins contre les diarrhées à rotavirus, le pneumocoque, la diffusion de la vaccination contre les méningites à *Haemophilus influenzae* pourraient être à l'origine d'autres percées dans les années à venir.

Néanmoins, de nouveaux dangers sont apparus, dont le principal est représenté par l'infection par le VIH, qui a atteint 590 000 enfants de moins de 15 ans en 1997. Cette affection pourrait remettre en question certaines avancées et des augmentations de la mortalité infantile ont d'ores et déjà été déplorées dans certains pays africains. De nouveaux problèmes peuvent également émerger du fait des changements économiques et sociaux ainsi que de la progression de l'urbanisation : sévices, violences sexuelles, traumatismes de tous ordres engendrés par la vie dans la rue que connaissent de plus en plus d'enfants du tiers-monde. En revanche, dans les pays riches, la prévention et le traitement des maladies héréditaires devraient être améliorés.

L'adolescent. Longtemps délaissé des services de santé publique, l'adolescent fait aujourd'hui l'objet de leur attention, car c'est à cet âge qu'apparaissent les comportements à risque menaçant la santé : tabagisme, relations sexuelles non protégées, tendances suicidaires, etc. Il est également à craindre qu'en 2025 le nombre de grossesses d'adolescentes de 15 à 19 ans (17 millions en 1995) ne diminue que légèrement et que ces grossesses continuent à menacer la santé, notamment génitale, de ces jeunes femmes et de leurs enfants.

L'adulte. La majorité des 15 millions de décès annuels qui concernent des adultes de 20 à 64 ans pourrait être évitée. Tel est le cas des 2 à 3 millions de morts provoquées chaque année par la tuberculose (dont le nombre de cas mortels augmente actuellement), des disparitions liées au sida (1,8 million d'adultes en 1997), des 585 000 décès se produisant chaque année pendant la grossesse ou lors d'un accouchement.

Les causes de maladies diffèrent selon le niveau de développement des pays. Ainsi, les maladies de l'appareil circulatoire, les cancers et le diabète sont bien plus nombreux que les maladies infectieuses dans les pays industrialisés. Une baisse de la mortalité secondaire imputable aux cardiopathies ischémiques (infarctus du myocarde) et aux accidents vasculaires cérébraux est relevée dans les nations industrialisées depuis quelques années.

Dans les pays en développement, les maladies infectieuses et parasitaires devraient conserver un taux important, notamment l'infection par le VIH. Cependant, le nombre des maladies non transmissibles s'accroît au fur et à mesure que le niveau de vie augmente et que de nouvelles habitudes alimentaires, plus proches de celles du monde occidental, se développent. Le diabète pourrait ainsi concerner 300 millions d'adultes dans le monde en 2025, contre 143 millions en 1997. Le risque de cancer devrait continuer de s'élever dans

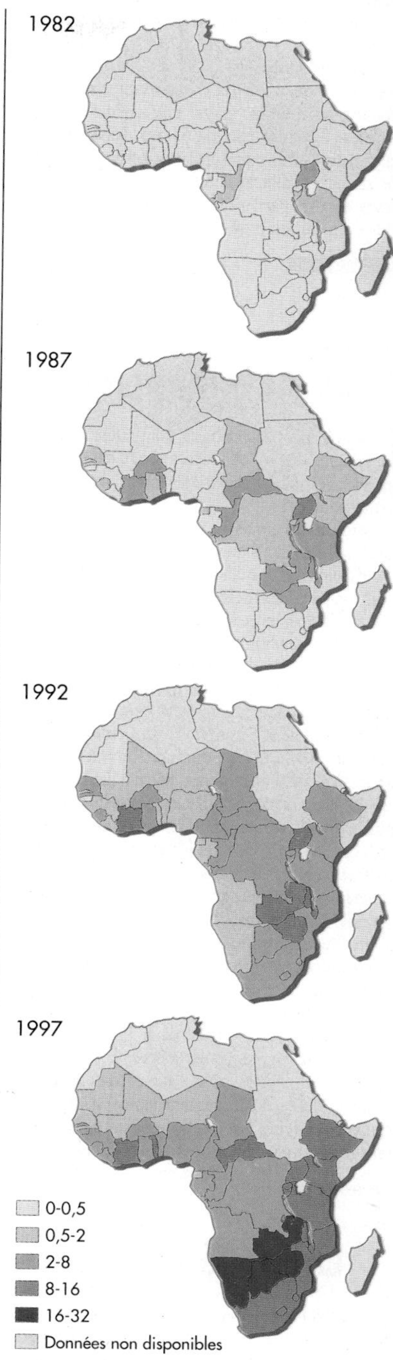

Adultes de 15 à 49 ans infectés par le VIH (estimations en pourcentage).
Source : OMS.

◆ **La progression du sida en Afrique.**
L'infection par le VIH continue de se propager à un rythme soutenu dans le monde. Ainsi, les estimations d'ONUSIDA, le programme des Nations unies de lutte contre la maladie, évaluaient en 1998 à 33,4 millions environ le nombre de personnes infectées par le virus (soit environ un adulte sur 100), dont 22,5 millions de sujets en Afrique subsaharienne, région du globe de loin la plus touchée. Depuis le début de l'épidémie, la maladie aurait ainsi fait 8,2 millions d'enfants orphelins en Afrique.

les pays en développement, tandis qu'il devrait rester globalement stable dans les pays industrialisés. Une régression de la mortalité due au cancer du foie est attendue en raison de la diffusion à grande échelle de la vaccination contre l'hépatite B dans de nombreux pays et du dépistage de l'hépatite C.

La personne âgée. Le vieillissement de la population devrait avoir d'importantes répercussions dans tous les pays, tant médicales que sociales. Chez les plus de 65 ans, les affections cardiovasculaires représentent la principale cause de décès et d'incapacités, mais ces maladies devraient tirer parti d'une meilleure prévention et d'une amélioration de leur prise en charge.

Les pays en développement

Les maladies infectieuses continuent d'être à l'origine de plus de 4 décès sur 10 dans le tiers-monde. Les plus meurtrières sont représentées dans l'ordre par :
- les infections aiguës des voies respiratoires inférieures (3,9 millions de victimes en 1996),
- la tuberculose (3 millions),
- les maladies diarrhéiques (2,5 millions),
- le paludisme (entre 1,5 et 2,7 millions),
- le sida (1,5 million).

L'épidémie de sida, qui continue de progresser dans certains pays d'Afrique et d'Asie, inquiète tout particulièrement les autorités sanitaires mondiales. De même la tuberculose, danger que l'on croyait pourtant éliminé, connaît depuis 1994 une résurgence, liée d'ailleurs en partie à l'infection par le VIH, et qui est de plus en plus difficile à traiter du fait de l'émergence de souches bactériennes multirésistantes aux antibiotiques. Huit millions de nouveaux cas de tuberculose sont enregistrés chaque année dans le monde. Néanmoins, l'emploi d'une nouvelle approche thérapeutique, dénommée « stratégie de brève durée sous surveillance directe » (en anglais, DOTS ou *Directly Observed Treatment Short Course*), a permis de faire régresser le nombre d'infections tuberculeuses dans plusieurs pays. Elle consiste à encadrer les malades et à les soumettre à des examens de surveillance pendant toute la durée du traitement (souvent de 6 à 8 mois) pour éviter les oublis de prise médicamenteuse, favorisant l'éclosion de souches résistantes.

La santé en France

Globalement, les Français ont une bonne santé. En effet, leur espérance de vie, 74,2 ans pour les hommes, 82,1 ans pour les femmes, est l'une des plus élevées des pays occidentaux et la mortalité continue de s'abaisser. Fait notable, ces années de vie supplémentaires ne s'accompagnent pas d'une diminution des capacités physiques et cérébrales. En outre, la mortalité infantile a diminué notablement ces dernières années pour atteindre un taux de 5,1 ‰ en 1997. Ce dernier fait résulte essentiellement de la réduction du nombre de morts subites du nourrisson, depuis que l'on couche de nouveau les bébés sur le dos.

Néanmoins, ce bilan comporte des « points noirs ». Ainsi, la France se caractérise par une mortalité prématurée (avant 65 ans) plus élevée que celle de pays comparables (120 000 par an, soit environ un décès sur 4) et par une « surmortalité » masculine particulièrement forte (taux de décès par âge deux fois plus important chez les hommes que chez les femmes), ce qui s'explique principalement par une plus grande fréquence de l'alcoolisme et des comportements à risque chez les premiers (accidents, suicides). Des écarts plus marqués que dans la plupart des pays européens sont constatés entre catégories socioprofessionnelles (taux de décès entre 35 et 60 ans variant de 10 % pour un homme cadre à 20 % pour un ouvrier), les inégalités les plus fortes étant relevées pour les maladies liées à l'alcoolisme. Des différences notables entre régions sont également observées, et le Nord-Pas-de-Calais se caractérise par le taux de mortalité générale le plus important de l'Hexagone.

Les principales causes de mortalité varient selon l'âge et le sexe, mais sont représentées, dans l'ordre, par les affections cardiovasculaires (32 % des 535 491 décès survenus en 1996), dont le nombre décroît toutefois sensiblement et est moins important que dans d'autres pays européens, les tumeurs (28 %), les morts violentes (9 %), et les maladies respiratoires (8 %).

Les risques du voyage

Tout voyage en zone tropicale impose quelques précautions : respect de la qualité de l'eau pour éviter les gastro-entérites virales, épluchage des légumes crus et des fruits susceptibles de contenir des amibes, vaccination contre l'hépatite A, lorsque l'on est amené à vivre dans des conditions d'hygiène rudimentaire, car le virus est transmis par l'alimentation et les mains sales, contrôle des rappels vaccinaux contre la diphtérie, la poliomyélite et le tétanos qui sévissent encore dans certains pays, vaccination contre les méningites à *Hæmophilus influenzæ* chez les enfants, ou plus rarement contre les méningocoques A et B (Sahel) ou la rage (séjour en forêt). La vaccination contre la fièvre jaune est obligatoire dans certains pays d'Afrique ou d'Amérique du Sud et la vaccination antityphoïdique (Typhim®) est souvent utile.

VOIR AUSSI
- **Maladies infectieuses** p. 228
- **Cancers** p. 230
- **Maladies cardiovasculaires** p. 232
- **Maladies infantiles** p. 240
- **Organisation mondiale de la santé** p. 757
- **ONUSIDA** p. 758

Petit lexique

espérance de vie à la naissance : nombre moyen d'années de vie que peut espérer un enfant à la naissance (il est calculé à partir du nombre des décès).

morbidité : nombre de personnes atteintes par une maladie au sein d'une population.

mortalité infantile : mortalité chez les enfants de moins de 1 an.

mortalité néonatale : mortalité chez les enfants de moins de 28 jours (ou d'1 mois, selon les usages).

santé : terme qui définit, selon l'Organisation mondiale de la santé, « un état complet de bien-être physique, mental et social ».

4 Les Sciences et les Techniques

Il n'est guère d'actes de notre vie quotidienne qui ne fassent appel, de près ou de loin, à des acquis scientifiques ou technologiques vieux parfois de quelques années à peine, sinon de quelques mois. Cette mainmise s'étend progressivement à l'ensemble des activités humaines et sous-entend une somme de connaissance considérable, que plus aucun individu ne peut espérer appréhender dans son ensemble. Heureusement, on peut encore esquisser quelques idées simples et quelques explications essentielles permettant à l'honnête homme d'aujourd'hui de s'orienter.

◆ **Vérification de l'étanchéité du réservoir d'hydrogène de la fusée Ariane 5.**

DÉCOUVERTES ET INVENTIONS

LES NOTIONS CLÉS DES SCIENCES

LES TECHNIQUES AUJOURD'HUI

De l'histoire des sciences

Quelle histoire ?

Faire commencer à la préhistoire l'inventaire des inventions et découvertes en matière de techniques et de sciences est un peu une gageure, car la science, au sens actuel du terme, est certainement étrangère à cet univers. Il est en effet fort probable que tout ce que nous classons aujourd'hui comme tel ne fut vécu à l'époque que comme élément contribuant à faciliter la survie. En outre, nous ne pouvons recenser que les éléments dont subsiste une trace, alors que des découvertes importantes, comme celle de la cuisson des aliments, nous sont inaccessibles car elles n'ont laissé aucune marque.

Même lorsque le caractère scientifique d'une démarche devient manifeste, par exemple dans le cas de ces lointaines créations de l'esprit humain, comme les gnomons et les clepsydres, ou encore les outils algébriques, il faut se souvenir qu'elles n'avaient d'autre finalité que de simplifier les actes de la vie quotidienne ou de servir la religion. Il faut attendre au moins l'essor de la civilisation hellène pour voir de francs esprits comme Parménide ou Démocrite émettre des propositions spéculatives méthodiques dont le but ne pouvait être que de satisfaire l'envie de comprendre le monde, attitude qui constitue une des composantes de ce que nous nommons aujourd'hui pensée scientifique.

La science se constitue. Même si les Grecs ont été précurseurs en la matière, il est d'usage de faire véritablement commencer l'ère scientifique deux millénaires plus tard, après la longue période d'oubli et d'effondrement puis de lente remontée du Moyen Âge. À la fin de la Renaissance, on voit naître une curiosité et une indépendance d'esprit qui autorisent tous les espoirs, et science et technique deviennent indépendantes tout en s'épaulant l'une l'autre.

La linéarité inflexible du présent résumé ne peut que trahir la réalité du rythme auquel se sont produites ces avancées techniques et scientifiques qui ont si fortement modelé notre monde actuel. Comme l'écrit Michel Serres dans la préface de ses *Éléments d'histoire des sciences* : « Loin de dessiner une suite alignée d'acquis continus et croissants ou une même séquence de soudaines coupures, découvertes, inventions ou révolutions précipitant dans l'oubli un passé tout à coup révolu, l'histoire des sciences court et fluctue sur un réseau multiple et complexe de chemins qui se chevauchent et s'entrecroisent en des nœuds, sommets ou carrefours, échangeurs où bifurquent deux ou plusieurs voies ».

Des événements multiples, éparpillés dans le temps et dans l'espace, peuvent être rassemblés en une chronologie de découvertes et d'inventions, mais il appartient à l'historien des sciences de faire le travail de reconstruction qui rend celle-ci intelligible.

Les apports respectifs

Si désormais nul, dans les pays occidentaux, ne saurait nier l'importance de la Chine ou de l'Amérique précolombienne dans le déroulement de l'histoire du monde, les ouvrages d'histoire des sciences semblent échapper à ce recentrage, et continuent à ignorer, ou presque, tout ce qui n'est pas l'Occident. Certes, le biochimiste et historien des sciences britannique Joseph Needham (1900-1995) a tenté de prouver que la pensée scientifique se nourrissait de multiples mouvements d'idées aussi importants les uns que les autres, et qu'en particulier la Chine y avait une place fondamentale. D'autres historiens des sciences ont tenté de sortir de l'oubli certains courants ou pays, mais ce fut toujours avec un succès limité. Est-ce un aveuglement ethnocentrique propre aux historiens des sciences, ou existe-t-il vraiment une prépondérance occidentale qu'il serait injuste de remettre en cause ?

Il y eut dans le passé des lieux et des époques privilégiés où s'épanouirent pendant plusieurs siècles une pensée et une culture scientifique resplendissantes. Ce fut sans aucun doute le cas de la Grèce, du IVe s. av. J.-C. au premier siècle de notre ère, ce fut aussi le cas, du IXe au XIIe siècle, dans le vaste monde islamique arabe et perse où, de Cordoue à Ispahan, s'exprima une culture non seulement scientifique, mais littéraire, poétique et artistique brillante.

Ce fut aussi le cas de la société maya à son apogée (VIIIe et IXe s.) et de plusieurs civilisations extrême-orientales à différentes époques (Inde aux VIe et VIIe s., Chine du XIe au XIIIe s.). Ce qu'on constate dans tous les cas cependant, c'est le caractère éphémère de ces grands moments, effacés après quelques siècles par des invasions et/ou des bouleversements politiques qui ne laissent de ces splendeurs que des souvenirs glorieux et quelques acquis, mais aucune dynamique continue.

La part de la culture occidentale. L'émergence d'une nouvelle vision du monde en Europe occidentale à partir de la fin du XVIe s., où l'analyse des causalités remplaçait une obéissance inconditionnelle à des dogmes, relevait d'une inventivité de même nature, mais la circulation des idées, le développement économique, les circuits commerciaux s'étendant à travers le monde donnèrent l'impulsion nécessaire pour que science et progrès technique se stimulent mutuellement.

Aujourd'hui, quatre siècles après sa naissance, ce mouvement s'est «mondialisé», mais il est certain que le développement scientifique et technologique ne peut pas renier son origine essentiellement occidentale.

Voir aussi
- **Atlas de Ptolémée** p. 262
- **Physique de Newton** p. 269
- **Relativité d'Einstein** p. 298
- **Ère des Lumières** p. 450
- **L'homme et les savoirs** p. 969

Découvertes, inventions et théories

Il serait impensable de dresser un inventaire des découvertes et inventions majeures de l'humanité sans citer le système de Ptolémée, la gravitation universelle de Newton ou la relativité d'Einstein. Et pourtant, ces trois événements majeurs de la pensée scientifique ne sont en soi ni des découvertes ni des inventions, du moins au sens conventionnel de ces mots. Comprendre le rôle des spermatozoïdes dans la fécondation, isoler un nouveau corps chimique constituent des découvertes. Faire tourner le premier moteur électrique est une invention. En revanche, énoncer que les corps s'attirent proportionnellement à leur masse et au carré inverse de leur distance constitue une abstraction dans laquelle interviennent des concepts par essence abstraits, comme la masse d'un corps et les lois exprimées par des relations mathématiques. Il ne s'agit pas d'une découverte, dans laquelle on révèle une information qui existait, mais était « inconnue, ignorée ou cachée » ; il ne s'agit pas non plus d'une invention, dans laquelle quelque chose de nouveau apparaît, ou qui n'existait pas avant. Dans le cas de la gravitation, pris pour exemple, il s'agit en fait d'une « théorie », en d'autres termes d'un modèle issu de l'esprit humain et permettant de décrire un phénomène qui lui préexiste.

Une fois confirmée, une découverte n'est plus remise en cause; quant à une invention, même détrônée par une nouvelle, elle demeure ce qu'elle était. Une théorie, elle, peut se révéler fausse à l'usage; elle peut être complétée, améliorée ou remplacée par une autre plus performante, ce qui fut le cas de la gravitation de Newton, « absorbée » dans la relativité générale. Ainsi, la vérité scientifique se constitue-t-elle en une histoire.

Petit lexique

gnomon : cadran solaire primitif.

loi (sciences) : proposition générale énonçant des rapports nécessaires et constants entre des phénomènes ou entre les constituants d'un ensemble.

science : ensemble cohérent de connaissances relatives à des faits, des objets ou des phénomènes obéissant à des lois et vérifiés par des méthodes expérimentales.

théorie : ensemble de théorèmes et de lois systématiquement organisés, vérifiés expérimentalement et contribuant à asseoir la vérité d'un système scientifique.

◆ **La pyramide de Saqqarah.** Les grandes pyramides d'Égypte (ici, la pyramide à degrés du roi Djoser, à Saqqarah) ont été érigées il y a près de 5 000 ans et l'on s'interroge encore sur les procédés utilisés pour la construction de monuments aussi grandioses. Leur orientation est, elle aussi, remarquable : les pyramides de Gizeh ont leurs faces tournées à moins de un degré près vers les quatre points cardinaux et des couloirs intérieurs y sont ménagés, inclinés de façon à viser l'étoile Polaire de l'époque (α du Dragon). Bien qu'ils n'aient pas connu la boussole, les Égyptiens possédaient donc un moyen efficace de déterminer le nord, et ce procédé reposait très vraisemblablement sur des observations astronomiques.

La préhistoire

La préhistoire : avant 3000 av. J.-C.
Les premières traces

L'ÉPOQUE : Entre la fin de la dernière glaciation et la montée sur le trône du premier pharaon dont on connaît le nom, l'homme néolithique crée les structures d'une vie collective et sédentaire, fondées sur l'élevage et l'agriculture, et dessine sur les parois des grottes des fresques éloquentes. L'homme de Neandertal disparaît sans descendance.

IDÉES ET TENDANCES : L'écriture apparaît en Mésopotamie et en Égypte,ce qui permet de tracer une frontière entre les civilisations de l'image et de l'outil et celles des archives et de la bureaucratie.

ASTRONOMIE
4230 av. J.-C. ? Adoption par les Égyptiens de l'année de 365 jours (année vague), débutant avec le lever héliaque de l'étoile Sirius.

MÉDECINE
50000 av. J.-C. Sépulture fleurie d'un néandertalien à Chanidar (Iraq), qui pourrait être celle d'un sorcier ayant utilisé des plantes médicinales. **10000 av. J.-C.** Crâne de trépané découvert à Taforalt (Maroc). Les premières tentatives de chirurgie crânienne avaient peut-être un sens magique.

TECHNIQUES
14000-9000 av. J.-C. Domestication du chien (Europe du Nord-Ouest, Proche-Orient, Amérique du Nord). **10000 av. J.-C.** Premiers vestiges de maçonnerie (murs de pierre consolidés avec du mortier), à Mureybat (Syrie) et Aïn Mallaha (Palestine). **8000 av. J.-C.** Premières poteries à Gandjdareh (Iran) et Mureybat (Syrie). **8000-7000 av. J.-C.** Domestication de la chèvre et du mouton (Alikosh, Iran; Cayönü, Turquie). **7000 av. J.-C.** La culture du blé et de l'orge est attestée en Iran, en Iraq, en Turquie et en Palestine. Invention du métier à tisser et du tissage de la laine (Çatal höyük, Anatolie). Objets en or et en cuivre natif martelés à froid, utilisés comme parures (Çayönü tepesi, Anatolie). Débuts de la céramique. **7000-6000 av. J.-C.** Domestication du porc (Turquie, Iraq, peut-être sud-est de l'Europe) et du bœuf (Turquie, Grèce). Premiers indices de la fonte du cuivre. (Çatal höyük, Anatolie). **5500 av. J.-C.** Fabrication de la chaux en Palestine et au sud de la Syrie (pour enduire le sol des habitations et surmodeler des crânes humains). **5000 av. J.-C.** Premières utilisations du levier, du coin et du plan incliné. **4000 av. J.-C.** Début de l'âge du bronze au Proche-Orient. **4000-3500 av. J.-C.** Domestication du cheval (Ukraine). **3500 av. J.-C.** Apparition de la roue (Mésopotamie). Premières céramiques peintes (Égypte, Mésopotamie). **3400 av. J.-C.** Écriture cunéiforme (Mésopotamie). **3200 av. J.-C.** Premiers hiéroglyphes (Égypte). **3000 av. J.-C.** Invention de l'araire (Mésopotamie).

La révolution néolithique

À l'instar des peuples chasseurs-cueilleurs d'aujourd'hui, l'homme préhistorique a, semble-t-il, une bonne connaissance des plantes médicinales. Aux approches du néolithique, il pratique la chirurgie crânienne, sous la forme de la trépanation.

À partir d'environ 9000 av. J.-C., l'homme change radicalement de mode de vie : c'est la révolution néolithique. Il se sédentarise et apprend à construire des maisons ; il domestique les animaux et cultive les céréales ; il construit des fours (poteries d'argile) et des métiers à tisser (vêtements de laine). Cette révolution semble avoir lieu à peu près en même temps et indépendamment au Proche-Orient et en Asie du Sud-Est (culture du riz et de l'igname), et un peu plus tardivement en Amérique du Sud (culture du maïs) et en Afrique (mil, sorgho).

Le perfectionnement des fours permet alors d'atteindre des températures de plus de 1 000 °C, nécessaires pour fondre le cuivre et pour réaliser des alliages comme le bronze, qui autorisent la fabrication d'outils et d'armes plus efficaces.

Le ciel préhistorique

Les murs de plusieurs cavernes préhistoriques sont ornés du dessin bien reconnaissable de diverses constellations. On a ainsi la preuve que, très tôt, le ciel a fait l'objet d'observations attentives. À l'origine, sa contemplation est vraisemblablement motivée par la crainte qu'inspirent certains phénomènes célestes, astronomiques (éclipses, comètes) ou météorologiques (orages, tempêtes, pluies diluviennes). Impressionnés par ces phénomènes et conscients que la vie terrestre dépend étroitement de l'action du Soleil, les hommes sont naturellement amenés à considérer les astres comme des divinités, dont il importe de prévoir les dispositions favorables ou défavorables, de prévenir le courroux et de s'attirer la bienveillance par des offrandes ou des sacrifices. Ainsi, dans ses premières manifestations, l'astronomie est-elle associée à l'astrologie et aux croyances religieuses.

En même temps, les besoins de la vie quotidienne incitent l'homme, dès les temps les plus reculés, à lever les yeux vers le ciel. Le mouvement du Soleil lui fournit sa première horloge, rythmant son activité quotidienne par l'alternance des jours et des nuits. Les phases de la Lune, qui lui permettent de recenser les jours et de mesurer les longues périodes, constituent la base des premiers calendriers.

Nombres et magie

Au sortir de la préhistoire, le savoir technique accumulé est déjà remarquablement étendu. Il n'est pas dissociable, cependant, de la pensée magique et animiste des sociétés qui le perfectionnent peu à peu, dans une démarche qui peut être qualifiée de « scientifique ». Technique et rite religieux sont ainsi liés en Chaldée (Mésopotamie), où le premier système de numération connu (numération en bases 60 et 10) préfigure le système décimal employé par les Égyptiens.
Les découvertes de l'archéologie ont permis de confirmer l'existence de systèmes de nombres. On estime que les nombres étaient associés par paquets, 5 et 10 étant liés aux mains. Les anciens Sumériens désignaient 1 par « homme », 2 par « femme », et tout ce qui dépassait 2 par « plusieurs ».
Les spécialistes tendent aujourd'hui à reconnaître comme des éléments de mathématiques primitives les constructions et les dessins, souvent complexes, qui faisaient partie des rites. Les règles de parenté faisaient elles aussi appel à une arithmétique subtile.

Une chirurgie crânienne

Dans la période qui va de –12000 à –8000, on trouve un peu partout dans le monde (Maroc, Pérou, France...) des crânes présentant des traces de trépanation. Il s'agit d'ouvertures circulaires de plusieurs centimètres de diamètre pratiquées dans la boîte crânienne. Ces opérations réalisées par sciage au moyen de silex adéquats ont été pratiquées sur des sujets vivants. Dans quel but? Dans certains cas, il pouvait s'agir du traitement de fractures crâniennes. Mais on pense aussi que la trépanation pouvait avoir un sens magique : en pratiquant une ouverture dans le crâne, le sorcier-guérisseur voulait peut-être permettre aux malades de se délivrer de « mauvais esprits », en ménageant à ceux-ci une issue.

◆ **Crâne néolithique trépané,** provenant de la Seine-et-Marne. (Musée des Antiquités nationales, Saint-Germain-en-Laye)

VOIR AUSSI
• **Paléolithique** p. 412
• **Néolithique** p. 414

◆ **Vase néolithique chinois.** Ce vase peint à décor de spirales provient de la nécropole chinoise de Banshan, au Gansu. Il appartient à la culture de Yangshao (IIIe millénaire av. J.-C.), attribuée à des populations d'agriculteurs dont l'économie était fondée sur l'élevage du porc, du bœuf et de la chèvre, et sur la culture du millet. (Musée Cernuschi, Paris)

Le Moyen Âge

De 1200 à 1450
Une aube nouvelle

L'ÉPOQUE : Dernières grandes croisades, mise en place de l'Inquisition, transfert temporaire des papes en Avignon, guerre de Cent Ans, Peste noire, déclin de l'Empire byzantin. Les Maures sont progressivement chassés d'Espagne. Empire de Gengis Khan. Marco Polo voyage jusqu'en Chine.

IDÉES ET TENDANCES : Transmis par les Arabes, les textes d'Aristote sont connus et lus en Occident, où ils fournissent les fondements d'une explication cohérente du monde. Plusieurs démarches en sont issues, qui, d'Albert le Grand (v. 1200-1280) à Roger Bacon, vont dans le sens d'une ouverture vers l'expérience comme source d'information. Les techniques se développent : l'invention de l'horloge, première machine autonome, est aussi le symbole d'un temps nouveau.

ASTRONOMIE

1252. Tables Alphonsines (tables astronomiques dressées sur l'ordre du roi de Castille Alphonse X le Sage. **1440.** Le théologien allemand Nicolas de Cues (1401-1464) envisage le mouvement de la Terre dans son ouvrage la *Docte Ignorance.*

MATHÉMATIQUES

1202. *Liber abbaci* (« Livre de l'abaque »), de l'Italien Leonardo Fibonacci ou Léonard de Pise (v. 1175 - apr. 1240) : arithmétique (suite de Fibonacci), algèbre. **2de moitié du XIVe s.** Le Français Nicole Oresme (1325-1382) énonce les prémices de la géométrie analytique et introduit des exposants fractionnaires.

MÉDECINE

1238. Frédéric II, empereur du Saint Empire romain germanique, autorise l'école de Salerne à faire une dissection de cadavre, pour la première fois en Occident chrétien. **1275.** Le Génois Marco Polo (1254-1324) signale que les Chinois utilisent des lunettes pour corriger la vue. **1285.** Première utilisation de lunettes correctrices en Italie. **1316.** Traité d'anatomie de l'Italien Mondino dei Liucci (1270-1326).

PHYSIQUE

1269. *Epistola de magnete* (« Lettre sur l'aimant »), de Pierre Pèlerin de Maricourt (XIIIe s.), qui pose les bases du magnétisme et de la méthode expérimentale.

TECHNIQUES

1231. Première mention de la grenade (arme), en Chine. **2de moitié du XIIIe s.** Le philosophe anglais Roger Bacon (v. 1220-1292) contribue à l'avènement de la méthode expérimentale ; il étudie la chambre noire, détermine le foyer des miroirs sphériques, énonce la théorie de l'arc-en-ciel, définit la formule chimique de la poudre à canon. **1280.** Le rouet commence à concurrencer la quenouille et le fuseau. **v. 1300.** Apparition de la brouette en Europe. **1311.** Premiers hauts-fourneaux à soufflets hydrauliques. Premiers portulans. **1314.** Première horloge publique en France, à Caen. Première mention de l'emploi de la poudre à canon en Europe (Flandre). **1320.** Premières horloges mécaniques à poids. **1340.** Apparition des fourneaux à soufflerie (près de Liège) pour la métallurgie du fer. **1346.** Premiers canons à la bataille de Crécy (26 août 1346). **1378.** Apparition de la fusée à poudre en Occident. **v. 1420.** Premières caravelles au Portugal. **1424.** Premières armes à feu portatives. Utilisation des entretoises en charpenterie. **v. 1440.** Invention de la typographie en Europe par Johannes Gensfleisch, dit Gutenberg (v. 1400-1468).

Pèlerin de Maricourt

Au Moyen Âge, la pesanteur et le magnétisme sont considérés comme deux forces fondamentales de la nature. Alors que Thalès avait déjà noté le pouvoir attractif des aimants et si l'orientation nord-sud des aiguilles aimantées était connue des Chinois, les premières boussoles ne furent utilisées pour la navigation qu'à la fin du XIIIe s., en Méditerranée. L'Anglais Alexander Neckam (1157-1217) en donne une description, mais la première discussion théorique sur le magnétisme date de 1269, avec la publication d'*Epistola de magnete* par Pierre Pèlerin de Maricourt.

Alors enrôlé dans l'armée de Charles d'Anjou, Pèlerin de Maricourt explique comment déterminer les pôles d'un aimant, comment induire le magnétisme dans un morceau de fer en le frottant avec un aimant, et il décrit la répulsion des pôles semblables ainsi que l'expérience de l'« aimant brisé ». Ses conceptions sont encore marquées d'aristotélisme : il explique l'induction du magnétisme dans le fer par le fait que l'aimant « actualise » le magnétisme qui s'y trouve « en puissance ». Mais, s'il donne pour cause à l'orientation de l'aiguille des boussoles l'accumulation de gisements magnétiques au pôle Nord, il décrit précisément les boussoles à pivot ou à aiguille flottante, placées au centre d'une graduation divisée en 360 degrés. Pèlerin de Maricourt reste malheureusement un isolé et son œuvre, jusqu'à William Gilbert (1544-1603), ne sera ni utilisée comme elle le mérite ni poursuivie.

◆ **Magnétisme.** Extrait de l'*Epistola de magnete*, de Pierre Pèlerin de Maricourt. (Bodleian Library, Oxford)

Petit lexique

portulan : carte marine de la fin du Moyen Âge indiquant la position des ports et le contour des côtes.

VOIR AUSSI
- **Magnétisme** p. 345
- **Électricité** p. 346

Roger Bacon, franciscain et novateur

Roger Bacon (v. 1220-1292), né et formé en Angleterre, a passé une grande partie de sa vie à Paris. Franciscain ouvert aux idées nouvelles, il étudie et commente Aristote, ce qui l'amène à s'intéresser aux sciences. Il publie au cours de sa vie de nombreux ouvrages scientifiques et théologiques, parfois critiques vis-à-vis de ses contemporains, Albert le Grand et Thomas d'Aquin en particulier, ce qui lui vaut quelques années en prison.

Roger Bacon, dit le « docteur admirable » est un des scientifiques les plus novateurs de son temps. Conscient de l'importance des mathématiques dans la science, il applique les lois de la géométrie à l'optique, décrit les phénomènes de réflexion et de réfraction, comprend le fonctionnement d'instruments comme le miroir sphérique et ébauche une théorie de l'arc-en-ciel. On le crédite généralement d'avoir inventé différents engins de locomotion sur terre, sur l'eau et dans les airs, mais en fait, à part pour l'air, ce qu'il décrit existe plus ou moins déjà à son époque. En astronomie, il étudie le problème du calendrier et ressent les imperfections du système de Ptolémée. Il n'invente sans doute pas la poudre à canon, mais en fait connaître la formule, à partir de textes arabes.

Roger Bacon dépasse vigoureusement les règles de la méthode aristotélicienne et proclame sa foi dans une science fondée sur l'expérience : « La science expérimentale ne reçoit pas la vérité des mains de sciences supérieures ; c'est elle qui est la maîtresse, et les autres sciences sont les servantes. » Néanmoins, Bacon est et reste toute sa vie imprégné de l'idée que la science n'est qu'un outil au service de Dieu et repose nécessairement sur la théologie, qui en constitue l'élément fondateur.

Frédéric II, naturaliste

Frédéric II (1194-1250) est successivement roi de Sicile, puis roi des Romains, avant de devenir empereur du Saint Empire romain germanique. Forte personnalité, d'esprit libre et de mœurs relâchées, il s'intéresse aux lettres, aux arts et aux sciences. Il rédige un magnifique ouvrage d'histoire naturelle, *De arte venandi cum avibus (« Art de la fauconnerie »)* dans lequel il décrit avec précision, d'après ses propres observations, la morphologie et la biologie du faucon.

Il découvre notamment que les os des oiseaux sont emplis d'air (« os pneumatiques »), ce qui les allège considérablement. La démarche scientifique de Frédéric II, fondée sur l'observation directe, tranche sur la démarche traditionnellement suivie durant tout le Moyen Âge, et qui consiste à étudier les textes de Galien, d'Aristote ou d'Avicenne plutôt qu'à observer la nature. En cela, Frédéric II est en avance sur son temps, même si sainte Hildegarde ou Albert le Grand ont, eux aussi, commencé à la même époque à écrire des œuvres d'histoire naturelle (mais elles paraissent, rétrospectivement, de moins bonne qualité).

Par ailleurs, Frédéric II exerce aussi une grande influence sur le monde scientifique et médical de son époque, par le fait qu'il fait traduire en latin certains des textes d'Aristote et qu'il autorise, pour la première fois dans l'Occident chrétien, la dissection à l'école de médecine de Salerne.

◆ **Extrait du traité de fauconnerie de Frédéric II** (*De arte venandi cum avibus*). (Bibliothèque nationale de France, Paris)

◆ **Fleurs et suite de Leonardo Fibonacci.**
Dans la « suite de Fibonacci » introduite en 1202 par le mathématicien italien Leonardo Fibonacci, chaque terme est égal à la somme des deux précédents : 1, 2, 3, 5, 8, 13, 21… La progression du nombre de pétales des fleurs représentées sur ce dessin constitue une suite de Fibonacci. En divisant chacun des termes de la suite par celui qui le précède, on obtient une nouvelle suite qui tend vers le nombre $\frac{\sqrt{5}+1}{2}$ (environ 1,6183), appelé nombre d'or et considéré depuis l'Antiquité comme la clé d'une proportion géométrique et esthétique particulièrement harmonieuse. Une autre particularité des suites de Léonardo Fibonacci est que deux termes consécutifs quelconques sont des nombres premiers entre eux.

La dissection des cadavres

Durant toute l'Antiquité, les médecins grecs, chinois ou indiens n'ont jamais la possibilité de pratiquer des dissections sur des cadavres humains, en raison du respect dû aux morts. Il y a cependant une brève exception à Alexandrie en 290 av. J.-C. C'est vers cette période que Hérophile et Érasistrate peuvent aussi réaliser des vivisections sur des criminels.

Dans l'Occident chrétien, il faut attendre qu'un empereur du Saint Empire romain germanique, Frédéric II, passionné d'histoire naturelle et brouillé avec le pape, donne l'autorisation, en 1238, à l'école de médecine de Salerne de pratiquer la dissection des cadavres humains. Encore cette autorisation mentionne-t-elle la possibilité de disséquer seulement un cadavre tous les cinq ans. Après la mort de Frédéric II, l'Église interdit de nouveau les dissections humaines. Peu de temps après, à Bologne, on commence cependant à en faire à la faculté de médecine. Mais, le pape Boniface VIII menace d'excommunication ceux qui les pratiquent.

En 1308, la République de Venise autorise la dissection de un cadavre par an dans ses États. En 1315, Mondino dei Liucci peut pratiquer une dissection publique à Padoue. Le mouvement de libéralisation s'étend ensuite lentement à l'Europe entière : en 1366, à Montpellier (d'abord avec quelques réserves) ; en 1391, à Lerida, en Espagne (autorisation de disséquer un cadavre de criminel tous les trois ans) ; en 1404, à Vienne ; en 1478, à Paris… Entre-temps, Mondino dei Liucci publie son *Anathomia*, premier grand traité (1316). C'est seulement au XVIe s. que l'anatomie humaine gagne ses lettres de noblesse, avec Léonard de Vinci et Vésale.

Avec la levée de l'interdiction de disséquer les cadavres, l'anatomie humaine peut enfin se développer. Léonard de Vinci (1452-1519) est le premier à faire d'admirables planches d'anatomie décrivant avec exactitude les os, les muscles, le cœur, les vaisseaux, etc. Mais elles ne seront publiées qu'aux XIXe et XXe s. Le véritable grand maître de cette discipline fondamentale de la médecine est André Vésale (v. 1514-1564), un Flamand travaillant dans les facultés de médecine italiennes (Bologne, Padoue...). Son ouvrage *De humani corporis fabrica* (1543) réfute de nombreuses erreurs de Galien, notamment en ce qui concerne le cœur : contrairement au médecin grec, Vésale montre qu'il n'y a pas de communication entre les moitiés droite et gauche du cœur. En raison de cette irrévérence envers les Anciens, Vésale est vivement attaqué et doit même abandonner ses recherches. Celles-ci seront poursuivies par les anatomistes italiens G. Fallope (1523-1562) et B. Eustachio (v. 1520-1574).

◆ **Fabrication du verre.**
Extraction du sable, fours, soufflage en Bohême, au XVe s. (British Library, Londres)

◆ **Astrolabe persan du XVe siècle.**
Principal instrument utilisé par les astronomes arabes et latins au Moyen Âge, l'astrolabe permet de déterminer l'heure et donne la solution de nombreux problèmes astronomiques ou astrologiques, d'après l'observation de la hauteur d'une étoile particulière. (Coll. G. Mandel)

VOIR AUSSI
• **Condition humaine (Aristote)**
p. 964

Aristote en question

Un siècle à peine après son introduction en Occident, la pensée d'Aristote est soumise à une critique sévère qui ira jusqu'à son rejet par l'église et par l'Université. Celle de Paris la condamne en 1210, tandis qu'à Oxford ou à Bologne on discute passionnément les rôles respectifs de l'induction, de l'expérience et des mathématiques dans l'explication des phénomènes physiques. La mécanique d'Aristote, selon laquelle le mouvement implique l'action continue d'une cause, est attaquée par Jordanus Nemorarius dont la statique ouvre la voie aux travaux de Léonard de Vinci. Jean Buridan, recteur de l'université de Paris, franchit quant à lui un pas décisif en attribuant le mouvement des corps à l'action de l'« impetus », égal au produit de la quantité de matière par la vitesse, et persistant indéfiniment en l'absence de la pesanteur et de la résistance de l'air.

La méthode scientifique elle-même est mise en question par Nicolas de Cues, pour qui il est impossible d'approcher toujours plus près de la vérité, et par Guillaume d'Occam, qui formule un principe essentiel au progrès scientifique (rasoir d'Occam) : « il est vain de travailler avec plus d'entités quand il est possible de travailler avec moins. »

De 1451 à 1650

Les temps modernes

La naissance de la science moderne

L'ÉPOQUE : Découverte et conquête du Nouveau Monde, exploration de routes de l'Orient, naissance du protestantisme, guerres de Religion et guerre de Trente Ans.

IDÉES ET TENDANCES : Cette période, dominée par la révolution copernicienne, est un tournant dans l'histoire de la pensée scientifique. Le mouvement de la Renaissance, qui incite à remettre en cause les dogmes, à voir le monde sous un jour nouveau, à l'observer et à repenser le monde, suscite d'immenses bouleversements, qui affectent aussi bien la vision de l'Univers que l'observation de l'homme et de la nature. Alors que toutes les branches des mathématiques progressent, l'œuvre de Galilée ouvre la voie à une description rationnelle du monde, fondée sur l'observation.

ASTRONOMIE
1543. *De revolutionibus orbium coelestium,* de Copernic, système du monde héliocentrique. Traité d'astronomie de Vésale. **1572-1601.** Observations astronomiques du Danois Tycho Brahe (1546-1601). **1596.** Découverte de la première étoile variable *(Mira Ceti)* par le Hollandais David Fabricius (1564-1617). **1603.** *Uranometria,* de l'astronome allemand J. Bayer (1572-1625) : introduction des lettres grecques pour désigner les étoiles des constellations d'après leur éclat. **1609.** *Astronomia nova,* de l'Allemand J. Kepler (1571-1630) : deux premières lois du mouvement des planètes. Premières observations astronomiques à la lunette, par l'Italien Galilée (1564-1642). **1610.** Découverte des 4 principaux satellites de Jupiter par Galilée. Observation des taches solaires à la lunette par Galilée, D. Fabricius et Ch. Scheiner. **1619.** *Harmonices mundi,* de J. Kepler (troisième loi du mouvement des planètes). **1632.** *Dialogo supra i due massimi sistemi del mondo,* de Galilée, qui sera condamné par l'Inquisition.

CHIMIE
1648. *Ortus medicinae,* du médecin et chimiste belge J. B. Van Helmont (notion de gaz, première chimie des gaz).

MATHÉMATIQUES
1484. *Triparty en la science des nombres,* traité d'algèbre du mathématicien français Nicolas Chuquet (v. 1445-1500) : utilisation des exposants négatifs; correspondance entre la progression arithmétique des exposants et la progression géométrique des puissances. **1494.** *Summa de arithmetica...,* traité de mathématiques de l'Italien Luca Pacioli (v. 1445-v. 1510) : équations du 2ᵉ degré. **v. 1500.** Découverte de la résolution de l'équation du 3ᵉ degré sous la forme réduite $X^3+pX+q=0$ par l'Italien Scipione Dal Ferro (1465-1526). **1546.** Théorie des équations du 3ᵉ degré par l'Italien Tartaglia (1499-1557). **1557.** Invention du signe « égal » (=) par le mathématicien anglais Robert Recorde. **1614.** Invention des logarithmes par le mathématicien écossais John Napier. **1638.** Méthode pour trouver les tangentes à une courbe, par le mathématicien français Pierre de Fermat. **1640.** *Essai sur les coniques,* par Pascal.

MÉDECINE
2ᵈᵉ moitié du XVIᵉ s. Le Français Ambroise Paré (v. 1509-1590) est chirurgien des rois de France. On lui doit la mise au point des techniques d'amputation (ligatures des artères, cautérisation). **1583.** *De plantis,* du philosophe et médecin italien Andrea Cesalpino ou André de Césalpin (1519-1603), premier essai de classification des plantes. **1628.** Première description exacte de la circulation du sang par l'Anglais William Harvey (1578-1657).

De nouveaux outils mathématiques

Aux XVIᵉ et XVIIᵉ s., les progrès de la mécanique (étude du mouvement) s'accompagnent d'un regain d'intérêt pour l'algèbre, qui devient matière à défi et à compétition. Jérôme Cardan (1501-1576) emprunte à Nicolo Tartaglia (1499-1557) la méthode de résolution des équations du 3ᵉ degré, tandis que son élève Ludovico Ferrari (1522-1565) résout celles du 4ᵉ degré. J. Cardan rencontre dans son travail les quantités qu'on appellera plus tard « imaginaires » (racines de nombres négatifs), mais leur usage sera systématisé par Rafael Bombelli (v. 1526-1573). François Viète (1540-1603) donne une méthode pour trouver les racines d'un polynôme et apporte une contribution décisive à la trigonométrie; sa plus importante contribution est la création d'un symbolisme algébrique qui jette les bases de celui que nous employons aujourd'hui. La théorie des nombres progresse avec Albert Girard (1595-1632) et surtout Pierre de Fermat (1601-1665). La géométrie connaîtra un développement essentiel : Gérard Desargues (1591-1661) introduit le concept de « polaire » et les idées de la géométrie projective; René Descartes et Pierre de Fermat fondent la géométrie analytique. Cet outil jouera un rôle capital pour le développement de la physique. Du point de vue mathématique, il marquera l'unité profonde de cette science.

temps égaux
aires égales
planète
petit axe
vitesse maximale
vitesse minimale
P
A
grand axe
Soleil (foyer)
foyer
P : périhélie
A : aphélie

◆ **Les lois de Kepler.**
Les lois du mouvement des planètes autour du Soleil, énoncées par Johannes Kepler au début du XVIIᵉ s., sont au nombre de trois : 1. chaque planète décrit dans le sens direct une ellipse dont le Soleil occupe un des foyers; 2. les aires décrites par le rayon vecteur allant du centre de la planète au centre du Soleil sont proportionnelles aux temps employés à les décrire; 3. les carrés des temps des révolutions sidérales des planètes sont proportionnels aux cubes des grands axes de leurs orbites. Les lois de Kepler s'appliquent aussi au mouvement des satellites autour de leur planète.

Léonard de Vinci

Figure caractéristique de la Renaissance, Léonard de Vinci s'illustre non seulement comme artiste, mais aussi comme savant et comme ingénieur. Envoyé en apprentissage à l'âge de 16 ans chez l'artiste Andrea del Verrocchio, à Florence, il y acquiert une vaste culture artistique, technique et scientifique. Ses talents d'ingénieur se déploient ensuite à la cour des Sforza, à Milan, de 1482 à 1498, puis auprès de César Borgia, jusqu'en 1506. Outre des traités sur l'architecture, l'armement, le vol des oiseaux, des études anatomiques, des observations touchant à la physique et aux sciences naturelles, il a laissé de nombreux manuscrits, illustrés de dessins ou d'esquisses représentant notamment les machines les plus diverses, souvent très futuristes pour l'époque. Pour lui, « la mécanique est le paradis des sciences mathématiques, car avec elle on en vient au fruit des mathématiques ». Cependant, il n'est pas le précurseur universel qu'on a parfois voulu faire de lui. Il se passionne beaucoup plus pour les recherches que pour les réalisations et c'est à tort qu'on l'a crédité d'une multitude d'inventions. Son apport essentiel est une approche nouvelle de la connaissance, qui a ouvert la voie à la démarche scientifique. Sa curiosité universelle, son sens aigu de l'observation, ses tentatives d'expérimentation et sa perception du rôle fondamental des mathématiques constituent ses véritables titres de gloire.

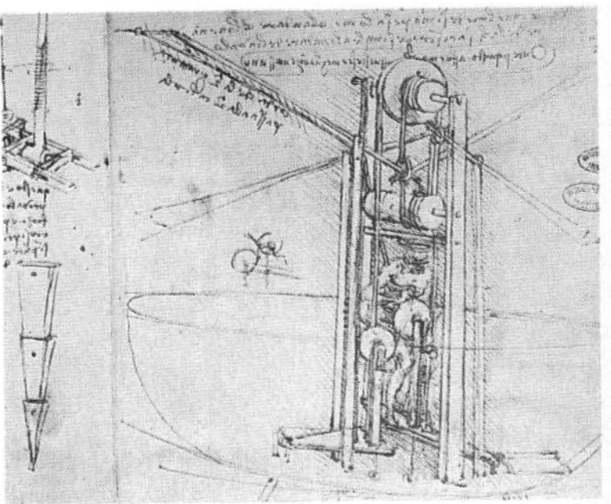

◆ **Machine volante de Léonard de Vinci.**
Léonard de Vinci est l'auteur des premières études scientifiques sur le vol des oiseaux et son imitation mécanique. Ses manuscrits renferment de nombreux dessins de machines volantes. Le document ci-dessus datant de 1483, constitue la permière représentation d'un hélicoptère. (Bibliothèque de l'Institut, Paris)

Les progrès de la médecine

Au XVIᵉ s., l'essor de l'anatomie et de la chirurgie jette les bases de la médecine moderne. Dans ces deux disciplines, c'est l'observation méthodique du corps humain qui est considérée comme le préalable indispensable à la compréhension de son fonctionnement.

L'anatomie. Avec la levée de l'interdiction de disséquer les cadavres, l'anatomie humaine peut enfin se développer. Alors que Léonard de Vinci est le premier à exécuter des planches d'ana-

PHYSIQUE
1592. Invention du thermomètre par Galilée. **1600.** *De magnete,* du physicien anglais W. Gilbert (traité de magnétisme et d'électrostatique). **1620.** Énoncé de la loi de la réfraction par l'astronome et mathématicien hollandais W. Snellius (Snel Van Royen). **1632.** Énoncé de la loi de la chute des corps dans le vide par Galilée. **1636.** Le père Marin Mersenne (1588-1648) mesure la vitesse du son et énonce les lois des tuyaux sonores et des cordes vibrantes. **1638.** *Discorsi e dimostrazioni matematiche intorno a due nuove scienze,* principal ouvrage scientifique de Galilée (loi du mouvement du pendule ; loi du mouvement parabolique des projectiles dans le vide).

SCIENCES DE LA TERRE
1492. Premier voyage de Christophe Colomb (1450 ou 1451-1506), qui découvre Cuba et Haïti. **1569.** Le Flamand Gerhard Mercator (1512-1594) met au point une méthode de projection cartographique qui porte son nom.

TECHNIQUES
2de moitié du XVe s. L'Italien Léonard de Vinci (1452-1519) dessine des anatomies ainsi que des projets de diverses machines : engins de siège, engins volants, engins de génie civil. **1455.** Premier ouvrage imprimé de Gutenberg, la *Bible de Mayence* à 42 lignes. **1458.** En horlogerie, invention du ressort moteur, qui permet l'apparition des premières montres. **1470.** Premiers laminoirs. **2de moitié du XVIe s.** Bernard Palissy (1510-1589 ou 1590) perfectionne les techniques de la céramique. **1556.** *De re metallica,* de Georg Bauer, dit Agricola (1494-1555) : description des connaissances géologiques, minières et métallurgiques de l'époque. **1618.** Premiers microscopes. **1642.** Invention d'une machine à calculer par le Français Blaise Pascal (1623-1662).

◆ **La Lune observée à la lunette.**
En braquant, le premier, une lunette vers le ciel, Galilée ouvre une ère nouvelle pour la connaissance de l'Univers. Aussi rudimentaire fût-elle, sa première lunette lui permet déjà de percevoir les principaux traits du relief lunaire, comme en témoignent ces dessins des phases de la Lune, publiés en 1610 dans son ouvrage *Sidereus nuncius* (« le Messager céleste »). (Bibliothèque nationale de Florence)

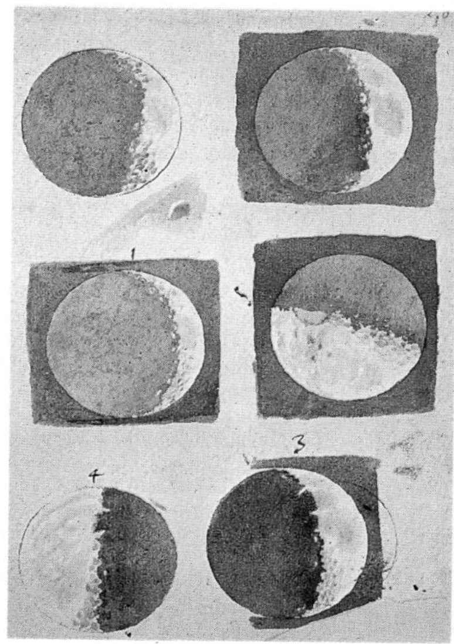

tomie qui décrivent avec exactitude les os, les muscles, le cœur ou les vaisseaux, André Vésale (v. 1514-1564) s'impose comme le grand maître des études anatomiques. Professeur à Louvain, puis à Padoue et à Bologne, il publie un traité, *De humani corporis fabrica* (1543), qui réfute de nombreuses erreurs de Galien : contrairement à ce qu'affirmait le médecin grec, Vésale montre en particulier qu'il n'y a pas de communication entre la moitié droite et la moitié gauche du cœur.

La chirurgie. Chirurgien militaire, Ambroise Paré (v. 1509-1590) est considéré comme le père de la chirurgie moderne. En se fondant sur l'observation et l'expérience, il renouvelle toute la pratique chirurgicale. Ainsi, au lieu de cautériser à l'huile bouillante les plaies dues aux armes à feu, comme c'était l'usage, il y applique simplement un pansement. Son innovation la plus célèbre est la ligature des artères au cours de l'amputation (jusque-là, on cautérisait au fer rouge), qu'il pratique pour la première fois en 1552 au siège de Damvillers.

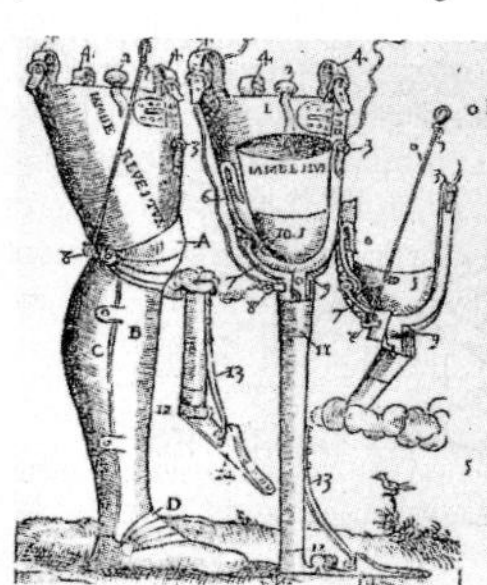

◆ **Chirurgie.**
Ce dessin d'une jambe de bois accompagne une description détaillée de la prothèse, dans les œuvres complètes du célèbre chirurgien Ambroise Paré. (Bibliothèque interuniversitaire de médecine, Paris)

La révolution copernicienne

Dans son *De revolutionibus orbium coelestium* (1543), le chanoine polonais Nicolas Copernic expose un système du monde héliocentrique qui marque l'avènement de la conception moderne de l'Univers : toutes les planètes tournent autour du Soleil en décrivant des orbites dont les dimensions sont infimes en regard de la distance aux étoiles ; la Terre n'est qu'une planète comme les autres, animée d'un mouvement de rotation sur elle-même, en 24 heures, et d'un mouvement de révolution autour du Soleil, en 1 an ; sa rotation explique le mouvement diurne apparent de la sphère céleste, sa révolution, l'alternance des saisons. Certes, Copernic, comme ses prédécesseurs, croit l'Univers sphérique, les orbites circulaires, les mouvements uniformes, et il recourt encore à des excentriques et des épicycles, après avoir répudié ceux de Ptolémée ; il reprend même la notion des orbes, ou sphères matérielles mobiles d'Aristote, et s'il place le Soleil au centre du monde, c'est d'abord parce qu'un astre aussi beau lui paraît mériter la place d'honneur. En fait, à son époque, aucun argument décisif ne peut être avancé pour prouver le mouvement de la Terre. Toutefois, en affranchissant l'astronomie de l'hypothèse de l'immobilité de la Terre et en substituant au principe de l'autorité des Anciens celui de la soumission aux faits comme source de toute connaissance, l'œuvre de Copernic marque un tournant essentiel dans l'histoire des idées et du progrès scientifique.

Galilée

En physique, Galilée ne donnera son œuvre majeure – la création de la dynamique – qu'à l'âge de 70 ans. Il est convaincu que seule l'observation permet de poser les bonnes questions et d'accéder, par les mathématiques, aux lois naturelles. Observant les oscillations d'un lustre sous la voûte de la cathédrale de Pise, il conclut que la durée d'oscillation du pendule ne dépend pas de son poids. Cette capacité d'abstraction le mène au principe de l'inertie (énoncé plus tard par Descartes), qui stipule qu'un corps qui n'est soumis à aucune force doit avoir un mouvement uniforme.

La notion d'*impetus* n'est plus invoquée comme cause du mouvement mais devient la « quantité de mouvement » qui se conserve au cours du mouvement. Cette conception nouvelle triomphe avec la découverte de la loi de la chute libre : « Les espaces parcourus [par un corps tombant en chute libre] sont entre eux comme les carrés des temps. »

En astronomie, Galilée est à l'origine d'une révolution instrumentale. Grâce aux lunettes rudimentaires qu'il construit à partir de 1609, il réalise les premières observations du relief de la Lune et des taches du Soleil, découvre les phases de Vénus et les quatre principaux satellites de Jupiter, résout la Voie lactée en un fourmillement d'étoiles et aperçoit dans les constellations une multitude d'étoiles jusque-là insoupçonnées.

Annoncées en 1610 dans son *Sidereus nuncius* (« le Messager céleste »), ces découvertes démontrent clairement que l'Univers n'a pas les caractéristiques que lui attribuait Aristote et viennent, à des titres divers, renforcer l'hypothèse de Copernic.

Descartes

La pensée dite « cartésienne » est marquée par la recherche d'une méthode « pour bien conduire sa raison et chercher la vérité dans les sciences » et par l'idée d'une unité foncière des connaissances humaines. René Descartes (1596-1650) veut étendre la certitude mathématique à l'ensemble du savoir et fonder une mathématique universelle. Aussi le philosophe va-t-il, chez lui, de pair avec le savant qui veut substituer aux incertitudes de la science médiévale les fondements assurés d'une science véritable, laquelle nous rendra « maîtres et possesseurs de la nature ». Descartes pose les principes d'un déterminisme mécaniste en physique, ainsi qu'en médecine et en physiologie. Son ambition est d'élaborer un système expliquant tous les phénomènes naturels à l'aide de trois concepts seulement : l'étendue, la figure et le mouvement.

S'il est vrai qu'il s'est souvent trompé (sur la pesanteur, sur l'impossibilité du vide, sur la circulation du sang, etc.), reste qu'il a laissé une œuvre scientifique importante : il simplifie l'écriture mathématique et invente une méthode pour abaisser le degré des équations et, surtout, son esprit unificateur l'amène à fonder la géométrie analytique ; en optique géométrique, il dégage, indépendamment du Hollandais Snel Van Royen ou Snellius (1580-1626), les lois de la réfraction, ce qui lui permet d'établir la théorie de l'arc-en-ciel ; il découvre la notion moderne de travail. Selon l'ordre des raisons, Descartes entend déduire de sa métaphysique les principes de la science ; mais, de fait, chronologiquement, son œuvre scientifique a précédé sa réflexion métaphysique.

VOIR AUSSI
• **Système solaire** p. 2
• **Mécaniques** p. 342
Illustrations
• **Procès de Galilée** p. 446

Les temps modernes

De 1651 à 1700
Observation et expérimentation

L'ÉPOQUE : C'est le siècle de Louis XIV, des guerres européennes, du développement des empires coloniaux et de la navigation marchande.

IDÉES ET TENDANCES : Dans le sillage des découvertes de Galilée, on assiste à l'essor d'une science fondée sur l'observation et l'expérimentation. Les nouveaux outils mathématiques permettent à la physique d'énoncer des lois et de les exprimer sous forme mathématique, alors que les découvertes de l'optique ouvrent la voie vers les deux infinis. Les pays se dotent d'institutions scientifiques (1660, fondation, à Londres, de la Royal Society ; 1666, création de l'Académie des sciences, à Paris ; 1700, fondation de l'Académie des sciences de Berlin).

ASTRONOMIE
1655. Découverte de l'anneau de Saturne et du premier satellite de cette planète par le Hollandais Christiaan Huygens (1629-1695). **1667.** Fondation de l'Observatoire de Paris. **1671.** Construction du premier télescope par l'Anglais Isaac Newton (1642-1727). **1676.** Première mesure de la vitesse de la lumière par le Danois Olaf Römer (1644-1710). **1672.** Mesure de la distance de la Terre au Soleil par les Français Jean Dominique Cassini (1625-1712), Jean Picard (1620-1682) et Jean Richer (1630-1696). **1675.** Fondation de l'observatoire de Greenwich.

CHIMIE
1661. L'Anglais Robert Boyle (1627-1691) définit l'élément chimique dans son traité *The Sceptical Chymist*. **1669.** Découverte de l'éthylène par l'Allemand Johann Joachim Becher (1635-1682). **1675.** Découverte de l'arsenic par le Français Nicolas Lémery (1645-1715). **1697.** Théorie du phlogistique de l'Allemand Georg Ernst Stahl (1660-1734).

MATHÉMATIQUES
1654. Les Français Pierre de Fermat (1601-1665) et Blaise Pascal (1623-1662) créent le calcul des probabilités. **1686.** L'Allemand Gottfried Wilhelm Leibniz (1646-1716) expose les règles fondamentales du calcul différentiel. **1687.** I. Newton expose la loi de l'attraction universelle et invente le calcul intégral exposé dans *Philosophiae naturalis principia mathematica*. **1693.** Leibniz introduit la notion de déterminant en mathématiques. **1696.** Premier traité complet de calcul différentiel par le Français Guillaume de L'Hospital (1661-1704).

PHYSIQUE
1654. Otto von Guericke (1602-1686) effectue l'expérience des hémisphères de Magdeburg, mettant en évidence la pression atmosphérique. **1666.** Premières expériences de Newton sur la dispersion de la lumière blanche par le prisme. **1673.** Huygens définit la force centrifuge et donne les lois du pendule composé. **1675.** Énoncé de la loi de compressibilité des gaz par le Français Edme Mariotte (v. 1620-1684). **1690.** Théorie ondulatoire de la lumière de Huygens.

SCIENCES DE LA TERRE
1669. Le Danois Nicolas Sténon (1638-1686) pose les bases de la stratigraphie et de la tectonique.

SCIENCES DE LA VIE
1661. Découverte des vaisseaux capillaires par l'Italien Marcello Malpighi (1628-1694). **1665.** Découverte des globules rouges par M. Malpighi. Première mention de la notion de cellule par R. Hooke. **1668.** L'Italien Francesco Redi (1626-1698) réfute la notion de génération spontanée. **1669.** Le Hollandais Jan Swammerdam (1637-1680) effectue les premières observations anatomiques sur les insectes. **1677.** Découverte des spermatozoïdes par le Hollandais Louis Dominicus Ham. **1686.** Dans son *Historia plantarum,* le Britannique John Ray (1627-1705) définit la notion d'espèce végétale et décrit 18 655 espèces de plantes. **1694.** Le Français Joseph Pitton de Tournefort (1656-1708) établit la notion de genre en botanique.

TECHNIQUES
1656. Introduction du pendule comme régulateur des horloges par Huygens. **1665.** Invention du baromètre à cadran par l'Anglais Robert Hooke (1635-1703). **1670.** Balance à deux fléaux de Roberval. **1675.** Huygens utilise le ressort spiral dans les montres. **1679.** Invention de la soupape de sûreté par Denis Papin (1647-v. 1712), qui met au point son digesteur (marmite de Papin), ancêtre de l'autoclave.

La naissance de la microbiologie

On n'imaginerait pas aujourd'hui un simple commerçant effectuer des observations scientifiques et les envoyer à la plus renommée des académies des sciences internationales. C'est pourtant ce que fait, en 1673, un drapier hollandais de Delft du nom d'Antonie Van Leeuwenhoek (1632-1723). Perfectionnant l'un de ses compte-fils (loupe puissante) de façon à obtenir des grossissements de 270 fois, il se prend de passion pour l'observation, au moyen de son instrument, de toutes sortes de matériels : eau des mares, dents cariées, semence mâle, etc. Il observe ainsi, pour la première fois, des êtres vivants microscopiques unicellulaires (protozoaires, algues unicellulaires et même bactéries), qu'il appelle des « animalcules ». Il observe aussi des spermatozoïdes, bien que la priorité de leur observation revienne à l'un de ses correspondants, le Hollandais Louis Dominicus Ham. Pendant cinquante ans, de 1673 jusqu'à sa mort, il ne cesse d'envoyer de remarquables rapports d'observation à la Royal Society de Londres. On le considère aujourd'hui comme le premier microbiologiste de l'histoire.

Ovistes contre animalculistes

Au XVIIe s. commence une polémique concernant le processus de la fécondation, qui durera jusqu'au XIXe s. Depuis la découverte des spermatozoïdes et des œufs, le problème est de savoir quel rôle tient l'une ou l'autre de ces catégories de cellules dans la fécondation. Pour les ovistes, la femelle est seule cause de la formation de ses jeunes, ses œufs contenant à eux seuls toute la potentialité de leur développement. La semence mâle, dans ce cadre, n'apporterait qu'une excitation mécanique, déclenchant dans l'œuf l'activation du processus de développement. Malpighi, De Graaf, Swammerdam, au XVIIe s., sont des partisans du « système des œufs ». Pour les animalculistes, au contraire, ce sont les spermatozoïdes (ou « animalcules » ou encore « vers spermatiques », comme on les appelle alors) qui contiennent toutes les potentialités de développement des jeunes. Au cours de la fécondation, l'œuf ne fait qu'apporter de la nourriture au spermatozoïde. Van Leeuwenhoek et son compatriote le physicien Nicolas Hartsoeker (1656-1725) appartiennent à cette école.

Au XVIIe s., ovistes et animalculistes ont cependant en commun d'envisager que le futur être est contenu en miniature dans l'œuf (pour les ovistes) ou dans le spermatozoïde (pour les animalculistes).

Cette théorie dite de la « préformation » implique que l'être en miniature dans l'œuf ou le spermatozoïde contient déjà dans ses propres cellules sexuelles les êtres en miniature qui seront ses propres descendants, et ainsi de suite.

◆ **Les hémisphères de Magdeburg.**
Réalisée en 1654 par Otto von Guericke devant la diète de Ratisbonne, cette expérience illustrait les effets de la pression atmosphérique. Seize chevaux ne réussirent pas à séparer deux demi-sphères à l'intérieur desquelles on avait fait le vide : leur force était insuffisante pour vaincre la pression atmosphérique faisant adhérer les deux hémisphères l'un à l'autre.

La nouvelle physique de Newton

Le physicien Ernst Mach écrira plus tard : « Depuis Newton, aucun principe essentiellement nouveau n'a été posé et le travail accompli en mécanique depuis lors a été un développement déductif, formel et mathématique, sur la base des principes newtoniens. » C'est probablement à l'âge de 22 ans que Newton a commencé à développer les concepts qui allaient le mener à ses trois découvertes fondamentales : la théorie de la lumière, le calcul infinitésimal et la gravitation universelle. Une controverse l'opposera longtemps à Leibniz, créateur par ailleurs de l'analyse combinatoire, à propos de l'invention du calcul différentiel. Il semble que les deux mathématiciens soient parvenus indépendamment aux mêmes résultats, les notations employées par Leibniz ayant cependant prévalu. Newton développe le « calcul des fluxions » en cherchant à appliquer l'analyse mathématique aux objets en mouvement. L'idée de décomposer le mouvement de façon à déterminer la vitesse (« fluxion ») pendant des intervalles de temps arbitrairement petits l'amène à la notion de « dérivée », puis à celle de « calcul intégral ». En mécanique, il distingue clairement la masse du poids, ce qui lui permet d'énoncer les trois lois fondamentales de la dynamique : la loi de l'inertie (trouvée par Galilée) ; l'égalité de l'action et de la réaction ; la loi (dite « de la dynamique ») selon laquelle les changements de la quantité de mouvement (produit de la masse par la vitesse) sont proportionnels à la force motrice. Cette dernière loi définit ainsi la force comme le produit de la masse par l'accélération.

Il formule surtout la loi de l'attraction universelle, dont la puissance prédictive est unique dans l'histoire de la physique. Elle lui permet d'évaluer la masse du Soleil, la densité de la Terre et son aplatissement, de calculer la précession des équinoxes, la variation de l'accélération de la pesanteur avec la latitude et d'expliquer la trajectoire des comètes.

◆ **Le premier télescope.**
Avec un miroir principal de 5 cm de diamètre seulement, le premier télescope, construit par Isaac Newton en 1671, était bien modeste.

Des découvertes en chimie

En 1661, Robert Boyle apporte une contribution fondamentale à la chimie, en définissant l'élément chimique comme « ce qui n'est pas décomposable », en distinguant corps simples et corps composés, et en introduisant des techniques expérimentales, dont l'usage va se généraliser (emploi des indicateurs colorés, précipitation des sels). Son élève John Mayow (1640-1679) donne une théorie de la respiration et de la combustion tandis que, en France, Nicolas Lémery souligne la dualité acide/alcali (on dit aujourd'hui « acide/base ») en expliquant la réaction de neutralisation qui en résulte par le fait que « les pointes des acides remplissent les trous des alcalis ».

La fin du XVIIe s. voit surtout l'apparition d'une théorie qui remporte un succès immédiat : celle, par l'Allemand Georg Ernst Stahl (1660-1734), du « phlogistique », élément impondérable et insaisissable que renferment les corps combustibles. Associée au principe selon lequel « les corps saisissent plus volontiers leurs semblables », cette théorie va persister pendant plus d'un siècle.

VOIR AUSSI
- **Mécanique** p. 342
- **Origine de la lumière** p. 340
- **Éléments chimiques** p. 348
- **Télescopes** p. 386

La lumière : ondes ou corpuscules ?

Pour René Descartes et ses disciples, la lumière était due à l'ébranlement des solides, et parcourait le vide de façon instantanée. Cette conception est mise à mal en 1676, quand l'astronome danois Olaf Römer effectue la première mesure de la vitesse de la lumière.

Pour Robert Hooke, matière et lumière sont deux phénomènes vibratoires et la couleur dépend de l'amplitude des vibrations de l'éther. Christiaan Huygens reprend cette idée de l'éther, siège de mouvements vibratoires où la lumière (considérée comme analogue au son) se propage sous forme d'ondes sphériques. Cette théorie ondulatoire lui permet d'expliquer les phénomènes de réflexion, de réfraction et de diffraction.

Isaac Newton n'adhère pas sans réserves à la théorie de l'éther et affirme que la lumière est une substance de nature corpusculaire. Ses expériences de décomposition de la lumière blanche en diverses couleurs l'amènent cependant à supposer que les corpuscules lumineux se meuvent avec une certaine périodicité, variable selon la couleur, introduisant ainsi la notion de « longueur d'onde » et posant de façon claire le problème de la dualité onde/particule.

◆ **Marmite de Papin.**
Cet appareil, réalisé en 1679, et pour lequel Denis Papin invente la soupape de sûreté, est l'ancêtre des autoclaves modernes. (Conservatoire national des arts et métiers, Paris)

Petit lexique

fluxion : terme employé par Newton pour désigner la vitesse de variation d'une fonction, autrement dit sa « dérivée ».

génération spontanée : ancienne théorie selon laquelle des êtres vivants peuvent apparaître spontanément lorsque les conditions leur sont favorables. Elle n'a vraiment disparu qu'au XIXe s. avec les travaux de Louis Pasteur.

La machine de Marly

Une des réalisations techniques les plus spectaculaires du XVIIe s. est la machine de Marly, machine élévatoire des eaux de la Seine pour l'alimentation en eau du château de Versailles, construite de 1681 à 1684 sous la direction du mécanicien wallon René Sualem, dit Rennequin (1645-1708).

Quatorze roues hydrauliques installées sur la Seine, au-dessous du village de La Chaussée, au pied du coteau de Louveciennes, transmettaient, au moyen de tringles articulées, leur mouvement à 221 pompes aspirantes et foulantes. Réparties en trois groupes successifs, celles-ci amenaient l'eau du fleuve à 154 m au-dessus de son niveau moyen, par 1 300 m de conduites, jusqu'à un aqueduc.

◆ **La machine et l'aqueduc de Marly.**
Peinture de Pierre Denis Martin (1673-1742). (Musée national du château de Versailles)

Les temps modernes

De 1701 à 1725
Le développement des techniques

L'ÉPOQUE : Fin de la prépondérance française avec la mort de Louis XIV en 1715. L'Europe est secouée par des hivers particulièrement rigoureux (1710) provoquant des famines et par des épidémies (peste à Marseille en 1720). L'art baroque triomphe.

IDÉES ET TENDANCES : Époque marquée par le développement des techniques, prélude à un essor industriel, avec l'apparition d'une machine susceptible de donner à volonté de la puissance mécanique, la machine à vapeur, mais aussi avec les progrès de l'horlogerie. Le succès des sciences expérimentales suscite un besoin pressant d'instruments de mesure pour toutes sortes de grandeurs (pression, température).

ASTRONOMIE

1705. Publication de *Synopsis d'astronomie cométaire,* de l'Anglais Edmond Halley (1656-1742) qui fournit les éléments orbitaux de 24 comètes et, pour la première fois, établit le mouvement elliptique de l'une d'entre elles, dont il prédit le retour près du Soleil en 1758 ou 1759. **1718.** Découverte du mouvement propre des étoiles par Halley. **1725.** Publication de l'*Historia coelestis britannica,* catalogue d'étoiles posthume de l'Anglais John Flamsteed (1646-1719) donnant les coordonnées de près de 3 000 étoiles.

CHIMIE

1718. Le chimiste français Étienne François Geoffroy, dit Geoffroy l'Aîné (1672-1731), développe la notion d'affinité.

MATHÉMATIQUES

1707. Publication de l'*Arithmetica universalis,* de Newton. **1713.** Publication posthume de l'*Ars conjectandi* du Suisse Jacques Ier Bernoulli (1654-1705), importante contribution au développement du calcul des probabilités.

MÉDECINE

1708. Publication des *Institutiones medicae,* du Néerlandais Herman Boerhaave (1668-1738), considéré comme le fondateur de la médecine clinique.

PHYSIQUE

1703. Le Français Guillaume Amontons (1663-1705) propose de mesurer la température non plus par la dilatation de l'air, mais par sa pression à volume constant; cette idée le conduit à la notion de zéro absolu de température. **1714.** Échelle de température à deux points fixes de l'Allemand Daniel Gabriel Fahrenheit (1686-1736). **1722.** Le Français René Antoine Ferchault de Réaumur (1683-1757) étudie au microscope la constitution des métaux, fondant ainsi la métallographie. **1725.** Publication de la *Nouvelle Mécanique,* du Français Pierre Varignon (1654-1722), où est exposée pour la première fois la règle de composition des forces concourantes.

TECHNIQUES

1705. Première machine à vapeur, construite par les Britanniques Thomas Newcomen (1663-1729) et Thomas Savery (v. 1650-1715). **1705.** Invention du manomètre par Pierre Varignon. **1712.** T. Newcomen donne à sa machine à vapeur (« machine atmosphérique ») sa forme définitive. **1715.** En horlogerie, perfectionnement de l'échappement par le Britannique George Graham (1673-1751). **1719.** Invention du balancier compensé à mercure (horlogerie) par G. Graham. **1721.** Invention de la cloche à plongeur par Halley.

Les machines à vapeur

En 1698, le Britannique Thomas Savery fait breveter une pompe à eau statique utilisant de la vapeur sous pression. C'était une tuyauterie verticale fermée, en haut et en bas, par deux clapets, le clapet inférieur étant immergé dans l'eau à pomper. Des injections discontinues de vapeur à la base expulsent la colonne d'eau contenue dans le tuyau qui, après chaque expulsion, se met sous vide par condensation et aspire une nouvelle colonne d'eau. Ce dispositif ne peut être appliqué à l'exhaure (évacuation des eaux) des mines, car il exige des pressions de vapeur élevées (plus de 20 bars pour 200 m) incompatibles avec les chaudières de l'époque. Thomas Savery s'associe alors avec Thomas Newcomen. Ils mettent au point, en 1712, une machine à piston verticale, commandant par un simple balancier un piston de pompe foulante immergée. De la vapeur à très basse pression soulève le piston qui enfonce sans effort le piston de la pompe en phase de remplissage. Une injection d'eau condensait alors la vapeur du cylindre moteur et c'est la pression atmosphérique qui fournissait l'énergie, en abaissant le piston moteur (phase de refoulement de la pompe). L'adoption d'un rapport de surfaces adéquat entre pistons permet à la pression atmosphérique de fournir l'effort de pompage à n'importe quelle hauteur.

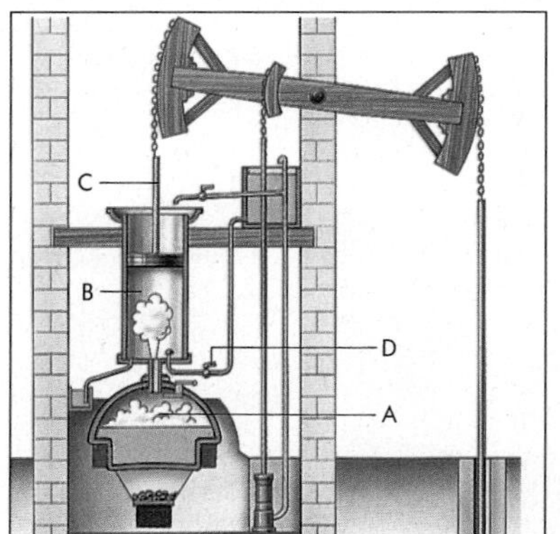

◆ **Machine de Thomas Newcomen** (1712). Quand la vapeur produite par la chaudière (A) passe dans le cylindre (B), le piston (C) remonte. De l'eau froide est alors vaporisée dans le cylindre par l'ouverture de la valve (D) pour condenser la vapeur. Un vide partiel se crée, et la pression de l'air extérieur refoule le piston vers le bas, ce qui fait basculer le balancier et remonter les tiges de la pompe.

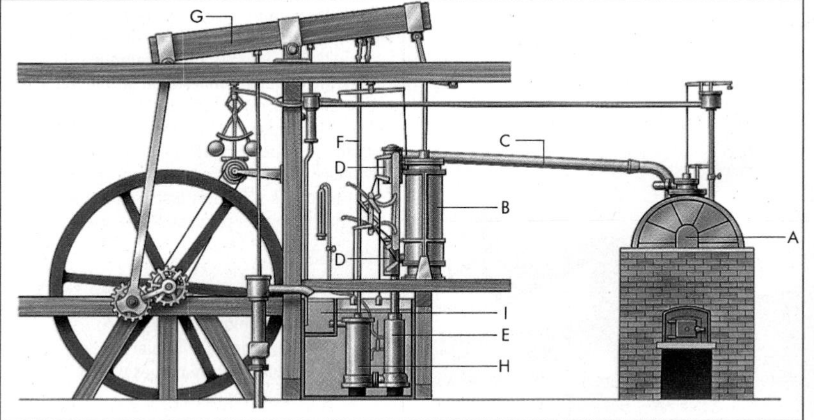

◆ **Machine de James Watt** (1784). A : chaudière ; B : cylindre ; C : tuyau d'arrivée de la vapeur ; D : valves ; E : condenseur ; F : tige de la pompe ; G : balancier ; H : pompe ; I : citerne. La vapeur, issue de la chaudière, en pénétrant dans le cylindre, actionne le balancier. Les valves s'ouvrent et se ferment alternativement, provoquant le va-et-vient du piston vers le haut et vers le bas.

La machine de Watt. Le tournant décisif est dû à un autre Britannique, James Watt. D'abord simple mécanicien chargé de la réparation d'une machine de Newcomen, il la dote, en 1763, d'un condenseur extérieur supprimant, après chaque injection d'eau, l'énorme gaspillage de vapeur dû à la nécessité de réchauffer le cylindre (cylindre qui peut être, dorénavant, calorifugé). Il augmente ensuite progressivement la pression de vapeur, conférant ainsi un effet moteur au piston dans sa phase ascendante : en 1769, la machine de Watt était née. En 1782, il réalise le premier cylindre à double effet, qui soumet le piston à l'effet de la vapeur alternativement sur ses deux faces. Le condenseur extérieur peut être supprimé, sauf dans les bateaux de mer à vapeur, où il sert à récupérer l'eau douce.

Dès 1775, James Watt, soutenu par des industriels de Birmingham, s'associe à l'un d'eux pour lancer la construction industrielle de sa machine, qui est dotée par la suite de nombreux perfectionnements pratiques. Dès 1785, la machine à vapeur devient ainsi l'un des moteurs essentiels de la révolution industrielle, notamment du transport maritime et ferroviaire.

◆ ***La Peste à Marseille en 1720* (détail),** peinture de Michel Serre (1658-1733). Apporté par les marins d'un navire de coton en provenance de Syrie, le fléau se propage rapidement dans tous les quartiers de la ville, puis gagne Toulon et le sud de la France, jusqu'à Toulouse. (Musée Alter, Montpellier)

La transmission des maladies

En 1720 éclate à Marseille la dernière grande épidémie de peste en France, qui fait environ 50 000 morts dans la région de Marseille et en Provence, suscitant une controverse entre les médecins : comment les épidémies se propagent-elles ? Le médecin lyonnais Jean-Baptiste Goiffon publie en 1721 ses *Observations faites sur la peste qui règne à présent à Marseille et dans la Provence.* Il soutient que la variole, la rougeole, la peste, etc., ont peut-être leur cause « dans quelque espèce de petits vers ou insectes imperceptibles qui s'insinuent dans le corps de ceux qui deviennent malades, et s'attachent aux habits de ceux qui les transfèrent » (depuis les observations d'A. Van Leeuwenhoek, on appelait « vers » tous les êtres vivants microscopiques).

Cette première suggestion d'une contagion par des germes vivants invisibles à l'œil nu est combattue à Lyon par un autre médecin, J.-H. Pestalozzi. Celui-ci soutient que la cause de la peste est de nature chimique, relevant d'une sorte de pollution de l'atmosphère par de petits corps appelés miasmes.

J.-B. Goiffon, étant directeur du Bureau de santé de Lyon, réussit à imposer son point de vue et à faire prendre des mesures pour limiter la contagion dans la ville, ce qui, semble-t-il, épargne à Lyon de subir le sort de Marseille.

VOIR AUSSI
- **Marmite de Papin** p. 269
- **Lumière** p. 340

Le calcul infinitésimal

Après Newton et Leibniz, le calcul différentiel et intégral se développe et devient un outil pratique aux applications multiples. Disciples de Leibniz, les Bernoulli en sont, à l'université de Bâle, les principaux artisans. Jacques (1654-1705) étudiera, en utilisant le calcul différentiel et le calcul intégral, de nombreux problèmes de géométrie et de physique ; son *Ars conjectandi*, publié après sa mort en 1713, est aujourd'hui considéré comme le traité fondant le « calcul des probabilités », qui avait été découvert par Pascal et Huygens ; ce travail sera développé par son neveu Daniel (1700-1782). Le frère de Jacques, Jean (1667-1748), introduisit le calcul des variations ; on lui doit l'introduction du terme « fonction ». Le premier traité de calcul différentiel, *Analyse des infiniment petits pour l'intelligence des courbes* paru en 1696, est dû au Français Guillaume de L'Hospital (1661-1704). Abraham de Moivre (1667-1754), protestant français exilé à Londres, apporte de nombreuses contributions à la théorie des probabilités : règle des probabilités composées, éléments et concepts de base de l'analyse statistique ; il systématisera par ailleurs l'emploi des nombres imaginaires en trigonométrie (formule de Moivre).

La physique : tout se mesure

Le premier thermomètre, inventé à Florence (Accademia del Cimento) vers 1660, mesurait la dilatation de l'air selon une échelle pour le moins arbitraire : le minimum correspondait au niveau de l'index dans la cave de l'académie ; le maximum au plus haut niveau atteint, en été, à Florence. En 1703, le physicien français Guillaume Amontons (1663-1705) introduit une innovation décisive : au lieu de mesurer la dilatation de l'air, variable avec

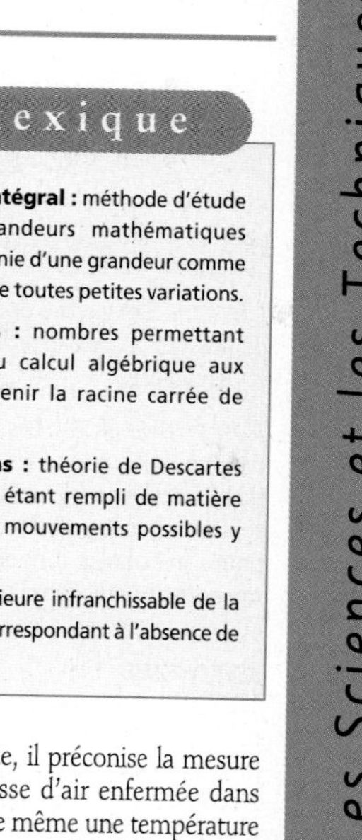

Petit lexique

calcul différentiel et intégral : méthode d'étude des variations des grandeurs mathématiques considérant la variation finie d'une grandeur comme la somme d'une infinité de toutes petites variations.

nombres imaginaires : nombres permettant d'étendre les règles du calcul algébrique aux quantités faisant intervenir la racine carrée de nombres négatifs.

théorie des tourbillons : théorie de Descartes suivant laquelle l'espace étant rempli de matière incompressible, les seuls mouvements possibles y sont des tourbillons.

zéro absolu : limite inférieure infranchissable de la température d'un corps, correspondant à l'absence de toute énergie thermique.

la pression atmosphérique, il préconise la mesure de la pression d'une masse d'air enfermée dans un récipient clos. Il signale même une température remarquable : celle qui correspondrait à une pression nulle, et qui est aujourd'hui nommée « zéro absolu ». C'est Daniel Fahrenheit, de Dantzig, qui propose l'emploi du mercure en 1718, avant que le Suédois Anders Celsius (1701-1744) et l'académicien français René Antoine Ferchault de Réaumur (1683-1757) ne donnent au thermomètre sa graduation et son mode de fonctionnement définitifs.

Joseph Sauveur (1653-1716), professeur au Collège de France, publie en 1700 ses travaux sur les cordes vibrantes et les tuyaux sonores. Il y décrit les nœuds et les ventres de vibration, les ondes stationnaires, ainsi que diverses expériences d'acoustique physiologique. L'Académie des sciences procède, quant à elle, à une détermination précise de la vitesse du son : 337 mètres à la seconde.

Pierre Bouguer (1698-1758), professeur d'hydrographie au Croisic, explore un domaine de l'optique qui avait échappé à Newton. La publication, en 1729, de *Comparaison de la force de la lumière du Soleil, de la Lune et de plusieurs chandelles* fonde la photométrie en précisant la notion d'éclairement.

La science pour tous

Au début du XVIIIe s., le raz de marée newtonien balaie la Grande-Bretagne avant d'atteindre le continent. Les *Principes* sont commentés à Cambridge et à Oxford. L'opposition est farouche de la part des cartésiens et des disciples de Leibniz, qui persistent à voir dans la « théorie des tourbillons » une explication plus sûre que la mystérieuse attraction à distance décrite par Newton.

Le principal argument des newtoniens n'est pas d'ordre scientifique : si les lois de l'Univers peuvent se résumer en une seule formule, il est clair que la volonté divine intervient dans les phénomènes naturels ; et, s'il est possible de connaître les « lois de Dieu », l'esprit humain a des capacités infinies. Cette conception déchaîne l'enthousiasme des savants, qui s'y rallieront en majorité autour de 1730, mais aussi des philosophes, des érudits... La vulgarisation scientifique connaît alors une vague sans précédent. De nombreux traités scientifiques sont publiés à l'usage des gens du monde, et spécialement des dames. *Le Traité de physique* (1671), de Jacques Rohault (1620-1675), voit sa douzième édition publiée en 1708 ; la marquise du Châtelet traduit en français les *Principes*, qui auront un impact déterminant sur la pensée du XVIIIe s.

Les temps modernes

De 1726 à 1750
La description scientifique du monde

L'ÉPOQUE : Les guerres de succession qui ne cessent en Europe (Pologne, Autriche) définissent un nouvel ordre politique. Règnes de Frédéric II en Prusse et de Louis XV en France.

IDÉES ET TENDANCES : Les découvertes de Newton enthousiasment les esprits et, dans tous les domaines, c'est une immense curiosité pour le monde qui se manifeste. Le problème de la longitude, clé des expéditions maritimes, trouve sa solution avec le premier chronomètre de marine fiable, alors que les mathématiques, avec Euler, font d'immenses progrès. Des expéditions sont entreprises à travers le monde dans l'unique but de rapporter des informations scientifiques.

ASTRONOMIE
1727. Découverte de l'aberration de la lumière par le Britannique James Bradley (1693-1762). **1747.** Découverte de la nutation (oscillation périodique de l'axe des pôles terrestres) par J. Bradley.

CHIMIE
1735. Le Suédois Georg Brandt (1694-1768) isole le cobalt. **1747.** L'Allemand Andreas Sigismund Marggraf (1709-1782) obtient le sucre de betterave à l'état solide. **1749.** Découverte de l'acide formique par A. S. Marggraf.

MATHÉMATIQUES
1733. Publication de l'ouvrage *Euclides ab omni naevo vindicatus* de l'Italien Giovanni Girolamo Saccheri (1667-1733), précurseur de la géométrie non euclidienne. **1734.** Introduction de la notion d'équation aux dérivées partielles par le Suisse Leonhard Euler (1707-1783). **1736.** *Traité complet de mécanique* de L. Euler, premier grand ouvrage où l'analyse est appliquée à la science du mouvement. **1739.** Développement en série du nombre *e* par L. Euler. **1742.** *Traité des fluxions,* du Britannique Colin Maclaurin (1698-1746), donnant les formules de développement en série qui portent son nom. **1743.** *Traité de dynamique,* du Français Jean Le Rond d'Alembert (1717-1783). **1744.** L. Euler crée le calcul des variations. **1748.** L. Euler publie son *Introduction aux infiniment petits* qui fait de la fonction le concept fondamental sur lequel s'échafaude toute la construction mathématique. **1750.** *Introduction à l'analyse des lignes courbes algébriques,* du Suisse Gabriel Cramer (1704-1752).

MÉDECINE
1733. Premières études sur la pression artérielle chez l'animal par le Britannique Stephen Hales (1677-1761). **1736.** Première opération de l'appendicite réussie, rapportée par le Britannique C. Amyand (1686-1740).

PHYSIQUE
1729. Le Français Pierre Bouguer pose les bases de la photométrie. Découverte de l'électrisation par contact et premières expériences de transport d'électricité par le Britannique Stephen Gray (v. 1670-1736). Construction de la première lentille achromatique par le Britannique Chester Moor Hall (1703-1771). **1732.** Invention par Henri Pitot (1695-1771) du tube qui porte son

Les controverses sur l'embryon

La manière dont se forment les animaux durant la vie embryonnaire fournit matière à controverse scientifique durant tout le XVIIIe s. et jusque tard dans le XIXe. Deux écoles s'affrontent : pour les préformistes, le nouvel animal complètement formé, muni de tous ses organes, figure en réduction dans l'œuf (ou dans le spermatozoïde, pour les partisans de l'« animalculisme »). Pour les épigénistes, l'œuf est, au départ, dépourvu de toute trace d'organisation, et l'embryon se forme petit à petit, par une édification à laquelle contribue la « semence » des deux parents.

Durant le XVIIIe s., le préformisme triomphe lorsque le naturaliste suisse Charles Bonnet (1720-1793) observe la parthénogenèse chez le puceron : dans une de ses expériences, une femelle puceron, soigneusement maintenue en isolement, donne naissance à 95 petits pucerons, sans le concours d'un mâle. On en conclut que les nouveaux animaux sont bien contenus déjà tout formés dans les œufs de la femelle.

Les épigénistes, comme Buffon (1707-1788) et Maupertuis (1698-1759), avancent des objections théoriques. Ils font remarquer que le père et la mère contribuent à la formation d'un nouvel être, comme l'observation du mulet, par exemple, le révèle. Si un cheval en miniature figurait tout préformé dans l'œuf d'une jument, cela interdirait qu'il puisse acquérir les oreilles de l'âne, lors de l'accouplement de la jument et de l'âne. Par ailleurs, la théorie épigéniste est épaulée par les observations du biologiste allemand Kaspar Friedrich Wolff (1733-1794) : en regardant au microscope le développement d'un embryon de poulet, il montre que le nouvel être se forme progressivement à la suite de plissements, de gonflements, etc., de couches cellulaires. Mais il faudra attendre le XIXe s. pour que son travail soit reconnu comme probant, et que l'épigenèse triomphe de la préformation.

◆ **Carl von Linné.**

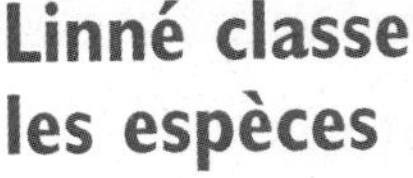

Linné classe les espèces

Le botaniste suédois Carl von Linné est l'inventeur d'un remarquable outil conceptuel – la nomenclature binominale – encore en usage chez les biologistes. De son vivant, il avait déjà atteint une très grande célébrité dans le monde entier, en raison de sa magistrale mise au point d'un système de classification des plantes et des animaux.

Fils d'un pasteur pauvre, Linné fait des études de médecine et vit longtemps dans la gêne, avant d'obtenir une chaire à l'université d'Uppsala. Il est en principe chargé de recenser les plantes médicinales ou les plantes d'intérêt économique. Il effectue quelques voyages : en Laponie et en Hollande, avec un bref détour à Londres et à Paris. Mais il n'est pas de cette catégorie de naturalistes qui, tels Forster ou Alexander von Humboldt, font des voyages au bout du monde pour enrichir les collections d'histoire naturelle. Linné travaille essentiellement sur herbiers, sur flores imprimées, sur échantillons de graines ou de plantes sèches que lui envoient ses correspondants. On lui doit deux livres fondamentaux, *le Système de la nature* (1735) et *le Genre des plantes* (1737).

La nomenclature binominale. Son système d'identification des plantes est simple et efficace. Grâce à un diagnostic précis et concis, fondé essentiellement sur la morphologie des fleurs, il permet à tout botaniste d'identifier avec certitude n'importe quelle plante. Dans sa classification, il remplace la dénomination des espèces, consistant à cette époque souvent en longues périphrases d'une douzaine de mots, par une nomenclature binominale en latin (par exemple, *Viola odorata* pour la violette, *Homo sapiens* pour l'espèce humaine). Cette simplification fait faire un bond en avant à la systématique (classification) des plantes et des animaux.

◆ **L'observatoire de Jaipur (Inde).** Construit en 1724 par Jai Singh II, le fondateur de Jaipur, il est composé de plusieurs édifices disposés de façon précise pour observer le mouvement de certaines constellations.

Petit lexique

aberration de la lumière : changement apparent de la direction de propagation de la lumière en fonction du mouvement du système détecteur. Ainsi, le mouvement de la terre autour du Soleil entraîne un léger déplacement apparent des étoiles sur la voûte céleste.

dynamomètre : instrument utilisé pour mesurer une force, par exemple par l'allongement d'un ressort.

osmose : tendance d'une substance chimique à se déplacer et à traverser une paroi partiellement perméable pour égaliser sa concentration de part et d'autre de cette paroi.

sextant : instrument servant à mesurer la hauteur angulaire d'un astre au-dessus de l'horizon.

nom, permettant de mesurer la pression dans un fluide et qui, combiné avec une prise de pression statique, permet de calculer la vitesse de l'écoulement d'un fluide, notamment de l'air. **1733.** Découverte de deux types d'électrisation (positive et négative) par Charles François Du Fay de Cisternay (1698-1739). **1734.** Invention du dynamomètre par le Français Julie Le Roy (1686-1759). **1738.** *Hydrodynamica,* du Suisse Daniel Bernoulli (1700-1782) : traité d'hydrodynamique, fondements de la théorie cinétique des gaz. **1738.** Mesure de la vitesse du son dans l'air effectuée entre la butte Montmartre, à Paris, et Montlhéry par César François Cassini de Thury (1714-1784), Nicolas Louis de La Caille (1713-1762) et Giovanni Domenico Maraldi (1709-1788). **1742.** Échelle thermométrique centésimale du Suédois Anders Celsius (1701-1744). **1744.** Pierre Louis Moreau de Maupertuis (1698-1759) énonce le principe de moindre action et l'érige en loi universelle de la nature. **1745.** Premier condensateur électrique (la bouteille de Leyde) réalisé indépendamment par le Néerlandais Petrus Van Musschenbroek (1692-1761) et l'Allemand Ewald G. von Kleist (1700-1748). **1747.** Invention de l'électroscope par l'abbé Jean Antoine Nollet (1700-1770). **1748.** Découverte de l'osmose par l'abbé Nollet.

SCIENCES DE LA TERRE

1735. Charles Marie de La Condamine (1701-1774), Godin et Bouguer entreprennent un voyage en Amérique du Sud, en même temps que Maupertuis, Clairaut, Le Monnier vont en Laponie, afin de déterminer la figure de la Terre à l'équateur et au pôle. **1743.** *Théorie de la figure de la Terre,* du Français Alexis Clairaut (1713-1765). **1747.** C.F. Cassini de Thury entreprend l'établissement d'une grande carte de France, au 1/86 400.

SCIENCES DE LA VIE

1734. Début de la publication des *Mémoires pour servir à l'histoire des insectes* (12 vol.) par René Antoine Ferchault de Réaumur (1683-1757). **1735.** *Systema naturae,* premier ouvrage du Suédois Carl von Linné (1707-1778) sur la classification des plantes et des animaux. **1740.** Découverte, par le Suisse Charles Bonnet (1720-1793), de la parthénogenèse (reproduction assurée par la femelle, sans accouplement avec le mâle) chez le puceron. **1749.** Premier volume de l'*Histoire naturelle,* de Georges Louis Leclerc, comte de Buffon (1707-1788).

TECHNIQUES

1731. Réalisation du sextant par le Britannique John Hadley (1682-1744). **1733.** Invention de la navette volante (pour le tissage mécanique) par le Britannique John Kay (1704-1764). **1735.** Le Britannique Abraham Darby II (1711-1763) construit le premier haut fourneau industriel à coke. **1736.** Réalisation du premier chronomètre de marine par le Britannique John Harrison (1693-1776). **1737.** Le Français Jacques de Vaucanson (1709-1782) construit son premier automate, le « Joueur de flûte traversière ». **1742.** Invention, par le Britannique Benjamin Robins (1707-1751), du pendule balistique, pour mesurer la vitesse des projectiles. **1745.** Construction du métier à tisser automatique, conçu par J. de Vaucanson. **1747.** Découverte de l'arbre à caoutchouc (hévéa), en Guyane, par le Français François Fresneau (1703-1770).

La vogue de l'électricité

VOIR AUSSI • **Électricité** p. 346

Deux « électriciens » apportent, en l'espace de quelques années, des contributions essentielles à l'électrostatique : Stephen Gray (v. 1670-1736) découvre l'électrisation par influence et la conduction de l'électricité (la « vertu attractive » d'un corps électrisé est transmise par une ficelle humide de 293 pieds de longueur), tandis que Du Fay (1698-1739) montre l'existence de deux électricités de natures différentes, qu'il baptise « résineuse » (négative) et « vitrée » (positive). Son disciple, l'abbé Nollet (1700-1770), acquiert la célébrité en popularisant les expériences d'électrostatique. Les étincelles crépitent dans les salons de la haute société, où les marquises se pressent pour être électrisées par l'abbé.

◆ **Le physicien français Jean Antoine Nollet** (1700-1770) inventa le premier électroscope (1747), composé de deux fils de lin supportant des balles de sureau, puis l'électroscope à feuilles d'or (1750).

L'enthousiasme est à son comble lorsque apparaît le premier condensateur électrique, capable de stocker la mystérieuse énergie : une bouteille d'eau dont le bouchon est traversé par un clou. Ce dispositif semble avoir été inventé simultanément, en 1745, par Ewald G. von Kleist (1700-1748) et Petrus Van Musschenbroek (1692-1761), professeur à l'université de Leyde. Benjamin Franklin, né à Boston en 1706, découvre dès 1747 le « pouvoir des pointes » (qui attirent les décharges électriques), ce qui le mène à l'invention du paratonnerre.

La mécanique

Né à Bâle en 1707, Leonhard Euler écrira la majeure partie de ses ouvrages de mécanique et de mathématiques à l'Académie de Saint-Pétersbourg, où il travaille de 1727 à 1741. Son œuvre mathématique va de la théorie des nombres (il démontre un des énigmatiques théorèmes laissés par Pierre de Fermat [1601-1665] et trouve l'étonnante relation : $e^{i\pi} = -1$) à l'étude des séries, à celle des fonctions élémentaires (puissance, logarithme, etc.) et à la géométrie analytique. En mécanique, il donne les équations différentielles qui régissent le mouvement d'un corps solide en rotation autour d'un point fixe, et définit les concepts de centre d'inertie et de moment d'inertie. Il perfectionne aussi le « principe d'économie naturelle » énoncé par Pierre de Fermat et repris par Pierre Louis Moreau de Maupertuis sous la forme du « principe de moindre action », l'action en question étant égale au produit de la quantité de mouvement par la distance parcourue : « Le chemin que tient la lumière est celui pour lequel la quantité d'action est moindre. » Ce principe est une première approche de la conservation de l'énergie.

Mathématicien, physicien et futur auteur de l'*Encyclopédie*, Jean Le Rond d'Alembert montre de son côté que la quantité de mouvement de deux objets se conserve au cours d'un choc élastique, tandis que Daniel Bernoulli fonde l'hydrodynamique en observant la conservation des « forces vives » (l'énergie mécanique) dans l'écoulement d'un fluide parfait. Il pense, par ailleurs, que la pression des gaz est due au choc des atomes sur les parois des récipients qui les contiennent et que leur température est due à la « vivacité » de ces atomes. Cette théorie cinétique des gaz occupera les thermodynamiciens pendant une bonne partie du XIXe siècle.

Mesurer la Terre

Parmi les problèmes qui mobilisent les astronomes au XVIIIe s. figure celui de la forme de la Terre.

À l'initiative de l'Académie des sciences, deux expéditions sont organisées afin de savoir si le globe terrestre est aplati aux pôles, comme l'a suggéré Newton, ou s'il est allongé, comme le soutenait J. D. Cassini : les géodésiens Bouguer, Godin et La Condamine se rendent au Pérou pour y mesurer la longueur d'un degré de méridien (1735-1744), tandis que Maupertuis, Clairaut et Le Monnier font de même en Laponie (1736-1739). La confrontation des mesures effectuées par les deux équipes prouve l'aplatissement de la Terre aux pôles et son renflement à l'équateur, conformément aux idées de Newton.

◆ **Chronomètre de marine de John Harrison.**

L'invention du chronomètre de marine par J. Harrison permit aux navigateurs de déterminer les longitudes en mer avec une bien meilleure précision. On voit ici, à gauche, le quatrième chronomètre réalisé par Harrison. Essayé en 1762 lors d'un voyage à la Jamaïque, il ne présenta au retour, après six semaines en mer, qu'une erreur de marche de 5 secondes. L'appareil visible à droite est une copie de celui de gauche, exécutée par un autre constructeur, pour vérifier que les performances du chronomètre de Harrison n'étaient pas l'apanage d'un prototype. (Royal Observatory, Greenwich)

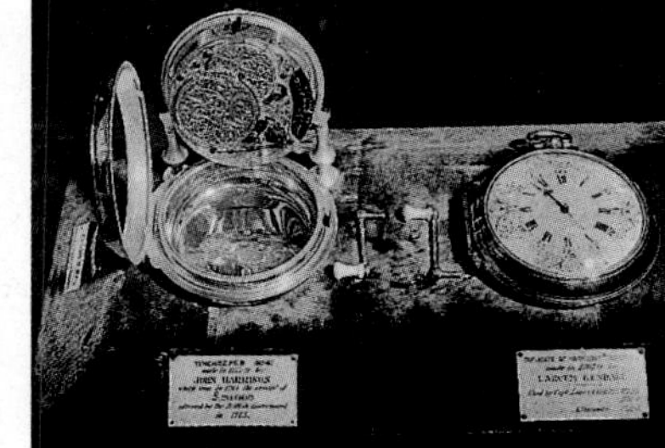

Les temps modernes

De 1751 à 1775
La naissance de l'Encyclopédie

L'ÉPOQUE : La guerre de Sept Ans ravage l'Europe, mais n'empêche pas l'extension des empires coloniaux : la Grande-Bretagne, en particulier, étend sa domination en Amérique du Nord et aux Indes. La traite des Noirs devient un fructueux commerce. Début des règnes de Louis XVI en France et de Catherine II en Russie.

IDÉES ET TENDANCES : La parution, étalée sur plus de vingt ans, de l'*Encyclopédie*, sous la direction de Diderot, marque bien le désir de porter à la connaissance du public ce qui, jusque-là, était réservé à l'élite. Cela va de pair avec l'engouement pour les salons, où la science est discutée et expliquée au beau monde. Prenant de plus en plus son indépendance par rapport aux dogmes, la biologie devient une science d'observation. L'idée d'une évolution de la Terre et de la vie s'impose, entre autres avec Buffon.

ASTRONOMIE

1751. Mesure de la parallaxe de la Lune (d'où se déduit la distance Terre-Lune) par les Français Nicolas de La Caille (1713-1762) et Joseph Jérôme Lefrançois de Lalande (1732-1807). **1773.** Le Français Pierre Simon de Laplace (1749-1827) démontre que le système solaire est mécaniquement stable.

CHIMIE

1751. Découverte du nickel par le Suédois Cronstedt (1722-1765). **1754.** Découverte de l'alumine par l'Allemand Andreas Sigismund Marggraf (1709-1782), du gaz carbonique par le Britannique Joseph Black (1728-1799). **1771.** Le Britannique Joseph Priestley (1733-1804) et le Suédois Carl Wilhelm Scheele (1742-1786) découvrent indépendamment l'oxygène. **1772.** Découverte de l'azote par le Britannique Daniel Rutherford (1749-1819). **1774.** C.W. Scheele découvre le manganèse et le chlore. **1775.** Le Français Antoine Laurent de Lavoisier (1743-1794) définit l'élément chimique et démontre que l'oxygène et l'azote sont des corps simples.

MATHÉMATIQUES

1768. L'Allemand Johann Heinrich Lambert (1728-1777) démontre l'irrationalité du nombre π. Le Français Gaspard Monge (1746-1818) jette les bases de la géométrie descriptive. **1772.** Le Français Vandermonde (1735-1796) développe l'étude des déterminants.

MÉDECINE

1757. Le Suisse Albrecht von Haller (1708-1777) indique que les mouvements des muscles sont dus à l'excitation des nerfs et que le centre de la sensibilité et des mouvements se trouve dans le cerveau.

PHYSIQUE

1752. Théorie de la capillarité par l'Allemand Johann Andreas von Segner (1704-1777). **1754.** Découverte de l'électrisation par influence par le Britannique John Canton (1718-1772). **1760.** Lambert établit les lois de la photométrie. **1760.** Le Britannique Joseph Black (1728-1799) établit la distinction entre température et quantité de chaleur et introduit les notions de chaleur spécifique et de chaleur latente de changement d'état.

SCIENCES DE LA TERRE

1759. L'Italien Giovanni Arduino (1714-1795) distingue nettement trois principaux âges de roches (ères primaire, secondaire et tertiaire).

SCIENCES DE LA VIE

1763. Le Français Michel Adanson (1727-1806) publie son ouvrage *les Familles naturelles des plantes*, dans lequel il démontre qu'il est nécessaire de prendre en compte de multiples caractères pour arriver à de bonnes classifications des espèces végétales et non seulement ceux des fleurs, comme le pensait Linné.

TECHNIQUES

1752. Invention du paratonnerre par l'Américain Benjamin Franklin. **1757.** Perfectionnement des lentilles achromatiques et invention de la lunette achromatique par le Britannique John Albrecht Dollond (1706-1761). **1759.** Le Français Christophe Philippe Oberkampf (1738-1815) fonde à Jouy-en-Josas, près de Paris, la première manufacture de toiles imprimées (toiles de Jouy). **1764.** Premier métier à tisser mécanique (spinning jenny), construit par le Britannique James Hargreaves (v. 1710-1778). **1765.** Le Britannique James Watt (1736-1819) perfectionne la machine à vapeur de Newcomen en la dotant d'un condenseur. **1770.** Le Français Joseph Cugnot (1725-1804) crée le fardier à vapeur.

Le paratonnerre de Franklin

Avec Benjamin Franklin, l'Amérique, pour la première fois, fait son entrée sur la scène de la science. Quinzième enfant d'une famille de dix-sept, né à Boston en 1706, il se met très jeune au service de son frère James, qui dirige une imprimerie et publie un journal libéral. Il apprend le métier d'imprimeur et s'initie à l'activité littéraire. En 1729, il crée à Philadelphie une imprimerie et un journal, et fonde un almanach, *Poor Richard.* Cet autodidacte, qui s'intéresse à tout, ouvre un club, crée une bibliothèque, un hôpital et une compagnie d'assurance contre l'incendie, multiplie les imprimeries et participe aux activités de la franc-maçonnerie, dont il devient l'un des plus importants dignitaires.

Franklin s'adonne surtout aux recherches concernant les phénomènes électriques. Depuis que l'on savait faire jaillir des étincelles, le rapprochement avait été fait plusieurs fois entre ces décharges électriques et les éclairs des orages : Jean Théophile Désaguliers (1683-1744) et l'abbé Nollet en France, Johann Heinrich Winckler (1703-1770) en Allemagne, entre autres, avaient établi cette comparaison.

En 1750, Franklin formule à son tour la même hypothèse, mais il a le mérite de suggérer le moyen de la vérifier. L'expérience est effectuée pour la première fois le 10 mai 1752 à Marly-la-Ville par le botaniste Thomas François Dalibard (1703-1799) : celui-ci fait ériger dans sa propriété, en plein air, une tige de fer haute de 13 m, soutenue par un tabouret à pieds de verre. Lors d'un orage, armé d'un morceau de fer emmanché dans une bouteille, il tire de la tige des étincelles crépitantes. Répétée quelques jours plus tard à Paris par un autre expérimentateur, Delor, puis à Saint-Germain-en-Laye par Louis Guillaume Le Monnier (1717-1799), cette expérience apporte la preuve décisive de l'identité de la foudre et de l'électricité. En décembre, Franklin effectue alors une autre expérience spectaculaire, à l'aide d'un cerf-volant muni d'une pointe de fer, à laquelle est attachée une longue corde de chanvre conductrice ; il en tire des étincelles au moyen d'une pièce de fer placée à l'extrémité de la corde. Puis il exécute diverses expériences avec une tige de fer dressée verticalement sur sa maison. Il explique comment une telle tige protège de la foudre et décrit la manière de la disposer pour réaliser une telle protection : le paratonnerre est inventé.

Buffon, le fondateur

Dans l'histoire de la biologie, Buffon (1707-1788) occupe une place aussi importante que celle d'Aristote ou de Darwin. Il a, en effet, exercé une énorme influence sur les biologistes, en France et dans le monde, bien au-delà du XVIIIe s., par son monumental ouvrage sur l'*Histoire naturelle* (44 volumes in-quarto). Issu d'une riche famille bourguignonne, Georges Louis Leclerc, comte de Buffon, se consacre à la science par vocation. Durant sa jeunesse, il séjourne en Angleterre, où il étudie les mathématiques, la physique et la physiologie des plantes. De retour en France, il publie une traduction des œuvres de Newton et d'un naturaliste britannique, Stephen Hales (1677-1761). En 1739, il est nommé intendant du Jardin du roi (on dirait aujourd'hui directeur du Jardin des Plantes), bien qu'il n'ait pas de qualification particulière pour ce poste. Il conçoit alors le projet d'écrire une histoire naturelle universelle, allant des minéraux jusqu'à l'homme. De 1749 jusqu'à sa mort en 1788, il publie 35 volumes, et 9 paraîtront encore de manière posthume. Cette encyclopédie aura un prodigieux succès dans le monde entier. Pratiquement toute personne sachant lire à cette époque l'aura lue (son style littéraire la rend notamment très accessible) et les philosophes des Lumières, notamment, la connaîtront tous bien.

Buffon fait de l'histoire naturelle une véritable science. Alors qu'auparavant les naturalistes s'étaient surtout occupés de classer les animaux (et les plantes), il s'attache à les décrire, non seulement sur le plan de l'anatomie, mais aussi sur celui de leurs mœurs et de leur mode de vie (autrement dit sur le plan de l'éthologie et de l'écologie, comme nous dirions aujourd'hui). Il est aussi le fondateur de la biogéographie (science de la distribution différente des animaux et des plantes sur les divers continents) et prépare le terrain pour l'élaboration d'une théorie de l'évolution – ce qui sera réalisé par son élève, Jean-Baptiste de Lamarck.

◆ **Le conépate, vu par Buffon.**
Une illustration de l'*Histoire naturelle des animaux quadrupèdes* de Buffon : le conépate, petit mammifère carnivore d'Amérique du Sud. (Bibliothèque nationale de France, Paris)

Spallanzani, abbé biologiste

L'abbé Lazzaro Spallanzani (1729-1799) est l'une des grandes figures de la biologie du XVIIIe s. On lui doit de nombreuses expériences en physiologie. L'une des premières est destinée à réfuter la notion traditionnellement admise de génération spontanée. Selon celle-ci, la matière inerte peut engendrer directement des êtres vivants, comme le prouvent, pense-t-on, les vers apparaissant dans la viande en putréfaction. Buffon, lui-même, admet, au XVIIIe s., que des « molécules organiques », disséminées partout dans la nature, peuvent s'assembler et engendrer des animalcules dans les flaques d'eau de pluie. L'abbé britannique John Turberville Needham (1713-1781) soutient ce point de vue par une expérience consistant à chauffer du jus de mouton enfermé hermétiquement dans une fiole : il y voit apparaître des animalcules. Or ceux-ci ne pouvaient ni avoir été apportés de l'extérieur durant l'expérience, ni avoir résisté à la chaleur s'ils y avaient été apportés avant. C'est pour réfuter la théorie de Buffon et de Needham que Spallanzani refait plus soigneusement l'expérience de ce dernier, en chauffant davantage la fiole contenant le jus de mouton : cette fois-ci, plus aucun animalcule n'apparaît. Cependant, l'opinion contemporaine continue à croire en la génération spontanée, et il faut attendre les expériences de Pasteur, au XIXe s., pour réfuter définitivement cette théorie. Spallanzani fait aussi des expériences dans le domaine de la physiologie de la digestion (il montre que le suc gastrique attaque la viande) et dans celui de la fécondation.

Dans ce dernier cas, il réalise une expérience extrêmement ingénieuse : il habille de petits caleçons des grenouilles mâles, de façon à les empêcher d'arroser de leur sperme les grappes d'œufs pondues par les grenouilles femelles. Il démontre ainsi que la semence mâle est nécessaire à la fécondation. Mais il se trompe en attribuant aux spermatozoïdes un rôle de simple stimulation physique de l'ovule. Pour Spallanzani, qui est oviste, l'œuf contient, de toute façon, le nouvel animal préformé en miniature, et il n'y a pas besoin d'imaginer que le spermatozoïde vient associer son matériel héréditaire à celui de l'ovule (comme on le sait aujourd'hui).

La mécanique céleste

Annoncé dès 1705 par l'astronome anglais Edmond Halley qui l'avait calculé en se fondant sur la loi d'attraction de Newton, le retour, en 1759, de la comète apparue en 1682 assure le succès définitif de la théorie de Newton et stimule le développement de la mécanique céleste. Dans la seconde moitié du XVIIIe s., Alexis Clairaut (1713-1765) précise la figure de la Terre, Euler approfondit la théorie de la Lune, d'Alembert formule la théorie de la précession et de la nutation. Lagrange, dans sa *Mécanique analytique* (1788), fait l'étude du système solaire à partir de la loi de Newton et justifie par le calcul toutes les perturbations du mouvement des planètes par rapport aux orbites prévues par les lois de Kepler, en introduisant l'action des autres corps célestes. Laplace, enfin, démontre en 1773 l'invariabilité des grands axes des orbites planétaires et établit, en 1784, la stabilité du système solaire. Dans sa *Mécanique céleste* (1798-1825), il étudie également le mouvement de la Lune et des satellites de Jupiter, la théorie des marées, etc. Dans son *Exposition du système du monde* (1796), il propose une théorie de la formation du système solaire (à partir d'une nébuleuse en rotation) dont s'inspirent encore les hypothèses modernes. Il envisage aussi l'existence d'étoiles obscures (donc invisibles), dotées d'un champ gravitationnel suffisamment intense pour emprisonner leur propre rayonnement, ce qui préfigure l'hypothèse des trous noirs.

◆ **Fardier de Cugnot.** Ingénieur militaire, Joseph Cugnot (1725-1804) réalisa en 1769-1770 le premier véhicule automobile à vapeur en mécanisant un fardier utilisé pour le transport des pièces d'artillerie. La chaudière se trouvait juchée en porte à faux vers l'avant. L'engin pouvait transporter 4 personnes, et se déplaçait à 4 km/h.

◆ **La comète de Halley,** en 1759, à l'Observatoire de Paris. Pour la première fois le retour d'une comète était observé après avoir été prédit par le calcul, et la preuve était fournie que les comètes, à l'instar des planètes, gravitent autour du Soleil. (BNF Paris)

Le géologue Hutton

Philosophe et homme de science, l'Écossais James Hutton (1726-1796) s'est d'abord intéressé à la médecine, en soutenant une thèse en 1749 sur la circulation du sang, puis à l'agronomie, en exploitant avec succès une ferme familiale de 1754 à 1768, enfin à la chimie sèche, en dirigeant avec un ami une manufacture de sel ammoniac. Hutton est toutefois connu pour deux apports fondamentaux à la géologie, l'origine magmatique du granite et la signification des discordances angulaires, qu'il transmet dans *Theory of the Earth* (1785).

Hutton propose que les roches enfouies profondément peuvent subir une élévation de température telle que leur fusion permet une remontée des matériaux vers la surface : c'est la théorie du plutonisme, qui s'oppose au neptunisme défendu par A. G. Werner, pour lequel toutes les roches de la Terre sont d'origine aqueuse, c'est-à-dire formées dans les océans. Un élève de Hutton, James Hall, vérifiera expérimentalement l'hypothèse de Hutton en faisant cristalliser en masse, sous pression, des sédiments chauffés en vase clos.

Selon Hutton, les remontées de granite soulèvent et plissent les couches sus-jacentes, qui forment ainsi des rides montagneuses. L'érosion sectionne ensuite les couches inclinées, que peuvent recouvrir des couches sédimentaires horizontales apportées par une transgression marine, définissant ainsi une discordance angulaire. Cette structure géologique, que Hutton observera sur le terrain après l'avoir prédite dans sa théorie, est à l'origine de la notion de cycle orogénique.

VOIR AUSSI
- **Orogenèses** p. 29
- **Encyclopédie** p. 1143

Illustrations
- **Mécanisme de la foudre** p. 65

L'*Encyclopédie*

Rassembler les connaissances éparses sur la surface de la Terre et en exposer le système général, afin que les travaux des siècles passés n'aient pas été des travaux inutiles pour les siècles futurs et que [nos] successeurs, devenant plus instruits, deviennent en même temps plus vertueux et plus heureux : tel est l'ambitieux dessein des promoteurs de l'*Encyclopédie*, ou *Dictionnaire raisonné des sciences, des arts et des métiers*, dont le premier volume paraît le 1er juillet 1751. Dirigée par Diderot, cette œuvre monumentale sans précédent va, pendant plus de vingt-cinq ans, nécessiter le concours de 150 savants, philosophes et spécialistes de toutes les disciplines, ainsi que celui de 4 libraires, et faire vivre un millier d'ouvriers. En 1772, après de nombreux incidents, auront paru 17 volumes in-folio et 11 volumes de planches.

Enseignant toutes les connaissances humaines, divulguant les arts appliqués et les secrets des métiers, éclairant ses définitions de magnifiques planches illustrées, l'*Encyclopédie* connaîtra un extraordinaire succès dans toute l'Europe, et fera l'objet de nombreuses réimpressions. Elle suscitera d'autres entreprises analogues, notamment l'*Encyclopédie méthodique* en 166 volumes, publiée de 1782 à 1832 par la librairie Panckoucke.

Petit lexique

capillarité : ascension (ou descente) d'un liquide dans un tube de faible diamètre liée aux forces de tension superficielle.

géométrie descriptive : ensemble de règles permettant de tracer la projection d'un objet sur différents plans.

lentilles chromatiques : systèmes optiques formés de plusieurs lentilles accolées, qui assurent une convergence identique de tous les rayons lumineux, quelle qu'en soit la longueur d'onde.

nutation : petit mouvement de rotation de l'axe de la Terre autour de sa position moyenne.

parallaxe : petit déplacement angulaire apparent des étoiles proches sur la voûte céleste au cours du mouvement de la terre sur son orbite permettant une mesure absolue de la distance de ces étoiles.

Les temps modernes

De 1776 à 1800

La science au service de la nation

L'ÉPOQUE : Indépendance des États-Unis d'Amérique, fin de la monarchie en France, Révolution française et prise du pouvoir par Bonaparte. Les idées révolutionnaires circulent à travers toute l'Europe.

IDÉES ET TENDANCES : La formation, dans des écoles spécialisées, de techniciens favorise l'essor de la technique, où la science apparaît comme un moyen utile de progrès. Cet état d'esprit se concrétise durant la Révolution française, avec une véritable réquisition des savants au service de la nation. Lorsqu'il emmène avec lui en Égypte une centaine de savants, Bonaparte montre que l'État doit prendre en charge et organiser la recherche scientifique.

ASTRONOMIE

1781. Découverte de la planète Uranus par le Britannique William Herschel (1738-1822). Premier catalogue de nébuleuses par le Français Charles Messier (1730-1817). **1783.** Découverte du mouvement du système solaire dans l'espace par W. Herschel. **1790.** Le Britannique Jesse Ramsden (1735-1800) réalise la monture équatoriale pour instruments astronomiques. **1794.** L'Allemand Ernst Florens Chladni (1756-1827) émet l'hypothèse de l'origine cosmique des météorites. **1796.** *Exposition du système du monde*, du Français Pierre Simon de Laplace (1749-1827), contenant l'hypothèse (aujourd'hui admise) selon laquelle le système solaire serait issu de la condensation d'une nébuleuse en rotation.

CHIMIE

1777. Analyse de l'air par le Français Antoine Laurent de Lavoisier (1743-1794), qui explique le rôle de l'oxygène dans la respiration. **1781.** Le Suédois Carl Wilhelm Scheele découvre le tungstène. **1783.** Synthèse de l'eau par le Britannique Henry Cavendish (1731-1810). **1785.** Le Français Claude Louis Berthollet (1748-1822) découvre les propriétés décolorantes de l'eau de Javel. **1789.** Lavoisier énonce la loi de conservation de la masse. L'Allemand Martin Heinrich Klaproth (1743-1817) découvre l'uranium et le zirconium.

MATHÉMATIQUES

1788. *Mécanique analytique,* de Joseph Louis de Lagrange.

MÉDECINE

1777. L'Italien Lazzaro Spallanzani (1729-1799) réalise les premières fécondations artificielles. **1796.** Première vaccination antivariolique par le Britannique Edward Jenner (1749-1823). L'Allemand Christian Friedrich Samuel Hahnemann (1755-1843) établit les principes de l'homéopathie.

PHYSIQUE

1784. Le Français René Just Haüy (1743-1822) jette les bases de la cristallographie. **1785.** Le Français Charles de Coulomb (1736-1806) énonce la loi des forces électrostatiques. **1800.** Découverte du rayonnement infrarouge par W. Herschel. Invention de la pile électrique par l'Italien Alessandro Volta (1745-1827).

SCIENCES DE LA TERRE

1790. Le mètre est défini comme la dix-millionième partie du quart de la longueur du méridien terrestre.

La découverte de l'oxygène

Depuis près d'un siècle, la théorie du phlogistique, principe de l'élément « feu » contenu de façon cachée dans certains corps et qui expliquerait le phénomène de la combustion, règne en maître sur la chimie, mais elle se heurte à un paradoxe gênant : si, comme le supposait Georg Ernst Stahl, le phlogistique s'échappe des corps au moment de leur combustion, pourquoi les métaux calcinés s'alourdissent-ils ? La raison en est qu'ils fixent l'oxygène, mais l'oxygène, en 1770, n'est pas encore connu.

Le chimiste écossais Joseph Black (1728-1799) avait découvert le gaz carbonique (l'« air fixe »), Henry Cavendish l'hydrogène (l'« air inflammable ») et Joseph Priestley (1733-1804) le chlorure d'hydrogène et le dioxyde d'azote.

Le 1er août 1774, Priestley observe, en chauffant de l'oxyde de mercure, le dégagement d'un gaz qui entretient les combustions. Il en parle en octobre de la même année à Antoine Laurent de Lavoisier qui vient de montrer qu'une partie de l'air atmosphérique se fixe sur les métaux pendant leur calcination. Le 8 mars 1775, Priestley isole enfin l'oxygène et observe qu'il entretient la respiration. À quelques jours près, Lavoisier et le Suédois Carl Wilhelm Scheele font la même découverte, mais, alors que pour Priestley ce gaz est de l'air atmosphérique ayant perdu son phlogistique (de l'« air déphlogistiqué »), Lavoisier montre qu'il s'agit d'un constituant de l'air. L'idée de Lavoisier est âprement combattue par les partisans du phlogistique, comme Priestley et Lamarck, qui ne s'inclinent qu'à la fin du XVIIIe siècle.

◆ **Lavoisier et sa femme.**
Copie d'une peinture de Louis David conservée au Metropolitan Museum of Art de New York. Sur le bureau, à côté de l'encrier, est représenté un appareil utilisé pour l'étude du gaz, qui est actuellement conservé au Conservatoire national des arts et métiers, à Paris. (CNAM, Paris)

Lavoisier

Antoine Laurent de Lavoisier a joué un rôle fondamental dans la constitution de la chimie en tant que science autonome, expérimentale et rigoureuse. Au milieu du XVIIIe s., la description des propriétés de la matière était dominée par le vieux dogme aristotélicien des quatre éléments (air, feu, eau, terre) rajeuni par des recherches comme celles de Georg Ernst Stahl (1660-1734). Lavoisier, en montrant que l'eau et l'air contenaient des composés d'éléments communs, que la calcination, la combustion et la respiration étaient de même nature, ébranle le vieux système et ouvre la voie à la chimie du XIXe siècle.

Expérimentateur hors pair, faisant preuve d'une rare indépendance d'esprit, Lavoisier étudie la composition des acides, élabore une théorie de la chaleur (le « calorique »), montre en 1785 que l'eau est constituée d'hydrogène et d'oxygène (poursuivant en cela les travaux de Cavendish, qui combina les deux éléments grâce à une étincelle électrique), et met au point avec Louis Bernard Guyton de Morveau (1737-1816) une nouvelle nomenclature chimique, clé d'une description unifiée de la matière.

Outre ses travaux de chimie, Lavoisier fait d'importantes expériences en biologie, plus exactement dans le domaine de la physiologie de la respiration. En 1780, il établit avec Laplace que la respiration est une « combustion très lente, semblable à celle du charbon ». Il montre encore que la respiration ne se borne pas à la combustion du carbone, mais implique aussi celle de l'hydrogène, et qu'elle produit non seulement du gaz carbonique, mais de l'eau. Enfin, il lie la respiration à l'alimentation (celle-ci apportant les matériaux destinés à la combustion) et à la transpiration (qui évacue la chaleur produite par la combustion).

◆ **Le grand télescope de Herschel.**
Compositeur et organiste, mais passionné d'astronomie, W. Herschel découvre la planète Uranus en 1781, et fonde l'astronomie stellaire. Son plus grand télescope, représenté ici, a un miroir de 1,2 m d'ouverture. Son tube, long de 12 m, est supporté par une monture mobile sur un rail circulaire. L'observateur fait se déplacer l'instrument par un assistant situé au sol.

La première vaccination

La variole, au XVIIIe s., n'a cessé de ravager le monde. Pour se protéger de cette grave maladie, le procédé de la « variolisation », consistant à injecter du pus de malade atteint de variole à des personnes saines, était connu depuis 1014 en Chine. Le procédé, qui conduit effectivement à une immunisation, se diffuse un peu en Occident au cours du XVIIIe s., mais il implique le risque de faire contracter la maladie elle-même.

SCIENCES DE LA VIE

1786. L'Italien Luigi Galvani (1737-1798) observe l'action de l'électricité sur la contraction musculaire.

TECHNIQUES

1776. L'Américain David Bushnell (1742-1824) lance le premier sous-marin (la *Tortue*). Le Français Claude François de Jouffroy d'Abbans (1751-1832) expérimente sur le Doubs son premier bateau à vapeur. **1779.** Premier pont métallique, l'Iron Bridge, construit par le Britannique Abraham Darby III (1750-1791), sur la Severn, près de Coalbrookdale. **1783.** Invention de la montgolfière par les Français Joseph (1740-1810) et Étienne (1745-1799) de Montgolfier. Premier vol humain dans l'atmosphère (21 nov.) par François Pilâtre de Rozier (1754-1785) et le marquis François d'Arlandes (1742-1809). **1784.** L'Écossais James Watt invente le régulateur à boules. **1785.** J. Watt réalise la machine à vapeur à double effet. Jean-Pierre Blanchard (1753-1809) invente le parachute et effectue la première traversée de la Manche en ballon. Le Britannique Edmund Cartwright met au point le métier à tisser mécanique. **1790.** Le Français Joseph Marie Jacquard (1752-1834) conçoit le métier à tisser qui porte son nom. **1793.** Télégraphe optique du Français Claude Chappe (1763-1805). **1794.** Le Français Nicolas Jacques Conté (1755-1805) fabrique le premier crayon à mine de graphite. **1795.** Institution du système métrique en France. Invention du télémètre par le Français Alexis de Rochon (1741-1817). **1796.** Premier tour à fileter, construit par le Britannique Henry Maudslay (1771-1831). **1799.** Le Français Philippe Lebon (1767-1804) prend un brevet pour l'application du gaz provenant de la distillation du bois à l'éclairage et au chauffage. **1800.** Premier sous-marin à hélice, le *Nautulus* (plus tard *Nautilus*) construit par l'Américain Robert Fulton (1765-1815). L'Écossais John Loudon McAdam (1756-1836) met au point le revêtement pierreux de chaussée qui porte son nom (macadam).

La méthode que découvre le médecin britannique Edward Jenner (1749-1823) est promise à un bel avenir. Au lieu d'inoculer la variole elle-même, il inocule, le 14 mai 1796, une forme différente de la maladie, la vaccine, frappant habituellement les vaches. Jenner a remarqué que les filles de ferme qui traient les vaches atteintes présentent des symptômes de variole très atténués, mais ne contractent jamais la maladie elle-même.

Le principe de la vaccination (terme qui vient de l'inoculation de la vaccine, comme prototype du procédé) consiste donc à susciter une première fois la production d'anticorps contre un virus ou un microbe, dans des conditions non dangereuses (inoculation d'un microbe voisin inoffensif ou du microbe lui-même mais tué, etc.). Lors d'une rencontre ultérieure avec l'agent pathogène, l'organisme saura immédiatement produire de nouveau des anticorps neutralisants.

VOIR AUSSI • **Prévention des maladies** p. 217

La pile électrique

La vogue de l'électricité est à son apogée en 1779, mais personne ne pense sérieusement qu'il soit un jour possible de mesurer le « fluide » électrique ou de lui trouver des applications utiles. Ancien ingénieur militaire, Charles Augustin de Coulomb utilise une balance de torsion pour mesurer la force s'exerçant entre deux corps chargés. Il découvre ainsi la loi de l'attraction électrostatique, qui ressemble à s'y méprendre (il suffit de remplacer la masse par la charge électrique) à celle de l'attraction universelle. Il est d'ailleurs curieux de noter que Coulomb désigne par « masse électrique » ce que nous appelons aujourd'hui la « charge ».

Pendant ce temps, à Bologne, un professeur d'anatomie nommé Luigi Galvani, poursuivant ses recherches sur l'électricité animale, observe que les muscles d'une grenouille écorchée se contractent au voisinage d'une machine électrostatique en fonctionnement. Le même phénomène se reproduit lorsqu'il suspend son électromètre biologique à son balcon.

Galvani pense que les muscles de la grenouille emmagasinent l'électricité, comme dans le cas de la bouteille de Leyde, mais Alessandro Volta, brillant professeur à l'université de Pavie, avance une autre explication : l'animal étant suspendu par un crochet de cuivre au balcon en fer, c'est au contact des deux métaux qu'est due la production d'électricité. La première pile électrique, empilement de rondelles de cuivre et de zinc baignant dans de l'eau acidulée, naît de cette hypothèse. Le merveilleux objet capable de fournir une « décharge électrique continue » suscite l'admiration des membres de la Royal Society, à Londres, et de ceux de l'Institut, à Paris, au point que Napoléon nomme son inventeur comte et sénateur du royaume d'Italie.

Petit lexique

balance de torsion : instrument de mesure des forces fondé sur la déformation d'un fil raide soumis à une torsion.

cristallographie : étude de la forme et de la structure géométrique des cristaux.

monture équatoriale : système de pivots permettant d'orienter une lunette ou un télescope de façon à suivre le mouvement diurne des astres par une simple rotation autour d'un axe.

◆ **Le premier vol humain.**
La montgolfière de Pilâtre de Rozier et du marquis d'Arlandes survolant Paris, le 21 novembre 1783, vue de la terrasse de B. Franklin, à Passy. Partis du château de la Muette, les aéronautes atterrissent environ 20 minutes plus tard sur la Buttes-aux-Cailles, après avoir parcouru 8 km « sans avoir éprouvé la plus légère incommodité ». (Bibliothèque nationale de France, Paris)

◆ **Expériences de Galvani sur l'électricité animale.**
Extraite de l'ouvrage *De viribus electricitatis* (1791), de Luigi Galvani, cette planche illustre quelques-unes des nombreuses expériences réalisées par le savant italien pour vérifier l'effet des décharges électriques sur des nerfs de grenouilles ou d'autres animaux.

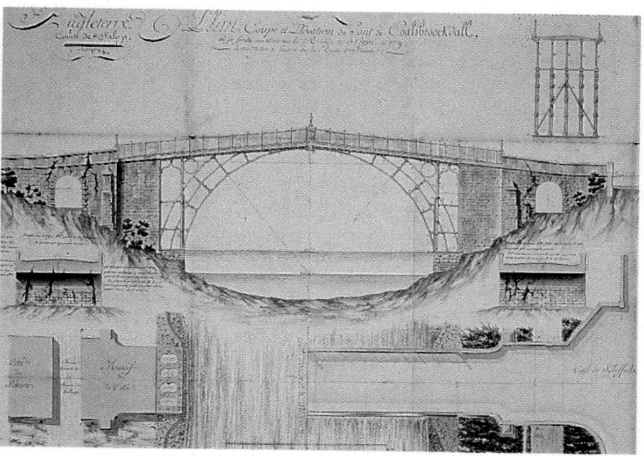

◆ **Le premier pont en fonte.**
Construit de 1775 à 1779 sur la Severn, près de Coalbrookdale (Grande-Bretagne), ce pont inaugura l'utilisation du fer comme matériau de construction. Une utilisation rendue possible par la découverte d'Abraham Darby (1678-1717), qui, dès 1709, produisit du fer à bon marché en brûlant dans un haut-fourneau du coke au lieu du charbon de bois utilisé jusqu'alors.

Le XIXe siècle

De 1801 à 1810
L'invention de l'atome par les chimistes

L'ÉPOQUE : Napoléon Ier, invaincu sur terre, subit la défaite maritime, face aux Britanniques à Trafalgar. L'Europe s'agite sous la pression des forces nationalistes et populaires, mais les vieilles structures monarchiques résistent.

IDÉES ET TENDANCES : La remise en question des idées reçues, la démarche expérimentale et les progrès instrumentaux créent les conditions d'une révolution scientifique qui débute avec le siècle et débouchera sur les découvertes majeures que sont l'électromagnétisme, l'atomisme, les théories de l'évolution et l'histoire géologique de la Terre. L'idée sous-jacente d'une grande unité de la nature servira de guide à ces développements, mais parfois aussi de frein. La vapeur, maîtrisée, remplace progressivement les autres types d'énergie locomotive.

ASTRONOMIE
1801. Découverte du premier astéroïde, Cérès, par l'Italien Giuseppe Piazzi (1746-1826). **1803.** À la suite de la chute de météorites survenue à L'Aigle (Orne), l'Académie des sciences admet l'origine cosmique des météorites.

CHIMIE
1802. Le Français Louis Joseph Gay-Lussac (1778-1850) énonce la loi de dilatation des gaz. **1803.** Le Français Claude Louis Berthollet énonce les règles permettant de prévoir les réactions de double décomposition entre sels, acides et bases. Le Britannique John Dalton (1766-1844) élabore la théorie atomique. **1805.** L. J. Gay-Lussac énonce les lois sur les rapports des volumes de gaz entrant en combinaison. **1807.** Le Britannique Humphry Davy (1778-1829) découvre et isole, par électrolyse, le sodium et le potassium. **1808.** J. Dalton énonce la loi des proportions multiples, selon laquelle, quand deux éléments chimiques forment plusieurs composés, les masses de l'un d'eux qui s'unissent, dans ces divers composés, à une même masse de l'autre forment entre elles des rapports à termes entiers et généralement simples. Le Français Joseph Louis Proust (1754-1826) énonce la loi des proportions définies : les rapports des masses suivant lesquels deux ou plusieurs éléments chimiques se combinent sont déterminés et non susceptibles de variations continues. H. Davy obtient, par électrolyse, le baryum, le calcium et le strontium.

MATHÉMATIQUES
1806. Le Suisse Jean Robert Argand (1768-1822) élabore une représentation géométrique des nombres complexes.

PHYSIQUE
1801. Découverte des interférences lumineuses par le Britannique Thomas Young (1773-1829) et du rayonnement ultraviolet par l'Allemand Johann Wilhelm Ritter (1776-1810). **1807.** T. Young introduit la notion d'énergie mécanique. **1808.** Le Français Étienne Louis Malus (1775-1812) découvre la polarisation de la lumière. **1809.** J.-B. Biot mesure la vitesse du son dans divers solides et élabore une théorie mathématique de sa propagation.

SCIENCES DE LA TERRE
1805. Début de la publication du *Voyage aux régions équinoxiales du Nouveau Continent* (30 volumes) du naturaliste allemand Alexander von Humboldt (1769-1859).

SCIENCES DE LA VIE
1801. Parution de l'*Anatomie générale,* du Français Xavier Bichat (1771-1802), premier anatomiste à établir que chaque organe est formé par un tissu. **1804.** Publication de *Recherches chimiques sur la végétation,* du Suisse Nicolas Théodore de Saussure (1767-1845). Celui-ci, grâce à ses expériences, montre que les plantes décomposent l'eau qu'elles absorbent, assimilent le carbone du gaz carbonique et puisent dans le sol les sels minéraux et l'azote. **1809.** L'Italien Luigi Rolando (1773-1831) décrit la structure du cerveau, reconnaissant à sa surface le sillon qui délimite le pôle antérieur et le pôle postérieur (sillon de Rolando). Le Français Jean-Baptiste de Lamarck (1744-1829) fait paraître sa *Philosophie zoologique,* première grande théorie de l'évolution des espèces.

TECHNIQUES
1802. Invention du chalumeau oxhydrique par l'Américain Robert Hare (1781-1858). **1804.** Première locomotive commerciale réalisée par le Britannique Richard Trevithick (1771-1833). Première ascension scientifique en ballon, par les Français Jean-Baptiste Biot (1774-1862) et Louis Joseph Gay-Lussac. **1805.** Le Français Joseph Marie Jacquard (1752-1834) perfectionne le métier à tisser en y adjoignant un dispositif de sélection par cartons perforés. **1807.** Le *Clermont,* bateau à vapeur construit sur les plans de Robert Fulton (1765-1815), est essayé avec succès sur l'Hudson, inaugurant un service régulier de navigation fluviale à vapeur.

Les propriétés de la lumière

Alors que la théorie corpusculaire de Newton semble capable d'expliquer tous les phénomènes optiques, deux savants vont lui porter un coup fatal.

Le premier, Thomas Young (1773-1829), est un médecin britannique, rival de Champollion (à qui il conteste la paternité du déchiffrement des hiéroglyphes). Mais il est surtout connu pour ses découvertes sur la lumière. Observant des bulles de savon, il attribue leur irisation au fait que l'onde lumineuse réfléchie par la surface extérieure d'une bulle s'entremêle avec l'onde réfléchie par la surface intérieure. Selon lui, la très légère « différence de marche » entre les deux rayons doit rendre compte des couleurs observées. À l'examen d'une source lumineuse à travers un écran percé de deux trous très rapprochés, il constate une série de franges alternativement obscures et lumineuses. Ce sont des interférences analogues à celles que l'on peut observer à la surface d'un liquide. En mesurant la distance d'une frange à la suivante, il parvient à calculer les longueurs d'onde des diverses couleurs. Cependant, sa théorie ondulatoire restera longtemps dans les tiroirs de la Royal Society.

Le second savant est un ex-officier de la campagne d'Égypte, Étienne Louis Malus (1775-1812), qui explique l'énigmatique propriété (déjà signalée par Christiaan Huygens [1629-1695]) qu'ont les cristaux de calcite de dédoubler les images. Superposant deux cristaux, il observe que, dans certaines positions de l'un d'eux, la lumière est arrêtée.

Newtonien convaincu, Malus avance que les corpuscules lumineux ont des pôles susceptibles d'être orientés par le cristal. Le problème de la polarisation ainsi posé se compliquera avec les découvertes d'Arago et de Biot en 1811, et ne sera partiellement résolu qu'en 1821, dans le cadre d'une théorie ondulatoire proposée par Augustin Fresnel.

◆ **Le naturaliste Alexander von Humboldt en expédition en Colombie, en 1801.**
Il observe ici des volcans près de Carthagène.

VOIR AUSSI
- **Atome** p. 336
- **Lumière** p. 340

Atomistes contre équivalentistes

La chimie du début du XIXe s. est placée sous le signe de l'électricité. Grâce à la pile de Volta, qui permet de dissocier les solutions par le passage du courant électrique (électrolyse), de nombreux corps simples sont découverts. Sir Humphry Davy isole ainsi le potassium, le sodium, le magnésium, et montre que l'électrolyse de l'eau donne « 57 mesures d'hydrogène pour 27 mesures d'oxygène ». Louis-Joseph Gay-Lussac observe à son tour que les gaz se combinent entre eux dans des rapports volumétriques simples et Proust généralise cette notion avec la loi des proportions définies : les divers constituants d'un composé sont dans des proportions entières et invariables. Amedeo Avogadro (1776-1856) en 1811, puis Ampère (1775-1836) en 1814 en déduiront qu'un volume donné de n'importe quel gaz renferme un nombre invariable de « molécules » et introduiront la notion de « poids moléculaire ». Les tables d'équivalents, donnant le poids *x* d'un corps susceptible de s'unir avec le poids *y* d'un autre corps, deviennent l'outil majeur de la chimie du XIXe siècle.

À cette vision purement descriptive de la chimie s'oppose, dès 1803, une théorie explicative proposée par un modeste professeur de sciences naturelles de Manchester, John Dalton. Le principal argument opposé à la loi des proportions définies était qu'un corps donné, l'azote par exemple, peut avoir plusieurs oxydes que l'on écrit aujourd'hui : NO, NO_2, NO_3, etc. Dalton remarque que la proportion d'oxygène est toujours le multiple d'une quantité irréductible, ce qui indique l'existence d'une particule ultime, d'un atome d'oxygène. Les réactions chimiques se font donc par association d'atomes, chaque atome ayant un poids différent.

Lamarck, le premier évolutionniste

Né en 1744, dans une famille noble mais pauvre du nord de la France, Jean-Baptiste de Monet, chevalier de Lamarck, fait une brève carrière militaire de 17 à 19 ans. Puis il s'installe à Paris et s'intéresse à l'histoire naturelle, particulièrement à la botanique, écrivant en 1778 une *Flore française* en 4 volumes, qui est très remarquée. Buffon le choisit comme tuteur de son fils, puis le fait nommer, en 1788, assistant de botanique au Muséum d'histoire naturelle. Durant la Révolution, il devient professeur de zoologie des invertébrés. Étudiant les collections de coquillages fossiles, il conçoit la première théorie de l'évolution des espèces, avant Charles Darwin. Il en présente les grandes lignes dans le *Discours d'ouverture* de ses conférences en 1800, et un exposé complet dans sa *Philosophie zoologique* (1809). L'idée essentielle de cette théorie est le transformisme, c'est-à-dire la transformation graduelle des espèces au cours du temps, et en fonction d'une adaptation des animaux à leur milieu. La grande différence entre la théorie de Lamarck et celle de Darwin tient à ce que la première vise à expliquer pourquoi des espèces trouvées à l'état fossile n'existent plus (phénomène d'extinction des espèces), alors que la seconde s'attache à l'apparition de nouvelles espèces.

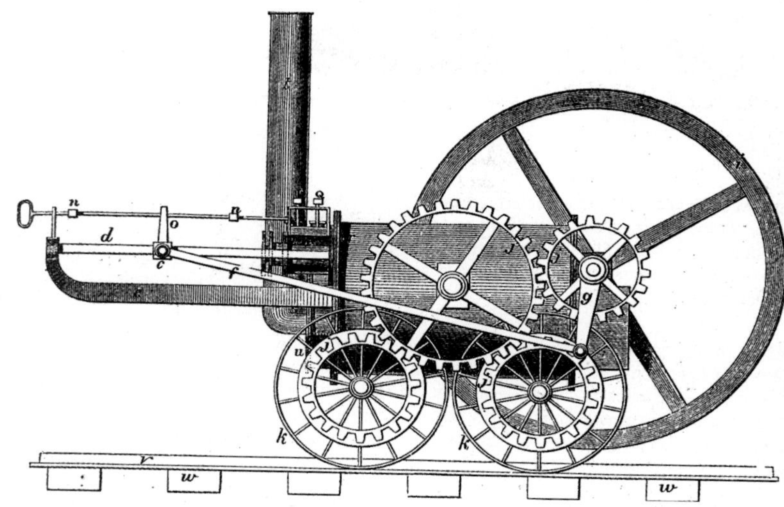

◆ **La première locomotive à vapeur.**
Le précurseur de tous les constructeurs de locomotives est le Gallois Richard Trevithick (1771-1833). En 1803, on lui suggère de construire une locomotive à vapeur capable de relier les forges de Penydarran à la localité d'Abercynon, distante d'une quinzaine de kilomètres. Trevithick réalise une locomotive de 5 t, la *South Wales*. À son premier essai, le 24 février 1804, elle tire une charge de 20 t à la vitesse de 8 km/h. Puis elle remorquera jusqu'à 25 t. Mais, trop lourde, elle provoque des ruptures de rail (alors en fonte), ce qui met fin aux essais.
Du moins la preuve est-elle apportée que des charges importantes peuvent être tractées grâce à l'adhérence des roues au rail par le seul poids de l'engin tracteur.

Les observations d'astéroïdes

Entre Mars, la dernière des planètes telluriques, et Jupiter, la première des géantes, s'étend une grande lacune qui partage en deux le système solaire. Dans la seconde moitié du XVIIIe s., la loi de Titius-Bode, qui donne empiriquement les distances relatives des planètes au Soleil, conduit les astronomes à envisager la présence dans cette lacune d'une planète encore inconnue. À l'instigation de Bode, directeur de l'observatoire de Berlin, et du baron von Zach, astronome amateur hongrois, se constitue un groupe d'observateurs ayant pour objectif la recherche de cette planète mystérieuse. Cette équipe est pourtant devancée. En effet, le 1er janvier 1801, à Palerme, Giuseppe Piazzi a la surprise de découvrir dans la constellation du Taureau un astre ne figurant sur aucune carte. Celui-ci se révèle être une petite planète circulant à une distance moyenne de 414 millions de kilomètres du Soleil, avec une période de révolution de 1 680 jours. Mais cette petite planète, nommée Cérès, n'est pas unique. Dans les années suivantes, on découvre successivement Pallas (1802), Junon (1804), Vesta (1807) et Astrée (1845).

Depuis 1848, il ne s'est pas passé d'année sans nouvelles découvertes et leur nombre a même beaucoup augmenté depuis 1891 grâce à l'utilisation systématique de la photographie. Actuellement, plus de 3 500 astéroïdes sont répertoriés, dont les plus petits ne mesurent que quelques centaines de mètres.

Citer les fourmilliers parmi les quadrupèdes qui ne vivant que de fourmis qu'ils attrappent en fesant sortir de leur bouche une langue grêle et cylindrique et les avalant avec la proie n'ont eu aucun usage a faire des dents. aussi depuis de pareilles habitudes les dents ont dû disparoître insensiblement et en effet ils en manquent.

◆ **Lamarck et le transformisme.**
Pour Lamarck, chez les animaux, le besoin crée l'organe nécessaire, l'usage le fortifie et l'accroit ; le défaut d'usage entraîne l'atrophie et la disparition de l'organe utile. Sur ce feuillet manuscrit, le naturaliste illustre son hypothèse par l'exemple du fourmilier, qui a perdu ses dents faute d'avoir à les utiliser.

Petit lexique

polarisation de la lumière : l'onde lumineuse est une vibration qui se produit dans une direction perpendiculaire à la direction de propagation. La lumière est polarisée dans la direction de cette vibration. La lumière non polarisée vibre également dans toutes les directions.

La boîte de conserve

Ayant observé que le chauffage des aliments contenus en récipient clos arrête définitivement toute fermentation ultérieure, Nicolas Appert (1749-1841) entreprend à partir de 1790 la commercialisation d'aliments conservés en bouteilles (viandes, lait, légumes, fruits, etc.). Le ministère de la Marine teste ses produits en 1804. Des échantillons sont envoyés à Brest et conservés trois mois avant d'être goûtés. Les résultats sont favorables, le rapport du préfet maritime précisant que « les haricots et les petits pois, préparés avec ou sans viande, ont gardé la fraîcheur et l'agréable saveur des légumes frais ». En 1810, Appert révèle son procédé (dit « appertisation ») et gagne ainsi un prix de 12 000 francs offert par le ministère de l'Intérieur. La même année, il publie *le Livre de tous les ménages, ou l'Art de conserver pendant plusieurs années toutes les substances animales et végétales.* Ultérieurement, il perfectionne son procédé, abandonnant les récipients en verre pour les boîtes en fer-blanc.

Le XIXe siècle

De 1811 à 1820
La photographie et l'électromagnétisme

L'ÉPOQUE : La fin de l'empire napoléonien, après les Cent-Jours et l'exil à Sainte-Hélène, donne l'occasion aux monarchies européennes de resserrer les rangs (constitution de la Sainte-Alliance). Des revendications démocratiques et sociales s'expriment un peu partout en Europe. Les mouvements d'émancipation coloniale s'étendent en Amérique du Sud.

IDÉES ET TENDANCES : Plusieurs découvertes importantes en optique déclenchent une vive confrontation entre les newtoniens, partisans d'un modèle corpusculaire de la lumière, et les partisans du modèle ondulatoire issu de Huygens, qui finissent par triompher. La connexion entre électricité et magnétisme est amorcée, riche en applications. Les locomotives commencent à rouler et les premières photographies apparaissent.

CHIMIE

1811. L'Italien Amedeo Avogadro fait l'hypothèse de la constance du nombre de molécules dans des volumes égaux de gaz différents. Découverte de l'iode par le Français Bernard Courtois (1777-1838).**1814.** Distinction entre atomes et molécules effectuée par le Français André Marie Ampère (1775-1836). **1818.** Découverte de l'eau oxygénée par le Français Louis Jacques Thenard (1777-1857).

MATHÉMATIQUES

1811. Le Français Joseph Fourier (1768-1830) montre que toute fonction peut être développée sous forme de séries trigonométriques. **1812.** Publication de la *Théorie analytique des probabilités,* de Laplace. **1814.** Début des travaux du Français Augustin Cauchy (1789-1857) sur la théorie des fonctions d'une variable complexe. **1816.** La Française Sophie Germain (1776-1831) présente un *Mémoire sur la vibration des plaques élastiques* qui pose les bases de la théorie de l'élasticité.

PHYSIQUE

1811. Découverte de la polarisation chromatique et de la polarisation rotatoire de la lumière par les Français François Arago et Jean-Baptiste Biot. Découverte de l'arc électrique par le Britannique Humphry Davy. **1814.** Invention du spectroscope par l'Allemand Joseph von Fraunhofer (1787-1826) qui, grâce à ce nouveau dispositif, découvre les raies d'absorption (raies sombres) du spectre solaire. Le Britannique David Brewster (1781-1868) découvre les lois de la polarisation par réflexion. J.-B. Biot met en évidence le pouvoir rotatoire de certains liquides, qui, comme l'essence de térébenthine et les solutions sucrées, possèdent la propriété de faire tourner le plan de polarisation de la lumière qui les traverse. **1819.** Le Français Augustin Fresnel (1788-1827) publie un mémoire sur la diffraction où il décrit le dispositif connu depuis sous le nom de « miroir de Fresnel » et prouve que la théorie ondulatoire de la lumière peut seule expliquer les phénomènes d'interférences lumineuses. Énoncé de la loi sur la chaleur massique des corps simples par les Français Pierre Louis Dulong et Alexis Thérèse Petit. **1820.** Le Danois Hans Christian Œrsted (1777-1851) découvre les effets magnétiques du courant électrique ; André Marie Ampère établit la théorie du phénomène. J.-B. Biot et Félix Savart (1791-1841) déterminent la valeur du champ magnétique engendré par un courant rectiligne et énoncent la loi correspondante. F. Arago découvre l'aimantation du fer placé au voisinage d'un courant électrique.

SCIENCES DE LA VIE

1811. Publication de l'*Esquisse d'une nouvelle anatomie du cerveau,* du Britannique Charles Bell (1774-1842), à qui l'on doit la découverte du rôle moteur des racines antérieures de la moelle. **1816.** Le Français François Magendie (1783-1855) établit la distinction entre racines motrices et racines sensitives des nerfs rachidiens.

TECHNIQUES

1812. Le Britannique Christopher Blackett montre que l'adhérence seule permet la traction sur rail. **1813.** Mise en service de la *Puffing Billy,* première locomotive à vapeur utilisant le principe de l'adhérence des roues par simple frottement sur une surface lisse ; construite par le Britannique William Hedley (1779-1843), elle fonctionnera jusqu'en 1864. **1814.** Expérimentation de la première locomotive à vapeur du Britannique George Stephenson (1781-1848), la *Blucher,* qui se déplace sur des rails en fer. **1816.** Invention de la photographie par le Français Nicéphore Niépce (1765-1833) et de la lampe de sûreté pour les mineurs par H. Davy. Première présentation, à Paris, de la draisienne (ancêtre de la bicyclette) par l'Allemand Karl Friedrich Drais (1785-1851). L'Autrichien Johann Nepomuk Maelzel (1772-1838) construit le métronome et le fait breveter à Paris. **1819.** Invention de la sirène par le Français Charles Cagniard de La Tour (1777-1859).

Cuvier fonde l'anatomie comparée

Chargé de cours au Muséum d'histoire naturelle en 1795, puis professeur au Collège de France en 1799, Georges Cuvier se consacre d'abord à l'étude des invertébrés, animaux regroupés par Linné en une seule classe, celle des vers. Il montre en 1795, grâce à de très nombreuses dissections, que l'anatomie interne de ces animaux permet de les ranger dans six classes différentes. Plus tard, toujours sur la base de l'anatomie comparée, il reconnaît dans la totalité du règne animal quatre grands embranchements : les vertébrés, les mollusques, les articulés et les radiés (seul ce dernier s'est révélé, par la suite, composite).

Les méthodes et les principes de Cuvier (loi de corrélation des caractères, loi de subordination des caractères) restent encore aujourd'hui en vigueur. Par ailleurs, il a apporté d'importantes contributions en paléontologie, analysant spécialement les mammifères fossilisés dans les couches tertiaires du Bassin parisien. Curieusement, cela ne le conduit pas à formuler une théorie de l'évolution des espèces. Il considère au contraire que les espèces éteintes ont péri sous l'action de divers déluges dans les temps préhistoriques et s'oppose aux idées de Geoffroy Saint-Hilaire et de Lamarck. Cette conception, inspirée du Déluge biblique, perdure tard dans le XIXe s., même après Darwin.

Laplace et le déterminisme

Pierre Simon de Laplace a traversé la science comme les régimes politiques. Il expérimente avec Lavoisier sous Louis XVI, analyse le mouvement des planètes sous l'Empire et étudie la propagation des ondes sonores sous la Restauration. Sa *Théorie analytique des probabilités* (1812) en fait surtout le fondateur de la statistique. Dans sa *Mécanique céleste,* il note que les lois de Kepler ne sont qu'une approximation : si l'on veut connaître précisément la position d'une planète à un instant donné, il faut tenir compte des perturbations introduites par les autres planètes du système solaire. Ces calculs étant très complexes (les corrections de trajectoire des sondes spatiales sont aujourd'hui confiées à des superordinateurs), Laplace perfectionne le calcul des perturbations et bâtit la théorie des erreurs : la mesure d'une grandeur physique est forcément entachée d'une erreur aléatoire, mais la distribution d'un grand nombre de ces mesures suit une loi (dite « de Laplace-Gauss ») parfaitement déterminée. Dès lors, il devient possible de comprendre les phénomènes que l'on croyait jusque-là dus au hasard, le hasard n'étant finalement que le résultat de notre ignorance. Selon Laplace, si l'on connaissait avec précision l'état de l'Univers à un instant donné, son passé et son évolution future seraient accessibles aux lois de la mécanique : la Nature devient un gigantesque enchaînement de causes et d'effets accessible à l'intelligence. Tout le XIXe s. sera nourri de cette vision déterministe.

◆ **Pierre Simon, marquis de Laplace.** Astronome, mathématicien et physicien, Laplace a laissé une œuvre scientifique considérable. Sa carrière a été un modèle d'ascension sociale : ce fils de cultivateur est comblé d'honneurs par Napoléon, qui le nomme comte de l'Empire en 1806, puis par Louis XVIII, qui le fait marquis et pair de France. Son *Exposition du système du monde* est une tentative d'élaboration d'une histoire du système solaire dans laquelle n'interviennent que l'observation et le calcul, c'est-à-dire sans *a priori* métaphysique. (Musée national du château de Versailles)

Niépce invente la photographie

Très attiré par la recherche scientifique, Nicéphore Niépce, né en 1765 à Chalon-sur-Saône, dépose, en 1807, le brevet d'un remarquable moteur à combustion interne, qu'il met au point avec la collaboration de son frère Claude. Véritable précurseur du moteur Diesel, ce « pyréolophore », dont le principe est fondé sur l'inflammation brusque de la poudre de lycopode (petite plante vivace appelée aussi « pied-de-loup ») – bientôt remplacée par du pétrole –, devait servir à propulser un bateau sur la Saône. Cependant, cette invention ne sera jamais exploitée et ruine pour un temps son auteur, qui s'adonne alors à d'autres expériences, notamment sur les ersatz (sucre de betterave, fécule colorante du pastel, plantes à fibres textiles). Mais Niépce se passionne surtout pour la lithographie, découverte peu avant par Alois Senefelder (1771-1834). Cherchant un moyen de décalquer ou de reporter sur la pierre les images qu'il voulait reproduire, il réussit en 1816, en se servant de la chambre noire chargée avec un papier enduit de chlorure d'argent, à obtenir une image négative qu'il ne peut malheureusement que très imparfaitement fixer grâce à l'acide nitrique.

Dix ans plus tard, Niépce expérimente le bitume de Judée dissous dans de l'huile de Dippel : cette substance noire a en effet la propriété de blanchir et de devenir insoluble là où elle a été impressionnée par la lumière. Une plaque de cuivre enduite de cette substance et exposée durant huit heures dans la chambre noire, puis plongée dans un solvant (essence de lavande) et attaquée par un acide dans les parties dépourvues de bitume, fournit ainsi à Niépce une image en relief, première image photographique du monde (une vue de la campagne chalonnaise). On doit également à Niépce la réalisation de la première chambre noire photographique, de la première chambre coulissante, du premier diaphragme à iris (réinventé cinquante ans plus tard), et encore celle d'une chambre munie d'une bobine pour l'enroulement du papier sensible.

Sollicité en 1826 par Louis Jacques Mandé Daguerre (1787-1851), un peintre décorateur qui utilise lui aussi la chambre noire pour faire les croquis de ses dioramas, Niépce signe en 1829 un contrat d'association et entreprend de parfaire ses réalisations héliographiques. Il meurt quatre ans plus tard d'une hémorragie cérébrale, sans être parvenu à intéresser les savants et les hommes d'affaires à son invention. C'est Daguerre qui, reprenant à son compte les expériences de son associé, réussit à développer (1835), puis à fixer (1837) les images photographiques.

◆ **La première photographie.** Obtenue en 1826 par Nicéphore Niépce depuis une mansarde de sa propriété de Saint-Loup-de-Varennes, près de Chalon-sur-Saône, cette photographie est la plus ancienne conservée de nos jours. Enregistrée sur une plaque de cuivre recouverte de bitume de Judée, elle a nécessité huit heures de pose. En 1829, Niépce s'associe au peintre Louis Daguerre. Ce dernier, après la mort de Niépce, survenue en 1833, parvient à développer puis à fixer les images photographiques. Acheté par le gouvernement français en 1839, son procédé, la daguerréotypie, employant comme support sensible une plaque d'argent recouverte d'iodure d'argent, a ensuite connu un essor rapide.

La naissance de l'électromagnétisme

L'invention par Volta de la pile qui permet de faire circuler des courants intenses pendant de longues durées amène une révolution dans l'observation et la compréhension des phénomènes électriques, jusque-là limitées aux expériences d'électrostatique. C'est un professeur de l'université de Copenhague, Hans Christian Œrsted, qui réalise par hasard, en 1820, une des expériences majeures du XIXe siècle. Il observe qu'une aiguille aimantée placée à proximité d'une pile électrique dont les deux pôles sont reliés par un fil se met à bouger. Le récit de l'expérience est publié le 21 juillet 1820 à Copenhague, puis en Allemagne, en Grande-Bretagne et en France, où les plus grands physiciens se mettent au travail pour tenter d'interpréter le phénomène. Arago puis Ampère répètent l'expérience : ils constatent effectivement que le courant électrique donne des effets comparables à ceux d'un aimant. En quelques jours, Ampère, déjà célèbre pour ses travaux en mathématiques et en chimie, se convainc de la nature purement électrique du magnétisme et donne une formulation mathématique rigoureuse de cette équivalence. Par la suite, il développe et publie son *Mémoire sur la théorie mathématique des phénomènes électrodynamiques, uniquement déduite de l'expérience* (1827). Il relie la grandeur des forces mutuelles entre courants à ce qu'il appelle l'« intensité » du courant, qu'il distingue de la tension, laissant au Berlinois Georg Simon Ohm (1789-1854) la découverte du lien entre intensité et tension (1827).

Les découvertes se succèdent alors rapidement avec l'invention par le Français Antoine Becquerel (1788-1878) de la pile rechargeable et la découverte, en 1821, par l'Allemand Thomas Seebeck (1770-1831), de l'effet thermoélectrique. En moins de vingt ans, l'électricité passe du laboratoire, où elle était une curiosité, aux domaines de la technique et des applications industrielles.

VOIR AUSSI
- **Classification des animaux** p. 90
- **Électromagnétisme** p. 345
- **Photographie au XIXe siècle** p. 1097

Petit lexique

chaleur massique : quantité de chaleur qu'il faut fournir à 1 kg d'une substance pour élever sa température de 1 degré Celsius.

effet (thermoélectrique) Seebeck : apparition d'une différence de potentiel dans un conducteur dont la température n'est pas homogène. Il existe d'autres effets thermoélectriques, tous liés au couplage entre gradient thermique et différence de potentiel ou courant.

polarisation rotatoire : lorsque des molécules sont telles qu'on ne peut en aucun cas les faire coïncider avec leur image dans un miroir, elles modifient l'orientation de la polarisation d'une lumière qui les traverse.

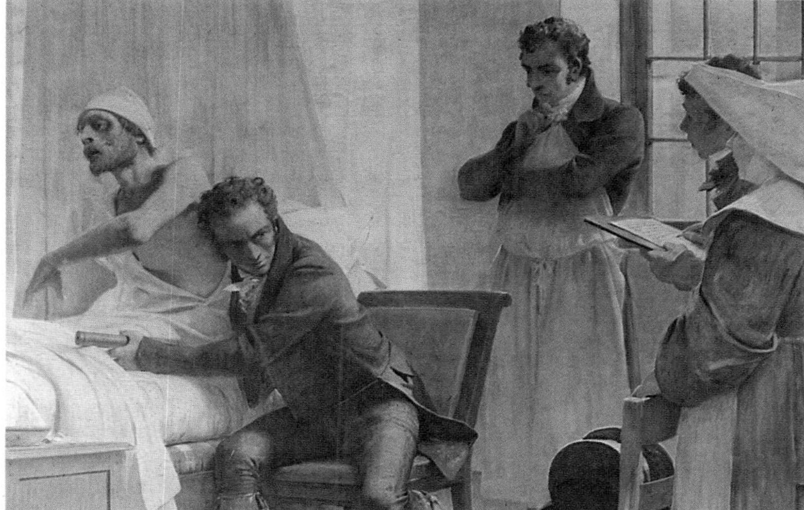

◆ **Laennec auscultant un phtisique à l'hôpital Necker.** René Théophile Hyacinthe Laennec (1781-1826) invente, en 1816, le stéthoscope, utilisé par les médecins pour ausculter les patients et reconnaître, par les bruits, le fonctionnement de la mécanique respiratoire et cardiaque. Laennec aurait eu l'idée de cette invention en voyant un jour un jeune garçon qui, l'oreille appliquée à l'extrémité d'une poutre, écoutait les signaux transmis par un camarade qui frappait avec un clou l'autre extrémité. Transposant aussitôt le procédé, Laennec applique sur la poitrine du premier malade qu'il visite une feuille de papier enroulée en forme de cylindre et peut ainsi entendre avec netteté les bruits du cœur de son patient. Il remplaça ensuite cette feuille de papier par un cylindre de bois.

Le XIXe siècle

De 1821 à 1830
Les mathématiques triomphantes

L'ÉPOQUE : L'ordre monarchique règne sur l'Europe, mais agité de nombreuses convulsions. La Belgique devient un état indépendant. A Paris, la monarchie de juillet détourne à son compte la révolte des Trois Glorieuses (27-28-29 juillet 1830). Les nouveaux États libres d'Amérique du sud se structurent (Pérou, Bolivie).

IDÉES ET TENDANCES : La physique et la chimie, qui vont devenir les disciplines phares du XIXe s., commencent leur carrière. La physique reste pour l'instant essentiellement française, et la chimie s'installe en Allemagne, qu'elle ne quittera guère. Dans toutes les disciplines, des idées entièrement nouvelles apparaissent, promises à un bel avenir.

CHIMIE
1823. Le Suédois Jöns Jacob Berzelius (1779-1848) isole le silicium. Le Français Eugène Chevreul (1786-1889) publie ses *Recherches chimiques sur les corps gras d'origine animale,* où il montre que les matières organiques sont soumises aux mêmes lois que les composés minéraux. L'Allemand Johann Wolfgang Döbereiner (1780-1849) constate que le platine divisé provoque la combinaison de l'hydrogène et de l'oxygène, et découvre ainsi la catalyse. **1825.** Le Danois Hans Cristian Œrsted (1777-1851) isole l'aluminium. **1826.** Découverte du benzène par le Britannique Michael Faraday (1791-1867). **1828.** L'Allemand Friedrich Wöhler (1800-1882) réalise la première synthèse d'un corps organique, l'urée, prouvant ainsi, pour la première fois, qu'une substance naturellement présente dans les organismes vivants est purement chimique. **1830.** L'Allemand Justus von Liebig (1803-1873) met au point une méthode d'analyse des corps organiques.

MATHÉMATIQUES
1821. Publication du *Cours d'analyse* du Français Augustin Cauchy (1789-1857). **1822.** Publication du *Traité des propriétés projectives des figures,* du Français Jean Victor Poncelet (1788-1867), qui fonde la géométrie projective. Publication de la *Théorie analytique de la chaleur,* du Français Joseph Fourier (1768-1830), qui introduit les séries trigonométriques dites « de Fourier ». **1824.** Le Norvégien Niels Abel (1802-1829) démontre l'impossibilité de résolution par radicaux de l'équation générale du 5e degré. **1826.** Abel complète et précise la notion de convergence des séries. Première communication du Russe Nikolaï Ivanovitch Lobatchevski (1792-1856) sur l'élaboration d'une géométrie non euclidienne. **1829.** Publication de *Fundamenta nova theoriae functionum ellipticarum,* de l'Allemand Carl Jacobi (1804-1851), qui développe la théorie des fonctions elliptiques.

PHYSIQUE
1821. Le Français André Marie Ampère (1775-1836) émet l'hypothèse que les molécules des corps sont l'objet de courants de particules que l'aimantation peut diriger, se montrant ainsi un précurseur de la théorie électronique de la matière. **1822.** Mesure de la vitesse du son dans l'air par les Français François Arago (1786-1853) et Marie Riche de Prony (1755-1839). **1823.** Faraday réussit à liquéfier le chlore et quelques autres gaz. **1824.** Publication des *Réflexions sur la puissance motrice du feu et les machines propres à développer cette puissance,* du Français Nicolas Léonard Sadi Carnot (1796-1832), où se trouve énoncé le deuxième principe de la thermodynamique. **1827.** Ampère publie son mémoire *Sur la théorie mathématique des phénomènes électrodynamiques uniquement déduite de l'expérience,* qui crée la théorie de l'électrodynamique et le vocabulaire de l'électricité (notamment les mots « courant » et « tension »). L'Allemand Georg Simon Ohm (1789-1854) établit la loi fondamentale du courant électrique (relation qui lie la tension entre deux points d'un circuit et le courant qui y passe), et définit la résistance. Le Britannique Robert Brown (1773-1858) observe au microscope le mouvement désordonné de fines particules de pollen en suspension dans l'eau (mouvement brownien) : ce phénomène, imputable au mouvement d'agitation des molécules du fluide, ne sera compris qu'un demi-siècle plus tard. **1828.** Le Britannique Peter Barlow (1776-1862) invente un dispositif qui montre l'action d'un champ magnétique sur un courant électrique (roue de Barlow). Le Britannique William Nicol (v. 1768-1851) invente le prisme polariseur qui porte son nom.

SCIENCES DE LA TERRE
1821. Début de la publication des *Discours sur les révolutions du globe, Recherches sur les ossements fossiles,* du Français Georges Cuvier (1769-1832), qui fondent la paléontologie.

SCIENCES DE LA VIE
1824. Le Français Jean-Baptiste Dumas (1800-1884) et le Suisse Jean Louis Prévost publient leurs observations sur la fécondation et le développement, soutenant la notion d'épigenèse, selon laquelle le nouvel être se développe progressivement et n'existe pas à l'état préformé dans l'œuf. **1825.** Le Français Pierre Flourens (1794-1867) établit, grâce à des décérébrations de pigeons, que le cerveau est le siège de réception des sensations, tandis que le cervelet contrôle l'équilibre et la coordination musculaire.

TECHNIQUES
1821. Invention du frein dynamométrique par de Prony (1755-1839) et des lentilles à échelons (pour les phares) par le Français Augustin Fresnel (1788-1827). **1824.** Le Britannique Joseph Aspdin met au point la composition du ciment Portland. **1825.** Construction du premier électroaimant, par le Britannique William Sturgeon (1783-1850). **1827.** Le Français Marc Seguin (1786-1875) réalise la chaudière tubulaire, qu'il adapte pour les locomotives. **1829.** *The Rocket* (« la Fusée »), première locomotive à vapeur du Britannique George Stephenson (1781-1848) dotée d'une chaudière tubulaire, remporte le prix du concours de Rainhill en remorquant 12942 kg à la vitesse de 24km/h.

Les mathématiques bouleversées

Passant de l'arithmétique (qu'il considérait comme la « reine des mathématiques ») à l'algèbre, du calcul des probabilités à la géométrie infinitésimale, Carl Friedrich Gauss (1777-1855) s'intéresse à la mécanique céleste, à la mesure du méridien et à la réalisation du télégraphe électrique (1838). Ombrageux et secret, il ne publie guère. Ses travaux sur les variables imaginaires auraient pourtant facilité la tâche d'Augustin Cauchy, royaliste, mystique et créateur de la théorie des fonctions d'une variable imaginaire ; considérée comme irréaliste à l'époque (Cauchy substitue aux variables réelles, représentables par des points sur une droite, des variables complexes représentables par des points dans un plan), cette théorie est devenue un outil essentiel de l'analyse mathématique.

Le Norvégien Niels Abel (1802-1829), de son côté, donne une théorie nouvelle des intégrales elliptiques qui se rencontrent dans la détermination de la longueur d'un arc d'ellipse et dans la résolution des équations différentielles. Constatant que ces équations sont insolubles, il a l'idée de les inverser, c'est-à-dire de prendre pour variable la valeur de la fonction elle-même. Cette idée fera son chemin dans de nombreux domaines.

C'est sans doute le Français Évariste Galois (1811-1832), génie fulgurant tué en duel à l'âge de 21 ans, qui fait la découverte la plus lourde de conséquences : celle de la théorie des groupes, qui établit un lien surprenant entre l'algèbre et la géométrie et qui se trouve à la base des recherches qui continuent à se mener en mathématiques et en physique. Galois explique, notamment, pourquoi on ne peut pas résoudre, par des calculs algébriques, les équations de degré supérieur au 4e. Il faudra plusieurs décennies pour comprendre les travaux de Galois ; ce fut essentiellement l'œuvre de Camille Jordan.

Les mathématiques, à partir de là, ont privilégié les notions de structures au détriment des approches antérieures, fondées sur le calcul.

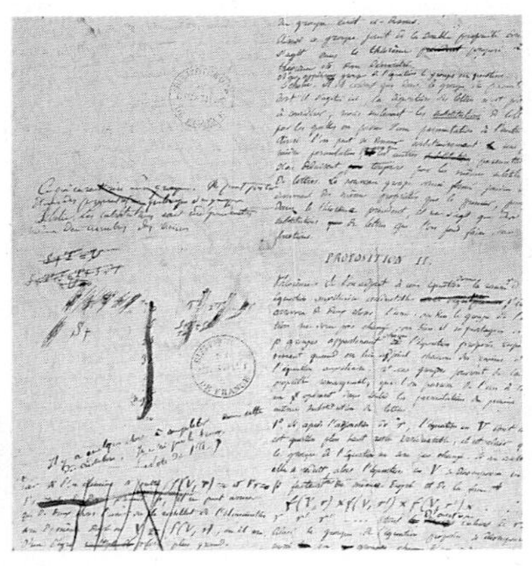

◆ **Le dernier manuscrit d'Évariste Galois.** Sur cet ultime feuillet manuscrit d'un « mémoire sur la condition de résolution des équations par radicaux », rédigé en 1832 dans la nuit précédant le duel au cours duquel il trouva la mort, É. Galois a indiqué en marge : « Il y a quelque chose à compléter dans cette démonstration. Je n'ai pas le temps. » (Bibliothèque de l'Institut, Paris).

Carnot, père de la thermodynamique

Si Rumford, dès 1798, puis Davy et Ampère considéraient la chaleur comme un mouvement de « molécules », l'idée était loin d'être acceptée lorsque Nicolas Léonard Sadi Carnot, fils de Lazare Carnot, publia en 1824 un petit mémoire de 64 pages : *Réflexions sur la puissance motrice du feu* [...]. « Y a-t-il une limite à la puissance motrice de la chaleur ? » s'interroge l'auteur, inquiet de la supériorité technologique que le développement de la machine à vapeur a donnée à la Grande-Bretagne. Le « calorique », explique-t-il, se transforme en travail lorsqu'il « coule » d'une source chaude vers une source froide, de même qu'une chute d'eau actionne la roue d'un moulin. À condition que la transformation s'effectue sans perte, le rendement de n'importe quelle machine thermique ne dépend que des températures des sources : c'est la limite théorique qu'il faut tenter d'approcher. Carnot propose ensuite de remplacer la vapeur d'eau par de l'air (le premier moteur « à air » naîtra vingt ans plus tard) et d'enflammer le mélange gazeux par compression. Après la publication (à compte d'auteur) de son mémoire, Carnot constatera l'inutilité du calorique : « La chaleur est simplement du mouvement, ou plutôt un mouvement qui a changé de forme [...], c'est un mouvement parmi les particules d'un corps. » Les *Réflexions* vont rester dans l'oubli pendant près de trente ans, avant que l'Allemand Rudolf Clausius (1822-1888) et lord Kelvin (1824-1907) ne reconnaissent à leur auteur la paternité des principes d'une science nouvelle : la thermodynamique.

◆ **Nicolas Léonard Sadi Carnot.**
Portrait du savant, à l'âge de 17 ans, en uniforme de polytechnicien, exécuté en 1813 par Louis Léopold Boilly. (Coll. part.)

La querelle des anatomistes

Le 15 décembre 1830 a lieu à l'Académie des sciences un débat qui restera célèbre dans les annales de la biologie. Il oppose deux anatomistes éminents de l'époque, Georges Cuvier (1769-1832) et Étienne Geoffroy Saint-Hilaire (1772-1844). Ce dernier, à qui l'on doit la mise au point de méthodes rigoureuses d'anatomie comparée comme l'application du principe de connexions, est influencé par la *Naturphilosophie* allemande (celle-ci, impulsée par des poètes romantiques comme Goethe, prétendait réagir contre le matérialisme scientifique). Il soutient que tous les animaux, vertébrés ou invertébrés, ont finalement le même plan d'organisation anatomique, même si celui-ci peut paraître quelque peu modifié chez tel ou tel organisme. Cela corrobore la théorie idéaliste de Goethe, selon laquelle tout le règne animal est l'expression d'un seul prototype « idéal ». Georges Cuvier réfute complètement cette théorie. Il montre que Geoffroy Saint-Hilaire confond les ressemblances anatomiques dues à l'identité de structure (homologies), comme celles qui existent entre une patte de mammifère et une aile d'oiseau, avec les ressemblances anatomiques dues à la convergence des fonctions (analogies), comme celles qui existent entre une nageoire de phoque et une nageoire de requin.

Cette distinction faite par Cuvier entre homologie et analogie est tellement fondamentale qu'elle fait aujourd'hui encore partie de l'enseignement classique dispensé aux étudiants en zoologie.

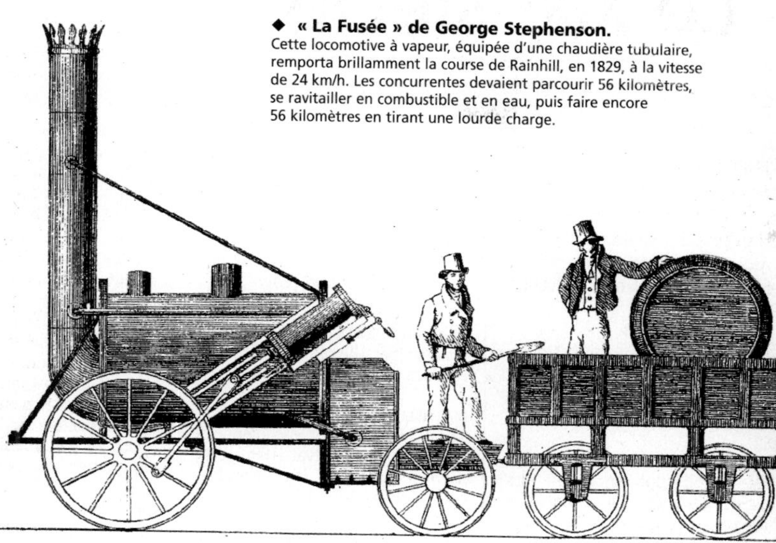

◆ **« La Fusée » de George Stephenson.**
Cette locomotive à vapeur, équipée d'une chaudière tubulaire, remporta brillamment la course de Rainhill, en 1829, à la vitesse de 24 km/h. Les concurrentes devaient parcourir 56 kilomètres, se ravitailler en combustible et en eau, puis faire encore 56 kilomètres en tirant une lourde charge.

Le développement du chemin de fer

L'application de la machine à vapeur à la traction ferroviaire est accueillie, initialement, avec une certaine réserve. Mais, en 1813, les Britanniques Christopher Blackett et William Hedley (1770-1843) montrent que, convenablement chargées, les roues lisses peuvent parfaitement convenir à la remorque des plus lourdes charges. George Stephenson, ingénieur aux mines de Killingworth, entreprend alors de construire une locomotive à vapeur qui, placée sur des rails en fer, pourra entraîner quelques wagons chargés de charbon. Celle-ci, la *Blucher,* est essayée avec succès le 25 juillet 1814. En 1822, Stephenson réussit à persuader la direction des chemins de fer de Stockton à Darlington, ligne alors en construction, de substituer la traction à vapeur à la traction animale. Le 27 septembre 1825 circule sur cette ligne le premier train de voyageurs, remorqué par une locomotive de Stephenson (nommée d'abord *Active,* puis *Locomotion*).

La première grande ligne. L'œuvre capitale de Stephenson consiste ensuite à établir le chemin de fer de Liverpool à Manchester (1826-1830), première grande ligne (58 km). Spécialement conçue pour le transport des marchandises et des voyageurs, elle nécessite d'exécuter le tracé d'une ligne, de construire les ouvrages d'art nécessaires au passage de la voie ferrée, de concevoir les systèmes de signaux, les dispositifs d'alimentation en eau et en charbon, etc.

Les perfectionnements. En même temps, de nombreux perfectionnements sont apportés à la locomotive à vapeur : en particulier, Stephenson adopte la chaudière tubulaire inventée par Marc Seguin (celle-ci permettait de produire davantage de vapeur) et a l'idée de faire déboucher le tuyau d'échappement de la vapeur dans la cheminée même, ce qui augmente le tirage. La locomotive ainsi construite, sous le nom de *The Rocket* (« la Fusée »), remporte de haute lutte, en atteignant la vitesse record de 24 km/h, le célèbre concours de Rainhill (6-14 oct. 1829), organisé pour apprécier la supériorité de la traction à vapeur sur la traction animale. La locomotive devient alors l'instrument incontesté de la traction ferroviaire.

Sophie Germain, mathématicienne

Passionnée dès son enfance par les mathématiques, qu'elle apprend en cachette, car il n'est pas convenable pour une femme d'avoir de tels goûts, Sophie Germain n'arrive à terminer ses études qu'en empruntant l'identité d'un ancien élève de l'école polytechnique, A. A. Le Blanc. Étonné par la qualité de son travail, Lagrange, directeur des études, en convoque l'auteur et se montre ravi d'apprendre à qui il a affaire. La principale contribution de Sophie Germain concerne la démonstration du dernier théorème de Fermat (il n'existe aucun ensemble de trois nombres entiers x, y, z, solution de l'équation $x^n + y^n = z^n$ pour $n>2$), à laquelle elle est la première à apporter une réponse valable pour un ensemble de valeurs de n (ceux pour lesquels n et $2n+1$ sont premiers). Initialement sous le pseudonyme de Le Blanc, elle correspond avec Carl Friedrich Gauss pendant de nombreuses années, en particulier à propos de la théorie des nombres. Ses derniers travaux sur la vibration des lames métalliques l'amènent à poser les bases de la théorie de l'élasticité. Bien que reconnue par ses contemporains, elle ne peut, étant femme, accéder à aucun poste académique.

VOIR AUSSI
- **Nombres complexes** p. 321
- **Théorie des groupes** p. 322
- **Thermodynamique** p. 344

Illustrations
- **Trains anciens** p. 940

Petit lexique

catalyse : mécanisme permettant à une réaction chimique de se produire dans des conditions physiques (en particulier de température) où elle ne serait pas amorcée spontanément.

frein dynamométrique : système à friction permettant de mesurer un couple moteur dans un ensemble en rotation.

Le XIXe siècle

De 1831 à 1840
L'électricité devient un outil

L'ÉPOQUE : La Belgique devient un État indépendant en tant que monarchie constitutionnelle et héréditaire. La Grande-Bretagne entre dans l'ère victorienne.

IDÉES ET TENDANCES : La découverte de l'induction par Faraday, immédiatement suivie d'applications prometteuses, ouvre la voie à la révolution technologique et industrielle par l'introduction de l'électricité comme source d'énergie. De la remise en question des dogmes sur la nature de la vie et de la Terre émergeront sous peu les idées révolutionnaires d'évolution et d'histoire géologique de la Terre.

ASTRONOMIE
1838. Première détermination de la parallaxe (et, donc, de la distance) d'une étoile, par l'Allemand Friedrich Wilhelm Bessel (1874-1846).

CHIMIE
1831. Introduction en chimie des concepts d'isomérie, de polymérie et d'allotropie par le Suédois Jöns Jacob Berzelius (1779-1848). Découverte du chloroforme par l'Allemand Justus von Liebig (1803-1873), le Britannique George James Guthrie (1785-1856) et le Français Eugène Soubeiran (1797-1858). **1833.** Faraday établit la théorie de l'électrolyse. **1835.** Étude de la catalyse par Berzelius. **1836.** Le Français Auguste Laurent (1807-1853) introduit la notion de radical en chimie. Découverte de l'acétylène par le Britannique Edward Davy (1806-1885). **1837.** Liebig définit la fonction acide. **1840.** Le Français Jean-Baptiste Dumas (1800-1884) réalise la première substitution chimique. Découverte de l'ozone par l'Allemand Christian Friedrich Schönbein (1799-1868).

MATHÉMATIQUES
1832. Géométrie non euclidienne du Hongrois János Bolyai (1802-1860). La veille de sa mort, le Français Évariste Galois (1811-1832) rédige la *Lettre à Auguste Chevalier*, contenant les fondements de la théorie des groupes. **1837.** L'Italien Giusto Bellavitis (1803-1880) établit la notion de vecteur, à partir de la représentation géométrique des nombres complexes.

MÉDECINE
1840. Le Français Jean-Baptiste Bouillaud (1796-1881) décrit les cardiopathies rhumatismales.

PHYSIQUE
1831. Découverte de l'induction électromagnétique par Faraday. **1832.** Découverte de l'auto-induction par l'Américain Joseph Henry (1797-1878). Invention du magnétomètre par l'Allemand Carl Friedrich Gauss (1777-1855). **1833.** Le Russe Heinrich Friedrich Emil Lenz (1804-1865) établit la loi donnant le sens des courants induits (loi de Lenz). **1834.** Le Français Jean Charles Athanase Peltier (1785-1845) découvre l'effet thermoélectrique selon lequel le courant, à travers la jonction de deux matériaux, provoque, dans cette jonction, le dégagement ou l'absorption d'une quantité de chaleur qui, par unité de temps, est proportionnelle au courant (effet Peltier). Le Français Émile Clapeyron (1799-1864) publie un mémoire sur « la force motrice de la chaleur », qui contribue à la fondation de la thermodynamique. **1835.** Mise en évidence par le Français Gaspard Coriolis (1792-1843) de la force qui porte son nom : la force de Coriolis. **1837.** Faraday étudie la « polarisation des diélectriques » (distribution des charges dans les corps isolants) et introduit la notion de lignes de force électriques.

SCIENCES DE LA TERRE
1833. Publication des *Principes de géologie* du Britannique Charles Lyell (1797-1875), qui préconise l'étude des phénomènes en action pour interpréter l'évolution de la Terre. **1840.** Le Suisse Louis Agassiz (1807-1873) établit l'existence de périodes glaciaires dans l'histoire de la Terre.

SCIENCES DE LA VIE
1831. Découverte du noyau cellulaire par le Britannique Robert Brown (1773-1858). **1833.** Le Tchèque Jan Evangelista Purkinje (1787-1869) identifie une importante catégorie de neurones dans le cervelet (cellules de Purkinje). **1839.** L'Allemand Theodor Schwann (1810-1882) montre que la cellule est le constituant fondamental des tissus animaux, rejoignant ainsi les conclusions de son compatriote Matthias Jacob Schleiden (1804-1881) pour ce qui concerne les végétaux (élaboration de la théorie cellulaire).

TECHNIQUES
1831. Invention par le Britannique William Bickford (1774-1834) de la mèche de sûreté pour mineurs (cordeau Bickford). Invention par l'Américain Robert Stevens (1787-1856) du rail à patin (rail Vignoles). Invention par le Français Charles Sauria (1812-1895) des allumettes phosphoriques à friction. **1832.** Le Français Hippolyte Pixii (1808-1835)

Faraday

Le Britannique Michael Faraday (1791-1867), longtemps resté dans l'ombre de son maître Humphry Davy, est un cas unique dans l'histoire des sciences. Gauss, Ampère ou Arago passaient sans peine des mathématiques à l'électricité, mais Faraday, qui ne connaissait rien aux subtilités de l'analyse, a successivement liquéfié presque tous les gaz connus, donné la théorie de l'électrolyse, découvert le benzène, l'induction électromagnétique, la polarisation des diélectriques et élucidé la notion d'énergie électrostatique. Il a en particulier l'intuition qu'une loi physique se doit d'être symétrique (notion capitale dans les théories physiques actuelles). « L'action magnétique des courants découverte par Œrsted ne doit-elle pas s'accompagner d'une action électrique des aimants ? » se demande-t-il dès 1821. Mais la présence d'un aimant n'a aucun effet sur le courant ; c'est son déplacement, montre-t-il en 1831, qui induit dans un circuit fermé un courant électrique. La symétrie ainsi établie rend possible la production d'électricité au moyen d'un aimant mobile (principe de la dynamo) et le déplacement d'un circuit électrique entre les pôles d'un aimant (principe du moteur électrique).

Bien qu'il utilise peu les outils mathématiques, il a, en revanche, un besoin très vif de se représenter les grandeurs physiques : les effets à distance invoqués pour expliquer la gravitation ou les forces électriques ne le satisfont pas, et il préfère imaginer que ces forces résultent d'une modification de l'espace induite par les masses ou les charges, sous forme de « champs », qu'il aime se figurer remplissant l'espace et y traçant des lignes. Cette conception est entièrement reprise et mathématisée par J. C. Maxwell, et continue à fonctionner de nos jours, même si la physique moderne l'a quelque peu revue.

◆ Le physicien Michael Faraday dans son laboratoire.
Il débute comme garçon de courses chez un libraire-papetier de Londres et devient ensuite apprenti-relieur. Particulièrement intéressé par la chimie et l'électricité, il assiste, le soir, à des conférences scientifiques, notamment aux cours de Davy. Celui-ci le fait entrer comme assistant à la Royal Institution. Il y devient directeur de laboratoire en 1825 et professeur de chimie en 1833. Cette gravure d'époque le représente dans son laboratoire. (BNF, Paris)

Atomes et « force vitale »

La chimie est en effervescence. Les expériences se multiplient et les découvertes de corps nouveaux ne cessent d'affluer, tandis que la théorie chimique continue de balancer entre atomisme et équivalentisme. Dès 1819, le Suédois Jöns Jacob Berzelius avait entrepris d'affecter un poids relatif à tous les corps connus, en fonction de celui de l'oxygène, arbitrairement fixé à 100. Selon lui, les atomes (il n'emploie pas ce terme) sont polarisés et les charges électriques qu'ils portent expliquent les réactions chimiques, mais cette théorie se révèle moins utile que la notation par symboles (toujours employée aujourd'hui) qu'il introduit. Une autre de ses idées va cependant se révéler féconde : les lois volumiques relatives aux gaz sont de même nature réalise le premier générateur électrique à induction. Le Français Frédéric Sauvage (1786-1857) fait breveter en France une hélice pour la propulsion des navires. **1833.** Le Britannique Charles Babbage (1792-1871) entreprend la construction d'une machine à calculer analytique commandée par programme sur cartons perforés. **1835.** Invention du revolver par l'Américain Samuel Colt (1814-1862). Système d'écriture pour les aveugles du Français Louis Braille (1809-1852). Premières expériences de photographie sur papier par le Britannique William Henry Fox Talbot (1800-1877). **1836.** Invention par le Britannique John Frederic Daniell (1790-1845) de la pile impolarisable à deux liquides. **1837.** Invention de la galvanoplastie par l'Allemand Moritz Hermann von Jacobi (1801-1874). Le Suédois John Ericsson (1803-1889) fait breveter aux États-Unis une hélice pour la propulsion des navires. Premières démonstrations du télégraphe électrique de l'Américain Samuel Morse (1791-1872). **1838.** Le Français Louis Jacques Mandé Daguerre (1787-1851) réalise les premiers daguerréotypes. Invention du stéréoscope par le Britannique Charles Wheatstone (1802-1875). **1839.** Découverte de la vulcanisation du caoutchouc par l'Américain Charles Goodyear (1800-1860). **1840.** Première moissonneuse réalisée par l'Américain Cyrus Hall McCormick (1809-1884). Premier transformateur électrique construit par les Français Antoine Masson (1806-1860) et Louis Bréguet (1804-1883). Invention de l'objectif photographique double par l'Autrichien Joseph Petzval (1807-1891).

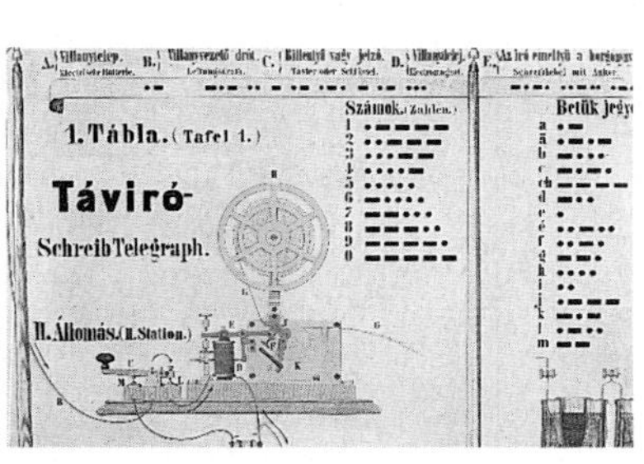

◆ **Le télégraphe et le code Morse.**
Présenté en 1837, le système télégraphique conçu par l'Américain Samuel Morse se fonde sur l'émission de signaux par un appareil mécanique dont chaque mouvement, en fermant un circuit électrique, provoque dans l'appareil récepteur des mouvements identiques. Les caractères alphanumériques sont représentés par des combinaisons de signaux brefs (points) et longs (traits).

que les lois pondérales données par les « tables d'équivalents ».

Après les travaux de Jean-Baptiste Dumas, adversaire farouche de l'atomisme, de Carl Gerhardt (en 1843) et d'Augustin Laurent (en 1846), atomistes convaincus, elle mènera au tableau des poids atomiques où l'élément de référence, l'oxygène, est affecté du nombre 16.

Les chimistes du début du XIXe s. ne se sont guère occupés de chimie organique, la matière vivante étant supposée receler une mystérieuse « force vitale », jusqu'à ce qu'Eugène Chevreul montre, en 1823, que les graisses animales sont composées de glycérine et d'acides gras, ce qui révolutionne les industries de la bougie et du savon. J.-B. Dumas découvre les alcools en 1827 et montre l'existence de « familles » (tels les hydrocarbures) en chimie organique, mais cette science ne se débarrasse vraiment de la force vitale qu'avec Friedrich Wöhler (1800-1882), qui réalise la synthèse de l'urée : puisqu'un composé organique peut être synthétisé à partir de matière minérale, il ne diffère pas essentiellement de cette dernière, donc les êtres vivants obéissent aussi aux lois de la chimie.

La théorie de la cellule

Tout le monde sait, de nos jours, que la cellule est l'unité de base des êtres vivants ou, pour le dire autrement, que tous les tissus des plantes et des animaux sont composés d'un grand nombre de cellules. Ces notions n'ont pas toujours été évidentes, et n'ont été établies qu'au XIXe s., grâce au perfectionnement des microscopes.

C'est d'abord le botaniste allemand Matthias Jacob Schleiden qui proclame que tous les tissus végétaux sont entièrement composés de cellules. Puis, en 1839, le zoologiste Theodor Schwann (1810-1882) affirme la même chose pour les tissus des animaux. Cependant, comme il arrive souvent dans l'histoire des sciences, la théorie cellulaire de Schwann-Schleiden s'accompagne initialement d'explications qui se révéleront erronées (comme la notion selon laquelle les cellules ne se multiplient pas – une cellule mère se divisant en deux cellules filles –, mais se forment à chaque fois *de novo* par cristallisation d'un fluide inorganique).

Premières mesures de distances stellaires

Après l'invention des instruments d'optique, au XVIIe s., lorsqu'il devient manifeste que les étoiles ne sont pas accrochées à une sphère, mais que l'Univers s'étend en profondeur, le problème de la détermination des distances stellaires se pose avec acuité. Ce n'est qu'en 1838 que l'Allemand Friedrich Bessel parvient à mesurer la première distance stellaire, celle de l'étoile 61 Cygni, par la méthode de la parallaxe trigonométrique. Celle-ci est analogue au procédé utilisé par les géomètres à la surface de la Terre pour déterminer la distance d'un point inaccessible. Elle consiste en une triangulation prenant pour base le diamètre de l'orbite terrestre. Par suite du mouvement de la Terre autour du Soleil, les étoiles les plus proches décrivent une petite ellipse sur le ciel par rapport aux étoiles lointaines. En un an, la position apparente d'une étoile varie d'un angle 2π, dont la moitié, π, s'appelle la « parallaxe » de l'étoile. En principe, il suffit d'observer l'étoile à six mois d'intervalle – c'est-à-dire en deux positions opposées de la Terre sur son orbite – pour pouvoir déterminer sa parallaxe, connaissant le rayon de l'orbite terrestre.

Cette méthode est à l'origine de l'unité de distance fondamentale en astronomie appelée « parsec » (distance à laquelle un astre est vu de la Terre sous une parallaxe de 1). Bien qu'elle ne puisse être utilisée que pour les étoiles les plus voisines du système solaire, la méthode de la parallaxe trigonométrique est fondamentale, car c'est la seule qui permette d'obtenir la distance d'une étoile directement, sans faire aucune hypothèse sur l'état physique de celle-ci. C'est la méthode de base qui sert à calibrer toutes les autres méthodes autorisant une pénétration plus profonde dans l'Univers.

◆ **La machine de Babbage.**
Avec sa mémoire, son organe de calcul, son organe de commande et son dispositif de commande des opérations automatiques par programme enregistré sur cartes perforées, cette machine à calculer constitue l'ancêtre des ordinateurs modernes. Mais elle ne fut jamais achevée. Manquant d'argent et ayant conçu des dispositifs en avance sur les possibilités techniques de son époque, Charles Babbage ne réalisa que des éléments de sa machine, qu'il ne put assembler. (Science Museum, Londres)

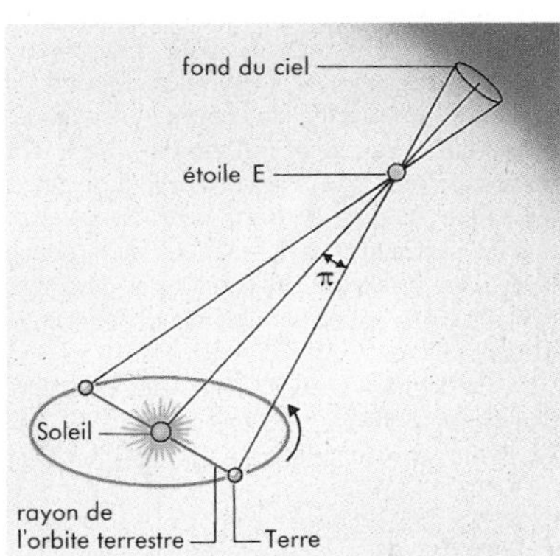

◆ **Parallaxe d'une étoile.**
L'évaluation de la distance d'une étoile proche E se fonde sur la mesure de sa parallaxe annuelle π. Celle-ci se déduit de la mesure du déplacement apparent de l'étoile sur le fond du ciel, vu de la Terre, à six mois d'intervalle.

Petit lexique

électrolyse : Lorsqu'un courant électrique traverse une solution contenant des ions, ceux-ci se déplacent dans le sens de ce courant ou en sens contraire et viennent se décharger sur les électrodes. Cette séparation constitue l'électrolyse.

force de Coriolis : force due à la rotation de la Terre, qui a pour effet de dévier tout objet en mouvement.

galvanoplastie : procédé consistant à déposer une couche métallique sur une électrode, par électrolyse.

magnétomètre : instrument servant à mesurer l'intensité d'un champ magnétique.

Le XIXe siècle

De 1841 à 1850
L'« invention » de l'énergie

L'ÉPOQUE : Les Irlandais, affamés, émigrent massivement vers les États-Unis. La fronde révolutionnaire née en France le 22 février 1848 enflamme et secoue l'Europe, mais ne déstabilise pas vraiment empires et royautés.

IDÉES ET TENDANCES : Résultant d'une lente maturation, la thermodynamique naît des travaux conjoints de Sadi Carnot (redécouvert), Clausius, Clapeyron, Mayer, Helmholtz, Joule et lord Kelvin. La découverte de la planète Neptune confirme le succès de la mécanique céleste, et la physiologie devient une science expérimentale.

ASTRONOMIE

1843. Découverte du cycle d'apparition des taches solaires par l'Allemand Heinrich Samuel Schwabe (1789-1875). **1845.** L'Irlandais William Parsons, comte de Rosse (1800-1867), met en évidence la structure spirale de certaines nébuleuses. Les Français Hippolyte Fizeau (1819-1896) et Léon Foucault (1819-1868) obtiennent le premier daguerréotype du Soleil, inaugurant l'emploi de la photographie en astronomie. **1846.** Découverte de la planète Neptune par l'Allemand Johann Galle (1812-1910), d'après les calculs du Français Urbain Le Verrier (1811-1877).

CHIMIE

1841. Le Français Eugène Melchior Peligot (1811-1890) isole l'uranium. **1846.** Découverte de la nitroglycérine par l'Italien Ascanio Sobrero (1812-1888). **1849.** Découverte par le Français Adolphe Wurtz (1817-1884) des amines, dont l'Allemand August Wilhelm von Hofmann (1818-1892) donne un mode général de préparation.

MATHÉMATIQUES

1843. Le Britannique William Rowan Hamilton (1805-1865) établit, en algèbre, la théorie des quaternions. **1844.** L'Allemand Ernst Eduard Kummer (1810-1893) crée la théorie des nombres idéaux pour étendre les concepts de l'arithmétique à l'étude des nombres algébriques. **1847.** Publication de *The Mathematical Analysis of Logic,* du Britannique George Boole (1815-1864), qui fonde la logique mathématique moderne.

MÉDECINE

1842. L'Allemand Justus von Liebig (1803-1873) émet l'idée du métabolisme. **1843.** Premiers travaux du Français Claude Bernard (1813-1878) sur le rôle du suc gastrique dans la digestion. **1844.** Première anesthésie chirurgicale à l'aide du protoxyde d'azote, par l'Américain Horace Wells (1815-1848). **1847.** Anesthésie générale au chloroforme par l'Écossais James Young Simpson (1811-1870).

PHYSIQUE

1841. Le Britannique James Prescott Joule (1818-1889) découvre l'échauffement qui se produit lors du passage d'un courant électrique dans un conducteur (effet Joule). **1842.** L'Autrichien Christian Doppler (1803-1853) découvre la modification de fréquence des vibrations sonores émises par une source en déplacement (effet Doppler). L'Allemand Julius Robert von Mayer (1814-1878) établit le premier principe de la thermodynamique. **1843.** J. P. Joule introduit la notion d'équivalent méca-

Chaleur et travail

Chaleur et travail sont des grandeurs de même nature. Défini comme « premier principe de la thermodynamique », ce fait est établi en 1842 par un médecin, l'Allemand Julius Robert von Mayer (1814-1878), à partir de considérations énergétiques relatives aux êtres vivants. Mais c'est un élève de J. Dalton, James Prescott Joule (1818-1889), qui, au terme d'une longue série d'expériences, trouve l'« équivalent mécanique de l'unité de quantité de chaleur », la calorie. Échauffant l'eau d'un calorimètre (récipient thermiquement isolé) par le passage du courant électrique ou par le frottement de palettes mobiles entraînées par la chute d'un poids, il découvre la relation que l'on écrit aujourd'hui : 1 calorie = 4,18 joules, le joule étant devenu l'unité d'énergie.

Le terme « énergie », introduit dès 1807 par Thomas Young, est précisé en 1847 par Hermann von Helmholtz (1821-1894). Celui-ci montre que l'électricité, la chaleur et le travail mécanique sont des manifestations diverses de l'énergie qui, si elle peut prendre des aspects différents, reste constante pour un système isolé.

Le passage d'une forme d'énergie à une autre a cependant de curieuses propriétés : si la chute répétée d'une bille sur une table (énergie mécanique) se traduit par l'échauffement de la table (énergie thermique), la transformation inverse est impossible – chauffer une table ne peut projeter en l'air une bille qui y est posée. Cette dissymétrie fondamentale sera reconnue par Émile Clapeyron (1799-1864) et William Thomson (le futur lord Kelvin (1824-1907), lesquels, inspirés par le livre prophétique de Sadi Carnot (1824), énoncent sous des formes différentes le deuxième principe de la thermodynamique : la transformation intégrale de chaleur en travail est impossible. C'est le Berlinois Rudolf Clausius qui lui donnera, en 1850, une traduction mathématique et qui introduira la notion d'entropie, sous-jacente. Cette grandeur, reliée à la chaleur et à la température, mesure le degré de désordre d'un système, et ne peut que croître au cours de l'évolution naturelle du système.

◆ **Le télescope de lord Rosse.**
Homme politique irlandais passionné d'astronomie, William Parsons, 3e comte de Rosse (1800-1867), réalise en amateur de nombreux télescopes. L'un d'eux, le Leviathan de Parsonstown, construit de 1842 à 1845, est le plus grand télescope du XIXe s. Son miroir principal, disposé au fond d'un tube de 18 m de long, a 1,83 m de diamètre et pèse près de 4 t. À l'aide de cet instrument, lord Rosse met en évidence la structure spirale de certaines nébuleuses, qui ont été plus tard résolues en étoiles et reconnues comme des galaxies.

◆ **Lord Kelvin.**
Le dernier cours du physicien à l'université de Glasgow. Kelvin laisse une œuvre scientifique très importante. Ses travaux de thermodynamique ont permis l'introduction de la température absolue. En 1851, il imagine le galvanomètre à aimant mobile ; en 1852, il découvre le refroidissement provoqué par la détente des gaz ; en 1853, il donne la théorie des circuits oscillants.

La géométrie dans un espace courbe

La géométrie sera mise sens dessus dessous par un modeste professeur de l'université de Kazan, Nikolaï Ivanovitch Lobatchevski (1769-1836) ; il a l'audace, en 1826, de mettre en question le postulat d'Euclide selon lequel, par un point du plan, on ne peut mener qu'une seule parallèle à une droite donnée. Supposant qu'il existe une infinité de parallèles passant par ce point, Lobatchevski construit une géométrie non euclidienne, dont l'intérêt sera reconnu beaucoup plus tard.

En 1829, un officier hongrois, János Bolyai (1802-1860), montre dans un court texte, *la Science absolue de l'espace*, que l'hypothèse de Lobatchevski ne conduit pas à des contradictions. Dans cette géométrie, la somme des angles d'un triangle est inférieure à 180°.

Un élève de Gauss à l'université de Göttingen, Bernard Riemann (1826-1866), construit, en supposant que, par un point, on ne peut mener aucune parallèle à une droite, une nouvelle géométrie non euclidienne où la somme des angles d'un triangle est supérieure à 180°.

Ces géométries peuvent être interprétées comme correspondant à des espaces de courbures différentes, la géométrie euclidienne ordinaire étant associée à un espace de courbure nulle.

Dans son livre *Sur les hypothèses qui sont à la base de la géométrie* (1867), Riemann décrit un espace à quatre dimensions – qu'avait prévu l'Irlandais William Rowan Hamilton (1805-1865), lequel avait généralisé la notion de nombre complexe en introduisant celle de quaternion. Un demi-siècle plus tard, la théorie de la relativité montrera l'intérêt de ces notions.

nique de la chaleur. **1845.** Le Britannique Michael Faraday (1791-1867) découvre l'action d'un champ magnétique sur la lumière polarisée. **1847.** L'Allemand Hermann von Helmholtz (1821-1894) introduit la notion d'énergie potentielle et énonce le principe de la conservation de l'énergie. **1848.** H. Fizeau établit la théorie de l'effet Doppler. Le Britannique William Thomson (lord Kelvin [1824-1907]) propose l'échelle de température thermodynamique (aujourd'hui échelle Kelvin), dont le zéro correspond à – 273 °C. **1849.** H. Fizeau mesure la vitesse de la lumière, qu'il trouve égale à 315 500 km/s. Le Britannique Richard Owen (1804-1892) introduit la notion de parthénogenèse. L'Allemand Wilhelm Hofmeister (1824-1877) fonde l'embryologie végétale. **1850.** L. Foucault mesure, à son tour, la vitesse de la lumière ; il la trouve égale à 298 000 km/s dans l'air et à 211 000 km/s dans l'eau. L'Allemand Rudolf Emmanuel Clausius (1822-1888) donne un nouvel énoncé du deuxième principe de la thermodynamique et introduit la notion d'entropie.

TECHNIQUES

1841. Invention du rhéostat par l'Allemand Johann Christian Poggendorff (1796-1877) et de la seringue par le Français Charles Gabriel Pravaz (1791-1853). **1842.** Invention du saxophone par le facteur d'instruments belge Adolphe Sax (1814-1894). **1843.** Premier grand navire en fer propulsé par une hélice, le *Great Britain*, construit par le Britannique Isambard Kingdom Brunel (1806-1859). **1844.** Première transmission télégraphique interurbaine (entre Washington et Baltimore) par le système de l'Américain Samuel Morse (1791-1872). Invention du baromètre anéroïde par le Français Lucien Vidie (1805-1866). Découverte du procédé de mercerisage des fibres textiles par le Britannique John Mercer (1791-1866). **1845.** Invention de la presse rotative pour l'imprimerie, par l'Américain Richard Marsh Hoe (1812-1886), et du pneu avec chambre à air par le Britannique Robert William Thomson (1822-1873). **1846.** Mise en service du premier ferry-boat en Écosse. **1847.** Invention de la photographie sur plaque de verre par Abel Niepce de Saint-Victor (1805-1870). **1848.** Le Français Onésiphore Pecqueur (1792-1852) a l'idée d'actionner les outils par l'air comprimé. **1849.** L'Américain James Bicheno Francis (1815-1892) invente la turbine hydraulique à réaction qui porte son nom. Invention du manomètre métallique par le Français Eugène Bourdon (1808-1884) et de l'épingle de sûreté par l'Américain Walter Hunt (1796-1859). **1850.** Invention du marégraphe par le Français Antoine Marie Rémy Chazallon (1802-1872) et des jumelles à prisme par l'Italien Ignazio Porro (1801-1875).

◆ **La découverte de Neptune (1846).**
Cette caricature de Cham illustre la controverse qui suivit cette découverte, l'astronome britannique Adams, dont les calculs n'avaient pas été publiés, en revendiquant la paternité attribuée au Français Le Verrier.

Claude Bernard

Le biologiste français Claude Bernard (1813-1878) a accompli une œuvre majeure en physiologie animale et en épistémologie de la recherche expérimentale. Issu d'une famille de vignerons de la région de Villefranche-sur-Saône, il effectue des études de médecine à Paris sous la direction du grand physiologiste François Magendie (1783-1855). Il entame, à partir de 1843, des recherches en physiologie de la digestion, puis du système nerveux autonome. Après avoir étudié les propriétés enzymatiques de la salive et du suc gastrique, il fait une découverte capitale qui concerne le rôle du foie. Entre 1848 et 1855, il montre que cet organe peut stocker des matières sucrées ou les libérer dans le sang. Il arrive ainsi à établir, par une série d'expériences logiquement conçues et rigoureusement conduites, que le foie maintient la teneur du sang en glucose à une valeur constante. Cela le conduit à définir une notion fondamentale de la physiologie, celle de la constance du milieu intérieur (ou homéostasie). L'ensemble de ces découvertes et conceptions est présenté dans *Leçons de physiologie expérimentale appliquée à la médecine* (1855-1856).

Dans le domaine de la physiologie nerveuse, Claude Bernard met en évidence, entre 1852 et 1858, l'existence de nerfs vasoconstricteurs et de nerfs vasodilatateurs (*Leçons sur la physiologie et la pathologie du système nerveux*, 1858). Ses recherches sur les mécanismes d'action des poisons, notamment ceux du curare, sont célèbres : il montre, par de très belles expériences, que ce dernier bloque la commande nerveuse de la contraction musculaire et que la mort s'ensuit par asphyxie due à la paralysie des muscles respiratoires (*Leçons sur les effets des substances toxiques et médicamenteuses*, 1857).

Outre de nombreux travaux de physiologie sur le rôle du sang et le problème de l'origine de la chaleur dans les tissus, on doit aussi à Claude Bernard la formulation de la méthode expérimentale en matière de recherche physiologique et médicale, publiée dans l'*Introduction à l'étude de la médecine expérimentale* (1865). Dans cet ouvrage, qui aura un grand retentissement, il développe aussi son point de vue matérialiste.

Les progrès de l'anesthésie

Ce n'est qu'au XIXe s., et plus spécialement à partir des années 1840, que l'on commence à anesthésier les patients en chirurgie. Dès 1799, le chimiste britannique Humphry Davy expérimente l'anesthésie au protoxyde d'azote chez l'animal et l'homme, mais il faut attendre 1844 pour que le chirurgien-dentiste américain Horace Wells (1815-1848) l'emploie pour une extraction dentaire. Entre-temps, Michael Faraday montre, en 1818, que l'éther est capable de produire une insensibilisation. En fait, c'est aux États-Unis que sont réalisées les premières opérations chirurgicales sous anesthésie à l'éther. Après une première intervention en 1842, par le chirurgien américain Crawford Williamson Long (1815-1878), William Morton (1819-1868), chirurgien-dentiste, procède à une extraction dentaire le 30 septembre 1846 ; puis le chirurgien John Collins Warren (1778-1856) enlève une tumeur de la nuque le 16 octobre 1846, et le chirurgien Robert Liston (1794-1847) pratique une amputation de la jambe le 12 décembre. L'année suivante, l'anesthésie à l'éther gagne l'Europe (Grande-Bretagne, Allemagne). Cependant, l'obstétricien britannique James Young Simpson propose, en 1831, de pratiquer l'anesthésie générale au chloroforme dont les propriétés ont été découvertes l'année même.

Petit lexique

baromètre anéroïde : baromètre fonctionnant par déformation élastique d'une capsule ou d'un tube métallique.

marégraphe : appareil enregistrant les variations du niveau de la mer.

mercerisage : traitement à la soude des fils et des tissus de coton afin de leur donner un aspect brillant et soyeux.

parthénogenèse : procréation d'individus ne faisant pas intervenir de reproduction sexuée.

quaternion : nombre complexe composé de quatre nombres combinés selon certaines règles.

rhéostat : résistance électrique variable, permettant de contrôler le courant circulant dans un circuit.

VOIR AUSSI
• **Thermodynamique** p. 344
Illustrations
• **Neptune** p. 5
• **Types d'anesthésie** p. 224

◆ **Claude Bernard et ses élèves.**
On reconnaît notamment Paul Bert (bras croisés) et d'Arsonval (à dr. de P. Bert). Peinture de Léon Lhermite, 1889. (Académie de médecine, Paris)

Le XIXe siècle

De 1851 à 1860
Le monde découvre l'évolution

L'ÉPOQUE : Le second Empire s'installe en France et Napoléon III guerroie en Crimée, au Piémont et en Afrique, où l'empire colonial s'étend. La Grande-Bretagne victorienne, grande puissance minière et industrielle, organise son vice-royaume des Indes. L'Italie chasse l'Autriche de ses terres et s'unifie.

IDÉES ET TENDANCES : Les découvertes scientifiques de la première moitié du XIXe s. commencent à porter leurs fruits dans tous les domaines techniques : mécanisation par la vapeur de l'industrie et des transports, télégraphe, synthèse chimique. Darwin montre que l'être humain, artisan du progrès technique, n'est qu'un primate évolué : cette révélation fera scandale.

ASTRONOMIE
1851. Le Français Léon Foucault (1819-1868) met en évidence le mouvement de rotation de la Terre à l'aide d'un pendule suspendu à la coupole du Panthéon, à Paris. **1856.** Le Britannique Norman Robert Pogson (1829-1891) définit les magnitudes stellaires pour caractériser l'éclat des étoiles. **1857.** Foucault réalise le premier télescope à miroir de verre argenté. L'Américain William Cranch Bond (1789-1859) obtient la première photographie de la Lune. **1859.** Le Britannique Richard Christopher Carrington (1826-1875) découvre la rotation différentielle du Soleil et les éruptions solaires.

CHIMIE
1853. Le Britannique Edward Frankland (1825-1899) introduit le concept de valence chimique. Découverte de l'aspirine par le Français Charles Gerhardt (1816-1856). **1854.** Le Danois Julius Thomsen (1826-1909) énonce le principe de conservation de l'énergie dans les transformations chimiques et jette les bases de la thermochimie. Le Français Henri Sainte-Claire-Deville (1818-1881) met au point le procédé de préparation industrielle de l'aluminium. Le Français Marcellin Berthelot (1827-1907) effectue la synthèse de l'alcool. **1856.** Le Britannique William Henry Perkin (1838-1907) prépare le premier colorant artificiel, la mauvéine. *Théorie de la dissociation chimique* de Sainte-Claire-Deville. **1858.** L'Allemand August Kekulé (1829-1896) et le Britannique Archibald Scott Couper (1831-1892) font, indépendamment, l'hypothèse de la tétravalence chimique de l'atome de carbone. L'Italien Stanislao Cannizzaro (1826-1910) introduit la notion de nombre d'Avogadro. **1859.** Synthèse de l'acétylène par Berthelot. Les Allemands Gustav Robert Kirchhoff (1824-1887) et Robert Wilhelm Bunsen (1811-1899) créent l'analyse spectrale.

MATHÉMATIQUES
1851. L'Allemand Bernhard Riemann (1826-1866) développe la théorie des fonctions d'une variable complexe. Le Français Joseph Liouville (1809-1882) fournit la première démonstration de l'existence des nombres transcendants. **1852.** Publication du *Traité de géométrie supérieure* du Français Michel Chasles (1793-1880). **1854.** Géométrie non euclidienne de Riemann. **1855.** Le Russe Nikolaï Ivanovitch Lobatchevski (1792-1856) publie une synthèse de ses travaux relatifs à une géométrie non euclidienne. **1858.** Le Britannique Arthur Cayley (1821-1895) perfectionne le calcul matriciel.

MÉDECINE
1851. Le Français Claude Bernard (1813-1878) découvre la fonction glycogénique (faculté d'assimiler et de stocker du glucose) du foie. **1856.** Le Français Charles Édouard Brown-Séquard (1817-1894) montre que les glandes surrénales, situées au-dessus des reins, sont indispensables à la vie.

PHYSIQUE
1852. Invention du gyroscope par Foucault. **1853.** Le Britannique William Thomson (lord Kelvin,

Charles Darwin

Darwin (1809-1882), inventeur de la théorie de l'évolution des espèces au moyen de la sélection naturelle, est le biologiste le plus connu du grand public. Fils de médecin, il fait ses études à l'université de Cambridge, où il suit des cours de latin, de mathématiques et de théologie en vue de devenir pasteur. Mais son passe-temps favori est de faire des collections d'histoire naturelle (plantes, scarabées, etc.). La lecture du journal de voyage en Amérique latine du naturaliste allemand A. von Humboldt (1769-1859) lui donne envie de devenir explorateur à son tour. Il embarque à bord du *Beagle*, le 27 décembre 1831, pour ne revenir que cinq ans plus tard, le 2 octobre 1836, après avoir fait un périple autour de l'Amérique du Sud, jusqu'aux îles Galápagos. Durant ce voyage, non seulement il observe les faunes de l'Amérique du Sud et des îles Galápagos, mais il lit notamment les *Principes de géologie* de C. Lyell, ouvrage paru en 1833 qui pose le problème de savoir comment apparaissent les nouvelles espèces.

◆ **Charles Darwin.**
Le naturaliste britannique Charles Darwin est considéré comme le père de la théorie de l'évolution des espèces.

La sélection naturelle. De retour en Grande-Bretagne, Darwin décide de résoudre ce dernier problème, sa fortune personnelle lui permettant de se consacrer uniquement à ses recherches. Ses contacts avec les éleveurs d'animaux lui donnent l'idée de la sélection artificielle (formation de races domestiques adaptées aux besoins des éleveurs). La lecture du philosophe Malthus l'amène à penser que le principe de sélection s'applique dans la nature, ce qui le conduit en 1838 à imaginer que de nouvelles races pourraient se développer au sein d'une espèce par le jeu d'une sélection d'individus mieux adaptés à de nouvelles conditions de milieu (climat, etc.). Cette différenciation pourrait conduire à une nouvelle espèce, différente de l'espèce souche par ses caractères morphologiques et ses exigences écologiques. Telle est la théorie que Darwin formule dans son livre, publié en 1859, *l'Origine des espèces.*

En peu de temps, cette théorie est acceptée par la majorité des biologistes, du moins en ce qui concerne l'explication de la descendance, c'est-à-dire de la notion selon laquelle des espèces ancestrales peuvent engendrer de nouvelles espèces. Mais le mécanisme de sélection naturelle invoqué par Darwin n'emportera pas la conviction. Il faudra attendre les années 1940, pour qu'il soit admis.

Fondation de la neuropsychologie

Au début du XIXe s., le médecin allemand Franz Joseph Gall (1758-1828), spécialiste de l'anatomie du cerveau, avance, sous les apparences fantaisistes de la théorie de la phrénologie, l'idée d'une localisation, à la surface du cerveau, de facultés psychologiques (instinct de procréation, amour maternel, goût pour les rixes, talent poétique, etc). Influencé par ces conceptions, le neurochirurgien français Paul Broca (1824-1880) est amené à examiner le cerveau, après leur décès, de patients atteints d'une incapacité plus ou moins complète de parler. Il constate ainsi que, le plus souvent, ces patients ont été victimes, durant leur vie, d'une hémorragie ou d'un ramollissement cérébral dans une zone bien précise de l'hémisphère gauche. Il délimite ainsi un centre du langage à la base de la troisième circonvolution du cortex cérébral gauche, créant une nouvelle discipline, véritablement scientifique, la neuropsychologie. Par la suite, d'autres centres du langage sont identifiés, toujours au niveau de l'hémisphère gauche.

En 1859, P. Broca fonde la Société d'anthropologie, qui se propose d'étudier l'homme sur le plan biologique. Il se lance, notamment, dans l'étude de la capacité de la boîte crânienne, pensant ainsi démontrer que les hommes ont, en moyenne, de plus gros cerveaux que les femmes. On découvre par la suite que cette différence n'est pas significative.

Structure et synthèse chimiques

Découvert par Faraday en 1825, le benzène passionne les grands chimistes de l'époque (Dumas, Wöhler, Liebig, etc.), qui entrevoient son importance industrielle : les industries des parfums, des colorants et des explosifs reposent sur la chimie de ses dérivés, les corps dits « aromatiques ». Alors que la chimie officielle refuse toujours la notion d'atome au profit de la théorie des types de C. F. Gerhardt ou de celle des affinités, l'Allemand A. Kekulé et l'Écossais A. Couper émettent l'hypothèse d'après laquelle un atome de carbone s'entoure toujours de quatre voisins. Il s'agit de la première notion de structure chimique,

1824-1907) élabore en électricité la théorie des circuits oscillants. **1857.** L'Allemand Rudolf Emanuel Clausius (1822-1888) développe la théorie cinétique des gaz. **1857.** L'Allemand Heinrich Geissler (1814-1879) réalise la première pompe à vide à mercure. **1858.** Découverte de la fluorescence produite par les rayons cathodiques par l'Allemand Julius Plücker (1801-1868). **1859.** Découverte de la cataphorèse (migration de particules colloïdales en direction de la cathode sous l'action d'un courant électrique) par l'Allemand Georg Hermann Quincke (1834-1924). Kirchhoff définit le « corps noir ».

SCIENCES DE LA TERRE

1855. Le Britannique George Biddell Airy (1801-1892) introduit la notion d'isostasie. Invention du sismographe enregistreur par l'Allemand K. Kreil.

SCIENCES DE LA VIE

1851. L'Allemand Hermann von Helmholtz (1821-1894) propose une méthode pour mesurer de la vitesse de l'influx nerveux. **1856.** Découverte du squelette de l'homme de Neanderthal (premier fossile humain qui ait été reconnu comme différent de l'homme actuel), près de Düsseldorf, par l'Allemand Johann Carl Fuhlrott (1803-1877). Helmholtz propose une théorie de la vision des couleurs (toujours admise) supposant trois types de récepteurs rétiniens. **1857.** Premier mémoire du Français Louis Pasteur (1822-1895) sur la fermentation alcoolique **1858.** L'Allemand Rudolf Virchow (1821-1902) fonde la pathologie cellulaire. **1859.** Le Britannique Charles Darwin (1809-1882) expose sa théorie de l'évolution des espèces dans son ouvrage *De l'origine des espèces par voie de sélection naturelle.* **1860.** L'Allemand Karl Deiters (1834-1863) établit que les neurones possèdent deux types de prolongements : les dendrites et les axones. Premiers travaux du Français Paul Broca (1824-1880) sur la localisation dans le cerveau des centres du langage.

TECHNIQUES

1851. Perfectionnement de la machine à coudre par l'Américain Isaac Merrit Singer (1811-1875). Invention de l'ophtalmoscope par Helmholtz, de la bobine d'induction par l'Allemand Heinrich Daniel Ruhmkorff (1803-1877) et du verrou à cylindre par l'Américain Linus Yale (1821-1868). Premier câble sous-marin (entre Douvres et Calais). **1852.** Invention du dirigeable par le Français Henri Giffard (1825-1882) et de l'allumette de sûreté par le Suédois Johan Edvard Lundström (1815-1888). Premier navire de guerre rapide à vapeur, le *Napoléon*, construit par le Français Henri Dupuy de Lôme (1816-1885). **1854.** L'Américain David Hughes (1831-1900) construit un appareil télégraphique imprimeur. **1855.** Invention du brûleur à gaz par Bunsen et de la serrure de sûreté par Yale. **1856.** Le Britannique Henry Bessemer (1813-1898) invente le procédé de fabrication de l'acier qui porte son nom. Les Allemands Wilhelm (1823-1883) et Friedrich Siemens (1826-1904) inventent le four à récupérateur de chaleur destiné à la fonte de l'acier et du verre. **1857.** Installation, à New York, du premier ascenseur par l'Américain Elisha Graves Otis (1811-1861). **1858.** Invention, par Giffard, d'un injecteur de vapeur pour l'alimentation en eau des chaudières, et par le Britannique William Froude (1810-1879) d'un frein hydraulique. Première photographie aérienne (en ballon), par le Français Félix Tournachon, dit Nadar (1820-1910). **1859.** Invention de l'accumulateur électrique par le Français Gaston Planté (1834-1889). Première exploitation industrielle de pétrole à Titusville (Pennsylvanie), réalisée par l'Américain Edwin Laurentine Drake (1819-1880). **1860.** Premier moteur thermique à explosion réalisé par le Français Étienne Lenoir (1822-1900). Invention par le Britannique E. A. Cowper d'un appareil (appelé aujourd'hui « cowper ») pour la récupération de la chaleur des gaz sortant des hauts-fourneaux. Mise au point par le Britannique J. Walton d'un procédé de fabrication du linoléum. Invention par l'Américain B. Tyler Henry (1821-1898) du premier fusil à répétition.

◆ **Salle des machines de l'Exposition universelle de Londres** (1850).
Cette salle faisait partie du Crystal Palace, édifice en fer et en verre construit par sir J. Paxton pour l'Exposition. Il fut détruit par un incendie en 1936.

que A. Kekulé applique aussitôt au benzène. C'est en rêve, racontera-t-il plus tard, qu'il voit les atomes de carbone danser et s'associer en longues chaînes dont certaines se referment. La structure du noyau benzénique, constitué de six atomes de carbone formant un hexagone, en résultera en 1865.

Le chimiste français Marcellin Berthelot (1827-1907), niant l'existence des atomes, montre peu d'intérêt pour cette théorie naissante de la structure chimique, ce qui ne l'empêche pas, dès 1854, de synthétiser l'alcool, le méthane et l'acétylène. Ses méthodes empiriques enthousiasment moins les chimistes que le Tout-Paris (en particulier Michelet et les frères Goncourt), qui attribue à ses recherches un caractère philosophique. Auteur d'importants travaux de thermochimie et d'histoire de la chimie, il incarne l'idéal du savant républicain.

◆ **La structure du benzène.**
En 1865, le chimiste allemand Kekulé propose la formule hexagonale du benzène, avec 3 liaisons simples et 3 liaisons doubles carbone–carbone. On découvre plus tard qu'en fait, il n'y a pas de liaisons simples et doubles, mais un nuage de 6 électrons délocalisés sur les 6 atomes de carbone, symbolisé par un cercle dans la notation moderne.

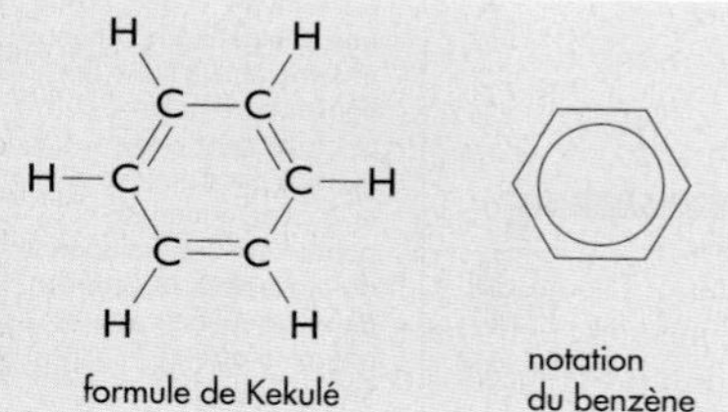

L'analyse spectrale

Newton avait expliqué l'arc-en-ciel et montré que l'on obtenait un spectre identique en faisant passer la lumière solaire à travers un prisme. En 1814, Joseph von Fraunhofer (1787-1826) remplace le prisme par un réseau, constitué d'une plaque de verre gravée de traits parallèles (près de 3 000 par centimètre). Il observe le spectre du Soleil à l'aide d'une lunette et y découvre une série de raies noires qui resteront longtemps mystérieuses. Anders Ångström (1814-1874) obtient ensuite le spectre du sodium en faisant brûler du sel (chlorure de sodium) dans une flamme. Il remarque que ce spectre, essentiellement constitué d'une raie jaune, se retrouve dans le spectre solaire sous la forme d'une raie noire. C'est en 1859 que Gustav Kirchhoff et Robert Bunsen, tous deux professeurs à l'université de Heidelberg, trouvent enfin la clé de l'énigme.

Les divers éléments chimiques brûlés dans le fameux bec Bunsen et observés avec le spectroscope, mis au point par G. Kirchhoff, donnent tous des spectres différents – juxtapositions de raies colorées, comme prélevées en divers endroits d'un arc-en-ciel. Interposant une lampe au sodium entre son spectroscope et la lumière solaire, G. Kirchhoff observe que le spectre du sodium se défalque de celui du Soleil, créant les raies obscures qu'avait observées Fraunhofer. Cela prouve que l'atmosphère du Soleil comprend du sodium, mais aussi d'autres éléments dont la liste ne tardera pas à s'allonger. L'analyse spectrale, ainsi créée, non seulement devient l'outil majeur de l'astrophysique, mais aussi permet la découverte de nouveaux éléments chimiques comme le césium (1861), le thallium (1861), l'indium (1863) ou le gallium (1875).

VOIR AUSSI
• **Magnitude** p. 11
• **Théories de l'évolution** p. 93
• **Neurones** p. 202
• **Équations algébriques** p. 323
• **Atomes** (structure de la matière) p. 336
• **Liaison chimique** p. 349
Illustrations
• **Spectres d'éléments chimiques** p. 340

Petit lexique

gyroscope : appareil fournissant une direction invariable de référence grâce à la rotation rapide d'une lourde masse autour d'un axe possédant un ou deux degrés de liberté par rapport au boîtier de l'instrument.

isostasie : théorie suivant laquelle les différents éléments de la croûte terrestre (montagnes, mers), sont en équilibre hydrostatique en fonction de leurs densités relatives.

nombre d'Avogadro : nombre d'atomes ou de molécules contenus dans une mole d'une substance.

nombre transcendant : nombre irrationnel, tel que π ou e, qui n'est racine d'aucune équation algébrique.

phrénologie : étude du caractère et des fonctions intellectuelles de l'homme d'après la conformation externe du crâne.

Le XIXe siècle

De 1861 à 1870
La naissance de la génétique

L'ÉPOQUE : Guerre de Sécession aux États-Unis, montée en puissance de la Prusse de Bismarck, fin du second Empire et fondation, à Londres, de la Ire Internationale, sous la houlette de Karl Marx.

IDÉES ET TENDANCES : La première grande unification de l'histoire de la physique est achevée par Maxwell, qui rassemble électricité et magnétisme dans une même théorie d'une immense richesse, immédiatement reconnue et exploitée. En revanche, Mendel, qui formule les lois sur l'hérédité, est incompris.

ASTRONOMIE
1862. Découverte par l'Américain Alvan Graham Clark (1832-1897) de la première naine blanche, le compagnon de l'étoile Sirius. **1864.** Le Britannique William Huggins (1824-1910) établit la nature gazeuse de certaines nébuleuses. L'Italien Giovanni Battista Donati (1826-1873) obtient le premier spectre d'une comète. **1866.** L'Italien Giovanni Schiaparelli (1835-1910) établit que les essaims de météorites sont des débris de comètes. **1868.** Découverte de l'hélium dans le spectre du Soleil par le Français Jules Janssen (1824-1907) et le Britannique Joseph Norman Lockyer (1836-1920). Première classification des étoiles d'après l'aspect de leur spectre, par l'Italien Angelo Secchi (1818-1878). Premières mesures de vitesses radiales d'étoiles grâce à l'effet Doppler-Fizeau, par Huggins.

CHIMIE
1861. Découverte du césium et du rubidium par les Allemands Robert Wilhelm Bunsen (1811-1899) et Gustav Robert Kirchhoff (1824-1887). **1866.** Le Français Marcellin Berthelot (1827-1907) fait la synthèse du benzène. Invention de la dynamite par le Suédois Alfred Nobel (1833-1896). **1867.** Les Norvégiens Cato Guldberg (1836-1902) et Peter Waage (1833-1900) énoncent la loi d'action de masse applicable aux équilibres chimiques (loi permettant de définir un équilibre chimique en fonction des concentrations des constituants ainsi que de la température et de la pression). **1869.** Publication de la classification périodique des éléments chimiques du Russe Dmitri Ivanovitch Mendeleïev (1834-1907).

MÉDECINE
1862. L'Allemand Felix Hoppe-Seyler (1825-1895) découvre le rôle de l'hémoglobine, le pigment rouge du sang qui sert à transporter l'oxygène des poumons jusqu'aux tissus. **1863.** Le Français Casimir Joseph Davaine (1812-1882) établit pour la première fois (à propos du charbon du mouton), qu'une maladie peut être due à une bactérie. **1865.** Publication de l'*Introduction à l'étude de la médecine expérimentale* par le Français Claude Bernard (1826-1866). **1867.** Le Britannique Joseph Lister (1827-1912) établit les principes d'asepsie et d'antisepsie en chirurgie, qui vont améliorer considérablement la pratique chirurgicale. **1869.** Première greffe de peau par le Suisse Jacques Louis Reverdin (1842-1929).

PHYSIQUE
1865. Le Britannique James Clerk Maxwell (1831-1879) formule la théorie électromagnétique de la lumière, unifiant les phénomènes électriques, magnétiques et lumineux. **1868.** L'Autrichien Ludwig Boltzmann (1844-1906) énonce la loi de distribution des vitesses des molécules dans un gaz. **1869.** Découverte des rayons cathodiques par l'Allemand Johann Wilhelm Hittorf (1824-1914).

SCIENCES DE LA TERRE
1869. Découverte du Gulf Stream dans l'Atlantique nord par l'Américain Emil Bessels (1847-1888).

SCIENCES DE LA VIE
1861. Le Français Louis Pasteur (1822-1895) découvre que les microbes vivent en anaérobiose, c'est-à-dire en l'absence de tout apport d'oxygène. **1862.** Premiers travaux de l'Allemand Julius Sachs (1832-1897) sur la photosynthèse chez les plantes vertes. Pasteur réfute la notion de génération spontanée des êtres vivants à partir de la matière inorganique. **1865.** Découverte des lois de l'hérédité par l'Autrichien Gregor Mendel (1822-1884). Le Français Étienne Jules Marey (1830-1904) obtient les premiers enregistrements graphiques des mouvements cardiaques et respiratoires. **1866.** L'Allemand Ernst Haeckel (1834-1919) énonce ce qu'il appelle la loi biogénétique fondamentale et introduit la notion d'écologie. **1868.** Découverte des premiers restes de l'homme de Cro-Magnon aux Eyzies-de-Tayac (Dordogne). **1870.** Premiers travaux du Français Paul Bert (1833-1886) sur la respiration au niveau des tissus. Les Allemands Gustav Theodor Fritsch (1838-1891) et

Maxwell et le concept de champ

James Clerk Maxwell, d'origine écossaise, est étudiant à Cambridge lorsqu'il a connaissance de la notion de champ introduite par Faraday. Persuadé de la pertinence de celle-ci, il se fixe comme objectif d'en exprimer la nature mathématique. Faraday avait remplacé l'idée (difficile à accepter) d'une force agissant instantanément à distance, sous-jacente à la théorie de Newton, par celle, plus satisfaisante, d'une action créée par la matière là où elle se trouve, qui se propage et envahit tout l'espace, et s'exerce ainsi sur un autre corps situé à distance du premier; l'effet de cette action (que nous appelons aujourd'hui « champ ») se manifeste sous forme de force s'exerçant sur le corps. Étant donné que, à l'époque, seule la mécanique (théorie du mouvement) a une forme mathématique, il est impensable pour Maxwell de développer le concept de champ autrement qu'en le rapportant à une série d'actions mécaniques s'exerçant entre des particules matérielles. Il est donc contraint de repenser un milieu matériel déjà connu, l'éther, fluide hypothétique, au sein duquel, par le jeu de divers mécanismes, le champ créé par un objet peut se propager de proche en proche jusqu'à un autre. Raisonnant par analogie, Maxwell entreprend de traiter mathématiquement, à l'aide du concept de champ ainsi mécanisé, les phénomènes électriques et magnétiques. Son travail fait apparaître que les champs électrique et magnétique forment un couple indissociable, les variations temporelles de l'un créant l'autre. Maxwell, qui vient ainsi d'unifier l'électricité et le magnétisme, constate alors que la vitesse à laquelle se propage le champ « électromagnétique » est égale à celle de la lumière dans le vide. La lumière apparaît alors comme une onde électromagnétique et l'optique (en tant que théorie de la lumière) comme une conséquence de l'électromagnétisme, théorie plus fondamentale.

Les lois de Mendel

Les lycéens apprennent les lois de l'hérédité établies en 1865 par le moine naturaliste autrichien Johann (en religion, Gregor Mendel). C'est dire la nature fondamentale de ces lois, pourtant restées ignorées des biologistes jusqu'en 1900.

Fils de paysans pauvres, J. Mendel doit entrer au monastère de Brünn (auj. Brno) pour poursuivre des études supérieures. Ayant suivi, de 1852 à 1853, l'enseignement d'éminents professeurs à l'université de Vienne (C. Doppler en physique, Franz Unger [1800-1870] en biologie), il est nommé professeur de sciences au lycée de Brünn.

Petits pois et hérédité. Parallèlement, il entreprend, en 1856, des expériences sur la formation d'hybrides chez le pois comestible. Il répond ainsi à une demande de la Société d'histoire naturelle de Brünn, selon laquelle on ne pourrait améliorer davantage les races d'animaux et les variétés de plantes domestiques tant qu'on n'aurait pas éclairci les lois de l'hérédité.

Après neuf années de travaux sur la reproduction de 12 000 plants de petits pois, Mendel peut présenter en 1865 ses résultats à la Société d'histoire naturelle de Brünn. Sa communication, qui établit les lois de l'hérédité, est publiée l'année suivante dans les comptes rendus des séances de cette société. Pourquoi est-elle restée inaperçue pendant 34 ans ? C'est une énigme de l'histoire des sciences. Une des raisons serait que Mendel n'a pas essayé de la publier dans un journal scientifique de grande audience. Mais, plus fondamentalement, il avait découvert que les déterminants génétiques des caractères provenant des deux parents ne se mélangent pas chez les descendants. Or cela venait contredire radicalement les conceptions alors dominantes sur l'hérédité, supposant qu'ils se mélangeaient (théorie de l'hérédité par mélange). L'œuvre de Mendel était prématurée par rapport aux connaissances pratiques et théoriques de son époque.

◆ **Loi de ségrégation génétique (Mendel).** Exemple du croisement entre un pois lisse et un pois ridé. Les deux lignées pures donnent en 1re génération une population homogène et semblable à l'une des lignées parentales. Le croisement entre les hybrides donne à la 2e génération une population non homogène où apparaît le caractère parental qui ne s'est pas manifesté à la 1re génération.

Eduard Hitzig (1838-1907) découvrent l'aire motrice du cortex cérébral.

TECHNIQUES

1861. L'Italien Antonio Pacinotti (1841-1912) détermine le principe de la dynamo. L'Allemand Johann Philipp Reis (1834-1874) réussit à transmettre le son d'un diapason sur une distance de 100 m à l'aide d'un dispositif qu'il appelle « téléphone ». L'Autrichien John Haswel (1812-1897) construit la première grande presse hydraulique. Le Français Pierre Michaux (1813-1883) et son fils Ernest (1842-1882) inventent le pédalier, créant ainsi le vélocipède. **1862.** Le Français Alphonse Beau de Rochas (1815-1893) fait breveter le cycle à quatre temps (cycle de Rochas) qui règle les conditions de la transformation en énergie mécanique de l'énergie thermique provenant de l'inflammation d'un mélange carburé air-essence en vase clos. **1863.** Mise en service, à Londres, du premier métro. **1865.** Mise au point par le Belge Ernest Solvay (1838-1922) du procédé de fabrication du carbonate de sodium (soude) qui porte son nom. Le Français Pierre Martin (1824-1915) fait breveter le procédé d'élaboration de l'acier nommé « Siemens-Martin ». Invention du scaphandre autonome par les Français Rouqueyrol et Denayrouze. Mise en service de la première presse rotative, imprimant recto et verso, par l'Américain William A. Bullock (1813-1867). Le Suisse Nikolaus Riggenbach (1817-1899) imagine le chemin de fer à crémaillère. Les Américains George Mortimer Pullman (1831-1897) et Ben Field font breveter la première voiture-lit de chemin de fer. **1866.** L'Américain Thomas Hall (1827-1880) introduit le système de signalisation ferroviaire automatique actionné par le passage des trains (block automatique). **1867.** Le Britannique Robert Whitehead (1823-1905) procède aux premiers essais de torpille automobile. L'Américain Christopher Latham Sholes (1819-1890) construit la première machine à écrire utilisable dans la pratique, à barres porte-caractères indépendantes.

◆ **Vélocipède Michaux** (1867-1868). En 1861, le carrossier français Pierre Michaux et l'un de ses fils, Ernest, ont l'idée d'adapter sur le moyeu de la roue avant d'une draisienne une paire de manivelles en fer. Ainsi naît le pédalier et, avec lui, le vélocipède. Ce n'est qu'en 1869 qu'apparaît la bicyclette à roues de même diamètre.

1868. Invention du frein à air comprimé par l'Américain George Westinghouse (1846-1914), du servomoteur par le Français Joseph Farcot (1823-1908) et, par le Français Georges Leclanché (1839-1882), de la pile électrique utilisant comme électrolyte le chlorure d'ammonium et comme dépolarisant le bioxyde de manganèse. **1869.** Invention, par le Belge Zénobe Gramme (1826-1901), du collecteur, qui permet la réalisation de machines électriques à courant continu. Découverte de la margarine par le Français Hippolyte Mège-Mouriès (1817-1880). Invention de l'aspirateur à poussières par l'Américain I. G. McGaffe et du roulement à billes par le Français J. Suriray. Première bicyclette créée par la société Meyer et Cie d'après les plans de l'horloger Guilmet. Premier cyclomoteur, réalisé par les Français P. Michaux et L. G. Perreaux en équipant un vélocipède d'un moteur à vapeur. Premier procédé de photographie trichrome, réalisé par le Français Louis Ducos du Hauron (1837-1920) ; le poète et savant français Charles Cros (1842-1888), indépendamment, en donne une description théorique. **1870.** Mise au point industrielle, par l'Américain John Wesley Hyatt (1837-1920), du Celluloïd, première matière plastique à base de polymère.

Haeckel, pionnier de l'écologie

Le zoologiste allemand Ernst Haeckel (1834-1919) est célèbre par l'originalité de ses idées comme par le nombre et la diversité de ses travaux en bien des domaines de la biologie. Son plus grand mérite est sans doute d'avoir créé le terme d'« écologie » en 1866 et de figurer parmi les tout premiers scientifiques ayant forgé les concepts fondamentaux de cette discipline. Dans son traité intitulé *Morphologie générale des organismes*, il définit l'écologie comme : « la totalité de la science des relations de l'organisme avec l'environnement, comprenant au sens large toutes les conditions d'existence ». Enthousiasmé par les idées de Darwin, dont il fut un ardent défenseur en Allemagne, il souligne, dans ses définitions ultérieures, que « l'écologie est l'étude des interrelations complexes auxquelles Darwin se réfère par l'expression de conditions de lutte pour l'existence ».

Haeckel est célèbre aussi, parmi les zoologistes, pour son adage : « l'ontogenèse récapitule la phylogenèse ». Il avait, en effet, observé qu'au cours du développement *in utero* des mammifères, l'embryon passait par divers stades morphologiques, rappelant les poissons, les amphibiens puis les reptiles, comme si, ainsi, se répétaient les diverses étapes de l'évolution des vertébrés. On sait aujourd'hui que l'on ne peut donner à cette « loi » la signification stricte que lui accordait son auteur.

Haeckel se réclamait d'une métaphysique athéiste qu'il appelait « monisme » et excluait l'intervention d'un quelconque Dieu dans la genèse de l'Univers et dans celle des espèces vivantes.

◆ **Le naturaliste Ernst Haeckel,** avec son assistant Maklay (à gauche), aux îles Canaries en 1867. Les nombreux voyages qu'il effectua permirent à Haeckel de se familiariser avec les diverses faunes marines du globe.

Petit lexique

naine blanche : étape finale de l'évolution de certaines étoiles qui deviennent des astres supercompacts (la masse du Soleil dans le volume de la Terre), initialement très brillants, et s'éteignant progressivement.

rayons cathodiques : rayonnement émis par la cathode dans un tube où règne un vide poussé.

VOIR AUSSI

- **Écologie** p. 82 à 87
- **Photosynthèse** p. 160
- **Génétique et hérédité** p. 195
- **Électromagnétisme** p. 345

Illustrations

- **Classification périodique** p. 348

La classification périodique

Professeur de chimie à l'université de Saint-Pétersbourg, Dmitri Ivanovitch Mendeleïev, en 1869, envoie à ses collègues un petit tableau où les 63 éléments chimiques connus sont rangés par ordre de poids atomique croissant, de façon que les éléments présentant des propriétés chimiques voisines se trouvent dans une même colonne. L'étrange périodicité ainsi mise en évidence semble tout à fait arbitraire, d'autant plus que Mendeleïev a arrangé certains poids atomiques pour qu'ils entrent dans le tableau, et laissé des cases vides peu vraisemblables. Si cette classification périodique des éléments chimiques est restée le modèle de l'intuition scientifique, c'est que ses cases vides se sont remplies une à une grâce à la découverte de nouveaux éléments et que son principe reflète l'arrangement des électrons dans les atomes, ce qui ne pouvait être soupçonné à l'époque.

◆ **La classification de Mendeleïev.**

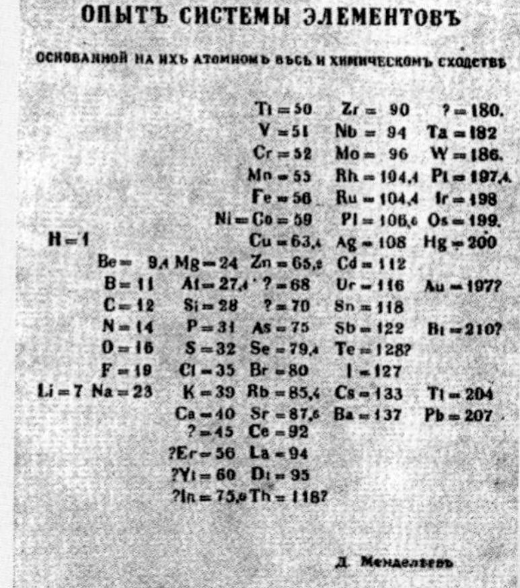

ОПЫТЪ СИСТЕМЫ ЭЛЕМЕНТОВЪ

ОСНОВАННОЙ НА ИХЪ АТОМНОМЪ ВѢСѢ И ХИМИЧЕСКОМЪ СХОДСТВѢ

			Ti = 50	Zr = 90	? = 180.
			V = 51	Nb = 94	Ta = 182
			Cr = 52	Mo = 96	W = 186.
			Mn = 55	Rh = 104,4	Pt = 197,4.
			Fe = 56	Ru = 104,4	Ir = 198
			Ni = Co = 59	Pl = 106,6	Os = 199.
H = 1			Cu = 63,4	Ag = 108	Hg = 200
	Be = 9,4	Mg = 24	Zn = 65,2	Cd = 112	
	B = 11	Al = 27,4	? = 68	Ur = 116	Au = 197?
	C = 12	Si = 28	? = 70	Sn = 118	
	N = 14	P = 31	As = 75	Sb = 122	Bi = 210?
	O = 16	S = 32	Se = 79,4	Te = 128?	
	F = 19	Cl = 35	Br = 80	I = 127	
Li = 7	Na = 23	K = 39	Rb = 85,4	Cs = 133	Tl = 204
		Ca = 40	Sr = 87,6	Ba = 137	Pb = 207.
		? = 45	Ce = 92		
		?Er = 56	La = 94		
		?Yt = 60	Di = 95		
		?In = 75,6	Th = 118?		

Д. Менделѣевъ

Le XIXe siècle

De 1871 à 1880
La découverte des microbes

L'ÉPOQUE : La France rejette définitivement la monarchie et s'installe dans la république laïque.

IDÉES ET TENDANCES : Les États-Unis s'illustrent dans le monde de la science, autant par les inventions d'Edison que par des résultats scientifiques. L'action des microbes dans presque toutes les maladies infectieuses est reconnue et l'automobile est en train de naître.

ASTRONOMIE

1872. Première photographie d'un spectre d'étoile (celui de Véga) par l'Américain Henry Draper (1837-1882). **1877.** Découverte des deux satellites de Mars par l'Américain Asaph Hall (1829-1907).

CHIMIE

1874. Joseph Achille Le Bel (1847-1930) et le Néerlandais Jacobus Henricus Van't Hoff (1852-1911) fondent la stéréochimie. **1875.** L'Américain Josiah Willard Gibbs (1839-1903) énonce la règle des phases, qui fixe la variance d'un système physico-chimique. Découverte du gallium par le Français François Lecoq de Boisbaudran (1838-1912). **1876.** Gibbs étend la thermodynamique à la chimie et introduit la notion de potentiel chimique. **1877.** Le Français Charles Friedel (1832-1899) et l'Américain James Mason Crafts (1839-1917) découvrent un procédé général de synthèse organique (réaction de Friedel et Crafts) permettant la soudure de chaînes latérales au noyau benzénique.

MATHÉMATIQUES

1871. L'Allemand Richard Dedekind (1831-1916) crée, en algèbre, la théorie des idéaux. **1872.** Dedekind expose la théorie des nombres irrationnels. L'Allemand Felix Klein (1849-1925) applique à la géométrie la théorie des groupes. **1873.** Le Français Charles Hermite (1822-1901) étudie les fonctions elliptiques et démontre la transcendance du nombre e. **1874.** L'Allemand Georg Cantor (1845-1918) crée la théorie des ensembles.

MÉDECINE

1873. Découverte du bacille de la lèpre par le Norvégien Gerhard Hansen (1841-1912). **1875.** L'Allemand Oskar Hertwig (1849-1922) fournit la première description correcte du processus de la fécondation (fusion des noyaux de l'ovule et du spermatozoïde). **1878.** Le Français Charles Sédillot (1804-1883) introduit le terme de microbe. Découverte du staphylocoque par le Français Louis Pasteur (1822-1895). **1879.** Premières expériences de vaccinations préventives par inoculation de microbes (sur des animaux) par Pasteur. L'Allemand Hugo Kronecker met au point le sérum physiologique. Découverte du gonocoque par l'Allemand Albert Neisser (1855-1916).**1880.** L'Allemand Karl Eberth (1835-1926) découvre le bacille de la fièvre typhoïde et le Français Alphonse Laveran (1845-1922), l'agent pathogène du paludisme.

PHYSIQUE

1871. Le Britannique James Clerk Maxwell (1831-1879) développe la théorie cinétique des gaz, selon laquelle la pression d'un gaz est due au choc des molécules qui le constituent et sa température dépend de la vitesse de ces molécules. Découverte du phénomène de regel de la glace par l'Irlandais John Tyndall (1820-1893). **1873.** Le Néerlandais Johannes Diderik Van der Waals (1837-1923) établit la continuité des états liquide et gazeux. **1876.** L'Américain Henry Augustus Rowland (1848-1901) montre qu'une charge électrique mobile crée un champ magnétique, mettant ainsi en évidence l'identité des électricités statique et dynamique. **1877.** L'Autrichien Ludwig Boltzmann (1844-1906) crée la mécanique statistique. Annonce simultanée par le

La théorie des ensembles

Est-il possible de tracer une tangente en tout point d'une courbe continue ? La réponse à cette question semblait évidente jusqu'à ce que l'Allemand Karl Weierstrass (1815-1897), auteur d'une définition rigoureuse de la notion de continuité, prouve l'existence d'une fonction continue qui n'est dérivable nulle part, sa courbe représentative n'admettant en effet aucune tangente. Ce type de courbe est devenu familier sous le nom de « fractale ». Une nouvelle approche des mathématiques se révélait donc nécessaire. L'Allemand Georg Cantor (1845-1918) propose de mettre à leur base l'unique notion d'ensemble, collection d'objets répondant à une définition simple.

Contrairement à l'attente de Cantor, la construction de la théorie des ensembles, qui constitue aujourd'hui le fondement de la mathématique moderne, s'est revélée complexe : le paradoxe (contradiction logique) de Russell met en danger sa cohérence. Il est indispensable d'en préciser les axiomes.

L'un des buts de Cantor était aussi de mettre en place un outil de comparaison des ensembles infinis : deux ensembles ont même cardinal s'il existe entre eux une correspondance terme à terme. Définition aux résultats les plus étranges : si l'ensemble des nombres entiers et celui des rationnels ont même cardinal, celui des nombres réels (ensemble des points d'une droite) est en revanche plus grand.

◆ **Téléphone de Bell (1876).**
Cet appareil rudimentaire ne permettait pas d'établir des communications à longue distance.

La microbiologie médicale

Casimir Joseph Davaine avait établi en 1863 le premier lien de causalité entre une maladie et une bactérie, dans le cas de la maladie du charbon. En 1873, le biologiste norvégien Gerhard Hansen découvre le bacille responsable d'une maladie humaine, la lèpre. Mais la microbiologie médicale ne prend vraiment son essor qu'à la fin des années 1870.

C'est d'abord le médecin allemand Robert Koch (1843-1910) qui réussit, en 1876, à cultiver la bactérie du charbon et à l'inoculer à des animaux ; puis Louis Pasteur montre qu'il est possible de la cultiver indéfiniment au moyen d'ensemencements successifs. Le grand biologiste français identifie en 1878 le staphylocoque, responsable des furoncles, puis en 1880 le streptocoque (agent de l'angine), tandis que le médecin allemand Albert Neisser identifie le gonocoque (1879), bactérie qui provoque une maladie vénérienne, la blennorragie.

Dès 1878, Louis Pasteur et ses collaborateurs communiquent à l'Académie des sciences leur *Théorie*

Thomas Edison

Étrange destin que celui de Thomas Alva Edison. Fils d'un brocanteur américain d'ascendance hollandaise, il naît à Milan (Ohio) en 1847. À l'âge de douze ans, il est engagé comme vendeur de journaux dans les trains. Il installe, dans le fourgon mis à sa disposition, une presse d'imprimerie achetée d'occasion et fonde un journal, le *Weekly Herald*, qu'il rédige et imprime pendant la marche du train et qu'il vend aux voyageurs. En 1862, il entre au bureau télégraphique de Port Huron ; il y invente, en 1864, un télégraphe duplex permettant de faire passer simultanément sur un même fil deux dépêches en sens inverses. Il devient par la suite ingénieur de plusieurs sociétés de réseaux télégraphiques. Riche et ayant déjà acquis un grand renom, il fonde, en 1876, son usine de Menlo Park, à Orange (New Jersey). C'est là qu'il va réaliser la plupart de ses inventions. La plus remarquable, sans doute, est celle du phonographe, en 1877. Il parvient aussi à améliorer la fabrication de la lampe à incandescence, ce qui en permet la commercialisation. Il diffuse, à partir de 1895, le projecteur cinématographique et dépose plus d'un millier de brevets, résultat du travail collectif de son équipe. On peut encore signaler, parmi ses découvertes, le microtéléphone (1877), des appareils télégraphiques quadruplex et sextuplex, et le kinétoscope (1891), ingénieuse synthèse photographique du mouvement. Vers 1914, il met au point un accumulateur alcalin au fer-nickel. À toutes ces inventions vient s'ajouter, en 1883, une découverte, celle de l'« effet Edison », qui est à l'origine de la lampe diode. Edison incarne parfaitement la société technicienne et pragmatique de la fin du XIXe siècle.

◆ **Phonographe d'Edison (1877).**
Cet appareil transformait les vibrations sonores en enregistrement mécanique.

Français Louis-Paul Cailletet (1832-1913) et par le Suisse Raoul Pierre Pictet (1846-1929) de la liquéfaction de l'oxygène. **1879.** Le Britannique William Crookes (1832-1919) étudie les décharges électriques dans les gaz raréfiés. L'Allemand Hermann von Helmholtz (1821-1894) montre que l'électricité a une structure « granulaire ». **1880.** Découverte de la piézoélectricité par les Français Pierre (1859-1906) et Paul Jacques (1855-1941) Curie, et de l'hystérésis magnétique par l'Allemand Emil Warburg (1846-1931). L'Américain Edwin Herbert Hall (1855-1938) découvre l'effet qui porte son nom (apparition d'un champ électrique dans un conducteur ou un semi-conducteur soumis à un champ magnétique). Invention du bolomètre par l'Américain Samuel Pierpont Langley (1834-1906).

SCIENCES DE LA VIE

1873. Le Suisse Hermann Fol (1845-1892) fournit les premières descriptions exactes des phases de la division cellulaire (ou mitose). **1877.** L'Allemand Karl Möbius (1825-1908) introduit la notion de biocénose (ensemble des animaux et des végétaux vivant dans un même biotope, au voisinage les uns des autres et en dépendance réciproque).

TECHNIQUES

1871. Première dynamo réalisée par le Belge Zénobe Gramme (1826-1901). Invention du marteau pneumatique par l'Américain Simon Ingersoll (1818-1894) et de l'émulsion photographique au gélatino-bromure d'argent par le Britannique Richard Leach Maddox (1816-1902). **1872.** Première utilisation sur un train du frein à air comprimé, imaginé par l'Américain George Westinghouse (1846-1914). L'Américain George B. Brayton fait breveter un moteur à essence. Pose du premier câble transocéanique entre l'Europe et l'Amérique du Sud. **1873.** Premier transport d'énergie électrique à Vienne (Autriche), réalisé par le Français Hippolyte Fontaine (1833-1910). Perfectionnement et fabrication en série de la machine à écrire par l'Américain Philo Remington (1816-1889). **1874.** Le Français Émile Baudot (1845-1903) fait breveter un système de télégraphie rapide. **1875.** Invention de la dynamite-gomme par le Suédois Alfred Nobel (1833-1896). Premier transport à longue distance (Buenos Aires – Le Havre) de viande congelée, grâce à un navire, le *Paraguay*, équipé d'un compartiment frigorifique par le Français Ferdinand Carré (1824-1900). **1876.** Invention du téléphone par l'Américain Alexander Graham Bell (1847-1922). Premiers moteurs à combustion interne à cycle à quatre temps, construits par les Allemands Nikolaus Otto (1832-1891), Gottlieb Daimler (1834-1900) et Wilhelm Maybach (1846-1929). Invention du balai mécanique par l'Américain Melville Reube Bissel (1843-1889) et du chemin de fer à voie étroite par le Français Paul Decauville (1846-1922). **1877.** Invention du phonographe par l'Américain Thomas Alva Edison (1847-1931). **1878.** Invention du microphone à charbon par l'Américain David Edward Hughes (1831-1900). Construction d'un moteur à gaz à deux temps par l'Allemand Carl Benz (1844-1929). Mise au point de la lampe à incandescence par Edison. Invention du séparateur centrifuge par le Suédois Gustaf De Laval (1845-1913). Premières plaques photographiques au gélatino-bromure d'argent, par l'Américain George Eastman (1854-1932). **1879.** Première locomotive électrique, construite par l'Allemand Werner von Siemens (1816-1892). **1880.** Invention de la photogrammétrie par le Français Aimé Laussedat (1819-1907). Première installation de distribution d'électricité réalisée par Edison sur le paquebot transatlantique *Columbia* (premier navire éclairé par l'électricité). Première machine à statistiques à cartes perforées construite par l'Américain Hermann Hollerith (1860-1929).

---

des germes et ses applications à la médecine et à la chirurgie, dans laquelle ils systématisent la notion selon laquelle des êtres vivants microscopiques sont les agents des maladies. Et le terme « microbe » est lancé le 11 mars 1878 devant cette même académie par le vieux chirurgien Charles Sédillot. Le mot fait fortune. Même si les médecins s'opposent à l'idée d'une cause microbienne des maladies infectieuses, la microbiologie médicale identifie les agents d'un nombre de plus en plus grand de maladies. Dans les années 1880 sont découvertes les bactéries responsables de la fièvre typhoïde (K. Eberth, 1880), de la tuberculose (R. Koch, 1882), du choléra (R. Koch, 1884), du tétanos (Arthur Nicolaier [1862-1942], en 1884), etc. Cependant, tous les agents des maladies ne sont pas des bactéries : dès le 20 oct. 1880, le médecin français Alphonse Laveran décèle dans le sang de sujets atteints de paludisme l'agent de cette maladie : c'est un protozoaire, *Plasmodium falciparum*. Publiée en 1881, cette découverte lui vaut le prix Nobel en 1907.

La cytologie

Dans les années 1870, la recherche en cytologie (étude de la structure et des fonctions de la cellule) connaît une véritable explosion. Les microscopes deviennent beaucoup plus performants grâce, notamment, à l'introduction de l'objectif à immersion. La technique de l'observation fait également un bond en avant grâce à l'invention, par l'Allemand Wilhelm His (1831-1904) du microtome, instrument de laboratoire permettant d'obtenir des coupes très fines et régulières. Oskar Hertwig démontre clairement en 1875, par ses observations au microscope, que la fécondation consiste en la fusion des noyaux du spermatozoïde et de l'ovule. D'autres chercheurs allemands, comme Otto Bütschli, Leopold Auerbach et Friedrich Anton Schneider avaient déjà fait des observations allant dans ce sens, entre 1873 et 1875. Durant cette même période, le processus de division cellulaire est correctement décrit par les Allemands H. Fol, A. Schneider et O. Bütschli. En 1883, c'est un autre biologiste allemand, Wilhelm Roux (1850-1924), qui donne l'explication théorique exacte des mouvements complexes des chromosomes durant la mitose (mode usuel de division de la cellule). Il faudra ensuite attendre 1890 pour que O. Hertwig décrive exactement la méiose, la double division cellulaire particulière qui préside à la formation des cellules sexuelles.

Introduction de l'entropie

À la suite de Sadi Carnot, lord Kelvin et Rudolf Clausius reconnaissent la nécessité de définir une grandeur nouvelle, l'entropie, capable de rendre compte de la dissymétrie naturelle entre travail (énergie mécanique) et chaleur. En effet, Carnot a montré que la même quantité de chaleur échangée avec une source à température élevée ou à température basse n'avait pas la même qualité : en particulier, le travail mécanique que peut en tirer une machine thermique est d'autant plus important que l'écart est grand entre les températures des sources. D'où l'idée (due à Clausius) d'introduire le rapport entre la quantité de chaleur et la température. Ce rapport, qu'il appelle « entropie », a la propriété de toujours augmenter lors des transformations naturelles d'un système. Cette étrange propriété, qui introduit une irréversibilité fondamentale dans l'Univers, puisqu'elle donne un sens à l'écoulement du temps, n'était pas contenue dans le modèle newtonien du monde qui servait de credo depuis le XVIIIe siècle.

C'est le physicien autrichien Ludwig Boltzmann qui comprit la signification profonde de cette grandeur fondamentale qu'est l'entropie. Considérant les systèmes thermodynamiques comme des ensembles formés d'un nombre extrêmement élevé de particules, il estime le degré de désordre de cet ensemble et postule que le système évolue spontanément vers l'état de désordre maximum. En mesurant ce désordre par une probabilité W (l'état le plus désordonné est le plus probable), il proposa la célèbre formule : $S = k \cdot \log W$ où S est l'entropie, telle qu'elle peut être mesurée dans tous les phénomènes thermodynamiques, et k une constante universelle, appelée « constante de Boltzmann ». En liant l'entropie aux atomes, Boltzmann explique enfin la tendance naturelle de l'énergie à se disperser, et de l'ordre à évoluer inéluctablement vers le désordre. Incompris, il se suicide à soixante-deux ans ; sa tombe, à Vienne, porte en inscription la formule qui résume son œuvre maîtresse.

◆ **Ludwig Boltzmann.**
Ce physicien autrichien est le principal créateur de la théorie cinétique des gaz.

VOIR AUSSI
- **Cellule** p. 194
- **Continuité d'une fonction** p. 324
- **Ensembles** p. 327
- **Thermodynamique** p. 344

Petit lexique

bolomètre : appareil permettant de mesurer l'énergie rayonnante (infrarouge, visible et ultraviolette).

microphone à charbon : microphone utilisant les variations de la résistance de contact de grains de charbon.

photogrammétrie : application de la stéréophotographie à différents domaines (relevés topographiques, mesure des objets).

piézoélectricité : propriété de certains cristaux de se déformer sous l'effet d'un champ électrique, et, réciproquement, de se polariser sous l'effet d'une contrainte mécanique.

stéréochimie : branche de la chimie qui étudie l'arrangement tridimensionnel des atomes dans les molécules.

variance : en chimie, le nombre de constituants dont il faut fixer la concentration pour que l'ensemble réactif soit complètement défini.

Le XIXe siècle

De 1881 à 1890
L'arrivée des ondes

L'ÉPOQUE : L'Afrique passe entièrement sous le contrôle colonial de l'Europe. Fondation de la IIe Internationale.

IDÉES ET TENDANCES : Les idées de Maxwell portent leurs fruits ; des ondes sont émises et reçues. L'échec de l'expérience de Michelson et Morley intrigue les physiciens, mais ne les inquiète pas. Toutes sortes d'automobiles commencent à rouler et le premier avion décolle (à peine).

CHIMIE

1884. Le Français Jean-Jacques Schlœsing (1824-1919) décrit le mécanisme de la nitrification des sols (transformation de l'azote organique en nitrates) sous l'action des bactéries. Le Néerlandais Jacobus Henricus Van't Hoff (1852-1911) pose les fondements de la cinétique chimique en montrant l'influence de la concentration et des températures sur des équilibres physico-chimiques. **1886.** Le Français Henri Moissan (1852-1907) isole le fluor. **1887.** Le Suédois Svante Arrhenius (1859-1927) donne une théorie ionique de l'électrolyse.

MATHÉMATIQUES

1881. Le Français Henri Poincaré (1854-1912) découvre une méthode générale de résolution des équations différentielles. **1882.** L'Allemand Ferdinand von Lindemann (1852-1939) démontre la transcendance du nombre π, établissant ainsi l'impossibilité de la quadrature du cercle. L'Allemand Georg Cantor (1845-1918) introduit les nombres transfinis. **1884.** L'Italien Gregorio Ricci-Curbastro (1853-1925) crée le calcul différentiel absolu (calcul tensoriel).

MÉDECINE

1882. L'Allemand Robert Koch (1843-1910) découvre le bacille de la tuberculose. **1885.** Première vaccination contre la rage par Louis Pasteur (1822-1895).

PHYSIQUE

1881. Première expérience des Américains Albert Michelson (1852-1931) et Edwards Williams Morley (1838-1923) sur la vitesse de la lumière, pour mettre en évidence un éventuel déplacement de la Terre par rapport à l'éther dans lequel les ondes lumineuses étaient censées se propager. **1882.** Étude, par l'Écossais James Alfred Ewing (1855-1935), du phénomène d'hystérésis magnétique, découvert indépendamment par l'Allemand Emil Warburg (1846-1931) en 1880. Le Français François Raoult (1830-1901) énonce les lois de la cryométrie (mesure des températures de congélation) et de l'ébulliométrie (mesure de la température d'ébullition d'une solution). Invention du galvanomètre à cadre mobile par les Français Marcel Deprez (1843-1918) et Jacques Arsène d'Arsonval (1851-1940). **1887.** L'Allemand Heinrich Hertz (1857-1894) découvre l'effet photoélectrique et confirme la théorie électromagnétique de Maxwell en découvrant expérimentalement des ondes électromagnétiques et en montrant qu'elles possèdent toutes les propriétés de la lumière. Fin des expériences de Michelson et Morley, qui établissent la constance de la vitesse de la lumière.

SCIENCES DE LA TERRE

1884. Le Français Marcel Bertrand (1847-1907) met en évidence la notion de charriage (déplacement de nappes de terrains), fondant ainsi la tectonique moderne. Adoption par une conférence internationale, à Washington, du système des fuseaux horaires, avec le méridien de Greenwich comme méridien origine.

SCIENCES DE LA VIE

1882. L'Allemand Walther Flemming (1882-1905) décrit et nomme la mitose (mode général de division de la cellule) et signale la similitude de ce phénomène chez les animaux et les plantes. **1883.** Le Belge Édouard Van Beneden (1846-1910) montre, en étudiant l'œuf fécondé de l'ascaris (ver parasite de l'intestin grêle), que

Des ondes, pas d'éther

C'est un jeune physicien allemand, Heinrich Hertz, qui, par l'expérience, confirme la théorie électromagnétique de Maxwell. En 1883, grâce à une puissante machine électrostatique, il produit des décharges électriques dans une pièce de son laboratoire et place dans une pièce voisine un fil de cuivre replié aux extrémités duquel apparaît, à chaque décharge, une minuscule étincelle.

C'est le premier récepteur d'ondes dites « hertziennes », qui sera rapidement amélioré. Hertz meurt à 37 ans sans voir, lui non plus, la portée de ses travaux, qui, avec ceux d'É. Branly (1890), A. S. Popov (1896) et G. Marconi (1899), fondent la radioélectricité moderne. En 1887, il prouve que les ondes électromagnétiques subissent la réflexion et la réfraction, que leur longueur est d'environ 60 cm et que, conformément à la prédiction de Maxwell, elles se propagent à la vitesse de la lumière. Il fait une autre découverte : son récepteur donne des étincelles plus intenses lorsqu'il est éclairé par de la lumière ultraviolette. Connu aujourd'hui sous le nom d'« effet photoélectrique », ce phénomène ne sera compris qu'en 1905 par Albert Einstein.

L'existence des ondes prouvée, il restait le délicat problème de l'éther, au sein duquel, selon Maxwell, elles devaient se propager. Le physicien américain Albert Michelson (1852-1931) a une idée véritablement cosmique : puisque la Terre est en mouvement par rapport aux étoiles (sa vitesse orbitale est de 30 km/s), son déplacement doit se traduire par un « vent d'éther », c'est-à-dire une légère variation de la vitesse de la lumière provenant des étoiles. À partir de 1881, Michelson et son collègue E. W. Morley utilisent un instrument ultrasensible, un interféromètre capable de détecter la moindre différence de marche entre deux rayons lumineux perpendiculaires. Mais aucun vent d'éther n'est enregistré : l'hypothèse de l'éther est réfutée.

miroir
source lumineuse
observateur
miroir
miroir semi-transparent

◆ **Expérience de Michelson-Morley.**
Un rayon lumineux tombe sur un miroir semi-transparent. Le rayon réfléchi va frapper un second miroir ; le rayon transmis poursuit son trajet rectiligne et va se réfléchir sur un troisième miroir. Les deux rayons superposés atteignent l'observateur. Celui-ci observe, en général, des franges d'interférences, alternativement sombres et lumineuses. Les deux bras du dispositif ayant la même longueur, on peut utiliser le décalage éventuel des franges pour déceler des différences entre les vitesses de la lumière dans les deux directions. Michelson et Morley espéraient ainsi mesurer la différence entre la vitesse de la lumière suivant une direction nord-sud et sa vitesse suivant une direction est-ouest. Mais ils trouvèrent que cette différence était nulle.

◆ **Chronophotographie.**
Étienne Jules Marey a réalisé, en 1887, cette chronophotographie permettant l'analyse des mouvements d'un coureur.

Louis Pasteur

Né en 1822 à Dole, dans une famille modeste, Louis Pasteur fait ses études à l'École normale supérieure de la rue d'Ulm et s'oriente vers la chimie. Ses premiers travaux sur les cristaux d'acide tartrique, puis sur les fermentations alcoolique et lactique, lui font prendre conscience de la capacité des êtres vivants microscopiques à altérer les propriétés de la matière. Il entre alors en controverse avec le chimiste allemand Justus von Liebig (1803-1873), selon lequel les fermentations ne sont que de pures réactions chimiques. Pasteur, quant à lui, affirme qu'elles ne peuvent se produire sans les êtres vivants (tous deux avaient raison, puisqu'il s'agit de réactions chimiques se produisant à l'intérieur des êtres vivants). Entre 1860 et 1864, une autre controverse oppose Pasteur au médecin français Félix Pouchet (1800-1872), qui soutient l'existence de la génération spontanée : Pasteur la réfutera en 1864 par des expériences restées célèbres.

À partir de 1877, il s'intéresse au rapport entre microbes et maladies et, s'inspirant des travaux du médecin allemand Robert Koch, met au point une méthode de culture en continu de la bactérie responsable du charbon (maladie infectieuse septicémique) chez le mouton. En 1878, il présente à l'Académie des sciences sa *Théorie des germes et ses applications à la médecine* où, reprenant les expériences et les idées du médecin français C. J. Davaine, il affirme que les maladies infectieuses sont provoquées par des microbes. Cela lui vaut de violentes attaques du corps médical. Cependant, la preuve définitive est faite que de nombreux microbes sont agents de maladies, tandis qu'est posé le principe de la lutte antimicrobienne (asepsie, antisepsie). S'ensuit en 1880 la découverte de la technique des vaccins.

Ayant inoculé par erreur à des poules une souche vieillie de la bactérie responsable du choléra chez les oiseaux, il s'aperçoit qu'elles ne succombent pas à la maladie lorsqu'il leur injecte ultérieurement la bactérie virulente. Il en déduit que la première injection du microbe affaibli les a protégées contre le microbe totalement actif. Il redécouvre ainsi et élargit le principe de la vaccile spermatozoïde et l'ovule fournissent chacun la moitié des chromosomes et que ceux-ci sont ensuite maintenus en nombre constant dans toutes les divisions cellulaires de l'embryon. Le Russe Ilia Metchnikov (1845-1916) découvre le phénomène de la phagocytose (processus par lequel certaines cellules et certains protozoaires capturent et ingèrent des particules ou des micro-organismes). **1885.** L'Allemand August Weismann (1834-1914) réfute la notion d'hérédité des caractères acquis et fonde le néodarwinisme. **1890.** L'Allemand Emil von Behring (1854-1917) découvre le premier anticorps, l'antitoxine diphtérique.

TECHNIQUES
1881. Premier tramway électrique à Berlin. **1882.** Le Français Étienne Jules Marey (1830-1904) crée la chronophotographie (méthode d'analyse du mouvement par des photographies successives). Construction du premier alternateur industriel par le Britannique (d'origine italienne) Sebastiano Ziani de Ferranti (1864-1930). Invention du ventilateur électrique par l'Américain Schuyler Skoats Wheeler (1860-1923). **1883.** Le Suédois Gustaf De Laval (1845-1913) invente la turbine à vapeur qui porte aujourd'hui son nom. Nikola Tesla (1856-1943), d'origine croate, construit le premier moteur électrique à champ tournant. Le Français Édouard Delamare-Deboutteville (1856-1901) fait circuler le premier véhicule automobile actionné par un moteur à explosion. Le Russe Konstantine Edouardovitch Tsiolkovski (1857-1935) émet l'idée de réaliser des vols interplanétaires en utilisant la propulsion par réaction. **1884.** Invention du transformateur par le Français Lucien Gaulard (1850-1888), du fusil automatique par l'Américain Hiram Stevens Maxim (1840-1916), de la turbine à vapeur à réaction par le Britannique Charles Parsons (1854-1931), de la première fibre textile artificielle par le Français Hilaire Bernigaud de Chardonnet (1839-1924) du stylo à réservoir par l'Américain Lewis Edson Waterman (1837-1901) et de la pellicule photographique par l'Américain George Eastman (1854-1932). Premières analyses et synthèses d'images par l'Allemand P.G. Nipkow (1860-1940). Invention de la Linotype par l'Américain Ottmar Mergenthaler (1854-1899). **1885.** Découverte des courants électriques polyphasés par Tesla. **1886.** Le Français Paul Héroult (1863-1914) et l'Américain Charles Martin Hall (1863-1914) mettent au point, indépendamment, la métallurgie de l'aluminium par électrolyse. **1887.** L'Allemand Gottlieb Daimler (1834-1900) invente le carburateur et réalise avec Wilhelm Maybach (1846-1929) un moteur à deux cylindres en « V ». Synthèse des sucres par l'Allemand Emil H. Fischer (1852-1919). **1888.** Premiers aciers spéciaux, élaborés par le Britannique Robert Abbott Hadfield (1858-1940). Invention du pneumatique par l'Écossais John Boyd Dunlop (1840-1921). **1889.** La Conférence générale des poids et mesures adopte les étalons définitifs du mètre et du kilogramme. **1890.** Le Français Édouard Branly (1844-1940) imagine le cohéreur à limaille, qui permet la réception des signaux de téléphonie sans fil (TSF). Première ligne de métro à traction électrique à Londres. Premier vol de l'engin que son inventeur, le Français Clément Ader (1841-1925), nomme « avion » (du latin *avis*, « oiseau »).

◆ **La tour Eiffel en construction en 1888.**
Érigé pour l'Exposition universelle de 1889, ce gigantesque pylône ne représentait que le dixième du métal mis en œuvre à l'époque par son constructeur. Le viaduc de Garabit (1882-1884), la grande coupole de l'observatoire de Nice (1885) et l'ossature de la statue de la Liberté à New York (1886) comptent parmi les autres réalisations célèbres de Gustave Eiffel.

nation établi en 1796 par le médecin britannique E. Jenner, lequel, ignorant l'existence des microbes, n'avait pu établir sa vaccination antivariolique que d'après des constatations empiriques. Désormais, Pasteur peut étendre sa technique à d'autres microbes et préparer ainsi des vaccins contre toutes sortes de maladies. Il réalise d'abord un vaccin contre le charbon du mouton, et fait la démonstration publique de son efficacité sur 50 moutons à Pouilly-le-Fort (près de Melun), en présence de ses contradicteurs (5 mai-2 juin 1881). Enfin, en 1885, il se décide à passer à l'homme, dans le cas de la rage. La première inoculation de virus atténué, qu'il réalise sur Joseph Meister en juillet 1885, n'est en réalité pas une vaccination préventive, mais curative : le jeune berger étant déjà infecté par le virus, les injections de virus affaibli ont pour rôle de stimuler les défenses immunitaires durant le temps d'incubation de la maladie.

Le néodarwinisme

Le biologiste allemand August Weismann (1834-1914), considéré comme l'un des plus grands biologistes de tous les temps, a fait faire un grand pas en avant à la biologie théorique, en ce qui concerne la compréhension de l'hérédité et des mécanismes de l'évolution des espèces. Passionné de sciences naturelles dès l'enfance, il fait des études de médecine, puis se tourne vers la biologie cellulaire. Un trouble de la vue l'empêchant de travailler au microscope, il doit se consacrer à des études théoriques. De 1876 à 1892, il publie nombre d'articles et de livres sur le problème de l'hérédité. Sur la base des observations réalisées à cette époque par les cytologistes, il déduit que, chez les êtres vivants, le matériel génétique doit avoir une existence indépendante du reste du corps (hypothèse aujourd'hui confirmée) et qu'il ne peut être influencé par lui : c'est affirmer l'impossibilité d'une transmission héréditaire des caractères acquis durant la vie par l'exercice des organes. Il s'oppose ainsi à une notion admise par tous les biologistes. Pour prouver la vérité de son hypothèse, il coupe la queue de plusieurs générations de souris : cette mutilation n'est jamais transmise et les souriceaux naissent toujours munis de leur queue.

◆ **L'automobile.**
Gottlieb Daimler (à l'arrière) et son fils Adolf (au volant), à bord de la première automobile à moteur à essence, en 1886. La même année, Carl Benz brevetait aussi sa première automobile. À l'Exposition universelle de Paris, en 1889, G. Daimler et son associé W. Maybach présentèrent le premier véhicule automobile construit entièrement en acier. À partir de 1890, les pionniers de l'automobile devinrent plus nombreux. Panhard et Levassor, en France, ayant acquis la licence du moteur Daimler, réalisèrent les premières automobiles pratiques.

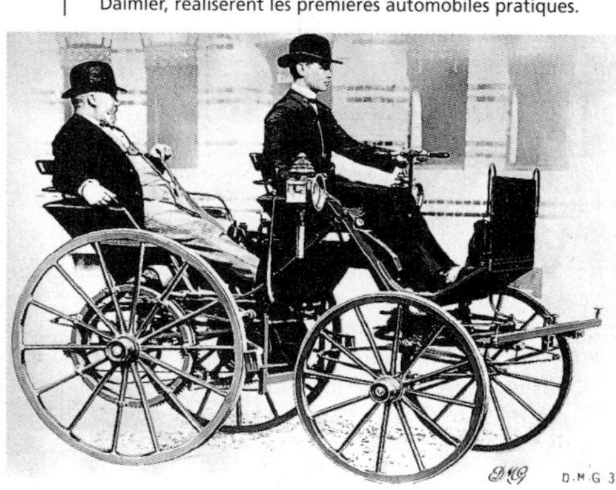

D.M.G 3735.

Par ailleurs, Weismann apporte une correction au darwinisme en affirmant que la sélection naturelle est le seul facteur de l'évolution des espèces, alors que Darwin admet l'hérédité des caractères acquis comme facteur supplémentaire pouvant modifier les espèces. C'est pourquoi la théorie de Weismann est appelée « néodarwinisme ». Elle est aujourd'hui admise comme base de la théorie moderne de l'évolution des espèces (dite « théorie synthétique »).

Le noyau, siège de l'hérédité

Dans les années 1880, la biologie cellulaire parvient à une conclusion extrêmement importante pour le développement ultérieur de la génétique. Sur la base des observations faites jusque-là au microscope et de raisonnements théoriques, les biologistes allemands Oskar Hertwig (1849-1922) et Eduard Strasburger (d'origine polonaise, 1844-1912) déduisent que le noyau des cellules est le siège de l'hérédité. Il faudra toutefois attendre les années 1910 et les expériences de l'école de T.H. Morgan pour démontrer définitivement que ce sont les chromosomes, au sein du noyau, qui sont les porteurs du message héréditaire. D'autres biologistes arrivent, indépendamment et presque en même temps, à la même conclusion : l'Allemand August Weismann (1834-1914) et le Suisse Albert von Kölliker (1817-1905). Ce dernier affirme même qu'une substance chimique particulière propre au noyau, la nucléine (découverte en 1869 par son compatriote Friedrich Miescher), doit être la substance de l'hérédité. Singulière prémonition, puisque la nucléine s'avérera être ce qu'on appelle aujourd'hui l'ADN, la substance chimique des gènes et des chromosomes.

VOIR AUSSI 

- **Théories de l'évolution** p. 93
- **Quadrature du cercle** p. 329
- **Ondes électromagnétiques** p. 338

Petit lexique

éther (physique) : fluide hypothétique emplissant tout l'espace, et supposé nécessaire à la propagation de la lumière.

galvanomètre : instrument permettant de mesurer l'intensité d'un courant électrique.

hystérésis : propriété des matériaux ferromagnétiques de conserver une aimantation lorsque le champ magnétique extérieur auquel ils ont été soumis a disparu.

Le XIXe siècle

De 1891 à 1900
Des nuages à l'horizon physique

L'ÉPOQUE : Tandis que l'« affaire Dreyfus » déchaîne les passions, l'Exposition universelle de 1900 se prépare activement. Guerre des Boers en Afrique du Sud, indépendance de Cuba. Naissance du mouvement sioniste.

IDÉES ET TENDANCES : Cette décennie contient en germe tout ce qui va bouleverser les sciences du XXe s. : électron, rayons X, radioactivité, quanta, virus, etc., et pourtant rares sont ceux qui le pressentent. Quelques esprits perspicaces soupçonnent néanmoins que les questions encore sans réponse pourraient bouleverser la conception du monde physique.

CHIMIE

1892. Étude de l'hydrogénation catalytique par le Français Paul Sabatier (1859-1941). **1894.** Découverte des oligo-éléments par le Français Gabriel Bertrand (1867-1962) et de l'argon par les Britanniques lord Rayleigh (1842-1919) et William Ramsay (1852-1916). **1898.** Les Britanniques W. Ramsay et Morris William Travers (1872-1961) découvrent le néon, le krypton et le xénon. Les Français Pierre (1859-1906) et Marie (1867-1934) Curie découvrent le polonium et le radium.

MATHÉMATIQUES

1892. Début de la publication des *Méthodes nouvelles de la mécanique céleste*, par Henri Poincaré (1854-1912). **1895.** Début des travaux de topologie de H. Poincaré. **1897.** *Théorie des corps de nombres algébriques*, de l'Allemand David Hilbert (1862-1943). **1899.** Publication des *Grundlagen der Geometrie (Fondements de la géométrie)*, de D. Hilbert, qui ouvrent la voie à l'axiomatique moderne de la géométrie euclidienne.

PHYSIQUE

1891. L'Irlandais George Johnstone Stoney (1826-1911) nomme « électron » le corpuscule élémentaire d'électricité, dont il a postulé l'existence dès 1874, et tente d'en calculer la charge. **1895.** Découverte des rayons X par l'Allemand Wilhelm Conrad Röntgen (1845-1923). **1896.** Découverte de la radioactivité naturelle (de l'uranium) par Henri Becquerel (1852-1908). Découverte par le Néerlandais Pieter Zeeman (1865-1943) de la modification du spectre d'émission d'un corps sous l'action d'un champ magnétique. Invention par les Français Charles Fabry (1867-1945) et Alfred Pérot (1863-1925) de l'interféromètre qui porte leur nom. **1897.** Le Britannique Joseph John Thomson (1856-1940) mesure le rapport de la charge à la masse de l'électron. **1898.** L'Écossais James Dewar (1842-1923) liquéfie l'hydrogène. **1899.** Découverte des cristaux liquides par l'Allemand Otto Lehmann (1855-1922). **1900.** L'Allemand Max Planck (1858-1947) fait l'hypothèse des quanta d'énergie pour expliquer le rayonnement du corps noir. Découverte des rayons γ par le Français Paul Villard (1860-1934).

SCIENCES DE LA VIE

1894. Découverte du bacille de la peste par le Français Alexandre Yersin (1863-1943). **1897.** L'Allemand Eduard Buchner (1860-1917) montre qu'un extrait de levure de bière peut réaliser la fermentation alcoolique (première mise en évidence des enzymes intracellulaires). Le Britannique Charles Scott Sherrington (1857-1952) propose de désigner sous le nom de « synapse » le point de jonction de deux cellules nerveuses. **1899.** Le Néerlandais Martinus Willem Beijerinck (1861-1931) définit une nouvelle classe d'agents infectieux, les virus. **1900.** Le Néerlandais Hugo De Vries (1848-1935), l'Allemand Carl Erich Correns (1864-1933) et l'Autrichien Erich E. Tschermak (1871-1962) redécouvrent les lois de l'hérédité et l'œuvre de G. Mendel. Découverte des groupes sanguins A, B, O par l'Américain d'origine autrichienne Karl Landsteiner (1868-1943).

Une avalanche de rayons

Vers 1870, après que Julius Plücker (1801-1868) et Heinrich Geissler, inventeur de la pompe à vide, ont perfectionné le tube à décharge, ampoule de verre munie de deux électrodes métalliques, Wilhelm Hittorf observe que, sous un vide suffisamment poussé, une étrange fluorescence verte émane de l'électrode négative (la cathode).

Est-elle due à une lumière d'un type nouveau ou à un flux de particules ? Cette dernière hypothèse prévaut lorsque William Crookes montre que les rayons cathodiques peuvent faire tourner un petit moulinet placé dans le tube et que Jean Perrin prouve qu'ils sont constitués de corpuscules chargés négativement.

Ces résultats cadrent parfaitement avec la théorie des électrons du Néerlandais H. A. Lorentz qui avait supposé, dès 1892, que le courant électrique est une circulation d'électrons et que ces minuscules particules sont présentes dans n'importe quelle matière.

Cependant le tube de Crookes n'a pas encore livré tous ses secrets. Si les rayons cathodiques excitent la fluorescence du tube, ils sont arrêtés par le verre. Pourtant, lorsque le tube est recouvert de carton, il en émane tout de même un rayonnement, capable de rendre lumineuses des substances fluorescentes placées à proximité. La découverte de ces rayons inconnus (et donc baptisés « X »), capables de traverser la matière, fait la gloire de Wilhelm Röntgen, qui réalise aussitôt la première radiographie de l'Histoire : celle d'une main. Mais la nature des rayons X – particules ou ondes ? – reste mystérieuse. On ne comprendra que beaucoup plus tard que le faisceau d'électrons venant frapper l'électrode opposée du tube de Crookes est responsable de la création des rayons X, ondes électromagnétiques de longueur d'onde beaucoup plus courte que celle des ondes lumineuses.

La découverte des rayons X est bientôt suivie d'une autre découverte : celle de la radioactivité de l'uranium (H. Becquerel, 1896), puis du radium (P. et M. Curie, 1898). À cette époque où l'atome reste encore une hypothèse, l'émission spontanée d'un rayonnement par la matière est tout simplement inexplicable.

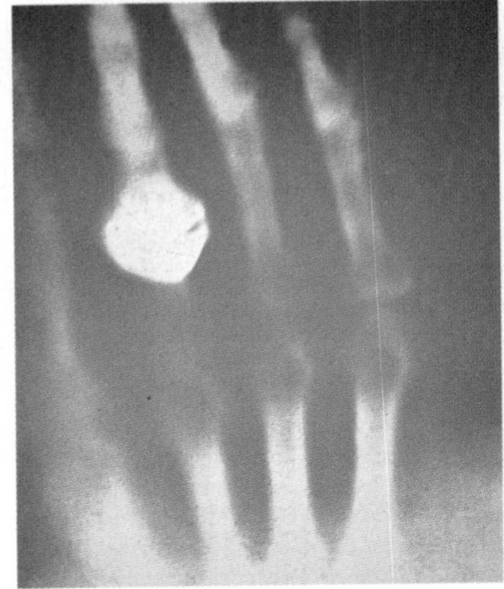

◆ **La première radiographie.** Obtenue par le physicien allemand Röntgen le 22 décembre 1895, elle montre le squelette d'une des mains de sa femme.

◆ **Marie Curie dans son laboratoire.**

TECHNIQUES

1891. Premières expériences de vol à voile par l'Allemand Otto Lilienthal (1848-1896). Première automobile à moteur à essence construite par les Français René Panhard (1841-1908) et Émile Levassor (1843-1897). Invention, par le Français Édouard Michelin (1859-1940), du pneu démontable pour bicyclette. **1892.** Premier brevet de l'Allemand Rudolf Diesel (1858-1913) pour un moteur à essence à combustion interne. Mise au point du four électrique par le Français Henri Moissan (1852-1907). **1893.** Invention par l'Écossais James Dewar (1842-1923) du vase isolant (qui porte à présent son nom) pour la conservation des gaz liquéfiés ; par le Français André Blondel (1863-1938), de l'oscillographe ; par les Allemands Hans Geitel (1855-1923) et Julius Elster (1854-1920), de la cellule photoélectrique, par l'ingénieur russe Aleksandr Stepanovitch Popov (1859-1906), de l'antenne radioélectrique. **1894.** Invention du pneu démontable pour les automobiles par Édouard Michelin. **1895.** Invention du cinématographe par les frères Louis (1864-1948) et Auguste (1862-1954) Lumière. Première utilisation de la traction ferroviaire électrique à Baltimore (États-Unis). **1896.** L'Italien Guglielmo Marconi (1874-1937) fait breveter son système de TSF (télégraphie sans fil). Premier phonographe électrique, ou pick-up, par le Suisse Frantz Dussaud (1870-1953). **1897.** Invention de l'oscillographe cathodique par l'Allemand Karl Ferdinand Braun (1850-1918) et de l'invar par le Suisse Charles Édouard Guillaume (1861-1938). Premier bateau à vapeur équipé de turbines, le *Turbina*, construit à l'initiative du Britannique Charles Algernon Parsons (1854-1931). Mise en service de la plus grande lunette du monde (1,02 m d'ouverture) à l'observatoire Yerkes, aux États-Unis. **1898.** Autocommutateur téléphonique électromécanique à sélecteurs rotatifs par l'Américain Almon B. Strowger. Premier enregistrement magnétique des sons par le Danois Valdemar Poulsen (1869-1942). **1899.** Première transmission de TSF sur une longue distance (40 km) par G. Marconi. Premier autobus, construit par Gottlieb Daimler (1834-1900). Première ligne de chemin de fer électrifiée en Europe, en Suisse (ligne Burgdorf-Thoune). **1900.** Essai, au-dessus du lac de Constance, du premier dirigeable rigide construit par l'Allemand Ferdinand von Zeppelin (1838-1917).

◆ **Le premier cinématographe.** Premier cinématographe, réalisé par Louis Lumière en 1895. L'appareil permettait la prise de vues et la projection. L'avance intermittente du film était assurée par une griffe, système encore en vigueur aujourd'hui. L'enregistrement et la reproduction des images en couleurs ne débutèrent qu'en 1911 et il fallut attendre 1927 pour voir l'avènement des premiers longs-métrages parlants.

◆ **Le métro de Paris.** Mise en service de la première rame du métro de Paris, construit sous la direction de F. Bienvenüe, le 16 juillet 1900.

Les transfusions

Le premier essai sérieux de transfusion de sang d'être humain à être humain est effectué en 1829 par l'obstétricien britannique James Blundell (1790-1828) à l'occasion d'une hémorragie chez une accouchée. Puis des expériences dans ce domaine sont menées en 1867 par le physiologiste allemand L. Landois (1837-1905) et le physiologiste français E. Oré (1828-1890). En 1875, L. Landois découvre que l'échec d'une transfusion d'un animal à un autre, d'espèce différente, provient du fait que les globules rouges transfusés subissent un phénomène d'agglutination, interrompant rapidement toute circulation sanguine. En 1900, le biologiste Karl Landsteiner (1868-1943) observe que le même phénomène intervient, mais moins systématiquement, lors de la transfusion du sang d'un être humain à un autre être humain. Cela l'amène à reconnaître les groupes sanguins A, B, AB et O et à définir les lois qui permettent de transfuser sans danger le sang d'un individu à un autre, en sachant à l'avance à quel groupe chacun d'eux appartient. S'installant aux États-Unis à partir de 1919, K. Landsteiner poursuit ses travaux à l'Institut Rockefeller de New York et identifie d'autres groupes sanguins (dits M, N et P), ainsi que le facteur Rhésus en 1940.

VOIR AUSSI 

- **Mutations** p. 94
- **Groupes sanguins** p. 198
- **Topologie** p. 331
- **Électrons** (structure de la matière) p. 336

Henri Poincaré

Entré à l'École polytechnique malgré de sérieuses déficiences en dessin et en gymnastique, Henri Poincaré a révolutionné bien des domaines des mathématiques, de la physique et de l'astronomie. Il se fait connaître en 1885 en remportant le concours lancé par le roi de Suède sur le « problème des *n* corps » : Comment décrire le mouvement de plus de deux corps soumis aux forces d'attraction universelle ? Selon sa démonstration, ce problème n'admet que des solutions approchées (méthode des perturbations). Karl Weierstrass considère que la solution de Poincaré inaugure « une ère nouvelle pour la mécanique céleste ». Par ses recherches, Henri Poincaré jouera un rôle essentiel dans de nombreuses théories : topologie (en particulier, topologie algébrique), géométrie algébrique, application de la théorie des groupes aux équations différentielles. Ses travaux l'amènent à mettre en doute le dogme déterministe : les mêmes causes ne produisent pas toujours les mêmes effets et tout n'est pas accessible au calcul. Ses ouvrages de réflexion *(la Science et l'Hypothèse, la Valeur de la science)* le rendent très populaire.

Les quanta

À la fin du XIXe s., lord Kelvin constate que « la physique est presque achevée », en signalant cependant « quelques nuages amassés sur la théorie de la chaleur et de la lumière ». Ces nuages – l'effet photoélectrique découvert par Hertz en 1887 et un curieux désaccord, baptisé « catastrophe ultraviolette », entre la théorie de la chaleur et l'expérience – dissimulent en fait de véritables ouragans qui vont, en l'espace de quelques années, balayer toute la théorie physique.

Tout part d'une recherche initialement très marginale. L'Institut des poids et mesures allemand, cherchant un étalon de référence pour les toutes nouvelles lampes électriques, demande au physicien Wilhelm Wien (1864-1928) d'établir une relation entre la température d'un four (un « corps noir ») et le rayonnement qu'il émet. De la même façon qu'un morceau de fer est d'abord chauffé au rouge, puis à blanc, avant d'émettre un rayonnement ultraviolet lorsque la température augmente, Wien observe que le maximum de rayonnement émis par le corps noir se déplace vers le violet. Cherchant à retrouver ce résultat par la théorie, Max Planck, professeur à l'université de Berlin, fait une constatation désagréable : le seul moyen de rendre compte de la courbe de Wien est d'imaginer que le four émet un rayonnement non pas de façon continue, mais discrète, c'est-à-dire par quanta d'énergie. Planck avance cette hypothèse à contrecœur, en précisant qu'il ne s'agit que d'un artifice de calcul. C'est Einstein, cinq ans plus tard, qui montrera la réalité physique des quanta.

Petit lexique

corps noir : système, maintenu à température constante, qui absorbe intégralement tout le rayonnement qu'il reçoit.

interféromètre : appareil permettant de mesurer avec une très grande précision la distance des franges d'interférence.

Le XXe siècle

De 1901 à 1910
L'aube fracassante du nouveau siècle

L'ÉPOQUE : La « Révolution de 1905 » en Russie est violente mais sans lendemains. Angleterre et France signent l'« entente cordiale ». La IIIe République affirme et impose la laïcité.

IDÉES ET TENDANCES : Les trois articles publiés par Einstein dans les *Annalen der Physik* ouvrent la porte à des changements révolutionnaires ; la physique et le rapport des hommes à la science en seront irréversiblement modifiés. Les gènes et les chromosomes deviennent des objets d'expérience. L'idée de s'envoler dans un « plus lourd que l'air » se concrétise.

ASTRONOMIE
1908. L'Américain George Hale (1868-1938) découvre le magnétisme des taches solaires.

CHIMIE
1901. Le Français Victor Grignard (1871-1935) découvre les composés organomagnésiens, qui vont se révéler d'une grande utilité pour les synthèses organiques. **1902.** Le Français Paul Sabatier (1854-1941) étudie les phénomènes de catalyse chimique et réalise la synthèse du méthane. **1906.** Découverte de la chromatographie (méthode de séparation des constituants d'un mélange) par le Russe Mikhaïl Semenovitch Tsvet (1872-1919). **1909.** Le Danois Søren Sørensen (1868-1939) introduit la notion de pH (potentiel hydrogène).

MATHÉMATIQUES
1904 Début des travaux de l'Allemand David Hilbert (1862-1943) sur les fondements de la géométrie. **1908.** Axiomatisation de la théorie des ensembles par l'Allemand Ernst Zermelo (1871-1953).

MÉDECINE
1903. Les Allemands Emil Fischer (1852-1919) et Joseph von Mering (1849-1908) introduisent en thérapeutique le premier barbiturique, le véronal. **1905.** Les Allemands Erich Hoffmann (1868-1958) et Fritz Richard Schaudinn (1871-1906) découvrent l'agent de la syphilis. **1907.** L'Allemand Paul Ehrlich (1854-1915) met au point le premier traitement efficace contre la syphilis, à base de produits arsenicaux. Le Français Charles Nicolle (1866-1936) découvre l'agent de transmission du typhus.

PHYSIQUE
1902. Travaux des Britanniques Ernest Rutherford of Nelson (1871-1937) et Frederick Soddy (1877-1956) sur la radioactivité naturelle. **1904.** Publication par le Néerlandais Hendrik Antoon Lorentz (1853-1928) des formules de transformation reliant les longueurs, les masses et le temps de deux systèmes en mouvement rectiligne uniforme l'un par rapport à l'autre. **1905.** Le Suisse d'origine allemande Albert Einstein (1879-1955) explique l'effet photoélectrique et le mouvement brownien et crée la théorie de la relativité restreinte. **1906.** Énoncé par l'Allemand Walther Nernst (1864-1941) du troisième principe de la thermodynamique (« À la température du zéro absolu, l'entropie de tous les systèmes est nulle »). Rutherford identifie les particules α à des noyaux d'hélium. **1907.** Le Français Pierre Weiss (1865-1940) crée la théorie du ferromagnétisme. Découverte de l'isotopie par le Britannique Frederick Soddy (1877-1956). **1908.** Introduction par l'Allemand Hermann Mikowski (1864-1909), du concept d'espace-temps à quatre dimensions, qui fournit une interprétation géométrique de la relativité restreinte. Le Néerlandais Heike Kamerlingh Onnes (1853-1926) liquéfie l'hélium (à – 269 °C).

Rutherford explore l'atome

En 1906, Ernest Rutherford of Nelson et Frederick Soddy s'attaquent au problème des rayons uraniques, découverts dix ans plus tôt par H. Becquerel. Sous l'influence d'un aimant, le rayonnement se partage en trois faisceaux divergents. Celui qui n'est pas dévié vient d'être identifié : il s'agit d'ondes électromagnétiques, les rayons γ. Les rayons β sont constitués d'électrons, comme l'a montré Becquerel lui-même. Reste le troisième faisceau (baptisé α), qui dévie en sens inverse du faisceau d'électrons et est donc composé de particules positives. Rutherford et Soddy voient apparaître le spectre de l'hélium en l'observant au spectroscope. Les rayons α sont donc des noyaux d'hélium, mais nul ne soupçonne alors qu'un atome puisse avoir un noyau.

Les particules vont ensuite permettre à Rutherford d'explorer finement la matière : lorsqu'elles sont dirigées vers une mince feuille d'or, certaines d'entre elles rebondissent comme si elles heurtaient quelque chose de dur... Le noyau ainsi mis en évidence, l'atome apparaît comme une sorte de microsystème solaire, les électrons tournant autour d'un noyau positif très dense. Ce modèle (imparfait) sera bientôt corrigé par Niels Bohr (1913), mais Rutherford sera néanmoins le premier à réaliser une transmutation (1919) en changeant un noyau d'azote en noyau d'oxygène.

Einstein et la relativité

En 1900, la physique apparaît comme la juxtaposition de deux théories : la mécanique et l'électromagnétisme. La première, la théorie du mouvement au départ, est devenue la théorie de la matière depuis que Maxwell et Boltzmann ont montré qu'en considérant la matière comme un ensemble de particules microscopiques soumises aux lois de la mécanique, il était possible de calculer, par des méthodes statistiques, les grandeurs relatives à la matière telle que nous la percevons. L'électromagnétisme, de son côté, est considéré comme la théorie de la lumière depuis que Maxwell a prouvé que la lumière est une onde électromagnétique. Or, qui dit « onde » dit « propagation », et Maxwell a recouru à l'éther pour expliquer « mécaniquement » cette propagation.

Le problème auquel se trouvent confrontés les physiciens est le suivant : la mécanique repose sur le principe de relativité, selon lequel les choses se passent de façon analogue quand un train est immobile et quand il roule à une vitesse déterminée, à ceci près que dans le second cas les vitesses s'ajoutent : une personne qui, dans un train roulant à 150 km/h, se déplace dans le sens de la marche à 1 km/h a, par rapport au remblai de la voie, une vitesse égale à 151 km/h. Or la lumière fait manifestement exception à cette règle : un signal lumineux dirigé vers l'avant du train se propage à une vitesse invariable (300 000 km/s) quel que soit le point de repère considéré, le train ou le remblai ; cette vitesse invariable, soigneusement vérifiée expérimentalement par Michelson et Morley, est inscrite dans les équations mêmes de la théorie de Maxwell. Comment comprendre que celle-ci, fondée en dernière analyse sur la mécanique, viole de façon aussi explicite le principe sur lequel repose cette dernière?

Certains sont prêts à affirmer que la lumière et la matière n'ont aucune raison d'obéir aux mêmes principes, renonçant ainsi à l'unification projetée par Maxwell. La solution est trouvée en 1905 par un jeune homme de 26 ans, Albert Einstein : les deux théories sont vraies et le principe de relativité est un principe unificateur, valant aussi bien pour l'électromagnétisme que pour la mécanique. Qu'il faille pour cela supprimer l'éther se comprend bien : c'est sur la base de ce concept *ad hoc* que Maxwell a tenté de déduire l'électromagnétisme de la mécanique ; l'échec de cette tentative incite à rechercher d'autres manières d'unifier les deux théories. Celle que choisit Einstein est radicale : elle consiste à modifier le concept de temps. De fait, c'est surtout aux yeux des philosophes et de l'honnête homme que l'acte d'Einstein paraît iconoclaste – pour un physicien, le temps n'est qu'une étiquette dont on ne sait pas, même aujourd'hui, si elle peut être identifiée à une grandeur physique.

Cette unification de la théorie de la lumière et de celle de la matière conduit de façon naturelle à l'équivalence des concepts de masse et d'énergie – à un facteur de conversion près, lié à la « vitesse de la lumière » – exprimée par la célèbre égalité $E = mc^2$.

◆ **Einstein** (1879 - 1955).
Sa théorie de la relativité a profondément marqué la science moderne, en bouleversant les notions physiques d'espace et de temps.

SCIENCES DE LA TERRE

1902. L'Américain Arthur Edwin Kennelly et le Britannique Oliver Heaviside (1850-1925) font l'hypothèse de la présence d'une couche conductrice dans la haute atmosphère, l'ionosphère, ayant la propriété de réfléchir les ondes hertziennes. **1909.** Découverte par le Yougoslave Andrija Mohorovičić (1857-1936) de la discontinuité entre la croûte et le manteau terrestre.

SCIENCES DE LA VIE

1901. Le Japonais Takamine Jokichi (1854-1922) isole la première hormone, l'adrénaline. Le Néerlandais Hugo De Vries (1848-1935) introduit la notion de mutation en biologie.**1903.** Le Russe Ivan Petrovitch Pavlov (1849-1936) présente ses travaux sur les réflexes conditionnés. L'Autrichien Richard Zsigmondy (1865-1929) et l'Allemand Henry Siedentopf (1872-1940) construisent le premier ultramicroscope qui, par son éclairage latéral, permet de déceler des objets invisibles au microscope ordinaire. Découverte de l'électrocardiographie par le Néerlandais Willem Einthoven (1860-1927). **1907.** En faisant la synthèse artificielle de la protéine fondamentale de la soie (qui comprend 18 acides aminés), Fischer apporte la preuve que les protéines constitutives des êtres vivants sont formées de chaînes d'acides aminés. **1909.** Le Français Louis Lapicque (1866-1952) établit les lois de l'excitabilité des fibres nerveuses. **1910.** L'Américain Thomas Hunt Morgan (1866-1945) commence à établir la théorie chromosomique de l'hérédité.

TECHNIQUES

1901. L'Allemand Jungner invente l'accumulateur à électrodes de fer et de nickel. Le Français Auguste Rateau (1863-1930) conçoit la turbine multicellulaire à action qui porte son nom. **1902.** Invention par l'Allemand Robert Bosch (1861-1942) de l'allumage électrique des moteurs thermiques par magnéto. Invention du périscope pour les sous-marins. Premier concours Lépine, à Paris. **1903.** Premier vol soutenu d'un avion à moteur, par les Américains Orville (1871-1948) et Wilbur (1867-1912) Wright. Le Russe Konstantine Edouardovitch Tsiolkovski (1857-1935) publie *Exploration des espaces cosmiques par des engins à réaction,* dans lequel se trouvent énoncées les lois du mouvement d'une fusée. **1904.** Invention de la diode par le Britannique John Ambrose Fleming (1849-1945) et de la plaque photographique autochrome (photographie en couleurs) par Auguste et Louis Lumière. **1905.** Première exploitation industrielle du procédé d'impression offset par l'Américain Ira W. Rubel. Invention du soudage autogène par I. L. Fouché. **1906.** Synthèse industrielle de l'ammoniac par l'Allemand Fritz Haber (1868-1934). Invention de la Bakélite par l'Américain Leo Baekeland (1863-1944). Mise en service du tunnel du Simplon, le plus long tunnel ferroviaire du monde (19,8 km). **1907.** Invention du radiogoniomètre à cadre par l'Italien Ettore Bellini (1876-1943) et du bélinographe par le Français Édouard Belin (1876-1963). **1910.** Découverte du Duralumin par l'Allemand Alfred Wilm (1869-1937).

L'essor de la génétique

La découverte des lois de Mendel est suivie d'une véritable explosion de recherches en génétique. Dès 1902, Lucien Cuénot (1866-1951) en France et William Bateson (1861-1926) en Grande-Bretagne montrent que ces lois sont valables dans le règne animal (jusque-là, elles n'avaient été établies, tant par Mendel que par De Vries, Correns ou Tschermak, que pour des végétaux). Dans le même temps, le biologiste américain W.S. Sutton (1877-1916) et le biologiste allemand T. Boveri (1862-1915), remarquant que les chromosomes se distribuent lors de la reproduction exactement comme les gènes, en déduisent que les premiers sont le support physique des seconds (mais il faudra attendre les travaux de Morgan, dans les années 1910, pour que cette théorie soit vraiment acceptée). En 1909, le biologiste danois W.L. Johannsen (1857-1927) crée les termes de « gène » et de « génotype » ; en 1910, le biologiste américain E. M. East (1879-1938) montre que les caractères à variation continue (comme la taille) sont contrôlés par plusieurs gènes à la fois.

Parallèlement, le mathématicien britannique G. H. Hardy (1877-1947) et le biologiste allemand W. Weinberg (1862-1937) ont établi une des lois fondamentales de la génétique des populations (principe de Hardy-Weinberg), sur laquelle des mathématiciens et des biologistes s'appuieront plus tard pour proposer une analyse génétique de l'évolution des espèces.

Les hormones

L'endocrinologie naît dans la première décennie du XXe s. En 1901, le Japonais Takamine Jokichi isole pour la première fois une hormone, l'adrénaline (dont l'administration détermine une augmentation de la pression artérielle).

L'année suivante, les physiologistes anglais W. Bayliss (1860-1924) et E. Starling (1866-1927) supposent que, sous l'action des aliments en voie de digestion sortant de l'estomac, les cellules de la paroi intestinale sécrètent une substance qui, déversée dans le sang et conduite jusqu'au pancréas, vient provoquer la sécrétion des sucs digestifs par cet organe. Ils donnent le nom de « sécrétine » à cette substance hypothétique.

En 1905, Bayliss fait un pas de plus en dénommant « hormone » (du grec *hormân*, « exciter ») toute substance sécrétée dans l'organisme par une glande, un tissu muqueux, etc. et qui, véhiculée dans le sang, va stimuler le fonctionnement d'autres organes ou tissus. Par la suite, les découvertes d'hormones ne cesseront de s'accumuler (hormones thyroïdiennes, sexuelles, hypophysaires, etc.).

◆ **Le premier vol des frères Wright le 17 décembre 1903.**

La naissance de l'aviation

Le 17 décembre 1903, au milieu des dunes désolées de Kitty Hawk, sur la côte atlantique de la Caroline du Nord, aux États-Unis, pour la première fois dans l'histoire un appareil plus lourd que l'air, propulsé par un moteur, décolle et effectue un vol soutenu. Les héros de ce premier vol sont deux frères, Orville et Wilbur Wright. Leur appareil, le *Flyer*, doté d'un moteur développant de 12 à 16 ch, accomplit en fait ce jour-là quatre envolées successives, la plus longue atteignant 284 m. Après ce premier exploit, l'aviation connaît un essor rapide.

La France contribue largement à son développement. Le 13 janvier 1908, Henri Farman effectue sur un biplan Voisin le premier kilomètre en circuit fermé au-dessus du terrain d'Issy-les-Moulineaux. Le 30 octobre, il accomplit, entre Bouy et Reims (27 km), la première liaison de ville à ville. À la fin de 1908 se tient au Grand Palais, à Paris, la première Exposition internationale de l'aéronautique. Bientôt, moteurs et cellules s'améliorent, ouvrant la voie à de nouvelles performances. Ainsi, le 25 juillet 1909, Louis Blériot, constructeur et pilote, traverse la Manche. Parti des Baraques, près de Calais, à 4 h 41, à bord du monoplan *Blériot XI*, il se pose, à 5 h 13, aux environs de Douvres. La nouvelle de cette réussite déclenche une extraordinaire effervescence, en Europe et dans le monde.

VOIR AUSSI 

- **Hormones** p. 201
- **Relativité** p. 300 et 343
- **Avions** p. 380

◆ **Autochrome des frères Lumière.**

Petit lexique

ferromagnétisme : propriété qu'ont certains matériaux, dont le fer, d'acquérir sous l'effet d'un champ magnétique une aimantation élevée qui donne naissance à un champ magnétique très supérieur au champ inducteur.

isotopie : existence de corps identiques au point de vue chimique, mais possédant des masses atomiques différentes.

Le XXe siècle

De 1911 à 1920
Chromosomes et hérédité

L'ÉPOQUE : Un conflit complexe dans les Balkans débouche sur la Première Guerre mondiale. La Russie devient l'URSS, et la Chine, une république.

IDÉES ET TENDANCES : Des bouleversements conceptuels s'opèrent dans toutes les disciplines scientifiques. Signant la naissance de la physique quantique, la relativité einsteinienne ouvre la voie à une cosmologie que des découvertes en astronomie confortent. La théorie chromosomique donne une base à la génétique mendélienne. La guerre génère le développement de toutes sortes de technologies.

ASTRONOMIE

1911. Le Danois Ejnar Hertzsprung (1873-1967) établit une classification des étoiles d'après leur type spectral et leur luminosité, et découvre ainsi l'existence des naines et des géantes. **1912.** L'Américain (d'origine autrichienne) Victor Hess (1883-1964) découvre le rayonnement cosmique (dont l'existence avait été établie indirectement dès 1910 par le Suisse A. Gockel). L'Américain Vesto Melvin Slipher (1875-1969) effectue les premières mesures de la vitesse radiale de nébuleuses spirales. L'Américaine Henrietta Leavitt (1868-1921) découvre une relation entre la luminosité et la période de variation d'éclat de certaines étoiles variables, les céphéides, ce qui permet d'élaborer une méthode d'évaluation de la distance des amas stellaires et des galaxies. **1913.** L'Américain Henry Norris Russell (1877-1957) établit, indépendamment de Hertzsprung, une classification des étoiles d'après leur type spectral et leur luminosité qui se révèle un outil fondamental pour l'étude de l'évolution stellaire. **1915.** L'Américain Percival Lowell (1855-1916) postule l'existence d'une planète située au-delà de Neptune, pour expliquer les perturbations de son mouvement. **1917.** L'Américain Harlow Shapley (1885-1972) étudie la répartition des amas globulaires et évalue le diamètre de la Galaxie. Le Néerlandais Willem De Sitter (1872-1934) propose un modèle d'Univers relativiste non statique. **1919.** Le Britannique Arthur Stanley Eddington (1882-1944) vérifie, lors d'une éclipse totale, que la lumière des étoiles lointaines est courbée par le champ de gravitation du Soleil, conformément aux prévisions de la théorie de la relativité.

CHIMIE

1916. Théorie de la liaison chimique (considérée comme un échange d'électrons) de l'Américain Gilbert Lewis (1875-1946) et de l'Allemand Walther Kossel (1888-1956). **1919.** Le Britannique Ernest Rutherford of Nelson réalise la première transmutation provoquée (celle de l'azote en oxygène). **1920.** Le Danois Johannes Brønsted (1879-1947) introduit la notion de couple acide-base.

MATHÉMATIQUES

1914. Publication des *Grundzüge der Mengenlehre,* de l'Allemand Felix Hausdorff (1868-1942), où il expose la théorie des espaces topologiques et métriques.

PHYSIQUE

1911. Modèle planétaire de l'atome proposé par Rutherford of Nelson. Découverte de la supraconductivité par le Néerlandais Heike Kamerlingh Onnes. Mesure de la charge de l'électron par l'Américain Robert Andrews Millikan (1868-1953). **1912.** L'Allemand Max von Laue (1879-1960) étudie la diffraction des rayons X par les cristaux. Le Britannique Charles Thomson Rees Wilson (1869-1959) invente la chambre humide à condensation (détecteur de particules) qui porte son nom. **1913.** Premier modèle quantique d'atome, proposé par le Danois Niels Bohr (1885-1962). Le Britannique Joseph John Thomson (1856-1940) crée la spectrographie de masse. Le Britannique Frederick Soddy (1877-1956) établit l'existence des isotopes, que le Suédois Georg Hevesy de Heves (1885-1966) utilise comme marqueurs radioactifs dans les réactions chimiques. Découverte par l'Allemand Johannes Stark (1874-1957) de la décomposition des raies spectrales émises ou absorbées par un atome sous l'influence d'un champ électrique. **1915.** L'Allemand Arnold Sommerfeld

La physique quantique

En 1900, Max Planck avait émis l'hypothèse que l'énergie est émise ou absorbée par quanta, c'est-à-dire par des paquets d'énergie, liés à la fréquence f du rayonnement par l'intermédiaire d'une constante h (dite « constante de Planck ») telle que $E = hf$. Cette idée paraît moins aberrante quand, cinq ans plus tard, Einstein explique de la même façon l'effet photoélectrique, découvert par H. Hertz en 1886 et qui se traduit par l'éjection d'électrons d'un métal éclairé par des rayons ultraviolets.

Pour Einstein, les corpuscules lumineux portent une énergie proportionnelle à leur fréquence, qu'ils communiquent aux électrons des atomes métalliques. L'effet est d'autant plus marqué que le rayonnement a une fréquence élevée (c'est le cas des ultraviolets) et disparaît totalement avec la lumière visible (de fréquence plus faible), quelle que soit son intensité. Les atomes peuvent donc absorber et émettre de la lumière, ce qui est en accord, observe le physicien danois Niels Bohr, avec les résultats de la spectroscopie : si un atome émet de la lumière à certaines fréquences bien déterminées (les raies du spectre), c'est que l'énergie de ses électrons est, elle aussi, quantifiée. Et au modèle « impossible » d'atome planétaire de Rutherford (d'après les équations de Maxwell, les électrons devraient tomber sur le noyau), Bohr substitue un modèle quantique, retrouvant par le calcul la formule du spectre de l'hydrogène qu'avait trouvée empiriquement en 1885 le Suisse Johann Jacob Balmer (1825-1898).

Les électrons de l'atome de Bohr sont répartis sur des niveaux d'énergie caractéristiques de chaque atome. Par choc, ou absorption d'un quantum d'énergie, un électron peut passer d'un niveau à un autre, d'énergie plus élevée, puis « redescendre » à son niveau initial en émettant un quantum identique. Mais si la théorie des quanta « illumine » l'atome, elle ne peut malheureusement se référer à aucune image habituelle. Les quanta, ni ondes ni corpuscules, échappent à toute description autre que mathématique.

◆ **Les physiciens Niels Bohr et Max Planck.**

La relativité générale

Newton avait expliqué la gravitation par la force d'attraction universelle ; Einstein l'explique en 1916 par la géométrie de l'espace-temps. Et le saut conceptuel que cela implique continue de susciter aujourd'hui l'admiration de tous les physiciens. C'est intuitivement, à partir des « sensations qu'éprouverait un homme tombant d'un toit », qu'Einstein construit la relativité générale, qui rend compte, sans l'intervention d'aucune force, de tous les phénomènes gravitationnels. Le personnage en état d'apesanteur imaginé par Einstein n'a aucune raison de penser qu'il est en chute libre, les objets qui l'accompagnent tombant à la même vitesse que lui et ne semblant soumis à aucune force. Il doit donc suivre une trajectoire « naturelle », une ligne de plus grande pente dans l'espace-temps. Cela implique que les objets qui sont responsables de la gravitation (la Terre en l'occurrence) créent une courbure de l'espace-temps, d'autant plus prononcée qu'ils sont plus massifs. Les planètes, par exemple, tombent ainsi avec des trajectoires pratiquement circulaires dans la dépression (à quatre dimensions...) créée par la masse du Soleil.

L'espace-temps de la relativité générale ne peut se représenter graphiquement ; il n'est accessible qu'au calcul tensoriel (développé par Ricci-Curbastro et Levi-Civita en 1902), mais sa courbure est observable : les rayons lumineux sont défléchis (c'est-à-dire qu'ils changent de direction) au voisinage du Soleil ou des étoiles et peuvent donner naissance à des mirages gravitationnels dont la confirmation expérimentale sera apportée en 1987 par l'observation de galaxies. Une autre prédiction de la théorie, l'existence d'ondes gravitationnelles, est à présent l'objet de recherches actives.

Gènes et chromosomes

Ce sont le biologiste américain T. H. Morgan et ses collaborateurs C. B. Bridges (1899-1938), A. H. Sturtevant (1891-1970) et H. J. Muller (1890-1967) qui démontrèrent les premiers que les gènes figurent sur les chromosomes. Dès 1903-1904, des auteurs comme Sutton et Boveri étaient parvenus à cette conclusion par un raisonnement théorique. Morgan figurait parmi les nombreux biologistes qui n'étaient pas convaincus par cette théorie. De 1903 à 1910, il ne cesse de publier des articles la critiquant violemment. En 1909, il se met à rechercher des mutations brusques de caractères héréditaires sur des mouches drosophiles, à la

(1868-1951) applique à l'atome la mécanique relativiste conjointement à la théorie des quanta et réussit ainsi à expliquer la « structure fine » des raies spectrales. **1916.** Théorie de la relativité générale du Suisse d'origine allemande Albert Einstein (1879-1940). **1920.** Les Français Fernand Holweck (1890-1941) et Jean Thibaud (1901 1960) établissent expérimentalement, indépendamment l'un de l'autre, la continuité entre le rayonnement ultraviolet et les rayons X.

SCIENCES DE LA TERRE

1913. Découverte de l'ozone dans la haute atmosphère par le Français Charles Fabry (1867-1945). **1915.** L'Allemand Alfred Wegener (1880-1930) expose sa théorie de la dérive des continents.

SCIENCES DE LA VIE

1912. Le Français Alexis Carrel (1873-1944) met au point la culture des tissus. **1913.** Les Américains Elmer Verner McCollum (1879-1967) et Thomas B. Osborne (1859-1929) font la première découverte d'une vitamine, la vitamine A. **1914.** L'Américain (d'origine polonaise) Casimir Funk (1884-1967) isole la vitamine B, antibéribérique. **1915.** Une équipe de généticiens américains sous la direction de Thomas Hunt Morgan (1866-1945) publie ses découvertes sur les mécanismes chromosomiques de l'hérédité. **1916.** Publication par l'Américain F. E. Clements d'un ouvrage fondamental d'écologie, sur les communautés végétales. **1920.** L'Allemand Otto Loewi (1873-1961) met en évidence la libération de messages chimiques par les terminaisons nerveuses. L'Autrichien Karl von Frisch (1886-1982) découvre le langage des abeilles.

TECHNIQUES

1911. Invention du gyrocompas par l'Américain Elmer Ambrose Sperry (1860-1930). Création du Bureau international de l'heure. **1912.** L'Autrichien Viktor Kaplan (1876-1934) construit la turbine-hélice hydraulique à pas variable qui porte son nom. **1913.** Invention par l'Américain Irving Langmuir (1881-1957) de l'ampoule électrique à atmosphère gazeuse ; par l'Américain William David Coolidge (1873-1975), du tube à cathode chaude pour la production de rayons X ; par l'Allemand Hans Geiger (1882-1945), du compteur de particules qui porte son nom. Mise en service, aux usines Ford, aux États-Unis, de la première chaîne de montage d'automobiles en grande série pour la construction de la Ford T. **1915.** Le Français Paul Langevin (1872-1946) invente la technique de repérage des sous-marins par ultrasons. L'Allemand Hugo Junkers (1859-1935) réalise le premier avion entièrement métallique. **1916.** Le Britannique Brearley met au point l'acier inoxydable. **1918.** L'Américain Donald Jones (1890-1963) réalise les premiers hybrides du maïs. Invention du superhétérodyne (récepteur radio moderne) par Lucien Lévy (1892-1965) et, indépendamment, par l'Américain Edwin Armstrong (1890-1954). **1919.** Le Français Georges Poivilliers (1892-1968) conçoit le premier appareil de stéréophotogrammétrie aérienne. Invention de l'hydroptère par l'Américain Alexander Graham Bell (1847-1922). **1920.** Invention du turbopropulseur par le Britannique A. A. Griffith. Mise en service, à Pittsburgh (États-Unis), de la première station de radiodiffusion.

manière dont son ami, le Néerlandais H. De Vries (redécouvreur des lois de Mendel) observait des mutations chez les plantes à fleurs. En 1910, avec son équipe de l'université Columbia à New York, il découvre pour la première fois une mouche mutante aux yeux blancs (les drosophiles normales ont les yeux rouges). Or, ce caractère se transmet de génération en génération en concomitance avec les caractères sexuels femelles. Sachant que ceux-ci sont déterminés par un chromosome appelé X, Morgan et ses collaborateurs en concluent que le facteur génétique déterminant la couleur des yeux figure aussi sur le chromosome X. C'est la première preuve expérimentale certifiant que les facteurs génétiques (ou gènes) sont localisés sur les chromosomes. L'équipe de l'université Columbia parvient ensuite à localiser de plus en plus de gènes sur les chromosomes sexuels et, aussi, sur les autres chromosomes. Morgan et ses collaborateurs peuvent ainsi dresser de véritables cartes chromosomiques des facteurs héréditaires. En 1915, ils publient un premier bilan de leurs résultats dans l'ouvrage *The Mechanism of Mendelian Heredity*.

◆ **Le biologiste américain Thomas Hunt Morgan.**

L'œuvre de Morgan et de son équipe, conjointement avec la redécouverte des lois de Mendel, marque l'avènement de la génétique moderne.

La découverte des vitamines

On avait suspecté dès la fin du XIXe s. l'existence des vitamines, c'est-à-dire de substances indispensables à l'organisme et apportées par l'alimentation. Par exemple, en 1897, le médecin néerlandais C. Eijkman (1858-1930) avait montré que le béri-béri, maladie nerveuse fréquente en Extrême-Orient, était dû au fait que les Orientaux se nourrissaient de riz décortiqué. Le son de celui-ci devait donc contenir une substance indispensable. Celle-ci est isolée en 1914 par le biochimiste américain d'origine polonaise C. Funk (1884-1967), qui lui donne le nom de vitamine (ou « amine vitale », car il pense avoir isolé une molécule de la famille des amines) ; elle sera rebaptisée plus tard vitamine B1.

L'année précédente, en 1913, les Américains E. McCollum et T.B. Osborne ont isolé une autre vitamine, la vitamine A (ou antixérophtalmique, la xérophtalmie étant une maladie des yeux). Dans les années 1920 seront isolées la vitamine D (antirachitique), la vitamine C (antiscorbutique) et la vitamine E (dont la carence entraîne des défaillances du système reproducteur).

Des continents à la dérive

D'abord intéressé par l'astronomie, l'Allemand Alfred Wegener (1880-1930) entreprend finalement une carrière de météorologiste. En 1906 il participe, pour la première fois, à une expédition au Groenland, où il s'intéresse à la position d'un îlot dont les coordonnées sont contestées : mesurée lors de sa découverte, en 1823, sa longitude a été rectifiée en 1869 par d'autres géographes qui ont placé la petite île 420 m plus à l'ouest. Or, lorsque Wegener refait les calculs à son tour, c'est à 1 km du point trouvé en 1823 qu'il doit placer l'îlot. Des erreurs systématiques de cette importance étant à exclure, Wegener mesure la position de nombreux autres points. Il fait ainsi une découverte capitale : à des vitesses différentes, le Groenland et les îles qui l'entourent se sont déplacés vers l'ouest. À partir de 1912, Wegener esquisse sur la base de ses observations la théorie de la dérive des continents, qu'il expose en détail en 1915 dans un ouvrage intitulé *la Genèse des continents et des océans.* Selon lui, il y a environ 225 millions d'années, la surface terrestre était constituée par un seul océan et par un continent unique, ou Pangée. Celui-ci s'étant ensuite disloqué, ses fragments, flottant tels des icebergs sur la roche fluide sous-jacente, se sont séparés en creusant entre eux les bassins océaniques. Ainsi s'expliquent notamment la similitude de forme des côtes de l'Afrique et de l'Amérique du Sud (qui semblent découpées comme les pièces d'un puzzle destinées à s'emboîter l'une dans l'autre) et la présence des mêmes terrains et des mêmes fossiles de part et d'autre de l'océan Atlantique. Considérée comme trop simpliste et comme l'œuvre d'un amateur, cette théorie sera longtemps attaquée ou ignorée par les spécialistes. Wegener mourra en 1930, lors d'une ultime expédition au Groenland, sans avoir pu faire prévaloir ses conceptions aujourd'hui reconnues.

◆ **Le géophysicien Alfred Wegener.**

VOIR AUSSI
- **Tectonique des plaques** p. 30
- **Lumière** p. 340
- **Théorie quantique** p. 343
- **Élément chimique** p. 348

Petit lexique

gyrocompas : appareil de navigation dont le principe est la stabilité de l'axe de rotation d'un gyroscope quels que soient les mouvements du support.

hydroptère : navire susceptible de déjauger lorsqu'il atteint une vitesse suffisante, grâce à des surfaces portantes liées à sa coque.

supraconductivité : propriété de certains métaux, alliages et composés dont la résistivité électrique devient nulle en dessous d'une température critique, généralement très basse.

Le XXe siècle

De 1921 à 1930
L'Univers en expansion ?

L'ÉPOQUE : Le régime fasciste de Mussolini s'installe en Italie. Staline remplace Lénine en URSS. En Chine, Jiang Jieshi succède à Sun Yat-Sen à la tête du Guomindang. « Jeudi noir » de Wall Street en 1929.

IDÉES ET TENDANCES : La naissance de la théorie quantique représente une révolution majeure de l'histoire des sciences et remet en question les certitudes causales issues du modèle newtonien. Épargnée par la guerre, soutenue par une technologie puissante, la science américaine prend son essor.

ASTRONOMIE

1924. Le Britannique Arthur Stanley Eddington (1882-1944) achève la théorie de l'équilibre radiatif des étoiles (à laquelle il travaillait depuis 1916) et établit qu'il existe une relation entre leur masse et leur luminosité. L'Américain Edwin Hubble (1889-1953) observe des étoiles dans la nébuleuse d'Andromède et prouve ainsi l'existence de galaxies extérieures à la nôtre. **1927.** Le Néerlandais Jan Hendrick Oort (1900-1992) et le Suédois Bertil Lindblad (1895-1965) mettent en évidence la rotation de la Galaxie. Le Belge Georges Lemaître (1894-1966) propose un modèle relativiste d'Univers en expansion. **1929.** Edwin Hubble trouve expérimentalement une relation entre la distance et la vitesse de récession des galaxies, qui conforte l'hypothèse de l'expansion de l'Univers. **1930.** L'Américain Robert Julius Trumpler (1886-1956) met en évidence et mesure l'absorption de la lumière des astres par la matière interstellaire. Découverte de la planète Pluton par l'Américain Clyde William Tombaugh (né en 1906). Invention du coronographe (pour l'étude de la couronne solaire hors éclipses) par le Français Bernard Lyot (1897-1952) et d'un télescope photographique à grand champ par l'Allemand Bernhard Schmidt (1879-1935).

CHIMIE

1921. L'Allemand Friedrich Bergius (1884-1949) crée la première méthode de synthèse industrielle des carburants. **1922.** L'Allemand Hermann Staudinger (1881-1965) introduit la notion de macromolécule. **1927.** Les Allemands Walter Heitler (1904-1981) et Fritz London (1900-1954) présentent la première théorie quantique de la liaison chimique. **1928.** Les Américains Gilbert Lewis (1875-1946) et Irving Langmuir (1881-1957) expliquent la formation des molécules par la mise en commun de doublets d'électrons. Lewis définit les acides comme des composés capables d'accepter un doublet d'électrons. Les Allemands Otto Diels (1876-1954) et Kurt Alder (1902-1958) réalisent la synthèse diénique, procédé de condensation des molécules organiques.

MATHÉMATIQUES

1922. L'Israélien Abraham Fraenkel (1891-1965) poursuit l'axiomatisation de la théorie des ensembles entreprise en 1908 par E. Zermelo.

MÉDECINE

1921. Les Français Albert Calmette (1863-1933) et Camille Guérin (1872-1961) proposent leur vaccin antituberculeux, le BCG. **1924.** L'Allemand

Galaxie et galaxies

Vers 1920, on se représente l'Univers comme un gigantesque amas d'astres – la Galaxie –, de dimensions immenses mais finies, de forme lenticulaire, immergé dans un milieu vide. Existe-t-il quelque chose au-delà des frontières de ce système ? On l'ignore encore. Y a-t-il, au-delà de la Galaxie, d'autres « univers îles », groupant des milliards d'étoiles, comme l'affirme l'astronome américain Heber Doust Curtis (1872-1942) ? C'est ce que vont confirmer les découvertes d'Edwin Hubble en 1924. Grâce au télescope de 2,54 m d'ouverture mis en service six ans plus tôt à l'observatoire du mont Wilson, en Californie, Hubble parvient à résoudre en étoiles la célèbre nébuleuse M 31 de la constellation d'Andromède, apportant ainsi la preuve qu'il s'agit bien d'une importante agglomération d'astres et non d'une simple nuée de gaz. Parmi les étoiles qu'il y détecte, il y en a de variables, les céphéides, utilisables comme étalons de distance grâce à la relation caractéristique entre leur période de variation d'éclat et leur luminosité. Hubble peut donc déterminer la distance de la nébuleuse, soit 900 000 années-lumière. Ce résultat établit de manière indiscutable que M 31 est située à l'extérieur de notre Galaxie.

Les galaxies. D'autres nébuleuses spirales seront à leur tour résolues en étoiles, et il se confirmera bientôt que l'Univers, comme le pressentaient déjà Kant et Herschel au XVIIIe s., est peuplé de gigantesques systèmes stellaires, isolés les uns des autres, plus ou moins semblables à notre Galaxie. Leur étude va réserver aux astronomes d'autres surprises. Vers 1925, on dispose déjà des spectres d'une quarantaine de galaxies, dont les raies sont généralement décalées en bloc vers le rouge par rapport à leurs positions observées. Attribué à un effet Doppler-Fizeau, ce décalage traduit un mouvement d'éloignement des galaxies par rapport à la Terre.

Hubble s'emploie à évaluer la distance de ces galaxies, et parvient ainsi, en 1929, à énoncer la loi à laquelle son nom demeure aujourd'hui attaché : « Plus une galaxie est éloignée de la Terre, plus les raies de son spectre apparaissent décalées vers le rouge. » Si le décalage spectral résulte bien d'un effet Doppler-Fizeau, cette loi traduit le fait que les galaxies s'éloignent avec une vitesse radiale v proportionnelle à leur distance d, soit : $v = H \times d$ (où H est une constante, appelée « constante de Hubble »). À l'époque où ce phénomène est mis en évidence viennent d'être formulés des développements théoriques qui permettent de l'interpréter aisément comme un effet de l'expansion de l'Univers.

VOIR AUSSI

- **Galaxies** p. 10 et 16
- **Effet Doppler-Fizeau** p. 16
- **Nombres** p. 320
- **Antimatière** (physique) p. 336

◆ **Edwin Hubble.**
Pour ses travaux d'astronomie, il se sert du télescope Hooker (2,54 m d'ouverture) de l'observatoire du mont Wilson, aux États-Unis. Grâce à cet instrument, mis en service en 1918 et qui restera pendant trente ans le plus grand télescope du monde, Hubble reconnaît l'existence de galaxies extérieures à la nôtre, emportées par l'expansion de l'Univers.

Les relations d'indétermination

En 1927, Werner Heisenberg publie un article dans lequel il montre qu'il est impossible de faire correspondre à un objet microscopique une valeur unique à la fois de sa position et de sa quantité de mouvement (ou de sa vitesse). D'où il faut conclure que les concepts de position et de quantité de mouvement, définis par les pères fondateurs de la mécanique classique pour décrire le mouvement d'une particule assimilée à une masse ponctuelle, cessent d'être opératoires dans le domaine microscopique (qu'on qualifiera rapidement de quantique). Mais, outre qu'il est en général impossible d'attribuer à un électron (par exemple) une valeur précise à la fois de sa position et de sa quantité de mouvement, les indéterminations qui en résultent sont corrélées : le produit de ces deux indéterminations ne peut pas être inférieur à une certaine grandeur appelée « quantum d'action » (ou « constante de Planck »). En sorte que si l'on s'arrange (ce qui nécessite un dispositif expérimental particulier) pour que l'une soit parfaitement déterminée, l'autre est alors totalement indéterminée.

La constatation de cette inadéquation oblige à se poser la question de la nature des objets quantiques. Ce ne sont manifestement pas des particules. Ce ne sont pas non plus des ondes (la physique classique repose sur l'idée qu'il existe deux types d'objets incompatibles, les ondes et les particules).

Cependant, les objets quantiques, ni ondes ni particules, gardent trace de certaines caractéristiques particulaires (le fait qu'on puisse les compter par exemple), et également des caractéristiques ondulatoires. De ce point de vue, les relations de Heisenberg ne sont que la transcription des relations, bien connues des radioélectriciens, qui lient la bande de fréquence d'un signal à sa durée de vie.

Hans Berger (1873-1941) obtient le premier encéphalogramme. **1928.** Le Britannique Alexander Fleming (1881-1955) découvre la pénicilline.

PHYSIQUE

1923. L'Américain Arthur Compton (1892-1962) observe la diffusion des rayons X par les électrons des atomes (effet Compton). **1924.** Le Français Louis de Broglie (1892-1987) crée la mécanique ondulatoire, qui unifie les conceptions corpusculaire et ondulatoire des objets quantiques. L'Indien Satyendranath Bose (1894-1974) donne une théorie quantique de la lumière, traduite et publiée par Einstein. **1925.** Les Américains (d'origine néerlandaise) Samuel Abraham Goudsmit (1902-1978) et George Uhlenbeck (1900-1988) définissent le spin de l'électron. L'Américain et Suisse (d'origine autrichienne) Wolfgang Pauli (1900-1958) énonce le principe d'exclusion, qui explique la périodicité de la classification des éléments chimiques de Mendeleïev. L'Allemand Werner Karl Heisenberg (1901-1976) expose les bases du formalisme matriciel de la mécanique quantique. **1926.** L'Autrichien Erwin Schrödinger (1887-1961) trouve l'équation d'onde régissant le mouvement des objets quantiques. **1927.** Heisenberg formule les relations d'incertitude stipulant qu'il est impossible de mesurer simultanément la position et la vitesse d'un même objet quantique. Les Américains Clinton Joseph Davisson (1881-1958) et Lester Germer (1896-1971), d'une part, le Britannique George Paget Thomson (1892-1975), d'autre part, montrent expérimentalement le caractère ondulatoire des électrons. **1928.** L'Indien Chandrasekhara Venkata Raman (1888-1970) met en évidence la diffusion de la lumière par les molécules et les ions. Le Britannique Paul Dirac (1902-1984) formule l'équation d'onde qui porte son nom, première formulation de la théorie quantique compatible avec le principe de relativité. **1929.** Dirac prédit l'existence du positron. **1930.** Invention du cyclotron par l'Américain Ernest Orlando Lawrence (1901-1958) et de l'accélérateur électrostatique de particules par l'Américain Robert Jemison Van de Graaf (1901-1967).

SCIENCES DE LA VIE

1921. Les Canadiens Frederick Grant Banting (1891-1941) et Charles Herbert Best (1899-1978) annoncent la découverte d'une hormone régulant le taux de sucre dans le sang : l'insuline. **1923.** Les Américains Edgar Allen (1892-1943) et Edward Doisy (1893-1986) découvrent une hormone sécrétée par les ovaires, la folliculine (ou œstrogène). **1926.** L'Américain James Batcheller Sumner (1887-1955) réalise la première enzyme cristallisée, l'uréase. **1929.** L'Américain L. Loeb (1869-1959) découvre la première hormone émise par l'hypophyse, la thyréostimuline. **1930.** L'Allemand Henry Chaoul (1887-1964) et l'Italien Alessandro Vallebona (né en 1899) obtiennent les premiers clichés tomographiques.

SCIENCES DE LA TERRE

1922. Le géologue suisse Émile Argand (1879-1940) utilise le modèle de dérive des continents proposé par Wegener pour expliquer la formation des chaînes de montagnes, apparaissant ainsi comme un précurseur de la tectonique des plaques.

TECHNIQUES

Première communication radiotéléphonique intercontinentale sur ondes courtes par l'Italien Guglielmo Marconi (entre Londres et Sydney). **1926.** Première démonstration de télévision en couleur par le Britannique John Logie Baird (1888-1946). Premier lancement d'une fusée à ergols liquides par l'Américain Robert Hutchings Goddard (1882-1945). Invention du béton précontraint par le Français Eugène Freyssinet (1879-1962). **1927.** Premiers films longs métrages « parlants » aux États-Unis (firmes Warner et Fox). **1928.** Invention du poumon d'acier par les Américains Drinker et Slaw. Les Allemands Hans Geiger (1882-1945) et Erwin Wilhelm Müller (1911-1977) perfectionnent, le compteur de particules qui porte leur nom. **1929.** L'Allemand Felix Wankel (1902-1988) pose les bases théoriques du moteur thermique à piston rotatif.

Des électrons aux antiélectrons

L'effet Zeeman (1896) le dédoublement des raies spectrales par un champ magnétique est toujours inexpliqué en 1925 quand deux physiciens américains, George E. Uhlenbeck et Samuel Abraham Goudsmit, émettent l'hypothèse que les électrons pivotent sur eux-mêmes.

Baptisée *spin,* cette propriété rend compte du dédoublement observé par Pieter Zeeman, en distinguant les électrons qui pivotent dans le même sens que leur rotation autour du noyau atomique de ceux qui pivotent en sens contraire.

Utilisant le concept de spin, le physicien Wolfgang Pauli énonce le principe d'exclusion : le premier niveau d'énergie d'un atome ne peut contenir que 2 électrons de spins opposés, le deuxième peut en contenir un maximum de 8, le troisième de 18, etc., cette progression obéissant à une loi simple : $2n^2$, avec $n = 1, 2, 3$, etc.

L'intuitive classification périodique de Mendeleïev obéissait donc à une logique parfaite : les propriétés chimiques d'un élément étant fonction du nombre d'électrons dans le dernier niveau d'énergie (le plus éloigné du noyau), il n'y a rien d'étonnant à ce que le fluor (9 électrons = 2 + 7) ressemble au chlore (17 électrons = 2 + 8 + 7) et au brome (35 électrons = 2 + 8 + 18 + 7). Les Américains Lewis et Langmuir montrent qu'une règle analogue d'appariement d'électrons explique la formation des molécules.

Mais l'électron n'a pas encore livré tous ses secrets. En 1929, Paul Dirac publie une théorie de l'électron qui unit physique quantique et relativité. Un cocktail explosif... puisque Dirac prévoit l'existence d'un antiélectron (le positron) qui sera observé trois ans plus tard par l'Américain Carl David Anderson.

Petit lexique

cyclotron : accélérateur circulaire de particules utilisant un champ magnétique fixe et un champ magnétique alternatif de fréquence constante.

positron : antiparticule de l'électron, qui possède la même masse que lui et une charge égale en valeur absolue, mais positive.

Le renouveau de la théorie des nombres

La théorie des nombres suscite, au début du siècle, un regain d'intérêt qui se poursuit jusqu'à nos jours. On peut y associer les noms du mathématicien anglais G.H. Hardy (1877-1947) et du Français André Weil (1906-1998), mais surtout celui de l'Indien Srinivasa Ramanujan (1887-1920). Ramanujan est un autodidacte; en 1913, il écrit à Hardy; celui-ci s'aperçoit qu'il a affaire à un étrange génie et l'invite à Cambridge où la production et la virtuosité du jeune Indien impressionnent ses collègues. Ramanujan invente les fonctions modulaires qui joueront un rôle important dans la démonstration du théorème de Fermat. Ses équations modulaires ont permis de calculer les décimales de π; on les utilise pour la construction d'algorithmes informatiques.

La théorie des nombres est essentielle aujourd'hui pour le développement de la cryptographie (codage secret), indispensable à la circulation de l'information.

◆ **Charles Lindbergh.**
Il pose devant le *Spirit of St Louis,* l'avion à bord duquel il a réussi, du 20 au 21 mai 1927, la première traversée sans escale de l'Atlantique nord, entre Roosevelt Field (New York) et Le Bourget (près de Paris).

◆ **Alexander Fleming.**
Ayant découvert fortuitement qu'une moisissure du genre *Penicillium* provoquait l'éclatement des bactéries qu'il cultivait dans son laboratoire, à Londres, il donna le nom de « pénicilline » à la substance bactéricide sécrétée par cette moisissure. Pendant la Seconde Guerre mondiale, les Américains développèrent l'emploi de ce premier antibiotique.

Le XXe siècle

De 1931 à 1940
Le noyau se fissure

L'ÉPOQUE : L'Allemagne devient nazie, l'Espagne franquiste, et la France est vaincue par les troupes hitlériennes. Les procès de Moscou éliminent toute opposition à Staline. En Chine, Jiang Jieshi et Mao Zedong font front commun contre l'envahisseur japonais.

IDÉES ET TENDANCES : Le développement spectaculaire de la physique nucléaire, presque au détriment des autres branches, est en partie dû à l'exode des physiciens européens vers les États-Unis où cette physique est prioritaire.

ASTRONOMIE

1931. Théorie cosmologique de l'atome primitif par le Belge Georges Lemaître (1894-1966). Découverte de l'émission radioélectrique du centre de la galaxie par l'Américain Karl Jansky (1905-1950). **1935.** Le Suisse Fritz Zwicky (1898-1974), sur des bases théoriques, prédit l'existence d'étoiles dégénérées extrêmement denses (étoiles à neutrons). **1936.** Invention du radiotélescope par l'Américain Grote Reber (né en 1911). **1937.** Découverte des associations de galaxies par F. Zwicky. **1938.** L'Allemand Hans Albrecht Bethe découvre le cycle de réactions thermonucléaires de fusion de l'hydrogène en hélium, qui est à l'origine de l'énergie rayonnée par les étoiles chaudes.

CHIMIE

1932. L'Américain Harold Urey (1893-1981) découvre l'eau lourde et le deutérium. **1933.** Le Suisse Paul Hermann Müller (1899-1965) met en évidence le pouvoir insecticide du DDT. **1939** Le chimiste théoricien américain Linus Pauling (1901-1994) publie *The Nature of the Chemical Bond*, ouvrage de référence sur la nature quantique des liaisons chimiques. **1940.** Découverte du premier élément chimique transuranien, le neptunium, par les Américains Edwin Mattison McMillan (1907-1991) et Philip Hauge Abelson (né en 1913).

MATHÉMATIQUES

1931. Première publication de l'Américain (d'origine autrichienne) Kurt Gödel (1906-1978) sur la logique mathématique. Travaux du Français Henri Cartan (né en 1904) sur les fonctions analytiques d'une variable complexe. **1933.** Travaux du Soviétique Andreï Kolmogorov (1903-1987) sur l'axiomatisation du calcul des probabilités. **1936.** Concept de machine de Turing (pour l'étude des mécanismes de calcul) par le Britannique Alan Mathison Turing (1912-1954). **1939.** Début de la publication des *Éléments de mathématiques* du groupe français Nicolas Bourbaki qui se fixe pour but l'axiomatisation des diverses parties des mathématiques.

PHYSIQUE

1931. L'Américain et Suisse (d'origine autrichienne) Wolfgang Pauli (1900-1958), sur des bases théoriques, émet l'hypothèse du neutrino. **1932.** Le Britannique James Chadwick (1891-1974) découvre le neutron et l'Américain Carl Anderson (1905-1991) le positron (électron positif) dans les rayons cosmiques. **1933.** L'Italien Enrico Fermi (1901-1954) établit la théorie de la radioactivité et introduit l'interaction faible. **1934.** Découverte de la radioactivité artificielle par les Français Irène (1897-1956) et Jean Frédéric (1900-1958) Joliot-Curie. Travaux de Fermi sur la fission nucléaire. Le Soviétique Pavel Alekseïevitch Tcherenkov (1904-1990) découvre l'émission de lumière des particules chargées se déplaçant dans un milieu à une vitesse supérieure à celle de la lumière dans ce milieu (effet Tcherenkov). **1935.** Le Japonais Yukawa Hideki (1907-1981), sur des bases théoriques, prédit l'existence du méson. **1938.** Les Allemands Otto Hahn (1879-1968) et Friedrich Strassmann (1902-1980) découvrent la fission de l'uranium. **1939.** L'Autrichienne Lise Meitner (1878-1968) et le Britannique (d'origine autrichienne) Otto Frisch (1904-1979) élucident le mécanisme de la fission nucléaire. Découverte de la réaction nucléaire en chaîne par F. Joliot-Curie.

SCIENCES DE LA VIE

1932. Introduction du concept d'écosystème par l'Américain Arthur George Transley (1871-1955). **1936.** Première théorie moderne de l'origine de la vie par le Soviétique Aleksandr Ivanovitch Oparine (1894-1980). **1937.** Publication par l'Américain Theodosius Dobzhansky (1900-1975) d'un ouvrage sur la génétique qui constitue la première contribution à la théorie moderne de l'évolution des espèces. **1940.** Découverte du facteur Rhésus par les Américains Karl Landsteiner (1868-1943) et Alexander Solomon Wiener (1907-1976).

MÉDECINE

1932. L'Américain Robert Frederick Loeb (né en 1895) montre que les capsules surrénales sont des glandes sécrétant des hormones. **1935.** L'Américain Wendell Meredith Stanley (1904-1971) isole pour la première fois un virus, celui de la mosaïque du tabac. Découverte des sulfamides par l'Allemand Gerhard Domagk (1895-1964). Premiers travaux du physiologiste belge Frédéric Bremers (né en 1892) sur la neurophysiologie du sommeil. Première lobotomie (section chirurgicale du lobe frontal du cerveau) par le Portugais António Caetano Egas Moniz (1874-1955).

En toute logique

Le philosophe Épiménide, qui affirmait que « tous les Crétois sont des menteurs », mentait donc puisqu'il était crétois. Ce paradoxe logique, discuté depuis l'Antiquité, est remis en lumière par la logique mathématique contemporaine : il intervient dans le paradoxe de Russell (1903) en théorie des ensembles ou dans celui de Turing à propos de la « machine universelle » (1936).

Le logicien autrichien naturalisé américain Kurt Gödel (1906-1978) s'attache à répondre aux deux questions posées en 1900 par le mathématicien allemand David Hilbert : « Peut-on prouver qu'une théorie mathématique présentée par ses axiomes ne conduira jamais à une contradiction ? » (consistance de la théorie) et « La théorie permet-elle de démontrer toute proposition vraie ? » (complétude de la théorie). En 1931, Gödel démontre successivement la consistance et la complétude du calcul des prédicats, c'est-à-dire de la logique. Il souligne aussi que pour toute théorie mathématique contenant l'arithmétique (théorie des nombres entiers), on ne peut prouver sa consistance dans la théorie elle-même ; la consistance de l'arithmétique peut, en revanche, être prouvée - ce que fait Gerhard Gentzen en 1936 - dans une théorie plus vaste. Cependant, Gödel démontre que, dans la théorie des ensembles ou en arithmétique, il existe des propositions indécidables, c'est-à-dire telles qu'on ne peut prouver ni la proposition ni sa négation. Les deux théorèmes d'incomplétude de Gödel ont constitué une désagréable surprise pour les mathématiciens ; aujourd'hui, on connaît de nombreuses propositions indécidables et l'indécidabilité fait partie des options de réponses à toute question.

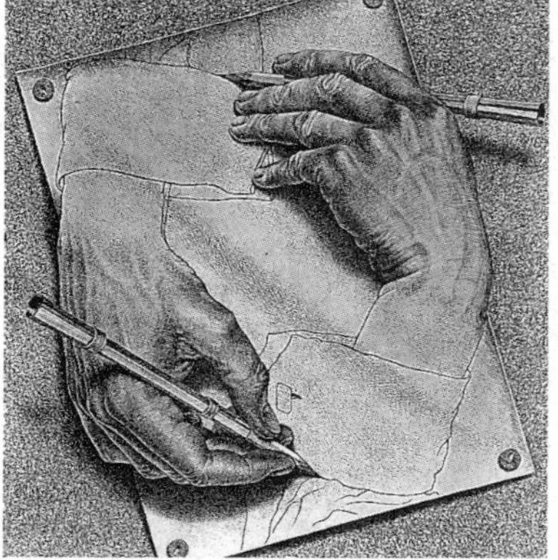

◆ **Impasse logique.**
Une main droite dessinant une main gauche qui dessine..., etc. Ce paradoxe graphique dû au graveur néerlandais M.C. Escher (1898-1972) a son équivalent dans le théorème de Gödel, qui stipule que certaines démonstrations mathématiques forment des boucles logiques. *Mains dessinant.* (Coll. Gementemuseum, La Haye)

La biologie moléculaire

Dans les années 1930, les connaissances et les instruments relatifs à une nouvelle discipline biologique se mettent en place. Un aspect capital du métabolisme cellulaire est élucidé : la dégradation du glucose au cours d'un ensemble de réactions chimiques, connu sous le nom de « cycle de Krebs » (pour la dégradation en aérobiose, c'est-à-dire en présence d'oxygène) et de « voie d'Embden-Meyerhof » (pour la dégradation en anaérobiose, c'est-à-dire en l'absence d'oxygène). Toutes ces réactions sont catalysées par des enzymes, et les travaux de génétique physiologique du Français B. Éphrussi (1901-1979), réalisés dans les années 1930, puis ceux des Américains G. Beadle (1903-1989) et E. Tatum (1909-1975) vont aboutir, en 1942, à démontrer que chaque enzyme est contrôlée par un gène. Parallèlement, à partir de 1937, le physicien M. Delbruck (1906-1981) commence ses recherches sur les virus parasitant les bactéries (ou bactériophages) dans le but de comprendre comment un gène est capable de se recopier. Cette jonction de la biologie, de la chimie et de la physique est dénommée « biologie moléculaire » en 1939 par W. Weaver (1894-1978), administrateur de la Fondation Rockefeller, qui encourage par des subventions tous les laboratoires s'équipant des techniques nécessaires à cette nouvelle science. Justement, en 1926, le biochimiste suédois T. Svedberg (1884-1971) a inventé l'ultracentrifuga-

TECHNIQUES
1931. Invention du caoutchouc synthétique Néoprène par l'Américain Wallace Hume Carothers (1896-1937). **1932.** Mise au point de l'horloge parlante, à l'Observatoire de Paris, par le Français Ernest Esclangon (1876-1954). **1933.** Invention du microscope électronique par les Allemands Ernst Brüche (1900-1985), Max Knoll (né en 1897) et Ernst Ruska (1906-1988). **1934.** Invention de l'iconoscope (un tube électronique analyseur d'images utilisé en télévision) par l'Américain (d'origine russe) Vladimir Zworykin (1889-1982). **1935.** Invention du radar par le Britannique Robert Alexander Watson-Watt (1892-1973). Invention de la cartouche d'encre pour stylo-plume par le Français M. Perraud. **1936.** Invention de la caméra électronique par le Français André Lallemand (1904-1978). **1937.** Découverte du Nylon par l'Américain Wallace Hume Carothers. **1938.** Invention du magnétron (tube à vide générateur ou amplificateur de courants de très haute fréquence, utilisé notamment dans les radars et les relais hertziens) par le Français Maurice Ponte (1902-1983), et de la xérographie (procédé d'impression ou de reproduction sans contact) par l'Américain Chester F. Carlson (1906-1968). **1939.** Adoption des systèmes de radiolocalisation Decca et Loran en navigation aérienne. En Allemagne, premier vol d'un avion à réaction, le Heinkel He-178 (26 août). Premier hélicoptère à hélice anticouple, par l'Américain Igor Sikorsky (1889-1972). Invention du klystron (tube électronique servant à engendrer ou à amplifier des courants hyperfréquences) par l'Américain Russell H. Varian. Le stylo à bille est conçu (pour les aviateurs) par le Hongrois L. Biró et réalisé aux États-Unis par la firme Reynolds. **1940.** Invention du carburateur à injection, utilisé primitivement sur les avions.

tion et, en 1937, le physico-chimiste A. Tiselius (1902-1971), son compatriote, l'électrophorèse. Il s'agit là des deux techniques fondamentales de la biologie moléculaire, car elles permettent le tri des molécules entrant dans la composition des cytoplasmes et des noyaux. Par ailleurs, l'invention du microscope électronique en 1933 va permettre de visualiser l'infiniment petit biologique, les virus et les structures internes des cellules.

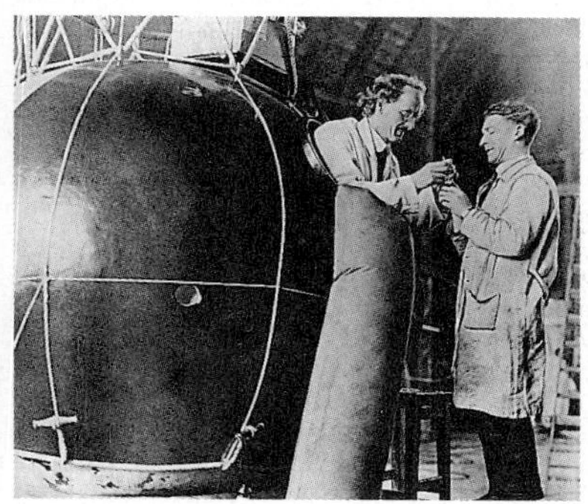

◆ **Auguste Piccard** (1884-1962).
Il a exploré la stratosphère en ballon (1931-1932) et les profondeurs sous-marines en bathyscaphe.

Casser l'atome

Le noyau atomique ayant été cerné par Rutherford, il reste à en connaître la structure interne. En 1930-1932, l'arsenal des physiciens s'enrichit d'une nouvelle machine, le cyclotron, qui rend possible une exploration en profondeur du mystérieux noyau.

Les premiers à « casser l'atome » utiliseront cependant une machine plus rudimentaire. À Cambridge, John Cockcroft (1897-1967) et Ernest Walton (né en 1903) parviennent à transformer du lithium en hélium, vérifiant au passage que la différence de masse *m*, avant et après la réaction, se retrouve sous forme d'énergie suivant la relation d'Einstein $E = mc^2$. Après la découverte du neutron par James Chadwick en 1932, le noyau apparaît comme un assemblage de protons positifs et de neutrons (sans charge), de masses à peu près égales. L'existence d'atomes lourds, les isotopes (prouvée par J. J. Thomson puis étudiée en détail par I. et F. Joliot-Curie), est expliquée par un surnombre de neutrons, induisant une instabilité du noyau. Dès lors, il semble qu'en ajoutant des neutrons au noyau le plus lourd connu à l'époque, celui de l'uranium, on puisse obtenir des éléments transuraniens. Enrico Fermi, Franco Rosetti (né en 1901) et Emilio Segrè (1905-1989), à Rome, bombardent l'uranium avec des neutrons… et réalisent sans le savoir la première fission nucléaire de l'histoire : rendus instables par l'afflux de neutrons, les noyaux d'uranium se divisent en noyaux plus légers – ce qu'Otto Hahn et Lise Meitner montrent quatre ans plus tard. Ils suggèrent aussi que les neutrons produits par la réaction de fission pourraient, à leur tour, initier d'autres fissions. Fermi, avec des moyens très rudimentaires (il immerge ses appareils dans le bassin aux poissons rouges de la villa d'un ami), montre que cette réaction en chaîne est réalisable à condition que les neutrons soient ralentis par l'eau.

Particules nouvelles. Proton, neutron, électron… trois particules semblent suffisantes pour constituer toute la matière stable, mais leur nombre va rapidement augmenter. En 1932, Carl Anderson trouve l'antiélectron annoncé par Dirac trois ans plus tôt en étudiant les gerbes de rayons cosmiques. Signalés dès 1910 par d'intrépides aéronautes (Albert Gockel [1860-1927], Victor Franz Hess [1883-1964]), ces rayons venus de l'espace créent un grand nombre de particules inconnues en heurtant les molécules de l'atmosphère. Sur des bases purement théoriques, comme l'avait fait Dirac, le Japonais Yukawa prédit l'existence du méson (trouvé en 1947), 200 fois plus lourd que l'électron, et Pauli suggère celle du neutrino, qui ne sera découvert qu'en 1956…

Le premier radar

Dès la naissance effective de la télégraphie sans fil, le Croate Nikola Tesla, en 1900, et l'Allemand Hielfsmeyer, en 1904, pensent qu'il doit être possible de détecter l'écho diffusé par une cible en émettant une onde électromagnétique dans sa direction. Quelques expériences sont tentées en ce sens, notamment aux États-Unis, à partir de 1922. Leur échec est lié à la puissance insuffisante des émetteurs, à l'impossibilité de focaliser, en direction de la cible, les ondes électromagnétiques trop longues que l'on utilise alors, et à la sensibilité insuffisante des récepteurs. La validité du concept n'en est pas moins confirmée, en 1925, par la réception réussie d'échos renvoyés par les couches ionisées de la haute atmosphère. Mais l'année décisive est 1934, avec les travaux des Français David, Gutton et Ponte, ainsi qu'avec ceux du Britannique Robert A. Watson-Watt. Les équipes françaises réalisent ainsi un détecteur d'icebergs, qui est installé à la proue du paquebot *Normandie*. Mais le Britannique, qui réussit à détecter un avion à 50 km dès 1935, est le véritable inventeur du radar moderne, qui jouera un rôle essentiel dans la « bataille d'Angleterre » de 1940 et dont l'emploi se généralisera au cours de la Seconde Guerre mondiale.

VOIR AUSSI 
- **Énergie nucléaire** p. 360 et 923
- **Radar** p. 383

◆ **Radar.**
Antenne d'un radar Mark VII, utilisé en Grande-Bretagne pendant la Seconde Guerre mondiale pour le contrôle des avions de chasse la nuit.

Du caoutchouc au Nylon

Dès la Première Guerre mondiale, les Allemands, coupés de leur approvisionnement en caoutchouc naturel, ont entrepris des recherches en vue d'obtenir des produits synthétiques équivalents. Celles-ci aboutissent en 1936 à la mise au point du Buna, premier élastomère de synthèse produit par la société I. G. Farben. En 1933, en Grande-Bretagne, les Imperial Chemical Industries réalisent, par polymérisation en chaîne de l'éthylène, la synthèse du polyéthylène.
En 1938, la firme Du Pont de Nemours lance sur le marché le Nylon. La confection de toiles de parachute constitue, pendant la Seconde Guerre mondiale, l'un des premiers débouchés de ce textile synthétique. 1938 voit aussi la première commercialisation du polystyrène.

Petit lexique

deutérium : isotope stable de l'hydrogène (parfois appelé hydrogène lourd) dont le noyau est formé d'un proton et d'un neutron. Dans la molécule d'eau lourde, l'hydrogène est remplacé par du deutérium.

fission : processus de fragmentation des noyaux lourds devenus instables par adjonction de neutrons supplémentaires.

méson : nom initialement donné à une particule de masse supposée intermédiaire entre celles de l'électron et du proton, ayant pour rôle d'assurer la cohésion entre les protons et les neutrons du noyau.

Le XXe siècle

De 1941 à 1950
La science organisée

L'ÉPOQUE : La Seconde Guerre mondiale secoue le monde entier, qui en sort divisé en deux blocs qui ne tardent pas à s'affronter (guerre froide). L'ordre mondial ancien est définitivement ébranlé et la domination change de mains.

IDÉES ET TENDANCES : Bien plus que toutes les précédentes, la Seconde Guerre mondiale scelle l'accord entre savants et militaires. La guerre est plus que jamais scientifique, et la science doit en tenir compte. Le bombardement nucléaire d'Hiroshima, le 6 août 1945, a sinistrement entériné ce tournant. Dorénavant, la science inspirera plus de peur que d'espoir.

ASTRONOMIE

1942. Découverte de l'émission radioélectrique du Soleil par le Britannique James Stanley Hey (né en 1909). **1944.** L'Américain Walter Baade (1893-1960) met en évidence deux populations stellaires distinctes au sein des galaxies. **1945.** Le Néerlandais Hendrik Van de Hulst (né en 1918), prédit sur des bases théoriques, l'existence d'une émission radioélectrique de l'hydrogène interstellaire à 21 cm de longueur d'onde. **1946.** Premier écho radar sur la Lune. Hey découvre de la première radiosource extragalactique. **1948.** Mise en service du télescope de 5,08 m d'ouverture à l'observatoire du mont Palomar, aux États-Unis. Découverte de l'émission d'un rayonnement X par le Soleil due à l'Américain H. Friedman. Théorie cosmologique de l'explosion primordiale (« Big Bang ») par l'Américain George Anthony Gamow (1904-1968). Théorie cosmologique de l'Univers stationnaire par le Britannique Fred Hoyle (né en 1915).

CHIMIE

1941. Les Américains Glenn Seaborg (1912-1999) et Edwin Mattison McMillan (1907-1991) découvrent le plutonium. Découverte des silicones par le Britannique Frederic Stanley Kipping (1863-1949). **1943.** Commercialisation des premières fibres polyacryliques.

MATHÉMATIQUES ET INFORMATIQUE

1944. Mise en service du calculateur électromécanique Eniac, construit par l'Américain Howard H. Aiken (1900-1973) avec l'aide d'IBM. **1946.** Mise en service à l'université de Pennsylvanie du premier calculateur électronique (ancêtre de l'ordinateur), Marc I, construit par les Américains John Presper Eckert (1919-1995), et John William Mauchly (1907-1980). L'Américain (d'origine hongroise) John von Neumann (1903-1957) analyse la structure des calculateurs électroniques et développe le concept de programme enregistré. **1948.** Publication de *Cybernetics, or Control and Communication in the Man and the Machine*, de l'Américain Norbert Wiener (1894-1964), qui marque le début du développement de la cybernétique. **1950.** Publication du premier ouvrage ayant trait à l'intelligence artificielle : *les Machines à calculer et l'intelligence*, du Britannique Alan Mathison Turing (1912-1954). Pour la première fois, un écran visualise les calculs d'un ordinateur, dans le Semi Automatic Ground Environment, service américain de surveillance aérienne.

MÉDECINE

1942. L'Américain Selman Abraham Waksman (1888-1973) introduit la notion d'antibiotique. **1944.** Les Américains Willem Johan Kolff (né en 1912) et A. J. Merril mettent au point le rein artificiel. **1948.** Les Américains Philip Showalter Hench (1896-1965) et Edward Calvin Kendall (1886-1972) découvrent l'effet anti-inflammatoire de la cortisone.

PHYSIQUE

1942. L'Italien Enrico Fermi (1901-1954) dirige à Chicago la construction de la première pile atomique. **1943.** Invention du synchrocyclotron par le Britannique Mark Laurence Elwin Oliphant (né en 1901). **1945.** Premières bombes atomiques, mises au point aux États-Unis (tir d'essai le 16 juillet dans le désert d'Alamogordo, au Nouveau-Mexique ; lancement le 6 août sur Hiroshima, le 9 août sur Nagasaki, au Japon). **1946.** Construction du premier synchrotron par McMillan et Oliphant. **1948.** Les Américains Richard Feynman (1918-1988) et Julian Seymour Schwinger (1918-1994), et le Japonais Tomonaga Shinichiro (1906-1979) fondent l'électrodynamique quantique. Découverte de l'holographie par le Britannique Dennis Gabor (1900-1979). Invention du transistor (sur des bases théoriques) par les Américains John Bardeen (1908-1991), Walter Houser Brattain (1902-1987) et William Shockley (1910-1989).

SCIENCES DE LA VIE

1944. Les Américains Oswald Theodore Avery (1877-1955), Colin M. MacLeod (1909-1972) et Maclyn McCarty (né en 1911) démontrent que la substance chimique constituant le patrimoine génétique est l'acide désoxyribonucléique (ADN). **1949.** L'Italien Giovanni Moruzzi (1904-1986) et l'Américain Horace Winchell Magoun (né en 1907) mettent en évidence une composante capitale du fonctionnement du cerveau, la formation réticulée mésencéphalique.

TECHNIQUES

1941. En Grande-Bretagne, premier vol d'un avion équipé d'un turboréacteur (mis au point par le Britannique Frank Whittle [1907-1996]). **1947.** Premier vol supersonique d'un avion à réaction, par l'Américain Charles Yeager. **1948.** Premier disque microsillon, fabriqué par l'Américain Peter Goldmark (1906-1977). Mise au point du premier appareil photographique à développement instantané par l'Américain Edwin Herbert Land (né en 1909). Construction par le Suisse Auguste Piccard (1884-1962) du premier bathyscaphe, le *FNRS 2*. **1950.** Première machine-outil à commande numérique (une fraiseuse), aux États-Unis.

L'ADN

L'une des plus grandes découvertes du XXe siècle est l'élucidation de la nature chimique du matériel génétique. Reprenant des observations du médecin britannique F. Griffith (1877-1941) datant de 1928, le biologiste américain O. T. Avery montre qu'une substance chimique issue de bactéries tuées (des pneumocoques) peut être captée par des bactéries vivantes et leur communiquer un pouvoir pathogène (le pneumocoque est l'agent de la pneumonie). En outre, ce pouvoir se transment alors héréditairement.

En 1944, Avery et ses collaborateurs, C. M. MacLeod et M. D. McCarty identifient cette substance comme étant de l'acide désoxyribonucléique ou ADN. Il s'avère ainsi que le matériel génétique est formé d'ADN. Cette conclusion ne sera pas universellement acceptée avant 1952, date à laquelle les biologistes américains Alfred Day Hershey (né en 1908) et Martha Chase montrent que le matériel génétique des virus parasitant les bactéries (ou bactériophages) est aussi fait d'ADN. La découverte d'Avery et ses collègues incite cependant différents chercheurs, avant même la confirmation de Hershey et Chase, à étudier la structure physicochimique de l'ADN. Cela conduira J. D. Watson et F. Crick à l'autre découverte majeure de la biologie du XXe s., la structure en double hélice de l'ADN.

Le transistor

Le transistor, dont l'invention en 1948 valut à J. Bardeen, W. Brattain et W. Shockley le prix Nobel (en 1956), est un dispositif semi-conducteur : trois conducteurs lui sont connectés, un pour le courant d'entrée (émetteur), un pour le courant de sortie (collecteur) et un pour la commande (base). Si la base est à un potentiel positif, le courant passe entre l'émetteur et le collecteur, si elle est à un potentiel négatif ou nul le courant ne passe pas, le transistor est bloqué.

Le principe du transistor est le même que celui du relais électromécanique ou de la triode avec tube à vide, mais sa taille beaucoup plus petite, sa meilleure fiabilité et son coût faible ont contribué à l'essor de l'électronique moderne. Des circuits semi-conducteurs convenablement combinés constituent des circuits logiques, à la base des ordinateurs, des microprocesseurs et des mémoires. Ces circuits sont gravés dans le silicium par des procédés inspirés du développement photographique. Le motif de base du dessin des circuits modernes est aujourd'hui de 0,18 micron, et un processeur de quelques millimètres carrés compte une dizaine de millions de transistors.

◆ **Circuit imprimé.**
L'invention du transitor en 1948 a permis le développement de l'électronique.

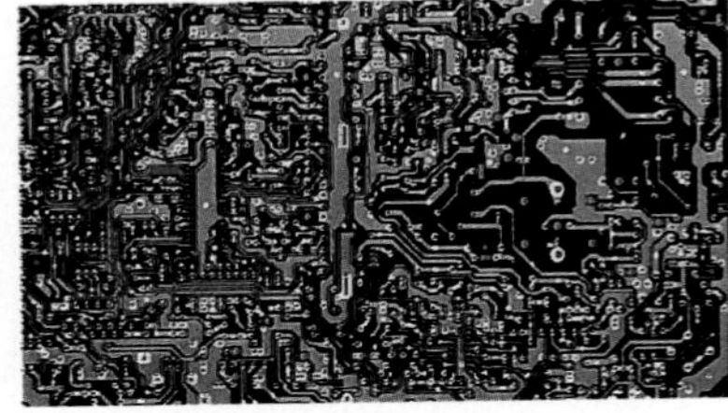

De l'hélice au réacteur

À la veille de la guerre, les avions à hélices ont atteint leurs possibilités extrêmes, mais, en Allemagne et en Grande-Bretagne, de jeunes pionniers solitaires explorent depuis plusieurs années déjà les possibilités d'application à l'avion du principe du propulseur à réaction. Dès 1930, le Britannique Frank Whittle a fait breveter un projet de turboréacteur, mais il ne peut en entreprendre la réalisation qu'en 1935, après avoir collecté les fonds nécessaires pour créer une société. En 1937, son dispositif fonctionne au banc d'essai. Mais, en Allemagne, où l'ingénieur Hans Pabst von Ohain (né en 1911) a entrepris des recherches similaires, un résultat analogue est obtenu la même année. Et c'est sur un avion allemand, un Heinkel He-178, qu'a lieu, en août 1939, pendant une dizaine de minutes, le premier essai en vol d'un turboréacteur – expérience qui reste temporairement sans lendemain. En Grande-Bretagne, en revanche, le gouvernement passe enfin à Whittle une commande, grâce à laquelle la petite entreprise peut survivre lors des difficiles premières années de guerre. Le 15 mai 1941, le turboréacteur Whittle parvient à son tour à faire voler un avion. Churchill autorise alors l'accélération des recherches. Mais il faut attendre l'été 1944 pour qu'entrent en service les premiers chasseurs (Gloster Meteor) équipés du moteur Whittle.

Dans l'intervalle, les Allemands ont rattrapé leur retard à grands pas. En 1942, la firme Messerschmitt a effectué avec succès un vol expérimental du turboréacteur sur le Me-262 et proposé d'entreprendre aussitôt la production de masse de cet appareil, ainsi que d'un modèle encore plus avancé, le Me-163. La mise en service de ces appareils coïncide avec celle des Gloster Meteor en Grande-Bretagne.

D'autres réalisations marquent, dans les années d'après-guerre, l'aboutissement des recherches sur la propulsion des avions par réaction : en 1945 a lieu, en Grande-Bretagne, le premier essai en vol d'un turbopropulseur (le *Theseus*) ; en 1947 s'effectuent les premiers vols d'un avion supersonique, le prototype américain Bell X-1 ; en 1949 sont réalisés les premiers essais en vol d'un appareil propulsé par statoréacteur. Enfin, en 1952, est inauguré le premier service commercial assuré par des avions à réaction.

Les premières bombes atomiques

Lorsque éclate la Seconde Guerre mondiale, l'étude de la fission nucléaire est en cours. À la veille des hostilités, Niels Bohr a avancé l'idée que l'élément le plus susceptible d'enclencher une réaction en chaîne est l'uranium 235, un isotope radioactif présent en quantités infimes dans le minerai d'uranium (constitué principalement d'uranium 238, non fissile). Au début de 1940, Rudolf Peierls (né en 1907) et Otto R. Frisch (1904-1979) calculent la masse critique d'uranium fissile indispensable pour provoquer une réaction en chaîne : quelques centaines de grammes suffisent.

Une fabrication secrète. Aux États-Unis, les recherches progressent rapidement. Convaincu par Einstein de l'intérêt capital de devancer l'Allemagne dans la réalisation des armes nucléaires, Roosevelt lance en 1942, à l'insu du Congrès, le projet Manhattan. Deux milliards de dollars sont investis dans cette gigantesque entreprise. Tandis que le physicien italien Enrico Fermi réalise en 1942 à Chicago la première pile atomique, un centre de recherches nucléaires, installé à Los Alamos, dans le Nouveau-Mexique, au sein duquel coopèrent de nombreux savants sous la direction du physicien Robert Oppenheimer, reçoit d'immenses moyens matériels : 4000 personnes y travailleront en 1945. À Oak Ridge, dans la vallée du Tennessee, une usine secrète sépare l'uranium 235 de l'uranium 238 par le procédé de diffusion gazeuse. À Hanford, une autre usine secrète fabrique du plutonium par fission d'uranium 238. Deux types de bombes sont ainsi réalisés : l'un utilisant comme explosif nucléaire l'uranium 235, l'autre le plutonium. La première bombe au plutonium est finalement expérimentée avec succès le 16 juillet 1945 dans le désert du Nouveau-Mexique, à quelque distance de la localité d'Alamogordo. Trois semaines plus tard, le 6 août, la première bombe à uranium 235 est lancée sur Hiroshima. Une seconde bombe, au plutonium explosera le 9 août au-dessus de Nagasaki.

◆ **Explosion atomique** au-dessus de Nagasaki, au Japon, le 9 août 1945. Cette explosion fait 40 000 morts et 20 000 blessés. Trois jours auparavant, une première bombe atomique, larguée sur Hiroshima, aurait fait 70 000 morts et 80 000 blessés. Ces premières bombes A, utilisaient l'énergie de la fission de noyaux d'atomes d'uranium ou de plutonium. Depuis 1952, on sait fabriquer des bombes H, plus puissantes et plus destructrices encore, dont l'énergie résulte de la fusion des noyaux d'atomes d'hydrogène. Les principes physiques de fonctionnement des bombes atomiques ont été décrits pour la première fois en 1939.

L'électrodynamique quantique

Après les extraordinaires découvertes du début du siècle, la physique a pris un nouveau visage. La théorie quantique des champs explique les interactions nucléaires faible (responsable de la radioactivité ß) et forte (responsable de la cohésion du noyau). Un sérieux problème se pose cependant aux physiciens qui cherchent à unifier la théorie des champs et la théorie relativiste : des quantités infinies apparaissent dans les formules, les rendant inutilisables.

En 1948, R. Feynman, Tomonaga Shinichiro, J. S. Schwinger et F. J. Dyson trouvent le moyen de contourner la difficulté. Ils émettent l'hypothèse qu'une particule est toujours entourée d'autres particules qui la masquent, modifiant sa masse et sa charge électrique. Cette théorie, appelée électrodynamique quantique, permet de « corriger » les infinis ; le procédé est arbitraire, mais il fonctionne : les mesures précises du moment magnétique de l'électron donnent 1,001 159 652 2 et la théorie donne 1,001 159 652 4. « La différence, écrivait Feynman, équivaut à l'épaisseur d'un cheveu comparée à la distance New York-Los Angeles ! »

VOIR AUSSI
- **ADN** p. 195
- **Turbines et réacteurs** p. 368
- **Radiodiffusion** p. 390

Petit lexique

holographie : méthode de reproduction photographique permettant de reconstruire un champ lumineux identique à celui que crée l'objet, donnant ainsi une sensation de relief. Ceci est obtenu en stockant sur plaque photographique des informations non seulement sur l'intensité, mais aussi sur le décalage relatif des ondes lumineuses, un peu comme dans la gravure stéréophonique des disques.

synchrotron : accélérateur de particules dans lequel celles-ci subissent un champ magnétique qui incurve leur trajectoire et les maintient sur une trajectoire constante, et un champ électrique pulsé qui leur confère de l'énergie.

◆ **L'ancêtre de l'ordinateur.**
À partir de 1942, à la Moore School de l'université de Pennsylvanie, un groupe d'ingénieurs dirigé par J. P. Eckert et J. W. Mauchly conçoit et réalise, à la demande de l'US Army, le premier calculateur entièrement électronique : l'*Eniac (Electronic Numerical Integrator and Calculator)*. Achevée en 1946, cette machine occupe 140 m² et pèse plus de 30 t ; elle comporte quelque 18 000 tubes électroniques et 50 000 commutateurs, et consomme autant de courant électrique que plusieurs rames de métro. Sa capacité de calcul lui permet d'effectuer chaque seconde 300 opérations diverses ou 5 000 additions. L'année même où l'*Eniac* entre en service, le mathématicien John von Neumann, de l'Institute for Advanced Study de Princeton, développe le concept de programme enregistré. C'est en 1949 qu'apparaîtra le premier calculateur à programme enregistré, prototype de l'ordinateur moderne : l'*Edsac (Electronic Delay Storage Automatic Computer)*, construit par une équipe de l'université de Cambridge.

Le XXe siècle

De 1951 à 1960
Au cœur du vivant

L'ÉPOQUE : Le monde s'enfonce dans la guerre froide. Les guerres coloniales ne perturbent pas la croisssance économique de l'Occident. Le monde communiste entre dans l'ère poststalinienne et la France dans l'ère gaullienne.

IDÉES ET TENDANCES : La structure spectaculaire de la double hélice de l'ADN devient vite un symbole de la science. Cette décennie voit naître la conquête spatiale et les ordinateurs, dans un contexte où les rivalités politiques comptent plus que les résultats scientifiques.

ASTRONOMIE
1951. Observation de la raie d'émission à 21 cm de l'hydrogène neutre interstellaire par des équipes américaines, australiennes et néerlandaises. Découverte de la structure spirale de notre Galaxie par le Néerlandais Jan Hendrik Oort (1900-1992).**1957.** Mise en orbite du premier satellite artificiel, Spoutnik 1, le 4 oct. par l'URSS. **1958.** Découverte par l'Américain James Alfred Van Allen (né en 1914) de l'existence, autour de la Terre, de ceintures de rayonnement. **1959.** Premières photographies de la face arrière de la Lune obtenues par la sonde soviétique Luna 3. **1960.** Lancement, par les États-Unis, du premier satellite météorologique, Tiros 1. Découverte du premier quasar *(quasi stellar astronomical radiosource)* par l'américain Allan Rex Sandage (né en 1926).

CHIMIE
1953. L'américain Stanley Lloyd Miller (né en 1930) démontre expérimentalement qu'un mélange gazeux de composition voisine de celle de l'atmosphère primitive, exposé au rayonnement ultraviolet et à des décharges électriques, permet la synthèse d'acides aminés. **1955.** Le Britannique Frederick Sanger (né en 1918) établit la structure de la molécule d'insuline. L'Allemand Karl Ziegler (1898-1973) réalise la polymérisation de l'éthylène.

INFORMATIQUE
1951. La firme américaine Remington Rand réalise l'*UNIVAC I*, premier calculateur électronique universel capable d'applications à la gestion. **1952.** Premier ordinateur IBM *(IBM 701)*. **1955.** Développement des mémoires électroniques à tores de ferrite. **1956.** L'Américain John Backus, d'IBM, définit le Fortran, premier langage évolué de programmation. Invention du mot « ordinateur » par Jacques Perret, à l'initiative d'IBM-France.

MÉDECINE
1952. Découverte du premier neuroleptique, la chlorpromazine, introduit en thérapeutique par le Français Henri Laborit (1914-1995). **1954.** L'Américain Jonas Edward Salk (1914-1995) et le Français Pierre Lépine (1901-1989) mettent au point, indépendamment, le vaccin antipoliomyélitique. **1955.** L'Américain Gregory Goodwin Pincus (1903-1967) élabore la pilule anticonceptionnelle orale. Mise au point du système cœur-poumon artificiel par l'Américain Clarence Walton Lillehei (né en 1918). **1957.** Première greffe réussie de moelle osseuse par le Français Georges Mathé (né en 1922). **1959.** Première greffe de rein entre faux jumeaux effectuée par l'Américain J. P. Merril (né en 1917).

PHYSIQUE
1952. Invention par l'Américain Donald Arthur Glaser (né en 1926) de la chambre à bulles, pour la détection des particules chargées de haute énergie. **1954.** Invention du maser par l'Américain Charles Hard Townes (né en 1915), qui suggère aussi le principe du laser. **1955.** Découverte de l'antiproton par les Américains Owen Chamberlain (né en 1920) et Emilio Segrè (1905-1989). **1956.** Les Américains John Bardeen (1908-1991), Leon Cooper (né en 1930) et John Robert Schrieffer (né en 1931) expliquent le phénomène de supraconductivité (disparition de la résistance électrique dans les métaux à très basse température). **1957.** Invention de la diode tunnel (amplificateur de très haute fréquence utilisé notamment dans les calculateurs électroniques) par le Japonais Esaki Leo (né en 1925). **1958.** L'Allemand Rudolf Mössbauer (né en 1929) découvre l'absorption et l'émission résonnante sans recul des rayons gamma par certains noyaux atomiques engagés dans un solide et le rayonnement qui en résulte (effet Mössbauer). **1960.** Construction du premier laser (à rubis) par l'Américain Theodore Harold Maiman (né en 1927).

Tout sur l'ADN

Après la démonstration (en 1944) selon laquelle le matériel génétique consiste en ADN, la plus importante découverte de l'histoire de la biologie est sans doute celle que font en 1953 J. D. Watson et F. C. H. Crick : l'élucidation de la structure en double hélice de la molécule d'ADN. Inspirés par les conceptions nouvelles de la biologie moléculaire, selon lesquelles il faut chercher le secret de la vie au niveau des molécules, ils se demandent quelle peut bien être la structure physique de la molécule d'ADN. Ils construisent des modèles découpés dans la tôle, afin d'examiner comment les composants chimiques (sucres, phosphates, bases azotées) de cette macromolécule peuvent s'arranger dans l'espace. Munis d'indications venant de la biochimie (travaux de E. Chargaff) et de la biophysique (études de diffraction des rayons X par Maurice Wilkins [né en 1916] et Rosalind Franklin [1920-1958]), ils aboutissent au modèle de la structure en double hélice, où une chaîne de sucres et de phosphates s'enroule autour d'une autre chaîne identique. De plus, les deux chaînes sont, dans ce modèle, reliées par des barreaux constitués par deux bases azotées (chaque base étant portée par une chaîne).

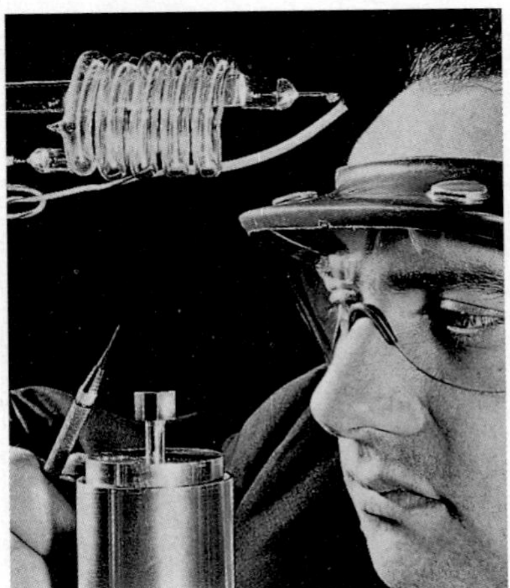

◆ **Le premier laser et son inventeur** (7 juillet 1960), T. H. Maiman, qui observe ici le cristal de rubis synthétique formant le cœur du laser. La source de lumière, en haut, sert à exciter les atomes du cristal. Le laser connaît aujourd'hui des applications très diverses : soudage, usinage, perçage, découpe, métrologie, chirurgie, holographie, photocomposition, imprimantes, télécommunications par fibres optiques, lecture de disques, etc.

La loi de Watson-Crick. Les couples de base sont formés selon la loi dite « loi de Watson-Crick » : l'adénine ne s'apparie qu'à la thymine, et la cytosine qu'à la guanine. Par conséquent les deux chaînes de la double hélice sont complémentaires, comme une clé et une serrure ; lorsqu'elles se séparent, elles peuvent déterminer chacune de leur côté l'édification d'une nouvelle chaîne complémentaire. Ainsi la structure physique de la molécule d'ADN explique comment un gène peut se dupliquer avec exactitude à chaque fois que la cellule se divise (entraînant la division du matériel génétique).

Un code à déchiffrer. En outre, il n'échappe pas à Crick et Watson que l'ordre de succession des bases sur une chaîne de la double hélice peut représenter une message codé et enregistrer ainsi l'information héréditaire. Le physicien américain G. Gamow (1904-1968) suggère dès 1953 que le codage de l'information génétique doit se rapporter à la synthèse des protéines dans les cellules, puisque les gènes ont pour rôle de déterminer la synthèse des protéines comme l'ont montré, en 1942, G. Beadle (1903-1989) et E. Tatum (1909-1975). En 1961, le biologiste américain M. Nirenberg (né en 1927) vérifiera cette hypothèse et, en 1966, le code génétique (c'est-à-dire la loi de correspondance entre les groupes de trois bases de l'ADN et les acides aminés des protéines) sera totalement élucidé.

Les merveilles du laser

L'effet laser est sans doute la traduction la plus spectaculaire du comportement quantique des atomes. L'excitation d'un atome par absorption d'un photon (un « grain » de lumière) se manifeste par le « saut » d'un électron d'un niveau d'énergie à un autre ; quant à sa désexcitation – le retour de l'électron à sa place initiale –, elle s'accompagne de l'émission, dans une direction quelconque, d'un autre photon de même énergie que le premier.

Un autre phénomène se produit si le photon arrive sur un atome déjà excité : le photon incident et le photon émis par désexcitation ont la même énergie, la même direction et la même phase. Si le premier cas peut être comparé à la cacophonie d'un orchestre accordant ses instruments, celui-ci est comparable à une symphonie dirigée par un chef d'orchestre. Et la lumière « symphonique » (cohérente) a des propriétés remarquables : la concentration d'énergie y est telle qu'un rayon laser moins puissant qu'une lampe à incandescence ordinaire peut percer une plaque métallique.

SCIENCES DE LA VIE

1953. L'Américain James Dewey Watson (né en 1928) et le Britannique Francis Harry Compton Crick (né en 1916) élucident la structure en double hélice de l'ADN. **1957.** Les Américains W. Dement et N. Kleitman découvrent que le cerveau, durant le sommeil, passe par des phases d'activité électrique intense (confirmées en 1959 par le Français Michel Jouvet [né en 1925], qui les nommera « sommeil paradoxal »), entrecoupées de phases d'activité ralentie. **1958.** Le Français Jean Dausset (né en 1916) découvre les « groupes de compatibilité », dits HLA, qui déterminent si une greffe d'organe peut ou non être acceptée par l'organisme. **1959.** Les Français Jérôme Lejeune (1926-1994) et Raymond Turpin (1895-1988) découvrent que le mongolisme est dû à une trisomie 21 (existence d'un chromosome surnuméraire au niveau de la 21e paire de chromosomes).

TECHNIQUES

1951. La firme américaine Eastman Kodak lance le procédé de cinématographie en couleurs Eastmancolor. **1952.** Explosion à Eniwetok (îles Marshall) de la première bombe à hydrogène, mise au point aux États-Unis. Première liaison internationale de télévision, entre la France et la Grande-Bretagne. **1953** La firme américaine Twentieth Century Fox lance le CinémaScope, procédé de cinématographie en couleurs permettant la projection sur écran large. Apparition du frein à disque en automobile (lancé en série en 1955 sur la DS 19 Citroën). Mise au point par le Français Marcel Bich (1914-1994) d'un procédé de fabrication industrielle des stylos à bille (stylos Bic). Naissance de l'Eurovision. **1954.** Premier récepteur de radio à transistors, aux États-Unis. Lancement du premier sous-marin à propulsion nucléaire, le *Nautilus,* aux États-Unis. **1955.** Mise au point du procédé de fabrication industrielle de diamants artificiels par l'Américain Percy Williams Bridgman (1882-1961). Première automobile à suspension hydropneumatique, la DS 19 Citroën. Deux locomotives électriques françaises atteignent la vitesse de 331 km/h. Premier vol (27 mai) de la Caravelle, avion français qui introduit la formule des réacteurs à l'arrière du fuselage. Première centrale nucléaire, mise en service à Calder Hall (Grande-Bretagne). **1956.** Le Français Henri de France (1911-1986) fait breveter son procédé SECAM de télévision en couleurs. Pose du premier câble téléphonique sous-marin à grande distance, entre la Grande-Bretagne et les États-Unis. **1958.** Première automobile équipée d'un variateur de vitesses automatique, construite par la firme néerlandaise DAF. Lancement par l'URSS du premier briseglace à propulsion nucléaire, le *Lénine.* Invention par l'Américain H. Anger de la gamma-caméra, qui permet le développement d'une nouvelle technique d'imagerie médicale, la scintigraphie. **1959.** Mise en service du premier aéroglisseur, le *Hovercraft SR-N1,* conçu par le Britannique C. Cockerell (né en 1910). Fabrication du *premier diamant synthétique* par la firme sud-africaine De Beers. **1960.** Adoption d'une nouvelle définition du mètre, fondée sur la longueur d'onde d'une radiation atomique du krypton 86. Adoption du système international d'unités (SI) par la XIe Conférence générale des poids et mesures. Le bathyscaphe *Trieste* atteint la profondeur record de 10 916 m dans la fosse des Mariannes (océan Pacifique).

Construit par T. H. Maiman en 1960, le premier laser utilise un barreau de rubis dont les atomes de chrome sont excités par décharge électrique. Chacune des extrémités du barreau étant munie d'un miroir, les photons émis se réfléchissent d'un miroir à l'autre, stimulant à leur tour d'autres émissions. Une petite portion non réfléchissante ménagée sur l'un des miroirs permet la sortie d'un rayon lumineux dont tous les photons ont précisément la même énergie, donc la même longueur d'onde, et surtout vibrent tous synchroniquement et se propagent strictement dans la même direction.

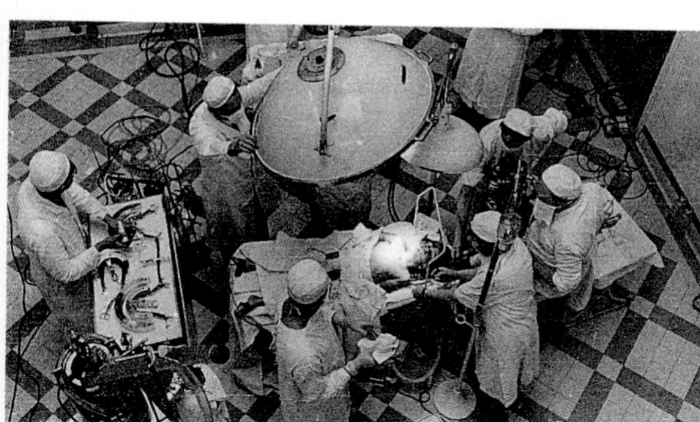

◆ **Opération à cœur ouvert.**
La mise au point, en 1955, par le chirurgien américain C. W. Lillehei, du cœur-poumon artificiel (visible à gauche sur cette photographie, avec sa tuyauterie, son oxygénateur et sa pompe) a permis d'effectuer des interventions chirurgicales à cœur ouvert comme celle-ci, réalisée en 1958. La première transplantation cardiaque a été effectuée le 3 décembre 1967 par le chirurgien sud-africain C. Barnard.

◆ **L'aéroglisseur.**
Arrivée à Douvres du premier aéroglisseur, le *Hovercraft SR-N1* (conçu par C.S. Cockerell), après sa traversée de la Manche, en juillet 1959.

À la conquête de l'espace

L'ère spatiale s'ouvre le vendredi 4 octobre 1957 avec le lancement par l'URSS du premier satellite artificiel de la Terre, qui crée une immense surprise dans le monde.
À leur engin les Soviétiques ont donné le nom de Spoutnik 1 (*spoutnik* signifiant en russe « compagnon de route »). Le satellite, simple sphère d'aluminium de 58 cm de diamètre, qui pèse 83,6 kg, gravite autour de la Terre en un peu plus de 96 minutes, à une altitude variant entre 228 et 947 km. Il émettra des signaux jusqu'à l'épuisement de ses batteries, le 26 octobre 1957, avant de retomber dans les couches denses de l'atmosphère et de s'y désintégrer le 4 janvier 1958.
Le 3 novembre 1957, les Soviétiques placent sur orbite Spoutnik 2, à la mission beaucoup plus ambitieuse. L'engin, dont la masse atteint cette fois 508 kg, emporte à son bord une petite chienne, Laïka, ainsi qu'un appareillage destiné à enregistrer ses réactions en apesanteur. L'expérience prépare déjà le voyage de l'homme dans l'espace.

◆ **Spoutnik 1.**
Sa mise en orbite autour de la Terre, le 4 octobre 1957, a ouvert l'ère spatiale. Près de 4000 satellites ont été emportés depuis dans l'espace. Huit puissances sont parvenues à satelliser des charges utiles par leurs propres moyens : l'URSS, les États-Unis, le Japon, l'Europe, la France, la Grande-Bretagne, l'Inde et Israël.

VOIR AUSSI
- **Quasar** p. 16
- **Exploration de l'espace** p. 23 à 26
- **Laser** p. 383

Illustrations
- **Molécules d'ADN** p. 195

Petit lexique

maser *(Microwave Amplification by Stimulated Emission of Radiation)* : amplificateur reposant sur le même principe que le laser (inversion induite des populations de deux niveaux atomiques) mais dans un domaine de fréquence plus bas, celui des micro-ondes. Les masers sont utilisés comme étalons de fréquence et donc de temps dans les horloges atomiques.

neuroleptique : médicament agissant directement sur le psychisme, utilisé principalement dans le traitement des psychoses.

scintigraphie : méthode d'imagerie médicale repérant le rayonnement gamma de substances radioactives préalablement ingérées ou inoculées, qui se fixent sélectivement sur certains organes.

Le XXe siècle

De 1961 à 1970
Des pas sur la Lune

L'ÉPOQUE : La tension entre les deux blocs se solde par une multitude de conflits et de répressions : engagement américain au Viêt Nam, conflits israélo-égyptiens (guerre des Six-Jours), mur de Berlin et printemps de Prague. En Chine, Mao déclenche la Révolution culturelle ; en France, l'ère gaullienne s'achève dans les remous de Mai 68.

IDÉES ET TENDANCES : La biologie moléculaire fait des progrès foudroyants, mais l'événement marquant est le débarquement sur la Lune, qui laisse croire, au vu des moyens mis en œuvre par les Américains, que la conquête de l'espace va se poursuivre au même rythme.

ASTRONOMIE

1961. Premier vol spatial humain (le 12 avril) par le Soviétique Iouri Gagarine (1934-1968). **1962.** Premier satellite relais actif de télécommunications (Telstar 1, États-Unis) et première liaison transatlantique de télévision par satellite (entre Andover [États-Unis] et Pleumeur-Bodou [France]). Premier succès d'une mission spatiale d'exploration planétaire, le survol de Vénus par la sonde américaine Mariner 2. **1963.** Premier satellite de télécommunications géostationnaire (Syncom 1, États-Unis). **1964.** Premières photographies rapprochées de la Lune montrant des détails du relief inférieurs à 1 m, obtenues par la sonde américaine Ranger 7. **1965.** Les Américains Arno Penzias (né en 1933) et Robert Wilson (né en 1936) découvrent le rayonnement thermique à 3 K du fond du ciel, confortant ainsi la théorie cosmologique de l'explosion primordiale. Première sortie dans l'espace d'un cosmonaute, le Soviétique Alekseï Leonov (né en 1934). Premier rendez-vous orbital entre deux vaisseaux spatiaux habités (Gemini 6 et 7, États-Unis). Premier survol réussi de Mars par un engin spatial, la sonde américaine Mariner 4. **1966.** Premier atterrissage en douceur réussi d'un engin sur la Lune, la sonde soviétique Luna 9. **1967.** Découverte des pulsars par les Britanniques Antony Hewish (né en 1924) et Jocelyn Bell. **1968.** Première mission pilotée autour de la Lune (Apollo 8, États-Unis). **1969.** Premiers astronautes (les Américains Neil Armstrong et Edwin Aldrin, nés en 1930) sur la Lune. **1970.** Véhicule lunaire automatique télécommandé (Lunakhod 1, URSS).

CHIMIE

1961. L'Union internationale de chimie pure et appliquée adopte l'atome de carbone 12 comme base de système des masses atomiques. **1962.** Le Britannique Derek H. R. Barton (1918-1998) fonde l'analyse conformationnelle, qui lie la structure des molécules à leur réactivité chimique. **1963.** L'Américain Pol Duwez (né en 1907) obtient le premier alliage amorphe ou « verre métallique ».

MÉDECINE

1967. Première greffe cardiaque, par le Sud-Africain Christian Barnard (né en 1922). **1970.** Implantation du premier stimulateur cardiaque utilisant un générateur isotopique comme source d'énergie, par les Français Armand Piwnica (né en 1927), M. Robin et P. Laurens.

PHYSIQUE

1962. Le Britannique Brian David Josephson (né en 1940) découvre que le courant électrique peut franchir une mince barrière isolante placée entre deux métaux supraconducteurs (effet Josephson). **1966.** L'Américain Murray Gell-Mann (né en 1929) postule l'existence des quarks, constituants élémentaires des protons et des neutrons. **1967.** L'Américain Steven Weinberg (né en 1933) et le Pakistanais Abdus Salam (1926-1996) proposent une théorie (théorie électrofaible) permettant d'unifier l'interaction électromagnétique responsable de la cohésion des atomes et l'interaction faible qui explique les désintégrations spontanées par radioactivité β.

L'homme dans l'espace

Les années 1960 marquent le début d'une grande aventure : l'homme commence à voler au-delà de l'atmosphère pour explorer l'espace.

Les pionniers. Moins d'une décennie sépare les premiers vols spatiaux pilotés du premier débarquement humain sur la Lune. C'est le 12 avril 1961, que l'URSS lance le premier homme dans l'espace, le lieutenant de l'armée de l'air Iouri Gagarine. Celui-ci, à bord du vaisseau spatial Vostok 1, accomplit une révolution autour de la Terre et atteint l'altitude de 327 km, lors d'un vol de 1 h 48 min. Le premier vol d'un astronaute américain, Alan Shepard, n'intervient que le 5 mai, suivi le 20 février 1962 par le premier vol orbital piloté américain, celui de John Glenn.

Dans les mois et les années qui suivent, les Soviétiques inscrivent à leur actif de nouvelles premières : premier vol jumelé de deux vaisseaux spatiaux pilotés, en août 1962, première femme dans l'espace (Valentina Terechkova), en juin 1963, et surtout premier « piéton de l'espace », le cosmonaute Alekseï Leonov, le 18 mars 1965.

◆ **Iouri Gagarine.** Il est le premier homme à avoir effectué un vol orbital autour de la Terre, le 12 avril 1961, à bord du vaisseau spatial Vostok 1.

◆ **Aldrin sur la Lune.** Le 21 juillet 1969, les astronautes américains Armstrong et Aldrin marchent sur la Lune.

Vers la Lune. Les Américains veulent prendre leur revanche en réalisant ce très vieux rêve de l'humanité : marcher sur la Lune. Pour cela, ils mettent en œuvre le programme Apollo et construisent une fusée géante de 111 m de hauteur, pesant 2 850 t au décollage, la Saturn V, conçue par Wernher von Braun, et un vaisseau spatial de 43 t pouvant assurer le voyage aller et retour Terre-Lune de trois astronautes.

En décembre 1968, pour la première fois, des hommes – Frank Borman, James Lovell, William Anders – tournent autour de la Lune à bord du vaisseau Apollo 8. Ce n'est cependant que le prélude au vol historique d'Apollo 11, l'année suivante, qui emporte Neil Armstrong, Edwin Aldrin et Michael Collins.

Le 21 juillet 1969, à 2 h 56 min 20 s (temps universel), sous le regard fasciné de près d'un milliard de téléspectateurs, Neil Armstrong pose le pied sur le sol lunaire, dans la mer de la Tranquillité. Le programme Apollo s'achèvera en 1972 après avoir comporté six vols avec atterrissage sur la Lune, qui auront permis à 12 astronautes d'explorer le sol lunaire, d'y déposer des appareils scientifiques et d'y collecter 382 kg d'échantillons de roches rapportés sur la Terre pour y être analysés.

Télécommunications spatiales

Le 11 juillet 1962, à 0 h 47 (heure française), a lieu la première liaison intercontinentale de télévision par satellite, au-dessus de l'Atlantique. La station française de Pleumeur-Bodou, dans les Côtes-d'Armor, reçoit la première image envoyée par la station américaine d'Andover, dans le Maine, et transmise en direct par l'intermédiaire du satellite Telstar 1, placé sur orbite la veille par la NASA. Le 23 juillet suivant est expérimentée la première mondovision. Telstar 1 et ses successeurs immédiats ont l'inconvénient d'être des satellites à défilement : animés d'un mouvement relatif par rapport à la Terre, ils semblent se déplacer dans le ciel; de ce fait, ils ne restent visibles d'un point donné du globe que quelques heures par jour et il faut, pendant ce laps de temps, suivre en permanence leur déplacement.

Les satellites géostationnaires. Une nouvelle étape est franchie en 1963 avec la mise en orbite des satellites américains Syncom, premiers satellites de télécommunications géostationnaires, imaginés dès 1945 par l'ingénieur et écrivain britannique Arthur C. Clarke (auteur de *2001: l'Odyssée de l'espace*). Situés dans le plan de l'équateur à 36 000 km d'altitude, ils tournent dans le même sens que la Terre, avec la même période de rotation; ils apparaissent donc immobiles dans le ciel et permettent des liaisons intercontinentales permanentes.

SCIENCES DE LA TERRE
1962. L'Américain Harry Hammond Hesse (1906-1969) émet l'hypothèse de l'expansion des fonds océaniques. **1968.** Théorie des plaques tectoniques développée par le Français Xavier Le Pichon et par l'Américain W. J. Morgan.

SCIENCES DE LA VIE
1961. Les Français François Jacob (né en 1920) et Jacques Monod (1910-1976) élucident le mécanisme de fonctionnement des gènes chez les bactéries et montrent que la synthèse des protéines commandée par les gènes exige une molécule intermédiaire, l'ARN messager. L'Américain Robert Burns Woodward (1917-1979) réalise la synthèse de la chlorophylle. **1966.** L'Américain Marshall Nirenberg (né en 1927) contribue à décrypter le code génétique. Les Américains J. Claman, Jacques Francis Albert Miller (né en 1931) et G. F. Mitchell montrent que la production d'anticorps est due à une catégorie particulière de globules blancs, les lymphocytes B, aidés par cause d'une autre catégorie, les lymphocytes T. L'Américain Andrew V. Schally (né en 1926) isole la première hormone du cerveau. **1967.** Synthèse *in vitro* de l'ADN d'un virus par les Américains Arthur Kornberg (né en 1918), Mehran Goulian (né en 1929) et Robert Louis Sinsheimer (né en 1920). **1969.** Première synthèse totale d'une enzyme, la ribonucléase pancréatique du bœuf, par les Américains Robert Bruce Merrifield (né en 1921) et B. Gutte d'une part, et R. G. Denkewater et R. Hirshmann d'autre part. Le Britannique R. Edwards réussit pour la première fois à féconder *in vitro*, c'est-à-dire hors de l'organisme, un ovule humain. **1970.** Synthèse artificielle d'un gène par l'Indien Har Gobind Khorana (né en 1922). L'Américain H. Smith découvre la première enzyme dite de restriction, capable de découper la molécule d'ADN (type d'enzyme utilisé ultérieurement en génie génétique).

TECHNIQUES
1962 L'Américain N. E. Borlaug (né en 1914) met au point des variétés de blé à haut rendement. Premier robot industriel commercialisé par l'Américain J. Engelberger. **1964.** Lancement du film Super 8 par la firme américaine Kodak. Première machine à écrire à mémoire, réalisée par IBM. **1965.** Premier vol d'un avion à flèche variable, le F-111 américain. **1966.** Mise en service de la centrale marémotrice de la Rance, en France. Première fibre de carbone, obtenue par les Britanniques W. Watt, L. N. Phillips et W. Johnson. **1967.** La XIIIe Conférence générale des poids et mesures adopte une nouvelle définition de la seconde, fondée sur la durée d'une période de vibration de l'atome de césium 133. Premier tube cathodique à mémoire, mis au point par la société Tektronix. Premières installations flexibles d'usinage chez Sundstrand Aviation à Rockford, aux États-Unis, et chez IBM à Deptford, en Grande-Bretagne. **1968.** Premier vol du premier avion de transport supersonique, le Tupolev Tu-144 (URSS). Presse d'imprimerie à grand tirage Cameron, aux États-Unis. Premières montres-bracelets à quartz suisses et japonaises (déposées à l'observatoire de Neuchâtel). **1969.** Mise au point du CCD *(Charge Coupled Device)*, par les Américains Boyle et Smith, aux laboratoires Bell. Premier vol d'essai de l'avion de transport supersonique franco-britannique Concorde. **1970.** Premiers automates industriels programmables.

Intelsat. Au lendemain même de la mise en orbite de Syncom 3 – qui assure notamment la retransmission des jeux Olympiques de Tokyo – naît, en août 1964, l'organisation internationale Intelsat, créée à l'instigation des États-Unis dans le but de promouvoir pour les liaisons internationales un système unique de communication par satellite. Premier satellite commercial de télécommunications, Intelsat 1, calé au-dessus de l'Atlantique nord, connaîtra la célébrité sous le nom de *Early Bird* (Oiseau matinal). Sa capacité est encore modeste – 240 communications téléphoniques simultanées ou un canal de télévision – mais il ouvre la voie aux communications internationales via l'espace. Une nouvelle ère dans les transmissions planétaires commence.

◆ **La grande antenne Pleumeur-Bodou I.** Installée sous un radôme hémisphérique de 64 m de diamètre, cette antenne-cornet est haute de 29 m, longue de 54 m, et pèse 340 t. C'est grâce à cette antenne, aujourd'hui hors service, que la station de Pleumeur-Bodou (Côtes-d'Armor) reçut le 11 juillet 1962 les premières images de télévision transmises par satellite au-dessus de l'Atlantique.

◆ **Le concorde** Avion de ligne supersonique, le Concorde, mis en service en 1976, fut réalisé dans le cadre de la coopération franco-britannique.

L'étrange quark

L'époque héroïque de la physique des particules est révolue. Les expérimentations de Fermi et de Chadwick cèdent la place à des machines complexes et hors de prix, les accélérateurs de particules, construits par des organisations internationales où théoriciens et expérimentateurs se partagent la tâche.

Le théoricien Murray Gell-Mann émet au début des années 1960 une hypothèse surprenante : les constituants du noyau, protons et neutrons, seraient chacun formés de trois « quarks » (mot sans signification précise, tiré d'un roman de James Joyce), des particules porteuses de charges électriques des fractions de la charge élémentaire égales à +2/3 pour le quark u *[up]*, –1/3 pour le quark d *[down]*, ou d'une charge d'une autre sorte, appelée « couleur » (dont il existe trois types, le bleu, le rouge et le vert).

La théorie de Gell-Mann (la chromodynamique quantique) explique la cohésion des particules formées de quarks (les neutrons et protons, mais aussi les pions et des dizaines d'autres) par l'échange entre les divers quarks de nouvelles particules, les gluons. Elle implique même l'existence d'un autre type de quark, le quark s (pour strange, « étrange ») qui est découvert en 1964 grâce à l'accélérateur de Brookhaven. On trouvera par la suite d'autres quarks de « saveurs » différentes, le charme (c) et la beauté (b, pour *bottom* !). Le sixième – et dernier – quark (t, pour *top*) a été découvert en 1994.

VOIR AUSSI
- **Pulsar** p. 12
- **Exploration de l'espace** p. 23 à 26
- **Constituants de la matière** p. 336

Les plaques de la Terre

Au début des années 1960, Harry H. Hess et Robert S. Dietz formulent la théorie de l'expansion des fonds océaniques, selon laquelle le plancher océanique se forme au niveau des dorsales et dérive de part et d'autre à la manière d'un double tapis roulant. En étudiant le comportement mécanique des roches, Dietz comprend que le « tapis roulant » ne se limite pas à la croûte océanique mais qu'il correspond à une épaisseur plus importante (incluant une partie du manteau supérieur), qu'il appelle lithosphère. Cette notion est importante car elle induit que les continents ne flottent pas librement sur un liquide comme le pensait Wegener, mais qu'ils sont enchâssés dans la lithosphère et se déplacent avec elle.

C'est le Canadien John T. Wilson qui le premier, en 1965, émet l'hypothèse selon laquelle la lithosphère est composée de plusieurs plaques rigides. En 1967, Lynn R. Sykes, Jack Oliver et Bryan Isacks montrent que la lithosphère rigide plonge dans l'asthénosphère au niveau des fosses océaniques, délimitant des plaques tectoniques qui couvrent toute la surface de la Terre. La synthèse de ces travaux est le fondement de la théorie de la tectonique des plaques. Elle est formulée en 1967-1968 par Jason W. Morgan, Dan McKenzie et Xavier Le Pichon, qui dénombrent six plaques principales et plusieurs autres, plus petites, de 70 à 150 km d'épaisseur.

Le XXe siècle

De 1971 à 1980
L'hégémonie de la biologie

L'ÉPOQUE : Le président Nixon est chassé par le Watergate, le président chilien Allende renversé par le putsch de Pinochet, le chah d'Iran évincé par l'ayatollah Khomeiny. L'Égypte et Israël s'affrontent de nouveau (guerre du Kippour). Tandis que les Khmers rouges imposent leur dictature au Cambodge, la démocratie revient en Espagne et au Portugal. L'URSS entre dans l'ère Brejnev.

IDÉES ET TENDANCES : La conquête de l'espace se poursuit sans événement remarquable mais ses retombées technologiques, en particulier en informatique, amorcent une des grandes révolutions du XXe siècle, celle de l'ordinateur personnel. La biologie, surtout moléculaire, envahit toutes les sciences de la vie, en particulier la médecine et la génétique, lançant ainsi un débat nouveau sur les problèmes d'éthique.

ASTRONOMIE

1971. Première présomption de l'existence d'un trou noir, au centre de la source céleste de rayons X *Cygnus X-1*. Première station orbitale (Saliout 1, URSS). **1973.** Mise en orbite du laboratoire spatial américain Skylab. **1976.** Atterrissage en douceur sur Mars de deux sondes américaines Viking qui étudient le sol de la planète et tentent d'y détecter la présence de micro-organismes. Mise en service dans le Caucase, à Zelentchouk (URSS), d'un télescope optique de 6 m d'ouverture. **1977.** Découverte d'anneaux de matière autour de la planète Uranus par une équipe dirigée par l'Américain James L. Elliot. **1979.** Découverte par la sonde américaine Voyager 1 de la multiplicité des anneaux de matière entourant la planète Saturne. Premier vol (réussi) de la fusée européenne Ariane (24 décembre).

CHIMIE

1973. Le Français Jean-Marie Lehn (né en 1939) parvient à réaliser la synthèse des cryptates, composés chimiques complexes dont la molécule délimite une sorte de cavité à l'intérieur de laquelle se trouve piégé un ion métallique.

INFORMATIQUE

1971. Commercialisation, par la société Intel, du premier microprocesseur, regroupant 2 300 transistors sur une plaquette carrée de silicium de 7 mm de côté. **1973.** Premier micro-ordinateur, le Micral, de la société française R2E. **1976.** Commercialisation du superordinateur Cray 1, capable d'effectuer 250 millions d'opérations par seconde. **1979.** Commercialisation de l'ordinateur personnel IBM PC.

MATHÉMATIQUES

1972. Publication par le Français René Thom (né en 1923) de son ouvrage *Stabilité structurelle et morphogenèse,* qui fonde la théorie des catastrophes. **1975.** Introduction par le Français Benoît Mandelbrot (né en 1924) du concept d'objets fractals (ou fractales).

MÉDECINE

1975. Mise au point par le Français Philippe Maupas (1939-1981) d'un vaccin contre l'hépatite B. **1977.** Les Britanniques Robert G. Edwards et Patrick Ch. Steptoe réalisent une fécondation *in vitro* et une transplantation embryonnaire sur une femme stérile, qui permettent la naissance (le 26 juill. 1978) du premier bébé-éprouvette, Louise Brown. **1978.** Premières images médicales obtenues par résonance magnétique nucléaire (RMN).

PHYSIQUE

1971. Au Cern, près de Genève, mise en service des anneaux de collision à intersection (ISR) permettant d'accélérer des protons avec une énergie de 28 GeV par faisceau. **1972.** Mise en service du synchrotron à protons de 500 GeV au Fermilab, à Chicago (États-Unis). **1974.** Découverte, aux États-Unis, par les équipes de Burton Richter et de Samuel Chao Chung Ting des premières particules « charmées » (particules J ou ψ). **1977.** Mise en service au Cern du supersynchrotron à protons (SPS) de 400 GeV.

SCIENCES DE LA TERRE

1972. Premier satellite de télédétection des ressources terrestres (Landsat 1, États-Unis). **1974.** La théorie de Gaïa est formulée par Lovelock et Margulis. **1978.** Découverte par le submersible français *Cyana*, au large du Mexique, sur la crête de la dorsale du Pacifique oriental, par 2 600 m de

Les trous noirs

Objets célestes hypothétiques dont la théorie de la relativité permet de prévoir l'existence, les trous noirs seraient des astres en effondrement gravitationnel irréversible, dont le champ de gravitation est si intense que rien ne peut s'en échapper, pas même de la lumière. Ils représenteraient l'ultime stade d'évolution des étoiles les plus massives, dépassant 3 à 4 fois la masse du Soleil.

S'il est invisible, un trou noir exerce cependant sur la matière avoisinante des effets gravitationnels et électromagnétiques susceptibles d'être détectés. En 1971, des observations effectuées dans le domaine des rayons X par les satellites d'astronomie américains Uhuru et OAO 3, suggèrent, pour la première fois, la présence d'un trou noir, au cœur de la puissante source de rayons X *Cygnus X-1*. D'une masse d'environ 10 fois celle du Soleil, il serait le compagnon obscur de la supergéante bleue HDE 226 868, située à 6 600 années-lumière, dans la constellation du Cygne.

L'hypothèse des trous noirs est à présent confortée par la mise en évidence d'autres phénomènes candidats à ce titre. On envisage actuellement l'existence de trous noirs massifs (plusieurs millions de fois la masse du Soleil) au cœur de la plupart des galaxies, présentant des degrés divers d'activité. Très actifs durant la jeunesse des galaxies, en particulier dans les quasars et les galaxies actives, ils deviendraient plus calmes et donc plus difficiles à détecter dans les galaxies vieillissantes. Celui qui se trouverait caché au centre de notre galaxie serait parmi ces derniers ; son activité est néanmoins décelable.

Mathématiques et catastrophes

Une des branches les plus abstraites des mathématiques, la théorie des catastrophes, issue de la topologie algébrique, a été inventée par le mathématicien français René Thom, qui a obtenu la médaille Fields (équivalent du prix Nobel pour les mathématiques) en 1958. Tentant d'expliquer, à l'aide des concepts de la topologie, la genèse des formes en biologie et, en particulier, dans la formation de l'embryon, Thom est amené à mettre en évidence un phénomène très répandu dans la nature : de très petites modifications des paramètres d'un système peuvent conduire à un changement qualitatif radical.

Les vagues fournissent un exemple simple de ce phénomène : c'est le lent mouvement de l'eau qui produit la brisure de la vague que nous observons. Thom a donné à ces changements qualitatifs brusques le nom de «catastrophes»; il a décrit sept types de catastrophes élémentaires, parmi lesquelles la « fronce », la « queue d'aronde » et l'« ombilic hyperbolique » (qui correspond à la vague). On a utilisé cette approche dans de nombreux domaines : sciences physiques, biologie mais aussi sociologie, psychologie ou linguistique. La théorie des catastrophes est liée à la théorie du chaos, développée récemment. Si la théorie des catastrophes donne un cadre intéressant à la description des phénomènes naturels, elle pose des problèmes épistémologiques délicats. Il faut dire qu'aucune relation certaine n'a pu être établie entre théorie et réalité.

◆ **La « fronce » de Thom.**
L'étude de l'agressivité chez le chien, qui peut passer brutalement d'un état de colère à un arrêt (fuite) ou d'un état de peur à une agression, illustre l'un des types de catastrophes envisagés par René Thom.

VOIR AUSSI • **Trous noirs** p. 13

◆ **Géométrie fractale.**
Cette image obtenue par ordinateur s'intitule « cyclone tropical ».

profondeur, des premiers dépôts massifs de sulfures polymétalliques du domaine marin profond.

SCIENCES DE LA VIE
1973. Les Américains S. Cohen et H. Boyer mettent au point une méthode pour introduire des gènes étrangers dans des bactéries, inaugurant ainsi l'ère du génie génétique. Invention du scanographe (appelé primitivement «scanner» par le Britannique Godfrey Newbold Hounsfield (né en 1919). **1974.** Premier système-expert pour le diagnostic médical, mis au point à l'université Stanford (États-Unis). **1975.** Découverte, dans le cerveau, par les Britanniques J. Hughes et H. Kosterlitz, de molécules dont l'action s'apparente à celle de la morphine, les enképhalines. Découverte par le Britannique Cesar Milstein (né en 1927) et l'Allemand Georges Köhler (1946-1995) de la technique de fabrication d'anticorps très purs, dits monoclonaux. **1980.** Une équipe travaillant en Suisse pour la firme Biogen parvient à fabriquer de l'interféron de leucocyte humain par ingénierie génétique.

TECHNIQUES
1972. Premières fibres optiques, réalisées par la firme américaine Corning Glassworks. Présentation par la société néerlandaise Philips du premier vidéodisque. Premières calculatrices scientifiques de poche. Commercialisation des premières vidéocassettes. **1974.** Invention de la carte à mémoire par le Français Roland Moreno (né en 1945). Premières calculatrices électroniques programmables. **1977.** Première mémoire à bulles magnétiques, mise sur le marché par la firme américaine Texas Instruments. **1978.** Mise en exploitation, en France, du service de vidéotex Antiope. Mise en service du réseau public de transmission de données par paquets Transpac. Premières photocomposeuses à laser. **1979.** Première machine copieuse-imprimante à laser (IBM). Premier Compact Disc (CD), présenté par la firme néerlandaise Philips. **1980.** Commercialisation des premiers paliers magnétiques actifs par la Société de mécanique magnétique. Premières expériences de visioconférence. Premiers Publiphones à cartes. Sortie du film *Tron*, des productions Walt Disney, premier film long métrage à exploiter de façon importante la synthèse d'image.

Les clés moléculaires du cancer

Durant les années 1970, des étapes décisives dans la compréhension du cancer sont franchies. Quelques virus cancérogènes pour l'homme commencent à être mis en évidence. Tel est le cas, par exemple, du virus d'Epstein-Barr, associé à la genèse du lymphome de Burkitt (tumeur du système immunitaire), et du virus de l'hépatite B, lié au cancer du foie.

Les oncogènes. Chez l'animal, de nombreux chercheurs mettent en évidence les mécanismes de cancérisation dus aux virus. L'équipe américaine de J. M. Bishop montre notamment que le virus du sarcome de Rous (un cancer du tissu conjonctif) chez le poulet contient dans son patrimoine génétique un «gène de cancer» ou «oncogène», déterminant la cancérisation des cellules infectées par le virus. Le plus surprenant est de constater que cet oncogène est identique à un gène (appelé «proto-oncogène») figurant en permanence dans toutes les cellules normales du poulet. Ce résultat est bientôt généralisé à un grand nombre de virus cancérogènes chez les animaux : une trentaine d'oncogènes sont ainsi identifiés, dont on s'efforce de comprendre le mode d'action. Il semble qu'ils gouvernent la synthèse de protéines légèrement différentes de celles synthétisées par les proto-oncogènes cellulaires, et que ces protéines anormales ont pour effet de désorganiser les mécanismes d'attachement des cellules entre elles, ou de favoriser la réplication indéfinie de l'ADN des cellules (les deux mécanismes expliquant la tendance à la prolifération indéfinie des cellules cancéreuses). Dans les années 1980, on montrera que la majorité des cancers humains, s'ils ne sont pas dus à des virus, résultent néanmoins de l'activation d'oncogènes cellulaires.

L'essor du génie génétique

Les biologistes américains S. Cohen et H. Boyer inventent en 1973 la technique de base permettant d'introduire à volonté des gènes étrangers dans des bactéries. Cette technique consiste à extraire un mini-chromosome circulaire (appelé «plasmide») des cellules bactériennes, à le couper en un point à l'aide d'enzymes dites «de restriction» et à introduire en ce point du cercle d'ADN bactérien un gène de mammifère, d'homme, d'oiseau, d'oursin, etc. Ce gène étranger est obtenu de son côté par l'action d'enzymes de restriction sur l'ADN total extrait du noyau d'une cellule d'animal ou d'homme. Le plasmide «recombiné» porteur d'un gène étranger est alors réintroduit (cloné) dans la cellule bactérienne et s'y maintient de manière stable, pouvant même s'y multiplier et y gouverner la synthèse de la protéine dont il détient le code. Dans ce cas, la bactérie hôte est génétiquement transformée (manipulée).

L'invention en 1977 d'une technique d'identification des séquences de bases azotées dans l'ADN par W. Gilbert et A. M. Maxam vient compléter la technique du clonage des gènes, permettant aux généticiens moléculaires de lire l'information génétique contenue dans l'ADN transplanté dans les bactéries.

Biotechnologies. Parallèlement à ces développements, les techniques de manipulations génétiques conduisent rapidement à toutes sortes d'applications et au développement de l'industrie biotechnologique. Ainsi, dès 1977, la firme américaine Genentech fait produire, à des fins industrielles, une hormone humaine, la somatostatine, par des bactéries génétiquement manipulées. Puis, en 1978, cette même firme obtient de la même façon de l'insuline humaine. En 1980, une autre firme américaine, Biogen, obtient un succès spectaculaire : elle réussit à faire produire à des bactéries de l'interféron humain, alors que le gène n'en était jusque-là pas connu. Ce résultat soulève un immense intérêt, car l'interféron est une substance naturelle antivirale, ayant peut-être des propriétés anticancéreuses.

VOIR AUSSI
- **Cancers** p. 230
- **Biotechnologie** p. 847

Petit lexique

fibre optique : fibre formée d'un matériau transparent dans laquelle la lumière est piégée et se propage avec une très faible atténuation, même sur de longues distances.

théorie de Gaïa : hypothèse selon laquelle l'écosphère se comporterait comme un système global doué de capacités autorégulatrices le stabilisant en permanence contre les modifications externes et garantissant ainsi les conditions optimales de la vie.

Les ordinateurs à l'usine

Au cours des années 1970, les progrès de l'informatique entraînent une révolution technologique dans les bureaux d'études, avec le développement des systèmes de conception assistée par ordinateur (CAO). Ceux-ci comprennent principalement une console graphique interactive, qui permet à l'opérateur de créer et de modifier instantanément des dessins, de résoudre en quelques secondes des problèmes géométriques complexes et de visualiser le déplacement des pièces d'un mécanisme. Pour répondre aux besoins particuliers des utilisateurs, des sociétés spécialisées s'efforcent de mettre au point des logiciels appropriés. La CAO trouve ainsi des applications aussi diverses que le dessin d'automobiles, d'avions, d'ouvrages de génie civil, de flacons, de circuits électroniques, etc. Mais le recours à la seule CAO reste limité car il ne suffit pas de dessiner une pièce, il faut également la fabriquer. D'où l'idée de conjuguer conception et fabrication assistées par ordinateur, c'est-à-dire d'utiliser toutes les informations géométriques définissant la pièce dessinée pour la faire usiner par une machine à commande numérique. C'est pourquoi les recherches qui aboutiront en 1981 s'appliquent à mettre au point la CFAO (conception et fabrication assistées par ordinateur).

Permettant de raccourcir très sensiblement le délai de réalisation de pièces complexes, la CFAO est désormais utilisée avec succès dans des secteurs industriels aussi importants que l'aéronautique, l'automobile et la construction navale.

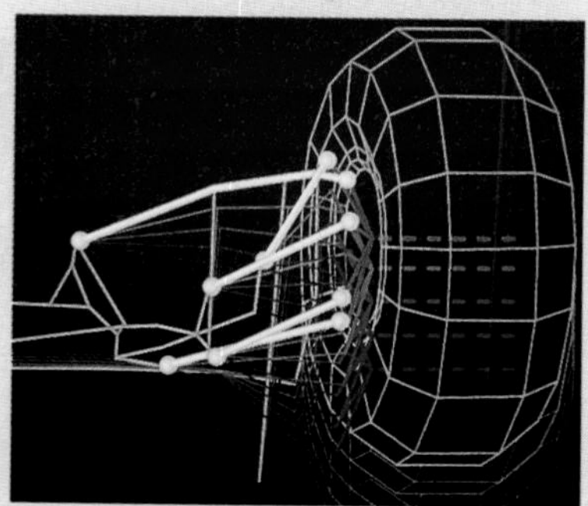

◆ **Conception assistée par ordinateur.** Étude du système d'essieu directeur à suspension compensée d'une gamme d'automobiles Mercedes.

Le XXe siècle

De 1981 à 1990
Simulation et mondes virtuels

L'ÉPOQUE : Les États-Unis vivent l'ère Reagan, Gorbatchev remplace Brejnev, la France devient mitterrandienne et la décennie s'achève dans l'effondrement du monde communiste. Le sida s'étend à travers le monde entier.

IDÉES ET TENDANCES : Aucune grande découverte scientifique ne remet en cause les dogmes établis, mais le perfectionnement des techniques dans tous les domaines amène des changements très perceptibles dans la vie quotidienne… En parallèle, se développe une importante réflexion critique sur la science et les conséquences de ses applications.

ASTRONOMIE

1981. Découverte, dans la constellation du Bouvier, d'une vaste région d'environ 300 millions d'années-lumière de diamètre apparemment dépourvue de galaxie. Hypothèse de l'inflation de l'Univers, par l'Américain Alan H. Guth. Premier vol d'essai de la navette spatiale américaine (12 au 14 avril). **1982.** Découverte par des radioastronomes de l'université de Californie à Berkeley (États-Unis) du premier pulsar ultrarapide, dont la période de rotation est de 1,6 milliseconde. **1984.** Première réparation dans l'espace d'un satellite artificiel, grâce à la navette américaine. **1985.** Premier survol d'une comète (Giacobini-Zinner) par un engin spatial, la sonde américaine ICE. **1987.** Apparition, dans le Grand Nuage de Magellan, d'une supernova, la plus brillante observée depuis 1604. Mise en service du lanceur lourd soviétique Energia. Une équipe française confirme de façon expérimentale le phénomène de mirage gravitationnel prévu par la théorie de la relativité générale, grâce à l'observation d'un arc lumineux géant dans l'amas de galaxies Abell 370. **1988.** Les cosmonautes soviétiques Vladimir Titov et Moussa Manarov portent à 366 jours le record de durée d'un vol humain dans l'espace. **1989.** Mise en service à l'observatoire européen du Chili du NTT *(New Technology Telescope)*, premier télescope dont le miroir principal, de 3,60 m de diamètre, utilise la technique de l'optique adaptative. Survol de la planète Neptune par la sonde américaine Voyager 2. **1990.** Mise en orbite du télescope spatial Hubble.

CHIMIE

1982. Identification de l'élément chimique 109 (le plus lourd connu) grâce à l'accélérateur d'ions lourds Unilac de Darmstadt (RFA).

INFORMATIQUE

1989. Commercialisation, par la firme américaine Intel, du premier microprocesseur, comportant plus d'un million de composants élémentaires.

MÉDECINE

1982. Une équipe chirurgicale américaine dirigée par Robert K. Jarvick (né en 1946) greffe pour la première fois avec succès un coeur artificiel sur un homme. **1983** Le Français Luc Montagnier (né en 1932) identifie le virus du Sida. **1984** Naissance en Australie du premier bébé-éprouvette issu d'un embryon congelé plusieurs mois. **1985** L'Américain S. Rosenberg annonce les résultats thérapeutiques spectaculaires obtenus chez des cancéreux au moyen d'une substance du système immunitaire, l'interleukine 2, produite industriellement par des bactéries génétiquement manipulées. **1987.** Le Français Étienne-Émile Baulieu (né en 1926) annonce la découverte de la pilule abortive. **1990.** Première thérapie génique, sur une fillette de 4 ans souffrant d'un déficit immunitaire, par les Américains Anderson, Culver et Blaese.

PHYSIQUE

1981. Mise au point de la microscopie par effet tunnel par l'Allemand Gerd Binnig (né en 1947) et le Suisse Heinrich Röhrer (né en 1933) aux laboratoires IBM de Zurich. **1983.** Découverte du premier «squid», composant cryoélectronique permettant d'effectuer une variété de mesures magnétiques et électriques avec une sensibilité extrême. Découverte au Cern, près de Genève, des particules W^+, W^- et Z°, bosons massifs prévus par la théorie électrofaible. Mise en service du JET *(Joint European Torus)*, réacteur européen pour l'étude de la fusion thermonucléaire contrôlée, à Culham (Grande-Bretagne). **1984.** Mise en évidence du premier quasi-cristal par les Israéliens D. Shechtman et I. Blech, l'Américain J. W. Cahn et le Français D. Gratias. **1987.** Mise au point par l'Allemand Johannes Georg Bednorz (né en 1950) et le Suisse Karl Alexander Müller (né en 1927), des laboratoires IBM de Zurich, d'une céramique supraconductrice à −233 °C. **1989.** Mise en service du LEP *(Large Electron Position Collider)*. Des expériences effectuées au Cern et à Stanford (É.-U.) établissent qu'il n'existe pas plus de trois familles de particules dans l'Univers.

De nouveaux matériaux

De nouveaux matériaux font une entrée en force dans l'aéronautique, l'automobile, la construction navale et diverses industries de pointe. Ce sont surtout des produits composites, associant des matériaux de base différents, complémentaires et compatibles. Comme pour les alliages, leurs propriétés sont supérieures à celles de chacun des matériaux constitutifs pris séparément. La combinaison des qualités intrinsèques des composants permet d'atténuer les défauts de chacun : par exemple, le verre ne casse plus lorsqu'il se présente sous la forme de nappes de fibres noyées dans une résine thermodurcissable. Cette mise en œuvre par association conduit à l'apparition d'un très grand nombre de nouveaux matériaux fabriqués sur mesure pour une fonction donnée. Ainsi, de la course à la légèreté dans la construction aéronautique découlent la fabrication et l'utilisation, de plus en plus massive, de fibres aramides, de verre ou de carbone, enrobées de résine.

Parmi ces nouveaux matériaux, l'un des plus fréquemment employés est le Kevlar, une fibre mise au point en 1965 par Du Pont de Nemours et commercialisée depuis 1972. Très apprécié pour sa robustesse, sa légèreté, sa résistance au feu et à la corrosion, le Kevlar est utilisé notamment pour la fabrication de carcasses de pneumatiques, de câbles, de vêtements de protection, de coques de voiliers, ainsi que dans les industries automobile, aéronautique et spatiale.

Les céramiques structurales jouent un rôle de plus en plus important dans l'industrie nucléaire, l'électronique, la mécanique et la thermique. Elles ont l'inconvénient d'être très fragiles et de se casser brutalement. Pour éviter ces risques, industriels et chercheurs se tournent vers les fibres en céramique, qui servent alors de renforts à des matières elles-mêmes en céramique : on obtient ainsi des composites céramique-céramique.

Les alliages de polymères sont à l'origine d'une nouvelle famille de plastiques techniques à hautes performances, qui intéressent notamment les constructeurs d'automobiles (pare-chocs, grilles de calandres, enjoliveurs de roues) et de matériels informatiques.

L'élaboration de nouveaux alliages métalliques ultralégers, associant en particulier l'aluminium au lithium, est suscitée par la construction aéronautique.

◆ **Application médicale des nouveaux matériaux.** Les prothèses font souvent appel aux nouveaux matériaux. Ici, des prothèses en silicone d'articulations de la main.

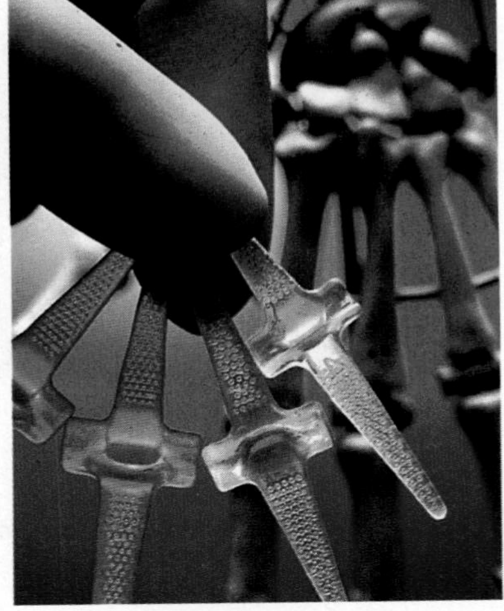

L'unification des forces fondamentales

Le prix Nobel 1983 attribué à des chercheurs du Cern de Genève salue une découverte fondamentale qui affirme la suprématie européenne en physique des particules, aux dépens des États-Unis qui en étaient jusque-là le leader incontesté. Il s'agit de la mise en évidence expérimentale des particules médiatrices de l'interaction faible (selon la théorie électrofaible déjà récompensée d'un prix Nobel en 1975). Les trois particules en question, baptisées Z°, W^+ et W^-, suffisent à expliquer, avec le photon, tous les phénomènes relevant de l'électromagnétisme et de l'interaction faible, deux des forces fondamentales de la nature.

La mise en évidence de cette unification, comparable par son importance à celle que Maxwell réalisa entre électricité et magnétisme, a été obtenue grâce à une machine nouvelle, accélérant en sens contraire des particules (des protons) et leurs antiparticules (des antiprotons). L'énergie libérée lors du choc, beaucoup plus grande que celle d'un simple faisceau bombardant une cible fixe, se matérialise en une myriade de particules (dont le Z°, le W^+ et le W^-) de très courte durée de vie, qui sont observables au moyen de détecteurs d'une grande complexité.

L'étape suivante à laquelle rêvent les physiciens consisterait à unifier de façon analogue la théorie électrofaible et la chromodynamique quantique, qui rend compte de la troisième force fondamentale, l'interaction forte assurant la cohésion du noyau atomique. Des indices sérieux permettent de penser qu'une telle théorie (dite « standard ») est

SCIENCES DE LA TERRE
1985. Le Britannique Joseph Farman annonce qu'il a observé une diminution importante de la teneur en ozone de la stratosphère au-dessus de l'Antarctique.

SCIENCES DE LA VIE
1981. Des chercheurs britanniques parviennent à décoder le patrimoine génétique de la mitochondrie chez l'homme. Des chercheurs britanniques fabriquent par synthèse chimique un gène humain, celui de l'interféron (substance antivirale). **1982.** Les Américains R. Brinster et R. Palmiter obtiennent des souris géantes par manipulation génétique. **1986.** Le Britannique S. Willedson annonce qu'il a réussi le clonage d'une brebis. **1987** L'Américain L. Kunkel annonce l'identification du gène et de la protéine (appelée dystrophine) responsable d'une maladie héréditaire, la myopathie de Duchenne.

TECHNIQUES
1981. Mise en service du TGV (train à grande vitesse) sur la ligne Paris-Lyon. Premiers systèmes de CFAO (conception et fabrication assistées par ordinateur) aux États-Unis. **1982.** Commercialisation des premiers appareils d'imagerie médicale par résonance magnétique nucléaire (RMN) et des premiers disques compacts. **1986.** Premiers robots lasers utilisés dans les ateliers de mécanique. **1988.** Lancement en France du RNIS (réseau numérique à intégration de services) avec le système Numéris. **1990.** Première jonction sous la Manche lors de la rencontre des deux chantiers d'Eurotunnel.

justifiée, mais ses prédictions expérimentales sont peu nombreuses. La symétrie qu'elle implique entre les deux constituants fondamentaux de la matière, les quarks et les leptons (comme l'électron ou le neutrino), voudrait que les quarks puissent se transformer spontanément en leptons. Cela se traduirait notamment par la désintégration des protons, considérés jusque-là comme des particules stables. D'importantes expériences ont été entreprises, les physiciens ont stocké d'énormes quantités de matière (du fer ou de l'eau) loin des rayons cosmiques parasites (dans des mines ou des cavernes), dans l'espoir d'observer la désintégration spontanée de quelques protons. Rien de tel n'a été observé, ce qui force à réviser le modèle...

La fécondation in vitro

Lorsqu'en 1978, R. G. Edwards et P. Steptoe obtiennent la naissance du premier bébé-éprouvette, la plupart des observateurs restent sceptiques sur l'avenir de cette technique de procréation artificielle. Le taux de succès n'est en effet que de 1 ou 2 %. Cependant, au tournant des années 1980, le biologiste Australien A. Trounson introduit une innovation majeure : s'inspirant de ses travaux antérieurs sur la brebis, il préconise de procéder à des fécondations multiples productrices d'un grand nombre d'embryons, et d'en introduire au moins trois simultanément dans l'utérus de la patiente. Cette procédure a l'avantage d'augmenter le taux d'implantation des embryons et ainsi de porter le taux de succès du procédé des bébés-éprouvettes à 7 ou 8 %. Cela suffit à susciter une expansion générale de la technique de par le monde, au début des années 1980.

Mais l'on produit ainsi des embryons surnuméraires, bien au-delà des trois embryons nécessaires à chaque tentative. Il est possible de procéder à la congélation de ces embryons humains surnuméraires pour un éventuel replacement ultérieur. Mais ainsi, on en arrive à la constitution de banques d'embryons, et à l'éventuelle possibilité de les distribuer aux demandeurs selon leurs qualités réelles ou supposées. Une ère d'eugénisme pourrait ainsi s'ouvrir par le biais de la procréation artificielle. Cette perspective suscite en 1983-1984 la création de comités d'éthique et de commissions gouvernementales (Warnock en Angleterre, Waller en Australie), afin de réfléchir à l'ensemble de ces questions.

Les images de synthèse

Grâce aux ordinateurs, on peut à présent créer des images. Au cours des années 1980, on assiste à une véritable explosion des applications des images de synthèse. Le principal marché est celui de la conception assistée par ordinateur ou CAO. En ce domaine, la synthèse d'image permet de modifier très rapidement la forme ou la couleur d'un produit; elle permet aussi de visualiser la transformation d'un produit soumis à différents types de sollicitations. Plus généralement, elle simplifie l'interprétation des résultats de calculs complexes en mécanique, thermique, etc.

Les images de synthèse sont aussi utilisées en médecine, en chimie, en géologie..., pour observer sur un écran un produit que l'on ne peut analyser directement. En médecine, par exemple, on visualise un organe dont les données numériques ont été obtenues selon des plans de coupe déterminés (tomographie). En géologie, la synthèse d'image facilite l'interprétation des coupes de sous-sol. En chimie, elle permet de modéliser des molécules organiques complexes, comportant des milliers d'atomes, et de prévoir les propriétés d'une substance sans avoir eu besoin de la fabriquer. La conception de molécules par ordinateur est pratiquée notamment par les principales sociétés de chimie pharmaceutique, en vue de l'étude et de la mise au point de nouveaux médicaments. Enfin, dans les arts graphiques, la synthèse d'image trouve des applications dans la publicité, le cinéma, les clips, le dessin animé, les jeux vidéo... Elle permet de concevoir et de créer de toutes pièces des univers tridimensionnels ne répondant à aucune forme connue par l'homme, ou des objets qui violent les lois de la physique. Elle permet aussi d'intégrer des personnages réels dans des décors artificiels.

Controverse à propos du sida

Au début des années 1980, une nouvelle maladie, le sida, fait son apparition. Sa rapide progression et son caractère extrêmement meurtrier suscitent les recherches des équipes biomédicales du monde entier. En 1982 le biologiste américain R. Gallo avance l'hypothèse que cette maladie, caractérisée par un effondrement des défenses immunitaires, peut être due à une infection de globules blancs, les lymphocytes T, par un virus de la famille des rétrovirus (virus au patrimoine génétique formé d'ARN – et non d'ADN. En 1983, l'équipe de L. Montagnier à l'Institut Pasteur découvre effectivement un rétrovirus, qu'elle baptise LAV. Simultanément, R. Gallo trouve un virus de type HTLV-1 (virus provoquant la leucémie) chez les malades atteints du sida. Une polémique s'ensuit entre les deux chercheurs, d'autant plus virulente que R. Gallo avoue en 1984 s'être trompé en 1983, et annonce qu'il a maintenant trouvé le véritable virus du sida, qu'il baptise HTLV-3. Il faudra attendre 1987 pour que R. Gallo et L. Montagnier conviennent que LAV et HTLV-3 correspondent au même virus. Celui-ci est d'ailleurs rebaptisé HIV (pour *Human Immunodeficiency Virus*). En fait, le conflit entre les deux chercheurs a été aggravé par un conflit entre l'Institut Pasteur et le ministère de la Santé américain, se disputant le brevet relatif au test de dépistage du sida.

VOIR AUSSI
- **Sida** p. 228
- **Chimie des matériaux** p. 353
- **Informatique et réseaux** p. 1028

Illustrations
- **Fécondation *in vitro*** p. 239
- **Simulation** p. 355

Petit lexique

eugénisme : ensemble des méthodes qui viseraient à améliorer le patrimoine génétique de groupes humains.

mirage gravitationnel : phénomène optique affectant les rayons lumineux provenant d'objets lointains lorsque ces rayons passent au voisinage de corps célestes massifs qui les dévient, conformément aux prévisions de la relativité. L'image de l'objet est alors déformée et démultipliée.

◆ **Image de synthèse.** Cette montagne est une image de synthèse obtenue avec un algorithme de lancer de rayon, méthode qui simule le trajet des rayons lumineux selon les lois de l'optique (réflexion, réfraction, diffraction...) et permet d'améliorer la définition et le réalisme des images.

Le XXe siècle

De 1991 à 2000
Vers le troisième millénaire

L'ÉPOQUE : La guerre du Golfe permet aux Américains, qui, avec l'effondrement du bloc communiste, n'ont plus d'adversaire institutionnel, d'affirmer leur suprématie militaire et leur prétention à jouer les gendarmes du monde. L'Europe se bâtit par étapes, tandis que les Balkans sont déchirés par les guerres.

IDÉES ET TENDANCES : La communication devient le mot magique de l'époque, qu'il s'agisse des médias, dont le réseau couvre le monde entier et donne aux personnages en vue l'audience de tous les publics, ou de l'Internet, qui permet à chacun d'errer à sa guise dans un univers plus virtuel que réel. La manipulation des génomes, de mieux en mieux dominée, est génératrice de succès indéniables, de grands espoirs et de craintes profondes. L'Univers se dévoile en profondeur, et, du coup, pose de nouvelles questions.

ASTRONOMIE
1991. Lancement de ERS-1, premier satellite européen de télédétection, muni d'un radar à synthèse d'ouverture lui permettant d'observer la Terre de jour comme de nuit et par tous les temps. **1993.** À l'observatoire du Mauna Kea (Hawaii), achèvement du télescope américain Keck 1, le plus grand du monde, avec un miroir de 10 m de diamètre. Réparation en orbite du télescope spatial Hubble (changement des panneaux solaires et installation d'un dispositif optique correcteur pour compenser le défaut de courbure du miroir principal). **1994.** Survol du pôle au sud du Soleil (une distance de 300 millions de km) par la sonde européenne Ulysse. **1995.** L'expérience Gallex confirme le déficit déjà observé en neutrinos solaires. Mise en service du satellite européen ISO destiné à l'observation en infrarouge. Des chercheurs français et américains identifient l'amas de galaxies Abell 3 627, situé à 300 millions d'années-lumière, comme candidat au titre de Grand Attracteur. **1996.** Le télescope spatial Hubble permet d'obtenir une cartographie intégrale de Pluton. Clementine, une sonde franco-américaine découvre de la glace dans un cratère lunaire polaire ne recevant aucun rayon solaire. **1997.** Détection, grâce au télescope spatial Hubble, d'une galaxie vieille de 13 milliards d'années-lumière, ce qui en fait l'objet le plus lointain observé à ce jour. Le robot Sojourner, déposé par la sonde Pathfinder, explore la surface de Mars. **1998.** Mise en service du premier des quatre grands télescopes du VLT, à l'observatoire de l'European Southern Observatory, situé dans le désert de l'Atacama au Chili. À partir de données magnétiques fournies par la sonde Galileo, les astrophysiciens supposent que, comme Europe, le satellite Callisto de Jupiter peut contenir de vastes étendues d'eau recouvertes de glace.

◆ **Train à lévitation magnétique.**

CHIMIE
1994. Production par l'équipe de physiciens du centre de recherche sur les ions lourds de Darmstadt (Allemagne), dirigée par Peter Armbruster et Sigurd Hofmann, des éléments de numéros atomiques 110 et 111. **1997.** Deux chercheurs américains, M.H. Engel et S.A.Macko, montrent que des acides aminés trouvés dans une météorite sont préférentiellement lévogyres, proposant ainsi une origine extraterrestre à cette dissymétrie fondamentale de la matière vivante.

INFORMATIQUE
1993. Lancement par la firme américaine Intel du Pentium, un microprocesseur renfermant 3,1 millions de transistors. **1995.** Lancement par la firme Microsoft du nouveau système d'exploitation Windows 95. Succès foudroyant du réseau Internet qui enregistre un abonné nouveau chaque seconde.

MATHÉMATIQUES
1993. Le mathématicien britannique Andrew Wiles propose la première démonstration intégrale du « grand théorème de Fermat », qu'il complète en 1994 avec l'aide de son compatriote Richard Taylor.

MÉDECINE
1993. La recherche sur le sida progresse dans la compréhension des mécanismes d'entrée du virus dans les cellules. Mise au point, par des chercheurs français et

L'Internet et l'information scientifique

Le développement initial de l'Internet s'est fait dans les milieux scientifiques, pour leurs besoins d'échange d'informations. Aujourd'hui, le « World Wide Web » joue le rôle de service universel de prépublication des résultats scientifiques, ce qui ne va pas sans poser quelques problèmes. En effet, la règle pour les publications scientifiques est de faire vérifier les résultats par des arbitres anonymes désignés par un comité de lecture, ce qui en assure le sérieux et résout les questions d'antériorité, qui peuvent être de conséquence, que ce soit pour l'attribution du prix Nobel ou l'obtention d'un brevet industriel fructueux. Le recours au WWW abolit ce système de régulation et entraîne le foisonnement d'une information riche et facile d'accès, mais peu vérifiable.
L'Internet permet aussi la diffusion sur support électronique de revues scientifiques classiques et de bases de données bibliographiques.

La station spatiale internationale

Depuis 1984, la NASA prépare la réalisation d'une station spatiale devant être habitée en permanence, primitivement appelée Freedom. Désormais envisagé dans le cadre d'une coopération avec la Russie, l'Europe, le Japon et le Canada, le projet est aujourd'hui désigné sous le nom de Station spatiale internationale Alpha. Cette station doit servir à la fois de laboratoire pour la réalisation d'expériences scientifiques ou technologiques en microgravité, de dépôt de stockage de matériel spatial, d'atelier d'assemblage de grandes structures orbitales, de station-service pour l'entretien et la réparation de satellites, et de base de lancement vers l'orbite des satellites géostationnaires ou vers le milieu interplanétaire. Son assemblage progressif a débuté en 1998, avec quelques mois de retard sur le planning initial, par la mise en orbite d'un module de service d'origine russe, à la fois atelier et habitation, dérivé de la station Mir 1, suivie par celle d'un module américain chargé de fournir la puissance électrique et de servir de centrale de navigation au futur ensemble. L'assemblage des autres modules, américain, japonais et européen, doit être terminé en 2003 après 33 rotations de navettes et 13 lancements de fusée Proton; l'ensemble pourra alors abriter en permanence 7 astronautes. Cependant, le coût extrêmement élevé de l'opération (construction et maintenance) risque de compromettre d'autres projets spatiaux moins ambitieux, et des voix commencent à s'élever pour mettre en doute l'intérêt scientifique réel du projet lui-même.

Le théorème de Fermat

Le 23 juin 1993, l'université de Cambridge est le théâtre d'un véritable événement dans l'histoire des mathématiques : Andrew Wiles présente, devant une assemblée de spécialistes, une démonstration du « dernier théorème de Fermat ». Plus de trois siècles avant ce jour, un magistrat de Toulouse, mathématicien de premier plan, Pierre de Fermat, écrit, sans en donner de preuve, dans

◆ **Glaciologue au travail.**

brésiliens, du premier vaccin contre une maladie parasitaire (la leishmaniose). Essais de thérapie génique dans le traitement de la mucoviscidose et du cancer. Extraction, par les Américains Cano et Poinar, de fragments d'ADN d'un charançon fossile conservé dans l'ambre depuis 130 à 140 millions d'années.

PHYSIQUE
1991. Le tokamak du JET atteint pendant 2 secondes une température proche de 300 millions de degrés, en dégageant une énergie de 1,5 à 2 mégawatts. **1994.** Deux équipes internationales du FermiLab de Chicago apportent, à quelques mois d'intervalle, les preuves expérimentales de l'existence du quark top. **1995.** Réalisation par des chercheurs du MIT, aux États-Unis, d'un laser fonctionnant avec un seul atome. Détermination au FermiLab de Chicago de la masse du quark top (entre 170 et 200 GeV). Une équipe américano-autrichienne montre le caractère ondulatoire des molécules en faisant diffracter un faisceau de molécules de sodium sur un cristal. **1996.** Les Français Serge Haroche et Jean-Michel Raimond mettent en évidence l'interaction spécifique d'un atome unique avec un champ électromagnétique comportant un, deux ou trois photons, montrant ainsi l'aspect réellement granulaire de ce champ. Mise en évidence au Cern d'un état particulier de la matière, le plasma quarks-gluons. **1998.** Première preuve indéniable d'une masse pour le neutrino, grâce à une observation d'« oscillation » par des chercheurs groupés autour du projet japonais de Super-Kamiokandé.

SCIENCES DE LA TERRE
1994. Une équipe internationale dirigée par le paléontologue américain Tim White découvre un nouveau maillon de l'évolution de l'homme avec *Australopithecus ramidus*, vieux de 4,4 millions d'années. **1995.** Des chercheurs américains (Paul R. Renne et collaborateurs) montrent qu'une gigantesque activité volcanique a probablement été la cause de l'extinction massive d'espèces de la limite permo-trias, il y a 250 millions d'années. **1996.** Des chercheurs de différents pays (États-Unis, Danemark) remettent en cause le rôle exclusif des gaz à effet de serre dans l'augmentation globale de la température et suggèrent des causes externes, comme les variations cycliques de l'activité solaire. Des chercheurs américains, australiens et britanniques présentent la preuve que la vie existait déjà sur terre il y a 3,85 milliards d'années. **1998.** La découverte de fossiles d'éponges âgés de 570 millions d'années vieillit de 30 millions d'années l'apparition d'organismes pluricellulaires.

SCIENCES DE LA VIE
1992. Deux équipes de généticiens, l'une française et l'autre américaine, annoncent avoir établi chacune une première carte d'un chromosome humain entier : le chromosome 21 (responsable, notamment, de la trisomie) et le chromosome Y (chromosome sexuel masculin). Découverte à Movile (Roumanie) d'une grotte entièrement isolée de l'extérieur, dont la faune et la flore fonctionnent grâce à une chimiosynthèse bactérienne unique à ce jour en milieu continental. **1994.** La première carte de l'ensemble du génome humain, établie par une équipe française au laboratoire Généthon, est mise à la disposition du monde entier. **1995.** Publication dans la revue anglaise *Nature* du premier atlas détaillé du génome humain. **1996.** Le séquençage intégral du génome de la levure, fruit d'une large collaboration internationale, révèle de nombreuses homologies avec le génome humain. Une équipe écossaise annonce qu'elle est capable de cloner des mammifères génétiquement modifiés. Mise en évidence par des chercheurs du NIH (Bethesda, É.-U.) d'un cofacteur (fusine) permettant la pénétration du VIH dans les cellules ainsi que d'une protéine spécifique de la maladie de Creutzfeldt-Jakob permettant le diagnostic de la maladie. **1997.** Séquençage complet du génome d'*Escherichia coli* par des chercheurs de l'université de Wisconsin-Madison.

TECHNIQUES
1991. Commercialisation par Philips aux États-Unis du disque compact interactif (CDI). **1992.** Commercialisation par Sony du minidisque et par Philips de la cassette numérique (DCC). Inauguration du système de radiotéléphonie numérique européen GSM. **1994.** Mise en service du tunnel sous la Manche. **1995.** Réalisation, à l'Institut Carnegie de Washington, d'un biopolymère (polyhydroxybutyrate) à partir d'un colza génétiquement modifié. Lancement en France de la télévision numérique. **1997.** Mise au point par L. Guo, de l'université du Minnesota, d'un transistor nanométrique qui bascule avec un seul électron. Mise au point par une équipe de l'université de La Réunion d'un transport d'énergie électrique par ondes hertziennes, ce qui permettrait de supprimer les lignes haute tension. Commercialisation par Philips des CD effaçables et réinscriptibles. **1998.** L'utilisation du cuivre dans les microprocesseurs permet à IBM de proposer de nouveaux circuits plus compacts donc plus rapides. Construction au Laboratoire d'électrotechnique de Grenoble du plus puissant aimant permanent du monde, réalisant un champ de 4 teslas.

---

la marge d'un livre : « Il n'existe pas de nombres entiers tels que $x^n + y^n = z^n$ si n est supérieur à 2 ». Cette énigme hantera les nuits des mathématiciens durant près de 350 ans.

Il faut se souvenir que, dans un triangle rectangle, on a entre les trois côtés la relation $x^2 + y^2 = z^2$; un triangle dont les côtés mesurent 3, 4, 5 unités est rectangle. Il en est de même du triplet « 5, 12, 13 » ; on connaît une infinité de tels triplets. En revanche, il n'existe pas de relation semblable pour des puissances supérieures à 2. Les tentatives infructueuses pour démontrer cette affirmation ont toutefois été l'occasion d'apports considérables. La solution de Wiles utilise des notions que Fermat ne pouvait pas même soupçonner.

◆ **Image de microscopie par effet tunnel.** Elle montre un gros agrégat d'atomes de palladium, localisé dans une marche d'une surface de graphite.

La médecine de pointe

La décennie est placée sous le signe de nouvelles interrogations. Comment fabriquer un vaccin contre un virus quand celui-ci modifie fréquemment les antigènes de sa structure ? Dans le cas du sida, à moins d'une solution inédite, on ne peut qu'espérer la découverte d'un antigène viral qui serait à la fois non pathogène, commun à toutes les souches de virus et actif sur le système immunitaire. D'un point de vue curatif, des recherches se poursuivent pour trouver un antiviral vraiment efficace ou pour stimuler l'immunité des malades.

Autres questions : que faire des découvertes de la génétique ? Une fois qu'on a découvert un gène (par exemple, ce qu'on a improprement appelé le « gène du diabète », quel peut être le coût de l'utilisation diagnostique – et quel intérêt y a-t-il à annoncer à quelqu'un qu'il y a x % de risques que la maladie le touche dans y années ? Cette « médecine prédictive » a-t-elle un avenir ? Quant à la « thérapie génique », elle essaie d'introduire dans les cellules de l'organisme un gène normal, pour guérir la maladie due à l'absence de ce gène. Les expériences ont commencé chez l'homme, mais des résultats anormaux imprévus ont déjà été signalés chez les animaux.

VOIR AUSSI
- **Internet** p. 389 et p. 1028
Illustrations
- **Station spatiale internationale** p. 387

Miniaturisation et gigantisme

Les progrès des sciences et des techniques ont engagé certains secteurs sur la voie de la miniaturisation et d'autres sur celle du gigantisme. Les composants électroniques se sont rapidement miniaturisés. Ainsi, le premier ordinateur fonctionnel à lampes occupait le volume d'une grande pièce, tout en étant bien moins puissant qu'un micro-ordinateur classique actuel. L'encombrement, la masse et le prix des appareils se sont ainsi effondrés. À l'opposé, certaines filières imposent le gigantisme le plus souvent dans le but de diminuer les coûts unitaires de production. Les grands turboalternateurs de centrales thermiques ont ainsi vu leur puissance centupler en 75 ans. Mais d'autres facteurs interviennent parfois : les diamètres des miroirs des grands télescopes n'ont par exemple cessé d'augmenter pour améliorer leur luminosité.

◆ **Le télescope VLT.**

Prix Nobel et médaille Fields

Les prix Nobel

Fondés par le chimiste suédois Alfred Nobel (1833-1896), les prix Nobel sont attribués chaque année par diverses institutions et académies suédoises et norvégiennes aux auteurs de contributions remarquables dans les domaines suivants : physique, chimie, physiologie ou médecine, littérature, paix, sciences économiques (depuis 1969).

Physique. Le prix Nobel de physique est décerné annuellement depuis 1901 par l'Académie suédoise des sciences. Il a été décerné 92 fois à 157 lauréats, dont 2 femmes (Marie Curie, qui l'a partagé en 1903 avec son mari Pierre Curie et avec Henri Becquerel, et Maria Goeppert-Mayer en 1963). Il n'a pas été attribué 6 fois : en 1916, 1931, 1934, 1940, 1941 et 1942. Son montant, variable d'une année à l'autre en fonction de la rente issue du placement de la fortune d'Alfred Nobel, s'élevait en 1991 à 3 650 000 FF environ.

Le Britannique W. L. Bragg n'avait que 25 ans quand il reçut le prix avec son père : il est le plus jeune lauréat d'un prix Nobel.

L'Américain John Bardeen a reçu deux fois le prix Nobel de physique: il l'a partagé en 1956 avec ses compatriotes W. Shockley et W.L. Brattain pour l'invention du transistor, puis en 1972 avec L.R. Cooper et J.N. Schrieffer pour la théorie de la supraconductivité.

La Française d'origine polonaise Marie Curie, née Sklodowska, a reçu deux fois le prix Nobel : après avoir partagé le prix de physique en 1903 avec son mari Pierre Curie et avec Henri Becquerel pour la découverte de la radioactivité, elle a obtenu, seule, le prix de chimie en 1911 pour la découverte du polonium et du radium et pour ses recherches sur les composés du radium.

Chimie. Le prix Nobel de chimie est décerné annuellement depuis 1901 par l'Académie suédoise des sciences. Il a été décerné 90 fois à 131 lauréats, dont 3 femmes (Marie Curie en 1911, Irène Joliot-Curie en 1935 et Dorothy Crowfoot Hodgkin en 1964). Il n'a pas été attribué 8 fois : en 1916, 1917, 1919, 1924, 1933, 1940, 1941 et 1942. Son montant est analogue à celui du prix Nobel de physique.

Le Britannique Frederick Sanger a reçu deux fois le prix : en 1958, pour avoir montré que les protéines sont des séquences d'acides aminés et pour avoir élucidé la structure de la molécule d'insuline, puis en 1980 pour ses travaux sur les nucléotides.

Physiologie ou médecine. Le prix Nobel de physiologie ou médecine est décerné annuellement depuis 1901 par l'institut Karolin de Stockholm. Il a été décerné 89 fois, à 168 lauréats, dont 4 femmes (Gerty Theresa Cori en 1947, Rosalyn Yalow en 1977, Barbara McClintock en 1983 et Rita Levi-Montalcini en 1986). Il n'a pas été attribué 9 fois: en 1915, 1916, 1917, 1918, 1921, 1925, 1940, 1941 et 1942. Son montant est analogue à celui des prix Nobel de physique et de chimie.

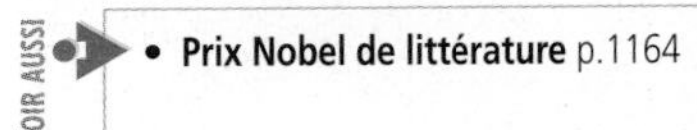
VOIR AUSSI • **Prix Nobel de littérature** p.1164

◆ Médaille Fields.

Aussi prestigieuse que le prix Nobel, la médaille Fields récompense des travaux de qualité exceptionnelle dans le domaine des mathématiques. Elle est décernée, tous les quatre ans, à des mathématiciens âgés de moins de quarante ans. Le jury, composé de huit membres, est désigné entre deux congrès par le comité exécutif de l'Union internationale de mathématiques. La médaille Fields honore la mémoire de son créateur, le mathématicien canadien J. C. Fields, et porte au recto l'effigie d'Archimède et au verso une sphère inscrite dans un cylindre. Attribuée pour la première fois en 1936, elle a été décernée 14 fois, à 40 lauréats.

Année	Lauréats
1936	L. Ahlfors (Finl.), J. Douglas (É.-U.)
1950	A. Selberg (Norv.), L. Schwartz (Fr.)
1954	Kodaira Kunihiko (Jap.), J.-P. Serre (Fr.)
1958	K. F. Roth (G.-B.), R. Thom (Fr.)
1962	L. Hörmander (Suède), J. W. Milnor (É.-U.)
1966	M. F. Atiyah (G.-B.), P. J. Cohen (É.-U.), A. Grothendieck (Fr.), S. Smale (É.-U.)
1970	A. Baker (G.-B.), Hironaka Heisuke (Jap.), S. Novikov. (URSS), J. G. Thompson (G.-B.)
1974	E. Bombieri (It.), D. B. Mumford (É.-U.)
1978	P. Deligne (Belg.), C. Feffermann (É.-U.), D. Quillen (É.-U.), G. A. Margoulis (URSS)
1982	(médailles décernées en 1983) : A. Connes (Fr.), W. P. Thurston (É.-U.), S.-T. Yau (G.-B.)
1986	G. Faltings (RFA), M. H. Freedman (É.-U.), S. K. Donaldson (G.-B.)
1990	V. Drinfeld (URSS), V. F. R. Jones (N.-Zél.), Mori Shigefumi (Jap.), E. Witten (É.-U.)
1994	P.-L. Lions (Fr.), J.-C. Yoccoz (Fr.), J. Bourgain (Belg.), I. I. Zelmanov (Russie)
1998	R. E. Borcherds (G.-B.), W. T. Gowers (G.-B.), M. Kontsevitch (Russie), C. T. McMullen (É.-U.)

◆ Prix Nobel de physique.

Année	Lauréats
1901	W. C. Röntgen (All.)
1902	H. A. Lorentz (P.-B.), P. Zeeman (P.-B.)
1903	H. Becquerel (Fr.), P. Curie (Fr.), M. Curie (Fr.)
1904	J. W. S. Rayleigh (G.-B.)
1905	P.E.A. Lenard (All.)
1906	J. J. Thomson (G.-B.)
1907	A. A. Michelson (É.-U.)
1908	G. Lippmann (Fr.)
1909	G. Marconi (It.), K. F. Braun (All.)
1910	J. D. Van der Waals (P.-B.)
1911	W. Wien (All.)
1912	G. Dalén (Suède)
1913	H. Kamerlingh Onnes (P.-B.)
1914	M. von Laue (All.)
1915	W. Bragg (G.-B.), L. Bragg (G.-B.)
1917	C. G. Barkla (G.-B.)
1918	M. Planck (All.)
1919	J. Stark (All.)
1920	C. É. Guillaume (Suisse)
1921	A. Einstein (Suisse, All.)
1922	N. Bohr (Dan.)
1923	R. A. Millikan (É.-U.)
1924	M. Siegbahn (Suède)
1925	J. Franck (All.), G. Hertz (All.)
1926	J. Perrin (Fr.)
1927	A. H. Compton (É.-U.), C. T. R. Wilson (G.-B.)
1928	O. W. Richardson (G.-B.)
1929	L. de Broglie (Fr.)
1930	C. V. Raman (Inde)
1932	W. Heisenberg (All.)
1933	F. Schrödinger (Autr.), P. Dirac (G.-B.)
1935	J. Chadwick (G.-B.)
1936	V. Hess (Autr.), C. D. Anderson (É.-U.)
1937	C. J. Davisson (É.-U.), G. P. Thomson (G.-B.)
1938	E. Fermi (It.)
1939	E. O. Lawrence (É.-U.)
1943	O. Stern (É.-U.)
1944	I. I. Rabi (É.-U.)
1945	W. Pauli (Suisse, É.-U.)
1946	P. W. Bridgman (É.-U.)
1947	E. V. Appleton (G.-B.)
1948	P. M. S. Blackett (G.-B.)
1949	Yukawa Hideki (Jap.)
1950	C. F. Powell (G.-B.)
1951	J. D. Cockcroft (G.-B.), E. T. S. Walton (Irl.)
1952	F. Bloch (É.-U.), E. M. Purcell (É.-U.)
1953	F. Zernike (P.-B.)
1954	M. Born (G.-B.), W. Bothe (RFA)
1955	W. E. Lamb (É.-U.), P. Kusch (É.-U.)
1956	W. Shockley (É.-U.), J. Bardeen (É.-U.), W. H. Brattain (É.-U.)
1957	Yang Chen Ning (Chine), Lee Tsung-dao (Chine)
1958	P. A. Tcherenkov (URSS), I. M. Frank (URSS), I. E. Tamm (URSS)
1959	E. Segrè (É.-U.), O. Chamberlain (É.-U.)
1960	D. A. Glaser (É.-U.)
1961	R. Hofstadter (É.-U.), R. Mössbauer (RFA)
1962	L. D. Landau (URSS)
1963	E. P. Wigner (É.-U.), M. Goeppert-Mayer (É.-U.), H. D. Jensen (RFA)
1964	Ch. H. Townes (É.-U.), N. G. Bassov (URSS) A. M. Prokhorov (URSS)
1965	Tomonaga Shinichiro (Jap.), J. Schwinger (É.-U.), R. Feynman (É.-U.)
1966	A. Kastler (Fr.)
1967	H. A. Bethe (É.-U.)
1968	L. Alvarez (É.-U.)
1969	M. Gell-Mann (É.-U.)
1970	H. Alfvén (Suède), L. Néel (Fr.)
1971	D. Gabor (G.-B.)
1972	J. Bardeen (É.-U.), L. N. Cooper (É.-U.), J. R. Schrieffer (É.-U.)
1973	Esaki Leo (Jap.), I. Giaever (É.-U.), B. D. Josephson (G.-B.)
1974	M. Ryle (G.-B.), A. Hewish (G.-B.)
1975	J. Rainwater (É.-U.), A. Bohr (Dan.), B. R. Mottelson (Dan.)
1976	B. Richter (É.-U.), S. C. C. Ting (É.-U.)
1977	P. W. Anderson (É.-U.), N. F. Mott (G.-B.), J. H. Van Vleck (É.-U.)
1978	P. L. Kapitsa (URSS), A. A. Penzias (É.-U.), R. W. Wilson (G.-B.)
1979	S. L. Glashow (É.-U.), A. Salam (Pakistan), S. Weinberg (É.-U.)
1980	J. W. Cronin (É.-U.), V. L. Fitch (É.-U.)
1981	N. Bloembergen (É.-U.), A. L. Schawlow (É.-U.), K. Siegbahn (Suède)
1982	K. G. Wilson (É.-U.)
1983	S. Chandrasekhar (É.-U.), W. A. Fowler (É.-U.)
1984	C. Rubbia (It.), S. Van der Meer (P.-B.)
1985	K. von Klitzing (RFA)
1986	G. Binnig (RFA), H. Rohrer (Suisse), E. Ruska (RFA)
1987	J. G. Bednorz (RFA), K. A. Müller (Suisse)
1988	L. M. Lederman (É.-U.), M. Schwartz (É.-U.), J. Steinberger (É.-U.)
1989	H. G. Dehmelt (É.-U.), W. Paul (RFA), N. F. Ramsey (É.-U.)
1990	J. I. Friedman (É.-U.), H. W. Kendall (É.-U.), R. E. Taylor (Can.)
1991	P.-G. de Gennes (Fr.)
1992	G. Charpak (Fr.)
1993	R. A. Hulse (É.-U.), J. H. Taylor (É.-U.)
1994	C. G. Shull (É.-U.), B. N. Brockhouse (Can.)
1995	M. L. Perl (É.-U.), F. Reines (É.-U.)
1996	D. Lee (É.-U.), D. Osheroff (É.-U.), R. Richardson (É.-U.)
1997	S. Chu (É.-U.), C. Cohen-Tannoudji (Fr.), W. D. Phillips (É.-U.)
1998	D. C. Tsui (É.-U.), H. L. Störmer (All.), R. B. Langhlin (É.-U.)

◆ **Prix Nobel de chimie.**

Année	Lauréats
1901	J. H. Van't Hoff (P.-B.)
1902	E. H. Fischer (All.)
1903	S. A. Arrhenius (Suède)
1904	W. Ramsay (G.-B.)
1905	A. von Baeyer (All.)
1906	H. Moissan (Fr.)
1907	E. Buchner (All.)
1908	E. Rutherford of Nelson (G.-B.)
1909	W. Ostwald (All.)
1910	O. Wallach (All.)
1911	M. Curie (Fr.)
1912	V. Grignard (Fr.), P. Sabatier (Fr.)
1913	A. Werner (Suisse)
1914	T. W. Richards (É.-U.)
1915	R. M. Willstätter (All.)
1918	F. Haber (All.)
1920	W. H. Nernst (All.)
1921	F. Soddy (G.-B.)
1922	F. W. Aston (G.-B.)
1923	F. Pregl (Autr.)
1925	R. Zsigmondy (Autr.)
1926	T. Svedberg (Suède)
1927	H. Wieland (All.)
1928	A. Windaus (All.)
1929	A. Harden (G.-B.), H. von Euler-Chelpin (Suède)
1930	H. Fischer (All.)
1931	C. Bosch (All.), F. Bergius (All.)
1932	I. Langmuir (É.-U.)
1934	H. C. Urey (É.-U.)
1935	F. Joliot-Curie (Fr.), I. Joliot-Curie (Fr.)
1936	P. J. W. Debye (P.-B.)
1937	W. N. Haworth (G.-B.), P. Karrer (Suisse)
1938	R. Kuhn (All.)
1939	A. F. J. Butenandt (All.), L. Ruzička (Suisse)
1943	G. de Hevesy (Suède)
1944	O. Hahn (All.)
1945	A. I. Virtanen (Finl.)
1946	J. B. Sumner (É.-U.), J. H. Northrop (É.-U.), W. M. Stanley (É.-U.)
1947	R. Robinson (G.-B.)
1948	A. Tiselius (Suède)
1949	W. F. Giauque (É.-U.)
1950	O. Diels (RFA), K. Alder (RFA)
1951	E. M. McMillan (É.-U.), G. T. Seaborg (É.-U.)
1952	A. J. P. Martin (G.-B.), R. L. M. Synge (G.-B.)
1953	H. Staudinger (RFA.)
1954	L. C. Pauling (É.-U.)
1955	V. Du Vigneaud (É.-U.)
1956	C. N. Hinshelwood (G.-B.), N. N. Semenov (URSS)
1957	A. R. Todd (G.-B.)
1958	F. Sanger (G.-B.)
1959	J. Heyrovský (Tch.)
1960	W. F. Libby (É.-U.)
1961	M. Calvin (É.-U.)
1962	J. C. Kendrew (G.-B.), M. P. Perutz (G.-B.)
1963	G. Natta (It.), K. W. Ziegler (RFA.)
1964	D. M. Hodgkin (G.-B.)
1965	R. B. Woodward (É.-U.)
1966	R. S. Mulliken (É.-U.)
1967	M. Eigen (RFA), R. G. W. Norrish (G.-B.), G. Porter (G.-B.)
1968	L. Onsager (É.-U.)
1969	D. H. R. Barton (G.-B.), O. Hassel (Norv.)
1970	L. F. Leloir (Arg.)
1971	G. Herzberg (Can.)
1972	C. B. Anfinsen (É.-U.), S. Moore (É.-U.), W. Stein (É.-U.)
1973	E. O. Fischer (RFA), G. Wilkinson (G.-B.)
1974	P. J. Flory (É.-U.)
1975	V. Prelog (Suisse), J. W. Cornforth (Austr.)
1976	W. N. Lipscomb (É.-U.)
1977	I. Prigogine (Belg.)
1978	P. D. Mitchell (G.-B.)
1979	H. C. Brown (É.-U.), G. Wittig (RFA)
1980	F. Sanger (G.-B.), P. Berg (É.-U.), W. Gilbert (É.-U.)
1981	R. Hoffmann (É.-U.), Fukui Kenishi (Jap.)
1982	A. Klug (G.-B.)
1983	H. Taube (É.-U.)
1984	B. Merrifield (É.-U.)
1985	H. Hauptman (É.-U.), J. Karle (É.-U.)
1986	D. R. Herschbach (É.-U.), J. C. Polanyi (Can.), Y. T. Lee (É.-U.)
1987	D. J. Cram (É.-U.), J.-M. Lehn (Fr.), C. J. Pedersen (É.-U.)
1988	J. Deisenhofer (RFA), R. Huber (RFA), H. Michel (RFA)
1989	S. Altman (Can.), T. R. Cech (É.-U.)
1990	E. J. Corey (É.-U.)
1991	R. R. Ernst (Suisse)
1992	R. A. Marcus (É.-U.)
1993	K. B. Mullis (É.-U.), M. Smith (Can.)
1994	G. A. Olah (É.-U.)
1995	P. Crutzen (P.-B.), M. J. Molina (É.-U.), F. S. Rowland (É.-U.)
1996	R. Curl (É.-U.), H. Kroto (G.-B.), P. E. Smalley (É.-U.)
1997	P. D. Boyer (É.-U.), J. C. Skou (Dan.), J. E. Walker (G.-B.)
1998	W. Kohn (É.-U.), J. A. Pople (É.-U.)

◆ **Prix Nobel de physiologie ou médecine.**

Année	Lauréats
1901	E. A. von Behring (All.)
1902	R. Ross (G.-B.)
1903	N. R. Finsen (Dan.)
1904	I. P. Pavlov (Russie)
1905	R. Koch (All.)
1906	C. Golgi (It.), S. Ramón y Cajal (Esp.)
1907	A. Laveran (Fr.)
1908	P. Ehrlich (All.), I. I. Metchnikov (Russie)
1909	E. T. Kocher (Suisse)
1910	A. Kossel (All.)
1911	A. Gullstrand (Suède)
1912	A. Carrel (Fr.)
1913	C. Richet (Fr.)
1914	R. Bárány (Autr-Hongr.)
1919	J. Bordet (Belg.)
1920	A. Krogh (Dan.)
1922	A. V. Hill (G.-B.), O. Meyerhof (All.)
1923	F. G. Banting (Can.), J. Macleod(G.-B.)
1924	W. Einthoven (P.-B.)
1926	J. Fibiger (Dan.)
1927	J. Wagner-Jauregg (Autr.)
1928	C. Nicolle (Fr.)
1929	C. Eijkman (P.-B.), F. G. Hopkins (G.-B.)
1930	K. Landsteiner (Autr.)
1931	O. Warburg (All.)
1932	C. Sherrington (G.-B.), E. D. Adrian (G.-B.)
1933	T. H. Morgan (É.-U.)
1934	G. Whipple (É.-U.), W. Murphy (É.-U.), G. Minot (É.-U.)
1935	H. Spemann (All.)
1936	H. Dale (G.-B.), O. Loewi (All.)
1937	A. Szent-Györgyi (Hongr.)
1938	C. Heymans (Belg.)
1939	G. Domagk (All.)
1943	E. A. Doisy (É.-U.), H. Dam (Dan.)
1944	J. Erlanger (É.-U.), H. S. Gasser (É.-U.)
1945	A. Fleming (G.-B.), E. B. Chain (G.-B.), H. W. Florey (G.-B.)
1946	H. J. Muller (É.-U.)
1947	C. F. Cori (É.-U.), G. T. Cori (É.-U.), B. A. Houssay (Arg.)
1948	P. H. Müller (Suisse)
1949	A. C. Moniz (Port.), W. R. Hess (Suisse)
1950	P. S. Hench (É.-U.), E. C. Kendall (É.-U.), T. Reichstein (Suisse)
1951	M. Theiler (Un. sud-afr.)
1952	S. A. Waksman (É.-U.)
1953	H. A. Krebs (G.-B.), F. A. Lipmann (É.-U.)
1954	J. Enders (É.-U.), T. Weller (É.-U.), F. Robbins (É.-U.)
1955	H. Theorell (Suède)
1956	A. Cournand (É.-U.), W. Forssmann (RFA), D. W. Richards (É.-U)
1957	D. Bovet (It.)
1958	G. Beadle (É.-U.), E. Tatum (É.-U.), J. Lederberg (É.-U.)
1959	S. Ochoa (É.-U.), A. Kornberg (É.-U.)
1960	M. Burnet (Austr.), P. Medawar (G.-B.)
1961	G. von Békésy (É.-U.)
1962	M. Wilkins (G.-B.), F. Crick (G.-B.), J. Watson (É.-U.)
1963	A. Hodgkin (G.-B.), A. F. Huxley (G.-B.), J. C. Eccles (Austr.)
1964	K. Bloch (É.-U.), F. Lynen (RFA)
1965	F. Jacob (Fr.), A. Lwoff (Fr.), J. Monod (Fr.)
1966	P. Rous (É.-U.), C. Huggins (É.-U.)
1967	R. Granit (Suède), H. K. Hartline (É.-U.), G. Wald (É.-U.)
1968	R. W. Holley (É.-U.), H. G. Khorana (É.-U.), M. Nirenberg (É.-U.)
1969	M. Delbrück (É.-U.), A. D. Hershey (É.-U.), S. Luria (É.-U.)
1970	J. Axelrod (É.-U.), B. Katz (G.-B.), U. von Euler (Suède)
1971	E. W. Sutherland (É.-U.)
1972	G.M. Edelman (É.-U.), R. R. Porter (G.-B.)
1973	K. Lorenz (Autr.), K. von Frisch (Autr.), N. Tinbergen (P.-B.)
1974	A. Claude (Belg.), C. De Duve (Belg.), G. Palade (É.-U.)
1975	H. Temin (É.-U.), R. Dulbecco (É.-U.), D. Baltimore (É.-U.)
1976	C. Gajdusek (É.-U.), B. Blumberg (É.-U.)
1977	R. Guillemin (É.-U.), A. Schally (É.-U.), R. Yalow (É.-U.)
1978	W. Arber (Suisse), D. Nathans (É.-U.), H. Smith (É.-U.)
1979	A. M. Cormack (É.-U.), G. Hounsfield (G.-B.)
1980	J. Dausset (Fr.), G. D. Snell (É.-U.), B. Benacerraf (É.-U.)
1981	D. H. Hubel (É.-U.), R. W. Sperry (É.-U.), T. N. Wiesel (Suède)
1982	S. K. Bergström (Suède), B. I. Samuelsson (Suède), J. R. Vane (G.-B.)
1983	B. McClintock (É.-U.)
1984	N. Jerne (Dan.), G. J. F. Köhler (RFA), C. Milstein (Arg, G.-B.)
1985	M. S. Brown (É.-U.), J. L. Goldstein (É.-U.)
1986	S. Cohen (É.-U.), R. Levi-Montalcini (It., É.-U.)
1987	Tonegawa Susumu (Jap.)
1988	J. Black (G.-B.), G. Elion (É.-U.), G. H. Hitchings (É.-U.)
1989	M. Bishop (É.-U.), H. Varmus (É.-U.)
1990	J. E. Murray (É.-U.), E. D. Thomas (É.-U.)
1991	E. Neher (All.), B. Sakmann (All.)
1992	E. Fischer (É.-U.), E. Krebs (É.-U.)
1993	R. J. Roberts (G.-B.), P. A. Scharp (É.-U.)
1994	A. G. Gilman (É.-U.), M Rodbell (É.-U.)
1995	E. B. Lewis (É.-U.), C. Nüsslein-Volhard (RFA), E. P. Wieschaus (É.-U.)
1996	P. Doherty (Austr.), R. Zinkernagel (Suisse)
1997	S. B. Prusiner (É.-U.)
1998	R. F. Furchgott (É.-U.), L. J. Ignaris, (É.-U.), F. Murad (É.-U.)

Mathématiques

Nombres et symboles

Les nombres

Systèmes de numération. De nombreux systèmes de numération ont été utilisés au cours de l'histoire, les premiers connus datant de 3 300 av. J.-C. en Mésopotamie. Certains utilisaient les lettres de l'alphabet (numérotations romaine, grecque ou hébraïque) ; de plus, les bases variaient selon le niveau (système maya en base 20). Le système décimal, universellement utilisé aujourd'hui, comprend une base fixe et des symboles spécifiques ; il vient de l'Inde et fut relayé par les Arabes au VIIIe s. de notre ère.

Un nombre est déterminé par la valeur des chiffres qui le composent et par la position de ces chiffres :

$$234 = 2 \cdot 10^2 + 3 \cdot 10 + 4 = 2 \cdot 100 + 3 \cdot 10 + 4.$$

De même, $2{,}3 = 2 + 3 \cdot 10^{-1} = 2 + 3 \cdot 0{,}1.$

Il a fallu inventer un signe pour marquer l'absence de l'une des puissances de 10 : le symbole zéro (0). Si la base 10 s'est imposée au cours de l'histoire, il est cependant possible d'exprimer dans une base quelconque n'importe quel nombre.

Dans le système de base 2 appelé « système binaire », le nombre écrit 23 dans le système décimal peut se mettre sous la forme :

$$23 = 1 \cdot 2^4 + 0 \cdot 2^3 + 1 \cdot 2^2 + 1 \cdot 2^1 + 1 \cdot 2^0 = 16 + 0 + 4 + 2 + 1,$$

ce nombre s'écrit donc 10 111 en base 2.

La numération binaire est notamment utilisée dans les ordinateurs.

Ensembles de nombres. Les nombres entiers sont obtenus en additionnant le nombre 1, à partir de 0. On désigne par $\mathbb{N}$ l'ensemble des nombres entiers.

L'ensemble $\mathbb{Z}$ des entiers relatifs est formé par la suite : … , – 3, – 2, – 1, 0, 1, 2, 3, …

L'ensemble $\mathbb{Q}$ des nombres rationnels est constitué par les quotients (fractions) de deux entiers relatifs. Tout nombre rationnel peut se mettre sous la forme d'un nombre décimal limité (+ 3 ; – 0,76) ou sous la forme d'un nombre décimal illimité périodique, ce qui signifie qu'à partir d'un certain rang les décimales se répètent indéfiniment (4/3 = 1,333… ; 5/7 = 0,714 285 714 285…).

Les nombres irrationnels peuvent se mettre sous la forme d'un développement décimal illimité mais non périodique; par exemple :

$$\pi = 3{,}141\,59\ldots ; \sqrt{2} = 1{,}414\,213\ldots$$

Les nombres rationnels et irrationnels constituent l'ensemble $\mathbb{R}$ des nombres réels.

En adjoignant à cet ensemble le nombre complexe i tel que $i^2 = -1$, on forme l'ensemble $\mathbb{C}$ des nombres complexes.

Ces ensembles sont emboîtés les uns dans les autres :

$$\mathbb{N} \subset \mathbb{Z} \subset \mathbb{Q} \subset \mathbb{R} \subset \mathbb{C}.$$

Propriétés des nombres réels. La valeur absolue d'un réel est celle du nombre privé de son signe; on la note $|a|$. Par conséquent, $|a| = a$ si $a \geqslant 0$ et $|a| = -a$ si $a \leqslant 0$.

Addition : $a + b = b + a.$

Multiplication : $ab = ba,$
$(a + b)\,c = ac + bc,$
$(a + b)(c + d) = ac + ad + bc + bd.$

Division : $\dfrac{a+b}{c} = \dfrac{a}{c} + \dfrac{b}{c}.$

Fractions, PGCD et PPCM. Une fraction est le quotient de deux entiers; on la note : a/b, $\frac{a}{b}$ ou $a \div b$; a est appelé « numérateur » et b « dénominateur », ce dernier ne peut être nul.

Propriété des fractions :

$$\frac{a}{b} \times c = \frac{a\,c}{b} ; \frac{a/b}{c} = \frac{a}{b\,c},$$

$$\frac{a}{b} \div \frac{c}{d} = \frac{a\,d}{b\,c}.$$

Simplifier une fraction consiste à diviser par un même nombre le numérateur et le dénominateur. Pour cela, on recherche le plus grand commun diviseur (PGCD). Par exemple :

$$\frac{225}{175} = \frac{9 \cdot 5 \cdot 5}{7 \cdot 5 \cdot 5} = \frac{9}{7},$$

le PGCD est ici 25.

Pour additionner des fractions, il faut les réduire au même dénominateur. Le dénominateur commun est le plus petit commun multiple (PPCM) des dénominateurs. Par exemple :

$$\frac{3}{8} + \frac{5}{14} = \frac{3 \cdot 7}{8 \cdot 7} + \frac{5 \cdot 4}{14 \cdot 4} = \frac{21}{56} + \frac{20}{56} = \frac{41}{56}.$$

Le PPCM est ici de 56.

D'une façon générale :

$$\frac{a}{b} + \frac{c}{d} = \frac{ad + bc}{bd}.$$

Calcul mental. Pour multiplier un nombre par 10^n, écrire n zéros à sa droite s'il est entier ou déplacer la virgule de n rangs vers la droite s'il est décimal. Pour diviser un nombre par 10^n, supprimer (si possible) n zéros à sa droite s'il est entier ou déplacer la virgule de n rangs vers la gauche s'il est décimal. Pour multiplier un nombre par 9, le multiplier par 10, puis retrancher le nombre du résultat.

Pour multiplier un nombre par 11, le multiplier par 10, puis ajouter le nombre au résultat. Pour diviser un nombre par 5, le diviser par 10, puis multiplier par 2 le résultat.

◆ **Symboles mathématiques.**

Symbole	Explication
Théorie des ensembles	
$\in$	élément de, appartient à ; p. ex. $a \in \{a, b\}$
$\notin$	n'appartient pas à ; p. ex. $c \notin \{a, b\}$
$\subseteq$	sous-ensemble de, contenu dans
$\subset$	sous-ensemble propre ; p. ex. $\{a\} \subset \{a, b\}$
$\cup$	réunion, union ; p. ex. $\{a\} \cup \{b\} = \{a, b\}$
$\cap$	intersection ; p. ex. $\{a, b\} \cap \{b, c\} = \{b\}$
$\varnothing$	ensemble vide
Arithméthique, algèbre	
$=$	égal
$\equiv$	identique
$\simeq$	approximativement égal
$\neq$	différent
$<$	plus petit que ; p. ex. $a < b$
$>$	plus grand que ; p. ex. $a > b$
$\leqslant$	plus petit que ou égal à ; p. ex. $a \leqslant 0$ (a plus petit que ou égal à 0)
$\geqslant$	plus grand que ou égal à ; p. ex. $a \geqslant 0$ (a plus grand que ou égal à 0)
$+$	plus
$-$	moins
$\cdot$, $\times$	multiplié par ; p. ex. $3 \cdot 4 = 3 \times 4$
:, /, –, ÷	divisé par ; p. ex. 3 : 4, 2/3, $\frac{3}{5}$, $a \div b$
$a \mid b$	a divise b ; p. ex. $3 \mid 12$
$\sum_{i=1}^{n} a_i$	somme des a_i ; p. ex. $\sum_{i=1}^{3} a_i = a_1 + a_2 + a_3$
$\prod_{i=1}^{n} a_i$	produit ; p. ex. $\prod_{i=1}^{3} a_i = a_1 \cdot a_2 \cdot a_3$
a^n	a à la puissance n ; p. ex. $a^3 = a \cdot a \cdot a$
$\sqrt{a}$	racine carrée de a
$\sqrt[n]{a}$	racine $n^{ième}$ de a
$n!$	factorielle n ; p. ex. $3! = 1 \cdot 2 \cdot 3$
C_n^k	combinaison de n éléments k à k ; p. ex. $C_6^3 = \frac{6 \cdot 5 \cdot 4}{1 \cdot 2 \cdot 3}$
$\|a\|$	module ou valeur absolue de a ; p. ex. $\|-7\| = 7$
$\log_b$	logarithme de base b
log	logarithme de base 10
ln	logarithme népérien, de base e
e	e = 2,718 …
i	nombre imaginaire unité, $i^2 = -1$
$a \cdot b$	produit scalaire de deux vecteurs
$a \wedge b$	produit vectoriel de deux vecteurs
$(a_{ik}) = A$	matrice A de coefficients a_{ik}
$\|a_{ik}\| = \det A$	déterminant d'une matrice carrée A
$\equiv \pmod{m}$	congruent modulo m ; p. ex. $12 \equiv 7 \pmod 5$

Symbole	Explication
Analyse	
$]a, b[$	intervalle ouvert $a < x < b$
$[a, b]$	intervalle fermé $a \leqslant x \leqslant b$
∞	infini
π	pi = 3, 141 59...
$\rightarrow$	tend vers, converge vers
lim	limite
d	symbole de différenciation
$\frac{dy}{dx}$, y'	dérivée de y par rapport à x
$\frac{d^ny}{dx^n}$, $y^{(n)}$	dérivée d'ordre n de y par rapport à x
∂	symbole de dérivée partielle
∇	opérateur nabla
Δ	opérateur laplacien
δf	variation de f
$\int f(x)\,dx$	intégrale indéfinie $\int$
$\int_a^b f(x)\,dx$	intégrale définie
Géométrie	
$\sim$	semblable
$\cong$	congruent
Δ	triangle ; p. ex. Δ ABC
$\parallel$, //	parallèle
$\perp$	perpendiculaire
$\measuredangle$, $\widehat{\ }$	angle ; p. ex. $\measuredangle$ ABC, $\widehat{ABC}$
°	degré d'angle ; p. ex. 90° est l'angle droit
′	minute d'angle, 60′ = 1°
″	seconde d'angle, 60″ = 1′
$\overset{\frown}{AB}$	arc AB
$\overset{\frown}{a}$	arc a
[AB]	segment AB
$\overrightarrow{AB}$	vecteur AB
sin	sinus
cos	cosinus
tan	tangente
cotan	cotangente
arc sin	arc sinus
sh	sinus hyperbolique
ch	cosinus hyperbolique
th	tangente hyperbolique
Logique	
$\neg$	non (négation)
$\wedge$	et (conjonction)
$\vee$	ou (disjonction)
$\exists$	il existe (quantificateur existentiel)
$\forall$	pour tout (quantificateur universel)

Critères de divisibilité. Un nombre est divisible :
- par 10, s'il se termine par zéro;
- par 100, s'il se termine par deux zéros;
- par 5, si le chiffre des unités est 0 ou 5;
- par 2, s'il est pair;
- par 3, si la somme de ses chiffres est un multiple de 3;
- par 9, si la somme de ses chiffres est un multiple de 9.

Règle de trois. Elle est liée aux grandeurs proportionnelles. Par exemple : «Trois stylos valent 24 F. Combien valent deux stylos ? » Si x est le prix cherché :

$$\frac{x}{24} = \frac{2}{3} \text{ d'où } x = \frac{2 \times 24}{3} = 16 \text{ F.}$$

D'une façon générale, si x est tel que $x/c = a/b$, on a :

$$x = \frac{a \times c}{b}.$$

Exposants et radicaux. L'expression a^n (on lit « a puissance n ») représente le produit $a \times a \ldots \times a$, soit n fois le nombre a. De même, on écrit a^{-n} pour représenter $1/a^n$.

$$(ab)^n = a^n b^n;$$
$$(a/b)^n = a^n/b^n;$$
$$a^n a^p = a^{n+p};$$
$$a^n/a^p = a^{n-p};$$
$$(a^n)^p = a^{np};$$
$$a^0 = 1.$$

La racine n-ième d'un nombre a, qui s'écrit $\sqrt[n]{a}$ (ou $a^{1/n}$), est le nombre qui élevé à la puissance n donne a. Selon l'usage, $\sqrt[2]{a}$ s'écrit $\sqrt{a}$.

$$\sqrt[np]{a} = \sqrt[np]{\sqrt{a}}$$
$$\sqrt[p]{a^n} = (\sqrt[p]{a})^n = a^{n/p}.$$

Quelques identités remarquables.

$$(a+b)^2 = a^2 + 2ab + b^2;$$
$$(a-b)^2 = a^2 - 2ab + b^2;$$
$$(a+b)^3 = a^3 + 3a^2b + 3ab^2 + b^3;$$
$$(\bar{a}-b)^3 = \bar{a}^3 - 3a^2b + 3ab^2 - b^3;$$
$$a^2 - b^2 = (a+b)(a-b);$$
$$a^3 - b^3 = (a-b)(a^2 + ab + b^2).$$

Carrés magiques

Un carré magique est un carré constitué de nombres entiers qui présentent la propriété suivante : la somme des nombres de chaque ligne, de chaque colonne et de chaque diagonale est constante. En voici deux exemples :

8	1	6
3	5	7
4	9	2

1	12	7	14
8	13	2	11
10	3	16	5
15	6	9	4

Il n'y a pas de limite à la dimension des carrés magiques, ni de méthode de construction complètement générale.

Carrés latins

Un carré latin est un carré tel qu'aucune ligne ni colonne ne contienne deux fois le même nombre.

0	2	1
2	1	0
1	0	2

1	2	3	4	5
3	4	5	1	2
5	1	2	3	4
2	3	4	5	1
4	5	1	2	3

Les nombres premiers

Un nombre entier est dit « premier » s'il admet pour diviseur que lui-même et 1. La méthode du crible d'Ératosthène (IIIe s. av. J.-C.) permet d'obtenir les nombres premiers. On procède ainsi : dans la suite des nombres entiers, on raye, à partir de 2, les multiples des nombres non rayés :

1, 2, 3, ~~4~~, 5, 6, 7, ~~8~~, ~~9~~, 1~~0~~, 11, 1~~2~~, 13, 1~~4~~, 1~~5~~…,

les nombres premiers étant les nombres non rayés. On ne connaît aucune formule permettant d'engendrer des nombres premiers, mais on sait qu'ils sont de plus en plus rares, à mesure qu'on avance dans la suite. Toutefois, Euclide a démontré qu'il n'y a pas de dernier nombre premier : en effet, si l'on suppose que p est un tel nombre, on forme le nombre $(1 \times 2 \times 3 \times 4 \times \ldots \times p) + 1$; ce nombre, qui est évidemment supérieur à p, n'est divisible par aucun des entiers de 1 à p. Il est donc soit premier, soit divisible par un nombre premier supérieur à p, ce qui contredit l'hypothèse de départ.

L'importance des nombres premiers tient à la propriété suivante : tout nombre peut être mis sous la forme d'un produit de nombres premiers, et cela d'une seule manière. Cette décomposition en facteurs premiers est utile pour la détermination des PGCD et PPCM. Ainsi, pour les deux nombres $693 = 3^2 \times 7 \times 11$ et $1\,911 = 3 \times 7^2 \times 13$, le plus petit commun multiple est $3^2 \times 7^2 \times 11 \times 13 = 63\,063$ et le plus petit commun diviseur est $21 = 3 \times 7$.

Pour savoir si un nombre n est premier, on essaie de le diviser par tous les diviseurs premiers inférieurs à $\sqrt{n}$, méthode qui exige, pour de grands nombres, un très long temps de calcul. Cette propriété est souvent exploitée en cryptographie.

Il existe, au sujet des nombres premiers, de nombreux problèmes difficiles. Ainsi, le père Marin Mersenne (1588-1648) supposait, à tort, que si p était premier, alors $2^p - 1$ l'est aussi. Toutefois, certains nombres de Mersenne sont effectivement premiers; le plus grand actuellement connu est $2^{21\,701} - 1$, il est composé de 6 533 chiffres. Certaines affirmations demeurent encore des énigmes comme « tout nombre pair est la somme de deux nombres premiers » (Goldbach, XVIIIe s.).

◆ **Les nombres premiers inférieurs à 1 000.**

1	101	211	307	401	503	601	701	809	907
2	103	223	311	409	509	607	709	811	911
3	107	227	313	419	521	613	719	821	919
5	109	229	317	421	523	6117	727	823	929
7	113	233	331	431	541	619	733	827	937
11	127	239	337	433	547	631	739	829	941
13	131	241	347	439	557	641	739	853	947
17	137	251	349	443	563	643	743	857	953
19	139	257	353	449	569	647	751	859	967
23	149	263	359	457	571	653	757	863	971
29	151	269	367	461	577	659	761	877	977
31	157	271	373	463	587	661	769	881	983
37	163	277	379	467	593	673	773	883	991
41	167	281	383	479	599	677	787	887	997
43	173	283	389	487		683	797		
47	179	293	397	491		691			
53	181			499					
59	191								
61	193								
67	197								
71	199								
73									
79									
83									
89									
97									

Le nombre d'or

Ce nombre fut désigné sous le nom de « divine proportion » (titre d'un traité de Luca Pacioli publié en 1494) ou « section dorée ». Il fut longtemps considéré comme représentant la proportion la plus harmonieuse. On remarque sa présence dans de nombreux objets de la nature. Le nombre d'or est la solution positive de l'équation $x - (1/x) = 1$; il vaut :

$$\Phi = (1 + \sqrt{5})/2 \cong 1{,}618.$$

Parmi ses très nombreuses propriétés, on remarque que, dans toute suite commençant par deux nombres arbitraires a et b et telle que tout nombre est la somme de ses deux prédécesseurs (suite de Fibonacci), la suite formée par les rapports d'un terme à celui qui le précède tend vers Φ. Par exemple : à partir de la suite :

2, 5, 7, 12, 19, 31, 50, 81, 131, 212, …,

la suite :

5/2, 7/5, 12/7, 19/21, 31/19, 50/31, …

tend vers Φ.

Les nombres complexes

Si tout nombre réel peut être représenté par un point d'une droite, un nombre complexe z est caractérisé par un point du plan : on a $z = x + iy$ où i est le nombre complexe tel que $i^2 = -1$. Cette écriture de z constitue la forme cartésienne. Le nombre complexe z est appelé « affixe » de M, x est la partie réelle et y est la partie imaginaire.

On peut aussi écrire les nombres complexes sous la forme polaire ou trigonométrique :

$$z = x + iy = \rho\,(\cos\theta + i\sin\theta),$$

où ρ, nombre positif, est le module, et θ l'argument. Sur le plan, si M est un point d'affixe z, le module ρ correspond alors à la distance OM, tandis que l'argument θ représente l'angle orienté entre l'axe des abscisses (Ox) et la droite (OM).

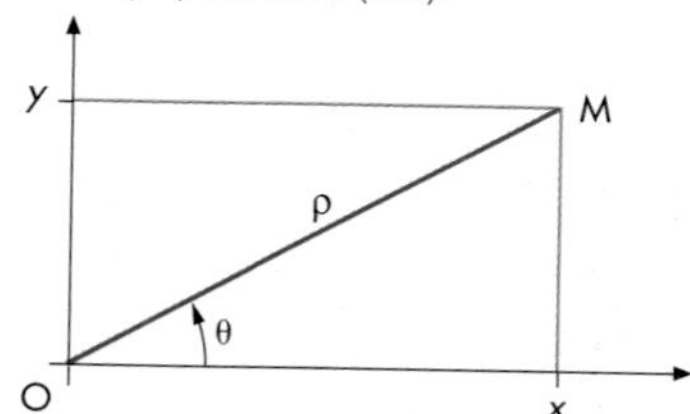

L'addition de deux nombres complexes est plus simple sous la forme cartésienne :

$$z + z' = (x + x') + i\,(y + y').$$

La multiplication :

$$zz' = (xx' - yy') + i\,(xy' + yx')$$

est plus simplement représentée à l'aide de la forme trigonométrique :

$$zz' = \rho\rho'\,[\cos(\theta + \theta') + i\sin(\theta + \theta')].$$

En particulier, si ρ = 1, on a :

$$(\cos\theta + i\sin\theta)^2 = \cos 2\theta + i\sin 2\theta$$

et plus généralement :

$$(\cos\theta + i\sin\theta)^n = \cos n\theta + i\sin n\theta.$$

Cette dernière formule, appelée « formule de Moivre », permet de calculer les lignes trigonométriques de l'angle $n\theta$.

VOIR AUSSI
- **Ensembles** p. 327
- **Cryptographie** p. 1029

Mathématiques

Structures algébriques fondamentales

Le terme « algèbre » vient de l'arabe *al-jabr* qui désignait la technique qu'utilisaient les rebouteux pour réduire les fractures. Il apparaît dans le titre du traité d'Al-Khawarizmi (IXe s.) où est exposée, pour la première fois, la méthode de résolution d'une équation. Une équation est une égalité à laquelle est soumis un nombre inconnu désigné par une lettre. On peut également envisager des équations à plusieurs inconnues désignées par des lettres différentes. Le problème de la résolution des équations dominera les mathématiques jusqu'au XIXe siècle.

L'importance de l'algèbre est intimement liée à la puissance supposée des techniques de calcul algébrique. Ainsi, en 1637, René Descartes, dans son *Traité de géométrie*, prédit que toutes les questions géométriques se ramèneront à des problèmes de calcul élémentaires. La suite montre qu'il n'en est rien : au XIXe s., Évariste Galois montre qu'il est impossible de résoudre, par des formules générales, les équations dont le degré est supérieur à 4. Ses travaux donnent un nouveau départ à l'algèbre, en mettant en évidence l'importance de la notion de structure algébrique. Il s'agit ici d'un ensemble dans lequel on a défini une ou deux opérations vérifiant certaines propriétés. On peut ainsi définir une structure algébrique sur un ensemble quelconque, par exemple l'espace géométrique où l'opération peut être une transformation ou un déplacement.

Groupe. Un groupe est un ensemble G dans lequel est définie une loi de composition interne (notée $*$), qui à deux éléments a et b de G associe un élément de G, noté $a * b$. Cette opération vérifie les trois propriétés suivantes :
– $(a * b) * c = a * (b * c)$;
– il existe un élément e de G tel que pour tout a, on ait : $a * e = e * a = a$ (e est l'élément neutre);
– pour tout a, il existe a' tel que $a * a' = a' * a = e$, l'élément a' est dit « symétrique de a ». Si la loi de composition est commutative, le groupe est dit « abélien ».

Exemples : l'ensemble $\mathbb{Z}$ des entiers relatifs est un groupe pour l'addition. Il en est de même de $\mathbb{Q}$ et de $\mathbb{R}$; l'ensemble $\mathbb{Q}^+$ des rationnels positifs non nuls est un groupe pour la multiplication; l'ensemble des translations ou celui des rotations dans le plan forment des groupes.

Si un groupe G' est contenu dans un groupe G, G' est alors un sous-groupe de G.

Par exemple, l'ensemble des entiers relatifs pairs $\{\ldots, -4, -2, 0, 2, 4, \ldots\}$ est un sous-groupe de $\mathbb{Z}$, mais celui des entiers relatifs impairs ne l'est pas.

Anneau. Un anneau est un ensemble A muni de deux lois de composition interne (notées + et ×) telles que :
– A est un groupe abélien pour la loi + (l'élément neutre est 0);
– la loi × est associative :
$(a \times b) \times c = a \times (b \times c)$;
– la loi + est distributive par rapport à la loi × :
$a \times (b + c) = (a \times b) + (a \times c)$;
$(a + b) \times c = (a \times b) + (b \times c)$.

L'anneau est unitaire si la multiplication comprend un élément neutre; il est commutatif si cette loi est commutative. Il est intègre si le produit de deux termes ne peut être nul si l'un des deux termes est nul (exemple : $\mathbb{Z}$, $\mathbb{Q}$ et $\mathbb{R}$ sont des anneaux intègres). Il en est de même de l'ensemble des polynômes à une variable. La propriété d'intégrité de ce dernier anneau est essentielle pour la résolution des équations.

Corps. K est un corps s'il est muni de deux lois de composition (+ et ×) telles que :
– K soit un groupe pour la loi +;
– K, privé du zéro, soit un groupe pour la loi × (il faut, en particulier, que chaque élément possède dans K un symétrique pour la multiplication : son inverse);
– la multiplication soit distributive par rapport à l'addition :

$$a(b + c) = ab + ac\,;$$
$$(a + b)c = ac + bc.$$

Le corps est commutatif si la loi × est commutative. Par exemple : l'ensemble $\mathbb{R}$ des nombres réels ainsi que l'ensemble $\mathbb{C}$ des nombres complexes sont des corps.

Ces trois notions sont les plus courantes; mais on peut définir d'autres structures algébriques correspondants à des situations particulières, en particulier les espaces vectoriels utilisés en géométrie.

Relations entre ces structures. Les structures ainsi définies sont en relation les unes avec les autres; dans un anneau, il y a un groupe sous-jacent : celui qui est défini par la seule loi +. Il en est de même pour le corps.

La plupart des groupes, anneaux ou corps donnés en exemple sont infinis, mais il existe aussi des groupes, anneaux ou corps qui ne comprennent qu'un nombre fini d'éléments. Ainsi, l'ensemble des rotations d'angle 60° et de centre O du plan n'a que six éléments.

Il peut exister, entre deux groupes G (muni de la loi $*$) et G' (muni de la loi ×), une application qui à tout élément de G fait correspondre un élément de G' et qui à $(a * b)$ de G fait correspondre $(a' \times b')$ de G'. Une telle application est un isomorphisme entre les groupes G et G'. Tout résultat obtenu dans un groupe s'étend à tous les groupes isomorphes. On peut définir de la même manière des isomorphismes entre des anneaux ou entre des corps. Un isomorphisme entre un groupe et un de ses sous-groupes est un endomorphisme.Il faut remarquer que les structures décrites ici sont emboîtées les unes dans les autres en ne tenant compte que de la loi d'addition, un anneau ou des corps sont aussi des groupes... Les propriétés «algébriques» peuvent donc être transportées d'un niveau à l'autre. De plus, les particularités mathématiques des ensembles dépendent pour l'essentiel des sous-structures que l'on peut définir dans la structure initiale (chaîne des sous-groupes dans un groupe,...). En multipliant les structures algébriques particulières (anneaux commutatifs ou non commutatifs), on a pu fournir un cadre très varié à de situations concrètes spécifiques (théorie des groupes pour la mécanique quantique, espaces vectoriels pour l'économétrie...).

Les congruences

Dans l'ensemble des entiers relatifs $\mathbb{Z}$, on dit que deux nombres a et b sont « congrus modulo p » si leur différence est divisible par p. On écrit $a \equiv b \pmod{p}$. Ainsi, pour les congruences modulo 5, on a $7 \equiv 2 \pmod{5}$, mais aussi $-2 \equiv 3 \pmod{5}$. Tout entier est, dans cet exemple, congru à 0, 1, 2, 3, ou 4 modulo 5. On ramène donc l'ensemble $\mathbb{Z}$ à ces cinq éléments. La table d'addition est alors :

+	0	1	2	3	4
0	0	1	2	3	4
1	1	2	3	4	0
2	2	3	4	0	1
3	3	4	0	1	2
4	4	0	1	2	3

et la table de multiplication :

×	0	1	2	3	4
0	0	0	0	0	0
1	0	1	2	3	4
2	0	2	4	1	3
3	0	3	1	4	2
4	0	4	3	2	1

On remarque que l'ensemble {0, 1, 2, 3, 4} muni de ces opérations est un corps.
En revanche, si on prend p non premier, on obtient un anneau non intègre. En effet, pour $p = 6$, les nombres 3 et 2 n'ont pas d'inverses et $2 \times 3 \equiv 0 \pmod{6}$.

Algèbre de Boole

L'algèbre de Boole, qui porte le nom du logicien anglais qui l'avait inventée au XIXe s., a pour objectif de rendre compte par le calcul des opérations logiques. Elle a aujourd'hui d'importantes applications pour les dispositifs électriques ou électroniques utilisant une logique binaire « vrai/faux », c'est-à-dire fonctionnant en « tout ou rien ».
Elle opère sur les deux éléments 0 et 1 (le premier représentant le « faux » et le second le « vrai »).
Ses opérateurs sont :
– la somme logique (ou addition booléenne), qui représente la disjonction logique « ou ». On a $x + y = 1$ si l'une au moins des variables vaut 1. Il faut remarquer qu'en algèbre de Boole $1 + 1 = 1$;
– le produit logique (ou multiplication booléenne), qui représente la conjonction logique « et ». On a alors $x \times y = 1$ si les deux variables valent 1;
– la négation, qui est une opération agissant sur une variable (symbole $\bar{x}$). On a $\bar{1} = 0$ et $\bar{0} = 1$.
Certaines relations sont caractéristiques de l'algèbre de Boole : $\overline{x + y} = \bar{x} \times \bar{y}$ et $\overline{x \times y} = \bar{x} + \bar{y}$.
Pour les circuits électriques, l'addition booléenne représente deux interrupteurs en dérivation et le produit, deux interrupteurs en série.
La table de l'addition et la table de la multiplication sont :

somme « ou »

y \ x	0	1
0	0	1
1	1	1

produit « et »

y \ x	0	1
0	0	0
1	0	1

Ces notions de structures algébriques, apparues au XIXe s. dans les travaux de Gauss, d'Abel et de Galois, forment l'ossature des mathématiques modernes. Elles ont permis de résoudre des problèmes en suspens, comme celui des équations algébriques, mais surtout de généraliser des résultats obtenus dans un domaine particulier à d'autres domaines, en apparence très éloignés. Elles ont contribué ainsi à mettre en évidence l'unité des mathématiques.

Les équations algébriques

Une équation est une égalité où figure une lettre, généralement x, dite « inconnue ». Résoudre une équation consiste à chercher le ou les nombres (s'ils existent) qui, mis à la place de l'inconnue, rendent l'égalité vraie ; ces nombres sont les solutions ou racines de l'équation. Le degré d'une équation est le plus haut degré de x dans l'égalité.

Équation du premier degré :

$$ax + b = 0.$$

Elle admet une solution : $x = -b/a$, si $a \neq 0$.

Équation du second degré :

$$ax^2 + bx + c = 0.$$

Sa résolution fait intervenir la quantité $\Delta = b^2 - 4ac$, appelée « discriminant » de l'équation :

– si $\Delta > 0$, l'équation admet deux solutions parmi les nombres réels :

$$x_1 = \frac{-b+\sqrt{\Delta}}{2a} \text{ et } x_2 = \frac{-b-\sqrt{\Delta}}{2a} ;$$

– si $\Delta = 0$, l'équation admet une solution :

$$x = -b/2a ;$$

– si $\Delta < 0$, elle admet deux solutions qui sont des nombres complexes :

$$x_1 = \frac{-b+\mathrm{i}\sqrt{\Delta}}{2a} \text{ et } x_2 = \frac{-b-\mathrm{i}\sqrt{\Delta}}{2a} ;$$

où i est tel que $\mathrm{i}^2 = -1$.

Les racines x_1 et x_2 d'une équation du second degré vérifient les relations :

$$x_1x_2 = c/a \text{ et } x_1 + x_2 = -b/a.$$

Équation de degré quelconque. Une équation de degré n s'écrit :

$$a_0x^n + a_1x^{n-1} + a_2x^{n-2} + \ldots + a_{n-1}x + a_n = 0,$$

les nombres $a_0, a_1, \ldots, a_n$ étant les coefficients de l'équation. La possibilité de trouver les racines d'une équation dépend de l'ensemble, généralement un corps (au sens algébrique du mot) où sont choisis les coefficients, ainsi que du corps où sont recherchées les solutions.

Par exemple, l'équation du second degré $x^2 + 1 = 0$ n'a pas de solution dans le corps $\mathbb{R}$ des nombres réels, mais a deux solutions i et – i dans le corps $\mathbb{C}$ des nombres complexes. On démontre qu'une équation de degré n, dont les coefficients appartiennent à $\mathbb{C}$, admet toujours n solutions appartenant au corps $\mathbb{C}$. Ce résultat est connu sous le nom de « théorème fondamental de l'algèbre ». On l'exprime aussi en disant que le corps $\mathbb{C}$ des nombres complexes est algébriquement clos. La technique de résolution d'une équation de degré n consiste à mettre, si possible, le polynôme :

$$a_0x^n + a_1x^{n-1} + \ldots + a_{n-1}x + a_n$$

sous la forme d'un produit :

$$a_0(x-\alpha_1)(x-\alpha_2)\ldots(x-\alpha_n) \text{ où } \alpha_1, \alpha_2, \ldots \alpha_n$$

sont les racines du polynôme.

Ce produit n'est nul que si l'un des facteurs est nul. Cela explique l'importance des méthodes de factorisation des polynômes.

On connaît des méthodes générales pour résoudre les équations de degré 3 et de degré 4 ; en revanche, il n'existe pas de formule générale pour résoudre les équations de degré 5 ou supérieur à 5. La démonstration de cette non-existence, due au mathématicien français Évariste Galois, repose sur la notion de groupe algébrique.

Systèmes d'équations linéaires

Un système d'équations linéaires est formé d'équations du premier degré à plusieurs inconnues (ou variables). Résoudre un tel système consiste à trouver, si possible, les nombres qui, mis à la place de chacune des inconnues, vérifient chacune des équations. Ces nombres forment la solution du système. On montre que, moyennant certaines conditions, les systèmes ont une solution s'ils comportent autant d'équations que d'inconnues. Les systèmes linéaires ont une grande importance, notamment dans les sciences économiques.

Système de deux équations à deux inconnues. L'une des méthodes revient à éliminer une des inconnues. Ainsi, dans le système

$$\begin{cases} x + y = -3 \\ -2x + y = \ \ 6, \end{cases}$$

on extrait $x = -y - 3$ de la première équation et on reporte cette valeur dans la seconde, ce qui donne $y = 0$; en reportant cette dernière valeur dans la première équation, on trouve alors $x = -3$.

Système de n équations à n inconnues. La méthode d'élimination entraînerait de trop longs calculs pour des systèmes présentant plusieurs équations ; on préfère celle du calcul du déterminant.

Système à deux inconnues :

$$\begin{cases} a_{11}x_1 + a_{12}x_2 = b_1 \\ a_{21}x_1 + a_{22}x_2 = b_2, \end{cases}$$

le déterminant de ce système est :

$$D = \begin{vmatrix} a_{11} & a_{12} \\ a_{21} & a_{22} \end{vmatrix} = a_{11}a_{22} - a_{12}a_{21}.$$

Si D = 0, le système a zéro ou une infinité de solutions. Si D ≠ 0, il y a une solution, obtenue en remplaçant la colonne du déterminant qui correspond à chacune des variables par la colonne $\begin{matrix} b_1 \\ b_2 \end{matrix}$. Les solutions de ce système sont :

$$x_1 = \frac{\begin{vmatrix} b_1 & a_{12} \\ b_2 & a_{22} \end{vmatrix}}{D} \text{ et } x_2 = \frac{\begin{vmatrix} a_{11} & b_1 \\ a_{21} & b_2 \end{vmatrix}}{D}.$$

Système à trois inconnues :

$$\begin{cases} a_{11}a_1 + a_{12}x_2 + a_{13}x_3 = b_1 \\ a_{21}x_1 + a_{22}x_2 + a_{23}x_3 = b_2 \\ a_{31}x_1 + a_{32}x_2 + a_{33}x_3 = b_3, \end{cases}$$

le déterminant de ce système est :

$$D = \begin{vmatrix} a_{11} & a_{12} & a_{13} \\ a_{21} & a_{22} & a_{23} \\ a_{31} & a_{32} & a_{33} \end{vmatrix}$$

qui se calcule par la formule :

$$D = a_{11}\begin{vmatrix} a_{22} & a_{23} \\ a_{32} & a_{33} \end{vmatrix} - a_{12}\begin{vmatrix} a_{21} & a_{23} \\ a_{31} & a_{33} \end{vmatrix} + a_{13}\begin{vmatrix} a_{21} & a_{22} \\ a_{31} & a_{32} \end{vmatrix}.$$

Exemple de système pour $n = 3$:

$$\begin{cases} 3x_1 - 3x_2 + x_3 = 0 \\ 4x_2 - x_3 \qquad = 5 \\ 2x_1 - 2x_2 + x_3 = 1. \end{cases}$$

VOIR AUSSI
- **Ensembles de nombres** p. 320
- **Nombres complexes** p. 321

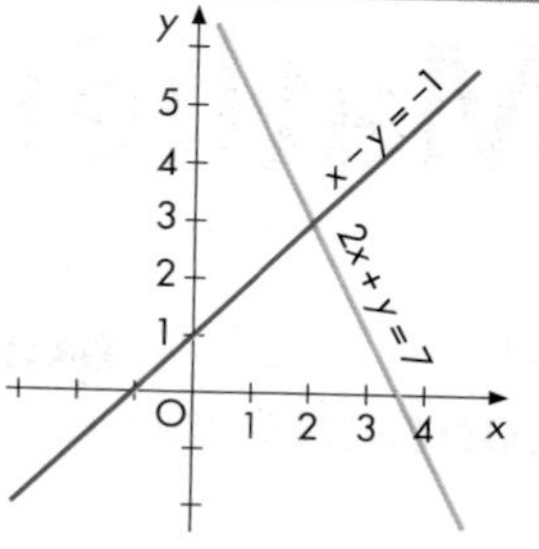

◆ **Résolution graphique d'un système de deux équations.**
Le système $\begin{cases} 2x + y = 7 \\ x - y = -1 \end{cases}$ peut être résolu en traçant sur un plan les deux droites d'équations $2x + y = 7$ et $x - y = -1$. La solution du système est alors le point d'intersection de ces droites : $x = 2$, $y = 3$.

On a alors : $D = \begin{vmatrix} 3 & -3 & 1 \\ 0 & 4 & -1 \\ 2 & -2 & 1 \end{vmatrix} = 4,$

et les solutions sont :

$$x_2 = \frac{\begin{vmatrix} 3 & 0 & 1 \\ 0 & 5 & -1 \\ 2 & 1 & 1 \end{vmatrix}}{4} = 2, \qquad x_1 = \frac{\begin{vmatrix} 0 & -3 & 1 \\ 5 & 4 & -1 \\ 1 & -2 & 1 \end{vmatrix}}{4} = 1,$$

$$\text{et } x_3 = \frac{\begin{vmatrix} 3 & -3 & 0 \\ 0 & 4 & 5 \\ 2 & -2 & 1 \end{vmatrix}}{4} = 3.$$

La méthode des déterminants, quoique programmable sur un ordinateur, entraîne elle aussi de trop longs calculs lorsque les systèmes sont très grands. On a mis au point une méthode, dite du « pivot », qui consiste à conserver la variable x_1 dans la première équation et à l'éliminer dans les autres, puis à faire successivement la même opération avec la deuxième variable, puis la troisième, etc. C'est par ce procédé que les calculatrices résolvent des systèmes de taille raisonnable.

Petit lexique

degré d'une équation : plus haut degré de l'inconnue dans une équation. Une équation de degré 5 comporte par exemple un terme où l'inconnue figure au cinquième degré : il en est ainsi de l'équation $x^5 + x^3 + 1 = 0$.
Une équation de degré 1 est dite linéaire.

équation algébrique : égalité faisant intervenir des lettres représentant les inconnues (généralement les lettres x, y, z...) et des nombres supposés connus appelés coefficients de l'équation (souvent représentés par les lettres a, b, c...). Une équation peut comporter plusieurs inconnues. On écrit habituellement les équations en faisant passer tous les termes dans le premier membre de l'égalité, le deuxième membre étant réduit à 0.

équation fonctionnelle : on peut appliquer les méthodes de l'algèbre à des équations où les inconnues représentent des grandeurs plus complexes que des nombres ; le cas le plus courant est celui où les inconnues sont des fonctions.

factorisation d'une équation : la résolution d'une équation de degré n passe par sa transformation en un produit de facteurs de degrés plus petits ; si le deuxième membre de l'équation est 0, on utilise alors la propriété suivante des nombres : un produit est nul si et seulement si l'un des facteurs est nul ; la résolution de l'équation se ramène alors à celle d'équations de degrés inférieurs.

résolution d'une équation : opération consistant à donner la valeur de l'inconnue en fonction des coefficients de l'équation. La solution d'une équation dépend de l'ensemble dans lequel sont recherchées les valeurs de l'inconnue. C'est ainsi que dans l'Antiquité, le mathématicien Diophante propose des équations où ne sont prises en compte que les solutions qui sont des nombres entiers positifs.

Mathématiques

Les fonctions et l'analyse

Les fonctions : concepts généraux

La notion de fonction se dégage peu à peu à partir du XVIIIe s.; elle occupe aujourd'hui une place centrale dans les mathématiques et est appliquée dans de nombreux domaines.

Il s'agit d'exprimer qu'une grandeur variable dépend d'une autre grandeur variable. Si l'on désigne par y la première et par x la seconde, on écrit $x \mapsto y = f(x)$, ce qui se lit « f de x » et désigne une fonction de x que l'on note plus brièvement $y = f(x)$. On peut envisager une grandeur y fonction de plusieurs variables : $y = f(x_1, x_2, ..., x_n)$; on étudie généralement ces fonctions en ne faisant varier qu'une seule variable à la fois.

La détermination de y à partir de x peut être donnée expérimentalement ou calculée (formule algébrique; limite de suite, etc.). Une fonction peut être représentée par une formule, un tableau de valeurs ou un graphe. À chaque valeur de x correspond au plus une valeur de y.

À partir de deux fonctions $x \mapsto y = f(x)$ et $y \mapsto z = g(y)$, on peut définir une fonction $x \mapsto z = h(x)$; h est dite « fonction composée » des fonctions f et g. À partir d'une fonction $x \mapsto y = f(x)$, on peut souvent définir la fonction $y \mapsto x = f^{-1}(y)$ qui à y fait correspondre x; la fonction f^{-1} est dite « fonction inverse » de f.

Domaine de définition. L'étude des fonctions suppose que l'on ait déterminé le domaine de définition, ensemble des valeurs de x pour lesquelles il existe une valeur de y. Ainsi, la fonction $y = \sqrt{x}$ n'est pas définie pour $x < 0$, tandis que la fonction $y = \frac{x+4}{x-3}$ n'est pas définie pour $x = 3$.

Continuité. Une fonction qui pour la valeur x_0 prend la valeur $y_0 = f(x_0)$ est continue en ce point si, quand x se rapproche de x_0, y tend vers y_0. Une fonction est dite continue sur son ensemble de définition si elle est continue en tout point de cet ensemble.

Dérivée d'une fonction. La dérivée permet de construire la tangente au graphe (courbe représentative de la fonction). Certaines fonctions, telle la courbe de Peano, sont continues mais non dérivables : il est alors impossible de les représenter.

L'étude d'une fonction suppose qu'on ait déterminé les intervalles où la fonction est croissante (y croît en même temps que x) et ceux où elle est décroissante (y décroît quand x croît). On se sert pour cela du signe de la dérivée.

La dérivée d'une fonction $x \mapsto y = f(x)$, notée $f'(x)$, est la limite, si elle existe, du rapport de l'accroissement de y (on l'écrit Δy) à l'accroissement de x :

$$\frac{\Delta y}{\Delta x} = \frac{f(x+\Delta x) - f(x)}{\Delta x} \mapsto f'(x) \text{ quand } \Delta x \mapsto 0.$$

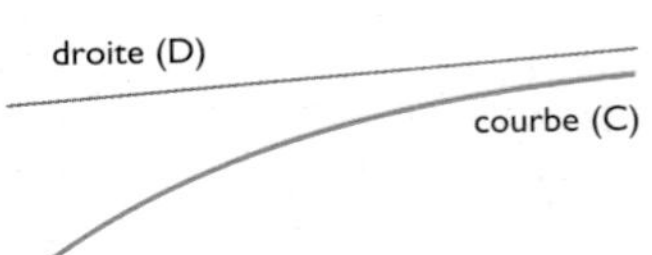

◆ **Asymptote d'une courbe.**
La droite (D) est dite « asymptote » à la courbe (C) car la distance d'un point de cette courbe à cette droite tend vers 0 lorsque le point s'éloigne à l'infini.

◆ **Règles de dérivation.**

Fonction	Dérivée
$u + v - w$	$u' + v' - w'$
uv	$u'v + uv'$
$\frac{u}{v}$	$\frac{u'v - uv'}{v^2}$
$\sqrt{u}$	$\frac{u'}{2\sqrt{u}}$
e^u	$u' \cdot e^u$

La dérivée pour chaque valeur de x définit donc une fonction $y' = f'(x) = dy/dx$, appelée « dérivée de la fonction $y = f(x)$ » ; dy et dx sont les différentielles de y et de x.

D'un point de vue géométrique, la dérivée d'une fonction en un point est la pente de la tangente à sa courbe représentative en ce point.

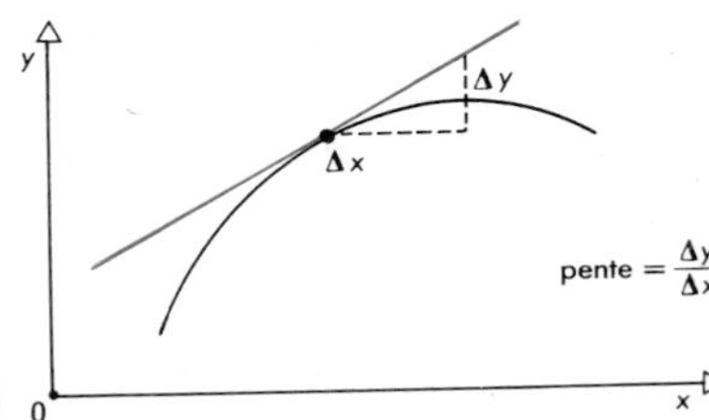

Intégrale d'une fonction. Pour calculer l'aire d'une surface limitée par une courbe, on recherche un carré ayant la même aire; cette technique a pour nom « quadrature ». Pratiquement, on recouvre aussi près que possible par des rectangles la surface à mesurer, l'aire de chaque rectangle valant alors $f(x) \cdot \Delta x$. Cette méthode, qui fut employée tout d'abord par Archimède, fut perfectionnée par Leibniz et Newton. À l'époque moderne, Riemann et Lebesgue la généralisèrent sous le nom d'« intégrale ».

L'intégrale de la fonction f entre les valeurs a et b s'écrit : $\int_a^b f(x)\,dx$.

Elle correspond à l'aire comprise entre la courbe, l'axe Ox et les verticales en a et b.

On montre que le calcul des aires peut se faire plus simplement en calculant la différence des valeurs prises par la primitive de f aux bornes de l'intervalle. La primitive est la fonction F dont f est la dérivée. L'aire est alors $F(b) - F(a)$.

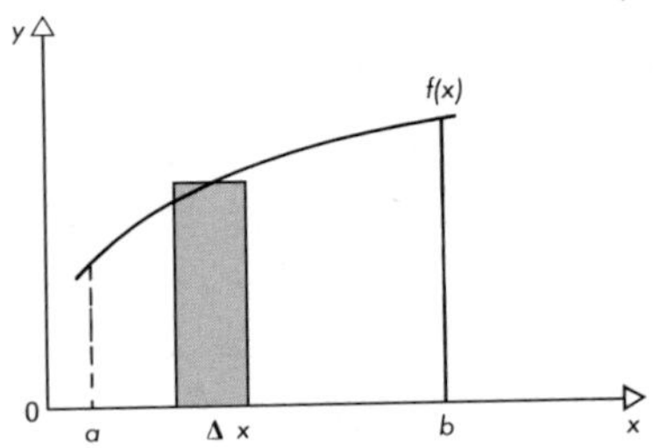

◆ **Calcul d'une aire.**
Le calcul d'une aire revient à la recouvrir de rectangles. Quand on augmente indéfiniment le nombre de ces rectangles, la largeur de chacun d'eux tendant vers 0, la somme de leurs surfaces tend vers la surface comprise entre la courbe, les verticales en a et b et l'axe des x.

Les primitives sont définies à une constante près.

On ne peut pas toujours faire appel aux primitives pour calculer les intégrales. Étant donné l'importance de ce calcul, de nombreuses méthodes ont donc été mises au point. On utilise ainsi parfois le développement en série des fonctions, méthode qui fournit de bonnes approximations de l'intégrale et qui peut être traitée par des algorithmes calculés par ordinateur. D'autres méthodes utilisent des fonctions particulières (fonctions elliptiques, intégrales de Fourier pour les fonctions périodiques, intégrales de Laplace, calcul des résidus,...) pour lesquelles on a mis en place des techniques complexes.

◆ **Dérivées des fonctions usuelles.**

Fonction	Dérivée
$x \mapsto ax + b$	$x \mapsto a$
$x \mapsto ax^2 + bx + c$	$x \mapsto 2ax + b$
$x \mapsto \frac{a}{x}$	$x \mapsto \frac{-a}{x^2}$
$x \mapsto x^n$	$x \mapsto n \cdot x^{n-1}$
$x \mapsto \sqrt{x} (\forall x \in \mathbb{R}_+^*)$	$x \mapsto \frac{1}{2\sqrt{x}}$
$x \mapsto a_n x^n + ... + a_1 x + a_0$	$x \mapsto n a_n x^{n-1} + ... + a_1$
$x \mapsto e^x$	$x \mapsto e^x$
$x \mapsto a^x$	$x \mapsto a^x \cdot \ln a$
$x \mapsto \ln x$	$x \mapsto \frac{1}{x}$
$x \mapsto \log_a x$	$x \mapsto \frac{1}{x \cdot \log a}$
$x \mapsto \sin x$	$x \mapsto \cos x$
$x \mapsto \cos x$	$x \mapsto - \sin x$
$x \mapsto \tan x$	$x \mapsto 1 + \tan^2 x = \frac{1}{\cos^2 x}$
$x \mapsto \text{cotan } x$	$x \mapsto -(1 + \text{cotan}^2 x) = \frac{-1}{\sin^2 x}$
$x \mapsto \text{Arc sin } x$	$x \mapsto \frac{1}{\sqrt{(1 - x^2)}}$
$x \mapsto \text{Arc cos } x$	$x \mapsto \frac{-1}{\sqrt{(1 - x^2)}}$
$x \mapsto \text{Arc tan } x$	$x \mapsto \frac{1}{1 + x^2}$
$x \mapsto \text{Arc cotan } x$	$x \mapsto \frac{-1}{1 + x^2}$
$x \mapsto \text{sh } x$	$x \mapsto \text{ch } x$
$x \mapsto \text{ch } x$	$x \mapsto \text{sh } x$
$x \mapsto \text{th } x$	$x \mapsto 1 - \text{th}^2 x = \frac{1}{\text{ch}^2 x}$
$x \mapsto \text{coth } x$	$x \mapsto 1 - \text{coth}^2 x = \frac{-1}{\text{sh}^2 x}$

◆ **Primitives des fonctions usuelles.**

Fonction	Primitive
$x \mapsto x^m$ où $m \neq -1$	$x \mapsto \frac{x^{m+1}}{m+1}$
$x \mapsto \frac{1}{x}$	$x \mapsto \ln \lvert x \rvert$
$x \mapsto \frac{1}{x+a}$	$x \mapsto \ln \lvert x+a \rvert$
$x \mapsto \cos x$	$x \mapsto \sin x$
$x \mapsto \sin x$	$x \mapsto - \cos x$
$x \mapsto \frac{1}{\cos^2 x}$	$x \mapsto \tan x$
$x \mapsto \frac{1}{\sin^2 x}$	$x \mapsto - \text{cotan } x$
$x \mapsto \ln x$	$x \mapsto (x \cdot \ln x) - x$
$x \mapsto e^x$	$x \mapsto e^x$
$x \mapsto \text{ch } x$	$x \mapsto \text{sh } x$
$x \mapsto \text{sh } x$	$x \mapsto \text{ch } x$
$x \mapsto \frac{1}{\text{ch}^2 x}$	$x \mapsto \text{th } x$
$x \mapsto \frac{1}{\text{sh}^2 x}$	$x \mapsto - \text{coth } x$
$x \mapsto \frac{1}{\sqrt{(1 - x^2)}}$	$x \mapsto \text{Arc sin } x$

N.B. La constante d'intégration a été volontairement omise.

Quelques fonctions classiques

Certaines fonctions sont d'un usage courant en mathématiques et dans les applications à la physique et aux sciences économiques.

Fonction affine. La fonction affine est définie par la relation $y = ax + b$. Elle est représentée par une droite. La fonction linéaire $y = ax$ en est un cas particulier; sa droite représentative passe par l'origine.

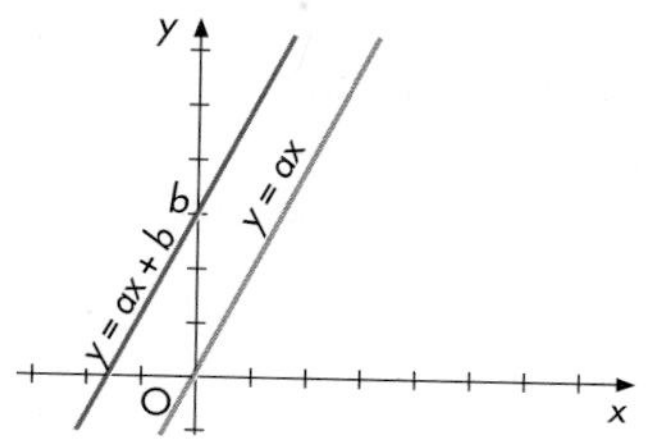

Fonction polynôme. Elle est définie par un polynôme $y = a_0 x^n + a_1 x^{n-1} + ... + a_n$. Un cas particulier est la fonction trinôme $y = ax^2 + bx + c$, dont la courbe représentative est une parabole (tournée vers le haut si a est positif, et vers le bas si a est négatif).

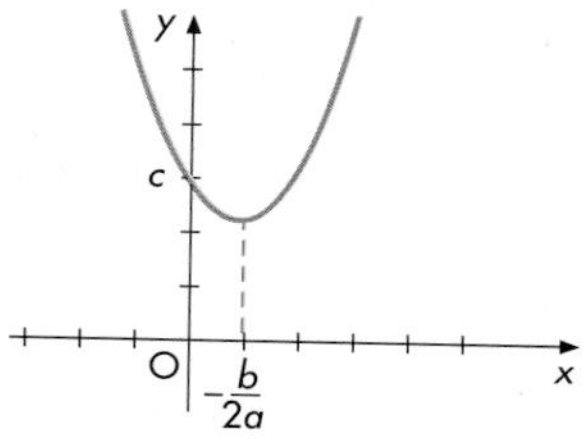

Fonction homographique. C'est la fonction définie par l'équation :

$$y = \frac{ax + b}{cx + d}.$$

Sa courbe représentative est une hyperbole. Elle n'est pas définie pour $x = -d/c$ et, quand x tend vers l'infini, y tend vers a/c.

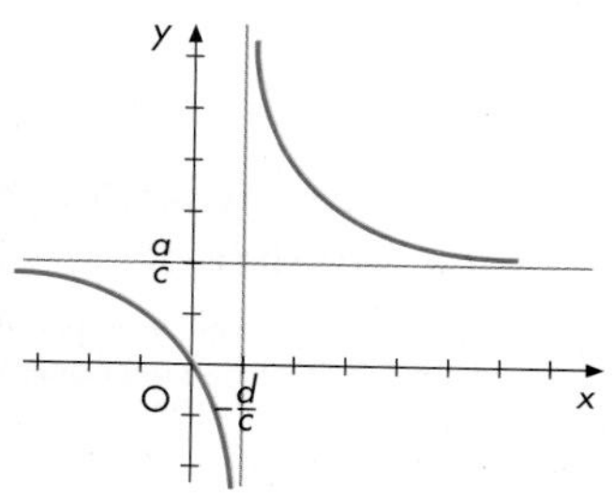

Fonction puissance. Définie pour $x > 0$, elle s'écrit : $y = x^u$ ou $y = e^{u \cdot \ln x}$.

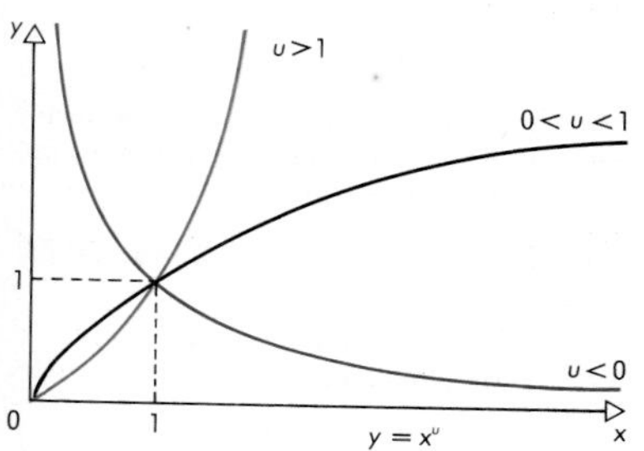

Fonction exponentielle. On l'appelle parfois « fonction de croissance naturelle », car de nombreux processus naturels, comme la croissance d'une forêt ou celle de la population de la planète, sont des fonctions de nature exponentielle. On la note : $y = e^x$, où

$$e = 2{,}718\ 281\ 828\ 459...$$

D'une façon plus générale, on peut définir la fonction exponentielle de base a quelconque : $y = a^x$, les représentations graphiques dépendant de la valeur de a.

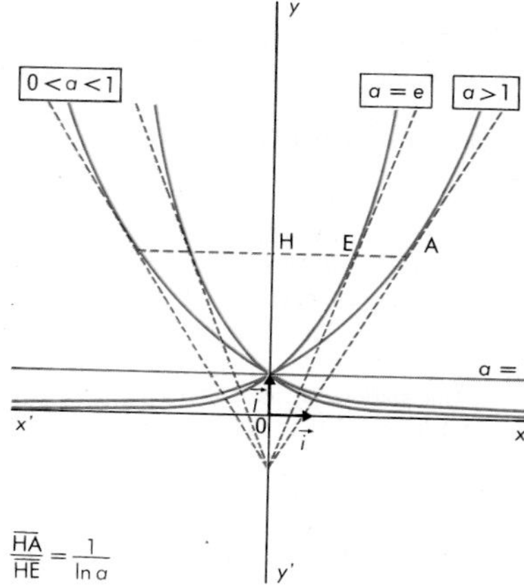

Fonction logarithme. Elle est la fonction inverse de la fonction exponentielle :

$x = a^y \Rightarrow y = \log_a x$

$x = e^y \Rightarrow y = \ln x$ (ln : logarithme népérien).

Relation fondamentales : $\log_a a = 1$; $\ln e = 1$,

$\log_a x^n = n \log_a x$; $\log_a xy = \log_a x + \log_a y$.

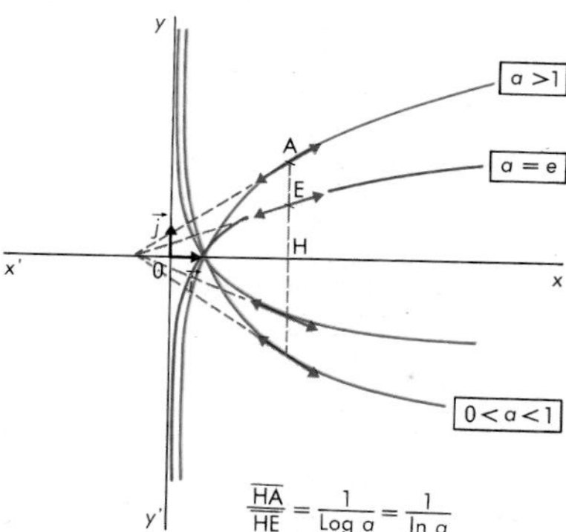

Fonctions trigonométriques. À tout angle α repéré dans le « cercle trigonométrique » de rayon unité, ces fonctions font correspondre un nombre compris entre –1 et +1 pour les fonctions sinus (sin) et cosinus (cos), compris entre $-\infty$ et $+\infty$ pour les fonctions tangente (tan) et cotangente (cotan).

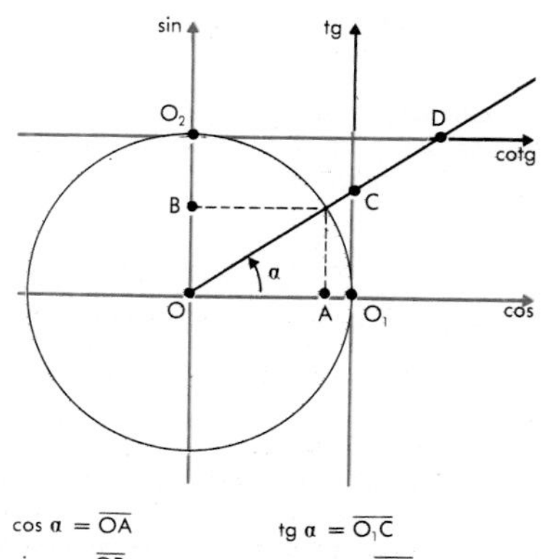

◆ **Valeurs particulières des fonctions trigonométriques.**

x	0	π/6	π/4	π/3	π/2
sin x	0	1/2	√2/2	√3/2	1
cos x	1	√3/2	√2/2	1/2	0
tg x	0	√3/3	1	√3	+ ∞
cotg x	+ ∞	√3	1	√3/3	0

◆ **Représentation graphique de $x \mapsto \sin x$.**

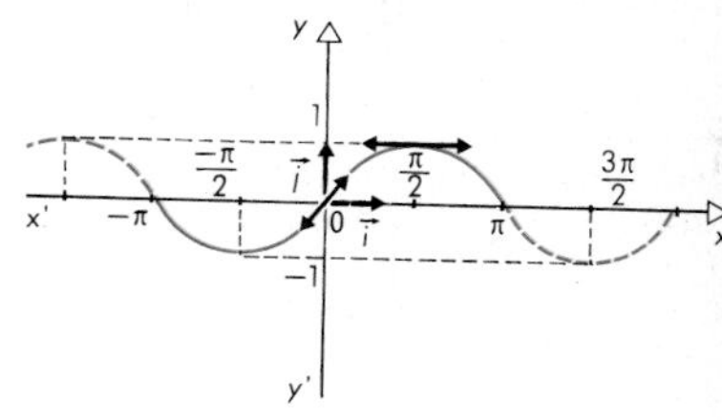

◆ **Représentation graphique de $x \mapsto \cos x$.**

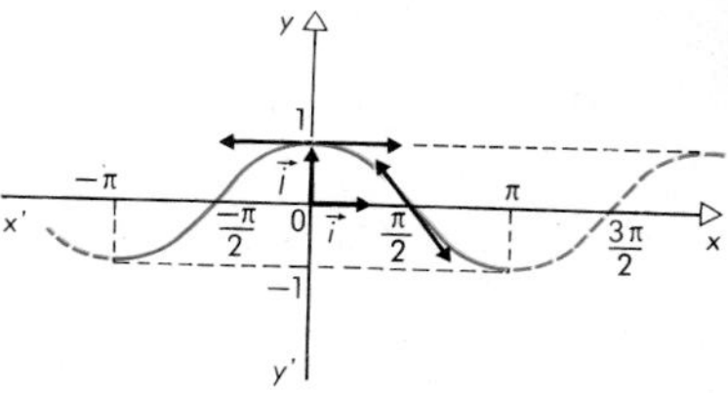

◆ **Représentation graphique de $x \mapsto \tan x$.**

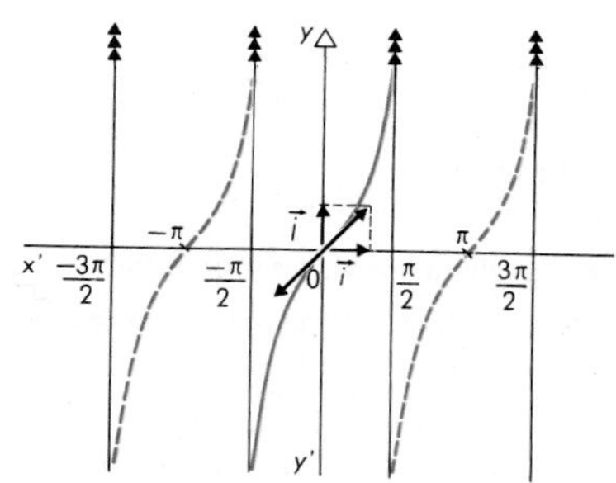

Fonctions trigonométriques inverses.

$x = \sin y \Rightarrow y = \text{Arc} \sin x$ (on dit «Arc sinus x»), y étant l'angle compris entre 0 et π dont le sinus est égal à x.

On définit de la même façon les fonctions : Arc cos x, Arc tan x, Arc cotan x.

Relations : Arc cos x + Arc sin $x = \pi/2$

Arc tan x + Arc cotan $x = \pi/2$.

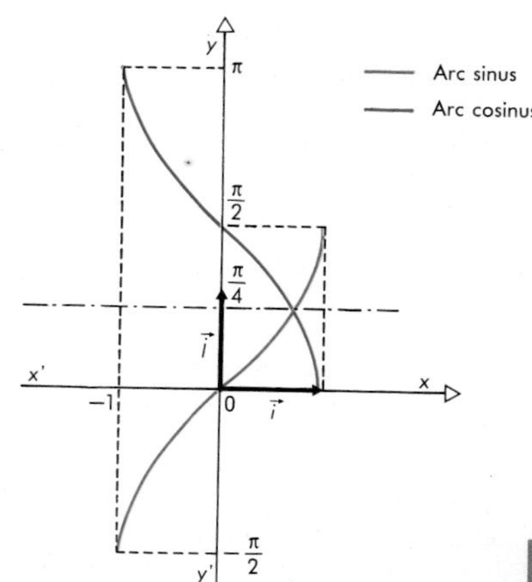

Fonctions hyperboliques. Il s'agit de :
$\text{ch } x = \frac{e^x + e^{-x}}{2}$; $\text{sh } x = \frac{e^x - e^{-x}}{2}$;
$\text{th } x = \frac{\text{sh } x}{\text{ch } x}$; $\text{coth } x = \frac{\text{ch } x}{\text{sh } x}$
(respectivement : cosinus hyperbolique, sinus hyperbolique, tangente hyperbolique, cotangente hyperbolique).
Relations fondamentales :
$\text{ch } x + \text{sh } x = e^x$
$\text{ch } x - \text{sh } x = e^{-x}$.

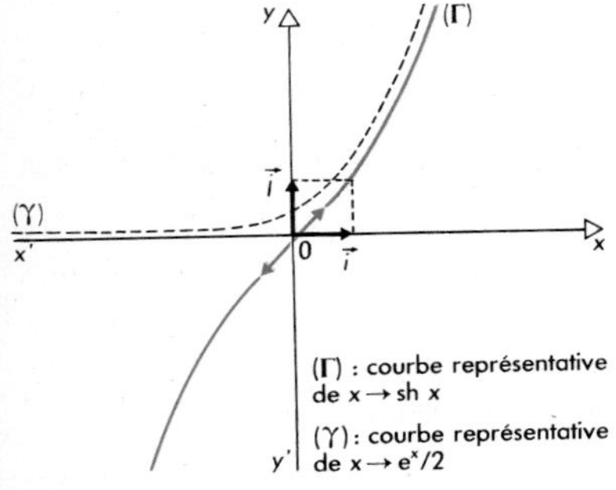

(Γ) : courbe représentative de $x \to \text{sh } x$
(γ) : courbe représentative de $x \to e^x/2$

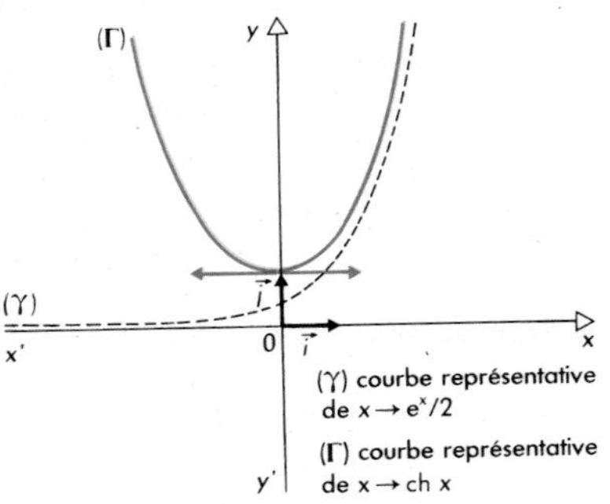

(γ) courbe représentative de $x \to e^x/2$
(Γ) courbe représentative de $x \to \text{ch } x$

◆ **Développements en série usuels.**

Développements valables pour toute valeur de x

$e^x = 1 + \frac{x}{1!} + \frac{x^2}{2!} + ... + \frac{x^n}{n!} + ...$

$a^x = 1 + \frac{x \ln a}{1!} + \frac{(x \ln a)^2}{2!} + ... + \frac{(x \ln a)^n}{n!} + ...$

$\cos x = 1 - \frac{x^2}{2!} + \frac{x^4}{4!} - ... + (-1)^n \frac{x^{2n}}{(2n)!} + ...$

$\sin x = x - \frac{x^3}{3!} + \frac{x^5}{5!} - ... + (-1)^n \frac{x^{2n+1}}{(2n+1)!} + ...$

$\text{ch } x = 1 + \frac{x^2}{2!} + \frac{x^4}{4!} + ... + \frac{x^{2n}}{(2n)!} + ...$

$\text{sh } x = x + \frac{x^3}{3!} + \frac{x^5}{5!} + ... + \frac{x^{2n+1}}{(2n+1)!} + ...$

Développements valables pour $|x| < 1$

$\frac{1}{1-x} = 1 + x + x^2 + ... x^n + ...$

$\frac{1}{1+x} = 1 - x + x^2 - x^3 + ... + (-1)^n x^n + ...$

$\ln (1 + x) = x - \frac{x^2}{2} + \frac{x^3}{3} - ... + (-1)^{n+1} \frac{x^n}{n} + ...$

$\ln (1 - x) = -x - \frac{x^2}{2} - \frac{x^3}{3} - ... - \frac{x^n}{n} - ...$

$\text{Arc tan } x = x - \frac{x^3}{3} + \frac{x^5}{5} - ... + (-1)^n \frac{x^{2n+1}}{2n+1} + ...$

$(1 + x)^n = 1 + nx + \frac{n(n-1)}{2!} x^2 + ...$

$+ \frac{n(n-1)...(n-i+1)}{i!} x^i + ...$

Suites et séries

La notion de suite s'est présentée, dans l'Antiquité, sous la forme d'un paradoxe. Zénon d'Élée (environ 450 av. J.-C.) prétendait que le rapide Achille était incapable de rattraper une tortue allant pourtant 10 fois moins vite que lui... Le raisonnement de Zénon est le suivant : quand Achille parcourt 1 m, la tortue parcourt 1/10 m, mais quand Achille aura parcouru ce dixième de mètre, la tortue aura-t-elle avancé de 1/100 m; et cela indéfiniment. La distance entre Achille et la tortue diminue évidemment mais n'est jamais nulle. Ce paradoxe avait pour but, chez Zénon, de nier la possibilité du mouvement; en mathématiques, il a donné naissance aux concepts de suite et de série.

Suites. Une suite de termes $u_0, u_1, ..., u_n, ...$ est convergente si u_n tend vers une limite ℓ quand n tend vers l'infini ($|u_n - \ell| \to 0$ quand $n \to \infty$); dans le cas contraire, la suite est dite divergente.

Une suite est arithmétique si $u_{n+1} = u_n + r$, où r est un nombre fixé appelé « raison » de la suite. La suite des nombres entiers 1, 2, 3, ... est une suite arithmétique de raison 1; elle est divergente.

Une suite est géométrique si $u_{n+1} = u_n \cdot q$, où q est la raison de la suite. Les distances entre Achille et la tortue forment une suite (1, 1/10, $1/10^2$, ...) géométrique de raison 1/10, qui converge vers 0.

La somme de n termes d'une suite arithmétique est donnée par la formule :

$$nu_0 + \frac{(n-1)n}{2} r.$$

Par exemple, la somme des nombres entiers de 1 à 100 vaut :

$$100 + \frac{99 \times 100}{2} \times 1 = 5\ 050.$$

La somme de n termes d'une suite géométrique est donnée par la formule :

$$u_0 \times \frac{q^n - 1}{q - 1}.$$

On en déduit les formules suivantes :

$1 + 2 + 3 + ... + n = \frac{n(n+1)}{2}$;

$1^2 + 2^2 + 3^2 + ... + n^2 = n \frac{(n+1)(2n+1)}{6}$;

$1 + 3 + 5 + ... + (2n - 1) = n^2$;
$2 + 4 + 6 + ... + 2n = n(n + 1)$.

Séries. Une série est formée par la somme des termes d'une suite $u_0 + u_1 + u_2 + ... + u_n ...$ Elle est convergente si cette somme tend vers une limite ℓ quand n tend vers l'infini; dans le cas contraire, elle est divergente. Ainsi, la série convergente $1 + 1/10 + 1/10^2 + ... + 1/10^n + ...$, qui mesure le parcours d'Achille, tend vers 10/9. En revanche, la série $1 + 1/2 + 1/3 + 1/4 + ... + 1/n...$ est divergente.

Développements en série d'une fonction. Une fonction peut être développée en série
– soit par la formule de Taylor :

$$f(a + h) = f(a) + hf'(a) + ... + \frac{h^n}{n!} f^{(n)}(a) + \varepsilon,$$

où $f^{(n)}$ est la dérivée n-ième de f, $n!$ est la factorielle de n ($n! = 1 \times 2 \times 3 \times ... \times n$) et ε un terme tendant vers 0;
– soit par la formule de Mac Laurin :

$$f(x) = f(0) + x f'(0) + ... + \frac{x^n}{n!} f^{(n)}(0) + \varepsilon.$$

Ces formules permettent de donner des valeurs approchées des fonctions usuelles. Elles sont utilisées par les ordinateurs et les calculatrices.

Trigonométrie

Les formules suivantes sont très utilisées dans le calcul littéral.

Lignes trigonométriques d'une somme.
$\sin (a + b) = \sin a \cdot \cos b + \sin b \cdot \cos a$;
$\cos (a + b) = \cos a \cdot \cos b - \sin a \cdot \sin b$;
$\tan (a + b) = \frac{\tan a + \tan b}{1 - \tan a \cdot \tan b}$.

Lignes trigonométriques d'une différence.
$\sin (a - b) = \sin a \cdot \cos b - \sin b \cdot \cos a$;
$\cos (a - b) = \cos a \cdot \cos b + \sin a \cdot \sin b$;
$\tan (a - b) = \frac{\tan (a - b)}{1 - \tan a \cdot \tan b}$.

Lignes trigonométriques de $2t$:
$\sin (2t) = 2 \sin t \cdot \cos t$;
$\cos (2t) = 2 \cos^2 t - 1 = 1 - 2 \sin^2 t$;
$\tan (2t) = \frac{2 \tan t}{1 - \tan^2 t}$.

Formules transformant les sommes en produit.

$\sin p + \sin q = 2 \sin \frac{p+q}{2} \cdot \cos \frac{p-q}{2}$;

$\sin p - \sin q = 2 \sin \frac{p-q}{2} \cdot \cos \frac{p+q}{2}$;

$\cos p + \cos q = 2 \cos \frac{p+q}{2} \cdot \cos \frac{p-q}{2}$;

$\cos p - \cos q = 2 \sin \frac{p+q}{2} \cdot \sin \frac{p-q}{2}$.

Formules transformant les produits en somme.

$\sin a . \sin b = \frac{1}{2} [\cos (a - b) - \cos (a + b)]$;

$\sin a . \cos b = \frac{1}{2} [\sin (a + b) + \sin (a - b)]$;

$\cos a . \cos b = \frac{1}{2} [\cos (a + b) + \cos (a - b)]$.

Formules de linéarisation.

$\sin^2 t = \frac{1 - \cos (2t)}{2}$; $\cos^2 t = \frac{1 + \cos (2t)}{2}$.

Formules utilisant $\theta = \tan t/2$.

$\sin t = \frac{2}{1 + \theta^2}$; $\cos t = \frac{1 - \theta^2}{1 + \theta^2}$; $\tan t = \frac{2\theta}{1 - \theta^2}$.

Ces formules sont utilisées, en particulier, pour résoudre les équations de la forme
$a \cdot \cos x + b \cdot \sin x + c = 0$.

Le nombre π

Le nombre π, qui représente le rapport de la circonférence du cercle à son diamètre, vaut π = 3,141 592 653 589 793 238 462 643 ... Ce nombre n'est solution d'aucune équation algébrique; il est dit « transcendant ». Il peut être obtenu par la formule :

$$\frac{\pi}{4} = \frac{1}{1} - \frac{1}{3} + \frac{1}{5} - \frac{1}{7} + \frac{1}{9} + ...$$

à partir du développement en série de Arc tan x. On l'obtient aussi à l'aide de la formule de Wallis :

$$\frac{\pi}{2} = \frac{2 \cdot 2 \cdot 4 \cdot 4 \cdot 6 \cdot 6 \cdot 7 \cdot ...}{1 \cdot 3 \cdot 3 \cdot 5 \cdot 5 \cdot 7 \cdot 8 \cdot ...}.$$

Des algorithmes plus perfectionnés permettent aux supercalculateurs d'obtenir plus de deux milliards de décimales de π.

VOIR AUSSI
• **Équations algébriques** p. 323
• **Dérivée *n*-ième** p. 324

Mathématiques

Les notions fondamentales

Le concept d'ensemble a été proposé par le mathématicien Georg Cantor (1845-1918) pour servir de notion de base à toutes les branches des mathématiques. On peut se représenter intuitivement un ensemble comme une collection d'objets, ses éléments.

Relation d'appartenance. $x \in y$ exprime que x est élément de y. Dans cette relation, x peut être lui-même un ensemble. Tous les objets mathématiques peuvent être assimilés à des ensembles.

Inclusion. On dit que x est inclus dans y si tout élement de x est aussi élement de y. On dit que x est un sous-ensemble de y et on écrit $x \subset y$.

Ensemble vide. C'est l'ensemble qui ne contient aucun élément. On le désigne par $\emptyset$.

Ensemble des parties. C'est l'ensemble des sous-ensembles de x. On le désigne par le symbole $\mathcal{P}(x)$.

Opérations sur les ensembles

Ces opérations permettent de construire de nouveaux ensembles à partir d'ensembles connus.

Intersection de deux ensembles. C'est l'ensemble des éléments qui appartiennent simultanément aux deux ensembles :

$$z \in x \cap y \Leftrightarrow z \in x \text{ et } z \in y.$$

Si l'intersection $x \cap y$ est vide, les deux ensembles sont disjoints.

Réunion de deux ensembles. C'est l'ensemble des éléments qui appartiennent à l'un au moins des deux ensembles :

$$z \in x \cup y \Leftrightarrow z \in x \text{ ou } z \in y.$$

◆ **Opérations sur les ensembles.**

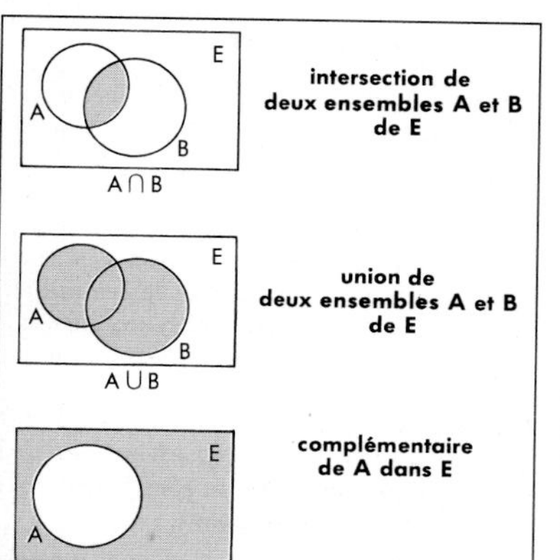

Complémentaire. Si l'ensemble x est inclus dans un ensemble E, le complémentaire de x par rapport à E est l'ensemble des éléments de E qui n'appartiennent pas à x :

$$z \in C_E(x) \Leftrightarrow z \in E \text{ et } z \notin x.$$

Produit cartésien. Le produit cartésien $x \times y$ de deux ensembles x et y est formé des couples (a, b) tels que :

$$(a, b) \in x \times y \Leftrightarrow a \in x \text{ et } b \in y.$$

Propriétés des opérations. Ces opérations vérifient quelques propriétés importantes.

Commutativité : $x \cap y = y \cap x$;
$x \cup y = y \cup x$;

Associativité : $x \cap (y \cap z) = (x \cap y) \cap z$;
$x \cup (y \cup z) = (x \cup y) \cup z$;

Distributivité : $x \cap (y \cup z) = (x \cap y) \cup (x \cap z)$;
$x \cup (y \cap z) = (x \cup y) \cap (x \cup z)$;
$C_E(x \cup y) = C_E(x) \cap C_E(y)$;
$C_E(x \cap y) = C_E(x) \cup C_E(y)$.

Ces deux dernières relations, qui ont un équivalent logique, sont les lois de Morgan. D'un point de vue logique, une phrase de type « A et B » est fausse si A est faux ou B est faux. De même, « A ou B » est faux si A est faux et B est faux. On observe donc que la négation introduit une correspondance entre les connecteurs « et » et « ou », correspondance que l'on retrouve avec la réunion et l'intersection. Les opérations de l'algèbre de Boole obéissent aux mêmes règles.

Cardinal et ordre d'un ensemble

La notion de cardinal permet de définir les nombres à partir de celle d'ensemble; elle peut être étendue aux ensembles infinis. Deux ensembles ont même cardinal si on peut définir une bijection entre eux : card (x) = card (y).

La définition de l'égalité des cardinaux de deux ensembles par l'existence d'une bijection entre eux a posé un problème inattendu. En effet, cette propriété, évidente pour les ensembles finis, ne l'est plus pour les ensembles infinis. En particulier, le mathématicien allemand Ernest Zermelo a montré en 1904 que cette simple affirmation entraîne la possibilité de définir sur tout ensemble infini un bon ordre (ordre analogue à celui des entiers naturels). De nombreuses critiques, en particulier celles de l'école française du début du XXe s., ont mis en doute la possibilité de prolonger, dans le domaine des ensembles infinis, les raisonnements valables dans les ensembles finis.

Un ensemble infini que l'on peut mettre en bijection avec l'ensemble $\mathbb{N}$ des nombres entiers est dit « dénombrable ». On lui associe le cardinal $\aleph_0$ (aleph zéro). On démontre qu'il est impossible de définir une bijection entre $\mathbb{N}$ et $\mathcal{P}(\mathbb{N})$. On lui associe le cardinal $\aleph_1 > \aleph_0$. On montre que l'ensemble des nombres réels a pour cardinal $\aleph_1$. De même, l'ensemble des parties d'un ensemble de cardinal $\aleph_1$ a un cardinal supérieur à $\aleph_1$, et cela indéfiniment...

Ensembles ordonnés. On peut définir sur un ensemble plusieurs types de relation d'ordre :
– ordre total : tous les éléments sont comparables entre eux;
– treillis : les éléments ne sont pas comparables, mais, pour deux éléments x et y, il existe un élément comparable et supérieur aux deux : max (x, y) et un élément comparable et inférieur aux deux : min (x, y);
– ordre dense : entre deux éléments, il existe toujours un troisième élément. L'ordre des rationnels est un ordre dense;
– bon ordre : c'est un ordre semblable à celui de l'ensemble $\mathbb{N}$ des nombres entiers : tout élément a un successeur. Il n'en est rien dans l'ensemble des nombres réels, ni dans celui des nombres rationnels.

Injection, surjection et bijection

Une application f de x dans y consiste à associer à tout élément a de x et un seul a' de y (l'image de a) :

$$a \mapsto a' = f(a).$$

Une application est injective si un élément de y n'est l'image qu'au plus un élément de x. Elle est surjective si tout élément de y est l'image d'un élément de x. Une application est bijective si elle est, à la fois, injective et surjective. La bijection met alors en correspondance un à un les éléments de x et ceux de y.

L'énigme du continu

La démonstration par Georg Cantor de l'impossibilité d'établir une correspondance terme à terme entre l'ensemble $\mathbb{N}$ des entiers et l'ensemble $\mathcal{P}(\mathbb{N})$ des parties (sous-ensembles) de $\mathbb{N}$ introduisant l'existence d'ensembles infinis de « tailles » différentes. Cantor utilise pour sa démonstration une très ancienne figure de raisonnement, celle que connaissaient les Grecs sous le nom de « paradoxe du menteur » ou « paradoxe d'Épiménide ». L'anecdote raconte qu'Épiménide affirmait que les Crétois étaient des menteurs; mais Épiménide était lui-même un Crétois. Son affirmation était donc fausse et les Crétois disaient donc la vérité. Le paradoxe du menteur introduit la notion d'autoréférence : en disant que les Crétois sont des menteurs, Épiménide parle de lui-même. Cantor utilise, pour sa démonstration, une procédure semblable : une liste des éléments de $\mathcal{P}(\mathbb{N})$ génère elle-même un élément omis de cette liste.

Le théorème de Cantor, s'il permet de construire des ensembles infinis de plus en plus grands, soulève un autre problème inattendu. Est-il possible de construire un ensemble dont le cardinal est intermédiaire entre ceux de $\mathbb{N}$ et de $\mathcal{P}(\mathbb{N})$? Comme le cardinal de $\mathcal{P}(\mathbb{N})$ est celui de l'ensemble des nombres réels (ensemble continu), on appelle cette question « problème du continu ».

Cette question s'avère l'une des plus difficiles soulevées par l'approche moderne des mathématiques. La solution donnée, en 1964, par le mathématicien américain Paul Cohen laisse rêveur : sans contradiction logique, on peut supposer qu'il n'y a aucun ensemble dont le cardinal est compris entre celui de $\mathbb{N}$ et celui de $\mathcal{P}(\mathbb{N})$, ou supposer qu'il en existe plusieurs. Chacune de ces hypothèses conduit à une théorie des ensembles différente.

Mathématiques

Les formes et la géométrie

Vecteurs et espaces vectoriels

Les vecteurs tirent leur origine de la mécanique, où ils sont utilisés pour représenter les forces. On peut imaginer un vecteur comme une flèche de direction, de sens et de norme (longueur) déterminés. Deux vecteurs parallèles sont dits « colinéaires ». Deux vecteurs parallèles de même sens et de même norme sont dits « équipollents ». On les considère souvent comme identiques. On symbolise les vecteurs par les notations $\vec{V}$ ou $\vec{AB}$; $\vec{0}$ est le vecteur nul.

Opérations sur les vecteurs. On définit quatre opérations sur les vecteurs :

– multiplication d'un vecteur par un nombre k : pour le distinguer du vecteur, le nombre k est appelé « scalaire ». Le vecteur $k\vec{V}$ est colinéaire à $\vec{V}$ et sa norme est égale à la norme de $\vec{V}$ multipliée par k. Les deux vecteurs sont de même sens si k est positif et de sens contraire si k est négatif;

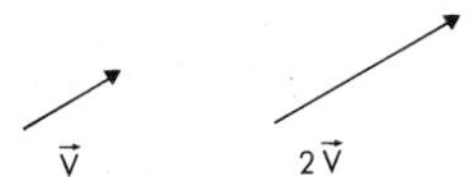

– addition de deux vecteurs : la somme $\vec{V}$ des vecteurs $\vec{V_1}$ et $\vec{V_2}$ s'obtient en mettant bout à bout deux vecteurs $\vec{AB}$ et $\vec{BC}$ équipollents à $\vec{V_1}$ et $\vec{V_2}$: on a alors $\vec{AB} + \vec{BC} = \vec{AC}$. Cette relation, dite « relation de Chasles », peut être généralisée à un nombre quelconque de vecteurs mis bout à bout.

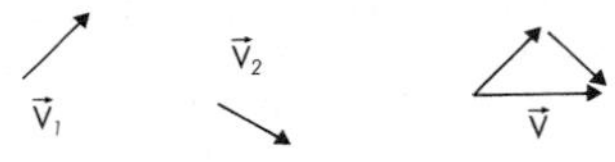

– produit scalaire : le produit scalaire de deux vecteurs $\vec{V_1}$ et $\vec{V_2}$, dont les coordonnées respectives dans un répère orthonormé sont :

$$\begin{pmatrix} a_1 \\ a_2 \\ a_3 \end{pmatrix} \text{ et } \begin{pmatrix} b_1 \\ b_2 \\ b_3 \end{pmatrix},$$

est le scalaire $a_1b_1 + a_2b_2 + a_3b_3$. Il est nul si les deux vecteurs sont perpendiculaires.

Ce produit tire son origine de la notion de travail d'une force représentée par le vecteur $\vec{V_1}$ dont le déplacement du point d'application est $\vec{V_2}$.

– produit vectoriel : le produit vectoriel de deux vecteurs $\vec{V_1}$ et $\vec{V_2}$ est $\vec{V} = \vec{V_1} \wedge \vec{V_2}$ dont les coordonnées sont :

$$\begin{pmatrix} a_2b_3 - b_2a_3 \\ a_3b_1 - b_3a_1 \\ a_1b_2 - b_1a_2 \end{pmatrix}.$$

Le vecteur $\vec{V}$ est perpendiculaire au plan formé par les vecteurs $\vec{V_1}$ et $\vec{V_2}$. Le produit vectoriel est nul si les deux vecteurs sont colinéaires.

Ce produit est lié à la notion physique de moment d'une force par rapport à un bras de levier.

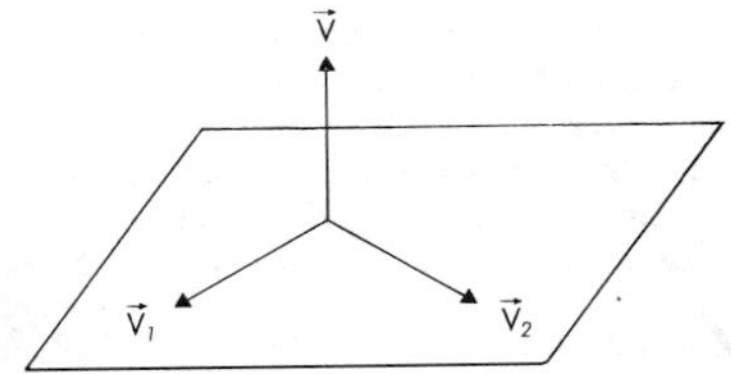

Espace vectoriel. Les deux opérations d'addition et de multiplication sont à l'origine de la notion d'espace vectoriel.

L'espace vectoriel engendré par les vecteurs $\vec{V_1}, \vec{V_2}, \ldots$, et $\vec{V_n}$ est l'ensemble, pour toutes les valeurs des scalaires $a_1, a_2, \ldots, a_n$ des vecteurs $a_1\vec{V_1} + a_2\vec{V_2} + \ldots + a_n\vec{V_n}$. L'espace géométrique, par exemple, est engendré par trois vecteurs $\vec{V_1}$, $\vec{V_2}$, $\vec{V_3}$, non situés sur un même plan. On remarque que les deux vecteurs $\vec{V_1}$ et $\vec{V_2}$ engendrent un plan qui est lui-même un espace vectoriel.

Les vecteurs $\vec{V_1}, \vec{V_2}, \ldots$, et $\vec{V_n}$ sont dits « indépendants » si aucun d'entre eux ne peut être engendré par les autres. Des vecteurs indépendants qui engendrent un espace vectoriel forment une « base » de cet espace. Le nombre des vecteurs de la base est la « dimension » de l'espace vectoriel. L'espace géométrique ordinaire est de dimension 3, le plan de dimension 2. Dans certaines applications des espaces vectoriels, en particulier dans le traitement des problèmes liés aux sciences économiques, on utilise des espaces de dimension supérieure à 3.

Coordonnées d'un vecteur. Si, dans une base $\vec{V_1}, \vec{V_2}, \ldots \vec{V_n}$, un vecteur $\vec{V}$ s'écrit sous la forme $\vec{V} = a_1\vec{V_1} + a_2\vec{V_2} + \ldots + a_n\vec{V_n}$, les nombres $a_1, a_2, \ldots, a_n$ sont les coordonnées de ce vecteurs. On les écrit habituellement sous la forme :

$$\begin{pmatrix} a_1 \\ a_2 \\ \vdots \\ a_n \end{pmatrix}.$$

La somme de deux vecteurs de coordonnées respectives $\begin{pmatrix} a_1 \\ a_2 \\ a_3 \end{pmatrix}$ et $\begin{pmatrix} b_1 \\ b_2 \\ b_3 \end{pmatrix}$ a pour coordonnées :

$$\begin{pmatrix} a_1 + b_1 \\ a_2 + b_2 \\ a_3 + b_3 \end{pmatrix}.$$

Le produit par le scalaire k du vecteur $\vec{V}$ de coordonnées :

$$\begin{pmatrix} a_1 \\ a_2 \\ a_3 \end{pmatrix}$$

a pour coordonnées :

$$\begin{pmatrix} ka_1 \\ ka_2 \\ ka_3 \end{pmatrix}.$$

Dans l'espace géométrique, les composantes d'un vecteur sont obtenues en le projetant sur chaque vecteur de la base parallèlement au plan formé par les deux autres. On utilise, quand cela est possible, des vecteurs de base perpendiculaires deux à deux et de norme 1. La base (repère) est alors dite « orthonormée ». La position d'un point M dans l'espace est déterminée par les composantes du vecteur $\vec{OM} = x\vec{i} + y\vec{j} + z\vec{k}$ où le point O est l'origine du repère.

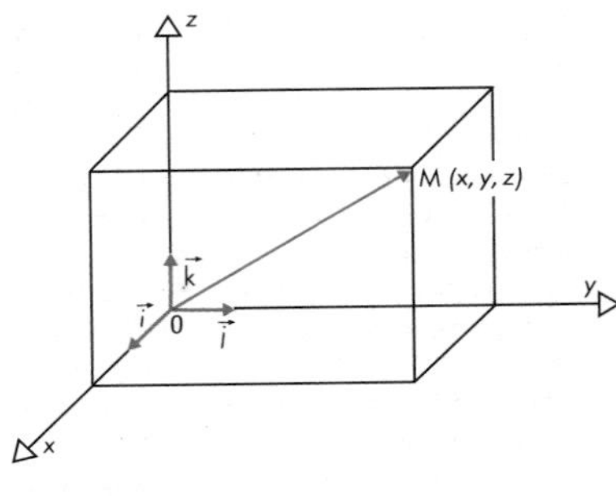

Les matrices

Une application $\vec{V} \mapsto f(\vec{V})$ qui, à un vecteur $\vec{V}$, fait correspondre un vecteur $f(\vec{V})$, est dite linéaire si, à $\vec{V} + \vec{V'}$, correspond le vecteur $f(\vec{V}) + f(\vec{V'})$ et, à $k\vec{V}$, correspond $f(\vec{V})$. Les applications linéaires sont représentées par des matrices, qui sont des tableaux de nombres du type :

$$\begin{pmatrix} a_{11} & a_{12} \ldots & a_{1n} \\ a_{21} & a_{22} \ldots & a_{2n} \\ \vdots & \vdots & \vdots \\ a_{m1} & a_{m2} \ldots & a_{mn} \end{pmatrix}.$$

Une matrice de m lignes et n colonnes fait correspondre, à un vecteur à n coordonnées, un vecteur à m coordonnées. L'opération s'effectue comme suit :

$$\begin{pmatrix} a_{11} & a_{12} \ldots & a_{1n} \\ a_{21} & a_{22} & a_{2n} \\ \vdots & \vdots & \vdots \\ a_{m1} & a_{m2} & a_{mn} \end{pmatrix} \times \begin{pmatrix} b_1 \\ b_2 \\ \vdots \\ b_n \end{pmatrix} = \begin{pmatrix} a_{11}b_1 + a_{12}b_1 + \ldots + a_{1n}b_n \\ \vdots \\ a_{m1}b_1 + \ldots + a_{mn}b_n \end{pmatrix}$$

Si $m = n$, la matrice est dite carrée.

Les matrices carrées de la forme :

$$\begin{pmatrix} 1 & 0 & \ldots & \ldots & 0 \\ 0 & 1 & \ldots & \ldots & \vdots \\ 0 & 0 & 1 & \ldots & \\ \vdots & & & & 0 \\ 0 & \ldots & \ldots & 0 & 1 \end{pmatrix}$$

sont dites « matrices-unités » (seule la diagonale comprend des 1, les autres éléments sont des 0). Elles font correspondre à un vecteur $\vec{V}$ ce propre vecteur.

Le produit de deux matrices représente la composition de deux applications. Il est obtenu en généralisant la procédure présentée dans l'exemple suivant :

$$\begin{pmatrix} a_{11} a_{12} \\ a_{21} a_{22} \end{pmatrix} \times \begin{pmatrix} b_{11} \\ b_{21} \end{pmatrix} = \begin{pmatrix} b_{12} & a_{11}b_{11} + a_{12}b_{21} + a_{11}b_{12} + a_{12}b_{22} \\ b_{22} & a_{21}b_{11} + a_{22}b_{21} + a_{21}b_{12} + a_{22}b_{22} \end{pmatrix}$$

Transformations dans le plan et l'espace. C'est à l'aide de matrices que l'on peut représenter les transformations géométriques. Par exemple, dans l'espace, la matrice :

$$\begin{pmatrix} k & 0 & 0 \\ 0 & k & 0 \\ 0 & 0 & k \end{pmatrix}$$

est une homothétie de centre O et de rapport k. On définit de même symétries et rotations.

Les barycentres

Étant donné trois points A, B, C et trois nombres α, β et γ, leur barycentre est le point G tel que $\alpha\,\vec{GA} + \beta\,\vec{GB} + \gamma\,\vec{GC} = \vec{0}$.
Le barycentre généralise la notion physique de centre de gravité : G est le centre de gravité de trois masses α, β et γ situées aux points A, B, C. En particulier, le centre de gravité d'un triangle (point de rencontre des médianes) est le barycentre correspondant à α = β = γ. Le barycentre est tel que, quel que soit le point M, on a :

$$\alpha\,\vec{MA} + \beta\,\vec{MB} + \gamma\,\vec{MC} = (\alpha + \beta + \gamma)\,\vec{MG}.$$

La notion de barycentre se généralise à un nombre quelconque de points.

Quelques théorèmes de géométrie

Droites et angles. L'angle de deux droites se note : $\alpha = (Ox, Oy)$.

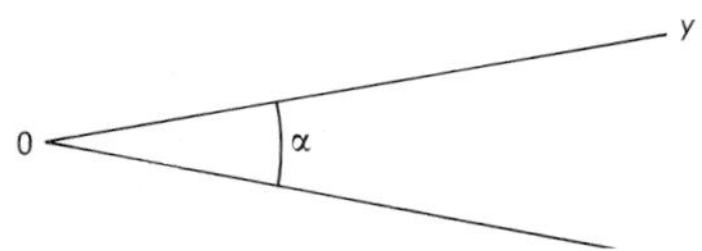

La bissectrice d'un angle partage un angle en deux angles égaux. Tout point de la bissectrice est équidistant des deux côtés de l' angle.

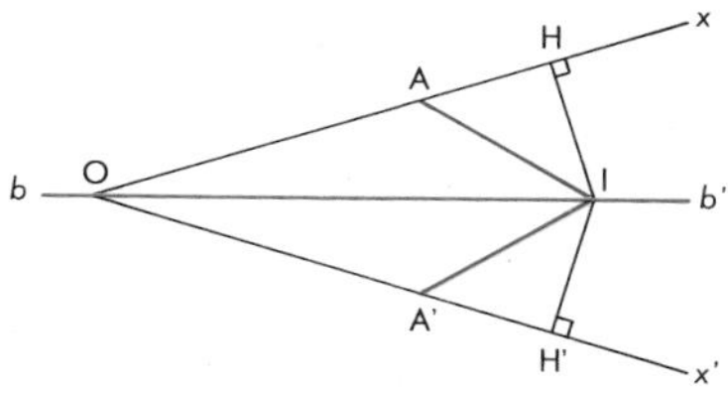

La médiatrice d'un segment est la perpendiculaire au segment passant par son milieu. Tout point de la médiatrice est équidistant des extrémités du segment. Pour la construire à l'aide d'une règle et d'un compas, on trace deux cercles de même rayon de centres A et B : la médiatrice du segment [AB] passe par les deux points d'intersection de ces cercles.

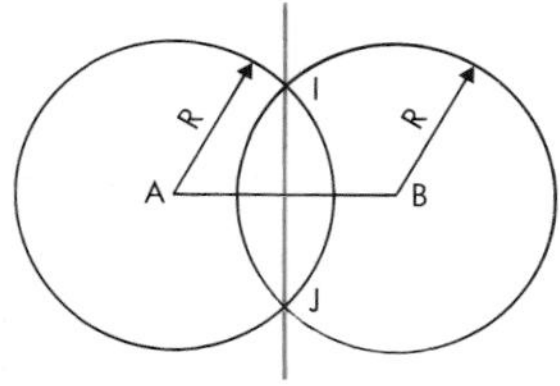

Théorème de Thalès. Si trois droites parallèles coupent deux droites quelconques en A, B, C et A', B', C', ces points sont tels que :

$$\frac{AB}{A'B'} = \frac{BC}{B'C'}.$$

Ce théorème admet une réciproque : si les points A, B, C et A', B', C' vérifient la relation ci-dessus, les droites (AA'), (BB') et (CC') sont parallèles.

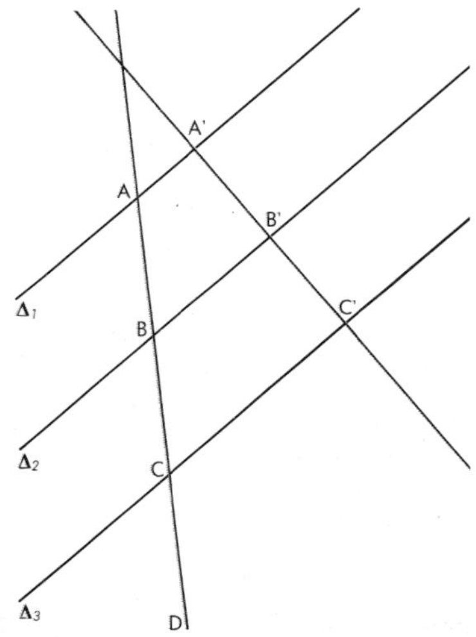

Triangles. La somme des angles d'un triangle est égale à 180°.

Les trois médiatrices des côtés d'un triangle sont concourantes en un point O, centre du cercle circonscrit au triangle.

Les trois médianes (segments joignant chaque sommet au milieu du côté opposé) sont concourantes en un point G appelé « centre de gravité ». Ce point est situé aux 2/3 de chaque médiane à partir du sommet.

Les trois hauteurs (perpendiculaires menées de chaque sommet au côté opposé) sont concourantes en un point H appelé « orthocentre ».

Les trois bissectrices intérieures sont concourantes en un point I, centre du cercle inscrit (tangent aux trois côtés).

Les trois points O, G et H sont alignés sur la « droite d'Euler » et sont tels que OH = 3 OG.

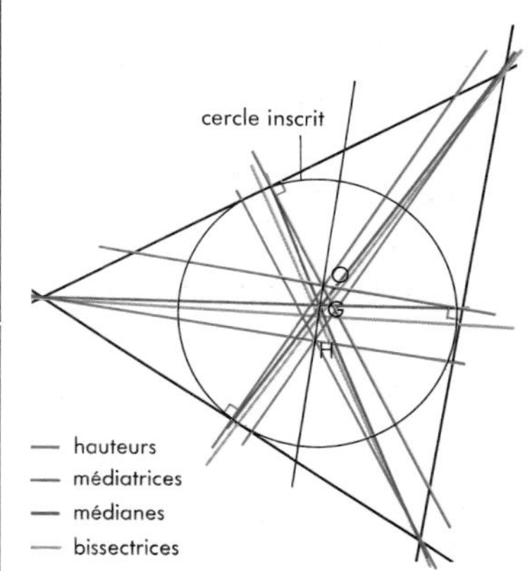

Théorème de Pythagore. Dans un triangle rectangle, le carré de l'hypoténuse BC est égal à la somme des carrés AB et BC des côtés de l'angle droit :

$$BC^2 = AB^2 + AC^2.$$

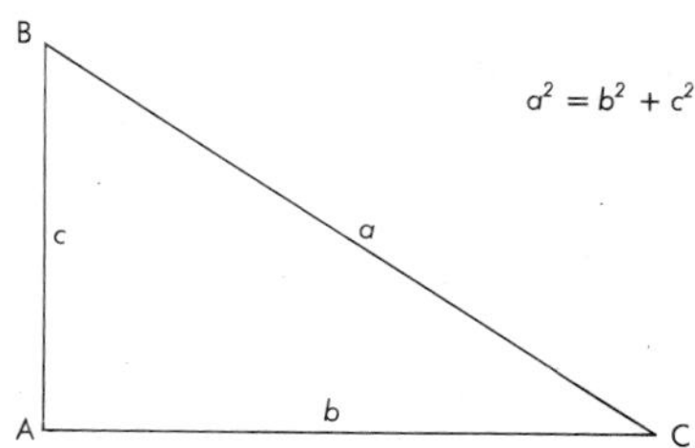

On en déduit les formules suivantes entre les éléments d'un triangle : si a, b, c sont respectivement les côtés opposés aux sommets A, B, C, on a :

$$\frac{a}{\sin A} = \frac{b}{\sin B} = \frac{c}{\sin C} = 2R\ ;$$

$$a^2 = b^2 + c^2 - 2bc \cos A;$$

$$bc \sin A = 2\,S;$$

$abc = 4$ RS, où S est l'aire du triangle et R le rayon du cercle circonscrit.

La géométrie analytique

La géométrie analytique, dont le principe provient pour l'essentiel des travaux de Descartes, consiste à traiter les objets géométriques (droites, cercles, plans, sphères, etc.) dans un système de coordonnées, à l'aide d'équations algébriques, ce qui revient à résoudre des problèmes purement algébriques.

Droites et cercles en géométrie plane. On utilise généralement un repère cartésien orthonormé Oxy. Une droite a alors une équation de la forme $ax + by + c = 0$.

Deux droites d'équations $ax + by + c = 0$ et $a'x + b'y + c' = 0$ sont parallèles si $ab' - ba' = 0$; elles sont perpendiculaires si $aa' + bb' = 0$.

La distance d'un point (x_0, y_0) à une droite est :

$$d = \frac{|ax_0 + by_0 + c|}{\sqrt{a^2 + b^2}}$$

Un cercle centré en O et de rayon R a pour équation $x^2 + y^2 = R^2$; si son centre a pour coordonnées a et b, son équation est :

$$(x - a)^2 + (y - b)^2 = R^2.$$

Rechercher, par exemple, les intersections de droites et de cercles, revient donc à résoudre des systèmes d'équations. Les méthodes analytiques sont relativement puissantes, mais elles nécessitent souvent de très longs calculs qui limitent leur efficacité. Elles peuvent être améliorées en utilisant les propriétés des vecteurs. Ainsi, une droite d'équation $ax + by + c = 0$ est perpendiculaire au vecteur de composantes (a,b).

Plans et sphères dans l'espace. Si le repère $Oxyz$ est orthonormé, l'équation d'un plan est de la forme $ax + by + cz + d = 0$. Ce plan est perpendiculaire au vecteur de composantes (a, b, c). Cette remarque permet de définir les conditions de parallélisme et de perpendicularité des plans.

Une sphère de centre O et de rayon R a pour équation $x^2 + y^2 + z^2 = R^2$; si son centre a pour coordonnées a, b et c, son équation est :

$$(x - a)^2 + (y - b)^2 + (z - c)^2 = R^2.$$

La quadrature du cercle

Dès l'Antiquité, on se pose le problème suivant : « comment construire, en se servant uniquement d'un cercle et d'un compas, un carré ayant même aire qu'un cercle donné ? »

C'est à ce problème que l'on donne le nom de « quadrature du cercle ». Il faut préciser que le terme « quadrature » désignait la construction d'un carré ayant même aire qu'une figure donnée (quadrature d'un triangle, d'un arc de parabole...).

La quadrature du cercle s'avère, malgré des milliers de tentatives, infructueuse; elle devient même synonyme de « problème impossible ». La surface d'un cercle de rayon R étant égale à πR^2, l'impossibilité de la quadrature devait ajouter au mystère du nombre π.

Il faut attendre plusieurs siècles pour que l'on comprenne le lien entre ce problème et la résolution des équations algébriques.

Ce n'est qu'en 1882 que le mathématicien Ferdinand von Lindemann, suivant une méthode mise au point une dizaine d'années plus tôt par Charles Hermite, démontre que π n'est solution d'aucune équation algébrique : π est un nombre transcendant. Ce résultat met définitivement fin au problème de la quadrature du cercle en prouvant qu'il n'y a pas de solution.

Coniques et quadriques

Les coniques. Ce sont les courbes obtenues par l'intersection d'un cône et d'un plan qui ne passe pas par le sommet du cône. Selon la position du plan, on obtient une ellipse, une parabole ou une hyperbole; le cercle est un cas particulier de l'ellipse. Les équations de ces courbes sont :

– ellipse : $\frac{x^2}{a^2} + \frac{y^2}{b^2} = 1$

(le cercle correspond au cas : $a = b$);

– hyperbole : $\frac{x^2}{a^2} - \frac{y^2}{b^2} = 1$;

– parabole : $y^2 = 2px$ (p est le « paramètre »).

On peut définir les coniques par les propriétés géométriques suivantes :

– l'ellipse est l'ensemble des points M dont la somme des distances à deux points F et F'(les foyers) est constante;

– l'hyperbole est l'ensemble des points dont la différence des distances à F et F' est constante (F et F' sont les foyers);

– la parabole est l'ensemble des points équidistants d'un point F (le foyer) et d'une droite D (la directrice).

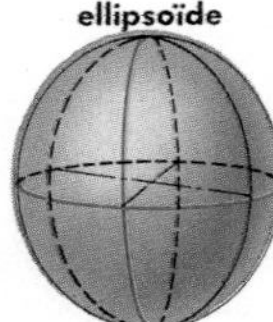

ellipsoïde

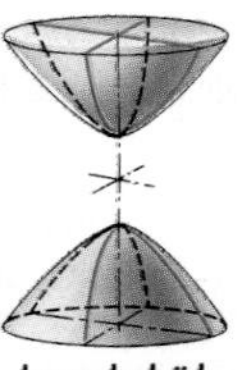

hyperboloïde à deux nappes

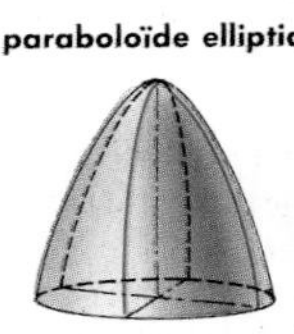

paraboloïde elliptique

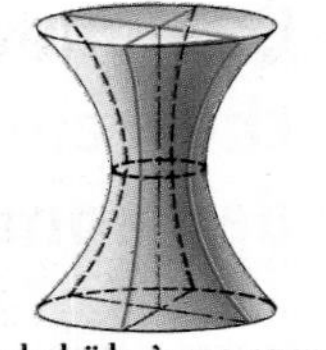

hyperboloïde à une nappe

◆ **Types de quadriques.**

Les quadriques. Ce sont des surfaces représentées par des équations $P(x, y, z) = 0$ du second degré. Ces surfaces généralisent dans l'espace les courbes planes du second degré que sont les coniques. Il existe, selon les valeurs des coefficients, dix-sept sortes de quadriques, dont onze, comme le cône ou le cylindre, sont appelées « quadriques impropres ». Les sections principales d'une quadrique (intersection d'une quadrique et d'un plan passant par l'axe de symétrie) sont des coniques.

◆ **Représentation des coniques comme sections par un plan d'un cône à double nappe.**

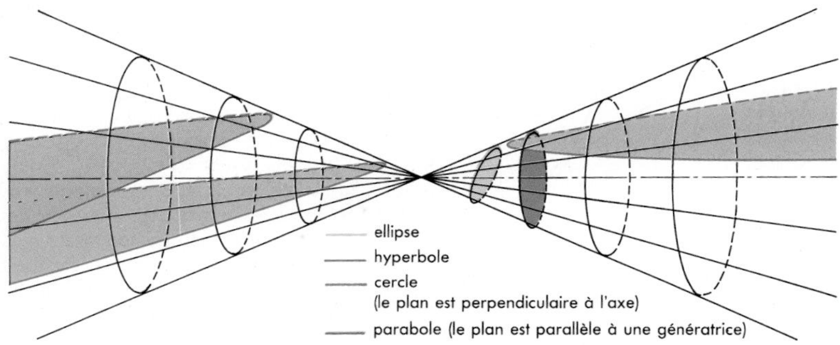

◆ **Représentation graphique des coniques dans un repère cartésien orthonormé.** F, F' : foyers; AA' : sommets; M : point quelconque de la conique; D : directrice; Ox : axe focal; Oy : axe transverse; OX, OY : asymptotes.

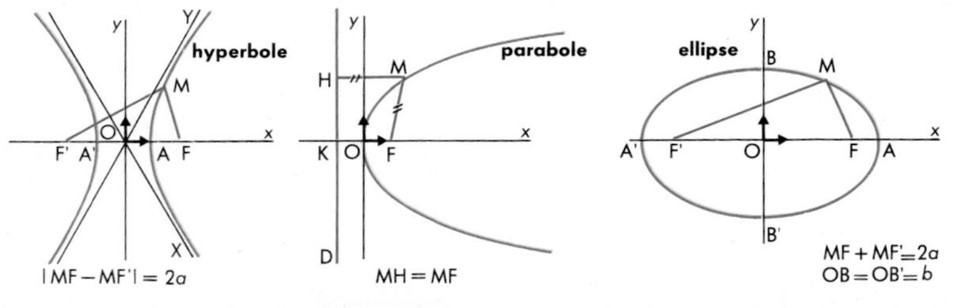

Les polyèdres réguliers

Un polyèdre est un volume fermé limité par des plans. Les intersections de ces plans sont les arêtes; ces arêtes forment des polygones, les faces, et se joignent aux sommets du polyèdre. Un cube, une pyramide, un prisme sont des polyèdres.

Un polyèdre est dit régulier si ses faces sont des polygones égaux et si les angles formés par les faces sont également égaux. Il est convexe s'il n'a pas de « creux ». Une énigme a longtemps hanté les mathématiciens, depuis l'Antiquité : « Si l'on sait construire des polygones réguliers ayant un nombre quelconque de côtés, pourquoi n'y a-t-il que cinq polyèdres réguliers convexes ? »

L'explication en a été donnée par Leonhard Euler, au XVIIIe s.

tétraèdre

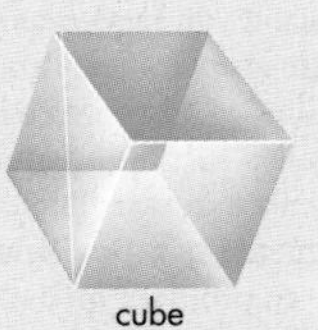

cube

octaèdre

dodécaèdre

icosaèdre

Courbes planes

Certaines courbes planes sont familières :

– la spirale d'Archimède, qui a pour équation, en coordonnées polaires : $\rho = a\,\theta$:

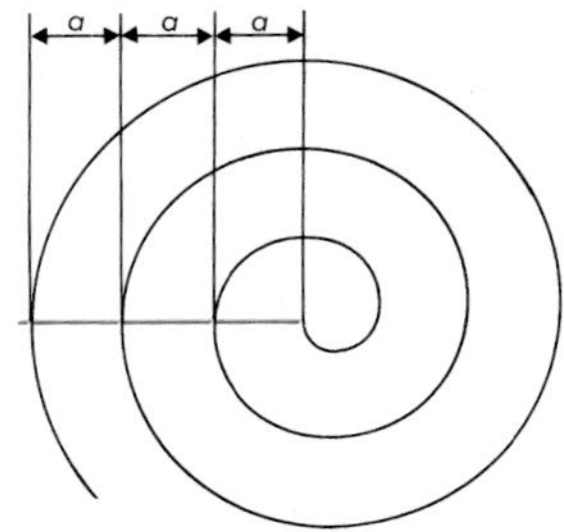

– la spirale logarithmique : $\rho = a^\theta$:

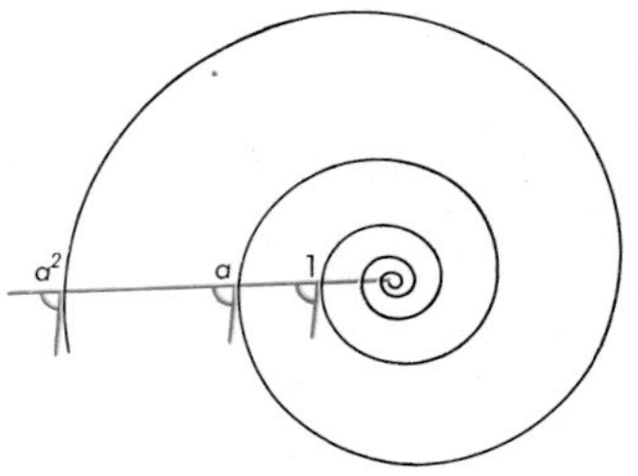

– la courbe du chien qui correspond à la courbe parcourue par un chien poursuivant un lièvre qui tente de fuir en décrivant un cercle :

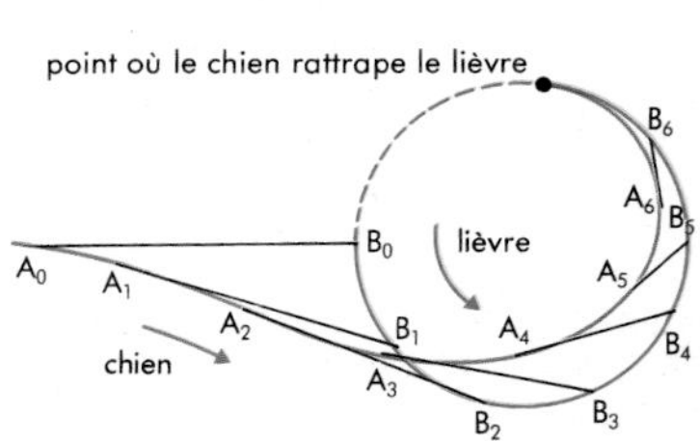

– la cardioïde : $\rho = \frac{1}{2}a\,(1 + \cos\theta)$:

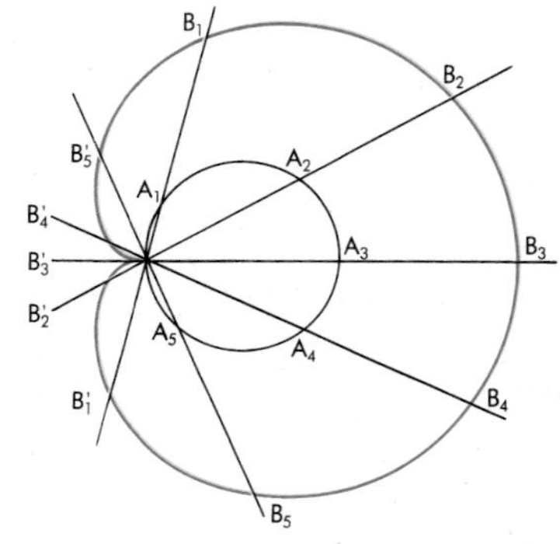

La topologie

Elle s'est constituée comme branche particulière des mathématiques, au cours du XIXe s., pour rendre compte de manière rigoureuse des notions familières de continuité et de voisinage en analyse mathématique. La continuité d'une fonction était définie intuitivement comme liée au fait que l'on pouvait dessiner sa courbe représentative sans saut, le dessin supposant que l'on passe continûment d'un point à un point voisin. À l'opposé, les discontinuités s'expriment par des ruptures dans l'espace considéré. On définit aujourd'hui la topologie d'un espace E comme la donnée de sous-ensembles de E, appelés « ouverts », tels que toute réunion d'ouverts soit un ouvert et que l'intersection de deux ouverts soit un ouvert (E et ∅ sont ouverts).

On dit que V est un voisinage d'un point a si V contient un ouvert O contenant a : $a \in O \subset V$. On peut aussi définir, dans E, un point frontière d'une partie A si tout voisinage de ce point a des points communs avec A, mais aussi avec le complémentaire de A.

Une fonction f est dite « continue au point a » si pour tout voisinage V de $f(a)$ il existe un voisinage U de a tel que $f(U) \subset V$: l'image du voisinage de a est alors contenue dans celle du voisinage de $f(a)$.

La théorie des graphes

Cette théorie est née au XVIIIe s., avec le fameux problème des sept ponts de Königsberg, résolu par Leonhard Euler : « Est-il possible de traverser tous les ponts, en passant sur chacun une fois et une seule ? » En représentant les parcelles de terre (fig. 1) par des points *a, b, c, d* (sommets) et les ponts par des arcs, on obtient un graphe (fig. 2). Le problème des sept ponts n'a pas de solution, car le nombre d'arcs partant de chaque sommet est impair.

Il faut noter qu'on ne connaît pas à ce jour de solution générale pour le problème suivant, posé par William Hamilton au XIXe s. : « Trouver un chemin qui passe une fois et une seule par chaque sommet. » Un autre aspect de cette théorie des graphes est le problème des quatre couleurs : « quatre couleurs suffisent-elles à colorier une carte de géographie de manière que deux territoires ayant une frontière commune soient de couleur différente ? » La solution n'a été trouvée qu'en 1976... grâce à de puissants ordinateurs pouvant tester un très grand nombre de cas.

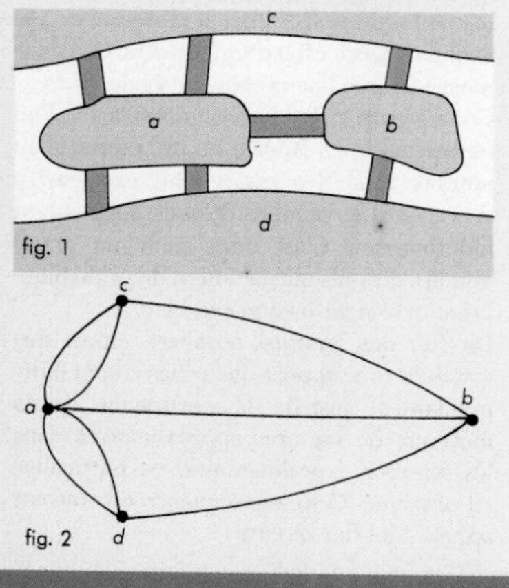

fig. 1

fig. 2

◆ **Aires de surfaces.**

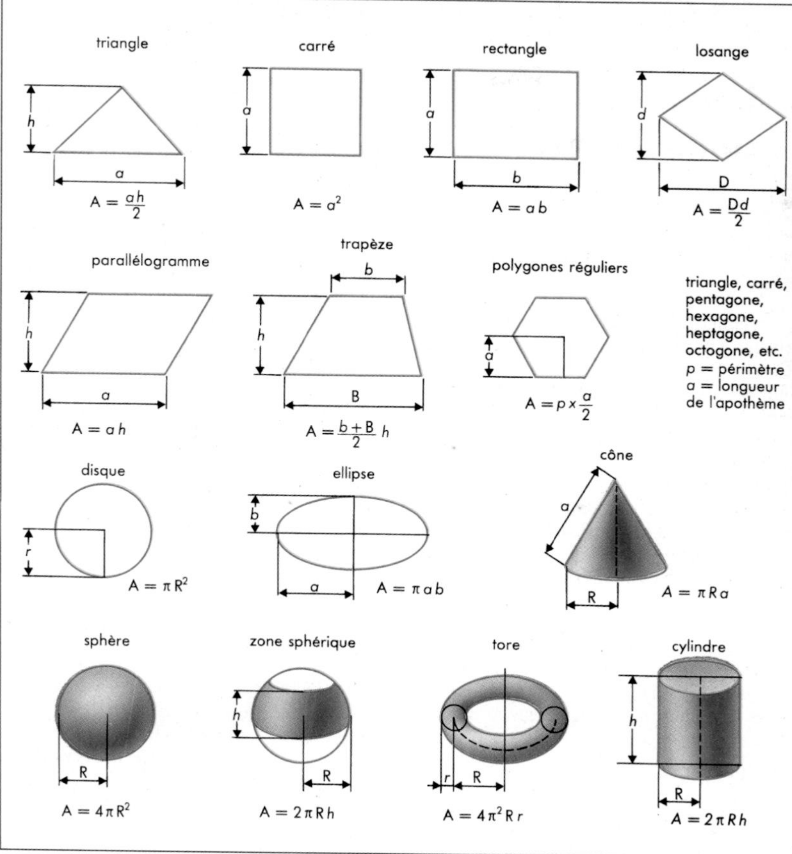

◆ **Volumes.**

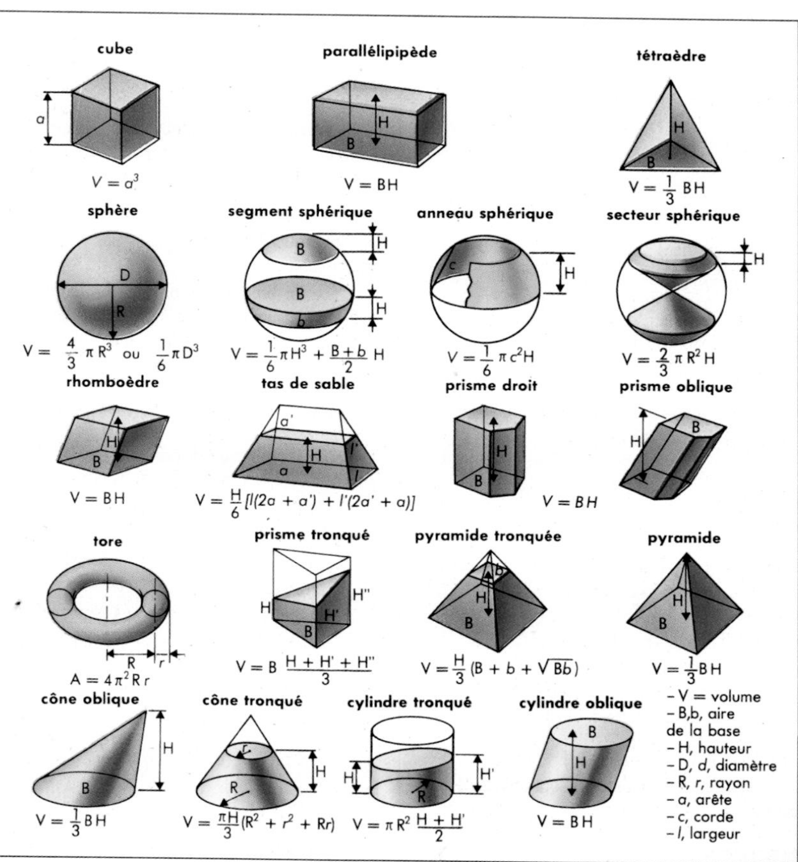

Mathématiques

Probabilités et statistiques

L'analyse combinatoire

Elle consiste à dénombrer les éléments d'un ensemble ou des parties d'un ensemble selon que l'on tienne compte ou non de l'ordre de ces éléments.

Permutations. Il s'agit du nombre de groupements différents que l'on peut réaliser avec n objets en tenant compte de l'ordre de ces objets. Ainsi, avec les lettres *a*, *b*, *c*, *d*, on peut former les permutations *abcd*, *bcda*, *abdc*, *acbd*, etc. Le nombre de permutations de n objets est désigné par les symboles P_n ou $(n)_n$.
On a $P_n = 1 \times 2 \times 3 \times ... \times n!$ (on lit « factorielle n »). Ainsi, avec quatre objets, on forme $4! = 24$ permutations; avec 8 objets, $8! = 40\,320$ permutations. Dans une permutation, on n'utilise pas deux fois le même objet; en se donnant le droit de répétition, on aurait n^n groupements possibles.

Arrangements. Il s'agit du nombre de groupement de p objets que l'on peut réaliser avec n objets, sans répétition mais en tenant compte de l'ordre. Le nombre des arrangements A_n^p ou $(n)_p$ est :

$$A_n^p = n(n-1)(n-2)\ ...\ (n-p+1) = \frac{n!}{(n-p)!}.$$

Si les répétitions sont permises, le nombre des groupements est n^p. Par exemple, l'écriture braille, qui regroupe 6 points en relief ou non, comprend $2^6 = 64$ signes.

Combinaisons. Il s'agit du nombre de groupements de p objets que l'on peut réaliser avec n objets, sans répétition et sans tenir compte de l'ordre. On désigne le nombre des combinaisons par les symboles C_n^p ou $\binom{n}{p}$.

On a $C_n^p = \binom{n}{p} = \dfrac{n!}{p!\,(n-p)!}$.

Ainsi, avec 3 objets pris parmi 5, on a :

$$C_5^3 = \binom{5}{3} = \frac{5!}{3!\,2!} = 10.$$

On a évidemment :

$$\binom{n}{n} = 1 \text{ et } \binom{n}{1} = \binom{n}{n-1} = n.$$

Les combinaisons interviennent dans la formule du binôme. Par exemple :

$$(a+b)^3 = a^3 + \binom{3}{1}ab^2 + \binom{3}{2}a^2b + b^3.$$

Les combinaisons peuvent être obtenues en utilisant le triangle de Pascal :

1
1 1
1 2 1
1 3 3 1
1 4 6 4 1
1 5 10 10 5 1
1 6 15 20 15 6 1
. . . .

C_n^p est à l'intersection de la $(n+1)^{\text{ième}}$ ligne et de la $(p+1)^{\text{ième}}$ colonne. Chaque terme du triangle est la somme de celui qui est au-dessus de lui et de celui qui précède ce dernier. On a en effet :

$$\binom{n}{p} = \binom{n-1}{p} + \binom{n-1}{p-1}$$

Les outils combinatoires sont utilisés dans le calcul des probabilités ainsi qu'en informatique.

Les probabilités

Lorsqu'un événement peut ou non se produire, on définit sa probabilité comme le rapport du nombre de cas favorables au nombre de cas possibles. Par exemple, la probabilité d'obtenir un 3 en lançant un dé une fois est de 1/6, celle d'obtenir un nombre pair est de 3/6. La probabilité est un nombre compris entre 0 et 1; elle est nulle si l'événement ne se produit jamais, et égale à 1 pour un événement certain.

Une variable aléatoire est une variable X qui prend une valeur donnée avec une probabilité donnée. La fonction de répartition, notée $F(x)$, est la probabilité pour que X soit inférieur à une valeur x donnée.

La densité de probabilité est la dérivée de cette fonction $f(x) = F'(x)$; elle représente la probabilité pour que X soit comprise entre deux valeurs x et $x + dx$.

On utilise certaines grandeurs pour caractériser une valeur aléatoire, en particulier quand on ne connaît pas la fonction $F(x)$:
– l'espérance mathématique ou valeur moyenne, définie par $E(X) = x_1p_1 + x_2p_2 + ... + x_np_n$, où p_n est la probabilité pour que X prenne la valeur x_n;
– l'écart quadratique moyen $E(X^2)$;
– la variance $v = \sigma^2 = E[X - E(X)^2]$;
– l'écart type est la racine carrée σ de la variance.
La première grandeur caractérise la valeur moyenne des résultats obtenus (paramètre de position), les deux dernières caractérisent la dispersion des valeurs par rapport à la valeur moyenne.

Exemple : dans le cas du lancement du dé, l'espérance mathématique est égale à :
$m = 1 \times 1/6 + 2 \times 1/6 + ... + 6 \times 1/6 = 3{,}5$;
la variance vaut : $\sigma^2 = (1 - 3{,}5)^2 \times 1/6 + (2 - 3{,}5)^2 \times 1/6 + ... + (6 - 3{,}5) \times 1/6 = 2{,}92$;
et l'écart-type est $\sigma = \sqrt{2{,}92} = 1{,}71$.

Principales lois de probabilité. Certaines lois se rencontrent plus souvent que d'autres. On les emploie parfois sous leur forme réduite, la variable étant alors $\dfrac{(X-m)}{\sigma}$, m étant la moyenne arithmétique des valeurs prises par X et σ leur écart-type.

La loi binomiale donne la probabilité de sortie, au cours du tirage d'un échantillon de n boules, de k boules blanches, quand il y a une proportion p de boules blanches :
– densité de probabilité : $f(k) = C_n^k\, p^k (1-p)^{n-k}$;
– espérance : np;
– variance : $np(1-p)$.
Exemple : la probabilité de naissance d'un garçon est $p = 0{,}515$. L'application de la loi binomiale permet de calculer la probabilité qu'une famille de $n = 6$ enfants comporte $k = 0, 1, 2, ..., 6$ garçons :

nombre de garçons	0	1	2	3	4	5	6
probabilité (en %)	1,3	8,3	22	31,2	24,8	10,5	1,9

La loi de Laplace-Gauss est la plus courante des lois de probabilité.
– densité de probabilité :

$$f(x) = \frac{1}{\sigma\sqrt{2\pi}}\, e^{-(x-m)^2/2\sigma^2}$$

pour la loi réduite ($m = 0$ et $\sigma = 1$) :

$$f(x) = \frac{1}{\sqrt{2\pi}}\, e^{-x^2/2}$$

– espérance : m ;
– variance : σ^2.

La loi de Poisson donne la probabilité pour que des événements de même nature puissent se produire n fois dans un temps déterminé, a étant un paramètre égal à la moyenne du nombre de survenances des événements pendant un temps considéré.
Expression générale :

$$P_n = \frac{a^n}{n!}\, e^{-a}.$$

– espérance : a ;
– variance : a.
La loi de Poisson est un cas limite de la loi binomiale, qui s'applique lorsqu'un événement se réalise très rarement. Elle permet d'évaluer les probabilités de pannes de télécommunication ou de survenance d'événements rares en météorologie.

Les statistiques

Les statistiques désignent un ensemble de données (humaines, économiques, techniques...) présentées sous forme de tableaux ou de diagrammes. Ces données doivent être traitées et interprétées en utilisant les outils du calcul des probabilités.

Les diagrammes sont construits en portant en abscisses les valeurs obtenues et en ordonnées le nombre de fois que cette valeur est observée (histogrammes), ou les valeurs cumulées de ces observations (diagrammes cumulés).

Parmi les résultats de l'analyse statistique, on recherche si deux grandeurs observées sont liées entre elles. Dans ce cas, le graphique ayant pour coordonnées les deux grandeurs observées se rapproche d'autant plus d'une droite (régression linéaire).

Les analyses statistiques se font généralement sur des échantillons d'observations. Des tests, comme le test du χ^2 (khi-deux), permettent de savoir si l'échantillon est représentatif de la population étudiée.

La loi des grands nombres

La loi des grands nombres (il existe plusieurs formes distinctes de cette loi) indique que, pour un grand nombre de variables aléatoires indépendantes et ayant la même loi de probabilité, la moyenne de ces variables tend effectivement vers la valeur moyenne avec une probabilité égale à 1.
Concrètement, le nombre de fois où l'on obtient un 5, en lançant un dé, rapporté au nombre total des essais tend exactement vers 1/6 si le nombre d'essais augmentent indéfiniment. C'est donc pour un grand nombre d'essais que la notion de probabilité prend une signification concrète.
La loi des grands nombres pour des variables (on suppose que celles-ci sont indépendantes) justifie la pertinence de la moyenne de mesures approximatives dans les sciences expérimentales, en particulier en physique. Cette conséquence est souvent appelé « loi des erreurs ».

Les unités de mesure

La mesure des grandeurs

Pour mesurer une grandeur, il faut pouvoir la comparer à une grandeur de même espèce (longueur, masse, etc.) et établir un terme de comparaison (c'est-à-dire un nombre). Cette comparaison n'a d'intérêt que si, répétée en tous lieux et en tous temps, elle donne le même résultat, ce qui permet de définir des unités reproductibles et transportables. Aujourd'hui, on compte à travers le monde un grand nombre de telles unités définies et utilisées localement (pied, gallon, mille marin, etc.). Aussi, afin de faciliter les échanges scientifiques et commerciaux, de nombreux pays ont adopté un système commun, appelé « système international » (SI). La précision avec laquelle on définit les unités SI s'améliore en permanence. La Conférence générale des poids et mesures, à laquelle adhèrent tous les pays industrialisés, assure la mise à jour et la diffusion des unités fondamentales.

Les systèmes d'unités. Le choix des grandeurs fondamentales d'un système d'unités cohérent est délicat ; il dépend en outre de la nature et de la culture des utilisateurs. Les créateurs du système international se sont largement inspirés du système métrique, au moins pour les trois unités mécaniques (longueur, masse, temps), auxquelles ils ont ajouté quatre unités plus techniques. Ces sept unités sont plus ou moins directement liées à l'homme et à la Terre. Les progrès des connaissances en physique réalisés au cours du XXe s. devraient permettre de créer un système fondé sur des unités liées à des constantes physiques universelles, comme la constante de Planck, la vitesse de la lumière, la charge de l'électron ou la constante de gravitation. C'est déjà partiellement le cas pour les unités de temps et de longueur.

◆ **Les unités fondamentales du système international.**
Le système international d'unités (SI) est adopté, depuis 1960, par les 47 États signataires de la « Convention du mètre ». Il est construit à partir de sept unités de base : mètre, kilogramme, seconde, ampère, kelvin, mole, candela.

Grandeur	Unité	Symbole	Définition de l'étalon fondamental
longueur	mètre	m	longueur du trajet parcouru dans le vide par la lumière pendant une durée de 1/299 792 458 seconde
masse	kilogramme	kg	masse du prototype en platine iridié déposé au Bureau international des poids et mesures
temps	seconde	s	durée de 9 192 631 770 périodes de la radiation correspondant à la transition entre les deux niveaux hyperfins de l'état fondamental de l'atome de césium 133
courant électrique	ampère	A	courant qui, circulant dans deux conducteurs parallèles distants de 1 mètre, crée entre eux une force de $2 \cdot 10^{-7}$ newton par mètre linéaire de conducteur
température	kelvin	K	1/273,16 de la température du point triple de l'eau pure
quantité de matière	mole	mol	quantité de matière d'un système contenant autant d'entités élémentaires qu'il y a d'atomes dans 0,012 kilogramme de carbone 12
intensité lumineuse	candela	cd	intensité lumineuse, dans une direction donnée, d'une source qui émet un rayonnement monochromatique de fréquence $540 \cdot 10^{12}$ hertz (longueur d'onde 0,555 millimètre) et dont l'intensité énergétique dans cette direction est de 1/683 watt par stéradian

La course à la précision

En sciences, le rôle des mesures est en premier lieu de recueillir des informations permettant de confronter théorie et expérience. La qualité des mesures dépend de la précision avec laquelle sont définies les unités. Cette condition a été déterminante dans le choix des unités fondamentales retenues : on a choisi celles pour lesquelles on savait définir des étalons avec la plus grande précision. Lors de la constitution du système métrique, on a choisi des étalons à référence universelle, tel le mètre, défini tout d'abord comme étant égal à la dix millionième partie du quart du méridien terrestre. Mais le niveau de précision auquel on souhaitait parvenir exigeait des définitions plus fines. On a alors créé de nouveaux étalons fondés sur des phénomènes physiques soigneusement définis, dont la valeur reste cependant très voisine des étalons précédents pour ne pas remettre en cause leur usage.

De nouveaux étalons. C'est en particulier le cas pour la mesure du temps, dont l'unité, la seconde, a été d'abord définie à partir de la durée du jour solaire moyen, puis la durée de l'année solaire. Depuis 1967, elle est définie à partir de la fréquence d'un oscillateur atomique lié à l'atome de césium 133. La difficulté est de mesurer cette fréquence avec précision. Aujourd'hui, la qualité des horloges atomiques est telle qu'il est possible de faire cette mesure avec une précision de 10^{-15}. L'unité de longueur, également définie grâce à la physique atomique, est la distance parcourue par la lumière dans le vide pendant le temps d'une oscillation atomique bien définie. Il suffit de savoir émettre cette lumière de façon très pure et très stable, ce que permettent aujourd'hui les lasers : la précision de la mesure est actuellement de l'ordre de 10^{-13}. La précision de mesure des autres unités fondamentales, y compris la masse, est encore supérieure aux valeurs précédentes. Elle dépend plus de la difficulté expérimentale de la mesure elle-même que de la qualité de l'étalon. Rechercher de meilleurs étalons, affiner les techniques de mesure : la course à la précision est loin d'être achevée.

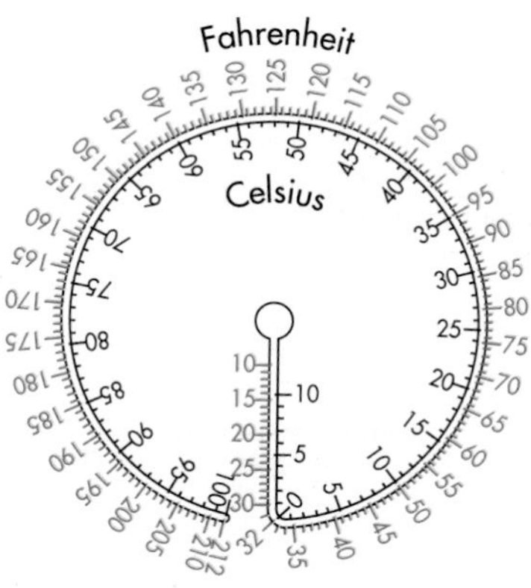

◆ **Échelles de température Celsius et Fahrenheit.**
Pour définir quantitativement la température, on peut exploiter, parmi les propriétés des corps, celles qui dépendent de la température de ces corps (variation de la résistivité électrique, par exemple). Ainsi, on peut choisir la dilatation d'un fluide maintenu à pression constante et admettre que cette dilatation est proportionnelle à la température. On obtient alors une échelle empirique de température en attribuant des valeurs arbitraires aux températures de deux points fixes (échelle Celsius : 0 °C pour la glace fondante et 100 °C pour l'eau bouillante ; échelle Fahrenheit : 32 °F pour la glace fondante et 96 °F pour le corps humain).

Petit lexique

constante physique : grandeur particulière dont la valeur est fixe (masse et charge de l'électron, constante de Planck, etc.) et qui joue un rôle central dans les théories physiques.
étalon : objet ou instrument qui matérialise une unité de mesure et qui sert de référence, de modèle légal.
système de grandeurs : ensemble des grandeurs physiquement mesurables dans lequel on a fait le choix d'un petit nombre de grandeurs fondamentales permettant de définir toutes les autres grandeurs dites grandeurs dérivées.

Les conservatoires d'unités

Dès que la notion de système d'unités à vocation universelle s'imposa, on eut l'idée d'édifier des bâtiments dans lesquels seraient conservés les étalons de mesure, permettant ainsi à tout utilisateur de venir vérifier que l'étalon secondaire qu'il utilise est bien identique à l'étalon primaire. Depuis 1889, le pavillon de Breteuil, à Sèvres (Hauts-de-Seine), est ainsi le dépositaire international de l'étalon de masse, constitué d'un bloc de platine iridié qui définit le kilogramme ; il abrite également d'autres étalons, comme le mètre-étalon, aujourd'hui abandonné. Ce lieu est par ailleurs le siège du Bureau international des poids et mesures (BIPM), dont la mission est de conserver les étalons internationaux primaires et de certifier des étalons secondaires.

VOIR AUSSI 
- **Mesures en physique** p. 271
- **Mesure de la Terre** p. 273

Illustrations
- **Mesure de la circonférence de la Terre par Ératosthène** p. 262

Notions clés des sciences : les unités de mesure *(suite)*

◆ **Unités de mesure légales françaises.**

(Décret du 3 mai 1961 modifié par les décrets du 5 janvier 1966, du 4 décembre 1975 et du 26 février 1982)

Les unités de base du système SI sont inscrites en GRANDES MAJUSCULES.

Les unités dérivées du système SI sont inscrites en PETITES MAJUSCULES.

Les unités admises internationalement avec le système SI sont inscrites en minuscules.

Les autres unités légales françaises sont inscrites en *italique*.

Les unités marquées d'un astérisque ne sont plus légales depuis le 1er janvier 1986.

Multiples et sous-multiples décimaux

yotta	Y	10^{24}	ou	1 000 000 000 000 000 000 000 000	d'unités	déci	d	10^{-1}	ou	0,1	unité
zeta	Z	10^{21}	ou	1 000 000 000 000 000 000 000	d'unités	centi	c	10^{-2}	ou	0,01	unité
exa	E	10^{18}	ou	1 000 000 000 000 000 000	d'unités	milli	m	10^{-3}	ou	0,001	unité
peta	P	10^{15}	ou	1 000 000 000 000 000	d'unités	micro	µ	10^{-6}	ou	0,000 001	unité
téra	T	10^{12}	ou	1 000 000 000 000	d'unités	nano	n	10^{-9}	ou	0,000 000 001	unité
giga	G	10^{9}	ou	1 000 000 000	d'unités	pico	p	10^{-12}	ou	0,000 000 000 001	unité
méga	M	10^{6}	ou	1 000 000	d'unités	femto	f	10^{-15}	ou	0,000 000 000 000 001	unité
kilo	k	10^{3}	ou	1 000	unités	atto	a	10^{-18}	ou	0,000 000 000 000 000 001	unité
hecto	h	10^{2}	ou	100	unités	zepto	a	10^{-21}	ou	0,000 000 000 000 000 000 001	unité
déca	da	10^{1}	ou	10	unités	yocto	a	10^{-24}	ou	0,000 000 000 000 000 000 000 001	unité

Unités géométriques

Unité	Symbole	Valeur
longueur		
MÈTRE	m	
mille		1 852 m
aire ou superficie		
MÈTRE CARRÉ	m^2	
are	a	100 m^2
hectare	ha	10 000 m^2
section efficace		
barn	b	10^{-28} m^2
volume		
MÈTRE CUBE	m^3	
litre	l (ou L)	0,001 m^3
angle plan		
RADIAN	rad	
tour	tr	2π rad
grade (ou *gon*)	gr (ou gon)	$\pi/200$ rad
degré	°	$\pi/180$ rad
minute	′	$\pi/10\,800$ rad
seconde	″	$\pi/648\,000$ rad
angle solide		
STÉRADIAN	sr	

Unités de masse

Unité	Symbole	Valeur
masse		
KILOGRAMME (les préfixes s'associent au nom « gramme »)	kg	
tonne	t	1 000 kg
GRAMME	g	0,001 kg
carat métrique		0,000 2 kg
unité de masse atomique	u	$1{,}660\,57 \cdot 10^{-27}$ kg
masse linéique		
KILOGRAMME PAR MÈTRE	$kg \cdot m^{-1}$	
tex	tex	$0{,}000\,001\ kg \cdot 1m^{-1}$
masse surfacique		
KILOGRAMME PAR MÈTRE CARRÉ	$kg \cdot m^{-2}$	
masse volumique, concentration		
KILOGRAMME PAR MÈTRE CUBE	$kg \cdot m^{-3}$	
volume massique		
MÈTRE CUBE PAR KILOGRAMME	$m^3 \cdot kg^{-1}$	

Unités de temps

Unité	Symbole	Valeur
temps		
SECONDE	s	
minute	min	60 s
heure	h	3 600 s
jour	d (ou j)	86 400 s
fréquence		
HERTZ	Hz	

Unités mécaniques

Unité	Symbole	Valeur
vitesse linéaire		
MÈTRE PAR SECONDE	$m \cdot s^{-1}$	
nœud		$1852/3600\ m \cdot s^{-1}$
kilomètre par heure	$km \cdot h^{-1}$	$1/3{,}6\ m \cdot s^{-1}$
vitesse angulaire		
RADIAN PAR SECONDE	$rad \cdot s^{-1}$	
tour par minute	$tr \cdot min^{-1}$	$2\pi/60\ rad \cdot s^{-1}$
tour par seconde	$tr \cdot s^{-1}$	$2\pi/rad \cdot s^{-1}$
accélération linéaire		
MÈTRE PAR SECONDE CARRÉE	$m \cdot s^{-2}$	
gal	Gal	$0{,}01\ m \cdot s^{-2}$
accélération angulaire		
RADIAN PAR SECONDE CARRÉE	$rad \cdot s^{-2}$	
force		
NEWTON	N	$1\ kg \cdot m \cdot s^{-2}$
moment d'une force		
NEWTON-MÈTRE	$N \cdot m$	
tension capillaire		
NEWTON PAR MÈTRE	$N \cdot m^{-1}$	
énergie, travail, quantité de chaleur		
JOULE	J	$1\ N \cdot m$
wattheure	Wh	3 600 J
électronvolt	eV	$1{,}602\,18 \cdot 10^{-19}$ J
puissance		
WATT	W	$1\ J \cdot s^{-1}$
pression, contrainte		
PASCAL	Pa	
bar	bar	100 000 Pa
millimètre de mercure*		133,322 Pa
viscosité dynamique		
PASCAL-SECONDE	$Pa \cdot s$	
poise*	P	$0{,}1\ Pa \cdot s$
viscosité cinématique		
MÈTRE CARRÉ PAR SECONDE	$m^2 \cdot s^{-1}$	
stokes*	St	$0{,}000\,1\ m^2 \cdot s^{-1}$

Unités électriques

Unité	Symbole	Valeur
intensité de courant électrique		
AMPÈRE	A	
force électromotrice, différence de potentiel (ou tension)		
VOLT	V	
puissance		
WATT	W	
résistance électrique		
OHM	Ω	
conductance électrique		
SIEMENS	S	$1\ \Omega^{-1}$

Unités électriques *(suite)*

Unité	Symbole	Valeur
intensité de champ électrique		
VOLT PAR MÈTRE	$V \cdot m^{-1}$	$1\ N \cdot C^{-1}$
quantité d'électricité, charge électrique		
COULOMB	C	
ampère-heure	Ah	3 600 C
capacité électrique		
FARAD	F	
inductance électrique		
HENRY	H	$1\ V \cdot s \cdot A^{-1}$
flux d'induction magnétique		
WEBER	Wb	$1\ V \cdot s$
induction magnétique		
TESLA	T	$1\ Wb \cdot m^{-2}$
intensité de champ magnétique		
AMPÈRE PAR MÈTRE	$A \cdot m^{-1}$	
force magnétomotrice		
AMPÈRE	A	

Unités thermiques

Unité	Symbole	Valeur
température thermodynamique		
KELVIN	K	
température Celsius		
DEGRÉ CELSIUS	°C	
quantité de chaleur		
JOULE	J	
calorie *	cal	4,185 5 J
flux thermique		
WATT	W	$1\ J \cdot s^{-1}$
capacité thermique, entropie		
JOULE PAR KELVIN	$J \cdot K^{-1}$	
capacité thermique massique, entropie massique		
JOULE PAR KILOGRAMME-KELVIN	$J \cdot kg^{-1} \cdot K^{-1}$	

Unités optiques

Unité	Symbole	Valeur
intensité lumineuse		
CANDELA	cd	
intensité énergétique		
WATT PAR STÉRADIAN	$W \cdot sr^{-1}$	
flux lumineux		
LUMEN	lm	
flux énergétique		
WATT	W	

Unités optiques (suite)		
Unité	Symbole	Valeur
éclairement lumineux		
LUX	lx	
éclairement énergétique		
WATT PAR MÈTRE CARRÉ	$W \cdot m^{-2}$	
luminance lumineuse		
CANDELA PAR MÈTRE CARRÉ	$cd \cdot m^{-2}$	
vergence des systèmes optiques		
MÈTRE À LA PUISSANCE MOINS UN	m^{-1}	
dioptrie	δ	$1\ m^{-1}$

Unités de la radioactivité		
Unité	Symbole	Valeur
activité radionucléaire		
BECQUEREL	Bq	$1\ s^{-1}$
curie*	Ci	$3{,}7 \cdot 10^{10}$ Bq
exposition de rayonnements X ou γ		
COULOMB PAR KILOGRAMME	$C \cdot kg^{-1}$	
röntgen*	R	$2{,}58 \cdot 10^{-4}\ C \cdot kg^{-1}$
dose absorbée		
GRAY	Gy	$1\ J \cdot kg^{-1}$
rad*	rd	0,01 Gy
équivalent de dose		
SIEVERT	Sv	$1\ J \cdot kg^{-1}$
rem*	rem	0,01 Sv

Unité de quantité de matière		
Unité	Symbole	Valeur
MOLE	mol	

Unités monétaires		
Unité	Symbole	Valeur
franc	F	
centime	c	10^{-2} F

L'aventure du mètre

Décidée sous Louis XVI par Lavoisier et Condorcet, la définition d'une nouvelle unité de mesure de longueur se fit, non sans mal, aux heures les plus chaudes de la Révolution française. Le mètre étant la « dix millionième partie du quart de méridien terrestre », il fallait mesurer une portion de méridien pour le définir exactement.

Les astronomes Jean-Baptiste Delambre et Pierre Méchain, l'un partant de Dunkerque, l'autre de Barcelone, se rejoignirent au bout de sept ans, après quelques milliers d'observations astronomiques et géodésiques. Le résultat de ce travail de Romain est le mètre étalon, qui n'est plus aujourd'hui qu'une pièce de musée. Après avoir été défini à partir de la longueur d'onde de la lumière émise par une lampe à krypton, le mètre est, depuis 1983, défini directement à partir de la vitesse de la lumière.

Constantes physiques

Les unités de base du système international (SI) sont autant que possible définies à partir des constantes physiques fondamentales.

Charge de l'électron :
$$e = 1{,}602\,177\,33 \cdot 10^{-19}\ C$$

Vitesse de la lumière dans le vide :
$$c = 2{,}997\,924\,58 \cdot 10^{8}\ m \cdot s^{-1}$$

Constante électrique (permittivité du vide) :
$$\varepsilon_0 = 8{,}854\,187\,817 \cdot 10^{-12}\ F \cdot m^{-1}$$

Constante magnétique (perméabilité du vide) :
$$\mu_0 = 4\pi \cdot 10^{-7}\ H \cdot m^{-1}$$

La valeur de la constante magnétique a été choisie de façon à rendre cohérentes les unités électriques et magnétiques : $\varepsilon_0 \cdot \mu_0 \cdot c^2 = 1$

Constante de Planck :
$$h = 6{,}626\,075\,5 \cdot 10^{-34}\ J \cdot s$$

Constante de Boltzmann :
$$k = 1{,}380\,658 \cdot 10^{-23}\ J \cdot K^{-1}$$

Constante de gravitation :
$$G = 6{,}672\,59 \cdot 10^{-11}\ N \cdot m^2 \cdot kg^{-2}$$

Constante de Stefan-Boltzmann :
$$\sigma = 5{,}67 \cdot 10^{-8}\ W \cdot m^{-2} \cdot K^{-4}$$

Constante d'Avogadro (nombre de molécules dans une mole) :
$$N = 6{,}022\,136\,7 \cdot 10^{23}\ mol^{-1}$$

Constante molaire des gaz :
$$R = 8{,}314\,510\ J \cdot mol^{-1} \cdot K^{-1}$$

Volume d'une mole d'un gaz parfait :
(à 273,15 K et à 1 atm = 101 325 Pa)
$$V_m = 22{,}414\,10 \cdot 10^{-3}\ m^3 \cdot mol^{-1}$$

Accélération de la pesanteur au point A (point situé au Bureau international des poids et mesures, à Sèvres):
$$g(A) = 9{,}809\,258\,72\ m \cdot s^{-2}$$

La mesure du temps

La mesure du temps n'est possible que s'il existe un étalon, en l'occurrence un système physique qui produise à la demande une durée fixe et reproductible. Pendant de nombreux siècles, les hommes ont trouvé dans les phénomènes célestes les étalons dont ils avaient besoin, car ceux-ci rythmaient leur vie, avec une précision largement suffisante : la succession des jours et des nuits délimitait les tâches quotidiennes, le rythme des mois lunaires correspondait aux cycles biologiques, et l'enchaînement des saisons et des années ponctuait le déroulement des existences. Lorsque apparurent des instruments susceptibles de subdiviser la durée du jour avec une précision toujours accrue, on chercha à mesurer le plus précisément possible cette durée, pour fixer l'étalon de temps retenu, la seconde, à partir du « jour solaire moyen », c'est-à-dire la valeur moyenne du temps qui sépare deux passages consécutifs du Soleil au méridien d'un lieu. Mais la précision des horloges devint telle qu'il apparut que cette durée, liée à la rotation de la Terre sur elle-même, était trop fluctuante pour donner un étalon fiable. On fit alors confiance au temps sidéral, mesuré par le temps que met la Terre, dans son mouvement autour du Soleil, à retrouver exactement la même position sur son orbite. L'année, subdivisée en un nombre bien défini de secondes, fut pendant quelque temps l'étalon cosmique de temps. Mais là aussi on décela de petites irrégularités, trop importantes au regard de la précision encore accrue des nouvelles horloges. C'est en 1967 que l'atome de césium 133 fut érigé en étalon universel, la seconde devenant « la durée de 9 192 631 770 périodes de la radiation correspondant à la transition entre les deux niveaux hyperfins de son état fondamental ».

◆ **Principales unités de mesure anglo-saxonnes.**

Nom anglais	Symbole	Nom francisé	Valeur	Observations
longueur				
inch	in (ou ″)	pouce	25,4 mm	
foot	ft (ou ′)	pied	0,304 8 m	vaut 12 in
yard	yd	yard	0,914 4 m	vaut 3 ft
fathom	fm	brasse	1,828 8 m	vaut 2 yd
statute mile	m (ou mile)	mille terrestre	1 609 m	vaut 1,760 yd
nautical mile		mille marin britannique	1 853,18 m	vaut 6 080 ft
international nautical mile		mille marin international	1 852 m	
masse - avoirdupois (commerce)				
ounce	oz	once	28,349 g	
pound	lb	livre	453,592 g	vaut 16 oz
capacités				
US liquid pint	liq pt	pinte américaine	0,473 l	
pint	UK pt	pinte britannique	0,568 l	
US gallon	US gal	gallon américain	3,785 l	vaut 8 liq pt
imperial gallon	UK gal	gallon britannique	4,546 l	vaut 8 UK pt
US bushel	US bu	boisseau américain	35,239 l	
bushel	bu	boisseau britannique	36,369 l	vaut 8 UK gal
US barrel (petroleum)	US bbl	baril américain	158,987 l	vaut 42 US gal
force				
poundal	pdl		0,138 2 N	
puissance				
horsepower	hp	cheval-vapeur britannique	745,7 W	
température				
Fahrenheit degree	°F	degré Fahrenheit	*t* degrés Fahrenheit correspondent à $\frac{5}{9}(t-32)$ degrés Celsius	
chaleur, énergie, travail				
British thermal unit	Btu		1 055,06 J	

Physique

La structure de la matière

Observée à notre échelle, la matière présente une infinie diversité et une impressionnante complexité d'organisation. L'idée qu'une structure plus simple se cache derrière le voile des apparences, que la nature procède d'un petit nombre de lois et de constituants fondamentaux avait conduit les Grecs à postuler l'existence d'éléments (air, terre, eau et feu), puis celle des atomes. Après maintes controverses au cours du XIXe s., l'atome est devenu une réalité expérimentale ; mais, loin d'être insécable, il s'est révélé constitué d'électrons tournant autour d'un noyau massif, lui-même composé de neutrons et de protons. Il y a seulement une quarantaine d'années, ces trois briques élémentaires semblaient suffisantes pour reconstituer la matière sous toutes ses formes. Aujourd'hui, si l'électron est toujours considéré comme une particule élémentaire, il est apparu que les neutrons et les protons sont des assemblages d'objets plus élémentaires encore : les quarks. À l'échelle du milliardième de milliardième de mètre, nul ne peut affirmer que le quark n'est pas une particule composite, et qu'on ne trouvera pas prochainement un autre niveau d'élémentarité. La liste des particules connues est si difficile à interpréter que toute nouvelle découverte capable de la simplifier serait accueillie à bras ouverts. La complexité de la matière se retrouve-t-elle à toutes les échelles ? La notion même de constituant élémentaire a-t-elle un sens ? Ces questions essentielles sont à la base de la physique des particules. Pourtant, si l'imagination des théoriciens ne connaît pas de bornes, le gigantisme des coûteuses machines nécessaires pour éprouver les théories semble atteindre ses limites.

Les constituants fondamentaux

Deux quarks et deux leptons : tels sont les ingrédients nécessaires pour fabriquer l'Univers, ses galaxies, ses planètes et ses êtres vivants. Les leptons sont l'électron et son neutrino associé, qu'il est très difficile de détecter car ces neutrinos, émis en permanence par le Soleil, traversent notre planète de part en part sans être arrêtés. Les deux quarks *up* et *down* s'associent trois par trois pour constituer les protons et les neutrons. Ces particules sont mystérieuses à au moins deux titres. D'abord, elles possèdent des charges électriques fractionnaires : +2/3 et − 1/3 de la charge de l'électron. Ensuite, personne n'a encore pu observer de quark isolé, seuls existent des groupes de deux ou trois individus. Mais la nature a répété à trois reprises la structure en quarks et leptons. Une deuxième famille est constituée de deux autres quarks, nommés *charm* et *strange* et de deux autres leptons, le muon et le neutrino de muon. La troisième famille comprend le quark *bottom*, le quark *top*, le lepton tau et le neutrino de tau. Douze particules élémentaires ? Pas tout à fait, car chaque quark présente trois variétés de couleur, ce qui porte le total à 24. Sans compter les photons, bosons intermédiaires W^+, W^- et Z^0, et les gluons, qui assurent les interactions entre ces particules élémentaires.

◆ **Structure de la matière.**

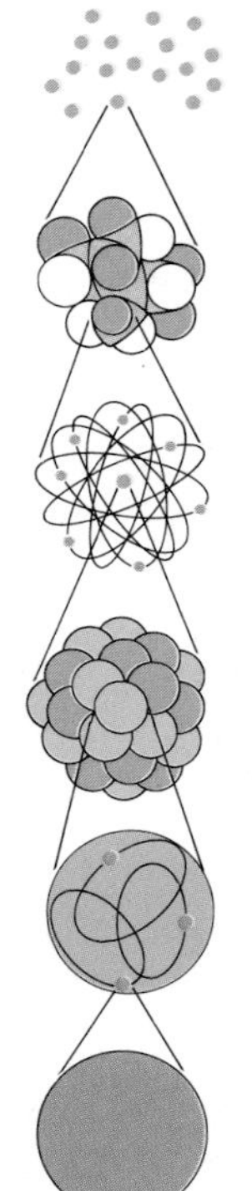

Matière. Vue au microscope, la matière, liquide, solide ou gazeuse, apparaît constituée de molécules.

Molécules. Avec une dimension moyenne d'un milliardième de mètre (10^{-9} m), les molécules sont des assemblages d'atomes.

Atomes. 10^{-10} m : l'atome est lui-même constitué d'électrons tournant à grande vitesse autour d'un noyau.

Noyau. 10^{-14} m : protons et neutrons, particules beaucoup plus lourdes que l'électron, composent le noyau atomique.

Quarks. 10^{-15} m : les protons et les neutrons, ainsi que d'autres particules lourdes, sont composés de quarks.

Structure des quarks ? 10^{-18} m : le quark possède-t-il à son tour une structure ? La question est pour l'instant sans réponse.

Forces et interactions

De même que la matière stable serait construite à partir de quatre particules, il suffit de quatre forces pour décrire tous les phénomènes physiques. La première et la plus anciennement connue, la gravitation, rend compte notamment de l'attraction des corps célestes et de la chute des corps. La deuxième, la force électromagnétique, est à la base non seulement du fonctionnement des appareils électriques, mais aussi des phénomènes optiques et chimiques. Dans les atomes, c'est elle qui maintient les électrons au voisinage du noyau. Les deux autres forces, ou interactions, ne se manifestent qu'à très courte distance au sein des noyaux. L'interaction faible, ainsi nommée parce qu'elle implique certains processus d'une grande lenteur, comme la désintégration radioactive β, est à l'œuvre dans toutes les étoiles. Quant à l'interaction forte, elle lie entre eux les quarks à l'intérieur du noyau. Toutes ces forces peuvent être interprétées comme le résultat de l'échange de certaines particules. D'hypothétiques gravitons seraient les messagers de la gravitation ; l'action à distance qu'exerce un aimant résulte de l'échange de photons ; les trois bosons intermédiaires, baptisés Z^0 W^+ et W^- sont les médiateurs de l'interaction faible, les gluons étant ceux de l'interaction forte. Un électron reste ainsi au voisinage d'un noyau, car il absorbe sans cesse (ou émet) les photons émis (ou absorbés) par le noyau. Les bosons intermédiaires se couplent quant à eux aux quarks en changeant par exemple les quarks *d* en quarks *u*, c'est-à-dire les neutrons *(udd)* en protons *(uud)*.

L'échange de gluons entre les quarks, enfin, fait intervenir un autre type de charge, nommée « couleur », qui est responsable des associations de quarks et de la cohésion des noyaux atomiques. Les quarks, individuellement porteurs de couleur (rouge, jaune ou bleu, selon la théorie de la chromodynamique quantique), ne peuvent exister isolément ; par l'intermédiaire des gluons, ils s'associent toujours par groupes de deux ou trois de façon à « mélanger » leurs couleurs pour produire du « blanc »... Pour eux, c'est la seule manière de former des particules stables.

Vers une théorie unifiée

Toujours plus de simplicité : telle pourrait être la devise de la physique théorique. Suivant l'exemple donné par Maxwell, qui unifia électricité et magnétisme, les physiciens ont unifié force électromagnétique et interaction faible. Ils espèrent pouvoir réunir cette théorie électrofaible à celle qui décrit les interactions fortes, la chromodynamique. Le problème est qu'une telle unification, si elle existe, ne se manifeste qu'à des énergies extraordinairement élevées, hors d'atteinte pour les accélérateurs de particules. Actuellement, seule la théorie (fondée sur les lois de la physique quantique) autorise l'« accès » à de telles énergies sans l'aide d'aucun accélérateur. Si elle était prouvée, la grande unification serait aussi une grande simplification, puisque quarks et leptons ne seraient que deux aspects d'une même particule plus fondamentale.

Les espoirs de nombreux physiciens reposent sur la supersymétrie, théorie qui inclurait aussi la gravitation. Selon certains schémas

Matière et antimatière

Appliquées aux particules élémentaires, les équations de la physique ont la particularité de donner toujours deux solutions de signes opposés. À l'électron, par exemple, elles associent un « antiélectron » (baptisé « positron »), tout aussi « matériel » que l'électron, mais de charge positive. Aux neutrinos correspondent des antineutrinos, et à chaque type de quark un antiquark. L'antimatière, composée d'antiparticules, est couramment produite dans les accélérateurs. La difficulté consiste à la conserver, car, dès qu'elle rencontre de la matière, elle s'annihile. Il reste de l'énergie, qui, à son tour, se transforme en d'autres particules. Il faut donc réaliser des dispositifs où règne un vide extrêmement poussé.

L'absence d'antimatière dans l'Univers observable est une des grandes énigmes de la cosmologie. Peut-être la matière s'est-elle formée dans l'Univers d'origine avec un très léger excès par rapport à l'antimatière, ce qui expliquerait qu'il soit resté un peu de matière – notre Univers – après l'annihilation initiale. La symétrie entre les deux types de matière suggérée par les équations mathématiques est peut-être moins parfaite qu'il n'y paraît.

théoriques actuels, les quatre forces fondamentales à l'œuvre aujourd'hui n'en faisaient qu'une lors de la naissance de l'Univers. Ce n'est qu'après le big bang, lorsque la densité d'énergie a peu à peu diminué, que la force et la matière initiales se sont différenciées pour donner à l'Univers sa diversité, et sa complexité.

De la gravitation aux quarks

La gravitation, élucidée par l'Anglais Isaac Newton, vient de fêter ses 300 ans d'existence. L'électromagnétisme, œuvre du physicien britannique James Clerk Maxwell en 1864, réunit en un ensemble cohérent les résultats obtenus antérieurement, notamment par le Français André Marie Ampère et le Britannique Michael Faraday. En 1933, l'Italien Enrico Fermi propose, pour interpréter la radioactivité ß, l'existence des interactions faibles. La première ébauche d'une théorie des interactions fortes est donnée en 1934 par le Japonais Hideki Yukawa. L'Américain Murray Gell-Mann a fait en 1963 l'hypothèse des quarks, particules qui, depuis, ont toutes été identifiées. En 1967, les interactions électromagnétiques et les interactions faibles ont été unifiées grâce aux travaux des Américains Sheldon Glashow et Steven Weinberg, ainsi que du Pakistanais Abdus Salam.

◆ **James C. Maxwell.**

◆ **Abdus Salam.**

◆ **Principales particules élémentaires.**

Saveur	Charge*	Masse**
Quarks		
up (*u*)	2/3	entre 1,5 et 5
down (*d*)	−1/3	entre 3 et 9
charm (*c*)	2/3	entre 1,1 et $1{,}4 \cdot 10^3$
strange (*s*)	−1/3	entre 60 et 170
top (*t*)	2/3	environ $170 \cdot 10^3$
bottom (*b*)	−1/3	entre 4,1 et $4{,}4 \cdot 10^3$
Leptons		
Saveur	**Charge***	**Masse****
électron (e)	−1	0,511
neutrino d'électron (ν_e)	0	$< 2 \cdot 10^{-8}$
muon (μ)	−1	105,6
neutrino de muon (ν_μ)	0	< 0,17
tau (τ)	−1	1 777
neutrino de tau (ν_τ)	0	< 18,2
Bosons vecteurs		
Saveur	**Charge***	**Masse****
photon (γ)	0	0
Z_0	0	$91{,}19 \cdot 10^3$
W^-	−1	$80{,}4 \cdot 10^3$
W^+	+1	$80{,}4 \cdot 10^3$
gluon (*g*)	0	0

* L'unité de charge est la charge du proton : $1{,}602 \cdot 10^{-19}$ C.
** Les masses sont exprimées en MeV/c^2 (1 MeV/c^2 = $1{,}78264 \cdot 10^{-30}$ kg).

◆ **Les quatre forces fondamentales.**

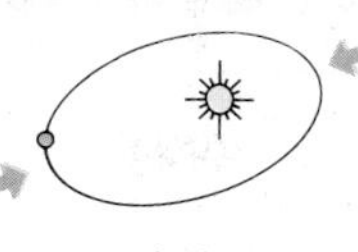

gravitation : système solaire

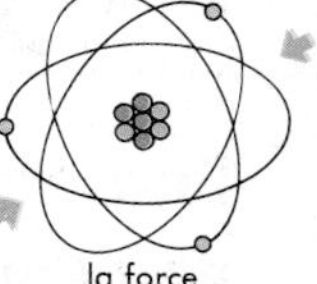

la force électromagnétique maintient l'atome

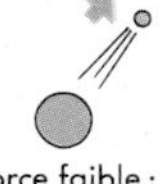

force faible : désintégration radioactive

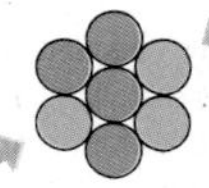

la force forte maintient le noyau

Quatre forces fondamentales suffisent à expliquer tous les phénomènes naturels. L'interaction forte rend compte de la cohésion du noyau des atomes et l'interaction faible, de sa désintégration radioactive. Alors que ces forces n'ont qu'une très courte portée, l'électromagnétisme, qui maintient les électrons autour des noyaux, et la gravitation, qui maintient les planètes en orbite autour des étoiles, ont une portée infinie.

VOIR AUSSI
• **Accélérateurs et détecteurs de particules** p. 384
Illustrations
• **Désintégration d'un boson Z^0** p. 385

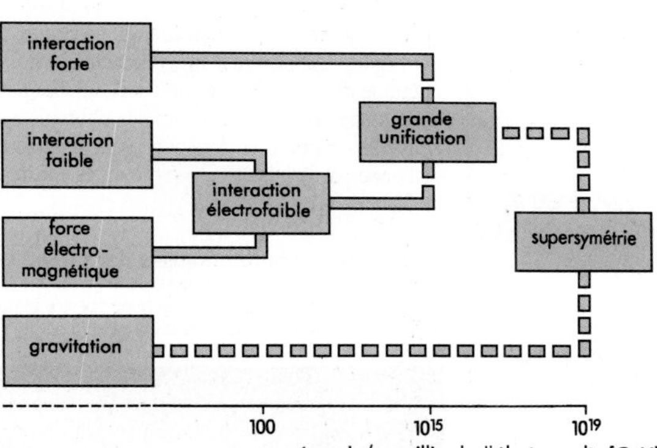

◆ **Les théories d'unification.**
De nature et d'intensité très différentes à basse énergie, les forces fondamentales deviennent comparables à haute énergie. Aujourd'hui, les physiciens ont réuni sous une même théorie l'interaction faible et la force électromagnétique (interaction électrofaible), et espèrent pouvoir bientôt unifier l'interaction électrofaible et l'interaction forte (grande unification). La dernière étape consisterait à englober la gravitation dans cette théorie de grande unification (théorie de la supersymétrie).

◆ **Laboratoire souterrain de Super-Kamiokandé** (Japon).
L'interaction d'un neutrino avec la matière donne naissance à des particules très rapides qui émettent, en traversant la masse d'eau ultrapure de cette immense piscine, une lumière caractéristique de l'énergie et de la direction du neutrino, que détectent les photomultiplicateurs dont sont tapissées les parois.

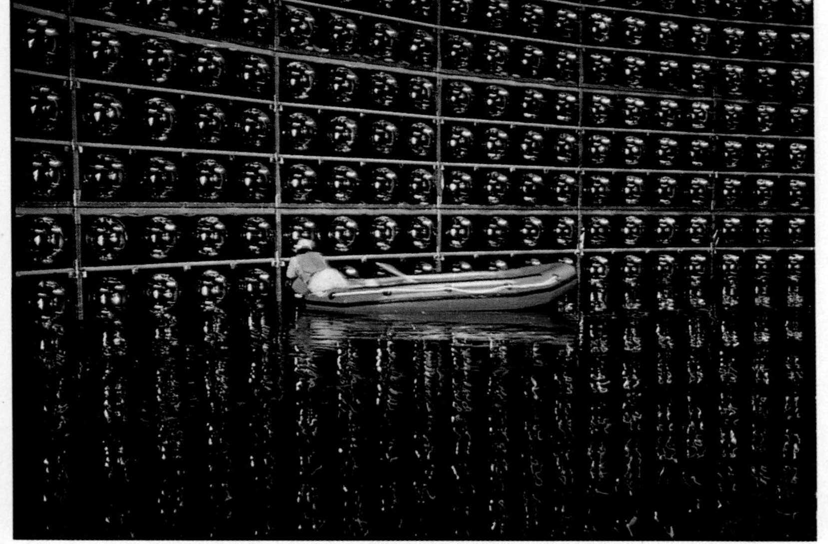

Le neutrino a-t-il une masse ?

Le modèle standard ne permet pas de déterminer si les neutrinos ont une masse. Il faut donc la mesurer expérimentalement, ce qui s'avère difficile, compte tenu de la très faible interaction de ces particules avec la matière. En effet, si 60 milliards de neutrinos traversent par seconde chaque centimètre carré de la Terre, ils ressortent, à quelques très rares exceptions près, de l'autre côté du globe sans avoir réagi.

Une façon indirecte de mesurer leur masse consisterait à mettre en évidence leurs oscillations, c'est-à-dire le fait qu'au cours de leur propagation ils changent de saveur en passant, par exemple, de l'état ν_e à l'état ν_μ ou inversement. L'existence de cette oscillation serait la signature de leur masse. De telles oscillations ont été, semble-t-il, détectées à Kamiokandé, au Japon, et d'autres expériences sont en cours.

Physique

Les ondes

Émission et propagation

Une onde est une perturbation locale et temporaire d'un milieu, qui se propage de proche en proche en laissant, après son passage, ce milieu dans son état initial. L'onde transporte de l'énergie, de l'information, mais pas de matière. Une onde sonore dans l'air correspond à une petite variation de la pression atmosphérique ; une onde à la surface de l'eau correspond à une variation de la hauteur de la surface de cette eau. Chaque onde est caractérisée par une célérité c, indépendante de l'amplitude de la perturbation.

L'onde est émise par une source qui agit sur le milieu de propagation en lui transmettant un signal. Si ce signal varie de façon périodique au cours du temps avec une fréquence f (et une période $T = \frac{1}{f}$), l'onde correspondante est caractérisée par une longueur d'onde $\lambda = cT = \frac{c}{f}$.

Il est commode de décrire une onde en exprimant l'amplitude de l'écart par rapport à la valeur au repos de la grandeur perturbée. Cette amplitude varie d'un point à un autre et au cours du temps. Dans le cas d'une onde sinusoïdale se propageant selon une direction donnée (axe $x'Ox$) avec une fréquence f, l'amplitude s'écrit :

$$A(x,t) = A_0 \sin 2\pi\,(ft - x/\lambda).$$

Cette amplitude peut se représenter en portant en abscisse la distance parcourue par l'onde :

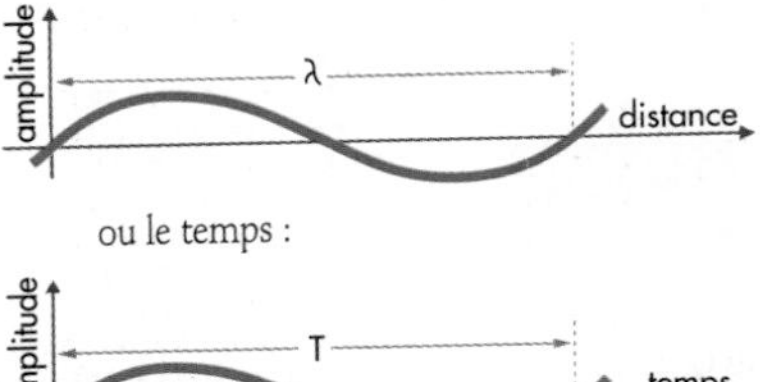

ou le temps :

amplitude

T

temps

Pour qu'une onde puisse se propager, il faut que le milieu présente une certaine raideur qui mesure sa résistance à se déformer de façon réversible lorsqu'il est soumis à une contrainte, et une certaine inertie. La célérité est d'autant plus grande que la raideur est grande et que l'inertie est faible.

Toutes sortes d'ondes

Les ondes se propagent dans les solides, les liquides, les gaz et même le vide. Elles peuvent se propager dans le volume, sur la surface ou selon une ligne du support. Les ondes qui se traduisent par un déplacement de matière sont appelées « acoustiques », dans les gaz et les liquides, et « élastiques », dans les solides. Celles qui concernent une déformation de la surface d'un liquide ou d'un solide sont dites « ondes de surface » ; les ondes guidées se propagent à l'intérieur de tubes étroits. Les ondes électromagnétiques, caractérisées par la propagation simultanée d'un champ électrique et d'un champ magnétique, se propagent dans le vide, mais aussi dans certains milieux matériels. Il existe également des ondes dont la propagation se traduit par une modification locale et temporaire des dimensions de l'espace, appelées « ondes gravitationnelles », qu'on espère mettre prochainement en évidence.

Les ondes électromagnétiques

Structure. Les ondes électromagnétiques sont caractérisées par la propagation simultanée d'un champ électrique et d'un champ magnétique, oscillant perpendiculairement l'un par rapport à l'autre dans un plan perpendiculaire à la direction de propagation. Quelle que soit leur fréquence, elles se propagent dans le vide à la célérité $c = 299\,792\,458\ \mathrm{m \cdot s^{-1}}$. Leur polarisation est donnée par l'orientation du champ électrique. On peut également décrire le rayonnement électromagnétique du point de vue corpusculaire : les particules associées aux ondes sont des photons, dont l'énergie s'exprime en fonction de la fréquence f de l'onde par la relation $E = hf$ (h est la constante de Planck).

Propagation. Dans le vide, toutes les ondes électromagnétiques se propagent quelle que soit leur fréquence. Elles peuvent aussi se propager dans certains milieux matériels dits « transparents », mais elles sont alors susceptibles d'interagir, en fonction de leur fréquence, avec les constituants de la matière en leur cédant de l'énergie, et dans ce cas elles sont absorbées.

Les ondes électromagnétiques peuvent être partiellement ou totalement réfléchies lorsqu'elles atteignent la surface de séparation entre deux milieux différents.

Émission. Une charge électrique soumise à une accélération donne naissance à une onde électromagnétique. Si la charge en mouvement est un dipôle oscillant de moment dipolaire p_0, l'onde est émise à la fréquence f de l'oscillateur et l'énergie totale rayonnée W s'écrit :

$$W = \frac{4 p_0^2 \pi^3 f^4}{3 \varepsilon_0 c^3}.$$

Cette description s'applique aussi bien à des courants électriques circulant dans une antenne qu'à des électrons autour d'un atome, voire à des nucléons dans un noyau atomique excité.

Classification. L'énergie du photon associé à l'onde détermine la nature des interactions entre rayonnement et matière. Plus les niveaux d'énergie auxquels est couplé le rayonnement sont éloignés les uns des autres, plus élevée est la fréquence du photon dont l'absorption provoque la transition entre ces niveaux.

Réciproquement, la nature d'un rayonnement dépend du type de la transition qu'on excite pour le produire.

◆ **Interférences lumineuses dans une bulle de savon.**
Les interférences qui se produisent entre les ondes lumineuses réfléchies sur les deux faces d'une bulle de savon annulent certaines longueurs d'onde du spectre et donnent à la bulle une irisation dont la couleur est complémentaire de la couleur éteinte.

◆ **Spectre des ondes électromagnétiques.**

DOMAINE HERTZIEN		I.R.		lumière visible	U.V.	RAYONS X	RAYONS GAMMA
RADIOFRÉQUENCES	MICRO-ONDES	lointain	proche				
10^{12} 10^{11} 10^{10}	10^{9} 10^{8} 10^{7}	10^{6} 10^{5} 10^{4}		10^{3}	10^{2}	10^{1} 1 10^{-1}	10^{-2} 10^{-3} 10^{-4} 10^{-5}
longueur d'onde (nm)							
10^{6} 10^{7} 10^{8}	10^{9} 10^{10} 10^{11}	10^{12} 10^{13} 10^{14}		10^{15}	10^{16}	10^{17} 10^{18} 10^{19}	10^{20} 10^{21} 10^{22}
fréquence en H_z							

Physique

Les ondes sonores

Les ondes sonores ne peuvent se propager que dans des milieux matériels élastiques, par exemple l'air, l'eau ou les métaux. Elles sont caractérisées par un déplacement local et temporaire des molécules, accompagné d'une variation de pression du milieu.

Leur vitesse de propagation (célérité) est caractéristique du milieu qu'elles traversent, mais indépendante de leur amplitude et, en général, de leur fréquence.

◆ **Vitesse du son dans quelques milieux.**

Milieu	Vitesse du son
air (à 0 °C, sous 1 atm)	331 $m \cdot s^{-1}$
hydrogène	1 261 $m \cdot s^{-1}$
eau	1 482 $m \cdot s^{-1}$
acier	5 050 $m \cdot s^{-1}$
quartz	5 370 $m \cdot s^{-1}$

Dans le cas d'un signal périodique se propageant dans une direction donnée, l'onde est formée, le long de cette direction, d'une succession de zones de surpression et de dépression autour de la pression moyenne.

La célérité est d'autant plus grande que la rigidité κ du milieu, c'est-à-dire la réaction qu'il oppose à une déformation élastique, est grande, et que la masse volumique ρ est faible : en effet,

$$c = \sqrt{\frac{\kappa}{\rho}}.$$

Dans un gaz parfait, la célérité est indépendante de la pression et proportionnelle à $\sqrt{T}$, T étant la température absolue.

Propagation, réflexion et transmission. Tant que le milieu est homogène, l'onde sonore se propage en ligne droite. Lorsqu'elle rencontre une surface de séparation entre deux milieux, elle se divise en une onde réfléchie et une onde transmise, dans des proportions qui dépendent des caractéristiques acoustiques des deux milieux. L'impédance caractéristique Z_c d'un milieu est égale au produit de la célérité c par la masse volumique ρ ; plus les impédances caractéristiques de deux milieux sont différentes, moins l'onde est transmise à l'interface : c'est pourquoi le son passe très mal entre l'air ($Z_c = 428$) et l'eau ($Z_c = 1{,}45 \cdot 10^6$). La réflexion est pratiquement totale sur une surface solide ; l'écho résulte ainsi de la réflexion du son sur une surface plane éloignée, donnant naissance à une onde de retour vers la source.

Caractéristiques des sons. Les sons perçus par l'oreille se distinguent entre eux par certaines qualités auxquelles sont associées des grandeurs physiques spécifiques du signal sonore.

◆ **Caractéristiques des sons.**

Qualité	Grandeur physique associée
intensité	amplitude de la variation de pression
durée	durée du signal sonore (source plus réverbération et écho)
hauteur	fréquence du signal fondamental
timbre	dosage des différents harmoniques (fréquences multiples du son fondamental)
dynamique	évolution temporelle de la hauteur, de l'intensité et du timbre du signal
provenance	liée à la différence de phase entre les signaux qui ont été reçus par les deux oreilles

◆ **Tuyaux sonores.**

Type de tuyau	Fréquence fondamentale	Fréquence des harmoniques	Instrument type
tuyau ouvert aux 2 extrémités	$f_1 = c/2L$	$f_n = nf_1$ (n = 1, 2...)	flûte, orgue
tuyau fermé à une extrémité	$f_1 = c/4L$	$f_{2n+1} = (2n+1)f_1$ (n = 0, 1, 2...)	clarinette
tuyau conique	$f_1 = c/2L$	$f_n = nf_1$ (n = 1, 2...)	hautbois, basson, saxophone

Son	Intensité (en dB)
murmure	20
conversation	60
klaxon	90
réacteur d'avion	120
bang supersonique	150

◆ **Intensité de quelques sons.**
La mesure de l'intensité d'un son se fait par référence à la plus basse intensité perceptible ($I_0 = 10^{-12}$ $W \cdot m^{-2}$) en utilisant une échelle logarithmique ; $L_i = 10 \log I/I_0$ est le niveau d'intensité acoustique, exprimé en décibels (dB).

L'acoustique instrumentale. Dans un tuyau sonore, la production d'un son est liée à l'existence d'ondes stationnaires dont les fréquences dépendent de la longueur L et de la fermeture du tuyau. L'excitation de la vibration résulte du passage de l'air sur une arête fixe (flûte) ou battante (anche).

Dans un instrument à cordes, la vibration d'une corde tendue, fixée en deux points distants de L, permet d'engendrer des fréquences $f_n = nc_c/2L$, formule où c_c est la vitesse de propagation d'un ébranlement le long de la corde et n un nombre entier. Amplifiée par le corps de l'instrument, cette vibration peut être excitée par percussion (piano), pincement (guitare), ou frottement (violon).

Infrasons et ultrasons. Les fréquences des ondes sonores audibles par l'homme s'étendent de 50 Hz à 20 kHz. Les fréquences inférieures à 50 Hz constituent les infrasons et les fréquences s'étendant de 20 kHz à quelques centaines de MHz forment les ultrasons, dont les utilisations vont de l'échographie médicale au sondage sous-marin (sonar). Les ondes ultrasonores doivent être engendrées et détectées par des dispositifs spécifiques, comme des transducteurs piézoélectriques, et la plupart de leurs applications exigent une propagation dans des milieux liquides ou solides.

◆ **Fréquences audibles par l'homme et quelques animaux.**

Sujet	Fréquence audible maximale
oiseau	10 kHz
homme	20 kHz
chat	25 kHz
chien	35 kHz
chauve-souris, dauphin	100 kHz

Petit lexique

bruit : se définit par un spectre sonore très riche et une dynamique élevée.

célérité : vitesse de propagation d'une onde.

fondamental : plus basse fréquence d'un son musical, qui en détermine la hauteur.

harmonique : fréquence dont la valeur est un multiple entier de la fréquence fondamentale et qui participe au timbre du son.

son : hauteur et timbre bien définis à chaque instant.

spectre : répartition de l'intensité d'une onde (acoustique, électromagnétique) d'un faisceau, de particules en fonction de la fréquence, de l'énergie.

VOIR AUSSI
• **Vol supersonique** p. 380
Illustrations
• **Amphithéâtre grec** p. 1151

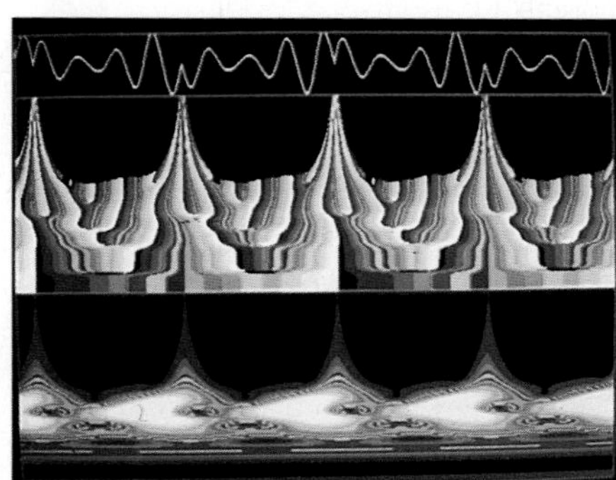

◆ **Mise en évidence des caractéristiques des sons émis par un cachalot.**
Le document est un transformé en ondelettes (image obtenue par transformation) des sons. La partie supérieure correspond au signal, la partie centrale à la phase et la partie basse traduit l'amplitude.

L'acoustique architecturale

Dans une pièce fermée comme dans un amphithéâtre antique, la plus grande partie du son qui parvient à l'oreille a subi une ou plusieurs réflexions. Les sons réfléchis ont toujours parcouru un trajet plus long que le son direct et arrivent avec du retard. Tant que ce retard est court devant la durée des sons émis, il n'en perturbe pas l'intelligibilité. S'il est long, un brouillage apparaît. Dans un grand auditorium, les trajets des ondes acoustiques plusieurs fois réfléchies deviennent très longs, et chaque son est suivi d'une réverbération dont la durée peut atteindre plusieurs secondes. La qualité acoustique d'une salle repose donc sur un compromis entre une réverbération indispensable pour éviter un son trop sec et celle qui aboutit à un brouillage complet. Il faut en outre veiller à ce que le son soit bien perceptible en tous les points de la salle. On dispose maintenant de programmes permettant une simulation complète de la propagation sonore dans une salle, donnant en chaque point et pour chaque fréquence la réverbération et les résonances en fonction de la géométrie et du pouvoir réfléchissant des parois, propagation elle-même fortement liée à la présence du public. On peut ainsi, par un choix judicieux des formes et des matériaux, adapter l'acoustique d'un local à l'utilisation prévue.

Physique

La lumière et l'optique

Origine de la lumière

La lumière visible n'est qu'une infime partie des ondes électromagnétiques. N'importe quel atome convenablement excité peut créer de la lumière. L'excitation, ou absorption d'énergie, se traduit pour l'atome par la transition d'un de ses électrons d'un niveau d'énergie vers un autre plus élevé. La désexcitation qui s'ensuit plus ou moins rapidement, c'est-à-dire le retour de l'électron à son niveau d'énergie initial, se traduit par la restitution de l'énergie absorbée, en général sous forme d'onde électromagnétique. L'exemple le plus simple, celui de l'atome d'hydrogène, montre la correspondance entre les niveaux d'énergie de l'atome et les fréquences (ou longueurs d'onde) émises. L'étude de ces longueurs d'onde est le domaine de la spectroscopie. L'arc-en-ciel est un exemple de spectroscopie naturelle : les gouttes d'eau sphériques en suspension dans l'atmosphère réfléchissent et dispersent la lumière solaire en une infinité de longueurs d'onde allant du violet (0,40 μm) au rouge (0,75 μm), chaque rayon associé ressortant sous un angle différent. Au laboratoire, la spectroscopie s'effectue à l'aide de prismes ou de réseaux jouant le même rôle.

◆ **Raies spectrales de l'hydrogène.**
Correspondance entre les raies spectrales de l'hydrogène et les transitions entre niveaux d'énergie de l'atome d'hydrogène.

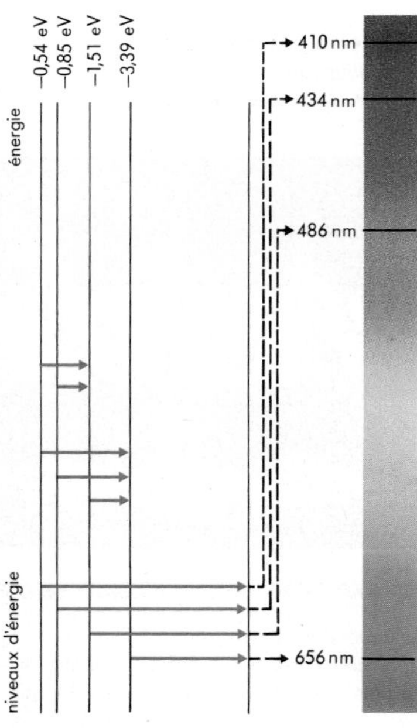

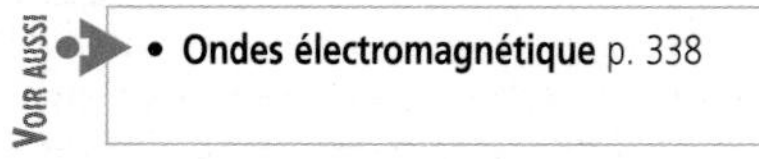
VOIR AUSSI
• Ondes électromagnétique p. 338

◆ **Spectres d'éléments chimiques.**
Tous différents, ces spectres sont de véritables cartes de visite des éléments chimiques.

Spectre de l'hélium.

Spectre du néon.

Spectre du fer.

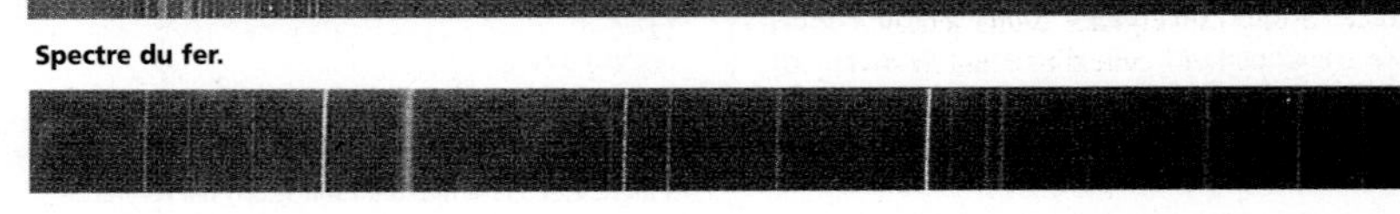

Propriétés de la lumière

Réflexion. Dans le cas d'une réflexion par un miroir, l'angle d'incidence i est lié à l'angle de réflexion r par la relation : $i = r$

Réfraction. Dans un milieu transparent, l'angle d'incidence i est lié à l'angle de réfraction r par la relation : $\sin i = n \sin r$. Le nombre n, appelé « indice de réfraction », est le rapport de la vitesse de la lumière dans le premier milieu à la vitesse de la lumière dans le second milieu.

Diffraction. Lorsqu'un faisceau lumineux rencontre le bord d'un objet, les rayons passant au voisinage immédiat de l'objet sont déviés. Ainsi, un faisceau formé de rayons parallèles qui traverse une fente étroite en ressort étalé dans l'espace.

Interférences. Lorsque deux faisceaux lumineux issus de la même source se chevauchent, par exemple après avoir traversé deux fentes voisines l'une de l'autre, les ondes se combinent entre elles de façon constructive ou destructive. Il en résulte des zones alternativement sombres et éclairées appelées « interférences », séparées par un interfrange $i = \lambda D / a$, où λ est la longueur d'onde de la lumière, D la distance des fentes à l'écran, et a la distance entre les fentes.

◆ **Quelques indices de réfraction.**

air	1,00
eau	1,33
cristallin de l'œil	1,42
benzène	1,50
verre ordinaire	1,52
diamant	2,40

◆ **Phénomène d'interférence de deux rayons lumineux.**
Les rayons lumineux provenant d'une même source passent à travers deux fentes S_1 et S_2 avant d'interférer sur un écran E.

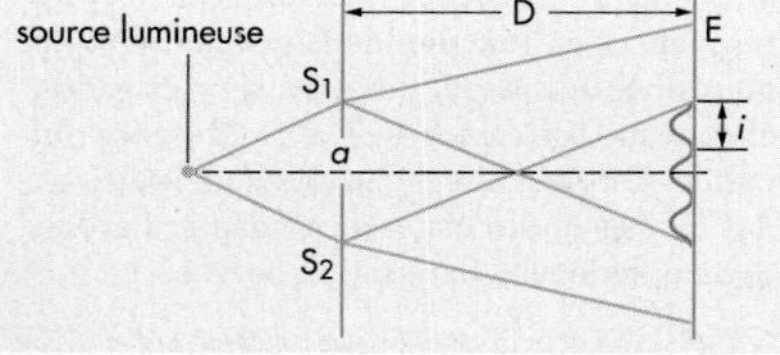

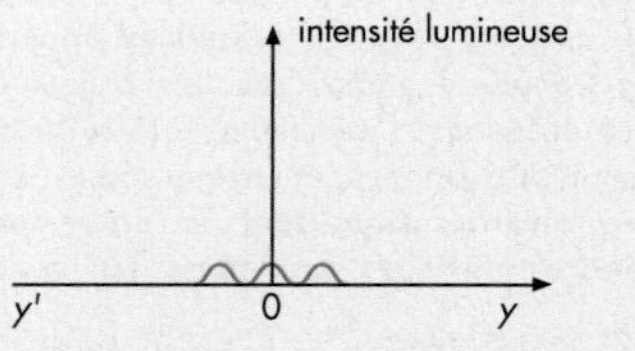

◆ **Phénomène de réflexion.**

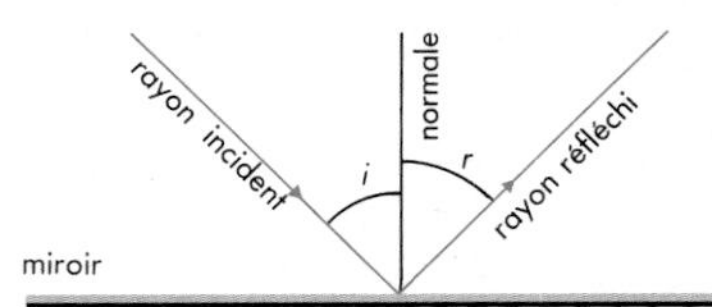

i = angle d'incidence
r = angle de réflexion

◆ **Phénomène de réfraction.**

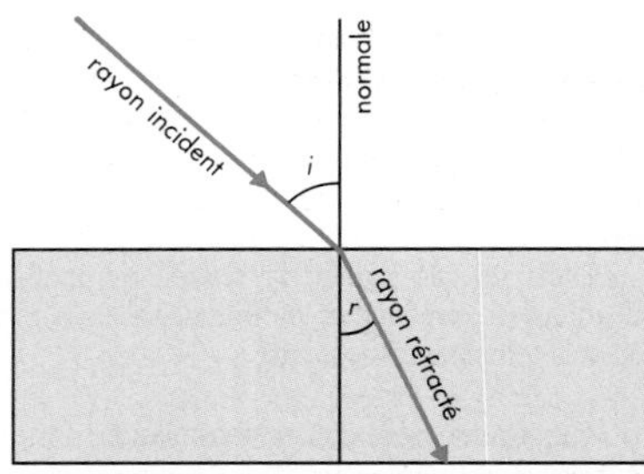

Aurores polaires

Les aurores polaires, qu'elles soient boréales ou australes, sont surtout visibles au voisinage des pôles, mais on peut aussi en voir sous nos latitudes. Ces phénomènes lumineux, toujours verts ou violets, sont dus à l'excitation des molécules présentes dans la haute atmosphère des régions polaires par le « vent solaire », flux de particules émis en permanence par le Soleil. Ces molécules étant essentiellement de l'oxygène et de l'azote, leur désexcitation se traduit par l'émission d'une lueur violette (la longueur d'onde la plus intense émise par l'azote) ou verte (émise par l'oxygène). Les aurores polaires sont particulièrement nombreuses et brillantes durant les périodes de forte activité solaire.

Les instruments d'optique

Prismes. Les prismes permettent de disperser ou de réfléchir la lumière. L'angle de déviation D d'un rayon lumineux traversant un prisme d'angle au sommet A vaut $D = i + i' - A$, i et i' étant les angles d'incidence et d'émergence du rayon.

Lentilles. Les lentilles, convergentes ou divergentes, sont caractérisées par leur distance focale ou par leur vergence, l'inverse de leur distance focale. La vergence d'une lentille convergente est positive ; celle d'une lentille divergente est négative. La construction géométrique de l'image A'B' d'un objet AB donnée par une lentille S de foyers F et F', suit deux principes :
– un rayon parallèle à l'axe optique est dévié dans la direction d'un foyer ;
– un rayon passant par le centre optique O n'est pas dévié.

On a toujours : $1/\overline{SA'} - 1/\overline{SA} = 1/\overline{OF'}$. $\overline{SA}$ est une valeur algébrique, positive, négative ou nulle. Une lentille convergente donne d'un objet situé au-delà de son foyer objet une image réelle ; une lentille divergente donne une image virtuelle. Les aberrations géométriques et chromatiques d'un système optique peuvent être corrigées en associant plusieurs lentilles.

Association de lentilles. La plupart des instruments d'optique classiques, comme l'objectif photographique, le microscope optique ou le télescope, utilisent l'association de plusieurs lentilles convergentes ou divergentes placées les unes derrière les autres, de manière à ce que les rayons issus de l'une soient déviés par la suivante. C'est ainsi le cas de la lunette astronomique : une première lentille convergente donne d'un objet très éloigné une image renversée située dans son plan focal image. On place dans l'axe de la première lentille et au-delà de ce plan une seconde lentille convergente ; celle-ci recueille les rayons lumineux qui ont formé l'image renversée et les fait converger pour donner une seconde image. En jouant sur les distances focales des deux lentilles, on peut faire en sorte que l'œil voie, à travers la seconde lentille, appelée oculaire, une image très agrandie et renversée de l'objet initial. Dans les lunettes terrestres, on redresse cette image, par exemple à l'aide de deux prismes.

VOIR AUSSI
- **Naissance de l'optique** p. 263
- **Microscopes** p. 382
- **Lunettes et télescopes** p. 386

Petit lexique

aberration : défaut de l'image donnée par un système optique, dû à la constitution même de ce système.

lentille : objet formé d'un matériau transparent présentant des faces arrondies, qui dévie les rayons lumineux. Le sens de cette déviation dépend de la concavité (ou convexité) des faces de la lentille.

oculaire : nom que porte dans un instrument d'optique la dernière lentille que traverse la lumière avant d'atteindre l'œil.

prisme : objet formé d'un matériau transparent et limité par des plans, qui dévie les rayons lumineux. L'angle de déviation dépend, en particulier, de la longueur d'onde.

◆ **Trajet d'un rayon lumineux dans un prisme.**

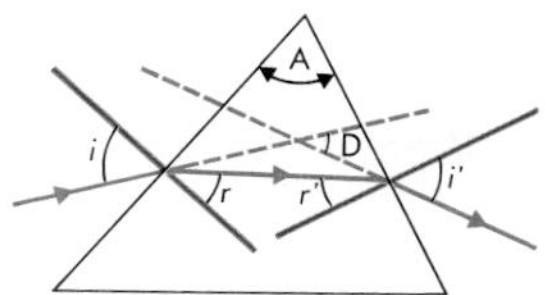

◆ **Lentilles convergentes et divergentes.**

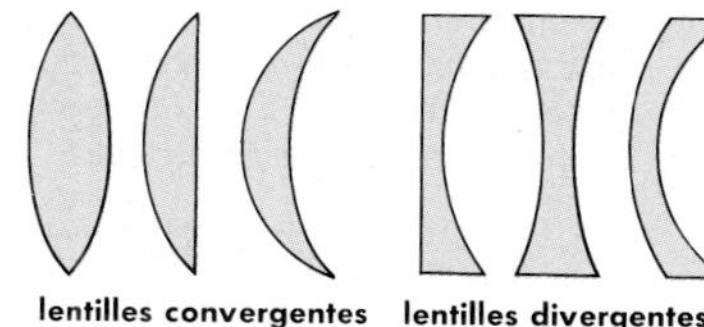

lentilles convergentes **lentilles divergentes**

◆ **Distances focales.**

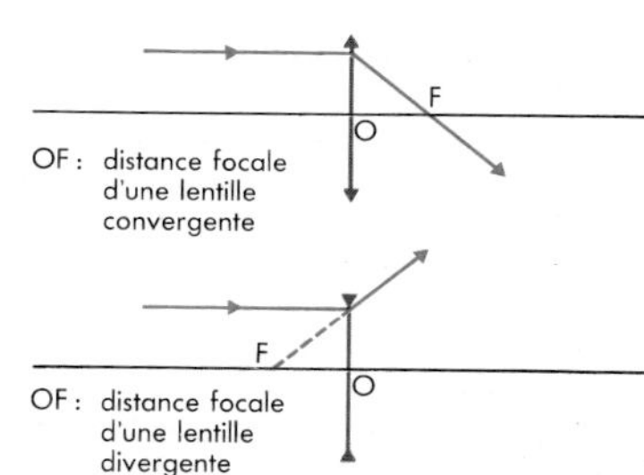

◆ **Décomposition de la lumière blanche par un prisme.** Le prisme dévie différemment les composants d'une lumière complexe, comme la lumière blanche : on dit qu'il disperse la lumière. Cette dispersion est utilisée en spectroscopie. L'indice de réfraction du prisme, ainsi que l'angle de réfraction dépendent de la longueur d'onde de la radiation lumineuse.

◆ **Retournement d'une image à l'aide de deux prismes.** Ce procédé est utilisé en photographie.

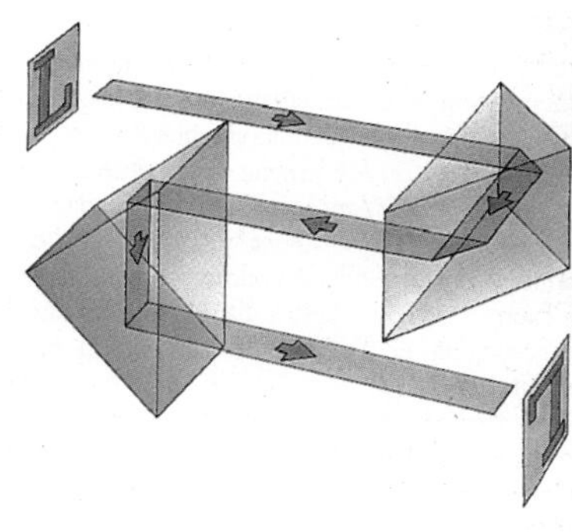

◆ **Construction des images pour une lentille convergente et pour une lentille divergente.**

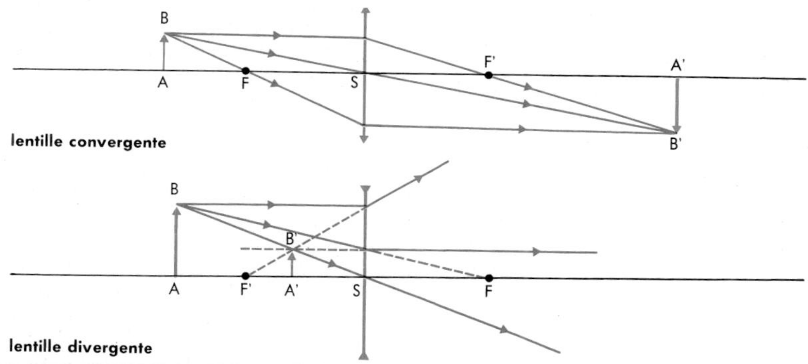

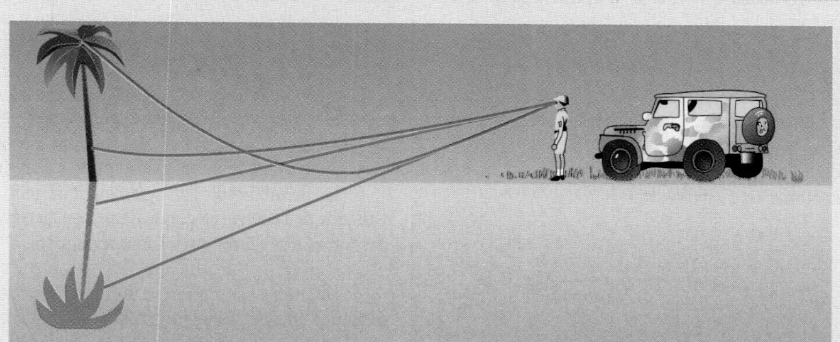

Les mirages

Lorsque le sol est fortement échauffé par le soleil, l'air qui est à son contact acquiert une température supérieure à celle des couches situées au-dessus. Il se produit alors une variation continue de densité de l'air, le moins dense étant le plus près du sol. Il en est de même pour l'indice de réfraction, plus faible près du sol. Les rayons lumineux traversant ce milieu inhomogène se courbent vers le haut. L'œil reçoit donc d'objets situés au-dessus de l'horizon des rayons venant du bas, qu'il interprète comme ceux du reflet de ces objets. À l'opposé, au-dessus de mers très froides, l'air se stratifie en sens inverse, et les rayons lumineux sont courbés vers le bas, permettant d'apercevoir des objets situés au-delà de l'horizon.

Physique

Les fondements de la mécanique classique

La mécanique classique décrit les mouvements des objets massiques en relation avec leur environnement. Elle s'applique à des objets dont les dimensions doivent être sensiblement supérieures aux dimensions atomiques, et soumis à des vitesses faibles par rapport à la vitesse de la lumière. Dans ces limites, les lois de la mécanique décrivent le mouvement avec une remarquable précision, aussi bien pour les objets qui nous entourent que pour les corps célestes. Les fondements de la mécanique classique sont, d'une part, le principe galiléen de relativité, qui affirme que tous les systèmes de référence en mouvement rectiligne uniforme l'un par rapport à l'autre sont équivalents ; d'autre part, les lois de conservation de l'énergie, de l'impulsion et du moment cinétique.

Ces lois traduisent des propriétés d'homogénéité de l'espace et du temps, qui constituent les fondements de notre perception du monde : invariance par rapport au temps (les mêmes causes produisent les mêmes effets, quel que soit l'instant où elles se manifestent), invariance par rapport à la position et à l'orientation dans l'espace.

La mécanique du point matériel

La mécanique du point matériel se divise en la cinématique, étude descriptive du mouvement dans l'espace et le temps, et la dynamique, qui relie le mouvement aux forces qui en sont la cause.

Position. La position d'un objet ponctuel en mouvement peut être définie par l'abscisse curviligne s, distance mesurée le long de sa trajectoire à partir d'une origine O.

Vitesse. La vitesse moyenne entre deux instants t_1 et t_2 est :

$$v_m = \frac{s_1 - s_2}{t_1 - t_2}.$$

La vitesse instantanée est la limite de la vitesse moyenne quand $t_2 - t_1$ tend vers zéro. On la définit sous la forme d'un vecteur tangent à la trajectoire, dont le sens est celui du mouvement et dont la norme est : $v = ds / dt$.

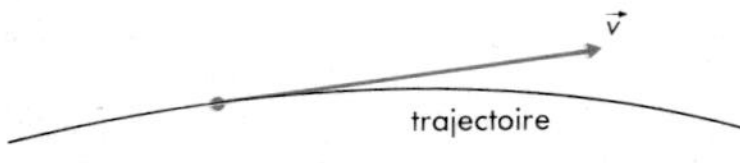

Dans le cas d'un mouvement circulaire, l'abscisse curviligne s est liée au rayon de la trajectoire R et à l'angle de rotation θ (en radians) par : $s = R\theta$.

On a donc la relation $v = Rd\theta / dt = R\omega$, où ω est la vitesse angulaire (en radians par seconde).

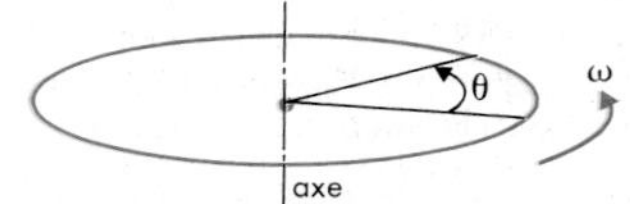

Accélération. Le vecteur accélération est la dérivée du vecteur vitesse par rapport au temps : $\vec{a} = d\vec{v} / dt$.

$\vec{a}$ est nul dans le cas d'un mouvement s'effectuant à vitesse constante. Lorsque le vecteur vitesse varie, $\vec{a}$ est toujours dirigé vers l'intérieur de la concavité de la trajectoire. On peut le définir comme la somme vectorielle de deux composantes orthogonales, l'une tangentielle ($\vec{a_t}$)h, l'autre normale ($\vec{a_n}$)h, de normes respectives : dv/dt et v^2/ρ, ρ étant le rayon de courbure de la trajectoire.

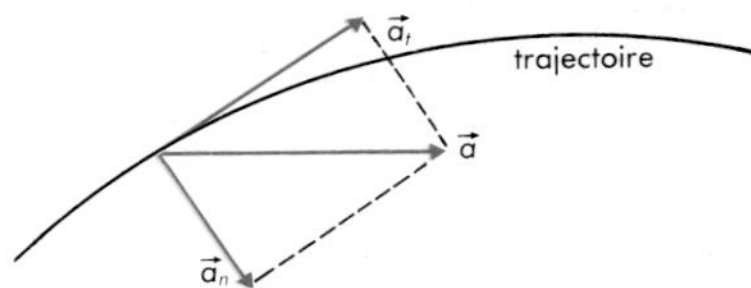

Composition des mouvements. Le mouvement d'un point est repéré par ses coordonnées dans un référentiel A. Si celui-ci se déplace par rapport à un second référentiel B, il peut être utile de connaître les coordonnées du point dans B. Le cas le plus simple est celui où le mouvement de A dans B est rectiligne uniforme, de vitesse V (vitesse d'entraînement). On a alors : $\vec{v_B} = \vec{v_A} + \vec{V}$ et $\vec{a_B} = \vec{a_A}$.

Quantité de mouvement. C'est le vecteur $\vec{p} = m\vec{v}$; sa norme s'exprime en kg · m · s-[1].

Il est montré que la quantité de mouvement d'un système isolé se conserve. Si la quantité de mouvement d'un système ne se conserve pas, cela signifie que le système est soumis à une force extérieure, égale à la dérivée du vecteur quantité de mouvement par rapport au temps : $\vec{f} = dm\vec{v} / dt$; sa norme s'exprime en newtons (N). Puisque $\vec{p} = m\vec{v}$, $d\vec{p} / dt = m(d\vec{v}/dt)$, on a donc : $\vec{f} = m\vec{a}$ (relation fondamentale de la mécanique).

Travail d'une force. Le travail W d'une force $\vec{f}$ déplaçant son point d'application d'un point A à un point B est : $W = \vec{f} \cdot \vec{AB}$, ou en considérant un très petit déplacement dx : $dW = f \cdot dx$; W s'exprime en joules (J).

La puissance d'une force est définie par : $P = dW/dt$ ou $P = W/t$, t étant l'intervalle de temps pendant lequel la force est appliquée.

Dans le cas d'une force parallèle au déplacement : $W = f \cdot x$ et $P = f \cdot v$.

Dans le cas d'un ressort qui s'allonge d'une longueur x : $f = k \cdot x^2$ (k est la constante de raideur du ressort), le travail vaut : $W = 1/2\, kx^2$.

Énergie. Un solide animé d'un mouvement de translation à la vitesse v possède une énergie cinétique $E_c = 1/2\, mv^2$, qui s'exprime en joules (J).

Le théorème de l'énergie cinétique relie la variation de l'énergie cinétique d'un objet au travail des forces extérieures qui lui sont appliquées :

$$E_c - E_{c'} = W.$$

Même s'il est immobile, un solide peut posséder une énergie : l'énergie potentielle. C'est le cas de l'eau retenue par un barrage ou encore celui d'un ressort tendu. On peut ainsi citer quelques énergies potentielles courantes :

– solide de masse m à une hauteur h : $E_p = mgh$;

– ressort (de constante k) allongé d'une longueur x :

$$E_p = 1/2\, kx^2 ;$$

– fil (de constante C) tordu d'un angle θ :

$$E_p = 1/2\, C\theta^2.$$

L'énergie mécanique d'un système est la somme de son énergie cinétique et de son énergie potentielle.

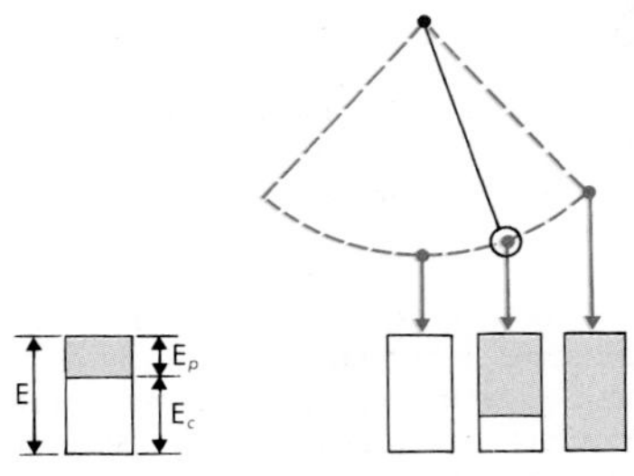

◆ **Énergies cinétique et potentielle d'un pendule.**

La mécanique du solide

On décrit un solide comme un ensemble de points matériels liés entre eux. On repère chaque point par son vecteur-position r_i et sa masse δm_i.

Centre de masse. C'est le point G défini par la relation vectorielle : $\vec{OG} = \sum m_i r_i$, O étant l'origine des coordonnées. On l'appelle aussi « centre de gravité » du solide.

Moment d'inertie par rapport à un axe. Soit un axe Δ fixe dans un solide. On désigne par r_i la distance du point i à cet axe et on définit le moment d'inertie $J_\Delta = \sum_i m_i r_i^2$.

Moment d'une force par rapport à un axe. Si une force $\vec{f}$ s'exerce en un point M d'un solide, on définit le moment $\mathcal{M}$ de cette force par rapport à un axe Δ comme la projection sur cet axe du vecteur $\vec{M} = \vec{OM} \wedge \vec{f}$. Si la force $\vec{f}$ est perpendiculaire à Δ, on a, en appelant d la longueur OM, $\mathcal{M} = f \cdot d$; $\mathcal{M}$ s'exprime en N · m (newtons-mètres).

Translation et rotation. Tout mouvement d'un solide se ramène à une suite de translations au cours desquelles tous les points du solide sont

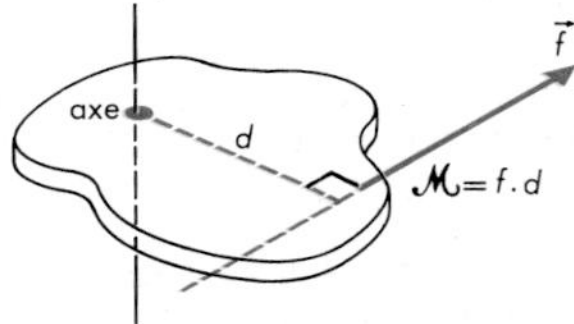

déplacés d'un même vecteur, et de rotations, au cours desquelles l'ensemble du solide subit une rotation d'un angle donné autour d'un axe Δ. Cette rotation se mesure par un angle θ_Δ et on définit la vitesse angulaire $\omega = d\theta_\Delta / dt$.

On appelle moment cinétique le vecteur $J_\Delta \vec{\Omega}$, $\vec{\Omega}$ étant un vecteur de longueur ω dirigé suivant Δ.

Dynamique d'un solide. Élaboré par Galilée, puis par Newton, le principe de l'inertie stipule que quel que soit le mouvement d'un solide isolé (non soumis à des forces extérieures ou soumis à des actions qui se compensent), il existe au moins un point lié au solide, le centre d'inertie, dont le vecteur vitesse est constant.

En présence de forces extérieures $\vec{F_{ext}}$, les équations du mouvement s'obtiennent en écrivant, d'une part, le principe d'inertie : $\sum \vec{F_{ext}} = M\vec{a_G}$ appliqué au centre d'inertie ; d'autre part, le théorème du moment angulaire qui affirme que la dérivée par rapport au temps du moment angulaire autour d'un axe est égale au moment par rapport à cet axe des forces appliquées : $\sum \mathcal{M}_{ext} = J_\Delta \, d\omega / dt$.

La mécanique des fluides

Un fluide est un milieu infiniment déformable qui épouse totalement la forme du récipient qui le contient. Ce peut être un gaz, occupant alors tout le volume disponible, ou un liquide dont le volume occupé dépend de la quantité. Pour décrire le mouvement d'un fluide, on définit en chaque point un vecteur vitesse, qui peut être différent d'un point à un autre. Tous les fluides réels possèdent une viscosité qui lie le mouvement d'un élément du fluide à celui de ses voisins, mais il est souvent commode de considérer un fluide idéal, dépourvu de viscosité, dit fluide parfait.

Statique. Dans un fluide immobile, la pression en un point est la même dans toutes les directions. Si le fluide est soumis à des forces extérieures, l'immobilité traduit le fait que les variations de pression à l'intérieur du fluide compensent ces forces. Dans un fluide incompressible de masse volumique constante ρ soumis à la pesanteur, la pression varie avec la hauteur z suivant la loi $p = p_0 - \rho_g(z - z_0)$. Un cylindre vertical de section S et de hauteur h immergé dans le fluide subit entre ses faces une différence de pression $\Delta p = \rho g h$, c'est-à-dire une force verticale dirigée vers le haut égale au poids du liquide déplacé (car les pressions latérales se compensent). Cette propriété, qui constitue le principe d'Archimède, est vraie quelle que soit la forme du solide immergé.

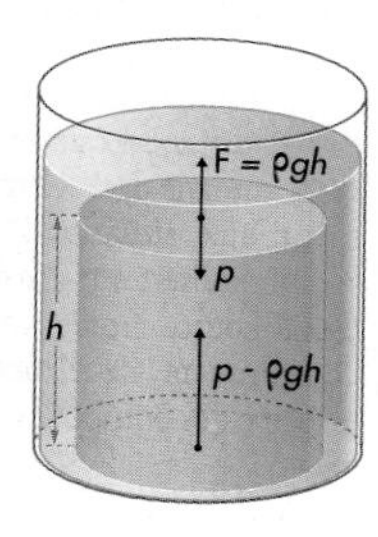

Dynamique. L'écoulement d'un fluide sans viscosité ne dissipe pas d'énergie. On peut alors montrer qu'à l'intérieur d'une veine fluide, tube imaginaire dessiné dans un fluide incompressible en mouvement tel que la vitesse y est partout tangente à sa paroi, la conservation de l'énergie s'exprime par le théorème de Bernoulli :

$$1/2\,\rho v_1^2 + \rho g h_1 + p_1 = 1/2\,\rho v_2^2 + \rho g h_2 + p_2,$$

où v_1 et v_2 sont les vitesses des 2 sections de la veine fluide, h_1 et h_2 les hauteurs des 2 sections, p_1 et p_2 les pressions des 2 sections.

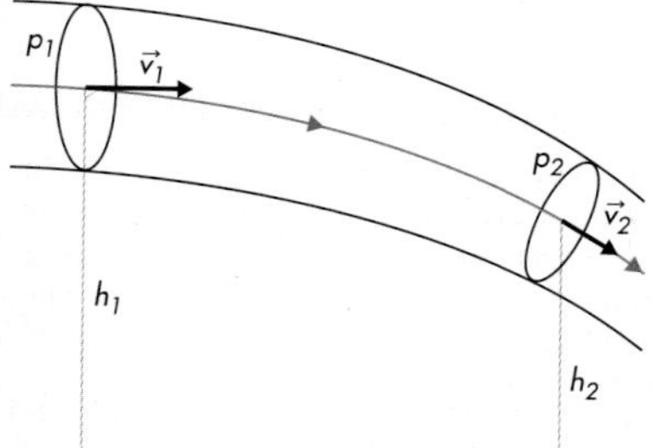

Sur une aile d'avion, la vitesse de l'air est plus grande sur la face supérieure que sur la face inférieure. D'après le théorème de Bernoulli, la pression exercée sur la face inférieure est plus grande que la pression sur la face supérieure. Cette différence de pression constitue la portance de l'aile et assure la sustentation de l'avion.

La mécanique relativiste

Le principe de relativité galiléenne affirme que si deux systèmes sont animés l'un par rapport à l'autre d'un mouvement de translation uniforme (à vitesse constante v), aucune expérience de mécanique faite à l'intérieur d'un système ne permet de mettre en évidence ce mouvement : dans les deux systèmes, la chute libre d'un corps pesant obéit à la même loi, et la longueur d'un objet est la même. Si le mouvement de translation se fait suivant l'axe Ox dans un système et Ox' dans l'autre, cela se traduit par les relations classiques de la transformation galiléenne :

$$x' = x - vt,\ y' = y,\ z' = z$$
et évidemment $t' = t$.

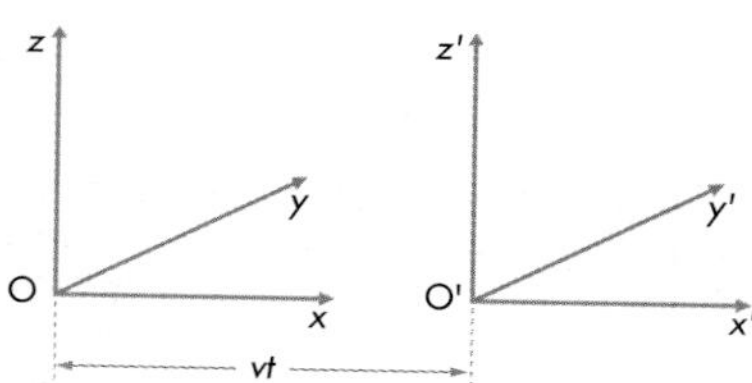

En 1905, Albert Einstein propose d'étendre ce principe aux expériences d'électromagnétisme, en particulier à la mesure de la vitesse de la lumière : celle-ci doit donc avoir la même valeur c dans les deux systèmes. En d'autres termes, la distance Δs parcourue par la lumière dans un intervalle de temps Δt doit être la même, ce qui s'exprime par :

$$\Delta s^2 - c^2\Delta t^2 = \text{cte} = \Delta s'^2 - c^2\Delta t'^2.$$

Les conséquences de cette simple proposition sont considérables ; elles se traduisent par de nouvelles relations de changement de référentiel, constituant la transformation de Lorentz. Dans la même géométrie que précédemment, en introduisant les quantités $\beta = v/c$ et $\gamma = 1/\sqrt{(1 - \beta^2)}$, les relations de changement de système s'écrivent :

$$x' = \gamma\,(x - vt),\ y' = y,\ z' = z$$
$$\text{et } t' = \gamma\,(t - \frac{v}{c^2}x).$$

On constate que pour $v < c$, $\beta \simeq 0$ et $\gamma \simeq 1$, la transformtion de Lorentz devient identique à la transformation de Galilée. On constate également que la longueur d'un objet est différente dans les deux systèmes (l'objet est plus long dans le système où il est immobile), et que le temps n'est pas le même (il est plus court dans le système où l'horloge est immobile).

Les relations traduisant la composition relativiste des vitesses prouvent qu'il est impossible de dépasser la vitesse de la lumière.

L'application des principes très généraux de conservation du moment cinétique et de l'énergie amène à redéfinir cette dernière, en y incluant un terme dit d'énergie de masse, qui se traduit par la célèbre relation $E_0 = mc^2$.

La première version de la relativité, limitée aux systèmes en mouvement uniforme l'un par rapport à l'autre, porte le nom de «relativité restreinte». Plus tard, Einstein généralisa la relativité aux systèmes en mouvement accéléré l'un par rapport à l'autre (relativité générale). Toutes les vérifications expérimentales de ces deux théories ont, jusqu'à présent, été positives.

Petit lexique

hydrodynamique : étude des écoulements des liquide.

hydrostatique : étude des conditions d'équilibre d'un liquide.

La théorie quantique

La mécanique classique cesse d'être satisfaisante pour décrire le mouvement des objets dont les variables dynamiques sont telles que la combinaison qui correspond à une énergie que multiplie un temps vaut, dans le système SI, environ 10^{-34} J · s. Cette quantité très faible est caractéristique d'objets de dimension atomique, et la description adaptée est alors la théorie quantique. La grandeur de référence est la constante de Planck :

$$h = 6{,}625 \cdot 10^{-34}\ \text{J} \cdot \text{s}.$$

Les caractéristiques principales de cette théorie sont les suivantes.

La dualité onde-corpuscule. À tout objet en mouvement est associée une onde par la relation de Broglie $p = h/\lambda$, où p est la quantité de mouvement de la particule (qui, pour une particule de masse m animée de la vitesse v, vaut mv) et λ la longueur d'onde de l'onde qui lui est associée. En fait, l'objet quantique se manifeste simultanément comme une particule et comme une onde, qu'il ait une masse (par exemple, un électron), ou qu'il n'en ait pas (par exemple, un photon).

Les inégalités de Heisenberg. Elles définissent une limite supérieure de la précision avec laquelle on peut mesurer simultanément les valeurs des variables dynamiques d'un objet quantique. Par exemple, la position, définie par les coordonnées x, y et z d'une particule, et sa quantité de mouvement, définie par les composantes $p_x = mv_x$, p_y et p_z ne peuvent être connues simultanément qu'avec des erreurs Δx... et Δp_x..., qui sont reliées entre elles par les inégalités :

$$\Delta x \cdot \Delta p_x \geq \hbar,\ \Delta y \cdot \Delta p_y \geq \hbar$$
$$\text{et } \Delta z \cdot \Delta p_z \geq \hbar \text{ où } \hbar = h/2\pi.$$

Il existe de même entre l'énergie E d'un objet et l'instant où il possède cette énergie la relation :

$$\Delta E \cdot \Delta t \geq \hbar.$$

Il en résulte que, lorsqu'une particule a une durée de vie extrêmement brève, l'indétermination sur son énergie est très grande, et permet même de violer fugacement la conservation de l'énergie, ce qui s'avère impensable en mécanique classique.

La quantification des grandeurs dynamiques. Alors que les grandeurs dynamiques classiques peuvent avoir des valeurs quelconques, les grandeurs quantiques sont, dans certains cas, contraintes à ne prendre que des valeurs bien définies : par exemple, le moment angulaire d'une particule ne peut valoir qu'un nombre entier ou demi-entier de fois ($\hbar$ étant la constante de Planck).

De même, l'énergie d'une particule, dans une configuration donnée, ne peut être quelconque et doit se cantonner à des valeurs fixes et précises. Une telle configuration porte le nom d'« état propre », les valeurs des grandeurs dynamiques correspondantes étant les « valeurs propres ».

La mécanique quantique est l'outil mathématique qui permet de calculer, pour une particule ou un ensemble de particules dans une situation donnée, la fonction d'onde correspondante, variable qui représente une description du système en termes de probabilités, et non, comme en mécanique classique, en termes de prédictions.

VOIR AUSSI
- **Théories de la relativité restreinte et générale** p. 298 et 300
- **Physique quantique** p. 300
- **Relations d'incertitude de Heisenberg** p. 302

Physique

L'énergie et la thermodynamique

La conservation de l'énergie

L'énergie existe sous de multiples formes ; on distingue l'énergie cinétique E_c liée au mouvement et l'énergie potentielle E_p. L'énergie cinétique E_c comprend deux termes, l'énergie cinétique microscopique désordonnée des atomes et des molécules, qui correspond à la chaleur ou énergie thermique, traditionnellement représentée par la lettre Q, et l'énergie cinétique du mouvement global qui, regroupée avec l'énergie potentielle, est désignée par la lettre W. L'unité d'énergie est le joule (J).

La grandeur associée à l'énergie thermique est la température T mesurée en degrés Kelvin (K). La quantité de chaleur (en joules) nécessaire pour élever la température d'un corps de masse m de ΔT est : $Q = mc_m \Delta T$, où c_m est la chaleur massique, qui varie avec le corps considéré.

◆ **Chaleurs massiques de quelques corps** (en $kJ \cdot kg^{-1} \cdot K^{-1}$).

cuivre	0,88
aluminium	0,89
air*	1,00
éther	2,26
eau	4,18
hydrogène*	14,17

* Gaz supposé à pression constante.

Premier principe de la thermodynamique. Un système thermodynamique est isolé si ses différentes parties ne peuvent échanger d'énergie qu'entre elles, sans possibilité d'en échanger avec d'autres systèmes. Le premier principe de la thermodynamique permet d'affirmer que son énergie interne $U = W + Q$ est constante au cours du temps : il y a conservation de l'énergie pour un système isolé. Cette conservation de l'énergie est un principe universel, qui s'applique à tout système isolé, qu'il s'agisse d'un atome, d'une bouteille Thermos ou de l'ensemble de l'Univers. Lorsque deux systèmes échangent de l'énergie, leurs énergies internes varient de ΔU_1 et ΔU_2 mais le gain de l'un est égal à la perte de l'autre ($\Delta U_1 + \Delta U_2 = 0$). L'échange est isotherme s'il se fait à température constante, et adiabatique s'il se fait sans échange de chaleur ($\Delta Q = 0$). Le travail mécanique ΔW des forces de pression se traduit par une variation ΔV de volume du gaz. Si la pression P est constante, $\Delta W = -P\Delta V$ et $\Delta U = \Delta Q - P\Delta V$. Il est alors commode d'introduire la fonction enthalpie $H = U + PV$, car $\Delta H = \Delta Q$.

La dégradation de l'énergie

À l'intérieur d'un système isolé, l'énergie est présente dans des « réservoirs » où elle a une nature bien définie : énergie nucléaire, chimique, gravitationnelle, thermique, etc. On appelle « réservoir thermique » un système isolé où la température T est constante. L'énergie peut circuler d'un réservoir à un autre, changer de nature, mais toutes les transformations ne sont pas possibles. L'expérience montre qu'aucune transformation n'est rigoureusement réversible. Le transfert d'une quantité d'énergie ΔE d'un réservoir A vers un réservoir B ne peut pas être suivie du retour direct et exact de ΔE de B vers A, car une partie plus ou moins grande de cette énergie est inexorablement dégradée vers une autre forme d'énergie au cours de chacun des transferts. Ce processus organise une hiérarchie dans les différentes formes d'énergie, dont l'énergie thermique (la chaleur) forme l'échelon inférieur, les réservoirs les plus froids étant les plus bas.

Deuxième principe de la thermodynamique. L'énergie thermique apparaît ainsi comme l'ultime étape de cette dégradation ; il est donc impossible de transférer spontanément de l'énergie thermique d'un réservoir vers autre chose qu'un réservoir plus froid. Cette proposition constitue une des formes du deuxième principe de la thermodynamique. Pour décrire le transfert spontané et irréversible de la quantité d'énergie thermique ΔQ d'un réservoir à température T_1 vers un réservoir à température T_2 (inférieure à T_1), on introduit la grandeur $\Delta S = \Delta Q/T$, appelée « entropie ».

Le réservoir 1 perd $\Delta S_1 = \Delta Q/T_1$, le réservoir 2 gagne $\Delta S_2 = \Delta Q/T_2$, et on a $\Delta S_1 < \Delta S_2$. Il y a donc eu création d'entropie, l'entropie après transfert étant supérieure à l'entropie avant transfert. Cette augmentation de l'entropie au cours des transformations irréversibles constitue un autre énoncé du deuxième principe.

Les machines thermiques

L'origine de la thermodynamique classique remonte aux tentatives des physiciens de comprendre le fonctionnement des machines thermiques, essentiellement les machines à vapeur, qui créent de l'énergie mécanique à partir de l'énergie thermique fournie par la combustion du charbon. Le deuxième principe affirme que toute l'énergie thermique ne peut pas être transformée en travail. La machine thermique peut au mieux extraire Q_1 d'une source à température T_1, restituer Q_2 à une source à température $T_2 < T_1$ et transférer $W = Q_1 - Q_2$ vers un autre réservoir.

Le théorème de Carnot affirme que les valeurs de Q_1 et Q_2 sont telles que :

$$Q_1/T_1 - Q_2/T_2 = 0.$$

Le rendement $\eta = W/Q_1$ est donc égal à $1 - T_2/T_1$. Cela est vrai pour une machine idéale fonctionnant de façon réversible. Or aucune transformation n'étant réversible, cette relation donne donc une borne supérieure du rendement. Elle montre que le rendement ne peut jamais valoir 1, mais qu'il s'en approche d'autant plus que l'écart entre T_1 et T_2 est grand.

Le théorème de Carnot ne s'applique pas qu'au moteur thermique, qui est une machine thermique produisant de l'énergie mécanique en consommant de l'énergie thermique, mais également aux situations inverses où la machine thermique sert à transférer de l'énergie thermique d'une source froide vers une source chaude en consommant de l'énergie mécanique : c'est le principe des pompes à chaleur et des réfrigérateurs.

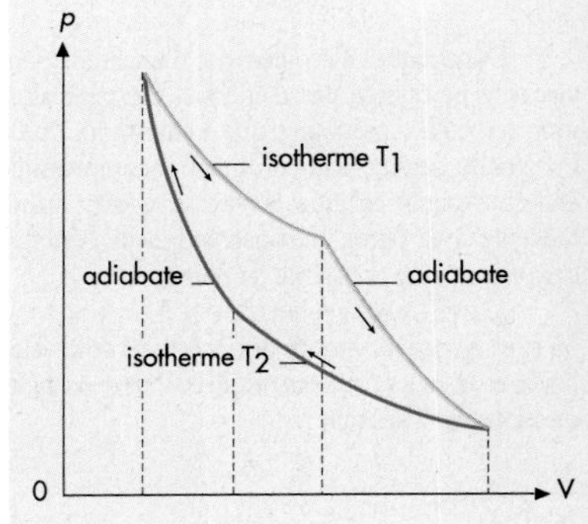

◆ **Cycle de Carnot.** Ce schéma constitue une représentation arbitraire de la variation simultanée de la pression et du volume d'un fluide subissant une suite de transformations alternativement isothermes et adiabatiques entre les deux températures T_1 et T_2. L'aire du cycle correspond au travail mécanique.

La croissance inexorable du désordre

Alors que dans un système isolé, l'énergie demeure constante, l'entropie, elle, ne peut que croître au cours du temps. Pour justifier ce paradoxe, le physicien autrichien Ludwig Boltzmann (1844-1906) a donné de cette grandeur une interprétation microscopique fondée sur la théorie des probabilités : il a associé l'entropie d'un système dans un état donné à la probabilité de cet état, définie comme le rapport du nombre de configurations le représentant au nombre total de configurations possibles du système. Prenons l'exemple d'un récipient de 1 litre rempli d'air ($2{,}7 \cdot 10^{22}$ molécules) à 15 °C. Il est assez intuitif que des situations ordonnées où une moitié des molécules animées d'une faible vitesse, donc froides, seraient concentrées dans une moitié du récipient, alors que l'autre moitié serait chaude, sont peu probables, comparées aux situations désordonnées où le mélange de molécules rapides et lentes est homogène et où la température est la même partout. D'après Boltzmann, cette dernière situation, beaucoup plus probable que la situation ordonnée, correspond à une entropie plus élevée, et l'évolution vers le désordre est irréversible, car le nombre de situations désordonnées est infiniment plus élevé que le nombre de situations ordonnées.

Petit lexique

enthalpie : grandeur thermodynamique utilisée pour calculer l'énergie échangée lors d'un changement d'état ou d'une réaction chimique

entropie : grandeur thermodynamique qui permet d'évaluer la dégradation de l'énergie d'un système. L'entropie d'un système caractérise son degré de désordre.

VOIR AUSSI
- **Pompes à chaleur** p. 359
- **Moteurs** p. 366
- **Réfrigérateurs** p. 381

Magnétisme et électromagnétisme

Une aiguille aimantée placée à proximité d'un aimant ou d'un conducteur parcouru par un courant décèle un champ magnétique $\vec{B}$, qui peut être, comme le champ électrostatique, représenté par ses lignes de champ.

Champs magnétiques créés par des courants.
– Conducteur rectiligne :

$B = \mu_0\, i/2\pi a$, avec $\mu_0 = 4\pi \cdot 10^{-7}\ \mathrm{H \cdot m^{-1}}$.

Le sens de $\vec{B}$ est donné par la « règle du tire-bouchon » : un tire-bouchon progressant dans le sens de i tourne dans le sens de B.

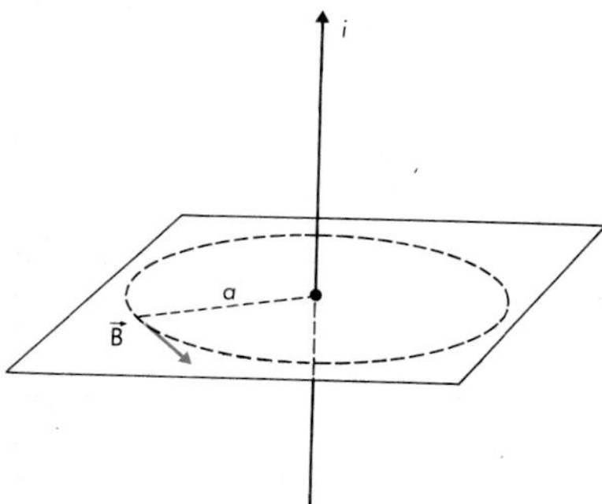

– Spire circulaire (de rayon r).

Au centre de la spire, le champ magnétique a pour valeur : $B = \mu_0\, i/2r$.

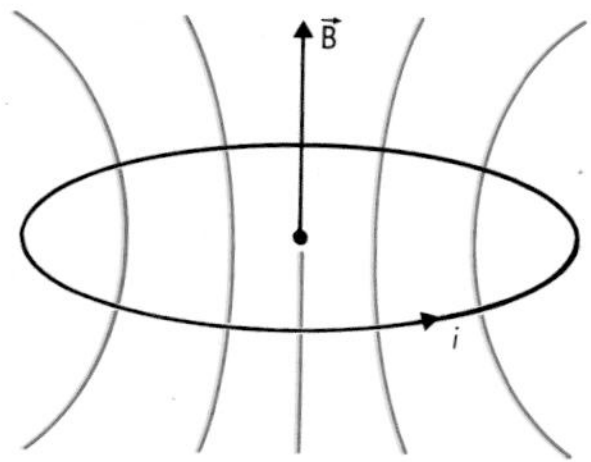

Loi de Biot et Savart. Un élément de conducteur $d\vec{\ell}$ situé au point P et transportant un courant i crée au point M distant de r un champ magnétique élémentaire :

$$d\vec{B} = \frac{\mu_0 i}{} \cdot \frac{d\vec{\ell} \wedge \vec{u}}{},$$

$\vec{u}$ étant le vecteur unitaire de la droite MP et $d\vec{\ell} \wedge \vec{u}$ le produit vectoriel des vecteurs $d\vec{\ell}$ et $\vec{u}$.

Le champ créé par l'ensemble du circuit s'obtient en sommant les contributions de tous les éléments.

Flux magnétique à travers une surface S. Le flux magnétique à travers une surface S a pour expression : $\Phi = \vec{B} \cdot \vec{S}$.

Dans le cas d'une spire, le vecteur-surface $\vec{S}$ est normal à la surface de la spire et a pour norme l'aire de la spire.

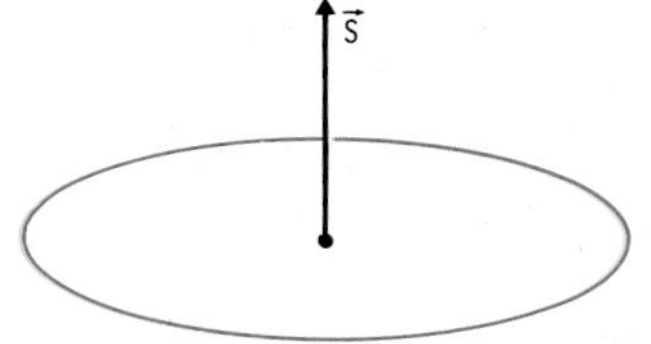

◆ **Aimant flottant.**
Dans l'état supraconducteur, la matière présente un diamagnétisme intense. En présence d'un champ magnétique externe, le champ induit dans le supraconducteur s'oppose à celui-ci jusqu'à l'annuler. Placé au-dessus d'un supraconducteur, un petit aimant est repoussé par le champ opposé qu'il y induit si bien qu'il flotte.

Forces magnétiques.
– Force exercée sur une particule chargée se déplaçant à une vitesse $\vec{v}$ dans un champ magnétique $\vec{B}$ (force de Lorentz) : $\vec{f} = q\vec{v} \wedge \vec{B}$.

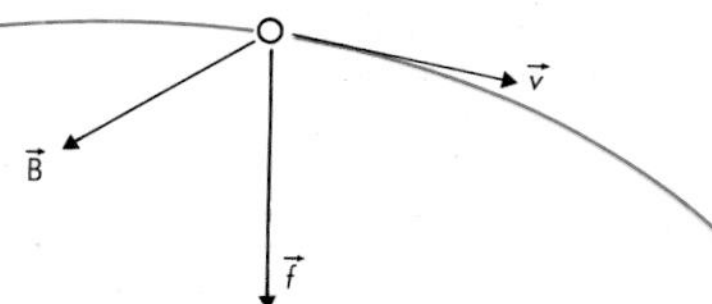

L'action d'un champ magnétique peut ainsi dévier un faisceau d'électrons, ce qui se vérifie en approchant un aimant d'une télévision.

Le sens de $\vec{f}$ est donné par la règle des trois doigts de la main droite : pouce/force ; index/intensité ; majeur/champ.

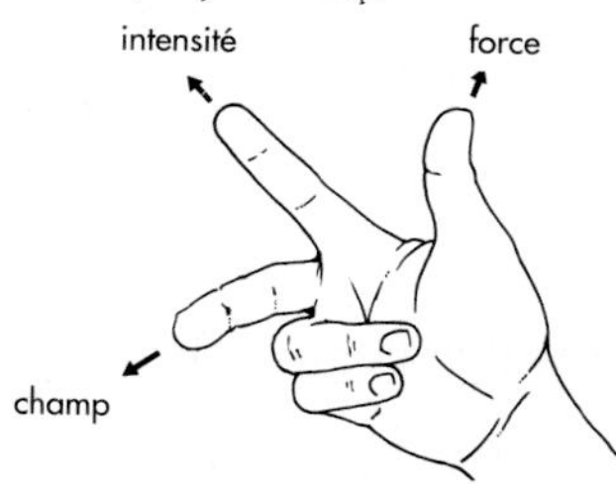

◆ **Règle des trois doigts.**

– Force exercée sur un conducteur traversé par un courant d'intensité i et placé dans un champ magnétique $\vec{B}$ (force de Laplace) : $\vec{f} = q\, i\, \vec{\ell} \wedge \vec{B}$, où ℓ est la longueur de conducteur soumise au champ magnétique orientée par le sens du courant. Cette force est à la base du fonctionnement des moteurs électriques et des appareils de mesure électriques.

– Travail des forces électromagnétiques :

$$W = i\Delta\Phi.$$

$\Delta\Phi$ est le flux coupé par le conducteur pendant son mouvement.

Induction électromagnétique. Ce phénomène est particulièrement important, car il est à la base de toute la production d'électricité. Un aimant qu'on approche d'une spire fermée y engendre un courant induit. Plus généralement toute variation de flux engendre une force électromotrice induite e telle que : $e = -\Delta\Phi/\Delta t$.

La loi de Lenz rend compte du signe négatif dans cette expression : le courant induit a un sens tel qu'il crée un champ qui s'oppose à la variation de flux qui lui a donné naissance.

Le flux Φ qui traverse un circuit parcouru par un courant i étant proportionnel au courant, la constante de proportionnalité est l'inductance L (symbole ⌒⌒⌒⌒) : $L = \Phi/i$.

La force électromotrice aux bornes d'une inductance est donc :

$$e = -L\, di/dt,$$

l'énergie emmagasinée vaut $W = 1/2\ Li^2$, l'inductance d'une bobine (n spires ; section s ; longueur ℓ) vaut $L = \mu_0 n^2 s/\ell$.

Les matériaux magnétiques

Chacun des atomes d'une substance comporte des charges électriques en mouvement (les électrons), qui sont sensibles à l'action d'un champ magnétique extérieur. La plupart des corps sont diamagnétiques : leur aimantation est temporaire et de sens opposé à celui du champ extérieur.

À cause de leur structure électronique, les atomes de certains matériaux (oxygène, platine) sont analogues à de petits aimants qui tendent à s'aligner dans la direction du champ. Ces corps, qui possèdent une faible aimantation, sont dits « paramagnétiques ».

Soumis à un champ magnétique, les matériaux ferromagnétiques comme le fer et certains oxydes acquièrent une aimantation intense, qu'ils peuvent conserver lorsque le champ excitateur a cessé (aimants permanents, mémoires magnétiques). On les caractérise par une « perméabilité magnétique » μ_r qui mesure le rapport entre le champ appliqué et le champ résultant à l'intérieur du matériau et peut avoir des valeurs très élevées (10 000 pour le fer doux). Cette propriété disparaît au-dessus d'une température caractéristique appelée « point de Curie » (770 °C pour le fer).

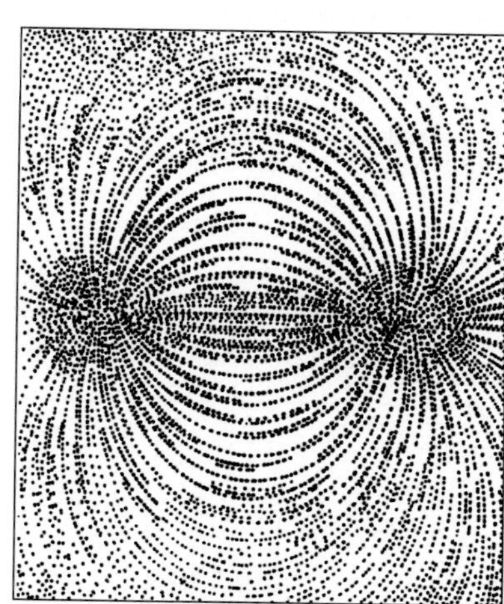

◆ **Spectre d'un barreau aimanté.**
Un aimant crée autour de lui un champ magnétique. Des particules de limaille de fer s'aimantent sous l'influence de ce champ, se lient entre elles et s'orientent : elles matérialisent alors approximativement les lignes de champ de l'aimant.

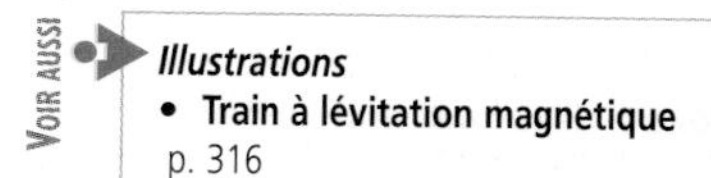
VOIR AUSSI
Illustrations
• **Train à lévitation magnétique**
p. 316

Physique

L'électricité

Électrostatique

L'électrostatique est l'étude des charges électriques au repos. Tout atome étant électriquement neutre (il possède autant d'électrons, chargés négativement, que de protons, chargés positivement), l'apparition d'une charge globale résulte d'un excès ou d'un déficit d'électrons. Une charge crée dans tout l'espace un champ électrostatique représenté par un vecteur. Les lignes de champ, auxquelles le vecteur champ est tangent en tout point, permettent de représenter ce champ.

Loi de Coulomb. À la distance r d'une charge q, le champ est radial et de module :

$$E = \frac{1}{4\pi\varepsilon_0} \cdot \frac{q}{r^2}.$$

Par convention, il est orienté vers la charge si elle est négative, et en sens opposé si elle est positive. $1/4\pi\varepsilon_0 \approx 8{,}99 \cdot 10^9 \, \mathrm{m \cdot F^{-1}}$; q est exprimé en coulombs (C); r en mètres; E en $\mathrm{V \cdot m^{-1}}$.

Lorsque plusieurs charges sont présentes, le champ résultant est la somme vectorielle des champs créés par chacune des charges.

Une charge q' placée dans le champ $\vec{E}$ (créé par une charge q) est soumise à la force $\vec{f} = q'\,\vec{E}$, soit :

$$\vec{f} = \frac{1}{4\pi\varepsilon_0} \cdot \frac{qq'}{r^2}\,\vec{u},$$

où r est la distance entre les charges et $\vec{u}$ un vecteur unitaire porté par la droite joignant les 2 charges, orienté de q vers q' (deux charges de même signe se repoussent, deux charges de signes contraires s'attirent).

Le travail W qu'il faut fournir pour déplacer d'un point A à un point B une charge électrique q dans un champ électrostatique est proportionnel à la « différence de potentiel » $U_B - U_A$ qui existe entre A et B :

$$q(U_B - U_A) = W_{A \to B}$$

Le potentiel électrostatique créé par une charge q à la distance r vaut :

$$U = \frac{1}{4\pi\varepsilon_0} \cdot \frac{q}{r}.$$

Condensateurs. Entre deux plateaux conducteurs parallèles, le champ est uniforme. La différence de potentiel entre les plateaux est alors $U = E \cdot d$, où d est la distance entre les plaques.

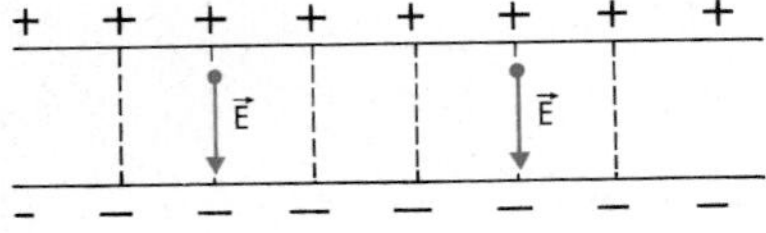

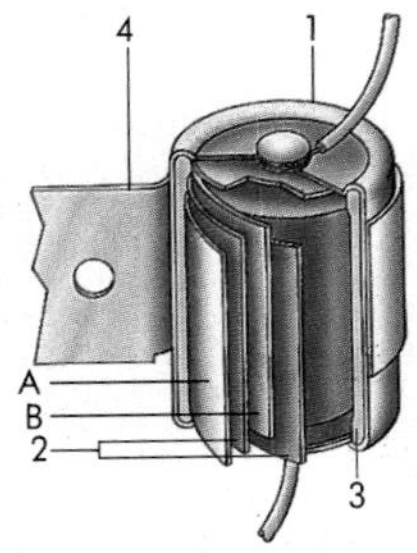

◆ **Détail d'un condensateur papier.**
A et B : armatures. 1. Boîtier isolant; 2. Papier isolant; 3. Paraffine; 4. Attache.

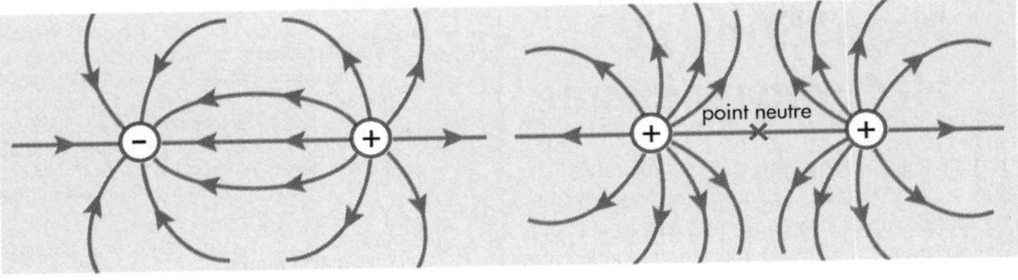

◆ **Champ électrostatique créé par deux charges.**
Cas de deux charges de signes contraires (a) et de deux charges de même signe (b). Les flèches indiquent la direction que prendrait une charge positive libre de se déplacer.

◆ **Permittivité relative de quelques diélectriques.**

air	1
papier	2,5
verre	5,5
mica	8
céramiques	entre 10 et 100

Un tel dispositif est un condensateur (symbole —||—). Si la charge portée par chacune des plaques est Q, sa capacité est : $C = Q/U$ (C se mesure en farads). Les condensateurs usuels sont constitués d'un feuillet de diélectrique (isolant) placé entre deux feuillets conducteurs. Si e est l'épaisseur du diélectrique et ε_r sa permittivité relative, la capacité est : $C = \varepsilon_0 \varepsilon_r \, s/e$, où s est la surface d'un feuillet conducteur.

Électrocinétique en courant continu

Soumises à une différence de potentiel, les charges électriques contenues dans les conducteurs se déplacent et créent un courant électrique. L'électrocinétique décrit les relations entre les courants, les potentiels et les conducteurs.

Tension et intensité. La tension entre deux points d'un circuit électrique est la différence de potentiel entre ces deux points. On la note u ; elle s'exprime en volts (V). Le courant électrique est dû à une circulation d'électrons. Son intensité mesure la charge électrique qui traverse une section du conducteur par unité de temps : $i = Q/t$. L'intensité i s'exprime en ampères (A).

Deux lois permettent de calculer u et i en tout point d'un circuit :
– Loi des mailles : $u_1 + u_3 - u_2 = 0$.

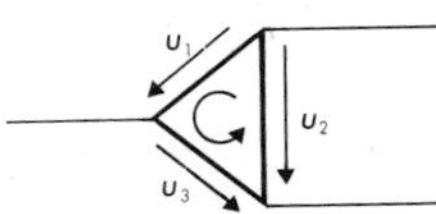

Un sens de parcours étant choisi, les tensions sont comptées positivement ou négativement selon qu'elles ont même sens ou non.
– Loi des nœuds : $i_1 = i_2 + i_3$.

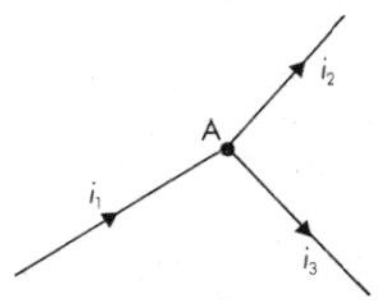

La somme des courants qui arrivent au point A est égale à la somme des courants qui en repartent.

Puissance électrique. La puissance électrique est définie par $P = ui$. Elle s'exprime en watts (W).

Résistance.
– Loi d'Ohm : si R est la résistance (symbole —▭—) d'une portion de circuit, on a : $u = Ri$.

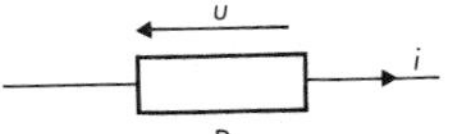

La résistance se mesure en ohms (Ω).
– La résistance d'un fil cylindrique de section s, de longueur ℓ et de résistivité ρ est :

$$R = \rho \ell / s.$$

– Association de résistances :
en série : $R = R_1 + R_2$,

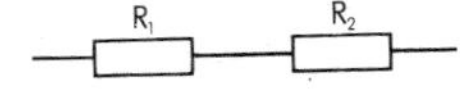

en dérivation : $1/R = 1/R_1 + 1/R_2$.

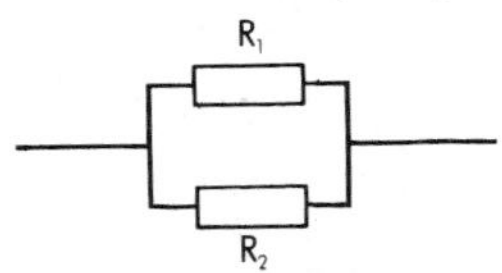

Générateur. Il s'agit d'un dispositif (pile, batterie…) capable d'engendrer un courant électrique. On le note :

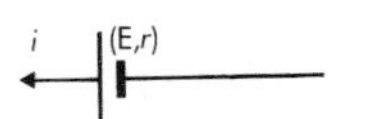

– Loi d'Ohm pour un générateur :

$$u = E - ri.$$

– Associations de générateurs identiques (E', r') :
en série : $E = E'$; $r = 2r'$,

—|⊢—|⊢—

en dérivation : $E = E'$; $r = r'/2$.

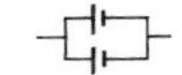

– La caractéristique d'un élément de circuit est la courbe représentant les variations de la tension à ses bornes en fonction de l'intensité qui le traverse.

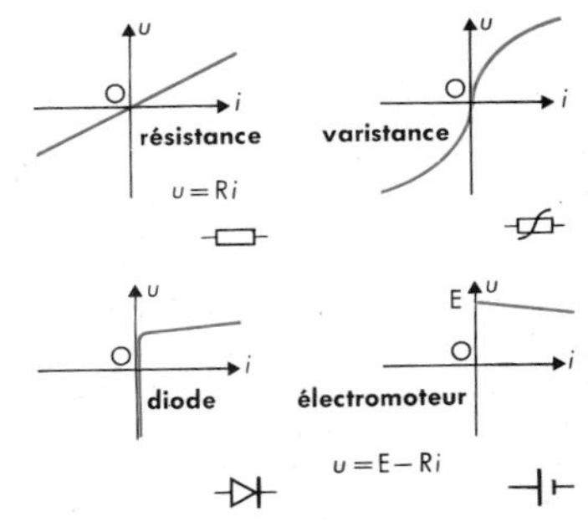

Électrocinétique en courant alternatif

Le courant alternatif se caractérise par une variation sinusoïdale au cours du temps de la tension u et de l'intensité i :

$$u = U\sqrt{2}\sin(\omega t + \varphi)$$
$$i = \sqrt{2}\sin\omega t.$$

φ est le déphasage de la tension sur l'intensité ; U et I sont leurs valeurs efficaces ; ω est la pulsation, liée à la fréquence f par : $\omega = 2\pi f$.

Modes de représentation. Deux modes de représentation équivalents peuvent être employés : la représentation sinusoïdale et la représentation de Fresnel, qui associent à u et i des vecteurs tournant à la vitesse angulaire ω.

Loi d'Ohm. On peut écrire U = ZI.
Z est l'impédance, exprimée en ohms (Ω).

Puissances électriques. On distingue trois puissances électriques en alternatif :
– puissance apparente S = UI,
– puissance active P = UI cos φ,
– puissance réactive Q = UI sin φ.

Impédance et déphasage. L'impédance et le déphasage varient selon le dipôle considéré.

- **Moteurs électriques** p. 366
- **Induction électromagnétique** p. 345

◆ **Représentation sinusoïdale et représentation de Fresnel.**
Selon la représentation sinusoïdale (première courbe ci-dessous), la tension u est représentée en fonction du temps. Selon la représentation de Fresnel (seconde courbe ci-dessous), l'intensité i est représentée en fonction du temps.

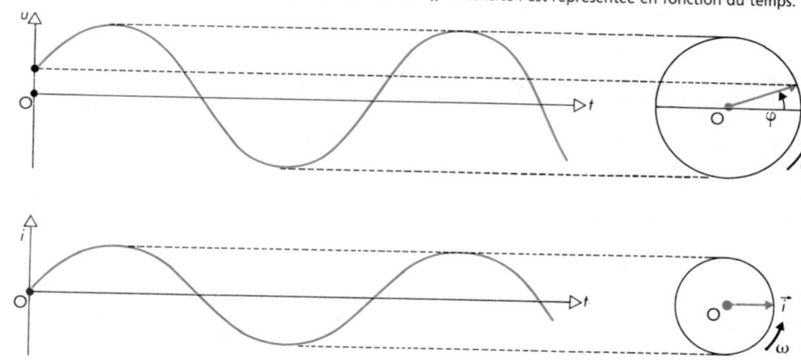

◆ **Caractéristiques de quelques dipôles.**

Dipôle	Impédance	Déphasage	Diagramme de Fresnel
résistance R	R	0	O $\vec{i}$ $\vec{u}$
inductance L	$L\omega$	$+\pi/2$	$\vec{u}$, $+\pi/2$, O $\vec{i}$
condensateur C	$1/C\omega$	$-\pi/2$	O $\vec{i}$, $-\pi/2$, $\vec{u}$
circuit résonant série R L C	$\sqrt{R^2 + (L\omega - 1/C\omega)^2}$	$\mathrm{tg}\varphi = \frac{L\omega - 1/C\omega}{R}$ (fréquence de résonance : $f = \frac{1}{2\pi\sqrt{LC}}$)	$\vec{u_L}$, $\vec{u_R}$, O, φ, $\vec{i}$, $\vec{u}$, $\vec{u_C}$

La supraconductivité

La supraconductivité apparaît lors du refroidissement de certains matériaux, à une température appelée température critique T_c en général très basse (de l'ordre de quelques K). Elle se manifeste par la disparition complète de toute résistivité électrique, ainsi que par l'expulsion totale de tout champ magnétique, à l'exception d'une mince pellicule superficielle. L'état supraconducteur cesse dès qu'on réchauffe l'échantillon au dessus de T_c, mais aussi lorsqu'on lui applique un champ magnétique suffisamment intense.
De nombreux métaux, tels l'aluminium, l'étain, le mercure (sur lequel le phénomène fut découvert en 1911 par le physicien néerlandais Heike Kamerlingh Onnes [1853-1926]), le niobium, le plomb, deviennent supraconducteurs, mais aussi des alliages et même des oxydes, en particulier des céramiques, dont certaines détiennent actuellement le record de hauteur de T_c (environ 100 K).
L'absence de résistivité permet de faire circuler dans un circuit fermé supraconducteur un « supercourant » sans la moindre dissipation par effet Joule. En l'absence de toute source, ce supercourant circule dans un anneau maintenu supraconducteur pendant plusieurs années sans décroissance mesurable. Les électroaimants supraconducteurs permettent d'engendrer des champs magnétiques intenses, utilisés en imagerie médicale (Imagerie par résonance magnétique), dans les accélérateurs de particules et pour la lévitation des trains ultrarapides.

Conducteurs, isolants et semi-conducteurs

Arrangés en cristaux très réguliers, les atomes des métaux sont liés par « liaison métallique ». Ils possèdent des électrons libres de se mouvoir dans le cristal, les électrons de conduction. Dans tout cristal, les niveaux d'énergie des électrons se regroupent pour former des bandes pratiquement continues (la bande de valence et la bande de conduction) séparées par des intervalles. Les électrons remplissent tous les niveaux des bandes par énergie croissante, l'énergie du dernier état occupé portant le nom d'énergie de Fermi. La conduction électrique est liée à la possibilité qu'ont les électrons qui occupent les niveaux les plus élevés de trouver dans leur voisinage des niveaux non occupés : dans un isolant, les bandes sont séparées par une large bande interdite dans laquelle se trouve l'énergie de Fermi : incapables de « monter » dans la bande de conduction, les électrons de valence ne peuvent faire circuler un courant électrique.

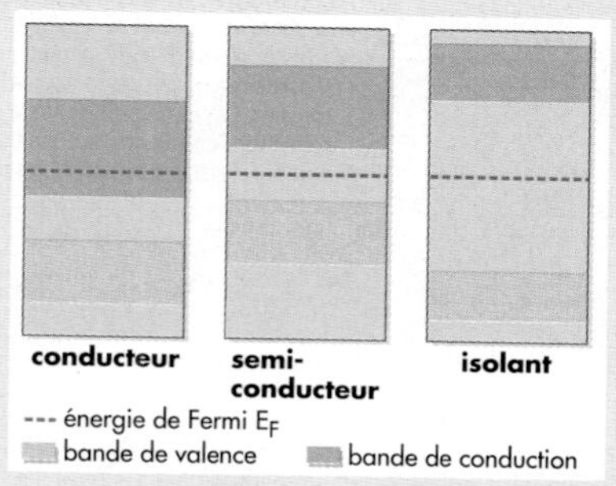

Dans un conducteur, l'énergie de Fermi se trouve au milieu de la bande de conduction, donnant ainsi aux électrons la possibilité de transiter vers des niveaux très voisins et de conduire le courant. Un semi-conducteur (comme le germanium ou le silicium) présente une structure intermédiaire. Les bandes sont plus rapprochées que dans un isolant et les électrons peuvent passer de l'une à l'autre. Les semi-conducteurs sont fondamentaux en électronique (diodes, transistors).

Chimie

Éléments et liaisons

Définition d'un élément

Toute la matière connue est constituée à partir d'une centaine de catégories d'atomes, appelées « éléments ». Un élément se caractérise par son nombre de protons (numéro atomique Z). L'élément le plus simple est l'hydrogène H, il n'a qu'un seul proton (Z= 1), que l'on indique par la notation $_1H$; l'élément naturel possédant le plus de protons est l'uranium ($_{92}U$).

Isotopes. Deux atomes possédant le même nombre de protons mais ayant un nombre de neutrons différent appartiennent au même élément; ils sont nommés « isotopes » (ex. le carbone 12 ordinaire et le carbone 14 utilisé en datation sont deux isotopes de l'élément carbone, ils possèdent 6 protons et respectivement 6 et 8 neutrons).

Corps simples et composés. On connaît actuellement 112 éléments, dont 93 éléments naturels dans le cosmos (91 sur Terre) et 19 éléments artificiels. Malgré ce petit nombre d'éléments, la matière présente une grande diversité car les atomes des éléments forment des combinaisons en nombre quasi illimité.

Les combinaisons d'atomes d'un seul élément sont nommées « corps simples » (ex. le dioxygène O_2, formé de deux atomes d'oxygène); les combinaisons contenant plusieurs éléments sont appelées « corps composés » (ex. l'eau H_2O, formé d'un atome d'oxygène et de deux atomes d'hydrogène).

La classification périodique

Dès le XIXe s., les chimistes remarquèrent que les éléments alors connus se regroupaient par familles présentant des propriétés chimiques analogues et périodiques. En 1869, le Russe Mendeleïev eut l'idée de ranger les éléments dans un tableau par masse atomique croissante, en plaçant dans une même colonne des éléments aux propriétés similaires.

La classification actuelle repose sur le même principe mais range les éléments par numéro atomique Z croissant. Elle comprend des lignes, ou périodes, de longueur variable, et 18 colonnes, nommées « groupes » ou « familles ». La 1re colonne rassemble les éléments alcalins, la 2e colonne les éléments alcalino-terreux, la 17e colonne les halogènes, la 18e colonne les gaz rares. Certains éléments, les lanthanides et les actinides, sont présentés à part. La classification n'a été justifiée que dans le cadre de la théorie quantique de l'atome. Celle-ci prévoit que les électrons des atomes occupent des couches successives, correspondant à des niveaux d'énergie différents : la première couche peut accueillir 2 électrons, la deuxième 8, la troisième 18, etc. La structure électronique d'un atome est la répartition de ses électrons sur les différentes couches. La classification périodique reflète cette structure : chaque ligne correspond au remplissage progressif d'une ou de plusieurs couches. Ainsi, la première ligne comprend deux éléments, l'hydrogène et l'hélium, avec respectivement 1 et 2 électrons sur la première couche.

La périodicité des propriétés chimiques dans la classification est due à la structure électronique. En effet, seuls les électrons du dernier niveau (couche de valence) participent aux réactions chimiques, les autres étant trop fortement liés au noyau. Or deux éléments d'une même colonne ont le même nombre d'électrons sur leur dernier niveau d'énergie, ce qui explique qu'ils ont un comportement analogue.

Propriétés physiques des éléments

État physique des éléments. L'état physique d'un élément est par définition celui de son corps simple dans les conditions ordinaires de température et de pression. La plupart des éléments sont solides; parmi ceux-ci la majorité sont métalliques (fer), quelques-uns sont moléculaires (soufre). Onze éléments sont gazeux, sous forme d'atomes (gaz rares) ou de molécules (dioxygène, dichlore). Trois éléments sont liquides : le mercure (métallique), le dibrome (moléculaire) et le francium.

Éléments radioactifs. La plupart des éléments ont un ou plusieurs isotopes radioactifs. Ainsi, l'uranium en possède plusieurs, dont l'isotope 235 utilisé comme combustible nucléaire. Quelques éléments sont dits « radioactifs » car tous leurs isotopes le sont, comme le technétium, le prométhéum et tous les éléments situés au-delà de l'uranium dans la classification. Certains sont d'ailleurs difficilement isolables car ils se désintègrent très rapidement.

◆ **Classification périodique des éléments chimiques.**

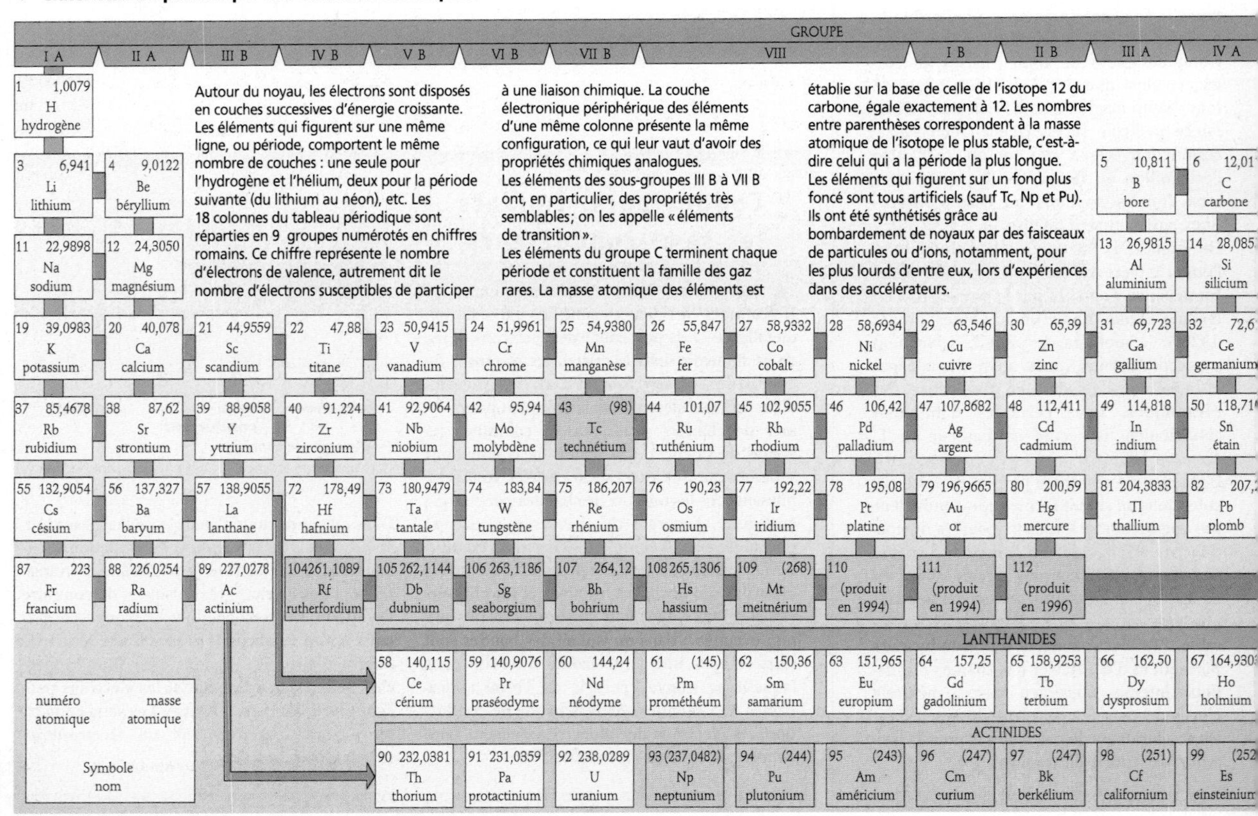

GROUPE

I A	II A	III B	IV B	V B	VI B	VII B	VIII	VIII	VIII	I B	II B	III A	IV A
1 1,0079 H hydrogène													
3 6,941 Li lithium	4 9,0122 Be béryllium											5 10,811 B bore	6 12,01 C carbone
11 22,9898 Na sodium	12 24,3050 Mg magnésium											13 26,9815 Al aluminium	14 28,085 Si silicium
19 39,0983 K potassium	20 40,078 Ca calcium	21 44,9559 Sc scandium	22 47,88 Ti titane	23 50,9415 V vanadium	24 51,9961 Cr chrome	25 54,9380 Mn manganèse	26 55,847 Fe fer	27 58,9332 Co cobalt	28 58,6934 Ni nickel	29 63,546 Cu cuivre	30 65,39 Zn zinc	31 69,723 Ga gallium	32 72,6 Ge germanium
37 85,4678 Rb rubidium	38 87,62 Sr strontium	39 88,9058 Y yttrium	40 91,224 Zr zirconium	41 92,9064 Nb niobium	42 95,94 Mo molybdène	43 (98) Tc technétium	44 101,07 Ru ruthénium	45 102,9055 Rh rhodium	46 106,42 Pd palladium	47 107,8682 Ag argent	48 112,411 Cd cadmium	49 114,818 In indium	50 118,71 Sn étain
55 132,9054 Cs césium	56 137,327 Ba baryum	57 138,9055 La lanthane	72 178,49 Hf hafnium	73 180,9479 Ta tantale	74 183,84 W tungstène	75 186,207 Re rhénium	76 190,23 Os osmium	77 192,22 Ir iridium	78 195,08 Pt platine	79 196,9665 Au or	80 200,59 Hg mercure	81 204,3833 Tl thallium	82 207,2 Pb plomb
87 223 Fr francium	88 226,0254 Ra radium	89 227,0278 Ac actinium	104 261,1089 Rf rutherfordium	105 262,1144 Db dubnium	106 263,1186 Sg seaborgium	107 264,12 Bh bohrium	108 265,1306 Hs hassium	109 (268) Mt meitnérium	110 (produit en 1994)	111 (produit en 1994)	112 (produit en 1996)		

LANTHANIDES

58 140,115 Ce cérium	59 140,9076 Pr praséodyme	60 144,24 Nd néodyme	61 (145) Pm prométhéum	62 150,36 Sm samarium	63 151,965 Eu europium	64 157,25 Gd gadolinium	65 158,9253 Tb terbium	66 162,50 Dy dysprosium	67 164,930 Ho holmium

ACTINIDES

90 232,0381 Th thorium	91 231,0359 Pa protactinium	92 238,0289 U uranium	93 (237,0482) Np neptunium	94 (244) Pu plutonium	95 (243) Am américium	96 (247) Cm curium	97 (247) Bk berkélium	98 (251) Cf californium	99 (252) Es einsteinium

numéro atomique — masse atomique — Symbole — nom

Autour du noyau, les électrons sont disposés en couches successives d'énergie croissante. Les éléments qui figurent sur une même ligne, ou période, comportent le même nombre de couches : une seule pour l'hydrogène et l'hélium, deux pour la période suivante (du lithium au néon), etc. Les 18 colonnes du tableau périodique sont réparties en 9 groupes numérotés en chiffres romains. Ce chiffre représente le nombre d'électrons de valence, autrement dit le nombre d'électrons susceptibles de participer à une liaison chimique. La couche électronique périphérique des éléments d'une même colonne présente la même configuration, ce qui leur vaut d'avoir des propriétés chimiques analogues.

Les éléments des sous-groupes III B à VII B ont, en particulier, des propriétés très semblables; on les appelle « éléments de transition ».

Les éléments du groupe C terminent chaque période et constituent la famille des gaz rares. La masse atomique des éléments est établie sur la base de celle de l'isotope 12 du carbone, égale exactement à 12. Les nombres entre parenthèses correspondent à la masse atomique de l'isotope le plus stable, c'est-à-dire celui qui a la période la plus longue.

Les éléments qui figurent sur un fond plus foncé sont tous artificiels (sauf Tc, Np et Pu). Ils ont été synthétisés grâce au bombardement de noyaux par des faisceaux de particules ou d'ions, notamment, pour les plus lourds d'entre eux, lors d'expériences dans des accélérateurs.

Liaisons chimiques

À l'exception des gaz rares, la plupart des atomes ne restent pas isolés. Chaque atome cherche en effet à saturer sa couche de valence, c'est-à-dire à acquérir la structure électronique du gaz rare le plus proche dans la classification. Pour cela, il se lie à d'autres atomes.

Liaison covalente. Certains atomes mettent en commun deux électrons de leur couche de valence pour former une liaison covalente : l'édifice ainsi formé est une molécule. Entre deux atomes, la liaison covalente peut être simple, double, ou triple.

Le nombre de liaisons nécessaires pour saturer la couche de valence s'appelle la « valence de l'élément ». Par exemple, l'hydrogène, qui ne possède qu'un électron, a sa couche de valence saturée par deux électrons. Une seule liaison lui suffit donc (ex. molécule de dihydrogène H_2) : sa valence vaut 1. L'oxygène possède six électrons sur sa couche de valence, qui est saturée à huit ; il faut donc qu'il engage deux liaisons : sa valence est 2.

Liaison ionique. C'est un cas limite de liaison covalente dans laquelle les deux atomes ne se partagent pas de manière égale leurs électrons communs : l'un perd un électron, devenant un cation ; l'autre capte l'électron du premier, devenant un anion. On peut alors décrire la liaison entre ces deux ions comme une liaison de nature électrostatique entre une charge positive et une charge négative. Ce type de liaison est présent dans les solides cristallisés ioniques, comme le chlorure de sodium du sel de table (anion chlorure Cl^-, cation sodium Na^+).

Liaison métallique. Dans un métal, chaque atome met en commun un ou plusieurs électrons avec tous les autres atomes, formant ainsi une liaison métallique. On peut donc décrire un métal comme un réseau de cations baignant dans un « gaz » d'électrons délocalisés. Ces électrons libres sont responsables de la conduction de l'électricité dans les métaux.

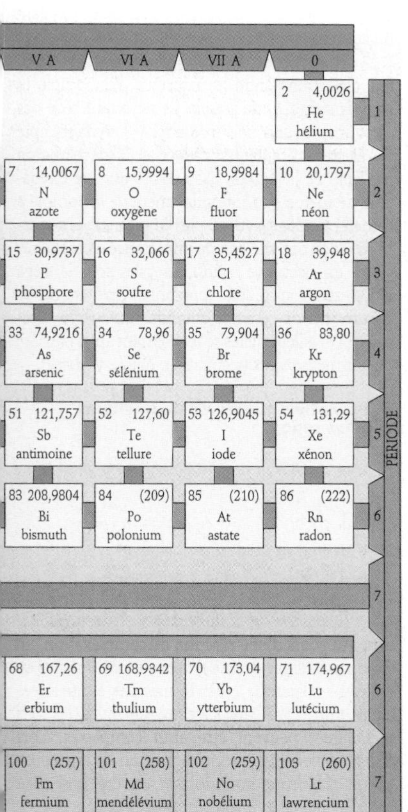

V A	VI A	VII A	0	PÉRIODE
			2 4,0026 He hélium	1
7 14,0067 N azote	8 15,9994 O oxygène	9 18,9984 F fluor	10 20,1797 Ne néon	2
15 30,9737 P phosphore	16 32,066 S soufre	17 35,4527 Cl chlore	18 39,948 Ar argon	3
33 74,9216 As arsenic	34 78,96 Se sélénium	35 79,904 Br brome	36 83,80 Kr krypton	4
51 121,757 Sb antimoine	52 127,60 Te tellure	53 126,9045 I iode	54 131,29 Xe xénon	5
83 208,9804 Bi bismuth	84 (209) Po polonium	85 (210) At astate	86 (222) Rn radon	6
				7
68 167,26 Er erbium	69 168,9342 Tm thulium	70 173,04 Yb ytterbium	71 174,967 Lu lutécium	6
100 (257) Fm fermium	101 (258) Md mendélévium	102 (259) No nobélium	103 (260) Lr lawrencium	7

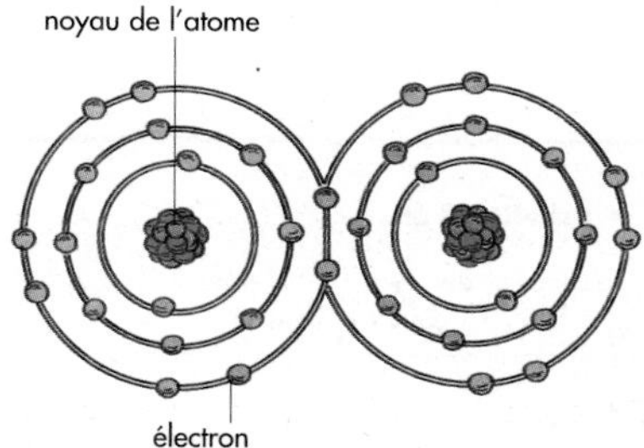

◆ **Liaison covalente dans la molécule de dichlore.**
La molécule de dichlore (Cl_2) est formée de deux atomes de chlore, qui mettent en commun deux électrons pour saturer leur couche de valence à 8 électrons : c'est une liaison covalente simple.

Molécules et ions

Deux ou plusieurs atomes liés entre eux par des liaisons covalentes constituent une molécule (ex. l'ammoniac NH_3, constitué d'un atome d'azote et de trois atomes d'hydrogène). Si le nombre d'atomes est très grand, on parle alors de « macromolécule », comme les protéines des fibres et les polymères des matières plastiques. Les molécules à l'état naturel sont très répandues (êtres vivants, océans, atmosphère) ; de plus, les chimistes ont synthétisé quantité de nouvelles molécules, surtout en chimie organique.

Un atome ou groupe d'atomes ayant perdu un ou plusieurs électrons est un ion positif ou cation (ex. ion sodium Na^+). Un atome ou groupe d'atomes ayant gagné un ou plusieurs électrons est un ion négatif ou anion (ex. ion nitrate NO_3^-). Les ions sont présents dans les minéraux (silicates, carbonates, etc.), dans les eaux, mais également dans les êtres vivants où certains jouent un rôle essentiel (ions sodium et potassium assurant la conduction de l'influx nerveux).

La composition et la structure tridimensionnelle des molécules et des ions sont déterminées par l'analyse élémentaire (nombre d'atomes de chaque type), différentes spectroscopies (UV visible, infrarouge, résonance magnétique nucléaire), la spectrométrie de masse et la diffraction des rayons X.

Représentation des molécules et des ions. On distingue trois sortes de formules chimiques. La formule brute indique la nature et le nombre d'atomes de chaque élément intervenant dans la composition des molécules ou des ions. Lorsqu'il y a plusieurs atomes du même type, on indique leur nombre par un chiffre placé en indice : H_2O, NH_3, CH_4, HCN. S'il s'agit d'un ion, la charge est précisée en haut à droite : NH_4^+, SO_4^{2-}.

La formule développée représente tous les atomes et leurs liaisons sous forme de tirets :

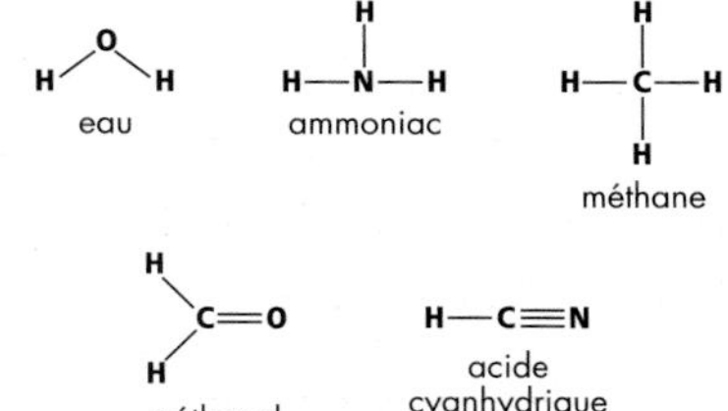

◆ **Cristaux de sel vus au microscope.**
La structure cubique des cristaux de sel de table (chlorure de sodium) est due à l'arrangement régulier des ions chlorure et sodium, liés par une liaison ionique.

La formule semi-développée représente seulement les liaisons où n'interviennent pas des atomes d'hydrogène : ainsi, la formule semi-développée $H_3C–CH_2–NH_2$ désigne en fait :

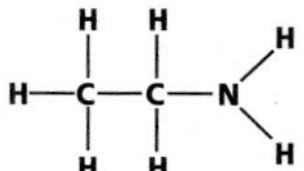

Parfois, les liaisons entre atomes de carbone sont figurées en omettant le symbole de cet élément. Par exemple :

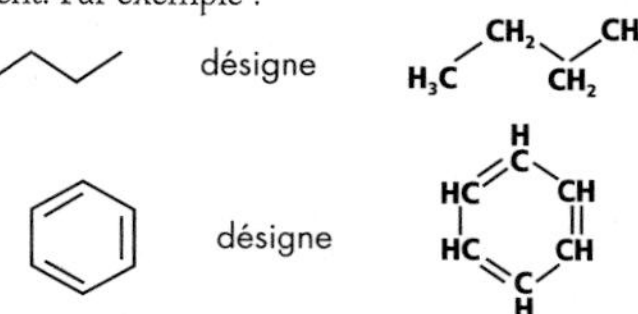

La représentation perspective figure la position dans l'espace des atomes et des liaisons (dans le plan, vers l'avant ou vers l'arrière) : ainsi, le méthane peut être représenté par :

On utilise également des modèles moléculaires, compacts ou éclatés. Les atomes sont figurés par des sphères dont la couleur, par convention, indique la nature (hydrogène : blanc ; carbone : noir ou bleu ; oxygène : rouge ; etc.). Dans les modèles éclatés, les liaisons sont matérialisées par des bâtonnets.

Enfin, des logiciels informatiques fournissent également des représentations de molécules.

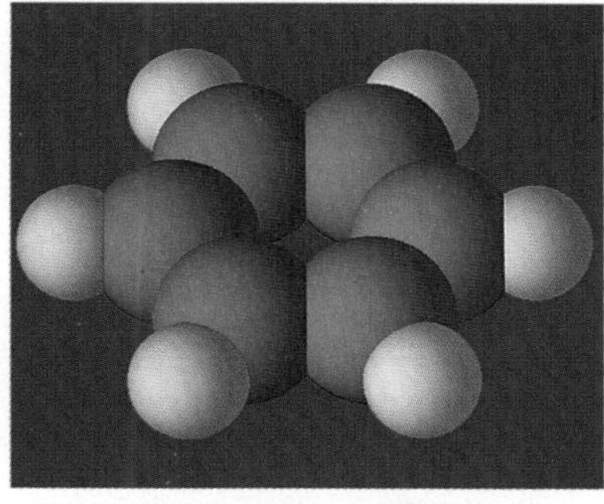

◆ **Représentation informatique de la molécule de benzène.**
La molécule de benzène comporte 6 atomes de carbone (en bleu) formant un hexagone, liés à des atomes d'hydrogène (en blanc).

VOIR AUSSI
• **Radioactivité** p. 296
• **Structure de la matière** p. 336
Illustrations
• **Classification de Mendeleïev** p. 290

Chimie

Les réactions

Caractéristiques d'une réaction

Certaines espèces chimiques mises en présence (les réactifs) réagissent entre elles pour conduire à de nouvelles espèces (les produits) : elles subissent une réaction chimique. Dans les réactifs, des liaisons entre atomes sont rompues; les atomes ainsi libérés engagent de nouvelles liaisons pour former des produits. En revanche, les atomes eux-mêmes ne sont pas modifiés, et la masse est conservée.

Équation-bilan. La nature et la quantité des réactifs et des produits s'expriment par une équation-bilan. Elle consiste à noter les formules brutes des réactifs, une flèche indiquant la transformation, et les formules des produits. La conservation du nombre d'atomes de chaque type impose d'équilibrer la réaction, c'est-à-dire de placer des coefficients (dits «stœchiométriques») devant les formules des espèces pour assurer cette conservation. Ainsi, la réaction de combustion du méthane (gaz de ville) s'écrit :

$$CH_4 + 2O_2 \longrightarrow CO_2 + 2H_2O$$

Chaleur et équilibre. La thermochimie est l'étude de l'aspect énergétique des réactions chimiques. Elle permet de savoir si une réaction est spontanée, et si elle dégage de la chaleur ou en consomme. Par exemple, la combustion du bois fournit de la chaleur alors que la cuisson des aliments en consomme. Elle s'intéresse aussi à l'équilibre (état final auquel le mélange réactionnel parvient lorsque la réaction s'arrête). En effet, si certaines réactions sont totales et se poursuivent jusqu'à épuisement d'un réactif, d'autres sont équilibrées : elles s'arrêtent avant leur terme dans un état final où il reste des réactifs. Enfin, la thermochimie envisage les déplacements d'équilibre : si les conditions expérimentales (température, pression, concentrations) sont modifiées, le système s'oppose à cette modification en déplaçant l'équilibre dans le sens de la formation des produits ou des réactifs.

Vitesse. La cinétique étudie la vitesse des réactions. En effet, celles-ci peuvent être rapides (quelques fractions de seconde pour une explosion) mais parfois aussi très lentes (plusieurs mois pour la formation de la rouille). Diverses méthodes expérimentales permettent de mesurer la concentration des réactifs et des produits au cours du temps, et donc la vitesse de la réaction. Cette vitesse est en général d'autant plus élevée que les concentrations des réactifs et la température sont grandes.

Certaines réactions peuvent être accélérées en présence de substances, appelées catalyseurs, qui modifient le mécanisme interne de la réaction. Bien que le catalyseur intervienne dans la réaction, il se retrouve intact à la fin. La catalyse a une grande importance dans l'industrie et chez les êtres vivants (enzymes).

Les réactions oscillantes

La majorité des réactions chimiques évolue directement vers un état d'équilibre. Cependant, de rares réactions présentent des oscillations chimiques, produisant et consommant périodiquement des espèces. Dès 1921, on constate que, dans la décomposition de l'eau oxygénée catalysée par l'ion iodate, la pression d'oxygène dégagé et la concentration d'iode oscillent de façon cyclique. Dans les années 1950-1960, les Russes Belousov et Zhabotinsky étudient l'oxydation de l'acide citrique et celle de l'acide malonique par l'ion bromate en présence d'ions cérium IV et de ferroïne : la solution oscille entre le bleu et le rouge. Des ondes chimiques peuvent apparaître : cercles concentriques alternativement bleus et rouges, spirales... L'explication des réactions oscillantes fait appel à la cinétique, la thermodynamique et la théorie des systèmes dynamiques.

◆ **Réaction de Belousov-Zhabotinsky.**

◆ **Échelle de pH.**

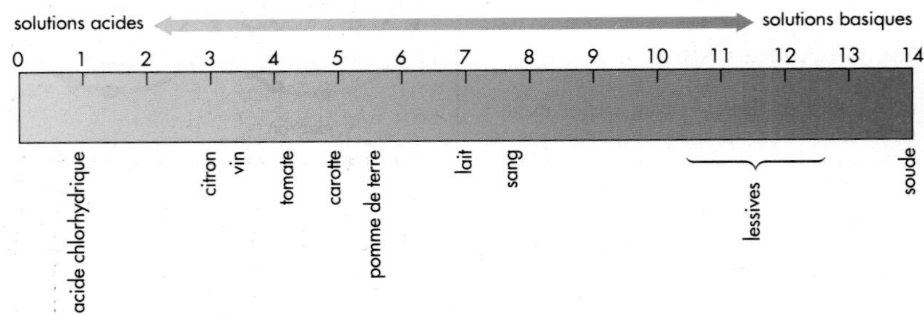

Principaux types de réactions

Réactions acido-basiques. Un acide est une espèce susceptible de céder un proton H^+ tandis qu'une base est une espèce susceptible d'en capter. Le jus de citron (contenant de l'acide citrique), le vinaigre (acide acétique dilué) sont acides; la lessive est basique. L'eau pure est neutre du point de vue acido-basique.

Le pH mesure l'acidité d'une solution, il est compris entre 0 et 14 : $pH = -\log H^+$. De 0 à 7, la solution est acide, elle contient plus d'ions hydronium H_3O^+ (H^+ dans l'eau) que d'ions hydroxyde OH^-; une solution de pH = 7 est neutre, elle contient autant d'ions de chaque type; de 7 à 14, la solution est basique, elle contient plus d'OH^- que d'H_3O^+. Plus le pH est bas, plus la solution est acide. Dans le corps humain, le pH du sang est maintenu constant à 7,4.

Un couple acide-base est formé d'un acide associé à une base, obtenue à partir de l'acide par perte d'un proton. Un acide est dit «fort» s'il est entièrement transformé dans l'eau en sa base correspondante (ex. acide chlorhydrique); il est dit «faible» s'il est partiellement transformé (ex. acide acétique). Certains acides, plus forts que d'autres, cèdent plus facilement leur proton; une grandeur (le pK_A) mesure cette force relative. Une réaction acido-basique est alors un transfert de proton entre l'acide d'un couple et la base d'un autre couple.

◆ **pK_A de quelques acides.**

Nom de l'acide	Couple acide/base	pK_A
acide formique	$HCOOH/HCOO^-$	3,80
acide acétique	CH_3COOH/CH_3COO^-	4,75
acide cyanhydrique	HCN/CN^-	9,22
ammoniac	NH_4^+/NH_3	9,24

Réactions d'oxydo-réduction. Un oxydant est une espèce susceptible de capter un ou plusieurs électrons, alors qu'un réducteur est susceptible d'en céder. L'eau de Javel, l'eau oxygénée sont des oxydants. De nombreux métaux (sodium, aluminium...) sont des réducteurs. Le degré d'oxydation d'une espèce mesure son déficit ou son excès d'électrons : par exemple + III pour l'ion Fe^{3+}, – II pour l'oxygène.

Un oxydant et un réducteur, contenant un même élément à des degrés d'oxydation différents, forment un couple redox. Certains oxydants captent plus facilement des électrons que d'autres; cette force relative est mesurée par une grandeur appelée «potentiel redox standard» qui se mesure en volts. Plus ce potentiel est élevé, plus l'oxydant du couple est fort.

Une réaction d'oxydo-réduction est un transfert d'électrons entre le réducteur d'un couple et l'oxydant d'un autre couple. Le réducteur cède des électrons, il subit une oxydation; l'oxydant capte des électrons, il subit une réduction. La décoloration par l'eau de Javel d'un tissu coloré est une oxydation, de même que le brunissement de la pomme à l'air (molécules oxydées par l'oxygène). Les réactions redox ont une grande importance en métallurgie et en électricité : ainsi, les piles sont le siège d'une réaction redox spontanée permettant de transformer de l'énergie chimique en énergie électrique. Par ailleurs, elles se rencontrent aussi dans les organismes vivants (respiration, photosynthèse).

◆ **Potentiels standards de quelques couples redox.**

Couple redox	Potentiel standard (V)
O_2/H_2O	1,23
Fe^{3+}/Fe^{2+}	0,77
H^+/H_2O	0
Zn^{2+}/Zn	−0,76

Réactions de complexation et de précipitation. Au cours d'une réaction de complexation, un cation métallique se lie à d'autres espèces riches en électrons («ligands») pour former une entité appelée «complexe». Dans les eaux minérales, les ions métalliques peuvent être ainsi complexés. Lors d'une réaction de précipitation, un anion et un cation réagissent pour former un composé peu soluble qui apparaît sous forme de dépôt.

La chimie organique

La chimie organique, historiquement « chimie du vivant », est la chimie du carbone. Elle concerne les molécules contenant du carbone, de l'hydrogène, et souvent d'autres éléments (oxygène, azote, soufre...). Le grand nombre de molécules organiques s'explique par la tétravalence du carbone, lui permettant de former des enchaînements variés.

Grandes familles de molécules. Les alcanes sont les molécules organiques les plus simples, constituées d'atomes de carbone liés entre eux par des liaisons simples (ils sont dits « saturés ») et liés à des atomes d'hydrogène. Les carburants sont constitués d'alcanes, majoritairement l'octane dans l'essence et des alcanes plus lourds dans le gazole et le kérosène. Les alcanes peuvent être linéaires (chaîne unique) ou ramifiés (chaînes latérales greffées sur la chaîne principale). Les alcanes légers (gaz utilisés comme combustibles) ont des noms d'usage : méthane (CH_4), éthane (C_2H_6), propane (C_3H_8), butane (C_4H_{10}). Les noms des alcanes linéaires plus lourds comportent un préfixe désignant le nombre d'atomes de carbone suivi de la désinence *-ane* (ex. hexane C_6H_{14}). Les radicaux obtenus en retranchant un atome d'hydrogène à un alcane, se nomment à l'aide du suffixe *-yle* : radical méthyle ($-CH_3$), éthyle ($-C_2H_5$), etc. Pour les alcanes ramifiés, on donne la position et le nom des substituants latéraux suivi du nom de la chaîne principale. Par exemple, le 2-méthylbutane est la molécule suivante :

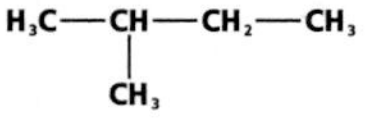

$$H_3C-CH(CH_3)-CH_2-CH_3$$

Les cyclanes sont des alcanes cycliques, comme le cyclohexane : (C_6H_6).

Les alcènes sont des hydrocarbures contenant une double liaison carbone-carbone ; ils sont dits « insaturés ». Le nom des alcènes est caractérisé par la désinence *-ène*, précédée si nécessaire de la position de la double liaison dans la chaîne, comme l'éthène (C_2H_4), dont le nom courant est « éthylène » ; le propène (C_3H_6) ; le but-2-ène (C_4H_8) :

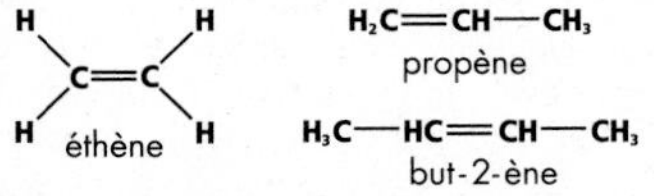

$H_2C=CH_2$ éthène ; $H_2C=CH-CH_3$ propène ; $H_3C-HC=CH-CH_3$ but-2-ène

Les alcènes les plus simples sont issus du raffinage du pétrole ; d'autres sont présents dans la nature : dans les graisses et huiles, la résine de conifères (pinènes), les écorces d'agrumes (limonène), la tomate et la carotte (bêta-carotène).

Les alcynes sont des hydrocarbures insaturés contenant une triple liaison, qui sont désignés par la désinence *-yne*. On peut citer l'éthyne (C_2H_2), dont le nom courant est « acétylène », utilisé dans certains chalumeaux ; le propyne (C_3H_4) ; le but-2-yne (C_4H_6) :

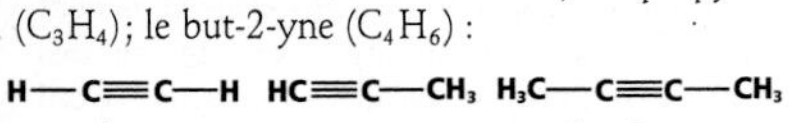

$H-C\equiv C-H$ éthyne ; $HC\equiv C-CH_3$ propyne ; $H_3C-C\equiv C-CH_3$ but-2-yne

Les hydrocarbures aromatiques possèdent au moins un cycle aromatique, comme le cycle benzénique à six atomes de carbone formant un hexagone, liés par des liaisons simples et par une liaison délocalisée assurée par six électrons. Ainsi, le méthylbenzène ou toluène $C_6H_5CH_3$, qui intervient dans la fabrication d'explosifs, se représente : [cycle benzénique portant CH_3]

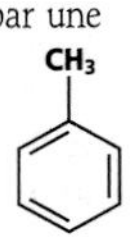

Les autres familles comportent des groupements d'atomes appelés « fonctions » qui leur confèrent une réactivité particulière. Un exemple d'alcool est l'éthanol (C_2H_5OH) qu'on trouve dans le vin. Les sucres contiennent plusieurs fonctions OH, comme le fructose ($C_6H_{12}O_6$) des fruits. Un acide carboxylique courant est l'acide éthanoïque (CH_3COOH) du vinaigre. Parmi les aldéhydes, on peut citer le benzaldéhyde, à l'odeur d'amande amère. Les cétones sont utilisées comme solvants (ex. propanone). Les esters se rencontrent dans de nombreuses molécules odorantes (ex. butyrate de butyle, à l'odeur d'ananas) ; l'éthanoate d'éthyle est présent dans le vernis à ongles. Les amines interviennent dans les pesticides et les colorants.

Les polymères sont des macromolécules formées par enchaînement de monomères (petites molécules comme l'éthylène). La polymérisation est une polyaddition, dans le cas de monomères identiques, ou une polycondensation si deux monomères différents se lient.

Isomérie et stéréo-isomérie. Deux molécules ayant une même formule brute mais des formules développées différentes sont des isomères de constitution. On distingue :
– les isomères de squelette, différant par l'enchaînement des atomes :

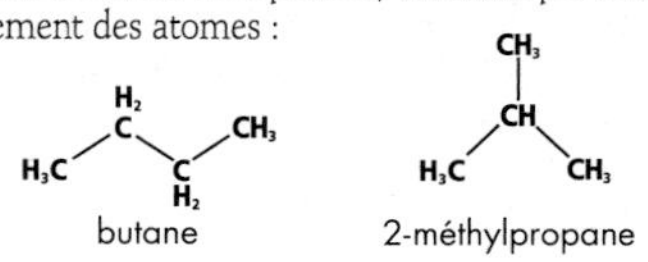

$H_3C-CH_2-CH_2-CH_3$ butane ; $H_3C-CH(CH_3)-CH_3$ 2-méthylpropane

– les isomères de position, différant par la position d'un substituant :

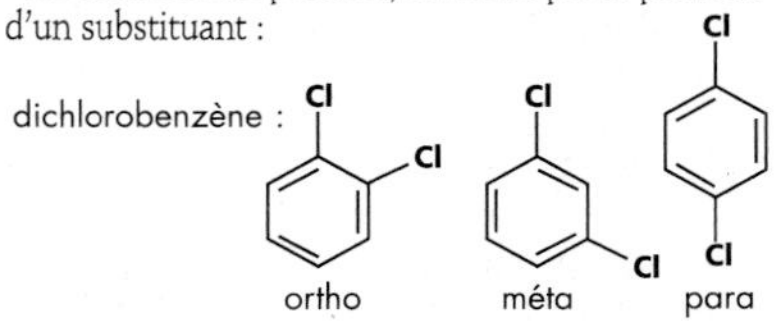

dichlorobenzène : ortho, méta, para

– les isomères de fonction :

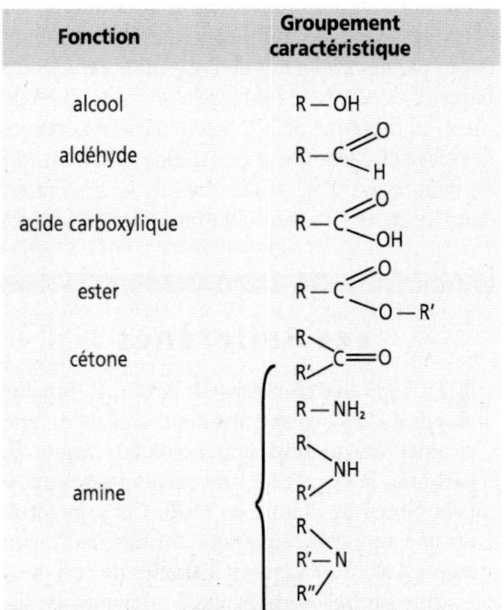

H_3C-CH_2OH éthanol ; $H_3C-O-CH_3$ diméthyloxyde

Fonction	Groupement caractéristique
alcool	$R-OH$
aldéhyde	$R-C(=O)H$
acide carboxylique	$R-C(=O)OH$
ester	$R-C(=O)-O-R'$
cétone	$R(R')C=O$
amine	$R-NH_2$; $R(R')NH$; $R(R')(R'')N$
amide	$R-C(=O)NH_2$

◆ **Principales fonctions chimiques.**
Les lettres R, R' et R" désignent les groupes méthyle, éthyle, etc., ou tout autre groupe pouvant échanger une liaison covalente.

Deux molécules qui diffèrent par la disposition de leurs atomes dans l'espace sont des stéréo-isomères. Dans les stéréo-isomères de conformation, la disposition des atomes diffère par une rotation autour d'une ou de plusieurs liaisons simples.

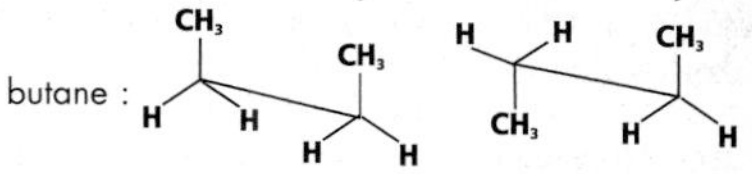

butane : [deux conformations]

Dans les stéréo-isomères de configuration, la différence de disposition ne peut être supprimée qu'en rompant des liaisons. Il en existe deux types :
– stéréo-isomères Z et E :

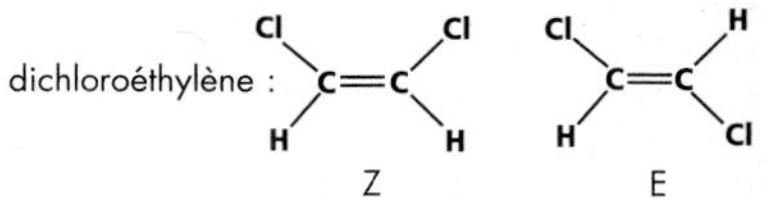

dichloroéthylène : Z ; E

– stéréo-isomères R et S :

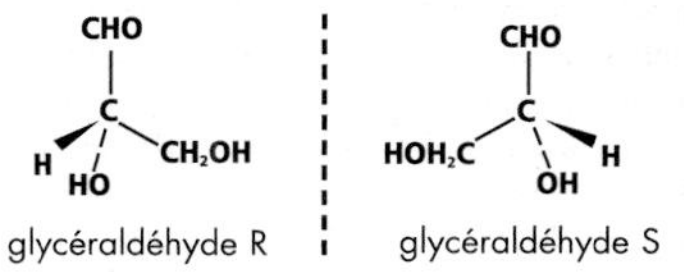

glycéraldéhyde R ; glycéraldéhyde S

Ces deux stéréo-isomères R et S sont images l'un de l'autre dans un miroir : ce sont des énantiomères. Un énantiomère n'est pas superposable à son image dans un miroir : une telle molécule est dite « chirale » (du mot signifiant « main » en grec). Les molécules du vivant sont en majorité chirales, et un seul énantiomère existe naturellement (les 19 acides aminés naturels chiraux sont ainsi tous S).

Applications industrielles. La distillation du pétrole fournit des mélanges (coupes) de molécules organiques dont certaines sont transformées par craquage catalytique, reformage catalytique ou à la vapeur et au vapocraquage ; on obtient alors des molécules plus petites ou plus ramifiées : des alcènes, des molécules aromatiques, du méthanol. Celles-ci, intermédiaires de première génération, sont les matériaux de base de la pétrochimie. Elles conduisent soit directement à des produits, notamment des polymères (ex. polyéthylène), soit à des intermédiaires de deuxième génération, comme l'oxyde d'éthylène, le phénol, le formol, le styrène, le cyclohexane. Ces différents intermédiaires servent à la synthèse de molécules variées, relevant de la chimie lourde (plastiques, caoutchoucs, fibres synthétiques) ou de la chimie fine et de la parachimie (parfums, cosmétiques, détergents, peintures, colorants, médicaments).

VOIR AUSSI
Illustrations
• **Découverte de la structure du benzène** p. 288

Petit lexique

aliphatique : se dit d'une molécule ne contenant que des chaînes linéaires ou ramifiées d'atomes de carbone.

aromatique : se dit d'une molécule contenant un cycle à électrons délocalisés (par exemple, un cycle benzénique formé de 6 atomes de carbone).

hydrocarbure : molécule contenant uniquement les éléments carbone et hydrogène.

La chimie inorganique

La chimie inorganique, ou chimie minérale, étudie les corps simples et composés de tous les éléments, à l'exclusion des corps contenant à la fois C et H. Les espèces inorganiques peuvent être des molécules, des solides covalents, ioniques, métalliques, cristallisés ou amorphes, à deux ou trois dimensions.

Hydrogène. Il a pour corps simple la molécule H_2, utilisée pour obtenir des produits de synthèse (ex. NH_3), mais aussi comme combustible dans la fusée Ariane, etc. Il donne facilement des ions H^+. Les composés de l'hydrogène sont par exemple l'eau (H_2O), des acides (acide sulfurique (H_2SO_4 et acide chlorhydrique HCl) ou des hydrures réducteurs (comme l'hydrure de sodium NaH).

Alcalins et alcalino-terreux. Les alcalins (sodium, potassium…) et alcalino-terreux (magnésium, calcium…) sont des métaux très réducteurs. Le sodium est employé dans les lampes à décharge. À l'état ionique, ils forment avec des anions des cristaux ioniques : par exemple, le chlorure de sodium (NaCl) ou sel de table ; le sulfate de calcium $CaSO_4$ (plâtre).

Carbone. Il existe sous trois formes pures : le diamant, réseau tridimensionnel d'atomes de carbone formant un solide transparent très dur (joaillerie, outils); le graphite, empilement de feuillets formés d'hexagones de carbone, pouvant glisser les uns par rapport aux autres, ce qui en fait un solide tendre et friable (mines de crayon, lubrifiant); les fullerènes. Le carbone se rencontre dans le dioxyde de carbone (gaz de l'air, photosynthèse, production de froid) et les anions carbonates (CO_3^{2-}) de certains minéraux (carbonate de calcium $CaCO_3$ des roches calcaires).

Azote et phosphore. Ils ont des corps simples moléculaires (N_2, gaz inerte et liquide cryogénique ; P_4, solide). Les composés de l'azote comprennent l'ammoniac (NH_3), les oxydes d'azote (NO et NO_2), polluants émis par les véhicules et l'industrie, les corps ioniques contenant l'anion nitrate NO_3^- ou le cation ammonium NH_4^+ (engrais azotés, tel NH_4NO_3). Le phosphore est présent dans les phosphates (PO_4^{3-} HPO_4^{2-}, $H_2PO_4^{2-}$) des minéraux et des engrais (superphosphates) et lessives.

Oxygène et soufre. Ils ont pour corps simples O_2 (gaz de l'air, utilisé dans les chalumeaux) et S_8 (solide jaune et mou). Un oxyde est un composé de l'oxygène avec un autre élément : molécules (H_2O, NO) ou minéraux plus ou moins ioniques ou covalents (magnésie MgO, alumine Al_2O_3, magnétite Fe_3O_4). Beaucoup de métaux sont obtenus par réduction de leur oxyde; certains oxydes sont exploités pour leurs propriétés (verre, céramiques, oxyde de titane TiO_2 utilisé comme pigment blanc). L'acide sulfurique (H_2SO_4) est utilisé dans la production d'engrais et dans les accumulateurs. Les sulfates, contenant SO_4^{2-}, se trouvent dans certains minéraux (gypse $CaSO_4$). Les sulfures, contenant du soufre réduit, constituent certains minerais

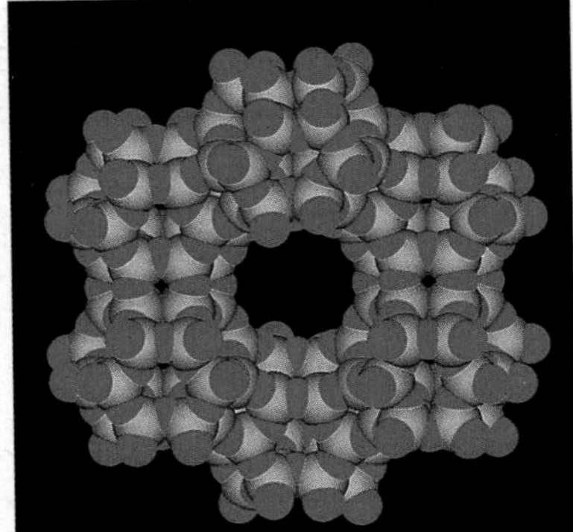

◆ **Zéolite.**
Sur cette représentation informatique, les atomes d'oxygène sont figurés en rouge et les atomes de silicium en bleu. On distingue au centre l'un des « tuyaux » vu en coupe.

(pyrite FeS_2), ou molécules (odeur nauséabonde des eaux stagnantes due au sulfure d'hydrogène H_2S, aussi utilisé dans la chimie du soufre).

Halogènes. Ce sont le fluor, le chlore, le brome et l'iode. Ils forment des molécules de corps simples (F_2 et Cl_2, gaz oxydants ; Br_2, liquide rouge ; I_2, solide brun) ou composés (chlorure d'hydrogène gazeux HCl; hexafluorure d'uranium UF_6, utilisé dans la séparation gazeuse de l'uranium 238 et de l'uranium 235 pour l'industrie nucléaire; chlorofluorocarbures CFC, tels les Fréons utilisés pour le froid et les aérosols, avant d'être interdits). Les anions correspondants sont présents dans les halogénures minéraux (CaF_2, $PbCl_2$, CuI).

Gaz rares. Il s'agit de l'hélium, du néon, de l'argon et du krypton. Ce sont des gaz atomiques inertes intervenant dans des tubes à décharge (Ne), les lampes incandescentes (Ar) ou les lasers He-Ne.

Métaux et métalloïdes. Les métaux situés à droite dans la classification comprennent l'aluminium (aéronautique, transports, boîtes de boisson), le plomb (soudure), l'étain, etc. Ces éléments forment aussi des corps composés, en particulier des oxydes (PbO) et des halogénures ($AlCl_3$).

Le bore, le silicium et le germanium ont des corps simples métalloïdes (ressemblant aux métaux). Le bore intervient dans des verres spéciaux et les lessives (perborate de sodium). Le silicium et le germanium sont semi-conducteurs; dopés par des impuretés, ils sont utilisés en électronique. Des composés moléculaires existent également, tel le quartz (SiO_3), cristal macromoléculaire. Les silicates contiennent des anions silicates (motif de base SiO_4) et divers cations; ils se rencontrent dans les roches : argiles (aluminosilicates formant des couches), certaines pierres précieuses (béryl, topaze), amiante. Les zéolites possèdent une charpente d'aluminosilicates formant un réseau de « tuyaux » et de cavités (utilisation en catalyse et en dépollution des eaux).

Éléments de transition. Situés au milieu de la classification, ces éléments ont des corps simples métalliques : fer (utilisé pour ses propriétés mécaniques); cuivre, excellent conducteur de l'électricité (fils électriques); zinc (couverture des toits); chrome (alliages, pigments)… Les complexes de métaux de transition comportent un atome ou un cation métallique central entouré d'anions ou de molécules (ligands), qui lui sont liés par une liaison dite « de coordination ». Ainsi, l'hémoglobine contient du fer II et une molécule cyclique azotée (porphyrine).

Un autre exemple de complexe courant est le cis-platine :

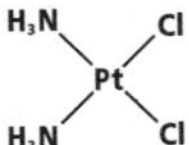

Il est prescrit dans la chimiothérapie de certains cancers. Un complexe dit « organométallique » comporte au moins un ligand organique ou bien la molécule de monoxyde de carbone (CO). La chimie industrielle utilise des complexes de métaux rares pour catalyser des réactions (ex. $RhCl[P(C_6H_5)_3]_3$, contenant du rhodium).

Petit lexique

solide amorphe : solide dont le réseau d'atomes est désordonné (ex. verre).

solide covalent : solide dont les atomes sont reliés par des liaisons covalentes, formant une sorte d'immense molécule (ex. diamant).

◆ **Structure du footballène.**

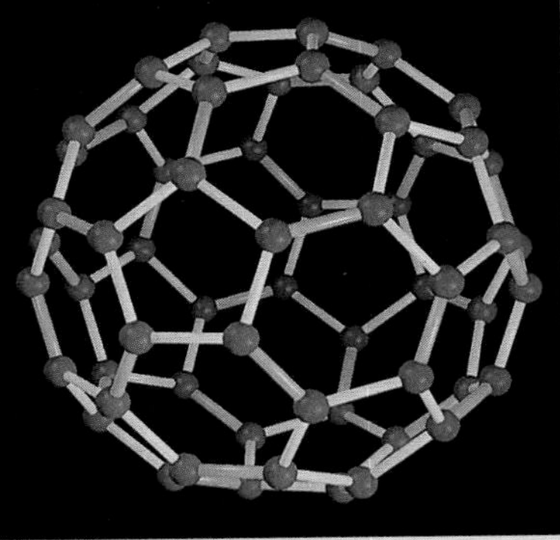

Les fullerènes

En 1985, les chimistes H. Kroto, R. Smalley et R. Curl (respectivement anglais et américains) découvrent une nouvelle variété de carbone, le C_{60}, et en sont récompensés par le prix Nobel de chimie en 1996. Cette molécule est une cage quasi sphérique formée de 12 pentagones et 20 hexagones d'atomes de carbone – comme un ballon de football miniature (le C_{60} est d'ailleurs appelé « footballène »). Un architecte américain, Buckminster Fuller, avait construit des dômes adoptant cette structure ; en son honneur, le C_{60} a été nommé en anglais *buckminsterfullerene*, et sa famille porte le nom de « fullerènes ». Le C_{34}, le C_{70}, le C_{82} et quelques autres ont été synthétisés. On trouve du C_{60} et du C_{70} dans la suie et peut-être dans la matière interstellaire. Les chimistes ont inséré des cations (K^+) dans le réseau de molécules, ce qui le rend supraconducteur, et inclus des atomes et ions dans la cage (gaz rares, lanthane). Les fullerènes pourraient servir à transporter des molécules de médicaments dans l'organisme. Enfin, il existe des nanotubes de pentagones et d'hexagones de carbone déjà utilisés comme fibres de composites, et dont les physiciens étudient les propriétés électroniques (nanofils électriques).

VOIR AUSSI
• **Classification des éléments** p. 348
• **Industries chimiques et parachimiques** p. 928
Illustrations
• **Molécule d'ADN** p. 195

La chimie des matériaux

La chimie des matériaux vise à fabriquer des composés possédant des propriétés précises, propriétés chimiques telles que la résistance aux acides, aux bases, à la corrosion, et des propriétés physiques telles que la résistance mécanique, la conductibilité électrique; ces composés doivent également pouvoir être mis en forme facilement (moulage, fils, etc.).

Métaux. Parmi les matériaux les plus anciens figurent les métaux et leurs alliages. Les alliages sont fabriqués en fondant ensemble deux ou plusieurs métaux différents ou un autre élément. Dans leur réseau cristallin, les atomes d'un métal occupent des interstices ou se substituent aux atomes de l'autre métal; parfois les deux métaux forment ensemble un nouveau réseau (composé défini). Certains sont très anciens, comme le bronze (alliage de cuivre et d'étain), employé autrefois pour fabriquer des armes et maintenant des engrenages, ou le laiton (alliage de cuivre et de zinc), utilisé en plomberie. L'acier (alliage de fer et de carbone plus dur que le fer), rendu inoxydable par l'addition de chrome, est employé dans la construction mécanique (carrosserie et moteurs de véhicules), le bâtiment (poutres métalliques), etc. Un alliage de plomb et d'étain permet de réaliser des soudures. Parmi les nouveaux alliages très performants, le magnésium allié à l'aluminium, très léger, est utilisé dans l'aéronautique. L'alnico, alliage d'aluminium, de nickel, de cobalt et de fer, entre dans la fabrication d'aimants.

Verre. Cet autre matériau traditionnel a pour propriété essentielle la transparence. Les verres sont fabriqués par fusion de sable (silice SiO_2), ingrédient majoritaire. À l'état vitreux, les atomes de silicium et d'oxygène forment un réseau désordonné. Le verre est employé pour les vitrages, les instruments d'optique, les bouteilles et récipients. Les verres spéciaux contiennent des éléments comme le bore (dans le Pyrex), le plomb (dans le cristal). Certaines fibres de verre constituent les fibres optiques, d'autres sont des isolants thermiques.

Céramiques. Les céramiques traditionnelles sont obtenues par cuisson d'argiles. Les terres cuites, la faïence et la porcelaine servent à fabriquer des ustensiles de cuisine. Les céramiques industrielles sont soit des oxydes (d'aluminium, de silicium, de titane), soit des non-oxydes (carbures et nitrures de silicium, de titane, de bore, etc.). Leurs propriétés sont la dureté, la résistance à la température, aux agents chimiques, et l'isolation électrique. Les céramiques sont aussi bien utilisées dans les carrelages, les plaques de cuisson, les sanitaires que dans les industries sidérurgique (intérieur des hauts-fourneaux), nucléaire, spatiale, ou électronique. Les céramiques supraconductrices (YBaCuO, par exemple) font l'objet de recherches.

Caoutchouc. C'est un polymère naturel (cis-polyisoprène $[-CH(CH_3)=CH_2-]n$) provenant du latex, liquide sécrété par l'hévéa. Il existe aussi des caoutchoucs synthétiques, comme les polybutadiènes ou le chlorobutadiène (Néoprène). Leurs propriétés sont nombreuses : élasticité, amortissement des vibrations, déformabilité, propriétés adhésives. Le traitement par le soufre à chaud (vulcanisation) accroît l'élasticité et la résistance mécanique. Le latex entre dans la confection des gants et des matelas; les caoutchoucs, dans les pneumatiques, les suspensions et les colles.

Matières plastiques. Ce sont des polymères mélangés à des additifs (ex. colorants). Leurs propriétés principales sont l'inertie chimique et la facilité de mise en forme. Les thermoplastiques (qui se ramollissent quand on les chauffe) peuvent être moulés aisément. Ainsi, le polystyrène, le polychlorure de vinyle et le polyéthylène sont utilisés pour fabriquer des emballages, des gaines de fils électriques ou encore des tuyaux. Les thermodurcissables (qui durcissent à haute température) sont produits par polycondensation : Bakélite, polyesters insaturés et polyuréthanes (mousses, isolation thermique). Enfin, on recense aussi les polymères fluorés, comme le polytétrafluoroéthylène ou Téflon, lubrifiant et revêtement antiadhésif des poêles à frire, et les polycarbonates (vitrages résistants).

Fibres. Les fibres organiques sont des macromolécules linéaires réunies en fibrilles. Les fibres naturelles ont une origine végétale (coton, lin, chanvre, essentiellement constitués de cellulose) ou animale (laine, soie, qui sont des protéines); elles servent à la confection de tissus, de sacs, de cordes. Les fibres chimiques (fabriquées par extrusion d'un polymère à travers une filière) possèdent des qualités propres : facilité de teinture, résistance à l'usure, imperméabilité. Parmi elles, les fibres artificielles sont obtenues par modification chimique de fibres naturelles, par exemple l'acétate de cellulose, à partir de cellulose, et la viscose. Les fibres synthétiques sont obtenues par polymérisation de monomères provenant du pétrole. On peut citer les polyamides (ex. Nylon 6-6), les polyesters, polymères d'acides et d'alcools, les polyacryliques, les polyvinyliques. Il existe aussi des fibres minérales, comme la fibre de verre ou de carbone, et des fibres céramiques.

Matériaux composites. Ces matériaux sont généralement constitués de deux composés. Dans les plus courants, une matrice de résine organique (polymère thermodurcissable : polyester, époxyde...), servant de liant, imprègne un tissu de fibres minérales continues ou contient une dispersion des mêmes fibres coupées (fibres de verre, de carbone, d'aramide). Les matériaux composites allient la légèreté à la résistance mécanique du réseau de fibres. On les retrouve dans les carrosseries de voitures, certaines parties d'ailes ou de queues d'avions, les coques de voiliers, les skis, les vélos de compétition, etc. Les feuillets alternés de verre et de plastique des pare-brise constituent un autre type de composite.

La biochimie

La biochimie étudie les constituants de la matière vivante et leurs réactions chimiques. Depuis la synthèse de l'urée par Friedrich Wöhler en 1828, on sait que la matière vivante n'est pas fondamentalement différente de la matière inanimée : elle est formée majoritairement d'eau et de molécules organiques.

Protéines. Elles représentent, en masse, les molécules les plus abondantes dans les cellules, après l'eau. Elles sont constituées d'acides aminés :

$$H_2N-CH(R)-C(=O)-OH$$

fonction amine — fonction acide — R : chaîne latérale

Il existe 20 types d'acides aminés, qui diffèrent par la chaîne latérale R, par exemple la glycine (où R = H), l'alanine (où R = CH_3). Ceux-ci s'enchaînent les uns aux autres par une liaison peptidique pour former des protéines (de quelques acides aminés à plusieurs milliers).

$$H_2N-CH(CH_3)-C(=O)-OH + H_2N-CH(H)-C(=O)-OH \longrightarrow H_2N-CH(CH_3)-C(=O)-N(H)-CH(H)-C(=O)-OH$$

liaison peptidique

Certaines protéines participent à la structure des tissus vivants (collagène de la peau, kératine des cheveux). D'autres transportent des ions et molécules à travers les membranes cellulaires ou dans le sang (l'hémoglobine transporte l'oxygène). Enfin, les enzymes catalysent les réactions biochimiques.

Lipides. Il existe plusieurs types de lipides. Les acides gras comportent une chaîne carbonée se terminant par un groupement acide carboxylique : acide stéarique des graisses animales, acide oléique de l'huile d'olive...

Les triglycérides, esters de trois acides gras et du glycérol, se rencontrent également dans les graisses et les huiles. Les glycérophospholipides forment la double couche des membranes cellulaires. Les terpènes et les stérols (cholestérol) sont aussi des lipides.

Glucides. Ce sont des molécules de formule générale $(CH_2O)n$, où $n \geq 3$ (oses), ou des polymères de ces dernières (polyoses). On peut citer le glucose, le saccharose de la betterave ou le lactose du lait. Les polyoses comportent un grand nombre d'oses liés entre eux : glycogène du foie, amidon des féculents et cellulose des parois cellulaires végétales sont des polymères du glucose.

Acides nucléiques. Les acides nucléiques se divisent en deux catégories : l'ADN (acide désoxyribonucléique, qui porte l'information génétique) et les ARNs (acides ribonucléiques, qui interviennent dans l'expression du code génétique en protéines). Ce sont des chaînes de nucléotides.

◆ **Matériau composite vu au microscope polarisant.** Il s'agit ici d'un matériau composite contenant des fibres de carbone dispersées dans une matrice polymère de polysulfure de phénylène (PPS). Ce document, obtenu en lumière polarisée, permet d'observer les zones d'organisation des domaines cristallins à l'intérieur du polymère. Ces zones, appelées sphérulites, sont sensiblement sphériques et formées d'un faisceau de fibrilles partant d'un point central.

Informatique

La programmation

Un langage de programmation est une notation au moyen de laquelle un individu transmet à un ordinateur ou à un autre individu une méthode pour effectuer un calcul (une telle méthode s'appelle un « algorithme »). Il existe toute une gamme de langages : des langages bien adaptés aux ordinateurs mais difficiles à comprendre pour un être humain, aux langages proches de notations familières à tout le monde mais difficiles à faire interpréter par un ordinateur. Chaque ordinateur possède un langage qui lui est intrinsèque, son langage machine, et les programmes écrits dans des langages plus commodes doivent, pour être exécutés, être traduits en langage machine. Cette traduction est effectuée par des programmes spéciaux : les compilateurs et les interprètes.

Les langages. Le premier problème posé par l'usage des ordinateurs fut de communiquer des algorithmes à la machine. À l'origine, le seul moyen disponible était la programmation directe en langage machine, chaque instruction codée en binaire correspondant à un circuit logique de l'unité centrale, et les données étant désignées par leur adresse (le rang de la case mémoire les contenant). Très tôt (1949) fut utilisé un langage permettant de désigner les instructions par un code alphabétique mnémonique et d'utiliser des adresses symboliques (alphabétiques) au lieu des adresses physiques : ce type de langage est appelé un « assembleur ». Il faut un programme de traduction (ou assembleur) pour le traduire en langage machine, et notamment pour traduire les symboles en adresses physiques.

Mais le besoin se faisait sentir de disposer de langages moins dépendants de la structure de l'ordinateur et plus adaptés à la description des problèmes à traiter, que l'on appellera les « langages évolués ». Le premier de ces langages fut fortran (1954), une tentative de transposition de la formulation mathématique. D'autres langages reposent sur la modélisation de la machine de von Neumann : algol, dont descendent lisp, pascal, C et ada. La programmation fonctionnelle transcrit le lambda calcul (théorie et notation pour l'étude des fonctions mathémathiques) en langage de programmation (lisp) ; cobol est un langage défini empiriquement comme fortran, sans paradigme formel.

Les méthodes de programmation. La programmation à l'aide d'un langage impératif consiste à expliciter comment réaliser le traitement voulu par le programmeur en énumérant les actions successives à effectuer. Avec un langage fonctionnel, on explicite quel résultat doit être obtenu de manière récursive. Avec les langages à objets, la question du « quoi faire » quitte le centre de la scène au profit du « à qui fait-on subir le traitement ». La programmation structurée, apparue en 1969, met l'accent sur la lisibilité du texte du programme, en constatant qu'il est lu beaucoup plus souvent par son auteur et par les responsables de sa maintenance que par des ordinateurs.

La programmation par objets rompt avec la programmation structurée (un gros programme est divisé par raffinements successifs en petites unités, de haut en bas) et prône la construction de gros programmes à partir de composants élémentaires et généraux.

Les environnements de développement sont des « boîtes à outils » qui incorporent les logiciels nécessaires à la programmation : compilateurs et interprètes pour un ou plusieurs langages, éditeurs permettant la saisie de textes de programmes ; bibliothèques de composants, interfaces graphiques, débogueur (outil d'aide à la correction d'erreurs), profileur (outil d'aide à l'amélioration des performances).

L'écriture de programmes demande des compétences élevées et beaucoup de temps, elle est donc coûteuse. En général, un logiciel continue à évoluer pour s'adapter aux nouveaux besoins de ses utilisateurs ou à de nouveaux ordinateurs. Cette évolution est le résultat de l'activité de maintenance, qui au long de la vie du logiciel consommera sans doute plus de moyens que sa réalisation initiale. Aussi les équipes de développement avisées choisissent-elles des langages et des méthodes qui favoriseront la maintenance, notamment grâce à la lisibilité des programmes.

◆ **Principaux langages de programmation.**

Langages impératifs	
langage machine, assembleurs	1949
fortran	1954
cobol	1959
basic	1963
Langages à structure de bloc	
algol	1958
PL/1	1964
pascal	1971
C	1971
ada	1983
Langages applicatifs ou fonctionnels	
lisp	1958
logo	1967
scheme	1975
ML, CAML	1980
Langages à objets	
simula	1967
smalltalk	1970
eiffel	1988
java	1993
Langages de script	
« shell » Unix	1971
awk	1976
perl	1986
tcl	1986
python	1991
Langages à pile	
forth	1969
postscript	1982

L'intelligence artificielle

Au début des années 1940, les progrès de la neurobiologie et la naissance de l'informatique laissent penser qu'un « cerveau électronique » peut être réalisé. Une nouvelle discipline apparaît : l'intelligence artificielle. Le mathématicien américain d'origine hongroise John von Neumann, le logicien américain Norbert Wiener et l'informaticien américain Marvin Minsky en sont les principaux fondateurs.

L'intelligence artificielle s'attaque notamment aux problèmes suivants : compréhension du langage naturel, traduction automatique, diagnostic médical, recherche de coups gagnants aux échecs. Pour ces deux derniers, le système informatique s'avère plutôt performant. En revanche, la compréhension du langage est jusqu'ici un échec.

En effet, le langage humain est plein d'ambiguïtés et de sous-entendus, qui ne peuvent être respectivement levées et compris que grâce au contexte, l'homme se référant à ce qu'il sait déjà, à l'univers affectif et sensoriel qu'il partage avec son interlocuteur.

Petit lexique

langage à pile : langage de programmation où les données sont stockées sur une structure empilée, si bien que l'on accède toujours en premier à la donnée la plus récente.
langage de script : langage de programmation comprenant des structures de traitement et de données simplifiées, adapté à des programmes courts et simples.

La structure des réseaux

Dès l'origine de l'informatique, on a voulu établir des communications à distance entre ordinateurs. Un réseau est un ensemble de matériels, de logiciels et de conventions de communication qui permettent à plusieurs ordinateurs éloignés les uns des autres d'échanger des messages. Après avoir résolu le problème de la communication entre deux ordinateurs (appelés nœuds du réseau), il faut pouvoir déterminer un itinéraire dans un réseau complexe. Le réseau peut être comparé à un réseau routier qui dessert un groupe de villes ; aussi, faire fonctionner un réseau informatique, c'est d'abord construire le réseau physique, équivalent des routes et autoroutes.

Pour que les messages arrivent à destination, chaque nœud du réseau doit être doté d'une adresse unique, généralement un numéro attribué par l'organisme qui administre le réseau.

Les messages peuvent être très divers : courrier électronique, image fixe ou animée, programme, données. Du nœud émetteur au nœud destination, le message traverse des nœuds intermédiaires, souvent des ordinateurs spéciaux appelés « routeurs » et placés aux carrefours du réseau. Un routeur comporte un programme adéquat et des informations qui lui permettent, au vu de l'adresse de destination du message, de l'envoyer dans la bonne direction, soit vers sa destination finale, soit vers un nœud intermédiaire plus proche.

Les messages circulent sur le réseau comme les voitures sur les routes : pour aller de telle ville à telle autre, il peut être nécessaire de passer par une ou plusieurs étapes intermédiaires ; il peut y avoir un itinéraire direct, mais par une petite route souvent encombrée et moins rapide que l'autoroute qui fait un détour. Les routeurs résolvent des problèmes analogues à ceux que l'automobiliste résout à un échangeur d'autoroutes : identifier la bonne direction, trouver sur la carte le moyen d'éviter un embouteillage, repérer la déviation d'un itinéraire coupé. Tout cela doit être fait automatiquement et en quelques millièmes de seconde.

Il y a un autre type de problème, plus original et propre aux réseaux informatiques : comme les canaux de transmission (ligne téléphonique, fibre optique, canal satellite, peu importe la nature physique) sont bruités par des informations parasites, les acheminements de données ne sont pas sûrs, il faut les contrôler et retransmettre ce qui a été perdu. Deux ordinateurs qui communiquent

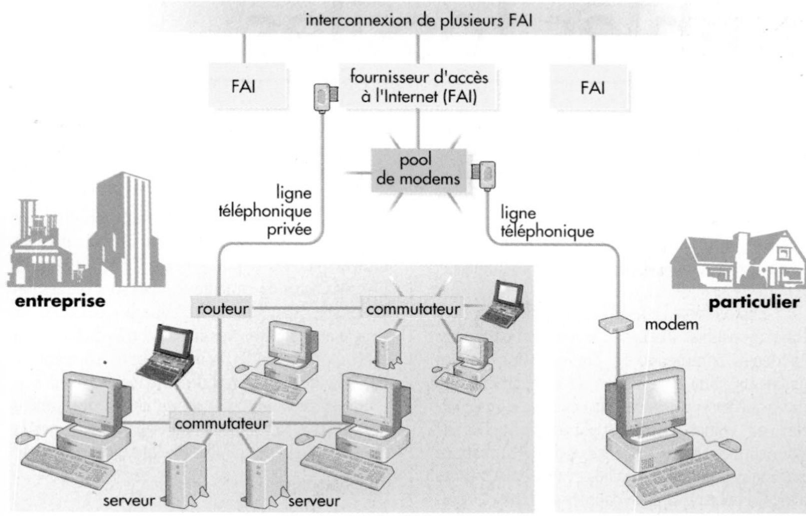

◆ **Architecture d'un réseau.**

passent leur temps à dialoguer : « Attention, je vais envoyer un message. » – « Je suis prêt. » – « Je l'envoie. » – « Vas-y. » – « (Message.) » – « Bien reçu. Attention, j'envoie la réponse. » – « Je suis prêt. » – « Je l'envoie. » – « Vas-y. » – « (Réponse.) » – « Bien reçu » Si le message « Bien reçu » n'arrive pas, il faut réexpédier le message. Le dialogue conventionnel illustré ici (simplifié), destiné à s'assurer de la bonne arrivée messages, s'appelle un « protocole ».

Les données que l'on peut communiquer sur un réseau informatique peuvent être volumineuses : pour en faciliter l'acheminement, elles sont découpées en morceaux de petite taille appelés « paquets ». L'acheminement des paquets s'apparente au modèle du train : tous les paquets d'un message sont accrochés comme des wagons et roulent en cadence vers leur destination. Le premier paquet doit comporter l'adresse de destination. Le réseau est saturé quand tous les trains sont complets, et il faut alors attendre la fin de la période de pointe.

On peut aussi utiliser le modèle de l'auto : chaque paquet est autonome et « roule » tout seul. Ainsi, plusieurs messages peuvent partager le même canal physique (la même route), et les paquets d'un même message peuvent passer par des canaux physiques différents, cela s'appelle le « multiplexage ». Le multiplexage confère aux réseaux de données une souplesse supérieure à celle du réseau téléphonique : en téléphonie, une communication établit une connexion physique entre l'émetteur et le destinataire et immobilise des infrastructures fixes (la ligne est « occupée » pour un autre émetteur). Le modèle décrit ici est une communication en mode non connecté, l'unique prise Internet d'une entreprise est empruntée simultanément par de nombreuses communications, dans la limite du débit disponible.

En mode non connecté, chaque paquet doit comporter l'adresse de destination afin que les nœuds intermédiaires puissent les aiguiller vers le bon itinéraire. À l'arrivée, il faut s'assurer que le message est bien entier (aucune auto ne s'est perdue à un carrefour) et remettre les paquets dans l'ordre. La saturation du réseau se manifeste par des embouteillages sur des tronçons surchargés : il faut attendre qu'ils s'écoulent.

Le modèle du train est illustré par le réseau Transpac (un train correspond alors à un « circuit virtuel »), celui de l'auto par l'Internet. Dans le domaine des réseaux informatiques, le modèle de l'auto s'est révélé plutôt mieux adapté que celui du train.

Les systèmes d'exploitation

Les premiers ordinateurs exécutaient un seul programme à la fois, qui devait prévoir tous les détails matériels, comme l'impression des résultats. C'était inefficace. On a voulu enchaîner automatiquement les travaux et imprimer les résultats d'un programme pendant que le suivant faisait des calculs. Le programme qui supervisait l'enchaînement des programmes et commandait l'imprimante était l'ancêtre du système d'exploitation.

Le système d'exploitation est un logiciel qui gère le fonctionnement d'un ordinateur, qui synchronise les opérations des différents dispositifs qui le constituent et qui coordonne l'utilisation de ces dispositifs par les autres programmes (dits « programmes d'application », destinés à résoudre les problèmes des utilisateurs). Le système d'exploitation permet aussi de présenter aux programmes d'application et aux utilisateurs une machine virtuelle, plus abstraite, donc plus facile à comprendre.

Un ordinateur monoprocesseur exécute une seule instruction à la fois, alors qu'un ordinateur muni d'un système d'exploitation autorise l'exécution simultanée de plusieurs programmes en organisant un « tour de rôle ». Cela est possible parce que le temps d'exécution d'une instruction est de quelques nanosecondes (10^{-9} s) ; celui d'un accès au disque dur, de quelques millièmes de seconde ; celui d'une frappe de touche de clavier par l'utilisateur, de quelques dixièmes de seconde. Pendant qu'un programme de traitement de texte attend le caractère suivant tapé par l'utilisateur, un programme de calcul a le temps d'exécuter environ un million d'instructions. Le système d'exploitation utilise ces différences d'échelle de temps pour assurer la pseudosimultanéité des tâches. C'est ainsi que plusieurs personnes peuvent utiliser ensemble un seul ordinateur. On appelle ce type de système « multitâche » et « multiutilisateur ».

Pour superviser plusieurs tâches à la fois, il faut partager entre elles le temps du processeur, mais aussi la mémoire et l'accès aux disques et autres périphériques. Pour ce faire, un système d'exploitation comporte essentiellement des fonctions de synchronisation et de gestion de files d'attente.

Les systèmes pour micro-ordinateurs, comme Windows 98 ou MacOS, sont des systèmes d'exploitation rudimentaires, ni multitâches ni multiutilisateurs. Les systèmes d'exploitation complets les plus répandus sont Unix, pour de nombreux types d'ordinateurs, et MVS pour les gros ordinateurs IBM.

Les bases de données

Lorsqu'un programme s'exécute dans un ordinateur, les données sont dans la mémoire et les résultats s'affichent sur l'écran. Si l'on veut conserver les résultats après l'extinction de l'ordinateur, il faut les enregistrer sur un support persistant, généralement un disque magnétique. Un tel ensemble de données enregistrées s'appelle un « fichier » (le programme lui-même est un fichier).

Les fichiers de données stockés sur disque au fil des exécutions risquent rapidement de constituer un ensemble désordonné. Pour pouvoir retrouver les données sur un support externe, il faut une organisation et un répertoire qui décrive celles-ci : c'est l'objet des bases de données. Ainsi, pour réunir les informations relatives aux assurés sociaux, on organise un fichier comprenant leur nom et leur identifiant individuel. D'autres fichiers décriront les feuilles de soin. L'identifiant de l'assuré permet de rapprocher tous les fichiers qui le concernent. Le tri des fichiers et l'élaboration d'index permettent d'accélérer l'accès aux informations, qui serait désespérément lent s'il fallait lire chaque fichier séquentiellement. L'ensemble de ces méthodes constitue un système de gestion de bases de données (SGBD). On distingue, selon le modèle d'organisation, les SGBD relationnels, où les données sont organisées comme dans des tableaux, avec des renvois de tableau en tableau, les SGBD à objets, qui recopient sur disque les données telles qu'elles étaient en mémoire, et d'autres modèles.

VOIR AUSSI
• **Ordinateurs et réseaux** p. 388
• **Réseaux informatiques** p. 1128

◆ **Simulation sur ordinateur.**
Ce système de simulation en réalité virtuelle permet à un opérateur qui devra effectuer un travail dangereux (en zone contaminée par la radioactivité) de s'entraîner sans risque au préalable.

Petit lexique

algorithme : méthode permettant d'effectuer un calcul de façon mécanique en un nombre fini d'opérations élémentaires.
programme : réalisation d'un algorithme dans un langage formel, appelé « langage de programmation ».
réseau informatique : ensemble de matériels et de logiciels qui permettent à plusieurs ordinateurs (les nœuds du réseau) d'échanger des communications.
routeur : ordinateur spécialisé, chargé du routage dans un réseau.

Les combustibles fossiles

Le charbon

C'est un combustible solide, généralement noir, qui résulte de la sédimentation de déchets végétaux au fond de mers, de lagunes ou de lacs, de leur enfouissement ultérieur sous d'épaisses couches de sédiments minéraux, puis de leur lente fossilisation. Il se présente sous forme d'un gel solidifié de macromolécules hydrocarbonées, portant des atomes d'oxygène, d'azote, etc., auxquelles s'ajoutent des éléments métalliques précurseurs des cendres. Lors de la pyrolyse du charbon, ces macromolécules se décomposent en molécules; il se dégage alors un gaz complexe et il reste un résidu solide de carbone quasi pur mélangé aux éléments métalliques.

Caractéristiques. Les caractéristiques physicochimiques des charbons sont très variées. Leur principal critère de classement est leur IMV, ou index de matières volatiles (rapport massique entre les gaz de pyrolyse et le charbon initial). Cet index est d'autant plus faible que les processus de fossilisation ont été plus poussés, selon la nature du traitement subi et surtout en fonction de l'âge du dépôt initial. Les charbons les plus anciens – les anthracites – sont apparus il y a près de 360 millions d'années (début du carbonifère); ils sont brillants, durs et ne salissent pas, leur IMV est inférieur à 7 %. Plus tardivement se sont formés d'autres charbons dont les IMV s'élèvent jusqu'à 42 %; ce sont les houilles qui sont de plus en plus mates, friables et salissantes. Viennent enfin les lignites, qui datent presque tous de l'ère tertiaire. Les tourbes, en revanche, trop récentes, ne sont pas suffisamment fossilisées pour être classées parmi les charbons.

Exploitation. Le charbon est le plus abondant des combustibles fossiles et le mieux réparti entre les divers continents. La configuration de ses gisements varie en fonction de la sédimentation initiale (épaisseur très variable des couches de charbon, ou veines, séparées par des couches de sédiments stériles), et en fonction des perturbations tectoniques ultérieures (failles et plissements). Les veines se présentent ainsi dans les positions les plus diverses, pouvant aller jusqu'à la verticalité. Les méthodes d'exploitation doivent donc s'adapter à ces particularités. Les veines épaisses, peu profondes et restées horizontales, se prêtent à une exploitation à ciel ouvert : ce sont ces veines qui fournissent le charbon le moins cher. Les gisements profonds sont exploités dans des mines souterraines, agencées par tranches de niveau, l'épuisement des veines d'une tranche conduisant à l'exploitation de la tranche inférieure.

Utilisations. La principale utilisation du charbon est la production d'énergie thermique par combustion. Ses applications domestiques ainsi que dans les transports ont quasiment disparu, mais son emploi se généralise dans les centrales thermiques et les cimenteries. Par ailleurs, certaines houilles d'IMV moyen possèdent une aptitude au ramollissement et à l'agglutination à haute température, juste avant le début de la pyrolyse. On obtient alors, après pyrolyse, une masse monolithique spongieuse de carbone, qui se fractionne au défournement pour donner des morceaux d'un matériau mécaniquement résistant et dur, le coke, qui sert de réducteur des minerais oxydés de fer dans les hauts-fourneaux. Une chimie industrielle des produits issus de la cokéfaction de la houille (carbochimie) s'est également développée à partir du début du XXe s. Elle a pratiquement disparu ensuite, au cours des années 1960, sauf en Afrique du Sud.

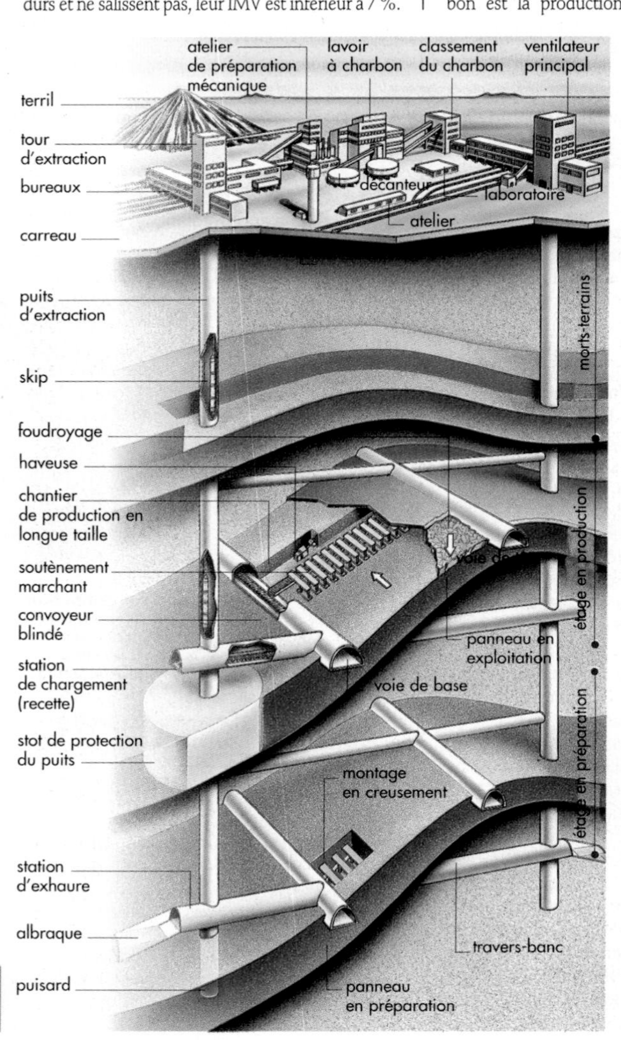

◆ **Mine de charbon.** Dans cette exploitation souterraine, les veines de charbon sont inclinées de 35° par rapport à l'horizontale. La galerie supérieure est desservie par le puits de retour d'air équipé d'un ventilateur; la production est évacuée par une galerie inférieure jusqu'au puits d'extraction qui est aussi le puits d'entrée d'air. Les liaisons entre les différents puits et étages sont fermées par des sas qui évitent les « courts-circuits » d'aérage.

La combustion du charbon produit des cendres volantes qui doivent être arrêtées dans les fumées par des dépoussiéreuses électrostatiques. Dans les fours de cimenterie, elles sont filtrées par les mêmes dépoussiéreuses que les poussiers de ciment et recyclées avec eux à l'entrée du four pour s'incorporer dans le produit élaboré. La combustion à haute teneur en soufre dégage des oxydes de soufre et peut imposer soit un lavage des fumées très coûteux, soit la fixation directe du soufre par du calcaire au sein de chaudières à lit fluidisé circulant.

Le pétrole

Ce combustible liquide, noir ou brun foncé, provient essentiellement de la sédimentation conjointe de plancton marin mort et de minéraux, de l'enfouissement ultérieur de ce dépôt sous d'épaisses couches de sédiments minéraux, puis de la lente fossilisation des résidus organiques. Ce processus conduit d'abord à la formation d'une roche minérale imprégnée d'un gel d'hydrocarbures solides ou très visqueux, appelée « roche-mère », puis à la fluidisation progressive de ce gel qui migre alors vers le haut. Des quantités considérables de pétrole ont ainsi migré jusqu'à la surface du sol ou jusqu'au fond des océans et se sont perdues. Les gisements actuels ne sont constitués que par du pétrole intercepté dans sa migration par une couche imperméable sous laquelle il s'est accumulé en imprégnant la couche sous-jacente, appelée « roche-magasin ». Dans la plupart des gisements, le pétrole liquide est surmonté d'un matelas de gaz sous pression (le gaz de tête) et s'appuie sur une couche d'eau salée. Sa formation a eu lieu au cours d'une très longue période se situant entre la fin du cambrien (– 495 millions d'années) et la fin du miocène –8 millions d'années). Quelques rares gisements en sont restés au stade de la roche-mère solide, ou au début de la phase de fluidisation, comme les pétroles très lourds de l'Orénoque.

Caractéristiques. Le pétrole est essentiellement constitué de centaines d'hydrocarbures sur certains desquels se sont greffés des atomes d'oxygène, d'azote, de soufre, etc. Il contient, en faibles quantités, des composés métalliques et une émulsion d'eau salée. Ses caractéristiques physicochimiques varient considérablement d'un gisement à l'autre. Un classement très rudimentaire des pétroles est obtenu par la mesure de leur degré API (American Petroleum Institute), qui varie en sens inverse de leur légèreté (2,9 pour le pétrole de l'Orénoque et 44 pour le saharien), et par l'analyse de la répartition de leurs hydrocarbures entre paraffiniques, naphténiques et aromatiques.

Exploitation. L'exploitation pétrolière repose sur l'étude préalable de vastes régions terrestres ou maritimes, grâce à des gravimètres et des magnétomètres portés par avion. Vient ensuite l'étude plus fine de secteurs moins vastes par sismographie, qui s'achève par des forages exploratoires.

En cas de succès, les forages de production sont, au départ, presque toujours jaillissants sous la pression du gaz de tête. Lorsque celle-ci a baissé, l'exploitation continue par pompage (pompes alternatives à balancier). La diminution de la pression peut être ralentie grâce à la réinjection du gaz dissous dans le pétrole dans la partie haute du gisement, et à l'injection d'eau dans sa partie basse par des forages spécialisés.

◆ **Oléoduc en Alaska.**

Utilisations. Le pétrole n'est pas utilisé à l'état brut mais, après fractionnement par distillation, en coupes destinées, chacune, à des applications spécifiques, soit directement, soit après traitement parachimique. Tel est le rôle des raffineries, qui produisent notamment des combustibles industriels et de chauffage domestique ainsi que la quasi-totalité des carburants.

Le fioul est la coupe résiduaire de la distillation atmosphérique du pétrole à l'entrée d'une raffinerie, la seule à n'être pas passée en phase vapeur. Les impuretés métalliques insolubles du pétrole s'y concentrent, avec la majorité des molécules les plus lourdes et celles contenant du soufre.

Le gazole constitue la coupe lourde distillée du pétrole. Les gazoles les plus lourds servent de combustibles industriels, les plus légers alimentent les moteurs Diesel et les chauffages domestiques (ils sont connus sous le terme de «fuel domestique»). Le kérosène, coupe pétrolière se situant immédiatement au-dessus du gazole léger, est le carburant des réacteurs d'avion. Le naphta est l'essence légère et incolore qui se condense en tête de colonne. C'est un bon pétrochimique et un précurseur des essences-carburants.

Le gaz naturel

C'est un combustible fossile gazeux, de même origine que le pétrole. Une partie de ce gaz est d'ailleurs dissoute dans le pétrole et constitue également le gaz de tête qui surmonte ces gisements. Le gaz associé se sépare, par simple détente, du pétrole jaillissant. Le gaz naturel est toutefois constitué en majeure partie de gaz dit «sec», qui n'est pas associé à du pétrole liquide. Néanmoins, ce gaz, refroidi à la température ambiante, libère souvent une petite quantité de liquide, essence incolore de composition voisine de celle de la coupe liquide la plus légère obtenue par distillation fractionnée du pétrole brut.

◆ **Plate-forme flottante d'exploitation gazière.**
De telles plates-formes sont utilisées lorsqu'il est impossible d'appuyer les structures sur le fond. Elle sont positionnées par repérage satellitaire.

Caractéristiques et exploitation. Les gaz naturels, associés ou secs, varient de gisement en gisement dans leur composition, mais présentent des caractéristiques communes. Essentiellement constitués de méthane et d'un peu d'éthane (qui est une base pétrochimique), de propane et de butane, ils contiennent souvent de très faibles quantités de produits sulfurés. Le gisement français de Lacq en contient, quant à lui, une proportion exceptionnellement élevée qui a imposé la construction locale d'usines de désulfuration, avant toute distribution. Le gisement néerlandais de Groningue se singularise, en revanche, par une teneur exceptionnelle en azote de 14%. Certains gisements, enfin, contiennent un peu d'hélium. C'est le cas du gaz saharien et de plusieurs gisements aux États-Unis, qui constituent actuellement la source mondiale d'hélium industriel.

L'exploration et l'exploitation des gisements de gaz sont identiques à celles des gisements de pétrole. Bien souvent les prospecteurs ne savent pas avant le résultat des forages exploratoires quel est le type du gisement qu'ils pensent avoir repéré.

Utilisations. Combustible industriel et domestiques propre et d'emploi très facile, le gaz naturel remplace progressivement le gazole pétrolier dans les chauffages domestiques et dans certains chauffages industriels. Il commence à concurrencer le charbon en matière de production massive d'électricité dans des centrales à cycle mixte, associant des turbines à gaz à une turbine à vapeur. Il constitue la base chimique quasi unique dans l'élaboration de nombreux mélanges destinés à des synthèses industrielles, comme celles de l'ammoniac, du méthanol et de certains alcools. Son utilisation comme carburant d'automobiles, de camionnettes, ainsi que d'autobus urbains est restreinte par le fait qu'il ne peut être stocké qu'à l'état de gaz comprimé à 200 bars ou davantage. On lui préfère donc souvent le butane et le propane, liquéfiables sous quelques bars. Mais le gaz naturel a l'avantage d'être moins cher et beaucoup plus abondant.

Le stockage. La demande de pointe en hiver peut dépasser la capacité de fourniture des gisements. Pour parer à cette demande, les grands distributeurs créent alors de gigantesques stocks souterrains sous pression, généralement dans des cavités naturelles ayant abrité du sel.

Le transport des combustibles fossiles

Le commerce du charbon s'effectue généralement par trains complets entre pays limitrophes ou par cargos minéraliers, ordinaires ou autodéchargeants.
La majeure partie du pétrole est acheminée par des pétroliers vers les pays consommateurs où il sera raffiné. La flotte pétrolière mondiale compte 3 200 unités environ, d'une capacité moyenne de 87 000 t. Les pétroliers modernes qui ne franchissent pas les canaux maritimes sont les plus gros navires existants (300 000 t, voire davantage) et les plus automatisés. Ils se chargent dans des terminaux portuaires ou isolés en mer, eux-mêmes alimentés par oléoducs. Ces tuyauteries en acier soudé, généralement enterrées et entourées d'une enveloppe anti-corrosion, sont fractionnées en tronçons isolables en cas d'accident, entre lesquels sont placées des stations de repompage. Les produits raffinés dans les pays producteurs et les condensats de gaz naturels «secs» sont également acheminés par pétroliers.
Le transport du gaz naturel s'effectue par gazoducs (le plus long du monde relie les gisements sibériens à l'Europe occidentale). Ils sont munis de stations intermédiaires de recompression. Le gaz naturel d'Indonésie, d'Algérie et du Qatar est actuellement exporté, sous forme liquéfiée à la pression atmosphérique de – 160 °C, par des méthaniers.

Petit lexique

cokéfaction : transformation par craquage thermique des résidus lourds du pétrole en colle, ainsi qu'en gaz, essence, gazole, etc.

fluidisation : mise en suspension de particules solides dans un courant de gaz ascendant.

pyrolyse : décomposition chimique obtenue par une importante élévation de température, en l'absence de catalyseur.

VOIR AUSSI 
- **Industrie du pétrole** p. 920
- **Industrie du gaz naturel** p. 921
- **Industrie du charbon** p. 922

Chaudières, fours et pompes à chaleur

Les chaudières

Elles élèvent, avec ou sans changement de phase, l'enthalpie (ou énergie totale) d'un fluide, sans que celui-ci se transforme chimiquement. Il peut s'agir d'un fluide de cycle énergétique, d'un fluide de chauffage domestique ou industriel ou d'un fluide destiné à participer, ultérieurement, à une réaction chimique. La source d'énergie primaire d'une chaudière est, le plus souvent, une réaction de combustion intégrée, mais, dans le cas d'une chaudière dite «de récupération», elle peut aussi résulter d'une réaction exothermique préalable. Il existe de rares chaudières électriques.

L'échange calorifique entre les produits de combustion intégrée ou de réactions extérieures se fait à travers des parois métalliques. C'est ainsi qu'une chaudière traditionnelle de chauffage central domestique est constituée d'éléments modulaires en fonte, dont la juxtaposition matérialise une chambre de combustion centrale, entourée d'une paroi creuse à l'intérieur de laquelle circule de l'eau, qui s'échauffe sans se vaporiser. Les parois métalliques à travers lesquelles se fait l'échange sont presque toujours tubulaires.

Les techniques de vaporisation. Au début du XVIIIe s., c'est l'invention de la chaudière à tubes de fumée qui, en permettant de vaporiser de l'eau sous des pressions significatives (de 8 à 12 bars), est à la base du véritable essor des machines à vapeur. Ces chaudières sont constituées d'une enveloppe cylindrique horizontale contenant un faisceau de tubes reliant le foyer à la base de la cheminée. Ce faisceau est immergé dans l'eau, mais un espace situé au-dessus du plan d'eau permet d'y collecter la vapeur.

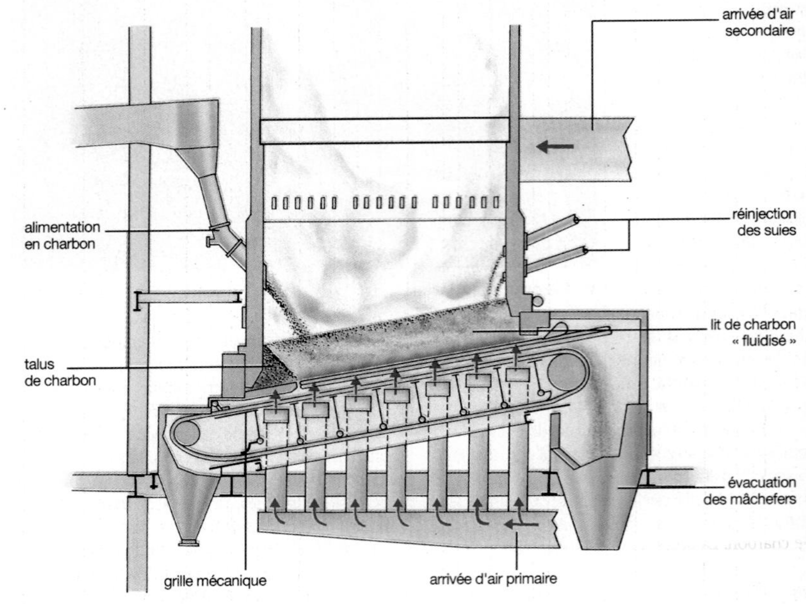

◆ **Chaudière à lit fluidisé.**
Le charbon, introduit à la base de la chambre de combustion, est mis en suspension dans le flux d'air de combustion, insufflé verticalement. Le charbon n'a pas besoin d'être aussi finement broyé que dans les brûleurs à charbon pulvérisé et il peut être beaucoup plus humide. La température, très faible au sein du lit fluidisé (800 °C) limite considérablement la production d'oxydes d'azote.

Au début du XXe s., l'apparition des turbines à vapeur et la naissance du concept de centrale électrique imposent le recours à des pressions plus élevées, ce qui conduit à l'invention des chaudières à tubes d'eau. Dans leur version classique, encore très répandue, un réservoir cylindrique horizontal de diamètre modéré alimente en eau, grâce à des colonnes descendantes, des nappes de tubes vaporiseurs ascendants, chauffés dans leur partie basse par la combustion. Une partie de l'eau s'y vaporise, et l'émulsion, plus légère que l'eau des colonnes descendantes, monte spontanément jusqu'au réservoir où l'émulsion «casse». L'eau redescend alors à la base des nappes et la vapeur est extraite du réservoir. Le débit de vapeur saturée est compensé par un apport d'eau alimentaire à travers un échangeur intégré (l'économiseur), qui la porte à sa température de vaporisation. La vapeur saturée est surchauffée dans un ensemble d'échangeurs intégrés (les surchauffeurs), puis dirigée vers la turbine utilisatrice.

Dans les grandes chaudières de centrales modernes, les nappes de tubes vaporiseurs sont planes et verticales. Elles constituent ainsi des écrans qui délimitent une vaste chambre de combustion parallélépipédique et parfois la séparent en deux. Les pressions de vapeur peuvent être élevées (couramment jusqu'à 160 bars), ainsi que les températures de surchauffe (couramment jusqu'à 545 °C), températures qui ne sont limitées que par les performances métallurgiques des matériaux. Actuellement, la vapeur en cours de détente sur les turbines utilisatrices est ramenée à la chaudière sous une pression de 25 à 30 bars pour y être resurchauffée à sa température initiale avant d'achever sa détente.

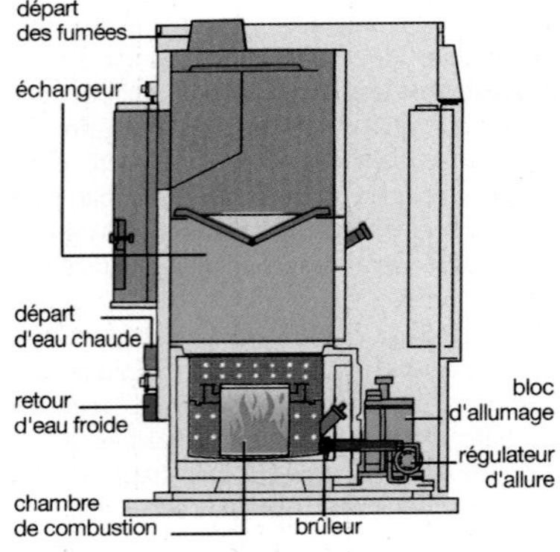

◆ **Chaudière de chauffage central au fioul.**
Ce type de chaudière est utilisé pour les besoins domestiques. Dans les chaudières dites «à lames d'eau concentriques», l'eau circule entre deux parois cylindriques, les gaz issus de la combustion sont canalisés par un déflecteur conique, de façon qu'ils balaient la paroi interne avant de s'échapper vers la cheminée.
Sur le même principe, sont conçues des chaudières utilisant comme combustible du gaz, du charbon, du bois, etc.
Le chauffage central est l'un des quatre principaux systèmes de chauffage d'ambiance (avec les cheminées, les poêles et le chauffage électrique). Les fluides caloporteurs utilisés sont l'eau, la vapeur et l'air. Les chauffages à eau chaude sont parmi les plus répandus. La capacité thermique massique élevée de l'eau lui permet, en effet, d'emmagasiner une quantité importante de chaleur sous un volume relativement faible.

Les eaux de chaudière

Les eaux naturelles sont inaptes à l'alimentation des chaudières car elles contiennent notamment des bicarbonates de calcium et de magnésium qui forment un dépôt insoluble de tartre sur les surfaces d'échange de la chaudière. Elles exigent donc d'être traitées par certains produits chimiques qui captent le tartre naissant et l'évacuent par la purge de déconcentration. Mais dès que la pression s'élève, la séquestration chimique devient insuffisante: on procède alors à l'«adoucissement» de l'eau de chaudière, opération qui consiste à substituer aux sels de calcium et de magnésium des sels de sodium solubles.
Se pose par ailleurs le problème de la corrosion de l'acier par l'oxygène atmosphérique dissous dans l'eau. On le résoud aujourd'hui en soumettant l'eau d'alimentation à un dégazage physique très poussé.
À des pressions comprises entre 25 et 60 bars apparaît le phénomène de séquestration des sels solubles, qui exige l'alimentation des chaudières en eau distillée ou déminéralisée. La déminéralisation, aux performances très supérieures à celles de la distillation, permet d'élever la pression des chaudières à réservoir jusqu'à plus de 120 bars. Mais la montée en pression conditionne d'autres phénomènes, comme le franchissement de la température d'activation de la réduction de l'eau par le fer qui conduit à la formation d'oxyde ferrique, non protecteur. Pour y remédier, on élève le pH de l'eau de chaudière, ce qui aboutit à la formation d'une couche imperméable et protectrice d'oxyde magnétique de fer.
Dans les chaudières sans réservoir, la teneur de l'eau en sels dissous est amenée en dessous du seuil de sensibilité des analyses classiques (1 µg environ), ce qui permet d'élever la pression jusqu'à des pointes exceptionnelles d'environ 180 bars.

La tendance la plus récente (depuis 1970) est de supprimer le réservoir. La structure de la chaudière n'est pas modifiée, mais le parcours général des fluides, entre l'entrée d'eau alimentaire et la sortie de vapeur surchauffée, s'effectue dans de nombreux parcours tubulaires branchés en parallèle, à l'intérieur desquels le fluide se réchauffe, se vaporise et se surchauffe. Il en résulte par rapport aux chaudières à réservoir un gain de prix et de souplesse, moyennant des exigences encore plus contraignantes quant à la pureté de l'eau alimentaire.

Les techniques de combustion. La combustion se produit à la base de la chambre. Les fumées s'y élèvent, traversant le surchauffeur final (dans le sens de la vapeur), puis – dans un parcours descendant – traversent en parallèle le surchauffeur primaire et le resurchauffeur, puis l'économiseur et un réchauffeur d'air de combustion avant d'être aspirées par un ventilateur et refoulées vers la cheminée. Les combustibles liquides et gazeux sont injectés dans la chambre par des brûleurs classiques. Le charbon peut être soit finement pulvérisé et injecté de la même façon, en suspension dans un courant d'air, soit broyé plus grossièrement afin d'alimenter un lit fluidisé par injection verticale de l'air de combustion. Les lits fluidisés dits « circulants » permettent d'injecter du calcaire dans la chambre avec le charbon. La basse température de flamme du lit (800 °C, contre 1300 ou plus dans les brûleurs classiques) permet alors au calcaire de fixer le soufre du charbon. Le sulfate de calcium produit est extrait, avec la majorité des cendres. Qu'elles soient à brûleur ou à lit fluidisé, les chaudières à charbon exigent la présence d'un dépoussiéreur électrostatique en amont du ventilateur de tirage.

De nombreuses chaudières industrielles ressemblent aux chaudières de centrales, mais sans resurchauffe, et avec, le plus souvent, des caractéristiques de vapeur plus modestes.

Les fours

Les fours réchauffent des produits solides, liquides ou gazeux en vue de modifier leur structure physico-chimique ou de les faire participer à une réaction chimique proprement dite. Quelques fours de métallurgie ou de verrerie, toutefois, n'ont d'effet que purement physique : recuit de détente de produit fini en vue de relaxer d'éventuelles tensions internes, augmentation de la ductilité d'un lingot avant laminage à chaud. D'autres assurent le séchage d'un matériau solide avant sa mise en œuvre.

Différentes applications. Les types de fours sont innombrables. On peut les classer, tout d'abord, en fonction de la nature de l'opération qui s'y déroule : cuisson des aliments, appertisation des conserves, production de coke, élaboration de la fonte, conversion de la fonte en acier, affinage thermique des métaux, production du verre et du ciment, production de gaz de synthèse divers par vaporeformage, production d'oléfines polymérisables par vapocraquage, chauffage des colonnes de distillation en raffineries de pétrole, cristallisation du sucre dans les raffineries de betteraves ou de cannes, etc.

Chacune de ces opérations impose le recours à des techniques particulières. À titre d'exemple, la réduction du minerai de fer et la production de fonte s'effectuent dans des tours creuses, les hauts-fourneaux, l'affinage de la fonte dans des cornues basculantes, par injection d'oxygène à leur base, la production de coke dans de longues batteries de fours parallélépipédiques adjacents, les réactions de vaporeformage et de vapocraquage dans des faisceaux tubulaires en acier réfractaire, placés au sein d'une chambre de combustion.

Diverses sources d'énergie. Les fours se différencient également par la nature de leur source d'énergie. Les fours de cuisson des produits alimentaires peuvent utiliser le gaz, des résistances électriques, ou un générateur de micro-ondes. Les hauts-fourneaux anciens n'utilisaient que le coke comme source de chaleur et comme élément réducteur. Leur consommation de coke est actuellement en diminution grâce à des injections de charbon pulvérisé. Simultanément, l'efficacité globale des réactions de combustion et de réduction est augmentée grâce à un enrichissement en oxygène de l'air insufflé. Les fours d'élaboration directe des aciers, ou d'affinage d'aciers préexistants, sont souvent des fours à arcs triphasés dans lesquels les arcs s'établissent entre trois électrodes et le matériau à traiter. Les longs bassins des fours de verrerie sont chauffés par des brûleurs latéraux, à fioul ou à gaz, dont le fonctionnement alterné droite-gauche permet, à chaque demi-alternance, de récupérer la chaleur véhiculée par les fumées sur des empilages de briques réfractaires, qui la restitueront à l'air de combustion lors de la demi-alternance suivante. Les fours tubulaires de cimenterie sont alimentés en fumées chaudes à l'une de leurs extrémités, par une chambre de combustion dont le combustible est, presque toujours, du charbon.

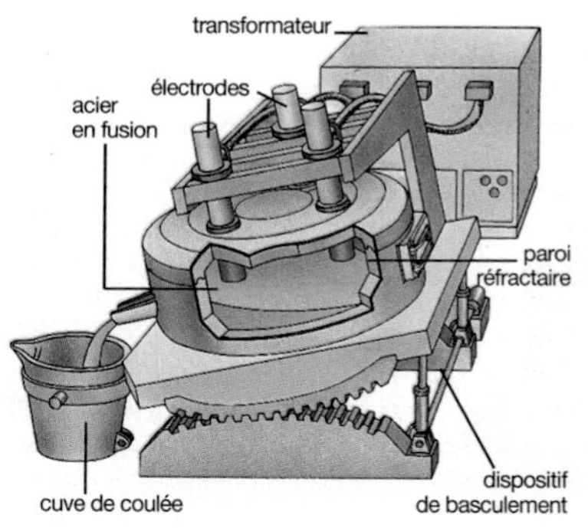

◆ **Four électrique à arc.**
C'est un type de four utilisé en métallurgie fine pour élaborer des aciers spéciaux ou de haute qualité à partir de lingots d'acier ordinaire et de ferrailles recyclées. Au démarrage, les trois électrodes de carbone sont pressées contre la charge solide conductrice, puis décollées. Des arcs s'amorcent alors entre les électrodes et la charge, qui à ce moment entre en fusion.

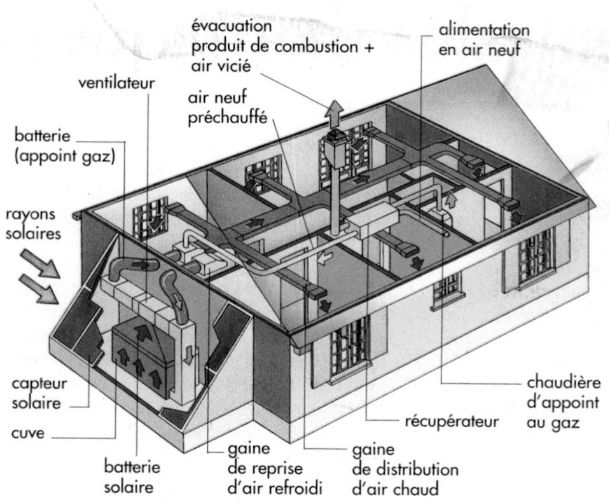

◆ **Chauffage par pompe à chaleur.**
Ce système de chauffage d'une maison est très sophistiqué et d'une installation relativement coûteuse. La pompe à chaleur réchauffe l'air extérieur froid en utilisant la chaleur qu'elle extrait, avant rejet à l'extérieur de l'air chaud vicié provenant des pièces « techniques ».

Les pompes à chaleur

Elles prélèvent de l'énergie calorifique dans le milieu extérieur (air, rivière, nappe phréatique circulante, etc.) et la transfèrent à une source chaude se situant dans un local qu'elles chauffent. Ce sont des installations frigorifiques dont le rôle des sources froide et chaude a été permuté : dans un cycle frigorifique, c'est la source froide qui se situe dans l'armoire ou la chambre à refroidir et c'est la source chaude qui rejette à l'extérieur la chaleur transférée.

Dans les deux cas, la source froide est un évaporateur de fluide frigorigène qui est aspiré par un compresseur puis refoulé dans un condenseur constituant la source chaude. Le liquide condensé retourne à l'évaporateur après détente sur un orifice calibré. Dans le cas d'une pompe à chaleur, son efficacité (rapport entre la puissance de chauffe délivrée et la puissance absorbée par le compresseur) est proche de :

$$\frac{T_2}{T_2 - T_1},$$

T_1 et T_2 étant respectivement les températures absolues des sources froide et chaude. Une efficacité élevée exige donc un écart modéré entre T_1 et T_2. Considérons ainsi le système constitué, d'une part, par une nappe phréatique circulante à température à peu près constante, produisant une source froide de 9°C, et, d'autre part, par un appartement parfaitement calorifugé ne demandant, par grand froid, qu'un écart de 20°C entre la température de l'eau de chauffage et la température standard de confort des pièces (20,33°C).

Un tel système bénéficie d'une efficacité minimale de 10 (1 kWh électrique payant apporte ainsi 10 kWh thermiques, dont 9 gratuits). En revanche, une efficacité inférieure à 7, par grand froid, ne permet généralement pas d'amortir le surcoût d'une pompe à chaleur par rapport au coût d'un chauffage au gaz.

Petit lexique

frigorigène : se dit d'un fluide producteur de froid.

oléfine ou **alcène :** hydrocarbure à double liaison.

vapocraquage : décomposition d'hydrocarbures en hydrocarbures plus légers (craquage) en présence de vapeur d'eau.

vaporeformage : procédé de fabrication de gaz de synthèse hydrogénés ou d'hydrogène par réaction catalytique de méthane ou d'hydrocarbures saturés légers sur de la vapeur d'eau.

Les centrales thermiques et nucléaires

Les centrales thermiques

Ce type de centrale transforme l'énergie de combustion en énergie électrique. En dehors de la technique émergente de la magnétohydrodynamique, les centrales thermiques relèvent actuellement de trois grandes techniques.

Les centrales à vapeur. Elles utilisent un cycle thermodynamique diphasique décrit par de l'eau qui est vaporisée puis surchauffée dans une chaudière, détendue dans une turbine, condensée, pompée et renvoyée à la chaudière. La turbine à vapeur produit de l'énergie mécanique, transformée en électricité dans un alternateur, sous forme de courant alternatif triphasé (60 Hz en Amérique du Nord et au Japon, 50 Hz partout ailleurs). La source chaude du cycle est la chaudière, sa source froide le condenseur, qui reçoit la part non transformée du flux calorifique total et la dissipe dans l'atmosphère par l'intermédiaire d'un circuit d'eau de réfrigération. Ce dernier peut être alimenté en circuit ouvert par une dérivation sur un cours d'eau ou constitué par un circuit fermé sur une tour de réfrigération atmosphérique. La température du condenseur n'est ainsi supérieure que de quelques degrés à la température humide de l'air, ce qui correspond à une pression de vapeur, à l'échappement de la turbine, de 0,03 à 0,05 bar absolu (vide relatif de 97 à 95 %).

Le rendement de transformation de l'énergie thermique en énergie électrique ne peut dépasser la valeur de :

$$\frac{T_2 - T_1}{T_1},$$

(ce qui correspond au cycle idéal de Carnot dont les cycles réels s'écartent sensiblement), T_1 et T_2 étant respectivement les températures absolues des sources froide et chaude.

Dans la pratique, deux artifices sont utilisés pour améliorer le rendement du cycle à vapeur de base. Le premier consiste à soutirer de la vapeur en 6 ou 7 points de la turbine et à alimenter ainsi des réchauffeurs qui élèvent progressivement la température de l'eau condensée renvoyée à la chaudière. Le second consiste à resurchauffer le flux principal de vapeur en cours de détente, aux environs de 25 à 30 bars.

Ainsi, les tranches de production française de ce type les plus récentes ont des puissances de 600 MW électriques. Leurs rendements sont voisins de 40 %.

Les centrales à turbines à gaz. Plus simples et moins chères que les précédentes, elles sont constituées par une turbine à gaz entraînant un alternateur. Elles utilisent un cycle à air sans changement de phase qui se boucle sur l'atmosphère. Leur rendement est de l'ordre de 30 % et leur souplesse d'utilisation (démarrage et vitesse de montée en charge) très grande. Leur utilisation optimale est donc la production discontinue d'énergie, pour épauler les centrales de base pendant les heures de pointe. Leur puissance maximale actuelle est de 250 MW.

Les centrales à cycle mixte. La chaleur disponible sur l'échappement d'une ou plusieurs turbines à gaz sert à produire de la vapeur dans des chaudières de récupération. Cette vapeur entraîne ensuite une turbine à condensation. Le rendement global d'un tel ensemble s'approche de 50 %. Malgré la multiplicité des machines et en raison de l'extrême compacité des chaudières de récupération, son coût à puissance égale est légèrement inférieur à celui d'une centrale à vapeur. Bien que de conception récente, les centrales à cycle mixte se développent rapidement dans les pays riches en matières premières adaptées aux turbines à gaz.

Les centrales nucléaires

Ce sont des centrales à vapeur productrices d'énergie électrique, dans lesquelles la source primaire d'énergie calorifique est un réacteur nucléaire. Ces réacteurs, utilisant pour la plupart de l'uranium 235 (éventuellement enrichi en plutonium), sont actuellement tous des réacteurs à fission dans lesquels des atomes d'uranium ou de plutonium se « cassent » en deux éléments de masses atomiques moyennes avec émission concomitante de neutrons rapides dont le ralentissement ultérieur produira de la chaleur. Les neutrons émis doivent être ralentis par un modérateur afin d'augmenter la probabilité de leur capture par d'autres atomes d'uranium dont ils provoquent alors la fission. Les réacteurs modernes utilisent le même fluide pour extraire la chaleur du réacteur et jouer le rôle de modérateur. C'est quelquefois de l'eau lourde, modérateur très efficace permettant d'utiliser directement de l'uranium naturel ne contenant que 0,7 % d'uranium 235. Mais c'est bien plus souvent, notamment en France, de l'eau naturelle, modérateur médiocre qui impose un enrichissement préalable de la charge (3 % d'uranium 235). Dans la très grande majorité des cas cette eau est maintenue sous forte pression : elle ne se vaporise pas et circule en circuit fermé sur un échangeur-vaporiseur où s'élabore la vapeur énergétique, qui n'est pas radioactive. Il existe, dans le monde, quelques rares prototypes de réacteurs au plutonium, sous-produit des réacteurs précédents et matériau très fissile ne nécessitant pas le ralentissement des neutrons. Tel est le cas des centrales Phénix ou Superphénix, en France, qui ont fait l'objet, au cours de l'année 1998, d'une décision gouvernementale de réhabilitation pour la première et d'arrêt définitif suivi de démantèlement pour la seconde.

Dans toutes les centrales du monde (à l'exception de la première génération des centrales soviétiques du type Tchernobyl), la partie nucléaire de la centrale (réacteur, circuit d'eau primaire, échangeur-vaporiseur) est placée dans une enceinte de confinement en béton fortement armé, donc totalement séparée de la partie énergétique non radioactive. Cette seconde partie est analogue à celle d'une centrale thermique classique, sans être identique car les réacteurs actuels sont incapables de produire de la vapeur aux mêmes caractéristiques élevées de température et de pression que les chaudières à combustibles. La conception des turbines s'en trouve notablement modifiée.

Depuis l'adoption des réacteurs à eau légère, les tranches nucléaires françaises ont été successivement de 900, 1 300 et 1 450 MW. Elles produisent 75 % de la consommation française au prix de revient le plus bas d'Europe, cet avantage étant partiellement masqué, pour l'utilisateur, par le coût élevé de la distribution en France.

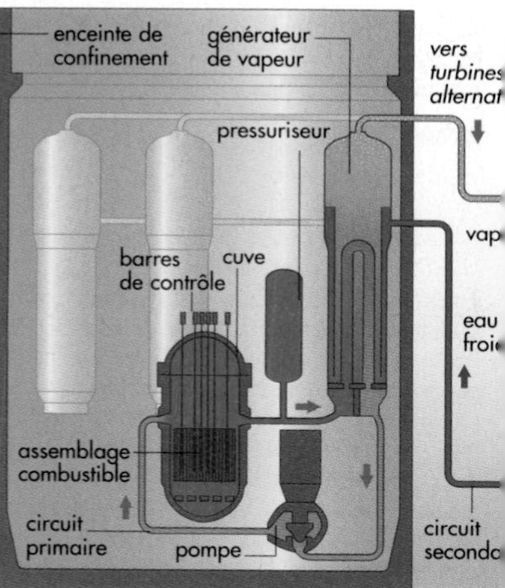

◆ **Réacteur nucléaire.**

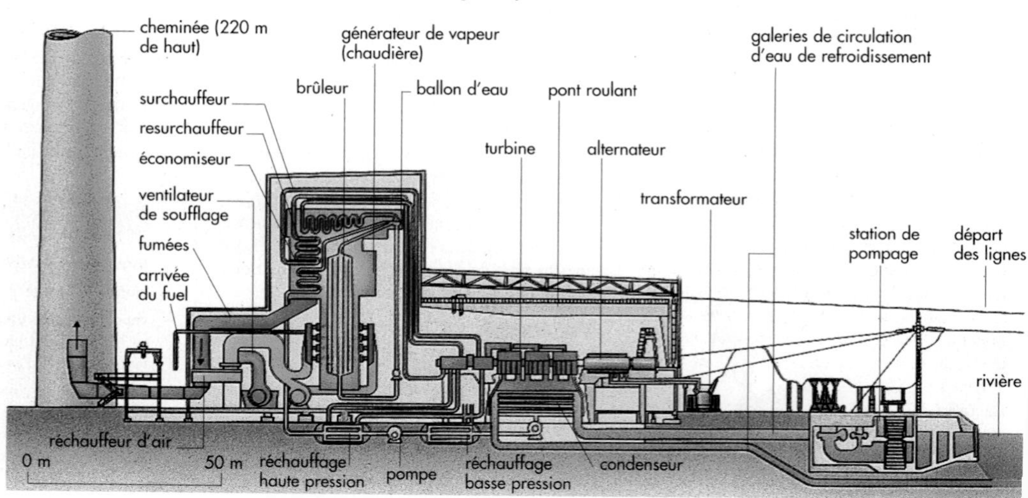

◆ **Centrale thermique au fioul.**

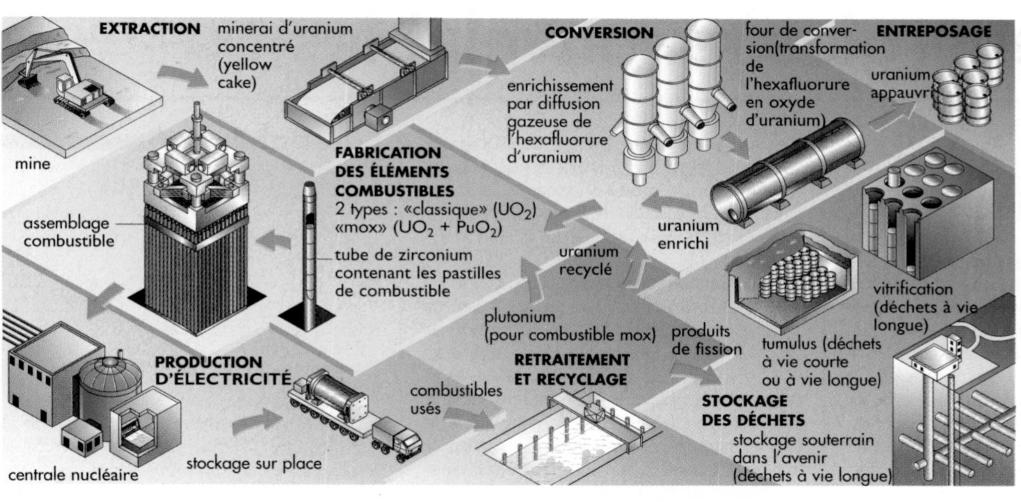

◆ **Chaîne du nucléaire en France.** Ce schéma illustre la production, l'utilisation et le devenir des combustibles nucléaires. En moyenne, chaque année, en France, 1 200 t de combustibles usés sont produits : 350 t sont entreposées sur place en piscine ; 850 t sont retraitées, qui donnent 9 t de plutonium, 30 t de produits de fission et 810 t d'uranium.

◆ **Centrale nucléaire de Golfech (Tarn-et-Garonne).** Elle comporte deux tranches à eau sous pression de 1 300 MW chacune. On distingue les deux enceintes de confinement (vers la droite), à gauche desquelles se trouvent les salles des machines (non radioactives). Ici, les sources froides sont constituées par des circuits d'eau fermés sur des tours de réfrigération atmosphérique.

VOIR AUSSI
- **Traitement des déchets** p. 365
- **Fusion nucléaire** p. 385 (tokamaks)
- **Industrie du nucléaire** p. 922

Petit lexique

échangeur : appareil destiné à réchauffer ou à refroidir un fluide au moyen d'un autre fluide circulant à une température différente.

magnétohydrodynamique : domaine de la physique qui traite de la dynamique des fluides conducteurs en présence d'un champ magnétique.

triphasé : se dit d'un système de trois courants alternatifs monophasés l'un par rapport à l'autre de 1/3 de période.

Fission et fusion nucléaires

Certains noyaux atomiques lourds, lorsqu'ils sont percutés par un neutron, se cassent en deux noyaux moyens en émettant des neutrons. Cette réaction dite de fission induit un dégagement d'énergie considérable équivalant à une perte globale de masse suivant la relation $E = mc^2$. Les neutrons émis peuvent alors percuter d'autres noyaux lourds, lesquels se cassent à leur tour, initiant ainsi une réaction en chaîne, explosive dans les bombes atomiques classiques et contrôlée dans les réacteurs industriels. Bombes et réacteurs contiennent une masse de combustible fissile dite surcritique, dans laquelle la réaction en chaîne s'initie et s'entretient spontanément (le combustible employé est de l'uranium 235 ou du plutonium 239). Des réacteurs sous-critiques au thorium, dans lesquels la réaction doit être entretenue en permanence par une source artificielle de neutrons, sont actuellement à l'étude.

La fusion de deux atomes légers (hydrogène proprement dit et ses isotopes deutérium et tritium) conduit également à une perte globale de masse correspondant à des dégagements d'énergie bien plus importants (énergie des étoiles), mais exige une énergie d'activation considérable. Actuellement, la seule réaction de fusion accessible à l'homme est celle correspondant à l'énergie d'activation la plus basse (plus de 100 millions de degrés cependant) : il s'agit de la réaction du deutérium sur le tritium, conduisant à l'hélium. Cette énergie d'activation est fournie aux bombes thermonucléaires par une bombe atomique classique. Depuis près de trente ans, des efforts de recherche considérables sont déployés pour tenter de contrôler cette réaction dans des réacteurs industriels mais, jusqu'à présent, avec des résultats très limités.

◆ **Fission d'un noyau d'uranium 235.**

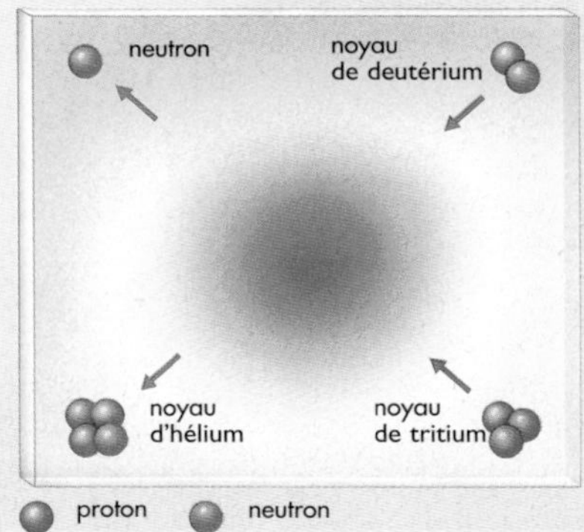

◆ **Fusion thermonucléaire.**

Les énergies renouvelables

L'énergie hydraulique

Elle est constituée par l'énergie potentielle des eaux de précipitations qui retournent à la mer en perdant de la hauteur, et qui peut être captée en créant des dénivelées, grâce à des barrages, sur les cours d'eau naturels. L'écoulement contrôlé de l'eau entre l'amont et l'aval de ces barrages fait apparaître une énergie cinétique, transformée en énergie mécanique de rotation par des turbines qui entraînent des alternateurs. L'obligation de s'adapter aux sites fait de chaque centrale un cas particulier. On peut cependant les classer toutes dans trois grandes familles.

Les centrales de haute chute. Elles interceptent, en haute montagne, les cours d'eau naissants dont le débit est faible. Les barrages sont généralement petits, mais l'eau captée peut être amenée, avant turbinage, à un niveau très inférieur, souvent de 500 m et parfois de plus de 1 000 m. La centrale est donc éloignée du barrage, qui l'alimente en eau par une conduite forcée, quelquefois après un premier parcours en tunnel creusé dans le roc (notamment lorsque la centrale n'est pas implantée dans la même vallée que le barrage). Les turbines adaptées à de telles dénivelées sont du type Pelton. L'eau qui en sort ne possède plus d'énergie résiduelle significative et peut être rejetée, sans précaution particulière, dans un cours d'eau. Du fait de la capacité souvent réduite de leurs barrages, de telles centrales ne peuvent pas procéder à des modulations importantes de leur production, indépendamment des ressources instantanées en eau.

Les centrales de moyenne chute. Elles interceptent des cours d'eau déjà importants dans les zones de contreforts montagneux où existent des vallées encaissées. Leurs barrages dépassent souvent 50 m, quelques-uns, 200 m. Les vallées particulièrement encaissées et présentant des versants géologiquement très résistants sont généralement barrées par des barrages-voûtes relativement minces, qui reportent une notable partie de la poussée des eaux sur ces versants. Si tel n'est pas le cas, il est nécessaire de construire un barrage-poids, que sa masse ainsi que la grande épaisseur de sa base rendent autostable face à la poussée des eaux. Il ne reporte que des efforts très réduits sur les versants.

Les centrales sont accolées à la partie basse aval des barrages et utilisent des turbines Francis à axe vertical. L'alternateur surmonte la turbine, et son stator porte une importante butée dite « butée parapluie » commune à l'ensemble turbine-alternateur. L'eau sort de la turbine verticalement, vers le bas, et dispose d'une énergie résiduelle significative. Elle est reprise par un canal de forme complexe, ménagé dans le socle en béton, qui ralentit l'eau tout en ramenant son écoulement à l'horizontale, avant de la rejeter dans le cours d'eau. La capacité de retenue souvent considérable de leurs barrages permet à ces centrales de moduler leur production de façon très importante, indépendamment des apports d'eau instantanés à la retenue.

Les centrales de basse chute. La plupart sont établies sur d'importants cours d'eau en plaine. Dans certaines vallées peu cultivées et peu habitées, sauf sur leurs versants, il est possible de créer des dénivelées d'environ 20 m. Les centrales sont solidaires des barrages et utilisent des turbines hélices à circulation axiale qui sont, le plus souvent, du type Kaplan à pas variable. Les groupes turbo-alternateurs peuvent être à axe vertical, comme dans les centrales de moyenne chute, ou à axe horizontal. L'alternateur est alors contenu dans un bulbe étanche profilé, contourné par l'eau, avant ou après son passage dans la turbine. Les capacités de modulation des centrales de basse chute sont quasi nulles. Elles sont dites « au fil de l'eau ».

Les barrages

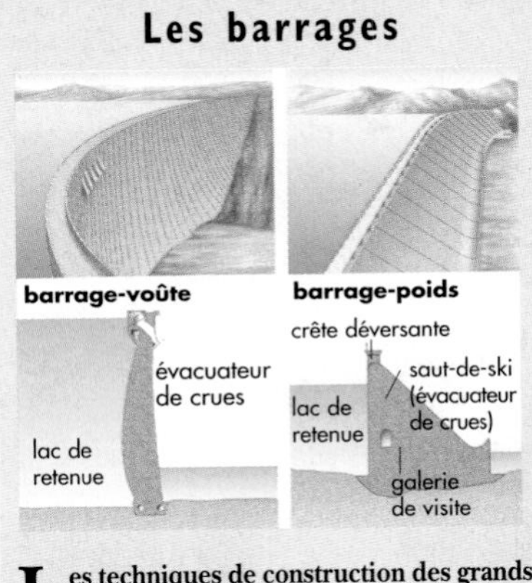

Les techniques de construction des grands barrages modernes, toujours associés à des centrales hydroélectriques, se partagent essentiellement entre les barrages-voûtes minces, s'appuyant sur les flancs des vallées barrées, et les barrages-poids autostables, à base très épaisse, en terre ou en béton. Il existe aussi des techniques intermédiaires, comme celle du barrage à contreforts, dont les contreforts, autostables grâce à leur embase très longue, sont reliés entre eux par de petites voûtes légères.

Les très grandes retenues d'eau artificielles influent sur le microclimat environnant, permettant notamment d'augmenter l'humidité atmosphérique des zones désertiques. Mais leurs effets sur le plan écologique peuvent s'avérer désastreux. Ainsi, les barrages d'irrigation construits en Asie centrale sur l'Amou-Daria et le Syr-Daria pour créer d'immenses exploitations cotonnières, ont conduit à l'assèchement progressif de la mer d'Aral, bloquant ses ports, stérilisant ses pêcheries et laissant les populations riveraines dans un dénuement dramatique.

◆ **Barrage de Mauvoisin (Suisse).**
Il s'agit d'un barrage-voûte caractéristique, relativement mince à sa partie inférieure, qui reporte l'essentiel de la poussée des eaux sur les flancs de la vallée. C'est le deuxième plus haut barrage du monde (250,5 m) après celui d'Inguri en Géorgie (272 m).

Petit lexique

énergie renouvelable : toute énergie primaire (hydraulique, éolienne, solaire...) qui ne résulte pas de l'utilisation de combustibles fossiles ou nucléaires.

◆ **Coupe d'une centrale hydroélectrique.** La centrale hydroélectrique du lac de Laforge -1 (baie James, Québec, Canada) utilise l'eau d'une retenue pour actionner une turbine électrique qui entraîne un alternateur.

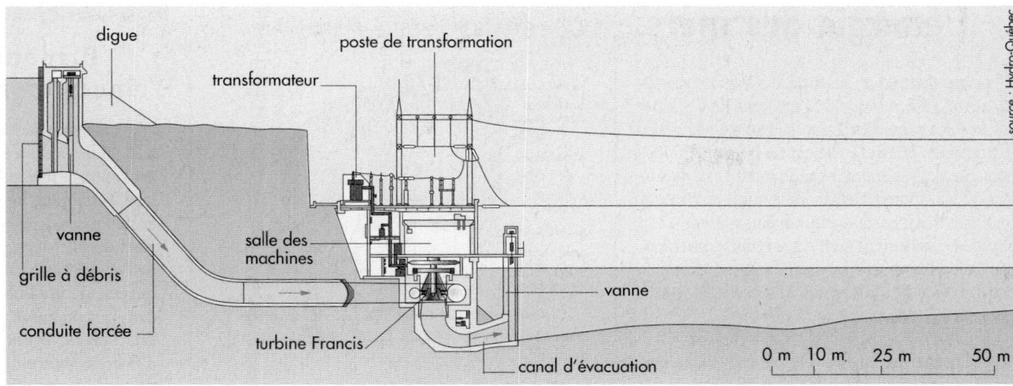

L'énergie solaire

Elle peut être recueillie par des capteurs pour chauffer de l'eau sanitaire ou de l'eau de chauffage central. Ce sont généralement des gouttières en tôle noire, à l'intérieur desquelles se trouvent les tubes d'eau à chauffer, et qui sont souvent fermées par des vitres, empêchant le renvoi d'un rayonnement infrarouge dans l'espace. Le coût élevé des grands stockages permettant d'assurer le chauffage nocturne fait généralement préférer un relais par un chauffage au gaz. Un stockage intersaison ne peut être imaginé que si l'on dispose d'une grande nappe phréatique non circulante ou que si l'on crée une réserve d'eau artificielle, par exemple dans un dôme de sel qui aurait d'abord été lessivé. Dans les climats chauds, de tels capteurs à bas potentiel peuvent aussi réchauffer le mélange frigorigène d'un cycle frigorifique à absorption, qui assure la climatisation.

La captation de l'énergie solaire à haut potentiel dans des centrales solaires, par focalisation sur une chaudière grâce à un jeu de miroirs, a donné lieu à la réalisation de quelques prototypes, tous abandonnés, sauf en Californie. Quant à la transformation directe de l'énergie solaire en électricité, dans des batteries de diodes plates à semi-conducteur, elle ne permet pas la production massive d'électricité, mais elle reste couramment utilisée pour alimenter de petits consommateurs isolés.

L'énergie de la biomasse

Cette énergie peut résulter de la combustion directe de déchets de toutes natures (paille, cannes à sucre vidées, feuilles de betteraves ou de pommes de terre, déchets de scieries, bois d'éclaircissement et d'élagage issus des forêts soumises à une exploitation méthodique...). Elle est également fournie par la combustion, après dessiccation, des résidus les plus divers des activités agroalimentaires, voire de l'excédent de micro-organismes qui prolifèrent dans les bassins de traitement bactérien des eaux usées et qui contribuent à l'épuration de ces eaux.

L'énergie de combustion de la biomasse n'a pas d'incidence sur l'effet de serre puisqu'elle se contente de restituer à l'atmosphère le dioxyde de carbone qui lui a préalablement été emprunté par la croissance des végétaux ou des micro-organismes concernés. Cependant, sa production demeure très réduite. La plus importante centrale française de combustion de biomasse ne produit que 35 MW et les projets de plantation de forêts ou de taillis à croissance rapide, destinés à la seule combustion, n'ont pas débouché sur des réalisations concrètes.

La biomasse est également utilisée pour produire des carburants. Les moteurs à explosion acceptent, sans modification, de consommer un mélange d'essence et d'alcool éthylique, voire de fonctionner à l'alcool pur s'ils ont été conçus pour cela. Le Brésil a ainsi développé ces deux techniques il y a quinze ans pour résorber ses excédents de sucre et de mélasse, tout en diminuant ses importations pétrolières. En France, une expérimentation est conduite, depuis 1994, avec de l'huile de colza diestérifiée, utilisée en mélange avec du gazole classique dans l'alimentation de moteurs Diesel non modifiés d'autobus urbains. Les moteurs fonctionnent bien et émettent moins d'imbrûlés que lorsqu'ils fonctionnent au gazole pur. Mais la rentabilité d'un tel produit ne peut être assurée que par des mesures d'incitation fiscale compensant le coût élevé du carburant végétal.

L'énergie géothermique

La radioactivité des couches profondes de la Terre provoque un dégagement de chaleur permanent qui se transmet lentement jusqu'au sol. Il en résulte un gradient géothermique qui est, en moyenne, de 1 °C tous les 30 m, variable suivant les sites, pouvant conduire à l'apparition de geysers, de sources chaudes, ou de nappes phréatiques très chaudes qui ne se vaporisent pas en raison de leur pression. Dans ce dernier cas, une telle eau peut servir à élaborer de la vapeur et à produire de l'électricité. Dans les régions de gradient normal (cas du Bassin parisien), les nappes phréatiques profondes sont suffisamment chaudes pour alimenter des piscines d'hiver et chauffer des serres, voire des logements. Mais l'avenir industriel de cette énergie est essentiellement lié au succès d'expérimentations en cours, portant sur une géothermie artificielle. Elle consiste à créer deux forages profonds et rapprochés, qui sont ensuite liés dans leur partie basse, grâce à des fissurations naturelles ou créées artificiellement au moyen d'explosifs ; l'eau est injectée dans l'un des forages puis recueillie sous forme de vapeur à la tête de l'autre.

◆ **Capteurs d'énergie solaire.** Chaque panneau comporte un faisceau tubulaire entre un fond de tôle noire et une glace interdisant la réverbération d'un rayonnement infrarouge dans l'espace. Dans ces faisceaux circulent de l'eau de chauffage, de l'eau sanitaire ou un fluide de climatisation grâce à un cycle frigorifique à absorption. L'application de cette technique à la climatisation est particulièrement intéressante car la pointe de la demande coïncide avec la pointe de l'ensoleillement.

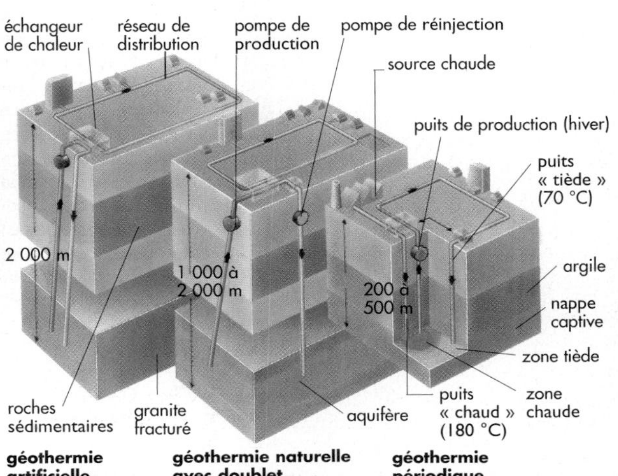

◆ **Types de géothermie.** Au centre, installation classique dans une zone à gradient géothermique normal. L'eau d'une nappe phréatique profonde est pompée à la surface où elle cède sa chaleur à un circuit fermé de chauffage, puis elle est réinjectée. À gauche, installation de géothermie artificielle en roches éruptives sèches. Deux forages profonds sont liés à leur base par des fissures naturelles ou artificielles. À droite, projet qui a fait l'objet, au début de 1999, d'un début de réalisation, et qui consiste à réchauffer en été une nappe phréatique non circulante et à récupérer en hiver l'énergie stockée pour le chauffage des logements.

L'énergie des mers

Énergie thermique. Le fond des océans est alimenté en eau froide, aux environs de 4 °C, par la fonte des banquises. Dans les zones équatoriales et tropicales, on peut imaginer un cycle thermodynamique dont la source chaude serait l'eau de surface qui s'évaporerait, et la source froide un condenseur par mélange de cette vapeur avec de l'eau abyssale. Une turbine à un étage serait alors entraînée par cette vapeur se détendant, par exemple, entre un vide de 95 % et un vide de 99 %. Aucun essai n'a été concluant jusqu'à présent.

Énergie des vagues. De petites installations fonctionnent régulièrement ; elles transforment le mouvement alternatif de flotteurs. Mais elles ne peuvent être installées que dans des zones abritées pour ne pas être détruites par les tempêtes. Leurs puissances sont donc négligeables. La captation de l'énergie des grandes vagues océaniques interdit de recourir à des flotteurs. Il est ainsi possible de concevoir des ouvrages importants en béton, focalisant les vagues à la base d'un vaste puits. Les oscillations du plan d'eau y engendrent un mouvement de piston. Un prototype britannique comporte, à la tête du puits, un système de clapets permettant d'aspirer de l'air atmosphérique puis de le refouler en alimentant une turbine à air. Après plusieurs échecs, une nouvelle tentative a eu lieu courant 1998, dont les résultats ne sont pas encore connus. Ils se sont heurtés à la taille et au coût des turbines nécessaires à la production d'une quantité significative d'électricité, au manque de fiabilité et au coût des installations de captation de grandes quantités d'eau froide abyssale. Une variante de ce modèle consiste à associer une production d'eau dessalée à la production d'électricité. Elle impose de substituer au condenseur par mélange un condenseur par surface. La vapeur condensée est collectée et constitue une source d'eau douce. Mais les quelques degrés d'écart imposés par le condenseur par surface diminuent le rapport de détente disponible sur la turbine, déjà très faible avec le condenseur par mélange.

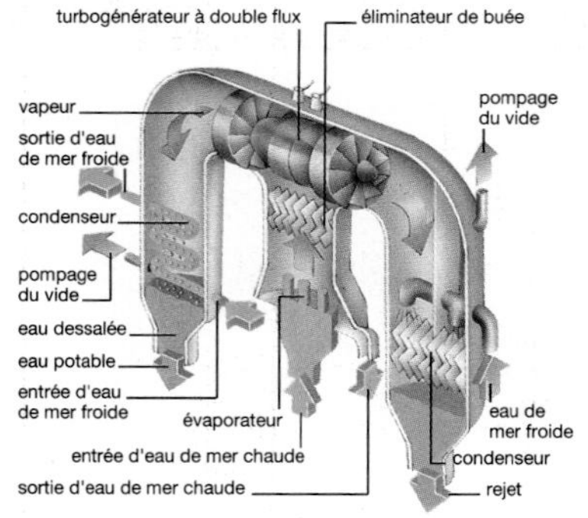

◆ **Centrale d'énergie des mers.**
L'eau chaude de surface se vaporise partiellement sous vide (au centre). La fraction non vaporisée, concentrée en sel, est rejetée à la mer. La vapeur se détend alors sur une turbine à un seul étage et vient se condenser dans un condenseur par mélange, alimenté en eau froide pompée à grande profondeur (à droite).
Une pompe à vide extrait l'air dissous dans l'eau de mer chaude, air qui se libère dans l'évaporateur.
On peut aussi utiliser un condenseur par surface.
La vapeur condensée est alors récupérable sous forme d'eau potable dessalée.

L'énergie éolienne

Sa captation très ancienne (voiles des bateaux, mouture des céréales, assèchement des polders, pompage d'eau de puits) a donné lieu à des réalisations variées : moulins à vent, petites éoliennes à nombreuses pales plates formant hélice, dont l'axe horizontal doit s'orienter dans la direction du vent, ou à pales galbées que leur axe vertical rend indifférentes à la direction du vent.

L'énergie électrique produite par une éolienne est porportionnelle au cube de la vitesse du vent : un vent soufflant à 10 m/s produira ainsi huit fois plus d'énergie qu'un vent soufflant à 5 m/s. La réalisation d'éoliennes de puissance, utilisant de grandes hélices très performantes à petit nombre de pales, a été entreprise à partir de 1960. Toutefois, la puissance des éoliennes les plus performantes ne dépasse pas quelques MW. Elles doivent pouvoir capter des vents faibles afin d'éviter des arrêts trop prolongés mais être aussi suffisamment solides pour résister aux grands vents. Si elles ne sont pas couplées avec un accumulateur, elles ne peuvent fournir qu'une énergie d'appoint, sauf pour pomper de l'eau dans un puits. Leur manque de disponibilité (en cas de calme plat ou de tempête) ne permet pas de leur conférer un rôle de production de base. Par ailleurs, la production d'énergie électrique en quantité significative impose d'installer un grand nombre d'éoliennes, souvent sur des sites ventés en bord de mer, ce qui pose des problèmes d'esthétique et de nuisances acoustiques.

◆ **Champ d'éoliennes à Palm Springs (Californie, États-Unis).**

VOIR AUSSI
• **Centrales hydrauliques** p. 922
• **Énergies nouvelles** p. 923

Disponibilité des énergies renouvelables

Actuellement, la seule énergie renouvelable exploitée de manière significative est l'énergie hydraulique, qui présente l'avantage d'être quasi inépuisable, même durant les périodes de sécheresse. Cette disponibilité permanente est en partie à l'origine du succès de l'énergie hydraulique et, par voie de conséquence, de la saturation des sites disponibles dans de nombreux pays industriels.
En revanche, l'énergie solaire directe, source d'énergie intermittente, s'efface totalement de nuit et partiellement par temps couvert. Lorsqu'elle est affectée à la production d'électricité, elle présente donc le défaut majeur d'être indisponible à la tombée de la nuit, juste au moment où le réseau consommateur local connaît une pointe d'appel liée à l'allumage des lumières dans tous les logements. C'est pourquoi seuls les besoins de petits consommateurs isolés peuvent être assurés par des batteries de taille et de coût raisonnables, chargées de jour par des cellules photovoltaïques.
À l'opposé, l'énergie de la biomasse s'avère disponible en permanence, les combustibles pouvant être stockés et brûlés en fonction des besoins au lieu de l'être au fil de leur production. Mais ces ressources ne sont pas quantitativement significatives.
De même, l'énergie géothermique est toujours accessible mais, en matière de production d'électricité, les sites producteurs de vapeur offrant des caractéristiques suffisantes sont très rares.
L'énergie éolienne et l'énergie des vagues, qui est d'origine éolienne, s'effacent par calme plat. Les grandes éoliennes modernes à hélice s'arrêtent également en cas de tempête. L'alimentation des réseaux par des centrales éoliennes suppose donc qu'elles soient doublées par des sources classiques en vue d'assurer sa continuité.
Enfin, l'énergie thermique des mers est disponible en permanence, mais aucun pilote n'a pu, jusqu'à présent, démontrer la fiabilité ni la rentabilité de centrales industrielles.

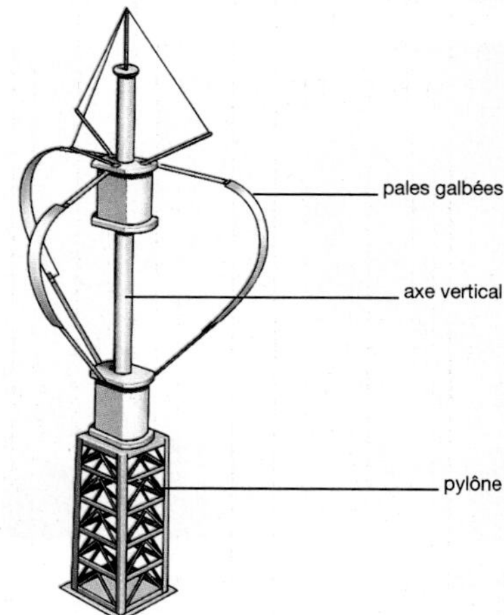

◆ **Éolienne tripale à axe vertical.**
Les éoliennes les plus nombreuses et les plus performantes sont des sortes d'hélices (bipales ou tripales) à axe horizontal ; elles présentent l'inconvénient de devoir être orientées selon la direction du vent.
Les éoliennes à axe vertical n'ont pas ce problème, mais sont bien moins performantes.

Traitement et valorisation des déchets

Les déchets industriels

Toutes les industries produisent des quantités de déchets considérables, qui sont déposés dans des décharges réglementées, soit à l'état brut, soit après des traitements spécifiques destinés à en réduire le volume et la nocivité ou à les recycler.

Les déchets industriels les plus faciles à traiter sont les déchets solides, non pulvérulents, insolubles ou très peu solubles, comme le laitier des hauts-fourneaux ou les stériles des mines de charbon qui se stockent aisément en grande masse. Les cendres volantes des chaudières à charbon pulvérisé, non toxiques et insolubles mais qu'un souffle de vent peut disperser, doivent être stockées sous eau ou après humidification et compactage. D'autres déchets industriels dangereux sont obligatoirement envoyés dans des décharges adaptées.

Une activité industrielle de retraitement s'est développée avec, pour objectif, la destruction de la majeure partie de ces déchets ainsi que leur détoxication, de façon à rendre plus facile le stockage des résidus ultimes. Mais ce sont les combustibles nucléaires irradiés qui, après épuisement, posent les problèmes les plus sérieux. La France s'est résolument engagée dans une politique de retraitement, séparant l'énorme masse d'uranium 238 non fissile et non dangereux, le plutonium recyclable et les résidus ultimes, dont certains sont particulièrement toxiques, même en faible quantité.

Les ordures ménagères

Certains déchets domestiques sont recyclables à condition, toutefois, de les séparer du reste des ordures ménagères. Depuis l'abandon du système initial de stockage en vrac dans des décharges, dont certaines n'étaient pas réglementées, et après de longs tâtonnements, un schéma unificateur semble se dégager : prétriage à l'émission des déchets recyclables (verres, papiers, emballages métalliques, matières plastiques), triage industriel de finition permettant de corriger les erreurs et d'assurer des opérations complémentaires (séparation de l'acier et de l'aluminium, séparation des différentes matières plastiques incompatibles entre elles), incinération du reste dans des chaudières spécialisées après mélange avec du charbon. Le résidu constitue un mâchefer stérile (au plan microbien), partiellement vitrifié, non pulvérulent et insoluble. Il est recyclable dans les travaux publics, et ses excédents se stockent sans aucun problème. La vapeur produite sert généralement à la production d'électricité et au chauffage urbain. Les fumées sont dépoussiérées et les cendres volantes recyclées dans la charge (elles s'agglutinent dans les mâchefers). Si, comme en France, les rejets de polymères chlorés ne sont pas interdits, la nécessité de procéder, après dépoussiérage, à un coûteux lavage des fumées s'impose pour éliminer le chlore, l'acide chlorhydrique et les dioxines toxiques.

Petit lexique

dépoussiérage : en métallurgie, opération consistant à récupérer dans un gaz les poussières ayant une valeur ou, au contraire, à épurer les gaz des hauts fourneaux.

dioxine : nom générique d'une famille de composés chloro-organiques oxygénés extrêmement toxiques.

laitier : sous-produit minéral non métallique résultant de la fusion, dans les hauts-fourneaux, des impuretés contenues dans le minerai de fer et les cendres du coke utilisé comme réducteur.

mâchefer : résidu solide dur, partiellement vitrifié, qui se forme à partir des cendres des combustibles brûlés sur des grilles mécaniques (charbon pur ou mélange de charbon et d'ordures ménagères).

stériles : roches situées de part et d'autre ou en inclusion dans une veine de charbon.

VOIR AUSSI
- **Déchets** p. 74 et 78
- **Centrales nucléaires** p. 360

◆ **Usine de traitement des résidus urbains.** Bien des progrès ont été accomplis depuis l'ordre du préfet Poubelle, en 1884, de jeter les ordures ménagères dans des récipients spéciaux. De nos jours, les ordures des centres urbains sont acheminées par camion jusqu'à des usines qui assurent leur traitement, la récupération de certaines matières et la production d'un peu d'énergie. Les déchets sont incinérés dans d'énormes fours, le résidu non combustible étant trié pour en extraire les métaux ferreux. Les fumées résultant de l'incinération sont filtrées pour en éliminer les poussières, puis rejetées dans l'atmosphère par une très haute cheminée.

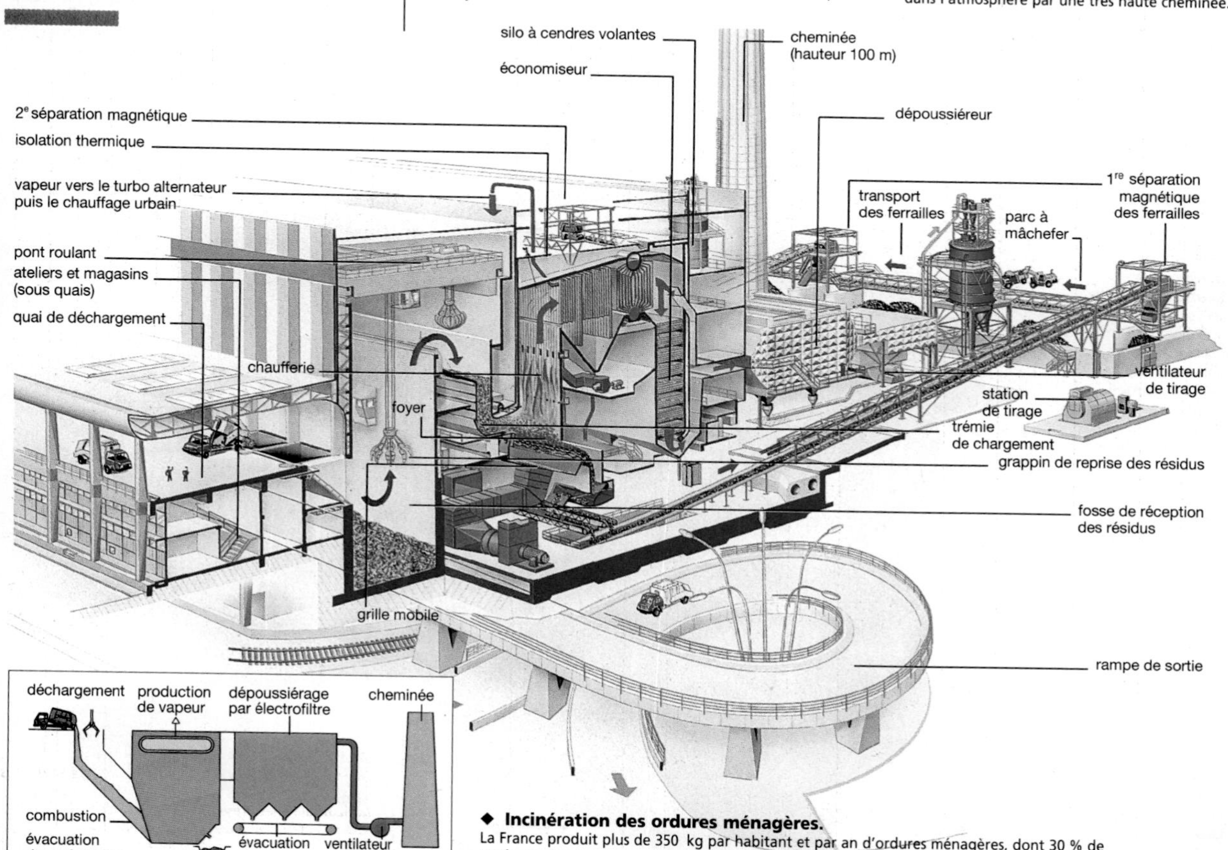

◆ **Incinération des ordures ménagères.** La France produit plus de 350 kg par habitant et par an d'ordures ménagères, dont 30 % de papier-carton. Les ordures peuvent être mises en décharge, broyées, transformées en composé ou incinérées. Dans ce dernier cas, on peut récupérer l'énergie sous forme de vapeur.

Les moteurs

Moteurs à combustion interne

Ce sont généralement des moteurs alternatifs à cylindres et pistons. L'une des extrémités des cylindres est fermée par une culasse, traversée par les orifices d'admission et d'échappement contrôlés par des soupapes. L'autre est ouverte et permet le passage d'une bielle dont le pied s'articule sur le piston et la tête sur le maneton d'un vilebrequin rotatif.

Moteurs à explosion. Ces moteurs aspirent un mélange d'air et de carburant, le compriment, l'enflamment grâce à une bougie électrique – provoquant ainsi une déflagration accompagnée d'une élévation rapide de la pression – puis détendent le gaz brûlé (temps moteur) avant de l'évacuer.

Moteurs Diesel. Ils ont la même architecture, mais ils ne compriment que de l'air, à un niveau de pression plus élevé. Le carburant est alors injecté et s'enflamme spontanément. Cette injection progressive accompagnant la combustion n'exige aucune propriété particulière des carburants et permet l'utilisation de gazole léger. En revanche, l'explosion provoquée du mélange, dans les moteurs à explosion, impose l'usage de carburants particuliers, pour éviter que la déflagration ne se transforme en détonation. Comparé au moteur à explosion, le moteur Diesel est plus cher, mais son rendement est supérieur et son combustible meilleur marché. Les cycles utilisés sont presque toujours à quatre temps.

Autres types. Quelques moteurs utilisent un cycle à deux temps. La tentative de mise au point d'un moteur rotatif à quatre temps, birotorique, n'a pas obtenu le succès escompté.

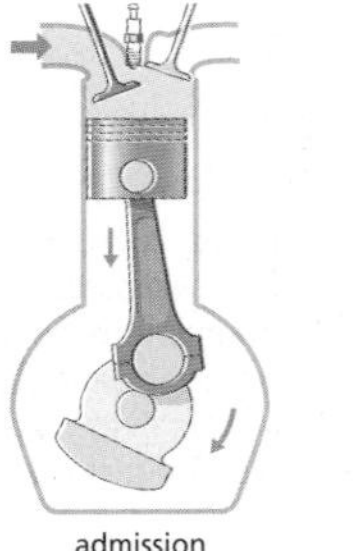

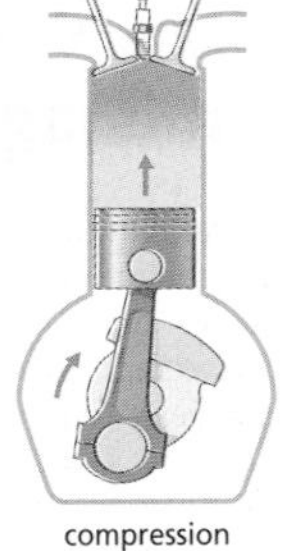

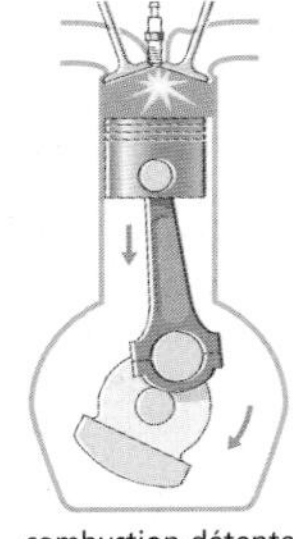

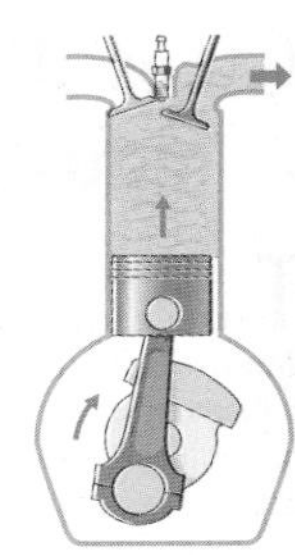

◆ **Cycle à quatre temps.**
Ce cycle dit « de Beau de Roches » comporte un temps moteur par cylindre tous les deux tours. Il est présenté ici dans le cas d'un moteur à explosion, mais il est identique dans le cas d'un moteur Diesel (l'injecteur remplaçant la bougie).

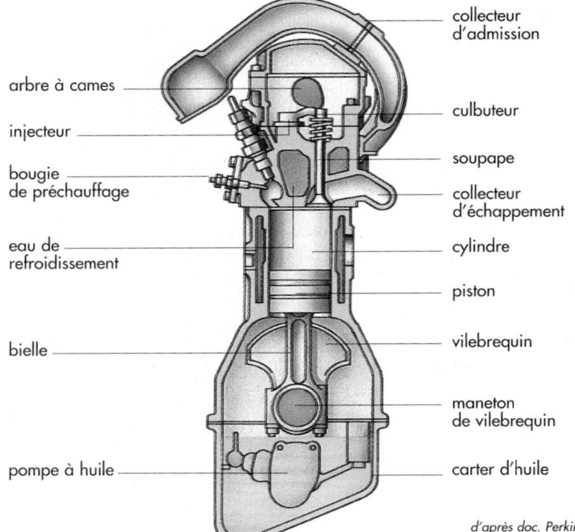

◆ **Moteur Diesel classique.**
Chacun des cylindres disposés en ligne communique avec une préchambre de combustion à l'intérieur de laquelle se fait l'injection. Les moteurs les plus récents utilisent une rampe d'injecteurs collective à très haute pression (1 000 bars et plus), chaque cylindre étant alimenté à son tour par une électrovalve. La qualité de la pulvérisation obtenue permet de supprimer la préchambre et, depuis avril 1999, de procéder à une ultrafiltration des fumées sur des filtres nettoyés périodiquement. Les gaz, dépourvus d'imbrûlés solides, subissent un traitement de finition dans le pot catalytique (destruction des imbrûlés gazeux et des oxydes d'azote).

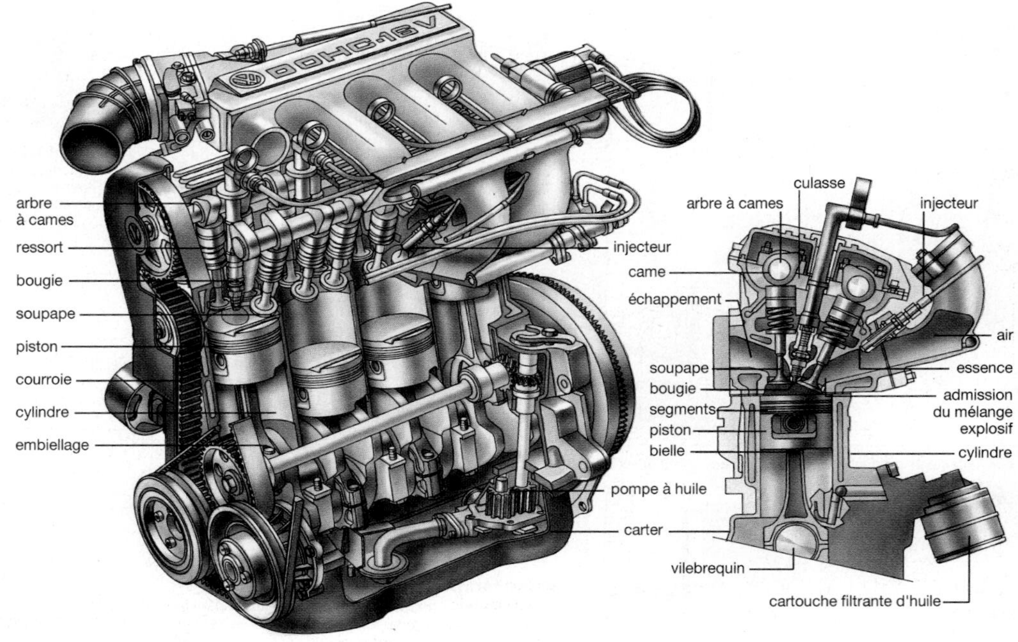

◆ **Moteur à explosion moderne à quatre cylindres.**
Le déphasage entre pistons permet d'obtenir un temps moteur par demi-tour. L'ordre d'allumage des cylindres est : 1, 3, 4, 2, qui correspond au meilleur équilibrage longitudinal. La multiplication du nombre de soupapes permet d'augmenter les sections d'admission et d'échappement conduisant ainsi, même à vitesse élevée, à un remplissage optimal des cylindres. Les gaz d'échappement sont traités dans un pot catalytique. Les moteurs de haut de gamme sont dotés de 6 ou 8 cylindres généralement disposés en V. Certains sont suralimentés par des turbocompresseurs dont la turbine est actionnée par les gaz d'échappement.

Moteurs électriques

Ces moteurs transforment presque tous l'énergie électrique en énergie mécanique de rotation. Toutefois, des moteurs électriques linéaires assurent la propulsion directe des trains à lévitation magnétique les plus récents. Les moteurs rotatifs sont de types très variés. Ils comportent cependant tous un inducteur fixe (stator), en fer doux, portant des bobinages alimentés par le secteur.

Moteurs à courant continu. L'inducteur produit un champ magnétique multipolaire fixe (une paire de pôles au minimum). Les bobinages de l'induit tournant, alimentés par le secteur grâce à des contacts glissants, ou balais, tendent à s'orienter perpendiculairement aux lignes polaires du champ. Mais, quand ils arrivent en position neutre, leur alimentation est coupée et commutée sur les bobinages qui les précèdent. Le couple de rotation est donc maintenu. Cette commutation est assurée par un collecteur : les bornes des bobinages sont connectées à des lamelles individuelles de cuivre, isolées entre elles et disposées en cylindre. C'est le défilé de ces lamelles sous les balais qui assure ainsi la commutation.

Moteurs à courant alternatif. Les moteurs à courant continu peuvent être alimentés en courant alternatif car l'inversion simultanée du sens du courant, dans le stator et dans le rotor, n'entraîne pas l'inversion du couple. Mais ils doivent alors bénéficier de particularités constructives (stators feuilletés pour éviter le courant de Foucault). Ce sont les moteurs dits « universels », très utilisés dans les appareils électroménagers, qui sont alimentés en courant monophasé. Quasiment tous les moteurs industriels sont alimentés en courant triphasé. Leur stator crée un champ magnétique d'intensité constante mais tournant.

Dans les moteurs synchrones, le rotor – alimenté en courant continu – élabore un champ magnétique fixe par rapport à lui-même, que l'on accroche au champ tournant statorique et qui tourne ensuite rigoureusement à la même vitesse que lui.

Dans les moteurs asynchrones, le rotor comporte un bobinage rudimentaire en cage d'écureuil. Le champ tournant induit des courants alternatifs dans la cage, courants qui induisent à leur tour un champ rotorique synchrone avec le champ tournant. Le rotor démarre, monte en vitesse, sa vitesse de rotation se rapprochant de plus en plus de celle du champ tournant. Elle se stabilise avec un faible glissement par rapport au champ tournant, indispensable au maintien des courants et du champ rotoriques.

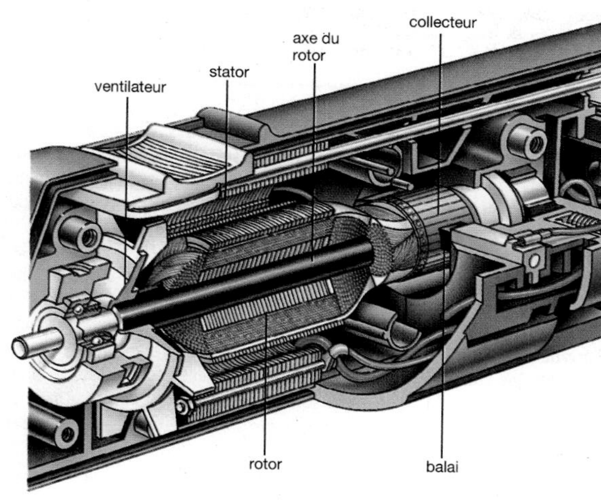

◆ Moteur électrique universel.
La structure de ce type de moteur est analogue à celle des moteurs à courant continu, car l'inversion du sens du courant dans les bobinages statoriques et rotoriques n'inverse pas le sens du couple. Ce sont donc des moteurs monophasés qui, de ce fait, équipent tous les appareils électroménagers et le petit outillage motorisé. Certains pays les utilisent également comme moteurs de traction ferroviaire, application dans laquelle ils se révèlent moins performants que les moteurs à courant continu alimenté par redresseurs. L'alimentation des bobinages statoriques en courant alternatif impose l'emploi de circuits magnétiques feuilletés pour éviter les pertes par courants de Foucault.

ventilateur · boîte à bornes · stator · roulement à billes · bobinage · bague d'étanchéité · carcasse · rotor · socle · arbre d'entraînement

◆ Moteur électrique asynchrone.
Ce moteur à courant alternatif triphasé est le plus simple, le plus robuste, le moins cher et le plus répandu des moteurs électriques. Son stator crée un champ tournant qui entraîne un rotor dont le circuit électrique est constitué par une cage d'écureuil ayant une vitesse légèrement inférieure à celle du champ tournant.

Petit lexique

bielle : barre qui transmet un mouvement entre deux pièces articulées à ses extrémités (et plus particulièrement entre les pistons et le vilebrequin dans un moteur).

collecteur : tuyauterie qui rassemble les fumées d'échappement des différents cylindres d'un moteur.

inducteur : aimant ou électroaimant destiné à fournir le champ magnétique créateur de l'induction.

induit : partie d'une machine électrique dans laquelle une force électromotrice est produite.

rotor : partie tournante d'une machine (par opposition à stator).

stator : partie fixe d'une machine (par opposition à rotor).

vilebrequin : pièce qui permet de transformer le mouvement alternatif du piston en mouvement circulaire.

Structure des moteurs électriques

Les circuits magnétiques des moteurs électriques sont réalisés en fer doux qui ne présente pas d'aimantation résiduelle lorsque le courant de magnétisation s'interrompt. Ils peuvent ainsi supporter, quasiment sans perte, des flux magnétiques variables ou alternatifs, à condition que soit évitée, dans leur masse, l'apparition de courants induits (courants de Foucault) : tous les circuits « fer » soumis à des flux variables sont donc formés d'un empilage de tôles minces, électriquement isolées entre elles. C'est pourquoi les circuits « fer » des inducteurs fixes (stators) des moteurs à courant alternatif, qui se présentent sous forme de cylindres creux lisses portant les conducteurs à l'intérieur d'encoches, sont toujours feuilletés, tout comme les stators des moteurs universels et les parties tournantes (rotors) des moteurs à courant continu et des moteurs asynchrones.

Il n'en va pas de même des stators des moteurs à courant continu qui peuvent être massifs. Ceux des moteurs de forte puissance possèdent des pôles magnétiques saillants, séparés par des pôles de commutation, dont le rôle est de limiter l'intensité circulante dans les bobinages rotoriques juste avant leur déconnexion par le collecteur : les étincelles de rupture sont ainsi atténuées. Les rotors des moteurs synchrones pourraient théoriquement être massifs, mais ils sont souvent feuilletés car ils démarrent et montent en vitesse comme des moteurs asynchrones, grâce à une cage d'écureuil indépendante des bobinages à courant continu du rotor.

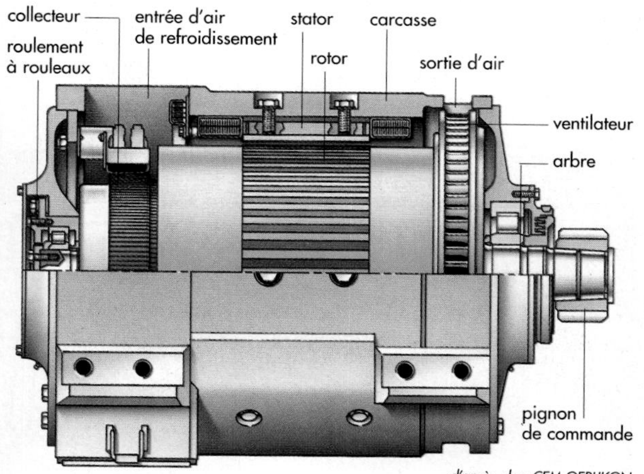

d'après doc. CEM-OERLIKON

◆ Moteur électrique de puissance autoventilé.
Ce moteur possède un système de circulation interne d'air de refroidissement en circuit fermé grâce à un premier ventilateur. Cet air est refroidi en circulant autour des tubes d'un échangeur intégré disposé en anneau autour du moteur. Un circuit d'air externe est assuré à l'intérieur des tubes par un second ventilateur. Un tel moteur est insensible à la pression, à l'humidité et aux agents corrosifs présents dans l'atmosphère. Il s'agit ici d'un moteur de traction à courant continu, mais l'autoventilation s'applique à tous les types de moteurs de puissance.

VOIR AUSSI
• **Trains à lévitation magnétique** p. 316
• **Moteur d'une automobile** p. 376

Turbines et réacteurs

Les turbines

Les turbines, qui produisent de l'énergie mécanique par détente d'un fluide conditionné à l'extérieur, ne sont généralement pas qualifiées de « moteurs ».

Turbines hydrauliques. Utilisées dans les centrales hydroélectriques, elles transforment l'énergie potentielle d'une dénivelée d'eau en énergie cinétique, puis en énergie mécanique de rotation.

La turbine Pelton est adaptée aux hautes chutes. Elle comporte une roue dont l'axe est horizontal, garnie d'augets déflecteurs galbés, symétriques par rapport au plan moyen de la roue sur lequel ils présentent une arête médiane. Ces augets sont arrosés par des injecteurs qui émettent des jets à grande vitesse se partageant en deux flux sur l'arête. Chaque injecteur est muni d'une aiguille axiale profilée qui, en se déplaçant sur cet axe, module le débit de l'injecteur. Les coupures de débit brutales ne peuvent toutefois pas être assurées par les injecteurs : elles induiraient des coups de bélier destructeurs. Chaque injecteur est donc muni d'un déflecteur, qui casse le jet en laissant à l'aiguille le temps de se refermer progressivement.

La turbine Francis est adaptée aux moyennes chutes. Elle possède une roue dont l'axe est vertical, alimentée à sa périphérie par une bâche spiralée et un déflecteur à pales d'inclinaisons variables; l'eau est détendue et s'échappe verticalement vers le bas.

Les turbines hélices sont adaptées aux basses chutes. Elles possèdent un déflecteur fixe à pales inclinables. La circulation y est intégralement axiale. La plupart sont du type Kaplan, dont la roue est également à pas variable et permet d'adapter la turbine à des hauteurs de chutes variables.

Turbines à vapeur. Elles détendent de la vapeur, généralement jusqu'à un condenseur ou, quelquefois, jusqu'à un certain niveau dit « de contre-pression », correspondant à l'alimentation d'un réseau de vapeur industrielle. Cette détente est un phénomène thermodynamique complexe. On considère que c'est l'enthalpie de la vapeur, décroissant avec la pression, qui se transforme en énergie mécanique de rotation. Les grandes turbines possèdent plusieurs corps successifs sur la même ligne d'arbre. Le volume massique de la vapeur augmentant avec la détente, les étages finals sont fréquemment fractionnés en quatre ou en six parcours parallèles. Ces turbines sont équipées de soutirages, échelonnés le long de la ligne de détente, dont la vapeur est affectée au réchauffage de l'eau alimentaire des chaudières correspondantes. La vapeur d'échappement du corps haute pression est resurchauffée avant d'être admise au corps moyenne pression.

Turbines à gaz terrestres. Elles détendent des fumées issues de chambres de combustion sous pression (12 à 18 bars) sur une turbine à petit nombre d'étages, puis les rejettent à l'air avec ou sans récupération thermique préalable.

Elles entraînent, d'un côté, la machine utilisatrice et, de l'autre, le compresseur d'air axial à plusieurs étages qui fournit l'air de combustion aux chambres. Certaines turbines entraînent la machine utilisatrice à une vitesse plus faible que celle du compresseur. Elles possèdent ainsi deux arbres, dont l'un porte son ou ses étages amont et entraîne le compresseur, l'autre portant son ou ses étages aval et entraînant la machine. Mais elle peut aussi ne comporter qu'un arbre unique; c'est le cas de toutes les turbines de centrales électriques. Les températures de sortie des chambres sont élevées, voisines de 1000 °C, pour obtenir des rendements acceptables, ce qui pose des problèmes métallurgiques de fluage et de corrosion. Les combustibles les mieux adaptés sont, dans l'ordre décroissant, le gaz, le kérosène, le gazole léger, le gazole lourd et, à la limite, le fioul, dont les impuretés métalliques abrègent la vie des rotors. Le charbon pulvérisé est prohibé.

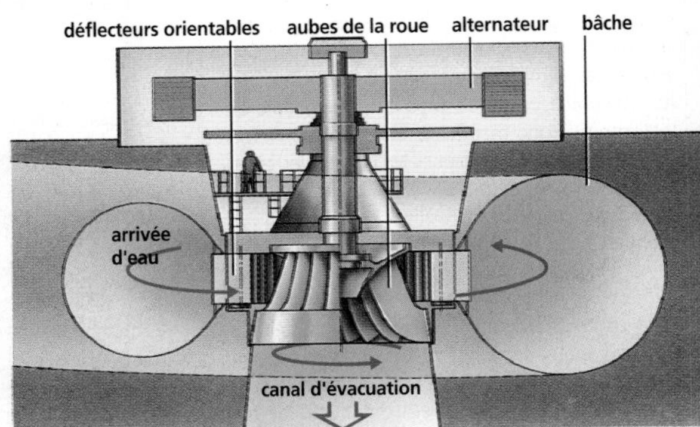

◆ **Turbine hydraulique Francis.** Elle est constituée par une roue centripète massive en bronze comportant de 8 à 15 aubes tridimensionnelles moulées dans la masse, qui est alimentée à sa périphérie par une bâche spiralée et un distributeur à pales orientables. L'eau continue à se détendre dans la roue (la turbine possède donc un certain degré de réaction), tout en infléchissant sa trajectoire, et elle s'échappe verticalement vers le bas. Les plus grosses turbines hydrauliques sont de ce type.

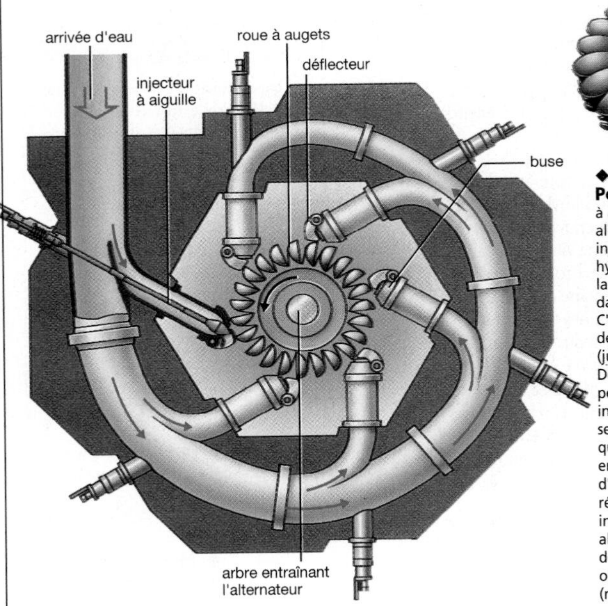

◆ **Turbine hydraulique Pelton.** Constituée par une roue à augets déflecteurs symétriques alimentée en eau par des injecteurs, c'est la seule turbine hydraulique à action pure car la détente ne se produit que dans les injecteurs.
C'est également la plus rapide des turbines hydrauliques (jusqu'à 400 t/min).
Des déflecteurs statoriques peuvent intercepter les jets des injecteurs si l'alternateur entraîné se déclenche électriquement, ce qui provoque alors une montée en vitesse très rapide de la ligne d'arbre (annulation du couple résistant), montée qu'il faut interrompre instantanément, alors que la vitesse de fermeture des aiguilles d'injection est obligatoirement limitée (risque de coup de bélier).

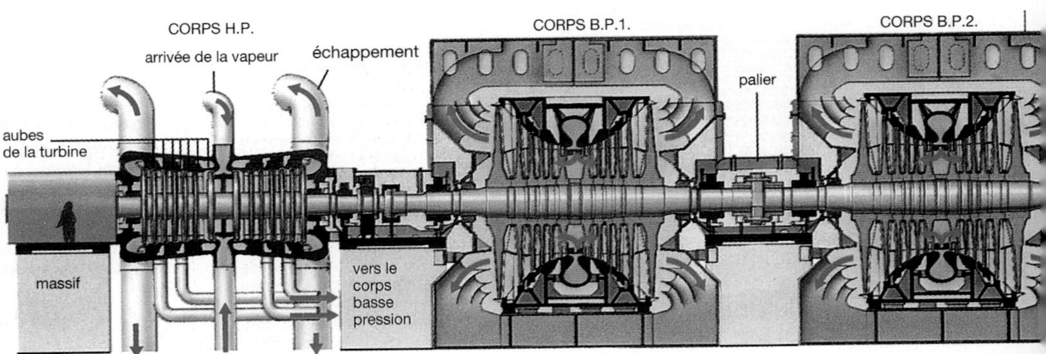

◆ **Turbine à vapeur.** Les turbines des centrales thermiques sont formées de plusieurs unités accouplées en série. La capacité de détente de la vapeur est ainsi exploitée dans les différents « corps ». Pour une centrale de 1000 MW, le corps haute pression (HP) reçoit 5500 t/h de vapeur à 55 bars. En partie détendue, la vapeur est admise, sous une pression de 10 bars, dans trois corps basse pression (BP) puis s'en échappe à plus de 200 m/s.

Les réacteurs

Seuls les très petits avions continuent à être tractés, comme l'étaient tous leurs ancêtres, par une hélice qu'entraîne un moteur à explosion. Tous les autres sont propulsés par des réacteurs.

Turboréacteurs. À l'inverse des fusées, qui emportent carburant et comburant, les avions de ligne et militaires sont dotés de turboréacteurs qui aspirent l'air de combustion à l'avant et rejettent à grande vitesse, vers l'arrière, les produits de combustion. La poussée du réacteur résulte de la différence entre les quantités de mouvement, par unité de temps, de l'air aspiré et des gaz rejetés. Un compresseur axial aspire l'air et le refoule vers les chambres de combustion. Les gaz brûlés, avant d'être rejetés, se détendent sur une turbine qui entraîne le compresseur d'air. Les turboréacteurs se sont perfectionnés depuis l'avènement du modèle initial. C'est ainsi qu'il est devenu courant de fractionner la compression en plusieurs étapes correspondant chacune à une vitesse optimale différente. La détente dans la turbine est également fractionnée, chaque élément entraînant les organes homologues du compresseur. Mais, comme ces organes se trouvent tous du même côté de la turbine, les arbres sont creux et s'enveloppent mutuellement, à l'exception de l'arbre plein central, le plus lent, qui relie l'élément aval de détente à l'élément amont de compression.

Statoréacteurs. Le principe du statoréacteur, qui sera le propulseur de croisière des futurs avions hypersoniques, est le même, mais la compression de l'air n'y résulte que de la géométrie de la tuyère d'entrée, sans intervention d'aucun organe tournant.

Réacteurs à double flux. Dans les réacteurs à double flux, qui équipent tous les grands avions de ligne subsoniques, le premier élément de compression, à une seule roue, est surdimensionné et alimente non seulement l'élément de compression suivant, mais aussi un espace annulaire entourant le corps du réacteur. L'air correspondant est rejeté, en l'état, autour du jet des gaz brûlés. Il en résulte une amélioration sensible du rendement global.

Turbopropulseurs. Certains petits avions de ligne utilisent des turbopropulseurs, dérivés des turboréacteurs, dans lesquels la turbine entraîne les compresseurs d'air ainsi qu'une hélice tractrice.

Petit lexique

aube : élément spécifique des roues d'une turbine Francis, moulé dans la masse, assurant la déviation et la détente du flux d'eau.

auget déflecteur : élément spécifique des roues d'une turbine Pelton servant à dévier l'écoulement des jets issus des injecteurs.

condenseur : appareil d'une machine thermique servant à condenser une vapeur.

soutirage : prélèvement de vapeur effectué, dans une turbine, au cours de la détente.

statoréacteur : propulseur à réaction sans organe mobile, constitué par une tuyère thermopropulsive, exigeant pour fonctionner des vitesses élevées.

turbopropulseur : moteur à réaction composé d'une turbine à gaz, entraînant une ou plusieurs hélices propulsives.

VOIR AUSSI
- **Thermodynamique** p. 344
- **Énergie hydraulique** p. 362
- **Avions** p. 380

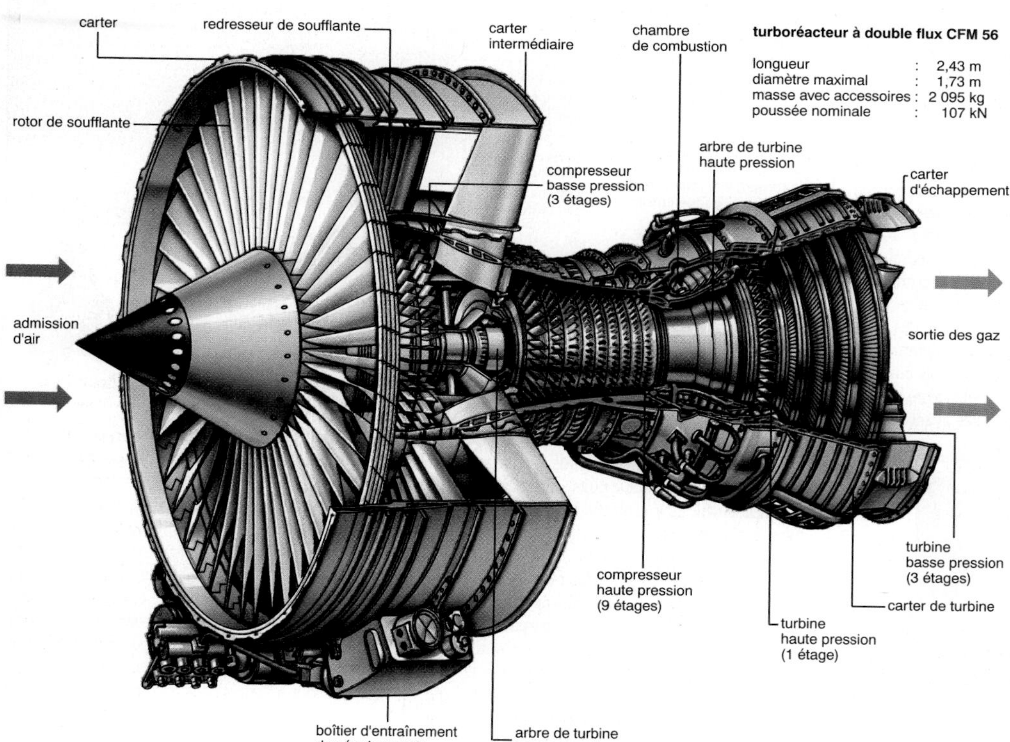

◆ Turboréacteur d'avion de ligne. Ce modèle comporte trois éléments successifs de compression axiale de l'air capté à l'avant, chacun tournant à une vitesse différente afin d'optimiser son rendement dans sa tranche de pression. Le premier, le plus lent, ne comporte qu'un étage (soufflante), le deuxième, trois étages (compresseur basse pression [BP]), le troisième, le plus rapide, neuf étages (compresseur haute pression [HP]). La détente sur la turbine est également fractionnée en trois étages. La première turbine, la plus rapide, comporte un seul étage, la deuxième également et la troisième, la plus lente, trois étages. C'est cet élément axial à trois étages qui entraîne la soufflante en amont par un arbre classique. Une notable partie du débit refoulé par la soufflante n'est pas reprise par le compresseur BP et s'écoule dans un espace annulaire autour du réacteur, avant d'être rejetée à l'arrière juste à la périphérie du jet de gaz chaud.

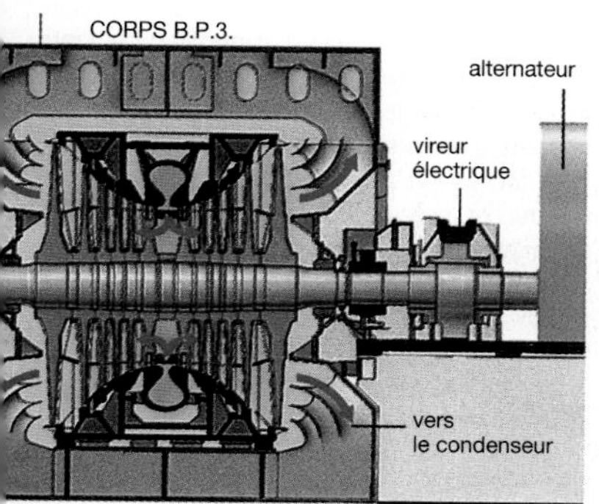

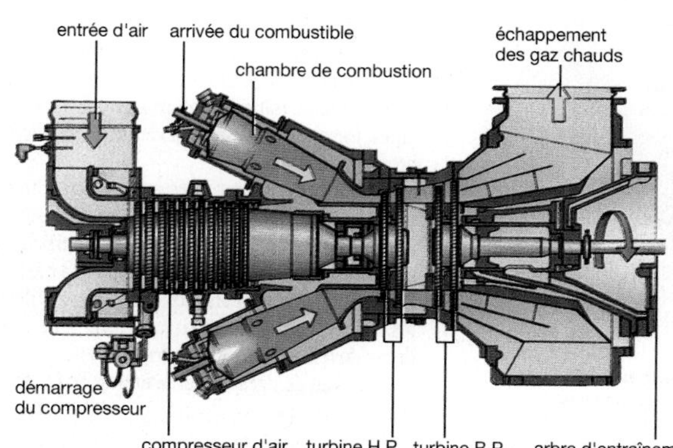

◆ Turbine à gaz industrielle. Ce type de turbine entraîne une machine tournante, compresseur ou pompe, généralement à une vitesse inférieure à celle imposée par le propre compresseur d'air axial de la turbine. Elle est alors à deux étages, l'étage amont entraînant son compresseur, l'étage aval entraînant la machine utilisatrice, implantée de l'autre côté de la turbine.

Les engins de creusement

Creusement des puits et des forages

Puits et forages sont des ouvrages verticaux, ou quasi verticaux, destinés soit à l'exploration et à l'exploitation des ressources des sous-sols, soit à la réalisation de fondations.

Les puits. Ce sont des ouvrages de grand diamètre dont le fonçage est assuré par des opérateurs travaillant sur le fond, qui sont munis d'outils ou conduisent des engins. Ils étaient traditionnellement destinés, dans les campagnes, à l'alimentation en eau issue des nappes peu profondes. Ils ont parfois été utilisés pour atteindre un sol d'appui résistant, susceptible de recevoir le poids d'ouvrages importants (par exemple, les fondations maçonnées de la basilique du Sacré-Cœur de Montmartre sont établies au-dessous du niveau du sol entourant la colline). Les puits actuels les plus importants desservent les mines souterraines. Ce sont souvent des ouvrages considérables pouvant dépasser 15 m de diamètre et 1 000 m de profondeur. Leur paroi est bitumée au fur et à mesure de leur perçage. Avant d'atteindre le terrain houiller, ils traversent des couches sédimentaires plus jeunes qui peuvent être gorgées d'eau. De nombreux puits des houillères du bassin de Lorraine traversent ainsi 300 m environ de grès vosgien contenant une énorme nappe d'eau, entre – 100 et – 300 m, qui engendre une pression latérale de 20 bars à leur base. Le revêtement en béton armé est alors doublé par un cuvelage en éléments de fonte moulée, boulonnés entre eux. Le perçage des puits réalisé au sein de belles nappes phréatiques exige une imperméabilisation préalable des sols environnants, soit par injection de ciment silicaté au moyen de petits forages divergents exécutés avant chaque étape de creusement, soit par congélation de l'ensemble de la zone aquifère à l'aide de forages verticaux profonds entourant le puits, forages à l'intérieur desquels circule une saumure frigorigène dans des tubes à double paroi.

Les forages. Ce sont des ouvrages de faible diamètre, exécutés avec des outils spécifiques entraînés ou commandés à partir de la surface. Tous les forages profonds sont effectués à l'aide d'outils rotatifs appelés trépans. Le modèle de trépan le plus répandu, en roches sédimentaires, est le rotary, qui comprend trois molettes broyeuses tronconiques en acier extradur, renforcées par des pastilles de carbure de tungstène ou des diamants industriels. Disposées à 120°, elles pulvérisent la roche sur toute la surface du trou. En roches métamorphiques et volcaniques, on utilise des couronnes cylindriques dont le bord d'attaque inférieur est garni de diamants permettant de découper un cylindre de roches restant intactes. On les utilise transitoirement en roches sédimentaires, lorsque l'on veut prélever un échantillon non broyé, appelé « carotte ».

Les trépans sont fixés au bout d'un train de tiges dont les éléments, portés par une structure légère en charpente métallique, le derrick, sont assemblés, grâce à des filetages, au fur et à mesure de la descente. Inversement, ces éléments sont démontés, un par un, lors de la remontée. Une liqueur dense de refroidissement de l'outil, ou boue, injectée dans le train de tiges, remonte autour de lui. Sa densité élevée lui permet d'entraîner vers la surface tous les résidus broyés. Le plus souvent, c'est le train de tiges lui-même qui entraîne le trépan en rotation. Il en résulte des frottements latéraux, qui peuvent rendre impossible toute correction des déviations éventuelles du forage. D'où la mise au point de têtes de turboforage. Dans ce cas, le trépan est entraîné par une turbine qui le surmonte immédiatement, turbine dans laquelle la liqueur dense se détend avant d'être injectée. Le train de tiges ne tourne plus et il est possible de télécommander de faibles inclinaisons de la tête pour redresser un forage dévié ou provoquer une déviation volontaire. De nombreux forages sont exécutés dans les fonds marins à partir de plates-formes appuyées sur le fond, de plates-formes flottantes ou de navires positionnés dynamiquement par repérage satellite, voire de plates-formes immergées, entièrement télécommandées.

Les forages sont principalement destinés à l'exploration puis à l'exploitation des nappes phréatiques profondes, des gisements de pétrole et des gisements de gaz. L'expression courante « puits de pétrole » est donc impropre. Un forage dont la finalité est purement exploratoire est souvent appelé « sondage ».

Des forages à faible profondeur sont utilisés en construction pour creuser le logement de pieux de fondation en béton, qui sont ensuite moulés dans le sol (au lieu d'être fabriqués en surface, puis battus). Le recours aux pieux moulés est recommandé chaque fois qu'il est économiquement impossible d'atteindre un bon sol et que la portance des pieux ne résulte que de leur frottement latéral sur le sol traversé.

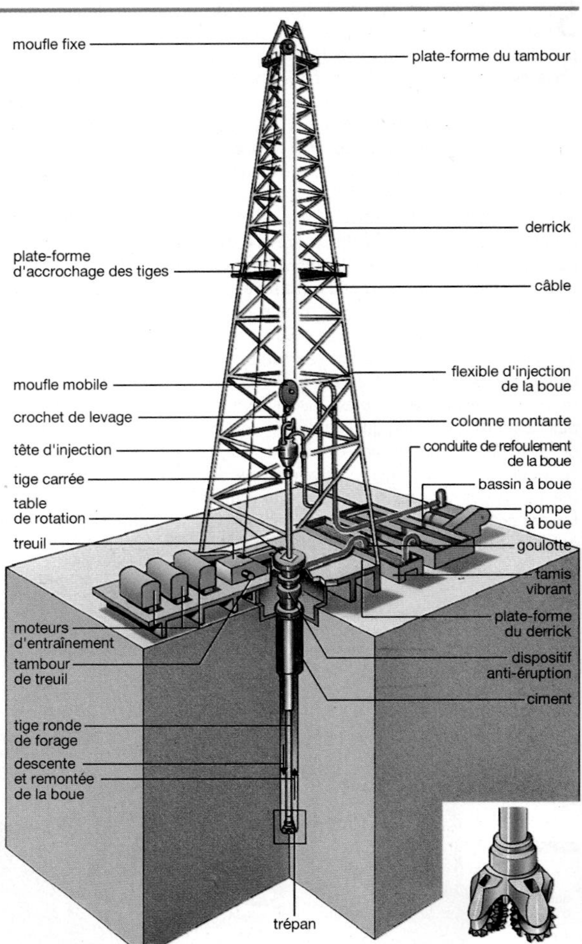

◆ **Forage rotary.** Au fond du puits, le trépan est mis en rotation par les tiges de forage. La dernière tige, en surface, est à section carrée de façon à être entraînée par la table de rotation, actionnée par un moteur. Sur cette tige carrée est vissée la tête d'injection, suspendue au crochet de levage solidaire du moufle mobile. À la partie supérieure de la tour de forage, ou derrick, est accroché le moufle fixe. Le câble reliant les deux moufles s'enroule sur le tambour du treuil ; ce dernier comprend une boîte de vitesses permettant plusieurs vitesses d'enroulement du câble, notamment pour remplacer rapidement le trépan lorsqu'il est usé. Le treuil est entraîné par un ou plusieurs moteurs. Des pompes assurent l'injection en continu de boue (appelée encore liqueur dense de refroidissement) dans le puits ; celle-ci passe par les conduites de refoulement, par la colonne montante, la tête d'injection, l'intérieur des tiges, puis sort par le trépan ; elle remonte alors dans l'espace situé entre le train de tiges et les parois du puits ; en surface, elle est dirigée par une goulotte sur un tamis vibrant, qui filtre les débris les plus gros, puis vers des bassins, où les particules fines sont décantées. La boue sera ensuite réinjectée dans le circuit.

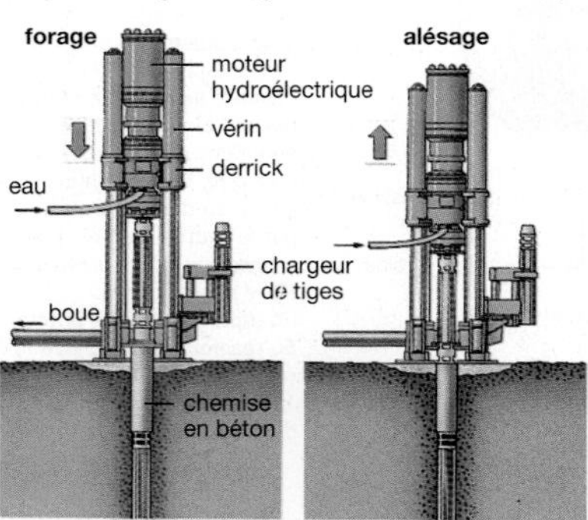

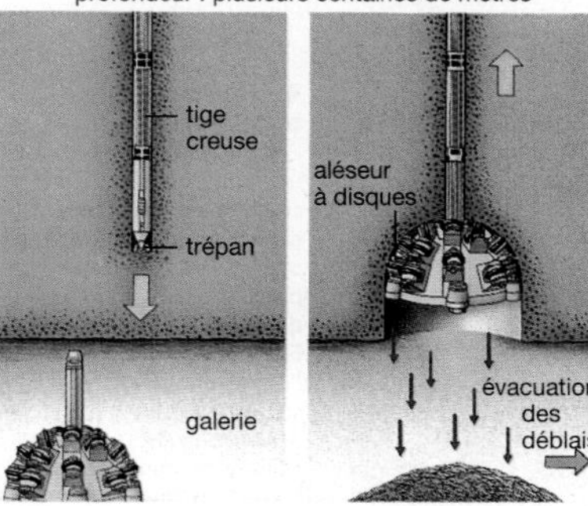

◆ **Machine de creusement par alésage montant.** Elle permet de creuser des puits ou des cheminées à partir du fond lorsqu'on y dispose d'un accès, comme une galerie de mine.

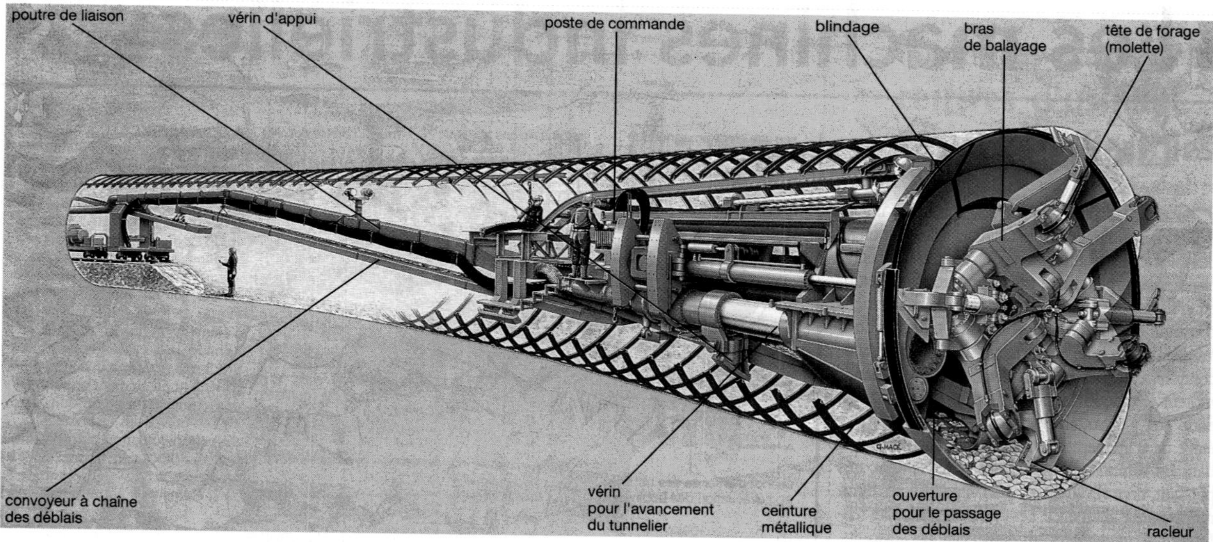

◆ **Tunnelier utilisé dans les houillères.**
Il s'agit ici d'un petit tunnelier utilisé en terrain sédimentaire compact et sec. Il ne possède pas de bouclier associé à la tête de forage. Cette dernière est séparée par, un blindage, de son moteur d'entraînement, du piston de commande et du reste de l'équipement mécanique. Des vérins d'appui bloquent le châssis du tunnelier sur les parois de la galerie qu'il vient de creuser et des vérins d'avancement font progresser la tête de forage par rapport au châssis. Lorsqu'ils sont en bout de course, on arrête la rotation de la tête, on desserre les vérins d'appui et l'on fait avancer le châssis en remettant les vérins d'avancement à leur position initiale.

Percement des tunnels

Les tunnels sont de larges galeries accessibles à des moyens de transport, initialement destinées au franchissement des lignes de crêtes montagneuses par des voies ferrées, des routes ou des canaux, puis utilisées pour constituer les réseaux souterrains des métros et franchir en profondeur des fleuves ou des bras de mer.

En roches métamorphiques et volcaniques. Comme pour les divers tunnels construits sous les Alpes et le métro de Stockholm, le creusement de tunnels en roches métamorphiques et volcaniques se fait à l'aide de marteaux perforateurs pneumatiques. Ils sont montés sur une plate-forme mobile, ou jumbo, et forent sur le front d'avancement une série de trous d'environ 3 cm de diamètre et de 2 à 3 m de profondeur. Le jumbo est alors reculé. Chaque trou reçoit une cartouche d'explosif et une amorce électrique. Toutes les amorces sont mises à feu simultanément : le plan de perçage et l'utilisation d'amorces à microretard permettent de découper le tunnel suivant son gabarit, de fractionner la roche en éléments manipulables et d'expulser ces résidus, au moins partiellement, en arrière de l'ancien front d'avancement, pour faciliter leur chargement.

En roches sédimentaires. Le creusement en roches sédimentaires compactes et sèches s'effectue à l'aide de marteaux piqueurs alternatifs ou d'engins de travaux publics. Au fur et à mesure de l'avancement, les parois du tunnel sont bétonnées. En terrain meuble et humide, le chantier d'abattage et de préparation du béton est protégé par un vaste cylindre métallique, le bouclier, dont l'avancement est assuré par des vérins.

De plus en plus souvent, on procède au percement de grands tunnels à l'aide de tunneliers, qui associent à un bouclier une tête rotative de forage, au gabarit (circulaire) du tunnel et dotée de nombreux outils, remplaçables après usure, qui débitent la roche. C'est ainsi qu'ont été creusés les grands tunnels sous-marins et, à Paris, le tronçon de la ligne du métro « Météor », inauguré en 1998.

VOIR AUSSI • **Bâtiment et travaux publics** p. 933

Petit lexique

fonçage : action de creuser un puits de mine.

Le tunnel sous la Manche

C'est le deuxième du monde par sa longueur totale mais le premier par sa longueur sous la mer (37,92 km). Il est exclusivement ferroviaire et les véhicules automobiles ne le traversent que sur des navettes, moteurs arrêtés. Il est constitué de deux galeries de circulation en sens unique de 7,6 m de diamètre, distantes de 30 m et séparées par une galerie de service et de secours de 4,8 m de diamètre à laquelle elles sont reliées par des sas tous les 375 m. Il est creusé à environ 40 m au-dessous du fond, dont il suit approximativement le profil ; son point bas est à 100 m au-dessous de la surface de l'eau. Issu d'une idée de Nicolas Desmaret, formulée en 1750, il nécessita plus de deux siècles de maturation conceptuelle, émaillée de tentatives avortées et de conflits politiques, techniques et commerciaux, avant d'être percé en trois ans et demi seulement (de fin déc. 1987 à juin 1991) ; chacune de ses galeries a été attaquée à ses deux extrémités par deux tunneliers guidés par des faisceaux laser alignés grâce à un repérage satellitaire. Son équipement dura trois ans (inauguration en juin 1994) ; or, en 1999, les Britanniques n'avaient pas commencé la construction de la ligne TGV leur incombant, ce qui pénalise d'une demi-heure la durée du trajet Paris-Londres.

tunnel ferroviaire (Ø 7,60 m)
rameau de pistonnement (Ø 2 m)
véhicule de service
tunnel de service (Ø 4,80 m)
mortier d'étanchéité (entre la paroi et le revêtement)
navettes et TGV
trottoir
galerie de communication (tous les 375 m)
clé
voussoir boulonné
canalisations et câbles

Les rameaux de dispositifs, placés tous les 250 m, équilibrent la pression de l'air au passage des trains.

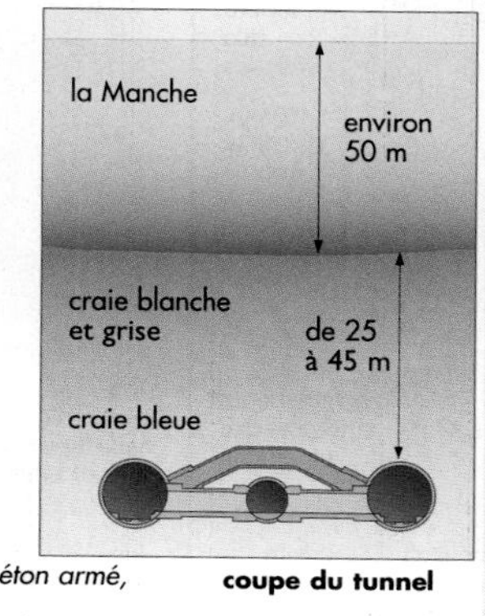

coupe du tunnel

Cinq voussoirs et une clé, en béton armé, constituent un anneau, chacun étant plus étroit d'un côté ; ainsi l'agencement relatif des anneaux permet de réaliser les courbures du tunnel.

Les machines agricoles

Tracter et récolter

Les machines agricoles sont nées au XIXe s., principalement aux États-Unis. Les premières machines mobiles sont tractées par des chevaux ou par des bœufs. D'ingénieux dispositifs mécaniques commandent le fonctionnement de leurs équipements en prélevant l'énergie nécessaire sur un essieu. C'est ainsi que sont créées les faucheuses d'herbe, dotées d'une lame de coupe alternative et horizontale, se déplaçant à quelques centimètres du sol et ressemblant à la partie active d'une tondeuse de coiffeur; puis les faneuses, munies d'une rangée de petites fourches mécanisées, qui retournaient les andains d'herbe coupée, et enfin les râteaux rassemblant les andains séchés et facilitant ainsi le chargement ultérieur de ce foin. Les moissonneuses-lieuses de céréales leur succèdent. Dotées, comme les faucheuses, d'une lame de coupe horizontale, elles sont équipées d'un organe rotatif rabattant les tiges longues sur un convoyeur desservant un ensemble relativement complexe comprimant ces tiges en bottes et liant chaque botte avant de la déposer sur le sol. Les premières machines agricoles utilisées à poste fixe (bien que pouvant, entre deux missions, être déplacées d'un poste à un autre) sont les batteuses qui séparent les grains de la balle et de la paille. Elles sont d'abord entraînées par des locomobiles (machines à vapeur) puis par des moteurs Diesel et des moteurs électriques.

Les tracteurs agricoles remplacent progressivement les chevaux et les bœufs à partir de 1925. Leur puissance croissant régulièrement, ils permettent l'adoption des charrues à socs et versoirs multiples, puis la naissance des lourdes moissonneuses-batteuses, suivies par un foisonnement de machines diverses et complexes dont les mécanismes peuvent être entraînés par une prise de mouvement sur le tracteur lui-même. Mais, aujourd'hui, les plus importantes moissonneuses-batteuses sont autonomes; la plupart d'entre elles stockent les grains en vrac avant d'aller se vider dans un silo spécialisé, par l'intermédiaire d'une ensileuse pneumatique fixe.

La paille hachée et la balle peuvent être déversées sur le sol auquel elles seront incorporées lors du labourage suivant, mais la paille peut être également récupérée sous forme de bottes liées, chargées dans une remorque.

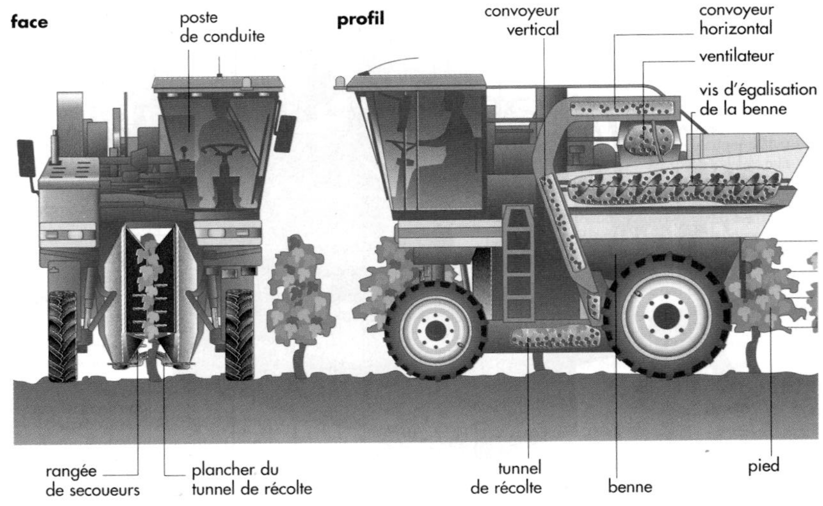

◆ **Vendangeuse.**
Ces machines entourent et surmontent la rangée de ceps qu'elles vendangent. Le modèle ici représenté est doté de secoueurs rotatifs. L'emploi des vendangeuses se développe au fur et à mesure de l'amélioration de leurs performances (absence de feuilles dans la benne à grappes, diminution du nombre de grains écrasés).

◆ **Tracteur agricole moderne.** Mû par un moteur Diesel puissant, il est doté de quatre roues motrices dont les vastes pneumatiques à basse pression ne s'enfoncent pas dans les sols meubles (ils sont parfois emplis partiellement d'eau pour augmenter leur adhérence). Ce tracteur comporte une prise de mouvement destinée aux machines remorquées, des dispositifs d'attelage divers et des bras de manutention commandés hydrauliquement. Sa conduite, ainsi que le contrôle des machines remorquées, sont largement informatisés.

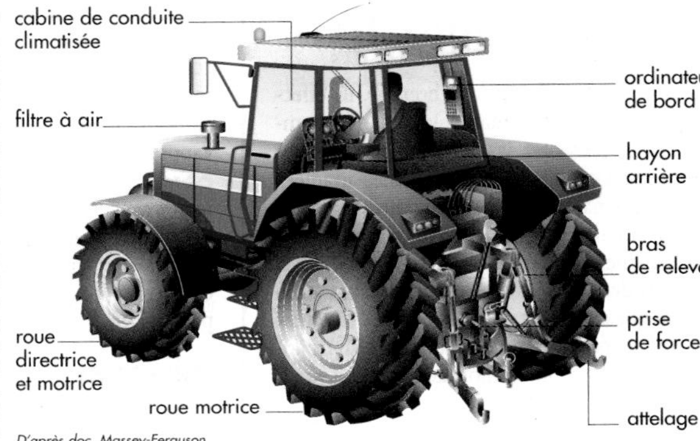

D'après doc. Massey-Ferguson

◆ **Moissonneuse-batteuse autonome.**
Cette lourde machine est équipée, à l'avant, d'une lame de coupe à mouvement alternatif identique à celle d'une faucheuse. Les céréales coupées sont battues et les grains stockés en vrac dans un réservoir incorporé que l'on va décharger, lorsqu'il est plein, dans un silo par l'intermédiaire d'une ensileuse pneumatique fixe. Le modèle ici représenté est destiné à une exploitation qui ne récupère pas la paille.

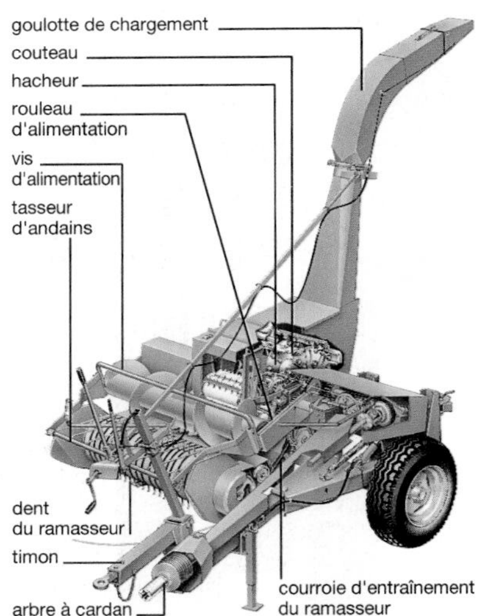

◆ **Ramasseuse.**
Cette machine est utilisée dans les fermes d'élevage qui stockent la nourriture hivernale des bovidés non pas sous forme de foin sec, mais sous forme d'un mélange d'herbes et de fourrages divers frais, qui sont ensilés dans des silos verticaux à l'intérieur desquels ils subissent une fermentation contrôlée. Elle peut passer immédiatement derrière une faucheuse. L'herbe est ramassée par un rouleau muni de dents souples, hachée et chargée dans une remorque que l'on vide ensuite dans les silos par l'intermédiaire d'une ensileuse pneumatique fixe.

L'électroménager

Les techniques de cuisson

Les anciennes cuisinières à combustible solide ont presque disparu. Les sources d'énergie modernes sont le gaz naturel, le gaz butane liquéfié en bouteilles et l'électricité. Les meubles cuisinières, associant un four et une table de cuisson à quatre feux, se développent en concurrence avec les tables de cuisson indépendantes, associées à des fours suspendus séparés. Les fours thermiques classiques possèdent des éléments chauffants sombres ou rayonnants (grils) : ils sont actuellement presque tous à chauffage électrique, même dans les cuisinières mixtes gaz-électricité. Les fours rapides à micro-ondes sont presque toujours indépendants. Ils chauffent les aliments conducteurs dans leur masse, grâce à l'effet Joule de courants de Foucault, induits par un générateur électromagnétique à très haute fréquence, du type radar. Les plaques de cuisson sont à gaz, mixtes gaz-électricité ou tout électriques. Les brûleurs à gaz s'allument grâce à des bougies électriques. Les plaques électriques, de différents modèles (mijoteuses à grande inertie thermique ou rapides), peuvent soit délivrer une puissance constante ajustée par leur bouton de réglage, soit fonctionner par tout ou rien, sous le contrôle d'un palpeur central mesurant la température du fond des casseroles (le bouton de commande ajuste alors la valeur de consigne du thermostat). Les tables lisses en vitrocéramique (produit céramique obtenu par des techniques verrières et constitué de microcristaux dispersés dans une phase vitreuse), dans lesquelles les quatre éléments chauffants sont encastrés, possèdent une plaque radiante très rapide, à lampe halogène. L'ultime perfectionnement actuel est la plaque froide à micro-ondes, dont les générateurs chauffent par induction le fond des casseroles, qui doit être massif et parfaitement plat.

VOIR AUSSI
• **Machines thermiques** p. 344

Les techniques de climatisation

Les climatiseurs individuels sont des coffrets que l'on doit sceller dans un orifice ménagé dans les murs extérieurs. Ils sont équipés d'un radiateur-condenseur externe et d'un ventilateur de brassage de l'air intérieur, qui traverse un évaporateur-refroidisseur. Ce ventilateur, conçu pour aspirer un petit appoint d'air extérieur, maintient la pièce en très légère surpression. L'air aspiré et, parfois, l'air recyclé sont filtrés.

Dans les périodes chaudes, les climatiseurs permettent de refroidir la pièce en y prélevant de l'énergie calorifique par l'intermédiaire de l'évaporateur-refroidisseur, puis en la rejetant à l'extérieur par l'intermédiaire du radiateur-condenseur. Si l'air est très humide, une partie de son humidité se condense sur l'évaporateur; les condensats sont séparés, collectés et rejetés à l'extérieur. Dans les pays équatoriaux et tropicaux humides, l'humidité relative interne de la pièce est ainsi ramenée dans la zone de confort (environ 50 % pour une température de 21 à 22 °C). Certains modèles sont équipés, de plus, de résistances électriques pouvant assurer le chauffage de demi-saison ou un chauffage d'appoint en hiver. Quelques rares modèles, de très haut de gamme, peuvent assurer ce chauffage d'appoint en inversant le rôle des deux échangeurs et en se transformant ainsi en pompes à chaleur.

Les techniques du froid

Les premiers réfrigérateurs sont dotés d'un cycle frigorifique à compression, contrôlé par un thermostat, permettant de maintenir l'intérieur d'une armoire à une température faiblement positive, stabilisée à quelques degrés près. On voit ensuite apparaître les cycles à absorption – recherchés parce que totalement silencieux ou en raison de leur aptitude à fonctionner dans des endroits isolés, privés d'électricité – et les évaporateurs fermés, ou freezers, permettant de créer dans l'armoire une petite zone centrale de congélation. Sont apparus ensuite des appareils à un seul compresseur comprenant deux compartiments, l'un de réfrigération, l'autre de conservation de produits congelés; des évaporateurs à grande surface dans le compartiment réfrigérateur, se dégivrant spontanément pendant les arrêts du compresseur; des coffres de surcongélation rapide à – 30 °C, pouvant ensuite conserver les produits surgelés vers – 17/–18 °C; des réfrigérateurs à deux niveaux de température, l'un voisin de + 6 °C et l'autre de + 2 °C, le contrôle électronique des températures les stabilisant à quelques dixièmes de degré près.

Actuellement, les appareils domestiques les plus compacts et les plus performants combinent tous ces derniers perfectionnements dans un meuble unique à deux compresseurs, qui est parfois complété par une fabrique interne de glace, associée à une double distribution externe de glaçons en blocs et de glace pilée.

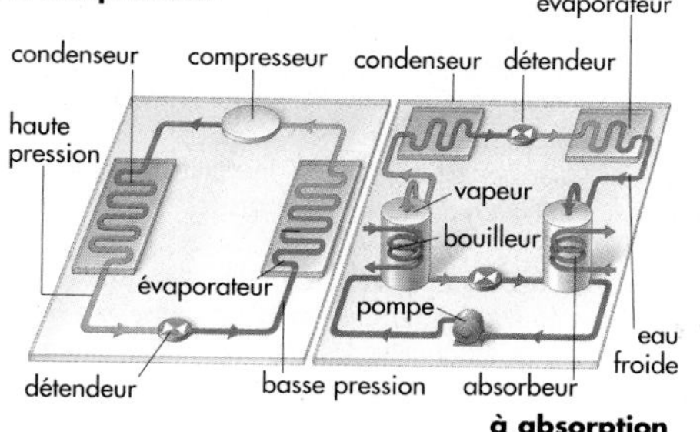

◆ **Principe des machines frigorifiques.** Dans une machine à compression, un fluide frigorigène se vaporise dans un évaporateur; un compresseur aspire les vapeurs formées et les refoule dans un compresseur refroidi, où elles se liquéfient; un détendeur laisse passer le frigorigène liquide vers l'évaporateur en abaissant sa pression. Dans une machine à absorption, la compression mécanique est remplacée par le transfert entre une solution riche et une solution pauvre en frigorigène, obtenu par chauffage.

La domotique

On désigne par ce terme la gestion des activités domestiques par un ordinateur central. Peuvent ainsi être programmés : le contrôle des systèmes de surveillance antivol et anti-incendie; l'émission d'appels téléphoniques sélectifs en cas d'alarme; la réception d'appels téléphoniques ou de fax codés permettant de mettre, à distance, le logement en situation d'accueil après une absence; l'éclairage automatique des abords en cas d'arrivée normale de nuit, associé à l'allumage de projecteurs d'alarme et de dissuasion (par éblouissement) en cas d'intrusion; le déclenchement des arroseurs extérieurs en fonction des indications de capteurs d'humidité et de luminosité; la mise en route automatique d'un chauffage léger pour mise hors gel d'un logement inoccupé; le contrôle automatique du chauffage tenant compte de données fournies par des capteurs extérieurs, en fonction de l'insolation différente et tournante des faces d'un immeuble.

◆ **La maison du futur (Vilvorde, Belgique).** Imaginée par l'architecte Franck Belien, cette habitation est une application concrète de la domotique : la cuisine comporte un écran d'ordinateur indiquant à la ménagère l'état de ses stocks, le jardin s'entretient et s'arrose automatiquement, ou encore un simple code téléphonique depuis sa voiture permet de remplir la baignoire.

L'automobile

Structure et fonctionnement

Toute automobile est munie d'une caisse autoporteuse ou montée sur un châssis, qui renferme l'habitacle, le logement du moteur et le coffre à bagages. Sur la caisse ou le châssis sont montées les quatre roues, par l'intermédiaire d'une suspension élastique et amortie, les organes de direction, le moteur, les organes de transmission aux roues motrices et de freinage, les divers appareils d'éclairage et les accessoires de refroidissement du moteur, de ventilation, de chauffage et, de plus en plus souvent, de climatisation de l'habitacle.

◆ Dispositif d'assistance à la conduite en milieu urbain. L'écran affiche un extrait de la carte détaillée que l'ordinateur garde en mémoire, ainsi que la position du véhicule repérée par satellite, et indique à l'avance les manœuvres à effectuer tout en affichant la durée escomptée pour atteindre l'objectif fixé.

Le moteur. À l'exception des voitures électriques, les automobiles sont équipées d'un moteur alternatif à combustion interne, presque toujours à quatre temps et refroidi par un circuit d'eau, fermé sur un radiateur. Sur les quatre temps, seul le temps d'inflammation-détente est moteur; il se produit sur chaque cylindre une fois tous les deux tours.

Les moteurs les plus courants possèdent quatre cylindres en ligne dont l'ordre d'allumage est 1, 3, 4, 2 et qui bénéficient d'un temps moteur par demi-tour. Les moteurs des gammes supérieures, mieux équilibrés, dont le couple est plus régulier et plus constant dans une large plage de vitesse, ont 6 cylindres, presque toujours en V, ou 8 cylindres, toujours en V (ce dernier type étant particulièrement répandu aux États-Unis).

Le désir d'améliorer la puissance massique et le rendement a conduit à l'augmentation progressive du taux de compression, rendue possible par la mise au point des supercarburants à fort pouvoir antidétonant (indices d'octane élevés, normalisés en France à 95 et 98 dans sa version «indice moteur»). Les premiers supercarburants comportaient un additif antidétonant, le plomb tétraéthyle, très polluant et incompatible avec l'usage des pots d'échappement catalytiques, qui réduisent considérablement la teneur résiduelle des gaz d'échappement en imbrûlés et en oxydes d'azote. Les supercarburants au plomb sont donc progressivement abandonnés et vont être interdits. Le mélange air-carburant, autrefois élaboré par vaporisation dans un carburateur (au col d'un venturi), est de plus en plus souvent élaboré par injection-pulvérisation à pression élevée dans les pipes d'admission de chaque cylindre (injection indirecte). Il existe de rares exemples d'injection du carburant dans le cylindre, en fin de compression (injection directe).

Actuellement, les moteurs Diesel, autrefois réservés aux véhicules lourds et aux engins, ont évolué vers des versions légères, rapides, silencieuses et souples. Bien que plus coûteux que les moteurs à explosion, ces moteurs ont conquis une large part du marché automobile, en raison de leur rendement plus élevé et de l'utilisation d'un combustible, le gazole, moins élaboré donc moins cher que le supercarburant. Contestés depuis 1994 à cause des imbrûlés qu'ils émettent sous forme de microparticules solides, très polluantes et peu compatibles avec les pots catalytiques, ils ont évolué, à partir de 1997, vers des versions beaucoup plus propres, caractérisées par une injection à très haute pression contrôlée par des électrovalves et par la disparition des chambres auxiliaires d'injection, adjacentes aux chambres de combustion. Certains d'entre eux sont équipés, depuis 1999, d'un filtre des gaz d'échappement qui arrête totalement les particules imbrûlées et peut ainsi être suivi d'un pot catalytique. Ce filtre est périodiquement nettoyé grâce à une injection de carburant effectuée pendant les temps d'échappement, injection qui déclenche une autocombustion des particules.

La suspension. Certaines voitures tout-terrain à quatre roues motrices utilisent la solution traditionnelle des roues dont les fusées sont montées par paires aux extrémités d'un essieu. Ce sont alors les essieux qui sont suspendus par rapport à la caisse ou au châssis. Presque toutes les voitures de ville sont pourvues de roues avant indépendantes, suspendues individuellement. Beaucoup de voitures américaines conservent un essieu arrière, qui a pratiquement disparu en Europe au profit de suspensions indépendantes (ou quasi indépendantes, par l'intermédiaire de barres de solidarisation antiroulis, bien moins contraignantes qu'un essieu).

Dans tous ces systèmes, l'oscillation des roues ou des essieux est rendue possible par des dispositifs mécaniques articulés déformables, généralement associés à des ressorts et à des amortisseurs hydrauliques, sauf dans les suspensions hydropneumatiques qui associent, dans le même organe, l'amortissement hydraulique et l'élasticité par compression d'un matelas de gaz. Les roues dépendent ainsi de deux systèmes élastiques et amortis, l'un qui les lie au véhicule et l'autre à la route par l'intermédiaire des pneumatiques, élastiquement déformables et autoamortis. Le confort est d'autant meilleur que la masse oscillante solidaire des roues est plus faible : c'est l'une des

La voiture intelligente

D'innombrables dispositifs d'assistance à la conduite sont actuellement en cours d'expérimentation. Certains d'entre eux équipent dès maintenant des modèles de haut de gamme. Il s'agit essentiellement de radars anticollision qui interviennent, en circulation rapide, pour maintenir un écart suffisant avec le véhicule précédent et qui, en cas de freinage brutal de ce véhicule, anticipent l'ordre de freinage du véhicule suivant si son conducteur s'avère trop lent. Sont également apparus des dispositifs variés d'indication d'itinéraires, spécialement dans les zones urbaines encombrées. Ils mobilisent des techniques informatiques complexes : mise en mémoire de la carte détaillée de la région, repérage du véhicule par satellite, détection des encombrements, choix de l'itinéraire le plus rapide qui peut se modifier à tout instant, affichage d'une carte de cet itinéraire et de toutes les actions anticipatrices nécessaires telles que l'annonce de la nécessité de tourner à droite ou à gauche au prochain carrefour. Il est enfin prévu, dans le futur, d'automatiser complètement la conduite sur autoroute, les voitures suivant une piste électromagnétique incorporée dans le revêtement et roulant habituellement à la vitesse maximale autorisée, mais ralentissant spontanément lors de difficultés particulières ou d'encombrement.

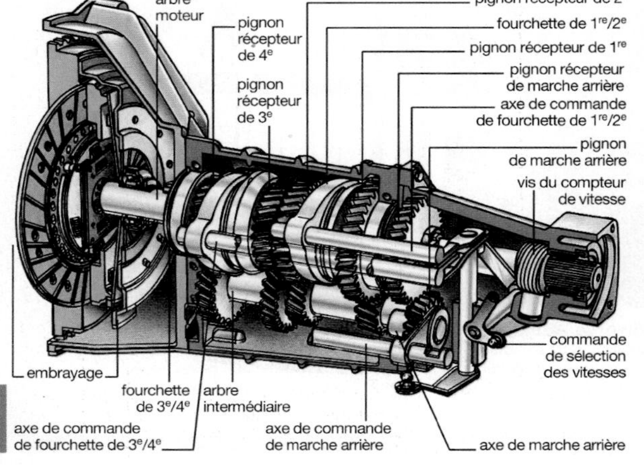

◆ Boîte de vitesses à 4 rapports avant. Elle comporte un arbre moteur et un arbre conduit (entraînant les roues) qui sont coaxiaux. Un arbre intermédiaire décalé, entraîné par l'arbre moteur, porte des engrenages qui entraînent à leur tour des engrenages montés «fous» sur l'arbre conduit. Des baladeurs coulissants mus par des fourchettes, solidaires en rotation de l'arbre conduit grâce à des cannelures, viennent se synchroniser puis se craboter sur l'un des engrenages fous, qui entraîne alors l'arbre conduit. L'un des baladeurs permet la solidarisation directe de l'arbre moteur et de l'arbre conduit (4e vitesse avant).

raisons de la raréfaction des essieux et c'est la raison essentielle de l'apparition des roues en alliage léger.

Le freinage. Il est assuré par des freins à disques, systématiquement à l'avant des voitures européennes et très souvent à l'arrière, où subsistent encore des freins à tambour, moins efficaces et plus lourds. La commande des freins est hydraulique, par l'intermédiaire d'un maître-cylindre actionné par une pédale, la pression délivrée individuellement à chaque roue pouvant être contrôlée par un dispositif antiblocage (ABS).

La direction. Sur la plupart des automobiles, les roues directrices sont les roues avant avec, rarement, une participation des roues arrière, qui peut être non commandée dans le cas des essieux arrière autodirectionnels. Les roues avant pivotent autour d'un axe légèrement incliné par rapport à la verticale (qui engendre ainsi un couple de rappel après braquage). Leur orientation est commandée par le volant de direction intérieur à l'habitacle. Celui-ci provoque le coulissement d'une crémaillère transversale, solidaire de la caisse ou du châssis, grâce à un pignon, et la crémaillère entraîne à son tour l'orientation des roues, par l'intermédiaire de petites biellettes d'extrémités, articulées, qui permettent l'oscillation des roues due à la suspension.

La transmission. Les moteurs à combustion interne ne peuvent tourner qu'à l'intérieur d'une plage de vitesses donnée. Ils sont donc reliés aux roues par l'intermédiaire d'une boîte de vitesses à plusieurs rapports, munie également d'une marche arrière. Le dispositif le plus classique en Europe est une boîte mécanique à 5 rapports avant, couplée au moteur par un embrayage mécanique à friction, commandé par une pédale qui permet le démarrage initial en patinant, et les manœuvres de changement de vitesse en arrêtant transitoirement la transmission du couple moteur. Toutes les voitures américaines, en revanche, et un nombre croissant de voitures européennes sont équipées de boîtes automatiques, le plus souvent à trois rapports avant, couplées à un embrayage hydraulique non commandé. À l'origine, les roues motrices étaient toujours les roues arrière. Mais la traction avant s'est très largement développée en Europe. Les voitures tout-terrain et quelques routières sportives disposent de quatre roues motrices. Deux roues motrices homologues sont entraînées par l'intermédiaire d'un différentiel qui leur permet de tourner à des vitesses différentes en virage. Des joints homocinétiques sont indispensables, sur chaque demi-arbre, si le différentiel est solidaire de la caisse ou du châssis et, dans tous les cas, si les roues avant sont motrices.

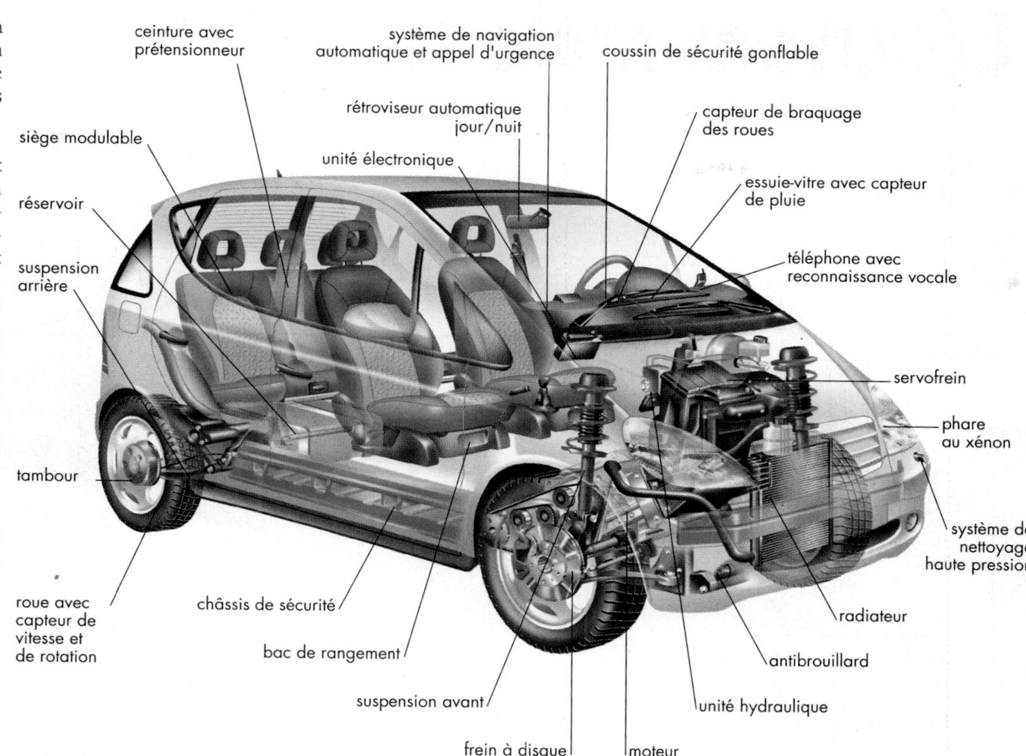

◆ **Écorché d'une automobile.**
On distingue notamment le demi-arbre d'entraînement de la roue avant gauche, motrice et directrice, avec son double joint homocinétique, et le dispositif de suspension de cette roue au moyen d'un triangle déformable dont l'un des côtés est constitué par la caisse et dont un autre,

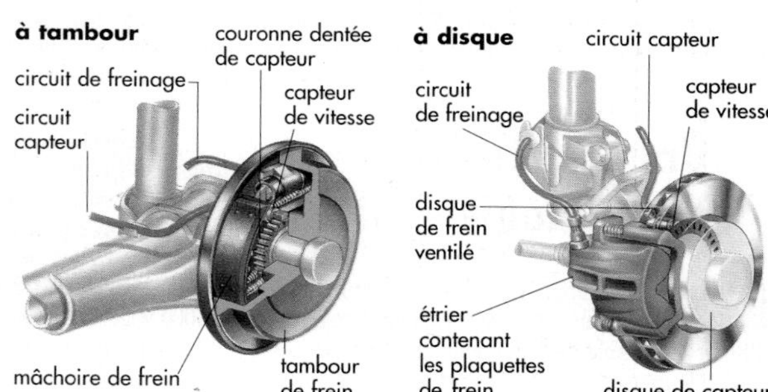

◆ **Deux types de freins.**
Le frein à tambour se compose d'un plateau fixe supportant des segments articulés qui peuvent venir s'appliquer à l'intérieur d'un tambour solidaire de la roue. Ces segments sont garnis sur leur périphérie d'un matériau de friction offrant une grande résistance à la chaleur. Le frein à disque comprend un plateau circulaire solidaire de la roue, sur lequel s'exercent les forces de serrage, parallèlement à l'axe de rotation, par l'intermédiaire des étriers, à l'intérieur desquels se déplacent des tampons de friction.

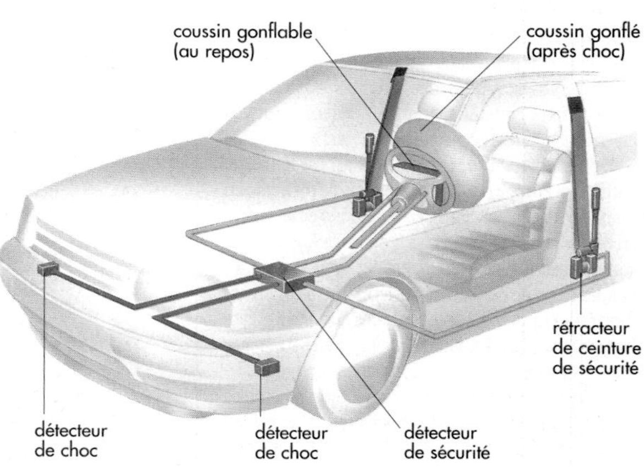

◆ **Air bag frontal.**
Il protège le conducteur contre les chocs frontaux qui peuvent être détectés directement par contact ou par un dispositif inertiel (détecteur de sécurité). Dans le cas présent, c'est le même dispositif de détection qui provoque le verrouillage des ceintures de sécurité.

Petit lexique

électrovalve : valve ou soupape dont le fonctionnement dépend d'un électroaimant.
fusée de roue : extrémité d'un essieu où sont fixés la roue et ses roulements.
homocinétique : se dit d'une liaison entre deux arbres qui assure une transmission régulière de la vitesse, même si ces deux arbres ne sont pas en ligne.
venturi : dans les carburateurs, tubulure traversée par l'air aspiré, qui crée une dépression à son col permettant l'aspiration du carburant à travers un gicleur de pulvérisation.

VOIR AUSSI
- **Moteurs** p. 366
- **Industrie automobile** p. 934
- **Sport automobile** p. 1252

Illustrations
- **Parc automobile mondial** p. 940

Le chemin de fer

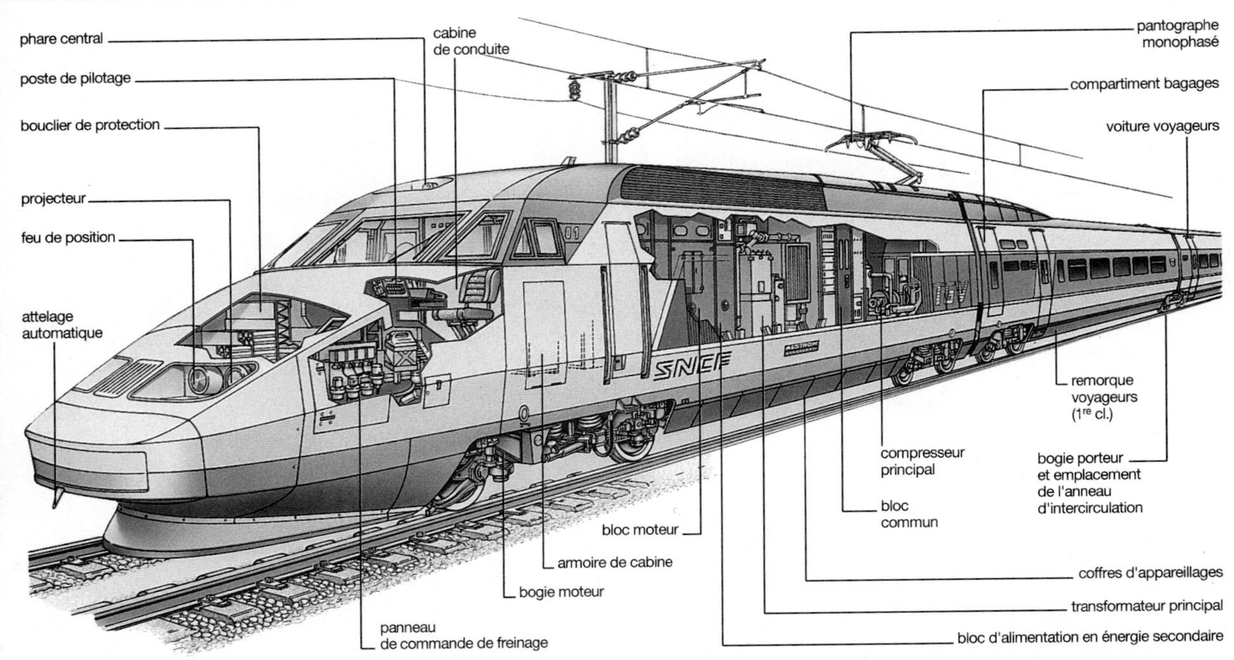

◆ **Train à grande vitesse.**
Les trains à grande vitesse constituent déjà et constitueront dans l'avenir, face à l'avion, le meilleur moyen de transport entre les grandes agglomérations distantes de moins de 1 500 km. Ils se caractérisent par des vitesses de croisière supérieures à 250 km/h, sur des voies spécialement aménagées. Après la percée japonaise de 1964 (Tokaido), le TGV français s'est avéré le plus performant. Les Allemands sont en retard, mais focalisent leurs efforts sur la mise au point de trains à lévitation magnétique propulsés par des moteurs électriques linéaires.

Une haute technologie

Le terme « chemin de fer » désigne, à l'origine, les voies proprement dites ; il s'applique aujourd'hui à l'ensemble des équipements d'infrastructure, des matériels roulants et de l'organisation générale permettant d'assurer les transports ferroviaires de voyageurs (dans des voitures) et de marchandises (dans des wagons). Un ensemble de voitures ou de wagons attelés constitue un train, tracté ou poussé par une ou plusieurs locomotives. Il existe également des autorails autonomes (éventuellement dotés d'une remorque, au plus), et des rames automotrices légères, affectées surtout à la desserte des banlieues, dont les moteurs de petite taille trouvent place dans certaines des voitures. Les locomotives à vapeur des origines ont disparu partout, sauf en Chine, au profit des locomotives électriques, Diesel ou à turbine à gaz.

L'écartement des rails (1,435 m) est le même partout en Europe (sauf dans la péninsule Ibérique, en Irlande et dans l'ex-URSS), en Amérique et au Japon, en ce qui concerne les trains à grande vitesse. Les rails sont un peu inclinés vers l'intérieur de la voie et les bandes de roulement des roues légèrement coniques : il en résulte un autoguidage des trains qui rend très rare l'intervention des boudins de guidage situés sur la face interne des roues. Voitures et wagons sont généralement portés, chacun, par deux bogies, petits ensembles à quatre roues articulés sur les châssis, qui facilitent l'inscription de véhicules longs dans les courbes. Les trains français à grande vitesse (TGV), qui détiennent les records du monde de vitesse absolue et de vitesse commerciale, sont constitués par une ou deux rames non dételables dont deux voitures adjacentes sont portées par un bogie commun.

La signalisation s'effectue à l'aide de feux fixes colorés, disposés le long de la voie, sauf sur les voies de TGV (la signalisation est alors affichée en cabine).

La France possède un réseau ferroviaire électrifié très dense. L'électrification, commencée en courant continu de 1500 V, fut achevée, après-guerre, en 25000 V alternatif. Les trains internationaux rapides, en Europe, exigent des locomotives tri- ou quadricourant en raison de la diversité des systèmes d'électrification adoptés d'un pays à l'autre.

Le freinage est assuré par des sabots que des servomoteurs à air comprimé appuient sur les bandes de roulement de chaque roue. Ils sont alimentés par des réservoirs individuels dans chaque véhicule. La pression régnant dans une conduite axiale longitudinale sert à remplir ces réservoirs et à maintenir les freins desserrés. Une baisse de pression provoque en revanche, par l'intermédiaire de relais, l'admission contrôlée de l'air des réservoirs dans les servomoteurs et déclenche le freinage. Une rupture éventuelle d'attelage provoque ainsi le freinage maximal sur les deux tronçons qui se sont séparés.

VOIR AUSSI
- **Train à lévitation magnétique** p. 316
- **Construction ferroviaire** p. 934
- **Transport ferroviaire** p. 941
- **Trains à grande vitesse** p. 941

Métros et tramways

Une centaine de villes sont actuellement équipées de métros. Ils sont particulièrement adaptés aux grandes agglomérations très denses, où il est impossible de faire circuler des tramways en site propre ou d'augmenter la densité des autobus. Ce sont presque toujours de véritables rames ferroviaires automotrices, circulant essentiellement dans des tunnels ou parfois sur des viaducs. Toutefois, la création de nouveaux réseaux de métros dans les villes qui n'en possédaient pas, comme à Lille, a permis d'expérimenter des techniques différentes des techniques ferroviaires traditionnelles. C'est ainsi que sont nés les métros entièrement automatisés qui ne sont apparus à Paris qu'en 1998 avec la mise en service du métro Météor.
Les tramways, engins automobiles de surface comportant au plus une remorque, connaissent depuis quelques années un regain de faveur, chaque fois qu'il est possible de les faire circuler, au moins pour l'essentiel de leur parcours, en site propre.

◆ **Le métro Météor.**
Dernier grand projet de métro parisien, il est partiellement réalisé avec le tronçon actuel de la ligne n° 14, en cours de prolongation à ses deux extrémités. C'est la première fois que la RATP renonce aux techniques ferroviaires traditionnelles et adopte des métros automatiques et des quais prolongés.

Les navires

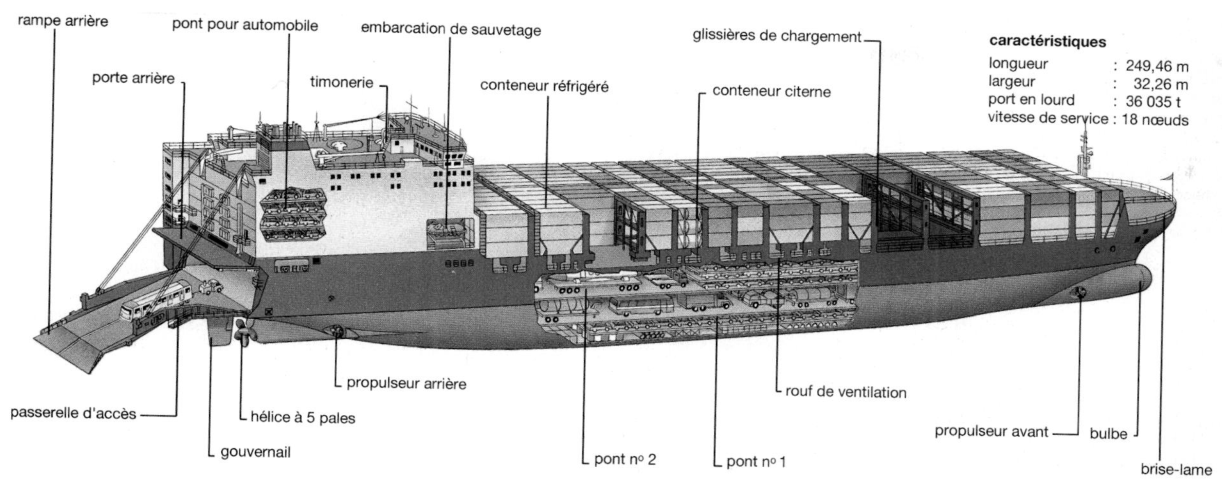

◆ **Cargo roulier.**
Spécialement conçus pour les transits accélérés sur des distances relativement courtes, ou pour la traversée de mers étroites, les cargos rouliers sont équipés d'une rampe arrière, rabattable sur le quai. Ils embarquent des camions chargés et des semi-remorques (avec leurs tracteurs). Ils ne sont tributaires d'aucun moyen de manutention portuaire et permettent des liaisons route-mer-route très rapides sans rupture de charge. Le modèle représenté ici est un engin mixte qui associe à sa fonction de roulier une fonction de porte-conteneurs.

◆ **Aéroglisseur arrivant au port.**

Aéroglisseurs, hydroptères et hydroglisseurs

Ces engins servant au transport régulier et rapide de voyageurs et de voitures sur des bras de mer ou de fleuves sont non flottants en marche normale.
Les aéroglisseurs (appelés aussi hovercrafts) flottent à l'arrêt ou reposent sur un sol plan. En marche, ils sont portés par un coussin d'air et propulsés par des hélices aériennes. La stabilité de ces engins résulte d'un désamorcement du coussin d'air en secteurs alimentés séparément. Si l'appareil tend à s'incliner, la pression du ou des secteurs qui s'enfoncent augmente par rapport à celle des secteurs opposés, ce qui engendre un couple de rappel.
Les hydroptères (ou hydrofoils), dotés d'une coque classique, peuvent naviguer normalement à basse vitesse. Ils déjaugent complètement à grande vitesse, grâce à de petits plans inclinés (ou *foils*) portés par des bras individuels fixés à la coque. Leurs hélices marines et leur gouvernail sont conçus pour rester immergés après déjaugeage.
On confond fréquemment les aéroglisseurs avec les hydroglisseurs. Ces derniers sont, non pas des navires, mais des embarcations légères adaptées à la navigation dans les eaux marécageuses, peu profondes et encombrées de végétation. Ils sont dotés de coques très plates qui ne déjaugent pas et sont propulsés par des hélices aériennes.

Types de bateaux

Un navire est constitué d'une coque flottante, propulsée par une ou plusieurs hélices arrière, elles-mêmes entraînées par des turbines à vapeur, des turbines à gaz ou de gros moteurs Diesel lents. Ces coques, diversement aménagées en fonction du rôle du navire, sont fermées, à leur partie supérieure, par un pont (dit pont principal lorsqu'il y en a plusieurs) qui porte les superstructures, parmi lesquelles figure toujours la passerelle de commandement. La partie immergée de la coque se nomme la carène, variable en fonction du port en lourd effectif du navire et de ses oscillations (roulis latéral et tangage longitudinal). Le point d'application de la poussée d'Archimède sur le bateau, ou centre de poussée, se situe au-dessous du centre de gravité du navire. Si la carène était de forme fixe, l'équilibre du navire serait donc instable ; tel n'est pas le cas, car toute amorce de roulis ou de tangage se traduit par une modification de la forme de la carène et par le déplacement concomitant du centre de poussée, qui engendre alors, avec le poids du navire, un couple de rappel.

VOIR AUSSI
• **Marine militaire** p. 399
• **Construction navale** p. 935
• **Transports fluvial et maritime** p. 942
• **Voile** p. 1270

Il existe de nombreux types de bateaux : paquebots, cargos minéraliers, porte-conteneurs, rouliers (qui embarquent et débarquent des camions chargés), ferry-boats (qui embarquent des automobiles ou des trains de voyageurs), pétroliers, méthaniers transportant du gaz naturel liquéfié à – 160 °C, etc. Il existe une importante flotte de minéraliers d'environ 60 000 t de port en lourd, construits au gabarit du canal de Panamá (les panamax) ; ils traversent également sans problème le canal de Suez. Les gros minéraliers, qui ne franchissent pas ces canaux (120 000 t et davantage) et qui contournent l'Afrique du Sud pour se diriger vers l'Orient, sont appelés « Capesize ». Mais les plus importants navires marchands du monde sont les pétroliers, dont certains atteignent et dépassent 300 000 t. Ils ne pénètrent pas dans les ports traditionnels et se chargent ou se déchargent près d'appontements spécialisés tels que l'avant-port d'Antifer, au large du Havre. Ils sont dotés des moyens les plus performants d'assistance à la navigation ou de navigation automatique (par satellite) et des radars les plus modernes de détection des obstacles éventuels et de navigation côtière. Leurs équipages, très réduits, ne descendent pas à terre pendant plusieurs mois consécutifs et vivent à bord dans des conditions de confort exceptionnelles.

Avions et hélicoptères

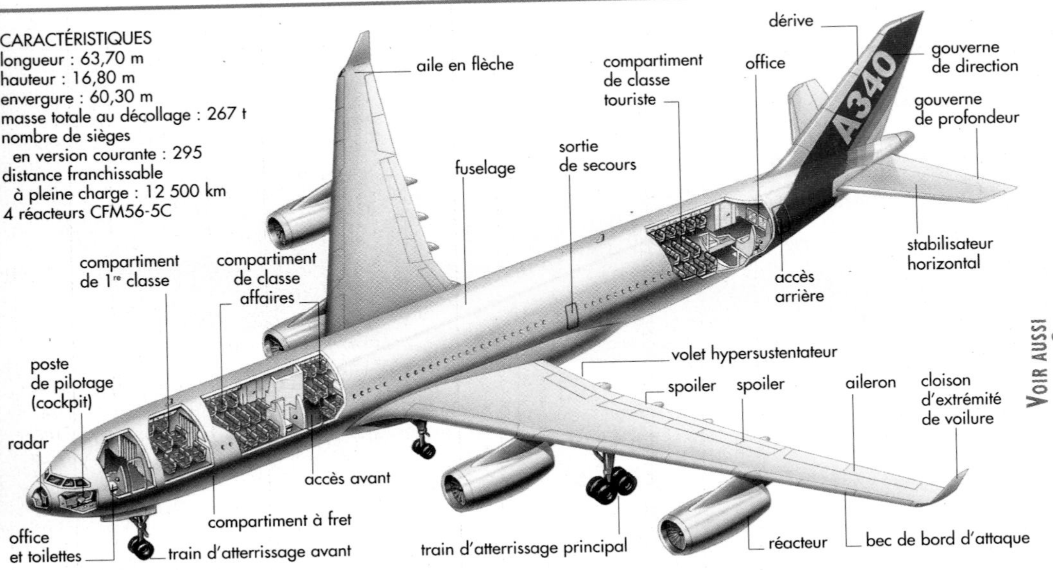

◆ **Avion de transport commercial Airbus A340.**

VOIR AUSSI
- **Construction aéronautique** p. 936
- **Aviation militaire** p. 399
- **Transport aérien** p. 943

Illustrations
- **Le Concorde** p. 311

Les avions

Plus lourds que l'air, ces engins volants sont propulsés par des hélices ou des réacteurs. Leur force de sustentation, ou portance, provient du déplacement relatif de plans porteurs fixes (les ailes et l'empennage) par rapport à l'air. Ces plans présentent un profil caractéristique, légèrement convexe vers le haut – ce qui accélère le déplacement relatif et crée une dépression – et légèrement concave vers le bas – ce qui ralentit le déplacement relatif et crée une surpression. L'optimisation aérodynamique de ces profils permet de réduire la résistance à l'avancement, ou «traînée».

Les avions sont constitués d'un fuselage qui comprend, à l'avant, le poste de pilotage, la partie restante étant, dans les avions de ligne, presque totalement occupée par les cabines des passagers et la soute à bagages. Ces zones sont alors pressurisées, de telle sorte que la pression interne ne descende pas au-dessous de la pression qui règne à 2000 m d'altitude. Les ailes (plans porteurs principaux), situées de part et d'autre du fuselage à peu près au niveau de son centre de gravité, sont munies, sur leurs bords de fuite, de volets articulés de deux sortes : ailerons travaillant en opposition, pour contrôler la stabilité au roulis et incliner l'appareil en courbe, volets d'hypersustentation qui s'abaissent symétriquement pour augmenter la portance au décollage et à l'atterrissage, moyennant une forte augmentation transitoire de la traînée. Les ailes portent également, à leur face supérieure (extrados), des aérofreins (ou spoilers) constitués de volets encastrés qui se soulèvent pour ralentir l'avion. L'empennage horizontal arrière (plans porteurs auxiliaires) stabilise l'avion au tangage et porte, à ses bords de fuite, les gouvernes de profondeur. L'empennage vertical, ou dérive, stabilise l'avion aux mouvements de lacet et porte, à son bord de fuite, la gouverne de direction. Le train d'atterrissage escamotable comporte deux éléments principaux, placés sous les ailes, et un élément auxiliaire avant, porté par le fuselage.

◆ **Gouvernes d'un avion.**

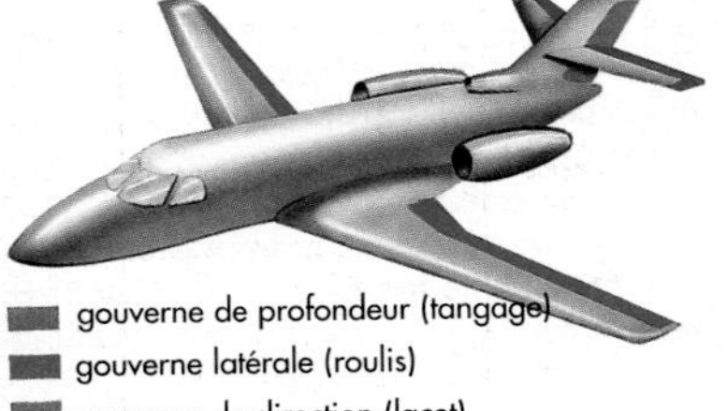

- gouverne de profondeur (tangage)
- gouverne latérale (roulis)
- gouverne de direction (lacet)

Les hélicoptères

L'élément porteur de ces engins volants plus lourds que l'air est constitué par une (rarement plusieurs) grande hélice, ou rotor, dont l'axe est vertical. L'inclinaison de chacune des pales du rotor est contrôlée individuellement. Une première commande agit ainsi globalement sur l'inclinaison moyenne de ces pales, dont dépend la portance; une seconde commande agit sur la variation cyclique de cette inclinaison, de part et d'autre de l'inclinaison moyenne (augmentation sur un demi-tour, diminution sur l'autre). Il en résulte un effet de « rame » qui assure la translation. Une petite hélice transversale à l'extrémité arrière s'oppose à la mise en rotation de la carlingue en sens inverse de celle du rotor.

Les hélicoptères ont succédé aux autogires d'avant-guerre, munis d'un rotor à pas fixe non entraîné, lequel tournait librement sur son axe sous l'effet du vent relatif créé par la translation de l'appareil, qui était mû par une hélice tractrice conventionnelle. Un tel appareil, à l'inverse de l'hélicoptère, devait donc rouler, pour décoller ou atterrir.

Les autogires, disparus depuis cinquante ans, viennent de réapparaître, en 1998, sous forme de petits appareils d'aéro-clubs, à la recherche d'un statut d'ULM.

◆ **Hélicoptère français Super-Puma 922.**
Plus d'une trentaine de types d'hélicoptères différents sont fabriqués dans le monde. Ils représentent quelque 30000 appareils, dont plus de 14000 sont destinés à des usages militaires : transport de troupes, observation de lignes ennemies, arme antichar, etc. Dans le domaine civil, leur emploi est très précieux pour les secours et l'intervention en milieu d'accès difficile.

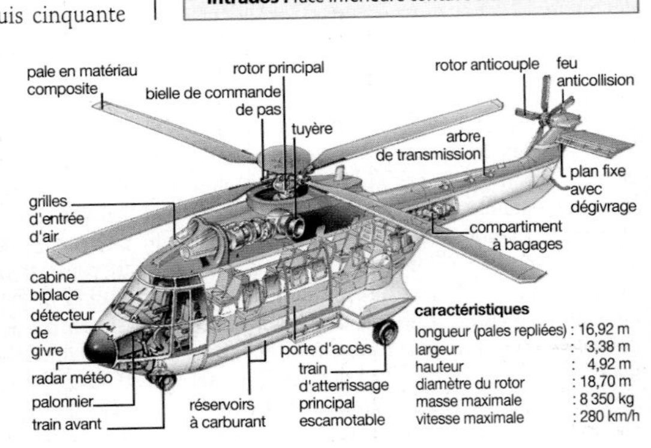

Le vol supersonique

De nombreux appareils militaires et un seul avion de ligne, Concorde, volent à des vitesses supérieures à celle du son dans l'atmosphère qui les entoure (vitesses toujours inférieures à la vitesse du son au sol). Alors que les avions subsoniques sont précédés par des ondes de compression qui préparent l'atmosphère à leur pénétration, les avions supersoniques, en revanche, « découpent » l'atmosphère en engendrant des ondes de choc très sonores. Les aérodynamiciens repèrent la vitesse relative air-avion par le nombre de Mach, lequel est égal à 1 pour une vitesse exactement sonique dans les conditions locales. À titre d'exemple, Concorde vole aux environs de Mach 2 à 18 000 m d'altitude, ce qui correspond à une vitesse moyenne d'environ 1 730 km/h par rapport au sol.

Petit lexique

empennage : surfaces fixes situées à l'arrière d'un avion, qui lui confèrent sa stabilité au tangage et en lacet et qui portent une gouverne de profondeur ou de direction.

extrados : face supérieure convexe d'une aile d'avion.

intrados : face inférieure concave d'une aile d'avion.

Les lanceurs spatiaux

Les fusées

Les lanceurs spatiaux sont des fusées, généralement bi- ou triétagées, dont aucun élément n'est récupérable après le lancement, sauf si le dernier étage est constitué par une navette qui, après satellisation, peut décrocher de son orbite et revenir au sol, comme un avion. Ils permettent de placer sur orbite des satellites terrestres artificiels, mais également de propulser des sondes exploratoires extraterrestres, voire de poser des robots sur la Lune et sur Mars. Leur silhouette est celle d'un long cylindre, haut de 30 à 60 m, avec, au sommet, soit une navette qui porte des satellites ou des laboratoires d'expérimentations, soit, si le dernier étage n'est pas récupérable, les satellites protégés par une coiffe.

Les fusées décollent toujours verticalement, la poussée nécessaire étant obtenue par éjection, vers l'arrière, à vitesse très élevée, d'importantes quantités de gaz produites par les moteurs. Ceux-ci brûlent des propergols constitués d'ergols solides (poudres) ou liquides. Les ergols constituent l'essentiel de la masse d'une fusée au moment de son décollage (environ 90 %, contre 9 % pour les structures et 1 % seulement pour la charge utile). Afin d'accroître les performances, des propulseurs d'appoint (à liquide ou à poudre) peuvent être ajoutés latéralement, contre l'étage de base.

Le programme Ariane. Le programme européen de lanceurs à troisième étage conventionnel Ariane constitue un succès technique et commercial. Sa version moyenne, Ariane 4, a fait l'objet de plus de 50 lancements réussis jusqu'à la fin de 1998 et fait encore l'objet de nombreuses commandes. Sa version lourde, Ariane 5, définitivement qualifiée en 1998, peut satelliser 23 t en orbite basse et 6,7 t en orbite géostationnaire. Dans sa version actuelle, sa masse au décollage est de 718 t et sa poussée totale de 1 512 t. Le premier étage, à oxygène et hydrogène liquides, est flanqué de deux énormes propulseurs d'appoint à poudre dont la poussée cumulée dépasse 1 000 t. L'étage supérieur, dit à « propergol stockable », assure la satellisation des charges. Il fonctionne généralement 1 000 secondes environ pour une satellisation géostationnaire.

Une nouvelle version d'Ariane 5 dite « évolutrice », actuellement en cours de préparation, satellisera 7,5 t au prix d'une amélioration de son premier étage et d'une augmentation de la quantité d'ergols qu'elle emportera (175 au lieu de 158). La version suivante, dite « Ariane 5 Plus », comprendra un nouveau deuxième étage cryogénique et satellisera 9 t au début de l'année 2002, puis 11 t vers 2005 (toujours sur orbite géostationnaire).

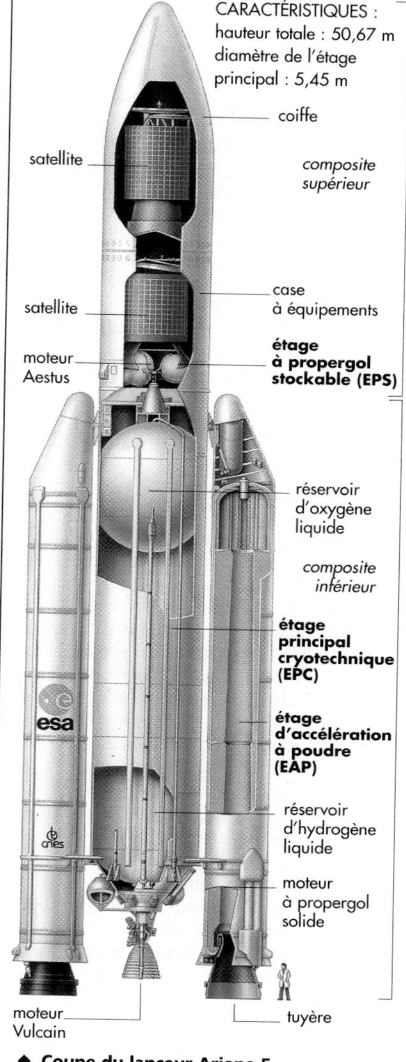

◆ **Coupe du lanceur Ariane 5.**

Petit lexique

lanceur spatial : véhicule propulsé capable d'envoyer une charge utile dans l'espace.
propergol : produit capable, par réaction chimique, de fournir l'énergie de propulsion d'une fusée.

VOIR AUSSI
• **Satellites et stations orbitales** p. 387
Illustrations
• **Trajectoire d'une navette spatiale** p. 24
• **Décollage d'Ariane 5** p. 25

Les navettes spatiales

Les navettes spatiales, portées par des fusées, sont bien adaptées aux missions lourdes d'expérimentation en apesanteur, et participent efficacement à l'assemblage des éléments de la station spatiale du futur. Leur élément principal est l'orbiteur. En forme d'avion à aile delta, il est long de 37 m et possède une envergure de 24 m. Son fuselage comprend, à l'avant, un habitacle pressurisé, à deux niveaux, de 71 m³ pour l'équipage (jusqu'à 8 astronautes), au centre, une vaste soute de 4,5 m de diamètre et de 18 m de longueur, pouvant accueillir des charges utiles d'une masse allant jusqu'à 29,5 t, et, à l'arrière, les trois principaux moteurs-fusées de l'engin et deux moteurs de manœuvre. Sa masse « à sec » (réservoirs vides et sans charge utile) est de 68 t. Ce véhicule spatial est conçu pour des missions en orbite basse (de 300 à 400 km d'altitude) et peut revenir se poser au sol comme un avion. Mais il ne peut aller seul dans l'espace : deux propulseurs auxiliaires à propergol solide (chacun contient 500 t de poudre) et un énorme réservoir extérieur de 47 m de long et 8,4 m de diamètre, non réutilisable, contenant 703 t d'hydrogène et d'oxygène liquides, destinés à l'alimentation des moteurs principaux, lui sont adjoints au décollage. Pour les lancements des satellites géostationnaires (ou pour d'autres trajectoires lointaines), la navette doit embarquer dans sa soute un propulseur supplémentaire. Actuellement, la navette américaine est le seul système opérationnel comportant un troisième étage systématiquement habité et récupérable après décrochement de son orbite, les programmes de navettes russe (Bourane) et européenne (Hermès) ayant été abandonnés.

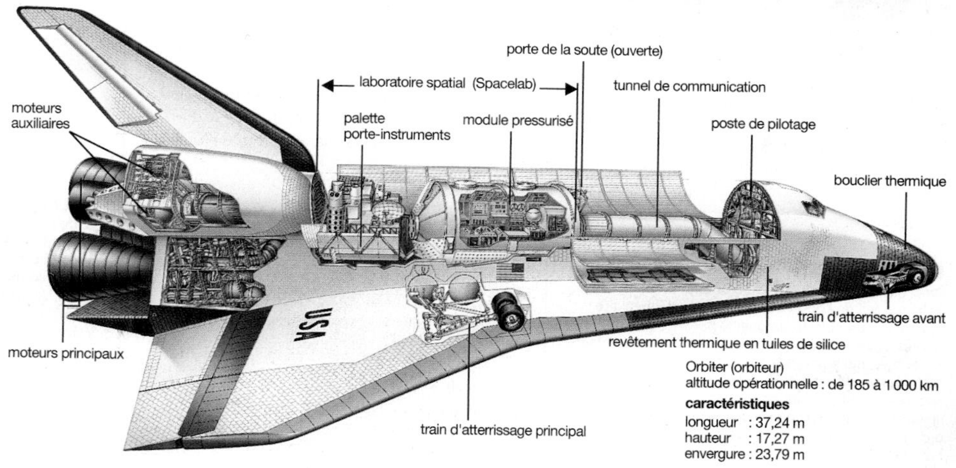

◆ **Éclaté de la navette spatiale américaine.**
Depuis 1981, la NASA consacre une partie de ses moyens à la réalisation d'une navette spatiale récupérable. Irremplaçable dans des domaines demandant une intervention humaine importante (expérimentations complexes et longues en apesanteur, assemblage des éléments constitutifs de station spatiale du futur), cette navette est peu adaptée à la mise en orbite de satellites automatiques autonomes.

Les microscopes

Observer l'infiniment petit

Les microscopes sont destinés à l'observation, voire à la quantification, du réel ténu, à une échelle très supérieure à celle qui est naturellement accessible à l'homme, même s'il est doté d'une acuité visuelle exceptionnelle. Exclusivement optiques à l'origine, ils ont connu une évolution considérable au cours du XIXe s. et de la première partie du XXe s. Mais, limités dans leur progression par la nature même du phénomène physique qu'ils utilisaient (propagation de la lumière visible), ils ont évolué vers des techniques très différentes qui semblent actuellement avoir multiplié par plus de 300 leur grossissement utile, c'est-à-dire associé à une amélioration concomitante de leur pouvoir séparateur (il ne sert à rien de grossir davantage une image composée de taches qui se chevauchent au point de ne plus se distinguer).

Microscopes optiques. Les microscopes optiques contemporains sont dotés de deux systèmes optiques coaxiaux distincts aux deux extrémités d'un tube : l'un, l'objectif, est très proche de l'objet à observer; l'autre, l'oculaire, est très proche de l'œil de l'observateur. L'objectif forme une première image réelle et inversée de l'objet, image observée à travers l'oculaire qui en donne une image virtuelle de même sens. Objectif et oculaire se trouvent à distance constante l'un de l'autre. C'est l'ensemble du corps du microscope, portant ces deux systèmes optiques, qui se déplace par rapport à l'objet à observer pour assurer la mise au point; et cela sous la dépendance de deux boutons moletés, dont l'un commande un déplacement rapide et l'autre un déplacement très fin. L'objet à examiner, porté par la platine, est éclairé par un système composé d'un projecteur latéral, d'un miroir ou d'un prisme, et d'un condenseur optique, système placé au-dessous de la platine si l'objet est transparent, et au-dessus (autour de l'objectif ou à proximité) s'il est opaque.

Les microscopes optiques ont été l'objet de nombreux perfectionnements : tourelle portant des objectifs multiples, microscopes photographiques, microscopes binoculaires, microscopes stéréoscopiques, microscopes à axe optique « cassé » par des prismes pour faciliter l'observation, utilisation d'effets optiques divers pour augmenter les contrastes, etc. La longueur d'onde des composants de la lumière visible limite le pouvoir séparateur de ces instruments et les grossissements supérieurs à 2000 ne peuvent pas faire apparaître de détails supplémentaires.

Microscopes électroniques. Ils utilisent les ondes associées à des électrons. Celles-ci se situent dans la bande des longueurs d'ondes des rayons X, malheureusement inutilisables car ils sont impossibles à guider et ne peuvent donc former des images. Les électrons, en revanche, dans leur aspect de particules chargées, sont parfaitement contrôlables par des lentilles électrostatiques ou électromagnétiques. Les microscopes électroniques constituent ainsi une remarquable application de la dualité onde-particule, postulée par la mécanique quantique. Ils permettent des grossissements de l'ordre de 300000.

Microscopes à champ rapproché. Ils proposent non pas l'observation directe d'une image agrandie, mais l'exploration de la surface de l'objet par une pointe ultrafine. Celle-ci n'admet pas de contact, mais elle peut suivre la surface observée de très près en étant pilotée par un phénomène physique approprié : interaction mécanique de proximité, effet thermo-ionique, effet tunnel (saut quantique d'électrons entre l'objet et la pointe). Un traitement informatique de type scanner établit ensuite une carte de l'objet. Ces appareils sont trop récents pour qu'on puisse en connaître encore les performances ultimes. En 1998, l'un des prototypes a permis de tracer pour la première fois la carte des atomes constituant la surface d'un métal, à l'échelle nanométrique (10^{-9} m).

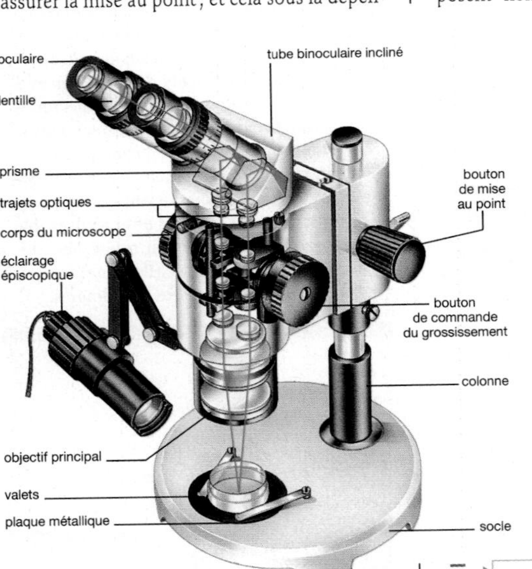

◆ **Microscope stéréoscopique.**
Par opposition au microscope binoculaire qui fournit à chaque œil de l'observateur l'image intermédiaire formée par un objectif unique, le microscope stéréoscopique est composé de deux appareils complets juxtaposés, qui envoient à chaque œil de l'observateur deux images différentes du même objet. Ce sont des appareils complexes qui doivent assurer non seulement la mise au point en distance des microscopes ordinaires, mais encore la convergence des deux axes optiques distincts sous le plan de mise au point.

VOIR AUSSI
Illustrations
• **Surface d'un métal à l'échelle atomique** p. 317

Petit lexique

pouvoir séparateur : aptitude d'un instrument d'optique à distinguer deux points contigus de l'objet examiné.

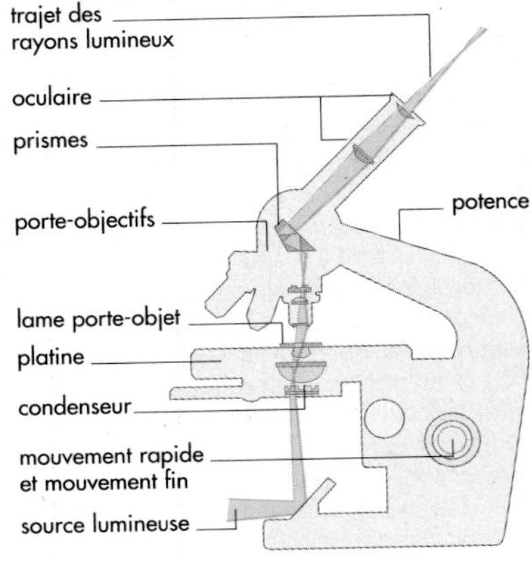

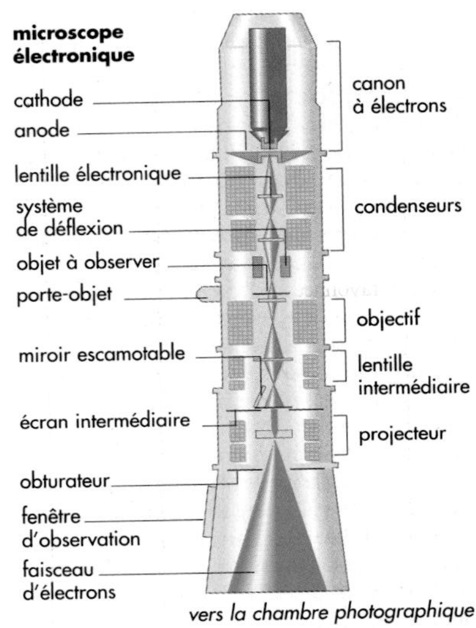

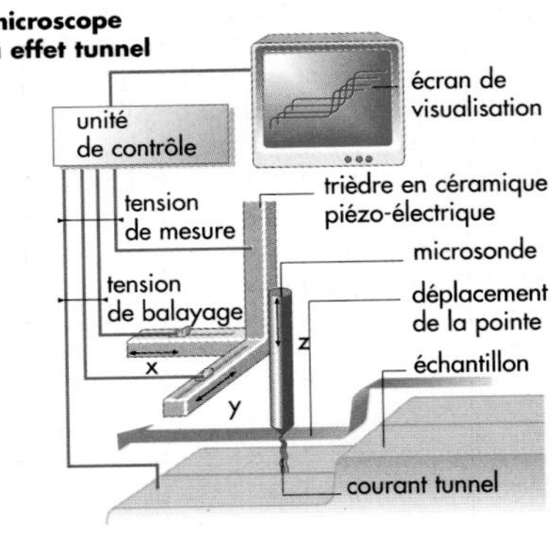

◆ **Coupes de microscopes.**
Le microscope optique et le microscope électronique forment des images, celles des microscopes optiques étant directement observables. Les images électroniques, en revanche, nécessitent un traitement préalable avant de pouvoir être visualisées, par exemple, sur un écran cathodique. Les microscopes à champ rapproché ne forment pas d'image, mais dressent une carte de l'objet, exploré par une pointe ultrafine qui ne le touche pas. Dans le modèle représenté, c'est l'effet tunnel au saut quantique d'électrons entre deux conducteurs très proches mais sans contact qui contrôle la distance entre la pointe et l'objet.

Radars, sonars et lasers

Radars et sonars

Ce sont des engins de détection et de localisation de cibles passives qui se bornent à diffuser une onde émise par l'appareil détecteur et lui renvoient une infime fraction de l'énergie produite.

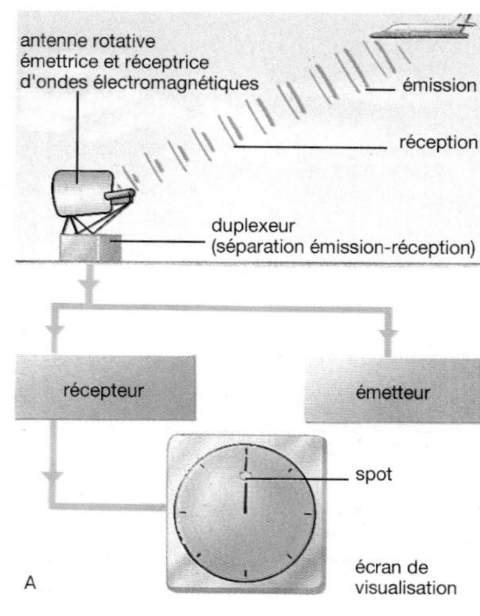

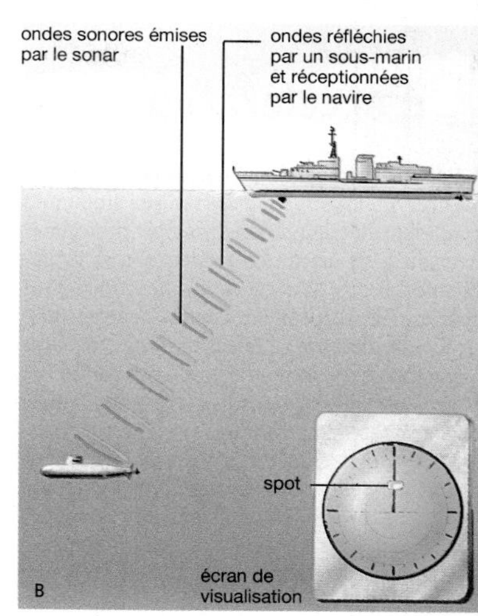

◆ **Principe de fonctionnement du radar et du sonar.**
Le principe du radar (A) est fondé sur l'émission par impulsions de courte durée de faisceaux étroits d'ondes radioélectriques (de fréquences comprises entre 1 GHz et 100 GHz) qui, après réflexion contre un obstacle, retournent vers un récepteur. La durée du trajet aller et retour des ondes, qui se propagent à la vitesse de la lumière, soit 300 000 km/s, permet de déterminer la distance de l'obstacle. L'orientation de l'antenne, qui sert d'abord à l'émission, puis à la réception, en indique la direction. L'obstacle détecté (ici, un avion) s'inscrit sous la forme d'une petite tache lumineuse sur un écran de visualisation. Le sonar (B) fonctionne selon le même principe, mais avec des ondes acoustiques ultrasonores (de fréquences comprises entre 15 et 40 kHz).

Les radars. Mis au point par les Britanniques peu avant la Seconde Guerre mondiale, le radar *(Radio Detection And Ranging)* utilise des ondes hertziennes de quelques millimètres à quelques mètres de longueur d'onde, généralement produites par des magnétrons (diodes à cavités magnétiques résonantes), émises par une antenne dipôle, solidaire d'un réflecteur métallique léger orientable, servant également au recueil des échos. L'émetteur produit de courtes impulsions régulières, pendant la durée desquelles le récepteur, ultrasensible, est protégé par une valve électronique de l'effet destructeur de l'émission. La réception des échos s'effectue pendant les périodes de silence de l'émetteur. L'intervalle de temps séparant le début d'une impulsion et le début de l'écho est proportionnel à la distance de la cible, par exemple une milliseconde pour 150 km (aller-retour de 300 km effectué à la vitesse de la lumière). On peut tracer autour de l'émetteur, et dans toutes les directions, des vecteurs dont la longueur est proportionnelle à l'énergie rayonnée dans cette direction. Leurs extrémités définissent une surface, appelée « lobe », qui montre dans quelles directions l'énergie est émise proportionnellement (c'est le phénomène de « focalisation »). Cette focalisation, qui résulte de la forme des réflecteurs métalliques, communément appelés « aériens », est adaptée à la fonction du radar.

C'est ainsi que les radars panoramiques émettent préférentiellement dans un demi-plan qui tourne autour d'un axe vertical. Un radar de conduite de tir, en revanche, émet un lobe de révolution très étroit. Son antenne est légèrement désaxée par rapport à l'axe de son aérien parabolique et tourne autour de son axe. L'intensité des échos reçus n'est constante que si l'axe de l'aérien est rigoureusement pointé sur la cible. Le moindre écart provoque une variation cyclique de l'intensité du flux émis en direction de la cible, associée à la même variation de l'intensité des échos reçus. Il suffit d'analyser, en phase, cette variation pour élaborer des signaux de corrections destinés aux servomoteurs de pointage et obtenir ainsi une poursuite automatique de l'objectif en gisement et en site.

Les sonars. Le sonar *(SOund NAvigation Ranging)* met en œuvre des ondes ultrasonores se propageant dans l'eau, diffusées par les cibles qui peuvent être des navires de surface, des sous-marins, des épaves, des bancs de poissons ou les fonds marins eux-mêmes. L'émission du signal est effectuée par des vibreurs de types variés, pilotés par des signaux électriques périodiques. Ces vibreurs peuvent être constitués, notamment, par des quartz piézo-électriques. La réception des échos relève des techniques microphoniques classiques. Les sonars sont moins performants que les radars en matière de repérage directionnel.

Inventés en France à des fins militaires pendant la Première Guerre mondiale, ils sont perfectionnés par les Britanniques en 1920 sous le nom d'Asdic. Leur usage se généralise dans les marines militaires avant et pendant la Seconde Guerre mondiale. Ils doivent leur nom actuel aux Américains. Il ne faut pas les confondre avec les appareils de détection de la signature sonore des navires de surface ou des sous-marins, même s'il arrive dans certains systèmes de réception très modernes que les échos sonores et les bruits émis par d'autres navires soient enregistrés et traités par un dispositif commun.

Les lasers

Ce sont des générateurs de minces faisceaux de lumière (ou d'autres ondes électromagnétiques) qui ne divergent pratiquement pas et dont tous les composants ont la même fréquence (monochromatique) et la même phase (cohérence). Leur source de lumière est, classiquement, la désexcitation des atomes du corps émetteur, mais leur particularité est la synchronisation parfaite de la désexcitation d'un grand nombre d'atomes sous l'effet d'un signal. L'intensité du phénomène résulte d'un réglage optique préalable d'une grande quantité de photons résonants, libérés ensuite pendant un temps très bref. Les applications des lasers sont innombrables. À titre d'exemple, la non-divergence de leurs faisceaux permet d'effectuer des allers-retours Terre-Lune et de mesurer leur distance, par effet radar, à quelques centimètres près ; ils permettent aussi de concentrer sur des surfaces très petites des quantités d'énergie considérables : cela en fait des bistouris, des machines-outils de découpage, et des armes d'interception de missiles.

Mais les lasers de faible puissance sont présents dans tous les domaines, le plus grand secteur de diffusion étant actuellement la lecture de disques numériques.

Petit lexique

oxycoupage : procédé de coupage thermique par oxydation, généralement à l'aide d'un chalumeau.

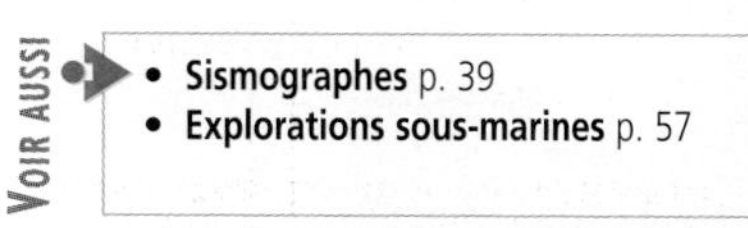

◆ **Découpe des métaux à l'aide d'un laser.**
Dernier type de découpeuse à commande numérique à être apparu, il est plus particulièrement affecté au traitement des aciers spéciaux et des métaux moins bien adaptés que les aciers ordinaires à l'oxycoupage.

Les accélérateurs de particules

Types d'accélérateurs

Les accélérateurs de particules permettent de décrypter la structure des noyaux atomiques et d'identifier leurs constituants (protons et neutrons), de mettre en évidence la structure composite des protons et des neutrons (trois quarks chacun), de créer d'autres hadrons (particules sensibles à l'interaction forte), de faire apparaître, sous forme de particules réelles, les bosons virtuels, vecteurs de l'interaction faible, de recréer des quarks qui n'existent plus dans l'Univers, d'expliquer le mécanisme de l'interaction forte entre quarks (grâce à l'intervention de bosons spécifiques, les gluons) et de créer des particules d'antimatière qui ont disparu de l'Univers dès ses débuts.

Leur principe est d'accélérer considérablement des particules électriquement chargées, grâce à des champs électriques et magnétiques très intenses, puis d'observer les conséquences des chocs qu'elles vont provoquer.

Accélérateurs électrostatiques. Les premiers accélérateurs, dits électrostatiques, utilisaient un champ électrostatique stable qui a pu dépasser le million de volts, conférant aux particules des énergies d'environ 10 MeV. Leur dernier emploi a été l'accélération d'ions très lourds.

◆ **L'accélérateur linéaire de Stanford.**

Accélérateurs linéaires. Les accélérateurs linéaires leur ont succédé. Ils comportent des électrodes percées successives, placées dans une enceinte sous vide, traversées par les particules qui sont accélérées par des champs électriques dont les effets d'accélération sont cumulatifs. Certains de ces accélérateurs sont encore utilisés à des fins industrielles (contrôle de qualité des pièces de forge épaisses, activation de réacteurs nucléaires sous-critiques, etc.) ou comme introducteurs de particules dans les accélérateurs circulaires modernes.

Accélérateurs circulaires. Les accélérateurs circulaires possèdent un tube à vide torique dont le diamètre peut atteindre plusieurs kilomètres et dans lequel règne un champ magnétique très intense, généralement produit par des électroaimants supraconducteurs. Les particules parcourent ce tore en augmentant leur vitesse à chaque tour.

Le premier accélérateur circulaire, dans lequel les particules étaient accélérées par un champ électrostatique, fut suivi du synchrocyclotron, établissant une résonance entre le passage des particules et l'établissement du champ accélérateur, puis du cyclotron proprement dit dans lequel le facteur d'accélération est essentiellement magnétique.

Collisionneurs. Les accélérateurs anciens provoquaient des chocs sur des cibles fixes. Les appareils modernes sont des collisionneurs provoquant des chocs entre particules tournant en sens inverse. Les énergies mises en œuvre se comptent en GeV (milliard d'électronsvolts). Les chocs les plus violents obtenus s'effectuent entre particules et antiparticules tournant en sens inverse à des vitesses proches de celle de la lumière, chocs dans lesquels l'énergie de dématérialisation s'ajoute à l'énergie de collision.

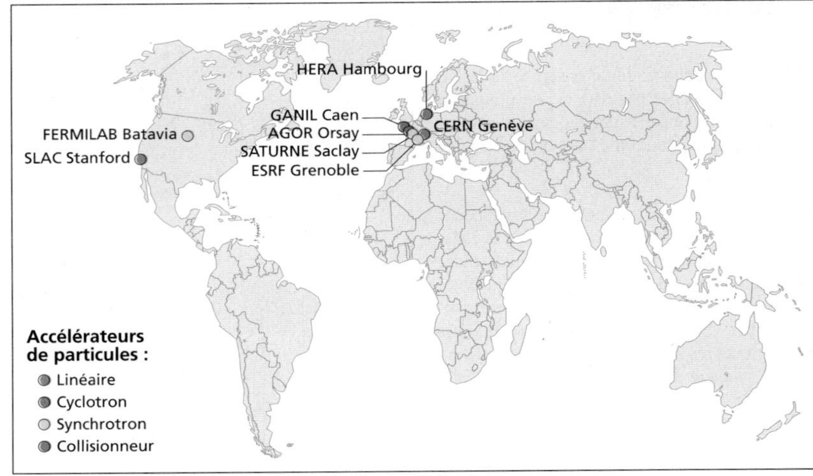

◆ **Le monde des hautes énergies.**
La progression des connaissances fondamentales sur l'état interne de la matrice est paradoxalement liée à l'accroissement des puissances mises en œuvre dans les accélérateurs de particules et dans les collisionneurs. Jusqu'à présent, chaque mise en service d'un appareil plus puissant a rapporté une moisson d'informations nouvelles tout en soulignant les limites théoriques de son ambition.

Les détecteurs de particules

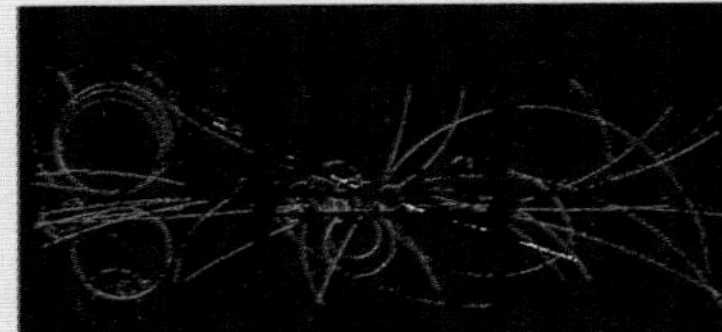

◆ **Voir l'invisible.**
Reproduite sur ordinateur, voici la collision qui a permis d'observer, au Cern, en 1983, la première désintégration d'un boson Z^0. Cette particule ne laisse pas de trace dans le détecteur, mais l'électron et le positron auxquels elle donne naissance produisent deux traces jaunes s'éloignant dans deux directions opposées.

Les détecteurs de particules furent les premiers appareils permettant d'appréhender les phénomènes se déroulant au niveau des particules élémentaires, en matérialisant leurs trajectoires à notre niveau macroscopique. Le précurseur fut le Britannique Charles Wilson qui découvrit que ces particules élémentaires, alors indétectables, provoquaient une condensation visible sous forme de chapelets de gouttelettes dans des chambres emplies de vapeur d'eau sursaturée. Le dernier inventeur connu en ce domaine est le Français Georges Charpak, avec sa chambre à fils qui a démultiplié les possibilités des accélérateurs et collisionneurs actuels. Le jury Nobel est très attentif à ces progrès (Wilson, prix Nobel de physique en 1927, et Charpak, en 1992).

◆ **Le « seigneur des anneaux ».**
Une portion du LEP, accélérateur circulaire de 27 km de circonférence, montre les aimants qui maintiennent les particules sur leur trajectoire.

◆ **Le détecteur UA1 de l'accélérateur SPS du Cern.**
Ce gigantesque cerveau électronique sert à déterminer les caractéristiques des particules intervenant dans les collisions. Il mesure l'énergie, la vitesse et la direction de particules extrêmement fugitives issues des collisions proton-antiproton à haute énergie.

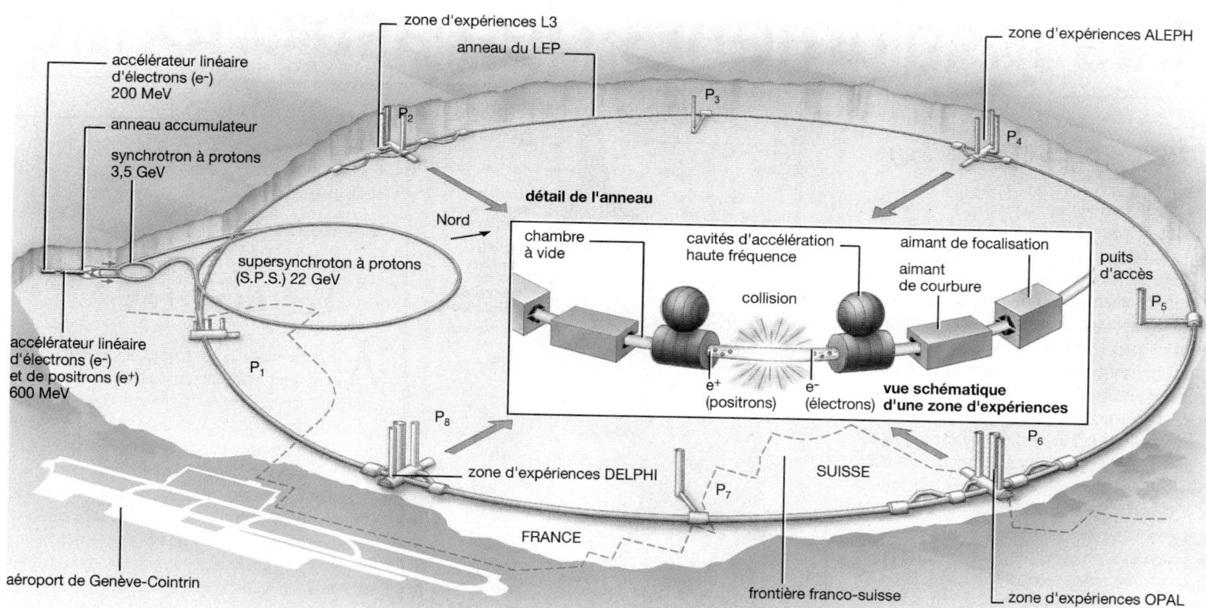

◆ **Les installations du Cern organisées autour du LEP.**
Le LEP (Large Electron Positron Collider), en service depuis 1989 à la frontière franco-suisse, près de Genève, restera, au moins jusqu'à la fin du xxe siècle, le plus grand accélérateur du monde. Il est destiné à étudier les particules de très haute énergie produites lors des collisions entre un faisceau d'électrons et un faisceau de positrons tournant en sens inverse. Situé dans un tunnel circulaire (long de 26,7 km et de 3,8 m de diamètre), l'anneau de section rectangulaire (5 cm × 20 cm) est enterré à une profondeur variant entre 50 et 175 m. Il est ceinturé par 3368 aimants de courbure, 1300 aimants de focalisation et 128 cavités d'accélération de haute fréquence qui fournissent 400 millions de volts de tension accélératrice par tour. En quatre points, le tunnel s'élargit en salles de 27 m de diamètre et 70 m de long pour recevoir les dispositifs expérimentaux destinés à détecter les particules produites et à déterminer leurs caractéristiques.

Les tokamaks

Ce sont les plus connus des appareils expérimentaux qui cherchent à amorcer et à contrôler des réactions de fusion entre deux noyaux d'éléments légers. Ces réactions concernent l'hydrogène et ses deux isotopes, le deutérium et le tritium ; elles nécessitent des énergies d'activation différentes, mais qui correspondent toutes à des températures de plusieurs centaines de millions de degrés, équivalentes à celles qui règnent dans les étoiles.

Sur Terre, la seule réaction de fusion possible est celle du deutérium-tritium, aboutissant à l'hélium, qui nécessite la plus faible des énergies d'activation, de l'ordre de 100 à 200 millions de degrés. Le deutérium est très abondant dans la nature. En revanche, le tritium n'existant pratiquement pas sur Terre, il est produit par bombardement neutronique de lithium, élément naturel assez répandu.

Cette réaction deutérium-tritium est déclenchée dans les bombes thermonucléaires, en utilisant une bombe atomique à fission comme amorce. Mais le contrôle industriel d'une telle réaction est très difficile à assurer, car aucune enveloppe matérielle ne peut contenir un plasma porté à de si hautes températures. On tente donc de confiner magnétiquement ce plasma. Pour cela, les tokamaks produisent un champ magnétique très intense en forme de tore. Faisant circuler à grande vitesse sur des trajectoires circulaires les atomes de deutérium et de tritium, préalablement ionisés, ils peuvent ainsi les porter à 200 millions de degrés environ. De brèves réactions de fusion ont ainsi été obtenues.

Aucun appareil n'a réussi, jusqu'à présent, à maintenir une durée de confinement supérieure à 2 min, et l'obtention d'une réaction continue auto-entretenue, associée à un dispositif pratique de captation de l'énergie produite, ne semble pas être pour demain.

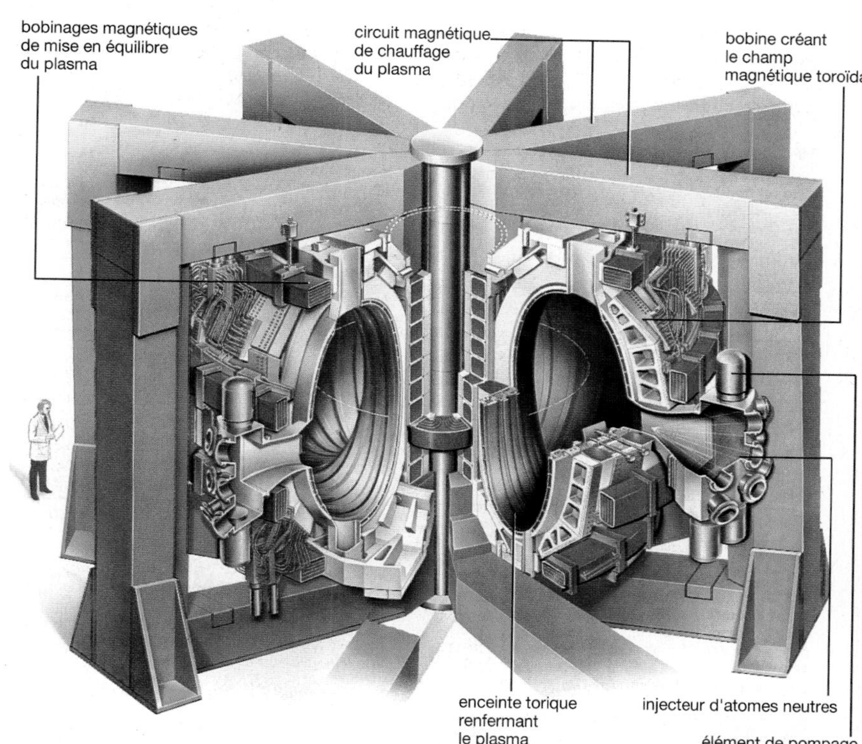

◆ **JET (Joint European Torus) de Culham (Grande-Bretagne).**
Le JET, en service depuis 1983, est un appareil à confinement magnétique du plasma du type tokamak. Il a été réalisé en vue de créer et de confiner un plasma (gaz de particules chargées) d'ions d'hydrogène et de deutérium, et d'électrons, dans les conditions physiques requises pour produire de l'énergie thermonucléaire par la réaction deutérium-tritium. Il comporte une chambre à vide en forme de tore, dont le grand rayon est d'environ 3 m, où la température moyenne du plasma atteint 100 millions de degrés, sa densité moyenne (nombre de particules par unité de volume), 9 à 15 · 10^{19} m^{-3}, et le temps de confinement, 1,2 à 2 s.

Les instruments de l'astronomie

Les télescopes

Comme collecteur de lumière, ils utilisent un miroir dépourvu de toute aberration chromatique, qui, s'il est parabolique, donne en son foyer une image de l'astre sur lequel il est pointé, dépourvue de toute aberration géométrique. En observation photographique, ils permettent de s'écarter largement de part et d'autre du spectre visible. Ces miroirs ont longtemps été monolithiques, en verre très épais métallisé (Mont Palomar, en Californie : 5 m de diamètre ; Zelentchouk, en Russie : 6 m). De petites déformations, essentiellement d'origine thermique, limitent leurs performances. Les télescopes d'après-guerre ont été équipés de miroirs composites, dont la convergence des divers éléments était contrôlée par des servomoteurs.

Les télescopes contemporains sont équipés de miroirs monolithiques minces, en verre de silice ou en vitrocéramique, dont la forme est corrigée en permanence par de nombreux servomoteurs (optique dite « adaptative ») permettant de compenser les déformations d'origine mécanique et thermique ainsi que les effets perturbateurs des turbulences atmosphériques. Le premier des quatre miroirs de 8,2 m de diamètre du Very Large Telescope européen au Chili, mis en service en 1998, est remarquablement performant. En 2003, le VLT associera quatre télescopes identiques, couplés par interférométrie optique, et sera alors l'instrument le plus puissant du monde, doté d'un pouvoir séparateur exceptionnel.

Les télescopes terrestres sont toutefois concurrencés par les télescopes satellitaires (tel Hubble, lancé en 1990 et doté d'un miroir de 2,4 m de diamètre, qui, malgré leur taille réduite, ont un pouvoir séparateur exceptionnel en raison de l'absence de perturbations atmosphériques.

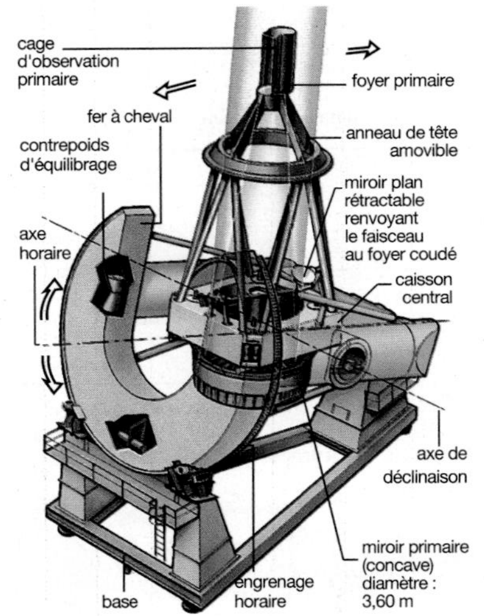

◆ **Le Télescope franco-canadien d'Hawaii** (CFH), implanté sur le Mauna Kea. Il est doté d'une monture équatoriale en fer à cheval. Son miroir primaire a 3,60 m de diamètre.

Les radiotélescopes captent les ondes hertziennes, dans la bande de 0,7 à 30 m de longueur d'onde. Les collecteurs d'ondes peuvent être de grands miroirs métalliques légers, pointés vers la source, ou des aériens fixes à éléments multiples, de diamètre équivalent plus important, mais qui sont moins directifs. Les radiotélescopes sont associables par interférométrie et il est possible de les écarter considérablement les uns des autres. En 1998, un réseau de 10 radiotélescopes de 25 m était en cours d'installation sur l'ensemble du continent américain, Hawaii et les îles Vierges.

Les lunettes

À la différence des télescopes, les lunettes astronomiques utilisent un collecteur de lumière constitué par une grande lentille convergente (en réalité un doublet de deux lentilles d'indices différents, qui corrige les aberrations chromatiques). Ce collecteur, ou objectif, forme une image primaire qui est observée à travers un oculaire ou photographiée. L'impossibilité de couler des lentilles homogènes de plus d'un mètre de diamètre environ limite aujourd'hui l'emploi des lunettes aux observations d'amateurs et à quelques usages spécialisés.

◆ **La lunette de l'observatoire de Yerkes (É-U.).** C'est la plus grande lunette du monde (1,02 m de diamètre).

◆ **Les six plus grands télescopes du monde.**

Site (et nom) de l'observatoire	Diamètre du miroir ou diamètre équivalant du système (m)	Appartenance	Année de mise en service	Nom du télescope
Cerro paranal (Chili) 2 640 m	16 (4 x 8,2)	ESO (European Southern Observatory)	1999/2003	VLT
Mauna Kea (Hawaii, É.U.) 4 150 m	10	Université de Californie et Caltech	1992	Télescopes Keck
Zelentchouk (mont Pastoukhov, Caucase, Russie) 2 070 m	6,00	Académie des sciences de Russie	1976	Bolchoï Teleskop Azimoutalny (BTA)
Mont Palomar (Californie, É.-U.) 1 706 m	5,08	É.-U.	1948	Hale
Mont Hopkins (Arizona, É.-U.) 2 600 m	4,60 (6 x 1,8)	Smithsonian Institution	1979	Multiple Mirror Telescope (MMT)
La Palma (Canaries, Espagne) 2 300 m	4,20	G.-B.	1988	William Herschel

◆ **Le Very Large Array (VLA).** Grand ensemble de radiotélescopes rapprochés travaillant ensemble par interférométrie. Ceux-ci sont disposés en V très fermé, dont les branches ont environ 20 km de long. Le VLA a conforté l'idée que l'on pouvait créer un réseau interférométrique transocéanique.

◆ **Radiotélescope.** L'élément le plus spectaculaire d'un radiotélescope est l'antenne qui collecte les ondes radioélectriques. C'est souvent un réflecteur parabolique orientable. Ses dimensions peuvent atteindre plusieurs dizaines de mètres.

réflecteur principal
bouclier annulaire
contrepoids
foyer secondaire
foyer primaire
1re cabine focale
réflecteur secondaire
rail de guidage
2e cabine focale
ascenseur
cabine de commande

◆ **Montures des télescopes.** Leur pointage s'effectue par pivotement autour de deux axes perpendiculaires. Les temps de pause, souvent très longs, des observations photographiques et instrumentales imposent qu'un pointage initial soit ensuite maintenu automatiquement. Autrefois, la seule solution était de recourir aux montures équatoriales, dont l'un des axes était parallèle à celui de la Terre. Il suffisait de faire commander la rotation de la monture autour de cet axe par une horloge pour maintenir le pointage initial. Les progrès de l'informatique permettent actuellement l'usage de montures altazimutales (un axe vertical et un axe horizontal), plus simples, plus stables et plus légères, mais qui imposent l'usage d'un calculateur complexe commandant en permanence et simultanément les servomoteurs de pointage en gisement et en site.

monture altazimutale

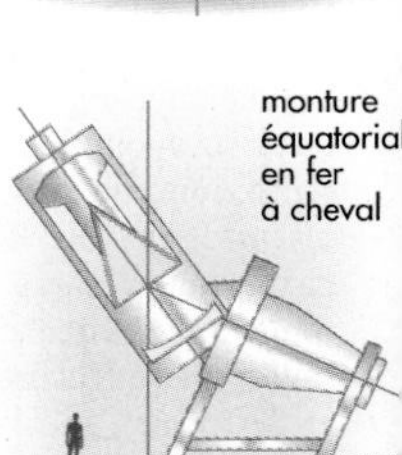

VOIR AUSSI
Illustrations
• **VLT** p. 317

Stations orbitales et satellites

Les stations orbitales

Les stations orbitales sont de grands édifices constitués par l'assemblage d'éléments satellisés successivement. Véritables laboratoires ouverts à des programmes de recherche très divers, elles sont habitées, parfois de façon prolongée, pendant chaque campagne d'expérimentation.

L'URSS commença, en 1986, l'édification de la station orbitale Mir, achevée en 1988. Desservie par les satellites habités Soyouz TM et les satellites cargos automatiques Progress, elle a largement dépassé sa durée de vie prévue et doit être abandonnée pour des raisons de sécurité. En 1998, un nouveau programme de construction d'une station orbitale internationale a été entrepris par la NASA, programme qui utilise, comme engin de transport et d'assemblage des éléments, sa navette spatiale (Endeavour). Ce programme récupère les éléments essentiels de l'ancien programme soviétique et les complétera par d'autres éléments. À la fin de 1998, les deux premiers éléments : Zarya (le plus gros), suivi d'Unity, ont été satellisés puis assemblés. Le coût final de la station est estimé à plus de 20 milliards de dollars, plus les 100 milliards qui seront dépensés dans les lancements successifs de navettes nécessaires à sa réalisation.

Les satellites

Propulsés par des lanceurs spatiaux, ce sont des engins de dimensions réduites, totalement assemblés au sol et mis en l'état sur leur orbite définitive, ou sur une orbite de transfert, d'où ils passent sur orbite définitive grâce à de petites fusées intégrées. Il ne reste plus alors qu'à déployer leurs panneaux solaires, constituant une source d'énergie photovoltaïque, puis à ajuster leur orientation grâce à des micro-fusées de positionnement.

Nombre de satellites ne sont plus des outils de recherche scientifique, mais des engins techniques d'exploitation courante : radiocommunication, positionnement des avions, des navires et des plates-formes flottantes, surveillance météo, contrôle de l'hydrologie et de la végétation, renseignements militaires, etc. Ils sont alors inhabités. De très nombreux relais satellites de communication (téléphone et télévision) sont géostationnaires, de telle sorte que leurs signaux peuvent être reçus ou desservis sur tous les sites terrestres qui ne sont pas trop proches des pôles, grâce à des antennes paraboliques fixes, de réception ou d'émission. Les satellites de recherche sont automatiques ou habités. Certains satellites habités ont pour fonction de renouveler les équipages des stations orbitales et de les ravitailler. Les principaux pays lanceurs ont lancé un nombre stupéfiant de satellites, sans se préoccuper généralement de leur sortie d'orbite. Des études font état de 30 000 objets satellisés et de quelque 35 millions de déchets orbitaux qui, même petits, sont dangereux.

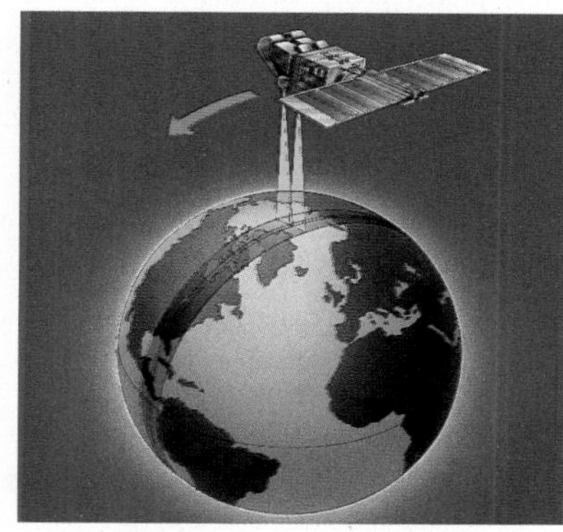

VOIR AUSSI • **Satellites, sondes, capsules** p. 24

◆ **Satellite SPOT** (Satellite pour l'observation de la Terre). Dans le cadre du programme français SPOT, 4 satellites ont été lancés de Kourou en 1986, 1990, 1993 et 1998. Caractéristiques : 700 kg environ, espérance de vie 12 ans, équipement de base constitué par 2 télescopes ayant un pouvoir séparateur au sol de 20 m en couleur et de 10 m en noir et blanc, possibilité de cartographie stéréoscopique, orbites quasi polaires ou polaires héliosynchrones. Un second programme SPOT, plus performant, est prévu à partir de 2003.

◆ **La station intercontinentale Alpha,** en cours de réalisation, sera plus grande, plus performante et plus confortable que la station russe MIR (dont la désaffection définitive rapide est prévue). Son assemblage par la NASA a commencé à la fin de 1998. L'Europe fournira l'un des deux modules laboratoires principaux.

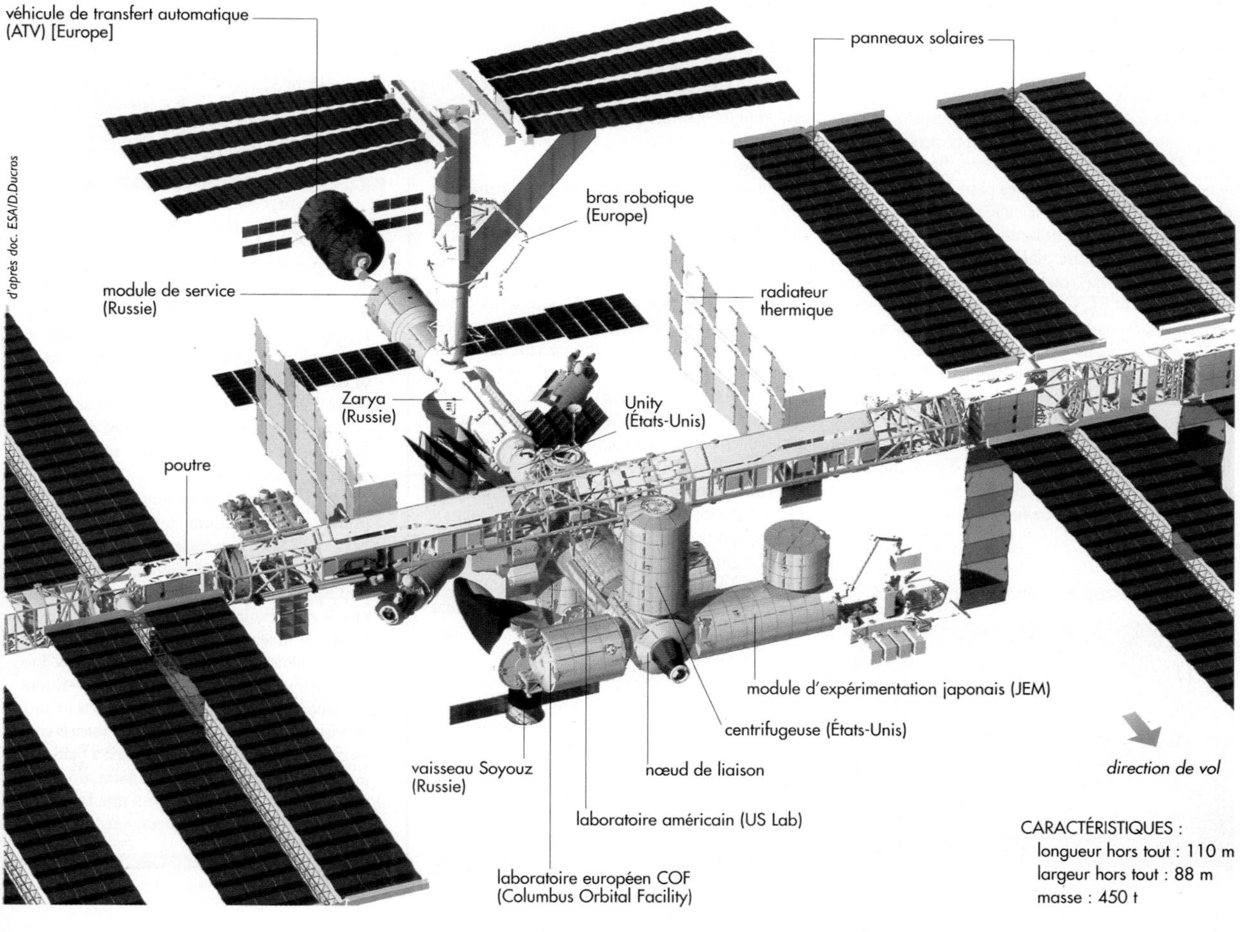

véhicule de transfert automatique (ATV) [Europe]
panneaux solaires
bras robotique (Europe)
module de service (Russie)
radiateur thermique
Zarya (Russie)
Unity (États-Unis)
poutre
module d'expérimentation japonais (JEM)
centrifugeuse (États-Unis)
vaisseau Soyouz (Russie)
nœud de liaison
direction de vol
laboratoire américain (US Lab)
laboratoire européen COF (Columbus Orbital Facility)

d'après doc. ESA/D.Ducros

CARACTÉRISTIQUES :
longueur hors tout : 110 m
largeur hors tout : 88 m
masse : 450 t

Ordinateurs et réseaux

Les circuits électroniques

Ces circuits permettent aux ordinateurs de fonctionner en utilisant les propriétés des semi-conducteurs, qui ne laissent passer le courant que dans certaines conditions. L'élément important d'un circuit électronique est le transistor, qui comporte un émetteur, un collecteur et une base.

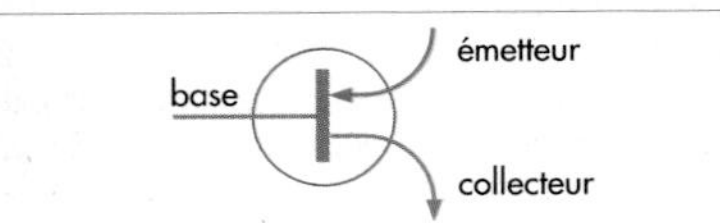

Si la base est à potentiel positif, le transistor est dit « passant » : un courant arrivant par l'émetteur sera reçu en sortie par le collecteur. Si la base est à potentiel négatif, le transistor est dit « bloqué » (isolant). Le potentiel alimentant la base joue donc le rôle de commande pour laisser passer ou non le courant de l'émetteur au collecteur. Ce dispositif simple permet de réaliser les microprocesseurs les plus complexes.

Aujourd'hui, les transistors sont intégrés sur des plaques de silicium par des procédés proches du développement photographique ou de la sérigraphie. La plaque de silicium monocristallin est recouverte d'oxyde de silicium, puis d'une résine protectrice photosensible. Elle est ensuite exposée aux rayons ultraviolets selon un masque qui correspond au dessin du circuit, puis un bain chimique dissout l'oxyde des régions non exposées. Un canon électronique injecte sous les surfaces de silicium ainsi dégagées divers ions qui vont donner aux différentes zones les propriétés électriques qui en feront un élément du circuit. Pour finir, les éléments du circuit sont reliés par des traces métalliques (aluminium ou cuivre) déposées par évaporation sous vide. Le détail le plus fin mesure 0,5 µm, ce qui permet de placer plusieurs millions de transistors sur une plaquette de quelques millimètres carrés.

Avec des transistors interconnectés, on peut construire des circuits logiques pour accomplir les opérations de l'algèbre booléenne, inventée au XIXe s. par le mathématicien britannique George Boole. Les variables de cette algèbre peuvent prendre deux valeurs, VRAI (1) ou FAUX (0), et les opérations principales sont ET, OU et NON. Ces circuits élémentaires sont combinés pour former les instructions de base du microprocesseur (addition, multiplication, etc.). La réalisation électronique des opérations booléennes permet de constituer sur un seul circuit un ordinateur universel. Pour obtenir un ordinateur utilisable par tout le monde, il suffit alors d'enficher ce circuit sur une carte mère, d'y ajouter de la mémoire et quelques circuits annexes pour connecter écran, disque, clavier et souris.

◆ **Vue microscopique d'un circuit intégré.**

Fonctionnement de l'ordinateur

L'ordinateur est un automate de traitement de l'information doté de trois propriétés :
– programmable : il est capable en cours de traitement de choisir l'opération suivante en fonction du résultat des précédentes, selon le programme qui lui aura été donné ;
– automatique : il exécute les traitements sans intervention humaine ;
– universel : il traite les algorithmes, et tous les ordinateurs sont équivalents.

Les circuits électroniques de l'ordinateur stockent les informations et simulent électriquement les fonctions numériques et logiques nécessaires au traitement des données. Les informations sont définies par l'état électrique des éléments du circuit qui leur servent de support. La codification des informations repose sur la représentation particulière de l'ordinateur, le code binaire, c'est-à-dire un code à deux signes notés conventionnellement 0 et 1. Cette notation binaire est celle du système de numération de base 2.

En 1945, John von Neumann a défini la structure d'une machine automatique de traitement de l'information à programme enregistré. Hormis la taille ou le nombre des éléments, les ordinateurs modernes correspondent à l'architecture de von Neumann.

La mémoire est constituée de « mots », chacun contenant une instruction ou un élément de donnée ; le numéro d'ordre d'un mot dans la mémoire est appelé « adresse ». Une suite d'instructions constitue un programme. L'unité centrale est composée de circuits qui exécutent les instructions. Pour ce faire, l'unité de contrôle extrait de la mémoire la prochaine instruction du programme, utilise les adresses qui y sont mentionnées pour aller chercher les données qui vont faire l'objet du traitement, puis passe le contrôle aux circuits de l'instruction concernée. L'ordinateur de von Neumann exécute une seule instruction à la fois.

Le résultat d'une instruction est placé dans l'accumulateur A. Une instruction permet de copier dans un mot de la mémoire la valeur contenue dans l'accumulateur A en remplaçant le contenu précédent de ce mot. Inversement, une instruction permet de charger le contenu d'un mot de la mémoire dans l'accumulateur.

Le flot séquentiel d'exécution d'une instruction à la suivante peut être interrompu par une instruction de branchement qui donnera l'adresse du « mot mémoire » contenant la prochaine instruction à exécuter. Le branchement peut être conditionnel, auquel cas il dépend du résultat du calcul précédent. Les instructions de branchement permettent l'exécution répétitive de séquences d'instructions, le nombre de répétitions étant soit fixé à l'avance, soit dépendant du résultat des calculs. C'est cette possibilité qui confère sa puissance à l'ordinateur.

L'informatique de gestion

Conçus initialement pour le calcul, les ordinateurs vont peu à peu se révéler très utiles dans la gestion des entreprises. Les fabricants de machines mécaniques et comptables, comme IBM, Bull ou NCR, mettent au point des machines électroniques dont la puissance de calcul permet d'accélérer le traitement des données, et pouvant être programmées.

L'originalité de la gestion par rapport au calcul, c'est que les données, qui sont aussi importantes que le traitement, doivent être organisées, conservées et sauvegardées. Aussi, les besoins de l'informatique de gestion ont-ils été à l'origine des progrès réalisés dans les domaines des disques et autres supports magnétiques et des systèmes de gestion de bases de données.

L'armée américaine, qui est le plus gros consommateur d'informatique, confie à Grace Hopper l'élaboration d'un langage de programmation adapté à la gestion (le cobol), auquel la facilité d'utilisation a assuré un grand succès.

Sans l'informatique, l'administration fiscale française n'aurait jamais pu faire passer en trente ans le nombre de contribuables de trois à quinze millions, et la généralisation du paiement par chèque, puis par carte bancaire aurait été impossible.

◆ **Structure interne d'un ordinateur.**

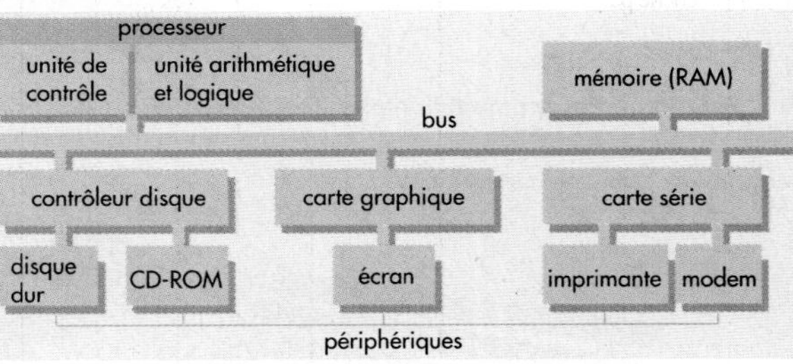

Apple, un cas à part

Le premier micro-ordinateur Apple a été construit en 1976, dans un garage, par les Américains Steve Wozniak et Steve Jobs. L'Apple II (1977) innove surtout par sa mémoire vidéo commandée par le processeur et couplée à l'écran – un trait conservé par les micro-ordinateurs actuels – et sera à ce titre un fait marquant de l'histoire de l'informatique : l'ordinateur entre progressivement dans les foyers.
Avec l'invention du tableur en 1979, les utilisateurs deviennent encore plus nombreux : IBM s'y intéresse et lance en 1981 le PC (personal computer), largement inspiré de l'Apple II. Pour riposter, Apple met trois ans à concevoir une machine révolutionnaire : le Macintosh, dont l'interface utilisateur demeure inégalée à la fin du XXe s. Les innovations du Macintosh, qui proviennent du laboratoire de Xerox, comportent une souris et un écran où s'affiche un bureau symbolisé par des icônes. En cliquant à l'aide de la souris sur l'icône d'un document, on ouvre une « fenêtre » qui ressemble à une feuille de papier avec le texte du document.

Aujourd'hui, l'informatique de gestion entreprend non sans peine de tirer parti du bas prix des micro-ordinateurs, mais se heurte au coût induit élevé de leur utilisation (les employés perdent beaucoup de temps) et à la perte d'organisation causée par une décentralisation incontrôlée des données.

L'Internet

L'Internet, né comme un réseau d'ordinateurs, est plutôt aujourd'hui un réseau de réseaux qui permet une communication informatique mondiale. De multiples réseaux de par le monde communiquent entre eux grâce à la définition d'un langage commun (le protocole IP, *Internet Protocol),* d'un système d'adresses uniques (les adresses IP), de conventions de nommage (le système de noms de domaines DNS) et d'accords d'interconnexion entre opérateurs de réseaux à l'échelle planétaire. Le fonctionnement correct doit beaucoup à la simplicité des solutions retenues, les systèmes de réseaux autres que ceux de l'Internet étant beaucoup plus complexes et plus difficiles à mettre en œuvre.

Le courrier électronique, qui consiste à acheminer un message de nœud en nœud dans le réseau jusqu'à un ordinateur serveur de messagerie pour le destinataire, a été le premier usage de l'Internet. Ce système combine la rapidité et l'absence de support matériel du téléphone, les possibilités de lecture et de réexpédition différées du courrier, avec des avantages propres : diffusion à des destinataires multiples, traitement informatique ultérieur du message.

L'engouement du grand public pour l'Internet a été déclenché par le World Wide Web (WWW) qui permet de « naviguer » sur le réseau sans nécessiter de grandes compétences techniques. Les logiciels d'accès au WWW, appelés « navigateurs » ou « butineurs », proposent des méthodes d'accès aux données sous une interface graphique unique qui dispense les utilisateurs de se rappeler les modes d'emploi souvent abscons des applications traditionnelles.

Autre facteur de succès du WWW : l'utilisateur désigne, d'une façon simple, les documents qu'il veut atteindre par un URL de la forme bien connue http://www.monsite.fr, qu'ils soient sur la même machine ou à l'autre bout du monde.

Depuis les débuts du WWW en 1993, le succès est spectaculaire, ce qui tient à l'aspect universel et ouvert de l'Internet : dès qu'on est abonné à un opérateur pour une somme modique, on est en relation directe avec tous les autres usagers du réseau. L'Internet offre un exemple unique d'infrastructure de communication à l'échelle planétaire dont la réalisation n'aura été entreprise ni par des gouvernements d'États puissants, ni par de grandes entreprises industrielles et commerciales.

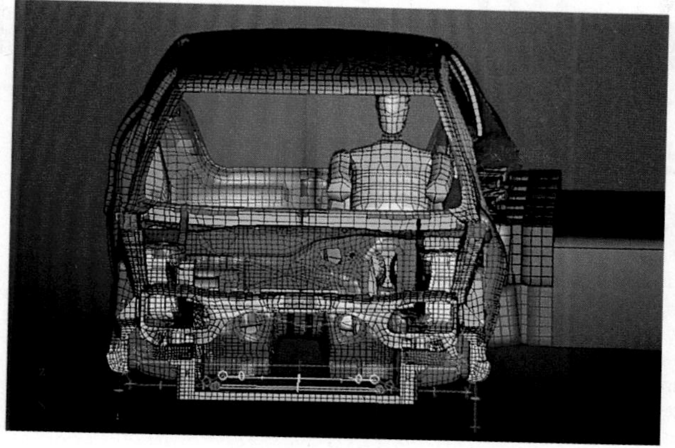

◆ **Station de travail en conception assistée par ordinateur (CAO).** Cette représentation maillée de la structure d'une voiture et de son passager permet aux ingénieurs de simuler des hypothèses qui, sans l'informatique, demanderaient la construction de coûteuses maquettes.

Le multimédia

On désigne par « multimédia » les nouveaux types de documents, essentiellement informatiques, qui exploitent les capacités de l'ordinateur à traiter les textes, les sons et les images fixes ou animées. Lorsque les images et les sons sont enregistrés dans le monde réel ou synthétisés par l'ordinateur, on parle de « réalité virtuelle ».
Les documents multimédias peuvent être fournis sur un support matériel tel qu'un CD-ROM ou consultés sur l'Internet au moyen d'un navigateur. Un tel document peut comporter des références à d'autres documents activables par le logiciel, on parlera alors d'« hypertexte » ou d'« hypermédia ». Il peut aussi comporter des logiciels activables depuis l'ordinateur du lecteur, c'est un programme mobile, réalisé grâce à un langage tel que java.
Le multimédia est utilisé pour l'enseignement, les jeux, les encyclopédies, la documentation technique, la presse.

Image, son et ordinateur

Dans le domaine de la production d'images et de sons, l'ordinateur ne s'est imposé qu'après l'apparition de processeurs assez rapides et de mémoires de grande capacité. En effet, les images et les sons sont des phénomènes essentiellement continus (variations de longueurs d'ondes lumineuses ou sonores) que l'ordinateur, plus à l'aise pour traiter des quantités discrètes et des nombres entiers, ne peut appréhender que par échantillonnage. L'échantillonnage consiste à enregistrer la valeur du signal ondulatoire à intervalles de temps déteminés. Plus l'intervalle est court, plus l'enregistrement est précis et meilleure sera la reproduction, mais plus importante doit être la capacité de la mémoire.

De nombreuses applications existent pour le traitement des images et des sons : réalisation de CD-ROM éducatifs ou documentaires, enseignement à distance, production cinématographique. Mais ce qui entraîne l'industrie dans ce domaine, ce sont les jeux, pour lesquels les utilisateurs exigent de plus en plus de réalisme visuel et sonore, et donc des matériels de plus en plus puissants. On peut dire que les progrès actuels de l'électronique de pointe en sont la conséquence.

Il ne suffit pas de processeurs spécialisés ultrarapides capables d'assurer une conversion analogique-numérique correcte, il faut aussi des logiciels pour manipuler images et sons. Ce domaine de création est lui aussi en plein essor et dynamise la recherche de pointe.

L'informatique appliquée

Les applications de l'informatique sont nombreuses et accompagnent peu à peu toutes les activités humaines.

Le traitement de l'écrit a été bouleversé, que ce soit dans les imprimeries, où les logiciels de composition et de mise en page ont éliminé la typographie au plomb, ou dans les bureaux et chez les particuliers, où le traitement de texte a remplacé la machine à écrire.

Les instruments de mesure de précision, aujourd'hui tous numériques, sont commandés par des microprocesseurs et des programmes enregistrés en mémoire non modifiable.

Il en va de même pour le pilotage des avions, les machines à laver et les fours à micro-ondes, etc. Le lecteur de disques compacts illustre bien le saut technologique : les platines de lecture de disques 33 tours devaient être dotées d'une mécanique de précision assurant une vitesse de rotation exacte, nécessaire à la qualité du son ; sur une platine CD, c'est le circuit numérique qui assure une émission à vitesse constante, car il corrige les irrégularités de rotation du moteur.

Si l'image de cinéma traditionnelle reste d'une qualité très supérieure à la vidéo et à l'image numérique, toutes les activités de montage et de postproduction sont maintenant assurées à l'aide du marquage électronique des images et de leur traitement par ordinateur. La production industrielle a vu apparaître les ateliers robotisés (peinture, soudure, assemblage, etc.).

Conception et fabrication assistées par ordinateur. Dès que des écrans de qualité suffisante sont apparus, les ordinateurs ont remplacé les tables à dessin des ingénieurs. Le dessin industriel traditionnel a été éliminé par les logiciels de conception assistée par ordinateur (CAO), capables d'offrir une grande qualité d'exécution. Le logiciel peut aussi fournir des bibliothèques d'éléments graphiques répétitifs préenregistrés, des fonctions de calcul de résistance des matériaux et de simulation de déplacements et d'assemblage des pièces. Des logiciels analogues ont aussi bouleversé le métier d'architecte.

Il est vite apparu que le logiciel qui dessine la pièce peut tout aussi bien piloter la machine-outil qui la fabrique. D'où la naissance de la machine-outil à programmation numérique et des ateliers flexibles, pilotés par les logiciels de fabrication assistée par ordinateur (FAO), cousins de ceux de CAO.

La conception et la fabrication des circuits électroniques sont réalisées selon les mêmes principes.

Petit lexique

http (Hypertext Transport Protocol) : les documents accessibles sur WWW sont de l'hypertexte.
hypertexte : texte enrichi de références accessibles directement et automatiquement par leur URL.
URL (Universal Resource Locator) : formule de texte pour désigner et retrouver un document sur l'Internet, qu'il soit sur ordinateur local ou à l'autre bout de la planète. Exemple : http://www.pasteur.fr

VOIR AUSSI
• **Algèbre de Boole** p. 322
• **Informatique** (aspects techniques) p. 354
• **Réseaux informatiques** p. 1128

Radiodiffusion et télévision

La radiodiffusion

Elle transmet uniquement des sons, presque toujours par voie hertzienne classique, entre quelques stations d'émission et une multitude de récepteurs pouvant se brancher sur l'émetteur de leur choix.

Fonctionnement. Les courants alternatifs à haute fréquence présentent la propriété de pouvoir être émis dans l'espace par des antennes, sous forme d'ondes électromagnétiques. Une infime fraction de l'énergie diffusée par les émetteurs est captée par les antennes des récepteurs. L'information sonore, ou signal audio, est obtenue, grâce à des microphones, sous forme d'une vibration électrique analogique qui reproduit les vibrations sonores elles-mêmes et qui sert à moduler l'amplitude, la fréquence ou la phase de l'onde à haute fréquence, appelée « onde porteuse ». Chaque récepteur ajuste la fréquence de résonance d'un circuit oscillant, solidaire de son antenne, sur la fréquence de la porteuse choisie et traite le signal recueilli en le démodulant et en l'amplifiant. Le signal analogique initial est ainsi reconstitué et se transforme en sons audibles grâce à des écouteurs ou à des haut-parleurs.

Les fréquences. Une émission radio occupe une plage de fréquence, appelée « bande passante », de part et d'autre de la fréquence porteuse, dont la largeur est égale au double de la fréquence sonore la plus aiguë qui doit être transmise. Une réglementation nationale et internationale définit les grands intervalles de fréquences utilisables par les émetteurs de radiodiffusion, qui ne doivent pas interférer avec les radiocommunications de l'aviation civile, des forces armées, des forces de l'ordre, de la marine, des émetteurs de télévision, etc. En Europe, trois grands intervalles de fréquences sont ouverts aux radiocommunications par modulation d'amplitude (AM) : les grandes ondes, qui permettent de longues portées grâce à leur aptitude à suivre la courbure terrestre par diffusion sur les reliefs ; les ondes moyennes, qui tombent en désuétude ; les ondes courtes, encore utilisées pour les liaisons à grande distance par réflexion sur l'ionosphère. Mais le renouveau de la radio moderne, principalement à bord des automobiles, est lié à la modulation de fréquence (FM). Bien moins sensible aux parasites atmosphériques que la modulation d'amplitude, elle bénéficie d'une vaste plage à très haute fréquence où les bandes passantes des émetteurs peuvent présenter une largeur suffisante pour assurer une transmission à haute-fidélité, généralement stéréophonique (les alternances positives et négatives du signal audio sont modulées séparément par des microphones indépendants). Les porteuses à très hautes fréquences ne se propagent qu'à peu près en ligne droite vers des récepteurs qui se trouvent dans l'horizon optique des antennes émettrices. La radiodiffusion classique n'utilise pratiquement pas la modulation numérique ni la transmission par satellites ou par câbles, réservées à la transmission des signaux audio et vidéo de la télévision.

La télévision actuelle

Elle transmet des images en couleurs et des sons par voie hertzienne (directe ou par relais satellite), par câble ou par combinaison de ces moyens. Seules certaines installations de télésurveillance transmettent, par câble, des images en noir et blanc non accompagnées de sons.

Plusieurs systèmes. Fin 1998, le système de télévision encore dominant, bien que menacé, utilise toujours la transmission hertzienne directe de signaux vidéo modulant une porteuse principale et une sous-porteuse en VHF (très haute fréquence), entre 54 et 216 MHz, formant une image de format 4/3 par balayage horizontal entrelacé (lignes impaires suivies des lignes paires). La porteuse principale transmet un signal Y de luminance globale, comme en noir et blanc, ce qui a facilité le passage progressif à la couleur, les anciens téléviseurs continuant à recevoir ce seul signal Y. La sous-porteuse transmet deux signaux de chrominance R (rouge) et B (bleu), généralement sous la forme Y – R ou Y – B, le signal vert (V) étant rétabli par le récepteur qui calcule Y – (R + B).

Ces signaux sont élaborés par des caméras qui fournissent trois images distinctes R, B, V du sujet, grâce à des miroirs semi-transparents et à des filtres colorés, sur trois plaques photosensibles balayées chacune par un faisceau d'électrons en synchronisme rigoureux avec le balayage des récepteurs, dont les tubes cathodiques comportent trois canons à électrons spécialisés, n'éclairant chacun que des photophores d'une seule couleur grâce à un écran interne (plaque perforée ou grille verticale).

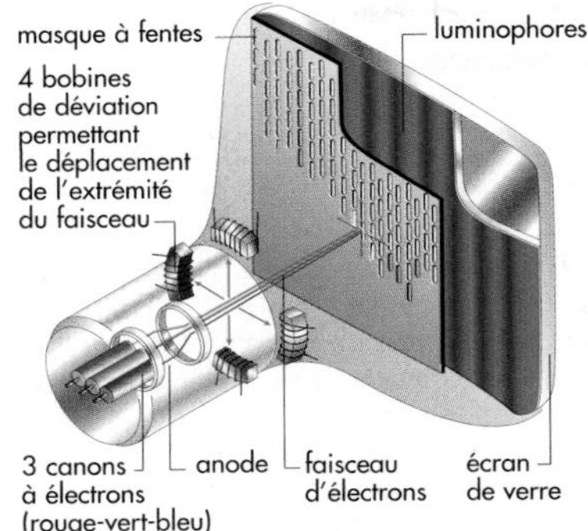

◆ **Fonctionnement d'un écran récepteur.**
La transformation du signal électrique en image lumineuse se fait par synthèse additive dans le tube cathodique composé de luminophores rouges, verts et bleus assez petits pour ne pas être séparés par l'œil. Les signaux primaires R, V, B sont appliqués à 3 canons à électrons projetant leurs faisceaux sur le fond du tube. Un masque percé de trous ou constitué par une grille contraint chaque faisceau à ne toucher que les luminophores qui lui correspondent.

Le système américain NTSC *(National Television System Committee)*, adapté au courant électrique à 60 Hz, transmet 30 images par seconde de 525 lignes chacune, en utilisant une bande passante de 6 MHz. Les deux signaux de chrominance modulent la sous-porteuse respectivement en amplitude et en phase. Ce système présente divers défauts : glissement global de la plage de couleur, d'où le surnom de *Never Twin the Same Color* (« jamais deux fois la même couleur »), interférences internes entre les deux modulations de la sous-porteuse, interférences externes entre les émetteurs voisins. Les systèmes européens Secam (Séquentiel Couleur à Mémoire), d'origine française, et Pal *(Phase Alternative Line)*, d'origine allemande, n'imposent qu'une modulation de sous-porteuse, le premier en fréquence, le second en phase, et transmettent séquentiellement les deux signaux de chrominance dont l'un est mis en mémoire pendant la transmission de l'autre. Ils sont adaptés au courant à 50 Hz et transmettent 25 images par seconde, de 625 lignes chacune, en utilisant une bande passante de 8 MHz. Outre une meilleure définition, ils ne présentent aucun des défauts du NTSC et ont été adaptés, depuis 1995, au format 16/9.

◆ **Émission et propagation des ondes radio.**
Émission et propagation des ondes longues et des ondes moyennes (à gauche) et des ondes courtes (à droite).

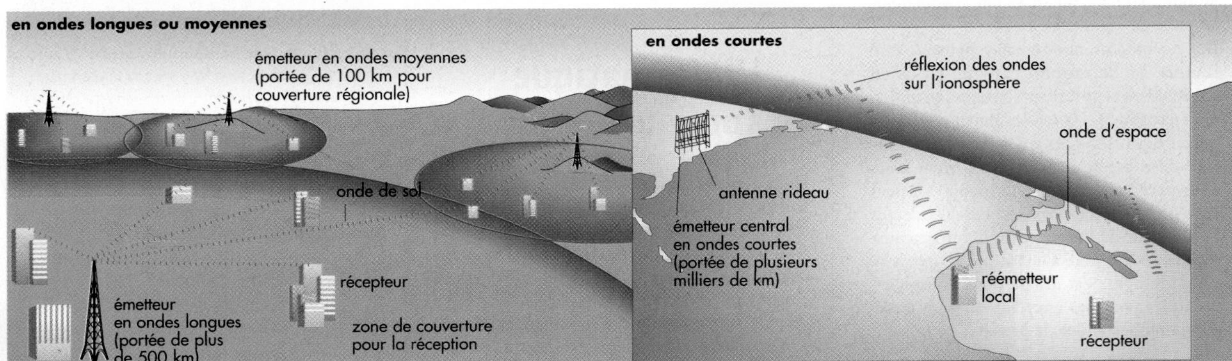

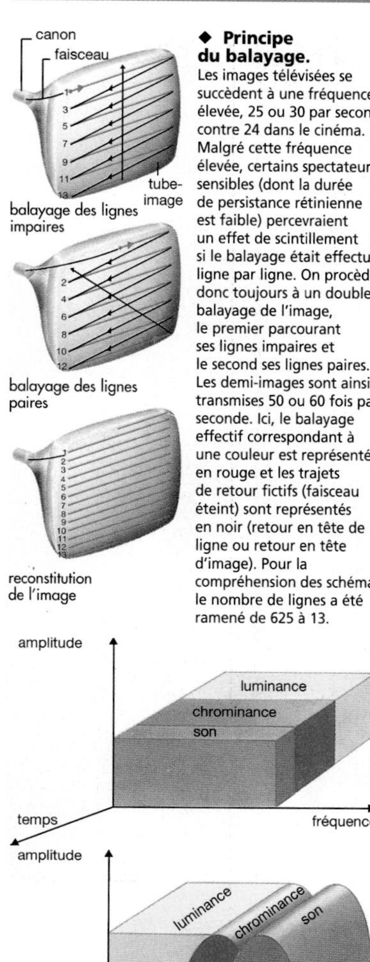

◆ **Principe du balayage.** Les images télévisées se succèdent à une fréquence élevée, 25 ou 30 par seconde, contre 24 dans le cinéma. Malgré cette fréquence élevée, certains spectateurs sensibles (dont la durée de persistance rétinienne est faible) percevraient un effet de scintillement si le balayage était effectué ligne par ligne. On procède donc toujours à un double balayage de l'image, le premier parcourant ses lignes impaires et le second ses lignes paires. Les demi-images sont ainsi transmises 50 ou 60 fois par seconde. Ici, le balayage effectif correspondant à une couleur est représenté en rouge et les trajets de retour fictifs (faisceau éteint) sont représentés en noir (retour en tête de ligne ou retour en tête d'image). Pour la compréhension des schémas, le nombre de lignes a été ramené de 625 à 13.

◆ **Transmission des signaux.** La comparaison du mode de transmission des signaux dans le standard de télévision Pal ou Secam (en haut) et dans le standard de télévision D Mac, D2 Mac ou HD Mac (en bas) fait apparaître que, dans ce dernier, luminance et chrominance sont transmises successivement et ne peuvent donc plus se mélanger. Mais l'image doit faire l'objet d'un traitement numérique avant sa transmission et à la réception.

Petit lexique

télévision haute définition (TVHD) : système de télévision dans lequel le nombre de lignes de balayage horizontal est de l'ordre de 1 000, voire davantage.

télévision numérique : système de télévision dans lequel le codage de toutes les informations vidéo et audio s'effectue sous forme numérique.

L'avenir de la télévision

La télévision de demain pose trois problèmes simultanés mais distincts : généralisation du format 16/9, passage à la modulation numérique, accès à la haute définition (HD). Les Japonais se sont attaqués, dès 1972, à la haute définition avec leur système analogique MUSE qui exigeait une bande passante très large. Par réaction, l'Europe adopta pour les nouvelles chaînes câblées le système analogique D2 MAC (d'origine britannique) à définition normale, en vue de préparer le futur système analogique HD MAC. Mais le développement concomitant aux États-Unis de divers procédés de télévision numérique haute définition a entraîné, en 1998, l'abandon de ces trois systèmes.

Aux États-Unis. La Commission américaine des télécommunications a entrepris l'établissement d'une norme portant simultanément sur la modulation numérique, la haute définition et le passage au format 16/9. Elle a réussi à fédérer sept acteurs majeurs de la spécialité (dont AT & T, Zenith, MIT, Philips Electronic, Thomson Electronics), qui ont accepté d'élaborer un procédé commun. Ce système, dont les premiers émetteurs ont commencé à fonctionner à la fin de 1998, utilise un procédé de codage et de compression numérique audio et vidéo mis au point par un groupe d'experts indépendants, et qui fait l'objet de la norme ISO dite MEPG 2 *(Moving Picture Expert Group)* à cinq canaux audio. La compression numérique est indispensable, car la transmission numérique de la totalité de l'information (après multiplexage de tous les signaux vidéo et audio individuels) exigerait un débit de plus d'1 milliard de bits/s, correspondant à une bande passante six fois plus large que celle du NTSC. Elle est fondée, en vidéo, sur la non-transmission des éléments invariants des images successives ainsi que sur une diminution du niveau de transmission des détails dans les zones à fonds très contrastés, et, en audio, sur le fractionnement de la gamme de fréquences en 32 bandes, et la non-transmission des sons faibles, que l'oreille n'entendait pas, dans les bandes adjacentes à celles qui transmettent des sons intenses. Cette double compression ramène le débit utile à 20 Mbits/s, transmis dans une bande passante de 6 MHz, comme dans le NTSC. La non-compatibilité entre le nouveau procédé haute définition et le NTSC a conduit la Commission à imposer aux chaînes la double émission en NTSC et en haute définition *(Simulcast)*, la haute définition étant située dans la bande UHF (ultra haute fréquence).

En Europe. L'Europe, elle, s'est dotée d'une structure technique et décisionnelle unique, le DVB *(Digital Video Broadcast)*, à laquelle adhèrent plus de deux cents acteurs audiovisuels de toutes les spécialités. Celle-ci est chargée d'établir des normes dans tous les domaines de l'audiovisuel numérique (codage des images et des sons, diffusion par satellite et par câble, diffusion hertzienne classique, interfaces entre studios et entre équipement de studio, etc.). Elle a retenu la même norme MPEG 2 que les États-Unis pour le codage et la compression des images et des sons, mais se démarque de la Commission américaine sur tous les autres points. Sa transmission hertzienne, notamment, est multiporteuse, une technique mise au point par le CCETT français (Centre commun d'études de télédiffusion et de télécommunication) : plus de mille porteuses de fréquences très proches transmettent chacune moins d'un millième du débit total d'informations. Il en résulte une bien meilleure lisibilité de chaque bit dont la durée individuelle passe de quelques nanosecondes (10^{-9} s) à quelques centièmes de microsecondes, une suppression des échos dûs aux obstacles naturels lorsqu'ils se transforment en réémetteurs, une adéquation parfaite aux récepteurs portables ou montés sur véhicules et, surtout, la suppression des interférences avec des émetteurs voisins, même s'ils opèrent sur la même fréquence de base, ce qui permettra de couvrir tout un territoire en n'utilisant qu'une seule fréquence de base par programme.

La norme européenne est également beaucoup plus souple que la norme américaine, car elle ne préjuge ni du format (4/3 ou 16/9), ni du niveau de définition, le flux pouvant varier, suivant les besoins, de 4 Mbits/s (dans des images techniques médiocres) à 34 Mbits/s (la télévision haute définition américaine dispose de 20 M bits/s seulement).

La haute définition incite à accroître de la surface des écrans récepteurs, au-delà des dimensions permises par la capacité de résistance mécanique des tubes cathodiques fonctionnant sous vide. Elle va donc accélérer la mise au point des grands écrans plats, fondés sur d'autres techniques qui – bien qu'étudiées depuis 1992 – n'ont progressé que lentement jusqu'au début de 1999.

◆ **Format d'écran et champ de vision.** Si l'on compare le champ de vision offert par un écran de télévision classique 4/3 et un écran de télévision 16/9 à la distance de visualisation idéale (3 fois la hauteur de l'écran), on constate que l'écran classique n'occupe que 10 % du champ de vision, contre 30 % pour l'écran de télévision 16/9. Ce dernier offre donc un meilleur confort visuel au téléspectateur.

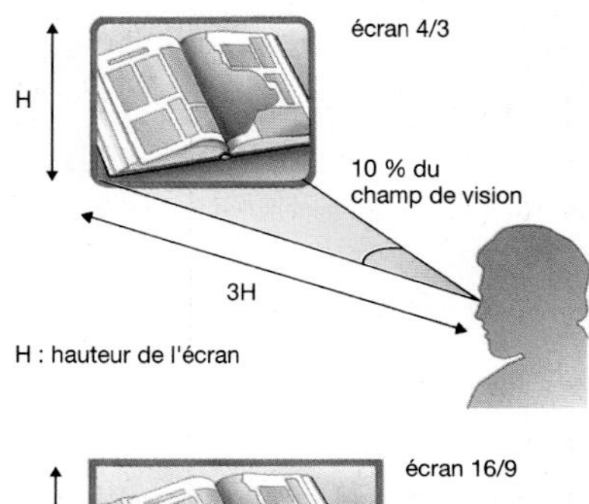

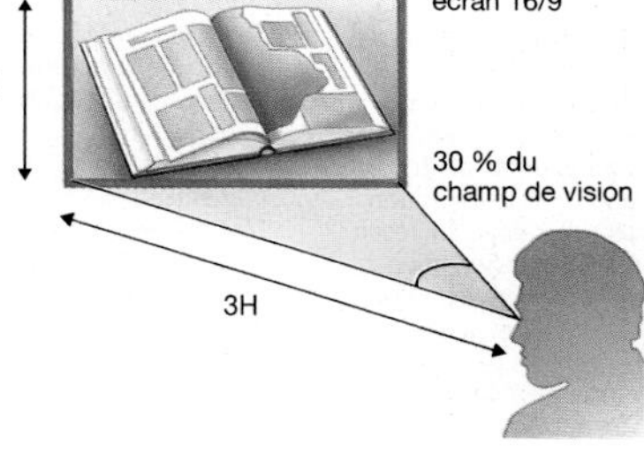

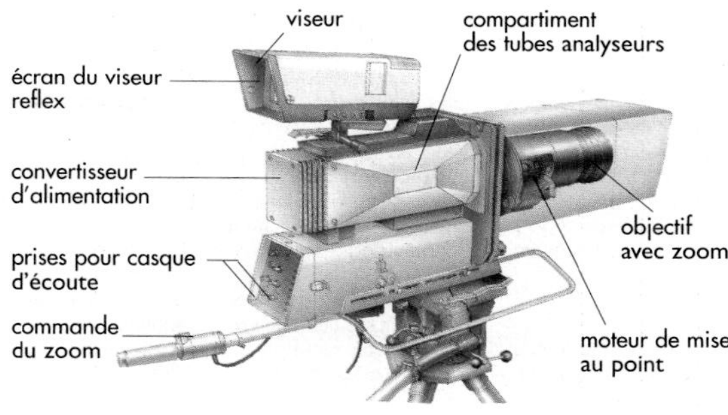

◆ **Caméra de télévision couleurs.** Cette caméra comporte un objectif à focale variable et trois tubes analyseurs indépendants. Le faisceau lumineux provenant de l'objectif est décomposé en trois faisceaux colorés, un vert, un rouge, un bleu, à l'aide de prismes et de filtres de couleur. Chaque faisceau arrive sur un capteur analyseur, qui fournit un signal d'image représentant l'une des trois composantes couleur de l'image.

Les paraboles et le câble

Les Européens en 1999 souhaitent pouvoir accéder à plus de 100 chaînes télévisuelles, même s'ils en regardent habituellement moins de 10 et s'il leur est très difficile d'identifier, sur l'une de ces 100 chaînes, l'émission exceptionnelle qui focaliserait leur intérêt.

Seuls les satellites numérisés sont capables, grâce à la compression, de transmettre de nombreuses chaînes qui, groupées, sont qualifiées en France de « bouquet ». Les satellites géostationnaires permettent la réception des émissions correspondantes grâce à des antennes doublets, situées au foyer d'un miroir parabolique, orienté définitivement en direction du satellite choisi. Pour chaque satellite en mesure d'être reçu, une parabole spécifique est donc nécessaire, sauf dans le cas de deux satellites très proches susceptibles d'être reçus par une seule parabole, qui comporte alors deux doublets légèrement défocalisés.

Les paraboles connaissent un prodigieux succès dans les pays en voie de développement où s'exerce une forte censure, car elles sont jusqu'ici les seules à donner librement accès à l'information. Ainsi, la ville d'Alger a été appelée par ses habitants la ville des paraboles, tandis que l'État iranien a érigé la détention d'une parabole en délit religieux.

VOIR AUSSI
- **Satellites de télécommunications** p. 387
- **Vidéo** p. 395
- **Radios et télévisions** p. 1024

◆ **Relais de télévision de Bayonne-la Rhune.** Un relais est une station intermédiaire d'un faisceau hertzien, comprenant une antenne alimentant un récepteur et un émetteur alimentant une antenne qui émet à nouveau les signaux reçus en leur donnant la puissance et la direction voulues.

En revanche, dans les grands pays industrialisés, un téléspectateur pouvant être desservi par un réseau câblé a généralement intérêt à s'y abonner car sa station de tête reçoit la plupart des bouquets des satellites qui sont dans son horizon et ce, avec une qualité généralement meilleure que les petites paraboles individuelles, plutôt réservées à la campagne et aux lointaines banlieues.

Le format 16/9

Tous les systèmes de télévision ont initialement adopté le format 4/3 qui est celui du cinéma classique (24 x 18 mm). La production d'un nombre croissant de films en cinémaScope a incité les constructeurs à modifier les dimensions de l'écran de télévision. Les contraintes techniques imposées par les tubes à vide ont permis de les rapprocher du format cinémaScope, sans l'atteindre. Ainsi a-t-on abouti au compromis du format 16/9. Les procédés européens Secam et Pal se sont immédiatement adaptés (nombreuses émissions simultanées des grandes chaînes en 4/3 et 16/9). Les Américains doivent attendre le démarrage progressif de leur télévision haute définition pour en bénéficier.

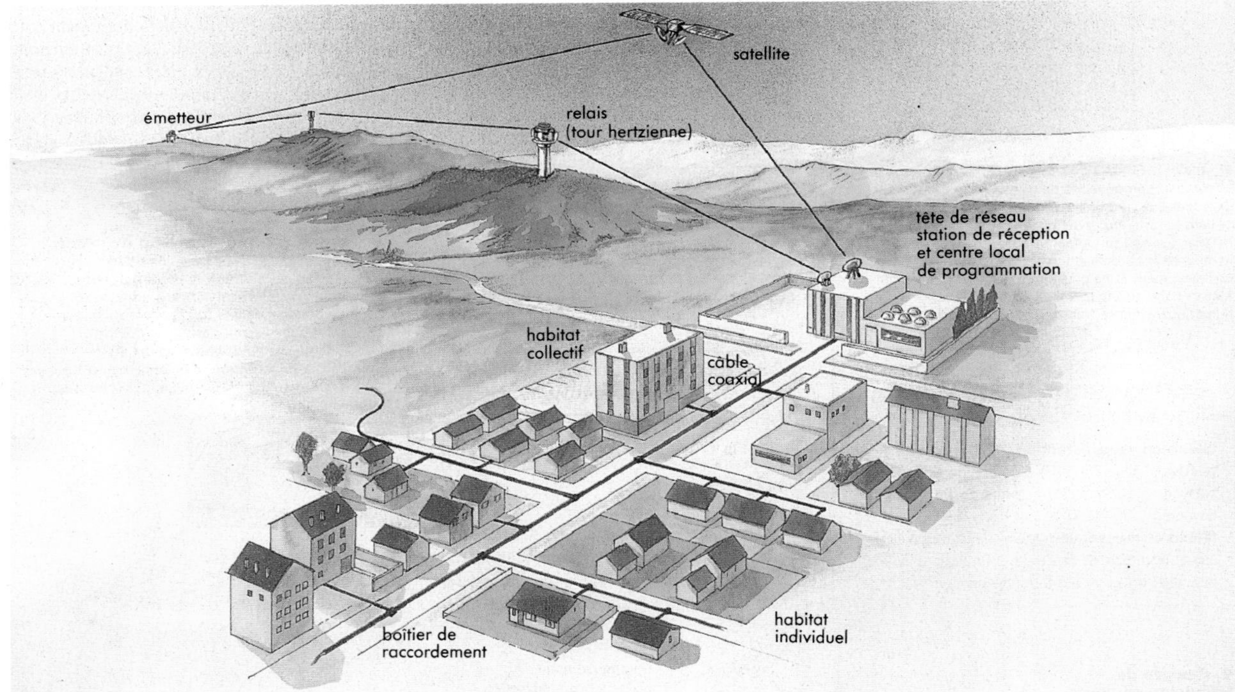

◆ **Un réseau câblé.** Ce réseau dessert les abonnés de toute une région à partir d'une station dotée de deux dispositifs de réception, tête de réseau qui reçoit les signaux (son et images) par voie hertzienne *via* des satellites, mais également par l'intermédiaire de relais terrestres. Un centre local de programmation livre à l'abonné, à sa demande, des émissions spéciales (films, musique, documentaires, événements sportifs, etc.). Tête de réseau et centre de programmation sont reliés à un centre d'exploitation par câble qui, à l'aide d'ordinateurs, gère la transmission des signaux à destination ou en provenance des usagers et fournit les éléments de la facturation des services utilisés. Par ce centre transitent aussi les services télématiques qui donnent accès aux banques de données, à la téléréservation, etc. Des centres de distribution de quartier, reliés par fibres optiques au centre d'exploitation, sont connectés par câbles à des boîtiers de raccordement qui desservent un immeuble ou un groupe d'habitations individuelles. Deux fibres optiques par foyer relient le boîtier de raccordement à une régie où les signaux optiques sont convertis en signaux électriques puis envoyés vers des prises installées chez les abonnés. C'est par l'intermédiaire d'une de ces prises qu'un usager peut recevoir tous les services son et images qu'il sollicite. Les informations sont transmises analogiquement ou numériquement aux abonnés, mais les réseaux privilégient actuellement la transmission numérique, qui deviendra de règle avec l'émergence de la télévision haute définition, mais qui impose actuellement l'emploi d'un décodeur numérique-analogique à l'entrée des récepteurs analogiques existants. Certains édiles responsables de sites protégés étudient la possibilité d'imposer réglementairement ce type de réception par câble à tous les résidents concernés.

Le téléphone

Le téléphone classique

Le téléphone classique transmet à distance la voix humaine sous la forme d'un signal électrique analogique élaboré, comme en radiodiffusion, par un microphone, mais qui est transféré directement à un récepteur grâce à une ligne électrique, au lieu de moduler une onde porteuse rayonnée.

Fonctionnement. Chaque appareil téléphonique est constitué d'un combiné (ensemble microphone-écouteur), relié par un fil souple à un socle. Lorsque le combiné est posé sur le socle (ou accroché), il provoque la fermeture du circuit de ligne sur une sonnette contenue dans le socle. Un appel extérieur déclenche la sonnerie ; le fait de soulever ou de décrocher le combiné déconnecte la sonnette et connecte le combiné sur le poste appelant. Si, en revanche, on veut lancer un appel, cette même opération déclenche l'émission d'un signal d'appel à un central qui vient se connecter manuellement ou automatiquement sur le poste appelant. Les microphones et écouteurs des combinés des deux postes dialoguant entre eux sont tous connectés à la ligne qui les relie et peuvent être utilisés simultanément, sans processus d'alternance « écoute-parole ». Le niveau de fidélité exigé par le téléphone est très inférieur à celui qui est exigé par la radiodiffusion de la musique ; il suffit qu'il permette l'identification des voix.

Centraux téléphoniques. Les centraux manuels, aujourd'hui disparus dans tous les pays industrialisés, établissaient manuellement les connexions entre postes dépendant d'un même central, ou la connexion entre un poste et une artère de liaison avec un autre central, par un jeu de fiches. Les centraux automatiques, dits « à commutation spatiale », effectuent ces mêmes connexions sans intervention manuelle, en fonction de trains d'impulsions correspondant à chaque chiffre du numéro appelé, émis par un sélecteur rotatif sous forme de brèves coupures de la ligne, trop brèves pour être interprétées comme le signe d'une déconnexion du poste appelant.

Réseaux téléphoniques. Les premières artères de communication interrégionales, internationales et intercontinentales ont été assurées par des câbles électriques multipaires terrestres et sous-marins, comprenant des amplificateurs relativement rapprochés pour compenser la rapide atténuation des signaux. Les progrès de l'électronique ont permis le multiplexage de nombreux signaux et leur transport commun sur une fibre optique (au taux d'atténuation bien plus faible que celui d'une ligne électrique) ou sur une liaison hertzienne, entre relais successifs en vue les uns des autres, suivi d'un démultiplexage restituant chaque signal à une ligne déterminée. Actuellement, les liaisons hertziennes *via* satellites se développent massivement. D'autres progrès de l'électronique, liés au développement de l'informatique, ont permis la généralisation des autocommutateurs à commutation temporelle, dépourvus de toute pièce mobile, fondés sur la numérisation des signaux analogiques, sur leur multiplexage en « paquets » successifs, puis sur leur démultiplexage qui réoriente chaque paquet vers la ligne à laquelle il est destiné. Ces centraux sont commandés en fréquences vocales, beaucoup plus rapides que les trains d'impulsions émis par les anciens sélecteurs rotatifs. Sur de nombreux appareils téléphoniques modernes, la liaison socle-combiné par fil souple est remplacée par une liaison radio qui permet à l'utilisateur de se déplacer sans contrainte.

Dérivés du téléphone

Le caractère planétaire du réseau téléphonique l'a fait rechercher pour véhiculer d'autres informations que les seuls signaux vocaux. C'est ainsi que se sont développés : la télécopie ou fax (fondée sur la numérisation par scanner des images et des lettres portées par un document papier, leur transmission et la restitution par points de l'image initiale à la réception) ; la communication entre ordinateurs, munis chacun d'un modem (modulateur-démodulateur) ; la visioconférence, permettant de transmettre des images très peu mobiles n'exigeant pas de flux d'informations excessifs. De nombreux pays industrialisés ont alors été conduits à développer des réseaux numériques à intégration de services (Numéris en France), desservant chaque client important à l'aide d'une seule ligne coaxiale numérique, susceptible de transférer simultanément de nombreuses communications téléphoniques, des signaux de télécopie et des signaux de visioconférence ; la commutation analogique-numérique s'effectue alors chez l'abonné.

◆ Le réseau Iridium.
Ce réseau mondial de téléphonie cellulaire ne comporte aucun relais terrestre fixe mais des relais satellites, dont le projet initial prévoyait qu'ils seraient 77, répartis à raison de 11 sur 7 orbites polaires basses.

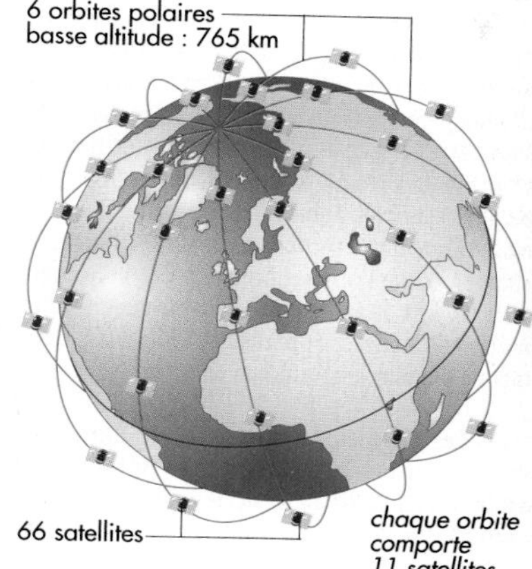

Le téléphone cellulaire

La dernière évolution du téléphone est le développement explosif des téléphones mobiles (ou cellulaires), constitués chacun par un émetteur-récepteur radio miniaturisé, contenu dans un combiné à touches. La mise en service du combiné émet un signal de recherche hertzien qui cale l'appareil sur le relais fixe le plus proche. Celui-ci reçoit alors la numérotation d'appel et connecte le poste appelant sur le réseau téléphonique classique, qui achemine la communication jusqu'à un poste fixe ou jusqu'à un autre relais se connectant sur le poste mobile destinataire.

Pour les voyageurs occidentaux, l'absence de norme planétaire complique l'usage de leur portable. D'où la création progressive, depuis 1997, du réseau Iridium, constitué de nombreux satellites sur orbite basse couvrant la totalité de la surface terrestre. Chaque combiné appelle directement le satellite le plus proche de lui et la communication est acheminée, de satellite en satellite, jusqu'au poste destinataire, sans participation, ni de relais terrestre, ni du réseau téléphonique existant. Malgré les graves difficultés financières rencontrées au cours de la mise en place progressive d'Iridium, deux autres opérateurs ont annoncé, à la fin de 1998, leur décision d'investir dans des programmes analogues et concurrents.

◆ Structure d'un réseau de téléphonie cellulaire.
Chaque téléphone mobile, lorsqu'il est en veille, identifie régulièrement le relais fixe qui le dessert le mieux et informe ce relais de sa présence. C'est la raison pour laquelle un téléphone en veille consomme un peu d'énergie. La station de base du réseau est ainsi capable d'orienter vers le mobile tout appel extérieur, en passant par le relais qui le dessert le mieux à l'instant considéré.

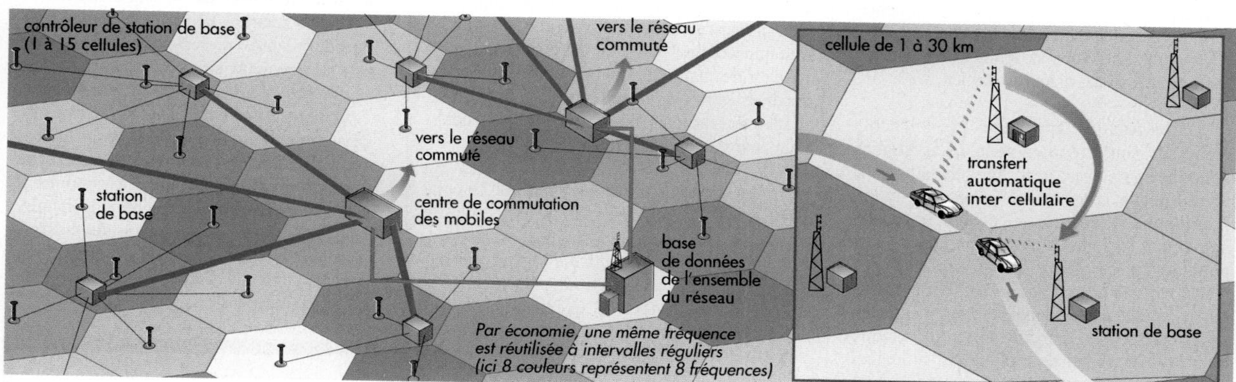

Photographie, cinéma et vidéo

La photographie

La photographie classique (dite « argentique ») consiste à former l'image d'un sujet sur une surface plane photosensible (aux sels d'argent), qui en conserve la trace latente sous forme chimique, avant qu'une série de manipulations (le développement) fasse apparaître une image visible stabilisée. De nos jours, la surface photosensible se présente presque toujours sous forme d'une pellicule souple, bobinée à l'intérieur d'un étui cylindrique qui la protège de la lumière lorsqu'on charge ou que l'on décharge l'appareil photographique. Les appareils photographiques électroniques numérisés, apparus en 1950, sont devenus réellement performants en 1998.

Les origines. La possibilité de former des images planes est connue depuis l'Antiquité. On attribue à Aristote, au IVe siècle av. J.-C., la découverte de l'image qui se forme spontanément sur le mur d'une pièce obscure, grâce à un très petit orifice percé dans un volet totalement étanche à la lumière. C'est l'Italien Jérôme Cardan qui, en 1550, a l'idée de remplacer le petit trou par une lentille convergente, susceptible de collecter beaucoup plus de lumière. Mais ce n'est qu'en 1816 que le Français Nicéphore Niépce réussit à fixer l'image sur un support photosensible, obtenant ainsi des photographies en noir et blanc moyennant des temps de pose d'une dizaine d'heures. En 1834, Louis-Jacques Daguerre adopte la plaque photosensible à l'iodure d'argent pour obtenir des clichés appelés daguerréotypes. Ces découvertes sont à l'origine d'une suite ininterrompue de perfectionnements portant sur la nature et la sensibilité des supports photosensibles, leur format, l'évolution des obturateurs imposée par la fantastique augmentation des sensibilités, l'amélioration des objectifs et des dispositifs de visée, l'adoption d'accessoires divers intégrés. De nouvelles applications apparaissent peu à peu : photographie astronomique et microscopique, identité judiciaire, stéréoscopie, etc.

La couleur. Malgré plusieurs tentatives antérieures, ce n'est qu'en 1903 que les frères Lumière mettent au point les premières plaques photographiques en couleurs, grâce à une technique de développement complexe faisant porter l'information de couleur par des grains de fécule de pomme de terre, colorés au développement dans les trois couleurs fondamentales.

Les pellicules couleurs actuelles procèdent par synthèse soustractive : la lumière impressionne séparément trois couches sensibles séparées par des filtres colorés dont chacun retire à la lumière incidente une partie de son information de couleur. Ces pellicules couleurs sont soit positives, lorsque l'on veut obtenir directement des clichés transparents destinés à la projection (diapositives), soit négatives lorsque l'on veut obtenir des tirages sur papier.

Objectifs et appareils. Les objectifs modernes sont fréquemment des systèmes optiques complexes, dépourvus d'aberrations perceptibles et constitués de plusieurs lentilles. Leur luminosité est mesurée par leur ouverture numérique (rapport entre le diamètre de leur pupille d'entrée et leur distance focale), toujours exprimée sous la forme $1/n$; elle est améliorée, à ouverture égale, par le traitement antireflet des lentilles qui minimise, sur chaque interface, les pertes de lumière par réflexion.

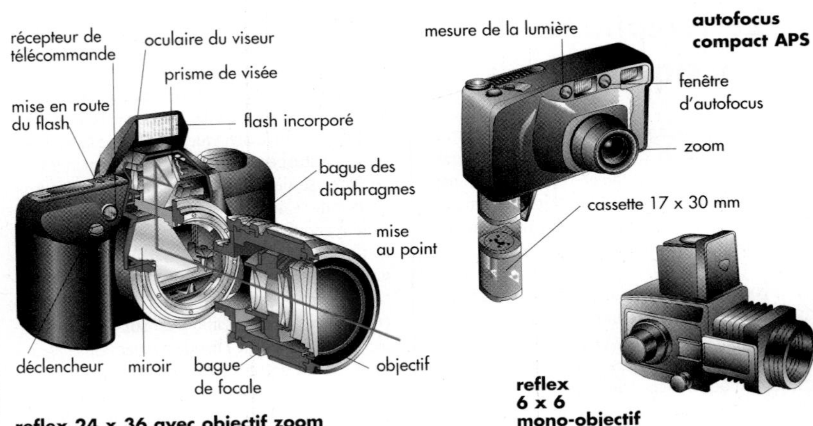

◆ **Appareils photographiques divers.**
À gauche, appareil 24 × 36 (mm) à visée reflex et mise au point manuelle. La visée s'effectue à travers l'objectif à pleine ouverture. Le fait d'appuyer sur le déclencheur provoque quasi simultanément la fermeture du diaphragme jusqu'à la valeur affichée, l'effacement du miroir et le défilement du rideau obturateur. Au centre, l'une des premières versions des appareils APS. À droite, reflex 6 × 6 (cm) formant l'image visée sur un verre dépoli.

L'ouverture maximale peut être réduite par un diaphragme, soit en raison d'une luminosité élevée qui surexposerait le cliché, même à la vitesse maximale de l'obturateur, soit parce que le sujet impose d'augmenter la profondeur de champ (intervalle des distances de mise au point acceptables), toujours minimale à l'ouverture maximale. Les objectifs à focale fixe normaux ont une distance focale voisine de la longueur de la diagonale du cliché. Ils détiennent les records d'ouverture : souvent de 1/2, parfois de 1/1,5. Les objectifs à focale plus courte sont dits « grands angulaires » (à champ élargi) ; les objectifs à focale plus longue sont les téléobjectifs, qui rapprochent les plans éloignés. Les objectifs à focale variable, ou zooms, constitués chacun de deux groupes de lentilles à écartement variable, permettent de faire varier la focale dans un rapport défini par le type d'objectif (au minimum 2 ; parfois jusqu'à 7).

La production actuelle des appareils photographiques non professionnels se partage entre des appareils jetables très sommaires et des appareils de haut de gamme très perfectionnés au format 24 × 36 ou au format 15 × 24 du système APS (Advanced Photo System). La pellicule 24 × 36 est, en fait, une pellicule cinématographique standard sur laquelle les images sont basculées de 90°, pour obtenir une image de format supérieur au format 16 × 24 de l'image cinéma. Ces appareils de haut de gamme sont à mise au point automatique (appareils autofocus) et à réglage automatique du temps de pose, soit en fonction d'un ou de plusieurs programmes commandant simultanément l'ouverture et le temps de pose, soit en fonction d'un programme ajustant le temps de pose pour une ouverture imposée par l'opérateur (nécessité d'une profondeur de champ minimale, par exemple). Les appareils 24 × 36 sont tous à objectifs interchangeables. Les appareils APS sont généralement dotés d'un zoom intégré et motorisé.

Les appareils photo numériques. Depuis 1990 se sont développés des appareils numériques, qui fournissent des vues fixes grâce à des techniques vidéo. La pellicule argentique est ici remplacée par une électrode plane analogue à celle d'une caméra de télévision ; balayée électroniquement, cette électrode émet un signal électrique portant les informations recueillies sur l'image, lesquelles sont enregistrées magnétiquement sur une carte. Cette carte à mémoire peut être lue par une télévision classique, mais aussi par un ordinateur, qui, s'il est doté d'un logiciel adéquat, permet de procéder à un traitement complet d'images (recadrage, détourage des sujets principaux, insertion de textes, effets spéciaux, etc.) avant de reproduire le cliché sur papier grâce à une imprimante couleur. Ces appareils ne sont devenus très performants qu'à partir du début de 1998, en atteignant puis en dépassant une résolution de 10^6 pixels, certains se rapprochant des $2 \cdot 10^6$ pixels qui conduisent à des clichés de qualité quasi argentiques.

Petit lexique

diaphragme : organe plan, constitué de lamelles coulissantes, qui permet de moduler le diamètre de la pupille d'entrée d'un objectif.

focale (distance) : distance séparant le plan principal d'un système optique de révolution du foyer qui lui correspond.

Le Polaroid

Les pellicules à développement instantané, dont la fabrication est pratiquement monopolisée par le seul constructeur américain Polaroid, nécessitent l'emploi d'appareils adaptés. Les clichés positifs sont pris directement sur papier plat, chaque feuille étant contenue dans un étui étanche, également plat, renfermant les réactifs de développement. Ces derniers sont libérés par écrasement lors de l'extraction du cliché qui vient d'être impressionné, et conduisent à une image couleurs en environ une minute. Un jeu d'étuis est contenu dans des coffrets parallélépipédiques qui s'adaptent sur l'appareil homologue. Il faut donc un type d'appareil et un type de coffret par format.

Le cinéma

Malgré d'innombrables tentatives antérieures, ce n'est qu'en 1895 que les frères Lumière brevettent le premier véritable cinématographe (cinéma, en abrégé).

Principe de base. Le cinéma proprement dit utilise les techniques photographiques argentiques. Les appareils de prise de vues, ou caméras, photographient une série continue d'images sur un film se déroulant actuellement à 24 images par seconde. Le mouvement déroulant est saccadé : le film est arrêté pendant la durée d'ouverture de l'obturateur et se décale d'une image pendant sa phase de fermeture. Le film est développé puis projeté par transparence sur un écran dans des appareils qui reproduisent le mouvement saccadé des caméras, leur obturateur occultant la projection pendant les phases de déplacement et ne l'autorisant que lorsque le film est arrêté. La persistance de l'image lumineuse sur la rétine des spectateurs efface les périodes d'occultation (écran totalement obscur) et c'est le décryptage de l'information optique par le cerveau qui rétablit la continuité du mouvement des sujets (celle-ci n'est donc que pure illusion). Le cinéma a bénéficié de tous les progrès des techniques photographiques et de quelques progrès techniques propres, liés à son caractère d'industrie de masse, essentiellement en matière de films en couleurs.

Le cinéma parlant. La sonorisation partielle des films est entreprise à partir de 1926, le premier film entièrement parlant datant de 1928. Une piste sonore latérale est codée optiquement et lue par une cellule photoélectrique ; la fidélité obtenue d'emblée est supérieure à celle des disques à 78 tours/min disponibles à l'époque. Malgré l'hostilité manifestée par de nombreux acteurs et metteurs en scène célèbres, le cinéma parlant s'impose irrésistiblement et le dernier film muet est tourné en 1930.

Du CinémaScope à l'Omnimax. Le cinéma bénéficie désormais, de plus en plus, de techniques propres : concentration d'une image élargie horizontalement sur un film classique grâce à des objectifs à lentilles toriques (Hypergonar d'Henri Jacques Chrétien) qui aboutit, en 1953, au CinémaScope accompagné d'une sonorisation d'ambiance à quatre pistes. Puis viennent le Cinérama sur écran cylindrique, à plusieurs projecteurs synchronisés, l'amélioration du son – déjà excellent – par les procédés Dolby successifs, la colorisation de grands films classiques tournés en noir et blanc, et finalement le procédé Omnimax de cinéma sphérique, dont la plus grande application actuelle est la Géode parisienne (1 000 m² de surface d'écran) : douze enceintes audio de 1 000 W chacune, projecteur unique de 15 kW refroidi par eau, pellicule à défilement horizontal d'images planes 69 × 48 (plus de 6 km de film pour une heure de projection), etc.

Le cinéma amateur. À côté de ce cinéma artistique et industriel s'est développé un cinéma d'amateur utilisant des formats plus réduits (9 mm, 16 mm et 8 mm, correspondant à une double utilisation du film de 16). Il ne présente plus aujourd'hui d'intérêt qu'historique, car il a été balayé par les techniques vidéo.

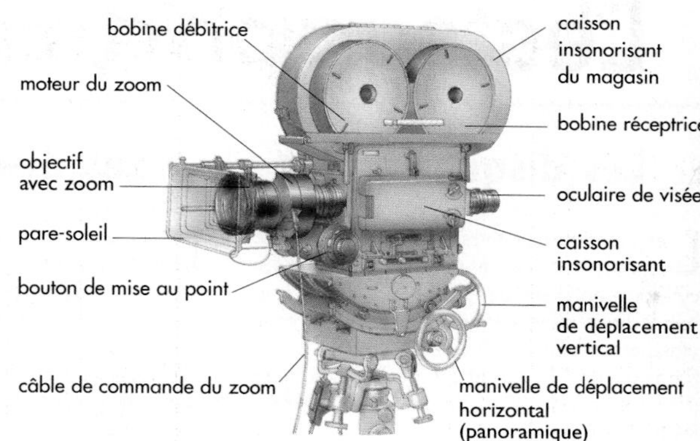

◆ **Caméra de cinéma professionnelle de 35 mm.** Ce modèle met en évidence les dispositifs mécaniques individuels de braquage de la caméra en site et en gisement, ainsi que les dispositifs de réglage optique. D'autres versions sont braquées grâce à un levier dont le déplacement, autour de sa position neutre, déclenche les servomoteurs de braquage ; leurs réglages optiques sont également tous motorisés.

La vidéo

Le succès de la télévision a entraîné la prolifération de toute une série d'autres applications fondées sur des techniques analogues ou dérivées.

Les magnétoscopes, initialement destinés à l'enregistrement analogique sur bande magnétique de spectacles télévisuels, puis à leur restitution différée, sont utilisés, dès 1955, par les stations d'émissions elles-mêmes, associés à des caméras vidéo classiques, de studio ou portatives en reportage ; à la restitution, ils fournissent les signaux de modulation à l'émetteur lui-même. Ils sont ensuite diffusés, à partir de 1978, dans le grand public ; ils permettent de programmer l'enregistrement automatique d'une émission de télévision, puis sa restitution, sur le même téléviseur, à l'heure choisie par le spectateur. Utilisant des bandes sur cassettes de manipulation facile, ils se généralisent rapidement, bien que leur diffusion soit freinée par les conflits qui opposent trois groupes de constructeurs. Il reste finalement trois standards différents, dont deux utilisent une bande classique, le VHS de Matsushita devenant dominant, et le troisième, le Betacam de Sony, une bande étroite. Ce dernier, plus léger, favorise le développement de caméras vidéo individuelles qui prennent peu à peu la place du cinéma d'amateur dans l'enregistrement des scènes familiales.

L'aboutissement logique de cette évolution, à partir de 1983, est le Caméscope, initialement Betacam de Sony et de Thomson, comprenant une caméra vidéo et un lecteur, qui permet de visualiser la séance enregistrée sur un écran intégré, mais aussi de la faire restituer par un téléviseur fixe grâce à une simple jonction Péritel. Les innombrables versions du Caméscope qui ont été déclinées depuis sonnent définitivement le glas du cinéma d'amateur. L'apparition des disques numériques à lecture laser permet toutefois de découvrir le handicap de qualité affectant les meilleurs Caméscopes analogiques. Les conclusions sont très vite tirées par les constructeurs. Les nouveaux Caméscopes produits au début de 1999 sont ainsi tous numériques, certains présentant une miniaturisation étonnante et comportant des perfectionnements très complexes, tels que le correcteur automatique des tremblements de l'opérateur.

VOIR AUSSI
- **Photographie au XIXe siècle** p. 1097
- **Photographie au XXe siècle** p. 1106
- **Cinéma** p. 1200 et suivantes

Illustrations
- **Première photographie** p. 281
- **Premier cinématographe** p. 297

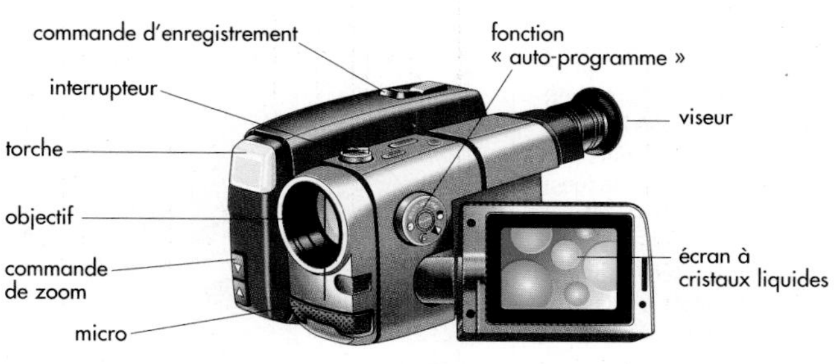

◆ **Caméscope.** Est représenté ici un modèle de Caméscope analogique au format Betacam.

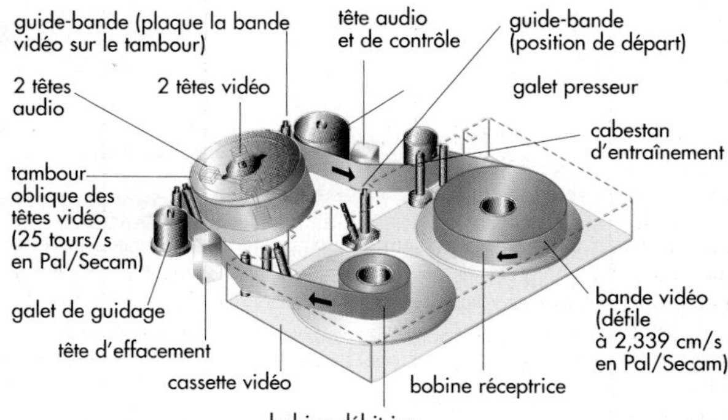

◆ **Fonctionnement d'un magnétoscope.** La quantité d'informations vidéo et audio qu'il faut fixer par unité de temps conduit à faire porter les têtes d'enregistrement par un tambour oblique qui enregistre des pistes magnétiques obliques, occupant pratiquement toute la largeur de la bande. La lecture des enregistrements s'effectue de la même façon.

Les supports de stockage

Les disques audio

Les premières tentatives d'enregistrement et de reproduction des sons mettaient en œuvre des cylindres horizontaux en cire, sur lesquels un burin, directement actionné par une membrane vibrante, creusait un sillon hélicoïdal dont la profondeur variable portait l'information sonore. (Charles Cros en 1878, Thomas Edison en 1881, les frères Bell en 1886).

Les premiers disques. Mais c'est l'Allemand Emil Berliner qui, en 1888, réalise le premier disque (dépôt de cire sur une feuille de zinc). Il adopte le diamètre de 30 cm et la vitesse de 78 tours/min (qui sont ensuite normalisés) et crée la Deutsche Gramophon Gesellschaft, consacrant l'appellation Gramophone, remplacée ensuite par le mot phonographe. Dès 1893, il réalise l'édition de disques multiples, dupliqués par pressage de disques en cire durcie sur une matrice, ce qui entraîne la disparition progressive des cylindres, abandonnés définitivement en 1906, et la naissance d'un deuxième format de disques (25 cm), destiné à la diffusion massive des variétés. La durée d'une face de 30 cm, portant des sillons relativement larges, est au maximum de 4 min 30. La gravure électrique indirecte s'impose en 1926, bientôt suivie de la lecture électrique : l'électrophone succède ainsi au Gramophone et au phonographe, puis, dès 1931, devient stéréophonique, les deux flancs d'un même sillon portant deux informations sonores différentes, lues par la même aiguille qui pilote deux bobines de lecture distinctes.

Le disque vinyle. Il apparaît en 1945, juste à temps pour permettre l'introduction du disque microsillon, toujours de 30 cm mais tournant à 33 tours/min, dont la durée de chaque face pouvait atteindre 30 min. Un format microsillon de 17 cm, tournant à 45 tours/min, est affecté aux variétés, suscitant la normalisation des tables de lecture à trois vitesses. La fidélité des enregistrements microsillon est si élevée qu'elle dépasse largement les possibilités de restitution qu'offraient les électrophones courants et provoque l'apparition des premières chaînes dites à « haute fidélité ». L'édition des disques à 78 tours/min cesse en 1957, laissant toutefois subsister un fonds discographique très important.

Le disque compact. Cette nouvelle technique microsillon, malgré ses performances, n'en est pas moins balayée en quelques années par l'explosion commerciale du disque compact de 12 cm (baptisé CD), due à l'introduction des techniques numériques s'appuyant, dès 1979, sur l'adoption planétaire d'un standard unique (perspective à laquelle les observateurs de l'époque ne croient absolument pas). Ces disques monofaces sont lus à vitesse linéaire constante de 1,3 m/s et leur durée maximale est de 1 h 16. Ils sont lus, sans contact physique, par un pinceau laser, réfléchi ou diffusé sur de petites cuvettes au fond des sillons, l'ensemble étant protégé par un revêtement plastique transparent. Le fantastique gain de qualité par rapport à l'ancienne haute fidélité et l'absence totale d'usure, provoquent l'enthousiasme du grand public, malgré l'accueil très réservé des critiques musicaux et des vendeurs de disques.

Les disques vidéo

Le succès technique et commercial du CD a incité les constructeurs à créer des disques vidéo utilisant la même technique. Une vingtaine de standards incompatibles entre eux sont apparus, parmi lesquels n'ont émergé que le CD-I de Philips, faussement qualifié d'interactif au seul prétexte qu'il est doté d'une télécommande permettant de sélectionner des programmes complexes, et quelques variétés de CD-ROM, toutes caractérisées par l'adoption du standard monoface de 12 cm, hérité du CD audio. Les constructeurs de micro-ordinateurs, ayant généralement intégré un lecteur de CD-ROM dans leurs appareils, ont assuré finalement la suprématie des CD-ROM, la variante compatible PC dominant la variété compatible Macintosh.

Le DVD. C'est la dernière évolution du disque vidéo. Lancé en 1996 à la suite de l'accord passé entre Philips et Sony, il conserve le diamètre de 12 cm du CD initial, mais il est biface et possède au moins 5 canaux sonores musicaux et un canal sonore d'effets spéciaux (bruitage basse fréquence). Perfectionné en 1997, sa version actuelle, toujours appelée DVD (mais pour Digital Video Disc et non plus pour Digital Versatile Disc), porte deux niveaux de lecture par face que le lecteur laser sépare sans interférence; il paraît s'imposer internationalement grâce à un type de lecteur que les constructeurs de micro-ordinateurs haut de gamme commencent à intégrer et qui est compatible avec les CD audio et les CD-ROM de 12 cm. Utilisant les techniques de compression numérique du MPEG (comme la télévision haute définition), ils peuvent multiplier par un facteur considérable la capacité des CD-ROM, sans avoir encore atteint, dans les premières versions destinées au grand public, le maximum de leurs possibilités. Les premières versions enregistrables des CD audio et vidéo, qui seront, elles, réellement interactives, n'ont obtenu aucun succès jusqu'à présent; mais il semble qu'une version enregistrable du DVD soit actuellement en active préparation.

VOIR AUSSI
- **Multimédia** p. 389
- **Radio et télévision** p. 390

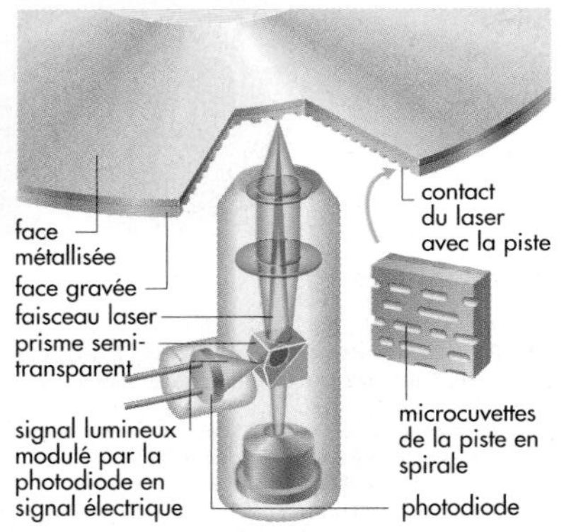

◆ **Lecture par laser d'un CD ou d'un CD-ROM.**
Un mince faisceau laser incident est réfléchi par un prisme en direction du sillon qu'il lit. Puis il est diffusé ou réfléchi. S'il est réfléchi, il traverse partiellement le prisme en retour et frappe la photodiode de lecture qui émet alors un bip électrique (cas représenté par l'image). S'il est diffusé, la photodiode ne reçoit aucun signal. La succession de ces bips et de ces blancs constitue l'information binaire porteuse du signal audio ou des signaux audio-vidéo.

Bandes et cassettes audio

Les stations d'émissions radio sont à la base du développement de l'enregistrement audio sur bandes magnétiques (émissions en différé d'enregistrements en studio ou en reportage). La qualité musicale n'en est devenue acceptable qu'après mise au point d'un traitement électronique du signal analogique (procédés Dolby) permettant notamment d'atténuer un bruit de fond exagéré. Ces techniques se sont ensuite élargies au grand public avec des bandes magnétiques sur cassettes, très simples d'emploi, utilisées soit dans des récepteurs-enregistreurs isolés (les magnétophones), soit dans des lecteurs-enregistreurs intégrés à des récepteurs radio ou à des chaînes haute-fidélité, soit dans des lecteurs portatifs (baladeurs). Il existe aussi un codage numérique du signal audio proposé dans les cassettes du type DAT, qui conduit à un remarquable gain de qualité de l'enregistrement. Mais les grands constructeurs ont volontairement retardé la commercialisation grand public de ce produit en raison du risque de piratage. Il est donc essentiellement utilisé dans les stations de radiodiffusion car il est, auprès du public, trop fortement concurrencé par les cassettes audio-vidéo numériques apparues dans l'intervalle.

Les disques magnétiques

À l'exception du Mini Disc (MD), lancé par Sony en 1992, qui est un disque audio d'une durée globale de 74 min, tous les disques magnétiques sont des auxiliaires d'ordinateur. Ils existent en deux versions. Les disquettes (contenues dans des étuis plats presque carrés d'un peu moins de 10 cm de côté) sont les instruments privilégiés du dialogue avec les micro-ordinateurs. Elles servent à stocker des données (y compris les logiciels eux-mêmes) ou à transporter les résultats d'un travail vers un autre ordinateur. Les disques durs, qui se présentent dans des architectures très variées (de un à douze disques coaxiaux), sont les mémoires auxiliaires les plus compactes existant actuellement; leur capacité peut être considérable et leurs délais d'interrogation par l'unité centrale sont les plus brefs qu'il ait été possible d'obtenir jusqu'à présent.

◆ **Principaux supports de stockage audio et vidéo.**

Bandes magnétiques sur cassette
Cassettes audio analogiques
Cassettes audio numériques
Cassettes audio-vidéo VHS
Cassettes audio-vidéo Betacam
Mini Disc audio magnétiques
Plaques magnétiques vidéo des appareils photo numériques.
Disques à lecture laser (tous de même format) :
- CD (Compact Disc) audio monoface
- CD-ROM (*Compact disc read only memory*, disque compact à mémoire morte) audio-vidéo monoface
- DVD (Digital Video Disc), audio-vidéo biface, à 2 étages de lecture par face.

L'imprimerie

Une évolution rapide

L'Allemand Johannes Gutenberg (entre 1397 et 1400-1468) avait pour ambition de mettre au point une technique de production de livres capable non seulement d'égaler le travail des copistes en qualité mais de les surpasser en quantité. Son invention révolutionnaire des caractères mobiles en plomb, qui pouvaient être réutilisés dans toutes les combinaisons possibles, et l'impression sur la presse à bras permettaient de produire des livres en série, donnant ainsi un élan considérable à la diffusion des savoirs. L'imprimerie est devenue aujourd'hui une industrie « stratégique » qui fait appel à des machines spécifiques et valorise des matières premières particulières (papier, encres).

Les professionnels parlent de « chaîne graphique » pour désigner les étapes qui vont du manuscrit à l'objet imprimé. Les maillons essentiels de cette chaîne sont : la composition des textes et leur correction, l'intégration des textes et des illustrations dans la conception d'une mise en page (maquette) qui précèdent la partie proprement technique, suivies de la réalisation des films à partir de fichiers numériques (flashage), de l'impression (presse à imprimer) et du façonnage (brochage ou reliure). On imprime en noir (on parle de « une couleur ») ou en couleurs (les trois couleurs primaires : cyan, magenta, jaune, plus le noir – c'est la quadrichromie). On peut aussi choisir une couleur particulière (un ton direct) dans un nuancier de référence.

Les techniques d'impression

On distingue généralement quatre types de procédés d'impression : l'impression en relief, l'impression en creux, l'impression à plat et l'impression électrostatique. Ces procédés connaissent de constantes améliorations. Les progrès informatiques ont récemment permis de profonds changements dans la gestion des données graphiques (textes et images) et l'avenir de l'imprimerie s'annonce fertile en nouveaux bouleversements.

Typographie. Ce procédé d'impression en relief, dominant jusqu'au début du XXe s., est aujourd'hui quasiment abandonné. La forme imprimante en relief reçoit l'encre qui est déposée sur le papier par pression. Le principe de la flexographie en est proche. Il permet d'imprimer à partir de formes en caoutchouc ou en photopolymères souples sur des objets en volume (flacons, etc.).

Héliogravure ou rotogravure. Montée sur un cylindre, la forme imprimante est gravée en creux. Cette technique lourde connaît son développement à partir de l'invention de la « trame demi-teinte » (au début du XXe s.) qui permit de respecter les nuances d'un original en restituant la gamme des gris (valeurs du noir vers le blanc) par un réseau de points de taille proportionnelle à la quantité de lumière reçue. L'héliogravure, autrefois utilisée pour les ouvrages de luxe, est aujourd'hui réservée aux forts tirages (catalogues de vente par correspondance, magazines, etc.).

Offset. Procédé d'impression à plat dérivé des principes de la lithographie, l'offset fut perfectionné en 1906, par Caspar Hermann. L'abandon de la « composition chaude » des caractères (le plomb) au profit de la photocomposition sur papier (dans les années 1960), puis de la PAO (publication assistée par ordinateur), dans les années 1980, ont créé les conditions du développement de ce procédé aujourd'hui le plus répandu.

Une plaque reçoit le report de la forme à imprimer alors que ses parties non imprimantes sont rendues hydrophiles. Une encre grasse est retenue sur les parties imprimantes pendant que l'ensemble est constamment mouillé pour préserver les parties vierges. (Il existe une variante dite offset à sec, sans mouillage.) L'encre est ensuite reportée sur le papier par l'intermédiaire d'un cylindre de caoutchouc (le blanchet), c'est le « double décalque ».

Sérigraphie. L'encre est déposée à travers une trame textile (la soie) montée sur un cadre. Les parties non imprimables sont protégées par un vernis fixé dans la trame. La sérigraphie trouve de nombreuses applications industrielles, comme le textile ou l'électronique de pointe.

Laser. Sur le tambour de l'imprimante se forme une image électrostatique, tracée par le rayon laser, par attraction de particules de toner (type d'encre pulvérulente) qui, détachées grâce au champ électrique, tombent sur le papier.

L'ère du numérique

Libérés des contraintes photomécaniques, les métiers de l'imprimerie se sont profondément transformés. L'ordinateur, devenu l'outil commun des éditeurs, des graphistes et des imprimeurs, permet de composer les textes et de traiter les images sans autres limitations que les capacités de mémoire des machines. Les presses offset sont, elles aussi, reliées à des systèmes informatiques. L'impression numérique (laser) trouve des développements industriels grâce à de nouvelles machines alimentées par rouleaux de papier. Mais l'imprimerie de demain sera-t-elle encore sur support papier ? Rien n'est certain, sinon le règne annoncé du « tout numérique ».

◆ **Les divers types d'impression.**

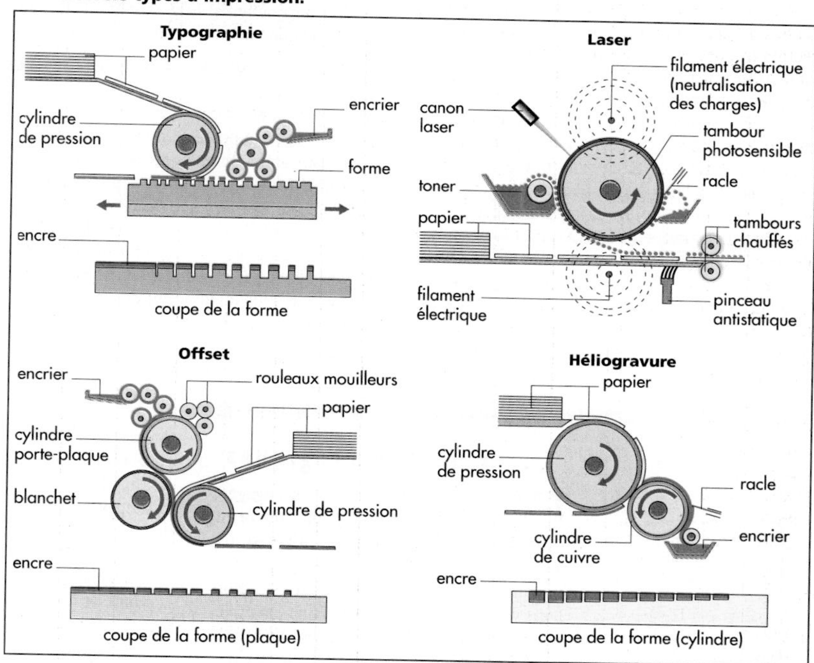

◆ **Une chaîne d'imprimerie moderne :** la salle des machines offset de Maury, à Malesherbes.

Armes et armement

Les armes terrestres

Utilisées sur les champs de bataille terrestres, elles comprennent cependant des missiles nucléaires à portée intermédiaire susceptibles de frapper à distance.

Les armes individuelles. Les fusils de guerre classiques, même très perfectionnés comme le fusil d'assaut M16 américain, seront périmés dès le début du XXIe s. et remplacés par des armes dotées d'un ensemble de perfectionnements nouveaux. Il s'agit notamment : du tir coup par coup ou en rafale, de la vision décalée permettant de tirer sans sortir la tête d'un abri, de viseurs thermiques infrarouges de nuit, de pointeurs laser allumant une tache lumineuse sur la cible, de stabilisateurs de visée, du suivi automatique de la cible, si elle s'écarte du champ du viseur, permettant de la rattraper facilement pour la réaligner dans l'axe du tir. Les Américains passent directement à un fusil bitube comprenant, outre le tube de fusil classique, un tube de 20 mm tirant des balles perforantes, des balles explosives ou des grenades, dans le but de transpercer ou de disloquer des abris légers. Les Français, quant à eux, passeront par l'intermédiaire du Famas, encore monotube, au Papop prévu pour 2012 et doté d'un second tube de 35 mm très puissant.

Les pistolets automatiques et les revolvers restent des armes d'appoint, surtout utilisées par l'encadrement. Le tir en rafale des fusils d'assaut rend obsolètes les fusils mitrailleurs ; les pistolets mitrailleurs légers (tel le célèbre Uzi israélien) sont surtout destinés à certaines phases des combats de rue.

Les blindés. Les blindés modernes possèdent généralement toutes les caractéristiques suivantes : aptitude au franchissement des cours d'eau en immersion totale, canon de calibre important à grande vitesse initiale, canons de petit calibre ou mitrailleuse d'appoint, souvent coaxiaux, télémétrie laser, conduite de tir automatique, viseur thermique infrarouge et/ou à amplification de lumière, pour tirs de nuit. Les blindés de « rupture » montés sur chenilles (ou chars d'assaut) sont les plus lourds ; ils peuvent intervenir presque partout. Les blindés de poursuite montés sur roues, plus légers et plus rapides, ont des rayons d'action plus importants mais ne peuvent se hasarder sur des terrains trop accidentés. L'armée française s'équipe actuellement du char de rupture Leclerc, qui succède progressivement à l'AMX 30 : vitesse de 71 km/h, autonomie 550 km, canon de 120 mm, mitrailleuse coaxiale de 12,7 mm, mitrailleuse orientable en gisement de 7,62 mm, conduite de tir numérique et programmable, blindage renforcé, équipement de transmission de données très complet. Il est actuellement le seul char au monde doté d'une tourelle autostabilisée lui permettant de tirer en marche avec précision. Le plus moderne est l'AMX 10 RC : 16 t, 80 km/h, autonomie 700 km en poursuite pure et 20 h en combat, télévision à amplification de lumière permettant la poursuite de nuit.

L'artillerie. Son rôle a considérablement évolué. L'artillerie lourde à grande puissance (du type Grosse Bertha) ainsi que l'artillerie antiaérienne lourde ont disparu. Le critère aujourd'hui déterminant est une très grande mobilité ; tel est le cas des canons automoteurs sur châssis blindés (comme le 155 français AUF monté sur châssis à chenilles d'AMX 30, de 24 à 32 km de portée suivant les munitions employées) et des canons mixtes dont la plate-forme est automotrice pour de courts déplacements sur le champ de bataille (comme le 155 français TR-F1). Ce critère de rapidité de déploiement s'impose également à l'artillerie antiaérienne légère de défense rapprochée des combattants (canon français automatique bitube de 30 mm sur châssis d'AMX 30). Le rôle des mortiers et des obusiers, essentiellement destinés à intervenir sur des positions statiques, a beaucoup diminué.

Les missiles conventionnels tirés du sol. Ils sont destinés au complément de l'artillerie de campagne, à la défense antiaérienne autre que rapprochée, à la défense antichar, à l'interception des missiles adverses. La légèreté des tubes lanceurs permet de réaliser des affûts multitubes de calibre important, qui restent très maniables ; leurs ancêtres furent les très célèbres « orgues de Staline ». La défense antiaérienne a donné lieu à de nombreuses réalisations. Le projet américano-européen S 300 PMU prévoit de détruire des formations aériennes denses ou des missiles de croisière jusqu'à 150 km. Les missiles antichars constituent des armes légères de défense des fantassins ; ils sont également très divers. Leur ancêtre

Les bombes

Les bombes conventionnelles sont d'une infinie diversité : à effet de souffle, perforantes, incendiaires, antipersonnelles, antipiste, asphyxiantes ou bactériologiques (bien que les deux dernières soient interdites par les traités internationaux), etc. Elles peuvent être dotées de dispositifs complémentaires variés : freinage donnant au chasseur-bombardier le temps de dégagement nécessaire, guidage par laser dont la précision est de l'ordre du mètre, etc. Les premières bombes nucléaires à fission d'uranium 235 ou de plutonium 239 (bombes A) ne devraient plus être employées que comme amorce des bombes thermonucléaires fondées sur la fusion du deutérium et du tritium (bombes H), qui s'amorce entre 100 et 200 millions de degrés.

Les bombes à neutrons (bombes thermonucléaires particulières) orientent la réaction de fusion vers une maximisation du rayonnement neutronique, aux dépens du souffle et du rayonnement thermique. Les neutrons traversent tous les blindages en induisant une émission de rayons γ. Neutrons et rayons γ tuent sans causer beaucoup de dégâts à l'environnement. Les retombées radioactives étant plus faibles qu'avec une bombe classique, l'infanterie peut occuper rapidement la zone bombardée.

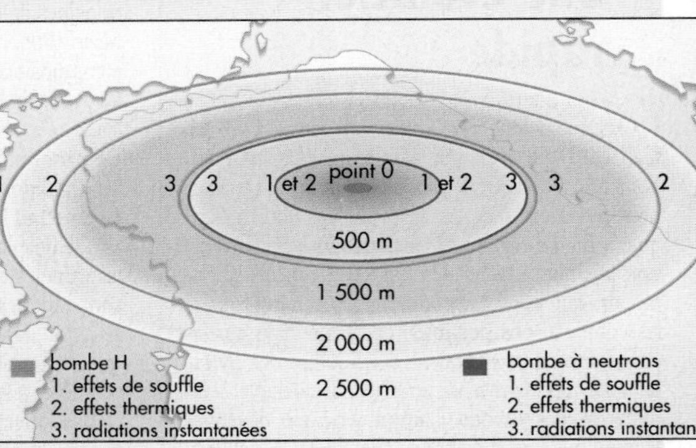

◆ **Effets d'une bombe H et d'une bombe à neutrons.**
Explosion d'une bombe H : très fort effet de souffle, fort effet thermique et peu de radiations. Explosion d'une bombe à neutrons : faible effet de souffle, faible effet thermique et radiations nombreuses et intenses.

Les armes stratégiques

Conçues non pour être *a priori* engagées dans un combat, mais pour exercer un effet de dissuasion sur l'adversaire éventuel, les armes stratégiques sont porteuses d'ogives thermonucléaires, souvent multiples dans leurs versions les plus récentes (par exemple, les fusées américaines triétagées MX [1981] lancées du sol et portant jusqu'à 13 000 km une tête à dix ogives de 335 kt chacune). Les pays d'Europe occidentale se sont dotés d'engins plus modestes, mais suffisamment dissuasifs, comme la fusée française monoétagée M4, datant de 1985, capable de porter jusqu'à six têtes thermonucléaires de 150 kt à plus de 4 000 km. Les armes stratégiques peuvent être également tirées par des bombardiers lourds (États-Unis) ou des bombardiers légers (Mirages nucléaires français), qui lancent des missiles de croisière lorsqu'ils sont encore à quelques centaines de kilomètres de leur objectif (missiles français à statoréacteur), ainsi que par des sous-marins à propulsion nucléaire, qui peuvent rester immergés plusieurs mois, et qui tirent en plongée.

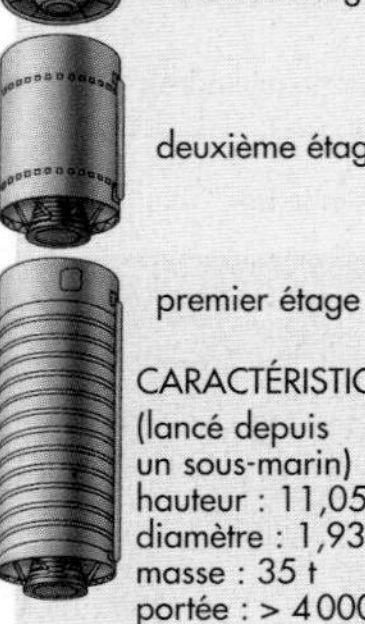

◆ **Missile nucléaire stratégique, mer-sol de type M45 (France).**

VOIR AUSSI
• **Défense** p. 987
Illustrations
• **Porte-avions *Charles-de-Gaulle*** p. 988

est le bazooka de la Seconde Guerre mondiale, à tube lance-roquettes portatif et projectile perforant à charge creuse. Ses versions modernes, tel l'Eryx de l'Aérospatiale (1993), sont encore bien plus redoutables et percent n'importe quel blindage existant. Les missiles antimissiles n'ont pas, jusqu'à présent, été très performants. Même contre des missiles sol-sol relativement lents, les Patriots américains se sont avérés peu satisfaisants. Les Gladiators américains semblent plus efficaces.

◆ Chasseur Rafale B1 procédant au lancement d'un missile de croisière. L'originalité principale de cet avion est la possibilité d'en décliner plusieurs versions grâce à des modifications mineures, chacune de ces versions étant elle-même dotée d'une large polyvalence.

L'armement aérien

Toutes sortes d'appareils adaptés à des missions variées constituent l'armement aérien : chasse, attaque au sol en piqué ou en vol rasant, bombardement classique, reconnaissance, transport de troupes et de matériels, détection radar. La France n'est actuellement présente que dans trois réalisations de pointe. Le chasseur Rafale de Dassault Aviation, dont la version C (chasse classique) est équipée de deux turboréacteurs SNECMA à postcombustion de 7,5 t de poussée chacun, volant à 11 700 m à Mach 2, portant six missiles air-air (4 Mica lourds et 2 Magic II légers), et deux bombes guidées au laser, va remplacer le Mirage IV nucléaire et portera alors un missile air-sol nucléaire de 1 000 à 2 000 km de portée. L'Eurocopter franco-allemand de combat « Tigre », porteur de missiles antichars Hot Trigal (jusqu'à 8), des missiles air-air Mistral ou Stringer (jusqu'à 4), de roquettes (jusqu'à 68), est capable d'une vitesse de pointe exceptionnelle pour un hélicoptère (314 km/h) et est doté d'une vitesse de croisière de 280 km/h. L'Eurocopter de transport NH90 emporte 9 t (1 véhicule léger de combat et 20 hommes armés) à 300 km/h sur 900 km.

Les bombardiers classiques les plus performants sont américains. Le plus lourd d'entre eux est le bombardier subsonique octoréacteur Stratofortress (Boeing B 52), portant 70 t de bombes à plus de 1 000 km/h sur 16 000 km ; à la fin de 1998, son autonomie passera à 23 000 km. Les bombardiers supersoniques B-58 « Hustler », et B-1B, qui porte 56 t de bombes à 9 800 km, sont plus légers mais beaucoup plus rapides (Mach 2 et Mach 2,2).

Les Américains sont les spécialistes des avions radars avec deux appareils vedettes. Le Boeing 707-3 A dit « Awacs », surmonté d'un dôme de révolution plat à l'intérieur duquel tourne l'antenne, porte sans restriction d'altitude jusqu'à 280 km, mais beaucoup plus loin à plus haute altitude ; il est complété par un dispositif de détection maritime. Le Grumman E-2C « Hawkeye » est spécialisé dans le guidage d'interventions sur cibles multiples (jusqu'à 40 intercepteurs), de préférence à basse vitesse (cibles navales).

Les avions furtifs

De nombreuses tentatives ont été faites, surtout par les Américains, pour tenter de « gommer » la signature radar de certains avions. Elles sont essentiellement fondées sur l'utilisation de revêtements spéciaux, absorbant l'énergie des rayonnements électromagnétiques reçus et ne les rediffusant pratiquement pas. Les formes de l'appareil doivent aussi être travaillées de façon à réduire la signature des pointes et des arêtes vives. Les premières réussites relatives ont donc porté sur des avions subsoniques aux formes arrondies (dont certains sont utilisés comme avions espions en temps de paix) et sur des prototypes de bombardiers.

L'armement naval

Les missions de la marine militaire ont considérablement évolué. Les cuirassés lourds, dotés d'une artillerie très puissante, en faveur jusqu'au début de la Seconde Guerre mondiale, ont disparu. Les croiseurs lourds ont cédé le pas aux croiseurs de bataille, plus rapides, conservant une artillerie conventionnelle puissante, puis aux croiseurs lance-missiles.

Les porte-avions. La force de frappe navale est actuellement assurée par l'aviation embarquée sur les porte-avions, gigantesques forteresses mobiles, puissamment défendues par leur aviation embarquée, mais aussi par leur équipement propre (missiles et artillerie légère) et par des bateaux d'escorte systématiquement équipés de dispositifs de détection anti-sous-marine et de grenadage intensif des sous-marins détectés en approche. Certains sont des frégates de surveillance ou des frégates lance-missiles. Le porte-avions *Charles-de-Gaulle*, récente réalisation française, est doté de moteurs nucléaires permettant de le propulser pendant cinq ans. Sa vitesse maximale sera supérieure à 27 nœuds (53 km/h). Il emportera une quarantaine d'avions de 20 à 25 t chacun. Son armement, très puissant, comprend entre autres deux systèmes antimissiles Saam à 16 missiles Aster 15 chacun et deux systèmes d'autodéfense aériens rapprochés Sadral, dotés de six missiles autoguidés Mistral chacun. Son équipement électronique est très complet : radars de veille lointaine et de veille combinée, navigation Decca, aides à la navigation divers (infrarouge et satellites), transmission hertzienne classique et par satellites, central électronique numérisé de commandement et de combat.

Les sous-marins. Les sous-marins ont beaucoup évolué. Autrefois équipés de moteurs Diesel pour la navigation de surface et de moteurs électriques alimentés par des accumulateurs pour la plongée profonde, les sous-marins sont maintenant nucléaires. C'est le cas du *Rubis* français, lancé en 1983, de 2 400 t seulement (2660 en plongée), filant à 25 nœuds en plongée, comprenant quatre tubes lance-torpilles ou lance-missiles (missiles sortant de l'eau) et quatorze engins en tout. Il a été suivi par l'*Améthyste* et la *Perle*. Ce programme a été interrompu au cours de la construction de la *Turquoise*.

L'essentiel de la flotte sous-marine mondiale est aujourd'hui constitué par les sous-marins lanceurs de missiles stratégiques, capables de très longues missions effectuées en immersion profonde, avec d'importantes veilles en immobilisation totale, le sous-marin étant posé sur le fond. Le premier sous-marin français de ce type a été l'*Inflexible* (1985), filant en plongée à plus de 20 nœuds à 200 m de profondeur. Il comprend seize missiles balistiques M4, lancés verticalement à 20 m de profondeur, et il est doté de quatre tubes lance-torpilles ou lance-missiles Exocet. Il a été suivi du *Triomphant* (1993), le sous-marin le plus silencieux du monde. Le *Téméraire*, identique, lancé en 1998, doit être disponible à la fin de 1999 et le *Vigilant* en 2001.

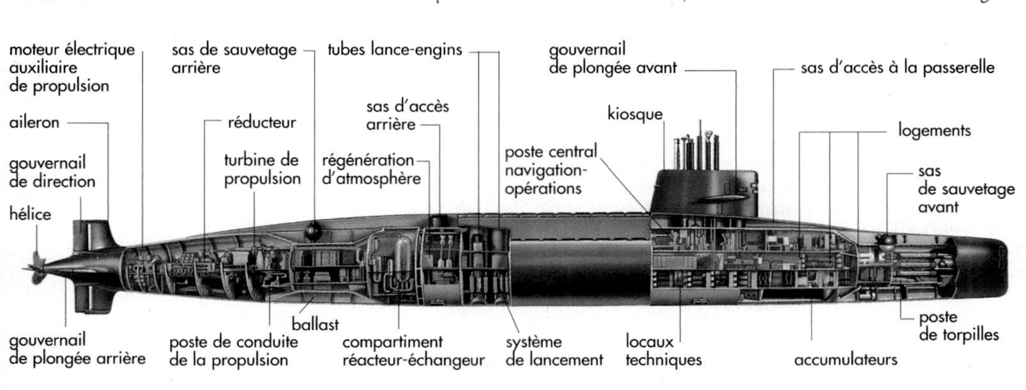

◆ Sous-marin nucléaire français, lanceur d'engins. Sa mission principale, en cas de menace de conflit, est la veille prolongée discrète dans des zones stratégiques, suivie – sur un ordre transmis par onde hertzienne ultra-longue – d'une remontée rapide en immersion modérée d'où il tirera ses engins thermonucléaires sans avoir à faire surface.

La recherche scientifique

Des filières multiples

Les activités de recherche scientifique, naturellement protéiformes, génèrent perpétuellement l'émergence de nouvelles filières. Elles sont donc difficiles à appréhender et à classer. Elles ont suscité, dans tous les pays industriels, des structures multiples souvent enchevêtrées, dont la gestion est complexe, et qui diffèrent considérablement d'un pays à l'autre.

Une tentative ancienne de classification et d'organisation s'est avérée très vite obsolète. Elle consistait à distinguer les activités de recherche fondamentale, que l'on imaginait devoir être soutenues par les fonds publics et le mécénat, des activités de recherche appliquée, que l'on pensait laisser à l'initiative du monde industriel. Mais rien n'est aussi simple. C'est ainsi que le détecteur de particules appelé « chambre à fils », qui valut au Français Georges Charpak, en 1992, le prix Nobel de physique, est un produit de recherche appliquée, dont le rôle premier fut de démultiplier spectaculairement les performances des grands accélérateurs et collisionneurs modernes, instruments types de la recherche fondamentale, avant de trouver une nouvelle application dans l'imagerie médicale.

De même, l'astrophysicien américain Tony Thyson est salarié, en 1999, des laboratoires de recherche appliquée Bell (du groupe Lucent Technologies), qui bénéficient ainsi d'applications pratiques de la mise au point des techniques de détection et de traitement numérique des images, dont Thyson avait besoin pour ses investigations fondamentales portant sur la matière noire de l'Univers.

La recherche en France

En France, la recherche fondamentale et appliquée est éclatée entre de nombreux organismes nationaux spécialisés, les laboratoires des grandes écoles et des universités, qui pratiquent généralement les deux, ainsi qu'entre les directions scientifiques des grandes entreprises, les petites cellules de recherche des PME de pointe, des fondations faisant appel au mécénat, des instituts de recherche interentreprises chargés d'élaborer des procédés de fabrication ou de contrôle pour le compte de tous les acteurs du secteur professionnel considéré.

Les institutions publiques. Parmi les grands organismes spécialisés constitués à partir de dotations en fonds publics et alimentés de même en crédits de fonctionnement, on peut citer :

– les établissements publics scientifiques et technologiques, comme le CNRS (Centre national de recherche scientifique), le plus grand d'entre eux (23 800 personnes, 7 départements scientifiques, budget de 19 milliards de franc), l'INRA (Institut national de recherche agronomique), l'INSERM (Institut national de la santé et de la recherche médicale), l'ORSTOM (Office de la recherche scientifique et technique d'outre-mer), l'INRIA (Institut de recherche en informatique et automatisme), etc. ;

– les établissements publics industriels et commerciaux, tels le CNES (Centre national d'études spatiales), le CEA (Commissariat à l'énergie atomique), l'ANVAR (Agence nationale pour la valorisation de la recherche), l'IFREMER (Institut français de recherche pour l'exploitation de la mer), etc.

Les laboratoires de recherche des grandes écoles et des universités ont un budget de fonctionnement alimenté par des fonds publics et les contrats de recherche qu'ils peuvent conclure avec les industriels. L'Institut Pasteur est une fondation bénéficiant de fonds publics, du mécénat, de partenaires industriels et d'une partie notable des bénéfices de sa filiale industrielle produisant et commercialisant des vaccins et des tests de contrôle divers.

Le secteur privé. La recherche appliquée du monde industriel n'est relativement facile à suivre que dans les plus grands groupes, et ne peut s'analyser qu'en fonction d'un double critère : le montant du budget, exprimé en valeur absolue et en pourcentage du chiffre d'affaires. C'est ainsi qu'en 1995, le classement des cinq premiers groupes français en valeur absolue (exprimée en milliards de francs), était : Alcatel (16,2), Aérospatiale (12,1), Thomson (9,9), Renault (7,9), PSA (7,4), alors que le classement en pourcentage du chiffre d'affaires était : Société de propulsion européenne SEP (61,8), Aérospatiale (24,5), Servier (18,7), Thomson (13,8), Lagardère (11,1).

Les organismes interprofessionnels. Parmi eux, l'Institut français du pétrole (IFP) est un établissement de recherche et d'enseignement imposé par les pouvoirs publics à tous les pétroliers français et étrangers opérant en France et il est rémunéré par des prélèvements fiscaux spécifiques sur leurs recettes. Le Centre scientifique et technique du bâtiment (CSTB) est d'origine interprofessionnelle spontanée mais il a dû être subventionné et se trouve soumis à une relative tutelle de l'État.

VOIR AUSSI
• **Recherche médicale** p. 254

La recherche en Europe

Confrontée à la diversité des approches nationales, l'Union européenne s'est dotée d'institutions propres : alors que la Direction générale XII (Bruxelles) élabore des programmes cadres de recherche et de développement, la Fondation européenne pour la science (Strasbourg) est un organisme d'analyse et de proposition. Aucun des États membres n'est en mesure de représenter « sa » recherche auprès d'eux. Ce rôle est assuré par des lobbies, qui peuvent être des organes interprofessionnels de recherche importants, tel l'IFP, mais qui sont le plus souvent des bureaux de liaison comme le Clora français (Club des organismes associés), représentant les principaux instituts et universités nationaux, ou le Kowl allemand (Koordinierungsstelle der Wissenschaftsorganisationen), davantage centré sur le lobbying direct à l'américaine.

5 L'Histoire du monde

Sans doute avant même l'invention de l'écriture, les hommes ont eu besoin de fixer pour les générations futures le souvenir des événements qu'ils vivaient. Ainsi s'est progressivement constituée l'Histoire : son évolution conduit des annales, simple liste chronologique de faits marquants, à des écrits qui cherchent à établir l'authenticité et l'enchaînement des événements et, enfin, à une véritable science qui analyse de façon méthodique les sociétés du passé. Mais, quels que soient les nouveaux champs d'investigation et les nouveaux points de vue qu'elle a conquis au cours du XXe siècle, l'Histoire demeure avant tout le lieu du récit passionnant de l'aventure humaine.

◆ **Intérieur de sarcophage de scribe du temple d'Amon,** XXe dynastie. (Musée égyptien, Le Caire)

L'HISTOIRE ET SES MÉTHODES

LES CALENDRIERS

CHRONOLOGIE UNIVERSELLE

BLASONS ET UNIFORMES

Les découvertes archéologiques

Rôle et méthodes de l'archéologie

L'homme s'est apparemment intéressé aux vestiges du passé dès les temps les plus reculés : on sait que des Néandertaliens recueillaient certains fossiles. Nombre de riches Romains collectionnaient des statues ou des vases grecs. Les humanistes de la Renaissance constituèrent des cabinets de curiosité, qui rassemblaient des objets anciens ou exotiques. Les statues exhumées des ruines romaines servirent de modèle aux plus grands artistes, avant d'être regroupées, à partir du XVIIIe s., dans les premiers musées.

Ainsi, jusqu'au XIXe s., collection et archéologie sont intimement liées. L'état d'esprit colonialiste explique aussi pourquoi nombre de chefs-d'œuvre ont été prélevés de leurs sites d'origine pour être conservés dans les grandes villes d'Occident : Londres, Paris, Berlin. Cette tradition des fouilles prédatrices, dont l'exemple le plus fameux est la frise des Panathénées du Parthénon, arrachée par lord Elgin et conservée au British Museum, se prolonge jusqu'aux années 1920, quand le mobilier des tombes royales d'Our est transféré à Londres.

Mais c'est également au XIXe s. que naît une approche nouvelle des fouilles, plus respectueuse de la protection des sites, qui est inaugurée par André Mariette lorsqu'il dégage le Sérapéion de Saqqarah, en Égypte (1851). Vers 1900, les archéologues commencent à adopter des méthodes scientifiques visant à établir un relevé systématique des sites : la stratigraphie, qui consiste, à partir d'un quadrillage du site, à fouiller les différentes couches d'occupation en descendant de la plus récente à la plus ancienne, n'a cessé depuis lors de se perfectionner. Pour chaque couche, une image (dessin, photographie, film vidéo) conserve les données qui permettent de situer le contexte des objets découverts.

Si les méthodes de fouilles ont gagné en rigueur, les principaux progrès réalisés au XXe s. concernent les techniques de repérage des sites, où la photographie aérienne ou par satellite joue un rôle fondamental, la datation, et surtout l'interprétation des résultats obtenus. L'archéologie cherche non plus seulement à établir un cadre chronologique, à classer ou à conserver les vestiges matériels du passé, mais bien plus à comprendre l'homme et l'ensemble de ses activités au sein de son environnement.

Enfin, le champ de l'archéologie n'a cessé de s'étendre, de l'Antiquité à la préhistoire puis au Moyen Âge, à l'époque moderne et, tout récemment, aux vestiges industriels des XIXe et XXe s. Ses résultats complètent (voire suppléent) la documentation écrite et iconographique.

Les grandes dates : du XVIe au XIXe siècle

1506. Laocoon, un groupe en marbre sculpté du IIe s. av. J.-C., est découvert à Rome. Il rejoint les collections du Vatican, où Michel-Ange le restaure. Une nouvelle restauration, exécutée en 1960, a permis de rectifier les attitudes des personnages, dans lesquelles les artistes avaient pourtant vu depuis le XVIe s. la perfection de l'art antique.

1674. Le dessinateur Jacques Carrey, qui accompagne le marquis de Nointel, immortalise le Parthénon avant sa destruction partielle (1687).

1748. Fouille du site de Pompéi, dont les œuvres sont transportées à Naples. Herculanum (fouillée depuis 1738) et Pompéi permettent de connaître la vie quotidienne d'une ville romaine du Ier s.

1757-1785. La nécropole de Volterra est fouillée par Mario Guarnacci, qui met au jour la civilisation étrusque.

1764. L'Allemand Winckelmann publie son *Histoire de l'art dans l'Antiquité,* qui suscite la naissance du néoclassicisme.

1798. Expédition de Bonaparte en Égypte. La pierre de Rosette est découverte en 1799; en 1802 est publiée l'œuvre de Vivant Denon : *Voyage dans la Basse et la Haute Égypte pendant la campagne du général Bonaparte.*

1822. Jean-François Champollion annonce qu'il a déchiffré les hiéroglyphes grâce à l'inscription trilingue de la pierre de Rosette (British Museum).

1829. Une mission française commence à dégager le site d'Olympie, découvert en 1723 par Bernard de Montfaucon. Les fouilles seront menées par l'Allemand Wilhelm Dörpfeld à partir de 1877.

1837. Henry Rawlinson déchiffre l'écriture cunéiforme grâce à l'inscription trilingue de Béhistoun (massif du Zagros, Iran).

1841. Le récit de voyage du diplomate américain John Lloyd Stephens et de son dessinateur, Frederick Catherwood *(Incidents of Travel in Central America, Chiapas and Yucatan)* révèle l'existence de la civilisation maya.

1843-1844. Les Français Paul Émile Botta et Victor Place explorent un palais de Sargon d'Assyrie à Khursabad (Iraq). Français et Britanniques se livrent une lutte acharnée et prélèvent œuvres et objets pour le Louvre et le British Museum.

1846. Fondation de l'École française d'archéologie d'Athènes, qui conduit notamment les fouilles de Délos et de Delphes (1892).

1847. Jacques Boucher de Crèvecœur de Perthes commence sa publication des *Antiquités celtiques et antédiluviennes,* où il affirme que l'homme a été le contemporain des grandes espèces animales disparues.

1850. L'ancienne cité khmère d'Angkor est retrouvée par le missionnaire Charles Bouillevaux.

1851. À Ninive, le Britannique Austen Henry Layard met au jour le palais de Sennacherib; en 1854, la bibliothèque d'Assourbanipal et les célèbres reliefs qui ornaient son palais sont envoyés au British Museum.

1856. À Neandertal (Allemagne), découverte du premier fossile humain dont l'espèce est antérieure à l'homme actuel.

1868. La découverte de cinq squelettes humains dans la grotte de Cro-Magnon suscite le développement de la paléoanthropologie française.

1871. L'Allemand Heinrich Schliemann découvre la ville de Troie, en Asie Mineure. Malgré le saccage du site, les fouilles bouleversent l'interprétation des récits homériques, alors tenus pour légendaires.

1876. Heinrich Schliemann met au jour les tombes royales de Mycènes.

1879. La découverte des peintures rupestres d'Altamira (Espagne) par le marquis de Sautuola suscite l'incrédulité des spécialistes de la préhistoire.

1891. À Java, Eugène Dubois découvre des fossiles humains qu'il baptise pithécanthrope : on sait aujourd'hui qu'il s'agit en fait d'*Homo erectus,* vieux de 700 000 à 900 000 ans.

1895. La découverte des gravures pariétales de La Mouthe (Dordogne) fait admettre l'existence d'un art paléolithique, qui sera confirmée en 1901 par l'exploration des grottes des Combarelles et de Font-de-Gaume.

1899. Babylone est l'objet d'une campagne de fouilles systématiques conduites par Robert Koldewey.

1900. Le Britannique Arthur Evans dégage le palais de Cnossos, dont le site est connu depuis 1878. Il met ainsi au jour la civilisation minoenne.

Les grandes dates : le XXe siècle

1911. L'Américain Hiram Bingham découvre la cité inca du Machu Picchu qui, restée inconnue lors de la conquête espagnole, a été préservée de toute déprédation.

1923. L'archéologue britannique Howard Carter dégage le tombeau du jeune pharaon Toutankhamon, où il découvre un fabuleux trésor intact.

1927. Le Dr. Davidson Black découvre à Zhoukoudian, près de Pékin, les fossiles d'un *Homo erectus,* qu'il baptise sinanthrope ou Homme de Pékin.

1927-1928. Leonard Woolley trouve les tombes royales d'Our. Le mobilier funéraire (harpe, bélier d'or et de lapis, étendard) confirme le raffinement de la civilisation sumérienne.

Altamira, haut lieu de la préhistoire

En 1879, le marquis de Sautuola recueillait des silex et des ossements dans la grotte d'Altamira, en Espagne, quand sa fille de cinq ans entrevit des animaux énormes en levant les yeux vers le plafond : les premières peintures pariétales du paléolithique étaient découvertes. Nous savons aujourd'hui, par la méthode de datation au carbone 14, qu'elles ont été exécutées à l'époque magdalénienne (v. –12000). Le marquis publia un opuscule sur sa découverte, et la grotte fut ouverte au public. Mais les peintures suscitèrent l'incrédulité des préhistoriens et l'on traita même Sautuola de faussaire. Cependant, la découverte des gravures de La Mouthe (Dordogne) en 1895, puis des peintures de Marsoulas (Haute-Garonne) en 1897, enfin la mise au jour des grottes ornées des Combarelles et de Font-de-Gaume (Dordogne), en 1901, obligèrent les savants à reconnaître leur erreur. En 1902, Émile Cartailhac fit amende honorable en publiant son célèbre article *Mea culpa d'un sceptique.*

1929. Ouverture du chantier de Ras Shamra, en Syrie, par Claude Schaeffer, qui identifie en 1931 la célèbre Ougarit antique.

1933. Début de la fouille de Tell Hariri (Syrie). En 1934, le site est identifié avec la capitale d'un puissant royaume du Proche-Orient, Mari, qui sera étudié par André Parrot.

1940. Deux enfants découvrent fortuitement la grotte de Lascaux, chef-d'œuvre de l'art du paléolithique qui sera reconnu par l'abbé Henri Breuil, le spécialiste de l'art pariétal.

1948. Les travaux de Robert J. Braidwood à Qalaat Jarmo (Iraq) marquent le point de départ d'une archéologie nouvelle, qui s'intéresse autant à l'environnement écologique et à l'évolution économique et sociale qu'au matériel archéologique.

1952. À Palenque (Mexique), connue depuis 1773, Alberto Ruz Lhuillier découvre la tombe d'un souverain maya du VIIe s., Pacal, au cœur même du temple-pyramide des Inscriptions.

1953. À Vix (Côte-d'Or), René Joffroy met au jour la tombe à char d'une princesse celte, dont le site se trouve sur la route de l'étain.

1958. Les fouilles de Çatal Höyük (Anatolie) révèlent un village néolithique du VIe millénaire dont les maisons et le sanctuaire sont ornés de peintures pariétales et de stucs.

1961. Louis Leakey découvre, sur le site d'Olduvai (Tanzanie), des fossiles d'un hominidé jusqu'alors inconnu, l'*Homo habilis.*

1963. Les temples d'Abou-Simbel, menacés d'être submergés par les eaux du barrage Nasser, sont déplacés sous l'égide de l'Unesco.

1974. En Chine, un énorme chantier est ouvert autour de la tombe de l'empereur Qin Shi Huangdi (259-210 av. J.-C.), fondateur de l'empire, qui a été enterré avec une armée de guerriers en terre cuite polychrome.

1974. En Éthiopie, Donald Johanson et Yves Coppens découvrent un squelette féminin d'australopithèque, vieux d'environ 3,3 millions d'années, qu'ils baptisent Lucy.

1991. La découverte de la grotte sous-marine Cosquer, près de Marseille, repousse à 30000 ans les premières peintures rupestres connues.

1995. Découverte de la grotte Chauvet (Ardèche). Ses peintures et ses gravures, en parfait état de conservation, remontent à – 29000.

1995. Le professeur Brunet découvre au Tchad des restes d'australopithèques. La théorie selon laquelle l'homme serait apparu à l'est de l'Afrique à la faveur d'un assèchement du climat est remise en question.

1996-1997. Découverte des ruines immergées du phare d'Alexandrie, et d'une immense nécropole souterraine d'époque ptolémaïque.

1998. Découverte d'australopithèques en Afrique du Sud.

VOIR AUSSI
- **Art du paléolithique** p. 1042
- **Art de la Grèce antique** p. 1049
- **Art de la Chine ancienne** p. 1054

◆ ***Laocoon.*** Cette sculpture hellénistique, découverte en 1506, a été restaurée une première fois par Michel-Ange. Pendant des siècles, on a vu dans son intensité dramatique la perfection de l'art antique. Mais une nouvelle restauration, en 1960, a permis de rectifier les attitudes des personnages. (Musée Pio Clementino, Vatican)

◆ **Fouilles de la tombe de Qin Shi Huangdi (Xi'an, Chine).** Près de 7000 guerriers seraient enfouis dans des fosses disposées en étoile autour du tombeau. Seule la première fosse, avec 500 guerriers, a été transformée en musée.

Les méthodes de datation

La datation des objets ou des fossiles peut se fonder sur l'étude de leurs caractères internes. La méthode la plus connue utilise la désintégration du carbone 14. Mise au point dès 1946, elle n'est toutefois applicable qu'aux organismes vivants (plantes, animaux, hommes) qui ne sont pas antérieurs aux 70000 dernières années. Pour dater les autres vestiges, on est le plus souvent réduit à étudier leur environnement ou, lorsque celui-ci ne donne aucune information, à les confronter avec des vestiges datés. La désintégration du potassium-argon 40, dont la teneur baisse de moitié tous les 1,3 milliard d'années, a ainsi permis de dater les cendres volcaniques du site d'Olduvai (Tanzanie). Le recueil des pollens, l'examen des poutres et des troncs d'arbre par la dendrochronologie, l'étude des pierres et des céramiques par la thermoluminescence, la découverte d'objets appartenant à des aires culturelles dont la chronologie est connue (vases, statuettes, bijoux parfois importés de fort loin), enfin la comparaison des sites permettent d'établir une datation absolue ou relative.

Petit lexique

carbone 14 : isotope radioactif du carbone présent dans tout organisme vivant. Dès la mort de l'organisme, le carbone 14 se désintègre, et sa teneur baisse de 50 % tous les 5570 ans environ. Il permet de dater les vestiges organiques jusqu'à – 70 000 ans.

dendrochronologie : méthode de datation fondée sur l'examen des cercles de croissance des arbres, dont l'épaisseur varie en fonction du climat. Tous les arbres poussant de la même manière, des tables ont pu être dressées, qui permettent de les dater à partir de – 8000 ans environ.

thermoluminescence : méthode de datation des objets qui ont été chauffés (pierres de foyer, céramiques); l'intensité de la trace du dernier chauffage permet de déterminer sa date.

Écrire l'histoire

L'Antiquité : l'histoire entre mythes et héros

Si la tradition situe la naissance de l'histoire au Ve s. av. J.-C., dans la Grèce antique, l'évocation des événements passés, telle qu'elle commence alors de se codifier, ne ressemble guère à l'histoire, au sens où nous l'entendons aujourd'hui. Loin d'inspirer une étude réfléchie et objective, le genre historique obéit surtout, dans l'Antiquité, à des visées didactiques ou apologétiques. La restitution aussi fidèle que possible de la réalité passée, l'impartialité et le souci d'exhaustivité ne constituent pas des critères essentiels de l'écriture historique, qui ne doit retenir que ce qui peut édifier l'action et la pensée humaines. Aussi est-il fréquent que la narration mêle des faits antérieurs et des faits contemporains : l'*Enquête*, d'Hérodote (484-420 av. J.-C.), intitulée aussi *Histoires*, qui se veut le récit de ce qui s'est passé dans l'Empire perse et dans le monde grec à partir du règne de Cyrus, alterne des passages proprement historiques, des descriptions géographiques et des récits mythologiques. *La Guerre du Péloponnèse*, de Thucydide (v. 460-apr. 395 av. J.-C.), apparaît en revanche comme une œuvre pleinement historique : l'auteur se livre à une critique attentive des sources utilisées et cherche à démêler l'enchaînement des causes et des effets, en embrassant une large perspective temporelle. Enfin, l'histoire entreprise par Thucydide est strictement humaine : l'intervention des dieux en est absente. Ses successeurs ne parviennent pas à l'égaler : sous l'influence des sophistes, l'histoire sert avant tout l'art oratoire ou se trouve enrôlée dans des conflits d'intérêts.

Les historiographes romains. Les traces les plus anciennes de l'historiographie romaine datent au plus tôt de la fin du IIIe s. av. J.-C., lorsque paraissent les premières «Annales», récits strictement chronologiques, mais qui confondent la dimension mythique avec la tradition proprement historique. Après Cicéron (106-43 av. J.-C.), l'histoire devient un genre littéraire. Se réclamant de l'idéal grec, elle doit obéir à une méthode d'exposition qui satisfasse aux canons de l'éloquence : afin de captiver l'auditoire, il importe de marquer des rythmes, d'user de procédés rhétoriques. À leur tour, Tite-Live (59 av. J.-C.-17 apr. J.-C.) et Tacite (v. 55 - v. 120) s'inspirent de la leçon cicéronienne. L'écriture historique doit aussi fournir des modèles de conduite, des *exempla*, ce dont témoigne l'essor des biographies : les plus célèbres sont les *Vies parallèles*, de Plutarque (v. 50 - v. 125), écrites en grec, et les *Vies des Douze Césars*, de Suétone (v. 69 - v. 126).

Le Moyen Âge : la tradition chrétienne

Dès son avènement, le christianisme modifie en profondeur les conditions de l'écriture historique. Les textes qui forment le Nouveau Testament imposent en effet une nouvelle conception du temps. Après Eusèbe de Césarée (v. 265-340), qui compose la première *Histoire ecclésiastique* et tente de synchroniser la chronologie biblique et la chronologie païenne, c'est avec Orose (v. 390 - v. 418) et saint Augustin (354 - 430) que s'affirme la christianisation de l'histoire. Tandis que le premier, dans son *Histoires contre les païens,* inverse la vision manichéenne des polémistes païens, le second, dans *la Cité de Dieu*, fait de l'histoire l'accomplissement du projet divin de salut des hommes : l'histoire apparaît dotée d'un sens que l'Incarnation manifeste. Cette lecture providentialiste inspire une tradition qui se perpétue au-delà du Moyen Âge, comme en témoigne le *Discours sur l'histoire universelle* (1681), de Bossuet. Jusqu'au XIIe s., l'histoire, qui est tenue par ailleurs pour un genre mineur, est donc entièrement subordonnée à la perspective chrétienne; écrite en latin, elle est presque exclusivement l'œuvre des clercs et comprend quatre genres principaux : les vies de saints; les annales, qui recensent les événements jugés mémorables; les chroniques ou histoires universelles; les histoires ecclésiastiques.

La fin du Moyen Âge coïncide avec le dépérissement de la tradition chrétienne au profit d'une histoire sécularisée. Les croisades donnent naissance à la chronique militaire (Geoffroi de Villehardouin, *Histoire de la conquête de Constantinople*, v. 1207-1213). L'essor des cités marchandes favorise l'avènement d'une historiographie politique et sociale : au XIVe s., à Lucques ou à Florence, se multiplient les monographies urbaines. L'affirmation des États encourage, à la même époque, la rédaction des chroniques royales, qui sont confiées à des historiographes officiels comme Joinville *(Livre des saintes paroles et des bons faits de notre roi Louis,* 1309*)* ou Commynes (1447-1511), auteur de *Mémoires sur les règnes de Louis XI et de Charles VIII.*

La naissance de l'historiographie moderne

À la Renaissance, le retour aux sources de l'Antiquité, suscité par l'humanisme, favorise l'essor de l'archéologie et de la philologie. Les historiens italiens du XVe s. libèrent l'histoire de l'emprise de la théologie par le recours à de nouvelles sources : ainsi, les archives publiques des cités italiennes sont amplement sollicitées par Guichardin dans son *Histoire d'Italie* (1537-1540). Les progrès de la numismatique, de l'archivistique et de l'épigraphie permettent l'émergence d'une histoire érudite. Avec la constitution de «Trésors» (recueils de manuscrits, de lois, de traités) et la formation des premiers dépôts archivistiques d'État, les historiens disposent d'un nombre croissant de documents. Parallèlement, la quête des origines procède d'ambitions plus intéressées : l'utilisation de l'histoire est mise au service de la construction des identités nationales; à la suite de la *Franco-Gallia* (1573), de François Hotman, les historiens français accréditent le mythe d'une Gaule plus ancienne que Rome.

Au XVIe s., l'étude critique des textes apparaît encore comme un enjeu essentiel du conflit qui oppose les catholiques aux protestants. Si le XVIIe s., épris de déterminisme et d'esprit méthodique, dédaigne l'histoire, qu'il juge trop incertaine, l'affinement des instruments de recherche et de la critique des textes, notamment dans le domaine de l'exégèse biblique qui est pratiquée par les communautés religieuses (jésuites, bénédictins de Saint-Maur), fait progresser l'érudition de manière spectaculaire.

Au XVIIIe s., l'histoire se laisse mal distinguer de la philosophie triomphante. Auteur du *Siècle de Louis XIV* (1751), Voltaire forge en 1765 l'expression de « philosophie de l'Histoire » : l'étude des civilisations doit permettre de dégager les lois générales de l'évolution de l'humanité. Pour Condorcet (*Esquisse d'un tableau historique des progrès de l'esprit humain,* 1794), l'histoire humaine suit un processus linéaire de perfectionnement moral et intellectuel. Cette volonté de saisir les mouvements les plus amples du temps exige d'élargir l'horizon géographique des œuvres historiques : les premières histoires universelles, très différentes (dans leur ambition d'exhaustivité) des chronologies universelles de l'Antiquité, font leur apparition (*Universal History,* en 38 volumes, des Anglais Guthrie et Gray, 1736-1765).

Le XIXe siècle : le siècle de l'histoire

La production historique du XIXe s. vérifie la prophétie lancée en 1834 par Augustin Thierry, pour qui l'histoire serait « le cachet du siècle, comme la philosophie avait donné le sien au XVIIIe ». À l'époque, le genre est caractérisé par son extrême diversité. Le siècle s'ouvre sur l'immense succès populaire de l'historiographie romantique, qui nourrit une fascination pour la période médiévale : les romans historiques de l'Écossais Walter Scott (*Ivanhoe,* 1820 ; *Quentin*

L'historiographie arabe

Jusqu'au XIVe s., l'historiographie arabe est essentiellement religieuse : les recueils des paroles présumées de Mahomet et les hagiographies du Prophète constituent les genres dominants. Même les histoires universelles qui paraissent à partir du Xe s., comme la *Chronique des prophètes et des rois* d'Al-Tabari (v. 839-923), demeurent tributaires de la chronologie biblique. L'évocation du passé n'obéit pas à des contraintes d'exactitude ou de logique causale : elle doit d'abord divertir, en empruntant au conte ou en recourant aux explications fantastiques; elle raconte aussi de nombreuses histoires de conquêtes militaires et remplit en même temps une fonction didactique, notamment à l'adresse des rois. Au XIVe s., le philosophe et historien tunisien Ibn Khaldun (1332-1406) innove en menant une critique rigoureuse des sources et en exposant les règles d'une histoire qui étudierait l'ensemble du passé humain (*Prolégomènes*, v. 1375-1379; *Histoire universelle*, 1378).

Durward, 1823) sont rapidement traduits dans toute l'Europe.

Au même moment, la reconstitution du passé joue un rôle crucial dans les combats politiques de la France postrévolutionnaire. L'école libérale et nationale, animée sous la Restauration par Augustin Thierry (*Lettres sur l'Histoire de France,* 1820), François Guizot (*Histoire de la civilisation en Europe,* 1828) ou Adolphe Thiers (*Histoire de la Révolution française,* 1823-1827), mène le combat contre la réaction ultra en inaugurant une histoire de la longue durée. La rupture que présente la Révolution française soulignée encore par Tocqueville dans *l'Ancien Régime et la Révolution* (1856) est un thème central de cette historiographie. Pour Guizot, la chute de l'Ancien Régime marque l'aboutissement légitime et inéluctable de l'affrontement multiséculaire entre la bourgeoisie et la noblesse.

Assez singulier apparaît le projet de Jules Michelet, auteur d'une monumentale *Histoire de France* (1833-1867) : l'histoire, conçue comme totale, se veut ici résurrection intégrale du passé. Chef de la section historique des Archives nationales, Michelet, tout en dépouillant des masses de documents inédits, cultive un style romantique qui exalte la vocation universelle de la France, décrite comme une véritable personne vivante. Traducteur de Vico, il voit dans le développement historique la réalisation du principe de liberté.

Cette inscription de la lutte de classes au cœur du processus historique fonde l'historiographie socialiste, issue de la rupture avec Hegel, telle que Marx et Engels la théorisent dans le *Manifeste du parti communiste* (1848) sous le nom de « matérialisme historique » : l'interprétation du passé relève de l'ambition scientiste de dégager des lois universelles et de transformer le monde présent.

Le dernier tiers du XIXe s. est dominé par l'histoire positiviste, dont les plus illustres représentants sont les Français Ernest Renan (*Histoire des origines du christianisme,* 1863-1881) et Hippolyte Taine (*les Origines de la France contemporaine,* 1875-1894). Ce courant historiographique prétend à l'objectivité en privilégiant les documents écrits, abondamment cités, et les enchaînements des causes aux effets. Il est très influencé par l'essor de l'histoire savante venue d'Allemagne, où les universités et les académies ont acquis, dès le début du XIXe siècle, une nette avance dans l'exégèse biblique qui devient une branche essentielle de la philologie. Theodor Monmsen renouvelle ainsi l'étude de l'Antiquité latine en lançant un projet de publication de toutes les inscriptions de la Rome antique (*Corpus inscriptionum latinarum,* depuis 1863). Attaché à l'histoire événementielle et politique, le positivisme est étroitement lié à la volonté de la IIIe République de s'inscrire dans la continuité nationale, comme l'atteste l'esprit patriotique de *l'Histoire de France* (1900-1922), d'Ernest Lavisse.

Le développement sans précédent de la production historique au XIXe siècle s'explique aussi par la publication incessante de multiples sources, assurée entre autres par les académies ou par des sociétés savantes. Le mouvement est encouragé par l'intervention croissante de l'État, qui organise et subventionne la recherche historique, professionnalise l'activité d'historien et s'érige en protecteur du patrimoine national : ainsi, le ministre Guizot crée la Commission des monuments historiques (1837) et l'École française d'Athènes (1846).

Le XXe siècle : la « nouvelle histoire »

Dès la fin du XIXe s., le positivisme est l'objet de critiques de plus en plus nombreuses. Dénonçant l'« histoire-bataille » et l'intérêt exclusif porté aux grands personnages, Lucien Febvre et Marc Bloch plaident pour l'émergence d'une « nouvelle histoire », dont la revue des *Annales d'histoire économique et sociale,* fondée en 1929, devient la principale tribune.

Les représentants de l'« école des Annales » défendent l'idée d'une « histoire totale », qui saisirait dans leur globalité les différentes strates temporelles. Telle est l'ambition de Fernand Braudel qui, dans *la Méditerranée à l'époque de Philippe II* (1946), identifie, sous l'écume des événements et le niveau variable du temps social, une strate presque immuable : la longue durée des civilisations et des mentalités. Adoptant la perspective synchronique, non plus diachronique, de l'ethnologie et de l'anthropologie structuralistes, l'« histoire immobile » – selon l'expression d'Emmanuel Le Roy Ladurie – privilégie ainsi la recherche des constantes structurelles d'une société donnée. Dans le même temps, la « nouvelle histoire » promeut une démarche quantitative et sérielle, facilitée par l'utilisation de l'ordinateur, qui renouvelle les méthodes de la démographie historique et de l'histoire économique et sociale.

Depuis la fin des années 1970, le déclin des idéologies totalisantes, en premier lieu du marxisme, ainsi que l'éclatement des curiosités – suscité par l'école des Annales elle-même – ont néanmoins estompé quelque peu les contours précis de la discipline historique. L'essor de la « microhistoire », qui resserre l'analyse à l'échelle, par exemple, d'une communauté villageoise, la réévaluation des stratégies conscientes mises en œuvre par les individus ou les groupes sociaux, telles qu'elles se reflètent dans le genre biographique (Jacques Le Goff, *Saint Louis,* 1995), l'intérêt grandissant pour l'histoire du corps, de la vie privée, des femmes : autant de facteurs qui concourent à élargir le « territoire de l'historien » et à susciter l'impression d'un éparpillement des centres d'intérêt et des méthodes.

Dans ce paysage fragmenté, quelques lignes de force apparaissent cependant : le retour d'une histoire politique attentive à la réception sociale des idées, ou l'étude de la construction des identités locales et des représentations qui structurent l'imaginaire individuel et collectif.

VOIR AUSSI • **Idée de progrès et science de l'histoire** p. 968

Petit lexique

épigraphie : science auxiliaire de l'histoire, qui étudie les inscriptions gravées sur des supports durables (pierre, métal, bois).

philologie : étude d'une langue, fondée sur l'analyse critique des textes. Plus généralement étude critique des textes par la comparaison des manuscrits ou des éditions.

◆ **L'« étendard d'Our ».**
Daté de la première moitié du IIIe millénaire, cet étendard représente un même char figuré quatre fois, tiré par des onagres dont les allures diffèrent. Les fantassins ramassent les prisonniers jetés à terre par les chars.

Les bases du calendrier

Les types de calendriers

Un calendrier est un système de division du temps en années, mois et jours. Selon le phénomène astronomique de référence, on distingue trois types de calendriers : les calendriers solaires, lunaires et luni-solaires.

Les calendriers solaires. Ils sont fondés sur le cycle des saisons, c'est-à-dire sur la période de révolution de la Terre autour du Soleil. L'année compte 365 jours, répartis en 12 mois, mais un ajustement périodique est nécessaire pour tenir compte du fait que la durée réelle de l'année des saisons est de 365,25 jours environ. Dans les calendriers solaires primitifs (en Égypte notamment), l'année ne comportait souvent que 360 jours, et on lui adjoignait 5 jours supplémentaires.

Les calendriers lunaires. Ils sont fondés sur le cycle des phases de la Lune. L'année est divisée en 12 mois de 29 ou 30 jours alternativement et compte 354 jours, soit un nombre entier de lunaisons. L'écart de 11,25 jours environ avec l'année solaire provoque très vite une dérive des mois à travers les saisons.

Les calendriers luni-solaires. Ils combinent les deux précédents. L'année compte 365 jours, comme dans les calendriers solaires, mais le début et la fin des mois sont calculés de manière qu'ils coïncident, autant que possible, avec une lunaison.

Les divisions du temps

Dans toutes les civilisations, les exigences de la vie sociale ont conduit à mesurer le temps, pour situer des événements passés, prévoir des activités futures et disposer d'un système de référence temporel apte à régler l'activité quotidienne.

Jours, mois, années. Dès l'Antiquité, l'observation de la nature a permis d'identifier trois phénomènes astronomiques qui pouvaient servir à la mesure du temps : l'alternance du jour et de la nuit, les phases de la Lune et les saisons. Trois unités de temps se sont ainsi imposées : le jour, lié à la rotation de la Terre sur elle-même ; le mois, lié au mouvement de la Lune autour de la Terre ; l'année, liée au mouvement de la Terre autour du Soleil.

Ultérieurement, l'homme a créé des horloges qui définissent et recensent de petits intervalles, d'une durée inférieure à un jour : heures, minutes et secondes.

La semaine. La semaine est une période de sept jours, qui se retrouve dans tous les grands calendriers modernes. Les Égyptiens, les Chinois et les Grecs comptèrent d'abord par décades. Ce sont les Babyloniens qui, les premiers, utilisèrent la semaine. En Occident, son emploi se répandit au début de l'ère chrétienne et fut adopté officiellement en 327 par l'empereur Constantin Ier.

La semaine représente le nombre entier de jours le plus proche des quatre phases de la Lune. Son usage fut renforcé par les vertus traditionnellement attribuées au chiffre 7 et par l'association des jours avec les sept astres errants connus dans l'Antiquité (la Lune, Mars, Mercure, Jupiter, Vénus, Saturne, le Soleil), dont dérivent les noms des jours utilisés dans les différentes langues européennes.

Le siècle. Les siècles, qui couvrent une période de cent ans, sont numérotés à partir d'une origine appelée ère. Le Ier siècle de l'ère chrétienne a commencé le 1er janvier de l'an 1 pour s'achever le 31 décembre de l'an 100. Le XXIe siècle s'étend du 1er janvier 2001 au 31 décembre 2100.

Les ères. On appelle ère le point de départ de chaque chronologie particulière et, par extension, la période historique correspondant à cette chronologie particulière. Parmi les ères anciennes, on peut citer : l'ère des olympiades qui commence avec les premiers jeux Olympiques (776 av. J.-C.) ; l'ère de Rome, qui fut établie par Varron (Ier s. av. J.-C.) et qui commence avec la fondation légendaire de Rome (753 av. J.-C.) ; l'ère bouddhique, qui commence avec l'année de la mort de Bouddha (544 av. J.-C.), d'après la tradition cinghalaise.

L'ère chrétienne est datée de l'année suivant la naissance du Christ. Selon les calculs effectués en 532 par le moine Denys le Petit, Jésus serait né le 25 décembre de l'an 753 de Rome. L'année suivante est comptée comme l'an 1 de l'ère chrétienne. En fait, Jésus est sans doute né 4 ou 5 ans plus tôt. L'ère musulmane est datée de la fuite de Mahomet à Médine, l'hégire (16 juillet 622). L'ère judaïque, établie au IVe s. par le rabbin Hillel, correspond à l'année de la création du monde (3761 av. J.-C.). L'ère républicaine est datée de la proclamation de la Ire République française (22 septembre 1792). Elle est restée en usage jusqu'au 31 décembre 1805.

◆ **Détail d'un calendrier du XIIe siècle.**
Les trois premiers mois de l'année sont évoqués à la fois par le signe du zodiaque correspondant (à gauche) et par la représentation d'une activité rurale caractéristique (à droite). (Saint John's College, Cambridge)

Le début de l'année

Le choix du début de l'année est purement arbitraire. En Gaule, l'année fixée par les druides commençait la sixième nuit de la lunaison (premier quartier) succédant au solstice d'hiver. Dans l'Occident médiéval, l'adoption du calendrier julien ne signifiait pas que l'année commençait partout le même jour. Aux VIe et VIIe s., l'année débutait encore le 1er mars dans plusieurs provinces. Sous Charlemagne, elle commençait à Noël dans tout l'Empire franc. Sous les Capétiens, le jour de l'an coïncida avec la fête de Pâques : presque général aux XIIe et XIIIe s., cet usage est encore attesté au XVIe siècle. Dans certaines régions, l'année changeait le 25 mars, fête de l'Annonciation. Les cadeaux de nouvel an s'échangeaient ainsi en début d'avril. De là viendrait la coutume des « poissons d'avril ».

En 1564, Charles IX rendit obligatoire la date du 1er janvier comme origine de l'année. En Allemagne, ce choix avait été édicté vers 1500. En Grande-Bretagne, la date du 25 mars fut conservée jusqu'en 1751 inclus. En Russie, jusqu'à Pierre le Grand, l'année commença le 1er septembre ; elle débuta ensuite au 1er janvier du calendrier julien (12, puis 13 janvier du calendrier grégorien) jusqu'à l'adoption du calendrier grégorien.

En France, de 1793 à 1805, l'année commença légalement le jour de l'équinoxe d'automne, date de la proclamation de la République.

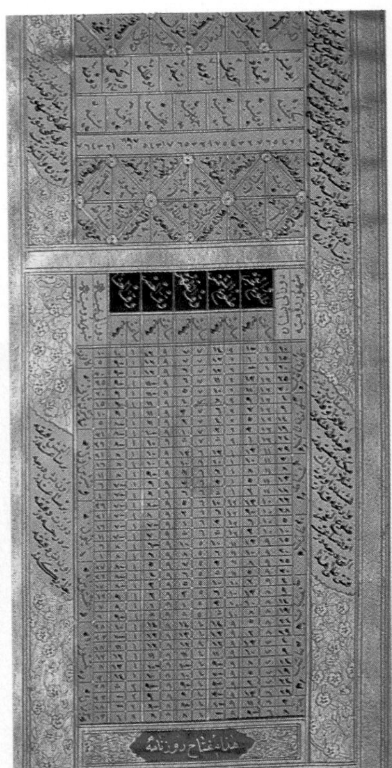

◆ **Calendrier perpétuel musulman.**
Établi en 1760-1761, ce calendrier comporte une série de tables permettant de trouver le jour de la semaine correspondant au premier jour de chaque mois, la concordance des dates avec le calendrier grégorien, l'horaire des prières pour une date donnée, etc. (Musée de l'Institut du monde arabe, Paris)

Les calendriers anciens

Le calendrier égyptien

Dans l'Égypte ancienne, le calendrier civil résultait de la combinaison d'un calendrier lunaire primitif et d'un calendrier agraire, réglé sur la crue du Nil.

◆ **Calendrier égyptien.** Naos (édicule) de la XXXe dynastie, sur lequel sont gravées les 36 périodes de 10 jours qui forment l'année égyptienne. (Musée du Louvre, Paris)

On comptait les années à partir de l'avènement du pharaon régnant. L'année comptait 365 jours : 12 mois de 30 jours et 5 jours complémentaires. Les mois étaient répartis en 3 saisons de 4 mois : Akhet (l'inondation), Peret (la sortie des terres hors de l'eau = l'hiver), Shemou (la sécheresse = l'été). Désignés par leur rang dans la saison (par exemple, 3e mois de l'inondation), ils étaient divisés en trois périodes de 10 jours.

La crue du Nil commençait à peu près au moment où l'étoile Sothis (Sirius) réapparaissait un peu avant le lever du soleil. Cet événement marquait le début de l'année, le premier jour du premier mois de l'inondation.

Chaque jour était divisé en 24 heures (12 pour la journée et 12 pour la nuit).

Le calendrier babylonien

De type lunaire, il a servi de base au calendrier juif.

L'année comptait 12 mois de 29 ou 30 jours. L'apparition d'un nouveau croissant lunaire dans le ciel marquait le début du mois. Le début de l'année coïncidait généralement avec la première lunaison suivant l'équinoxe de printemps. Le décalage qui s'instaura progressivement entre l'année lunaire et l'année des saisons fut compensé par l'ajout périodique d'un 13e mois. Les mois du calendrier babylonien avaient pour noms : Nisanu, Ayaru, Simanu, Du'uzu, Abu, Ululu, Tashritu, Arakhsamna, Kislimu, Tebetu, Shabatu, Adaru. Les noms des mois du calendrier juif en dérivent.

Le jour commençait au coucher du soleil et était divisé en douze *bêru* égaux, eux-mêmes divisés en 60 doubles-minutes, et chaque double-minute en 60 doubles-secondes.

Le calendrier grec

Les Grecs utilisèrent d'abord un calendrier lunaire. À partir du VIe s. av. J.-C., ils s'efforcèrent de l'harmoniser avec les saisons, mais l'ajustement resta imparfait.

L'année comprenait primitivement 12 mois de 30 jours. Puis l'alternance de mois de 30 jours (mois pleins) et de mois de 29 jours (mois caves) permit une meilleure concordance du calendrier avec le cycle des phases de la Lune (année de 354 jours). À l'époque de Solon (VIe s. av. J.-C.), on tenta d'ajuster le calendrier sur le cycle solaire, en intercalant un 13e mois tous les deux ans, mais l'année fut désormais trop longue.

Le jour commençait au coucher du soleil. Le jour et la nuit étaient divisés en 12 heures égales, dont la durée variait suivant les saisons de 45 à 75 minutes environ. Dix jours formaient une décade.

Les calendriers maya et aztèque

Chez les Mayas, la succession de jours était indépendante des phénomènes astronomiques. Ils associaient deux calendriers : un calendrier rituel de 260 jours, le *tzolkin* ; un calendrier solaire de 365 jours, le *haab*.

Le *tzolkin* comprenait 20 périodes de 13 jours, désignés chacun par un nom particulier précédé d'un numéro de 1 à 13. Dans chaque période, le jour précédé du numéro 1 portait un nom différent. Les 20 noms différents des jours étaient : Ik, Akbal, Kan, Chicchan, Cimi, Manik, Lamat, Muluc, Oc, Chuen, Eb, Ben, Ix, Men, Cib, Caban, Eznab, Cavac, Ahan, Imix.

Le *haab* comprenait 18 mois de 20 jours et un mois « néfaste » de 5 jours. Pop représentait le premier mois de l'année, et le premier jour d'un mois portait le numéro 0 : le jour de l'an s'écrivait donc 0 Pop.

Les deux calendriers étaient employés conjointement. La date complète d'un jour comprenait l'indication du *tzolkin* suivie de celle du *haab* : 2 Ik 0 Pop, puis le jour suivant 3 Akbal 1 Pop, etc. Pour les longues périodes, les Mayas utilisaient un système basé sur des multiples du jour, ou *kin* : 20 *kin* = 1 *uinal*, 18 *uinals* = 1 *tun* = 360 jours, etc.

◆ **Calendrier aztèque.** Les pictogrammes (glyphes) des 20 jours du calendrier solaire figurent sur une bande circulaire entourant une représentation du Soleil (au centre). (Musée national d'Anthropologie, Mexico)

Chez les Aztèques, le calendrier n'était pas fondamentalement différent du calendrier maya. Le calendrier rituel, appelé *tonalpohualli*, comprenait 20 périodes de 13 jours. Le calendrier solaire de 365 jours était aussi similaire à celui des Mayas, tout en étant probablement non synchrone avec lui. Il comprenait 18 mois de 20 jours et 5 jours complémentaires, appelés *nemontemi*, considérés comme néfastes.

Les calendriers romain et julien

Ces calendriers se trouvent à l'origine du calendrier que nous utilisons aujourd'hui.

Le calendrier romain. L'année romaine primitive (année de Romulus) comprenait 304 jours et 10 mois (4 mois de 31 jours et 6 mois de 30 jours). Sous Numa Pompilius (VIIe s. av. J.-C.) ou Tarquin (VIe s. av. J.-C.), les Romains adoptent un calendrier lunaire : l'année de 355 jours est divisée en 12 mois, qui commencent à la nouvelle Lune : *Martius*, dédié à Mars, *Aprilis*, dédié à Aperta (Apollon), *Maïus*, dédié à Maia, *Junius*, peut-être dédié à Junius Brutus, *Quintilis*, de *quintus*, cinquième (devenu *Julius* en hommage à Jules César), *Sextilis*, de *sextus*, sixième (devenu *Augustus* en hommage à l'empereur Auguste), *September*, de *septem*, sept, *October*, de *octo*, huit, *November*, de *novem*, neuf, *December*, de *decem*, dix, *Januarius*, dédié à Janus, *Februarius*, dédié à Februus.

Chaque mois comporte 3 divisions : les calendes (1er jour du mois), les nones (5e jour des mois de 29 jours ou 7e jour des mois de 31 jours), les ides (13e jour des mois de 29 jours ou 15e jour des mois de 31 jours). Les dates s'expriment par le nombre de jours à courir jusqu'aux nones, ides ou calendes suivantes.

Pour ajuster ce calendrier sur les saisons, les pontifes ajoutent tous les deux ans un mois intercalaire de 23 ou 22 jours, après le 23 ou le 24 février, *Mercedonius*. Cette mesure porte la durée moyenne de l'année du calendrier à 366 jours. Les Romains se révèlent néanmoins incapables d'accorder leur année civile avec les saisons.

Le calendrier julien. Le calendrier romain est réformé par Jules César, sur les conseils de l'astronome Sosigène d'Alexandrie, en l'an 708 de Rome (46 avant notre ère). Ce calendrier solaire repose sur l'hypothèse que l'année des saisons comprend exactement 365, 25 jours. La durée de l'année civile (qui, par commodité, doit comporter un nombre entier de jours) est donc habituellement de 365 jours, mais tous les quatre ans l'année dite bissextile en compte 366. Le jour supplémentaire est ajouté au mois de février, qui est alors le dernier mois de l'année.

L'équinoxe de printemps est fixé au 25 mars, et le début de l'année est ramené du 1er mars au 1er janvier, date d'entrée en fonction des consuls.

VOIR AUSSI
Illustrations
• **Calendrier maya** p.429

Calendriers religieux et traditionnels

Le calendrier chrétien

Le calendrier ecclésiastique chrétien est le calendrier grégorien, doté de fêtes religieuses fixes ou mobiles. Les fêtes mobiles s'articulent autour de la fête de Pâques, célébrée le dimanche qui suit la 14e nuit de la lunaison tombant le 21 mars ou immédiatement après. La date de Pâques se situe donc entre le 22 mars et le 25 avril. Mais on peut aussi la déterminer par un calcul conventionnel (ou comput), et donc l'établir de nombreuses années à l'avance.

◆ **Calendrier du XIIe siècle.**
Tables astronomiques indiquant notamment les phases de la Lune. (Saint John's College, Cambridge)

Les éléments du comput. Le comput comprend cinq éléments : la lettre dominicale, le cycle solaire, l'indiction romaine, le nombre d'or et l'épacte. Pour déterminer la date de Pâques, il faut connaître la lettre dominicale et le nombre d'or du calendrier julien, la lettre dominicale et l'épacte du calendrier grégorien.

– Lettre dominicale : lettre de A à G, dont le rang indique les dimanches dans le calendrier de l'année considérée lorsque la lettre A est attribuée au 1er janvier, la lettre B au 2 janvier... et ainsi de suite jusqu'à G pour le 7. Lors des années bissextiles, il faut considérer deux lettres dominicales : l'une est valable jusqu'au 29 février, l'autre pour les mois suivants.

– Cycle solaire : rang qu'occupe l'année considérée dans une période de 28 ans, au terme de laquelle la lettre dominicale reprend le même cycle de valeurs.

– Indiction : rang qu'occupe l'année dans une période de 15 ans. Cette période a été introduite dans la Rome impériale pour permettre le prélèvement d'un impôt exceptionnel tous les 15 ans.

Depuis le pape Grégoire VII, l'origine des périodes de l'indiction a été fixée à 313 : l'an 1 a pour indiction 4. L'indiction ne joue aucun rôle dans le calcul de la date de Pâques.

– Nombre d'or : rang qu'occupe l'année dans une période de 19 ans, au terme de laquelle les phases de la Lune se reproduisent aux mêmes dates (cycle dit de Méton, du nom de l'astronome grec qui l'a découvert) ; l'an 1 a pour nombre d'or 2. Le nombre d'or d'une année est égal au reste de la division par 19 de son millésime, augmenté de 1. Les Grecs jugeaient ce nombre si important pour l'établissement du calendrier qu'ils le gravaient en lettres d'or sur leurs monuments publics.

– Épacte : dans le calendrier grégorien, âge de la Lune au 1er janvier de l'année considérée, exprimé en nombre entier de jours de 0 à 29, 0 étant l'âge de la nouvelle lune.

Le calendrier juif

Ce calendrier luni-solaire remonterait sous sa forme actuelle au IVe s.

Année. L'année comprend 12 ou 13 mois (années communes ou embolismiques). Une année commune peut compter 353, 354 ou 355 jours, et une année embolismique 383, 384 ou 385 jours, selon qu'elle est défective, régulière ou abondante. (Une année dite embolismique est une année qui comporte un mois supplémentaire de 30 jours ou de la valeur de ce mois lui-même.) Le nouvel an se reproduit au même moment de l'année solaire, au terme d'une période de 19 ans comportant 7 années embolismiques et 12 années communes. Les années sont comptées à partir de la date légendaire de la création du monde, 3761 av. J.-C.

Mois. Les mois comprennent 29 ou 30 jours. Leurs noms sont empruntés au calendrier babylonien. *Tishri, Shevat, Nisan, Sivan* et *Av* comptent 30 jours ; *Tevet, Iyyar, Tammouz* et *Eloul*, 29 ; *Heshvan, Kislev* et *Adar* comptent tantôt 29, tantôt 30 jours ; *Adar II* (ou *Adar Sheni* ou *ve-Adar*) est un mois intercalaire de 29 jours, qui est ajouté les années embolismiques.

Jour. Le jour commence au coucher du soleil. Il est divisé en 24 heures de durée variable, la journée et la nuit étant partagées chacune en 12 heures.

Fêtes. Parmi les principales fêtes du calendrier juif, on peut citer Rosh Ha-Shanah (début de l'année, vers le 1er *Tishri*), Yom Kippour (10 *Tishri*), Hanoukka (la Dédicace, du 25 *Kislev* au 2 ou 3 *Tevet*), Pessah (la Pâque, 14 *Nisan*).

Le calendrier musulman

Le calendrier musulman est un calendrier lunaire.

Année. L'année comprend 12 lunaisons. Le calendrier associe des années de 354 jours (années communes) et des années de 355 jours (années abondantes). Par rapport au calendrier grégorien, l'année musulmane commence ainsi de 10 à 12 jours plus tôt chaque année. On compte les années à partir de l'hégire, la fuite de Mahomet à Médine (622).

Mois. Les mois comptent alternativement 30 et 29 jours. Le dernier mois compte 29 jours dans les années communes et 30 dans les années abondantes.

Jour. Les musulmans comptent le jour à partir du coucher du soleil. Le dimanche est le premier jour de la semaine.

Fêtes et dates remarquables. Le jour de l'an correspond au premier jour du premier mois *(Muharram.)* La fuite du Prophète à Médine est célébrée le premier jour du troisième mois *(Rabi al-awwal).*

Le neuvième mois *(Ramadan)* est marqué par un jeûne absolu entre le lever et le coucher du soleil. Le vendredi, jour de la prière, est chômé dans de nombreux pays musulmans.

Le calendrier chinois

Traditionnellement, c'est un calendrier luni-solaire. Il comprend, sur un cycle de 19 années, 12 années communes de 12 mois lunaires de 29 ou 30 jours (soit 354 ou 355 jours) et 7 années embolismiques de 13 mois (soit 383 ou 384 jours).

Année et mois. L'année est divisée en 24 sections de saison, ou *jieqi*, comprenant chacune deux parties, *jie* et *qi*, dont le commencement coïncide avec 24 positions particulières équidistantes du Soleil sur l'écliptique, de 15 en 15°. Leurs dates sont mobiles. Un mois peut compter jusqu'à trois sections.

Les mois supplémentaires des années bissextiles sont répartis de manière que le début de l'année se situe aux environs de *lichun* (début du printemps). Le début de l'année varie en fait entre le 21 janvier et le 20 février du calendrier grégorien.

Jours. Le décompte des jours s'effectue à l'aide d'un système sexagésimal : chaque date est repérée simultanément dans un cycle de 10 jours (troncs célestes) et dans un cycle de 12 jours (branches terrestres). 60 étant le plus petit commun multiple de 12 et de 10, au bout de 60 jours les dates se reproduisent selon la même succession. Depuis les Han, ce système est aussi utilisé pour le décompte des années.

Les 12 années du cycle duodécennal sont désignées par des noms d'animaux.

Calendriers grégorien et républicain

Le calendrier grégorien

Le calendrier julien n'est pas tout à fait exact. L'année tropique, valeur moyenne de l'intervalle séparant deux équinoxes de printemps, est plus courte que l'année julienne de 11 minutes et 14 secondes. Il en résulte que le commencement de l'année julienne retarde progressivement sur celui de l'année tropique, de 3 jours en 400 ans environ.

L'Église s'est émue de cette situation en raison des prescriptions du concile de Nicée (325) concernant la date de Pâques. Alors que cette fête devait être associée à la première lune du printemps, la dérive progressive du calendrier julien par rapport à l'équinoxe risquait à la longue de faire célébrer Pâques au cœur de l'été.

La réforme ordonnée en 1582 par le pape Grégoire XIII visait donc principalement à rétablir la concordance entre le calendrier et les saisons. Le calendrier grégorien en est issu.

Depuis le concile de Nicée, l'équinoxe de printemps avait avancé de 10 jours par rapport à la date du 21 mars. Grégoire XIII ordonna la suppression de 10 jours entre le jeudi 4 oct. 1582 et le vendredi 15 oct. L'an 1582 ne compte donc que 355 jours et, dès l'année suivante, le 21 mars coïncide de nouveau avec l'équinoxe de printemps. Pour assurer le maintien de cette coïncidence, Grégoire XIII décida, en outre, que les années séculaires cesseraient d'être bissextiles, sauf celles qui sont divisibles par 400 (1600, 2000…). Cette mesure permit de supprimer 3 jours en 4 siècles.

Cependant, l'année grégorienne reste encore trop longue de 0,0003 jour. En l'an 4317, elle comptera 1 jour de trop, compte tenu de l'erreur cumulée depuis 1582. Enfin, le commencement de l'année est fixé au 1er janvier.

L'entrée en vigueur du calendrier grégorien. À Rome, en Espagne et au Portugal, le calendrier grégorien fut appliqué dès le 4 oct. 1582. En France, la réforme entra en vigueur dans la nuit du 9 au 10 décembre. Dans les Pays-Bas espagnols, le lendemain du 14 décembre fut le jour de Noël, mais les provinces protestantes refusèrent de se plier au décret. Les États catholiques d'Allemagne et de Suisse adoptèrent la réforme en 1584, la Pologne en 1586, la Hongrie en 1587.

Dans les pays protestants, la résistance fut longue. Si la Prusse adopta le nouveau calendrier dès 1610, c'est vers 1700 seulement que les provinces protestantes des Pays-Bas, d'Allemagne et de Suisse s'y rallièrent. En Grande-Bretagne et en Suède, la réforme ne fut introduite qu'en 1752.

Le Japon adopta le calendrier grégorien en 1873, et la Chine en 1911. Les pays orthodoxes ont conservé le calendrier julien jusqu'au XXe s. : le nouveau calendrier fut adopté en 1918 en URSS, en 1919 en Roumanie et en Yougoslavie, en 1923 en Grèce. Son usage est désormais universel pour les activités civiles.

◆ **Calendrier perpétuel.** Calendrier universel et perpétuel donnant la concordance des dates dans divers calendriers historiques ou religieux.

Le calendrier républicain

Le calendrier républicain, institué par une loi de la Convention du 6 oct. 1793, voulait marquer une rupture avec la tradition chrétienne. Les années étaient comptées (en chiffres romains) à partir du 22 sept. 1792, date de la proclamation de la République, qui coïncidait avec l'équinoxe d'automne. En France, le calendrier républicain eut un usage légal jusqu'au 1er janv. 1806, mais il ne parvint jamais à s'imposer réellement auprès de la population. Il fut aboli par Napoléon Ier, par un décret du 9 sept. 1805, qui remit en vigueur le calendrier grégorien.

L'année républicaine compte 12 mois de 30 jours. Elle s'achève par 5 (année ordinaire) ou 6 (année bissextile) jours complémentaires, ou sans-culottides, ajoutés à la suite du dernier mois. Les noms de mois, inventés par le Conventionnel Fabre d'Églantine, évoquent la dominante climatique ou agricole de la période à laquelle ils se rapportent, et présentent une terminaison différente selon la saison.

Chaque mois est divisé en 3 périodes de 10 jours (décades), nommés respectivement, d'après leur rang et selon une étymologie latine : primidi, duodi, tridi, quartidi, quintidi, sextidi, septidi, octidi, nonidi, décadi.

◆ **Calendrier républicain.** Illustration pour le mois de Frimaire. Gravure de Salvadore Tresca d'après un dessin de Louis Laffite. Discrète étole de fourrure, givre et allusion à la chasse symbolisent le dernier mois de l'automne. (Musée Carnavalet, Paris)

◆ **Concordance entre les calendriers républicain et grégorien.**

AN	ère républicaine	I	II	III*	IV	V	VI	VII*	VIII	IX	X	XI*	XII	XIII	XIV
AN	ère grégorienne	1792	1793	1794	1795	1796	1797	1798	1799	1800	1801	1802	1803	1804	1805
1er vendémiaire	septembre	22	22	22	23	22	22	22	23	23	23	23	24	23	23
1er brumaire	octobre	22	22	22	23	22	22	22	23	23	23	23	24	23	23
1er frimaire	novembre	21	21	21	22	21	21	21	22	22	22	22	23	22	22
1er nivôse	décembre	21	21	21	22	21	21	21	22	22	22	22	23	22	22
ANNÉE GRÉGORIENNE		1793	1794	1795	1796	1797	1798	1799	1800	1801	1802	1803	1804	1805	1806
1er pluviôse	janvier	20	20	20	21	20	20	20	21	21	21	21	22	21	
1er ventôse	février	19	19	19	20	19	19	19	20	20	20	20	21	20	
1er germinal	mars	21	21	21	21	21	21	21	22	22	22	22	22	22	
1er floréal	avril	20	20	20	20	20	20	20	21	21	21	21	21	21	
1er prairial	mai	20	20	20	20	20	20	20	21	21	21	21	21	21	
1er messidor	juin	19	19	19	19	19	19	19	20	20	20	20	20	20	
1er thermidor	juillet	19	19	19	19	19	19	19	20	20	20	20	20	20	
1er fructidor	août	18	18	18	18	18	18	18	19	19	19	19	19	19	

N.B. Les années bissextiles du calendrier républicain, c'est-à-dire celles où il y avait 6 jours fériés sans-culottides, ont un astérisque.
Exemple : À quelle date grégorienne correspond le 7 ventôse an V ? = cherchons dans la colonne de l'an V jusqu'à la ligne horizontale du 1er ventôse ; nous voyons que le 1er ventôse an V correspond au 19 février 1797 (année grégorienne immédiatement au-dessus verticalement). Donc, le 7 ventôse an V correspond au 25 février 1797.

La préhistoire

De 4 M à 100 000 ans av. J.-C. Les premiers hommes

EUROPE

– **1,8 M.** Premières traces d'occupation humaine en Europe centrale et méridionale. Galets aménagés associés à des ossements de mastodontes (Chilhac, Haute-Loire).
– **950 000 / – 900 000.** Culture sur galets aménagés (grotte du Vallonnet, Alpes-Maritimes).
– **900 000.** Premiers habitats; levée de blocs aménagée au bord d'un ancien lac à Soleilhac (Haute-Loire).
– **800 000.** Bifaces grossiers (abbevillien ou préchelléen); premiers outils sur éclats (clactonien).
– **650 000.** Premières traces de l'utilisation du feu (grotte de l'Escale, Bouches-du-Rhône).
– **450 000.** À Tautavel (Pyrénées-Orientales), habitat en grotte: une partie de l'espace est réservée au débitage des silex. À Vértesszöllös (Hongrie), la présence d'un foyer délimité atteste la maîtrise du feu.
– **380 000.** Foyers organisés, protégés par un muret de pierres, à l'intérieur de huttes (Terra Amata, près de Nice).
– **200 000.** Apparition d'une méthode de débitage de la pierre utilisant un percuteur souple (bois, os); en préparant le plan de frappe, on obtient des éclats de forme prédéterminée (débitage Levallois, caractéristique du moustérien).
– **180 000 ?** Premiers *Homo sapiens,* proches de l'homme de Neandertal, caractérisés par une industrie de la pierre taillée de type moustérien et par l'ensevelissement des morts.

AFRIQUE

– **4 M.** Premières traces d'occupation humaine, à l'est de la vallée du Rift et au bord du lac Tchad: australopithèques, de l'espèce *anamensis.* Jusqu'à – 1,8 M, les hominidés resteront cantonnés en Afrique.
– **3,7 M.** Empreintes de pas d'hominidés dans la cendre volcanique (Laetolil, Tanzanie).
– **3,3 M.** Squelette de Lucy, de l'espèce *Australopithecus afarensis* (Hadar, Éthiopie). Premiers galets fendus, récupération des éclats en vue de leur utilisation (vallée de l'Omo, Éthiopie).
– **2,8 M.** *Australopithecus africanus* en Afrique du Sud (Sterkfontein, Transvaal); disparition de l'espèce *afarensis.*
– **2,5 M.** *Homo habilis,* en Afrique orientale (Olduvai, Tanzanie; lac Turkana, Kenya). Premiers exemples d'outils de pierre taillée (Hadar, Éthiopie).
– **2 M.** Premières traces d'aménagement de l'habitat (Olduvai).
– **2 M /– 1,6 M.** Apparition d'*Australopithecus robustus* (Olduvai).
– **1,8 M.** *Homo habilis* utilise des galets aménagés et des outils en os et en ivoire d'hippopotame (lac Turkana; Olduvai). Apparition d'*Homo erectus,* qui remplace *Homo habilis* et se répand dans toute l'Afrique, en Europe et en Asie.
– **1,75 M.** Pierres placées en demi-cercle, peut-être pour constituer un abri coupe-vent (Olduvai).
– **1,6 M.** Dans la vallée de l'Omo, *Homo erectus* est associé à une industrie de pierre de type acheuléen utilisant l'os.
– **1 M.** Galets aménagés préacheuléens (Tardiguet el-Rahla, Maroc).
– **700 000.** Vestiges d'*Homo erectus* à Ternifine (Algérie).
– **600 000.** Industrie lithique de type acheuléen (Olduvai).

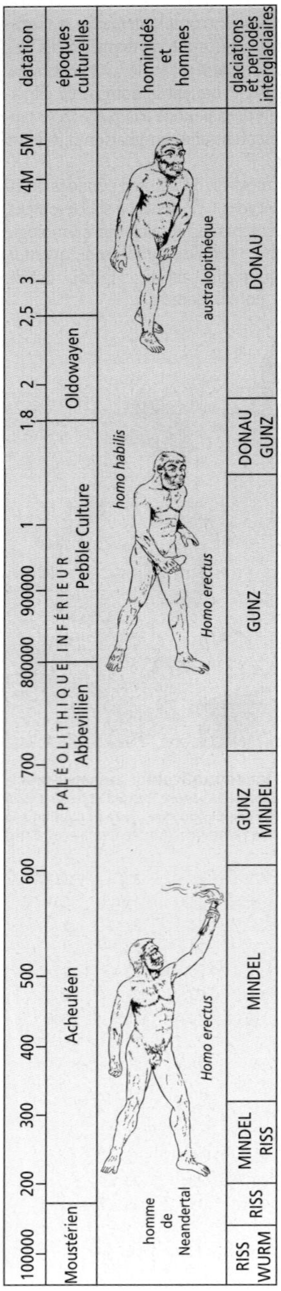

◆ **Les grandes étapes de l'évolution de l'Homme.**

Des australopithèques à *Homo sapiens*

L'apparition de l'homme est difficile à dater, à la fois parce que les données archéologiques sont lacunaires et parce qu'on ne peut pas faire de séparation très nette entre singes et hominidés d'une part, hominidés et hommes proprement dits de l'autre.

Les primates, dont les représentants les plus anciens sont proches des lémuriens actuels, sont apparus en Afrique il y a environ 70 millions d'années. Du genre primate se sont progressivement dégagés plusieurs rameaux: les grands singes (il y a 8 millions d'années), puis les australopithèques (il y a 4 millions d'années), qui sont les premiers primates bipèdes. Hauts d'à peine plus d'un mètre, les australopithèques étaient dotés d'un cerveau de 400 cm³, de longs bras et d'une mâchoire proéminente. Les australopithèques anciens, dont Lucy est la représentante la plus connue, ont donné naissance à deux espèces: les australopithèques graciles (entre 3 millions et 1,2 million d'années) et les australopithèques robustes (entre 2,5 millions et 1 million d'années). C'est sans doute des australopithèques anciens *(afarensis* ou *anamensis)* ou graciles *(africanus)* que dérive l'homme.

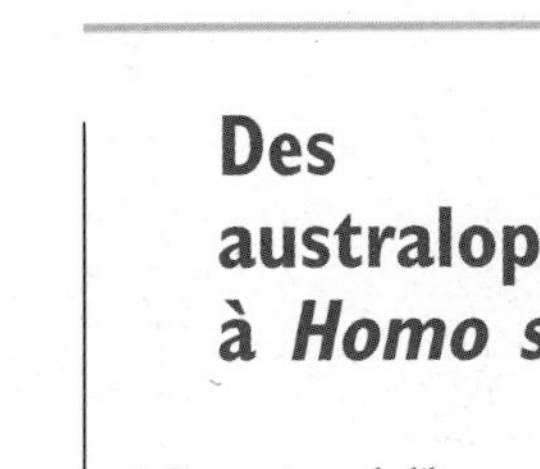

◆ **Crâne du sinanthrope.**
Les fossiles de sinanthropes découverts en 1927 dans la région de Zhoukoudian (Chine) appartiennent à l'espèce *Homo erectus.* Ils remontent à 500 000 ans.

Les premiers hommes proprement dits sont apparus à l'est de la vallée du Rift avec l'espèce *Homo habilis* (2,5 millions à 1,5 million d'années). Il s'agit de primates bipèdes capables de concevoir et d'utiliser des outils. Leur bipédie induit d'importantes modifications morphologiques: augmentation de la capacité cérébrale, différenciation croissante des membres inférieurs et supérieurs. *Homo erectus* quitte le premier son berceau africain pour conquérir l'Europe et l'Asie (à partir de 1,8 million d'années). Il utilise des outils sur éclats, notamment des bifaces (outillage acheuléen), et maîtrise le feu. Sa disparition, qui paraît dater d'environ 100 000 ans, est consécutive à l'apparition de l'homme de Neandertal, qui vécut au cours de la glaciation de Würm (– 180 000 à – 35 000).

L'homme de Neandertal se caractérise par un outillage particulier (moustérien) et par la présence occasionnelle de sépultures; son anatomie (cerveau, larynx) lui permettait d'émettre des sons articulés. Il est le premier exemple parfaitement attesté d'*Homo sapiens,* mais il cohabita de – 40 000 à – 30 000 en Europe et sans doute un peu plus tôt au Proche-Orient avec *Homo sapiens sapiens,* dont le représentant le plus connu est l'homme de Cro-Magnon.

La plupart des scientifiques s'accordent à affirmer que tous les hommes actuels appartiennent à l'espèce *Homo sapiens sapiens,* et que les caractères qui les différencient (couleur de peau, type de cheveux...) sont le fruit d'une adaptation récente aux conditions de vie des différentes régions du globe qu'ils ont progressivement occupées: à partir d'un noyau unique, africain ou proche-oriental, *Homo sapiens sapiens* se serait répandu en Europe, en Asie, en Amérique et en Océanie.

ASIE

– 1,8 M. Apparition d'*Homo erectus*, connu en Chine sous le nom de *sinanthrope* et en Indonésie sous le nom de *pithécanthrope*.
– 1 M / – 700 000. Culture des galets aménagés (Sangiran, Java).
– 600 000. Homme de Lantian (Chine), associé à un outillage de quartzite (galets aménagés).

– 500 000. L'homme de Zhoukoudian (Chine) connaît le feu et probablement la cuisson (traces de foyer); industrie sur quartz et sur silex. Le site des bords de la Soan (Pakistan) permet d'établir une périodisation propre à l'*Homo erectus* d'Asie. Présoanien: éclats massifs, difficilement identifiables.

– 320 000 / – 200 000. Soanien ancien: industrie de galets aménagés (période interglaciaire Mindel-Riss).
– 200 000. Soanien supérieur: industrie de type moustérien avec débitage Levallois.

MOYEN-ORIENT

– 500 000. Galets aménagés; site d'Ubaydiyya (Palestine).
– 200 000. Pièces bifaces de type acheuléen (Jordanie).
– 120 000. Premiers vestiges d'hommes de Neandertal du Proche-Orient (grotte d'El Taboun, Israël).

La maîtrise du feu

La maîtrise du feu est sans doute l'une des plus importantes acquisitions de l'homme. Le plus ancien foyer organisé connu en France est celui de Vértesszöllös, en Hongrie, qui date de 450 000 ans. Il est l'œuvre d'*Homo erectus*. Mais il est possible que des hommes plus anciens aient su entretenir des feux d'origine naturelle. Le plus ancien feu connu en France est celui de Terra Amata, près de Nice, qui date d'environ 380 000 ans.
Les techniques utilisées (pièces de bois frottées plutôt que silex) permettent alors de produire du feu à volonté. Le bois est le combustible le plus courant, mais l'homme brûle également des graisses et des os qui produisent une flamme plus lumineuse. C'est la maîtrise du feu qui permet à l'homme de coloniser des territoires au climat froid, dans les régions nordiques ou montagneuses. Dans le même temps, la cuisson des aliments améliore les conditions d'hygiène. Il semble probable que la préparation des repas, la chaleur et la lumière du foyer aient favorisé l'éclosion d'une vie sociale. Rapidement, l'homme apprend à transporter des braises. Il y a 130 000 ans, dans la grotte du Lazaret, près de Nice, il utilise les braises produites par un foyer situé à l'entrée de la grotte pour chauffer une cabane installée à l'intérieur. Enfin, les premières lampes, qui utilisent une mèche en poils ou en fibres végétales et qui brûlent des graisses, font leur apparition il y a environ 20 000 ans.

◆ **Traces d'un foyer.** Protégé par une murette de pierres, ce foyer (tache noire, à gauche) découvert sur le site de Terra Amata, près de Nice, est daté de – 380 000 ans. Il était installé au centre d'une cabane de branchages enfoncés dans le sable, de forme ovale, qui servait d'abri à des chasseurs nomades. C'est le plus ancien foyer organisé connu.

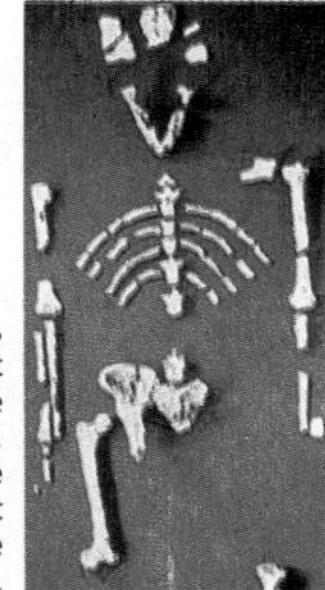

◆ **Lucy.** Ce fossile vieux de 3 millions d'années découvert (1974) en Éthiopie dans la vallée du Rift (Afrique orientale) est celui d'une jeune femme de 20 ans, *Australopithecus afarensis*. Lucy, ce bipède permanent, fait partie des hominidés ; elle était végétarienne. C'est le premier squelette d'australopithèque qu'on ait pu reconstituer.

VOIR AUSSI
- **Vie à l'ère quaternaire** p. 101
- **Paléolithique** p. 412
- **Néolithique** p. 414
- **Art de la préhistoire** p. 1042

◆ **Biface acheuléen.** C'est un outil assez fruste, taillé dans la masse (nucléus) et obtenu en une soixantaine de coups par *Homo erectus*.

◆ **Les cultures préhistoriques.** On désigne les cultures préhistoriques, caractérisées par un type d'outillage, d'après le nom du site où elles ont été identifiées.

Culture	Caractéristiques	Site
Oldowayen	Culture de *Homo habilis*: outillage très primitif (v. – 1,8 M)	Olduvai, Tanzanie
Abbevillien	Culture de *Homo erectus*, appelée aussi *Pebble Culture*: bifaces et outils sur éclats grossiers (v. – 800 000)	Abbeville (Somme)
Acheuléen	Culture du paléolithique inférieur: bifaces de divers types (– 300 000 à – 100 000)	Saint-Acheul, faubourg d'Amiens (Somme)
Moustérien	Culture de l'homme de Neandertal: racloirs, pointes de chasse (– 120 000 à – 35 000)	Le Moustier (Dordogne)

Les variations du climat

Il est possible que la modification du climat et de la végétation de l'Afrique orientale il y a environ 8 millions d'années soit la cause de l'apparition des hominidés. Les variations climatiques exercèrent, quoiqu'il en soit, une grande influence sur l'évolution des hommes. La lutte contre le froid et les grands animaux prédateurs favorisa sans doute l'éclosion d'une forme primitive de vie sociale, dans des grottes ou des abris artificiels.
Durant l'ère quaternaire, les périodes de glaciations alternent avec les périodes de réchauffement (interglaciaires). C'est à la fin de la glaciation de Donau qu'apparaît *Homo erectus*, qui se répand dans tout l'Ancien Monde (– 1,8 million d'années). Le feu est maîtrisé au cours de la glaciation de Mindel. Enfin, la dernière période glaciaire de Würm (– 80 000 à – 10 000) voit éclore l'art des cavernes, où les hommes du magdalénien représentent une faune particulièrement adaptée aux rigueurs du climat: mammouths, rhinocéros laineux, lions, ours des cavernes, rennes, bisons. La flore aussi évolue avec le climat: les bouleaux, les pins sylvestres et les graminées dominent pendant les périodes froides, et les arbres feuillus pendant les périodes interglaciaires.

Où est né le premier homme ?

Constatant que les vestiges australopithèques antérieurs à 1,8 million d'années étaient concentrés à l'est de la vallée du Rift (une vaste dépression bordée de volcans qui s'étend de Djibouti à l'Afrique du Sud), le paléontologue français Yves Coppens émit l'hypothèse que la formation de cette chaîne volcanique, qui arrête les pluies atlantiques, entraîna un assèchement du climat de la région il y a environ 8 millions d'années. La modification de la végétation (de la forêt vierge à la savane) aurait favorisé l'apparition de la station debout chez les ancêtres des australopithèques. Le squelette Lucy, découvert par Yves Coppens et Donald Johanson sur le site de Hadar, en Éthiopie, en 1974, est le témoin emblématique de cette théorie. Il est vieux d'environ 3,3 millions d'années. La découverte de nouveaux spécimens d'australopithèques par le professeur Brunet, au bord du lac Tchad en 1995, puis celle d'un nouveau squelette en Afrique du Sud, en 1999, remit quelque peu en cause cette hypothèse. Il est possible que les australopithèques soient apparus simultanément en plusieurs régions de l'Afrique, mais seul le rameau oriental aurait donné naissance au genre humain.

La préhistoire

De100000 à 7000 av. J.-C.
Le paléolithique

EUROPE

v. –33000. Premières traces d'occupation de la grotte de Cro-Magnon (Dordogne) par des hommes appartenant à l'espèce *Homo sapiens sapiens*. La grotte demeure un lieu d'habitat pendant tout l'aurignacien (jusqu'à –20000).

v. –30000. Disparition de l'homme de Neandertal.

v. –29000. Peintures murales de la grotte Chauvet (Ardèche).

v. –28000. Peintures murales de la grotte Cosquer, auj. sous-marine (Marseille).

v. –27000. Nombreuses statuettes féminines communément appelées « vénus » (Brassempouy, Lespugue, Willendorf), caractéristiques du gravettien.

–24000/–20000. Vestiges d'habitat (tentes circulaires ou rectangulaires, cabanes semi-enterrées, renforcées par des dalles ou des ossements) associés à des statuettes anthropomorphes et animales.

–19000/–16000. Abondance de l'outillage (pointes en « feuille de saule » et en « feuille de laurier », caractéristiques du solutréen).

v. –16000/–8000. Nombreux outils en os (sagaies, harpons à une puis deux rangées de barbelures) ; coexistence de plusieurs types d'habitat : campement de chasseurs en peaux de bêtes (Pincevent), grottes où s'épanouit l'art pariétal (Lascaux, Altamira, la Mouthe), cabanes semi-souterraines dont l'armature est faite de défenses de mammouth ; le magdalénien s'étend sur toute l'Europe, en Sibérie et au Moyen-Orient.

v. –15000/–14500. Peintures murales de Lascaux (Dordogne), chef-d'œuvre de l'art du magdalénien.

v.–12000. Peintures murales d'Altamira (Espagne).

MOYEN-ORIENT

v. –100000. Premiers hommes modernes, dans la grotte de Qafzeh. (Palestine) : 6 adultes et 8 enfants. La datation reste controversée (entre 59000 ans et 100000 ans). Selon certaines théories, cette population serait à l'origine de toutes les populations humaines actuelles.

–55000/–35000. *PALESTINE*. Site d'Es-Skhoul : 7 adultes et 3 enfants très proches du type Cro-Magnon, dans des sépultures.

–17000/–12000. *ÉGYPTE*. Cueillette de l'orge et du blé en Haute-Égypte.

–9000. *PALESTINE*. Débuts du néolithique. Apparition de l'agriculture et de la domestication, outillage microlithique (grattoirs, burins, flèches à pédoncule), habitat de cabanes rondes creusées en fosse. Première occupation du site de Jéricho ; traces probables de culte (dépôts de crânes).

–9000. *SYRIE*. Habitations circulaires surcreusées, aux murets d'argile et de bois (Mureybat).

–8000. *ANATOLIE*. Début de l'agriculture.

–7500. *SYRIE*. Culture du blé, de l'orge et des lentilles (Mureybat).

VOIR AUSSI • **Art du paléolithique** p. 1042

◆ **Pointes à cran d'époque solutréenne.**
Au paléolithique, les armes se diversifient pour s'adapter aux proies chassées.

La taille des silex

Homo habilis (vers 2,5 millions d'années av. J.-C.) utilisait de simples galets aménagés. C'est avec *Homo erectus* qu'apparaît la taille des pierres : la technique consiste à frapper deux pierres l'une contre l'autre ou une pierre contre un bloc de roche dure. Si les bifaces, des pierres d'assez grandes dimensions taillées sur leurs deux faces, ont longtemps été considérés comme caractéristiques de l'acheuléen, on sait aujourd'hui que les hommes du paléolithique inférieur utilisaient surtout de petits outils sur éclat, dont la qualité dépendait du matériau : l'usage du silex ne devient presque exclusif qu'au paléolithique moyen et supérieur. L'outillage moustérien comprend des outils en pointe, des racloirs à bords amincis, des pièces au tranchant en forme de dents... Plus tard se multiplient les grattoirs, les burins, les pointes en « feuille de saule » ou en « feuille de laurier » (caractéristiques du solutréen). Enfin, au néolithique, les haches en pierre polie se généralisent : cet outil, peu coupant mais très robuste, est très efficace pour couper les végétaux. Sa diffusion favorisa donc le défrichement et la naissance de l'agriculture.

La civilisation des cavernes

Contrairement à une idée souvent répandue, tous les hommes préhistoriques ne vivaient pas dans des grottes : on a retrouvé sur le site d'Olduvai (Tanzanie) des traces d'abris en pierres attribuables à *Homo habilis*, et des vestiges de huttes à Terra Amata, un site découvert près de Nice qui fut occupé par *Homo erectus*. Mais les glaciations favorisèrent le regroupement des hommes dans des cavernes, où ils pouvaient plus aisément se protéger du froid, en se réunissant autour d'un foyer, et se défendre contre les bêtes sauvages. Si les fouilles de grottes néandertaliennes comme Tautavel ont permis de déduire qu'elles abritaient les prémices d'une vie sociale (foyers en pierres, quelques sépultures), c'est avec *Homo sapiens*, apparu entre –100 000 et –50 000 ans, que se développe réellement la civilisation des cavernes.

Les fouilles entreprises sur certains sites (Cro-Magnon, grotte Cosquer, Grimaldi) montrent qu'ils ont été occupés pendant une très longue période. Nombre de grottes servent à la fois d'abri et de sépulture : les morts, qui portent souvent des éléments de parure, sont généralement ensevelis au fond de la grotte. Le mobilier, particulièrement riche, rassemble des outils – d'abord en pierre, puis également en os –, des statuettes féminines (les vénus) probablement associées à des rites de fécondité, quelques instruments de musique – sifflets en os, flûtes. L'invention de l'aiguille à chas, datée du solutréen, est une étape importante dans la préhistoire des techniques. Elle prouve également l'usage de vêtements, qui permettent à des hommes désormais dépourvus de fourrure de s'adapter aux variations du climat.

L'art du paléolithique. Mais c'est l'extraordinaire développement de la peinture qui caractérise le mieux la civilisation des cavernes. La découverte de la grotte Cosquer, près de Marseille, et de la grotte Chauvet, en Ardèche, permet désormais de faire remonter jusqu'à 29000 ans avant J.-C. la naissance de l'art pariétal, qui connaît son apogée au magdalénien, avec la grotte de Lascaux.

Peintures et gravures ornent le plus souvent le fond des grottes. Elles représentent presque exclusivement des animaux (les espèces figurées permettent d'ailleurs de dater les œuvres en fonction des variations du climat), tracés sur un mode étonnamment réaliste, alors que les rares hommes sont simplement schématisés. On y trouve également des signes abstraits et des empreintes de mains qui témoignent peut-être d'un embryon d'écriture.

La signification de l'art des cavernes demeure sujette à débat : on a évoqué une fonction religieuse, des rites liés à la chasse. Mais les grottes ornées étaient pour la plupart des lieux habités, non des tombeaux ou des temples. En tout cas, l'extraordinaire beauté des œuvres réalisées par les hommes du paléolithique continue aujourd'hui encore de fasciner préhistoriens et critiques d'art. L'incrédulité et les sarcasmes qui accompagnèrent la découverte des peintures de la grotte d'Altamira, en Espagne (1875), sont aujourd'hui oubliés. La découverte, en 1901, d'autres grottes, comme celle des Combarelles ou de Font-de-Gaume (Dordogne), fit définitivement reconnaître l'art du paléolithique.

ASIE

–100000. *CHINE.* Culture de Fen ; pierres taillées d'aspect moustérien.

–8000. *JAPON.* Début du peuplement par des populations provenant sans doute du continent nord-asiatique.

AFRIQUE

–40000/–25000. *AFRIQUE DU NORD.* Atérien ; industrie lithique de type moustérien (racloirs, grattoirs, éclats de type Levallois).

–18000/–9000. *AFRIQUE DU NORD.* Ibéromaurusien ; abondant outillage sur lamelles.

◆ **Les cultures préhistoriques.**

Culture	Caractéristiques	Site	Dates
aurignacien	Première culture du paléolithique supérieur (homme de Cro-Magnon) : grattoirs carénés, burins busqués et pointes de sagaies en os.	Aurignac (Haute-Garonne)	v. 35000 à 25000 suivant les régions.
gravettien	Culture du paléolithique supérieur : couteau à dos rectiligne et pointe acérée, objets en os à usage utilitaire et décor figuratif, statuettes féminines dites «Vénus».	La Gravette (Dordogne)	v. 28000 à 20000 suivant les régions.
solutréen	Culture du paléolithique supérieur : pointes plates à cran, en forme de feuilles de laurier et de feuilles de saule.	Solutré (Saône-et-Loire)	v. 19000 à 16000.
magdalénien	Ultime culture du paéolithique : outils en os, peintures rupestres.	La Madeleine (Dordogne)	v.16000 à 8000.

◆ **Reconstitution d'un habitat paléolithique.**
Le feu est un lointain héritage des archanthropiens, qui les premiers surent le conserver, puis le produire et enfin, v. – 400 000, l'intégrer à l'habitat. L'homme du paléolithique en découvre les applications techniques : traiter le silex en le chauffant, transformer les ocres et s'éclairer avec des lampes. (Musée des Antiquités nationales, Saint-Germain-en-Laye)

AMÉRIQUE ET OCÉANIE

–65000/–40000. *AMÉRIQUE DU NORD.* Début probable du peuplement du continent par des petits groupes de chasseurs venus d'Asie à travers le détroit de Béring, alors à sec.

–40000. *AUSTRALIE.* Les plus anciennes traces de présence humaine.

–37000. *AMÉRIQUE DU NORD.* Vestiges de foyer à Lewisville (Texas).

–30000. *AUSTRALIE.* Occupation des sites du lac Mungo (État de Victoria).

–28000. *AMÉRIQUE DU NORD.* Os carbonisés de mammouth à Tule Springs (Nevada).

–26000. *OCÉANIE.* Les Papous commencent à peupler la Nouvelle-Guinée et les Nouvelles-Hébrides; industrie lithique sur éclats, peu retouchés.

–15000/–12000. *AMÉRIQUE DU NORD.* Culture de Sandia (Nouveau-Mexique), caractérisée par la pointe de Sandia, non cannelée.

–15000/–11000. *AMÉRIQUE DU NORD.* Culture de Clovis (Nouveau-Mexique) ; pointe cannelée associée à des grattoirs et des couteaux ; utilisation de l'os poli.

–11000/–8000 *AMÉRIQUE DU NORD.* Culture de Folsom (nord-est du Nouveau-Mexique) ; pointes à cannelures longues et larges (on en a retrouvé quelque 8 000 près de traces de huttes, au sol en cuvette, premier type d'habitat connu des Paléo-Indiens ; Folson était un site de massacre collectif de gros gibier précipité de la falaise).

–10000. *AMÉRIQUE CENTRALE.* Présence de chasseurs-collecteurs dans le site de Tepexpán (vallée de Mexico).

–9000. *AMÉRIQUE DU SUD.* Premières traces d'occupation humaine (grotte Fell, Patagonie).

–9000. *MÉLANÉSIE.* Apparition d'herminettes et de haches polies.

–8000. *AMÉRIQUE DU SUD.* Amas de coquilles contenant un abondant outillage en obsidienne à Englefield (Chili méridional).

–8000. *AMÉRIQUE DU NORD.* Début de la culture Cochise et de la culture du désert (faune de mammouths, de chevaux et de bisons).

◆ **Les grandes étapes de l'évolution de l'homme.**

datation
époques culturelles
hominidés et hommes
glaciations et périodes interglaciaires
100 000
RISS
WÜRM
50 000
Paléolithique moyen
homme de Neandertal
40 000
Homo sapiens
WÜRM
30 000
Paléolithique supérieur
20 000
10 000
Mésolithique
Homo sapiens sapiens
5 000
4 000
3 500
Néolithique
3 000
Chalcolithique

◆ **Peinture rupestre de la grotte d'Altamira représentant un bison** (v. 13 000 av. J.-C.).

La préhistoire

De 7000 à 3000 av. J.-C.
Le néolithique

EUROPE

–7000. *EUROPE OCCIDENTALE.* Culture sauveterrienne, caractérisée par la présence de minuscules pièces en silex taillé (microlithes) ; collecte des légumineuses.

–7000/–4000. *EUROPE OCCIDENTALE.* Néolithique ancien associé à une poterie à décor de coquillage (céramique cardiale) ; élevage, agriculture ; habitat en grottes, dans des abris ou à l'extérieur.

–6000. *GRÈCE.* Culture des céréales, élevage des chèvres, des porcs et des bovins.

–5000/–2000. *EUROPE OCCIDENTALE.* Le néolithique se développe de la plaine du Danube au Bassin parisien ; il est caractérisé par l'usage de la pierre polie et par l'apparition de la poterie, qui se diffuse et se différencie en modèles régionaux. Habitat dans de grandes maisons rectangulaires à charpente en bois. Développement du commerce.

v. –4500. *EUROPE ATLANTIQUE.* Premiers monuments mégalithiques (Bretagne, Portugal).

v. –3500. *EUROPE ORIENTALE.* Domestication du cheval (site de Dereivka, Ukraine).

MOYEN-ORIENT

–7000. *ANATOLIE.* Domestication du mouton et de la chèvre à Çayönü (Turquie).

v. –6850. *PALESTINE.* Deuxième phase d'occupation de Jéricho (maisons rondes en briques crues, protégées par un mur d'enceinte).

v. –6250. *ANATOLIE.* Début de l'occupation du site de Çatal Höyük : habitat en briques crues, peintures murales, cuivre à l'état natif. Le site est occupé jusque v. –5000.

v. –6250/–5850. *PALESTINE.* Troisième phase d'occupation de Jéricho (maisons carrées avec peintures murales). La ville compte alors environ 3 000 habitants.

–6000. *MÉSOPOTAMIE.* Première occupation du site d'Ourouk (Iraq).

v. –5000/–4500. *IRAN.* Premiers objets en cuivre martelé.

–4500/–3500. *MÉSOPOTAMIE.* Culture d'El-Obeïd (Iraq) ; agriculture (canaux d'irrigation), élevage du mouton et du bœuf, pêche ; céramique à décor géométrique.

v. –3700/–3300. *MÉSOPOTAMIE.* Époque d'Ourouk caractérisée par le développement urbain – Ourouk compte près de 10 000 habitants –, l'invention de la roue, de la charrue primitive (araire), de la voile carrée permettant la navigation en haute mer, du tour de potier et de la métallurgie du cuivre ; naissance de l'écriture, avec un premier système graphique ancêtre de l'écriture cunéiforme ; apparition du cylindre-sceau. L'invention de l'écriture marque l'entrée dans l'Histoire.

–3200. *ÉGYPTE.* Narmer (aussi appelé Ménès) unifie les royaumes de Haute et de Basse-Égypte ; naissance de l'Égypte pharaonique. Fondation de Memphis, à la pointe du Delta ; l'exploitation agricole de la vallée du Nil s'organise tandis que se développe l'administration royale. Invention des hiéroglyphes. *MÉSOPOTAMIE.* Installation probable dans le sud du pays des Sumériens, venus soit du Caucase, soit plus probablement de la région de l'Indus.

ASIE

–7000. *PAKISTAN.* À Mehrgarh (Baloutchistan), début du néolithique (village, domestication de bovins et d'ovins, culture de céréales).

v. –6000. *INDE.* Apparition de la céramique dans la vallée de l'Indus. *CHINE.* Débuts du néolithique. Le riz est cultivé dans le sud du pays.

–5000/–2500. *INDE.* Phase préindusienne (antérieure à la civilisation de l'Indus) ; période chalcolithique caractérisée par le début de l'urbanisation, la métallurgie du cuivre, une poterie polychrome (Mehrgarh, Amri, Mundigak).

–4500/–3700. *JAPON.* Débuts de la culture jomon, caractérisée par des poteries portant des marques de cordes (île de Honshu) ou des impressions de coquillages (île de Kyushu) ; population de chasseurs-ramasseurs et de pêcheurs.

–4000/–2000. *CHINE.* Culture de Yangshao, caractérisée par sa poterie rouge ornée de motifs géométriques spiralés ; agriculture cyclique (culture du millet) ; culture du chanvre et du ver à soie ; élevage (porc, chien), chasse, pêche.

La révolution néolithique

L'amélioration de l'outillage, où domine désormais la pierre polie, joue sans aucun doute un rôle fondamental dans le processus que les préhistoriens appellent «révolution néolithique». Mais il est probable que celui-ci découle surtout du radoucissement du climat. Après les dernières oscillations glaciaires (vers –8000), la profonde transformation des conditions naturelles favorise en effet la croissance des graminées cultivables (blé, orge) et la prolifération des herbivores susceptibles d'être domestiqués.

C'est dans le «Croissant fertile» (de la Palestine à la Mésopotamie) qu'apparaît le premier foyer néolithique. Les hommes se sédentarisent et expérimentent de nouvelles techniques (brique, pilage du grain). Ils domestiquent certains animaux : chien, chèvre, plus tard mouton, bœuf et cochon. Dès cette époque, l'agriculture et l'élevage prennent le pas sur la cueillette et la chasse. Jéricho forme alors une véritable agglomération fortifiée, qui passe de 300 à 3 000 habitants entre les VIIIe et VIIe millénaires av. J.-C. Après une période intermédiaire marquée par le développement de la métallurgie du cuivre, le néolithique s'achève avec l'invention de l'écriture, qui marque l'entrée dans l'Histoire. La date est donc extrêmement variable : v. –3500 en Mésopotamie et (suivant les dernières découvertes archéologiques) en Égypte, au cours du IIe millénaire en Crète puis en Grèce, vers le XVIe siècle av. J.-C. en Chine, au Ier s. av. J.-C. seulement en Gaule celtique.

Du foyer moyen-oriental primitif, la culture néolithique se diffuse en Afrique du Nord (elle est attestée en Égypte au Ve millénaire), en Asie (Inde, Chine) et en Europe. Elle se différencie progressivement : une typologie des civilisations du néolithique européen a pu être dressée à partir des différentes formes de poteries découvertes lors des fouilles.

Caractéristiques du néolithique. Malgré des traits régionaux spécifiques, d'importants traits communs réunissent toutes les civilisations néolithiques : l'homme, passé du statut de prédateur à celui d'agriculteur-éleveur, connaît une puissante expansion démographique qui l'oblige à exploiter des espaces toujours plus vastes ; une vie sociale se constitue, caractérisée par l'habitat groupé en villages ; la nécessité de stocker les denrées produites favorise l'invention de la poterie pour la fabrication de récipients, plus tard celle du calcul et de l'écriture pour la gestion ; enfin, les échanges d'excédents agricoles et de produits manufacturés sont rendus possibles par l'invention de la roue et la domestication d'animaux de trait. Ainsi naissent artisans, fonctionnaires, commerçants.

Cependant, les stocks constitués ou les biens transportés excitent les convoitises, surtout en cas de mauvaise récolte : l'omniprésence des fortifications autour des villages du Moyen-Orient indique que le néolithique, qui vit l'humanité accomplir des progrès décisifs, est aussi la période où fut inventée la guerre.

La naissance de l'écriture

L'écriture apparaît en Mésopotamie à la fin de l'époque d'Ourouk (fin du IVe millénaire av. J.-C.). Il s'agit alors de pictogrammes, dessins schématisés représentant des objets ou des actions. Dans ses premières manifestations, cette écriture sert à cataloguer des denrées, à les quantifier, à indiquer leur propriétaire ou leur destination. Son développement est donc lié à une nouvelle organisation de la société : la sédentarisation, les progrès de l'agriculture et un embryon de commerce ont permis la création des premières cités, où naissent de nouvelles méthodes de gestion. Les greniers et les magasins publics font l'objet d'un suivi rigoureux dont témoignent les sceaux servant à garantir l'inviolabilité des jarres et des réserves. L'écriture est alors un outil administratif, avant de devenir un instrument de fixation de la religion, puis de jouer un rôle littéraire. Les pictogrammes, de plus en plus schématisés, aboutissent au IIIe millénaire à l'écriture cunéiforme, qui demeure en usage jusqu'au Ier s. apr. J.-C. Le dernier texte cunéiforme connu est un almanach d'Ourouk, écrit en 75 apr. J.-C.

◆ **Pictogrammes sumériens.**
Cette tablette sumérienne en calcaire, gravée de pictogrammes, date de la fin du IVe millénaire. Elle est sans doute un acte de propriété indiquant le nom des esclaves, le propriétaire étant symbolisé par la main.

AFRIQUE

–5000/–4000. *SAHARA.* Domestication du bœuf ; civilisation pastorale (associée à l'élevage de la chèvre et du mouton) ; nombreuses peintures pariétales représentant des troupeaux de bœufs.

–4000/–3000. *SOUDAN.* Début de la culture du sorgho.

AMÉRIQUE ET OCÉANIE

–6000. *MÉLANÉSIE.* Premières traces d'agriculture et d'élevage.

v. –5400. *AMÉRIQUE DU SUD.* Domestication du lama dans les Andes.

–5200/–3400. *MEXIQUE.* Domestication du maïs (Tehuacán).

IVe millénaire. *MÉLANÉSIE.* Installation d'agriculteurs venus d'Asie sud-orientale en Nouvelle-Guinée ; ils utilisent l'herminette à lame de pierre polie.

VOIR AUSSI
• **Antiquité** p. 260-261
• **Langues et écritures** p. 951
• **Art du néolithique** p. 1043

◆ **Faucille en silex emmanchée dans un bois de cervidé.** Elle provient d'Egolzwil (canton de Lucerne). La faucille recourbée dans l'autre sens qui permet d'un seul geste de grouper les tiges et de les couper, n'apparaîtra qu'à l'âge du bronze. (Musée national suisse, Zurich)

Les premières pierres dressées datent du milieu du Ve millénaire. La civilisation des mégalithes apparaît dans les régions proches de l'Atlantique (Bretagne, Portugal) avant de se répandre progressivement dans toute l'Europe. Les menhirs érigés par les hommes du néolithique symbolisent peut-être des êtres humains et sont souvent ornés de gravures, des dolmens, ou des ensembles monumentaux plus complexes : allées couvertes, tumulus, cromlechs.

L'érection des mégalithes demeure une énigme technique : on ignore comment les hommes du néolithique transportèrent ces énormes blocs de pierre sur des distances considérables, qui peuvent atteindre plusieurs centaines de kilomètres, et comment ils parvinrent à les lever. Leur fonction religieuse ne fait en revanche guère de doute : les menhirs, isolés, regroupés en cromlechs comme à Stonehenge ou constitués en alignements (Carnac), semblent liés à un culte solaire : leur orientation correspond en effet souvent à l'axe du soleil à des moments particuliers, solstices ou équinoxes. Les dolmens sont quant à eux des sépultures collectives, tandis que les tumulus servaient de tombeaux à de puissants personnages, comme en témoigne le riche mobilier qui y a souvent été découvert. La civilisation des mégalithes se prolonge jusque vers 1500 av. J.-C. Les Celtes, arrivés en Europe vers le VIe s., continuent à les utiliser pour le culte druidique jusqu'à l'occupation romaine.

◆ **Intérieur du dolmen de Gavrinis (Morbihan).** Les dalles gravées qui ornent ses parois sont l'une des particularités de ce monument mégalithe du IVe millénaire av. J.-C.)

◆ **Peinture rupestre du tassili des Ajjer, à Sefar.** Un bel exemple de l'art naturaliste africain du Ve millénaire.

◆ **Murailles de Jéricho.** Troupeaux, réserves de céréales constituaient des richesses, et très tôt l'homme a songé à se garantir des convoitises et de la guerre derrière de hautes murailles. Celles, fameuses, de Jéricho ont été élevées v. 8000 av. J.-C.

◆ **Figurines de terre cuite de la période chalcolithique (IIe-Ve millénaires),** trouvées à Gilat dans le Néguev. (Musée d'Israël, IDAM, Jérusalem)

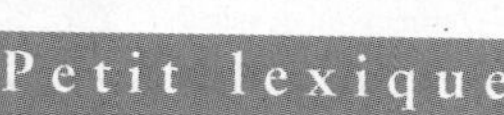

cromlech : monument formé de menhirs disposés en cercle et parfois surmontés de pierres qui constituent un portique.

cunéiforme : écriture utilisée dans toute la Mésopotamie, du IIIe millénaire au Ier s. apr. J.-C., pour noter diverses langues.

dolmen : mégalithe formé de plusieurs pierres dressées et recouvertes d'une dalle horizontale.

menhir : bloc de pierre dressé, isolé ou groupé.

L'Antiquité

De 3000 à 1000 av. J.-C
Les civilisations du Moyen-Orient

EUROPE

IIIe-IIe millénaires. Chalcolithique ou âge du cuivre, qui associe outils en pierre et en cuivre. Développement de la céramique, diffusion du mégalithisme.

v. –2600/–2200. *GRÈCE.* Helladique ancien : le territoire grec se peuple, les relations avec les îles de la mer Égée se développent. *CRÈTE.* Minoen ancien : céramique, vaisselle de pierre, poignards de cuivre, bijoux d'or.

fin du IIIe/début du IIe millénaire. *EUROPE OCCIDENTALE.* Chalcolithique récent : céramique campaniforme (en forme de cloche renversée), objets de cuivre, d'or puis de bronze ; populations pastorales, sépultures individuelles sous tumulus ronds.

v. –2000. *EUROPE OCCIDENTALE.* Gravures rupestres de la vallée des Merveilles (Alpes-Maritimes).

–2000/–1600. *CRÈTE.* Minoen moyen. Construction des premiers palais (Malia, Cnossos, Phaistos).

v. –1800/–1400. *EUROPE OCCIDENTALE ET CENTRALE.* Premier âge du bronze ; céramique à décor corde, haches de bataille en bronze. Principal centre : Unetice (Bohême).

v. –1600. *GRÈCE.* Invasion d'un peuple indo-européen venu du Nord, les Achéens ; développement de la civilisation mycénienne, qui connaît son apogée vers –1500.

fin du XIIIe s. av. J.-C. *GRÈCE.* Destruction de la civilisation mycénienne, traditionnellement attribuée aux invasions doriennes (théorie aujourd'hui très contestée) ; disparition du commerce maritime et de l'écriture. *EUROPE CENTRALE.* Civilisation des « champs d'urnes », peut-être protoceltique, qui pratique l'incinération.

MOYEN-ORIENT

v. –3000. *MÉSOPOTAMIE.* Lutte entre les cités-États sumériennes (Kish, Lagash, Our, Ourouk, Mari).

v. –2778. *ÉGYPTE.* Djoser, premier pharaon de la IIIe dynastie ; son ministre Imhotep construit la pyramide à degrés de Saqqarah. Début de l'Ancien Empire.

–2723/–2563. *ÉGYPTE.* IVe dynastie; Kheops, Khephren et Mykerinos font construire les grandes pyramides et le sphinx à Gizeh.

v. –2700. *MÉSOPOTAMIE.* Domination des rois de Kish ; construction des remparts d'Ourouk, attribués au roi légendaire Gilgamesh.

v. –2600. *MÉSOPOTAMIE.* Fondation de la ville d'Assur.

v. –2450. *MÉSOPOTAMIE.* Mari devient la capitale d'un puissant État qui s'étend sur tout le moyen Euphrate.

v. –2300. *MÉSOPOTAMIE.* Sargon Ier l'Ancien fonde la cité-État d'Akkad, qui étend son empire jusqu'en Syrie et en Anatolie. Elle sera détruite vers –2160.

–2260/–2160. *ÉGYPTE.* À la mort de Pépi II, le pays est livré à l'anarchie et aux infiltrations étrangères. Première période intermédiaire.

–2160. *ÉGYPTE.* Les princes de Thèbes fondent la XIe dynastie. Début du Moyen Empire.

début du IIe millénaire. *ÉGYPTE.* Pénétration des Hyksos, peuples asiatiques refoulés par les invasions indo-européennes.

–2000/–1750. *PALESTINE.* Les Hébreux pénètrent dans le pays de Canaan.

XIXe–XVIIIe s. av. J.-C. *ANATOLIE.* Un peuple indo-européen, les Hittites, occupe le bassin de l'Halys (Hatti).

–1785/–1750. *MÉSOPOTAMIE.* Hammourabi, roi de Babylone, détruit les autres États mésopotamiens et fonde un empire.

–1785/–1580. *ÉGYPTE.* Deuxième période intermédiaire ; l'Égypte est soumise à la tutelle des Hyksos.

–1595. *MÉSOPOTAMIE.* Babylone est détruite par les Hittites.

L'Égypte antique

L'Égypte présente la caractéristique unique d'avoir été le berceau d'une civilisation extrêmement originale qui s'est maintenue continûment, et quasiment sans emprunt extérieur, pendant près de trois millénaires, des premiers pharaons (vers 3200 av. J.-C.) à la conquête perse (VIe s. av. J.-C.).

Les premiers documents pré-hyéroglyphiques apparaissent avant même l'unification du pays par Narmer qui inaugure la période thinique (vers –3200). Durant la période suivante, l'Ancien Empire (XXVIIe-XXIIe s.), les structures de l'Égypte pharaonique sont mises en place : la centralisation administrative, religieuse et économique est mise au service d'un souverain de droit divin dont les temples et les tombeaux monumentaux (pyramide à degré de Saqqarah, pyramides de Gizeh) rappellent le caractère immortel.

La mort de Pepi II (v. –2183) ouvre une période de crise politique et sociale. Les fonctionnaires régionaux, devenus héréditaires, prennent leur indépendance, tandis que le peuple réclame l'accès à l'immortalité de l'âme. La restauration de l'unité par les princes de Thèbes (Haute-Égypte) inaugure le Moyen Empire (v. 2050-1786 av. J.-C.). C'est la phase classique de la civilisation égyptienne, qui voit l'épanouissement d'une littérature riche et variée. La royauté s'appuie sur le clergé thébain du dieu Amon et sur les scribes, qui forment une véritable classe moyenne. Le Moyen Empire s'achève sur les invasions des Hyksos, populations probablement sémites, encadrées par une aristocratie d'origine indo-européenne.

L'apogée et le déclin. La victoire du roi de Thèbes Ahmès sur les Hyksos, v. –1570, ouvre le Nouvel Empire (v. –1570/–1085). L'Égypte, qui est devenue une grande puissance militaire, noue des alliances diplomatiques et mène de nombreuses campagnes pour imposer sa domination sur la Palestine et la Syrie. Aménophis III (v. –1417-1372), Aménophis IV-Akhenaton (v. –1372-1354) et Ramsès II (v. –1304-1236) sont les plus grands souverains d'une époque brillante, dont l'éclat est attesté par les grands monuments de Louqsor ou par le tombeau de Toutankhamon.

Après la mort de Ramsès XI (–1085), l'Égypte est à nouveau morcelée et connaît le déclin, malgré la renaissance saïte (663-525 av. J.-C.). À partir de 332 av. J.-C., la domination grecque entraîne une profonde transformation de la civilisation égyptienne, qui se fond peu à peu dans le monde hellénistique.

◆ Pharaon. Il est coiffé de la tiare bleue de combat *(khepresh)*, porte un gorgerin au cou et la *shenti*, longue écharpe roulée autour des reins.

L'Empire babylonien

Connue depuis le XXIIIe s. av. J.-C., Babylone acquiert son indépendance avec l'avènement d'une dynastie issue d'un peuple sémite oriental, les Amorrites, au début du XIXe s. Mais c'est sous le règne d'Hammourabi (v. 1793-1750 av. J.-C.) qu'elle atteint son apogée. Grand conquérant, Hammourabi abat le royaume de Mari et s'empare de toute la Mésopotamie. Législateur, il fait la synthèse des traditions juridiques sumériennes en rédigeant un code qui nous est connu par plusieurs stèles. Babylone est alors un centre commercial et artisanal actif. Sa religion, héritée de Sumer, se répand dans tout le Moyen-Orient, ce dont témoigne la diffusion de l'épopée de Gilgamesh. La civilisation babylonienne se caractérise également par l'exceptionnel développement des sciences : mathématiques, médecine et surtout astronomie. Le premier Empire babylonien s'écroule vers 1595 av. J.-C. sous les coups des Hittites. Malgré d'incessantes révoltes, Babylone passe ensuite sous la domination de l'Assyrie (XIVe-VIIe s.) avant de recouvrer son indépendance sous la dynastie chaldéenne (626/539 av. J.-C.). Sous Nabuchodonosor II (605-562), Babylone connaît un éclat incomparable et domine toute la Mésopotamie, la Syrie et la Palestine. Mais, dès –539, elle est conquise par les Perses.

◆ Le Code d'Hammourabi. Cette stèle de basalte noir, datant du XVIIIe s., contient un recueil de jurisprudence, rédigé en akkadien, qui constitue une source unique pour l'étude de la société babylonienne. La partie supérieure de la stèle représente Hammourabi adorant Shamash, dieu-soleil et maître de la justice. (Musée du Louvre, Paris)

–1580/–1085. *ÉGYPTE.* Nouvel Empire ; la capitale est fixée à Thèbes. Apogée de la puissance égyptienne.

v. –1500. *ÉGYPTE.* Le pharaon Thoutmès III conquiert la Phénicie, la Palestine et la Syrie.

–1372/–1354. *ÉGYPTE.* Règne d'Aménophis IV (Akhenaton), qui instaure le culte unique du dieu Aton (le disque solaire).

–1360/–1330. *MÉSOPOTAMIE.* Assour-Ouballit Ier fonde le premier Empire assyrien.

XIIIe-XIIe s. av. J.-C. *PHÉNICIE.* Développement des cités-États (Tyr, Byblos, Sidon).

–1283. *ÉGYPTE.* Ramsès II et le roi des Hittites Hattousili III concluent une alliance contre les Assyriens.

v. –1250. *ÉGYPTE.* Les Hébreux sortent d'Égypte sous la conduite de Moïse.

–1198. *ANATOLIE.* Les Peuples de la Mer détruisent l'Empire hittite.

–1191/–1166. *ÉGYPTE.* Ramsès III lutte victorieusement contre les invasions des Peuples de la Mer.

–1127/–1105. *MÉSOPOTAMIE.* Nabuchodonosor Ier rend à Babylone une place prépondérante.

v. –1100. *PALESTINE.* Apparition de l'alphabet phénicien.

–1085. *ÉGYPTE.* Division de l'empire pharaonique en plusieurs royaumes, qui passent aux mains de dynasties étrangères après –950.

v. –1010/–970. *PALESTINE.* David unifie le royaume d'Israël, dont il établit la capitale à Jérusalem.

AFRIQUE

v. –2500. *SAHARA.* Début de la désertification de la région ; la population pastorale émigre vers le sud, jusqu'à la forêt équatoriale.

–2000/–1000. *AFRIQUE CENTRALE.* Domestication du bœuf, du mouton et de la chèvre, développement du pastoralisme (Mali, Mauritanie, abords du lac Tchad, Kenya) ; élevage associé à la chasse et à la pêche ; microlithes, haches polies.

v. –1500. *AFRIQUE AUSTRALE.* Peintures pariétales (Namibie).

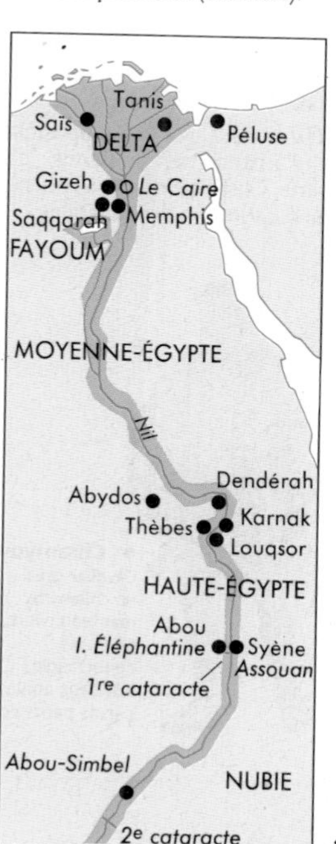

◆ **L'Égypte ancienne.**

ASIE

v. –2400/–1800. *CHINE.* Culture de Longshan : vie sédentaire dans des villages enclos d'un rempart de terre, organisés autour d'un bâtiment central ; traces de rites agraires ; céramique grise ou noire. *INDE DU NORD-OUEST.* Civilisation de l'Indus, qui présente de nombreuses analogies avec celle de Mésopotamie ; vestiges d'importantes cités (Harappa, Mohenjo-Daro, Mehrgarh) ; poterie peinte, métallurgie du cuivre et du bronze; culte de la déesse-mère et culte phallique ; écriture (non déchiffrée).

fin du IIIe millénaire / XVIIIe s. av. J.-C. *CHINE.* Première dynastie, semi-légendaire, des Xia.

v. –2000/–1500. *INDE DU NORD.* Invasions de populations indo-européennes (Aryens) probablement venues d'Asie centrale ; elles y installent une communauté linguistique (sanskrit) et culturelle.

XVIIIe s. av. J.-C. / v. –1025. *CHINE.* Dynastie des Shang, dite aussi Yin, qui règne sur la plaine du Huang He ; maîtrise du travail du bronze, apparition de l'écriture ; la pratique de la divination (os d'animaux) se répand, ainsi que le culte des ancêtres.

v. –1025/–256. *CHINE.* Dynastie des Zhou, qui ne parvient à maintenir son autorité effective sur le pays que jusqu'au VIIIe s. av. J.-C.

AMÉRIQUE ET OCÉANIE

v. –3000. *AMÉRIQUE DU SUD.* Premières céramiques à Puerto Hormiga (Colombie).

v. –3000/–2500. *AMÉRIQUE DU NORD.* Tradition des terres forestières. Développement de la céramique, apparition de l'agriculture.

v. –2500. *AMÉRIQUE CENTRALE, AMÉRIQUE DU SUD.* Premiers villages d'agriculteurs sédentaires (Mexique) ; à Canapote (Colombie) et à Valdivia (Équateur), développement de la céramique (les gens de Valdivia sont des agriculteurs qui connaissent le maïs et, sans doute, le coton) ; petits objets en terre cuite présentés en offrande (Kotosh, Pérou).

v. –2000/–700. *AMÉRIQUE CENTRALE.* Préclassique maya ancien, localisé primitivement dans la région du Yucatán méridional ; débuts du village de Cuello (Belize).

v. –2000. *MEXIQUE.* Débuts de la culture olmèque sur les côtes du golfe du Mexique.

v. –2000. *OCÉANIE.* La culture polynésienne se diffuse en Mélanésie et en Micronésie.

–1500/–1200. *POLYNÉSIE OCCIDENTALE.* Culture Lapita ; céramique décorée au peigne, associée à une industrie lithique (herminettes, hameçons, limes de corail).

v. –1200/–600. *MEXIQUE.* Épanouissement de la civilisation olmèque ; têtes colossales (Tres Zapotes, San Lorenzo, La Venta).

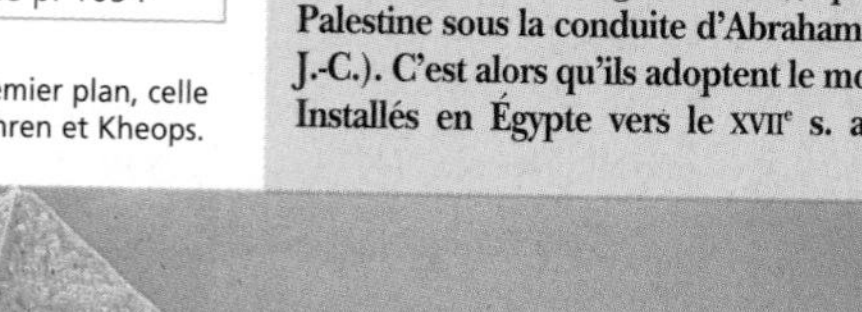

VOIR AUSSI
- **Religion de l'Égypte ancienne** p. 481
- **Religion de la Mésopotamie** p. 485
- **Religion de l'ancien Israël** p. 494
- **Art du Proche-Orient ancien** p. 1044
- **Art de l'Égypte ancienne** p. 1046
- **Art de la Grèce antique** p. 1048
- **Art de la Chine ancienne** p. 1054

Les Hébreux

L'histoire du peuple hébreu est connue principalement par l'Ancien Testament. De ce fait, il est souvent difficile de démêler les faits proprement historiques et leurs interprétations religieuses. Il paraît en tout cas établi que les Hébreux sont à l'origine un petit groupe sémite de Mésopotamie (région d'Our), qui émigre en Palestine sous la conduite d'Abraham (v. 1800 av. J.-C.). C'est alors qu'ils adoptent le monothéisme. Installés en Égypte vers le XVIIe s. av. J.-C., les Hébreux quittent le pays lorsque le pharaon Ahmès en chasse les Hyksos (v. –1570) : lors de leur séjour dans le Sinaï, Moïse reçoit les dix commandements, qui deviennent le fondement de leur loi religieuse. L'installation définitive des Hébreux en Palestine daterait du XIIIe s. av. J.-C. D'abord divisés en douze tribus, ils s'unissent pour lutter contre les Philistins sous les règnes de Saül (v. –1030/–1010), David (v. –1010/–970) et Salomon (v. –970/–931), qui bâtit le premier temple de Jérusalem. À sa mort, la Palestine est divisée en deux royaumes, Israël et Juda. Cette période s'achève sur la prise de Jérusalem par le roi de Babylone, Nabuchodonosor II, qui déporte la plus grande partie de la population : la captivité à Babylone (597-538 av. J.-C.) met fin à l'indépendance de la Palestine et provoque la diaspora des Hébreux.

◆ **Les pyramides de Gizeh.** Au premier plan, celle de Mykerinos, derrière elle, celles de Khephren et Kheops.

Petit lexique

diaspora : dispersion des Juifs hors de Palestine. Amorcée dès le VIIIe s. av. J.-C., elle s'accélère lors de la captivité à Babylone (VIe s. av. J.-C., première diaspora) et se poursuit à l'époque hellénistique et romaine (destruction de Jérusalem par Titus, deuxième diaspora).

Hyksos : populations qui envahirent l'Égypte après 1720 av. J.-C.

scribe : en Égypte, fonctionnaire attaché aux temples ou aux palais royaux, chargé de rédiger les actes administratifs.

L'Antiquité

De 1000 à 500 av. J.-C.
De l'Assyrie à la Perse

EUROPE

XIe s. av. J.-C. *ITALIE.* Débuts de la civilisation villanovienne ou des Terramares, qui se caractérise par l'utilisation du fer et l'incinération des morts.

v. – 1000. *GRÈCE.* Apparition de la métallurgie du fer.

v. – 850. *GRÈCE.* L'écriture des épopées de l'*Iliade* et de l'*Odyssée*, attibuées à Homère, marque la naissance de la littérature grecque.

– 776. *GRÈCE.* Fondation des jeux Olympiques, célébrés en l'honneur de Zeus.

– 753. *ITALIE.* Date traditionnelle de la fondation de Rome par Romulus.

v. – 750/– 475. *EUROPE CENTRALE ET OCCIDENTALE.* Premier âge du fer, ou période de Hallstatt, d'abord caractérisé par de grandes épées de fer et des épées de bronze puis, à partir de 600 av. J.-C. environ, par un glaive court en fer ; développement des courants commerciaux entre l'Europe centrale et occidentale et la Méditerranée. La période de Hallstatt est généralement considérée comme celle où s'individualise la culture celte.

v. – 750. *GRÈCE.* Débuts de l'expansion grecque vers l'ouest et colonisation des Cyclades (fondation de Cumes, Naxos, Syracuse) ; épanouissement de l'art géométrique (céramique).

v. – 700. *ITALIE.* Les Étrusques apparaissent en Toscane.

v. – 657. *GRÈCE.* Cypsélos devient tyran de Corinthe ; la cité entame un développement qui fait d'elle le principal centre économique de la Grèce.

v. – 600. *GRÈCE.* Construction du temple d'Héra à Olympie.

VIe s. av. J.-C. *GAULE.* Fondation de Massalia (Marseille) par des colons grecs originaires de Phocée (Ionie).

v. – 594. *GRÈCE.* À Athènes, l'archonte Solon impose des réformes qui limitent la puissance de la noblesse en assurant l'égalité de tous les citoyens libres (un dixième de la population environ) devant la loi.

– 585. *GRÈCE.* L'éclipse de Soleil prévue par Thalès de Milet a effectivement lieu.

v. – 575. *ITALIE.* Rome tombe sous la domination des Étrusques (dynastie des Tarquins). Apogée de la puissance étrusque en Italie centrale.

– 560. *GRÈCE.* Pisistrate devient tyran d'Athènes pour la première fois. Chassé à plusieurs reprises, il ne se rétablit définitivement qu'en 546 et reste au pouvoir jusqu'à sa mort (v. – 526). Il consolide les réformes politiques et sociales de Solon. Ses fils Hipparque et Hippias sont renversés en – 510.

v. – 530. *SICILE.* Pythagore, mathématicien et philosophe grec, émigre à Crotone, où il attire de nombreux disciples.

– 509. *ROME.* Les Romains chassent le dernier roi étrusque, Tarquin le Superbe ; date traditionnelle de la fondation de la République romaine.

– 507. *GRÈCE.* Malgré l'opposition de l'aristocratie, soutenue par Sparte, Clisthène donne à Athènes une constitution démocratique.

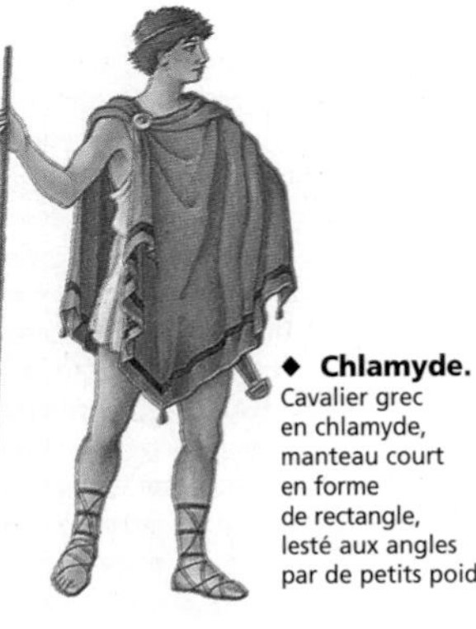

◆ **Chlamyde.** Cavalier grec en chlamyde, manteau court en forme de rectangle, lesté aux angles par de petits poids.

MOYEN-ORIENT

– 969/ – 931. *PALESTINE.* Règne de Salomon, qui édifie le « Premier Temple » de Jérusalem (969-962 av. J.-C.) À sa mort, le royaume hébreu est divisé entre les royaumes d'Israël au nord et de Juda au sud (capitale : Jérusalem).

– 883. *ASSYRIE.* Fondation du second Empire assyrien ; Assournazirpal II étend sa domination jusqu'à la Méditerranée.

v. – 750. *ÉGYPTE.* Conquête de l'Égypte par Piankhi, roi-prêtre de Napata (Soudan), qui fonde la XXVe dynastie, dite éthiopienne.

– 721. *PALESTINE.* Le roi d'Assyrie Sargon II détruit le royaume d'Israël. Début de la dispersion des Hébreux hors de Palestine (diaspora).

v. – 687/– 652. *ANATOLIE.* Le roi de Lydie Gygès impose sa domination à la plus grande partie de l'Asie Mineure.

v. – 671. *ÉGYPTE.* L'Assyrien Assarhaddon conquiert le delta du Nil.

– 669/v. – 627. *ASSYRIE.* Assourbanipal parachève l'œuvre de ses prédécesseurs ; l'Empire assyrien unifie l'Orient du haut Nil au golfe Persique.

– 663. *ÉGYPTE.* Avènement du pharaon Psammétique Ier, qui chasse les Assyriens et les Soudanais, et

Les Étrusques

L'origine des Étrusques demeure mal établie. La tradition rapportée par Hérodote, selon laquelle ils seraient venus d'Asie Mineure par la mer, semble confirmée par les données archéologiques et linguistiques. Mais il est probable que la civilisation étrusque puise également à des traditions autochtones.

L'apparition des Étrusques en Toscane n'est pas antérieure à la fin du VIIIe s. av. J.-C. Une nouvelle civilisation, essentiellement urbaine, s'épanouit rapidement : douze lucumonies s'unissent pour former une puissante confédération militaire et commerciale qui impose son hégémonie à l'Italie septentrionale et centrale au cours des VIIe et VIe s. av. J.-C. Maîtres de Rome et d'une partie de la Campanie, vainqueurs des Phocéens de Marseille à Alalia (–535), les Étrusques se heurtent aux Grecs et aux Carthaginois. Aussi leur déclin est-il rapide. Chassés de Rome en –509, vaincus par la flotte grecque à Cumes (–474), menacés par les Gaulois qui envahissent la plaine du Pô au cours du Ve s. av. J.-C., ils sont définitivement soumis par les Romains après la bataille de Sentinum (–295).

Malgré la conquête romaine, la civilisation étrusque se poursuit jusqu'à l'époque impériale : les magnifiques tombeaux à peintures de Tarquinia, de Vulci ou de Chiusi sont les témoins d'un art original qui assimile progressivement techniques et motifs picturaux venus de Grèce.

◆ **La tombe des Augures à Tarquinia** (530 av. J.-C.).
Sur la paroi du fond, les deux prêtres récitent leurs prières devant la porte du royaume des Ombres.

Apogée et chute de l'Empire assyrien

La région d'Assour, l'Assyrie, a d'abord été soumise aux empires de Sumer, d'Akkad et d'Our avant de se rendre indépendante au début du XXe s. av. J.-C. Elle constitue alors une puissante cité-État dont la richesse se fonde sur le contrôle des routes commerciales entre l'Orient et la Cappadoce.

L'Assyrie acquiert progressivement une réelle identité politique et culturelle à la faveur d'incessantes luttes contre ses voisins indo-européens et sémites. Le règne de Samsi-Adad Ier (parvenu au pouvoir v.–1809) voit l'apogée du premier Empire assyrien, qui domine une vaste région s'étendant sur toute la Mésopotamie et la Syrie, du golfe Persique à la Méditerranée.

Conquise par le roi de Babylone Hammourabi (–1785/–1750), l'Assyrie est ensuite soumise au royaume indo-européen du Mitanni et ne recouvre son indépendance qu'au cours du XIVe s. av. J.-C. Commence alors une longue et sanglante lutte contre le Mitanni (soumis v. 1300 av. J.-C.), les Hittites et Babylone. Les Assyriens pratiquent une guerre de pillage et de terreur dans le seul but de ramener le plus riche butin possible. Après une période de repli due aux invasions araméennes du XIe s., l'Empire assyrien connaît sa plus grande extension entre le IXe et le VIIe s. av. J.-C. C'est alors que l'art, qui vise à exalter la puissance du roi en représentant sur des bas-reliefs colossaux scènes de chasse et de combat, atteint son apogée.

restaure l'indépendance de l'Égypte (époque saïte).

v. – 627. *BABYLONE.* Avènement de la dynastie araméenne (dite chaldéenne), qui étend sa domination à la haute Mésopotamie et à la Syrie.

– 612. *ASSYRIE.* Cyaxare, roi des Mèdes, s'empare d'Assour (– 614) et de Ninive (– 612). Disparition du second Empire assyrien et relèvement de Babylone.

– 609. *ÉGYPTE.* Le pharaon Néchao II bat et tue le roi de Juda Josias à Meggido (auj. Har Magedon, Israël). L'Égypte s'oppose à Babylone pour la domination du Proche-Orient.

– 587. *BABYLONE.* Nabuchodono-sor II s'empare de Jérusalem ; début de la captivité du peuple juif à Babylone et renforcement de la diaspora.

– 561/– 546. *ANATOLIE.* Règne de Crésus, dernier roi de Lydie, qui soumet les cités grecques du littoral d'Asie Mineure.

v. – 556 / – 530. *PERSE.* Règne de Cyrus II, fondateur de l'Empire perse achéménide, qui annexe la Lydie (– 546) et s'empare de Babylone (– 539/– 538), permettant au peuple juif de rentrer à Jérusalem.

– 525. *ÉGYPTE.* Le pays est conquis par le roi de Perse Cambyse II. Érigé en satrapie, il demeure dans l'Empire perse jusqu'en – 404.

– 522 /– 486. *PERSE.* Règne de Darios Ier, qui étend l'Empire perse de l'Indus au Danube et renforce ses structures administratives (satrapies). C'est sous son règne que sont frappées les premières monnaies perses et qu'est entreprise la construction de la résidence royale de Parsa (Persépolis).

ASIE

– 722/– 481. *CHINE.* Période des Printemps et Automnes ; les Zhou, réfugiés au Henan, ne conservent plus qu'une autorité nominale sur les principautés de Chine centrale, qui deviennent indépendantes ; cette période est marquée par l'apparition de nombreuses écoles philosophiques (dont le taoïsme de Laozi et le confucianisme).

v. – 700. *INDOCHINE.* Un royaume, connu sous le nom de Van Lang, se constitue sur une large partie du Viêt Nam septentrional.

VIIe-VIe s. av. J.-C. *CORÉE.* Le bronze est introduit dans le nord-ouest de la Corée par des pasteurs cavaliers venus de Chine.

VIe-Ve s. av. J.-C. *INDE.* Les Indo-Aryens se répandent dans l'ensemble de la plaine indo-gangétique et dans le sud du pays.

v. – 528. *INDE.* Bodhi (« illumination ») de Siddhartha Gautama, qui devient le suprême Bouddha et commence à prêcher sa doctrine, le bouddhisme.

v. – 518. *INDE.* Darios, roi des Perses, envahit une partie de la vallée de l'Indus, qu'il transforme en satrapie.

– 513. *CHINE.* Première mention de la fonte du fer.

AFRIQUE

v. – 1000/ – 700. *SAHARA.* Les peintures rupestres représentant des chars à deux roues tirés par des chevaux sont les témoins de la « route des chars », qui relie le fleuve Niger à la Méditerranée ; cette voie commerciale permet le trafic de la poudre d'or, des esclaves noirs et de l'ivoire vers l'Égypte et la Grèce.

– 814. *AFRIQUE DU NORD.* Selon la tradition, les Phéniciens fondent la cité de Carthage.

– 631. *AFRIQUE DU NORD.* Selon la tradition, des colons grecs doriens fondent la cité de Cyrène (Libye).

– 600/– 300. *AFRIQUE NOIRE.* La métallurgie du fer se diffuse en Afrique occidentale et orientale depuis la Nubie.

VIe s. av. J.-C. *SOUDAN.* Fondation de Méroé, capitale du royaume de Koush (Soudan).

AMÉRIQUE ET OCÉANIE

v. – 1000. *AMÉRIQUE CENTRALE.* Autel des sacrifices, aire maya (Seibal, Guatemala). *AMÉRIQUE DU SUD.* Apogée de la culture de Chavin, première des grandes cultures des Andes.

v. – 700/– 300. *AMÉRIQUE CENTRALE.* Maya préclassique moyen : les hommes, regroupés dans des villages au cœur de la forêt tropicale, cultivent le maïs et utilisent des récipients en céramique.

VIIIe-VIIe s. av. J.-C. *AMÉRIQUE DU SUD.* La culture de Chavin se diffuse sur une grande partie du territoire péruvien.

v. – 700/– 500. *MEXIQUE.* Les *Danzantes*, bas-relief représentant des sacrifices à Monte Albán I, témoignent de l'influence olmèque sur la région.

v. – 600. *AMÉRIQUE CENTRALE.* Début de l'établissement de la cité maya de Tikal (Guatemala).

– 600/– 500. *MEXIQUE.* Pyramide de Cuicuilco, première construction cérémonielle dans la vallée de Mexico.

VOIR AUSSI
- **Religions orientales** p. 525 à 536
- **Art du Proche-Orient ancien** p. 1044
- **Architecture de la Grèce antique** p. 1048
- **Art étrusque** p. 1050
- **Art précolombien** p. 1058

◆ **Roi d'Assyrie.**
Il porte une tunique et un châle en laine frangée. Sa tiare comporte une pointe, l'apex, et un bandeau, la mitre.

Au début du règne d'Assourbanipal (v. – 668/– 626), les Assyriens dominent tout le Proche-Orient, du delta du Nil à la Syrie et au golfe Persique. Mais ils ne cherchent à aucun moment à assimiler ou à associer les populations conquises, qu'ils se bornent à exploiter avec brutalité : aussi l'Empire est-il fragile. Dès la fin du VIIe s. av. J.-C., l'alliance de Babylone et des Mèdes entraîne sa dislocation rapide. Sa capitale, Ninive, est prise en – 612 et son dernier roi vaincu en – 609.

Petit lexique

confucianisme : système moral et religieux élaboré par Kongfuzi (Confucius).

lucumonie : chez les Étrusques, cité, ou fédération de cités, gouvernée par un roi et des magistrats issus de la caste noble des lucumons.

taoïsme : philosophie de Laozi (Lao-Tseu), qui aspire à s'unir, par la réflexion, la contemplation, puis l'extase, à la réalité première pour s'échapper ainsi du monde illusoire et atteindre l'immortalité.

◆ **Statère lydien en électrum,**
VIIe-VIe s. av. J.-C.
(Bibliothèque nationale de France, département des Monnaies et médailles, Paris)

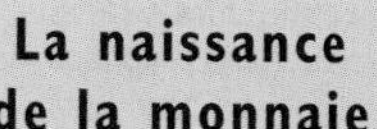

La naissance de la monnaie

Jusqu'au VIIe s. av. J.-C., en Grèce comme dans tout l'Orient, les échanges étaient fondés sur le troc. Des lingots de métal estampillés furent utilisés dès le IIe millénaire en Assyrie et dans l'Empire hittite, mais les premières pièces de monnaie proprement dites apparurent en Asie Mineure, très probablement dans le royaume de Lydie. L'opulence des rois de Lydie devint proverbiale, et le nom du dernier souverain de ce royaume, Crésus, est synonyme d'extrême richesse.

La pièce représentée ci-dessus a été frappée entre 600 et 550 av. J.-C. en Asie Mineure, sans doute en Lydie. Il s'agit d'un statère en électrum, alliage naturel d'or et d'argent qui était notamment recueilli dans les sables charriés par le fleuve Pactole. Elle porte sur son avers une tête de lion, dont le front présente une protubérance ornée de rayons.

En Grèce continentale, où l'or et l'électrum n'existaient pas, on utilisa surtout l'argent. Les premières monnaies furent frappées à Égine. Elles portaient une figure de tortue. Peu à peu, toutes les cités commerçantes se mirent à frapper monnaie. L'avènement d'une économie monétaire allait stimuler l'essor du grand commerce grec en Méditerranée.

L'Antiquité

De 100 à 300
L'Empire romain

EUROPE

101-107. *EUROPE CENTRALE.* Trajan mène plusieurs campagnes en Dacie (actuelle Roumanie). Érigée à Rome en 113, la colonne Trajance commémore les victoires de l'empereur contre les Daces.

117-138. *EMPIRE ROMAIN.* Règne d'Hadrien, qui fait construire la Villa Hadriana près de Tibur (Tivoli).

122-127. *GRANDE-BRETAGNE.* Les Romains édifient le mur d'Hadrien afin de protéger la province de Bretagne des incursions des Scots et des Pictes de Calédonie.

138-161. *EMPIRE ROMAIN.* Le règne d'Antonin le Pieux marque l'apogée de la « Paix romaine ».

166-169. *EMPIRE ROMAIN.* Les Germains envahissent l'Italie. Marc Aurèle parvient à les rejeter au-delà du Danube.

169-175. *EMPIRE ROMAIN.* Marc Aurèle combat en Europe centrale contre les Marcomans, les Quades et les Sarmates.

193. *EMPIRE ROMAIN.* L'avènement de Septime Sévère met fin à la période d'anarchie qui a suivi l'assassinat de Commode, en 192. Souverain autocratique, l'empereur parvient à consolider les frontières contre les Germains, les Parthes et les montagnards d'Écosse.

212. *EMPIRE ROMAIN.* L'empereur Caracalla octroie le droit de cité à tous les habitants libres de l'Empire romain.

235. *EMPIRE ROMAIN.* Après avoir fait assassiner Sévère Alexandre, Maximin se fait proclamer empereur par les armées du Rhin. La fin de la dynastie des Sévères marque le début de l'anarchie militaire. Pendant un demi-siècle, les légions proclament de nombreux empereurs, tandis que les frontières de l'Empire sont menacées par les invasions.

249-251. *EMPIRE ROMAIN.* L'empereur Decius ordonne la première persécution générale contre les chrétiens.

257-258. *EMPIRE ROMAIN.* L'empereur Valérien ordonne la deuxième persécution générale contre les chrétiens. Les Francs envahissent la Gaule ; face à l'incapacité de Rome, Postumus fonde l'empire des Gaules, qui réunit la Gaule, la Germanie, la Bretagne et une partie de l'Espagne.

268-270. *EMPIRE ROMAIN.* Règne de Claude II le Gothique, qui bat les Goths à Naissus (auj. Niš, Serbie).

270-275. *EMPIRE ROMAIN.* L'empereur Aurélien rétablit l'unité de l'Empire en mettant fin à l'empire des Gaules et au royaume de Palmyre, mais doit évacuer la Dacie (271).

276-282. *EMPIRE ROMAIN.* L'empereur Probus réussit à contenir la poussée des Barbares.

284. *EMPIRE ROMAIN.* Avènement de Dioclétien, qui engage une réforme des institutions impériales. L'Empire devient une monarchie absolue de type oriental. Se réservant l'Orient, Dioclétien confie l'Occident à Maximien Hercule (286).

293. *EMPIRE ROMAIN.* Dioclétien institue la tétrarchie, qui partage le pouvoir impérial entre deux augustes (lui-même et Maximien) et deux césars qui leur sont associés, Constance Chlore et Galère.

◆ Toge prétexte romaine.
En forme de segment de cercle, de 5,60 m de long sur 2 m de large environ, elle est ornée d'une bande de pourpre sur le bord.

MOYEN-ORIENT

105. *EMPIRE ROMAIN.* La conquête de l'Arabie nabatéenne (région de Pétra, actuelle Jordanie) assure aux Romains le contrôle des routes caravanières.

114-116. *EMPIRE ROMAIN.* Les victoires de l'empereur Trajan sur les Parthes lui permettent de s'emparer de l'Assyrie, de l'Arménie et de la Mésopotamie. Ces territoires seront abandonnés par Hadrien en 117.

166. *PERSE.* Le roi des Parthes Vologèse III, qui avait envahi l'Arménie et la Syrie (161), est vaincu par Marc Aurèle et doit abandonner à Rome le nord-ouest de la Mésopotamie.

226. *PERSE.* Après avoir vaincu le roi des Parthes Artaban IV, Ardachêr Ier fonde la dynastie des Sassanides. Rompant avec l'hellénisme, le nouveau souverain restaure la puissance de la Perse achéménide.

260. *PERSE.* L'empereur sassanide Châhpuhr Ier capture l'empereur romain Valérien près d'Édesse (Mésopotamie).

261. *SYRIE ANCIENNE.* Odenath, prince de Palmyre, est chargé par l'empereur Gallien de la défense de l'Orient. Il remporte de grandes victoires sur les Perses.

267. *SYRIE ANCIENNE.* Après l'assassinat d'Odenath, sa femme Zénobie et son fils Vaballah prennent les titres d'Augusta et d'Augustus. Le royaume de Palmyre étend sa domination jusqu'en Anatolie et en Égypte, mais est soumis par l'empereur Aurélien en 272.

297-298. *PERSE.* L'empereur romain Galère lutte victorieusement contre les Perses, qui lui abandonnent l'Arménie.

ASIE

123. *CHINE.* Les Xiongnu du Nord, écrasés par les Xianbei, que les Chinois ont lancés contre eux, sont en partie absorbés par leurs vainqueurs.

184. *CHINE.* Révolte paysanne des Turbans jaunes, dont les chefs se réclament de l'idéologie taoïste.

192. *INDOCHINE.* Les Chams fondent le royaume du Champa, qui occupe le centre de l'actuel Viêt Nam. Son indianisation est attestée à partir du IVe s.

196-204. *CHINE.* Cao Cao, homme de guerre et poète, dépose le dernier empereur Han et impose sa domination sur la Chine du Nord.

Ier-VIe s. *INDOCHINE.* Le royaume du Funan se développe en Cochinchine et sur le moyen Mékong. C'est le premier royaume connu en territoire khmer.

IIIe s. *INDE.* L'Inde du Nord connaît une période d'anarchie politique ; fin du royaume Andhra.

220-280. *CHINE.* Période des Trois Royaumes, durant laquelle la Chine se morcelle en trois États : Wei, en Chine du Nord (cap. Luoyang), Shu, dans le Sichuan (Chine centrale, cap. Chengdu), héritier de l'Empire Han, et Wu, dans le Sud (cap. Wuchang puis Nankin). Les guerres entre les trois royaumes entraînent une terrible misère et la mort de la moitié de la population chinoise.

milieu du IIIe s. *JAPON.* Des peuples venus de Corée apparaissent dans les îles du Japon méridional et refoulent dans le Nord les paysans Yayoi. Début de la période des grandes sépultures *(kofun)*.

v. 255. *ASIE CENTRALE.* Le roi des Perses Châhpuhr Ier occupe Peshawar (Pakistan), Samarkand et Tachkent (Ouzbékistan).

265. *CHINE.* Le prince Sima Yan, du royaume de Wei, fonde la dynastie Xi Jin (ou Jin orientaux), qui rétablit l'unité nominale de la Chine en 280.

Le siècle des Antonins

Le règne des Antonins (96-192) marque l'apogée de l'Empire romain. Après la conquête de la Dacie (101-107) et de l'Arabie Pétrée (107) par Trajan, la période d'expansion est achevée. Afin de conclure une paix durable avec les Parthes, Hadrien renonce même aux conquêtes de Trajan en Arménie et en Mésopotamie. Rome mène désormais une politique défensive, symbolisée par l'établissement d'une ligne de fortifications qui, sans être continue, assure une protection efficace des frontières : c'est le *limes*, dont le principal vestige est le mur d'Hadrien, au nord de la Bretagne.

Les empereurs réforment l'administration impériale. Aux quatre bureaux de la chancellerie établis par Claude, Hadrien en ajoute un cinquième, chargé des affaires politiques, et il crée un Conseil du prince : le sénat est ainsi progressivement déchargé de tout pouvoir effectif. La classe sénatoriale (les *clarissimi*) continue d'occuper les principales fonctions dans les bureaux impériaux, mais la distinction entre provinces impériales et provinces sénatoriales disparaît. Trajan et Hadrien, tous deux Espagnols, favorisent la promotion des provinciaux, facteur d'unité du monde romain.

La *pax romana*. La paix romaine et la sage administration des empereurs favorisent le développement économique. Rome commerce avec toutes les régions du monde : ses marchands se portent jusqu'en Inde, en Chine, en Afrique orientale, en Irlande et en Scandinavie. Le remarquable essor des villes, que les empereurs et la classe sénatoriale ne cessent d'embellir, s'accompagne d'une transformation des campagnes, où le grand domaine (la *villa*) supplante la petite propriété rurale.

Épris de culture grecque, les empereurs philosophes (Hadrien, Marc Aurèle) favorisent la renaissance de l'hellénisme. Mais ils luttent également contre les chrétiens, accusés de menacer l'autorité impériale. Ces sanglantes persécutions jettent une ombre sur une période qui s'achève sur une série de graves difficultés. Marc Aurèle doit combattre à la fois les Parthes (162-165) et les Germains, qui commencent à s'infiltrer dans l'Empire par la frontière du Danube (167-175, 178-180). Les premiers signes de difficultés économiques apparaissent : désertification des campagnes, surproduction industrielle, raréfaction de la monnaie. Après l'assassinat du dernier des Antonins, Commode, empereur fou et mégalomane, l'avènement de Septime Sévère (193) ouvre une nouvelle période de l'Empire, qui s'oriente vers la monarchie absolue.

VOIR AUSSI

- **Religions orientales dans le monde romain** p. 492
- **Débuts du christianisme** p. 503
- **Art romain** p. 1050

AFRIQUE

IIe-IIIe s. *AFRIQUE ORIENTALE.* Le royaume d'Aksoum (Éthiopie) entretient des contacts commerciaux réguliers avec l'Empire romain.

fin IIe-IIIe s. *AFRIQUE DU NORD.* L'urbanisation romaine connaît son apogée avec le développement de Leptis Magna (Lybie) et de Thamugadi (auj. Timgad, Algérie).

2e moitié du IIe s.-début du IIIe s. *AFRIQUE DU NORD.* Le christianisme se répand dans l'Afrique romaine malgré les persécutions (le primat d'Afrique, Cyprien de Carthage, meurt en 258).

AMÉRIQUE ET OCÉANIE

199. *MEXIQUE.* Première stèle gravée maya (stèle Hauberg).

200-1400. *AMÉRIQUE DU NORD.* Culture des Hohokam, groupe d'Indiens du sud-est de l'Arizona, probablement venus du Mexique avant l'ère chrétienne ; villages de maisons-fosses, jeu de pelote, traces de canaux.

292. *MEXIQUE.* La stèle 29, à Tikal, inaugure la période classique de la civilisation des Mayas, qui s'étend dans tout le Yucatán et la plus grande partie du Honduras ; les cités se développent (Copán, Tikal, Palenque, Uaxactún).

◆ **Les catacombes de Saint-Calixte, à Rome (Ier siècle).** Les chrétiens venaient y vénérer les martyrs enterrés là. Elles sont un précieux témoignage de l'art chrétien primitif.

◆ **Les empereurs romains.**

Julio-Claudiens
Auguste (21 av. J.-C.-14 apr. J.-C.)
Tibère (14-37)
Caligula (37-41)
Claude (41-54)
Néron (54-68)
Galba (68-69)
Othon (69)
Vitellius (69)

Flaviens
Vespasien (69-79)
Titus (79-81)
Domitien (81-96)

Antonins
Nerva (96-98)
Trajan (98-117)
Hadrien (117-138)
Antonin le Pieux (138-161)
Marc Aurèle (161-180)
avec Lucius Verus (161-169)
Commode (180-192)

Époque des Sévères
Pertinax (193)
Didus Julianus (193)
Septime Sévère (193-211)
Caracalla (211-217)
avec Geta (211-212)
Macrin (217-218)
Elagabal (218-222)
Alexandre Sévère (222-235)

L'anarchie militaire
Maximin Ier (235-238)
Gordien Ier et Gordien II (238)
Balbin et Pupien (238)
Gordien III (238-244)
Philippe l'Arabe (244-249)
Decius (249-251)
Gallus (251-253)
Valérien (253-260)
Gallien (260-268)

Empereurs illyriens
Claude II le Gothique (268-270)
Aurélien (270-275)
Tacite (275-276)
Probus (276-282)
Carus (282-283)
Numérien (283-284)
Carin (283-285)

La tétrarchie ([a] : auguste, [c] : césar)
Dioclétien ([a] : 286-305)
Maximien ([a] : 286-305)
Constance Chlore ([c] : 293-305, [a] : 305-306)
Galère ([c] : 293-305, [a] : 305-310)
Sévère ([c] : 305-306, [a] : 306-307)
Maximin Daia ([c] : 305-308, [a] : 308-310)
Constantin Ier ([c] : 306-310, [a] : 310-337)
Licinius ([a] : 307-324)

Dynastie de Constantin
Constantin II [Occident] (337-340)
Constant [Afrique, Italie, puis Occident] (337-350)
Constance II [Orient, puis seul empereur] (337-361)
Julien l'Apostat (361-363)
Jovien (363-364)

Dynastie valentinienne
Valentinien Ier [Occident] (364-375)
Valens (364-378)
Gratien (375-383)
Valentinien II (375-392)
Théodose [Orient, puis seul empereur] (379-395)

Empereurs d'Occident
Honorius (395-423)
Valentinien III (425-455)
Pétrone Maxime (455)
Avitus (455-456)
Majorien (457-461)
Sévère (461-465)
Anthemius (467-472)
Olybrius (472)
Glycerius (473-474)
Népos (474-475)
Romulus Augustule (475-476)

La progression du christianisme

Si les premières communautés chrétiennes sont formées en Palestine autour de Pierre et des apôtres, c'est un ancien ennemi, un juif converti, Paul, qui est chargé de convertir les païens de Grèce et d'Asie Mineure. Ses Épîtres sont le témoignage de son apostolat. Le succès de la nouvelle religion inquiète rapidement le pouvoir impérial : l'incendie de Rome offre à Néron un prétexte pour déclencher la première persécution, au cours de laquelle Paul et Pierre sont exécutés (64). Malgré les persécutions (supplice de saint Pothin et sainte Blandine à Lyon, en 177), le christianisme continue de se répandre dans l'Empire, où il bénéficie du discrédit de la religion traditionnelle et de l'engouement pour les cultes orientaux.
Les invasions barbares du IIIe s. ainsi que l'influence croissante des chrétiens suscitent l'hostilité des populations contre eux, jugés responsables des malheurs du temps. Décius et Valérien (249-259), puis Dioclétien (303-305) décrètent des persécutions qui continuent en Orient jusqu'en 311. L'édit de Milan promulgué par Constantin accorde la liberté de culte. À la fin du IVe s., la nouvelle religion est devenue religion d'État : païens et hérétiques sont exclus de l'administration, et l'Église, étroitement unie à l'État, s'est moulée dans le cadre administratif romain (les archevêchés correspondent aux provinces, les évêchés aux cités).

◆ **La colonne trajane.** Elle est érigée en 113 pour commémorer les victoires de l'empereur Trajan contre les Daces. Le bas-relief en spirale, long de 200 m, est orné de 2 500 figures. (Rome, forum de Trajan)

◆ **Un aspect du mur d'Hadrien.** Construit entre 122 et 127, long de 118 km, il comprenait une muraille large de 3 m et haute de 4,5 m, rehaussée d'un parapet, précédée d'un large fossé et renforcée à intervalles réguliers par des tours et des fortins.

L'Antiquité

De 333 à 500
La fin du monde romain

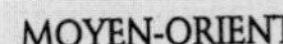

EUROPE

301. *Empire romain.* Afin d'enrayer la hausse des prix, Dioclétien promulgue l'édit du maximum, qui fixe un prix maximum pour chaque denrée.

303-311. *Empire romain.* Les chrétiens sont victimes de la « grande persécution ».

305. *Empire romain.* Abdication simultanée de Dioclétien et de Maximien, conformément au principe de la tétrarchie. Les césars et les augustes s'affrontent aussitôt.

312. *Empire romain.* Constantin est vainqueur des troupes de Maxence au pont Milvius, sur le Tibre. Fin de la tétrarchie.

313. *Empire romain.* Constantin promulgue l'édit de Milan, qui accorde aux chrétiens le droit de pratiquer leur culte au grand jour.

325. *Empire romain.* Le premier concile de Nicée condamne la doctrine d'Arius, l'arianisme, qui nie la divinité du Christ.

330. *Empire romain.* Constantin 1er inaugure officiellement la nouvelle capitale de l'Empire romain, Constantinople.

337. *Empire romain.* Sur son lit de mort, Constantin se convertit au christianisme.

337-353. *Empire romain.* Les fils de Constantin se disputent le pouvoir. En 353, Constance II rétablit l'unité de l'Empire.

361-363. *Empire romain.* Règne de Julien, qui favorise un ultime retour au paganisme.

366-374. *Empire romain.* Valentinien Ier chasse les Alamans de Gaule.

378. *Empire romain.* L'empereur d'Orient Valens est tué par les Goths à la bataille d'Andrinople.

379. *Empire romain.* Théodose devient empereur d'Orient.

381. *Empire romain.* Théodose Ier proclame le christianisme religion d'État. Les cultes païens sont interdits.

395. *Empire romain.* À la mort de Théodose, l'Empire romain est partagé entre ses fils : Arcadius devient empereur d'Orient, Honorius empereur d'Occident.

406-409. *Empire d'Occident.* Vandales, Suèves et Alains dévastent la Gaule et l'Espagne. Les légions romaines évacuent la Bretagne.

410. *Empire d'Occident.* Sac de Rome par Alaric, roi des Wisigoths.

418. *Empire d'Occident.* Les Wisigoths de Théodoric Ier s'installent en Aquitaine.

431. *Empire byzantin.* Le patriarche Nestorius est condamné et déposé au concile d'Éphèse. Ses fidèles se réfugient en Perse.

434. *Empire d'Occident.* Le général Aetius devient le véritable maître de l'Empire.

449. *Empire byzantin.* Le roi des Huns, Attila, accepte d'évacuer la partie occidentale de l'Empire et se tourne vers l'Occident.

451. *Empire d'Occident.* À la bataille des champs Catalauniques, Attila est battu par les armées coalisées d'Aetius et de Théodoric Ier.

455. *Empire d'Occident.* Le roi des Vandales Geiséric débarque en Italie et pille Rome.

v. 470. *Empire d'Occident.* Le roi des Wisigoths Euric s'empare des dernières provinces romaines d'Espagne.

476. *Empire d'Occident.* Odoacre, roi des Hérules, dépose l'empereur Romulus Augustule. Fin de l'Empire romain d'Occident.

486. *Gaule.* Clovis, roi des Francs, défait le Romain Syagrius à la bataille de Soissons et s'assure la possession du nord de la Gaule.

488-489. *Italie.* Le roi des Ostrogoths Théodoric Ier conquiert le nord de l'Italie.

v. 493. *Gaule.* Mariage de Clovis et de Clotilde, nièce du roi des Burgondes Gondebaud.

v. 496-507. *Gaule.* Victoire des Francs sur les Alamans à la « bataille de Tolbiac ». Baptême de Clovis.

◆ **Le partage de l'Empire à la mort de Théodose.** L'empire d'Occident, submergé par les Barbares, disparaît dès 476, alors que l'empire d'Orient se maintient jusqu'en 1453.

MOYEN-ORIENT

301. *Arménie.* Tiridate II (ou III), converti par saint Grégoire l'Illuminateur, adopte le christianisme comme religion officielle.

325. *Perse.* Châhpuhr II réunit un synode national qui fixe le texte de l'*Avesta,* livre saint du mazdéisme.

363. *Perse.* L'armée romaine, sous les ordres de Julien, avance jusqu'à Ctésiphon, mais l'empereur est tué au combat.

379-383. *Perse.* Règne d'Ardachêr II, violemment hostile aux chrétiens.

387-390. *Arménie.* Le royaume est partagé entre le roi des Perses et l'empereur Théodose Ier.

v. 405. *Arménie.* Mesrob (ou Machtotz) invente l'alphabet arménien, qui affranchit les lettrés du syriaque ou du grec.

420-438. *Perse.* Règne de Bahrâm V, fils de Yazdgard Ier.

421-422. *Perse.* Après l'intervention militaire des Byzantins, Bahrâm V accorde la liberté de culte aux chrétiens.

v. 428. *Arménie.* La noblesse se rallie aux Sassanides.

v. 440. *Perse.* Les Huns Hephthalites occupent la Sogdiane et la Bactriane.

◆ **Gaulois.** L'homme porte les braies.

Les invasions barbares

Les causes des invasions barbares sont complexes. On a longtemps présenté la Rome des IVe et Ve s. comme un État en décadence, comme une proie facile pour les Barbares. Cette théorie simpliste est aujourd'hui abandonnée : en pleine transformation religieuse, politique, économique et sociale, l'Empire romain d'Occident était sans doute aussi apte à résister au choc barbare que l'Empire d'Orient. Seule une conjonction de facteurs provoqua sa dislocation.

À la faveur de l'anarchie militaire qui succéda à l'époque des Sévères (235), une première vague d'invasions manqua de submerger l'Empire. Contenue par de brillants empereurs soldats (Aurélien, Claude II, Dioclétien, Constantin), elle entraîna une profonde transformation du système défensif romain ; les légions furent regroupées autour des cités, désormais ceintes de murailles, tandis que des compagnies de paysans-soldats ou de Barbares fédérés furent chargées de protéger les frontières.

L'équilibre ainsi rétabli fut rompu au début du Ve s., alors que l'empire d'Occident traversait une crise économique, sociale et morale : raréfaction de la monnaie, repli vers les campagnes, opposition croissante entre une minorité de riches propriétaires terriens et la masse du peuple, qui doit souvent renoncer à sa liberté pour payer ses dettes. Désormais constituée de mercenaires barbares, l'armée de l'Empire se montre incapable de défendre les frontières.

Les Mayas

La civilisation maya est la plus ancienne des grandes civilisations de l'Amérique précolombienne. Si les Mayas faisaient débuter leur calendrier 3400 ans avant la date relevée sur la plus ancienne stèle connue (292), on ignore presque tout de cette période. La période classique de la civilisation maya, qui s'étend de 300 à 900 environ, s'épanouit dans une zone couvrant l'extrême sud du Mexique (États du Tabasco et du Chiapas), le nord du Guatemala, le Belize et l'est du Honduras. C'est alors que les Mayas adoptent l'écriture hiéroglyphique et le calendrier solaire de 365 jours, et qu'ils édifient leurs principaux monuments, les pyramides et les temples funéraires à décors peints et sculptés (Copán, Tikal, Palenque, Bonampak, Uxmal, etc).

Organisée selon un principe hiérarchique et régie par un ordre théocratique, la société maya était dominée par une aristocratie et par une caste de prêtres qui gouvernaient des cités-États.

Pour une raison inconnue, les cités de l'époque classique furent abandonnées au cours du IXe s.

Durant la période postclassique (950-1500), la civilisation maya connut un nouvel essor dans la péninsule du Yucatán (Mayapán, Uxmal, Chichén Itzá). Cette civilisation mixte, où les apports toltèques se mêlaient au fonds culturel maya, se termina avec l'arrivée des Européens.

AFRIQUE

– 46. *AFRIQUE DU NORD.* César écrase à Thapsus le parti de Pompée. Après le suicide du roi Juba Ier, la Numidie devient une province romaine.

Ier s. apr. J.-C. *AFRIQUE ORIENTALE.* Fondation du royaume d'Aksoum, qui domine toute la région du haut Nil (actuelle Éthiopie).

Ier-VIe s. *AFRIQUE ORIENTALE.* Les Bantous migrent vers le sud à partir du Shaba.

40 - 42. *AFRIQUE DU NORD.* Rome annexe le royaume de Maurétanie et crée les provinces de Maurétanie Césarienne (cap. Cherchell) et de Maurétanie Tingitane (cap.Tanger).

AMÉRIQUE ET OCÉANIE

– 31. *MEXIQUE.* La stèle C du centre cérémoniel de Tres Zapotes donne la première datation écrite du continent américain. Apogée de la civilisation olmèque, caractérisée par des sculptures de gros personnages aux mines boudeuses.

Ier s. apr. J.-C. *MEXIQUE.* Fondation de la ville de Teotihuacán, dont la fonction est essentiellement religieuse, autour du culte du dieu de la Pluie, Tlaloc. Elle connaît son apogée au VIIe s. et est abandonnée au IXe ou Xe s.

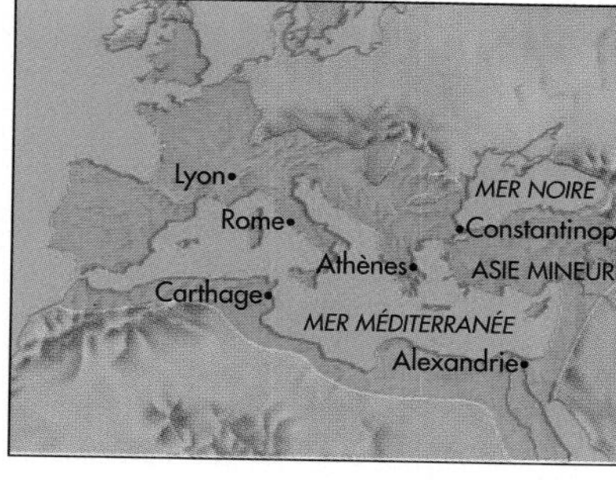

◆ **Les conquêtes de Rome à la fin de la République et sous l'Empire.** L'Empire romain atteint son expansion maximale au IIe s. apr. J.-C.

◆ **Statue antique de Jules César** (101-44 av. J.-C.), caractéristique de l'art officiel romain. (Museo Nuovo, Palazzo dei Conservatori, Rome)

◆ **Virgile écrivant *l'Énéide.*** Le poète est assis entre Clio, muse de l'Histoire, et Melpomène, muse de la Tragédie. Il tient un rouleau sur lequel figurent des vers de *l'Énéide* où le poète demande aux muses les raisons de la colère de Junon envers Énée. Mosaïque du IIIe s. provenant d'Hadrumetum (auj. Sousse, Tunisie).

centre (Carnutes, Bituriges). L'Arverne Vercingétorix réunit une armée assez forte. Évitant le combat, il dévaste la campagne afin d'empêcher le ravitaillement de l'armée romaine. César échoue devant Gergovie mais, battu près de Langres, Vercingétorix doit se réfugier dans l'oppidum d'Alésia. César entreprend le siège et construit un large fossé qui entoure l'oppidum, ainsi qu'une seconde ligne de retranchements pour bloquer d'éventuels renforts gaulois.

Les fortifications étaient composées d'une palissade renforcée par des tours de guet et des fossés. Après sept mois de siège et trois tentatives infructueuses pour délivrer la place, Vercingétorix capitule. La route de Rome est désormais ouverte à César.

Les institutions romaines

On connaît mal les institutions romaines à l'époque royale (v. –753/–509). Le roi, qui exerce des fonctions militaires, politiques et religieuses, s'appuie sur une assemblée consultative (les comices curiates) et sur un sénat qui regroupe les chefs des grandes familles. On attribue à Servius Tullius (–578/–534) les réformes qui instaurent une hiérarchie sociale et militaire fondée sur la fortune et non plus sur la naissance : le peuple romain est organisé en 6 classes et en 193 centuries. En réalité, ces réformes sont postérieures à l'instauration de la République. Les Ve et IVe s. sont dominés par les conflits entre le peuple (la plèbe) et l'aristocratie de naissance (le patriciat). Au début du IIIe s., l'égalité entre tous les citoyens libres est garantie, même s'il existe une élite fondée sur la fortune. Les institutions sont désormais fixées. Le sénat vote les lois et peut, en cas de crise, demander la désignation d'un dictateur. Le peuple réuni en comices centuriates élit chaque année les magistrats, parmi lesquels deux consuls possèdent de larges pouvoirs exécutifs et militaires.

Au Ier s., l'inadaptation des institutions républicaines aux nouvelles dimensions de l'État entraîne une évolution vers le pouvoir personnel (Marius, Sulla, Pompée, César), jusqu'à l'instauration du principat par Auguste (–27).

Petit lexique

centurie : division du peuple romain. Jusqu'en –220, la classe des citoyens les plus aisés comprenait à elle seule 98 centuries, ce qui garantissait son pouvoir. Après cette date, chaque classe compta 70 centuries.

comices : assemblées politiques de Rome. Alors que les comices curiates étaient composées de patriciens, les comices centuriates regroupaient l'ensemble des citoyens ; les comices tributes étaient organisés non pas par classes, mais par circonscriptions territoriales (tribus).

principat : régime politique instauré par Auguste, dans lequel l'empereur exerce le pouvoir par délégation permanente du sénat. Le principat évolua progressivement vers une véritable monarchie, le dominat.

L'Antiquité

De 100 à 300
L'Empire romain

EUROPE

101-107. *EUROPE CENTRALE.* Trajan mène plusieurs campagnes en Dacie (actuelle Roumanie). Érigée à Rome en 113, la colonne Trajance commémore les victoires de l'empereur contre les Daces.

117-138. *EMPIRE ROMAIN.* Règne d'Hadrien, qui fait construire la Villa Hadriana près de Tibur (Tivoli).

122-127. *GRANDE-BRETAGNE.* Les Romains édifient le mur d'Hadrien afin de protéger la province de Bretagne des incursions des Scots et des Pictes de Calédonie.

138-161. *EMPIRE ROMAIN.* Le règne d'Antonin le Pieux marque l'apogée de la « Paix romaine ».

166-169. *EMPIRE ROMAIN.* Les Germains envahissent l'Italie. Marc Aurèle parvient à les rejeter au-delà du Danube.

169-175. *EMPIRE ROMAIN.* Marc Aurèle combat en Europe centrale contre les Marcomans, les Quades et les Sarmates.

193. *EMPIRE ROMAIN.* L'avènement de Septime Sévère met fin à la période d'anarchie qui a suivi l'assassinat de Commode, en 192. Souverain autocratique, l'empereur parvient à consolider les frontières contre les Germains, les Parthes et les montagnards d'Écosse.

212. *EMPIRE ROMAIN.* L'empereur Caracalla octroie le droit de cité à tous les habitants libres de l'Empire romain.

235. *EMPIRE ROMAIN.* Après avoir fait assassiner Sévère Alexandre, Maximin se fait proclamer empereur par les armées du Rhin. La fin de la dynastie des Sévères marque le début de l'anarchie militaire. Pendant un demi-siècle, les légions proclament de nombreux empereurs, tandis que les frontières de l'Empire sont menacées par les invasions.

249-251. *EMPIRE ROMAIN.* L'empereur Decius ordonne la première persécution générale contre les chrétiens.

257-258. *EMPIRE ROMAIN.* L'empereur Valérien ordonne la deuxième persécution générale contre les chrétiens. Les Francs envahissent la Gaule ; face à l'incapacité de Rome, Postumus fonde l'empire des Gaules, qui réunit la Gaule, la Germanie, la Bretagne et une partie de l'Espagne.

268-270. *EMPIRE ROMAIN.* Règne de Claude II le Gothique, qui bat les Goths à Naissus (auj. Niš, Serbie).

270-275. *EMPIRE ROMAIN.* L'empereur Aurélien rétablit l'unité de l'Empire en mettant fin à l'empire des Gaules et au royaume de Palmyre, mais doit évacuer la Dacie (271).

276-282. *EMPIRE ROMAIN.* L'empereur Probus réussit à contenir la poussée des Barbares.

284. *EMPIRE ROMAIN.* Avènement de Dioclétien, qui engage une réforme des institutions impériales. L'Empire devient une monarchie absolue de type oriental. Se réservant l'Orient, Dioclétien confie l'Occident à Maximien Hercule (286).

293. *EMPIRE ROMAIN.* Dioclétien institue la tétrarchie, qui partage le pouvoir impérial entre deux augustes (lui-même et Maximien) et deux césars qui leur sont associés, Constance Chlore et Galère.

◆ Toge prétexte romaine.
En forme de segment de cercle, de 5,60 m de long sur 2 m de large environ, elle est ornée d'une bande de pourpre sur le bord.

MOYEN-ORIENT

105. *EMPIRE ROMAIN.* La conquête de l'Arabie nabatéenne (région de Pétra, actuelle Jordanie) assure aux Romains le contrôle des routes caravanières.

114-116. *EMPIRE ROMAIN.* Les victoires de l'empereur Trajan sur les Parthes lui permettent de s'emparer de l'Assyrie, de l'Arménie et de la Mésopotamie. Ces territoires seront abandonnés par Hadrien en 117.

166. *PERSE.* Le roi des Parthes Vologèse III, qui avait envahi l'Arménie et la Syrie (161), est vaincu par Marc Aurèle et doit abandonner à Rome le nord-ouest de la Mésopotamie.

226. *PERSE.* Après avoir vaincu le roi des Parthes Artaban IV, Ardachêr Ier fonde la dynastie des Sassanides. Rompant avec l'hellénisme, le nouveau souverain restaure la puissance de la Perse achéménide.

260. *PERSE.* L'empereur sassanide Châhpuhr Ier capture l'empereur romain Valérien près d'Édesse (Mésopotamie).

261. *SYRIE ANCIENNE.* Odenath, prince de Palmyre, est chargé par l'empereur Gallien de la défense de l'Orient. Il remporte de grandes victoires sur les Perses.

267. *SYRIE ANCIENNE.* Après l'assassinat d'Odenath, sa femme Zénobie et son fils Vaballah prennent les titres d'Augusta et d'Augustus. Le royaume de Palmyre étend sa domination jusqu'en Anatolie et en Égypte, mais est soumis par l'empereur Aurélien en 272.

297-298. *PERSE.* L'empereur romain Galère lutte victorieusement contre les Perses, qui lui abandonnent l'Arménie.

ASIE

123. *CHINE.* Les Xiongnu du Nord, écrasés par les Xianbei, que les Chinois ont lancés contre eux, sont en partie absorbés par leurs vainqueurs.

184. *CHINE.* Révolte paysanne des Turbans jaunes, dont les chefs se réclament de l'idéologie taoïste.

192. *INDOCHINE.* Les Chams fondent le royaume du Champa, qui occupe le centre de l'actuel Viêt Nam. Son indianisation est attestée à partir du IVe s.

196-204. *CHINE.* Cao Cao, homme de guerre et poète, dépose le dernier empereur Han et impose sa domination sur la Chine du Nord.

Ier-VIe s. *INDOCHINE.* Le royaume du Funan se développe en Cochinchine et sur le moyen Mékong. C'est le premier royaume connu en territoire khmer.

IIIe s. *INDE.* L'Inde du Nord connaît une période d'anarchie politique ; fin du royaume Andhra.

220-280. *CHINE.* Période des Trois Royaumes, durant laquelle la Chine se morcelle en trois États : Wei, en Chine du Nord (cap. Luoyang), Shu, dans le Sichuan (Chine centrale, cap. Chengdu), héritier de l'Empire Han, et Wu, dans le Sud (cap. Wuchang puis Nankin). Les guerres entre les trois royaumes entraînent une terrible misère et la mort de la moitié de la population chinoise.

milieu du IIIe s. *JAPON.* Des peuples venus de Corée apparaissent dans les îles du Japon méridional et refoulent dans le Nord les paysans Yayoi. Début de la période des grandes sépultures *(kofun).*

v. 255. *ASIE CENTRALE.* Le roi des Perses Châhpuhr Ier occupe Peshawar (Pakistan), Samarkand et Tachkent (Ouzbékistan).

265. *CHINE.* Le prince Sima Yan, du royaume de Wei, fonde la dynastie Xi Jin (ou Jin orientaux), qui rétablit l'unité nominale de la Chine en 280.

Le siècle des Antonins

Le règne des Antonins (96-192) marque l'apogée de l'Empire romain. Après la conquête de la Dacie (101-107) et de l'Arabie Pétrée (107) par Trajan, la période d'expansion est achevée. Afin de conclure une paix durable avec les Parthes, Hadrien renonce même aux conquêtes de Trajan en Arménie et en Mésopotamie. Rome mène désormais une politique défensive, symbolisée par l'établissement d'une ligne de fortifications qui, sans être continue, assure une protection efficace des frontières : c'est le *limes*, dont le principal vestige est le mur d'Hadrien, au nord de la Bretagne.

Les empereurs réforment l'administration impériale. Aux quatre bureaux de la chancellerie établis par Claude, Hadrien en ajoute un cinquième, chargé des affaires politiques, et il crée un Conseil du prince : le sénat est ainsi progressivement déchargé de tout pouvoir effectif. La classe sénatoriale (les *clarissimi*) continue d'occuper les principales fonctions dans les bureaux impériaux, mais la distinction entre provinces impériales et provinces sénatoriales disparaît. Trajan et Hadrien, tous deux Espagnols, favorisent la promotion des provinciaux, facteur d'unité du monde romain.

La *pax romana*. La paix romaine et la sage administration des empereurs favorisent le développement économique. Rome commerce avec toutes les régions du monde : ses marchands se portent jusqu'en Inde, en Chine, en Afrique orientale, en Irlande et en Scandinavie. Le remarquable essor des villes, que les empereurs et la classe sénatoriale ne cessent d'embellir, s'accompagne d'une transformation des campagnes, où le grand domaine (la *villa*) supplante la petite propriété rurale.

Épris de culture grecque, les empereurs philosophes (Hadrien, Marc Aurèle) favorisent la renaissance de l'hellénisme. Mais ils luttent également contre les chrétiens, accusés de menacer l'autorité impériale. Ces sanglantes persécutions jettent une ombre sur une période qui s'achève sur une série de graves difficultés. Marc Aurèle doit combattre à la fois les Parthes (162-165) et les Germains, qui commencent à s'infiltrer dans l'Empire par la frontière du Danube (167-175, 178-180). Les premiers signes de difficultés économiques apparaissent : désertification des campagnes, surproduction industrielle, raréfaction de la monnaie. Après l'assassinat du dernier des Antonins, Commode, empereur fou et mégalomane, l'avènement de Septime Sévère (193) ouvre une nouvelle période de l'Empire, qui s'oriente vers la monarchie absolue.

VOIR AUSSI
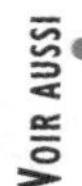
- **Religions orientales dans le monde romain** p. 492
- **Débuts du christianisme** p. 503
- **Art romain** p. 1050

ASIE

308. *CHINE.* Un peuple barbare sinisé, les Xiongnu méridionaux, occupe le nord du pays.

311. *CHINE.* L'empereur Xi Jin est fait prisonnier par les Xiongnu. La maison impériale se réfugie dans le Sud.

317-589. *CHINE.* Période des Dynasties du Nord et du Sud. Au nord, les invasions barbares entraînent la formation de petits royaumes ; au sud, la tradition impériale se poursuit.

320. *INDE.* Candragupta Ier fonde la dynastie Gupta, qui régnera jusqu'en 535.

v. 330-v. 375. *INDE.* Règne de Samudragupta, fils de Candragupta, qui étend son empire du Bengale à Madras.

372. *CORÉE.* Le bouddhisme est introduit à Koguryo.

v. 375-414. *INDE.* Règne de Candragupta II, dont l'empire s'étend à la quasi-totalité de l'Inde septentrionale. Apogée de la culture et de l'art hindous.

386. *CHINE.* La dynastie Bei Wei, fondée en 349, installe sa capitale à Changan (Xi'an), à l'ouest de Luoyang.

415-455. *INDE.* Règne de Kumaragupta, qui doit lutter au nord-ouest contre l'invasion des Huns Hephthalites.

455-v. 467. *INDE.* Règne de Skandagupta, qui arrête les Huns Hephthalites en 455.

465-v. 550. *INDE.* Les Huns établissent leur domination sur la majeure partie de la vallée de l'Indus.

◆ **Figurine en terre cuite** *(haniva).* Ces poteries tubulaires ornées de figurines sont caractéristiques de l'ère des kofun, ou grands tumulus. Correspondant à l'installation au Japon de guerriers coréens, elle dure du milieu du IIIe s. à 538, date de l'introduction du bouddhisme. (Musée Guimet, Paris.)

AFRIQUE

IVe s. *AFRIQUE AUSTRALE.* Occupation du site de Zimbabwe (âge du fer).

v. 350. *SOUDAN.* Annexion de Méroé par le royaume d'Aksoum (Abyssinie).

milieu du IVe s. *ABYSSINIE.* Le christianisme devient la religion officielle du royaume d'Aksoum, berceau de l'Éthiopie.

372-375. *AFRIQUE DU NORD.* Le prince maure Firmus se révolte contre Rome et s'empare des Maurétanies, mais il est vaincu par Théodose l'Ancien, père de Théodose le Grand.

396. *AFRIQUE DU NORD.* Saint Augustin devient évêque d'Hippone.

429. *AFRIQUE DU NORD.* Invasion des Vandales, commandés par Geiséric (ou Genséric).

431. *AFRIQUE DU NORD.* La flotte de l'empire d'Orient est vaincue par Geiséric.

439. *AFRIQUE DU NORD.* La prise de Carthage par les Vandales met fin à la présence romaine en Afrique du Nord.

AMÉRIQUE

IVe s. *AMÉRIQUE CENTRALE.* Essor de la civilisation urbaine des Mayas (Tikal, Palenque, Uxmal).

◆ **Calendrier maya.** Fragment du codex Trocortesianus (XIIIe s.), un almanach divinatoire maya dans lequel le Tzolkin joue un rôle essentiel. En regard des scènes représentées figurent, à gauche, les glyphes de certains jours de différentes périodes du cycle de 260 jours. (Musée de l'Amérique, Madrid)

L'Inde des Gupta

Vers 320, l'avènement de Candragupta Ier marque le début de la dynastie gupta, qui met fin à une longue période d'anarchie politique. Du Pendjab au Bengale occidental, les Gupta suscitent une renaissance politique et culturelle. Cette brillante dynastie atteint son apogée avec Samudragupta (v. 330 - v. 375), fils de Candragupta, qui impose son hégémonie jusqu'au Népal et sur l'Assam. Bouddhique, brahmanique ou jaina, l'art gupta et l'art postgupta de l'Inde classique s'expriment notamment dans les sculptures de l'école de Sarnath ou d'Elephanta. Véritable âge d'or de l'Inde dans les domaines littéraire, artistique et religieux, l'époque gupta se caractérise également par l'essor des mathématiques, de l'astronomie (théorie de la rotation de la Terre), de la médecine et de la chirurgie (greffes de peau, sutures intestinales). Toutefois, l'Empire gupta commence à décliner dès la fin du Ve s., lorsque les invasions des Huns Hephthalites favorisent l'indépendance des principautés vassales.

VOIR AUSSI
• **Calendrier maya et aztèque** p.407
• **Art de l'Amérique précolombienne** p. 1058

Poussés par les Huns, les Goths passent le Danube en 376 et s'installent en Thrace après leur victoire sur Valens à Andrinople (378). Alors que l'Empire est gouverné par des empereurs velléitaires, qui restent confinés dans leurs palais de Ravenne et de Constantinople, les Barbares mènent régulièrement des expéditions dans les Balkans et en Italie. Pendant l'hiver 406, Vandales, Suèves et Alains franchissent le Rhin gelé et dévastent la Gaule avant de s'installer en Espagne (409). Parallèlement, les Wisigoths mettent Rome à sac pendant trois jours (410). Afin de se porter sur les frontières, les légions évacuent la Grande-Bretagne, qui est bientôt envahie par les Angles et les Saxons. L'empire d'Occident s'effondre rapidement : les Vandales conquièrent l'Afrique du Nord (435) ; la Gaule et l'Espagne sont perdues, malgré la victoire des « Romains » et des Barbares coalisés sur le roi des Huns Attila (451). Francs, Alamans, Burgondes et Wisigoths constituent des royaumes indépendants. En déposant le jeune empereur Romulus Augustule (476), le chef hérule Odoacre, maître de l'Italie, ne fait qu'entériner une situation depuis longtemps réglée.

◆ **La porte de Trèves.** La façade monumentale de la porte fortifiée de Trèves, flanquée de deux tours reliées par une galerie, témoigne de l'importance de la ville au IVe s., lorsqu'elle fut la résidence de plusieurs empereurs. La patine sombre qui la recouvrait au Moyen Âge lui valut le nom de *Porta Nigra*, Porte noire.

Le Moyen Âge

De 500 à 650
L'essor de l'Empire byzantin

EUROPE

v. 501-515. *GAULE.* Le roi des Burgondes Gondebaud fait rédiger la loi gombette, qui rassemble les anciennes lois de son peuple.

507. *GAULE.* Vaincu par Clovis à Vouillé, Alaric II abandonne l'Aquitaine et se replie en Espagne.

511. *ROYAUME DES FRANCS.* À la mort de Clovis, son royaume est partagé entre ses quatre fils.

527. *EMPIRE BYZANTIN.* Avènement de Justinien et de Théodora.

528-529 et 534. *EMPIRE BYZANTIN.* Rédaction du Code justinien, qui rassemble et classe les lois promulguées depuis Hadrien.

532. *EMPIRE BYZANTIN.* Le peuple de Constantinople se soulève contre le gouvernement de Justinien (sédition Nika). Afin d'entreprendre la reconquête de l'Occident, l'empereur conclut la paix avec le roi de Perse.

535-552. *ITALIE.* L'armée byzantine, commandée par Bélisaire puis par Narsès, reconquiert difficilement l'Italie sur les Ostrogoths.

534. *ROYAUME DES FRANCS.* Les fils de Clovis s'emparent de la Bourgogne.

537. *ROYAUME DES FRANCS.* Les fils de Clovis s'emparent de la Provence.

551-554. Les Byzantins reconquièrent le sud de l'Espagne.

561. *ROYAUME DES FRANCS.* À la mort de Clotaire Ier, seul maître du royaume depuis 558, un nouveau partage successoral aboutit à la formation de trois royaumes : Austrasie, Neustrie et Bourgogne.

563. *ÉCOSSE.* Le moine irlandais Colomba aborde l'île d'Iona (Hébrides), d'où partira le mouvement d'évangélisation.

568. *EUROPE CENTRALE.* Les Avars s'établissent dans la plaine du Danube (Hongrie).

568-572. *ITALIE.* Les Lombards occupent l'Italie du Nord.

580. *EMPIRE BYZANTIN.* Les Slaves s'installent en Thrace et en Macédoine. Crise religieuse : le pouvoir impérial tente de mettre fin par la conciliation puis par la force à l'hérésie monophysite, bien implantée dans les provinces orientales.

587. *ESPAGNE.* Le roi wisigoth Reccared Ier abandonne l'arianisme pour le catholicisme.

593. *ITALIE.* Les Lombards assiègent Rome, défendue par le pape Grégoire le Grand.

607. Le roi lombard Agilulf se convertit au christianisme.

627. *ANGLETERRE.* Baptême d'Edwin, roi de Northumbrie.

629-639. *ROYAUME DES FRANCS.* Règne de Dagobert. À sa mort, l'Austrasie est à nouveau gouvernée par le maire du palais Pépin de Landen, le premier des Pippinides, ancêtres des Carolingiens.

AFRIQUE

530-534. *AFRIQUE DU NORD.* Le général byzantin Bélisaire détruit le royaume des Vandales. La domination byzantine demeure toutefois menacée par les royaumes berbères de l'intérieur.

640-642. *ÉGYPTE.* La conquête arabe met fin à six siècles de domination romaine. Les coptes sont désormais isolés du reste de la chrétienté.

VOIR AUSSI

• **Art byzantin** p. 1052
• **Art du haut Moyen Âge** p. 1063-1064

◆ **Justinien et sa cour.** Détail d'une mosaïque de l'abside de l'église San Vitale à Ravenne (v. 548). Cette magnifique œuvre de propagande destinée aux populations de l'Italie reconquise se voulait le symbole de la majesté impériale.

Le règne de Justinien

Lorsque Justinien accède au trône à la mort de son oncle, en 527, l'Occident romain a disparu sous le coup des invasions germaniques. Même si les souverains barbares reconnaissent à l'empereur de Constantinople une autorité théorique, ils se sont de fait rendus indépendants. L'œuvre de Justinien est donc tout entière tournée vers la restauration de l'unité impériale.

Secondé par l'impératrice Théodora, qui est couronnée à ses côtés en 527, et par les généraux Bélisaire et Narsès, l'empereur signe avec les Perses un traité qui lui laisse les mains libres pour entreprendre la reconquête de l'Occident. Prenant prétexte des conflits qui déchirent les dynasties barbares et des persécutions dont sont victimes de nombreux chrétiens hostiles à l'arianisme, Bélisaire élimine les Vandales d'Afrique (534) et débarque en Italie (535), où les Ostrogoths, d'abord bousculés, se réorganisent rapidement. Après dix-huit années d'une guerre terrible, l'Italie est soumise, mais ruinée (553). L'année suivante, Byzance s'empare du sud de l'Espagne et de la Maurétanie Tingitane.

Mais cette entreprise glorieuse – et ruineuse – se révèle éphémère. Dès 568, les Lombards envahissent l'Italie, alors que les Slaves, franchissant le Danube, s'installent dans les Balkans. Miné par les dissensions religieuses (le monophysisme), l'Empire est menacé de dislocation et manque bientôt de sombrer sous les coups des Perses.

Aussi le principal apport du règne de Justinien n'est-il sans doute pas politique, mais juridique et artistique. Le Code justinien, rédigé sous les ordres du jurisconsulte Tribonien, permet la transmission du droit romain.

Au même moment, Constantinople, carrefour commercial entre l'Europe et l'Asie, s'affirme comme le principal foyer intellectuel et artistique du monde chrétien (l'église Sainte-Sophie, chef-d'œuvre de l'architecture byzantine, est bâtie entre 532 et 537).

Les Mérovingiens

Commencée par Clovis, la conquête de la Gaule par les Francs aboutit, au cours du VIe s., à la formation d'une civilisation originale. Sa cohésion est assurée par le christianisme orthodoxe, que Clovis a préféré à l'arianisme.

Alors que la disparition des cadres romains a bouleversé en profondeur les institutions et la société, le royaume des Francs est l'objet d'incessants partages et de conflits sanglants, dont le récit nous a été transmis par Grégoire de Tours.

Pour s'assurer le soutien de leurs partisans (les leudes), les Mérovingiens distribuent les terres publiques et accordent des exemptions d'impôts, favorisant la constitution d'une classe de grands propriétaires.

Privés de ressources, ils ne tardent pas à passer sous la coupe de leurs intendants, les maires du palais. Période de repli, l'époque mérovingienne est aussi le creuset de la France médiévale : la mainmise de l'Église s'affirme ; le grand domaine préfigure la seigneurie rurale ; enfin, la fusion s'opère entre les populations germaniques et gallo-romaines.

MOYEN-ORIENT

603-616. *EMPIRE BYZANTIN.* Les provinces orientales sont conquises par le roi de Perse Khosrô II, qui prend Jérusalem en 614.

v. 610. *ARABIE.* D'après la tradition musulmane, l'archange Gabriel apparaît pour la première fois à Mahomet.

622. *ARABIE.* Mahomet quitte La Mecque pour Médine (l'hégire).

622-630. *EMPIRE BYZANTIN.* Héraclius reconquiert les territoires envahis par les Perses.

632. *ARABIE.* Mort de Mahomet.

634. *ARABIE.* Umar Ier, deuxième calife des musulmans, entame le djihad contre les infidèles.

636-642. *EMPIRE BYZANTIN.* Les Arabes s'emparent des provinces orientales (Syrie, Palestine, Égypte). Durement réprimées par les Byzantins, les populations monophysites se rallient aux conquérants.

637-642. *PERSE.* Les Arabes envahissent les territoires perses et mettent fin à l'Empire sassanide.

644-656. *EMPIRE MUSULMAN.* Califat d'Uthman, qui fait établir la version définitive du Coran.

v. 647-649. *EMPIRE ARABE* Les premières expéditions navales des Arabes aboutissent au pillage de Chypre et menacent la domination maritime des Byzantins en Méditerranée.

ASIE

502. *CHINE.* Les Liang renversent les Qi. L'empereur Wu favorise le bouddhisme, auquel il se convertit.

v. 520. *CHINE.* Arrivée du fondateur du bouddhisme zen, Bodhidharma (Daruma Daishi en japonais, Da Mo en chinois).

v. 527. *INDE.* Yashodharman met fin à la domination des Huns Hephthalites dans la vallée de l'Indus.

v. 538 (ou 552). *JAPON.* Venu de Corée, Kimmei introduit le bouddhisme.

541. *VIÊT NAM.* Révolte contre les Chinois. Ly Bôn (Ly Bi) fonde le royaume de Van Xuan, qui résiste plus de soixante ans.

581. *CHINE.* Le général Yang Jian (Yang Tsien) fonde la dynastie chinoise des Sui.

587-608. *CHINE.* Construction d'un immense réseau de canaux reliant le bas Yangzi au fleuve Jaune (Huang He).

VIIe s. **THAÏLANDE.** Développement du royaume de Dvaravati, indianisé et peuplé de Môn.

600-622. *JAPON.* Le régent Shotoku Taishi favorise la propagation du bouddhisme et crée le sanctuaire d'Horyuji, près de Nara.

v. 606-647. *INDE DU NORD.* Règne de Harsha, qui entretient des relations amicales avec la Chine.

610-642 *INDE DU SUD.* Règne de Pulakeshin, de la dynastie des Calukya occidentaux.

611-635. *CAMBODGE.* Le royaume indianisé de Funan passe sous la domination du royaume khmer de Tchen-la.

618. *CHINE.* Li Yuan se proclame empereur sous le nom de Tang Gaozu et fonde la dynastie des Tang.

630. *CHINE.* Les victoires de Li Shimin contre les Turcs marquent le début de l'expansion Tang en Asie centrale.

v. 630-635. *CHINE.* Les chrétiens nestoriens, chassés de Perse, se réfugient en Chine.

630-645. *ASIE CENTRALE.* La route de la Soie passe sous le contrôle de la Chine.

645. *JAPON.* Les réformes de l'ère Taika, inspirées des institutions de la Chine des Tang, renforcent le pouvoir impérial, qui s'appuie désormais sur des fonctionnaires héréditaires.

648. *INDE.* Les Chinois interviennent militairement pour régler la succession au trône du Magadha. Dans toute l'Asie, la puissance des Tang est incontestée.

AMÉRIQUE

VIe s. *AMÉRIQUE CENTRALE.* Installation des Zapotèques dans le Mexique méridional.

600-1000. *AMÉRIQUE DU SUD.* La culture de Tiahuanaco connaît son apogée et se diffuse vers les Andes du Sud.

◆ **Guerrier mérovingien.** Monument funéraire de l'époque franque datant du VIIe s. (Musée rhénan, Bonn)

◆ **Patricienne byzantine.** Elle porte la tenue du dessus ornée de claves (bandes colorées), avec une tunique en brocart entourant les épaules.

◆ **Grand personnage byzantin de la cour de Justinien.** Il porte deux tuniques courtes superposées, serrées à la taille par une ceinture, et le manteau (chlamyde), attaché sur l'épaule droite.

◆ **Les empereurs byzantins.**

Dynastie de Théodose
- Arcadius (395-408)
- Théodose II (408-450)
- Marcien (450-457)

Dynastie de Thrace
- Léon Ier (457-474)
- Léon II (473-474)
- Zénon (474-475, 476-491)
- Basiliscos (475-476)
- Anastase Ier (491-518)

Dynastie de Justinien
- Justin Ier (518-527)
- Justinien Ier (527-565)
- Justin II (565-578)
- Tibère II (578-582)
- Maurice (582-602)
- Phokas (602-610)

Dynastie d'Héraclius
- Héraclius Ier (610-641)
- Constantin III Héraclius (641)
- Héraclius II Héraclonas (641)
- Constant II (641-668)
- Constantin IV Pogonat (668-685)
- Justinien II Rhinotmète (685-695 et 705-711)

Période de troubles
- Léontios (695-698)
- Tibère III Apsimar (698-705)
- Philippikos Bardanes (711-713)
- Anastase II (713-715)
- Théodose III (715-716)

Dynastie isaurienne
- Léon III l'Isaurien (716-740)
- Constantin V (741-775)
- Léon IV le Khazar (775-780)
- Constantin VI (780-797)
- Irène (797-802)

Période de troubles
- Nicéphore Ier le Logothète (802-811)
- Staurakios (811)
- Michel Ier Rangabé (811-813)
- Léon V l'Arménien (813-820)

Dynastie amorienne
- Michel II (820-829)
- Théophile (829-842)
- Michel III l'Ivrogne (842-867)

Dynastie macédonienne
- Basile Ier (867-886)
- Léon VI le Sage (886-912)
- Alexandre (912-913)
- Constantin VII Porphyrogénète (913-959) avec
- Romain Ier Lécapène (919-944) et les fils de Romain (944-945)
- Romain II (959-963)
- Basile II le Bulgaroctone (963-1025)
- et Constantin VIII (963-1028) et
- Nicéphore II Phokas (963-969)
- Jean Ier Tzimiskès (969-976)
- Zoé (1028-1050) avec
- Romain III Argyre (1028-1034)
- Michel IV le Paphlagonien (1034-1041)
- Michel V le Calfat (1041-1042)
- Constantin IX Monomaque (1042-1055)
- Théodora (1042, 1055-1056)
- Michel VI Stratiôtikos (1056-1057)

Dynastie des Comnènes
- Isaac Ier (1057-1059)

Dynastie des Doukas
- Constantin X (1059-1067)
- Michel VII (1060-1078) avec
- Romain IV Diogène (1068-1071)
- Nicéphore III Botaneiatès (1078-1081)

Dynastie des Comnènes
- Alexis Ier (1081-1118)
- Jean II (1118-1143)
- Manuel Ier (1143-1180)
- Alexis II (1180-1183)
- Andronic Ier (1183-1185)

Dynastie des Anges
- Isaac II (1185-1195, 1203-1204)
- Alexis III (1195-1203)
- Alexis IV (1203-1204)
- Alexis V Murzuphle (1204)

Dynastie des Lascaris (Nicée)
- Théodore Ier (1204-1222)
- Jean III Vatatzès (1222-1254)
- Théodore II (1254-1258)
- Jean IV (1258-1261)

Dynastie des Paléologues et des Cantacuzènes
- Michel VIII (1258-1282)
- Andronic II (1282-1328) avec
- Michel IX (1295-1320)
- Andronic III (1328-1341)
- Jean V (1341-1376, 1379-1391) et
- Jean VI Cantacuzène (1341-1354)
- Mathieu Cantacuzène (1354-1357)
- Andronic IV (1376-1379)
- Manuel II (1391-1425) avec
- Jean VII (1399-1402)
- Jean VIII (1425-1448)
- Constantin XI Dragasès (1449-1453)

Petit lexique

arianisme : doctrine hérétique élaborée au IVe s. par Arius, et qui nie le caractère divin du Christ. Condamnée par le concile de Nicée (325), elle se répand chez les Barbares, qui persécutent les orthodoxes, et ne disparaît qu'au VIIe s.

monophysisme : doctrine religieuse qui niait la nature humaine du Christ. Surtout répandue en Égypte et en Syrie, elle contribue à miner l'unité politique de l'empire d'Orient.

personnalité des lois : régime juridique des royaumes barbares d'Occident, selon lequel la loi qui s'applique à un individu est celle de sa naissance (romaine ou germanique). L'adoption d'un droit unique, dépendant de la région d'habitation et non plus de la naissance, favorise aux VIIIe et IXe s. la fusion entre les populations romaines et barbares.

Le Moyen Âge

De 650 à 800
La conquête arabe

EUROPE

v. 650. *EUROPE ORIENTALE.* Les Khazars, peuple turc, s'établissent dans les plaines du Don.

v. 660-670. *ROYAUME DES FRANCS.* La pénurie d'or causée par le ralentissement du commerce méditerranéen aboutit au remplacement du sou d'or romain par le denier franc en argent.

673-677. *EMPIRE BYZANTIN.* La flotte musulmane assiège Constantinople.

677. *ROYAUME DES FRANCS.* La rédaction d'un acte royal sur parchemin atteste l'abandon du papyrus.

678-679. *ROYAUME DES FRANCS.* Début de l'évangélisation des Frisons.

v. 680. *EUROPE ORIENTALE.* Après avoir défait les Byzantins, les Proto-Bulgares, d'origine turque, s'établissent sur le Danube et fondent le premier Empire bulgare.

687. *ROYAUME DES FRANCS.* À la bataille de Tertry, le roi de Neustrie est vaincu par Pépin de Herstal, maire du palais d'Austrasie, qui impose son autorité à tout le royaume.

711. *ESPAGNE.* Rodrigue abandonne Cordoue et Tolède aux Arabes, qui commencent la conquête de l'Espagne.

712-744. *ITALIE.* Le roi lombard Liutprand tente de conquérir les territoires byzantins.

717. *EMPIRE BYZANTIN.* Échec des Arabes devant Constantinople.

720-740. *Royaume des Francs.* Charles Martel, maire du palais, rétablit l'hégémonie franque.

726. *EMPIRE BYZANTIN.* Début de la crise iconoclaste. Léon III l'Isaurien et son fils Constantin V ordonnent la destruction des images représentant Dieu, le Christ ou les saints et lancent de violentes persécutions contre leurs adorateurs. Cette politique obéit à des motifs religieux, mais vise aussi à affirmer le pouvoir de l'empereur sur l'Église, notamment sur les monastères.

731. *EMPIRE BYZANTIN.* Le pape Grégoire III condamne l'iconoclasme.

732. *ROYAUME DES FRANCS.* Charles Martel arrête les Arabes à Poitiers.

732-754. *ROYAUME DES FRANCS.* Saint Boniface évangélise la Germanie.

751. *ROYAUME DES FRANCS.* Pépin le Bref dépose le Mérovingien Childéric III et se fait élire roi des Francs.

754. *ROYAUME DES FRANCS.* Pépin le Bref est sacré par le pape à Saint-Denis.

756. *ITALIE.* Pépin le Bref oblige les Lombards à restituer au pape l'exarchat de Ravenne et le duché de Rome. La « donation de Pépin » est à l'origine des États de l'Église.

ESPAGNE. Fondation de l'émirat de Cordoue par l'Omeyyade Abd al-Rahman, réchappé du massacre de sa famille par les Abbassides.

774. *ITALIE.* Charlemagne destitue Didier, roi des Lombards, et annexe son royaume.

778. *ROYAUME DES FRANCS.* Au retour d'une expédition contre les musulmans d'Espagne, Charlemagne est défait à Roncevaux. L'épisode est à l'origine de *la Chanson de Roland* (fin du XIe s.).

782. *ROYAUME DES FRANCS.* Charlemagne appelle à Aix-la-Chapelle le moine anglo-saxon Alcuin, qui sera l'un des principaux inspirateurs de la « Renaissance carolingienne ».

785. *ROYAUME DES FRANCS.* Charlemagne soumet la Saxe. Le chef saxon Widukind reçoit le baptême.

787. *EMPIRE BYZANTIN.* L'impératrice Irène restaure le culte des images à l'occasion du 2e concile de Nicée.

v. 795. *ANGLETERRE.* Premiers raids vikings (danois). *ROYAUME DES FRANCS.* Création de la marche d'Espagne au sud des Pyrénées.

796. *ROYAUME DES FRANCS.* Charlemagne soumet les Avars.

MOYEN-ORIENT

656-661. *EMPIRE MUSULMAN.* Révolte d'Ali, gendre de Mahomet, et assassinat du calife Uthman. La rivalité entre Ali et le gouverneur de Syrie, Muawiya, provoque de sanglants affrontements, qui ralentissent l'expansion arabe.

657. *EMPIRE MUSULMAN.* Les kharidjites se séparent du parti d'Ali et deviennent les adeptes d'un islam égalitaire et intransigeant.

661. *EMPIRE MUSULMAN.* Assassinat d'Ali et instauration du califat omeyyade à Damas. Le parti qui reste fidèle à Ali sera désigné sous le nom de « chiite ».

680-690. *EMPIRE MUSULMAN.* La mort du calife Muawiya est suivie d'une période de troubles, qui interrompent à nouveau les conquêtes.

690. *EMPIRE MUSULMAN.* Les premières monnaies d'or musulmanes entrent en circulation.

première moitié du VIIIe s. *SYRIE.* Des chrétiens, refusant d'adopter les usages byzantins (melkites), constituent un patriarcat autonome, qui prendra le nom de « maronite ».

713-714. *ASIE CENTRALE.* Les Arabes atteignent Multan (Pakistan) et conquièrent la Transoxiane.

v. 740. *CAUCASE.* Le khan des Khazars se convertit au judaïsme.

745. *EMPIRE MUSULMAN.* Le soulèvement chiite en Iran traduit la persistance d'un sentiment national persan.

747. *EMPIRE MUSULMAN.* Un chef arabe du Khorasan, Abu al-Abbas, se révolte contre les Omeyyades.

750. *EMPIRE MUSULMAN.* Massacre des Omeyyades et avènement des Abbassides, qui deviennent les califes de l'Islam. Le seul Omeyyade survivant se réfugie en Espagne, où il fonde le califat de Cordoue.

762. *EMPIRE MUSULMAN.* Fondation de Bagdad par le calife al-Mansur.

786. *EMPIRE MUSULMAN.* Avènement d'Harun al-Rachid, qui entretient une cour fastueuse à Bagdad.

794. *EMPIRE MUSULMAN.* L'industrie du papier est introduite à Bagdad.

◆ **L'Empire omeyyade au VIIIe siècle.**

Mahomet meurt en 632 à Médine. Dès 636, les Arabes s'emparent de la Palestine et de la Syrie. L'année suivante, c'est au tour de la Perse d'être conquise. Puis les armées musulmanes envahissent simultanément l'Arménie et l'Égypte (640), la Cyrénaïque et la Tripolitaine (641). Elles se montrent enfin en Afrique du Nord (647), mais les Byzantins achètent leur départ.

Après l'avènement des Omeyyades, la conquête reprend (l'Afghanistan en 663, Kairouan en 670). Constantinople, assiégée de 673 à 677, ne doit son salut qu'à la puissance de ses murailles et à l'usage du feu grégeois. La chute de Carthage (698) met fin à la civilisation romaine en Afrique du Nord, mais les envahisseurs doivent longtemps compter avec la résistance des populations berbères. À l'ouest, les Arabes franchissent le détroit de Gibraltar et s'emparent de l'Espagne (711) ; à l'est, ils atteignent les confins de l'Inde (713). L'échec du second siège de Constantinople (717) et la victoire de Charles Martel à Poitiers (732) arrêtent le mouvement de conquête. Le califat abbasside, établi en 750, sera l'organisateur de l'Empire arabe. Sauf en Méditerranée (Sicile, Crète, Provence), la période des conquêtes arabes est désormais achevée. L'expansion de l'Islam ne reprendra qu'avec les Turcs, au XIe s.

L'expansion de l'Islam

L'extraordinaire rapidité de la conquête du Moyen-Orient par les Arabes s'explique par plusieurs facteurs. La prédication de l'islam par Mahomet (Mohamed) auprès des populations arabes suscite un puissant élan religieux, et la volonté de convertir à la foi nouvelle les infidèles : la guerre sainte, ou djihad, justifie dès lors l'expansionnisme arabe. Par ailleurs, la longue lutte entre Rome et la Perse, qui vient de s'achever par la victoire écrasante de l'empereur byzantin Héraclius, laisse les deux empires épuisés, incapables de résister à une nouvelle attaque. Enfin, les populations orientales (juifs, chrétiens monophysites) sont traversées par de puissants mouvements séparatistes : elles sont prêtes à accueillir en libérateur tout conquérant qui les délivrera de l'oppression du gouvernement de Constantinople.

◆ **Les califes omeyyades.**

Muawiya Ier	(661-680)
Yazid Ier	(680-683)
Muawiya II	(683-684)
Marwan Ier	(684-685)
Abd al-Malik ibn Marwan	(685-705)
Walid Ier	(705-715)
Sulayman Ier	(715-717)
Umar ibn Abd al-Aziz	(717-720)
Yazid II	(720-724)
Hicham ibn Abd al-Malik	(724-743)
Walid II	(743-744)
Yazid III	(744)
Ibrahim	(744)
Marwan II	(744-750)

AFRIQUE

670. *AFRIQUE DU NORD.* Les Arabes s'emparent du sud de l'Afrique byzantine (l'Ifriqiya, actuelle Tunisie) et fondent Kairouan.

681-682. *AFRIQUE DU NORD.* Les Arabes conquièrent l'Algérie et détruisent les royaumes berbères constitués au Ve s.

698. *AFRIQUE DU NORD.* La prise de Carthage par les Arabes met fin à la présence byzantine.

VIIIe s. *AFRIQUE NOIRE.* Cultures fondées sur le travail du cuivre et du fer dans la région de Sanga (Zambie) et dans le Katanga (Congo). Développement de l'empire du Ghana (dans le Sahel, entre les fleuves Niger et Sénégal). Les Arabes occupent le littoral de l'Éthiopie.

700-710. *AFRIQUE DU NORD.* Les Arabes conquièrent le Maroc.

739-740. *AFRIQUE DU NORD.* Soulèvement des Berbères contre la domination arabe.

761. *AFRIQUE DU NORD.* Fondation du royaume rustémide de Tahert (Maghreb central).

789. *MAROC.* Idris Ier fonde la dynastie alide des Idrisides.

ASIE

660-668. *CORÉE.* Le royaume de Silla, allié des Tang de Chine, unifie le pays.

670. *ASIE CENTRALE.* Les Tibétains lancent une offensive contre les Chinois dans le Turkestan oriental.

682-686. *INDONÉSIE.* À Sumatra, premières inscriptions attestant l'existence du royaume de Srivijaya, qui contrôle le détroit de Malacca.

début du VIIIe s. *ASIE ORIENTALE.* Création du royaume de Bohai, peuplé majoritairement de Toungouses et qui s'étend à la Mandchourie, au nord-est de la Corée et à la Sibérie orientale.

710. *JAPON.* Fondation d'une nouvelle capitale, Nara. La période de Nara (710-782) est marquée par l'affaiblissement de l'influence chinoise et la constitution d'une noblesse de fonctionnaires et de guerriers.

712. *INDE.* Conquête du Sind par les armées arabes.

745. *MONGOLIE.* Les Ouïgours remplacent les Turcs Tujue à la tête de l'empire de Mongolie.

milieu du VIIIe s. *CHINE.* Apparition des premiers textes imprimés utilisant le procédé de la xylographie (bois gravé).

v. 750. *TIBET.* Début de l'expansion du Nanzhao, la plus puissante des principautés tibéto-birmanes qui se développent aux confins de la Chine et de la Birmanie.

751. *CHINE.* Sur la rivière Talas, près de l'actuelle Alma Ata, les armées chinoises sont vaincues par les Arabes.

763. *CHINE.* Les Tibétains envahissent Changan (Xi'an). Après leur retrait, l'empereur Tang Suzong rétablit l'autorité des Tang.

v. 770. *BENGALE.* Avènement de Dharmapala, qui étend son royaume jusqu'à Kanauj et fonde de nombreux monastères bouddhistes.

791. *CAMBODGE.* Inscription attestant la pénétration du bouddhisme du Grand Véhicule.

794. *JAPON.* L'empereur Kammu fonde Heian-Kyo (auj. Kyoto), édifiée selon le plan en damier de Changan (Xi'an), la capitale chinoise des Tang.

AMÉRIQUE

683. *AMÉRIQUE CENTRALE.* Inhumation de Pacal, souverain de la cité maya de Palenque, dans le temple-pyramide des Inscriptions.

700-1100. *AMÉRIQUE DU NORD.* Phase pueblo de la culture Anasazi ; apparition de villages composés de maisons rectangulaires aux murs de pierre ; kivas cérémonielles.

VOIR AUSSI
- **Découvertes et inventions** p. 263
- **Mazdéisme** p. 404
- **Islam** p. 520 à 524
- **Art de l'islam** p. 1053
- ***Mille et Une Nuits*** p. 1140

Le calife Harun al-Rachid

S'il fut un souverain fastueux, Harun al-Rachid fut loin d'être un souverain remarquable. Bien que les activités commerciales, qui atteignaient la Chine, permissent de développer le luxe et le mécénat de la Cour, son règne marque en fait le déclin de l'Empire musulman. Proclamé calife à vingt ans, Harun al-Rachid laissa d'abord les vizirs barmakides, Yahya ibn Khalid et ses deux fils, Al-Fadl et Dja'far, des Iraniens convertis à l'Islam de fraîche date, acquérir de grands pouvoirs. Puis, assumant personnellement ses tâches de chef de la communauté musulmane, dirigeant tour à tour le pèlerinage de la Mecque et les campagnes contre les Byzantins, il se méfia de la puissance des Barmakides et les disgracia en 803. En dépit de son mauvais état de santé, il partit avec ses deux fils mater la rébellion qui avait éclaté dans l'est de l'Iran et mourut au cours de cette campagne (à Tus, en 809).

◆ **Duel entre un chrétien et un Maure.**
Pavement de mosaïque provenant de la basilique romane Sainte-Marie-Majeure de Verceil. (Musée Leone)

◆ **Harun al-Rachid.**
Le calife est représenté sous les traits d'un jeune homme armé. L'éclat de son règne, rendu légendaire par les récits des *Mille et Une Nuits*, marque l'apogée de l'Empire musulman. (Miniature de Behzad, XVIe s. BNF, Paris)

La civilisation musulmane

L'établissement de la dynastie omeyyade, en 661, permet le développement d'une civilisation qui emprunte à la fois aux traditions arabes et aux empires vaincus : dominée par une caste de guerriers arabes, la société musulmane respecte les lois et les religions des minorités (juifs, chrétiens, mazdéistes). Les monuments rivalisent avec les réalisations des souverains byzantins : coupole du Rocher, grande mosquée de Damas… Après la révolution abbasside de 750, la civilisation musulmane connaît son apogée : les califes, défenseurs de l'orthodoxie (la sunna), encouragent la pensée religieuse, qui inspire désormais la législation (la charid). La prospérité matérielle et commerciale favorise l'épanouissement d'une civilisation urbaine raffinée. Autour de la fastueuse cour de Bagdad, l'essor intellectuel est incomparable : les savants étudient les ouvrages des classiques grecs et latins, qu'ils enrichissent d'éléments hindous (astronomie, algèbre, médecine) ; les poètes, retrouvant les traditions persanes, chantent la beauté et l'amour ; enfin, l'art réalise une synthèse originale des traditions hellénistique et iranienne.

Petit lexique

feu grégeois : composition à base de salpêtre et de bitume, qui avait la particularité de brûler sur l'eau. Sa possession assura à Byzance la suprématie navale jusqu'au XIe s.

mazdéisme : religion ancienne de l'Iran, fondée sur l'opposition du Bien et du Mal, qui fut réformée au VIIe s. av. J.-C. par Zarathoustra. Le manichéisme en dérive.

Le Moyen Âge

De 800 à 950
L'Europe carolingienne

EUROPE

800. *EMPIRE CAROLINGIEN.* Charlemagne est couronné empereur à Rome par le pape Léon III.

812. *EMPIRE BYZANTIN.* Nicéphore Ier est massacré avec son armée par les Bulgares du khan Krum.

813. *EMPIRE BYZANTIN.* Avènement de Léon V, qui rallume la querelle iconoclaste.

814. *EMPIRE CAROLINGIEN.* Mort de Charlemagne à Aix-la-Chapelle. Avènement de Louis Ier le Pieux. Début des invasions normandes.

827. *EMPIRE BYZANTIN.* Les Aghlabides, dynastie arabe d'Afrique du Nord, prennent pied en Sicile.

830-833. *EMPIRE CAROLINGIEN.* Les fils aînés de Louis le Pieux se révoltent quand leur père attribue une part de leur héritage au fils de sa seconde épouse, Charles le Chauve.

843. *EMPIRE CAROLINGIEN.* Le traité de Verdun partage l'Empire entre les fils de Louis le Pieux : la *Francia occidentalis* (le futur royaume de France) est donnée à Charles le Chauve, la *Francia orientalis* (le royaume de Germanie) à Louis le Germanique, la partie centrale de l'empire (les vallées de la Meuse, de la Moselle et du Rhône et l'Italie) à Lothaire qui garde le titre impérial. *EMPIRE BYZANTIN.* Théodora, qui garde le titre d'impératrice, restaure le culte des icônes. Fin de la crise iconoclaste.

v. 862. *RUSSIE.* Fondation de Novgorod par les Varègues de Riourik.

863. *EMPIRE BYZANTIN.* Le pape Nicolas Ier dépose le patriarche de Constantinople Photios et provoque un nouveau schisme entre l'Église romaine et l'Église byzantine.

v. 863. Les moines Cyrille et Méthode évangélisent les Slaves de Grande-Moravie.

864. *BULGARIE.* Le khan Boris Ier se convertit au christianisme orthodoxe.

v. 872. *NORVÈGE.* Harald à la Belle Chevelure unifie pour la première fois le pays.

877. *FRANCE.* Par le capitulaire de Quierzy, Charles le Chauve admet l'hérédité des fiefs, charges et dignités seigneuriales.

878. *ANGLETERRE.* Après sa victoire d'Edington sur les Vikings, Alfred le Grand, roi de Wessex depuis 871, est reconnu roi des Anglo-Saxons.

880. *FRANCE ET GERMANIE.* Le traité de Ribemont fixe les frontières de la France et de la Germanie, qui resteront presque inchangées jusqu'à la fin du Moyen Âge.

880. *EMPIRE BYZANTIN.* Basile Ier reprend Tarente et restaure l'autorité byzantine sur l'Italie du Sud.

882. *RUSSIE.* Le Varègue Oleg s'installe à Kiev, qui sera la capitale du premier État russe.

888. *FRANCE.* Après avoir défendu Paris contre les Normands, le fils de Robert le Fort, Eudes, est élu roi de France.

896. *EUROPE CENTRALE.* Les Hongrois franchissent les Carpates et commencent à s'établir dans la plaine du Danube.

1er quart du Xe s. Les Hongrois lancent des raids en Italie, en Allemagne, en Alsace et en Lorraine.

911. *GERMANIE.* Mort de Louis III l'Enfant, dernier Carolingien de Germanie. *FRANCE.* Par le traité de Saint-Clair-sur-Epte, Charles III le Simple cède la basse vallée de la Seine au chef normand Rollon.

913. *BULGARIE.* Siméon Ier le Grand entre dans Constantinople et s'y fait couronner empereur des Bulgares.

919. *GERMANIE.* Henri Ier l'Oiseleur, duc de Saxe, est élu roi de Germanie.

940. *DANEMARK.* Avènement d'Harald Blåtand, qui se convertit au christianisme.

◆ **Courtisan et sa dame, Xe siècle.** L'homme porte une tunique courte, des braies et un manteau dérivé de la chlamyde ; la dame est en *stola* et elle a un manteau *(mafors)* posé sur les cheveux.

MOYEN-ORIENT

803. *EMPIRE MUSULMAN.* Le calife Harun al-Rachid met fin au pouvoir des vizirs barmakides et prend personnellement la direction de l'Empire. En 806, il impose le versement du tribut à l'empereur byzantin Nicéphore.

809. *EMPIRE MUSULMAN.* À la mort d'Harun al-Rachid, ses fils se disputent le pouvoir.

836. *EMPIRE MUSULMAN.* Transfert de la capitale abbasside à Samarra. La garde du calife est désormais composée de mercenaires turcs.

838. *EMPIRE MUSULMAN.* Le calife Mutasim enlève Ancyre (auj. Ankara) aux Byzantins.

868. *ÉGYPTE.* Ahmad ibn Tulun crée une dynastie de gouverneurs autonomes, les Tulunides. Début de la décomposition de l'Empire abbasside.

874. *IRAN.* Disparition de Muhammad Mahdi, le douzième imam des chiites. Fondation en Transoxiane de la dynastie des Samanides, anciens gouverneurs des Abbassides.

892. *EMPIRE MUSULMAN.* Bagdad est de nouveau la capitale des Abbassides.

893. *YÉMEN.* Les imams zaydites, professant un chiisme modéré, fondent une dynastie indépendante.

905. *ÉGYPTE.* Fin de la dynastie tulunide.

930. *EMPIRE MUSULMAN.* Une secte ismaélienne révoltée contre les califes abbassides, les Qarmates, s'empare de la Pierre noire de La Mecque.

L'Empire de Charlemagne

Lorsque son frère Carloman se retire au couvent (770), Charlemagne se retrouve à la tête d'un royaume puissant et organisé. Profitant de la faiblesse des Mérovingiens, les maires du palais d'Austrasie ont réussi à imposer leur hégémonie sur toute la Gaule et sur une grande partie de la Germanie. Après la victoire de Charles Martel sur les Arabes à Poitiers (732), les Francs ont étendu leur autorité sur l'Aquitaine. Depuis l'élection de Pépin le Bref (751), qui, sacré par saint Boniface, est devenu l'allié du pape contre les Lombards (754), l'alliance de l'Église est le soutien le plus solide de la nouvelle dynastie. Elle connaîtra sa consécration avec le couronnement impérial de Charlemagne, le jour de Noël 800.

Charlemagne étend son royaume par la conquête. Chaque printemps, il réunit l'aristocratie et tous les hommes libres dans un champ de mai, pour une longue campagne militaire. Il s'empare ainsi de l'Italie lombarde (774), du nord de l'Espagne (778), de la Bavière (788). Au terme de plusieurs campagnes, il vient à bout des Saxons (772-804) et des Avars (791-796). L'Empire carolingien s'étend alors du sud des Pyrénées à la Frise, à la Saxe et à la Pannonie, et la conquête s'accompagne d'une puissante action évangélisatrice.

Malgré la fiction d'une restauration de la Rome antique, entretenue par les clercs, l'Empire carolingien est alors un État barbare et germanique, dont la capitale se trouve non à Rome, mais au cœur des domaines patrimoniaux d'Austrasie, à Aix-la-Chapelle. C'est de son palais que l'empereur gouverne par l'intermédiaire de fonctionnaires théoriquement révocables, les comtes, qui sont régulièrement contrôlés par des équipes de *missi dominici* composées d'un laïc et d'un clerc. L'empereur a également autorité sur les évêques. Il encourage une renaissance des études littéraires et religieuses qui s'épanouira pleinement sous le règne de Louis le Pieux.

Cependant, les invasions normandes et les rivalités dynastiques ont bientôt raison de l'unité et de l'organisation administrative de l'Empire, qui est démembré au traité de Verdun (843). Accordant privilèges et exemptions fiscales en échange de leur soutien, les rois perdent progressivement toute autorité sur les comtes, dont la dignité et les terres deviennent héréditaires. Ainsi se constituent de grandes principautés, presque indépendantes, qui forment le cadre territorial de l'époque féodale.

◆ **Portrait de l'empereur Charlemagne par Dürer.** (Germanisches Museum, Nuremberg)

AFRIQUE

IXe s. *AFRIQUE CENTRALE.* Création du royaume du Kanem, à l'est du lac Tchad.

800-909. *AFRIQUE DU NORD.* Les Aghlabides, dont Kairouan est la capitale, règnent sur l'Ifriqiya.

Xe s. *AFRIQUE CENTRALE.* Apogée de la culture sao au sud du lac Tchad. *AFRIQUE ORIENTALE.* Installation des Somalis sur les côtes de l'océan Indien (Somalie).

909-910. *AFRIQUE DU NORD.* Proclamé calife à Kairouan, Ubayd Allah al-Mahdi fonde la dynastie chiite ismaélienne des Fatimides.

911. *AFRIQUE DU NORD.* Les Fatimides détruisent le royaume rustémide de Tahert.

920. *AFRIQUE DU NORD.* Les Fatimides enlèvent Fès aux Idrisides.

931. *AFRIQUE DU NORD.* Le calife de Cordoue Abd al-Rhaman III tente de chasser les Fatimides d'Afrique du Nord et impose son autorité aux princes du Maroc et du Maghreb central.

VOIR AUSSI
• **Art du haut Moyen Âge** p. 1063-1064

ASIE

IXe s. *INDE DU NORD.* La lutte des dynasties Rastrakuta, Pratihara et Pala se poursuit pendant tout le siècle. *JAVA.* La dynastie bouddhiste des Sailendra repousse à l'est les roitelets hindouistes.

802-836. *CAMBODGE.* Règne de Jayavarman II, qui instaure le culte du dieu-roi et établit sa capitale près du site d'Angkor.

1re moitié du IXe s. *CHINE.* Apparition de la monnaie volante (billet à ordre).

842-845. *CHINE.* Les religions étrangères, particulièrement le bouddhisme, sont interdites.

v. 849. *BIRMANIE.* Fondation du royaume de Pagan.

858. *JAPON.* Avènement des Fujiwara, qui s'octroient le titre de régent et détiennent le pouvoir réel.

881. *CHINE.* Des bandes de brigands et d'insurgés pillent Changan (Xi'an), la capitale des Tang.

885. *CHINE.* Les Tang abandonnent Changan (Xi'an) et établissent leur capitale à Luoyang.

889. *CAMBODGE.* Avènement de Yashovarman Ier, qui fait construire à Angkor une cité brahmanique et réaliser d'importants aménagements hydrauliques.

fin du IXe s. *INDE DU SUD.* Disparition de la dynastie Pallava qui régnait dans le sud du Deccan (Tamil Nadu) et début de l'expansion de la dynastie Cola à partir de Thanjavur.

907-960. *CHINE.* La destitution du dernier empereur Tang ouvre la période des Cinq Dynasties, durant laquelle le pays est morcelé.

907-953. *INDE DU SUD.* Le roi Parantaka, de la dynastie Cola, étend son pouvoir.

935. *CORÉE.* Le royaume de Silla est annexé par l'État de Koryo, qui unifie le pays.

939. *VIÊT NAM.* La dynastie des Ngô rejette la domination chinoise.

940. *JAPON.* Début de la lutte qui opposera pendant plus de deux siècles les clans rivaux Taira et Minamoto.

944. *CAMBODGE.* Avènement de Rajendravarman, qui lance des opérations militaires contre le Champa.

AMÉRIQUE

v. 850. *AMÉRIQUE CENTRALE.* Venus du Nord, les Toltèques s'installent sur le haut plateau central du Mexique, où ils fondent leur capitale, Tollan (auj. Tula), en 968.

v. 900. *AMÉRIQUE CENTRALE.* Effondrement de la civilisation maya classique.

918. *AMÉRIQUE CENTRALE.* Des populations toltèques s'emparent de la cité de Chichén Itzá, au Yucatán.

987. *AMÉRIQUE CENTRALE.* Nouvelles invasions au Yucatán, sous la conduite du dieu-héros Serpent à plumes. Naissance d'une nouvelle civilisation maya, qui subit l'influence toltèque; épanouissement des cités de Chichén Itzá et d'Uxmal.

Les invasions normandes

◆ **Navire viking.** Détail d'une stèle du IXe s. (Stockholm, Musée historique)

Pourquoi les Scandinaves, population essentiellement agricole, se sont-ils lancés à la conquête de l'outre-mer ? Il semble que l'explication principale réside dans le progrès des techniques navales. Le grand bateau sans pont des Vikings, à quinze ou seize paires de rames et à voiles, improprement appelé drakkar en français, est en effet apte à la navigation rapide, à la fois en haute mer et sur rivière. Encouragés par les récits des premiers conquérants et l'appât d'un butin facile, dotés d'un armement supérieur à celui des Francs, tirant leur force de leur mobilité, les Vikings mènent leurs premiers raids en Frise, vers 810. Puis, chaque année, ils dévastent de nouveaux territoires, suivant les côtes et remontant les fleuves, et atteignent Séville (844) et l'Afrique du Nord (860). De 879 à 892, une grande armée danoise dévaste la région comprise entre la Loire et le Rhin et assiège Paris pendant près d'un an (885-886).

C'est alors que les Normands commencent à s'installer dans les territoires conquis, avant de se convertir au christianisme : en Irlande et en Islande (v. 870), dans le nord-ouest de l'Angleterre (878), en Normandie (911). Les invasions normandes, qui ont laissé un souvenir terrible dans les pays dévastés, contribuèrent à la désagrégation de l'État carolingien, où l'autorité réelle passa aux mains des seigneurs ruraux, maîtres des forteresses où se réfugiaient les populations.

◆ **L'abbé de Saint-Martin de Tours présente sa Bible à Charles le Chauve.**
Par cette miniature, qui est la plus ancienne représentation connue en Occident d'un fait contemporain, l'Église et l'Empire manifestent leur alliance. La dynastie, placée sous la protection divine, revendique également l'héritage romain à travers les vêtements et l'équipement des soldats. (Manuscrit du IXe s., BNF, Paris)

Petit lexique

drakkar : nom donné improprement aux grands navires vikings, dont la proue était généralement ornée d'une tête de dragon *(drak).*

maires du palais : fonctionnaires de la cour mérovingienne qui étaient chargés d'administrer le domaine privé du roi. Après le règne de Dagobert, ils s'emparèrent de la réalité du pouvoir. Les maires du palais d'Austrasie sont les ancêtres des Carolingiens.

Vikings (de *vik*, baie) : navigateurs danois ou norvégiens qui envahirent l'Europe occidentale au IXe s. et qui étaient connus au Moyen Âge sous le nom de *Normands* ou *Northmen* (hommes du Nord).

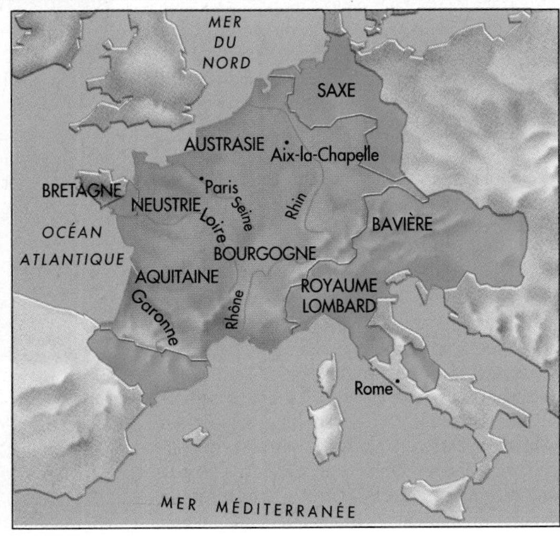

le royaume des Francs vers 77

les conquêtes de Charlemagne

◆ **L'Empire de Charlemagne.**
C'est à l'époque de Charlemagne que l'Empire carolingien connut sa plus grande extension en même temps que son apogée culturel. En divisant l'État entre les fils de Louis le Pieux, le partage de Verdun (843) marqua le début du déclin carolingien.

Le Moyen Âge

De 950 à 1100
La féodalité

EUROPE

955. *GERMANIE.* Otton Ier écrase les Hongrois au Lechfeld.

961-963. *EMPIRE BYZANTIN.* Fondation du premier monastère du mont Athos.

962. *SAINT EMPIRE.* Otton Ier est couronné empereur à Rome. Fondation du Saint Empire romain germanique.

966. *POLOGNE.* Mieszko Ier reçoit le baptême et fait entrer la Pologne dans la chrétienté romaine.

976-1025. *EMPIRE BYZANTIN.* Règne de Basile II ; apogée de l'Empire byzantin.

987. *FRANCE.* Élection et sacre d'Hugues Capet, fondateur de la dynastie capétienne.

988. *RUSSIE.* Le grand-prince de Kiev Vladimir le Grand se convertit à l'orthodoxie.

1000. *HONGRIE.* Le roi Étienne Ier est couronné à Rome par le pape Sylvestre II.

1008. *SUÈDE.* Baptême du roi Olof Skötkonung, qui favorise la christianisation de son royaume.

1016. *ANGLETERRE.* Le Danois Knud Ier est proclamé roi d'Angleterre.

1016-1028. *NORVÈGE.* Règne d'Olav II Haraldsson, qui impose le christianisme.

1014. *BULGARIE.* L'empereur byzantin Basile II inflige une cuisante défaite au tsar Samuel. La Bulgarie devient une province byzantine en 1018.

1031. *ESPAGNE.* Fin du califat de Cordoue et formation de petits royaumes musulmans (*taifas*) en Andalousie.

1042. *ANGLETERRE.* Édouard le Confesseur restaure la dynastie anglo-saxonne.

1054. *EMPIRE BYZANTIN.* Le conflit entre le patriarche Michel Keroularios et le pape Léon IX aboutit au schisme définitif entre les Églises d'Orient et d'Occident.

v. 1060-1091. *ITALIE.* Les Normands Robert Guiscard et Roger Ier conquièrent l'Italie du Sud et la Sicile sur les Byzantins et les Arabes.

◆ Dame vers 1050.
Elle porte un bliaud avec ceinture entourant la taille puis se nouant sur le ventre, un manteau en forme de cape et un voile sur la tête.

1066. *ANGLETERRE.* Débarquement du duc de Normandie, Guillaume le Conquérant, qui remporte la victoire de Hastings et se fait couronner roi d'Angleterre.

1071. *EMPIRE BYZANTIN.* Le Seldjoukide Alp Arslan capture l'empereur byzantin Romain IV Diogène à Malazgirt (Mantzikert), ouvrant l'Asie Mineure aux Turcs.

1076. *SAINT EMPIRE.* Début de la querelle des Investitures entre la papauté (Grégoire VII) et le Saint Empire (Henri IV), pour le contrôle des nominations d'évêques et d'abbés. Le pape et l'empereur s'excommunient mutuellement.

1077. *SAINT EMPIRE.* L'empereur Henri IV se rend à Canossa pour obtenir l'absolution papale.

1082. *EMPIRE BYZANTIN.* Pour lutter contre les Normands d'Italie du Sud, qui tentent d'envahir l'Empire, Alexis Ier Comnène fait appel aux Vénitiens et leur accorde d'importants privilèges commerciaux.

1086. *ESPAGNE.* Victoire de la dynastie berbère des Almoravides sur Alphonse VI, roi de Castille.

1096-1099. *PREMIÈRE CROISADE.*

1097. *PORTUGAL.* Le roi Alphonse VI de Castille crée le comté de Portugal au profit d'Henri de Bourgogne.

◆ Courtisan du xe siècle.
Il est vêtu d'une tunique courte, de braies serrées aux genoux et d'un manteau dérivé de la chlamyde.

La féodalité en Occident

Dans la société occidentale, les origines de la féodalité sont anciennes. Dès le VIIe s., les souverains barbares concèdent des privilèges fiscaux et judiciaires à certains propriétaires terriens, notamment à des abbayes. À la faveur des troubles du IXe s., ce régime se généralise. Afin de s'assurer la fidélité de leurs fonctionnaires, comtes ou évêques, les fils de Louis le Pieux, qui se font la guerre, renoncent au droit de les révoquer, reconnaissant implicitement l'hérédité de la fonction comtale. Parallèlement, les invasions normandes favorisent l'émergence d'une classe de châtelains, qui exercent un pouvoir de commandement et un devoir de protection sur les habitants de leur région. La désagrégation du pouvoir royal est plus ou moins importante selon les régions : elle s'arrête au niveau des comtes et des évêques en Allemagne et dans le nord de la France, mais descend jusqu'au niveau des petits seigneurs dans le sud de la France ou en Italie.

Une nouvelle structure. Les relations d'homme à homme fournissent le cadre juridique et social de cette nouvelle organisation politique : les détenteurs de la puissance publique se lient par un serment de fidélité, l'hommage. Le seigneur protège et nourrit son vassal, qui, en contrepartie, lui doit fidélité, aide et conseil. Très vite, le seigneur donne à son vassal des terres (le fief), pour lui permettre de vivre et de payer l'armement nécessaire au service militaire. Le régime de possession des terres, la féodalité, et le régime des liens de fidélité personnelle, la vassalité, deviennent ainsi indissociables, principalement dans la région comprise entre la Loire et le Rhin, centre de la civilisation féodale.

Le signe visible de la puissance féodale est la forteresse. D'abord simple palissade de bois placée au sommet d'une motte de terre, elle prend la forme d'un donjon de pierre au cours du XIe s., puis d'un véritable château fort, protégé de courtines et entouré de fossés. À sa fonction défensive (lieu de refuge des populations environnantes) s'ajoute un rôle symbolique. La forteresse est en effet le lieu où se tient la cour seigneuriale, où se réunissent les chevaliers, où sont rassemblés les produits de la seigneurie (impôts en nature ou en argent) et les équipements dont l'usage est obligatoire, contre paiement d'une taxe : four, moulin, pressoir banaux.

Ainsi se constitue, au cours du XIe s., une civilisation originale fondée sur une organisation économique et politique, sur un ordre social et sur l'adhésion aux valeurs de fidélité, de largesse, d'honneur et de vaillance qui constituent le fondement de l'idéologie chevaleresque.

◆ Miniature extraite d'un manuscrit du XIIIe s. illustrant *Yvain ou le Chevalier au lion*, de Chrétien de Troyes. Le héros est ici accueilli par le ravisseur de sa fille. (Bibliothèque nationale de France, Paris)

MOYEN-ORIENT

962. *AFGHANISTAN.* À Ghazni, Alp-Tegin fonde la dynastie turque musulmane des Ghaznévides.

999. *AFGHANISTAN.* Début du règne de Mahmud de Ghazni, sous lequel la dynastie ghaznévide domine la majeure partie de l'Iran et atteint son apogée.

1040. *IRAN.* Les Turcs seldjoukides chassent les Ghaznévides du Khorasan.

1051. *IRAN.* Les Turcs seldjoukides installent leur capitale à Ispahan.

1055. *CALIFAT DE BAGDAD.* Le Seldjoukide Toghrul Beg conquiert Bagdad et reçoit du calife le titre de sultan.

1064. *ARMÉNIE.* Les Turcs seldjoukides traversent le pays et détruisent Ani.

1076. *PALESTINE.* Les Turcs seldjoukides enlèvent Jérusalem aux Fatimides.

1077. *ANATOLIE.* Fondation du sultanat seldjoukide de Rum, en Anatolie, par Sulayman ibn Kutulmich.

1080. *ARMÉNIE.* Des Arméniens émigrent en masse en Cilicie (sud-est de la Turquie), où ils créent l'État de Petite-Arménie.

1096. *ANATOLIE.* Les pèlerins de la « croisade populaire », conduits par Pierre l'Ermite et Gautier Sans Avoir, se font massacrer par les Turcs en Asie Mineure.

1097. *ANATOLIE.* La « croisade des barons » reprend Nicée, qu'elle remet aux Byzantins, et vainc les Turcs à Dorylée.

1098. *SYRIE ANCIENNE.* Les croisés s'emparent d'Édesse et d'Antioche, où ils fondent les premiers États latins d'Orient.

1099. *PALESTINE.* Les croisés prennent Jérusalem. Godefroi de Bouillon prend le titre d'avoué du Saint-Sépulcre.

ASIE

960. *CHINE.* Le général Zhao Kuangyin (Tchao K'ouangyin) fonde la dynastie des Song, qui réunifie la Chine. Seul le Nord demeure sous la domination des Liao.

fin du Xe s. *JAPON.* Le clan des Fujiwara concentre la totalité des pouvoirs.

fin du Xe s. *CEYLAN.* Le roi Rajaraja, de la dynastie indienne des Cola, renverse la monarchie d'Anuradhapura.

1001-1027. *INDE.* Raids de Mahmud de Ghazni en Inde du Nord.

1010. *VIÊT NAM.* Avènement de la dynastie des Ly.

1019. *CORÉE.* Les Kitan s'emparent du nord-est du pays.

1024. *CHINE.* Premières émissions de « monnaie volante » (monnaie de papier) par l'administration impériale.

1038. *TIBET.* Les Xia occidentaux fondent un empire qui s'étend sur le territoire de la Chine.

1042. *TIBET.* Arrivée à Lhassa du bouddhiste indien Atisha dont l'enseignement sera à l'origine des grandes sectes « lamaïques » du Tibet.

1044-1077. *BIRMANIE.* Règne d'Anoratha ; apogée du royaume de Pagan.

1069-1085. *CHINE.* Wang Anshi (Wang Ngan-che) impose des réformes fiscales, administratives et militaires et réorganise les concours de recrutement du service public.

1070. *CEYLAN.* Le prince cinghalais Vijayabahu libère l'île de la domination Cola.

AFRIQUE

969. *ÉGYPTE.* Le calife fatimide al-Mu'izz conquiert l'Égypte, la Palestine et la Syrie.

972. *TUNISIE.* Fondation de la dynastie ziride, qui gouverne l'Ifriqiya au nom des Fatimides d'Égypte.

973. *ÉGYPTE.* Al-Mu'izz établit la capitale fatimide au Caire et y fonde l'université al-Azhar.

975-996. *ÉGYPTE.* Règne du calife fatimide al-Aziz, qui se montre particulièrement tolérant à l'égard des chrétiens et des juifs.

XIe s. *AFRIQUE CENTRALE.* Le roi du Kanem (bords du lac Tchad) se convertit à l'Islam. *ZIMBABWE.* Construction d'ouvrages en pierre. *AFRIQUE NIGÉRIENNE.* Premières têtes en bronze d'Ife, centre spirituel des Yoruba (Nigeria).

1015. *ALGÉRIE.* Les Hammadides fondent une dynastie indépendante, dont la capitale est la Qal'a des Banu Hammad, dans les monts du Hodna.

1051-1052. *TUNISIE.* Après que les Zirides ont fait allégeance à Bagdad, le pays est dévasté par des bandes de nomades envoyées par les Fatimides du Caire, les Banu Hilal.

1061. *MAROC.* Fondation de la dynastie almoravide, issue d'une confrérie de moines guerriers.

1077-1078. *AFRIQUE NIGÉRIENNE.* Les Almoravides conquièrent Ghana et y imposent l'islam.

1091. *ALGÉRIE.* Poussés par les Almoravides, les Hammadides se replient vers le littoral et installent leur capitale à Bougie.

AMÉRIQUE ET OCÉANIE

950-1200. *AMÉRIQUE DU NORD.* Au sud-ouest du Nouveau-Mexique, phase Mimbres de la culture des Mogollon : maisons en adobe (brique rudimentaire séchée au soleil) ; inhumation des morts avec offrandes dans le sous-sol des maisons.

968. *MEXIQUE.* Fondation de Tollan (auj. Tula), capitale des Toltèques.

986. *AMÉRIQUE DU NORD.* Le navigateur norvégien Érik le Rouge fonde une colonie viking sur la côte sud-ouest du Groenland.

v. 1000. *AMÉRIQUE CENTRALE.* Les Toltèques pénètrent dans la zone maya du Yucatán.

1000-1200. *POLYNÉSIE.* Des Polynésiens commencent à peupler la Micronésie orientale.

Le Japon féodal

Au cours du IXe s., le repli de l'Empire chinois vers le sud favorise l'isolement du Japon, qui interrompt peu à peu ses relations avec le continent (ère de Heian). Ainsi s'épanouit une culture originale, où la femme joue un rôle éminent.
Parallèlement, la tentative de centralisation administrative du pouvoir impérial montre ses limites. À côté de l'empereur, réduit à un rôle symbolique dans sa cour de Kyoto, le clan des Fujiwara perd une partie de son pouvoir au profit de la caste des fonctionnaires provinciaux, qui obtiennent privilèges et immunités et s'entourent d'une clientèle de serviteurs civils et militaires (les samouraïs). Ainsi se met en place une féodalité héréditaire centrée sur la seigneurie, le *sho*, dont le seigneur est le *daimyo*.
La lutte sanglante qui oppose les différents clans au cours du XIIe s. et qui aboutit à la nomination de Minamoto no Yoritomo à la fonction de shogun, consacre la victoire de la noblesse guerrière sur l'aristocratie de cour. L'ordre féodal se maintient jusqu'à la restauration impériale de Mutsuhito, en 1867 (ère Meiji).

Le second âge d'or de Byzance

C'est sous la dynastie macédonienne (867-1057) que Byzance atteint son apogée. Luttant avec succès contre les Arabes, reprenant l'initiative en Italie du Sud, étendant son influence sur les Slaves et en Russie grâce à l'action évangélisatrice des moines, l'empire est gouverné par des hommes d'État, qui affirment avec vigueur l'autorité impériale. L'empereur, qui vit dans le Palais Sacré de Constantinople, est l'élu de Dieu, le chef suprême de l'administration, le commandant de l'armée, le juge souverain et le défenseur de l'Église. Un véritable rituel d'adoration entoure sa personne. L'opposition de l'aristocratie est brisée. L'empire connaît une grande prospérité économique. Constantinople est alors la plus grande ville du monde. Les ateliers impériaux ou privés produisent soieries, bijoux, vases liturgiques, reliquaires et draps de lin. Enfin, la vie artistique et intellectuelle brille d'un éclat incomparable. Quelques années après la mort de Basile II (1025), l'empire manquera pourtant d'être submergé par les Turcs.

◆ **Le Christ entre l'empereur Constantin IX Monomaque** (1042-1055) **et l'impératrice Zoé.** Cette mosaïque symbolise l'essence divine du pouvoir des empereurs byzantins. (Tribune sud de Sainte-Sophie, Istanbul)

Petit lexique

chevalier : au Moyen Âge, combattant à cheval qui doit fournir lui-même son armement et se recrute essentiellement dans la petite noblesse.

fief : à partir du Xe s., terre concédée au vassal par le seigneur en contrepartie de services et de devoirs. Le fief devint rapidement héréditaire, et la notion s'étendit même à des biens ou des droits productifs autres que la terre : revenus en argent, charges de cour...

samouraï : guerrier japonais placé au service d'un seigneur. Les samouraïs développèrent un idéal d'honneur et de fidélité exacerbé.

shogun : littéralement général en chef. Titre porté par le chef de l'aristocratie militaire, qui possède la réalité du pouvoir politique au Japon entre 1192 et 1867.

Les Temps modernes

De 1550 à 1650
Réforme et Contre-Réforme

EUROPE

1553. *ANGLETERRE.* Après la mort d'Édouard VI. avènement de Marie Tudor.
1555. *SAINT EMPIRE.* La paix d'Augsbourg consacre la division de l'Allemagne entre principautés catholiques et protestantes.
1556. *ESPAGNE ET SAINT EMPIRE.* Abdication de Charles Quint, qui transmet le titre impérial à son frère Ferdinand. Philippe II devient roi de l'Espagne et de ses possessions asiatiques et américaines.
1558. *ANGLETERRE.* Élisabeth Ire succède à Marie Tudor.
1559. *FRANCE.* Le traité du Cateau-Cambrésis met fin aux guerres d'Italie. Mort d'Henri II, auquel succède François II.
1560. *FRANCE.* Avènement de Charles IX. Catherine de Médicis est nommée régente. *SUÈDE.* Mort de Gustave Ier Vasa.
1562-1563. *FRANCE.* Le massacre de protestants à Wassy déclenche la première guerre de Religion.
1564. *SAINT EMPIRE.* Avènement de l'empereur Maximilien II.
1571. *EMPIRE OTTOMAN.* La flotte de la Sainte Ligue remporte la bataille de Lépante sur les Ottomans.
1572. *FRANCE.* Le 24 août, massacre des protestants, le jour de la Saint-Barthélemy. *PAYS-BAS.* Début de la révolte contre l'Espagne.
1574. *FRANCE.* Début du règne d'Henri III.
1579-1581. *PAYS-BAS.* Les provinces calvinistes du Nord font sécession et proclament la déchéance de Philippe II.
1580. *PORTUGAL.* Le pays est saisi par l'armée de Philippe II d'Espagne qui est proclamé roi.
1582. *PAPAUTÉ.* Réforme grégorienne du calendrier julien. *RUSSIE.* Iermak et ses cosaques du Don commencent la conquête de la Sibérie occidentale.
1588. *ANGLETERRE.* Échec de l'«Invincible Armada», envoyée par Philippe II d'Espagne contre l'Angleterre. *FRANCE.* Journée des Barricades, soulèvement parisien qui consacre le triomphe du duc de Guise sur Henri III.
1589. *FRANCE.* Henri IV succède à Henri III, assassiné. *RUSSIE.* Création du patriarcat orthodoxe de Moscou.
1592. *SUÈDE ET POLOGNE.* Sigismond Vasa réunit les couronnes des deux royaumes.
1598. *FRANCE.* L'édit de Nantes rétablit la paix religieuse. *ESPAGNE ET PORTUGAL.* Début du règne de Philippe III. *RUSSIE.* Boris Godounov est élu tsar.
1603. *GRANDE-BRETAGNE.* Sous le nom de Jacques Ier Jacques VI Stuart, roi d'Écosse, succède à Élisabeth Ire sur le trône de Grande-Bretagne et d'Irlande, .
1610. *FRANCE.* Assassinat d'Henri IV. Louis XIII lui succède. Régence de Marie de Médicis.
1611. *SUÈDE.* Avènement de Gustave II Adolphe.
1613. *RUSSIE.* Fin du temps des troubles. Michel Fedorovitch Romanov est élu tsar.
1614. *FRANCE.* Convocation des états généraux, qui ne seront plus réunis avant 1789.
1618. *SAINT EMPIRE.* Défenestration de Prague et début de la guerre de Trente Ans.
1621. *ESPAGNE ET PORTUGAL.* Philippe IV succède à Philippe III.
1629. *FRANCE.* Richelieu devient le principal ministre. *SAINT EMPIRE.* Paix de Lübeck entre l'Empire et le Danemark, qui s'était engagé aux côtés des protestants dans la guerre de Trente Ans. Édit de restitution, qui impose aux protestants de rendre tous les biens d'Église en leur pouvoir depuis 1552.
1630. *SUÈDE.* Gustave II Adolphe intervient dans la guerre de Trente Ans.
1632. *SUÈDE.* Les Suédois remportent la bataille de Lützen, où Gustave II Adolphe est mortellement blessé.
1633. *ITALIE.* Deuxième procès et condamnation de Galilée, qui doit abjurer devant l'Inquisition.
1635. *FRANCE.* Richelieu intervient directement dans la guerre de Trente Ans et déclare la guerre à l'Espagne.
1640. *PORTUGAL.* Le pays reprend son indépendance sous Jean IV de Bragance.
1642. *FRANCE.* Mort de Richelieu et entrée de Mazarin au Conseil du roi. *ANGLETERRE.* Début de la «Grande Rébellion», qui oppose le Parlement au roi Charles Ier Stuart.
1643. *FRANCE.* Louis XIV succède à Louis XIII. Début de la régence d'Anne d'Autriche.
1644. *SUÈDE.* Début du gouvernement personnel de la reine Christine.
1648. *SAINT EMPIRE.* Les traités de Westphalie mettent fin à la guerre de Trente Ans. L'Espagne reconnaît l'indépendance des Provinces-Unies. *FRANCE.* Début de la Fronde.
1649. *ANGLETERRE.* Décapitation du roi Charles Ier, proclamation de la république et dictature de Cromwell. *RUSSIE.* Instauration d'un code réglementant le servage.

Les guerres de Religion en Europe

En France, la diffusion rapide de la Réforme calviniste dans les milieux de la bourgeoisie et chez certains grands seigneurs (l'amiral de Coligny, le prince de Condé) conduit le pouvoir royal à une répression systématique et exacerbe les tensions entre catholiques et protestants. Malgré la politique d'apaisement du chancelier Michel de L'Hospital (édit de tolérance de janv. 1562), les premiers troubles éclatent la même année: à Wassy, des protestants sont massacrés par les gens du duc de Guise. Malgré leurs nombreuses défaites, les réformés obtiennent certaines concessions: après la paix d'Amboise (1563), le traité de Saint-Germain (1570) leur concède la possession de quatre places fortes. La guerre reprend après le massacre de la Saint-Barthélemy (24 août 1572), quand Charles IX, sous la pression de sa mère Catherine de Médicis, inquiète de l'affaiblissement du pouvoir royal, ordonne l'exécution des chefs huguenots. Sous le règne d'Henri III se constitue une Ligue catholique, menée par Henri de Guise et soutenue par l'Espagne. Lorsque, en 1584, Henri de Navarre, chef du parti protestant, devient l'héritier légitime de la couronne, le conflit redouble de violence. Henri Ier et Louis II de Guise sont assassinés en 1588. À la mort d'Henri III, l'année suivante, les ligueurs refusent de reconnaître Henri de Navarre, qui doit abjurer le protestantisme et reconquérir les villes soulevées. Une fois son autorité établie, Henri IV mettra fin aux guerres de Religion par l'édit de Nantes (1598), qui accorde la liberté de culte aux protestants.

Dès 1618, la guerre de Trente Ans élargit les troubles religieux à l'Empire. Après l'élection au trône de Bohême de l'archiduc Ferdinand, catholique intransigeant, les États de Bohême refusent de le reconnaître et désignent à sa place l'électeur palatin Frédéric V, qui est d'abord battu par la Ligue catholique. L'intervention du Danemark puis de la Suède, soutenue financièrement par la France de Richelieu, permet ensuite aux protestants de reprendre l'avantage jusqu'à la mort du roi Gustave II Adolphe. À partir de 1634, les nouveaux succès de l'armée impériale incitent la France à intervenir militairement: d'abord défaite, elle remporte les victoires de Rocroi (1643) puis de Lens (1648) sur les Espagnols. La guerre s'achève avec les traités de Westphalie et l'instauration d'un nouvel équilibre européen au détriment de l'Empire, dont la division religieuse est consacrée. Si les guerres de Religion ont pour conséquence, en France, le renforcement de l'absolutisme royal, elles contribuent, dans l'Empire, à l'affaiblissement des Habsbourg.

◆ **Le procès de Galilée.** Le savant italien (assis à droite) est déféré devant le tribunal de l'Inquisition pour avoir rallié le système héliocentrique de Copernic. Il sera condamné et obligé de se rétracter (1633). Détail d'une peinture anonyme italienne du XVIIe s.

L'Empire moghol

La dynastie des Grands Moghols, qui règne sur l'Inde de 1526 à 1858, est fondée par Baber, prince originaire de Kaboul. L'Empire moghol connaît son apogée sous les règnes d'Akbar (1561-1605), de Djahanghir (1605-1627) et de Chah Djahan (1628-1658), qui s'appuient sur la puissance de leur armée et l'efficacité de leur administration. Abkar, qui entreprend la conquête des royaumes rajput, partisans de l'hindouisme, parvient à élargir l'Empire des bouches du Gange à Kaboul et, vers le sud, jusqu'au fleuve Krishna. Alors que le persan est imposé comme langue administrative, le souverain engage une politique de tolérance religieuse en élaborant une foi éclectique puisant à la source de plusieurs traditions. Sous son règne, l'architecture atteint des sommets en associant la tradition indienne à l'inspiration musulmane, comme l'attestent le mausolée du Tadj Mahall à Agra, construit en marbre blanc, ou les mosquées de Delhi et d'Agra. L'art moghol s'épanouit aussi dans la miniature.

MOYEN-ORIENT

1566-1574. *EMPIRE OTTOMAN.* Règne du sultan Selim II.

1570. *EMPIRE OTTOMAN.* Conquête de Chypre.

1574-1595. *EMPIRE OTTOMAN.* Règne du sultan Murad III, dont les armées remportent de grandes victoires contre l'Iran.

1587. *IRAN.* Début du règne du chah séfévide Abbas Ier le Grand, qui établit sa capitale à Ispahan.

1597. *IRAN.* Abbas Ier reprend Harat aux Ouzbeks.

1603. *EMPIRE OTTOMAN.* Ahmed Ier succède à Mehmed III.

1620-1621. *IRAN.* Abbas Ier enlève Kandahar (Azerbaïdjan) au Grand Moghol.

1622. *IRAN.* Avec l'aide des Britanniques, Abbas Ier reconquiert Ormuz, possession portugaise.

1623-1640. *EMPIRE OTTOMAN.* Règne du sultan Murad IV.

1629. *IRAN.* Safi succède à Abbas Ier le Grand. Début du déclin des Séfévides.

1639. *IRAN ET EMPIRE OTTOMAN.* La paix est signée entre l'Iran et l'Empire ottoman, qui conserve Bagdad et Bassora.

1648-1687. *EMPIRE OTTOMAN.* Règne du sultan Mehmed IV.

AFRIQUE

1574. *EMPIRE OTTOMAN.* La Tunisie, reprise aux Espagnols, est érigée en *pachalik*.

1578. *MAROC.* Le Sadien Ahmed al-Mansur repousse définitivement les Portugais à la bataille d'Alcaçar-Quivir.

1587. *EMPIRE OTTOMAN.* Création de la régence d'Alger.

1591. *AFRIQUE OCCIDENTALE.* Ahmed IV prend Tombouctou et met fin à l'Empire songhaï.

XVIIe s. *AFRIQUE DU NORD.* En Méditerranée, le développement de la piraterie profite aux régences barbaresques (Alger, Tunis). *AFRIQUE OCCIDENTALE.* Sur la Côte-de-l'Or (Ghana), le commerce des esclaves supplante le commerce de l'or.

1638. *LA RÉUNION.* Les Français occupent l'île qui devient l'île Bourbon en 1649. *ÎLE MAURICE.* Les Hollandais fondent un établissement dans l'île qu'ils occupaient depuis 1598.

ASIE

1556-1605. *INDE.* Règne de l'empereur moghol Akbar, qui conquiert le nord du pays.

1573-1620. *CHINE.* Règne de Wanli, qui favorise les missions jésuites.

1573-1582. *JAPON.* Oda Nobunaga réunifie le pays.

1582-1598. *JAPON.* Toyotomi Hideyoshi soumet tous les *daimyo*.

1603. *JAPON.* Tokugawa Ieyasu établit sa capitale à Edo, future Tokyo.

1600. Fondation par Élisabeth Ire de la Compagnie anglaise des Indes orientales.

1602. Fondation de la Compagnie hollandaise des Indes orientales.

1619. *INDONÉSIE.* Fondation de Batavia (future Jakarta), capitale des Indes néerlandaises.

1637. *JAPON.* Massacre des chrétiens de Shimabara. Fermeture du pays aux étrangers, sauf aux Chinois et aux Hollandais.

1644. *CHINE.* Les Mandchous prennent Pékin, renversent le dernier empereur Ming et fondent la dynastie des Qing.

AMÉRIQUE ET OCÉANIE

1584. *AMÉRIQUE DU NORD.* Walter Raleigh fonde la Virginie.

1607. *AMÉRIQUE DU SUD.* Les jésuites obtiennent le droit de soustraire les Indiens aux colons blancs et de les rassembler dans des villages: les «réductions».

1608. *CANADA.* Le Français Samuel de Champlain fonde Québec.

1620. *AMÉRIQUE DU NORD.* À bord du *Mayflower*, des puritains anglais atteignent la côte du Massachusetts.

1621. *AMÉRIQUE CENTRALE.* La Compagnie hollandaise des Indes occidentales assure le développement de la Guyane.

1635. *ANTILLES.* Début de la colonisation de la Guadeloupe et de la Martinique par les Français.

1642-1659. Le Hollandais Tasman découvre la terre de Van Diemen (auj. Tasmanie), l'archipel qui deviendra la Nouvelle-Zélande, et le continent australien.

◆ **Dame sous Henri IV.**
Elle porte à la taille une fraise rigide assortie à sa robe, et un collet monté.

◆ **Siège d'une ville par Henri IV.**
Il s'agit probablement de la ville d'Amiens prise aux Espagnols en 1597. Tableau de Gillis Van Coninxcloo (1544-1607).

La prospérité hollandaise

La trêve de Douze Ans (1609-1621) conclue avec l'Espagne assure une indépendance de fait aux Provinces-Unies, les sept provinces sécessionnistes du nord des Pays-Bas. Dans ce nouvel État, où chaque province, gouvernée par un stathouder, conserve une large autonomie, il n'existe pas d'autre instance centrale que les États généraux, qui décident exclusivement de la politique étrangère. Les décisions des États généraux sont appliquées par le grand pensionnaire, dont la charge est assurée par le pensionnaire de Hollande. Au sein de la fédération, la province de Hollande, la plus peuplée, est aussi la plus riche. Dominée par une bourgeoisie capitaliste, majoritaire aux États généraux, la Hollande dispose de la première puissance maritime en Europe. En particulier, la possession des bouches de l'Escaut a permis au port d'Amsterdam de supplanter Anvers. Le début du XVIIe s. coïncide en outre avec l'essor de la colonisation hollandaise: la puissante Compagnie hollandaise des Indes orientales (1602) détrône les Portugais aux Indes, tandis que des colons s'installent en Amérique du Nord et au Brésil. Cet enrichissement rapide fait de la Hollande un foyer de civilisation dont témoignent la richesse des intérieurs peints par Rembrandt ou par Vermeer.

VOIR AUSSI
- **Découvertes et inventions** p.266
- **Églises de la Réforme** p. 516
- **Art de l'Islam** p. 1053

◆ ***Les Lances*** ou ***la Reddition de Breda,*** **par Diego Velasquez,** 1635.
La ville de Breda, dans les Provinces-Unies, est prise en 1625 par Spinola, qui commande l'armée espagnole.

Petit lexique

états généraux: sous l'Ancien Régime, assemblées convoquées par le roi de France pour traiter des affaires importantes et qui comprennent des représentants des trois ordres (clergé, noblesse, tiers état).

huguenots: nom donné par les catholiques français aux protestants, en particulier aux calvinistes.

stathouder: dans les Provinces-Unies, fonctionnaire désigné par les provinces pour commander l'armée.

Les Temps modernes

De 1650 à 1750
La prépondérance française

EUROPE

1653. *FRANCE.* Fin de la Fronde.

1659. *FRANCE-ESPAGNE* Le traité des Pyrénées met fin à la guerre entre la France et l'Espagne.

1660. *ANGLETERRE.* Retour de Charles II et restauration des Stuarts.

1661. *FRANCE.* Début du règne personnel de Louis XIV.

1667-1668. La guerre de Dévolution oppose de nouveau la France à l'Espagne : Louis XIV revendique des droits sur le Brabant.

1672. *PROVINCES-UNIES.* Guillaume d'Orange-Nassau est nommé stadhouder de Hollande.

1672-1678. La guerre de Hollande oppose la France aux Provinces-Unies. Une coalition réunit contre la France l'Empire, l'Espagne, la Lorraine et le Danemark. La paix de Nimègue (1678) donne à la France la Franche-Comté, le Cambrésis, ainsi que des villes du Hainaut, de l'Artois et de Flandre.

1679. *ANGLETERRE.* En votant l'*Habeas Corpus Act*, le Parlement entend prévenir les arrestations arbitraires.

1682. *FRANCE.* Louis XIV et sa cour s'installent à Versailles.

1683. *SAINT EMPIRE.* Siège de Vienne par les Ottomans, qui sont arrêtés par Charles de Lorraine et le roi de Pologne, Jean III Sobieski.

1685. *FRANCE.* La révocation de l'édit de Nantes provoque l'exil de 200 000 protestants.

1688-1697. La guerre de la ligue d'Augsbourg oppose une deuxième coalition européenne à la France.

1689. *ANGLETERRE.* Après avoir déposé Jacques II, le Parlement proclame Guillaume d'Orange et Marie Stuart roi et reine d'Angleterre. *RUSSIE.* Début du règne personnel de Pierre Ier le Grand.

1697. *SUÈDE.* Avènement de Charles XII. *FRANCE.* Par le traité de Ryswick, Louis XIV doit restituer la Lorraine, le Palatinat et la Catalogne, mais conserve Strasbourg.

1699. Le traité de Karlowitz, signé entre les Ottomans et la Sainte Ligue, restitue la Hongrie aux Habsbourg.

1700. *ESPAGNE.* Mort de Charles II et avènement de Philippe V, petit-fils de Louis XIV.

1701-1714. La guerre de la Succession d'Espagne oppose la France et l'Espagne à une coalition regroupant l'Angleterre, les Provinces-Unies, l'Empire et le Danemark.

1707. *GRANDE-BRETAGNE.* L'Acte d'union lie définitivement les royaumes d'Écosse et d'Angleterre.

1709. *SUÈDE.* Charles XII est défait par Pierre le Grand à la bataille de Poltava.

1713-1714. Les traités d'Utrecht et de Rastatt mettent fin à la guerre de la Succession d'Espagne : les possessions espagnoles sont réparties entre la France et l'Autriche.

1715. *FRANCE.* Louis XV succède à Louis XIV. Régence de Philippe d'Orléans.

1721. *RUSSIE.* Pierre le Grand se proclame « tsar de toutes les Russies ».

1723. *FRANCE.* Fin de la Régence et majorité de Louis XV.

1741-1748. La guerre de la Succession d'Autriche oppose la Prusse et la France à l'Autriche. En 1748, le traité d'Aix-la-Chapelle contraint la France à restituer ses conquêtes.

1745. *SAINT EMPIRE.* François de Lorraine, époux de Marie-Thérèse d'Autriche, est élu empereur sous le nom de François Ier.

MOYEN-ORIENT

1656. *EMPIRE OTTOMAN.* Mehmed Köprülü devient grand vizir. Il est le premier des cinq grands vizirs de la famille Köprülü, d'origine albanaise, qui parviennent à enrayer le déclin de l'Empire à la fin du XVIIe s.

1703-1730. *EMPIRE OTTOMAN.* Règne du sultan Ahmed III, qui essuie de lourdes défaites devant les Impériaux.

1722. *IRAN.* Les Afghans s'emparent d'Ispahan. La hiérarchie chiite se réfugie dans les villes saintes d'Iraq (Karbala, Nadjaf).

1730-1754. *EMPIRE OTTOMAN.* Règne du sultan Mahmud Ier, qui confie au général français Bonneval la réorganisation de son armée.

1730-1731. *IRAN.* Le chef militaire Nader Khan chasse les Afghans d'Ispahan et rétablit les Séfévides sur le trône.

1736. *IRAN.* Nader Khan dépose le dernier séfévide, Abbas III, et se proclame chah d'Iran, avant de se lancer dans une politique de conquêtes (Afghanistan, Inde, Iraq).

1747. *IRAN.* Assassinat de Nader Chah. *AFGHANISTAN.* Fondation de la première dynastie nationale par Ahmad Khan Durrani.

La naissance de l'État prussien

Situé sur les rives de la Baltique, le duché de Prusse appartient depuis 1618 à la maison des Hohenzollern, princes-électeurs de Brandebourg. En 1648, les traités de Westphalie permettent à Frédéric-Guillaume (1640-1688), le Grand Électeur, d'accroître ses possessions. Alors que la Pologne renonce à sa suzeraineté sur la Prusse (1660), il soumet les diètes locales, instaure une monarchie absolutiste et constitue une armée permanente, disciplinée, qui fait de la Prusse la première puissance militaire d'Allemagne. Au même moment, la Prusse accueille des colons hollandais et des protestants français, auxquels des terres sont distribuées. Cette immigration favorise le développement économique du pays, qui est soutenu par la politique mercantiliste de Frédéric-Guillaume. En 1701, son fils Frédéric III obtient de l'empereur le titre de « roi en Prusse », sous le nom de Frédéric Ier. Au XVIIIe s., Guillaume Ier (1713-1740) et surtout Frédéric II (1740-1786), illustre représentant du despotisme éclairé, poursuivront l'œuvre du Grand Électeur.

◆ **Costumes français vers 1660.** Seigneur en rhingrave-jupon, avec rabat au cou et canons de dentelle aux jambes. Dame en robe à manteau traînant.

Le règne de Louis XIV

Le long règne de Louis XIV (1661-1715) consacre l'évolution de la monarchie française vers l'absolutisme. Le Roi-Soleil, qui n'a pas oublié l'épisode de la Fronde, entend écarter les grands seigneurs du pouvoir. Pour gouverner, il s'appuie sur son Conseil, qu'il étoffe et divise en quatre sections spécialisées (Conseil d'en haut qui traite des affaires étrangères, Conseil des dépêches, Conseil des finances, Conseil d'État privé qui s'occupe des questions judiciaires). Ses principaux collaborateurs sont choisis parmi les membres de la bourgeoisie et de la noblesse de robe, qui lui sont dévoués : ainsi Colbert devient-il contrôleur général des Finances en 1665, charge spécialement créée pour lui. Dans les provinces, l'autorité royale est représentée par les intendants, qui deviennent des fonctionnaires permanents et révocables. Pour mieux les museler, le roi attire la noblesse à sa cour, qui s'installe à Versailles en 1682, tandis que le rôle des parlements est réduit à l'enregistrement des édits royaux. Les États généraux ne sont pas réunis de tout le règne. La puissance judiciaire du souverain se traduit par la multiplication des lettres de cachet, qui permettent l'emprisonnement arbitraire de tout sujet. L'absolutisme s'étend

◆ **Le mariage de Louis XIV.**
Peinture de Laumosnier d'après Charles Le Brun (1619-1690). La richesse du costume français s'oppose à l'austérité royale. (Musée Tessé, Le Mans)

ASIE

1658. *INDE.* Avènement d'Aurangzeb, qui porte l'Empire moghol à son apogée. Les Hollandais éliminent les Portugais de Ceylan, dont ils font une colonie d'exploitation.

1662-1722. *CHINE.* Règne de l'empereur Kangxi.

1664. Fondation de la Compagnie française des Indes orientales.

1674. *INDE.* Fondation de l'Empire marathe par Shivaji Bhonsle, défenseur de l'hindouisme.

1683. *CHINE.* Kangxi conquiert Formose.

1686-1687. *INDE.* Annexion de Bijapur et de Golconde par Aurangzeb.

1689. *RUSSIE-CHINE.* Traité de Nertchinsk entre la Russie et la Chine. Les Russes renoncent au pays de l'Amour et obtiennent l'autorisation de commercer avec la Chine.

1690. *INDE.* La Compagnie anglaise des Indes orientales ouvre un comptoir à Calcutta.

1722. *CHINE.* Mort de l'empereur Kangxi et avènement de Yongzheng.

1736. *CHINE.* Avènement de l'empereur Qianlong.

1742-1754. *INDE.* Dupleix, gouverneur général des comptoirs français, s'empare du Carnatic et du Deccan.

AFRIQUE

1652. *AFRIQUE DU SUD.* Fondation du Cap, premier comptoir permanent des Hollandais.

1659. *SÉNÉGAL.* Les Français ouvrent un comptoir à Saint-Louis.

1666-1672. *MAROC.* Règne de Mulay al-Rachid, fondateur de la dynastie alawite.

1672. Fondation de la Royal African Company, vouée au commerce triangulaire britannique (traite des Noirs entre l'Europe, l'Afrique et l'Amérique).

1677. *SÉNÉGAL.* Les Français prennent aux Hollandais l'îlot de Gorée.

fin du XVIIe s. *CÔTE DE L'OR.* Essor du royaume achanti.

1705. *TUNISIE.* Fondation de la dynastie des beys de la famille husaynide.

1715. *OCÉAN INDIEN.* Les Français s'emparent de l'île Maurice.

1725. *GUINÉE.* Les Peuls créent au Fouta-Djalon un État musulman théocratique.

VOIR AUSSI
• **Découvertes et inventions** p. 268 à 273
• **Pensée mercantiliste** p.786
• **Art des XVIIe et XVIIIe siècles** p. 1079 à 1089

AMÉRIQUE ET OCÉANIE

1655-1658. *ANTILLES.* Les Anglais s'emparent de la Jamaïque, où ils cultivent la canne à sucre.

1663. *CANADA.* Louis XIV intègre la Nouvelle-France au domaine royal. *GUYANE.* Colbert organise la colonisation du territoire sous l'égide de la Compagnie de la France équinoxiale.

1664. *AMÉRIQUE DU NORD.* Les Anglais s'emparent de La Nouvelle-Amsterdam, qui prend le nom de New York.

1677. *GUYANE.* Disputé aux Anglais et aux Néerlandais, le pays est reconquis par la France.

1683. *AMÉRIQUE DU NORD.* William Penn fonde Philadelphie et la Pennsylvanie.

1697. *CANADA.* Le traité de Ryswick reconnaît à la France ses conquêtes de la baie d'Hudson et lui restitue Terre-Neuve.

1713. *CANADA.* Par le traité d'Utrecht, la France perd la baie d'Hudson, l'Acadie et la plus grande partie de Terre-Neuve.

1718. *AMÉRIQUE DU NORD.* Les Français fondent La Nouvelle-Orléans, capitale de la Louisiane.

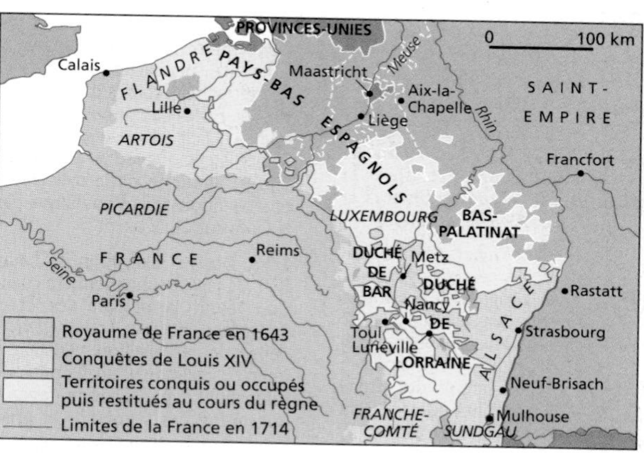

◆ **Les conquêtes de Louis XIV en Europe.**

également au domaine religieux : lieutenant de Dieu sur Terre, Louis le Grand s'oppose à la papauté en soutenant le clergé gallican, persécute les protestants (révocation de l'édit de Nantes, 1685) et les jansénistes (destruction de Port-Royal, 1711). Sous l'égide de Colbert, le roi impose une politique mercantiliste et suscite la création de manufactures. Enfin, il surveille la vie des arts, qui sont chargés de célébrer sa grandeur : il soutient les écrivains (Molière, Racine) et les musiciens (Lully) par un mécénat actif.

À l'extérieur, Louis XIV pratique, avec Louvois, une politique offensive de « réunions », qui consiste à revendiquer des territoires sous divers prétextes et à les annexer. Le royaume s'étend ainsi au nord et à l'est, et la frontière est consolidée, grâce à Vauban, par une série de fortifications. Cette volonté hégémonique dresse contre la France de vastes coalitions européennes, comme à l'occasion de la guerre de la ligue d'Augsbourg (1688-1697). Cependant, les dernières années du règne coïncident avec un recul de la prépondérance française : la guerre de la Succession d'Espagne impose une suite de défaites et se révèle ruineuse pour les finances du pays. Les campagnes, qui paient un lourd tribut fiscal à l'effort de guerre, sont ravagées par deux épisodes de famine.

Affaibli par la mort de ses héritiers directs, le Grand Dauphin (1711) et son petit-fils, le duc de Bourgogne (1712), Louis XIV parvient à sauvegarder les principales conquêtes françaises, lors des traités d'Utrecht (1713) et de Rastatt (1714), mais il laisse un royaume appauvri et las de l'arbitraire royal.

La Chine mandchoue

Peuple d'origine toungouse, vivant au nord du pays, les Mandchous établissent leur domination sur la Chine au milieu du XVIIe s. et fondent une dynastie sous le nom de Qing. Trois souverains, Kangxi (1662-1722), Yongzheng (1723-1736) et Qianlong (1736-1796), étendent la domination de l'Empire à la Corée, à Formose (1683), à l'Asie centrale (Mongolie, 1696 ; Tibet, 1724) puis à la Dzoungarie (1729), tandis que les Russes sont chassés des rives de l'Amour. Les Mandchous conservent les institutions chinoises mais doublent le nombre de fonctionnaires, en introduisant une ségrégation entre les Chinois, qui sont cantonnés aux fonctions administratives et économiques, et les Mandchous, qui occupent les postes militaires. D'abord favorable à la présence des missionnaires jésuites, qui sont employés comme conseillers techniques à la cour, Kangxi interdit la prédication chrétienne en 1717.

Sept ans plus tard, la plupart des missionnaires sont expulsés. Les Mandchous, qui se veulent les héritiers de la civilisation chinoise, adoptent le confucianisme et contribuent à sa diffusion (restauration de la Cité interdite, élaboration d'un dictionnaire des caractères chinois).

◆ **La Cité interdite de Pékin.**
Ce palais impérial, édifié en 1406, et dans lequel l'empereur et sa cour s'isolèrent à partir de la dynastie Ming, fut restauré du XVIIe siècle au XIXe siècle.

Petit lexique

absolutisme : régime politique dans lequel le prince détient tous les pouvoirs et n'est contrôlé par aucune autre force.

gallicanisme : doctrine de l'Église française qui défend les franchises et les libertés du clergé national par rapport au pape.

mercantilisme : doctrine économique qui vise à augmenter le stock d'or d'un pays, et donc sa richesse, en favorisant les exportations et en limitant les importations par un système protectionniste.

Les Temps modernes

De 1750 à 1800
Des Lumières à la Révolution

EUROPE

1755. *PORTUGAL.* Lisbonne est détruite par un tremblement de terre.

1756-1763. La guerre de Sept Ans oppose la Grande-Bretagne et la Prusse à la France, à l'Autriche et à la Russie.

1762-1796. *RUSSIE.* Règne de Catherine II.

1765. *SAINT EMPIRE.* Joseph II succède à François Ier.

1772. *POLOGNE.* Premier partage du royaume entre la Russie, la Prusse et l'Autriche.

1773-1774. *RUSSIE.* Pougatchev organise une insurrection populaire.

1774. *FRANCE.* Louis XVI succède à Louis XV. *RUSSIE.* Le traité de Kutchuk-Kaïnardji met fin à la guerre russo-turque et donne à la Russie un accès à la mer Noire.

1789. *FRANCE.* Début de la Révolution : réunion des États généraux (5 mai), qui s'érigent en Assemblée nationale constituante (9 juill.) ; prise de la Bastille (14 juill.) ; abolition des privilèges (4 août) ; Déclaration des droits de l'homme et du citoyen (26 août).

1790. *FRANCE.* Vote de la Constitution civile du clergé (12 juill.) ; fête de la Fédération (14 juill.).

1791. *FRANCE.* Fuite de la famille royale, arrêtée à Varennes (20-21 juin) ; l'Assemblée législative succède à la Constituante (1er oct.).

1792. *FRANCE.* La France déclare la guerre au « roi de Bohême et de Hongrie » (20 avr.) ; manifeste du duc de Brunswick, menaçant Paris de destruction (25 juill.) ; prise des Tuileries et suspension de la royauté ; convocation d'une Convention au suffrage universel (10 août) ; massacres de nobles et de prêtres réfractaires dans les prisons de Paris et de province (sept.) ; fin de la Législative et victoire de la France sur la Prusse à Valmy (20 sept.) ; abolition de la royauté et proclamation de la République par la Convention (21 sept.).

1793. *FRANCE.* Exécution de Louis XVI (21 janv.) ; une première coalition réunit la plupart des États européens contre la France (févr.) ; début de la rébellion vendéenne (mars) ; création d'un Comité de salut public par Danton (avr.) ; arrestation des Girondins et prise du pouvoir par les Montagnards (2 juin) ; début de la Terreur : loi sur les suspects (17 sept.) ; loi du maximum général sur les denrées et les salaires (29 sept.).

1794. *FRANCE.* Fête de l'Être suprême (8 juin) ; renforcement du régime de la Terreur (10 juin) ; victoire française sur les Autrichiens à Fleurus (26 juin) ; coup d'État du 9 thermidor : les partisans de Robespierre sont arrêtés et guillotinés.

1795. *FRANCE.* Adoption d'une nouvelle Constitution et début du Directoire (sept.) ; insurrection royaliste contre la Convention (oct.). *POLOGNE.* Troisième partage : le pays est rayé de la carte.

1796. *ITALIE.* Bonaparte, qui bat les troupes piémontaises, s'empare de la Lombardie.

1797. Traité de Campoformio : l'Autriche reconnaît l'annexion par la France de la rive gauche du Rhin. Constitution des « républiques sœurs », placées sous la protection de la France.

1798-1799. Campagne d'Égypte de Bonaparte.

1799. Formation d'une seconde coalition contre la France. *FRANCE.* Le coup d'État du 18 brumaire donne le pouvoir à Bonaparte (9 nov.). Début du Consulat.

MOYEN-ORIENT

1754-1757. *EMPIRE OTTOMAN.* Règne du sultan Osman III.

1757-1774. *EMPIRE OTTOMAN.* Règne du sultan Mustafa III, qui modernise l'armée.

1768-1774. Guerre russo-turque : la flotte ottomane est détruite à Tchesmé, sur la côte d'Asie Mineure (1770). Les Turcs perdent le khanat de Crimée.

1774-1789. *EMPIRE OTTOMAN.* Règne du sultan Abdülhamid Ier.

1782-1792. Une nouvelle guerre oppose la Russie et l'Autriche à l'Empire ottoman : les troupes turques sont de nouveau battues. Par la paix de Iaşi, les Ottomans reconnaissent l'annexion de la Crimée par les Russes et cèdent la région située entre le Bug et le Dniestr.

1788. *LIBAN.* Début du règne de l'émir Chihab Bachir II.

1789. *EMPIRE OTTOMAN.* Avènement de Selim III, qui entreprend une série de réformes.

◆ **Un sans-culotte, vers 1792.** Il porte la carmagnole, le pantalon de matelot (qui remplace la culotte des aristocrates) et le bonnet révolutionnaire.

La Révolution française

Sous le règne de Louis XVI, la France souffre de difficultés financières qui la placent, en 1788, au bord de la banqueroute. Alors que les réformes destinées à résorber le déficit du royaume se heurtent à l'opposition des parlements, le roi est obligé de réunir les États généraux (5 mai 1789), qui prennent le nom d'Assemblée nationale constituante (9 juill.). Après cette révolution « légale », la prise de la Bastille, à Paris, et la Grande Peur, dans les campagnes, donnent le signal d'une révolution « sociale », qui conduit l'Assemblée à voter dans l'urgence l'abolition de tous les privilèges et à adopter la Déclaration des droits de l'homme : c'est la fin de l'Ancien Régime. Sous la pression de la population parisienne, confrontée à une grave crise économique, le roi et l'Assemblée doivent s'installer à Paris (oct. 1789). Tandis que le roi prête serment de fidélité à la nation et à la loi, lors de la fête de la Fédération, l'Assemblée crée les départements et vote la Constitution civile du clergé, qui impose aux prêtres de prêter serment. Malgré la tentative manquée de Louis XVI de rejoindre l'armée d'émigration, la Constitution de 1791 instaure une monarchie constitutionnelle, qui est minée par les conflits entre le roi et l'Assemblée législative (oct. 1791 - sept. 1792).

Après la déclaration de guerre de la France à l'Autriche (avr. 1792), les révolutionnaires déclarent « la Patrie en danger », décrètent la suspension du roi et font arrêter Louis XVI et sa famille (10 août 1792). Dans l'euphorie des premières victoires françaises, la nouvelle assemblée élue, la Convention (sept. 1792 - oct. 1795), proclame la République, adopte un calendrier révolutionnaire et vote à une courte majorité la condamnation à mort de Louis XVI, qui est exécuté le 21 janv. 1793.

Aussitôt se dresse contre la France une vaste coalition européenne tandis que la levée en masse de soldats, exigée par la Convention, provoque le soulèvement de la Vendée. Les Montagnards éliminent leurs rivaux, les Girondins (juin 1793), instaurent la politique de la Terreur et votent le blocage des prix et des salaires. Cependant, les victoires de l'armée française (fin 1793) privent bientôt la Terreur de sa principale justification ; le 9 thermidor an II (juill. 1794), les Montagnards sont arrêtés puis exécutés. La Convention thermidorienne (juill. 1794 - oct. 1795) abolit les principales dispositions de la Terreur, mais se heurte à la double opposition des royalistes et des Jacobins. À l'extérieur, les conquêtes et les annexions se multiplient (Belgique, Pays-Bas, Rhénanie). La Constitution de l'an III (22 août 1795) instaure le Directoire, qui remplace la Convention. Le régime est renversé le 18 brumaire an VIII (9 nov.1799) par le coup d'État de Napoléon Bonaparte.

◆ **Costume de la fin du XVIIIe siècle.** L'habit dégagé à revers annonce la mode Empire.

Les idées des Lumières

Le mouvement des Lumières tire son nom de la volonté des philosophes du XVIIIe s. européen de combattre les ténèbres de l'ignorance par la diffusion du savoir. *L'Encyclopédie*, dirigée par Diderot et d'Alembert, est le meilleur symbole de cette volonté de rassembler toutes les connaissances disponibles et de les répandre auprès du public éclairé. Confiants en la capacité de l'homme de se déterminer par la raison, les philosophes des Lumières exaltent aussi la référence à la nature et témoignent d'un optimisme historique, fondé sur la croyance au progrès de l'humanité. L'affirmation de ces valeurs les conduit à combattre l'intolérance religieuse et à promouvoir une religion déiste.

En matière politique, les Lumières instruisent la critique de l'absolutisme et érigent le despotisme éclairé en modèle de gouvernement. Certains philosophes interviennent dans des affaires judiciaires (Voltaire défend Calas, un protestant injustement accusé d'avoir tué son fils) et militent pour l'abolition des peines infamantes. Diffusées dans les salons, les cafés et les loges maçonniques, les idées des Lumières sont consacrées par les œuvres des philosophes et des écrivains (Montesquieu, Voltaire, Rousseau).

ASIE

Seconde moitié du XVIIIe s. *JAPON.* Les révoltes paysannes se multiplient.

1752-1760. *BIRMANIE.* Règne d'Alaungpaya, qui reconstitue l'Empire birman.

1756. *ASIE CENTRALE.* Les Chinois massacrent les Dzoungars et conquièrent la vallée de l'Ili.

1757. *INDE.* À Plassey, Robert Clive disperse l'armée du nabab du Bengale.

1763. Par le traité de Paris, la France perd la plupart de ses possessions des Indes.

1767. *SIAM.* Les Birmans s'emparent d'Ayuthia, la capitale.

1773. *INDE.* Le *Regulating Act* enlève le contrôle de la colonie à la Compagnie anglaise des Indes orientales et le confère au gouvernement britannique.

1782. *SIAM.* Rama Ier est couronné à Bangkok, la nouvelle capitale, et fonde la dynastie Chakri.

1795. *CHINE.* Abdication de l'empereur Qianlong.

1796. *CEYLAN.* Annexion de l'île par la Grande-Bretagne.

1798. *PAYS-BAS* Disparition de la Compagnie hollandaise des Indes orientales, dont les possessions reviennent à la République batave.

AFRIQUE

1756. *OCÉAN INDIEN.* Les îles Seychelles deviennent françaises : elles doivent leur nom à l'intendant Jean Moreau de Séchelles, qui les administre durant la seconde moitié du XVIIIe s.

1757-1790. *MAROC.* Règne de Muhammad III ibn Abd Allah, qui conclut des traités de commerce avec les puissances européennes.

1765. *MAROC.* Mogador, port atlantique, est fondé par le sultan pour concentrer le commerce avec les Européens.

v. 1766-1770. *AFRIQUE OCCIDENTALE.* À la mort de Biton Kouloubali, l'Empire bambara traverse une crise de succession ; Ngolo Diara s'empare du pouvoir et fonde une nouvelle dynastie. Il vassalise les Peuls du Macina et étend son royaume du moyen Niger au Sénégal.

1787. *SIERRA LEONE.* Achat de la zone côtière par la Société anti esclavagiste britannique et création de Freetown pour les premiers esclaves libérés de la Nouvelle-Angleterre et des Antilles.

v. 1787. *MADAGASCAR.* Sous le règne d'Andrianampoinimerina, le royaume merina s'étend sur la quasi-totalité de l'île.

AMÉRIQUE ET OCÉANIE

1756-1763. *CANADA.* La guerre de Sept Ans oppose la France et la Grande-Bretagne. Au traité de Paris, la France cède le Canada à la Grande-Bretagne, qui crée la province de Québec.

1770. *AUSTRALIE.* Cook reconnaît la côte orientale.

1773. *AMÉRIQUE DU NORD.* Pour protester contre un droit de douane imposé par Londres, des Bostoniens jettent à la mer le chargement de thé de trois bateaux britanniques *(Boston tea party).*

1774. *AMÉRIQUE DU NORD.* Les délégués des colonies américaines tiennent leur premier congrès continental à Philadelphie. *OCÉANIE.* Cook découvre la Nouvelle-Calédonie.

1775. *AMÉRIQUE DU NORD.* Début de la guerre d'Indépendance des colonies américaines, dirigée par George Washington.

1776. *AMÉRIQUE DU NORD.* Le Congrès, réuni à Philadelphie, proclame l'indépendance des États-Unis. *AMÉRIQUE DU SUD.* L'Espagne crée la vice-royauté de La Plata.

1778. *OCÉAN PACIFIQUE.* Cook découvre les îles Hawaii, qu'il baptise « îles Sandwich » en l'honneur du premier lord de l'Amirauté.

1780. *ÉTATS-UNIS.* La France envoie un corps expéditionnaire pour soutenir le soulèvement des colonies anglaises.

1783. Par le traité de Versailles, la Grande-Bretagne reconnaît l'indépendance de la République fédérée des États-Unis.

1787. *ÉTATS-UNIS.* Adoption de la Constitution fédérale.

1788. *AUSTRALIE.* Débarquement des premiers forçats à Port Jackson. Début de la colonisation de l'île par les Britanniques.

1789-1797. *ÉTATS-UNIS.* George Washington, premier président de l'Union.

1791. *CANADA.* L'afflux de loyalistes américains dans la province de Québec aboutit à sa division en deux colonies : le Haut-Canada (auj. Ontario), anglophone, et le Bas-Canada (auj. Québec), francophone.

1793. *ÉTATS-UNIS.* Fondation de la capitale Washington, qui devient le siège du Congrès en 1800.

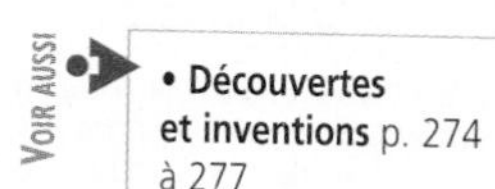
VOIR AUSSI • **Découvertes et inventions** p. 274 à 277

◆ **Frédéric II le Grand.**
Le roi de Prusse en compagnie de Voltaire dans son château de Sans-Souci, à Potsdam. D'après une peinture de Georg Schöbel.

L'indépendance américaine

À partir de 1765, les relations entre les treize colonies d'Amérique du Nord et la métropole britannique se détériorent : alors que les colons protestent contre l'alourdissement des taxes fiscales imposées par Londres, le gouvernement britannique répond à cette insoumission par des lois répressives qui conduisent les délégués des colonies à réunir un Congrès à Philadelphie, en 1774. Dès l'année suivante, la guerre d'Indépendance oppose les Britanniques aux Américains, emmenés par George Washington. Dans le camp des insurgés, les « loyalistes », fidèles à la métropole, se heurtent aux « patriotes ». La déclaration d'Indépendance des États-Unis (4 juill. 1776), qui proclame le principe d'égalité entre les hommes et énonce leurs droits inaliénables, légitime le refus d'obéissance à un gouvernement despotique. Les insurgés américains reçoivent ensuite le soutien de la France, dont les troupes, dirigées par La Fayette, interviennent officiellement en 1778, puis de l'Espagne et des Provinces-Unies. Vaincue, la Grande-Bretagne reconnaît en 1782 l'indépendance de ses anciennes colonies, qui est confirmée en 1783 par le traité de Versailles.

Une convention réunie à Philadelphie (1787) adopte la Constitution fédérale qui régit encore aujourd'hui le fonctionnement des institutions américaines : fondée sur le principe de séparation des pouvoirs, elle instaure un régime présidentiel.

◆ **Prise de la Bastille.**
Le 14 juillet 1789, la foule parisienne se rend à la Bastille (forteresse qui sert à la fois de prison et d'arsenal) et elle s'empare des armes et des munitions. Gravure tirée des *Chroniques de la Révolution.*

Petit lexique

déisme : croyance en l'existence d'un Dieu créateur, architecte de l'Univers, mais sans référence à une révélation.

despotisme éclairé : au XVIIIe s., régime politique de certains États européens (Suède, Russie, Prusse), qui entendait tempérer l'absolutisme par la raison et la tolérance.

Girondins : nom donné aux députés qui siègent à droite à la Convention. Partisans de la décentralisation, ils adoptent les positions modérées de la bourgeoisie éclairée.

Grande Peur : mouvement de panique qui envahit les campagnes françaises à l'été 1789 : les paysans, sur la foi de rumeurs de brigandage, saccagent les châteaux et les registres fonciers.

Montagnards : nom donné aux députés qui siègent à gauche à la Convention. Soutenus par le peuple parisien, dirigés par Robespierre, ils défendent une politique radicale de centralisation autoritaire.

Le XIXe siècle

De 1800 à 1850
L'Europe entre restaurations et révolutions

EUROPE

1800. *Grande-Bretagne.* L'Angleterre et l'Écosse s'unissent à l'Irlande, formant le Royaume-Uni. *Italie.* À Marengo, Bonaparte bat l'armée autrichienne, qui se retire du Piémont et de la Lombardie.

1801. *Russie.* Début du règne d'Alexandre Ier. *France.* Signature du Concordat entre Bonaparte et les représentants du pape Pie VII : la religion catholique devient la religion de la « majorité des Français ».

1804. *France.* Bonaparte est sacré empereur et prend le nom de Napoléon Ier. *Saint Empire.* François II, empereur germanique, prend le titre d'empereur héréditaire d'Autriche sous le nom de François Ier.

1805. *Détroit de Gibraltar.* Les Anglais remportent la bataille navale de Trafalgar contre les Français. *Saint Empire.* À Austerlitz, Napoléon bat l'Autriche et la Russie.

1806. *Saint Empire.* Sous la pression de Napoléon, François II renonce à la couronne impériale : le Saint Empire romain germanique est dissous. *France et Royaume-Uni.* Napoléon instaure le Blocus continental pour priver la Grande-Bretagne de relations commerciales avec le continent. *Prusse.* Napoléon vainc les Prussiens à Iéna et à Auerstedt.

1807. *France, Russie et Prusse.* Les traités de Tilsit, conclus entre Napoléon et Alexandre Ier, d'une part, et la Prusse, d'autre part, consacrent la défaite de la Prusse et nouent une alliance secrète entre la France et la Russie.

1808-1813. *Espagne.* Les Espagnols et les Portugais, soutenus par les Anglais, se soulèvent contre Napoléon.

1809. *Autriche.* Victoire de Napoléon à Wagram.

1812. *Russie.* Campagne de Russie : la Grande Armée doit battre en retraite.

1813. *Allemagne.* À la bataille des Nations, à Leipzig, Napoléon doit se retirer face à la victoire des coalisés.

1814. *France.* La victoire des coalisés oblige Napoléon à abdiquer. Louis XVIII revient d'exil et octroie une Charte constitutionnelle.

1815. *France.* Après le retour de Napoléon pendant l'épisode des Cent-Jours (mars-juin) et la défaite de Waterloo (18 juin) commence la seconde restauration de Louis XVIII. *Autriche.* Acte final du congrès de Vienne. Création de la Confédération germanique. Fondation de la Sainte Alliance : les souverains de Prusse, de Russie et d'Autriche signent un pacte d'assistance mutuelle.

1821. *Grèce.* Début de l'insurrection contre la domination ottomane.

1824. *France.* Charles X succède à Louis XVIII.

1825. *Russie.* Nicolas Ier succède à Alexandre Ier.

1830. *France.* Révolution de Juillet et avènement de Louis-Philippe Ier, roi des Français. *Belgique.* Une révolution chasse l'armée hollandaise ; l'indépendance est reconnue par les grandes puissances européennes lors de la conférence de Londres. *Grèce.* L'indépendance du pays est imposée aux Ottomans par la France, le Royaume-Uni et la Russie.

1837. *Royaume-Uni.* Début du règne de Victoria Ire.

1848. *France.* En févr., des journées révolutionnaires obligent Louis-Philippe à abdiquer ; la IIe République est proclamée. En déc., Louis-Napoléon Bonaparte, neveu de Napoléon Ier, est élu président de la République. *Italie.* Flambée révolutionnaire dans toute la péninsule. *Autriche.* Émeute à Vienne. Ferdinand Ier abdique en faveur de son neveu, François-Joseph Ier.

1849. *Autriche.* L'armée impériale écrase la révolte hongroise. *Italie.* Les Autrichiens écrasent l'armée piémontaise. *Prusse.* Sous la pression de l'Autriche, le roi refuse la couronne impériale.

◆ **Costumes du premier Empire.** Homme en habit dégagé ; dame en robe de mousseline à taille haute.

MOYEN-ORIENT

1803-1814. *Arabie.* Règne de l'émir Séoud le Grand, qui occupe les villes saintes de l'Islam et y impose la réforme wahhabite.

1805. *Empire ottoman.* L'Albanais Méhémet-Ali s'empare du pouvoir et se fait reconnaître wali, vice-roi, par les Ottomans.

1808. *Empire ottoman.* Assassinat de Sélim III et début du règne du sultan Mahmud II.

1813-1815. *Empire ottoman.* Ibrahim Pacha, fils de Méhémet-Ali, rétablit l'autorité du sultan sur Médine et sur La Mecque, d'où il chasse les wahhabites.

1826. *Empire ottoman.* Réforme de l'armée et massacre des janissaires.

1828. *Iran.* Par le traité de Turkmanchaï, l'Iran cède à la Russie ses possessions en Arménie orientale.

1831-1833. *Empire ottoman.* Les troupes égyptiennes d'Ibrahim Pacha enlèvent aux Ottomans la Syrie et le Liban. Par le traité de Koutayeh (1833), Méhémet-Ali obtient la Syrie.

1834-1848. *Iran.* Règne de Mohammad Chah.

1839. *Empire ottoman.* Après une nouvelle victoire des Égyptiens à Nizib, Abdülmecid succède à Mahmud II et ouvre l'ère des réformes.

1839-1841. *Empire ottoman.* Crise d'Orient : la France doit cesser de soutenir Méhémet-Ali qui, par le traité de Londres (1840), renonce à la Syrie, mais obtient, à titre héréditaire, l'Égypte et le Soudan. La convention des Détroits, signée à Londres (1841), désavantage la Russie en fermant les détroits à toute flotte de guerre en temps de paix.

Vers le « printemps des peuples »

Les victoires remportées par Napoléon en 1805 lui permettent de chasser les Habsbourg d'Allemagne et de fonder la Confédération du Rhin, dont il devient le protecteur. La quasi-totalité de l'Italie, dont Napoléon est roi, est soumise directement ou indirectement à la France. L'écrasement des Prussiens et des Russes débouche sur la paix de Tilsit (1807), qui enlève aux premiers la moitié de leur territoire et crée un grand-duché de Varsovie.

Tandis que le Blocus continental vise à asphyxier l'économie britannique, Napoléon intervient au Portugal (1807) puis en Espagne (1808). La victoire remportée sur les Autrichiens en 1809 et le mariage conclu avec Marie-Louise, fille de l'empereur d'Autriche (1810), font alors de Napoléon le maître de l'Europe. À l'Empire français, qui compte 130 départements, s'ajoutent les États vassaux qui dépendent directement de Napoléon (Confédération du Rhin, grand-duché de Varsovie) et les royaumes de Naples et d'Espagne, gouvernés par des proches de l'empereur. En Prusse et en Espagne, l'occupation napoléonienne suscite toutefois l'éveil de mouvements nationaux. Une nouvelle coalition rassemblant la plupart des puissances européennes inflige de graves défaites à la Grande Armée en Russie (1812) puis en Allemagne (1813) ; elle accule Napoléon à l'abdication en 1814. Son retour, l'année suivante, est bref ; la France est battue à Waterloo (1815).

Le nouveau visage de l'Europe. Le congrès de Vienne réorganise l'Europe selon les principes du droit monarchique et de l'équilibre européen : la domination autrichienne est restaurée en Italie du Nord et du centre ; la Confédération germanique, comprenant 38 États souverains, dont la Prusse, est créée ; l'Empire russe annexe la majeure partie de la Pologne. En Italie notamment, et dans les États allemands, des sociétés secrètes (les carbonari) et des mouvements nationaux (Jeune-Italie) contestent cet ordre , mais sont vite réprimés.

La révolution parisienne de 1830 suscite une nouvelle flambée d'agitations en Europe, mais seule la Belgique accède à l'indépendance (1831). En 1848, le « printemps des peuples » ébranle à nouveau les empires européens. Des foyers révolutionnaires s'allument à Vienne, à Prague, à Rome, à Milan, à Turin, à Berlin : les pouvoirs en place sont chassés, les insurgés obtiennent la convocation de parlements, comme à Francfort, ou la rédaction de constitutions. Mais le reflux s'amorce vite : dès 1849, les souverains viennent à bout des mouvements nationaux, parfois affaiblis par des divisions internes.

Petit lexique

carbonari : au début du XIXe s., membres d'une société secrète italienne, combattant la domination autrichienne, animant des insurrections et militant pour l'indépendance nationale.

libéralisme économique : doctrine favorable à la liberté des échanges commerciaux, à l'allègement des réglementations pour les entreprises et à la limitation du rôle de l'État dans la vie économique.

ASIE

1802. *INDE.* Ranjit Singh, fondateur du royaume sikh du Pendjab, s'empare d'Amritsar.

1802-1820. *VIÊT NAM.* Nguyên Anh, devenu empereur sous le nom de Gia Long (1802), fonde l'empire du Viêt Nam.

1815. *ASIE DU SUD.* Le Royaume-Uni s'empare du royaume de Kandy (actuel Sri Lanka).

1819. *INDE.* Fin des guerres contre les Marathes, dont les territoires sont annexés par la Compagnie anglaise des Indes orientales. *SINGAPOUR.* Occupation de l'île par le Royaume-Uni.

1839-1842. *CHINE.* La guerre de l'opium oppose le Royaume-Uni à la Chine après l'interdiction par Pékin des importations d'opium. Par le traité de Nankin (1842), la Chine doit céder Hongkong au Royaume-Uni et ouvrir cinq ports au commerce étranger.

1848. *VIÊT NAM.* Début du règne de l'empereur Tu Duc.

1849. *INDE.* Le Royaume-Uni annexe le Pendjab.

VOIR AUSSI • **Machine à vapeur** p. 270

AFRIQUE

1804-1817. *AFRIQUE OCCIDENTALE.* Ousmane dan Fodio lance la guerre sainte contre les cités haoussa, qu'il regroupe en un grand Empire peul.

1814. *AFRIQUE DU SUD.* Par le traité de Paris, la colonie hollandaise du Cap passe sous administration britannique.

1818-1844. *AFRIQUE OCCIDENTALE.* Cheikhou Amadou fonde et dirige l'Empire peul théocratique du Macina. Il s'empare de Tombouctou (1826).

1820-1821. *AFRIQUE DU NORD-EST.* Le Soudan est conquis par l'Égyptien Ismaïl, fils de Méhémet-Ali.

1830. *MAGHREB.* Prise d'Alger par les Français, commandés par le maréchal Bourmont.

1839-1847. *MAGHREB.* Abd el-Kader dirige la résistance à la conquête de l'Algérie par la France.

1834-1842. *AFRIQUE DU SUD.* « Grand Trek » des Boers, qui, mécontents de l'interdiction de l'esclavage, quittent la colonie du Cap, migrent vers l'intérieur des terres et constituent les États du Natal, d'Orange et du Transvaal.

1843. *AFRIQUE DU SUD.* Le Natal passe sous administration britannique.

AMÉRIQUE ET OCÉANIE

1810. *AMÉRIQUE DU SUD.* Le vice-roi du Río de La Plata est déposé par une junte révolutionnaire.

1812-1815. *ÉTATS-UNIS.* La seconde guerre de l'Indépendance oppose l'État fédéral au Royaume-Uni, finalement défait.

1811. *PARAGUAY.* Le territoire devient indépendant en se séparant de la vice-royauté du Río de La Plata.

1816. *ARGENTINE.* Le congrès de Tucumán proclame l'indépendance du pays.

1818. *CHILI.* Après la victoire de Maipú, le pays est libéré de la domination espagnole.

1819. *AMÉRIQUE DU SUD.* Après la victoire de Boyacá, Bolívar fonde la république de Grande-Colombie (Nouvelle-Grenade, Venezuela), à laquelle l'Équateur est annexé en 1822.

1821. *NOUVELLE-ESPAGNE.* L'indépendance du Mexique est proclamée.

1822. *BRÉSIL.* L'indépendance est proclamée.

1823. *ÉTATS-UNIS.* Le président James Monroe énonce la doctrine qui condamne toute intervention européenne dans les affaires américaines et vice versa.

1824. *PÉROU.* Le patriote Sucre remporte la victoire d'Ayacucho, qui consacre l'indépendance du pays.

1825. *PÉROU.* Le sud du pays devient la république de Bolivie.

1830. *AMÉRIQUE CENTRALE.* La Grande-Colombie éclate : les États-Unis de la Nouvelle-Grenade (actuelle Colombie), l'Équateur et le Venezuela deviennent des États indépendants.

1846-1848. *AMÉRIQUE DU NORD.* À l'issue de la guerre contre le Mexique, les États-Unis annexent le Texas, le Nouveau-Mexique et la Californie.

La décolonisation de l'Amérique latine

L'émancipation des colonies espagnoles et portugaises d'Amérique latine débute en 1810 et s'achève moins d'un quart de siècle plus tard. Elle n'est le fruit de mouvements populaires qu'au Mexique et à Haïti ; ailleurs, les Indiens restent loyaux vis-à-vis de la métropole. La décolonisation est donc principalement l'œuvre des créoles, colons blancs nés en Amérique mais d'origine européenne, qui possèdent de grands domaines et qui supportent mal l'autorité des représentants de la métropole. L'Argentine est le premier pays à accéder à l'indépendance (1816). Tandis que l'émancipation du Brésil (1822) est obtenue de manière pacifique, Simón Bolívar (1783-1830), général en chef des insurgés, remporte des victoires successives contre les armées espagnoles, mais ne réussit pas à unifier les pays devenus indépendants dans une confédération. L'Amérique latine entre alors dans une longue période d'instabilité politique, marquée par l'installation de dictatures militaires.

◆ ***Sacre de l'empereur Napoléon Ier et couronnement de l'impératrice Joséphine dans la cathédrale N.-D. de Paris, le 2 décembre 1804,*** peinture de Jacques-Louis David (1748-1825). Tableau de 9 m sur 6, 1808. (Musée du Louvre, Paris)

La révolution industrielle

La révolution industrielle, apparue en Grande-Bretagne dans la seconde moitié du XVIIIe s., gagne ensuite les pays d'Europe occidentale, puis le reste du monde, notamment les États-Unis.

Stimulée par l'introduction de progrès techniques, la machine à vapeur dans l'industrie charbonnière, la navette volante dans l'industrie textile, par le développement du capitalisme financier et par la diffusion des théories libérales, elle se traduit par l'essor de la mécanisation dans les secteurs du textile, de la sidérurgie et de la métallurgie. La multiplication des usines, qui supplantent les ateliers, favorise l'urbanisation et l'exode rural.

La révolution industrielle engendre aussi des transformations sociales : elle favorise le renouvellement des élites et le développement d'une bourgeoisie d'affaires, tandis que, dans les villes, les migrants employés dans la grande industrie donnent naissance à un prolétariat aux conditions de vie et de travail très difficiles.

◆ **Une mine de charbon en Angleterre.**

Le XIXe siècle

De 1850 à 1900
L'expansion coloniale de l'Europe

EUROPE

1851. *FRANCE.* Coup d'État du prince-président Louis Napoléon Bonaparte, qui prend le titre d'empereur en 1852, sous le nom de Napoléon III.

1852. *ITALIE.* Cavour devient Premier ministre du Piémont.

1854-1855. *RUSSIE.* La guerre de Crimée oppose la Russie aux forces franco-anglaises, alliées de l'Empire ottoman. Le traité de Paris (1856) entérine la défaite russe et garantit l'intégrité de l'Empire ottoman.

1855. *RUSSIE.* Avènement du tsar Alexandre II.

1858. *FRANCE.* Entrevue de Plombières entre Napoléon III et Cavour : l'intervention armée de la France en faveur de l'unité italienne est décidée.

1859. *ITALIE.* La France, alliée au Piémont, bat les Autrichiens à Magenta et à Solférino.

1860. *FRANCE.* Acquisition de Nice et de la Savoie. *ITALIE.* À la tête des Chemises rouges, Garibaldi mène une expédition en Sicile et à Naples, d'où il chasse les Bourbons. La France et le Royaume-Uni signent un traité de libre-échange.

1861. *ITALIE.* Le roi de Sardaigne Victor-Emmanuel II est proclamé roi d'Italie. *RUSSIE.* Le servage est aboli.

1862. *PRUSSE.* Bismarck devient président du Conseil. *RUSSIE ET EMPIRE OTTOMAN.* L'union des principautés de Moldavie et de Valachie est proclamée ; le pays prendra le nom de Roumanie en 1866.

1864. *DANEMARK ET ALLEMAGNE.* La guerre des Duchés oppose le Danemark à la Confédération germanique pour la possession des duchés de Schleswig, du Holstein et de Lauenburg ; le Danemark est battu. *ROYAUME-UNI.* Fondation à Londres de la Ire Internationale, qui rassemble tous les socialistes européens.

1866. *ALLEMAGNE ET AUTRICHE.* Bismarck engage la Prusse dans une guerre contre l'Autriche, dont les armées sont défaites à Sadowa.

1867. *AUTRICHE.* L'empereur François-Joseph reconnaît les libertés de la Hongrie. Un compromis crée une monarchie dualiste : l'Autriche-Hongrie.

1868. *ESPAGNE.* La reine Isabelle II est destituée par le général Juan Prim.

1870. *ESPAGNE.* Amédée de Savoie est proclamé roi d'Espagne par les Cortes.

1870. *FRANCE.* La guerre contre la Prusse entraîne la chute du second Empire et l'instauration d'un gouvernement de la Défense nationale. La IIIe République est proclamée.

1871. *PRUSSE.* Le roi Guillaume Ier est proclamé empereur d'Allemagne. *FRANCE.* Thiers, chef du pouvoir exécutif, écrase l'insurrection de la Commune. *ITALIE.* Rome devient la capitale du pays.

1875. *FRANCE.* Vote des lois constitutionnelles de la IIIe République.

1877-1878. *BALKANS.* À l'issue de la guerre russo-turque, le congrès de Berlin donne leur indépendance à la Roumanie et à la Serbie ; la Bulgarie accède à l'autonomie.

1881. *RUSSIE.* Le tsar Alexandre II est assassiné. Alexandre III lui succède.

1882. *ALLEMAGNE, AUTRICHE ET ITALIE.* Les trois pays signent un accord défensif : la Triplice ou Triple-Alliance.

1886. *ROYAUME-UNI.* La chambre des Communes rejette le projet d'autonomie de l'Irlande (Home Rule).

1888. *ALLEMAGNE.* Guillaume II devient empereur.

1894. *RUSSIE.* Nicolas II devient tsar. Une alliance militaire est signée avec la France.

1894-1906. *FRANCE.* La condamnation du capitaine Alfred Dreyfus, injustement accusé d'espionnage, divise l'opinion française.

◆ **Le costume en 1880.** Pour la femme, la tournure discrète sous de multiples drapés et plissés ne donne pas d'ampleur, alors qu'en 1885, la tournure, dite « en strapontin », se déploiera sur l'arrière.

Les empires coloniaux

Dans la seconde moitié du XIXe s., plusieurs facteurs concourent à l'expansion coloniale des puissances européennes : la forte croissance démographique, qui provoque un excès de main-d'œuvre ; la montée des nationalismes ; la recherche de nouveaux débouchés commerciaux, en particulier lors de la dépression économique qui touche les pays industrialisés dans les années 1870. Sur le plan idéologique, la colonisation est encouragée par une anthropologie raciste, qui affirme la supériorité de la race blanche sur les autres. À travers l'aventure coloniale, les puissances européennes cherchent à affirmer leur volonté de puissance et leur prestige. Les raisons religieuses n'y sont pas étrangères, comme en témoigne l'essor des missions d'évangélisation. Enfin, la colonisation est facilitée par la multiplication des explorations, notamment en Afrique, et par le progrès des armements.

Après avoir achevé la conquête de l'Inde, le Royaume-Uni s'établit à Singapour et en Nouvelle-Zélande et étend son empire à l'Afrique noire. Ses colonies de peuplement (Canada, Australie, Nouvelle-Zélande, Afrique du Sud) se développent. En 1876, les possessions britanniques couvrent déjà une superficie de 22,6 millions de km² et rassemblent une population de 250 millions d'habitants. Sous le second Empire, la France, qui avait conquis l'Algérie en 1830, connaît une première période d'expansion (Cochinchine, Sénégal, Nouvelle-Calédonie) puis, à partir de 1880, elle étend sa domination en Extrême-Orient, au Maghreb et en Afrique noire : elle devient ainsi la seconde puissance coloniale du monde. Tandis que le Congo devient la propriété du roi des Belges (1885), l'Allemagne entre plus tardivement dans la course aux colonies : elle s'assure le contrôle du Cameroun et du Togo (1884), entre autres. L'Italie échoue dans sa tentative de s'emparer de l'Éthiopie (1896), mais fera la conquête de la Libye (1912).

Ce partage du monde ne tarde pas à susciter des rivalités entre puissances : en 1884-1885, la conférence internationale de Berlin qui garantit la liberté de commerce dans les bassins du Congo et du Niger doit déterminer des zones d'influence en Afrique et, en 1898, les Français et les Anglais s'affrontent à Fachoda. L'administration des colonies est organisée selon des modalités très variables : les métropoles hésitent entre des politiques d'assimilation et des politiques d'association, qui laissent aux territoires conquis une plus grande autonomie. Le Royaume-Uni accorde le statut de dominion au Canada (1867) et à l'Australie (1900), tandis que ses autres possessions deviennent des protectorats ou des colonies de la Couronne. La France fait de ses conquêtes des protectorats ou des colonies administrées directement. En diffusant les savoirs et les techniques de l'Occident, la colonisation a permis la mise en valeur des territoires conquis et l'alphabétisation des populations indigènes, mais elle a aussi provoqué la rupture des solidarités traditionnelles et ruiné certaines activités, comme l'artisanat ou les cultures vivrières. Enfin, ces transformations ont surtout profité aux colons et à la métropole, les autochtones étant souvent spoliés de leurs terres, voire soumis au travail forcé.

◆ **Les empires coloniaux au XIXe siècle.** À la fin du siècle, le partage du monde entre les grandes puissances est quasiment achevé.

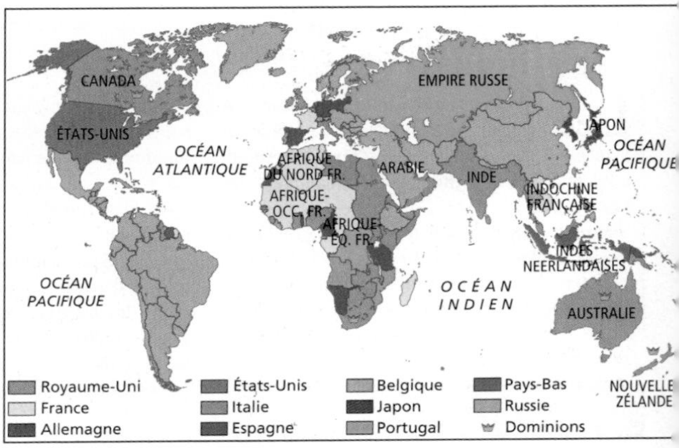

MOYEN-ORIENT

1856. *EMPIRE OTTOMAN.* Le traité de Paris place le pays sous la garantie des puissances européennes.

1860. *EMPIRE OTTOMAN.* Au Liban, la France intervient contre les Druzes, qui massacrent les chrétiens maronites. La région obtient un statut d'autonomie en 1864.

1861. *EMPIRE OTTOMAN.* Abdülaziz Ier devient sultan.

1867. *ÉGYPTE.* Ismaïl Pacha obtient de l'Empire ottoman le titre de khédive (vice-roi).

1869. *ÉGYPTE.* L'impératrice Eugénie inaugure le canal de Suez.

1876. *ÉGYPTE.* Ismaïl Pacha doit accepter le contrôle financier de la France et de l'Angleterre. *EMPIRE OTTOMAN.* Le sultan Abdülaziz est assassiné par les partisans des réformes. Abdülhamid II lui succède.

1878. *CHYPRE.* L'île est administrée par les Britanniques, sous souveraineté ottomane.

1878-1879. *AFGHANISTAN.* Au terme d'une guerre contre les Britanniques, le pays doit accepter le contrôle de sa politique étrangère.

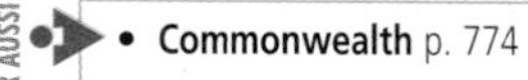
VOIR AUSSI • **Commonwealth** p. 774

ASIE

1851-1864. *CHINE.* Révolte des Taiping (« Grande Paix »), mouvement politique et religieux.

1858. *INDE.* La Compagnie des Indes est dissoute : l'Inde devient colonie de la Couronne britannique et est placée sous l'autorité d'un vice-roi.

1863. *CAMBODGE.* La France étend son protectorat sur le pays.

1868. *JAPON.* Début de l'ère Meiji (Lumières) : l'empereur Mutsuhito transfère la capitale du Japon à Edo (Tokyo).

1877. *INDE.* La reine Victoria est proclamée impératrice des Indes.

1885. *INDOCHINE.* Par le traité de Tianjin, la Chine renonce, au profit de la France, à ses droits sur l'Annam et sur le Tonkin.

1886. *BIRMANIE.* Le pays est annexé à l'Empire des Indes.

1887. *INDOCHINE.* La Cochinchine devient une colonie française au sein de l'Union indochinoise.

1894-1895. *CHINE ET JAPON.* Guerre entre les deux pays. Les puissances occidentales limitent la victoire du Japon, qui s'empare de Formose (Taïwan).

1898. *CHINE.* Le pays est partagé en zones d'influence par les Occidentaux, qui y installent des bases militaires.

1899-1900. *CHINE.* Révolte des Boxers, société secrète. Les Occidentaux sont assiégés dans le quartier des légations à Pékin.

AFRIQUE

1852. *AFRIQUE DU SUD.* Les Britanniques reconnaissent l'indépendance de la république du Transvaal, où s'organise un État afrikaner : la république d'Afrique du Sud (1857).

1853-1856. *AFRIQUE AUSTRALE.* Le missionnaire écossais Livingstone explore le cours du Zambèze et découvre les chutes Victoria.

1875-1880. *CONGO.* À la tête d'une expédition française, Pierre Savorgnan de Brazza remonte l'Ogooué et atteint le Congo.

1876. *CONGO.* Le roi des Belges Léopold II crée avec l'explorateur américain Stanley le Comité d'études du Haut-Congo.

1881. *TUNISIE.* Le traité du Bardo établit un protectorat français.

1885. *CONGO.* La conférence de Berlin reconnaît Léopold II comme souverain d'un État indépendant du Congo.

1891. *CONGO.* Fondation de la colonie du Congo français.

1895-1896. *MADAGASCAR.* L'île est annexée par la France, qui y abolit l'esclavage.

1898. *SOUDAN.* Les Britanniques forcent la mission française du capitaine Marchand à évacuer la ville de Fachoda. Le Soudan devient un condominium anglo-égyptien l'année suivante.

1899-1902. *AFRIQUE DU SUD.* Guerre des Boers contre les Anglais.

AMÉRIQUE ET OCÉANIE

1860. *ÉTATS-UNIS.* Abraham Lincoln est élu président.

1861. *ÉTATS-UNIS.* Les États sudistes font sécession et se constituent en États confédérés d'Amérique.

1861-1865. *ÉTATS-UNIS.* La guerre de Sécession oppose la confédération des États du Sud à la fédération des États du Nord : les nordistes l'emportent.

1862-1867. *MEXIQUE.* Intervention de la France, qui crée un empire catholique au profit de Maximilien d'Autriche. La république est finalement restaurée (1867).

1865. *ÉTATS-UNIS.* Le président Lincoln est assassiné. L'esclavage est aboli.

1867. *AMÉRIQUE DU NORD.* Le Royaume-Uni fait du Canada un dominion. *ALASKA.* Les États-Unis achètent le territoire à la Russie.

1880. *TAHITI.* L'île reçoit le statut de colonie française.

1881-1888. *AMÉRIQUE CENTRALE.* Ferdinand de Lesseps entreprend les premiers travaux du canal de Panamá, mais doit les arrêter.

1898. *AMÉRIQUE CENTRALE ET OCÉAN PACIFIQUE.* Vainqueurs de la guerre contre l'Espagne, les États-Unis établissent leur protectorat sur Cuba et annexent Porto Rico et les Philippines.

L'AURORE
Littéraire, Artistique, Sociale
J'Accuse...!
LETTRE AU PRÉSIDENT DE LA RÉPUBLIQUE
Par ÉMILE ZOLA

◆ **L'affaire Dreyfus.** Lettre ouverte d'Émile Zola au président de la République, publiée à la «une» de *l'Aurore* le 13 janv. 1898. L'écrivain dénonce l'erreur judiciaire montée par l'armée et réclame la révision du procès déclenché par l'antisémitisme des ultranationalistes.

La naissance du socialisme

Au XIXe s., la misère ouvrière provoquée par la révolution industrielle donne naissance aux doctrines socialistes, qui prônent la propriété collective des moyens de production. Pour Karl Marx (1818-1883), la lutte des classes est le moteur de l'histoire ; l'essor du capitalisme doit déboucher sur une révolution violente, qui sera suivie de la « dictature du prolétariat », préalable à l'avènement d'une société sans classes. Les idées de Marx ne rencontrent cependant qu'un écho limité : elles sont contestées par la tendance anarchiste du mouvement socialiste, représentée par Pierre Joseph Proudhon (1809-1865) et Mikhaïl Bakounine (1814-1876). Ces penseurs sont favorables à une organisation sociale fondée sur la libre association des producteurs et hostiles à toute forme d'autorité étatique. En France apparaît un socialisme réformiste, incarné par Jean Jaurès (1859-1914), qui est partisan d'une transformation graduelle de la société. Les divisions qui opposent ces différents courants finissent par ruiner les tentatives de regroupement des mouvements socialistes nationaux au sein d'une « Association internationale du travail » : la Ire Internationale, fondée à Londres en 1864, est dissoute en 1876. Cependant, un mouvement ouvrier s'organise et suscite la formation de syndicats, d'abord en Angleterre, puis en France, en Allemagne et aux États-Unis. Tandis que les trade-unions britanniques refusent l'action violente et pratiquent des négociations avec les patrons, la Confédération générale du travail (CGT), créée en France en 1895, se rallie à une perspective révolutionnaire.

Petit lexique

dominion : ancienne colonie britannique à laquelle la métropole accorde une autonomie interne, puis l'indépendance. Le premier dominion est le Canada (1867).

politique d'assimilation : politique qui vise à intégrer complètement les colonies en les plaçant sous l'autorité de la métropole.

protectorat : territoire ou État placé sous la dépendance d'une métropole, mais qui conserve une autonomie interne.

trade-union : syndicat britannique qui rassemble les ouvriers par secteur d'activité.

L'ère Meiji au Japon

L'ouverture forcée du Japon au commerce occidental (1853-1854) déclenche une violente poussée de xénophobie dans le pays, qui rend le shogun responsable de l'humiliation. En 1867, le shogunat est aboli ; tout le pouvoir revient à l'empereur Mutsuhito (1867-1912), qui rétablit la monarchie absolue et prend le nom de Meiji (gouvernement éclairé) en 1868. L'empereur abolit le système féodal, supprime les privilèges des seigneurs *(daimyos)* et divise le pays en préfectures. Après la perte par les samouraïs du monopole des armes, le service militaire devient obligatoire (1872). Le pays fait appel à des techniciens occidentaux pour se doter d'une industrie moderne, mais c'est l'État qui entreprend l'essentiel des investissements et assure la construction des premiers chemins de fer et des usines. Après 1880, l'essor des entreprises privées est encouragé.

À la fin du XIXe s, le Japon, devenu la première puissance asiatique, engage une politique d'expansion, qui est dirigée d'abord contre la Chine.

Le XXe siècle

De 1900 à 1919
La Première Guerre mondiale

EUROPE

1900. *ITALIE.* Assassinat du roi Humbert Ier.

1901. *ROYAUME-UNI.* Édouard VII succède à la reine Victoria.

1904. *FRANCE ET ROYAUME-UNI.* Traité d'Entente cordiale.

1905. *RUSSIE.* Échec de la première révolution. *FRANCE.* Loi de séparation des Églises et de l'État. *NORVÈGE.* Rupture de l'union avec la Suède.

1906. *ROYAUME-UNI.* Création du parti travailliste.

1907. Formation de la Triple-Entente (Russie, Royaume-Uni, France).

1909. *FRANCE.* Blériot réussit la première traversée de la Manche en aéroplane.

1910. *PORTUGAL.* Proclamation de la république.

1912. *ROYAUME-UNI* Adoption du Home Rule pour l'Irlande. *ITALIE.* Réforme électorale.

1912-1913. *SERBIE, BULGARIE, GRÈCE.* Les guerres balkaniques opposent ces trois pays à l'Empire ottoman.

1914. *AUTRICHE-HONGRIE.* Après l'assassinat de l'archiduc héritier François-Ferdinand à Sarajevo, l'empereur déclare la guerre à la Serbie, ce qui déclenche, par le jeu des alliances, la Première Guerre mondiale, qui opposera les puissances centrales (Autriche-Hongrie, Allemagne, Bulgarie, Empire ottoman) à la Triple-Entente et à ses alliés. *BELGIQUE.* Les troupes allemandes envahissent le pays neutre. *FRANCE.* Bataille de la Marne sous le commandement de Joffre. *RUSSIE.* L'armée est défaite à Tannenberg (Prusse-Orientale).

1915. *FRANCE.* Vaines offensives alliées en Artois. *ALLEMAGNE.* Offensive victorieuse à l'est. *ITALIE.* Entrée en guerre aux côtés des Alliés.

1916. *FRANCE.* Bataille de Verdun. *ROUMANIE ET PORTUGAL.* Entrée en guerre aux côtés des Alliés. *IRLANDE.* Une insurrection nationaliste à Dublin est durement réprimée.

1917. *GRÈCE.* Entrée en guerre aux côtés des Alliés. *RUSSIE.* Les révolutions de Février et d'Octobre donnent le pouvoir aux bolcheviques. *FINLANDE.* Proclamation d'indépendance. *ITALIE.* L'armée est défaite par les Allemands à Caporetto. *FRANCE.* Mutineries sur le front (Chemin des Dames). Le général Nivelle est remplacé par Philippe Pétain, nommé commandant en chef de l'armée. *ÉTATS-UNIS.* Entrée en guerre aux côtés des Alliés.

1918. *FRANCE.* Foch est nommé commandant en chef des troupes alliées, dont les contre-offensives aboutissent à l'armistice du 11 nov. Fin de la Première Guerre mondiale.

◆ **Le costume français vers 1900.** La ligne en S est obtenue grâce au concours du corset qui hausse la poitrine et cambre la taille, et de la jupe qui rejoint le sol par un grand volant.

ALLEMAGNE. Abdication de Guillaume II. *AUTRICHE-HONGRIE.* Abdication de l'empereur Charles Ier. Dislocation de l'Empire austro-hongrois. Proclamation d'indépendance de la Tchécoslovaquie et de la Pologne. *RUSSIE.* Armistice de Brest-Litovsk avec l'Allemagne.

1919. *FRANCE.* Traités de paix qui restituent l'Alsace-Lorraine au pays et redessinent les frontières en Europe. *RUSSIE.* Fondation de la IIIe Internationale.

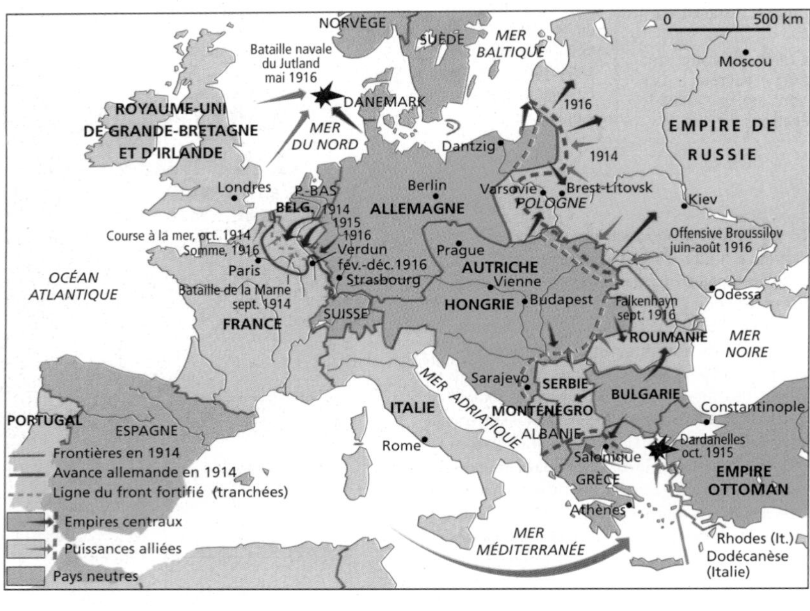

◆ **Le conflit en Europe en 1916.**

La Grande Guerre

Les causes de la Première Guerre mondiale sont multiples et complexes. Le système d'alliances instable qui prévaut en Europe au début du XXe siècle contribue à exacerber la concurrence coloniale entre les principales puissances, notamment entre la France et le Royaume-Uni d'un côté, et l'Allemagne de l'autre. Dans les Balkans, les politiques impérialistes de l'Autriche-Hongrie et de la Russie aboutissent à la crise diplomatique de juillet 1914, qui précipite l'Europe dans la guerre. Le conflit débute par une offensive allemande, qui repousse l'armée française jusqu'à la Marne, alors que les armées russe et, à partir de 1915, italienne subissent également des défaites. Pourtant, les empires centraux (Allemagne, Autriche-Hongrie, Empire ottoman) ne parviennent pas à remporter de victoire décisive, sauf contre la Russie, qui signe la paix de Brest-Litovsk en mars 1918. Les fronts européens demeurent donc stables pendant la plus grande partie de la guerre ; en France, les troupes des deux camps mettent en place des dispositifs défensifs qui s'étendent de la mer du Nord à la frontière suisse. De la fin 1914 à 1918, la ligne du front ouest évolue peu, malgré les grandes offensives menées de part et d'autre et malgré les pertes élevées des batailles de Verdun (1916), de la Somme (1916) et du Chemin des Dames (1917). Sur les autres fronts (Balkans, Moyen-Orient), la situation évolue en général plus rapidement, mais les opérations modifient peu l'équilibre du conflit, qui se joue principalement en France.

Coupés du reste du monde depuis la défaite navale allemande du Jutland, en 1915, les empires

La révolution russe

Empire autocratique et vieillissant, la Russie est exposée dès le XIXe s. à des secousses révolutionnaires. En 1905, une première révolution suscite un début de démocratisation et la création d'un parlement (la Douma), dont les pouvoirs sont toutefois négligeables. En 1914, le régime tsariste se lance dans la guerre contre l'Allemagne, espérant ainsi consolider son pouvoir. C'est le contraire qui advient : les désastres militaires révèlent l'incompétence du régime et de l'état-major, tandis que l'industrialisation récente du pays est arrêtée net. En mars 1917, les émeutes populaires et la pression de la Douma provoquent l'abdication du tsar Nicolas II. Le pouvoir est partagé entre les soviets (conseils d'ouvriers et de paysans) et le gouvernement républicain provisoire qui entend poursuivre la guerre mais contrôle mal le pays. Les bolcheviques, dont le groupe, issu du parti social-démocrate, est dirigé par Lénine, veulent sortir du conflit et mettre en œuvre un programme inspiré du socialisme de Karl Marx. En nov. 1917, malgré une audience limitée, les bolcheviques prennent le pouvoir par un coup de force. Leur première mesure consiste à signer une paix inconditionnelle avec l'Allemagne (traité de Brest-Litovsk, 3 mars 1918). Pendant presque quatre ans, le nouveau pouvoir se heurte à une forte opposition armée, intérieure et étrangère. Il tente d'étendre la révolution au reste de l'Europe (à Berlin en nov. 1918, puis en Hongrie et en Pologne) et durcit le régime. En 1922, la RSFSR (République socialiste fédérative soviétique de Russie) adhère à l'Union des Républiques socialistes soviétiques (URSS). À la mort de Lénine (21 janv. 1924), le pouvoir soviétique est consolidé.

ASIE ET OCÉANIE

1946. *ASIE DU SUD-EST.* Début de la guerre d'Indochine.

1947. *INDE.* Le sous-continent est divisé en deux États indépendants, après le retrait britannique : l'Inde et le Pakistan.

1948. *CORÉE.* Création de deux États : la Corée du Nord et la Corée du Sud.

1949. *CHINE.* Fondation de la République populaire. Le Guomindang se replie à Taiwan après sa défaite dans la guerre civile.

1950-1953. *CORÉE.* La guerre de Corée oppose la Corée du Nord, communiste, à la Corée du Sud, soutenue par les Occidentaux.

1951. *OCÉANIE.* Création du Conseil du Pacifique (ANZUS), réunissant l'Australie, les États-Unis et la Nouvelle-Zélande.

1954. *INDOCHINE.* Les accords de Genève divisent le Viêt Nam en deux États, consacrent le départ de la France et confirment l'indépendance du Cambodge. *ASIE DU SUD-EST.* Création de l'Organisation du traité de l'Asie du Sud-Est (OTASE).

1955. *INDONÉSIE.* La conférence afro-asiatique de Bandung réunit pour la première fois le tiers-monde.

1958. *CHINE.* Mao Zedong lance le « Grand Bond en avant ».

AFRIQUE

1951. *LIBYE.* Proclamation de l'indépendance.

1952-1956. *KENYA.* Gouvernement des Mau-Mau.

1954-1962. *ALGÉRIE.* L'insurrection, dirigée par le Front de libération nationale (FLN), aboutit à la proclamation de l'indépendance, au terme d'un long conflit.

1956. *TUNISIE ET MAROC.* Proclamation de l'indépendance.

1960. *AFRIQUE SUBSAHARIENNE.* Accession à l'indépendance des anciennes colonies françaises, du Ghana, du Nigeria britanniques et du Congo-Kinshasa belge.

AMÉRIQUE

1948. *COLOMBIE.* La charte de Bogotá instaure l'Organisation des États américains (OEA).

1949. *ÉTATS-UNIS.* Le traité de l'Atlantique Nord (OTAN) est signé à Washington.

1950. *ÉTATS-UNIS.* Le sénateur Joseph McCarthy lance la « chasse aux sorcières » contre les communistes.

1951. *ÉTATS-UNIS.* Le traité de San Francisco rend au Japon sa souveraineté.

1953-1961. *ÉTATS-UNIS.* Dwight Eisenhower est élu président des États-Unis.

1954. *SURINAME.* Une Constitution confère une large autonomie à l'ancienne Guyane hollandaise.

1955. *ARGENTINE.* Perón est renversé par une junte militaire.

1956. *CUBA.* Fidel Castro débarque sur l'île. *NICARAGUA.* Le clan Somoza prend le pouvoir.

1959. *CUBA.* Triomphe de la révolution castriste

1961. *ÉTATS-UNIS.* John F. Kennedy est élu président. *CUBA.* Une expédition contre-révolutionnaire d'émigrés cubains, appuyée par les États-Unis, échoue dans la baie des cochons.

1962. *CUBA.* L'installation de fusées soviétiques provoque une crise internationale.

◆ **En juillet 1946, entretien du Mahatma Gandhi (à droite) avec Jawaharlal Nehru, le président du Congrès.** Le parti du Congrès, défenseur de l'Inde unitaire, considère alors la partition entre l'Inde et le Pakistan comme inévitable.

Les guerres d'indépendance

Dans la plupart des cas, l'accession à l'indépendance des colonies s'est effectuée de manière pacifique. Dans quelques cas précis, cependant, la puissance colonisatrice a tenté de maintenir sa domination sur un territoire, souvent en raison de la présence de colons craignant d'être chassés du pays. Ce fut le cas des Pays-Bas en Indonésie (Indes néerlandaises) en 1946-1949, puis celui de la France, en Indochine d'abord (1946-1954), puis, surtout, en Algérie (1954-1962). Le Portugal, à partir de 1961, a fait face à une révolte de ses colonies africaines et a tenté de les conserver jusqu'en 1974. Dans la plupart de ces cas, la puissance coloniale a épuisé d'importantes ressources dans des conflits dont l'intérêt apparaît *a posteriori* faible. Les Pays-Bas, la France et le Portugal, malgré le coût du retour des colons expulsés des colonies, ont dans l'ensemble profité de la décolonisation, qui les a notamment conduits à orienter leur commerce vers le marché européen, plus propice à leur développement économique.

La décolonisation

À la veille de la Seconde Guerre mondiale, l'ensemble du monde se trouve sous la domination de pays européens (Royaume-Uni, France, Pays-Bas, Belgique, Portugal, Espagne et Italie), même si le Japon et les États-Unis possèdent également des territoires. Seuls le continent américain et quelques États (Siam, Liberia et Éthiopie) échappent à une forme ou une autre de tutelle coloniale. Trente ans plus tard, presque toutes les colonies ont accédé à l'indépendance. Les principales causes de ce bouleversement sont au nombre de quatre :

– la colonisation a, à des degrés variables, fait entrer les colonies dans le monde moderne : les efforts d'éducation et de développement, fournis dans ces pays, ont abouti à l'émergence d'élites coloniales, qui se retournent contre l'Occident précisément au nom du droit des peuples à disposer d'eux-mêmes ;

– la Seconde Guerre mondiale a, par ailleurs, ruiné le prestige des pays colonisateurs : la défaite de la France, de la Belgique et des Pays-Bas, les difficultés du Royaume-Uni, l'occupation de certaines colonies (Indochine française, Indes néerlandaises...) par le Japon, mais aussi le rôle crucial des colonies dans les efforts de guerre français et britanniques concourent à affaiblir l'autorité des métropoles ;

– ces dernières prennent également conscience des coûts économiques des empires coloniaux ;

– enfin, les deux superpuissances qui dominent le monde après 1945, les États-Unis et l'URSS, sont toutes deux hostiles au colonialisme au nom de principes idéologiques pour une fois convergents.

Dès les premières indépendances (Inde en 1947, Indonésie en 1949), le mouvement de décolonisation s'accélère : la décolonisation de l'Asie est presque complète dès le milieu des années 1950 et celle de l'Afrique au début des années 1960. Seuls la France en Indochine (1946-1954), puis surtout en Algérie (1954-1962), et le Portugal dans ses colonies africaines entre 1961 et 1974 tentent sérieusement de l'empêcher, sans succès.

Les pays nouvellement indépendants choisissent des voies très diverses, allant du maintien de liens étroits avec les anciennes métropoles à des ruptures plus brutales. Malgré les espoirs suscités par la conférence des non-alignés de Bandung (1955), ce vaste mouvement ne donne jamais naissance à une réelle communauté d'États qui auraient pu être solidaires en raison d'une expérience historique commune.

◆ **La décolonisation.** Les rectangles de couleurs correspondent aux dates d'accès à l'indépendance.

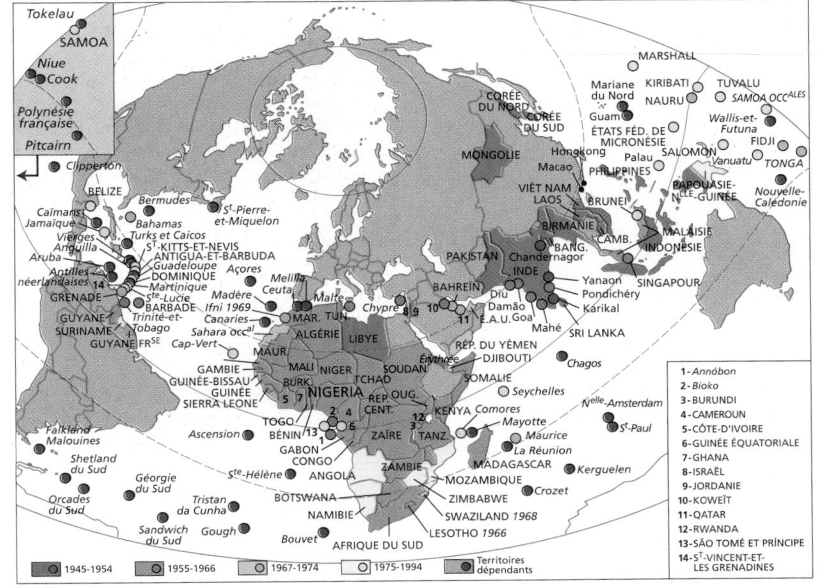

Le XXe siècle

De 1963 à 1989
Les aléas de la détente

EUROPE

1964. *URSS.* Brejnev remplace Khrouchtchev à la tête du Parti communiste.

1967. *GRÈCE.* Instauration du « régime des colonels ».

1968. *TCHÉCOSLOVAQUIE.* Les Soviétiques mettent fin au « printemps de Prague ». *FRANCE.* L'agitation étudiante débouche sur un mouvement de contestation politique et sociale.

1969. *IRLANDE DU NORD.* L'Armée républicaine irlandaise (IRA) s'engage dans l'action terroriste. *FRANCE.* Démission du général de Gaulle.

1972. *FRANCE.* Socialistes et communistes s'entendent sur un programme commun de gouvernement. *ALLEMAGNE.* Les deux Allemagnes se reconnaissent mutuellement.

1973. *ROYAUME-UNI, IRLANDE, DANEMARK.* Entrée dans la Communauté économique européenne. *GRÈCE.* Proclamation de la république.

1974. *PORTUGAL.* La « révolution des œillets » renverse la dictature. *CHYPRE.* Un coup d'État appuyé par la Grèce provoque un débarquement turc au nord de l'île.

1975. *ESPAGNE.* À la mort de Franco, Juan Carlos Ier devient roi d'Espagne.

1976. *ITALIE.* « Compromis historique » entre le Parti communiste et la Démocratie chrétienne, développement du terrorisme d'extrême gauche et d'extrême droite.

1979. *ROYAUME-UNI.* Margaret Thatcher devient Premier ministre.

1980. *POLOGNE.* Création du syndicat Solidarité (Solidarność).

1981. *FRANCE.* François Mitterrand devient président de la République. *GRÈCE.* Entrée dans la Communauté économique européenne. *POLOGNE.* Arrivée au pouvoir du général Jaruzelski qui instaure l'État d'urgence.

1985. *URSS.* Gorbatchev devient secrétaire général du Parti communiste.

1986. *ESPAGNE ET PORTUGAL.* Entrée dans la Communauté économique européenne.

1989. *EUROPE DE L'EST.* Effondrement des régimes communistes. *ALLEMAGNE.* Ouverture du mur de Berlin.

MOYEN-ORIENT

1967. *ISRAËL-PAYS ARABES.* Troisième guerre israélo-arabe (guerre des Six-Jours).

1973. *ISRAËL-PAYS ARABES.* Quatrième guerre israélo-arabe (guerre du Kippour), à l'initiative de l'Égypte.

1979. *ÉGYPTE-ISRAËL.* Signature du traité de paix. *IRAN.* Après le départ du chah, l'ayatollah Khomeyni instaure une république islamique.

1980-1988. *IRAN-IRAQ.* Première guerre du Golfe.

1981. *ÉGYPTE.* Sadate est assassiné.

1982-1985. *LIBAN.* Intervention militaire israélienne.

1987. *ISRAËL.* Début de l'insurrection palestinienne (Intifada) dans les « territoires occupés ».

ASIE

1964. *VIÊT NAM.* L'intervention militaire américaine s'intensifie.

1966. *CHINE.* Mao Zedong lance la Révolution culturelle.

1971. *CHINE.* La République populaire remplace Taïwan à l'ONU. *PAKISTAN.* Sécession du Pakistan-Oriental, qui devient un État indépendant, le Bangladesh, à l'issue de la troisième guerre indo-pakistanaise.

1973. *VIÊT NAM.* Signature d'un accord de cessez-le-feu ; retrait des Américains.

1975. *VIÊT NAM.* Les troupes du Viêt Nam du Nord envahissent le Viêt Nam du Sud et prennent Saïgon. *CAMBODGE.* Les Khmers rouges prennent le pouvoir et entreprennent un génocide.

1976. *CHINE.* Mort de Mao Zedong et de Zhou Enlai.

1979. *AFGHANISTAN.* Début de l'intervention militaire massive des Soviétiques.

1989. *AFGHANISTAN.* Départ des Soviétiques. *CHINE.* Répression armée (« printemps de Pékin »).

La détente

Le terme « détente » désigne, au sens général, la période de la guerre froide pendant laquelle les Occidentaux tentent de régler par la voie diplomatique leurs différends avec le monde communiste. À la suite de l'affaire des fusées de Cuba, au cours de laquelle le risque d'une confrontation nucléaire est officiellement évoqué, les administrations américaine et soviétique tentent de mettre en place un dialogue permanent afin d'éviter, sinon les différends, du moins les malentendus. Il prend notamment la forme de négociations sur la maîtrise des armements, permettant de freiner la surenchère nucléaire (accords SALT I et SALT II, 1972 et 1979). Cela n'empêche pas les conflits de se succéder au cours des années 1960, notamment au Viêt Nam, où les États-Unis sont directement impliqués, mais les risques de guerre semblent écartés en Europe, où règne jusqu'en 1989 un statu quo implicite d'abord, puis explicite après la signature de l'acte d'Helsinki, en août 1975. Vers la fin des années 1960, la détente est théorisée de différentes façons. Pour Henry Kissinger, chef de la diplomatie américaine, il s'agit pour les Occidentaux de combiner au mieux conciliation et fermeté, les deux options devant demeurer possibles à tout moment.

Pour les sociaux-démocrates allemands, au pouvoir à partir de 1969, la détente doit permettre la mise en œuvre de l'Ostpolitik, c'est-à-dire d'un dialogue entre les deux États allemands devant aboutir à une réunification négociée. Le « traité fondamental », en 1972, consacre leur reconnaissance mutuelle. L'une des bases théoriques de la détente est également l'idée, formulée par Samuel Pisar, selon laquelle la coopération économique entre les deux blocs doit favoriser le progrès économique à l'est, et rapprocher ainsi les deux systèmes.

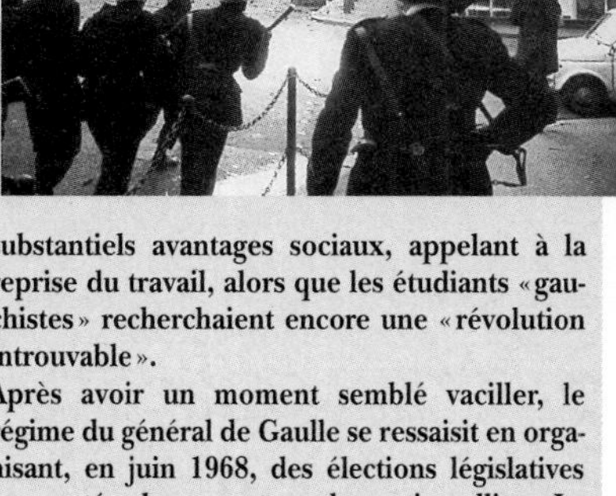

◆ Mai 1968.
La révolte étudiante de mai 1968 paralyse le pays et donne lieu à de nombreuses manifestations, notamment à Paris.

Mai 1968

Le mouvement de mai 1968 est parti d'une révolte étudiante contre l'état du système universitaire. Après la fermeture de la faculté de Nanterre, puis de la Sorbonne, à Paris, l'agitation débouche sur une série d'affrontements violents entre étudiants et policiers. Le mouvement, qui prend rapidement la forme d'une contestation plus globale du système capitaliste et de la « société de consommation », dépasse bientôt le cadre étudiant et mobilise le monde ouvrier sous la forme de grèves bloquant progressivement le pays. Les syndicats et l'opposition politique de gauche apportent alors leur soutien au mouvement. Signés le 27 mai, les « accords de Grenelle » révèlent cependant le peu d'unité du mouvement, les syndicats, CGT en tête, qui avaient obtenu de substantiels avantages sociaux, appelant à la reprise du travail, alors que les étudiants « gauchistes » recherchaient encore une « révolution introuvable ».

Après avoir un moment semblé vaciller, le régime du général de Gaulle se ressaisit en organisant, en juin 1968, des élections législatives remportées largement par le parti gaulliste. La sympathie initiale pour les étudiants s'était transformée en un désir de retour au calme.

Comparable à d'autres crises sociales rencontrées dans les pays occidentaux à la même époque, mais d'une ampleur particulière, mai 1968 traduisit un certain malaise de la France des « Trente Glorieuses ».

Les résultats de la détente sont cependant décevants. Le scandale du Watergate affaiblit tout d'abord le gouvernement américain, dont les moyens de pression en matière internationale se trouvent réduits. La reconnaissance mutuelle des deux États allemands n'aboutit qu'à quelques concessions du régime est-allemand en matière de déplacements des citoyens ouest-allemands à l'Est, et non le contraire. Les aides économiques octroyées aux pays de l'Est permettent tout juste à leurs économies de retarder l'effondrement qui survient finalement à la fin des années 1980. Plus grave, les concessions verbales faites en matière de droits de l'homme par l'URSS lors de la conférence à Helsinki n'ont aucune suite, et, surtout, l'impérialisme soviétique est en réalité stimulé par la défaite américaine au Viêt Nam. Pendant les années 1970, l'URSS accroît en fait son potentiel militaire, notamment dans le domaine nucléaire, se dote d'une flotte et se lance dans une politique expansionniste en soumettant plusieurs pays à son influence : Angola, Mozambique, Éthiopie, plus tard Nicaragua et surtout Afghanistan, dont l'invasion, en décembre 1979, est considérée par beaucoup comme mettant un terme à la détente.

AFRIQUE

1963. *ÉTHIOPIE.* La charte de l'Organisation de l'unité africaine (OUA) est signée à Addis-Abeba.

1967-1970. *NIGERIA.* Guerre du Biafra.

1969. *LIBYE.* Kadhafi prend le pouvoir.

1974. *ÉTHIOPIE.* L'empereur Hailé Sélassié est renversé par des militaires néo-soviétiques.

1975. *ANGOLA ET MOZAMBIQUE.* Proclamation de l'indépendance ; rapprochement avec le bloc communiste.

1978. *ÉTHIOPIE.* Aidée par les Cubains et les Soviétiques, l'armée reconquiert les villes d'Érythrée.

1980. *ZIMBABWE.* L'ancienne Rhodésie du Sud, dominée par les Blancs, cède la place au Zimbabwe et à un régime dirigé par les Noirs majoritaires.

1985-1986. *AFRIQUE DU SUD.* Les émeutes antiapartheid poussent les pays occidentaux à prendre des sanctions économiques.

Petit lexique

détente : le terme désigne la période 1963-1979, pendant laquelle les tensions Est-Ouest furent moins sensibles qu'auparavant, ainsi que la doctrine selon laquelle l'Occident devait privilégier le dialogue diplomatique avec l'URSS pour régler les différends qui l'y opposaient.

non-alignement : le non-alignement est la doctrine d'après laquelle les pays du tiers-monde doivent constituer un groupe solidaire, indépendant des Occidentaux comme des Soviétiques, afin de faire prévaloir leur intérêts communs.

Trente Glorieuses : les 30 années de croissance de l'économie française entre la fin de la Seconde Guerre mondiale et 1975.

AMÉRIQUE

1969. *ÉTATS-UNIS.* Richard Nixon est élu président. Le programme Apollo amène le premier homme sur la lune.

1973. *CHILI.* Salvador Allende trouve la mort lors du coup d'État militaire du général Pinochet.

1974. *ÉTATS-UNIS.* Le scandale du Watergate oblige Nixon à la démission.

1975. *CUBA.* Début de l'intervention militaire en Angola.

1976. *ARGENTINE.* Une junte militaire prend le pouvoir.
CANADA. Le parti indépendantiste québécois accède au pouvoir au Québec.

1977. *ÉTATS-UNIS.* Jimmy Carter est élu président.

1978. *NICARAGUA.* Insurrection du Front sandiniste contre Somoza.

1980. *CANADA.* Les Québécois se prononcent par référendum contre l'indépendance du Québec.

1981. *NICARAGUA.* Parvenus au pouvoir, les sandinistes se rapprochent de l'URSS et de Cuba. *ÉTATS-UNIS.* RonaldReagan est élu président.

1982. *ARGENTINE - ROYAUME-UNI.* Guerre des Malouines.

1983. *NICARAGUA.* Les États-Unis soutiennent les contre-révolutionnaires *(contras).*

1986. *HAÏTI.* Jean-Claude Duvalier, président, est contraint à l'exil.

1989. *ÉTATS-UNIS.* George Bush est élu président.
PANAMA. L'intervention américaine chasse le général Noriega.

Les conflits périphériques

Considérée par certains comme une véritable troisième guerre mondiale, la guerre froide, ainsi nommée en raison de l'absence d'affrontement direct entre ses principaux protagonistes, comporte de multiples affrontements militaires liés à l'antagonisme entre les deux camps. Si la paix est maintenue en Europe, enjeu principal de la guerre froide, Soviétiques ou Occidentaux participent parfois directement à certains conflits – comme en Indochine pour les Français (1946-1954) et les Américains (1961-1973), en Corée (1950-1953) pour tous les pays occidentaux, ou en Afghanistan (1979-1989) ainsi qu'en Angola (1975-1988) pour les Soviétiques –, mais ne s'affrontent jamais directement, ou le font en petit nombre et très discrètement, de manière à ne jamais s'engager ouvertement dans un processus susceptible de conduire à un affrontement direct et massif. Occidentaux et Soviétiques s'impliquent également dans de nombreux conflits qui ne les concernent pas au départ (comme le conflit israélo-arabe ou les guerres d'Afrique australe) et au cours desquels il leur arrive d'ailleurs de changer de camp (comme le font les Soviétiques en Somalie en 1977).

Les Soviétiques et leurs alliés (Chinois jusqu'en 1960, Cubains par la suite) soutiennent de multiples guerres « révolutionnaires » : guérillas sans suite (comme en Amérique latine), guerres coloniales (Indochine), guerres ouvertes entre États (Corée) ou à l'intérieur d'un État (Viêt Nam), terrorismes de toute sorte (Turquie, Allemagne, Argentine, Afrique du Sud, terrorisme palestinien). Ces conflits permettent souvent à l'URSS d'étendre son influence, surtout en Asie, puis, dans les années 1970, en Afrique. Les Américains (et les Français en Afrique) adoptent jusqu'aux années 1980 une stratégie principalement défensive (conformément à la doctrine américaine de l'endiguement). La politique de Ronald Reagan consiste au contraire à favoriser les guérillas anticommunistes là où le communisme a déjà triomphé (notamment au Nicaragua, en Afghanistan, au Cambodge et en Angola). Cette politique contribue à l'effondrement final du système communiste, discrédité par l'opposition ouverte qu'il suscite autant que par les revers qu'il subit.

La fin de la guerre froide révèle combien ces conflits dépassent en réalité le cadre de l'opposition Est/Ouest et recouvrent des réalités différentes.

◆ **La guerre du Viêt Nam.** Soldats américains à Saigon, en 1968, après l'offensive du Têt.

◆ **Les accords de Camp David.** Sous l'égide du président Carter, l'Égypte et Israël signent à Camp David, en 1978, le premier traité de paix du conflit israélo-arabe.

◆ **John F. Kennedy et l'astronaute John L. Glenn.** Dès son arrivée au pouvoir, le président Kennedy accorde une priorité particulière au programme spatial de la NASA, ce qui permet notamment le succès du programme Apollo.

Les guerres israélo-arabes

La création, en 1948, de l'État d'Israël n'a pas mis fin aux affrontements entre Juifs et Arabes qui ont agité la Palestine depuis le début du siècle. Les États arabes voisins d'Israël ont au contraire refusé l'existence même de l'État juif, promettant son anéantissement en cas de victoire militaire et l'attaquant immédiatement. Israël, ripostant, ne respecta plus le plan de partage des Nations unies, ce qui entraîna un flux de réfugiés palestiniens.
Les principaux conflits (1948, 1956, la « guerre des Six-Jours » de 1967 et la « guerre du Kippour » de 1973) se sont terminés par des victoires israéliennes. À partir du moment où Israël a occupé la Cisjordanie et la bande de Gaza, en 1967, le conflit a pris un nouvel aspect : les mouvements de résistance palestiniens (dont l'OLP de Yasser Arafat) ont mené une lutte d'abord fondée sur le terrorisme, puis, après qu'ils furent chassés du Liban par une intervention armée israélienne (1982-1985), sur l'insurrection des populations des territoires occupés à partir de 1987. Parallèlement, un processus de paix s'est progressivement engagé, d'abord avec l'Égypte (accords de Camp David, en 1978) puis englobant tous les acteurs du conflit à partir de 1994, avec les accords israélo-palestiniens et israélo-jordaniens. Il se poursuit aujourd'hui non sans grandes difficultés.

Le XXe siècle

De 1990 à nos jours
Ordre et désordre mondiaux

EUROPE

1990. *URSS*. Le congrès des députés supprime le rôle dirigeant du Parti communiste. Les pays Baltes proclament leur indépendance. *ALLEMAGNE*. Unification de la République fédérale et de la République démocratique. *ROYAUME-UNI*. Démission de Margaret Thatcher, John Major lui succède.

1991. *EUROPE ORIENTALE*. Dislocation du Comecon et du pacte de Varsovie. *URSS*. Après le putsch manqué du mois d'août, la dissolution de l'URSS, en déc., aboutit à la création de quinze États indépendants. La Russie, présidée par Boris Eltsine, prend la succession juridique de l'URSS. *YOUGOSLAVIE*. La Slovénie, la Croatie et la Macédoine proclament leur indépendance. Éclatement de la fédération yougoslave. Début de la guerre en Croatie.

1992. *ALBANIE*. Chute du régime communiste. *BOSNIE-HERZÉGOVINE*. Début de la guerre civile.

1993. *BELGIQUE*. Albert II succède à Baudouin Ier. *UNION EUROPÉENNE*. Entrée en vigueur du traité de Maastricht. *TCHÉCOSLOVAQUIE*. Partition en deux États indépendants, la République tchèque et la Slovaquie.

1995. *SUÈDE, FINLANDE, AUTRICHE*. Entrée dans l'Union européenne. *FRANCE*. Jacques Chirac est élu président. *EX-YOUGOSLAVIE*. Les accords de Dayton mettent partiellement fin à la guerre.

1996. *ITALIE*. Une coalition de gauche remporte les élections législatives. *ESPAGNE*. Les démocrates chrétiens remportent les élections, José María Aznar devient Premier ministre.

1997. *ROYAUME-UNI*. Après la victoire électorale des travaillistes, Tony Blair devient Premier ministre. *FRANCE*. Après la victoire de la gauche aux élections législatives, Lionel Jospin devient Premier ministre.

1998. *ALLEMAGNE*. Après la victoire électorale du Parti social-démocrate et des Verts, Gerhard Schröder devient chancelier. *ROYAUME-UNI*. Le processus de paix est engagé en Irlande du Nord.

1999. *YOUGOSLAVIE*. Un conflit armé oppose l'OTAN au régime de Milošević à propos de la région du Kosovo.

MOYEN-ORIENT

1990. *YÉMEN*. Réunification du Yémen du Nord et du Yémen du Sud. *KOWEÏT*. Annexion par l'Iraq.

1991. *KOWEÏT-IRAQ*. Seconde guerre du Golfe : une force multinationale, menée par les États-Unis, contraint l'Iraq à évacuer le Koweït. *LIBAN*. La Syrie occupe la plus grande partie du pays. *ESPAGNE*. La conférence de Madrid sur le Proche-Orient réunit Israël, des pays arabes et des Palestiniens.

1993. *ISRAËL-PALESTINE*. Après la reconnaissance mutuelle d'Israël et de l'OLP, les accords de Washington prévoient un régime d'autonomie pour les «territoires occupés».

1994. *ISRAËL*. Assassinat du Premier ministre Yitzhak Rabin.

1995. *ISRAËL*. Une coalition de droite remporte les élections. Benyamin Netanyahou devient Premier ministre et freine le processus de paix.

ASIE

1991. *CAMBODGE*. Accord de cessez-le-feu entre les factions khmères.

1992. *AFGHANISTAN*. Après la chute du régime communiste, la guerre se poursuit entre les factions de la résistance islamiste.

1993. *CAMBODGE*. Rétablissement de la monarchie parlementaire.

1994. *CORÉE DU NORD*. Mort de Kim Il-sung. Son fils Kim Jong-il lui succède.

1996. *CHINE*. Mort de Deng Xiaoping.

1997. *ASIE DU SUD-EST*. Début d'une crise financière, qui frappe tous les pays d'Asie.

La réunification de l'Allemagne

Malgré la constitution, à partir de 1949, de deux États allemands, la réunification n'a jamais cessé d'être l'objectif des dirigeants ouest-allemands. Elle résulte finalement, en 1989, de l'effondrement du système communiste en Europe de l'Est. Ne pouvant plus faire face à l'émigration massive de leur propre population vers l'ouest, les dirigeants est-allemands, en novembre 1989, font ouvrir les accès entre les deux secteurs de Berlin, détruisant le fameux mur et permettant un exode massif. Dès lors, le régime communiste est-allemand est condamné à disparaître au profit d'un régime démocratique. La population souhaitant massivement, tout comme la population ouest-allemande, la réunification, celle-ci devient inéluctable, et prend la forme d'une intégration à la République fédérale des territoires de l'Est en 1990. Le chancelier ouest-allemand Helmut Kohl a joué dans ce cadre un rôle fondamental en décidant, dès 1989, qu'une réunification rapide était préalable. Parachevée par le traité «4+2», qui permet à la RFA de devenir un État pleinement souverain, elle s'avère néanmoins coûteuse pour l'Allemagne. Symbole de la réunification, la capitale de l'Allemagne est transférée à Berlin.

L'effondrement de l'Union soviétique

En 1985, Mikhaïl Gorbatchev, succédant à une direction politique vieillissante, entreprend de réformer le système des institutions soviétiques. Ces réformes paraissent d'autant plus nécessaires que l'URSS est désormais distancée par l'Occident dans tous les domaines : en politique étrangère (notamment en Afghanistan), en matière militaire (les États-Unis prennent l'avantage dans la course aux armements), en matière idéologique (le communisme a perdu toute influence dans les pays occidentaux) et, bien sûr, en matière économique.

Remettant en cause un système qui ne s'était maintenu en place qu'en brisant l'ensemble des structures de l'économie, Gorbatchev ne peut que plonger cette dernière dans le chaos. Voulant «instaurer» l'économie de marché, il ne suscite que la corruption et le désordre, malgré les aides financières occidentales. La réforme politique et la démocratisation, qui devaient combiner l'introduction du suffrage universel et la concentration du pouvoir entre les mains de Gorbatchev, ont pour seuls résultats une crise politique croissante en Russie et des revendications indépendantistes de plus en plus pressantes dans les autres républiques. Enfin, ayant renoncé à réprimer dans la violence les aspirations des peuples d'Europe orientale, Gorbatchev perd bientôt le contrôle de l'Europe de l'Est, où, à l'automne 1989, les pouvoirs communistes doivent céder le pouvoir à des régimes démocratiques. Pendant cette période, la volonté de réforme gorbatchévienne se heurte à la quasi-impossibilité de faire évoluer un système totalitaire.

Pendant toutes ces années, les Occidentaux, d'abord satisfaits de la modération de Gorbatchev en politique étrangère, le soutiennent malgré ses échecs, de crainte que le communisme ne laisse place à une situation incontrôlable. Les revendications indépendantistes (dans les pays Baltes, par exemple) et la réunification de l'Allemagne suscitent ainsi d'importantes réticences de leur part. Les Occidentaux craignent également, à l'inverse, que Gorbatchev ne soit renversé par les « conservateurs» du régime désireux de revenir à la situation antérieure, argument que Gorbatchev utilise régulièrement, les laissant ainsi espérer l'émergence d'une nouvelle URSS plus modérée et stable.

Le 19 août 1991, des militaires conservateurs s'emparent du pouvoir mais ne peuvent le conserver que quelques jours. Ils ont néanmoins le temps de discréditer définitivement Gorbatchev. Boris Eltsine, président élu au suffrage universel de la République de Russie, proclame l'indépendance de cette dernière, c'est-à-dire, en réalité, de toutes les autres par rapport à elle. L'URSS cesse officiellement et définitivement d'exister en décembre 1991. Avec elle disparaît non pas le communisme, car il subsiste dans plusieurs endroits, mais le système communiste constitué depuis 1917 autour de la Russie.

◆ **L'ouverture du mur de Berlin.**
Devant la fuite de sa population, le régime est-allemand est contraint d'ouvrir sa frontière avec l'Allemagne fédérale en novembre 1989. La chute du mur symbolise la fin de la guerre froide en entraînant la dislocation des régimes communistes en Europe orientale et la réunification de l'Allemagne.

AFRIQUE

1990. *NAMIBIE.* Proclamation de l'indépendance.
AFRIQUE DU SUD. Frederick De Klerk libère Nelson Mandela et entreprend le démantèlement du régime d'apartheid
LIBERIA. Début de la guerre civile.
TCHAD. Déby renverse Hissène Habré.

1991. *ÉTHIOPIE.* Le régime de Mengistu est renversé.
SOMALIE. La chute du régime de Siayd Barré plonge le pays dans l'anarchie
SIERRA LEONE. Malgré une tentative de démocratisation, le pays bascule dans une guerre civile extrêmement meurtière.

1992. *ALGÉRIE.* Un régime d'exception empêche les islamistes d'accéder au pouvoir.

1993. *ÉTHIOPIE.* L'indépendance de l'Érythrée met fin à l'intangibilité des frontières du continent.

1994. *AFRIQUE DU SUD.* Mandela est élu président.
RWANDA. Des extrémistes hutus organisent le génocide des Tutsis et des Hutus modérés.

1997. *ZAÏRE.* Mobutu est renversé par la rébellion de Laurent-Désiré Kabila. Le pays reprend le nom de Congo.

1999. *ALGÉRIE.* Abdelaziz Bouteflika est élu chef de l'État à la suite d'un scrutin contesté par l'opposition.

AMÉRIQUE

1990. *CHILI.* Rétablissement de la démocratie. *NICARAGUA.* Fin du régime sandiniste ; démocratisation.

1991. *ÉTATS-UNIS.* Les États-Unis forment l'essentiel de la coalition engagée contre l'Iraq lors de la seconde guerre du Golfe.

1992. *SALVADOR.* Fin de la guerre civile.

1993. *ÉTATS-UNIS.* Bill Clinton est élu président.
CANADA. Le projet de réforme constitutionnelle est repoussé par référendum.

1994. *AMÉRIQUE DU NORD.* Entrée en vigueur de l'ALENA, accord de libre-échange nord-américain regroupant les États-Unis, le Canada et le Mexique. *MEXIQUE.* Début de l'insurrection zapatiste du Chiapas. *CANADA.* Le parti indépendantiste revient au pouvoir au Québec. *HAÏTI.* Jean-Bertrand Aristide est rétabli dans ses fonctions.

1996. *ÉTATS-UNIS.* Bill Clinton est réélu.

1998. *CHILI.* Le général Pinochet est arrêté à Londres.

1999. *ÉTATS-UNIS.* La procédure de destitution du président Clinton (en raison du « scandale Monica Lewinsky ») aboutit à un acquittement.

Le « nouveau désordre mondial »

Le président Bush, pendant la guerre du Golfe, a publiquement évoqué la perspective d'un « nouvel ordre mondial » né de la fin de la guerre froide, au sein duquel l'ONU pourrait jouer son véritable rôle, sans être perpétuellement bloquée par les désaccords entre Soviétiques et Occidentaux : empêcher les conflits ou y mettre fin, et faire prévaloir le droit international. La suite des événements ne lui a pas totalement donné raison. Si l'ONU a remporté quelques succès en matière de résolution des conflits (comme en Namibie), ces derniers ont été coûteux, parfois partiels (comme au Cambodge) et sont allés de pair avec de cuisants échecs (comme en Angola). En réalité, la guerre froide, en paralysant l'ONU, avait également masqué ses défauts qui sont, quoique moins accentués, ceux de la SDN : manque de moyens, incapacité à surmonter les désaccords des États qui demeurent souverains.

Les anciens conflits périphériques, que l'on pouvait croire liés d'abord à la guerre froide, ont rarement pris fin avec cette dernière, mais leur nature a changé. Privés de leurs soutiens extérieurs, les belligérants s'alimentent désormais localement, par le pillage ou le trafic, en exportant de la drogue ou des produits tels que le diamant et en important des armes légères. Guerres et criminalité internationales sont donc plus étroitement ou plus ouvertement liées qu'auparavant, et constituent souvent l'unique lien entre les pays riches et les pays pauvres. Une partie de l'Afrique et de l'Asie ne peut donc compter aujourd'hui que sur ses propres ressources pour sortir de la guerre et de la pauvreté. Les pays occidentaux tentent toutefois de préserver leur propre sécurité en intervenant (diplomatiquement ou militairement) dans les régions proches (comme en Algérie) ou dont la stabilité est un véritable enjeu international (comme au Moyen-Orient).

La fin de la guerre froide a néanmoins laissé la place à la « mondialisation » de l'économie et des communications, phénomène favorisé par le rétablissement ou l'apparition de la démocratie dans plusieurs régions (Amérique latine, Europe de l'Est, certains pays d'Asie comme Taïwan ou la Corée du Sud) et par la création de vastes zones de libre-échange, voire d'union économique (en Europe, en Amérique et en Asie). Les progrès du libre-échange favorisent la croissance économique des anciens pays du « tiers-monde » lorsque ces derniers acceptent de le pratiquer comme en Asie, tandis que le progrès technologique, lui-même en partie dû à la réduction des coûts de production permis par les délocalisations d'entreprises, contribue à élever le niveau de vie. La croissance économique demeure néanmoins inégalement répartie et les disparités entre pays industrialisés et pays en développement souvent marquées.

◆ **Casque bleu ukrainien dans la bibliothèque de Sarajevo.**
Outre les effets sur les populations, les conflits des Balkans ont également dévasté le patrimoine historique de plusieurs villes.

Les États-Unis, seule superpuissance ?

Modèle politique influent depuis la fin du XVIIIe s., les États-Unis sont devenus une puissance politique à la faveur des deux guerres mondiales, malgré leurs propres réticences (car la doctrine Monroe voulait limiter l'influence des États-Unis au continent américain). De 1947 à 1991, l'URSS, expansionniste et militairement puissante, demeurait susceptible de les menacer, tout en les incitant à prendre en charge la défense de l'Europe ainsi que de plusieurs autres régions. Les États-Unis sont aujourd'hui une superpuissance incontestée : l'économie américaine représente le quart de la production mondiale, alors que la puissance militaire des États-Unis leur confère un pouvoir non pas illimité mais quasi exclusif d'intervention dans le monde, ce que tendit à montrer la guerre du Golfe, en 1990 et 1991. Considérés comme le « gendarme du monde », ils s'imposent comme un acteur indispensable à la résolution diplomatique ou militaire des conflits locaux au Moyen-Orient ou dans les Balkans (Bosnie, Kosovo). Ce rôle unique est néanmoins souvent très contesté par le caractère parfois unilatéral des interventions américaines.

Petit lexique

mondialisation : phénomène avant tout économique désignant l'internationalisation des économies contemporaines et ses conséquences.

perestroïka : le terme désigne la politique de réforme entreprise en URSS par Mikhaïl Gorbatchev entre 1985 et 1991. En réalité, la perestroïka n'a connu que peu d'applications concrètes sinon un processus d'ouverture et de démocratisation, qui a conduit à l'effondrement de l'URSS.

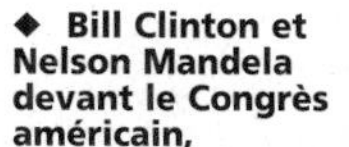

◆ **Bill Clinton et Nelson Mandela devant le Congrès américain,**
le 23 septembre 1998. Leader de l'opposition noire en Afrique du Sud pendant la période de l'apartheid, emprisonné de 1962 à 1990, Nelson Mandela accède à la présidence de ce pays en 1994.

Héraldique

Historique

Emblèmes de communautés ou de familles, les armoiries, dont la connaissance et l'étude constituent l'objet de l'héraldique, sont issues d'une tradition très ancienne.

Dès l'Antiquité, les guerriers ont pris l'habitude de peindre et de sculpter des emblèmes sur leurs boucliers ou leurs cuirasses (boucliers décrits par Homère, boucliers peints des troupes romaines); mais ces ornements ne présentaient pas un caractère exclusif ou héréditaire.

Au XIIe s., les chevaliers ont le visage caché par un heaume, percé seulement de minces fentes à la hauteur des yeux. Comme il est alors impossible de les reconnaître, ils prennent l'habitude de peindre sur leurs boucliers une figure (animale, végétale, géométrique) qui, dès la fin du XIIe s., tend à devenir héréditaire. Cette figure symbolise d'abord celui qui se l'était attribuée, ses possessions, et ensuite sa famille. À partir du XIIIe s., l'emploi des armoiries s'étend aux femmes, aux ecclésiastiques, aux « bourgeois », et aux artisans et paysans ; enfin, un peu plus tard, aux communautés civiles et religieuses et aux institutions. Cependant, à aucun moment et dans aucun pays, le port d'armoiries n'a été le privilège d'une classe sociale. Jusqu'à la fin du XVIIIe s., chacun a pu en adopter et en faire l'utilisation de son choix, à la seule condition de ne pas usurper celles d'autrui.

À la fois marques de possession et ornements décoratifs, les armoiries ont pris place, du XIIIe au XIXe s., sur d'innombrables objets, monuments et documents. Bien souvent, leur étude est le seul moyen dont nous disposons aujourd'hui pour situer ces objets dans l'espace et dans le temps, pour en retrouver les possesseurs, pour en retracer l'histoire. Enfin, l'héraldique nouvelle se propose d'étudier le blason en tant que système de signes situant l'individu dans le groupe, et le groupe dans la société. Précieuse auxiliaire pour l'historien et l'archéologue, l'héraldique forme en elle-même un art, par la richesse de son écriture et sa symbolique.

◆ Ornements extérieurs de l'écu.

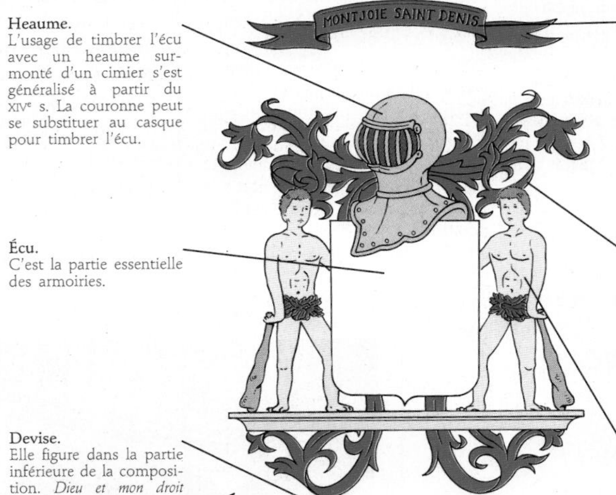

Heaume. L'usage de timbrer l'écu avec un heaume surmonté d'un cimier s'est généralisé à partir du XIVe s. La couronne peut se substituer au casque pour timbrer l'écu.

Écu. C'est la partie essentielle des armoiries.

Devise. Elle figure dans la partie inférieure de la composition. *Dieu et mon droit* est la devise du roi d'Angleterre.

Cri de guerre. Signe de ralliement à l'époque où le heaume cache le visage, il sert à rallier au combat les soldats de la même maison. *Montjoie Saint-Denis !* est le cri des rois de France. Il figure sur une banderole (ou listel) dominant les armoiries.

Lambrequins. L'écu est souvent orné de lambrequins, longs rubans tailladés stylisant les déchirures reçues dans les combats.

Tenants, supports, soutiens. L'écu peut être accosté de 2 êtres humains (tenants), de 2 animaux (supports), ou d'objets inanimés (soutiens), tels que des arbres ou des colonnes.

◆ Quelques écus d'autres pays européens.

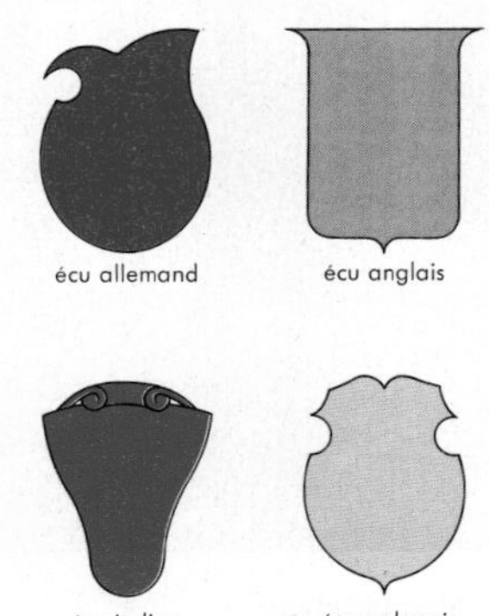

Petit lexique

brisure : modification apportée à des armoiries, pour distinguer une branche cadette ou bâtarde de la branche principale ou légitime. À l'origine, le chef de famille portait seul les armes pleines ; les cadets les modifiaient de diverses manières, notamment en ajoutant quelques pièces, comme un lambel ou une traverse. Les cadets des branches secondaires ajoutaient à leur tour des surbrisures.

enquerre (armes à) : armes contrevenant à dessein aux règles héraldiques, présentant par exemple métal sur métal (armes de Jérusalem). Le décor de l'écu était peint ou fait de placages superposés. De cette technique découle une règle classique, qui veut que les couleurs et les métaux soient alternativement superposés. Sur un fond de couleur, les pièces doivent être de métal, et inversement.

Les croix

La croix, forme géométrique très simple, est un des plus anciens éléments décoratifs utilisés par l'homme. Les Égyptiens symbolisaient l'immortalité de l'âme par la croix ansée. La croix gammée est présente dans l'art scandinave comme dans l'art indien. Dans le monde chrétien, la croix est le symbole du Christ. L'origine des croix héraldiques est dans celles que les croisés portaient sur leurs vêtements ou sur leur écu. Afin de se distinguer les uns des autres, ils en firent varier les formes à l'infini. La croix à double traverse, que l'on appelle communément croix de Lorraine, figura d'abord dans les armoiries angevines, et fut introduite en Lorraine par le roi René. Elle prend son origine dans un reliquaire de la vraie Croix, rapporté d'Orient au XIIIe s. Louis Ier d'Anjou fonda sous son invocation un ordre de chevalerie, et le roi René la fit frapper sur ses monnaies.

Les couronnes

Pendant tout le Moyen Âge, les couronnes héraldiques, d'une très grande diversité, sont considérées comme un simple élément décoratif. Au XIVe s., elles ornent souvent le heaume et n'ont pas de caractère nobiliaire. Les couronnes primitives des rois de France en dérivent. Au XVe s., l'usage de les fermer au moyen d'arcs apparaît. Ce n'est en fait qu'au XVIIe et au XVIIIe s. que les auteurs héraldiques codifient les couronnes nobiliaires, dont la hiérarchie et l'aspect diffèrent suivant les pays. Certaines couronnes honorifiques peuvent se poser sur le casque ou surmonter l'écu : la couronne vallaire, dont le cercle est rehaussé de pieux, formant palissade ; la couronne murale des villes, réminiscence de l'Antiquité, qui date de Napoléon Ier. Suivant l'importance de la ville, elle porte trois, quatre ou cinq tours. Par ailleurs, l'héraldique urbaine contemporaine emploie la couronne aviale et la couronne navale pour timbrer les armes des villes dotées d'un aérodrome ou d'un port.

couronnes

Les heaumes

Le heaume, casque ou armet, est l'un des plus prestigieux ornements de l'écu. En principe réservé aux seuls nobles, le port d'armoiries timbrées (surmontées d'un heaume ou d'une couronne) se généralise au XIVe s. Une hiérarchie plus ou moins idéale en est établie au XVIIe s. Les casques sont tarés (présentés) de front ou de profil, suivant le rang du possesseur. En France, dans les armes des rois et empereurs, le heaume est d'or, taré de front, sans grille ; les princes et les ducs souverains le portent de même, mais moins ouvert. Le heaume est d'argent, taré de front avec 7 ou 9 grilles pour le marquis ; d'argent, taré aux deux tiers à dextre, avec 7 ou 9 grilles pour les comtes et les vicomtes ; avec 5 ou 7 grilles, il désigne le baron. Les gentilshommes anciens portent le heaume d'acier poli, taré de profil, à 5 grilles ; il comporte 3 grilles pour le gentilhomme de trois races. Le heaume d'acier presque entièrement fermé désigne le nouvel anobli.

heaumes

d'empereur ou roi

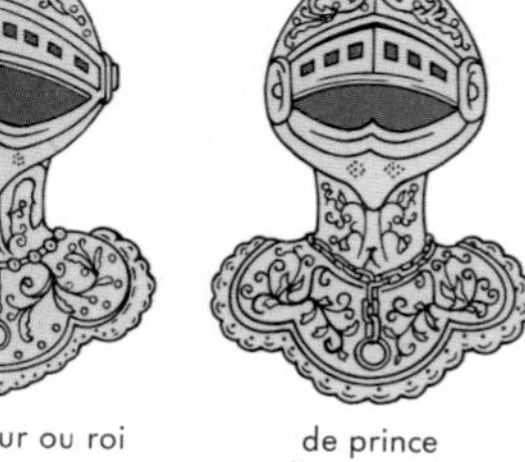
de prince et duc souverains

de prince et duc non souverains

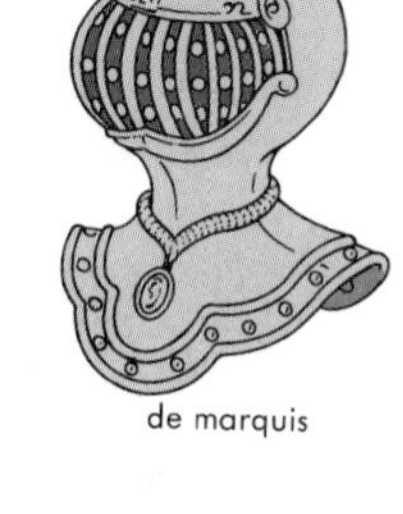
de marquis

de comte et vicomte

de baron et gentilhomme

gentilhomme de trois races

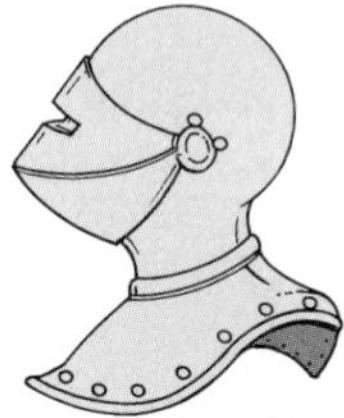
nouvel annobli

Le blasonnement

Soumises dans leur composition à des règles spéciales, les armoiries sont décrites suivant un ordre précis et des principes stricts qui sont ceux du blason. L'écu est le support des armoiries, qui peuvent exceptionnellement se réduire à lui seul. L'écu est considéré comme placé devant un buste humain ; la dextre apparaît à gauche de celui qui le regarde, la senestre à sa droite. Il est teinté d'émaux divisés en couleurs, en fourrures et en métaux. Les couleurs utilisées sont « gueules » pour le rouge, « azur » pour le bleu, « sable » pour le noir, « sinople » pour le vert et « pourpre » pour le violet. Les Anglais ajoutent aux couleurs héraldiques l'orangé ou « tanné » *(tenny)*, ainsi que la *blood colour* (sanguine). Les Allemands utilisent aussi le « tanné » (brun-roux). Les fourrures comprennent l'hermine, le vair et leurs dérivés (contre-hermine, contre-vair, vairé). Le vair représente la fourrure d'un petit rongeur dont le dos est gris-bleu et le ventre blanc ; on cousait ensemble les dos tournés vers le haut, les ventres tournés vers le bas. D'où une représentation stylisée alternant cloches d'azur et pots d'argent. Les métaux sont l'or et l'argent. Le champ est la surface de l'écu sur laquelle sont représentées les figures (pièces, meubles) et les partitions.

La description commence par la teinte du champ, puis on cite la ou les pièces principales (pièces honorables), les pièces moins importantes (meubles) venant ensuite. Lorsqu'une pièce héraldique (et cela s'entend surtout des pièces héraldiques du premier ordre) est chargée d'autres meubles, tout se passe, en principe, comme si la pièce chargée était elle-même un écu. Cette description se fait du chef vers la pointe, et de dextre vers senestre. On cite en dernier ce qui est au centre de l'écu. S'il y a lieu, on décrit ensuite les ornements extérieurs.

Petit lexique

blason : description technique des armes ou armoiries, faite verbalement ou par écrit. Par extension, écu armorié.

blasonner : décrire les armoiries suivant les règles de l'héraldique.

dextre : qui est placé du côté droit de l'écu, pour l'écuyer (à gauche, pour l'observateur) par opposition à senestre.

meuble : figure qui occupe une place variable dans l'écu, à la différence des pièces géométriques.

partition : les partitions sont les divisions de base de l'écu. Chacune d'elles forme un quartier de l'écu et peut être divisée à son tour ; c'est une repartition. Les principales partitions sont : coupé, parti, tranché, taillé, écartelé, écartelé en sautoir.

pièce : figure géométrique obtenue par la division de l'écu au moyen de lignes qui le partagent en un nombre impair de parties.

pièce honorable : pièce qui occupe le tiers de la surface de l'écu. Cette classification s'applique aux pièces dont le caractère a été le plus anciennement fixé ; le nombre des pièces honorables de premier ordre a parfois été étendu jusqu'à plus de 20. Les plus connues sont le chef, le pal, la fasce, la bande et le chevron, ainsi que la croix et le sautoir.

Divers attributs affectent les pièces honorables, dont :
- alaisé / e ou alésé / e : pièce héraldique raccourcie dont les extrémités ne touchent pas les bords de l'écu ;
- bretessé / e : pièce crénelée symétriquement des deux côtés ;
- engrelé / e : pièce héraldique présentant sur les bords des dents arrondies.

rebattement : répétition des mêmes pièces ou des mêmes partitions à l'intérieur de l'écu. Lorsque ces pièces sont diminuées de largeur des deux tiers au moins, elles changent de nom ; le pal devient une vergette, la fasce une burèle.

Blasons et uniformes : héraldique *(suite)*

DIVISIONS DE L'ÉCU

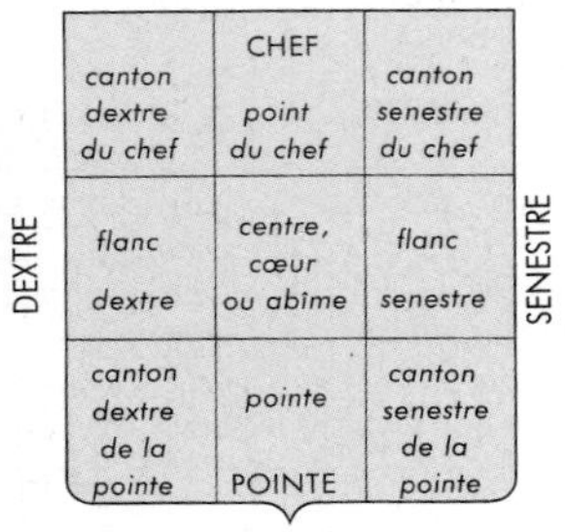

DEXTRE				SENESTRE
	canton dextre du chef	CHEF point du chef	canton senestre du chef	
	flanc dextre	centre, cœur ou abîme	flanc senestre	
	canton dextre de la pointe	pointe POINTE	canton senestre de la pointe	

◆ **Divisions de l'écu.**

PARTITIONS PRINCIPALES DE L'ÉCU

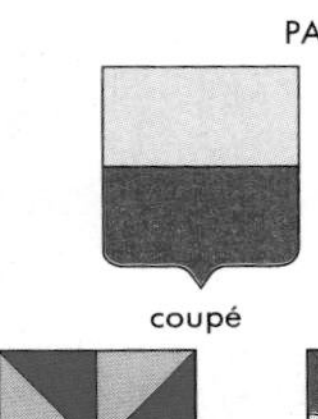
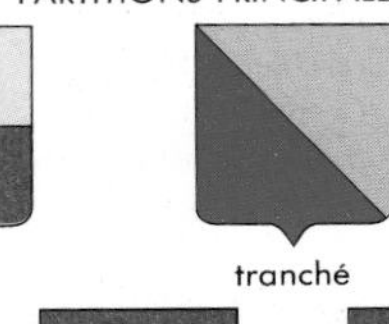

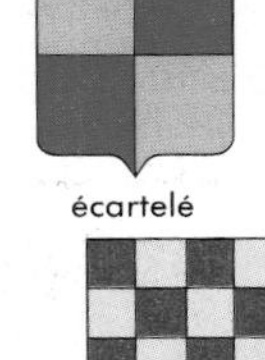

parti — coupé — tranché — taillé — écartelé

écartelé en sautoir — gironné — tiercé en fasce — équipolé — 8 quartiers — 16 quartiers

ÉMAUX

COULEURS

gueules — pourpre — azur — sinople — sable — orangé

METAUX

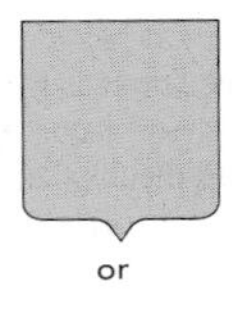

or — argent

FOURRURES

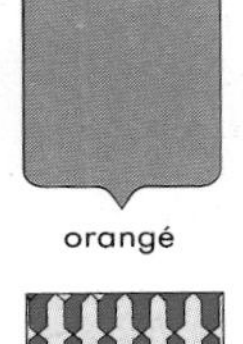

hermine — contre-hermine — vair — contre-vair

PIÈCES HONORABLES

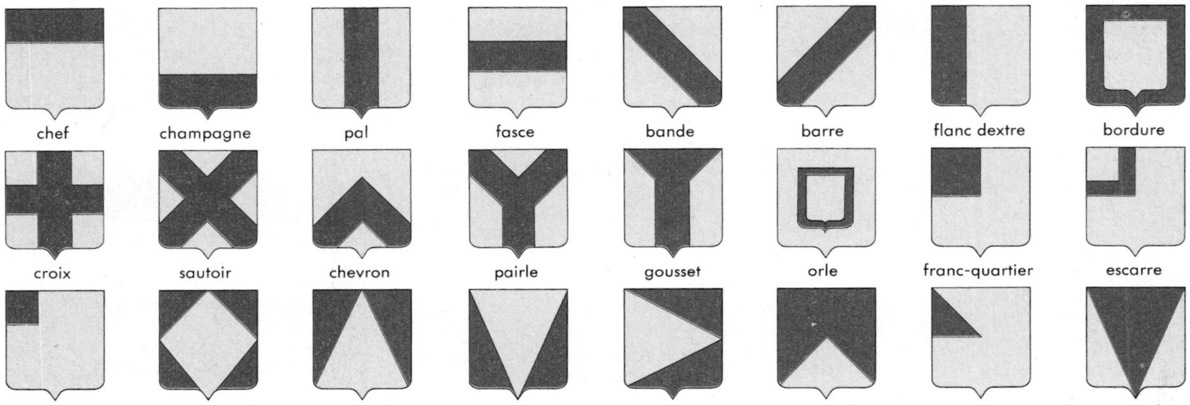

chef — champagne — pal — fasce — bande — barre — flanc dextre — bordure

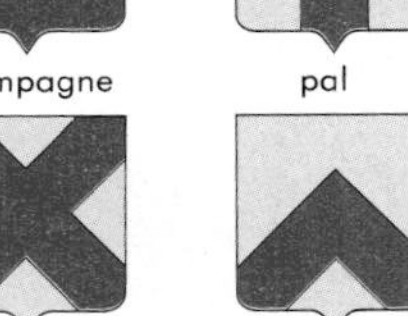
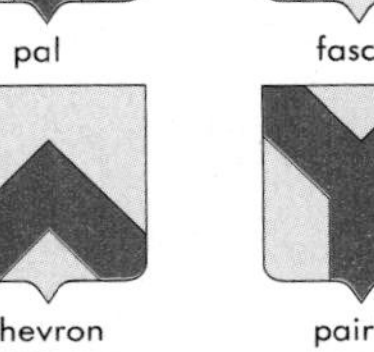
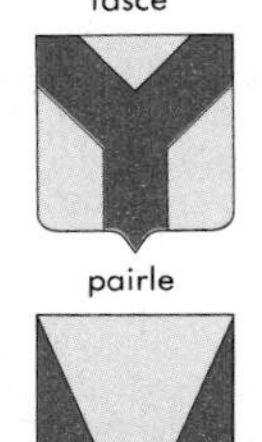
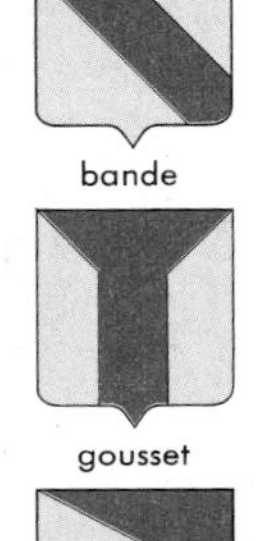

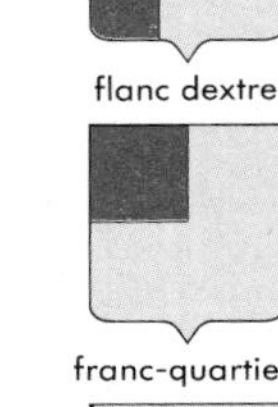
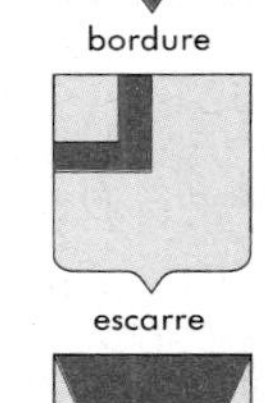

croix — sautoir — chevron — pairle — gousset — orle — franc-quartier — escarre

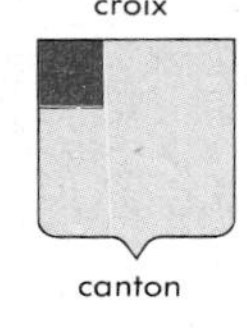

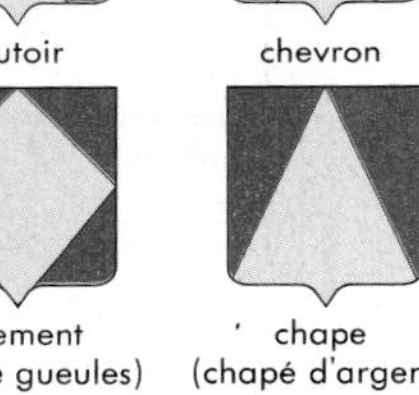
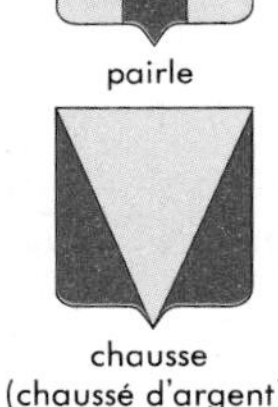
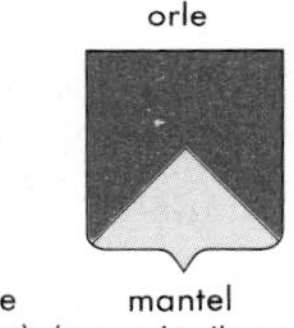

canton — vêtement (vêtu de gueules) — chape (chapé d'argent) — chausse (chaussé d'argent) — embrasse sénestre (embrassé d'argent) — mantel (mantelé d'argent) — giron — emmanche (emmanché d'argent

REBATTEMENTS

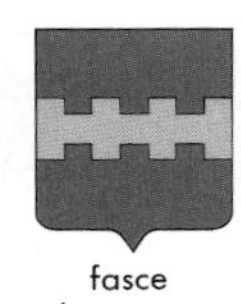

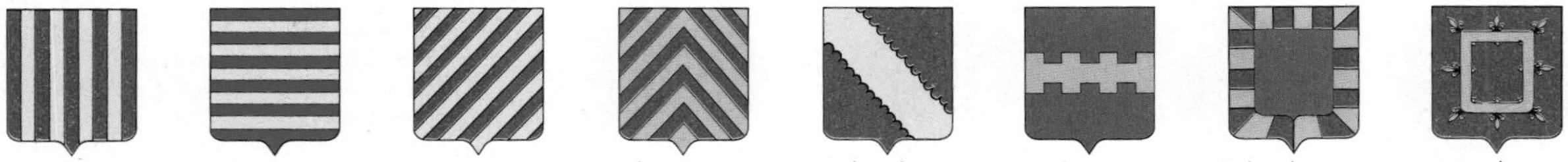

vergettes — burèles — cotices en barre — chevronné — bande engrêlée — fasce bretessée — bordure componée — trescheur

MEUBLES

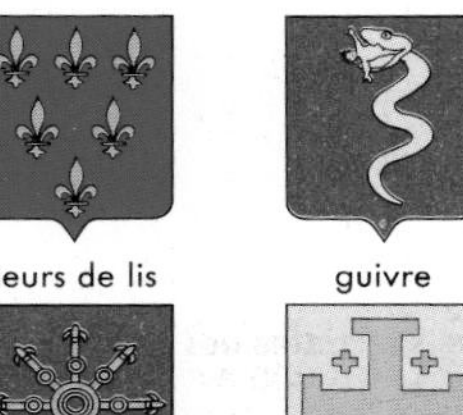

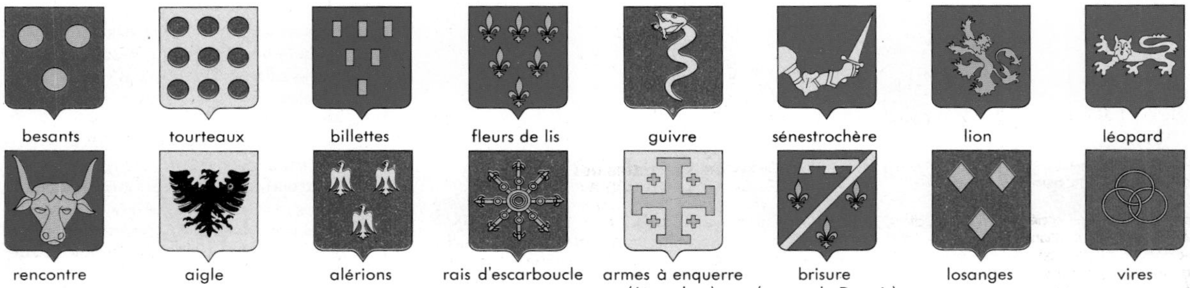

besants — tourteaux — billettes — fleurs de lis — guivre — sénestrochère — lion — léopard

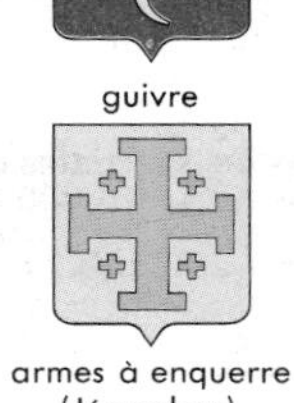

rencontre — aigle — alérions — rais d'escarboucle — armes à enquerre (Jérusalem) — brisure (armes de Dunois) — losanges — vires

Uniformes de l'Antiquité

Les armées grecques

Si l'uniforme est considéré comme essentiel dans les armées modernes, il n'en allait pas de même dans l'Antiquité. Ainsi, les Grecs ne connaissaient aucune sorte d'uniforme. Et, si certaines formes de vêtement étaient davantage en faveur parmi les soldats, aucun règlement ne les obligeait à les porter. Hormis un manteau se jetant sur l'épaule gauche, la chlamyde, l'équipement était laissé au goût et à la fortune de chacun. Les jambières cnémides sont particulièrement représentatives de l'équipement traditionnel du soldat grec. Le bouclier est très généralement répandu : celui des combattants des guerres médiques ou du Péloponnèse est appelé *aspis*, tandis que celui, plus léger, du fantassin d'appui se nomme *peltè*. Apparu dès l'époque mycénienne, le casque connaît quant à lui des formes variées.

Dans les cités de l'époque classique (Vᵉ s. av. J.-C.), les citoyens aisés forment le noyau de l'armée, la phalange des hoplites. Si l'armure est réservée aux plus riches, presque tous portent la lance, le casque, l'épée et un grand bouclier lourd *(hoplon)*. Au même moment apparaît un habit court sans pli, serré à la ceinture et descendant jusqu'aux genoux, la *kabbade* ou *cabade*, qui est bordé de franges aux nuances variées.

Dans l'armée macédonienne de Philippe II et d'Alexandre le Grand, le casque semble ne pas être porté systématiquement. Le plus souvent en bronze, il est parfois peint (la tombe macédonienne de Lyson et Calliclès offre un exemple de casque jaune cerné d'une bande noire et rouge).

Philippe II introduit la sarisse, une pique pesant près de 8 kg pour 6,30 m de long et se terminant par une longue pointe d'acier de 50 cm. Aussi l'historien Polybe put-il écrire : « Les Grecs ont déjà assez de peine à porter leurs sarisses au cours des marches et à endurer la fatigue que leur impose une charge. »

C'est cependant grâce à sa phalange de dix rangs de sarisses que Philippe II vainquit les hoplites de Thèbes et d'Athènes à Chéronée (338 av. J.-C.).

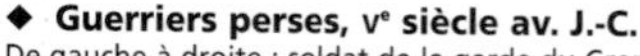

◆ **Guerriers perses, vᵉ siècle av. J.-C.**
De gauche à droite : soldat de la garde du Grand Roi appelé « immortel » car, dès que l'un d'eux mourait, un autre le remplaçait dans le rang ; porte-enseigne scythe, vêtu d'une tunique brodée ; archer armé d'un javelot et d'un arc.

◆ **Soldat de la phalange macédonienne, v. 330 av. J.-C.** Le « lochagos » est armé d'une lance de 6,3 m de long, la sarisse, et d'un bouclier à bords non renforcés. Il porte un casque « thrace » et, aux jambes, des cnémides.

◆ **Fantassins grecs, de l'époque classique 470 av. J.-C.**
L'hoplite (à gauche) est armé du hoplon (bouclier), d'une lance de 2 à 3 m, d'une épée en fer de 60 cm placée dans un fourreau en bois recouvert de cuir. Le phalangiste (à droite), spécialiste du combat d'escarmouche, est plus légèrement armé que l'hoplite.

◆ **Guerriers spartiates des guerres du Péloponnèse, v. 420 av. J.-C.**
À gauche, hilote (esclave enrôlé comme soldat auxiliaire) armé d'un javelot et d'une fronde. Il est muni d'un sac en peau de chèvre contenant sa nourriture et sa boisson. À droite, hoplite, en tenue de combat, portant un casque « corinthien » en bronze, un bouclier frappé du blason de Sparte et une cuirasse de lin blanc.

Des Romains aux Carolingiens

Les Romains

Les armées romaines ont, presque certainement, ignoré l'uniforme. Si le *sagum*, qui leur tenait lieu de capote, et la *lacerna*, sorte de manteau à capuchon, se retrouvent chez tous les soldats, rien ne permet d'affirmer qu'ils aient été tenus de les porter de la même coupe et de la même couleur. L'effort d'uniformisation aura davantage concerné les armements. En dehors du casque, du bouclier et de la cuirasse qui servaient à différencier chaque corps, rien ne réglait l'habit militaire.

◆ Soldats prétoriens à la fin de la République et au début de l'Empire.
Les cohortes prétoriennes, qui jouèrent le rôle d'une garde impériale, intervinrent à plusieurs reprises dans le choix des empereurs.
De gauche à droite : porte-enseigne *(signifer)* et soldat prétorien en uniforme de parade.

◆ Légionnaire romain en tenue de marche, début du Ier s. av. J.-C.
Il porte un javelot léger, un javelot lourd et un équipement complet de marche : ce lourd paquetage était surnommé la « mule de Marius ».

Les Gaulois

De la même manière, ni la saie et les braies des Gaulois, ni le sayon de peau et le haubert des guerriers francs ne constituaient des uniformes.

À toutes ces époques, on exigea des troupes l'uniformité des armements, mais jamais celle des vêtements ; il y eut certains signes de reconnaissance, alors que les armures en fer battu se généralisaient, pour différencier les nations ou les partis : croix, aiguillettes, écharpes.

◆ Guerriers gaulois à la veille de la conquête romaine.
Armés d'une épée longue et d'un bouclier romain, ils portent un lourd casque et des braies, pantalons longs ou courts en tissu ou en cuir.

Les figures de la terreur. Les guerriers barbares arborent souvent un équipement propre à effrayer leurs ennemis. Ainsi, le guerrier gaulois expose avec dédain et insolence sa poitrine nue aux coups, car il possède un casque effrayant orné de têtes d'animaux féroces à la gueule ouverte, d'ailes d'aigle ou de cornes de taureau. Les chefs gaulois portent parfois une sorte de casaque de cuir recouverte de clous de métal, mais il s'agit davantage d'un équipement de parade destiné à signaler leur rang et à impressionner leurs adversaires que d'une armure protectrice. Les peuples germaniques conservèrent un équipement analogue jusqu'aux invasions du Ve siècle. Leur intrépidité suscita la terreur chez les Romains : ainsi, chez les Francs, qui associaient force et chevelure, certains soldats se faisaient-ils raser l'occiput pour ne pas avoir la tentation de tourner le dos à l'ennemi.

Les Carolingiens

Le guerrier carolingien rappelle par son équipement le Romain du Bas Empire et le Byzantin, comme l'attestent les miniatures de l'époque. Les soldats qui sont affectés comme gardes du corps impériaux puis royaux revêtent ce qui peut déjà sembler être une manière d'uniforme : casque à aigrette, qui préfigure le morion de la Renaissance, et ample manteau rouge évoquant la couleur pourpre impériale. Les soldats de Charlemagne, qui allaient combattre dans la péninsule italienne le roi des Lombards, étaient équipés du glaive, de la demi-pique et du bouclier rond. Si leur aspect général n'est pas sans rappeler celui des soldats byzantins, cela n'est certes pas un effet du hasard : les empereurs d'Occident sont fascinés par les fastes de l'Orient, comme s'ils allaient y trouver un supplément de légitimité, fût-ce par imitation. Et si la cavalerie devient sous Charlemagne le fer de lance de l'armée franque, elle le doit davantage à sa formidable impétuosité qu'à l'ordonnancement de son équipement : le combat se réduit essentiellement à un choc particulièrement violent, et tout l'art militaire consiste à amener au moment choisi et à l'endroit voulu les troupes les plus nombreuses.

◆ Guerriers francs au début du Ve s. apr. J.-C.
Armés d'une lance de jet, l'angon, ou d'une hache, la francisque, ils se caractérisent par leur tunique rayée et portent nuque rasée et moustache.

Le Moyen Âge

L'évolution de l'équipement

Les cavaliers de l'armée carolingienne, étaient équipés légèrement d'un bouclier, d'une lance, d'une épée et d'un poignard, parfois d'un arc, ou lourdement protégés par un casque, des jambières et un vêtement de cuir recouvert de petites plaques de métal, la broigne, qui disparaît vers l'an mille et auquel succède le haubert long. Au XIIIe s. s'impose la cotte de mailles qui descend jusqu'aux genoux. Le casque à nasal conique est alors abandonné au profit du heaume. Pendant la guerre de Cent Ans, le progrès des armes de jet (arcs, arbalètes) impose de renforcer l'armement défensif : le bassinet à visière mobile (ou mézail) remplace le heaume et, avec la cuirasse articulée qui assure une protection totale, l'armure s'étend sur tout le corps. Le cheval est d'ailleurs lui aussi couvert d'une armure. À partir du XIVe s., la vogue des tournois entraîne la création d'armes de parade, tandis que la chevalerie perd progressivement son rôle militaire : son lourd armement la rend difficilement maniable sur les champs de bataille, où elle doit affronter les armes de jet (arcs, arbalètes) puis, au début du XVe s., les premières armes à feu. Les guerres d'Italie lui offriront ses dernières grandes heures, à travers la figure héroïque de Bayard.

◆ **Chevalier de l'an mille.** Il est armé d'un bouclier de fer et coiffé d'un casque à nasal.

◆ **Chevalier croisé, début du XIIe siècle** Il est revêtu d'une chemise (ou cotte) de mailles.

◆ **Chevalier normand du XIIe siècle.** Il porte une armure normande, un haubert long et un casque à nasal.

◆ **Templier.** Ces moines-soldats, dont l'ordre fut institué au XIIe s., portaient un manteau blanc à la croix de gueules.

◆ **Archer anglais.** À la bataille de Crécy (1346), le grand arc anglais, plus puissant et huit fois plus rapide, a triomphé des arbalètes françaises.

◆ **Chevalier français, à l'époque de la bataille de Poitiers (1356).** La lourdeur de son armement entraîna plusieurs défaites de la chevalerie française au cours de la guerre de Cent Ans.

◆ **Piéton au début du XVe siècle.** Armé du fauchard, il était chargé de couper les jarrets des chevaux.

◆ **Coutilier du début du XVe siècle.** Cet homme de pied était armé d'une épée à lame plate ou triangulaire (coutille) qui pouvait se manœuvrer avec une seule main.

◆ **Chevalier du XVe siècle en armes de guerre.** C'est ainsi armée que la chevalerie française fut décimée par les Anglais à Azincourt (1415).

Les armures à la fin du Moyen Âge

Les armures étrangères seraient-elles de meilleure facture que les armes françaises ? Quoiqu'il soit difficile de se prononcer on peut affirmer qu'elles sont particulièrement prisées. Il n'est pas un preux chevalier qui ne soit prêt aux plus grands des sacrifices pour acquérir un « harnois blanc » de Missaglia, le maître armurier italien. Et si les délais lui semblent trop longs, il peut se retourner du côté d'Augsbourg, où Colmann n'a pas son égal pour polir et usiner les précieux éléments de ses splendides cuirasses. à moins qu'il ne se rende à Nuremberg où la réputation de Grünewalt, maître armurier, n'est plus à faire. Les armures de joute des tornéors, ces chevaliers qui rivalisent d'adresse au cours de tournois, sont d'un luxe inouï.

La Renaissance

Les armées de Francois Ier

À la bataille de Saint-Quentin, le 25 août 1557, les 7 000 soldats anglais qui combattent dans les rangs impériaux sont vêtus de manière uniforme. Tel n'est pas le cas des soldatsfrançais : François Ier avait seulement exigé que l'une des manches de la casaque fût de la couleur de la livrée du commandant. Sous le règne d'Henri II, il ne restera même, de ces tentatives d'uniformisation du vêtement des soldats, que l'écharpe. En revanche, après la défaite essuyée à Pavie en 1525, la cavalerie de François Ier s'allège : c'est l'époque des stradiots albanais, des pistoliers et des célèbres chevau-légers. Les lansquenets allemands, portant chausses tailladées et pourpoints, sèment la terreur chez les paysans. Terribles cavaliers, les reîtres, surnommés les « armures noires », sont défaits en 1575, à Dormans, par Henri de Guise. La maison militaire de François Ier, les archers français et écossais, les gentilshommes à bec-de-corbin, les cent-suisses portent les couleurs du roi, parfois celles de la reine, ou encore celles de Diane de Poitiers. L'infanterie rassemble les piquiers, casqués et corsetés de fer, ainsi que les mousquetaires, plus légèrement protégés et coiffés d'un feutre. Les fastueuses armures d'antan ne sont plus guère portées que par les officiers généraux : ce sont de magnifiques cuirasses entièrement cloutées d'or, sur lesquelles flotte l'écharpe blanche que chaque soldat reconnaît comme l'insigne du commandement. Quant aux artilleurs, coiffés d'un morion et corsetés de fer, ils utilisent un matériel de plus en plus perfectionné. Seuls les maîtres aristocratiques de la cavalerie et les fantassins de la maison militaire portent des vêtements uniformes : garde de la Manche vêtu du hoqueton d'argent, garde-française protégé par le « buffle » de cuir, garde-suisse tout de rouge et de jaune vêtu.

Le poids des armes

Pavie, 24 février 1525. Les derniers chevaliers de France, les preux de François Ier, sont battus à la fois par les impériaux et par leurs trop lourdes cuirasses. Si l'armure du chef de lance est moins pesante qu'aux siècles précédents, sa monture doit cependant supporter environ 90 kg de fer battu. En effet, le « harnois » du cavalier – le chanfrein, la cotte de mailles et les barbes de métal qui recouvrent le destrier – atteint ce poids exorbitant. Ainsi, engoncés dans leur pesant équipement – armet à plumes d'autruche, cuirasses à braconnière et à tassettes –, les cavaliers de François Ier apparaissent étonnamment fragiles. Dans l'impossibilité de manœuvrer avec célérité, les chevaliers représentent des proies faciles pour les piétons adverses.

◆ **Double-solde** coiffé de la bourguignotte (1550). Issue de la barbute italienne et de la salade, la bourguignotte est adoptée par les *Knappen*, hommes d'armes des seigneurs féodaux allemands, et par les lansquenets sous le nom de casque d'assaut.

◆ **Stradiot** (1560). Soldat de cavalerie légère originaire de Grèce et entré au service de la France sous Louis XII.

◆ **Arquebusier** fonctionnant avec de la poudre noire, l'arquebuse est très sensible aux intempéries. Qualifiée d'arme diabolique, elle se répand malgré les protestations de la noble chevalerie. Bayard avait promis la pendaison à tout arquebusier capturé !

◆ **Chevalier** portant une armure maximilienne à l'allemande (1530). L'armure cannelée allemande, du nom de l'empereur Maximilien, apparaît peu après 1500. Si la plupart des « maximiliennes » ont été fabriquées après sa mort, il n'en reste pas moins que l'empereur avait donné une réelle impulsion à l'industrie allemande.

◆ **Cent-suisse** vêtu aux couleurs de Diane de Poitiers (1559).

◆ **Chevau-léger** revêtu de l'armure niellée d'argent (1550). Son armement a toujours été plus léger que celui de la grosse cavalerie des hommes d'armes de la gendarmerie.

◆ **Sergent d'infanterie espagnole** (1518-1536). La hallebarde est l'arme distinctive des sergents, et cela jusqu'en 1787. Les sergents sont, en outre, autorisés à porter des plumes à leur casque (morion).

◆ **Arquebusier** (guerre d'Italie).

◆ **Tambour** (guerre d'Italie).

◆ **Capitaine hallebardier** (1530). Vers le début du XVIe siècle, la hallebarde perd sa force de taille par l'atrophie de sa hache alors que sa pointe s'allonge en un estoc effilé.

XVIIe et XVIIIe siècles

L'uniforme obligatoire

Les premières ordonnances imposant un uniforme commun à toutes les troupes de la même arme remontent, en France, au règne de Louis XIII. Dans les faits, elles furent très peu observées : jusqu'au règne de Louis XIV, les régiments portent les couleurs de leur colonel. La question sera définitivement réglée par Louvois (1639-1691) : une nouvelle ordonnance rend alors l'uniforme obligatoire dans l'armée, et c'est le ministre de la Guerre qui en fixe les détails. Le soldat d'infanterie porte désormais un justaucorps blanc ou bleu à larges basques descendant jusqu'au jarret, un gilet blanc, des culottes blanches; des guêtres et des souliers complètent la silhouette. La tenue des officiers ne diffère que par la finesse des étoffes et par les galons d'or et d'argent, insignes de grades. L'uniforme de la cavalerie ressemble à celui de l'infanterie : des bottes majestueuses remplacent les guêtres, la culotte est de peau et le chapeau se trouve surmonté d'un plumet. Fantassins et cavaliers portent sur la poitrine deux bandoulières croisées, l'une pour le sabre, l'autre pour la giberne. On retrouve des uniformes analogues dans les armées étrangères.

À dire vrai, la tenue n'est pas portée tous les jours. Jusqu'au règne de Louis XV, le service des places et le passage des revues s'opèrent toujours en habit civil; seule la maison militaire est à peu près constamment en uniforme. Encore verra-t-on des officiers aux gardes faire leur service en costume de fantaisie. Le ministère de Choiseul (1719-1785) apporte quelques modifications, essentiellement dans le domaine de la couleur : le blanc est désormais réservé à l'infanterie, le bleu à la cavalerie, le vert aux dragons. Sous le règne de Louis XVI, deux ordonnances de 1776 et de 1789 classent les régiments en six séries, qui se distinguent les unes des autres par la couleur des revers et des parements. Des grenadiers, armés d'une « grenade » rudimentaire et coiffés de la mitre, apparaissent alors dans chaque régiment d'infanterie, puis dans la cavalerie de la Maison du roi. Les gendarmes du roi et des princes vêtus de rouge, les carabiniers, le régiment des cuirassiers du roi forment l'élite de la cavalerie.

◆ **Tambour du régiment du Lyonnais** en livrée, vers 1720. Chaque compagnie dispose de son tambour : ainsi certains régiments peuvent faire battre ensemble 68 tambours.

◆ **Fusilier de l'infanterie autrichienne** (1710). L'uniforme présente peu de différence avec le costume civil, exception faite de sa teinte grise.

◆ **Officier général de cavalerie,** sous le règne de Louis XIV (1650).

◆ **Soldat du régiment royal** en tenue de route (1740). Le fusil, modèle 1728, préfigure tous les fusils des 138 armées qui suivirent : il mesure 1,593 m, pèse 4,100 kg et tire une balle de 17,5 mm.

◆ **Bombardier de marine** (Toulon, 1755).

◆ **Mousquetaire** de la 1re compagnie de la Maison du roi (1744). Les mousquetaires font le service à pied et à cheval, accompagnant le roi dans ses sorties.

◆ **Cuirassier autrichien** (1760) armé de la carabine dite « tromblon » (elle tire une salve de 12 balles). Le cuirassier, cavalier lourd, tire son nom de l'épais pourpoint de cuir qu'il avait porté jadis avant de lui substituer la cuirasse.

◆ **Régiment suisse de Corteu** (1767). Vêtus de leur habit bleu et rouge, les Suisses portèrent à partir de 1771 un uniforme plus adapté à la guerre.

◆ **Fantassin de la guerre d'Indépendance américaine** en tenue de chasse (tenue la plus répandue) [1777].

◆ **Fantassin de Pennsylvanie** en uniforme bleu et rouge (1777) pendant la guerre d'Indépendance américaine.

Le modèle prussien

De l'année 1670, époque de la suppression complète de l'armure défensive, date une mesure importante, dont l'idée est attribuée à Colman du Franolat : les soldats sont désormais habillés aux frais du roi. Si le gris et le blanc sont les couleurs adoptées, la forme, le modèle, la coupe, le tissu font aussitôt l'objet d'un débat passionné. La France se tourne alors vers la Prusse, où l'habit des grenadiers est déterminé, en 1698, par Frédéric Ier, Électeur de Brandebourg. L'ample vêtement – la veste bleue à parements assortis, boutons jaunes, doublure rouge, chapeau en drap ou court bonnet – est adopté par le soldat français.

Le XIXe siècle

De l'habit à la tunique

Les guerres révolutionnaires introduisent de nombreuses modifications dans les uniformes militaires. L'habit bleu et les longues guêtres sont retenus pour leur commodité. La Garde impériale conservera les cheveux poudrés et la queue pendant un temps. Sous l'Empire, l'indigo se faisant rare, les fabricants le remplacent par le pastel; l'habit bleu de l'infanterie est raccourci, devenant l'« habit veste », auquel on ajoute le gilet à manches et le pantalon de tricot, une capote grise et un shako. À partir de 1812, les revers arrondis de l'infanterie de ligne cèdent la place à des revers carrés tandis que, dans l'infanterie légère, les revers droits succèdent aux revers en pointe. L'usage du shako se généralise : les carabiniers sont les derniers à porter le bonnet à poil. Les officiers qui entourent Napoléon continuent, eux, d'affectionner les attributs luxueux : plumes, dorures, fourrures, broderies, brandebourgs. Louis XVIII restaure les anciennes Maison bleue et Maison rouge, les gardes de la porte et le régiment des gardes-suisses. En 1829, la couleur garance est adoptée pour le pantalon. À partir de 1843, la tunique, essayée d'abord par quelques corps en Algérie, remplace l'habit tandis que le képi supplante le shako, au moins pour la tenue de campagne. Sous le second Empire, la longueur de la tunique est réduite jusqu'à n'en faire qu'une veste à petites basques; la capote grise protège tous les soldats de la pluie et du froid. À partir de la guerre de Crimée, Prussiens et nations alliées, Russes et Britanniques adoptent la tunique, qui s'étend par la suite à toutes les armées d'Europe et d'Amérique. Après les succès français en Afrique du Nord, le képi se répand dans de nombreuses armées. Les Allemands, eux, adoptent alors le casque à pointe.

◆ **Voltigeur** (1812).
Les voltigeurs forment des compagnies d'élite composées des bons soldats que leur petite taille empêche d'être admis chez les grenadiers ou les carabiniers.

La mode européenne aux Amériques

En 1840, le tambour-major des marines américains semble tout droit issu de la plaine de Châlons. Durant la guerre de Sécession, l'armée des États-Unis présente toujours une allure française, tout en adoptant le casque à pointe prussien. À la même époque, les hussards de la Garde nationale brésilienne portent l'habit à la hussarde complet, mais assorti de la coiffure des lanciers polonais. À la veille de la Première Guerre mondiale, les milices ou les unités de volontaires américaines conservent l'allure des hussards prussiens. D'autres sont habillées à la manière des dragons britanniques de la guerre de Crimée.

◆ **Volontaire de l'an II,** vainqueur à Valmy (1792).

◆ **Mamelouk.** Les Mamelouks de la Garde impériale trouvent leur origine dans la cavalerie levée lors de la campagne d'Égypte.

◆ **Gendarme d'élite** (1806). Après avoir rétabli l'ordre, pourchassé les déserteurs, supprimé le brigandage, les gendarmes participent à toutes les campagnes de l'Empire.

◆ **Chasseur d'Afrique** (1er régiment) [1832]. Composé le 17 novembre 1831, le corps des chasseurs d'Afrique comprend des Français, des autochtones et des unités temporaires de renforcement dites «chasseurs spahis.»

◆ **Zouave de la garde.** Dès le mois d'août 1830, Bourmont crée un corps auxiliaire de 2 000 zouaves qui constitue le premier embryon des troupes indigènes de l'armée française.

◆ **Officier des guide de la garde de Napoléon III** (1860)

◆ **Officier de cavalerie sudiste** pendant la guerrede Sécession (1861-1865). À sa création, l'armée confédérée envisage de doter ses troupes régulières d'un paquetage aussi complet que celui de l'armée fédérée d'avant-guerre. Les volontaires fournissent d'abord leurs propres vêtements, puis sont peu à peu équipés d'une blouse bleue, de pantalons gris acier et d'une casquette.

◆ **Fantassin** anglais de la guerre de Crimée, 19e régiment (1854-1855).

Uniformes : les deux guerres mondiales

La Première Guerre mondiale

À la veille du premier conflit mondial, les armées européennes ressemblent encore fortement aux armées du XIXe s., leurs uniformes reprennent souvent les couleurs nationales (bleu et rouge garance pour l'infanterie française) et les régiments conservent leurs marques distinctives, très voyantes. La majorité des fantassins ne portent pas encore de casque, et seules les armées allemande et britannique ont généralisé le camouflage avant même le début du conflit. Très peu de temps après le début des hostilités, alors que s'engage la guerre de tranchées, les effets meurtriers de tenues aux couleurs aussi visibles conduisent à une généralisation rapide du camouflage et des premiers casques d'acier. Des couleurs distinctives demeurent néanmoins. L'Empire allemand généralise ainsi le « gris de campagne » *(feldgrau)* et le lourd casque de tranchée à toutes les unités. La France adopte dès 1915 le « bleu horizon » et le casque Adrien. Les Britanniques et les Américains préfèrent une couleur brune, et les Italiens une variante de vert olive. Les couleurs traditionnelles disparaissent – à l'exception des tenues de parade –, et seuls les marins conservent leur mélange de bleu et de blanc.

◆ **Sous-officier russe.** L'équipement du fantassin se compose d'une vaste musette contenant, en plus des 60 cartouches de réserve, des effets : un gobelet de métal, 3 paires de linges de pieds (« chaussettes russes »), des caleçons et des chemises.

◆ **Fantassin français de la ligne.** Il est vêtu du pantalon trop voyant « garance ». Son fusil, pesant 4,415 kg, était le fruit des travaux menés au camp de Châlons en 1882.

◆ **« Poilu ».** Vêtu de la tenue « bleu horizon », il emporte un lourd équipement.

◆ **Régiment des guides belges.** Leur uniforme s'inspire de celui des chasseurs à cheval de la garde du premier Empire dont il conserve même le colback.

◆ **Soldat allemand.** Bataillon d'assaut, en tenue allégée. Le casque à pointe, en dotation au début du conflit, se révèle vite d'une piètre efficacité : à partir de 1916 apparaît le casque de tranchée en acier qui, mieux adapté, pèse néanmoins plus de 3 kg.

◆ **Officier de marine japonais.** Au combat, officiers et soldats portent une casquette légère qui peut être gardée sous le casque.

◆ **Officier de cavalerie britannique.** L'uniforme du cavalier est très voisin de celui du fantassin : tenue kaki composée d'une tunique vareuse et d'un pantalon serré sous le genou.

La Seconde Guerre mondiale

Poursuivant cette évolution vers la protection accrue du soldat par le camouflage, le deuxième conflit mondial voit s'affronter des armées uniformément kaki à quelques nuances de couleur près, allant du gris au brun en passant par le vert. C'est également à l'occasion de ce conflit que sont, pour la première fois, employés par certaines unités d'élite (parachutistes, commandos, etc.) des camouflages plus sophistiqués mêlant des taches de différentes couleurs. Dès lors, les soldats se distinguent moins par les uniformes que par leurs casques ou à leur « silhouette » (bottes, armes, etc.). Autre phénomène qui se généralise : les pays mineurs adoptent les tenues et les codes vestimentaires des alliés dominants ; les alliés de l'Allemagne nazie plagient ainsi souvent ses tenues, tandis que Britanniques et Américains fournissent massivement armes et uniformes aux armées alliées, comme en témoignent par exemple les uniformes de la France libre, qui ajoutent des éléments français d'avant-guerre à des apports anglais, puis américains.

◆ **Soldat soviétique.** Il porte une combinaison de camouflage. Pour la majorité des conscrits, l'âge de recrutement est abaissé à 18 ans, voire à 17 ans pour les élèves des écoles secondaires. Après un entraînement de 4 à 12 mois, le simple soldat part pour le front.

◆ **Fantassin de la Wehrmacht.** C'est ainsi vêtu qu'il descendit les Champs-Élysées.

◆ **Parachutiste britannique.** Créés en 1940, les parachutistes britanniques ont été engagés pour la première fois massivement en Sicile. Ils débarquent le 6 juin 1944 en Normandie, ensuite en Provence, puis à Nimègue, au prix de lourdes pertes.

◆ **Fantassin américain.** En tenue d'été, il porte le nouveau casque H1, inspiré du casque allemand. Le H1 se porte sur une « doublure » constituée d'un casque plus petit et très léger qui peut se coiffer seul.

Les armées modernes

L'évolution des uniformes depuis 1945

L'opposition Est-Ouest, telle qu'elle s'exprime dans la guerre froide, se traduit dans les uniformes, les armées du bloc communiste adoptant équipements et tenues de type soviétique, alors que les armées occidentales s'inspirent de l'armée des États-Unis, dont les surplus équipent massivement les armées alliées. Sur le plan des uniformes, la seconde moitié du XXe s. voit la généralisation progressive des camouflages de plusieurs couleurs. En outre, les armées les plus modernes se dotent de tenues spécifiques adaptées à chaque type de terrain (jungle, désert, neige, ville, etc.) et qui changent donc en fonction des théâtres d'opérations.

La fin des uniformes. Autre phénomène de la seconde moitié du XXe s. : la multiplication des groupes armés dépourvus d'uniformes. Alors que les troupes des pays industrialisés sont de mieux en mieux équipées et protégées (casques en Kevlar, gilets pare-éclats et protections diverses), les soldats des groupes armés des pays en développement (gouvernementaux et opposants) abandonnent progressivement toute forme de tenue uniformisée. C'est le cas des guérillas qui, de tout temps, ont éprouvé la nécessité de pouvoir se fondre dans la population civile. Cette pratique tend aujourd'hui à se banaliser dans les régions où l'État en tant qu'institution organisée a disparu. La fin des uniformes est, dans ces pays, révélatrice de la fin des États et marque le retour à des formes de guerre primitive menée par des bandes largement désorganisées et incontrôlées.

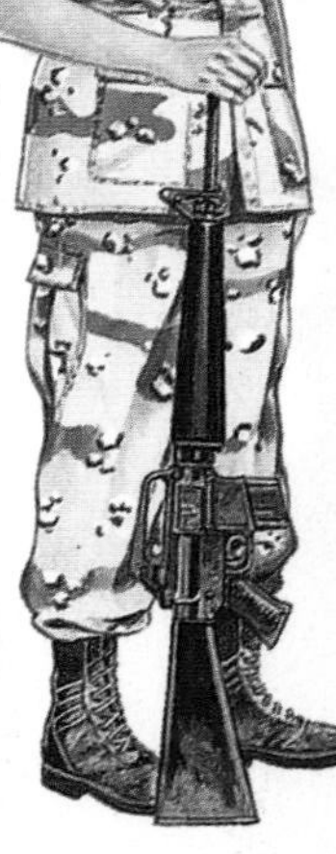

◆ **Fantassin israélien.** Sa tenue panache des effets d'origines variées et peu soignés. En revanche, il est instruit à se servir de deux armes au moins, qu'il entretient méticuleusement.

◆ **« Marine » féminin américain.** Elle porte la tenue dont le camouflage a été étudié par informatique. Instruites pour des missions de combat, les femmes sont surtout affectées à des fonctions de logistique.

◆ **Aéroporté belge.** Il porte une tenue camouflée et un béret d'inspiration anglaise. Le PM Vigneron en 9 mm est toujours reconnu pour sa robustesse.

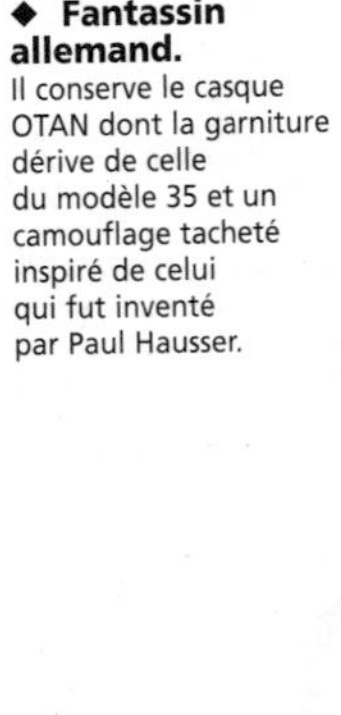

◆ **Fantassin allemand.** Il conserve le casque OTAN dont la garniture dérive de celle du modèle 35 et un camouflage tacheté inspiré de celui qui fut inventé par Paul Hausser.

◆ **Fusilier marin soviétique.** Même en tenue de campagne, il porte le tricot de marin qui rappelle la mutinerie de la marine impériale ralliée à la révolution.

◆ **Fantassin français.** Il a été, jusqu'en 1991, l'un des derniers du monde à porter du vert uni. La carence en camouflage désert rendait le Français facilement identifiable en site désertique (Tchad et Arabie). Ce tireur d'élite de Daguet, armé du FRF2, porte un treillis taillé comme le treillis F1, mais que son tissu fait appeler « tenue sable ».

6 Les Religions

C'est à travers les croyances (qu'elles soient fondées sur des textes sacrés ou véhiculées par des traditions orales) et par l'analyse des pratiques que l'on peut se représenter les divers systèmes religieux que l'humanité a connus ou connaît encore. Et ces systèmes eux-mêmes reflètent la diversité des cultures et des civilisations.
Mais on peut faire une autre lecture de l'histoire des religions depuis les origines de la civilisation jusqu'à l'époque actuelle, marquée dans ce domaine par de profondes mutations : on peut y voir une constante, le besoin qu'a l'homme d'une vie spirituelle, d'un lien avec un au-delà qui le dépasse et d'une réponse à la question de sa place dans le monde.

◆ **Prière au pied d'une statue de Bouddha, à Sukhotai** (nord de la Thaïlande).

L'Égypte

Les sources

Longtemps notre connaissance de la religion égyptienne a été fondée sur les textes écrits par les voyageurs de l'Antiquité classique, les Grecs principalement. Hérodote (Ve s. av. J.-C.) a consacré un livre des *Histoires* à l'Égypte qu'il parcourut. Le premier, il a décrit les rites des Égyptiens, qu'il disait « les plus religieux des hommes », leurs grands monuments religieux et la singularité de certains cultes, comme celui que l'on rendait aux animaux sacrés. À partir de l'expédition d'Égypte (1798-1801), les découvertes se sont accumulées pendant quelque 200 ans. Temples et tombeaux ont été fouillés et dégagés. Le tombeau de Toutankhamon a été retrouvé en 1922, offrant un des rares cas de sépulture inviolée, c'est-à-dire encore pourvue de tout son mobilier funéraire. Par milliers, textes et statues ont ainsi été retrouvés : le plus bel ensemble découvert et restauré est celui de Thèbes, avec, sur la rive droite, les temples immenses de Karnak et de Louqsor, et, sur la rive gauche, les tombes des pharaons et des grands personnages du Nouvel Empire (XVIe-XIe s. av. J.-C.).

Parmi les textes, une place prépondérante revient à ceux qui expriment les croyances sur l'au-delà : « Textes des pyramides » (gravés sur les chambres souterraines des pyramides royales de l'Ancien Empire), « Textes des sarcophages » (gravés ou écrits sur les parois des sarcophages du Moyen Empire), « Livres des morts », enfin, écrits sur des rouleaux de papyrus et ensevelis avec la momie des défunts à partir du Nouvel Empire.

Les dieux

Les Égyptiens, comme tous les peuples de l'Antiquité, croient à plusieurs dieux : ils sont polythéistes. Leur originalité est de conserver à travers siècles et millénaires un panthéon si foisonnant qu'il défie la capacité des voyageurs à dénombrer tant de divinités. À l'origine, avant le IIIe millénaire, chacun des quarante petits royaumes (ou « nomes ») entre lesquels l'Égypte est morcelée a ses dieux. Tous sont préservés et adorés quand l'Égypte s'unifie. Mais, parmi eux, une hiérarchie s'affirme, liée à la prépondérance de certaines cités. Sous l'Ancien Empire, le grand dieu d'Héliopolis, près de Memphis, devient dieu souverain : c'est Rê, le soleil divinisé. Plus tard, les dynasties issues de Thèbes placent Amon, dieu de l'Air et du Vent bienfaisant, à la tête du panthéon. Elles le confondent avec Rê, comme l'exprime l'appellation d'Amon-Rê, et en font un dieu dynastique, le dieu des pharaons. Les autres divinités sont subordonnées à ce dieu et l'on imagine des liens familiaux pour les unir ; mais les mythes qui décrivent les parentés changent selon les villes et les temples.

La représentation des dieux. Semblables aux hommes par leurs passions, par leurs aventures, les dieux en ont également l'aspect, mais les Égyptiens leur attribuent aussi une apparence animale : Horus, le dieu-enfant, est le dieu-faucon ou un homme à tête de faucon ; Amon peut avoir une tête de bélier ; Hathor, la déesse secourable, est représentée par une vache ou porte une tête de vache, etc. Un jour vient où les Égyptiens adorent des animaux dits « sacrés », parce qu'ils y voient l'incarnation de leurs divinités.

◆ Amon. Dieu de Thèbes, maître de l'Air, de la Fécondité, Amon prend une importance considérable quand les princes thébains accèdent au pouvoir (XVIe s. av. J.-C.). Il protège l'Empire, et son temple de Karnak est le plus grand d'Égypte. Ayant absorbé le dieu-soleil, il prend le nom d'Amon-Rê. On lui prête un visage humain – ou une tête de bélier – surmonté de deux longues plumes. Statue en granit, XIVe s. av. J.-C. (Paris, musée du Louvre)

Aménophis IV, ou l'échec du monothéisme. Pendant plus de 3 000 ans, les prêtres ne cessent de remodeler le monde divin. Jamais, pourtant, ils ne parviennent à imposer l'idée d'un dieu unique (monothéisme). Un souverain s'en approche : Aménophis IV (Akhenaton), qui règne de 1372 à 1354 av. J.-C. En réaction contre Amon-Rê, dieu thébain, et la puissance de son clergé, il tâche d'imposer le culte du seul dieu Aton, révélé dans le disque solaire. Les autres dieux ne sont pas niés ; ils deviennent seulement des manifestations particulières du même être divin. Une telle réforme ne survit pas au pharaon « hérétique » : le polythéisme est le plus fort, soutenu et défendu par les clergés de temples très nombreux ; et surtout la piété populaire reste rebelle aux savantes spéculations des théologiens. Les prières des petites gens vont toujours à Bès, le nain grimaçant mais bienfaisant, à Khepri, le scarabée sacré, à Thoueris, déesse de l'Accouchement et de l'Allaitement, et à des centaines d'autres génies protecteurs. Mais tous, humbles et puissants, paysans ou scribes savants, adorent Osiris et sa compagne Isis : dieux consolateurs, ils ont enseigné les secrets de la vie éternelle ; les honorer, c'est gagner la prospérité en ce monde et le bonheur dans l'au-delà.

Recours à la magie. Dans les derniers siècles avant notre ère, les Égyptiens rendent encore un culte à leurs dieux ; mais ce n'est plus en raison d'une foi vivante. La masse des fidèles se tourne vers Osiris et Isis ; elle recherche la présence divine dans les « animaux sacrés », vénère fétiches et amulettes – ainsi le scarabée, symbole de renouvellement –, et recourt à la magie pour résoudre angoisses et problèmes.

◆ Horus. Il est le dieu-faucon, celui qui règne sur le ciel lumineux. Protecteur des pharaons qui portent chacun un « nom d'Horus », il a son plus grand temple à Edfou. Mais Horus est aussi le fils posthume d'Osiris, l'enfant que sa mère Isis cache dans les marais du Delta. Devenu adulte, il reprend le trône de son père usurpé par Seth. Dieu à corps d'homme et à tête de faucon, portant la double couronne, Horus est aussi représenté par un soleil ailé. (Détail d'une fresque du tombeau d'Horemheb, dans la vallée des Rois, près de Thèbes, XIVe s. av. J.-C.)

◆ Osiris. Il a son plus grand sanctuaire à Abydos, mais toute l'Égypte adore ce dieu mort et ressuscité. Roi d'Égypte, il est jalousé et tué par son frère Seth, qui découpe son cadavre. Isis, sa sœur et épouse, rassemble les fragments du corps et le ressuscite en faisant de lui la première momie. Passé dans le monde des morts sur lequel il règne, Osiris est vengé de Seth par son fils Horus. Enserré dans un vêtement blanc, coiffé de la couronne de Haute-Égypte, il tient le sceptre et le fouet, insignes de royauté. (Détail d'une fresque de la tombe de Sennedjem, dans la vallée des Nobles, près de Thèbes, XIIIe s. av. J.-C.)

◆ **Rê.**
Il est le dieu-soleil, le dieu d'Héliopolis. Il a créé le monde, les dieux et les hommes, et les pharaons sont ses « fils ». On lui donne l'aspect d'un homme à tête de faucon que surmonte le disque solaire, et il tient le fouet *(neheh)*, l'*ankh*, ou croix ansée, qui est signe de vie, et deux sceptres. Le jour, il parcourt l'espace céleste dans une barque et, la nuit, il traverse les profondeurs terrestres. Peinture sur bois, stèle de la dame Tentperet, détail, VIIe s. av. J.-C. (Paris, musée du Louvre)

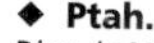

◆ **Ptah.**
Dieu de Memphis, il est le créateur du monde selon ses prêtres et le patron des artisans. Représenté comme un homme âgé, gainé dans ses vêtements comme une momie, il se manifeste dans le taureau Apis.

◆ **Sekhmet.**
La déesse-lionne, parfois considérée comme l'épouse de Rê, se manifeste par la violence (elle massacre les hommes révoltés contre Rê) et les épidémies. Honorée et apaisée, elle donne les remèdes, et ses prêtres sont des médecins.

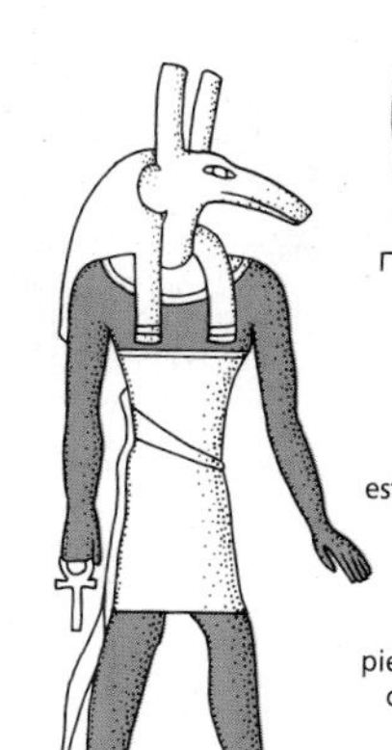

◆ **Seth.**
Ce dieu « rouge », représenté avec la tête d'une sorte de lévrier, est un dieu de violence et de tempête. Les pharaons guerriers du Nouvel Empire l'honorent encore pieusement mais, ensuite, on ne retient de lui que l'image du meurtrier d'Osiris et l'on en fait un génie du Mal.

◆ **Sebek.**
Dieu-crocodile adoré notamment dans le Fayoum et à Kom-Ombo, c'est un des maîtres de l'Univers ; être terrestre et aquatique, assimilé à Rê et à Horus, il donne la vie à l'Égypte.

◆ **Bès.**
Ce nain barbu est un génie sympathique qui fait rire et détourne les mauvais génies et les sorts des magiciens.

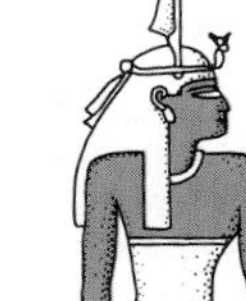

◆ **Khepri.**
Le dieu-scarabée, connu par les innombrables amulettes taillées à son image, est la manifestation de Rê à son lever ; le scarabée ne pousse-t-il pas sa boule de bouse comme Rê le fait pour le Soleil ?

◆ **Khnoum.**
C'est un potier qui a modelé les hommes. Dieu à tête de bélier honoré en tout lieu mais particulièrement à Éléphantine, il garde les sources du Nil.

◆ **Maât.**
Fille de Rê, cette petite déesse coiffée d'une plume d'autruche est à la fois la Vérité et l'Harmonie universelles. Elle est présente auprès de tous les dieux.

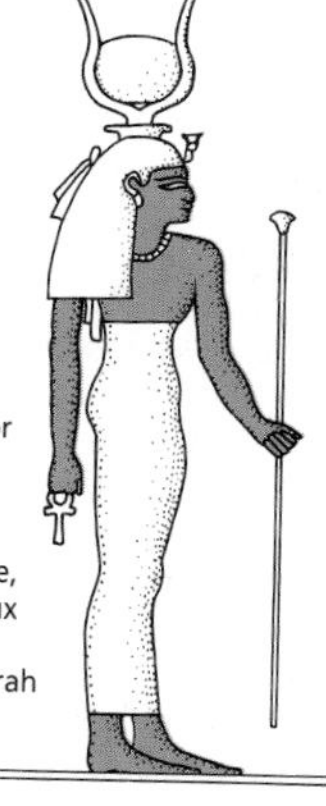

◆ **Hathor.**
Déesse du Ciel, Hathor est connue surtout comme déesse de l'Amour et de la Joie. Incarnée dans la vache, elle est coiffée de deux cornes en serrant le disque solaire. Denderah est son plus grand sanctuaire.

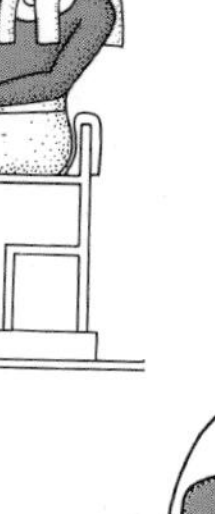

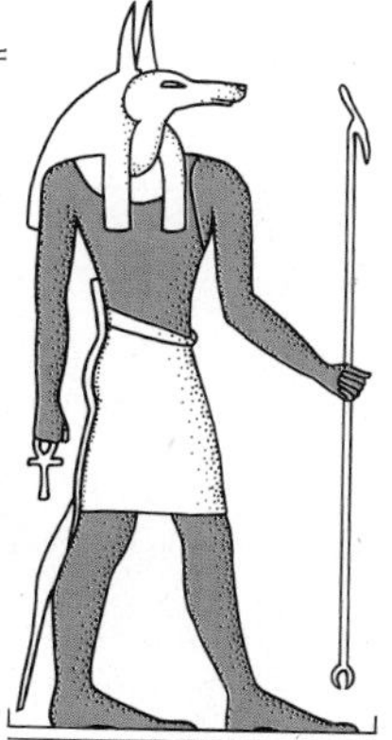

◆ **Anubis.**
Dieu-chacal, il rôde dans les cimetières et est, à ce titre, un maître du monde des morts. Patron des embaumeurs, il mène l'âme du défunt jusqu'au tribunal d'Osiris.

◆ **Isis.**
Épouse d'Osiris, mère d'Horus, Isis est la déesse secourable qui pratique une magie bienfaisante. Son culte s'étendra bien au-delà de l'Égypte, dans le monde romain. Son plus célèbre sanctuaire s'élève dans l'île de Philae.

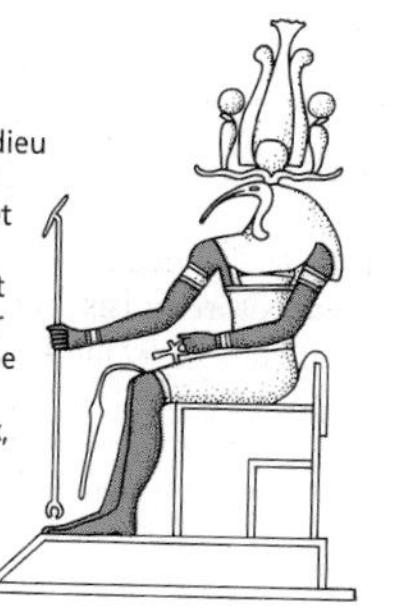

◆ **Thot.**
Dieu à tête d'ibis, dieu lunaire, Thot est le patron des scribes et des magiciens. Il a inventé l'écriture et il tient le calendrier du monde. Il est une sorte de grand secrétaire des dieux, « cœur (la pensée) de Rê » et « langue de Ptah ».

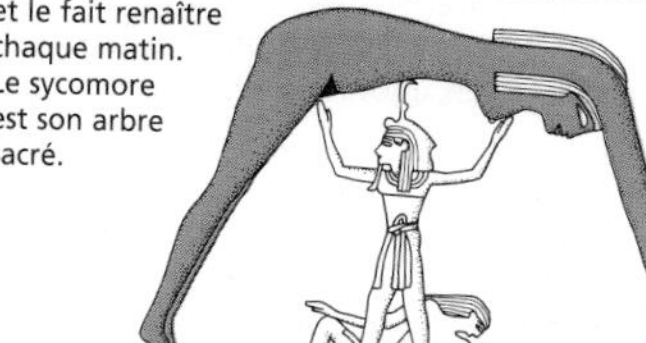

◆ **Geb, Nout et Chou.**
Le dieu Geb (la Terre) et la déesse Nout (le Ciel) sont des divinités primordiales. Geb gît sur le dos, Nout arque son corps au-dessus de lui, ne touchant la Terre que des pieds et du bout des doigts. Fils de Geb et de Nout, Chou, qui est l'Atmosphère, circule entre leurs corps séparés. Chaque soir, Nout avale le Soleil et le fait renaître chaque matin. Le sycomore est son arbre sacré.

Animaux sacrés

Le culte des animaux, ou zoolâtrie, a stupéfié les voyageurs grecs et romains. Ce culte prend, en effet, une importance capitale à la fin de l'Égypte antique.
À l'origine, chaque division territoriale, chaque nome, possède son totem, animal qui incarne la divinité protectrice du groupe. Pour cette raison, les dieux humanisés gardent par la suite un aspect animal. Dans les derniers siècles de l'Égypte antique, on élève et adore des animaux près des sanctuaires, par exemple des ibis et des babouins près des temples de Thot, des vaches près du temple d'Hathor, à Denderah, etc. À Bubastis, dans le Delta, la déesse Bastet est la déesse-chat. Un citoyen romain fut lynché pour y avoir tué un chat. Le plus célèbre reste toutefois le taureau Apis, incarnation de Ptah, « son âme magnifique ». À leur mort, les animaux sacrés sont momifiés ; le Serapeum de Memphis est une immense galerie funéraire où reposent les corps des taureaux Apis.

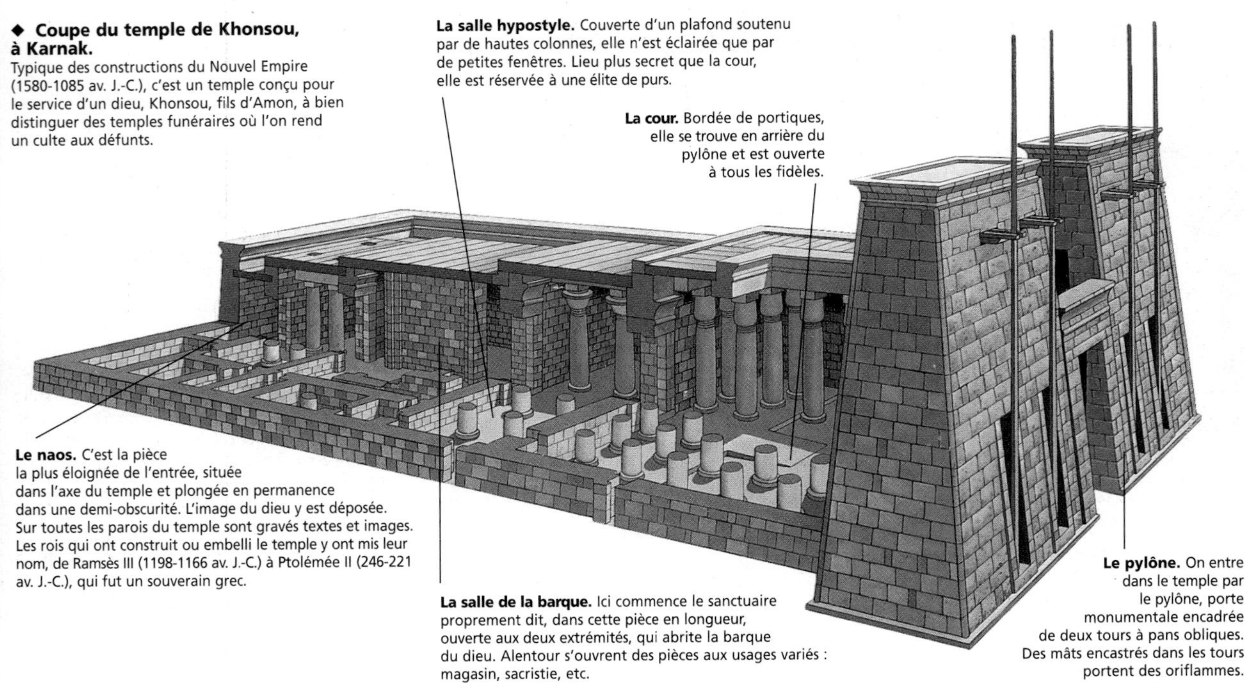

◆ **Coupe du temple de Khonsou, à Karnak.**
Typique des constructions du Nouvel Empire (1580-1085 av. J.-C.), c'est un temple conçu pour le service d'un dieu, Khonsou, fils d'Amon, à bien distinguer des temples funéraires où l'on rend un culte aux défunts.

La salle hypostyle. Couverte d'un plafond soutenu par de hautes colonnes, elle n'est éclairée que par de petites fenêtres. Lieu plus secret que la cour, elle est réservée à une élite de purs.

La cour. Bordée de portiques, elle se trouve en arrière du pylône et est ouverte à tous les fidèles.

Le naos. C'est la pièce la plus éloignée de l'entrée, située dans l'axe du temple et plongée en permanence dans une demi-obscurité. L'image du dieu y est déposée. Sur toutes les parois du temple sont gravés textes et images. Les rois qui ont construit ou embelli le temple y ont mis leur nom, de Ramsès III (1198-1166 av. J.-C.) à Ptolémée II (246-221 av. J.-C.), qui fut un souverain grec.

La salle de la barque. Ici commence le sanctuaire proprement dit, dans cette pièce en longueur, ouverte aux deux extrémités, qui abrite la barque du dieu. Alentour s'ouvrent des pièces aux usages variés : magasin, sacristie, etc.

Le pylône. On entre dans le temple par le pylône, porte monumentale encadrée de deux tours à pans obliques. Des mâts encastrés dans les tours portent des oriflammes.

Le clergé et les rites

Les dieux, pensent les Égyptiens, habitent les statues qui les représentent et qui sont déposées dans la partie la plus cachée de chaque temple. Comme un grand personnage, comme le pharaon lui-même, le dieu est donc éveillé chaque matin par les prêtres, lavé, parfumé, habillé puis nourri. Apaisé et réjoui par les cantiques et les fumées de l'encens, il consomme ainsi trois repas par jour. Les jours consacrés, on le sort du temple, installé dans sa barque, et le peuple se presse sur son passage. Le reste du temps, les prêtres, qui sont des employés et des administrateurs plus que des guides spirituels, peuvent seuls entrer dans le temple.

Les prêtres. Lavés six fois par 24 heures, vêtus de lin et totalement rasés, ils sont astreints à une pureté rigoureuse ; les plus âgés et les plus savants d'entre eux vont seuls au cœur du sanctuaire. Tous sont des spécialistes, les uns de musique sacrée, les autres de récitation liturgique, d'autres encore savent comment présenter les offrandes. Ils ont été formés dans des écoles, près des temples, les « maisons de vie ». Fréquemment, un fils succède à son père dans sa charge sacerdotale, ou bien le pharaon nomme quelque favori. L'essentiel est que le prêtre connaisse bien son métier, grâce à un long apprentissage.

Les prêtres gèrent les domaines des dieux. Ceux d'Amon, à Karnak, couvrent 200 000 ha, sur lesquels travaillent 80 000 personnes. Les grands prêtres d'Amon sont donc de puissants personnages et l'on comprend qu'Aménophis IV ait souhaité à un moment briser leur autorité.

◆ **La pesée des âmes, ou psychostasie.**
L'âme doit peser moins qu'une plume d'autruche, symbole de justice, sous peine d'être dévorée. Détail d'une peinture sur bois du coffret de Tchaouenhouy, VIIe-VIe s. av. J.-C. (Musée du Louvre, Paris)

VOIR AUSSI • Art de l'Égypte ancienne p. 1046

Les croyances funéraires

Au-delà de la mort, une nouvelle vie est possible si l'union de l'âme (le *ka*) et du corps peut subsister. Telle est la croyance des Égyptiens, qui mettent donc au point les techniques de la momification. Réduit à sa peau et à ses os par le travail des spécialistes, le corps, desséché dans un bain de natron, est enserré dans un réseau de bandelettes imprégnées d'aromates, puis déposé dans un cercueil, lui-même placé dans un sarcophage.

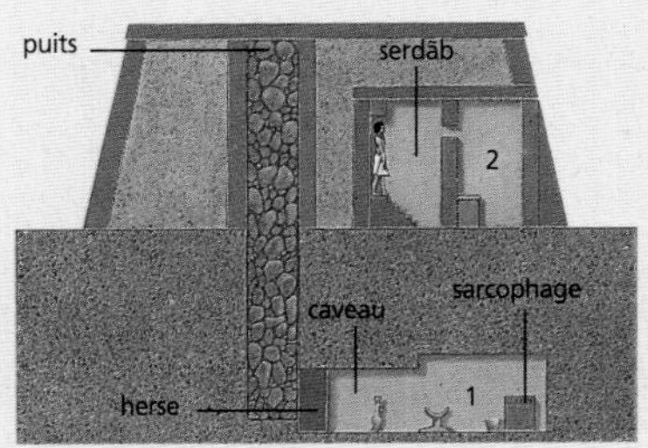

◆ **Mastaba.** Afin de dérouter les voleurs, l'entrée du tombeau est dissociée de celle de la chapelle, à côté de laquelle est un réduit contenant la statue du mort.

Mastabas et pyramides. Pour protéger ce corps momifié, les riches se font construire des mastabas : inaccessible dans le fond du tombeau (1), le mort reçoit les prières et les offrandes des vivants qui officient dans une chapelle (2). Sous l'Ancien Empire, les pharaons inaugurent un tombeau colossal, la pyramide, dont l'exemple le plus célèbre est celle de Kheops. La chambre funéraire est accessible par une longue galerie dont l'entrée est murée. Le culte rendu aux souverains est assuré dans des temples séparés du tombeau, c'est-à-dire de la pyramide.

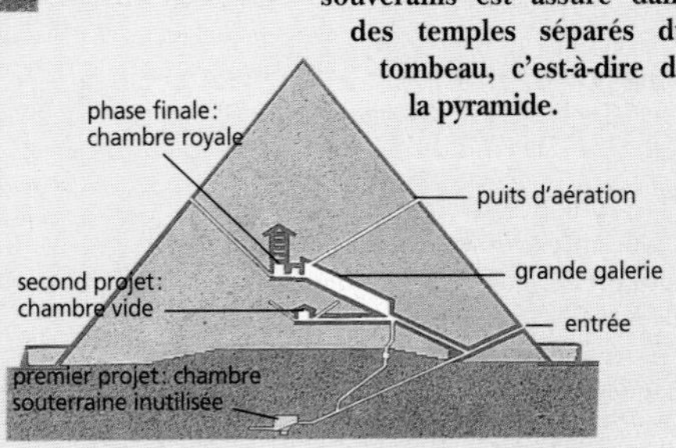

◆ **Pyramide de Khéops.** La coupe montre les précautions prises pour détourner les visiteurs de la chambre du pharaon.

Jugement de l'âme. Par la momification, le défunt s'identifie à Osiris, le premier des ressuscités, devenu le souverain du royaume des morts. Mais l'homme juste mérite seul l'éternité. Les textes gravés sur son sarcophage, ou le Livre des morts déposé contre sa momie, lui donnent des instructions pour triompher des obstacles et lui enseignent les prières à réciter au moment où l'on pèse son cœur (c'est-à-dire sa vie morale) sous la surveillance de Thot et d'Anubis. Si la balance reste équilibrée, le mort est admis au bonheur éternel.

La Mésopotamie

Les sources

Pendant des siècles, la Mésopotamie ancienne, celle des cités de Sumer, des royaumes de Babylonie et d'Assyrie, n'a survécu dans les mémoires que par quelques faits ou images venus de la Bible : la tour de Babel, Babylone et ses prostituées sacrées... Avec un demi-siècle de retard sur celle de l'Égypte, sa découverte systématique commence dans les années 1850-1860. Objets cultuels, statues, décors gravés et sculptés sont retrouvés.

Les archéologues ont peiné à explorer et à reconstituer les monuments, car leurs murs de briques étaient retombés en poussière. Puis, quand ils ont su déchiffrer l'écriture cunéiforme, ils ont été submergés par la masse des documents. Conservés sur des dizaines de milliers de tablettes d'argile, textes liturgiques, prières, textes d'exorcisme et de divination, textes administratifs et comptables qui règlent la vie des temples voisinent avec des œuvres littéraires, dont les plus célèbres sont le récit de la Création et le *Poème de Gilgamesh*. En quelques dizaines d'années, les savants ont pu distinguer la présence de plusieurs grandes civilisations : aux Sumériens ont succédé les cultures sémitiques, dont le rôle, dans la formation des religions de l'Orient ancien, fut si important que la Bible elle-même en porte profondément la marque.

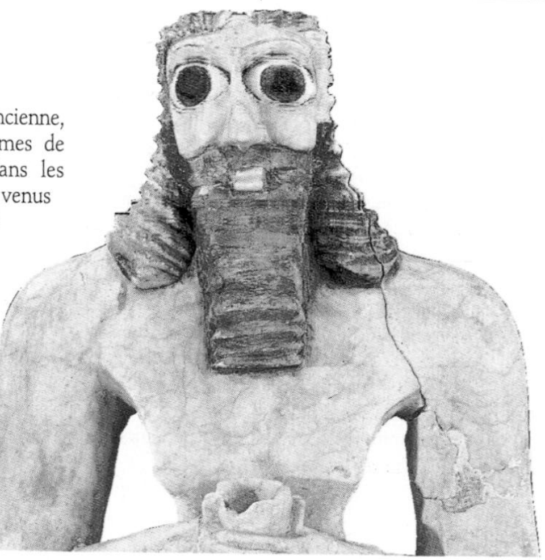

◆ **Un adorant.**
Les fidèles ne peuvent pas s'abîmer dans une prière perpétuelle : des statues d'adorants les remplacent. De telles effigies ont été retrouvées par centaines dans tous les sanctuaires. Statuette en gypse, aux yeux incrustés, provenant du temple du dieu Abou, début du IIIe millénaire av. J.-C. (Bagdad, Iraqi Museum)

Les dieux

Si l'on tient compte de toutes les divinités adorées en Mésopotamie, on en dénombre entre 3000 à 4000. Comme en Égypte, chaque bourgade a ses dieux; mais, quand la Mésopotamie est unifiée, quelques grandes personnalités divines émergent.

Les dieux principaux. Trois dieux traversent les millénaires, de Sumer à la fin de l'Antiquité : Anou, dieu du Ciel, dont le plus grand sanctuaire est à Ourouk; Enlil, maître du Destin et du pouvoir royal; Ea, maître des Eaux, représenté par une chimère à corps de chèvre et queue de poisson. Les fidèles les associent à des divinités autrefois secondaires : Adad, présent dans la foudre, dieu de la Tempête, responsable du Déluge; Shamash, le dieu-soleil qui, chaque matin, émerge du sol en se frayant un chemin avec sa scie. Dieu de la Lumière, Shamash est aussi celui de la Justice. Mardouk, dieu de Babylone, devient un dieu important quand Hammourabi, roi de Babylone, domine la Mésopotamie (XVIIIe s. av. J.-C.). Mardouk survit à l'effondrement de l'Empire et, peu à peu, servi par un remarquable clergé, il s'impose comme chef du panthéon : les Assyriens cherchent en vain à lui substituer Assour, leur dieu national. Les déesses sont presque aussi nombreuses que les dieux. Aucune n'a une puissance équivalente à celle d'Ishtar, déesse de l'Amour et de la Fécondité, et déesse guerrière. Présente dans la planète Vénus, voisine du Soleil, elle est la déesse ailée qu'accompagne un félin. Souvent nue, elle porte des armes ou, surtout, des épis et des vases emplis d'eau. Les dieux ont visage humain et passions humaines; ils se querellent, mentent, se battent à l'occasion. Pourtant, les Mésopotamiens les conçoivent comme immortels, sublimes et tout-puissants. Devant eux, l'homme est « un roseau que courbe la tempête ». Tout leur est dû : les temples magnifiques, les sacrifices richement pourvus. Et l'on s'incline humblement devant la manifestation de leur colère : guerre, famine, maladie, où se déchaînent démons et mauvais génies. Tout cela est l'expression de la colère divine, la conséquence d'une faute, reconnue ou ignorée : la Mésopotamie a créé les premiers psaumes de pénitence, où le fidèle implore son pardon.

Le sort terrible des morts. Nul royaume d'Osiris pour les défunts. Le terrible Nergal règne sur les Enfers, où les âmes des morts, nourries de poussière et de boue, vivent dans une éternelle pénombre. Le thème de l'épopée de Gilgamesh, roi d'Ourouk, inconsolable de la mort de son ami Enkidou, est celui de la quête de l'immortalité, qui lui est finalement refusée. Tout homme doit se soumettre à son destin, espérer seulement une longue vie où la colère des dieux l'épargnera.

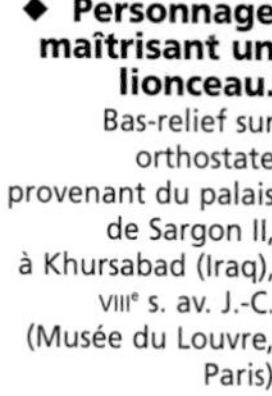

◆ **Vue extérieure de la ziggourat d'Our.**
Hérodote décrit la gigantesque tour à étages, faite de briques, qui flanque le temple de Mardouk à Babylone. Culminant à 91 m, elle comptait 7 étages, et sa base carrée avait 91 m de côté. Il n'en reste rien. Des quatre ziggourats qui subsistent, la plus ancienne est celle d'Our, dont les trois étages sont bâtis vers 2100 av. J.-C.

Un escalier entre terre et ciel.
La succession de degrés qui caractérise la ziggourat symbolise sa fonction : l'union de la Terre et du Ciel. Dans la Bible, le mythe de la tour de Babel en est l'écho.

Le sanctuaire des noces divines.
Au dernier étage se trouve la chapelle. Le dieu s'y pose au moins une fois par an, pour célébrer ses noces avec la grande prêtresse.

Le clergé et les rites

En Mésopotamie, les temples sont aussi nombreux et aussi grands que dans l'Égypte ancienne. À la statue du dieu enfermée dans la pièce la plus reculée, on présente les offrandes quotidiennes de nourriture, de parfums, de prières et de chants. Comme en Égypte, les prêtres sont des spécialistes longuement formés, et d'abord savants en écriture : tous sont ou ont été scribes. Parmi ces spécialistes, deux groupes jouent un rôle essentiel. Celui des exorcistes, qui connaissent les mots capables de chasser les démons, notamment du corps des malades. Celui des devins, qui repèrent les signes par lesquels les dieux parlent aux hommes : entrailles des animaux sacrifiés, phénomènes célestes, singulièrement la position des astres. À la fin de l'Antiquité, la Mésopotamie crée ainsi l'astrologie.

◆ **Personnage maîtrisant un lionceau.**
Bas-relief sur orthostate provenant du palais de Sargon II, à Khursabad (Iraq), VIIIe s. av. J.-C. (Musée du Louvre, Paris)

VOIR AUSSI
• **Art du Proche-Orient ancien** p. 1044
• **Poésie épique** (Gilgamesh) p. 1116

La Grèce antique

Les sources

La Grèce elle-même et toute la Méditerranée orientale, où les Grecs se sont installés, offrent les ruines de nombreux temples et sanctuaires, des statues et des vases peints par dizaines de milliers. À défaut d'un ouvrage dogmatique, les textes littéraires décrivent les dieux et nous parlent des rites. Les plus importants sont les poèmes épiques d'Homère, *l'Iliade* et *l'Odyssée*, et les poèmes attribués à Hésiode, *les Travaux et les Jours* et *la Théogonie* (c'est-à-dire «la naissance des dieux»), tous conçus au VIIIe s. av. J.-C. Le recoupement de ces données permet d'envisager la complexité de la religion grecque : elle conserve de vieilles divinités adorées dans le monde égéen, notamment en Crète, parmi lesquelles la personnalité principale est une déesse mère. Les dieux proprement grecs ont été apportés au IIe millénaire av. J.-C. par les Grecs, Achéens et Doriens, venus du nord : un dieu du Ciel lumineux les domine, qui devient Zeus dans le panthéon classique. Au cours des siècles,

◆ **Zeus.**
Son nom signifie «le rayonnant». Il est le dieu du Ciel lumineux, et l'aigle et la foudre lui sont normalement associés. En tous lieux, Zeus, «père des dieux et des hommes», père de nombreux héros, a été vénéré par les Grecs. Époux de sa sœur Héra, il n'en a pas moins de fréquentes liaisons avec des déesses et des mortelles. Protecteur des souverains comme des assemblées populaires, il est le garant des serments. Seule Moira (fatalité ou destin) peut entraver sa toute-puissance. Détail du Zeus d'Histiaia, bronze attribué à l'Athénien Calamis, v. 460 av. J.-C. (Musée national, Athènes)

des divinités venues de l'Orient prêtent leurs traits à des dieux existants ou se fondent avec eux : Aphrodite, par exemple, doit beaucoup aux déesses orientales de la Fécondité, Ishtar et Astarté. De même, Héra, épouse de Zeus, mêle dans sa personne les traits d'une antique déesse achéenne, ceux de la déesse mère des Crétois et des peuples d'Asie Mineure.

Comme les autres peuples antiques, les Grecs adorent des dieux nombreux : ils sont polythéistes. Comme eux encore, ils leur donnent l'apparence et les passions des hommes : leur religion est anthropomorphique. Mais à ces dieux puissants et immortels les Grecs ne reconnaissent pas une écrasante majesté. Ils les imaginent, dans un passé récent, mêlés à la vie des hommes. De l'union des dieux et des mortels naissent les héros : Héraclès, fils de Zeus et de la belle Alcmène; Achille, fils du roi Pélée et de la déesse Thétis, par exemple.

Comme ailleurs, les Grecs mettent de l'ordre dans ce panthéon foisonnant. De grands dieux s'imposent aux divinités locales, et l'on explique par des récits, ou mythes, comment les dieux se sont regroupés, comment ils ont réglé leurs rapports avec les hommes. L'ensemble de ces mythes forme une mythologie dont s'inspirent, depuis près de 3000 ans, peintres, sculpteurs et poètes : les amours de Zeus avec d'innombrables déesses et mortelles, la victoire de Thésée sur le Minotaure, les exploits d'Héraclès, etc.

Histoire des dieux

Le thème de la naissance du monde (cosmogonie) a donné lieu à des spéculations où se trouvent mêlés les thèmes de la généalogie des dieux et de la formation de l'Univers. À l'origine est le Chaos, puis apparaît une divinité primitive, la Terre (Gaia), qui donne naissance au Ciel (Ouranos) et engendre avec lui les premières générations divines, les Titans et les Géants. L'un de ces Géants, Cronos, se saisit du pouvoir en émasculant Ouranos. Craignant à son tour d'être détrôné par un fils, Cronos avale tous les nouveau-nés que lui donne Rhéa, son épouse.

Un jour, celle-ci le trompe en lui donnant à manger une pierre roulée dans des langes et sauve ainsi son dernier-né, Zeus. Élevé en Crète par la nymphe Amalthée, Zeus met fin au règne des monstres obtus qui ont jusqu'alors dominé l'Univers. Il renverse Cronos, inaugurant le règne des dieux anthropomorphes. Leur siège est le mont Olympe, dans le nord de la Grèce. Pourtant, les Géants vaincus se rebellent encore. Ils montent à l'assaut de l'Olympe, mais la plupart périssent foudroyés par Zeus ou écrasés sous les rochers que lancent les Olympiens.

Ce terme d'«Olympiens» ne doit pas nous abuser. Nombre de dieux ne vivent pas sur l'Olympe, alors que leur puissance fait d'eux des divinités majeures : ainsi Poséidon, dieu de la Mer, ou Hadès, dieu des Profondeurs du sol et en particulier des Enfers. Beaucoup d'Olympiens sont des divinités tardivement agrégées au panthéon des dieux les plus importants : Aphrodite est aussi orientale que grecque; Arès, le guerrier, a des origines thraces; Dionysos, dieu du Vin et de l'Ivresse, a lui aussi des racines thraces, et plus encore orientales.

Les Grecs ne s'expriment jamais clairement sur l'apparition des hommes. Du moins existent-ils dès les premiers temps, comme des êtres chétifs et misérables. Prométhée, fils de Titan, leur donne un jour le feu, dérobé aux Olympiens : ainsi naissent les techniques. Furieux de la puissance acquise par les hommes, Zeus enchaîne Prométhée sur le Caucase, où un aigle lui ronge le foie sans cesse reformé. Et il envoie aux hommes Pandore, une femme ravissante, mais trop curieuse, qui ouvre le vase où sont enfermées maladies et passions mauvaises. Celles-ci s'échappent et affligent depuis ce jour l'humanité, qui désormais ne peut espérer égaler les dieux. Un autre mythe, qui emprunte sans doute à la Babylonie, veut que Zeus anéantisse un

◆ **Poséidon.**
Frère de Zeus, il est le dieu de la Mer et des Eaux. Époux d'Amphitrite, il suscite tempêtes et tremblements de terre avec son trident. Son corps puissant et ses traits majestueux imposent le respect et suscitent une admiration mêlée de crainte. Ce patron des marins a pour animaux consacrés le dauphin et le cheval. Zeus ou Poséidon d'Histiaia, statue en bronze du Ve s. av. J.-C., dont le sculpteur est inconnu, trouvée en mer au large de l'Eubée. (Musée national, Athènes)

jour l'espèce humaine sous les eaux du Déluge, à l'exception d'un seul couple. Ainsi, la toute-puissance de Zeus s'établit sur le monde à travers des crises et des catastrophes.

Les héros

Mêlant une ascendance humaine et une autre divine (parfois lointaine), les héros ou «demi-dieux» sont l'objet des mythes les plus populaires de la Grèce ancienne. Trois héros sont particulièrement célèbres : l'Athénien Thésée, vainqueur du Minotaure, monstre à tête de taureau qui hante le labyrinthe de Cnossos, en Crète; Jason, prince de Thessalie, qui organise l'expédition des Argonautes pour conquérir la Toison d'or; Œdipe, roi de Thèbes à la tragique histoire, qui, sans le savoir, tue son père, épouse sa mère et se punit de ce double crime en s'aveuglant.

Toutefois, le plus fameux des héros grecs est Héraclès, fils de Zeus et d'une mortelle. La haine de Héra, épouse de Zeus, lui impose douze épreuves (ou «travaux») : il doit étouffer le lion qui ravage la région de Némée; tuer un serpent à plusieurs têtes, l'hydre, qui vit dans les marais de Lerne; capturer vivant le sanglier monstrueux de la montagne d'Érymanthe; blesser la biche gigantesque qui habite le mont Cérynie; tuer les oiseaux malfaisants qui hantent les rives du lac Stymphale; vider de leur fumier les écuries du roi Augias; capturer le taureau formidable de la Crète; enlever les juments carnivores de Diomède, le souverain de Thrace; se faire donner la ceinture merveilleuse de la reine des Amazones, Hippolyté; ramener à leur propriétaire, Géryon, les bœufs qu'on lui avait enlevés; maîtriser le chien Cerbère, monstre aux trois têtes qui garde les Enfers; cueillir les pommes d'or du jardin des Nymphes, les divines Hespérides. Ayant triomphé de ces épreuves et purgé la terre des brigands et des monstres, Héraclès obtient l'immortalité et monte parmi les Olympiens.

◆ Hermès.
Fils de Zeus, son nom veut dire interprète ou messager. Il joue un rôle de passeur et de médiateur entre les dieux et les hommes. Messager des dieux, et en particulier de Zeus, infatigable et toujours actif, il est partout. Guide des hommes, il est protecteur des marchands, des banquiers, des voyageurs, mais aussi des voleurs ! Saisi ici à l'instant de son repos, il est prêt à repartir. Les ailes à ses pieds montrent la légèreté et la rapidité de sa course. Hermès d'Herculano, bronze d'après un original grec de Lysippe. (Musée national d'archéologie, Naples)

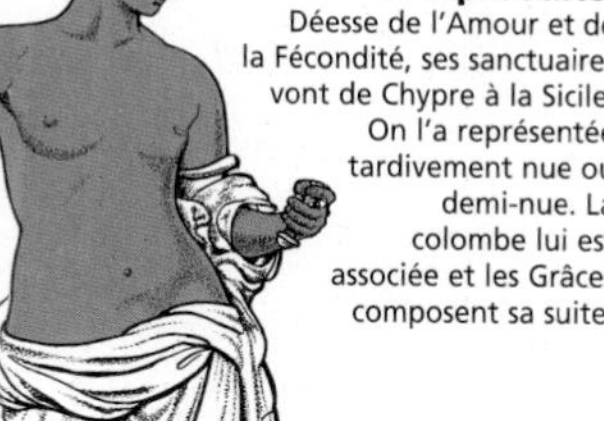

◆ Aphrodite.
Déesse de l'Amour et de la Fécondité, ses sanctuaires vont de Chypre à la Sicile. On l'a représentée tardivement nue ou demi-nue. La colombe lui est associée et les Grâces composent sa suite.

◆ Héphaïstos.
Fils légitime de Zeus et de Héra, il est resté boiteux d'avoir été précipité sur la Terre par Zeus, qu'il avait offensé. Dieu du Feu, il forge les armes sous l'Etna. Cet infirme est l'époux de la belle Aphrodite.

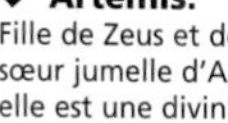

◆ Apollon.
Frère jumeau d'Artémis, il est Phébus (« le brillant »), identifié au Soleil. Dieu de l'Harmonie et de la Musique, il est le conducteur des Muses. Dieu de la Guérison, il aurait pour fils Esculape.

◆ Artémis.
Fille de Zeus et de Léto, sœur jumelle d'Apollon, elle est une divinité de la vie sauvage, chasseresse éternelle, protectrice de la chasteté comme de la fécondité.

VOIR AUSSI
- **Art de la Grèce antique** p. 1049
- **Poésie épique et narrative** *(Iliade* et *Odyssée)* p. 1116

L'Iliade et l'Odyssée

Composées au VIIe s. av. J.-C. et attribuées à Homère, *l'Iliade* et *l'Odyssée* sont des poèmes épiques reprenant des traditions antérieures de 4 à 5 siècles. Leur thème est la guerre de Troie, c'est-à-dire l'expédition des Grecs commandés par Agamemnon, contre Troie où règne Priam, sous la protection de son vaillant fils Hector. L'enjeu est la vengeance d'un rapt : la jeune Grecque Hélène, femme de Ménélas, le frère d'Agamemnon, a été enlevée par le Troyen Pâris, un autre fils de Priam. *L'Iliade* relate les exploits du meilleur des Grecs, Achille, un demi-dieu, qui tue Hector, annonçant la ruine de la ville.

Les dieux se mêlent passionnément aux affaires des hommes : Héra et Athéna du côté des Grecs, Aphrodite et Arès du côté des Troyens. Zeus, au-dessus de la mêlée, désire sauver Hector qu'il aime, mais il s'incline devant le destin et laisse triompher Achille. Après la ruine de Troie, les Grecs survivants rentrent chez eux. Pour Ulysse, roi d'Ithaque, le voyage dure dix ans : c'est le thème de *l'Odyssée.* Le héros triomphe finalement et retrouve Pénélope, son épouse fidèle – qui, par le prétexte d'une tapisserie à jamais inachevée, a repoussé les prétendants –, et leur fils Télémaque. Le long voyage et les épreuves sont expliqués par les interventions des dieux : colère d'Apollon et vengeance de Poséidon pèsent sur Ulysse. Mais Zeus, débonnaire et bienveillant, laisse Athéna protéger sans cesse le héros dont elle aime le courage et l'ingéniosité.

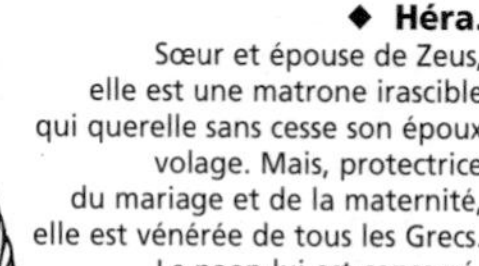

◆ Déméter.
Elle a enseigné aux hommes l'agriculture. Mère de Coré (ou Perséphone), elle est vénérée à Éleusis où, avec Dionysos et Coré, elle assure une vie heureuse à ses fidèles dans l'au-delà.

◆ Athéna.
Fille de Zeus, elle est sortie tout armée de son crâne. Toujours casquée mais chastement vêtue comme il convient à celle que l'on nomme Parthénos (« vierge »),elle est à la fois déesse guerrière et déesse de la Sagesse, des Arts et des Sciences, patronne des artisans. La chouette et l'olivier lui sont consacrés.

◆ Héra.
Sœur et épouse de Zeus, elle est une matrone irascible qui querelle sans cesse son époux volage. Mais, protectrice du mariage et de la maternité, elle est vénérée de tous les Grecs. Le paon lui est consacré.

◆ Dionysos.
Fils de Zeus, il est lui aussi un dieu de l'Agriculture et de la Fécondité, mais particulièrement de la Vigne. Suivi de son cortège de bacchantes, de silènes et de satyres, il donne aux femmes et aux hommes le bonheur par la transe et l'extase.

◆ Hadès.
Autre frère de Zeus, il règne sur l'intérieur de la Terre et ses richesses, d'où son autre nom de Pluton (*ploutos* signifie « riche »). Époux de Perséphone (ou Coré), qu'il a enlevée à Déméter, il est le souverain du royaume des morts.

La piété

Dans la vie de tous les jours, les Grecs honorent une multitude de divinités secondaires : nymphes ou divinités des sources, dieux des prés et des bois, néréides ou divinités de la mer… Ils leur demandent de bonnes moissons et la protection contre petits et grands malheurs de l'existence. En même temps, ils rendent un culte à un ou à plusieurs grands dieux, ici Apollon, là Athéna ou Héra, Zeus presque partout. Ils conçoivent ces dieux à l'image des hommes, puis, peu à peu, cessent de faire d'eux des grands seigneurs jouisseurs et querelleurs. Les dieux, Zeus principalement, deviennent les garants du Bien et de la Justice : ils punissent le méchant et récompensent la vertu.

Pour les Grecs, les dieux sont présents en tous lieux. Dans la famille, le feu du foyer est un génie protecteur auquel le père de famille offre chaque jour de menus sacrifices. La source, où habite une nymphe, un tas de pierres, marque d'un carrefour où réside Hermès sont autant de lieux où le peuple rend un culte quotidien. Chaque cité a ses temples : temple à la divinité fondatrice et protectrice (Athéna pour Athènes, Héra pour Argos), temples aux grands dieux et aux héros. La divinité habite le temple, présente en sa statue ; à l'extérieur, magistrats et simples citoyens offrent des sacrifices sur des autels de pierre.

Les fêtes. Chaque année, de grandes fêtes réunissent tous les citoyens : à Athènes, ce sont les Panathénées en l'honneur d'Athéna. Elles culminent avec la procession qui mène tous les citoyens vers l'Acropole, au temple du Parthénon. Quelques lieux privilégiés rassemblent aussi tous les Grecs : ces sanctuaires sont dits « panhelléniques ». À Olympie, tous les quatre ans à partir de 776 av. J.-C., les Grecs de toutes les cités viennent honorer Zeus par le déploiement de leur force dans des concours athlétiques : ce sont les jeux Olympiques. Tous les quatre ans aussi, ils célèbrent Apollon par des concours athlétiques et musicaux. À Delphes, ils consultent l'oracle d'Apollon : le dieu délivre ses messages par la bouche d'une prêtresse, la Pythie.

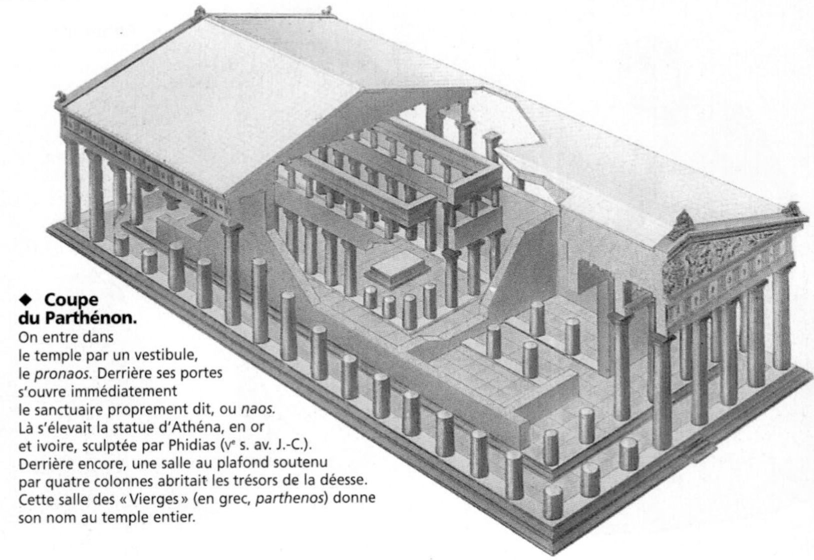

◆ **Coupe du Parthénon.** On entre dans le temple par un vestibule, le *pronaos*. Derrière ses portes s'ouvre immédiatement le sanctuaire proprement dit, ou *naos*. Là s'élevait la statue d'Athéna, en or et ivoire, sculptée par Phidias (Ve s. av. J.-C.). Derrière encore, une salle au plafond soutenu par quatre colonnes abritait les trésors de la déesse. Cette salle des « Vierges » (en grec, *parthenos*) donne son nom au temple entier.

L'au-delà

Les conceptions des Grecs sur l'au-delà évoluent à travers les siècles. À l'âge classique (V[e]-IVe s. av. J.-C.), ils parviennent à la représentation suivante : l'âme du mort gagne les Enfers, immense domaine souterrain sur lequel règnent Hadès et Perséphone. Pour libérer l'âme, le corps est brûlé. Conduite par Hermès, elle franchit le seuil des Enfers que garde le monstrueux chien Cerbère ; elle atteint le Styx, fleuve aux eaux noires, que Charon lui fait franchir sur son bateau ; une obole (petite pièce de monnaie), que l'on a placée dans la bouche du mort, lui permet de payer le passage. Le mort est alors jugé par un tribunal que président Minos, Éaque et Rhadamanthe ; au terme du jugement, il est soit précipité dans le gouffre du Tartare, où il subit les plus affreux supplices, soit admis à vivre pour l'éternité dans les Champs Élysées, un lieu doucement aéré où l'âme erre dans des prairies parsemées d'asphodèles.

Comme Isis et comme Osiris en Égypte, les dieux consolateurs, ceux qui promettent l'immortalité, connaissent une faveur croissante, particulièrement Dionysos, associé à Déméter : celui qui suit les rites de leur sanctuaire à Éleusis, près d'Athènes, peut espérer connaître une éternité bienheureuse. Orphée, le musicien légendaire, l'inconsolable époux d'Eurydice tuée par un serpent, est une autre source d'espoir : descendu aux Enfers pour y reprendre sa femme, il désobéit aux dieux qui lui ont interdit de se retourner vers elle : ainsi il la perd à jamais. Mais son enseignement, parce qu'il a été un moment vainqueur de la mort, promet l'immortalité de l'âme à ses initiés.

◆ **L'Acropole d'Athènes.** Comme la plupart des cités, Athènes a son acropole, c'est-à-dire sa « ville haute ». Rocher fortifié, cette plate-forme est longtemps une citadelle où se réfugie la population en cas d'invasion. Lieu du palais royal au temps des premiers temples, l'Acropole d'Athènes est détruite par les Perses en 480 av. J.-C. Victorieux à leur tour, les Grecs bâtissent, en utilisant le marbre, le plus bel ensemble de sanctuaires de toute la Grèce, sur lequel règne la déesse fondatrice de la cité, Athéna.

L'accès à l'Acropole et le temple d'Athéna Nikê. On arrive à l'Acropole par l'ouest, en suivant la Voie sacrée. Fidèles et pèlerins passent ainsi au pied d'un petit temple bâti en saillie. Il est dédié à Athéna, identifiée à la Victoire (en grec, *Nikê*). Élevé à la fin du Ve s. av. J.-C., il recouvre les fondations d'un temple à Artémis.

De l'Érechthéion au Parthénon. Bâti sur la bordure nord du plateau, l'Érechthéion, réaménagé jusqu'en 406 av. J.-C., est un ensemble de sanctuaires imbriqués les uns dans les autres. Dans une petite cour pousse l'olivier d'Athéna. Vénérés comme des dieux, Cécrops, mi-homme, mi-serpent, premier roi d'Athènes, et son fils Érechthée y ont leurs tombeaux. Une chapelle abrite la plus vieille statue d'Athéna, une idole de bois à laquelle la cité offre, lors des Panathénées, un riche vêtement. Entre l'Érechthéion et l'emplacement du Parthénon s'élevait au VIe s. av. J.-C. un premier temple à Athéna, détruit par les Perses. Le Parthénon, construit entre 447 et 432 av. J.-C., renferme la nouvelle statue de la déesse et ses trésors.

Les Propylées. C'est l'entrée monumentale de l'Acropole, bâtie de 437 à 435 av. J.-C. : cinq portes donnent accès à la plate-forme, quand on a franchi le portique. Deux bâtiments le flanquent, au nord et au sud.

La plate-forme. À l'époque antique, un fouillis de constructions, d'autels, de statues remplit l'espace entre les bâtiments aujourd'hui préservés. Plusieurs dieux et héros ont ici leurs sanctuaires. Au centre s'élève la statue de bronze d'Athéna Promachos (« première au combat »), haute de plus de 9 m.

L'Iran ancien

Le mazdéisme et le zoroastrisme

L'Iran ancien – la Perse – naît vers 2000 av. J.-C., avec l'invasion des cavaliers aryens venus du Turkestan, et il ne prend fin qu'avec la conquête musulmane, en 642 apr. J.-C. Sa vie religieuse se développe et se transforme donc pendant 2500 ans sur un territoire immense au contact d'autres grandes civilisations, celle de Babylone, par exemple. Notre source essentielle d'information est l'*Avesta*, une somme composite de textes sacrés, établie à partir du VIe s. av. J.-C. L'*Avesta* est proche du *Rigveda*, autre recueil de textes sacrés établis par d'autres Aryens installés, à partir de 2000 av. J.-C., dans l'Inde du Nord. La Perse a diffusé ses dieux, Mithra notamment, et certaines de ses croyances dans le monde gréco-romain, qui les a assimilés et transformés.

Le mazdéisme. Comme tous les Indo-Européens, les Perses révèrent un dieu du Ciel et de la Lumière, « seigneur-sagesse », créateur de l'Univers : Ahura-Mazdâ. Il commande les *Yazata*, forces de la nature incarnées en Mithra, dieu-pasteur, dieu de la Pluie, omniscient par ses mille oreilles et ses dix mille yeux, et justicier. Anâhita, l'« Immaculée », déesse des Sources, elle-même féconde, et Haoma, dieu de la plante du même nom, dont on tire une boisson enivrante, complètent ce panthéon lumineux. Au monde qu'ils composent s'oppose l'empire des ténèbres, dont Angra Mainyu (plus tard Ahriman) est le chef, et qui lutte contre les forces du Bien. À la plupart des dieux on offre des sacrifices sanglants. Les fidèles boivent le *haoma* et tombent dans une ivresse extatique. Ahura-Mazdâ, seigneur de la Lumière, est honoré par le feu qui rayonne au sommet de tours cultuelles. Et l'on se raconte les exploits des héros, seigneurs cavaliers, qui ont consacré leur vie à lutter contre le Mal. On craint la souillure qui offense les dieux : les morts ne sont donc pas ensevelis par respect pour la terre, ni brûlés par respect pour Ahura-Mazdâ. On expose leurs corps sur des tours où des oiseaux de proie viennent les déchiqueter.

◆ **Tour du silence à Yezd, en Iran.**
Les Perses, comme les guèbres et parsis d'aujourd'hui, exposaient les corps de leurs défunts. Dans les endroits écartés, les cadavres sont étendus sur des grilles qui ferment le haut des « tours du silence ». Des cadavres déchiquetés par les oiseaux de proie, il ne reste bientôt que quelques débris qui tombent à l'intérieur des tours.

Zarathushtra. Au VIe s. av. J.-C. apparaît un réformateur, Zarathushtra ou Zoroastre, qui prêche en Bactriane, où il est né. Il fait d'Ahura-Mazdâ le seul dieu. Les *Yazata* ne sont plus que des visages de ce dieu unique. Zarathushtra professe qu'Ahura-Mazdâ a créé deux archanges, l'un du Bien, l'autre du Mal, entre lesquels l'homme doit choisir. Honorer le dieu, c'est garder le cœur pur, offrir seulement le feu comme accompagnement de la prière, ignorer le sacrifice sanglant et l'ivresse du *haoma*. À celui qui respecte ce nouvel enseignement, Ahura-Mazdâ donnera le bonheur éternel, le jour où il reviendra dans un embrasement de l'Univers, équivalent du Jugement dernier chrétien.

Dans les siècles qui suivent, les Perses ne respectent que partiellement l'enseignement de Zarathushtra. Polythéisme, sacrifices sanglants, recours à la magie se poursuivent. C'est l'époque de l'autorité des confréries de mages, prêtres astrologues que leur savoir désigne comme maîtres des enfants nobles.

Guèbres et parsis

◆ **Guèbre célébrant le culte en Iran.**
Le culte du feu reste au centre du cérémonial dans les religions héritières du zoroastrisme. Le célébrant a ici le visage couvert d'un linge, afin d'éviter de souiller la flamme par son haleine.

Sous de nouveaux noms, l'antique religion zoroastrienne est encore attestée de nos jours. En Iran même, quelques milliers de guèbres maintiennent leurs pratiques, mais ils vivent misérablement, en marge de la communauté nationale.
En Inde, dans la région de Bombay, les parsis forment en revanche un groupe prospère de près de 200000 personnes, composé de marchands et d'artisans. Sous l'influence de réformateurs, ces descendants d'émigrants ayant quitté la Perse dès le VIIe siècle apr. J.-C. sont revenus à la pureté des prescriptions zoroastriennes : ils vénèrent le feu, pratiquent de longues ablutions purificatrices sur les rivages de la mer et ont préservé le rituel de l'exposition des morts sur les « tours du silence ».

Le manichéisme

Fondé au IIIe siècle de notre ère par Mani ou Manès (216-274/277) en Babylonie, le manichéisme emprunte au mazdéisme, au bouddhisme, au christianisme et à la philosophie dualiste. À l'âge de 24 ans, Mani aurait reçu la révélation qu'il est le dernier Envoyé céleste d'une longue suite de prophètes dont Zarathushtra, le Bouddha et Jésus sont les principaux, et qu'il a pour mission d'apporter à la terre entière un message d'espoir et de salut. Il prend soin de mettre lui-même par écrit le contenu de ce message. Il parcourt l'Empire sassanide pour prêcher la « Bonne Nouvelle » et organise l'envoi de nombreuses missions à l'étranger. Mais le clergé mazdéen voit d'un mauvais œil le succès de la nouvelle religion et fait condamner Mani à mort. Ses fidèles considèrent ses derniers jours comme sa « passion ».

Le manichéisme repose sur l'opposition fondamentale entre deux principes, le Bien et le Mal, la Lumière et les Ténèbres, l'Esprit et la Matière, qui, à l'origine, étaient séparés. Malheureusement, ces deux principes se sont mélangés, et l'homme, marqué par la dualité entre son corps et son esprit, reflète en lui cette coexistence du Bien et du Mal. Il garde dans son âme une parcelle de la Lumière divine, et il lui sera possible à la fin des temps de se libérer de la Matière pour retourner à l'Esprit. Mais dès à présent, il doit se détacher du monde pour éviter de renaître perpétuellement dans les prisons que sont les corps. Seuls quelques élus, appelés « parfaits » ou « saints », y parviendront en respectant des interdits très stricts (pas de sexua-lité ni donc de procréation, pas de consommation de viande ou de vin, pas de possession matérielle, pas de parole blasphématoire). Pour le reste des fidèles, les exigences sont moins sévères, mais leur vie, pleine de souillures, les condamne à rester prisonniers de la Matière.

Le manichéisme connaîtra une diffusion considérable de l'Afrique du Nord à l'Asie centrale et à la Chine, et persistera jusqu'au XVe siècle (parmi les mouvements les plus connus, on peut citer les bogomiles et les cathares).

◆ **Fragment d'un manuscrit manichéen.**
Présentation de l'Évangile de Mani par l'officiant lors d'une cérémonie liturgique. Manuscrit d'Asie centrale des VIIe-IXe s. (Museum für Indische Kunst, Berlin)

VOIR AUSSI
• Religions orientales dans le monde romain p. 492
• Art du Proche-Orient ancien p.1044

La Rome antique

La religion des Romains

Outre les vestiges archéologiques et de très nombreuses inscriptions sur les stèles et sur les autels, un vaste ensemble de textes nous renseignent sur la religion romaine : les grands auteurs classiques rapportent volontiers les mythes fondateurs de Rome ou relatifs aux dieux romains, ils décrivent les rites et les cultes, ou se font les chroniqueurs des changements qui affectent la religion au cours des siècles. Ainsi, Cicéron, dont les trois livres du *De natura deorum (De la nature des dieux)* sont rédigés en 45 av. J.-C., Tite-Live, dont *l'Histoire de Rome* est composée à partir de 27 av. J.-C., et Ovide, l'auteur des *Fastes*, poème écrit de l'an 3 à l'an 8 apr. J.-C., qui dresse pour chaque jour de l'année le calendrier des fêtes religieuses.

Les caractères de la religion romaine. Les Romains sont un peuple extrêmement religieux et qui croit à l'existence d'une infinité de dieux. Ces traits remontent aux origines de leur religion.

Pour les peuples installés en Italie centrale à partir de 1000 av. J.-C., les Italiques, dont les Romains ne sont qu'un rameau, la divinité est présente en toute chose et en toute action : dans la source qui coule, dans le bébé qui crie, dans le gond qui fait tourner la porte. Les Romains nomment cette puissance indéfinie *numen* et tout ce qui la concerne est *sacer* («tabou» plutôt que « sacré »). L'essentiel est de vivre en paix avec ce *numen* bienfaisant ou redoutable, qui s'individualise en milliers de divinités particulières (*numina*, pluriel de *numen*) : c'est ce que les Romains eux-mêmes appellent, plus tard, la *pax deorum* (la «paix des dieux» ou «avec les dieux»). Dans le calendrier préjulien qui compte 355 jours, les Romains distinguent des jours fastes, que les dieux laissent libres aux activités des hommes (235 par an, dont 192 seulement, appelés jours comitiaux, consacrés à l'activité politique), et des jours néfastes, qui sont réservés aux dieux et par conséquent aux fêtes religieuses et aux grandes cérémonies publiques (120 par an). Ils croient que les dieux font connaître leurs volontés par des prodiges tels que la chute de la foudre ou la naissance d'animaux monstrueux, et que l'on peut «deviner» ces volontés en observant certains phénomènes, le vol des oiseaux par exemple. Chaque famille romaine honore quotidiennement les nombreuses divinités qui la protègent. L'État, lui, se charge des grandes cérémonies qui donnent à la communauté prospérité et victoire sur les ennemis.

Une religion ouverte aux influences. Les Italiques puis les Étrusques influencent le monde de la Rome primitive. Les Étrusques donnent à Rome ses premiers temples, fixant un modèle architectural appelé à durer plus de 1000 ans. Ils répartissent selon des calendriers stricts les rituels et les fêtes, et organisent des corps de prêtres spécialisés. Les Italiques, dont les langues ont une origine indo-européenne, honorent une triade – un ensemble de trois dieux – qui domine la foule des *numina* : Jupiter (le souverain-prêtre), Mars (le souverain-guerrier) et Quirinus (le maître des travaux qui nourrissent les hommes). Les Étrusques lui substituent une autre triade, celle de Jupiter, Junon, Minerve, installée au temps des Tarquins, dans le grand temple du Capitole.

À partir de cette époque (VIe s. av. J.-C.), la religion romaine s'ouvre, lentement, aux dieux et aux rituels étrangers. À la triade capitoline s'ajoutent quelques fortes personnalités divines, dieux italiques qui ont visage humain, comme Saturne ou Neptune, et dieux et rites venus des cités grecques de l'Italie du Sud. De Cumes arrivent les «Livres sibyllins», recueils de prophéties énigmatiques que l'on consulte en temps de crise. Héraclès et Artémis sont adoptés sous les noms d'Hercule et de Diane. Pour conjurer une épidémie, Apollon, dieu de la Peste et de la Guérison, est introduit à son tour au Ve s. av. J.-C. Puis Dionysos, dieu du Vin, désigné aussi par le nom de Bacchus.

D'une religion formaliste, juridique *(do ut des)*, c'est-à-dire, s'adressant au dieu, «je donne pour que tu donnes», on passe à une religion plus intériorisée, plus en rapport avec les besoins des individus. Bientôt, les dieux de l'Orient arrivent. Toutefois, les autorités s'alarment du caractère secret des cérémonies : elles y voient des occasions de débauches, de crimes, de complots politiques. En 186 av. J.-C., les adorateurs de Dionysos sont arrêtés, exécutés par centaines : c'est le «scandale des bacchanales».

Les dieux

Le regroupement des dieux en une société organisée, avec ses filiations, ses mariages, ses adultères, est étranger à la mentalité romaine. Jusqu'à l'assimilation des pratiques religieuses étrusques et grecques, les Romains, dans la Rome archaïque, honorent des *numina* qui n'ont pas de représentation concrète, mais seulement un nom rappelant leur fonction. Ainsi Saturne, dieu de la Culture; Faunus, dieu du Bétail; Flora, déesse des Fleurs; Liber, dieu de la Vigne; Pomona, déesse des Fruits; Vesta, déesse du Foyer; Vulcain, dieu du Feu; Janus, plus tard représenté avec deux visages,

Dieux romains et dieux grecs

Panthéon grec et panthéon romain paraissent à nos yeux se confondre. Seule la désignation, latine ou grecque, de la divinité marquerait une différence. Les Romains de l'Antiquité païenne ne le vivaient pas ainsi, et les équivalences ou assimilations dont nous convenons ne sont que des approximations. Apollon, dieu grec importé, est resté longtemps divinité de la Médecine plus que du Soleil. Mars, en s'identifiant à l'Arès hellénique, n'a pas rompu avec ses origines très anciennes, qui faisaient déjà de lui un dieu guerrier. Pendant des siècles, les Romains continuent toutefois à le vénérer comme dieu agraire. Bacchus n'est pas romain. Son nom n'est que la romanisation d'un cri que l'on lançait pendant les fêtes de Dionysos. Le dieu grec expulse à cette occasion une vieille divinité italique, Liber : il ne s'agit nullement d'une fusion. Ce que les Romains ont repris totalement aux Grecs, ce sont les représentations des dieux, quand les vieux *numina* sont devenus anthropomorphes.

Équivalences dieux romains/dieux grecs :
- **Apollon/Apollon Phébus, dieu médecin, dieu solaire, dieu des Arts;**
- **Bacchus/Dionysos, dieu du Vin et de l'Extase;**
- **Cérès/Déméter, déesse de la Terre et des Moissons;**
- **Diane/Artémis, divinité agraire, maîtresse de la Chasse;**
- **Junon/Héra, protectrice de la femme et de la maternité;**
- **Jupiter/Zeus, dieu du Ciel lumineux, maître de l'Univers;**
- **Juventus/Hébé, déesse de la Jeunesse;**
- **Mars/Arès, dieu guerrier, qui fut d'abord un dieu agraire;**
- **Mercure/Hermès, dieu du Commerce et de l'Éloquence;**
- **Minerve/Athéna, déesse de l'Intelligence;**
- **Neptune/Poséidon, dieu de la Mer;**
- **Vénus/Aphrodite, déesse de l'Amour et de la Beauté;**
- **Vesta/Hestia, déesse du Foyer.**

◆ **Suovétaurilies.** Ce mot, formé par la réunion des termes latins *sus* (porc), *ovis* (mouton), *taurus* (taureau), désigne les sacrifices où ces trois victimes sont immolées. Ces sacrifices clôturent une cérémonie de purification où la procession des desservants et des animaux fait trois fois le tour de l'objet à purifier. Bas-relief en pierre de l'autel de Domitius Ahenobarbus, IIe s. av. J.-C. (Paris, musée du Louvre)

dieu de la Porte, etc. Mais trois dieux émergent bientôt : Jupiter, Junon, Minerve.

Jupiter Capitolin, maître du monde, est, comme le Zeus grec, dieu du Ciel lumineux. Il se manifeste par la foudre et l'aigle est son messager. Il est dit *Optimus* (dieu de l'Abondance), *Maximus* (très grand). Il protège l'État, mène les légions à la victoire et les arrête dans leur fuite.

Junon est d'abord une déesse de la Terre mère, que l'on rapproche d'Héra d'Agros. Épouse de Jupiter, elle partage avec lui la souveraineté et est honorée du titre de Junon *Regina* («reine»). Chaque femme l'honore comme sa protectrice.

Minerve, divinité reçue des Étrusques et identifiée à Athéna, est la déesse des Arts et des Techniques, et de l'activité intellectuelle. Elle protège tout particulièrement les artisans. Dans cette nouvelle triade, les deux déesses ne jouent qu'un rôle secondaire par rapport à Jupiter.

Les cultes domestiques et publics

Les premiers dieux que l'on révère sont ceux qui protègent la famille, et le père de famille en est le prêtre. Les grandes familles honorent l'ancêtre qui les a fondées : la *gens Julia* (famille de Jules César) fait remonter sa fondation aux amours de Vénus et d'Ascagne, père d'Énée. Plus simplement, la permanence de la famille s'exprime dans le feu perpétuellement entretenu. Sur le foyer se font des offrandes quotidiennes. Près du foyer, une niche ou un placard enferme les statues ou les peintures des lares et des pénates, généralement accompagnées de la représentation du *genius*, la part divine du chef de la famille. Les offrandes sont simples : des fragments de nourriture, des fruits, quelques gouttes d'huile et de vin.

La vie n'est possible que si les morts se tiennent en paix. Les Romains n'ont de l'au-delà qu'une vision sommaire. Du moins les âmes des morts existent puisque tous les rituels visent à les apaiser et à les renvoyer dans leur univers. Les offrandes aux esprits – aux mânes – suffisent, pour l'ordinaire. Mais les morts les plus désagréables ou les plus terrifiants ne sont mis en échec que par les longs rituels des *Lemuria*. Pendant 6 jours et 3 nuits, on se protège, pour l'année à venir, des âmes des morts en général et des spectres des défunts morts tragiquement (lémures) en particulier. Dans les gestes, dans les formules énoncées, la plus grande minutie est exigée. L'efficacité de la prière et de l'offrande demande une parfaite exactitude. Plutôt que dans des temples, les cultes publics se déroulent en plein air, sur des autels de pierre mais ils demandent le même soin. Le simple citoyen ou le magistrat qui fait l'offrande d'un sacrifice est assisté d'un prêtre dont il exécute rigoureusement les instructions.

◆ **Jupiter *Stator*.**
Il est «celui qui arrête la fuite des Romains». C'est là l'un des aspects magiques de sa souveraineté qui le rend capable de renverser le cours d'une bataille et de favoriser la victoire des Romains. Sculpture romaine. (Musée du Vatican, Rome)

◆ **Augure.**
Assistant des magistrats, l'augure consulte les présages avant toute décision importante (vote d'une assemblée, déclenchement d'une bataille, etc.). De son bâton recourbé, il définit dans le ciel l'aire sacrée où il observe le vol des oiseaux. Ou bien il trouve la réponse des dieux dans l'appétit des poulets sacrés.

Les prêtres

Comme dans toutes les religions anciennes, les prêtres romains sont des professionnels qui doivent connaître rituels et paroles capables de maintenir la *pax deorum*. Venue du fond des âges, l'organisation des prêtres en collèges permet leur stricte spécialisation. Les premiers sont les pontifes (dont le nombre passe de 3 à 16 entre les premiers temps de Rome et la fin de la République) : parmi eux, le *pontifex maximus* est le chef de la religion romaine. Les 15 flamines sont les prêtres des grands dieux. Les 12 saliens sont voués au culte de Mars, et le chant archaïque dont ils accompagnent leurs danses est incompréhensible pour les non-initiés. Les 20 fétiaux règlent les rapports diplomatiques et ils exécutent les rituels de

◆ **Laraire familial.**
Toute famille romaine honore les lares familiaux, protecteurs de la maison et de ses champs, qu'il ne faut pas confondre avec les pénates, protecteurs des provisions. Les lares sont représentés sous l'aspect de jeunes hommes à tunique courte. D'une main, ils tiennent un vase en forme de corne et, de l'autre, une coupe ou un panier. Fréquemment, le *genius* du chef de famille est représenté en leur compagnie, sous la forme d'un serpent. (Laraire de la maison des Vetti, à Pompéi)

Romulus et Remus

La légende rattache la fondation de Rome au récit épique de la guerre de Troie. Descendant du héros troyen Énée qui aurait échappé à la destruction de sa patrie, Numitor, roi d'Albe, est détrôné par son frère Amulius. Sa fille Rhéa Silvia est consacrée à la déesse du Feu, Vesta, et, comme telle, vouée au célibat. Or le dieu Mars s'unit à Rhéa Silvia, et de leur étreinte naissent des jumeaux, Romulus et Remus. Pour se débarrasser de ces descendants inopportuns, Amulius les fait déposer dans un panier qu'on abandonne aux eaux du Tibre. Le fleuve déborde et dépose la nacelle au pied du Palatin où une louve allaite miraculeusement les deux enfants. Le berger Faustulus les recueille et les fait élever par sa femme Acca Larentia, surnommée *Lupa* («louve»).
À 18 ans, Romulus et Remus ont la révélation de leurs origines. Ils tuent Amulius, restaurent leur grand-père Numitor sur le trône d'Albe puis, regroupant pasteurs et paysans errants, ils fondent une ville sur le Palatin. Pour savoir qui en sera le roi, ils consultent le ciel : Remus voit 6 vautours, mais à Romulus les dieux en envoient 12. Romulus sera donc roi et sa ville s'appellera Rome. Il marque le tracé de ses murs par un sillon que Remus, par bravade, franchit d'un bond : Romulus le tue. Les débuts de Rome continuent tumultueusement : ses premiers habitants enlèvent des femmes sabines. Quand Romulus meurt, Mars l'emporte au ciel et on l'adore désormais sous le nom de Quirinus.

◆ **Louve du Capitole.**
Bronze étrusque, v. 500 av. J.-C., auquel ont été adjoints, à la Renaissance, Romulus et Remus. (Rome, musée du palais des Conservateurs)

La religion de l'ancien Israël

Le premier monothéisme

Le judaïsme est la première religion de l'humanité à affirmer l'existence d'un seul Dieu (monothéisme). Chronologiquement, il est la première des trois religions issues d'Abraham – les deux autres étant le christianisme et l'islam. Au sens strict, le judaïsme est la forme prise par la religion du peuple juif après la destruction du premier Temple et la première Dispersion à Babylone, en 587 av. J.-C. Auparavant, il convient plutôt de parler de « religion d'Israël ».

Premier monothéisme de l'histoire, le judaïsme s'est développé dans un des plus importants carrefours de l'histoire du monde antique, le Proche-Orient méditerranéen, au croisement de cultures aussi riches que diverses (mésopotamienne, égyptienne). Depuis Canaan – la Terre promise de Palestine où les « fils d'Abraham, Isaac et Jacob » s'installent au début du XIIe s. av. J.-C. –, le peuple juif, fidèle à sa religion, se disperse à travers le monde au gré des vicissitudes malheureuses de son histoire. La destruction du second (et dernier) Temple, en 70 apr. J.-C., ouvre pour près de 20 siècles la grande Diaspora du peuple juif. En 1948, le « foyer national juif », promis par les Britanniques en 1917, se concrétise en un État, Israël : vers cet État, laïque mais où, de fait, les religieux jouent un rôle important, des Juifs nombreux affluent, sans que – loin s'en faut – disparaisse la Diaspora.

Religion et peuple. Le judaïsme est une réalité complexe, qui ne se réduit pas à une définition religieuse. En effet, le peuple hébreu (étymologiquement, « qui vient de l'autre rive du fleuve », le Jourdain), en vertu du pacte d'alliance conclu avec Dieu sur le Sinaï, est le peuple élu : cette élection, étrangère à l'idée de domination, témoigne de sa relation unique avec Dieu. Le judaïsme est donc une religion à composante ethnique marquée, nation et religion se recouvrant. Conserver jalousement, et intacts, les préceptes d'Israël est la condition de la permanence du peuple juif. D'où la simplicité doctrinale du judaïsme, qui se résume en deux affirmations essentielles : l'unité de Dieu et l'élection d'Israël. Ce qu'exprime la profession de foi qui accompagne le juif tout au long de sa vie : « *Shema Israël* » – « Écoute Israël : l'Éternel est notre Dieu, l'Éternel est Un » (Deutéronome, VI, 4). La foi dans le Dieu unique se concrétise à tous les instants par Son service selon des modes qu'Il a Lui-même édictés lors de la Révélation sur le mont Sinaï.

La Bible hébraïque

L'expression « Ancien Testament » est d'origine chrétienne. C'est Paul qui l'applique aux livres saints lus et commentés dans les offices à la synagogue. Les rabbins parlent simplement des « écrits » ou des « livres ». Quant au mot « Bible », il est la reprise du grec *ta biblia*, « les livres », et a fini par désigner *le* Livre.

Les livres. Les 24 livres de la Bible hébraïque, qui se présentaient dans l'Antiquité sous la forme de rouleaux, se répartissent en trois ensembles : la *Torah*, les *Nebiim* et les *Ketubim*, qui forment le *Tanakh* en hébreu moderne.

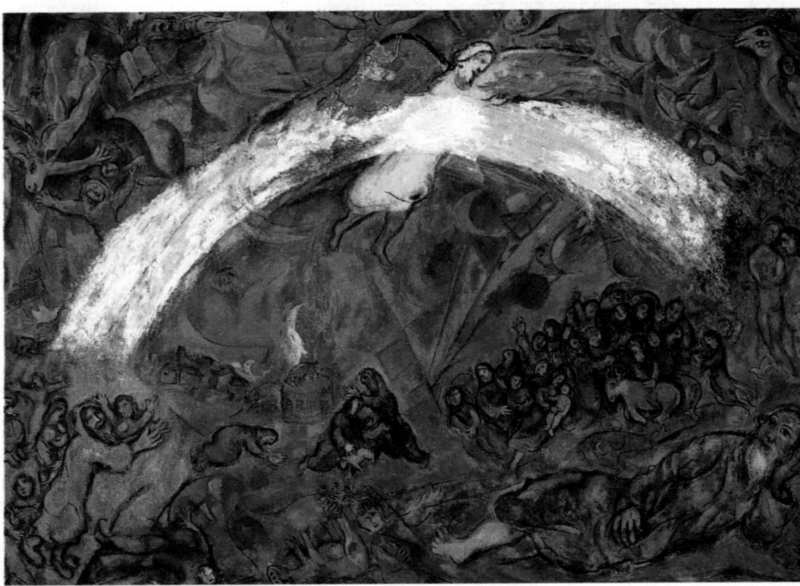

◆ ***Noé et l'Arc-en-ciel*, par Marc Chagall.** Le peintre (1887-1985) a représenté la première alliance de Dieu avec les hommes, après le Déluge, symbolisée par l'arc-en-ciel. (Musée du Message biblique Marc-Chagall, Nice)

– Les cinq livres de la *Torah* (la Loi ; le Pentateuque de la Bible grecque) contiennent l'essentiel de la Révélation divine : la Genèse, l'Exode, le Lévitique, les Nombres et le Deutéronome. Ils sont désignés en hébreu par les premiers mots du texte, par exemple, pour la Genèse : *Be reshit*, « Au commencement ».
– Les *Nebiim* (les Prophètes) rassemblent des livres historiques (les prophètes antérieurs) : Josué, les Juges, Samuel et les Rois ; les trois grands prophètes : Isaïe, Jérémie et Ézéchiel ; les « Douze Prophètes » (ou les petits prophètes), en un seul livre : Osée, Joël, Amos, Abdias, Jonas, Michée, Nahum, Habacuc, Sophonie, Aggée, Zacharie, Malachie.
– Les *Ketubim* (les Hagiographes, « Saints Écrits ») réunissent de façon composite les livres poétiques et sapientiaux : les Psaumes, les Proverbes, Job, le Cantique des cantiques, l'Ecclésiaste ; des livres historiques, Esdras et Néhémie, les Chroniques ; et les livres de Ruth, des Lamentations, d'Esther et de Daniel.

Ces trois ensembles constituent le canon de la Bible hébraïque, c'est-à-dire la liste officielle des livres considérés comme inspirés par Dieu, telle qu'elle a été fixée à la fin du Ier s. apr. J.-C. Les rabbins n'ont alors retenu que les livres rédigés en hébreu et en araméen, excluant les livres ou passages composés en grec, ou d'époque tardive – cela indépendamment de la traduction grecque existant depuis le IIIe s. av. J.-C., dite Bible des Septante (parce que élaborée, selon la tradition, par 70 ou 72 sages), destinée à la Diaspora. Ils ont fixé par ailleurs un texte consonantique, sans voyelles. Ultérieurement, les massorètes (de *massorah*, « annotation ») ont ajouté des voyelles pour éviter les interprétations ou combinaisons fantaisistes. Les études linguistiques et philologiques récentes ont permis de découvrir des strates rédactionnelles d'époques et de milieux de rédaction différents. Ces strates, qui pour le Pentateuque s'échelonnent du IXe au IVe s. av. J.-C., expliquent en partie les doublets et le caractère complexe du texte biblique.

Textes fondateurs

Bien évidemment, les textes originaux de la Bible hébraïque ne nous sont pas parvenus. C'est à la fin de Ier s. apr. J.-C. que la version du texte massorétique devient la seule autorisée. Jusqu'à la découverte des manuscrits de Qumran, les plus anciens que nous connaissions étaient ceux du IXe s., dont les manuscrits modernes reprennent le texte. La traduction la plus ancienne, en grec, est celle de la Septante ; l'une des plus connues est celle réalisée en latin, la Vulgate. Il existe enfin des traductions en araméen appelées *Targoum*. La traduction française, utilisée ici, est celle du rabbinat français.

L'alliance avec Abraham… « Abram étant âgé de quatre-vingt-dix-neuf ans, le Seigneur lui apparut et lui dit : "Je suis le Dieu tout-puissant ; conduis-toi à mon gré, sois irréprochable, et je maintiendrai mon alliance avec toi, et je te multiplierai à l'infini." Abram tomba sur sa face, et Dieu lui parla de la sorte : "Moi-même, oui, je traite avec toi : tu seras le père d'une multitude de nations. Ton nom ne

Petit lexique

Hébreux : peuple sémitique de l'Orient ancien ; descendance des patriarches bibliques Abraham, Isaac et Jacob.

Israélites : nom donné aux Hébreux à partir du moment où ils s'installent dans le pays de Canaan (il vient du nom « Israël », signifiant « fort contre Dieu », donné à Jacob après son combat victorieux contre l'ange).

Juifs : à l'origine, les habitants de la Judée (région de Jérusalem), puis par extension, à partir de 587 av. J.-C., les pratiquants de la religion juive.

VOIR AUSSI • **Hébreux** (histoire) p. 417

s'énoncera plus, désormais, Abram : ton nom sera Abraham, car je te fais le père d'une multitude de nations. Je te ferai fructifier prodigieusement; je ferai de toi des peuples, et des rois seront tes descendants. Cette alliance, établie entre moi et entre toi et ta postérité dernière, je l'érigerai en alliance perpétuelle, étant pour toi un Dieu comme pour ta postérité après toi. Et je donnerai à toi et à ta postérité la terre de tes pérégrinations, toute la terre de Canaan, comme possession indéfinie; et je serai pour eux un Dieu tutélaire." »

... et la circoncision. «Dieu dit à Abraham : "Pour toi, sois fidèle à mon alliance, toi et ta postérité après toi dans les âges. Voici le pacte que vous observerez, qui est entre moi et vous, jusqu'à ta dernière postérité : circoncire tout mâle d'entre vous. Vous retrancherez la chair de votre excroissance, et ce sera un symbole d'alliance entre moi et vous. À l'âge de huit jours, que tout mâle, dans vos générations, soit circoncis par vous..." (Genèse, XVII, 1-14.)

La Révélation du Nom : le Buisson ardent. (Le nom de Dieu s'exprime en hébreu par le tétragramme YHWH, forme consonantique archaïque du verbe «être» [«je suis»]. Par crainte révérencielle, les juifs ne le prononcent pas et le remplacent par *Adonaï*, Seigneur, ou l'Éternel.) «Un ange du Seigneur lui apparut dans un jet de flamme au milieu d'un buisson. Il remarqua que le buisson était en feu et cependant ne se consumait point. Moïse se dit : "Je veux m'approcher, je veux examiner ce grand phénomène : pourquoi le buisson ne se consume pas." L'Éternel vit qu'il s'approchait pour regarder; alors Dieu l'appela du sein du buisson, disant : "Moïse ! Moïse !" Et il répondit : "Me voici." Il reprit : "N'approche point d'ici ! Ôte ta chaussure, car l'endroit que tu foules est un sol sacré !" Il ajouta : "Je suis la Divinité de ton père, le Dieu d'Abraham, d'Isaac et de Jacob..." Moïse se couvrit le visage, craignant de regarder le Seigneur. L'Éternel poursuivit : "J'ai vu, j'ai vu l'humiliation de mon peuple qui est en Égypte; j'ai accueilli sa plainte contre ses oppresseurs, car je connais ses souffrances. Je suis donc intervenu pour le délivrer de la puissance égyptienne, et pour le faire passer de cette contrée-là dans une contrée fertile et spacieuse, dans une terre ruisselante de lait et de miel, où habitent le Cananéen, le Héthéen, l'Amorréen, le Phérézéen, le Hévéen et le Jébuséen. Oui, la plainte des enfants d'Israël est venue jusqu'à moi; oui, j'ai vu la tyrannie dont les Égyptiens les accablent. Et maintenant va, je te délègue vers Pharaon; et fais que mon peuple, les enfants d'Israël, sortent de l'Égypte." Moïse dit au Seigneur : "Qui suis-je, pour aborder Pharaon, et pour faire sortir les enfants d'Israël de l'Égypte ?" Il répondit : "C'est que je serai avec toi, et ceci te servira à prouver que c'est moi qui t'envoie : quand tu auras fait sortir ce peuple de l'Égypte, vous adorerez le Seigneur sur cette montagne même." Moïse dit à Dieu : "Or, je vais trouver les enfants d'Israël, et je leur dirai : *Le Dieu de vos pères m'envoie vers vous...* S'ils me disent : *Quel est son nom ?* que leur dirai-je ?" Dieu répondit à Moïse : "Je suis l'Être invariable !" Et il ajouta : "Ainsi parleras-tu aux enfants d'Israël : *C'est l'Être invariable qui m'a délégué auprès de vous.*" Dieu dit encore à Moïse : "Parle ainsi aux enfants d'Israël : *L'Éternel, le dieu de vos pères, le Dieu d'Abraham, d'Isaac et de Jacob, m'envoie vers vous.* Tel est mon nom à jamais, tel sera mon attribut dans tous les âges." » (Exode, III, 2-15.)

L'amour du prochain. «Tu ne grappilleras point dans ta vigne et tu ne recueilleras point les grains épars de ta vigne. Abandonne-les au pauvre et à l'étranger : je suis l'Éternel votre Dieu [...]. Ne commets point d'extorsion sur ton prochain, point de rapine [...]. N'insulte pas un sourd, et ne place pas d'obstacle sur le chemin d'un aveugle [...]. Ne va point colportant le mal parmi les tiens, ne sois pas indifférent au danger de ton prochain [...]. Ne hais point ton frère en ton cœur [...]. Ne te venge ni ne garde rancune aux enfants de ton peuple, mais aime ton prochain comme toi-même : je suis l'Éternel [...]. Si un étranger vient séjourner avec toi, dans votre pays, ne le molestez point. Il sera pour vous comme un de vos compatriotes, l'étranger qui séjourne avec vous, et tu l'aimeras comme toi-même, car vous avez été étrangers dans le pays d'Égypte : je suis l'Éternel votre Dieu.» (Lévitique, XIX, 10-34.)

Suivre les commandements... «Or, voici la loi, les statuts et les règles que l'Éternel, votre Dieu, m'a ordonné de vous enseigner, et que vous avez à suivre dans le pays dont vous allez prendre possession; afin que tu révères l'Éternel, ton Dieu, en observant tous ses statuts et ses préceptes que je te transmets, toi, et ton fils et ton petit-fils, tout le temps de votre vie, et afin que vos jours se prolongent. Tu écouteras donc, Israël, et tu observeras avec soin, afin de prospérer et de multiplier sans mesure, ainsi que l'Éternel, Dieu de tes pères, te l'a promis, dans ce pays ruisselant de lait et de miel.»

... et les transmettre. «Écoute, Israël : l'Éternel est notre Dieu, l'Éternel est un ! Tu aimeras l'Éternel, ton Dieu, de tout ton cœur, de toute ton âme et de tout ton pouvoir. Ces devoirs que je t'impose aujourd'hui seront gravés dans ton cœur. Tu les inculqueras à tes enfants et tu t'en entretiendras, soit dans ta maison, soit en voyage, en te couchant et en te levant.» (Deutéronome, VI, 4-9.)

Le peuple élu... «Lorsque l'Éternel, ton Dieu, t'aura fait entrer dans le pays où tu te rends pour le conquérir; quand il aura écarté de devant toi ces nombreuses peuplades, [...] voici ce que vous devrez leur faire : vous renverserez leurs autels, vous briserez leurs monuments, vous abattrez leurs bosquets, vous livrerez leurs statues aux flammes. Car tu es un peuple consacré à l'Éternel, ton Dieu : Il t'a choisi, l'Éternel, ton Dieu, pour lui être un peuple spécial, entre tous les peuples qui sont sur la face de la Terre. Si l'Éternel vous a préférés, vous a distingués, ce n'est pas que vous soyez plus nombreux que les autres peuples, car vous êtes le moindre de tous ; c'est parce que l'Éternel vous aime, parce qu'il est fidèle au serment qu'il a fait à vos aïeux; voilà pourquoi il vous a, d'un bras puissant, arrachés et sauvés de la maison de servitude, de la main de Pharaon, roi d'Égypte.

Reconnais donc que l'Éternel, ton Dieu, lui seul est Dieu, un Dieu véridique, fidèle au pacte de bienveillance pour ceux qui l'aiment et obéissent à ses lois, jusqu'à la millième génération; mais qui punit ses ennemis directement, en les faisant périr [...].»

... gardien de la Loi. «Pour prix de votre obéissance à ces lois et de votre fidélité à les accomplir, l'Éternel, votre Dieu, sera fidèle aussi au pacte de bienveillance qu'il a juré à vos pères. Il t'aimera, te bénira, te multipliera, il bénira le fruit de tes entrailles et le fruit de ton sol, ton blé, ton vin et ton huile, les produits de ton gros et de ton menu bétail, dans le pays qu'il a juré à tes pères de te donner. Tu seras béni entre tous les peuples [...].» (Deutéronome, VII, 1-15.)

Les Dix Commandements ou Décalogue

Alors Dieu prononça toutes ces paroles, savoir :

[I] «Je suis l'Éternel, ton Dieu, qui t'ai fait sortir du pays d'Égypte, d'une maison d'esclavage.

[II] Tu n'auras point d'autre dieu que moi. Tu ne te feras point d'idole ni une image quelconque de ce qui est en haut dans le ciel; ou en bas sur la Terre, ou dans les eaux au-dessous de la Terre.

Tu ne te prosterneras point devant elles, tu ne les adoreras point; car moi, l'Éternel, ton Dieu, je suis un Dieu jaloux, qui poursuis le crime des pères sur les enfants jusqu'à la troisième et à la quatrième génération, pour ceux qui m'offensent; et qui étends ma bienveillance à la millième, pour ceux qui m'aiment et gardent mes commandements.

[III] Tu n'invoqueras point le nom de l'Éternel ton Dieu à l'appui du mensonge; car l'Éternel ne laisse pas impuni celui qui invoque son nom pour le mensonge.

[IV] Pense au jour du Sabbat pour le sanctifier. Durant six jours tu travailleras, et t'occuperas de toutes tes affaires; mais le septième jour est la trêve de l'Éternel ton Dieu : tu n'y feras aucun travail, toi, ton fils ni ta fille, ton esclave mâle ou femelle, ton bétail, ni l'étranger qui est dans tes murs. Car en six jours l'Éternel a fait le ciel, la terre, la mer et tout ce qu'ils renferment et il s'est reposé le septième jour; c'est pourquoi l'Éternel a béni le jour du Sabbat et l'a sanctifié.

[V] Honore ton père et ta mère, afin que tes jours se prolongent sur la terre que l'Éternel ton Dieu t'accordera.

[VI] Ne commets point d'homicide.

◆ Le don de la Loi.
Moïse, sur la montagne de l'Apparition, entouré d'une haie de feu, reçoit les Tables de la Loi. Il redescend vers Aaron et le peuple, et leur transmet la Torah. Page du Pentateuque dit «de Regensburg» [Ratisbonne], v. 1300. (Jérusalem, musée d'Israël)

[VII] Ne commets point d'adultère.

(VIII) Ne commets point de larcin.

(IX) Ne rends point contre ton prochain un faux témoignage.

[X] Ne convoite pas la maison de ton prochain; ne convoite pas la femme de ton prochain, son esclave ni sa servante, son bœuf ni son âne, ni rien de ce qui est à ton prochain.» (Exode XX, 1-14.)

Histoire et doctrine

Histoire des juifs jusqu'à la Diaspora

Le calendrier juif commence avec la date mythique de la création du premier homme, vers 3761 av. J.-C. L'an 2000 correspond donc à l'an 5761 de l'ère juive. Les informations de l'Ancien Testament, recoupées avec d'autres sources littéraires et avec les données de l'archéologie, permettent d'établir une chronologie depuis le IIIe millénaire, même si un certain nombre de dates ne peuvent pas être précisées de façon absolue.

Le temps des patriarches. Les ancêtres d'Abraham sont nomades en Mésopotamie. Vers 1800 av. J.-C., Abraham et son clan partent s'installer dans la terre de Canaan. C'est à ce moment-là qu'est conclue l'alliance entre Dieu, Abraham et sa descendance.

Un lieu réservé aux Juifs. La deuxième enceinte (6), celle du temple proprement dit, ne peut être franchie que par les juifs, sous peine de mort. Regardant vers l'est, la Belle Porte mène au parvis que les femmes n'ont pas le droit de dépasser. Les hommes passent sous la porte de Nicanor (7), en haut d'un escalier semi-circulaire, pour accéder au parvis d'Israël, lui-même séparé du parvis des prêtres où se situent l'autel des sacrifices et l'entrée du Saint des Saints (8).

Les Hébreux en Égypte et l'Exode. Quelques siècles plus tard, on retrouve les Hébreux en Égypte, probablement à la suite d'une migration. Leur situation devient difficile lorsqu'ils sont soumis à des corvées : c'est le temps de l'esclavage. Vers 1260 av. J.-C., Moïse organise le départ des Hébreux vers la « Terre promise ». Le voyage va durer quarante ans, c'est l'Exode. Au cours de la traversée du désert intervient un des événements fondateurs du judaïsme, le don de la Loi (en particulier des Dix Commandements) par Dieu à Moïse sur le mont Sinaï.

Les Juges. Après que Josué a fait la conquête de la Palestine, entre 1220 et 1200 av. J.-C., les tribus des Hébreux s'organisent autour de chefs militaires, les Juges, qui vont mener pendant deux siècles la guerre contre les Philistins. Samuel, prophète et juge, prépare l'avènement de la royauté.

Les rois. Saül, premier roi d'Israël, règne d'environ 1030 à 1010 av. J.-C. et lutte contre les Philistins. Lui succède David (1010-970 av. J.-C.), qui unifie et agrandit le royaume d'Israël et fait de Jérusalem sa capitale. Son fils Salomon (970-931 av. J.-C.) hérite de ce royaume puissant et prospère, et fait construire le Temple de Jérusalem pour y abriter l'Arche d'Alliance.

Les deux royaumes d'Israël et de Juda. À la mort de Salomon, l'unité politique et religieuse du pays se brise pour donner naissance à deux royaumes, celui du Nord ou Israël, qui a pour capitale Samarie (fondée vers 880 av. J.-C.), et celui du Sud ou Juda, dont la capitale est Jérusalem. Le royaume d'Israël est envahi et annexé par les Assyriens en 722 av. J.-C., et une partie de la population est déportée. Vassal de l'Assyrie, le royaume de Juda reprend son indépendance sous le règne du roi Josias (640-609 av. J.-C.). En 622 av. J.-C. intervient une grande réforme religieuse visant à purifier la religion. En 587 av. J.-C., Nabuchodonosor détruit Jérusalem et son Temple, et déporte une partie de la population à Babylone.

Dans les deux royaumes, tout au long de ces temps troublés, les prophètes jouent un rôle important.

La captivité de Babylone. Avec la déportation à Babylone, le phénomène de la Diaspora prend une grande ampleur. Mais dans l'Exil se développe aussi le sentiment de l'identité du judaïsme.

Le retour. Le nouveau maître de l'Orient, Cyrus, roi des Perses, autorise en 538 av. J.-C. les Juifs à retourner dans leur pays et à reconstruire le Temple, qui sera achevé en 515 av. J.-C. Jérusalem redevient le centre de la vie religieuse du judaïsme, même pour les Juifs de la Diaspora, qui y offrent des sacrifices et paient, tous les ans, l'impôt dû au Temple. Mais c'est le prêtre Esdras, en 398 av. J.-C, qui rappelle aux juifs le sens de la Torah et donne au judaïsme sa forme définitive de communauté organisée autour de l'écoute de la Loi.

L'époque hellénistique. En 332 av. J.-C., Alexandre le Grand s'empare de la Judée et de Samarie. À sa mort, ses généraux se disputent sa succession et la Palestine est gouvernée par la dynastie des Lagides. La Diaspora se développe alors dans l'Égypte hellénistique. C'est à Alexandrie qu'est rédigée la traduction grecque de la Bible, dite des Septante. En 198 av. J.-C., la Palestine passe aux mains des Séleucides.

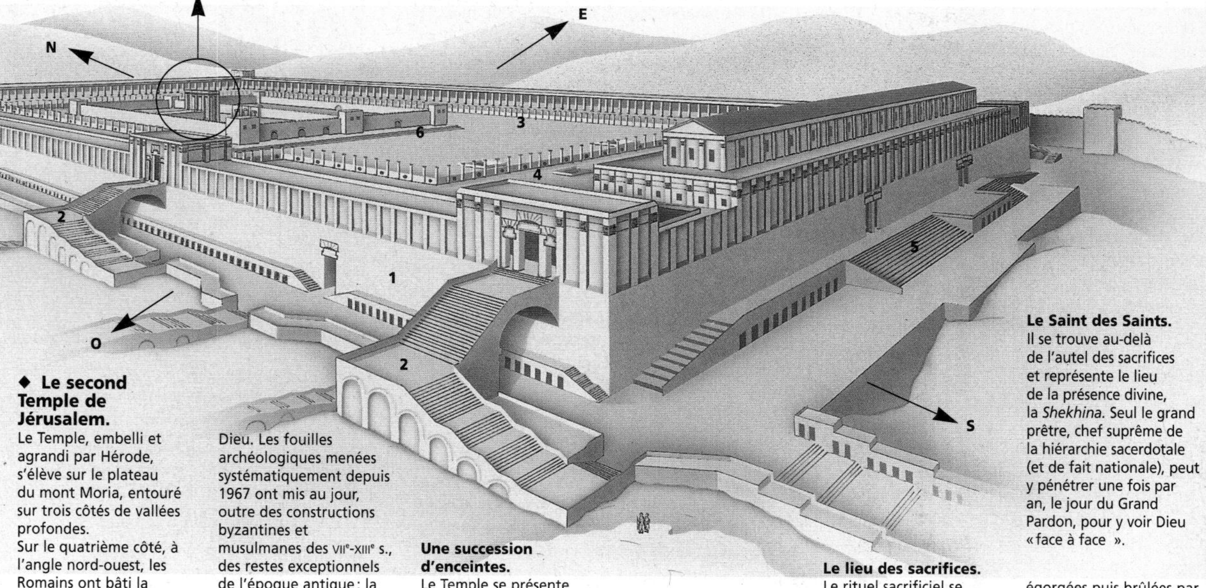

◆ Le second Temple de Jérusalem. Le Temple, embelli et agrandi par Hérode, s'élève sur le plateau du mont Moria, entouré sur trois côtés de vallées profondes. Sur le quatrième côté, à l'angle nord-ouest, les Romains ont bâti la forteresse Antonia, où ils conservent les vêtements rituels du grand prêtre après la réduction de la Judée en province romaine. Pour les Juifs nationalistes du Ier s., cette présence militaire est un défi permanent à Dieu. Les fouilles archéologiques menées systématiquement depuis 1967 ont mis au jour, outre des constructions byzantines et musulmanes des VIIe-XIIIe s., des restes exceptionnels de l'époque antique : la continuation du mur occidental du Temple, dit par les non-juifs « Mur des lamentations » (1), et les escaliers et rampes d'accès (2) à l'esplanade. On recherche actuellement les traces du premier Temple.

Une succession d'enceintes. Le Temple se présente comme une succession d'enceintes à l'accès de plus en plus limité. Le mur extérieur est un portique à la grecque (3), ouvert sur l'intérieur vers le parvis des gentils ou païens (4), auquel ceux-ci peuvent accéder. Parmi les portes qui le percent, les plus utilisées sont celles du sud, où un escalier monumental (5) conduit au portique royal, voulu par Hérode. Des portiques extérieurs abritent les marchands et les changeurs.

Le lieu des sacrifices. Le rituel sacrificiel se déroule devant le Saint des Saints. L'autel monumental, alimenté en bois pour le sacrifice par le feu (holocauste) et en eau pour la purification, reçoit les victimes des sacrifices quotidiens ou festifs, rituellement égorgées puis brûlées par des prêtres, descendants d'Aaron, attachés à ce service, pendant que les lévites – descendants de Lévi, desservants mineurs du culte – font retentir les accents des instruments de musique et des chœurs.

Le Saint des Saints. Il se trouve au-delà de l'autel des sacrifices et représente le lieu de la présence divine, la *Shekhina*. Seul le grand prêtre, chef suprême de la hiérarchie sacerdotale (et de fait nationale), peut y pénétrer une fois par an, le jour du Grand Pardon, pour y voir Dieu « face à face ».

La dynastie des Asmonéens. De nombreux abus, dont la construction d'un autel païen dans le Temple même par Antiochus IV Épiphane, amènent les Juifs à se soulever. C'est la révolte des Maccabées, en 167 av. J.-C., qui permet la restauration de l'indépendance avec la dynastie des Asmonéens et la purification du Temple (célébrée chaque année par la fête de Hanoukka). Cependant, les Esséniens, réfugiés dans le désert de Judée et qui se considèrent comme le « dernier reste d'Israël », dénoncent la corruption et l'impiété de l'aristocratie sacerdotale en charge du Temple.

La domination romaine. En 63 av. J.-C., le général romain Pompée prend Jérusalem. Hérode le Grand règne sur le royaume juif avec le soutien des Romains de 37 à 4 av. J.-C., il fait agrandir le Temple. En l'an 6 apr. J.-C., la Judée devient une province romaine. Les maladresses des Romains amènent les Juifs à se révolter en 66 apr. J.-C.; en 70, Jérusalem et le second Temple sont détruits par Titus; la forteresse de Massada tombe en 74. En 132-135, une deuxième révolte juive dirigée par Bar-Kokhba échoue, elle entraîne des persécutions très sévères et la grande dispersion des juifs.

Le Talmud

La destruction du Temple en 70 puis l'échec de la dernière tentative de restauration nationale, lors de la révolte de Bar-Kokhba en 132-135, privent le judaïsme de ses assises sacrificielle et nationale : la Torah devient plus que jamais le seul garant de la survie d'Israël. Or, son enseignement verbal, s'il permet une adaptation parfaite de la Loi à chaque situation nouvelle, comporte aussi des risques de déviation : il devient urgent de codifier la tradition orale. Dès 70, Rabbi Johanan ben Zakkai fonde à Yabné, important centre d'études rabbiniques, un Conseil, ou Sanhédrin, composé de docteurs de la Loi et présidé par le patriarche, le *Nassi*. Collectivement, du IIe au Ve s. apr. J.-C., des générations de rabbins fixent par écrit les enseignements de la Torah orale, constituant ainsi le Talmud (« enseignement »).

Mishna et Gemara. Le Talmud a deux versions. La première, composée à partir des discussions des académies de Palestine (principalement de Césarée, de Tibériade et de Sepphoris) [*Yerushalmi*], est appelée le *Talmud de Jérusalem*, et sa première édition remonte à 425 de notre ère.

La seconde version, écrite dans les académies fondées en Babylonie (*Babli*), qui vont rapidement prendre une grande importance, est plus volumineuse; dénommée le *Talmud de Babylone*, elle va connaître une autorité et une diffusion beaucoup plus larges; une première édition en aurait été publiée aux alentours de 500 de notre ère.

Le Talmud est formé de deux ensembles rédigés à des époques différentes. La *Mishna* (de « apprendre par répétition »), groupe de 63 traités en hébreu, est une compilation de la Loi orale réalisée par les *Tannaim* (« enseignants »), les docteurs les plus réputés, depuis Rabbi Aqiba (mort en 135 apr. J.-C.) jusqu'à Rabbi Juda Ha-Nassi (137-227), qui en acheva la rédaction. L'importance de ces traités est telle qu'ils suscitèrent à leur tour une exégèse. Les rabbins qui se sont livrés à cette interprétation sont les *Amoraim* (« commentateurs ») : leur œuvre, écrite en araméen, forme la *Gemara* (« commentaire », « achèvement ») qui a valeur de loi, dont la version la plus développée se trouve dans le *Talmud de Babylone*.

L'étude du Talmud a toujours joué un rôle déterminant dans la pratique religieuse juive, c'est encore le cas aujourd'hui puisque son étude reste primordiale dans les académies rabbiniques. Il constitue avec la Torah le cœur de la religion juive.

◆ **Abrégé du Talmud, d'Isaac Alfasi, avec le commentaire talmudique de Rashi.**
Parchemin enluminé, XVe s. Au centre, la colonne du texte d'Alfasi, grand talmudiste et codificateur séfarade du XIe s.; dans les marges, le commentaire de Rashi sur le Talmud (qui est encore aujourd'hui indispensable à la compréhension du texte) et d'autres gloses écrits dans des figures géométriques fantastiques. Parchemin en hébreu, Bohême, vers 1380-1400. (Bibliothèque nationale de France, Paris)

La Diaspora

Ce mot grec exprime la dispersion du peuple juif (l'« Exil », en hébreu *galut*). Dès 587 av. J.-C., quand Nabuchodonosor, après avoir détruit le premier Temple, « déporta à Babylone ceux qui avaient échappé à l'épée, [les Juifs] durent le servir, ainsi que ses fils, jusqu'à l'établissement du royaume perse » (I, Chroniques, XXXVI, 20). Tous ne rentrèrent pas lors du retour d'Exil sous Cyrus. De plus, sous les souverains hellénistiques, des émigrations volontaires firent essaimer le peuple juif sur le pourtour, surtout oriental, du bassin méditerranéen. Au point que, au début de notre ère, Philon d'Alexandrie rappelle que Jérusalem « a envoyé des colonies dans des pays environnants : l'Égypte, la Phénicie, la Syrie… Et je ne parle pas de celles qui sont au-delà de l'Euphrate. » L'échec de la révolte de 132 détermine la Grande Diaspora, jusqu'en 1948, date de la création de l'État d'Israël. Par-delà l'ancienne répartition en 12 tribus se sont créées des communautés à la personnalité propre, développant leurs traditions et employant une langue marquée par la culture dominante dans laquelle elles vivaient. En Orient et sur le pourtour de la Méditerranée, en pays latin ou musulman, les *sephardim* (ou séfarades) parlaient le *ladino* ou les diverses langues judéo-arabes. En Europe centrale et ses abords, les *ashkenazim* (ou ashkénazes) ont développé une langue très riche, tant populaire que culturelle, qui a produit une véritable littérature : le yiddish. Son usage demeure d'autant plus vivant qu'il a dépassé le cadre européen (avec par exemple des journaux en yiddish à New York) et a connu la consécration comme langue littéraire avec Isaac B. Singer, prix Nobel de littérature.

Les sectes

Parmi les quatre « sectes » décrites par Flavius Josèphe, général et historien juif du Ier s. apr. J.-C., auteur de l'*Histoire de la Guerre des Juifs contre les Romains* et des *Antiquités juives*, les sadducéens représentent une aristocratie sacerdotale, économiquement aisée, chargée du rituel sacrificiel au Temple. Conservateurs, ils s'en tiennent à l'interprétation littérale de la Loi et rejettent les évolutions de la pensée théologique (résurrection, angélologie). Sur le plan politique, ils n'hésitent pas à collaborer avec Rome. À l'opposé, les pharisiens, mis en scène dans les Évangiles, sont des docteurs de la Loi, des rabbis, spécialistes du texte biblique et habitués à l'interpréter. Leur enseignement oral de la Torah, dans les synagogues, leur assure un écho important auprès du peuple juif palestinien. Orthodoxes pratiquants, ils sont cependant, au plan doctrinal, ouverts aux nouveautés. Après la chute du second Temple, le judaïsme pharisien devient l'expression officielle du judaïsme.

Les manuscrits de la mer Morte

En 1946, quand un berger bédouin exhuma d'une grotte ouvrant sur la mer Morte, dans le désert de Juda, les sept premiers manuscrits, il ne se doutait pas qu'il contribuait à l'une des découvertes archéologiques les plus fondamentales du XXe s. Depuis, la fouille systématique des grottes de Qumran a restitué, dans des états variables, la bibliothèque de la communauté essénienne établie là. Ces manuscrits, principalement des parchemins, permettent de comprendre la vie de cet établissement de type monastique et sa conception doctrinale, influencée par des écrits que n'a pas retenus le canon de la Bible hébraïque. Plus largement, cette bibliothèque a livré des fragments de tous les livres de l'Ancien Testament, sauf celui d'Esther. Ce sont les plus anciens manuscrits connus de la Bible, datant du milieu du IIIe siècle av. J.-C. à l'an 68 de notre ère.

◆ **Fragment d'un manuscrit.**
Commentaire d'Habacuc, Ier s. av. J.-C. - Ier s. apr. J.-C. (Sanctuaire du Livre, Jérusalem)

La pensée juive médiévale

La grande dispersion de 135, tout en maintenant en Palestine quelques centres qui s'emploient à fixer par écrit la tradition orale (le futur *Talmud de Jérusalem*), déplace le cœur spirituel du judaïsme vers l'est, en Babylonie.

Anciennes et riches, les communautés où s'élabore l'œuvre magistrale du *Talmud de Babylone* profitent à partir du VIIe s. des conquêtes musulmanes. L'unification politique réalisée par les califes permet aux *gaonim*, chefs des deux grandes académies de Sura et Pumbedita (en Babylonie), d'étendre leur autorité morale et religieuse sur l'ensemble des juifs de l'empire du Croissant. Le gaon Saadia (Fayoum, 882/892-Syrie 942), dirigeant important du judaïsme babylonien, est l'une des grandes figures de cette époque. Par son ouvrage, *Emunot ve Deot (Livre des croyances et des opinions)*, il est le précurseur de la philosophie juive médiévale. Des codes de *responsa (sheelot* ou *teshuvot)* donnent aux juifs, parfois très éloignés, les solutions à des problèmes d'interprétation de la Loi dans des cas non traités par le Talmud. Ils fixent également l'ordre du service religieux, tandis que, aux VIIIe-Xe s., les massorètes harmonisent définitivement le texte biblique. Le démembrement de l'Empire musulman entraîne à sa suite la décadence du centre juif babylonien.

L'Espagne des califes omeyyades. La civilisation brillante de l'Espagne des califes omeyyades donne alors au judaïsme espagnol un cadre à sa mesure. C'est l'âge d'or de la pensée religieuse juive. Par l'intermédiaire des traducteurs arabes, les juifs découvrent la philosophie grecque. Une lignée de théologiens juifs prestigieux s'attache à concilier raison et révélation. Salomon ibn Gabirol (v. 1020-v. 1058) dépasse largement le cadre du monde juif puisque son *Mekor Hayim (la Source de vie)*, traduit en latin, est utilisé par les théologiens chrétiens (qui nomment l'auteur Avicébron). À partir du XIIIe s., ses idées émaillent la pensée kabbaliste.

Cependant, celui qui réalise le plus parfaitement la synthèse entre philosophie grecque aristotélicienne et judaïsme est un Cordouan du XIIe s., Moïse ben Maimon (1138-1204), dit Maïmonide (connu aussi sous le nom de Ramban). Il publie vers 1190 *le Guide des égarés*, qui établit, par la méthode allégorique, une théorie de la connaissance (intellectuelle et de Dieu) et une théorie des attributs négatifs de Dieu. Bien que violemment critiqué au XIVe s. par le Provençal Levi ben Gerson, dit Gersonides (1288-1344), il a une telle autorité que ses «treize articles de foi» sont intégrés dans le rituel de prières.

Perfectionnement de la *Halakha*. Ces développements philosophiques, comme d'ailleurs les tendances messianiques, n'ont pas d'incidence dangereuse sur la foi du fait de l'attention scrupuleuse portée par les rabbis à la *Halakha* (littéralement : «manière de marcher» – la réglementation qui définit l'observance correcte du judaïsme et dont le Talmud est la composante essentielle. Celle-ci est complétée par les commentaires de Rabbi Rachi (1040-1105), fondateur de l'école talmudique – *Yeshiva*, ou académie – de Troyes : ses annotations, devenues bientôt indispensables, sont complétées par ses disciples, les tossafistes (de *tossafot*, «additions»). Peu à peu, les recueils de lois se multiplient et au XVIe s., Joseph Caro de Safed publie le *Shulhan Aroukh*, code qui unifie définitivement la *Halakha*.

La kabbale

Ce mot désigne un courant mystique juif qui plonge ses racines dans la tradition biblique et dans la littérature apocalyptique des premiers siècles de notre ère (*qabbala* : «tradition»). À l'origine doctrine ésotérique réservée à quelques initiés, la kabbale devient à partir des XIIIe-XIVe s. un courant très populaire au sein du judaïsme européen.

Le mysticisme kabbaliste juif présente deux approches. La kabbale spéculative est une philosophie qui étudie les rapports entre le monde spirituel et celui d'ici-bas. La kabbale pratique recherche les moyens de faire agir les énergies spirituelles dans le monde physique. Son but final est de restaurer l'harmonie du monde, souillé par le Mal, dont la défaite inaugurera le règne messianique de Dieu. Le kabbaliste devient le collaborateur de l'accomplissement de la création divine. Le plus ancien ouvrage mystique, attribué à Rabbi Aqiba (50-135 apr. J.-C.), est le *Sefer Yetsira (Livre de la création)*, qui décrit les 32 voies mystiques par lesquelles Dieu créa le monde (les 22 lettres de l'alphabet hébreu et les 10 *sefirot sefira*, [de «nombre»], instruments de la création). Avec le *Zohar (Livre des splendeurs*, v. 1300), œuvre de Moïse de Léon, la kabbale atteint son apogée. Cette «Bible des kabbalistes», qui se présente comme un commentaire du Pentateuque, synthétise les grands thèmes spéculatifs de son temps. Le *Zohar* servit de base au développement de la pensée des plus grands kabbalistes de l'école de Safed, en Palestine, au XVIe s.

Les mouvements messianiques

La croyance messianique est constitutive du judaïsme puisque, depuis l'Élection du peuple juif, le terme ultime du dessein divin est la gloire d'Israël, qui se réalisera avec l'aide d'un envoyé de Dieu, le Messie, *Messiah*, l'«Oint». Mais cette venue sera précédée de temps sombres, tragiques et douloureux, auxquels le Messie combattant mettra fin pour que le règne de Dieu arrive. Ainsi, on comprend que les moments les plus dramatiques de l'histoire du peuple juif aient pu être ressentis comme les «jours annonciateurs», les «affres de l'enfantement» du Sauveur, et qu'ils aient donné lieu à des flambées messianiques «pour hâter la fin des temps». La fin de la période du second Temple donne un premier exemple historique de cette agitation messianique. Flavius Josèphe rapporte l'audience alors croissante de «faux messies». La destruction du Temple, en 70, une fois le traumatisme passé, est religieusement interprétée comme la dernière «abomination de la désolation» (Daniel); d'où la proclamation par Rabbi Aqiba, le docteur le plus réputé de son temps, peu suspect de fantaisie, de Bar-Kokhba, «Fils de l'Étoile», comme le Messie qui vient. L'échec de la révolte signera son martyre.

Au XVIIe s., un messie d'un autre genre se lève. Sabbatai Zevi, proclamé en 1665 à Smyrne, est reconnu comme Messie par le rabbi Nathan de Gaza. Il inaugure les débuts de la rédemption et donc affirme le dépassement de la Loi, qu'il concrétise en se convertissant à l'islam. Des communautés de sabbatéens, «les croyants», subsistent encore en Turquie. Un mouvement similaire se développe au XVIIIe s., dans les États germaniques, derrière Jacob Franck (1726-1791). Les frankistes consommeront ensuite leur rupture avec le judaïsme : ils se convertiront au catholicisme.

◆ **Juifs en prière devant le «Mur».** En 1967, à la faveur de la guerre des Six-Jours, l'État d'Israël occupe la partie est de Jérusalem. Les juifs ont désormais libre accès au mur occidental (dit des Lamentations), vestige du Temple, auprès duquel une petite communauté d'entre eux n'a cessé de se lamenter depuis sa destruction en l'an 70, en appelant de ses prières la restauration nationale. Le *Kotel* (mot hébreu signifiant «Mur») devient un haut lieu pour les juifs du monde entier, qui viennent rendre grâces à Dieu du lieu saint retrouvé. Femmes et hommes y prient après avoir attaché «comme symbole, sur [leurs] bras et en fronteau entre [leurs] yeux» (Deutéronome VI, 8) des phylactères (*Tefillin*) portant la parole de Dieu, et déposent, dans les interstices des pierres, des souhaits écrits.

Le judaïsme moderne

Les XIVe et XVe s. marquent un tournant dans l'histoire des communautés juives européennes. Dès le XIIIe s., en France puis en Angleterre, les expulsions des juifs se multiplient. L'expulsion des juifs d'Espagne, en 1492, détermine le bouleversement le plus notable de leur répartition géographique avant le XXe s. Dès lors, deux zones phares dominent. Dans la Palestine sous domination ottomane, Safed, en Galilée, accueille kabbalistes et rabbis. Dans l'Europe centrale des XVIe-XVIIe s., les écoles talmudiques *(Yeshivot)* de Pologne marquent l'apogée de l'étude de la Loi. Jusqu'en 1648, date du massacre des juifs par les cosaques et les paysans ukrainiens, des communautés nombreuses, autonomes administrativement, prospèrent et approfondissent l'étude et l'enseignement de la Torah.

Peu à peu, à Venise d'abord – d'où vient le terme *ghetto*, qui désignait leur quartier réservé –, puis dans l'ensemble de l'Europe, les juifs, soit sous la contrainte des autorités, soit pour préserver leur identité, se referment sur leur communauté, la *Kehilla*. Les psalmodies de la synagogue et du Talmud Torah y scandent une vie quotidienne réglée sur les *mitsvot*, les commandements. Cependant, l'évolution des idées qui révolutionne l'Europe occidentale à partir de la seconde moitié du XVIIIe s., sous la forme de la philosophie des Lumières, pose aux juifs le problème de l'émancipation, avec le risque corollaire de l'assimilation, c'est-à-dire de la perte de l'identité.

Le hassidisme

Le hassidisme (*hassid*, «saint») est une tendance mystique née en Europe centrale, au XVIIIe s., en réponse aux désespoirs nés de l'échec des mouvements messianiques et de leurs dévoiements. Son fondateur, Israël Ba'al Shem Tov (v. 1700-1760) [le *Besht*, «le Maître du Bon

Renom »], homme simple, s'établit avec un groupe de disciples en Ukraine. Il enseigne, par sa conduite, une nouvelle manière de rendre grâces à Dieu. Si la prière et l'étude continuelles constituent la base du service divin, c'est dans la *hitlahavut*, la joie, la réjouissance fervente et quasi extatique de la danse et du chant, que le fidèle trouvera Dieu et vivra dans son union. Celui qui atteint ce degré d'intimité avec la divinité est un *tsaddiq*, un « juste », auprès duquel on vient vivre pour progresser en Dieu. Dans le mouvement hassidique, la personnalité du saint prend la place de la doctrine, car le saint devient l'incarnation vivante de la Torah. Ce n'est plus la connaissance qui donne valeur au rabbi, mais sa vie quotidienne : « Je ne suis pas allé au *Maggid* de Meseritz pour apprendre de lui la Torah, mais pour le regarder lier les lacets de ses chaussures. »

Le rapide succès du hassidisme en Russie, Pologne et Lituanie a été alimenté par des personnalités de *tsaddiqim* exceptionnelles : Dov Baer de Meseritz, rabbi Lévi Isaac de Berditchev, Nahman de Bratslav et Mendel de Vitebsk, qui l'introduit en Palestine. Le hassidisme s'opposa, un temps, aux tenants du judaïsme traditionnel, fondé sur le texte. Redonnant à l'étude une place centrale, tout en poursuivant la voie enthousiaste, le hassidisme est aujourd'hui le judaïsme orthodoxe par excellence.

La plupart des communautés hassidiques se trouvent aujourd'hui en Israël et aux États-Unis (en particulier dans le quartier de Brooklyn à New York). Dynamiques, elles comptent plusieurs dizaines de milliers de fidèles, groupés autour de leurs chefs spirituels. Elles ont conservé l'usage du yiddish, langue utilisée pendant plus de mille ans dans le monde ashkénaze, et ont maintenu le respect de certaines coutumes qui donnent aux hommes un aspect caractéristique : barbe que l'on ne coupe pas, port de « papillotes » (mèches longues de cheveux le long des tempes) et larges chapeaux noirs ou toques de fourrure. Ces groupes ont tendance à vivre repliés sur eux-mêmes en développant une vie communautaire intense, et en donnant à tous les actes de leur vie quotidienne un aspect religieux.

Fêtes et rites

De nombreuses fêtes aux rites bien précis rythment l'année juive. Sauf pour le Shabbat (samedi), les dates sont mobiles. Toutes les fêtes juives commencent et se terminent au coucher du soleil, conformément à l'ordre de la création.

Les célébrations. Le Shabbat est un jour de repos hebdomadaire, à l'image du 7ᵉ jour de la création : « Dieu bénit le 7ᵉ jour et le sanctifia, parce qu'en ce jour il se reposa de l'œuvre entière qu'il avait produite et organisée » (Genèse II, 3). Aussi toute création, matérielle ou intellectuelle, est-elle interdite pour permettre à l'homme de se consacrer entièrement à Dieu. Le Shabbat est célébré par des offices qui rassemblent la communauté à la synagogue et par des prières familiales où l'on bénit le pain et le vin.

◆ **Ouverture de l'arche contenant les rouleaux de la Torah.**

Les fêtes. Des rituels anciens commémorent l'histoire d'Israël avant son arrivée en Terre promise ; ils correspondent à de très anciennes fêtes agraires où l'on célébrait le printemps et l'automne. Au printemps, Pâque *(Pessah)* rappelle la libération des Hébreux de leur esclavage en Égypte. En souvenir de leur départ précipité et de leur errance dans le désert du Sinaï, les juifs s'abstiennent pendant une semaine de tout aliment fermenté ou levé. Chaque famille, lors d'un repas de fête, le *seder*, rappelle cet événement fondateur.

Sept semaines, soit 50 jours (Pentecôte) plus tard, la fête des Semaines (*Shavouot*) sanctifie les prémices des récoltes et commémore le don de la Loi à Moïse au mont Sinaï.

À l'arrivée de l'automne est célébrée la fête des Cabanes *(Soukkot)*, appelée aussi fête des Tentes ou des Tabernacles. Pendant une semaine, on sanctifie la récolte des fruits et on commémore la vie sous les tentes durant les quarante années de la fuite dans le désert égyptien en prenant ses repas sous des cabanes faites de branchages.

Trois célébrations renvoient à l'histoire du judaïsme post-exilique. La fête des Sorts *(Pourim)* a lieu le jour anniversaire de la délivrance miraculeuse des Juifs de Perse, sauvés de l'extermination grâce à la reine Esther. C'est une fête très populaire, où l'on se déguise. Une même joie caractérise la fête des Lumières *(Hanoukka)* au début du mois de décembre. Elle dure huit jours et, chaque soir, une bougie est allumée. La semaine est éminemment empreinte de religiosité, car elle célèbre la purification du Temple par Judas Maccabée. À l'inverse, le *Tesha be Av* (le 9 du mois de *Av*), jour d'affliction et de deuil, rappelle la destruction des deux Temples.

La fête du Nouvel An ou *Rosh Ha-Shana*, à l'automne, inaugure un temps nouveau, elle rappelle la création du monde par Dieu mais aussi son jugement. Ce jour-là retentit la sonnerie du *shofar* (corne de bélier), pour appeler le peuple juif au repentir. Suit une période de dix jours où chacun doit faire son examen de conscience. Au terme de ce temps est célébrée la cérémonie la plus importante de l'année, le *Yom Kippour*, jour des expiations, du Grand Pardon. L'individu et la communauté se purifient par le jeûne, la prière continue, la reconnaissance des péchés et le pardon des offenses.

Les rites alimentaires. Une pratique constante, tout au long de l'année, est le respect des lois sur l'alimentation ou *cacherout*. Il s'agit de se conformer aux prescriptions alimentaires religieuses définies dans la Torah (ne pas mélanger viandes et laitages, ni consommer des animaux qui n'auraient pas été vidés de leur sang ou bien des poissons qui n'auraient ni écailles ni nageoires).

Bar-mitsva

Dans la semaine de son 13ᵉ anniversaire, le jeune garçon juif fait sa *bar-mitsva*, qui marque son entrée dans la communauté religieuse des adultes. Il devient « fils de la bonne action » (c'est le sens de l'expression bar-mitsva). Alors il atteste sa connaissance de la Loi et de la lecture des textes, acquises au *Talmud Torah*. Chez les libéraux, la jeune fille célèbre elle aussi, à 12 ans, sa *bat-mitsva*.

La lecture de la Parole de Dieu. Le jeune garçon, comme les hommes qui l'entourent, parmi lesquels le rabbin (maître liturgique) et le *hazan* (chantre), a les épaules couvertes du châle de prière nommé *tallith* et la tête de la *kippa*. Sous la lumière symbolique du chandelier à sept branches *(menora)*, s'aidant, pour suivre le texte, d'une main en argent, dans une atmosphère très recueillie, il s'efforce de lire à haute voix, sans erreur, car la Parole de Dieu ne doit pas être écorchée. Désormais, il peut être compté dans un *minyan*, c'est-à-dire un groupe de dix juifs nécessaire à la validité de toute cérémonie religieuse.

La présentation du *Sefer Torah*. Le samedi qui suit la cérémonie proprement dite, dans la synagogue, le jeune garçon, désormais adulte religieusement, a l'insigne privilège de monter au pupitre qui se trouve devant l'armoire de la Torah. Une fois sortis de leur arche sainte, les rouleaux *(Sefer Torah)* sont promenés rituellement. Puis on les dépose sur le pupitre, on les dégage de l'habit richement brodé qui les recouvre. Ils sont ouverts à la *parasha* du jour, (passage de la Torah où l'on en est), la totalité de la Loi étant lue en une année.

Petit lexique

kippa : calotte de tissu couvrant le sommet de la tête ; elle symbolise la séparation entre le divin et l'humain, et exprime l'humilité de l'homme dans sa relation à Dieu.

menora : chandelier à sept branches, emblème du judaïsme, associé au culte célébré dans le Temple de Jérusalem.

mitsvot (pl. ; sing. *mitsvah*) : les 613 commandements que doivent respecter les juifs (365 interdits et 248 devoirs à accomplir).

VOIR AUSSI • **Calendrier juif** p. 408

Le judaïsme aujourd'hui

Des données nouvelles

Le judaïsme actuel est à considérer en relation avec deux paramètres: culturel et historique.

Le paramètre culturel. La révolution rationaliste du XVIIIe s. et le positivisme du XIXe s. l'affectent en profondeur. En Allemagne, le philosophe Moses Mendelssohn (1729-1786), dans la lignée de l'*Aufklärung* (les Lumières), développe dans *Jérusalem ou le Pouvoir religieux et le judaïsme* (1783) l'idée du judaïsme comme « législation révélée » dont la vérité peut être appréhendée par la raison. Cette conception « scientifique » de la religion, appuyée sur une Bible et des commentaires en allemand, donne naissance au courant *Maskilim*, qui se heurte aux conceptions juives traditionnelles. Depuis, les deux mouvements s'affrontent, d'autant que le courant issu de la *Haskala* (la Lumière) présente des risques de laïcisation, confinant à l'abandon de la foi.

Le paramètre historique. Depuis la fin du siècle dernier, les communautés russes et allemandes, confrontées à l'antisémitisme ambiant, ont été largement ouvertes aux thèses socialistes, marxistes ou non. Le *Bund* – mouvement juif socialiste – développe deux tendances, l'une dans l'Internationale, visant à faire participer les juifs à la révolution sociale, l'autre prônant, à la suite de Theodor Herzl (1860-1904), auteur de *l'État juif* (1896), la création d'un État national juif, de caractère socialisant, rassemblant enfin un peuple dispersé. La Déclaration Balfour, en pleine Première Guerre mondiale, pose le principe d'un foyer national juif en Palestine, où, dès la fin du XIXe s., des *aliyoth* (« montée », immigrations) successives ont commencé de rassembler des Juifs fuyant l'Europe centrale et orientale. En 1948, après le génocide nazi et une meurtrière guerre d'indépendance, la création de l'État d'Israël a ravivé ce paramètre historique en redonnant au judaïsme, après presque 2000 ans, une dimension nationale.

Tendances et tensions actuelles. L'État d'Israël ne rassemble que le quart environ des juifs du monde. Outre les problèmes politiques qui agitent le jeune État, le judaïsme israélien connaît les mêmes tensions que l'ensemble des communautés dispersées. Les rabbinats – dont le Grand Rabbinat de Jérusalem est l'instance doctrinale la plus prestigieuse – ont eu récemment à statuer sur trois questions.

Une tendance intégriste s'est développée ces dernières années, et ce d'autant plus facilement que, à la différence du catholicisme, il n'existe pas dans le judaïsme d'autorité religieuse suprême, chaque rabbinat national étant souverain. La confrontation avec un monde technicien et l'intégration des communautés occidentales de la Diaspora, exposées à l'assimilation, donc à la disparition en tant que groupe spécifique, ont mis sur le devant de la scène juive la question du rigorisme de la pratique religieuse.

Schématiquement, la tendance libérale, dont la « synagogue réformée » forme la plus grande part, a choisi l'ouverture pour assurer la perpétuation; d'où un assouplissement des obligations rituelles et une adaptation au monde actuel. À l'opposé, la tendance orthodoxe, dont les *Lubavitch* constituent la fraction la plus militante et prosélyte, très influente en Israël, aux États-Unis et en France, a choisi une voie intégriste de raidissement sur les préceptes et prescriptions, provoquant des tensions et manifestations en Israël.

Qui est juif ? La définition est devenue urgente, du fait de la « loi du retour » instaurée avec la création d'un État national ouvert à tous les juifs désireux d'en faire partie. De plus, là où le courant réformiste souhaite alléger les exigences en cas de conversion ou d'enfants nés de mariages mixtes, les orthodoxes opposent un purisme intransigeant qui séduit des jeunes de plus en plus nombreux, en particulier aux États-Unis.

La question de la place des femmes dans le judaïsme se pose aussi. Dans la conception traditionnelle, les femmes assument leur rôle de mère, et se soucient particulièrement d'étude et de prière; chez les libéraux, elles célèbrent de plus en plus souvent leur majorité religieuse, la bat-mitsva. Chez les réformistes, l'innovation récente la plus radicale est l'égalité revendiquée dans la vie communautaire. Mêlées aux hommes dans la synagogue, elles veulent aussi officier. En 1985 a été intronisée la première femme rabbin aux États-Unis. D'autres ont suivi l'exemple, en France notamment.

VOIR AUSSI
• **Israël** p. 618
Illustrations
• **Jérusalem** p. 608

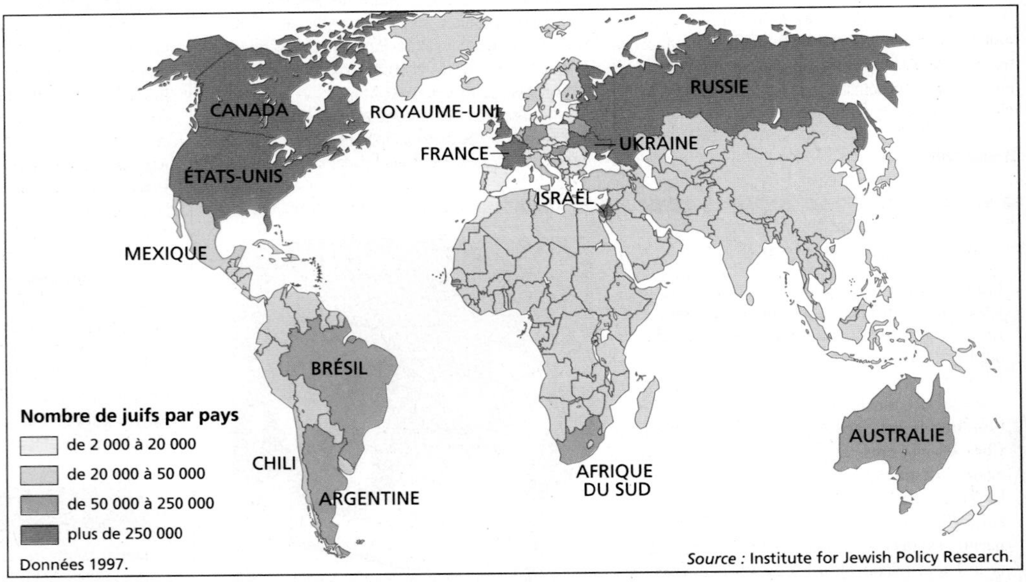

◆ Les communautés juives dans le monde.
La localisation des communautés juives dans le monde d'aujourd'hui est très fortement liée à l'histoire du XXe s. européen. D'une part, la démographie du peuple juif a chuté du tiers pendant le génocide nazi (6 millions de Juifs européens sont morts dans les camps de concentration et d'extermination). D'autre part, les politiques antisémites des régimes totalitaires ont recomposé la géographie du judaïsme mondial. Estimée à 14 millions, la population juive se répartit en communautés, dont la plus importante vit aux États-Unis.

CANADA
ROYAUME-UNI
RUSSIE
UKRAINE
FRANCE
ÉTATS-UNIS
ISRAËL
MEXIQUE
BRÉSIL
CHILI
ARGENTINE
AFRIQUE DU SUD
AUSTRALIE

Nombre de juifs par pays
- de 2 000 à 20 000
- de 20 000 à 50 000
- de 50 000 à 250 000
- plus de 250 000

Données 1997.

Source : Institute for Jewish Policy Research.

États-Unis.
Les juifs y sont près de deux fois plus nombreux qu'en Israël, et New York est la plus grande ville juive du monde, avant Tel-Aviv.
Cette communauté ancienne, majoritairement ashkénaze, provient de différentes émigrations (Europe centrale et orientale, Afrique du Nord et même Israël). Elle joue un rôle capital dans les relations privilégiées entre les États-Unis et Israël.

Argentine.
En Amérique du Sud, l'Argentine, pays neuf, a accueilli, depuis le début du siècle, des juifs en mal de liberté ou désireux de réussir.

Afrique.
Les juifs sont peu nombreux, surtout depuis l'émigration qui a suivi la décolonisation française en Afrique du Nord. Des *mellahs* (quartiers juifs marocains) entiers ont émigré en Israël, et il ne reste plus que 10 000 juifs dans le royaume chérifien. À la fin de 1984, l'opération « Moïse », si spectaculaire, a permis aux Falachas, juifs noirs d'Éthiopie, d'immigrer en Israël. Seule la communauté juive d'Afrique du Sud, qui rassemble la quasi-totalité des juifs du continent (98 000 personnes), a quelque importance en raison des relations qu'elle entretient avec Israël.

Europe occidentale.
Les communautés juives n'y représentent plus que 1 million de personnes environ, dont les deux tiers en France et en Grande-Bretagne. Bien intégrées, elles sont particulièrement vivantes et économiquement entreprenantes.
Très attentives aux manifestations d'antisémitisme latent, elles sont au plan religieux plus libérales en Grande-Bretagne qu'en France. La communauté juive française, originellement ashkénaze, a été largement augmentée et profondément rénovée, dans les années 1956-1962, par l'arrivée des juifs séfarades d'Afrique du Nord.

Ex-URSS.
Les « juifs d'URSS » ont souvent tenu, ces dernières années, le devant de la scène internationale. En butte à un antisémitisme russe ancien, combiné à l'athéisme militant soviétique, la communauté russe et ukrainienne, qui a fourni de gros contingents aux émigrations en Israël, comptait de nombreux *refuzniks*, juifs empêchés d'émigrer. Avec la libéralisation de Gorbatchev, le courant migratoire a repris. Entre 1992 et 1995, 1 million de juifs de l'ex-URSS se sont installés en Israël.

Asie et Océanie.
Les juifs sont présents en Asie du Sud-Est, parfois depuis très longtemps comme cette « tribu » oubliée qui a revendiqué récemment sa judaïcité aux confins orientaux de l'Inde.
En Australie, il s'agit essentiellement d'émigrants européens récents.

Les origines

Jésus et son message

Prophète populaire, Jésus, que ses disciples acclament comme le Messie, naît vers la fin du règne d'Hérode, entre l'an 6 et l'an 4 avant notre ère (la datation proposée au VIe s. par le moine Denys le Petit et sur laquelle repose le calendrier chrétien s'est révélée inexacte). Après trente ans de «vie obscure», il reçoit le baptême de Jean le Baptiste dans le Jourdain et commence à prêcher dans son pays d'origine, la Galilée. Parlant par fables et paraboles, accomplissant des guérisons, Jésus recrute ses premiers compagnons dans les milieux juifs défavorisés. Il annonce la venue imminente d'un royaume dont nul ne comprend qu'il engage le destin du monde, mais dont les pauvres attendent un bouleversement immédiat de leur sort.

Sa qualité de Messie, que Jésus ne nie pas, lui confère une grande autorité sur le peuple. Sa prédication, d'abord itinérante, puis au Temple de Jérusalem, irrite les pharisiens, qui le considèrent comme un non-conformiste qui ruine, dans le peuple, l'autorité religieuse et morale de la caste sacerdotale. Confondant l'annonce du royaume de Dieu avec l'agitation nationaliste antiromaine, persuadés que la popularité de Jésus auprès des foules qui le suivent constitue un grave danger, les sadducéens dénoncent aussi le prophète qui veut ruiner la paix romaine. Après l'entrée triomphale de Jésus à Jérusalem, où il chasse du Temple les marchands, sa perte est décidée.

Trahi par l'un de ses disciples, Judas, Jésus est arrêté, le jeudi, après avoir célébré avec les douze apôtres un dernier repas, la Cène, où il institue le sacrement de l'eucharistie. Les autorités juives transforment le procès du réformateur religieux en celui d'un agitateur politique pour forcer la main du gouverneur romain Ponce Pilate. Le vendredi, veille de la Pâque juive, Jésus meurt, crucifié entre deux bandits. Mais, le dimanche suivant, des femmes et des disciples témoignent du fait qu'ils ont vu Jésus vivant. Cinquante jours plus tard, à la Pentecôte, Pierre, réuni avec les apôtres, affirme publiquement que Jésus, mort, est ressuscité et qu'il leur est apparu ; il appelle les Juifs à reconnaître en lui le Messie qu'Israël attendait, et à se convertir à la «Bonne Nouvelle». De ce jour naît le christianisme.

L'historicité de Jésus

La majorité des historiens s'accordent aujourd'hui pour dire que le personnage historique de Jésus a vraiment existé. Nous possédons sur sa personne les allusions d'un écrivain juif, Flavius Josèphe, de deux historiens latins, Tacite et Suétone, et le rapport de Pline, gouverneur de province, à l'empereur Trajan, affirmant que «ses disciples le vénèrent comme s'il était Dieu». La source littéraire fondamentale est constituée par les écrits du Nouveau Testament, dont la rédaction s'étend des années 50 jusque vers la fin du Ier s. L'ensemble de ces écrits, épîtres apostoliques, évangiles, ne sont pas une biographie historique de Jésus. Ce sont des textes théologiques, témoignages de la prédication chrétienne, affirmant la foi en Jésus, Christ et Sauveur. Ils posent donc le dilemme de distinguer entre ce qui est vérité de foi et vérité historique. Cependant, ils donnent des informations sur la vie de Jésus et le contexte religieux, culturel et politique de son époque.

Le message chrétien. Dès la première prédication de Pierre, au soir de la Pentecôte, le message chrétien contient plusieurs éléments.

Pierre proclame que Jésus est le Messie : il est vraiment ressuscité des morts et reviendra, à la fin des temps, juger les hommes. En attendant ce retour, il a envoyé l'Esprit-Saint comme gage du royaume à venir, pour rassembler la communauté des croyants, l'Église. Cette affirmation de ce que Dieu a fait pour les hommes est la Bonne Nouvelle, le kérygme (du grec *kêrugma*, «annonce», «proclamation»).

Jésus enseigne aussi ce que les hommes doivent faire pour mériter le salut. Car de la révélation divine découlent une loi, un code de comportement des chrétiens dans le monde, une nouvelle liturgie qu'il convient d'enseigner aux nations.

Cet enseignement (la *didakhê* – de *didaskein*, «enseigner») est indissociable de la Bonne Nouvelle : car l'acte de Jésus-Christ rachetant par sa mort l'humanité a pour corollaire la conversion de l'homme, et son commandement «Aimez-vous les uns les autres» implique des devoirs précis. Mais la loi du Christ n'est pas seulement un code de règles à l'usage d'une société d'hommes. Elle implique de nouvelles relations entre l'homme et Dieu : la créature se tourne vers son Sauveur, elle attend son retour après que ses actes auront été jugés.

Le fondement de toute vie chrétienne, c'est donc d'abord la foi dans le Seigneur Jésus. Mais cette foi qui établit de nouveaux liens entre l'homme et son Seigneur fonde aussi un nouveau type de rapports entre ceux qui partagent cette croyance, car elle a pour fondement l'*agapê* (de *agapan*, «aimer»), l'amour de Dieu : la source de toute vie morale et sociale est cet amour inépuisable dont Dieu a aimé les hommes et le monde. C'est pourquoi le commandement que Jésus laisse à ses disciples est celui de l'amour fraternel : dès les premiers temps du christianisme, l'Église enseigne qu'on ne peut pas dissocier l'amour de Dieu de celui du prochain.

Les apôtres

Le mot «apôtre» provient du verbe grec *apostellein*, «envoyer». D'après la tradition des évangiles synoptiques, c'est Jésus lui-même qui, parmi ses disciples, en choisit 12 «pour être avec lui et pour les envoyer prêcher la Bonne Nouvelle». Ce sont Simon-Pierre, André son frère, Jacques et Jean fils de Zébédée, Philippe, Barthélemy, Matthieu, Thomas, Jacques fils d'Alphée, Thaddée et Simon le Zélote, et enfin Judas Iscariote qui finit par trahir Jésus. Ce nombre de 12 est le rappel symbolique des 12 tribus d'Israël.

Associant étroitement les apôtres à son œuvre, Jésus les envoie d'abord en mission en Galilée (Marc, VI, 7-13), puis, après sa résurrection, à travers le monde entier (Matthieu, XXVIII, 18-20). C'est Pierre qui, à la Pentecôte, proclame aux nombreux Juifs venus en pèlerinage à Jérusalem le caractère divin de Jésus, mort et ressuscité pour sauver les hommes. Ils forment ainsi le premier noyau de la communauté chrétienne et répandent dans les synagogues de Palestine, puis dans celles des grandes cités de l'Orient, le message évangélique. À leur groupe vient s'adjoindre, après sa conversion, Paul, l'Apôtre des gentils qui, lors de sa vision sur le chemin de Damas, reçoit directement du Christ la charge de l'apostolat auprès des païens (I Corinthiens, IX, 1, et Galates, I, 11-17).

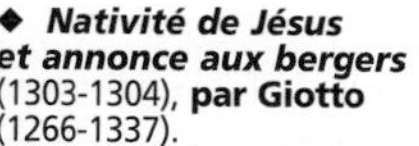

◆ ***Nativité de Jésus et annonce aux bergers*** **(1303-1304), par Giotto (1266-1337).**
La naissance de Jésus est racontée dans l'Évangile de Matthieu et surtout dans celui de Luc, qui relate comment Marie, en compagnie de Joseph, ayant dû se rendre à Bethléem pour s'y faire recenser, y met au monde Jésus dans des conditions précaires.
Dès sa naissance, des bergers, avertis par des anges, viennent lui rendre hommage, précédant la visite des mages venus d'Orient.
Les représentations de la Nativité placent la scène soit dans une grotte, soit, comme ici, dans une «crèche», un petit édifice de bois.
On notera, près de l'Enfant, la présence du bœuf et de l'âne mentionnés par les «évangiles de l'Enfance», texte non reconnu dans le canon de l'Église. (Fresque de la chapelle des Scrovegni, à Padoue)

Le Messie attendu

Les disciples de Jésus reconnaissent en lui le Messie, c'est-à-dire lui appliquent le qualificatif que l'on réservait jadis aux rois d'Israël et de Juda, une fois qu'ils avaient reçu l'onction témoignant de leur élection par Yahvé. Réduit en servitude, le peuple juif a placé son espoir en la venue d'un Sauveur qui lui redonnera sa liberté, un Messie descendant de David, le roi modèle. Sous la domination romaine, ce messianisme s'est chargé d'une idéologie politique que Jésus s'est toujours refusé à assumer, son «royaume n'étant pas de ce monde».

Textes du Nouveau Testament

La vie du Christ est racontée dans les quatre Évangiles reconnus par l'Église, attribués à Matthieu, Marc, Luc et Jean. Les trois premiers évangiles sont dits synoptiques («vue d'ensemble»), à cause de leurs ressemblances. Non reconnus par l'Église, d'autres textes, les évangiles apocryphes, relatent des anecdotes, par exemple sur l'enfance du Christ; ainsi le Protoévangile de Jacques.

Miracles de Jésus. Dans les écrits évangéliques, Jésus n'est jamais présenté comme un simple guérisseur doué d'un pouvoir extraordinaire. Certes, les guérisons qu'il opère offrent un aspect immédiat et total qui semble une accélération ou un renversement des processus naturels. Mais, loin de fonder sa réputation sur le besoin de merveilleux des foules qui le suivent, Jésus exige, avant de guérir, la foi et, après, le silence. Ainsi la guérison de deux aveugles :

«Alors que Jésus passait, deux aveugles le suivirent en criant : "Aie pitié de nous, fils de David!" Quand Jésus fut arrivé à la maison, les aveugles s'avancèrent vers lui, et il leur dit : "Croyez-vous que je puisse faire cela? – Oui, Seigneur", dirent-ils. Alors il leur toucha les yeux en disant : "Qu'il vous soit fait selon votre foi", et leurs yeux s'ouvrirent. Alors Jésus les rudoya : "Prenez garde, personne ne doit le savoir." Mais eux, à peine sortis, répandirent sa renommée dans tout le pays.» (Matthieu, IX, 27-31.)

Dieu, donc, par Jésus, rend à l'homme la santé du corps, et les miracles sont la preuve de la puissance du Père à laquelle le Fils participe. Pour l'évangéliste Jean, les guérisons opérées, les aliments multipliés, les pêches miraculeuses sont les signes que Dieu est présent en Jésus.

Ses actions en faveur d'hommes et de femmes malades physiquement ou psychiquement sont aussi des preuves de la bonté de Dieu envers ses créatures. Jésus est ainsi attiré par ceux qui, malades, ont besoin d'un secours qu'il peut leur donner et qui montrent leur confiance, leur «foi» en la générosité de Dieu.

Ainsi, à un père dont le fils souffre d'une maladie incurable et qui lui dit : «Si tu peux quelque chose, viens à notre aide, par pitié pour nous. Si tu peux!, reprit Jésus, tout est possible à celui qui croit.» Aussitôt le père de l'enfant de s'écrier : «Je crois! Viens en aide à mon peu de foi!» (Marc, IX, 22-24.) Apparent illogisme qui montre la confiance suscitée par Jésus chez ceux qu'il guérit.

Passion et mort de Jésus. «La Pâque et les Azymes allaient avoir lieu dans deux jours, et les grands prêtres et les scribes cherchaient comment arrêter Jésus par ruse pour le tuer. [...] Judas Iscariote, l'un des Douze, s'en alla auprès des grands prêtres pour le leur livrer. À cette nouvelle ils se réjouirent et ils promirent de lui donner de l'argent. [...] Tandis que Jésus parlait encore, survient Judas, l'un des Douze, et avec lui une bande armée de glaives et de bâtons, venant de la part des grands prêtres, des scribes et des anciens. [...] Ils emmenèrent Jésus chez le Grand Prêtre. [...] "Es-tu le Christ, le Fils du Béni? – Je le suis, dit Jésus, et vous verrez le Fils de l'homme siégeant à la droite de la Puissance de Dieu et venant avec les nuées du ciel." Alors le Grand Prêtre déchira ses tuniques et dit : "[...] Vous avez entendu le blasphème, que vous en semble? " Tous prononcèrent qu'il était passible de mort.[...] Dès le matin, [...] après avoir lié Jésus, ils l'emmenèrent et le livrèrent à Pilate. Et Pilate l'interrogea : "Es-tu le roi des Juifs? " Jésus lui répondit : "C'est toi qui le dis." Et les grands prêtres multipliaient contre lui les accusations et Pilate de nouveau l'interrogea : "Tu ne réponds rien, vois tout ce dont ils t'accusent." Mais Jésus ne répondit plus rien. [...] Voulant donner satisfaction à la foule, [...] Pilate livra Jésus, après l'avoir fait flageller, pour qu'il soit crucifié. Les soldats [...] revêtirent Jésus de pourpre, ils ceignirent sa tête d'une couronne d'épines et se mirent à le saluer en disant : "Salut, roi des Juifs", et ils frappaient sa tête avec un roseau et crachaient sur lui [...]. Après qu'ils l'eurent bafoué, [...] ils l'emmenèrent pour le crucifier [...] et le conduisirent au lieu dit Golgotha. Ils lui donnèrent du vin avec de la myrrhe, que Jésus refusa. [...] C'était la troisième heure quand ils le crucifièrent. L'inscription qui indiquait le motif de sa condamnation était libellée : "Le roi des Juifs." Et avec lui, ils crucifièrent deux brigands, l'un à sa droite, l'autre à sa gauche. [...] Et la sixième heure venue, il y eut des ténèbres sur toute la terre jusqu'à la neuvième heure. Et à la neuvième heure, Jésus clama d'une voix forte : "*Élôï, Élôï, lama sabachthani*", ce qui signifie : "Mon Dieu, mon Dieu, pourquoi m'as-tu abandonné? "Certains de ceux qui se trouvaient là disaient, en l'entendant : "Voilà qu'il appelle Élie." Quelqu'un ayant couru tremper de vinaigre une éponge et l'ayant mise au bout d'un roseau, lui donna à boire en disant : " Laissez, voyons si Élie va venir le descendre." Alors Jésus, poussant un grand cri, expira. Et le rideau du Sanctuaire se fendit en deux, du haut en bas. Voyant qu'il avait ainsi expiré, le centurion qui se tenait en face de lui, s'écria : "Vraiment cet homme était le Fils de Dieu."» (Marc, XIV-XV.)

Résurrection de Jésus. «Le sabbat passé, Marie de Magdala, Marie mère de Jacques, et Salomé, achetèrent des aromates pour aller oindre le corps. Et de grand matin, le premier jour de la semaine, elles vont à la tombe dès le lever du soleil. Elles se disaient entre elles : "Qui nous roulera la pierre hors de l'entrée du tombeau?" Levant les yeux, elles virent que la pierre avait été roulée sur le côté; or elle était très grande. Entrées dans le tombeau, elles virent un jeune homme assis à droite, vêtu d'une robe blanche, et elles furent saisies de stupeur. Mais il leur dit : "Ne vous effrayez pas. C'est Jésus que vous cherchez, le Nazaréen, le Crucifié. Il est ressuscité; il n'est pas ici : voici le lieu où on l'avait mis. Mais allez dire à ses disciples et à Pierre qu'il vous précède en Galilée : c'est là que vous le verrez, comme il vous l'a dit." Elles sortirent et s'enfuirent du tombeau, parce qu'elles étaient toutes tremblantes et hors d'elles-mêmes. Et elles ne dirent rien à personne, car elles avaient peur. Ressuscité le matin, le premier jour de la semaine, Jésus apparut d'abord à Marie de Magdala [...]. Celle-ci partit l'annoncer à ceux qui avaient été ses compagnons et qui étaient dans le deuil et les larmes. Entendant dire qu'il vivait et qu'elle l'avait vu, ils refusèrent d'abord de la croire. Après cela, il se manifesta sous d'autres traits à deux d'entre eux qui faisaient route vers la campagne. [...] Enfin il se manifesta aux Onze eux-mêmes pendant qu'ils étaient à table et blâma leur incrédulité parce qu'ils n'avaient pas cru ceux qui l'avaient vu ressuscité.» (Marc, XVI, 1-14.)

Sources des citations : Bible de Jérusalem, éd. du Cerf, Paris 1998.

◆ ***La Crucifixion*** (1303-1304), **par Giotto** (1266-1337).
Agenouillée près de la Croix, Marie de Magdala embrasse les pieds de Jésus, sur lesquels elle a quelques jours avant répandu un parfum précieux. À gauche, la Vierge Marie, soutenue par l'apôtre Jean et par la mère des fils de Zébédée. À droite, les soldats romains se partagent la tunique de Jésus. Enterré sous la Croix, le crâne d'Adam, premier homme, dont la faute est rachetée par le Sauveur. Par sa position centrale et sa taille, le Crucifié appartient au monde des hommes et est déjà au ciel, où l'accueillent des anges portant des coupes et des couronnes. (Fresque de la chapelle des Scrovegni, à Padoue)

Qu'est-ce qu'un miracle?

La notion de miracle appartient au domaine de l'anthropologie religieuse. Elle n'est ni une notion d'ordre philosophique ni une notion d'ordre scientifique. Dans nombre de sociétés humaines, le miracle est ressenti non pas comme une «violation des lois de la nature», mais comme la manifestation des puissances supérieures et divines qui animent le monde où l'homme vit. Le prodige et le miracle révèlent ainsi le divin, le manifestent par des événements qui sortent de l'ordinaire.

Rarement mentionnés dans l'Ancien Testament, les miracles sont plus fréquents dans le Nouveau Testament, où sont racontés les prodiges accomplis par le Fils de Dieu. Dans la théologie catholique, les miracles interviennent dans le processus de canonisation des saints.

Les débuts du christianisme

Les communautés chrétiennes

Les premières communautés chrétiennes se sont établies sur le modèle décrit par Luc, dans les Actes des Apôtres : celui de la communauté de Jérusalem. Il s'agit à la fois d'une communauté cultuelle, aux rites et aux prières propres, et d'une fraternité qui va jusqu'à la mise en commun des biens matériels. Mais le ciment de cette communion fraternelle, c'est la foi commune au même Seigneur Jésus. C'est lui qui a commandé cette union par la parole « Que tous soient un » (Jean, XVII, 21). Ces communautés, qui adoptent rapidement le titre d'Églises, pratiquent la fraction du pain en souvenir de la Cène ; elles entendent rester fidèles à l'enseignement des apôtres ; elles s'efforcent d'établir un accord harmonieux et profond entre les disciples d'un même maître. Les apôtres ont procédé en effet à l'installation d'un clergé qui forme, sous leur direction, le lien entre Dieu et l'ensemble des chrétiens : un collège de *presbytres* – d'Anciens – a la charge d'enseigner et de conserver la doctrine. L'un d'entre eux préside la célébration eucharistique et porte le titre d'*episkopos,* évêque, qui marque plus une fonction d'animation qu'une dignité hiérarchique. Des diacres assurent à la fois une fonction liturgique de lecture des textes sacrés et le service social et caritatif de la communauté ainsi que la gestion des biens communs. Cette structure, fortement marquée dès la fin du Ier s., unit chaque Église autour de l'évêque qui représente le Christ et constitue le centre visible de l'unité des chrétiens.

L'expansion chrétienne

À la fin du Ier s. se termine la période primitive du christianisme : la génération des apôtres qui ont suivi Jésus disparaît. Mais la plupart des villes d'Orient ont été touchées par l'évangélisation : après Jérusalem, Césarée de Palestine, Antioche,

◆ **Le Christ entouré des symboles des quatre évangélistes.** Les évangélistes sont les auteurs des quatre Évangiles reconnus par le canon de l'Église, qui racontent la vie de Jésus. Ils sont les premiers propagateurs de la « Bonne Nouvelle ». L'art médiéval a coutume de les représenter chacun par une figure symbolique : Matthieu par l'homme, Luc par le bœuf, Marc par le lion et Jean par l'aigle. (Émail du XIIe s., Musée départemental, Rouen)

Éphèse, Philippes, Athènes, Corinthe, Alexandrie. Les communautés chrétiennes se développent ainsi dans des villes côtières et dans des ports où existe déjà une importante colonie juive. Sauf en Palestine et en Asie Mineure, où il a pénétré dans l'intérieur du pays, le christianisme reste limité au littoral. En Occident, seule la communauté de Rome semble attestée à cette date. Ces premiers chrétiens sont des juifs appartenant au monde du commerce, et le petit peuple des porteurs et des esclaves. Dans les villes riches, la propagande chrétienne touche aussi les milieux aisés : que ce soit à Jérusalem pour certains membres de la classe sacerdotale, ou à Rome où l'on compte dès le règne de Néron (54-68) des sympathisants dans la haute aristocratie. En revanche, et pour plusieurs siècles encore, le peuple des campagnes se montre réfractaire au christianisme et continue de pratiquer de très antiques formes religieuses païennes. Au cours du IIe s., des missionnaires venus d'Orient diffusent la foi chrétienne au sein des communautés orientales établies dans les grandes villes de l'intérieur de l'Empire romain. Au IIIe s., profitant d'une période de tranquillité de 45 années, la « petite paix de l'Église », le christianisme conquiert presque toutes les cités d'Orient et d'Occident : s'y établissent des évêchés, à partir desquels commence l'expansion vers les campagnes.

Les missions chrétiennes

La mission est, pour les chrétiens, une exigence impérative, née du dernier commandement de Jésus à ses disciples (Matthieu, XXVIII, 16-20). L'évangélisation primitive s'est réalisée de proche en proche, sans plan préconçu ni structures particulières. La conquête des nouveaux mondes, au XVIe s., a entraîné au contraire une spécialisation missionnaire de certains ordres religieux : franciscains, dominicains et jésuites. En 1622 fut créée à Rome la congrégation De propaganda fide (De la propagation de la foi) pour diriger cette évangélisation des païens. Au XIXe s., sous l'effet de la colonisation, se multiplièrent les congrégations missionnaires catholiques (les Pères du Saint-Esprit, par exemple) et les sociétés missionnaires protestantes (ainsi la Société des missions évangéliques de Paris).

Les Pères de l'Église

On appelle Pères de l'Église des écrivains et penseurs de l'Antiquité chrétienne, du IIe au VIIe s., reconnus comme autorités doctrinales par les Traditions de l'Orient grec et de l'Occident latin. On distingue les Pères apostoliques, qui, en relation directe avec un apôtre ou avec l'un de ses disciples – tels Clément de Rome, Ignace d'Antioche, martyr vers 110, ou Polycarpe de Smyrne, le disciple de Jean –, représentent la deuxième ou la troisième génération chrétienne. Aux IIe et IIIe s., les Pères apologistes exposent et défendent la doctrine chrétienne contre les philosophes païens et contre les gnostiques. Les plus célèbres sont Justin, Irénée, évêque de Lyon, Tertullien et Origène. L'âge d'or des Pères de l'Église se situe dans la seconde moitié du IVe s. Issus d'un milieu cultivé, souvent hauts fonctionnaires de l'Empire, ayant vécu quelque temps comme moines, ces Pères, qui étaient aussi des évêques, furent de grands écrivains et des ora-

◆ **Saint Jérôme et saint Augustin, détails du *Retable des docteurs de l'Église,* par Michael Pacher** (v. 1435-1498). Les plus importants des Pères de l'Église sont distingués par le titre de docteur. Parmi eux, en Occident, saint Jérôme, reconnaissable à son habit de cardinal et au lion qui l'accompagne, et saint Augustin, en tenue d'évêque. (Alte Pinakothek, Munich)

teurs en même temps que des théologiens engagés dans les controverses de leur temps. Parmi eux il faut citer, en Occident, Ambroise de Milan, saint Augustin, dont l'œuvre exerça une influence considérable sur le Moyen Âge et la Renaissance, Jérôme, le traducteur de la Bible en latin ; et en Orient, Athanase, champion de l'orthodoxie contre l'arianisme, Basile de Césarée et Grégoire de Nysse, qui précisèrent la doctrine de la Trinité, ainsi que Jean de Constantinople, orateur si célèbre qu'il fut appelé Chrysostome, c'est-à-dire « bouche d'or ».

Les principales hérésies chrétiennes

Au sens strict, le mot grec *hairesis* désigne l'étude d'une doctrine philosophique librement choisie ; par extension, le choix d'un parti doctrinal particulier. Peu à peu, le mot a pris un sens péjoratif, désignant les opinions de ceux qui s'écartent de la vérité définie comme l'orthodoxie. L'hérésie serait ainsi un phénomène second, mettant en cause le contenu de la tradition religieuse. Historiquement, le problème est plus complexe. L'emploi du terme « hérésie » révèle un rapport de forces entre tendances doctrinales différentes au sein d'une même Église. L'orthodoxie résulte de la victoire d'une de ces tendances sur les autres, alors dénoncées comme hérétiques.

De nombreuses hérésies s'attachent à définir la personne du Christ. Pour certaines, il est simplement un homme ; pour d'autres, au contraire, il n'a rien d'humain et est entièrement de nature divine, ou encore son corps n'est qu'une simple apparence. Le moment de sa mort est donc interprété différemment.

L'*adoptianisme* nie la nature divine de Jésus, qui ne serait devenu Fils de Dieu qu'au moment de son baptême dans le Jourdain.

L'*anoméisme* est la forme extrême de l'arianisme : pour Aetius et Eunomius (IVe s.), l'essence de Dieu le Père et celle du Fils sont totalement dissemblables.

Doctrine soutenue par Apollinaire, évêque de Laodicée (v. 310-v. 390), l'*apollinarisme* refuse d'admettre que le Christ ait eu une âme et une psychologie humaines.

Pour Arius d'Alexandrie, le Fils n'est pas consubstantiel au Père qui l'a engendré; il est un Dieu subordonné et second. L'*arianisme* fut condamné par les conciles de Nicée en 325, puis de Constantinople en 381.

Développé dans le Midi de la France, à la fin du XIᵉ s., le *catharisme* affirme l'existence de deux principes opposés (dualisme), le Bien et le Mal. Ses adeptes remplacent les sacrements de l'Église catholique par un baptême de l'esprit *(consolamentum)*, prônent la chasteté et la pauvreté. Innocent III lança contre eux la croisade des albigeois.

Répandu aux deux premiers siècles surtout, le *docétisme* affirme que le corps du Christ n'est qu'une simple apparence et que sa Passion et sa mort ne sont pas réelles.

Pour l'*ébionisme*, opinion répandue chez les judéo-chrétiens du Iᵉʳ s., le Christ est un simple homme né de Joseph et de Marie. Il est un prophète, mais non le Fils de Dieu.

L'*encratisme* est un courant rigoriste exaltant la virginité, qui s'est développé en Orient entre le IIᵉ et le IVᵉ s.

Le *gnosticisme*, courant religieux original qui apparaît en même temps que le christianisme, ne peut pas être considéré comme une hérésie, même si les Pères de l'Église l'ont combattu vigoureusement. Les gnostiques affirment leur croyance en un dualisme pessimiste. Seule la connaissance, réservée à un petit nombre d'élus, peut assurer le salut.

Pour l'*homéisme*, le Fils est semblable au Père en toutes choses, mais non consubstantiel au Père.

L'*iconoclasme* est un mouvement qui, dans l'Église byzantine (VIIIᵉ-IXᵉ s.), rejette le culte des images et leur usage liturgique, en se fondant sur l'interdiction biblique de représenter Dieu. Il fut condamné par le concile de Nicée II en 787.

Le *messalianisme* est la doctrine d'ascètes et de mystiques syriaques des IVᵉ et Vᵉ s. qui expérimentent la présence divine en eux par des danses proches de la transe et par des visions extatiques. Il fut condamné au concile d'Éphèse en 431.

Le *monophysisme*, condamné au concile de Chalcédoine (451), n'admet qu'une seule nature dans la personne de Jésus-Christ. Le concile affirme l'existence de deux natures, humaine et divine, dans la personne du Fils de Dieu incarné.

Pour le *monothélisme*, doctrine du VIIᵉ s., il n'existe qu'une seule volonté, divine, en la personne du Christ. Cette autre forme du monophysisme fut condamnée à Constantinople en 680.

Le *nestorianisme*, doctrine de Nestorius (v. 380 - apr. 451), patriarche de Constantinople, enseigne qu'en Jésus-Christ coexistent deux personnes, l'homme et le Dieu.

Mouvement de pensée formé après la mort d'Origène (v. 252 - 254), Père de l'Église grecque, et qui a duré jusqu'à la fin du VIᵉ s., l'*origénisme* interprète de façon allégorique les Écritures et affirme que les âmes préexistent à la naissance des hommes.

Moine, Pélage (v. 360 - v. 422) insiste sur la primauté et l'efficacité de l'effort individuel pour réaliser son salut. En défendant le libre arbitre, il nie presque complètement l'action de la grâce divine. Condamné en 431, le *pélagianisme* demeura à la base des controverses sur la grâce et la prédestination.

Doctrine professée par Sabellius (IIIᵉ s.), prêtre de Libye, le *sabellianisme* minimise la distinction entre le Père et le Fils.

Le *subordinatianisme* subordonne le Fils au Père dans la Trinité divine. L'adoptianisme et l'arianisme en sont d'autres formes.

Le *traducianisme* est une doctrine occidentale selon laquelle l'âme est transmise par les parents dans la génération corporelle. Condamnée à la fin du ve s., puis à nouveau aux XIVᵉ, XVIᵉ et XIXᵉ s., elle s'oppose à la doctrine qui soutient que l'âme est immédiatement créée par Dieu.

◆ ***Saint Sébastien*, par Andrea Mantegna** (1431-1506). (Musée du Louvre, Paris)

Persécutions et martyrs

Les premières persécutions sont l'expression d'une haine envers les chrétiens désignés comme « l'opprobre du genre humain ». L'État romain n'intervient que pour maintenir l'ordre public. Tout change au IIᵉ s. où, d'après un édit de Trajan, être chrétien constitue un crime coupable de mort : le refus d'adorer les dieux protecteurs de l'Empire et de reconnaître l'empereur comme dieu est alors retenu comme le chef d'accusation majeur. Les plus graves persécutions sont celles de Marc Aurèle à Lyon en 177, de Decius en 250, et celle de Dioclétien de 303 à 311, dont l'échec aboutit à la publication de l'édit de tolérance, prélude à l'édit de Milan de Constantin, en 313. Ces persécutions font des martyrs dans tous les milieux sociaux. Le martyr (du lat. ecclés. *martyr*, du grec *martus*, « témoin ») est celui qui témoigne, par le don de sa vie, de son amour et de sa fidélité envers Dieu; son destin imite celui de Jésus qui a souffert la torture et qui est mort crucifié. On comprend que durant ce temps de persécution le martyre ait été vécu comme la forme éminente de la sainteté, et comme la voie la plus directe pour accéder à la vie éternelle.

◆ **Innocent III, détail d'une fresque du XIIIᵉ siècle.**
Élu pape à 37 ans, en 1198, Innocent III régna jusqu'en 1216 et dut faire face à l'hérésie cathare dans le Languedoc : il la combattit par l'envoi de prédicateurs cisterciens, puis de saint Dominique, et lança finalement contre elle la croisade des albigeois. Par ailleurs, il affirma sa souveraineté en matière temporelle et intervint dans les affaires des États au nom de la morale. Il encouragea les débuts des ordres mendiants et réunit le IVᵉ concile du Latran en 1215 pour promouvoir une réforme des mœurs. (Monastère du Sacro Speco, à Subiaco, en Italie)

VOIR AUSSI
- **Progression du christianisme** p. 426
- **Empire byzantin** p. 430

Petit lexique

grâce : don surnaturel que Dieu accorde en vue du salut.
hérésie : doctrine d'origine chrétienne jugée non conforme au dogme ou à un article de foi proclamé par l'Église romaine et donc condamnée par celle-ci.
prédestination : décret éternel de Dieu concernant la fin dernière (salut ou damnation) d'une créature humaine.
schisme : séparation d'une partie des fidèles d'une religion débouchant sur la reconnaissance d'une autorité différente.

◆ **Saint Dominique remet aux cathares un livre réfutant leur hérésie, par Fra Angelico** (v. 1400-1455).
Panneau de prédelle du *Couronnement de la Vierge*. (Musée du Louvre, Paris)

Les croyances fondamentales

Le Credo

Si le christianisme s'inscrit dans la continuité du judaïsme et reprend à son compte une grande partie des croyances et des textes juifs, il manifeste aussi son originalité par un certain nombre de croyances qui lui sont propres. Le Dieu des chrétiens est celui qui s'est révélé à Moïse dans les Dix Commandements, mais il est aussi celui qui s'est manifesté aux hommes à travers son Fils, Jésus-Christ, mort et ressuscité pour le salut de l'humanité. La foi chrétienne fait appel à des convictions qui dépassent la seule raison humaine, c'est pourquoi on parle de «mystères».

Le dogme de l'Incarnation établit que Jésus est le Fils de Dieu; il s'est fait chair, s'est manifesté sous forme humaine pour se révéler aux hommes, pour souffrir et mourir comme eux, avant de rejoindre son Père au Ciel.

La Rédemption est le rachat des péchés de l'humanité par le sacrifice de Jésus sur la Croix qui permet aux hommes d'espérer être sauvés lors du Jugement dernier. C'est Jésus-Christ qui présidera ce Jugement des hommes à la fin des temps, où les bons seront récompensés et les méchants punis, avant d'établir sur terre le royaume de Dieu.

Toute la foi chrétienne est centrée sur la Résurrection de Jésus-Christ, victoire à la fois sur le péché mais aussi sur la mort, et tout chrétien est promis à la résurrection.

Enfin, le mystère de la Trinité est celui de la présence d'un Dieu unique en trois personnes distinctes, le Père, le Fils et l'Esprit-Saint. Tous les chrétiens reçoivent le don de l'Esprit-Saint.

Ces croyances essentielles du christianisme sont résumées dans le Credo («Je crois» en latin) ou Symbole de la foi. Ce texte a été fixé après les conciles de Nicée et de Constantinople, à la fin du IVe s. :

«Je crois en un seul Dieu, Père tout-puissant, créateur du ciel et de la terre, des choses visibles et invisibles,

Et en un Seigneur Jésus-Christ, Fils unique de Dieu, né du Père avant tous les siècles, Dieu de Dieu, lumière de lumière, vrai Dieu du vrai Dieu,

Engendré, non créé, consubstantiel au Père par qui tout a été fait,

Qui pour nous les hommes, et pour notre salut, est descendu du ciel, s'est incarné par l'opération du Saint-Esprit dans la Vierge Marie, et s'est fait homme.

Crucifié pour nous sous Ponce Pilate, il souffrit sa Passion et fut mis au tombeau.

◆ **Le Paradis, détail du *Jugement dernier*, de Fra Angelico** (v. 1400-1455).
Une ronde où alternent un ange et un élu, dans le jardin d'Éden au fond duquel se dressent les portes de la Jérusalem céleste d'où jaillissent des rayons de lumière d'or.

Il ressuscita le troisième jour selon les Écritures; il est monté au ciel, est assis à la droite du Père.

Il reviendra dans la gloire pour juger les vivants et les morts et son règne n'aura pas de fin.

Et dans l'Esprit-Saint qui est Seigneur et qui donne la vie; il procède du Père et du Fils. Avec le Père et le Fils il reçoit même adoration et même gloire. Il a parlé par les prophètes.

Je crois en l'Église une, sainte, catholique et apostolique, je confesse un baptême pour la rémission des péchés, j'attends la résurrection des morts et la vie du monde à venir. Amen.»

Le Notre-Père

La prière chrétienne par excellence est celle que Jésus enseigna à ses disciples :
«Notre Père qui es dans les cieux,
que ton nom soit sanctifié, que ton règne vienne,
que ta volonté soit faite sur la terre comme au ciel!
Donne-nous aujourd'hui notre pain quotidien.
Remets-nous nos dettes comme nous-mêmes avons remis à nos débiteurs.
Et ne nous soumets pas à la tentation
mais délivre-nous du Mauvais.»
(Matthieu, VI, 9-13.)

L'au-delà

Le mot «paradis» provient du perse avestique *pairi-daeza,* qui désigne un jardin. C'est à cette conception que se rattache le jardin d'Éden que Yahvé plante à l'orient du monde et où il place le premier homme (Genèse, II, 8). Au centre se dresse l'arbre de la connaissance : Dieu replantera cet arbre au jour du Jugement dans la Jérusalem nouvelle; elle sera la réplique du premier jardin, et les justes seront appelés à y vivre éternellement. Désormais il n'y aura plus de séparation entre le ciel et la terre, dans ce lieu de bonheur qui ne connaîtra ni jour ni nuit.

C'est la tradition judéo-chrétienne qui a fixé l'image et les représentations de l'enfer. Dans le livre de Job, l'enfer est la terre de l'ombre et des ténèbres. Les prophètes d'Israël accentuent ensuite cette image d'un gouffre insatiable *(Shéol)* où brûle un feu dévorant. L'enfer est une prison obscure où règne le désespoir et dans laquelle la colère de Dieu précipite les pécheurs. Dans le christianisme, l'enfer devient un abîme de feu, une fournaise, «un étang de feu flambant de soufre» (Apocalypse, XIX, 20). Il est une réalité très concrète où la plus grande souffrance est la privation des biens du royaume de Dieu, de sa contemplation et de la vraie lumière. Le feu de l'enfer est le feu des passions, de la haine, de la jalousie. La douleur suprême, c'est de connaître le mal dans ses multiples aspects et de sentir qu'on a perdu le bonheur.

On peut définir le purgatoire comme le prolongement, au-delà de la mort, de la pénitence, et comme une épreuve à laquelle doit être soumise l'âme des pécheurs sauvés par Jésus-Christ, avant de parvenir à la béatitude céleste. C'est à partir du VIIIe s. que se dessine, dans l'imaginaire du nord-ouest de l'Europe, un lieu de l'au-delà pour l'accomplissement de cette «peine purgatoire». Il se précise au XIIe s. : distinct de l'enfer comme du paradis, le purgatoire est un lieu où chaque jour que l'on passe dure des années et où les âmes des défunts se repentent des fautes qu'elles ont commises et attendent le bonheur de voir Dieu. Lieu d'expiation temporaire, de purification nécessaire, le purgatoire est décrit par Dante, dans la *Divine Comédie,* comme l'image inversée de l'enfer, sept étages où les âmes purgent et expient leurs fautes en la présence consolante d'anges à la robe et aux ailes couleur d'espérance.

Anges et démons

Sous l'influence du judaïsme puis du christianisme, les anges constituent une des croyances les plus populaires en Occident. Esprits célestes, ils sont créés avant l'homme par Dieu pour être les messagers et les exécuteurs de sa volonté. Omniprésents dans le monde, ils en assurent la conservation et le bon ordre. Innombrables au ciel, ils constituent la cour de Dieu qu'ils adorent sans cesse, groupés en une hiérarchie de neuf chœurs : séraphins, chérubins ou «anges de la Face», trônes, dominations, vertus, puissances, principautés, archanges et anges. Ils tiennent la comptabilité des bonnes et mauvaises actions commises par les hommes. Se fondant sur certains textes bibliques (Genèse, XLVI, 16; Tobie, XV; Matthieu, XVIII, 10; Actes, XII, 15), la croyance se développa qu'un ange particulier est attaché à chaque être humain pour le guider dans le droit chemin et l'aider à s'y maintenir. Ce bon ange, ou «ange gardien», est celui qui mène l'âme du mort vers le paradis. Il peut être compris comme une représentation religieuse de la conscience individuelle.

L'histoire du diable part de la croyance très générale en des puissances malfaisantes et des esprits mauvais, qui agissent sur les hommes, mais sont aussi à l'origine du mal moral. La figure de Satan apparaît dans le livre de Job : il est l'adversaire de Dieu et l'accusateur de l'homme devant Yahvé. Son nom désigne l'ange déchu, tentateur et ennemi des hommes. Les paraboles de Jésus font de lui le maître d'un antiroyaume opposé au royaume de Dieu; les démons sont ses sujets. Ils entraînent à leur suite les méchants et les impies. Anges rebelles, anges déchus, mais qui demeurent de purs esprits, Satan et les démons prennent parfois une forme visible pour séduire les humains. Le propre du diable, c'est la métamorphose en tous genres, en femmes jeunes et belles, en bêtes, en monstres. Les démons ne sont pas seulement vécus par l'homme comme tentateurs de sa volonté; ils prennent parfois possession de son corps, sous forme de convulsions hystériques et autres maladies psychiques. Ainsi le diable est partout présent dans les fantasmes de l'homme.

L'Église catholique romaine

Les fondements de l'Église

L'Église fondée par Jésus-Christ est l'ensemble des croyants appelés à connaître le royaume de Dieu. Selon la récente définition qu'en a donnée le concile Vatican II, « l'Église est le peuple de Dieu de la Nouvelle Alliance » (*Lumen Gentium*, 9). Le Credo définit cette Église comme un objet de foi : elle est « une, sainte, catholique et apostolique ».

Une, car l'Église vit, selon la volonté expresse de son fondateur (« qu'ils soient un »), dans la communion d'un seul Seigneur, d'une seule foi, d'un seul baptême, d'un seul Dieu et Père. Cette unité se manifeste par l'union des fidèles autour de l'évêque de Rome, successeur de Pierre, établi par Jésus comme « pasteur » du troupeau.

Sainte, car tous les membres de l'Église sont appelés à vivre la sainteté de Dieu qui les a rachetés. Les sacrements que l'Église dispense sont les moyens de cette sanctification.

Catholique, car l'Église assume une vocation universelle (*katholikos,* en grec, veut dire « universel ») en annonçant à tous les hommes, quelle que soit leur culture, la nouvelle du salut et la proclamation du royaume de Dieu.

Apostolique enfin, car c'est par les apôtres, qui le tenaient directement de Jésus, que l'Église a reçu ce qu'elle enseigne, la bonne nouvelle du salut. Et c'est par les successeurs des apôtres, dont les écrits forment la Tradition, que cette nouvelle a continué d'être révélée. La succession apostolique fonde ainsi l'authenticité de l'enseignement doctrinal et éthique, en même temps qu'elle légitime l'autorité des évêques placés à la tête de chacune des Églises locales. Le collège des évêques du monde, unis au successeur de Pierre, perpétue le collège des apôtres établi par Jésus-Christ comme fondement de son Église.

Une institution. L'Église catholique romaine n'est pas uniquement une communion dans la foi. Elle vit son existence historique depuis près de 2000 ans sous la forme d'une société religieuse, dont les rites et les sacrements, qui sont les voies d'accès à la grâce divine, lient les fidèles dans un rapport fraternel et filial vis-à-vis d'une structure hiérarchique particulière. De ce fait découle une discipline propre à l'Église : celle-ci est régie par un droit interne, le droit canon. Le catholicisme se définit, à la suite d'une longue évolution historique, par l'importance accordée à la Tradition et au magistère – et non à la seule Écriture, comme unique source de la Révélation. Il se définit aussi par une obéissance de ses membres à l'enseignement du pape et des évêques en matière de foi, et par la reconnaissance d'un sacerdoce « ministériel », hiérarchique, impliquant le sacrement de l'ordre. La légitimité des pratiques de dévotion envers la Vierge Marie et les saints constitue enfin l'un des aspects fondamentaux de l'Église catholique romaine.

Les conciles œcuméniques

Les conciles œcuméniques (du grec *oikoumenê gê,* la « terre habitée ») sont les assemblées des évêques de l'Église catholique (en théorie, venant du monde entier), convoquées par les empereurs, puis par les papes. Ils traitent de questions de doctrine et s'attachent à définir l'orthodoxie, mais ils veillent aussi à la discipline ecclésiastique et à son respect. On compte 21 conciles œcuméniques ; les orthodoxes ne reconnaissent, quant à eux, que les sept premiers.

Convoqué par Constantin le Grand, le premier concile de Nicée (325) condamne Arius, qui nie la divinité de Jésus-Christ ; il proclame que le Fils est consubstantiel au Père, rédige le « symbole de Nicée » et fixe la date commune pour célébrer Pâques.

Convoqué par l'empereur Théodose Ier, le Ier concile de Constantinople (381) condamne l'arianisme et reconnaît une prééminence d'honneur aux évêques de Rome et de Constantinople.

Convoqué par Théodose II, le concile d'Éphèse (431) condamne Nestorius, qui nie que Marie puisse être appelée Mère de Dieu ; il affirme que Jésus est à la fois homme et Dieu.

Convoqué par l'empereur Marcien, le concile de Chalcédoine (451) définit les deux natures, humaine et divine, dans l'unique personne du Christ, et condamne ceux qui professent le monophysisme.

Convoqué par Justinien Ier, le IIe concile de Constantinople (553) renouvelle la condamnation des monophysites ainsi que de l'origénisme.

Convoqué par Constantin IV, le IIIe concile de Constantinople (680-681) condamne le monothélisme.

Convoqué par l'impératrice Irène, le IIe concile de Nicée (787) condamne l'iconoclasme, autorise et conseille les représentations de Dieu, de la Vierge et des saints.

Convoqué par l'empereur Basile Ier, le IVe concile de Constantinople (869-870) fut plutôt un tribunal qui déposa le patriarche usurpateur Photios et rétablit Ignace sur le siège de Constantinople.

Convoqué par le pape Calixte II, le premier concile du Latran (1123) approuve le concordat de Worms selon lequel les évêques sont nommés par le pape et non par l'empereur qui peut seulement les investir des biens matériels et des pouvoirs juridiques afférents.

Concile réformateur convoqué par Innocent II, le IIe concile du Latran (1139) condamne le trafic des biens sacrés (simonie), l'usure, et prêche aux clercs la continence.

Convoqué par Alexandre III, le IIIe concile du Latran (1179) condamne les vaudois et l'hérésie cathare professée par les albigeois.

Convoqué par Innocent III, le IVe concile du Latran (1215) réitère la condamnation des albigeois et fixe les obligations sacramentelles des fidèles.

Le premier concile de Lyon (1245) est convoqué par Innocent IV contre l'empereur Frédéric II qui empiète sur les droits de l'Église en Italie.

Convoqué par Grégoire X, le IIe concile de Lyon (1274) tente un rapprochement avec l'Église grecque – l'union des Églises est provisoirement rétablie.

Convoqué par Clément V, le concile de Vienne (1311-1312) condamne et supprime l'ordre des Templiers.

Le concile de Constance (1414-1418) met fin au Grand Schisme d'Occident et proclame la supériorité du concile sur le pape. Il condamne Jan Hus.

Réuni à cause de la décision du concile de Constance de tenir régulièrement un concile œcuménique, le concile de Florence (qui poursuit, de 1439 à 1443, les travaux des conciles de Bâle, puis de Ferrare) tente de nouveau un rapprochement avec l'Église grecque.

Le concordat de Bologne entre le pape et la France est signé au Ve concile du Latran (1512-1517), qui réforme en outre certaines institutions ecclésiastiques.

Devant la crise suscitée par la Réforme, le concile de Trente (1545-1563) définit d'importants points de doctrine sur le péché originel, la justification, les sacrements, la messe, le culte des saints, la relation entre l'Écriture et la Tradition ; il fixe de nouvelles obligations pour les clercs : résidence des évêques et des curés, institution des séminaires.

Le premier concile du Vatican (1869-1870) définit la position de l'Église sur la Révélation et la foi, contre le rationalisme ; il proclame l'infaillibilité pontificale (constitution *Pastor aeternus*). Interrompu par la prise de Rome, il est ajourné par Pie IX *sine die* et n'est officiellement clos qu'en 1962.

Convoqué par Jean XXIII, le IIe concile du Vatican (1962-1965) réunit plus de 2000 évêques ; il est le premier concile œcuménique à ne pas prononcer de condamnation doctrinale ; il affirme la collégialité de l'épiscopat uni à l'évêque de Rome. Il promulgue 4 constitutions : le Mystère de l'Église, la Révélation, la Liturgie, le Dialogue avec le monde moderne, auxquelles s'ajoutent 9 décrets conciliaires visant la discipline et 3 déclarations sur la liberté religieuse, les non-chrétiens et l'éducation chrétienne. Pour continuer l'œuvre du concile, Paul VI institue le 15 septembre 1967 le synode des évêques, qui se réunit tous les 3 ans, et dont les membres sont les délégués élus des conférences épiscopales.

◆ **Saint Pierre, détail d'un tableau attribué à Lucas Cranach** (1472-1553). Simon, frère d'André, pêcheur sur le lac de Tibériade, fut choisi par Jésus qui lui donna le surnom de Pierre (c'est-à-dire « rocher ») et lui confia la direction de son Église. Après avoir proclamé la « Bonne Nouvelle » à Jérusalem, Pierre implanta la foi chrétienne à Antioche, à Corinthe et à Rome. La Tradition fait de lui le chef de la première communauté chrétienne de Rome où il mourut, martyr, vers 64. Fête le 29 juin. (Musée des Beaux-Arts, Moulins)

Les ministères

Les écrits du Nouveau Testament affirment la nécessité du «sacerdoce», c'est-à-dire de l'accomplissement du service cultuel qui permet d'adorer Dieu par et en Jésus-Christ tout en témoignant de sa foi devant les hommes. Par «ministère», il faut entendre plus précisément toute fonction ou toute charge sacerdotale exercée au service du Christ dans le sein de l'Église. Le Christ, le premier, détient la plénitude du sacerdoce : il le transmet à ses apôtres en leur faisant le don de l'Esprit, à la Pentecôte (Matthieu, XXVIII, 18; Jean, XX, 22). Jésus est ainsi la source du ministère sacerdotal des évêques et des prêtres. Mais ce don de l'Esprit, Jésus le fait aussi à chaque fidèle par le sacrement du baptême : ainsi l'ensemble du peuple chrétien se voit-il conférer la qualité d' «un sacerdoce royal et d'une nation sainte» (I Pierre, II, 9). Il existe cependant une différence essentielle entre le sacerdoce des fidèles et celui des ministres. Le premier repose sur les sacrements de l'initiation chrétienne (baptême et confirmation), tandis que le sacerdoce ministériel nécessite un autre sacrement, celui de l'ordre, qui investit le ministre d'une mission qui n'est pas celle du simple fidèle, le laïc, et lui donne notamment le pouvoir de distribuer à son tour les sacrements.

Le sacerdoce ministériel comprend sa propre hiérarchie : le sacerdoce du diacre, celui du prêtre et celui de l'évêque ne recouvrent pas les mêmes pouvoirs. Dès les débuts de l'Église, la structure des trois degrés du ministère ordonné est mise en place; elle a perduré jusqu'à aujourd'hui. À la tête de la communauté chrétienne, l'évêque, *episkopos*, «celui qui voit», entouré d'un groupe d'anciens, les *presbytéroi*, les prêtres, enfin les diacres, au service des besoins de la communauté.

Le ministère de l'évêque. Prêtre investi par le pape de la charge d'un diocèse, l'évêque est consacré par trois de ses «collègues» régulièrement nommés. La première des tâches qu'il assume est une fonction d'enseignement de la doctrine et de la morale chrétiennes. Revêtu de la plénitude du sacrement de l'ordre, l'évêque a la responsabilité de dispenser la grâce du sacerdoce en ordonnant les prêtres. Le ministère épiscopal apparaît donc comme le sacerdoce premier, et celui du prêtre en est le prolongement. «Vicaire et légat du Christ», l'évêque dirige une Église particulière, le diocèse, à l'intérieur de laquelle son autorité s'exerce au nom du Christ qu'il représente. Le ministère de l'évêque est aussi collégial, dans la mesure où un lien organique associe chaque évêque à tous ceux qui, dans le monde, exercent le même ministère et sont unis au pape, évêque de Rome et successeur de Pierre.

Le ministère du prêtre. Le prêtre est consacré par le sacrement de l'ordre, ou ordination, qui comprend en particulier le rituel de l'imposition des mains par un évêque. Ce sacrement l'investit du pouvoir d'offrir le sacrifice eucharistique et de remettre les péchés (l'absolution). Il participe aussi, «comme coopérateur de l'ordre épiscopal, à l'accomplissement de la mission confiée par le Christ» (Vatican II, décret *Presbyterorum ordinis*). À ce titre, il assume notamment le ministère de la parole – prédication – et administre les sacrements. À l'inverse des Églises orientales, l'Église catholique impose au prêtre le célibat, non comme une exigence de nature, mais comme le don de sa vie, consacrée sans partage au service du Christ.

Le ministère du diacre. Les premiers diacres ont été choisis par les apôtres pour les aider dans la prédication et la liturgie et prendre en charge les œuvres de charité (Actes des Apôtres, VI, 3-6). En Occident, le diaconat est rapidement tombé en désuétude; il a cessé d'être un ministère permanent et n'a plus constitué que la dernière et brève étape avant la prêtrise. Pour pallier le manque actuel de prêtres, Vatican II a rétabli le diaconat comme ministère permanent. La création de diacres, qui peuvent être mariés, est laissée à l'initiative des Églises locales, selon leurs besoins. La mission des diacres s'exerce dans le cadre d'une «communauté ecclésiale de base» qu'ils doivent animer en étroite liaison avec l'évêque du lieu.

Les vêtements liturgiques

Lorsqu'il célèbre les offices liturgiques et administre les sacrements, le prêtre catholique revêt des ornements particuliers, afin de rendre le culte plus solennel. Ce sont l'aube (robe de lin blanc), l'étole (longue écharpe brodée), la chasuble (vêtement sans manches porté sur l'aube) et la chape (grande cape), confectionnées en soie ou en laine et ornées de broderies symboliques. La couleur de ces vêtements varie selon la période de l'année liturgique. On distingue actuellement quatre couleurs : blanc, souvent associé à des broderies d'or, qui est la couleur des vêtements du Christ transfiguré, et qui est réservé aux grandes fêtes; vert, couleur de l'espérance, réservé au temps ordinaire des dimanches de l'année; violet, destiné au temps de la pénitence (Avent et carême) et qui a tendance, actuellement, à remplacer le noir lors des funérailles et des offices pour les défunts; rouge, enfin, symbole du sang répandu et de l'effusion de l'esprit, porté lors des fêtes des apôtres, des martyrs et du Saint-Esprit (Pentecôte).

◆ **La chasuble.** C'est un vêtement sans manches, descendant jusqu'aux genoux, porté sur l'aube pour la célébration de la messe.

◆ **La mitre et la crosse.** La mitre est une coiffure liturgique de forme triangulaire, souvent ornée de broderies d'or et de pierres précieuses, réservée à l'évêque et qui lui est remise lors de son ordination. La crosse est le bâton pastoral de l'évêque ou de l'abbé de monastère : la partie supérieure en est souvent recourbée en volute et ornée.

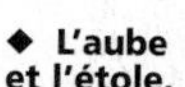

◆ **L'aube et l'étole.** L'aube est une robe de lin blanc qui dérive de la tunique des citoyens romains. L'étole est une longue écharpe brodée qui se porte pour la prière, la prédication et les sacrements.

◆ **La chape.** Vêtement long, ouvert sur le devant et fermé sur la poitrine par une large agrafe, il se porte sur l'aube lors des processions solennelles ou pour l'absoute – les prières dites autour du cercueil après l'office – lors des funérailles.

Les théologiens

Les premiers théologiens chrétiens sont les Pères de l'Église (IIe-VIIe s.). Depuis, bien d'autres ont tenu un discours sur l'être et la nature de Dieu. Parmi eux, saint Thomas d'Aquin (1225-1274). Dominicain, professeur de théologie à Paris et en Italie, il a commenté la Bible et Boèce, le Pseudo-Denys et Pierre Lombard. Redécouvrant les écrits métaphysiques d'Aristote, il a inauguré, dans la *Somme théologique*, un nouveau mode de relation entre la foi et la raison, entre la philosophie antique et la théologie qu'il fonde comme science. John Henry Newman (1801-1890), le théologien le plus célèbre de l'Église anglicane, en a défendu la position médiane entre un catholicisme statique et les Églises protestantes éloignées de la tradition patristique. Converti au catholicisme, il fait paraître en 1845 son œuvre capitale, l'*Essai sur le développement de la doctrine chrétienne*. Ordonné prêtre à Rome en 1847, cardinal en 1879, il a profondément influencé les relations entre catholicisme et anglicanisme. Henri de Lubac (1896-1991), jésuite français, expert de la Commission théologique du concile Vatican II après avoir été professeur aux facultés catholiques de Lyon, est créé cardinal en 1983. Son œuvre, vaste et variée, insiste sur le désir du surnaturel inhérent à la nature humaine, sur *le Drame de l'humanisme athée* et sur le sens véritable de la théologie mystique.

Les mystiques

On peut définir la mystique chrétienne comme une expérience de l'union avec Dieu dans les profondeurs de l'âme. Un grand nombre de ces expériences demeurent cachées. Parmi les mystiques connus et reconnus par l'Église, on peut citer trois grands personnages.

Heinrich Suso (v. 1295-1366), dominicain disciple de Maître Eckart, a connu durant plus de 10 ans de nombreuses expériences d'absorption de son être dans la Sagesse divine, qu'il a résumées dans *le Livre de la sagesse éternelle* (v. 1328).

Sainte Thérèse d'Ávila (1515-1582) a fondé de nombreux couvents après avoir réformé l'ordre du Carmel. Elle a connu, de 1555 à sa mort, de nombreux états mystiques, visions, extases, telle la transverbération (1559) : ces expériences nourrissent *les Demeures de l'âme*, livre où elle décrit la vie mystique depuis ses débuts jusqu'à l'union transformante du mariage spirituel, avec une grande finesse d'analyse psychologique.

Saint Maximilien Kolbe (1894-1941), franciscain polonais, éditeur à Cracovie puis à Nagasaki, a fondé plusieurs instituts dédiés à la Vierge Immaculée. Atteint de tuberculose chronique, dans une vie toute d'ascèse et de méditation, il eut de nombreuses visions. Arrêté par la Gestapo, enfermé à Auschwitz, torturé, il a offert sa vie contre celle d'un père de famille. Il a été canonisé par Jean-Paul II.

Rites et fêtes dans l'Église catholique

Les sept sacrements

La théologie de l'Église catholique désigne par «sacrements» des signes sacrés et des actions rituelles qui produisent des effets de grâce surnaturelle. Chaque sacrement crée, par le seul fait d'être reçu, la grâce qui lui est propre et qui est une sanctification. L'Église catholique reconnaît sept sacrements : le baptême, la confirmation, l'eucharistie, la pénitence, le sacrement des malades (ou extrême-onction), l'ordre et le mariage. Ces sacrements ont été énumérés pour la première fois au milieu du XIIe s. par le théologien Pierre Lombard, et officiellement reconnus comme faisant partie de la foi chrétienne, en 1208, par le pape Innocent III. Les Églises orthodoxes les ont reconnus en 1274 et de nouveau au XVIIe s.

Le baptême. C'est le rite d'intégration dans la communauté chrétienne. Institué par Jésus, il efface la trace du péché originel et introduit le néophyte à la vie de grâce. Il est administré soit à un enfant présenté par ses parents qui s'engagent, en son nom, à mener une vie conforme à la foi chrétienne, soit à un adulte qui doit recevoir au préalable l'enseignement dogmatique et moral du catéchuménat et qui s'engage personnellement à rompre avec le mal et à vivre désormais en chrétien. Normalement administré par un prêtre, le baptême peut l'être par un laïc baptisé, en cas d'urgence et de danger de mort.

La confirmation. C'est le sacrement de complément du baptême; son but est de confirmer le nouveau chrétien dans sa foi. Il est administré par l'évêque, ou par son représentant, sous la forme d'une onction sur le front et de l'imposition des mains, afin d'appeler sur le confirmé la venue de l'Esprit-Saint et de ses sept dons.

L'eucharistie. C'est le plus grand des sept sacrements. Il a été institué par Jésus lui-même lors du dernier repas pascal qu'il a pris avec ses disciples au soir du jeudi, veille de sa Passion et de sa mort. Seul un prêtre peut consacrer le pain et le vin, matières du sacrifice, qui, selon la doctrine définie au concile de Trente, deviennent alors «réellement, véritablement et substantiellement le corps et le sang, l'âme et la divinité de Jésus-Christ sous les apparences du pain et du vin». En 1910, le pape Pie X a autorisé la pratique de la communion chez les jeunes enfants capables d'une responsabilité personnelle et ayant déjà reçu une instruction religieuse sommaire.

Le sacrement de pénitence. Célébré jadis publiquement devant toute la communauté chrétienne, il est devenu un rite secret de confession auriculaire. Le pardon de Dieu passe obligatoirement par la parole du prêtre, qui accorde l'absolution des péchés à qui manifeste, après avoir fait l'aveu des fautes commises, un vrai repentir d'avoir offensé Dieu et le ferme propos de vivre désormais en chrétien.

Le sacrement des malades. Jadis réservé aux personnes en danger de mort (d'où le nom d'extrême-onction), il comprend des prières destinées à fortifier le malade dans les épreuves physiques qu'il endure, et des onctions avec le saint chrême sur les yeux, les oreilles, les narines, la bouche, les mains et les pieds. Depuis 1973, il peut être reçu par des personnes malades mais non en danger de mort.

Le sacrement de l'ordre. Il donne le pouvoir de remplir les fonctions ecclésiastiques et la grâce de les bien exercer. Il est administré par l'évêque. Dans l'Église catholique, l'accès à la prêtrise est marqué par divers degrés auxquels l'évêque «appelle» les candidats : c'est la vocation.

Le sacrement du mariage. Dans l'union indissoluble d'un homme et d'une femme en vue de fonder une famille, il voit l'image des liens qui unissent le Christ à son Église. L'Église catholique ne reconnaît donc pas le divorce, mais elle admet que, sous certaines conditions, certains mariages puissent être considérés comme nuls à la suite d'une procédure introduite auprès du tribunal de la rote, siégeant à Rome. Le prêtre est le témoin du consentement réciproque des époux, qui sont les vrais ministres du sacrement, et il bénit leur union.

L'évolution liturgique

Un mouvement liturgique, commencé sous le pontificat de Pie X et fermement poursuivi en Allemagne, en Belgique et en France sous Pie XI et Pie XII, a permis une rénovation du culte catholique résultant du concile Vatican II. Dans la constitution sur la liturgie (22 nov. 1963), le concile distingue ce qui «est immuable dans les rites et sacrements, et d'institution divine» et ce qui «peut varier au cours des âges pour obtenir une participation pleine, active et communautaire des fidèles». On admet donc des différences entre les Églises particulières et des adaptations à la diversité des régions et des peuples, pourvu que l'esprit du culte demeure inchangé. Parmi les modifications les plus importantes, il faut citer l'usage de la langue vivante du pays dans la célébration de la messe; la possibilité de communier sous les deux espèces, pain et vin; la remise en valeur d'une liturgie de la Parole précédant la célébration eucharistique; la concélébration, et la nouvelle disposition de l'autel face aux fidèles.

Les grandes fêtes

L'Église célèbre tout au long du temps liturgique des fêtes ou commémorations rappelant les événements majeurs de la vie de Jésus, de celle de la Vierge, et le souvenir des saints. Le but est de maintenir vivant le souvenir de Jésus-Christ chez les fidèles et de les amener à l'imiter.

Fêtes consacrées à Jésus-Christ. L'année liturgique commence à la fin de novembre par la commémoration de l'attente du Messie : c'est le temps de l'Avent. Le 25 décembre, au moment du solstice d'hiver, est célébrée la Nativité de Jésus, Noël; puis le souvenir de sa circoncision, le 1er janvier; suivi de son Épiphanie («Manifestation»), qui fut sa première manifestation aux païens représentés symboliquement par les Rois mages. Ce jour-là l'Église célèbre aussi le premier miracle (la transformation de l'eau en vin) accompli par Jésus aux noces de Cana comme manifestation de sa divinité. L'entrée dans le temps de pénitence et de repentir constitué par les quarante jours de carême se fait le mercredi des Cendres, qui se situe entre le 4 février et le 10 mars selon la date de Pâques. Cette période de carême fut très longtemps marquée par un jeûne et des pratiques d'abstinence rigoureuse. La Passion du Christ est commémorée lors de la semaine sainte, qui suit la fête des Rameaux où l'on célèbre l'entrée solennelle de Jésus à Jérusalem. Cette semaine sainte est marquée par le souvenir de l'institution de l'eucharistie, le jeudi saint; par celui des souffrances, de l'agonie et de la mort de Jésus sur la Croix, le vendredi saint. Dans la nuit du samedi au dimanche est célébrée la plus grande fête de l'année liturgique, la résurrection de Jésus, la fête de Pâques. 40 jours après Pâques, c'est l'Ascension glorieuse du Christ qui retourne près de son Père, suivie 10 jours après de la fête de la Pentecôte, qui commémore la descente de l'Esprit-Saint sur

Petit lexique

liturgie : ensemble du culte public rendu à Dieu par une communauté, comprenant des prières, des lectures, des gestes rituels, qui peut varier suivant les régions et les époques (on parlera par exemple de liturgie romaine ou grecque).

◆ La messe avant et après Vatican II. Ces photos montrent clairement les changements apportés depuis Vatican II à la célébration eucharistique. *À gauche*, le prêtre célèbre dos au peuple. Il élève l'hostie après l'avoir consacrée; derrière, et un degré au-dessous de lui, les deux enfants de chœur. Les fidèles, agenouillés sur des prie-Dieu, sont séparés du sanctuaire par un espace assez large. *À droite*, au contraire, l'autel est une simple table. Le prêtre célèbre face à l'assemblée; dans son dos se dresse un crucifix moderne. Le célébrant est en train de consacrer le pain et le vin; il est entouré de servants de messe qui sont des garçons et des filles. Les assistants restent debout.

les apôtres et marque la naissance de l'Église chrétienne. Trois autres fêtes insistent moins sur des événements passés que sur des réalités de foi : la fête de la Trinité, la Fête-Dieu, instituée pour honorer la présence réelle de Jésus-Christ dans l'hostie consacré; la fête de la Transfiguration, qui rappelle la manifestation de la nature divine de Jésus-Christ ressuscité à ses disciples, sur le mont Thabor.

Marie et le culte marial

Le culte de la Vierge Marie est attesté dès l'Antiquité chrétienne, avec des représentations iconographiques de la Vierge et de l'Enfant, à la *Capellagraeca* de la catacombe de Priscille, à Rome (IIIe s.). Cette dévotion est naturelle et logique, puisque Marie se trouve présente lors des événements majeurs de la vie de Jésus. Le culte marial est officiellement qualifié, dans l'Église catholique, d'« hyperdulie » (littéralement « très grande servitude »), mot qui marque l'honneur spécial rendu à la Mère de Dieu, honneur d'un degré supérieur au culte rendu aux saints. Le culte à Marie est fait de vénération pour celle que le concile d'Éphèse (431) a reconnue comme *Theotokos*, Mère de Dieu; d'invocation en vertu de la puissance d'intercession de Marie auprès de son Fils; et d'imitation car sa vie « pleine de grâces » constitue un modèle pour tous les chrétiens.

L'ampleur du culte marial a varié au long des siècles et a donné naissance à des formes de dévotion et de spiritualité particulières. C'est surtout aux XIXe et XXe s. qu'il a atteint sa plus grande intensité : proclamation de l'Immaculée Conception en 1854, dogme affirmant que la Vierge Marie a été conçue sans le péché originel qui pèse sur l'humanité depuis Adam et Ève; consécration du monde entier au Cœur immaculé de Marie par Pie XII en 1942; définition du dogme de l'Assomption en 1950; célébration d'une année mariale en 1954. Le concile de Vatican II a dû réagir devant certains excès et débordements affectifs de ce culte en

◆ **Pèlerinage à N. S. Guadaloupe** (Mexique).

précisant l'orientation qu'il devait prendre : insérer la dévotion à Marie dans le mystère du Verbe de Dieu incarné. À la formule traditionnelle « à Jésus par Marie » se substitue l'idée que tout part du Christ, y compris Marie, qui est la figure de l'Église donnant à ses fidèles le corps et le sang du Christ comme Marie a donné aux hommes, dans sa forme humaine, le Fils de Dieu. Certains mouvements de libération d'Amérique latine voient en Marie la référence à leur lutte, et le *Magnificat* devient le chant de libération dans leur révolte contre l'injustice et l'exploitation des pauvres.

L'Ave Maria ou **Je vous salue, Marie.** Cette prière, la plus courante, à la Vierge Marie est composée de deux parties : la plus ancienne reprend les paroles de l'ange lors de l'Annonciation (*Salutation angélique*, Luc, I, 22) et celles d'Élisabeth, sa cousine (Luc, I, 42). La seconde, ajoutée par l'Église, date du XIIe s. L'ensemble du texte a été définitivement fixé par le pape Pie V, au XVIe s. :

« Je vous salue, Marie, pleine de grâces, le Seigneur est avec vous. Vous êtes bénie entre toutes les femmes, et Jésus, le fruit de vos entrailles, est béni.

Sainte Marie, Mère de Dieu, priez pour nous pauvres pécheurs, maintenant et à l'heure de notre mort. Ainsi soit-il. »

Fêtes consacrées aux saints et à Marie

Des fêtes attestent le dogme de la communion des saints, unissant les fidèles vivants aux saints et martyrs de tous les temps (c'est la Toussaint, célébrée le 1er novembre) ainsi qu'à l'ensemble des défunts pour lesquels l'Église prie plus spécialement le 2 novembre, « jour des morts ».
À ces commémorations s'ajoutent les 7 fêtes réservées spécialement au culte de la Vierge Marie : fêtes de la Purification, le 2 février, 40 jours après la naissance de Jésus; de l'Annonciation, le 25 mars; de la Visitation, le 2 juillet, où l'on rappelle la visite que Marie fit à sa cousine Élisabeth; la Nativité de la Vierge est célébrée le 8 septembre, suivie par la Présentation de la Vierge au Temple de Jérusalem par ses parents. Le dogme de l'Immaculée Conception, proclamé en 1854 par Pie IX, est célébré le 8 décembre. La plus grande fête mariale reste l'Assomption, célébrée le 15 août, jour où l'Église rappelle qu'« au terme de sa destinée terrestre l'Immaculée Mère de Dieu a été prise au ciel, corps et âme, dans la gloire céleste ».

Le culte des saints

Héritier du judaïsme où la sainteté est présentée comme un appel à suivre la perfection divine (« Soyez saints, car moi, Yahvé votre Dieu, je suis saint » [Lévitique, XI, 44-45]), le christianisme a toujours estimé que des hommes religieux pouvaient participer en partie à la sainteté de Dieu. Ces hommes constituent un modèle dont l'exemple est proposé à l'édification des fidèles en même temps qu'ils sont des intermédiaires efficaces auprès de Dieu. L'Église catholique et les Églises orthodoxes leur rendent un culte public.

Dès la fin du IIe s., un culte fut rendu par les communautés chrétiennes à leurs membres morts martyrs (ils sont environ 3000 reconnus officiellement par l'Église). Il repose sur la croyance dans l'intercession efficace de ceux qui ont été les « témoins » du Christ, jusqu'à donner leur vie, ou qui ont renoncé aux valeurs temporelles. La paix religieuse supprimant les persécutions, leur succèdent comme modèle de sainteté des moines ermites menant, au désert, une vie ascétique, luttant contre les tentations de la vie solitaire après avoir rompu tous liens avec le monde. Au saint chevalier du Moyen Âge, saint noble de haute naissance et pratiquant les vertus héroïques, se substitue peu à peu un modèle de sainteté sacerdotal et monastique, avec une insistance sur les vertus d'obéissance et de pauvreté. À partir du XVIe s., la science et la doctrine sûre sont des éléments de choix pour une canonisation. Au XXe s., quelques laïcs, ou des martyrs missionnaires, attestent l'évolution de la notion de sainteté.

Canonisation. Toute une procédure est nécessaire avant que l'Église n'admette un chrétien au nombre des saints et n'autorise son culte public. Au moins cinq ans après sa mort une enquête est menée (dans le cadre du diocèse depuis 1983) pour recueillir les preuves des vertus chrétiennes et éventuellement de l'accomplissement de miracles avant ou après sa mort (guérisons, apparitions, etc.). Suit un procès qui pèse les témoignages et aboutit à la béatification, première étape vers la sainteté officielle. De nouveaux miracles produits par l'intercession du bienheureux permettent d'entamer un procès de canonisation qui aboutit à la proclamation par le pape, en la basilique Saint-Pierre de Rome, du nouveau saint. On compte environ 4000 saints autres que martyrs, dont un quart environ de femmes. Jean-Paul II, sous son seul pontificat, a canonisé 270 saints et proclamé 809 « bienheureux ».

Saints patrons. On appelle « saint patron » un saint considéré comme le protecteur d'un territoire déterminé (paroisse, diocèse, province, nation ou continent : ainsi saint Benoît est le patron de l'Europe), ou d'une catégorie de personnes (confrérie, congrégation religieuse ou corporation de métier, malades, etc.). Le saint patron est aussi le saint dont le nom est donné comme prénom et qui est considéré comme le protecteur de la personne qui porte ce prénom.

◆ ***La Vierge des navigateurs*** (v.1535), **par Alejo Fernández.**
Panneau central d'un retable. C'est à Séville, où Génois et Florentins affluent au XVe s., que Christophe Colomb vient armer son expédition. Au siècle suivant, Séville détient le monopole du commerce des royaumes de Castille et d'Aragon avec le Nouveau Monde. Dans la salle de l'Alcazar qui abritait la *Casa de Contratación* (Chambre de commerce), *la Vierge des navigateurs* protège de son large manteau Indiens ramenés d'Amérique, conquistadors, pilotes et marchands ainsi que les souverains Ferdinand le Catholique et Charles Quint.

VOIR AUSSI
Illustrations
• **Saint Jérôme et saint Augustin** p. 503
• **Saint Dominique** p. 504
• **Saint Pierre** p. 506

La papauté

Les pouvoirs du pape

Le pape, successeur de Pierre, est d'abord évêque de Rome où l'apôtre apporta la foi chrétienne, et le chef visible de l'Église catholique romaine. Comme Pierre était le premier des apôtres, le pape se trouve à la tête du collège épiscopal avec lequel il demeure en étroite communion. Afin de garantir l'unité de l'Église, le pape « reçoit de par l'institution du Christ lui-même la primauté de Pierre sur toute l'Église », ainsi que l'a défini solennellement le concile Vatican I dans la constitution *Pastor aeternus* du 18 juill. 1870. Le pape est élu au scrutin secret par les 120 cardinaux de moins de 80 ans composant, depuis Paul VI, le Sacré Collège; une majorité des deux tiers des voix plus une est requise. Sitôt élu, il reçoit la juridiction immédiate et universelle sur toute l'Église catholique romaine. Son ministère, comme celui de tout évêque, est triple : sanctifier le peuple chrétien, enseigner la doctrine et gouverner l'Église. Mais sa primauté lui confère le pouvoir, dans le respect de la collégialité épiscopale, de contrôler et d'animer l'ensemble des institutions ecclésiastiques.

Pouvoir d'enseigner. Le pouvoir d'enseigner repose d'abord sur le dogme de l'infaillibilité pontificale défini aussi à Vatican I en 1870. Lorsqu'il parle *ex cathedra*, c'est-à-dire lorsqu'il définit solennellement, en vertu de sa suprême autorité apostolique, une doctrine relevant de près ou de loin de la Révélation, le pape jouit de l'infaillibilité que lui procure l'assistance du Saint-Esprit. Les décisions qu'il prononce alors sont irréformables. Cette procédure demeure assez extraordinaire; à l'époque contemporaine, Pie XII l'a utilisée, après avoir consulté tous les évêques, pour proclamer en 1950 le dogme de l'Assomption de la Vierge Marie.

L'enseignement ordinaire est réalisé le plus souvent par des lettres encycliques, portant sur un grand sujet d'actualité, adressées par le pape à tous les évêques, ou à l'ensemble du peuple chrétien, ou à des Églises particulières. Les encycliques comme les décisions conciliaires ne bénéficient pas de l'infaillibilité.

Pouvoir de gouverner. Le pouvoir de gouverner l'Église est, en fait, celui d'une juridiction suprême, sans que pour autant le pape se substitue aux évêques. Ceux-ci ne sont pas ses délégués à la tête de chaque Église locale, comme un préfet peut l'être d'un gouvernement. La primauté de l'évêque de Rome doit sans cesse se conjuguer avec la collégialité épiscopale, et l'unité de l'Église, que le pape doit maintenir, avec la pluralité des Églises qui le reconnaissent comme leur pasteur. Dans cette tâche de gouvernement, il est assisté par le Sacré Collège des cardinaux, dont certains, résidant à Rome, dirigent des congrégations qui constituent autant de ministères spécialisés. Le pape envoie, à titre de représentants auprès des Églises et des États, des légats ordinaires (les nonces) ou des légats extraordinaires pour une mission précise et limitée.

VOIR AUSSI • État du Vatican p. 575

◆ **Grégoire VII** (détail d'une gravure en camaïeu d'après Federico Zuccari, XVIIe s.). Pape de 1073 à 1085, canonisé en 1606, il fut le promoteur d'une profonde réforme de l'Église. Il a lutté contre le pouvoir politique au nom de l'idéal théocratique, afin de libérer l'Église de la dépendance des laïcs. La querelle des Investitures l'a opposé à l'empereur Henri IV qu'il força à se soumettre à Canossa. (Bibliothèque nationale de France, Paris)

Des États pontificaux à la Cité du Vatican

Depuis la fin de l'Antiquité, les papes ont résidé à Rome, dans le domaine du Latran, près de la basilique-cathédrale du diocèse; ils ne l'ont quitté qu'entre 1309 et 1376, après que le pape Clément V se fut installé en Avignon. Durant tout le Moyen Âge, les papes acquièrent des biens fonciers (Patrimoine de Saint-Pierre), sur lesquels ils exercent un pouvoir temporel et qui constituent le noyau des États pontificaux. Supprimés par la Révolution française et par Napoléon, ces États pontificaux reconstitués en 1814 disparaissent définitivement au moment de l'unité italienne : le 13 mai 1871, après l'occupation de Rome par les troupes nationalistes, Pie IX s'enferme alors dans la Cité du Vatican où il se considère comme prisonnier. Les relations entre la papauté et l'État italien ne retrouvent un tour normal qu'en 1929, lorsque les accords du Latran signés entre le pape Pie XI et Mussolini créent l'État de la Cité du Vatican. Alors se trouve garantie l'indispensable liberté du centre de l'Église catholique à l'égard des puissances politiques.

La succession des papes

Sur le trône pontifical se sont succédé 262 papes depuis Pierre – choisi par le Christ – jusqu'à Jean-Paul II, élu en 1978. À cette liste il convient d'ajouter ceux qu'on appelle les «antipapes», les papes élus irrégulièrement et que l'Église ne reconnaît pas. Ces papes furent en particulier ceux de l'époque du Grand Schisme. Entre 1378 et 1417, en effet, l'unité de l'Église d'Occident fut rompue par l'affrontement de papes concurrents : les papes établis à Rome (Urbain VI, Boniface IX, Innocent VII, Grégoire XII) se sont vu opposer des compétiteurs qui fixèrent leur résidence en Avignon (Clément VII, Benoît XIII) ou à Pise (Alexandre V, Jean XXIII).
Entre 1409 et 1415, il exista en Europe trois papes prétendant à la légitimité. Cette concurrence fut ressentie comme une nouvelle épreuve frappant la chrétienté, après la Peste noire qui venait de la décimer. Le concile de Constance (1414-1418) mit fin à cette cassure de l'Église.

◆ **Les papes après le Grand Schisme.**

Martin V (1417-1431)
Eugène IV (1431-1447)
Nicolas V (1447-1455)
Calixte III (1455-1458)
Pie II (1458-1464)
Paul II (1464-1471)
Sixte IV (1471-1484)
Innocent VIII (1484-1492)
Alexandre VI (1492-1503)
Pie III (1503)
Jules II (1503-1513)
Léon X (1513-1521)
Adrien VI (1522-1523)
Clément VII (1523-1534)
Paul III (1534-1549)
Jules III (1550-1555)
Marcel II (1555)
Paul IV (1555-1559)
Pie IV (1559-1565)
Saint Pie V (1566-1572)
Grégoire XIII (1572-1585)
Sixte Quint (1585-1590)
Urbain VII (1590)
Grégoire XIV (1590-1591)
Innocent IX (1591)
Clément VIII (1592-1605)
Léon XI (1605)
Paul V (1605-1621)
Grégoire XV (1621-1623)
Urbain VIII (1623-1644)
Innocent X (1644-1655)
Alexandre VII (1655-1667)
Clément IX (1667-1669)
Clément X (1670-1676)
Bienheureux Innocent XI (1676-1689)
Alexandre VIII (1689-1691)
Innocent XII (1691-1700)
Clément XI (1700-1721)
Innocent XIII (1721-1724)
Benoît XIII (1724-1730)
Clément XII (1730-1740)
Benoît XIV (1740-1758)
Clément XIII (1758-1769)
Clément XIV (1769-1774)
Pie VI (1775-1799)
Pie VII (1800-1823)
Léon XII (1823-1829)
Pie VIII (1829-1830)
Grégoire XVI (1831-1846)
Pie IX (1846-1878)
Léon XIII (1878-1903)
Saint Pie X (1903-1914)
Benoît XV (1914-1922)
Pie XI (1922-1939)
Pie XII (1939-1958)
Jean XXIII (1958-1963)
Paul VI (1963-1978)
Jean-Paul Ier (26 août - 29 sept. 1978)
Jean-Paul II (élu le 16 oct. 1978)

Le XXe siècle

Malgré des personnalités fort différentes en raison de leur origine sociale, de leur formation et de leur carrière ecclésiastique, les papes qui se sont succédé depuis la fin du XIXe s. jusqu'à nos jours à la tête de l'Église ont eu une action qui présente bien des traits communs.

Les papes face au monde moderne. Les huit derniers souverains pontifes, si l'on excepte Jean-Paul Ier, ont eu, chacun à son tour, à préciser la position et la pensée de l'Église en face des problèmes économiques et sociaux nés du capitalisme libéral puis du marxisme-léninisme, en face aussi des problèmes politiques posés par la montée des régimes totalitaires et par les exigences de la démocratie. Ils se sont tous préoccupés de l'importante question des missions et ont voulu promouvoir l'avènement d'Églises et de clergés autochtones. Dans la seconde moitié du XXe s. surtout est apparue avec force la question des relations entre les diverses Églises chrétiennes, des possibilités et des limites de l'œcuménisme. Enfin s'est révélée constamment présente la nécessité d'adapter la morale traditionnelle à un rapide changement des mœurs, qu'il s'agisse du mariage, du contrôle des naissances ou des manipulations génétiques. Chacun de ces papes a apporté sa marque particulière aux besoins de son temps, aussi bien par des réformes internes à l'Église que par un enseignement sous forme d'encycliques. Ils se sont tous appliqués à maintenir l'intégrité de la foi transmise par les apôtres tout en s'efforçant de l'adapter à la sensibilité du monde moderne.

Les encycliques. À travers ces lettres envoyées par les papes du XXe s. et désignées par leurs deux premiers mots en latin, c'est l'essentiel des problèmes contemporains qui est abordé et sur lequel est donné l'enseignement pontifical.

Léon XIII, très attentif aux préoccupations de son temps et d'une lucidité remarquable, a posé les fondements d'une Église en accord avec le monde moderne : en 1879, *Aeterni patris* critique le rationalisme scientiste et propose le retour à une théologie fondée sur le thomisme. En 1885, *Immortale Dei*, sur la démocratie et le rôle de l'Église dans l'État, pose les bases d'une réelle démocratie chrétienne. Surtout, en 1891, paraît l'encyclique *Rerum novarum* sur la condition des ouvriers dans le monde capitaliste et sur la doctrine sociale de l'Église. Enfin, en 1893, *Providentissimus Deus* définit la conduite à tenir dans l'exégèse et la critique biblique.

Pie X adopte une position plus défensive. En 1906, l'encyclique *Gravissimo officii* condamne la loi de déc. 1905 qui rompt le Concordat et institue en France la séparation des Églises et de l'État. En 1907, *Pascendi dominici* condamne, sous le nom de « modernisme », les tendances contraires à la doctrine traditionnelle de l'Église.

Pie XI est l'auteur de 29 lettres encycliques dans lesquelles il défend les droits de l'homme et la liberté de l'Église. Il prend une position nette contre le fascisme (*Non abbiamo bisogno,* 1931), puis contre le national-socialisme (*Mit brennender Sorge,* 1937) et le communisme athée (*Divini Redemptoris*, 19 mars 1937). En 1930, *Casti connubii* rappelle les exigences du mariage chrétien et condamne la limitation volontaire des naissances. L'année suivante, *Quadragesimo anno* célèbre l'anniversaire de l'encyclique sociale de Léon XIII et définit « la restauration de l'ordre social en conformité avec les préceptes de l'Évangile ».

Pie XII envoie 34 lettres encycliques, parmi lesquelles on doit retenir *Mystici corporis*, en 1943, sur la nature de l'Église ; *Humani generis*, en 1950, contre certaines thèses anthropologiques jugées incompatibles avec la doctrine chrétienne ; *Evangelii praecones*, en 1951, sur les missions et la nécessité de promouvoir un clergé indigène. La même année, *Sempiternus Rex* célèbre le quinzième centenaire du concile de Chalcédoine qui définit les deux natures en l'unique personne du Christ.

Jean XXIII a rédigé 2 encycliques qui ont eu un retentissement mondial : en 1961, *Mater et Magistra*, consacrée aux récents développements de la doctrine sociale ; en 1963, *Pacem in terris*, qui définit la doctrine de l'Église sur la paix et ses relations avec le monde communiste.

Paul VI s'est préoccupé du problème des missions (*Ecclesiam suam*, 1964) et de l'évolution des mœurs (*Humanae vitae*, en 1968, sur le contrôle des naissances et les méthodes contraceptives). Surtout, *Populorum progressio* (1967) affirme que « le développement est le nouveau nom de la paix ».

Jean-Paul II ne cesse de reprendre ces thèmes, affirmant la nécessité de défendre les droits de l'homme et ceux de l'Église : *Redemptor hominis* (1979), *Laborem exercens* (1981) et *Centesimus annus* (1991) marquent l'enracinement doctrinal et l'ouverture sociale de son enseignement. Mais il manifeste aussi son attachement à la théologie morale et le respect des commandements moraux avec *Splendor veritatis* (1993), son désir de défendre les valeurs et l'inviolabilité de la vie humaine avec *Evangelium vitae* (1995). Enfin, il accorde beaucoup d'importance au dialogue œcuménique (*Ut unum sint*, 1995).

Les papes du XXe siècle

Léon XIII (Vincenzo Gioacchino Pecci, 1810-1903). Élu en 1878, il fut l'un des plus grands pontifes de l'Église contemporaine, qu'il voulut réconcilier avec son temps. Il recommanda aux catholiques français le ralliement à la République, encouragea les catholiques sociaux et favorisa un rapprochement entre les Églises romaine et anglicane.

Pie X (Giuseppe Sarto, 1835-1914). Élu en 1903, canonisé en 1954, il adopta face au laïcisme et au modernisme des attitudes parfois rigides mais commença la réforme du droit canon. Il encouragea la communion quotidienne et celle des petits enfants, réforma le bréviaire et la musique sacrée en promouvant l'usage du chant grégorien.

Benoît XV (Giacomo Della Chiesa, 1854-1922). Élu en sept. 1914. Tout en observant une stricte neutralité, il ne cessa de tenter d'obtenir la paix entre les belligérants (offre concrète de paix en 1917). Il promulgua la réforme du droit canon (1917), montra un vif intérêt pour les Églises d'Orient et multiplia les relations diplomatiques avec de nombreux États.

Pie XI (Achille Ratti, 1857-1939). Élu en 1922, il signa les accords du Latran et 18 concordats avec divers États, mais s'opposa vigoureusement aux dictatures. Il développa les missions et soutint les débuts de l'Action catholique.

Pie XII (Eugenio Pacelli, 1876-1958). Élu en 1939. Sur le plan doctrinal et disciplinaire, il fut fidèle à la position traditionnelle de l'Église. Il définit et proclama en 1950 le dogme de l'Assomption de la Vierge Marie. Bien qu'il eût durant la guerre accueilli nombre de réfugiés politiques au Vatican, on a pu lui reprocher de ne pas s'être engagé contre le national-socialisme et de ne pas avoir suffisamment protesté contre les atrocités commises par les nazis.

Jean XXIII (Angelo Giuseppe Roncalli, 1881-1963). Élu en oct. 1958, il fut le pape de l'aggiornamento (« mise à jour ») de l'Église romaine ; il convoqua le IIe concile œcuménique du Vatican (1962) et publia deux encycliques très importantes sur la doctrine sociale et la paix.

Paul VI (Giovanni Battista Montini, 1897-1978). Élu en 1963, il approfondit l'œuvre conciliaire de Jean XXIII, réforma la curie, convoqua plusieurs synodes. Soucieux d'œcuménisme, il travailla au rapprochement des Églises. À partir de 1976, il fut en butte à l'hostilité des milieux traditionalistes.

Jean-Paul II (Karol Wojtyła, né en 1920). Élu en 1978, il ouvre l'Église romaine à de larges horizons, exerçant un ministère pastoral universel (il a été sur tous les continents, visitant plus de 106 pays en de très nombreux voyages). Il s'attache à lutter pour la justice sociale et à défendre la dignité humaine. Il a échappé à plusieurs tentatives d'attentat.

Le gouvernement de l'Église catholique

La structure de l'Église

L'Église a à sa tête le pape. Élu par le Sacré Collège, le sénat des cardinaux qui prend en cette occasion le nom de «conclave», le pape est réputé infaillible en matière de doctrine, a pouvoir de juridiction absolue sur tous les membres de l'Église, qu'ils soient clercs ou laïcs, et est le chef suprême de la hiérarchie ecclésiastique. Il est aussi le souverain de l'État indépendant du Vatican.

Le gouvernement central (curie). Les affaires générales de l'Église sont traitées à Rome, sous la responsabilité du pape, par ce que l'on appelle la «curie romaine», c'est-à-dire l'organisme gouvernemental, administratif et judiciaire du Saint-Siège. Cette curie est constituée de dicastères spécialisés dans une question, dont la direction est assurée par des dignitaires religieux, notamment par des cardinaux, et où travaillent aussi des laïcs; les charges, qui ont été pendant longtemps inamovibles pour les responsables, deviennent à présent renouvelables tous les cinq ans et caduques à la mort de chaque pontife; de plus, elles ne peuvent être exercées au-delà de 75 ans.

La curie a été réorganisée par la nouvelle Constitution *Pastor bonus* promulguée par le pape Jean-Paul II en juin 1988. Elle comprend principalement, placées chacune sous la responsabilité d'un cardinal, préfet, neuf congrégations (pour la doctrine de la foi, pour les évêques, pour les Églises orientales, du Culte divin et de la Discipline des sacrements, pour le Clergé, pour les Instituts de vie consacrée et les Sociétés de vie apostolique, pour l'évangélisation des peuples, pour les causes des saints, des Séminaires et des Institutions d'enseignement), douze conseils pontificaux (pour l'unité des chrétiens, pour le dialogue interreligieux, pour le dialogue avec les non-croyants, pour les laïcs, *Justice et Paix, Cor unum,* pour la famille, des communications sociales, pour l'interprétation des textes législatifs, pour la culture, pour la pastorale des migrations et des personnes en déplacement, pour la pastorale des services de santé) et trois tribunaux (Pénitencerie apostolique, Tribunal suprême de la Signature apostolique, Tribunal de la Rote romaine).

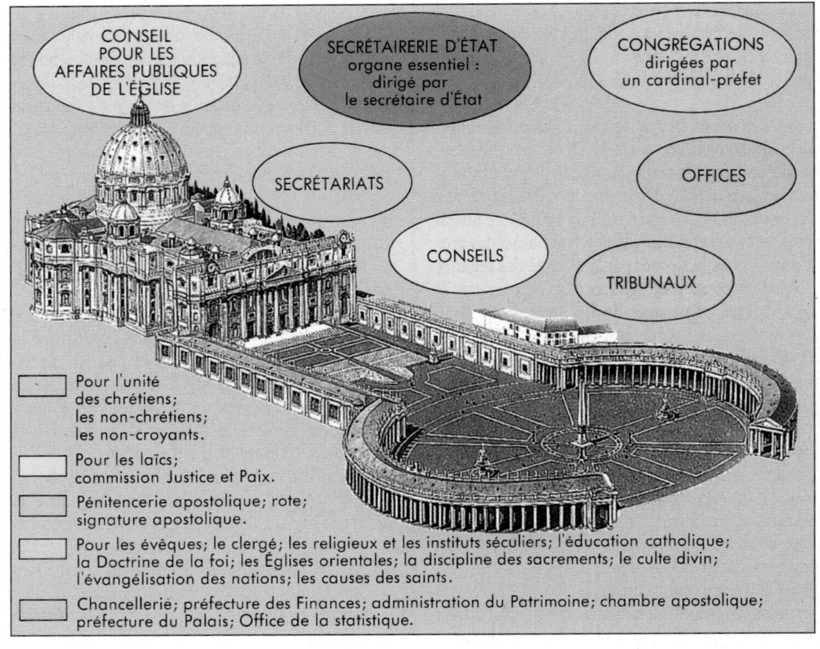

◆ **La curie romaine.**
Organisée à partir du IVe s. sur le modèle de la cour impériale, elle a évolué au cours du temps, jusqu'à sa dernière réforme en 1988. La secrétairerie d'État, organisme administratif suprême, que dirige le cardinal secrétaire d'État au Vatican, dépend du pape. Elle est divisée en deux sections, celle des Affaires étrangères et celle des Relations avec les États.

Les cardinaux. Le degré de la hiérarchie immédiatement inférieur au pape est représenté par les cardinaux. Leur réunion solennelle, à Rome, au cours d'un pontificat, prend le nom de «consistoire». Les cardinaux sont désignés librement par le pape; parmi eux, les cardinaux en âge d'être électeurs, c'est-à-dire n'ayant pas atteint 80 ans, sont réunis dans le Sacré Collège pour élire le nouveau pape. Jean-Paul II, premier pape non italien depuis le XVIe s., a nommé 157 nouveaux cardinaux venant de 62 pays, renversant ainsi l'équilibre géographique traditionnel qui donnait la majorité des cardinaux à l'Europe avec une forte représentation de l'Italie.

Les évêques. Les évêques sont aussi nommés par le pape, sauf lorsqu'un droit de présentation lié à des situations régionales, et qui tombe en désuétude, est accordé à un gouvernement ou à un clergé local. L'évêque est à la tête du diocèse. Il relève de l'autorité (on dit qu'il est suffragant) du métropolite, c'est-à-dire de l'évêque placé à la tête d'une province ecclésiastique, appelé aussi archevêque. Les évêques peuvent être convoqués par le pape : il s'agit d'un synode général. Il existe aussi des réunions dans le cadre de leur diocèse (synode diocésain). En outre, ils sont tenus de se rendre périodiquement à Rome, d'y envoyer des rapports. Des agents pontificaux (les nonces en particulier) les visitent périodiquement.

Les conférences épiscopales. Ces conférences sont des réunions d'évêques, instituées en général sur le plan national, ou parfois territorial, qui se retrouvent pour délibérer de questions qui leur sont communes. Elles ont été officialisées par le concile Vatican II qui tenait à maintenir la fidélité au principe de la collégialité dans l'Église. Elles permettent de préparer des rapports sur la situation religieuse de certaines régions, mais elles n'exercent que peu de pouvoir sur les évêques qui relèvent d'elles. La conférence des évêques de France, constituée de tous les cardinaux et évêques français, est prolongée sur le plan européen par un Conseil des conférences épiscopales d'Europe et une Commission des épiscopats de la Communauté européenne.

◆ **Le christianisme dans le monde.**
Le nombre des chrétiens s'élève à près de 2 milliards dans le monde. On recense 1 milliard de catholiques, 400 millions de protestants, 70 millions d'anglicans, quelque 220 millions d'orthodoxes et plus de 280 millions d'autres chrétiens.

Amérique du Nord. Les chrétiens y sont très largement majoritaires : 87 % de la population, dont 36 % de protestants et 33 % de catholiques.
Amérique latine. La population est en majorité catholique, mais le protestantisme gagne du terrain et les pratiques syncrétiques sont très importantes dans certaines régions, comme à Haïti ou en République dominicaine.
Europe. Le protestantisme triomphe dans le Nord; le catholicisme, dans les pays latins, en Irlande et dans le centre. Plus à l'est commence l'orthodoxie.
Afrique. Le christianisme est présent surtout en Afrique centrale, en Afrique du Sud et le long des côtes occidentales, au sud du Sahara.
Australie et Nouvelle-Zélande. Les chrétiens sont très fortement majoritaires (84 % et 91 % respectivement).

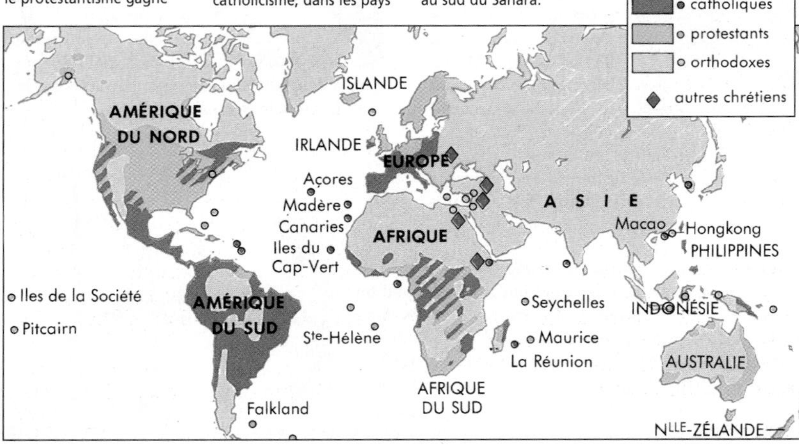

Les ordres monastiques

Principaux ordres

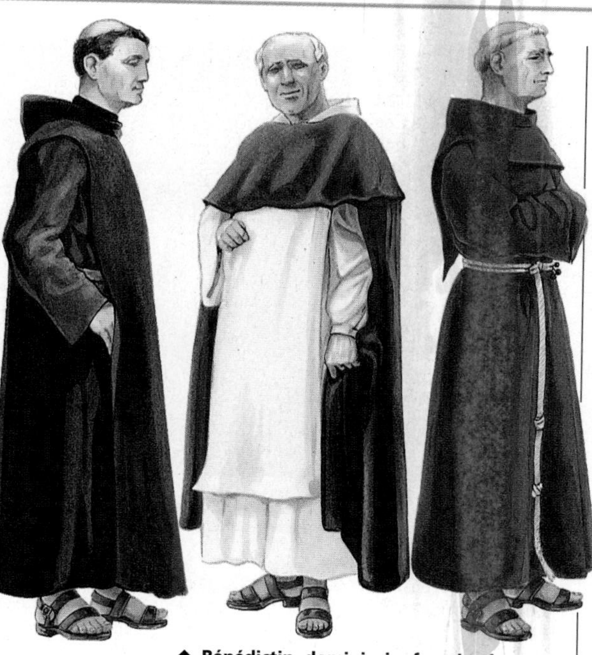

◆ **Bénédictin, dominicain, franciscain** (de gauche à droite).

Les *bénédictins* sont le plus ancien ordre monastique occidental. Fondé par saint Benoît vers 530, sa règle insiste sur l'obéissance au père abbé qui dirige le monastère, sur la splendeur de l'office divin, des chants et de la liturgie. Les moines bénédictins sont actuellement environ 8700 dans le monde, et les moniales bénédictines près de 19 000.

Les *carmes* sont un ordre contemplatif fondé en 1207 en Terre sainte. Les carmes pratiquent une dévotion particulière à la Vierge ; il y a actuellement environ 6000 moines et 24500 moniales carmélites.

Les *chartreux* sont un ordre fondé par saint Bruno en 1084. Ses membres vivent dans le silence total, ne se réunissent que pour l'office divin. Il compte environ 500 moines et moniales.

Les *cisterciens et trappistes* sont un ordre fondé à Cîteaux en 1098, réformé au XVIIe s. et dont le maître spirituel est saint Bernard de Clairvaux. Il compte actuellement 4000 moines et 1930 moniales.

Les *dominicains* ou *ordre des Frères prêcheurs*, fondé en 1215 par saint Dominique, sont un ordre spécialisé dans l'étude et l'enseignement de la théologie (saint Thomas d'Aquin en faisait partie). Actuellement, on compte près de 6700 membres ayant à leur tête un maître général élu pour 9 ans, des provinciaux et un prieur par couvent. Les moniales dominicaines, au nombre de 5000, et les 40000 dominicaines apostoliques observent la même règle.

Les *franciscains* ou *frères mineurs* sont un ordre fondé par saint François d'Assise en 1209, il compte actuellement plus de 18000 membres, auxquels s'ajoutent les capucins, qui se rapprochent de l'idéal du fondateur et qui sont environ 11000. Ils se consacrent aux missions et à la prédication populaire.

La *Compagnie de Jésus* fut fondée en 1540 par saint Ignace de Loyola. Elle compte plus de 22000 membres, les jésuites, appartenant à 85 provinces. À sa tête un préposé général, ou général, élu à vie par trois délégués de chacune des provinces de l'ordre. Après une formation de dix années, incluant des études de philosophie et de théologie, on peut être admis aux grands vœux solennels, qui, en plus des trois vœux habituels, incluent un vœu spécial d'obéissance au pape et au général.

Les *lazaristes* ou *Société des prêtres de la Mission* sont un ordre fondé par saint Vincent de Paul en 1625. Les lazaristes sont actifs dans divers secteurs : missions, œuvres caritatives, séminaires, aumôneries. Ils sont environ 4000.

Les *oblats de Marie-Immaculée* sont une congrégation missionnaire fondée en 1816 par Mgr de Mazenod, spécialisée dans les missions en Océanie et dans les régions arctiques. Sur près de 5000 membres, environ 3600 sont prêtres.

Les *pères blancs* ou *Société des missionnaires de Notre-Dame d'Afrique* sont une société fondée en 1868 par le cardinal Lavigerie, spécialisée dans l'apostolat en pays d'islam et en Afrique noire, comptant environ 2400 membres.

Les *pères du Saint-Esprit* sont une congrégation missionnaire fondée en 1703, et qui fusionna en 1848 avec la Société du Cœur-Immaculé-de-Marie fondée par le père Liberman. Son champ d'activité est principalement en Afrique noire et à Madagascar. Elle compte plus de 3000 membres.

Les *prémontrés* sont un ordre de chanoines réguliers suivant la règle de saint Augustin, fondé en 1120 par saint Norbert. Les chanoines, au nombre de 1390 environ, vivent en petits prieurés, assurant un ministère paroissial.

Les religieux

L'annuaire officiel du Saint-Siège les classe en six catégories :
– ordres monastiques, regroupant des hommes ou des femmes ayant prononcé des vœux solennels et vivant dans un monastère sous la direction d'un(e) des leurs, par exemple les bénédictins ;
– clercs et chanoines réguliers, tels les prémontrés ;
– ordres mendiants, dont la communauté ne peut posséder que certains biens prescrits par la règle, comme les franciscains ou les dominicains ;
– congrégations sacerdotales, ou sociétés de prêtres, tels les prêtres de l'Oratoire, les sulpiciens ;
– instituts religieux, ou congrégations laïques, tels les frères des écoles chrétiennes, voués à l'enseignement et qui ne sont pas prêtres ;
– instituts séculiers, officiellement reconnus depuis 1947, dont les membres ne changent pas de condition sociale et gardent leur profession dans le monde.

Les vêtements

Le vêtement des religieux, qu'il soit masculin ou féminin, marque l'appartenance à une communauté partageant un même idéal de vie. Il est un symbole extérieur de l'activité spirituelle, la marque visible d'un engagement qui fait passer du monde séculier au monde religieux. Il est défini selon la règle de vie de la communauté.
Les bénédictins portent une robe noire avec un capuchon ; les franciscains, une robe de bure brune avec capuche, retenue par une corde blanche à trois nœuds qui signifient les trois vœux : obéissance, pauvreté et chasteté (d'où leur nom de « cordeliers »). La couleur brune est un symbole de l'humilité et de la pauvreté. Les dominicains ont une robe blanche sur laquelle est porté un manteau à capuchon de couleur noire.
Les carmélites sont vêtues d'une robe de bure et d'un scapulaire marron, d'un voile noir et d'un manteau blanc.

Les congrégations féminines

Elles sont au nombre de 1175 actuellement dans le monde, représentant plus de 655000 religieuses ayant prononcé leurs vœux. Entre 1970 et 1975, 25000 religieuses ont été dispensées de leurs vœux, soit pour raisons de santé, soit par manque de véritable vocation ou pour impossibilité personnelle de respecter les vœux. Le concile Vatican II a souhaité une rénovation de la vie religieuse dans le sens d'une adaptation aux conditions de la vie moderne (modification du costume, de l'habitat et du style de vie). Les écoles et les hôpitaux ont été plus ou moins délaissés au profit de nouvelles tâches d'apostolat dans le monde du travail et pour un développement de l'homme dans un monde où le poids des impératifs économiques et sociaux se fait lourdement ressentir. Ce mouvement entend s'inscrire dans une fidélité au message évangélique. Les religieuses cloîtrées ont, elles aussi, effectué un retour aux sources de leur spiritualité et reçoivent une meilleure formation intellectuelle et théologique. Ces mutations laissent irrésolu le problème fondamental : le recrutement moins large que par le passé et le vieillissement des effectifs.

◆ **Carmélite.**

VOIR AUSSI • **Missions chrétiennes** p. 503

Les Églises orientales et orthodoxes

Les données historiques

Les Églises orientales sont les Églises chrétiennes qui se sont développées dans l'Empire romain d'Orient, en dehors de la zone d'influence de la langue latine et du siège apostolique de Rome. Dès le Ve s., ces Églises se sont divisées. L'Église nestorienne a rompu en 431 (concile d'Éphèse) avec les autres communautés, et d'autres Églises ont fait dissidence en 451, quand elles ont refusé d'admettre la confession de foi du concile de Chalcédoine définissant le dogme des deux natures en la personne du Christ (on les appelle pour cela monophysites ou préchalcédoniennes).

À cette époque aucune différence doctrinale ne séparait les autres Églises orientales des Églises nées en Occident. L'adjonction, par la seule Église latine, du «Filioque» au texte du Credo a été la cause de la rupture entre l'Orient et l'Occident (1054) : dès lors, les Églises orthodoxes, fidèles au concile de Chalcédoine et refusant le dogme du «Filioque», ont formé un monde à part, identifié au monde byzantin. La rupture fut accentuée, lors des croisades, par la mise en place d'une hiérarchie latine parallèle et rivale. Les efforts d'ouverture de l'Église romaine ont encore divisé la chrétienté orientale; au concile de Florence (1439-1443), certaines Églises orientales ont rallié la communion de l'Église romaine tout en gardant leurs institutions et leur liturgie propres : ce sont les Églises unies (ou uniates selon la terminologie orthodoxe).

Les Églises orthodoxes

La communion orthodoxe comprend les quatre patriarcats antiques, qui formaient jadis avec le patriarcat de Rome la pentarchie (ou gouvernement à cinq), et des Églises autocéphales – c'est-à-dire autonomes et élisant elles-mêmes leur primat ou patriarche – ou métropolitaines, dont le chef, le métropolite, occupe un rang intermédiaire entre le patriarche et les évêques.

Les quatre patriarcats antiques. Ils sont les suivants :
– Patriarcat œcuménique de Constantinople. Près de 4 millions de fidèles (Turquie, îles grecques, Grèce du Nord, diocèses des communautés émigrées en Europe occidentale et en Amérique, ainsi que le mont Athos). Certaines Églises autocéphales lui reconnaissent une autorité morale.
– Patriarcat d'Antioche (Ier s.) Environ 750 000 fidèles en Syrie et au Liban.
– Patriarcat d'Alexandrie (Ier s.) dont se sont séparés les coptes. Entre 250 000 et 350 000 fidèles, en Égypte, au Soudan, en Éthiopie et dans les autres pays d'Afrique.
– Patriarcat de Jérusalem, le plus ancien, qui a la garde des Lieux saints. Environ 260 000 fidèles en Israël.

Les autres Églises orthodoxes. À ces quatre patriarcats s'ajoutent plus de 145 millions d'orthodoxes répartis en une quinzaine d'Églises autocéphales ou métropolitaines. La plus grande partie vit en Europe de l'Est et en Europe centrale.
– Patriarcat de Moscou (fondé en 1589). L'Église russe, qui affirmait prendre la succession de Byzance et être la troisième Rome, a connu une longue période de persécutions. Elle a retrouvé aujourd'hui une position officielle dans la société russe et se trouve même favorisée. Elle compte près de 90 millions de fidèles.
– Patriarcat de Bucarest (fondé en 1925 par la réunion de l'Église autocéphale de Transylvanie et de celle de Roumanie). Très surveillé par l'État communiste, il était contrôlé par un ministère des Cultes. Environ 19 millions de fidèles.

◆ **Iconostase du monastère de Moldovita** (Roumanie). L'iconostase, cloison recouverte d'icônes, sépare la nef et le sanctuaire dans les églises de rite oriental.

– Église autocéphale de Grèce. L'archevêque d'Athènes en est le primat depuis 1833. Elle est très liée à l'État, et compte plus de 9 millions de fidèles.
– Église autocéphale de Bulgarie (fondée en 1945), séparée de l'État en 1947, érigée en patriarcat en 1953. Environ 8 millions de fidèles.
– Église serbe autocéphale (fondée en 1879). Elle a été réunie en 1920 aux autres Églises orthodoxes de Monténégro, de Bosnie et de Karlowitz pour former le patriarcat de Peć (Serbie). Environ 8 millions de fidèles.
– Église de Géorgie (fondée au Ve s.). Elle est distincte depuis 1918 de l'Église russe; son chef, le *catholicos*, réside à Tbilissi. Elle compte 2,5 millions de fidèles.
– Église de Chypre (fondée en 431). Son chef, l'archevêque, en est le primat. Il est parfois aussi gouverneur civil, ou même (avec Mgr Makários [1913-1977]) président de la République. Elle compte environ 480 000 fidèles.
– Église du mont Sinaï. C'est la plus petite des Églises orthodoxes. Elle est dirigée par un archevêque élu par les moines du monastère Sainte-Catherine (fondé au VIe s., et consacré par le patriarche de Jérusalem). Environ une centaine de fidèles.

L'émigration orthodoxe aux États-Unis regroupe un peu plus de 3 millions de fidèles, auxquels s'ajoutent des groupes importants au Canada et en Amérique du Sud. Ils sont placés soit sous la juridiction d'un archevêque grec dépendant du patriarcat de Constantinople, soit, depuis 1970, sous la juridiction d'une Église autocéphale orthodoxe d'Amérique du Nord détachée du patriarcat de Moscou.

Il existe également les Églises autonomes de Finlande, de Crète, du Japon, de Chine, de Corée, d'Ouganda, du Kenya, du Congo et du Ghana, sous l'obédience du patriarche d'Alexandrie.

Les Églises unies à Rome

Ces Églises catholiques représentent environ 18 millions de fidèles. Elles ont rejoint l'Église catholique de Rome tout en conservant leur liturgie, leur langue et leurs traditions. Elles jouent un rôle très important dans la rencontre entre les Églises occidentales et celles d'Orient. Les Églises orientales non catholiques ont vu dans celles qui sont unies à Rome une tentative du catholicisme pour affirmer l'autorité du Siège romain et latiniser des Églises de vieille tradition. Actuellement le dialogue œcuménique tente de poser, avec difficulté, mais dans une volonté d'ouverture, le vrai problème de la catholicité et de la liberté vis-à-vis des nationalismes.
– Église maronite (établie traditionnellement au Liban). Elle compte 3 millions de fidèles, dont 1,2 million au Liban. Elle tire son nom du monastère de Saint-Maron en Syrie, qui fut au IVe s. le principal foyer de lutte contre le monophysisme. Son organisation, qui date du XVIIIe s., la place sous la direction du patriarche maronite d'Antioche. Le clergé séculier compte une importante proportion de prêtres mariés. La langue liturgique est le syriaque, mais l'arabe est entré en vigueur.
– Église syrienne malabare (en Inde du Sud). Environ 3,05 millions de fidèles. Son union à Rome a été obtenue par les Portugais à la fin du XVIIIe s.
– Église uniate d'Ukraine. Intégrée de force en 1946 dans l'Église russe, elle a recouvré en 1990 son autonomie, avec ses 5 millions de fidèles. Elle en compte 1 million en Occident, dont 360 000 aux États-Unis et au Canada.

Les Églises préchalcédoniennes

Se distinguant à la fois de l'Église catholique, des Églises unies à Rome et des Églises orthodoxes, les Églises préchalcédoniennes comptent aujourd'hui environ 30 millions de fidèles. Elles suivent une confession de foi antérieure au concile d'Éphèse de 431 (pour les Églises dites nestoriennes) et à celui de Chalcédoine de 451 (pour les Églises dites monophysites) : Église syrienne orientale, dite nestorienne; Église arménienne; Église syrienne occidentale, ou jacobite, fondée par le moine Jacques Baradée (mort en 578); Église syro-orthodoxe de l'Inde; Église copte, ou Église d'Égypte (13 millions de fidèles); Église d'Éthiopie, qui date du IVe s.

La doctrine et la spiritualité

L'histoire de la théologie montre que les Églises orientales ont toujours éprouvé quelques réserves à l'égard de formulations dogmatiques trop nettement affirmées. Ainsi s'expliquent l'affaire de la procession du Paraclet, ou Saint-Esprit, la querelle du « Filioque », qui aboutit au schisme; plus récemment, le refus du dogme de l'Immaculée Conception de Marie dans la formulation proclamée par Pie IX en 1854; et enfin les réticences sur le dogme de l'Assomption proclamé en 1950, alors même que le culte de la Vierge *Theotokos*, ou « Mère de Dieu », est d'origine orientale.

Le dogme, une expérience vécue. En fait, dans ces Églises, doctrine et spiritualité sont étroitement liées dans une expérience personnelle des mystères chrétiens et du dogme. Par exemple le dogme central de la Trinité qui affirme l'extériorité absolue – la transcendance – et le caractère personnel de Dieu n'est pas seulement un ensemble de connaissances théologiques sur le divin : c'est aussi le résultat d'une expérience personnelle que chacun peut atteindre. Le dogme ne s'impose pas comme un objet extérieur en quoi il faut croire pour être sauvé, mais se présente comme une possibilité offerte à chaque fidèle de se transformer, par le moyen d'une vie sacramentelle.

L'importance de la liturgie. La rédemption accordée par Jésus-Christ n'est accessible que dans et par l'Église. D'où la conception sacramentelle de la vie chrétienne qui intègre chaque existence individuelle dans un ensemble cohérent où la liturgie joue un grand rôle. Celle-ci, qui s'est constituée entre le IVe et le IXe s. pour l'essentiel, s'enracine dans l'Écriture qu'elle transpose souvent en termes poétiques, y ajoutant la splendeur des chants et du cérémonial. Elle constitue ainsi le lien ecclésial et communautaire de toute l'orthodoxie. Elle est réellement vécue par tous comme une « manifestation du ciel sur la terre ».

Cette liturgie, d'autant plus vivante qu'elle s'exprime souvent en langue commune, a, lors de persécutions nombreuses au cours de l'histoire, servi de refuge (avec le culte des icônes) à la spiritualité de ces Églises.

Une ecclésiologie originale. Le dernier aspect fondamental de l'orthodoxie est sa conception de l'Église – son ecclésiologie : ne possédant ni critère infaillible et permanent de vérité ni structure monolithique, l'orthodoxie vit l'unité et la catholicité dans une communion de foi dont l'Esprit-Saint constitue le garant et l'unique critère. Cet esprit de vérité habite la communauté des fidèles unis par le commandement de l'amour : il s'exprime à travers ceux qui ont reçu un charisme d'enseignement, les évêques, chefs des communautés chrétiennes. Chaque fidèle est donc essentiellement libre d'accepter la vérité que Dieu lui révèle ainsi, et il en est immédiatement responsable, dans une obéissance volontaire et raisonnée à son Église, et dans l'amour de ses frères.

La querelle du « Filioque »

Le mot « Filioque », qui signifie « et du Fils », a été ajouté par l'Église latine, au XIe s., à la formule du Credo : « [Je crois] dans le Saint-Esprit qui procède du Père. » Cette addition fut la cause principale de la séparation des Églises d'Orient et des Églises d'Occident, les Églises orientales préférant s'en tenir à la formule qu'elles employaient jusque-là : « [Je crois] dans le Saint-Esprit qui procède du Père à travers le Fils. »

Le rituel orthodoxe

C'est le rite byzantin qui est majoritairement pratiqué dans la plupart des Églises orthodoxes. Les plus anciennes ont conservé l'usage d'une langue liturgique particulière (grec byzantin ou slavon), les autres utilisent leur propre langue nationale. Les sculptures sont interdites dans les églises, mais les icônes – les images sacrées de Dieu, de la Vierge ou des saints – font l'objet d'un culte et possèdent une réelle valeur sacramentelle. Si la musique instrumentale est bannie des offices, le chant joue un très grand rôle dans la liturgie. La messe est toujours chantée solennellement.

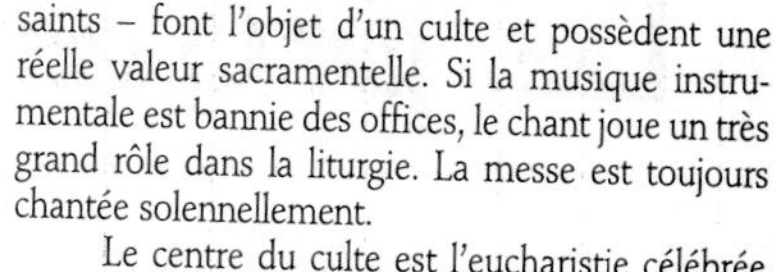

Le centre du culte est l'eucharistie célébrée selon une antique liturgie dite « de saint Jean Chrysostome », ou selon celle de saint Basile. La communion se fait sous les deux espèces, pain trempé dans le vin. L'orthodoxie reconnaît les sept sacrements, comme l'Église romaine; le baptême des enfants est immédiatement suivi de la confirmation. L'ordination peut être accordée à des hommes déjà mariés, mais le célibat est imposé aux moines, parmi lesquels, depuis le VIe s., sont toujours choisis les évêques.

◆ **Moine orthodoxe du monastère bulgare de Rila.**

◆ **Le mont Athos.** La « Sainte Montagne » a recueilli en 961 l'héritage des moines d'Orient. C'est actuellement une « république confédérale » de 1 560 moines, répartis en 20 monastères, placés sous la protection politique de la Grèce et sous la juridiction canonique du patriarche de Constantinople. Le mont Athos a été le grand centre de rayonnement de l'hésychasme, mais l'isolement intellectuel et culturel, considéré à tort comme une vertu, constitue un facteur inquiétant de décadence.

Le monachisme

Dans les Églises orientales et orthodoxes, le monachisme a toujours été le lieu de la plus haute vie spirituelle. Selon la doctrine des Pères grecs, le moine n'est qu'un chrétien authentique qui observe tous les commandements de l'Évangile. Dans le monde oriental chrétien, les moines qui vivent en collectivité – les cénobites – suivent la règle de saint Basile, mais en même temps des formes variées de vie solitaire se sont conservées jusqu'à nos jours. L'érémitisme – la vie de l'anachorète retiré loin du monde, au « désert » – est jugé, en effet, plus apte à faciliter la recherche de l'*hêsychia*, c'est-à-dire de la paix intérieure nécessaire à la prière et à l'union à Dieu. Ce recueillement poursuivi dans la solitude a structuré la méthode d'une prière ininterrompue que la Tradition appelle « la Prière de Jésus », née au mont Athos et ensuite étendue à l'ensemble du milieu spirituel de l'Orient chrétien. Le monachisme demeure l'école où s'apprend le lien entre le souvenir de Jésus rappelé dans cette prière continue, calquée sur le souffle respiratoire, et la mystique de la déification.

◆ **Mariage dans une église de Moscou.** Dans le monde orthodoxe, le mariage est célébré avec solennité selon l'antique usage du couronnement des époux. La couronne posée par le prêtre sur leur tête est le symbole de leur victoire sur le plaisir et de leur future récompense dans le paradis.

Petit lexique

patriarche : titre honorifique donné à ceux qui sont placés à la tête des Églises autocéphales d'Orient.

Le protestantisme

Les causes historiques

Les causes de la Réforme sont multiples et complexes. La thèse des abus du clergé est souvent avancée. Certes, des évêques affectionnaient le luxe, des prêtres vivaient en concubinage. Ces abus n'étaient pas nouveaux et de nombreuses tentatives de réformes au sein de l'Église avaient déjà eu lieu.

Plus important est le fait que le protestantisme ait su dépasser le stade de la critique pour répondre aux besoins religieux de l'époque et prendre en compte la montée de l'individualisme et de l'esprit laïc. À la suite de Guillaume d'Occam, Wycliffe et Jan Hus, les protestants proclament que la seule autorité pour le fidèle est la Bible et non l'Église, et qu'il a le droit de la connaître dans sa propre langue. Ce fameux *sola scriptura* (« l'Écriture seulement ») est à restituer dans le contexte de l'invention de l'imprimerie et du travail sur les textes sacrés effectué par les humanistes.

Le protestantisme met enfin, et surtout, l'accent sur la justification par la foi. Dans un monde angoissé, où la mort est omniprésente, Rome avait institué la pratique des indulgences – des remises de la peine encourue par le pécheur, accordées contre accomplissement de bonnes œuvres puis, de plus en plus, moyennant de l'argent. Le scandale éclate lorsque l'archevêque de Mayence obtient l'autorisation du pape, en 1515, de faire prêcher une indulgence par le dominicain Tetzel, afin de rembourser les frais causés par son élection. Refusant la possibilité d'« acheter » son salut, le croyant trouve, dans la justification par la foi seule, le moyen d'espérer être sauvé par l'amour de Dieu.

Luther

Martin Luther est né à Eisleben, en Thuringe (près de Halle), en 1483. Fils aîné d'un paysan devenu petit entrepreneur de mines, il poursuit ses études à l'école cathédrale de Magdeburg, à Eisenach et enfin à l'université d'Erfurt, où il est reçu maître en philosophie en 1505. Alors qu'il envisageait de faire des études de droit, il est surpris par un violent orage et fait le vœu de devenir moine s'il est sauvé.

Entré chez les Ermites de saint Augustin, il est ordonné en 1507. Fin 1510-début 1511, il effectue une mission à Rome, puis est envoyé à Wittenberg, où il devient docteur en théologie en 1512. Commentant l'Épître aux Romains (1515-1516), il découvre dans celle-ci ce qui allait devenir la clé de voûte du protestantisme, la justification par la foi. Réfutant ainsi la « vertu des indulgences », il rédige les *95 Thèses* affichées sur la porte de la chapelle du château de Wittenberg le 31 oct. 1517. Convoqué à Augsbourg, par le cardinal Cajetan, légat du pape, il refuse de se rétracter. Opposé ensuite à Johann Eck, lors de la dispute de Leipzig (1519), il adopte une attitude qui le conduit à formuler la thèse du sacerdoce universel, c'est-à-dire l'idée que tout baptisé est investi d'un ministère pastoral.

En 1520, la bulle papale *Exsurge Domine* condamne la plupart des thèses de Luther et le somme de se rétracter sous peine d'excommunication. La diète de Worms, ouverte au début de 1521 par le jeune empereur Charles Quint, finit par mettre Luther au ban de l'Empire (édit de Worms). C'est durant cette période de tension et de menace qu'il rédige ses œuvres les plus importantes : *la Papauté de Rome*, l'appel *À la noblesse chrétienne de la nation allemande, la Captivité de Babylone, De la liberté du chrétien.* Isolé ensuite au château de la Wartburg, il écrit son traité *Sur les vœux monastiques* et commence la traduction de la Bible en allemand. Revenu en mars 1522 à Wittenberg, il assiste à la diffusion rapide de ses idées. Mais, dépassé par certains de ses disciples, il condamne la guerre des Paysans (dont le chef est Thomas Müntzer) dans son *Exhortation à la paix*, en 1525. La même année il épouse Katharina von Bora, ancienne religieuse dont il aura cinq enfants, et il écrit contre Érasme *Du serf arbitre.* Alors que l'Église luthérienne commence à s'organiser, il rédige le *Petit Catéchisme* et le *Grand Catéchisme*, mais c'est à Melanchthon que revient la rédaction de la *Confession d'Augsbourg* (1530), élaborée dans un climat de dissensions internes.

Luther, homme à la fois du Moyen Âge et des Temps modernes, obsédé par un sentiment de culpabilité et épris de sainteté, meurt en 1546 dans sa ville natale.

◆ **Luther.** Portrait par Cranach l'Ancien (1472-1553), détail. (Musée des Offices, Florence)

Calvin

Jean Calvin est né à Noyon, en Picardie, en 1509. Son père, qui gérait les affaires de l'évêque avant de devenir procureur du chapitre cathédral, le destinait à une carrière ecclésiastique. Après des études dans sa ville natale, il reçoit un enseignement scolastique au collège de Montaigu, à Paris. En 1528, après la brouille de son père avec le chapitre de Noyon, il quitte Paris pour Orléans et la théologie pour le droit. À Bourges ensuite, puis à Paris à nouveau, il perfectionne son latin, apprend le grec avec Wolmar, luthérien déclaré, et l'hébreu avec Vatable.

En 1532, il publie son premier ouvrage, *Commentaire du « De clementia »* de Sénèque. Alors qu'il semblait disposé à devenir un humaniste catholique, il commence à s'afficher comme protestant à partir de la fin de 1532. Il travaille à la traduction de la Bible en français de son cousin Olivétan et collabore à la rédaction du discours réformateur de Nicolas Cop, recteur de l'université de Paris, prononcé le 1er nov. 1533 : il doit alors fuir Paris puis, après l'affichage à Amboise d'un tract violemment anticatholique (l'affaire des Placards, 1534), quitter le royaume. Arrivé à Bâle, il publie la première version de l'*Institution de la religion chrétienne* (1536), ouvrage qu'il enrichit progressivement jusqu'en 1559.

Après un bref séjour à la cour de Renée de France à Ferrare, il est à Genève, où il aide Guillaume Farel à consolider la Réforme. Prédicateur et juriste zélé, il rédige des *Articles sur le gouvernement de l'Église locale* et une *Confession de foi* qui sont jugés trop contraignants : il doit quitter Genève en 1538. À peine installé à Bâle, il est appelé à Strasbourg par Bucer. Il y organise la paroisse des réformés, sorte de modèle pour les futures paroisses protestantes de France, donne des cours à la Haute École, se livre à une abondante correspondance, rédige l'*Épître à Sadolet* et son *Petit Traité de la Sainte Cène*, et se marie avec Idelette de Bure. Rappelé en 1541 à Genève, il y fait accepter, non sans mal, les *Ordonnances ecclésiastiques*, véritable code légal et moral de Genève pendant deux siècles. Malgré de nombreux sermons, la rédaction d'un catéchisme, la réorganisation de l'Académie protestante afin de faire de Genève un grand centre universitaire, Calvin se heurte à de nombreux opposants politiques et religieux : Castellion, Bolsec, Trolliet et surtout Michel Servet (1511-1553) qui l'accuse de falsifier la doctrine chrétienne primitive. Calvin connaît ensuite des années plus paisibles à la tête de l'Église réformée, où, à sa mort (1564), lui succède Théodore de Bèze (1519-1605).

Protestants ou réformateurs ?

Le terme de « protestant » est apparu de façon circonstancielle. À la seconde diète de Spire (1529), des princes et des représentants de villes libres protestèrent contre Charles Quint qui voulait révoquer les concessions de liberté religieuse accordées par la diète précédente. Minoritaires, ces « protestants » furent menacés de bannissement. Si l'appellation est à l'origine plus politique que religieuse, elle signifie aussi une protestation contre certaines structures ou traditions de l'Église catholique romaine. Ainsi l'apparition du terme « protestantisme » est révélatrice d'un moment où la Réforme cesse d'être un événement pour commencer à s'institutionnaliser : c'est l'« établissement » du protestantisme ; dès lors son histoire est marquée par des « retours à la Réforme ». Alors que le terme « protestant » conserve une résonance antiromaine et accentue l'attitude critique, certains lui préfèrent celui, moins polémique, d'« évangélique » (ex. : « Église évangélique », en Allemagne), qui souligne le retour aux sources du message évangélique. Enfin, les mots « réformateur » et « réformé » insistent sur la volonté d'amélioration, de changement et de renouvellement, sans pour autant impliquer nécessairement l'idée de schisme.

Petit lexique

protestants : ensemble des Églises et des communautés chrétiennes issues de la Réforme.

VOIR AUSSI • **Réforme et Contre-Réforme** (histoire) p. 446

La grâce et la prédestination

Luther : la justification par la foi. Pour Luther, seule la foi sauve, mais il n'est pas du pouvoir de l'homme d'avoir la foi, puisque c'est Dieu qui, dans sa toute-puissance, l'accorde (ou ne l'accorde pas) au pécheur. La foi est donc une grâce divine. En affirmant que seuls certains élus de Dieu peuvent avoir la foi, Luther présuppose en quelque sorte la prédestination, sans en faire une théorie comme Calvin. Cette relative indifférence quant à la prédestination est surtout due au fait que, pour lui, l'homme ne peut savoir durant sa vie terrestre s'il a la foi ou non. Celui qui a la chance de l'avoir continue à vivre dans le péché. Il est considéré comme juste – il l'est virtuellement –, mais ses actes ne sont pas ceux d'un juste.

Calvin : la théorie de la prédestination. À la justification par la foi, Calvin oppose la doctrine de la prédestination :
1. Dieu a choisi de toute éternité, en vertu de sa toute-puissance et de son amour, un certain nombre de créatures destinées à vivre avec le Christ pour l'éternité, sans considération pour leur foi ou leurs œuvres. Le reste de l'humanité est voué à vivre éternellement dans le péché et dans la damnation. C'est la théorie de l'élection particulière ;
2. Le sacrifice du Christ a racheté les élus, et seulement les élus. La rédemption n'est donc pas universelle. C'est une rédemption particulière ;
3. La faute originelle a rendu l'homme à jamais incapable de faire le bien (doctrine de l'incapacité morale dans l'état de chute). Tous les hommes méritent donc la damnation éternelle ;
4. Cependant, en vertu de la grâce irrésistible, les élus, appelés à Dieu par son Verbe et par son Esprit-Saint, quels que soient leurs péchés et leurs œuvres, ne peuvent que céder à cet appel et sont donc destinés à être sauvés ;
5. Les élus sont sauvés définitivement : la grâce est irréversible et elle est acquise pour l'éternité. C'est la doctrine de la persévérance finale.

◆ **Calvin.** Portrait anonyme. (Musée Boymans-Van Beuningen, Rotterdam)

Aménagements d'Arminius. Calvin considère que l'élu peut avoir connaissance de son élection, car la possession de la foi et la capacité de faire des bonnes œuvres sont les signes de cette élection. Toutefois, sa doctrine est fondamentalement pessimiste, dans la mesure où elle montre que l'homme ne peut parvenir à rien sans l'aide de Dieu. Certains, tel le Hollandais Jacobus Arminius (1560-1609), trouvèrent la théologie de Calvin trop rigoureuse, éloignée de la Bonne Nouvelle annoncée par les Évangiles. La thèse arminienne réduit la prédestination au fait que Dieu connaît tout, et donc qu'il sait à l'avance qui persévérera dans la foi et qui sera incrédule. Elle fut condamnée au synode de Dordrecht (1618-1619).

Les textes

La justification : « Donc quiconque s'imagine [...] mériter la grâce par des œuvres méprise le Christ et cherche à aller à Dieu à sa manière, en contradiction avec l'Évangile [...]. Car, en dehors de la foi et hors du Christ, la nature et le pouvoir de l'homme sont beaucoup trop faibles pour qu'il puisse faire des bonnes œuvres, invoquer Dieu, être patient dans la souffrance, aimer son prochain, exercer avec soin les fonctions de sa charge, être obéissant, fuir les mauvais désirs, etc. Ces grandes et véritables œuvres ne peuvent être accomplies sans l'aide du Christ, comme il le déclare lui-même dans Jean, XV, 5 : "Sans moi, vous ne pouvez rien faire." » *(Confession d'Augsbourg,* article IV.)

La foi et les bonnes œuvres : « Ensuite, on enseigne que nous ne pouvons obtenir la rémission des péchés et la justice devant Dieu par nos mérites, par nos œuvres et par notre satisfaction, mais que nous recevons la rémission des péchés et que nous devenons justes devant Dieu par grâce, à cause du Christ, par le moyen de la foi, si nous croyons que le Christ a souffert pour nous, et qu'à cause de lui les péchés nous sont remis et la justice et la vie éternelle nous sont accordées. Cette foi, Dieu veut la considérer comme justice devant lui et nous la compter comme justice, comme saint Paul le dit aux Romains, aux chapitres III et IV. » (*Confession d'Augsbourg,* article XX.)

La prédestination : « Avant la création du monde, Dieu avait décidé, dans son conseil éternel, ce qu'il voulait qu'il advînt de tout le genre humain. Par le conseil éternel de Dieu, il est advenu qu'Adam est déchu de l'état normal de sa nature, et par sa chute a entraîné toute sa postérité, dans une juste condamnation à la mort éternelle. De ce même décret dépend la différence entre les justes et les réprouvés : parce que Dieu a adopté les uns pour leur salut, et a destiné les autres à la perte éternelle [...]. » (Calvin, *Traité de la prédestination.*)

L'eucharistie : « Nous confessons qu'il y a, selon la parole d'Irénée, deux réalités dans l'eucharistie, l'une terrestre, l'autre céleste. Ils [les catholiques] pensent et enseignent que le corps et le sang du Christ sont vraiment et substantiellement présents, montrés et pris avec le pain et le vin. » (Concorde de Wittenberg, 1536.) « La Cène de notre Seigneur est un signe par lequel sous le pain et le vin il nous représente la vraie communication spirituelle que nous avons en son corps et son sang. » (Calvin, *Confession de foi.*)

La liberté et la servitude : « Un chrétien est un libre seigneur de toutes choses et il n'est soumis à personne. »

« Un chrétien est un serf corvéable en toutes choses et il est soumis à tout le monde. » (Luther, *De la liberté du chrétien,* 1520.)

Cet apparent paradoxe recouvre une conception de l'homme particulière. Les hommes sont libérés de la servitude qui pesait sur eux de n'obtenir leur salut que par les œuvres ; ce qui compte, ce ne sont ni les sacrements ni les bonnes actions, mais la foi seule. En même temps, la volonté de l'homme est toujours asservie, conduite soit par le désir de satisfaire ses propres désirs, soit par Dieu. c'est donc par l'association de la liberté et de la foi que l'homme peut vivre face à Dieu.

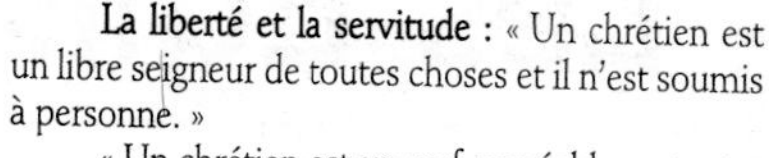

Culte et rites

Compte tenu des trois grands principes du protestantisme – Dieu seul, l'Écriture seule et la grâce seule –, le culte n'occupe pas une position centrale comme dans le catholicisme.

Au nom du sacerdoce universel des croyants, les protestants ne partagent pas la conception catholique de la prêtrise selon laquelle le fidèle a nécessairement besoin de la médiation du prêtre pour accéder au salut. Les luthériens et les réformés ne reconnaissent que les deux sacrements qui ont été institués par Jésus : le baptême et la Cène. Mais tandis que les luthériens donnent une importance égale aux sacrements et à la prédication, les réformés ont tendance à valoriser davantage la prédication.

Si, à propos du sacrement de la Cène, luthériens et réformés sont d'accord pour refuser la doctrine catholique de la transsubstantiation (transformation de la substance du pain et du vin en corps et en sang du Christ lors de leur consécration), leurs conceptions divergent néanmoins. Les luthériens professent la consubstantiation (présence concomitante, dans le pain et le vin de la Cène, du corps et du sang du Christ), alors que les calvinistes considèrent qu'il y a non pas transformation des éléments matériels, mais présence réelle du Christ par le Saint-Esprit.

À côté des deux sacrements, les protestants admettent quelques rites : la confirmation, le mariage et les funérailles. Le protestantisme met enfin l'accent sur la sobriété du culte : simplicité des vêtements du pasteur, dépouillement des lieux de culte (car l'art ne saurait être un moyen d'élévation), pureté des chants.

◆ **Assemblée de protestants dans les Cévennes.** Cette « assemblée du Désert » perpétue le souvenir des cultes qui se tenaient clandestinement, après la révocation de l'édit de Nantes, dans des lieux écartés, au « désert ».

Les Églises réformées

Le clergé et les institutions

La Réforme a institué un type particulier de clerc : le pasteur. Celui-ci n'a qu'un rôle fonctionnel et n'est pas essentiel à l'être de l'Église qui est attestée, non dans une hiérarchie ecclésiastique, mais dans l'assemblée des croyants. De plus, l'ordination ne lui confère pas un pouvoir exclusif, puisque des laïcs peuvent être autorisés à prêcher et à administrer des sacrements. Le pasteur est donc surtout quelqu'un qui, par sa formation, est particulièrement habilité à instruire et à édifier les fidèles. Les femmes peuvent accéder au ministère pastoral, et il n'existe aucune objection à ce que les pasteurs se marient. Quant à la hiérarchie qui existe au sein du corps pastoral, elle n'a qu'une portée fonctionnelle, car tous les pasteurs sont égaux en droit.

La base des Églises réformées et luthériennes est la paroisse, dirigée par un conseil presbytéral composé du pasteur et de laïcs ; il s'occupe de la gestion de la paroisse et de diverses activités, y compris spirituelles. Les paroisses sont regroupées en districts régis par un consistoire et en régions dirigées par un synode, composé d'autant de laïcs que de pasteurs, réuni chaque année et qui envoie des délégués au synode national, l'instance décisionnelle de chaque Église. Dans de nombreux pays, Églises luthériennes et Églises réformées, c'est-à-dire calvinistes, sont rassemblées, avec d'autres Églises protestantes, dans une Fédération protestante interdénominationnelle.

◆ **Les Églises nées de la Réforme.**
Scandinavie. L'introduction du luthéranisme date du XVIe s. Les protestants sont largement majoritaires.
Îles Britanniques. L'anglicanisme compte 70 millions de fidèles dans le monde, dont 25 millions en Angleterre. En Écosse prédomine le presbytérianisme, un protestantisme calviniste qui remonte à John Knox.
Pays-Bas. Calvinistes dans une très large majorité, les protestants représentent plus de 30 % de la population.
France. Les protestants (en majorité calvinistes) représentent moins de 2 % de la population.
Suisse. La Réforme se répandit sous l'influence des réformateurs Ulrich Zwingli (1484-1531) puis Heinrich Bullinger (1504-1575). Les protestants représentent près de 45 % de la population.
Allemagne. Les protestants constituent 45 % de la population allemande. Ils sont dans une très large majorité luthériens.

Le protestantisme français

Dès 1557, des édits contre les protestants furent promulgués dans le royaume de France, des massacres furent commis, et des nobles exécutés pour « hérésie ». Pour mettre un terme aux guerres de Religion entre catholiques et protestants qui ensanglantèrent la France pendant près de trente-huit ans, Henri IV, lui-même ancien protestant, promulgua en 1598 l'édit de Nantes qui reconnaissait aux protestants la liberté de conscience et de culte. Mais dès sa mort, en 1610, la politique antiprotestante et les conflits sanglants reprirent ; ils aboutirent à la révocation de l'édit de Nantes par Louis XIV en 1685, ce qui eut pour conséquence un exil massif des protestants de France.

Cette politique antiprotestante suivie par la monarchie des Bourbons, pour des raisons de politique autant intérieure qu'extérieure, prit fin en 1787 avec l'édit de Tolérance qui redonnait aux protestants l'accès à l'état civil. Mais il fallut attendre 1789 avec la Déclaration des droits de l'homme et du citoyen pour que fût reconnue la liberté de conscience. Les Articles organiques de 1802 organisèrent un régime légal pour les Églises luthériennes et réformées, prévoyant la tenue d'un synode national.

Après la séparation des Églises et de l'État (1905) fut fondée la Fédération protestante de France qui représente toujours les diverses Églises protestantes devant les pouvoirs publics. Créée en 1906, cette fédération regroupe : l'Église réformée de France, qui réunit depuis 1938 les Églises évangéliques et libérales ; l'Église de la Confession d'Augsbourg d'Alsace-Lorraine, luthérienne et concordataire ; l'Église réformée d'Alsace-Lorraine, calviniste ; l'Église évangélique luthérienne de France (Paris et Montbéliard) ; les Églises évangéliques réformées indépendantes, implantées dans le Midi ; les Églises évangéliques baptistes de France ; la Mission populaire évangélique et l'Église apostolique, marquées par le renouveau charismatique. Un Conseil permanent de 24 membres s'efforce de coordonner les actions sociales, caritatives, éducatives de ces Églises. Des facultés de théologie protestante forment les nouveaux pasteurs, à Strasbourg (faculté d'État), à Paris, Montpellier et Aix-en-Provence. Environ 900 000 fidèles appartiennent à l'une ou l'autre de ces Églises protestantes.

Le protestantisme contemporain

Dès la fin du XVIIIe s., on assiste à une expansion mondiale du protestantisme. La diversité des Églises protestantes explique la multiplicité des missions, surtout depuis l'entrée des États-Unis sur la scène internationale. Cet effort missionnaire, fort éloigné de l'individualisme religieux prôné par le protestantisme, est lié à l'émergence de l'œcuménisme.

Face à la sécularisation progressive du monde, la validité du christianisme et le rapport entre religion et culture préoccupent le protestantisme contemporain. Dans le domaine de l'exégèse biblique, la démarche historicocritique tente d'établir la validité des textes sacrés. Le libéralisme théologique, caractérisé par une piété intériorisée et une insistance sur l'aspect moral de la vie chrétienne, apparaît comme la recherche d'un accompagnement théologique de l'évolution culturelle. Quant au christianisme social, il allie évangélisation populaire et réflexion théologique. Mais depuis la Première Guerre mondiale, l'optimisme inhérent au libéralisme a fait place à un certain pessimisme. C'est ce qu'exprime la théologie du Suisse Karl Barth (1886-1968), théologie de la Parole et de l'altérité de Dieu : on ne peut parler de Dieu que de façon dialectique, c'est-à-dire sans avoir prise sur lui. L'insistance sur cet aspect correspond à une société où la religion est socialement en déclin.

Le protestantisme européen

Le protestantisme rencontra un succès particulièrement important dans les pays où existaient un fort sentiment nationaliste et une volonté d'émancipation face à Rome. En outre, la rapidité de la diffusion fut facilitée par le principe *cujus regio ejus religio* (« région du prince, religion du prince »), adopté dans le Saint Empire romain germanique par la paix d'Augsbourg en 1555, et selon lequel les sujets d'un territoire devaient adopter la religion de leur souverain.
Dès le milieu du XVIe s. toute une partie de l'Europe était protestante, et l'est restée jusqu'à aujourd'hui. Actuellement, on y dénombre près de 38 millions de luthériens et près de 14 millions de réformés.

L'Église et la communion anglicanes

L'Église anglicane est l'Église établie d'Angleterre ; elle est née avec l'Acte de suprématie de 1534 qui, en proclamant le roi Henri VIII chef suprême de l'Église, imposait la rupture avec l'Église catholique romaine. Cet Acte satisfaisait un certain nationalisme et une volonté de réformes. Il n'existe pas, en effet, de doctrine spécifiquement anglicane : la foi professée est celle des Pères de l'Église et des conciles antérieurs à la rupture de 1054 entre Orient et Occident. Ce qui caractérise l'anglicanisme, c'est une position médiane entre le catholicisme et les Églises issues de la Réforme : le *Book of Common Prayer* comprend des services liturgiques qui restent proches de la liturgie catholique ; les *Trente-Neuf Articles* de 1563 (révisés en 1571) et le *Quadrilatère de Lambeth* (du nom du palais londonien de l'archevêque de Cantorbéry) de 1888 insistent sur la suprématie de l'Écriture comme unique fondement de la foi et sur la reconnaissance de deux sacrements principaux, le baptême et l'eucharistie. Mais l'Église anglicane, dont le souverain d'Angleterre demeure le chef (il nomme les évêques sur proposition du Premier ministre), est divisée en deux tendances : la *High Church* (Haute Église), qui insiste sur le rôle de l'institution ecclésiale et reste proche des rites et des sacrements catholiques, et la *Low Church* (Basse Église), qui prône une religion intérieure et personnelle et a subi l'influence des luthériens et des calvinistes.

La communion anglicane regroupe les Églises qui reconnaissent la primauté spirituelle de l'archevêque de Cantorbéry. Elle compte environ 70 millions de fidèles, dont 25 en Angleterre : les autres sont représentées par les Églises épiscopaliennes d'Écosse, d'Irlande, des États-Unis (2,5 millions), d'Australie (3,8), du Canada (2,6), etc. Depuis 1867, les évêques anglicans se réunissent tous les dix ans dans la Conférence de Lambeth, et leurs représentants siègent tous les trois ans en un Conseil consultatif anglican. Les décisions synodales restent soumises, dans certaines conditions, au vote du Parlement britannique.

Églises et sectes protestantes

Dès l'avènement des Églises protestantes vont apparaître en leur sein même des mouvements contestataires qui se démarquent en affirmant leurs différences sur des points de doctrine ou de pratique. Pour certains, ces désaccords vont s'exprimer et demeurer à l'intérieur du groupe ; pour d'autres, ils vont conduire à la dissidence vis-à-vis du mouvement d'origine : on parlera alors de secte.

Les États-Unis ont offert à ces groupes un terrain d'élection où ils ont pu prospérer.

De toutes les Églises « congrégationalistes » (c'est-à-dire qui affirment l'autonomie et la souveraineté des Églises locales), les *mennonites* forment le courant le plus ancien. Fondé en 1525 à Zurich, ce mouvement se développa ensuite, grâce surtout à Menno Simons (1496-1561), aux Pays-Bas. Pacifistes, désireux de vivre les prescriptions du Sermon sur la Montagne, les mennonites rebaptisent le croyant qui a atteint l'âge adulte et se considèrent comme les descendants des anabaptistes. Ils sont environ 973 000 membres, dont 260 000 aux États-Unis.

La première *Église baptiste* fut créée à Londres en 1611 par Thomas Helwys (v. 1550 - v. 1616). Les baptistes proclament l'autorité souveraine de la Bible et, dès l'origine, le droit à la liberté religieuse pour tous et la séparation complète de l'Église et de l'État. Ils revendiquent la notion d'Église « professante », c'est-à-dire que le croyant n'est baptisé par immersion totale qu'après avoir professé sa foi en Jésus-Christ. Les baptistes font partie aujourd'hui de l'Alliance baptiste mondiale (ABM), qui compte près de 42 millions de membres, dont 33 aux États-Unis.

Les *Églises méthodistes* sont issues du mouvement de *revival* qui a vivifié spirituellement l'Angleterre au XVIIIe s. Organisée par John Wesley (1703-1791) à partir de 1740, l'Église méthodiste insiste particulièrement sur la nécessité de la sanctification. Le baptême des enfants est en général remplacé par une « présentation » et l'on baptise les croyants à l'âge adulte. Assez proches des baptistes, les méthodistes sont actuellement environ 33 millions, dont 14 aux États-Unis.

Le mouvement des *Quakers* (« Société religieuse des Amis »), apparu en Angleterre, où George Fox (1624-1691) prêcha dès 1647 un christianisme fondé non sur l'autorité d'hommes ou de livres sacrés mais sur la lumière intérieure, se développa surtout aux États-Unis. En principe, il n'existe ni confession de foi formelle, ni système pastoral, ni culte structuré. Pacifisme et engagement dans l'action sociale caractérisent en outre les quelque 300 000 quakers actuels.

Née de la prédication de l'Américain William Miller (1782-1849) qui annonçait le retour du Christ pour 1844, l'*Église adventiste*, avec son messianisme, continua à faire des adeptes malgré cet échec. La dénomination « adventiste du septième jour » a été adoptée en 1860 pour insister sur le respect du samedi (sabbat) comme jour du repos béni par Dieu. Les adventistes croient à l'inspiration et à l'autorité de la Bible, accordent une grande importance à la prophétie biblique et pratiquent le baptême des adultes par immersion. Il y a environ 10 millions d'adventistes, dont un grand nombre dans le tiers-monde.

L'*Église des mormons* (Église de Jésus-Christ des saints des derniers jours) est née de la révélation (1827) faite au jeune Américain Joseph Smith (1805-1844) d'avoir à retrouver le livre écrit par un « prophète » du nom de Mormon censé relater l'histoire biblique de l'Amérique. Les Écritures saintes sont la Bible et le Livre de Mormon (1830). Se voulant restauration de l'Église originelle, l'Église des Mormons est dirigée par un prophète chargé de transmettre les directives du Christ reçues par révélation. Il est entouré d'un collège d'apôtres. Les mormons ont aussi des doctrines métaphysiques très hétéroclites, de nombreux temples et multiplient les efforts d'universalisation à partir de leur grand centre, la ville de Salt Lake City. Ils sont aujourd'hui près de 10 millions.

Issue de la Mission chrétienne fondée par l'Anglais William Booth (1829-1912) en 1865, l'*Armée du Salut*, de structure militaire par souci d'efficacité pratique, effectue surtout une œuvre d'évangélisation et une œuvre sociale. La foi des salutistes est fondée sur la Bible et Jésus-Christ : aimer le prochain comme soi-même, vivre selon l'Évangile et apporter un message de paix et de joie. L'Armée du Salut compte 2,5 millions d'adeptes dans 104 pays.

L'*Église de la Science chrétienne* a été fondée en 1866 par l'Américaine Mary Baker-Eddy (1821-1910) pour rétablir « l'élément perdu de guérison » dans le christianisme. Mais son but est plus que thérapeutique. Elle vise à rétablir l'harmonie globale de l'homme, tant morale et mentale que physique, en enseignant que le mal n'est pas une réalité effective puisqu'il n'a pas été créé par Dieu. Il n'y a ni clergé ni sacrements. Son centre mondial est Boston, le nombre d'adeptes est de 350 000.

Issu de la fragmentation des adventistes, le mouvement des *Témoins de Jéhovah* s'est formé autour de l'Américain Charles Russell (1852-1916) vers 1875. Les témoins de Jéhovah rejettent les notions de Trinité, d'immortalité de l'âme, d'enfer, et de nombreuses pratiques et fêtes chrétiennes. Le temps est proche, selon eux, où le Christ établira pleinement son règne et où les Témoins sincères peupleront une terre régénérée. Véritable organisation théocratique, les témoins de Jéhovah sont 5,6 millions répartis dans 232 pays – pour l'essentiel des États de l'Occident libéral et christianisé : près de 20 % de leurs membres sont des Américains des États-Unis.

◆ **Barbara Harris.**
En 1980, elle a été consacrée évêque de l'Église anglicane des États-Unis. À partir de 1960, la plupart des Églises réformées ont admis des femmes comme pasteurs. Les anglicans britanniques les acceptent depuis 1992.

◆ **Un prédicateur.**
Certains prédicateurs – ici, le pasteur Jimmy Swaggart – utilisent tous les moyens médiatiques pour faire passer le message évangélique et sont capables de mettre leur auditoire en transe.

VOIR AUSSI  • **Organisations religieuses** p. 783

Les origines de l'islam

L'Arabie préislamique

La société arabe avant la naissance de Mahomet est tribale, fondée sur les liens du sang. La charge de chef, non héréditaire, y incombe à celui qui s'avère le mieux à même de faire respecter l'honneur de la tribu. Société égalitaire, car sa survie passe par l'entraide et le don de soi, la société arabe préislamique est aussi une société solidaire. Un code non écrit mais reconnu de tous la régit. Fondé sur les exigences de l'existence au désert, il porte sur les devoirs sacrés de l'hospitalité et de la vengeance du sang.

Toutefois, l'essor du commerce caravanier et la thésaurisation qui en découle ont fissuré ces principes d'égalité et de solidarité : à la naissance de Mahomet, la société de La Mecque connaît de profondes disparités. Razzias et rivalités tribales rendent les pistes peu sûres. Une trêve annuelle est instituée durant certains mois réputés sacrés; elle est garantie par une divinité qui dépasse les particularismes. Associant commerce et religion, certaines cités (notamment La Mecque avec son sanctuaire, la Kaba) sont devenues d'importants centres de foires-pèlerinages : on s'y livre à des joutes poétiques grâce auxquelles se développe, à côté des dialectes tribaux, la langue commune qui permettra la diffusion de la prédication coranique.

À la veille de cette prédication, les Arabes du Hedjaz vénèrent un grand nombre d'idoles et de génies. Pourtant, les nomades, à l'origine, reconnaissaient un Dieu créateur, Allah, maître de la pluie, dont le symbole sacré était la pierre brute, témoin inchangé de la création. Le monothéisme y est représenté par des communautés juives et par des groupes nomades convertis au christianisme. De plus, dans le désert se retrouvent gnostiques et hérétiques qui fuient les pouvoirs des États voisins. Une minorité d'Arabes cultivés, appelés *hanif*, professent enfin un monothéisme « originel » (parce qu'il se veut hérité d'Abraham), dont la situation historique reste difficile à préciser (hanifisme).

La vie du Prophète

Nous ne connaissons pas avec précision le déroulement de la vie de Mahomet, dont la chronologie est plus ou moins arbitrairement reconstituée à partir de la date unanimement acceptée de sa mort, en 632. Les principales sources d'information sont le Coran, le plus souvent allusif, la tradition (*sunna*) et l'hagiographie *(sira)*.

De la naissance à la maturité. Selon la *sira*, Mahomet naît à La Mecque aux environs de 572. Son père, Abd Allah, du clan des Banu Hachim, de la puissante tribu des Quraych, est mort peu avant, et sa mère, Amina, se trouve dans une situation précaire. L'enfant est mis en nourrice dans une tribu bédouine, où il demeure jusqu'à l'âge de 6 ans. Sa mère meurt peu après qu'il lui a été rendu. Mahomet est alors recueilli par son grand-père paternel et, à la mort de celui-ci, par l'un de ses oncles paternels, Abu Talib, riche marchand mecquois. Le fils de celui-ci, Ali, éprouve pour son cousin une amitié indéfectible. De nombreuses légendes comblent les silences de l'histoire sur la jeunesse du Prophète. Jeune homme, il s'engage dans le commerce caravanier et travaille pour une riche veuve, de quelques années son aînée, Khadidja, que bientôt il épouse. Leur union est heureuse, et ils ont plusieurs enfants. Les garçons meurent en bas âge; quant à leur fille Fatima, elle épouse Ali et, ensemble, ils joueront un rôle important dans l'histoire ultérieure de l'islam.

◆ **Le sanctuaire de la Kaba à La Mecque.** La Kaba, qui recèle la Pierre noire, vénérée dès avant l'islam, est un édifice cubique qui se trouve au centre de la grande mosquée de La Mecque. Donnée par Dieu à Adam, puis détruite, elle aurait été reconstruite par Abraham aidé de son fils Ismaël. Elle symbolise la maison de Dieu. (Miniature persane, XVe s., Istanbul, bibliothèque Süleymaniye)

Vocation et années mecquoises. Mahomet se retire régulièrement pour méditer et prier dans une grotte, non loin de La Mecque, sur le mont Hira. Là, âgé d'environ 40 ans, il reçoit la première révélation par l'entremise de l'ange Gabriel. Craignant d'être le jeu de quelque mauvais esprit, il s'en ouvre à Khadidja, qui le réconforte et le conduit chez un de ses parents réputé *hanif*, Waraqa ibn Nawfal, qui reconnaît en Mahomet le Prophète annoncé dans la tradition de Moïse et de Jésus. Les premières années, Mahomet réserve à ses proches la primeur du message révélé : Khadidja, Ali, Zayd ibn Haritha, jeune esclave qu'il a affranchi et adopté, et Abu Bakr, riche commerçant dont il épousera la fille, Aïcha, après la mort de Khadidja.

Lorsqu'il prêche en public, l'accueil qu'il reçoit, particulièrement des riches Mecquois qui craignent pour leurs privilèges, est d'abord ironique puis ouvertement hostile. Malgré une opposition parfois véhémente, il poursuit sa mission à La Mecque durant plus de dix ans. Il profite cependant de la foire-pèlerinage pour prendre contact avec des gens venus de la ville de Yathrib, la future Médine, afin d'y préparer l'établissement de sa communauté. C'est durant les dernières années mecquoises que la tradition, explicitant quelques versets coraniques (Coran, XVII, 1, et LIII, 1-18), situe l'épisode du voyage nocturne *(isra)* du Prophète, qui le mène miraculeusement de La Mecque à Jérusalem, et celui de son ascension *(miradj)* du Temple de Jérusalem au trône de Dieu, passant par les cercles de l'enfer et les sept cieux. Pendant ce voyage lui auraient été prescrites les observances imposées à sa communauté.

Les caractères de l'islam

L'islam est une religion qui proclame la foi en un seul Dieu : c'est historiquement le troisième monothéisme, après le judaïsme et le christianisme, dont il se veut le prolongement. C'est aussi une religion universelle : son principe peut s'imposer à tous les peuples. Elle est actuellement la deuxième religion au monde par le nombre des fidèles et est en passe de devenir la première. Tous les musulmans appartiennent à une même communauté, l'*umma*.

L'islam est fondé sur un livre qui contient la révélation divine, le Coran, et sur la proclamation d'un prophète, Mahomet. Le mot arabe *islam* signifie « abandon confiant », « soumission » à Dieu; c'est l'attitude requise du croyant, une attitude qu'illustre l'exemple d'Abraham, qui, à La Mecque, où il fonda la Kaba, formula cette prière : « Seigneur, fais de nous des croyants qui Te seront soumis (*muslim[-]un*, musulmans); fais de notre descendance une communauté qui Te sera soumise ! » (Coran, II, 128.)

De l'hégire à la mort. Par petits groupes, les fidèles de Mahomet quittent La Mecque pour Yathrib, à 435 km, où les rejoint le Prophète, accompagné d'Ali et d'Abu Bakr. Cette expatriation (*hégire*) marque le début de la nouvelle communauté, unie dans la foi au Dieu unique, et sa rupture d'avec la société traditionnelle. C'est le début de l'ère islamique. La première tâche du Prophète est de donner à la nouvelle communauté charte et institutions; il doit simultanément poursuivre la lutte contre les Mecquois et répondre aux critiques de la colonie juive, polémiques dont témoigne le Coran. Les récalcitrants sont chassés, les Mecquois eux-mêmes sont amenés à se rallier. En 632, quelques mois avant sa mort, Mahomet peut, avec les siens, accomplir le pèlerinage à La Mecque et au mont Arafa, et y prononcer son message d'adieu. Il confère, ce faisant, un sens nouveau aux anciens rites et confirme La Mecque comme centre religieux de l'islam. À sa mort, il laisse une communauté dotée d'une constitution inspirée, une Arabie rassemblée sous le nouvel idéal, mais il n'a rien prévu pour sa succession. Le temps du Prophète demeure, à travers les siècles, la référence exemplaire de l'islam.

VOIR AUSSI
- **Expansion de l'Islam** p. 432
- **Art de l'Islam** p. 1053

Petit lexique

Arabes : ensemble de populations caractérisées par l'usage de l'arabe, langue originaire de la péninsule arabique qui, avec la conquête musulmane, s'est propagée dans de nombreux pays.

charia : loi divine de l'islam régissant la vie religieuse, politique, sociale et individuelle des musulmans, toujours en vigueur dans certains États.

musulman : mot d'origine arabe signifiant « celui qui se soumet à Dieu » et désignant celui qui professe la religion islamique.

umma : communauté des croyants musulmans.

Les sources de la foi

Le Coran

L'islam, qui est à la fois religion, communauté sacrale et civile, fonde ses articles de foi, ses lois et ses pratiques sur deux sources complémentaires : le Coran et la *sunna*. Le Coran *(quran)* est un texte intangible qui procède de la révélation divine. Sa signification est « récitation », pour rappeler que l'ange Gabriel (Djabraïl) ordonna à Mahomet de répéter toutes les paroles qu'il lui révélait (Coran, XCVI, 1-3) : cette récitation doit être poursuivie par la communauté musulmane jusqu'au jour du Jugement dernier. Le texte originel de la révélation est contenu dans le « Livre exemplaire », ou « Mère du Livre », comme l'appelle le Coran : Dieu conserve cet exemplaire auprès de lui et il en a dévoilé la substance (il l'a fait « descendre », dit le Coran) à Mahomet en langue arabe, selon la forme mi-récitée mi-chantée que l'on appelle « psalmodie ». C'est pourquoi les musulmans du monde entier, quelle que soit leur langue, doivent faire en arabe leurs prières rituelles. La révélation eut lieu principalement en une occasion mais elle fut complétée ensuite pendant vingt ans. Du vivant du Prophète, elle ne fut rédigée que de façon fragmentaire par quelques-uns de ses compagnons. Enfin, sous le troisième calife, Uthman (644-656), les fragments existants furent rassemblés et la version unique et définitive du Coran fut établie.

Al-Fatiha

Appelée aussi la Sourate liminaire, c'est elle qui ouvre le Coran. Définissant les rapports fondamentaux de l'homme à Dieu, elle résume le dogme et la spiritualité de l'islam, et joue un rôle très important dans la liturgie.
« Au nom de Dieu le Clément, le Miséricordieux !
Louange à Dieu le Seigneur des Mondes
Le Clément, le Miséricordieux
Souverain du jour du Jugement
C'est Toi que nous adorons, dont nous demandons l'aide
Conduis-nous dans la voie droite
La voie de ceux que Tu combles de bienfaits, non de ceux qui t'irritent ni de ceux qui s'égarent. »

Structure. Le Coran compte 114 sourates (ou chapitres) et 6 226 versets, en arabe *ayat*, « signes » qui viennent parfaire et expliciter dans le langage ceux que Dieu a déjà donnés aux hommes dans la nature. La succession des sourates n'est ni chronologique ni thématique, mais quantitative : elle suit l'ordre décroissant des longueurs, à l'exception de la première sourate, *al-Fatiha*, par laquelle doit commencer toute prière et qui n'est composée que de sept versets.

À de rares exceptions près, le Coran ne présente pas de longs développements, et les sujets traités s'y trouvent, le plus souvent, fragmentés et combinés sans logique apparente. Ainsi, on voit juxtaposés serments, invocations et imprécations, admonitions et récits, descriptions et reparties polémiques, énoncés théologiques et prescriptions juridiques. La plénitude du sens se dessine à partir d'une considération de l'ensemble, dont tous les éléments se répondent et se complètent : d'où l'intérêt pour le croyant de connaître par cœur le texte révélé dans son intégralité. Chaque sourate, sauf une, s'ouvre par : « Au nom de Dieu le Clément, le Miséricordieux ! », formule que le croyant devrait prononcer avant toute action impliquant une détermination morale.

Contenu. Il traite du mystère du Dieu Un et de ses attributs ; de la création et du signe qu'elle constitue pour « celui qui sait voir », le croyant du Jugement dernier ; des récompenses et des châtiments ; de l'histoire de la révélation d'Adam à Mahomet et des communautés qui en furent les dépositaires jusqu'à celle de l'islam, la dernière, appelée à témoigner au dernier jour. Le Coran contient également des prescriptions culturelles, sociales, juridiques, voire de bienséance. Le musulman y trouve les fondements de sa foi, l'aliment de sa prière et de sa méditation, mais aussi les principes de sa vie morale et sociale, et enfin une esthétique, dont la langue est la référence jusqu'en ses silences (psalmodiques) et sa calligraphie.

La *sunna*

La *sunna* constitue, après le Coran, la seconde source de la doctrine, de la loi et de la piété islamiques. Le terme *sunna* signifie « coutume, comportement traditionnel ». Il s'agit ici de la tradition concernant le Prophète : elle rapporte ses paroles, ses comportements, voire ses silences considérés comme approbations tacites. Les faits relatés par la tradition le sont sous forme de récits, *hadith*, de longueur très variable. On distingue les *hadith* « prophétiques » *(nabawi)*, qui rapportent des dires ou des gestes du Prophète, et les *hadith* « sacrés » *(qudsi)*, dans lesquels s'exprime la révélation divine.

Du vivant de Mahomet, tout cas non envisagé par le Coran lui est soumis et il tranche avec l'autorité liée à sa qualité de Prophète. Après sa mort, il ne reste que le recours à son exemple : le recueil et le classement des traditions deviennent dès lors la tâche essentielle de la communauté en expansion. Toute tradition doit être authentifiée par la chaîne la plus complète possible d'intermédiaires susceptibles de la rattacher à un témoin ou à un acteur de la scène relatée. Cette précaution n'empêche pas que se produisent des falsifications motivées par un but pragmatique, pieux ou politique. C'est à partir du IIe s. de l'hégire qu'on entreprend les premières sélections critiques de *hadith* : la communauté sunnite retient pour « canoniques » six grands recueils, dont les plus réputés sont les *Sahih* (« authentiques ») d'al-Bukhari et de Muslim, qui datent du IIIe s. de l'hégire.

Les sciences de la religion *(ulum al-din)*

Très vite après la mort de Mahomet s'organisent les premières disciplines religieuses. Ce sont d'abord les sciences du Coran relatives à sa lecture *(qiraat)* et à son commentaire *(tafsir)*, la science des récits qui forment la tradition *(hadith)* et celle du droit *(fiqh)*. Dans leur sillage se développent les sciences « instrumentales », non proprement religieuses mais au service des sciences religieuses : ainsi la grammaire, qui permet de comprendre exactement les textes ; l'astronomie et les mathématiques, grâce auxquelles sont établies, en fonction du calendrier lunaire, les dates du jeûne, du pèlerinage et les heures de la prière. Plus tardivement se constitue la science du *kalam*, c'est-à-dire de la Parole sur Dieu ou de Dieu, appelée aussi « science de l'Unicité », qui se présente comme une apologie de Dieu plus que comme une théologie. Figure traditionnellement parmi les sciences religieuses, la mystique *(ilm al-tasawwuf)*, considérée comme une interprétation – exégèse – expérimentale et vécue par la Parole révélée, est cependant loin d'être unanimement reconnue.

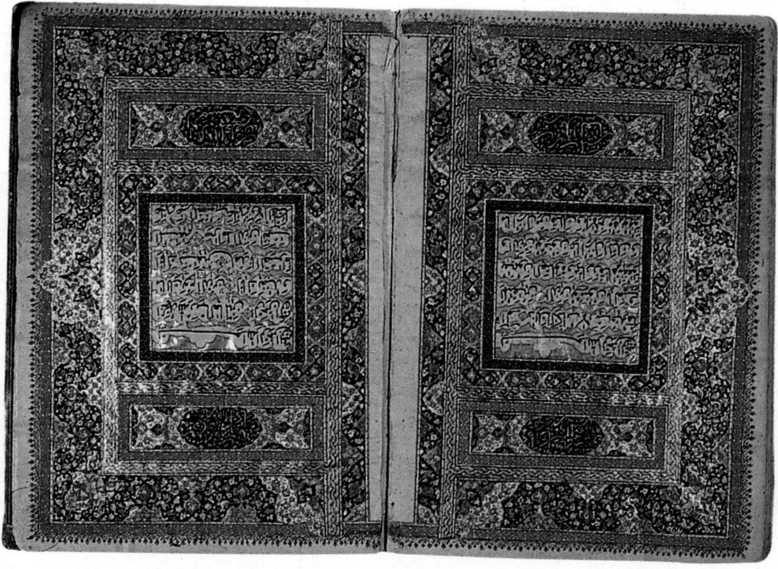

◆ **Le Coran.**
Manuscrit enluminé turc de 1632 (daté 1010 selon le calendrier musulman) ; premier chapitre. Considéré comme sacré, le Coran fait l'objet d'un grand respect.

La doctrine et les pratiques

La communauté du Prophète

L'islam se définit lui-même comme « communauté du Prophète » *(ummat al-nabi)*. Cette communauté est essentiellement égalitaire, elle ne connaît ni sacerdoce ni, en dehors du Coran, de magistère qui définisse les vérités à croire et les actes à accomplir. Elle est régie par une loi *(charia)* et un droit *(fiqh)* qui ont pour sources le Coran et la *sunna* et, pour moyens d'interprétation, le raisonnement par analogie *(qiyas)* et le consensus de la communauté *(idjma)*. Les différentes écoles juridiques se distinguent principalement par la place qu'elles accordent ou refusent à ces deux derniers éléments et surtout à la notion de consensus. Selon un *hadith*, le Prophète dit : « Jamais ma communauté *(umma)* ne tombera d'accord sur une erreur. » Tel est le fondement de l'*idjma*.

L'*umma*, mot arabe dont la racine probable est *umm* (« mère »), se caractérise par son ouverture universelle (malgré le privilège arabe de ses origines et de la langue coranique), dont témoigne son succès à travers les lieux et les siècles. Elle se caractérise aussi par une unité qui s'exprime dans une profession de foi et des pratiques religieuses communes.

La doctrine

Selon un *hadith* rapporté par al-Bukhari, Mahomet, interrogé par l'ange Gabriel sur ce qu'est la foi *(iman)*, aurait répondu : « La foi, c'est que tu croies en Dieu, en ses Anges, en ses Écritures, en ses Envoyés et au dernier jour; et que tu croies dans le décret divin pour le bien et pour le mal. »

Allah, Dieu unique. Allah signifie tout simplement « Dieu » en arabe, et le Coran répète avec insistance qu'il n'y a qu'un seul Dieu, qu'il est Un en lui-même. L'affirmation fondamentale de l'islam est cette Unité et cette Unicité sans composition et sans faille dans laquelle Dieu se réalise.

Allah est le Tout Autre, rien n'est semblable à lui. Il est le Créateur de tout ce qui existe et rien n'existe en dehors de lui. Nul intermédiaire entre lui et son œuvre : la permanence de celle-ci est conçue à la façon d'une création renouvelée à chaque instant, et tout être dépend du seul ordre de Dieu. Cette immédiateté ne laisse nulle place pour des lois naturelles et fait de la nature un simple signe de Dieu.

Le Coran s'en prend à ceux qui donnent à Dieu des associés : il est Suffisant à lui-même et seul Subsistant, il est partout présent, rien ne lui échappe et il n'est point de secours en dehors de lui. Son mystère est impénétrable : le Coran le désigne néanmoins sous de nombreux vocables qui révèlent chacun de ses aspects, que les théologiens appellent les « attributs divins ». Les mystiques *(sufi)* font de ces noms le centre de leur méditation. Les deux noms divins qui reviennent le plus fréquemment dans le Coran sont le Clément et le Miséricordieux. La tradition dit que Dieu possède cent noms, mais que le centième n'est connu que de lui seul.

Les anges. Le Coran ne spécule pas sur la nature des anges mais les présente dans l'exercice de fonctions variées : certains remplissent leur office dans la proximité immédiate de Dieu, dont ils glorifient le nom et portent le trône; d'autres sont affectés à la garde de l'exemplaire céleste du Livre; et c'est par Gabriel que « descend » la révélation. Certains sont appelés gardiens de l'homme, d'autres scribes, qui enregistrent ses actions, bonnes et mauvaises; ils forment des armées pour combattre aux côtés des croyants et sont appelés à jouer un grand rôle dans le devenir et la fin du monde (eschatologie).

Le Coran parle aussi du démon (*chaytan*) et d'Iblis, ange déchu parce qu'il a refusé d'obéir à l'ordre divin de s'incliner devant Adam : « Je suis meilleur que lui! Tu m'as créé de feu alors que tu l'as créé d'argile. » (Coran, XXXVIII, 76.) C'est Iblis qui, par la suite, incite Adam et son épouse à désobéir, ce qui leur vaut l'expulsion du « Jardin ».

Le pacte prééternel. Bien qu'il ne fasse pas partie des articles de foi mentionnés par le *hadith*, le pacte prééternel *(mithaq)* constitue un élément capital pour la compréhension de la conception islamique de la foi et du salut.

Cet événement fondateur se situe, selon le Coran, avant que Dieu n'installe les hommes dans le monde et dans le temps. Dieu interpelle ainsi les hommes, qui sont donc encore rassemblés autour de lui : « Ne suis-je pas votre Seigneur? ». Les hommes répondent : « Oui! Nous en témoignons. » (Coran, VII, 172.)

Ainsi, Dieu se révèle à chaque homme et à tous les hommes sans exception, et c'est pourquoi, selon la tradition, tout homme naît monothéiste. Par rapport à cette révélation dans la prééternité, toutes les révélations dans le temps ne sont que des rappels, et toute confession de monothéisme est une réitération du témoignage originel.

Le péché d'Adam n'efface pas la trace indélébile du *mithaq*, mais il crée une pénalité pour Adam et ses descendants, qui, désormais, sont voués à être ennemis entre eux et à ne jouir sur terre que d'un séjour provisoire, conclu par la mort (Coran, VII, 24). Cette situation, selon le Coran, ne nécessite ni rédemption ni rédempteur.

L'enseignement coranique apprend à admirer et à goûter la création de Dieu, à en jouir avec mesure et reconnaissance. Selon lui, le temps historique est enserré par les deux moments essentiels de l'éternité : le *mithaq* d'une part, le Jugement dernier de l'autre.

Les Écritures et les Envoyés. Selon le Coran, Dieu a envoyé à chaque communauté un prophète pour lui rappeler l'engagement du *mithaq* ainsi que l'imminence du Jugement. À certains de ces prophètes, il confia en outre un Livre, une Loi : ce fut le cas d'Abraham, qui reçut des « feuillets », mais surtout de Moïse, avec la Torah, de Jésus, avec l'Évangile, et enfin de Mahomet, avec le Coran. La réitération des messages prophétiques ne contredit pas le caractère immuable de la religion primordiale : elle intervient parce que les communautés, avec le temps, ont détourné, voire falsifié le message. La foi en les Écritures et en les Envoyés se trouve mentionnée dans plusieurs versets du Coran, immédiatement après la foi en le Dieu unique.

L'unicité de Dieu

« Dis : Il est Dieu Un, Dieu impénétrable, qui n'engendre pas et n'est pas engendré, et à Lui personne n'est égal. »
La sourate CXII, intitulée *al-Tawhid*, ou « proclamation de l'Unicité divine », exprime le témoignage central de l'islam; c'est pourquoi elle porte aussi le nom d'*ikhlas*, qui, d'un mot, désigne l'acte de vouer à Dieu un culte pur.

Le dernier jour. Dieu, créateur des mondes, est aussi celui qui décide de leur fin, et il est appelé dans la *Fatiha* « Souverain du jour du Jugement ». Le Coran décrit en de nombreux passages les phénomènes cosmiques de la fin des temps, « lorsque les cieux seront roulés » (Coran, XXI, 104) – comme si l'univers était un campement provisoire – et que les anges appelleront au rassemblement pour la reddition des comptes. Chaque individu devra alors comparaître, ainsi que chaque communauté. Mais il faut remarquer qu'alors, même si les actes seront « pesés », ce qui finalement déterminera le jugement sera l'affirmation de la croyance en un seul Dieu : « Si vous êtes associateurs [si vous croyez en plusieurs dieux], vos actes seront vains et vous serez parmi les perdants. » (Coran, XXXIX, 65.)

Le décret divin. Le Coran proclame la toute-puissance déterminatrice de Dieu, qui n'est conditionnée par rien : « Il a créé l'homme d'une goutte de sperme, a décrété son destin, puis lui a facilité le chemin. » (Coran, LXXX, 18-20.) Rien n'advient qui ne soit décrété et écrit avant la création (Coran, LVII, 22). Ainsi l'unique puissance créatrice de Dieu est affirmée : « Il vous a créés et tout ce que vous faites. » (Coran, XXXVII, 96.) La responsabilité de l'homme est soutenue, fondée sur sa liberté, en raison de quoi chaque âme sera récompensée de « ce qu'elle se sera acquis » (Coran, II, 281). Le Coran ne cherche nullement à lever la contradiction, qui manifeste le caractère impénétrable des secrets divins.

◆ **École coranique à Tiourjdal** (Maroc). Les jeunes enfants musulmans sont formés à la connaissance du Coran par la mémorisation des sourates essentielles. La récitation par cœur est le principal instrument de cet apprentissage.

Les cinq piliers de l'islam

Cinq observances résument l'essentiel des devoirs et du témoignage de la communauté islamique et de chacun de ses membres ; elles sont appelées *arkan*, « piliers ». Ce sont : la profession de foi *(chahada)*; la prière rituelle *(salat)*; l'aumône légale *(zakat)*; le jeûne du ramadan *(sawm)*; le pèlerinage à La Mecque *(hadjdj)*.

La profession de foi. La profession de foi, dont il suffit de prononcer la formule avec sincérité et devant témoins qualifiés pour être agrégé à l'islam, ne comprend que deux propositions : « Je témoigne qu'il n'y a pas de divinité, sauf Dieu seul » et « je témoigne que Mahomet est l'Envoyé de Dieu ». *Chahada* signifie « témoignage ». Par cet acte, le croyant réitère l'acte de reconnaissance du Dieu unique accompli par Adam et sa descendance dans la prééternité (Coran, VII, 172 ; IV, 136). Tout enfant né dans l'islam, dès qu'il atteint l'âge du discernement, doit témoigner publiquement de sa foi. Le musulman qui répète cette profession de foi tout au long de sa vie et jusqu'au dernier instant l'accompagne d'un geste symbolique en levant l'index de la main droite. La formule de la *chahada* est reprise cinq fois par jour dans l'appel à la prière que lance le muezzin aux heures rituelles, et sa psalmodie accompagne le défunt à la tombe.

La prière rituelle. La deuxième obligation à laquelle est astreint tout musulman consiste en la prière rituelle *(salat)*, à heure déterminée, cinq fois par jour, annoncée par l'appel du muezzin : lorsque pointe l'aurore, à midi, au milieu de l'après-midi, au coucher du soleil et lorsque la nuit est tombée. Cette prière au rythme cosmique immuable est essentiellement un acte d'adoration (et non une demande liée aux circonstances) ; elle peut être accomplie en tout lieu, pourvu que certaines prescriptions de sacralisation soient respectées. « Là où t'atteint l'heure de la prière, dit un *hadith*, là est le lieu sacré de la prière. » Cette sacralité s'inscrit en signe de séparation, hors la mosquée, en usant d'une natte ou d'un tapis, ou simplement en traçant sur le sol un cercle au centre duquel se tiendra l'orant. Avant la prière, le croyant doit se purifier par des ablutions ; pour ce faire, il s'oriente vers La Mecque et formule explicitement l'intention de se dépouiller de son impureté rituelle. La prosternation, front contre terre, est en islam l'attitude corporelle par excellence de l'adoration, réservée à Dieu seul. La prière du vendredi midi revêt une solennité particulière et doit avoir lieu de préférence dans la mosquée.

L'aumône légale. L'aumône légale *(zakat)* a deux significations : la purification des richesses par le don et la solidarité sociale des croyants. Cet impôt que l'on doit payer sur les biens suivant un taux déterminé fut institué par le Prophète lui-même, à Médine : « Les aumônes, dit le Coran (IX, 60), sont réservées aux pauvres, aux indigents, à ceux qui travaillent à les percevoir, à ceux dont les cœurs sont ralliés [à l'islam], aux esclaves [pour leur affranchissement], à ceux qui sont endettés, [à la lutte] sur le chemin d'Allah et au voyageur. C'est l'imposition de Dieu. » Le Coran recommande aussi l'aumône bénévole *(sadaq)*, destinée à secourir toute personne nécessiteuse, quelle que soit son appartenance religieuse.

Le jeûne du ramadan. Ramadan est le nom du neuvième mois (lunaire) de l'année islamique. Il se conclut par la « nuit du destin » (du 26 au 27), en laquelle se commémorent la « descente » du Coran et le renouvellement intégral de la Création.

Ce mois est consacré à un jeûne diurne absolu (du lever du soleil à son coucher), qui a caractère non pas de pénitence mais de maîtrise de soi et de témoignage de la communauté. Le fidèle doit s'abstenir de manger, de boire, de fumer, ainsi que d'avoir des relations sexuelles. La rupture du jeûne est, chaque soir, l'occasion de réjouissances en famille, auxquelles on invite voisins et amis. Le mois se conclut par l'*id al-fitr*, la deuxième fête en importance du calendrier musulman.

Le pèlerinage. Le *hadjdj* constitue l'acte cultuel central de l'islam. Tout musulman qui en a les moyens est tenu de faire, une fois au moins dans sa vie, le pèlerinage à La Mecque. Ses rites sont, pour la plupart, ceux qui furent pratiqués avant l'islam, mais que Mahomet épura et dont il changea la signification lors de son « pèlerinage d'adieu ». Arrivés à l'entrée du territoire sacré, interdit à tout non-musulman, les fidèles se mettent en état de consécration *(ihram)* par de grandes ablutions et revêtent l'habit de pèlerin, identique pour tous et qu'ils ne quitteront qu'au terme du pèlerinage. On distingue le pèlerinage mineur *(umra)*, qui est facultatif et peut être accompli à tout moment de l'année, et le grand pèlerinage *(hadjdj)*, obligatoire et à date fixe, qui s'ouvre le 7 du dernier mois de l'année musulmane.

Le *hadjdj* part de La Mecque et culmine au mont Arafa, à une vingtaine de kilomètres de La Mecque. Après la journée d'attente face à Dieu sur la montagne, les pèlerins vont d'une marche rapide au sanctuaire de Muzdalifa, où ils passent la nuit en prière avant de repartir, à l'aube, pour les rites conclusifs de désacralisation, à Mina. C'est à Mina que se célèbre le sacrifice commémorant celui d'Abraham ; et ce même jour, qui est la plus grande fête de l'islam, toutes les familles musulmanes immolent le mouton en union d'intention avec les pèlerins.

Le pèlerinage efface les péchés de celui qui l'accomplit, mais l'un de ses aspects essentiels consiste aussi dans le rassemblement, la convergence des croyants, venus des quatre horizons au centre sacré où se réalise l'expérience vivante de l'universalité de l'*umma*.

◆ Muezzin appelant à la prière.
Institué à Médine, l'appel à la prière *(adhan)* est lancé aux quatre horizons du haut du minaret par le fonctionnaire religieux préposé à cela, le *muezzin*. (Mosquée des Omeyyades, à Damas)

Le *djihad*

Le terme *djihad*, généralement traduit par « guerre sainte », est mieux rendu par les termes d'« effort » et de « combat » pour Dieu. Son but est de propager et de défendre l'islam dans une perspective d'universalisme. Cette obligation de combattre pour Dieu et pour le droit des hommes se trouve remplie du seul fait qu'elle est réalisée en un point du territoire de l'islam *(Dar al-islam)* : elle incombe donc non pas à chaque musulman individuellement, mais à la communauté comme telle. Tout croyant qui meurt au combat dans la voie de Dieu est considéré comme martyr (témoin) et entre dans l'éternité bienheureuse.

Toutefois, un autre sens du mot *djihad*, plus spirituel, est aussi possible : il s'agit toujours de l'idée d'effort, mais cette fois-ci contre soi-même et ses propres passions ; tout musulman a le devoir de lutter contre les mauvais penchants de son âme.

Aujourd'hui, avec la montée de l'intégrisme, le *djihad* armé réapparaît dans certains pays musulmans avec des visées politiques anti-occidentales.

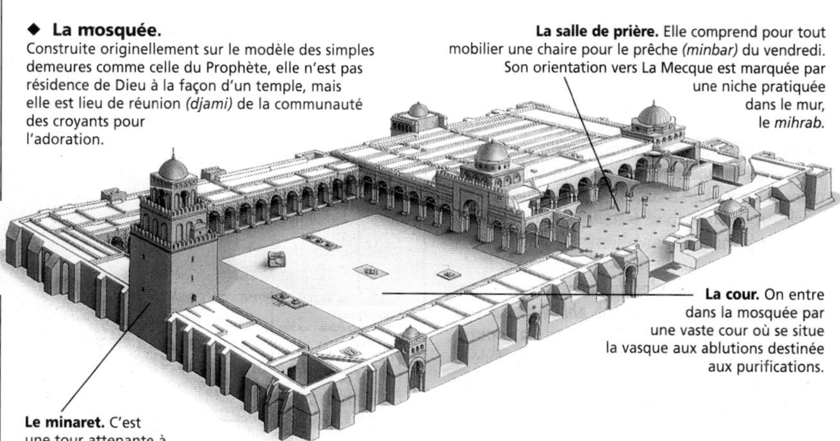

◆ La mosquée.
Construite originellement sur le modèle des simples demeures comme celle du Prophète, elle n'est pas résidence de Dieu à la façon d'un temple, mais elle est lieu de réunion *(djami)* de la communauté des croyants pour l'adoration.

La salle de prière. Elle comprend pour tout mobilier une chaire pour le prêche *(minbar)* du vendredi. Son orientation vers La Mecque est marquée par une niche pratiquée dans le mur, le *mihrab*.

La cour. On entre dans la mosquée par une vaste cour où se situe la vasque aux ablutions destinée aux purifications.

Le minaret. C'est une tour attenante à la mosquée d'où le muezzin lance, cinq fois par jour, l'appel à la prière.

Les Upanishad et le jaïnisme

Les Brahmana et les Upanishad

La croyance en l'efficacité du sacrifice, l'omniprésence des rites dans tous les aspects de la vie entraînent la sclérose de la religion védique, vers les VIIIe et VIe s. av. J.-C. Intermédiaires obligés entre les hommes et les dieux, les brahmanes utilisent d'immenses traités, les *Brahmana,* spéculations sur le sacrifice et l'ordre cosmique, où priment ritualisme et scrupule. Ces volumineux traités détaillent et commentent de façon très précise les rituels de la liturgie, répartis selon le *Veda* d'appartenance. Chaque geste, parole ou offrande est justifié et jugé essentiel pour le maintien de l'Ordre du monde, le *dharma*; toute erreur peut ruiner l'efficacité du cérémonial. Le respect scrupuleux des rites permet la conservation de l'univers, ainsi le soleil ne peut se lever que si l'offrande matinale a été observée correctement, de la même façon que dépend de la bonne exécution de certains sacrifices l'obtention d'une longue vie ou de la prospérité.

Alors, en marge de la caste brahmanique et par réaction, de petits groupes rassemblent leurs enseignements dans des textes nouveaux, les *Upanishad.* Du VIIIe s. av. J.-C. à l'ère chrétienne sont composées ces œuvres qui font accomplir au védisme une mutation exceptionnelle.

Au lieu de privilégier le rite, les sages des *Upanishad* prônent l'amélioration morale et la connaissance métaphysique. Au lieu du sacrifice, ils proposent le don intérieur, celui du souffle, du cœur et des pensées. Le polythéisme et la mythologie ne sont pour eux que les voiles de l'absolu; l'ivresse du Soma ; elle n'est que la grossière préfiguration de l'extase. À l'achat de mérites, à l'effacement de la souillure, ils préfèrent la loi du *karma,* principe selon lequel l'existence actuelle de chaque être est déterminée par ses existences antérieures, par les actes bons ou mauvais qu'il y a accomplis. Le but suprême est d'obtenir la libération du cycle des transmigrations de l'âme par la voie de la connaissance.

Au centre de leur propre individualité, ils découvrent que le soi, l'*atman,* n'est autre qu'une « étincelle du *brahman* », un fragment du tout, de la transcendance. Ainsi s'énonce la mystique unitaire et originale des *Upanishad* : au terme de l'expérience d'intériorisation, le disciple réalise l'identité du soi et de l'être. On dit qu'il se trouve « libéré-vivant » parce qu'il est identique au Tout.

Mahavira et le jaïnisme

Né près de Patna, dans le nord-est de l'Inde, vers 540 av. J.-C. (mais les jaïns défendent la date de 600, qui donnerait à leur religion une antériorité sur celle du Bouddha), ce fils de prince a reçu, étant enfant, le nom de Vardhamana. Vers l'âge de 30 ans, marié et père, il abandonne pouvoir et famille, et mène pendant douze ans la vie d'un ascète errant, au sein d'un groupe qui suit les préceptes du sage Parshva, le dernier *Tirthankara* (« franchisseur de gué », ou libérateur) avant Mahavira. S'étant libéré de ses passions, il reçoit l'illumination divine et passe le reste de son existence à prêcher. Il répand son message surtout dans la région du Bengale, où il crée un ordre de moines très sévère.

On le connaît sous le titre de Mahavira, « le Grand Héros », ou Jina (« le Victorieux »), car il incarne l'idéal spirituel des aristocrates *kshatriya,* lassés des conventions du brahmanisme. Sa victoire consiste à surmonter ses désirs ou imperfections morales et à sortir du cycle interminable des réincarnations, le *samsara,* qui enchaîne généralement l'homme. Il a reçu aussi le nom de *Tirthankara,* car sa fonction de sauveur le conduit à devenir un modèle pour ceux qui veulent se transformer, passer à un état supérieur de conscience. Il succède ainsi à vingt-trois sauveurs précédents qui, pour les jaïns, se sont incarnés à des périodes d'affaiblissement religieux pour délivrer un message rénovateur. L'image de sagesse que propose Mahavira est une parfaite impassibilité, un détachement à l'égard des sentiments, fussent-ils d'amour, une très rigoureuse maîtrise du corps et de l'âme, un effacement progressif de la personnalité dans une pure essence.

Le jaïnisme, idéal et doctrine

L'idéal de Mahavira est extrêmement difficile à atteindre. Son enseignement forme le canon jaïn. On y distingue une voie pure, réservée aux moines, et une voie plus douce, adaptée aux laïcs. Une énorme littérature secondaire regroupe des légendes sur le fondateur, des traités de morale et de philosophie.

Au début, le jaïnisme est plus une voie d'évolution personnelle qu'une religion instituée : pas de dieu créateur, un univers et des âmes subsistant de toute éternité, identiques en essence, rendues différentes seulement par leur *karma.* Par la suite, des formes liturgiques se développent : des temples sont construits, qui deviennent des centres de pèlerinage.

La doctrine, ou « voie des trois diamants », repose sur trois principes : la « croyance vraie », la « connaissance vraie » et la « conduite vraie ». Elle conduit à la délivrance, conçue comme une rupture progressive des liens entre l'âme, éternelle, et ses supports matériels ou affectifs éphémères. L'adepte pratique une discipline très stricte (jeûnes, mortifications, pénitences). Il s'appuie sur l'*ahimsa,* la non-violence : il refuse donc les sacrifices sanglants du védisme, pratique un strict végétarisme, apporte une attention scrupuleuse à ne pas tuer, même un insecte.

Ce rigorisme rend la vie quotidienne compliquée. Le jaïnisme est une religion asociale, qui tend plutôt à la non-compromission qu'à la compassion. Ses adeptes forment une communauté restreinte (de 5 à 6 millions, essentiellement dans le Bihar), de haute tenue morale et culturelle, chez qui Gandhi a puisé l'inspiration de son mouvement fondé sur la non-violence.

S'il n'est guère étendu hors de l'Inde, le jaïnisme demeure influent surtout dans l'ouest et le sud du pays. Il jouit d'un grand prestige intellectuel et culturel.

VOIR AUSSI
• **Bhagavad Gita** p. 1118
Illustrations
• **Intouchable** p. 1011

La *bhakti*

Ce mouvement de dévotion des fidèles à l'égard d'une divinité apparaît dans certaines *Upanishad.* À l'origine, la *bhakti* était essentiellement le culte rendu à Bhagavant, le Seigneur Bienveillant, qui a donné son nom au texte le plus fameux de la littérature philosophique indienne, la *Bhagavad-Gita.* Dévotion envers la divinité de Shiva, et surtout celle de Vishnou et de son avatar Krishna, elle est la principale voie d'accès à la libération *(moksha).* Les rapports du fidèle avec son dieu qui figure l'Être suprême sont empreints d'amour confiant, si ce n'est d'abandon, et passent par l'expérience intime de la présence divine. Ils s'expriment simplement par des offrandes de fleurs ou de parfums et dans des textes pleins d'élan passionné pour la divinité.

◆ **Un brahmane.**
La société issue des *Veda* est divisée en trois castes (du portugais *casto,* « pur, non mélangé ») : les prêtres (brahmanes), qui conservent la Révélation et administrent le culte; les guerriers *(kshatriya),* dont sont issus rois et princes mais aussi les sages qui bouleversent l'immobilisme brahmanique (Mahavira, le Bouddha...); les paysans et artisans *(vaishya),* qui manipulent les forces de la terre nourricière et les énergies.
Des sous-castes différencient des groupes apparentés ou rivaux, accueillent des religions étrangères (zoroastrisme, christianisme). Cette hiérarchie comprend un réseau compliqué de tabous; elle assure l'éducation et la protection sociale, mais justifie aussi les injustices (parias et intouchables).

L'hindouisme

Les sources

Ce que l'on appelle « hindouisme » est un concept purement occidental ; en réalité, il faudrait distinguer des expressions extrêmement diverses de la spiritualité hindoue, allant de l'exubérante religiosité populaire à l'abstraction métaphysique, du conservatisme intellectuel à la spontanéité de la dévotion, du sectarisme militant à la tolérance universaliste. Toutes ces formes en constante évolution reposent cependant sur la reconnaissance incontestée de la même source, celle des Écritures saintes.

Par réaction à la contestation bouddhiste, l'Inde retourne avec une nouvelle ferveur à la Révélation originelle enclose dans les *Veda* et les *Upanishad*, et élabore, entre le Vᵉ et le Xᵉ s., des grandes synthèses qui empruntent aussi aux traditions préaryennes (tantrisme). En même temps, les intellectuels et les sages élaborent des philosophies existentielles. Les plus connues sont : le *vedanta*, idéalisme mystique enseigné par Sankara au VIIIᵉ s. et représenté aujourd'hui par de nombreux maîtres ; la *mimamsa*, mémorisation scrupuleuse de la Parole créatrice des dieux ; le *yoga*, pratique quotidienne de la discipline du corps et de l'esprit, reçue de maîtres à disciples en lignées ininterrompues. Quant à la piété populaire, elle se nourrit de légendes innombrables, recueillies dans les *Purana*, et des deux grandes épopées, le *Mahabharata*, composé dans le Nord, et le *Ramayana*, qui vient de Ceylan. D'autres traités encore détaillent les cérémonies domestiques *(Grihya-sutra)* et les règles du droit *(Dharma-sutra)*.

Les dieux

Abandonnant les anciens dieux védiques, l'hindouisme a élaboré une grande synthèse théologique, la *Trimurti*, ou Triple Forme du divin : Brahma y incarne la création, Vishnou la conservation, Shiva la transformation et la destruction.

Vishnou est le fondement du *dharma*, la loi cosmique éternelle. Divinité bienfaisante et compatissante aux mortels, il est vénéré avec une dévotion toute personnelle, et ses adeptes se distinguent par l'effusion de sentiments d'amour, la *bhakti*. Lorsque le désordre menace la terre, Vishnou descend sous des incarnations diverses : on distingue ainsi, au cours des différents âges, dix avatars, dont les plus célèbres sont Rama et Krishna. Rama, héros du *Ramayana*, incarne la bonté et la foi par sa lutte contre le démon Ravana. Mais c'est surtout Krishna qui cristallise le goût du merveilleux des Indiens : il est le cocher divin qui enseigne la sagesse au guerrier Arjuna dans la *Bhagavad-Gita*, le plus beau texte du grand cycle épique du *Mahabharata* ; il est l'enfant facétieux, l'adolescent fougueux qui séduit les bergères dans le récit épique du *Bhagavata-Purana*, symbolisant ainsi, avec une sensualité plus ou moins sublimée, la fascination des âmes pour le « Divin Seigneur ». L'idéal vishnouite de cœur pur et de tendresse propose une morale que tous peuvent pratiquer mais il a permis également l'existence de quelques grands mystiques : Ramanuja au XIᵉ s. ou Caitanya au XVIᵉ siècle.

Shiva exprime une autre dimension de l'hindouisme. Dieu sauvage, il incarne la transcendance et la terreur sacrée qu'elle provoque. S'il détruit, c'est pour métamorphoser : ainsi est-il le modèle des ascètes et des adeptes du yoga qui cherchent la conscience supérieure. Il détient la puissance parce qu'il maîtrise toutes les énergies de la vie, et surtout l'énergie sexuelle : c'est pourquoi on le représente étroitement uni à son pôle féminin, Shakti. Tous les cultes shivaïtes, à des degrés divers, sont marqués par cette tension entre l'ascèse et l'érotisme, source de grande fécondité spirituelle, mais aussi de pratiques extrémistes, en particulier dans la dévotion à Kali la Noire, forme terrible de Shakti. Les adeptes les plus remarquables du shivaïsme se tiennent toujours au bord d'un abîme métaphysique, suspendus entre la grandeur et la rudesse de ce dieu des paradoxes.

La doctrine

La conception de l'Univers (cosmologie) est cyclique : le monde va vers sa destruction par une altération progressive de l'histoire, symbolisée en « âges ». C'est pourquoi la Révélation se situe toujours au commencement, loin de l'humanité actuelle qui baigne dans « l'âge sombre » et dans le sentiment écrasant de la temporalité. À la fin d'un monde succède la création d'un nouvel univers, selon un processus sans fin.

Étroitement liée à la théorie du *karma*, la notion de *samsara*, « écoulement ininterrompu », présente l'existence individuelle comme une étape dans une série innombrable de réincarnations. Tout être, humain ou animal, possède un principe spirituel éternel qui voyage d'une forme dans une autre (c'est la transmigration), se chargeant quand le *karma* est négatif, s'allégeant et donc pouvant plus facilement s'échapper lorsqu'il est positif.

La grande question est donc de savoir comment libérer l'*atman*, le Soi emprisonné. Divers chemins de délivrance sont proposés : *karma-marga*, la voie du rituel et des bonnes actions, empruntée par la plupart ; *bhakti-marga*, la voie de la dévotion, où priment l'effusion des sentiments et le besoin d'une communication intime avec la divinité ; *jnana-marga*, enfin, la plus difficile, la voie de la connaissance, qui permet de réaliser l'identité complète entre le Soi individuel et l'Absolu universel. La certitude incontestée d'échapper au *samsara* par une pratique sincère et assidue évite aux hindous de tomber dans le pessimisme métaphysique.

La théorie des âges de la vie permet de sacraliser toutes les périodes de l'existence en leur assignant une fonction spécifique dans la poursuite du salut : il y a le temps de l'initiation, celui de la vie familiale et professionnelle, celui de la retraite et celui du renoncement complet à toute forme de possession pour entrer librement dans l'Absolu.

VOIR AUSSI
- **Art de l'Inde non islamique** p. 1056
- **Mahabharata** p. 1116

◆ **Brahma.**
Brahma est la personnification divine du *brahman*, l'Absolu que ne restreint aucune qualité, et que nul ne peut concevoir. Il a quatre têtes et quatre bras, dont les mains, souvent, tiennent les *Veda*, symbolisant ainsi son patronage sur la caste des brahmanes. Dans les mythes védiques et brahmaniques, on l'assimile à l'Embryon d'or *(Hiranyagarbha)*, la matrice universelle d'où proviennent le Temps et l'Espace, premières manifestations de Brahma en tant que dieu créateur. (Statue khmère de style Koh Ker, grès, Xᵉ s. Musée Guimet, Paris)

◆ **Shiva.**
Shiva Nataraja, le « Roi de la danse ». Dans le cercle de flammes qui suggère le *samsara*, le cycle des réincarnations, la danse de Shiva exprime les phases du temps cosmique, la victoire sur l'ignorance métaphysique (le démon sous ses pieds), la transe qui saisit l'âme devant la transcendance du divin, et la jubilation extatique qu'elle en éprouve. (Bronze de la dynastie Cola, XIᵉ-XIIᵉ s. Musée de Madras)

Le yoga

Le mot *yoga* a pour origine la racine sanskrite *yuj*, « joindre, relier », qui embrasse deux significations fondamentales : « mettre sous le joug » pour dompter une énergie spontanée; assembler deux animaux afin de leur donner le même rythme. Cette double symbolique caractérise parfaitement le yoga comme discipline de réunification. Toute souffrance, tout mal-être s'y explique en définitive par une discordance entre les polarités qui perpétuent la vie : corps et esprit, masculin et féminin, dispersion et rassemblement, tension et détente… À moins de pratiquer le yoga, l'être humain reste un composé éminemment instable, dominé par l'alternance des opposés puisqu'il n'a pas pris la mesure de ses dualités, des forces qu'il peut en retirer, et de l'arbitrage qu'il doit leur imposer.

Le yoga est aussi ancien que l'Inde elle-même, s'il est vrai qu'un sceau trouvé dans les fouilles de Mohenjo-Daro représente une divinité en posture de yogi. En tout cas, les *Upanishad* le citent à de nombreuses reprises et font état de pratiques corporelles, respiratoires et mentales grâce auxquelles l'identité vécue entre le Soi et l'Absolu peut être actualisée. Affiné dans le même milieu de renonçants et de sages qui redonnent vitalité à la pensée védique sclérosée, le yoga, sans être une religion, garde par la suite les marques de cette exigence spirituelle.

Lors du grand mouvement d'élaboration de l'hindouisme, il reçoit une large place aux côtés des autres voies de délivrance. Ses lettres de noblesse lui sont données par le traité de Patanjali, les *Yoga-sutra* (IIe s. av. J.-C.). Ceux-ci affirment la nécessité d'une initiation par un maître (un *guru*) et énumèrent les modalités pratiques par lesquelles le *yogi* – l'adepte du yoga – doit passer (exercice des postures, rythmique du souffle, techniques de concentration) pour atteindre les états subtils où la conscience libérée rejoint l'Absolu, s'absorbant avec joie dans l'unité retrouvée.

◆ **Krishna.** Il est ici représenté sous sa forme d'adolescent séduisant la belle bergère Radha. Les amours de Krishna et de Radha constituent un sujet légendaire d'une popularité extrême. Dans cette miniature du XVIIIe s. (école de Kishangar, Rajasthan, coll., privée), la dominante naturaliste du mythe est fort bien rendue : les grands quadrupèdes et les singes sont, eux aussi, séduits par la musique divine.

◆ **Ganesha.** Fils de Shiva et de Parvati, Ganesha, ou Ganapati, le « Seigneur des Catégories », est le patron des lettres et des écoles. C'est lui qui donne le *Mahabharata* : « C'est toi, Ganesha, qui transcrivit cet ouvrage. » L'éléphant, forme de Ganesha, symbolise le macrocosme. Dieu du Savoir, il préside à toute chose et donc il est toujours invoqué en premier, comme ici, au début de ce manuscrit du *Bhagavata-Purana* exécuté dans le Rajasthan au XVIIIe s. (Bibliothèque nationale de France, Paris)

Le tantrisme

Dernière-née des spiritualités indiennes, le tantrisme offre son salut à l'homme du *kali yuga* celui qui naît dans la pire période du cycle cosmique. On y voit resurgir d'anciens types prévédiques, en particulier la figure d'une déesse mère compatissante et terrifiante à la fois, qui s'épanouit dans certaines formes de tantrisme avec la personnalité de Shakti, parèdre, c'est-à-dire compagne de Shiva, énergie divine qui anime l'Univers.

Mêlé d'influences chamaniques au Tibet, fortement métaphysique et épuré au Cachemire, plus dévotionnel dans le sud de l'Inde, le tantrisme est difficile à saisir, car il se pratique dans des milieux fermés et par transmission initiatique. Sa grande période de fécondité se situe entre le Xe et le XVIIe s. Ses textes, les *Tantra* (en sanskrit « chaîne » d'un tissu, puis « doctrine, rituel »), sont divisés en une « voie de droite », intellectuelle et ascétique, et une « voie de gauche », au symbolisme sexuel dominant.

Le tantrisme envisage toute réalité comme un ensemble d'énergies qui se conjuguent et qui s'échangent. Ses techniques d'éveil, postures corporelles, exercices de visualisation, modulations des vibrations sonores, union sexuelle ritualisée, tendent à convertir des forces inconscientes en instruments d'évolution, et même de divination. Cette manipulation, véritable alchimie transformatrice, expose l'adepte à des dangers : aussi le maître, le *guru*, est-il un accompagnateur indispensable. Plutôt amoral qu'immoral, moins anarchique qu'on ne l'a cru, le tantrisme propose une expérience immédiate de la transcendance sous des formes exceptionnelles, qui ne peuvent s'appliquer dans une institution religieuse communautaire.

◆ **Vishnou.** Si Brahma est le dieu de la Connaissance et de la Science, Shiva celui de l'Expérience transcendantale, Vishnou est celui de la Dévotion et de la Vie religieuse. Protecteur et animateur de tout ce qui existe, il est souvent représenté sur le serpent primordial, qui symbolise la matière première de l'Univers : on l'appelle alors Vishnou Narayana, « reposant sur les eaux ». (Bas-relief de la période Gupta, VIe-VIIIe s., grès, temple de Deogarh, Madhya Pradesh)

Petit lexique

atman : réalité du Soi, de l'ego.

brahman : réalité suprême, impersonnelle.

dharma : ordre cosmique, mais aussi social et moral, qui régit toute chose dans l'Univers.

gourou (ou **guru**) **:** maître spirituel hindou.

karma (ou **karman**) **:** principe selon lequel toute action, bonne ou mauvaise, porte ses fruits et détermine les renaissances de l'âme et leurs conditions.

moksa : délivrance ultime du cycle des renaissances de l'âme.

samsara : courant perpétuel et circulaire qui entraîne l'âme dans le cycle des transmigrations en référence directe avec les actes des existences antérieures.

transmigration : passage de l'âme d'un corps dans un autre.

Les rituels et les lieux de culte

La présence aux cérémonies dans les temples n'est pas obligatoire, et le culte privé, assumé par le chef de famille, a plus d'importance. En effet, l'hindouisme sacralise fortement la vie quotidienne : le lever, le coucher, le bain, les repas sont des activités rituelles, opérées à l'aide d'éléments cosmiques, eau, feu, etc. Chaque étape de la vie a son « sacrement » *(samskara) :* conception, rites de la grossesse, naissance et institution du nom, coutumes ancestrales protégeant l'enfance, initiation à l'âge adulte (essentielle dans les deux premières castes), mariage, funérailles par crémation et liturgies commémoratives des ancêtres. Chaque maison hindoue a son sanctuaire, interdit aux visiteurs. Des textes anciens, les *Grihya-sutra*, « Traités domestiques », règlent ces rites fort complexes, que les brahmanes expliquent aux familles paysannes.

Dans les temples, les manifestations de la piété hindoue sont cependant extraordinaires : nuits entières de dévotions, ablutions, sacrifices d'offrandes végétales (très rarement animales, de nos jours), de beurre fondu et clarifié (le *ghrita* ou *ghî*), accueil de pèlerins.

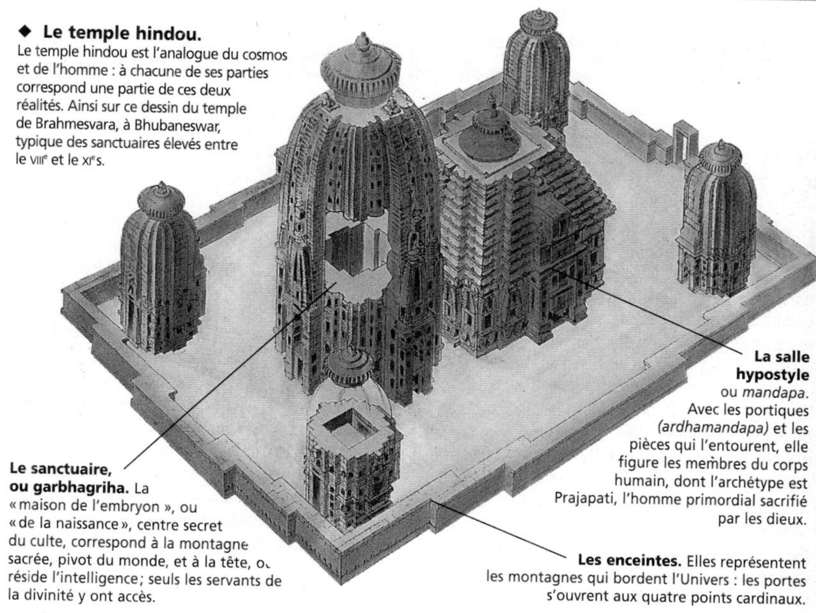

◆ **Le temple hindou.** Le temple hindou est l'analogue du cosmos et de l'homme : à chacune de ses parties correspond une partie de ces deux réalités. Ainsi sur ce dessin du temple de Brahmesvara, à Bhubaneswar, typique des sanctuaires élevés entre le VIIIe et le XIe s.

Les religions en Inde

L'Inde actuelle, qui a une Constitution laïque, est majoritairement hindouiste : environ 83 % de ses habitants appartiennent à l'un des nombreux mouvements qui constituent cet ensemble religieux.

L'hindouisme, au cours de son histoire, a triomphé de spiritualités qui ont failli le détrôner : le bouddhisme, puis l'islam. Le premier, qui avait conquis la péninsule, s'est expatrié dans toute l'Asie, dédaigné par son pays d'origine. Des communautés bouddhistes subsistent cependant, et le dalaï-lama, depuis son exil du Tibet, s'est établi dans le nord du pays. Cependant, les relations avec l'île de Sri Lanka sont conflictuelles : une minorité de Tamouls hindous s'y insurge contre une majorité de bouddhistes *theravadin* et en appelle à l'Inde pour les soutenir.

L'islam, après avoir saccagé les grands temples, mutilé les gracieuses statues, interdit les cultes exubérants, perd sa puissance avec la domination anglaise et se retrouve minoritaire après la partition de l'Inde et du Pakistan (l'état du Cachemire, toujours revendiqué par le Pakistan, est la source d'un grave conflit). Les relations entre hindous et musulmans (ces derniers au nombre de 95 millions représentent 12 % de la population) restent tendues depuis l'indépendance. De plus, l'intégrisme musulman fait éclore, par réaction, un nationalisme hindou assez menaçant, et des affrontements très violents opposent parfois les deux communautés.

Les chrétiens sont au nombre d'environ 32 millions, principalement des catholiques, dans le sud de l'Inde.

Les sikhs sont environ 15 millions, présents surtout dans l'état du Pendjab ; ils constituent 14 % de l'armée. Ce sont les disciples de Nanak et de ses neuf successeurs spirituels. Guru Nanak naît en 1469, près de Lahore, dans un milieu où le rapprochement entre le vishnouisme hindou et l'islam provoque un renouveau religieux.

Lui et ses successeurs professent la croyance en un Dieu unique et attachent la plus grande importance à une conduite morale courageuse. Les sikhs fondent leur communauté religieuse sur l'*Adi Granth*, ou *Granth Sahib* (Saint Livre), écrit au VIIe s. Leur centre religieux est le Temple d'or d'Amritsar. L'unité des sikhs a été brisée en 1947 par la partition du Pendjab entre l'Inde et le Pakistan.

L'assassinat d'Indira Gandhi (1984) par des sikhs et la profanation du Temple d'or d'Amritsar témoignent de graves tensions religieuses et politiques.

Les difficultés de coexistence de communautés religieuses différentes en Inde sont importantes, mais l'hindouisme, aussi bien par ses manifestations populaires que par ses écoles philosophiques (en particulier le *vedanta*), est extrêmement vivant et s'adapte habilement au monde moderne.

◆ **Un sikh.** Sikh portant les attributs traditionnels : poignard, barbe et turban cachant les cheveux longs, pantalon court, peigne d'acier et bracelet de fer.

◆ **Ablutions dans le Gange, à Varanasi.** L'ancienne Bénarès est l'une des villes sacrées de l'Inde. Le contact avec les eaux du fleuve lave le fidèle de toutes les souillures.

VOIR AUSSI ▶ *Illustrations*
• **Mariage sikh** p. 974

◆ **Le *linga* (ou *lingam*).** Littéralement « signe ». C'est la meilleure représentation qui soit du dieu Shiva, et un objet de grande dévotion : un sexe mâle érigé – le *linga* – émerge d'une cuvette circulaire qui symbolise le sexe féminin – *yoni*. L'ensemble exprime plus qu'un érotisme sacré, une vision énergétique et polarisée du réel. (*Yonilinga* du temple de Pasupatinath, près de Katmandou)

Le bouddhisme

Les sources

Le bouddhisme, comme le jaïnisme qui se développe à la même époque, ne reconnaît pas l'autorité des *Veda* et des *Upanishad*. Ici, ni dieux ni écritures révélées, du moins à l'origine. Le fondement du bouddhisme est l'expérience, historiquement attestée, d'un être éveillé, qui devient l'archétype de tout homme, chacun étant en puissance un « éveillé ».

Les sources sont donc remarquablement simples : « Je suis le Saint, le Parfait, le Suprême Bouddha. Ouvrez l'oreille, ô moines. La voie est trouvée. Écoutez-moi », dit le Bouddha en ouverture du Sermon de Bénarès. Ses grandes prédications sont fixées par la tradition : sermon du Feu, sermon dans sa famille, dernière exhortation avant sa mort. Pas de distinction de castes, pas de qualification particulière, mais un appel à la compréhension et la volonté de rompre les enchaînements du devenir.

Aussitôt après la disparition du Bouddha, vers 480 av. J.-C., un premier « concile » se réunit : les témoins directs délivrent ce qu'ils ont reçu. Un siècle plus tard, la nécessité se fait sentir de commencer à fixer un canon, d'où un deuxième concile, à Vaishali. Enfin, v. 250 av. J.-C., le roi Ashoka, converti à la Vision bouddhiste, convoque à Pataliputra un troisième concile, qui consacre la division en écoles. Les sources deviennent plus complexes, mais elles gardent des inspirations communes : la prédominance de la sagesse vécue sur les problèmes métaphysiques ou ritualistes; le développement d'une mythologie populaire immense autour du thème des « Vies antérieures du Bouddha ».

La vie du Bouddha

Celui qu'on appelle le Bouddha, « l'Éveillé », serait né v. 560 av. J.-C., sous le nom de Siddharta Gautama, dans une famille princière du nord-est de l'Inde, près de la frontière népalaise. La légende raconte qu'il est issu de l'union miraculeuse de sa mère, la princesse Maya, avec un éléphant blanc. Dès sa naissance, il est capable de faire sept pas, dans toutes les directions du monde, ce qui témoigne de sa vocation universelle. Son père voulant le préserver de toute tristesse le consigne dans un superbe palais, et le marie. Mais Gautama, lors de fugues vers la ville proche de Kapilavastu, rencontre quatre figures symboliques : un vieillard et un malade lui apprennent la tristesse et la souffrance de la condition humaine, un cortège funèbre l'échéance inéluctable de la mort, enfin un moine mendiant et serein lui fait entrevoir le détachement.

Alors, quittant tout, il part à la recherche de la sagesse chez les brahmanes, puis chez les adeptes du yoga et, pendant six ans, il mène une vie d'ascèse très stricte. Enfin, il parvient à l'Éveil ou Illumination, sous un figuier, à Bodh-Gaya, dans le Bihar méridional. L'on dit qu'il y demeure immobile pendant sept semaines, parcourant ses existences antérieures, tenté par le démon Mara, et pénétrant le processus de la douleur universelle. Au sortir de cette extase, il donne sa première prédication : le Sermon de Bénarès. Puis il parcourt tout le nord-est de l'Inde, expose les « quatre vérités » sur la douleur et la cessation de la douleur, et propose une sagesse, la « voie du milieu ». À l'âge de 80 ans, il entre en *mahaparinirvana* – la « grande extase » – qui l'enlève à l'existence. Il laisse des disciples convaincus, intelligents, qui vont répandre son message avec une étonnante rapidité.

Les trois grands bouddhismes

Le bouddhisme *theravada*, ou « bouddhisme des Anciens », fixe son canon au concile de Pataliputra, puis à Ceylan, au Ier s. av. J.-C. Il établit une synthèse de textes, connue sous le nom de *Tripitaka* (la « Triple Corbeille »). Ce bouddhisme se répand en Inde jusqu'au Ve s. et, aujourd'hui, il est surtout vivant à Sri Lanka (Ceylan), en Birmanie, en Thaïlande et au Cambodge. Souvent appelé par dérision *hinayana*, « Petit Véhicule », à cause de son succès restreint et de son élitisme moral, il demeure le plus fidèle à l'idéal du saint impassible et détaché, ainsi qu'à l'indifférence du Bouddha vis à vis des spéculations sur le monde divin.

Le bouddhisme *mahayana*, « Grand Véhicule », reconnaît le canon *theravadin* mais affirme avoir reçu des disciples privilégiés du Maître un enseignement plus vaste qui prend en compte les mystères divins et qui s'achève dans l'élan mystique. Son idéal est le *bodhisattva*, le saint qui par compassion retarde sa délivrance afin d'aider l'humanité souffrante. Le canon est fixé en 120 apr. J.-C., lors du concile de Kundalavana, au Cachemire, présidé par le roi indo-scythe Kansihka. Le Grand Véhicule se transmet ensuite en tibétain, en chinois et connaît une étonnante diffusion. Sa grande souplesse théologique lui permet de s'adapter à toutes les formes religieuses, en satisfaisant le besoin de consolation inhérent à la religion populaire. Le Bouddha y devient un dieu parmi les dieux, on le prie, on aspire à son paradis, son « Pays pur ». Très peu fidèle, donc, au dénuement originel de la pensée bouddhique, le *mahayana* doit concilier les aspects paradoxaux de cette évolution; ses savants élaborent la doctrine de la « double vérité » : il y a la voie des symboles et des religions, de l'amour dans un monde illusoire, mais où s'accomplit pourtant l'aventure de la Délivrance; et puis il y a la voie difficile de la connaissance nue qui mène au Nirvana.

Le bouddhisme tantrique, dont la forme la plus connue est celle du *vajrayana*, ou « Véhicule de diamant », est plus tardif (VIIe-VIIIe s.). Il naît de la rencontre avec l'hindouisme populaire et le tantrisme shivaïte. Sa terre d'élection est le Tibet où il a pénétré dès le VIIe siècle. L'un de ses maîtres est Padma Sambhava, au VIIIe siècle.

◆ Bouddha enseignant. Sculpture découverte à Sarnath (près de Vanarasi), lieu traditionnellement reconnu comme étant celui de la première prédication de Bouddha. (Grès, art gupta, Ve s. Musée de Sarnath)

Le sermon de Bénarès

Le thème fondamental de la prédication du Bouddha est la souffrance sous toutes ses formes. Comme un médecin, le Bouddha procède par étapes : il pose un diagnostic, relève les causes, fait un pronostic et offre une ordonnance.

***Première vérité.* « Tout est douleur : la naissance est douleur, la vieillesse est douleur, la mort est douleur, ainsi que l'union avec ce que l'on n'aime pas, la séparation d'avec ce que l'on aime, la non-obtention de ce que l'on désire. » Non que le Bouddha ne reconnaisse des joies dans l'existence, mais le fait même que ces joies soient passagères implique une souffrance en puissance.**

***Deuxième vérité.* « À l'origine de la douleur universelle est la soif » : soif de plaisir ou de jouissance, qui souffre de la perte de ses objets; soif de durer ou instinct de conservation, qui se heurte à la mort; soif de mourir, ou désespérance.**

***Troisième vérité.* Il existe « un chemin menant à la suppression de la douleur, voie sereine et libre ». Le Bouddha témoigne, par sa vie, de la possibilité de parcourir ce chemin d'abolition du désir.**

***Quatrième vérité.* Le salut vient de la pratique des huit « vertus » qui ont pour but la mise en ordre de la conduite humaine, la pratique de la concentration et le développement de la sagesse de l'esprit. « Foi pure, volonté pure, langage pur, action pure, moyens d'existence purs, application pure, mémoire pure, méditation pure » constituent le « noble octuple chemin » ou « voie du milieu ». La suivre permet de se libérer de l'illusion sur sa nature et d'échapper à l'enchaînement des existences.**

Le culte et les fêtes

Évoquer d'une manière générale les fêtes bouddhistes est impossible, car cette religion s'est profondément intégrée à chacune des traditions locales qu'elle a rencontrées lors de son expansion. Au Tibet, les fêtes sont teintées de rituels chamaniques, et le culte comprend des prières, des dons au clergé, des offrandes des prémices de toute boisson ou nourriture; au Japon, elles empruntent au cérémonial impérial et shintoïste, et le pèlerinage y joue un rôle très important. Cependant, la conception que les bouddhistes fervents se font du culte repose sur quelques caractéristiques fondamentales. Le culte est commémoration d'événements de la vie du Bouddha (sa naissance, célébrée au mois d'avril, son extinction, *parinirvana*); vénération de l'Être éveillé, comme modèle de réalisation pour le fidèle; instrument de purification ou d'acquisition de certains mérites. Contrairement à l'hindouisme, le bouddhisme ne sacralise pas les grands passages de l'existence, sauf la mort, et il ne pratique pas de sacrifice.

Les mudra

Les mudra (mot sanskrit signifiant « sceau, signe ») sont des gestes symboliques, connus dans toutes les religions d'Extrême-Orient, qui représentent chacun un sentiment particulier et qui caractérisent l'esprit d'une divinité ou d'un maître spirituel. Il y a des mudra propres à Vishnou, d'autres à Shiva; certaines sont plus particulièrement utilisées dans les effigies du Bouddha.

Ces mudra permettent, par la position appropriée des mains et des doigts (parfois aussi du corps entier), de concentrer, d'orienter ou de diffuser l'énergie présente dans le « corps subtil » du dieu ou du saint. En exécutant telle mudra, on provoque l'apparition de telle tonalité spirituelle : paix, amour, méditation, etc. Les mudra sont très utilisées chez les yogis, mais aussi dans la dévotion populaire où elles accompagnent la prière et les *mantra*, elles facilitent la méditation et parfois même l'identification de l'adepte à la divinité.

Un des gestes typiquement bouddhiques est celui de la prise à témoin de la Terre, qui traduit l'Assaut de Mara.

Petit lexique

bodhisattva : littéralement « être (créature) promis à l'Éveil »; individu ayant atteint une grande sagesse dans de nombreuses vies, mais qui retarde sa délivrance par compassion pour l'humanité souffrante.

dhyana : état de méditation; par déformation, il a donné son nom à l'école bouddhiste chinoise du *chan (tch'an)*, devenu *zen* au Japon.

mantra : formule sacrée, constamment répétée afin de provoquer un état de vide conscient; héritage de la Parole divine des *Veda*, il est devenu un exercice spirituel dans toutes les langues des pays bouddhistes.

nirvana : littéralement « extinction du souffle »; état de la conscience libérée du désir et de tout attachement; état spontané, qui ne peut être provoqué par aucune discipline, mais seulement préparé et attendu; le langage ne peut exprimer ce qui n'est ni un vide ni une plénitude, mais une sortie du *samsara*, la chaîne des renaissances.

sangha : communauté des fidèles instituée par le Bouddha lui-même.

◆ **Le stupa.** À l'origine, les stupas sont des reliquaires construits pour abriter les reliques du Bouddha, puis celles de ses disciples immédiats. Masses pleines, donc sans salle de cérémonies, ils s'ornent rapidement de portiques et d'une balustrade circulaire permettant d'accomplir le rite de la circumambulation. Au Tibet, on les appelle des *chörten*. (Stupa de Bodhnath, près de Katmandou)

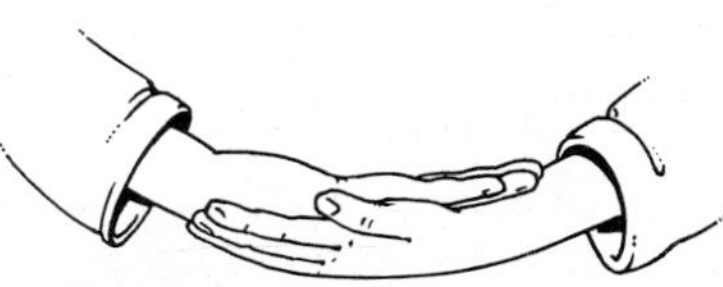

◆ ***Anjali-mudra.*** Geste de la salutation respectueuse et tendre, il exprime, par la parfaite conjonction des deux paumes, la réunion de la droite et de la gauche, c'est-à-dire l'abolition de toute dualité.

◆ ***Varada-mudra.*** Par ce mouvement, la divinité accorde une faveur, exauce le désir du croyant, fait descendre sa grâce et sa miséricorde; il est le geste complémentaire de l'*abhaya-mudra*.

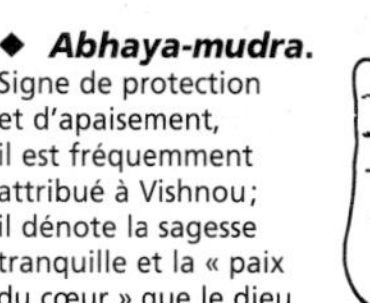

◆ ***Dhyana-mudra.*** Très utilisé dans la méditation, ce geste crée des conditions idéales d'intériorité : fermeture des circuits subtils par la réunion des mains, ouverture des paumes vers la conscience supérieure.

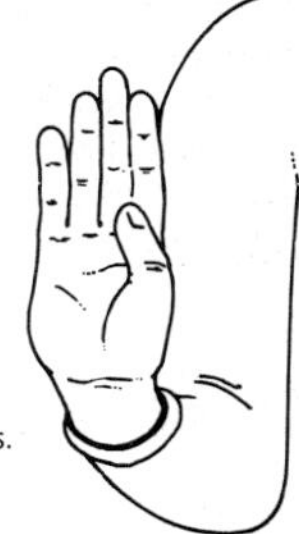

◆ ***Abhaya-mudra.*** Signe de protection et d'apaisement, il est fréquemment attribué à Vishnou; il dénote la sagesse tranquille et la « paix du cœur » que le dieu offre, avec l'effusion de la grâce, à ses fidèles.

◆ **Mains d'un bonze en méditation.**

◆ **Détail du grand Bouddha de Kamakura (Japon).** Le geste des mains représente une des variantes du *dhyana-mudra*.

◆ **Cérémonie bouddhiste.** Dans le bouddhisme *vajrayana*, les cérémonies mettent en scène une symbolique complexe. Les moines jouent le rôle d'intermédiaires entre les hommes et le divin. Ils accomplissent les rites dans un état de profonde concentration. Le son tient une grande place dans leurs techniques de sacralisation : en particulier la vibration des gongs et l'émission chantée des *mantra*. Le peuple n'a pas accès aux cérémonies les plus élevées, celles qui doivent permettre de visualiser les divinités sous leurs formes irritées ou pacifiques.

La diffusion du bouddhisme

L'histoire du bouddhisme présente un phénomène étrange. Jusqu'au Vᵉ s. apr. J.-C., l'impact de son message en Inde surpasse partout l'ancien brahmanisme : les princes s'y convertissent et entraînent leurs sujets. Sous le règne de l'empereur Ashoka, au milieu du IIIᵉ s. av. J.-C., s'affirme la vocation missionnaire du bouddhisme dans toute l'Inde et dans les pays voisins. Mais l'Inde va retourner à ses origines avec une synthèse nouvelle qui fonde l'hindouisme et, à partir du XIIᵉ s., le bouddhisme n'y est plus représenté que par une petite minorité.

En revanche, hors de l'Inde, les moines ont répandu la Bonne Loi avec un succès durable et foudroyant : dès le IIᵉ s. av. J.-C., Sri Lanka (Ceylan) constitue le bastion à partir duquel toute l'Asie du Sud-Est – la Birmanie, le Laos, la Thaïlande et le Cambodge – reçoit la prédication. Vers le nord, le Grand Véhicule pénètre en Chine dès le Iᵉʳ s., puis au Tibet au VIIᵉ s., où il enfante le lamaïsme ; et il s'implante dans le lointain Japon à partir du VIᵉ s.

Le bouddhisme tibétain

La religion tibétaine primitive, le Bon, est chamanique. Au VIIᵉ s., le roi Srong-btsan-Sgam-po convertit le pays au bouddhisme. Le premier ordre monastique, les Bonnets rouges, bientôt gagné par des pratiques magiques, est réformé au XIᵉ s. par deux grands maîtres, Marpa et Milarepa.

Puis, au XIVᵉ s., Tsong-kha-pa fonde l'ordre des Bonnets jaunes : la véritable théocratie tibétaine prend alors son essor moral et intellectuel. Les moines, ou lamas, font du Tibet le « Pays des dieux », conservant des textes dont les originaux sanskrits n'existent plus, bâtissant des milliers de monastères. Ils définissent une hiérarchie de bouddhas émanant d'un Principe unique, l'*Adi-bouddha*. Leur science des états de conscience, de l'imagination et du rêve, des étapes de la méditation, est tout à fait extraordinaire. Leurs rites font une large place aux liturgies tantriques. Ils utilisent certaines techniques du yoga, des supports visuels colorés comme les *mandala*, ou sonores comme les gongs, les clochettes et la répétition inlassable des *mantra*. Quatre grandes écoles monastiques représentent l'enseignement (*Nyingma-pa* ; *Kagyur-pa* ; *Sakya-pa* ; *Dge-lugs-pa*).

Le bouddhisme aujourd'hui

Le bouddhisme, qui avait presque disparu en Inde, y est de nouveau en progression (environ 0,8 % de la population, soit plus de 6 millions d'Indiens). Le bouddhisme *theravada*, le plus fidèle à l'humanisme du Bouddha, s'est développé à Sri Lanka (Ceylan), d'où il a rayonné sur l'ensemble du Sud-Est asiatique ; il est actuellement religion nationale en Birmanie, en Thaïlande, au Laos et au Cambodge. Lorsque les peuples n'en ont pas été découragés par un régime athée, ils continuent de le pratiquer massivement.

Par opposition à cette « école du Sud », le Grand Véhicule, *mahayana*, est l'« école du Nord ». Traversant l'Inde du Nord et le Tibet, il migre vers l'est, en Chine, en Corée et au Japon, où sa souplesse théologique lui permet de s'adapter partout. Pratiquement éteint en Chine dès avant la révolution communiste, il est devenu au Japon l'une des composantes de la vie moderne. Le Tibet, pays du « Véhicule de diamant », *vajrayana*, est resté un monde isolé, qui risque l'anéantissement sous la pression de la Chine. Son chef, le dalaï-lama, vit en exil depuis 1959.

Le dalaï-lama

Quatorze dalaï-lamas se sont succédé jusqu'à nos jours, ou plutôt quatorze incarnations du dalaï, manifestations humaines consécutives d'un seul principe, Chenrezi, la forme tibétaine d'Avalokiteshvara. Lorsqu'un dalaï quitte la terre, on cherche sa réincarnation, un enfant exceptionnel à qui l'on enseigne toutes les connaissances des lamas. Au début du XVIIᵉ s. se crée la lignée concurrente des panchen-lamas, à Chigatse. Dans les périodes de troubles, ce double pouvoir est susceptible d'être exploité par les ennemis du Tibet. Tel est le cas actuellement : le panchen-lama est l'otage consentant de la politique chinoise, alors que le 14ᵉ dalaï-lama, Tenzin Gyatso, né en 1935, Prix Nobel de la paix (1989), vit en exil à Dharmsala, au nord de l'Inde, depuis 1959. Personnalité au grand charisme, il s'efforce de sauver son peuple et de garder vivant l'héritage culturel et spirituel de son pays sans jamais avoir recours à la violence.

◆ **Initiation bouddhiste.** Kalou Rimpoché (Rimpoché : grand lama), décédé en 1989, était un de ces religieux tibétains que les circonstances politiques avaient forcé à s'exiler. Demeuré très proche du dalaï-lama, il était le supérieur du monastère Kagyu Ling, à Plaige, près de Toulon-sur-Arroux, en Saône-et-Loire (France).

◆ **Le Potala de Lhassa.** Énorme monastère capable de vivre en autarcie, car on y pratiquait toutes les activités, le Potala (ce nom désigne un royaume céleste du monde bouddhique tibétain) fut construit par le 5ᵉ dalaï-lama (XVIIᵉ s.) pour être sa résidence et celle de ses successeurs. Temple, forteresse et palais, il est maintenant réduit à l'état de musée.

◆ **Un mandala.** Image symbolique organisée autour d'un centre, c'est un cosmogramme (symbole de l'Univers), un psychogramme (représentation de l'âme) et une théophanie (apparition miraculeuse) du dieu qui occupe son centre et constitue le pôle de la méditation. Ici, la déesse Vajravarahi, forme tibétaine de Shakti, la compagne de Shiva. (Musée Guimet, Paris).

L'Occident à l'écoute de l'Asie

L'Occident, depuis Pythagore, Alexandre ou Julien l'Apostat, a toujours eu des contacts philosophiques avec l'Asie. Les routes de commerce ont véhiculé, en même temps que la soie, les épices et les métaux, des religions et des idéaux. L'époque actuelle se distingue cependant par des faits sans précédent. D'une part, les Américains et les Européens, parvenus au faîte de leurs capacités technologiques, sont pris dans une évolution critique envers leurs schémas traditionnels, d'où un vide spirituel qui appelle des réponses inédites. D'autre part, dans plusieurs grands pays d'Orient, des événements très divers favorisent des « migrations d'idées » vers l'Occident : l'Inde, décolonisée, a pris conscience de la puissance de son héritage religieux ; le Japon répand, avec sa réussite commerciale, un bouddhisme zen qui concilie action et contemplation ; le Tibet, déchiré par l'invasion chinoise, laisse partir ses moines, qui créent en Europe des colonies d'exilés.

Tout cela ne va pas sans illusions, comme la quête hippie des années 1960-1970, ni sans mercantilisme, car la sagesse se vend bien à des gens désorientés, ni sans danger, ainsi qu'en témoignent les déviances de certains groupes à tendance sectaire.

Cependant, le bilan apparaît plutôt favorable : pratique de disciplines qui tendent à la paix de l'esprit et à une intériorité attentive, revalorisation du sacré dans l'humanisme contemporain, échanges féconds entre les sciences et les philosophies sont les premiers fruits de cette rencontre de deux mondes.

Le taoïsme

Les sources

Si l'on sait peu de chose de Laozi, fondateur du taoïsme, on est au moins certain que ses conceptions reposent sur des principes fort anciens de la pensée chinoise. D'ailleurs, les maîtres initiaux du taoïsme se considèrent souvent comme les héritiers des confréries d'alchimistes dont était issu le souverain légendaire Huangdi (Houang-ti).

La notion fondamentale est évidemment celle de *tao*; si elle prend chez certains philosophes l'allure d'une divinité personnelle, son sens premier est plutôt celui de « voie », mais aussi de « tracer un chemin », donc de « mettre en communication », et enfin de « dire ou enseigner la voie », donc de « doctrine ». À l'origine, le *tao* désigne les pratiques religieuses qui permettent de mettre en relation le Ciel et la Terre, rôle essentiellement imparti à l'homme, et surtout à l'empereur.

Le mode de déploiement du *tao* se fait selon un rythme cyclique, tendu entre deux pôles : *yang* (le versant ensoleillé d'une montagne, l'adret) représentant le soleil, la chaleur sèche, la force vive, le masculin, le lumineux; *yin* (le versant humide, l'ubac) représentant la lune, le froid humide, l'inertie, le féminin, le sombre. Chacune de ces deux réalités compose l'univers en quantités variables : une saison, un mets, un sentiment sera plus *yin* ou plus *yang*. L'évolution et le caractère passager de toutes choses trouvent leur explication dans les alternances du *yin* et du *yang*, car lorsque l'un atteint son apogée, l'autre cesse de décroître.

Ce modèle, très naturaliste, semble aussi ancien que la Chine elle-même et met en scène une intuition très forte dans ce pays : l'intime participation et soumission de l'être humain à l'Ordre universel est le Souverain Bien.

Laozi

L'historicité de Laozi (ou Lao-Tseu) est difficile à affirmer; son biographe, Sima Qian, écrit au IIe s. av. J.-C. pour relater une vie antérieure de quatre siècles et avoue ses hésitations. Cependant, les érudits s'accordent à reconnaître aux événements recensés une assez grande vraisemblance.

Le nom même de Laozi ressemble à un jeu de mots : c'est le « vieux maître » ou le « vieil enfant », comme si la sagesse offrait une paradoxale jeunesse spirituelle. Il serait né en 604 avant notre ère, dans le Hunan (Chine du Sud), de parents pauvres, mais capables tout de même de lui donner l'instruction suffisante pour occuper un poste d'archiviste impérial. On sait seulement que, à la suite d'un subit retournement de conscience, il quitte la vie active et familiale pour se réfugier dans une retraite profonde. Il serait mort en 517.

« Laozi fut un homme noble, qui vécut caché », dit sobrement Sima Qian : ainsi apparaît explicitement l'idéal du sage retiré dans sa souveraine passivité. On attribue cependant à Laozi une activité d'enseignement qui jette les fondements du taoïsme philosophique; et on lui donne, sans égard pour l'histoire, la paternité du *Daodejing (Tao-tö king)*, « le Livre du Tao et du Tö », « le Livre de l'Être et de l'Existence », « de l'Absolu et de la Manifestation », qui n'a pu être composé qu'entre le Ve et le IIe s. av. J.-C.

Évolution et doctrine

À la suite de Laozi, des maîtres importants ont enseigné et écrit. Parmi eux, Zhuangzi (Tchouang-tseu) a donné au mouvement sa dimension philosophique : peut-être ministre du prince de Wei, dans le courant du IVe s. av. J.-C., il se retire sur une montagne pour méditer; ses ouvrages attestent son génie de poète-philosophe (le plus important porte son nom : le *Zhuangzi* ou *Tchouang-tseu*) et son détachement souverain. « Le ciel et la terre sont mon cercueil, le soleil et la lune brillent pour moi comme la lampe des morts, les étoiles sont mes perles et mes gemmes, et la création tout entière me fait un cortège funèbre », dit-il au moment de sa mort, dédaignant ainsi les rites extérieurs.

Le thème central du taoïsme est la réintégration dans le *tao*, le suprême et indicible ordre universel, dont l'homme se sépare par son individualisme et son agitation : « Ce retour à la source est appelé quiétude; c'est l'accomplissement de la destinée », proclame Laozi. L'union avec le *tao* est vécue sur un mode extatique : « Je suivais le vent vers l'est et vers l'ouest, comme une feuille d'arbre ou de la paille sèche et, réellement, je ne sais pas si c'est le vent qui me poussait ou moi le vent. » (Extrait du *Liezi* [*Lie-tseu*], ouvrage taoïste du IVe s.) Comment « obtenir le *tao* », entrer en extase ? Avant tout, par l'abandon de toute volonté propre, par le non-agir personnel, le *wuwei*, qui exige de s'effacer devant les manifestations du *tao :* ce quiétisme s'oppose totalement au positivisme social de Confucius. L'idéal du maître est donc celui d'un ermite effacé qui influence le cours des choses par son *de (tö)*, sa puissance d'éveil, et non par son activité pratique. En même temps se développe une recherche de fusion du corps et de l'âme, l'adepte réalisant dans cette vie l'union avec le *tao*, et atteignant ainsi l'immortalité.

Comme dans le yoga indien, certains secrets concernent l'économie du souffle, la domestication des énergies du corps et la méditation. Ils se développent sur un fonds typiquement chinois, celui de l'alchimie; mais, à partir des Han, le taoïsme tombe au rang de religion populaire, axée sur la magie et les drogues d'immortalité.

Les pratiques

Le taoïsme comprend des pratiques ésotériques et des techniques magiques. Son but ultime est l'obtention de l'immortalité et d'un corps impérissable. Pour cela, il existe de nombreux procédés, plutôt réservés à une élite : gymnastique *(daoyin)*, diététique (abstinence de certains aliments), techniques respiratoires (apprendre à maîtriser ses souffles et à les faire circuler dans le corps) et sexuelles (le fidèle retient son « essence » et tente d'absorber l'essence féminine pour accroître l'énergie), absorption de drogues végétales ou minérales, méditation. Cette dernière est orientée vers l'intérieur du corps où elle visualise et ordonne les esprits divins par la fusion des souffles. L'alchimie taoïste vise à élaborer l'élixir d'immortalité. Il s'agit, par certaines opérations, de faire monter au cerveau un élixir doré avant qu'il ne retombe dans la bouche. Ingurgité, il devient un embryon d'Immortalité qui, après dix mois de gestation, fait renaître l'adepte en Immortel.

Une partie de la liturgie taoïste a perduré jusqu'à aujourd'hui, avec les temples, qui ont pour centre un brûle-parfum où est consumé de l'encens; les sacrifices au Ciel; les prêtres, dont la charge est héréditaire; les chefs des communautés religieuses, choisis par des procédés divinatoires qui encadrent les structures locales, principalement rurales. Dans les mentalités même, la longévité est toujours une grande préoccupation pour les Chinois qui, par la pratique des arts martiaux *(taijiquan)* ou l'art du souffle *(qigong)*, manifestent leur souci d'harmonie avec leur corps et par là même avec l'Univers.

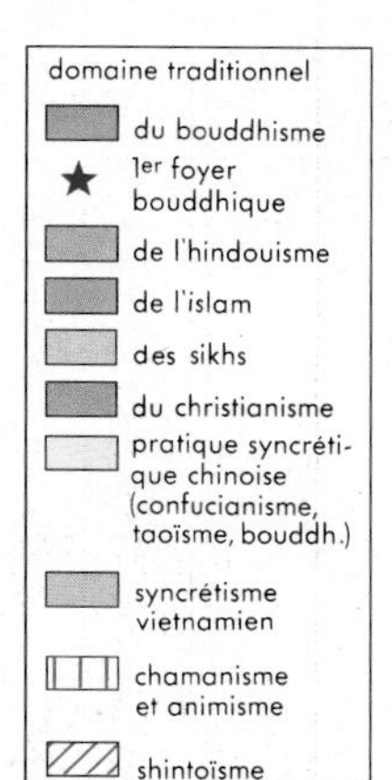

◆ **L'Asie, terre des contrastes religieux.** Malgré l'expansionnisme musulman, les colonisations et les persécutions des régimes communistes, les grands ensembles religieux demeurent assez stables; là où ils s'éteignaient, l'athéisme officiel n'a fait que précipiter leur déclin; ailleurs, il n'a pas réussi à les éliminer. Peut-être parce que le sentiment religieux se confond souvent avec la reconnaissance d'une identité nationale. L'hindouisme, le bouddhisme, l'islam, le christianisme restent vivaces, et les pratiques syncrétiques développées.

Les religions de la Chine

La famille et l'empereur

Pour les anciens Chinois, la piété filiale constitue la pierre angulaire de toute vie spirituelle, de toute organisation sociale, de tout ordre moral et politique. L'ensemble des relations humaines se modèle sur le lien établi entre le père et le fils, sur leurs obligations réciproques, sur leur succession complexe. Il ne faut pas y voir une simple loi morale, destinée à asseoir l'autorité du plus âgé sur le plus jeune, mais une conception religieuse qui repose sur plusieurs principes fondamentaux.

Tout d'abord, « ce qui précède » a toujours une valeur plus haute, est plus proche du divin que « ce qui suit ». Ainsi les temps originels, les dynasties mythiques sont chargés d'une puissance créatrice inégalée dans les époques ultérieures.

Le fils voit dans son père le représentant de sa lignée d'ancêtres, celui à qui, lorsqu'il mourra, il assurera un culte sacré dans le sanctuaire familial. Aussi la vie quotidienne du fils, si austère en apparence, humiliante même par sa constante obéissance, est-elle en réalité une initiation de type religieux qui le qualifie progressivement pour le rôle de chef de culte : être pur, vivre noblement, connaître les rites sont les qualités requises pour y accéder, pour devenir l'intermédiaire entre les morts et les vivants. On comprend alors l'importance centrale des rites du deuil, avec leur cortège d'épreuves (retraite, jeûne, silence) au terme desquelles le fils devient un homme accompli, assumant pleinement la mort du père.

La femme, soumise et recluse, sans autonomie légale ni même morale, a pourtant la fonction très puissante d'incarner le pôle maternel, terrestre, ce que les Chinois appellent le *yin,* sans lequel aucune création ou transformation ne peut se produire.

Le souverain était le père de tous ses sujets, qui lui devaient allégeance, loyauté et respect. Il possédait une très forte dimension cosmique qui s'expliquait par sa nature de *Tianzi (T'ien tseu),* Fils du Ciel ; on disait de l'Empereur jaune Huangdi (Houang-ti), créateur mythique de la civilisation, qu'il « avait établi l'ordre pour le soleil, la lune et les étoiles ». Wudi (Wou-ti), principal empereur de la dynastie Han, aurait inauguré en 113 av. J.-C. un double rituel : les sacrifices à la Terre souveraine et au Ciel auguste. Selon une notion typiquement chinoise, l'empereur n'avait pas besoin de gouverner au sens administratif du terme : c'est son degré de spiritualité qui attirait à lui les bons fonctionnaires, orientait positivement le cours des événements humains et des saisons de la nature. Ici, l'idéal royal rejoignait l'image de l'ascète qui a réalisé le *wuwei (wou-wei),* le « non-agir », quintessence de la vie humaine.

Les symboles et la cosmologie

L'ancienne Chine ignore les divinités telles que nous les entendons ; tout au plus admet-elle des puissances des vents, des fleuves ou des montagnes. La croyance fondamentale réside dans l'analogie symbolique entre l'homme et le monde : l'un n'existe pas sans l'autre, et l'origine de l'Univers ne précède pas celle de la société. Les souverains mythiques, en délimitant l'Espace et le Temps, ont créé la réalité, sous la forme d'ensembles hiérarchisés (saisons, orients, couleurs, etc.), qui font du cosmos un réseau de correspondances hautement sacrées, que l'on retrouve dans chaque individu, dans chaque communauté.

Un chapitre du *Shujing,* le *Hong fan,* qui constitue un petit traité philosophique parmi les plus anciens de la culture han, développe ces harmoniques entre, d'une part, l'univers extérieur, le macrocosme et, d'autre part, le microcosme, l'homme inscrit dans cet univers : comme il y a 4 saisons, 360 jours, 5 éléments et différents vents, il y a 4 membres, 360 articulations, 5 viscères et des souffles qui orientent les énergies dans le corps.

Ces systèmes symboliques deviennent par la suite plus complexes, ils incluent l'étude des passions et des sentiments, expliquent l'origine des maladies et la confection des remèdes, fondent des sciences comme l'acupuncture, qui s'appuie sur la connaissance des « lignes de force » vitales, la divination, l'astrologie et l'alchimie.

Cette parfaite parenté entre la nature et l'humain, le physique et le moral, c'est déjà le *tao,* la « voie de réalisation », dont le souverain, dans les époques archaïques, se fait le dépositaire, le médiateur et l'exécutant, en attendant que, dans le taoïsme, d'autres hommes ne s'y essaient.

◆ Le culte des ancêtres.
Chaque famille consacre, dans sa maison, un espace au culte des ancêtres. C'est un petit autel chez les humbles, un véritable temple chez les grands, par exemple dans le palais dit « résidence des descendants de Confucius », construit au XVIe s. à Qufu, dans le Shandong, et soigneusement entretenu par le gouvernement communiste. Le culte s'effectue par l'intermédiaire de tablettes qui portent chacune le nom d'un mort et le représentent ; on honore ces tablettes par le rite fondamental du *yangsheng,* la « nourriture des esprits ».

◆ Le temple du Ciel, à Pékin.
Bâti en 1420 sur l'enceinte extérieure du Palais impérial, il répond au temple de l'Agriculture, consacré au culte de la Terre. C'est un monument circulaire, construit sur trois terrasses concentriques et couronné de trois toitures. Le cercle est le symbole du ciel, le chiffre 3 indique l'union du ciel, de l'homme et de la terre.

◆ Lokapala.
Issu de très anciennes croyances, le Lokapala est un génie des points cardinaux. Dans une civilisation où le cosmos a une importance extrême, il a pour fonction de veiller à l'intégrité du territoire et appartient au type religieux des gardiens du seuil. Ses représentations sont soit bienveillantes, soit terribles (comme dans cette fresque du temple de Song Gwang, en Corée).

◆ Statues funéraires de guerriers.
Ces sculptures d'argile ont été trouvées près de Xi'an (Sian), dans le Shaanxi ; leur nombre et la vérité de leurs expressions fascinent les archéologues. La tradition considère les chambres funéraires où elles étaient enterrées comme le tombeau de Qin Shi Huangdi (Ts'in Che Houang-ti) qui, le premier, unifia la Chine (fin du IIIe s. av. J.-C.). Les guerriers d'argile remplacent les véritables guerriers, qui, autrement, auraient été sacrifiés pour servir d'escorte à l'empereur dans l'au-delà.

Confucius

Kongzi (k'ong-tseu) ou Kongfuzi (K'ong-fou-tseu), « Maître Kong », a été connu en Occident à partir du XVIIe s. sous le nom latinisé de « Confucius », inventé par les jésuites missionnaires. L'histoire de sa vie est mieux attestée que celle de Laozi ; Sima Qian, dans le *Shiji (Che-ki)* [*Mémoires historiques*], la raconte dans tous ses détails. Une source plus ancienne est fournie par une œuvre intitulée *Lunyu* (morceaux choisis), composée par la deuxième génération de ses disciples.

Confucius est né en 551 av. J.-C. dans la principauté de Lu (Lou), dans la province actuelle du Shandong, au sein d'une famille noble déclassée; il passe pour descendre de la glorieuse dynastie des Shang (Chang) [XVIIIe-Xe s. av. J.-C.]. Marié, sans fortune, il remplit une fonction subalterne d'intendance pour le prince de Lu; il donne des conseils de sagesse, mais, faute de pouvoir imposer la mise en œuvre de ses principes, il renonce momentanément à la carrière administrative.

En 530, il fonde une petite académie où des fils de familles cultivées viennent apprendre l'art de se bien conduire dans la vie publique. Confucius erre ensuite dans divers petits États rivaux, toujours à la recherche du souverain qui lui offrira la chance de mettre en pratique sans compromissions son idéal social. A-t-il rencontré Laozi à cette époque ? L'anecdote est vraisemblable et devint vite extrêmement populaire.

En 501, le prince de Lu le rappelle et lui offre la charge de préfet de Zhongdu (Tchong-tou), puis de ministre de la Justice. Confucius y applique des réformes inspirées des mœurs antiques avec une honnêteté scrupuleuse et un moralisme rigoureux. Puis c'est de nouveau l'exil; il est amené à prêcher dans les cours de Wei, de Chen (Tch'en) et de Cai (Ts'ai).

En 483, il rentre à Lu pour une vieillesse consacrée à l'achèvement de sa grande œuvre : la compilation quasi intégrale de l'immémoriale sagesse chinoise, rassemblée dans les *Cinq Classiques* : *Shuiing (Chou-king)*, « Livre des documents »; *Yijing (Yi-king)*, « Livre des mutations »; *Lijing (Li-king)*, « Mémorial des rites »; *Chunqiu (Tch'ouen-ts'ieou)*, « Annales des Printemps et des Automnes »; *Shijing (Che-king)*, « Livre des vers ». Il meurt en 479.

Le confucianisme

Sans Confucius et son obsession restauratrice, il est probable qu'une grande partie de la religion et de l'humanisme chinois nous serait inconnue. À travers les *Cinq Classiques*, c'est tout un peuple qui reconnaît ses origines et son identité : les classiques confucéens seront au programme de tout examen d'État jusqu'en 1912.

L'enseignement personnel du maître, recueilli et transcrit par ses disciples, fit l'objet de la tradition propre des lettrés. Du *Lunyu (Louen-Yu)*, « Entretiens », sont tirées les maximes fondamentales : « Je transmets et n'innove pas » (VII, 1); « Que le prince agisse en prince, le sujet en sujet, le père en père, le fils en fils » (XII, 11). Le *Zhongyong (Tchong-Yong)*, « Invariable Milieu », fait le portrait du sage capable de gouverner : il a réalisé l'équilibre entre ses passions contraires et sait agir en fonction exacte de chaque situation, ainsi qu'en harmonie avec l'ordre naturel. Le *Daxue (Ta-siue)*, la « Grande Étude », décrit l'influence du maître engagé dans le milieu social et politique.

◆ **Portrait présumé de Confucius.**
(Coll. privée)

À ces textes, il faut ajouter l'œuvre de Mengzi (Möng-tseu), connu en Occident sous le nom de Mencius (v. 371-289 av. J.-C.), qui fait l'exposé systématique de la doctrine, avec une inclination au libéralisme et à l'optimisme sur la nature humaine. Au contraire, Xunzi (Siun-tseu) [v. 298-v. 235 av. J.-C.], sur les mêmes bases, prêche pour un régime aristocratique autoritaire, qui endigue des tendances naturelles mauvaises. Au cours des siècles, la référence à Confucius a justifié ainsi des doctrines opposées.

Le confucianisme est une philosophie matérialiste, sans dieu ni providence, sans survie après la mort; la soumission à la nature cyclique des phénomènes, la morale patriarcale ou clanique enracinée dans le culte des ancêtres, la pratique d'une morale de modération éloignée de tous les excès sont les vertus de l'« être noble », de la caste des lettrés.

Le bouddhisme en Chine

En 61, l'empereur Mingdi (Ming-ti), de la dynastie Han, ému par un rêve, envoie chercher en Inde moines et textes bouddhistes. Dès le IIe s. se développe l'école du Pays pur, ou amidisme, culte du Bouddha Amit-abha (en chinois, *Omituo fo*). C'est une religion du cœur où l'on invoque un dieu personnel qui répond en répandant sa grâce.

Vers 520 arrive à Canton le grand moine Bodhidharma, qui fonde l'école de la Méditation (*chan* ou *tch'an*) au monastère de Luoyang (Lo-yang), dans le Henan : doctrine de la purification et de l'effort intérieur, le *chan* conduit à l'extase, vécue comme un rapt de l'âme dans le Vide inconcevable du divin, et ses moines les plus avancés n'ont que mépris pour les manifestations dévotionnelles.

L'apogée du bouddhisme en Chine se situe sous les Tang (T'ang) [618-907]. De nombreux moines partent en pèlerinage en Inde par les routes de caravanes. On pratique le culte de Maitreya, et Avalokiteshvara est identifié à la déesse Guanyin. Comme ailleurs, le bouddhisme *mahayana* se montre souple, se moule à l'âme chinoise, allant jusqu'à la fusion avec les croyances locales. Sous les Song et surtout sous les Mongols, son succès persiste, bien que les lettrés confucéens le combattent. Mais, à partir du XVIIe s., le bouddhisme chinois décline et se dessèche. Les bouddhistes seraient aujourd'hui 150 millions.

Les religions dans la Chine d'aujourd'hui

Au XIXe s. s'opère en Chine un syncrétisme populaire mêlant confucianisme, taoïsme et bouddhisme. On trouve côte à côte dans les temples le Bouddha, Confucius et Laozi; leurs différences se sont estompées à la suite d'un affadissement du sentiment religieux, qui se contentait de l'idéologie des devoirs familiaux et du recours aux vieilles magies thérapeutiques.

On ne doit donc pas s'étonner que le nouveau régime marxiste, dès 1949, ait rencontré peu de difficultés à instaurer un athéisme officiel. Les persécutions se sont exercées sur les seuls groupes profondément croyants : moines taoïstes et bouddhistes, minorités non Han, Tibétains, chrétiens.

Après un rejet complet du confucianisme, jugé comme un idéalisme réactionnaire par le communisme, est venu le temps d'une progressive réhabilitation : qui, en effet, mieux que Confucius pourrait incarner, en parfaite harmonie avec l'âme chinoise, les vertus familiales et communautaires, la morale stricte et modérée que les dirigeants souhaitent répandre dans le peuple ? Ainsi voit-on un culte profane rendu au sage dans des temples d'État, et laisse-t-on les collectivités locales célébrer les rites confucéens (mariages, enterrements, fêtes du nouvel an ou des morts, etc.).

Le paroxysme de la lutte contre les religions se situe pendant la révolution culturelle (1966-1976), mais les problèmes demeurent aigus. Si la liberté religieuse a été rétablie en 1982, l'État préconise toujours l'athéisme, et depuis 1993 interdit toute activité religieuse d'origine étrangère. Il a fermé des mosquées dans le Nord du pays et refusé la construction de nouveaux lieux de culte musulman.

Les catholiques sont entre 3,5 et 6 millions, mais leur situation est complexe. Une Association patriotique des catholiques chinois a été constituée en 1957 pour créer une Église nationale, qui nomme directement ses évêques sans l'autorisation du Saint-Siège. De nombreuses arrestations touchent les évêques et les prêtres qui veulent rester fidèles à Rome, et qui, considérés comme membre de l'Église catholique clandestine, sont emprisonnés.

Les conceptions, pratiques et communautés bouddhiques ont tendance à disparaître.

Cependant, malgré l'athéisme officiel, plus de 25 % de Chinois se déclarent croyants. Découragés à des degrés divers, souvent par des pressions violentes, de pratiquer leur foi, ils restent attachés à leurs convictions. Ainsi, les pratiques chamaniques et taoïstes sont encore vivaces.

VOIR AUSSI • **Pensée chinoise** p. 967

Les religions du Japon

Le shinto

Jusqu'au VIe s., le Japon est un monde clos; les peuples qui le constituent s'accordent sur un animisme panthéiste (qui divinise les forces naturelles) et pratiquent une liturgie rudimentaire.

Lorsque le bouddhisme se répand, on se met à appeler les anciennes croyances *shinto* d'un mot chinois signifiant la « voie des dieux » (en japonais, *kami-no-michi*), pour la distinguer du *butsudo*, la « voie du Bouddha ». Les deux religions vont s'influencer par la suite.

On connaît la mythologie shintoïste par des écrits rédigés au VIIIe s. : le *Kojiki*, « Recueil des choses anciennes », et le *Nihongi*, « Chroniques du Japon ». Puis, au Xe s., sont fixées les prières, les cérémonies, les grandes fêtes annuelles, dans l'*Engishiki*, « Règlements de l'ère Engi ». Ces textes évoquent la notion de *kami*, mal rendue par « dieu ». Est *kami* toute énergie susceptible de transformer une réalité : les grands dieux (Amaterasu, déesse du Soleil et du monde vivant; Susanoo, dieu de l'Océan, de l'amour et du désordre), mais aussi des héros, des sages, des animaux (le renard Inani, objet d'un culte de fécondité très populaire), et des forces élémentaires de la nature, etc. Le centre de gravité du shinto, c'est la nature divine de l'empereur, descendant d'Amaterasu, grande déesse dont le sanctuaire est à Isé, sur l'île de Honshu. Le shinto originel ne comporte pas de morale, mais craint la « souillure » – l'infirmité aussi bien que la faute. Il mûrit sous l'influence du bouddhisme. Au VIIe s., une doctrine mêle bouddhisme et shinto : c'est le *ryobu-shinto*.

Le shinto renaît à partir du XVIIe s., sous l'effet de l'école des Wagaku-sha et du maître Motoori Norinaga (1730-1801). Après la chute du dernier shogun en 1868, le jeune empereur Mutsuhito le consacre religion d'État. Au XXe s., il continue à inspirer le peuple japonais.

Le bouddhisme japonais

En 520, des moines mahayanistes arrivent de Corée. On peut distinguer trois étapes dans l'implantation au Japon de cette religion étrangère qui, paradoxalement dans un pays aussi nationaliste, supplante le culte originel. Chacune de ces trois époques est marquée par la naissance de grandes sectes, groupées autour d'un centre religieux particulièrement actif.

La première période (710-794) est celle des sectes de Nara, aujourd'hui à peu près disparues, mais qui ont cimenté la fusion avec le shinto, faisant de la déesse Amaterasu le Bouddha Vairocana, et du dieu de la guerre Hachiman un *bodhisattva*.

Les sectes de Heian (794-1192), centrées sur Kyoto (Heian-kyo est l'ancien nom de Kyoto), se distinguent par leur caractère secret, par la reconnaissance diffuse d'un principe unique, et par des influences tantriques qui tournent souvent à la magie : ce sont les sectes Tendai et Shingon, toujours existantes.

L'âge de Kamakura (1192-1603), troublé par les luttes féodales, envisage la religion sous un aspect plus pratique que métaphysique. C'est alors que naissent les grandes voies de salut.

Le zen, fondé par Eisai (1141-1215) à partir de l'école bouddhique chinoise de la Méditation *(chan)*, et diffusé au XIIIe s. par Shoyo Daishi, recherche l'illumination *(satori)* qui permet de découvrir l'Absolu. Le prix de cette révélation est le stoïcisme, le combat viril contre les passions, la maîtrise des énergies dans l'action. C'est la voie de l'élite et des samouraïs.

L'amidisme est au contraire la religion de la grâce, de l'humble abandon au Compatissant Seigneur, le Bouddha Amitabha. Au sein de l'amidisme on distingue le *Jodo-shu*, école du Pays pur, fondée par Honen Shonin en 1175, et le *Jodo-shinshu*, institué par une réforme vers 1250. Ces sectes sont très populaires, car elles répondent aux aspirations de la conscience commune.

De 1868 à 1889, le bouddhisme est durement persécuté par l'empereur Mutsuhito. Puis, devant l'indigence théologique et morale du shinto, la liberté des cultes est rétablie, et les étonnantes capacités d'adaptation du bouddhisme continuent de se manifester dans le Japon contemporain, où le shintoïsme et le bouddhisme sont pratiqués simultanément.

Le zen

Le zen est, plus qu'une philosophie, une expérience à vivre pleinement, au quotidien. Les maîtres zen enseignent que ce que nous appelons « penser » consiste souvent en une suite d'associations d'idées, et que méditer devient vite une fuite devant les responsabilités de la vie. Ils apprennent à maîtriser le mental grâce à des *koan*, paradoxes apparemment insolubles qui doivent cependant leur solution à une illumination soudaine rendant l'esprit totalement limpide. Sans négliger l'immobilité concentrée de la posture assise *(zazen)*, les sages vaquent à leurs occupations, quelles qu'elles soient, avec une efficacité remarquable, car ils y appliquent l'attention sélective qu'ils ont acquise. On peut peindre ou cultiver son champ en suivant la voie du zen, on peut également gouverner ou augmenter son rendement. Ainsi, paradoxalement, une spiritualité participe au développement du matérialisme et de la concurrence internationale : certaines entreprises américaines l'ont bien compris, qui proposent à leurs cadres de s'initier au zen.

◆ **Fête shinto : danse de dignitaire.** Les rites shinto célèbrent la vie, qu'elle soit individuelle ou communautaire (alors que le bouddhisme assume la mort et le deuil). Le *matsuri*, la fête, permet de faire participer à la fois les *kami*, les ancêtres morts, et les membres vivants de la communauté à un divertissement sacré qui exprime la joie de la vie et l'unité cosmique. Ici, festival shinto du sanctuaire de Kasunga.

◆ **La déesse Kishipoten.** Bien que mineure auprès des grands bouddhas et des divinités cosmiques du Japon, cette déesse incarne la beauté et l'harmonie. Peinture du VIIIe s. provenant du Yakushi-ji, l'un des grands temples de l'époque Nara. (Paris, coll. particulière).

Petit lexique

Shingon : secte bouddhiste ésotérique qui propose à chacun de devenir bouddha immédiatement, par l'exécution de certains rituels tantriques.

Tendai : secte bouddhiste ésotérique japonaise qui enseigne que chaque homme possède en lui la nature de bouddha.

Croyances et rites

Les croyances

L'Océanie, outre le continent australien, est composée d'un ensemble d'îles situées dans le Pacifique. On les répartit en trois grands ensembles : la Mélanésie, la Micronésie et la Polynésie. Les sociétés de ces territoires sont caractérisées par une grande richesse linguistique et culturelle.

C'est au XIXe s. que des missionnaires chrétiens ont commencé à rassembler des informations sur ces sociétés traditionnelles. Ils ont été suivis par des ethnologues occidentaux qui, à partir des religions océaniennes, ont élaboré pour leur discipline de nouveaux concepts tels ceux de « mana » ou de « tabou ».

Une des croyances essentielles est le culte des morts et la relation aux ancêtres. Le monde des vivants est constamment relié avec celui des morts, les seconds participant activement à la vie des premiers. À la mort d'un homme, un long rituel doit être observé (dessèchement du corps, enterrement des ossements sauf du crâne). Ainsi l'esprit du défunt pourra partir vers le pays des morts sans hanter les vivants. Par la suite, il pourra leur apparaître et devenir même une présence bénéfique pour les siens.

Les ancêtres divinisés constituent une partie des dieux, mais il existe aussi des dieux primordiaux : par exemple, chez les Polynésiens, Tané, dieu protecteur des humains et de la forêt, qui sépara ses parents, la Terre et le Ciel ; Haumia, dieu de la Végétation spontanée ; Rongo, dieu des plantes cultivées ; Tangaroa, dieu protecteur de la mer et de ses habitants ; Tawhirimatea, dieu des vents ; Tu, dieu de la guerre et de la vengeance.

Il existe aussi de très nombreuses divinités locales, considérées comme maîtresses d'une technique. On retrouve en Polynésie et en Mélanésie un héros culturel, Maui tikitiki, qui fixa la longueur du jour et de la nuit, et attrapa les poissons qui devinrent les îles de la Polynésie, mais qui périt en voulant donner aux hommes la vie éternelle.

Si les cultes anciens ont pratiquement disparu en Polynésie et en Micronésie, ils ont mieux survécu en Mélanésie occidentale et en Australie. Le christianisme s'est davantage imposé en Polynésie qu'en Mélanésie, et a parfois donné lieu à des évolutions syncrétiques originales et à des formes de culte millénaristes, comme celle du « Cargo cult », apparu après l'arrivée de marchandises sur des bateaux occidentaux à partir de 1871. Les fidèles attendaient le retour du cargo, chargé de richesses, censé être envoyé de l'au-delà par les ancêtres. Ce culte a connu une recrudescence lors de la Seconde Guerre mondiale avec l'arrivée des Américains.

Les pratiques

Chaque divinité est l'objet d'un culte là où elle est considérée comme la protectrice d'un groupe social particulier : elle y a donc son autel, où elle reçoit des offrandes. Ce lieu sacré peut être un bosquet situé à l'écart de l'habitat (îles Loyauté, Salomon, Vanuatu) ou des bois sacrés (Nouvelle-Zélande) ou un endroit connu du prêtre seul (Nouvelle-Calédonie).

En Polynésie, les pratiques religieuses s'organisaient autour du *marae*, enceinte sacrée qui était la maison des dieux et des ancêtres, et était donc réservé à la réunion des puissances invisibles et des vivants. Il comprenait les supports de la présence des dieux (images sculptées), les tables pour les offrandes animales ou végétales, et parfois aussi des abris funéraires. Le lieu était plus ou moins tabou, de même que la personne du prêtre, soumis à de nombreuses restrictions pendant les périodes de cérémonies.

Une caste sacerdotale s'occupait des sacrifices, des rites funéraires et des rapports avec les dieux. Des sacrifices humains pouvaient être accomplis dans certaines circonstances (guerre, lutte contre des calamités naturelles ou fondation d'un nouveau temple). Les maîtres de la terre jouaient un rôle très important. Premiers occupants d'un territoire, ils obtenaient la protection des génies gardiens du lieu et étaient les seuls à pouvoir mettre en œuvre les rites nécessaires (invocations, offrandes) pour que les esprits ouvrent l'accès aux richesses naturelles en accordant l'autorisation d'entreprendre une partie de chasse ou de pêche, ou en permettant que la récolte ou la cueillette soient abondantes. Les maîtres des magies de croissance horticole jouent toujours un rôle de premier plan ; par une série de rites, ils cherchent à ordonner et à activer le cycle agraire.

Les rites de passage sont très importants. En Nouvelle-Guinée, l'initiation masculine commence vers 7 ans et ne prend fin qu'à l'âge adulte, parfois même à la vieillesse. Il s'agit, après avoir séparé le garçon des femmes et lui avoir fait subir des épreuves physiques, de le faire participer à des activités économiques ou guerrières et de lui enseigner les éléments secrets du culte.

Les Aborigènes

Les conceptions religieuses des Aborigènes australiens s'enracinent dans la notion d'un temps primordial, appelé le « Temps du rêve ». C'est l'époque mythique au cours de laquelle, après le temps de la création par les dieux, le monde a été organisé par des êtres célestes primordiaux qui ont révélé aux hommes les mystères et institué les lois civiles et morales. La mémoire de ce temps originel s'est transmise par de nombreux récits mythiques, mais il reste possible de communiquer avec l'univers des morts et des dieux par des rêves divinatoires.

Les mythologies australiennes racontent comment les ancêtres mythiques marquèrent la nature de leur présence par une trace laissée dans le paysage, que ce soit dans les arbres, les rochers ou les points d'eau. En chacun de ces lieux, les êtres du Temps du rêve ont laissé des « esprits enfants » qui viennent féconder les femmes lorsqu'elles passent à proximité.

Tout individu a donc un lien spécifique avec le lieu sacré où sa mère a éprouvé qu'elle était fécondée, tout comme il est lié symboliquement à un animal, un végétal ou à un phénomène atmosphérique qui lui apparaissent en rêve pour lui donner des conseils. À sa mort, il retournera à son rêve et à son lieu sacré d'origine pour, à son tour, féconder une femme et assurer la permanence de la vie. De même tout être humain est associé à des objets sacrés (*tjurunga* en particulier).

Les rites d'initiation comportent plusieurs phases et s'échelonnent sur plusieurs années ; ils comprennent des opérations physiques sur le corps de l'initié, parfois très douloureuses (circoncision, subincision, scarifications, extraction de dents, épilation), et à des mises à mort et des renaissances symboliques. Ces rites de passage permettent d'arracher le jeune initié à la sphère maternelle et féminine, et de le rendre à même de manipuler le sacré. La mémorisation des récits mythiques fait aussi partie de l'initiation, en particulier lors des cultes secrets de la mère primordiale Kunapipi ou de ceux du serpent arc-en-ciel Yurlunggur.

Les rituels visent également à assurer la fécondité du groupe et du milieu naturel en permettant que la pluie, source de toute vie, les plantes et les animaux soient en quantité suffisante. Chaque clan est associé à une espèce animale qui devient son totem (émeu, kangourou…) ; il ne doit pas lui porter atteinte et, en contrepartie, le totem transmet certaines informations par la voie des songes.

Les Aborigènes, qui sont au nombre d'environ 300 000 aujourd'hui, demandent depuis quelques années la restitution de leurs anciennes terres, et en particulier des lieux sacrés, dont la propriété inaliénable leur est peu à peu reconnue.

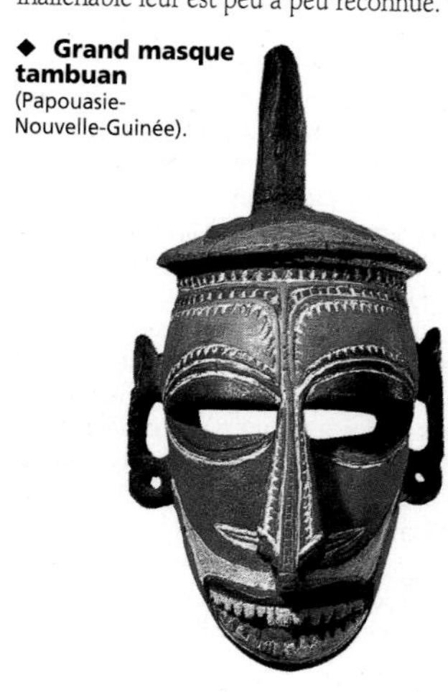

◆ **Grand masque tambuan** (Papouasie-Nouvelle-Guinée).

◆ ***Tjurunga* australien.** Planche de bois de forme oblongue, ornementée de motifs rituels, il symbolise le temps du rêve. (Musée de l'Homme, Paris)

Petit lexique

mana : force surnaturelle impersonnelle aux pouvoirs magiques.

tabou : terme emprunté aux Maoris de Nouvelle-Zélande (tapu) qui désigne une influence divine rendant des lieux, des personnes ou des objets inapprochables ou dangereux.

totem : animal ou plante avec lequel une relation particulière est développée soit sur un mode individuel (Indiens d'Amérique du Nord), soit sur un mode collectif (Océanie).

VOIR AUSSI
• **Art de l'Océanie** p. 1061 ***Illustrations***
• **Rite d'initiation** p. 948

Traditions et prophétisme

Les religions traditionnelles

L'Afrique, au sud du Sahara, présente une grande complexité de croyances qui varient avec les formes de civilisation. On peut néanmoins parler de religions africaines traditionnelles en général dans la mesure où le rapport à la terre domine partout le système de pensée et de croyances.

La vie et la mort, principes fondateurs. La religion est orientée vers la permanence et le renouvellement de la vie. La société est formée de la succession entre les ancêtres, les vivants et les enfants à venir, qui constituent une continuité. Comme la nature, où les plantes se développent de saison en saison sur la pourriture de l'humus, les générations se remplacent dans un mouvement cyclique. C'est pourquoi les grands rites associent mort et vie nouvelle. Les mythes sur l'origine du monde indiquent que sa naissance est une mort et que sa disparition sera un retour à la vie dans le « ventre » de Dieu.

Les puissances cachées, l'animisme. Les Africains, contrairement à ce que l'on croit parfois, n'ont pas plusieurs dieux. Le Dieu unique – chez les Bantous, il s'appelle Zambé – reste lointain, depuis le commencement de la création, à la suite de la transgression de l'interdit initial. Cette faute, commise par les premières créatures, a laissé l'homme dans une situation ambiguë. Il n'est pas le maître de la nature; il doit faire allégeance à des êtres invisibles qui peuplent l'eau, la terre, les forêts, les rochers... Pour survivre, il doit composer avec les « présences » cachées, auxquelles s'adjoignent les défunts : elles fournissent à l'homme de quoi subsister dans la mesure où il leur donne satisfaction. Il y a là comme un marchandage : la prospérité est payée par des dons et des sacrifices dont on ne sait jamais s'ils seront agréés.

On a appelé « animisme » cette croyance selon laquelle les éléments de la nature sont doués d'intentions et de pouvoirs dont l'homme est dépendant. Le nom de « fétiche » (de *feitiço*, « sortilège, amulette » en portugais) a été donné aux représentations matérielles des esprits qui peuplent la nature.

Importance de la sorcellerie. La religion n'est pas dirigée par des prêtres proprement dits : tout le monde peut faire un sacrifice, mais il y a des spécialistes qui pratiquent la divination, organisent les cultes aux divers génies, dirigent l'initiation, maîtrisent le processus complexe de la guérison, sont responsables de la pluie et de la fécondité des récoltes, etc. La face cachée du monde recèle en outre des humains, bien vivants, capables de se dédoubler et d'agir à l'encontre des valeurs sociales. Ils profitent de leur voyance au sein de l'univers nocturne pour accumuler le pouvoir et les biens. Cette croyance à la sorcellerie est singulièrement forte. Elle permet d'attribuer les malheurs – maladie, mort prématurée, stérilité, accidents, mauvaises récoltes, etc. – à ces « maîtres de la nuit » contre lesquels les « innocents » sont sans défense.

L'ordre du monde. Pour les Africains, le monde est un ensemble ordonné, et l'homme a une place dans cet ordre; il ne doit pas chercher à y échapper, ni par le haut en abusant du pouvoir comme le fait le sorcier, ni par le bas en se comportant comme les animaux. Les rites dressent des remparts contre le désordre : il convient de respecter les règles de dépendance par rapport aux ancêtres et aux êtres invisibles.

Le salut est obtenu par la lutte permanente contre toutes les forces hostiles à la vie : il faut rendre présents les maîtres de la fécondité, il faut chercher les erreurs commises dans le maintien de l'ordre cosmique, il faut expulser de soi ce qui est étranger, ce qui sépare des ancêtres.

Les prophétismes modernes

Depuis la fin du XIXe s. se sont multipliés, dans les régions christianisées, des mouvements religieux nouveaux, généralement constitués en Églises, à la manière des missions. Cette multiplication résulte de l'apparition de personnages charismatiques, hommes ou femmes, formés par le christianisme, qui apportent un message de libération face à la domination du monde des Blancs. Ces « prophètes » rompent avec la religion traditionnelle (abandon des fétiches et de la magie, jugés inefficaces en comparaison du Dieu des Blancs) et opèrent une révolution par rapport aux missions chrétiennes : le Noir peut accéder par lui-même, sans l'aide des Blancs, au contenu de la Bible et à la parole de Dieu.

Le millénarisme, c'est-à-dire l'attente du salut programmée pour une échéance précise, n'est pas absent de ce message prophétique. Il arrive qu'il prenne une forme messianique dans la mesure où le prophète, de son fait ou, plus souvent, sous l'influence des fidèles, se substitue au Messie blanc, le Christ, et est présenté comme un Sauveur propre aux Noirs. Les mouvements prophétiques les plus connus dans la zone francophone sont le harrisme, en Côte d'Ivoire, et le kimbanguisme au Zaïre.

◆ **Danse d'initiation chez les Pendé.**
Il s'agit ici d'un initié qui préside aux cérémonies de passage à l'âge adulte des garçons (dont la circoncision peut être l'un des rites).

◆ **Masque rituel sénoufo en bois.**
Les Sénoufo (nord-ouest de la Côte d'Ivoire) sont essentiellement agriculteurs et les rites agraires auxquels ils ont recours font une grande place aux masques.

Le harrisme. William Wadé Harris (v. 1850-1929) est emprisonné au Liberia en 1910 pour agitation politique. Il raconte qu'en prison, il reçoit le Saint-Esprit et est visité par l'ange Gabriel, qui lui demande d'évangéliser et de baptiser au nom du Christ. Vers 1914, il se rend en Côte d'Ivoire, où il convertit des foules et entre en lutte de manière vigoureuse contre les pratiques de magie et l'usage des fétiches. Il veut purifier les individus par le baptême et la confession, et la société par la réduction des conflits et le combat contre la sorcellerie. À sa suite, d'autres prophètes continuent à prêcher et à opérer des guérisons dans le cadre de ce qui est devenu le harrisme de Côte d'Ivoire. Celui-ci compte environ 100 000 fidèles.

Le kimbanguisme. Simon Kimbangu (1889-1951) a la révélation de sa vocation de messie en 1921 et commence alors à opérer des guérisons. Il annonce le retour du Christ sur terre, et son village natal, Nkamba, devient un lieu de pèlerinage. Il demande que soient détruits tous les objets cultuels de la religion traditionnelle et s'attaque avec vigueur aux pratiques de sorcellerie. Bien qu'il emprunte surtout à l'héritage biblique et en particulier baptiste, il conserve le culte des ancêtres. Mais lorsque le mouvement devient politique et s'affirme ouvertement anticolonialiste, les autorités belges font arrêter Kimbangu; condamné à mort, puis gracié, il restera en prison jusqu'à sa mort. Plusieurs mouvements se réclament de son enseignement et continuent à se développer; l'un d'eux, à la veille de l'indépendance du Congo belge en 1960, devient l'Église de Jésus-Christ sur la terre selon Simon Kimbangu (EJCSK). Elle est la première Église noire admise au Conseil œcuménique des Églises en 1969. Partenaire du pouvoir, elle regroupe 6 millions de fidèles, dont 5 millions au Congo.

VOIR AUSSI
• **Art de l'Afrique noire** p. 1060 *Illustrations*
• **Danse dogon** p. 957

Les religions en présence

L'islam

C'est à partir du XIIe s., lorsque les premiers commerçants arabes d'Afrique du Nord traversent le désert, que commence la pénétration de l'islam en Afrique noire. Les musulmans noirs sont d'abord les chefs des royaumes et des empires de l'ancien Soudan et du Tchad (royaume de Kanem), qui entraînent leurs peuples à la conversion. Des lettrés africains se forment dans les cours royales à l'école des maîtres venus du Nord et de l'Est. L'islamisation se déroule progressivement – elle s'étend sur les huit derniers siècles – et profite au XIXe s. de la fragilisation des religions traditionnelles ébranlées par le christianisme, mais elle a pour limite, à la fois physique et culturelle, la forêt tropicale et équatoriale. Cette dernière est difficile à traverser et il y prévaut un système social fondé sur le lignage qui s'avère particulièrement attaché aux croyances animistes.

L'islam noir se constitue volontiers en communautés ou confréries dirigées par un guide spirituel appelé « marabout », tels Sidi Mukhtar al-Kunti, qui développe la confrérie de la Qadiriyya au XVIIIe s., ou Amadou Bamba (v. 1850-1927), à l'origine de la confrérie mouride, très active au Sénégal.

L'islam compte environ 120 millions de croyants sunnites, soit le huitième de l'*umma* (communauté) mondiale, répartis principalement dans le couloir sahélien, du Sénégal à la Somalie. Les situations sont très variées, allant de l'intégration de l'islam dans le paysage culturel local (ouest et Corne de l'Afrique) à l'arabisation, comme au Soudan.

La religion de Mahomet se prête assez bien à la rencontre avec les cultures noires : elle ne modifie pas la structure familiale (parenté étendue et polygamie, respect des aînés); elle se propage par la parole des marabouts (plus encore que par la lecture du Coran), dont le rôle rejoint celui des maîtres traditionnels de l'initiation; elle apporte enfin, en même temps qu'une foi, une affirmation identitaire critique de la modernité occidentale.

Le christianisme

Outre les 25 millions de chrétiens d'Éthiopie, le christianisme africain noir issu de l'évangélisation missionnaire regroupe 336 millions de fidèles, dont 142 millions de protestants.

Dans la plupart des pays, l'action des missionnaires est à peu près centenaire aujourd'hui. On cite souvent les contacts pris dès le XVe s. avec l'Angola et au XVIIe s. avec le royaume de Congo, mais ces premières conversions furent sans suite. Certains pays furent évangélisés par des Noirs américains affranchis, comme le Liberia ou la Sierra Leone. Les congrégations missionnaires européennes envoyèrent le gros de leurs effectifs après la « pacification », dans les dernières décennies du XIXe s. La tactique missionnaire consistait à créer un espace nouveau, destiné à attirer les enfants dans les écoles, et des catéchumènes autour de la mission. Le paganisme, progressivement isolé, devait disparaître de lui-même. Le christianisme s'est surtout implanté chez les populations animistes d'Afrique équatoriale et australe.

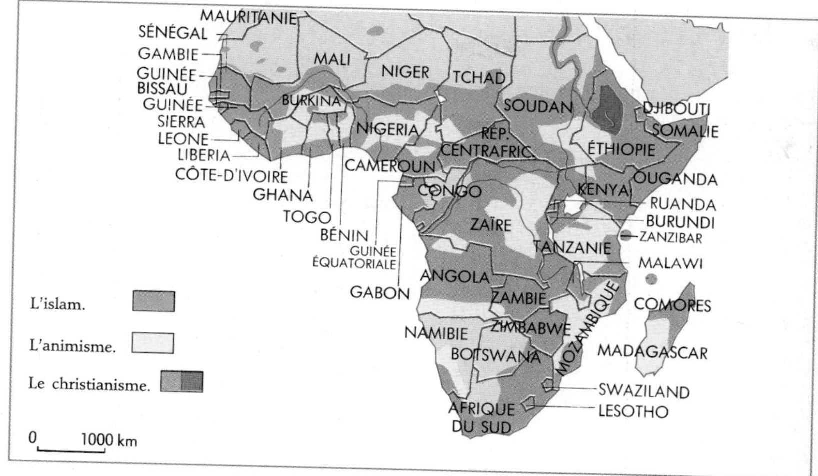

◆ **Les religions en Afrique.**
La diversité religieuse de l'Afrique s'explique en partie par la géographie : barrières physiques (désert saharien ou forêt tropicale), milieux différenciés (chasseurs, agriculteurs et pêcheurs ne s'adressent pas aux mêmes divinités).
L'islam.
Venu du Nord, il s'est développé surtout le long du couloir sahélien et dans les régions côtières orientales. Il est en très nette progression.
L'animisme.
Il est en régression mais constitue un peu partout d'importantes poches résiduelles.
Le christianisme.
Son expansion s'est faite des côtes occidentales en direction de l'intérieur. L'Afrique du Sud est majoritairement chrétienne (77 % de la population).

Le christianisme africain aujourd'hui. Les Africains ont adhéré, plus ou moins rapidement selon les ethnies, à la foi nouvelle. Certaines régions ont été baptisées dans leur quasi-totalité. La conversion était exigeante : abandon de la polygamie et de toutes les pratiques « idolâtres ».

Depuis la Seconde Guerre mondiale, les missions chrétiennes ont été contestées pour leur « collusion » avec la colonisation. Le dernier concile a contribué à la promotion du clergé et à l'autonomie des Églises locales. Une liturgie et une théologie africaines se développent dans le respect des systèmes culturels originaux. La chrétienté d'Afrique s'accroît régulièrement en même temps qu'elle conquiert sa qualité d'Église à part entière.

Les syncrétismes

Naissant de la fusion de plusieurs religions ou de plusieurs cultes en une seule formation religieuse ou cultuelle, les syncrétismes sont nombreux en Afrique, mêlant des éléments africains du rituel et des enseignements chrétiens.

L'exemple du « bouiti fang ». Les Fangs font partie d'un ensemble culturel qui regroupe des ethnies du sud du Cameroun et du nord du Gabon. Ils pratiquent un culte des ancêtres appelé « biéri ». Dans les années 1920, des Fangs ont rencontré, à Libreville et à Port-Gentil, des travailleurs des chantiers forestiers du centre du pays qui les ont initiés à leur culte, appelé le bouiti.

Déjà en partie christianisés, ces Fangs ont constitué une religion syncrétique où l'on trouve des éléments du biéri, du bouiti et de la Bible. Cette religion, à la fois traditionnelle et moderne, s'appelle le « bouiti fang ». À la fin des années 1940, des figures de prophètes émergent, dont celle de Ndong Obame Eya, fondateur de la religion Assumgha Ening, le « Commencement de la Vie ». Quelques années plus tard, la nouvelle religion développe une dimension missionnaire.

Les adeptes sont soumis à une initiation qui consiste en l'absorption d'une racine hallucinogène, l'éboga. Cette expérience leur permet de rencontrer leurs ancêtres et de découvrir la « maison » de Nzambia-Pongo (Jésus-Christ). Ils anticipent ainsi leur propre mort et éliminent de leur corps et de leur esprit toute trace de sorcellerie. Le rituel, complexe, se déroule sur trois nuits consécutives où l'on célèbre la naissance, la mort et la vie dans l'au-delà. Chaque détail revêt une grande importance, que ce soit l'aménagement de l'espace sacré, l'ordre des cérémonies ou la couleur des costumes. À l'entrée du temple, un pilier, percé en son travers, représente le « trou de la naissance » : en même temps qu'il remonte dans le sein de sa mère, le fidèle entre dans le ventre de Dieu, d'où il est sorti et où il retournera. Les femmes sont associées au culte. Les symboles liés à la sexualité tiennent une place importante dans le rituel.

Comme les autres mouvements religieux modernes, le bouiti fang s'oppose aux ambitions « sacrilèges » du monde occidental et tend à l'éradication de la sorcellerie.

Petit lexique

animisme : croyance qui attribue une âme à tous les éléments de la nature; le concept d'animisme, développé au XIXe s., est aujourd'hui abandonné par les anthropologues.

fétichisme : culte des objets considérés comme animés par des esprits et dotés de propriétés magiques.

lignage : lien de parenté par le sang entre membres d'un groupe qui se considèrent comme descendants d'un ancêtre commun plus ou moins éloigné.

Les religions précolombiennes

Les croyances

Beaucoup de documents, détruits par les Espagnols, ne sont pas parvenus jusqu'à nous. Il existe quelques documents « écrits » : manuscrits constitués d'un mélange de scènes dessinées et de hiéroglyphes; textes en langue indigène mais en caractères latins (le *Popol Vuh* ou les livres de *Chilam Balam* pour les Mayas), rédigés peu après la conquête. Pour l'essentiel, il faut se reporter aux sources espagnoles, dont la plus importante est *l'Histoire générale des choses de la Nouvelle Espagne*, du franciscain Bernardino de Sahagún (1500-1590). Restent enfin les documents archéologiques : stèles portant des indications numériques, bas-reliefs gravés, fresques, statues de dieux, et différents monuments dont certains grands ensembles religieux comme le site inca de Machu Picchu, découvert en 1911. Ils témoignent de trois grandes civilisations, celles des Mayas, des Aztèques et des Incas.

Les dieux mayas. Les Mayas ont un panthéon riche et varié qui reflète les clivages de leur société et exprime leur conception dualiste du monde, les dieux étant surtout considérés en fonction de leurs effets, bienfaisants ou malfaisants.

Les principaux dieux sont : Hunabku, « l'unique dieu », le père des dieux; Itzamná, souverain du ciel, dieu principal des prêtres, fondateur de la civilisation maya; Ixchel, déesse mère; Chac, dieu de la Pluie, le dieu le plus populaire; Yumkaax, dieu du Maïs; Ah Puch, dieu de la Mort.

Le panthéon aztèque. Il est très hétérogène, car il assume un triple héritage : l'héritage classique (Quetzalcóatl), l'héritage toltèque (Tezcatlipoca) et enfin celui des Aztèques primitifs (Huitzilopochtli). En général, les Aztèques se montrent indulgents à l'égard des religions indigènes, en partie parce qu'ils pensent que les divinités de celles-ci proviennent des Toltèques, leur modèle de référence. En même temps, ils tentent d'intégrer les principaux dieux dans un système théologique qui prend parfois un aspect dualiste.

Les principaux dieux sont : Ometeotl, dieu de la Dualité et dieu supérieur – les autres grandes divinités émanent de lui et son culte ne supporte pas d'images –; Quetzalcóatl, dieu civilisateur; Tezcatlipoca; Huitzilopochtli, dieu de la Guerre, dieu-soleil et dieu tribal des Aztèques primitifs; Tlaloc, dieu de la Pluie et du Tonnerre, principal dieu de la Végétation; Chicomecóatl, déesse du Maïs; Xipe Totec, dieu de la Végétation printanière; Tonantzin, déesse mère.

◆ **Quetzalcóatl.** « Serpent à plumes »; c'est le dieu de la Lumière et du Soleil diurne; roi-prêtre divin des Toltèques, il est vénéré comme prêtre ancestral et héros civilisateur. (Monolithe de basalte [copie], art aztèque. Musée d'Anthropologie, Mexico)

Les divinités des Incas. Les Incas développent une véritable religion d'État. De leurs conquêtes, ils rapportent des idoles qui sont vénérées dans la capitale comme des divinités inférieures. La religion populaire et certaines religions ethniques persistent néanmoins à l'intérieur de ce système théocratique.

Les deux grandes divinités sont : Inti, dieu-soleil, ancêtre de la famille impériale inca et longtemps principal dieu ; Viracocha, « le dieu », ou l'Être suprême, dominant le panthéon à partir de Pachacútec (1438-1471), qui facilite l'intégration religieuse de l'Empire, mais demeure inaccessible à l'homme du commun.

La cosmologie des Aztèques

De toutes les civilisations précolombiennes, celle des Aztèques a mis au point la conception du monde – cosmologie – la plus élaborée. Pour elle, la surface terrestre est un disque entouré d'eau, situé au centre de l'Univers et subdivisé en largeur et en hauteur. Verticalement, les Aztèques distinguent treize parties pour le monde supérieur et onze pour le monde inférieur (chtonien). Ces deux mondes sont semblables à des pyramides circulaires à degrés : l'une a la pointe en bas et l'autre la pointe en haut, et elles se rejoignent à leur base. Cette surface de jonction constitue la surface terrestre. La plus basse sphère du monde inférieur est le *mictlan*, le royaume des morts.

Horizontalement, le monde est organisé en quatre parties : chacune de ces parties est assimilée à l'un des fils issus de la divinité primordiale, auquel est associée une couleur. Tezcatlipoca rouge est l'Orient, pays de la fertilité et de la vie; Tezcatlipoca noir est le Nord, l'hiver, associé à la mort; Quetzalcóatl blanc est l'Occident, royaume de la vieillesse et de la naissance; Huitzilopochtli bleu symbolise le Sud. L'équilibre originel entre ces quatre forces fut détruit par les luttes qui opposèrent Quetzalcóatl et Tezcatlipoca.

Alors commença le devenir temporel du monde et les hommes furent forcés de soutenir la course du Soleil par des sacrifices humains.

◆ **Tezcatlipoca.** Son nom signifie « Miroir fumant ». C'est le dieu de la Nuit, du Ciel nocturne et du Soleil souterrain, de l'Hiver, du Froid et de la Mort. Également dieu de la Guerre, il protège les jeunes guerriers appartenant aux ordres militaires des « aigles » et des « jaguars ». Crâne incrusté de turquoises et de coquillages, art aztèque. (British Museum, Londres).

◆ **Les civilisations précolombiennes.**

Les Incas.

Le nom « Inca » désigne tantôt une tribu, tantôt l'aristocratie ou la classe dirigeante, et enfin le chef, le monarque : l'Inca est le représentant sacré, voire le fils, du dieu-soleil. L'Empire inca est donc une monarchie théocratique, dont les débuts remontent à la vision du dieu-soleil qu'eut Manco Cápac, légendaire premier Inca (v. 1200). À son apogée (1438-1532), il s'étend de l'actuelle Quito (Équateur) à Valparaíso (Chili). La capitale est Cuzco (« nombril »). Cette expansion s'accompagne d'une forte centralisation : religion d'État, répartition des champs cultivables, système administratif complexe. C'est donc un véritable État qui succombe sous les assauts de Francisco Pizarro en 1532.

Les Mayas.

La civilisation maya se subdivise en deux grandes périodes : l'Ancien Empire, ou période classique (IIIe-Xe s.), et le Nouvel Empire, ou période postclassique (X[e]-XVe s.). La période classique – apogée de la culture maya – est marquée par le développement de grands centres culturels (Tikal, Copán, Palenque, Uaxactún). C'est alors que sont élaborés l'« écriture » et le calendrier mayas. Raffinement esthétique et génie scientifique caractérisent les Mayas, que l'on appelle parfois les « Grecs du Nouveau Monde ». Au Xe s., cette civilisation disparaît, peut-être sous les coups des guerriers toltèques. Au Nouvel Empire, les villes (Chichén Itzá, Mayapán, Uxmal) comptent plus d'édifices profanes que d'édifices religieux et les dieux pacifiques des paysans et des prêtres sont supplantés par des dieux guerriers.

Les Aztèques.

Leur nom dérive de leur lieu mythique d'origine Aztlán, sur les hauts plateaux du Nord-Ouest. Chasseurs nomades à l'origine, ils s'installent au XIIIe s. dans la vallée de Mexico, peuplée par des paysans sédentaires. Là, ils recueillent le double héritage de la culture agraire et pacifique de Teotihuacán et de celle, guerrière et sanguinaire, des Toltèques, et ils élaborent une civilisation militariste. À partir de leur capitale, Tenochtitlán (à l'emplacement de Mexico), ils conquièrent les populations voisines et érigent un empire qui finit par comprendre tout le nord du Mexique. Il connaît son extension maximale sous Moctezuma II (1466-1520), juste avant que Cortés n'entreprenne en 1519 la conquête du Mexique. La destruction de Tenochtitlán, en 1521, marque la fin de l'Empire aztèque.

Le clergé et les rites

Les rituels tenant une place très importante dans la vie des sociétés précolombiennes, il n'est pas étonnant de trouver un clergé nombreux et souvent très spécialisé. Recrutés dans les couches supérieures de la société, les prêtres sont formés dans les *calmecac*, des écoles spécialisées. Mortifications et ascèse, mais aussi apprentissage des chants rituels, de l'écriture et de l'astrologie font partie du programme. Les écoles sont situées dans l'enceinte des centres cultuels, près des temples. Les prêtres les plus considérés sont ceux qui conservent et enrichissent les connaissances relatives à l'astronomie, à l'écriture, à la médecine et à la divination. Le clergé se présente donc d'abord comme garant de la culture avant d'être l'organisateur de la vie religieuse. Les prêtres uniquement préposés aux sacrifices sont considérés comme inférieurs. Pourtant, le besoin en officiants est grand, car de très nombreuses fêtes, généralement en rapport avec le cycle des saisons ou la vie agricole et nécessitant des sacrifices, humains ou non, jalonnent l'année rituelle. Certaines formes de culte échappent néanmoins à l'emprise du clergé, telle la vénération des *huacas* (« puissances ») dans l'Empire inca, c'est-à-dire le culte des lieux (grottes, montagnes, sources ou rochers) et des objets sacrés.

Le jeu de pelote rituel. Le jeu de pelote, appelé *tlachtli,* est un rite essentiel tant chez les Mayas que chez les Aztèques, car il est lié à leur conception du monde. Le terrain de jeu est distribué généralement en quatre parties organisées autour d'un centre, c'est-à-dire qu'il constitue une représentation du monde (cosmogramme). Les allées de jeu figurent l'étroit passage, au sein du monde inférieur, que doit traverser le Soleil (la balle) avant de réapparaître à l'est pour régénérer le monde. Les joueurs doivent faire passer la balle, en caoutchouc, à travers des anneaux placés sur les deux murs latéraux; ils ne doivent jamais la toucher de leurs mains, bien qu'elle soit très lourde, mais seulement de la tête, de l'épaule, du flanc, de la hanche ou du pied. L'affrontement entre les deux équipes de joueurs symbolise le combat cosmologique fondamental entre le jour et la nuit. L'issue du jeu est sanctionnée par le sacrifice des joueurs, qu'ils soient gagnants ou perdants. Ainsi considéré, le jeu de pelote est une étape présacrificielle.

Les sacrifices humains. Ils caractérisent surtout la civilisation aztèque et résultent non d'une cruauté particulière mais d'une conscience aiguë de l'usure cosmique. Un mythe de création explique cette conception de l'univers. Au commencement du monde, tout était sans vie et les ténèbres régnaient. Les dieux se réunirent afin de trouver une solution pour éclairer le monde; deux d'entre eux se proposèrent – l'un devint la lune, et l'autre le soleil –, mais ils étaient morts et ne bougeaient pas. Tous les autre dieux décidèrent alors de se sacrifier pour les nourrir grâce à leur sang. C'est pourquoi les hommes sont dans l'obligation de recommencer éternellement le sacrifice divin primordial afin d'assurer la permanence de la vie et du monde. Alimenter la course incessante du soleil avec du sang humain permet sa réapparition quotidienne. C'est le but principal des sacrifices humains.

Régulièrement, les Aztèques organisent la « guerre des fleurs » dans le seul dessein de faire des prisonniers de guerre destinés à servir de victimes sacrificielles. À côté de la mort par le feu, par les flèches ou par décollation, la forme de sacrifice la plus répandue consiste à arracher le cœur de la victime alors que celle-ci est encore vivante. Le symbolisme du cœur rejoint celui de l'énergie cosmique.

Il semblerait que les victimes et les guerriers n'aient pas redouté la mort, dans la mesure où ils pensaient qu'ils deviendraient les compagnons du soleil, qu'ils avaient nourri de leur sang.

◆ **Un centre religieux, Tenochtitlán.** Tenochtitlán, l'actuel Mexico, grand centre urbain et cultuel du monde précolombien, est conçu selon un plan rigoureux. Les édifices cultuels (temples-pyramides, terrains de jeu de pelote) sont alignés le long de rues qui se coupent à angle droit, selon un modèle que l'on retrouve dans l'ensemble des villes aztèques.

La Grande Pyramide. Elle porte à son sommet les sanctuaires de Tlaloc, dieu de la Foudre et de la Pluie, et de Huitzilopochtli, dieu tribal des Aztèques. De l'autre côté de la rue, la pyramide circulaire de la Lune lui fait pendant.

Le haut de la pyramide, lieu des sacrifices. Escaliers monumentaux et terrasses permettent une mise en scène grandiose : le cortège apportant les offrandes sacrificielles ou accompagnant les victimes se dirige lentement vers le sommet. Une fois le sacrifice accompli, les victimes sont jetées au pied de la pyramide, où la foule se livre parfois à des actes d'anthropophagie.

◆ **Sacrifice humain.** Le cœur sanglant devient un astre en sortant de la poitrine. (Illustration du *Codex Magliabechi.* Bibliothèque nationale, Florence)

◆ **Le dieu Tezcatlipoca et les joueurs.** À côté du dieu de la Nuit, le terrain de jeu figuré par une croix est entouré par les joueurs et par des disques perforés qui, fichés sur des parois, servent en quelque sorte de buts. (Illustration du *Codex Magliabechi.* Bibliothèque nationale, Florence)

Les Toltèques

Les Toltèques, instigateurs de la deuxième civilisation maya et précurseurs des Aztèques, sont à l'origine du caractère guerrier et sanguinaire des religions précolombiennes d'Amérique centrale. En inventant l'histoire mythique de Quetzalcóatl, ils ont légitimé la royauté sacrée, justifié les sacrifices humains, forgé l'image d'un âge d'or et suscité l'attente d'un Sauveur. Selon le mythe, le dieu créateur Quetzalcóatl, qui a pour équivalent humain le roi Topiltzin Quetzalcóatl, règne sur une sorte de paradis situé à Tollan (site attesté de Tula), où tout n'est que fertilité, bonté et beauté. Tout change quand arrive le rival de Quetzalcóatl, Tezcatlipoca, dieu sanguinaire et belliqueux. Celui-ci chasse Quetzalcóatl de son royaume et instaure le sacrifice humain. C'est le déclin de Tollan, et la guerre devient une nécessité. Mais Quetzalcóatl a promis de revenir pour restaurer son royaume. À cause de ce mythe, nombreux furent ceux qui prirent les conquistadors pour des libérateurs.

VOIR AUSSI
- **Calendriers maya et aztèque** p. 407
- **Art précolombien** p. 1058

Les religions aujourd'hui

Les Indiens

L'Amérique du Nord, avant la conquête européenne, était caractérisée par une grande diversité de peuples et de cultes. On peut constater deux traits dominants aujourd'hui chez les Indiens : le sentiment de faire partie intégrante de l'Univers, d'où un profond respect de la nature; l'existence d'un certain syncrétisme qui a permis de conserver des traditions anciennes tout en adhérant au christianisme.

Les esprits. La Terre est considérée comme la mère nourricière, il faut en prendre soin. Tout dans la nature est investi d'une puissance sacrée. Ainsi, les montagnes, lieux mystérieux où soufflent les vents et où la vie s'élabore à travers les eaux, abritent de nombreux esprits. Si pour certains Indiens il existe une puissance suprême (le *manitou* des peuples algonquins), c'est surtout avec les esprits que les contacts s'établissent. Présents partout, dans les animaux, les végétaux, ils jouent un rôle essentiel, et il est nécessaire de les respecter et de se les concilier.

Un personnage important et mystérieux, présent dans certains mythes indiens, est le *trickster* ou bouffon divin. À la fois malicieux et fourbe, comique et amoral, il représente un principe de désordre mais il est aussi celui qui apporte la civilisation aux hommes. Ainsi, c'est lui qui a appris aux Indiens de Californie les techniques de guérison et de divination du chaman.

Une croyance très répandue est celle de l'existence d'un animal-compagnon qui reste auprès de l'individu de la naissance à la mort et le protège. Si l'animal-compagnon d'un homme est blessé ou fait prisonnier, ce dernier souffre, et s'il meurt, l'homme meurt en même temps que lui.

Les rites. Dans les rites d'initiation, l'adepte est mis en contact avec des esprits qu'il rencontre lors d'un rêve, d'une transe ou d'une vision. Il peut s'agir d'émanations des forces naturelles, eau, soleil, foudre, vents, nuages, d'esprits d'animaux ou de chasseurs et de guerriers morts. Lorsqu'il a rencontré son esprit, l'initié reçoit de lui une chanson, qui doit rester secrète et qu'il ne peut utiliser que dans certaines circonstances (en cas de danger ou avant de mourir), ainsi que des objets magiques (cailloux, plumes, cristaux, graines, ossements, tissus) qui sont regroupés dans un paquet sacré, le « sac médecine », qui devient alors une arme magique.

Pour les Indiens d'Amérique, la souffrance ou la maladie s'expliquent par des sortilèges. Ils font appel alors aux services d'un sorcier qui, par diverses techniques, va extraire la maladie du corps du patient. Certaines cérémonies exigent de pénibles efforts physiques, comme les séjours dans les cabanes de sudation qui visent à purifier les corps, ou la danse face au soleil *(Sun dance)*, qui tente d'établir une communication avec l'astre.

Malgré les persécutions et les conversions forcées, l'originalité des traditions indigènes a su se maintenir jusqu'à nos jours. Les Amérindiens, qui connaissent une certaine vitalité démographique, entendent rester fidèles à l'héritage culturel et religieux de leurs ancêtres.

Le chaman

Un personnage joue un rôle essentiel dans les religions d'Amérique : le chaman (il existe aussi dans les traditions religieuses d'Asie septentrionale ou chez les populations de l'Arctique). Il occupe une position intermédiaire entre le monde des hommes et celui des esprits. Le chaman est un individu doué de pouvoirs surnaturels qui, grâce à des transes, à l'absorption de plantes hallucinogènes, ou par un jeûne prolongé, peut aller dans l'autre monde lors d'un voyage imaginaire et entrer en communication avec un ou plusieurs esprits qui le protègent et l'aident à vaincre d'autres esprits malfaisants.

Sa principale fonction est de guérir les maladies, en particulier en retrouvant les âmes égarées, mais il peut aussi prédire l'avenir, interpréter les présages, assurer une bonne chasse, appeler la pluie, protéger les hommes, découvrir les voleurs et les sorciers. Spécialiste du rituel, il organise les cérémonies. Il est capable de rétablir l'ordre par sa connaissance du monde des puissances invisibles et de gérer les relations avec les morts. Mais il peut aussi être dangereux, par exemple en provoquant des maladies. Sa fonction est donc ambivalente, bénéfique pour certains, redoutable pour d'autres.

◆ **Chaman indien Navajo.**

Le vaudou haïtien

Au Bénin (anc. Dahomey), les Africains pratiquent encore aujourd'hui un culte à des esprits appelés « vodoun ». Les esclaves noirs transplantés en Amérique ont conservé une partie de leur religion d'origine, même après leur conversion au christianisme. C'est particulièrement en Haïti que le culte des vodoun a survécu, sous le nom de « vaudou haïtien ». Il représente, depuis le temps de l'esclavage, une forme de refus de la domination des Blancs.

Le vaudou est une religion populaire vécue parallèlement au christianisme. Comme dans les religions purement africaines, le Dieu unique (« Grand Maître ») reste lointain. Le rituel, dirigé par les *houngan*, comprend divination et sacrifices; il se déroule autour d'un poteau central considéré comme le « chemin des esprits ». Chaque adepte est sous la protection d'un esprit appelé *loa*. Les *loa* ont chacun leur nom et leur personnalité; ils se répartissent en deux grands groupes, les *loa rada*, pacifiques et associés à l'eau, et les *loa petro*, plus violents et puissants, associés au feu. L'aspect le plus spectaculaire du vaudou est la possession par le *loa*, qui « chevauche » l'initié. La transe est une expérience qui intègre fortement les fidèles à la communauté et leur donne un sentiment puissant de sécurité intérieure.

Même si les saints catholiques correspondent parfois avec les divers *loa* et si le calendrier des cérémonies est calqué sur l'année liturgique chrétienne, les adeptes du vaudou, le plus souvent baptisés, maintiennent grâce au culte exprimé en langue créole une identité riche de sa contestation et de ses pratiques symboliques originales.

◆ **Scène de vaudou.**
Les dessins rituels et les offrandes d'aliments, arrosés d'alcool et éclairés par des chandelles, doivent contraindre les *loa* (« esprits ») à se manifester.

Les syncrétismes d'Amérique latine

En Amérique latine, au Brésil surtout, les anciens esclaves ont conservé le souvenir de la religion de leurs ancêtres africains. Les formes ont évolué au contact du christianisme et, dans une moindre mesure, des religions indiennes. Des syncrétismes religieux se sont ainsi développés, particulièrement au Brésil et dans les Antilles. La plupart des fidèles des Églises syncrétistes sont également catholiques. Le moment le plus fort du culte est la possession de l'adepte par une ou plusieurs divinités.

Candomblé, macumba. Le culte le plus important est celui du *candomblé*, qui a rayonné à partir de l'État de Bahia. Il reprend des éléments des religions yorubafon, bantoues, amérindiennes et catholiques. On y célèbre les *orisha*, divinités de l'ethnie nigériane des Yoruba.

Les *orisha* sont identifiés à des saints catholiques (par exemple, Jemanya, divinité des eaux douces, est assimilée à la Vierge à cause de son rôle de mère de diverses divinités); mais les cérémonies (divination, initiation, sacrifice, transe, chants et danses) restent conformes aux traditions africaines. On y retrouve la prise de possession de l'initié par la divinité lors d'une transe, ce qui lui permet à la fois d'être le support de l'esprit et aussi de construire son identité en tant qu'individu. On peut encore citer la *macumba*, répandue surtout dans les villes, et sa variante l'*umbanda*. Née en 1936 dans la zone de Rio, ce syncrétisme, à l'origine de cultes africains et de religions amérindiennes traditionnelles, est aujourd'hui en pleine expansion et emprunte à toutes les traditions religieuses. Il existe un rituel *umbanda* ésotérique, réservé aux initiés, et un autre, plus populaire, où sont vénérés dix *orisha* ainsi que des images de saints (anciens esclaves, Indiens d'Amérique et enfants). Le culte est centré sur la possession où les initiés deviennent les « montures » des esprits et permettent de communiquer avec eux.

Ces religions semblent assurer une fonction de compensation sociale au sein de groupes défavorisés. Au Brésil, lorsque les sectes africaines sont interdites par la police, le nombre des maladies mentales augmente et on rouvre les *candomblés* à la demande des médecins.

Les religions dans le monde

Sécularisation et crispation

Deux tendances contradictoires sont à l'œuvre dans le monde des religions aujourd'hui : la sécularisation, importante en Europe, mais ayant un impact différent selon les pays, et la crispation liée au repli identitaire et idéologique, mouvement qui n'épargne aucune confession ni aucune aire culturelle. Il faut cependant se garder de toute généralisation.

La sécularisation. Elle résulte d'une perte de l'emprise des religions sur la société et, d'autre part, d'une individualisation de la religion, phénomènes qui se sont développés principalement en milieu chrétien au XIXe et au XXe s.

On constate, à partir des années 1960, un effondrement de la pratique religieuse dans la plupart des pays d'Europe de l'Ouest, qu'ils soient de tradition catholique comme la France, ou protestante comme les pays scandinaves ou la Grande-Bretagne. Toutefois, ce déclin de la pratique régulière n'empêche pas de faire appel aux services des Églises pour les moments importants de la vie, notamment baptême, parfois mariage, et surtout enterrements religieux, ni de s'affirmer croyant. La sécularisation est donc non pas la disparition des religions, mais plutôt la recomposition et la privatisation du religieux.

Le cas de la France est intéressant ; la sécularisation, qui se vit en France sur le mode original de la laïcisation (depuis 1946, la laïcité figure dans la Constitution), progresse. Selon les critères adoptés, le catholicisme y est majoritaire (70 % des Français se déclarent catholiques) ou minoritaire (pratique cultuelle régulière de l'ordre de 12 %). Les rapports entre l'État et les autorités religieuses ont évolué, le premier n'hésitant pas à consulter les secondes sur certaines questions, comme celles de la réflexion sur l'éthique.

La crispation identitaire. Partout dans le monde, on assiste à une montée en force de courants religieux intégristes, à une instrumentalisation du religieux à des fins politiques et à une réaffirmation des identités religieuses sur la scène publique, que ce soit avec la poussée des mouvements islamistes, la montée des courants juifs ultra-orthodoxes, le renouveau des Églises protestantes fondamentalistes, ou le renforcement de l'intégrisme catholique, qui considèrent tous la modernité comme dangereuse pour l'homme.

Ainsi, certains juifs d'Israël prônent une politique fondée sur les Écritures et appellent de leurs souhaits la constitution d'un État théocratique. Ils préconisent une observance religieuse très stricte et vivent volontairement dans des quartiers fermés. Leur rôle politique est loin d'être négligeable. L'hindouisme n'est pas exempt de ces tentations de repli identitaire ; certains mouvements reprochent à l'État laïque indien de ne pas défendre suffisamment les bases identitaires et religieuses de la société hindoue, face, en particulier, aux musulmans d'Inde, qui veulent défendre leur identité islamique.

En Iran, la révolution islamique a proposé à l'ensemble du monde musulman un modèle intégriste radical. Certains mouvements protestants proposent une lecture fondamentaliste de la Bible, et le catholicisme connaît, en son sein, une attitude de repli avec les traditionalistes.

Le fondamentalisme chiite. C'est en mars 1979 que la « République islamique » a été proclamée en Iran, un mois après l'arrivée de l'ayatollah Khomeiny, de retour de son exil français de Neauphle-le-Château. Dans le monde entier le retentissement de l'événement fut considérable : l'Occident découvrit un aspect inconnu, difficilement compréhensible pour lui et redoutable, de la religion islamique ; tandis que le monde musulman se trouva partagé, encore que ses gouvernements fussent dans l'ensemble plutôt hostiles.

La grande crainte soulevée par la révolution iranienne fut celle d'une contamination : le nouveau régime alimenta cette crainte en s'affirmant comme l'unique forme de gouvernement possible, c'est-à-dire religieux, avec l'application de la *charia* (loi islamique) et la direction du pouvoir confiée à l'ayatollah, en présentant le conflit avec l'Iraq comme une forme du djihad (guerre sainte) et en favorisant les manifestations d'hostilité à l'Occident. Toutefois, la contagion ne s'est pas réalisée : le modèle iranien n'a pas suscité ailleurs de révolutions du même genre.

L'intégrisme catholique. Pas plus que les autres religions, le catholicisme n'a été épargné par le conflit entre les tenants d'une adaptation de la foi au monde moderne et les partisans du strict maintien de l'héritage religieux. La querelle entre les deux tendances, la continuité et le changement, s'est cristallisée sur les décisions du concile de Vatican II et sur leurs conséquences. En juin 1988, Mgr Marcel Lefebvre, chef du mouvement des catholiques traditionalistes qui n'acceptent pas les décisions conciliaires (refus du gouvernement collégial de l'Église, de la conception des pouvoirs du pape, de la messe en langue vulgaire...), ordonne quatre évêques – un Britannique, un Suisse, un Espagnol et un Français – au séminaire d'Écône, en Suisse ; déjà menacé de suspension depuis 1976, il est aussitôt excommunié en même temps que les quatre évêques. Le schisme avec l'Église catholique romaine est consommé. Les traditionalistes, au nombre d'environ 100 000, ont leurs lieux de culte et leur organisation propre.

Dialogue et œcuménisme

Le dialogue interreligieux s'est surtout développé dans la seconde moitié du XXe s. ; un moment décisif pour son avancée a été la déclaration *Nostra aetate* sur « les relations de l'Église avec les religions non chrétiennes » lors du concile de Vatican II, en 1965. Pour la première fois, l'Église catholique romaine pose un regard positif sur les religions du monde. Cela sera suivi de gestes symboliques de rapprochement avec le judaïsme, l'islam, et surtout la rencontre d'Assise, en octobre 1986, où se sont retrouvés des représentants des religions du monde entier.

D'autres organismes, comme le Conseil œcuménique des Églises, le Parlement mondial des religions ou la Conférence mondiale des religions pour la paix veulent être des lieux de dialogue et d'échanges féconds au service de la paix. La volonté de dialogue est donc réelle, même s'il existe des difficultés certaines.

◆ **Journée de la paix à Assise, en Italie** (1986). Au centre du document, le dalaï-lama, Tenzin Gyatso, qui sera prix Nobel de la paix en 1989 ; à sa droite, le pape Jean-Paul II.

L'œcuménisme. Ce mouvement pour l'unité de chrétiens ne se comprend que par référence au schisme de 1054 entre catholiques et orthodoxes, et à la naissance des Églises protestantes au XVIe s. Il veut redonner son unité à la famille chrétienne divisée en insistant sur les points communs et témoigner des valeurs chrétiennes dans les domaines politique et social (lutte contre les discriminations, activités humanitaires...).

L'œcuménisme a commencé à se développer dans le protestantisme à partir du milieu du XIXe siècle. Il se manifesta d'abord avec l'éclosion d'organismes de caractère international et interconfessionnel, parmi lesquels le plus connu est l'Alliance évangélique universelle. Puis, à partir de 1948, avec le Conseil œcuménique des Églises, qui regroupe les Églises protestantes, anglicanes et orthodoxes. L'Église catholique y envoie, depuis 1968, une délégation officielle d'« observateurs ».

◆ **Nombre d'adeptes des grandes religions.**

bouddhistes	324	confucianistes	5
chrétiens	1928	hindouistes	780
dont :		jaïns	3
catholiques romains	1000	juifs	14
protestants	396	musulmans	1100
anglicans	70	sikhs	19
autres	276	taoïstes	20
		nouveaux syncrétismes	121

Estimations 1996 (en millions).

Petit lexique

agnosticisme : doctrine qui refuse de prendre parti sur l'existence de Dieu, car elle considère que l'absolu est inaccessible à la connaissance humaine.

athéisme : doctrine qui nie l'existence de Dieu et de toute divinité.

fondamentalisme : tendance conservatrice de certains milieux religieux qui n'admettent que la seule lecture littérale des Écritures saintes.

intégrisme : attitude de certains croyants qui veulent conserver l'intégralité de leur tradition religieuse et donc se refusent à toute évolution.

laïcité : principe de séparation du civil et du religieux.

positivisme : système philosophique qui considère que seule l'observation des faits et l'expérience fondent la connaissance.

Une nouvelle religiosité

Des spiritualités individuelles

Malgré les prévisions du positivisme triomphant du XIXe s., les religions n'ont pas disparu, bien au contraire. Peut-on, pour autant, parler de « retour du religieux » ? Cette formule ne rend probablement pas compte de la réalité contemporaine ; plutôt que de retour ou de réveil, il serait plus juste de parler de mutation du religieux et de prolifération des formes de croyance dans la société contemporaine.

L'effritement de la tradition chrétienne en Europe et aux États-Unis, le succès des valeurs matérialistes ainsi que l'affaiblissement des grandes idéologies politiques ont créé un vide spirituel dont tous n'ont pu se satisfaire. Le besoin de sens et les grandes questions existentielles n'ont pas disparu : d'où le succès de nouvelles formes de religiosité, phénomène qui recouvre une réalité hétérogène et complexe.

On constate, à partir des années 1970, le développement de nouveaux mouvements religieux : certains se situent dans une perspective de renouvellement des Églises chrétiennes, comme le Renouveau charismatique ; d'autres, qualifiés de « mystiques ésotériques », combinent des thèmes et des pratiques empruntés aux différentes traditions spirituelles d'Occident et d'Orient qu'ils associent à des pratiques de type « psychocorporel ».

Ce qui caractérise l'époque contemporaine, c'est la fluidité des appartenances, et le primat donné à l'individu. On entre dans ces groupes, parfois éphémères, en fonction du bien-être personnel. Cependant, dans certains mouvements, l'engagement des adeptes est intense et exclusif, et l'attachement au maître spirituel, essentiel. Chacun se construit son univers de significations en choisissant les croyances, les pratiques, les valeurs, les symboles qui lui conviennent, d'où l'élaboration de credo personnels parfois surprenants. Dans cet univers de « supermarché du religieux », le choix est vaste. On emprunte aussi bien au fonds chrétien – avec la croyance en Dieu, perçu plus comme une énergie diffuse que comme un Dieu personnel, ou avec l'engouement actuel pour les anges – qu'aux spiritualités orientales (techniques de méditation, croyance en la réincarnation et aux vies antérieures dans une perspective d'enrichissement des expériences personnelles, bien loin de la conception hindoue). Les pratiques ésotériques, astrologie, voyance, magie, spiritisme, de même que les médecines « alternatives » séduisent de plus en plus de gens. La quête du bien-être ici et maintenant est essentielle ; l'individu, par diverses techniques de travail corporelles et spirituelles, est à la recherche d'un accomplissement intérieur, d'un développement personnel, d'une harmonie avec soi et avec le monde.

Le Nouvel Âge. Le *New Age* est né en Californie, dans les années 1960 ; il annonce une ère d'harmonie, de sagesse et de bonheur pour l'humanité, l'ère du Verseau, symbole de vitalité et de renouveau, qui succèdera à l'ère des Poissons, marquée par le christianisme.

Empruntant à diverses religions, il propose que chacun, par un travail sur soi approprié, s'ouvre au divin qui réside en lui et contribue ainsi à l'avènement d'une nouvelle humanité où tout antagonisme sera aboli. Cette appellation de « Nouvel Âge » recouvre des courants multiformes qui proposent des spiritualités et des techniques très diverses.

Agnostiques et athées

Le nombre des agnostiques – les personnes sans opinion sur l'existence de Dieu – s'élèverait à environ 830 millions ; celui des athées – les personnes affirmant ne pas croire à l'existence de Dieu – atteindrait 220 millions.

Dans les pays anciennement à régime marxiste, plusieurs décennies de propagande antireligieuse ont augmenté la proportion des agnostiques et des athées, au détriment de la religion. En Occident, cependant, la multiplication des États séculiers, c'est-à-dire dépourvus de religion officielle, a contribué aussi aux progrès du courant agnostique ou athée : ainsi aux États-Unis, au Canada ou en France, c'est-à-dire dans des pays où la tradition chrétienne dominait.

Les sectes

Étymologiquement, une secte est un groupe qui suit un fondateur et sa doctrine (*sequi* : suivre). Il s'agit souvent d'un petit groupe qui fait sécession d'un plus grand, mais qui est aussi en rupture avec la société globale. Dans l'opinion, cette appellation est à juste titre connotée péjorativement. Quant aux groupes qualifiés de sectes, ils rejettent cette dénomination et revendiquent, pour certains, le nom de religion ou d'Église.

Le terme *secte* recouvre donc une réalité foisonnante et mouvante, difficile à analyser. Certains de ces groupes n'ont que quelques adeptes, d'autres des millions ; quelques-uns vivent repliés sur eux-mêmes, d'autres, au contraire, développent un important prosélytisme. L'actualité tragique de ces dernières années (suicide de 80 davidiens à Waco, au Texas, en 1993 ; affaire du Temple solaire au Canada et en France, en 1994-1995 ; attentat de la secte Aum Shinri-kyo au Japon, en 1995) illustre la dangerosité de plusieurs groupes, qui n'est pas sans inquiéter les pouvoirs publics.

Les plus anciennes sectes sont nées dans le milieu protestant, en réaction contre lui, dans les pays anglo-saxons ; les plus dynamiques à ce jour sont les Témoins de Jéhovah. À partir de 1968 est apparue une nouvelle vague, venue d'Orient, comme l'Église pour l'unification du christianisme mondial (Moon), l'Association universelle pour la conscience de Krishna, la Méditation transcendantale, ou des États-Unis, comme l'Église de scientologie, les Enfants de Dieu…

Les sectes séduisent par les expériences religieuses qu'elles proposent, parfois par l'attrait d'un certain exotisme, par le charisme de leur leader, par la promesse d'un épanouissement personnel, mais aussi par l'intégration à un groupe.

Certains de ces groupes nuisent, parfois gravement, à leurs adeptes, soit physiquement (pratiques d'ascèse excessives, refus des soins médicaux traditionnels), soit psychologiquement (manipulation des esprits, exploitation financière, abus de pouvoir du leader, rupture avec le milieu familial et social…), ce qui entraîne parfois des actions de la police et de la justice, saisies de plaintes déposées par des victimes ou par des organismes de défense des libertés individuelles.

7 Le Monde géopolitique

La multiplication récente des acteurs étatiques (on dénombre quelque 200 États souverains) induit une réalité géopolitique très complexe.

D'une part, l'égalité juridique des États se révèle très théorique compte tenu des immenses différences (géographiques, démographiques, économiques et politiques) qui les caractérisent. Certains pays doivent ainsi compter avec l'arbitrage, sinon l'intervention, d'autres nations dans les conflits qu'ils ont à résoudre. D'autre part, force est de composer avec l'émergence de nouveaux acteurs (organisations internationales et régionales, organisations non gouvernementales, sociétés multinationales, et même médias...), signe d'une mondialisation croissante de la société contemporaine.

◆ **Drapeaux de pays du monde entier flottant au vent lors de la foire de Düsseldorf.**

RÉGIONS ET PAYS

ORGANISATIONS INTERNATIONALES

L'Europe

Aspects généraux

Géographie et peuplement

Péninsule de l'ensemble eurasiatique, l'Europe n'est pas un continent à part entière. Ses frontières orientales avec l'Asie sont floues, puisque l'Oural n'est pas une chaîne de montagnes très marquée. Mal défini dans ses limites, le continent européen est néanmoins composé d'espaces géographiques délimités, qui sont autant d'espaces historiques et culturels.

La géographie européenne se définit autour de quelques grands espaces physiques : le massif alpin qui sépare le nord et le sud du continent et surtout les grands fleuves (Rhin, Danube, Volga) qui organisent la présence humaine et l'activité économique. Très variés en restant tempérés, les climats vont d'un climat méditerranéen chaud et sec au sud, à une Europe occidentale océanique plus humide à l'ouest, à un climat continental froid qui s'impose dès les plaines d'Europe centrale, auxquels s'ajoutent, enfin, plusieurs zones montagneuses. Cette variété de climats a aujourd'hui encore une grande influence sur les activités agricoles qui sont l'une des richesses du continent.

Essentiellement d'origine indo-européenne mais comportant d'autres apports spécifiques (magyars, basques...), le peuplement européen s'est cependant très tôt différencié en plusieurs aires linguistiques et culturelles forgées par l'histoire. Longtemps, l'histoire européenne a été avant tout une histoire méditerranéenne, s'identifiant aux aires des civilisations grecque et romaine, et négligeant les zones au-delà du *limes* (frontière de l'empire romain), dominées par les « barbares ». Les grandes invasions ont nettement bousculé cette organisation de l'espace et mêlé aux populations de l'empire (Romains, Gaulois, Ibères, Grecs, etc.) les « barbares » fraîchement arrivés. De l'Antiquité, il reste cependant une division entre l'aire des langues romanes héritières du latin (français, italien, espagnol, portugais, roumain), nettement différenciée des deux autres aires linguistiques et culturelles, anglo-saxonnes ou slaves.

Trois grandes aires

L'histoire a ainsi découpé l'Europe en trois grandes aires culturelles, religieuses et linguistiques, trois « civilisations » telles que les définit Fernand Braudel : l'Europe latine et catholique, l'Europe nordique et protestante et, enfin, l'Europe gréco-slave et orthodoxe. À chacune de ces aires correspondent donc une variante du christianisme et des caractéristiques linguistiques et culturelles héritées de l'histoire.

La première correspond ainsi à la partie européenne de l'Empire romain d'Occident. C'est une Europe méditerranéenne, catholique et dominée par les langues latines. Cette Europe, dont le développement culturel a été plus tardif que celui de la péninsule hellénique, s'est constituée sur les bases juridiques et économiques posées par l'Empire romain. Le commerce méditerranéen a par la suite favorisé l'émergence de structures politiques et administratives. Après la phase de troubles liée à la disparition de l'Empire romain, c'est également dans cette région que sont nés les premiers États modernes, notamment les royaumes de France, d'Angleterre et d'Espagne. Cette émergence de l'État moderne repose sur trois piliers : une administration centralisée qui met progressivement fin au féodalisme (d'abord dans les domaines militaire et fiscal), la séparation progressive des pouvoirs religieux et séculier (et donc l'indépendance vis-à-vis du pape et de Rome) et, enfin, la définition et la reconnaissance progressives de frontières nationales. Sans être jamais unifiée, cette Europe occidentale et latine sera bien plus tard le berceau de la construction européenne contemporaine.

La seconde Europe, que l'on peut schématiquement qualifier de nordique et protestante, comprend la péninsule scandinave, la partie nordique et orientale de l'Allemagne et la Grande-Bretagne. Si, bien entendu, l'histoire de plusieurs régions se confond avec celle de l'Empire romain (Allemagne rhénane, Angleterre), cette partie de l'Europe ne partage pas l'héritage linguistique et culturel des pays latins. Les langues et le droit sont notamment de tradition anglo-saxonne. Cette différence culturelle a favorisé l'implantation du protestantisme et de ses différentes variantes. Cette Europe partage néanmoins une histoire largement commune avec l'Europe latine, comme l'illustre le rôle pivot du Saint Empire romain germanique, qui s'est étendu de l'Italie centrale aux côtes des mers du Nord et Baltique. Sans doute favorisé historiquement par le protestantisme, c'est également dans cette zone qu'est né le capitalisme moderne à la fin du XVIIIe siècle.

Si elle trouve son origine dans le monde hellénique et l'Empire romain d'Orient, la troisième Europe est à dominante orthodoxe et slave.

◆ Paysage rural français.
Les zones rurales françaises ont profondément évolué au cours des cinquante dernières années. La mécanisation de l'agriculture et le développement urbain ont, en effet, provoqué le regroupement des terres et un réel dépeuplement. La préservation du milieu rural est une préoccupation des élus et des gouvernements.

◆ Le port d'Anvers.
Depuis le Moyen Âge, le port d'Anvers, en Belgique, fait partie des principaux lieux d'échanges européens. Il a notamment réussi à maintenir ses activités par de successives modernisations qui en font encore aujourd'hui, avec Rotterdam et Hambourg, l'un des plus grands ports de la mer du Nord.

◆ Festival traditionnel en Roumanie.
Pays de culture à la fois orthodoxe et latine, la Roumanie, comme les autres pays de l'Europe centrale et balkanique, conserve des traditions populaires vivaces qui se manifestent à l'occasion des fêtes traditionnelles.

◆ Aciéries Thyssen, dans la Ruhr.
La Ruhr est emblématique des grandes régions industrielles européennes. Les industries traditionnelles (sidérurgie, chimie) s'y sont développées dès le XIXe s., en s'appuyant sur l'extraction du charbon et du fer.

Cet ensemble comprend comme les précédents des exceptions, à l'image de la Roumanie, qui utilise une langue latine, ou de la Pologne catholique. La base culturelle de cette Europe orientale et balkanique est cependant avant tout constituée par l'héritage orthodoxe venu d'un Empire romain d'Orient largement hellénisé et des invasions slaves qui ont profondément transformé son peuplement. En effet, l'histoire de ces régions, qui sont d'une certaine manière les marches orientales du continent européen, est pendant plus de dix siècles marquée par la fréquence des invasions et tentatives d'invasions. Certaines ont laissé une empreinte durable dans le peuplement de cette Europe, à l'image des Magyars, installés en Hongrie, ou des Turcs, présents dans les Balkans, du XVe au XXe siècle. À l'exception relative des peuples d'Europe centrale (Polonais, Tchèques et Hongrois), l'histoire de cette Europe est largement disjointe de celle des deux autres. Le plus grand État de cette région, la Russie, en est l'exemple le plus frappant puisque ce pays a connu une histoire et un développement au moins autant tournés vers l'Asie que vers l'Europe.

Ces grandes aires culturelles sont bien entendu schématiques ; elles permettent cependant de bien saisir à la fois la complexité et la richesse de l'histoire européenne. En étudiant l'Europe contemporaine, on peut procéder à un découpage plus précis en distinguant différentes régions européennes.

L'Europe contemporaine

Au sein des trois grandes aires culturelles, on peut en fait délimiter plusieurs sous-ensembles régionaux. Ils se superposent, sans les recouper parfaitement, aux aires religieuses et culturelles, et sont l'héritage d'une histoire mouvementée. Le développement économique est enfin un facteur permettant de bien identifier les cinq grandes régions européennes d'aujourd'hui.

L'Europe occidentale. Marquée par l'influence romaine, cette région est le berceau du christianisme occidental (catholique et protestant), et a donné naissance aux grands courants intellectuels et politiques, de la Renaissance aux Lumières, de l'absolutisme royal au libéralisme politique, du nationalisme aux variantes du socialisme. C'est également dans cette région qu'a débuté, au XVIIe s., la révolution industrielle, selon un arc passant de la vallée de la Tamise en Angleterre à celle du Pô en Italie du Nord, et traversant les Flandres et les abords du Rhin. La richesse agricole, puis industrielle, et les capacités d'innovation de l'Europe occidentale lui ont permis, à travers la colonisation, d'imposer au reste du monde son modèle culturel, ses langues et ses institutions, « européanisant » presque totalement l'Amérique et l'Océanie, et marquant durablement l'Asie et l'Afrique.

Ce processus n'a cependant pas été le fait d'une Europe unie, bien au contraire. Jusqu'au XXe s., l'Europe s'est construite par la guerre, les grandes nations d'Europe occidentale (France, Angleterre, Espagne, Autriche, puis Allemagne et Italie) se sont formées dans la violence, qu'il se soit agi de mettre en place les institutions ou de définir les frontières. L'Europe n'a longtemps connu que des périodes de paix précaires et brèves, et s'est plus souvent illustrée par des conflits embrasant l'ensemble du continent (guerres de Religion, guerres napoléoniennes, deux guerres mondiales) et devenant de plus en plus meurtriers au fur et à mesure des progrès techniques. L'Europe occidentale est aujourd'hui le cœur de l'Union européenne et compte, depuis près de deux siècles, parmi les régions économiquement les plus développées et les plus prospères du monde.

L'Europe nordique. Profondément occidentale culturellement et économiquement, elle conserve une spécificité sans doute liée à une histoire longtemps distincte et à une certaine distance prise par rapport à l'histoire du continent depuis la fin des ambitions continentales suédoises au XIXe s. Économiquement très développée, elle rejoint aujourd'hui par étapes le processus de construction européenne dont elle s'était tenue à l'écart.

L'Europe centrale. Les peuples slaves (polonais, tchèque, slovaque, roumain) et magyar (hongrois) n'ont connu, jusqu'au XXe s., d'existence étatique indépendante qu'épisodique, étant souvent partagés entre les grands empires (autrichien, allemand, ottoman et russe). La fin de la domination soviétique rapproche cette Europe de l'Occident et lui permet aujourd'hui de retrouver le chemin de la prospérité économique après une phase difficile. L'Europe centrale cherche aujourd'hui à confirmer son ancrage culturel à l'Occident par une participation active aux organisations occidentales.

L'Europe balkanique. Longtemps davantage tournée vers l'Orient à partir de la séparation entre Rome et Byzance et surtout pendant les cinq siècles de domination ottomane, elle a réintégré par étapes le concert européen au XIXe s. et est devenue un enjeu entre les grandes puissances. Aujourd'hui déchirée par des conflits, cette région compte les pays les plus pauvres du continent et paraît économiquement encore à développer.

L'Europe orientale. Elle est marquée par le poids démographique et géographique du géant russe. La Russie s'est longtemps trouvée partagée entre ses aspirations modernistes européennes et ses ambitions géographiques asiatiques. Elle n'est devenue un véritable acteur européen qu'à partir du XVIIIe s., sa présence stratégique en Europe centrale connaissant des phases de flux et de reflux au gré des guerres et des évolutions politiques. Depuis la fin de l'URSS, elle traverse une longue phase de recomposition, aux résultats encore incertains.

◆ **Réfugiés kosovars,** dans un camp au sud de Stimlje, au Kosovo, en oct. 1998.
Les événements du Kosovo ont, en 1998 et 1999, provoqué la fuite de centaines de milliers d'Albanais chassés de la province par les forces serbes. Ce conflit, qui s'est soldé par une intervention de l'OTAN, a représenté un nouvel épisode des guerres ayant frappé les Balkans depuis 1991.

◆ **Mineurs russes en grève sur la place Rouge,** à Moscou, le 30 août 1998.
Les profondes transformations qui affectent la Russie depuis la perestroïka et la disparition de l'URSS frappent durement des catégories jadis privilégiées par le régime communiste (comme les mineurs), qui manifestent régulièrement, et parfois violemment, leur mécontentement devant des salaires impayés et des conditions de travail détériorées.

◆ **Manifestation d'agriculteurs à Paris,** le 19 nov. 1997.
Si la construction européenne a, dans un premier temps, permis de moderniser et de renforcer l'agriculture des pays de la Communauté européenne, en particulier celle de la France, les évolutions nécessaires de la PAC (Politique agricole commune) provoquent régulièrement des protestations énergiques.

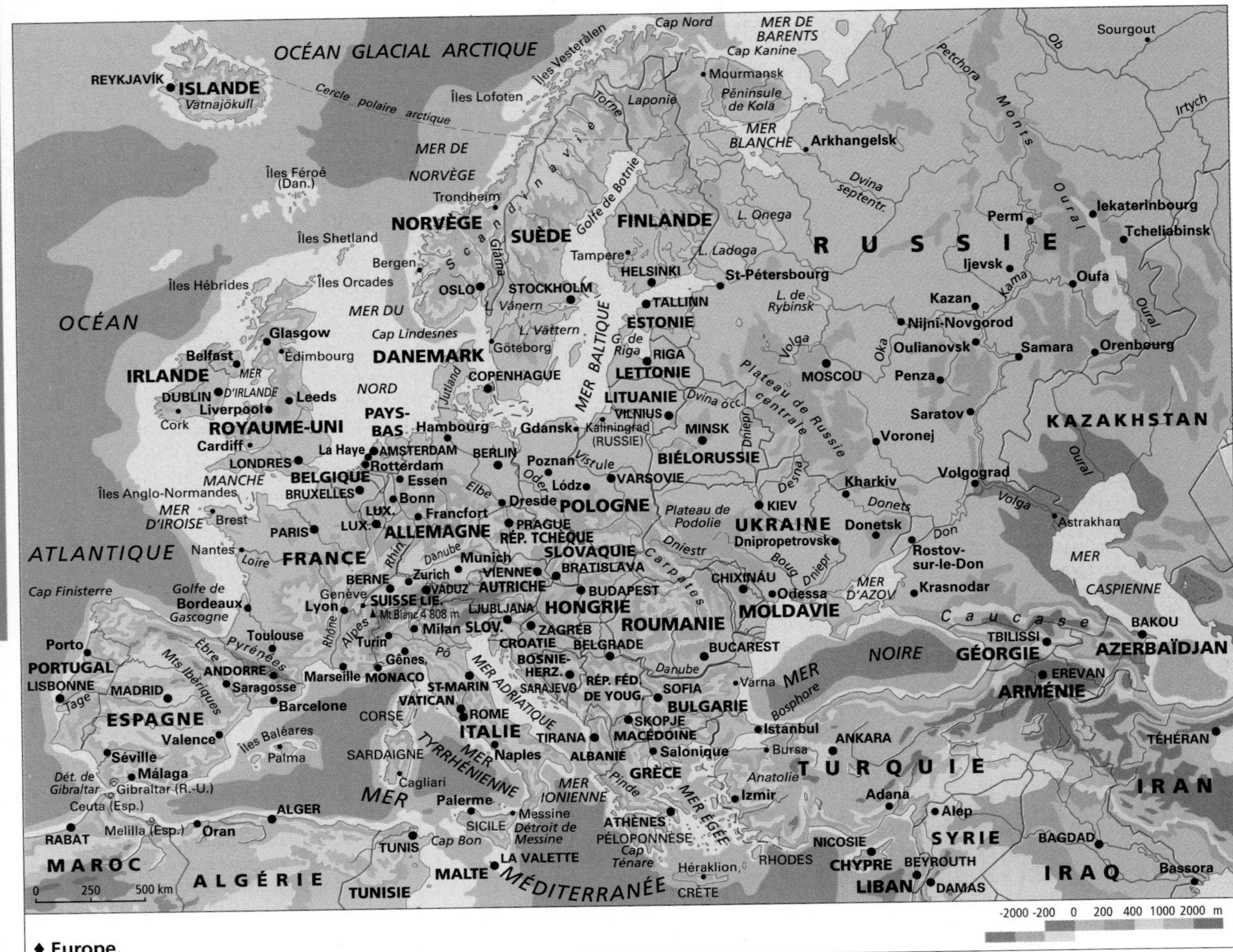

♦ **Europe.**

Une Europe en construction

Après la première moitié du XXe s., marquée par les effets meurtriers des deux guerres mondiales et de deux totalitarismes, hitlérien et stalinien, le continent est partagé en deux sphères d'influence : l'Europe orientale, rapidement placée sous la domination soviétique, et l'Europe occidentale, démocratique et alliée des États-Unis.

Dans ces conditions, la construction européenne s'est d'abord amorcée dans la partie occidentale du continent. Les toutes premières étapes créant l'Union de l'Europe occidentale (1948) et le Conseil de l'Europe (1949) ont ainsi une nette orientation anticommuniste et bénéficient de l'appui américain à travers le financement de l'OECE (Organisation européenne pour la coopération économique) qui répartit les crédits du plan Marshall. Cependant, pour ses pères fondateurs, Jean Monnet, Robert Schuman, Konrad Adenauer, Alcide De Gasperi, Paul Henri Spaak, le projet européen est avant tout un projet de paix : il s'agit pour eux d'unir la destinée des nations européennes afin d'éviter le retour de la guerre sur le continent. Après trois conflits en soixante-dix ans, la réconciliation franco-allemande va devenir la pierre angulaire de ce projet qui se concrétise avec la création de la CECA (Communauté européenne du charbon et de l'acier) en 1951, de l'Euratom (Communauté européenne de l'énergie atomique), et surtout de la CEE (Communauté économique européenne) en 1957. Unissant à l'origine six États (République fédérale d'Allemagne, Belgique, France, Italie, Luxembourg, Pays-Bas), cette construction va peu à peu s'étendre à neuf autres pays européens : Royaume-Uni, Irlande et Danemark en 1973, Grèce en 1981, Espagne et Portugal en 1986, Suède, Finlande et Autriche en 1995. Surtout, la CEE va prendre progressivement une dimension économique et politique majeure, se transformant en Union européenne en 1993.

En Europe orientale, le COMECON (Conseil d'assistance économique mutuelle), version socialiste du Marché commun créée en 1949, n'est jamais devenu autre chose qu'un moyen de servir au mieux les intérêts de l'Union soviétique ; il est dissous en 1991.

Resté incomplet jusqu'à la fin de la guerre froide, ce mouvement d'unification de l'Europe prend une nouvelle dimension depuis 1989, en s'ouvrant aux anciens pays communistes. L'Union européenne a ainsi entamé, en mars 1998, des négociations d'élargissement avec cinq pays d'Europe centrale : Pologne, République tchèque, Hongrie, Estonie et Slovénie (et également avec Chypre). La poursuite de ce processus d'unification pose à nouveau les anciennes questions sur l'identité européenne et sa géographie. L'Europe est-elle seulement la somme d'aires géographiques et culturelles ou, davantage, une construction intellectuelle fondée sur des valeurs communes ? L'Union européenne doit-elle fixer une limite géographique à son élargissement ? La voie originale qu'elle a choisie – fédéralisme dans le respect des identités nationales – est-elle viable à long terme ? Si elle suscite des inquiétudes, la construction européenne apparaît cependant comme une garantie de prospérité et de paix.

Petit lexique

Conseil de l'Europe : organisation de coopération européenne créée en mai 1949 sur l'initiative de mouvements fédéralistes.

OSCE (Organisation pour la sécurité et la coopération en Europe) : fondée en 1994 pour répondre aux enjeux de l'après-guerre froide, elle regroupe l'ensemble des pays européens, ainsi que les États-Unis et le Canada.

UE (Union européenne) : union entre plusieurs États européens (aujourd'hui au nombre de 15) instituée par le traité de Maastricht en 1992 et entrée en vigueur le 1er novembre 1993. L'UE repose sur trois piliers : les communautés européennes (CECA, CE, Euratom), la politique étrangère et de sécurité commune (PESC) et la coopération dans les domaines de la justice et des affaires intérieures.

Voir aussi

- **Construction européenne** p. 761
- **Vers l'Union politique et monétaire** p. 766
- **L'avenir de l'Union européenne** p. 770
- **OSCE** p. 773
- **Organisations économiques** p. 776
- **Économie des pays européens** p. 815
- **Du SME à l'UEM** p. 830
- **Euro** p. 831
- **Souveraineté nationale et Europe** p. 980

Europe occidentale

Royaume-Uni

United Kingdom

Nom officiel : Royaume-Uni de Grande-Bretagne et d'Irlande du Nord (*United Kingdom of Great Britain and Northern Ireland*). **Capitale :** Londres (*London*). **Monnaie :** livre sterling (pound sterling) [= 100 pence]. **Langue officielle :** anglais. **Principales religions :** anglicanisme, catholicisme, islam. **Institutions :** Monarchie parlementaire. Constitution : Charte de 1215 (Magna Carta) et lois fondamentales. Souverain : autorité symbolique. Premier ministre : responsable devant la Chambre des communes. Parlement bicaméral : Chambre des communes, élue pour 5 ans, et Chambre des lords, héréditaires ou nommés à vie. **Souverain :** la reine Élisabeth II (depuis 1952). **Premier ministre :** Anthony, dit Tony, Blair (depuis 1997). **Drapeau :** définitivement fixé le 1er mai 1801, l'« Union Jack » (pavillon de l'Union) superpose les croix de Saint-Georges anglaise (rouge sur fond blanc), de Saint-André écossaise (blanc sur fond bleu) et de Saint-Patrick irlandaise (rouge sur fond blanc). **Hymne national :** « Dieu sauve notre gracieuse reine, Vive notre noble reine, Dieu sauve la reine ! » Paroles et musique d'auteurs inconnus. **Fêtes nationales :** 23 avril (jour de la Saint-Georges) [Angleterre] ; 1er mars (jour de la Saint-David) [pays de Galles] ; 30 novembre (jour de la Saint-André) [Écosse].

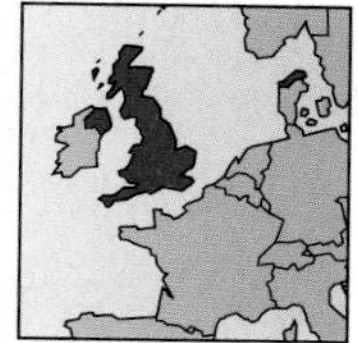

Superficie : 253 500 km². **Point culminant :** 1 344 m au Ben Nevis (en Écosse).

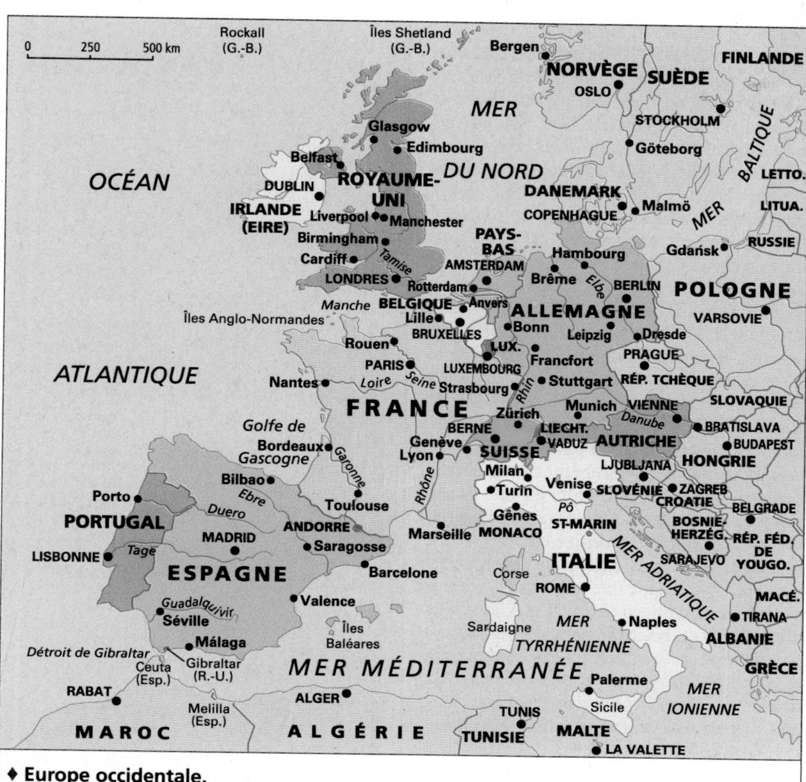

♦ Europe occidentale.

GÉOGRAPHIE

Le Royaume-Uni est un État insulaire au climat tempéré et humide, avec des hivers rudes dans sa partie nord (Highlands). Les hautes terres sont nombreuses et le bassin de Londres constitue l'essentiel des plaines. Le milieu naturel est originellement peu favorable au développement économique, mis à part les gisements de charbon du nord de l'Angleterre, qui jouèrent un rôle important dans la prospérité économique du XIXe siècle, ainsi qu'un réseau hydrographique très tôt mis en valeur.

L'économie britannique a souffert au XXe siècle du vieillissement de son industrie, dont l'essor avait été précoce, ainsi que d'un excès d'étatisme. Au cours des années 1980, le Royaume-Uni est largement revenu sur ces orientations, au point d'être aujourd'hui considéré comme un modèle de libéralisme économique. Cette nouvelle tendance profite au sud du pays (chimie, électronique, secteur financier) mais pénalise les industries vieillissantes du nord (charbon, textile, chantiers navals).

La population, principalement d'origine saxonne et celte, présente une certaine diversité culturelle. Bien que l'anglais demeure la langue officielle, des efforts sont faits pour maintenir en vie les langues celtes régionales. On dénombre de forts mouvements autonomistes au pays de Galles et en Irlande du Nord. L'Écosse bénéficie depuis 1997 d'un statut d'autonomie. Le taux de croissance démographique est aujourd'hui très faible sauf en Irlande du Nord et dans certaines communautés immigrées (d'origine principalement asiatique et antillaise). Le niveau de vie est globalement élevé.

HISTOIRE

Des origines aux Anglo-Saxons. Peuplées dès le IIIe millénaire (monuments mégalithiques de Stonehenge), les îles Britanniques sont envahies à partir du VIIIe s. av. J.-C. par les Celtes. Conquise et occupée par les Romains (Ier s. av. J.-C.-v. 410 apr. J.-C.), la Bretagne est érigée en province romaine, la romanisation étant concentrée sur le bassin de Londres. Dès le milieu du Ve s., Saxons, Jutes et Angles s'installent dans l'île. Ils forment des petits royaumes rivaux constituant l'Heptarchie et repoussent les populations celtiques à l'ouest. C'est à cette époque que commence la christianisation de l'île, réalisée à la fois par Rome et par les moines irlandais. À l'époque carolingienne, l'Angleterre exerce une forte influence culturelle sur le continent. Elle est envahie au IXe s. par les Scandinaves (Danois), qui imposent leur domination sur la majeure partie du pays (Danelaw). Roi de Wessex, Alfred le Grand parvient à leur résister en réalisant l'union des royaumes anglo-saxons. Mais sous le règne de Knud le Grand (1016/17-1035), le pays fait partie d'un vaste empire danois. Sa dislocation amène l'instauration d'une dynastie anglo-saxonne, avec le règne d'Édouard le Confesseur (1042-1066), à qui succède Harold II.

L'Angleterre normande. En 1066, le duc de Normandie Guillaume débarque en Angleterre, et remporte la bataille d'Hastings, où le roi Harold II est tué. Guillaume le Conquérant réorganise son royaume suivant le modèle féodal normand. Il institue une noblesse militaire fortement hiérarchisée et fait rédiger le Domesday Book (cadastre). La dynastie des Plantagenêts (1154-1485), fondée par Henri II, époux d'Aliénor d'Aquitaine, parvient à constituer un vaste empire franco-anglais, qui comprend l'Angleterre, la Normandie, l'Anjou et le Maine, ainsi que l'Aquitaine et la Gascogne.

Le duel franco-anglais. La possession de ces domaines continentaux, où les Plantagenêts sont vassaux des Capétiens, provoque une rivalité franco-anglaise qui va durer du XIIe au XVe s. Dès le XIIIe s., sous le règne de Jean sans Terre, successeur de Richard Cœur de Lion, Philippe Auguste s'empare de la Normandie, de la Touraine, de l'Anjou, de la Saintonge et du Poitou. Dans le même temps, la révolte des barons anglais prélude à l'essor du Parlement (Grande Charte, 1215 ; Provisions d'Oxford, 1258). En 1284, le pays de Galles est conquis par Édouard Ier. Un moment sous domination anglaise, l'Écosse parvient à retrouver et préserver son indépendance (déb. XIVe s.). Les prétentions à la couronne de France d'Édouard III (1327-1377) et la rivalité franco-anglaise dans les Flandres provoquent la guerre de Cent Ans (1337-1453). Les principaux épisodes en sont la victoire anglaise de Crécy (1346), puis, après le renversement de Richard II et l'accession au trône d'Henri IV, la victoire d'Azincourt (1415). Le conflit se termine par la défaite de l'Angleterre, qui perd ses dernières possessions continentales sauf Calais. Le pays est ensuite déchiré par la guerre des Deux-Roses (1450-1485) opposant les Yorks et les Lancastres. Victorieux de Richard III, Henri Tudor, descendant des Lancastres, devient roi sous le nom d'Henri VII (1485-1509).

Des Tudors au Royaume-Uni. Sous les règnes d'Henri VIII (1509-1547) et d'Élisabeth Ire (1558-1603), la puissance royale est restaurée et la nation anglaise se développe. Henri VIII fonde l'Église anglicane et se proclame roi d'Irlande en 1541. Après un triomphe éphémère du protestantisme, puis une restauration non moins éphémère du catholicisme, Élisabeth Ire rétablit l'anglicanisme. Sous son règne, le pays connaît une forte expansion maritime et coloniale. En 1603, Jacques VI Stuart, roi d'Écosse, lui succède et devient Jacques Ier d'Angleterre, réunissant à titre personnel les couronnes des deux royaumes. Le XVIIe s. est un siècle de crises politiques et religieuses, où le Parlement, de plus en plus dominé par les puritains (protestants hostiles à l'anglicanisme), s'affronte au

Europe occidentale

despotisme stuart et à la hiérarchie anglicane. Après l'exécution de Charles Ier (1649), le chef de l'opposition puritaine, Cromwell, établit un pouvoir personnel (1649-1658) qui ne lui survivra pas. Les règnes de Charles II (1660-1685) et de Jacques II (1685-1688), qui tente de restaurer le catholicisme, sont de nouveau une période de conflits avec le Parlement, qui se termine par la révolution de 1688. Le Parlement offre alors les couronnes à Guillaume III d'Orange et à Marie II Stuart, qui règnent conjointement (1688-1701) après avoir garanti la Déclaration des droits (1689). Le règne d'Anne (1702-1714) voit l'union officielle de l'Écosse et de l'Angleterre (1707) et le pays, désormais Royaume-Uni, passe en 1714 sous la souveraineté des Hanovre (acte d'Établissement, 1701).

Le temps des whigs. Le règne des premiers rois de la dynastie des Hanovre, George Ier (1714-1727) et George II (1727-1760), plus allemands qu'anglais, favorise la naissance du régime parlementaire. Le gouvernement est dorénavant assuré par un ministre principal et par un cabinet choisis dans le groupe le plus influent à la Chambre des communes. Cette assemblée, qui acquiert la prépondérance sur celle des lords et devient septennale (1716), est composée essentiellement de gros propriétaires terriens. En effet, le système électoral fixe un cens élevé et défavorise les villes au profit des bourgs de campagne, dont certains ne comptent plus pourtant que quelques maisons (« bourgs pourris »). C'est le parti des whigs qui domine de 1714 à 1762. Leurs gouvernements doivent faire face aux soulèvements en Écosse des partisans des Stuarts en 1716 et en 1746 (victoire de Culloden à la suite du débarquement du prétendant Charles Édouard). À l'extérieur, ils optent d'abord pour un rapprochement avec la France, les Pays-Bas et l'Empire (Triple et Quadruple Alliance, 1717-1718) et aident la première dans ses conflits avec l'Espagne (destruction de la flotte espagnole au cap Passero, 1718). Mais la diplomatie, trop conciliante, poursuivie par le ministre Walpole (1721-1742), qui s'appuie en outre sur la corruption parlementaire, engendre, malgré la prospérité intérieure, une réaction morale dans le peuple (fondation de l'Église méthodiste par le prédicateur John Wesley). Sous les gouvernements de Pelham (1743-1754) et de Newcastle (1754-1762) s'affirme la personnalité de William Pitt, leader des « jeunes whigs », qui accroît le rôle de la Grande-Bretagne dans la guerre de la Succession d'Autriche (1740-1748). Il renforce ses ambitions coloniales et provoque l'entrée en guerre contre la France (guerre de Sept Ans, 1756-1763).

Le règne de George III. L'avènement en 1760 de George III (1760-1820) déclenche une crise institutionnelle. Ce roi, autoritaire et vraiment anglais, cherche à éliminer les whigs et obtient une paix avec la France (traité de Paris, 1763, donnant à la Grande-Bretagne le Sénégal, le Canada, une partie de la Louisiane et d'autres possessions françaises aux Amériques). Malgré l'impopularité de cette paix, pourtant avantageuse, malgré l'agitation parlementaire alimentée par l'affaire Wilkes (député contraint à l'exil) et le retour provisoire des whigs (1763-1768), George III réussit à instaurer son règne personnel en s'appuyant sur le ministère tory de lord North (1770-1782). Le grave échec de sa politique face aux colonies américaines (Déclaration d'indépendance, 1776 ; défaite de Saratoga, 1777), soutenues par le reste de l'Europe, met fin à ses ambitions. Après le traité de Versailles (1783), la puissance internationale de la Grande-Bretagne est affaiblie (reconnaissance de l'indépendance américaine, concessions territoriales à la France et à l'Espagne) et son Parlement est en pleine division. Le second William Pitt, fils du précédent, rénovateur du parti tory et soutenu par une fraction des whigs, triomphe aux élections de 1784 et rétablit

♦ **Royaume-Uni.**

les conditions normales du régime parlementaire. Sous son gouvernement (1784-1801 et de 1804 à sa mort en 1806) se confirment les transformations économiques et sociales du XVIIIe s. britannique : rénovation agricole sous l'impulsion des grands propriétaires, révolution industrielle (diffusion du machinisme dans le textile, des hauts fourneaux, de la machine à vapeur). Pitt est à l'origine de l'union de l'Irlande à la Grande-Bretagne (1800), assurant à la première des représentants au Parlement de Londres, mais il échoue dans sa tentative d'émancipation des catholiques. La guerre déclarée à la France en 1793, pendant laquelle Nelson s'illustre contre Bonaparte à Aboukir (1798), est un moment interrompue (traité d'Amiens, 1802) puis reprend en 1803. Nelson ayant détruit à Trafalgar la flotte franco-espagnole (1805), la Grande-Bretagne dispose de la maîtrise des mers. Elle peut ainsi riposter au Blocus continental, décrété par Napoléon Ier (1806), qui cause de lourdes pertes à son commerce, en s'emparant des colonies de ses adversaires, mais elle se heurte alors aux États-Unis (guerre de 1812-1814). Les troupes de Wellington, victorieuses au Portugal (1808) et en Espagne (Talavera, 1809; Victoria, 1813), contribuent à la première capitulation de Napoléon (1814) et, par la victoire de Waterloo (1815), mettent fin à l'épisode des Cent-Jours. Le traité de Vienne (1815) permet aux Britanniques de conserver certaines de leurs conquêtes. Au lendemain des guerres napoléoniennes, qui ont désorganisé son

VOIR AUSSI
- **Système politique britannique** p. 984
- **Services publics britanniques** p. 1015

Illustrations
- **Mine de charbon en Angleterre** p. 453

◆ **Les Premiers ministres britanniques.**

Arthur Balfour	1902-1905
Henry Campbell-Bannerman	1905-1908
Herbert Asquith	1908-1916
David Lloyd George	1916-1922
Andrew Bonar Law	1922-1923
Stanley Baldwin	1923
James MacDonald	1924
Stanley Baldwin	1924-1929
James MacDonald	1929-1935
Stanley Baldwin	1935-1937
Arthur Neville Chamberlain	1937-1940
Winston Churchill	1940-1945
Clement Attlee	1945-1951
Winston Churchill	1951-1955
Anthony Eden	1955-1957
Harold Macmillan	1957-1963
Alexander Douglas-Home	1963-1964
Harold Wilson	1964-1970
Edward Heath	1970-1974
Harold Wilson	1974-1976
James Callaghan	1976-1979
Margaret Thatcher	1979-1990
John Major	1990-1997
Tony Blair	depuis 1997

économie (endettement, chômage), la Grande-Bretagne traverse une crise difficile à laquelle le gouvernement tory répond par le protectionnisme (New Corn Law [1815], facteur de spéculation sur les grains) et par la répression des troubles sociaux (massacre de Peterloo à Manchester, 1819). Le crédit de la monarchie est affaibli par la folie de George III et l'impopularité de George IV (1820-1830). De plus, la révolution industrielle a provoqué l'émergence de nouvelles classes sociales (prolétariat, bourgeoisie commerçante), que le système électoral écarte de la vie politique.

L'hégémonie britannique. Un nouveau torysme, plus progressiste (ministère Peel et Canning, 1822-1830), puis, après l'avènement de Guillaume IV (1830-1837), le retour des whigs, qu'on nomme maintenant « libéraux » (Grey, Melbourne, Palmerston), permettent une réforme électorale (1832) et l'adoption de nombreuses mesures sociales (abolition de la loi de 1799 sur les unions ouvrières, 1824; émancipation des catholiques, 1829; abolition de l'esclavage, 1833; limitation du travail des femmes, 1833; loi sur les pauvres, 1834). Mais cette politique est jugée insuffisante par les ouvriers qui accueillent les idées socialistes de Robert Owen et tentent d'unir le syndicalisme (*The Grand National Consolidated Trades Union,* 1834). Après l'avènement de la reine Victoria (1837), qui épouse en 1840 Albert de Saxe-Cobourg-Gotha, s'instaure une grande stabilité politique. Les libéraux (Palmerston, Russell, Gladstone) et les conservateurs (anciens tories : Peel, Derby, Disraeli) alternent ou se coalisent et la conduite des affaires traduit une large unité de vues et de moyens.

La Grande-Bretagne affirme son hégémonie par une diplomatie d'intimidation face aux puissances rivales (France, Russie) et par des opérations militaires (guerres de Crimée, 1854-1856 et de Chine, 1857-1860). Le ministère de Disraeli (1874-1880) donne une vigueur nouvelle aux ambitions coloniales : Victoria est proclamée impératrice des Indes (1876) et de nouvelles campagnes s'ouvrent en Orient. Mais, face aux problèmes de l'Europe, la non-intervention se traduit par le « splendide isolement ». À l'intérieur, les revendications se développent à partir de 1838 en faveur du suffrage universel (« Charte du peuple » de F.E. O'Connor). La réforme de 1867 ouvre le corps électoral à un million de nouveaux citoyens et celle de 1882 instaure le suffrage universel ainsi que la représentation proportionnelle. Mais le vote des femmes, réclamé par les « suffragettes », ne sera obtenu qu'en 1918. Dans un pays devenu première puissance industrielle du monde, le mouvement syndical s'organise (*Amalgamated Society of Engineers,* 1851; *London Trade Council,* 1860; *Trades Union Congress,* 1868) et est officiellement reconnu en 1871 (*Trade Union Act*). La condition ouvrière s'améliore peu à peu (*Factory Act,* 1844; loi sur les relations entre patrons et ouvriers, 1875) et la politique de libre-échange (abolition de la loi sur les grains, 1846) fait baisser le prix du pain. Cependant, la paupérisation de l'Irlande et la Grande Famine de 1845-1848, due à la maladie de la pomme de terre, provoquent un exode massif de la population. Les lois agraires de 1870 n'améliorent pas la situation ni n'empêchent les aspirations à l'indépendance (naissance du mouvement révolutionnaire, 1861; parti nationaliste de Parnell).

L'hégémonie contestée. De 1886 à 1914, les forces politiques sont divisées sur la question irlandaise. Le parti libéral éclate : la fraction des « unionistes », hostiles à l'indépendance, soutient, sous la conduite de Joseph Chamberlain, les gouvernements conservateurs (Salisbury, Balfour). Les autres, avec Gladstone, Lloyd George et Asquith, tentent d'instaurer cette indépendance (*Home Rule*) mais échouent malgré leur retour au pouvoir à partir de 1906. La naissance du parti travailliste (*Independent Labour Party,* 1893), qui entre aux Communes, en 1906, affaiblit encore les libéraux et les incite à développer leur politique sociale. Ainsi Lloyd George réussit à priver la Chambre des lords de son droit de veto (*Parliament Act,* 1911). L'impérialisme colonial entraîne de vives tensions avec la Russie, la Turquie, la France (Fachoda, 1898) et en Afrique (guerre des Boers 1899-1902). Cependant, après la mort de Victoria (1901), sous les règnes d'Édouard VII (1901-1910) et de George V (à partir de 1910), la Grande-Bretagne rompt son isolement européen et signe avec la France l'Entente cordiale (1904). Elle entre ainsi en guerre contre l'Allemagne le 4 août 1914.

De la Première à la Seconde Guerre mondiale. Sous les gouvernements d'Asquith (1915-1916) et de Lloyd George (1916-1922), elle doit faire face aux lourds sacrifices de la Grande Guerre, dont elle sort très affaiblie. Les négociations de 1918 renforcent pourtant son empire en Orient (Mésopotamie, Palestine, Transjordanie). La crise économique porte le nombre des chômeurs à 2 700 000 en 1921. En Irlande la révolte armée des nationalistes aboutit à l'indépendance progressive de la partie sud de l'île, tandis que l'Ulster reste dans le giron britannique. Le parti libéral s'effondre. Le pouvoir appartient aux travaillistes (MacDonald 1924 et 1929-1931) et aux conservateurs (Baldwin, 1924-1929 et 1935-1937; Neville Chamberlain, 1937-1940). La Grande-Bretagne ne sort de la crise d'après-guerre que pour retomber dans la crise mondiale de 1930. Elle doit se contraindre à une politique d'austérité et de protectionnisme. L'organisation de son empire est réformée par le statut de Westminster qui crée le Commonwealth (1931). Après la mort de George V (1936), le renoncement au trône d'Édouard VIII et l'avènement de George VI (1936), la Grande-Bretagne cherche d'abord à sauvegarder la paix (accords de Munich, 1938), puis doit entrer en guerre contre l'Allemagne le 3 sept. 1939 quand Hitler fait envahir la Pologne. Le gouvernement d'Union nationale formé en mai 1940 par Winston Churchill supporte seul le poids des opérations de juillet 1940 à décembre 1941. Il organise la défense aérienne et interdit aux Allemands l'espoir d'un débarquement sur les côtes britanniques (bataille d'Angleterre, automne 1940). Les troupes britanniques essuient cependant de graves revers en Méditerranée (Grèce, Libye, 1941) et dans le Pacifique (1942). Mais les facilités négociées avec les États-Unis (mars 1941), leur entrée en guerre (déc. 1941) et la victoire sur les troupes de Rommel (El-Alamein, 23 oct. 1942) renversent la situation. L'Allemagne capitule en mai 1945 mais les soldats britanniques continueront de se battre en Extrême-Orient jusqu'en août 1945.

Le Welfare state. Malgré l'effort considérable de son gouvernement pendant la guerre, Churchill perd les élections en 1945. Le gouvernement travailliste d'Attlee réalise d'importants progrès sociaux (*Welfare state,* État providence), des nationalisations pour restructurer l'économie (Banque d'Angleterre, houille, sidérurgie) mais aussi l'alourdissement fiscal et la dévaluation de la livre (1949). La Grande-Bretagne adhère à l'OTAN et accorde l'indépendance à l'Inde, au Pakistan et à Ceylan (1947). En 1952, Élisabeth II succède à son père George VI. Les conservateurs reviennent au pouvoir de 1951 à 1964 (gouvernements Churchill, Eden, MacMillan et Douglas-Home). En politique extérieure, ils sont confrontés à la crise de Suez (1956). À l'intérieur, sans remettre en cause les acquis de l'État providence, ils opèrent certaines dénationalisations (sidérurgie) et

◆ **Divisions administratives.**

Pays	Superficie (en km²)	Population
Angleterre	130 400	7 360 000
Pays de Galles	20 800	2 790 000
Écosse	78 800	5 130 000
Grande-Bretagne	230 000	55 280 000
Irlande du Nord (Ulster)	13 500	1 455 000
Dépendances		
Îles Anglo-Normandes de Jersey, Guernesey, Aurigny, Sercq	195	138 000
Île Anguilla	155	7 000
Archipel des Bermudes	53,5	60 000
Îles Cayman ou Caïmans	260	28 000
Îles Falkland, anc. Malouines	12 000	2 000
Gibraltar	6	30 000
Île de Man	570	70 000
Île Montserrat	106	12 000
Île Pitcairn	4,6	59
Île Sainte-Hélène	122	5 500
Îles Turks et Caicos	430	12 000
Îles Vierges britanniques (Tortola, Anegada, Virgin Gorda, etc.)	153	17 000

◆ **Démographie.**

population	59 100 000 hab.
densité	233 hab./km²
accroissement naturel	2 ‰
taux de natalité	11,9 ‰
taux de mortalité infantile	6 ‰
espérance de vie	77 ans
part des moins de 15 ans	19,3 % de la pop. totale
part des plus de 65 ans	15,7 % de la pop. totale
population urbaine	89 %
principales villes	Londres, Manchester, Birmingham, Leeds, Glasgow.

◆ **Principales ressources et productions** (1997).

ovins	28 797 000 têtes (9ᵉ rang)
laine	66 000 t (8ᵉ rang)
automobiles	1 698 000 (7ᵉ rang)
houille	47 123 000 t
gaz naturel	90 400 millions de m³ (4ᵉ rang)
pétrole	127 708 000 t (9ᵉ rang)

◆ **Économie et niveau de vie** (1996).

PNB	1 148,281 milliards de $
PNB/hab.	19 960 $
taux de croissance *(1995)*	2,4 %
taux d'inflation *(1996)*	2,4 %
taux de chômage	6,1 %
importations	278 400 millions de $
exportations	259 530 millions de $
répartition des actifs	agriculture 2 %, industrie 28 %, services 70 %
transports	routes 366 477 km, voies ferrées 37 847km
taux d'analphabétisme	1 %

◆ **Armée.**

budget militaire *(1996)*	2,9 % du PIB
forces armées *(1997)*	226 000 hommes

Europe occidentale

organisent la défense de la monnaie. Ils sont remplacés de 1964 à 1970 par les travaillistes (Harold Wilson) qui renationalisent la sidérurgie et adoptent une législation libéralisant le divorce et à l'avortement. La montée du chômage réveille les conflits sociaux et la Grande-Bretagne doit faire face à l'indépendance de la Rhodésie, en 1965. Le gouvernement conservateur d'Edward Heath obtient finalement en 1973 l'adhésion du pays à la Communauté économique européenne et doit faire face au développement de la violence en Irlande du Nord (émeutes autonomistes de Belfast et de Londonderry). L'armée doit intervenir et la province est placée sous l'administration directe de Londres (1974). Il doit aussi affronter les difficultés économiques et des grèves massives (1970-1974) qui paralysent l'activité industrielle. Les travaillistes, avec Wilson et Callaghan (1974-1979), sont d'abord impuissants à juguler le chômage et l'inflation. Pourtant, la situation s'améliore à partir de 1977 en partie grâce à l'exploitation nouvelle de pétrole en mer du Nord.

De Margaret Thatcher à Tony Blair. Les conservateurs reviennent au pouvoir en 1979, sous la conduite de Margaret Thatcher. Rompant avec le consensus de l'après-guerre fondé sur l'État providence, le nouveau gouvernement prône un néolibéralisme et un monétarisme stricts : compression des dépenses publiques, retour aux lois du marché, dénationalisations, intransigeance à l'égard des syndicats. Après une période de forte hausse du chômage, l'économie se redresse. À l'extérieur, Mme Thatcher repousse l'invasion des îles Malouines (Falkland) par l'Argentine (juin 1982), obtient une réduction de la contribution britannique à la CEE et signe avec l'Irlande un accord qui donne à ce pays un droit de regard sur l'administration de l'Irlande du Nord (nov. 1985). Concurrencés par l'alliance des sociaux-démocrates (issus du parti travailliste) et des libéraux, les travaillistes sont de nouveau battus par les conservateurs aux élections législatives de 1983 et 1987. Mais, confrontée à l'impopularité croissante de la *poll-tax* (impôt local) et désavouée sur sa politique européenne par son propre parti, qui lui impose l'entrée de la livre dans le Système monétaire européen, Mme Thatcher démissionne en 1990. Son successeur, John Major, poursuit sa politique d'engagement dans le conflit avec l'Iraq (1991). Dans la négociation du traité de Maastricht, il obtient des conditions particulières pour la Grande-Bretagne. Celle-ci ne s'engage ni sur la monnaie unique ni sur la Charte sociale. En mars 1992, le parti conservateur remporte de nouveau les élections législatives, mais avec une majorité réduite. Le traité de Maastricht n'est ratifié, en 1993, qu'après une longue bataille parlementaire. En Irlande du Nord, un nouvel élan est donné au processus de paix par la déclaration commune anglo-irlandaise sur l'autodétermination (déc. 1993), suivie (août 1994) par le cessez-le-feu de l'IRA.

Cet éphémère succès (l'IRA rompt le cessez-le-feu en 1996) est le dernier qu'obtient John Major. Les travaillistes remportent largement les élections de mai 1997 et Anthony dit Tony Blair devient Premier ministre. Il met en œuvre une politique libérale, plus proche de celle de Margaret Thatcher que de celles préconisées par ses prédécesseurs du Labour, en poursuivant notamment les privatisations. Tony Blair permet en outre la création, approuvée par référendum en sept. 1997, du Parlement régional écossais et reprend les négociations sur l'Irlande du Nord. Il permet ainsi l'établissement d'une assemblée d'Irlande du Nord, élue en 1998, et une participation accrue de la République d'Irlande au processus de paix. Il accentue enfin la participation du Royaume-Uni à la construction européenne, notamment en matière de défense.

Irlande Éire

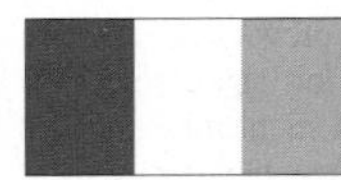

Nom officiel : République d'Irlande.
Capitale : Dublin *(Baile Átha Cliath)*.
Monnaie : livre irlandaise (= 100 pence). **Langues officielles** : anglais et gaélique. **Principale religion** : catholicisme. **Institutions :** État libre depuis 1921, république depuis 1949. Constitution de 1937. Président de la République élu pour 7 ans. Parlement *(Oireachtas)* comprenant une Chambre des députés *(Dáil Éireann)* élue pour 5 ans et un Sénat *(Seanad Éireann)*. **Président de la République** : Mary McAleese (depuis 1997). **Premier ministre** : Bertie Ahern (depuis 1997). **Drapeau :** il a été créé pendant la révolution de 1848 à l'imitation du drapeau français. Le vert représente la souche gaélique et anglo-normande du peuple; l'orange, le parti protestant des colons, soutien de Guillaume III d'Orange-Nassau ; le blanc du centre signifie la trêve durable entre les orangistes et les verts. Le drapeau ne fut officiellement hissé sur la poste de Dublin qu'en 1916. **Hymne national,** dit « Amhrán na bhFiann » (le Chant du soldat) : « Le sang de nos guerriers est à toi, île de Celtes. Nombre d'entre nous arrivèrent par bateau de l'Est... » Paroles de Peadar Kearney (1883-1942), version gaélique de Liam O'Rinn, musique de Patrick Heeney (1881-1911). Déclaré officiel en 1926. **Fête nationale** : 17 mars (jour de la Saint-Patrick).

Superficie : 70 000 km². **Point culminant :** 1 041 m au Carrantuohill.

GÉOGRAPHIE

La République d'Irlande n'exerce sa juridiction que sur les 26 comtés du Sud, les 6 comtés du Nord (Ulster) appartenant au Royaume-Uni.

C'est un État insulaire au climat doux et humide, formé d'une vaste plaine tourbeuse au centre, que draine difficilement le Shannon, entourée de moyennes montagnes et de collines. L'élevage (bovins, ovins et porcins) et la culture du blé, de l'avoine et de l'orge (dont est tirée la bière) sont les principales activités agricoles du pays, mais l'industrie (construction mécaniques et électriques, textile) connaît un fort développement. L'Irlande demeure l'un des pays les plus pauvres de l'Union européenne, mais connaît aujourd'hui une forte croissance. La population, catholique et d'origine celte, est urbaine pour un peu plus de la moitié. L'accroissement naturel est encore un peu supérieur à la moyenne européenne, mais l'émigration, traditionnelle, le compense en grande partie (les Irlandais sont beaucoup plus nombreux hors d'Irlande que dans l'île).

HISTOIRE

Les origines. Au IVe av. J.-C., une population celtique, les Gaëls, s'implante sur le sol irlandais. Les nombreux petits royaumes qui se fondent s'agrègent en cinq grandes unités politiques : Ulster, Connacht, Leinster du Nord (ou Meath), Leinster du Sud, Munster. Au Ve s., saint Patrick évangélise l'Irlande, qui connaît ensuite un vaste épanouissement culturel et religieux. Les moines irlandais, comme saint Colomban (v. 521-597), créent d'importantes abbayes sur le continent. Dès la fin du VIIIe s., l'Irlande est envahie par les Scandinaves. Leur expansion est arrêtée par Brian Boru (victoire de Clontarf, 1014).

La domination anglaise. En 1170, la division politique de l'île favorise l'incursion des Anglo-Normands, et le roi Henri II impose sa souveraineté à l'Irlande (1175). En 1541, Henri VIII prend le titre de roi d'Irlande. Sa réforme religieuse provoque la révolte des Irlandais, attachés à la foi catholique. Il réplique en redistribuant les terres irlandaises à des Anglais. Édouard VI et Élisabeth Ire poursuivent cette politique

◆ **Divisions administratives.**

Province	Superficie (en km²)	Population	Ville principale
Leinster	19 630	1 860 000	Dublin
Munster	24 125	1 008 000	Cork
Ulster	8 010	232 000	Monaghan
Connaught	1 795	423 000	Galway

◆ **Irlande.**

◆ **Démographie.**

population	3 700 000 hab.
densité	53 hab./km²
accroissement naturel	6,3 ‰
taux de natalité	13 ‰
taux de mortalité infantile	5 ‰
espérance de vie	76 ans
part des moins de 15 ans	26,1 % de la pop. totale
part des plus de 65 ans	11,3 % de la pop. totale
population urbaine	58 %
principales villes	Dublin, Cork, Limerick, Galway

◆ **Principales ressources et productions** (1997).

bovins	6 532 000 têtes
ovins	5 772 000 têtes
zinc	164 000 t (6e rang)

◆ **Économie et niveau de vie** (1996).

PNB	62 397 milliards de $
PNB/hab.	16 750 $
taux de croissance *(1995)*	10,3 %
taux d'inflation	1,7 %
taux de chômage	10,8 %
importations	33 306 millions de $
exportations	48 500 millions de $
répartition des actifs	agriculture 12 %, industrie 28 %, services 60 %
transports	routes 92 345 km, voies ferrées 1 944 km
taux d'analphabétisme	1 %

◆ **Armée.**

budget militaire *(1996)*	1,1 % du PIB
forces armées *(1997)*	12 700 hommes

de « plantations ». Aux révoltes, parfois très violentes (1641), répondent les massacres (Drogheda et Wexford, 1649) et de nouvelles spoliations de terres. Après la défaite de Jacques II à la Boyne (1690), le pays est désormais complètement dominé par l'aristocratie anglaise. En 1782-1783, l'Irlande acquiert son autonomie législative. Sous l'influence des révolutions américaine et française, les Irlandais se soulèvent (1796-1798).

L'union entre l'Irlande et la Grande-Bretagne. Le gouvernement britannique choisit la voie de l'intégration, et l'Acte d'union (1800) permet à l'Irlande d'envoyer des députés au Parlement de Londres. En 1829, Daniel O'Connell obtient l'émancipation des catholiques. Une effroyable crise alimentaire (Grande Famine, 1846-1848) plonge l'île dans la misère et provoque une énorme émigration. Ces conditions favorisent la naissance de la Fraternité républicaine irlandaise (1858), dont les membres prennent le nom de *Fenians*. En 1870, l'association pour le *Home Rule* (l'autonomie) est fondée. Charles Parnell en devient le chef populaire. Malgré les efforts de Gladstone, l'adoption du Home Rule est plusieurs fois repoussée. Voté en 1912, le Home Rule doit prendre effet en 1914, mais il est suspendu en raison de la guerre. Les nationalistes, partisans de l'indépendance de l'île et de l'instauration d'une république, se soulèvent en 1916. L'insurrection est durement réprimée.

La République d'Irlande. Après deux ans de guérilla (1919-1920), Lloyd George reconnaît en 1921 l'indépendance de l'Irlande, privée de six comtés de l'Ulster, où les protestants sont majoritaires. Mais, en 1922, une véritable guerre civile oppose le gouvernement provisoire à ceux qui refusent la partition de l'Irlande. De 1922 à 1932, le calme est rétabli par le gouvernement de William Thomes Cosgrave. L'État libre d'Irlande a le statut de dominion. En 1931, il fait partie de Commonwealth en adhérant au statut de Westminster. En 1932, le Fianna Fáil gagne les élections et porte Eamon De Valera au pouvoir. Celui-ci rompt avec la Grande-Bretagne et mène contre elle une guerre économique. Une nouvelle constitution est adoptée (1937) et l'Irlande prend le nom d'*Éire*. Restée neutre pendant la Seconde Guerre mondiale, l'Éire devient la république d'Irlande (Acte de 1948) et rompt avec le Commonwealth. À partir de 1951, les différents gouvernements issus du Fianna Fáil et du Fine Gael cherchent à renforcer l'industrialisation du pays et obtiennent son entrée dans la CEE (1972-1973). En 1992, l'Irlande ratifie le traité de Maastricht par référendum. Sous les présidences de Mary Robinson (1990-1997), puis de Mary Mc Aleese (élue en 1997), le pays poursuit son industrialisation. Un début de libéralisation des mœurs permet un assouplissement des législations sur le divorce (approuvé par référendum en novembre 1985) et l'avortement. Les femmes obtiennent le droit de se rendre à l'étranger pour se faire avorter malgré l'opposition de l'Église catholique, dont l'influence demeure très forte.

La question d'Irlande du Nord. En 1921, les 6 comtés du nord de l'Ulster sont maintenus au sein du Royaume-Uni et bénéficient d'un régime d'autonomie interne. Deux tiers des habitants sont protestants et généralement unionistes (favorables au maintien de l'union avec la Grande-Bretagne), les autres sont catholiques et généralement nationalistes (partisans de la réunification avec l'Irlande du Sud). Les catholiques, qui subissent une discrimination persistante de la part du gouvernement protestant, réagissent, dans les années 1960, en se mobilisant pour la défense de leurs droits civiques. Des émeutes éclatent en 1968. Elles sont relayées par des actions terroristes déclenchées par une faction de l'IRA (bras armé du mouvement républicain) qui exige la réunification du Nord et du Sud. Devant l'impuissance du gouvernement de Belfast, les Britanniques prennent en main l'administration de la province (1972). Après les échecs de 1985 (accord anglo-irlandais de Hillsborough) et de 1993 (déclaration anglo-irlandaise), un nouveau processus de paix est mis en œuvre en 1998. Celui-ci prévoit l'élection d'un Parlement nord-irlandais au scrutin proportionnel, l'association plus étroite de la république au processus et un accord sur le désarmement des groupes armés.

♦ Pays-Bas.

Pays-Bas Nederland

Nom officiel : Royaume des Pays-Bas. **Capitale :** Amsterdam; siège du gouvernement : La Haye (*Den Haag* ou *'s-Gravenhage*). **Monnaie :** florin (= 100 cents). **Langue officielle :** néerlandais. **Principales religions :** catholicisme, protestantisme. **Institutions :** Monarchie parlementaire. Constitution de 1815. Le souverain exerce certains pouvoirs, notamment lors de la formation des gouvernements. Premier ministre responsable devant le Parlement, comportant une Première Chambre élue pour 6 ans et une Deuxième Chambre élue pour 4 ans. L'ensemble des deux chambres est nommé *Staten Generaal.* **Souverain :** la reine Béatrice (Beatrix Wilhelmina Armgard) [depuis 1980]. **Premier ministre :** Wim Kok (depuis 1994). **Drapeau :** le « Prinsenvlag » (bannière du Prince), orange, blanc et bleu, a été brandi par les partisans de Guillaume d'Orange lors de la révolte des Pays-Bas contre Philippe II d'Espagne. Après le remplacement de la bande orange par du rouge, la bannière est devenue le drapeau de la République batave, puis des royaumes de Hollande et des Pays-Bas. **Hymne national :** « Guillaume je m'appelle Nassau des Pays-Bas, Suis-je de sang thiois, À la patrie fidèle Toujours jusqu'au trépas… » Paroles de Philippe de Marnix, baron de Sainte-Aldegonde (1540-1598), musique d'auteur inconnu. Déclaré officiel en 1932. **Fête nationale :** 30 avril (anniversaire de la reine) et 5 mai (anniversaire de la capitulation des armées allemandes en 1945).

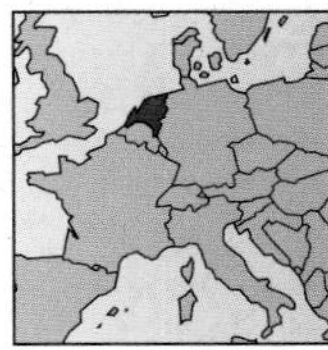

Superficie : 34 000 km². **Point culminant :** 321 m.

GÉOGRAPHIE

Situés sur la mer du Nord, les Pays-Bas sont avant tout un pays plat, dont une partie (polders), située au-dessous du niveau de la mer, est préservée de l'océan par des digues. Le climat est océanique, doux et humide. L'agriculture emploie moins de 5 % de la population active mais, reposant sur des techniques particulièrement modernes, est très exportatrice. L'industrie (23 % des actifs) est fort développée et bénéficie des importants gisements de gaz naturel (Groningue). Le tertiaire compose enfin les trois quarts du PIB : les transports occupent une place importante (avec le port de Rotterdam et le Rhin), ainsi que certains services financiers (comme le marché libre du pétrole). La population connaît aujourd'hui une faible natalité (malgré l'immigration, relativement importante) et un niveau de vie élevé.

HISTOIRE

Des origines à l'Empire carolingien. La présence ancienne de l'homme dans cette région est attestée par des monuments mégalithiques (dolmens), des tumulus de l'âge du bronze et des champs d'urnes funéraires de l'âge du fer. Au Iᵉʳ s. av. J.-C., le pays est peuplé par des tribus celtes (Ménapiens, Nerviens) et germaniques (Éburons, Bataves, Frisons). En 57 av. J.-C., César pénètre en Belgique. Les Romains occupent

Europe occidentale

◆ **Divisions administratives.**

Province	Superficie	Population (en km²)	Capitale
Groningue	2 340	553 862	Groningue
Frise	3 350	599 151	Leeuwarden
Drenthe	2 650	441 028	Assen
Overijssel	3 810	1 020 424	Zwolle
Gueldre	5 010	1 804 209	Arnhem
Utrecht	1 330	1 015 515	Utrecht
Hollande-Septentrionale	2 670	2 376 015	Haarlem
Hollande-Méridionale	2 910	3 219 839	La Haye
Zélande	1 790	355 947	Middelburg
Brabant-Septentrional	4 970	2 189 481	Bois-le-Duc
Limbourg	2 170	1 103 960	Maastricht

alors le pays et le constituent en province, la Gaule Belgique (15 av. J.-C.). La domination romaine se maintient jusqu'au IVe s., puis les invasions germaniques submergent la contrée, dispersant les premières communautés chrétiennes (évêché de Tongres). Les Saxons s'établissent à l'est des futurs Pays-Bas, et les Francs en occupent les territoires méridionaux. La christianisation ne s'achève qu'à la fin du VIIIe s., avec la soumission de ces peuples par Charlemagne. L'administration carolingienne permet le développement de l'activité économique, tandis que naît une industrie textile.

De Charlemagne à l'époque bourguignonne. Les invasions normandes du IXe s. et les divisions territoriales (traité de Verdun, 843; traité de Meerssen, 870) affaiblissent le pays. Il se constitue alors de multiples principautés féodales : duchés de Gueldre et de Brabant; comtés de Hollande, de Flandre et de Hainaut; évêchés d'Utrecht et de Liège. Tandis que de nouvelles terres sont gagnées sur la mer aux XIIe et XIIIe s., les villes connaissent un essor remarquable. Situées à la convergence des routes terrestres, fluviales et maritimes, elles s'enrichissent dans le commerce de la draperie (Gand, Ypres, Bruges), les industries alimentaires (Delft, Gouda, Hoorn) et métallurgiques (Dinant, Liège, Huy). Dans le même temps, les villes arrachent aux seigneurs des chartes qui leur permettent de s'administrer elles-mêmes. Mais des divisions sociales apparaissent bientôt, opposant le patriciat urbain et le peuple (travailleurs du textile en Flandre notamment), et provoquent l'alliance du patriciat avec le roi de France. La victoire de Charles VI sur les milices communales à Rozebeke (1382) consacre le recul du mouvement d'émancipation urbaine. En 1369, le comte de Flandre Louis de Mâle donne sa fille Marguerite au duc de Bourgogne, Philippe le Hardi.

Période bourguignonne et période espagnole. Ce mariage fait de la Flandre la première principauté des Pays-Bas à être incorporée aux États bourguignons. Par achats, mariages, héritages, les successeurs de Philippe le Hardi entreprennent la patiente conquête des Pays-Bas. Sous Philippe le Bon (1419-1467), l'administration est centralisée par la création d'un Grand Conseil, de deux chambres des comptes, et d'une Cour de justice en Hollande. Fille et héritière de Charles le Téméraire, Marie de Bourgogne épouse en 1477 Maximilien d'Autriche. Les Pays-Bas font désormais partie des possessions des Habsbourg. Le mariage (1496) de Philippe le Beau, fils de Maximilien, avec Jeanne, fille de Ferdinand d'Aragon, lie les destinées du pays à celles de l'Espagne. Le fils de Philippe le Beau, Charles Quint, porte à 17 le nombre des provinces, en conquérant ou en reconquérant la Frise (1524), la Groningue (1536) et la Gueldre (1543). L'ensemble est érigé en cercle d'Empire en 1548. Dans le même temps, le pays connaît une forte expansion économique. Parallèlement aux courants commerciaux et intellectuels, les idées de la Réforme se diffusent largement, favorisées par la tolérance de la gouvernante des Pays-Bas, Marguerite d'Autriche (1519-1530). Le problème de la liberté religieuse va se trouver, de pair avec le réflexe national, au cœur de la révolte contre l'absolutisme de Philippe II.

La révolte et la guerre de Quatre-Vingts Ans. Prince des Pays-Bas à partir de 1555, Philippe II impose comme gouvernante Marguerite de Parme (1559-1567). Il engage une politique autoritaire et hostile aux protestants qui dresse contre lui le peuple et la noblesse. Trois grands seigneurs prennent la tête de l'opposition : Guillaume d'Orange et les comtes d'Egmont et de Hornes. La petite noblesse s'unit (compromis de Breda) et demande à Marguerite de Parme la suppression de l'Inquisition (1566). On traite ces gentilshommes de « gueux ». Un violent mouvement anticatholique soulève alors la Flandre, le Hainaut, puis les provinces du Nord (août-sept. 1566). Une répression impitoyable est menée par le duc d'Albe (gouverneur de 1567 à 1573), qui aboutit à la révolte générale de la Hollande et de la Zélande. Cette révolte, conduite par Guillaume d'Orange (1568), est bientôt suivie par celles du Brabant, du Hainaut et de l'Artois. La pacification de Gand (1576) marque l'expulsion des troupes espagnoles et le retour à la tolérance religieuse. Cependant, les révoltés se divisent. Les provinces du Sud (Artois, Hainaut), catholiques, se soumettent à l'Espagne (union d'Arras, 1579), tandis que les provinces du Nord (Gueldre, Hollande, Zélande, Utrecht, Frise, Overijssel et Groningue), calvinistes, proclament l'Union d'Utrecht (1579) qui pose les bases des Provinces-Unies. En 1581, les États du Nord répudient l'autorité de Philippe II. Le nouveau gouverneur des Pays-Bas, Alexandre Farnèse (1578-1592), assure la reconquête définitive des Pays-Bas méridionaux par l'Espagne et par l'Église. Puis le pays connaîtra soixante années de guerres. Elles sont marquées dans une première phase par l'alliance avec l'Angleterre et l'affirmation de la puissance maritime des provinces du Nord. Après la fin de la trêve de Douze Ans (1609-1621), la France soutient, dès 1635, les Provinces-Unies lors de la guerre de Trente Ans (1618-1648). L'Espagne reconnaît alors, par le traité de Münster (1648), l'indépendance du pays. C'est également au cours de la première moitié du XVIIe s. que se construit la puissance commerciale et coloniale des Hollandais. Ils explorent les côtes de l'Afrique et de l'Océanie, créent des comptoirs et des colonies, notamment en Amérique et aux îles de la Sonde.

Les Pays-Bas aux XVIIe et XVIIIe siècle. Les Pays-Bas méridionaux reviennent à l'Espagne après la mort de l'infante Isabelle (1633). À l'issue de la guerre de la Succession d'Espagne (1701-1714), ils sont remis à l'Autriche. Au XVIIIe s., les souverains autrichiens tentent de promouvoir la prospérité des Pays-Bas du Sud. Les réformes maladroites de Joseph II et ses mesures pour réduire l'autonomie provinciale (1787) provoquent des émeutes (1787-1789). Une insurrection armée chasse les Autrichiens du pays (1789). Dans les Provinces-Unies, l'essor des idées démocratiques, l'issue désastreuse de la quatrième guerre anglaise (1780-1784) aboutissent aux troubles révolutionnaires de 1786. Obligé de s'enfuir, Guillaume V est restauré grâce à l'aide étrangère. L'intervention de l'Autriche en faveur de Louis XVI entraîne les Pays-Bas dans la guerre contre la Convention. La victoire de Fleurus (1794) ouvre aux Français le chemin de tous les Pays-Bas. En 1795, les Provinces-Unies deviennent la République batave, tandis que les Pays-Bas méridionaux sont organisés en départements français (1797). Napoléon Ier dicte une Constitution en 1805, puis transforme la République batave en royaume de Hollande au profit de son frère Louis (1806). En 1810, Louis, qui fait passer les intérêts de ses sujets avant ceux de son frère, perd son royaume, qui passe sous l'administration directe des Français. En 1815, le congrès de Vienne décide de réunir la Belgique et la Hollande dans un royaume unique des Pays-Bas.

Naissance et partition du royaume. En 1815, le royaume est constitué des anciennes Provinces-Unies, des anciens Pays-Bas autrichiens et du grand-duché de Luxembourg. Guillaume Ier, roi des Pays-Bas, accorde une constitution à ses sujets. Mais l'union belgo-hollandaise se heurte à de mul-

◆ **Démographie.**

population	15 700 000 hab.
densité	462 hab. km²
accroissement naturel	3,5 ‰
taux de natalité	11,9 ‰
taux de mortalité infantile	5 ‰
espérance de vie	78 ans
part des moins de 15 ans	18,3 % de la pop. totale
part des plus de 65 ans	13,1 % de la pop. totale
population urbaine	89 %
principales villes	Rotterdam, Amsterdam, La Haye, Utrecht

◆ **Principales ressources et productions** (1997).

betterave à sucre	6 416 000 t
porcins	13 958 000 têtes
gaz naturel	81 800 millions de m³ (5e rang)

◆ **Économie et niveau de vie** (1996).

PNB	399,047 milliards de $
PNB/hab.	20 850 $
taux de croissance *(1995)*	2,3 %
taux d'inflation	2,1 %
taux de chômage	6,2 %
importations	153 213 millions de $
exportations	175 315 millions de $
répartition des actifs	agriculture 4 %, industrie 23 %, services 73 %
transports	routes 103 800 km, voies ferrées 2 757 km
taux d'analphabétisme	1 %

◆ **Armée.**

budget militaire *(1996)*	2 % du PIB
forces armées *(1997)*	68 100 hommes

◆ **Premiers ministres des Pays-Bas.**

Abraham Kuyper	1901-1905
Theodor De Meester	1905-1908
Pieter Cort Van der Linden	1913-1918
Charles Ruys de Beerenbrouk	1918-1922,-1922-1925, 1929-1933
Hendrikus Colijn	1926-1926,-1933-1939
Dirk Jan De Geer	1926-1929, 1939-1939
Pieter Gerbrandy	1940-1945
Willem Schermerhorn	1945-1946
Louis Beel	1946-1948, 1958-1959
Willem Drees	1948-1958
Jan Eduard De Quay	1959-1963
Victor Marijnen	1963-1965
Joseph Cals	1965-1966
Jelle Zijlstra	1966-1967
Petrus De Jong	1967-1971
Barend Biesheuvel	1971-1973
Joop Den Uyl	1973-1977
Andreas Van Agt	1977-1982
Rudolf Lubbers	1982-1994
Wim Kok	depuis 1994

tiples antagonismes, et la Belgique proclame son indépendance en 1830. Cette indépendance réduit le royaume des Pays-Bas aux limites des Provinces-Unies. Guillaume Ier encourage l'industrie du pays, et préside la réinstallation des Néerlandais aux îles de la Sonde, qui deviennent les Indes néerlandaises. En 1848, Guillaume II accorde une constitution qui établit un mode de scrutin censitaire pour les deux Chambres. En 1849, Guillaume III accède au pouvoir et nomme à la tête du gouvernement le libéral Thorbecke, qui domine la vie politique du pays jusqu'à sa mort (1872). La reconstitution de la hiérarchie de leur Église (1851) permet aux catholiques d'exercer une influence politique, alliés aux libéraux puis aux calvinistes antirévolutionnaires. À la fin du XIXe s., les Pays-Bas ont retrouvé une position commerciale de premier plan. L'essor économique est favorisé par le libre-échange, instauré en 1862. Sous l'influence des libéraux, une importante législation sociale est mise en place de 1867 à 1901, tandis que se développe un puissant syndicalisme. En 1894, Peter Troelstra fonde le Parti socialiste.

Le règne de Wilhelmine. En 1890, Wilhelmine, âgée de 10 ans, succède à son père Guillaume III et règne sous la régence de sa mère, Emma, jusqu'à son couronnement (1898). L'excessif morcellement des partis amène la reine à former un gouvernement extraparlementaire (1913-1918), qui maintient la neutralité néerlandaise pendant la Première Guerre mondiale. Les institutions politiques sont démocratisées : suffrage universel (1917), suffrage féminin (1918). Le principe de l'égalité entre enseignement d'État et enseignement privé est également adopté. La coalition chrétienne se maintient au pouvoir jusqu'à la rupture des relations diplomatiques avec le Vatican (1925). De 1926 à 1939, la vie politique est marquée par la crise économique mondiale, et les progrès du nationalisme aux Indes néerlandaises. En 1940, le royaume est envahi par les Allemands. La reine et le gouvernement se réfugient en Grande-Bretagne, où ils continuent la guerre.

Les Pays-Bas depuis 1945. Dès la Libération, le pays participe à la formation du Benelux avec la Belgique et le Luxembourg. En 1948, la reine Wilhelmine abdique en faveur de sa fille, la reine Juliana. Confrontés à la désagrégation de leur empire colonial (indépendance des Indes néerlandaises, devenues l'Indonésie, 1949 ; autonomie du Surinam, 1954), les Pays-Bas recherchent avec leurs voisins une coopération économique. Ils entrent au sein de la CECA en 1951 et dans la CEE en 1958. En 1949, ils adhèrent à l'OTAN. La vie politique est marquée, après la Libération, par l'alternance au pouvoir du parti du Travail (socialiste) et du Parti populaire catholique, les deux principales formations politiques du pays. De 1973 à 1977, un gouvernement dirigé par le socialiste Joop Den Uyl doit faire face aux effets de l'embargo pétrolier, tandis que l'Iraq nationalise les avoirs néerlandais de la Royal Dutch-Shell. En 1980, la reine Juliana abdique en faveur de sa fille Béatrice. De 1982 à 1994, le chrétien-démocrate Ruud Lubbers dirige des gouvernements de coalition (chrétiens-démocrates et libéraux, puis chrétiens-démocrates et socialistes). Sous sa conduite, les Pays-Bas, partisans d'un renforcement de la construction européenne, contribuent fortement à l'adoption du traité de Maastricht, ratifié par le Parlement néerlandais en 1992. Cependant, les chrétiens-démocrates, affaiblis par le retrait de Rudolf Lubbers, ne figurent pas dans la coalition gouvernementale issue des élections de 1994 et dirigée par le socialiste Wim Kok. Au cours des années 1990, les Pays-Bas enregistrent de bons résultats économiques et entrent en position de force dans la zone euro, le 1er janvier 1999.

VOIR AUSSI
- **Plan Delta** p.66
- **Prospérité hollandaise** p. 447

♦ **Belgique.**

Belgique België

Nom officiel : Royaume de Belgique. **Capitale** : Bruxelles *(Brussel)*. **Monnaie** : franc belge (= 100 centimes). **Langues officielles** : français, néerlandais et allemand. **Principale religion** : catholicisme. **Institutions** : Monarchie constitutionnelle héréditaire depuis la Constitution de 1831. Premier ministre responsable devant la Chambre des représentants. Deux Chambres élues pour 4 ans : la Chambre des représentants et le Sénat. Les amendements constitutionnels de 1970, 1980 et 1988 reconnaissent trois communautés culturelles (flamande, française et germanophone) et trois régions (Flandre, Wallonie et Bruxelles-Capitale), dotées de conseils et d'organes exécutifs. L'amendement de 1993 donne à l'État une structure fédérale et instaure l'élection directe des conseils, dont les compétences sont accrues. **Souverain** : le roi Albert II (depuis 1993). **Premier ministre** : Jean-Luc Dehaene (depuis 1992). **Drapeau** : créé pendant la révolution de 1789, il fut officiellement adopté en 1830. Les couleurs reprennent celles du duché de Brabant. **Hymne national**, dit « la Brabançonne » : « Après des siècles d'esclavage, / Le Belge, sortant du tombeau, / A reconquis par son courage, / Son nom, ses droits et son drapeau… » Le texte originel d'Hippolyte Jenneval-Dechet (1801-1830), offensant pour les Belges néerlandophones, a été remplacé en 1860 par le texte actuel, de Charles Rogier (1800-1885). La musique est de Frans Van Campenhout (1779-1848). **Fête nationale** : 21 juillet (commémoration de l'indépendance et du serment du roi Léopold Ier à la Constitution, en 1831).

Superficie : 30 500 km^2. **Point culminant** : 694 m au signal de Botrange.

GÉOGRAPHIE

La Belgique est un pays essentiellement plat, mis à part le massif ardennais, au sud-est. Le climat y est doux et humide, avec des hivers un peu plus froids dans l'Ardenne. L'économie repose avant tout sur les services, dont l'importance est liée au taux élevé d'urbanisation et à l'ancienneté des traditions commerciales. Le réseau de transports est ainsi l'un des plus denses d'Europe. L'agriculture occupe désormais une place peu importante dans l'économie (moins de 3 % des actifs s'y consacrent). L'industrie, autrefois fondée sur l'extraction houillère et la sidérurgie, emploie moins de 30 % des actifs. Elle connaît depuis les années 1970 de graves difficultés. Cependant, la Belgique exporte toujours des minerais et des hydrocarbures. La population est principalement composée de deux groupes, les Wallons francophones et les Flamands néerlandophones, majoritaires, dont la cohabitation est devenue difficile. L'immigration y est relativement faible (moins de 3 % de la population).

HISTOIRE

La domination romaine. Peuplée par des Celtes, la Gaule Belgique est conquise par César (57-51 av. J.-C.) et organisée en province par Auguste. Elle sera ultérieurement divisée en trois provinces. Si la Belgique romaine compte peu de villes, elle joue un rôle important dans la stratégie et l'économie de l'Empire. Les invasions germaniques (Francs) marquent davantage, sur le plan linguistique notamment, les territoires du Nord (Flandre, Brabant, Campine) que ceux du Sud (Wallonie), fortement romanisés.

Le Moyen Âge. Au traité de Verdun (843), la Belgique est divisée entre la France (à l'ouest de l'Escaut) et la Lotharingie (rattachée au royaume de Germanie en 925). Du XIe au XIVe s., des principautés se forment, tandis que les villes deviennent d'importants centres de commerce et d'industrie (draperie flamande). Aux XIVe et XVe s., les « Pays-Bas », auxquels la Belgique est intégrée, se constituent en un ensemble sans cesse accru dans les mains des ducs de Bourgogne.

La domination des Habsbourg. En 1477, les Pays-Bas passent à la maison des Habsbourg. L'absolutisme de Philippe II d'Espagne et les excès du duc d'Albe provoquent une révolte (1572). En

Europe occidentale

◆ **Démographie.**

population	10 200 000 hab.
densité	334 hab./km²
accroissement naturel	1,3 ‰
taux de natalité	11,2 ‰
taux de mortalité infantile	7 ‰
espérance de vie	77 ans
part des moins de 15 ans	17,7 % de la pop. totale
part des plus de 65 ans	15,7 % de la pop. totale
population urbaine	97 %
principales villes	Bruxelles, Anvers, Gand, Charleroi, Liège

◆ **Principales ressources et productions** (1997).

abetterave à sucre	5 470 000 t
acier	10 991 000 t
électricité nucléaire	41 400 millions de kWh (9ᵉ rang)

◆ **Économie et niveau de vie** (1996).

PNB	266,782 milliards de $
PNB/hab.	22 390 $
taux de croissance *(1994)*	2,2 %
taux d'inflation	2,1 %
taux de chômage	12,7 %
importations	145 260 millions de $
exportations	154 407 millions de $
répartition des actifs	agriculture 2,6 %, industrie 27,7 %, services 69,7 %
transports	routes 140 978 km, voies ferrées 3 410 km
taux d'analphabétisme	1 %

◆ **Armée.**

budget militaire *(1996)*	1,2 % du PIB
forces armées *(1997)*	46 300 hommes

◆ **Premiers ministres.**

Jules de Trooz	1907
Franz Schollaert	1908-1911
Charles de Broqueville	1911-1918
Gerard Cooreman	1918
Léon Delacroix	1918-1920
Henri Carton de Wiart	1920-1921
Georges Theunis	1921-1925
Aloïs Van de Vyvere	1925
Prosper Poullet	1925-1926
Henri Jaspar	1926-1931
Jules Renkin	1931-1932
Charles de Brocqueville	1932-1934
Georges Theunis	1934-1935
Paul Zeeland	1935-1937
Paul Émile Janson	1937-1938
Paul Henri Spaak	1938-1939
Hubert Pierlot	1939-1945
Achille Van Acker	1945-1946
Paul Henri Spaak	1946, 1947-1949
Camille Huysmans	1946-1947
Gaston Eyskens	1949-1950
Jean Duvieusart	1950
Joseph Pholien	1950-1952
Jean Van Houtte	1952-1954
Achille Van Acker	1954-1958
Gaston Eyskens	1958-1961
Théo Lefèvre	1961-1965
Pierre Harmel	1965-1966
Paul Vanden Boeynants	1966-1968
Gaston Eyslens	1968-1972
Edmond Leburton	1973-1974
Léo Tindemans	1974-1978
Paul Vanden Boeynants	1978-1979
Wilfried Martens	1979-1981
Mark Eyskens	1981
Wielfried Martens	1981-1992
Jean-Luc Dehaene	1992-1999

1579, les sept provinces du Nord forment les Provinces-Unies indépendantes ; celles du Sud se replacent sous l'autorité espagnole et le traité d'Utrecht les remet à la maison d'Autriche.

Vers l'indépendance. Brièvement indépendantes, les provinces belges deviennent françaises (1795-1815), puis hollandaises, au sein du royaume des Pays-Bas créé pour la dynastie hollandaise d'Orange (1815-1830). La politique maladroite des Hollandais provoque l'insurrection bruxelloise et la sécession des provinces belges.

Le royaume de Belgique. La conférence de Londres (1831) reconnaît l'indépendance de la Belgique, dont Léopold (Iᵉʳ) de Saxe-Cobourg devient le premier souverain. La Constitution, libérale, entérine la création d'une monarchie parlementaire (deux Chambres) et héréditaire. Si ce petit pays prospère trouve rapidement un équilibre économique, sa vie politique est longtemps marquée par la lutte entre libéraux anticléricaux et catholiques. Sous le règne de Léopold II (de 1865 à 1909), l'essor industriel se double d'une implantation en Afrique (Congo belge). Les transformations socio-économiques favorisent la création d'un parti socialiste (Parti ouvrier belge, 1885) et d'un catholicisme social original (« école de Liège »), alors que se développent la démocratisation des institutions et les revendications flamandes. Sous Albert Iᵉʳ (1909-1934) et sous Léopold III (1934-1951), la Belgique, État neutre, est occupée par les Allemands pendant les deux guerres mondiales.

L'après-guerre. En 1945, la Belgique adhère à l'ONU, puis au Benelux (1948) et à l'OTAN (1949). La question royale, posée notamment par l'attitude du souverain pendant l'occupation allemande, se résout par l'abdication de Léopold III et l'avènement de son fils, Baudouin Iᵉʳ (1951). La question scolaire, qui oppose l'Église aux libéraux et aux socialistes, trouve une solution dans le pacte scolaire (1958). En 1960, le Congo belge accède à l'indépendance. Dans le même temps, le conflit linguistique oppose les francophones (Wallons), devenus minoritaires sur les plans économique et démographique, aux néerlandophones (Flamands). Les uns et les autres se disputent Bruxelles, ville à majorité francophone enclavée en zone flamande. Ce problème est à l'origine de l'instabilité ministérielle. En 1977, le pacte d'Egmont découpe la Belgique en trois régions : Flandre, Wallonie, Bruxelles, relativement autonomes. Cette régionalisation est parachevée en 1989. Au pouvoir à partir de 1979, Wilfried Martens (social-chrétien) gouverne d'abord avec l'appui des libéraux, s'efforçant de maintenir les difficiles équilibres économique et politique, alors que la crise pèse de plus en plus sur le pays. À partir de 1988, son gouvernement s'appuie sur une coalition des sociaux-chrétiens, des socialistes et des fédéralistes flamands. En 1990, il fait adopter la loi qui dépénalise partiellement l'avortement. Après les élections de novembre 1991, marquées par le succès des partis protestataires (écologistes en Wallonie, extrême droite en Flandre), le nouveau gouvernement, présidé par Jean-Luc Dehaene, ne comprend plus que socialistes et sociaux-chrétiens. Grâce au large consensus dont fait l'objet l'unification européenne (Bruxelles est l'une des principales capitales de l'Europe communautaire), le gouvernement obtient dès 1992 du Parlement la ratification du traité de Maastricht. En 1993, la révision constitutionnelle transforme la Belgique unitaire en un État fédéral. À la mort de Baudouin Iᵉʳ, son frère Albert II lui succède. Les élections de mai 1995 donnent la majorité absolue à la coalition sortante. La Belgique, cependant, est ébranlée par l'affaire Agusta (pots-de-vin versés à l'occasion d'un contrat d'achat d'hélicoptères militaires), qui implique des personnalités politiques de premier plan. En outre, l'affaire Dutroux, qui met au jour un réseau de pédophilie dont les ramifications semblent atteindre la haute administration, provoque une immense émotion dans tout le pays. Ces scandales mettent en évidence le mauvais fonctionnement des institutions belges et accentuent la crise de confiance dans l'État.

◆ **Divisions administratives.**

Province	Superficie (en km²)	Population	Chef-lieu
Anvers	2 867	1 636 167	Anvers
Brabant	3 358	2 296 890	Bruxelles
Flandre-Occidentale	3 134	1 127 829	Bruges
Flandre-Orientale	2 982	1 355 793	Gand
Hainaut	3 787	1 287 791	Mons
Liège	3 862	1 015 435	Liège
Limbourg	2 422	780 813	Hasselt
Luxembourg	4 441	240 281	Arlon
Namur	3 365	423 317	Namur

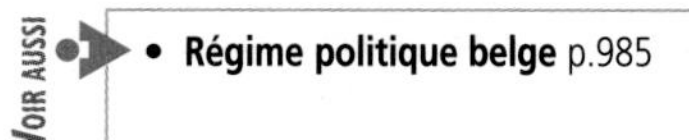
VOIR AUSSI • **Régime politique belge** p.985

Luxembourg

Nom officiel : Grand-Duché de Luxembourg. **Capitale :** Luxembourg. **Monnaie :** franc luxembourgeois (= 100 centimes). **Langue nationale :** luxembourgeois (dialecte du groupe francique rattaché au haut-allemand). **Langues administratives** : français et allemand. **Principale religion** : catholicisme. **Institutions :** Monarchie constitutionnelle (grand-duché). Constitution de 1868. Souverain : le grand-duc, qui nomme le président du gouvernement pour 5 ans. Chambre des députés élue pour 5 ans. **Souverain :** le grand-duc Jean (depuis 1964). **Premier ministre :** Jean-Claude Juncker (depuis 1995). **Drapeau :** ses couleurs figurent sur le blason ducal depuis 1288 et ont été confirmées en 1972, en dépit du fait que les couleurs exactes devraient dériver du lion rouge sur burelles d'argent et d'azur. **Hymne national**, dit « Ons hemecht » : « Où par l'Alzette tout baignés / De ravissants vallons, / Où par la Sûre tout mirés Les flancs boisés des monts, / Où la Moselle dans son cours / Produit du vin doré : / C'est ma patrie, mon Luxembourg, / C'est là mon doux foyer... » Paroles de Michel Lentz (1820-1893), musique de Jean-Antoine Zinnen (1827-1898). **Fête nationale :** 23 juin (anniversaire du grand-duc).

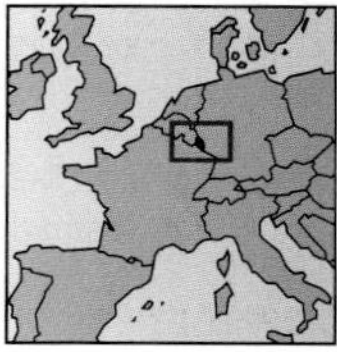

Superficie : 2 586 km². **Point culminant :** 559 m.

♦ Luxembourg.

GÉOGRAPHIE

Le nord du Luxembourg, plutôt forestier, fait partie du plateau ardennais tandis que le sud, terre d'agriculture et d'élevage, constitue un prolongement de la Lorraine. Le climat est généralement doux et tempéré. L'économie repose aujourd'hui principalement sur le secteur tertiaire (institutions financières, administration européenne) alors que la sidérurgie prédominait autrefois. Le commerce extérieur est déficitaire. La population n'augmente quasiment pas, malgré l'importance de l'immigration. Son niveau de vie est très élevé (le PNB par habitant, en parité de pouvoir d'achat, est le plus élevé du monde).

♦ Démographie.

population	418 000 hab.
densité	162 hab./km²
accroissement naturel	2,6 ‰
taux de natalité	12,7 ‰
taux de mortalité infantile	5 ‰
espérance de vie	77 ans
part des moins de 15 ans	17,6 % de la pop. totale
part des plus de 65 ans	13,7 % de la pop. totale
population urbaine	90 %
principales villes	Luxembourg, Esch-sur-Alzette

♦ Principales ressources et productions (1997).

acier	2 580 000 t
ciment	667 000 t

♦ Économie et niveau de vie (1996).

PNB	18,732 milliards de $
PNB/hab.	34 480 $
taux de croissance *(1992)*	2,84 %
taux d'inflation	1,4 %
taux de chômage	3,3 %
importations	7 668 millions de $
exportations	5 788 millions de $
répartition des actifs	agriculture 3,7 %, industrie 31,50 %, services 64,8 %
transports	routes 5 134 km, voies ferrées 275 km
taux d'analphabétisme	2,6 %

♦ Armée.

budget militaire *(1996)*	0,6 % du PIB
forces armées *(1997)*	800 hommes

HISTOIRE

Issu du morcellement de la Lotharingie, le Luxembourg est fondé au Xᵉ s. par le comte Sigefroi. En 1308, le comte Henri VII est élu empereur, et son petit-fils, Charles IV, érige le comté en duché (1354). En 1441, le duché passe à Philippe le Bon, duc de Bourgogne, et partage désormais la destinée des Pays-Bas. Fidèle aux Habsbourg et au catholicisme, le Luxembourg devient espagnol (1506), puis autrichien (traité de Rastatt, 1714). Il est annexé par la France en 1795. Le congrès de Vienne (1815) en fait un grand-duché, lié à titre personnel au roi des Pays-Bas et membre de la Confédération germanique. En 1830, le Luxembourg se joint à la révolte belge. À la conférence de Londres (1831), il est partagé entre la Belgique et les Pays-Bas. Le traité de Londres de 1867 en fait un État neutre, sous la garantie des grandes puissances. En 1868, une Constitution est élaborée, qui sera révisée en 1919 (introduction du suffrage universel) et en 1948. En 1890, la famille de Nassau devient famille régnante. Au cours des deux guerres mondiales, le Luxembourg est occupé par les Allemands. En 1947, le grand-duché devient membre du Benelux avec la Belgique et les Pays-Bas. Il abandonne sa neutralité (1948), adhère au pacte de l'Atlantique nord (1949), puis participe, à partir de 1950, à la construction de l'Europe des Six. En 1964, la grande-duchesse Charlotte abdique en faveur de son fils Jean. La vie politique est dominée par les chrétiens-sociaux, malgré la formation d'un gouvernement de centre gauche avec les socialistes, avec à sa tête le démocrate libéral Gaston Thorn (1974-1979). À partir de 1984, le chrétien-social Jacques Santer forme des gouvernements de coalition avec les socialistes. En 1992, le traité de Maastricht est ratifié malgré les réserves qu'inspire le droit de vote accordé aux ressortissants de l'Union. En 1995, Jean-Claude Juncker succède à Jacques Santer, nommé à la tête de la Commission européenne.

Allemagne Deutschland

Nom officiel : République fédérale d'Allemagne *(Bundesrepublik Deutschland)*. **Capitale :** Berlin. **Monnaie :** deutsche Mark (= 100 Pfennige). **Langue officielle :** allemand. **Principales religions :** protestantisme, catholicisme, islam. **Institutions :** République fédérale formée (depuis 1990) de 16 États *(Länder)*. Constitution (Loi fondamentale) de 1949 amendée en 1990. Chancelier : dirige le gouvernement fédéral (proposé par le chef de l'État, il est en général le chef de la majorité parlementaire). Président de la République : élu pour 5 ans par l'Assemblée fédérale *(Bundesversammlung)*, collège composé des membres du Bundestag et d'un nombre égal de représentants des Länder. Deux Chambres : *Bundestag*, élu pour 4 ans, et *Bundesrat*, désigné par les gouvernements des Länder. **Président de la République :** Roman Herzog (depuis 1994). **Chancelier fédéral :** Gerhard Schröder (depuis 1998). **Drapeau :** adopté officiellement en 1949 en RFA et confirmé en 1990 pour l'Allemagne unie, il reprend les couleurs de la République de Weimar, issues de la révolution de 1848 et dérivées de la tenue du corps franc de Lützow en 1813. Son origine remonte au blason impérial, dont il reprend le noir de l'aigle, le rouge de ses serres et de sa langue, le jaune de l'or du champ. **Hymne national :** « Unité, droit et liberté pour la patrie allemande ! Aspirons-y tous fraternellement, avec notre cœur et notre main ! Unité, droit et liberté sont le gage du bonheur. » Paroles de A.H. Hoffmann von Fallersleben (1798-1874), musique de Joseph Haydn (1732-1809). Extrait du *Deutschlandlied,* le troisième couplet a été déclaré hymne national de la RFA en 1952 et confirmé en 1990 pour l'Allemagne réunifiée. **Fête nationale :** 3 octobre (journée dite « de l'unité allemande », commémorant l'union de la RFA et de la RDA, en 1990).

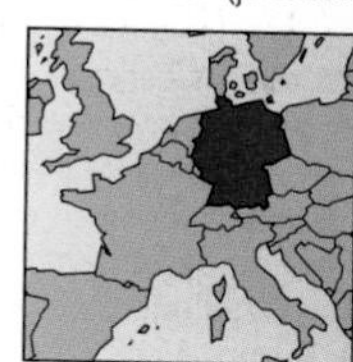

Superficie : 357 000 km². **Point culminant :** 2 963 m à la Zugspitze.

GÉOGRAPHIE

Sur un territoire inférieur aux deux tiers du territoire français, l'Allemagne est la première puissance économique d'Europe et le pays le plus densément peuplé du continent (ainsi que le plus peuplé après la Russie). Elle se caractérise par une géographie complexe. Le nord de l'Allemagne, région de plaines, la rattache à l'Europe du Nord et surtout à l'Europe centrale et orientale. La frontière orientale a connu d'importants changements (notamment le transfert d'une partie du territoire à la Pologne et à l'URSS en 1945) et les migrations, parfois forcées, ont été nombreuses dans les deux sens. Le Sud, plus lié à la France et à l'Autriche, est également plus montagneux : c'est une région de hauts massifs, partiellement boisés, anciens centres d'exploitation minière. La puissance de l'économie allemande repose encore principalement sur l'industrie, qui emploie 37,6 % de la population active. Elle est dominée par la métallurgie de transformation et la chimie et bénéficie d'un réseau de transports très dense. Intégrées à la RFA en 1989, les régions de l'Est constituent néanmoins un poids pour l'économie allemande, en raison notamment de l'obsolescence de l'appareil productif. La population, urbaine à 87 %, stagne aujourd'hui malgré l'immigration (Turcs, puis réfugiés de l'ex-Yougoslavie).

HISTOIRE

Les origines. Les Germains s'installent entre Rhin et Vistule au Iᵉʳ millénaire av. J.-C., poussant les Celtes en Gaule. Ils franchissent le Rhin en 55 av. J.-C. et sont refoulés par César. Cependant, malgré la victoire de Germanicus sur Arminius (16 apr. J. C.), Rome ne parvient à s'établir que sur la rive gauche du Rhin. Entre le *limes,* qui protège la Germanie romaine à partir de Trajan, et les Barbares, s'étendent les champs Décumates. Après l'effondrement de l'Empire romain d'Occident (476), plusieurs royaumes germaniques sont créés. Le plus important, celui des Francs, forme en 800 l'Empire carolingien. Le royaume de Germanie naît de la division de cet empire au traité de Verdun (843).

Le Saint Empire et la papauté. Le Saxon Otton Iᵉʳ le Grand, roi de Germanie, envahit l'Italie et fonde le Saint Empire romain germanique en 962. Otton et ses successeurs entendent intervenir dans les affaires de l'Église (césaropapisme). La dynastie franconienne ou salienne, qui succède aux Ottoniens en 1024, se heurte à la papauté : c'est la querelle des Investitures, marquée par l'humiliation de l'empereur Henri IV à Canossa (1077). Puis la dynastie souabe des Hohenstaufen, avec Frédéric Iᵉʳ Barberousse (1152-1190) et Frédéric II (1220-1250), engage la lutte du Sacerdoce et de l'Empire qui se termine aussi à l'avantage de Rome. Ce triomphe de la papauté livre l'Allemagne à l'anarchie. Après le Grand Interrègne (1250-1273) dont les villes mar-

Europe occidentale

Allemagne (suite)

chandes de la Hanse (Lübeck, Brême, Hambourg…) profitent pour prendre leur essor, les Habsbourg s'installent sur le trône impérial (1273) en la personne de Rodolphe (1273-1291). Ils doivent compter avec des compétiteurs qui les supplantent parfois. Ainsi, Charles IV de Luxembourg (1346-1378), roi de Bohême, est sacré empereur germanique en 1355. Il affranchit définitivement l'Allemagne de la tutelle pontificale en codifiant l'élection impériale par la Bulle d'or (1356).

L'Allemagne de la Renaissance et de la Réforme. À partir de 1440, les Habsbourg ont, en fait, le monopole du titre impérial. L'Empire est à son apogée sous Maximilien Ier (1493-1519) et sous Charles Quint (1519-1556). Mais son unité est brisée par la Réforme protestante. Quand Charles Quint abdique en 1556, la paix d'Augsbourg (1555) a consacré le triomphe de la Réforme dans les États de l'Allemagne du Nord et entériné les sécularisations. Ferdinand Ier, frère de Charles Quint, empereur germanique de 1558 à 1564, favorise en Allemagne la Réforme catholique. Ses successeurs pratiquent la tolérance religieuse, ou, comme Ferdinand II de Styrie (1619-1637), ils poussent, par leur intolérance catholique, certains de leurs sujets à la révolte. La défenestration de Prague (23 mai 1618), prélude au soulèvement des Tchèques, ouvre une nouvelle guerre de Religion, la guerre de Trente Ans (1618-1648). Le pays en sortira dévasté, ayant perdu 35 % de sa population. Les traités de Westphalie (1648), qui clôturent cette guerre, ruinent tout espoir d'unification de l'Allemagne en la morcelant en 350 États. Ils sanctionnent l'échec de la politique des Habsbourg et celui de la Contre-Réforme en Allemagne, la paix d'Augsbourg de 1555 (*cujus regio, ejus religio*: principe selon lequel la religion du prince s'impose à ses sujets) étant en fait ratifiée. Cependant, au cours des XVIIe et XVIIIe s., une civilisation allemande se forge, grâce à de très vivantes universités. L'idée d'une patrie allemande commune se développe, tandis que l'abandon du latin contribue à créer une langue unique.

La montée de la Prusse. Les derniers empereurs de la dynastie des Habsbourg, Léopold Ier (1658-1705), Joseph Ier (1705-1711), Charles VI (1711-1740), François Ier (1745-1765) – dont la politique est entièrement inspirée par sa femme Marie-Thérèse, impératrice de 1740 à 1780 –, Joseph II (1765-1790), Léopold II (1790-1792), François II (1792-1806), se désintéressent de l'Allemagne au profit de l'Italie et de l'Europe balkanique et danubienne. La Diète germanique a beau devenir permanente (1664), elle est incapable de promouvoir une politique allemande commune. Face aux Habsbourg se dresse l'ambition grandissante des Hohenzollern, Électeurs de Brandebourg, puis, à partir de 1701, rois de Prusse. Cette ambition s'incarne en Frédéric II le Grand, roi de 1740 à 1786, qui, grand lettré, le type même du « despote éclairé », fait de ses États les plus puissants de l'Allemagne. La Révolution française de 1789 éveille en Allemagne (de l'Ouest et du Sud surtout) des échos favorables et des espoirs. Mais elle inquiète les rois et, particulièrement, les Habsbourg. En effet, vaincus en 1797 puis en 1800 par Bonaparte, ils doivent non seulement reconnaître la souveraineté française sur la rive gauche du Rhin, mais aussi renoncer à la couronne impériale d'Allemagne, qui disparaît en même temps que le Saint Empire romain germanique (1803-1806). Napoléon Ier crée la Confédération du Rhin (de laquelle l'Autriche et la Prusse sont exclues), dont il est le protecteur, mais celle-ci se révèle un édifice fragile. Elle ne survit pas à la chute de l'Empire français (1813-1814), à laquelle le nationalisme prussien, ravivé par les humiliations d'Iéna, d'Auerstedt (1806) et de Tilsit (1807), prend une part prépondérante. Le congrès de Vienne (1814-1815) se plie aux exigences territoriales de la Prusse, qui obtient la Rhénanie.

La Confédération germanique. Au sein de la nouvelle Confédération germanique, la Prusse, État le plus puissant, se heurte à l'Autriche. En effet, l'empereur d'Autriche assure la présidence honorifique de la Confédération, dont l'organe essentiel est la diète de Francfort. Les Hohenzollern vont désormais se consacrer à éliminer les Habsbourg. De 1818 à 1833, la Prusse constitue autour d'elle une union douanière, ou *Zollverein*, à laquelle adhèrent dès 1834 plusieurs États du Sud : la Bavière, la Hesse-Darmstadt et le Wurtemberg. Mais l'unité politique de l'Allemagne est plus difficile à réaliser. Au lendemain de la révolution – à la fois libérale et nationale – de 1848, la couronne impériale est proposée au roi de Prusse Frédéric-Guillaume IV, mais l'Autriche l'oblige à y renoncer (1849-1850).

L'unité allemande. L'arrivée au trône de Prusse, en 1861, de Guillaume Ier, qui prend comme Premier ministre le prince de Bismarck (1862) et confie la réorganisation de son armée au maréchal von Moltke, marque un tournant dans l'histoire de l'Allemagne. Ayant battu les Autrichiens à Sadowa (1866), la Prusse organise d'abord une Confédération de l'Allemagne du Nord (1866-1870). Puis, la guerre franco-allemande de 1870-1871, qui se termine par l'éclatante victoire des armées de Moltke, scelle l'unité politique du Nord et du Sud. Le 18 janvier 1871, à Versailles, l'Empire allemand, composé de 25 États, et dominé par la Prusse, est proclamé. Guillaume Ier prend le titre d'empereur et Bismarck sera le premier chancelier fédéral. Le 10 mai, l'Alsace et une partie de la Lorraine sont cédées au Reich par le traité de Francfort.

L'Allemagne bismarckienne (1870-1890). L'Allemagne devient une puissance économique de premier ordre, fortement peuplée et massivement industrialisée. Cette industrialisation développe, inévitablement, la question sociale, à laquelle est liée la naissance du catholicisme social (Ketteler) et du socialisme (Lassalle, Bebel, Liebknecht). Dans le même temps, le chancelier Bismarck s'impose comme l'arbitre de l'Europe, son jeu diplomatique visant à maintenir dans l'isolement une France dont il craint le désir de revanche. À l'intérieur, Bismarck entre en lutte contre les catholiques (*Kulturkampf*, 1871-1878) puis doit composer avec eux. Il essaie de déborder la forte social-démocratie en appliquant une législation sociale très avancée. Après la mort de Guillaume Ier (1888), Bismarck ne peut s'entendre avec Frédéric III, qui ne règne que quelques semaines, et moins encore avec le fils de celui-ci, Guillaume II (1888-1918) : il doit se retirer dès 1890.

L'Allemagne wilhelmienne. L'Allemagne poursuit un développement économique qui fait d'elle, en 1914, alors qu'elle compte 67 millions d'habitants (contre 41 millions en 1871), la première puissance européenne. L'impérialisme allemand prend une forme extrêmement dynamique, mais dangereuse pour la paix : le pangermanisme. De crise en crise, la Première Guerre mondiale – dont la cause profonde est le double antagonisme franco-allemand et austro-russe – finit par éclater (août 1914). L'Allemagne y jette toutes ses forces, mais elle est finalement vaincue par les puissances de l'Entente, que les États-Unis ont décidé d'aider. Le 9 novembre 1918, deux jours avant l'armistice

◆ **Divisions administratives.**

État (Land)	Superficie (en km²)	Population	Capitale
Bade-Wurtemberg	35 800	10 272 000	Stuttgart
Bavière	70 600	11 922 000	Munich
Berlin	880	3 446 000	Berlin
Brandebourg	26 000	2 537 000	Potsdam
Brême	400	551 000	Brême
Hambourg	750	1 706 000	Hambourg
Hesse	21 100	5 967 000	Wiesbaden
Mecklembourg - Poméranie-Occidentale	22 500	1 832 000	Schwerin
Rhénanie-du-Nord Westphalie	34 100	17 816 000	Düsseldorf
Rhénanie-Palatinat	19 800	3 952 000	Mayence
Sarre	2 600	1 090 000	Sarrebruck
Saxe	17 000	7 584 000	Dresde
Saxe (Basse-)	47 400	4 715 000	Hanovre
Saxe-Anhalt	25 000	2 778 000	Magdebourg
Schleswig-Holstein	15 700	2 708 000	Kiel
Thuringe	15 200	2 533 000	Erfurt

◆ **Démographie.**

population	82 300 000 hab.
densité	231 hab./km²
accroissement naturel	–1,7 ‰
taux de natalité	9,3 ‰
taux de mortalité infantile	5 ‰
espérance de vie	77 ans
part des moins de 15 ans	16 % de la pop. totale
part des plus de 65 ans	15,2 % de la pop. totale
population urbaine	87 %
principales villes	Berlin, Hambourg, Munich, Francfort-sur-le-Main

◆ **Principales ressources et productions** (1997).

betterave à sucre	28 487 000 t (2e rang)
orge	12 438 000 t (7e rang)
pomme de terre	13 427 000 t (3e rang)
porcins	23 737 000 têtes (4e rang)
automobiles	4 209 000 (3e rang)
lignite	180 826 000 t (1er rang)
houille	51 212 000 t (10e rang)
gaz naturel	21 500 millions de m³
électricité nucléaire	154 100 millions de kWh (4e rang)
électricité totale	532 923 millions de kWh (5e rang)
acier	45 002 000 t (5e rang)
aluminium	572 000 t (8e rang)

◆ **Économie et niveau de vie** (1996).

PNB	2 341,88 milliards de $
PNB/hab.	21 110 $
taux de croissance *(1995)*	1,9 %
taux d'inflation	1,5 %
taux de chômage	11,1 %
importations	448 220 millions de $
exportations	519 440 millions de $
répartition des actifs	agriculture 3,3 %, industrie 37,6 %, services 59,1 %
transports	routes 639 805 km, voies ferrées 88 504 km
taux d'analphabétisme	1 %

◆ **Armée.**

budget militaire *(1996)*	1,3 % du PIB
forces armées *(1997)*	358 400 hommes

de Rethondes, Guillaume II abdique, imité par tous les souverains de l'Empire.

La République de Weimar. Aussitôt, la République allemande est proclamée, dont le socialiste Ebert est le premier président. L'Assemblée, réunie à Weimar, élabore sa Constitution (1919). La république de Weimar, au milieu des pires difficultés économiques, sociales, diplomatiques et idéologiques, se maintient tant bien que mal durant quatorze ans (1919-1933). La montée du communisme, favorisée par l'inflation galopante, la crise mondiale de 1929 et le chômage (6 millions de chômeurs en 1932), a comme corollaire la montée du nationalisme. Les Allemands, en effet, sont exaspérés par les conditions du traité de Versailles de 1919 et par l'occupation française de la Ruhr (1923-1925), décidée en raison du non-paiement des réparations dues par l'Allemagne. Les efforts d'un Gustav Stresemann, ministre des Affaires étrangères de 1923 à 1929, pour se rapprocher de la France et des Alliés (accords de Locarno, 1925) n'entraînent pas le consensus de la nation. L'arrivée à la présidence du maréchal Hindenburg (1925) est le signe de la proche victoire du nationalisme allemand exacerbé, qui trouve un chef en Adolf Hitler, fondateur du Parti national-socialiste (nazi).

◆ **Chefs d'État et de gouvernement de la République de Weimar.**

Président de la République	Mandat
Friedrich Ebert	1919-1925
Paul von Hindenburg	1925-1934
Chancelier	
Philipp Scheidemann	1919
Gustav Bauer	1919-1920
Hermann Müller	1920
Konstantin Fehrenbach	1920-1921
Joseph Wirth	1921-1922
Wilhelm Cuno	1922-1923
Gustav Stresemann	1923
Wilhelm Marx	1926-1928
Hermann Müller	1928-1930
Heinrich Brüning	1930-1932
Franz von Papen	1932
Kurt von Schleicher	1932-1933

◆ **Allemagne.**

Le IIIe Reich. Chancelier le 30 janvier 1933, chef de l'État muni des pleins pouvoirs (*Reichsführer*) quelques semaines plus tard, Hitler établit un régime (IIIe Reich) dictatorial et autarcique, soutenu par une police politique redoutable (*Gestapo*) et un formidable appareil paramilitaire (*SA* et *SS*). Il porte le pangermanisme jusqu'à ses extrêmes limites (annexion de l'Autriche [1938], de la Tchécoslovaquie [1939]) en le renforçant d'une idéologie raciste qui exalte la race germanique au détriment des étrangers, et notamment des juifs voués à l'extermination. Ayant attaqué la Pologne, Hitler déclenche la Seconde Guerre mondiale (1939-1945), qui voit d'abord l'Allemagne victorieuse de ses adversaires – hormis les Britanniques – et maîtresse en fait de l'Europe (1939-1943). Mais l'échec des armées allemandes en URSS (Stalingrad) et l'effort de guerre massif des États-Unis et de leurs alliés préludent à l'effondrement du IIIe Reich (mai 1945).

De la capitulation à la création des deux États allemands. L'Allemagne entière, ravagée, épuisée (6 millions de morts), est occupée par les armées de l'URSS, des États-Unis, de la Grande-Bretagne et de la France. Elle est ramenée à ses frontières du 31 décembre 1937 moins la Poméranie, la Prusse-Orientale et la Silésie. Le pays reste quatre ans sans gouvernement, l'autorité de l'État étant remise, en vertu des accords de Yalta (févr.) et de Potsdam (2 août 1945), au Conseil de contrôle, où siègent les commandants des quatre armées d'occupation, à chacune desquelles une zone est attribuée. À Nuremberg, un tribunal international juge et condamne les grands criminels de guerre nazis. La vie politique reprend dès 1945. Cependant, tandis que les Soviétiques réalisent dans leur zone la formation du Parti socialiste unifié (SED) regroupant le parti communiste et la social-démocratie, dans la zone de l'ouest, Anglo-Saxons et Français créent une administration commune qui entre peu à peu dans la mouvance occidentale. La partition de fait est consacrée en 1949 par la création de la République fédérale d'Allemagne, ou RFA (23 mai), et, dans la zone d'occupation soviétique, de la République démocratique allemande, ou RDA (7 oct.). Ces deux États précisent cependant dans leurs constitutions que l'Allemagne est une république indivisible et que le peuple allemand devra parachever son unité.

LA RFA JUSQU'EN 1989

De l'occupation au retour à la souveraineté. En 1949, alors que le blocus de Berlin prend fin, la Haute Commission alliée promulgue la Loi fondamentale, qui fait de la future République fédérale d'Allemagne (RFA) un État fédéral (11 puis 10 Länder) et indépendant, mais toujours occupé par les Alliés occidentaux. En août ont lieu les élections au premier Bundestag. Trois grands partis émergent : l'Union chrétienne-démocrate, ou CDU, le Parti social-démocrate, ou SPD, le Parti libéral, ou FDP. Élu président de la République (sept. 1949), Theodor Heuss appelle à la chancellerie fédérale Konrad Adenauer, leader de la CDU. La République fédérale, devenue un État souverain en 1955, groupe les deux tiers de la population allemande, car elle a dû absorber plus de 10 millions de réfugiés venus de l'Est. Par la suite, elle recevra de nombreux Allemands fuyant le territoire de la RDA ou la zone soviétique de Berlin. En 1957, la Sarre, rattachée économiquement à la France, est réintégrée définitivement à la RFA.

Le miracle économique allemand. Sur les treize années que dure l'ère Adenauer, la croissance dépasse 7 % par an et le taux d'inflation reste peu élevé. L'essor de l'économie permet de résorber le chômage : de 8,2 % en 1950, le taux tombe à 0,5 % en 1963. Après avoir absorbé l'importante main-d'œuvre que représentaient les Allemands venus de l'Est, le marché de l'emploi fait appel, à partir de 1956, de façon croissante aux travailleurs étrangers. L'aisance matérielle induite par la croissance consacre définitivement l'« économie sociale de marché » comme système d'organisation économique de la RFA. Ludwig Erhard, ministre fédéral de l'Économie de 1949 à 1963, est qualifié de « père du miracle économique allemand ».

Communauté européenne et Ostpolitik. La RFA devient membre à part entière de la Communauté européenne (elle signe en 1957 les traités de Rome). La réconciliation franco-allemande, fortement amorcée par la rencontre Adenauer-de Gaulle en 1958, devient le pivot de l'Europe nouvelle. Cette politique se poursuit sous les chanceliers Ludwig Erhard (1963-1966) et Kurt Kiesinger (1966-1969). Ce dernier forme un gouvernement de « grande coalition » avec le SPD, dont le leader, Willy Brandt, devient ministre des Affaires étrangères, avant de prendre la tête du gouvernement (1969-1974). Dans le domaine des

Europe occidentale

◆ **Chefs d'État et de gouvernement de la RFA.**

Président de la République	Mandat
Theodor Heuss	1949-1959
Heinrich Lübke	1959-1969
Gustav Heinemann	1969-1974
Walter Scheel	1974-1979
Karl Carstens	1979-1984
Richard von Weizsäcker	1984-1990
Chancelier fédéral	
Konrad Adenauer	1949-1963
Ludwig Erhard	1963-1966
Kurt Kiesinger	1966-1969
Willy Brandt	1969-1974
Helmut Schmidt	1974-1982
Helmut Kohl	1982-1990

◆ **Chefs d'État de la RDA.**

Chef d'État	Mandat
Wilhelm Pieck	1949-1960
Walter Ulbricht	1960-1973
Willi Stoph	1973-1976
Erich Honecker	1976-1989
Egon Krenz	oct.-déc. 1989
Manfred Gerlach	déc. 1989-avr. 1990
Sabine Bergmann-Pohl	avr.-oct. 1990

relations avec le bloc soviétique, Willy Brandt rompt avec la politique de ses prédécesseurs. En effet, en visite officielle à Moscou (sept. 1955), Konrad Adenauer avait noué avec l'Union soviétique des relations diplomatiques et obtenu le rapatriement de 30 000 prisonniers de guerre et civils allemands encore retenus en URSS. Cependant, la RFA refusait toujours d'établir des relations diplomatiques avec d'autres pays de l'Est et décidait de rompre avec tout pays qui reconnaîtrait la RDA (« doctrine Hallstein »), estimant être le seul représentant légitime de toute l'Allemagne. À l'opposé, Willy Brandt axe résolument sa politique étrangère sur l'ouverture à l'Est (*Ostpolitik*) et la normalisation des rapports entre les deux États allemands, qui sont admis à l'ONU en 1973. Cette politique rencontre l'hostilité de la CDU. Willy Brandt est alors remplacé par un autre social-démocrate, Helmut Schmidt (1974). Celui-ci renforce l'entente Paris-Bonn et, tout en poursuivant l'Ostpolitik et en participant à la politique de détente (traité d'Helsinki), il maintient fermement les liens avec les États-Unis et l'OTAN.

La montée des Verts. En 1976 et en 1980, la coalition libérale-socialiste remporte les élections fédérales, mais l'opposition chrétienne-démocrate se renforce, la montée des Verts (pacifistes et écologistes) et l'échec de l'Ostpolitik réduisant peu à peu l'autorité de la coalition gouvernementale. En 1982, celle-ci éclate, permettant au chrétien-démocrate Helmut Kohl d'être élu chancelier. La nouvelle coalition chrétienne-libérale remporte les élections fédérales de 1983 et celles de 1987. Ces dernières sont marquées par la poussée des Verts.

LA RDA JUSQU'EN 1989

De l'occupation soviétique à la crise de 1953. Dans la zone d'occupation soviétique se constitue en octobre 1949 la République démocratique allemande, dont le premier président est Wilhelm Pieck. Dirigée par le Parti socialiste unifié (SED), né dès 1946, parti unique organisé sur le modèle soviétique, la RDA est soumise rapidement à l'application d'un programme d'économie planifiée. Sous la double direction d'Otto Grotewohl, chef du gouvernement, de 1949 à 1964, et de Walter Ulbricht, premier secrétaire du SED à partir de 1950 et président du Conseil d'État à partir de 1960, la RDA suit d'abord le modèle stalinien. Elle triomphe peu à peu des difficultés économiques énormes nées de la guerre, de la partition de l'Allemagne et de l'exode vers la RFA de plusieurs millions de ses ressortissants. Mais les difficultés de la vie quotidienne provoquent les émeutes de juin 1953 à Berlin, durement réprimées.

L'amélioration des rapports avec la RFA. Le mur de Berlin est construit en 1961 pour faire cesser l'exode des Allemands de l'Est vers l'Ouest. Cependant, dans le cadre de la politique de coexistence pacifique et de détente entre l'Est et l'Ouest, les deux Allemagnes normalisent leurs rapports. La politique d'ouverture est poursuivie par Erich Honecker, premier secrétaire du SED à partir de 1971, et également président du Conseil d'État en 1976. Par le traité interallemand de 1972, les deux États allemands se reconnaissent mutuellement. La réforme constitutionnelle (oct. 1974) supprime toute référence à la réunification de la « nation allemande ».

◆ **Chefs d'État et de gouvernement de l'Allemagne réunifiée.**

Président de la République	Mandat
Richard von Weizsäcker	1990-1994
Roman Herzog	depuis 1994
Chancelier fédéral	
Helmut Kohl	1990-1998
Gerhard Schröder	depuis 1998

L'ALLEMAGNE UNIFIÉE

Vers l'unification. En 1989, l'exode massif de citoyens est-allemands vers la RFA (rendu possible par l'ouverture de la frontière entre la Hongrie et l'Autriche en mai) et d'importantes manifestations pour la démocratisation du régime provoquent, à partir d'octobre, de profonds bouleversements en RDA. Les principaux dirigeants (dont Erich Honecker et Willi Stoph, chef du gouvernement) démissionnent. Le 9 novembre, le mur de Berlin tombe et la frontière interallemande est ouverte. Le chancelier Kohl présente peu après au Bundestag un plan de réunification de l'Allemagne. Les élections libres qui se déroulent en RDA en mars 1990 sont remportées par la CDU est-allemande, dont le leader, Lothar de Maizière, devient chef du gouvernement. L'union monétaire, économique et sociale des deux États allemands entre en vigueur le 1er juillet. Préalablement redécoupée en Länder, la RDA adhère (23 août) à la RFA selon l'art. 23 de la Loi fondamentale. Le 31 août, un traité d'Union règle les modalités de l'adhésion. Le 3 octobre 1990, l'unification est proclamée. Les aspects extérieurs de l'unification allemande font l'objet de conférences réunissant les quatre puissances victorieuses de la Seconde Guerre mondiale et les deux États allemands. Au terme de ces « Conférences 2 + 4 » (5 mai-12 sept. 1990) et après accord entre le chancelier Kohl et Mikhaïl Gorbatchev (juill. 1990), il est convenu que l'Allemagne unifiée participe à l'OTAN, mais limite ses forces armées et renonce aux armes chimiques et nucléaires. Elle reconnaît, en outre, le caractère définitif de la ligne Oder-Neisse comme frontière avec la Pologne (reconnaissance qu'entérine le traité germano-polonais du 14 nov. 1990).

Les difficultés de l'Allemagne unifiée. La politique de réunification menée par Helmut Kohl remporte l'adhésion des électeurs, de l'Ouest et surtout de l'Est, lors des élections législatives du 2 décembre. Avec la réélection de la coalition de la CDU/CSU et des libéraux en octobre 1994, Kohl sera demeuré au pouvoir pendant seize ans. Pourtant, la réunification entraîne des difficultés : crise économique en raison de son coût, chômage persistant à l'Est, et relations tendues entre les deux populations. L'immigration en provenance de Turquie, puis de l'ex-Yougoslavie, donne lieu à des incidents dus à l'extrême droite. À l'extérieur, l'Allemagne s'engage plus profondément dans la construction européenne, en ratifiant le traité de Maastricht (décembre 1992). Elle assume aussi sa pleine souveraineté en engageant des troupes hors de la zone de défense de l'OTAN (Bosnie-Herzégovine, avril 1993); Kosovo, juin 1999. Les difficultés intérieures ont cependant raison de la majorité sortante lors des élections de septembre 1998. Le nouveau chancelier, Gerhard Schröder, prend la tête d'une coalition dominée par le SPD et incluant les écologistes (Verts).

VOIR AUSSI
- **Frédérick II** p. 451
- **Réunification de l'Allemagne** p. 469
- **Système politique allemand** p. 984
- **Services publics allemands** p. 1015

Illustrations
- **Ruhr** p. 546

Autriche Österreich

Nom officiel : République d'Autriche. **Capitale :** Vienne *(Wien)*. **Monnaie :** Schilling (= 100 Groschen). **Langue officielle :** allemand. **Principale religion :** catholicisme. **Institutions :** République fédérale formée de 9 provinces *(Bundesländer)*. Constitution de 1920-1929, remise en vigueur en 1945. Chancelier : président du gouvernement fédéral et chef de la majorité parlementaire. Président de la République élu pour 6 ans au suffrage universel. Deux Chambres : le Conseil national *(Nationalrat)*, élu pour 4 ans au suffrage universel; le Conseil fédéral *(Bundesrat)*, désigné par les assemblées du pays. **Président de la République :** Thomas Klestil (depuis 1992). **Chancelier :** Viktor Klima (depuis 1997). **Drapeau :** adoptées par la République en 1945, les couleurs rappellent que le duc Léopold V, blessé au combat en 1191, était couvert de sang et que seule la buffleterie du ceinturon était restée blanche. **Hymne national :** « Pays de montagnes, pays au bord du fleuve, pays de champs, pays de clochers, pays de forges, tourné vers l'avenir. Tu es une patrie de grands hommes et un peuple doué pour le beau. Toi Autriche, tant célébrée... » Paroles de Paula von Preradovic (1887-1951), musique attribuée à W. A. Mozart. Déclaré officiel en 1946 (pour la musique) et 1947 (pour le texte). **Fête nationale :** 26 octobre (anniversaire de la loi constitutionnelle de 1955 marquant le retour à la souveraineté).

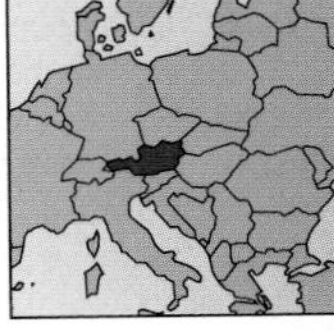

Superficie : 84 000 km². **Point culminant :** 3 796 m au Grossglockner.

GÉOGRAPHIE

L'Autriche, dont les deux tiers du territoire font partie des Alpes, est un pays montagneux au peuplement néanmoins relativement dense. Le climat est humide dans l'ouest du pays mais devient plus continental et plus sec vers l'est. L'économie repose principalement sur les services mais l'industrie emploie encore plus de 30 % de la population active. L'Autriche demeure principalement liée à l'Allemagne : 40 % de ses échanges sont effectués avec cette dernière et la devise autrichienne est depuis longtemps ancrée au deutsche Mark. L'adhésion de l'Autriche à l'Union européenne, effective au 1er janvier 1995, n'a fait que renforcer cet état de choses.

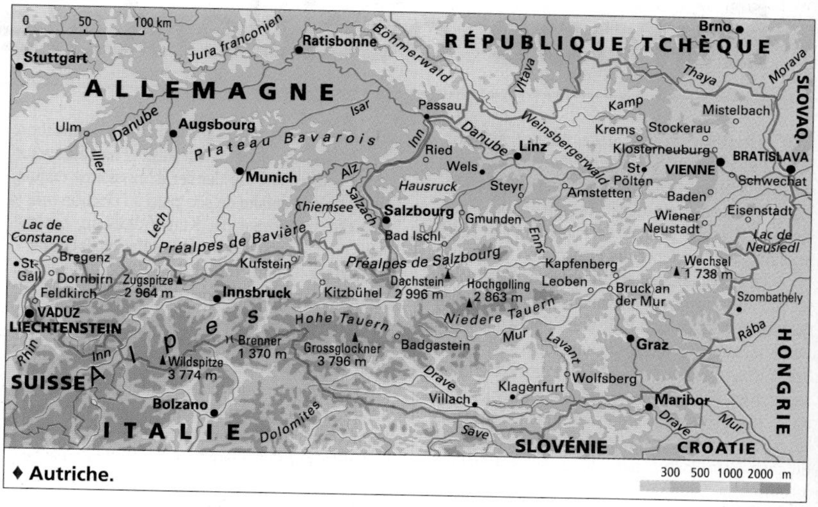

♦ Autriche.

HISTOIRE

Les origines. Les camps des légions romaines donnent naissance aux principales villes autrichiennes. À partir du IVe s. débutent les invasions germaniques, et diverses tribus apparaissent, dont celle des Bavarois. Au VIe s., les Avars conquièrent en partie le pays. Après avoir détruit leur empire, Charlemagne, pour prévenir de nouvelles invasions, constitue en 803 la marche de l'Est (*Ostmark*) : il s'agit là du véritable acte de naissance de l'Autriche, dont le nom – *Ostarrîchi, Österreich* – apparaît en 996. Les Babenberg, déjà maîtres du pays depuis vingt ans, vont être, pour près de trois siècles, les margraves puis les ducs d'Autriche. Duché héréditaire (1156), avec Vienne comme capitale, bientôt agrandi d'une partie de la Styrie et d'une partie de la Carniole (1192), l'Autriche passe en 1278 sous la coupe des Habsbourg.

L'Autriche des Habsbourg du XIIIe au XVIe s. Les Habsbourg acquièrent la Carinthie (1335) et le Tyrol (1363). En 1379, les territoires autrichiens sont partagés entre la branche léopoldine et la branche albertine. Cette dernière s'éteint en 1457, ce qui permet à Frédéric V de Styrie, chef de la branche léopoldine et empereur germanique (Frédéric III) depuis 1440, de rassembler la majeure partie des terres habsbourgeoises. Les Habsbourg vont désormais être assurés du titre impérial, tout en restant les maîtres de l'Autriche, cœur de leurs domaines héréditaires. Maximilien Ier (1493-1519) pousse au développement des ressources de ces domaines, qu'il dote d'institutions originales, notamment la Chambre et le Conseil auliques. Dans le même temps, il acquiert l'Artois, la Franche-Comté et le Charolais (1493). Charles Quint, petit-fils de Maximilien, étant devenu empereur (1519), abandonne à son frère Ferdinand les domaines autrichiens, qui, en 1526, s'augmentent de la Bohême et de la Hongrie.

L'essor d'une grande puissance européenne. Les successeurs de Ferdinand Ier arrêtent l'offensive turque, qui atteint Vienne (1683) sans la submerger, avant de passer à l'offensive et d'acquérir la Transylvanie (1699), puis le Banat (1718). De plus, les guerres des Habsbourg d'Autriche contre la France leur valent l'acquisition des Pays-Bas, du Milanais et de Naples (1714). Parallèlement, ils s'efforcent de faire reculer l'influence protestante dans leurs États en promouvant la Contre-Réforme, encore que les traités de Westphalie (1648) leur aient fait perdre tout espoir de refaire l'unité religieuse de l'Empire. L'indivisibilité des États autrichiens, promulguée en 1713 par Charles VI (Pragmatique Sanction), est sauvegardée par sa fille Marie-Thérèse (1740-1780), qui, si elle perd Parme et la Silésie à l'issue de la guerre de la Succession d'Autriche (1740-1748), acquiert la Galicie (1772) et la Bucovine (1774). En même temps, l'impératrice renforce la centralisation de ses États dans une perspective de « despotisme éclairé », politique poursuivie par son fils Joseph II (1765-1790). La politique de ce dernier allie les réformes sociales (abolition du servage) et économiques au centralisme administratif et à la germanisation. Il tente de subordonner l'Église catholique à l'État (joséphisme). De 1791 à 1814, l'histoire de l'Autriche se résume à une longue lutte contre la France révolutionnaire et impériale, ce qui lui vaut de graves amputations territoriales.

L'Empire d'Autriche. En 1804, François II, empereur germanique depuis 1792, prend le titre d'empereur d'Autriche (François Ier). Il doit renoncer, par la volonté de Napoléon, à la couronne du Saint Empire, qui disparaît (1806). L'empire d'Autriche, au premier rang, avec le chancelier Metternich, de la coalition qui triomphe de Napoléon (1814), est une des puissances organisatrices du congrès de Vienne (1814-1815). Il recouvre la plupart de ses anciens territoires et obtient une place prépondérante en Italie. Il domine la diplomatie européenne jusqu'en 1848, assurant, contre les libéraux et les patriotes européens, le triomphe des idéaux de la Sainte-Alliance. L'Autriche domine aussi la Confédération germanique, créée en 1814. Elle s'appuie sur les dynasties locales pour empêcher la réalisation de l'unité allemande. À partir de 1848, l'Autriche se voit peu à peu éliminée de l'Allemagne par la Prusse, dont les armées battent les siennes à Sadowa (1866). En outre, elle doit compter avec la résistance des nombreuses minorités ethniques de l'Empire, notamment Hongrois et Tchèques. L'empereur François-Joseph Ier (1848-1916), qui a d'abord réagi dans le sens de l'absolutisme et du centralisme administratif (« système » de Bach), est amené, après Sadowa, au compromis austro-hongrois (1867).

La monarchie austro-hongroise. Selon les dispositions du compromis de 1867, l'Autriche et la Hongrie forment deux États égaux, ayant chacun son système politique propre, avec pour éléments communs l'empereur et roi – François-Joseph, puis son petit-neveu Charles Ier (1916-1918) –, les ministres des Affaires étrangères, de la Guerre et des Finances. La Hongrie est chargée d'administrer la partie orientale de l'Empire (Transleithanie), la Cisleithanie demeurant sous l'administration autrichienne. En fait, la Cisleithanie (Galicie, Bohême, Moravie, États autrichiens, Trentin, Istrie, Dalmatie) l'emporte par les ressources et la population. Toutefois, jusqu'en 1918, les minorités, les Tchèques surtout, ne cessent de s'agiter bien que la politique fédéraliste d'Eduard Taaffe (1879-1893) apporte quelque détente. Mais l'industrialisation et la modernisation du pays entraînent la création de nouveaux partis, très actifs, notamment les chrétiens-sociaux de Karl Lueger (1887), qui, violemment antisémites, s'appuient sur la petite bourgeoisie, et les sociaux-démocrates (1888), marxisants, de Victor Adler. À l'extérieur, la politique austro-hongroise est fondée sur l'alliance indéfectible avec l'Allemagne et sur les visées balkaniques. Celles-ci, en provoquant l'hostilité de la Russie, sont à l'origine de la Première Guerre mon-

♦ Divisions administratives.

État (Land)	Superficie (en km²)	Population	Capitale
Vienne	415	1 593 000	Vienne
Autriche (Basse-)	19 172	1 518 000	Sankt Pölten
Autriche (Haute-)	11 980	1 386 000	Linz
Burgenland	3 966	277 000	Eisenstadt
Carinthie	9 533	561 000	Klagenfurt
Salzbourg	7 154	507 000	Salzbourg
Styrie	16 387	1 206 000	Graz
Tyrol	12 647	658 000	Innsbruck
Vorarlberg	2 601	373 000	Bregenz

♦ Démographie.

population	8 100 000 hab.
densité	96 hab./km²
accroissement naturel	1,3 ‰
taux de natalité	10,3 ‰
taux de mortalité infantile	5 ‰
espérance de vie	77 ans
part des moins de 15 ans	17,7 % de la pop. totale
part des plus de 65 ans	14,7 % de la pop. totale
population urbaine	64 %
principales villes	Vienne, Graz, Linz, Salzbourg

♦ Principales ressources et productions (1997).

porcins	3 564 000 têtes
acier	5 175 000 t

♦ Économie et niveau de vie (1996).

PNB	225,569 milliards de $
PNB/hab.	21 650 $
taux de croissance *(1995)*	1,8 %
taux d'inflation	1,8 %
taux de chômage	6,4 %
importations	65 252 millions de $
exportations	57 937 millions de $
répartition des actifs	agriculture 7,2 %, industrie 33,2 %, services 59,6 %
transports	routes 200 000 km, voies ferrées 5 624 km
taux d'analphabétisme	1 %

♦ Armée.

budget militaire *(1996)*	0,9 % du PIB
forces armées *(1997)*	55 800 hommes

Europe occidentale

diale (assassinat de l'archiduc héritier François-Ferdinand à Sarajevo le 28 juin 1914). En 1918, à la suite de la défaite des Empires centraux, l'Autriche-Hongrie est démembrée. Les traités de Saint-Germain (10 sept. 1919) et de Trianon (4 juin 1920) reconnaissent l'existence des États qui en sont issus.

La Ire République et l'Anschluss. L'Autriche, réduite aux territoires germaniques des Habsbourg déchus, devient en oct. 1920 une République fédérale. L'inflation, un moment contenue par Mgr Ignaz Seipel, chancelier de 1922 à 1924 et de 1926 à 1929, reprend en 1930. Le gouvernement autrichien, qui s'appuie sur les chrétiens-sociaux, lutte tout à la fois contre les socialistes et contre les nazis. L'assassinat du chancelier Dollfuss par ceux-ci en 1934 prélude à l'*Anschluss* (réunion de l'Autriche à l'Allemagne) que réalise Hitler en mars 1938 et qui est plébiscité par 99 % des électeurs autrichiens en avril. L'Autriche n'est plus qu'une province du Reich (*Ostmark*). Elle participe aux combats, puis aux défaites de la Seconde Guerre mondiale.

La IIe République. La IIe République fédérale autrichienne est reconnue par les Alliés le 27 avr. 1945. Elle est, néanmoins, partagée en quatre zones d'occupation militaire. Sa souveraineté ne redevient officielle et effective qu'en mai 1955. Cependant, de 1945 à 1955, l'action du président socialiste Karl Renner et celle du chancelier populiste Leopold Figl (1945-1953) permettent à l'Autriche de revivre, populistes et socialistes cohabitant dans un bipartisme qui se prolongera jusqu'en 1966. Par la suite, la constitution d'un parti démocratique du Progrès disloque la coalition. Elle oriente l'Autriche vers un système majoritaire, marqué, en fait, par l'alternance au gouvernement des populistes (Josef Klaus, de 1966 à 1970) et des socialistes (Bruno Kreisky, de 1970 à 1983). Durant ce temps, le pays progresse économiquement. Après la démission de Kreisky en 1983, se constitue un gouvernement de coalition socialo-libérale, dont le socialiste Fred Sinowatz prend la direction. Ce dernier démissionne en juin 1986 après la défaite de son parti à l'élection présidentielle, remportée par Kurt Waldheim, controversé pour ses activités aux côtés des nazis pendant la Seconde Guerre mondiale. Le socialiste Franz Vranitzky, qui lui succède, dirige à partir de janv. 1987 des gouvernements de coalition entre socialistes et populistes. À partir de 1989-1990, les nouveaux rapports entre l'Est et l'Ouest conduisent le gouvernement, qui a demandé l'adhésion de l'Autriche à la CEE en 1989, à ouvrir un débat sur le statut de neutralité adopté par le Parlement en 1955 et à développer la coopération avec l'Europe centrale. En 1992, le candidat populiste, Thomas Klestil, remporte l'élection présidentielle. Depuis la fin des années 1980, le Parti libéral, qui développe des thèmes xénophobes, est en progression, mais la coalition gouvernementale conserve en 1994 la majorité au Parlement. Membre de l'AELE depuis 1960, l'Autriche a signé en 1992 le traité de Porto instituant l'Espace économique européen. En 1994, un référendum approuve son entrée dans l'Union européenne à partir du 1er janvier 1995. Viktor Klima succède à Franz Vranitzky, démissionnaire, en janvier 1997.

◆ Chefs d'État et de gouvernement.

Ire République	
Président	**Mandat**
Karl Seitz	1919-1920
Michael Hainisch	1920-1928
Wilhelm Miklas	1928-1938
Chancelier	
Karl Renner	1918-1920
Michael Mayr	1920-1921
Johann Schober	1921-1922, 1929-1930
Mgr Ignaz Seipel	1922-1924, 1926-1929
Ernst Streeruwitz	1929
Karl Buresch	1931-1932
Engelbert Dollfuss	1932-1934
Kurt Schuschnigg	1934-1938
De 1938 à 1945, l'Autriche constitue une province du IIIe Reich.	
IIe République	
Président	**Mandat**
Karl Renner	1945-1950
Theodor Körner	1951-1957
Adolf Schärf	1957-1965
Franz Jonas	1965-1974
Rudolf Kirchschläger	1974-1986
Kurt Waldheim	1986-1992
Thomas Klestil	depuis 1992
Chancelier	
Leopold Figl	1945-1953
Julius Raab	1953-1961
Alfons Gorbach	1961-1964
Josef Klaus	1964-1970
Bruno Kreisky	1970-1983
Fred Sinowatz	1983-1986
Franz Vranitzky	1986-1997
Viktor Klima	depuis 1997

VOIR AUSSI
Illustrations
• **Fête folklorique en Autriche** p. 959

Liechtenstein

Nom officiel : Principauté de Liechtenstein. **Capitale :** Vaduz. **Monnaie :** franc suisse (= 100 centimes). **Langue officielle :** allemand. **Principale religion :** catholicisme. **Institutions :** Principauté héréditaire. Constitution de 1921. Diète *(Landtag)* de 25 membres élue au suffrage universel pour 4 ans. **Souverain :** le prince Hans Adam II (depuis 1989). **Chef du gouvernement :** Mario Frick (depuis 1993). **Drapeau :** il a été adopté en 1937 ; le bleu représente le ciel, le rouge, le feu ; il porte en outre la couronne princière. **Hymne national :** « Sur le cours supérieur du Rhin allemand, le Liechtenstein s'appuie contre les sommets alpestres... » Paroles de Jakob Joseph Jauch, musique d'auteur inconnu. **Fête nationale :** 15 août (anniversaire du prince).

Superficie : 160 km². **Point culminant :** 2 599 m au Vorder Grauspitz.

GÉOGRAPHIE

Le Liechtenstein est un micro-État lié à la Suisse dans les domaines monétaire, douanier et diplomatique. C'est un pays industrialisé où le tertiaire (secteurs financier et commercial) occupe néanmoins une place croissante. La population, catholique et germanophone, connaît un niveau de vie élevé.

HISTOIRE

Le Liechtenstein est constitué par les seigneuries de Vaduz et de Schellenberg, qui sont jusqu'en 1806 des fiefs immédiats du Saint Empire. Acquis par la famille comtale des Liechtenstein (1699) et érigé en principauté par l'empereur Charles VI, le Liechtenstein entre dans la Confédération du Rhin (1806-1814), puis dans la Confédération germanique (1815-1866). Par l'union douanière (1851) et monétaire (1856), il se rattache à l'économie autrichienne.

Après la Première Guerre mondiale, le Liechtenstein s'intègre économiquement à la Suisse (union monétaire [1921] et douanière [1923]). Il existe deux formations politiques : le parti des Citoyens progressistes (parti « noir ») et l'Union de la patrie (parti « rouge »). Depuis 1970, l'Union de la patrie remporte généralement les élections (sauf en 1974 et en février 1993) mais, jusqu'en 1997, le pays est gouverné par une coalition des deux partis. Le prince François-Joseph II, intronisé en 1938, meurt en 1989, et son fils Hans Adam II lui succède. Membre de l'AELE depuis 1991, la principauté se prononce en 1992 en faveur de l'adhésion à l'Espace économique européen. Celle-ci devient effective, après la conclusion d'un nouvel accord douanier et fiscal avec la Suisse et un second référendum en 1995.

◆ Démographie.

population	32 000 hab.
densité	200 hab./km²
accroissement naturel	8 ‰
taux de natalité	14 ‰
espérance de vie	69 ans
part des moins de 15 ans	19 % de la pop. totale
part des plus de 65 ans	10 % de la pop. totale
principales villes	Vaduz, Schaan

◆ Économie et niveau de vie (1996).

PNB	713 millions de $
PNB /hab.	22 280 $
importations	700 millions de $
exportations	1 400 millions de $
répartition des actifs *(1991)*	agriculture 2,4 %, industrie 42,7 %, services 54,9 %
taux d'analphabétisme	0,3 %

VOIR AUSSI
Illustrations
• **Liechtenstein** p. 561 (carte)

Suisse die Schweiz, Svizzera

Nom officiel : Confédération suisse. **Capitale :** Berne *(Bern)*. **Monnaie :** franc suisse (= 100 centimes). **Langues officielles :** allemand, français, italien, romanche. **Principales religions :** catholicisme et protestantisme. **Institutions :** République. Constitution de 1874. État fédéral : chaque canton a une souveraineté interne et une Constitution. L'Assemblée fédérale (Parlement) formée du Conseil national (élu pour 4 ans) et du Conseil des États (élu par les cantons) est l'autorité suprême et élit l'exécutif, le Conseil fédéral. Président de la Confédération élu pour un an par le Conseil fédéral. **Président de la Confédération :** Flavio Cotti, pour 1998. **Drapeau :** sa forme actuelle a été fixée par un décret de l'Assemblée fédérale de 1899, complété par une ordonnance de 1913 du Conseil fédéral. Son origine remonte à la bannière rouge des montagnards de Schwyz, emblème de leur liberté impériale, ornée d'un crucifix. **Hymne national**, dit « Cantique suisse » : « Sur nos monts, quand le soleil annonce un brillant réveil et prédit d'un plus beau jour le retour… » Paroles de Leonhard Widmer (1808-1868), musique d'Alberik Zwyssig (1808-1854). Déclaré officiel en 1961. **Fête nationale** : 1er août (jour anniversaire de la conclusion du pacte perpétuel de 1291).

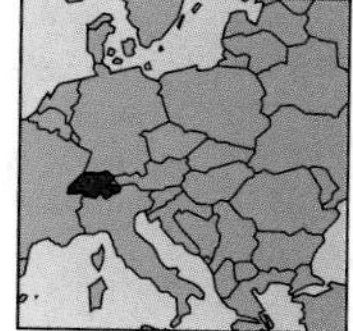

Superficie : 41 293 km².
Point culminant :
4 634 m au mont Rose (pointe Dufour).

◆ **Suisse.**

GÉOGRAPHIE

Pays enclavé et de petite taille par rapport à ses voisins français, allemand ou italien, la Suisse doit à son relief, autant qu'à sa neutralité politique, d'avoir été préservée depuis plusieurs siècles des nombreux bouleversements qu'a connus le continent. Les Alpes occupent environ 60 % du territoire, et surplombent les vallées du Rhône et du Rhin, ainsi que la plaine du Pô. Entre les Alpes et le Jura se trouve un ensemble de collines et de vallées qui abrite les deux tiers de la population et les principales villes. Au nord se trouvent des régions de forêt, d'élevage et d'artisanat qui se dépeuplent. L'agriculture occupe moins du dixième de la superficie du pays et à peine le vingtième des actifs. L'industrie (mécanique, chimie, alimentation) et les services (notamment le secteur bancaire) composent l'essentiel du PIB. Le tiers de la production est échangé, essentiellement avec l'Union européenne. La population (germanophone à 65 %, francophone à 18 % et italianophone à 10 %) a cessé de croître et est urbanisée à 61 %. L'immigration demeure essentiellement saisonnière et frontalière.

◆ **Démographie.**

population	7 100 000 hab.
densité	172 hab./km²
accroissement naturel	3,3 ‰
taux de natalité	10,9 ‰
taux de mortalité infantile	5 ‰
espérance de vie	79 ans
part des moins de 15 ans	17,4 % de la pop. totale
part des plus de 65 ans	14,3 % de la pop. totale
population urbaine	61 %
principales villes	Zurich, Berne, Bâle, Genève, Lausanne

◆ **Principales ressources et productions** (1997).

fromages	131 670 t
électricité nucléaire	24 800 millions de kWh (10e rang)

◆ **Économie et niveau de vie** (1996).

PNB	311,486 milliards de $
PNB/hab.	26 340 $
taux de croissance *(1995)*	0,7 %
taux d'inflation	0,8 %
taux de chômage	5,4 %
importations	93 677 millions de $
exportations	95 513 millions de $
répartition des actifs	agriculture 4,8 %, industrie 26,5 %, services 68,7 %
transports	routes 71 348 km, voies ferrées 5 021 km
taux d'analphabétisme	1 %

◆ **Armée.**

budget militaire *(1996)*	1,5 % du PIB
forces armées *(1997)*	3 300 hommes

HISTOIRE

Les origines de la Confédération suisse. À l'âge du fer, les civilisations celtiques de Hallstatt et de La Tène se développent. Annexée par Rome au Ier s., la future Suisse est envahie au Ve s. par les peuples burgondes à l'ouest et alamans à l'est. Les uns se fondent rapidement dans une population romanisée (Suisse romande), tandis que les autres conservent leur spécificité linguistique (Suisse alémanique). Dominée par les Francs à partir du VIe s., la région est progressivement christianisée du VIIe au IXe s.

Après le démembrement de l'Empire carolingien, elle appartient au royaume de Bourgogne (888) et passe avec lui au Saint Empire (1032). Au milieu du XIIIe s., les Habsbourg contrôlent toute la Suisse centrale et occidentale. Contre leur pouvoir, les paysans sollicitent de l'empereur des lettres de franchise. Mais l'élection de Rodolphe de Habsbourg à l'Empire (1273) rend vain ce recours. À la mort de Rodolphe, dans des circonstances devenues légendaires (Guillaume Tell), les trois cantons forestiers (*Waldstätte*) de Schwyz, Uri et Unterwald se lient en un pacte perpétuel pour défendre leurs libertés (août 1291). Ce pacte perpétuel est l'acte de naissance de la Confédération suisse.

Affermissement et émancipation de la Confédération (1291-1513). Après la victoire de Morgarten contre le duc Léopold d'Autriche (15 nov. 1315), le pacte est renouvelé à Brunnen le 9 déc. 1315. Lucerne (1332), Zurich (1351), Glaris et Zoug (1352) et enfin Berne (1353) s'allient aux trois cantons primitifs pour former la Confédération des huit cantons, dont les Habsbourg doivent reconnaître l'indépendance en 1389. De nouvelles acquisitions (le Valais, Neuchâtel, Appenzell, Saint-Gall, Schaffhouse, Bienne, Mulhouse et Soleure) participent selon divers statuts à l'ensemble confédéré. Des rivalités éclatent entre les cantons, mais Berne parvient à les entraîner tous dans la guerre contre Charles le Téméraire, qui se solde par les victoires suisses de Grandson et Morat (1476). Cependant, la paix intérieure n'est rétablie qu'en 1481. Soleure et Fribourg entrent alors dans la Confédération, dont l'indépendance est reconnue par l'empereur Maximilien au traité de Bâle (1499). Après l'entrée de Bâle et de Schaffhouse (1501) puis d'Appenzell (1513) dans la Confédération, celle-ci compte désormais treize cantons. Après leur défaite contre les Français en Italie, à Marignan (1515), les cantons renoncent à intervenir dans les affaires étrangères. François Ier leur accorde l'avantageuse paix perpétuelle de Fribourg (1516).

VOIR AUSSI • **Confédération helvétique** p. 985

De la Réforme à la Révolution française. Introduite dès 1519 à Zurich par Ulrich Zwingli, la

◆ **Divisions administratives.**

Canton	Superficie (en km²)	Population	Chef-lieu	Population du chef-lieu
Appenzell (1)	415	68 969		
Argovie	1 404	531 665		
Bâle (1)	465	431 032	Aarau	16 510
Berne	6 050	970 928	Berne	131 898
Fribourg	1 670	227 866	Fribourg	37 753
Genève	282	394 588	Genève	175 007
Glaris	684	39 161	Glaris	5 600
Grisons	7 106	185 999	Coire	31 457
Jura	838	68 948	Delémont	11 715
Lucerne	1 492	341 809	Lucerne	60 376
Neuchâtel	797	165 232	Neuchâtel	32 777
Saint-Gall	2 014	443 839	Saint-Gall	74 716
Schaffhouse	298	73 835	Schaffhouse	34 095
Schwyz	908	123 788	Schwyz	13 543
Soleure	791	240 777	Soleure	15 600
Tessin	2 810	304 830	Bellinzona	44 138
Thurgovie	1 013	224 822	Frauenfeld	20 200
Unterwald (1)	767	78 234		
Uri	1 076	35 861	Altdorf	8 300
Valais	5 226	272 315	Sion	51 292
Vaud	3 219	606 471	Lausanne	121 304
Zoug	239	93 737	Zoug	21 900
Zurich	1 729	1 178 848	Zurich	357 261

(1) Les cantons d'Appenzell, Bâle et Unterwald sont formés chacun de deux demi-cantons, respectivement : Rhodes-Extérieures (243 km²; 54 229 hab.; chef-lieu Herisau) et Rhodes-Intérieures (172 km²; 14 870 hab.; chef-lieu Appenzell); Bâle-Ville (37 km²; 195 411 hab.; chef-lieu Bâle) et Bâle-Campagne (428 km²; 252 488 hab.; chef-lieu Liestal); Obwald (491 km²; 29 025 hab.; chef-lieu Sarnen) et Nidwald (276 km²; 36 044 hab.; chef-lieu Stans).

Europe occidentale

sa victoire sur Charles le Téméraire, acquiert le duché de Bourgogne (1482). À la fin du XVe s., Charles VIII et Louis XII engagent les guerres d'Italie. François Ier poursuit cette politique italienne, conquiert le Milanais (Marignan, 1515), fait alliance avec le pape, et même avec les Ottomans, contre les Habsbourg, mais ne peut éviter l'alliance de ceux-ci avec l'Angleterre. Il renforce la monarchie à l'intérieur, et, dans les arts et les lettres, favorise la Renaissance. Avec Henri II (1547-1559), la lutte continue contre les Habsbourg et l'Angleterre. Sous Charles IX, fils de Catherine de Médicis, éclatent les guerres de Religion (1562), consécutives au développement du protestantisme. Guerres fratricides (massacre de la Saint-Barthélemy, 1572), elles ruinent le pays et affaiblissent l'autorité royale.

Le temps des Bourbons. À la mort d'Henri III (1589), Henri de Navarre (Henri IV) hérite de la couronne. Il pacifie et reconstitue la France, assure la liberté de culte aux protestants (édit de Nantes, 1598), restaure, avec Sully, les finances et l'économie. Louis XIII (1610-1643), appuyé sur Richelieu, élimine le danger protestant, abaisse les oligarchies féodales, développe l'absolutisme et la centralisation monarchiques (intendants), mais appauvrit le pays en l'engageant dans la guerre de Trente Ans contre les Habsbourg. Les débuts du règne de Louis XIV sont marqués par la révolte de la Fronde (1648-1652), menée par les parlementaires et par la haute noblesse. Elle échoue cependant, grâce à l'autorité de Mazarin. La France triomphe de l'Espagne : au traité des Pyrénées (1659), elle y gagne l'Artois et le Roussillon. Après 1661, le monarque (le Roi-Soleil) incarne l'absolutisme royal, l'impose même à l'Église (lutte contre les jansénistes, défense du gallicanisme, condamnation du quiétisme), et aux protestants (révocation de l'édit de Nantes, 1685). À l'extérieur, aux victoires et aux conquêtes des débuts (Flandre, Franche-Comté, Alsace; guerre de Dévolution, 1667-1668, et de Hollande, 1672-1678) succèdent des revers (ligue d'Augsbourg, 1686-1697; guerre de la Succession d'Espagne, 1701-1714), qui s'accompagnent de misère. La régence de Philippe d'Orléans, pendant la minorité de Louis XV (1715-1723), prend le contre-pied de la politique de Louis XIV, dans le domaine des alliances (rapprochement avec l'Angleterre) comme dans celui des mœurs (licence et affairisme). À sa majorité, Louis XV confie le gouvernement de l'État au cardinal Fleury, et ne prend en main les affaires qu'après 1743. Le territoire s'accroît de la Lorraine (1766) et de la Corse (1768). L'expansion démographique et commerciale ne compense pas les difficultés financières grandissantes, tandis que le nouvel esprit philosophique menace l'autorité de l'Église et celle du roi. Aux victoires de la guerre de la Succession d'Autriche (Fontenoy, 1745) succèdent les désastres de la guerre de Sept Ans et la perte de la plus grande partie de l'empire colonial au profit de l'Angleterre (traité de Paris, 1763). Louis XVI est impuissant à résoudre le problème financier et la crise économique des années 1780; les réformateurs (Turgot, Necker) se heurtent aux privilèges nobiliaires.

La Révolution. En 1789, les États généraux convoqués en mai se proclament dès juin Assemblée nationale constituante. Privilèges et droits féodaux sont abolis, une Déclaration des droits de l'homme est publiée; les biens du clergé, déclarés biens nationaux, sont vendus. La Constitution de 1790 instaure une monarchie constitutionnelle et censitaire avec assemblée unique. L'Assemblée législative (oct. 1791-sept. 1792) ne peut éviter la guerre avec les cours étrangères, favorables à la monarchie française. En sept. 1792, la Convention nationale remplace la Législative. Les victoires se multiplient (Valmy, Jemmapes). La Savoie et la Belgique sont annexées. La république est proclamée (22 sept. 1792) et le roi exécuté (21 janv. 1793). Un gouvernement révolutionnaire est institué (juin 1793-juill. 1794); il instaure la Terreur et repousse la coalition ennemie. La chute de son chef, Robespierre, est suivie de la réaction thermidorienne (juill. 1794-oct. 1795). Le nouveau régime, le Directoire (oct. 1795-sept. 1799), est faible et corrompu, dépassé à l'intérieur (coups d'État, anarchie, misère) et à l'extérieur, malgré les brillantes campagnes de Bonaparte en Italie (1796-1797) puis en Égypte. De retour en France, Bonaparte renverse le Directoire (coup d'État du 18-Brumaire).

Le Consulat et l'Empire. Premier consul et maître absolu, Bonaparte pacifie le pays (Concordat, 1801; paix d'Amiens, 1802) et jette les bases d'un État fort et centralisé (préfets, cours d'appel, Banque de France, lycées, Code civil, etc.). En 1804, l'Empire succède au Consulat. Bonaparte, devenu Napoléon Ier, instaure un régime de plus en plus autoritaire. Les victoires de 1805 (Austerlitz), 1806 (Iéna), 1807 (Eylau), 1809 (Wagram) lui permettent de constituer un vaste empire. Mais la puissance maritime britannique, intacte après Trafalgar (1805), la coûteuse guerre d'Espagne, et les désastres en Russie (1812) et en Allemagne (1813) ont finalement raison de lui. Napoléon abdique en 1814 et les Bourbons sont restaurés (Louis XVIII). La France est ramenée à ses frontières de 1792. Après l'épisode des Cent-Jours, que clôt la défaite de Waterloo (1815), le pays est envahi et occupé.

La Restauration et la IIe République. La seconde Restauration a pour souverains Louis XVIII, qui s'efforce de concilier les acquisitions révolutionnaires et le retour à la monarchie (la Charte), puis, à partir de 1824, Charles X qui, en favorisant l'ultraroyalisme, provoque la révolution de juillet 1830 (les Trois Glorieuses) et sa propre chute. À l'extérieur, la France s'engage dans une politique coloniale avec la prise d'Alger (juill. 1830). En 1830, Louis-Philippe Ier, de la maison d'Orléans, devient « roi des Français ». Mais un pouvoir fort (Guizot) favorise l'essor de la bourgeoisie possédante, tandis que la révolution industrielle provoque la formation d'un prolétariat ouvrier. Face à la prépondérance britannique, la politique extérieure demeure prudente. La crise économique et morale des années 1846-1848 s'achève par la chute du régime et la proclamation de la IIe République (févr. 1848). D'abord fraternelle et démocratique (suffrage universel, liberté de presse et de réunion), elle évolue, après l'insurrection ouvrière de juin, vers la réaction, qui favorise l'ambition de Louis Napoléon Bonaparte, triomphalement élu président le 10 déc. 1848. Le 2 déc. 1851, par un coup d'État qu'entérine un plébiscite, il institue un régime présidentiel autoritaire.

Le second Empire. Devenu l'empereur Napoléon III (2 déc. 1852), Louis Napoléon consolide son pouvoir. Son prestige international est assuré par la victoire franco-britannique en Crimée (1856). Une politique économique ambitieuse et le développement de grands travaux (chemins de fer, ports, défrichements) transforment l'aspect du pays et de la capitale (Haussmann). Mais les ambiguïtés de son soutien à la réalisation de l'unité italienne (campagne de 1858-1859), à l'origine de la cession de Nice et de la Savoie à la France, et l'opposition à sa politique de libre-échange (1860) obligent Napoléon III à des concessions politiques et sociales. Alors que le régime s'engage dans une voie libérale, la guerre franco-allemande, mal préparée, provoque sa chute (Sedan, 2 sept. 1870).

La IIIe République. Le 4 sept. 1870, la république est proclamée. Le gouvernement de Défense nationale ne peut éviter la capitulation de Paris (janv. 1871). Un armistice est conclu avec l'Allemagne. Une Assemblée nationale, monarchiste et pacifiste, est élue. Elle confie l'exécutif à Thiers, tandis qu'à Paris éclate la Commune (18 mars-28 mai), qui est réprimée dans le sang.

◆ **Les Régions françaises.**

Région (n[os] des départements les formant)	Superficie (en km²)	Population	Chef-lieu
Alsace (67 et 68)	8 280	1 702 200	Strasbourg
Aquitaine (24, 33, 40, 47 et 64)	41 308	2 877 200	Bordeaux
Auvergne (03, 15, 43 et 63)	26 021	1 314 700	Clermont-Ferrand
Bourgogne (21, 58, 71 et 89)	31 582	1 624 200	Dijon
Bretagne (22, 29, 35 et 56)	27 208	2 860 900	Rennes
Centre (18, 28, 36, 37, 41 et 45)	39 151	2 442 700	Orléans
Champagne-Ardenne (08, 10, 51 et 52)	25 606	1 351 800	Châlons-en-Champagne
Corse[1] (2 A et 2 B)	8 680	260 700	Ajaccio
Franche-Comté (25, 39, 70 et 90)	16 202	1 185 800	Besançon
Île-de-France (75, 77, 78, 91, 92, 93, 94 et 95)	12 120	11 027 100	Paris
Languedoc-Roussillon (11, 30, 34, 48 et 66)	27 376	2 244 300	Montpellier
Limousin (19, 23 et 87)	16 942	717 600	Limoges
Loire (Pays de la) [44, 49, 53, 72 et 85]	32 082	3 155 800	Nantes
Lorraine (54, 55, 57 et 88)	23 547	2 311 700	Metz
Midi-Pyrénées (09, 12, 31, 32, 46, 65, 81 et 82)	45 348	2 505 900	Toulouse
Nord-Pas-de-Calais (59 et 62)	12 414	4 001 700	Lille
Normandie (Basse-) [14, 50 et 61]	17 590	1 415 900	Caen
Normandie (Haute-) [27 et 76]	12 317	1 781 500	Rouen
Picardie (02, 60 et 80)	19 399	1 863 300	Amiens
Poitou-Charentes (16, 17, 79 et 86)	25 810	1 622 800	Poitiers
Provence-Alpes-Côte d'Azur (04, 05, 06, 13, 83 et 84)	31 400	4 452 100	Marseille
Rhône-Alpes (01, 07, 26, 38, 42, 69, 73 et 74)	43 698	5 608 200	Lyon

(1) La Corse ne constitue plus une Région en droit, mais une collectivité territoriale.

◆ **Démographie.**

population	58 800 000 hab.
densité	107 hab./km^2
accroissement naturel	2,8 ‰
taux de natalité	11,6 ‰
taux de mortalité infantile	5 ‰
espérance de vie	78 ans
part des moins de 15 ans	19,4 % de la pop. totale
part des plus de 65 ans	15,1 % de la pop. totale
population urbaine	75 %
principales villes	Paris, Marseille, Lyon, Toulouse, Nice, Nantes, Bordeaux, Lille

◆ **Principales ressources et productions** (1997).

betterave à sucre	33 186 000 t (1er rang)
blé	33 928 000 t (5e rang)
maïs	16 800 000 t (5e rang)
vin	58 970 000 hl (2e rang)
automobiles	3 351 000 (4e rang)
électricité nucléaire	377 300 millions de kWh (2e rang)
électricité totale	492 300 millions de kWh (7e rang)

◆ **Économie et niveau de vie** (1996).

PNB	1 534,74 milliards de $
PIB/hab.	21 510 $
taux de croissance *(1995)*	2,2 %
taux d'inflation	2 %
taux de chômage	12,6 %
importations	258 963 millions de $
exportations	274 062 millions de $
répartition des actifs	agriculture 4,7 %, industrie 24,7 %, services 68,7 %
transports,	routes 812 550 km, voies ferrées 34 070 km
taux d'analphabétisme	1 %

◆ **Armée.**

budget militaire *(1996)*	2,4 % du PIB
forces armées *(1997)*	398 900 hommes

Le traité de Francfort (10 mai) entérine la cession de l'Alsace et d'une partie de la Lorraine à l'Allemagne. Devenu président de la République (août), Thiers travaille au redressement de la France et à sa libération anticipée. En 1873, il est renversé par la majorité monarchique de l'Assemblée qui lui substitue le légitimiste Mac-Mahon. L'échec répété de la restauration monarchique permet le vote (1875) des lois constitutionnelles républicaines. En 1877, l'épreuve de force entre le président de la République et les républicains aboutit au succès de ces derniers aux élections. Les républicains ayant obtenu la majorité aux élections sénatoriales de 1879, Mac-Mahon démissionne ; Jules Grévy lui succède. Au pouvoir jusqu'en 1885, les républicains (Gambetta, Ferry) réforment l'enseignement et font voter les lois fondamentales établissant les libertés publiques (de la presse, de réunion). La conquête coloniale reprend en Afrique et en Asie tandis qu'à l'intérieur sévit une dépression économique. À partir de 1885, une série de crises et de scandales menacent la république (boulangisme, 1885-1889 ; Panamá, 1888-1893 ; attentats anarchistes, 1894). L'affaire Dreyfus (1894-1899) soude le Bloc des gauches autour des radicaux. Aux modérés s'opposent les extrêmes, nationalistes de droite obsédés par l'idée de revanche et socialistes guesdistes. Catholicisme social et syndicalisme révolutionnaire deviennent des forces politiques. Au pouvoir de 1899 à 1905, le Bloc des gauches pratique une politique résolument anticléricale qui aboutit à la séparation des Églises et de l'État (1905). À partir de 1906, les difficultés économiques entretiennent une agitation sociale endémique, tandis que la croissance démographique faiblit. À l'extérieur, la menace allemande se précise, révélée par les deux crises marocaines (1905 et 1911). En 1913, Poincaré est élu président de la République.

D'une guerre à l'autre. Champ de bataille de la Première Guerre mondiale (1914-1918), la France sort victorieuse du conflit mais très affaiblie (elle a perdu 10 % de sa population active et 1/6 de son revenu national). Au traité de Versailles (1919), elle retrouve l'Alsace-Lorraine. Face à l'Allemagne endettée, la France engage une politique de force, mais n'est pas suivie par ses alliés. Le redressement économique, effectif, est grevé par l'inflation (jusqu'à la stabilisation du franc en 1928) et l'accroissement de la dette publique. Le socialisme progresse (création du Parti communiste français, 1920). Un Cartel des gauches se constitue (1924-1926), auquel succède le gouvernement d'union nationale de Poincaré (1926-1929), qui doit dévaluer le franc (1928). La France est touchée par la crise économique de 1929, à laquelle s'ajoutent instabilité ministérielle et scandales (affaire Stavisky). Émeutes (6 févr. 1934) et grèves se succèdent. Une coalition de gauche (socialistes, radicaux, communistes) se constitue contre les ligues de droite, préparant la victoire électorale du Front populaire (1936). Chef du gouvernement, Léon Blum met en œuvre d'importantes réformes sociales. À l'extérieur, la montée du pouvoir hitlérien s'accélère en Allemagne. Le gouvernement Daladier essaie en vain de détourner le danger de guerre (accords de Munich, 1938). Le conflit se termine d'abord sur l'armistice du 22 juin 1940, pendant que, de Londres, le général de Gaulle lance un appel à la résistance (18 juin). Le « régime de Vichy », qui donne les pleins pouvoirs au maréchal Pétain, est instauré dans la France non occupée (zone libre) et se fonde sur des valeurs traditionnelles : travail, famille, patrie. En nov. 1942, le débarquement américain en Afrique du Nord provoque l'occupation totale de la métropole par les troupes allemandes. Cependant, au sommet de l'État français, la politique de collaboration avec l'Allemagne s'accélère. À l'extérieur, l'armée des Forces françaises libres affirme la présence de la France aux côtés des Alliés. Le 3 juin 1944 est constitué un Gouvernement provisoire de la République, reconnu par les Alliés et présidé par de Gaulle, qui s'installe dans Paris libéré (25 août 1944).

La Libération et la IVe République. Le Gouvernement provisoire de la République française, présidé par de Gaulle jusqu'à sa démission (janv. 1946), accorde le droit de vote aux femmes et procède à d'importantes réformes sociales et structurelles (nationalisations). Une Constitution instituant un régime de type parlementaire est adoptée en oct. 1946, et, en janv. 1947, le socialiste Vincent Auriol est élu président de la République. Après le retour des communistes dans l'opposition, les gouvernements sont principalement constitués par les socialistes, les radicaux ou les démocrates-chrétiens. Le redressement économique du pays est amorcé, notamment grâce à l'aide du plan Marshall. La France signe le pacte de l'Atlantique nord (1949) et se lance dans la construction de la Communauté économique européenne. Mais les oppositions gaulliste et communiste font tomber les ministères, déstabilisés par les difficultés financières et coloniales (guerre d'Indochine), qui persistent sous la présidence de René Coty (1954-1958). Les accords de Genève mettent fin à la guerre d'Indochine, tandis qu'éclate l'insurrection algérienne (1954). En 1956, la Tunisie et le Maroc accèdent à l'indépendance. Les événements d'Algérie (émeute d'Alger, le 13 mai 1958) aboutissent au retour du général de Gaulle au pouvoir (1er juin).

◆ **Chefs d'État et de gouvernement.**

IIIe République	
Président	**Mandat**
Adolphe Thiers	1871-1873
Edme Patrice de Mac-Mahon	1873-1879
Jules Grévy	1879-1887
Sadi Carnot	1887-1894
Jean Casimir-Perier	1894-1895
Félix Faure	1895-1899
Émile Loubet	1899-1906
Armand Fallières	1906-1913
Raymond Poincaré	1913-1920
Paul Deschanel	févr.-sept. 1920
Alexandre Millerand	1920-1924
Gaston Doumergue	1924-1931
Paul Doumer	1931-1932
Albert Lebrun	1932-1940

IVe République	
Président	**Mandat**
Vincent Auriol	1947-1954
René Coty	1954-1958

Ve République	
Président	**Mandat**
Charles de Gaulle	1958-1969
Intérim d'Alain Poher	
Georges Pompidou	1969-1974
Intérim d'Alain Poher	
Valéry Giscard d'Estaing	1974-1981
François Mitterrand	1981-1995
Jacques Chirac	depuis 1995
Premier ministre	**Mandat**
Michel Debré	1959-1962
Georges Pompidou	1962-1968
Maurice Couve de Murville	1968-1969
Jacques Chaban-Delmas	1969-1972
Pierre Messmer	1972-1974
Jacques Chirac	1974-1976
Raymond Barre	1976-1981
Pierre Mauroy	1981-1984
Laurent Fabius	1984-1986
Jacques Chirac	1986-1988
Michel Rocard	1988-1991
Édith Cresson	1991-1992
Pierre Bérégovoy	1992-1993
Édouard Balladur	1993-1995
Alain Juppé	1995-1997
Lionel Jospin	depuis 1997

Les débuts de la Ve République. De Gaulle met en place la Ve République, dont la Constitution renforce les pouvoirs de l'exécutif. Sous sa présidence, le gouvernement, dirigé par Michel Debré, s'emploie à rétablir la stabilité monétaire et met fin à la guerre d'Algérie (1962). Après la nomination de Georges Pompidou comme Premier ministre, le caractère présidentiel du régime s'accentue (élection du chef de l'État au suffrage universel). À l'extérieur, le gouvernement pratique une politique d'indépendance et poursuit la création d'une force de frappe atomique. L'opposition progresse, mais de Gaulle l'emporte sur François Mitterrand à l'élection présidentielle de 1965. La crise de mai 1968 paralyse le pays et déroute le chef de l'État, qui parvient néanmoins à maîtriser la situation. Maurice Couve de Murville est nommé à la tête du gouvernement. En 1969, le général de Gaulle démissionne, après l'échec du référendum sur la régionalisation et la réforme du Sénat. Georges Pompidou lui succède et se donne comme objectif prioritaire l'expansion industrielle et commerciale, menée par les gouvernements de Jacques Chaban-Delmas, puis de Pierre Messmer. La maladie écourte son septennat. Élu en 1974, Valéry Giscard d'Estaing nomme successivement à la tête

Europe occidentale

Monaco • Andorre • Espagne

du gouvernement Jacques Chirac puis Raymond Barre. Des réformes libérales sont adoptées (loi sur l'interruption volontaire de grossesse) et le choix de l'Europe est affirmé. Face au Rassemblement pour la République (RPR) et à l'Union pour la démocratie française (UDF), créés en 1976 et 1978, l'opposition de gauche se renforce.

L'alternance. En 1981, l'élection du candidat socialiste François Mitterrand à la présidence de la République marque un tournant dans l'histoire de la Vᵉ République. La gauche revient au pouvoir après un quart de siècle et des ministres communistes participent au gouvernement de Pierre Mauroy. Un programme de réformes est mis en œuvre (abolition de la peine de mort, régionalisation, nationalisations). En 1984, les difficultés économiques obligent le gouvernement à mettre en place un plan de rigueur, provoquant le refus des communistes de s'associer au gouvernement de Laurent Fabius. La victoire de l'opposition aux élections législatives et régionales (mars 1986) crée une situation inédite dans l'histoire de la Vᵉ République, la « cohabitation » d'un président de gauche et d'un Premier ministre de droite (Jacques Chirac). Le nouveau gouvernement met en œuvre une politique d'inspiration libérale (privatisation des banques, des grands groupes industriels, des médias). En 1988, François Mitterrand est réélu à la présidence de la République et nomme Michel Rocard Premier ministre. Renforcé par la défaite de la majorité sortante aux élections législatives, celui-ci obtient le retour de la paix en Nouvelle-Calédonie. Il est remplacé à la tête du gouvernement par Édith Cresson, première femme à accéder à ce poste en France, puis par Pierre Bérégovoy. À l'intérieur, la vie politique est marquée par l'effondrement du Parti communiste, par l'émergence du Front national et des partis écologistes. La situation sociale s'aggrave tandis qu'une sensibilité nouvelle aux problèmes de l'immigration se fait jour. À l'extérieur, la France entre dans la coalition multinationale contre l'Iraq (1991) et approuve le traité de Maastricht par référendum (1992). Les législatives de 1993 donnent au RPR et à l'UDF la plus forte majorité jamais obtenue à l'Assemblée nationale depuis 1958. Édouard Balladur conduit le deuxième gouvernement de cohabitation jusqu'à l'élection présidentielle de 1995, qui place Jacques Chirac à la tête de l'État. Ce dernier nomme Alain Juppé Premier ministre, puis, pensant affermir sa majorité à l'Assemblée nationale, dissout cette dernière en avril 1997. C'est cependant la gauche « plurielle » (socialistes, communistes et écologistes) qui remporte la majorité, et le socialiste Lionel Jospin est nommé Premier ministre, entamant la troisième cohabitation.

VOIR AUSSI

- **Front populaire** p. 461
- **Retour de de Gaulle** p. 465
- **Mai 68** p. 466
- **Vᵉ République** p. 984
- **Prérogatives du président français** p. 986
- **Organisation de la sécurité intérieure** p. 990
- **Cour de cassation** p.991

Illustrations

- **Affaire Dreyfus** p. 455
- **Paysage agricole** p. 547
- **Grèves de 1947** p. 1017

Monaco

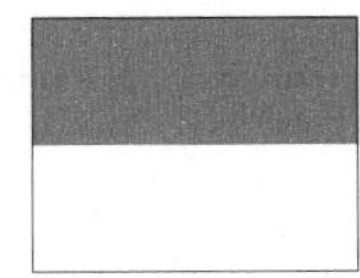

Nom officiel : Principauté de Monaco. **Capitale :** Monaco. **Monnaie :** franc français (=100 centimes). **Langue officielle :** français. **Principale religion :** catholicisme. **Institutions :** Monarchie constitutionnelle et non parlementaire. Constitution de 1962. Prince héréditaire assisté par un ministre d'État (Michel Lévêque), nommé par lui sur une liste de trois noms présentés par le président de la République française. Conseil national élu pour 5 ans. **Souverain :** le prince Rainier III (depuis 1949). **Drapeau :** adopté par ordonnance du prince Charles III en 1881, son origine remonte à la dévolution du duché à la famille Grimaldi en 1297. Ses couleurs rappellent les deux dernières phases du grand œuvre alchimique. **Hymne national :** « Fiers compagnons de la garde civique, respectons tous la voix du Commandant... » Paroles de Théophile Bellando (1820-1903), musique composée par le prince Albert Iᵉʳ (1848-1922) d'après une mélodie populaire. **Fêtes nationales :** 27 janvier fête de sainte Dévote, (patronne de la principauté) ; 19 novembre (journée choisie par le prince Rainier III pour célébrer sa fête).

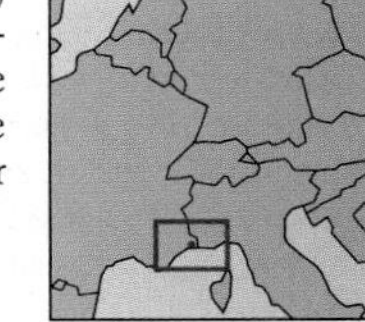

Superficie : 2 km².

GÉOGRAPHIE

Divisé en quatre districts, Monaco est un micro-État, dont le site, rocailleux, ne permet aucune forme d'exploitation agricole. Le casino ainsi que le tourisme, très actif, constituent l'essentiel de son activité économique, bien que quelques industries et laboratoires s'y soient récemment développés, profitant du régime fiscal de la principauté. La population résidente est principalement composée d'étrangers, ou de personnes ayant obtenu leur naturalisation pour des raisons fiscales. Le niveau de vie y est très élevé.

HISTOIRE

Colonie phénicienne, puis grecque (Monoïkos), Monaco passe au XIIᵉ s. dans l'orbite génoise. Échue pour la première fois à la famille Grimaldi en 1297, la seigneurie lui appartient définitivement à partir de 1419. Elle maintient son indépendance grâce à des protectorats, celui de l'Espagne (1512-1605), puis, à partir de 1641, celui de la France (qui l'annexe cependant de 1793 à 1814) et, de 1815 à 1817, celui de la Sardaigne. Menton et Roquebrune deviennent français en 1861 et Monaco se replace sous la protection de la France avec l'union douanière de 1865. L'autorité des princes est tempérée par la Constitution de 1911. Après la mort de Louis II (1949), la continuité dynastique est assurée par son petit-fils Rainier III. En 1993, la principauté est admise à l'ONU.

◆ **Démographie.**

population	32 000 hab.
densité	17 000 hab./km²
accroissement naturel	5 ‰
taux de natalité	n.d.
taux de mortalité infantile	7 ‰
espérance de vie	78 ans
part des moins de 15 ans	n.d.
part des plus de 65 ans	n.d.
population urbaine	100 %

◆ **Économie et niveau de vie** (1996).

PNB	800 millions de $
PNB/hab.	25 000 $
taux de chômage	3,1 %

VOIR AUSSI

Illustrations

- **Monaco** p. 573 (carte)
- **Casino** p. 1298

Andorre Andorra

Nom officiel : Principauté d'Andorre. **Capitale :** Andorre-la-Vieille *(Andorra la Vella)*. **Monnaies :** franc français et peseta espagnole. **Langue officielle :** catalan. **Principale religion :** catholicisme. **Institutions :** Constitution de 1993. Andorre est une coprincipauté parlementaire. Conformément à la tradition institutionnelle, les coprinces (à titre personnel et exclusif, l'évêque d'Urgel et le président de la République française) sont, conjointement et de manière indivise, le chef de l'État. Chaque coprince nomme un représentant personnel en Andorre (viguier de France et viguier épiscopal). Le pouvoir législatif est exercé par le Conseil général (Parlement). Il est composé d'au moins 28 membres élus au suffrage universel direct pour 4 ans, pour moitié par chacune des 7 « paroisses » qui composent Andorre, pour moitié, par circonscription nationale. Le Conseil général élit un syndic (président) et un vice-syndic, ainsi que le chef du gouvernement. Le gouvernement est responsable, de manière solidaire, devant le Conseil général. **Coprinces :** Joan Martí y Alain Alanis et Jacques Chirac. **Chef du gouvernement :** Marc Forné Molné (depuis 1994). **Drapeau :** créé en 1866, il reprend les couleurs rouge et or du comte de Foix qui, le premier, partagea la souveraineté avec l'évêque d'Urgel. **Hymne national :** « Le grand Charlemagne, mon père, des Arabes nous délivra ; et du ciel me donna la vie de Meritxell la grande mère. » Paroles de Jean Benllock y Vivo (1864-1926), musique d'Enric Marfany (1871-1942). Déclaré officiel en 1914. **Fête nationale :** 8 septembre, fête de la Vierge de Meritxell.

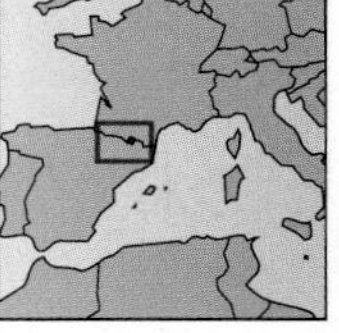

Superficie : 465 km². **Point culminant :** 2 946 m au pic Alt de la Coma Pedrosa.

GÉOGRAPHIE

Micro-État situé entre la France et l'Espagne et bénéficiant d'une souveraineté limitée, la principauté d'Andorre est une région

◆ **Démographie.**

population	64 000 hab.
densité	136 hab./km²
accroissement naturel *(1990)*	7 ‰
taux de natalité *(1990)*	12 ‰
population urbaine	63 %
principales villes	Andorre-la-Vieille, Les Escaldes

◆ **Économie et niveau de vie** (1996).

PNB *(1995)*	1,2 milliard de $
PNB/hab. *(1995)*	18 000 $
importations	1 069 millions de $
exportations	49 millions de $

montagneuse qui vit principalement, outre l'élevage et quelques cultures, du tourisme, favorisé par la vente de produits importés en franchise.

HISTOIRE

Les vallées qui constituent aujourd'hui la principauté d'Andorre appartiennent au IXe s. aux comtes d'Urgel, qui les cèdent par la suite à l'évêque d'Urgel. Au XIe s., elles sont inféodées aux Caboet et échoient, par succession, aux comtes de Foix (XIIIe s.). En 1278, les Andorrans se donnent une administration d'inspiration féodale qui place définitivement le pays sous la double suzeraineté de l'évêque d'Urgel et du comte de Foix, dont les droits passent, par l'intermédiaire de la maison d'Albret, à la couronne de France (1607), puis aux présidents de la République. En 1993, Andorre se dote de sa première Constitution écrite, qui modernise les institutions, tout en maintenant formellement les coprinces. La même année, la principauté est admise à l'ONU.

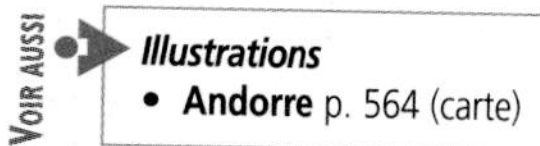

VOIR AUSSI
Illustrations
• **Andorre** p. 564 (carte)

Espagne España

Nom officiel : Royaume d'Espagne. **Capitale :** Madrid. **Monnaie :** peseta (= 100 céntimos). **Langue officielle :** espagnol. **Principale religion :** catholicisme. **Institutions :** Monarchie parlementaire. Constitution de 1978. Deux Chambres (les *Cortes*) : Congrès des députés et Sénat, élus pour 4 ans. Un chef de gouvernement responsable devant le Congrès des députés. **Souverain :** le roi Juan Carlos Ier de Bourbon (depuis 1975). **Premier ministre :** José María Aznar López (depuis 1996). **Drapeau :** le « sang et or » remonte aux Rois Catholiques et a reçu le blason en son centre en déc. 1981. **Hymne national**, dit « Marcha Real » : hymne sans paroles adopté comme marche militaire par Charles III en 1770 ; musique d'auteur inconnu, attribuée tantôt au roi de Prusse Frédéric II, tantôt au compositeur Manuel Espinosa de los Monteros (1730-1810). **Fêtes nationales :** 24 juin (jour de la Saint-Jean, patron du roi) et 12 octobre (anniversaire de la découverte de l'Amérique par Christophe Colomb, en 1492).

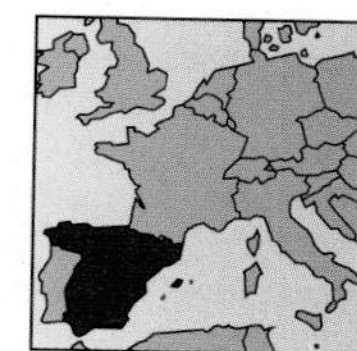

Superficie : 505 000 km² (avec les Canaries). **Point culminant :** 3 478 m au Mulhacén.

GÉOGRAPHIE

Ouverte sur les océans, l'Espagne fut jadis une puissance majeure, notamment dans le domaine maritime, puis connut un déclin général à partir du XVIe siècle dont elle ne commença à se relever qu'au cours de la seconde moitié du XXe siècle. L'Espagne est constituée d'un grand plateau central, la Meseta, au climat sec et avec de fortes amplitudes thermiques, entouré de hauteurs. Le climat est rude en altitude mais s'adoucit vers le nord et devient méditerranéen sur la façade orientale. L'agriculture occupe 12 % de la superficie et près de 10 % des actifs mais ne représente que 5 % du PIB. L'industrie, développée tardivement et encore plus récemment ouverte à l'étranger, occupe le tiers des actifs et compose le tiers du PIB. Les secteurs traditionnels (chantiers navals, sidérurgie, textile) sont en crise. Les services, notamment le tourisme, constituent la principale activité économique. Essentiellement estival, le tourisme s'est surtout développé le long de la côte orientale et ne suffit pas à rendre excédentaire la balance commerciale. La population, majoritairement catholique, a désormais cessé de croître. Elle est urbanisée à près de 80 % et connaît un taux de chômage parmi les plus élevés d'Europe, proche de 20 %.

HISTOIRE

Les premiers colonisateurs. La Péninsule est peuplée dès le paléolithique. Ses premiers habitants connus sont les Ibères, venus, selon la tradition, d'Afrique du Nord au néolithique. À la fin du IIe millénaire, la côte orientale entre dans le circuit commercial méditerranéen. Phéniciens (à partir de 1100), Carthaginois et Grecs (VIIe-VIe s. av. J.-C.) fondent plusieurs colonies sur les côtes méditerranéennes. Dans le même temps, au cœur de la Péninsule, des Celtes venus d'Europe centrale s'installent sur le plateau castillan (VIe s.), où ils fusionnent avec les Ibères pour engendrer une nouvelle population, les Celtibères.

L'Espagne romaine. Enjeu de la lutte entre Rome et Carthage, la Péninsule passe sous la domination punique, puis est conquise par Rome (deuxième guerre punique 218-206), qui ne soumet tout le pays qu'en 19 av. J.-C. Profondément romanisée, la Péninsule, divisée en trois provinces (Lusitanie, Bétique, Tarraconaise), connaît quatre siècles de prospérité. Les Romains y multiplient

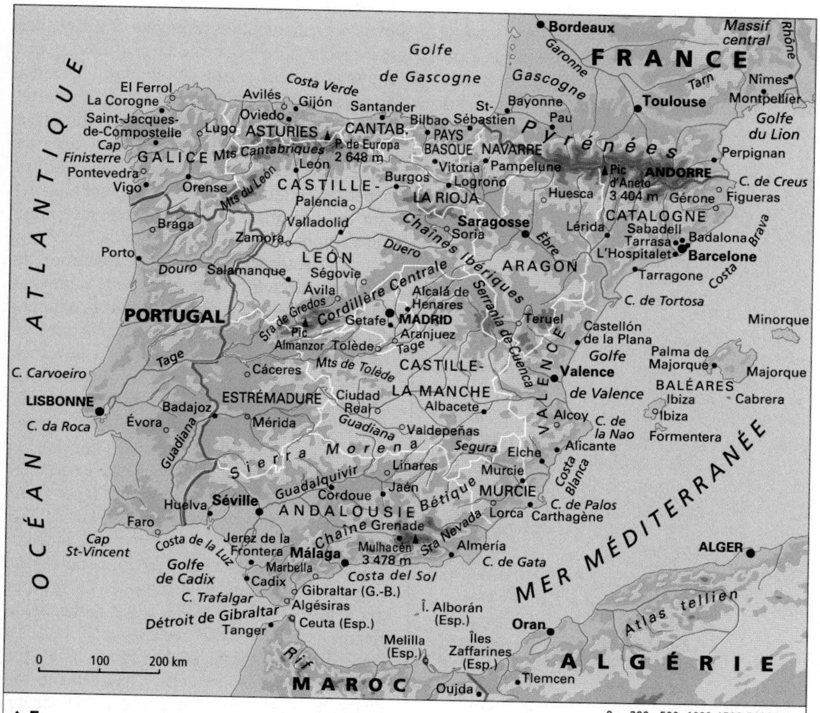

◆ **Démographie.**

population	39 400 000 hab.
densité	78 hab./km²
accroissement naturel	0,5 ‰
taux de natalité	9,7 ‰
taux de mortalité infantile	5 ‰
espérance de vie	78 ans
part des moins de 15 ans	16,6 % de la pop. totale
part des plus de 65 ans	14,9 % de la pop. totale
population urbaine	77 %
principales villes	Barcelone, Madrid, Valence, Séville, Saragosse

◆ **Principales ressources et productions** (1997).

agrumes	4 033 000 t (5e rang)
olives	3 840 000 t (1er rang)
automobiles	2 010 000 (6e rang)
zinc	140 000 t (10e rang)

◆ **Économie et niveau de vie** (1996).

PNB	573,749 milliards de $
PNB/hab.	15 290 $
taux de croissance *(1995)*	2,9 %
taux d'inflation	3,6 %
taux de chômage	22,1 %
importations	116 953 millions de $
exportations	102 041 millions de $
répartition des actifs	agriculture 9,8 %, industrie 30 %, services 60,2 %
transports	routes 341 230 km, voies ferrées 12 601 km
taux d'analphabétisme	2,9 %

◆ **Armée.**

budget militaire *(1996)*	1,1 % du PIB
forces armées *(1997)*	206 800 hommes

◆ **Espagne.**

Europe occidentale

routes, ponts et aqueducs, exploitent remarquablement les mines et développent la vie urbaine (Tarragone, Séville, Cordoue). Avec ses richesses, elle envoie à Rome d'éminents personnages : les écrivains Quintilien, Martial, Sénèque, les empereurs Hadrien, Trajan, Théodose Ier. Christianisée, selon la tradition, par saint Jacques le Majeur, elle s'illustre par son Église, organisée dès le IIIe s.

L'Espagne wisigothique. Envahie par les Vandales, les Suèves et les Alains (409), la Péninsule est soustraite à la domination romaine par les Wisigoths (412), qui unifient le pays et l'érigent en royaume, avec Tolède pour capitale. La conversion au catholicisme du roi Reccared Ier (587) favorise la fusion des Wisigoths et des Hispano-Romains. Mais, affaiblie par sa monarchie élective, l'Espagne wisigothique s'effondre à l'aube du VIIIe s. Après la victoire remportée par le chef berbère Tariq ibn Ziyad au Guadalete (711), les Arabes soumettent la quasi-totalité du pays (714).

L'Espagne musulmane et la Reconquista. Dépendante du califat de Damas, l'Espagne musulmane (*al-Andalus*) devient un émirat indépendant fondé en 756, puis un califat (929). Ses souverains omeyyades font régner une brillante civilisation et sa capitale, Cordoue, devient un foyer de vie intellectuelle. Sa prospérité est éclatante, fondée sur l'extension des irrigations, l'introduction de cultures nouvelles (coton, oliviers, mûriers) et un artisanat actif (cuir de Cordoue, soie de Séville, armes blanches de Tolède, etc.). Miné par des luttes intestines, le califat de Cordoue s'effondre en 1031 et se morcelle en une vingtaine de royaumes. Les rivalités ainsi engendrées favorisent la reconquête de la Péninsule par les chrétiens. Née au lendemain de la conquête arabe en Espagne du Nord, cette *Reconquista* est conduite par des communautés chrétiennes organisées en royaumes ou comtés (Asturies, Navarre, León, Castille, Catalogne, Aragon, Portugal) et animées d'un idéal d'unité religieuse. Au XIe s., ces royaumes chrétiens transportent leur frontière du Duero au Tage (prise de Tolède, 1085). Ils unissent leurs forces sous Alphonse VIII de Castille, et remportent la victoire de Las Navas de Tolosa (1212), qui provoque l'effondrement de la puissance musulmane. À la fin du XIIIe s., il ne reste aux musulmans que le royaume de Grenade. En 1492, Isabelle Ire, reine de Castille, unie à Ferdinand II, roi d'Aragon, s'empare de Grenade et achève ainsi la Reconquista entamée sept siècles plus tôt. Cette « croisade » a modelé les structures politiques et sociales des royaumes chrétiens. Elle a créé une société dominée par le clergé, qui a acquis un pouvoir matériel et spirituel considérable. La noblesse, pour sa part, est dotée par les rois de vastes domaines, en récompense de ses services de guerre. Pour assurer la restauration des villes et des campagnes dévastées, les souverains ont dû concéder des chartes de privilèges (*fueros*) aux communautés rurales et aux villes. La puissance nouvelle de celles-ci se traduit par l'accès de leurs représentants aux Cortes (créées aux XIIe-XIIIe s.). En dépit des révoltes nobiliaires et des crises dynastiques, le pouvoir royal s'affermit (XIIIe-XIVe s).

Les Rois Catholiques. Le premier pas vers l'unité nationale est franchi lors de la réunion de la Castille et de l'Aragon sous l'autorité des Rois Catholiques Isabelle Ire (1474-1504) et Ferdinand II (1479-1516), qui incorporent en outre Grenade à la Castille (1492) et la Navarre à l'Aragon (1512). Les deux souverains travaillent à l'unité religieuse. Ils créent l'Inquisition en 1478, procèdent à l'expulsion des juifs dès 1492 et des morisques en 1502. Ils renforcent l'autorité royale en introduisant leurs agents dans les municipalités et en réduisant le pouvoir politique de la noblesse. Des fonctionnaires formés dans les universités peuplent désormais les nouveaux conseils castillans, point de départ d'une administration centralisée. Sous l'égide des Rois Catholiques, l'Espagne jette les bases de son empire colonial après la découverte de l'Amérique (1492) par Christophe Colomb. Elle conquiert le royaume de Naples (1504) grâce à la redoutable infanterie des *tercios*, dont l'œuvre est à l'origine de la grandeur de l'Espagne du XVIe s.

Le « Siècle d'or ». Au XVIe s., l'Espagne devient la puissance prépondérante en Europe. Charles Ier (1516-1556), qui est aussi à partir de 1519 l'empereur Charles Quint, constitue le royaume d'Espagne en unissant sous son sceptre l'Aragon, la Castille et la Navarre (1516). Philippe II (1556-1598) réalise l'unité de la Péninsule et réunit les deux vastes empires coloniaux espagnol et portugais en ceignant la couronne de Portugal en 1580. L'Espagne est alors à son apogée : à ses possessions européennes (Naples, Sicile, Sardaigne, Milanais, Franche-Comté, Pays-Bas) s'ajoutent ses territoires d'Amérique (Mexique, Pérou, Chili, conquis entre 1519 et 1543), les comptoirs portugais d'Afrique et d'Asie et le Brésil. Cet apogée coïncide avec le triomphe de l'absolutisme politique et religieux. L'Espagne se ferme alors aux influences étrangères et hétérodoxes. L'Inquisition élimine les foyers calvinistes, tandis que les morisques de Grenade, révoltés (1568), sont dispersés à travers la Castille. La prospérité qui s'établit sous Charles Quint est étroitement liée à l'essor du commerce maritime, dont le principal centre est Séville, siège de la *Casa de contratación* (Chambre de commerce, fondée en 1503). Celle-ci régit tout le commerce avec l'Amérique, d'où la « flotte des Indes » rapporte de grandes quantités d'or et d'argent. L'or et l'argent provenant d'Amérique permettent à l'Espagne d'être présente sur tous les champs de bataille de l'Europe pour défendre le catholicisme. Elle lutte contre la Réforme en Allemagne, aux Pays-Bas, en France et écarte le danger turc en Méditerranée par sa victoire de Lépante (1571). Mais son intervention provoque aux Pays-Bas une révolte (1566) qui lui fait perdre les riches Provinces-Unies. Son Invincible Armada, envoyée par Philippe II contre l'Angleterre, échoue grâce à la flotte anglaise et est dispersée par la tempête (1588), mettant ainsi fin à sa suprématie maritime. En outre, les énormes dépenses entraînées par les guerres sont à l'origine de la décadence financière et économique, qui s'amorce v. 1590.

La décadence. Au XVIIe s., la population de l'Espagne décroît. Cette régression démographique résulte de l'émigration vers l'Amérique, des épidémies de peste, et surtout de la ruine de l'économie, due à la hausse des prix. Gouvernée par des rois faibles, Philippe III (1598-1621), Philippe IV (1621-1665) et Charles II (1665-1700), l'Espagne fait face au mouvement séparatiste du Portugal (1640), dont elle doit reconnaître l'indépendance en 1668. Sa lutte contre la France de Louis XIII et de Louis XIV (guerres de Trente Ans, de Dévolution et de Hollande) est jalonnée de revers qui lui font perdre sa prépondérance en Europe. Elle est dépouillée du Roussillon, de la haute Cerdagne, de l'Artois (traité des Pyrénées, 1659), d'une partie de la Flandre (traité d'Aix-la-Chapelle, 1668) et de la Franche-Comté (traité de Nimègue, 1678). En 1700, le petit-fils de Louis XIV devient roi d'Espagne sous le nom de Philippe V, en vertu du testament de Charles II, dernier représentant de

◆ **Chefs d'État ou de gouvernement.**

Seconde République	
Président	**Mandat**
Niceto Alcalá Zamora	1931-1936
Manuel Azaña y Díaz	1936-1939
L'Espagne franquiste	
Francisco Franco Bahamonde, chef de l'État espagnol	1938-1975
Monarchie parlementaire	
Premier ministre (depuis 1975)	
Carlos Arias Navarro	1975-1976
Adolfo Suárez	1976-1981
Leopoldo Calvo Sotelo	1981-1982
Felipe González Márquez	1982-1996
José María Aznar López	depuis 1996

◆ **Divisions administratives.**

Communauté autonome	Superficie (en km²)	Population	Capitale ou chef-lieu
Andalousie	87 300	6 963 116	Séville
Aragón	47 700	1 212 025	Saragosse
Asturies	10 600	1 096 155	Oviedo
Baléares	5 000	739 501	Palma de Majorque
basque (Pays)	7 200	2 099 978	Vitoria
Canaries	7 300	1 601 812	Las Palmas
Cantabrique	5 300	529 866	Santander
Castille-La Manche	79 200	1 644 401	Tolède
Castille-León	94 000	2 556 316	Valladolid
Catalogne	31 900	6 008 245	Barcelone
Estrémadure	41 600	1 045 201	Mérida
Galice	29 400	2 700 288	Saint-Jacques-de-Compostelle
Madrid	8 000	4 935 642	Madrid
Murcie	11 300	1 046 561	Murcie
Navarre	10 400	521 940	Pampelune
Rioja (La)	5 000	265 323	Logroño
Valence	23 300	3 898 241	Valence
Ceuta (1)	18	67 615	
Mellila (1)	14	56 600	

(1) Municipalités espagnoles de la côte nord du Maroc.

la maison d'Autriche. Cet héritage entraîne la guerre de la Succession d'Espagne, qui fait perdre au royaume toutes ses possessions européennes (traités d'Utrecht et de Rastatt, 1713-1714).

L'Espagne des Lumières. Sous les trois premiers rois de la dynastie des Bourbons (Philippe V [1700-1746], Ferdinand VI [1746-1759] et Charles III [1759-1788]), l'Espagne connaît une période de prospérité et de stabilité. Elle connaît un remarquable essor économique et culturel grâce aux réformes inspirées par le despotisme éclairé : réduction des privilèges des corporations, création de sociétés économiques, de manufactures et de compagnies de commerce, liberté de commerce avec l'Amérique (1765), création d'une banque d'État (1782), colonisation de la sierra Morena. L'enseignement, après l'expulsion des jésuites (1767), est réformé, l'Académie royale espagnole (1713), l'académie d'Histoire (1738), etc., sont fondées. À l'extérieur, l'Espagne restaure sa domination sur Naples et la Sicile (1734) et, alliée à la France, conserve son empire colonial malgré l'hostilité de la Grande-Bretagne (traité de Versailles, 1783). Mais ce redressement est annihilé par la médiocrité de Charles IV (1788-1808), qui entraîne le pays dans une guerre contre la Grande-Bretagne aux côtés de Napoléon Ier. L'Espagne subit le désastre de Trafalgar (1805), qui détruit sa flotte et la coupe, par conséquent, de ses colonies d'Amérique.

Les temps troublés. En 1808, Napoléon Ier installe sur le trône d'Espagne son frère Joseph. Irrité par cette intrusion étrangère, le peuple se soulève, et les Bourbons sont restaurés (1814) après une héroïque guerre d'indépendance. Alors qu'elle perd progressivement ses colonies, dont le mouvement d'émancipation s'amorce lors de l'intervention napoléonienne dans la Péninsule, l'Espagne est en proie à une lutte politique violente. Plusieurs guerres civiles opposent les partisans de la reine Isabelle II à ceux de son oncle don Carlos, les carlistes. En 1868 éclate une crise politique sans précédent avec le *pronunciamiento* du général Prim et la destitution de la reine Isabelle II. Cette crise aboutit à l'établissement d'une monarchie parlementaire, puis à la proclamation de la République (1873). En 1874, un nouveau coup d'État permet le retour de la monarchie.

La restauration. Le règne d'Alphonse XII (1874-1885) se caractérise par une relative stabilité (la Constitution de 1876 instaurant une monarchie parlementaire reste en vigueur jusqu'en 1923) et par l'alternance au pouvoir des deux grands partis, conservateur et libéral. Sous Alphonse XIII (1886-1931), le traité de Paris (1898) marque la fin de l'empire colonial. Écrasée par les États-Unis, l'Espagne doit abandonner Cuba, Porto Rico, Guam, les Philippines. Conformément aux décisions de la conférence d'Algésiras (1906), elle établit son protectorat au Maroc, dans la zone du Rif, qu'elle ne parvient à pacifier qu'en 1927, avec l'appui des Français. Pendant la Première Guerre mondiale, l'Espagne reste neutre. À l'intérieur, elle doit faire face aux mouvements nationalistes (Basques, Catalans) et à l'anarchisme. Après un coup d'État, le général Primo de Rivera instaure un directoire militaire (1923) puis civil (1925-1930). En 1931, le succès remporté aux élections municipales par les républicains décide Alphonse XIII à quitter l'Espagne. La république est proclamée.

La guerre civile et l'ère franquiste. En févr. 1936, les partis de gauche, unis en un Front populaire, remportent les élections. L'assassinat du chef de l'opposition, Calvo Sotelo, précipite le soulèvement militaire (juill.). La guerre civile d'Espagne éclate, qui oppose les nationalistes, dirigés par le général Franco, et les républicains, affaiblis par l'opposition entre anarchistes et communistes. Se proclamant chef de l'État, *Caudillo*, pour la durée de la guerre (1936), puis se donnant ce titre à vie (1939), Franco gouverne l'Espagne en s'appuyant sur l'armée, sur l'Église et, à partir de 1957, sur les technocrates chargés de l'économie. Imposant le système du parti unique, il instaure en 1942 une assemblée corporatiste qu'il nomme Cortes. À l'extérieur, l'Espagne reste neutre pendant la Seconde Guerre mondiale malgré les pressions de l'Allemagne. Elle est isolée, au plan international, après la condamnation en 1946 de la dictature franquiste. La modernisation de l'économie s'effectue à un rythme rapide à partir de la fin des années 1950, et le niveau de vie s'améliore. Dès 1947, la loi de succession prévoit le rétablissement de la monarchie et, en 1969, Franco choisit pour successeur Juan Carlos de Bourbon, petit-fils d'Alphonse XIII.

Le retour à la démocratie. Au lendemain de la mort de Franco (1975), Juan Carlos monte sur le trône. Aidé d'Adolfo Suárez, qui dirige un gouvernement centriste de 1976 à 1981, puis du socialiste Felipe González (à partir de 1982), le roi entreprend la démocratisation du régime. En 1978, une constitution rétablit les institutions représentatives et crée des gouvernements autonomes dans les dix-sept régions du pays. La poursuite des attentats terroristes au Pays basque au cours des années 1980 incite les militaires à tenter un putsch (févr. 1981), qui échoue grâce à l'intervention du roi. Le projet modernisateur des socialistes passe en premier lieu par la remise en ordre d'une économie durement touchée par la crise, n'hésitant pas à prendre des mesures qui pourraient se révéler impopulaires (dévaluation de la peseta, hausse des carburants en 1982). Le gouvernement s'efforce, par ailleurs, d'adapter la législation aux mutations profondes que connaît la société espagnole. En 1983, le projet de loi sur l'avortement est finalement adopté. Sur le plan international, la ténacité du gouvernement se voit récompensée. La coopération s'intensifie alors entre les gouvernements français et espagnol dans le domaine de la lutte antiterroriste contre les extrémistes de l'ETA au Pays basque jusqu'à ce qu'un processus de paix soit entrepris.

En 1986, l'Espagne confirme par référendum son adhésion à l'OTAN (effective en 1982) et est admise dans la CEE. En 1992, elle ratifie le traité de Maastricht sur l'Union européenne, puis parvient à faire partie de la zone euro en 1999. José María Aznar (Parti populaire) succède en 1996 à Felipe González au poste de Premier ministre, mettant ainsi fin à quatorze années de pouvoir du Parti socialiste.

Portugal

Nom officiel : République portugaise. **Capitale :** Lisbonne *(Lisboa)*. **Monnaie :** escudo (= 100 centavos). **Langue officielle :** portugais. **Principale religion :** catholicisme. **Institutions :** République. Constitution de 1982. Président de la République, élu pour 5 ans. Assemblée de la République, élue pour 4 ans. **Président de la République :** Jorge Sampaio (depuis 1996). **Premier ministre :** António Guterres (depuis 1995). **Drapeau :** les cinq blasons apparents reprennent les cinq plaies du Christ et commémorent la victoire d'Ourique en 1139 sur cinq rois maures. Les sept châteaux furent ceux conquis par Alphonse Henriques. La sphère armillaire figure sur le drapeau depuis 1815 en souvenir de l'emblème personnel du roi Manuel Ier. Les fonds vert et rouge ne datent que de 1911, et sont attribués à l'espoir et à la révolution. **Hymne national**, dit « A Portuguesa » : « Héros de la mer, noble peuple, nation valeureuse, immortelle... » Paroles d'Henrique Lopes de Mendonça (1856-1931), musique d'Alfredo Keil (1850-1907). Déclaré officiel en 1910. **Fête nationale :** 10 juin (jour anniversaire de la mort du poète Camões, en 1580).

♦ **Portugal.**

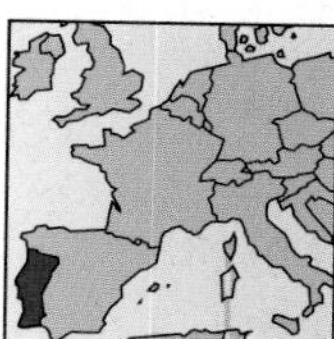

Superficie : 92 000 km². **Point culminant :** 1991 m dans la serra da Estrela.

GÉOGRAPHIE

Entièrement composé d'un littoral atlantique, le Portugal fut au XVIe siècle une puissance maritime majeure, puis connut un déclin régulier dont il ne se releva qu'au cours de la seconde moitié du XXe siècle. Prolongeant le relief de la Meseta espagnole, le Portugal connaît un climat de plus en plus chaud et sec vers le nord. L'agriculture occupe moins du cinquième de la population active, taux particulièrement élevé pour l'Union européenne. Le Portugal exporte du vin, des légumes et des fruits mais doit importer des céréales. L'industrie occupe plus du tiers des actifs et est dominée par le textile (près du quart de la population active). Les services, notamment le tourisme, occupent près de la moitié des actifs. L'émigration est très forte, notamment vers la France, et comble en partie le déficit commercial. L'accroissement naturel de la population est quasiment nul. Le Portugal connaît le niveau de vie le plus bas de l'Union européenne, avec la Grèce.

Europe occidentale

HISTOIRE

La formation de la nation. Le pays est occupé par des tribus en rapport avec les Phéniciens, les Carthaginois et les Grecs. Créée au IIe s. av. J.-C., la province romaine de Lusitanie est envahie par les Suèves et les Alains (Ve s.), puis par les Wisigoths, qui s'y installent durablement. En 711, les musulmans conquièrent le pays. La reconquête chrétienne commence dès le IXe s. En 1064, Ferdinand Ier de Castille libère la région située entre Douro et Mondego. À la fin du XIe s., Alphonse VI, roi de Castille et de León, confie le comté de Portugal à son gendre, Henri de Bourgogne. Alphonse Henriques, fils d'Henri de Bourgogne, prend le titre de roi de Portugal après sa victoire d'Ourique sur les Maures (1139) et fait reconnaître l'indépendance du Portugal. En 1249, Alphonse III (1248-1279) parachève la Reconquête en occupant l'Algarve. Denis Ier (1279-1325) fonde l'université de Lisbonne, transférée en 1308 à Coimbra. Avec Ferdinand Ier (1367-1383) s'éteint la dynastie de Bourgogne. En 1385, Jean Ier (1385-1433) fonde la dynastie d'Aviz et remporte sur les Castillans la victoire d'Aljubarrota.

L'âge d'or. Le Portugal poursuit au XVe s. et au début du XVIe s. son expansion maritime et joue un grand rôle dans les voyages de découvertes, animés par Henri le Navigateur (1394-1460). En 1494, le traité de Tordesillas établit une ligne de partage entre les possessions extra-européennes de l'Espagne et celles du Portugal. L'Empire colonial portugais est en pleine expansion : en 1497 Vasco de Gama atteint les Indes, Cabral prend possession du Brésil (1500), des établissements sont fondés à Ceylan (1505) et à Macao (1513). La richesse favorise la culture intellectuelle et artistique (art manuélin, université d'Évora). Cherchant à se constituer un grand domaine maghrébin, Sébastien Ier (1557-1578) est tué à la bataille d'Alcaçar-Quivir.

Les crises et le déclin. À l'extinction de la dynastie d'Aviz (1580), Philippe II d'Espagne devient roi de Portugal, unissant ainsi les deux couronnes. En 1640, les Portugais se soulèvent et proclament roi le duc de Bragance, Jean IV (1640-1656). L'Espagne reconnaît l'indépendance du Portugal (traité de Lisbonne, 1668). À la fin du XVIIe s., pour compenser l'effondrement de ses positions en Asie et son recul en Afrique, le Portugal se consacre à l'exploitation du Brésil et se lie économiquement avec la Grande-Bretagne (traité de Methuen, 1703). Mais l'or du Brésil ne parvient pas à stimuler l'économie métropolitaine. Joseph Ier (1750-1777) fait appel à Pombal, qui impose un énergique régime de despotisme éclairé et reconstruit Lisbonne après le tremblement de terre de 1755. En 1792, Marie Ire (1777-1816) laisse le pouvoir à son fils, le futur Jean VI. Le pays est envahi par les troupes françaises de Junot (1807), et la famille royale se réfugie au Brésil. En 1808, Wellington débarque au Portugal et chasse les Français. Jean VI (1816-1826) est resté au Brésil. En 1821, les Cortes demandent son retour. Il revient et accepte une Constitution libérale (1822). Son fils aîné, Pierre Ier, se proclame empereur du Brésil dont l'indépendance est reconnue en 1825. À la mort de Jean VI (1826), Pierre Ier devient roi de Portugal sous le nom de Pierre IV. Il abdique en faveur de sa fille Marie II et confie la régence à son frère Miguel, lequel dépose Marie (1828) et se proclame roi sous le nom de Michel Ier. En 1832, Pierre Ier débarque au Portugal et rétablit Marie II (1826-1853). Après l'établissement du suffrage censitaire (1852), le Portugal connaît, sous les rois Pierre V (1853-1861), Louis Ier (1861-1889) et Charles Ier (1889-1908), une série de mesures libérales. Le pays tente de se reconstituer un empire colonial autour de l'Angola et du Mozambique. Appelé par le roi (1907), João Franco instaure une dictature. En 1908, Charles Ier est assassiné avec son fils aîné. Manuel II renonce au régime autoritaire mais est chassé par la révolution (1910).

La république. En 1910, la république est proclamée. Le gouvernement provisoire promulgue une nouvelle Constitution (1911). Le Portugal participe, aux côtés des Alliés, à la Première Guerre mondiale. En 1926, le coup d'État du général Gomes da Costa renverse le régime. Élu en 1928 président de la République, Carmona appelle aux Finances António de Oliveira Salazar, qui devient président du Conseil en 1932. Maître du pays, Salazar gouverne selon la Constitution de 1933 qui instaure « l'État nouveau », corporatiste et nationaliste. En 1968, Marcello Caetano lui succède et combat les rébellions de la Guinée, du Mozambique et de l'Angola.

Le retour à la démocratie. En 1974, une junte, dirigée par le général Antonio de Spínola, prend le pouvoir et inaugure la « révolution des Œillets ». En 1975, le Conseil national de la révolution applique un programme socialiste, tandis que les anciennes colonies portugaises accèdent à l'indépendance. À partir de 1976 se succèdent les gouvernements de Mário Soares (socialiste, 1976-1978) puis de Sá Carneiro (centre droit, 1979-1980), de F. Pinto Balsemão (social-démocrate, 1981-1983), de M. Soares (1983-1985), d'Aníbal Cavaco Silva (1985-1995), puis d'António Gutterres. Le général Eanes (1976-1986), Mario Soares (1986-1996) et Jorge Fernando Branco de Sampaio se succèdent à la présidence de la République. En 1986, le Portugal adhère à la CEE. Sous le gouvernement de Anibal Cavaco Silva, confirmé dans ses fonctions en 1987 et en 1991, l'essor économique se poursuit, accompagné de privatisations. En décembre 1992, le Parlement ratifie le traité de Maastricht, puis le Portugal parvient à faire partie de la zone euro en 1999.

◆ **Démographie.**

population	10 000 000 hab.
densité	109 hab./km²
accroissement naturel	1,3 ‰
taux de natalité	11,2 ‰
taux de mortalité infantile	7 ‰
espérance de vie	76 ans
part des moins de 15 ans	17,7 % de la pop. totale
part des plus de 65 ans	14,7 % de la pop. totale
population urbaine	36 %
principales villes	Lisbonne, Porto, Setúbal

◆ **Principales ressources et productions** (1997).

olives	300 000 t (9e rang)
vin	7 130 000 hl (7e rang)
étain	4 000 000 t (7e rang)

◆ **Économie et niveau de vie** (1996).

PNB	103,349 milliards de $
PNB/hab.	13 450 $
taux de croissance *(1992)*	1 %
taux d'inflation	3,1 %
taux de chômage	7,1 %
importations	32 965 millions de $
exportations	24 024 millions de $
répartition des actifs	agriculture 11,5 %, industrie 32,8 %, services 55,7 %
transports	routes 67 503 km, voies ferrées 3 507 km
taux d'analphabétisme	10,4 %

◆ **Armée.**

budget militaire *(1996)*	1,6 % du PIB
forces armées *(1997)*	54 200 hommes

Italie Italia

Nom officiel : République italienne. **Capitale :** Rome *(Roma)*. **Monnaie :** lire (=100 centesimi). **Langue officielle :** italien. **Principale religion :** catholicisme. **Institutions :** République. Constitution de 1947. Président de la République élu pour 7 ans par le Parlement. Président du Conseil, responsable devant le Parlement, formé de la Chambre des députés et du Sénat, élus pour 5 ans. **Président de la République :** Oscar Luigi Scalfaro (depuis 1992). **Président du Conseil :** Massimo D'Alema (depuis 1998). **Drapeau :** créé par des volontaires de la milice milanaise affiliés à la franc-maçonnerie en 1796, il reprend des couleurs décrites par Dante. La version actuelle a été fixée en 1946. **Hymne national :** « Frères d'Italie, l'Italie s'est éveillée; elle s'est ceint la tête du casque de Scipion... » Paroles de Goffredo Mamelli (1827-1849), musique de Michele Novaro (1822-1885). Déclaré officiel en 1946. **Fête nationale :** premier dimanche de juin, date à laquelle est reportée la commémoration des élections (2 juin 1946) de la première législature républicaine.

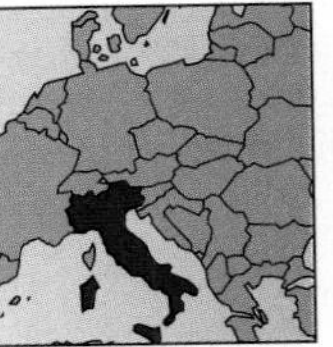

Superficie : 301 000 km². **Point culminant :** 4 634 m au mont Rose.

GÉOGRAPHIE

L'Italie n'a réalisé son unité nationale que récemment et a connu depuis lors un développement qui en a fait la cinquième puissance économique mondiale. Le milieu naturel est varié : au nord, le versant méridional des Alpes, coupé de nombreuses vallées, domine la plaine du Pô; plus au sud, l'Apennin est bordé de plaines alluviales et de plateaux. Le climat est méditerranéen au centre et au sud, plus rude dans les Alpes et continental dans la plaine du Pô. L'économie italienne diffère selon les régions. Le Sud demeure relativement peu développé; l'agriculture y occupe une place prépondérante, le chômage y est élevé mais difficile à apprécier, et, surtout, le secteur informel y joue un grand rôle. Le Nord, en revanche, appartient clairement à la partie la plus développée et prospère de l'Union européenne, avec un niveau de vie élevé et un taux de chômage faible. L'économie italienne est ainsi dominée par le secteur tertiaire (60 % des actifs). L'industrie comprend de grands groupes et un épais tissu de petites entreprises. L'agriculture enfin (7 % des actifs, moins de 4 % du PIB) s'est modernisée mais les exploitations demeurent de taille modeste. La population, très majoritairement catholique, s'apparente désormais à celles des grands pays industrialisés : niveau de vie élevé, urbanisation à 70 %, fin de l'émigration. Les mouvements migratoires s'effectuent désormais soit vers l'Italie, soit du Sud au Nord, ce qui peut être à l'origine de tensions.

HISTOIRE

L'Antiquité. L'Italie était peuplée, au IIIe millénaire, par des populations connues plus tard, en Italie même, sous le nom de Ligures et, en Sicile, sous celui de Sicules. À partir du IIe millénaire se produisent des migrations des peuples indo-européens, dont les derniers sont les Villanoviens, qui font usage du fer. Au début du Ier millénaire, les peuples qui occupent l'Italie composent deux grands groupes, dits italiques ou italiotes. D'autre part, d'importantes migrations illyriennes peuplent les côtes de l'Adriatique. Apparus au VIIIe s. av. J.-C., les Étrusques occupent un territoire s'étendant du Pô à la Campanie, cependant que les Grecs occupent les côtes méridionales, de Tarente à Cumes. Au IVe s., après des incursions dévastatrices, les Celtes se stabilisent dans la plaine du Pô. Ces différents peuples ont des rapports souvent belliqueux. À partir du IVe s., les Grecs sont aux prises avec des populations pastorales de l'Apennin, qui fondent l'État osque. Rome en profite pour réaliser la conquête de la péninsule (IVe-IIe s. av. J.-C.). Le latin s'affirme peu à peu comme moyen unique d'expression de la pensée.

◆ **Italie • Vatican • Saint-Marin • Monaco • Malte.**

◆ **Démographie.**

population	57 700 000 hab.
densité	192 hab./km²
accroissement naturel	– 0,3 ‰
taux de natalité	9,1 ‰
taux de mortalité infantile	6 ‰
espérance de vie	78 ans
part des moins de 15 ans	14,9 % de la pop. totale
part des plus de 65 ans	16 % de la pop. totale
population urbaine	67 %
principales villes	Milan, Naples, Rome, Turin, Palerme, Gênes

◆ **Principales ressources et productions** (1997).

agrumes	2 608 000 t (7e rang)
maïs	9 778 000 t (9e rang)
olives	3 081 000 t (2e rang)
vin	60 000 000 hl (1er rang)
automobiles	1 563 000 (9e rang)
électricité	252 344 millions de kWh

◆ **Économie et niveau de vie** (1996).

PNB	1 192,793 milliards de $
PNB/hab.	19 890 $
taux de croissance *(1995)*	2,9 %
taux d'inflation	4 %
taux de chômage	12,1 %
importations	190 021 millions de $
exportations	250 843 millions de $
répartition des actifs	agriculture 7 %, industrie, 32,1 %, services 60,9 %
transports	routes 305 388 km, voies ferrées 19 595 km
taux d'analphabétisme	1,9 %

◆ **Armée.**

budget militaire *(1996)*	1,7 % du PIB
forces armées *(1997)*	325 150 hommes

Mais Rome suscite un vif mécontentement chez les Italiens et la guerre italique, ou guerre sociale (91-89 av. J.-C.), la contraint à conférer aux cités latines et aux alliés italiques le droit de cité complet. L'extension de l'Empire provoque un déplacement des activités économiques et commerciales vers le *limes*, et l'Italie, entretenue par les productions des provinces, n'est plus le centre des affaires. Le christianisme, longtemps persécuté, triomphe au IVe s. à Rome, devenu le siège de la papauté.

La fin de l'époque romaine et le haut Moyen Âge. À la mort de Théodose (395), l'Empire d'Occident passe à son fils Honorius. Envahi par les Barbares au cours du Ve s., l'Empire se réduit bientôt à l'Italie. Rome est saccagée par les Goths d'Alaric (410), puis par les Vandales de Geiséric (455). Finalement, un des chefs de l'armée, Odoacre, fait déposer le jeune empereur Romulus Augustule (476) avant d'être lui-même supplanté par son rival Théodoric (493-526). La péninsule est reconquise au nom de Justinien par les généraux byzantins Bélisaire et Narsès (535-555). Mais la restauration impériale ne survit pas à Justinien. L'Italie se développe dès lors autour de trois pôles : Milan, centre du royaume des Lombards (568); Ravenne et quelques terres en Italie méridionale que conservent les Byzantins; Rome, où le pouvoir pontifical s'organise. Devant l'expansionnisme lombard en Italie du Nord (prise de Ravenne, 751), la papauté décide de faire appel aux souverains carolingiens Pépin le Bref (753) puis Charlemagne (774). Grâce à leur intervention, est créé le noyau des futurs États de l'Église. Le couronnement de Charlemagne par Léon III (800) fait revivre en Occident un empire théocratique. Mais, dès la mort de Louis le Pieux (843), l'Empire éclate et l'Italie fait partie des États de Lothaire Ier puis de Louis II (855). Les Normands ravagent l'Italie, tandis que les Sarrasins envahissent la Sicile (827), occupent Bari (840) et pillent Rome (846). Après un siècle d'instabilité et d'anarchie, le roi de Germanie, Otton Ier, fait valoir ses droits sur le royaume d'Italie et se fait couronner empereur à Rome par le pape Jean XII (962). Ainsi naît le Saint Empire romain germanique.

L'Italie impériale. De nouveau, la papauté a contribué à la renaissance de l'idée impériale héritée de Rome. Le contrôle que les empereurs ottoniens exercent sur l'élection pontificale provoque un mouvement au sein de l'Église, visant à affranchir la papauté de la prépondérance laïque. Le pape Nicolas II finit par supprimer ce contrôle (1059), ouvrant ainsi la querelle des Investitures. L'empereur Henri IV doit s'humilier à Canossa (1077), et son successeur accepte le concordat de Worms (1122), qui concilie la liberté spirituelle et le pouvoir temporel. Cette querelle se rallume avec l'accession sur le trône impérial de Frédéric Ier Barberousse (1152). Pour faire contrepoids à l'empereur, la papauté favorise l'expansion des Normands, qui, autour de Robert Guiscard, se taillent un royaume en Italie du Sud (1061-1091), évitant ainsi le développement du pouvoir des Hohenstaufen dans la région. Enfin, se développe une nouvelle force : celle des villes, qui, dans le centre et le nord du pays, secouent le joug des autorités féodales et se donnent des institutions communales (Milan, 1081; Florence, 1138; etc.). Contrôlées par les marchands, des villes comme Venise et Gênes retrouvent la prospérité, notamment grâce aux premières croisades. Les communes, encore peu puissantes, doivent cependant s'engager dans le conflit entre la papauté et l'Empire. Après l'arrivée au pouvoir de Frédéric II (1220-1250), les communes se déchirent entre les factions rivales

Europe occidentale

des guelfes (partisans du pape) et des gibelins (partisans de l'empereur). Le pape Clément VII cède la couronne de Naples à Charles d'Anjou, qui finit par battre le dernier des Hohenstaufen, Conradin, à Bénévent (1268). À part quelques tentatives isolées, cet échec marque la renonciation des empereurs germaniques à l'idée d'établir leur hégémonie politique et religieuse sur l'Italie.

Républiques et seigneuries jusqu'aux guerres du XVIe siècle. La péninsule se trouve partagée entre des États régionaux, dont le plus important est le royaume de Naples. Ce dernier, après bien des vicissitudes, tombe complètement aux mains de la famille d'Aragon (1442). Au XIVe s., le rôle de la papauté en Italie s'efface, les papes étant « exilés » en Avignon (1309-1376). Le Grand Schisme oppose plusieurs pontifes différents (1378-1417) jusqu'à l'élection de Martin V. Les communes, enfin, connaissent un brillant développement industriel (textile surtout), commercial (Gênes et Venise) et bancaire (Florence). Ces villes établissent dans toute la Méditerranée orientale de véritables réseaux d'affaires. Cet essor est propice à l'éclosion d'une culture laïque dans les premières universités (Bologne dès 1088, Padoue en 1222 surtout). Après les crises du XIVe s. (pestes, troubles sociaux), le pouvoir passe aux mains de grandes familles (Visconti puis Sforza à Milan, Médicis à Florence) et seules Gênes et Venise restent des républiques aristocratiques. Les villes connaissent alors un développement artistique extraordinaire. L'Italie, raffinée et riche, mais affaiblie par ses divisions, finit par devenir une proie convoitée par ses puissants voisins, les rois de France et les Habsbourg d'Espagne et d'Autriche.

La domination étrangère. Les guerres d'Italie (1494-1559) portent ce conflit sur son territoire, et les traités du Cateau-Cambrésis, qui y mettent fin, consacrent sur une bonne partie de la péninsule la domination espagnole (1559-1713). Le pays, à cette époque, connaît une régression économique et culturelle liée au déplacement progressif (surtout au XVIIe s.) du centre de gravité des échanges vers l'Atlantique et au triomphe doctrinal de la Réforme catholique après le concile de Trente (1545-1563), qui stérilise en partie la vie culturelle. Le passage de l'Italie aux Habsbourg d'Autriche après le traité d'Utrecht (1713) amène un certain renouveau ; en Toscane, le grand-duc Pierre-Léopold pratique une politique réformiste et éclairée, développée aussi par les rois de Naples (Charles de Bourbon [1734-1759] notamment). Enfin, de nouveaux États comme le Piémont s'affirment.

Le Risorgimento et l'unité. La Révolution française de 1789 a suscité l'hostilité des souverains italiens, mais a été plutôt bien accueillie par la bourgeoisie. L'armée du général Bonaparte, envoyée en Italie par le Directoire, est, au début, acclamée par la population (1796-1797). Après ses victoires, Bonaparte impose à l'Autriche le traité de Campoformio (1797), qui marque la fin de l'Ancien Régime dans la péninsule et la création d'éphémères républiques sœurs calquées sur le modèle français (républiques Cisalpine, Ligure, Parthénopéenne, Romaine). Cette œuvre se poursuit après la victoire de Marengo (1800). Elle est complétée par la conquête de l'Italie. Napoléon, devenu empereur (1804), devient lui-même roi d'Italie (plaine du Pô et côte adriatique, 1805), tandis que son frère Joseph (1806) puis Murat (1808) reçoivent le royaume de Naples. Après la chute de l'Empire, le congrès de Vienne (1815) rétablit en Italie les souverains renversés, l'Autriche s'installant dans le Nord (Lombardie et Vénétie). Cependant, devant le retour de l'absolutisme, se développent des sociétés secrètes (*carbonari*). Après 1830, ces mouvements s'organisent autour du républicain Mazzini, créateur de la « Jeune-Italie », du néoguelfe et catholique Gioberti et de Cesare Balbo, partisan de l'unification et du *Risorgimento* (renaissance, résurrection) de l'Italie sous l'égide de la maison de Savoie. Après les soulèvements de 1848, et tandis que les revendications constitutionnelles des populations sont satisfaites à Naples, Florence, Turin et Rome (janv.-mars), la Lombardie et la Vénétie expulsent les Autrichiens. Le roi de Piémont, Charles-Albert, tente de se mettre à la tête du mouvement de libération, mais il est battu à Custoza (juill. 1848) puis à Novare (mars 1849) par les Autrichiens. La réaction finit par triompher des éphémères républiques romaine et toscane (1849). Le nouveau souverain piémontais, Victor-Emmanuel II, et son ministre Cavour comprennent la nécessité d'appuis extérieurs pour réaliser l'unité italienne. Ils obtiennent de Napoléon III l'intervention de la France (campagne d'Italie, 1859). D'autre part, des mouvements révolutionnaires aboutissent à l'union de l'Italie centrale, puis du royaume de Naples, conquis par Garibaldi, au Piémont (1860).

Le royaume d'Italie et l'époque mussolinienne. Le royaume d'Italie, proclamé en 1861, acquiert peu après la Vénétie (1866) puis Rome (1870). Pie IX, se considérant prisonnier, interdit aux catholiques de prendre part à la vie politique. Les gouvernements successifs, de droite (jusqu'en 1876) puis de gauche (jusqu'en 1914), poursuivent l'unification. Le roi Humbert Ier

◆ **Chefs d'État ou de gouvernement.**

Royaume d'Italie	**Règne**
Victor-Emmanuel II	1861-1878
Humbert Ier	1878-1900
Victor-Emmanuel III	1900-1946
Mussolini (Duce)	1922-1943/1945
Humbert II (lieutenant général du royaume)	1944-1946
République	
Président	**Mandat**
Enrico De Nicola	1946-1959
Luigi Einaudi	1948-1955
Giovanni Gronchi	1955-1962
Antonio Segni	1962-1964
Giuseppe Saragat	1964-1971
Giovanni Leone	1971-1978
Sandro Pertini	1978-1985
Francesco Cossiga	1985-1992
Oscar Luigi Scalfaro	1992-1999
Carlo Azeglio Ciampi	depuis 1999
Président du Conseil	**Mandat**
Alcide De Gasperi	1945-1953
Giuseppe Pella	1953-1954
Amintore Fanfani	1954
Mario Scelba	1954
Antonio Segni	1955-1957
Adone Zoli	1957-1958
Amintore Fanfani	1958-1959
Antonio Segni	1959-1960
Fernando Tambroni	1960
Amintore Fanfani	1960-1963
Giovanni Leone	1963
Aldo Moro	1963-1968
Giovanni Leone	1968
Mariano Rumor	1968-1970
Emilio Colombo	1970-1972
Giulio Andreotti	1972-1973
Mariano Rumor	1973-1974
Aldo Moro	1974-1976
Giulio Andreotti	1976-1979
Ugo La Malfa	1979
Giulio Andreotti	1979
Francesco Cossiga	1979-1980
Arnaldo Forlani	1980-1981
Giovanni Spadolini	1981-1982
Amintore Fanfani	1982-1983
Bettino Craxi	1983-1987
Amintore Fanfani	1987
Giovanni Goria	1987-1988
Chiriaco De Mita	1988-1989
Giulio Andreotti	1989-1992
Giuliano Amato	1992-1993
Carlo Azeglio Ciampi	1993-1994
Silvio Berlusconi	1994
Lamberto Dini	1994-1996
Antonio Macanicco	1996
Romano Prodi	1996-1998
Massimo D'Alema	depuis 1998

◆ **Divisions administratives.**

Région	Superficie (en km²)	Population	Capitale
Abruzzes	10794	1 262 948	L'Aquila
Aoste (Val d')	3262	118 239	Aoste
Basilicate	9992	611 155	Potenza
Calabre	15080	2 079 688	Catanzaro
Campanie	13595	5 708 657	Naples
Émilie-Romagne	22124	3 924 348	Bologne
Frioul-Vénétie julienne	7846	1 193217	Trieste
Latium	17203	5 185 316	Rome
Ligurie	5416	1 662 658	Gênes
Lombardie	23856	8 901 023	Milan
Marches	9693	1 438 223	Ancône
Molise	4438	331 494	Campobasso
Ombrie	8456	819 172	Pérouse
Piémont	25399	4 306 565	Turin
Pouille	19347	4 065 603	Bari
Sardaigne	24090	1 657 375	Cagliari
Sicile	25708	5 025 280	Palerme
Toscane	22992	3 528 225	Florence
Trentin-Haut-Adige	13613	903 598	Trente
Vénétie	18364	4 415 309	Venise

conclut la Triplice avec l'Allemagne et l'Autriche (1882). Sous le gouvernement de Francesco Crispi (1887-1896, presque sans interruption), l'Italie tente une politique coloniale en Tunisie et en Éthiopie. L'ensemble de la population et les catholiques restent à l'écart de la vie politique et connaissent une extrême misère, qui souvent ne trouve d'issue que dans l'émigration (130 000 en 1880, 872 000 en 1913) ou dans la violence (insurrection de Milan, 1898, assassinat du roi Humbert Ier, 1900). L'Italie retrouve pourtant une certaine stabilité sous le gouvernement de Giovanni Giolitti (1900-1914). Il favorise l'industrialisation et pratique une politique réformiste pour calmer les socialistes (extension du droit de vote, 1912). En politique extérieure, afin de satisfaire la droite nationaliste, animée notamment par Gabriele D'Annunzio et E. Corradini, il entre en guerre contre la Turquie. Il annexe la Libye, reprenant l'expansion coloniale, et occupe le Dodécanèse. C'est la force du courant nationaliste, anxieux de reconquérir les terres irrédentes sur l'Autriche, qui pousse à l'intervention dans la Première Guerre mondiale négociée secrètement avec les Alliés (1915). Les traités de Saint-Germain-en-Laye (1919) et de Rapallo (1920) déçoivent en partie les ambitions italiennes (annexion du Trentin et de Trieste (Fiume). D'autre part, une grave dépression économique provoque une agitation violente dans toute la péninsule (occupations de terres, grèves révolutionnaires, 1920-1922).

Benito Mussolini, avec ses Faisceaux italiens de combat, réussit à se faire reconnaître comme le seul recours face au désordre. Après la marche sur Rome de ses Chemises noires, il est appelé au pouvoir par Victor-Emmanuel III (oct. 1922). Peu à peu, le nouveau régime instaure autour du *Duce* un ordre dictatorial (lois fascistes, 1925) et corporatiste (charte du Travail, 1926). Les réalisations intérieures (grands travaux, résorption du chômage, règlement de la question romaine par les accords du Latran [1929]) et extérieures (notamment la guerre contre l'Éthiopie, 1935-1936) lui assurent une large adhésion populaire. Cette exaltation nationaliste aboutit au rapprochement avec l'Allemagne nazie (pacte d'Acier, 1939) et à la guerre (1940). Déposé après les premiers revers (débarquement allié en Sicile, 1943), Mussolini se replie en Italie du Nord (« République sociale italienne », proclamée à Salo) avant d'être arrêté puis fusillé dans les derniers jours de la guerre par les partisans (1945).

L'Italie contemporaine. En juin 1946, la république est proclamée par référendum. Après avoir signé la paix (traité de Paris, 1947), l'Italie se dote d'une Constitution (déc. 1947), qui instaure un régime parlementaire. La reconstruction est menée par le chef de la Démocratie chrétienne Alcide De Gasperi, au pouvoir de 1948 à 1953. Avec l'aide des États-Unis, il favorise l'expansion industrielle et le développement du Mezzogiorno (réforme agraire, 1951). Malgré l'industrialisation, le déséquilibre Nord-Sud persiste. Les progrès constants du Parti communiste italien (1953, 22 % des voix; 1968, 27 %) contraignent les démocrates-chrétiens, au pouvoir de 1958 à 1968 avec Amintore Fanfani puis Aldo Moro, à une timide ouverture en direction des socialistes. Le malaise de la société italienne prend, entre 1969 et 1981, les formes extrêmes du terrorisme aveugle, de droite ou de gauche. Il connaît ses épisodes les plus graves avec l'assassinat par les Brigades rouges d'Aldo Moro (1978) et l'attentat meurtrier de la gare de Bologne (1980). L'entente des forces politiques de tous horizons réalisée en 1978-1979, avec le « compromis historique » entre le Parti communiste et la Démocratie chrétienne, s'effrite rapidement. À partir de 1981, l'Italie est presque continûment dirigée par des gouvernements de coalition, celui du socialiste Bettino Craxi battant le record de longévité (1983-1987). La forte progression de la grande criminalité (Mafia) et les dysfonctionnements de l'administration publique révèlent la crise de l'État. Les années 1990 sont marquées par le bouleversement des équilibres politiques. En 1991, le Parti communiste italien disparaît, remplacé par un Parti démocratique de la gauche (PDS), son aile gauche formant une « Refondation communiste ». Avec l'assassinat du juge Falcone (mai 1992), la grande criminalité atteint son paroxysme, tandis que les enquêtes judiciaires révèlent la corruption des milieux politiques. Les élections de 1992 (législatives et locales) traduisent la crise politique avec la montée des ligues régionalistes, notamment de la ligue Lombarde. En mai 1992, Oscar Luigi Scalfaro succède à Francesco Cossiga (1985-1992) à la présidence de la République. Les élections municipales de 1993 (selon un mode de scrutin réformé, à dominante majoritaire) consacrent l'écroulement de la Démocratie chrétienne (qui prendra en 1994 le nom de Parti populaire) et du Parti socialiste. Les élections législatives de mars 1994 (au scrutin majoritaire à un tour pour 75 % des parlementaires, avec maintien de la proportionnelle pour le quart restant) sont marquées par le succès d'une nouvelle personnalité à droite, Silvio Berlusconi. Celui-ci, propriétaire d'un puissant groupe financier et de plusieurs chaînes de télévision, fédère des forces hétérogènes (sa formation Forza Italia, les néofascistes du MSI et la ligue du Nord), mais doit démissionner dès déc. 1994. Les gouvernements de coalition se succèdent alors (Lamberto Dini en 1995, Romano Prodi en 1996, Massimo D'Alema en 1998), dominés par la gauche à partir de 1996. Si la classe politique n'a pu trouver d'accord pour réussir une grande réforme des institutions, le consensus autour de l'assainissement des finances publiques a permis à l'Italie d'entrer dans la zone euro dès 1999.

VOIR AUSSI
- **Fascisme** p. 979

Illustrations
- **Coulée de lave sur l'Etna** p. 41
- **Dolomites** p. 45
- **Marche sur Rome** p. 459

Vatican Il Vaticano

Nom officiel : État de la cité du Vatican. **Monnaie** : lire de la cité du Vatican (= 100 centesimi). **Langue officielle** : italien. **Religion officielle** : catholicisme. **Institutions** : le pape exerce le pouvoir exécutif et législatif par l'intermédiaire d'une commission cardinalice présidée par le cardinal secrétaire d'État. **Chef de l'État et chef du gouvernement** : le pape Jean-Paul II (depuis 1978). **Drapeau** : la tiare symbolise le règne sur les trois mondes : le manifeste, l'intermédiaire et le plérôme. Les deux clés montrent les voies d'accès à ces mondes, celle d'argent ouvrant les petits mystères dits exotériques, celle d'or ouvrant les grands mystères dits ésotériques. Les fonds du drapeau reprennent les deux métaux. Attesté dès le XIIIe s., le drapeau a été reconnu aux accords du Latran en 1929. **Hymne papal** : « Rome immortelle des martyrs et des saints, Rome immortelle, entends nos chants ; Gloire aux cieux, à Dieu notre Seigneur ; Paix aux fidèles dans l'amour du Christ. » Texte de Mgr Salvatore Allegra (1905-1969), écrit en 1950, musique de Charles Gounod (1818-1893), composée pour l'intronisation de Pie IX en 1846. Déclaré officiel en 1949. **Fête nationale** : 22 octobre (anniversaire de l'intronisation de Jean-Paul II).

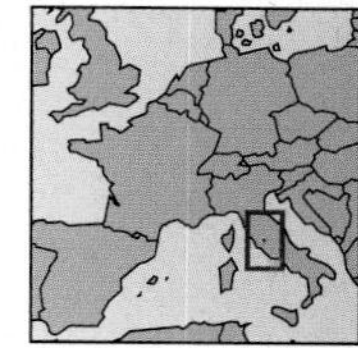

Superficie : 0,44 km².

GÉOGRAPHIE

Constitué de quelques immeubles situés à l'intérieur de Rome, l'État du Vatican s'apparente plus à une sorte d'ambassade, concédée par Mussolini à la papauté en 1929 (accords du Latran). Il se compose de la place et de la basilique Saint-Pierre, du palais du Vatican et de ses annexes, des jardins du Vatican, et possède une douzaine de bâtiments situés en dehors de ce périmètre, à Rome et à Castel Gandolfo (résidence d'été des papes).

HISTOIRE

Pendant des siècles, le Vatican a été la capitale d'un État temporel : les États de l'Église.

États de l'Église ou États pontificaux. Ils étaient constitués par la partie centrale de l'Italie, sous le gouvernement des papes de 756 à 1870. À l'origine des États de l'Église se trouvent les biens, dits « Patrimoine de Saint-Pierre », constitués en fait par Grégoire Ier le Grand (590-604), que la faiblesse de Byzance en Italie amène à se saisir de l'administration civile de la ville et du duché de Rome. Par la suite, ce domaine s'agrandit. Longtemps convoité par les rois de Germanie, l'État pontifical est menacé, au XIVe s., par les ambitions françaises (Anagni, 1303) tandis que, travaillée par des mouvements démocratiques, Rome est en perpétuel état de rébellion. Au point que, de 1309 à 1376, les papes – tous Français d'origine – se fixent en Avignon. C'est en 1443 seulement que Rome redevient définitivement le siège de la papauté. Les papes de la fin du XVe s. et ceux du XVIe s., princes italiens et mécènes, agrandissent considérablement leurs États. La Révolution française puis Napoléon s'en prennent à l'État pontifical, qu'ils réduisent, et suppriment même quelque temps. Restauré en 1815, celui-ci se révèle très vulnérable : les poussées nationalistes et libérales venues du Nord le réduisent comme une peau de chagrin à partir de 1831. En 1870, après l'évacuation des troupes françaises qui défendent Rome contre les nationalistes, les Italiens n'ont pas grand mal à entrer dans la Ville éternelle et à en faire la capitale du jeune royaume d'Italie (20 sept. 1870) : les États de l'Église ont vécu.

L'État du Vatican. Refusant toutes garanties, les papes vont désormais se considérer comme prisonniers dans Rome. Le problème ne sera réglé que le 11 févr. 1929, quand les accords du Latran, signés entre Pie XI et Mussolini, reconnaîtront comme État souverain le Vatican « pour assurer au Saint-Siège l'indépendance absolue et visible, avec une souveraineté indiscutable, garantie même dans le domaine international ».

VOIR AUSSI
- **Des États pontificaux à la cité du Vatican** p. 510

Illustrations
- **Vatican** p. 573 (carte)

Europe occidentale

Saint-Marin • Malte

Saint-Marin San Marino

Nom officiel : République de Saint-Marin **Capitale** : Saint-Marin *(San Marino)*. **Monnaie** : lire italienne (= 100 centesimi). **Langue officielle** : italien. **Principale religion** : catholicisme. **Institutions** : République. Grand Conseil de 60 membres, élu pour 5 ans au suffrage universel. Deux capitaines-régents élus pour 6 mois par le Grand Conseil. Congrès d'État de 10 membres, choisis au sein du Grand Conseil. **Chef de l'État** : deux capitaines-régents, élus tous les six mois. **Drapeau** : il a été adopté en 1797-1798 ; le bleu représente l'immensité du ciel et de la mer au pied du mont Titano ; le blanc, la pureté de la neige, les sommets recouverts de neige. **Hymne national** : sans paroles, sur une musique du Xe s. Adopté en 1894. **Fête nationale** : 3 septembre.

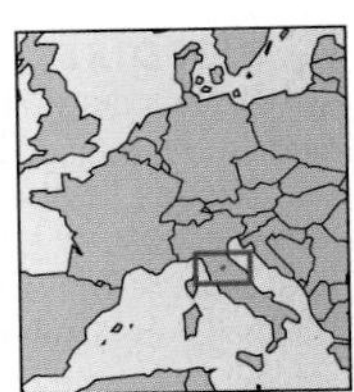

Superficie : 61 km². **Point culminant** : 738 m au monte Titano.

GÉOGRAPHIE

Enclavée en plein territoire italien, au sud de Rimini, Saint-Marin est la plus ancienne république d'Europe (sa Constitution date de 1569). D'une superficie d'environ 61 km², accrochée sur les pentes abruptes du monte Titano dans l'Apennin calcaire, Saint-Marin est un pays de tourisme (plus de 2 millions de visiteurs par an). Le tourisme, le commerce des timbres et des monnaies assurent des revenus appréciables. La vieille agriculture traditionnelle (vigne, céréales) recule devant la vague de construction.

HISTOIRE

Selon la tradition, Saint-Marin fut fondé au IVe s. par Marin, tailleur de pierre originaire de l'île dalmate de Rab, qui se retira sur le mont Titano, près de Rimini. Sa réputation de sainteté attira une petite communauté, qui s'élargit peu à peu en une commune laïque. Fortifié contre les incursions des Normands et des Sarrasins, Saint-Marin, dès la fin du IXe s., possède une certaine autonomie et élargit son territoire au XIe s. Ayant pris le nom de « république » au XIIIe s., Saint-Marin fait alliance, au XVe s., avec le pape et avec les ducs d'Urbino. Vers le milieu du XVe s. est créé le Grand Conseil de 60 membres à vie. Les XVIIe et XVIIIe s. marquent une période de déclin relatif. Respecté par Bonaparte en 1797, l'État de Saint-Marin est reconnu au congrès de Vienne en 1815. À l'époque du Risorgimento, beaucoup de patriotes s'y réfugient, notamment Garibaldi en 1849. Saint-Marin signe un traité d'amitié avec l'Italie en 1862, renouvelé régulièrement en 1897, 1939, 1953, 1971. En 1988, Saint-Marin adhère au Conseil de l'Europe.

VOIR AUSSI
Illustrations
- **Saint-Marin** p. 573 (carte)

◆ **Démographie.**

population	26 000 hab.
densité	426 hab./km²
accroissement naturel	3,3 ‰
taux de natalité	10,6 ‰
espérance de vie	76 ans
part des moins de 15 ans	16 % de la pop. totale
part des plus de 65 ans	14 % de la pop. totale
population urbaine	94 %

◆ **Économie et niveau de vie** (1996).

PNB	0,4 milliard de $
PNB/hab.	17 000 $
répartition des actifs	agriculture 2,1 %, industrie 41,6 %, services 56,3 %
taux d'analphabétisme	3,9 %

Malte Malta

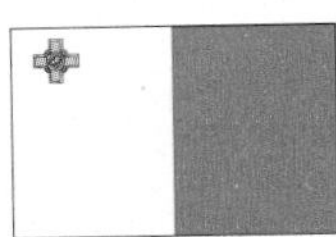

Nom officiel : République de Malte. **Capitale** : La Valette *(Valletta)*. **Monnaie** : livre maltaise (= 100 cents). **Langues officielles** : anglais et maltais. **Principale religion** : catholicisme. **Institutions** : République, membre du Commonwealth. Constitution de 1974. Président de la République : élu pour 5 ans par la Chambre des députés, il nomme le Premier ministre. Chambre des députés élue pour 5 ans. **Président de la République** : Ugo Mifsud Bonnici (depuis 1994). **Premier ministre** : Eddie Fenech Adami (depuis 1998). **Drapeau** : il a été adopté en 1964. Son origine remonte à la bannière du comte normand Roger Ier de Sicile. L'île a été décorée de la croix de Saint-Georges pour sa résistance valeureuse en 1943. **Hymne national** : « Cette douce terre, la mère qui nous a donné son nom, protège-la, Seigneur, comme tu l'as toujours protégée ; souviens-toi que tu l'as toujours revêtue de l'éclat le plus blanc. » Paroles de Dun Karm Psaila (1871-1961), musique de Robert Samut (1870-1934). Déclaré officiel en 1941 et 1964. **Fête nationale** : 31 mars (anniversaire du départ des dernières troupes britanniques en 1979).

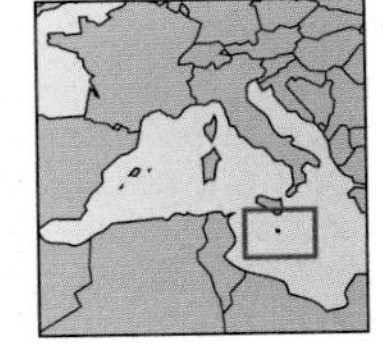

Superficie : 316 km² (avec les îles Gozo et Comino). **Point culminant** : 258 m.

GÉOGRAPHIE

Situé au centre de la Méditerranée, l'archipel commande le bassin oriental de cette mer et constitue une position stratégique remarquable. L'île de Malte, formée de terrains calcaires, riche en phénomènes karstiques, a un relief accidenté, mais p eu élevé (258 m). Le climat doux, aux pluies d'hiver, permet des cultures variées : céréales, légumes, arbres fruitiers, coton. Élevage d'ovins (fromage). La Valette est située sur une presqu'île, entre deux golfes ramifiés, autour desquels Sliema et Hamrun forment une agglomération continue qui est la première zone touristique de l'île.

◆ **Démographie.**

population	400 000 hab.
densité	1 266 hab./km²
accroissement naturel	5,9 ‰
taux de natalité	14,2 ‰
taux de mortalité infantile	11 ‰
espérance de vie	77 ans
part des moins de 15 ans	22 % de la pop. totale
part des plus de 65 ans	10,9 % de la pop. totale
population urbaine	90 %
principales villes	La Valette, Birkirkara

◆ **Principales ressources et productions** (1997).

bovins	21 000 têtes
pomme de terre	32 000 t
porcins	69 000 têtes

◆ **Économie et niveau de vie** (1996).

PNB	2,88 milliard de $
PNB/hab.	13 870 $
taux de croissance *(1992)*	4,3 %
taux d'inflation	2,5 %
importations	2 317 millions de $
exportations	1 678 millions de $
répartition des actifs	agriculture 2,6 %, industrie 34,6 %, services 62,9 %
transports	routes 1 405 km
taux d'analphabétisme	8,7 %

◆ **Armée.**

budget militaire	1 % du PIB
forces armées	1 950 hommes

HISTOIRE

L'Antiquité et le Moyen Âge. Malte a été habitée dès le IIIe millénaire. Poste phénicien (IXe-VIIIe s. av. J.-C.), elle est ensuite occupée par les Grecs (VIIIe s.), les Carthaginois (VIe s.) et les Romains (218 av. J.-C.). En 870, elle est occupée par les Arabes, et islamisée. Reprise par Roger de Sicile (1090), son sort est alors lié à celui du royaume de Sicile.

L'île des chevaliers. Charles Quint la cède aux chevaliers de Saint-Jean de Jérusalem (1530), qui prennent le nom de chevaliers de Malte. Le grand maître La Valette fortifie l'île (1557-1568) qui devient une base de la lutte contre les Barbaresques. En 1798, Bonaparte, en route vers l'Égypte, met fin au gouvernement de l'ordre.

Une colonie britannique. Dès 1800, les Britanniques s'installent et fondent leur colonie. Importante base stratégique liée aux opérations militaires en Libye (juill. 1940), Malte fait l'objet, dès l'automne 1941, d'un blocus rigoureux de Kesselring et est soumise à des bombardements aériens massifs. L'île ne reprend son rôle de base offensive qu'après l'évacuation de la Libye par les forces de l'Axe.

L'indépendance. Membre du Commonwealth à partir de 1962, Malte obtient l'indépendance en 1964, et devient une république en 1974. La vie politique est dominée par le Parti travailliste et le Parti national qui alternent au pouvoir. En 1990, elle demande à adhérer à la CEE.

VOIR AUSSI
Illustrations
- **Malte** p. 573 (carte)

Danemark Danmark

Nom officiel : Royaume du Danemark. **Capitale :** Copenhague (*København*). **Monnaie :** couronne danoise (= 100 øre). **Langue officielle :** danois. **Principale religion :** protestantisme. **Institutions :** Monarchie parlementaire depuis 1901. Constitution : charte de 1953. Le souverain nomme le Premier ministre, responsable devant le Parlement (*Folketing*), élu pour 4 ans. **Souverain :** la reine Marguerite II (Margrethe II) [depuis 1972]. **Premier ministre :** Poul Nyrup Rasmussen (depuis 1993). **Drapeau :** connu sous le nom de « Dannebrog » (du vieux frison *dan*, rouge, et *broge*, étoffe), ce drapeau à croix d'argent sur champ de gueules est resté inchangé depuis son adoption par le roi Valdemar II. **Hymne national :** « Il est un doux pays, avec de larges hêtres, au bord des flots d'azur… » Paroles d'Adam Gottlob Oehlenschläger (1779-1850), musique de Hans Ernst Krøyer (1798-1879). **Fête nationale :** 5 juin (anniversaire de l'adoption de la Constitution de 1953).

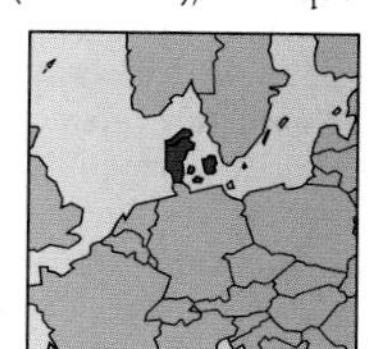

Superficie : 43 000 km². **Point culminant :** 173 m.

GÉOGRAPHIE

Constitué de la péninsule du Jylland, où vit un peu moins de la moitié de la population, et de plus de 500 îles, le Danemark est un pays au climat océanique et relativement humide. L'élevage procure la quasi-totalité du revenu agricole, mais ce sont l'industrie (notamment agroalimentaire) et surtout les services qui forment l'essentiel de l'activité économique du pays. La population, protestante et vivant pour un quart dans la capitale, est dense et ne croît plus. L'immigration est faible et le niveau de vie élevé. Vaste territoire arctique de 2 186 000 km², le Groenland, très peu peuplé, est une dépendance danoise depuis le XVIIᵉ s. et a obtenu l'autonomie interne en 1979.

HISTOIRE

La formation du royaume. Peuplé dès le néolithique, le Danemark connaît à l'âge du bronze une culture très élaborée et commerce activement avec l'étranger (les pelleteries et l'ambre s'échangent contre le bronze et l'or des pays méditerranéens). La conquête de la Gaule et des pays germaniques par les Romains exerce une grande influence sur la civilisation au Danemark, et des liens commerciaux s'établissent avec l'Empire byzantin. Au IXᵉ s., les Danois forment, avec les Norvégiens, les Vikings. Ils ravagent les côtes de l'Europe occidentale et créent un royaume en Angleterre orientale (*Danelaw*). L'unification du Danemark et l'introduction du christianisme s'opèrent au Xᵉ s. Une forte organisation militaire permet au roi Svend Iᵉʳ de s'emparer de toute l'Angleterre (1013). Son fils, Knud Iᵉʳ le Grand, règne sur un vaste empire comprenant l'Angleterre, le Danemark et une partie de la Scandinavie. Mais, dès 1042, l'Angleterre s'affranchit du Danemark.

♦ **Europe nordique et baltique.**

Le Moyen Âge. Au XIIᵉ s. s'implante le régime féodal, tandis que l'influence de l'Église romaine se renforce. Valdemar Iᵉʳ le Grand (1157-1182) impose une monarchie forte et développe une politique d'expansion en mer Baltique. La civilisation médiévale danoise atteint son apogée avec Valdemar II (1202-1241), qui fait codifier les lois du pays et établir un inventaire fiscal du royaume. Cette période est suivie d'un affaiblissement économique et politique, les villes hanséatiques s'opposant à toute tentative susceptible de porter atteinte à leurs privilèges. Le redressement s'opère avec Valdemar IV (1340-1375), et surtout avec sa fille Marguerite Iʳᵉ (1353-1412), qui hérite du Danemark et de la Norvège en 1387. L'Union de Kalmar (1397), unissant la Couronne de Suède à celles du Danemark et de la Norvège, est définitivement rompue avec l'élection de Gustave Vasa au trône de Suède (1523).

La lutte avec la Suède. Le XVIᵉ s. est caractérisé par l'introduction du luthéranisme, qui devient religion d'État en 1536, et par l'affermissement d'une bourgeoisie active dans les ports. Sous le règne de Frédéric II (1559-1588), la guerre nordique de Sept Ans (1563-1570) oppose la Suède et le Danemark. La paix de Stettin (1570) consacre la position du Danemark comme gardien de la Baltique et la fin de la domination hanséatique. La lutte avec la Suède se poursuit au XVIIᵉ s.

♦ **Divisions administratives.**

Amt	Superficie (en km²)	Population	Capitale
SJÆLLAND	7 448	2 146 000	
Copenhague (1)	88	468 000	
Frederiksberg (1)	9	85 000	
Copenhague (2)	526	602 000	
Frederiksborg	1 347	340 000	Hillerød
Roskilde	891	216 000	Roskilde
Vestsjælland	2 984	283 000	Sorø
Storstrøm	1 603	151 000	Nykøbing Falster
BORNHOLM	588	46 000	
Bornholm	588	46 000	Rønne
LOLLAND-FALSTER	1 795	106 000	
Storstrøm	1 795	106 000	Nykøbing Falster
FYN	3 486	458 000	
Fyn	3 486	458 000	Odense
JYLLAND	29 775	2 374 000	
Sønderjylland	3 938	250 000	Åbenrå
Ribe	3 131	218 000	Ribe
Vejle	2 997	330 000	Vejle
Ringkøbing	4 853	267 000	Ringkøbing
Århus	4 561	594 000	Århus
Viborg	4 122	230 000	Viborg
Nordjylland	6 173	483 000	Ålborg

(1) Ville. (2) Amt.

Dépendances : archipel Féroé (1 400 km² ; 48 000 hab.). Groenland (2 186 000 km² ; 55 000 hab.).

♦ **Démographie.**

population	5 300 000 hab.
densité	123 hab./km²
accroissement naturel	0,2 ‰
taux de natalité	13 ‰
taux de mortalité infantile	6 ‰
espérance de vie	76 ans
part des moins de 15 ans	17,4 % de la pop. totale
part des plus de 65 ans	15 % de la pop. totale
population urbaine	85 %
principales villes	Copenhague, Århus, Odense, Ålborg

♦ **Principales ressources et productions** (1997).

bovins	2 052 000 têtes
porcins	11 079 000 têtes
pétrole	11 328 000 t

♦ **Économie et niveau de vie** (1997).

PNB	169,83 milliards de $
PNB/hab.	22 120 $
taux de croissance *(1995)*	2,8 %
taux d'inflation *(1996)*	2,1 %
taux de chômage	8,1 %
importations	41 347 millions de $
exportations	48 660 millions de $
répartition des actifs	agriculture 5,1 %, industrie 26,8 %, services 68,1 %
transports	routes 71 255 km, voies ferrées 2 838 km
taux d'analphabétisme	1 %

♦ **Armée.**

budget militaire *(1996)*	1,7 % du PIB
forces armées *(1997)*	32 900 hommes

Europe nordique et baltique

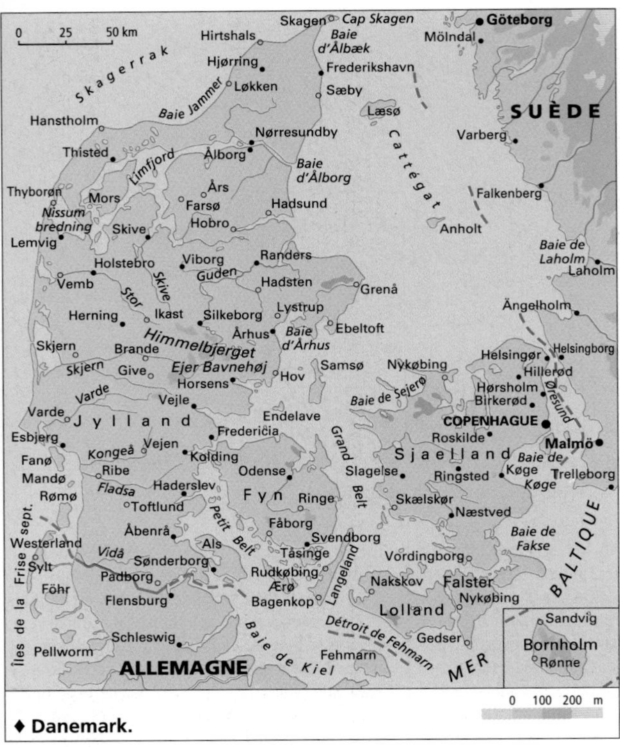

♦ **Danemark.**

Sous Christian IV (1588-1648), les Suédois, alliés aux Hollandais, battent les Danois, qui doivent signer la paix de Brömsebro (1645) consacrant la prééminence suédoise. En 1658, la paix de Roskilde octroie la Scanie à la Suède. En 1660, la royauté absolue est instaurée, et la monarchie devient héréditaire (1665). Sous le règne de Frédéric IV (1699-1730), à l'issue de la « grande guerre du Nord », le Danemark obtient le sud du Slesvig (1720). Au XVIIIe s., le pays connaît une période d'expansion économique, favorisée par une habile politique de neutralité. Christian VII (1766-1808) laisse le pouvoir au comte Johann Struensee, qui gouverne en despote éclairé et décide d'importantes réformes.

Le XIXe s. Au cours des guerres napoléoniennes, le Danemark entre dans la ligue des Neutres (1800) contre la Grande-Bretagne, mais la pression britannique (bombardements de Copenhague en 1801, prise de la flotte danoise en 1807) fait basculer le royaume dans l'alliance française. À la paix de Kiel (1814), le Danemark perd la Norvège, tandis que le Slesvig et le Holstein deviennent possession personnelle de la Couronne. Frédéric VII (1848-1863) promulgue une Constitution démocratique (1849) commune au Danemark et au Slesvig-Holstein, ce qui provoque un mouvement séparatiste dans les duchés, soutenus par la Prusse. Sous le règne de Christian IX (1863-1906) se déroule la guerre des Duchés, que lui imposent la Prusse et l'Autriche. Au traité de Vienne (1864), le Danemark, vaincu, perd le Slesvig, le Holstein, le Lauenburg et Kiel.

Le Danemark, royaume parlementaire. L'opposition entre la droite et la gauche s'exprime dans le conflit entre les deux Chambres, le *Landsting*, à majorité conservatrice, et le *Folketing*, élu au suffrage universel et dominé par les libéraux. La formation d'une classe ouvrière fortement syndicalisée contribue, en 1901, à l'arrivée au pouvoir d'une majorité radicale et socialiste. En 1915, le droit de vote est accordé aux femmes, et l'on institue l'élection du *Landsting* au suffrage universel. Au cours de la Première Guerre mondiale, le pays reste neutre. Le traité de Versailles restitue au Dane-mark, après plébiscite (1920), le nord du Slesvig. En 1918, l'Islande, possession danoise depuis 1380, devient indépendante, mais reste unie au Danemark par la personne du roi jusqu'en 1944. De 1924 à 1940, le pouvoir est presque constamment entre les mains des sociaux-démocrates, qui introduisent d'importantes réformes sociales. Envahi par les Allemands en 1940, le Danemark est libéré en mai 1945. Le roi Christian X (1912-1947) donne l'exemple de la résistance à l'occupant.

L'après-guerre. Après la Libération, le Parti social-démocrate, dirigé par J.O. Krag, domine la scène politique et restitue sa prospérité au pays. L'entrée du Danemark dans la Communauté économique européenne, décidée en 1972, devient effective en 1973. À partir de 1982, les conservateurs sont au pouvoir avec Poul Schlüter comme Premier ministre. En juin 1992, le Danemark se prononce par référendum contre les accords de Maastricht, à une courte majorité. Après la démission de Poul Schlüter (janv. 1993), le social-démocrate Poul Nyrup Rasmussen forme un gouvernement de coalition. Il organise un nouveau référendum (mai 1993), remporté, cette fois, par les partisans des accords de Maastricht, corrigés afin de permettre au Danemark de ne pas participer à l'euro. En 1988, la ratification, par référendum, du traité d'Amsterdam confirme l'adhésion croissante de la population danoise à la construction européenne.

Suède Sverige

Nom officiel : Royaume de Suède. **Capitale :** Stockholm. **Monnaie :** couronne suédoise (krona) [= 100 öre]. **Langue officielle** : suédois. **Principale religion** : protestantisme. **Institutions :** Monarchie parlementaire. Constitution de 1975. Souverain : autorité symbolique. Premier ministre responsable devant le Parlement. Une Assemblée *(Riksdag)* élue pour 3 ans. **Souverain :** le roi Charles XVI Gustave (depuis 1973). **Premier ministre :** Göran Persson (depuis 1996). **Drapeau :** attesté depuis le roi Jean III Vasa en 1569, il est certainement bien antérieur. La croix d'or sur champ d'azur symbolise le soleil du Christ sur le bleu du ciel. Sa forme actuelle date de 1906. **Hymne national :** « Ô toi ancien pays nordique, pays libre et montagneux… », vieille chanson populaire adoptée comme hymne national vers 1880. **Fête nationale :** 6 juin (anniversaire de l'accession au trône [1523] de Gustave Ier Vasa).

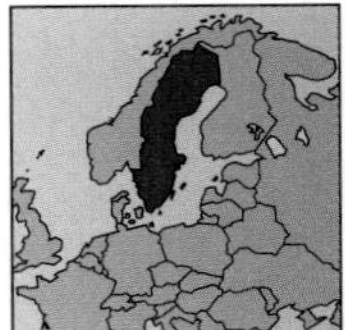

Superficie : 450 000 km². **Point culminant :** 2 117 m au Kebnekaise.

GÉOGRAPHIE

Au nord du pays doté d'un climat rude s'oppose le sud, plus tempéré et moins montagneux, où alternent lacs et forêts. L'essentiel des richesses naturelles (mines, bois) est concentré dans le nord. L'agriculture suédoise suffit presque à assurer l'autosuffisance alimentaire du pays mais n'emploie que 3 % de la population active et n'utilise que 7 % de la superficie du pays. L'exploitation du fer, autrefois d'une importance stratégique capitale pour l'Europe (en 1940 notamment), est aujourd'hui fortement réduite. L'exploitation forestière demeure en revanche importante. L'industrie, qui emploie moins du tiers de la population active, bénéficie de secteurs hydroélectrique et nucléaire très développés. Le tertiaire emploie plus des deux tiers des actifs. La population, qui n'augmente presque plus, est concentrée dans la moitié sud et urbanisée à plus de 80 %.

♦ **Suède.**

HISTOIRE

Les origines. Peuplée dès le néolithique (4000 av. J.-C.), la Suède commerce avec les pays méditerranéens. Au IXe s., tandis que les Danois et les Norvégiens écument l'Ouest européen, les Suédois tournent leur activité vers l'Est, où on les connaît sous le nom de Varègues. Ils fondent les principautés de Kiev et de Novgorod, et participent au grand commerce unissant la Baltique à Constantinople. Le christianisme est prêché v. 830 par saint Anschaire, et ne fait des progrès qu'après le baptême du roi Olof Skötkonung (1008).

Formation de la nation suédoise. Après la disparition de la famille de Stenkil, qui règne de 1060 à 1130, le trône de Suède est disputé durant un siècle entre les Sverker et les Erik. Erik le Saint (1156-1160) entreprend une croisade contre les Finnois (1157). Son assassinat en fait le patron de la Suède. Favorisée par les luttes dynastiques, l'Église suédoise est le seul élément d'unité du royaume. En 1164 est créé l'archevêché d'Uppsala, qui devient la capitale religieuse de la Suède. En 1250, Birger Jarl fonde la dynastie des Folkung. Il établit sa capitale à Stockholm, unifie la législation, développe le commerce et incorpore la Finlande à la Suède. En 1319, la Norvège est unie à la Suède. Albert de Mecklembourg (1363-1389), choisi comme roi par les Suédois, se taille un immense fief aux dépens des nobles ; ceux-ci font appel à Marguerite Ire (1353-1412), régente de Danemark et de Norvège, qui dirige en fait les trois royaumes scandinaves.

L'Union de Kalmar. Marguerite concrétise cette union en faisant proclamer roi de Suède, de Danemark et de Norvège son petit-neveu Erik de Poméranie (Union de Kalmar). La politique autocratique et unitaire de Marguerite assure la prépondérance danoise en Suède, qui devient un secteur important du commerce hanséatique. Cependant, la crise économique favorise la résistance suédoise à l'union avec le Danemark. Au XVe s., l'opposition suédoise est dirigée par les Sture, qui se proclament régents de Suède. En 1520, Christian II de Danemark l'emporte sur Sten Sture le Jeune et massacre ses adversaires. Gustave Vasa chasse alors les Danois de Suède, mettant fin à l'Union de Kalmar (1523).

L'époque de la Réforme. Élu roi de Suède (1523-1560), Gustave Ier Vasa rend l'indépendance à son pays. Il favorise le commerce national en supprimant le monopole de la Hanse et fait reconnaître l'hérédité de la Couronne (1544). Prêchée dès 1524, la Réforme est imposée en Suède par la volonté du roi, qui confisque les biens de l'Église (1527). À partir de 1568, Jean III entreprend la constitution d'un empire suédois en Baltique. Son fils, Sigismond Vasa (1592-1599), roi de Pologne, désireux de rétablir le catholicisme, est évincé au profit de Charles de Sudermanie, luthérien, qui règne sous le nom de Charles IX (1607-1611).

La période de grandeur. Gustave II Adolphe (1611-1632) dote la Suède d'une charte royale, tandis que le *Riksdag* prend une allure de Parlement. Il forge une armée puissante, qui lui permet d'intervenir victorieusement dans la guerre de Trente Ans (1630). Christine de Suède (1632-1654) lui succède sous la régence d'Oxenstierna. La Suède bénéficie de la paix de Brömsebro (1645) et des traités de Westphalie (1648), qui la rendent maître de la Baltique. Charles X Gustave écrase les Danois, qui doivent signer la paix de Roskilde (1658). Charles XI (1660-1697) établit en Suède la monarchie absolue. Charles XII, entraîné dans la guerre du Nord (1700-1721), fait perdre à son pays la maîtrise de la Baltique (traités de Frederiksborg [1720] et de Nystad [1721]).

Le XVIIIe s. Sous l'influence des idées nouvelles, l'économie et la culture suédoises se développent. Cependant, les règnes de Frédéric Ier de Hesse (1720-1751) et d'Adolphe-Frédéric (1751-1771) sont marqués par l'opposition entre le parti pacifiste des Bonnets et le parti des Chapeaux (militaire et profrançais). Cette rivalité se termine par le coup d'État réalisé par Gustave III en 1771. Soutenu par le peuple et par l'armée, Gustave III (1771-1792) règne en despote éclairé. L'hostilité de la noblesse l'amène à restaurer l'absolutisme (1789). Sous le règne de Gustave IV, les Russes s'emparent de la Finlande (1808). Le roi est renversé au profit de son oncle Charles XIII, qui fait la paix avec la Russie, le Danemark et la France, et doit accepter une Constitution (1809). En 1810, il adopte comme successeur le maréchal français Bernadotte. Celui-ci s'allie avec la Grande-Bretagne et la Russie contre Napoléon Ier (1812).

L'union avec la Norvège. Cette prise de position lui vaut la cession de la Norvège par le Danemark (traité de Kiel, 1814). Devenu roi sous le nom de Charles XIV (1818-1844), Bernadotte pratique une politique résolument pacifiste. Oscar Ier (1844-1859), Charles XV (1859-1872) et Oscar II (1872-1907) poursuivent la politique de neutralité, tandis que l'évolution libérale s'accélère. La Suède connaît alors un essor économique considérable, qui entraîne l'adoption du libre-échange (1888). En 1865, une nouvelle réforme de la Constitution instaure deux Chambres élues au suffrage censitaire. En 1905, la Norvège se sépare de la Suède.

La démocratie moderne. Sous l'impulsion des sociaux-démocrates, une législation politique et sociale avancée est mise en place (suffrage universel, 1907 et 1909 ; journée de 8 heures, 1919 ; vote des femmes, 1921). En 1920, Hjalmar Branting constitue le premier gouvernement socialiste de Suède. Sous le règne de Gustave V (1907-1950), puis de Gustave VI Adolphe (1950-1973), la Suède connaît une prospérité économique sans précédent. Au pouvoir depuis 1932, les sociaux-démocrates poursuivent les réformes sociales et la modernisation du pays. La Suède conserve sa neutralité durant les deux guerres mondiales, malgré le voisinage difficile de l'Allemagne hitlérienne et de l'URSS. Elle entre ensuite à l'ONU (1946), puis à l'OECE (1948) et au Conseil de l'Europe (1949), mais n'adhère pas à l'OTAN et refuse d'entrer dans le Marché commun (1971). En 1973, Charles XVI Gustave devient roi de Suède. Par la Constitution de 1975, la royauté est réduite à une fonction purement honorifique. Le social-démocrate Olof Palme, Premier ministre de 1969 à 1976, se heurte à une grave crise sociale et économique, qui favorise les partis d'opposition, au pouvoir de 1976 à 1982. De nouveau Premier ministre, il met en place un programme d'austérité.

Après l'assassinat d'Olof Palme en 1986, Ingvar Carlsson devient Premier ministre. Celui-ci doit faire face, en 1990, à une dégradation de l'économie. Après la défaite des sociaux-démocrates aux législatives de septembre 1991, Carl Bildt forme un gouvernement de centre droit, mais les sociaux-démocrates reviennent en 1994 avec Carlsson, puis Göran Persson en 1996. La Suède ratifie, en 1992, le traité instituant l'Espace économique européen (EEE). En 1995, la Suède entre dans l'Union européenne, et, en 1999, elle satisfait aux critères économiques de la zone euro.

◆ Divisions administratives.

Län	Superficie (en km²)	Population	Chef-lieu
Stockholm	6 488	1 630 000	Stockholm
Uppsala	6 989	265 000	Uppsala
Södermanland	6 060	253 000	Nyköping
Östergötland	10 562	400 000	Linköping
Jönköping	9 944	307 000	Jönköping
Kronoberg	8 458	177 000	Växjö
Kalmar	11 171	240 000	Kalmar
Gotland	3 140	57 000	Visby
Blekinge	2 941	150 000	Karlskrona
Kristianstad	6 089	287 000	Kristianstad
Malmöhus	4 938	771 000	Malmö
Halland	5 454	251 000	Halmstad
Göteborg-Bohus	5 141	736 000	Göteborg
Älvsborg	11 395	438 000	Väsnersborg
Skaraborg	7 937	275 000	Mariestad
Värmland	17 583	282 000	Karlstad
Örebro	8 519	272 000	Örebro
Västmanland	6 302	256 000	Västerås
Kopparberg	28 194	287 000	Falun
Gävleborg	18 191	288 000	Gävle
Västernorrland	21 678	260 000	Härnösand
Jämtland	49 443	135 000	Östersund
Västerbotten	55 401	250 000	Umeå
Norrbotten	98 911	262 000	Luleå

◆ Démographie.

population	8 900 000 hab.
densité	19,7 hab./km²
accroissement naturel	2,7 ‰
taux de natalité	11,9 ‰
taux de mortalité infantile	4 ‰
espérance de vie	79 ans
part des moins de 15 ans	18,8 % de la pop. totale
part des plus de 65 ans	17,2 % de la pop. totale
population urbaine	83 %
principales villes	Stockholm, Göteborg, Malmö, Uppsala

◆ Principales ressources et productions (1997).

avoine	1 279 000 t (6e rang)
électricité nucléaire	69 900 millions de kWh (6e rang)
électricité totale	143 398 millions de kWh
fer	13 680 000 t (6e rang)
plomb	86 000 t
zinc	161 000 t (7e rang)

◆ Économie et niveau de vie (1996).

PNB	239,786 milliards de $
PNB/hab.	18 770 $
taux de croissance *(1995)*	3 %
taux d'inflation *(1996)*	0,5 %
taux de chômage	8,1 %
importations	66 053 millions de $
exportations	84 690 millions de $
répartition des actifs	agriculture 3,4 %, industrie 25 %, services 71,6 %
transports	routes 135 920 km, voies ferrées 11 285 km
taux d'analphabétisme	1 %

◆ Armée.

budget militaire *(1996)*	2,6 % du PIB
forces armées *(1997)*	62 600 hommes

Europe nordique et baltique

Norvège Norge

Nom officiel : Royaume de Norvège. **Capitale** : Oslo. **Monnaie** : couronne norvégienne (krone) [= 100 øre]. **Langue officielle** : norvégien (sous les deux formes du *riksmål* ou *bokmål* et du *nynorsk*). **Principale religion** : protestantisme. **Institutions** : Monarchie constitutionnelle. Constitution de 1814. Souverain : autorité symbolique. Premier ministre responsable devant le Parlement *(Storting)* comprenant une Chambre basse *(Odelsting)* et une Chambre haute *(Lagting)*, élues pour 4 ans. **Souverain** : le roi Harald V (depuis 1991). **Premier ministre** : Kjell Magne Bondevik (depuis 1997). **Drapeau** : adopté par le *Storting* (Parlement) en 1821, il reprend la croix suédoise et danoise, lui donnant les « couleurs de la liberté » inspirées des drapeaux des deux pays libéraux du moment, les États-Unis et la Grande-Bretagne, et en hommage à la France qui avait renoncé à ces trois couleurs sous la restauration de Louis XVIII. **Hymne national** : « Oui, nous aimons ce pays, sillonné et mordu par le vent, tel qu'il se lève sur l'eau avec ses milliers de foyers. » Paroles de Bjørnstjerne Bjørnson (1832-1910), musique de Rikard Nordraak (1842-1866). **Fête nationale** : 17 mai (anniversaire de la promulgation de la Constitution de 1814).

Superficie : 325 000 km². **Point culminant** : 2 470 m au Glittertind (massif du Jotunheim).

◆ Démographie.

population	4 400 000 hab.
densité	13,5 hab./km²
accroissement naturel	3,4 ‰
taux de natalité	13,4 ‰
taux de mortalité infantile	4 ‰
espérance de vie	77 ans
part des moins de 15 ans	19,3 % de la pop. totale
part des plus de 65 ans	15,8 % de la pop. totale
population urbaine	73 %
principales villes	Oslo, Bergen, Trondheim, Stavanger

◆ Économie et niveau de vie (1996).

pêche	3 145 000 t
gaz naturel	45 300 millions de m³ (9e rang)
pétrole	157 105 000 millions de m³ (8e rang)
aluminium	919 000 t (5e rang)

◆ Principales ressources et productions (1997).

PNB	156 161 milliards de $
PNB/hab.	23 220 $
taux de croissance *(1995)*	5,4 %
taux d'inflation *(1996)*	1,3 %
taux de chômage	4,5 %
importations	36 035 millions de $
exportations	49 950 millions de $
répartition des actifs	agriculture 5,1 %, industrie 23,3 %, services 71,7 %
transports	routes 90 178 km, voies ferrées 4 044 km
taux d'analphabétisme	1 %

◆ Armée.

budget militaire *(1996)*	2,4 % du PIB
forces armées *(1997)*	30 000 hommes

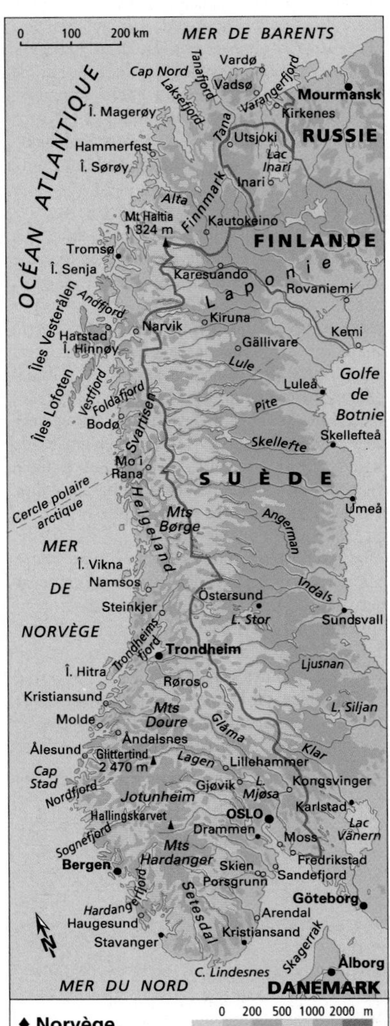

◆ **Norvège.**

GÉOGRAPHIE

S'étirant sur 1 500 km le long de l'océan Atlantique, la Norvège est un pays principalement forestier et montagneux. Son agriculture ne permet pas de satisfaire les besoins alimentaires de sa population, mais son industrie bénéficie d'un fort potentiel hydroélectrique, et surtout du pétrole et du gaz naturel de la mer du Nord, ce qui permet à la Norvège de bénéficier d'un solde commercial positif. La population, en majeure partie urbanisée, ne s'accroît plus et bénéficie d'un niveau de vie très élevé.

HISTOIRE

Les origines. Au début de l'ère chrétienne, il existe en Norvège une organisation sociale fondée sur la suprématie de seigneurs terriens, commandant à une clientèle d'esclaves et d'affranchis. Réunis en assemblée, ils élisent le roi de leur vallée. Au nord du pays vivent les Lapons, avec lesquels commercent les Scandinaves des régions plus méridionales. Du VIIIe au XIe s., Vikings ou Normands s'aventurent vers les îles Britanniques, la Gaule, ainsi que vers l'Islande et le Groenland. Ces expéditions sont capitales pour l'évolution de la Norvège, car de nombreux Vikings, revenus dans leur pays, y introduisent la culture occidentale. Vers la même époque, la Norvège connaît les premiers essais d'organisation étatique. La tradition veut que ce soit le roi Harald Ier Haørfager (à la Belle Chevelure) [v. 850-933] qui ait réalisé l'unité territoriale du pays. Olav Tryggvesson (995-1000) fonde la capitale de Nidaros (997) et commence la conversion de ses sujets, poursuivie par Olav II Haraldsson (1016-1030) [saint Olav], qui est tué en luttant contre l'invasion des Danois de Knud le Grand. Mais son fils Magnus Ier le Bon (1035-1047) est rappelé sur le trône de Norvège.

Le Moyen Âge. Leurs successeurs, au cours du XIIe s., s'efforcent d'établir dans leur royaume une organisation étatique semblable à celle des monarchies de l'Occident chrétien. L'Église, puissante et organisée, donne à la monarchie norvégienne une autorité spirituelle en sacrant, en 1163, le roi Magnus V Erlingsson. Avec Haakon IV Haakonsson (1217-1263) et son fils Magnus VI Lagaböte (1263-1280), la Norvège fait figure de grand État. Le premier rétablit son autorité sur les îles de l'Atlantique (Féroé, Orcades, Shetland), ainsi que sur l'Islande et le Groenland, tandis que le second régularise la législation et l'administration, et encourage l'urbanisation. Sous les successeurs de Magnus, le pouvoir monarchique doit compter avec les intérêts de l'aristocratie et de la Hanse, qui fait de la Norvège un véritable protectorat (fondation du comptoir de Bergen, 1343). En 1349, le pays est frappé par la peste noire, qui décime la population, et favorise l'afflux d'émigrants suédois, danois et allemands. Cet affaiblissement s'accompagne d'un effacement de la Norvège devant le Danemark et la Suède.

De l'Union à l'indépendance. Magnus VII Eriksson, fils de Haakon V Magnusson (1299-1319), devient successivement roi de Norvège (1319-1343) et de Suède (1319-1363). Son fils Haakon VI Magnusson obtient à son tour la Couronne de Norvège (1343-1380). Il épouse Marguerite, fille du roi de Danemark, et leur héritier Olav V règne sur le Danemark (1375) et la Norvège (1380). À sa mort, en 1387, sa mère Marguerite Ire de Danemark rétablit les droits de son mari en Suède (1389). Elle fait proclamer son petit-neveu Erik de Poméranie souverain des trois royaumes (1396), dont l'union est consacrée à Kalmar en 1397. Toutefois, tandis que la Suède a recouvré son indépendance avec Gustave Vasa (1523), la Norvège va être gouvernée jusqu'en 1814 par les rois de Danemark. Le luthéranisme (1547) et la langue danoise lui sont imposés. La marine hollandaise remplace les Hanséates dans l'exploitation du pays. Le développement économique favorise au XVIIe s. la bourgeoisie, et connaît au XVIIIe s. un réel essor. Par le traité de Kiel (1814), la Suède contraint le Danemark à lui céder la Norvège. Mais le régent danois, le prince Christian-Frédéric, réunit une Assemblée nationale, qui lui offre la couronne et vote la Constitution d'Eidsvoll (1814). L'invasion suédoise oblige la Norvège à accepter l'acte d'Union (1815). Cependant, sa Constitution est reconnue, avec une Assemblée ou *Storing*, chaque État constituant un royaume indépendant, sous l'autorité d'un même roi. En 1884, le chef de la résistance nationale, Johan Sverdrup, obtient un régime parlementaire.

La Norvège indépendante. En 1905, c'est la rupture avec la Suède. Après un plébiscite décidé par le *Storing* et entériné par la Suède, la Norvège choisit un prince danois, qui accède au trône sous le nom de Haakon VII (nov. 1905). Rapidement, la Norvège devient une démocratie avancée. En 1935, les travaillistes parviennent au pouvoir. En 1940, la Norvège est envahie par les troupes allemandes. Le roi et son gouvernement s'embarquent pour la Grande-Bretagne. Un pronazi, Quisling, devient chef d'un gouvernement de collaboration, alors que la population résiste à l'occupant. Après la Libération (1945), les travaillistes reviennent à la tête du pays. En 1949, la Norvège adhère à l'OTAN. En 1957, Olav V succède à Haakon VII. Les travaillistes sont renversés en 1965 au profit d'une coalition groupant conservateurs, libéraux et agrariens. En 1972, un référendum repousse l'entrée de la Norvège dans le Marché commun. Les travaillistes reviennent au pouvoir de 1973 à 1981 et à partir de 1986 (sauf une interruption d'octobre 1989 à octobre 1990), avec Mme Brundtland comme Premier ministre. En 1991, Harald V succède à son père Olav V. En 1992, le gouvernement ratifie le traité instituant l'Espace économique européen (EEE). En 1994, cependant, 52,2 % des Norvégiens consultés par référendum refusent l'adhésion de leur pays à l'Union européenne. Thorbjorn Jagland succède à Mme Brundtland en 1996, puis les chrétiens-démocrates reviennent, en 1997, avec Kjell Magne Bondevik.

Finlande Suomi

Nom officiel : République de Finlande. **Capitale** : Helsinki *(Helsingfors)*. **Monnaie** : markka (= 100 pennia). **Langues officielles** : finnois et suédois. **Religion principale** : protestantisme. **Institutions** : République depuis 1917. Constitution de 1919. Président de la République élu pour 6 ans. Une Assemblée élue pour 4 ans. **Président de la République** : Martti Ahtisaari (depuis 1994). **Premier ministre** : Paavo Lipponen (depuis 1995). **Drapeau** : créé en 1870 par le poète Zacharias Topelius (1818-1898) à l'image du bleu des lacs et du blanc de la neige, il a été rendu officiel en 1918. **Hymne national** : « Ô patrie, ô Finlande, notre pays natal ! Retentis bien haut, nom chéri. Il n'est pas une cime, pas une vallée profonde, pas une rive baignée par la mer qui soit plus aimée que notre terre du Nord, le pays de nos pères… » Paroles de Johan Ludvig Runeberg (1804-1877), musique de Fredrik Pacius (1809-1891). **Fête nationale** : 6 décembre (anniversaire de la déclaration d'indépendance, en 1917).

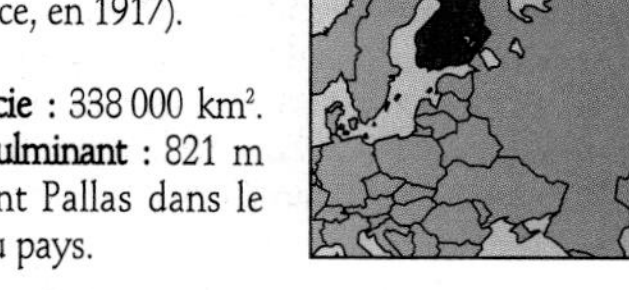

Superficie : 338 000 km². **Point culminant** : 821 m au mont Pallas dans le nord du pays.

GÉOGRAPHIE

La Finlande est un pays froid (dont le quart est situé au-delà du cercle polaire), couvert par les lacs et les forêts. Celles-ci, qui représentent 70 % du territoire, fournissent la matière première d'une importante partie de l'industrie. Les services emploient près des deux tiers des actifs. La population, urbanisée aux trois quarts, a cessé de croître et connaît un niveau de vie élevé.

HISTOIRE

La période suédoise. Les premiers habitants de la Finlande semblent avoir été les Lapons, repoussés progressivement vers le nord par les Finnois. En 1157, le roi de Suède Erik IX, dit le Saint, organise une croisade contre la Finlande et établit des colons suédois sur les côtes du golfe de Botnie. Aux XIIe et XIIIe s., la Finlande est l'enjeu de rivalités entre Suédois, Danois et Russes de Novgorod. En 1249, le Suédois Birger Jarl passe en Finlande. Il enracine la domination suédoise par un système de forteresses, repoussant victorieusement les Russes d'Alexandre Nevski. En 1323, la Russie reconnaît la possession de la Finlande à la Suède, qui en fait un duché (1353) et y introduit sa législation et ses institutions. À partir de 1362, les représentants de la Finlande prennent part à l'élection du roi de Suède. Au XVIe s., le pays est gagné par la réforme luthérienne. En 1550, Gustave Vasa fonde Helsinki et donne le duché à son fils Jean, qui en fait un grand-duché (1581). En 1595, la paix de Täyssinä fixe les frontières orientales de la Finlande. Au XVIIe s., l'autonomie du pays se réduit, le grand-duché est supprimé (1599) et la noblesse perd ses privilèges nationaux. Mais la Finlande profite des progrès de la centralisation réalisés sous Gustave II Adolphe (1611-1632) et sous la reine Christine (1632-1654). Le déclin commence au XVIIIe s. : ravagée par les armées de Pierre le Grand de 1710 à 1721, la Finlande perd la Carélie à la paix de Nystad (1721), et une partie de sa noblesse, déçue par la monarchie suédoise, se tourne vers la Russie.

La période russe. En 1809, le tsar Alexandre Ier conquiert la Finlande, qui devient un grand-duché de l'Empire russe, doté d'une certaine autonomie et de deux langues officielles, le finnois et le suédois. Mais, sous les règnes d'Alexandre III et de Nicolas II, la russification s'intensifie, tandis que se développe la résistance nationale (assassinat du gouverneur Bobrikov en 1904). Cependant, le pays n'est bientôt plus qu'une province de l'Empire russe.

L'indépendance. À la suite de la révolution russe de 1917, la Finlande proclame son indépendance. Mais le pays se divise entre socialistes, partisans du régime soviétique, et conservateurs, partisans de l'indépendance, qui constituent des gardes civiques. Commandés par Mannerheim, ces derniers l'emportent. En 1920, les Soviétiques reconnaissent la république indépendante de Finlande. Dans l'entre-deux-guerres, la Finlande devient l'un des principaux exportateurs de produits forestiers. Au début de la Seconde Guerre mondiale, les Finlandais doivent accepter, après une lutte héroïque contre les Soviétiques, les conditions de Staline, qui annexe la Carélie et une partie de la Laponie. La Finlande s'engage en 1941 contre l'URSS aux côtés du Reich. Après la signature à Paris de la paix avec les Alliés (1947), la politique finlandaise, intérieure comme extérieure, est soumise à la menace soviétique (traité d'assistance mutuelle de 1948, reconduit en 1970 et en 1983). Pendant cette période est forgé en Occident le concept de « finlandisation », qui illustre la spécificité de la situation de ce pays, désignant une domination soviétique reposant sur la simple menace et n'impliquant pas l'adhésion au communisme. Le souci de neutralité de la Finlande est illustré par les conférences d'Helsinki sur la limitation des armements stratégiques (SALT) et sur la sécurité en Europe (Conférence sur la sécurité et la coopération en Europe, 1973-1975). Après la démission d'Urho Kaleva Kekkonen, président de la République de 1956 à 1981, Mauno Koivisto lui succède. La désintégration de l'URSS (1991) rendant caduc le traité de coopération de 1948, la Finlande signe de nouveaux traités avec la seule Russie. En 1994, les Finlandais élisent, pour la première fois au suffrage universel direct, Martti Ahtisaari à la présidence de la République et approuvent par référendum l'adhésion de leur pays à l'Union européenne, effective le 1er janvier 1995. La Finlande entre dans la zone euro en 1999. Cette adhésion porte les limites de l'Union européenne et de la zone euro près de l'extrémité nord-est du continent européen, et permet au pays Baltes d'espérer, à leur tour, une prochaine admission.

◆ **Finlande.**

◆ **Démographie.**

population	5 200 000 hab.
densité	15,3 hab./km²
accroissement naturel	2,3 ‰
taux de natalité	12 ‰
taux de mortalité infantile	4 ‰
espérance de vie	77 ans
part des moins de 15 ans	18,9 % de la pop. totale
part des plus de 65 ans	14,1 % de la pop. totale
population urbaine	64 %
principales villes	Helsinki, Espoo, Tampere, Turku

◆ **Principales ressources et productions** (1997).

bovins	1 179 000 têtes
chrome	175 000 t (7e rang)

◆ **Économie et niveau de vie** (1996).

PNB	120,168 milliards de $
PNB/hab.	18 260 $
taux de croissance *(1995)*	4,2 %
taux d'inflation *(1996)*	0,6 %
taux de chômage	14,7 %
importations	29 504 millions de $
exportations	40 539 millions de $
répartition des actifs	agriculture 7,3 %, industrie 31,4 %, services 64,9 %
transports	routes 77 644 km, voies ferrées 5 885 km
taux d'analphabétisme	1 %

◆ **Armée.**

budget militaire *(1996)*	1,5 % du PIB
forces armées *(1997)*	32 500 hommes

Europe nordique et baltique

Islande • Estonie • Lettonie

Islande Island

Nom officiel : République d'Islande. **Capitale** : Reykjavík. **Monnaie** : couronne islandaise (= 100 aurar [1 eyrir]). **Langue officielle** : islandais. **Principale religion** : protestantisme. **Institutions** : République depuis 1944. Constitution de 1944. Président de la République élu pour 4 ans. Une Assemblée *(Althing)* comprenant une Chambre haute *(efri deild)* et une Chambre basse *(nedri deild)*, élues pour 4 ans. **Président de la République** : Olafur Ragnar Grimsson (depuis 1996). **Premier ministre** : David Oddsson (depuis 1991). **Drapeau** : la croix scandinave, rouge bordée de blanc, sépare quatre cantons bleus. Le roi Christian X l'a reconnu en 1919. **Hymne national** : « Ô Dieu d'Islande, ô Dieu d'Islande, nous chantons ton nom, ton nom mille fois... » Paroles de Matthias Jochumsson (1835-1927), musique de Sveinbjörn Sveinbjörnsson (1847-1927). Déclaré officiel en 1874. **Fête nationale** : 17 juin (anniversaire de la proclamation de la république, en 1444).

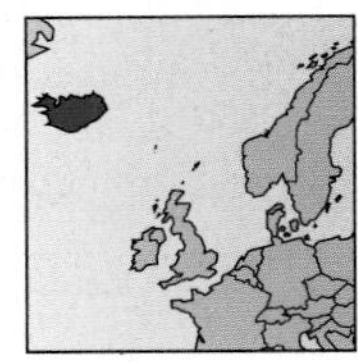

Superficie : 103 000 km². **Point culminant** : 2 119 m à l'Öræfajökull.

GÉOGRAPHIE

L'Islande est une île volcanique au climat froid et humide. Les glaciers occupent le dixième du territoire, impropre à l'agriculture. La pêche, l'élevage ovin, l'industrie agroalimentaire et la métallurgie dominent l'économie du pays, mais les services emploient cependant plus de la moitié des actifs. La population, d'origine scandinave, vit presque entièrement sur le littoral, seule partie habitable de l'île, où se trouve la capitale. L'accroissement naturel est supérieur à 9 ‰, et la densité, de moins de 3 habitants au kilomètre carré, est l'une des plus faibles du monde.

◆ Démographie.

population	300 000 hab.
densité	2,9 hab./km²
accroissement naturel	9,8 ‰
taux de natalité	16,5 ‰
taux de mortalité infantile	6 ‰
espérance de vie	79 ans
part des moins de 15 ans	24,1 % de la pop. totale
part des plus de 65 ans	11,1 % de la pop. totale
population urbaine	92 %
principales villes	Reykjavík, Kopavogur, Hafnarfjördur

◆ Principales ressources et productions (1997).

pêche	2 171 000 t
ovins	450 000 têtes

◆ Économie et niveau de vie (1996).

PNB	7,12 milliards de $
PNB/hab.	21 710 $
taux de croissance *(1996)*	5,2 %
taux d'inflation *(1996)*	2,3 %
taux de chômage	3,8 %
importations	1 598 millions de $
exportations	1 804 millions de $
répartition des actifs	agriculture 9,4 %, industrie 26,1 %, services 64,5 %
transports	routes 11 500 km,
taux d'analphabétisme	1 %

◆ Armée.

budget militaire *(1996)*	0,6 % du PIB
forces armées *(1997)*	240 hommes

HISTOIRE

Les origines. Après des moines irlandais (VIIIe s.), les Vikings abordent à la fin du IXe s. l'Islande, qu'ils appellent « Terre de glace ». L'immigration scandinave est indirectement favorisée par le roi norvégien Harald Ier Håorfager, dont les ennemis vaincus lors de la bataille de Hafrsfjord (vers 872) se réfugient en Islande. Loin de la Norvège, ils s'en désintéressent progressivement. Entre 930 et 1262, époque de l'indépendance, le gouvernement appartient à l'assemblée des hommes libres, l'*Althing*. Les structures sociales reposent sur la prédominance des grands propriétaires, qui possèdent la réalité du pouvoir. Dès le Xe s., le christianisme s'impose et le premier évêché autonome est créé en 1056. En 1262, à la suite de guerres intestines qui déchirent le pays depuis un siècle, le roi de Norvège Haakon IV Gamle soumet l'Islande et le trafic commercial passe aux mains des marchands norvégiens.

L'Islande danoise. Avec le rattachement de la Norvège au Danemark (1380), la situation s'aggrave : le roi Christian III impose brutalement la réforme luthérienne (1550), et le monopole commercial est conféré aux Danois tandis que l'administration est centralisée à Copenhague. Au XVIIIe s., la variole (1707-1709), des éruptions volcaniques (1765, 1783) et une terrible famine (1785) déciment la population. Après la conquête de l'île par l'aventurier danois Georg Jurgensen, soutenu par le Royaume-Uni, en 1809, le traité de Kiel (1814) laisse l'Islande au Danemark, qui fait des concessions : deux députés au Parlement danois, le rétablissement de l'*Althing* (1843), puis l'institution de deux Chambres (1874).

L'Islande indépendante. En 1903, l'*Althing* obtient qu'un ministère islandais soit créé à Reykjavík. La Constitution de 1918 fait de l'Islande un royaume indépendant, en union personnelle avec le Danemark. Son importance stratégique lui vaut d'être occupée pendant la Seconde Guerre mondiale par les troupes alliées. L'Islande, coupée du Danemark, est gouvernée par le régent Sveinn Bjørnsson, qui ne renouvelle pas le traité de 1918. Le 17 juin 1944, la République islandaise est proclamée et S. Bjørnsson en devient le premier président. En 1949, l'Islande adhère à l'OTAN.

Sous les présidences d'Ásgeir Ásgeirsson (1952-1968) et de Kristjan Eldjárn (1968-1980), l'économie islandaise profite des accords signés avec les États scandinaves. Mais depuis 1958, les problèmes de limites des zones de pêche opposent périodiquement l'Islande et la Grande-Bretagne. En 1980, Mme Vigdis Finnbogadóttir devient présidente de la République islandaise (elle est réélue en 1984, 1988 et 1992), puis Olafur Ragnar Grimsson lui succède en 1996. Plus nord-atlantique qu'européenne, l'Islande n'envisage toujours pas une adhésion à l'Union européenne. Cependant, en 1993, le Parlement islandais ratifie l'entrée du pays dans l'Espace économique européen (EEE).

Estonie Eesti

Nom officiel : République d'Estonie. **Capitale** : Tallinn. **Monnaie** : couronne (kroon) estonienne (= 100 senti). **Langue officielle** : estonien. **Principales religions** : protestantisme, orthodoxie. **Institutions** : République. Constitution de 1992. Président de la République élu par le Parlement. Parlement monocaméral *(Riigikogu)*, comptant 105 membres élus au suffrage universel. **Président de la République** : Lennart Meri (depuis 1992). **Premier ministre** : Mart Laar (depuis 1999). **Drapeau** : ses couleurs, reprises en 1989, datent de 1905 lorsque l'association des étudiants anima la révolution. Une dualité de symbolique et de forces naturelles donne une lecture combinée : le bleu représente le ciel et la confiance ; le noir, la terre et le sombre passé ; le blanc, la neige et la liberté. **Hymne national** : « Ma patrie, mon bonheur, ma joie, que tu es belle. Jamais je n'en trouverai dans ce vaste monde une autre qui me soit aussi chère que toi. » Paroles de Johann Voldemar Jannsen (1819-1890), musique de Frederik Pacius (1809-1891). **Fête nationale** : 24 Février (anniversaire de la proclamation d'indépendance, en 1918).

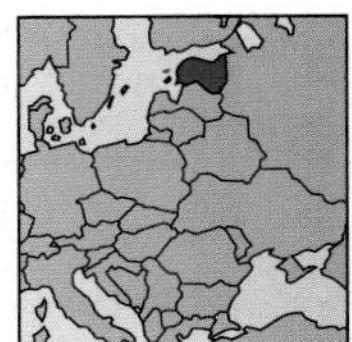

Superficie : 45 000 km². **Point culminant** : 338 m au Suur Munamägi.

GÉOGRAPHIE

Située sur le mer Baltique, l'Estonie est un pays au relief plat, partiellement boisé. L'agriculture y est dominée par l'élevage. L'industrie emploie plus de 40 % des actifs et les services à peine plus. La population comporte une forte minorité russe (environ 30 %), implantée essentiellement sous le régime soviétique.

HISTOIRE

Des origines à l'époque moderne. Disputée successivement par les Vikings, les Russes et les Allemands, l'Estonie conserve son identité finno-ougrienne. En 1217, les Danois, fondateurs de Tallinn, et les chevaliers allemands Porte-Glaive se partagent le pays et le convertissent au christianisme. Après la cession de la zone danoise à l'ordre des chevaliers Teutoniques (1346), les marchands de la Hanse dominent le commerce portuaire, tandis que les barons allemands s'approprient de grands domaines et réduisent les paysans au servage. Après la dislocation de la Confédération livonienne (1561), le pays est divisé entre la Suède et la Pologne, puis passe entièrement sous la domination suédoise (1629), qui favorise la diffusion de la réforme luthérienne. Une université est fondée à Dorpat (Tartu) en 1632 par les pasteurs luthériens allemands. L'Estonie est annexée par la Russie au traité de Nystad (1721). À la fin du XIXe s., en réaction contre la politique de russification d'Alexandre III, l'identité nationale en cours d'élaboration se renforce.

La première république d'Estonie. Lors de la révolution russe, le pays se constitue en État autonome (avr. 1917). Il est envahi par les Allemands (févr. 1918), puis par les bolcheviques (nov. 1918). Après un conflit avec ces derniers, l'indépendance de l'Estonie est reconnue par les Soviétiques au traité de Tartu (févr. 1920). La Constitution (1920) met en place une démocratie parlementaire, mais la crise économique

◆ Estonie.

et la montée du fascisme en Europe conduisent à l'instauration d'un régime autoritaire en 1934, dirigé par Konstantine Päts, l'un des héros de l'indépendance.

La période soviétique. Placée dans la sphère d'intérêt de l'URSS par le pacte germano-soviétique, l'Estonie est occupée par les troupes soviétiques et intégrée à l'URSS (juin-août 1940). Envahie par les Allemands au cours de l'été 1941, elle est à nouveau reprise par les Soviétiques en 1944. Exécutions, déportations massives, collectivisation forcée accompagnent la soviétisation. La guérilla subsiste jusque dans les années 1950. Les Russes se sont implantés massivement dans le pays, et les Estoniens ne représentent plus que les deux tiers de la population dans les années 1990.

De la perestroïka à l'indépendance. L'Estonie a été à l'avant-scène du renouveau balte consécutif à la perestroïka. Un programme expérimental d'autogestion économique y est lancé. Un mouvement national à stratégie légaliste s'organise autour du Front populaire et du Parti de l'indépendance créés en 1988. Le Soviet suprême proclame la souveraineté de la République en novembre. Après le référendum de mars 1991, qui confirme la volonté d'indépendance (78 % de « oui »), celle-ci est proclamée le 20 août 1991. La République est rapidement reconnue par la plupart des États occidentaux, puis par l'URSS (6 sept.). Approuvée par référendum (juin 1992), la nouvelle Constitution est un compromis entre le régime parlementaire et le régime présidentiel. Lennart Meri, émigré à Stockholm en 1944, est élu à la présidence de la République, devant Arnold Rüütel, l'ancien secrétaire du Parti communiste. Désormais souveraine, l'Estonie ne peut cependant se considérer comme pleinement indépendante : une très importante minorité russe y est implantée et la dépendance économique de l'Estonie vis-à-vis de la Russie demeure extrêmement forte. Aussi, bien que les derniers troupes russes aient finalement évacué le territoire estonien en août 1994, la Russie continue à disposer d'importants moyens de pression. Comme ses voisins baltes, l'Estonie cherche donc désormais à multiplier les contacts avec ses voisins occidentaux. L'Estonie, qui forme depuis avril 1994 une zone de libre-échange avec les deux autres États baltes, signe avec l'Union européenne des accords d'association (avril 1995) et ouvre des négociations d'adhésion à partir de 1997.

◆ Démographie.

population	1 400 000 hab.
densité	31,1 hab./km²
accroissement naturel	– 2,1 ‰
taux de natalité	9 ‰
taux de mortalité infantile	10 ‰
espérance de vie	69 ans
part des moins de 15 ans	20,5 % de la pop. totale
part des plus de 65 ans	12,8 % de la pop. totale
population urbaine	73 %
principales villes	Tallinn, Tartu

◆ Principales ressources et productions (1997).

porcins	315 000 têtes

◆ Économie et niveau de vie (1996).

PNB	4,354 milliards de $
PNB/hab.	4 660 $
taux de croissance *(1995)*	4,2 %
taux d'inflation *(1996)*	23,1 %
taux de chômage	n.d.
dette extérieure	405,2 millions de $
importations	3 121 millions de $
exportations	2 064 millions de $
répartition des actifs	agriculture 11,4 %, industrie 37,6 %, services 51 %
transports	routes 14 754 km, voies ferrées 1 030 km
taux d'analphabétisme	0,2 %

◆ Armée.

budget militaire *(1996)*	1 % du PIB
forces armées *(1997)*	3 450 hommes

Lettonie Latvija

Nom officiel : République de Lettonie.
Capitale : Riga.
Monnaie : lats.
Langue officielle : letton. **Principales religions :** protestantisme, catholicisme, orthodoxie. **Institutions :** République. Constitution de 1922 rétablie en 1993. Parlement monocaméral : Diète *(Saeima)* de 100 députés élus au suffrage universel direct. Président de la République élu par la Diète. **Président de la République :** Guntis Ulmanis (depuis 1993). **Premier ministre :** Vilis Kristopans (depuis 1998). **Drapeau :** en usage de 1919 à 1940, réveillées en 1989, ses couleurs, disposées comme celles du duc d'Autriche au ceinturon d'arme blanc sur la cotte de mailles sanglante, signifient ici le linceul des héros. **Hymne national :** « Dieu, bénis la Lettonie, notre chère patrie, bénis la Lettonie, bénis-la. » Musique de K. Baumanis (1835-1905). **Fête nationale :** 18 novembre (anniversaire de l'indépendance, en 1918).

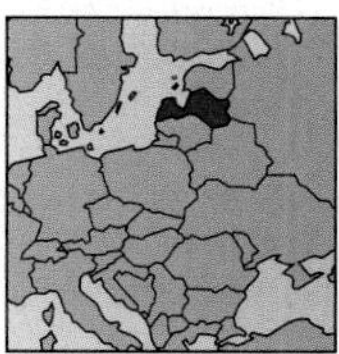

Superficie : 64 000 km². **Point culminant :** 289 m dans les hauteurs de Livonie.

GÉOGRAPHIE

Annexée par la Russie et indépendante depuis peu, la Lettonie tente aujourd'hui de s'ouvrir aux pays de la mer Baltique, grâce notamment à l'important port de Riga. L'élevage, l'industrie du bois et la construction mécanique sont les principales activités. La population compte une importante minorité russe (plus de 30 % des habitants).

HISTOIRE

Entre l'Allemagne et la Russie. L'actuelle Lettonie fut occupée au début de l'ère chrétienne par un mélange de peuples baltes et finnois, les Lives (qui donnèrent à la région son nom de Livonie). Envoyés en croisade dans cette contrée païenne, les chevaliers allemands Teutoniques et Porte-Glaive conquièrent le pays, créent Riga (1201) et fusionnent en 1237 pour former l'ordre livonien. Les marchands de la Hanse se réservent le commerce portuaire à l'embouchure de la Dvina occidentale (Daugava), tandis que l'oligarchie germanique des « barons baltes » se taille de grands domaines et réduit les paysans lettons au servage.

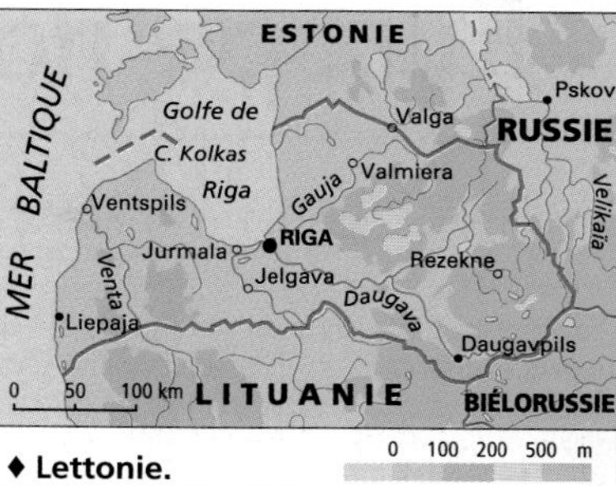

◆ Lettonie.

Après les attaques d'Ivan IV contre la Livonie, le grand-maître de l'ordre livonien Gotthard Kettler (1517-1587), qui vient d'adhérer à la réforme luthérienne et de séculariser l'ordre, cède en 1561 la Livonie à l'État polono-lituanien. Il ne conserve que la Courlande, érigée en duché sous la suzeraineté polono-lituanienne. La Livonie et Riga sont ensuite annexées à la Suède (1629) puis à la Russie (1721). À l'issue des partages de la Pologne (1772, 1795), la totalité du pays est intégrée à l'Empire russe. Le XIXe s. voit l'éveil de la conscience nationale. Envahie par les Allemands au cours de la Première Guerre mondiale, la Lettonie proclame son indépendance le 18 nov. 1918. Occupée par les bolcheviques en janv. 1919, Riga est conquise par les corps francs allemands et les forces baltes. Les Alliés font évacuer les Allemands en nov. 1919. Par le traité de Riga (11 août 1920), les Soviets reconnaissent l'indépendance de la Lettonie. Elle entre à la SDN en 1921.

Le premier État national et la soviétisation. Tandis qu'une réforme agraire liquide la domination des barons baltes, la Constitution de 1922 établit une démocratie parlementaire. En mai 1934, Karlis Ulmanis, le fondateur de la république indépendante, instaure un régime dictatorial. Placée dans la sphère d'intérêt soviétique par le pacte Molotov-Ribbentrop, la Lettonie est envahie par l'Armée rouge et soviétisée (août 1940) :

◆ Démographie.

population	2 400 000 hab.
densité	37,5 hab./km²
accroissement naturel	– 2,1 ‰
taux de natalité	9,8 ‰
taux de mortalité infantile	16 ‰
espérance de vie	69 ans
part des moins de 15 ans	20,6 % de la pop. totale
part des plus de 65 ans	13,2 % de la pop. totale
population urbaine	73 %
principales villes	Riga, Daugavpils, Liepaja

◆ Principales ressources et productions (1997).

pommes de terre	843 000 t

◆ Économie et niveau de vie (1996).

PNB	5,025 milliards de $
PNB/hab.	3 650 $
taux de croissance *(1996)*	2,8 %
taux d'inflation *(1996)*	17,6 %
taux de chômage	n.d.
dette extérieure	472,3 millions de $
importations	2 429 millions de $
exportations	1 502 millions de $
répartition des actifs	agriculture 15,5 %, industrie 40,5 %, services 44 %
transports	routes 64 693 km, voies ferrées 2 413 km
taux d'analphabétisme	0,3 %

◆ Armée.

budget militaire *(1996)*	0,5 % du PIB
forces armées *(1997)*	8 000 hommes

Europe nordique et baltique

30 000 Lettons sont déportés en Sibérie. Pendant l'occupation nazie (1941-1944), l'importante communauté juive de Riga est exterminée. Les Soviétiques réoccupent le pays à la fin de 1944. La terreur stalinienne et la collectivisation forcée prolongent l'hécatombe. L'Église évangélique (luthérienne) est persécutée en tant qu'Église nationale.

La deuxième indépendance. La perestroïka a d'abord ravivé les revendications culturelles et écologiques. Un mouvement d'émancipation nationale s'organise autour du Front populaire letton (oct. 1988). Après un embargo masqué et l'intervention brutale des forces soviétiques à Riga (janv. 1991), le référendum de mars 1991 démontre la volonté d'indépendance. Celle-ci est proclamée le 21 août 1991. La Lettonie est reconnue par les Occidentaux puis par l'URSS (6 sept.). Après les élections législatives de juin 1993, que remportent la Voie lettone et l'Union rurale (Guntis Ulmanis devient président), la Constitution de 1922 est rétablie. La Lettonie forme par ailleurs avec les deux autres États baltes une zone de libre-échange (avr. 1994) et signe avec l'Union européenne des accords d'association (avr. 1995).

Lituanie Lietuva

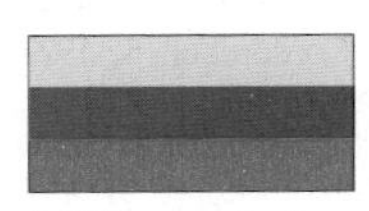

Nom officiel : République de Lituanie. **Capitale** : Vilnius. **Monnaie** : litas (=100 centas). **Langue officielle** : lituanien. **Principale religion** : catholicisme. **Institutions** : République. Constitution de 1992. Président de la République élu au suffrage universel. Parlement monocaméral *(Seimas)* de 141 membres élus au suffrage universel. **Président de la République** : Valdas Adamkus (depuis 1998). **Premier ministre** : Irena Degutiene (par intérim, depuis 1999). **Drapeau** : en usage de 1919 à 1940, réveillées en 1989, ses couleurs représentent : le jaune, les blés ; le vert, les prairies et les forêts ; le rouge, à la fois le sang des héros et le gueules du blason du grand-duché. **Hymne national** : « Lituanie, notre patrie, tu es la terre des héros. Le passé nourrit tes fils de sa force. » Paroles et musique de Vincas Kudirka (1858-1899). **Fêtes nationales** : 16 février (anniversaire de l'indépendance, en 1918), et 11 mars (anniversaire du rétablissement de l'indépendance, en 1990).

Superficie : 65 000 km². **Point culminant** : 292 m au Kruopine.

GÉOGRAPHIE

Située sur la mer Baltique, la Lituanie est un pays plat, parsemé de lacs. Son économie est encore largement agricole (près de 20 % des actifs) et industrielle : l'industrie, dominée par la construction mécanique, l'électronique et le textile, emploie plus d'actifs que les services. La population comporte une faible minorité russe (environ 10 %).

HISTOIRE

Le grand-duché de Lituanie. Des trois peuples baltes, seuls les Lituaniens peuvent se prévaloir d'une existence étatique indépendante pluriséculaire. Il semble que, depuis le Vᵉ s., des tribus slavo-baltes se soient organisées pour lutter contre les incursions scandinaves, puis germaniques. Mindaugas (v. 1200-1263) se fait baptiser (1251), obtient de la papauté son titre royal et fédère les princes de la région dans un grand-duché de Lituanie. Celui-ci résiste pendant deux siècles aux attaques des chevaliers allemands Porte-Glaive et Teutoniques et étend sa domination sur les principautés slaves ruinées par l'invasion mongole. Gédyminas (le grand-duc Gédymin, 1316-1341) et ses successeurs font de la Lituanie un État puissant qui, à l'époque de Vytautas (1392-1430), atteint la mer Noire. En 1385, la Lituanie s'allie à la Pologne ; le grand-duc Jagellon devient roi de Pologne sous le nom de Ladislas II (1386-1434) et la Lituanie embrasse le catholicisme. Les Polono-Lituaniens écrasent l'ordre Teutonique à Grunwald (1410). L'Union de Lublin (1569) consacre l'hégémonie polonaise.

De l'annexion à la Russie à la première république. Lors du troisième partage de la Pologne (1795), la Lituanie est annexée à l'Empire russe, à l'exception du district de Białystok, qui passe à la Prusse et que celle-ci cède à la Russie en 1807. La politique tsariste qui vise à diminuer l'influence polonaise et catholique favorise l'éveil national et linguistique lituanien. Jonas Basanavičius y joue un rôle déterminant. Les Allemands occupent le pays à partir de l'été 1915. Le Conseil lituanien formé en sept. 1917 proclame l'indépendance (16 févr. 1918). Après la défaite allemande (nov. 1918), une république est instaurée. Avec le concours des Allemands et des Polonais, elle réussit à survivre aux tentatives des bolcheviques de créer une république soviétique lituano-biélorusse. En juill. 1920, la Lituanie est reconnue par la Russie soviétique et la Pologne, mais celle-ci s'empare de Vilnius (oct.). Une nouvelle capitale est établie à Kaunas. En janv. 1923, Memel est annexée. La Constitution d'août 1922 instaure une démocratie parlementaire et une réforme agraire est mise en œuvre. Un régime autoritaire est institué à partir de 1926, sous la présidence d'Antanas Smetona.

La période soviétique. Après l'écrasement de la Pologne en 1939, la Lituanie – que l'accord germano-soviétique de sept. 1939 a placée dans la sphère d'influence de Moscou – se voit restituer Vilnius par l'URSS, peu avant son occupation par les troupes soviétiques (juin-août 1940). Elle est envahie par les Allemands en 1941. Pendant l'occupation nazie, la communauté juive de Vilnius (la « Jérusalem du Nord ») est exterminée. La Lituanie est reconquise par les Soviétiques en août 1944. La terreur de masse stalinienne, prolongée par la collectivisation forcée, et les persécutions antireligieuses y sont particulièrement rigoureuses (400 000 déportés) et déclenchent une résistance armée jusqu'au début des années 1950. L'affirmation de l'identité nationale se cristallise autour de la défense de l'Église catholique.

La deuxième république indépendante. La longue tradition d'opposition à la russification en Lituanie a été ravivée par la perestroïka. Le Parti communiste lituanien se détache du PCUS et fait alliance avec le mouvement nationaliste lituanien Sajudis, lors des élections législatives de févr.-mars 1990. Le nouveau Parlement élit comme président Vytautas Landsbergis, le dirigeant de Sajudis. Celui-ci proclame l'indépendance (11 mars 1990), ce qui provoque l'embargo économique par l'URSS (avr.). Malgré la suspension temporaire de la déclaration d'indépendance (mai), les troupes soviétiques interviennent à Vilnius en janv. 1991

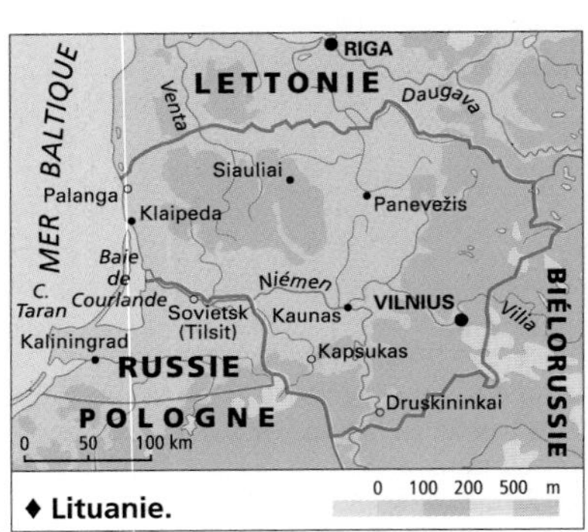

♦ Lituanie.

(13 morts). Proclamée à nouveau dès l'annonce du putsch contre Mikhaïl Gorbatchev, l'indépendance est reconnue par les États occidentaux, puis par l'URSS (6 sept.). Une nouvelle Constitution est adoptée par référendum (25 oct. 1992). L'aggravation de la situation économique entraîne une sévère défaite des partisans de Vytautas Landsbergis lors des élections législatives d'octobre. Le Parti démocratique du travail de l'ancien chef du PC Algirdas Brazauskas les devance nettement. Celui-ci remporte également l'élection présidentielle de févr. 1993. Valdas Adamkus, ancien haut fonctionnaire américain, lui succède en 1998. La Russie évacue ses dernières troupes en août 1994, mais la question stratégique de l'accès à Kaliningrad (enclave russe à l'ouest du pays) est toujours source de tensions. La Lituanie forme depuis avril 1994 une zone de libre-échange avec les deux autres États baltes. Comme eux, elle signe avec l'Union européenne des accords d'association (avr. 1995).

♦ Démographie.

population	3 700 000 hab.
densité	57 hab./km²
accroissement naturel	1,4 ‰
taux de natalité	10,8 ‰
taux de mortalité infantile	10 ‰
espérance de vie	70 ans
part des moins de 15 ans	21,7 % de la pop. totale
part des plus de 65 ans	12,2 % de la pop. totale
population urbaine	73 %
principales villes	Vilnius, Kaunas, Klaipeda

♦ Principales ressources et productions (1997).

pommes de terre	2 023 000 t

♦ Économie et niveau de vie (1996).

PNB	7,687 milliards de $
PNB/hab.	4 390 $
taux de croissance *(1996)*	3,5 %
taux d'inflation *(1996)*	24,6 %
taux de chômage	n.d.
dette extérieure	1 286,3 millions de $
importations	3 404 millions de $
exportations	2 706 millions de $
répartition des actifs *(1991)*	agriculture 17,8 %, industrie 39,5 %, services 42,7 %
transports	routes 61 329 km, voies ferrées 2 926 km
taux d'analphabétisme	0,5 %

♦ Armée.

budget militaire *(1996)*	0,7 % du PIB
forces armées *(1997)*	5 100 hommes

Europe centrale et balkanique

Pologne Polska

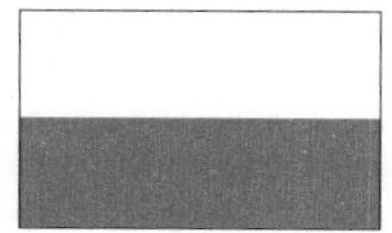

Nom officiel : République de Pologne. **Capitale :** Varsovie *(Warszawa)*. **Monnaie :** zloty (= 100 groszy). **Langue officielle :** polonais. **Principale religion :** catholicisme. **Institutions :** République. Constitution de 1952, révisée en 1989 et 1990. Parlement composé de la Diète *(Sejm)* et du Sénat (membres élus pour 4 ans). Président de la République élu pour 5 ans au suffrage universel et qui nomme le Premier ministre. **Président de la République :** Aleksander Kwaśniewski (depuis 1995). **Premier ministre :** Jerzy Buzek (depuis 1997). **Drapeau :** ses couleurs rappellent les émaux du blason du XIIIe s., qui représentait un aigle d'argent sur champ de gueules. Adopté par le Parlement en 1831, il a été confirmé en 1919 et en 1952. **Hymne national**, dit la « mazurka de Daibrowski » : « La Pologne n'est pas morte tant que nous vivons. Ce que la violence étrangère nous a pris, nous le reprendrons par le sabre. » Paroles de Józef Wybicki (1747-1822) sur un air populaire. Déclaré officiel en 1926. **Fête nationale :** 3 mai (anniversaire de la Constitution de 1791).

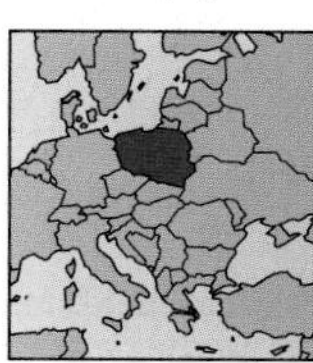

Superficie : 313 000 km². **Point culminant :** 2 499 m au mont Rysy.

GÉOGRAPHIE

Pays de plaines sans barrières naturelles sauf une bande montagneuse au sud, la Pologne a souffert, tout au long de son histoire, de l'impossibilité de stabiliser durablement ses frontières. En 1945 encore, elles furent déplacées d'Est en Ouest au profit de l'URSS. Malgré la présence du littoral de la mer Baltique, le climat est fortement continental. L'économie polonaise, tributaire des choix de la période communiste, est encore fondée sur une industrie lourde obsolète (sidérurgie, chantiers navals, houille) ainsi que sur une agriculture importante (blé, betterave à sucre, pomme de terre, élevage). Les services n'occupent qu'un peu plus du tiers des actifs mais devraient peser de plus en plus à mesure que le pays poursuit sa modernisation. La sortie du communisme a en effet, grâce en partie au voisinage de l'Allemagne, apporté des résultats notables. La population polonaise, qui a terriblement souffert de la Seconde Guerre mondiale, est également devenue homogène, aux points de vue ethnique, de la religion (majoritairement catholique) et de la langue (polonais, alphabet latin). Rurale pour plus du tiers, elle s'accroît désormais lentement.

HISTOIRE

De la protohistoire aux Piast. Occupé dès le IIIe millénaire, le pays connaît les civilisations lusacienne (XIIIe-IVe s. av. J.-C.) et poméranienne (VIe-IIe s. av. J.-C.). Aux Ier-IIe s. apr. J.-C., le territoire polonais, traversé par la route de l'ambre, entre en contact avec le monde romain. Puis des peuples slaves s'établissent entre l'Oder et l'Elbe aux Ve-VIe s. Parmi eux, les Polanes sont à l'origine de l'unification du pays.

Les Piast. Le duc Miezko Ier (v. 960-992), vassal de l'empereur allemand Othon Ier et fondateur de la dynastie des Piast, fait entrer la Pologne dans la chrétienté romaine en 966. Son fils, Boleslas Ier le Vaillant (992-1025), est couronné roi en 1025. Au XIIe s., les Germains mettent à profit le morcellement du pays, l'anarchie politique et sociale pour reprendre leur poussée vers le Nord et l'Est. Conrad de Mazovie donne en fief la terre de Chełmno aux chevaliers Teutoniques (1226). Ceux-ci conquièrent la Prusse (1230-1283) puis s'emparent de la Poméranie orientale (1308-1309). Les colons allemands, flamands, wallons et juifs stimulent le progrès technique et participent à la croissance des villes. Ladislas Ier (ou IV) Łokietek (1320-1333) installe sa capitale à Cracovie et restaure l'unité du pays dont le territoire demeure amputé de la Silésie et de la Poméranie. Enfin, son fils Casimir III le Grand (1333-1370) lance l'expansion vers l'Est (Ruthénie, Volhynie) et fonde l'université de Cracovie (1364). En 1370, la couronne passe à Louis Ier d'Anjou, roi de Hongrie, dont la fille Hedwige épouse en 1386 Jogaila, grand-duc de Lituanie.

Les Jagellons et la république nobiliaire. L'acte de Krewo (1385-1386) établit une union personnelle entre la Lituanie et la Pologne. Jogaila, grand-duc de Lituanie, se convertit au catholicisme, devient roi de Pologne sous le nom de Ladislas II (ou V) Jagellon Ier (1386-1434) et fonde ainsi la dynastie des Jagellons. Il remporte en 1410 sur les chevaliers Teutoniques la victoire de Grunwald ou de Tannenberg. Puis Casimir IV (1445-1492) leur enlève la Poméranie de Gdańsk et la Warmie (1466). Les règnes de Sigismond Ier le Vieux (1506-1548) et de Sigismond II Auguste (1548-1572) voient l'apogée de la Pologne, marqué par la diffusion de l'humanisme, la tolérance religieuse et l'essor économique. Le duché de Mazovie est incorporé au royaume en 1526. En 1569, par l'Union de Lublin, la Pologne et la Lituanie fusionnent en une « république » gouvernée par une Diète unique et un souverain élu en commun.

Menaces extérieures et anarchie interne. Après la mort de Sigismond II, dernier des Jagellons, la noblesse impose un contrôle rigoureux de l'autorité royale. Sigismond III Vasa (1587-1632), sous le règne duquel la capitale est transférée à Varsovie, mène des guerres ruineuses contre la Russie, les Ottomans et la Suède. Sous le règne de Ladislas IV Vasa (1632-1648), les Cosaques se soulèvent (1648). Puis la Russie conquiert la Biélorussie et la Lituanie, tandis que la Suède occupe presque tout le pays. Ce sont les années du déluge *(potop)*, 1648-1660, dont la Pologne libérée sort ruinée. Elle est encore capable de repousser les Turcs à Chocim (1673) grâce à Jean III Sobieski, qui devient roi l'année suivante. Après son règne, qui s'achève en 1696, la pratique du *liberum veto* (règle selon laquelle les décrets de la Diète doivent être adoptés à l'unanimité), institué en 1652, entraîne une grande anarchie ; les puissances étrangères interviennent dans les affaires intérieures du pays. L'Électeur de Saxe, Auguste II (1697-1733), soutenu par la Russie, est chassé par Stanislas Ier Leszczyński (1704-1709), appuyé par la Suède (1704), puis il rentre à Varsovie (1709) grâce à Pierre le Grand. La guerre de la Succession de Pologne (1733-1738) se termine par la défaite de Stanislas Ier (soutenu par la France) devant Auguste III (candidat de la Russie). Sous le règne d'Auguste III (1733-1763), le pays, qui a connu une sévère régression, commence son redressement économique.

Les trois partages. La Russie, l'Autriche et la Prusse décident de procéder au premier partage de la Pologne (1772). Celle-ci est amputée de 210 000 km². Cependant, l'essor économique se poursuit et la Grande Diète (1788-1792) réforme les impôts et l'armée. En accord avec le roi, les patriotes imposent la Constitution du 3 mai 1791, inspirée des principes français. La Russie intervient militairement et procède avec la Prusse au deuxième partage de la Pologne (1793). L'exaspération patriotique éclate avec la révolte de Tadeusz Kościuszko (24 mars 1794). Varsovie, assiégée par les Prussiens, se rend au général russe Souvorov le 5 nov. Le troisième partage de la Pologne (1795) supprime le pays, même dans sa dénomination.

La Pologne sous le joug étranger. Napoléon crée le grand-duché de Varsovie (1807-1813). Puis, en 1815, le congrès de Vienne cède la Posnanie à la Prusse, érige Cracovie en république libre et forme

♦ Europe centrale et balkanique.

Europe centrale et balkanique

♦ **Pologne.**

un royaume de Pologne réuni à l'Empire russe. En 1830-1831, éclate l'insurrection de Varsovie qui est sévèrement réprimée. La «grande émigration» gagne alors l'Occident. Une nouvelle insurrection éclate en 1863-1864, qui se solde elle aussi par une cruelle répression. Alors que la partie prussienne et la partie russe de la Pologne sont soumises à une politique d'assimilation, la Galicie-Ruthénie autrichienne sert de refuge à la culture polonaise. La vie politique est dominée par les personnalités de Józef Piłsudski et de Roman Dmowski. Membre fondateur du Parti socialiste (1892), Piłsudski, d'origine lituanienne, lutte pour la création d'un État multinational. À l'opposé, Dmowski, qui fonde le Parti national-démocrate en 1897, envisage la nation de façon restrictive, rejetant les éléments ethniques allogènes et souhaitant ériger le catholicisme en religion d'État. Du point de vue tactique, Piłsudski préconise la lutte armée, ne croyant en la résurrection de la Pologne que par la force, alors que Dmowski est prêt à composer avec les puissances copartageantes, misant essentiellement sur l'évolution de l'Empire russe.

La Pologne indépendante. En 1918, Piłsudski proclame à Varsovie la république indépendante de Pologne. Dantzig (Gdańsk) est érigée en ville libre, la Silésie partagée entre la Tchécoslovaquie et la Pologne. Et, à l'issue de la guerre polono-soviétique (1920-1921), la frontière est reportée à 200 km à l'est de la ligne Curzon. La Pologne restaurée compte 27 millions d'habitants. Les minorités nationales (Ukrainiens, Biélorusses, Allemands) représentent, avec les 8 % de Juifs, près du tiers de la population. Piłsudski démissionne en 1922, reprend le pouvoir par un coup d'État en 1926 et le conserve jusqu'en 1935. La Pologne signe des pactes de non-agression avec l'URSS (1932) et avec l'Allemagne (1934). Elle obtient de la Tchécoslovaquie la Silésie de Teschen (1938). Refusant de céder Dantzig et son corridor, elle est envahie par les troupes allemandes (1er sept. 1939).

La Seconde Guerre mondiale. L'Allemagne et l'URSS se partagent la Pologne conformément au pacte germano-soviétique. Les territoires ayant appartenu à l'Allemagne avant 1918 sont intégrés au Reich et soumis à une germanisation radicale. Le reste est érigé en gouvernement général, avec pour capitale Cracovie, à la tête duquel est nommé Hans Frank, représentant direct de Hitler. Sous son autorité, les Polonais sont traités comme des êtres inférieurs; 6 millions d'entre eux, dont la moitié de Juifs, périssent dans les camps de concentration et d'extermination. Deux autres millions de Polonais sont condamnés au travail forcé en Allemagne. Le gouvernement en exil, dirigé par Władysław Sikorski, s'établit en France en 1939 puis à Londres en 1940, tandis que s'organise la résistance de l'AK (*Armia Krajowa* : Armée de l'intérieur). Le ghetto de Varsovie, qui se soulève en 1943, est anéanti. Dans les territoires polonais occupés par l'URSS, les élites civiles et militaires sont décimées lors de massacres perpétrés sur ordre de Staline (plus de 25 000 personnes, parmi lesquelles les 4 500 officiers et sous-officiers dont les cadavres seront découverts à Katyn en 1943). L'insurrection de Varsovie (août-oct. 1944) est violemment réprimée par les Allemands, les Occidentaux n'apportant pas un appui suffisant à la Résistance, tandis que les troupes soviétiques, stationnées non loin, sur la Vistule, restent l'arme au pied. Elles ne pénètrent à Varsovie qu'en janv. 1945 et y installent le comité de Lublin qui se transforme en gouvernement provisoire. Les frontières du pays sont fixées à Yalta et à Potsdam : ligne Curzon à l'est, ligne Oder-Neisse à l'ouest.

L'alignement sur l'URSS. La réorganisation du pays s'accompagne de transferts massifs de population (les Polonais des régions annexées par l'URSS sont dirigés sur les territoires enlevés à l'Allemagne). Władysław Gomułka, partisan d'une voie polonaise vers le socialisme, est écarté en 1948, au profit de Boleslaw Bierut qui devient premier secrétaire du POUP (Parti ouvrier unifié polonais). Celui-ci s'aligne sur le modèle soviétique (collectivisation des terres [1950-1955]). La lutte de l'État contre l'Église catholique culmine avec l'internement du cardinal Wyszyński (1953-1956).

De la contestation à l'«état de guerre». Après les émeutes ouvrières de Poznań (1956), le Parti fait appel à Gomułka pour éviter un soulèvement anticommuniste et antisoviétique. C'est l'«Octobre polonais». Gomułka obtient le départ de certains conseillers soviétiques et du ministre de la Défense,

♦ Démographie.

population	38 700 000 hab.
densité	124 hab./km²
accroissement naturel	2,8 ‰
taux de natalité	11,9 ‰
taux de mortalité infantile	12 ‰
espérance de vie	71 ans
part des moins de 15 ans	22,8 % de la pop. totale
part des plus de 65 ans	10,9 % de la pop. totale
population urbaine	64 %
principales villes	Varsovie, Łódź, Cracovie

♦ Principales ressources et productions (1997).

avoine	1 630 000 t (4e rang)
betterave à sucre	15 886 000 t (6e rang)
blé	8 193 000 t
colza	1 377 000 t (6e rang)
pommes de terre	20 776 000 t (4e rang)
porcins	18 759 000 têtes (6e rang)
seigle	5 300 000 t (2e rang)
acier	11 591 000 t
constr. navale	1 073 000 tjb (5e rang)
houille	139 900 000 t (6e rang)
lignite	62 000 000 t (4e rang)
argent	1 003 t (7e rang)
ciment	13 872 000 t (8e rang)
cuivre	384 000 t

♦ Économie et niveau de vie (1996).

PNB	134,111 milliards de $
PNB/hab.	6 000 $
taux de croissance *(1993)*	3,6 %
taux d'inflation	20,2 %
taux de chômage	11,7 %
dette extérieure	40,9 milliards de $
importations	38 844 millions de $
exportations	27 557 millions de $
répartition des actifs	
agriculture	23,8 %,
industrie	31,9 %,
services	44,1 %
transports	
routes	370 510 km,
voies ferrées	24 926 km
taux d'analphabétisme	1,2 %

♦ Armée.

budget militaire *(1996)*	2,1 % du PIB
forces armées *(1997)*	248 500 hommes

le maréchal Konstantine Rokossovski. Il abolit la contrainte collectiviste. Des crises éclatent cependant : mouvements de protestation de l'intelligentsia (1968), des ouvriers des ports de la Baltique (1970). Il est alors destitué et remplacé par Edward Gierek. L'élection de Karol Wojtyła, archevêque de Cracovie, au trône pontifical sous le nom de Jean-Paul II en 1978 encourage les aspirations des Polonais à la liberté intellectuelle et politique. À la suite des grèves qui éclatent en 1980, un accord est signé à Gdańsk sur les revendications ouvrières, et un syndicat libre et autogéré, Solidarité (Solidarność), est créé (sept.), avec à sa tête Lech Wałęsa. Mais les dirigeants soviétiques menacent d'intervenir militairement. Le général Jaruzelski, président du Conseil depuis févr. 1981, premier secrétaire du POUP depuis oct., instaure l'«état de guerre» (déc. 1981-déc. 1982). Les syndicats sont suspendus, les grèves interdites; des milliers de personnes sont arrêtées. Solidarité continue cependant d'incarner les aspirations des Polonais face à un pouvoir communiste isolé, dont la légitimité est contestée.

L'évolution démocratique. Au début de 1989, des accords entre le pouvoir et Solidarité permettent la tenue d'élections législatives pluralistes partiellement libres (juin). Tadeusz Mazowiecki, membre influent de Solidarité, forme un gouvernement de coalition. Le rôle dirigeant du POUP est aboli et le pays reprend officiellement le nom de république de Pologne. En déc. 1990, Lech Wałęsa est élu au suffrage universel direct président de la République. En 1991, à la suite des premières élections totalement libres, une trentaine de partis sont représentés à la Diète. Les coalitions gouvernementales sont instables, dans un contexte économique difficile, le passage à l'économie de marché entraînant une forte augmentation du chômage. Les élections de sept. 1993 permettent le retour au pouvoir des ex-communistes, rassemblés au sein d'une Alliance de la gauche démocratique. Leur candidat à l'élection présidentielle de 1995, Aleksander Kwaśniewski, l'emporte sur Lech Wałęsa, dont le populisme est de plus en plus critiqué. Les nouveaux dirigeants ne remettent pas en cause les réformes économiques et poursuivent l'intégration de la Pologne aux institutions occidentales : demande d'adhésion à l'Union européenne (1994), admission à l'OTAN (1999). En septembre 1997, les élections législatives se soldent par une nouvelle alternance et le retour de la droite au gouvernement, sous la direction de Jerzy Buzek.

République tchèque
Česká Republika

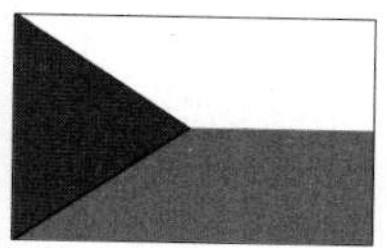

Nom officiel : République tchèque. **Capitale :** Prague *(Praha)*. **Monnaie :** couronne tchèque ou koruna (=100 haléřů). **Langue officielle :** tchèque. **Principale religion :** catholicisme. **Institutions :** République. Constitution de 1992, entrée en vigueur le 1er janvier 1993. Parlement bicaméral : Conseil national tchèque *(Česká narodni rada)* de 200 députés élus pour 4 ans au suffrage universel, et Sénat *(Senat)* de 81 membres élus pour 6 ans. Président de la République élu par le Parlement. **Président de la République :** Václav Havel (depuis 1993). **Premier ministre :** Milos Zeman (depuis 1998). **Drapeau :** officiellement adopté en 1992, il n'est autre que l'emblème de l'État (Tchécoslovaquie) issu du démembrement de l'Empire austro-hongrois. Il dérive de l'héraldique féodale. Inspiré de l'exemple polonais, il évoque les émaux du blason de Bohême-Moravie au lion d'argent sur champ de gueules. **Hymne national :** «Où est ma patrie, où est ma patrie?» Paroles de Josef Kajetán Tyl (1808-1856), musique de František Jan Škroup (1801-1862), déclaré officiel en 1918. **Fête nationale :** 28 octobre (anniversaire de la proclamation de la République tchécoslovaque en 1918).

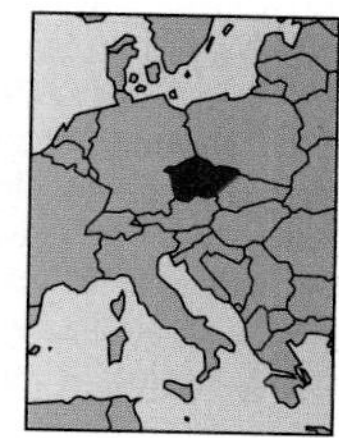

Superficie : 79 000 km². **Point culminant :** 1 602 m à la Sněžka, dans les monts des Géants, en Bohême.

GÉOGRAPHIE

Pays de traditions démocratique et industrielle anciennes, la République tchèque est désormais un État relativement homogène, depuis l'indépendance de la Slovaquie, en 1993. Constitué de la Bohême, région montagneuse, et de la Moravie, traversée par la Morava et ses affluents, ce pays vit principalement des industries de transformation et de l'agriculture. Le voisinage de l'Allemagne contribue largement au développement et à la reconversion de l'économie. La population est en majorité catholique et s'accroît lentement.

HISTOIRE

Moravie et Grande-Moravie. Centre de civilisation celte avec les Volques et les Tectosages, refoulés par les Germains (Quades) au Ier s. av. J.-C., la Moravie est envahie par les Slaves au Ve s. Au IXe s., elle devient le centre de la Grande-Moravie, empire créé par les Slaves occidentaux. À son apogée sous Svatopluk (870-894), la Grande-Moravie comprend la Moravie, la Slovaquie occidentale, la Pannonie, la Bohême, une partie de la Lusace et la région de Cracovie. Elle disparaît entre 902 et 908 lors des invasions hongroises. Rattachée en 1029 à la Bohême, la Moravie devient un fief des fils cadets des ducs de Bohême. Des colons allemands s'établissent dans le nord du pays et dans les villes (Brno, ou Brünn; Olomouc, ou Olmütz) à partir du milieu du XIIe s. Érigée en margraviat d'Empire (1182), la Moravie est directement gérée par le roi de Bohême à partir de 1411.

La Bohême médiévale. La Bohême doit son nom aux Boïens, Celtes qui occupent le pays au milieu du Ier millénaire av. J.-C. et qui sont refoulés au Ier s. apr. J.-C. par des Germains, les Quades et les Marcomans. Les Slaves, établis dans la région depuis le Ve s., organisent l'empire de Grande-Moravie (fin du VIIIe s.-début du Xe s.) qui est détruit par les Hongrois (902-907). Puis les princes tchèques přemyslides unifient les diverses tribus slaves de la région. Vassaux du Saint Empire, ils obtiennent le titre de roi en 1212, accordé à Otakar Ier Přemysl (1197-1230). Otakar II Přemysl (1253-1278), maître de l'Autriche depuis 1251 et rival de Rodolphe de Habsbourg, est battu par ce dernier en 1278. La dynastie přemyslide s'éteint en 1306 et celle des Luxembourg (1310-1437) lui succède. Elle parachève le rattachement de la Moravie, de la Silésie et de la Lusace à la couronne de Bohême. Sous Charles IV (1346-1378), qui fait de Prague la capitale du Saint Empire, la Bohême médiévale est à son apogée. Sa prospérité est liée à l'exploitation des mines d'argent. Les colons allemands qui s'y établissent depuis le XIIIe s. profitent particulièrement de son essor. Recteur de l'université, Jan Hus s'élève contre la richesse et les abus du clergé. Il est brûlé comme hérétique. Son supplice déclenche une guerre civile (1420-1436), qui oppose ses partisans, les hussites, aux croisés de Sigismond de Luxembourg. Après une période confuse, la Diète élit roi Georges de Poděbrady (1458-1471), à qui succèdent les Jagellons Vladislav II (1471-1516) et Louis II (1516-1526), puis fait appel à Ferdinand Ier de Habsbourg (1526).

La domination des Habsbourg. L'union avec l'Autriche, renouvelée à chaque élection royale, est renforcée par la Constitution de 1627, qui donne la couronne de Bohême à titre héréditaire aux Habsbourg. La Réforme fait de nombreux adeptes dans le pays et une partie de la noblesse protestante se révolte contre Ferdinand II de Habsbourg (défenestration de Prague, 1618). Les insurgés sont vaincus à la Montagne-Blanche (1620). Le pays est ruiné par la guerre de Trente Ans (1618-1648). Au XIXe s., les Tchèques participent à la révolution de 1848. Ils réclament l'égalité avec les Allemands, puis, après le compromis austro-hongrois (1867), un régime analogue à celui de la Hongrie. Le pays connaît alors un grand essor économique grâce à l'industrialisation.

La Ire République tchécoslovaque. La république de Tchécoslovaquie, réunissant les Tchèques et les Slovaques de l'ancienne Autriche-Hongrie, est créée en 1918. La Ruthénie subcarpatique lui est rattachée (1919-1920) et les traités de Saint-Germain-en-Laye et de Trianon fixent les frontières

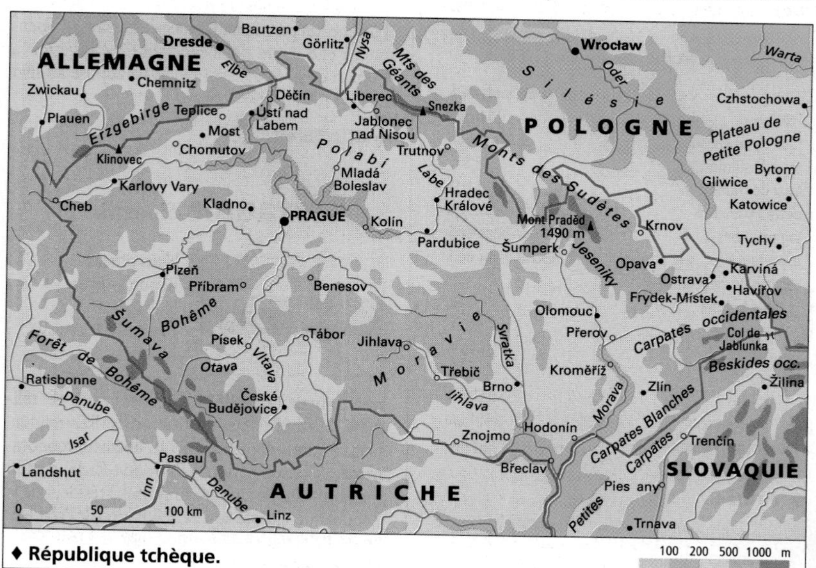

♦ République tchèque.

Europe centrale et balkanique

du nouvel État. Celui-ci est présidé de 1918 à 1935 par Tomáš Masaryk puis par Edvard Beneš (1935-1938). La Tchécoslovaquie est le seul pays de l'Europe centrale à conserver jusqu'à la Seconde Guerre mondiale un régime démocratique.

Le démembrement et l'occupation. En 1938, le pays doit accepter les décisions de la conférence de Munich et céder à l'Allemagne la région montagneuse des Sudètes, peuplée de germanophones. L'année suivante, l'Allemagne occupe la Bohême-Moravie et y instaure son protectorat. Un État slovaque séparé, sous protectorat allemand lui aussi, est alors créé. Dès 1940, Beneš constitue à Londres un gouvernement en exil. Celui-ci signe en 1943 un traité d'amitié avec l'URSS. Prague est libérée par l'armée soviétique en 1945 et l'URSS se fait céder la Ruthénie subcarpatique.

Le « coup de Prague ». Beneš revient à la présidence de la République en 1945. L'URSS oblige la Tchécoslovaquie à renoncer au plan Marshall en 1947. Puis, en févr. 1948, douze ministres remettent leur démission pour protester contre le noyautage de l'appareil d'État et de la police par les communistes. Ceux-ci s'emparent alors du pouvoir selon un plan bien organisé. C'est le « coup de Prague »

◆ **Démographie.**

population	10 300 000 hab.
densité	130 hab./km²
accroissement naturel	0,9 ‰
taux de natalité	10,7 ‰
taux de mortalité infantile	6 ‰
espérance de vie	71 ans
part des moins de 15 ans	18,9 % de la pop. totale
part des plus de 65 ans	12,6 % de la pop. totale
population urbaine	66 %
principales villes	Prague, Brno, Ostrava

◆ **Principales ressources et productions** (1997).

seigle	272 000 t (10ᵉ rang)
betteraves à sucre	3 715 000 t
blé	3 639 000 t
houille	16 100 000 t
lignite	57 400 000 t (5ᵉ rang)
textiles artificiels	47 000 t (5ᵉ rang)

◆ **Économie et niveau de vie** (1996).

PNB	54,21 milliards de $
PNB/hab.	10 870 $
taux de croissance	9,7 % par an
taux d'inflation	8,8 %
taux de chômage	3,8 %
dette extérieure	20,1 milliards de $
importations	27 571 millions de $
exportations	21 693 millions de $
répartition des actifs	
agriculture	7 %,
industrie	43 %,
services	50 %
transports	
routes	55 922 km,
voies ferrées	9 451 km
taux d'analphabétisme	n.d.

◆ **Armée.**

budget militaire *(1996)*	2,1 % du PIB
forces armées *(1997)*	70 000 hommes

La démocratie populaire. De 1948 à 1953, Klement Gottwald préside à l'alignement sur l'URSS. Des procès (1952-1954) condamnent Rudolf Slánsky et les « nationalistes slovaques ». Antonin Novotný assume à partir de 1953 la direction du Parti communiste de Tchécoslovaquie (PCT). La fronde des intellectuels culmine en 1967-1968. Novotný est contraint de démissionner en janv. 1968 et Alexander Dubček assume dès lors la direction du PCT. Mais l'intervention militaire soviétique (20-21 août 1968) met un terme au « printemps de Prague ». Avec l'accession de Gustáv Husák au poste de premier secrétaire du PCT (avr. 1969) commence la « normalisation ». Cette même année, la Tchécoslovaquie devient un État fédéral formé des Républiques tchèque et slovaque. En dépit du rétablissement de normes idéologiques strictes, l'opposition crée en 1977 la « Charte 77 » qui exige le respect des droits de l'homme. On assiste en outre à un renouveau religieux. En 1987, Miloš Jakeš succède à Gustáv Husák à la tête du PCT.

L'évolution démocratique. À la suite d'importantes manifestations contre le régime, le Forum civique, qui regroupe divers mouvements d'opposition, obtient l'ouverture de négociations en nov. 1989 et la démission du bureau politique du PCT. Le rôle dirigeant de ce parti est aboli et Marian Čalfa forme un gouvernement à majorité non communiste. Le dissident Václav Havel est élu à la présidence de la République. Le rideau de fer entre la Tchécoslovaquie et l'Autriche est démantelé. En juin 1990, les premières élections libres sont remportées par le Forum civique et Václav Havel est réélu à la tête de l'État. Les troupes soviétiques achèvent leur retrait en 1991.

La République tchèque. Après les élections de juin 1992, Václav Klaus, chef du gouvernement tchèque formé en juillet, prépare avec Vladimir Mečiar, son homologue slovaque, la partition de la Fédération tchèque et slovaque. Le 1ᵉʳ janvier 1993, la République tchèque devient un nouvel État, à côté de la Slovaquie. Le 26, le Parlement tchèque fait de Václav Havel, ancien président tchécoslovaque, le premier président de la République tchèque indépendante. Il est réélu en 1998. Les années 1990 sont marquées par une difficile reconversion économique et une recomposition des partis politiques, nombre d'entre eux étant touchés par la corruption. Malgré ces déconvenues, la République tchèque reste, avec la Hongrie et la Pologne, un partenaire privilégié des pays occidentaux : elle ouvre des négociations d'adhésion à l'Union européenne en 1998 et est admise au sein de l'OTAN en 1999.

Slovaquie Slovensko

Nom officiel : République de Slovaquie. **Capitale :** Bratislava. **Monnaie :** couronne slovaque (=100 halierov). **Langue officielle :** slovaque. **Principale religion :** catholicisme. **Institutions :** République. Constitution adoptée en 1992. **Parlement monocaméral :** Conseil national *(Národna Radá)* de 150 membres élus au suffrage universel. Président de la République élu par le Conseil national. **Président de la République :** Jozef Migas (depuis 1998). **Premier ministre :** Mikulás Dzurinda (depuis 1998). **Drapeau :** le blason de gueules à la croix patriarcale d'argent issant les trois monts d'azur broche le drapeau aux couleurs panslaves, en souvenir de saint Étienne et des montagnes du pays. Il a été officiellement adopté en 1992. **Hymne national :** « Les éclairs brillent au-dessus des Tatras ». Paroles de Janko Matúška (1821-1877), musique d'après un air populaire. **Fête nationale :** 29 août (anniversaire du soulèvement national slovaque contre le fascisme en 1944).

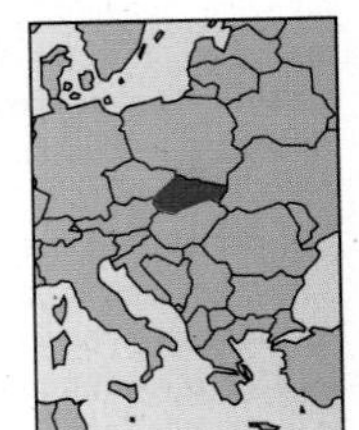

Superficie : 49 000 km². **Point culminant :** 2 655 m à la Gerlachovka, dans les Tatras.

GÉOGRAPHIE

Constituant autrefois la partie la moins industrialisée de la Tchécoslovaquie, la Slovaquie est indépendante depuis le 1ᵉʳ janv. 1993. Ce pays en partie montagneux (constituant l'extrémité nord-ouest des Carpates) et au climat continental vit principalement de l'agriculture et d'une faible industrie, notamment extractive. La population, qui compte une importante minorité hongroise (10 % du total), s'accroît faiblement.

HISTOIRE

La domination hongroise. Jusqu'au Xᵉ s., l'histoire de la Slovaquie est très proche de celle de la Bohême et de la Moravie. Au début du Xᵉ s., les Hongrois envahissent la Grande-Moravie, et la Slovaquie est dès lors intégrée à la Hongrie. Elle constitue la Haute-Hongrie, dont les mines de cuivre et d'argent sont dès le XIIᵉ s. exploitées par des ouvriers allemands. La Slovaquie passe avec le reste de la Hongrie dans le domaine des Habsbourg en 1526. L'occupation de la grande plaine hongroise par les Turcs (1540) en fait une zone de refuge. Le gouvernement hongrois s'établit à Presbourg (auj. Bratislava) et y demeure jusqu'en 1848. La majorité de la population de la Slovaquie avait adopté la Réforme au XVIᵉ s.; au XVIIᵉ s., la Contre-Réforme progresse parmi les classes dirigeantes puis dans le peuple. La région est troublée à partir de 1663 par les batailles contre les Ottomans, qui aboutissent à la reconquête de la plaine hongroise.

Le mouvement national slovaque se développe au XIXᵉ s. notamment autour d'enjeux culturels : la langue slovaque est ainsi codifiée dans les années 1840 par Ludovít Stúr. La question culturelle, liée à la politique de magyarisation (surtout après 1875), se double d'un problème social dû à la pauvreté des paysans slovaques, qui émigrent en masse vers les États-Unis.

L'intégration à la Tchécoslovaquie. La Slovaquie est intégrée à l'État tchécoslovaque, créé en 1918, au sein duquel les Slovaques sont dominés par les Tchèques. Dès 1919, l'abbé Andrej Hlinka milite pour l'autonomie slovaque. En mars 1939 est créé un État slovaque séparé sous protectorat allemand, gouverné par Mgr Tiso. Celui-ci met en place un régime fascisant, allié de l'Allemagne hitlérienne, mais qui doit faire face à un puissant mouvement de résistance, dominé par les communistes. En dépit du programme publié à Košice en avr. 1945, les institutions tchécoslovaques mises en place par les communistes à la fin de la guerre confirment le rôle prédominant des Tchèques. Ce n'est qu'en 1969, à la suite de l'échec du « printemps de Prague », que la Slovaquie

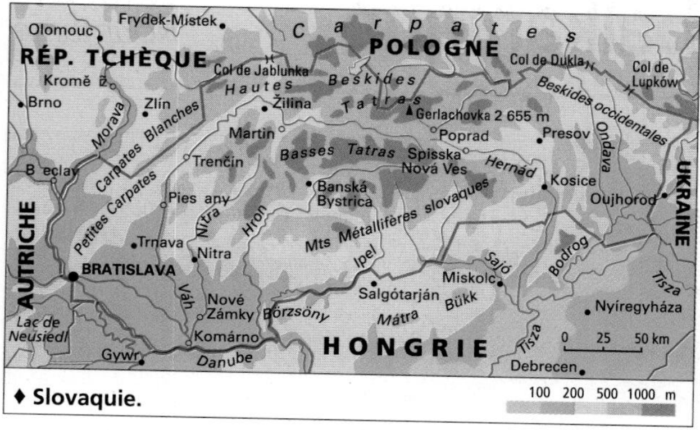

♦ **Slovaquie.**

acquiert le statut de république fédérée. Le passage au pluralisme politique en 1989 favorise l'affirmation du nationalisme slovaque. Les premières élections libres (juin 1990) sont remportées par l'aile slovaque du Forum civique : « Public contre la violence », dirigé par Vladimir Mečiar, ancien communiste exclu du Parti après le « printemps de Prague ».

L'indépendance. La Tchécoslovaquie se scinde pacifiquement le 1er janvier 1993, non sans polémiques sur le partage de ses biens. Le nouvel État slovaque, qui comporte une importante minorité hongroise, rencontre de sérieuses difficultés économiques (chômage, privatisations chaotiques…). La vie politique est instable. Vladimir Mečiar, renversé en mars 1994 à la suite du vote d'une motion de censure, redevient Premier ministre après les législatives de septembre. Mais les manœuvres du gouvernement à l'encontre des médias indépendants aboutissent à une unification des partis d'opposition qui remportent les élections législatives de sept. 1998. L'instabilité politique et l'autoritarisme de Vladimir Mečiar ont nui à la Slovaquie qui n'a pas été retenue dans le premier groupe des États d'Europe centrale et orientale candidats à l'adhésion à l'Union européenne. La victoire de l'opposition slovaque et la fin de l'ère Mečiar ouvrent cependant une nouvelle phase pour le pays et lui permettent de rejoindre le groupe des pays candidats à une intégration rapide dans les institutions occidentales (Union européenne et OTAN).

♦ **Démographie.**

population	5 400 000 hab.
densité	110 hab./km²
accroissement naturel	4,2 ‰
taux de natalité	11,7 ‰
taux de mortalité infantile	11 ‰
espérance de vie	73 ans
part des moins de 15 ans	22,7 % de la pop. totale
part des plus de 65 ans	10,7 % de la pop. totale
population urbaine	59 %
principales villes	Bratislava, Košice, Prešov

♦ **Principales ressources et productions** (1997).

acier	3 835 000 t
blé	1 948 000 t
betteraves à sucre	1 980 000 t

♦ **Économie et niveau de vie** (1996).

PNB	18,918 milliards de $
PNB/hab.	7 460 $
taux de croissance *(1995)*	6,8 % par an
taux d'inflation	5,8 %
taux de chômage	n. d.
dette extérieure	7,7 milliards de $
importations	11 106 millions de $
exportations	8 824 millions de $
répartition des actifs *(1993)*	
agriculture	10,3 %,
industrie	40,4 %,
services	49,3 %
transports	
routes	14 739 km,
voies ferrées	3 660 km
taux d'analphabétisme	n. d.

♦ **Armée.**

budget militaire *(1996)*	2,3 % du PIB
forces armées *(1997)*	42 600 hommes

Hongrie Magyarország

Nom officiel : République de Hongrie. **Capitale :** Budapest. **Monnaie :** forint (= 100 fillér). **Langue officielle :** hongrois. **Principales religions :** catholicisme, protestantisme. **Institutions :** République. Constitution de 1949, profondément remaniée en 1989. Assemblée nationale élue pour 4 ans. Président de la République élu par l'Assemblée pour 4 ans. **Président de la République :** Árpád Göncz (depuis 1990). **Président du Conseil :** Viktor Orbán (depuis 1998). **Drapeau :** le rouge vient de la bannière du duc Árpád (IXe s.) ; le blanc, de la croix introduite par saint Étienne en l'an mille ; le vert, du blason hongrois au XVe s. La forme tricolore est apparue pendant la révolution de 1848, à l'imitation du drapeau français. Il a été déclaré officiel en 1957. **Hymne national :** « Bénis le Hongrois, ô Seigneur, fais qu'il soit heureux et prospère, tends vers lui ton bras protecteur quand il affronte l'adversaire. » Paroles de Ferenc Kölcsey (1790-1838), musique de Ferenc Erkel (1810-1893). **Fête nationale :** 15 mars (anniversaire de la révolution de 1848). On célèbre aussi le 20 août, fête de saint Étienne.

Superficie : 93 000 km². **Point culminant :** 1 015 m au mont Kékes.

GÉOGRAPHIE

La Hongrie est un pays de plaines à l'est du Danube, au relief plus varié sur le reste du territoire et au climat continental. L'agriculture demeure importante (blé, maïs, betterave, élevage) et l'industrie, récente, est déjà en partie obsolète. Les services occupent un peu plus de la moitié des actifs. Le pays est aujourd'hui en pleine modernisation économique, favorisée par l'importance des investissements occidentaux. La population, ethniquement homogène, croît lentement.

HISTOIRE

Les origines. Peuplée d'Illyriens et de Thraces (500 av. J.-C.) puis de Scythes et de Celtes, la région est conquise par les Romains (35 av. J.-C.-9 apr. J.-C.) qui en font la province de Pannonie. Aux IVe-VIe s., elle est envahie par les Huns, les Ostrogoths, les Lombards puis par les Avars (568). En 896, les Hongrois, ou Magyars, arrivent dans la plaine danubienne, sous la conduite de leur chef Árpád. La dynastie des Árpád, qu'il fonde, gouvernera la Hongrie, la Slovaquie (ou Haute-Hongrie) de 904 env. à 1301. Les Hongrois lancent des raids en Occident jusqu'à la victoire d'Otton Ier au Lechfeld (955), qui y met fin. Le prince Géza (972-997) se convertit au christianisme et ouvre le pays aux missions chrétiennes.

Les Árpád. En 1000, Étienne Ier (997-1038) est couronné par le pape et prend le titre de roi de Hongrie. Il impose le christianisme à ses sujets. Se déclarant vassal du Saint-Siège, il maintient son royaume hors du Saint Empire. Il annexe au début du XIe s. la Ruthénie subcarpatique. Puis Kálmán ou Koloman Ier (1068-1116) obtient le rattachement de la Croatie et de la Slavonie au royaume de Hongrie en 1102. Sous Béla III (1172-1196), la Hongrie médiévale est à son apogée. Béla IV (1235-1270) reconstruit le pays ruiné par l'invasion mongole (1241-1242).

Un royaume puissant. Charles Ier Robert (1308-1342), de la maison d'Anjou, organise l'exploitation des mines d'argent, de cuivre et d'or de Slovaquie et de Transylvanie. Louis Ier d'Anjou (1342-1382) lui succède et poursuit son œuvre. La couronne est ensuite confiée à Sigismond de Luxembourg (1387-1437), qui est défait par les Ottomans à Nicopolis (1396). Ceux-ci remportent encore la bataille de Varna (1444). Mais ils sont arrêtés en 1456 devant Belgrade par Jean Hunyadi, régent de Hongrie (1446-1453). Son fils, Mathias Ier Corvin, roi de 1458 à 1490, conquiert la Moravie et la Silésie et s'installe à Vienne en 1485. Il favorise la diffusion de la Renaissance italienne. Puis la couronne passe à Vladislav II Jagellon (1490-1516) et à Louis II Jagellon (1516-1526), sur qui les Ottomans remportent la victoire de Mohács (1526).

Les Habsbourg et l'occupation turque. Ferdinand Ier de Habsbourg (1526-1564) est élu par la Diète roi de Hongrie. Il a pour rival Jean Zápolya, qui est soutenu par les Ottomans. Ceux-ci occupent Buda et la Grande Plaine en 1540, et, jusqu'en 1699, la Hongrie est divisée en trois : la Hongrie royale (capitale Presbourg), gouvernée par la maison d'Autriche ; la Hongrie turque et la Transylvanie, vassale des Ottomans depuis 1568. La Diète de Hongrie doit reconnaître la monarchie héréditaire des Habsbourg (1687) et la Transylvanie est annexée par la maison d'Autriche (1691). Les Habsbourg reconquièrent sur les Turcs la plaine hongroise (paix de Karlowitz, 1699).

Les Habsbourg et les libertés hongroises. Férenc (François II) Rákóczi dirige l'insurrection contre les Habsbourg (1703-1711), et la paix de Szatmár reconnaît l'autonomie de l'État hongrois au sein de la monarchie autrichienne. De 1740 à 1780, Marie-Thérèse poursuit le repeuplement. Son fils Joseph II (1780-1790) tente en vain d'imposer un régime centralisé. Après l'insurrection de mars 1848, l'Assemblée nationale hongroise rompt avec l'Autriche. En 1849, Lajos Kossuth proclame même la déchéance des Habsbourg. Mais les insurgés sont défaits à Világos (août) par les Russes, appelés par François-Joseph Ier. Le gouvernement autrichien pratique jusqu'en 1867 une politique autoritaire. Mais après la défaite de l'Autriche devant la Prusse (Sadowa, 1866), le compromis austro-hongrois instaure le dualisme. Au sein de l'Autriche-Hongrie, la Hongrie est à nouveau un État autonome ; elle récupère la Croatie, la Slavonie et la Transylvanie. Le Parti libéral assure la direction

Europe centrale et balkanique

◆ **Démographie.**

population	10 100 000 hab.
densité	108,6 hab./km²
accroissement naturel	−2,1‰
taux de natalité	10,2‰
taux de mortalité infantile	11‰
espérance de vie	69 ans
part des moins de 15 ans	18 % de la pop. totale
part des plus de 65 ans	14 % de la pop. totale
population urbaine	65 %
principales villes	Budapest, Debrecen, Miskolc

◆ **Principales ressources et productions** (1997).

tournesol	790 000 t
blé	5 270 000 t
maïs	6 811 000 t
manganèse	40 000 t (9ᵉ rang)

◆ **Économie et niveau de vie** (1996).

PNB	43,411 milliards de $
PNB/hab.	6 730 $
taux de croissance *(1994)*	2,9 %
taux d'inflation	23,5 %
taux de chômage	10,5 %
dette extérieure	27 milliards de $
importations	15 297 millions de $
exportations	12 864 millions de $
répartition des actifs	
agriculture	9 %,
industrie	34 %,
services	57 %
transports	
routes	158 633 km,
voies ferrées	13 300 km
taux d'analphabétisme	0,8 %

◆ **Armée.**

budget militaire *(1996)*	1,1 % du PIB
forces armées *(1997)*	64 300 hommes

♦ **Hongrie.**

du pays de 1875 à 1905, notamment avec Kálmán Tisza, président du Conseil de 1875 à 1890. En 1914, la Hongrie déclare la guerre à la Serbie.

L'entre-deux-guerres. La défaite des Empires centraux entraîne la dissolution de l'Autriche-Hongrie. Mihály Károlyi proclame l'indépendance de la Hongrie (1918) tandis que les Roumains occupent la Transylvanie, les Tchèques la Slovaquie. En 1919, les communistes, dirigés par Béla Kun, instaurent la «République des Conseils», renversée par l'amiral Horthy. Celui-ci, élu régent, signe le traité de Trianon (1920), qui enlève à la Hongrie la Slovaquie, la Ruthénie, la Transylvanie, le Banat et la Croatie. Mais en 1938, elle récupère une partie de la Slovaquie. En 1939, elle adhère au pacte Antikomintern. L'année suivante, elle occupe le nord de la Transylvanie et signe le pacte tripartite. Puis elle entre en guerre contre l'URSS (1941). À partir de 1943, le gouvernement hongrois tente de conclure une paix séparée avec les Alliés mais Hitler fait occuper le pays (1944) et le parti fasciste des Croix-Fléchées prend le pouvoir. Les nazis procèdent à la déportation des Juifs hongrois jusqu'alors relativement épargnés. L'armée soviétique occupe le pays (1944-1945). Le traité de Paris (1947) rétablit les frontières du traité de Trianon.

La Hongrie socialiste. Les communistes démantèlent en 1947 le Parti agrarien, majoritaire, et accaparent le pouvoir. Mátyás Rákosi proclame la république populaire en 1949 et impose un régime stalinien. Imre Nagy, réformateur, chef du gouvernement (1953-1955), amorce la déstalinisation, tandis que Rákosi conserve la direction du Parti. Mais en oct.-nov. 1956 éclate une insurrection pour la libéralisation du régime et la révision des relations avec l'URSS. Imre Nagy, exclu du Parti par les conservateurs en 1955, reprend le pouvoir et proclame la neutralité de la Hongrie. Les troupes soviétiques brisent alors la résistance de la population et imposent un gouvernement dirigé par János Kádár, qui est également premier secrétaire du Parti, devenu le Parti ouvrier socialiste hongrois (POSH). Tout en restant fidèle à l'alignement sur Moscou, le gouvernement améliore à partir de 1962 le fonctionnement du système économique et développe, surtout à partir de 1982, le secteur privé. Les relations avec la Roumanie sont tendues depuis 1987-1988 en raison de la politique d'assimilation forcée de la minorité hongroise de Roumanie.

L'évolution démocratique. Après l'éviction de János Kádár (mars 1988), le Parti renonce à toute référence au marxisme-léninisme (oct. 1989), puis se disloque. En mai 1989, la Hongrie ouvre ses frontières avec l'Autriche, amorçant le démantèlement du rideau de fer. En oct. le Parlement supprime l'adjectif «populaire» du nom officiel de la République de Hongrie et adopte le principe du multipartisme. Les premières élections libres (mars-avr. 1990) sont remportées par une coalition de centre droit regroupant le Forum démocratique hongrois, le Parti des petits propriétaires et les chrétiens-démocrates, dirigée par József Antall, qui devient président du Conseil (mai). Árpád Göncz, l'un des fondateurs de l'Alliance des démocrates libres, formation créée en 1988 autour de plusieurs dissidents, est élu président de la République. Le retrait total des troupes soviétiques, négocié avec l'URSS au début de 1990, s'achève dès juin 1991.

Une nouvelle coopération régionale s'instaure avec la Pologne et la Tchécoslovaquie dans le cadre des accords de Visegrád. Les réformes économiques libérales sont rapidement mises en œuvre. Mais, devant la baisse concomitante du niveau de vie, la montée du chômage et des inégalités, la population, peu après la mort de József Antall, sanctionne la coalition sortante aux élections législatives de mai 1994 en donnant la majorité absolue au Parti socialiste (ex-communiste). Les socialistes s'entendent avec leurs opposants libéraux pour former un gouvernement de coalition, que dirige le socialiste Gyula Horn. Premier pays d'Europe de l'Est à être entré au Conseil de l'Europe (1990), la Hongrie a déposé sa candidature à l'Union européenne en 1994, et adhère à l'OTAN en 1999. Elle signe des traités avec la Slovaquie (1995) et la Roumanie (1996) garantissant les droits des minorités hongroises vivant dans ces deux pays. La crise du Kosovo et l'intervention militaire de l'OTAN qui s'ensuit obligent la Hongrie à respecter les règles de la solidarité occidentale. La Hongrie, seul pays de l'Alliance limitrophe de la Serbie, s'inquiète cependant des conséquences de ce conflit, tant pour l'avenir de ses relations avec son voisin méridional que pour le sort de la minorité hongroise vivant en Voïvodine qui, comme le Kosovo, a été privée de son autonomie par Slobodan Milošević en 1989. En outre, l'économie hongroise souffre de l'interruption du trafic sur le Danube.

Roumanie România

Nom officiel : République de Roumanie. **Capitale :** Bucarest *(Bucuresti)*. **Monnaie :** leu (au plur. lei) [= 100 bani]. **Langue officielle :** roumain. **Principale religion :** orthodoxie. **Institutions :** République. Constitution de 1991. Président de la République élu pour 4 ans au suffrage universel. Parlement bicaméral (Chambre des députés et Sénat) dont les membres sont élus pour 4 ans. **Président de la République :** Emil Constantinescu (depuis 1996). **Premier ministre** : Radu Vasile (depuis 1998). **Drapeau** : la révolution de 1848 lui donna les trois couleurs, bleu, jaune, rouge. **Hymne national** : « Réveille-toi, Roumain/Du sommeil de mort/Où te jetèrent les tyrans barbares. » Paroles d'Andrei Mureşanu (1816-1863) musique d'Anton Pann (1796-1854). Déclaré officiel en 1990. **Fête nationale** : 1er décembre (union de la Transylvanie avec l'ensemble roumain en 1918).

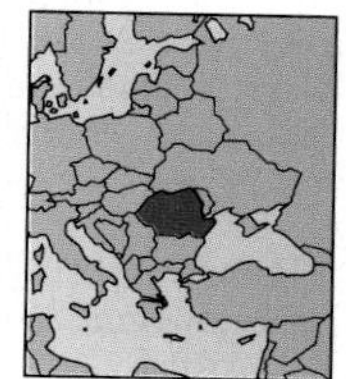

Superficie : 237 000 km². **Point culminant** : 2 543 m au pic Moldoveanu.

GÉOGRAPHIE

La Roumanie est un pays montagneux à l'ouest, plus plat dans sa partie orientale; le climat est continental. L'économie roumaine se compose principalement d'une agriculture qui occupe près du tiers des actifs, d'industries extractives (gaz, pétrole, charbon) et d'une industrie lourde peu compétitive. La population est urbanisée pour un peu plus de la moitié et compte d'importantes minorités hongroise et tsigane. La croissance démographique et le niveau de vie sont faibles.

HISTOIRE

Daces, Romains et Slaves. Les Daces sont les premiers habitants connus de l'actuel territoire de Roumanie. Au Ier s. av. J.-C., Burebista jette les bases de l'État dace. Conquise par Trajan (106 apr. J.-C.), la Dacie, qui correspond à l'Olténie et à la Transylvanie actuelles, est romanisée. Soldats et colons romains se mêlent à la population dace pour former le peuple daco-romain dont la langue est le latin. En 271, Aurélien décide d'évacuer la Dacie, conquise par les Wisigoths, mais il est presque certain que des paysans daco-romains sont restés sur place. Les Slaves qui s'établissent dans le pays à partir du VIe s. se mêlent à eux. Ainsi se forme le peuple roumain dont la langue reçoit de nombreux apports slaves. Le christianisme se répand à partir du IXe s. et l'Église adopte la liturgie slavonne. Mais les progrès culturels sont freinés par les invasions turco-mongoles (Xe-XIIIe s.).

Les principautés de Valachie, de Moldavie et de Transylvanie. Les Hongrois commencent au XIe s. la conquête de la Transylvanie, qui devient la partie orientale du royaume de Hongrie. Au XIIIe s., le reflux des Turco-Mongols permet l'établissement de populations roumaines vers le Sud et l'Est. Ainsi se forment les principautés de Valachie et de Moldavie qui s'émancipent de la suzeraineté hongroise sous Basarab Ier (v. 1330) et sous Bogdan Ier (v. 1359).

La suzeraineté ottomane. Les princes moldaves et valaques opposent une résistance acharnée aux Ottomans. Mais en dépit du combat de Mircea le Grand (1386-1418), la Valachie est soumise au tribut à partir de 1394. La Moldavie subit le même sort dès 1455 et Étienne le Grand (1457-1504) ne l'en libère que momentanément. La Transylvanie devient, elle aussi, après la défaite de Mohács (1526), une principauté vassale des Ottomans. L'autonomie dont jouissent ces principautés permet cependant le développement culturel des XVIe et XVIIe s. Alors que le slavon était jusqu'alors la langue liturgique officielle, les premières traductions de textes religieux en roumain sont publiées au début du XVIe s.

Mais après la défaite de Dimitrie Cantemir (1693; 1710-1711), qui s'était allié à Pierre le Grand contre les Ottomans (1711), les Turcs durcissent le régime des principautés de Moldavie et de Valachie. Dorénavant et jusqu'en 1821, ils placent à leur tête des Phanariotes, c'est-à-dire des membres des grandes familles grecques de l'Empire ottoman. La Transylvanie, annexée par les Habsbourg en 1691, est rattachée directement à Vienne. Dans cette région vivent des Hongrois, des Saxons (colons allemands), des Szeklers ou Sicules chargés de la défense de la frontière du sud-est, qui forment trois nations représentées à la Diète (Parlement). En revanche, les autochtones sont réduits au rang de masse servile, privée de tout droit politique. Leur origine reste controversée : pour les historiens roumains, ils sont les descendants des Daces; pour les historiens hongrois, ils se sont progressivement installés en Transylvanie à partir de la Moldavie et de la Valachie. La Moldavie perd la Bucovine, annexée par l'Autriche en 1775, et la Bessarabie, cédée à la Russie en 1812.

La protection des grandes puissances. Lors de leur intervention aux côtés des Grecs insurgés (1828-1829), les Russes occupent la Valachie et la Moldavie. Dotées d'un « Règlement organique » (1831), ces principautés sont placées sous le double protectorat ottoman et russe. Les milieux progressistes, conscients des problèmes sociaux et nationaux, participent à la révolution de 1848. Lors de la guerre de Crimée, l'Autriche occupe la Moldavie et la Valachie, puis le traité de Paris (1856) place ces principautés sous la souveraineté ottomane et sous la protection des puissances. Napoléon III intervient en 1859 pour faire accepter à l'Europe l'élection par les principautés d'un seul prince : Alexandre-Jean Ier Cuza (1859-1866).

L'unité roumaine. L'union des principautés est solennellement proclamée en 1862 et Bucarest devient la capitale du pays, qui prend officiellement le nom de Roumanie en 1866. Après l'abdication de Cuza, le pouvoir est confié à Charles de Hohenzollern-Sigmaringen qui devient Charles Ier, prince (1866-1881) puis roi (1881-1914) de Roumanie. L'Église orthodoxe roumaine est reconnue autocéphale (autonome) par le patriarcat de Constantinople en 1885. Quant à la Transylvanie, elle est administrée par la Hongrie après le compromis austro-hongrois de 1867 et soumise à une politique d'assimilation.

En dépit de sa participation à la guerre russo-turque de 1876, la Roumanie doit céder en 1878 à la Russie la Bessarabie (qui lui avait été restituée par le traité de Paris [1856]) et se voit attribuer en compensation la Dobroudja du Nord. L'indépendance du pays, proclamée en 1877, est consacrée en 1878 par le congrès de Berlin.

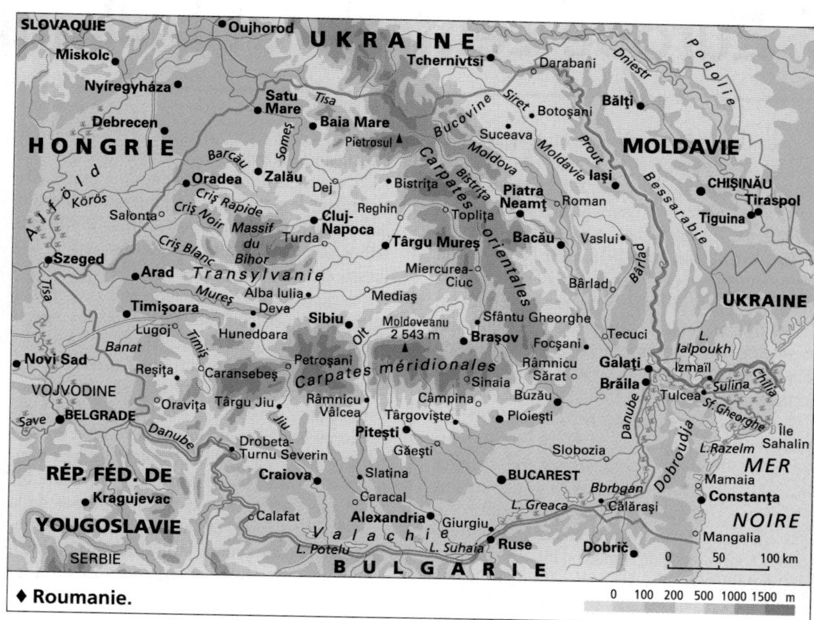

♦ **Roumanie.**

♦ **Démographie.**

population	22 500 000 hab.
densité	95 hab./km²
accroissement naturel	0,1 ‰
taux de natalité	11 ‰
taux de mortalité infantile	22 ‰
espérance de vie	70 ans
part des moins de 15 ans	20,4 % de la pop. totale
part des plus de 65 ans	11,8 % de la pop. totale
population urbaine	56 %
principales villes	Bucarest, Constanţa, Iasi

♦ **Principales ressources et productions** (1997).

chevaux	806 000 têtes (10e rang)
bovins	3 496 000 têtes
maïs	12 680 000 t (7e rang)
blé	7 156 000 t
orge	1 889 000 t
vin	5 500 000 hl (9e rang)
gaz naturel	15 500 millions de m³
lignite	33 800 000 t
pétrole	6 500 000 t
constr. navale	378 000 tjb (10e rang)

♦ **Économie et niveau de vie** (1996).

PNB	35,107 milliards de.$
PNB/hab.	4580 $
taux de croissance *(1993)*	1,2 %
taux d'inflation	38,8 %
taux de chômage	n.d.
dette extérieure	8,3 milliards de $
importations	9 487 millions de $
exportations	7 910 millions de $
répartition des actifs *(1992)*	
agriculture	22,2 %,
industrie	48,1 %,
services	29,7 %
transports	
routes	461 880 km,
voies ferrées	11 348 km
taux d'analphabétisme	2,1 %

♦ **Armée.**

budget militaire *(1996)*	2,2 % du PIB
forces armées *(1997)*	228 400 hommes

Europe centrale et balkanique

La Grande Roumanie. Bien que Charles Ier ait adhéré secrètement à la Triplice en 1883, la Roumanie opte finalement en 1916 pour les Alliés, qui lui promettent la Transylvanie. Mais elle est défaite par les Allemands, qui occupent Bucarest (déc. 1916). À l'automne 1918, après l'offensive du commandant en chef des forces alliées Franchet d'Esperey, les troupes roumaines pénètrent en Transylvanie. À l'issue des traités de Neuilly-sur-Seine, de Saint-Germain-en-Laye et de Trianon (1919-1920), la Roumanie reçoit la Dobroudja tout entière, la Bucovine, la Transylvanie et le Banat. D'autre part, les Alliés reconnaissent en 1920 l'annexion de la Bessarabie, occupée par les Roumains en janv. 1918. Afin de préserver ces acquis territoriaux, la Roumanie adhère à la Petite-Entente (1921) et à l'Entente balkanique (1934) patronnées par la France. Le système parlementaire, qui a fonctionné sous le règne de Ferdinand Ier (1914-1927), se décompose sous celui de Charles II (1930-1940).

La Roumanie fasciste. Le mouvement fasciste est encadré par la Garde de fer, créée par Corneliu Codreanu. Celle-ci joue un rôle important en 1940-1941 dans «l'État national et légionnaire» du général Ion Antonescu, qui prend le titre de *Conducator* (guide de l'État) et se place sous la domination des Allemands. La Grande Roumanie est démembrée en faveur des autres alliés de l'Allemagne, qui récupèrent en 1940 la Bessarabie et la Bucovine du Nord (URSS), une partie de la Transylvanie (Hongrie), la Dobroudja méridionale (Bulgarie). La Roumanie, qui entre en guerre contre l'URSS en 1941, signe avec cette dernière l'armistice de sept. 1944. Les revers de l'armée roumaine sur le front de l'Est renforcent l'impopularité d'Antonescu, qui est renversé en août 1944.

La Roumanie socialiste. Au sein des gouvernements de coalition, dont celui de Petru Groza imposé par les Soviétiques en mars 1945, les communistes occupent une place de plus en plus importante. Le roi Michel (1927-1930 ; 1940-1947) doit abdiquer (30 déc. 1947) ; la République populaire est proclamée le même jour. À partir de 1948, le POR (Parti ouvrier roumain) entreprend l'édification du socialisme selon le modèle soviétique. Gheorghi Gheorghiu-Dej, secrétaire général du Parti depuis 1945, obtient en 1958 de Nikita Khrouchtchev le retrait des troupes soviétiques stationnées en Roumanie. Mais le socialisme roumain entend rester fidèle aux pratiques du stalinisme.

Nicolae Ceausescu accède à la tête du Parti (qui prend le nom de Parti communiste roumain, ou PCR) en 1965. Il est nommé président du Conseil d'État (chef de l'État) en 1967. Il refuse de participer à l'invasion de la Tchécoslovaquie (1968). Mais il exerce un pouvoir de plus en plus personnel et place ses parents et alliés aux principaux postes de responsabilité. Son pouvoir se renforce encore avec son élection en 1974 à la présidence de la République. Les difficultés économiques engendrent un climat social d'autant plus sombre que le régime demeure centralisé et répressif. La contestation, qui se développe depuis les années 1970, se radicalise à partir de 1986, particulièrement en Transylvanie (émeutes de Brașov, 1987). De nombreuses protestations s'élèvent tant en Roumanie qu'à l'étranger contre les discriminations dont est l'objet la minorité hongroise, contre les grands travaux entrepris à Bucarest et contre le plan de «systématisation» du territoire qui prévoit la destruction de plusieurs milliers de villages.

La Roumanie postcommuniste. En déc. 1989, l'insurrection populaire renverse le régime. Ceausescu et son épouse sont arrêtés et exécutés. Un Conseil du Front national présidé par Ion Iliescu, ancien communiste tombé en disgrâce en 1979, assure la direction du pays qui prend officiellement le nom de république de Roumanie. Les premières élections libres (mai 1990) sont remportées par le Front de salut national et Ion Iliescu est élu à la présidence de la République. Les élections de 1992 consacrent l'émiettement des forces politiques mais confèrent un nouveau mandat présidentiel à Ion Iliescu. Avec l'élection en 1996 du chrétien-démocrate Emil Constantinescu, l'ancienne nomenklatura cesse de détenir le pouvoir. Le pays est en proie à de grandes difficultés économiques. Elles provoquent une forte contestation sociale et exacerbent le nationalisme antimagyar et antitsigane. Un traité est toutefois signé avec la Hongrie, en 1996, à propos de la minorité hongroise. Souhaitée par le gouvernement, l'intégration dans les institutions occidentales s'annonce lente. La crise du Kosovo et les opérations militaires qui se sont ensuivies ont placé la Roumanie, qui n'a pas pu rejoindre l'OTAN en 1999, dans une situation délicate. Alors que l'opinion est plutôt favorable à la Serbie, le gouvernement maintient sa volonté de rejoindre rapidement l'OTAN et l'Union européenne.

Bulgarie Balgarija

Nom officiel : République de Bulgarie. **Capitale :** Sofia *(Sofija)*. **Monnaie :** lev (= 100 stotinki). **Langue officielle :** bulgare. **Principales religions :** orthodoxie, islam. **Institutions :** République. Constitution de 1991. Assemblée nationale composée de 240 membres élus pour 4 ans. Président de la République élu au suffrage universel pour 5 ans. **Président de la République :** Petar Stoyanov (depuis 1997). **Premier ministre :** Ivan Kostov (depuis 1997). **Drapeau :** créé en 1878 sur le modèle du drapeau impérial russe, il en a changé, en 1944, les couleurs en attribuant le blanc à la paix, le vert à la végétation, le rouge au communisme. **Hymne national :** «Chère Patrie, tu est un paradis terrestre.» Déclaré officiel en 1964. **Fête nationale :** 3 mars (anniversaire de la libération du pays de la domination ottomane en 1878).

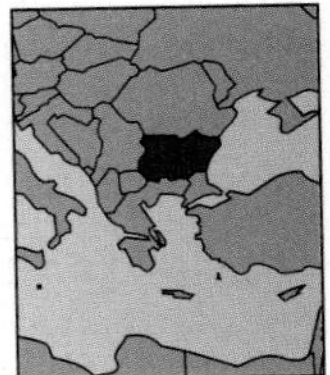

Superficie : 111 000 km². **Point culminant :** 2 925 m au Musala.

GÉOGRAPHIE

Coincée entre des pays de cultures très différentes (Grèce, Turquie, Yougoslavie, Roumanie), la Bulgarie abrite notamment une minorité d'origine turque dont le statut est à l'origine de tensions avec Ankara. C'est un pays de plaines et de plateaux au centre et au nord, montagneux au sud et au climat continental relativement aride. L'agriculture (blé, maïs, tabac) et l'industrie (presque la moitié des actifs), en grande partie obsolète, constituent l'essentiel de l'économie. Le tourisme est actif sur le littoral de la mer Noire. Les services occupent un peu moins de la moitié des actifs. La population, essentiellement slave et orthodoxe, ne s'accroît presque pas.

HISTOIRE

Les origines. Les Thraces sont les premiers habitants de l'actuel territoire de la Bulgarie. À partir du VIIIe s. av. J.-C., les Grecs établissent des colonies sur le littoral. La région est conquise par les Romains, qui en font les provinces de Mésie (v. 15 apr. J.-C.) et de Thrace (46 apr. J.-C.). Elle revient à l'Empire romain d'Orient lors du partage de 395. Au début du VIe s., des tribus slaves pénètrent en masse dans l'Empire byzantin. Les Proto-Bulgares, d'origine turque, s'établissent sur le bas Danube v. 680 et fondent le premier Empire bulgare (681-1018).

Un puissant État médiéval. Ces Proto-Bulgares sont rapidement slavisés par les tribus qu'ils soumettent et auxquelles ils donnent leur nom. À la fin du VIIe s., ils gagnent la Thrace et la Macédoine, puis le khan Krum (803-814) pousse ses conquêtes jusqu'à la Serbie. La puissance bulgare est alors redoutable pour Byzance. En la combattant, l'empereur Nicéphore Ier le Logothète tombe en 811 sur le champ de bataille. Mais le royaume bulgare, au contact des Byzantins, subit leur influence, et le

♦ Bulgarie.

◆ **Démographie.**

population	8 300 000 hab.
densité	75 hab./km²
accroissement naturel	– 2,7 ‰
taux de natalité	10,3 ‰
taux de mortalité infantile	16 ‰
espérance de vie	71 ans
part des moins de 15 ans	18,4 % de la pop. totale
part des plus de 65 ans	14,5 % de la pop. totale
population urbaine	69 %
principales villes	Sofia, Plovdiv, Varna

◆ **Principales ressources et productions** (1997).

maïs	1 650 000 t
blé	3 774 000 t
lignite	26 200 000 t

◆ **Économie et niveau de vie** (1996).

PNB	9,11 milliards de $
PNB/hab.	4 280 $
taux de croissance *(1993)*	–4,7 %
taux d'inflation *(1993)*	70 %
taux de chômage	n.d.
dette extérieure	9,8 milliards de $
importations	5 224 millions de $
exportations	5 345 millions de $
répartition des actifs *(1992)*	
agriculture	14,3 %,
industrie	39,7 %,
services	45,9 %
transports	
routes	36 922 km,
voies ferrées	6 508 km
taux d'analphabétisme	1,7 %

◆ **Armée.**

budget militaire *(1996)*	1,9 % du PIB
forces armées *(1997)*	103 500 hommes

parti progrec est important au sein de sa population dès le VIIe s. La rencontre avec la civilisation byzantine devient déterminante sous le règne de Boris Ier (852-889), qui se convertit au christianisme puis devient moine à la fin de sa vie.

Cependant, la Bulgarie entend préserver son indépendance et revendique une Église autocéphale (autonome). Le khan Siméon Ier le Grand (893-927), qui se fait appeler tsar (césar), nourrit l'ambition de se faire couronner *basileus* à Constantinople, qu'il investit en 913, et menace à nouveau l'Empire. Sans parvenir à ses fins, il réalise toutefois l'autocéphalie de son Église (919) et favorise le rayonnement du royaume, notamment par l'édification de nombreuses églises. À la fin du Xe s., la Bulgarie connaît un déclin qui aboutit en 1014 à la défaite fatale que l'empereur byzantin Basile II inflige à l'armée du tsar Samuel (997-1014). Les Byzantins prennent alors leur revanche sur les Bulgares, dont ils annexent le royaume.

Les boyards Jean et Pierre Asen fondent le second Empire bulgare (1187-1396). Puis, menacée par les Mongols, établis à ses frontières depuis 1241, la Bulgarie entre dans une période de décadence. Elle ne peut résister à l'assaut des Ottomans, qui conquièrent la totalité du pays de 1382 à 1400.

La domination ottomane. Elle entraîne l'établissement d'éléments turcs anatoliens ; la population de la Bulgarie orientale est au milieu du XVe s. majoritairement musulmane. Il se forme aussi du XVIe au XVIIIe s. une communauté musulmane de langue bulgare, les Pomaks. L'Église bulgare est rattachée au patriarcat de Constantinople depuis la chute de Tarnovo (1393).

La renaissance nationale et l'indépendance. La renaissance nationale s'amorce au milieu du XVIIe s. L'Église bulgare obtient la création d'un exarchat indépendant en 1870. Enfin, après la victoire des Russes à l'issue de la guerre russo-turque de 1877-1878, les puissances européennes décident, lors du congrès de Berlin (juill. 1878), de créer une Bulgarie autonome. L'administration ottomane est maintenue en Roumélie-Orientale et en Macédoine. Alexandre de Battenberg devient prince de Bulgarie (1879-1886). Il accepte l'union de la Roumélie-Orientale, qui s'est insurgée (1885). Ferdinand de Saxe-Cobourg (1887-1918), rompant tout lien de vassalité avec la Porte, proclame l'indépendance de la Bulgarie et prend le titre de tsar (1908).

Les guerres et les crises (1912-1945). Alliée à la Serbie, à la Grèce et au Monténégro, la Bulgarie s'engage dans la guerre contre l'Empire ottoman (1912). Mais la seconde guerre balkanique se solde par la défaite des Bulgares (juill. 1913), qui doivent renoncer à la majeure partie de la Macédoine. La Bulgarie participe à la Première Guerre mondiale aux côtés des Empires centraux (oct. 1915). Ferdinand abdique alors en faveur de son fils, Boris III (1918-1943). Le traité de Neuilly (27 nov. 1919) prive la Bulgarie de tout accès à la mer Égée et attribue la Dobroudja du Sud à la Roumanie et la majeure partie de la Macédoine à la Serbie. Au début de la Seconde Guerre mondiale, Boris III proclame la neutralité de la Bulgarie qu'il fera cependant adhérer au pacte tripartite en 1941. Bien que soumis à un statut particulier, les Juifs de Bulgarie sont relativement épargnés grâce à l'attitude des autorités bulgares qui refusent de les livrer aux nazis. Puis, alors que le pays est occupé par l'Armée rouge (1944), son gouvernement s'engage dans la guerre aux côtés de l'URSS.

Le régime communiste. La monarchie est abolie et la république proclamée (sept. 1946). Des gouvernements de coalition présidés par le communiste Georgi Dimitrov sont constitués ; l'opposition est progressivement éliminée. Après 1950, la vie politique est dominée par Valko Červenkov, fidèle disciple de Staline. En 1954, il est remplacé à la tête du Parti communiste bulgare (PCB) par Todor Živkov, qui est également chef de l'État à partir de 1962. Le pays connaît au milieu des années 1980 une sévère récession économique. Les autorités détournent le mécontentement latent en déclenchant une vague de nationalisme agressif à l'égard de la minorité turque qui représente 10 % de la population.

La démocratisation. Le facteur décisif de changement est le nouveau cours politique adopté par l'URSS de Mikhaïl Gorbatchev. Todor Živkov est contraint de démissionner en novembre 1989. Le pluralisme politique est introduit en janvier 1990. Face au Parti socialiste bulgare (PSB), ex-Parti communiste, se constitue une coalition regroupant des sociaux-démocrates, des agrariens, des écologistes et des syndicalistes : l'Union des forces démocratiques (UFD). Le PSB remporte les premières élections libres (juin 1990), mais Želju Želev, ancien dissident et chef de l'UFD, devient président de la République (août). Le gouvernement engage la transition vers l'économie de marché. En juillet 1991, une nouvelle constitution remplace la Constitution communiste de 1971. Aux élections d'octobre 1991, l'UFD devance le PSB, mais ne peut conserver le pouvoir. L'économiste Ljuben Berov, à la tête du gouvernement de déc. 1992 à sept. 1994, s'appuie sur le PSB et le parti de la minorité turque (MDI). Les élections anticipées de déc. 1994 voient le triomphe du PSB, mais l'élection présidentielle de 1997 est remportée par le candidat de l'UFD, Petăr Stojanov. L'intégration souhaitée dans les institutions occidentales est cependant freinée par les relations traditionnelles avec la Russie et les difficultés de l'économie (hyperinflation, chômage). La crise du Kosovo et les opérations militaires qui se sont ensuivies ont placé la Bulgarie dans une situation politique délicate. Alors que l'opinion est plutôt favorable à la Serbie, le nouveau gouvernement maintient sa politique visant à rejoindre l'OTAN et l'Union européenne en autorisant notamment l'utilisation de son espace aérien.

Slovénie Slovenija

Nom officiel : République de Slovénie. **Capitale :** Ljubljana. **Monnaie :** tolar (= 100 stotin). **Langue officielle :** slovène. **Principale religion :** catholicisme. **Institutions :** République. Constitution de 1991. Parlement bicaméral : Assemblée nationale (*Državni zbor*) de 90 députés élus au suffrage universel pour 4 ans et Conseil national (*Državni svet*) de 40 membres représentant les intérêts communaux et professionnels. Président de la République élu au suffrage universel pour 5 ans. **Président de la République** : Milan Kučan (depuis 1991). **Premier ministre :** Janez Drnovšek (depuis 1992). **Drapeau :** ses trois couleurs rappellent le panslavisme d'inspiration russe. Le blason montre le Triglav (« Trois Têtes »), sommet des Alpes Juliennes. **Hymne national :** la *Zdravljica* (Toast). Paroles de France Prevseren (1800-1965), musique de Stanko Premrl (1800-1849). **Fête nationale :** 25 juin (anniversaire de l'indépendance proclamée en 1991).

Superficie : 20 200 km². **Point culminant :** 2 863 m au Triglav.

GÉOGRAPHIE

La Slovénie, qui constituait autrefois un duché, n'est devenue un État indépendant qu'en se séparant de la Yougoslavie, dont elle constituait la partie la plus prospère, en 1991. C'est un pays montagneux à l'Ouest, avec la chaîne des Alpes, plus à plat à l'Est. Le climat est relativement continental. L'industrie et le tourisme sont actifs, et l'indépendance a dans l'ensemble été très profitable à l'économie. L'accroissement naturel est quasiment nul.

HISTOIRE

Les origines. Les tribus slaves (Slovènes) s'établissent dans l'actuelle Slovénie au VIe s. Elles se heurtent aux Bavarois aux sources de la Drave et de la Mur (595), et disputent le Frioul aux Lombards tout au long du VIIe s. Elles sont soumises à la domination des Avars, des Bavarois puis des Francs (incorporation à l'empire de Charlemagne en 788, rattachement à la marche de l'Est après 843).

◆ **Slovénie.**

Europe centrale et balkanique

Croatie • Bosnie-Herzégovine

La domination autrichienne. Les Slovènes passent sous la domination des Habsbourg, qui s'implantent en Autriche en 1278 et y demeurent jusqu'en 1918. Christianisés au VIIIe s. par des missionnaires de Salzbourg, ils adoptent en grand nombre la Réforme, qui contribue au développement de leur langue au XVIe s., puis reviennent au catholicisme. Le dialecte de Carniole est adopté comme base de la langue slovène, et son emploi officiel est revendiqué tout au long du XIXe s.

L'intégration à la Yougoslavie. En 1918, la Slovénie entre dans le royaume des Serbes, des Croates et des Slovènes, future Yougoslavie, dans laquelle le Parti populaire slovène de Mgr Anton Korošec joue un rôle prépondérant. Pendant la Seconde Guerre mondiale, la Slovénie est divisée en zones d'occupation allemande, italienne et hongroise. En 1945, elle devient une république fédérée de la Yougoslavie socialiste. Les premières élections libres qui ont lieu en avril 1990 sont remportées par l'opposition démocratique.

L'indépendance. La Slovénie déclare son indépendance en juin 1991. Une courte guerre s'ensuit contre l'armée fédérale yougoslave. L'indépendance de la Slovénie est reconnue par l'Allemagne (déc. 1991) puis par la communauté internationale. La transition démocratique et le passage à l'économie de marché s'accomplissent sans heurts. Ayant réussi à rester en dehors des conflits yougoslaves depuis 1991, le pays cherche désormais à s'intégrer dans les institutions occidentales. En 1998, il entame des négociations d'adhésion à l'Union européenne.

◆ **Démographie.**

population	2 000 000 hab.
densité	99 hab./km²
accroissement naturel	– 0,1 ‰
taux de natalité	9,5 ‰
taux de mortalité infantile	5 ‰
espérance de vie	73 ans
part des moins de 15 ans	18 % de la pop. totale
part des plus de 65 ans	12,4 % de la pop. totale
population urbaine	52 %
principales villes	Ljubljana, Maribor, Celje

◆ **Principales ressources et productions** (1997).

blé	161 000 t
maïs	333 000 t

◆ **Économie et niveau de vie** (1996).

PNB	18,712 milliards de $
PNB/hab.	12 110 $
taux de croissance *(1995)*	4,1 %
taux d'inflation	9,7 %
taux de chômage	n.d.
dette extérieure	4 milliards de $
importations	9 179 millions de $
exportations	8 407 millions de $
répartition des actifs *(1991)*	
agriculture	13,8 %,
industrie	43,1 %,
services	43,1 %
transports	
routes	14 739 km,
voies ferrées	1 195 km
taux d'analphabétisme	1 %

◆ **Armée.**

budget militaire *(1996)*	1,3 % du PIB
forces armées *(1997)*	9 550 hommes

◆ **Croatie • Bosnie-Herzégovine.**

Croatie Hrvatska

Nom officiel : République de Croatie. **Capitale :** Zagreb. **Monnaie :** kuna. **Langue officielle :** croate. **Principales religions :** catholicisme, orthodoxie. **Institutions :** régime parlementaire établi en 1990. Le président est élu au suffrage universel; le législatif se compose de deux chambres, dont l'une représente les provinces. **Président de la République :** Franjo Tudjman (depuis 1990 [dans le cadre de la République fédérée]). **Premier ministre :** Zlatko Matesa (depuis 1995). **Drapeau :** le souvenir des trois couleurs panslaves, apportées en Russie par Pierre le Grand, persiste dans un ordre semblable à celui de la maison d'Orange. Le blason échiqueté de gueules et d'argent reprend les couleurs de la Croatie indépendante de 1941. La couronne civique est émaillée aux blasons des provinces constitutives : de gauche à droite, le plus ancien blason croate, le blason de la république de Dubrovnik, ceux de la Dalmatie, de l'Istrie, de la Slavonie. Il a été officiellement adopté en décembre 1990. **Hymne national :** « Notre belle patrie, Ô pays héroïque aimé, Patrie de gloire ancienne, Sois toujours heureuse. » Paroles d'Antun Mihanović, musique de Josip Runjanin (1821-1878). **Fête nationale :** 30 juin (anniversaire de l'indépendance de 1991).

Superficie : 56 500 km². **Point culminant :** 1918 m au Troglav.

GÉOGRAPHIE

Le territoire de la Croatie résulte en partie du découpage interne de l'ancienne Yougoslavie, qui lui avait notamment attribué la totalité de la Dalmatie, c'est-à-dire la plus grande partie du littoral. Le nord et l'est du pays sont constitués de plaines et de collines tandis que le massif des Alpes dinariques domine la côte. L'industrie, vieillissante, se trouve principalement dans la région de Zagreb et l'agriculture est surtout prépondérante à l'est, en Slavonie. La Dalmatie était une région touristique très fréquentée avant la guerre. La population est constituée à 75 % de Croates de souche (catholiques et utilisant l'alphabet latin) et comporte environ 10 % de Serbes (orthodoxes et utilisant l'alphabet cyrillique). L'accroissement naturel est faible.

HISTOIRE

Les origines du royaume croate. Peuplées d'Illyriens, les régions croates entrent vers 6-9 apr. J.-C. dans les provinces romaines de Pannonie et de Dalmatie. Elles subissent les invasions des Ostrogoths, des Lombards puis des Slaves (VIe s.), qui s'y établissent. La plaine pannonienne, d'une part, la côte et l'arrière-pays dalmates, d'autre part, connaissent une évolution séparée et sont tour à tour sous influence franque ou byzantine. En dépit de la tentative des Byzantins de faire passer la Croatie dalmate sous leur juridiction (fin IXe s.), l'Église croate demeure partagée entre le rite latin et le rite slavon. Les Croaties dalmate et pannonienne sont réunies en un seul État par Tomislav (910-928), qui prend le titre de roi des Croates (925).

La domination hongroise. Par l'acte de 1102, le roi de Hongrie est reconnu roi de la Croatie, qui demeurera jusqu'en 1918 un royaume de la couronne de saint Étienne gouverné par un *bán* (dignitaire). Après la défaite de Mohács (1526), une partie du pays passe sous domination ottomane et

◆ **Démographie.**

population	4 200 000 hab.
densité	74 hab./km²
accroissement naturel	–0,6 ‰
taux de natalité	10,8 ‰
taux de mortalité infantile	9 ‰
espérance de vie	72 ans
part des moins de 15 ans	19 % de la pop. totale
part des plus de 65 ans	12,7 % de la pop. totale
population urbaine	56 %
principales villes	Zagreb, Split, Rijeka

◆ **Économie et niveau de vie** (1996).

PNB	19,035 milliards de $
PNB/hab.	4 290 $
taux de croissance	n.d.
taux d'inflation	4,3 %
taux de chômage	n.d.
dette extérieure	4,6 milliards de $
importations	7 009 millions de $
exportations	4 512 millions de $
répartition des actifs	n.d.
transports	
routes	26 929 km,
voies ferrées	2 699 km
taux d'analphabétisme	2,4 %

◆ **Armée.**

budget militaire *(1996)*	8,8 % du PIB
forces armées *(1997)*	64 700 hommes

Ferdinand Ier de Habsbourg est reconnu roi de Croatie en 1527. Sous domination autrichienne, les régions limitrophes des possessions ottomanes sont incorporées aux confins militaires (jusqu'en 1881), tandis que le reste du pays constitue la Croatie civile, gouvernée par un *bán* (dignitaire). En 1848, les Croates soutiennent les Habsbourg contre les révolutionnaires hongrois mais leur statut change peu. Le compromis austro-hongrois de 1867 rattache la Croatie à la Hongrie avec laquelle est conclu le compromis hungaro-croate de 1868.

L'intégration à la Yougoslavie. En oct. 1918, la Diète croate rompt ses liens avec l'Autriche-Hongrie et un royaume des Serbes, Croates et Slovènes est créé le 1er déc. 1918. Mais la Croatie, hostile au centralisme serbe, n'obtient pas son autonomie au sein de ce royaume, devenu la Yougoslavie en 1929. Certains opposants, tel Ante Pavelić, fondateur de la société secrète Oustacha (1929), s'orientent vers l'action terroriste. Dans la Yougoslavie occupée en 1941 par les puissances de l'Axe est constitué un État croate indépendant, contrôlé par les Allemands et les Italiens et dont le gouvernement est confié à Pavelić. Celui-ci instaure un régime répressif dont les principales victimes sont les minorités serbe et musulmane. Il lutte avec les forces allemandes contre les partisans de Tito. Puis la Croatie, à laquelle est rattachée la Dalmatie, devient l'une des six républiques de la république populaire fédérative de Yougoslavie, proclamée le 29 nov. 1945. Le mouvement national croate (contre l'hégémonie serbe, pour une situation économique plus favorable) a connu une ampleur particulière en 1971 mais fut réprimé par le gouvernement fédéral.

L'indépendance. L'adoption du pluralisme politique en déc. 1989 favorise les courants indépendantistes. À l'issue des élections libres du printemps 1990, le HDZ, Communauté démocratique croate, accède au pouvoir. La population se prononce en faveur de l'indépendance, mais la minorité serbe y est opposée. Elle représente 11,5 % de la population et vit principalement dans la Krajina et en Slavonie. La déclaration d'indépendance de la Croatie (juin 1991) est suivie de violents combats entre Croates, insurgés serbes et armée fédérale. En sept., celle-ci contrôle une grande partie du territoire croate. En déc., une République serbe de Krajina est proclamée unilatéralement. En 1992, l'indépendance de la Croatie est reconnue par la communauté internationale (janv.). Le nouvel État accepte le plan de paix de l'ONU tout en affirmant sa volonté de restaurer son autorité sur la totalité du territoire (y compris la Krajina), ce qu'il accomplit en 1995 par une offensive militaire. En 1996, un accord de reconnaissance mutuelle est signé entre la Croatie et la Yougoslavie. Après des années de guerre, le pays doit désormais réussir sa démocratisation et sa modernisation pour se tourner vers l'Europe occidentale. Les événements du Kosovo, en 1999, contribuent à sortir la Croatie de son isolement relatif et à la rapprocher des pays occidentaux.

Bosnie-Herzégovine

Bosna i Hercegovina

Nom officiel : République de Bosnie-Herzégovine. **Capitale :** Sarajevo. **Monnaie :** mark convertible. **Langue officielle :** serbo-croate. **Principales religions :** islam, orthodoxie, catholicisme. **Institutions :** République indépendante depuis 1992. Institutions en cours d'élaboration. Les accords de Dayton, signés à Paris (1995), prévoient des régimes d'autonomie élargie pour les trois principales communautés. Leur mise en œuvre est actuellement en cours. **Président de la République :** Zivko Radisić (depuis 1998). **Co-premiers ministres :** Haris Silajdzicet (depuis 1996) et Svetozar Mihjlović (depuis 1999). **Drapeau :** il s'inspire de l'héraldique de l'ancienne France. Le champ d'azur semé de lis d'or vient d'Anjou; la surbrisure d'argent caractérise la branche de Sicile. **Hymne national :** non connu. **Fête nationale :** non connue.

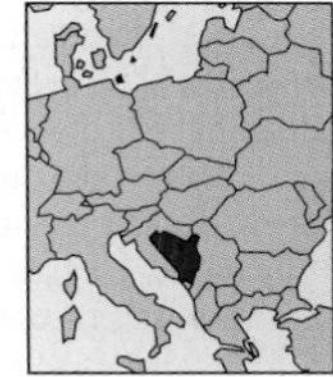

Superficie : 51 100 km². **Point culminant :** 2 228 m au Plocno.

GÉOGRAPHIE

La Bosnie-Herzégovine constituait autrefois la partie centrale de la Yougoslavie. C'est un pays montagneux au climat continental, où les communications sont difficiles et où cohabitaient trois groupes principaux : les musulmans (Slaves islamisés de langue serbo-croate), les Serbes (Slaves orthodoxes de langue serbo-croate) et les Croates (Slaves catholiques de langue serbo-croate, utilisant l'alphabet latin). La guerre civile qui a immédiatement suivi l'indépendance, en 1992, a fortement entravé l'activité économique et a causé de multiples massacres et déplacements de population.

HISTOIRE

Les origines. Colonisée par Rome à partir du IIIe s. av. J.-C., la Bosnie fait partie de l'Empire romain puis de l'Empire byzantin. Les Slaves s'y établissent dès le VIe s. Sous la suzeraineté des rois de Hongrie de 1138 à 1463, la Bosnie s'émancipe sous le *bán* (dignitaire) Tvrtko Ier (1353-1391), qui se fait proclamer roi en 1377. Les dissensions des féodaux et les persécutions contre l'Église bosniaque (sans doute proche du bogomilisme) favorisent la conquête turque.

Les dominations turque et autrichienne. La Bosnie doit dès 1435 payer tribut aux Ottomans, qui la conquièrent en 1463. Le duché autonome d'Herzégovine, formé en 1435, est occupé par les Turcs en 1482. Ces derniers introduisent leur organisation militaire, sociale et administrative et l'islamisation est achevée au XVIe s. L'Autriche se fait attribuer au congrès de Berlin (1878) la Bosnie-Herzégovine, qui demeurait sous la suzeraineté ottomane, puis annexe le pays en 1908. L'opposition se développe et l'archiduc François-Ferdinand, héritier du trône d'Autriche, est assassiné à Sarajevo (juin 1914), attentat qui déclenche la Première Guerre mondiale.

L'intégration à la Yougoslavie. À l'issue de la guerre, la Bosnie-Herzégovine est intégrée au royaume des Serbes, Croates et Slovènes. Elle devient en 1945-1946 l'une des six républiques fédérées de la Yougoslavie. Les musulmans qui n'ont pas opté pour la nationalité serbe ou croate sont officiellement dotés du statut de nationalité en 1969.

L'indépendance. Après la proclamation de l'indépendance (avr. 1992), reconnue par la communauté internationale (mais refusée par les Serbes qui ont unilatéralement proclamé une république serbe de Bosnie-Herzégovine), une guerre très meurtrière oppose les Serbes (soutenus par la nouvelle république de Yougoslavie), les musulmans et les Croates. Les Serbes, partisans de la partition de la Bosnie sur des bases ethniques, assiègent Sarajevo (2 mai 1992) et occupent la majeure partie du pays, y pratiquant une politique de purification ethnique. Les plans de partage de la CEE et de l'ONU (qui maintient en Bosnie un important dispositif de Casques bleus) échouent. Ce n'est qu'à partir de l'été 1995 que l'intervention des pays occidentaux (États-Unis, France, Royaume-Uni) rétablit la situation militaire en faveur de l'État bosniaque. Son intégrité est maintenue par les accords de Dayton (signés à Paris le 14 déc. 1995), qui mettent en place une confédéra-

◆ **Démographie.**

population	4 000 000 hab.
densité	78 hab./km²
accroissement naturel	5 ‰
taux de natalité	10,8 ‰
taux de mortalité infantile	14 ‰
espérance de vie	73 ans
part des moins de 15 ans	21,8 % de la pop. totale
part des plus de 65 ans	7,8 % de la pop. totale
population urbaine	42 %
principales villes	Sarajevo, Mostar

◆ **Principales ressources et productions** (1997).

raisin	17 000 t

◆ **Économie et niveau de vie** (1996).

PNB	n. d.
PNB/hab.	n. d.
taux de croissance	n. d.
taux d'inflation	n. d.
taux de chômage	n. d.
dette extérieure	815,4 millions de $
importations	1 082 millions de $
exportations	152 millions de $
répartition des actifs	n. d.
transports	voies ferrées 1 039 km
taux d'analphabétisme	n. d.

◆ **Armée.**

budget militaire *(1996)*	n. d.
forces armées *(1997)*	92 000 hommes

Europe centrale et balkanique

Yougoslavie • Macédoine

tion entre deux entités : la Fédération croato-musulmane et la République serbe de Bosnie. L'application de ce processus de paix, très complexe, nécessite la présence d'une force militaire internationale (IFOR puis SFOR). La victoire électorale des partis nationalistes, en 1996, confirme cependant la difficulté des populations à dépasser la logique ethnique et fragilise la construction d'une Bosnie unitaire. Les événements du Kosovo, en 1999, rendent l'avenir de la Bosnie encore plus incertain, la minorité serbe paraissant moins que jamais disposée à s'intégrer à un État bosniaque unifié.

VOIR AUSSI
- **Guerre en ex-Yougoslavie** p. 469
- **L'Europe et le conflit dans l'ex-Yougoslavie** p. 768
- **L'OTAN en Bosnie-Herzégovine** p. 772

Yougoslavie *Jugoslavija*

Nom officiel : République fédérale de Yougoslavie. **Capitale :** Belgrade *(Beograd).*

Monnaie : dinar yougoslave (= 100 paras). **Langue officielle :** serbe. **Principales religions :** orthodoxie, catholicisme, islam. **Institutions :** République fédérale (comptant 2 États fédérés : la Serbie et le Monténégro). Constitution de 1992. Président de la République élu par l'Assemblée fédérale. Assemblée fédérale bicamérale : Chambre des citoyens et Chambre des républiques. **Président de la République :** Slobodan Milošević (depuis 1997). **Premier ministre :** Momir Bulatovic (depuis 1998). **Drapeau :** c'est celui que le Conseil de libération nationale avait adopté, en 1943, pour la république socialiste fédérative de Yougoslavie. Il reprenait les anciennes couleurs du royaume de Serbie, en y ajoutant l'étoile du communisme. Celle-ci a été supprimée en 1992. **Hymne national :** en Serbie, la « Marche sur la Drina » : « Partez au combat, vous tous héros. Partez et ne regrettez pas votre vie. Que le Cer entende le combat. » Paroles de Miloje Popović. – Au Monténégro : « Là-bas, là-bas, derrière ces montagnes. On dit qu'est la cour dévastée. » Paroles du prince Nicolas Ier (1841-1921), musique de Franjo Vimer. **Fête nationale :** non connue.

Superficie : 102 200 km². **Point culminant :** 2 522 m au Durmitor, dans les Alpes dinariques, sur le territoire de la République fédérée du Monténégro.

GÉOGRAPHIE

Comprenant naguère la Croatie, la Slovénie, la Macédoine et la Bosnie-Herzégovine, la Yougoslavie ne rassemble plus aujourd'hui que la Serbie et le Monténégro. La Serbie est en partie une région de plaines qui se prête à la culture des céréales, alors que le Monténégro est principalement montagneux. Les industries extractives (lignite, plomb, cuivre) et les industries de transformation (surtout autour de Belgrade) constituent l'essentiel de l'activité économique, très perturbée par les différents conflits dans lesquels le pays s'est impliqué. La population est principalement composée de Serbes, mais comporte deux importantes minorités : les Hongrois de Vojvodine et surtout les Albanais musulmans du Kosovo.

♦ **Yougoslavie.**

HISTOIRE

La Serbie médiévale. La région, peuplée d'Illyriens, de Thraces puis de Celtes, est intégrée au IIe s. av. J.-C. à l'Empire romain. Les Slaves s'y établissent aux VIe-VIIe s. Sous l'influence de Byzance, ceux-ci sont christianisés (seconde moitié du IXe s.). Étienne Nemanja (v. 1170-v. 1196) émancipe les terres serbes de la tutelle byzantine. Son fils Étienne Ier Nemenjić (v. 1196-1227) devient roi en 1217 et crée une Église serbe indépendante. Étienne VIII (1321-1331) assure l'hégémonie serbe dans les Balkans. Étienne IX Dušan (1331-1355) parvient à dominer la Macédoine et la Thessalie et prend le titre de tsar (1346). Mais les Serbes sont défaits par les Turcs à Kosovo (1389). Dès lors, une principauté de Serbie, vassale des Ottomans, subsiste grâce au soutien des Hongrois.

De la domination ottomane à l'indépendance. En 1459, la Serbie est intégrée à l'Empire ottoman. Pour protester contre le joug turc, certains Serbes rejoignent les « hors-la-loi » *(haïdouks),* d'autres fuient vers le Nord, la Hongrie ou l'Adriatique. L'Église serbe maintient la culture nationale. Sous la conduite de Karageorges (1804-1813), les Serbes se révoltent et, en 1815, Miloś Obrenović (1815-1839 ; 1858-1860) est reconnu prince de Serbie par les Ottomans. Il obtient l'autonomie complète en 1830. Après l'évacuation des dernières troupes turques (1867), la Serbie obtient son indépendance au congrès de Berlin (1878). Des luttes violentes opposent les Karadjordjević et les Obrenović qui détiennent tour à tour le pouvoir (Alexandre Karadjordjević, 1842-1858 ; Michel Obrenović (Obrénovitch) 1860-1868 ; Milan Obrenović, 1868-1889).

Le royaume de Serbie jusqu'à la Première Guerre mondiale. Sous Milan Obrenović proclamé roi en 1882, la Serbie doit renoncer à toute autonomie à l'égard de l'Autriche-Hongrie en matière de politique étrangère. Puis, avec l'appui de la Russie, elle reprend sa liberté en ce domaine en 1903. On dénombre, en 1910, 2 500 000 Serbes dans l'Empire austro-hongrois, autant qu'en Serbie même. Milan Obrenović abdique en 1889 en faveur de son fils Alexandre, qui sera assassiné en 1903. Pierre Karadjordjević (1903-1921) lui succède. La Serbie se rapproche de la Russie mais doit accepter l'annexion de la Bosnie-Herzégovine par l'Autriche (1908). Elle participe aux deux guerres balkaniques (1912-1913) et obtient la majeure partie de la Macédoine. Le Kosovo, peuplé alors majoritairement de Turcs et d'Albanais convertis à l'islam, est reconquis en 1912-1913 par la Serbie à laquelle il est de nouveau réuni. À la suite de l'attentat de Sarajevo (1914), la Serbie rejette l'ultimatum autrichien, déclenchant ainsi la Première Guerre mondiale. Elle est occupée par les forces des puissances centrales et de la Bulgarie de 1915 à 1918.

Le Monténégro. La région, appelée Dioclée puis Zeta, devient le centre d'un État au XIe s. Puis elle est incluse dans le royaume serbe au cours des XIIIe-XIVe s. et redevient indépendante en 1360. Le Monténégro fait ensuite partie de l'Empire ottoman de 1479 à 1878. Sous les princes Pierre Ier (1782-1830), Pierre II (1830-1851), Danilo Ier (1851-1860) et Nicolas Ier (1860-1918), un État moderne y est organisé. Il est rattaché à la Serbie en 1918.

Le royaume de Yougoslavie. Le royaume des Serbes, Croates et Slovènes est créé en 1918 au profit de Pierre Ier Karadjordjević. Les traités de Neuilly-sur-Seine, de Saint-Germain-en-Laye, de Trianon et de Rapallo fixent ses frontières (1919-1920). Il est doté d'une Constitution centralisatrice et parlementaire (1921). Alexandre Ier Karadjordjević (Karageorgevitch) (1921-1934) établit un régime autoritaire. Au sein de ce royaume, qui prend le nom de Yougoslavie en 1929, les Serbes occupent une situation hégémonique et privilégiée qui les oppose aux autres nationalités, et particulièrement aux Croates. Alexandre Ier Karadjordjević est assassiné à Marseille en 1934 par un extrémiste croate. Son frère Paul assume la régence au nom de Pierre II. Il signe le pacte tripartite en 1941 et est renversé par une révolution à Belgrade. La Serbie est occupée par l'Allemagne. La résistance est organisée par Draža Mihailović

◆ Démographie.

population	10 600 000 hab.
densité	104 hab./km²
accroissement naturel	4,6 ‰
taux de natalité	12,6 ‰
taux de mortalité infantile	14 ‰
espérance de vie	73 ans
part des moins de 15 ans	21,7 % de la pop. totale
part des plus de 65 ans	11,3 % de la pop. totale
population urbaine	57 %
principales villes	Belgrade, Novi Sad, Niš

◆ Principales ressources et productions (1997).

blé	2 927 000 t
maïs	6 869 000 t
lignite	40 600 000 t (9e rang)

◆ Économie et niveau de vie (1996).

PNB *(1993)*	9,5 milliards de $
PNB/hab. *(1993)*	969 $
taux de croissance	n.d.
taux d'inflation	n.d.
taux de chômage	n.d.
dette extérieure	13,4 milliards de $
importations	4 102 millions de $
exportations	1 842 millions de $
répartition des actifs	
agriculture	3,9 %,
industrie	33,4 %,
services	62,6 %
transports	
voies ferrées	3 960 km
taux d'analphabétisme	6,7 %

◆ Armée.

budget militaire *(1996)*	7,2 % du PIB
forces armées *(1997)*	113 900 hommes

(royaliste et nationaliste), et par le Croate Josip Broz, dit Tito (communiste). Aidé des Soviétiques, celui-ci libère Belgrade (1944) et Zagreb (1945).

La république socialiste fédérative de Yougoslavie sous Tito. Les communistes éliminent le gouvernement royal, revenu de Londres au début de 1945. Ils fondent la République fédérative de Yougoslavie (dotée d'une Constitution en 1946). Au sein de la Serbie, sont organisées les régions autonomes du Kosovo et de la Vojvodine. Tito dirige le gouvernement. Il entre en conflit avec Staline, qui exclut la Yougoslavie du Kominform. Khrouchtchev renoue les relations avec la Yougoslavie en 1955. Mais celle-ci s'engage résolument dans le mouvement des pays non-alignés (conférence de Belgrade, 1961). Une nouvelle Constitution (1974) renforce les droits des républiques et généralise l'autogestion, instaurée dès 1950.

La Serbie face à l'éclatement de la fédération. La Serbie connaît, depuis la mort de Tito (1980), une très grave crise économique. Elle favorise un réveil national où se mêlent l'amertume à l'égard d'une fédération jugée trop décentralisée et l'hostilité à l'égard de certaines nationalités (Albanais et Croates). Les revendications nationalistes se radicalisent avec l'arrivée de Slobodan Milošević à la tête de la Ligue communiste serbe en 1986. En 1989, la révision de la Constitution permet à la Serbie de réduire l'autonomie du Kosovo, où éclatent de nouveau de graves troubles. Alors que les dirigeants serbes (dont Milošević élu à la présidence de la république de Serbie en décembre 1990) s'opposent à la volonté de la Slovénie et de la Croatie de sortir de la fédération yougoslave, la minorité serbe de Croatie proclame unilatéralement une république serbe de Krajina (déc. 1991). Selon le même processus, une république serbe de Bosnie-Herzégovine est proclamée unilatéralement en janvier 1992. Après les déclarations d'indépendance de la Croatie et de la Slovénie (juin 1991), la Serbie fait intervenir dans ces républiques l'armée fédérale. Puis, alors que la Bosnie-Herzégovine accède à l'indépendance (mars-avr. 1992) et que de graves combats s'y déroulent, la Serbie et le Monténégro proclament une nouvelle fédération yougoslave les unissant.

La république fédérative de Yougoslavie. Le nouvel État, dominé par Slobodan Milošević, doit faire face à l'hostilité d'une grande partie de la communauté internationale. En effet, bien qu'elle se tienne officiellement à l'écart de la guerre qui sévit en Bosnie-Herzégovine, la République yougoslave assure en fait un appui logistique aux forces armées serbes de Bosnie dans leur entreprise de conquête territoriale et d'épuration ethnique. L'ONU prend en 1992 à l'encontre de la Serbie et du Monténégro des sanctions qui ruinent leur économie, tandis que le pouvoir politique est de plus en plus contesté par la population. À la fin de 1998, la répression brutale des guérillas indépendantistes albanaises du Kosovo accentue l'hostilité de la communauté internationale. En février 1999, s'ouvrent à Rambouillet des négociations entre Serbes et Albanais (UCK) du Kosovo sous l'égide des Occidentaux et des Russes. Le refus serbe d'accorder au Kosovo l'autonomie demandée à Rambouillet par les Occidentaux conduit l'OTAN à entamer une campagne de bombardements aériens contre la Yougoslavie en mars 1999. Le régime du président Milošević saisit alors cette occasion pour accélérer la politique d'épuration ethnique dans la province du Kosovo. Les atrocités des forces paramilitaires serbes, qui s'emploient à terroriser les populations civiles, provoquent la fuite de centaines de milliers d'Albanais du Kosovo, qui trouvent refuge en Albanie, en Macédoine ainsi qu'au Monténégro. On estime que plusieurs centaines de milliers d'Albanais ont été déplacés à l'intérieur même de la province sans parvenir à trouver un refuge dans un pays voisin. Au terme de plusieurs semaines de bombardements, l'OTAN parvient à imposer ses conditions au régime yougoslave. Cherchant à épargner autant que possible les populations civiles, ces bombardements ont néanmoins détruit de nombreuses infrastructures militaires et économiques serbes. Déjà affectée par l'embargo commencé en 1993, l'économie serbe semble désormais incapable de se relever rapidement. Cette opération militaire, unique jusqu'ici dans l'histoire de l'Alliance atlantique, marque un nouveau tournant dans les crises qui secouent les Balkans depuis la dissolution de la fédération yougoslave créée par Tito. De son issue dépend en grande partie l'avenir de cette région du monde. L'avenir même de la nouvelle fédération yougoslave est aujourd'hui également compromis. Alors que le Monténégro s'est comporté depuis 1989 en allié de la Serbie, ses dirigeants actuels ont officiellement désapprouvé la ligne adoptée par Slobodan Milošević et pris leurs distances envers la direction fédérale.

VOIR AUSSI
• L'OTAN en Bosnie-Herzégovine p. 772
Illustrations
• Réfugiés du Kosovo p. 547
• L'Europe face à la barbarie p. 769

◆ Macédoine.

Macédoine Makedonija

Nom officiel : Ancienne République yougoslave de Macédoine. **Capitale** Skopje. **Monnaie :** denar (= 100 pari). **Langue officielle :** macédonien (mais la Constitution garantit l'usage local des langues des minorités, notamment de l'albanais). **Principales religions :** orthodoxie, islam. **Institutions :** République. Constitution de 1991. Président de la République élu au suffrage universel direct pour 5 ans. Assemblée nationale *(Sobranie)* de 120 à 140 députés élus pour 4 ans. **Président de la République :** Kiro Gligorov (depuis 1991). **Premier ministre :** Ljupco Georgievski (depuis 1998). **Drapeau :** le Soleil aux seize rayons évoquant Alexandre de Macédoine, sur champ de gueules, couleur de la pourpre souveraine, a été adopté comme emblème national en octobre 1992, suscitant les protestations de la Grèce. **Hymne national :** « Aujourd'hui, sur la Macédoine se lève le soleil de la liberté. » Paroles de Vlado Maleski (1919-1984). **Fêtes nationales :** 2 août (anniversaire de la proclamation de la république de Kruševo en 1903) ; 8 sept. (anniversaire du référendum sur l'indépendance en 1901).

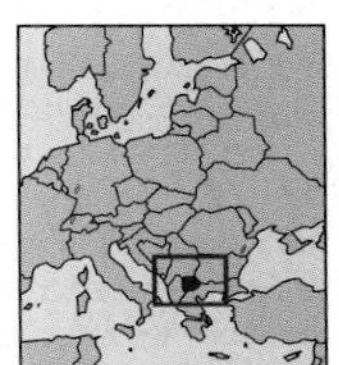

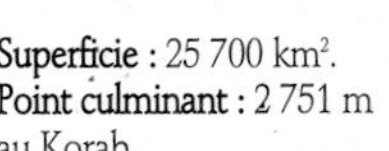

Superficie : 25 700 km². **Point culminant :** 2 751 m au Korab.

GÉOGRAPHIE

Séparée de la Yougoslavie depuis 1991, la Macédoine est un pays en grande partie montagneux, peu industrialisé et vivant principalement de l'élevage et de l'agriculture. La population, surtout composée de Slaves orthodoxes, comporte environ 25 % d'Albanais musulmans. L'accroissement naturel est en moyenne faible.

HISTOIRE

L'Antiquité et le Moyen Âge. La république de Macédoine ne s'étend que sur une partie de la région historique du même nom. Celle-ci est aujourd'hui partagée entre la Grèce, la Bulgarie et la république de Macédoine. Peuplée de tribus unifiées aux VIIe-VIe s. av. J.-C., la Macédoine connaît son apogée sous Philippe II (359-336), qui impose son hégémonie à la Grèce. Son fils, Alexandre le Grand (336-323), conquiert l'Égypte et l'Orient. Après sa mort, ses généraux, les diadoques, se disputent la Macédoine. Puis les Antigonides règnent sur le pays de 276 à 168. La victoire romaine de Pydna met alors un terme à l'indépendance macédonienne. La Macédoine devient province romaine (148 av. J.-C.). Lors du partage de l'Empire (IVe s. apr. J.-C.), elle est

Europe centrale et balkanique

◆ **Démographie.**

population	2 000 000 hab.
densité	78 hab./km²
accroissement naturel	7,6 ‰
taux de natalité	14,5 ‰
taux de mortalité infantile	16 ‰
espérance de vie	73 ans
part des moins de 15 ans	24,7 % de la pop. totale
part des plus de 65 ans	8,1 % de la pop. totale
population urbaine	60 %
principales villes	Skopje, Tetovo

◆ **Principales ressources et productions** (1997).

tabac	19 000 t
blé	293 000 t
ovins	2 320 000 têtes

◆ **Économie et niveau de vie** (1996).

PNB	2,003 milliards de $
PNB/hab.	1 001 $
taux de croissance	n.d.
taux d'inflation *(1992)*	2 025 %
taux de chômage	n.d.
dette extérieure	1,7 milliard de $
importations	1 464 millions de $
exportations	1 147 millions de $
répartition des actifs	n.d.
transports	
routes	8 428 km,
voies ferrées	922 km
taux d'analphabétisme	n.d.

◆ **Armée.**

budget militaire *(1996)*	7,5 % du PIB
forces armées *(1997)*	10 400 hommes

rattachée à l'Empire romain d'Orient. Les Slaves occupent la région au VIIe s. ; Byzantins, Bulgares et Serbes se la disputent du IXe au XIVe s.

La domination ottomane. Conquise par les Turcs de 1387 à 1391, la Macédoine appartient dès lors à l'Empire ottoman. Elle n'y constitue pas une entité administrative distincte, mais forme plusieurs régions de la Roumélie. Comme dans le reste de l'Empire, les nationalités y sont organisées selon des critères religieux. La communauté orthodoxe compte à la fin du XIXe s. des Grecs sous l'obédience du patriarcat de Constantinople, et des Slaves dénommés « Bulgares » (dépendant de l'exarchat de Bulgarie) ou « Serbes » (dépendant du patriarcat de Serbie).

La question macédonienne. À partir du congrès de Berlin (1878) qui maintient la domination ottomane, la Macédoine est revendiquée par les Bulgares, les Serbes et les Grecs. En août 1903, une insurrection nationaliste est réprimée par les Ottomans. À l'issue de la première guerre balkanique (1912-1913), les États chrétiens des Balkans ne peuvent s'accorder sur le partage de la Macédoine, ce qui provoque la deuxième guerre balkanique (1913). Au traité de Bucarest (août 1913), la côte revient à la Grèce ; l'intérieur est annexé par la Serbie ; la Bulgarie, vaincue, ne reçoit que la vallée de la Strumica. La Bulgarie n'accepte pas l'annexion de la plus grande partie de la Macédoine par la Serbie, ce qui la pousse à s'allier à l'Allemagne pendant les deux guerres mondiales et à occuper cette région pendant les hostilités.

La république de Macédoine. Alors que les Slaves de Macédoine étaient considérés comme des Bulgares par la Bulgarie, ou comme des Serbes par le royaume des Serbes, Croates et Slovènes (devenu la Yougoslavie en 1929), ils sont considérés par Tito comme une nationalité distincte, dite « macédonienne ». La république de Macédoine devient en 1945-1946 l'une des six républiques de la république socialiste fédérative de Yougoslavie. Dans le cadre de cette république, où vivent des minorités d'Albanais, de Turcs et de Serbes, se consolide l'identité macédonienne.

L'indépendance. Après les déclarations d'indépendance de la Slovénie et de la Croatie (juin 1991), la Macédoine organise un référendum à l'issue duquel elle proclame à son tour son indépendance (sept.). Reconnue seulement en avril 1993 par l'ONU, elle se heurte jusqu'en 1995 à l'hostilité de la Grèce, qui revendique l'hellénité du terme « Macédoine » et décrète contre elle un blocus. Le gouvernement, qui a su maintenir le pays en dehors des conflits yougoslaves, doit cependant faire face aux tendances autonomistes de la minorité albanaise, surtout à partir de 1997. Les élections de 1994 confirment Kiro Gligorov à la tête de l'État et reconduisent une majorité d'anciens communistes au Parlement. Avec la crise qui frappe le Kosovo et l'intervention militaire occidentale à partir du printemps 1999, la Macédoine se retrouve, malgré elle, confrontée à une crise majeure. L'afflux de centaines de milliers de réfugiés albanais du Kosovo déstabilise les précaires équilibres démographiques qui caractérisent ce petit pays (deux millions d'habitants). Tout en cherchant à rester neutre, la Macédoine accueille cependant de nombreuses troupes des pays de l'OTAN, initialement destinées à la mise en œuvre d'un éventuel accord sur l'autonomie du Kosovo. Le régime du président Gligorov est aujourd'hui pris en tenaille entre une opinion publique majoritairement favorable à la Serbie et sa volonté de rester proche des Occidentaux.

Albanie Shqipëria

Nom officiel : République d'Albanie. **Capitale :** Tirana. **Monnaie :** lek (= 100 qindarka). **Langue officielle :** albanais. **Principales religions :** islam, orthodoxie, catholicisme. **Institutions :** République. Loi constitutionnelle « intérimaire » de 1991. Président de la République élu par l'Assemblée populaire. Assemblée populaire de 250 membres élus pour 4 ans au suffrage universel. **Président de la République :** Rexhep Meidani (depuis 1997). **Premier ministre :** Pandeli Majko (depuis 1998). **Drapeau :** l'aigle noir rappelle l'Empire austro-hongrois, l'étendard rouge celui de Skanderbeg. L'étoile rouge du communisme, ajoutée en 1945, a été supprimée en 1992. **Hymne national :** « Rassemblés autour de notre drapeau, animés d'un désir et d'un but, tous nous prêtons serment de nous unir pour notre salut. » Paroles et musique d'Asdreni (Aleksandër Stavre Drenova) [1872-1947]. **Fête nationale :** 28 novembre (jour anniversaire de la proclamation de l'indépendance en 1912).

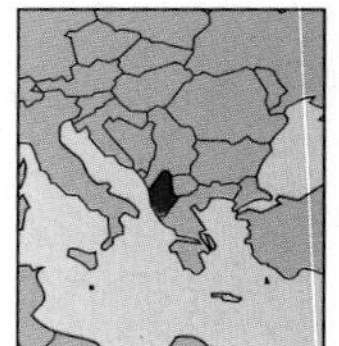

Superficie : 29 000 km². **Point culminant :** 2 764 m au mont Korab.

GÉOGRAPHIE

L'Albanie, pays montagneux (sauf le long du rivage de l'Adriatique) et longtemps fermé au monde extérieur, est l'État le plus pauvre d'Europe. Une faible industrie extractive et une agriculture peu productive constituent l'essentiel de son économie. L'apparente homogénéité ethnique et religieuse de la population (Albanais musulmans) masque les oppositions entre les sous-groupes qui la composent. Le niveau de vie est faible et l'accroissement naturel est en partie compensé par l'émigration.

HISTOIRE

L'ancienne Albanie. Terre de colonisation grecque, passée au IIe s. av. J.-C. sous domination romaine, l'Illyrie est ensuite rattachée à l'Empire d'Orient. Les Slaves s'y établissent nombreux au VIe s. Disputé entre Byzance et les Bulgares, le pays est occupé, en 1272, par Charles Ier d'Anjou, qui lui donne son nom d'Albanie. En 1415-1417, il est entièrement soumis aux Ottomans.

La domination ottomane. Un moment menacée par la rébellion de Georges Castriota, dit Skanderbeg (1443-1468), la domination ottomane se maintient jusqu'en 1912. L'islamisation progresse du XVIe s. au début du XIXe s., principalement en Albanie centrale et dans les plaines de Peć, Prizren et du Kosovo, où les Albanais se sont établis en grand nombre.

L'indépendance. L'indépendance de l'Albanie, proclamée en 1912, est confirmée par la SDN en

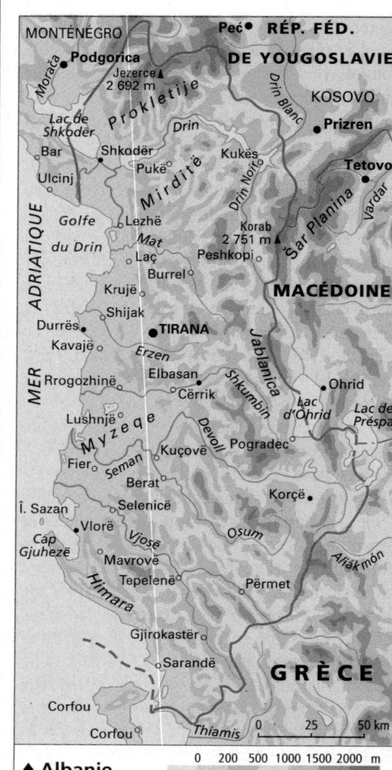

◆ **Albanie.**

◆ **Démographie.**

population	3 300 000 hab.
densité	114 hab. km²
accroissement naturel	16 ‰
taux de natalité	21,4 ‰
taux de mortalité infantile	36 ‰
espérance de vie	73 ans
part des moins de 15 ans	31,3 % de la pop. totale
part des plus de 65 ans	5,5 % de la pop. totale
population urbaine	38 %
principales villes	Tirana, Durrës

◆ **Principales ressources et productions** (1997).

ovins	2 500 000 têtes
caprins	1 900 000 têtes
porcins	1 100 000 têtes
chrome	243 000 t

◆ **Économie et niveau de vie** (1996).

PNB	2,749 milliards de $
PNB/hab.	340 $
taux de croissance *(1992)*	−9,2 %
taux d'inflation *(1994)*	112,75 %
taux de chômage	n.d.
dette extérieure	781,4 millions de $
importations	694 millions de $
exportations	158 millions de $
répartition des actifs *(1984)*	
agriculture	54,8 %,
industrie	22,5 %,
services	22,7 %
transports	
routes	18450 km,
voies ferrées	720 km
taux d'analphabétisme	15 %

◆ **Armée.**

budget militaire *(1996)*	1,8 % du PIB
forces armées *(1997)*	54 000 hommes

1920-1921. La vie politique est dominée par Ahmed Zogu, président de la République (1925-1928) puis roi (1928-1939). Le pays est occupé par les Italiens (1939-1943), puis par les Allemands (1943-1944). Il est libéré grâce à l'action des partisans communistes.

Le socialisme et l'isolement. Gouvernée par Enver Hoxha et Mehmet Shehu, l'Albanie, devenue en 1946 une république populaire, s'engage dans la révolution socialiste. La collectivisation de l'agriculture est quasiment achevée en 1959 et les années 1965-1970 sont consacrées à la « révolution idéologique ». Rompant tour à tour avec la Yougoslavie (1948), avec l'URSS (1961) puis avec la Chine (1978), l'Albanie prétend affirmer ainsi sa fidélité au marxisme-léninisme dur. Enver Hoxha domine la vie politique jusqu'à sa mort (1985), exerçant un pouvoir totalitaire.

La démocratisation et l'ouverture. Après le rétablissement de la liberté de culte et l'adoption du multipartisme (1990), les premières élections libres ont lieu en 1991, alors que le pays s'ouvre sur l'extérieur. L'opposition, conduite par Sali Berisha, accède au pouvoir l'année suivante. Après la démission de Ramiz Alia, Sali Berisha lui succède à la tête de l'État. Pour fuir la misère de leur pays, de nombreux Albanais tentent d'émigrer. Malgré une lente reprise de l'économie à partir de 1993, Sali Berisha doit démissionner en 1997, à la suite d'une banqueroute massive qui entraîne des émeutes. L'élection de l'ancien communiste Rexhep Medjani est contestée par les partisans de Berisha, qui reprochent également au nouveau gouvernement de ne pas suffisamment s'impliquer aux côtés des Albanais du Kosovo en lutte contre les Serbes. La crise au Kosovo et le conflit armé international qui s'est ensuivi à la suite du refus serbe d'accorder la moindre autonomie à cette province peuplée à 90 % d'Albanais, ont des effets majeurs sur l'Albanie. Sans être directement impliquée dans le conflit, cette dernière doit en effet, dans un premier temps, accueillir un flux massif de réfugiés (plus de 400 000) qui déstabilise profondément son équilibre économique et social. L'Albanie accueille en outre des troupes de l'OTAN dont le rôle consiste d'abord à protéger le pays contre une éventuelle agression serbe ainsi qu'à aider à l'accueil des réfugiés. Cette nouvelle crise qui frappe l'Albanie a cependant des effets paradoxaux, puisqu'elle contribue à rapprocher ce pays, le plus pauvre d'Europe, des pays occidentaux.

VOIR AUSSI
Illustrations
• Débarquement d'Albanais en Italie p. 947

Grèce Ellás

Nom officiel : République hellénique. **Capitale :** Athènes *(Athínai).* **Monnaie :** drachme (= 100 lepta). **Langue officielle :** grec. **Principale religion :** orthodoxie. **Institutions :** Constitution de 1975. Président de la République élu pour 5 ans par la Chambre des députés ; il nomme le Premier ministre. Une Chambre des députés élue pour 4 ans. **Président de la République :** Kostis Stephanópoulos (depuis 1995). **Premier ministre :** Kóstas Simitis (depuis 1996). **Drapeau :** il a été adopté en 1822 ; le bleu représente la mer et l'apport des îles à la révolution pour l'indépendance de 1821 ; le blanc, la terre et l'apport de la Grèce continentale à la même révolution ; la croix, la croyance en Dieu et le rôle de l'Église. Une autre version donne le bleu et blanc bavarois à l'initiative du premier roi Otton de Bavière. **Hymne national :** « Je te reconnais au traçant de ton glaive redoutable, je te reconnais à ce regard rapide dont tu mesures la terre… » Paroles de Dionósos Solomós (1798-1857), musique de Nikólaos Mántzaros (1795-1873). Déclaré officiel en 1864. **Fêtes nationales :** 25 mars (« jour du non », anniversaire de l'appel à l'insurrection contre les Turcs en 1821) ; 21 octobre (anniversaire de la résistance opposée par Metaxás à l'entrée des troupes italiennes en 1940).

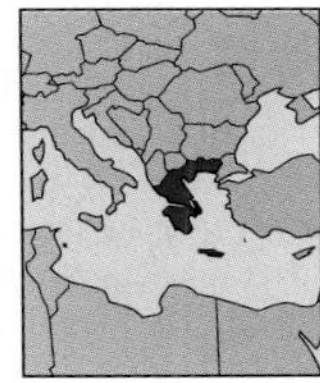

Superficie : 132 000 km². **Point culminant :** 2 917 m au mont Olympe.

GÉOGRAPHIE

Par sa géographie, la Grèce est avant tout un pays maritime, qu'il s'agisse des multiples îles de la mer Égée ou de sa partie continentale, dont aucun point n'est significativement éloigné de la mer. Pays montagneux, souvent aride, au climat méditerranéen, la Grèce est l'État le moins développé de l'Union européenne. Outre l'agriculture (blé, vigne, olivier), l'activité portuaire et maritime (à partir du Pirée) et le tourisme constituent une part importante des revenus du pays. C'est dans la région de Salonique que se trouve l'essentiel de l'industrie.

HISTOIRE

La civilisation hellénique ne s'est épanouie que sur la moitié du territoire de la Grèce moderne, et c'est progressivement que la Thessalie, l'Épire et la Macédoine y ont été intégrées. Au contraire, toutes les terres gagnées par les migrations et les mouvements de colonisation (Asie Mineure et Thrace, Grande-Grèce) ont toujours été considérées comme des prolongements de la Grèce elle-même.

Les temps préhelléniques. À l'époque néolithique, la Grèce connaît plusieurs vagues de peuplement. De 2600 à 1900 av. J.-C., l'époque dite helladique ancien est celle du bronze ancien ; l'ensemble du territoire grec se peuple peu à peu et les relations maritimes avec les îles de la mer Égée, établies depuis longtemps, s'intensifient.

La civilisation mycénienne. Au début du IIe millénaire, le monde égéen est dominé par la Crète minoenne. De 1900 à 1600 av. J.-C. (bronze moyen) arrivent en Grèce les premiers Hellènes, depuis l'Europe centrale et les Balkans. Ils développent une civilisation vigoureuse, dite mycénienne, du fait de l'importance particulière du site de Mycènes. Au milieu du XVe s. av. J.-C., les Mycéniens occupent la Crète et constituent, en Grèce propre, de puissants royaumes (dans le Péloponnèse, Mycènes, Tyrinthe, Pylos ; en Béotie, Gla). De 1200 à 900, cette civilisation décline, tandis que de nouveaux Grecs, les Doriens, envahissent la péninsule.

Le Moyen Âge hellénique (du XIe au VIIIe s. av. J.-C.). À cette période obscure se réfèrent les textes d'Homère et d'Hésiode. L'usage du fer s'étend, une nouvelle céramique à décors géométriques apparaît et l'incinération est pratiquée. Un mouvement de migration et de conquête pousse les Grecs vers les côtes de l'Asie Mineure. C'est là sans doute que se sont façonnés progressivement les traits de la civilisation grecque classique, aussitôt repris et développés dans l'ensemble du monde hellénique. Dans l'organisation politique et sociale de la cité (ou *polis*), le plus puissant propriétaire exerce la charge de roi *(basileus).* Une même civilisation (langue puis écriture, règles morales et dieux communs) compense l'émiettement territorial.

Les temps archaïques (du VIIIe au VIe s. av. J.-C.). Cette époque doit son nom à l'archéologie, qui y place les premières manifestations de l'art grec. Un régime aristocratique s'étend alors à toutes les cités grecques. La royauté de type homérique disparaît et une minorité de privilégiés par la naissance et la fortune (les Eupatrides) possède la terre et l'autorité. Du VIIIe au VIe s. av. J.-C., un vaste mouvement de colonisation entraîne la fondation de cités grecques sur le pourtour de la Méditerranée et du Pont-Euxin. À terme, la colonisation, en modifiant les rapports économiques traditionnels, provoque dans les cités oligarchiques un double mouvement : ceux que le commerce et l'artisanat ont enrichis réclament des droits politiques, tandis que les petits paysans et la main-d'œuvre urbaine désirent une révolution sociale. Des législateurs, tel Solon à Athènes (début du VIe s. av. J.-C.), chargés d'arbitrer les conflits, rédigent des lois écrites, désormais applicables à tous *(nomoi).* L'insuffisance de ces réformes fait naître une formule politique nouvelle : dans nombre de cités, un tyran se voit confier toute autorité pour rééquilibrer les institutions sociales. Mais les régimes tyranniques, même celui fondé par Pisistrate, à Athènes, ne peuvent résister à la volonté des citoyens de prendre leurs responsabilités politiques. La valeur des institutions élaborées à l'époque archaïque et la cohésion de la cité se manifestent lors des guerres médiques (490-479). À Marathon (490), l'hoplite athénien force la victoire ;

Europe centrale et balkanique

à Salamine (480), les Perses sont vaincus par une flotte où les plus pauvres de la cité servent comme rameurs et gagnent ainsi une dignité nouvelle.

La primauté d'Athènes (479-431 av. J.-C.). Avec la plupart des cités de la mer Égée, Athènes constitue une confédération maritime dont le siège est à Délos. Destinée à libérer tous les Grecs du joug perse, cette confédération devient rapidement l'instrument de l'hégémonie athénienne à laquelle s'opposent les autres cités grecques, Sparte principalement. En 446, la paix dite «de Trente Ans» reconnaît en fait le partage de la Grèce en deux zones d'influence. Elle ne sera qu'une trêve, mais elle permet l'épanouissement de la civilisation classique dans l'Athènes de Périclès. Pendant une brève période (446-431), la civilisation grecque classique atteint son apogée. Athènes, en effet, par la splendeur de ses monuments, par sa fécondité intellectuelle, surpasse toutes les autres cités; par ses réformes politiques, elle réalise la plus radicale des démocraties.

Les luttes pour l'hégémonie (431-359 av. J.-C.). La Confédération athénienne s'oppose à la confédération péloponnésienne de Sparte, qui s'étend également à la Grèce centrale (431-404). Ainsi, la guerre dite «du Péloponnèse» met-elle aux prises un État démocratique et maritime et un État aristocratique et continental. Après le désastre de l'expédition de Sicile (415-413), la ligue de Délos se disloque et Athènes est définitivement vaincue sur l'Aigos-Potamos (405). Sparte, qui a prétendu libérer la Grèce de la tyrannie athénienne, ne fait que lui substituer son hégémonie. Contrainte à un compromis entre l'alliance perse et la protection des Grecs d'Asie, Sparte abandonne les cités d'Asie Mineure (386). Cependant, Athènes et Thèbes se rapprochent (379), et la victoire d'Épaminondas à Leuctres (371) met fin à l'hégémonie spartiate. Thèbes établit à son tour son hégémonie sur la Grèce continentale. Athènes reconstitue une confédération maritime. L'alliance de Sparte et d'Athènes (369) oblige Thèbes, pourtant victorieuse à Mantinée (362), à limiter ses ambitions à la Grèce centrale.

La crise de la cité au IVe s. av. J.-C. Tous les philosophes ont senti la nécessité de réformer la cité (Xénophon, Platon). L'individu réclame ses droits et sa liberté contre la loi civique; le procès de Socrate (399) traduit ce trouble. La plupart des cités grecques connaissent des conflits sociaux. Devant la faillite politique, les orateurs, Isocrate notamment, prêchent la nécessité de l'union, et l'échec des anciennes alliances fait penser que seul un roi peut regrouper les forces vives de l'hellénisme.

L'intervention de la Macédoine (359-323 av. J.-C.). Philippe II de Macédoine a fait de son royaume une monarchie centralisée, dotée d'une puissante armée. Il sait utiliser les discordes des cités pour intervenir en Grèce et il disloque l'empire athénien dans le nord de l'Égée. Après la paix de Philocratès (346), le conflit prend l'aspect d'une lutte entre le roi et l'orateur athénien Démosthène, qui organise la défense d'Athènes et conclut une alliance avec Thèbes. Mais Philippe l'emporte à Chéronée (338). C'en est fait de l'indépendance des cités grecques. La paix de 338 frappe durement Thèbes et dépouille Athènes de sa confédération. Les cités doivent vivre en paix et adhérer à la ligue de Corinthe, dont Philippe est le généralissime *(hêgemôn)*. À la mort de Philippe (336), une tentative de révolte vaut à Thèbes d'être rasée. Les Grecs participent chichement à l'expédition d'Alexandre, qui part libérer les cités grecques d'Asie. En fait, il va créer un monde nouveau, dit hellénistique, dont la civilisation grecque sera le ciment.

De la mort d'Alexandre à la conquête romaine. Après la mort d'Alexandre (323), la Grèce, qui se soulève, est de nouveau vaincue par la Macédoine (322). Elle est ensuite entraînée dans les luttes qui suivent la disparition du conquérant pour échoir finalement, en 277, avec la Macédoine, à Antigonos Gonatas. Elle subit alors les effets de multiples crises sociales et ceux d'une grave dépopulation. Athènes reste un centre intellectuel; les philosophes stoïciens et épicuriens en font le siège de leur école. Seuls les peuples et cités d'Étolie et d'Achaïe savent s'unir et forment deux ligues (ou confédérations) puissantes.

La fin de l'indépendance grecque et la domination romaine. À la fin du IIIe s. av. J.-C., Rome intervient dans les Balkans et chasse de Grèce le roi de Macédoine. Après la victoire de Cynoscéphales (197 av. J.-C.), Flamininus établit en fait sur la Grèce un protectorat tatillon. Les Achéens, mal récompensés de leur appui à la cause romaine, se révoltent. Corinthe est détruite : c'est la fin de l'indépendance de la Grèce, soumise désormais à la surveillance du gouverneur de la province de Macédoine (146 av. J.-C.). Progressivement, tout le monde hellénistique passe sous la domination romaine et la tentative de Mithridate pour libérer l'Asie Mineure et la Grèce proprement dite (88-84 av. J.-C.) se solde par un échec. Quand Auguste réorganise l'Empire, la Thessalie est rattachée à la Macédoine, l'Épire est confiée à un procurateur et le reste de la Grèce constitue la province d'Achaïe, sous l'administration d'un proconsul. La Grèce devient un conservatoire de la culture classique. Au IIIe s. apr. J.-C., les Barbares sont de nouveau menaçants, mais la réorganisation de l'Empire par Constantin éloigne le danger pour un temps. La victoire du christianisme a pour conséquence l'interdiction du paganisme par Théodose (381).

La Grèce byzantine. Après 395, la Grèce, incluse dans l'Empire d'Orient, est ravagée à maintes reprises par les invasions. Des Slaves s'installent à partir de 547 et se convertissent au christianisme à partir du IXe s., alors que les anciens habitants refluent vers les côtes et les îles. L'héritage culturel de la Grèce triomphe dans l'Empire d'Orient qui devient l'Empire byzantin. Théodose II fonde à Constantinople une université grecque (425). Si Justinien ferme en 529 les écoles philosophiques d'Athènes, regardées comme un foyer de paganisme, il utilise la langue grecque dans beaucoup de ses actes publics. Vers 630, Héraclius adopte le titre de *basileus* et fait du grec la langue officielle. L'Église chrétienne, usant de cette langue, contribue à sa diffusion. La Grèce, comme le reste de l'Orient, adhère au schisme de 1054 et se rallie au patriarche de Constantinople.

La domination franque. La quatrième croisade (1202-1204) aboutit à la création d'un Empire latin, confié au comte de Flandre, Baudouin IX, qui étend son autorité sur la Thrace, et à la formation de principautés franques: le royaume de Thessalonique, reconquis par les Byzantins dès 1222; le Péloponnèse, devenu la principauté d'Achaïe ou de Morée; le duché d'Athènes. Au XIVe et au XVe s., Vénitiens, Catalans, Génois se disputent la Grèce proprement dite.

La Grèce ottomane. Les Turcs prennent Athènes en 1456 sans que cette victoire achève la conquête des terres grecques. Des conflits éclatent en 1463, 1522 et 1571 contre la puissance ottomane. Cependant, les capitulations, signées par le Sultan avec les Occidentaux à partir de 1569, permettent aux Grecs commerçants de former peu à peu une bourgeoisie influente. Le sentiment national se développe au XVIIIe s. et les Grecs émigrés entretiennent en Occident un philhellénisme que justifie le prestige de la Grèce antique.

◆ **Démographie.**

population	10 500 000 hab.
densité	79,5 hab. km²
accroissement naturel	–0,3 ‰
taux de natalité	10 ‰
taux de mortalité infantile	8 ‰
espérance de vie	78 ans
part des moins de 15 ans	16,8 % de la pop. totale
part des plus de 65 ans	15,9 % de la pop. totale
population urbaine	59 %
principales villes	Athènes, Thessalonique, Le Pirée

◆ **Principales ressources et productions** (1997).

blé	2 016 000 t
maïs	2 045 000 t
coton	352 000 t (8e rang)
olives	1 700 000 t (3e rang)
huile d'olive	333 000 t (3e rang)
tabac	127 000 t (10e rang)
bauxite	2 228 000 t (10e rang)
lignite	57 300 000 t (6e rang)
nickel	18 000 t (8e rang)

◆ **Économie et niveau de vie** (1996).

PNB	125,444 milliards de $
PNB/hab.	12 730 $
taux de croissance *(1995)*	1,4 %
taux d'inflation	8,2 %
taux de chômage	10,4 %
importations	21 395 millions de $
exportations	5 890 millions de $
répartition des actifs	
agriculture	20,8 %,
industrie	23,6 %,
services	55,6 %
transports	
routes	116 150 km,
voies ferrées	2 497 km
taux d'analphabétisme	3,3 %

◆ **Armée.**

budget militaire *(1996)*	2,8 % du PIB
forces armées *(1997)*	168 300 hommes

L'indépendance. En mars 1821 éclate l'insurrection grecque, et, après la prise de Tripolis (1821), le congrès d'Épidaure proclame l'indépendance (janv. 1822). Mais les Turcs réagissent par des massacres (Chio, avr. 1822). En dépit de l'aide occidentale, les Grecs, divisés par des querelles internes, sont défaits et perdent leur territoire après la chute de Missolonghi (1826) et de l'Acropole (1827). Russes, Britanniques et Français les soutiennent en exigeant l'autonomie de la Grèce. Ils interviennent militairement et obligent le Sultan vaincu par leurs armes à signer le traité d'Andrinople (1829). Puis la convention de Londres (1832) fait *de jure* de ce pays un royaume protégé par les trois puissances.

Le royaume de Grèce. Otton Ier de Bavière, désigné roi, fixe la capitale à Athènes (1834). Il se rapproche de la Russie, ce qui provoque le blocus britannique du Pirée (1850), puis son occupation (1854). Déchu (oct. 1862), il est remplacé par Georges Ier (1863-1913), imposé par la Grande-Bretagne, qui cède en contrepartie les îles

◆ **Grèce.**

Ioniennes à la Grèce (1864). Depuis la fondation du royaume, l'idée maîtresse de la politique extérieure est la récupération des régions peuplées de Grecs (Thessalie, Épire, Macédoine, Thrace, Crète) demeurées hors de ses frontières. Mais les Grecs se heurtent aux Ottomans (défaite dans la guerre gréco-turque de 1897) et aux aspirations des autres nations balkaniques.

À l'issue des guerres balkaniques (1912-1913) qui opposent les alliés balkaniques à l'Empire ottoman, puis la Grèce, la Serbie et la Roumanie à la Bulgarie, le sud de l'Épire, la Macédoine méridionale, la Crète et les îles de Sámos, Chio, Mytilène et Lemnos sont rattachés à la Grèce. Durant la Première Guerre mondiale, le gouvernement se partage entre germanophiles, groupés autour de Constantin Ier (1913-1917), et partisans de l'Entente, dirigés par Elefthérios Venizélos, qui constitue à Thessalonique un gouvernement républicain dissident (sept. 1916). Les troupes françaises du général Sarrail occupent la Thessalie, et un ultimatum exige l'abdication de Constantin. Celui-ci se soumet et abdique en faveur de son fils. La Grèce entre en guerre aux côtés des Alliés (juin 1917). Le traité de Neuilly-sur-Seine (nov. 1919) et celui de Sèvres (août 1920) donnent à la Grèce la Thrace et la région de Smyrne. Mais les combats gréco-turcs reprennent dès janv. 1921. Vaincus par Mustafa Kemal, les Grecs se voient retirer, par le traité de Lausanne (juill. 1923), la Smyrne ainsi que la Thrace orientale.

La République grecque et la restauration monarchique. Successeur de Constantin Ier (de nouveau sur le trône de 1920 à 1922), Georges II se retire en déc. 1923. La république est proclamée le 25 mars 1924. Après le coup d'État militaire de mars 1935, Georges II revient (nov. 1935) et Venizélos s'exile. Le roi laisse le général Ioánnis Metaxás établir une dictature (1936) qui durera jusqu'à sa mort (1941). Membre de l'Entente balkanique depuis 1934, la Grèce est envahie par l'Italie (oct. 1940), puis par l'Allemagne (avr. 1941). Un puissant mouvement de résistance encadré par l'ELEAS, communiste, et l'EDES, s'y développe. En 1944, Georges II forme un gouvernement en exil et s'engage à ne rentrer qu'après un plébiscite. Celui-ci est organisé en 1946 par les «populistes» (royalistes) tandis que les communistes entrent en rébellion. Le traité de paix signé à Paris (févr. 1947) avec l'Italie donne à la Grèce Rhodes et les autres îles du Dodécanèse. Georges II meurt, laissant le trône à son frère Paul Ier (1947-1964). La guerre civile se termine en oct. 1949 par la défaite des insurgés. La Grèce reçoit une aide américaine importante et est admise à l'OTAN (1952). Sous Constantin II (1964-1973), l'affaire de Chypre provoque une crise intérieure grave (1965). La démission du Premier ministre Gheórghios Papandhréou (juill. 1965) aboutit à la dissolution de la Chambre (avr. 1967).

Le temps des colonels. Dans la nuit du 20 au 21 avr. 1967, un groupe d'officiers, dont le lieutenant-colonel Gheórghios Papadhópoulos, prend le pouvoir. Le roi Constantin II se réfugie à Rome après l'échec d'un «contre-coup d'État» (déc.), et Papadhópoulos dirige le gouvernement. Il prend en main tout l'appareil d'État en 1972. La république est proclamée en 1973. Cependant, devant la révolte des étudiants d'Athènes (nov. 1973) les éléments extrémistes de la junte renversent Ghéorghios Papadhópoulos (25 nov.) et prorogent la loi martiale.

Le retour à la démocratie. En juillet 1974, le conflit latent avec la république de Chypre s'envenime et la junte renverse le président Makários. Puis, confrontés à une situation difficile, les militaires remettent le pouvoir aux civils (23 juill.). Constantin Caramanlis, de retour d'exil, rétablit les libertés. Une nouvelle Constitution est adoptée en juin 1975. En mai 1980, Caramanlis est élu président de la République. Il fait adhérer la Grèce à la CEE en janv. 1981. La Nouvelle Démocratie, parti qu'il a fondé, perd les élections d'oct. 1981 au profit du Mouvement panhellénique socialiste (PASOK) présidé par Andhréas Papandhréou. Ce gouvernement met en œuvre un certain nombre de réformes (instauration d'un mariage civil à côté du mariage religieux) et autorise en 1982 le rapatriement de 35000 exilés politiques, réfugiés dans les pays de l'Est à l'issue de la guerre civile (1946-1949). À l'extérieur, les relations avec la Turquie, dégradées depuis la déclaration d'indépendance de la République turque de Chypre du Nord en 1983, se détériorent encore (incidents en mer Égée, querelles autour de livraisons d'armes).

Mais les scandales qui minent le Parti socialiste après sept ans de pouvoir ouvrent, en 1989, une crise politique qui se solde, après trois consultations électorales et deux gouvernements de coalition, par le succès de la Nouvelle Démocratie en avril 1990. Constantin Mitsotákis peut former un gouvernement homogène et Constantin Caramanlis retrouve la présidence de la République. Un plan d'austérité tente de remédier à la détérioration de l'économie. La déclaration d'indépendance de la Macédoine (1991) suscite une réaction nationaliste. En 1992, le Parlement ratifie le traité de Maastricht. Revenu au pouvoir aux législatives de 1993, le PASOK fait aussi appel au sentiment nationaliste (dénonçant la Macédoine et le traitement infligé à la minorité grecque d'Albanie). Le PASOK fait élire en 1995 Kostis Stephanópoulos à la présidence, lequel nomme Premier ministre Kóstas Simitis. Bien que membre de l'OTAN et de l'Union européenne, la Grèce se singularise fréquemment au sein de ces institutions. Le conflit qui l'oppose à la Turquie (également membre de l'OTAN), notamment à propos de l'île de Chypre, se traduit régulièrement par des incidents diplomatiques. Ainsi, l'arrestation du chef indépendantiste kurde Oçalan a provoqué en Grèce un scandale politique qui a conduit à la démission du ministre des Affaires étrangères. Le déclenchement, en mars 1999, de la campagne aérienne de l'OTAN en Yougoslavie a donné une nouvelle occasion à la Grèce de se distinguer. Pays de l'alliance le plus proche du théâtre des opérations, mais également traditionnellement proche de la Serbie orthodoxe, la Grèce, sans rompre la solidarité atlantique, a émis des réserves sur le recours à la force dans cette crise, réserves qui témoignent de l'hostilité de la majorité de l'opinion publique.

◆ **Divisions administratives.**

Régions	Superficie en km²	population
Athènes	427	3 096 775
Grèce centrale et Eubée	24 400	1 260 900
Thessalie	14 000	734 800
Thrace	8 600	337 536
Macédoine	34 200	2 263 099
Épire	9 200	339 720
Péloponnèse	21 400	1 086 930
Crète	8 300	539 930
Îles Ioniennes	2 300	191 003
Îles égéennes	9 100	455 763

VOIR AUSSI
- **Antiquité : la Grèce classique** p. 420
- **Religions de l'Antiquité : la Grèce** p. 486
- **Églises orientales et orthodoxes** p. 514
- **Architecture de la Grèce antique** p. 1048
- **Art de la Grèce antique** p. 1049

Illustrations
- **Pantanassa** p. 1052

Europe orientale

♦ Europe orientale.

Russie Rossiia

Nom officiel : Fédération de Russie. **Capitale :** Moscou (*Moskva*). **Monnaie :** rouble (= 100 kopecks). **Langue officielle** : russe. **Principale religion** : orthodoxie. **Institutions :** République fédérative. Constitution de 1993. Président de la République élu au suffrage universel direct pour 4 ans. (Ses pouvoirs sont étendus : faculté de promulguer des décrets, d'opposer son veto aux actes législatifs, de dissoudre – sous conditions – la Douma.) Parlement bicaméral : Douma d'État (450 députés élus pour 4 ans), représentant la population, et Conseil de la Fédération (178 conseillers élus pour 4 ans), représentant les collectivités territoriales (2 conseillers pour chacune). **Chef de l'État** : Boris Ieltsine (depuis 1991). **Premier ministre** : Sergueï Stépachine (depuis 1999). **Drapeau :** ses couleurs, disposées autour d'une croix, flottaient sur un bateau coulé en 1667 dans la Volga, après un combat pendant la révolte de Stenka Razine. Pierre le Grand, de retour de Hollande, les adopta dans l'ordre inverse de la marine batave, non sans contestation, puisque l'usage voulait qu'un navire en difficulté renversât son pavillon. La Russie garda ce pavillon pour sa marine marchande, par série de 6 ou 9 bandes comme les Hollandais. Une controverse lui pose en rival les couleurs de saint Georges : orange et noir. **Hymne national,** dit la « Chanson patriotique ». Hymne sans paroles. Musique d'après une mélodie de Mikhaïl Ivanovitch Glinka (1804-1857). Déclaré officiel en 1990. **Fêtes nationales :** 12 juin (anniversaire de la déclaration de souveraineté [1990]) ; 7 novembre (anniversaire de la révolution d'octobre 1917).

Superficie : 17 075 000 km². **Point culminant :** 5 642 m à l'Elbrous, dans le Caucase.

GÉOGRAPHIE

La Russie est le plus vaste pays du monde, s'étendant, de la Baltique au Pacifique, sur onze fuseaux horaires. Cet immense territoire comporte peu de zones montagneuses ou accidentées, et ces dernières se trouvent toutes aux confins du pays, vers le Caucase, l'Asie centrale ou la Chine. L'Oural, limite théorique entre l'Europe et l'Asie, est une région relativement peu accidentée. Le climat, sur l'ensemble du territoire, est continental. Les hivers sont très froids, surtout en Sibérie. Les ressources du sous-sol sont considérables (pétrole, gaz naturel, fer, houille, or, entre autres) mais mal exploitées. L'économie, dans son ensemble, est peu efficace : l'agriculture, depuis toujours caractérisée par le gaspillage, a particulièrement souffert du régime communiste. L'industrie, quant à elle, est à la fois récente et vieillissante et n'a été compétitive que dans les secteurs militaire et spatial, pour des raisons politiques. La population se trouve principalement dans la partie ouest du pays, où le tissu urbain est dominé par Moscou et Saint-Pétersbourg. La population est composée à 25 % de minorités mais autant de Russes vivent dans les anciennes républiques soviétiques.

HISTOIRE

Les origines. La migration des Slaves vers les régions qui constituent actuellement la Russie centrale remonte à la fin du Iᵉʳ millénaire av. J.-C. Ces Slaves de l'Est descendent vers le Sud-Est en direction de la mer Noire. Là, ils recueillent les vestiges de civilisations plus évoluées, véhiculées par les nomades venus d'Asie, les Scythes (VIIIᵉ-Iᵉʳ s. av. J.-C.) et les Sarmates (des IIIᵉ-IIᵉ s. av. J.-C. jusqu'à l'invasion des Goths, au IIIᵉ s. apr. J.-C.). Ils entrent en relation avec les Khazars (établis aux VIIᵉ-VIIIᵉ s. dans les steppes entre Don et Dniepr et en Crimée) et avec les Bulgares de la Volga et de la Kama. Ils sont aussi en contact avec les Bulgares des Balkans et les Byzantins. Aux VIIIᵉ-IXᵉ s., des Normands, les Varègues, deviennent les maîtres du commerce entre Baltique et mer Noire. Ils fournissent aux Slaves de l'Est leur première dynastie, les Riourikides.

L'État de Kiev (IXᵉ-XIIᵉ s.). Oleg, prince de Novgorod, se serait établi à Kiev en 882. Ses successeurs, les grands-princes de Kiev, étendent, jusqu'au milieu du XIᵉ s., leur domination sur toutes les tribus des Slaves de l'Est. L'État de Kiev représente à ses débuts une force militaire très fruste qui établit des relations fécondes avec Byzance. Vladimir Iᵉʳ le Saint (v. 980-1 015) impose à ses sujets le « baptême de la Russie » v. 989. Sous Iaroslav le Sage (1019-1054), la Russie kiévienne connaît une brillante civilisation. Mais les incursions des nomades de la steppe engendrent une telle insécurité dans les régions méridionales qu'une partie de la population émigre vers l'ouest (Galicie et Volhynie) ou vers le nord-est, où se développe la principauté de Rostov-Souzdal. Le morcellement de la Russie kiévienne aboutit dans la seconde moitié du XIIᵉ s. à la constitution de principautés indépendantes.

La Russie de Vladimir-Souzdal et le joug mongol. En 1169, Vladimir est choisie pour capitale du second État russe, la principauté de Vladimir-Souzdal. Celle-ci est envahie par les Mongols, qui conquièrent tout le pays (1238-1240), à l'exception des principautés de Pskov et de Novgorod. La Russie centrale passe pour plus de deux siècles sous la domination de la Horde d'Or. À l'ouest, elle est assaillie par les chevaliers allemands Porte-Glaive, qu'Alexandre Nevski arrête sur les glaces du lac des Tchoudes (1242). Cependant, du milieu du XIIIᵉ au milieu du XIVᵉ s., le grand-duché de Lituanie s'étend sur un vaste territoire allant de la Baltique à la mer Noire. Au sein de ces régions du Sud et de l'Ouest se précise, à partir du XIVᵉ s., la différenciation entre Biélorusses, Petits-Russes, ou Ukrainiens, et Grands-Russiens des régions du Nord-Est.

L'État moscovite (XIVᵉ-XVIᵉ s.). La principauté de Moscou acquiert la suprématie sur les autres principautés russes au XIVᵉ s. et le métropolite s'établit à Moscou en 1326. Le prince Dimitri Donskoï (1362-1389) est victorieux des Mongols à Koulikovo (1380). La domination tatare est cependant rétablie. Elle isole la Russie de l'Occident et de la Méditerranée et est considérée comme la cause essentielle du retard économique et social de la Russie sur l'Europe occidentale d'alors. C'est Ivan III (1462-1505) qui met fin à la suzeraineté mongole (1480). Il prend le titre d'autocrate, organise un État puissant et centralisé et revendique l'héritage de Byzance. En effet, refusant l'union de l'Église orthodoxe avec celle de Rome (conclue par les Byzantins à Florence en 1439), Moscou prétend devenir la « troisième Rome », Constantinople étant tombée aux mains des Turcs. Cherchant à atteindre les mêmes objectifs, Ivan IV le Terrible (1533-1584) se fait proclamer tsar (1547). Il reconquiert sur les Tatars les khanats de Kazan et d'Astrakhan (1552-1556) et amorce l'expansion en Sibérie (expédition

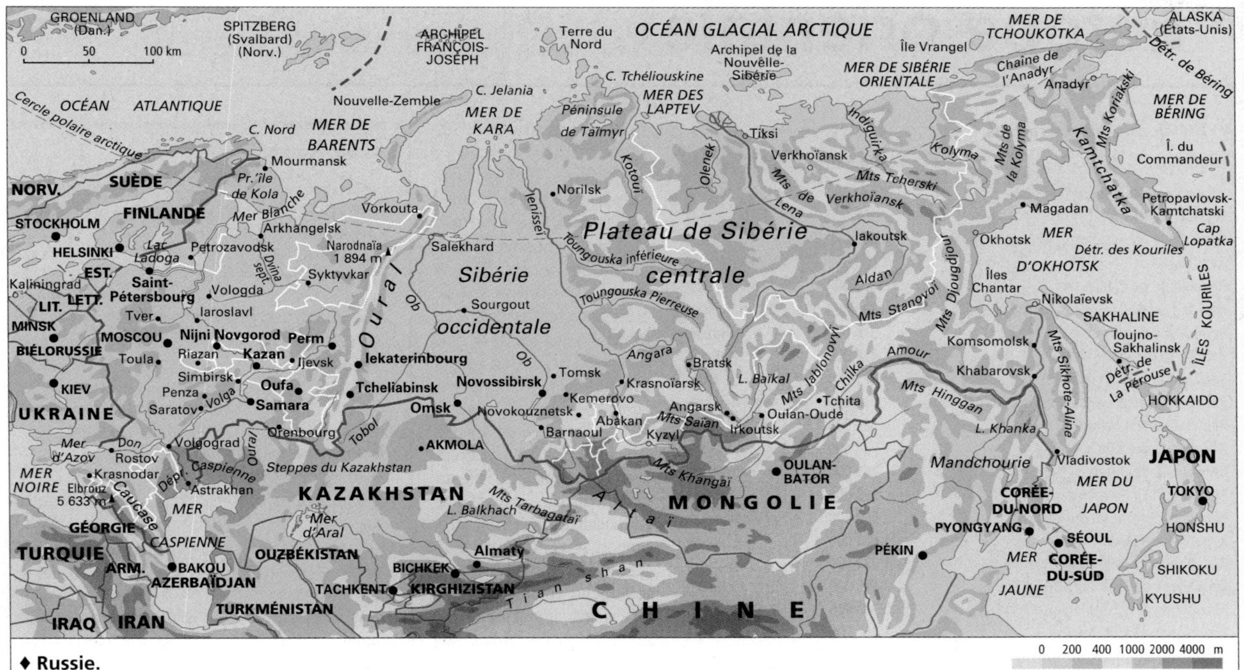

♦ **Russie.**

d'Iermak). Mais la Crimée, vassalisée par les Ottomans, demeure redoutable (raid contre Moscou de 1571). Avec son fils, Fedor Ier, s'éteint en 1598 la dynastie riourikide.

Troubles et crises du XVIIe s. Après le règne de Boris Godounov (1598-1605), la Russie connaît, de 1605 à 1613, une période de troubles politiques et sociaux et est envahie par les Suédois et les Polonais. L'État russe est restauré par Michel Fedorovitch (1613-1645), fils de Philarète, qui fonde la dynastie des Romanov. Sous son fils, Alexis Mikhaïlovitch (1645-1676), l'annexion de l'Ukraine orientale entraîne une guerre avec la Pologne (1654-1667) à l'issue de laquelle est confirmé le partage de l'Ukraine entre la Russie et la Pologne. Le XVIIe s. est marqué par une plus grande ouverture vers l'Occident. Les structures économiques et sociales demeurent pourtant très archaïques. Le servage, qui se développe à partir du XVe s., est institutionnalisé (Code de 1649). Dans le domaine religieux, les réformes du patriarche Nikita Nikon (1652-1667) se heurtent à l'opposition des traditionalistes et de leur chef, Grigorovo Avvakoum. Leur exécution comme hérétiques (1666-1667) est à l'origine du schisme des vieux-croyants, ou *raskol*.

L'Empire russe des despotes éclairés du XVIIIe s. Pierre le Grand (1682-1725) entreprend l'occidentalisation du pays. À l'issue de la guerre du Nord contre la Suède (1700-1721), il acquiert l'Estonie, la Livonie, l'Ingrie et une partie de la Carélie, s'ouvrant ainsi une fenêtre sur la Baltique. Il y fonde une nouvelle capitale, Saint-Pétersbourg, symbole de l'esprit nouveau et de la puissance grandissante de l'Empire russe, créé en 1721. Sous ses successeurs, Catherine Ire (1725-1727), Pierre II (1727-1730) et Anna Ivanovna (1730-1740), son œuvre n'est pas remise en cause. Sous Élisabeth Petrovna (1741-1762), l'alliance conclue avec la France durant la guerre de Sept Ans (1756-1763) favorise l'influence française. Son successeur, Pierre III (1762), grand admirateur de la Prusse, restitue à Frédéric II les territoires conquis par l'armée russe ; il est assassiné. Son épouse, Catherine II (1762-1796), mène une politique d'expansion et de prestige. Au traité de Kutchuk-Kaïnardji (1774), la Russie obtient un accès à la mer Noire. À l'issue des trois partages de la Pologne, elle acquiert la Biélorussie, l'Ukraine occidentale et la Lituanie. Mais l'aggravation du servage provoque la révolte d'Iemelian Pougatchev (1773-1774).

L'Empire russe dans le concert européen. Pendant le règne de Paul Ier (1796-1801), la Russie adhère aux deux premières coalitions contre la France. Alexandre Ier (1801-1825) poursuit l'expansion de l'Empire. Il annexe successivement la Géorgie (1801), la Finlande (1809), la Bessarabie (1812), le royaume de Pologne (1815), l'Azerbaïdjan septentrional et l'Arménie orientale (1813-1828). La Russie, par sa victoire sur Napoléon, dans la « guerre patriotique » menée contre l'envahisseur français (1812), accède au rang de grande puissance européenne. Alexandre Ier participe au congrès de Vienne (1815) et adhère à la Sainte-Alliance. Nicolas Ier (1825-1855) se consacre également au maintien de l'ordre et de l'équilibre européens : il réprime l'insurrection décabriste (1825), écrase la révolution polonaise (1831) et intervient contre l'insurrection hongroise (1849). Mais la Russie est battue par la France et la Grande-Bretagne, alliées de l'Empire ottoman, pendant la guerre de Crimée (1854-1856).

La modernisation et le maintien de l'autocratie. En 1855, l'État russe a à son service une bureaucratie qualifiée et spécialisée, mais 30 % des paysans sont encore astreints au servage. L'opinion libérale s'élève contre le pouvoir autocratique et le servage. Alexandre II (1855-1881) affranchit les serfs (1861) et institue des assemblées territoriales élues, les *zemstvos* (1864). Ces réformes ne satisfont pas l'intelligentsia révolutionnaire, qui adhère au nihilisme puis dans les années 1870 au populisme. Le terrorisme se développe : Alexandre II est assassiné en 1881. L'expansion de l'Empire se poursuit : pacification du Caucase après une très dure guerre contre les montagnards musulmans (1830-1859), annexion de la région comprise entre l'Amour, l'Oussouri et le Pacifique (1860), conquête de l'Asie centrale (1865-1897). Mais le congrès de Berlin (1878) contrecarre l'influence que la Russie a acquise dans les Balkans grâce à ses victoires sur les Ottomans. Alexandre III (1881-1894) limite l'application des réformes du règne précédent. Le pays connaît une rapide industrialisation à la fin des années 1880. Celle-ci est favorisée par l'afflux des capitaux étrangers, provenant en partie des emprunts de l'État placés sur le marché français après la conclusion de l'alliance franco-russe (1891-1894).

Les contradictions de l'autocratie et sa chute. Nicolas II accède au pouvoir en 1894. Il est à la tête d'un immense empire, dans lequel les Russes ne représentent que 44,3 % de la population totale. En Pologne, en Lituanie, en Ukraine ainsi qu'au Caucase apparaissent divers mouvements libéraux ou socialistes allogènes. Des partis révolutionnaires clandestins sont créés en Russie : le Parti ouvrier social-démocrate de Russie (POSDR) en 1898, le Parti social-révolutionnaire (SR) en 1901. Après les défaites infligées par le Japon (1904-1905), se développe l'agitation pour l'obtention d'une constitution. L'ampleur du mouvement de grèves oblige le tsar à promettre en octobre 1905 la réunion d'une douma d'État. Mais Nicolas II refuse de transformer la Russie en une véritable monarchie constitutionnelle. Il se rapproche de la Grande-Bretagne (1907) pour former avec elle et la France la Triple-Entente. La Russie est ainsi entraînée dans la Première Guerre mondiale. Elle subit en 1915 de lourdes pertes lors des offensives austro-allemandes en Pologne, en Galicie et en Lituanie. Les manifestations ouvrières de Petrograd (23-28 févr. 1917), soutenues par les soldats mutinés, abattent le tsarisme. Nicolas II abdique le 2 mars.

La Russie soviétique. Les bolcheviques, dirigés par Lénine depuis avr. 1917, renversent le gouvernement provisoire lors de l'insurrection d'Octobre et instaurent le pouvoir des soviets. Le deuxième congrès des soviets (25-27 oct.) élit le Conseil des commissaires du peuple, présidé par Lénine. Le troisième congrès des soviets proclame en janv. 1918 la République socialiste fédérative soviétique de Russie (RSFSR). Les bolcheviques ne contrôlent que la Russie centrale. Les nationalités proclament leur indépendance les unes après les autres. L'opposition intérieure est encouragée par les Alliés, d'autant plus que le gouvernement soviétique a signé le traité de Brest-Litovsk (3 mars 1918) avec les Puissances centrales. La guerre civile oppose l'Armée rouge et les armées blanches. Le « communisme de guerre » (nationalisation de toute l'économie et réquisitions forcées de la production agricole) est instauré en 1918 pour ravitailler en priorité les soldats « rouges » et les citadins. Créée en déc. 1917, la Commission de lutte contre le sabotage et la contre-révolution (Tcheka) organise la répression. L'Internationale communiste est fondée en 1919 à Moscou. La dernière armée blanche

Europe orientale

◆ **Divisions administratives.**

République	Population	Capitale
République des Adyguéens	442 000	Maïkop
République de l'Altaï	192 000	Gorno-Altaïsk
République du Bachkortostan, ou Bachkirie	4 008 000	Oufa
République de Bouriatie	1 053 000	Oulan-Oude
République de Carélie	800 000	Petrozavodsk
République du Daguestan, ou Daghestan	1 890 000	Makhatchkala
République d'Ingouchie	310 000	Nazran
Rép. de Kabardino-Balkarie	786 000	Naltchik
République de Kalmoukie	321 000	Elista
Rép. des Karatchaïs-Tcherkesses	434 000	Tcherkessk
République de Khakassie	584 000	Abakan
République des Komis	1 228 000	Syktyvkar
République des Maris	765 000	Iochkar-Ola
République de Mordovie	963 000	Saransk
République d'Ossétie du Nord	650 000	Vladikavkaz
République d'Oudmourtie	1 641 000	Ijevsk
République du Sakha (anc. Iakoutie)	1 093 000	Iakoutsk
République du Tatarstan, ou Tatarie	3 696 000	Kazan
République de Tchétchénie	980 000	Groznyï
République de Tchouvachie	1 359 000	Tcheboksary
République de Touva, ou Tiva	306 000	Kyzyl

La Fédération comporte aussi 6 territoires (kraï), 49 oblasts, 2 villes (Moscou et Saint-Pétersbourg), 1 région autonome et 10 districts autonomes.

évacue la Crimée (fin 1920) et l'Armée rouge occupe l'Azerbaïdjan, l'Arménie et la Géorgie. L'Asie centrale connaît un mouvement insurrectionnel jusqu'aux années 1930. La paix est signée avec la Pologne en 1921.

L'Union soviétique : de la NEP au stalinisme. L'URSS est créée en 1922 par la réunion de la Russie, de l'Ukraine, de la Biélorussie et de la Transcaucasie. La nouvelle politique économique (NEP) adoptée en 1921 y est d'abord appliquée. Elle met fin aux réquisitions forcées et fait une place au secteur privé pour relancer la production et rallier les paysans au régime. Joseph Staline devient secrétaire général du Parti communiste. Après la mort de Lénine (1924), il élimine progressivement de la direction du Parti ses principaux opposants (Trotski, Zinoviev, Boukharine). La NEP est abandonnée en 1929 et le premier plan quinquennal lancé. Il donne la priorité à l'industrie lourde et à la collectivisation des terres. L'élimination des koulaks (paysans enrichis) est décidée en 1930. La police se livre à des arrestations massives de paysans hostiles à la collectivisation et les envoie dans les camps du Goulag. De 1936 à 1938, la police politique (Guépéou) intensifie les déportations dans les camps et fait disparaître la vieille garde du Parti, accusée d'appartenir à des réseaux terroristes.

À l'extérieur, l'URSS, qui a été admise à la SDN en 1934, rompt avec les Occidentaux après les accords de Munich. Elle conclut le pacte germano-soviétique en 1939. Conformément aux clauses secrètes de celui-ci, elle annexe la Pologne orientale, les États baltes, la Carélie, la Bessarabie et la Bucovine du Nord en 1939-1940. Mais elle est attaquée en 1941 par les troupes allemandes qui, après de durs combats, parviennent aux environs de Moscou. Défaites à Stalingrad (1943), elles reculent dès lors devant les forces soviétiques qui libèrent le pays puis progressent en 1944-1945 en Europe orientale. Conformément aux accords de Yalta (févr. 1945), elles occupent la partie orientale de l'Allemagne. De 1947 à 1949, des régimes calqués sur celui de l'URSS sont instaurés sur l'ensemble de l'Europe de l'Est. Les Soviétiques s'engagent dans la guerre froide. Ils soutiennent la Chine populaire, avec laquelle un traité d'amitié est signé en 1950.

Les innovations de Khrouchtchev. À la mort de Staline (1953), Nikita Khrouchtchev est élu premier secrétaire du Comité central du Parti. De nombreux détenus du Goulag sont libérés. À l'extérieur, la détente est elle aussi amorcée. Cependant, en réponse à l'entrée de la RFA dans l'OTAN, l'URSS signe avec sept démocraties populaires le pacte de Varsovie (1955). Les relations avec la Chine populaire commencent à se détériorer. En 1956, au XXe congrès du PCUS, Khrouchtchev révèle dans un rapport secret les crimes de Staline. Le camp socialiste est fortement ébranlé par ces révélations, surtout la Pologne et la Hongrie. Mais les Soviétiques écrasent l'insurrection hongroise (nov. 1956). La construction du mur de Berlin (1961) et l'installation à Cuba de missiles soviétiques (1962) déclenchent une crise internationale très grave. Après celle-ci, une détente durable avec les États-Unis est recherchée. Khrouchtchev est destitué en 1964.

La stagnation. Leonid Brejnev est promu à la tête du Parti. Sa direction (1964-1982) est caractérisée par l'immobilisme et le vieillissement du personnel politique. Malgré des tentatives de réformes, l'économie s'essouffle, les pratiques illégales et la corruption se développent. À l'extérieur, l'URSS poursuit la détente malgré l'intervention militaire en Tchécoslovaquie (1968). Elle signe les accords SALT I (1972) et SALT II (1979), qui tentent de limiter la course aux armements nucléaires, ainsi que l'Acte final de la Conférence sur la sécurité et la coopération en Europe (CSCE) à Helsinki (1975). Mais l'occupation de l'Afghanistan par les troupes soviétiques (1979) ouvre une nouvelle période de tensions. À la mort de Brejnev (1982), Iouri Andropov puis Konstantine Tchernenko en 1984 sont nommés à la tête du Parti.

La perestroïka. L'arrivée au pouvoir de Mikhaïl Gorbatchev en 1985 marque un tournant. S'appuyant sur les concepts de *perestroïka* (restructuration) et de *glasnost* (transparence), son programme de réformes économiques et de démocratisation des institutions ne remet pas en cause les fondements du système. Mais il suscite l'espoir et l'expression plus libre et de plus en plus radicale des aspirations démocratiques, écologiques, nationales, religieuses ou indépendantistes, en particulier dans la périphérie balte et caucasienne. À l'extérieur, Gorbatchev renoue le dialogue Est-Ouest, en particulier avec les États-Unis (accord sur l'élimination des missiles de moyenne portée en Europe, 1987) et normalise les relations avec la Chine. Il décide le retrait des troupes soviétiques d'Afghanistan, achevé en 1989. L'URSS abandonne enfin son emprise sur les pays satellites d'Europe orientale et accepte la réunification allemande, symbolisée par la destruction du mur de Berlin. Le pacte de Varsovie est dissous en 1991, ainsi que le Comecon. À l'intérieur, Mikhaïl Gorbatchev est rapidement confronté aux freinages de l'appareil administratif et à la désorganisation de l'économie. La pénurie croissante aiguise les tensions sociales. La montée des nationalismes constitue le défi majeur.

◆ **Démographie.**

population	146 900 000 hab.
densité	8,6 hab./km²
accroissement naturel	−2,2 ‰
taux de natalité	9,6 ‰
taux de mortalité infantile	17 ‰
espérance de vie	68 ans
part des moins de 15 ans	21 % de la pop. totale
part des plus de 65 ans	12 % de la pop. totale
population urbaine	76 %
principales villes	Moscou, Saint-Pétersbourg, Nijni Novgorod, Iekaterinbourg

◆ **Principales ressources et productions** (1997).

betterave à sucre	13 800 000 t (8e rang)
blé	44 180 000 t (4e rang)
orge	20 000 000 t (1er rang)
pêche	4 697 000 t
pommes de terre	40 000 000 t (2e rang)
porcins	22 631 000 têtes (5e rang)
bovins	39 696 000 têtes (6e rang)
gaz naturel	571 000 millions de m³ (1er rang)
houille	156 000 000 t (5e rang)
pétrole	305 800 000 t (3e rang)
aluminium	2 870 000 t (4e rang)
fer	42 800 000 t (2e rang)
or	130 000 kg (5e rang)

◆ **Économie et niveau de vie** (1996).

PNB	432,384 milliards de $
PNB/hab.	4 190 $
taux de croissance *(1993)*	− 12 % par an
taux d'inflation	47,6 %
taux de chômage	n.d.
dette extérieure	125 milliards de $
importations	60 716 millions de $
exportations	82 663 millions de $
répartition des actifs	
agriculture	12,5 %,
industrie	37 %,
services	50,5 %
transports	
routes	620 000 km,
voies ferrées	152 000 km
taux d'analphabétisme	0,5 %

◆ **Armée.**

budget militaire *(1996)*	3,5 % du PIB
forces armées *(1997)*	1 270 000 hommes

La fin de l'URSS. Après le succès des réformistes aux premières élections libres du Congrès des députés du peuple, la proclamation de souveraineté de la Russie (juin 1990) porte la contestation du système soviétique au centre et renforce le pouvoir de son président, Boris Ieltsine. Ce dernier occupe le devant de la scène politique lors du coup d'État avorté contre Mikhaïl Gorbatchev (19-20 août 1991). Après ce putsch, les républiques proclament toutes leur indépendance. La Russie signe avec la Biélorussie et l'Ukraine l'accord de Minsk (8 déc.) stipulant la dissolution de l'URSS et la création de la Communauté d'États indépendants (CEI), à laquelle adhèrent les autres républiques (accord d'Alma-Ata, 21 déc.), à l'exception de la Géorgie et des pays Baltes.

La Fédération de Russie. La Russie, qui a pris le nom officiel de Fédération de Russie, est reconnue, dès janv. 1992, par les États-Unis et la CEE et se fait attribuer le siège qu'occupait l'URSS au Conseil de sécurité de l'ONU. Elle a deux objectifs majeurs : conserver son statut de grande puissance sur le plan international; redéfinir et préserver ses intérêts dans les pays de l'ancien espace soviétique, où vivent 25 millions de Russes. Avec l'aide de l'Occident, elle accélère le passage à l'économie de marché, ce qui aggrave encore la difficile situation matérielle de ses citoyens et favorise la spéculation. À la suite de fréquents conflits avec le Soviet suprême, Boris Ieltsine, fort de la confiance obtenue au référendum d'avril 1993, dissout cet organe (sept.) puis fait intervenir l'armée (oct.) contre les députés rebelles qui occupent le Parlement. Il organise des élections législatives et un référendum sur un projet de constitution, qui est adopté (déc.). Les réformes sont dès lors poursuivies avec plus de modération. Avec plusieurs entités qui, au sein de la Fédération, manifestent des volontés centrifuges (Tatarstan, Bachkirie, Ossétie du Nord), le gouvernement parvient à des compromis. Contre la sécession tchétchène, en revanche, il recourt à la force (déc. 1994) avant de parvenir à un accord de paix en 1996. Dans le cadre de la CEI, que la Géorgie a finalement rejointe (déc. 1993), la Russie affirme sa prépondérance. En 1998, la profonde crise financière que traverse le pays fait apparaître l'ampleur de la corruption et l'impuissance des pouvoirs publics. La nomination d'Ievguenyï Primakov au poste de Premier ministre apparaît ainsi comme un nouveau compromis politique, entre un parlement dominé par les partis hostiles au régime (communistes, entre autres) et un président affaibli et chroniquement malade depuis sa réélection. Malgré les tentatives russes de fédérer autour de Moscou les États de la CEI, ces derniers sont de plus en plus réticents à cette intégration, notamment en ce qui concerne la question de leur souveraineté en matière de sécurité, à l'exception notable de la Biélorussie. Alors que la Russie ne semble pas prête de sortir de la crise économique et politique qu'elle traverse, la crise du Kosovo et les opérations militaires déclenchées par l'OTAN lui donnent l'occasion de tenter d'affirmer son rôle diplomatique de grande puissance.

VOIR AUSSI
- **Révolution russe** p. 456
- **Églises orientales et orthodoxes** p. 514
- **CEI** p. 773
- **Communisme** p. 978
- **Totalitarismes** p. 978

Ukraine Ukrajina

Nom officiel : République d'Ukraine. **Capitale :** Kiev. **Monnaie :** hrivna **Langue officielle :** ukrainien.
Principales religions : orthodoxie, catholicisme. **Institutions :** République. Président de la République élu au suffrage universel (depuis déc. 1991). Parlement (Soviet suprême) de 450 membres élus au suffrage universel. **Président de la République :** Leonid Koutchma (depuis 1994). **Premier ministre :** Valery Pustovoitenko (depuis 1997). **Drapeau :** représentant le ciel et les blés, ces deux couleurs, reprises en 1990, viennent de l'État indépendant de 1918 et 1919. Elles seraient, d'après certains mythes, celles de l'ancienne Kiévie et du trident de saint Vladimir. **Hymne national :** « L'Ukraine vivra toujours, Et avec elle sa gloire et sa liberté. Ô mes jeunes frères, l'avenir nous sourira encore. Nos ennemis disparaîtront, comme la rosée au soleil, et nous redeviendrons, frères, les maîtres de notre pays. » Paroles de P. P. Tchubinski (1839-1884), musique de M.M.Verbitski (1815-1870). **Fête nationale :** 24 août (anniversaire de la déclaration d'indépendance en 1991).

Superficie : 604 000 km². **Point culminant :** 2 081 m au mont Goveria.

GÉOGRAPHIE

L'Ukraine est un pays peu accidenté, qui vit surtout de l'agriculture (blé, sucre, orge) ainsi que d'une industrie principalement extractive (charbon, fer) qui nourrit le secteur sidérurgique. La population, composée pour un quart de Russes, est urbanisée à près de 30 %. Son accroissement naturel est quasiment nul. Une partie du territoire a subi les conséquences de l'accident nucléaire de Tchernobyl (dans le nord du pays), en 1986.

HISTOIRE

De l'État de Kiev à la domination polonolituanienne. Les régions où se développa la nation ukrainienne à partir des XIIIe-XIVe s. ont fait partie de l'État de Kiev (IXe-XIIe s.), berceau de la chrétienté russe depuis la conversion du prince Vladimir en 989. À partir du XIe s., poussés par les attaques incessantes des Polovtses (ou Coumans), les habitants des régions de Kiev et de Pereïaslav cherchent refuge en Galicie, réunie à la Volhynie en 1199. La principauté de Kiev est définitivement ruinée par la conquête mongole (1238-1240). La Transcarpatie avait été occupée par les Hongrois dès le XIe s. Les territoires du Sud sont annexés par le grand-duché de Lituanie vers 1350. La Galicie-Volhynie est conquise par la Pologne (1348-1366). L'Union lituano-polonaise de Lublin (1569) consacre l'hégémonie de la Pologne. En Ukraine occidentale, les orthodoxes adhèrent à l'Église uniate (catholique, de rite oriental), créée en 1596.

Des libertés cosaques à l'intégration aux Empires russe et autrichien (XVIe-XVIIIe s). Les Cosaques jouent, à partir du XVIe s., un rôle déterminant dans l'histoire de l'Ukraine en appuyant la résistance des paysans à la colonisation polonaise. À l'issue de plusieurs guerres entre Cosaques et Polonais, l'hetman Bogdan Khmelnitski (v. 1595-1657) se place sous la protection du tsar de Moscou (1654). En 1667, le traité d'Androussovo entérine le partage de l'Ukraine entre la Pologne et la Russie, qui conserve la rive gauche du Dniepr et la région de Kiev. L'Ukraine de la rive droite du Dniepr subit les attaques des Ottomans. L'Ukraine orientale, gouvernée par un hetman cosaque jusqu'en 1764, est peu à peu assimilée par l'Empire russe, après l'échec de la tentative d'Ivan Mazeppa de constituer, au début du XVIIIe s., une Ukraine réunifiée et indépendante. Catherine II étend le servage à la majeure partie du pays en 1783. Lors des partages de la Pologne de 1793 et de 1795, la Russie annexe la rive droite du Dniepr, la Podolie et la Volhynie, tandis que l'Empire autrichien obtient la Galicie, la Bucovine et l'Ukraine subcarpatique.

◆ Démographie.

population	50 300 000 hab.
densité	83 hab./ km²
accroissement naturel	−2,1 ‰
taux de natalité	9,7 ‰
taux de mortalité infantile	14 ‰
espérance de vie	69 ans
part des moins de 15 ans	20,1 % de la pop. totale
part des plus de 65 ans	13,9 % de la pop. totale
population urbaine	71 %
principales villes	Kiev, Kharkiv, Dniepropetrovsk

◆ Principales ressources et productions (1997).

betterave à sucre	17 500 000 t (4e rang)
orge	8 071 000 t (8e rang)
pommes de terre	19 000 000 t (6e rang)
électricité	176 000 millions de kWh (8e rang)

◆ Économie et niveau de vie (1996).

PNB	43,435 milliards de $
PNB/hab.	2 230 $
taux de croissance *(1993)*	−8,1 % par an
taux d'inflation	80,3 %
taux de chômage	n.d.
dette extérieure	9,3 milliards de $
importations	19 843 millions de $
exportations	15 547 millions de $
répartition des actifs	
agriculture	19,7 %,
industrie	60,6 %,
services	19,7 %
transports	
routes	172 315 km,
voies ferrées	23 346 km
taux d'analphabétisme	1,2 %

◆ Armée.

budget militaire *(1996)*	0,8 % du PIB
forces armées *(1997)*	400 800 hommes

L'essor économique et le problème national (XIXe-XXe s.). Le développement de la culture du blé et de la betterave à sucre ainsi que l'essor de l'extraction minière (houille, fer) et de l'industrie métallurgique font de l'Ukraine la région la plus riche de l'Empire russe. La politique de russification et la répression qui suit l'insurrection polonaise de 1863 renforcent le sentiment national. Les Juifs, qui représentent 30 % de la population des villes et des bourgs en 1897, sont les victimes de nombreux pogroms de 1881 à 1921. Les Ukrainiens de Galicie conservent des libertés culturelles inconnues en Ukraine russe (emploi de la langue ukrainienne à l'école, Église uniate).

◆ Ukraine.

Europe orientale

L'indépendance et la soviétisation (1917-1920). Lors de la révolution russe, une *rada* (conseil) est créée à Kiev en mars 1917, sous la présidence de Mikhaïl Grouchevski (ou Hruchevski). Elle proclame l'indépendance et signe une paix séparée avec l'Allemagne (janv. 1918). L'Ukraine est occupée par les bolcheviques, puis par les Allemands. La défaite allemande permet le rétablissement à Kiev d'un gouvernement indépendant, présidé par le nationaliste Simon Petlioura. En 1919-1920, l'Ukraine orientale est le théâtre d'âpres combats entre les armées blanches (Denikine, Wrangel), l'Armée rouge, les anarchistes de Nestor Ivanovitch Makhno et les troupes polonaises qui l'envahissent en mai 1920. La République soviétique, qui avait été proclamée en déc. 1917 à Kharkov (auj. Kharkiv), est reconnue par la Pologne au traité de Riga (mars 1921). La RSS d'Ukraine adhère à l'Union soviétique en tant que république fédérée en déc. 1922.

La période soviétique. L'Ukraine est particulièrement touchée par la collectivisation forcée, qui est l'occasion rêvée pour le pouvoir soviétique de briser la résistance nationale. L'élimination des *koulaks* et la famine de 1932-1933 y font 6 à 7 millions de morts avant que les purges staliniennes ne liquident l'intelligentsia. Le pacte germano-soviétique permet l'annexion par l'Ukraine du sud-est de la Pologne, peuplé majoritairement d'Ukrainiens, et d'une partie de la Roumanie (Bucovine du Nord, sud de la Bessarabie). L'Ukraine est soumise, à partir de 1941, à un régime d'occupation nazie très dur. Certains nationalistes qui combattent d'abord aux côtés des Allemands, pensant se libérer du joug soviétique, se retournent ensuite contre eux. Les armées soviétiques repoussent les Allemands en 1943-1944. Durant la guerre, l'Ukraine a perdu environ 4 millions d'habitants, tandis que l'importante communauté juive a été exterminée. En 1945, l'Ukraine devient l'un des membres fondateurs de l'ONU. La Tchécoslovaquie doit lui céder l'Ukraine subcarpatique (1945). Staline intègre de force l'Église uniate à l'Église orthodoxe en 1946. La RSFS de Russie lui donne la Crimée en 1954. Le rôle important joué par les Ukrainiens au sein de l'URSS s'accompagne d'une russification profonde.

De la perestroïka à l'indépendance. Le très conservateur chef du Parti, Vladimir Chtcherbitski, en poste depuis 1972, n'est écarté qu'en sept. 1989, alors que s'organise le Roukh, ou Mouvement national ukrainien, en faveur de la démocratisation et de la souveraineté de la république. Les communistes remportent les élections législatives de mars 1990, tandis que le Roukh obtient de bons résultats dans les villes de l'Ouest. Élu à la présidence du Parlement, le communiste Leonid Kravtchouk adopte des positions de plus en plus nationalistes. Après l'échec du putsch contre Mikhaïl Gorbatchev, l'Ukraine proclame son indépendance (24 août 1991). Elle signe avec les deux autres républiques slaves, la Russie et la Biélorussie, les accords de Minsk (8 déc.) mettant fin à l'URSS et créant la Communauté d'États indépendants (CEI), puis ceux d'Alma-Ata (21 déc.). Affirmant sa volonté d'indépendance, l'Ukraine s'oppose à la Russie sur la question de la remise à ce pays de l'armement nucléaire ukrainien, sur le partage de la flotte de la mer Noire et sur le statut de la Crimée, à majorité russophone et à tendances séparatistes. Dans un pays aux équipements industriels vieillis et énergétiquement dépendant de la Russie, la transition vers l'économie de marché s'accompagne d'une grave crise économique. En 1994, l'Ukraine signe avec les États-Unis et la Russie un traité de dénucléarisation (janv.), assorti d'une promesse d'aide américaine, et concède à la Russie (avr.) une grande partie des navires ex-soviétiques de la mer Noire. En juill. 1994, Leonid Koutchma, ancien Premier ministre, est élu à la présidence de la République. Comme son prédécesseur, il entretient des relations complexes avec le grand voisin russe, combinant une histoire largement commune et une forte dépendance économique à des velléités d'indépendance politique et d'occidentalisation. En 1997, le président Koutchma s'est montré favorable à une candidature de son pays à l'Union européenne, marquant ainsi sa volonté de ne pas retomber dans l'orbite russe. La faiblesse des réformes engagées depuis la fin de l'Union soviétique interdit cependant au pays d'envisager une telle éventualité à court terme, et cela malgré un potentiel économique important.

♦ Biélorussie.

Biélorussie Belarus

Nom officiel : République de Biélorussie. **Capitale :** Minsk. **Monnaie :** rouble biélorusse. **Langue officielle :** biélorusse. **Principales religions :** orthodoxie, catholicisme. **Institutions :** République. Constitution de 1994. Président de la République élu au suffrage universel direct avec un mandat d'une durée de 5 ans. Parlement monocaméral. **Président de la République :** Aleksandr Loukachenko (depuis 1994). **Premier ministre :** Syarhei Linh (depuis 1996). **Drapeau :** adopté en 1991, ce drapeau se conforme à la vieille coutume héraldique de la couleur éponyme, puisque le blanc s'applique à la Russie du même nom : Belarus. Le rouge provient des broderies de fond des costumes populaires. **Hymne national :** « Et qui vient là-bas, et qui vient là-bas en foule nombreuse ? – les Biélorusses. » Paroles de Janka Kupala (1882-1942). **Fête nationale :** 27 juillet (anniversaire de la souveraineté proclamée par le Parlement en 1990, mais cette fête a été contestée par l'opposition).

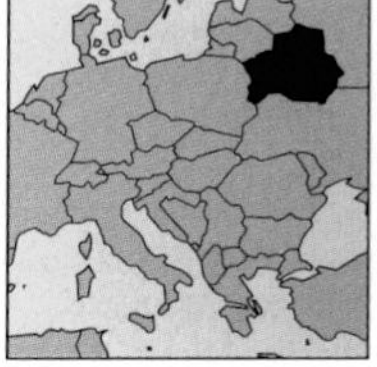

Superficie : 208 000 km². **Point culminant :** 345 m au Dzerjinski.

GÉOGRAPHIE

La Biélorussie est un pays relativement plat, couvert par la forêt et les marécages et fortement pollué. L'agriculture (pommes de terre, orge, betterave à sucre) et l'élevage (bovins et porcins) ont souffert des conséquences de l'accident nucléaire de Tchernobyl, en Ukraine, en 1986. L'industrie est peu développée. La population, urbanisée à 75 %, s'accroît faiblement.

HISTOIRE

Des origines à la domination lituano-polonaise. La région qui s'étend du Pripet à la Dvina occidentale, zone de confins et de passage entre l'Europe du Nord-Est et la Russie, peuplée depuis le Vᵉ s. de Slaves orientaux, fait partie de l'État de Kiev (IXᵉ-XIIᵉ s.) puis est rattachée au grand-duché de Lituanie qui étend sa domination sur toute la Russie blanche (XIIIᵉ-XIVᵉ s.). La dénomination de « Russie blanche » s'explique sans doute par le fait qu'elle n'est pas soumise au tribut mongol. C'est au XIVᵉ s. que se précise la différenciation entre Biélorusses (ou Ruthènes), Grands-Russiens et Petits-Russes, ou Ukrainiens. L'œuvre de Frantsisk Skorina, qui traduit la Bible et crée la première imprimerie en langue nationale (v. 1525), illustre le développement de l'humanisme ainsi que la réaction orthodoxe et antipolonaise. L'influence polonaise se renforce après l'Union de Lublin (1569), par laquelle la Lituanie s'allie à la Pologne contre la Moscovie. L'Union de Brest (1596) crée l'Église uniate (catholique de rite oriental). La noblesse adopte le catholicisme et la langue polonaise, qui devient officielle en 1696. La culture biélorusse ne se perpétue que chez les paysans.

Une province de l'Empire russe. À l'issue des deux premiers partages de la Pologne (1772, 1793), la Biélorussie est annexée à la Russie. Après les révoltes de 1831 et 1863, la politique de russification se durcit. La Hromada socialiste, fondée en 1902 à Wilno, milite pour l'autonomie. La Biélorussie est une des zones où sont assignés à résidence les Juifs de l'Empire. Ceux-ci, en 1917, constituent 20 % de la population, formée de 55 % de Biélorusses (en majorité paysans), de 20 % de Russes (fonctionnaires) et de 5 % de Polonais (propriétaires terriens).

La République soviétique socialiste de Biélorussie. Lors de l'effondrement de l'Empire tsariste, une *rada* (conseil) biélorusse, créée à Minsk en 1917, réclame l'autonomie. Mais, prise entre les Allemands, les Polonais et les bolcheviques russes, la Biélorussie est finalement soviétisée (janv. 1919). À l'issue de la guerre

◆ **Démographie.**

population	10 200 000 hab.
densité	49 hab./km²
accroissement naturel	−0,2 ‰
taux de natalité	10 ‰
taux de mortalité infantile	12 ‰
espérance de vie	70 ans
part des moins de 15 ans	21,6 % de la pop. totale
part des plus de 65 ans	12,5 % de la pop. totale
population urbaine	72 %
principales villes	Minsk, Gomel

◆ **Principales ressources et productions** (1997).

orge	2 400 000 t
pommes de terre	11 500 000 t (8e rang)

◆ **Économie et niveau de vie** (1996).

PNB	19,289 milliards de $
PNB/hab.	4 380 $
taux de croissance *(1993)*	− 9,7 % par an
taux d'inflation	52,7 %
taux de chômage	n. d.
dette extérieure	1,07 milliard de $
importations	6 939 millions de $
exportations	5 790 millions de $
répartition des actifs	
agriculture	23,3 %,
industrie	34 %,
services	50,2 %
transports	
routes	90 300 km,
voies ferrées	5 580 km
taux d'analphabétisme	0,5 %

◆ **Armée.**

budget militaire *(1996)*	3,3 % du PIB
forces armées *(1997)*	85 500 hommes

soviéto-polonaise (avr.-oct. 1920), le traité de Riga (mars 1921) donne sa partie occidentale à la Pologne. La RSS de Biélorussie devient une république constitutive de l'URSS (déc. 1922). En oct.-nov. 1939, après l'écrasement de la Pologne, elle récupère sa partie occidentale. Occupée par les Allemands de 1941 à 1944, la Biélorussie est soumise à un régime de terreur. Les Juifs sont exterminés. La moitié de sa population est anéantie. Elle sort de la guerre détruite à 80 %. La frontière actuelle avec la Pologne est établie en 1945 et la RSS de Biélorussie devient un membre fondateur de l'ONU. Le pouvoir soviétique a pratiqué, dès les années 1920, une politique de « biélorussisation » par la promotion de cadres autochtones, de la langue et de la culture, stimulant une identité jusque-là assez floue. Mais la collectivisation a ruiné la société paysanne traditionnelle.

Vers l'indépendance. Dans cette république réputée conservatrice et docile, profondément russifiée, la perestroïka a suscité des revendications linguistiques et culturelles. Mais la révélation progressive de l'étendue des dégâts provoqués par la catastrophe de Tchernobyl et de la négligence des autorités a contribué au développement de la contestation. Après l'échec du putsch contre Mikhaïl Gorbatchev, le Parlement élit un nouveau président, Stanislav Chouchkevitch, issu du PC, et proclame l'indépendance (25 août 1991). Avec la Russie et l'Ukraine, la Biélorussie signe l'accord de Minsk (8 déc. 1991), puis ceux d'Alma-Ata (21 déc.) mettant fin à l'URSS et créant la Communauté d'États indépendants (CEI). En 1994, le Parlement destitue Chouchkevitch et approuve une nouvelle Constitution. Aleksandr Loukachenko, élu président de la République (pour la première fois au suffrage universel), signe un projet d'union monétaire avec la Russie, suivi en 1996 d'un traité prévoyant la réunification. Il tente depuis un rapprochement avec Moscou, n'hésitant pas à marquer sa défiance vis-à-vis de l'Occident en s'affichant au côté du président yougoslave pendant la guerre du Kosovo.

Moldavie **Moldova**

Nom officiel : République de Moldavie. **Capitale :** Chisinău. **Monnaie :** leu. **Langue officielle :** roumain. **Principale religion :** orthodoxie. **Institutions :** République. Constitution de 1994. Président de la République élu au suffrage universel. Parlement à chambre unique. **Président de la République :** Petru Lucinschi (depuis 1996). **Premier ministre :** Ion Ciubuc (depuis 1997). **Drapeau :** adopté en 1989, il prend les couleurs du drapeau de la Roumanie traditionnelle, en y adjoignant l'écu moldave. L'aigle portant le sceptre et la palme vient de l'aigle roumaine des Hohenzollern. **Hymne national :** c'est le même que celui de la Roumanie. **Fête nationale :** 24 avril (anniversaire de la libération de Chisinău par les troupes soviétiques en 1944).

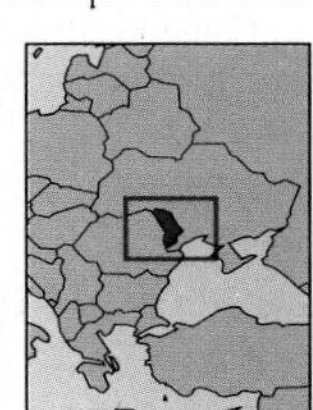

Superficie : 34 000 km². **Point culminant :** 409 m au Balaneshty.

GÉOGRAPHIE

Pays enclavé et au relief bas, la Moldavie vit de l'élevage et de l'agriculture. Son industrie manque de matières premières. La population, essentiellement moldave, comporte d'importantes minorités (Russes, Ukrainiens et Gagaouzes principalement). Son accroissement naturel est faible.

HISTOIRE

La Bessarabie. La république de Moldavie est constituée de la plus grande partie de la Bessarabie. Cette région a longtemps appartenu à la principauté de Moldavie. Comme cette dernière, elle a connu la domination ottomane. Envahie à plusieurs reprises par les Russes au XVIIIe s., la Bessarabie est cédée par l'Empire ottoman à la Russie en 1812. Mais afin d'éviter le contrôle par celle-ci de l'embouchure du Danube, désormais librement ouvert à la navigation, le traité de Paris, qui sanctionne en 1856 la défaite de la Russie dans la guerre de Crimée, stipule le retour à la Moldavie de la Bessarabie méridionale. Cette région redevient russe après le congrès de Berlin (1878). Après la révolution russe de 1917 et l'armistice de Brest-Litovsk, elle est occupée par les troupes roumaines (début 1918). Cette annexion est entérinée par les Alliés en 1920, mais non reconnue par l'URSS.

La soviétisation. Une minuscule république autonome de Moldavie, créée en 1924 par les Soviétiques sur la rive orientale du Dniestr et rattachée à l'Ukraine, sert de base aux revendications territoriales qui s'expriment dans le protocole secret du pacte germano-soviétique. En juin 1940, les forces soviétiques reconquièrent la Bessarabie dont le sud est rattaché à l'Ukraine. Le reste du pays et une partie de la république autonome de Moldavie forment, au sein de l'URSS, la république socialiste soviétique de Moldavie.

Reconquise par les Roumains alliés aux Allemands, en 1941, la Moldavie est reprise par les Soviétiques en 1944. Après les épreuves de la guerre, la population subit la terreur de masse stalinienne. L'alphabet est cyrillisé en 1940.

Vers l'indépendance. Les aspirations autonomistes ranimées par la perestroïka s'expriment d'abord par des revendications linguistiques, satisfaites en août 1989 (retour à l'alphabet latin, reconnaissance du roumain comme langue officielle). Après la victoire du Front populaire aux élections législatives du printemps 1990, la Moldavie se déclare souveraine (juin). Inquiètes, les minorités gagaouze (Turcs christianisés du Sud) et slave russophone de la rive gauche du Dniestr (Transnistrie) proclament leur indépendance. Des heurts sanglants s'ensuivent avec les Moldaves. Après l'échec du putsch contre Mikhaïl Gorbatchev, la Moldavie proclame son indépendance (27 août 1991). Mircea Snegur, ancien membre du PC rallié au nationalisme, est élu président (sept.). Il fait adhérer la Moldavie à la CEI. Tandis que le conflit en Transnistrie s'exacerbe, des luttes internes opposent les partisans d'un rapprochement plus fort avec la Roumanie et ceux (dont le président) qui préconisent le renforcement de l'indépendance nationale, appuyée sur la coopération avec la CEI. En févr. 1994, des élections législatives anticipées donnent la victoire au parti du président, et un référendum consacre en mars l'indépendance nationale, marginalisant le nationalisme proroumain. Le nouveau Parlement suspend la loi qui faisait du roumain la langue officielle, ratifie l'adhésion du pays à la CEI et adopte une nouvelle Constitution qui prévoit un statut d'autonomie pour la Gagaouzie et la Transnistrie.

◆ **Démographie.**

population	4 200 000 hab.
densité	123,5 hab./km²
accroissement naturel	4,9 ‰
taux de natalité	13,6 ‰
taux de mortalité infantile	20 ‰
espérance de vie	68 ans
part des moins de 15 ans	26,4 % de la pop. totale
part des plus de 65 ans	9,2 % de la pop. totale
population urbaine	52 %
principales villes	Chisinău, Tighina, Tiraspol

◆ **Principales ressources et productions** (1997).

betterave à sucre	1 977 000 t

◆ **Économie et niveau de vie** (1996).

PNB	1,773 milliard de $
PNB/hab.	1 440 $
taux de croissance *(1993)*	−14 % par an
taux d'inflation *(1991)*	100,9 %
taux de chômage	n.d.
dette extérieure	834,2 millions de $
importations	1 056 millions de $
exportations	801 millions de $
répartition des actifs	
agriculture	45,6 %,
industrie	18,7 %,
services	35,7 %
transports	
routes	12 311 km,
voies ferrées	1 150 km
taux d'analphabétisme	3,6 %

◆ **Armée.**

budget militaire *(1996)*	1,9 % du PIB
forces armées *(1997)*	11 900 hommes

L'Asie

Aspects généraux

Un continent démesuré

S'étendant des rives de la Méditerranée à celles de l'océan Pacifique, et du cercle polaire au sud de l'équateur, l'Asie est le plus vaste et le plus peuplé des continents : il compte 3,6 milliards d'habitants (60 % de la population mondiale), répartis sur près de 44 000 000 de km² (30 % des terres émergées). L'Asie est également le berceau de grandes civilisations, parmi les plus anciennes et les plus brillantes. La contrepartie de ce gigantisme est l'extrême diversité de cette partie du monde qui rassemble en fait une grande variété d'espaces géographiques et géopolitiques à l'histoire très longtemps distincte. Si la fin des empires coloniaux occidentaux a annoncé le renouveau asiatique, le continent reste très divisé du fait de clivages culturels et politiques persistants.

Diversité géographique. La géographie continentale s'articule pour l'essentiel autour du massif de l'Himalaya qui, placé au cœur de l'Asie, sépare la Chine du sous-continent indien et s'étend sur 2 800 km. Comptant les plus hauts sommets du monde et culminant à l'Everest (8 846 m), cette chaîne de montagnes s'étend de l'Asie centrale au centre de la Chine. Les plus grands fleuves asiatiques y prennent leur source ainsi que dans ses contreforts : le Gange, le Brahmapoutre, l'Indus, le Huang He (ou fleuve Jaune), le Yangzi Jiang. On distingue trois grandes zones géographiques selon les climats : l'Asie de l'Ouest, aride et peu peuplée, qui rassemble Moyen-Orient et Asie centrale ; à l'est du Pakistan, l'Asie des moussons, le domaine de la riziculture, humide et très peuplé (90 % de la population asiatique) ; au nord, une Asie septentrionale continentale à la population clairsemée, au climat froid. Continent des contrastes géographiques, l'Asie abrite ainsi certains des déserts les plus arides du monde, dans la péninsule Arabique et en Asie centrale (moins de 250 mm de pluies par an), et certaines des zones les plus humides (Asie du Sud-Est et golfe du Bengale, plus de 3 000 mm de précipitations annuelles). Les températures atteignent des moyennes supérieures à 35 °C en été, dans les zones méridionales désertiques, et – 50 °C en hiver dans le nord-est de la Sibérie. Ces différences expliquent les contrastes de peuplement entre les immenses régions quasi vides (moins de un habitant au km²) de l'ouest, du centre et du nord et les zones de peuplement les plus denses du monde (moyennes supérieures à 200 habitants au km²) en Chine orientale, au Japon, en Indonésie, au Bangladesh ou en Inde.

Les espaces géopolitiques

Par son immensité, l'Asie est constituée de plusieurs espaces géopolitiques distincts, qui ont chacun connu une histoire autonome. On peut ainsi distinguer cinq « Asies » : le Caucase et le Proche-Orient, qui forment l'Asie occidentale, l'Asie centrale, l'Asie méridionale indienne, l'Asie orientale dominée par l'influence chinoise et l'Asie du Sud-Est.

L'Asie occidentale regroupe l'Asie Mineure, le Caucase, le Moyen-Orient. C'est une région longtemps restée tournée vers l'Europe. Foyer des trois grandes religions monothéistes, le Moyen-Orient a également été le berceau de civilisations brillantes pendant l'Antiquité. Au VIIe siècle, la région a pris son identité contemporaine avec la naissance de l'islam qui s'est répandu dans toute l'Asie à partir de la péninsule Arabique, dépassant largement les limites du monde arabe, pour toucher les mondes turc, indien et l'Asie du Sud-Est. Après une longue suprématie ottomane et une phase coloniale dominée par le Royaume-Uni, plusieurs États de la région profitent aujourd'hui des ressources en hydrocarbures, dont ils détiennent l'essentiel des réserves mondiales. La région est marquée par de nombreux conflits qui opposent Israël au monde arabe et les pays musulmans entre eux.

Après avoir connu des empires conquérants, l'Asie centrale est longtemps restée sous la domination russe et ne s'est émancipée que récemment. Malgré son enclavement, une nature hostile et une instabilité chronique, la région suscite l'intérêt des puissances voisines (Chine, Russie, Iran, Turquie, Inde, Pakistan) et occidentales (États-Unis, Europe), notamment à cause de ses ressources supposées en hydrocarbures.

L'Asie méridionale rassemble le monde indien, très peuplé et partagé entre hindouistes et musulmans, mais marqué par une réelle unité culturelle. La civilisation qui s'est formée au sein du sous-continent indien est l'une des plus riches du monde et a connu des royaumes brillants. Le monde indien, berceau de l'hindouisme et du bouddhisme, a ensuite absorbé les conquérants musulmans, qui l'ont partiellement islamisé. Après un siècle de colonisation britannique, l'Inde a recouvré son indépendance en 1947 et s'est divisée en plusieurs États. Depuis cette date, la région est marquée par l'opposition entre le géant indien et le Pakistan.

L'Asie orientale subit l'influence démographique et culturelle de la Chine. Après une

◆ **Rizière du Viêt Nam.** Dans l'Asie humide, la culture du riz demeure la principale activité agricole et fournit la base de l'alimentation.

◆ **Femmes voilées en Afghanistan.** Fondamentalistes, les talibans prônent un retour aux règles strictes du Coran. Ici, des femmes lors d'une distribution de denrées alimentaires organisée par la Croix-Rouge à Kaboul.

◆ **Jérusalem.** Partagée entre une ville arabe et une ville juive, Jérusalem, ville sainte pour les trois religions du Livre, est l'un des points sensibles du conflit israélo-palestinien.

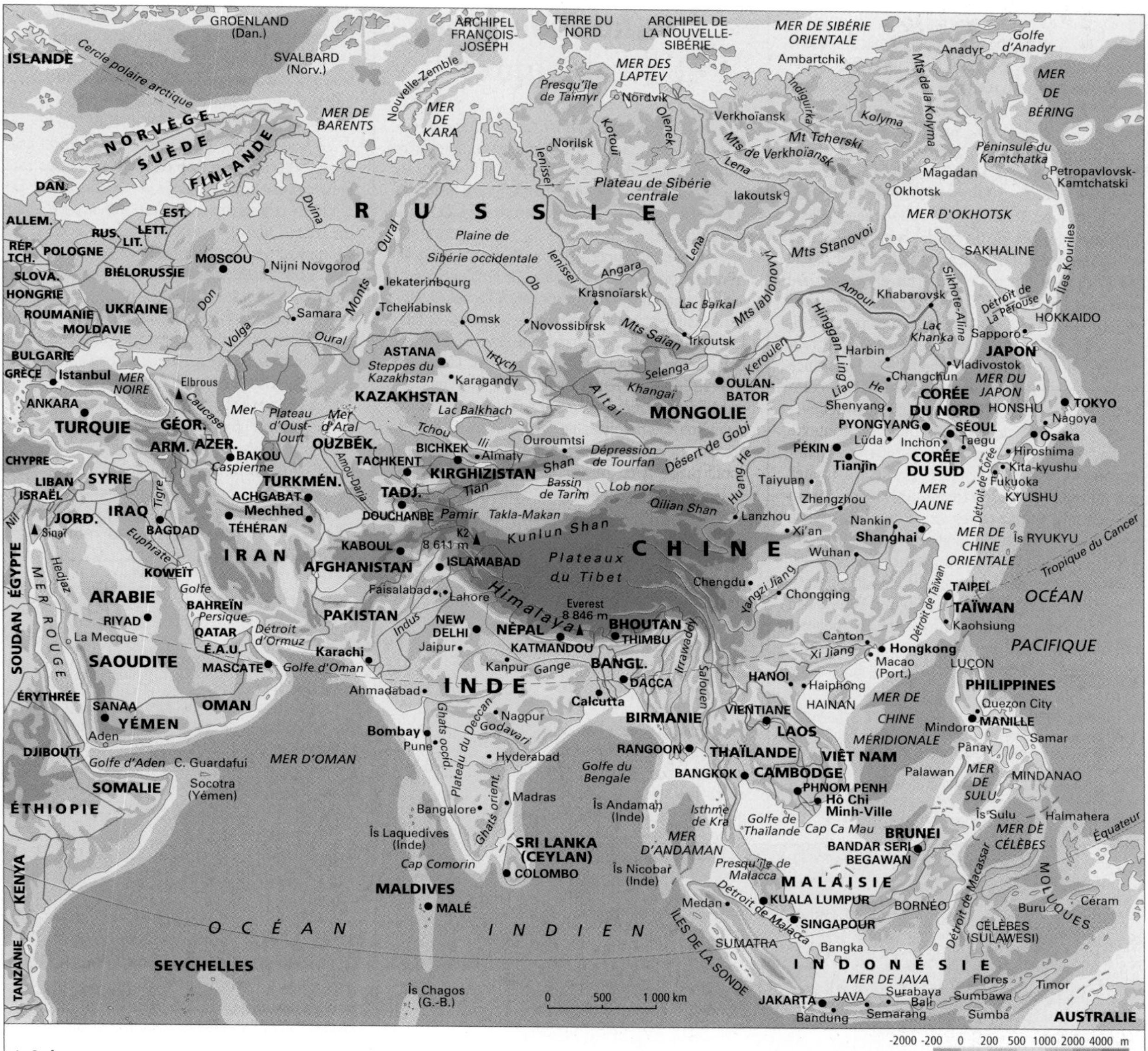

♦ **Asie.**

phase d'hégémonie occidentale, on retrouve aujourd'hui le poids de cet immense pays, même si le Japon ou la Corée ont aussi développé une forte identité.

L'Asie du Sud-Est est plus hétérogène. Elle a en effet subi les influences parfois contradictoires de la Chine, de l'Inde, de l'Islam et de l'Occident. Elle connaît aujourd'hui un rapide développement économique, cependant émaillé de crises.

Un développement économique spectaculaire

La zone Asie-Pacifique connaît depuis quelques années un développement économique remarquable. Le mouvement est parti du Japon qui, après une reconstruction économique spectaculaire au lendemain de la Seconde Guerre mondiale, est devenu une puissance économique majeure dans les années 1960 et constitue aujourd'hui, malgré une crise économique et financière persistante, la deuxième économie du monde, dépassée seulement par les États-Unis. Le développement économique a ensuite gagné les « quatre dragons » (Corée du Sud, Taïwan, Hongkong et Singapour) dans les années 1980. Ces pays ont suivi le même modèle de croissance que le Japon, en développant d'abord des industries de main-d'œuvre tournées vers l'exportation (automobile, sidérurgie, textile, chantiers navals...), puis s'orientant vers des industries à plus forte valeur ajoutée (électronique). L'ensemble de l'Asie du Sud-Est et la Chine orientale et méridionale se sont ensuite joints au mouvement de croissance économique dans les années 1990. Parmi ces pays, les premiers furent les « tigres » de l'ASEAN (Association des nations d'Asie du Sud-Est) dont la Thaïlande, l'Indonésie, la Malaisie, rapidement suivis par d'autres pays de la région. Tous ces États ont connu des taux de croissance exceptionnels, avec, pendant des années, des croissances parfois voisines de 10 %. L'Asie du Sud, et notamment l'Inde, semble depuis quelques années rejoindre enfin des rythmes simi-

VOIR AUSSI
- **Formation de l'Himalaya** p. 43
- **Religions orientales** p. 525 à 536
- **Organisations économiques régionales** p. 778
- **NPI d'Asie** p. 816

♦ **Shanghai.**
Ville majeure de la côte orientale de la Chine populaire, Shanghai incarne parfaitement les profondes évolutions qu'a connues le pays depuis une quinzaine d'années. L'ouverture économique, qui a permis son spectaculaire développement, contribue à lui rendre son rôle traditionnel de port chinois ouvert sur le monde.

laires, jusqu'ici réservés aux pays de l'Asie orientale maritime. Il faut enfin noter que les autres grandes régions asiatiques (Moyen-Orient et Asie centrale) restent largement en marge de ce processus de développement économique accéléré, malgré leurs ressources naturelles (pétrole, gaz) plus importantes.

La grave crise financière qui a affecté le Japon puis la quasi-totalité des pays d'Asie orientale et du Sud-Est en 1997-1998 ne devrait pas freiner durablement ce mouvement. Elle a néanmoins révélé de profondes tensions sociales et politiques, paradoxalement renforcées par le développement économique. En effet, derrière une crise financière classique mettant aux prises des monnaies fragiles et des spéculateurs décidés, c'est tout un modèle de société qui s'est trouvé remis en cause. Moteur de la croissance économique, tout en étant partiellement compensées par elle, les inégalités sociales sont devenues un facteur de tensions dans un contexte moins favorable. Phénomène plus marquant encore, la crise financière a révélé les limites du « modèle asiatique » fondé sur la combinaison de régimes autoritaires et d'une prospérité constamment accrue. Longtemps négligée, voire condamnée, la demande de démocratisation est redevenue un thème essentiel du débat politique. Elle conduit à la fin du régime Suharto en Indonésie et se fait plus pressante en Malaisie ou, bien sûr, en Chine.

Conflits politiques et stratégiques

Les progrès économiques n'ont pas gommé les différends stratégiques qui opposent de nombreux pays asiatiques. Bien au contraire, ils ont permis un nouveau tournant dans ces conflits en donnant les moyens financiers de leur ambition stratégique à plusieurs acteurs.

Les tensions inter-étatiques et les incidents de frontière sont d'autant plus vifs que l'Asie ne dispose d'aucune organisation régionale à l'échelle continentale susceptible d'apaiser ou de régler les conflits. L'affirmation de la puissance stratégique chinoise est une première source de tensions. À l'intérieur d'abord, avec la répression violente des mouvements démocratiques et des tendances séparatistes, ou même autonomistes, au Tibet ou au Sinkiang. À l'extérieur ensuite, sans compter ses relations conflictuelles avec Taïwan, la Chine populaire est engagée dans des différends territoriaux avec la quasi-totalité de ses voisins (Inde, Viêt Nam, Japon, Russie...). Elle affiche ses ambitions en mer de Chine du Sud (archipels des Paracels et des Spratleys), ce qui complique ses relations avec la presque totalité des pays de l'ASEAN. Si la fin de la guerre froide a mis un terme à cinquante ans de guerre en Indochine, la péninsule coréenne et le sous-continent indien sont deux autres zones de conflits potentiels impliquant de plus des armes nucléaires. Une grande partie de l'Asie centrale subit les conséquences de l'interminable guerre civile afghane. Le Caucase ne semble pas plus échapper aux tensions nées de la disparition de l'URSS. Au Proche-Orient enfin, le conflit israélo-arabe demeure irrésolu malgré un processus de paix.

Sans être une particularité du continent asiatique, l'existence de minorités et de peuples sans États s'y pose enfin avec une particulière acuité. Les questions palestinienne, kurde, tibétaine ou le conflit du Timor-Oriental restent sans solution depuis des décennies. Les guerres civiles entre groupes ethniques ont durablement détruit des États comme le Liban, la Birmanie (Myanmar), Sri Lanka ou l'Afghanistan. Elles ont suscité des affrontements particulièrement violents et entraîné plusieurs autres pays dans l'engrenage insurrection, répression, terrorisme. Dans le Caucase, en Asie centrale, en Asie du Sud ou du Sud-Est, d'autres conflits latents existent et ne font pas l'objet d'une réelle prévention.

VOIR AUSSI • **Guerres israélo-arabes** p. 467

◆ **New Delhi.**
Capitale de l'Inde, New Delhi est densément peuplée comme toutes les villes majeures du sous-continent indien. Première industrie cinématographique du monde par le nombre de films produits, le cinéma indien joue un rôle de première importance dans la société et connaît un immense succès populaire.

◆ **Habitat gurung.**
Les Gurung habitent le Népal, sur le versant sud de l'Annapurna, au nord de pays. Les Gurung sont parmi les plus anciennes tribus mongoloïdes du moyen Himalaya. Les constructions sont très évoluées et capables de résister aux grands froids. Ici, le village de Pokhara, dans le centre du Népal.

◆ **Cappadoce.**
En Turquie, sur le plateau anatolien, au sud-est d'Ankara, l'érosion a modelé dans le tuf cônes, pitons et cheminées des fées, créant des paysages très particuliers comme ceux du parc national de Göreme (inscrit sur la liste du Patrimoine mondial culturel et naturel).

◆ **Singapour.**
Comme d'autres grandes villes portuaires surpeuplées de l'Asie orientale développée, Singapour s'est construite en hauteur avec de multiples gratte-ciel, mais la ville conserve cependant certaines activités traditionnelles.

Caucase et Moyen-Orient

Arménie Hayastan

Nom officiel : République d'Arménie. **Capitale :** Erevan. **Monnaie :** dram. **Langue officielle :** arménien. **Principale religion :** Église arménienne. **Institutions :** régime présidentiel, constitution de 1995. Président élu au suffrage universel pour 5 ans depuis 1991. Le Parlement ne compte qu'une Chambre (190 députés). **Président de la République :** Robert Kotcharian (depuis 1998). **Premier ministre :** Armen Darbinian (depuis 1998). **Drapeau :** en usage de 1918 à 1921, il a été repris en 1989. Azur, gueules et or viennent du blason des Lusignan, ces Poitevins qui firent souche en Arménie avant 1375. En 1918, les députés arméniens, yézidis (kurdes) et tatars (azéris), l'adoptèrent à l'unanimité, et le *catholicos* le bénit. **Hymne national,** dit « Mer Haïrenik » (Notre patrie) : « Notre patrie, libre, indépendante, qui a survécu de siècle en siècle, appelle aujourd'hui ses enfants en Arménie libre et indépendante. » Paroles de Mikael Nalbandian (1830-1866), musique de Parsegh Ganatchian (1885-1967). **Fêtes nationales :** 28 mai (anniversaire de la proclamation de l'indépendance, en 1918); 23 septembre (restauration de l'indépendance en 1991).

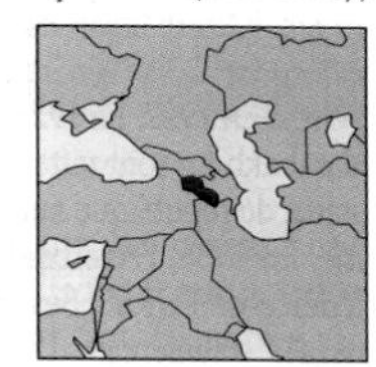

Superficie : 29 800 km². **Point culminant :** 4 090 m au pic Aragats, dans le massif de l'Ararat.

GÉOGRAPHIE

L'Arménie est un pays au climat continental, avec des amplitudes thermiques élevées dans les zones montagneuses. Son relief accidenté et varié permet des activités agricoles diverses qui combinent élevage (bovins et ovins) et cultures (céréales, cultures maraîchères, tabac, fruitiers, vignobles). L'industrie est limitée à l'extraction du cuivre et à la métallurgie.

HISTOIRE

L'Antiquité. L'origine des Arméniens est obscure. D'après la légende, Haïk, leur ancêtre éponyme, est un arrière-petit-fils de Noé. On pense que les Arméniens sont un mélange de populations thracophrygiennes, venues des Balkans, et de peuples du royaume d'Ourartou (IXe-VIIe s. av. J.-C.). Satrapie vassale des Mèdes (612-549 av. J.-C.), puis des Perses Achéménides (549-330 av. J.-C.), l'Arménie est intégrée à l'empire d'Alexandre. Puis deux royaumes indépendants sont créés à la faveur de la défaite des Séleucides devant les Romains (189 av. J.-C.).

Sous le règne de Tigrane II le Grand (95-54 av. J.-C.), l'Arménie constitue un empire qui s'étend du Caucase à la Palestine, avant d'être vaincue par Pompée (66 av. J.-C.). Sous les Arsacides (62-428 apr. J.-C.), elle devient un État tampon entre les Empires romain et parthe, qui se la partagent vers 390. Elle est le premier État à adopter officiellement le christianisme (314), grâce à saint Grégoire l'Illuminateur (v. 240 - v. 332), le premier *catholicos* (évêque) de l'Arménie. La constitution d'une Église autocéphale, qui se sépare de l'Église d'Occident à Chalcédoine (451), et l'invention d'un alphabet par Mesrop Machtots (v. 400) contribuent à forger l'identité arménienne.

Des royaumes médiévaux. L'Arménie est disputée entre Byzance et la Perse jusqu'à la conquête arabe (v. 640). Le déclin des Abbassides permet l'apparition de deux royaumes souverains : celui des Bagratides, avec pour capitale Ani (885-1064), et celui des Artzrouni, avec pour capitale Van (908-1022), ainsi que de royaumes secondaires (Kars, Lori, Siunik). Ani succombe aux coups portés par Byzance, puis est mise à sac par les Turcs Seldjoukides (1064). Tandis que la Grande Arménie est ravagée tour à tour par les Seldjoukides, les Mongols de Gengis Khan, les armées de Timur Lang (Tamerlan) et les Turcomans, Rouben Ier fonde en Cilicie le royaume de Petite Arménie (1073-1375) qui s'allie aux principautés franques du Levant et aux croisés. Sis, sa capitale, est conquise par les Mamelouks d'Égypte (1375). Son dernier roi, Léon VI de Lusignan, sera enterré dans la basilique de Saint-Denis.

La domination ottomane. Au XVe s., les Ottomans se rendent maîtres de l'Arménie. Ils en disputent la partie orientale à la Perse séfévide (XVIe-XVIIIe s.). De nombreux Arméniens émigrent et fondent des colonies dans toute l'Europe. Ceux du Nakhitchevan, déportés en 1604 par Abbas Ier le Grand (1571-1628), créent la communauté marchande de Nor Djoulfa, près d'Ispahan. Dans l'Empire ottoman, la vie nationale s'organise dans le cadre du *millet* (communauté) arménien, dirigé par le patriarcat de Constantinople (depuis 1461) et une oligarchie de financiers et de négociants. Les paysans et les artisans des provinces orientales sont soumis à l'arbitraire des gouverneurs et des grands propriétaires musulmans, ainsi qu'aux brigandages des tribus kurdes.

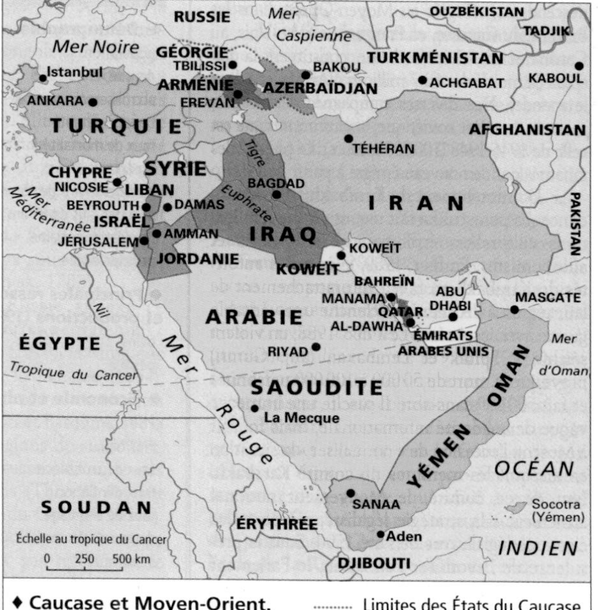

♦ **Caucase et Moyen-Orient.** .... Limites des États du Caucase

L'expansion russe au Caucase et la question arménienne Au terme de plusieurs guerres contre l'Empire ottoman et la Perse (1805-1829), la Russie annexe l'Arménie orientale puis conquiert Kars et Ardahan lors de la guerre de 1877-1878. Au congrès de Berlin (1878), la Porte s'engage à accomplir les réformes nécessaires dans les provinces arméniennes. Mais, sous Abdülhamid II (1842-1918), les massacres perpétrés en 1894-1896 font de 100 000 à 300 000 morts. Au Caucase, la politique de russification s'accentue à la fin du XIXe s. Les premiers partis politiques, comme le Dachnaktsoutioun (Fédération révolutionnaire arménienne, socialiste, créée à Tiflis en 1890), militent pour l'autonomie.

Le génocide, la première république indépendante et la soviétisation. Pendant la Première Guerre mondiale, en 1915, le génocide perpétré par les Jeunes-Turcs vide l'Anatolie de sa population arménienne (de 1 à 1,5 million de morts sur 2,1 millions d'Arméniens dénombrés en 1914). À la faveur de la révolution russe qui fait éclater l'empire tsariste, l'Arménie orientale proclame son indépendance (28 mai 1918). Des guerres frontalières l'opposent à la Géorgie et surtout à l'Azerbaïdjan, pour le contrôle du Karabakh et du Nakhitchevan. Le traité de Sèvres (10 août 1920) accorde à l'Arménie la majeure partie des vilayets (provinces) de Van, Bitlis, Erzurum et Trébizonde. Mais, prise entre les kémalistes turcs et l'Armée rouge, la république est soviétisée (2 déc. 1920) dans ses frontières restreintes. Le Karabakh, peuplé de 95 % d'Arméniens, et le Nakhitchevan sont rattachés à la RSS d'Azerbaïdjan.

La RSS d'Arménie et la diaspora. L'un des trois pays de la Fédération transcaucasienne, l'Arménie, intégrée à l'URSS en déc. 1922, obtient le statut de république fédérée en 1936. Elle connaît toutes les vicissitudes de l'histoire soviétique et se développe surtout après la mort de Staline. Hors de la RSS d'Arménie, les rescapés du génocide et leurs

♦ Démographie.

population	3 800 000 hab.
densité	127,5 hab./km²
accroissement naturel	11,6 ‰
taux de natalité	13,3 ‰
taux de mortalité infantile	15 ‰
espérance de vie	73 ans
part des moins de 15 ans	28,6 % de la pop. totale
part des plus de 65 ans	7,4 % de la pop. totale
population urbaine	69 %
principale ville	Erevan

♦ Économie et niveau de vie (1996).

PNB	1,621 milliard de $
PNB/hab.	2 160 $
taux de croissance	n.d.
taux d'inflation	18,7 %
taux de chômage	n.d.
dette extérieure	522 millions de $
importations	760 millions de $
exportations	290 millions de $
transports	routes 7 705 km, voies ferrées 830 km
taux d'analphabétisme	1 %

♦ Armée.

budget militaire *(1996)*	3,6 % du PIB
forces armées *(1997)*	57 400 hommes

Caucase et Moyen-Orient

GÉOGRAPHIE

La Turquie est pour l'essentiel un pays de hautes terres au climat continental et montagneux (les étés sont chauds et secs et les hivers rudes). L'agriculture et la population sont regroupées le long du littoral (en particulier à l'ouest, sur les rives de la mer de Marmara, au climat méditerranéen). L'économie turque demeure surtout rurale. L'Anatolie produit des céréales (blé et orge), du tabac, de la betterave à sucre, des fruits et du coton. Élevage bovin, ovin et caprin (laine et mohair des chèvres angora). Les ressources du sous-sol sont variées, mais peu abondantes (sauf le chrome) ou insuffisamment exploitées. L'industrialisation demeure limitée à la sidérurgie et au textile et ne suffit pas à assurer une balance commerciale excédentaire. Le tourisme est très développé. La population, presque entièrement de confession musulmane, comportant une importante minorité kurde, est en majeure partie urbaine. Sa croissance démographique est rapide et limite la progression du niveau de vie.

HISTOIRE

L'Anatolie antique. L'Anatolie est peuplée dès les temps préhistoriques. Elle possède bientôt, à Çatal Höyük, la plus vieille agglomération urbaine du monde (entre 6500 et 5500 av. J.-C.). Vers 3000 av. J.-C. apparaissent des cités-États avec lesquelles commercent Mésopotamiens et Syriens. Vers 1900 av. J.-C., Assyriens et Amorrites installent en Cappadoce des colonies marchandes; du XVIIIe au XIIe s. av. J.-C., divers royaumes (Hittites, Hourrites, Louvites) et les établissements grecs (Troie, Milet) se partagent l'Anatolie. Vient l'invasion des Barbares du Nord. Commence alors la période des siècles obscurs (v. 1200-900 av. J.-C.). Au IXe s. av. J.-C., l'Anatolie renaît avec les royaumes d'Ourartou (IXe-VIe s. av. J.-C.), de Phrygie et de Lydie (VIIIe-VIe s. av. J.-C.).

L'Asie Mineure grecque. L'installation des Grecs en Asie Mineure a lieu dès la seconde moitié du IIe millénaire. Cependant, après les guerres médiques, les Grecs d'Asie entrent dans la mouvance de l'empire athénien dont le joug leur paraîtra plus pesant que celui des Perses. La réunion des deux Grèces se fera lors de leur asservissement à la Macédoine. La prospérité des cités grecques d'Asie continue à s'affirmer durant la période hellénistique. L'Asie Mineure finit par revenir aux Attalides de Pergame (v. 283-133 av. J.-C.).

Des Romains aux Byzantins. En 133 av. J.-C., Attalos lègue ses possessions à Rome, qui en fait la province d'Asie (129). Dès le règne de Dioclétien (284-305 apr. J.-C.), le gouvernement efficace de l'Empire romain exige la présence simultanée de deux empereurs, un en Occident, un en Orient. En 395, à la mort de Théodose, l'Orient est confié à son fils Arcadius et l'Occident à son autre fils Honorius. Ainsi naît l'Empire byzantin, avec pour capitale Constantinople. Il possède une forte unité morale due à une large pratique de la langue grecque et au christianisme (schisme d'Orient en 1054). À son apogée sous la dynastie macédonienne (867-1057), il est assiégé à la fin du XIe s. par les Turcs. Il s'effondre sous l'assaut des croisés qui s'emparent de Constantinople en 1204. Puis il survit jusqu'en 1453 (prise de Constantinople par les Turcs Ottomans) et même jusqu'en 1461 (royaume de Trébizonde).

Le sultanat de Rum. Les Seldjoukides, d'un clan de Turcs Oghouz, quittent à la fin du Xe s. le cours inférieur du Syr-Daria. Sous la conduite d'Alp Arslan (1063-1073), ils battent l'armée byzantine à Malazgirt (Mantzikert) en 1071. Les nomades turcs se répandent en Asie Mineure. Süleyman ibn Kutulmich (1077-1086) y crée le sultanat de Rum (1077-1307/1308) et établit sa capitale à Nicée (1081). Mais Kiliç Arslan Ier (1092-1107), vaincu par les croisés à Dorylée (1097), doit se replier sur Iconium (Konya). Le sultanat de Rum ne connaît plus qu'une longue agonie après la victoire mongole de 1243.

L'essor de l'Empire ottoman. Osman Ier Gazi (v. 1258-? 1326), à qui était échu un fief dans le sud de la Bithynie, se rend indépendant des Seldjoukides vers 1299. Il étend sa principauté aux dépens de Byzance et fonde la dynastie ottomane. Ohran Gazi (1281-1359 ou 1362), fils d'Osman, conquiert Brousse (1326), dont il fait sa capitale, puis prend pied en Europe à Gallipoli (1354). Il crée l'armée régulière des janissaires. Murad Ier (1359-1389) conquiert Andrinople, la Thrace, la Macédoine et la Bulgarie et prend le titre de sultan. Bayezid Ier (1389-1403) s'intéresse autant à l'Asie (où il atteint l'Euphrate) qu'à l'Europe. À la frontière hongroise, il écrase la croisade de Sigismond de Luxembourg à Nicopolis (1396). Mais l'empire ainsi constitué par ces souverains conquérants est ébranlé par l'assaut de Timur Lang (Tamerlan), qui défait en 1402 Bayezid Ier. Mehmed Ier (1413-1421) reconstitue l'Empire anatolien et Murad II (1421-1451) reprend l'expansion en Europe. Enfin, Mehmed II (1451-1481) conquiert Constantinople (1453), qui devient une des métropoles de l'islam.

L'apogée de l'Empire (1453-1566). L'expansion se poursuit avec les conquêtes de Mehmed II : Serbie, Bosnie, Albanie, Crimée, émirat de Karaman. Bayezid II (1481-1512) est renversé par Selim, soutenu par les janissaires. Avec Selim Ier (1512-1520), les conquêtes reprennent : Anatolie orientale (1514), Syrie (1516), Égypte (1517). Le dernier calife abbasside se rend à Constantinople. On ignore s'il a renoncé au califat au profit de Selim Ier. Mais c'est seulement au XVIIIe s. que les sultans portent le titre de calife. Avec Soliman le Magnifique (1520-1566), fils et successeur de Selim, l'Empire est à son apogée : domination établie sur la Hongrie (victoire

◆ Démographie.

population	64 800 000 hab.
densité	83 hab./km²
accroissement naturel	17,9 ‰
taux de natalité	21,9 ‰
taux de mortalité infantile	42 ‰
espérance de vie	69 ans
part des moins de 15 ans	31,1 % de la pop. totale
part des plus de 65 ans	5,1 % de la pop. totale
population urbaine	70 %
principales villes	Istanbul, Ankara, Izmir, Adan, Bursa

◆ Principales ressources et productions (1997).

blé	18 650 000 t (8e rang)
coton	755 000 t (6e rang)
olives	450 000 t (6e rang)
thé	121 000 t (6e rang)
lignite	41 500 000 t (8e rang)
acier	14 225 000 t
ovins	33 791 000 t (6e rang)

◆ Économie et niveau de vie (1996).

PNB	183,994 milliards de $
PNB/hab.	6 060 $
taux de croissance	7,2 %
taux d'inflation	80,4 %
taux de chômage	6,6 %
dette extérieure	79 789,4 millions de $
importations	35 187 millions de $
exportations	21 975 millions de $
répartition des actifs	agriculture 45 %, industrie 22 %, services 33 %
transports	routes 381 028 km, voies ferrées 8 429 km
taux d'analphabétisme	17,7 %

◆ Armée.

budget militaire *(1996)*	2,7 % du PIB
forces armées *(1997)*	639 000 hommes

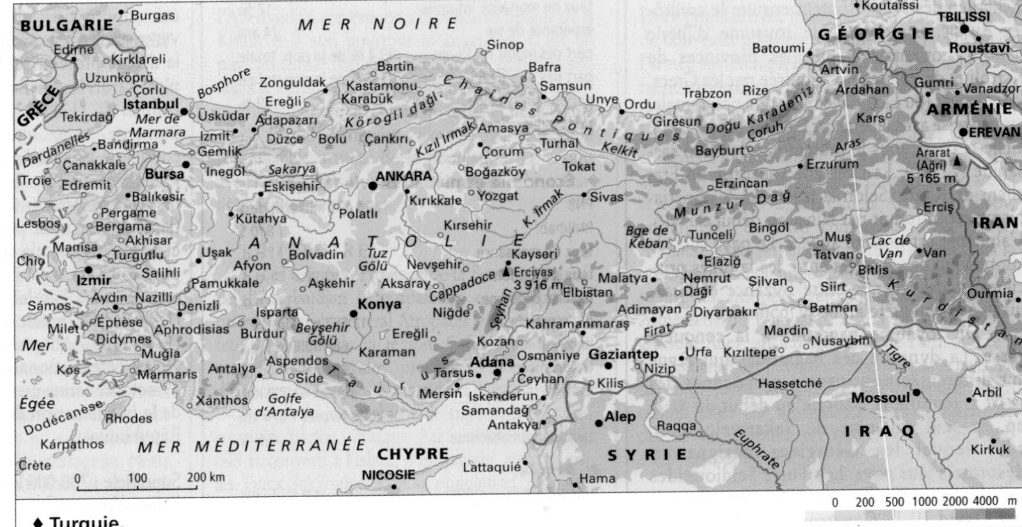

◆ **Turquie.**

de Mohács, 1526), sur l'Algérie, la Tunisie et la Tripolitaine, siège de Vienne (1529). Soliman dispute l'hégémonie en Europe à Charles Quint et devient l'allié de François Ier.

La stagnation et le déclin. À la fin du XVIe s. et durant le XVIIe s., l'Empire est gouverné par des sultans assez médiocres. La conquête de Chypre est suivie du désastre de Lépante (1571). L'échec devant Vienne (1683) entraîne la formation d'une Sainte Ligue contre les Turcs (Autriche, Venise, Pologne, Russie). Le traité de Karlowitz (1699) marque le premier recul des Ottomans. Le traité de Passarowitz (1718) consacre la victoire autrichienne. Celui de Kutchuk-Kaïnardji (1774) entérine l'ascension de l'Empire russe. Mahmud II (1808-1839) doit reconnaître l'indépendance de la Grèce (1830) et accepter la conquête de l'Algérie par la France. Son successeur, Abdülmecid (1839-1861), ouvre l'ère des réformes, le Tanzimat (1839-1876). Le congrès de Paris (1856) place l'Empire sous la garantie des Puissances. Mais sous Abdülaziz (1861-1876) et Abdülhamid II (1876-1909), l'endettement de l'Empire entraîne une plus grande ingérence des Occidentaux et il perd la Serbie, la Roumanie, la Tunisie et la Bulgarie. Les Jeunes-Turcs prennent le pouvoir en 1909. À la suite des guerres balkaniques (1912-1913), les Ottomans ne conservent plus en Europe que la Thrace orientale. Puis l'Empire s'engage dans la Première Guerre mondiale aux côtés de l'Allemagne. Après l'armistice de Moudros (30 oct. 1918), il est occupé par les Alliés.

La Turquie kémaliste. À partir de 1919, un général déjà illustre, Mustafa Kemal Paşa (1881-1938), organise la résistance nationale en Anatolie. Il est élu président (avr. 1920) par la Grande Assemblée nationale d'Ankara. Les Grecs, soutenus par la Grande-Bretagne, débarquent en Asie Mineure (juin) et le sultan Mehmed VI signe le traité de Sèvres (10 août 1920), qui démembre l'Empire. Mustafa Kemal défait les Grecs, qui signent l'armistice de Mudanya (11 oct. 1922). Il abolit le sultanat. La république est instaurée en 1923. Mustafa Kemal en devient président et gouverne avec le Parti républicain du peuple, qu'il vient de créer. La même année, le traité de Lausanne, remplaçant celui de Sèvres, donne naissance à la nouvelle Turquie. Les Arméniens, décimés par les Jeunes-Turcs en Anatolie en 1915, et les Kurdes sont abandonnés par les Alliés, qui les soutenaient. Le califat est aboli (1924). Exerçant un pouvoir absolu, Mustafa Kemal, dit Atatürk, entreprend la révolution nationale afin de faire de la Turquie un État laïque, moderne et occidentalisé. À la mort de Mustafa Kemal, en 1938, Ismet Inönü devient président de la République.

Depuis 1945. Restée neutre pendant la Seconde Guerre mondiale, la Turquie bénéficie du plan Marshall (1947). En 1950, Adnan Menderes (1899-1961), à la tête du Parti démocratique, accède au pouvoir. Il fait adhérer le pays à l'OTAN (1952). En 1960, le général Gürsel prend le pouvoir et demeure à la présidence de la République de 1961 à 1966. Des gouvernements de coalition, formés par Inönü (1961-1965), puis Süleyman Demirel (1965-1971), gouvernent le pays. Mais les troubles s'aggravent en 1970-1972 et l'ordre n'est rétabli qu'avec le concours de l'armée. Cependant, le débarquement des forces turques à Chypre (1974) assure la popularité du Premier ministre Bülent Ecevit. Demirel (1975-1978 ; 1979-1980) et Ecevit (1978-1979) alternent à la tête du pays, tandis que la situation économique se détériore et que se développe le terrorisme. En 1980, pour la troisième fois en 20 ans, une junte militaire prend le pouvoir. Dirigée par le général Evren, elle annonce vouloir sauvegarder la démocratie et rétablir les civils au gouvernement dans les meilleurs délais. En 1982, une nouvelle Constitution, limitant les libertés publiques, est approuvée par référendum. Après les élections de nov. 1983, si le général Evren se maintient à la tête de l'État, le Premier ministre Turgut Özal (parti de la Mère Patrie) rétablit les institutions démocratiques. Il ne peut cependant maîtriser la montée du chômage ni celle de l'inflation. Le terrorisme (arménien au début des années 1980, kurde à partir de 1984) réapparaît. En 1989, Turgut Özal est élu président de la République. Sous son impulsion, la Turquie, qui, depuis 1987, a déposé une demande d'adhésion à la CEE. se rapproche encore de l'Occident. Puis elle adhère, en 1990, à la coalition contre l'Iraq. Le gouvernement de coalition formé en novembre 1991 par S. Demirel (parti de la Juste Voie) reste confronté, malgré quelques concessions gouvernementales, au problème de la guérilla kurde. L'intervention en Iraq en 1995 puis l'arrestation au Kenya du chef kurde Öcalan en 1998 internationalisent le conflit. Après la mort de T. Özal (avr. 1993), S. Demirel est élu à la présidence de la République. Tansu Çiller et Mesut Yilmaz se succèdent alors jusqu'en 1998, avec un bref intermède islamiste en 1996 (gouvernement de Necmettin Erbakan). Mesut Yilmaz démissionne en nov. 1998. Il est remplacé par une nouvelle coalition cette fois dirigée par Bülent Ecevit. Depuis la dislocation de l'URSS, des perspectives de relations économiques et culturelles avec les turcophones du Caucase et d'Asie centrale s'offrent à la Turquie.

VOIR AUSSI
Illustrations
- **Conquête ottomane** p. 443
- **Réfugiés kurdes** p. 759
- **Funérailles de cinq turcs en Allemagne** p. 1004

Chypre Kypros, Kibris

Nom officiel : République de Chypre. **Capitale :** Nicosie (*Lefkossía, Lefkoşe*). **Monnaie :** livre cypriote (= 100 cents). **Langues officielles :** grec et turc. **Principale religion :** christianisme. **Institutions :** République, membre du Commonwealth. Constitution de 1960. Président de la République élu au suffrage universel pour 5 ans. Chambre des députés, à laquelle les Turcs ont cessé d'envoyer leurs représentants depuis 1963. Depuis 1975, la communauté turque s'est dotée d'institutions spécifiques. **Président de la République et chef du gouvernement :** Gláfkos Kliridhis (depuis 1993). **Drapeau :** il a été adopté par la partie hellénique de l'île. Le fond blanc et les rameaux d'olivier expriment le désir de paix. **Hymne national :** hymne national grec ; l'« État cypriote turc indépendant » a adopté l'hymne national turc. À l'occasion de la proclamation de la république, un hymne cypriote (non officialisé) a vu le jour. **Fête nationale :** 1er octobre.

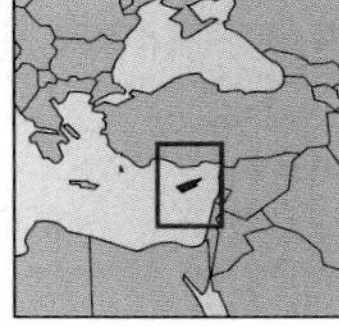

Superficie : 9 251 km². **Point culminant :** 1 953 m au mont Olympus.

GÉOGRAPHIE

L'île de Chypre est en grande partie montagneuse, avec une dépression centrale, site de sa capitale, Nicosie. Peuplée à 80 % de Grecs, l'île est actuellement séparée en deux entités politiques distinctes, l'une grecque, l'autre turque. Son économie, qui pâtit de la partition, consiste principalement en un secteur agricole (agrumes, vignes, céréales, légumes, bananes), alors que le tourisme a régressé, surtout dans la partie turque. C'est une place bancaire de premier plan.

HISTOIRE

L'Antiquité. Peuplée au VIIe millénaire, l'île exporte son cuivre et son bois dès 2500 av. J.-C. C'est un carrefour commerçant avec l'Égée, l'Égypte et surtout la Syrie. Après le Xe s. av. J.-C., elle reçoit des réfugiés mycéniens et phéniciens. Elle est divisée en une dizaine de royaumes jusqu'à la domination des Ptolémées (IIIe-IIe s. av. J.-C.) et devient province romaine en 58 av. J.-C. Elle fait ensuite partie de l'Empire romain d'Orient puis de l'Empire byzantin.

Un enjeu stratégique. Conquise par Richard Ier Cœur de Lion lors de la 3e croisade (1191), l'île est livrée aux templiers puis gouvernée par la maison des Lusignan de 1192 à 1489. Érigée en royaume (1197), elle devient, après la chute de Saint-Jean-d'Acre (1291), le principal centre latin d'Orient. Conquise par les Turcs (1570-1571), Chypre devient un *vilayet* de l'Empire ottoman. L'Église orthodoxe est alors restaurée, avec à sa tête un archevêque, représentant de la communauté grecque.

L'île est cédée en 1878 aux Britanniques, qui l'annexent en 1914 et l'érigent en 1925 en colonie de la Couronne. Au cours des années 1950, la communauté grecque, qui aspire à l'*Enôsis* (rattachement à la Grèce), soutient la lutte de l'archevêque Makários.

L'indépendance. Chypre accède à l'indépendance en 1960. Une république, dirigée par un président grec, Mgr Makários (1913-1977), et par un vice-président turc, Fazil Küçük, y est instaurée. La

◆ Démographie.

population	700 000 hab.
densité	75,6 hab./km²
accroissement naturel	9,1 ‰
taux de natalité	16,2 ‰
taux de mortalité infantile	8 ‰
espérance de vie	78 ans
part des moins de 15 ans	25,3 % de la pop. totale
part des plus de 65 ans	11 % de la pop. totale
population urbaine	55 %
principales villes	Nicosie, Limassol, Lárnaka

◆ Principales ressources et productions (1997).

vin	560 000 hl

◆ Économie et niveau de vie (1996).

PNB	7,448 milliards de $
PNB/hab.	20 490 $
taux de croissance *(1995)*	4,5 %
taux d'inflation	3 %
taux de chômage	n.d.
importations	3 314 millions de $
exportations	1 229 millions de $
répartition des actifs	agriculture 10,9 %, industrie 25 %, services 64,1 %
transports	routes 10 117 km, voies ferrées 0 km
taux d'analphabétisme	5,6 %

◆ Armée.

budget militaire *(1996)*	4,2 % du PIB
forces armées *(1997)*	10 000 hommes

Caucase et Moyen-Orient

garde nationale favorable à l'*Enôsis* renverse Makários en juill. 1974. Des troupes turques occupent alors le nord de l'île. Après le retour de Makários (déc. 1974), les Chypriotes turcs proclament unilatéralement leur territoire « État fédéré » (1975). En 1983, Rauf Denktaş, au nom de la communauté cypriote turque, proclame l'indépendance de la « République turque de Chypre du Nord », reconnue par la seule Turquie. Depuis 1985, R. Denktaş en est le président élu. Spýros Kyprianoú, président de l'État cypriote depuis la mort de Makários (1977), refuse de reconnaître la partition de l'île. Tout dialogue étant impossible, Ghéorghios Vassilíou, qui lui succède en 1988, cherche à débloquer la situation en intégrant davantage l'île à l'Europe communautaire. Associée à la CEE depuis 1987, Chypre demande son adhésion en 1990. Succédant à G. Vassilíou en 1993, Ghláfkos Kliridhis (Glafcos Clérìdès), réélu en 1998, poursuit les négociations avec R. Denktaş sous l'égide de l'ONU. Celle-ci suggère la formation d'un État fédéral bizonal et bicommunautaire. La présence militaire turque au nord de l'île et l'opposition entre les deux parties de Chypre contribuent à la permanence d'un contentieux entre la Grèce et la Turquie, aggravé par les affrontements intercommunautaires de 1996.

Syrie Suriya

Nom officiel : République arabe syrienne. **Capitale :** Damas *(Dimachq).*

Monnaie : livre syrienne (= 100 piastres). **Langue officielle :** arabe. **Principale religion :** islam. **Institutions :** République. Constitution de 1973. Conseil du peuple élu pour 4 ans au suffrage universel. **Président de la République :** Hafiz al-Asad (depuis 1970). **Premier ministre :** Mahmud al-Zuhbi (depuis 1987). **Drapeau :** il avait été créé à l'usage de la République arabe unie, qui réunit la Syrie à l'Égypte de 1958 à 1961. Les deux étoiles vertes témoignent de cet événement. **Hymne national :** « Protecteurs de la Patrie, soyez salués, âmes nobles qui ne vous laissez pas abaisser. Le berceau du monde arabe est un lieu sacré, le trône des soleils demeure invulnérable. » Paroles de Khalil Murdham Bay (1895-1959), musique d'Ahmad et de Muhammad Salim Falayfil. **Fête nationale :** 17 avril.

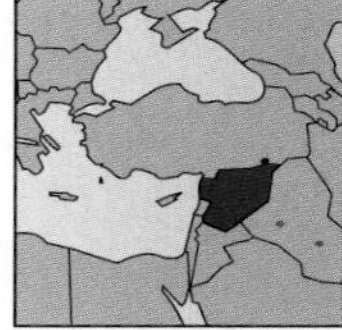

Superficie : 185 000 km². **Point culminant :** 2 814 m au mont Hermon.

GÉOGRAPHIE

La Syrie est un pays très montagneux (djabal Ansariyya, prolongé au sud par les chaînons de l'Anti-Liban et de l'Hermon), avec une bande côtière étroite. Le climat est de type méditerranéen le long de la côte et continental à l'intérieur. L'agriculture est étroitement dépendante de l'irrigation, et s'est développée dans le Ghab (dépression drainée par l'Oronte), dans les piémonts montagneux et dans la vallée de l'Euphrate (barré à Tabqa). Sont cultivés le blé, le tabac, le coton, les oliviers et les fruitiers. L'élevage des moutons est pratiqué par les nomades. Les principales villes (Damas, Alep, Homs) sont situées sur les piémonts montagneux, sauf le port de Lattaquié. La population, presque entièrement arabe et islamisée, connaît un accroissement naturel rapide.

HISTOIRE

La Syrie antique. Au IIᵉ millénaire, la Syrie est successivement envahie par les Cananéens (dont les Phéniciens sont un rameau), les Amorrites, les Hourrites, les Araméens (auxquels sont apparentés les Hébreux) et les Peuples de la Mer. Les souverains hittites et égyptiens se partagent la Syrie au XIIIᵉ s. av. J.-C. après plusieurs siècles de conflits (bataille de Qadesh, 1299 av. J.-C.). En dépit de ces guerres, les cités syriennes de la côte connaissent leur âge d'or, d'Ougarit, au nord (où une culture cosmopolite s'élabore, et où le premier alphabet a été mis au point), aux cités cananéennes de Palestine, au sud. Les mondes mycénien, mésopotamien et égyptien y mêlent leurs apports. Les grands empires assyrien et néobabylonien détruisent un à un les royaumes indépendants, celui de Damas en 732, celui de Tyr en 573. La prise de Babylone par Cyrus II (539 av. J.-C.) met fin à la domination assyro-babylonienne et fait de la Syrie une satrapie perse. Celle-ci est conquise par Alexandre (332), puis appartient au royaume séleucide dont la capitale, Antioche, est fondée en 301. Après la conquête romaine (64-63 av. J.-C.), la province de Syrie est créée. Le pays est un enjeu entre le monde romain et le monde parthe, puis entre les empires byzantin et sassanide. La région souffre quand le Sassanide Khosrô Iᵉʳ mène une guerre offensive : Antioche est prise en 540 et sa population déportée. Les Sassanides reprennent encore Antioche (611). Après 622, l'empereur Héraclius reconquiert la Syrie, qui redevient byzantine.

La Syrie musulmane. Les Arabes, vainqueurs des Byzantins sur la rivière Yarmouk (636), conquièrent le pays. Les Omeyyades (661-750) font de la Syrie et de Damas le centre de l'Empire musulman. Sous les califes abbassides, Bagdad devient la capitale de l'Empire au détriment de Damas. Les mouvements chiites des Xᵉ, XIᵉ et XIIᵉ s. touchent la Syrie par l'une des branches des Qarmates, par les Druzes (issus des Ismaéliens fatimides d'Égypte), par les « Assassins » (Ismaéliens nizarites) et par la dissidence proprement syrienne des Alawites (ou Alaouites), dont les communautés persistent de nos jours. Au Xᵉ s., les Hamdanides d'Alep ne peuvent contenir la reconquête byzantine. Puis les Turcs Seldjoukides prennent Damas et Jérusalem (1076-1077). Venus délivrer la Terre sainte, les croisés organisent la principauté d'Antioche (1098-1268), le royaume de Jérusalem (1099-1291) et le comté de Tripoli (1109-1289). Saladin (1171-1193) et ses successeurs ayyubides entretiennent des relations pacifiques avec les Francs. Les Mamelouks d'Égypte arrêtent les Mongols à Aïn Djalut (1260) puis reconquièrent les dernières possessions franques de Palestine et de Syrie (1291). Ils assurent à celle-ci deux siècles de tranquillité, interrompue seulement par les atrocités qui accompagnent le passage de Timur Lang (Tamerlan) en 1400-1401. Mais la domination égyptienne ne résiste pas à l'attaque des Ottomans en 1516. Ceux-ci conserveront la Syrie jusqu'en 1918. Ils en sont momentanément chassés par Méhémet-Ali et Ibrahim Pacha de 1831 à 1840.

La révolte arabe et le mandat français. Un sentiment national arabe naît à Damas, à Beyrouth et en Palestine dans les années 1910. Il s'incarne dans la « révolte arabe » contre les

◆ Démographie.

population	15 600 000 hab.
densité	84,3 hab./km²
accroissement naturel	33,9 ‰
taux de natalité	30,4 ‰
taux de mortalité infantile	31 ‰
espérance de vie	69 ans
part des moins de 15 ans	44,8 % de la pop. totale
part des plus de 65 ans	2,9 % de la pop. totale
population urbaine	53 %
principales villes	Damas, Alep, Homs

◆ Principales ressources et productions (1997).

olives	403 000 t (7ᵉ rang)
pétrole (1995)	31 700 000 t

◆ Économie et niveau de vie (1996).

PNB	16,414 milliards de $
PNB/hab.	3 020 $
taux de croissance	3,6 %
taux d'inflation	8,2 %
taux de chômage	n.d.
dette extérieure	24 419,6 millions de $
importations	293 millions de $
exportations	416 millions de $
transports	routes 36 255 km, voies ferrées 2 342 km
taux d'analphabétisme	29,2 %

◆ Armée.

budget militaire *(1996)*	5,8 % du PIB
forces armées *(1997)*	421 000 hommes

♦ Syrie.

Turcs en 1916-1918 (aux côtés des Britanniques), et dans les congrès nationaux arabes de Damas (1919-1920). Mais les accords Sykes-Picot (1916) ont délimité les zones d'influence de la France et de la Grande-Bretagne au Proche-Orient. En 1920, Faysal Ier, élu roi de Syrie, est chassé par les Français. La France exerce le mandat que lui a confié la SDN sur le pays de 1920 à 1943. Elle y établit à partir de 1928 une République syrienne (Damas et Alep), un Territoire puis un État des Alaouites et un État druze.

L'indépendance. Le 8 juin 1941, les troupes britanniques et les forces de la France libre interviennent, les autorités françaises de Syrie s'étant ralliées au gouvernement de Vichy. Le général Catroux, au nom de la France libre, proclame l'indépendance du pays. Le mandat français sur la Syrie prend fin en 1943-1944. Les dernières troupes françaises et britanniques quittent le pays en 1946. La Syrie participe à la première guerre israélo-arabe (1948). Les gouvernements sont instables : des putschs portent au pouvoir des chefs d'État favorables ou hostiles aux Hachémites. Puis, en 1958, l'Égypte et la Syrie s'unissent pour former la République arabe unie, qui est dissoute en 1961. Deux ans plus tard, le parti Baath prend le pouvoir. Il le conserve sous les présidences d'Amin al-Hafiz (1963-1966), de Nur al-Din al-Atasi (1966-1970) puis de Hafiz al-Asad, à la tête du pays depuis 1970. Le régime syrien du Baath est autoritaire, à parti unique ou, depuis Asad, à parti hégémonique. En 1967, la guerre des Six-Jours entraîne l'occupation du Golan par Israël. La Syrie s'engage encore dans la quatrième guerre israélo-arabe (1973). Elle intervient à partir de 1976 au Liban et y renforce son contrôle depuis 1985. En 1990-1991, elle participe à la force multinationale engagée contre l'Iraq dans la guerre du Golfe. Dans le même temps, en vertu de l'accord interlibanais de 1989, signé à Taif, elle appuie les milices libanaises qui démettent le général Michel Aoun (oct. 1990) et signe avec le Liban (mai 1991) un accord de coopération. Présente à la conférence de paix sur le Proche-Orient ouverte en oct. 1991, elle entame des négociations avec Israël pour la restitution du Golan. La mort du fils du président Asad, Bassel al-Asad, en 1994, pose un problème de succession au régime, l'un des plus rigides du monde.

Liban Lubnan

Nom officiel : République libanaise. **Capitale :** Beyrouth *(Bayrut.)* **Monnaie :** livre libanaise (= 100 piastres). **Langue officielle :** arabe. **Principales religions :** islam, christianisme. **Institutions :** République. Constitution de 1926 et « pacte national » de 1943, amendé en 1990. Chambre des députés de 128 membres (répartis à égalité entre chrétiens et musulmans) élue au suffrage universel. Président de la République (maronite), Premier ministre (sunnite), président de la Chambre (chiite). **Président de la République :** Émile Lahoud (depuis 1998). **Premier ministre :** Rafic Hariri (depuis 1992). **Drapeau :** il a été adopté en 1943. Le rouge du sacrifice et le blanc de la paix portent le cèdre de la sainteté, de l'éternité et de la paix. **Hymne national :** « Tous pour la Patrie, pour la grandeur et pour le drapeau... » Paroles de Rachid Nakhla (1873-1939), musique de Wadi Sabra (1876-1952). Adopté officiellement en 1927.

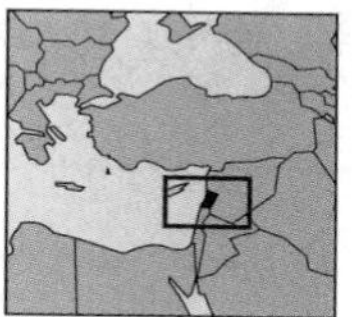

Fête nationale : 22 novembre (anniversaire de l'indépendance, en 1943).

Superficie : 10 400 km². **Point culminant :** 3 083 m au Qurnat al-Sawd.

GÉOGRAPHIE

Le Liban est constitué du mont Liban aux pentes recouvertes de vignes, de fruitiers et de forêts de cèdres et d'une étroite bande littorale (culture des agrumes), où se concentre l'essentiel de la population et de l'activité. Plus à l'est, la dépression de la Beqaa est limitée par le massif de l'Anti-Liban, qui forme la frontière avec la Syrie, pays auquel le Liban est fortement lié en raison notamment de l'occupation militaire de son territoire. La situation politique dépend, en partie, de l'évolution démographique. La composante musulmane de la population, majoritaire, croît plus vite que la composante chrétienne. L'économie du pays, ruinée après une longue guerre civile, se reconstruit lentement.

HISTOIRE

L'Antiquité. La côte libanaise a été occupée à partir du IIIe millénaire par les Cananéens, puis par les Phéniciens, fondateurs de comptoirs et des cités-États de Byblos, de Berytos (auj. Beyrouth), de Sidon et de Tyr, qui dominent, au début du Ier millénaire, le commerce méditerranéen. À partir du VIIe s. av. J.-C., la Phénicie connaît les dominations assyrienne, égyptienne, babylonienne, perse, puis grecque. Elle fait partie de la province romaine de Syrie, organisée en 64-63 av. J.-C. Christianisé dès le Ier s., le Liban passe, après le partage de l'Empire romain (395), sous domination byzantine jusqu'à la conquête arabe, en 636.

De la domination musulmane au mandat français. Après la conquête arabe, la côte et la montagne servent de refuge aux diverses Églises chrétiennes et aux musulmans chiites, duodécimains puis, à partir du XIe s., druzes. Les Latins du royaume de Jérusalem (1099-1291) et du comté de Tripoli (1109-1289) occupent la côte. Puis les Mamelouks d'Égypte chassent les croisés et développent le port de Beyrouth. En 1516, les Ottomans deviennent maîtres du pays. Les émirs druzes Fakhr al-Din (1593-1633) puis Chihab Bachir II (1788-1840) unifient la montagne libanaise et cherchent à la rendre autonome des Ottomans. À la suite du massacre des maronites par les druzes, Napoléon III envoie un corps expéditionnaire et la France obtient la création de la province du Mont-Liban, dotée d'une certaine autonomie (1861).

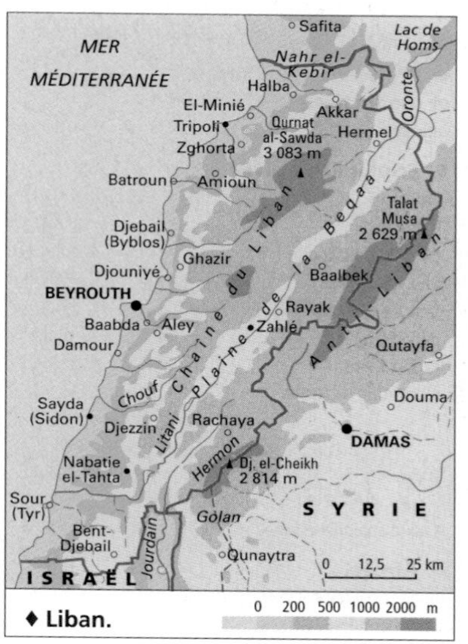

◆ **Liban.**

◆ **Démographie.**

population	4 100 000 hab.
densité	394 hab./km²
accroissement naturel	17,8 ‰
taux de natalité	24,2 ‰
taux de mortalité infantile	31 ‰
espérance de vie	70 ans
part des moins de 15 ans	34,1 % de la pop. totale
part des plus de 65 ans	5,5 % de la pop. totale
population urbaine	88 %
principales villes	Beyrouth, Zahlé, Tripoli, Sayda

◆ **Principales ressources et productions** (1997).

ovins	246 000 têtes

◆ **Économie et niveau de vie** (1996).

PNB	13,287 milliards de $
PNB/hab.	6 060 $
taux de croissance	n.d.
taux d'inflation	n.d.
taux de chômage	n.d.
dette extérieure	3 996,4 millions de $
importations	6 755 millions de $
exportations	985 millions de $
transports	routes 7 000 km, voies ferrées 222 km
taux d'analphabétisme	7,6 %

◆ **Armée.**

budget militaire *(1996)*	4,3 % du PIB
forces armées *(1997)*	48 900 hommes

L'indépendance. La Turquie met fin à l'autonomie du Liban en 1914. Après la victoire alliée, l'État du Grand-Liban est placé par la SDN sous mandat français (1920). L'indépendance lui est accordée en 1941 par le général Catroux et devient effective en 1943 sur la base du « pacte national » instituant un système politique confessionnel répartissant les pouvoirs entre les maronites, les sunnites, les chiites, les grecs orthodoxes, les druzes et les grecs catholiques. La politique pro-occidentale de Camille Chamoun (1952-1958) exacerbe les nationalistes arabes favorables à Nasser et provoque la guerre civile de 1958, à laquelle mettent fin l'intervention américaine et l'élection du général Chehab. Sous la présidence de celui-ci (1958-1964) puis sous celle de Charles Hélou (1964-1970), l'État se renforce. Mais la présence des fedayins palestiniens, réfugiés depuis 1948, organisés de façon autonome et armés depuis 1967, est à l'origine d'affrontements à Beyrouth en 1969, 1973 puis 1975. Les phalanges libanaises de Pierre Gemayel (parti Kataib) déclenchent la guerre civile qui aboutit en oct. 1976 aux accords légalisant l'occupation syrienne sous le couvert de la Force arabe de dissuasion. La guerre se rallume en 1978. La coalition « de gauche », propalestinienne, en majorité sunnite, druze puis chiite, anime les mouvements dirigés par le chef druze Kamal Joumblatt (1917-1977) puis par son fils Walid, et le chiite Nabih Berri. La coalition « de droite », en majorité maronite, anime le Front libanais, dirigé par Pierre Gemayel (1905-1984) puis par ses fils Bachir et Amine, par Camille Chamoun (1900-1987). Les forces armées en présence sont, d'un côté, les fedayins, les Murabitun (nassériens), les milices druzes et les milices chiites du mouvement Amal; de l'autre côté, les Forces libanaises, constituées surtout des milices du parti Kataib (phalanges). Des organisations dissidentes jouent aussi un rôle actif, notamment le Hezbollah, chiite pro-iranien, l'Armée du Liban-Sud, soutenue par Israël, et les milices maronites de Soliman Frangié, prosyriennes. Les principales forces d'intervention étrangères sont les troupes syriennes et l'armée israélienne (occupation du sud du Liban en 1982-1986 et blocus de Beyrouth en 1982). Enfin, les forces d'ar-

Caucase et Moyen-Orient

bitrage internationales : la Force intérimaire des Nations unies au Liban (FINUL), à partir de 1978, la Force multinationale d'interposition, de 1982 à 1984. La guerre a bouleversé les équilibres antérieurs : affaiblissement des fedayins; rôle de la Syrie qui impose son contrôle après l'échec de la tentative de paix séparée avec Israël (mai 1983); essor de la communauté chiite, lésée jusqu'alors. En 1988, à la fin du mandat d'Amine Gemayel, se constituent deux gouvernements, l'un chrétien et militaire, présidé par Michel Aoun, l'autre musulman et civil dirigé par Selim Hoss. En 1989, les députés libanais réunis à Taif approuvent un document d'entente nationale qui prévoit des réformes constitutionnelles favorables aux sunnites (54 députés chrétiens, 54 musulmans). Ils élisent René Moawad à la présidence et, deux jours après l'assassinat de ce dernier, Elias Hraoui. La rébellion du général Michel Aoun, hostile à cet accord qui consacre la présence de l'armée syrienne au Liban, est écrasée en octobre 1990, à la faveur de la crise du Golfe, par des milices et par l'armée syrienne. Le pays, occupé par la Syrie, retrouve progressivement le calme après 16 ans de guerre civile et étrangère. Malgré l'abstention des chrétiens aux législatives d'octobre 1992 et d'août 1996, le gouvernement du sunnite Rafic Hariri demeure en place. En novembre 1998, Émile Lahoud, désigné par Damas, devient président de la République. La reconstruction du pays est en cours. La paix avec Israël, qui lance en juillet 1993 sa plus grande offensive contre le sud du pays depuis 1982, est toujours suspendue à un accord israélo-syrien.

Israël **Yisra'el, Isra'il**

Nom officiel : État d'Israël. **Capitale :** Jérusalem *(Yerushalayim, al-Quds)*. **Monnaie :** shekel (= 100 agorot). **Langues officielles :** hébreu et arabe. **Principale religion :** judaïsme. **Institutions :** République. Lois fondamentales : 1949. Président de la République élu pour 5 ans par la Knesset. Premier ministre élu au suffrage universel depuis 1996, responsable devant la Knesset, Assemblée nationale élue pour 4 ans. **Président de la République :** Ezer Weizman (depuis 1993). **Premier ministre :** Ehoud Barak (depuis 1999). **Drapeau :** il a été adopté en 1948 (mais créé lors du Congrès sioniste de Boston en 1891). L'étoile de David est posée sur un drapeau inspiré du tallith, ou châle de prière. **Hymne national :** « Aussi longtemps qu'au fond du cœur l'âme du Juif vibre, et que vers les confins de l'Orient un œil sur Sion se fixe, nous n'avons pas encore perdu l'espoir, vieux de deux mille ans, de vivre librement dans notre pays, en Sion et Jérusalem. » Paroles de Naphtali Herz Imber (1856-1909), musique d'auteur inconnu, attribuée à Samuel Cohen ou au cantor Nissan Belzer. Adopté en 1948. **Fête nationale :** 5 du mois d'iyyar (date variable dans le calendrier grégorien, correspondant à la fin avril-début mai, et qui commémore la proclamation de l'indépendance).

Superficie : 21 000 km². **Point culminant :** 1 208 m au mont Méron.

GÉOGRAPHIE

Le territoire d'Israël est exigu et correspond à une mince bande côtière à laquelle s'ajoute le désert du Neguev. Seule l'intervention de l'homme permet sa mise en valeur. Les Juifs représentent plus de 80 % de la population, proportion due en partie à la récente immigration de coreligionnaires de l'ex-URSS, alors que les Arabes en représentent environ 15 % et les druzes 5 %. La croissance récente de la population a entraîné des coûts élevés pour l'économie du pays. Cette dernière est désormais dominée par les secteurs secondaire (malgré l'absence d'industrie lourde) et tertiaire, avec des secteurs de pointe importants à Tel-Aviv-Jafa et à Haïfa. L'agriculture (blé, coton, olives, agrumes, avocats) s'est développée, grâce à l'irrigation, sur un sol souvent aride (Neguev), mais elle entraîne une forte consommation d'eau. Elle représente aujourd'hui une part réduite du revenu national.

HISTOIRE

Les Hébreux. Issus de tribus semi-nomades du désert syrien, les Hébreux s'installent dans le pays de Canaan vers 2000-1770 av. J.-C. C'est l'ère des patriarches bibliques, Abraham, Isaac et Jacob. Ils s'installent en Égypte, dans le delta du Nil, à l'époque de la domination des Hyksos (1770-1560). L'expulsion de ces derniers par les princes de Thèbes s'accompagne de l'asservissement des étrangers, notamment des Hébreux. Ceux-ci quittent alors l'Égypte (v. 1250) : c'est l'Exode biblique, sous la conduite de Moïse. Après avoir séjourné dans le désert du Sinaï, ils s'installent en Palestine (1220-1200). Sous la conduite de Josué puis des Juges (qui sont des chefs temporaires), les 12 tribus d'Israël combattent les Cananéens, les nomades établis de l'autre côté du Jourdain (Moabites, notamment) et les puissants Philistins. Vers 1030, les Hébreux se donnent un chef permanent, un roi. La période monarchique (v. 1030-931) est marquée par les règnes de Saül, de David et de Salomon. Ce dernier assure la prospérité économique et, surtout, fait bâtir le Temple de Jérusalem. À sa mort, le réveil de l'antagonisme entre les tribus du Nord et celles du Sud provoque la scission en deux royaumes : le royaume de Juda (931-587), avec les tribus du Sud (capitale, Jérusalem), et le royaume d'Israël (931-721), avec celles du Nord (capitale, Samarie). La destruction du royaume d'Israël en 721 par les Assyriens et celle du royaume de Juda en 587 par les Babyloniens s'accompagnent de déportations massives. La captivité de Babylone (587-538) prend fin sous la domination perse (538-332). De retour en Palestine, les Juifs reconstruisent Jérusalem et le Temple. Néhémie puis Esdras sont les auteurs de la restauration nationale. En 332 av. J.-C., la Palestine est conquise par Alexandre le Grand.

La domination gréco-romaine. La mort d'Alexandre (323 av. J.-C.) fait passer la Palestine sous la domination des Lagides, puis des Séleucides.

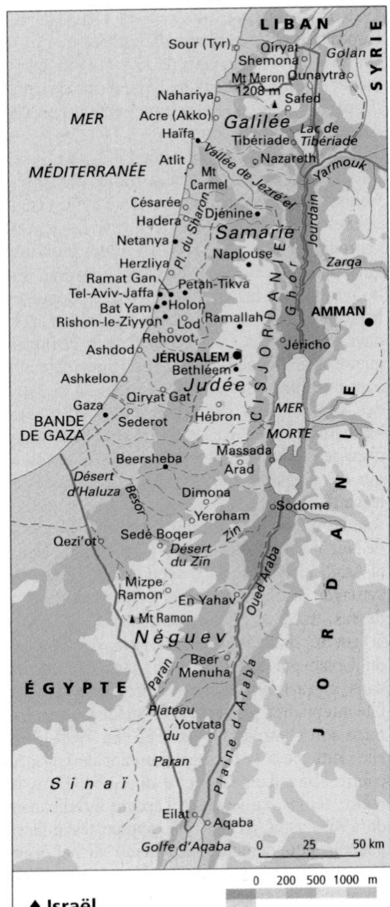

♦ **Israël.**

◆ **Démographie.**

population	6 000 000 hab.
densité	286 hab./km²
accroissement naturel	13,1 ‰
taux de natalité	20,3 ‰
taux de mortalité infantile	6 ‰
espérance de vie	77 ans
part des moins de 15 ans	29,3 % de la pop. totale
part des plus de 65 ans	9,4 % de la pop. totale
population urbaine	91 %
principales villes	Tel-Aviv, Jérusalem, Haïfa, Holon

◆ **Principales ressources et productions** (1997).

agrumes	947 000 t

◆ **Économie et niveau de vie** (1996).

PNB	72,65 milliards de $
PNB/hab.	18 100 $
taux de croissance	4,4 %
taux d'inflation	11,3 %
taux de chômage	n.d.
importations	28 487 millions de $
exportations	20 418 millions de $
répartition des actifs	agriculture 3,6 %, industrie 28,2 %, services 68,2 %
transports	routes 14 169 km, voies ferrées 573 km
taux d'analphabétisme	4,4 %

◆ **Armée.**

budget militaire *(1996)*	7,2 % du PIB
forces armées *(1997)*	175 000 hommes

VOIR AUSSI
• **Hébreux** p. 417
• **Shoah** p. 463
• **Guerres israélo-arabes** p. 467
• **Judaïsme** p. 494 à 500
Illustrations
• **Jérusalem** p. 608
• **Alphabet hébreu** p. 952

La révolte des Maccabées en 142 av. J.-C. assure aux Hébreux une indépendance que maintient la dynastie des Asmonéens (134-37 av. J.-C.). Mais Rome impose sa domination en 63 av. J.-C. Avec la destruction de Jérusalem par Titus en 70 apr. J.-C. prend fin l'histoire ancienne d'Israël. La Palestine est ensuite intégrée à l'Empire byzantin.

La domination musulmane. La conquête arabe (634-640) arrache la région aux Byzantins et l'intègre à l'Empire musulman. Les croisés fondent le royaume latin de Jérusalem en 1099. Les dernières possessions latines tombent en 1291 aux mains des Mamelouks d'Égypte, qui dominent le pays jusqu'à la conquête ottomane. En 1516, l'Empire ottoman établit sa domination sur la région. À partir de 1882, l'immigration juive, encouragée par le mouvement sioniste, se développe. La révolte arabe contre les Ottomans (1916) est soutenue par la Grande-Bretagne qui occupe la région dès 1917.

Le mandat britannique. Le Royaume-Uni se fait confier par la SDN un mandat sur la Palestine (1922). Celui-ci stipule l'établissement dans la région d'un foyer national juif, conformément à la déclaration Balfour de 1917. Des troubles sanglants opposent Palestiniens arabes et immigrants juifs (1928-1939). Le Livre blanc britannique de 1939 impose des restrictions à l'immigration juive et provoque l'action terroriste de l'Irgoun.

L'État d'Israël. Le 29 novembre 1947, l'Assemblée générale de l'ONU adopte le « plan de partage » de la Palestine, rejeté par les nations arabes limitrophes. L'État d'Israël est créé le 14 mai 1948 et s'ouvre à l'immigration des Juifs du monde entier. Israël agrandit son territoire à l'issue de la première guerre israélo-arabe (1948-1949). Les Palestiniens fuient vers les États voisins. La deuxième guerre israélo-arabe (1956) est provoquée par la nationalisation par l'Égypte du canal de Suez et le blocus du golfe d'Eilat. Au cours de la troisième guerre (guerre des Six-Jours, 1967), Israël occupe le Sinaï, Gaza, la Cisjordanie et le plateau du Golan. La quatrième guerre israélo-arabe (guerre du Kippour, 1973) se termine de façon honorable pour tous les belligérants. Par le traité de Washington (1979), l'Égypte reconnaît une frontière définitive avec Israël, qui lui restitue (en 1982) le Sinaï. Le Golan est annexé en 1981 et Israël occupe le Liban jusqu'à Beyrouth puis se retire dans le sud du pays en 1982-1983.

À partir de 1987, la Cisjordanie et Gaza sont le théâtre d'un soulèvement populaire palestinien (Intifada, ou guerre des pierres). Après la guerre du Golfe (1991), au cours de laquelle le pays, non belligérant, est la cible de missiles irakiens, Israël participe à la conférence de paix sur le Proche-Orient. Le 13 sept. 1993, à Washington, Israël (Yitzhak Rabin et Shimon Peres) signe avec l'OLP (Arafat) la Déclaration sur l'autonomie palestinienne. En juill. 1994, Israël et la Jordanie déclarent mettre fin à la guerre qui les oppose. Les négociations avec la Syrie sont en cours. Le processus de paix est bloqué un temps par Benyamin Netanyahou (à partir de 1996). L'accord de Wye Plantation tente de le relancer. La question de l'avenir des « territoires occupés » est cependant loin d'être résolue.

La vie politique. En 1948-1949, les lois fondamentales instituent une république parlementaire. Jusqu'en 1967, des gouvernements de coalition sont formés par le parti socialiste Mapai, puis, après 1968, par le Front travailliste constitué par le Mapai et le Mapam. À Ben Gourion, chef du gouvernement (1948-1953; 1955-1961; 1961-1963), ont succédé Levi Eshkol (1963-1969) puis Golda Meir (1969-1974). La principale force d'opposition est alors le parti de droite, Herout, de Menahem Begin, favorable à la formation d'un grand Israël s'étendant jusqu'au Jourdain et même au-delà, au nord-est. Le Herout s'unit en 1973 avec diverses formations du centre et de la droite pour former le Likoud, au pouvoir de 1977 à 1984 (gouvernement de Begin). En 1984, un gouvernement d'union nationale est constitué. Shimon Peres détient pour deux ans le poste de Premier ministre. Conformément à l'alternance prévue, Yitzhak Shamir lui succède en 1986. Dans le nouveau gouvernement d'union nationale formé en déc. 1988, Y. Shamir reste Premier ministre. En mars 1990, l'union nationale est rompue et Y. Shamir forme un gouvernement de coalition avec le Likoud, les partis religieux et l'extrême droite, tandis que le pays doit faire face à l'afflux des immigrants juifs venus d'Union soviétique. Yitzhak Rabin, Premier ministre travailliste à partir de 1992, est assassiné en 1994 par un extrémiste juif et remplacé jusqu'en 1995 par Shimon Peres. Élu en 1966, son successeur, Benyamin Netanyahou, du Likoud, durcit la position israélienne et ne participe qu'avec réticence à la poursuite du processus de paix. Critiqué au sein même de sa majorité, notamment par les députés religieux, il décide la tenue d'élections législatives anticipées en mai 1999, élections qu'il perd au profit du travailliste Ehoud Barak.

Jordanie **Al-Urdunn**

Nom officiel : Royaume hachémite de Jordanie. **Capitale :** Amman. **Monnaie :** dinar jordanien (= 1 000 fils). **Langue officielle :** arabe. **Principale religion :** islam. **Institutions :** Monarchie constitutionnelle. Assemblée nationale formée de deux Chambres : le Sénat ou *Madjlis,* dont les membres sont nommés par le roi, et la Chambre des députés, élue au suffrage universel pour 4 ans. **Chef de l'État :** Abdallah (depuis 1999). **Premier ministre :** Abdel Raouf Rawabdeh (depuis 1999). **Drapeau :** l'étoile à 7 branches sur fond rouge représente les 7 surates fondamentales de la loi islamique. Ce drapeau fut l'emblème de la révolte contre les Turcs en 1921. **Hymne national :** « Vive le roi ! Vive le roi ! Auguste est sa charge, que ses étendards se déploient haut... » Paroles d'Abd al-Munim al-Rifa (né en 1917), musique d'Abd al-Qadir al-Tannir (1901-1957). Adopté en 1946. **Fête nationale :** 25 mai.

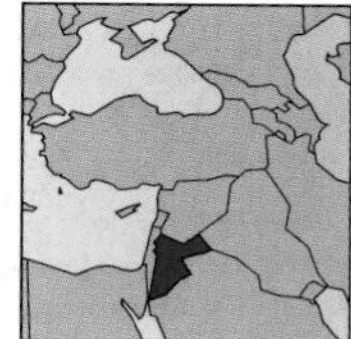

Superficie : 92 000 km². **Point culminant :** 1 754 m au Djabal Ram.

GÉOGRAPHIE

La Jordanie est un pays désertique, au sol aride et au climat chaud et sec. La dépression du Ghor et les hauteurs périphériques constituent les parties vitales du pays, fournissant du blé, de l'orge, de la vigne, de l'huile d'olive. L'élevage nomade (ovins et caprins) est la seule forme d'exploitation de la Jordanie orientale. Le sous-sol recèle surtout des phosphates. Le tourisme est actif, mais l'industrialisation est inexistante et la balance commerciale, déficitaire. La population, qui comporte une importante minorité palestinienne, croît relativement vite.

VOIR AUSSI • **Histoire de la Jordanie avant 1949** p. 616 (Syrie), 618 (Israël)

◆ **Démographie.**

population	4 600 000 hab.
densité	50 hab./km²
accroissement naturel	32,7 ‰
taux de natalité	37,5 ‰
taux de mortalité infantile	30 ‰
espérance de vie	70 ans
part des moins de 15 ans	43,3 % de la pop. totale
part des plus de 65 ans	2,7 % de la pop. totale
population urbaine	72 %
principales villes	Amman, Zarqa, Irbid, Halon

◆ **Principales ressources et productions** (1997).

phosphates	5 355 000 t (3ᵉ rang)

◆ **Économie et niveau de vie** (1996).

PNB	7,183 milliards de $
PNB/hab.	3 570 $
taux de croissance *(1995)*	6,4 %
taux d'inflation	6,5 %
taux de chômage	n.d.
dette extérieure	8 118,2 millions de $
importations	3 818 millions de $
exportations	1 817 millions de $
transports	routes 6 855 km, voies ferrées 788 km
taux d'analphabétisme	13,4 %

◆ **Armée.**

budget militaire *(1996)*	7,4 % du PIB
forces armées *(1997)*	98 650 hommes

HISTOIRE

Le royaume hachémite de Jordanie. Créé en 1949, il réunit la Transjordanie (région sous tutelle britannique de 1922 à 1946) et la Cisjordanie (qui faisait partie de l'État arabe prévu par le plan de partage de la Palestine, adopté par l'ONU en 1947). Le roi Abdullah est assassiné en 1951 par un Palestinien. Le roi Husayn, au pouvoir depuis 1952, doit affronter les problèmes liés à l'afflux des réfugiés palestiniens. Pendant la guerre des Six-Jours (juin 1967), Jérusalem-Est et toute la Cisjordanie sont conquis et occupés par Israël. Dès lors, en Transjordanie, un pouvoir palestinien armé concurrence l'autorité royale. En 1970, les troupes royales interviennent contre les Palestiniens. Les fedayins sont alors expulsés vers le Liban et la Syrie (septembre noir). Husayn propose comme base de négociations avec Israël un royaume arabe uni jordano-palestinien sur la Cisjordanie et Gaza (1972). Mais la Ligue arabe lui fait reconnaître en 1974 l'OLP comme seul représentant légitime des Palestiniens. Husayn annonce en 1988 la rupture des liens administratifs entre la Jordanie et la Cisjordanie. En 1989, les premières élections législatives tenues depuis 1967 donnent près de la moitié des sièges aux partis islamistes (seuls autorisés). Durant la crise du Golfe (1990-1991), la Jordanie, durement touchée économiquement, plaide en faveur de l'Iraq. À l'issue du conflit, une délégation jordano-palestinienne participe à la conférence de paix sur le Proche-Orient. Les législatives de 1993 consacrent le retour au multipartisme. Un an après l'accord entre Israël et l'OLP (sept. 1993), la Jordanie, dont la moitié des sujets sont d'origine palestinienne, conclut la paix avec Israël (oct. 1994). En 1996 ont lieu dans le Sud des émeutes dues à l'augmentation du prix du pain. À la mort du roi Husayn, son fils Abdallah lui succède en 1999, ouvrant une période d'incertitude pour le pays et la région après les 47 années de règne d'Husayn.

sudistes tournent à la guerre civile (avr. 1994). En mai, le Sud fait officiellement sécession. La conquête d'Aden (juill.) par les troupes loyalistes du président al-Salih évite la partition. En oct., Ali Abdallah al-Salih est réélu président de la République. L'unité des deux Yémens reste problématique comme en témoignent les tensions politiques permanentes.

Oman Uman

Nom officiel : Sultanat d'Oman. **Capitale** : Mascate *(Masqat)*. **Monnaie** : rial d'Oman (= 1 000 baiza). **Langue officielle** : arabe. **Principale religion** : islam. **Institutions** : Monarchie (sultanat). Loi fondamentale de 1996. Assemblée de 82 membres élus pour trois ans. **Souverain** : le sultan Qabus ibn Said (depuis 1970). **Drapeau** : il a été adopté en 1970. À la couleur rouge des kharidjites, s'ajoutent le blanc de l'imamat, le vert de l'islam. **Hymne national** : « Ô Seigneur, protégez Sa Majesté le Sultan et le peuple de notre terre avec honneur et paix... » Déclaré officiel en 1970. **Fête nationale** : 18 novembre (en commémoration de la renaissance de 1970, et de l'anniversaire du sultan Qabus).

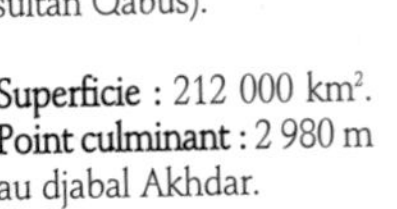

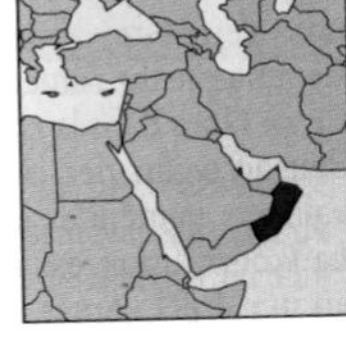

Superficie : 212 000 km². **Point culminant** : 2 980 m au djabal Akhdar.

GÉOGRAPHIE

Oman est un État désertique dont le pétrole constitue l'unique ressource. La population est presque entièrement arabe et islamisée. Quelques cultures irriguées et quelques troupeaux (ovins et chameaux) ainsi que la pêche constituent, en dehors des riches gisements de pétrole, l'essentiel des activités du secteur primaire de ce pays.

HISTOIRE

De l'encens au pétrole. La péninsule d'Oman, productrice d'encens, a dans l'Antiquité une activité commerciale importante. Elle sert de refuge aux kharidjites de la secte ibadite, qui élisent leur premier imam vers 750. Les Portugais s'emparent des ports de la péninsule (Mascate et Suhar en 1508), mais, en 1649-1650, les Omanais les en chassent et acquièrent à leurs dépens leurs possessions de la côte orientale de l'Afrique : Mombasa, Kilwa, Zanzibar et Pemba. Ils perdent le sultanat de Zanzibar, qui devient indépendant en 1861. À la fin du XIXe s., les Britanniques soutiennent la dynastie des Bu Said (qui règne sur le sultanat de Mascate-et-Oman depuis 1750). Dès 1949, la découverte de terrains pétrolifères réveille les convoitises de l'Arabie saoudite, auxquelles le sultanat doit s'opposer avec l'aide de la Grande-Bretagne. Après 1967, les exportations de pétrole permettent d'amorcer la modernisation. L'État contrôle la quasi-totalité de la production.

Le sultanat d'Oman. Le sultan Qabus ibn Said prend le pouvoir en 1970 et donne à son sultanat le nom d'Oman. La partie orientale de l'Hadramaout, le Dhofar, est le théâtre d'une grave rébellion à partir de 1964. Fin 1971, les mouvements insurrectionnels fusionnent au sein du Front populaire pour la libération d'Oman et du golfe Arabique, qui bénéficie notamment du soutien militaire du Yémen du Sud. Après la conclusion du cessez-le-feu en 1976, la situation se normalise et les relations avec le Yémen du Sud sont rétablies en 1982-1983. En 1980, Oman accepte l'établissement d'une base militaire américaine dans l'île de Masira. Membre du Conseil de coopération du Golfe depuis 1981, il ne participe pas à l'Organisation des pays exportateurs de pétrole. Durant la guerre du Golfe, les États-Unis utilisent la base de Masira et fournissent à Oman de nouveaux armements. Le gouvernement envisage de restituer progressivement aux autochtones les postes occupés par les 200000 étrangers (majoritairement originaires du sous-continent indien) présents dans le sultanat.

◆ Démographie.

population	2 500 000 hab.
densité	11,7 hab./km²
accroissement naturel	37,5 ‰
taux de natalité	44,1 ‰
taux de mortalité infantile	18 ‰
espérance de vie	71 ans
part des moins de 15 ans	47,1 % de la pop. totale
part des plus de 65 ans	2,4 % de la pop. totale
population urbaine	77 %
principale ville	Mascate

◆ Principales ressources et productions (1997).

dattes	133 000 t (9e rang)
pétrole	45 100 000 t

◆ Économie et niveau de vie (1996).

PNB	9,64 milliards de $
PNB/hab.	8 680 $
taux de croissance *(1994)*	3,5 %
taux d'inflation	7,3 %
taux de chômage	n.d %
dette extérieure	3 414,9 millions de $
importations	4 385 millions de $
exportations	7 339 millions de $
transports	routes 26 349 km, voies ferrées 0 km
taux d'analphabétisme	65 %

◆ Armée.

budget militaire *(1996)*	14,8 % du PIB
forces armées *(1997)*	43 500 hommes

Émirats arabes unis

Nom officiel : Émirats arabes unis. **Capitale** : Abu Dhabi. **Monnaie** : dirham des Émirats (= 100 fils). **Langue officielle** : arabe. **Principale religion** : islam. **Institutions** : Fédération d'émirats. Constitution de 1971. Conseil suprême comprenant les souverains des 7 émirats, qui élit un président. **Président du Conseil suprême des souverains** : Zayid ibn Sultan al-Nahyan (depuis 1971). **Premier ministre** : Maktum ibn Rachid al-Maktum (depuis 1990). **Drapeau** : il a été adopté en 1971. Le rouge sert de trait d'union aux couleurs panarabiques vert, blanc, noir, qui sont les couleurs traditionnelles des dynasties fatimide, omeyyade et abbasside. **Hymne national** : hymne sans paroles, musique de Muhammad Abd al-Wahhab (né en 1915). Déclaré officiel en 1971. **Fête nationale** : 2 décembre (anniversaire de l'indépendance).

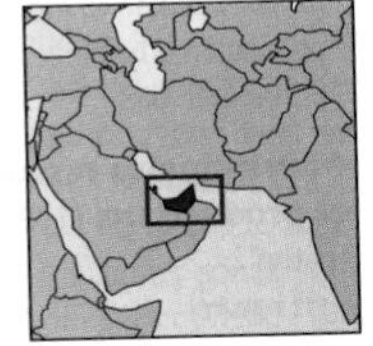

Superficie : 80 000 km². **Point culminant** : 1 189 m au djabal Hafit (près de la frontière du sultanat d'Oman).

GÉOGRAPHIE

Ce pays désertique, composé de sept émirats (Abu Dhabi, Dubayy, Chardja, Fudjayra, Adjman, Umm al-Qaywayn et Ras al-Khayma), peuplé d'une majorité d'immigrés, est un important producteur de pétrole.

HISTOIRE

Les États de la Trêve. Le nom collectif d'« États de la Trêve » ou *Trucial States*, ex-côte des Pirates, remonte au traité de paix perpétuelle signé en 1853 avec la Grande-Bretagne. Celle-ci veut éliminer du golfe Persique la piraterie et la traite des esclaves et entreprend des expéditions militaires contre Ras al-Khayma en 1809 et en 1819. En 1892, le protectorat britannique est étendu aux affaires étrangères de l'ensemble des émirats.

L'indépendance. En 1971, six émirats s'unissent en une fédération indépendante, rejoints en 1972 par Ras al-Khayma. La fédération est gouvernée par un gouvernement fédéral, installé à Abu Dhabi et présidé par Zayid ibn Sultan al-Nahyan, réélu en 1976. L'Arabie saoudite reconnaît la fédération après avoir obtenu, par l'accord d'août 1974, une modification à son avantage du tracé des frontières (dans l'oasis de Buraymi). En dépit du coup de force perpétré par Téhéran (1971) contre trois de ses îles (Abu Musa et les deux Tumb) situées dans le détroit d'Ormuz, la fédération établit des relations diplomatiques avec l'Iran (1975). En 1979,

◆ Démographie.

population	2 700 000 hab.
densité	33,7 hab./km²
accroissement naturel	17,7 ‰
taux de natalité	18,7 ‰
taux de mortalité infantile	15 ‰
espérance de vie	75 ans
part des moins de 15 ans	30,3 % de la pop. totale
part des plus de 65 ans	1,7 % de la pop. totale
population urbaine	84 %
principale ville	Abu Dhabi

◆ Principales ressources et productions (1997).

pétrole	121 200 000 t (10e rang)

◆ Économie et niveau de vie (1996).

PNB	38,73 milliards de $
PNB/hab.	17 000 $
taux de croissance *(1992)*	2,7 % par an
taux d'inflation *(1992)*	3,5 %
taux de chômage	n.d.
importations	32 900 millions de $
exportations	26 700 millions de $
transports	routes 4 555 km, voies ferrées 0 km
taux d'analphabétisme	28,8 %

◆ Armée.

budget militaire *(1996)*	4,3 % du PIB
forces armées *(1997)*	64 500 hommes

une crise éclate au sein de la fédération lorsque l'émirat d'Abu Dhabi tente de centraliser le pouvoir à son profit, provoquant notamment la réaction de Dubayy. Les Émirats participent à la fondation du Conseil de coopération du Golfe en 1981. En 1990-1991, ils s'engagent dans la coalition multinationale contre l'Iraq. Ils appuient l'accord israélo-palestinien de septembre 1993. Les relations avec l'Iran restent tendues. Les Émirats, proches de l'Occident, s'affichent comme un pôle de prospérité et de relative stabilité dans la région.

Qatar Al-Qatar

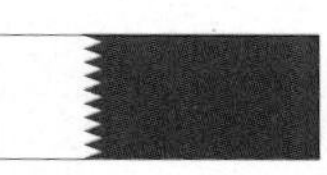

Nom officiel : État de Qatar. **Capitale** : al-Dawha. **Monnaie** : riyal de Qatar (= 100 dirhams). **Langue officielle** : arabe. **Principale religion** : islam. **Institutions** : Monarchie (émirat). Constitution de 1970. Conseil consultatif (35 membres). **Chef de l'État** : cheikh ibn Khalifa al-Thani (depuis 1995). **Prince héritier** : Jassem ibn Hamad (depuis 1996). **Drapeau** : le brun typique s'obtient par l'effet du soleil sur les pigments naturels des étoffes locales. Ce drapeau aux proportions inhabituelles (1/8) existe depuis 1949. **Hymne national** : hymne sans paroles, musique d'auteur inconnu. **Fête nationale** : 3 septembre (anniversaire de la proclamation de l'indépendance, en 1971).

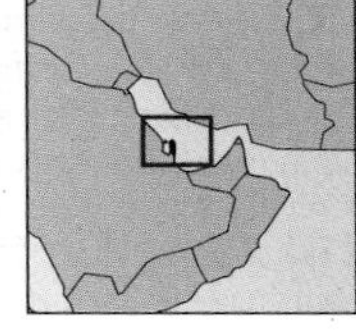

Superficie : 11 400 km².

GÉOGRAPHIE

Le Qatar est une péninsule désertique très riche en pétrole et en gaz naturel. Quelques dattiers. Pêche à la crevette pour l'exportation.

HISTOIRE

Les origines. La péninsule, qui fut habitée dès l'époque préhistorique, est mentionnée pour la première fois par les ouvrages arabes du IXe s. Dominée depuis le XVIIIe s. par les al-Khalifa qui s'emparent de Bahreïn en 1783, elle s'émancipe de leur tutelle au cours de la seconde moitié du XIXe s. Avec le soutien des Britanniques, la dynastie des al-Thani règne sur le Qatar depuis 1868 et réunit sous son autorité les différents centres de la péninsule. Elle signe un accord avec les Britanniques, qui est renouvelé en 1916, alors que les Ottomans doivent renoncer à leur influence dans la région.

L'indépendance. En 1970, le cheikh Khalifa ibn Hamad al-Thani forme le premier gouvernement de l'État, dont il devient Premier ministre. En 1971, l'émirat proclame son indépendance, annonçant qu'il renonce à faire partie de la fédération des Émirats arabes unis. Le Premier ministre, avec le soutien de la famille royale, dépose le souverain régnant et accède au trône (févr. 1972). En 1974, le Qatar prend le contrôle total des sociétés pétrolières implantées sur son territoire. Le cheikh Khalifa tente une expérience « parlementaire » limitée (création en 1972 d'un conseil consultatif). En 1977, Hamad ibn Khalifa al-Thani, fils aîné de l'émir, est désigné comme prince héritier et promu ministre de la Défense. En 1981, le Qatar participe à la fondation du Conseil de coopération du Golfe avant de conclure, en 1982, un accord de sécurité avec l'Arabie saoudite. En 1989, un litige l'oppose à l'Iran, qui revendique un tiers de son gisement sous-marin

◆ Démographie.

population	500 000 hab.
densité	43,8 hab./km²
accroissement naturel	15,2 ‰
taux de natalité	18,2 ‰
taux de mortalité infantile	18 ‰
espérance de vie	72 ans
part des moins de 15 ans	27,1 % de la pop. totale
part des plus de 65 ans	1,2 % de la pop. totale
population urbaine	92 %
principales villes	al-Dawha, al-Rayyan

◆ Principales ressources et productions (1997).

pétrole	32 500 000 t

◆ Économie et niveau de vie (1996).

PNB	7,87 milliards de $
PNB/hab.	16 330 $
taux de croissance	n.d.
taux d'inflation *(1992)*	2,1 %
taux de chômage	n.d.
importations	1 830 millions de $
exportations	3 180 millions de $
transports	routes 1 080 km, voies ferrées 0 km
taux d'analphabétisme	24,3 %

◆ Armée.

budget militaire *(1996)*	4,4 % du PIB
forces armées *(1997)*	11 500 hommes

de gaz naturel. En 1995, le cheikh Hamad ibn Khalifa al-Thani destitue son père. Il ne remet pourtant pas en cause les principales orientations de l'Émirat pétrolier.

Bahreïn Al-Bahrayn

Nom officiel : État de Bahreïn. **Capitale** : Manama. **Monnaie** : dinar de Bahreïn (=1 000 fils). **Langue officielle** : arabe. **Principale religion** : islam. **Institutions** : Monarchie (émirat). Constitution de 1973 suspendue en 1975. **Souverain** : l'émir Isa ibn Salman al-Khalifa (chef de l'État depuis 1961, émir depuis 1971). **Premier ministre** : Khalifa ibn Salman al-Khalifa (depuis 1970). **Drapeau** : le rouge et le blanc dentelé dérivent du blason de sir Charles Belgrave, transformé en drapeau en 1933. Celui-ci a été adopté en 1972. Le rouge et le blanc symbolisent maintenant l'islam kharidjite et la paix. **Hymne national** : hymne sans paroles, arrangement musical de Muhammad Sudqi Ayyach (né en 1925). **Fête nationale** : 16 décembre.

Superficie : 660 km².

GÉOGRAPHIE

Le Bahreïn est un archipel proche de la côte d'Arabie saoudite, qui lui est reliée par un pont depuis 1986. C'est à la fois un pays exportateur de produits pétroliers raffinés et une place financière régionale de premier plan.

HISTOIRE

Les origines. Des fouilles archéologiques ont abouti à la découverte de sites paléolithiques et néolithiques. Les temples mis au jour remontent au IIIe millénaire av. J.-C. Ils appartenaient à une ville qui a sans doute été la capitale préhistorique de cette contrée. Bahreïn fait office d'entrepôt sur la route maritime entre Sumer et l'Indus. Connues dès l'époque assyrienne lorsqu'elles appartiennent à l'État de Dilmoun, les îles de Bahreïn ont joué de tout temps un rôle de centre de pêche perlière, de relais commercial et de point stratégique du golfe Persique. Occupées par les Portugais au XVIe s., elles sont gouvernées par les Persans de 1602 à 1783, date à laquelle la dynastie régnante des al-Khalifa, originaire du Nadjd, s'empare de l'archipel à partir du Qatar. En 1820 est conclu avec le gouvernement britannique le premier d'une série de traités qui aboutissent au protectorat de 1914.

L'indépendance. Pendant longtemps, l'Iran revendique l'archipel, mais finit par renoncer à ses prétentions en 1970. Ayant refusé de faire partie de la fédération des Émirats arabes unis, Bahreïn devient en 1971 un État indépendant, à la tête duquel règne la dynastie des al-Khalifa. Des traités d'amitié sont signés la même année avec la Grande-Bretagne et avec les États-Unis, dont la marine obtient des facilités permanentes dans la base navale d'al-Djufayr. La Constitution, adoptée en 1973, est suspendue depuis 1975.

L'émirat, qui compte 60 % de chiites, fait de nouveau l'objet de revendications de l'Iran au début de la guerre irano-irakienne (1980). Il choisit de resserrer ses liens avec l'Arabie saoudite par l'adhésion au Conseil de coopération du Golfe (1981) et par la construction d'un pont-digue de 30 km le reliant à ce pays (1986). Lié à l'Iraq par un traité de non-agression (1989), l'archipel condamne cependant l'invasion du Koweït (1990). La création d'un Conseil consultatif en 1992 suscite peu d'enthousiasme. Depuis 1994, des troubles sociaux et politiques, attribués aux chiites, préoccupent le gouvernement de cette importante place financière. Des attentats et des émeutes ont eu lieu depuis 1996.

◆ Démographie.

population	600 000 hab.
densité	909 hab./km²
accroissement naturel	19,8 ‰
taux de natalité	21 ‰
taux de mortalité infantile	18 ‰
espérance de vie	73 ans
part des moins de 15 ans	31,4 % de la pop. totale
part des plus de 65 ans	2,5 % de la pop. totale
population urbaine	91 %
principales villes	Manama, Ar-Rifa, Muharraq

◆ Principales ressources et productions (1997).

pétrole	2 200 000 t
aluminium	464 000 t

◆ Économie et niveau de vie (1996).

PNB	4,155 milliards de $
PNB/hab.	13 970 $
taux de croissance *(1995)*	2,2 %
taux d'inflation *(1994)*	0,8 %
taux de chômage	n.d.
importations	3 344 millions de $
exportations	4 113 millions de $
transports	routes 2 882 km, voies ferrées 0 km
taux d'analphabétisme	14,8 %

◆ Armée.

budget militaire *(1996)*	5,2 % du PIB
forces armées *(1997)*	11 000 hommes

Caucase et Moyen-Orient

Koweït • Iraq • Iran

Koweït AL-KUWAYT

Nom officiel : État du Koweït. **Capitale :** Koweït *(al-Kuwayt).* **Monnaie :** dinar koweïtien (= 1 000 fils). **Langue officielle :** arabe. **Principale religion :** islam. **Institutions :** Émirat. Constitution de 1962. L'émir détient le pouvoir exécutif. L'Assemblée nationale, élue au suffrage universel pour 4 ans, détient le pouvoir législatif. **Souverain :** l'émir al-Ahmad al-Djabir al-Sabah (depuis 1978). **Premier ministre et prince héritier :** Saad al-Abdallah al-Salim al-Sabbah (depuis 1978). **Drapeau :** il a été adopté en 1963. Le vert chante la nature; le blanc, la vertu; le rouge, la bravoure; le noir, les cavaliers koweïtiens qui lèvent des tourbillons de sable sur les champs de bataille. **Hymne national :** « Toi ma patrie le Koweït qui donnes le salut pour la gloire et dont le front resplendit de félicité, Ô Terre de mes illustres Ancêtres qui ont écrit les pages de l'Éternité ! » Paroles d'Ahmad Machari al-Adwani (né en 1923), musique d'Ibrahim Nasir al-Sula (né en 1935). Adopté en 1978. **Fête nationale :** 25 février (date unique retenue pour commémorer l'intronisation de l'émir Abdallah en 1950 et l'accession à l'indépendance en 1961).

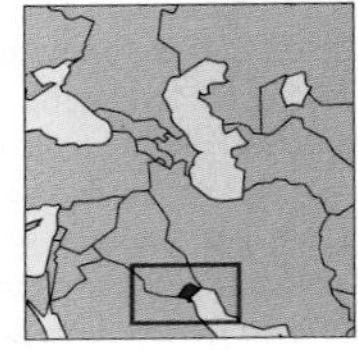

Superficie : 17 800 km². **Point culminant :** 290 m à al-Chaqaya.

GÉOGRAPHIE

Situé sur le golfe Persique, le Koweït est un pays désertique dont l'économie repose essentiellement sur le pétrole.

◆ Démographie.

population	1 900 000 hab.
densité	106,7 hab./km²
accroissement naturel	20,4 ‰
taux de natalité	21,3 ‰
taux de mortalité infantile	11 ‰
espérance de vie	76 ans
part des moins de 15 ans	38,6 % de la pop. totale
part des plus de 65 ans	1,6 % de la pop. totale
population urbaine	97 %
principales villes	Koweït, As-Salimiyah, Hawalli

◆ Principales ressources et productions (1997).

pétrole	104 800 000 t

◆ Économie et niveau de vie (1996).

PNB	34,12 milliards de $
PNB/hab.	19 360 $
taux de croissance *(1995)*	1 % par an
taux d'inflation *(1994)*	3,2 %
taux de chômage	n.d.
importations	7 662 millions de $
exportations	14 696 millions de $
transports	routes 4 273 km, voies ferrées 0 km
taux d'analphabétisme	21,4 %

◆ Armée.

budget militaire *(1996)*	10,3 % du PIB
forces armées *(1997)*	15 300 hommes

HISTOIRE

La formation de l'émirat et le protectorat britannique. La ville de Koweït, fondée au XVIIᵉ s., devient en 1756 le centre d'un émirat, tributaire de l'Empire ottoman. Les Britanniques y développent leur influence au XIXᵉ s. et établissent leur protectorat en 1914. En 1922, un traité avec les Saoudiens du Nadjd délimite la frontière et crée une zone neutre entre les deux États. En 1934, la Kuwait Oil Company (KOC), consortium anglo-américain, reçoit la concession des recherches et de l'exploitation pétrolières. L'extraction commence en 1946.

L'indépendance. Le Koweït accède à l'indépendance le 19 juin 1961 et, grâce à l'aide britannique, oblige l'Iraq à renoncer à ses prétentions sur son territoire. Le pays, qui dispose de ressources considérables en raison des redevances versées par la KOC, met en place des institutions modernes. La Constitution de 1962 instaure un régime parlementaire et des partis peuvent se former. Après la mort de l'émir Abdallah al-Salim al-Sabah (1965), le mouvement des nationalistes arabes (MNA) et les groupes propalestiniens exercent une pression croissante. Le dynamisme de l'opposition parlementaire, notamment de la gauche nationaliste, qui impose en décembre 1975 la nationalisation de la KOC entraîne, par réaction, une remise en question de l'expérience démocratique : le Parlement est suspendu. L'émir Djabir al-Ahmad al-Djabir al-Sabah accède au trône en 1978. Il rétablit la vie parlementaire en 1980. Financé par les revenus du pétrole, l'équipement du pays, qui subit une importante émigration (60 % de la population au recensement de 1985), se poursuit. Pendant la guerre irano-irakienne, le Parlement est de nouveau suspendu (juill. 1986), tandis que des tensions se manifestent dans la population entre majorité sunnite et minorité chiite. Au printemps 1990, l'opposition réclame le retour à la vie parlementaire.

En outre, depuis la conclusion du cessez-le-feu avec l'Iran en 1988, l'Iraq (qui n'a jamais accepté le tracé de la frontière dans la région du Chatt al-Arab) accentue sa pression sur le Koweït. Régulièrement, il lui demande la location de l'île de Bubiyan afin d'y installer un port en eaux profondes. En juillet 1990, après avoir accusé le Koweït de puiser depuis 1980 dans une nappe pétrolifère irakienne et réclamé un dédommagement, l'Iraq envahit le pays (2 août) et en proclame l'annexion (9 août). Le gouvernement, l'armée et plus de la moitié de la population fuient le pays. Une coalition internationale conduite par les États-Unis et à laquelle participent aussi de nombreux pays arabes se forme qui, après autorisation donnée par l'ONU de recourir à la force (29 nov. 1990), ouvre les hostilités contre l'Iraq (17 janv. 1991). Après six semaines de combats, les troupes irakiennes se retirent (fin févr.) après avoir saboté les installations économiques de l'émirat. Tandis que les immigrés restés sur place, surtout les Palestiniens, font l'objet de représailles de la part des Koweïtiens rentrés d'exil, les revendications démocratiques renaissent. Le Parlement est rétabli après les élections d'oct. 1992 et l'opposition démocratique et islamique entre au gouvernement. En 1993, le tracé de la frontière irako-koweïtienne est modifié par l'ONU. En 1994, après avoir déployé ses troupes à la frontière (oct.), provoquant une vive réaction de la part des États-Unis, l'Iraq reconnaît la souveraineté du Koweït dans ses nouvelles frontières.

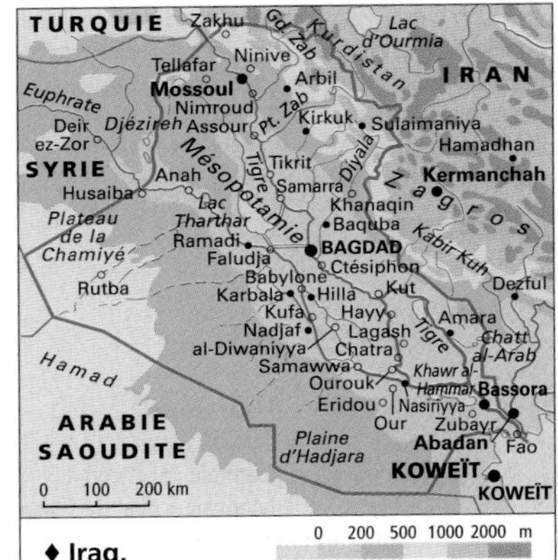

◆ Iraq.

Iraq AL-IRAQ

Nom officiel : République d'Iraq. **Capitale :** Bagdad *(Baghdad).* **Monnaie :** dinar irakien. **Langue officielle :** arabe. **Principale religion :** islam. **Institutions :** République. Constitution provisoire de 1968 (promulguée en 1970). Conseil du Commandement de la Révolution de 9 membres. Assemblée nationale élue au suffrage universel pour 4 ans (250 membres) **Président de la République :** Saddam Husayn (depuis 1979). Celui-ci assume également, depuis mai 1994, la charge de Premier ministre. **Drapeau :** adopté en 1963, il porte les mêmes couleurs que les drapeaux de l'Égypte et de la Syrie, avec lesquelles l'Iraq devait former une fédération. **Hymne national :** « Patrie qui dans son déploiement couvrait l'horizon, qui était revêtue de la gloire de la civilisation, Béni soit le pays des deux fleuves, havre glorieux de la fermeté et de la tolérance… » Paroles de Chafiq Abd al-Djabar al-Kamali (né en 1930), musique de Walid Georges Ghalmiya (né en 1938). Adopté officiellement en 1981. **Fêtes nationales :** 14 juillet (commémoration de la proclamation de la république en 1958) et 17 juillet (anniversaire de la prise du pouvoir par le parti Baath).

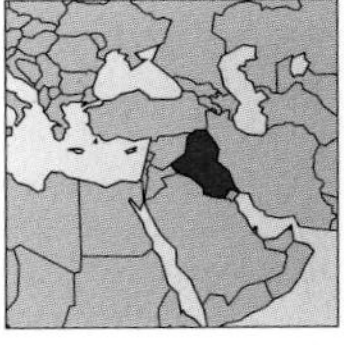

Superficie : 434 000 km². **Point culminant :** 3 607 m près de Rawanduz dans le Zagros.

GÉOGRAPHIE

L'Iraq s'organise autour de la Mésopotamie, entre le Tigre et l'Euphrate. Le relief est monotone, semi-désertique, sauf dans les montagnes du nord. Le climat est aride et chaud. La population est partagée en plusieurs groupes ethniques et religieux, dont les minorités opprimées kurdes et chiites. Le territoire n'est que partiellement mis en valeur par l'irrigation, qui permet à certaines cultures de subsister. L'élevage (ovins) est la seule ressource des steppes périphériques, non irriguées. L'économie repose essentiellement sur le pétrole, dont l'exportation est perturbée par un embargo imposé depuis la guerre du Golfe.

HISTOIRE

La Mésopotamie antique. La Mésopotamie fut, entre le VIᵉ et le Iᵉʳ millénaire av. J.-C., un des plus brillants foyers de civilisation.

Entre le IXe et le VIIe millénaire y apparaissent les premiers villages d'agriculteurs (Mureybat, au VIIe millénaire), des systèmes d'irrigation et la céramique. Au Ve millénaire s'y épanouissent les cultures de Samarra, Halaf et Obeïd. Puis, entre 2950 et 2350 av. J.-C., en pays de Sumer, naissent des cités-États qui créent un système d'écriture, le cunéiforme. Au XXIIIe s. av. J.-C., Sargon puis Naram-Sin imposent l'hégémonie d'Akkad. À la fin du IIIe millénaire, c'est la IIIe dynastie d'Our qui domine la Mésopotamie, tandis que Goudéa règne sur Lagash. Le IIe millénaire voit s'affirmer la suprématie de Babylone, le Ier millénaire la domination de l'Assyrie. Conquise par les Perses (539 av. J.-C.), puis par Alexandre le Grand (331 av. J.-C.), la Mésopotamie est l'enjeu des luttes entre les Romains d'une part et les Parthes puis les Sassanides (à partir de 224 apr. J.-C.) d'autre part. Ceux-ci ont pour capitale Ctésiphon.

L'apogée abbasside et le déclin. Après la conquête arabe (633-642), l'islamisation et l'arabisation font de la Mésopotamie l'une des plus importantes provinces de l'Empire musulman. Elle devient le lieu des premières confrontations politico-religieuses entre Alides et Omeyyades. En 750, les Abbassides, avec le soutien des chiites, renversent les Omeyyades. Ils fondent Bagdad, qui devient leur capitale en 762. Les Turcs Seldjoukides s'emparent de celle-ci (1055) et deviennent les protecteurs du califat. Les Mongols de Hulagu déferlent sur Bagdad en 1258 et détruisent le tissu urbain et les canaux d'irrigation. Pendant près de trois siècles, le pays est dominé par des dynasties d'origine mongole ou turkmène. Bagdad est mise à sac par Timur Lang (Tamerlan) en 1401. La conquête ottomane s'accomplit par étapes de 1515 à 1546. Les Ottomans modernisent et occidentalisent le pays.

Le royaume hachémite. Pendant la Première Guerre mondiale, le pays est occupé par les troupes britanniques. La Grande-Bretagne se fait attribuer un mandat de la SDN (1920). L'émir hachémite Faysal ibn Husayn (1883-1933), héros de la révolte arabe au Hedjaz et en Syrie contre les Ottomans (1916-1918), est intronisé roi d'Iraq (1921) et règne jusqu'en 1933 sous la protection britannique. Le vilayet de Mossoul, revendiqué par la Turquie, est attribué à l'Iraq en 1925. L'exploitation du pétrole est confiée en 1927 à l'Iraq Petroleum Company (IPC). En 1930, un traité accorde l'indépendance à l'Iraq et définit son alliance politique et militaire avec la Grande-Bretagne. La Seconde Guerre mondiale permet au courant nationaliste arabe de Rachid Ali al-Gaylani (1892-1965), proallemand, de prendre le pouvoir en 1941. La Grande-Bretagne occupe aussitôt le pays et rétablit le roi, qui entre en guerre aux côtés des Alliés. L'après-guerre est dominé par Nuri al-Said (1888-1958), proanglais et modernisateur, très impopulaire depuis l'arrivée au pouvoir en Égypte de Nasser (1954).

La République irakienne. Le coup d'État de juill. 1958 porte au pouvoir le général Abd al-Karim Kassem (1914-1963), qui proclame la république. La rébellion kurde (1961) affaiblit le régime. Un coup d'État pronassérien et baassiste donne le pouvoir à Abdul Salam Aref en 1963. Son frère, le maréchal Abdul Rahman Aref, qui lui succède en 1966, est renversé par un groupe d'officiers en 1968. Depuis lors, le parti Baath est au pouvoir. Il nationalise l'IPC en 1972. Il conclut une trêve avec les Kurdes et leur accorde un statut d'autonomie (1970). Mais la guérilla s'étant rallumée en 1974, un accord est conclu avec l'Iran (1975), qui cesse son aide aux insurgés kurdes et obtient en échange la reconnaissance de sa frontière du Chatt al-Arab. Des incidents meurtriers éclatent à Nadjaf et à Karballa et des dignitaires religieux chiites sont éliminés en 1980. Saddam Husayn s'empare de tous les pouvoirs en 1979. Il lance une offensive-éclair contre l'Iran en sept. 1980. La France et l'URSS lui fournissent des armes. L'alliance avec l'Arabie saoudite et les États arabes du Golfe est précaire. La contre-offensive iranienne amène l'Iraq à demander un cessez-le-feu (1982), que Téhéran refuse. Les belligérants s'engagent en 1984 dans la « guerre des villes » et dans celle des pétroliers, sur le golfe Persique. En 1988, un accord de cessez-le-feu intervient. L'économie irakienne est alors au bord de l'effondrement et les pertes humaines sont de plus d'un demi-million de morts. En août 1990, invoquant des droits historiques sur le Koweït, Saddam Husayn lance ses troupes sur l'émirat et l'annexe. Une coalition de 28 États occidentaux et arabes, placée sous l'égide de l'ONU et conduite par les États-Unis, contraint l'Iraq en six semaines d'opérations militaires (16/17 janv.-27 févr. 1991), à libérer le Koweït. À la fin de la guerre du Golfe, des insurrections éclatent parmi les chiites (mars 1991) et les Kurdes (mars-avr.), dont l'exode provoque une intervention humanitaire internationale. Des zones d'exclusion aérienne créées au nord pour protéger les Kurdes (1991) et au sud pour protéger les chiites (1992) privent le pouvoir central de sa souveraineté sur une partie du pays. L'ONU redéfinit le tracé de la frontière irako-koweïtienne (1993). Aux termes du cessez-le-feu de 1991, le pays doit accepter la destruction de ses capacités balistiques, chimiques, biologiques et nucléaires. Interdisant fréquemment l'accès de ses sites sensibles aux missions de contrôle de l'ONU, l'Iraq fait l'objet de frappes aériennes de la part des États-Unis en 1998, alors que l'embargo économique est régulièrement reconduit.

◆ **Démographie.**

population	21 800 000 hab.
densité	50,2 hab./km²
accroissement naturel	29,9 ‰
taux de natalité	36,4 ‰
taux de mortalité infantile	101 ‰
espérance de vie	68 ans
part des moins de 15 ans	42,8 % de la pop. totale
part des plus de 65 ans	2,9 % de la pop. totale
population urbaine	75 %
principales villes	Bagdad, Bassora, Sulaimaniya

◆ **Principales ressources et productions** (1997).

dattes	630 000 t (3e rang)
pétrole	58 300 000 t

◆ **Économie et niveau de vie** (1996).

PNB	n.d.
PNB/hab.	n.d.
taux de croissance *(1995)*	n.d.
taux d'inflation *(1994)*	n.d.
taux de chômage	n.d.
importations	490 millions de $
exportations	380 millions de $
transports	routes 45 554 km, voies ferrées 2 389 km
taux d'analphabétisme	40,3 %

◆ **Armée.**

budget militaire *(1996)*	15,2 % du PIB
forces armées *(1997)*	382 500 hommes

Iran Iran

Nom officiel : République islamique d'Iran. **Capitale :** Téhéran *(Tehran)*. **Monnaie :** rial (= 100 dinars). **Langue officielle :** persan. **Religion officielle :** islam. **Institutions :** République islamique. Constitution de 1979, amendée en 1989. *Faqih* (guide spirituel). Président de la République, élu pour 4 ans. Chambre des députés (*Madjlis*), élue pour 4 ans. **Guide spirituel :** Ali Hoseini Khamenei (depuis 1989). **Président de la République et chef du gouvernement :** Mohammad Khatami (depuis 1998). **Drapeau :** adopté en 1980, il porte le vert de l'islam, le blanc de la paix, le rouge du courage, et une frise reprenant la devise « Allah est grand » (*Allah akbar*). Au centre figure l'emblème de l'État. **Hymne national :** « La République islamique est constituée; elle nous offre et la vie de l'au-delà et la vie d'ici-bas. De la Révolution de l'Iran, dorénavant la forteresse de l'oppression est détruite... » Paroles d'Abul Qasem Halat, musique de Mohammad Beyklari Pur. Adopté en 1980 à la place de l'hymne du chah. **Fête nationale :** 11 février (anniversaire de la révolution islamique de 1979).

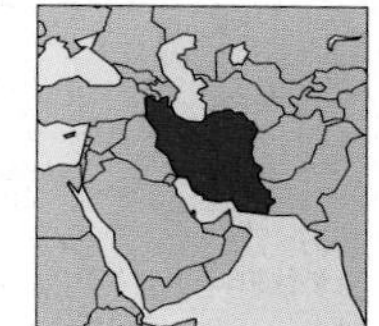

Superficie : 1 650 000 km². **Point culminant :** 5 604 m au Demavend.

GÉOGRAPHIE

L'Iran est un pays de hautes plaines steppiques et désertiques, cernées par des montagnes (Elbourz, Zagros). Pays très peuplé pour la région (64 millions d'habitants), il compte plusieurs villes importantes (Téhéran, Ispahan, Chiraz). L'agriculture se concentre autour d'oasis et produit du blé, de l'orge, du coton et des fruits. L'élevage (ovins et caprins) est la principale forme d'exploitation du Centre-Est. L'Iran est principalement peuplé de Persans musulmans chiites, qui se distinguent des Arabes de la région du Golfe. Il compte quelques minorités (Kurdes et Azéris). L'Iran est un très gros producteur de pétrole et de gaz naturel (avec de très importantes réserves), qui constituent les principales ressources de l'économie.

HISTOIRE

De l'arrivée des Aryens aux Achéménides. Au cours du IIe millénaire, les Aryens progressent du N.-E. vers l'O. de l'Iran. Au IXe s., les descendants de ces conquérants, les Perses et les Mèdes, atteignent le rebord occidental du Zagros. Morcelés en petits royaumes, ils subissent la domination de l'Assyrie, de l'Élam ou des Scythes installés dans le Zagros. L'Assyrie, qui a détruit l'Élam (v. 646), s'effondre à son tour (612) sous les coups des Babyloniens et des Mèdes coalisés. L'Empire mède (v. 612-550 av. J.-C.) tombe intégralement aux mains du roi perse achéménide Cyrus II vers 550 av. J.-C.

Des Séleucides aux Sassanides. L'immense domaine des Achéménides passe, après l'assassinat de Darios III (330 av. J.-C.), à leur vainqueur, Alexandre le Grand. Mais ses successeurs, les Séleucides, perdent l'Iran à partir du IIIe s. où sont créées des dynasties perses. À la même époque, un peuple scythe, les Parthes, s'installe en Parthie (auj. Khorasan) et forme, sous la dynastie des Arsacides, un royaume indépendant. Au milieu du IIe s. av. J.-C.,

Caucase et Moyen-Orient

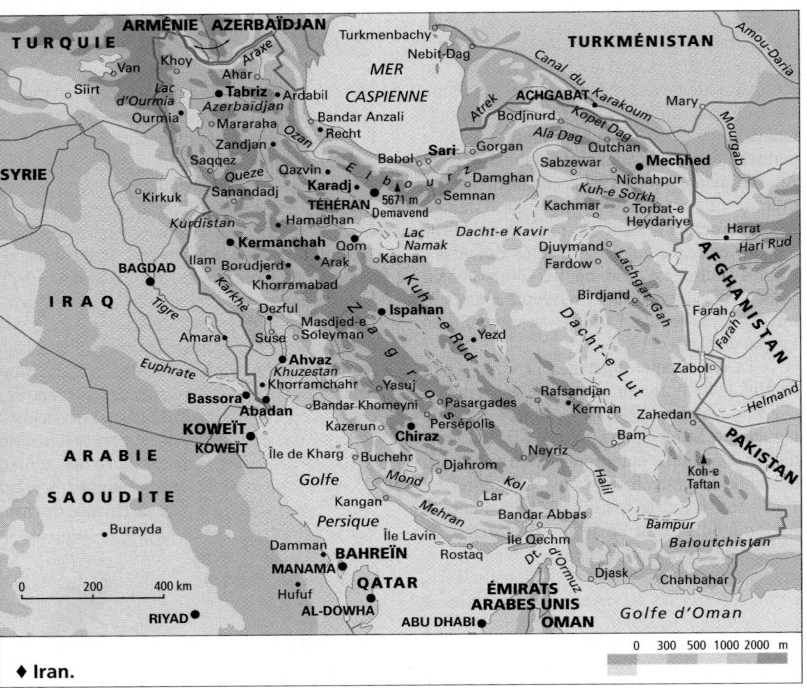

♦ **Iran.**

l'Arsacide Mithridate Iᵉʳ Philhellène (v. 171-v.138 av. J.-C.) met la main sur la majeure partie du pays. Puis les Perses Sassanides (224-651) deviennent les maîtres du pays. L'Empire sassanide, fortement centralisé, s'étend des confins de l'Inde à ceux de l'Arabie. Les Sassanides opposent une résistance efficace à Rome (IVᵉ s.) puis à Byzance (VIᵉ-VIIᵉ s.).

La conquête arabe et la renaissance iranienne. Les victoires arabes de Qadisiyya (637) et de Nehavend (642) marquent la chute de l'Empire sassanide. Plusieurs révoltes ont lieu contre les Omeyyades, et les Iraniens participent à la révolution abbasside. Le centre de l'empire se déplace en Iraq. Cependant, les sentiments « nationaux » s'affirment, notamment au Khorasan, où des dynasties locales prennent le pouvoir : Tahirides (820-873), Samanides (874-999). L'Iran s'affranchit de l'arabisme.

Les invasions turco-mongoles. Bientôt des dynasties turques prennent le pouvoir : Ghaznévides (999-v. 1035), au Khorasan et en Afghanistan ; Seldjoukides, qui déferlent à travers l'Iran jusqu'à Bagdad (de 1035 à 1055). Ces Turcs s'iranisent et deviennent même les véhicules de la culture iranienne en Asie Mineure et en Inde. L'Iran seldjoukide atteint son apogée sous Malik Chah (1073-1092). Après un premier raid de Gengis Khan en 1220-1221, les Mongols, avec à leur tête Hulagu, fondateur de la dynastie des Ilkhans (1256-1335), entreprennent la conquête du pays. Les campagnes dévastatrices de Timur Lang (Tamerlan) entre 1381 et 1404 aggravent cette évolution. Sous les Timurides (XVᵉ s.), les confédérations turkmènes de l'Azerbaïdjan et de l'Anatolie deviennent toutes-puissantes. Parmi elles se développe la propagande chiite des cheikhs séfévides.

Les Séfévides et l'Iran moderne. L'un d'eux, Ismail (1501-1524), se proclame roi et parvient en 1510 à conquérir presque tout l'Iran. Il fait du chiisme duodécimain la religion de l'État persan, opposé à l'Empire ottoman, défenseur du sunnisme. La dynastie des Séfévides est à son apogée sous Abbas Iᵉʳ le Grand (1587-1629). Ispahan devient une capitale prestigieuse. En 1722, les Afghans s'emparent d'Ispahan, que la hiérarchie chiite quitte alors pour s'établir dans les villes saintes d'Iraq (Karballa, Nadjaf). Les Afghans sont bientôt chassés par le futur Nader Chah (1736-1747). L'Iran connaît ensuite une période troublée.

Les Qadjar et les Pahlavi. La dynastie qadjar (1796-1925) doit affronter l'impérialisme européen : celui de l'Empire russe, qui annexe les provinces caspiennes (traités de 1813 et de 1828) et progresse en Asie centrale ; celui des Britanniques, qui obligent la Perse à reconnaître l'indépendance de l'Afghanistan (1856) et à renoncer à Harat. L'accord anglo-russe de 1907 établit les zones d'influence britannique et russe en Perse. L'opposition nationaliste, libérale et religieuse, qui a obtenu en 1906 une Constitution, est brisée lors de l'insurrection de 1908-1909. Le coup d'État de 1921 donne le pouvoir à Reza Khan, qui fonde la dynastie pahlavi en 1925. Reza Chah (1925-1941) entreprend la modernisation, l'occidentalisation et la sécularisation forcées du pays. Pendant la Seconde Guerre mondiale, il abdique en faveur de son fils, Mohammad Reza (1941-1979), alors que les Soviétiques et les Britanniques occupent le territoire iranien. En 1949 se forme le Front national de l'Iran de Mossadegh. Celui-ci fait voter la nationalisation du pétrole en 1951 et devient Premier ministre. Il entre en conflit avec le chah, qui le destitue en 1953. Bénéficiant de l'aide américaine, celui-ci met en place un régime autoritaire, réprimant l'opposition nationaliste, religieuse ou marxiste. L'opposition se cristallise autour des mollahs. En 1978, des manifestations se déroulent tous les quarante jours, durée du deuil chiite. Le chah doit quitter l'Iran le 16 janv. 1979.

La République islamique. L'ayatollah Khomeyni rentre triomphalement à Téhéran le 1ᵉʳ févr. 1979. Une « république islamique » est instaurée le 1ᵉʳ avr. 1979. Le Parti républicain islamique s'impose, soutenu par la milice des gardiens de la révolution (*pasdaran*). Une grave crise s'ouvre avec les États-Unis à la suite de la prise en otages de 52 membres de l'ambassade américaine à Téhéran (1979-1980). Après l'échec de la présidence du laïque Bani Sadr (janv. 1980-juin 1981), les principaux artisans de la révolution, les « Moudjahidin du peuple », sont persécutés. Une campagne de terrorisme et de contre-terrorisme se déchaîne alors. Attaqué en sept. 1980 par l'Iraq, l'Iran lance une contre-offensive en 1981 et soutient une guerre de positions, longue et meurtrière. L'armée iranienne se révélant efficace, l'Iran refuse toute négociation avec l'Iraq jusqu'à l'accord de cessez-le-feu de 1988. Au sortir de la guerre, le pays, qui compte environ 700 000 tués, est exsangue. Khomeyni meurt en juin 1989 et Hachemi Rafsandjani est élu président de la République. Sous son égide, l'Iran cesse d'exporter la révolution islamique (parmi les chiites du Liban, d'Afghanistan, d'Iraq) et le régime s'assouplit, sans renoncer aux symboles de la révolution islamique. Dans la crise et la guerre du Golfe (août 1990-févr. 1991), le pays obtient de l'Iraq d'importantes concessions en échange de sa neutralité. Il multiplie les ouvertures vers l'Occident et, depuis 1992, vers les nouveaux États indépendants du Caucase et de l'Asie centrale. L'élection en août 1997 à la présidence de Mohammad Khatami, modéré, permet un assouplissement des relations avec les pays occidentaux, notamment les États-Unis. Contestée par les « durs » du régime, cette ouverture est confirmée par la victoire du camp réformateur lors des élections locales de 1999.

♦ **Démographie.**

population	64 100 000 hab.
densité	38,8 hab./km²
accroissement naturel	26,7 ‰
taux de natalité	34 ‰
taux de mortalité infantile	36 ‰
espérance de vie	70 ans
part des moins de 15 ans	44 % de la pop. totale
part des plus de 65 ans	4 % de la pop. totale
population urbaine	60 %
principales villes	Téhéran, Ispahan, Chiraz, Tabriz

♦ **Principales ressources et productions** (1997).

ovins	51 499 000 têtes (3ᵉ rang)
dattes	860 000 t (1ᵉʳ rang)
gaz naturel	43 000 millions de m³
pétrole	184 200 000 t (4ᵉ rang)

♦ **Économie et niveau de vie** (1996).

PNB	142,581 milliards de $
PNB/hab.	5 360 $
taux de croissance *(1995)*	4,2 %
taux d'inflation	28,9 %
taux de chômage	n.d.
dette extérieure	21 182,5 millions de $
importations	15 103 millions de $
exportations	18 360 millions de $
transports	routes 139 368 km, voies ferrées 4 851 km
taux d'analphabétisme	16,7 %

♦ **Armée.**

budget militaire *(1996)*	2 % du PIB
forces armées *(1997)*	513 000 hommes

Asie centrale

Turkménistan • Kazakhstan

Turkménistan

Nom officiel : République du Turkménistan. **Capitale :** Achgabat. **Monnaie :** manat. **Langue officielle :** turkmène. **Principale religion :** islam. **Institutions :** République. Constitution de 1992. Président de la République élu au suffrage universel pour 5 ans. Parlement *(Majlis)* de 50 membres élus pour 5 ans au suffrage universel, qui est une des composantes du Conseil du peuple (Assemblée élargie). **Président de la République et chef du gouvernement :** Saparmourad Niazov (depuis 1992). **Drapeau :** il a été adopté en février 1992. Le champ vert évoque l'étendard de guerre du Prophète, assorti du croissant de l'islam. Les étoiles et les motifs de tapis (éléments d'art populaire) évoquent simultanément les cinq provinces constitutives. **Hymne national :** non connu. **Fête nationale :** 27 octobre (anniversaire de l'indépendance, proclamée en 1991).

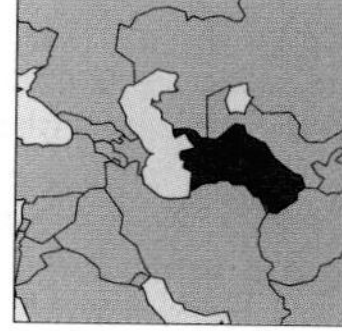

Superficie : 488 000 km². **Point culminant :** 3 139 m au Kugitangtau.

GÉOGRAPHIE

Connaissant un climat continental caractérisé par de fortes amplitudes thermiques, le Turkménistan est en grande partie désertique (Karakoum). Sa population, composée pour près de 75 % de Turkmènes de souche (minorités de Russes et d'Ouzbeks), croît lentement, et est surtout employée par le secteur primaire (élevage ovin, cultures irriguées, industries extractives).

HISTOIRE

Des origines à la conquête russe. Les nomades turkmènes sont les descendants des tribus oghouz qui migrent en Asie centrale vers les VIIIᵉ-Xᵉ s. Plusieurs ensembles tribaux ont été, au cours de l'histoire, définis comme turkmènes, en particulier ceux des Akkoyunlu, des Karakoyunlu et les tribus qui accompagnèrent les Seldjoukides en Asie Mineure. Ils adhèrent à l'islam sunnite de rite hanafite, avec une forte composante mystique soufie. Ils se constituent en groupe ethnique distinct vers le XVᵉ s., mais restent divisés par leur structure tribale et par le partage de leur territoire. Du XVᵉ au XVIIᵉ s., les tribus du Sud sont soumises à la domination persane, celles du Nord sont vassales des khanats ouzbeks de Khiva et de Boukhara. Après l'annexion par les Persans de ces khanats au début du XVIIIᵉ s., la reconquête du territoire de Merv (Mary) par Boukhara s'accompagne de la déportation d'une grande partie des Turkmènes. Le « pays des Turkmènes » est annexé par l'Empire tsariste entre 1863 et 1885, au prix d'une guerre très dure, et organisé en Province transcaspienne. Achgabat, sa capitale, devient un carrefour ferroviaire et administratif. L'accord anglo-russe de 1895 délimite les zones d'influence respectives des deux pays.

La période soviétique. En 1917, la révolution russe trouve peu d'écho auprès de la population locale. En juill. 1918, les forces nationalistes du Congrès turkmène, soutenues par les Britanniques, chassent les bolcheviques d'Achgabat et établissent un gouvernement indépendant. Le retrait des Britanniques permet à l'Armée rouge, commandée par le général Frounze, de reprendre le pouvoir en 1920. La Région turkmène, créée en 1921 au sein de la république du Turkestan, à laquelle sont adjoints des territoires des anciens khanats de Boukhara et de Khiva, est constituée en 1924 en une RSS du Turkménistan, qui est intégrée à l'URSS en 1925. La résistance armée au régime communiste dure jusqu'en 1936, avec un regain dû à la politique de collectivisation et de sédentarisation forcées de 1928-1930, alliée à une campagne antireligieuse. De nombreux Turkmènes émigrent en Iran et en Afghanistan.

L'indépendance. Dans cette république très conservatrice, sans tradition étatique ancienne, l'opposition nationale et démocratique reste peu influente. Les élections législatives de janv. 1990 sont monopolisées par le Parti communiste. Le chef du Parti depuis 1985, Saparmourad Niazov, est élu président du Soviet suprême. Il ne fait que quelques concessions culturelles tardives. L'indépendance est proclamée le 27 oct. 1991. Le Turkménistan adhère à la CEI, mais tout en restant proche de la Russie, il cherche à développer ses liens avec l'Iran. Il mise sur ses riches gisements de gaz naturel pour se développer. S. Niazov, élu président en juin 1992 au suffrage universel direct, a fait prolonger par référendum (janv. 1994) son mandat jusqu'en l'an 2002.

◆ Démographie.

population	4 700 000 hab.
densité	9,6 hab./km²
accroissement naturel	21,9 ‰
taux de natalité	28,6 ‰
taux de mortalité infantile	41 ‰
espérance de vie	67 ans
part des moins de 15 ans	39,4 % de la pop. totale
part des plus de 65 ans	4,1 % de la pop. totale
population urbaine	45 %
principales villes	Achgabat, Tchardjaou, Tachaouz

◆ Principales ressources et productions (1997).

coton	189 000 t
gaz naturel	17 000 millions de m³

◆ Économie et niveau de vie (1996).

PNB	4,346 milliards de $
PNB/hab.	2 010 $
dette extérieure	825,1 millions de $
importations	1 532 millions de $
exportations	1 691 millions de $
transports	routes 21 400 km, voies ferrées 2 120 km
taux d'analphabétisme	0,3 %

◆ Asie centrale.

Kazakhstan Qazaqstan

Nom officiel : République du Kazakhstan. **Capitale :** Akmola. **Monnaie :** tenge. **Langue officielle :** kazakh. **Principales religions :** islam, christianisme (Église orthodoxe). **Institutions :** République. Constitution de 1995. Président élu pour 5 ans au suffrage universel. Parlement bicaméral (*Majlis* : 67 membres, Sénat : 47 membres). **Président de la République :** Noursoultan Nazarbaïev (depuis 1991). **Premier ministre :** Nourlan Balguimbaïev (depuis 1997). **Drapeau :** il a été créé en 1992. Le bleu vient de l'ancienne fasce déclinant le drapeau rouge en 1953, imposée après Staline. Le pal développe une broderie populaire surdimensionnée. Le soleil reprend l'emblème du khanat de Khiva. Le gerfaut planant sous le soleil évoque l'esprit gardien de Gengis Khan. **Hymne national :** « Debout les gars, le gerfaut de la liberté nous appelle à l'union ! La puissance du héros est dans le peuple, la puissance du peuple dans la solidarité. » Paroles de M. Alimbaev, K. Myrzaliev, T. Moldaraliev et J. Daribaev, musique de M. Telebaev, E. Broussilovski, L. Khamidi. Déclaré officiel en 1992. **Fête nationale :** 16 décembre (anniversaire de la déclaration d'indépendance, en 1991).

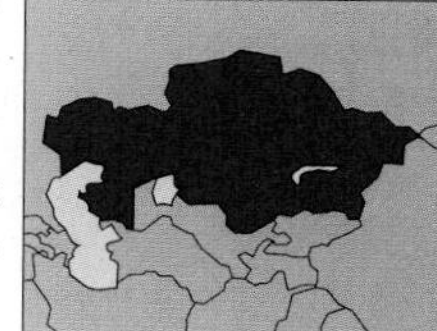

Superficie : 2 717 000 km². **Point culminant :** 4 981 m au Kungej Alatau.

GÉOGRAPHIE

Le Kazakhstan est un pays au climat continental qui connaît de fortes amplitudes thermiques. Constitué principalement de plaines et de plateaux, il comporte néanmoins une bordure montagneuse dans sa partie est. L'enclavement du pays rend difficile l'exportation des matières pre-

Asie centrale *Ouzbékistan • Tadjikistan • Kirghizistan*

mières (charbon, uranium, pétrole) présentes dans le sous-sol. La production agricole, en revanche, grâce en particulier à l'irrigation, est importante : blé et orge, coton, élevage ovin. La métallurgie reste néanmoins la ressource principale. Le Kazakhstan est peuplé par moins de 50 % de Kazakhs de souche et compte, surtout dans les villes, une importante minorité russe.

HISTOIRE

De l'Antiquité à l'époque moderne. Vouée au pastoralisme nomade, la région a fait partie des empires des steppes successifs : celui des Saces, apparentés aux Scythes (VIIe-IIIe s. av. J.-C.), celui des Huns (Ier-IVe s. apr. J.-C.), les kaganats turc (552-740) puis karluk (766-940). L'immense espace kazakh est turquisé et islamisé vers le Xe s. La lignée des Oghouz, ancêtres des Seldjoukides, en est issue. La région passe sous la domination des Mongols gengiskhanides au XIIIe s. La nation kazakhe est formée de diverses tribus nomades turques, mongoles ou mandchoues qui arrivèrent dans la région entre le Xe et le XVIe s.

La domination russe. Les conflits qui les opposent aux Kalmouks de Dzoungarie poussent certains khans à demander la protection russe. Celle-ci est établie vers 1730-1740. Le pouvoir tsariste réorganise administrativement ce « territoire des steppes » et l'ouvre à la colonisation. Plus d'un million de paysans russes et ukrainiens s'implantent dans la partie septentrionale entre 1880 et 1914. L'exploitation du riche sous-sol commence. Le grand soulèvement de 1916 contre le pouvoir tsariste est réprimé par l'armée et les colons russes.

La période soviétique. Lors de la révolution de 1917, un éphémère gouvernement nationaliste est établi en nov. La guerre civile s'étend à toute la région. Les bolcheviques l'emportent finalement sur les armées russes blanches de la région. En août 1920, une République autonome des Kirghiz est constituée au sein de la RSFS de Russie. À cette époque, les Russes donnent le nom de « Kirghiz » aux Kazakhs, par opposition aux Kirghiz, qu'ils nomment « Kara-Kirghiz » (Kirghiz noirs). Agrandie de territoires du Turkestan peuplés de Kazakhs et rebaptisée RSSA du Qazaqstan en 1925, elle accède au statut de république fédérée en 1936. En 1930, la région de Karakalpakie en est détachée. Le Qazaqstan est particulièrement touché par la politique de collectivisation et de sédentarisation forcée de 1930. La famine y fait plus d'un million de morts. Le Qazaqstan présente la particularité de ne compter aucune majorité ethnique. Au nord, les populations européennes, surtout russes, établies parfois depuis le XVIIe s., sont majoritaires, tandis qu'au sud les musulmans, principalement kazakhs, l'emportent. Une dernière vague de colonisation russe a lieu lors de la campagne de défrichement des « terres vierges » lancée par Nikita Khrouchtchev (1894-1971) en 1954. Les centres spatiaux (Baïkonour) ou nucléaires (Semipalatinsk) font aussi affluer des cadres et des ouvriers slaves.

Des émeutes d'Alma-Ata à l'indépendance. En déc. 1986, le remplacement, à la tête du Parti, du Kazakh D. Kounaïev par un Russe provoque des émeutes à Alma-Ata, première étincelle de la révolte des nationalités de l'URSS. En juin 1989, le Kazakh Noursoultan Nazarbaïev est nommé à la tête du Parti. Président du Soviet suprême (1990), il est élu président de la République le 1er déc. 1991. Le Qazaqstan proclame son indépendance le 16 déc. 1991 et intègre la CEI, dont la création a lieu à Alma-Ata. Les premières élections pluralistes (mars 1994) se soldent par l'accroissement des parlementaires kazakhs au détriment de la représentation des Russes. En 1995, dissolvant le Parlement, Noursoultan Nazarbaïev fait proroger son mandat par référendum jusqu'en l'an 2000.

◆ Démographie.

population	15 600 000 hab.
densité	5,7 hab./km²
accroissement naturel	11,3 ‰
taux de natalité	18,1 ‰
taux de mortalité infantile	25 ‰
espérance de vie	71 ans
part des moins de 15 ans	30 % de la pop. totale
part des plus de 65 ans	7 % de la pop. totale
population urbaine	60 %
principales villes	Almaty, Karagandy, Akmola

◆ Principales ressources et productions (1997).

ovins	1 874 000 têtes
houille	70 700 000 t (7e rang)

◆ Économie et niveau de vie (1996).

PNB	20,672 milliards de $
PNB/hab.	3 230 $
dette extérieure	2 919,7 millions de $

Ouzbékistan **Uzbekistan**

Nom officiel : République d'Ouzbékistan. **Capitale :** Tachkent. **Monnaie :** soum ouzbek. **Langue officielle :** ouzbek. **Principale religion :** islam. **Institutions :** Constitution de 1992. Président élu au suffrage universel (depuis 1991). Parlement *(Olii Majlis)* élu au suffrage universel (250 membres). **Président de la République :** Islam Karimov (depuis 1991). **Premier ministre :** Otkir Soultanov (depuis 1995). **Drapeau :** il a été créé en 1991. Le croissant fait référence à l'islam et les trois couleurs aux briques émaillées ornant les mosquées de Samarkand. Les douze étoiles dénombrent les ensembles majeurs des mosquées de la capitale, en image zodiacale. **Hymne national :** paroles d'Abdulla Oripov Suzi, musique de Mutal Burkhonov Musikasi. Déclaré officiel en 1992. **Fête nationale :** 1er septembre (anniversaire de l'indépendance, en 1991).

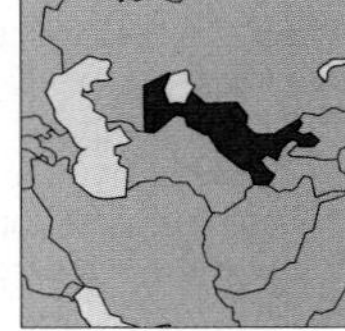

Superficie : 447 000 km². **Point culminant :** 4 643 m dans le Gissar.

GÉOGRAPHIE

L'Ouzbékistan s'étend du pourtour de la mer d'Aral aux montagnes du Tian Shan et du Pamir. Son climat, continental, est souvent aride, mais les cultures du coton, des fruits et de la vigne ainsi que l'élevage (bovins et surtout ovins) sont rendus possibles par l'irrigation. L'enclavement du pays, en revanche, est un obstacle au développement comme à l'exportation des matières premières que recèle le sous-sol (pétrole, gaz naturel). La population, constituée pour les trois quarts d'Ouzbeks, musulmans, connaît une croissance lente.

HISTOIRE

L'Antiquité et le Moyen Âge. Sur une partie du territoire actuel de l'Ouzbékistan, qui correspond aux antiques contrées de Chorasmie (Kharezm), de Transoxiane et de Sogdiane, se succèdent les dominations des Mèdes, des Perses Achéménides (VIe-IVe s. av. J.-C.), d'Alexandre le Grand et des Séleucides (312-250 av. J.-C.). Un royaume indépendant gréco-bactrien (IIIe-Ier s. av. J.-C.) est détruit par les invasions scythes, avant l'extension dans cette région de l'Empire parthe (IIIe s. apr. J.-C.), puis de celui des Kusana. Il subit l'influence de l'Empire (kaganat) turc (552-740), qui deviendra prédominante. Dans cette région traversée par la route de la Soie, au carrefour de grands courants religieux (zoroastrien, chrétien nestorien, bouddhiste, juif, chamaniste), l'islamisation commence au VIIIe s. avec la conquête arabe, et une brillante civilisation iranienne et musulmane s'épanouit sous les Samanides (IXe-Xe s.). À partir du XIe s., la région est soumise à des pouvoirs turcs, comme les Seldjoukides, puis aux Mongols gengiskhanides et aux Timourides (XIIIe-XIVe s.).

Des khanats à la conquête russe. Au début du XVIe s., les Ouzbeks, tribus turco-mongoles nomades, envahissent la région, sous Muhammad Chaybani Khan (1500-1510). Le pays est bientôt divisé en plusieurs khanats (Boukhara, Khiva, Kokand), auxquels les Russes réussissent à imposer un statut de protectorat de 1868 à 1876. La rébellion endémique contre les envahisseurs connaît une recrudescence lors du soulèvement de 1916. En nov. 1917, les bolcheviques s'emparent de Tachkent, et une république autonome du Turkestan est proclamée (1918). Le mouvement nationaliste des basmatchis poursuit sa résistance jusqu'au milieu des années 1920.

La période soviétique. Boukhara et le Kharezm deviennent des républiques soviétiques indépendantes en 1920, mais sont incorporés au Turkestan en 1924, tandis qu'une RSS d'Ouzbékistan, premier État-nation ouzbek, est établie. La nation ouzbek se constitue dès lors par la fusion de divers éléments : population urbaine d'origine iranienne, descendants de tribus turques et mongoles établies entre le XIe et le XVe s., et descendants des

◆ Démographie.

population	24 100 000 hab.
densité	53,9 hab./km²
accroissement naturel	22,7 ‰
taux de natalité	28,2 ‰
taux de mortalité infantile	24 ‰
espérance de vie	70 ans
part des moins de 15 ans	39,8 % de la pop. totale
part des plus de 65 ans	4,4 % de la pop. totale
population urbaine	41 %
principales villes	Tachkent, Samarkand, Namangan

◆ Principales ressources et productions (1997).

coton	1 081 000 t (5e rang)
gaz naturel	50 400 millions de m³ (8e rang)
or	71 000 kg (9e rang)

◆ Économie et niveau de vie (1996).

PNB	23,907 milliards de $
PNB/hab.	2 450 $
dette extérieure	2 318,6 millions de $

Ouzbeks arrivés au XVIe s. La République autonome du Tadjikistan, constituée au sein de l'Ouzbékistan, s'en sépare en 1929. En 1936, la République autonome de Karakalpakie est rattachée à l'Ouzbékistan. Après la répression de l'époque stalinienne, le Parti communiste local, sous la direction de Charaf Rachidov de 1959 à 1983, se transforme en réseaux clientélistes et prévaricateurs. La perestroïka débute par une vague de purges et de procès retentissants contre la « mafia ouzbek » qui a pillé l'économie.

L'indépendance. La catastrophe écologique de la mer d'Aral, asséchée par le détournement des eaux du Syr-Daria et de l'Amou-Daria pour l'irrigation, l'épuisement des sols dû à la monoculture du coton, le chômage et la pauvreté, enfin l'accroissement démographique ruinent l'image de l'Ouzbékistan, vitrine de l'islam soviétique. Le chef du Parti, devenu président en 1990, Islam Karimov, reprend le pays en main, faisant des concessions nationales et religieuses, tout en restant proche de Moscou. L'opposition est dirigée par le front populaire Birlik (Unité), apparu en 1989, et par le parti du Renouveau islamique. Après le putsch avorté contre M. Gorbatchev, la République proclame son indépendance (31 août 1991), puis adhère à la CEI. L'ancien appareil du Parti, rebaptisé Parti démocratique populaire, se maintient, alliant répression et compromis afin d'endiguer la montée de l'islamisme et les tensions sociales. En 1995, I. Karimov fait prolonger par référendum son mandat jusqu'en l'an 2000 et radicalise son pouvoir.

Tadjikistan Tojikistan

Nom officiel : République du Tadjikistan. **Capitale :** Douchanbe. **Monnaie** : rouble. **Langue officielle** : tadjik. **Principale religion :** islam. **Institutions :** République. Constitution de 1994. Président élu au suffrage universel depuis 1994. Parlement élu (181 membres). **Président de la République** : Imamoli Rakhmonov (depuis 1992). **Premier ministre** : Iakhio Azimov (depuis 1996). **Drapeau** : adopté en 1993, il s'est substitué au drapeau rouge à fasces de couleurs portant la faucille et le marteau, qui avait été officialisé en 1953. **Hymne national** : non connu. **Fête nationale** : non connue.

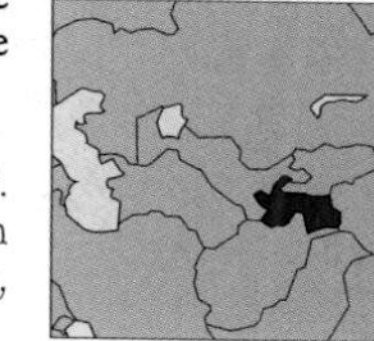

Superficie : 143 000 km². **Point culminant** : 7 495 m au pic du Communisme, dans le Pamir.

GÉOGRAPHIE

Le Tadjikistan est un territoire montagneux qui occupe une partie du massif du Pamir. Le climat est rude, les hivers sont rigoureux et les étés torrides. La population se consacre essentiellement à l'élevage (ovins) et à la culture du coton, grâce à l'irrigation. Les Tadjiks de souche constituent près des deux tiers des habitants. On relève une importante minorité d'Ouzbeks, presque tous islamisés.

HISTOIRE

Les origines. En dehors du haut massif du Pamir, à l'est, demeuré à l'écart, l'histoire du Tadjikistan est celle de la partie orientale des anciennes Bactriane et Sogdiane. Ces régions passent sous la domination successive des Perses Achéménides (VIe-IVe s. av. J.-C.), puis d'Alexandre le Grand et de ses successeurs grecs (331-250 av. J.-C.). Le pays est encore disputé par les Kusana (Ier-IVe s.), les Sassanides et le kaganat turc (552-740). Les zones montagneuses servent de refuge aux zoroastriens refusant l'islamisation qui débute au VIIIe s. avec la conquête arabe. À partir du Xe s., le pays est soumis à des pouvoirs turcs, avant d'être intégré à l'Empire mongol de Gengis Khan (XIIIe s.), puis à celui de Timur Lang (Tamerlan) au XIVe s. Au début du XVIe s., il devient une province des khanats ouzbeks. Vieille nation sédentaire, les Tadjiks, de langue persane, résistent à la turquisation qui gagne toute l'Asie centrale. Quand les Russes imposent un statut de protectorat aux khanats ouzbeks (1868-1876), le Tadjikistan est partagé entre Boukhara et le gouvernement du Turkestan.

Le Tadjikistan soviétique. Après 1917, l'émir de Boukhara réussit à se maintenir jusqu'à la proclamation d'une république populaire de Boukhara (oct. 1920). Les groupes armés des basmatchis tiennent tête aux bolcheviques jusqu'au début des années 1930. En 1924, le Tadjikistan reçoit le statut de République autonome au sein de l'Ouzbékistan. En 1925, la Région autonome du Haut-Badakhchan (Pamir) lui est rattachée. Le Tadjikistan devient en 1929 une république fédérée de l'URSS, à laquelle est rattaché, la même année, le district de Khodjent. L'antagonisme entre Ouzbeks (dont une forte minorité vit au Tadjikistan) et Tadjiks est très vif, alors que les religieux musulmans clandestins restent influents.

L'indépendance. Avec la perestroïka, quelques concessions sont faites à l'islam et au nationalisme (accords culturels avec l'Iran en 1990). Après l'échec du coup d'État contre M. Gorbatchev, le Tadjikistan proclame son indépendance (9 sept. 1991). Il adhère à la CEI (déc.) mais le pays est bientôt déchiré par la guerre civile. Élu en 1991, Rakhmon Nabiev, issu du Parti communiste, doit démissionner en sept. 1992 devant la pression de l'opposition islamique et démocratique. Réfugiée en partie en Afghanistan, celle-ci poursuit la guerre contre les communistes revenus au pouvoir dès déc. 1992 avec le soutien de la Russie. Elle conteste le résultat de l'élection présidentielle de 1994, remportée par Imamoli Rakhmonov. Malgré l'accord de juin 1997 entre gouvernement et opposition, le conflit reprend dès le mois d'août, plongeant de nouveau le pays dans un état de guerre civile.

◆ **Démographie.**

population	6 100 000 hab.
densité	42,6 hab./km²
accroissement naturel	27,9 ‰
taux de natalité	30,4 ‰
taux de mortalité infantile	32 ‰
espérance de vie	72 ans
part des moins de 15 ans	41,9 % de la pop. totale
part des plus de 65 ans	4,3 % de la pop. totale
population urbaine	32 %
principales villes	Douchanbe, Khodjent

◆ **Principales ressources et productions** (1997).

coton	102 000 t

◆ **Économie et niveau de vie** (1996).

PNB	2,03 milliards de $
PNB/hab.	900 $

Kirghizistan

Nom officiel : République du Kirghizistan. **Capitale :** Bichkek. **Monnaie :** som. **Langue officielle** : kirghiz. **Principale religion** : islam. **Institutions** : République. Constitution de 1993 amendée en 1994. Président élu au suffrage universel direct depuis 1991. Parlement bicaméral : Assemblée législative (35 députés) et Chambre des représentants du peuple élue au niveau régional (70 députés). **Président de la République** : Askar Akaïev (depuis 1990). **Premier ministre** : Koubanichbeg Joamaliev (depuis 1998). **Drapeau** : créé en 1992, il porte un soleil orné de six courbes qui représentent ensemble « l'Invincible Seigneur des sept climats », dit aussi sahib Qiran (« Seigneur de la très fortunée conjoncture céleste »), titres de Timur Lang (Tamerlan). Le fond rouge serait un hommage à Attila. **Hymne national, fête nationale** : non connus.

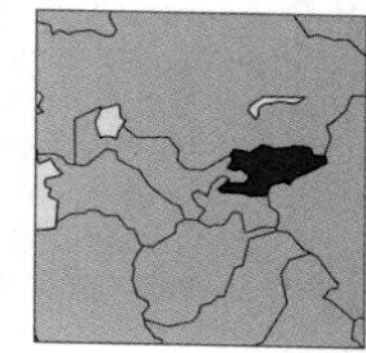

Superficie : 199 000 km². **Point culminant** : 7 439 m au pic Pobedy.

GÉOGRAPHIE

Enclavé et en grande partie montagneux, le Kirghizistan est un pays au climat continental, avec de fortes amplitudes thermiques. Bien qu'il retire un peu de charbon de son sous-sol, c'est un pays essentiellement agricole (céréales, coton, tabac, élevage ovin). La population, composée pour un peu plus de la moitié de Kirghiz et, pour le reste, principalement de minorités de Russes et d'Ouzbeks, est presque totalement islamisée.

HISTOIRE

Les origines. Les sources chinoises mentionnent un peuple turc, les Kien-Kuen, comme ancêtres des Kirghiz dès le IIe s. av. J.-C. Leur foyer principal est le cours supérieur de l'Ienisseï. Ils sortent de leur territoire pour détruire les Ouïghours de l'Orkhon en 840 et s'établir en Mongolie. Au début du Xe s., ils sont repoussés en Sibérie méridionale par la fondation de l'empire des Kitans. Au XIIIe s., ils sont soumis aux Mongols gengiskhanides, puis aux Kalmouks. L'islamisation de ce peuple nomade, qui préserve une structure tribale, ne devient effective qu'au XVIIIe s. Après la destruction de l'Empire kalmouk de Dzoungarie en 1756, par les Mandchous, les Kirghiz retournent dans leur ancien territoire, au sud de Semiretche.

La domination russe. Au début du XIXe s., les Kirghiz passent sous la suzeraineté du khan de Kokand, puis reconnaissent l'autorité des Russes en 1864. Ceux-ci les appellent Kara-Kirghiz (Kirghiz noirs), pour les différencier des Kazakhs dénommés aussi Kirghiz. Leur prospérité est gravement compromise par la colonisation russe. La répression de leur soulèvement en 1916 contraint une partie des Kirghiz à fuir en Chine. Le pouvoir soviétique est établi dans la région en 1918, mais se heurte à la révolte de groupes armés, les basmatchis, jusqu'au milieu des années 1920.

◆ **Démographie.**

population	4 700 000 hab.
densité	23,6 hab./km²
accroissement naturel	19,3 ‰
taux de natalité	25,5 ‰
taux de mortalité infantile	26 ‰
espérance de vie	70 ans
part des moins de 15 ans	36,9 % de la pop. totale
part des plus de 65 ans	5,8 % de la pop. totale
population urbaine	39 %
principales villes	Bichkek, Och

◆ **Principales ressources et productions** (1997).

ovins	4 075 000 têtes

◆ **Économie et niveau de vie** (1996).

PNB	1,673 milliard de $
PNB/hab.	1 970 $

D'abord inclus dans la République autonome du Turkestan (1918), leur territoire constitue la Région autonome karakirghiz en 1924, puis, en 1926, la RSS autonome kirghiz de la RSFS de Russie. Le Kirghizistan accède au statut de république fédérée en 1936. Lors de la grande campagne antireligieuse de 1954-1964, la plupart des lieux saints d'Och, centre de l'islam soufi, sont détruits ou fermés.

L'indépendance de l'État kirghiz. Sur fond de sous-développement, de chômage et de croissance démographique de la population musulmane, la perestroïka ranime le nationalisme. Des affrontements sanglants entre Kirghiz et Ouzbeks vivant dans la République, en particulier dans la ville d'Och (juin 1990), entraînent le départ des cadres russophones. En 1990, le président de l'Académie des sciences, Askar Akaïev, est élu président du Soviet suprême et entreprend une transition en douceur. Le Kirghizistan proclame son indépendance le 31 août 1991, après l'échec du coup d'État contre M. Gorbatchev. Il adhère à la CEI en décembre. Élu à la présidence de la République en 1991, A. Akaïev est maintenu dans ses fonctions au référendum de janvier 1994, puis réélu en décembre 1995. Le renforcement de ses pouvoirs est approuvé par référendum en octobre 1996.

Afghanistan

Nom officiel : État islamique d'Afghanistan. **Capitale :** Kaboul *(Kabul)*. **Monnaie :** afghani (= 100 puls). **Langues officielles :** dari et pachto. **Religion officielle :** islam. **Institutions :** République. Les institutions, dont la réforme est prévue depuis 1992, ne peuvent fonctionner du fait de l'état de guerre civile. **Chef de l'État :** Burhanuddin Rabbani (en fonction depuis 1992, mais le pouvoir appartient de fait aux talibans). **Drapeau :** adopté en 1992, il porte les couleurs de la Pierre noire (Kaba) de La Mecque et le vert de l'islam. **Hymne national :** non connu. **Fête nationale :** non connue.

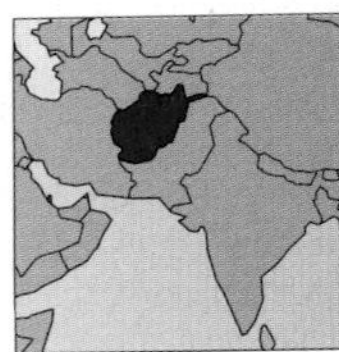

Superficie : 650 000 km². **Point culminant :** 7 485 m dans le Pamir.

GÉOGRAPHIE

L'Afghanistan est en grande partie montagneux (massif de l'Hindu Kuch) et aride. La pluviosité est faible : moins de 250 mm de pluies. Les vallées de l'Amou-Daria (qui se jette dans la mer d'Aral) et de l'Helmand le traversent. Le climat est continental. Les plaines sont le domaine des cultures céréalières et fruitières, et le site des principales villes (Kaboul, Kandahar, Harat). L'élevage, souvent nomade, du mouton constitue la principale activité des populations montagnardes. C'est un pays resté rural, ruiné par l'occupation soviétique des années 1980, à laquelle succède une longue guerre civile de caractère ethnique et religieux, qui provoque un fort recul démographique.

HISTOIRE

L'Antiquité. Province de l'Empire iranien des Achéménides (VIe-IVe s. av. J.-C.), l'Afghanistan est conquis par Alexandre le Grand (329 av. J.-C.), dont les successeurs, les Séleucides, se maintiendront en Bactriane jusqu'en 250 av. J.-C. Au Ier s. av. J.-C., les Kusana, venus de Chine, s'établissent au sud de l'Amou-Daria, et fondent un empire au sein duquel se répand le bouddhisme. Ils se maintiennent dans la région de Kaboul jusqu'à l'invasion des Huns (Ve s. apr. J.-C.) alors qu'à l'ouest ceux-ci sont en lutte contre les Sassanides, maîtres de l'Afghanistan occidental du IIIe s. à la conquête arabe qui atteint Harat en 651.

♦ **Afghanistan.**

Au sein de l'empire musulman. L'islamisation du pays est lente : elle s'affermit dans la province de Kaboul aux IXe-Xe s. Elle est parachevée dans le Ghur par les Ghaznévides (X^e-XIIe s.). Le Kafiristan ne sera islamisé qu'à la fin du XIXe s. Mettant un terme à la brillante civilisation médiévale de l'Afghanistan, les Mongols de Gengis Khan ravagent le pays en 1221-1222. Timur Lang (Tamerlan) dévaste de nouveau le pays v. 1380. Ses successeurs, les Timurides, s'établissent à Harat dont ils font le centre de la renaissance du XVe s. Pendant les XVIe et XVIIe s., l'est du pays est dominé par les Grands Moghols de l'Inde et l'ouest par les Séfévides d'Iran.

L'indépendance. L'Afghanistan devient indépendant en 1747 lorsque Ahmad Khan fonde la dynastie des Durrani. Puis le pays est gouverné de 1838 à 1973 par Dust Mohammad (1834-1863) et ses descendants, issus d'un autre clan pachto, les Barakzay ou Muhammadzay. Malgré la résistance qu'il oppose aux Britanniques (guerres de 1839-1842 et de 1878-1880), le pays doit accepter un certain contrôle de sa politique étrangère (traité de Gandamak, 1879) et la fixation de ses frontières par une commission anglo-russe (1888-1893). Aman Allah Khan (1919-1929) proclame l'indépendance, qui est reconnue en 1921 par les Britanniques et les Soviétiques. Il doit abdiquer en 1929. Zaher Chah accède au pouvoir en 1933. Depuis la partition de l'Inde et la création du Pakistan, l'Afghanistan, dominé par les Pachtos (ou Pathans, ou Pachtous), revendique le Pachtounistan, région du Pakistan peuplée de Pachtos. Le prince Daud, nommé Premier ministre en 1953, tente de moderniser l'économie tout en s'efforçant de maintenir un équilibre entre les Soviétiques et les Américains, qui financent l'équipement du pays.

La République. En 1973, Daud renverse Zaher Chah et proclame la république. En avr. 1978, le Parti communiste afghan prend le pouvoir par un putsch militaire. Les campagnes s'insurgent au nom de l'islam et, le 27 déc. 1979, l'armée soviétique envahit le pays. Une guerre de 10 ans va l'opposer à une guérilla islamiste et nationaliste. De 4 à 5 millions de réfugiés s'enfuient au Pakistan et en Iran. Babrak Karmal, qui dirige le Parti communiste et l'État à partir de déc. 1979, est évincé en 1986 par Mohammad Nadjibollah. Désireux de favoriser la détente internationale, les Soviétiques acceptent de retirer leurs troupes (1988-1989), mais continuent de soutenir Nadjibollah, que les moudjahidin ne renversent qu'en 1992. Un régime islamiste est mis en place, mais les factions rivales, divisées par des clivages ethniques et religieux, continuent à s'affronter, surtout à Kaboul. Ainsi, les forces du général Masud, fidèles au président Rabbani, un Tadjik, s'opposent à celles du Premier ministre, Gulbuddin Hekmatyar, un Pachto, chef du mouvement intégriste Hezb. À partir de l'automne 1994, une nouvelle force islamiste, les talibans (« étudiants en religion »), également pachtos, entre en action et s'empare du pouvoir en 1996. Les talibans imposent par la force un islamisme radical et sanglant dans la majorité du pays, tout en poursuivant la guerre civile contre les autres factions.

♦ **Démographie.**

population	24 800 000 hab.
densité	38,1 hab./km²
accroissement naturel	30,2 ‰
taux de natalité	53,4 ‰
taux de mortalité infantile	155 ‰
espérance de vie	46 ans
part des moins de 15 ans	40,8 % de la pop. totale
part des plus de 65 ans	2,8 % de la pop. totale
population urbaine	20 %
principales villes	Kaboul, Kandahar, Harat

♦ **Principales ressources et productions** (1997).

ovins	14 300 000 têtes

♦ **Économie et niveau de vie** (1996).

PNB	n.d.
PNB/hab.	n.d.
taux de croissance	n.d.
taux d'inflation	n.d.
taux de chômage	n.d.
dette extérieure	n.d.
importations	50 millions de $
exportations	26 millions de $
transports	routes 22 000 km, voies ferrées 25 km
taux d'analphabétisme	68,5 %

♦ **Armée.**

budget militaire *(1996)*	n.d.
forces armées *(1997)*	n.d.

Asie du Sud

Pakistan

Nom officiel : République islamique du Pakistan. **Capitale :** Islamabad. **Monnaie :** roupie pakistanaise (= 100 paisa). **Langue officielle :** ourdou. **Religion officielle :** islam. **Institutions :** République islamique fédérale, membre du Commonwealth. Constitution de 1973. Assemblée nationale élue au suffrage universel pour 5 ans. Sénat élu par les assemblées provinciales pour 6 ans. **Président de la République :** Mohamed Rafiq Tarar (depuis 1998). **Premier ministre :** Nawaz Sharif (depuis 1998). **Drapeau :** il a été adopté en 1947. L'étoile, le croissant et la couleur verte symbolisent l'islam, tandis que la bande verticale blanche représente les minorités religieuses. **Hymne national :** « Bénie soit ta terre sacrée, que ton royaume généreux connaisse le bonheur. Symbole de nobles élans, terre du Pakistan, bénie soit ton refuge de la foi… » Paroles d'Hafiz Jullandri (1903-1978), musique d'Ahmed Ghulamali Chagla (1902-1953). Déclaré officiel en 1947. **Fête nationale :** 23 mars (commémoration de la résolution votée en 1940 par la Ligue musulmane en faveur de la création d'un pays pour les musulmans de l'Inde).

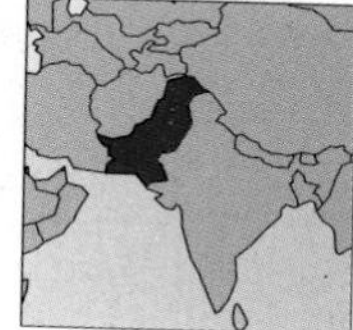

Superficie : 803 000 km². **Point culminant :** 8 611 m au K2.

GÉOGRAPHIE

Pays au climat continental, le Pakistan est bordé par des montagnes qui entourent la partie la plus habitée du pays, au sud et au nord-est (Pendjab). Dans ce secteur irrigué, qui comprend notamment la plaine alluviale de l'Indus, se trouvent les principales cultures du pays (blé, riz et coton). L'industrie textile constitue l'essentiel du secteur secondaire. Le Pakistan exporte en outre du gaz naturel. Le caractère composite de la population favorise les conflits ethniques et religieux (en particulier entre musulmans chiites, minoritaires, et sunnites).

HISTOIRE

Issu de l'Empire britannique des Indes, l'État pakistanais présentait à l'époque de sa création, en 1947, la particularité de n'avoir pas de continuité territoriale. Il comportait, outre l'actuel Pakistan, un Pakistan oriental, distant de 1 700 km. Correspondant à l'ancien Bengale oriental, cette province a formé, à partir de 1971, l'État du Bangladesh. L'histoire des origines de l'État pakistanais présentée ici prend en compte le passé de ces deux régions.

Protohistoire et Antiquité. La révolution néolithique se produit très tôt dans le bassin de l'Indus, probablement entre le IXe et le VIIe millénaire. C'est là aussi que se développe la civilisation de Harappa (ou de l'Indus), civilisation urbaine possédant un art figuratif et une écriture, qui atteint son apogée entre 2400 et 1800 av. J.-C. Le Pendjab subit, à l'époque hellénistique et romaine, l'influence, surtout artistique, des Grecs. Comme le Bengale, il fait partie de l'empire Maurya (v. 320-232 av. J.-C.) et participe à l'histoire de l'Inde.

L'hégémonie musulmane. L'islam, maître du Moyen-Orient depuis le VIIe-VIIIe s., est resté marginal dans le sous-continent indien en dépit des colonies de marchands arabes sur les côtes, de la conquête du Sind au VIIIe s. par les Arabes et de celle du bassin de l'Indus au XIe s. par les Ghaznévides. À la fin du XIIe s., la situation change radicalement. Les sultans de Delhi (1206-1526) et les Moghols (1526-1858) entreprennent la conquête systématique du sous-continent et y établissent pour six siècles l'hégémonie musulmane.

La domination britannique. Lors du déclin de l'Empire moghol, une rivalité franco-britannique s'engage au Bengale à la suite de l'essor donné par Dupleix au comptoir de Chandernagor (fondé v. 1674). Mais, après la victoire du baron Clive à Plassey en 1757, la Compagnie anglaise des Indes orientales établit son contrôle sur le Bengale (1765). Au Pendjab, Ranjit Singh, le principal chef sikh, établi à Lahore, consolide sa puissance par son alliance avec les Britanniques (1809). Peu après sa mort (1839), le Pendjab tombe

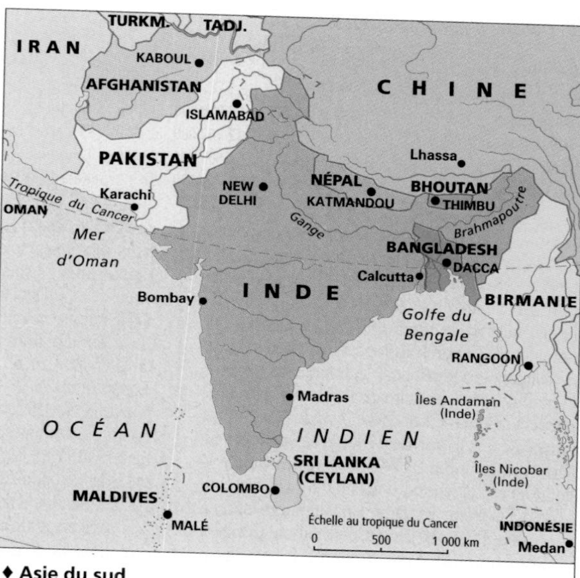

♦ Asie du sud.

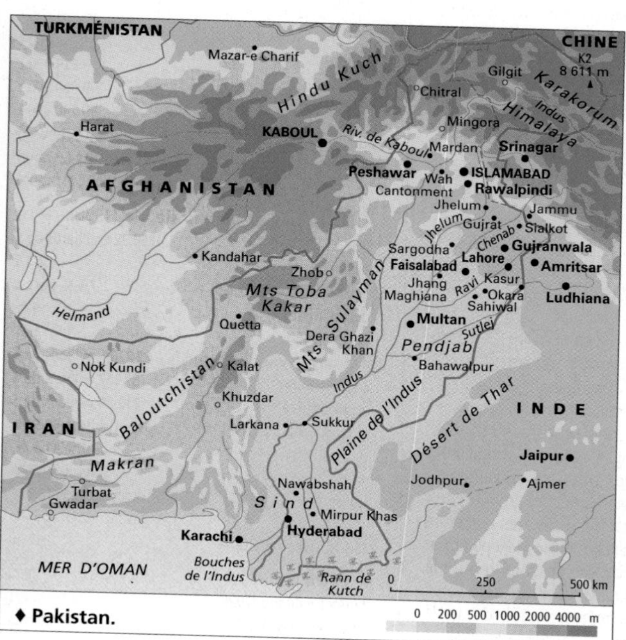

♦ Pakistan.

♦ Démographie.

population	141 900 000 hab.
densité	177 hab./km²
accroissement naturel	29,5 ‰
taux de natalité	36,1 ‰
taux de mortalité infantile	88 ‰
espérance de vie	64 ans
part des moins de 15 ans	42,7 % de la pop. totale
part des plus de 65 ans	3 % de la pop. totale
population urbaine	35 %
principales villes	Karachi, Lahore, Faisalabad, Rawalpindi

♦ Principales ressources et productions (1997).

blé	16 651 000 t
canne à sucre	41 998 000 t (6e rang)
ovins	29 800 000 têtes (7e rang)
bovins	17 900 000 têtes
coton	1 598 000 t (4e rang)
sorgho	230 000 t
agrumes	2 005 000 t
maïs	1 250 000 t
riz	6 546 000 t

♦ Économie et niveau de vie (1996).

PNB	64,633 milliards de $
PNB/hab.	1 600 $
taux de croissance	4,4 %
taux d'inflation	10,4 %
taux de chômage	n.d.
dette extérieure	29 901,3 millions de $
importations	12 106 millions de $
exportations	8 467 millions de $
répartition des actifs	agriculture 56,8 %, industrie 9,6 %, services 34,6 %
transports	routes 194 922 km, voies ferrées 8 775 km
taux d'analphabétisme	62,2 %

♦ Armée.

budget militaire *(1996)*	5,9 % du PIB
forces armées *(1997)*	587 000 hommes

Asie du Sud

◆ **Divisions administratives.**

Province	Superficie (en km²)	Population	Chef-lieu
Balouchistan	347 000	4 900 000	Quetta
Frontière du Nord-Ouest	74 500	12 300 000	Peshawar
Pendjab	205 000	53 800 000	Lahore
Sind	141 000	21 700 000	Karachi

aux mains de la Compagnie anglaise des Indes orientales, au terme de deux « guerres sikhs » (1846 et 1849). Dans l'empire des Indes, les musulmans forment une importante minorité (24 % en 1941); ils craignent d'être submergés par les hindous qui dominent le Congrès. Ils fondent en 1906 la Ligue musulmane pour défendre leurs intérêts. Le fossé entre hindous et musulmans se creuse irrémédiablement et les émeutes deviennent de plus en plus fréquentes. À partir de 1930, à l'instigation de Mohammad Iqbal (1876-1938), les musulmans envisagent la création d'un État séparé qui sera appelé Pakistan. La Ligue musulmane, dirigée par Muhammad Ali Jinnah, contraint le Congrès et les Britanniques à accepter la partition du sous-continent.

La création du Pakistan. Le Pakistan comprend tous les territoires, à majorité musulmane, qui formaient jusqu'à l'indépendance de l'Inde (15 août 1947) les provinces du Bengale oriental, du Sind, du Baloutchistan, du Pendjab occidental et du Nord-Ouest. Le nouvel État, dont M. A. Jinnah devient le premier gouverneur général, est divisé en deux parties distantes de 1700 km, le Pakistan occidental et le Pakistan oriental. La création du Pakistan s'accompagne du massacre de plus de 300000 personnes et d'un important mouvement de population : le pays doit accueillir de 6 à 7 millions de musulmans, alors que 6 millions d'hindous gagnent l'Inde. Elle entraîne une première guerre avec l'Inde (1947-1949) à propos du Cachemire, qui aboutit à la partition de la région, le Pakistan ne conservant que l'Azad Kashmir (le « Cachemire libre »). Iskander Mirza est nommé président provisoire de la République islamique du Pakistan, proclamée en 1956. Le général Ayyub Khan le dépose et devient président de la République (1958). Une deuxième guerre éclate avec l'Inde à propos du Cachemire en 1965. En janvier 1966, la conférence de Tachkent normalise les rapports entre l'Inde et le Pakistan sans résoudre la question au fond. Au Pakistan occidental, Ali Bhutto fonde le Parti du peuple pakistanais (PPP). Au Pakistan oriental, Mujibur Rahman, devenu en 1966 le chef de la ligue Awami, réclame l'autonomie régionale. Dans les deux provinces, le mécontentement croît et Ayyub Khan (devenu maréchal) doit céder la place au général Yahya Khan (1969) qui refuse d'accorder l'autonomie au Pakistan oriental. La rupture intervient en 1971 : alors que l'armée pakistanaise engage une sanglante répression, la ligue Awami proclame la sécession du Pakistan oriental qui s'appellera désormais Bangladesh. Celui-ci devient indépendant en décembre 1971 lorsque l'armée indienne intervient et fait capituler les troupes pakistanaises (qu'elle a, notamment, affrontées une nouvelle fois au Cachemire).

Après la sécession du Bangladesh. Ali Bhutto remplace Yahya Khan. Il promulgue en 1973 une nouvelle constitution fédérale. Au niveau central, l'exécutif est aux mains du Premier ministre, poste qu'occupe dès lors Bhutto. S'appuyant sur le Parti du peuple pakistanais, largement majoritaire, il met en œuvre le « socialisme islamique ». Mais sa politique économique (nationalisations et ébauche de réforme agraire) et son autoritarisme sont contestés. En 1977, il doit abdiquer devant l'agitation lancée par les partis conservateurs regroupés sous la bannière des chefs religieux. Arrêté, il sera exécuté en 1979. Le général Zia ul-Haq, président de la République à partir de 1978, impose la loi martiale et prend des mesures en faveur de l'islamisation de la société. À partir de 1985, son régime tend à se démocratiser : la Constitution de 1973 (amendée pour accroître les pouvoirs du président) est restaurée, les partis politiques autorisés, la loi martiale levée. En 1986, Benazir Bhutto, fille de l'ancien Premier ministre et leader de l'opposition, peut rentrer au Pakistan. À l'extérieur, le Pakistan apporte un soutien actif à la résistance afghane et accueille alors plus de 3 millions de réfugiés. En août 1988, Zia ul-Haq meurt dans un accident d'avion peu après avoir imposé la loi islamique *(charia)*. Ghulam Ishaq Khan, devenu président de la République, nomme Benazir Bhutto Premier ministre après la victoire de son parti aux législatives, mais la destitue en août 1990. Les élections législatives d'octobre sont remportées par l'Alliance démocratique islamique, dont le dirigeant, Nawaz Sharif, devient Premier ministre. En 1993, une crise politique entraîne la démission du chef de l'État et du Premier ministre. À la suite de nouvelles élections, Farooq Leghari est élu à la présidence tandis que B. Bhutto revient au pouvoir, mais est de nouveau destituée en 1996. Redevenu Premier ministre, Nawaz Sharif ne parvient pas à bien maîtriser la crise économique et politique qui agite le pays.

Les essais nucléaires réalisés par l'Inde en mai 1998 conduisent le gouvernement pakistanais à imiter l'exemple de son grand voisin et rival avec une série de cinq essais nucléaires le même mois. Afin de rétablir une forme de parité stratégique avec l'Inde, le Pakistan n'a pas hésité à braver des pressions et la menace de sanctions internationales. Cette décision a eu des effets néfastes pour l'économie. Le Pakistan n'en poursuit pas moins sa compétition stratégique avec l'Inde, par exemple dans le domaine des missiles balistiques. Les tensions entre les deux pays se sont cependant apaisées en 1999, mais demeurent vivaces.

Inde Bharat

Nom officiel : Union indienne. **Capitale :** New Delhi. **Monnaie :** roupie indienne (= 100 paisa). **Langues officielles :** anglais et hindi. **Principales religions :** hindouisme, minorité musulmane. **Institutions :** République fédérale, membre du Commonwealth. 25 États, 7 territoires fédéraux. Constitution de 1950. Président de la République élu pour 5 ans par un collège électoral formé de membres du Parlement national et des Parlements des États. Premier ministre, responsable devant le Parlement. Parlement : Chambre du peuple (*Lok Sabha*), élue pour 5 ans, et Conseil des États (*Rajia Sabha*), élu pour 6 ans par les assemblées des États. **Président de la République :** Kocheril Rsaman Narayanan (depuis 1997). **Premier ministre :** Atal Behari Vajpayee (depuis 1998). **Drapeau :** adopté officiellement en 1949, il porte la roue d'Asoka. Les couleurs symbolisent les hindous et les musulmans réconciliés par le blanc de la paix. **Hymne national :** « Tu es le souverain des âmes du peuple, qui dirige le destin de l'Inde.Ton nom réveille les cœurs du Pendjab, du Sind, du Gujerat,du Maharashtra, du Dravid, de l'Orissa et du Bengale... » Paroles et musique de Rabindranath Tagore (1861-1941). Déclaré officiel en 1950. **Fêtes nationales :** 26 janvier (anni-

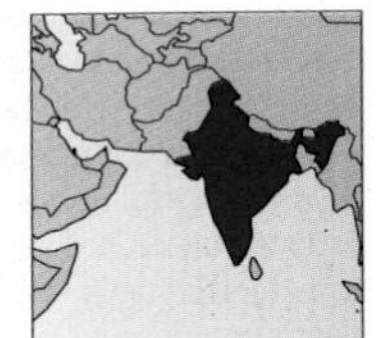

◆ **Démographie.**

population	988 700 000 hab.
densité	302,5 hab./km²
accroissement naturel	17,7 ‰
taux de natalité	25,2 ‰
taux de mortalité infantile	65 ‰
espérance de vie	63 ans
part des moins de 15 ans	34,9 % de la pop. totale
part des plus de 65 ans	4,6 % de la pop. totale
population urbaine	27 %
principales villes	Bombay, Calcutta, Madras, Hyderabad, Bangalore

◆ **Principales ressources et productions** (1997).

arachide	8 000 000 t (2ᵉ rang)
blé	69 000 000 t (2ᵉ rang)
canne à sucre	265 000 000 t (2ᵉ rang)
ovins	45 390 000 têtes
bovins	196 003 000 têtes (1ᵉʳ rang)
coton	2 856 000 t (3ᵉ rang)
riz	123 012 000 t (2ᵉ rang)
thé	785 000 t (1ᵉʳ rang)
jute	1 720 000 t
sorgho	9 000 000 t
millet	10 500 000 t
soja	5 350 000 t
manioc	5 979 000 t
maïs	9 800 000 t
pommes de terre	19 240 000 t
houille	310 200 000 t (3ᵉ rang)
chrome	235 000 t (2ᵉ rang)
fer	43 700 000 t (1ᵉʳ rang)

◆ **Économie et niveau de vie** (1996).

PNB	350,324 milliards de $
PNB/hab.	1 580 $
taux de croissance *(1995)*	7,3 % par an
taux d'inflation	9 %
taux de chômage	n.d.
dette extérieure	89 826,6 millions de $
importations	37 957 millions de $
exportations	312,39 millions de $
répartition des actifs	agriculture 60,9 %, industrie 11,5 %, services 27,6 %
transports	routes 123 248 km, voies ferrées 61 459 km
taux d'analphabétisme	48 %

◆ **Armée.**

budget militaire *(1996)*	2,2 % du PIB
forces armées *(1997)*	1 145 000 hommes

versaire de la proclamation de la République en 1950) et 15 août (anniversaire de l'indépendance acquise en 1947).

Superficie : 3 268 000 km².
Point culminant : 8 586 m au Kangchenjunga.

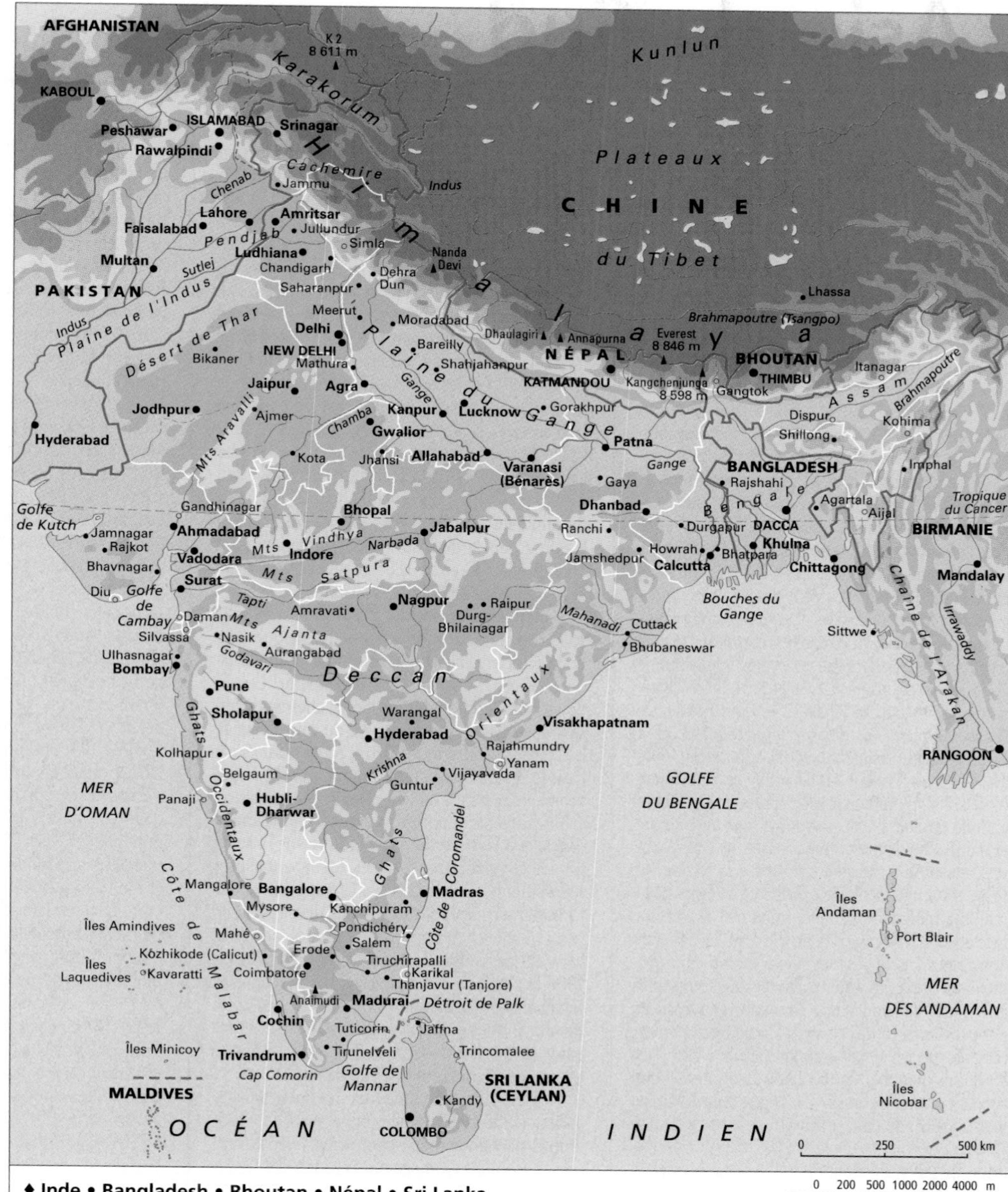

♦ **Inde • Bangladesh • Bhoutan • Népal • Sri Lanka.**

GÉOGRAPHIE

Deuxième pays le plus peuplé du monde, l'Inde est également vaste par sa superficie et par la variété de ses climats : chaud, humide et rythmé par la mousson au sud, montagneux et continental au nord. Les principales villes se trouvent sur la côte de la péninsule du Deccan (région de plateaux relativement aride) ou se sont développées au pied de l'Himalaya, dans la vaste plaine drainée par le Gange et où se concentrent, de Delhi à Calcutta, plusieurs centaines de millions d'Indiens. La forte croissance démographique, aujourd'hui partiellement maîtrisée, s'est ajoutée à l'exode rural pour donner naissance à un phénomène général de surpeuplement urbain. Si l'Inde est parvenue à mettre fin aux famines dont elle souffrait encore au lendemain de la Seconde Guerre mondiale, la productivité de l'agriculture (qui emploie plus de la moitié de la population active), comme celle de l'industrie, demeure médiocre. Enfin, si le gouvernement a tenté à plusieurs reprises de favoriser la promotion sociale des castes les moins favorisées, les divisions issues du système ancestral des castes persistent.

HISTOIRE

Préhistoire et protohistoire. Le sous-continent indien est habité durant la préhistoire par des populations diverses, négroïdes, austro-asiatiques ou dravidiennes. La révolution néolithique apparaît très tôt dans le bassin de l'Indus, probablement entre le IXᵉ et le VIIᵉ millénaire. C'est dans cette région que commence la protohistoire de l'Inde à l'âge du bronze, vers le IVᵉ millénaire, avec la civilisation de l'Indus, également appelée « civilisation de Harappa ». Au IIᵉ millénaire, les Aryens, rameau des populations indo-européennes, arrivent d'Asie centrale. Nomades, ils colonisent l'Inde du Nord. Ils apportent leur langue, le sanskrit, et leur religion védique, consignée dans les Veda et les Upanisad, qui vont constituer le fondement de l'hindouisme. Ils introduisent une conception de la hiérarchie sociale qui va servir de base au système des castes. Ils dominent et assimilent en grande partie les populations plus anciennes.

L'Inde ancienne v. 500 av. J.-C.-1206 apr. J.-C. Aux VIᵉ et Vᵉ siècles av. J.-C., apparaît et se développe le bouddhisme dont le fondateur, Siddharta Gautama, est issu du nord-est de l'Inde, alors divisé en multiples royaumes hindous.

Vers 320 apparaît le premier grand Empire indien, celui des Maurya (v. 320-185), dont le souverain le plus éminent, Asoka (v. 269-232), est le premier empereur indien historiquement daté. Il se convertit au bouddhisme et étend sa domination de l'Afghanistan au Deccan. Des missions bouddhiques sont envoyées en Inde du Sud et à Ceylan. Après la disparition des Maurya, l'Inde est morcelée pendant plus de cinq siècles et subit les invasions barbares, notamment celle des Kusana au début de l'ère chrétienne. Elle est partiellement réunifiée deux fois : sous les Gupta (320-550 apr. J.-C.) qui favorisent la renaissance de l'hindouisme ; puis, après les règnes des Sunga et des Kanya, et de nouvelles invasions barbares, sous Harsa (606-647), plus favorable au bouddhisme. Elle est à nouveau morcelée pendant cinq siècles et demi. Les dynasties les plus brillantes sont celles de l'Inde du Sud, notamment les Pallava aux VIIᵉ-VIIIᵉ s. et les Cola aux IXᵉ-XIIᵉ s., qui exportent la civilisation indienne en Asie du Sud-Est. L'hindouisme est alors la religion dominante mais le bouddhisme et le jaïnisme, également apparu au VIᵉ s. av. J.-C., demeurent prospères dans tout le sous-continent. La plaine indo-gangétique est gouvernée principalement par les Gurjara (v. 778-1027) et par les Pala (v. 765-1086). Dans le Deccan, la chute des Calukya au VIIIᵉ s. permet l'avènement des Rastrakuta qui y règnent jusqu'au Xᵉ s.

L'Inde musulmane (1206-1772). L'islam, maître du Moyen-Orient depuis les VIIᵉ-VIIIᵉ s., est resté marginal dans le sous-continent indien en dépit des colonies de marchands arabes sur les côtes, de la conquête du Sind au VIIIᵉ s. par les Arabes et de celle du bassin de l'Indus au XIᵉ s. par les Ghaznévides. À la fin du XIIᵉ s., la situation change radicalement. Des dynasties turques, venues par l'Afghanistan, entreprennent la conquête systématique du sous-continent et y établissent pour six siècles l'hégémonie musulmane. L'Inde constitue, après la conquête mongole des empires centraux, un des bastions de la civilisation islamique.

L'hégémonie musulmane connaît alors une première unification avec les trois dynasties du sultanat de Delhi (1206-1414) : celle des Esclaves

Asie du Sud

(1206-1290), celle des Khaldji (1290-1320) et celle des Tughluq (1320-1414). L'Empire musulman s'étend de la vallée du Gange aux plateaux du Deccan et réalise des incursions jusqu'en Inde du Sud. Puis se produit le démembrement de l'empire au profit des sultanats régionaux autonomes (XIVe-XVIe s.). Le sultanat de Delhi, dévasté par l'invasion de Timur Lang (Tamerlan) en 1398-1399, n'est plus qu'une principauté locale. Des sultanats régionaux prospères se développent au Bengale à partir de 1338, au Deccan à partir de 1347; le Cachemire est islamisé; le Malwa et le Gujerat proclament leur indépendance en 1401 et 1403. Le sud de l'Inde, avec l'empire de Vijayanagar (1336-1565), se mobilise pour la défense politique de l'hindouisme.

La réunification sous l'égide des Moghols (1526-1707). Les Européens s'emparent aux XVIe-XVIIe s. du commerce de l'océan Indien : les Portugais ouvrent la route des Indes (1498); puis les Britanniques, en 1600, les Hollandais, en 1602, et les Français, en 1670, créent chacun leur compagnie des Indes orientales. Les marchands européens restent cantonnés dans les comptoirs côtiers jusqu'à la seconde moitié du XVIIIe s. L'hégémonie politique passe à une nouvelle dynastie d'origine turque, les Moghols (1526-1857). Son fondateur, Baber, supplante la dynastie afghane des Lodi à Delhi (1526). Akbar (1556-1605), Djahangir (1605-1627), Chah Djahan (1628-1658) et Aurangzeb (1658-1707) réunifient le sous-continent de Kaboul à l'Inde du Sud. Disposant d'une puissante armée et d'une administration rationalisée, ils établissent une autorité incontestée reposant à la fois sur la force et sur une idéologie conciliante à l'égard de la majorité hindoue. L'empire, ruiné par les guerres incessantes d'Aurangzeb au Deccan et par son intransigeance, se désintègre à sa mort. Les empereurs moghols ne sont plus que les souverains nominaux de l'Inde. Les nawwab, gouverneurs des provinces, font sécession. De nouveaux envahisseurs persans puis afghans pillent Delhi. Les hindous s'organisent sous l'égide des Marathes qui fondent un empire en 1674. L'hégémonie politique leur revient de fait, mais ils se heurtent aux Britanniques.

Le gouvernement de la Compagnie anglaise des Indes orientales. Les Britanniques ont anéanti les prétentions des Portugais et des Hollandais. Les Français, en dépit de l'œuvre accomplie par Dupleix, désavoué par le roi, ne conservent au lendemain du traité de Paris (1763) que les Établissements français dans l'Inde. Les Britanniques sont solidement implantés à Bombay, à Madras et au Bengale. Ils vont établir leur hégémonie politique à l'intérieur du sous-continent. Dans une première étape, de 1772 à 1857, les Britanniques restent en théorie les vassaux de l'empereur moghol. Ils sont représentés par leur Compagnie des Indes orientales, qui s'engage dans la conquête et l'administration des territoires pour protéger ses intérêts commerciaux. Le gouverneur général Warren Hastings (1772-1785) est le véritable fondateur de l'Inde britannique. Lui et ses successeurs poursuivront l'expansion : conquête de l'Inde du Sud et de la vallée du Gange, puis de Delhi (1803), victoire sur les Marathes (1819), annexion définitive du royaume sikh du Pendjab (1849). Les Britanniques dominent tout le sous-continent et les côtes de la Birmanie (dont l'intérieur sera annexé en 1852 et en 1886). Seuls l'Afghanistan et le Népal échappent à leur autorité.

Bien que la majeure partie des territoires soient administrés directement, quelque 600 États princiers subsistent, soumis à l'administration indirecte, exercée par des résidents. Les innovations techniques (télégraphe, chemin de fer) et la suppression du monopole du commerce de la Compagnie des Indes (1813) font entrer l'Inde dans le système capitaliste britannique. Les nouveaux dirigeants se croient chargés d'une mission civilisatrice : ils imposent l'anglais comme langue officielle à la place du persan, diffusent l'éducation et les valeurs occidentales, favorisent le prosélytisme des missionnaires. Ils suppriment autoritairement les pratiques scandaleuses à leurs yeux (esclavage, infanticide, immolation des veuves). Ces multiples ingérences provoquent en 1857 la « révolte des cipayes ». Les mécontents se rallient sous la bannière de l'empereur moghol Bhadur II pour chasser les Britanniques et s'emparer de la vallée du Gange. Dès 1858, la révolte est matée, l'empereur moghol destitué.

L'empire des Indes et le nationalisme indien (1858-1947). La seconde période de la domination britannique commence avec la suppression de la Compagnie anglaise des Indes orientales (1858). Le souverain britannique (la reine Victoria) devient l'empereur des Indes. Son représentant, l'ancien gouverneur général, prend le titre de vice-roi; la capitale, Calcutta, sera transférée à Delhi en 1912. La politique se fait plus conservatrice et vise à rallier princes, propriétaires et chefs religieux; elle se garde d'interférer avec les coutumes et les religions. La population croît rapidement après 1921 et reste majoritairement rurale (87 % en 1941). De nouvelles élites urbaines se constituent cependant. Leurs membres, éduqués à l'occidentale, réclament une participation à la gestion du pays. Le mouvement national sera toujours dominé par le parti du Congrès, fondé en 1885. Celui-ci rassemble surtout des hindous mais quelques leaders musulmans éminents s'y associent.

D'abord libéral, le Congrès se fait plus radical après 1900 sous l'influence de Tilak. Il arrache, grâce à ses campagnes d'agitation, des concessions de plus en plus importantes. L'entrée en scène en 1917 de Mohandas Karamchand Gandhi (1869-1948) apporte au Congrès une caution religieuse et lui permet de devenir un parti de masse. Ghandi organise une première campagne de désobéissance civile en 1920-1922, et une seconde en 1930-1933. Il réclame, à l'instigation de Jawaharlal Nehru (1889-1964) qui représente la nouvelle génération, l'autonomie pour l'Inde. Le *Government of India Act* (1935) accorde l'autonomie aux provinces et permet la constitution de gouvernements provinciaux issus des élections de 1937 et dominés par le parti du Congrès. L'hégémonie de ce parti, qui envisage une Inde indépendante unitaire, se heurte aux résistances des musulmans. Ceux-ci forment une importante minorité (24 % en 1941); ils craignent d'être submergés par les hindous, qui dominent le Congrès, et fondent en 1906 la Ligue musulmane.

La Première Guerre mondiale rapproche momentanément la Ligue du Congrès. Puis les masses musulmanes sont pour la première fois mobilisées, en vue de défendre les prérogatives du sultan ottoman (mouvement pour le califat, 1919-1924). Après la déposition du calife par la Turquie kémaliste (1924), le fossé entre hindous et musulmans se creuse irrémédiablement. Les émeutes deviennent de plus en plus fréquentes. À partir de 1930, à l'instigation de l'écrivain Mohammad Iqbal (1876-1938), les musulmans envisagent la création d'un État séparé, le Pakistan. Le divorce entre le Congrès et la Ligue est consommé après l'échec de cette dernière aux élections de 1937. La politique indienne sera désormais triangulaire. La Seconde Guerre mondiale fait prendre conscience aux Britanniques de

◆ **Divisions administratives.**

État	Superficie (en km²)	Capitale	Population
Andhra Pradesh	277000	Hyderabad	71 800 000
Arunachal Pradesh	84000	Itanagar	965 000
Assam	78500	Dispur	24 200 000
Bengale-Occidental	88000	Calcutta	73 600 000
Bihar	174000	Patna	93 080 000
Goa	3700	Panaji	1 235 000
Gujerat	196000	Gandhinagarh	44 235 000
Haryana	44000	Chandigarh	17 925 000
Himachal Pradesh	55700	Simla	5 530 000
Jammu-et-Cachemire	222000	Srinagar	8 435 000
Karnataka	192000	Bangalore	48 150 000
Kerala	39000	Trivandrum	30 555 000
Madhya Pradesh	443000	Bhopal	71 950 000
Maharashtra	308000	Bombay	85 565 000
Manipur	22400	Imphal	2 010 000
Meghalaya	22500	Shillong	1 960 000
Mizoram	21000	Aijal	1 410 000
Nagaland	16500	Kohima	1 410 000
Orissa	156000	Bhubaneswar	33 795 000
Pendjab	50400	Chandigarh	21 695 000
Rajasthan	343000	Jaipur	48 040 000
Sikkim	7300	Gangtok	444 000
Tamil Nadu	130000	Madras	58 840 000
Tripura	10500	Agartala	3 055 000
Uttar Pradesh	294400	Lucknow	150 690 500

Territoire	Superficie (en km²)	Chef-lieu	Population
Andaman et Nicobar	8300	Port Blair	322 000
Chandigarh	114	Chandigarh	725 000
Dadra et Nagar Haveli	500	Silvassa	153 000
Daman et Diu	110	Daman	101 439
Delhi	1485	Delhi	10 865 000
Lakshadweep	30	Kavaratti	56 000
Pondichéry	480	Pondichéry	894 000

Birmanie Myanma Naing-Ngan

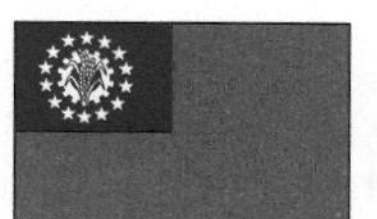

Nom officiel : Union de Myanmar. **Capitale** : Rangoon *(Yangon)*. **Monnaie** : kyat (= 100 pyas). **Langue officielle** : birman. **Principale religion** : bouddhisme. **Institutions** : république socialiste. Constitution de 1974. Assemblée du peuple élue au suffrage universel pour 4 ans. Conseil d'État composé de représentants des 14 États et territoires et du Premier ministre. **Chef du Conseil pour la restauration de la loi et de l'ordre (SLORC)** : Than Shwe (depuis 1992). **Drapeau** : le riz et la roue dentée représentent l'agriculture et l'industrie. Les 14 régions sont représentées par autant de dents et autant d'étoiles. **Hymne national** : « Veillons à ce que vive la Birmanie, véritable don de nos ancêtres que nous aimons et chérissons, consacrons notre vie à son unité, soyons vigilants à défendre la patrie, notre pays, nous appartenons à notre patrie... » Paroles et musique de Saya Tin (1914-1947). Adopté en 1948. **Fête nationale** : 4 janvier (anniversaire de l'indépendance) ; on célèbre aussi le 12 février (journée de l'Union nationale).

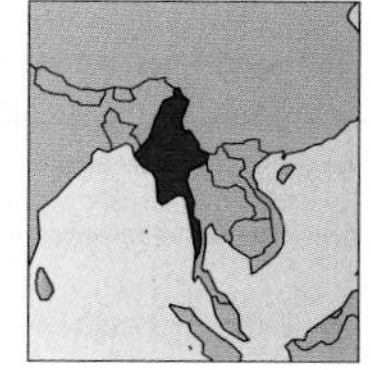

Superficie : 678 000 km². **Point culminant** : 5 881 m au Hkakabo Razi dans l'État kachin.

GÉOGRAPHIE

Caractérisée par un climat tropical entre avril et mai et par la mousson le reste de l'année, la Birmanie est un pays presque exclusivement agricole. Le riz est cultivé dans le delta de l'Irrawaddy, au cœur du pays, alors que la forêt est exploitée dans les régions montagneuses du pourtour, entaillées par les vallées de la Chindwin, de l'Irrawaddy et de la Salouen. Dans ces régions, la culture du pavot, qui fournit l'opium, alimente la guérilla locale. La population, en majorité bouddhiste et connaissant une forte croissance, est constituée pour un quart environ de minorités ethniques. Le niveau de développement économique de ce pays, secoué par des violences raciales et politiques, est extrêmement faible et la mortalité infantile dépasse 50 ‰.

HISTOIRE

Môns, Thaïs (Chans) et Birmans. C'est au début de notre ère qu'arrive dans l'actuelle Birmanie une peuplade tibéto-birmane, les Pyus. Ceux-ci s'installent progressivement dans la vallée de l'Irrawaddy ; au sud de celle-ci, ils entrent en contact avec les Môns. C'est par les Pyus que la civilisation indienne et le bouddhisme pénètrent en Birmanie. Les Birmans, venus du nord-est, et les Môns vont s'affronter durant un millénaire, jusqu'à l'anéantissement des royaumes môns au XVIIIe s. Au VIIIe s., des populations thaïes – les Chans – apparaissent sur le plateau oriental, constituant la plus importante minorité du pays.

Créé au IXe s., le royaume birman de Pagan connaît son apogée avec la formation du premier empire par Anoratha (1044-1077), qui soumet les Môns et conquiert leur capitale, Thaton (1057) ; il organise l'empire et étend sa domination. En 1287, Pagan est prise par les troupes sino-mongoles de

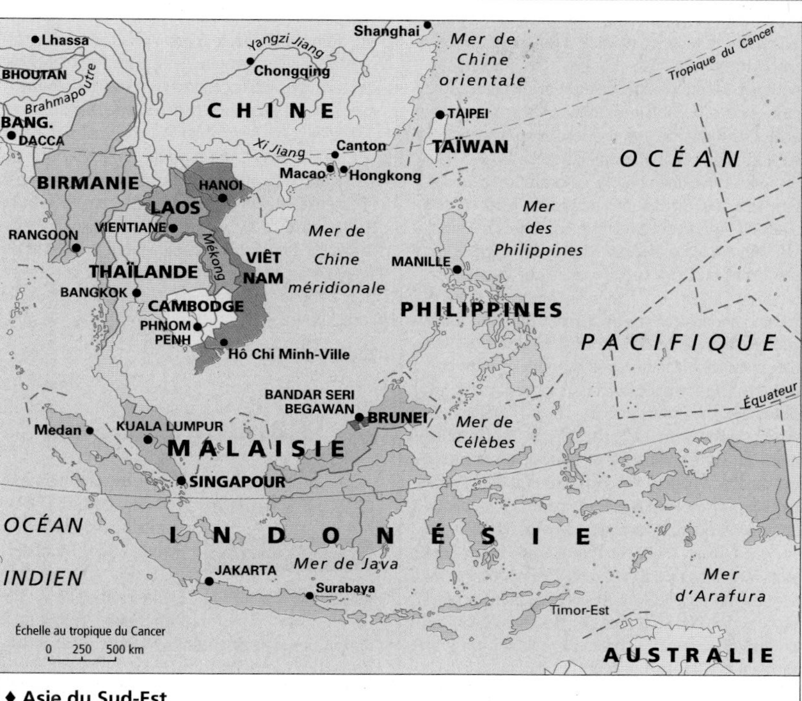

◆ **Asie du Sud-Est.**

Kubilay Khan et, en 1299, elle est brûlée par les Chans. Le pays se morcelle (royaume môn de Pegu, 1387-1539 ; dynastie chan d'Ava, 1364-1555) et c'est seulement au XVIe s. que les rois de Toungoo, Tabinshweti puis Bayinnaung, rétablissent l'unité du pays.

Celle-ci est de courte durée, et il faut attendre le milieu du XVIIIe s. pour qu'Alaungpaya fonde le troisième Empire birman (dynastie Konbaung, 1752-1885), puis conquière Ayuthia (1767), l'Arakan (1785), le Manipur (1759 et 1817) et l'Assam (1817). Entre-temps, la capitale a été transférée à Rangoon.

La domination britannique. Déjà installés en Inde, les Britanniques vont, par trois guerres successives (1824-1826, 1852, 1885), conquérir Pegu, puis annexer le pays et abolir la monarchie. La Birmanie devient une province de l'empire des Indes (1er janv. 1886). En 1937, elle est séparée des Indes britanniques et s'achemine vers l'autonomie lorsque éclate la Seconde Guerre mondiale. Occupée par les Japonais (1942-1945), elle est le théâtre de violents combats dont sortiront victorieuses les troupes de Mountbatten.

L'indépendance. Le 4 janvier 1948, l'Union birmane accède à l'indépendance. U Nu prend la tête du gouvernement. En dépit de l'accord de Panglang (1947) entre les Birmans et les autres ethnies, les Karens (1948), puis les Kachin (1949) prennent les armes pour obtenir l'autonomie. À la même époque, le parti communiste birman déclenche la lutte armée. Dès lors, le gouvernement central s'épuise dans une guerre civile contre les mouvements autonomistes et révolutionnaires. U Nu se lance dans un programme de réformes au nom du socialisme bouddhique. En 1958, les militaires prennent le contrôle du pouvoir et le général Ne Win devient Premier ministre. À la suite des élections de 1960, U Nu revient à la tête du pays. Il nationalise certains secteurs économiques et proclame le bouddhisme religion d'État (1961).

Les régimes militaires. En 1962, le général Ne Win revient à la tête d'un nouveau gouvernement militaire et d'un Conseil révolutionnaire. Il fait emprisonner U Nu, suspend la Constitution et dissout le Parlement. L'abolition des structures traditionnelles entraîne, en 1962, le soulèvement des Chans, Ne Win décide d'étatiser les principaux secteurs de l'économie. Mais incompétence et corruption vont fortement obérer le développement de la Birmanie. Les insurrections reprennent, mobilisant contre elles le gros des forces armées. U Nu, qui a été libéré en 1966, se réfugie en

◆ **Démographie.**

Population	47 100 000 hab.
densité	69,4 hab./km²
accroissement naturel	20,5 ‰
taux de natalité	27,2 ‰
taux de mortalité infantile	80 ‰
espérance de vie	60 ans
population urbaine	26%
principales villes	Rangoon, Mandalay, Bassein

◆ **Principales ressources et productions** (1997).

arachides	559 000 t (9e rang)
riz	18 900 000 t (7e rang)

◆ **Économie et niveau de vie** (1996).

PNB	n.d.
PNB /hab.	n.d.
taux de croissance *(1995)*	6,8%
taux d'inflation	16,3%
taux de chômage	n.d.
dette extérieure	5184,3 millions de $
importations	636 millions de $
exportations	531 millions de $
transports	routes 23 200 km, voies ferrées 4 740 km
taux d'analphabétisme	16,9%

◆ **Armée.**

budget militaire *(1996)*	3% du PIB
forces armées *(1997)*	321 000 hommes

Asie du Sud-Est

Thaïlande et tente vainement d'organiser la résistance contre Ne Win. En 1967, ce dernier, qui poursuit sa diplomatie de non-alignement, doit faire face aux violentes manifestations antichinoises de Rangoon. Les relations sont suspendues entre la Chine et la Birmanie jusqu'en 1970.

En 1974, une nouvelle Constitution fait de la Birmanie une république socialiste à parti unique (Parti du programme socialiste birman, PPSB), dont Ne Win est élu président. Mais la loi martiale est proclamée fin 1974. En 1976, alors que les manifestations reprennent à Rangoon, plusieurs mouvements nationalistes créent le Front uni pour lutter contre le pouvoir central. En 1978, les sévices de l'armée entraînent la fuite vers le Bangladesh d'une partie de l'importante minorité musulmane de Birmanie, les Rohingyas de l'État d'Arakan. Ils seront rapatriés en 1979 sous l'égide des Nations unies. En 1979, la Birmanie se retire du mouvement des pays non alignés. En 1981, Ne Win démissionne et San Yu est élu à la présidence de la République après avoir quitté le secrétariat général du parti.

En juillet 1988, Ne Win et San Yu quittent leurs fonctions face à la montée de l'opposition au sein même du parti. Le mécontentement général de la population se traduit par des manifestations en faveur de la démocratie qui prennent un tour sanglant en août et obligent les deux présidents à démissionner. En septembre, l'armée prend le pouvoir avec, à la tête d'un Conseil pour la restauration de la loi et de l'ordre (SLORC), le général Saw Maung. Sous la pression internationale, celui-ci instaure le multipartisme en vue d'élections qui ont lieu en mai 1990. Ne tenant pas compte de la victoire de la Ligue nationale pour la démocratie, dirigée par Aung San Suu Kyi (qui recevra le prix Nobel de la paix l'année suivante), le gouvernement intensifie la lutte contre l'opposition ethnique (Rohingyas de l'Arakan et Karen du Sud-Est).

♦ Birmanie.

En avril 1992, le général Than Shwe remplace Saw Maung à la tête de la junte, qui remporte des succès militaires contre les minorités, en particulier avec la prise de la forteresse de Mannerplaw, en 1995, puis contre Kun Sa, principal trafiquant d'opium du pays. Les pays de l'ASEAN normalisent leurs relations avec la Birmanie et finissent par l'admettre au sein de l'organisation en 1997. Mais Aung San Suu Kyi, maintenue en résidence surveillée de 1989 à 1995, demeure tenue à l'écart du pouvoir, tandis que son parti boycotte la convention nationale chargée de rédiger une nouvelle constitution.

Thaïlande Muang Thaï

Nom officiel : Royaume de Thaïlande. **Capitale** : Bangkok (*Krung Thep*). **Monnaie** : baht (= 100 satang). **Langue officielle** : thaï. **Principale religion** : bouddhisme. **Institutions** : Monarchie constitutionnelle. Constitution de 1991, amendée en 1992 et 1995. Assemblée nationale formée de deux Chambres, un Sénat dont les membres sont nommés par le roi, et une Chambre des députés élue au suffrage universel. **Souverain** : le roi Rama IX (Bhumibol Adulyadej) depuis 1950. **Premier ministre** : Chuan Leekpai (depuis 1996). **Drapeau** : il a été créé en 1917. Le rouge du sang des héros, le blanc de l'unité du peuple, le bleu de la monarchie ont servi d'emblème aux contingents siamois qui participèrent sur le front français à la Première Guerre mondiale. **Hymne national** : « La Thaïlande est l'incarnation de tous les êtres de chair et de sang de race thaïe. La Thaïlande aux Thaïlandais. Il en est ainsi car la Thaïlande est unie. Nous, Thaïlandais, sommes un peuple pacifique, mais s'il faut combattre nous ignorons la peur. Nous ne tolérerons aucune atteinte à notre souveraineté. Nous sacrifierons chaque goutte de sang à notre pays et continuerons à améliorer le sort de la Thaïlande... » Paroles d'auteur inconnu, musique de Pra Chen Duriyanga (1883-1968). **Fête nationale** : 5 décembre (anniversaire du roi).

Superficie : 514 000 km². **Point culminant** : 2 576 m à l'Inthanon (dans le nord-ouest du pays).

GÉOGRAPHIE

La Thaïlande, caractérisée par un climat tropical humide, a longtemps été un pays essentiellement agricole, produisant du riz dans la plaine centrale, drainée par la Chao Phraya, du bois de teck dans le nord et l'ouest, qui sont des régions montagneuses. On trouve des plantations d'hévéas et des mines d'étain au sud de l'isthme de Kra, la pêche constituant également une activité importante. La population, formée à 80 % de Thaïs (avec des minorités chinoise, malaise et khmère), est presque totalement de religion bouddhiste. Ce pays en développement rapide est désormais en grande partie industrialisé. Le tourisme y a notablement progressé.

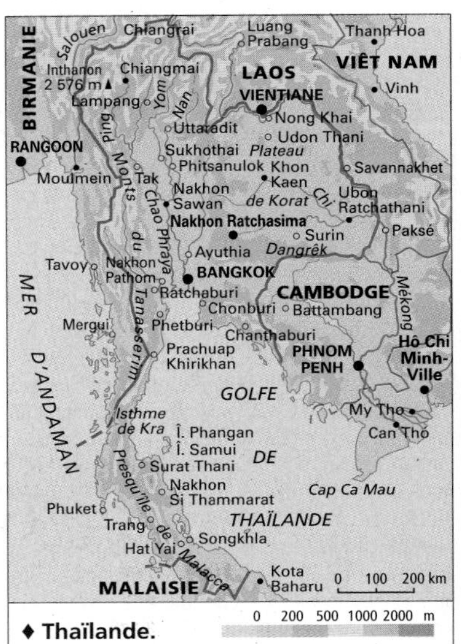

♦ Thaïlande.

La mortalité infantile est tombée à 34 ‰, et la croissance démographique est modérée.

HISTOIRE

Des origines aux principautés môns et khmères. Les vestiges, datant de la préhistoire et

♦ Démographie.

population	61 100 000 hab.
densité	119 hab./km²
accroissement naturel	12,2 ‰
taux de natalité	16,7 ‰
taux de mortalité infantile	34 ‰
espérance de vie	68 ans
part des moins de 15 ans	27,8% de la pop. totale
part des plus de 65 ans	5% de la pop. totale
population urbaine	20 %
principales villes	Bangkok, Nonthaburi, Nakhon, Ratchasina

♦ Principales ressources et productions (1997).

ananas	2 000 000 t (1er rang)
bananes	1 700 000 t (10e rang)
canne à sucre	58 977 000 t (4e rang)
caoutchouc	2 100 000 t (1er rang)
manioc	18 000 000 t (3e rang)
riz	21 280 000 t (6e rang)
étain	1 464 000 t

♦ Économie et niveau de vie (1996).

PNB	180,395 milliards de $
PNB /hab.	6700 $
taux de croissance (*1995*)	8,6%
taux d'inflation	5,8%
taux de chômage	n.d.
dette extérieure	90 823,5 millions de $
importations	63 897 millions de $
exportations	54 409 millions de $
répartition des actifs	agriculture 43,9%, industrie 25,1%, services 31%
transports	routes 73 223 km, voies ferrées 3861 km
taux d'analphabétisme	6,2 %

♦ Armée.

budget militaire (*1996*)	2,2% du PIB
forces armées (*1997*)	254 000 hommes

de la protohistoire, attestent la grande ancienneté du peuplement. Les sites les plus importants et les plus nombreux se trouvent dans l'ouest, autour du bassin du Ménam Chao Phraya. Au début de l'ère chrétienne, des royaumes indianisés, mal localisés, sont en relation avec le Funan et la Chine. Au VIIe s., le royaume de Dvaravati, de culture bouddhique et peuplé de Môns, se développe autour de Nakhon Pathom. Au VIIIe s., le royaume de Srivijaya étend son influence jusqu'à Nakhon Si Thammarat. Présents dès le IXe s., les Khmers conquièrent, du début du XIe au début du XIIIe s., l'actuelle Thaïlande, à l'exception du nord (royaume môn de Haripunjaya).

Les royaumes thaïs. Les Thaïs, venus de Chine méridionale et connus sous le nom de Syam (Siamois), s'étaient établis dans la région. Vers 1220, ils créent, après avoir chassé le gouverneur khmer, le royaume de Sukhothai. Son plus grand roi, Rama Kamheng (Rama le Fort, v. 1279-v.1316), entreprend de nombreuses conquêtes vers le Mékong et la Malaisie. Ses successeurs, adeptes fervents du bouddhisme cinghalais, ne peuvent résister aux attaques du royaume thaï d'Ayuthia, fondé v. 1350, et qui annexe Sukhothai v. 1438. Contemporain de Rama Kamheng, avec lequel il conclut en 1287 une alliance défensive contre les Mongols, Mangrai (1261-1317) détruit le royaume de Haripunjaya (1292) et crée le royaume de Lan Na avec Chiangmai pour capitale (1296). Après son règne, les guerres sont fréquentes avec Ayuthia, la Birmanie et le Laos. Le Lan Na perd son indépendance en 1775. Créé par Ramadhipathi, le royaume d'Ayuthia empiète sur le Cambodge affaibli, tout en s'inspirant de sa civilisation. Une série de campagnes contre la Birmanie aboutit à la chute d'Ayuthia et à la capture du roi (1569).

Le pays est libéré et il retrouve sa puissance avec Naresuen (1590-1605). Il s'ouvre aux Européens : Portugais (1516), Espagnols (1598). Au XVIIe s. se développent les relations avec l'étranger, notamment avec la France de Louis XIV. Mais une réaction xénophobe provoque le repli du pays sur lui-même. La première moitié du XVIIIe s. est une période brillante. Mais une nouvelle attaque de la Birmanie aboutit à la destruction d'Ayuthia (1767). Le général Phya Tak (ou Taksin) se proclame roi à Thonburi, libère le royaume (1770), s'empare du Lan Na (1775), de Vientiane (1778) et contrôle le Laos. Accusé de folie, il est tué. Le général Phya Chakri est couronné, sous le nom de Rama Ier (1782), à Bangkok, nouvelle capitale.

Les Chakri et la monarchie absolue (1782-1932). Les rois Rama Ier (1782-1809), Rama II (1809-1824) et Rama III (1824-1851) restaurent la puissance du royaume et dominent en partie le Cambodge, le Laos et la Malaisie. Rama IV, ou Mongkut (1851-1868), réformateur de la religion bouddhique, favorise le développement de l'influence occidentale tout en préservant l'indépendance du Siam. Son fils, Rama V, ou Chulalongkorn (1868-1910), abolit l'esclavage et crée une infrastructure moderne, mais doit reculer les frontières au profit de l'Indochine française (1893-1907) et de la fédération de Malaisie (1909). Rama VI, ou Vajiravudh (1910-1925), engage le Siam aux côtés des Alliés pendant la Première Guerre mondiale. Son frère, Rama VII, ou Prajadhipok (1925-1935), lui succède.

La Thaïlande contemporaine. Le coup d'État de juin 1932 conduit à la création d'un système représentatif non démocratique. Rama VII doit abdiquer en 1935. Sous son successeur, Ananda Mahidol (1935-1946), le maréchal Pibul Songgram prend le pouvoir en 1938 avec le soutien de l'armée. Nationaliste (le Siam devient la Thaïlande), il se range aux côtés du Japon en guerre (déc. 1941), mais doit se retirer en juill. 1944. Pridi Phanomyong, qui a aidé les Alliés, revient au pouvoir. Mais, après l'assassinat du roi (juin 1946), il s'exile en Chine. Pibul revient en 1948 et fait couronner le roi Bhumibol Adulyadej (1950). Il se rapproche des États-Unis et la Thaïlande adhère à l'OTASE. Le général Sarit Thanarat renverse Pibul (1957), mais continue sa politique. Après sa mort (1963), le général Thanom Kittikachorn fait de même. À partir de 1962, la rébellion communiste s'étend, entraînant l'intervention des États-Unis (livraison de matériel, création de bases militaires). Le pouvoir militaire, qui dissout le Parlement (1971), tombe en 1973. La crise économique, sociale et politique persiste et la guérilla communiste progresse. Après le gouvernement de Seni Pramoj, puis de son frère Kukrit Pramoj, l'armée reprend le pouvoir (oct. 1976). Le général Kriangsak Chamanand, Premier ministre (1977), doit faire face à l'invasion du Cambodge par les Vietnamiens (1979) et à l'arrivée d'un flot de réfugiés. Il est remplacé par le général Prem Tinsulanond (1980), qui fait échouer les tentatives de coup d'État d'avr. 1981 et de sept. 1985. La Thaïlande appuie les Khmers rouges et les nationalistes khmers en lutte contre le Viêt Nam et fait pression sur ce pays pour que ses troupes évacuent le Cambodge. Succédant comme Premier ministre à Prem Tinsulanond, démissionnaire en 1988, le général Chatichai Choonhavan mène, après le retrait des troupes vietnamiennes du Laos et du Cambodge (1988-1989), une politique de rapprochement avec ces pays. En février 1991, l'armée, pour mettre fin à l'influence des milieux d'affaires dans le gouvernement, prend le pouvoir et institutionnalise son influence sur la politique.

Malgré les élections législatives de mars 1992 favorables aux militaires, des manifestations éclatent en mai en faveur de la démocratie. Leur répression sanglante oblige le général Suchinda Kraprayoon, qui vient d'être nommé Premier ministre, à démissionner. La Constitution est révisée dans un sens plus libéral (juin) et les partis démocratiques remportent de peu les élections législatives suivantes. Un civil, Chuan Leekpai, le chef du Parti démocrate, devient Premier ministre. Battu aux élections de 1995, il est remplacé par Banham Silpa-Archa, puis par Chaovalith Yongchaiyuth, mais revient au pouvoir en 1997 pour tenter de juguler la crise financière qui, après la forte croissance des années 1980-1990, provoque dans le pays récession et crise sociale.

Laos Lao

Nom officiel : République démocratique populaire lao. **Capitale** : Vientiane. **Monnaie** : kip (= 100 att). **Langue officielle** : lao. **Principale religion** : bouddhisme. **Institutions** : République populaire démocratique. Constitution de 1991. Président de la République élu pour 5 ans par l'Assemblée nationale. Assemblée nationale dont les membres sont élus pour 5 ans au suffrage universel. **Président de la République** : Khamtay Siphandone (depuis 1998). **Premier ministre** : Sisavath Keabouphanh (depuis 1998). **Drapeau** : il a été adopté en 1975. Le blanc représente la foi en l'avenir ; le bleu, le progrès ; le rouge, le sang des martyrs de l'indépendance. **Hymne national** : « Depuis toujours, le peuple lao a illustré avec éclat la patrie. Toutes les énergies, tous les esprits, tous les cœurs comme une seule force, il est résolu à lutter et à vaincre pour mener la nation à la prospérité. » Texte lao de Sisana Sisane (né en 1923), musique de Thongdi Sounthonevichitch (1920-1974). **Fête nationale** : 2 décembre (anniversaire de la fondation de la République démocratique populaire).

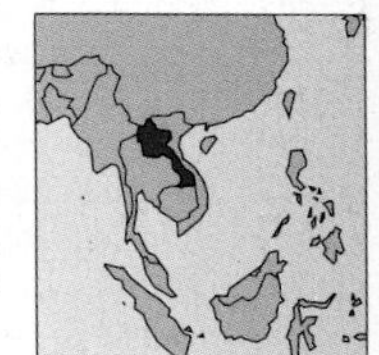

Superficie : 236 800 km². **Point culminant** : 2 817 m au mont Bia (plateau du Trân Ninh).

GÉOGRAPHIE

Pays enclavé situé entre le Viêt Nam et la Thaïlande, le Laos connaît un climat subtropical au nord, tropical au sud, et reçoit la mousson en été. Traversé par le Mékong, couvert par les forêts, il est formé de plateaux et de montagnes. La population, presque entièrement bouddhiste, est principalement constituée de Laos, les minorités (Khas, Thaïs et Hmongs) formant environ le tiers des habitants du pays. Son niveau de vie est extrêmement faible et la mortalité infantile est proche de 100 ‰. Le riz, cultivé dans les plaines alluviales bordant le Mékong, constitue l'essentiel de l'alimentation.

HISTOIRE

Du royaume du Lan Xang au XVIIIe s. Le pays lao, situé de part et d'autre du Mékong, a une histoire mal connue jusqu'au XIIIe s. Le prince Fa Ngum conquiert avec l'aide d'une armée khmère de vastes territoires et fonde le royaume de Lan Xang (« Million d'éléphants ») en 1353. Il fixe sa capitale à Luang Prabang. L'un de ses plus brillants successeurs, Pothisarat (1520-v. 1548), annexe le royaume du Lan Na. Son fils établit sa capitale à Vientiane (1563). Puis, après des années de suzeraineté birmane (1574-1591) et une période d'anarchie, vient le règne réparateur de Souligna Vongsa (1637-1694). Au XVIIIe s., le pays est divisé entre les royaumes de Champassak, de Luang Prabang et de Vientiane.

Établissement et fin du protectorat français. En 1778, le Siam impose sa suzeraineté au roi de Luang Prabang et envahit Vientiane. Le roi de Luang Prabang, Oun Kham (1869-1895), demande la protection de la France en 1887 et le Siam signe plusieurs traités (1893, 1902, 1904) reconnaissant le protectorat français sur le Laos. Sisavang Vong accède au trône en 1904 et le conservera jusqu'en 1959. À la suite du coup de force japonais de 1945, l'indépendance est proclamée. L'année suivante, la France chasse les nationalistes, rétablit le roi et accorde l'autonomie. En 1949, le Laos devient indépendant au sein de l'Union française. Le prince Souvanna Phouma, rallié à une partie des nationalistes, est placé à la tête du gouvernement tandis que le Pathet Lao (État lao), le mouvement d'indépendance du prince Souphanouvong, aidé par le Viêt-minh (communistes vietnamiens), poursuit la guerre pour obtenir l'indépendance totale. Celle-ci est acquise lors des accords de Genève (1954).

L'indépendance et la guerre civile. Après le retrait de la France, trois factions (neutralistes de Souvanna Phouma, militaires de Boun Oum, communistes de Souphanouvong) luttent pour le pouvoir, les deux premières recevant un soutien actif des États-Unis. Après l'échec d'un gouvernement de coalition formé par Souvanna Phouma (nov. 1957-juill. 1958), la lutte entre factions se transforme en guerre civile. À la suite de longues négociations encouragées par les grandes puissances (1961-1962), un gouvernement d'union nationale comprenant Souvanna Phouma, Boun Oum et Souphanouvong est formé (juin 1962), dont le Pathet Lao se retire en 1963.

Asie du Sud-Est

Cambodge • Viêt Nam

Le putsch du 19 avril 1964 met fin au neutralisme. Désormais, avec Souvanna Phouma rallié aux militaires, et tandis que le Pathet Lao étend son contrôle sur le pays, le Laos est de plus en plus impliqué dans la guerre d'Indochine. Il doit subir les bombardements américains et les interventions des Vietnamiens du Nord et des Thaïlandais. À la suite des accords de Paris (1973) sur le Viêt Nam, un gouvernement d'union nationale dirigé par Souvanna Phouma est mis en place. Mais, après la victoire des forces communistes au Viêt Nam du Sud (mai 1975), la royauté est abolie et la République populaire démocratique du Laos est proclamée en décembre de la même année.

Le Laos communiste. Souphanouvong devient président de la République et Kaysone Phomvihane, le premier secrétaire du Parti populaire révolutionnaire lao (PPRL), devient Premier ministre. En 1977, le Laos signe un traité d'amitié avec le Viêt Nam, dont il devient très dépendant. Soutenu par les troupes vietnamiennes, le gouvernement doit dès lors lutter contre le Front national de libération lao, formé en 1980 et soutenu par la Chine, et réprimer la rébellion des montagnards Hmongs. En 1986, Souphanouvong démissionne de la présidence de la République. Le Premier ministre, Kaysone Phomvihane, engage progressivement le pays sur la voie de l'ouverture économique. En 1991, une Constitution (attendue depuis 1975) est adoptée, qui n'introduit cependant pas le multipartisme, et Kaysone Phomvihane devient chef de l'État. À sa mort en 1992, Nouhak Phoumsavane lui succède. Comme le Viêt Nam, le Laos s'est rapproché de l'ASEAN, dont il devient membre à part entière en 1997. En 1998, Khamtay Siphandone accède à la tête de l'État.

◆ Démographie.

population	5 300 000 hab.
densité	22,8 hab./km²
accroissement naturel	27,4 ‰
taux de natalité	44,2 ‰
taux de mortalité infantile	101 ‰
espérance de vie	54 ans
part des moins de 15 ans	45% de la pop. totale
part des plus de 65 ans	3% de la pop. totale
population urbaine	21%
principales villes	Vientane, Savannakhet, Luang Prabang

◆ Principales ressources et productions (1997).

bovins	1 200 000 têtes

◆ Économie et niveau de vie (1996).

PNB	1,856 milliard de $
PNB/hab.	1250 $
taux de croissance *(1995)*	7%
taux d'inflation *(1995)*	19,6%
taux de chômage	n.d.
dette extérieure	2 263,2 millions de $
importations	542 millions de $
exportations	342 millions de $
transports	routes 14 130 km
taux d'analphabétisme	16,1%

◆ Armée.

budget militaire *(1996)*	3,9% du PIB
forces armées *(1997)*	37 000 hommes

Cambodge Kampuchéa

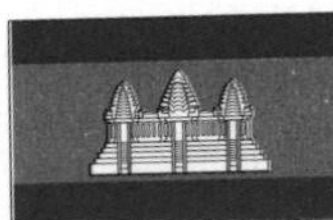

Nom officiel : Royaume du Cambodge. **Capitale** : Phnom Penh. **Monnaie** : riel (= 100 sen). **Langue officielle** : khmer. **Principale religion** : bouddhisme. **Institutions** : monarchie. Constitution de 1993. Assemblée nationale de 120 députés élus au suffrage universel pour 5 ans. **Souverain** : le roi Norodom Sihanouk (depuis 1993). **Premier ministre** : Hun Sen (depuis 1993), au pouvoir depuis 1985. **Drapeau** : il représente le temple d'Angkor sur un fond rouge (symbolisant le sang versé pour la patrie) bordé de bandes bleues (qui sont les couleurs royales). **Hymne national** : « Que le ciel protège notre roi et lui dispense le bonheur et la gloire. » Adopté en 1993. **Fête nationale** : 9 novembre (anniversaire de l'indépendance acquise en 1953).

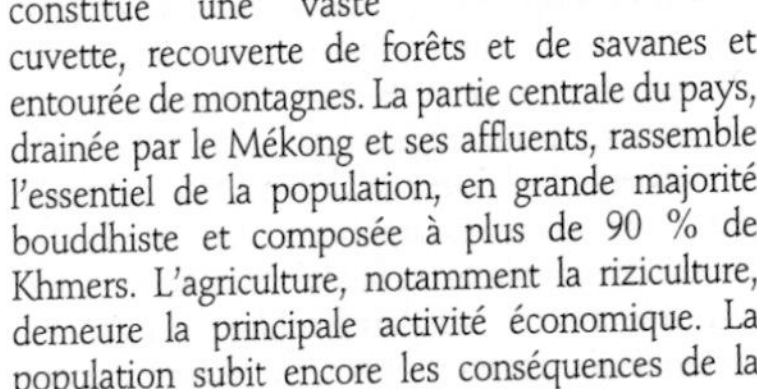

Superficie : 181 000 km². **Point culminant** : 1 813 m au Phnom Aural.

GÉOGRAPHIE

Le Cambodge, qui jouit d'un climat tropical, constitue une vaste cuvette, recouverte de forêts et de savanes et entourée de montagnes. La partie centrale du pays, drainée par le Mékong et ses affluents, rassemble l'essentiel de la population, en grande majorité bouddhiste et composée à plus de 90 % de Khmers. L'agriculture, notamment la riziculture, demeure la principale activité économique. La population subit encore les conséquences de la longue guerre qu'a connue le pays, où le nombre de mines antipersonnel présentes dans le sol est l'un des plus élevés au monde.

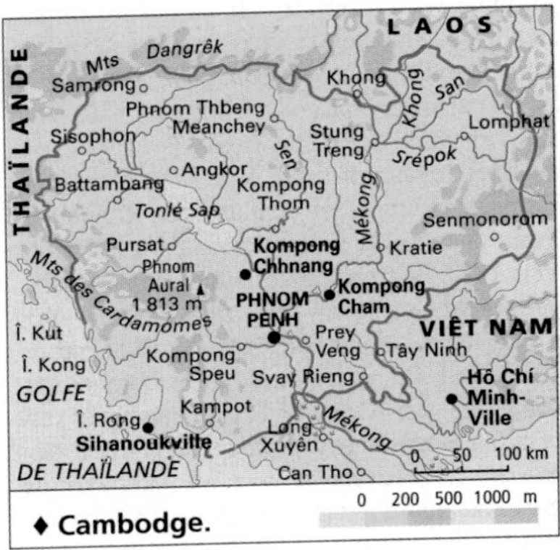

◆ Cambodge.

HISTOIRE

La royauté d'Angkor. Le royaume indianisé du Funan (Ier-VIe s.) est établi sur le delta et le cours moyen du Mékong. Les Kambujas, ancêtres des Khmers, le conquièrent au VIe s. Jayavarman II (802 - v. 836) instaure le culte du dieu-roi, d'inspiration shivaïte. Ses successeurs, tel Yashovarman Ier (889-910), qui fonde Angkor, mènent une politique de conquêtes. À son apogée sous Shuryavarman II (1113 - v. 1150), le Cambodge perd ses conquêtes après le règne de Jayavarman VII (1181 - v. 1218). Sa brillante civilisation décline. Angkor est abandonné en 1432 au profit de Phnom Penh.

Entre le Siam et le Viêt Nam. L'histoire moderne du Cambodge est marquée par une lutte constante pour son intégrité territoriale. Lovêk, la nouvelle capitale, construite par Ang Chan (1516-1566), est mise au pillage en 1594 par les Siamois. Le pays perd le delta du Mékong, colonisé au XVIIIe s. par les Vietnamiens, et sert, au milieu du XIXe s., de terrain de batailles entre le Siam et le Viêt Nam. Ang Duong (1845-1859) s'efforce de reconstruire le pays.

Le protectorat français. Norodom Ier (1859-1904) accepte le protectorat français (1863). La modernisation se poursuit sous Sisovath (1904-1927) et Monivong (1927-1941). Afin d'obtenir la renonciation du Siam à ses droits, la France lui abandonne les provinces de Battambang et de Siem Réap, qui sont récupérées en 1907. Le développement économique attire de nombreux Chinois et Vietnamiens, mais souffre de la crise de 1929. Après le coup de force japonais de mars 1945, la guérilla anticoloniale se développe. Norodom Sihanouk, roi depuis 1941, obtient, après le rétablissement de l'autorité française, une indépendance limitée en 1949, puis totale et effective en 1953.

L'indépendance. Le prince Norodom Sihanouk bénéficie du soutien des pays socialistes et de la France et maintient une politique de neutralité, en particulier dans la guerre du Viêt Nam. L'infiltration de groupes communistes vietnamiens au Cambodge contribue à détériorer ses relations avec les États-Unis. En 1970, il est renversé par une faction liée à ce pays et se réfugie à Pékin. Au Cambodge, où la république est proclamée le 9 octobre, le général Lon Nol ne contrôle les villes qu'avec l'appui des forces américaines. Les campagnes tombent au pouvoir des Khmers rouges (communistes prochinois) qui, en 1975,

◆ Démographie.

population	10 800 000 hab.
densité	59,6 hab./km²
accroissement naturel	25,2 ‰
taux de natalité	33,7 ‰
taux de mortalité infantile	105 ‰
espérance de vie	54 ans
part des moins de 15 ans	42,5% de la pop. totale
part des plus de 65 ans	2,9% de la pop. totale
population urbaine	21%
principales villes	Phnom Penh, Battambang, Kompong Cham

◆ Principales ressources et productions (1997).

bovins	2 800 000 têtes
porcins	2 050 000 têtes

◆ Économie et niveau de vie (1996).

PNB	3,115 milliards de $
PNB /hab.	288 $
taux de croissance *(1993)*	5,7%
taux d'inflation	10%
taux de chômage	n.d.
dette extérieure	2 110,9 millions de $
importations	1 072 millions de $
exportations	644 millions de $
transports	routes 34 100 km, voies ferrées 612 km
taux d'analphabétisme	34,7%

◆ Armée.

budget militaire *(1996)*	3,5% du PIB
forces armées *(1997)*	87 700 hommes

s'emparent de Phnom Penh et créent l'État du Kampuchéa démocratique. Sous l'égide de Pol Pot et de Khieu Samphan, le régime des Khmers rouges mène, à l'intérieur, une dictature meurtrière et une politique d'extermination et de génocide. En décembre 1978, le Viêt Nam envahit le Cambodge et établit à Phnom Penh un gouvernement qui lui est dévoué. La République populaire du Kampuchéa est instaurée. En 1982, les Khmers rouges et les partisans de Sihanouk, soutenus par les Occidentaux, la Chine et les nations de l'ASEAN, s'unissent contre le nouveau régime et les Vietnamiens.

Après 1985, sous la pression conjuguée de difficultés intérieures et de son allié soviétique, le Viêt Nam retire progressivement ses troupes du Cambodge. À partir de 1987, les factions cambodgiennes (« sihanoukistes », Khmers rouges, nationalistes et gouvernement communiste de Hun Sen) cherchent une solution politique au conflit. En avril 1989, la République populaire du Kampuchéa reprend officiellement le nom d'État du Cambodge, tandis que les dernières troupes vietnamiennes quittent le pays en septembre de la même année. L'accord entre les différentes factions cambodgiennes signé à Paris en 1991 met en place un Conseil national suprême présidé par Norodom Sihanouk et chargé d'administrer le pays, placé sous la tutelle de l'ONU jusqu'à la tenue d'élections libres, tandis que le gouvernement de l'État du Cambodge, dirigé par Hun Sen, reste en place. Après les élections (mai 1993), la monarchie est rétablie, Norodom Sihanouk redevient roi et un gouvernement de coalition est formé, dirigé conjointement par le fils de Sihanouk, Norodom Ranariddh, et Hun Sen. En 1997, Hun Sen destitue pourtant le prince Ranariddh et le remplace par Ung Huot. Le gouvernement élimine militairement les derniers Khmers rouges, affaiblis par les dissensions internes, et qui ont vu la disgrâce de Pol Pot, puis sa mort en 1998. Le parti de Hun Sen remporte nettement les élections de 1998, mais doit chercher à former une nouvelle coalition.

VOIR AUSSI 
Illustrations
• **Angkor Vat** p. 1057, 1110

Viêt Nam

Nom officiel : République socialiste du Viêt Nam. **Capitale** : Hanoi. **Monnaie** : dông (= 10 hao). **Langue officielle** : vietnamien. **Principales religions** : bouddhisme, catholicisme. **Institutions** : République socialiste. Constitution de 1992. Assemblée nationale élue au suffrage universel pour cinq ans. Président de la République élu par l'Assemblée nationale. **Président de la République** : Trân Duc Luong (depuis 1997). **Premier ministre** : Phan Van Khai (depuis 1997). **Drapeau** : l'étoile d'or rassemble les ouvriers, les paysans, les intellectuels, les jeunes et les soldats, sur le fond rouge de la révolution. Ce drapeau, dont l'origine remonte aux combats contre les occupants japonais en 1940, a été adopté par la République démocratique du Viêt Nam en 1955, puis par le pays réunifié en 1976. **Hymne national** : « Soldats vietnamiens, nous allons de l'avant. Mus par une même volonté de sauver la patrie, nos pas redoublés sonnent sur la route longue et rude. Notre drapeau, rouge du sang de la victoire, porte l'âme de la nation… » Paroles et musique de Van Cao (né en 1923). Adopté en 1946 par la République démocratique du Viêt Nam, en 1976 par le Viêt Nam réunifié. **Fête nationale** : 2 septembre (anniversaire de la proclamation de l'indépendance en 1945).

Superficie : 335 000 km². **Point culminant** : 3 142 m au Fan Si Pan (Viêt Nam septentrional).

GÉOGRAPHIE

Le Viêt Nam, pays au climat tropical, s'étire sur près de 1500 kilomètres, une longue et étroite bande de plateaux et de montagnes (l'Annam) séparant les deltas du fleuve Rouge (Tonkin) et du Mékong (Cochinchine). La population, principalement bouddhiste, majoritairement rurale et dont le taux d'accroissement naturel est supérieur à 2 %, est concentrée dans les basses terres. Les minorités des hautes terres représentent 10 à 15 % de l'ensemble. Le niveau de vie est très faible et la mortalité infantile est de 40 ‰. Cultivé dans les deltas, le riz est la base de l'alimentation, tandis que le caoutchouc, le thé, le coprah sont les principales cultures commerciales. Le sous-sol renferme du charbon et du pétrole, mais l'industrie est peu développée. L'économie est désormais largement privatisée.

HISTOIRE

Des origines à l'empire du Viêt Nam. L'actuel Viêt Nam a été peuplé d'abord par des Australoïdes, des Mélanésiens et des Proto-Indochinois. Au néolithique, dans le bassin du fleuve Rouge, l'apport des Muongs, des Viêts et d'éléments chinois donne naissance au peuple vietnamien actuel. Incorporée dans le royaume du Nam Viêt (208 av. J.-C.), puis conquise par l'empereur Han Wudi (111 av. J.-C.), la région subit une sinisation profonde. Le bouddhisme y pénètre dès le IIe s. Des révoltes échouent, comme celle des sœurs Trung (40 apr. J.-C.). Les attaques du Champa sont fréquentes et le Nanzhao (Yunnan) envahit le delta (863).

Vers l'empire du Viêt Nam. Ngô Quyên fonde en 939 la première dynastie nationale. Puis la dynastie des Dinh (968-980) règne sur le pays, encore vassal de l'Empire chinois appelé Dai Cô Viêt. Sous les dynasties impériales des Lê antérieurs (980-1009) puis des Ly (1010-1225), le pays, alors appelé le Dai Viêt (1054), s'organise, adoptant des structures mandarinales et féodales, et s'étend vers le sud au détriment du Champa. Sous la dynastie des Trâns (1225-1413), les Mongols sont repoussés (1257, 1287), mais la Chine rétablit sa suzeraineté (1406). En 1428, Lê Loi reconquiert l'indépendance et fonde la dynastie des Lê postérieurs (1428-1789). Son plus brillant représentant, Lê Thanh Tông (1460-1497), remporte une victoire décisive sur le Champa en 1471.

Sous ses successeurs, aux XVIe-XVIIe s., les clans seigneuriaux rivaux, Mac, Nguyên (qui gouvernent le Sud) et Trinh (qui dominent le Nord), s'affrontent. Le catholicisme se répand grâce à l'œuvre des missions françaises et des jésuites. L'un d'eux, Alexandre de Rhodes, met au point la latinisation de la langue vietnamienne (écriture quôcngu), avant son expulsion en 1646.

Au XVIIIe s., la corruption, les abus des mandarins et la lourdeur des impôts provoquent des révoltes agraires. De 1773 à 1792, les trois frères Tây Son dirigent la révolte contre les Nguyên et les Trinh.

Nguyên Anh, survivant de la famille Nguyên, d'abord seul, puis soutenu par Mgr Pigneau de Béhaine, vicaire apostolique de la Cochinchine, entreprend de les chasser. Nguyên Anh occupe la Cochinchine (1788), Huê (1801) et Hanoi (1802) avec l'aide des Français. Devenu l'empereur Gia Long (1802-1820), il est le fondateur de la dynastie Nguyên et le créateur de l'empire du Viêt Nam. Gia Long institue une monarchie absolue et centralisée respectant les particularismes des trois ky : Tonkin, Annam et Cochinchine.

La domination française. Après la prise de Saigon (1859), la France conquiert la Cochinchine qu'elle érige en colonie et impose son protectorat à l'Annam et au Tonkin (1883). La Chine reconnaît ces conquêtes en 1885 au traité de T'sien-tsin (Tianjin). L'empereur Ham Nghi (1884-1888) déclenche un soulèvement nationaliste, qui agite le pays jusqu'en 1896. Après la création de l'Union indochinoise (1887), le gouverneur général Paul Doumer (1897-1902) impose l'administration directe. Hô Chi Minh crée le Parti communiste indochinois (1930), qui déclenche des émeutes agraires (1930-1931). Bao Dai devient empereur en 1932 et l'autorité française se maintient jusqu'au coup de force japonais de mars 1945. Le Front de l'indépendance du Viêt Nam (Viêt-minh), fondé en 1941, hostile au retour de la colonisation française, oblige Bao Dai à abdiquer et crée une république indépendante (sept. 1945). La France reconnaît le nouvel État mais refuse d'y inclure la Cochinchine. Le bombardement de Haiphong par la flotte française (nov. 1946) et le coup de force du Viêt-minh à Hanoi (déc.) déclenchent la guerre d'Indochine qui s'étendra à l'ensemble du Tonkin (1946-1954). Elle oppose le Viêt-minh à la France, qui a rappelé Bao Dai et reconnu l'indépendance du Viêt Nam au sein de l'Union française. La défaite française de Diên Biên Phu (1954), dans le haut Tonkin, conduit aux accords de Genève, qui partagent le pays en deux, suivant le 17e parallèle.

Nord et Sud Viêt Nam. Dans le Nord, la République démocratique du Viêt Nam, avec Hanoi pour capitale, est une démocratie populaire, organisée autour du Parti du travail (communiste). L'État est dirigé par Hô Chi Minh. Après sa mort,

◆ Démographie.

population	78 500 000 hab.
densité	234 hab./km²
accroissement naturel	20,9 ‰
taux de natalité	25,1 ‰
taux de mortalité infantile	40 ‰
espérance de vie	67 ans
part des moins de 15 ans	36,9% de la pop. totale
part des plus de 65 ans	4,9% de la pop. totale
population urbaine	19 %
principales villes	Hô Chi Minh-Ville, Hanoi, Haiphong

◆ Principales ressources et productions (1997).

caoutchouc	146 000 t (7e rang)
coprah	208 000 t (4e rang)
riz	26 397 000 t (5e rang)

◆ Économie et niveau de vie (1996).

PNB	23,34 milliards de $
PNB /hab.	1570 $
taux de croissance *(1994)*	8,8%
taux d'inflation	n.d.
taux de chômage	n.d.
dette extérieure	26 764 millions de $
importations	10 480 millions de $
exportations	7 337 millions de $
transports	routes 85 700 km, voies ferrées 2 605 km
taux d'analphabétisme	6,3%

◆ Armée.

budget militaire *(1996)*	8,6% du PIB
forces armées *(1997)*	572 000 hommes

Asie du Sud-Est

en 1969, la direction est collégiale, avec, entre autres, Pham Van Dông, Premier ministre, Lê Duan, premier secrétaire du Parti, Vô Nguyên Giap, ministre de la Défense. Cet État, qui bénéficie de l'aide de l'Union soviétique et de la Chine populaire, a pour ambition de refaire l'unité du Viêt Nam sous l'égide du communisme.

Dans le Sud, la République du Viêt Nam, avec pour capitale Saigon, est proclamée, après la déposition de Bao Dai, en 1955. Le régime autoritaire instauré par Ngô Dinh Diêm, appuyé par les États-Unis qui lui octroient des subsides et des conseillers militaires, fait de nombreux opposants. Les communistes du Viêt-cong, qui déclenchent la lutte armée en 1956, les rallient à partir de 1960 dans un Front national de libération du Viêt Nam du Sud (FNL). Après l'assassinat de Ngô Dinh Diêm en 1963, l'anarchie politique s'installe, tandis que la guérilla communiste s'étend, avec l'aide du Nord. L'intervention américaine se fait de plus en plus massive (plus de 500 000 hommes en 1967). Ni l'emploi des défoliants et du napalm ni les bombardements aériens sur Hanoi n'entament la volonté de résistance du FNL et du Viêt Nam du Nord, dont l'effort de guerre, soutenu par l'Union soviétique et la Chine populaire, s'intensifie au contraire. Après de longues négociations, les États-Unis, le Viêt Nam du Nord et le Viêt Nam du Sud (présidé depuis 1967 par le général Nguyên Van Thieu) signent les accords de cessez-le-feu de Paris (1973). Mais, après le retrait des Américains, la guerre se poursuit. En 1975, les troupes du Viêt Nam du Nord s'emparent de Saigon, rebaptisée Hô Chi Minh-Ville et, en 1976, les deux États sont réunifiés sous le nom de République socialiste du Viêt Nam.

Le Viêt Nam réunifié. Les difficultés économiques et la répression politique accroissent le nombre des candidats à l'émigration clandestine (*boat people*). En 1978, le Viêt Nam signe un traité d'amitié avec l'URSS et, en décembre, ses troupes envahissent le Cambodge, installant à Phnom Penh un gouvernement qui lui est dévoué. Alliée des Khmers rouges, la Chine populaire riposte en février-mars 1979 par une attaque qui est repoussée, mais le harcèlement frontalier continue, ainsi que l'embargo imposé par les pays occidentaux et l'ASEAN pour contraindre le Viêt Nam à se retirer du Cambodge. Les difficultés acculent le Parti au changement : Nguyên Van Linh, qui remplace Lê Duan à la tête du Parti en 1986, préconise la démocratisation de celui-ci en même temps qu'une libéralisation de l'économie. Le désengagement au Cambodge, amorcé à partir du milieu des années 1980 et qui se conclut par le retrait des dernières troupes vietnamiennes en septembre 1989, permet au pays de sortir de son isolement. Après la signature de l'accord de paix sur le Cambodge (oct. 1991), il normalise ses relations avec la Chine populaire et obtient le statut d'observateur auprès de l'ASEAN. Dans la nouvelle Constitution de 1992, le Parti communiste (dont Do Muoi est devenu secrétaire général en 1991) reste le parti unique, mais les pouvoirs de l'État et du Parti sont séparés et la libéralisation de l'économie est confirmée. En 1994, les États-Unis lèvent leur embargo commercial et, en 1995, le Viêt Nam devient membre à part entière de l'ASEAN. Deux ans plus tard, le Viêt Nam et les États-Unis établissent des relations diplomatiques. La même année, Trân Duc

Voir aussi
Illustrations
• **Rizières au Viêt Nam** p. 609

♦ **Viêt Nam.**

Luong devient président de la République, Phan Van Khai, Premier ministre, et le général Lê Kha Phieu secrétaire général du Parti. L'ouverture du régime se poursuit aujourd'hui, non sans provoquer des réactions parmi la vieille garde communiste.

Malaisie Malaysia

Nom officiel : fédération de Malaisie.
Capitale : Kuala Lumpur.
Monnaie : ringgit ou dollar malais (= 100 sen).
Langue officielle : malais. **Principale religion** : islam. **Institutions** : monarchie constitutionnelle, membre du Commonwealth. Constitution de 1957 plusieurs fois amendée. Conférence des chefs d'État et de gouvernement rassemblant les gouvernants des 13 États de la fédération : tous les 5 ans, ses 9 membres héréditaires (sultans, *raja* ou *yang*) élisent le souverain de la fédération. Parlement fédéral constitué de deux Chambres.
Souverain : Jaafar Abdul Rahman (depuis 1994).
Premier ministre : Mahathir bin Mohamad (depuis 1981). **Drapeau** : il a été adopté en 1963. Le pavillon bleu foncé, situé dans la partie supérieure, symbolise l'unité des peuples de la Malaisie. Le croissant évoque l'islam, l'étoile à 14 branches les 13 États de la fédération et le territoire fédéral. Le jaune est la couleur royale. **Hymne national** : « Mon pays, ma terre natale, dont le peuple vit dans l'union et le progrès, que Dieu lui accorde bénédiction et bonheur, que le règne de notre souverain soit heureux… » Paroles et musique empruntées à l'hymne de l'État de Perak. Déclaré officiel en 1963.
Fête nationale : 31 août (anniversaire de l'indépendance).

Superficie : 330 000 km^2.
Point culminant : 2 377 m au mont Mulu (au Sarawak).

GÉOGRAPHIE

La Malaisie, pays au climat tropical, chaud et humide toute l'année et connaissant deux moussons, est formée d'une partie continentale (Malaisie occidentale ou péninsulaire) et d'une partie insulaire (Malaisie orientale, correspondant à deux régions de l'île de Bornéo, le Sabah et le Sarawak). La bauxite, l'étain, le caoutchouc naturel et surtout le pétrole constituent l'essentiel des exportations, même si les industries de transformation (sidérurgie, chimie, constructions électriques, électronique) se sont développées avec succès. La population, concentrée en Malaisie occidentale et à moitié urbaine, est en majeure partie composée de Malais musulmans (environ 60 %) et comprend des minorités indienne et surtout (pour un quart environ) chinoise. L'accroissement démographique naturel est modéré.

HISTOIRE

Les origines. La péninsule de Malaisie, qui correspond peut-être à la « Chersonèse d'or » de Ptolémée (IIe s.), est dès avant l'ère chrétienne longée et traversée par les marchands allant de l'Inde vers les mers de Chine. Ainsi sont nés, proches de l'isthme de Kra, de petits royaumes indianisés comme Lankasuka et Tambralinga, dominés dès le VIIIe s. par l'empire de Srivijaya (Sumatra), puis convoités aux XIIIe et XIVe s. par le royaume javanais de Majapahit et par les rois du Siam. L'islam pénètre en Malaisie dès le début du XIVe s. Le port de Malacca, fondé en 1403, revêtira, du point de vue commercial, une importance capitale et sera un grand centre de propagande musulmane.

La pénétration européenne. Conquise par les Portugais (1511), les Néerlandais (1641), puis par les Britanniques (1795), la péninsule Malaise reste possession de ces derniers par le traité de Londres (1824). Les petits sultanats de Johore, Selangor, Perak, Kedah, Pahang, Trengganu, Kelantan demeurent indépendants et vivent du commerce. La Compagnie anglaise des Indes orientales se fait céder l'île de Penang (1786) et la province de Wellesley au Kedah (1800). En 1819, Raffles fonde le port de Singapour, qui est réuni à Malacca et à Penang, avec lesquels il constitue, à partir de 1830, les établissements des Détroits, ou *Straits Settlements*.

La domination britannique. La majeure partie de la péninsule Malaise est contrôlée par la Couronne britannique à partir de 1867. Pour en exploiter les richesses (étain, hévéas), les Britanniques font appel à de la main-d'œuvre immigrée chinoise et indienne. Petit à petit des résidents britanniques sont placés à côté des sultans et, en 1895, Negri Sembilan, Pahang, Perak et Selangor forment les États malais fédérés, relevant d'un résident général britannique. Kedah, Kelantan et Trengganu demeurent sous la suzeraineté du Siam jusqu'en 1909. Ils passent de 1909 à 1914 sous une administration britannique plus lâche. Le Japon conquiert la péninsule (déc. 1941-févr. 1942). La résistance à l'occupant s'organise et est ralliée par de nombreux Chinois, contrôlés par le Parti communiste clandestin. Revenus en sept. 1945, les Britanniques créent l'Union malaise (1946), critiquée par les sultans et les Malais, puis, en 1948, la Fédération malaise, moins favorable aux Chinois et mettant à part Singapour. Le Parti communiste de Malaisie déclenche alors une insurrection armée, difficilement combattue par les soldats britanniques et malais jusqu'en 1960.

L'indépendance. Entre-temps, l'indépendance a été proclamée (31 août 1957) et la nouvelle

Constitution favorise les sultans, les Malais et l'islam. Abdul Rahman devient Premier ministre. La ville de Singapour, peuplée surtout de Chinois, bénéficie de l'autonomie interne. Si les Chinois et les Indiens dominent l'économie dans les villes, les plantations et les mines, leurs droits politiques sont très limités. Le gouvernement, l'administration, l'armée, la culture et la terre sont réservés en majorité aux Malais. En 1963, Sarawak et le Sabah (nord de Bornéo), qui étaient depuis 1946 colonies de la Couronne britannique, accèdent à l'indépendance et rejoignent la Fédération malaise. Le sultanat de Brunei, en revanche, dans la même île de Bornéo, refuse d'y adhérer. La nouvelle fédération de Malaisie se heurte aux convoitises des Philippines sur le Sabah et à l'hostilité de l'Indonésie, qui engage une guerre larvée et se retire de l'ONU. La chute de Sukarno met fin au conflit après l'accord d'août 1966. Entre-temps, l'opposition entre Singapour, dont l'économie se développe par l'industrialisation et le libre-échange, et le gouvernement de Kuala Lumpur, protectionniste, dégénère en conflit politique. Singapour devient une ville-État indépendante en 1965, après un accord conclu entre Lee Kuan Yew, son Premier ministre, et Abdul Rahman, chef du gouvernement fédéral. Cette sécession provoque au sein des États une série de crises politiques, aggravées par les tensions ethniques opposant les Malais à la communauté chinoise, qui dégénèrent en émeutes lors des élections de mai 1969. La Constitution est suspendue. Une nouvelle idéologie, le « Rukunegara », fondée sur la croyance en Dieu, la loyauté à l'égard des institutions et la morale, est mise en place ; une Nouvelle Politique économique (NEP) vise à accroître le rôle, négligeable, des Malais dans l'économie nationale. Puis la Malaisie se rapproche de l'ASEAN et signe l'accord de défense à cinq (Malaisie, Singapour, Royaume-Uni, Australie et Nouvelle-Zélande) destiné à remplacer la présence militaire britannique dans la région. Le régime parlementaire est rétabli en févr. 1971. L'UMNO *(United Malays National Organization)*, qui domine la vie politique depuis l'indépendance, reste au pouvoir, à la tête de coalitions du Front national (*Barisan nasional*, ou BN). Les conflits sont nombreux : avec les partis minoritaires, avec les insurgés communistes, avec la communauté chinoise tenue à l'écart. L'invasion du Cambodge (1979) et l'afflux de réfugiés indochinois, jugés indésirables, provoquent une tension avec le Viêt Nam et un rapprochement avec l'Indonésie. Depuis 1981, le Premier ministre Mahathir Mohamad s'appuie sur le courant nationaliste. À trois reprises (1983, 1993 et 1994), la Constitution est modifiée de façon à restreindre les privilèges des sultans. En 1991, la NEP, dont l'objectif d'une meilleure insertion des Malais dans le tissu économique est atteint, est remplacée par une Nouvelle Politique de développement (NDP), qui met l'accent sur l'élargissement à l'ensemble de la population, malaise ou non, des bénéfices de la croissance. En 1998, l'effondrement conjoint de la Bourse et de la monnaie (45 % en six mois) et la crise économique remettent toutefois en cause l'ensemble de ces projets. Au pouvoir depuis près de vingt ans, l'autoritaire Premier Ministre Mahathir bin Mohamad voit son pouvoir contesté par une opposition renforcée par la crise économique qui frappe le pays.

◆ Démographie.

population	22 200 000 hab.
densité	67 hab./km²
accroissement naturel	20,4 ‰
taux de natalité	25,2 ‰
taux de mortalité infantile	11 ‰
espérance de vie	72 ans
part des moins de 15 ans	37,9% de la pop. totale
part des plus de 65 ans	3,9% de la pop. totale
population urbaine	54%
principales villes	Kuala Lumpur, Johore Baharu, Ipoh

◆ Principales ressources et productions (1997).

ananas *(1995)*	280 000 t (10ᵉ rang)
cacao	120 000 t (7ᵉ rang)
caoutchouc	1 082 000 t (3ᵉ rang)
étain	5 000 000 t (6ᵉ rang)

◆ Économie et niveau de vie (1996).

PNB	94,526 milliards de $
PNB/hab.	10 390 $
taux de croissance *(1995)*	9,4%
taux d'inflation	3,5%
taux de chômage	n.d.
dette extérieure	39 776,8 millions de $
importations	73 055 millions de $
exportations	76 881 millions de $
répartition des actifs	agriculture 19,8%, industrie 31,8%, services 48,4%
transports	routes 93 017 km, voies ferrées 2 222 km
taux d'analphabétisme	16,5%

◆ Armée.

budget militaire *(1996)*	2,6% du PIB
forces armées *(1997)*	114 500 hommes

Singapour Singapore, Xinjiapo, Singapura

Nom officiel : République de Singapour. **Capitale** : Singapour (en anglais Singapore, en chinois Xinjiapo, en malais Singapura). **Monnaie** : dollar de Singapour (= 100 cents). **Langues officielles** : anglais, chinois, malais, tamoul. **Principales religions** : taoïsme, bouddhisme.

Institutions : République, membre du Commonwealth. Constitution de 1965. Parlement élu au suffrage universel pour 5 ans. Président élu au suffrage universel pour 4 ans. **Président de la République** : Ong Teng Cheong (depuis 1993). **Premier ministre** : Goh Chok Tong (depuis 1990).

Drapeau : adopté en 1959. Il porte le croissant, symbole d'un pays jeune, et les 5 étoiles de la démocratie, de la paix, du progrès, de la justice et de l'égalité. Le rouge symbolise la fraternité ; le blanc, la pureté. **Hymne national** : « Allons, le peuple de Singapour, marchons ensemble vers le bonheur. Notre grande aspiration est de faire un succès de Singapour. Unissons-nous dans un nouvel esprit. Prions ensemble : que Singapour progresse, que Singapour progresse ! » Paroles et musique de Zubir Saïd (1907-1987). Déclaré officiel en 1959. **Fête nationale** : 9 août (anniversaire de l'indépendance).

Superficie : 618 km².

GÉOGRAPHIE

Cité-État située au sud-est de la Malaisie occidentale, Singapour comprend 55 îles, dont la principale, Singapour, est longue de 42 kilomètres. Sur ce territoire insulaire et urbanisé à près de 100 % vivent plus de trois millions d'habitants, dont les deux tiers sont chinois, les autres étant principalement malais ou indiens. Depuis les années 1960, Singapour est l'un des principaux centres industriels et financiers d'Asie du Sud-Est.

HISTOIRE

La Cité des lions. Singapour (la « Cité des lions ») était le port de Tumasik, contrôlé par Srivijaya (IXᵉ s.), puis par Majapahit (XIVᵉ s.). Possession du sultanat de Johore, elle est occupée pour le compte de la Compagnie anglaise des Indes orientales (1819) et devient, en 1832, la capitale des établissements des Détroits *(Straits Settlements)*. Attaquée par les Japonais en 1942, elle capitule et est occupée jusqu'en sept. 1945. Érigée en colonie distincte (1946), elle obtient l'autonomie interne (1958-1959). L'avocat Lee Kuan Yew est Premier ministre (1961). En 1963, elle devient un des États de la fédération de Malaisie au sein de laquelle elle conserve son autonomie économique et politique.

L'indépendance. L'opposition entre Chinois, majoritaires à Singapour, et Malais conduit à l'indépendance, proclamée le 9 août 1965. Lee Kuan Yew instaure un régime autoritaire. Singapour devient un des nouveaux pays industrialisés d'Extrême-Orient, se spécialisant dans les activités à haute technicité (constructions électriques et électroniques), et une place financière de premier plan. À l'extérieur, Singapour, après l'indépendance, doit normaliser ses relations avec la Malaisie, puis l'Indonésie. Elle participe à la fondation de l'ASEAN et à la conclusion d'un accord de défense avec le Royaume-Uni, l'Australie, la Nouvelle-Zélande et la Malaisie après la fermeture de la base militaire britannique (1971). Proche des États-Unis et du Japon, quoique non alignée, elle reconnaît les régimes communistes d'Indochine (1975) mais s'oppose au Viêt Nam, de 1979 à 1989, sur la question du Cambodge. La relève de l'équipe qui dirige le pays se révèle difficile, Lee Kuan Yew ne parvenant pas à se choisir un successeur. Finalement, en nov. 1990, il cède le poste de Premier ministre à son proche collaborateur, Goh Chok Tong. Ong Teng Cheong est élu président de la République en 1993. Singapour a mieux résisté que ses voisins à la crise finan-

◆ Démographie.

population	3 900 000 hab.
densité	6 311 hab./km²
accroissement naturel	8,2 ‰
taux de natalité	15,7 ‰
taux de mortalité infantile	3,8 ‰
espérance de vie	76 ans
part des moins de 15 ans	22,3% de la pop. totale
part des plus de 65 ans	6,3% de la pop. totale
population urbaine	100%
principale ville	Singapour

◆ Économie et niveau de vie (1996).

PNB	94,874 milliards de $
PNB /hab.	26 910 $
taux de croissance *(1995)*	8,7%
taux d'inflation	1,4%
taux de chômage	n.d.
importations	123 731 millions de $
exportations	126 012 millions de $
répartition des actifs	agriculture 0,2%, industrie 30,3%, services 69,5%
transports	routes 2 943 km, voies ferrées 67 km
taux d'analphabétisme	8,9%

◆ Armée.

budget militaire *(1996)*	4,3% du PIB
forces armées *(1997)*	53 900 hommes

Asie du Sud-Est

Indonésie • Brunei • Philippines

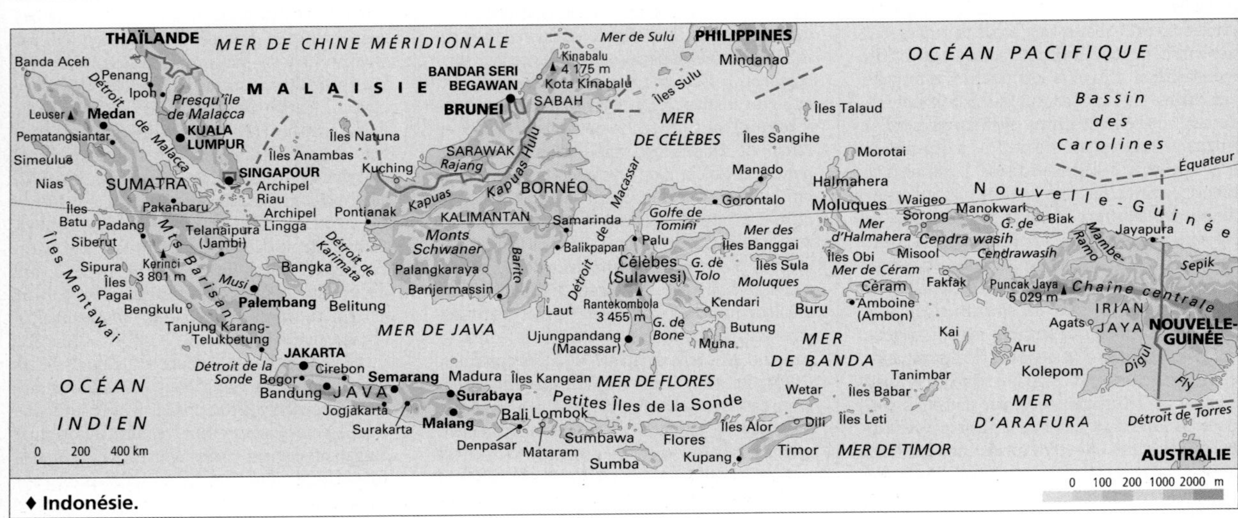

♦ Indonésie.

cière de 1998, témoignant ainsi d'une grande stabilité économique et politique.

Indonésie Indonesia

Nom officiel : République d'Indonésie. **Capitale** : Jakarta. **Monnaie** : rupiah (= 100 sen). **Langue officielle** : indonésien. **Principale religion** : islam. **Institutions** : République. Constitution de 1945. Assemblée consultative du peuple qui élit le président de la République. Chambre des représentants du peuple (400 membres élus, 100 nommés par le président pour un mandat de 5 ans). **Président de la République** : Bacharuddin Yusuf Habibie (depuis 1998). **Drapeau** : il a été adopté en 1945. Il reprend les couleurs qui auraient été celles du prince Raden Vijaya, fondateur de l'empire du Majapahit en 1293. **Hymne national** : « Indonésie, pays grand, pays libre, libre, ô ma patrie bien-aimée. Indonésie, pays grand, pays libre, libre, vive la grande Indonésie ! » Paroles et musique de Wage Rudolf Supratman (1903-1938). Déclaré officiel en 1929. **Fête nationale** : 17 août (anniversaire de l'indépendance).

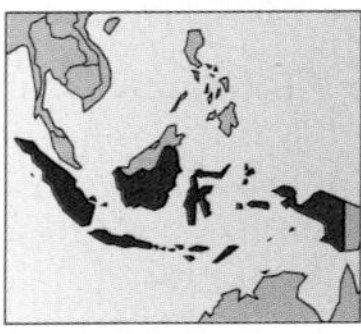

Superficie : 1 900 000 km².
Point culminant : 5 029 m au Punttek Jaya (en Nouvelle-Guinée indonésienne).

GÉOGRAPHIE

L'Indonésie, pays tropical, en grande partie recouvert d'une forêt dense, est un État insulaire montagneux et volcanique comprenant plus de 13 000 îles, dont la moitié à peine sont habitées, s'étendant sur 5 000 km d'ouest en est et sur 2 000 km du nord au sud.

Avec la quatrième population mondiale, l'Indonésie est confrontée au problème du surpeuplement, malgré un accroissement naturel tombé au-dessous de 2 % par an. La population, principalement musulmane (l'Indonésie est le premier pays musulman du monde), est aux deux tiers regroupée à Java, où se trouvent les trois plus grandes villes (Jakarta, Surabaya et Bandung).

Le riz constitue la base de l'alimentation. Les nombreuses plantations, qui datent de la période coloniale, donnent du caoutchouc, du café, des oléagineux et du tabac. La pêche et l'exploitation du bois participent aussi pour une grande part à l'économie du pays. L'extraction du pétrole et du gaz naturel constitue la principale ressource industrielle et influe sur l'état de la balance commerciale.

HISTOIRE

Les États indianisés. Morcelée à l'origine en petits royaumes de culture indianisée, nés au début de l'ère chrétienne, l'Indonésie est dominée à partir du VIIe s. par le royaume bouddhiste de Srivijaya. Celui-ci est une thalassocratie centrée à Sumatra-Sud, qui contrôle Java et la péninsule Malaise, et étend peut-être son influence sur le Cambodge et Ceylan. La dynastie bouddhiste des Sailendra, implantée à Java au IXe s., finit par régner à Srivijaya (XIe s.). Au XIIIe s., le royaume de Singasari (Java-Est) repousse l'expédition mongole envoyée par l'empereur Kubilay Khan (1292).

Vers l'islamisation de l'archipel. Le prince Raden Vijaya, victorieux, fonde la dynastie qui gouvernera l'empire de Majapahit. Celui-ci domine l'archipel pendant deux siècles et atteint son apogée sous Rajasanagara (ou Hayam Wuruk, 1350-1389). Il disparaît à la fin du XVe s. ou au début du XVIe s. Dès le XIIIe s., l'islam, introduit par les marchands de l'Inde et du Proche-Orient, s'implante à Sumatra et à Java. Le prince de Malacca se convertit en 1419. L'islamisation, qui atteint surtout les régions côtières, n'efface pas le vieux fonds animiste, et le droit coranique se superpose au droit local. L'hindouisme se maintient à Bali.

Les Portugais, qui prennent Malacca en 1511, et les Espagnols, en 1521-1522, parviennent à établir des comptoirs aux Moluques et aux Philippines. Le puissant sultanat d'Aceh (Sumatra) tente de leur résister. L'islam fait à la même époque de grands progrès, gagnant aux XVe-XVIe s. Bornéo, Célèbes, Tidore et Ternate.

Les Indes néerlandaises. Se lançant à la conquête du marché des épices, la Compagnie hollandaise des Indes orientales, fondée en 1602, s'empare des positions portugaises : Amboine (1605), Malacca (1641), Tidore (1657). Elle exploite les petites Moluques et intervient dans les affaires intérieures des sultanats javanais (Bantam, Mataram). Son privilège n'est pas renouvelé en 1799 et son domaine revient à la République batave.

Après 1816, la mise en place d'une administration directe sur l'ensemble des Indes néerlandaises provoque des guerres locales à Java, à Sumatra, à Célèbes et à Bali. L'occupation et la pacification des territoires ne s'achèvent qu'au début du XXe s. Dès 1830, le gouverneur Van den Bosch impose, particulièrement à Java, le « système des cultures » reposant sur le travail obligatoire, qui est progressivement abandonné à partir de 1860. Les cultures tropicales et l'exploitation de l'étain et du pétrole connaissent un grand essor à la fin du siècle.

Une élite indigène, gagnée par les idées européennes, impressionnée par les victoires du Japon (1904-1905) et la révolution russe de 1917, anime le mouvement nationaliste. En 1927 est créé le Parti national, animé par Sukarno. Pendant la Seconde Guerre mondiale, le Japon conquiert les Indes néerlandaises (déc. 1941-avr. 1942) et les exploite à son profit.

L'Indonésie. Dès la capitulation du Japon, l'indépendance et la république sont proclamées (17-18 août 1945). La République indonésienne, présidée par Sukarno, est finalement reconnue par les Pays-Bas en 1949. La conférence de Bandung (avr. 1955) consacre son rôle dans le tiers-monde. Des mouvements séparatistes se développent à Sumatra (notamment à Aceh) et dans les Moluques, et des soulèvements musulmans éclatent en 1957. Sukarno prône un « socialisme à l'indonésienne » et nationalise les biens néerlandais. Il entre en conflit avec les Pays-Bas (1960-1963), qui cèdent à l'Indonésie l'Irian Jaya (ou Nouvelle-Guinée occidentale). Il s'oppose à l'intégration de Sarawak et du Sabah dans la fédération de Malaisie et se retire de l'ONU en 1965. Le rôle croissant du Parti communiste indonésien, le PKI, dirigé par Dipa Aidit, provoque un coup d'État militaire (30 sept. 1965). Le général Suharto, soutenu par l'armée et les musulmans, déclenche une sanglante répression anticommuniste.

Suharto s'impose aux dépens de Sukarno, devenant président par intérim (févr. 1967), puis président élu (1968). Il applique une politique anticommuniste et antichinoise et se rapproche de l'Occident. Dès septembre 1966, l'Indonésie reprend sa place à l'ONU et, en 1967, elle participe

◆ Démographie.

population	207 400 000 hab.
densité	109 hab./km²
accroissement naturel	15,5 ‰
taux de natalité	23,1 ‰
taux de mortalité infantile	49 ‰
espérance de vie	65 ans
part des moins de 15 ans	32,9% de la pop. totale
part des plus de 65 ans	4,3% de la pop. totale
population urbaine	36%
principales villes	Jakarta, Surabaya, Medan

◆ Principales ressources et productions (1997).

café	300 000 t (4e rang)
caoutchouc	1 654 000 t (2e rang)
coprah	1 150 000 t (2e rang)
riz	50 632 000 t (3e rang)
gaz naturel	68 500 millions de m³ (7e rang)
pétrole	73 200 000 t
cuivre	548 000 t (5e rang)
étain	55 000 000 t (1er rang)

◆ Économie et niveau de vie (1996).

PNB	216,282 milliards de $
PNB /hab.	3 310 $
taux de croissance *(1995)*	8,2%
taux d'inflation	8%
taux de chômage	n.d.
dette extérieure	129 032,9 millions de $
importations	39 769 millions de $
exportations	45 479 millions de $
répartition des actifs	agriculture 45%, industrie 17,2%, services 37,8%
transports	routes 194 144 km, voies ferrées 6 583 km
taux d'analphabétisme	16,2%

◆ Armée.

budget militaire *(1996)*	1,3% du PIB
forces armées *(1997)*	299 200 hommes

VOIR AUSSI
Illustrations
• **Barabudur** p. 1057

à la fondation de l'Association des Nations de l'Asie du Sud-Est (ASEAN). Le régime semi-autoritaire mis en place par Suharto, reposant sur un parti officiel, le Golkar, fait preuve de stabilité : le Golkar remporte toutes les élections législatives à partir de 1971, et Suharto lui-même est constamment réélu à la présidence de la République. L'accent est mis sur le développement économique. L'accroissement des exportations, surtout celles du pétrole, permet au pays d'atteindre au début des années 1980 l'autosuffisance alimentaire. Les émeutes résultant des tensions sociales ou de la corruption sont sévèrement réprimées (à Bandung en 1973, à Jakarta en 1984). En 1975-1976, l'Indonésie annexe le Timor-Oriental, ancienne colonie portugaise, déclenchant ainsi une guérilla menée par les nationalistes du Fretilin. La politique de « transmigration », destinée à réduire la forte pression démographique de Java, est un des griefs qui entretiennent la rébellion persistante en Irian Jaya et qui a repris dans les années 1990. À l'automne 1997, après des années de forte croissance, une crise économique et financière s'abat sur le pays. Les troubles sociaux qui en résultent finissent par contraindre Suharto à la démission. Son successeur désigné, Bacharuddin Yusuf Habibie, promet des réformes démocratiques. Bien qu'issu des proches de Suharto, le nouveau président engage d'emblée une véritable démocratisation : reprise en main de l'armée, résolution pacifique de la crise étudiante, annonce d'élection législatives; et, faits majeurs, réouverture du dossier du Timor Oriental et libération de prisonniers politiques.

Brunei

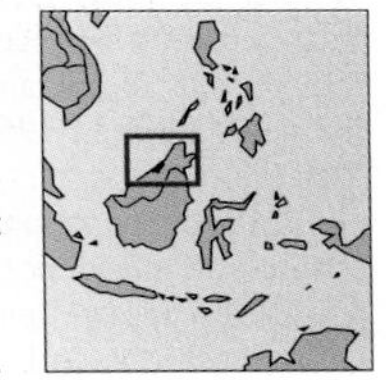

Nom officiel : Brunei Darussalam. **Capitale** : Bandar Seri Begawan. **Monnaie** : dollar de Brunei (= 100 cents). **Langue officielle** : malais. **Principale religion** : islam. **Institutions** : monarchie (sultanat). Membre du Commonwealth. Le sultan est investi des pouvoirs politiques suprêmes. **Chef de l'État et du gouvernement** : le sultan Hassanal Bolkiah (depuis 1968). **Drapeau** : il a été créé en 1906 à l'établissement du protectorat, et modifié en 1959 lors de l'accession à l'autonomie interne. Le croissant de lune du blason et l'inscription qu'il porte rappellent l'appartenance de Brunei à l'islam. **Hymne national** : « Ô Allah, vive Sa Majesté le Sultan. Justice et souveraineté pour la protection de notre pays et la direction de notre peuple. Prospérité pour notre nation et notre sultan. Dieu garde le Brunei, havre de paix ! » Paroles de Pengiran Hadj Mohamed Yusuf (né en 1923), musique d'Awang Hadj Besar ibn Sagap (né en 1914). **Fêtes nationales** : 1er janvier (anniversaire de l'indépendance) et 15 juillet (anniversaire du sultan).

Superficie : 5 765 km². **Point culminant** : 396 m.

GÉOGRAPHIE

Situé dans une région tropicale, le petit État de Brunei forme deux enclaves au nord-ouest de l'île de Bornéo (Tutong et Belait à l'ouest, Temburong à l'est). La population est en majorité malaise (près de 70 %) mais également chinoise (16 %). La principale religion est l'islam, mais le pays comprend une forte communauté bouddhiste (environ 13 % de la population). L'économie se consacre presque entièrement à l'exploitation du pétrole et du gaz naturel (qui suffit à faire vivre le pays) et aux services.

HISTOIRE

Les origines. Royaume islamisé au XVIe s. et devenu sultanat, le Brunei domine toute l'île de Bornéo, les îles Sulu et quelques autres possessions aux Philippines. À la fin du siècle, son pouvoir diminue en raison des entreprises des Portugais et des Néerlandais dans la région. En 1847, le sultan de Brunei signe un traité d'alliance avec la Grande-Bretagne puis accepte son protectorat (1888). À partir de 1906, un résident britannique est placé auprès du sultan.

En 1959, le sultanat est pourvu d'une autonomie interne et d'une Constitution, en grande partie suspendue depuis 1962. Brunei refuse en 1963 de rejoindre la nouvelle fédération de Malaisie. Il obtient en 1984 l'indépendance, dans le cadre du Commonwealth, et demeure proche du Royaume-Uni.

L'indépendance. Dès son accession à l'indépendance, Brunei adhère à l'ASEAN. Le sultan, Hassanal Bolkiah, est également Premier ministre. Son père, Omar Ali Saifuddin, a conservé jusqu'à sa mort, en 1986, un grand pouvoir. La démocratisation de la vie politique est la principale revendication du Brunei National Democratic Party (BNDP), fondé en 1985 et dissous par le sultan en 1988. La population jouit d'un niveau de vie élevé. Toutefois,

◆ Démographie.

population	300 000 hab.
densité	52 hab./km²
accroissement naturel	17,6 ‰
taux de natalité	21,5 ‰
taux de mortalité infantile	10 ‰
espérance de vie	75 ans
part des moins de 15 ans	33,7% de la pop. totale
part des plus de 65 ans	2,7 % de la pop. totale
population urbaine	70%
principale ville	Bandar Seri Begawan

◆ Principales ressources et productions (1997).

pétrole	8 000 000 t

◆ Économie et niveau de vie (1996).

PNB	3,987 milliards de $
PNB /hab.	14 240 $
taux de croissance	n.d.
taux d'inflation *(1992)*	2%
taux de chômage	n.d.
importations	1 562 millions de $
exportations	2 215 millions de $
transports	routes 1 956 km, voies ferrées 19 km
taux d'analphabétisme	11,8%

◆ Armée.

budget militaire *(1996)*	5,9% du PIB
forces armées *(1997)*	5 000 hommes

la communauté chinoise se sent menacée et commence à émigrer, un traitement préférentiel étant réservé aux autochtones, malais et musulmans. Le sultanat a été moins touché par la crise financière de 1997-1998, malgré une légère chute de la monnaie.

Philippines Pilipinas

Nom officiel : République des Philippines. **Capitale** : Manille *(Manila)*. **Monnaie** : peso des Philippines (= 100 centavos). **Langue officielle** : tagalog. **Principale religion** : catholicisme. **Institutions** : République. Constitution de 1987. Président et vice-président élus pour 6 ans. Parlement (Congrès) bicaméral : Sénat, dont les membres sont élus pour 6 ans, et Chambre des députés, dont les membres sont élus pour 3 ans. **Président de la République et chef du gouvernement** : Joseph Estrada (depuis 1998). **Drapeau** : il a été créé en 1898. Les 3 étoiles représentent les 3 grands territoires et les 8 rayons de soleil les provinces. Le rouge représente le courage ; le bleu, l'idéalisme ; le blanc, l'amour de la paix. **Hymne national** : « Ô terre bien-aimée, fille du soleil d'Orient, c'est avec ardeur que nos âmes t'exaltent... » Version tagalog adaptée d'un poème espagnol de José Palma (1876-1903), musique de Julian Felipe (1861-1944). Adopté en 1898. **Fête nationale** : 12 juin (anniversaire de la déclaration d'indépendance à l'égard de l'Espagne en 1898).

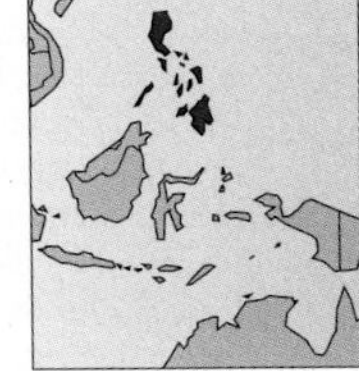

Superficie : 300 000 km². **Point culminant** : 2 954 m au mont Apo (à Mindanao).

Asie du Sud-Est

GÉOGRAPHIE

Les Philippines sont un archipel montagneux et volcanique formé de plus de 7 000 îles et îlots. Le climat est tropical, avec alternance d'une saison sèche et d'une saison humide. Les deux plus grandes îles, Luçon et Mindanao, regroupent les deux tiers de la superficie et de la population. Celle-ci est à forte majorité catholique, mais elle comprend une minorité musulmane.

Bien qu'elles soient en majeure partie urbanisées, les Philippines restent encore un pays agricole. Alors que le riz et le maïs sont destinés à l'alimentation, la canne à sucre, le coprah, le tabac, le caoutchouc, ainsi que quelques ressources minières (or, chrome, cuivre) sont en partie exportés. Le chômage est plus que préoccupant.

HISTOIRE

Les origines. L'archipel a été peuplé par vagues successives de Négritos, de Proto-Indonésiens et de Malais. Les populations actuelles, divisées en communautés autonomes, ou *barangay*, sont en place depuis le début de l'ère chrétienne. Dès le IXe s., le commerce avec la Chine favorise l'immigration chinoise. L'archipel commerce avec le Japon, le Cambodge, le Champa, l'Annam, le Siam et l'Insulinde. À la fin du XIVe s., les marchands musulmans de l'océan Indien et d'Indonésie implantent la religion islamique, d'abord dans les îles Sulu, où un sultanat est créé v. 1450, et à Mindanao, d'où l'islam remonte vers les Visayas et Luçon.

La colonisation espagnole. Magellan découvre l'archipel en 1521, et est tué par les habitants de l'île de Mactan. En 1543, Villalobos baptise les îles Filipinas (Philippines, du nom de l'infant, futur Philippe II). Dès 1565, Miguel López de Legazpi, venu du Mexique, instaure la suzeraineté espagnole. En 1571, Manille devient la capitale de la colonie. Les successeurs de Legazpi étendent la conquête facilement, sauf dans le Sud où les Moros musulmans résistent et resteront à peu près indépendants jusqu'à la fin de la domination espagnole. Ils entreprennent l'évangélisation et l'hispanisation du pays, avec l'aide des moines augustiniens.

De vastes domaines *(encomiendas)* sont concédés aux colons et surtout au clergé. Sous la supervision, théorique, du vice-roi de Mexico, un gouverneur exerce le pouvoir, assisté de l'*audiencia*, ou Cour suprême ; le territoire est divisé en provinces, subdivisé en *pueblos*. Le commerce des galions vers Acapulco se poursuivra jusqu'en 1813. Les produits de la Chine et du Japon sont échangés contre l'argent du Mexique. La présence espagnole est menacée successivement par les Portugais, les Chinois et les Néerlandais. Les Britanniques occupent Manille en 1762 et 1763. Un sentiment national philippin se développe dans l'élite hispanisée (les *ilustrados*) et dans le bas clergé, tenu à l'écart.

De la révolution nationaliste à la domination américaine. En 1896, la Katipunan, organisation nationaliste, déclenche une insurrection. L'écrivain José Rizal, hostile à la violence, est cependant fusillé (1896). Emilio Aguinaldo, réfugié à Hongkong, appelle à l'aide les États-Unis, qui entrent en guerre avec l'Espagne (avr. 1898) et conquièrent Manille (1er mai). Le traité de Paris (10 déc.), qui donne l'archipel aux États-Unis, provoque un soulèvement général. Aguinaldo, devenu le chef de la guérilla anti-américaine, est capturé (1901).

Les États-Unis instaurent un régime civil. Le *Philippine Autonomy Act* (1916) institue un système bicaméral à l'américaine. Le pays est mis en valeur, mais les structures agraires et sociales changent peu. En 1935, une nouvelle Constitution proclame le « Commonwealth des Philippines », dont Manuel Quezón devient le président. L'archipel est conquis par les Japonais et occupé de déc. 1941 à mai 1942, provoquant l'exil de Manuel Quezón. La résistance à l'envahisseur s'organise, surtout autour des Huks, paysans liés au Parti communiste. En 1944-1945, les États-Unis reconquièrent le pays.

L'indépendance. Elle est proclamée (4 juill. 1946), alors que les Huks contrôlent une partie du pays. Les États-Unis obtiennent du président Roxas (1946-1948) 23 bases militaires avec un bail de 99 ans, plus tard ramené à 25 ans. Ramón Magsaysay, président de 1953 à 1957, vainqueur de la guérilla des Huks, préside la conférence de Manille, constitutive de l'OTASE (1954). Carlos García devient président en 1957. Macapagal lui succède en 1961. Des rivalités éclatent avec Kuala Lumpur, Manille revendiquant la souveraineté sur le Sabah, État de Kalimantan (Bornéo), entré en 1963 dans la fédération de Malaisie.

En 1965, le nationaliste Ferdinand Marcos est élu à la présidence de la République. Très populaire, appuyé par les États-Unis et le Japon, il est réélu en 1969. Mais la gauche et les étudiants lui reprochent de s'engager au Viêt Nam. Le Parti communiste, devenu prochinois, crée la NPA (New People's Army) tandis que les Huks, prosoviétiques, perdent leur influence. En 1972, Marcos doit faire face au mécontentement de la paysannerie et à la création d'un parti communiste prochinois. Il proclame la loi martiale et fait arrêter les opposants, dont Benigno Aquino, chef des libéraux. À la fois président et Premier ministre (1973), il gouverne par référendums et décrets. Réélu en 1981, soutenu par une clientèle de politiciens et d'affairistes corrompus, il réagit à la crise économique, au mécontentement des paysans et des classes moyennes et à la guérilla de la NPA et des Moros à coups d'arrestations et d'assassinats, notamment celui de Benigno Aquino (1983).

La veuve de ce dernier, Corazón (dite Cory) Aquino, se présente, face à Marcos, à l'élection présidentielle de février 1986. À l'issue de ce scrutin, très agité et entaché de fraudes, Marcos, privé du soutien des États-Unis, de l'Église et d'une partie de l'armée, doit s'exiler. Devenue chef de l'État, Cory Aquino rétablit les institutions démocratiques, fait adopter une nouvelle Constitution (1987) et entame une réforme agraire. Sa politique d'ouverture vers les communistes lui aliène une partie de l'armée, dont plusieurs tentatives de coups d'État sont déjouées.

À l'échéance de leur bail en 1992, les Américains évacuent leurs dernières bases militaires. En mai de la même année, Fidel Ramos est élu à la présidence de la République. Il poursuit la politique de réconciliation nationale en négociant avec les communistes et les sécessionnistes moros, avec lesquels il trouve un compromis en 1996, ainsi qu'avec les rebelles musulmans qui acceptent un cessez-le-feu en 1997. Peu après la crise financière, qui commence à l'automne 1997, Joseph Estrada est élu à la présidence de la République en mai 1998. Cette élection témoigne du succès de la démocratisation aux Philippines, qui, pour le pays, est devenue un gage de stabilité et de prospérité.

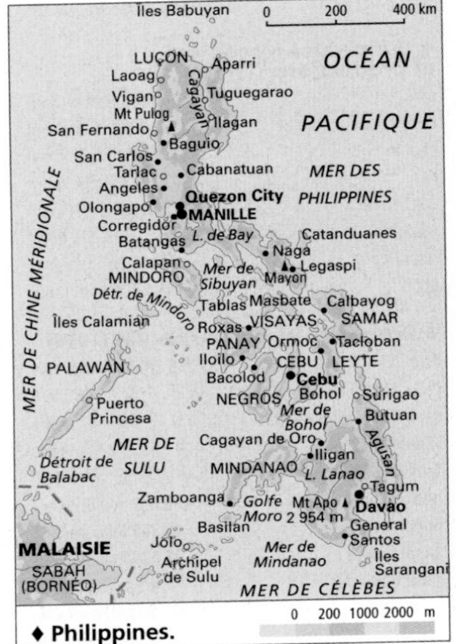

◆ **Philippines.**

◆ Démographie.

population	75 300 000 hab.
densité	251 hab./km²
accroissement naturel	22,3 ‰
taux de natalité	28,4 ‰
taux de mortalité infantile	37 ‰
espérance de vie	68 ans
part des moins de 15 ans	38,5% de la pop. totale
part des plus de 65 ans	3,3% de la pop. totale
population urbaine	55%
principales villes	Manille, Quezon City, Caloocan

◆ Principales ressources et productions (1997).

bananes	3 500 000 t (5e rang)
coprah	1 800 000 t (1er rang)
riz	11 269 000 t (9e rang)
caoutchouc	210 000 t (6e rang)
ananas	1 452 000 t (3e rang)
nickel	15 000 t (7e rang)

◆ Économie et niveau de vie (1996).

PNB	87,135 milliards de $
PNB /hab.	3 550 $
taux de croissance *(1995)*	4,7%
taux d'inflation	8,4%
taux de chômage	n.d.
dette extérieure	41 214,1 millions de $
importations	26 391 millions de $
exportations	17 447 millions de $
répartition des actifs	agriculture 49%, industrie,18,4%, services 32,6%
transports	routes 157 448 km, voies ferrées 1059 km
taux d'analphabétisme	5,4%

◆ Armée.

budget militaire *(1996)*	1,2% du PIB
forces armées *(1997)*	107 500 hommes

Asie orientale

Chine Zhongguo

Nom officiel : République populaire de Chine. **Capitale :** Pékin (*Beijing* ou *Pei-king*). **Monnaie** : yuan (=10 jiao). **Langue officielle** : chinois. **Principales religions** : bouddhisme, islam, taoïsme. **Institutions** : Démocratie populaire. Constitution de 1982. Président de la République élu pour 5 ans par l'Assemblée populaire nationale. Premier ministre nommé par l'Assemblée populaire nationale. Assemblée populaire nationale, organe suprême (environ 3 000 délégués, élus pour 5 ans par les représentants des provinces, des régions, des municipalités et de l'armée populaire). **Président de la République** : Jiang Zemin (depuis 1993). **Premier ministre** : Zhu Rongji (depuis 1998). **Drapeau** : il a été adopté en 1949. Les étoiles symbolisent l'union des nationalités chinoise, mandchoue, tibétaine, mongole, et du Sinkiang, autour du parti. **Hymne national** : « Debout ! Nous qui refusons d'être esclaves ! Avec notre chair, notre sang, construisons notre nouvelle Grande Muraille. La nation fait face au plus grand des dangers… ». Paroles de Tian Han, musique de Nie Er (1912-1935), adoptée en 1949. **Fête nationale** : 1er octobre (anniversaire de la proclamation de la République populaire en 1949).

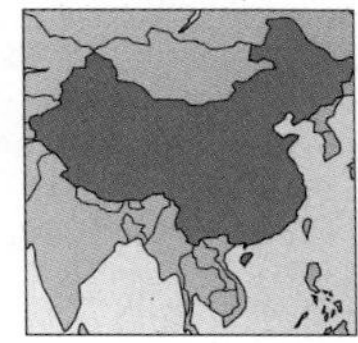

Superficie : 600 000 km². **Point culminant** : 8 846 m à l'Everest.

GÉOGRAPHIE

La Chine est l'État le plus peuplé de la planète (1,24 milliard d'habitants, soit 20 % de la population mondiale), même si la croissance démographique a été réduite à 1 % par an par une sévère politique antinataliste. La densité moyenne n'est pas significative des grandes disparités de peuplement. L'Ouest, juxtaposant zones arides (Xinjiang) et chaînes montagneuses et hauts plateaux (Tibet ou Mongolie) au climat rude, est presque vide. Il est peuplé surtout par des minorités ethniques (Tibétains, Mongols, etc.) qui ne constituent guère plus de 5 % de la population totale. Celle-ci est concentrée dans la Chine orientale et méridionale et essentiellement composée des Han, les Chinois *stricto sensu*. C'est dans cette région de plaines et de vallées (dont celles du Huang He et du Yangzi Jiang), sur 15 % seulement du territoire, qu'est regroupée la quasi-totalité de la population. La plupart des Chinois sont encore des ruraux, mais l'urbanisation a beaucoup progressé dans les dernières décennies. La Chine compte aujourd'hui plus de 40 villes de plus de 1 million d'habitants. Shanghai, Pékin, Hongkong et Tianjin sont parmi les plus grandes métropoles du monde.

Afin de parvenir à l'autosuffisance alimentaire, aujourd'hui presque atteinte, l'agriculture a connu une importante modernisation (aménagements hydrauliques, engrais, motorisation). Celle-ci s'est réalisée d'abord dans un cadre collectiviste, puis le plus souvent familial. La Chine se situe aux premiers rangs mondiaux pour la production de blé et de riz, de coton, de tabac, de maïs, d'oléagineux, de thé, de sucre. La pêche et l'élevage sont florissants. Depuis les années 1960 et surtout depuis la libéralisation de l'économie entreprise

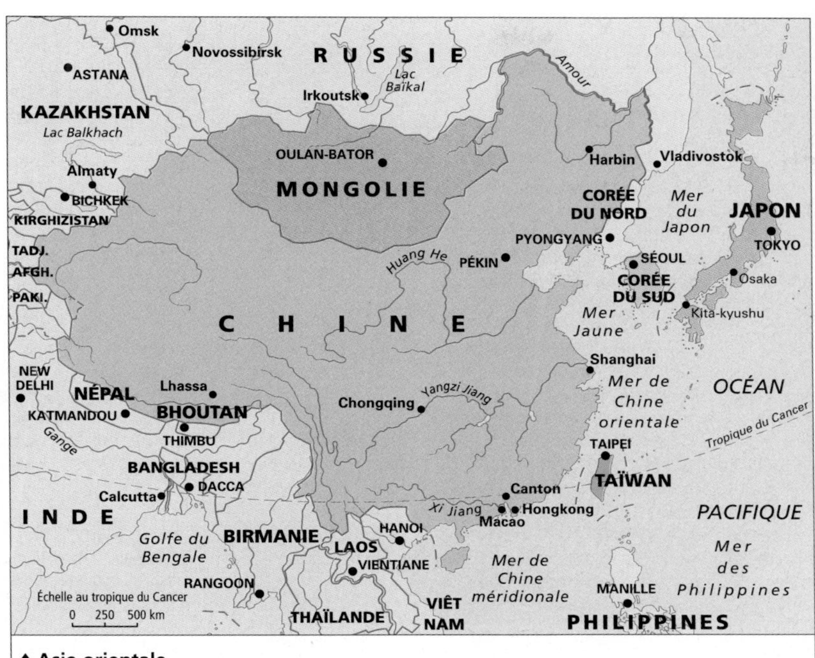

♦ **Asie orientale.**

depuis 1979, l'industrie a connu une progression pour les branches lourdes (extraction de charbon surtout et d'hydrocarbures, sidérurgie), plus récente dans les domaines de la chimie et de la métallurgie de transformation. L'industrie textile est toujours prédominante.

Le développement du commerce, l'appel à la technologie et aux capitaux étrangers, le desserrement de l'emprise de l'État dans les domaines financier et industriel témoignent d'une ouverture vers l'extérieur, Occident et Japon notamment. Cette libéralisation a permis une spectaculaire croissance économique, dont la rançon est l'accentuation des inégalités sociales et régionales, l'accélération de l'exode rural et l'inflation. Devenue l'une des premières au monde, l'économie de la Chine reste cependant assez vulnérable.

HISTOIRE

Des origines à la dynastie des Zhou. C'est avec l'homme de Pékin, du gisement de Zhoukoudian, que la Chine du Nord fait son entrée dans les débuts des civilisations humaines. Dès 500 000 ans avant l'ère chrétienne, des hordes d'hommes préhistoriques commencent à humaniser une des zones de la planète où l'action anthropique a été des plus continues et des plus persévérantes. Mais il faut attendre le néolithique pour voir se multiplier les traces de différentes cultures. Au début de la dynastie des Shang (XVIIIe s. av. J.-C.-v. 1025 av. J.-C.), la grande plaine de la Chine du Nord est le témoin d'une innovation essentielle : les techniques de fabrication du bronze sont maîtrisées. Avec le bronze se développe une société où la vie est centrée autour des cités-palais. Il existe une noblesse, vivant dans des villes murées, qui lance des expéditions contre les barbares et assiste le roi, Fils du Ciel, dans ses occupations religieuses. Les magiciens posent aux rois disparus des questions sur l'avenir proche et notent leurs oracles sur des fragments d'os de bovidés et de carapaces de tortues. Ces traditions se perpétuent sans rupture au début de la dynastie suivante, celle des Zhou (v. 1 025-256 av. J.-C.). Mais à partir du VIIIe s., la guerre se généralise. L'époque des Ve, IVe et IIIe s. est connue sous le nom de « Royaumes combattants ». Malgré la désunion, le sentiment d'une unité culturelle survit. C'est alors que vivent les grands maîtres de l'Antiquité, en particulier Laozi, à l'origine du taoïsme, Confucius, Zhuangzi, Han Fei, qui marquent de façon indélébile les mentalités du pays.

La fondation de l'Empire. Les Qin (221-206 av. J.-C.). Les armées du prince de Qin unifient, en 221 av. J.-C., l'ensemble des royaumes chinois. Ce prince s'arroge le titre de Premier Auguste Empereur de Qin, Qin Shi Huangdi (221-210 av. J.-C.). Il est à l'origine de la Grande Muraille, qui s'étend sur plus de 2 000 km, mais gouverne avec une grande brutalité. Après avoir publiquement proscrit, puis brûlé, en 213, les livres « classiques » mis à l'index, il fait mettre à mort, l'année suivante, plusieurs centaines de lettrés. La Chine s'agrandit : elle n'est plus limitée au cours du Huang He mais elle s'étend de la Mandchourie au nord de l'actuel Viêt Nam.

Les Han (206 av. J.-C.-220 apr. J.-C.). Le premier Empire s'écroule très vite après la mort de son fondateur en 210, mais la dynastie des Han garde bien des dispositions mises en place par Qin Shi Huangdi. Les premiers empereurs Han poursuivent la lutte contre les voisins barbares et prolongent la Grande Muraille à l'ouest sur 2 000 km. Ils renforcent la puissance centrale de l'État et fondent, pour le servir, le mandarinat. Les mandarins sont des fonctionnaires choisis parmi les lettrés, recrutés par concours, et donc nommés en considération de leurs mérites et non pas de leurs relations sociales. Ils inaugurent ainsi une pratique qui ne s'éteindra qu'en 1905. Toutefois, cette dynastie prend aussi ses distances avec le premier Empire. Le confucianisme et les lettrés sont de nouveau prisés. La route de la Soie, ouverte à cette époque, permet les échanges d'un bout à l'autre du continent eurasiatique. Le pays s'ouvre aux influences extérieures et le bouddhisme, venu de l'Inde, gagne la Chine. La chute des Han au IIIe s. est l'aboutissement d'une grave crise agraire. Les chefs

Asie orientale

Chine (suite)

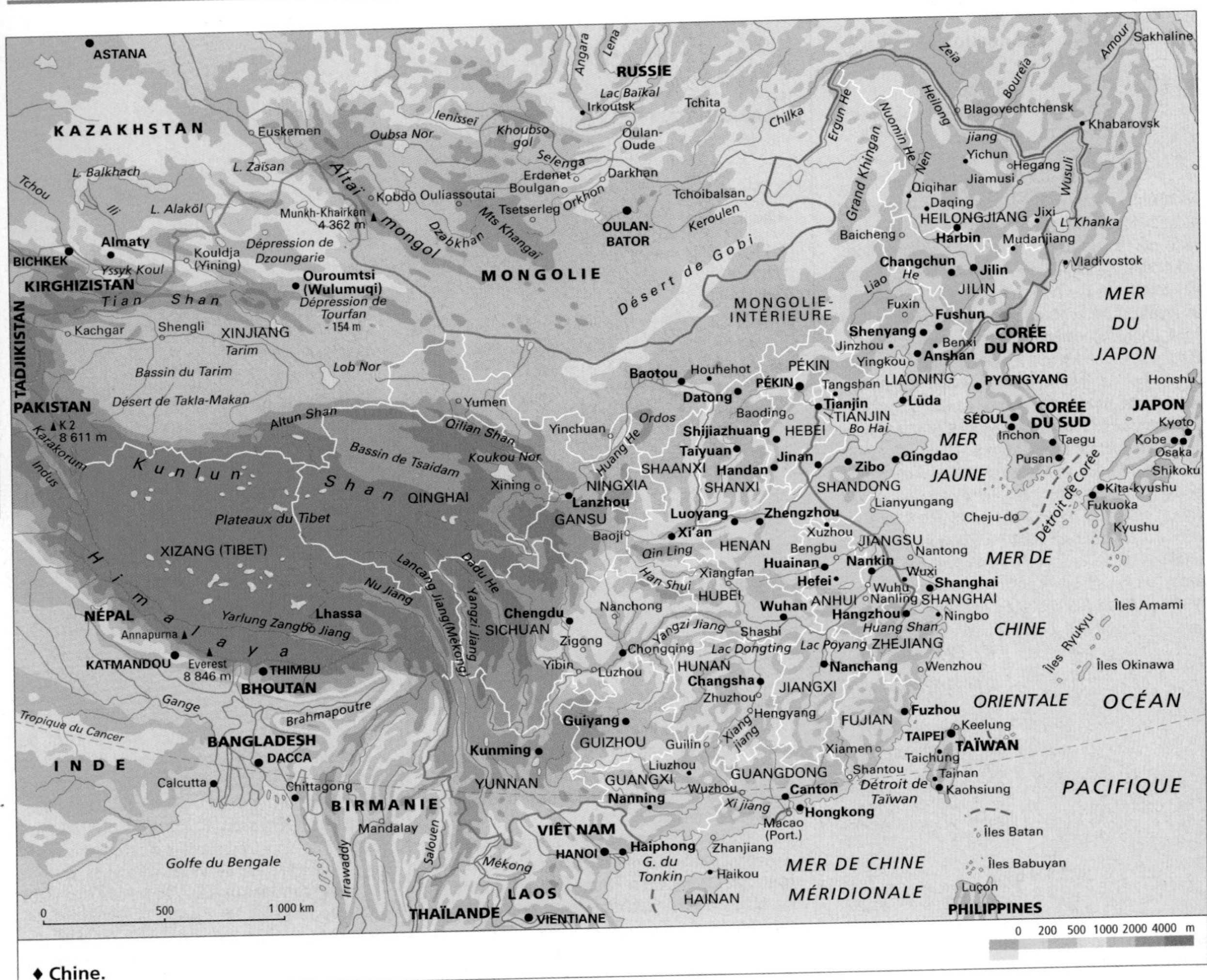

◆ **Chine.**

militaires, envoyés pour mater les soulèvements, mettent le pays à feu et à sang et leurs ambitions impériales viennent à bout de la dynastie.

Le morcellement : 220-581. Suit une période (jusqu'à la fondation des Sui, en 581) qualifiée parfois de « Moyen Âge », à cause de l'affaiblissement, voire de la disparition de l'État centralisé, du dépérissement des villes, de la grande ferveur religieuse. De 220 à 280, la Chine est divisée en Trois Royaumes (Wei, Shu-Han et Wu); aucun ne l'emporte. À partir du IVᵉ s., d'autres acteurs prétendent au pouvoir : les populations non chinoises, semi-nomades, des confins septentrionaux. Après des péripéties confuses (période des dynasties du Nord et du Sud [317-589]), les Tabghatch réunifient l'ensemble de la Chine du Nord et fondent les Wei du Nord (386-535). L'influence du bouddhisme est alors très forte. Pendant ce temps se succèdent à Nankin les Six Dynasties (Wu, Jin orientaux, Song, Qi, Liang et Chen, 316-581).

L'unité retrouvée : les Sui (581-618) et les Tang (618-907). La réunification vient du Nord. Elle est réalisée en 581 par un général qui fonde les Sui. Sous cette dynastie est creusé le Grand Canal qui relie le bas Yangzi au Huang He, permettant le

◆ **Divisions administratives.**

Province	Superficie (en km²)	Population	Capitale
Hebei	180 000	64 370 000	Shijiazhuang
Shanxi	156 000	30 770 000	Taiyuan
Liaoning	140 000	40 920 000	Shenyang
Jilin	180 000	25 920 000	Changchun
Heilongjiang	460 000	37 010 000	Harbin
Jiangsu	100 000	70 660 000	Nankin
Zhejiang	101 000	43 190 000	Hangzhou
Anhui	140 000	60 130 000	Hefei
Fujian	120 000	32 370 000	Fuzhou
Jiangxi	160 000	40 630 000	Nanchang
Shandong	150 000	87 050 000	Jinan
Henan	167 000	91 000 000	Zhengzhou
Hubei	180 000	57 720 000	Wuhan
Hunan	210 000	63 920 000	Changsha
Guangdong	176 000	68 680 000	Canton
Sichuan	569 000	113 250 000	Chengdu
Guizhou	170 000	35 080 000	Guiyang

Province	Superficie (en km²)	Population	Capitale
Yunnan	436 200	39 900 000	Kunming
Shaanxi	200 000	35 140 000	Xi'an
Gansu	530 000	24 380 000	Lanzhou
Qinghai	720 000	4 810 000	Xining
Hainan	34 000	7 240 000	Haikou
Région autonome			
Mongolie-Intérieure	1 565 000	21 500 000	Houhehot
Guangxi	230 000	45 430 000	Nanning
Tibet	1 221 000	2 400 000	Lhassa
Ningxia	170 000	4 700 000	Yinchuan
Xinjiang	1 646 800	16 000 000	Ouroumtsi
Hongkong*	1 067	6 400 000	Hongkong
* Région administrative spéciale			
Municipalité autonome			
Pékin *(Beijing)*	17 000	12 510 000	
Shanghai	6 200	14 150 000	
Tianjin	11 300	9 420 000	

transport des céréales du Sud producteur au Nord consommateur. C'est encore un général révolté qui fonde la dynastie des Tang (618-907). La Chine est alors dotée d'une armature administrative remarquable. L'ensemble de l'administration est géré par des magistrats chargés de prélever les impôts, de rendre la justice et d'assurer le maintien de l'ordre. Une fois la réunification de la Chine réalisée, les Tang renouent avec la politique d'expansion militaire en Asie. C'est ainsi que les armées chinoises sont présentes de l'Iran à la Corée, de la Mongolie au Tonkin. Toutefois, l'immensité des territoires conquis fragilise la gestion du pays. L'empereur laisse une indépendance croissante aux responsables militaires de la périphérie. L'un d'eux, An Lushan, se rebelle en 755. Ébranlé, l'Empire se ressaisit, mais la dynastie ne se remettra jamais de ce séisme et les forces centrifuges l'emportent en 907. De 907 à 960, période des Cinq Dynasties, les Liang, Tang, Jin, Han, Zhou postérieurs se succèdent à Kaifeng.

Les Song (960-1279) et les empires barbares. C'est de nouveau Kaifeng qui est choisie comme capitale par le général Zhao Kuangyin, fondateur des Song. Il réunifie l'ensemble du pays, mais doit se contenter d'un territoire étroit, à cause de la pression des Barbares du Nord qui ont fondé des empires en empiétant sur la Chine : Liao (947-1124), Xia occidentaux (1038-1227) et Jin (1115-1234). Après des tentatives d'assujettissement par la force, les Song ont préféré signer des traités de paix avec ceux-ci, aux termes desquels ils

Président	Mandat
Première République	
Sun Yat-sen	1911-1912
Yuan Shikai	1912-1916
République populaire	
Présidents de la République	
Mao Zedong	1954-1959
Liu Shaoqi	1959-1968
Li Xiannian	1983-1988
Yang Shangkun	1988-1993
Jiang Zemin	depuis 1993
Présidents du PCC	
Mao Zedong	1949-1976
Hua Guofeng	1976-1981
Hu Yaobang	1981-1987
Zhao Ziyang	1987-1989
Jiang Zemin	depuis 1989

livrent des quantités non négligeables d'argent, de thé, de rouleaux de soie. En effet, ils se désintéressent des questions militaires. Les concours de recrutement ont atteint leur pleine maturité. Issus d'écoles d'État, les candidats ont le choix entre plusieurs types d'examens, mais le plus prestigieux est celui qui comporte des épreuves de poésie. Les fonctionnaires jouent, à l'époque des Song, un rôle décisif d'orientation et de gestion du pouvoir, à l'image du grand réformateur du XIe s., Wang Anshi. Les villes connaissent une activité sans précédent. On utilise, d'un bout à l'autre du pays, de « l'argent volant », véritable précurseur du billet de banque, dont les premières émissions d'État datent de 1024. En outre, le développement de la xylographie permet aussi, dès les IXe-Xe s., de reproduire de nombreux textes officiels, religieux ou privés. Mais le désintérêt pour les questions militaires mène les Song à leur perte. Elle sera réalisée en deux temps : sous les coups des Jürchen (Jin), Kaifeng tombe en 1127 et les Song se replient sur Hangzhou. En 1276, cette capitale provisoire est prise à son tour par les Mongols, qui, en 1279, sous le nom de Yuan, remplacent les Song sur le trône du Fils du Ciel.

Les Yuan (1279-1368). Après avoir hésité à transformer la Chine agricole en d'immenses pâturages, les Mongols ont entrepris, influencés par des intellectuels chinois ralliés, de l'exploiter de façon plus traditionnelle. Même si quelques efforts ont été faits pour séduire des lettrés (comme l'autorisation du culte de Confucius), la population chinoise, ravalée au bas de l'échelle sociale, souffre des discriminations ethniques imposées par l'occupant. Ainsi, tous les postes de direction reviennent à des Mongols. Après une succession d'empereurs faibles, une flambée nationaliste provoque des insurrections. L'une d'elles, partie du Sud, permet la reconquête progressive de tout le pays. Elle est dirigée par Zhu Yuanzhang, qui fonde la dynastie des Ming (1368).

Les Ming (1368-1644). Cette dynastie renoue avec la tradition chinoise, mais elle est marquée, dès ses premières années, par une tendance à l'autocratie impériale et à l'intolérance envers les influences extérieures. La population est encadrée, regroupée dans des unités de 110 familles, dirigées par les plus riches au moyen d'un système de responsabilité collective. Au début du XVe s., la Chine semble s'ouvrir : de 1405 à 1433, l'eunuque Zheng He convoie sept fois successives plusieurs dizaines de vaisseaux qui atteignent Aden et Mogadiscio. Mais ces expéditions restent sans lendemain et la Chine se replie sur elle-même, interdisant à ses sujets tout contact non officiel avec les étrangers. Dans ce contexte, les premiers Européens, aventuriers portugais et missionnaires jésuites, ont beaucoup de difficultés à se faire accepter. À la fin du XVIe s., l'Empire semble très puissant : de nombreux progrès techniques rendent possibles des productions agricoles et artisanales plus nombreuses et plus variées. Cependant, la crise menace : financière, car on dépense plus que les recettes fiscales ne l'autorisent, et politique, car les fonctionnaires intègres s'opposent de façon irréductible aux eunuques corrompus.

Les Qing (1644-1911). C'est donc un pays qui n'obéit plus guère au gouvernement que les Mandchous envahissent en 1644, fondant la dernière dynastie impériale, les Qing. La conquête militaire, rendue difficile par la résistance loyaliste Ming, est brutale et vexatoire. Par exemple, les Mandchous imposent aux Chinois le port de la natte. Cependant, à la fin du XVIIe s., la Chine est pacifiée, l'État stabilisé. Trois grands empereurs se succèdent, Kangxi (1662-1722), Yongzheng (1723-1736) et Qianlong (1736-1796), à la tête d'un empire tout à fait confucéen : honneur des études classiques, respect envers les lettrés, reprise du système politique traditionnel. L'espace contrôlé par les Mandchous (11 millions de km²) est plus étendu que jamais et comprend de nombreuses populations non chinoises. Avant même de s'emparer de l'Empire chinois, les Mandchous contrôlaient la Mongolie. Au début du XVIIIe s., ils étendent leur puissance en Asie centrale jusqu'aux régions situées au sud du lac Balkhach, qui, en 1884, deviennent la province du Xinjiang (« le Nouveau Territoire »). Puis ils renforcent progressivement leur influence au Tibet, lequel devient, dès 1751, un véritable protectorat chinois. Ils gouvernent encore les régions de l'Amour (en chinois l'Heilong Jiang) et de l'Oussouri, qui passeront sous domination russe en 1858 et 1860.

La pénétration européenne et la désintégration de l'Empire. La situation commence à se détériorer au début du XIXe s. L'accroissement de la population, l'augmentation des impôts et la prévarication des fonctionnaires créent les conditions favorables à la grande explosion sociale qui caractérise la seconde moitié du XIXe s. Ces difficultés se combinent avec l'intrusion des grandes puissances occidentales, que l'Empire ne peut contenir. Après bien des hésitations, le gouvernement se résout à interdire la contrebande de l'opium pratiquée par les Occidentaux. Dans les conflits qui s'ensuivent, la Chine, battue militairement, est contrainte, à la fin de chaque affrontement, de signer des « traités inégaux » (1842, 1844, 1858, 1860), perdant sa souveraineté sur des ports déclarés « ouverts ». Les Mandchous doivent aussi faire face aux grands mouvements populaires, notamment à l'insurrection des Taiping (1851-1864) et aux rébellions musulmanes (1861-1878). Toutes les tentatives de solutions (reprise en main, réformes) se soldent par des échecs. Finalement, la Chine se voit répartie en zones d'influence : le nord aux Russes, le Shandong aux Allemands, la vallée du Yangzi aux Britanniques, le sud-ouest, limitrophe de l'Indochine, aux Français. De plus, la victoire militaire (1894-1895) du Japon, qui contrôle désormais Formose (Taïwan) et le Liaodong, exacerbe le nationalisme chinois et un mouvement xénophobe animé par la société secrète des Boxeurs se développe.

L'avènement de la République. L'opposition grandit et le soulèvement du Double Dix (10e jour du 10e mois) de 1911 met fin à la dynastie des Qing et instaure la République. Sun Yat-sen (1866-1925), fondateur du mouvement nationaliste Guomindang (Kouo-min-tang) , en est pendant quelques mois le président. Le pouvoir central ne

◆ **Démographie.**

population	1 242 500 000 hab.
densité	129 hab./km²
accroissement naturel	10,2 ‰
taux de natalité	16,2 ‰
taux de mortalité infantile	33 ‰
espérance de vie	70 ans
part des moins de 15 ans	26,3 % de la pop. totale
part des plus de 65 ans	6,1 % de la pop. totale
population urbaine	31 %
principales villes	Shanghaï, Pékin, Tianjin, Hongkong, Shenyang

◆ **Principales ressources et productions** (1997).

pêche	35 000 000 t
arachide	9 700 000 t (1er rang)
blé	122 600 000 t (1er rang)
houille	1 348 000 000 t (1er rang)
coton	4 300 000 t (1er rang)
riz	198 471 000 t (1er rang)
tabac	3 930 000 t (1er rang)
thé	633 000 t (2e rang)
patates douces	120 204 000 t
soie	80 001 000 t
canne à sucre	82 456 000 t
pommes de terre	45 533 000 t
maïs	105 350 000 t
porcins	452 198 000 têtes (1er rang)

◆ **Économie et niveau de vie** (1996).

PNB	807,209 milliards de $
PNB/hab.	3 330 $
taux de croissance *(1995)*	10,5 %
taux d'inflation	8,3 %
taux de chômage	n.d.
dette extérieure	128 817,1 millions de $
importations	131 542 millions de $
exportations	128 110 millions de $
transports	routes 995 600 km, voies ferrées 69 412 km
taux d'analphabétisme	18,5 %

◆ **Armée.**

budget militaire *(1996)*	1% du PIB
forces armées *(1997)*	2 935 000 hommes

VOIR AUSSI
- **Calendrier chinois** p. 408
- **Religions de la Chine** p. 534
- **Écriture chinoise** p. 952
- **Art de la Chine ancienne** p. 1054

Illustrations
- **Tombe de Qin Shi Huangdi** p. 403
- **Shanghai** p. 609

Asie orientale

parvient pas à limiter les forces centrifuges, le militarisme se développe dans les provinces, souvent livrées aux exactions incontrôlées des « seigneurs de la guerre ». La population réagit : le 4 mai 1919 ont lieu des manifestations estudiantines, relayées par un boycottage des marchandises japonaises. Les intellectuels remettent en cause toute la culture traditionnelle, étudient et traduisent avidement toutes sortes d'ouvrages étrangers; le marxisme pénètre aussi en Chine et le Parti communiste chinois (PCC) est fondé en 1921. À Pékin, les intrigues des grandes puissances amènent successivement au gouvernement des factions politico-militaires diverses; aucune n'a de pouvoir réel. Le renouveau vient du Sud où, unis, les communistes et les nationalistes du Guomindang tentent de reconquérir l'ensemble du pays. Mais, après la mort de Sun Yat-sen (1925), Jiang Jieshi (Tchang Kaï-chek, 1887-1975) devient le chef militaire du Guomindang et rompt avec les communistes (1927). Le PCC, mis hors la loi, se replie dans les campagnes. Les armées du Guomindang, qui veulent l'anéantir, le délogent et le contraignent à s'établir dans les bases du Nord, au terme de la Longue Marche (1934-1935) conduite par Mao Zedong (1893-1976). La mobilisation contre le Japon, qui s'efforce depuis 1937 de conquérir systématiquement le pays, rapproche provisoirement les deux partis ennemis en un front uni. Mais cette unité retrouvée ne résiste pas aux dissensions qui suivent la victoire de 1945. Après 3 ans de guerre civile, les communistes victorieux fondent la République populaire de Chine (1949), tandis que les nationalistes se replient à Taïwan (l'île de Formose).

La République populaire de Chine. Les premières années du régime sont consacrées à une reconstruction totale du pays. Dans le domaine agricole, le gouvernement commence par accéder au principal souhait de la paysannerie : le partage des terres. La réforme agraire est mise en œuvre, sans qu'il soit question pour l'instant de collectivisation. L'aide et l'influence de l'URSS sont beaucoup plus sensibles dans le reste de l'économie. Le plan quinquennal adopté, reproduisant les choix soviétiques du passé, favorise surtout les grands complexes de l'industrie lourde. Mais, déjà, le poids de l'encadrement idéologique se fait sentir : le Parti s'efforce d'amener la population à assister à des réunions de propagande, à des séances de dénonciations de « contre-révolutionnaires ». En 1958, le « Grand Bond en avant » accentue cette pression idéologique. Il est alors décidé d'abandonner les plans de 5 ans, de faire porter les efforts sur l'agriculture et d'exiger de la population plus de sacrifices personnels pour accélérer le passage au communisme. Les communes populaires sont créées : la collectivisation totale gagne les campagnes. Toutefois, cet excès de volontarisme, allié à des catastrophes naturelles, conduit à un désastre économique et l'on revient, jusqu'en 1966, à une politique moins ambitieuse. Jusqu'à la fin des années 1950, l'isolement international de la République populaire de Chine est compensé par l'amitié avec Moscou. En outre, Pékin s'efforce de jouer un rôle particulier à l'égard des pays du tiers-monde : ainsi les Chinois sont-ils présents à la conférence de Genève qui met fin à la guerre d'Indochine (1954). Ils influencent aussi fortement la conférence afro-asiatique de Bandung (1955). Dès 1959 apparaissent les premiers signes du conflit idéologique entre la Chine et l'URSS, la Chine se démarquant du modèle soviétique.

De la révolution culturelle à la mort de Mao. En 1966 s'ouvre une période très troublée qui ne prend réellement fin qu'au lendemain de la mort de Mao Zedong. Depuis l'échec du Grand Bond en avant, Mao a été mis quelque peu à l'écart au profit de Liu Shaoqi, président de la République depuis 1959, et des partisans d'une plus grande efficacité économique. Décidé à retrouver son influence au sein du Parti, Mao lance au printemps 1966 la Grande Révolution culturelle prolétarienne, destinée à combattre le « révisionnisme ». S'appuyant essentiellement sur l'armée et sur son chef, Lin Biao (1908-1971), ainsi que sur la jeunesse (les « gardes rouges »), le mouvement prend rapidement de l'ampleur et permet à Mao de triompher de l'appareil du Parti. Mais les excès et les désordres qui l'accompagnent, ainsi que les conflits qui vont opposer les diverses factions, désorganisent le pays et provoquent la mort de millions de personnes. Après la mort de Lin Biao dans un accident d'avion (1971), l'influence des militaires diminue progressivement. Deux courants prédominent alors : les centristes, autour de Zhou Enlai (Chou En-lai, 1898-1976) et du vice-Premier ministre, Deng Xiaoping, et les radicaux, autour de Jiang Qing, l'épouse de Mao, et du groupe de Shanghai. La mort en janv. 1976 de Zhou Enlai ouvre une nouvelle crise politique. Après les manifestations du 5 avril à Pékin en faveur de Deng Xiaoping, celui-ci est destitué et Hua Guofeng devient Premier ministre. Mao meurt le 9 septembre 1976. Au cours de cette période, la détérioration des relations avec Moscou aboutit aux affrontements frontaliers de 1969. Avec les puissances occidentales, les relations évoluent. Depuis 1969, elles s'améliorent avec les États-Unis (visite de R. Nixon à Pékin en 1972). La même évolution se produit dans les organismes internationaux : en 1971, Taïwan est exclue de l'ONU et Pékin occupe le siège de la Chine.

Les réformes de Deng Xiaoping. Quelques années de transition suivent la mort de Mao. Hua Guofeng accède à la présidence du Parti et engage une campagne contre les radicaux et les membre de la « Bande des Quatre », qui sont arrêtés. Deng Xiaoping, réhabilité en 1977, étend progressivement son emprise sur la vie politique. Hua Guofeng, peu à peu écarté, est remplacé par Zhao Ziyang à la tête du gouvernement en 1980 et par Hu Yaobang à la tête du Parti en 1981. Ces remaniements s'accompagnent d'une modernisation de l'économie, d'une décollectivisation (abandon des communes populaires), d'une ouverture sur le monde extérieur, de recherche de capitaux étrangers, d'un rajeunissement des cadres. Une nouvelle constitution est promulguée en 1982 et Li Xiannian est élu à la présidence de la République en 1983. Divers courants s'affrontent au sein du Parti, opposant les tenants de réformes politiques qui doivent nécessairement accompagner la libéralisation économique, et les conservateurs qui craignent une trop forte occidentalisation. Parallèlement, l'inflation, la montée de la corruption engendrent le mécontentement populaire. À la suite de manifestations d'étudiants réclamant la démocratie en décembre 1986, Hu Yaobang est limogé (janv. 1987) et remplacé à la tête du Parti par Zhao Ziyang. Li Peng succède à ce dernier au poste de Premier ministre en décembre 1987. En 1988, Yang Shangkun succède à Li Xiannian à la présidence de la République. La même année, les réformes sont suspendues et un plan d'austérité est adopté. En 1989, le pouvoir, confronté à de nouvelles manifestations d'étudiants réclamant la libéralisation du régime, recourt à l'armée pour rétablir l'ordre (juin). La répression est sanglante. Arrestations et exécutions s'ensuivent. Zhao Ziyang, accusé de s'être montré trop conciliant à l'égard de la contestation, est limogé et remplacé à la tête du Parti par Jiang Zemin. Mais les réformes s'amplifient dans le secteur économique. À partir de 1993, Jiang Zemin, élu à la présidence de la République, demeure néanmoins secrétaire du Parti. Dans ses relations extérieures, la Chine a poursuivi, depuis la mort de Mao, son intégration dans le système mondial. Les relations avec l'URSS ont été marquées par la détente (visite de M. Gortbatchev à Pékin en mai 1989) jusqu'à la dislocation de l'Union soviétique (déc. 1991). Du côté occidental, les relations diplomatiques ont été officiellement établies avec les États-Unis en 1979. En 1997, Hongkong a été restitué à la Chine conformément à l'accord passé en 1984. L'isolement diplomatique qui a suivi la répression du « Printemps de Pékin » en 1989 a été de courte durée. La Chine, enfin, est devenue membre du FMI et a su compenser l'effet produit par ses manœuvres militaires devant Taïwan en 1996 et par ses essais nucléaires en s'abstenant de dévaluer sa monnaie pendant la crise financière qui a touché l'Asie à partir de 1997. Cette même année, la mort de Deng Xiaoping relance les rivalités entre les différents courants du Parti communiste. Zhu Rongji devient Premier ministre. Jiang Zemin parvient à évincer Qia Shi de la présidence du Parlement au profit de Li Peng, ancien Premier ministre, partisan des réformes économiques. Malgré ses succès économiques, le gouvernement chinois demeure souvent critiqué pour les violations répétées des droits de l'homme qui touchent aussi bien l'opposition démocratique que les minorités. La question du Tibet, annexé en 1950, est toujours irrésolue.

Taïwan Taiwan

Nom officiel : République de Chine. **Capitale :** Taipei. **Monnaie :** dollar de Taïwan (= 100 cents). **Langue officielle :** chinois. **Principale religion :** bouddhisme. **Institutions :** République. Constitution de 1947 amendée en 1992, 1994 et 1997. Président de la République élu (à partir de 1996) pour 4 ans au suffrage universel direct. Parlement bicaméral : Assemblée nationale et Yuan législatif élus pour 4 ans. **Président de la République :** Lee Teng-hui (depuis 1988). **Premier ministre :** Vincent Siew (depuis 1997). **Drapeau :** il a été adopté en 1928. Son emblème représente les 12 périodes de deux heures qui forment la journée et qui symbolisent l'esprit de progrès. Ses couleurs représentent les trois principes du peuple : le bleu, la démocratie, le blanc, la vitalité du peuple et le rouge, le nationalisme. **Hymne national :** « Notre but sera de fonder un pays libre. Que la paix universelle soit notre objectif… » Paroles inspirées d'un discours de Sun Yat-sen de 1924, devenu chant du Kowo-ming-tang (Guomindang) en 1928 et hymne national en 1949, musique de Cheng Mao-yun (né en 1900). **Fête nationale :** 10 octobre (anniversaire du soulèvement du Double Dix, en 1911, qui provoqua la chute des Qing et instaura la République).

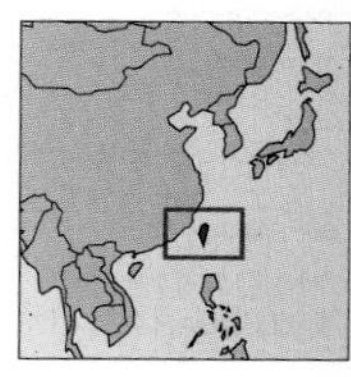

Superficie : 36 000 km². **Point culminant :** 3 950 m au Yu Shan.

GÉOGRAPHIE

Ancienne possession de la Chine continentale, Taïwan est une île tropicale arrosée par la mousson en été, située sur la trajectoire des typhons. Le pays est en partie montagneux (la chaîne des Zhongyang culmine à près de 4000 m). De grandes plaines alluviales, à l'ouest, sont intensément mises en valeur : canne à sucre, légumes et fruits, riz. Vastes forêts. Le secteur industriel, très exportateur, a pris un grand essor (textiles, matériel électrique et électronique, plastiques, jouets). La population a longtemps été divisée en natifs de l'île et Chinois venus du continent en 1949. Les deux communautés se sont aujourd'hui rapprochées.

HISTOIRE

Colonisation chinoise et occupation japonaise. Fréquentée depuis des siècles par des pirates ou des marchands chinois, l'île de Taïwan (alors appelée Formose) est massivement peuplée par des immigrants chinois au XVIIe s. À la même époque, les Occidentaux s'établissent dans l'île : les Espagnols, dans le nord (1626-1642), et les Hollandais, dans le sud (1624). Le pirate chinois Koxinga chasse ces derniers en 1661 et fait de l'île une principauté autonome, sur laquelle les Qing établiront leur contrôle en 1683. Elle est cédée au Japon par le traité de Shimonoseki (1895). Durant la Seconde Guerre mondiale, les Japonais en font une base d'invasion.

La Chine nationaliste. L'île est restituée à la Chine en 1945. Après la victoire des communistes en Chine (1949), elle sert de refuge au gouvernement du Guomindang. Cependant, Jiang Jieshi (Tchang Kaï-chek, 1887-1975) continue de faire de la reconquête de la Chine continentale l'objectif théorique de sa politique. Avec l'appui des États-Unis, il entretient une armée de 600000 hommes qui absorbe plus de 80 % du budget du pays. Jusqu'en 1971, le gouvernement de Taïwan (officiellement la « République de Chine ») occupe le siège de la Chine au Conseil de sécurité de l'ONU et dans les autres organismes internationaux. Privée d'arrière-pays, Taïwan développe son économie en direction du marché mondial. À la mort de Jiang Jieshi, en 1975, son fils Jiang Jingguo lui succède à la tête du Guomindang, puis à celle de la République (1978). Il fait passer Taïwan d'un régime autoritaire au pluralisme en légalisant, en 1986, les partis d'opposition et en levant, l'année suivante, la loi martiale en vigueur depuis 1949. Des élections (1983, 1986) visent à remplacer dans les assemblées consultative (Assemblée nationale) et législative (Yuan législatif) la vieille garde, arrivée dans l'île en 1949 et qui bénéficiait jusqu'ici, en effet, de mandats à vie, par des Taïwanais de naissance (politique de « taïwanisation »). En octobre 1987, l'interdiction faite aux Taïwanais de se rendre sur le continent est levée. Malgré un relatif isolement diplomatique depuis que les États-Unis ont cessé, en 1978, de reconnaître Taïwan comme représentant la Chine, la croissance économique est rapide.

L'amélioration des relations avec la Chine populaire. À la mort de Jiang Jingguo en 1988, Lee Teng-hui lui succède à la présidence du Guomindang et de l'État. En 1990, il est réélu pour 6 ans. Il poursuit l'œuvre de libéralisation et de « taïwanisation » de son prédécesseur. En avril 1991, il met officiellement fin à l'état de « guerre civile » de quarante ans entre Taïwan et la Chine populaire. La réunification de Taïwan avec la Chine continentale reste l'objectif proclamé bien qu'un nombre croissant de Taïwanais soient favorables à l'indépendance. Des contacts pris à partir de 1993 entre les deux gouvernements ont abouti à des accords techniques et au rétablissement des liaisons maritimes directes. La Chine populaire, cependant, continue à s'opposer à une trop forte reconnaissance internationale de Taïwan, surtout à l'échelon régional, et n'hésite pas à organiser des manœuvres militaires au moment de l'élection présidentielle de 1996, remportée par Lee Teng-hui.

♦ Taïwan.

♦ Démographie.

population	21 700 000 hab.
densité	603 hab./km²
accroissement naturel	11 ‰
taux de natalité	16 ‰
taux de mortalité infantile	n.d.
espérance de vie	74 ans
part des moins de 15 ans	25 % de la pop. totale
part des plus de 65 ans	7 % de la pop. totale
population urbaine	73 %
principales villes	Taipei, Kaohsiung, Taichung

♦ Principales ressources et productions (1997).

acier	15 994 000 t
construction navale	757 000 tjb (6e rang)
ciment	21 522 000 t
papier	136 000 t

♦ Économie et niveau de vie (1996).

PNB	n.d.
PNB/hab.	n.d.
taux de croissance	n.d.
taux d'inflation *(1992)*	4,5 %
taux de chômage	n.d.
importations	n.d.
exportations	n.d.
transports	routes 20 159 km, voies ferrées 3 879 km
taux d'analphabétisme	n.d.

♦ Armée.

budget militaire *(1996)*	4,6 % du PIB
forces armées *(1997)*	376 000 hommes

Mongolie Mongol

Nom officiel : État de Mongolie. **Capitale :** Oulan-Bator *(Ulaanbaatar).* **Monnaie :** tugrik (= 100 möngö). **Langue officielle :** khalkha. **Principale religion :** bouddhisme. **Institutions :** République. Constitution de 1992. Président de la République élu au suffrage universel. Parlement monocaméral (qui garde l'appellation traditionnelle de Grand Khural) dont les membres sont élus au suffrage universel. **Chef de l'État :** Nachaagyn Bagabandi (depuis 1997). **Premier ministre :** Tsakhiagiyn Elbegdorj (depuis 1998). **Drapeau :** le rouge du socialisme et l'étoile du communisme ont été joints en 1949 au bleu, couleur de la Mongolie (et symbole du ciel), et à l'emblème traditionnel *(soyombo).* En 1992, l'étoile du communisme a été supprimée. **Hymne national :** non connu. **Fête nationale :** 11 juillet (anniversaire de la révolution de 1911).

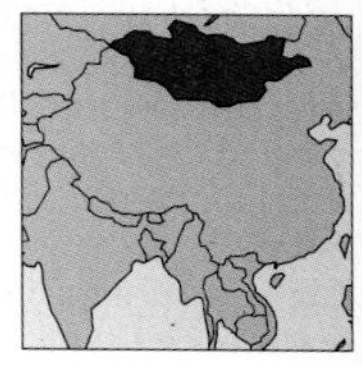

Superficie : 1 565 000 km².
Point culminant : 4356 m dans l'Altaï.

GÉOGRAPHIE

La Mongolie correspond à ce que les Chinois appellent « Mongolie extérieure », c'est-à-dire la partie septentrionale de la région. C'est un pays vaste et désertique. Le climat est très rude, avec des hivers très froids. L'élevage des moutons est sa principale ressource. La population, clairsemée, s'est sédentarisée et urbanisée. Son niveau de vie est très faible.

HISTOIRE

Les Proto-Mongols. On ne peut pas parler de Mongols, au sens propre du terme, avant la période de gengiskhanide. On appelle « Proto-Mongols » les peuples nomades parlant les langues de la famille altaïque, apparus avant le XIIIe s. Plusieurs d'entre eux ont fondé des royaumes puissants : les Xianbei (IIe-IIIe s., dans le sud de la Mandchourie et le nord-est de la Chine), les Ruanruan (V^e-VIe s.), les Kitans (X^e-XIIe s.). Au début du XIIe s., cinq grandes confédérations tribales se partagent les steppes de Mongolie : Mongols proprement dits, Merkits, Keraïts, Tatars et Naïmans.

L'Empire mongol. Le Grand Quriltay (assemblée générale des tribus mongoles) de 1206 proclame Gengis Khan (v. 1167-1227) empereur (« souverain universel », ou *kagan*) de toutes les tribus nomades de Mongolie et jette les bases de l'Empire : formation d'une chancellerie impériale, d'une Cour suprême, d'un système de postes (*yam*), et organisation de la grande armée impériale. La conquête, sauvage, destructrice et exterminatrice, d'abord menée au profit des seuls nomades qui ruinent la vie sédentaire, s'organise peu à peu et prend la forme d'une domination permanente des peuples soumis. Les principales étapes sont : la conquête de la Chine du Nord (1211-1216), du Kharezm et de la Transoxiane (1219-1221), du Khorasan et de l'Afghanistan (1221-1222) par Gengis Khan; le raid de Subutay à travers la Transcaucasie et la victoire de la Kalka sur les Russes et les Coumans (1222-1223); les campagnes de Batu Khan en Russie, en Ukraine et en Hongrie (1236-1242); la victoire de 1243 sur les Seldjoukides d'Anatolie; la soumission de l'Iran, de l'Iraq et de la Syrie par Hulagu (1256-1260), dont les Mamelouks d'Égypte arrêtent la progression en 1260; la conquête de la Chine du Sud (1236-1279), achevée par Kubilay Khan (1214-1294). L'Empire a à sa tête le Clan d'Or, c'est-à-dire le clan gengiskhanide, dont les membres reçoivent en apanage les provinces de l'Empire. Il est dirigé par un grand khan. À Gengis Khan succèdent Ogoday (1229-1241), Güyük (1246-1248), Möngke (1251-1259), Kubilay (1260-1294). Avec celui-ci, l'Empire se transforme en une fédération d'États : Horde d'Or (1236, 1240-1502), État à prédominance turque auquel sont soumises les principautés russes, la Crimée, une partie du Caucase et de la Sibérie; Ilkhans de Perse (1256-1335); Djaghataïdes du Turkestan (1227-1365); Yuan de Chine (1279-1368). Cet empire, dont les dirigeants (mongols) assimilent la civilisation de leurs sujets,

Asie orientale

Corée du Nord • Corée du Sud

est remarquable par son cosmopolitisme et sa tolérance religieuse. Il connaît la prospérité économique grâce au commerce, favorisé par la sécurité des frontières et la libre circulation des marchandises et des hommes à travers son immense territoire. Encore unitaire au début du XIVe s., il va peu à peu se disloquer : extinction des Ilkhans de Perse, avènement de la dynastie nationale des Ming en Chine, réaction nationale des Russes (1480) et de leurs alliés, les Tatars de Crimée (1502).

Les siècles obscurs. En Mongolie, les tribus retombent dans l'anarchie et n'en émergent que sous les règnes de quelques grands khans (Dayan Khan [1481-1543], Altan Khan [1543-1583]). L'aristocratie mongole adopte à la fin du XVIe s. le lamaïsme tibétain, et un puissant clergé lamaïque se constitue en Mongolie. Les Mongols orientaux (Khalkhas) se soumettent entre 1627 et 1691 aux Mandchous, fondateurs de la dynastie chinoise des Qing, qui écrasera l'empire de Dzoungarie (1754-1756). Le sud-est de la Mongolie (Mongolie-Intérieure) reste chinois après l'avènement de la république en Chine (1911). La Mongolie-Extérieure, future République populaire de Mongolie, devient autonome la même année.

La Mongolie-Extérieure. Elle est dirigée par son chef religieux, le Bogdo Gegen (le bouddha vivant d'Ourga, ou khoutouktou). Les Chinois, qui ont reconnu son autonomie en 1915 (accord de Kiakhta entre la Russie, la Chine et la Mongolie), profitent des désordres engendrés par la révolution russe pour y mettre fin (1919) et occupent le pays. Deux cercles révolutionnaires s'organisent alors, l'un dirigé par le chef nationaliste mongol Sükhe-Bator et l'autre par Korlin Khorlogyn Tchoibalsan, tous deux acquis aux idées bolcheviques. D'autre part, la Mongolie-Extérieure sert de base, à partir de 1920, aux armées antibolcheviques du général russe blanc Roman von Ungern-Sternberg, soutenu par le Japon. En mars 1921, le parti du Peuple mongol est fondé. Fort de l'appui de la Russie soviétique, il organise une armée révolutionnaire pour soustraire la Mongolie à l'occupation chinoise et au régime de terreur instauré par Ungern-Sternberg. En juillet 1921, la Mongolie-Extérieure est conquise avec l'aide de l'Armée rouge. Un gouvernement provisoire, présidé par le Bogdo Gegen, est constitué. Un traité de coopération est signé avec l'URSS.

La République populaire de Mongolie. À la mort du Bogdo Gegen (1924), la République populaire de Mongolie est proclamée, Tchoibalsan en est le commandant en chef. Une organisation de type soviétique avec à sa tête le Grand Khural (l'équivalent du Soviet suprême) est mise en place. Dès 1921, les droits des princes sur les terres et les serfs avaient été abolis.

La tentative de socialisation généralisée des biens, lancée en 1930, doit être abandonnée et un « cours nouveau » plus progressif est adopté en 1932. À partir de 1935, la Mongolie-Intérieure est occupée par les Japonais. La République populaire doit faire face à l'agression japonaise, qu'elle réussit à arrêter avec l'aide de l'URSS (août 1939). Elle doit en outre combattre le haut clergé et l'aristocratie laïque, accusés de sympathie envers les Japonais. Les derniers monastères bouddhiques sont fermés en 1937-1938. K. Tchoibalsan devient Premier ministre (1939) et domine la vie politique.

Conformément aux décisions prises à Yalta, un plébiscite est organisé et la République populaire de Mongolie devient indépendante (1945). À la mort de Tchoibalsan (1952), Youmjaguine Tsedenbal le remplace à la tête du Parti et comme Premier ministre (1952-1954 et depuis 1958), tandis que Z. Sambu est élu à la présidence du Grand Khural (1954). Le développement économique du pays repose, depuis 1948, sur des plans quinquennaux et sur la collectivisation des exploitations agricoles. La République populaire de Mongolie est admise à l'ONU en 1961. Elle se range aux côtés de l'URSS dans le conflit sino-soviétique. Elle adhère au Comecon (1962) et signe un traité de paix et d'amitié avec l'URSS (1965) pour une durée de 20 ans. En 1974, Y. Tsedenbal est élu président du Grand Khural, succédant à Z. Sambou et cumulant ainsi les fonctions à la tête de l'État et du Parti. En 1984, Jambyn Batmönkh succède à Y. Tsedenbal à la tête de l'État et du Parti sans changement dans la conduite des affaires intérieures et dans les relations avec l'Union soviétique.

La démocratisation. En 1989-1990, d'importantes manifestations en faveur de la démocratisation conduisent J. Batmönkh à démissionner. Il est remplacé à la tête de l'État, en mars 1990, par Punsalmaagiyn Otshirbat. Les premières élections multipartites ont lieu en juillet 1990. Elles sont remportées par le parti au pouvoir depuis 1924, qui abandonne, l'année suivante, les principes du marxisme-léninisme. La Constitution promulguée en 1992 démocratise les institutions de la Mongolie, qui cesse d'être une république populaire. L'élection présidentielle de juin 1993 confirme P. Otshirbat dans ses fonctions, mais celles de 1997 donnent la victoire à son adversaire, Nachaagyn Bagabandi.

VOIR AUSSI
Illustrations
- **Archer monté de l'armée mongole** p. 439

◆ **Démographie.**

population	2 400 000 hab.
densité	1,5 hab./km²
accroissement naturel	19,8 ‰
taux de natalité	27,8 ‰
taux de mortalité infantile	53 ‰
espérance de vie	66 ans
part des moins de 15 ans	38,9 % de la pop. totale
part des plus de 65 ans	3,7 % de la pop. totale
population urbaine	61 %
principales villes	Oulan-Bator, Darkhan

◆ **Principales ressources et productions** (1997).

chameaux	390 000 têtes (10e rang)
chevaux	2 150 000 têtes (9e rang)
laine *(1995)*	19 600 t

◆ **Économie et niveau de vie** (1996).

PNB	0,953 milliard de $
PNB/hab.	1 820 $
taux de croissance	n.d.
taux d'inflation *(1992)*	45,8 %
taux de chômage	n.d.
dette extérieure	524,4 millions de $
importations	426 millions de $
exportations	451 millions de $
transports	routes 29 018 km, voies ferrées 2 083 km
taux d'analphabétisme	5 %

◆ **Armée.**

budget militaire *(1996)*	2 % du PIB
forces armées *(1997)*	21 000 hommes

Corée du Nord Choson

Nom officiel : République populaire démocratique de Corée. **Capitale :** Pyongyang. **Monnaie :** won (= 100 chon). **Langue officielle :** coréen. **Principales religions :** bouddhisme, confucianisme. **Institutions :** République démocratique populaire. Constitution de 1972. Assemblée suprême du peuple élue au suffrage universel pour 4 ans. Président de la République élu par cette Assemblée. **Président de la République** (*de facto*) : Kim Jong-il (depuis 1994). **Drapeau :** il a été adopté en 1948. L'étoile et la couleur rouge symbolisent le communisme, le blanc la pureté, la force et la dignité, le bleu l'espoir et l'amour de la paix. **Hymne national :** « Soleil du matin, brille sur ces fleuves et ces montagnes, sur notre belle patrie longue de trois mille milles, recelant d'importantes richesses minérales, sur son peuple joyeux, plein de sagesse, ayant grandi dans une brillante culture… » Paroles de Pak Se-jen (né en 1902), musique de Kim Wongün (né en 1912). Adopté en 1948. **Fête nationale :** 9 septembre (anniversaire de la fondation de la République populaire).

Superficie : 120 500 km². **Point culminant :** 2 541 m au Kwanmo.

GÉOGRAPHIE

La Corée du Nord est un pays montagneux, au climat rude. Le riz, le maïs, l'orge et le blé constituent, avec l'élevage et la pêche, les bases de l'alimentation. La présence de fer, de nickel, de zinc, les sources d'énergie (anthracite, lignite, grands barrages) ont favorisé le développement de l'industrie (sidérurgie, chimie). Celle-ci, cependant, collectivisée, est restée archaïque et inefficace, et la guerre civile a ruiné l'économie. Le taux de natalité de la population, au faible niveau de vie, est très élevé.

HISTOIRE

Jusqu'à la fin de la Seconde Guerre mondiale, les deux Corées ont une histoire commune.

Les premiers États. Le peuplement de la péninsule de Corée est attesté depuis l'époque paléolithique et semble résulter de mouvements de population venant de l'Asie du Nord-Est. Un siècle avant notre ère, les Chinois y établissent quatre commanderies, puis trois royaumes indépendants y sont créés : Silla (57 av. J.-C.-935) au sud-est, Paikche (18 av. J.-C.-660) au sud-ouest et Koguryo (37 av. J.-C.-668) au nord. Ce dernier prend sous son contrôle ce qui restait des commanderies chinoises en 384. Silla, allié aux Tang de Chine, évince les royaumes de Paikche (660) et de Koguryo (668) et parvient en 735 à unifier toute la péninsule. L'influence chinoise se renforce alors : le confucianisme imprègne toute la société tandis que le bouddhisme, introduit à Koguryo au IVe s., connaît une faveur de plus en plus grande.

La dynastie de Koryo. En 935, Wanggon, qui a fondé en 918 l'État de Koryo, succède au dernier roi de Silla. Sous la dynastie de Koryo (935-1392), la Corée contient les envahisseurs kitans, puis doit leur céder des territoires du Nord-Est (1019) et se soumettre aux Jürchen (1126). Enfin, envahie en

1231 par les Mongols, elle demeure sous la domination des Yuan jusqu'au milieu du XIVe s.

La dynastie Li. Li Sung-keï (1355-1408), placé à la tête d'une forte armée pour s'opposer aux Ming de Chine, s'empare du pouvoir en Corée et fonde la dynastie des Li (ou Yi, 1392-1910). Elle adopte le système d'administration confucéen et interdit rapidement le bouddhisme. Elle repousse les Japonais, qui envahissent la Corée en 1592 et en 1597 et dont la flotte est détruite par l'amiral Li Sun-sin. Mais elle doit reconnaître en 1637 la suzeraineté des Mandchous, qui deviennent aussi les maîtres de la Chine, à laquelle ils donnent la dynastie des Qing (1644-1911). Aux XVIIe et XVIIIe s., des lettrés du mouvement Silhak introduisent en Corée la science occidentale et le catholicisme, dont la pratique est interdite en 1801. Malgré le refus des autorités d'ouvrir le pays aux étrangers, la Corée doit signer des traités avec le Japon (1876) et avec les principaux États européens (1882-1886).

La domination japonaise. Le Japon, après avoir contraint, par sa victoire de 1895, la Chine à renoncer à sa suzeraineté sur la Corée, sort vainqueur de la guerre russo-japonaise (1905). Il peut alors s'emparer de la Corée, qu'il annexe à son empire en 1910. Sous occupation nipponne (1910-1945), le pays, soumis à une oppression très dure, est doté d'une infrastructure économique moderne permettant l'exploitation des rizières et des ressources minérales. Après le soulèvement en faveur de l'indépendance de mars 1919, les dirigeants nationalistes se réfugient à Shanghai et à Washington, où ils forment un gouvernement provisoire en exil, présidé par Syngman Rhee.

La libération. À la fin de la Seconde Guerre mondiale, les troupes soviétiques pénètrent en Corée (août 1945) et progressent jusqu'au 38e parallèle. Après la capitulation japonaise du 2 sept., les forces américaines débarquent dans le sud du pays. La Corée se trouve ainsi divisée en deux zones d'occupation. Des élections sont organisées sous l'égide de l'ONU au sud, d'où sort en août 1948 le gouvernement de la République de Corée, établi à Séoul. La République démocratique populaire de Corée est proclamée à Pyongyang en sept. 1948.

La République démocratique de Corée. Après la libération de la Corée du Nord (1945), une organisation de type soviétique y est instaurée et le pays s'engage dans le socialisme : réforme agraire, nationalisation de l'industrie, des transports et des banques. Kim Il-sung (1912-1994) est élu président du Comité populaire provisoire et secrétaire général du Parti du travail en 1946. En sept. 1948 est proclamée la République démocratique populaire de Corée, et les troupes soviétiques évacuent le pays en déc. 1948. L'été 1950, la Corée du Nord, soutenue par l'URSS et la Chine populaire, fait franchir à ses troupes le 38e parallèle, ce qui déclenche la guerre de Corée (1950-1953), qui fait 1 million de morts. Ce conflit laisse une grande partie du pays en ruine. L'armistice, signé à Panmunjon le 27 juillet 1953, établit la division du pays en 2 États séparés. Après de nombreux incidents de frontière, les deux Corées signent le 4 juillet 1972 un accord par lequel elles s'engagent à renoncer à toute provocation. Kim Ilsung reste en place et le Parti du travail joue un rôle hégémonique, entériné par la Constitution de 1972. Celle-ci institue une présidence de la République, confiée à Kim Il-sung. Dans les années 1980, son fils Kim Jong-il assume plusieurs postes clés dans la direction du Parti. Il est officiellement promu dauphin.

En 1991, la Corée du Nord entre à l'ONU (sept.) et signe avec la Corée du Sud un accord de réconciliation et de dénucléarisation de la péninsule (déc.). Cependant, elle annonce en mars 1993 son retrait du traité de non-prolifération nucléaire, ce qui ouvre une grave crise. Refusant de se plier aux demandes d'inspection du site de Yongbyon présentées par l'Agence internationale de l'Énergie atomique, elle négocie directement avec les États-Unis. Par l'accord signé en oct. 1994, elle abandonne son programme nucléaire et s'ouvre aux inspections en échange d'une aide économique américaine. Kim Il-sung meurt en juillet 1994 et son successeur, Kim Jong-il, poursuit la même politique. En 1996, la famine oblige le gouvernement à lancer un appel à l'aide internationale alors que le régime demeure l'un des plus fermés du monde.

◆ **Démographie.**

population	22 200 000 hab.
densité	184 hab./km²
accroissement naturel	16,5 ‰
taux de natalité	21,3 ‰
taux de mortalité infantile	56 ‰
espérance de vie	72 ans
part des moins de 15 ans	27 % de la pop. totale
part des plus de 65 ans	7 % de la pop. totale
population urbaine	62 %
principales villes	Pyongyang, Hamhung, Chongjin

◆ **Principales ressources et productions** (1997).

soie	4 700 000 t
riz	2 347 000 t
houille	30 000 000 t

◆ **Économie et niveau de vie** (1996).

importations	1 470 millions de $
exportations	590 millions de $
transports	routes 22 000 km, voies ferrées 8 533 km
taux d'analphabétisme	5 %

NB - PNB, PNB/hab., taux de croissance, taux d'inflation, taux de chômage, dette antérieure : données non disponibles.

◆ **Armée.**

budget militaire *(1996)*	10,6 % du PIB
forces armées *(1997)*	1 054 000 hommes

VOIR AUSSI
• **Corée** p. 656 (carte)

Corée du Sud Han Kuk

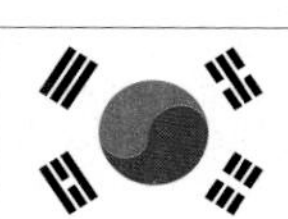

Nom officiel : République de Corée. **Capitale :** Séoul (Seoul). **Monnaie :** won (= 100 chon). **Langue officielle :** coréen. **Principale religion :** bouddhisme. **Institutions :** République. Constitution de 1987 (entrée en vigueur en 1988). Président élu au suffrage universel. Assemblée nationale. **Président de la République :** Kim Dae jung (depuis 1998). **Premier ministre :** Kim Jong pil (depuis 1998). **Drapeau :** les symboles et le drapeau lui-même sont appelés Taegŭk. Il a été adopté officiellement en 1883. Le blanc du fond est la couleur traditionnelle de la Corée. Dans un cercle s'inscrivent en bleu et en rouge les symboles du *yin* et du *yang*, appelés en coréen *ûm* et *yang*. Les motifs noirs sont des trigrammes de la divination chinoise qui symbolisent les quatre éléments. **Hymne national :** « Tant que la mer Orientale n'est pas asséchée, tant que le mont Paek Tu ne s'est pas effondré, Dieu gardera notre pays aux fleuves et aux montagnes superbes... » Paroles d'auteur anonyme, musique d'An Ik-t'aie (1906-1965). Déclaré officiel en 1948. **Fête nationale :** 15 août, en commémoration de la libération de la Corée en 1945, et de la fondation de la République de Corée, en 1948.

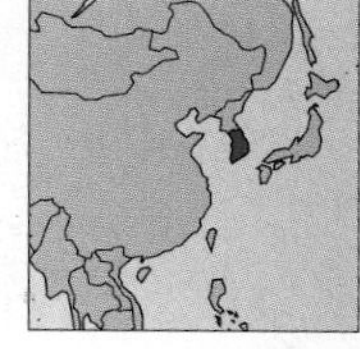

Superficie : 99 000 km². **Point culminant :** 1 950 m au mont Halla, dans l'île de Cheju.

GÉOGRAPHIE

La Corée du Sud est moins étendue que la Corée du Nord, mais, plus riche et plus peuplée, elle est dépourvue de matières premières. Moins montagneuse, elle bénéficie d'un climat plus doux. Le riz est très cultivé, ainsi que l'orge. La pêche est aussi active. Une forte densité de population, l'abondance de la main-d'œuvre, l'afflux des capitaux étrangers et une planification quinquennale efficace ont permis à ce pays pauvre de devenir une puissance industrielle de premier plan en Asie. Les exportations vers le Japon, les États-Unis et l'Europe sont la clé de la réussite. L'accent est mis sur l'industrie lourde : construction navale, automobiles, sidérurgie, textile, chimie. La croissance récente de l'économie pourrait toutefois être affectée par la grave crise financière touchant les pays asiatiques (1997).

VOIR AUSSI

• **Le cas de la Corée du Sud** p. 819
Illustrations
• **Chantier naval d'Ulsan** p. 816

◆ **Démographie.**

population	46 400 000 hab.
densité	467 hab./km²
accroissement naturel	9,8 ‰
taux de natalité	15 ‰
taux de mortalité infantile	9 ‰
espérance de vie	72 ans
part des moins de 15 ans	23 % de la pop. totale
part des plus de 65 ans	6 % de la pop. totale
population urbaine	82 %
principales villes	Séoul, Pusan, Taegu, Inchon, Kwangjiu

◆ **Principales ressources et productions** (1997).

pêche	2 772 000 t
riz	7 100 000 t
automobiles	2 308 000 unités (5e rang)
construction navale	11 585 000 tjb (2e rang)
acier	42 554 000 t (6e rang)

◆ **Économie et niveau de vie** (1996).

PNB	480,627 milliards de $
PNB/hab.	13 080 $
taux de croissance *(1995)*	8,9 % par an
taux d'inflation	4,9 %
taux de chômage	2,7 %
dette extérieure	54 542 millions de $
importations	143 609 millions de $
exportations	128 303 millions de $
répartition des actifs	agriculture 12 %, industrie 33 %, services 55 %
transports	routes 78 833 km, voies ferrées 6 517 km
taux d'analphabétisme	2 %

◆ **Armée.**

budget militaire *(1996)*	3,1 % du PIB
forces armées *(1997)*	66 000 hommes

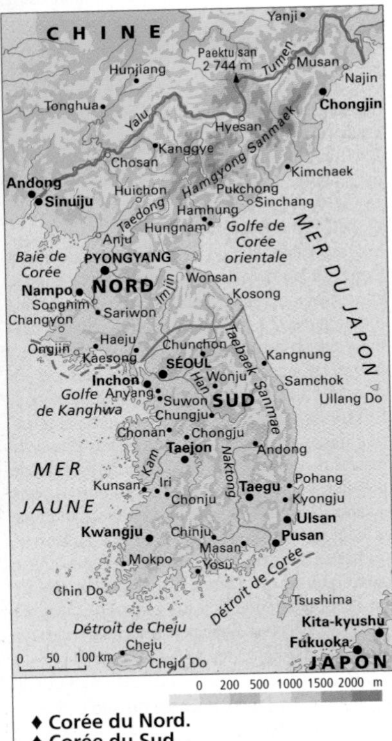

♦ Corée du Nord.
♦ Corée du Sud.

HISTOIRE

Depuis 1948. Les États-Unis soutiennent Syngman Rhee (1875-1965), premier président de la République de Corée à partir de 1948. Leurs troupes évacuent le pays en juin 1949. Après la guerre de Corée (1950-1953), Syngman Rhee se maintient au pouvoir jusqu'en 1960. Après le coup d'État de mai 1961 et la prise du pouvoir par le général Park Chung-hee, le régime présidentiel, instauré en 1962, devient de plus en plus autoritaire et la Constitution de 1972 octroie au président de la République des pouvoirs dictatoriaux. Un traité, signé en 1965, normalise les relations avec le Japon, et un accord, signé en 1972, met fin à l'état de belligérance entre les deux Corées. Après l'assassinat de Park Chung-hee en octobre 1979, le général Chun Doo-hwan s'empare du pouvoir en 1980. Malgré un essor économique considérable jusqu'à la fin des années 1980, le mécontentement de la population va croissant. Une nouvelle Constitution est adoptée en 1987. Porté par des élections à la présidence de la République (déc.), le général Roh Tae-woo engage un processus de démocratisation. Il fait avancer, sous la conduite du Premier ministre Kang Young-hoon, le dialogue avec la Corée du Nord. En sept. 1991, les deux Corées entrent à l'ONU. En décembre de la même année, elles signent un traité de dénucléarisation et de réconciliation. En 1992, Séoul normalise ses relations avec la Chine. Kim Young-sam, le premier président qui ne soit pas issu de l'armée, entre en fonction en 1993. La contestation ne cesse cependant pas. En 1998, Kim Dae-jung est élu président de la République, dans un contexte de crise économique et financière.

VOIR AUSSI • **Corée avant 1948** p. 654

Japon Nihon ou Nippon

Nom officiel : Japon. **Capitale :** Tokyo. **Monnaie :** yen (= 100 sen). **Langue officielle :** japonais. **Principales religions :** shintoïsme, bouddhisme. **Institutions :** Monarchie constitutionnelle héréditaire. Constitution de 1946. Empereur : autorité symbolique. Premier ministre : nommé par le Parlement (ou Diète) formé de la Chambre des représentants élue pour 4 ans et de la Chambre des conseillers élue pour 6 ans. **Souverain :** l'empereur Akihito (depuis 1989). **Premier ministre :** Keizo Obuchi (depuis 1998). **Drapeau :** créé en 1854, il symbolise le soleil levant. **Hymne national** dit « Kimigayo » (« Le règne de notre Empereur ») : « Que ton règne – dix mille ans de félicité – se prolonge. Gouverne, Seigneur, jusqu'à ce que les cailloux du présent par le temps soient fondus en des rochers géants sur les flancs vénérables desquels partout mousse s'allonge... » Paroles d'après un poème ancien, musique de Hiromori Hayashi. Déclaré hymne national en 1888. **Fête nationale :** 29 avril (anniversaire de l'empereur Hirohito); on célèbre aussi, notamment, les journées de l'équinoxe de printemps (21 mars) et d'automne (23 ou 24 septembre).

Superficie : 373 000 km². **Point culminant :** 3 776 m au Fuji-Yama.

GÉOGRAPHIE

Le pays est formé de quatre îles principales (Honshu, Hokkaido, Shikoku et Kyushu). Le territoire japonais est réduit par rapport à sa population, très dense (126,4 millions d'habitants pour 373 000 km²). Le Japon connaît cependant aujourd'hui une crise de la natalité et une population vieillissante. Essentiellement montagneux et forestier, le milieu naturel n'est guère favorable. Plusieurs volcans actifs et des tremblements de terre, parfois accompagnés de raz de marée, font peser des menaces sur tout le territoire. L'hiver est rigoureux dans le nord, mais la majeure partie de l'archipel, qui appartient au domaine de la mousson, connaît un été doux et humide.

Faute de ressources naturelles, le développement économique est le produit d'un choix politique : l'ouverture du Japon à l'Occident avec l'ère Meiji (1868). Il a abouti à une urbanisation croissante. On compte quelques grandes mégalopoles dont les centres sont Tokyo, Osaka et Nagoya notamment, les villes rassemblant 80 % de la population. L'industrie est devenue l'une des plus puissantes du monde grâce à ses structures industrielles et financières, et à ses efforts commerciaux. Le Japon est l'un des premiers producteurs mondiaux d'acier, d'automobiles et de motos, de matières plastiques, mais aussi d'appareils électroniques. Importante construction navale. Il se situe parmi les trois premiers exportateurs mondiaux. La balance commerciale est excédentaire en dépit de lourdes importations d'hydrocarbures, de matières premières et de denrées alimentaires (malgré l'importance de la flotte de pêche et le difficile maintien de la production de riz).

Ruiné par la Seconde Guerre mondiale, le Japon a ensuite connu une croissance fulgurante. Le niveau de vie moyen a beaucoup progressé. Cependant, depuis quelques années, il connaît une crise économique persistante qui a révélé ses faiblesses : la trop grande dépendance à l'égard des marchés extérieurs, une pollution urbaine et industrielle affectant l'environnement, une spéculation financière excessive et mal contrôlée et le malaise d'une société respectant peu les individus. Le chômage est encore réduit, mais les coûts salariaux ont provoqué de nombreuses délocalisations industrielles. L'économie est en outre affectée par une crise financière, qu'elle ne parvient pas à surmonter.

HISTOIRE

Préhistoire et protohistoire. Le peuplement du Japon, antérieur au VIIIe millénaire avant notre ère, est probablement le fait de populations nord-asiatiques parvenues au stade paléolithique supérieur (ou tout au moins mésolithique). On distingue les périodes pré-Jomon, ou précéramique, Jomon (v. 7500-300 av. J.-C.) et Yayoi (300 av. J.-C.-300 apr. J.-C.). À cette dernière époque arrivent, dans l'extrême nord des îles, les Aïnous, qui se mélangent aux derniers peuples Jomon. Vers le milieu du IIIe s. apr. J.-C., des groupes de cavaliers-guerriers d'origine altaïque, venus de Corée, pénètrent dans le Japon méridional et s'installent en maîtres. Ils se font inhumer dans des tumulus (*kofun*) de très grandes dimensions entourés d'*haniwa* (cylindres d'argile). Ils apportent aussi un schéma d'organisation sociale clanique.

♦ Démographie.

population	126 400 000 hab.
densité	339 hab./km²
accroissement naturel	2,2 ‰
taux de natalité	10,3 ‰
taux de mortalité infantile	4 ‰
espérance de vie	80 ans
part des moins de 15 ans	16,1 % de la pop. totale
part des plus de 65 ans	14,1 % de la pop. totale
population urbaine	78 %
principales villes	Tokyo, Yokohama, Sapporo, Kobé, Kyoto

♦ Principales ressources et productions (1997).

pêche	6 704 000 t
riz	12 531 000 t (8e rang)
automobiles	8 495 000 unités (1er rang)
construction navale	16 613 000 tjb (1er rang)
électricité nucléaire *(1995)*	287 800 millions de kWh (3e rang)
électricité totale	1 010 895 millions de kWh (4e rang)
acier	104 545 000 t (2e rang)

♦ Économie et niveau de vie (1996).

PNB	4 651,684 milliards de $
PNB/hab.	23 420 $
taux de croissance *(1995)*	1,3 %
taux d'inflation	0,1 %
taux de chômage	3,2 %
dette extérieure	n.d.
importations	316 720 millions de $
exportations	400 280 millions de $
répartition des actifs	agriculture 5,5 %, industrie 33,4 %, services 61,1 %
transports	routes 1 137 453 km, voies ferrées 38 125 km
taux d'analphabétisme	1 %

♦ Armée.

budget militaire *(1996)*	0,9 % du PIB
forces armées *(1997)*	235 500 hommes

L'État antique. Le clan souverain du Yamato (région de Kyoto) s'impose peu à peu et son roi prend le titre chinois d'empereur (*tenno*). Deux ouvrages, le Kojiki et le Nihon Shoki, sont à peu près les seules sources permettant d'établir une histoire du Japon avant l'arrivée du bouddhisme, venu de Corée vers 538, date généralement admise comme début de la période historique du Japon. Durant la période d'Asuka (milieu du VIe s. -début du VIIIe s.), après la mort (622) du prince Shotoku, fervent adepte du bouddhisme, plusieurs codes de loi sont promulgués de 628 à 701. Ils définissent un système de gouvernement calqué sur celui de la Chine des Tang. Pendant la période de Nara (710-794), six sectes bouddhiques imposent leurs conceptions à la Cour, qui s'établit définitivement à Nara. L'empereur Kammu, afin de se libérer de l'emprise des moines, fonde une nouvelle capitale à Nagaoka (784) puis, 10 ans plus tard, une autre à Heian-Kyo (Kyoto). La période Heian (794-1185/1192) est caractérisée par l'expansion territoriale vers le nord de Honshu, l'apparition de nouvelles doctrines bouddhiques, la fondation de grands monastères et la création d'une écriture syllabique qui permet de transcrire les désinences purement japonaises. À partir de 858, la famille des Fujiwara détient les rênes du pouvoir, qu'elle conservera jusqu'au milieu du XIIe s. Elle instaure une ère de paix et de développement culturel qui fera de cette période l'ère « classique » du Japon. Au Xe s., deux clans rivaux, les Taira et les Minamoto, tentent de supplanter les Fujiwara. La longue lutte qui les oppose s'achève en 1185 par la destruction de la flotte Taira près de Shimonoseki, à Dan-no-Ura.

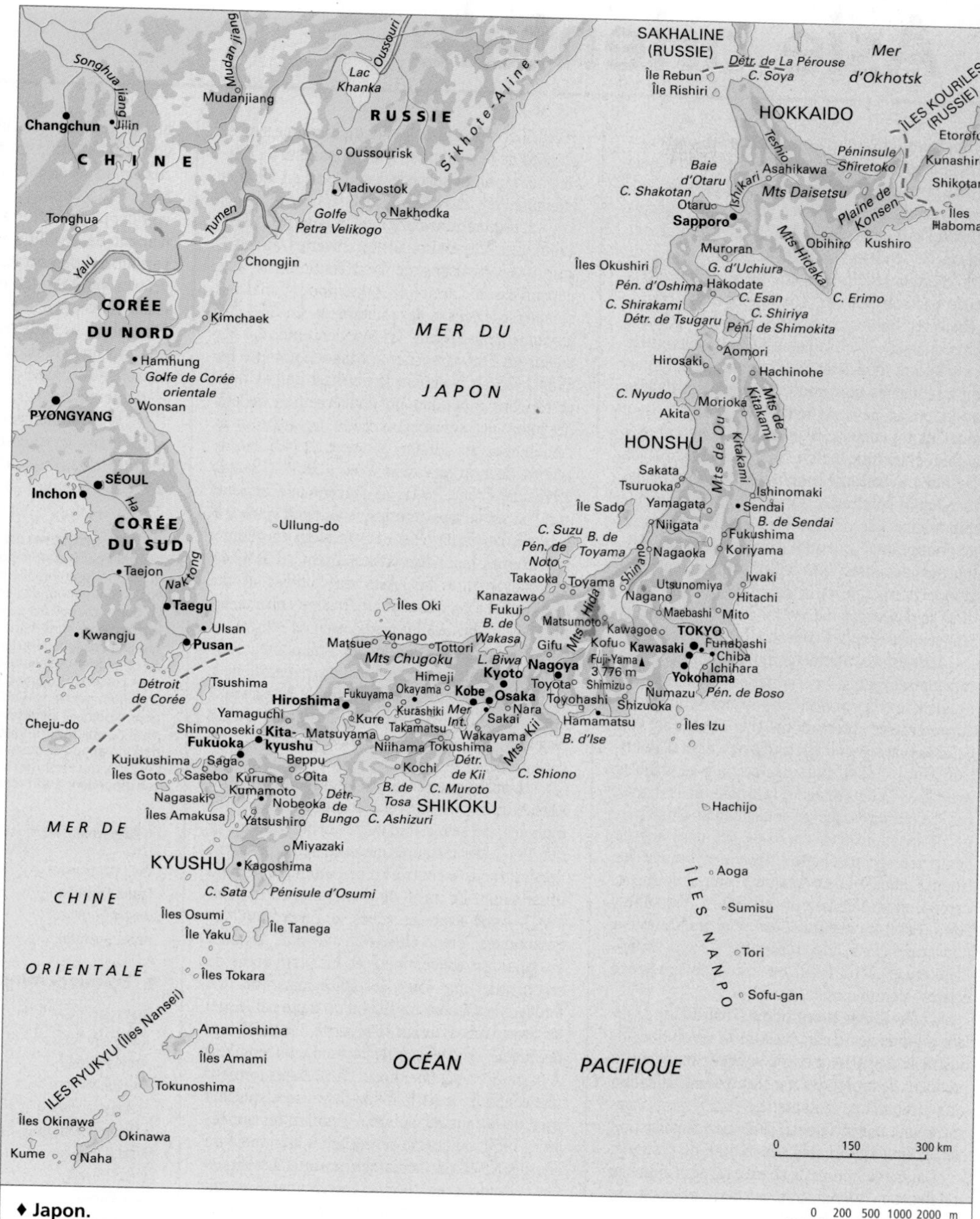

♦ **Japon.**

L'ère des shoguns. Le chef du clan Minamoto, Yoritomo, et son frère Yoshitsune éliminent le clan des Taira. Ils se retournent ensuite contre les Fujiwara. Minamoto no Yoritomo constitue un gouvernement parallèle à celui de l'empereur, mais sur des bases différentes, instaurant une société quasi féodale. Il distribue des terres aux paysans tout en leur conférant un statut inférieur à celui des guerriers *(samurai)*. En 1192, il se fait nommer *shogun* (dictateur militaire) par l'empereur, qui ne possède plus aucune autorité. Il établit son *bakufu* (gouvernement militaire) à Kamakura, inaugurant ainsi la période de Kamakura (1185/1192-1333).

À la mort de Yoritomo (1199), un seigneur Hojo prend la régence *(shikken)* du bakufu. Le Japon repousse deux tentatives d'invasion des Mongols (1274-1281), mais le bakufu s'affaiblit. Daigo II restaure le pouvoir impérial avec l'aide d'Ashikaga Takauji en 1333. Mais ce dernier se retourne ensuite contre l'empereur et établit à son tour un bakufu à Kyoto même. C'est le début de la période Ashikaga ou de Muromachi (1336-1573). En 1338, il se fait nommer shogun par l'empereur qu'il a placé sur le trône. L'empereur légitime se réfugie dans les montagnes du Yamato, inaugurant la période dite « des Deux Cours ». La guerre civile ensanglante le pays jusqu'en 1392. Puis, de 1467 à 1477, une nouvelle guerre, dite « de l'ère Onin », est déclenchée entre les seigneurs. Les conflits entre les seigneurs *(daimyo)* vont se poursuivre pendant un siècle. Pendant ce temps, des marchands portugais, arrivés en 1542, importent les premiers mousquets. François Xavier commence l'évangélisation du pays en 1549.

L'ère des dictateurs (1573-1603). En 1568, un petit seigneur du nord, Oda Nobunaga, réussit à vaincre tous ses adversaires, et abat la puissance déclinante des Ashikaga (1573). Attaqué par un de ses généraux, il se suicide (1582). Toyotomi Hideyoshi prend la succession de son maître. Il fait élire le fils d'Oda Nobunaga comme shogun, mais garde le pouvoir. Il continue la guerre contre les seigneurs non encore ralliés et transfère le siège de son gouvernement à Osaka. Il rend les paysans propriétaires de leurs terres et interdit le port des armes aux non-samurai. Hideyoshi réunit, en 1586, une immense armée afin de soumettre les grands daimyo encore indépendants, sauf Tokugawa Ieyasu, avec qui il est allié. Puis il se lance à la conquête de la Corée (1592). Mais les Sino-Coréens lui infligent revers sur revers à partir de 1595 et, à la mort de Hideyoshi (1598), le Japon abandonne la Corée.

La période d'Edo, ou des Tokugawa (1603-1868). Tokugawa Ieyasu bat les troupes des autres daimyo à la bataille de Sekigahara (1600). Il fonde un nouveau bakufu (1603) qu'il établit à Edo (auj. Tokyo). Blessé au siège d'Osaka, où s'étaient regroupés les seigneurs rebelles, il meurt en 1616. Son œuvre est immense et durable : il a unifié le pays et donné à celui-ci un gouvernement stable, il

Asie orientale

Japon (suite)

a renoué des relations amicales avec la Chine des Qing, amélioré sa flotte de commerce. Il a aussi établi de fructueux rapports avec les pays du Sud-Est asiatique et même avec l'Europe. Tokugawa Hidetada, shogun depuis 1616, laisse cette charge à son fils Iemitsu (1623-1624). Celui-ci renforce les interdits relatifs aux étrangers, déjà promulgués par son père en 1616. Lors de la grande rébellion chrétienne et paysanne qui éclate à Shimabara en 1637, le bakufu réagit violemment en y faisant massacrer les chrétiens, puis il interdit aux navires portugais et espagnols d'aborder au Japon. Le pays est fermé aux étrangers, sauf aux Chinois et aux Hollandais, qui sont autorisés à fréquenter une partie du port de Nagasaki, Deshima. À partir de la fin du XVIIe s., la classe des marchands commence à prendre une très grande importance. Les daimyo sont parfois obligés de leur emprunter de quoi subvenir à leurs fastueuses dépenses. Les villes connaissent une grande prospérité, et la classe des *chonin* (citadins) se développe. Le XVIIIe s. connaît à plusieurs reprises des révoltes paysannes, provoquées par les disettes. La première moitié du XIXe s. est caractérisée par la confrontation avec les pays occidentaux, qui sollicitent l'ouverture du Japon au commerce international. Le bakufu se voit contraint de signer un accord avec l'amiral américain Perry (1854), puis des accords semblables avec la Grande-Bretagne, la Russie et les Pays-Bas, ce qui provoque un soulèvement d'une partie de la population. En 1864, les partisans de l'empereur se révoltent à Kyoto et battent les troupes du bakufu. Le shogun Yoshinobu offre sa démission à l'empereur en 1867. Mutsuhito (1867-1912) monte sur le trône et transfère son gouvernement à Edo, rebaptisée Tokyo (1868). L'ère Meiji (1868-1912) ou « du gouvernement éclairé » commence.

L'ère Meiji et ses suites (1868-1926). Voulant adopter les techniques de la révolution industrielle, l'empereur et son gouvernement entreprennent de profondes transformations : création d'un « cabinet parlementaire » (1885), promulgation d'une constitution (1889), occidentalisation des pratiques judiciaires, des mœurs, du costume. Dans le même temps, le shinto, religion animiste antérieure au bouddhisme, qui favorise le culte de l'empereur, est déclaré religion d'État et conserve ce statut jusqu'en 1945. Mais les partisans de l'ancien régime sont encore nombreux et des révoltes éclatent de 1874 à 1877. À la suite d'un différend au sujet de la Corée, les forces japonaises débarquent en Chine (1894) et envahissent Formose (1895). Le traité de Shimonoseki (1895) consacre la victoire du Japon et l'indépendance de la Corée mais les puissances occidentales obligent le Japon à rétrocéder à la Chine la presqu'île de Liaodong. En 1902, le Japon conclut une alliance militaire avec la Grande-Bretagne afin de contenir les visées russes sur la Corée. En 1904, il débarque une armée en Corée et dans le Liaodong, et attaque la marine russe basée à Port-Arthur. L'amiral Togo détruit, dans le détroit de Tsushima, la flotte russe de la Baltique, envoyée en renfort (mai 1905). La Russie est obligée de concéder aux Japonais le droit de s'installer en Mandchourie et en Corée et leur cède la moitié de l'île de Sakhaline. À la mort de Mutsuhito (1912), désormais appelé Meiji tenno, son fils et successeur, Yoshihito, inaugure l'ère Taisho. Le Japon entre en guerre aux côtés des Alliés (1914). Il intervient avec eux en Sibérie (1918) et y combat les bolcheviques jusqu'en 1922. À l'issue de la conférence de la paix de Paris (1919-1920), il obtient toutes les îles du Pacifique situées au nord de l'équateur et ayant appartenu à l'Allemagne. Hirohito succède à son père en 1926 et inaugure l'ère Showa.

L'ultranationalisme et la guerre (1927-1945). Les ultranationalistes, revenus au pouvoir, sont partisans de l'expansionnisme aux dépens de la Chine ; le « mémoire Tanaka » concrétise les désirs des militaristes. En 1931, les Japonais envahissent la Mandchourie, où ils créent un État fantoche, le Mandchoukouo. En 1937-1938, ils occupent le nord-est de la Chine et fondent à Nankin un gouvernement à leur dévotion. Ils signent un traité tripartite avec l'Allemagne et l'Italie (27 sept. 1940) et un accord de non-agression avec l'URSS (13 avr. 1941). Le 7 déc. 1941, ils lancent une attaque surprise sur la base américaine de Pearl Harbor à Hawaii. Les États-Unis entrent alors en guerre. Les troupes japonaises conquièrent en 1942 la presque totalité de l'Asie du Sud-Est et du Pacifique. La reconquête américaine commence fin 1942 et, en 1943, Guadalcanal, la Nouvelle-Guinée, les îles Salomon, les Philippines sont reprises. Les troupes américaines débarquent à Okinawa le 1er avr. 1945. Après le bombardement atomique d'Hiroshima (6 août) et de Nagasaki (9 août), l'empereur capitule sans conditions, le 14 août.

L'après-guerre. Sous l'égide du général Mac Arthur, une nouvelle constitution est promulguée, qui se réclame du pacifisme. Appliquée dès 1947, elle instaure une monarchie constitutionnelle sous le contrôle d'un parlement de type britannique. Le traité de San Francisco (8 sept. 1951), signé avec les Alliés (à l'exception des Soviétiques), prend effet le 28 avr. 1952, rendant au Japon sa souveraineté et lui permettant de reconstituer une force de police mais non une armée. Il est assorti en 1954 d'un traité par lequel les États-Unis assurent sa sécurité. Ce traité sera renouvelé en 1960, puis tacitement reconduit. À partir de 1955, libéraux et démocrates forment une coalition, le parti libéral-démocrate, qui sera près de 40 ans au pouvoir. Pendant les années 1950-1960, on assiste cependant à la montée du socialisme et de l'antiaméricanisme. Les États-Unis décident, en 1969, d'abandonner une cinquantaine de bases militaires et promettent de rendre Okinawa dans un délai de 3 ans. Sous les gouvernements d'Ikeda Hayato (1960-1964) et de Sato Eisaku (1964-1972), le Japon connaît une croissance économique exceptionnelle. Son intégration au monde capitaliste et occidental est soulignée par son adhésion à l'OCDE en 1963. Au cours des années 1970, l'expansion se ralentit tandis qu'un scandale financier (affaire Lockheed) discrédite le Premier ministre Tanaka Kakuei (1972-1976).

Sur le plan international, le Japon, qui a normalisé ses relations avec la Chine populaire en 1972, signe avec celle-ci un traité de paix et d'amitié (1978) qui lui permet d'étendre son influence en Extrême-Orient. Depuis 1975, il participe aux réunions du G7. Dans le même temps, les frictions entre le Japon et ses partenaires commerciaux américains et européens, qui lui reprochent son protectionnisme, s'accentuent. Les années 1980 sont dominées par la personnalité de Nakasone Yasuhiro, Premier ministre de 1982 à 1987. Il libéralise l'économie (privatisations) et cherche à accroître le rôle international de son pays. Après la mort de l'empereur Hirohito (1989), son fils Akihito est intronisé en 1990. Le parti libéral-démocrate, au pouvoir depuis 1955, miné par les scandales financiers, perd les élections législatives de juill. 1993. Murayama Tomiichi, premier socialiste au pouvoir depuis 1947, forme en juin 1994 un gouvernement de coalition entre les socialistes et le parti libéral-démocrate. Celui-ci domine de nouveau la vie politique en 1996 lorsque Ryutaaro Hashimoto est nommé Premier ministre. Keizo Obuchi lui succède en 1998. En sept., le Japon fait en vain acte de candidature à un siège permanent au Conseil de sécurité de l'ONU, et son rôle international reste faible. À partir de sept. 1997, la crise financière touche le pays, qui s'enfonce dans la récession et ne parvient pas à retrouver la croissance économique malgré diverses initiatives gouvernementales.

◆ **Les empereurs du Japon.** Ils sont désignés par leur nom posthume *(songo)*, qui figure ici en première position, et qui souvent est également le nom de l'ère correspondant à leur règne. En outre, chaque événement important marque le commencement d'une nouvelle ère *(nengo)*, seul système en vigueur au Japon jusqu'à l'adoption du calendrier occidental en 1873. Un règne peut donc comprendre une ou plusieurs ères. L'usage d'un nom personnel (indiqué entre parenthèses) pour désigner l'empereur durant son règne est récent. Ainsi l'empereur Hirohito (nom personnel) est-il désigné depuis sa mort par son nom posthume (Showa), qui est aussi celui qu'il avait choisi pour l'ère correspondant à son règne.

Empereur	Dates de règne
Meiji (Mutsuhito)	1867-1912
Taisho (Yoshihito)	1912-1926
Showa (Hirohito)	1926-1989
Heisei (Akihito)	depuis 1989

◆ **Premiers ministres du Japon.**

Yoshida Shigeru	1946-1947
Katayama Tetsu	1947-1948
Ashida Hitoshi	1948
Yoshida Shigeru	1948-1954
Hatoyama Hishiro	1954-1956
Hishibashi Tanzan	1956-1957
Kishi Nobusuke	1957-1960
Ikeda Hayato	1960-1964
Sato Eisaku	1964-1972
Tanaka Kakuei	1972-1974
Miki Takeo	1974-1976
Fukuda Takeo	1976-1978
Ohira Masayoshi	1978-1980
Suzuki Zenko	1980-1982
NakasoneYasuhiro	1982-1987
Takeshita Noboru	1987-1989
Sosuke Uno	1989
Toshiki Kaifu	1989-1991
Miyasawa Kiichi	1991-1993
Morihiro Hosokawa	1993-1994
Tsutomu Hata	1994
Tomiishi Murayama	1994-1996
Ryutaro Hashimoto	1996-1998
Obushi Keizo	1998

VOIR AUSSI
- **Tsunamis** p. 39
- **Japon féodal** p. 437
- **Ère Meiji** p. 455
- **Religions du Japon** p. 536
- **Japon** (économie) p. 815
- **Cas du Japon** (éducation) p. 976
- **Art du Japon ancien** p. 1055

Océanie

Aspects généraux

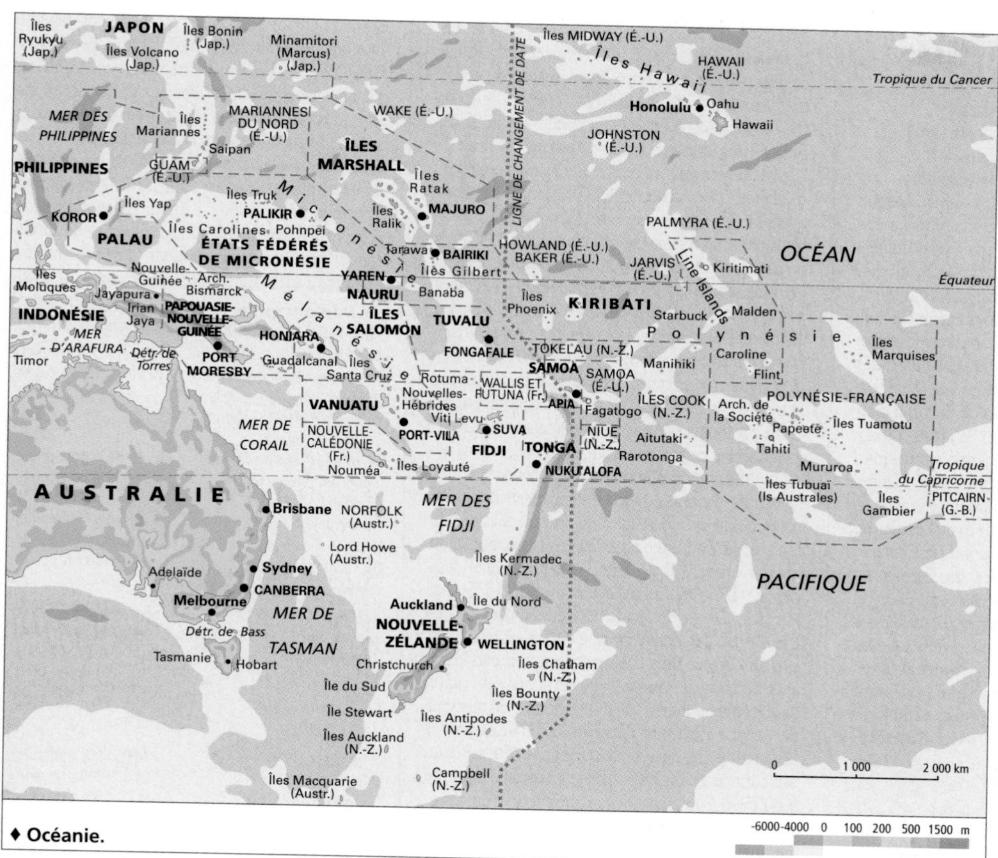

♦ **Océanie.**

De l'Océanie à l'« Asie-Pacifique »

Si les premiers occupants des îles de cette partie du monde (Mélanésiens, Papous, Aborigènes, Polynésiens) sont encore présents partout, la région a été très marquée par la pénétration européenne devenue majoritaire en Australie et en Nouvelle-Zélande et sensible dans les autres îles. Découvertes et explorées tardivement par des navigateurs et des missionnaires occidentaux, ces îles sont devenues possessions britanniques, françaises, néerlandaises, allemandes et américaines. Parfois brutale, cette colonisation a menacé de disparition des populations et des cultures locales, pourtant très anciennes, qui n'ont été protégées et reconnues que très récemment. La décolonisation demeure incomplète, même si une large autonomie est accordée aux territoires d'outre-mer français (Nouvelle-Calédonie, Wallis-et-Futuna et Polynésie française) ou aux îles encore liées juridiquement au Royaume-Uni, à l'Australie, à la Nouvelle-Zélande ou aux États-Unis.

Après cette européanisation forcée, le continent trouve aujourd'hui une nouvelle vocation : l'intégration à la grande région « Asie-Pacifique », nouveau centre économique du monde. Si des formes d'insertion régionale existent, notamment le Forum du Pacifique Sud, les États de la région cherchent avant tout à profiter de la croissance économique de la zone Pacifique dans son ensemble. Paradoxe contemporain, ces pays marqués par la colonisation européenne mettent aujourd'hui en avant leur identité pacifique, voire asiatique, et rompent les derniers liens symboliques qui les unissaient au Vieux Continent.

Un « continent-archipel »

L'Océanie est le moins peuplé des continents (32 000 000 d'habitants). Principalement composé de la masse australienne et d'une multitude d'îles, son territoire (9 000 000 de km²) s'étend d'est en ouest sur 6000 km et du nord au sud sur 3000 km. La région bénéficie d'un climat tropical insulaire favorable à la flore et à la faune. Seules l'Australie et la Nouvelle-Zélande ont des territoires au relief suffisamment différencié pour susciter des différences climatiques notables (montagnes néo-zélandaises et Australie tempérée ou désertique).

Un ensemble composite. Également appelée Australasie par les géographes, l'Océanie n'est pas un continent au sens propre du terme (terre continue), puisqu'il s'agit d'un immense archipel situé pour l'essentiel dans le sud de l'océan Pacifique. La distinction entre l'Asie du Sud-Est et l'Océanie est en effet plus politique que géographique, à l'image de la division de l'île de Nouvelle-Guinée entre l'Indonésie asiatique et la Papouasie océanienne. L'appellation géopolitique de Pacifique sud est également fréquemment employée pour la région. L'Océanie est en fait composée de quatre ensembles distincts : l'Australie et la Nouvelle-Zélande, qui rassemblent l'essentiel des terres émergées, se distinguent des trois archipels de la Mélanésie à l'ouest, de la Micronésie au nord-est et de la Polynésie à l'est.

VOIR AUSSI
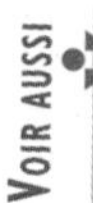
- **Religions de l'Océanie** p. 537
- **Organisations du Pacifique Sud** p. 775
- **Conseil du Pacifique** ou **ANZUS** p. 778
- **ASEAN** p. 778
- **Arts de l'Océanie** p. 1061

♦ **Aborigènes d'Australie** manifestant à l'occasion du 200e anniversaire du pays. Après près de deux siècles d'oppression, la minorité aborigène cherche à faire reconnaître ses droits.

♦ **Élevage extensif de moutons en Nouvelle-Zélande.** L'élevage est l'une des principales ressources du pays. Le cheptel ovin néo-zélandais est l'un des plus importants du monde.

Océanie

Australie • Nouvelle-Zélande

Australie Australia

Nom officiel : Commonwealth d'Australie. **Capitale :** Canberra. **Monnaie :** dollar australien (= 100 cents). **Langue officielle :** anglais. **Principale religion :** protestantisme (importante minorité catholique). **Institutions :** Constitution de 1901. État fédéral (6 États ayant chacun un gouvernement et un parlement, 2 Territoires), membre du Commonwealth. Gouverneur général, représentant la Couronne britannique. Premier ministre, responsable devant la Chambre des représentants, qui nomme les ministres. Chambre des représentants, élue pour 3 ans. Sénat, élu pour 6 ans. **Gouverneur général :** sir William Patrick Deane (depuis 1996). **Premier ministre :** John Howard (depuis 1996). **Drapeau :** en 1935, l'Union Jack, qui exprime les liens particuliers avec la Grande-Bretagne, fut complété par l'étoile du Commonwealth et la constellation de la Croix du Sud. Le nombre des branches de l'étoile du Commonwealth représente aussi les États et Territoires. Le drapeau a été adopté officiellement en 1954. **Hymne national :** « Australiens, réjouissons-nous tous, car nous sommes jeunes et libres. Nous avons un sol d'or et la richesse pour notre peine, notre pays est ceint par la mer ! » Paroles et musique de Peter Dodds McCormick (1834-1916). Adopté en 1984. **Fête nationale :** 26 janvier (journée de l'Australie).

Superficie : 7 682 300 km². **Point culminant :** 2 228 m au mont Kosciusko, dans les Alpes australiennes.

GÉOGRAPHIE

L'Australie est un vaste pays désertique, sauf les bordures est et sud, où sont concentrées les villes et la population. Seule Canberra, créée récemment, est située à l'intérieur. Le climat est chaud et sec, de type continental. L'Australie est formée de six États (Australie-Méridionale, Australie-Occidentale, Nouvelle-Galles-du-Sud, Queensland, Tasmanie, Victoria) et de deux Territoires (Territoire du Nord et Territoire de la Capitale australienne). Les cinq principales villes (Sydney, Melbourne, Brisbane, Adélaïde et Perth), toutes situées en bord de mer, regroupent 60 % de la population, citadine à 85 %. Les Aborigènes représentent 1,5 % de la population. Leur taux de natalité est très faible. L'exploitation de la terre est extensive et mécanisée : blé, canne à sucre, riz. Malgré le manque d'eau, l'élevage est important : bovins, et surtout moutons (mérinos à laine fine pour la plupart).

La principale richesse minière est le minerai de fer, exporté surtout vers le Japon. L'Australie est un gros producteur de charbon. Riches gisements de pétrole et de gaz naturel, uranium. Plomb, cuivre. L'industrie valorise ces productions (sidérurgie et métallurgie de transformation, pétrochimie, raffineries, aluminium.)

HISTOIRE

Des origines à la colonisation britannique. Les traces de l'activité humaine remontent à 40000 ans (site de Mungo). L'outillage, jusque vers 8000 av. J.-C., quel que soit le site, est partout semblable : grattoirs nucléiformes, éclats grossiers et, vers 2000 av. J.-C., lames à tranchant poli. Occupé partiellement par des populations dites australoïdes, le continent australien attire les navigateurs hollandais (Tasman, 1642) et britanniques (Dampier, 1688 et 1699) au XVIIe s. La rivalité des Britanniques et des Français se développe au XVIIIe s., avec les voyages de Bougainville (1768) et de Cook (1770). Cette compétition se dénoue au profit des Britanniques, qui voient dans l'Australie un relais de l'Amérique perdue et une terre de relégation pour leurs condamnés *(convicts)*. En janv. 1788, le premier débarquement de ces bagnards à Port Jackson (Sydney) établit la première colonie britannique d'Australie. C'est le noyau de la Nouvelle-Galles-du-Sud. Bientôt, les gouverneurs se heurtent à l'oligarchie despotique du régiment britannique du *New South Wales Corps*. En déc. 1808 arrive le nouveau gouverneur, Macquarie. Le régiment rentre en Grande-Bretagne. Macquarie, en construisant routes et bâtiments publics, en acclimatant le mouton mérinos et en poursuivant l'exploration du continent, fournit à l'Australie les éléments de son développement et de sa richesse.

Affirmation et expansion. Après Macquarie, l'Australie passe du stade de pénitencier à celui de colonie : la Nouvelle-Galles-du-Sud est déclarée colonie de la Couronne en 1823. La Tasmanie reçoit un gouverneur (1825), tandis que l'Australie-Occidentale (1829) et l'Australie-Méridionale (1837) sont fondées. L'envoi de condamnés cesse en 1840. Dès lors, l'Australie, dont tout le territoire est peu à peu exploré, évolue vers l'autonomie, qui prend corps avec l'*Australian Colonies Government Act* (1850). La découverte de l'or dans la région de Bathurst et de Victoria accélère, à partir de 1851, l'immigration britannique. Une nouvelle colonie, le Queensland, est formée (1859). En 1880, l'Australie compte 2 300 000 habitants. Un syndicalisme bien structuré se forme, tandis que les visées françaises et allemandes en Océanie fortifient le courant unioniste. Celui-ci aboutit en 1899 à une constitution fédérale.

Le Commonwealth. Le 1er janv. 1901, le *Commonwealth of Australia* est proclamé. Plusieurs crises (notamment celle de 1901, due à la sécheresse) provoquent l'arrivée au pouvoir fédéral, en 1910, du Parti travailliste, vainqueur des libéraux. Fortement engagée durant la Première Guerre mondiale (330000 volontaires, 60000 morts), l'Australie est dominée, de 1920 à 1930, par le parti nationaliste qui, lors de la crise mondiale de 1929, doit céder la place aux travaillistes. Ceux-ci ne peuvent éviter le chaos économique. Cependant, la menace représentée par l'impérialisme japonais amène le gouvernement à mettre sur pied un plan de défense nationale (1939). De fait, l'Australie est tout de suite et massivement engagée dans la Seconde Guerre mondiale (750000 mobilisés, 30 000 morts). Elle en sort fortifiée : sur le plan économique, par le développement de l'industrie, et sur le plan diplomatique, en devenant, en Asie du Sud-Est, le partenaire privilégié des États-Unis.

L'Australie depuis 1945. Cependant, l'après-guerre est marqué par de graves difficultés. Le leader libéral Robert Gordon Menzies, au pouvoir de 1949 à 1966, est secondé par une équipe qui met sur pied un programme économique sévère permettant de maîtriser inflation et récession. En 1954, l'Australie adhère à l'OTASE. À partir de 1963, l'économie connaît un essor remarquable. Après la démission de Menzies (1966) et sous le gouvernement des libéraux Harold Holt (1966-1967), John Grey Gorton (1967-1971) et William McMahon (1971-1972), qui s'appuient sur l'union des libéraux et des agrariens, un nouveau parti, le Parti libéral réformiste, pousse le pays vers une voie originale. Tout en maintenant des liens spéciaux avec la Couronne britannique et en assouplissant sa politique d'immigration (1966), l'Australie se tourne en effet vers le marché japonais. Elle appuie totalement l'action des États-Unis dans le Sud-Est

◆ **Démographie.**

population	18 700 000 hab.
densité	2,4 hab./km²
accroissement naturel	6,8 ‰
taux de natalité	14,3 ‰
taux de mortalité infantile	5 ‰
espérance de vie	78 ans
part des moins de 15 ans	21,5 % de la pop. totale
part des plus de 65 ans	11,7 % de la pop. totale
population urbaine	85 %
principales villes	Sydney, Melbourne, Brisbane, Perth, Adelaïde

◆ **Principales ressources et productions** (1997).

ovins	126 320 000 têtes (2e rang)
laine	683 900 t (1er rang)
canne à sucre	41 368 000 t
blé	18 554 000 t
orge	5 654 000 t
riz	1 352 000 t
avoine	1 223 000 t
houille	210 900 000 t (4e rang)
lignite	54 900 000 t (7e rang)
argent	1 106 t (5e rang)
bauxite	43 300 000 t (1er rang)
cuivre	545 000 t (6e rang)
fer	94 200 000 t (2e rang)
manganèse	800 000 t (4e rang)
or	311 000 kg (2e rang)
étain	10 000 t (5e rang)
zinc	972 000 t (2e rang)
diamants	39 999 600 carats

◆ **Économie et niveau de vie** (1996).

PNB	378,671 milliards de $
PNB/hab.	19 870 $
taux de croissance *(1995)*	3,1 %
taux d'inflation	2,6 %
taux de chômage	8,4 %
dette extérieure	n.d.
importations	61 032 millions de $
exportations	60 397 millions de $
répartition des actifs	agriculture 5,1 %, industrie 23,5 %, services 71,4 %
transports	routes 810 264 km, voies ferrées 38 393 km
taux d'analphabétisme	1 %

◆ **Armée.**

budget militaire *(1996)*	1,9 % du PIB
forces armées *(1997)*	57 800 hommes

◆ **Divisions administratives.**

État ou Territoire	Superficie	Population (en km²)	Capitale
Queensland	1 727 000	3 354 700	Brisbane
Nouvelle-Galles-du-Sud	801 600	6 190 200	Sydney
Victoria	227 600	4 541 000	Melbourne
Australie-Méridionale	984 000	1479200	Adélaïde
Australie-Occidentale	2 525 000	1762700	Perth
Tasmanie	67 800	479 400	Hobart
Territoire de la Capitale	2 400	307 500	Canberra
Territoire du Nord	1 346 200	1 777 000	Darwin

Dépendances : Îles Cocos ou Keeling (14 km²; 550 hab.), île Norfolk (35 km²; 1 700 hab.), île Christmas (135 km²; 3 000 hab.).

asiatique. Cette politique rencontre l'hostilité des travaillistes, qui reviennent au pouvoir avec Edward Gough Whitlam en 1972, mais qui doivent le quitter en 1975 au profit des conservateurs (Malcolm Fraser). Ceux-ci sont confrontés à la crise économique mondiale et aux revendications des Aborigènes. Ces difficultés expliquent le retour en force des travaillistes en 1983.

L'évolution récente. Les quatre gouvernements travaillistes au pouvoir de 1983 à 1996 (dont trois dirigés par Bob Hawke, auquel a succédé Paul Keating en décembre 1991) font subir à l'économie australienne une cure d'austérité. Ils s'efforcent de freiner la consommation intérieure afin de réduire la marge toujours croissante entre la consommation et la production nationales. Ils entreprennent aussi d'accroître la compétitivité du pays en remédiant aux maux structurels de l'économie. Ils s'engagent ainsi dans un vaste programme de libéralisation des télécoms, de déréglementation (suppression ou atténuation de la législation régissant certains secteurs autrefois très surveillés, comme les marchés financiers) et de privatisations (retrait de l'État de la gestion de certains secteurs). Ce programme, accusé d'accroître le taux de chômage et les inégalités, suscite de vives critiques. En particulier, les Aborigènes, ne bénéficiant que très peu du partage de la richesse nationale, refusent, en 1988, de s'associer aux cérémonies du bicentenaire de l'Australie, qui, pour eux, marque plus « la fin d'un monde » que « la naissance d'une nation ». En 1996, les conservateurs, avec à leur tête John Howard, retrouvent le pouvoir et poursuivent la libéralisation de l'économie tout en essayant de freiner l'immigration d'origine asiatique. Le Premier ministre est reconduit dans ses fonctions à la suite des élections anticipées de 1998.

En matière de politique extérieure, l'Australie se tourne de plus en plus vers son environnement pacifique et asiatique. Elle cherche à développer ses échanges avec les pays les plus dynamiques de cette zone : (Japon, Corée, Malaisie) et est venue en aide aux pays les plus touchés par la crise asiatique (1997-1998). Le Japon est, ainsi, le premier partenaire commercial de l'Australie. Les deux pays partagent les mêmes préoccupations en ce qui concerne la stabilité du Pacifique sud-ouest. Ainsi, l'Australie maintient son aide au développement aux États insulaires du Pacifique sud : la Papouasie-Nouvelle-Guinée en priorité, mais aussi les îles Salomon et Vanuatu. En dépit des tensions au sein de l'ANZUS suscitées par le différend nucléaire entre la Nouvelle-Zélande et les États-Unis à partir de 1984, l'Australie n'a jamais remis en cause son alliance avec Washington. Celle-ci lui permet de maintenir un budget militaire faible (10 % de ses dépenses budgétaires). L'Australie s'est opposée aux essais nucléaires français à Mururoa en 1995. Enfin, elle se détache de plus en plus de la Grande-Bretagne. Les pouvoirs d'intervention directe de l'ancienne métropole dans les affaires australiennes sont abolis en 1986. L'évolution inéluctable vers une République australienne semble se préciser depuis les années 1990. Un référendum sur les nouvelles institutions devrait ainsi se tenir en 1999. Le débat institutionnel engagé à cette occasion porte sur deux aspects principaux : le choix de la République proprement dite et le mode d'élection du président qui devrait déterminer la nature du régime.

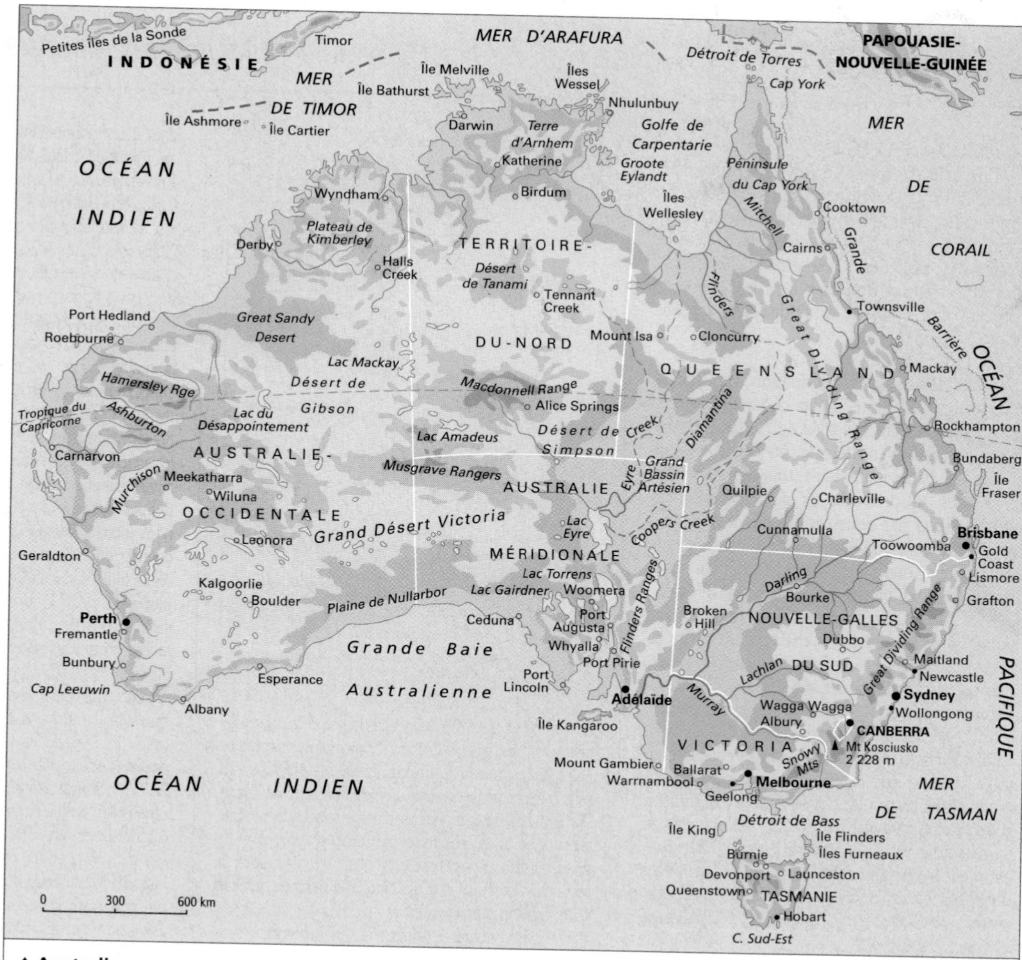

♦ **Australie.**

♦ **Premiers ministres d'Australie.**

Joseph Chifley	1945-1949
Robert Menzies	1949-1966
Harold Holt	1966-1967
John MacEwen	1967-1968
John Gorton	1968-1971
William McMahon	1971-1972
E. Gough Whitlam	1972-1975
John Malcolm Fraser	1975-1983
Bob Hawke	1983-1986
Paul Keating	1991-1996
John Howard	depuis 1996

VOIR AUSSI

Illustrations
- **Roches** p. 44
- **Grande Barrière** p. 47
- **Manifestation d'Aborigènes** p. 659
- **Peinture aborigène de la Terre d'Arnhem** p. 1061

Nouvelle-Zélande

New Zealand

Nom officiel : Nouvelle-Zélande. **Capitale :** Wellington. **Monnaie :** dollar néo-zélandais (= 100 cents). **Langue officielle :** anglais. **Principale religion :** protestantisme (importante minorité catholique). **Institutions :** État indépendant selon le statut de Westminster (1931), accepté par la Nouvelle-Zélande en 1947, membre du Commonwealth. Le gouverneur général, représentant la Couronne britannique, désigne le Premier ministre. Parlement monocaméral (Chambre des représentants) composé de 95 membres (dont 4 Maoris), élus pour 3 ans. **Gouverneur général :** sir Michael Hardy Boys (depuis 1996). **Premier ministre :** Jenny Shipley (depuis 1997). **Drapeau :** créé en 1926, il rassemble la Croix du Sud et l'Union Jack. **Hymnes nationaux :** « God save the Queen » et « God defend New Zealand ». Paroles de Thomas Bracken (1843-1898), musique de John Joseph Woods (1849-1934). Adoptés conjointement en 1977. **Fête nationale :** 6 février (anniversaire du traité de Waitangi, en 1840).

Superficie : 270 000 km². **Point culminant :** 3754 m au mont Cook dans l'île du Sud.

GÉOGRAPHIE

La Nouvelle-Zélande est principalement constituée de deux îles (île du Nord et île du Sud) au climat tempéré. La population (dont les Maoris représentent environ 12 %) est surtout concentrée dans l'île du Nord. L'économie demeure essentiellement agricole. L'industrie textile et agro-alimentaire, la laine, la viande et les produits laitiers constituent les principales exportations.

HISTOIRE

Les débuts de la colonisation. Les Maoris, d'origine polynésienne, occupent l'archipel dès la fin du Ier millénaire. En 1642, le Hollandais Abel Janszoon Tasman en atteint la côte occidentale. En 1769-1770, James Cook fait le tour des deux principales îles. Au début du XIXe s., commence leur évangélisation par des missionnaires catholiques et protestants anglais. En 1837, la Grande-Bretagne commence à organiser la colonisation du pays. Plus de 20000 colons sont amenés sur les deux îles.

Conflits et développement. La Grande-Bretagne impose sa souveraineté aux chefs maoris (traité de Waitangi, en 1840). Elle leur garantit toutefois la jouissance de leurs terres, tandis que William Hobson est nommé gouverneur (1841). La colonisation, organisée systématiquement par Edward Gibbon Wakefield au détriment des autochtones, déclenche les guerres maories (1840-1847). Puis la vente des terres provoque de nouvelles guerres raciales (1860-1870). La Constitution de 1852, renforcée en 1870, accorde à la colonie une grande autonomie. La découverte de l'or (1861) puis le retour de la paix rendent la prospérité à la Nouvelle-Zélande. L'économie s'oriente vers l'élevage extensif et

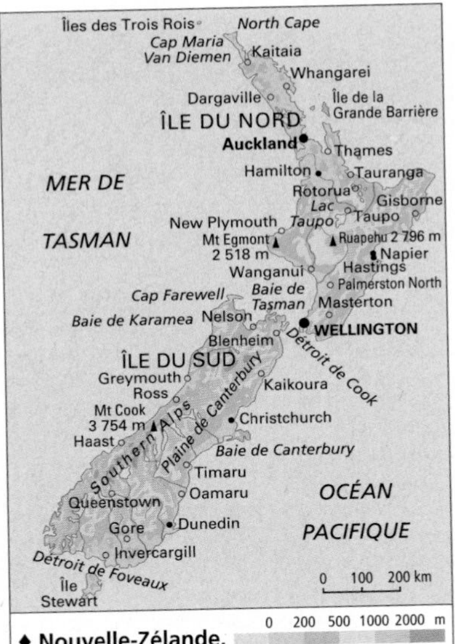

♦ **Nouvelle-Zélande.**

l'exportation massive de la viande, de la laine et des produits laitiers vers l'Europe. La récession des années 1880, l'instauration du suffrage universel (1889) favorisent l'accession au pouvoir du Parti libéral. L'ère libérale (1891-1912) est caractérisée par une nette démocratisation de la vie politique, par le développement du syndicalisme et par la mise en place d'une législation sociale avancée. En 1907, la Nouvelle-Zélande devient un dominion britannique.

D'une guerre à l'autre. Le pays participe aux combats de la Première Guerre mondiale et les pertes humaines engendrées affectent gravement la démographie et l'économie. Les Néo-Zélandais obtiennent mandat de la SDN sur les Samoa et sur Nauru, conjointement avec l'Australie et la Grande-Bretagne. La Nouvelle-Zélande est durement touchée par la crise mondiale de 1929. Au Parti national (coalition du Parti de la Réforme et du Parti libéral) succède en 1935 le Parti travailliste. Le Premier ministre, M.J. Savage, parvient à rétablir la prospérité des campagnes, multiplie les travaux publics et développe l'industrie. Les Néo-Zélandais participent activement à la Seconde Guerre mondiale en Europe et dans le Pacifique.

Depuis 1945. Après la défaite japonaise (1945), la Nouvelle-Zélande entend jouer un rôle à part entière en Asie du Sud-Est et dans le Pacifique. En 1951, elle signe avec les États-Unis et l'Australie le traité tripartite qui établit le Conseil du Pacifique (ANZUS). Succédant aux travaillistes, le Parti national est au pouvoir de 1949 à 1957 et de 1960 à 1972. De retour aux affaires, le Parti travailliste établit des relations diplomatiques avec la Chine populaire (1972) et proteste contre les expériences nucléaires de la France dans le Pacifique. De nouveau au pouvoir en 1975, le Parti national développe ses projets, notamment en matière industrielle et énergétique. Les élections de 1984 et de 1987 donnent la majorité aux travaillistes, dont le leader, David Lange, domine la vie politique jusqu'en 1989. À l'instar des travaillistes australiens, D. Lange mène une politique de dérégulation intensive. Il libéralise les marchés financiers, ouvre l'économie nationale, privatise de nombreuses entreprises publiques. Il allège la fiscalité des particuliers et des entreprises, mais au prix, là aussi, d'un lourd bilan social. Sur le plan international, il contribue à la « redécouverte » de son environnement régional par la Nouvelle-Zélande. Se voulant le porte-parole des petits États insulaires, en particulier polynésiens, sur la scène mondiale, il prend la tête des protestations contre la « nucléarisation » de la région. Il interdit ainsi, en 1986, l'accès des ports néo-zélandais aux navires américains porteurs d'armes atomiques ou à propulsion nucléaire. Cette position conduit à une grave crise dans les relations américano-néo-zélandaises et à l'exclusion de l'archipel austral de l'ANZUS. En 1990, le Parti national remporte les élections législatives et Jim Bolger accède à la tête du gouvernement. Il est remplacé, en 1997, par Jenny Shipley, première femme à occuper ce poste. Le Parti national poursuit l'expérience libérale des travaillistes, l'assainissement de l'économie demeurant une priorité. La Nouvelle-Zélande a conclu, en juillet 1990, une union douanière avec l'Australie. Elle connaît, comme ce pays, des difficultés liées à la cohabitation entre population d'origine européenne et autochtones. La célébration, en février 1990, du traité de Waitangi de 1840 a été l'occasion d'un regain de protestations parmi les Maoris (12 % de la population) contre les violations des dispositions de ce traité.

VOIR AUSSI
Illustrations
• **Élevage extensif de moutons en Nouvelle-Zélande** p. 659
• **Cinq stratégies zootechniques** p. 845
• **Linteau sculpté maori** p. 1061

♦ **Démographie.**

population	3 800 000 hab.
densité	14 hab./km²
accroissement naturel	7,8 ‰
taux de natalité	15,4 ‰
taux de mortalité infantile	6 ‰
espérance de vie	76 ans
part des moins de 15 ans	23,2 de % de la pop. totale
part des plus de 65 ans	11,4 % de la pop. totale
population urbaine	86 %
principales villes	Auckland, Wellington, Christchurch

♦ **Principales ressources et productions** (1997).

ovins	48 816 000 têtes (4e rang)
laine	266 700 t (3e rang)
orge	350 000 t
pommes de terre	278 000 t
blé	256 000 t
maïs	200 000 t
avoine	40 000 t

♦ **Économie et niveau de vie** (1996).

PNB	60,487 milliards de $
PNB./hab.	16 500 $
taux de croissance *(1995)*	2,3 %
taux d'inflation	2,3 %
taux de chômage	6 %
importations	13 675 millions de $
exportations	14 162 millions de $
répartition des actifs	agriculture 10,4 %, industrie 24,9 %, services 64,6 %
transports	routes 92 306 km, voies ferrées 3 973 km
taux d'analphabétisme	1 %

♦ **Armée.**

budget militaire *(1996)*	1,1 % du PIB
forces armées *(1997)*	9 870 hommes

♦ **Premiers ministres de Nouvelle-Zélande.**

Wallace Rowling	1974-1975
Robert Muldoon	1975-1984
David Lange	1984-1987
Geoffrey Palmer	1987-1989
Mike Moore	1989-1990
James Brendan Bolger	1990-1997
Jenny Shipley	depuis 1997

♦ **Divisions administratives.**

Principale terre	Superficie (en km²)	Population
île du Nord	114 600	2 438 000
île du Sud*	154 000	864 000
Dépendances		
îles Cook (principale île : Rarotonga)	241	18 000
Niue	259	2 200
Tokelau	10	1 700

* y compris les îles Stewart et Chatham.

Papouasie-Nouvelle-Guinée

Papua, New Guinea, Papuaniugini

Nom officiel : Papouasie-Nouvelle-Guinée. **Capitale** : Port Moresby *(Konedobu)*. **Monnaie** : kina (= 100 toea).

Langue officielle : anglais. **Principale religion** : cultes animistes. **Institutions** : État indépendant depuis 1975, membre du Commonwealth. Gouverneur général, représentant la Couronne britannique. Premier ministre responsable devant le Parlement. Parlement national monocaméral, élu pour 5 ans. En 1976-1978, le gouvernement a mis en place un gouvernement local dans chacune des

19 provinces et dans le National Capital District. **Gouverneur général** : Silas Atopare (depuis 1997). **Premier ministre** : William Skat (depuis 1997). **Drapeau** : il a été adopté en 1971. Il porte l'oiseau de paradis et la Croix du Sud. Les couleurs rouge et noire apparaissent souvent dans l'art des tribus. **Hymne national** : « Levez-vous, vous les fils de cette terre. Chantons notre joie d'être libres, rendant grâces à Dieu et nous réjouissant d'être la Papouasie-Nouvelle-Guinée. » Paroles et musique de Thomas Shacklady (né en 1917). Adopté en 1975. **Fête nationale** : 16 septembre (date anniversaire de l'indépendance, en 1975).

Superficie : 463 000 km². **Point culminant** : 4 600 m au mont Wilhelm.

GÉOGRAPHIE

La Papouasie-Nouvelle-Guinée se compose de la moitié orientale de la Nouvelle-Guinée et de plusieurs îles. C'est un territoire montagneux au nord, marécageux au sud, humide. La forêt couvre une grande partie du territoire, habité par de nombreuses tribus.

HISTOIRE

Découverte et colonisation. Le premier peuplement est sans doute contemporain de celui de l'Australie (v. 40000 ans av. J.-C.). Sous influence malaise depuis le XIVe s., l'île est découverte au XVIe s. par les Espagnols et les Portugais et visitée par James Cook au XVIIIe s. Elle est occupée par les Hollandais à partir de 1828. En 1884-1885, sa partie occidentale leur est reconnue, tandis que les Allemands établissent un protectorat dans le nord-est et que la Grande-Bretagne annexe le sud-est. Le territoire britannique est administré à partir de 1906 par l'Australie, qui reçoit également en 1921 de la SDN un mandat sur le territoire allemand. Cette tutelle est confirmée par l'ONU en 1946. La Nouvelle-Guinée néerlandaise, revendiquée par l'Indonésie, lui est rattachée définitivement en 1969, sous le nom d'Irian Jaya. La partie orientale obtient l'indépendance en 1975 sous le nom de Papouasie-Nouvelle-Guinée, État membre du Commonwealth.

L'indépendance. Les problèmes intérieurs de ce pays très cloisonné sont en partie liés au caractère artificiel des frontières héritées de la colonisation. Ainsi, pour maintenir de bonnes relations avec son puissant voisin indonésien, la Papouasie-Nouvelle-Guinée a dû renoncer à donner refuge sur son territoire aux mouvements de résistance indigènes d'Irian Jaya. De même, un mouvement sécessionniste ravage l'île de Bougainville, qui fait géographiquement et ethniquement partie de l'archipel des Salomon. Celle-ci avait été attribuée à l'Allemagne du temps de sa domination sur le nord-est. L'armée révolutionnaire de Bougainville a déclaré l'indépendance de l'île en mai 1990. Des négociations de paix ont abouti en 1994 à un cessez-le-feu qui a été violé deux ans plus tard. En 1997, le gouvernement a dû faire appel à des mercenaires et, en avril 1998, un nouveau cessez-le-feu est signé, censé mettre fin à un conflit dont le bilan est estimé à 20000 morts.

◆ **Démographie.**

population	4 300 000 hab.
densité	9,2 hab./km²
accroissement naturel	22,3 ‰
taux de natalité	32,3 ‰
taux de mortalité infantile	62 ‰
espérance de vie	58 ans
part des moins de 15 ans	39,5 % de la pop. totale
part des plus de 65 ans	2,9 % de la pop. totale
population urbaine	16 %
principales villes	Port Moresby, Lae, Madang

◆ **Principales ressources et productions** (1997).

palmiste	65 000 000 t (8e rang)
bananes	665 000 t
canne à sucre	420 000 t
coprah	120 000 t (6e rang)
cacao	30 000 t
cuivre	112 000 t
or	48 000 kg (9e rang)

◆ **Économie et niveau de vie** (1996).

PNB	4,782 milliards de $
PNB/hab.	2 820 $
taux de croissance *(1993)*	17,5 %
taux d'inflation	11,6 %
taux de chômage	n.d.
dette extérieure	2 359,4 millions de $
importations	1 513 millions de $
exportations	2 530 millions de $
transports	routes 19 736 km, voies ferrées 0 km
taux d'analphabétisme	48 %

◆ **Armée.**

budget militaire *(1996)*	0,9 % du PIB
forces armées *(1997)*	3 700 hommes

◆ **Divisions administratives.**

Principale terre	Superficie (en km²)	Population
Nouvelle-Guinée orientale (et dépendances insulaires)	405 500	3 102 000
Nouvelle-Bretagne	35 000	312 000
Nouvelle-Irlande	9 600	87 000
Salomon du Nord (Bougainville)	9 300	159 500
Manus	2 100	33 000

VOIR AUSSI
Illustrations
• **Masques** p. 948
• **Pièce rituelle en tapa** p. 1061
• **Ornement de proue d'une pirogue asmat** p. 1061
• **Masque mélanésien** p. 1061

Îles Salomon

Solomon Islands

Nom officiel : îles Salomon. **Capitale** : Honiara. **Monnaie** : dollar des îles Salomon (= 100 cents). **Langue officielle** : anglais. **Principale religion** : protestantisme. **Institutions** : État indépendant depuis 1978, membre du Commonwealth. Constitution de 1978. Gouverneur général, représentant la Couronne britannique, nommé pour 5 ans. Parlement monocaméral, élu pour 4 ans. **Gouverneur général** : Moses Pitakaka (depuis 1994). **Premier ministre** : Bartholomew Ulufa'alu (depuis 1997). **Drapeau** : il a été adopté en 1977. Le jaune représente le soleil, le bleu la mer, le vert la terre et les cinq étoiles les districts. **Hymne national** : « Ô Dieu, garde nos îles Salomon, de côte à côte. Bénis tous ses peuples et toutes ses terres de ta main protectrice. » Paroles et musique de Panapasa Balekana. Adopté en 1978. **Fête nationale** : 7 juillet (anniversaire de l'indépendance).

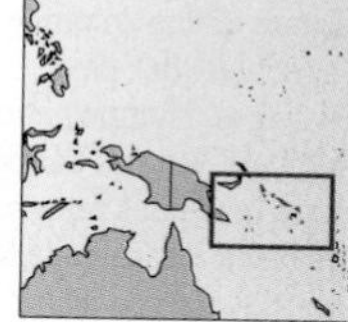

Superficie : 30 000 km². **Point culminant** : 2 439 m sur l'île de Guadalcanal.

◆ **Démographie.**

population	417 000 hab.
densité	13,9 hab./km²
accroissement naturel	32 ‰
taux de natalité	36,1 ‰
taux de mortalité infantile	39 ‰
espérance de vie	72 ans
part des moins de 15 ans	44,1 % de la pop. totale
part des plus de 65 ans	2,9 % de la pop. totale
population urbaine	18 %
principales villes	Honiara, Guizo, Auki

◆ **Principales ressources et productions** (1997).

patates douces	63 000 t
coprah	27 000 t
cacao	3 000 t
production de bois	872 000 m³

◆ **Économie et niveau de vie** (1996).

PNB	0,359 milliard de $
PNB/hab.	2 250 $
taux de croissance *(1992)*	8,2 %
taux d'inflation	11,8 %
taux de chômage	n.d.
dette extérieure	145 millions de $
importations	87 millions de $
exportations	102 millions de $
transports	routes 1 300 km, voies ferrées 0 km
taux d'analphabétisme	76 %

GÉOGRAPHIE

Situées à 1600 kilomètres à l'est de la Nouvelle-Guinée, les îles Salomon comportent 992 îles et îlots, représentant une surface maritime d'un million de kilomètres carrés. Le climat est équatorial, chaud et humide. Vaste forêt.

HISTOIRE

L'Espagnol Álvaro de Mendaña découvre l'archipel en 1568. Bougainville et d'Entrecasteaux le visitent deux siècles plus tard. Les îles du Nord sont sous protectorat allemand en 1885, mais, à la suite d'un échange avec Samoa, la Grande-Bretagne étend sa domination sur tout l'archipel. En 1942, les Japonais envahissent et occupent les îles Salomon, qui deviennent, particulièrement dans Guadalcanal, un sanglant champ de bataille jusqu'en 1945. L'archipel accède à l'indépendance en 1978. Depuis, les îles Salomon connaissent une relative stabilité politique. Les gouvernements successifs, longtemps dirigés en alternance par Peter Kenilorea (1978-1981 et 1984-1986) et Salomon Mamaloni (1981-1984, 1989-1993 et 1994-1997), ont orienté les politiques de développement en fonction de leur conception du nationalisme culturel mélanésien. Cette politique n'a toutefois pas contribué à réduire les inégalités entre les îles de l'archipel. Les îles Salomon sont très actives sur la scène régionale du Pacifique sud. Le groupe dit « du fer de lance mélanésien », regroupant les Salomon, la Papouasie-Nouvelle-Guinée et Vanuatu, destiné à mieux défendre la cause des Mélanésiens, a été créé en 1986 sur une initiative des îles Salomon.

VOIR AUSSI
• **Canopée** p. 55
Illustrations
• **Pluie tropicale en Nouvelle-Géorgie** p. 54

Océanie

Vanuatu • Fidji
Tonga • Samoa • Tuvalu

Vanuatu

Nom officiel : République de Vanuatu. **Capitale :** Port-Vila. **Monnaie :** vatu (= 100 centimes). **Langues officielles :** anglais, français et bichlamar. **Principale religion :** protestantisme. **Institutions :** République indépendante depuis 1980, membre du Commonwealth. Constitution de 1980. Président de la République, élu pour 5 ans par un collège électoral formé des membres du Parlement et des présidents des Conseils régionaux. Premier ministre, élu en leur sein par les membres du Parlement. Parlement monocaméral, élu pour 4 ans. **Président de la République :** Jean-Marie Leyé (depuis 1994). **Premier ministre :** Donald Kalpokas (depuis 1998). **Drapeau :** il a été adopté en 1980. Le triangle noir et la canine représentent le peuple, et les couleurs la fertilité du sol. Le Y schématise la géographie de l'île. **Hymne national :** « Hourra, hourra, hourra, nous sommes en droit de le dire, hourra, hourra, hourra, nous sommes le peuple de Vanuatu. » Paroles et musique de François Vincent (né en 1955). Adopté en 1980. **Fête nationale :** 30 juillet (anniversaire de l'indépendance).

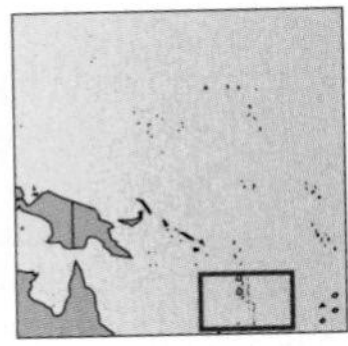

Superficie : 12 200 km². **Point culminant :** 1 880 m au mont Tabewemassama dans Espiritu Santo.

GÉOGRAPHIE

L'archipel de Vanuatu comporte 80 îles et îlots, dont 67 sont inhabités, et couvre une surface maritime de 900 000 kilomètres carrés. Climat tropical humide. La forêt couvre 75 % du territoire.

HISTOIRE

Découvert par les Portugais en 1606, puis de nouveau par Bougainville en 1768, l'archipel est baptisé Nouvelles-Hébrides par Cook en 1774. Colonisé par la France et la Grande-Bretagne à la fin du XIXe s., le pays devient le théâtre d'une intense rivalité entre les deux pays et leurs missionnaires. Cette situation aboutit, en 1887, à la création d'une commission navale mixte, puis à l'établissement d'un condominium (1906). À cette occasion, deux hauts-commissaires résidents remplacent l'administration militaire. Pendant la Seconde Guerre mondiale, les Nouvelles-Hébrides sont une base essentielle pour les Alliés. En 1980, l'archipel devient indépendant sous le nom de Vanuatu. Cette indépendance intervient dans des conditions difficiles. Des revendications autonomistes entraînent de mai à sept. 1980 la sécession de l'île d'Espiritu Santo. L'intervention militaire de la Papouasie-Nouvelle-Guinée et de l'Australie met fin à la rébellion. Sensible à l'exercice et au respect de sa souveraineté, Vanuatu est le seul État du Pacifique sud membre du mouvement des non-alignés. Il a cependant ouvert des droits de pêche et d'escale aux navires soviétiques afin de maintenir ses distances à l'égard du camp occidental. Son économie reste très fragile : les exportations sont limitées aux produits traditionnels (coprah, ressources halieutiques). Les revenus sont liés au tourisme, au centre financier offshore (le seul de la région) et à l'aide internationale. Le pasteur Walter Lini a présidé aux destinées du pays pendant 10 ans mais il a dû céder la place en 1991 à Maxime Carlot, première personnalité francophone au pouvoir depuis l'indépendance. En 1998, des affaires de corruption conduisent à la défaite des francophones aux élections législatives.

◆ **Démographie.**

population	182 000 hab.
densité	14,9 hab./km²
accroissement naturel	26,7 ‰
taux de natalité	32,8 ‰
taux de mortalité infantile	39 ‰
espérance de vie	67 ans
part des moins de 15 ans	43,2 % de la pop. totale
part des plus de 65 ans	3,5 % de la pop. totale
population urbaine	19 %
principales villes	Port-Vila, Luganville

◆ **Principales ressources et productions** (1997).

coprah	30 000 t
bananes	13 000 t
maïs	1 000 t
production de bois	63 000 m³

◆ **Économie et niveau de vie** (1996).

PNB	0,227 milliard de $
PNB./hab.	3.020 $
taux de croissance *(1995)*	3,2 ‰
taux d'inflation	0,9 ‰
taux de chômage	n.d.
dette extérieure	47,1 millions de $
importations	79 millions de $
exportations	28 millions de $
transports	routes 1 062 km, voies ferrées 0 km
taux d'analphabétisme	47,1 %

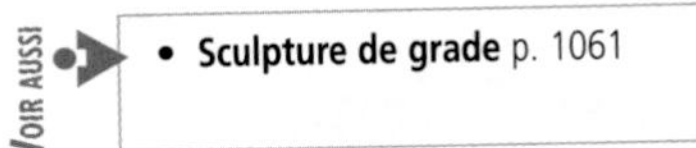
VOIR AUSSI
• **Sculpture de grade** p. 1061

Fidji Fiji, Viti

Nom officiel : Fidji. **Capitale :** Suva. **Monnaie :** dollar fidjien (= 100 cents). **Langue officielle :** anglais. **Principale religion :** protestantisme. **Institutions :** État indépendant depuis 1970. République depuis 1987. Constitution de 1990. Président de la République nommé pour 5 ans par le Grand Conseil des chefs de clan fidjiens. Parlement bicaméral : Assemblée législative élue au suffrage universel, Sénat nommé. Le Premier ministre doit être de souche fidjienne. **Président de la République :** Ratu Sir Kamisese Mara (depuis 1994). **Premier ministre :** Sitiveni Rabuka (depuis 1992). **Drapeau :** il porte l'Union Jack et un blason créé en 1908, meublé d'une croix de Saint-Georges, d'un léopard britannique, d'une colombe de la paix et des richesses agricoles du pays : canne à sucre, cocotier, bananes. **Hymne national :** « Accorde ta bénédiction, ô Dieu des nations, aux îles Fidji, tandis que tous unis nous nous tenons sous la noble bannière bleue. » Paroles de M.F.A. Prescott (né en 1928), musique d'un auteur inconnu. Adopté en 1970. **Fête nationale :** 10 octobre (anniversaire de l'indépendance).

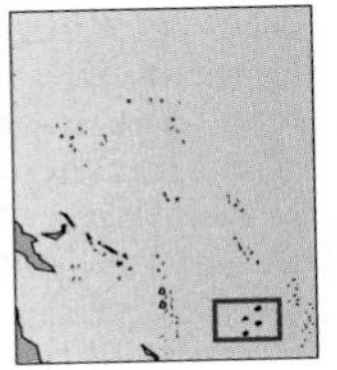

Superficie : 18 300 km². **Point culminant :** 1 323 m au mont Victoria dans l'île de Viti Levu.

GÉOGRAPHIE

Le pays est constitué d'un archipel de plus de 300 îles, dont les principales sont Viti Levu et Vanua Levu. La canne à sucre, le tourisme et l'or sont ses principales ressources.

HISTOIRE

Ce groupe d'îles a été découvert en 1643 par le Hollandais Abel Janszoon Tasman, puis visitées par James Cook (1774) et William Bligh (1789). Les Fidji sont ensuite explorées par J. Dumont d'Urville (1827), avant d'être annexées par les Britanniques en 1874. Peuplé pour moitié de Fidjiens de souche (Mélanésiens) et pour moitié d'immigrants indiens, l'archipel, divisé politiquement et économiquement entre les deux ethnies, est le théâtre d'émeutes raciales en 1959 et à la veille de l'indépendance, à laquelle il accède en 1970 au sein du Commonwealth. Depuis, la vie politique est dominée par Ratu Mara, leader du Parti fidjien, au pouvoir de septembre 1977 à avril 1987. À cette date, une coalition de partis d'opposition, hostile au nucléaire, remporte les élections législatives. Cependant, le gouvernement est renversé à la suite d'un coup d'État militaire (mai) commandité par le lieutenant-colonel Sitiveni Rabuka. La république est proclamée et les Fidji sont exclues du Commonwealth (oct.). Le pouvoir est ensuite

◆ **Démographie.**

population	800 000 hab.
densité	43,7 hab./km²
accroissement naturel	17,5 ‰
taux de natalité	22,6 ‰
taux de mortalité infantile	18 ‰
espérance de vie	73 ans
part des moins de 15 ans	34,6 % de la pop. totale
part des plus de 65 ans	3,8 % de la pop. totale
population urbaine	41 %
principales villes	Suva, Lautoka

◆ **Principales ressources et productions** (1997).

canne à sucre	4 110 000 t
coprah	18 000 t
riz	18 000 t
production de bois	598 000 m³

◆ **Économie et niveau de vie** (1996).

PNB	1,986 milliard de $
PNB/hab.	4 070 $
taux de croissance *(1992)*	3,1 %
taux d'inflation	3,1 %
taux de chômage	n.d.
dette extérieure	217,4 millions de $
importations	838 millions de $
exportations	655 millions de $
transports	routes 4 127 km, voies ferrées 595 km
taux d'analphabétisme	8,4 %

◆ **Armée.**

budget militaire *(1996)*	1,5 % du PIB
forces armées *(1997)*	3 600 hommes

restitué aux civils. L'ancien gouverneur général, Ratu Sir Penaia Ganilau, devient président de la République. Une nouvelle constitution est promulguée en 1990. Elle accorde des droits privilégiés à la population mélanésienne au détriment de la population indienne, dont les éléments les plus dynamiques quittent le pays, désorganisant ainsi la vie économique. En 1992, Ratu Mara cède son poste de Premier ministre au général Sitiveni Rabuka et devient président de la République en 1994.

Tonga

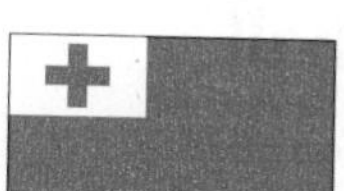

Nom officiel : Royaume des Tonga. **Capitale** : Nukualofa. **Monnaie** : pa'anga (= 100 seniti). **Langues officielles** : anglais, tongan. **Principale religion** : protestantisme. **Institutions** : État indépendant depuis 1970, membre du Commonwealth. Monarchie héréditaire. Constitution de 1875. Conseil privé, désigné et présidé par le roi. Assemblée législative de 29 membres, dont 9 élus au suffrage universel pour 3 ans. **Souverain** : le roi Taufa'ahau Tupou IV (depuis 1965). **Premier ministre** : le baron Vaea of Huma (depuis 1991). **Drapeau** : il a été adopté en 1875. Il symbolise la croix et le sang du Christ. **Hymne national** : « Ô Dieu tout-puissant, tu es notre Seigneur et notre protecteur et nous plaçons notre confiance en toi : tu aimes nos îles Tonga. » Paroles du XIXe s. par un des princes de la dynastie régnante, musique de Karl Gustavus Schmiti (1834-1900). Adopté en 1874. **Fête nationale** : 4 juillet (anniversaire du souverain).

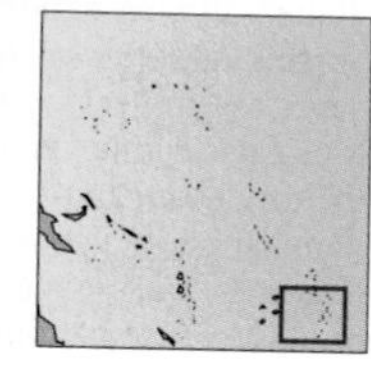

Superficie : 700 km². **Point culminant** : 1 033 m au mont Kao.

GÉOGRAPHIE

Constituées de 3 archipels, les îles Tonga comportent 172 îles, dont 36 sont habitées, parmi lesquelles Tongatapu, Ha'apai et Tofua sont les plus importantes. Couvrant une zone maritime de 700 000 kilomètres carrés, les îles Tonga abritent de nombreux volcans actifs, dont le mont Kao.

HISTOIRE

Quand les Hollandais J. Le Maire (1616) puis A.J. Tasman (1 643) abordent cet archipel, une très ancienne dynastie y règne depuis le Xe s. En 1773 et 1777, les îles sont visitées par le capitaine Cook. La *London Missionary Society* ne parvient pas à s'imposer (1797). En 1826, les méthodistes parviennent à convertir le roi Georges Tupou Ier, qui impose son autorité sur toutes les îles et y établit une véritable monarchie constitutionnelle (1862). À la suite de difficultés financières, un protectorat britannique est établi en 1900, puis élargi en 1959. La reine Salote Tupou III règne de 1918 à 1965. Elle est remplacée par son fils Taufa'ahau Tupou IV, secondé par le prince Fatafehi Tu'ipelehake, qui accède au poste de Premier ministre. Les Tonga deviennent un royaume indépendant dans le cadre du Commonwealth en 1970. Les élections de 1981 sont marquées par un renforcement du conservatisme. En 1982, l'archipel est gravement touché par deux cyclones, qui dévastent les récoltes. En 1985, le roi a apporté son

◆ Démographie.

population	99 000 hab.
densité	141 hab./km²
accroissement naturel	23 ‰
taux de natalité	n.d.
taux de mortalité infantile	14 ‰
espérance de vie	n.d.
population urbaine	42 %
principale ville	Nukualofa

◆ Principales ressources et productions (1997).

igname	31 000 t
manioc	28 000 t
patates douces	5 000 t
production de bois	5 000 m³

◆ Économie et niveau de vie (1996).

PNB	0,184 milliard de $
PNB/hab.	1 590 $
taux de croissance *(1994)*	6,8 %
taux d'inflation	3 %
taux de chômage	n.d.
dette extérieure	69,6 millions de $
importations	56 millions de $
exportations	16 millions de $
répartition des actifs	agriculture 39,4 %, industrie 25,7 %, services 34,9 %
transports	routes 1 242 km, voies ferrées 0 km
taux d'analphabétisme	0,4 %

soutien au programme d'essais nucléaires français dans le Pacifique sud, dans la mesure où ils servent les intérêts de l'Alliance occidentale. Il maintient cependant son opposition à ce que ces essais soient effectués sur l'atoll de Mururoa. En août 1991, le prince Fatafehi Tu'ipelehake abandonne son poste de Premier ministre au baron Vaea of Huma. Tonga survit uniquement grâce à l'aide internationale et aux fonds de la communauté tongienne expatriée.

Samoa

Nom officiel : État indépendant des Samoa. **Capitale** : Apia. **Monnaie** : tala (dollar des Samoa = 100 sene). **Langues officielles** : anglais et samoan. **Principale religion** : protestantisme. **Institutions** : État indépendant depuis 1962. Constitution de 1962, amendée en 1990. Chef de l'État élu par le Parlement pour une durée de 5 ans. Parlement monocaméral : Assemblée législative de 47 membres élus au suffrage universel parmi les chefs de village et en poste pour 3 ans. **Souverain** : le roi Malietoa Tanumafili II (depuis 1963). **Premier ministre** : Tuilaepa Sailele Maliegaoi (depuis 1998). **Drapeau** : il a été adopté en 1949. Il porte la Croix du Sud. Le rouge représente le courage, le blanc la pureté, le bleu la liberté. **Hymne national** : « Samoa, lève-toi et plante la bannière, qui est ta couronne… » Paroles et musique de Sauni Ilga Kuresi (1900-1978). Adopté en 1962. **Fête nationale** : 1er janvier (anniversaire de l'indépendance).

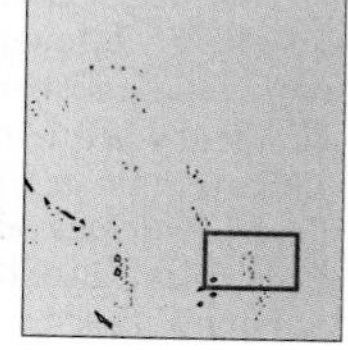

Superficie : 2 842 km². **Point culminant** : 2 000 m au mont Mauga dans l'île de Savaii.

GÉOGRAPHIE

Constituées principalement des îles de Savaii, Upolu, Manono et Apolina, les Samoa connaissent un climat tempéré.

HISTOIRE

Peuplées de Polynésiens d'origine très ancienne, ces îles sont découvertes en 1722 par le Hollandais Roggeveen, puis visitées par Bougainville (1768) et La Pérouse (1787). La population est christianisée par la *London Missionary Society* au début du XIXe s. Escale sur la route de la Chine, les Samoa attirent vite l'attention des États-Unis, suivis par la Grande-Bretagne et l'Allemagne. Après une période de tension, les trois puissances s'entendent (1889) sur un système de condominium. En 1899, la Grande-Bretagne se désiste, et l'archipel est divisé entre l'Allemagne (partie occidentale) et les États-Unis (partie orientale). En 1914, les Néo-Zélandais occupent les îles allemandes, qu'ils administrent sous mandat de la SDN (1920), puis sous tutelle de l'ONU (1947). Les Samoa

◆ Démographie.

population	170 000 hab.
densité	59,8 hab./km²
accroissement naturel	30 ‰
taux de natalité	26,7 ‰
taux de mortalité infantile	22 ‰
espérance de vie	69 ans
part des moins de 15 ans	38,1 % de la pop. totale
part des plus de 65 ans	4,2 % de la pop. totale
population urbaine	2 %
principale ville	Apia

◆ Principales ressources et productions (1997).

bananes	10 000 t
coprah	11 000 t
ananas	6 000 t
production de bois	131 000 m³

◆ Économie et niveau de vie (1996).

PNB	0,176 milliard de $
PNB/hab.	1 120 $
taux de croissance *(1994)*	0,9 %
taux d'inflation	7,6 %
taux de chômage	n.d.
dette extérieure	166,9 millions de $
importations	91 millions de $
exportations	10 millions de $
transports	routes 3 285 km, voies ferrées 0 km
taux d'analphabétisme	2 %

occidentales accèdent à l'indépendance le 1er janv. 1962 et prennent le nom de Samoa en 1997. Elles appartiennent au Commonwealth depuis 1970 et sont membres de l'ONU depuis 1976. Malgré l'extension progressive de la démocratie (le droit de vote à 21 ans est accordé en 1991), les Samoa demeurent frappées par l'hémorragie de la population active vers les centres urbains de Nouvelle-Zélande, d'Australie ou des Samoa américaines.

Tuvalu

Nom officiel : Tuvalu. **Capitale** : Funafuti. **Monnaie** : dollar australien (=100 cents). **Langue officielle** : anglais. **Principale religion** : protestantisme. **Institutions** : État indépendant depuis 1978, membre du Commonwealth.

Océanie

Gouverneur général, représentant la Couronne britannique. Parlement monocaméral, élu pour 4 ans. Premier ministre, élu en leur sein par les membres du Parlement. **Gouverneur général** : Tulaga Manuella (depuis 1994). **Premier ministre** : Bikenibeu Paeniu (depuis 1996). **Drapeau** : il a été adopté en 1978. Il est bleu (couleur de l'Océan) avec l'Union Jack dans le coin supérieur gauche et porte 9 étoiles d'or à 5 branches dont la disposition symbolise la géographie de l'archipel. **Hymne national** : non connu. **Fête nationale** : 1er et 2 octobre (anniversaire de l'indépendance, en 1978).

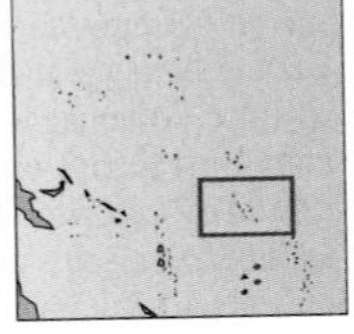

Superficie : 24 km².

GÉOGRAPHIE

Constituées de 9 atolls coralliens (principalement Nanuvea et Niutao), les îles Tuvalu couvrent une surface maritime de 1 300 000 kilomètres carrés.

HISTOIRE

En 1892, l'archipel Ellice devient, avec les Gilbert, protectorat britannique. En 1915, la Grande-Bretagne fait du protectorat une colonie. Après la Seconde Guerre mondiale, une série de structures sont mises en place, préparant l'autonomie des archipels. En 1975, les îles Ellice rompent leurs liens avec la colonie et deviennent, sous le nom de Tuvalu, une dépendance séparée de la Couronne britannique.

L'archipel accède à l'indépendance le 1er oct. 1978. Un des plus petits États du monde, Tuvalu est aussi l'un des plus pauvres. Ses ressources sont limitées à la culture vivrière, à la pêche côtière et à de faibles volumes de ventes de coprah. Tuvalu ne peut vivre que grâce à l'aide internationale, fournie sous forme de dons par les Occidentaux.

◆ Démographie.

population	10 000 hab.
densité	416,6 hab./km²
accroissement naturel	20 ‰
taux de natalité	n.d.
taux de mortalité infantile	n.d.
espérance de vie	n d.
population urbaine	46 %
principales villes	Funafuti, Fongafale

VOIR AUSSI
Illustrations
• **Formation d'un atoll** p. 47

Kiribati

Nom officiel : République de Kiribati. **Capitale** : Tarawa. **Monnaie** : dollar australien (= 100 cents). **Langue officielle** : anglais. **Principales religions** : protestantisme et catholicisme. **Institutions** : République indépendante depuis 1979, membre du Commonwealth. Parlement monocaméral, élu pour 4 ans. **Président de la République et chef du gouvernement** : Teburoro Tito (depuis 1994). **Drapeau** : créé en 1979. Il porte la frégate, symbole de force et de liberté, le soleil levant et les flots du Pacifique. **Hymne national** : « Debout, Kiribatiens, entonnez un chant joyeux, préparez-vous à prendre vos responsabilités, à vous entraider. » Paroles et musique d'Ioteba Tamuera Uriam (né en 1910). Adopté en 1979. **Fête nationale** : 12 juillet (anniversaire de l'indépendance).

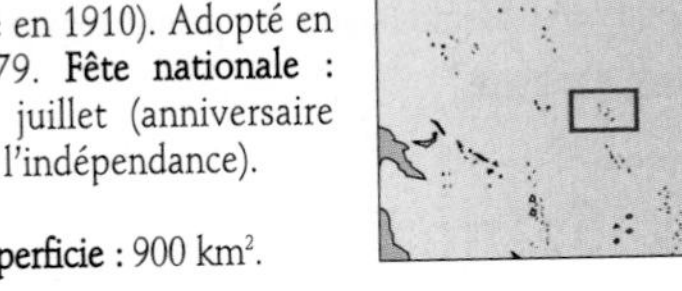

Superficie : 900 km².

GÉOGRAPHIE

Kiribati englobe notamment l'archipel des Gilbert et les îles de la Ligne. Traversé par l'équateur et la ligne de changement de date, l'État est dispersé sur près de 5 000 000 de kilomètres carrés.

HISTOIRE

En 1892, la Grande-Bretagne établit son protectorat sur les archipels des Gilbert et d'Ellice. En 1915, ces îles deviennent colonies de la Couronne. L'année suivante, les îles de la Ligne et l'île Océan sont rattachées à cette colonie. Plus tard s'ajoutent l'île Christmas (auj. Kiritimati) en 1919 et l'archipel des Phœnix (1937). Durant la Seconde Guerre mondiale, ces îles sont en partie occupées par les troupes japonaises (1942), puis reconquises par les Américains. En 1975, les Ellice rompent leurs liens avec la colonie, constituant l'État de Tuvalu. En 1979, les Gilbert deviennent une république indépendante dans le cadre du Commonwealth et prennent le nom de Kiribati. Lors de l'indépendance, l'arrêt de l'extraction des phosphates dans l'île de Banaba (anc. île Océan) porte un coup à son économie. Les revenus de l'archipel sont, depuis, limités à la vente du coprah et aux ressources halieutiques. Le budget est assuré à 98 % par l'aide internationale, britannique aux deux tiers. La vie politique de Kiribati a été marquée depuis l'indépendance par la personne d'Ieremiah Tabai, président de 1979 à 1991, auquel ont succédé Teatao Teannaki, puis, en 1994, Teburoro Tito.

◆ Démographie.

population	83 000 hab.
densité	92,2 hab./km²
accroissement naturel	21 ‰
taux de natalité	n.d.
taux de mortalité infantile	n.d.
espérance de vie	n.d.
population urbaine	36 %
principale ville	Tarawa

◆ Principales ressources et productions (1997).

coprah	8 000 t
bananes	5 000 t
porcins	10 000 têtes

◆ Économie et niveau de vie (1996).

PNB	0,076 milliard de $
PNB/hab.	710 $
taux de croissance *(1992)*	2,5 %
taux d'inflation *(1992)*	5 %
taux de chômage	n.d.
dette extérieure	n.d.
importations	48 millions de $
exportations	7 millions $
transports	routes 640 km, voies ferrées 0 km
taux d'analphabétisme	n.d.

Îles Marshall

Nom officiel : République des îles Marshall. **Capitale** : Majuro. **Monnaie** : dollar des États-Unis (= 100 cents). **Langue officielle** : anglais. **Principale religion** : protestantisme. **Institutions** : République. Constitution de 1979. Président élu par l'Assemblée législative en son sein. Parlement bicaméral : Assemblée législative *(Nitijela)* élue au suffrage universel pour 4 ans et Sénat. **Chef de l'État et du gouvernement** : Amata Kabua (depuis 1980). **Drapeau** : le fond bleu symbolise le Pacifique, l'étoile blanche, la Chrétienté. Les bandes blanche et orange représentent les deux groupes d'îles du Levant (îles Ratak) et du Couchant (îles Ralik). **Hymne national** : « J'aime ces îles où je suis né, leurs alentours, leurs sentiers et leurs assemblées. Je ne peux partir d'ici, car j'y suis à ma vraie place. Mon héritage familial est ici à jamais. C'est ici que je veux mourir. » **Fête nationale** : non connue.

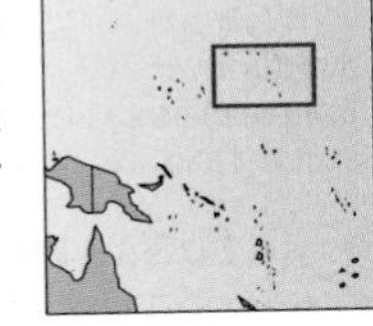

Superficie : 181 km².

GÉOGRAPHIE

Les îles Marshall sont constituées de deux groupes (Ratak et Ralik) comprenant eux-mêmes 31 atolls coralliens, 5 îles et 1 152 îlots, le tout représentant une zone maritime de 1 294 500 kilomètres carrés.

◆ Démographie.

population	61 000 hab.
densité	337 hab./km²
accroissement naturel	34 ‰
taux de natalité	43 ‰
taux de mortalité infantile	26 ‰
espérance de vie	61 ans
part des moins de 15 ans	51 % de la pop. totale
part des plus de 65 ans	3 % de la pop. totale
population urbaine	69 %
principales villes	Majuro, Dalap-Iliga-Darrit

◆ Économie et niveau de vie (1996).

PNB	0,113 milliard de $
PNB/hab.	n.d.
taux de croissance *(1992)*	n.d.
taux d'inflation *(1992)*	n.d.
taux de chômage	n.d.
dette extérieure	n.d.
importations	74 millions de $
exportations	17 millions $
taux d'analphabétisme	n.d.

HISTOIRE

Possession espagnole, l'archipel des îles Marshall passe en 1885 à l'Allemagne. Après la Première Guerre mondiale, elles sont placées, par la SDN, sous mandat confié au Japon. Celui-ci les administre comme partie intégrante de son empire. Conquises par les Américains en 1944, elles sont rattachées, à partir de 1947, au Territoire sous tutelle des îles du Pacifique dont l'ONU confie l'administration aux États-Unis. Les atolls de Bikini et d'Eniwetok sont, de 1946 à 1958, le théâtre des expérimentations nucléaires américaines. Depuis 1961, l'atoll de Kwajalein, transformé en base navale, sert à la récupération des missiles lancés depuis la base de Vandenberg (Californie). En 1978, les Marshall refusent par plébiscite de faire partie des États fédérés de Micronésie. L'année suivante, elles se dotent d'une constitution. Le pacte de « libre association » aux États-Unis, signé en 1983 et entré en vigueur en 1986, les fait accéder, *de facto*, à l'indépendance, sauf en matière de défense, celle-ci étant confiée aux États-Unis. En 1991, les Marshall entrent à l'ONU.

États fédérés de Micronésie

Nom officiel : États fédérés de Micronésie. **Capitale** : Palikir. **Monnaie** : dollar des États-Unis (= 100 cents). **Langue officielle** : anglais. **Principale religion** : christianisme. **Institutions** : République. Constitution (de type fédéral) de 1979. Congrès de 14 membres (10 élus au suffrage universel, 4 élus par les États fédérés). Président et vice-président élus pour 4 ans par le Congrès. **Président de la République et chef du gouvernement** : Jacob Nena (depuis 1997). **Drapeau** : son fond bleu symbolise le Pacifique, et les quatre étoiles, chacun des États de la fédération. **Hymne national** : « C'est ici que nous engageons, par le cœur et par le geste, notre pleine dévotion à toi, notre terre natale. » **Fête nationale** : non connue.

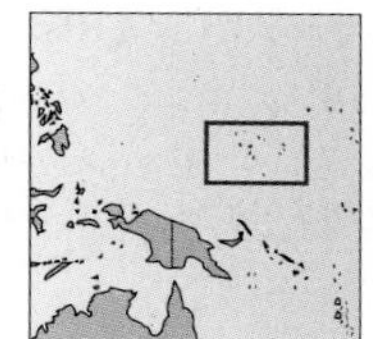

Superficie : 707 km².

◆ **Démographie.**

population	134 000 hab.
densité	189,5 hab./km²
accroissement naturel	26 ‰
taux de natalité	30,1 ‰
taux de mortalité infantile	31 ‰
espérance de vie	70 ans
part des moins de 15 ans	39,9 % de la pop. totale
part des plus de 65 ans	3,1 % de la pop. totale
population urbaine	28 %
principales villes	Paliku, Moen

◆ **Économie et niveau de vie** (1996).

PNB	0,227 milliard de $
PNB/hab.	n.d.
taux de croissance	n.d.
taux d'inflation	n.d.
taux de chômage	n.d.
dette extérieure	n.d.
importations	164 millions de $
exportations	70 millions $
taux d'analphabétisme	n.d.

GÉOGRAPHIE

Composée de 607 îles et atolls, couvrant une surface maritime de près de 3 millions de kilomètres carrés, la Micronésie correspond à la majeure partie de l'archipel des Carolines.

HISTOIRE

Les îles Carolines (dont font partie les États fédérés de Micronésie) sont annexées par les Espagnols en 1686. En 1899, l'Espagne les vend à l'Allemagne. Après la Première Guerre mondiale, les îles sont placées sous mandat du Japon. Les Japonais aménagent en base navale l'atoll de Truk (auj. Chuuk), qui abrite leur flotte pendant la bataille du Pacifique. À partir de 1947, les Carolines sont placées sous tutelle de l'ONU, qui en confie l'administration aux États-Unis. En 1979, l'archipel, à l'exception de Palau, se constitue en États fédérés de Micronésie. Lorsque le pacte de « libre association » avec les États-Unis, signé en 1982, prend effet en 1986, les États fédérés de Micronésie accèdent, sauf en matière de défense, assurée par les États-Unis, à une indépendance de fait. La fin de la tutelle américaine permet, en 1991, l'admission de l'archipel à l'ONU.

Palau Belau

Nom officiel : République de Palau. **Capitale** : Koror. **Monnaie** : dollar des États-Unis (= 100 cents). **Langues officielles** : anglais et palauan. **Principale religion** : protestantisme. **Institutions** : République indépendante depuis 1994. Président élu pour 4 ans. Conseil des chefs. Parlement bicaméral : 14 sénateurs et 16 délégués élus pour 4 ans. **Président de la République et chef du gouvernement** : Kuniuro Nakamura (depuis 1994). **Vice-président** : Tommy Remengesau (depuis 1994). **Drapeau** : il représente la lune sur le fond bleu du Pacifique. **Hymne national** : non connu. **Fête nationale** : 1er octobre (anniversaire de l'indépendance).

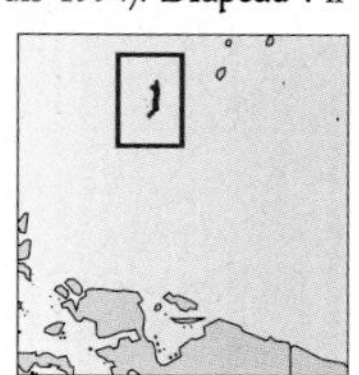

Superficie : 487 km².

GÉOGRAPHIE

L'État de Palau est constitué de 8 îles principales et de 252 îles plus petites couvrant un espace maritime de 970 000 kilomètres carrés.

◆ **Démographie.**

population	17 000 hab.
densité	34,9 hab./km²
accroissement naturel	n.d.
taux de natalité	n.d.
taux de mortalité infantile	n.d.
espérance de vie	n.d.
population urbaine	71 %
principale ville	Koror

◆ **Économie et niveau de vie** (1996).

PNB	0,081 milliard de $
PNB/hab.	5 000 $
taux de croissance	n.d.
taux d'inflation	n.d.
taux de chômage	n.d.
dette extérieure	n.d.
importations	63 millions de $
exportations	12 millions $
taux d'analphabétisme	n.d.

HISTOIRE

L'archipel a été découvert au XVIe s. Possession espagnole jusqu'en 1899, il est alors acheté par les Allemands. Sous mandat du Japon de 1919 à 1945, il passe sous la tutelle américaine en 1947. Il est devenu indépendant le 1er oct. 1994, et est admis à l'ONU.

Nauru Naoero

Nom officiel : République de Nauru. **Capitale** : Yaren. **Monnaie** : dollar australien (= 100 cents). **Langue officielle** : nauruan. **Principale religion** : protestantisme. **Institutions** : République indépendante depuis 1968 entretenant des liens spécifiques avec le Commonwealth. Constitution de 1968. Président de la République, élu en son sein par le Parlement (qui est élu pour 3 ans). **Président de la République et chef du gouvernement** : Bernard Dowiyogo (depuis 1998). **Drapeau** : il a été adopté en 1968. Il porte le bleu de l'Océan, la ligne de l'équateur, tandis que l'étoile représente l'île à l'ouest du méridien de changement de date. **Hymne national** : « Nauru, notre patrie. » Adopté en 1968. **Fête nationale** : 31 janvier (anniversaire de l'indépendance).

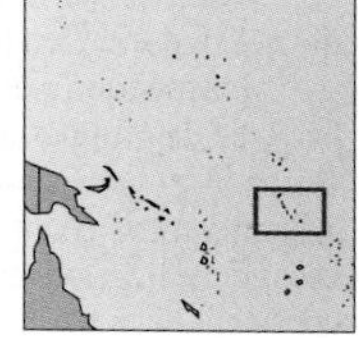

Superficie : 21 km².

GÉOGRAPHIE

Nauru est un atoll de Micronésie, proche de l'équateur et couvrant un espace maritime de 320 000 kilomètres carrés.

HISTOIRE

En 1888, Nauru est annexé par l'Allemagne et fait partie de son protectorat sur les îles Marshall. Sous mandat de la SDN puis sous tutelle de l'ONU, il accède à l'indépendance en 1968. C'est le seul État mono-insulaire du Pacifique sud.

◆ **Démographie.**

population	11 000 hab.
densité	523,8 hab./km²
accroissement naturel	n.d.
taux de natalité	n.d.
taux de mortalité infantile	n.d.
espérance de vie	n.d.
population urbaine	100 %
principale ville	Yaren

◆ **Principales ressources et productions** (1997).

porcins	3 000 têtes
phosphates	1 600 000 t
électricité	29 000 000 kWh

◆ **Économie et niveau de vie** (1996).

PNB	0,11 milliard de $
PNB/hab.	12 000 $
taux de croissance	n.d.
taux d'inflation	n.d.
taux de chômage	n.d.
dette extérieure	n.d.
importations	n.d.
exportations	n.d.
taux d'analphabétisme	n.d.

L'Amérique

Aspects généraux

Géographie et peuplement

Continent le plus étiré en latitude, puisque s'étendant du nord au sud sur une distance de plus de 15 000 km, l'Amérique se compose de deux grandes masses séparées par un isthme étroit. On trouve tout le long de la partie occidentale du continent des montagnes récentes et élevées (les Rocheuses et les Andes), des massifs anciens et érodés (Appalaches, massif des Guyanes). Quelques grands fleuves (Missouri, Mississippi au nord, Amazone, Paraná et Paraguay au sud) contribuent également à l'organisation de la géographie américaine. Des climats très variés expliquent enfin une végétation extrêmement différenciée. L'Amérique septentrionale bénéficie ainsi d'un climat pour l'essentiel tempéré et froid avec de vastes forêts de conifères. L'Amérique centrale est plus chaude et se partage entre une zone désertique et des forêts équatoriales. L'Amérique du Sud, enfin, comprend les forêts équatoriales d'Amazonie, les espaces montagneux andins ainsi que les plaines tempérées d'Argentine et d'Uruguay.

L'Amérique a été peuplée tardivement par l'arrivée de groupes asiatiques par le détroit de Béring, il y a plus de 30 000 ans. Ces populations amérindiennes n'ont cependant jamais été très nombreuses. À l'arrivée des Européens, en 1492, le continent dans son ensemble comptait approximativement 15 millions d'habitants. L'immigration de populations européennes a donc été déterminante dans la construction du peuplement américain, et ce d'autant plus que les Amérindiens ont été largement victimes de la colonisation (massacres, esclavage, épidémies). Dernier apport démographique sensible, les Afro-Américains, descendants des esclaves amenés par les Européens dès le XVe s., sont particulièrement présents aux États-Unis, dans les Antilles et au Brésil. Largement métissés, en particulier en Amérique latine, les 774 millions d'Américains résultent donc de couches successives d'immigration.

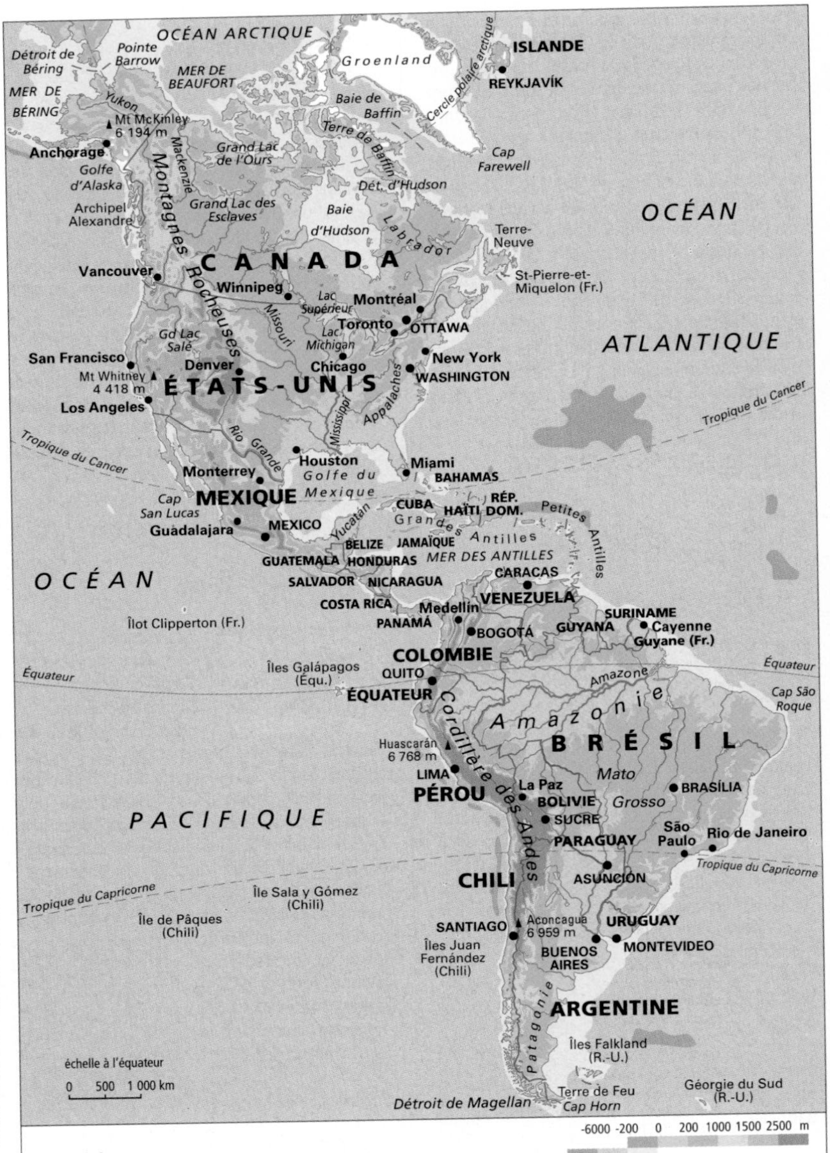

♦ **Amérique.**

De l'Amérique précolombienne aux indépendances

Les peuples amérindiens de l'Amérique précolombienne n'étaient le plus souvent pas ou peu organisés au-delà de la tribu. Seuls l'Amérique centrale et le nord des Andes ont été le site de sociétés étatiques avancées. On trouve ainsi les Incas au Pérou, les Toltèques, les Aztèques, les Olmèques et les Mayas en Amérique centrale. Parmi ces civilisations, les Olmèques sont la plus ancienne, tandis que les Empires aztèque et inca ne se sont affirmés qu'à la veille de l'arrivée des Européens.

Débutant avec les voyages de Christophe Colomb en 1492, la colonisation européenne bouleverse l'histoire du continent en mettant brutalement fin aux royaumes et aux civilisations des Amérindiens, incapables de s'opposer aux colonisateurs espagnols et portugais pourtant peu nombreux. En quelques dizaines d'années, les conquérants (Cortés, Pizarre) s'assurent la domination de la quasi-totalité de l'Amérique latine et entreprennent d'exploiter les riches mines d'or et d'argent de ces nouvelles colonies.

C'est précisément le manque de main-d'œuvre qui conduisit d'abord à l'asservissement des populations amérindiennes, puis à l'importation massive d'esclaves africains. Tandis que l'Amérique latine est essentiellement partagée entre Espagnols et Portugais, l'Amérique du Nord devient un enjeu entre Français et Anglais dès le XVIe s. La lutte entre les deux pays se poursuit jusqu'au XVIIIe s. et se solde en 1763 par l'éviction de la France hors du continent nord-américain.

Les indépendances

Le mouvement d'indépendance des Amériques commence dès 1776 dans les colonies américaines britanniques. Après une guerre d'indépendance, la Grande-Bretagne doit finalement reconnaître la souveraineté des États-Unis. Cet événement amène les élites latino-américaines à envisager à leur tour leur émancipation. Les guerres d'indépendance menées contre l'Espagne se déroulent en deux temps. En 1809-1816, les Espagnols réussissent à maintenir leur domination sauf en Argentine et au Paraguay. C'est finalement entre 1816 et 1825 que la totalité de l'Amérique latine espagnole acquiert son indépendance, grâce à l'action de Simon Bolívar et de José de San Martín. L'émancipation du Brésil se produit sans rupture avec la métropole portugaise en 1822. À l'exception des Antilles et du Canada, le continent est donc indépendant en 1825. Il faut cependant noter que, partout, ces indépendances ont été acquises principalement par les descendants des colons européens qui conservent l'essentiel du pouvoir politique et économique au détriment des autres groupes ethniques (Amérindiens, Noirs et métis). Le XIXe s. voit ensuite plusieurs guerres entre ces États nouveaux, qui réorganisent les frontières héritées de la colonisation.

Après les accessions à l'indépendance, les différences entre l'Amérique du Nord anglosaxone et l'Amérique latine deviennent encore plus marquées. L'Amérique du Nord est démocratique et s'industrialise rapidement, si bien que les États-Unis sont, dès 1914, la première puissance économique mondiale. L'Amérique latine conserve au contraire des sociétés plus traditionnelles, à dominante agricole. Son développement économique est également freiné par l'existence de régimes autoritaires dominés par les militaires.

Pendant tout le XIXe s., les États-Unis, qui n'interviennent pas dans les conflits européens, s'imposent progressivement comme les leaders du continent. Après avoir préserver l'Amérique latine d'un retour des ambitions coloniales européennes au nom de la doctrine Monroe, Washington cherche à la protéger du communisme pendant la guerre froide. Cette politique prend parfois la forme d'interventions militaires directes, mais se manifeste plus généralement par une influence marquée des États-Unis dans la vie politique des États latino-américains.

Développement et inégalités sociales

Alors que les États-Unis et le Canada sont de longue date parmi les États les plus démocratiques et les plus développés du monde, le développement économique et démocratique de l'Amérique latine a été beaucoup plus tardif. Même les plus grands États, bénéficiant de richesses naturelles considérables (Brésil, Mexique, notamment), ne sont véritablement sortis du sous-développement que depuis les années 1990. Cet état de fait a plusieurs explications. D'une part, les régimes autoritaires, souvent corrompus, qui ont longtemps dominé les États latino-américains, n'étaient pas, sinon peu, propices à un développement économique durable, d'autant moins qu'ils pratiquaient volontiers un certain nationalisme économique. D'autre part, dans le contexte de sociétés traditionnelles, dominées par des grands propriétaires terriens et marquées par des inégalités sociales persistantes, l'instabilité politique était entretenue par l'opposition entre des guérillas insurrectionnelles d'inspiration marxiste et des militaires prompts à s'emparer du pouvoir pour mener leur combat anticommuniste. Après plusieurs crises économiques et financières et autant d'instabilité politique, l'Amérique latine semble cependant sortir du sous-développement économique et parachever sa démocratisation. Des tentations autoritaires ou populistes se manifestent sporadiquement, et les problèmes sociaux sont loin d'être résolus, mais la plupart des États de la région connaissent une stabilité et une prospérité relatives. Des zones de tension subsistent néanmoins, par exemple dans les Andes (Pérou, Colombie, Bolivie) où la conjonction du trafic de drogue et du maintien de mouvements de guérilla actifs entretient une grande insécurité. De même, dans les Antilles, Haïti et Cuba suscitent toujours de nombreuses inquiétudes. Enfin, après avoir été longtemps occultée, la question amérindienne réapparaît également du nord au sud du continent et prend parfois des formes violentes comme au Chiapas (Mexique), ou dramatiques comme pour certaines tribus amazoniennes chassées par l'exploitation de leur territoire forestier. Le vrai défi est sans doute celui de la lutte contre les inégalités, qui se pose certes en termes différents dans les grandes villes des États-Unis ou dans les jungles d'Amérique centrale, mais qui est un problème commun à tous les Américains.

◆ **Camion dans le nord du Canada.**
Le transport routier joue un rôle de première importance dans l'exploitation des richesses du Nord canadien. Cette région, où la nature demeure hostile, reste l'une des moins peuplées du monde, l'essentiel de la population du Canada se concentrant au Québec, en Ontario et en Colombie-Britannique.

◆ **New York.**
Principale agglomération de la côte est des États-Unis, New York est le symbole des États-Unis par la variété de sa population et la diversité de ses richesses économiques et culturelles. Cette grande métropole est cependant très différente des autres grandes villes américaines.

◆ **Favelas à Rio de Janeiro.**
Contrepartie du développement économique et de l'urbanisation rapide de l'Amérique latine, les bidonvilles (appelés « favelas » au Brésil) se retrouvent dans toutes les grandes métropoles latino-américaines et ne semblent pas près de disparaître.

◆ **Manifestation pacifiste de zapatistes à Mexico, en septembre 1997.**
Née dans les années 1990, l'Armée zapatiste de libération nationale (EZLN), animée par le charismatique sous-commandant Marcos, a très vite rencontré l'adhésion des populations indiennes du Mexique. Son influence sur la vie politique mexicaine s'étend désormais au-delà de l'État du Chiapas, qui demeure son foyer principal.

Les organisations régionales

Jusqu'à une date récente, les formules de coopération régionale étaient rares en Amérique. Née en 1947, l'OEA (Organisation des États américains) est essentiellement demeurée un forum informel, symbole de l'hégémonie des États-Unis sur le continent. Les premières tentatives d'établissement de marchés communs que sont le MCCA (Marché commun de l'Amérique centrale, 1960), le Pacte andin, (1969), la Caricom (Communauté des Caraïbes, 1973) n'ont donné jusqu'ici que peu de résultats, les États composant ces ensembles se révélant plus concurrents que complémentaires.

Depuis le début des années 1990, ces données se sont profondément modifiées avec l'émergence de deux organisations qui semblent en fait présenter deux modèles concurrents : l'ALENA (Association de libre-échange nord-américaine) qui unit, depuis 1994, le Canada, les États-Unis et le Mexique, et le Marché commun du Cône sud ou Mercosur, rassemblant depuis 1995 l'Argentine, le Brésil, le Paraguay et l'Uruguay.

La première cherche à promouvoir le libre-échange entre ses membres afin de créer un grand marché s'étendant à terme à tout le continent. Le Mercosur est, au contraire, un projet plus ambitieux, qui s'inspire de la construction européenne pour créer une communauté régionale cohérente et solide, économiquement, commercialement, et demain politiquement.

VOIR AUSSI 
- **Décolonisation de l'Amérique latine** p. 453
- **Religions précolombiennes** p. 540
- **Religion des Indiens d'Amérique du Nord** p. 542
- **Synchrétisme d'Amérique latine** p. 542
- **ODECA** (Organisation des États centraméricains) p. 773
- **OEA** (Organisation des États américains) p. 775
- **ALENA** p. 776, 824
- **Caricom** p. 777
- **Pacte andin** p. 777
- **Mercosur** p. 777
- **Art précolombien** p. 1058

Amérique du Nord

Canada

Nom officiel : Canada. **Capitale :** Ottawa. **Monnaie** : dollar canadien (= 100 cents). **Langues officielles :** anglais et français. **Principales religions :** catholicisme, protestantisme. **Institutions :** État fédéral, membre du Commonwealth : 10 provinces (dotées d'un Parlement et d'un gouvernement) et 2 territoires. Constitution : Acte de l'Amérique du Nord britannique de 1867, plusieurs fois amendé, notamment par l'Acte constitutionnel de 1982 consécutif au rapatriement de la Constitution. Le souverain britannique représenté par un gouverneur général. Premier ministre, chef de la majorité parlementaire, responsable devant le Parlement. Chambre des communes élue pour 5 ans et Sénat (membres nommés jusqu'à 75 ans). **Gouverneur général :** Roméo Leblanc (depuis 1995). **Premier ministre :** Jean Chrétien (depuis 1993). **Drapeau :** le rouge et le blanc ont été attribués comme couleurs officielles au Canada par le roi George V en 1921. La feuille d'érable est, de longue date, un emblème du Canada. Entré en vigueur en 1965, ce drapeau remplaçait le Red Ensign canadien, employé depuis 1870, et l'Union Jack. **Hymne national** dit « Ô Canada » : « Ô Canada ! Terre de nos aïeux,/Ton front est ceint de fleurons glorieux !/Car ton bras sait porter l'épée/Il sait porter la croix./Ton histoire est une épopée/ Des plus brillants exploits / Et ta valeur, de foi trempée/ Protégera nos foyers et nos droits… » Version française d'Adolphe-Basile Routhier (1839-1920), version anglaise de Robert S. Weir (1856-1926), musique de Calixa Lavallée (1842-1891). Adopté en 1932, déclaré officiel en 1980. **Fête nationale** : 1er juillet (dit « jour du Canada », commémorant la formation de la Confédération canadienne en 1867).

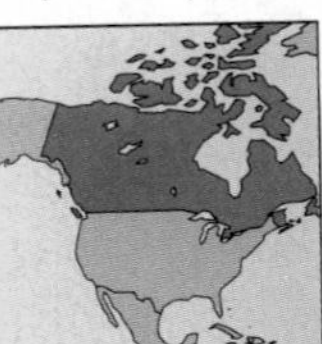

Superficie : 9 975 000 km². **Point culminant** : 5 959 m au mont Logan, dans la chaîne Saint Elias (Yukon).

GÉOGRAPHIE

Pays le plus vaste du monde après la Russie, le Canada est également l'un des moins densément peuplés, en particulier dans les régions du Nord, aux hivers rudes. Couvert pour un tiers par la forêt, et parsemé de nombreux lacs, le relief canadien est caractérisé par une grande plaine, au centre, et par le massif des montagnes Rocheuses qui longe la côte occidentale. Pays de tradition agricole et minière, le Canada fait partie des premiers exportateurs de blé. Il produit du fer, du plomb, du zinc, ainsi que du gaz naturel et du pétrole. L'industrie, dont la croissance a été favorisée par le voisinage des États-Unis, est également importante. Toutefois, le Canada est aujourd'hui un pays où les services occupent une place dominante dans l'économie (plus de 70 % de la population active). Le commerce extérieur s'effectue pour les deux tiers avec les États-Unis et le Mexique.

La population canadienne, peu nombreuse, est urbanisée pour 80 % (Toronto et Montréal sont les principales villes) et bénéficie de l'un des niveaux de vie les plus élevés du monde. Principalement divisée en deux communautés, les anglophones (environ 70 % de la population) et les francophones (environ 30 %), elle connaît un accroissement naturel faible mais positif, en partie grâce à l'immigration.

HISTOIRE

La Nouvelle-France. Le premier peuplement du Canada est constitué par des tribus amérindiennes. Peut-être connu dès le IXe s. des Irlandais chassés d'Islande, le pays commence à être exploré à la fin du XVe s. En 1497, le Français Jacques Cabot atteint l'île du Cap-Breton. Au début du XVIe s., tandis que des pêcheurs bretons et normands fréquentent les eaux de Terre-Neuve, le navigateur Jean de Verraze (Verrazano), au service de François Ier, longe la côte américaine jusqu'à la Floride (1524) et baptise « Nouvelle-France » l'arrière-pays. La découverte s'amplifie avec les voyages de Jacques Cartier (1534, 1535-1536 et 1541-1542), qui remonte le Saint-Laurent jusqu'au site de Montréal.

La colonisation française entre dans sa première phase de réalisation avec Samuel de Champlain, qui fonde Québec (1608). Pour assurer le peuplement de la nouvelle colonie, Richelieu et Louis XIII constituent en 1627 la Compagnie des Cent-Associés, à laquelle ils abandonnent la Nouvelle-France (vallée du Saint-Laurent) et l'Acadie, ainsi que le monopole du commerce des fourrures, à charge d'installer chaque année de 200 à 300 immigrants. Prise par les Britanniques en 1629, restituée à la France en 1632 par le traité de Saint-Germain-en-Laye, Québec devient le centre de la colonie. Celle-ci s'étend jusqu'au lac Ontario, sur une mince frange le long du Saint-Laurent, où sont créés deux nouveaux postes : Trois-Rivières (1634) et Montréal (1642). Toutefois, en raison de la faiblesse de l'immigration, la colonisation stagne. En 1660, la population n'atteint que 2 000 âmes. Attaché aux progrès de la Nouvelle-France, Louis XIV, à l'instigation de Colbert, fonde la Compagnie française des Indes occidentales (1664), dépêche le régiment de Carignan-Salières (1665) contre les Iroquois et dote la colonie d'un gouverneur général, d'un intendant et d'un conseil souverain. La Nouvelle-France connaît alors un brillant essor. Son premier intendant, Jean-Baptiste Talon (1665-1672), favorise le peuplement et active l'agriculture, la pêche et l'artisanat. En 1673, la population atteint 6715 habitants. À la faveur de la paix avec les Iroquois (1666), les explorations progressent le long du Saguenay avec Denys de Saint-Simon et le père Albanel (1671), dans la région du lac Supérieur avec Nicolas Perrot (1672). Sous Louis de Frontenac, nommé gouverneur général en 1672, Louis Jolliet et le missionnaire jésuite Jacques Marquette descendent le Mississippi (1673), D. Duluth explore le haut Mississippi (1680) et Robert Cavelier de La Salle prend possession de la Louisiane (1682). Mais, en 1684, les Iroquois rouvrent les hostilités : encouragés par les Britanniques, qui tentent de détourner vers New York le trafic des fourrures du Saint-Laurent, leurs agressions ne cessent qu'en 1701. En outre, la Nouvelle-France devient un enjeu de la lutte qui met aux prises la France et la Grande-Bretagne en Europe.

Guerres avec la Grande-Bretagne. Lors de la guerre de la ligue d'Augsbourg, Frontenac repousse les Britanniques devant Québec (1690), et Le Moyne d'Iberville conquiert la baie d'Hudson (1697). Mais au traité d'Utrecht (1713), qui met fin à la guerre de la Succession d'Espagne, la France perd la baie d'Hudson, l'Acadie et Terre-Neuve ; elle conserve cependant l'île Royale (auj. île du Cap-Breton). Après le rétablissement de la paix, la Nouvelle-France prospère de nouveau ; elle pénètre au cœur du continent américain et rejoint la Louisiane. Les explorations de Pierre de La Vérendrye et de ses fils étendent son domaine jusqu'aux Rocheuses (1743). L'activité économique se développe : à la pêche et au commerce des fourrures s'ajoutent l'exploitation du bois et celle du minerai de fer (forges de Saint-Maurice) ainsi que la construction navale (Québec). Mais, avec ses quelque 54 000 habitants, la Nouvelle-France est faible face aux 13 colonies britanniques, fortes de plus de 1,5 million d'habitants et dont l'expansion vers l'Ouest est nécessaire au développement économique. À la faveur de la guerre de Sept Ans, les Britanniques s'emparent de Québec après la défaite du marquis Louis de Montcalm lors de la bataille des plaines d'Abraham où il est tué (1759), puis prennent Montréal (1760). Leur victoire est consacrée par le traité de Paris (10 févr. 1763), qui leur cède la Nouvelle-France (sauf Saint-Pierre-et-Miquelon).

Le Canada britannique. Désormais colonie britannique, le Canada est réorganisé par la proclamation royale du 7 oct. 1763 : le territoire occupé par les Français est réduit à la province de Québec, qui comprend la vallée du Saint-Laurent, de Gaspé au lac Nipissing. Le reste du pays est rattaché soit à Terre-Neuve, soit à la Nouvelle-Écosse et forme, en outre, deux territoires, l'un, la région des Grands Lacs, devenant domaine de la Couronne britannique, l'autre, la Terre de Rupert, appartenant à la Compagnie de la baie d'Hudson. Mais les Canadiens français et catholiques reçoivent la

◆ Démographie.

population	30 600 000 hab.
densité	3 hab./km²
accroissement naturel	6,4 ‰
taux de natalité	11,9 ‰
taux de mortalité infantile	6 ‰
espérance de vie	78 ans
part des moins de 15 ans	20,4 % de la pop. totale
part des plus de 65 ans	11,9 % de la pop. totale
population urbaine	77 %
principales villes	Montréal, Toronto, Edmonton, Vancouver, Hamilton

◆ Principales ressources et productions (1997).

blé	24 270 000 t (6e rang)
électricité nucléaire	84 500 millions de kWh (5e rang)
électricité totale	540 892 millions de kWh (7e rang)
gaz naturel	169 000 millions de m³ (3e rang)
uranium	11 706 t (1er rang)
aluminium	2 327 000 t (2e rang)
argent	1 222 t (4e rang)
cuivre	658 000 t (4e rang)
or	168 000 kg (3e rang)
plomb	270 000 t (6e rang)
zinc	1 235 000 t (1er rang)

◆ Économie et niveau de vie (1996).

PNB	560,335 milliards de $
PNB/hab.	21 380 $
taux de croissance *(1995)*	2,2 %
taux d'inflation *(1996)*	1,6 %
taux de chômage	9,4 %
importations	175 737 millions de $
exportations	205 799 millions de $
répartition des actifs	agriculture 4,1 %, industrie 22,6 %, services 73,3 %
transports	routes 901 903 km, voies ferrées 71 104 km
taux d'analphabétisme	3 %

◆ Armée.

budget militaire *(1996)*	1,3 % du PIB
forces armées *(1997)*	70 500 hommes

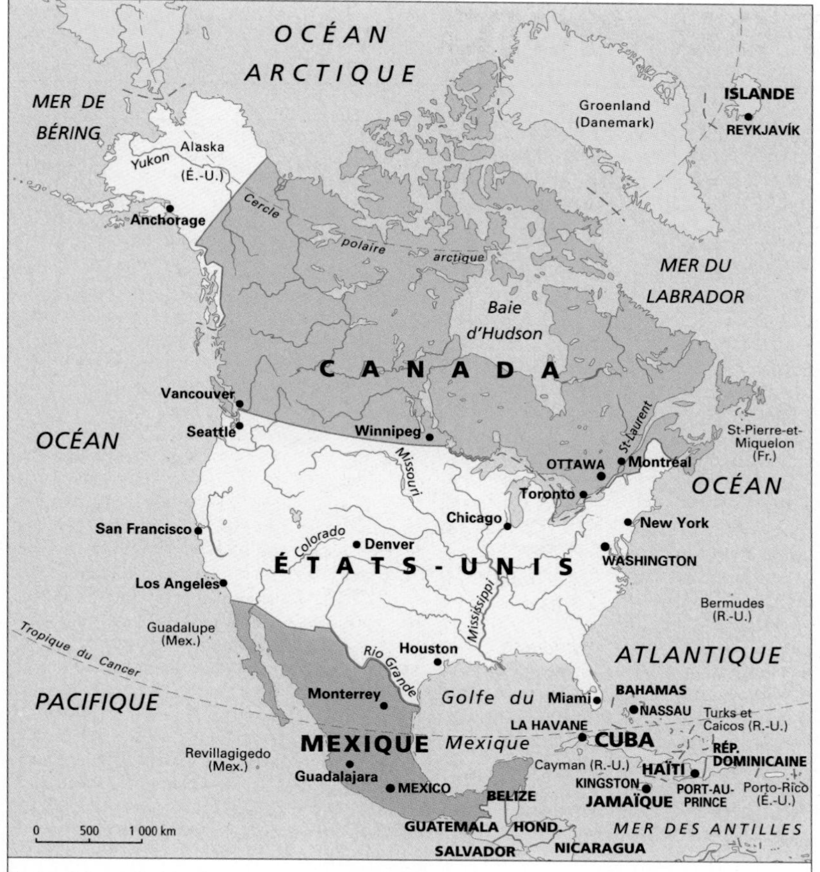

♦ **Amérique du Nord.**

liberté de langue et de religion et obtiennent, par l'Acte de Québec (22 juin 1774), le report de la frontière de leur province jusqu'au Labrador et au Mississippi, la restauration de la législation civile française et l'accès au Conseil législatif qui assiste le gouverneur de la province. Aussi, lors de la guerre de l'Indépendance américaine, restent-ils fidèles à George III en refusant de soutenir les insurgés, qui doivent évacuer le Canada après avoir échoué devant Québec (1775).

Mais l'arrivée de quelque 47 000 loyalistes américains (1783) pose le problème de la coexistence des deux communautés linguistiques du pays. Par l'Acte constitutionnel du Canada (10 juin 1791), le gouvernement britannique divise la province de Québec en Haut-Canada (auj. l'Ontario), habité par une majorité d'Anglais, et Bas-Canada (auj. le Québec), presque entièrement peuplé de Français. Il établit dans chacune de ces deux provinces un gouvernement représentatif avec un gouverneur, un Conseil exécutif et un Conseil législatif, nommés par la Couronne, et une Assemblée législative, élue mais sans pouvoir sur le gouvernement. Dans les Provinces maritimes, Londres, se rendant aux vœux des loyalistes, crée en 1784 deux nouvelles provinces, le Nouveau-Brunswick et l'île du Cap-Breton, détachées de la Nouvelle-Écosse. Désormais peuplé de 430 000 habitants, le Canada connaît de nouvelles invasions américaines lors de la guerre entre la Grande-Bretagne et les États-Unis ; mais Français et Britanniques s'unissent pour refouler les assaillants (1812-1813).

Le développement des oppositions. Les années qui suivent voient le développement d'une opposition à l'Acte de 1791, conduite par Louis Joseph Papineau, chef du Parti patriote du Bas-Canada, et par William L. Mackenzie, chef des réformistes du Haut-Canada, qui revendiquent la responsabilité de l'exécutif devant l'Assemblée législative et l'élection du Conseil législatif. Des rébellions éclatent en 1837 : tandis que Papineau organise un boycottage économique des marchandises britanniques, Mackenzie réunit à Toronto un millier de ses partisans. Chargé d'enquêter sur ces rébellions, durement réprimées, lord Durham constate que « deux nations se font la guerre au sein d'un seul État » et préconise l'union du Haut- et du Bas-Canada afin de faire assimiler l'élément français par l'élément anglais. Conformément à ses propositions, le gouvernement britannique, par l'Acte d'union de 1840, crée le Canada-Uni, qu'il dote d'un gouverneur, d'un Conseil exécutif et d'un Conseil législatif nommés par le roi et sans responsabilité devant l'Assemblée législative. Les Canadiens français, bien que formant la majorité de la population, disposent cependant du même nombre de sièges que les anglophones. Le français perd son statut de langue officielle.

Vers la confédération. Mais le régime évolue sous l'influence de gouverneurs libéraux, Charles Bagot (1841-1843) et lord Elgin (1847-1854), qui instaure en 1848 le principe de la responsabilité ministérielle. Dès lors, les réformes politiques se multiplient (abolition des tenures seigneuriales, 1854), qui contribuent à l'expansion économique, favorisée par la conclusion d'un traité de réciprocité commerciale avec les États-Unis (1854). Le Canada-Uni, qui reçoit des milliers de Britanniques, entre alors dans une ère de prospérité, marquée par le développement du réseau ferroviaire, la construction des routes et des canaux. Les Provinces maritimes, qui accèdent elles aussi au régime parlementaire, connaissent le même développement, lié à leurs pêcheries, à leurs forêts et à leurs chantiers navals (Halifax). La population des quatre provinces du Canada s'accroît alors dans de fortes proportions, atteignant 3 169 000 habitants en 1861. Mais l'annulation du traité de réciprocité américaine (1866) entrave le développement économique. Devant le marasme des affaires et la menace d'un conflit avec les États-Unis, le Canada-Uni et les Provinces maritimes (moins l'île du Prince-Édouard) s'entendent à Charlestown (sept. 1864) puis à Québec (oct.) pour former une confédération.

La Confédération canadienne. Promulgué par la reine Victoria le 20 mars 1867, l'Acte de l'Amérique du Nord britannique, sur lequel repose la Constitution canadienne, consacre l'existence de la Confédération du Canada, dotée du statut de dominion et groupant quatre provinces : l'Ontario (anc. Haut-Canada), le Québec (anc. Bas-Canada), la Nouvelle-Écosse, le Nouveau-Brunswick. L'Acte reconnaît à la Confédération son autonomie intérieure, l'usage de l'anglais et du français. Il laisse l'exécutif à la reine d'Angleterre, représentée par le gouverneur général, assisté d'un cabinet dirigé par le Premier ministre et responsable devant la Chambre des communes. Composée de 181 députés, cette dernière partage le législatif avec le Sénat, dont les 72 membres sont nommés à vie par le gouverneur. L'Acte répartit les pouvoirs entre les provinces (chargées notamment de l'éducation) et le gouverneur fédéral, qui reçoit les attributions essentielles (défense nationale, impôts, chemins de fer, etc.) et siège à Ottawa. La vie politique du Canada va dès lors se partager entre deux grands partis : le Parti libéral et le Parti conservateur. Ce dernier forme, sous la présidence de John A. Macdonald, le premier cabinet du dominion et garde le pouvoir jusqu'en 1896 (avec un intermède libéral de 1874 à 1878).

Une expansion continue. Au cours de ces années, la Confédération s'agrandit : elle achète les Territoires du Nord-Ouest à la Compagnie de la baie d'Hudson (1869), annexe la province du Manitoba (1870) après la révolte des métis conduite par Louis Riel (1869), tandis que la Colombie-Britannique et l'île du Prince-Édouard se joignent à elle respectivement en 1871 et 1873. La construction de la voie ferrée transcontinentale (1882-1885) reliant Vancouver à Montréal contribue au peuplement de l'Ouest et assure la cohésion du Canada sous l'autorité du gouvernement fédéral, qui passe aux mains de Wilfrid Laurier, le chef du Parti libéral, en 1896. Au pouvoir jusqu'en 1911, ce dernier resserre les liens commerciaux avec la Grande-Bretagne, tout en renforçant l'autonomie du dominion, et attire des milliers d'immigrants européens dans l'Ouest, où sont créées deux nouvelles

♦ **Divisions administratives.**

Province ou territoire	Superficie (en km²)	Population	Capitale ou chef-lieu	Population
Terre-Neuve	406 000	563 000	Saint-John's	17 784
Île-du-Prince-Édouard	5 657	137 200	Charlottetown	36 000
Nouvelle-Écosse	55 490	947 900	Halifax	364 800
Nouveau-Brunswick	73 437	762 000	Fredericton	71 860
Québec	1 540 680	7 419 900	Québec	697 600
Ontario	1 068 582	11 407 700	Toronto	4 444 700
Manitoba	650 000	1 145 200	Winnipeg	677 700
Saskatchewan	652 000	1 023 500	Regina	199 200
Alberta	661 000	2 847 000	Edmonton	891 500
Colombie-Britannique	950 000	3 933 300	Victoria	313 400
Yukon	482 515	31 600	Whitehorse	17 900
Territoire du Nord-Ouest	3 380 000	67 500	Yellowknife	15 100

Amérique du Nord

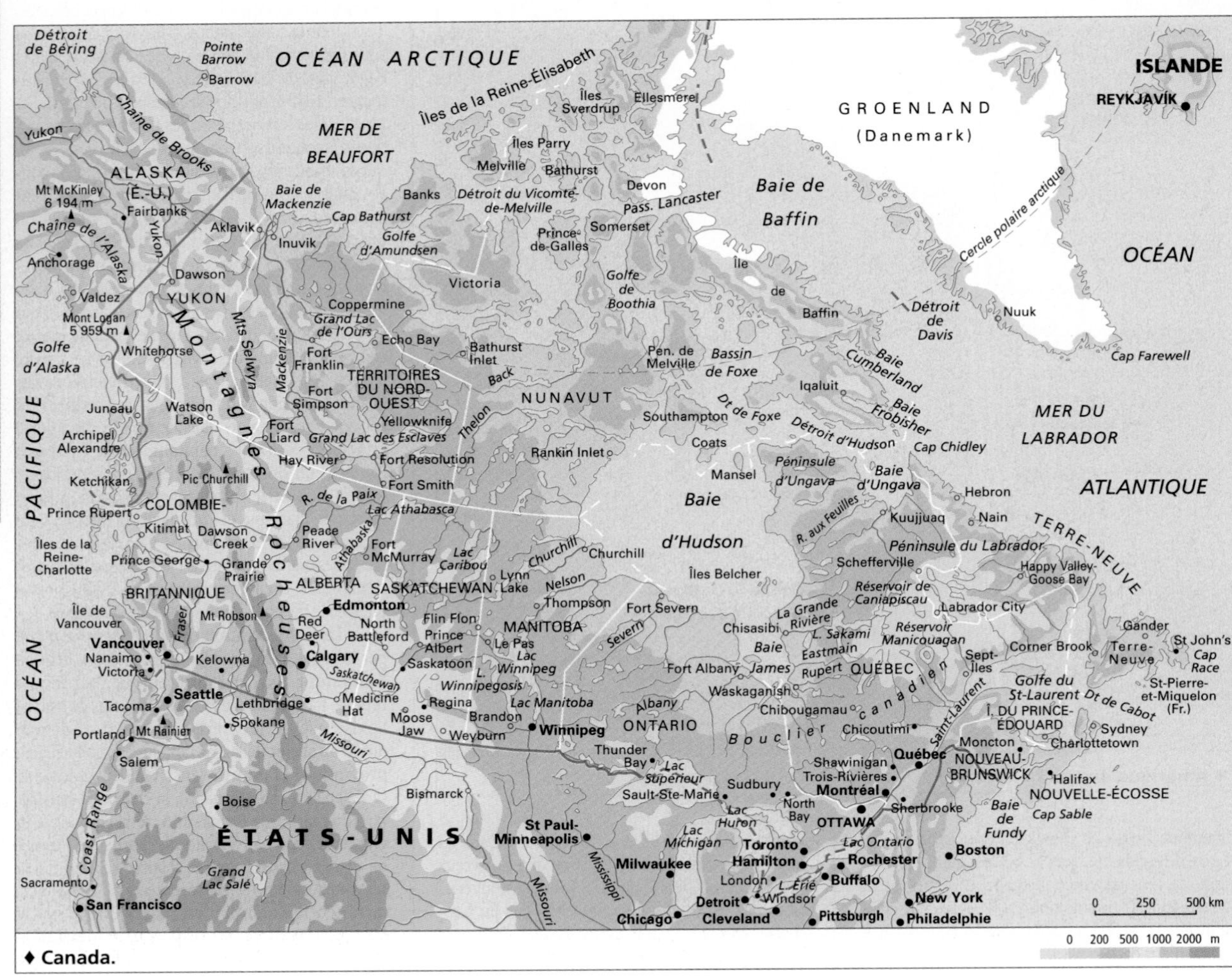

♦ **Canada.**

provinces : la Saskatchewan et l'Alberta. Cette politique engendre un fort accroissement démographique (de 5 731 000 habitants en 1901, la population passe à 7 201 000 habitants en 1911), un développement de la culture céréalière (blé) dans les grandes plaines de l'Ouest et un vif essor des industries minières (or, nickel) et forestières (bois, papier, pulpe). Grande puissance économique, le Canada accède au rang de puissance internationale par ses participations à la Première Guerre mondiale, à la conférence de Paris et à la Société des Nations (1919).

Depuis l'émancipation. Sous le gouvernement de William L. Mackenzie King, chef du Parti libéral, au pouvoir de 1921 à 1948 (sauf pendant la crise économique, qui provoque le retour des conservateurs, 1930-1935), le dominion devient un État indépendant au sein du Commonwealth. En 1923, il obtient de négocier et de signer seul les traités le concernant. En 1926, la Conférence impériale, officiellement sanctionnée par le statut de Westminster (1931), le reconnaît entièrement maître de sa politique intérieure et extérieure. Après avoir pris part à la Seconde Guerre mondiale, le Canada participe à chacune des opérations de l'ONU pour le maintien de la paix et pratique une politique de rapprochement de plus en plus étroit avec les États-Unis. Quoique très soucieux de son indépendance, il adhère à l'ensemble de la politique internationale américaine. Sous la direction des libéraux, qui dominent la vie politique de 1948 à 1984 avec les Premiers ministres Louis Saint-Laurent (1948-1957), Lester Pearson (1963-1968), Pierre Elliott Trudeau (1968-1979 et 1980-1984) et John Turner (juin-sept. 1984), le Canada accède à la pleine souveraineté en obtenant le « rapatriement » de sa Constitution (1982). Il peut alors, en théorie, modifier ses lois fondamentales sans l'autorisation du Parlement britannique.

Mais la Confédération, qui s'est agrandie de Terre-Neuve en 1949, doit constamment faire face au problème de la province francophone de Québec, dont les dirigeants réclament une plus grande autonomie. En 1980, les Québécois rejettent cependant, par référendum, l'indépendance de leur province. L'arrivée au pouvoir à Ottawa, en 1984, du conservateur Brian Mulroney met fin au long règne des libéraux. Les conservateurs s'engagent à stimuler l'économie en favorisant les investissements étrangers, ceux des États-Unis mais aussi d'Europe et d'Extrême-Orient. C'est également dans ce but que le gouvernement Mulroney mène campagne pour un accord de libre-échange avec les États-Unis, accord qui est au centre de la campagne électorale de 1988. La victoire des conservateurs tranche en faveur de cet accord. Mais le débat essentiel reste lié à la place du Québec dans la Confédération. La province francophone refusant les modifications constitutionnelles découlant du rapatriement de la Constitution, un accord (dit « du lac Meech ») est élaboré en 1987, qui octroie notamment au Québec le statut de « société distincte ». Deux provinces refusent en 1990 de le ratifier. Un nouvel accord (dit « de Charlottetown »), soumis à référendum en oct. 1992, est rejeté par 53,9 % des votants. Brian Mulroney démissionne avant les élections d'oct. 1993. Celles-ci donnent la majorité à la Chambre des communes au Parti libéral, qui s'affirme comme seul parti fédéral du fait de la déroute des conservateurs et de la percée de deux partis régionaux, le Bloc québécois, « souverainiste », et le Reform Party, ancré dans les provinces de l'Ouest. Jean Chrétien devient Premier ministre. Le 1er janv. 1994, l'accord de libre-échange nord-américain (ALENA), signé en 1992 avec les États-Unis et le Mexique, entre en vigueur. Au Québec, le Parti québécois, souverainiste et vainqueur des élections provinciales, organise en 1995 un nouveau référendum sur l'indépendance, rejetée par une très faible majorité. Après la « déclaration de Calgary » qui a reconnu en 1997 le caractère spécifique du Québec, la question institutionnelle demeure néanmoins posée et pèse sur la vie politique canadienne.

De nouvelles institutions. Le 1er avril 1999, la création du Nunavut (« notre monde » en inuktitut) a donné aux Inuits leur autonomie administrative sur 1/5 du territoire canadien.

VOIR AUSSI
- **Religion des Indiens d'Amérique du Nord** p. 542
- **Fédéralisme canadien** p. 985

Illustrations
- **Paysage du nord du Canada** p. 669

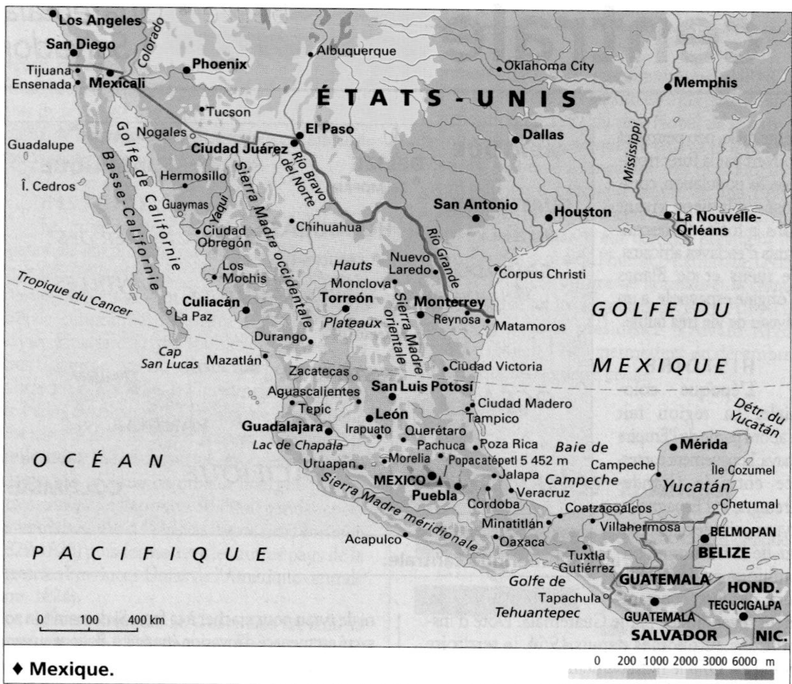

◆ **Mexique.**

1861). Conduits par Benito Juárez, les libéraux l'emportent et sont confrontés à l'intervention étrangère provoquée par la dette extérieure (1861-1862), puis à l'archiduc d'Autriche Maximilien, frère cadet de l'empereur François-Joseph, imposé comme empereur par Napoléon III avec l'accord des conservateurs mexicains (1864-1867). Ils s'installent au pouvoir en 1867. À partir de 1876, après le coup d'État du général Porfirio Díaz, le pays entre dans une ère de stabilité. À partir des années 1890, les investissements étrangers affluent, 19 000 kilomètres de voies ferrées sont construits, rendant ainsi possible la constitution d'un marché national ; l'industrialisation démarre.

La révolution mexicaine et le XXe siècle. Le président Díaz se maintient au pouvoir jusqu'en 1911. Il pacifie le pays, met l'armée au pas et, en faisant appel aux capitaux étrangers, modernise l'économie. Cependant, indifférent à l'inégalité sociale et incapable de se démocratiser, le régime vieillissant se heurte, après 1900, à une opposition croissante. Alors qu'il vient d'être réélu (1910), Díaz est renversé par Francisco Madero (1911). Élu président, ce dernier est assassiné par Victoriano Huerta, militaire porfiriste (1913). Le coup d'État déclenche les soulèvements des constitutionnalistes Venustiano Carranza, Álvaro Obregón et Pancho Villa au nord, tandis qu'au sud s'étend la révolution agraire d'Emiliano Zapata. Après avoir neutralisé Pancho Villa (1915), les constitutionnalistes font adopter la Constitution de Querétaro (1917), encore en vigueur, qui inclut le principe de la réforme agraire et des nationalisations. Le président Carranza est assassiné par Obregón (1920) qui, élu président (1920-1924), lance un ambitieux programme d'éducation populaire. Juan Bautista Calles (1924-1928), qui domine la vie politique jusqu'en 1935, développe une politique anticléricale, qui provoque la guerre des *cristeros* (1926-1929).

Mais c'est le général Cárdenas (1934-1940) qui incarne l'esprit révolutionnaire en étendant la réforme agraire et en nationalisant la production pétrolière (1938). Sous son mandat, le parti officiel, appelé Parti de la révolution mexicaine, rebaptisé Parti révolutionnaire institutionnel (PRI) en 1946, devient l'instrument de domination des héritiers de la révolution. Sous Miguel Alemán Valdés (1946-1952), le Mexique s'engage dans l'industrialisation, mais la croissance se fait au mépris du bien-être social. À la suite de López Mateos (1958-1964), Díaz Ordaz relance la réforme agraire, mais ne peut éviter les manifestations d'étudiants de 1968 en faveur de la démocratisation, qu'il réprime férocement (fusillade de Tlatelolco). Ses successeurs Luis Echeverria (1970-1976) et José López Portillo (1976-1982) lâchent du lest en favorisant la création de partis d'opposition et la liberté d'expression.

Le Mexique contemporain. Les déséquilibres économiques, sans solution malgré l'essor de la production pétrolière (1978-1981), provoquent la cessation de paiements en 1982. Le président Miguel de la Madrid (1982) lance la modernisation politique, acceptant la remise en cause de l'hégémonie électorale du PRI par l'opposition de droite (Parti d'action nationale). L'élection de Carlos Salinas de Gortari (1988), entachée de fraude, face à Cuauhtémoc Cárdenas, issu de l'aile gauche du PRI et fondateur en 1989 du Parti de la révolution démocratique, marque l'accélération des réformes. La signature de l'ALENA (1992), entré en vigueur en 1994, consacre l'ouverture économique au prix de la remise en cause de l'héritage révolutionnaire. Les tensions accumulées dans tous les domaines explosent en 1994 avec le soulèvement « zapatiste » des paysans indiens dans l'État du Chiapas, l'assassinat de Luis Colosio, candidat du PRI à la présidence, et la double crise, politique et financière, de la fin de l'année.

Le nouveau président, Ernesto Zedillo (1994), doit affronter les luttes internes du PRI au pouvoir depuis 1929, la crise financière qui commence à la fin de 1994 et la grande insuffisance de la lutte contre la pauvreté, avec l'aide sans précédent des États-Unis. Si celle-ci permet de limiter la crise financière, la crise politique demeure une réalité, la question du Chiapas restant en suspens.

◆ **Divisions administratives.**

État	Superficie (en km²)	Population	Capitale
Basse Californie Nord	70 173	1 658 000	Mexicali
Basse Californie Sud	73 677	317 000	La Paz
Nayarit	27 621	816 000	Tepic
Sinaloa	58 092	2 211 000	Culiacán
Sonora	184 934	1 822 000	Hermosillo
Coahuila	151 571	1 971 000	Saltillo
Chihuahua	247 087	2 440 000	Chihuahua
Durango	119 648	1 352 000	Durango
Nuevo León	64 555	3 086 000	Monterrey
San Luis Potosí	62 848	2 002 000	San Luis Potosí
Tamaulipas	79 829	2 244 000	Cuidad Victoria
Zacatecas	75 040	1 273 000	Zacatecas
Aguascalientes	5 589	720 000	Aguascalientes
District fédéral	1 499	8 237 000	Mexico
Guanajuato	30 589	3 980 000	Guanajuato
Hidalgo	20 987	1 881 000	Pachuca
Jalisco	80 137	5 279 000	Guadalajara
Mexico	21 461	9 816 000	Toluca de Lerdo
Michoacán	59 804	3 534 000	Morelia
Morelos	4 941	1 195 000	Cuernavaca
Puebla	33 919	4 118 000	Heroica Puebla de Zaragoza
Queteraro	11 769	1 044 000	Queteraro
Tlaxcala	3 914	764 000	Tlaxcala
Campeche	51 833	529 000	Campeche
Quintana Roo	50 350	494 000	Chetumal
Tabasco	24 661	1 501 000	Villahermosa
Veracruz	72 815	6 215 000	Jalapa Enríquez
Yucatán	39 340	1 364 000	Mérida
Colima	5 455	425 000	Colima
Chiapas	73 887	3 204 000	Tuxcla Gutiérrez
Guerrero	63 794	2 622 000	Chilpancirigo
Oaxaca	95 364	3 022 000	Oaxaca de Juárez

VOIR AUSSI
• **Calendriers maya et aztèque** p. 407
• **Empire aztèque** p. 445
• **ALENA** p. 776, 824
Illustrations
• **Manifestation de zapatistes** p. 669

Antilles et Caraïbes

Bahamas • Saint-Kitts-et-Nevis • Antigua-et-Barbuda • Dominique

Colomb en 1494. Faiblement colonisée par les Espagnols, elle est conquise en 1655 par les Britanniques (possession confirmée au traité de Madrid, 1670), qui développent la culture de la canne à sucre et en font le grand marché d'esclaves d'Amérique du Sud après le traité d'Utrecht (1713). L'abolition de l'esclavage (1833) et des privilèges douaniers jamaïcains (1846) met fin à la prospérité, provoquant de graves troubles sociaux. Après la rébellion de 1865, l'île est placée sous l'administration directe de la Couronne (1866-1884). Le début du XXe s. est marqué par l'installation de grandes compagnies étrangères (United Fruit). Mais la crise des années 1930 provoque les émeutes de 1938, qui marquent le début des mouvements politiques et syndicaux pour l'autonomie, dirigés par Norman Washington Manley et Alexander Bustamante. La Constitution de 1953 donne à l'île un gouvernement autonome, et, en 1962, la Jamaïque accède à l'indépendance tout en restant membre du Commonwealth.

L'indépendance. Après dix ans de gouvernement travailliste (Bustamante 1962-1967, Hugh L. Shearer 1967-1972), le People's National Party (PNP) gagne les élections. Son chef, Michael Norman Manley, devenu Premier ministre, engage alors une politique de réformes sociales, mais la dégradation de l'économie ramène les travaillistes au pouvoir en 1980 (avec Edward Seaga au poste de Premier ministre). Les années 1980 sont marquées par des difficultés économiques, qui provoquent des manifestations populaires. Michael Manley, désormais passé d'une idéologie socialiste au libéralisme économique, revient au gouvernement en février 1989. Après sa démission en mars 1992, Percival J. Patterson lui succède. Les élections législatives de 1993 et de 1997, qui sont des succès pour le PNP, le confirment au pouvoir malgré la crise économique.

◆ Démographie.

population	2 600 000 hab.
densité	227,5 hab./km²
accroissement naturel	13,3 ‰
taux de natalité	21,7 ‰
taux de mortalité infantile	12 ‰
espérance de vie	75 ans
part des moins de 15 ans	31,6 % de la pop. totale
part des plus de 65 ans	6,5 % de la pop. totale
population urbaine	54 %
principales villes	Kingston, Spanish Town

◆ Principales ressources et productions (1997).

canne à sucre	2 413 000 t
bauxite	3 300 000 t (9e rang)

◆ Économie et niveau de vie (1996).

PNB	4,284 milliards de $
PNB/hab.	3 450 $
taux de croissance *(1993)*	1,2 %
taux d'inflation	26,4 %
taux de chômage	n.d.
dette extérieure	4 041,3 millions de $
importations	2 606 millions de $
exportations	1 793 millions de $
répartition des actifs	agriculture 27,5 %, industrie 17,4 %, services 55,1 %
transports	routes 16 638 km, voies ferrées 208 km
taux d'analphabétisme	15 %

◆ Armée.

budget militaire *(1996)*	0,5 % du PIB
forces armées *(1997)*	3 320 hommes

Bahamas

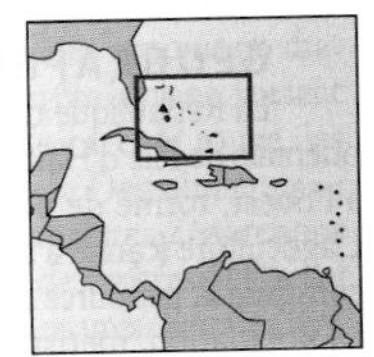

Nom officiel : Commonwealth des Bahamas. **Capitale :** Nassau. **Monnaie :** dollar des Bahamas (= 100 cents). **Langue officielle :** anglais. **Principale religion :** protestantisme. **Institutions :** État indépendant, membre du Commonwealth. Constitution de 1973. Un gouverneur général représentant la Couronne britannique. Système parlementaire bicaméral. Un Sénat dont les membres sont nommés par le gouverneur général (9 sont présentés par le Premier ministre, 4 par le chef de l'opposition, et 3 par le Premier ministre en accord avec le chef de l'opposition). Une Chambre des députés, élue pour 5 ans. **Gouverneur général :** sir Orville Alton Turnquest (depuis 1995). **Premier ministre :** Hubert Ingraham (depuis 1992). **Drapeau :** adopté en 1973, il porte la couleur jaune qui évoque le sable de l'île, tandis que les bandes bleues symbolisent la mer qui l'entoure ; le triangle noir représente l'unité du peuple. **Hymne national :** « Lève la tête vers le soleil levant, terre des Bahamas. Marche vers la gloire, tes bannières éclatantes claquant au vent, vois comme le monde observe ton comportement... » Paroles et musique de Timothy Gibson (1903-1978). Déclaré officiel en 1973. **Fête nationale :** 10 juillet (anniversaire de l'indépendance).

Superficie : 13 900 km².

GÉOGRAPHIE

L'archipel des Bahamas, qui comporte environ 700 îles, vit pour l'essentiel du tourisme et de sa qualité de paradis fiscal qui lui permet d'accueillir de nombreux sièges de sociétés. La population, urbanisée à près de 90 %, jouit d'un niveau de vie supérieur aux standards régionaux et s'accroît assez lentement.

HISTOIRE

La période coloniale. L'île San Salvador (Watling) est peut-être le premier point du Nouveau Monde découvert par Christophe Colomb en 1492. (Une hypothèse plus récente privilégie cependant l'île de Samana Cay, plus au sud-est.) La population indienne est bientôt déportée en esclavage à Saint-Domingue. Les îles sont progressivement occupées, après 1648, par des corsaires, des boucaniers et des flibustiers. À partir de 1718, l'archipel reçoit sa première charte et un gouverneur britannique. Après l'indépendance américaine, des loyalistes anglais s'établissent aux Bahamas et y développent les plantations de coton jusqu'à l'abolition de l'esclavage en 1834.

L'indépendance. En 1964, les îles sont dotées d'un gouvernement autonome. Les Noirs (72 % de la population) conquièrent le pouvoir avec le PLP (Progressive Liberal Party) de Lynden O. Pindling, grâce à la suppression du vote plural qui assurait le pouvoir à la minorité blanche. Après les élections législatives de 1972, la Grande-Bretagne accorde l'indépendance à l'archipel (1973).

Alors que les élections de 1982 donnent une quatrième fois le pouvoir au PLP, l'implication, en 1983, de hauts responsables du pays dans un trafic de cocaïne provoque une grave crise politique. Cependant, en 1987, Lyndon O.Pindling accède pour une cinquième fois au poste de Premier ministre. Les États-Unis manifestent leur volonté de combattre les activités liées au trafic de drogue et de s'informer sur le blanchiment des narcodollars dans l'île. La coopération dans ce domaine des autorités des Bahamas, malgré des protestations officielles, est suivie d'effets positifs. L'arrivée de réfugiés de Haïti assombrit les relations avec ce pays. En 1992, Hubert Ingraham (Mouvement libre national) devient Premier ministre. L'instauration de la république est refusée en 1995.

◆ Démographie.

population	293 000 hab.
densité	21 hab./km²
accroissement naturel	13 ‰
taux de natalité	18 ‰
taux de mortalité infantile	18 ‰
espérance de vie	74 ans
part des moins de 15 ans	29 % de la pop. totale
part des plus de 65 ans	5 % de la pop. totale
population urbaine	87 %
principales villes	Nassau, Freeport

◆ Principales ressources et productions (1997).

canne à sucre	55 000 t

◆ Économie et niveau de vie (1996).

PNB	3,297 milliards de $
PNB/hab.	10 180 $
taux de croissance	n.d.
taux d'inflation	1,4 %
taux de chômage	n.d.
importations	1 287 millions de $
exportations	273 millions de $
taux d'analphabétisme	1,8 %

◆ Armée.

budget militaire *(1996)*	0,5 % du PIB
forces armées *(1997)*	3 160 hommes

Saint-Kitts-et-Nevis

Saint Kitts and Nevis

Nom officiel : Fédération de Saint-Kitts-et-Nevis. **Capitale :** Basseterre. **Monnaie :** dollar des Caraïbes orientales (= 100 cents). **Langue officielle :** anglais. **Principale religion :** protestantisme. **Institutions :** État indépendant depuis 1983, membre du Commonwealth. Constitution de 1983. Un gouverneur général représentant la Couronne britannique. Parlement unicaméral : une Assemblée nationale de 14 membres, dont 3 sont désignés par le gouverneur général et

◆ **Démographie.**

population	41 000 hab.
densité	157 hab./km²
accroissement naturel	12 ‰
taux de natalité	22 ‰
taux de mortalité infantile	24 ‰
espérance de vie	68 ans
part des moins de 15 ans	32 % de la pop. totale
part des plus de 65 ans	9 % de la pop. totale
population urbaine	34 %
principale ville	Basseterre

◆ **Principales ressources et productions** (1997).

canne à sucre	305 000 t

◆ **Économie et niveau de vie** (1996).

PNB	0,237 milliard de $
PNB/hab.	7 310 $
taux de croissance *(1993)*	3,9 %
taux d'inflation	2,5 %
taux de chômage	n.d.
dette extérieure	583 millions de $
importations	98 millions de $
exportations	29 millions de $
taux d'analphabétisme	2,7 %

11 élus pour 5 ans. **Gouverneur général** : sir Cuthber Montroville Sebastian (depuis 1996). **Premier ministre** : Denzil Douglas (depuis 1995). **Drapeau** : il est formé de deux triangles, l'un vert, l'autre rouge, séparés par une large bande noire diagonale, bordée de jaune. **Hymne national** : « Ô terre de beauté, patrie où abonde la paix. Tes enfants sont libres, à force de volonté et d'amour. Avec Dieu dans nos combats, que Saint Christopher et Nevis demeurent une nation soudée par une destinée commune. » Paroles et musique de Kenrick Anderson Georges (né en 1955). **Fête nationale** : 19 septembre (anniversaire de l'indépendance).

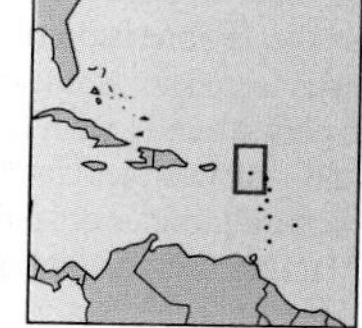

Superficie : 261 km².

GÉOGRAPHIE

Formé des îles de Saint-Kitts et de Nevis, ce micro-État vit de l'exportation de sucre et du tourisme.

HISTOIRE

Disputée entre les Britanniques et les Français, Saint-Christophe (que les Britanniques appellent aussi Saint Kitts) devient britannique en 1783. Son indépendance est proclamée (avec celle de Nevis, également colonisée par les Britanniques à partir de 1628) le 19 septembre 1983. Nevis menace en 1992 de faire sécession et vote en faveur de l'indépendance en 1997, prélude à la fin de la fédération. L'économie est fondée sur la canne à sucre, le tourisme, les services financiers et une industrie électronique débutante.

Antigua-et-Barbuda

Antigua and Barbuda

Nom officiel : Antigua-et-Barbuda. **Capitale** : Saint-Jean *(Saint John's)*. **Monnaie** : dollar des Caraïbes orientales (= 100 cents). **Langue officielle** : anglais. **Principale religion** : protestantisme. **Institutions** : État indépendant depuis 1981, membre du Commonwealth. Constitution de 1981. Un gouverneur général représentant la Couronne britannique. Parlement bicaméral comprenant un Sénat désigné par le gouverneur général et une Chambre des représentants élue pour 5 ans. **Gouverneur général** : sir James Carlisle (depuis 1993). **Premier ministre** : Lester B. Bird (depuis 1994). **Drapeau** : adopté en 1967, le noir représente le peuple africain ; le bleu, la mer et l'espoir ; le blanc, le sable des plages. Le soleil levant symbolise la liberté ; le champ rouge, le dynamisme du peuple. **Hymne national** : « Belle Antigua, nous te saluons. Fièrement nous entonnons cet hymne à ta gloire et à ta beauté. » Paroles de Novelle Hamilton Richards (né en 1917), musique de Walter Garnet Picart Chambers (né en 1908). Adopté en 1967, confirmé en 1981. **Fête nationale** : 1er novembre (anniversaire de l'indépendance).

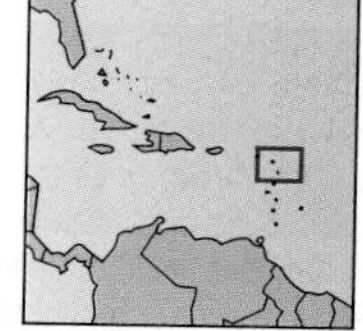

Superficie : 442 km². **Point culminant** : 403 m au Boggy Peak.

◆ **Démographie.**

population	67 000 hab.
densité	151,5 hab./km²
accroissement naturel	12 ‰
taux de natalité	17 ‰
taux de mortalité infantile	17 ‰
espérance de vie	72 ans
part des moins de 15 ans	27 % de la pop. totale
part des plus de 65 ans	6 % de la pop. totale
population urbaine	36 %
principale ville	Saint John's

◆ **Principales ressources et productions** (1997).

bovins	16 000 têtes
ovins	12 000 têtes

◆ **Économie et niveau de vie** (1996).

PNB	0,469 milliard de $
PNB/hab.	8 660 $
taux de croissance *(1992)*	3 %
taux d'inflation *(1992)*	4,5 %
taux de chômage	n.d.
dette extérieure	n.d.
importations	317 millions de $
transports	routes 1 161 km
exportations	54 millions de $
taux d'analphabétisme	4 %

◆ **Armée.**

budget militaire *(1996)*	0,8 % du PIB
forces armées *(1997)*	150 hommes

GÉOGRAPHIE

Formé des îles d'Antigua, de Barbuda et de Redonda, ce petit pays tropical vit principalement du tourisme. La population s'accroît lentement.

HISTOIRE

Antigua, colonisée par les Britanniques depuis le XVIIe s., et Barbuda, annexée en 1860, deviennent un État associé en 1967, puis indépendantes en 1981. La vie politique est dominée par le Premier ministre Vere Bird (Antigua Labour Party, au pouvoir depuis 1946, sauf entre 1971 et 1976), jusqu'aux élections de mars 1994, qui voient son fils Lester lui succéder, malgré les accusations de corruption portées contre la famille Bird.

Dominique Dominica

Nom officiel : Commonwealth de la Dominique. **Capitale** : Roseau. **Monnaie** : dollar des Caraïbes orientales (= 100 cents). **Langue officielle** : anglais. **Principale religion** : catholicisme. **Institutions** : République indépendante depuis 1978, membre du Commonwealth. Constitution de 1978. Président de la République élu par le Parlement pour 5 ans. Parlement unicaméral (House of Assembly), comprenant 9 membres désignés (sénateurs) et 21 membres élus pour 5 ans (représentants). **Président de la République** : Vernon Shaw (depuis 1998). **Premier ministre** : Edison James (depuis 1995). **Drapeau** : il porte en son centre un perroquet entouré de 10 étoiles symbolisant les paroisses de l'île. **Hymne national** : non connu. **Fête nationale** : 2-3 novembre (anniversaire de l'indépendance).

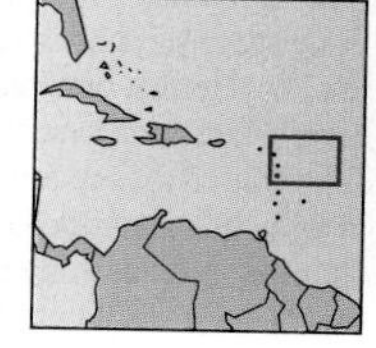

Superficie : 751 km². **Point culminant** : 1 447 m au Morne Diablotin.

GÉOGRAPHIE

Cet État insulaire antillais vit principalement de sa production de bananes et du tourisme. La population s'accroît assez lentement.

HISTOIRE

Colonie britannique depuis 1763, la Dominique devient indépendante en 1978 avec Frederick Gazon pour président et le travailliste Patrick John pour Premier ministre. En 1980, Eugenia Charles (Parti dominicain de la liberté) devient Premier ministre et cède la place à Edison James à l'issue des élections de mai 1995, remportées par le Parti des travailleurs unis. La réforme agraire est considérée comme une réussite et le tourisme est en expansion. L'île est très liée aux États-Unis et aussi à la France, du fait de son voisinage avec la Martinique et la Guadeloupe.

◆ **Démographie.**

population	71 000 hab.
densité	94,5 hab./km²
accroissement naturel	9 ‰
taux de natalité	22 ‰
taux de mortalité infantile	16 ‰
espérance de vie	76 ans
part des moins de 15 ans	31 % de la pop. totale
part des plus de 65 ans	7 % de la pop. totale
population urbaine	70 %
principale ville	Roseau

◆ **Principales ressources et productions** (1997).

bovins	13 000 têtes
ovins	8 000 têtes
bananes	40 000 t

◆ **Économie et niveau de vie** (1996).

PNB	0,19 milliard de $
PNB/hab.	4 390 $
taux de croissance *(1992)*	0,8 %
taux d'inflation	1,7 %
taux de chômage	n.d.
dette extérieure	1 104 millions de $
importations	100 millions de $
exportations	53 millions de $
taux d'analphabétisme	3 %

Antilles et Caraïbes

Sainte-Lucie • Saint-Vincent-et-les-Grenadines • Grenade • Barbade • Trinité-et-Tobago

Sainte-Lucie Saint Lucia

Nom officiel : Sainte-Lucie. **Capitale :** Castries. **Monnaie :** dollar des Caraïbes orientales (= 100 cents). **Langue officielle :** anglais. **Principale religion :** catholicisme. **Institutions :** État indépendant depuis 1979, membre du Commonwealth. Un gouverneur représentant la Couronne britannique. Parlement bicaméral. **Gouverneur général :** Pearlette Louisy (depuis 1997). **Premier ministre :** Kenny D. Anthony (depuis 1997). **Drapeau :** il a été adopté en 1979. Le bleu représente la mer ; le jaune, le soleil et le sable des plages ; le noir, les volcans. Le triangle symbolise l'île. **Hymne national :** « Fils et filles de Sainte-Lucie, chérissez la terre qui nous a vus naître, terre de plages, de collines et de vallées, plus belle île de toute la terre. Où que vos pas vous portent, chérissez, ô chérissez cette île votre patrie. » Paroles de Charles Jesse (né en 1897), musique de Leton Felix Thomas (né en 1926). Adopté en 1967, confirmé en 1979. **Fête nationale :** 22 février (anniversaire de l'indépendance).

Superficie : 616 km². **Point culminant :** 950 m.

GÉOGRAPHIE

L'État de Sainte-Lucie vit principalement du tourisme mais possède également une agriculture (bananes) qui occupe près de 30 % des actifs. Sa population s'accroît assez lentement.

HISTOIRE

Attribuée aux Britanniques en 1814, l'île devient indépendante en février 1979. John Compton (United Workers' Party), Premier ministre, cède la place au Saint Lucia Labour Party (juill. 1979) avant de revenir au pouvoir en 1982. Les travaillistes sont de retour en 1997 avec Kenny D. Anthony. L'économie, assez dynamique, est fondée sur l'agriculture (exportation de bananes), le tourisme et une petite industrie textile. Depuis 1988, une législation s'attaque aux drogues illicites.

◆ Démographie.

population	148 000 hab.
densité	240,2 hab./km²
accroissement naturel	17 ‰
taux de natalité	25 ‰
taux de mortalité infantile	17 ‰
espérance de vie	71 ans
part des moins de 15 ans	44 % de la pop. totale
part des plus de 65 ans	6 % de la pop. totale
population urbaine	37 %
principale ville	Castries

◆ Principales ressources et productions (1997).

bananes	76 000 t

◆ Économie et niveau de vie (1996).

PNB	0,553 milliard de $
PNB/hab.	4 920 $
taux de croissance *(1993)*	3,6 %
taux d'inflation *(1995)*	2,7 %
taux de chômage	n.d.
dette extérieure	142,2 millions de $
importations	269 millions de $
exportations	115 millions de $
taux d'analphabétisme	18 %

Saint-Vincent-et-les-Grenadines Saint Vincent and the Grenadines

Nom officiel : Saint-Vincent-et-les Grenadines. **Capitale :** Kingstown. **Monnaie :** dollar des Caraïbes orientales (= 100 cents). **Langue officielle :** anglais. **Principale religion :** protestantisme. **Institutions :** État indépendant depuis 1979, membre du Commonwealth. Constitution de 1979. Un gouverneur général représentant la Couronne britannique. Parlement unicaméral (House of Assembly) comprenant 6 membres désignés (sénateurs) et 13 membres élus pour 5 ans (représentants). **Gouverneur général :** sir Charles Antrobus (depuis 1996). **Premier ministre :** sir James Fitz-Allen Mitchell (depuis 1984). **Drapeau :** drapeau de l'opposition depuis 1979, devenu celui de l'État en 1985, il dessine la lettre V avec trois diamants sur un champ d'or. **Hymne national :** « Saint-Vincent, terre si belle, le cœur joyeux nous te vouons loyauté et amour, et prêtons serment de te garder toujours libre… » Paroles de Phyllis Joyce McClean Punnett (né en 1927), musique de Joel Bertram Miguel (né en 1938). Adopté en 1969, confirmé en 1979. **Fête nationale :** 27 octobre (anniversaire de l'indépendance).

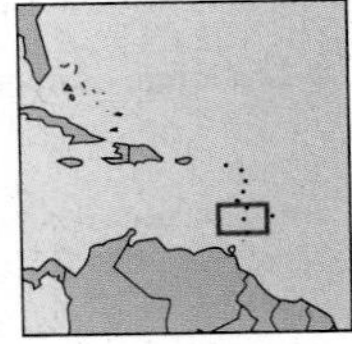

Superficie : 388 km². **Point culminant :** 1 234 m au volcan de la Soufrière.

GÉOGRAPHIE

Formé de l'île de Saint-Vincent et d'une partie de l'archipel des Grenadines (le reste appartenant à la Grenade), Saint-Vincent-et-les-Grenadines est un petit État insulaire et tropical qui vit principalement du tourisme et de la production de bananes.

HISTOIRE

Possession britannique depuis le XVIIIe s., cet ensemble d'îles devient indépendant au sein du Commonwealth en 1979, avec Milton Cato comme Premier ministre, qui est remplacé (juill. 1984) par James Mitchell, réélu pour la quatrième fois en 1998 face au Parti travailliste unifié.

◆ Démographie.

population	115 000 hab.
densité	296 hab./km²
accroissement naturel	18 ‰
taux de natalité	22 ‰
taux de mortalité infantile	18 ‰
espérance de vie	72 ans
part des moins de 15 ans	38 % de la pop. totale
part des plus de 65 ans	5 % de la pop. totale
population urbaine	49 %
principale ville	Kingstown

◆ Principales ressources et productions (1997).

canne à sucre	305 000 t

◆ Économie et niveau de vie (1996).

PNB	0,264 milliard de $
PNB/hab.	4 160 $
taux de croissance *(1993)*	7,4 %
taux d'inflation *(1995)*	4,4 %
taux de chômage	n.d.
dette extérieure	212,5 millions de $
importations	118 millions de $
exportations	52 millions de $
taux d'analphabétisme	4,4 %

Grenade Grenada

Nom officiel : Grenade. **Capitale :** Saint George's. **Monnaie :** dollar des Caraïbes orientales (= 100 cents). **Langue officielle :** anglais. **Principale religion :** catholicisme. **Institutions :** État indépendant depuis 1974, membre du Commonwealth. Constitution de 1974, suspendue en 1979, rétablie en 1983. Un gouverneur général représentant la Couronne britannique. Parlement bicaméral. **Gouverneur général :** Daniel Williams (depuis 1996). **Premier ministre :** Keith Mitchell (depuis 1995). **Drapeau :** dans le triangle vert du côté de la hampe figure une noix de muscade, importante richesse de l'île. **Hymne national :** « Salut, Grenade, terre qui nous appartiens. Nous nous engageons auprès de toi, esprits, cœurs et mains unis, à atteindre notre destinée, toujours conscients de Dieu. » Paroles d'Irva Baptiste, musique de Louis Masanto. **Fête nationale :** 7 février (anniversaire de l'indépendance).

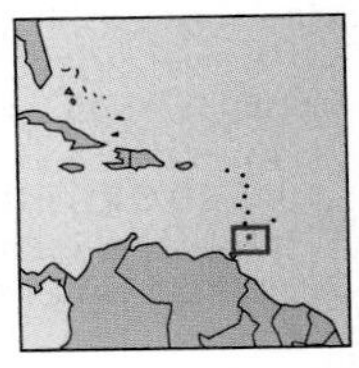

Superficie : 344 km². **Point culminant :** 840 m au mont Sainte-Catherine.

◆ Démographie.

population	93 000 hab.
densité	270 hab./km²
accroissement naturel	25 ‰
taux de natalité	29 ‰
taux de mortalité infantile	14 ‰
espérance de vie	69 ans
part des moins de 15 ans	42 % de la pop. totale
part des plus de 65 ans	5 % de la pop. totale
population urbaine	36 %
principale ville	Saint George's

◆ Principales ressources et productions (1997).

bananes	9 000 t

◆ Économie et niveau de vie (1996).

PNB	0,285 milliard de $
PNB/hab.	4 340 $
taux de croissance *(1993)*	0,5 %
taux d'inflation	2 %
taux de chômage	n.d.
dette extérieure	1 202 millions de $
importations	398 millions de $
exportations	67 millions de $
taux d'analphabétisme	2,2 %

GÉOGRAPHIE

L'État de la Grenade est formé de l'île de la Grenade et d'une partie de l'archipel des Grenadines. Il vit essentiellement du tourisme ainsi que de la production de cacao et de bananes.

HISTOIRE

D'abord colonisée par la France, puis colonie britannique en 1762, la Grenade devient indépendante en 1974, avec sir Eric Gairy comme Premier ministre. Un coup d'État (mars 1979) porte Maurice Bishop au pouvoir. L'alignement sur Cuba et la suspension de la Constitution, puis un coup d'État qui entraîne la mort de Maurice Bishop poussent les États-Unis, soutenus par les États membres de l'Organisation des États des Caraïbes orientales, à intervenir militairement le 25 octobre 1983. Les Premiers ministres qui se succèdent – Herbert Blaize (1984), Ben Jones (1989), Nicholas Brathwaite (1990), George Brizan (1995) et Keith Mitchell (juin 1995) – développent le tourisme, qui constitue plus de 30 % du PNB.

Barbade Barbados

Nom officiel : Barbade. **Capitale** : Bridgetown. **Monnaie** : dollar de la Barbade (= 100 cents). **Langue officielle** : anglais. **Principale religion** : protestantisme. **Institutions** : État indépendant depuis 1966, membre du Commonwealth. Constitution de 1966. Un gouverneur général représentant la Couronne britannique. Parlement bicaméral comprenant un Sénat, désigné par le gouverneur général, et une Chambre d'assemblée (House of Assembly) élue pour 5 ans. **Gouverneur général** : sir Clifford Husbands (depuis 1996). **Premier ministre** : Owen Arthur (depuis 1994). **Drapeau** : il a été adopté en 1966. Le jaune et les deux bandes bleues évoquent le sable des plages entre ciel et mer. Le trident noir exprime l'alliance du peuple avec la mer. **Hymne national** : « Dans la prospérité et en temps de disette, quand ce beau pays était jeune, nos courageux ancêtres ont planté la semence dont a jailli notre fierté... » Paroles d'Irving Louis Burgie (né en 1934), musique de Van Roland Edwards (né en 1913). Adopté en 1966. **Fête nationale** : 30 novembre (anniversaire de l'indépendance).

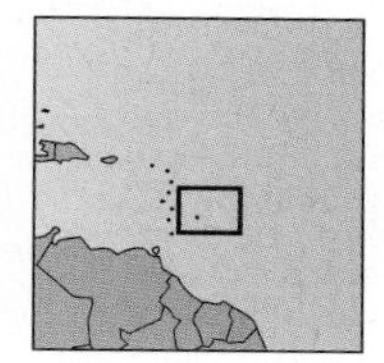

Superficie : 431 km². **Point culminant** : 337 m au mont Hillaby.

◆ Démographie.

population	263 000 hab.
densité	610 hab./km²
accroissement naturel	6,3 ‰
taux de natalité	14,3 ‰
taux de mortalité infantile	11 ‰
espérance de vie	76 ans
part des moins de 15 ans	23,3 % de la pop. totale
part des plus de 65 ans	14,8 % de la pop. totale
population urbaine	48 %
principale ville	Bridgetown

◆ Principales ressources et productions (1997).

bananes	9 000 t

◆ Économie et niveau de vie (1996).

PNB	1,705 milliard de $
PNB/hab.	10 510 $
taux de croissance *(1993)*	1,5 %
taux d'inflation	2,4 %
taux de chômage	n.d.
dette extérieure	581,4 millions de $
importations	743 millions de $
exportations	287 millions de $
taux d'analphabétisme	2,6 %

◆ Armée.

budget militaire *(1996)*	0,6 % du PIB
forces armées *(1997)*	610 hommes

GÉOGRAPHIE

Cet État des Petites Antilles vit du tourisme, de la pêche et de la production de canne à sucre.

HISTOIRE

Ancienne colonie britannique, la Barbade devient indépendante en 1966. Le Premier ministre Errol Walyon Barrow (Democratic Labour Party) doit transmettre le pouvoir en 1976 à Tom Addams, du Barbados Labour Party, puis retrouve son poste en mai 1986. Après sa mort (1987), L. Erskine Sandiford lui succède, mais l'impopularité de sa politique d'austérité permet à Owen Arthur (BLP) de gagner les élections de 1994. En 1998, il propose une fédération des îles de la région.

Trinité-et-Tobago
Trinidad and Tobago

Nom officiel : République de Trinité-et-Tobago. **Capitale** : Port of Spain. **Monnaie** : dollar de la Trinité (= 100 cents). **Langue officielle** : anglais. **Principales religions** : catholicisme, protestantisme, hindouisme, islam. **Institutions** : État indépendant depuis 1962, membre du Commonwealth. République depuis 1976. Constitution de 1976. Un président de la République élu par un collège électoral regroupant les membres du Sénat et de la Chambre des représentants. Un Sénat dont les membres sont nommés par le président de la République. Une Chambre des représentants élue pour 5 ans. Depuis 1980, l'île de Tobago possède sa propre assemblée. **Président de la République** : A.N.R. Robinson (depuis 1997). **Premier ministre** : Basdeo Panday (depuis 1995). **Drapeau** : il a été adopté en 1962. Le noir symbolise le peuple uni dans l'effort ; le rouge, la vitalité du pays et le courage du peuple ; tandis que le blanc affirme la pureté des aspirations et l'égalité de tous les hommes. **Hymne national** : « Forgés dans l'amour de la liberté, dans les feux de l'espoir et de la prière, avec une foi sans bornes en notre destinée. » Déclaré officiel en 1962. **Fête nationale** : 31 août (anniversaire de l'indépendance).

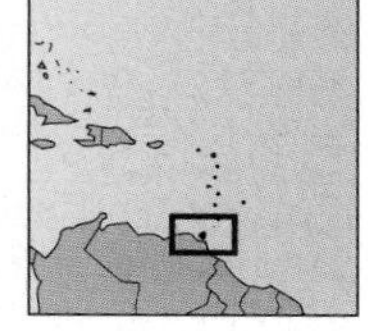

Superficie : 5 128 km². **Point culminant** : 940 m au cerro del Aripo.

GÉOGRAPHIE

Cet État comprend principalement l'île de la Trinité. Ses ressources principales sont désormais le pétrole et le gaz naturel, l'agriculture

◆ Démographie.

population	1 300 000 hab.
densité	253,5 hab./km²
accroissement naturel	13,3 ‰
taux de natalité	16,6 ‰
taux de mortalité infantile	13 ‰
espérance de vie	73 ans
part des moins de 15 ans	30,5 % de la pop. totale
part des plus de 65 ans	6,3 % de la pop. totale
population urbaine	72 %
principales villes	Port of Spain, Chaguanas

◆ Principales ressources et productions (1997).

canne à sucre	1 404 000 t
sucre	120 000 t
gaz naturel	8 600 millions de m³
pétrole	6 600 000 t

◆ Économie et niveau de vie (1996).

PNB	4,991 milliards de $
PNB/hab.	6 100 $
taux de croissance *(1995)*	2,3 %
taux d'inflation	3,4 %
taux de chômage	n. d.
dette extérieure	2 242,4 millions de $
importations	1 868 millions de $
exportations	2 456 millions de $
taux d'analphabétisme	5,1 %

◆ Armée.

budget militaire *(1996)*	1,3 % du PIB
forces armées *(1997)*	2 100 hommes

(canne à sucre, cacao) n'occupant plus qu'une faible proportion des actifs (plus de 50 % d'entre eux travaillent dans les services). La population, d'origine africaine et indienne, est urbanisée à 70 % et vit presque entièrement dans l'île de la Trinité. Son accroissement naturel est relativement faible.

HISTOIRE

La colonisation. Découverte par Christophe Colomb (1498), la Trinité est occupée par les Espagnols en 1532. Attaquée par les Hollandais puis par les Français au XVIIe s., elle est contrôlée par la Grande-Bretagne en 1797 et lui est cédée au traité d'Amiens (1802). L'île voisine de Tobago, constamment disputée entre l'Espagne, les Pays-Bas, la France et la Grande-Bretagne, ne devient définitivement britannique qu'au traité de Paris (1763). En 1889, les deux îles sont associées. Elles font partie de l'éphémère fédération des Indes-Occidentales (1958-1962). Après la dissolution de la fédération, à la suite du retrait de la Jamaïque, les îles de Trinité-et-Tobago deviennent indépendantes au sein du Commonwealth.

L'indépendance. Principal artisan de l'indépendance, Eric Williams reste Premier ministre. À sa mort (1981), il est remplacé par George Chambers, qui refuse de participer à l'opération d'invasion de la Grenade (1983). L'évolution politique de l'île est marquée par les tensions raciales entre population d'origine africaine (plutôt représentée par le People's National Movement, PNM) et population d'origine asiatique (plutôt représentée par l'United National Congress, UNC). En 1991, Patrick Manning (PNM) est nommé Premier ministre. Basdeo Panday (UNC) lui succède en 1995. Depuis 1987, l'île de Tobago a obtenu l'autonomie interne.

VOIR AUSSI • CARICOM p. 777

Amérique du Sud

Colombie • Venezuela

Colombie Colombia

Nom officiel : République de Colombie. **Capitale** : Bogotá. **Monnaie** : peso colombien (= 100 centavos). **Langue officielle** : espagnol. **Principale religion** : catholicisme. **Institutions** : République. Constitution de 1991. Un président de la République élu pour 4 ans. Un vice-président élu tous les 2 ans par le Congrès. Pouvoir législatif : un Congrès, comprenant un Sénat, une Chambre des représentants élus pour 4 ans. Le Congrès se réunit annuellement en juillet. **Président de la République et chef du gouvernement** : Andrés Pastrana Arango (depuis 1998). **Drapeau** : il fut adopté en 1861 en souvenir de celui qui servit de bannière de guerre en 1807 dans une expédition contre le Venezuela. Le jaune représente l'or; le bleu, l'isthme de Panamá (qui appartenait alors à la Colombie). **Hymne national** : « Ô gloire immarcescible ! Ô joie immortelle ! en sillons de douleurs le bien mûrit déjà… » Paroles de Rafael Nuñez (1825-1894), musique d'Oreste Sindici (1837-1904). Déclaré officiel en 1920. **Fête nationale** : 20 juillet (anniversaire de l'indépendance).

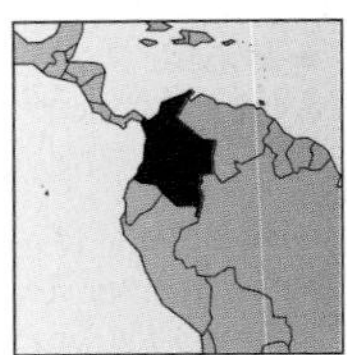

Superficie : 1 140 000 km². **Point culminant** : 5 775 m au pico Cristóbal Colón, dans la sierra de Santa Marta (nord du pays).

◆ Démographie.

population	38 600 000 hab.
densité	33,8 hab./km²
accroissement naturel	16,2 ‰
taux de natalité	23,4 ‰
taux de mortalité infantile	25 ‰
espérance de vie	70 ans
part des moins de 15 ans	34,3 % de la pop. totale
part des plus de 65 ans	4,3 % de la pop. totale
population urbaine	73 %
principales villes	Bogotá, Cali, Barranquilla

◆ Principales ressources et productions (1997).

cacao	47 000 t
café	646 000 t (2e rang)
pétrole	33 700 000 t

◆ Économie et niveau de vie (1996).

PNB	81,793 milliards de $
PNB/hab.	6 720 $
taux de croissance *(1994)*	5,8 %
taux d'inflation	20,2 %
dette extérieure	28 859 millions de $
importations	12 784 millions de $
exportations	10 651 millions de $
transports	routes 107 377 km, voies ferrées 3 236 km
taux d'analphabétisme	8,7 %

◆ Armée.

budget militaire *(1996)*	1,9 % du PIB
forces armées *(1997)*	146 300 hommes

VOIR AUSSI • Trafic de stupéfiants p. 1001

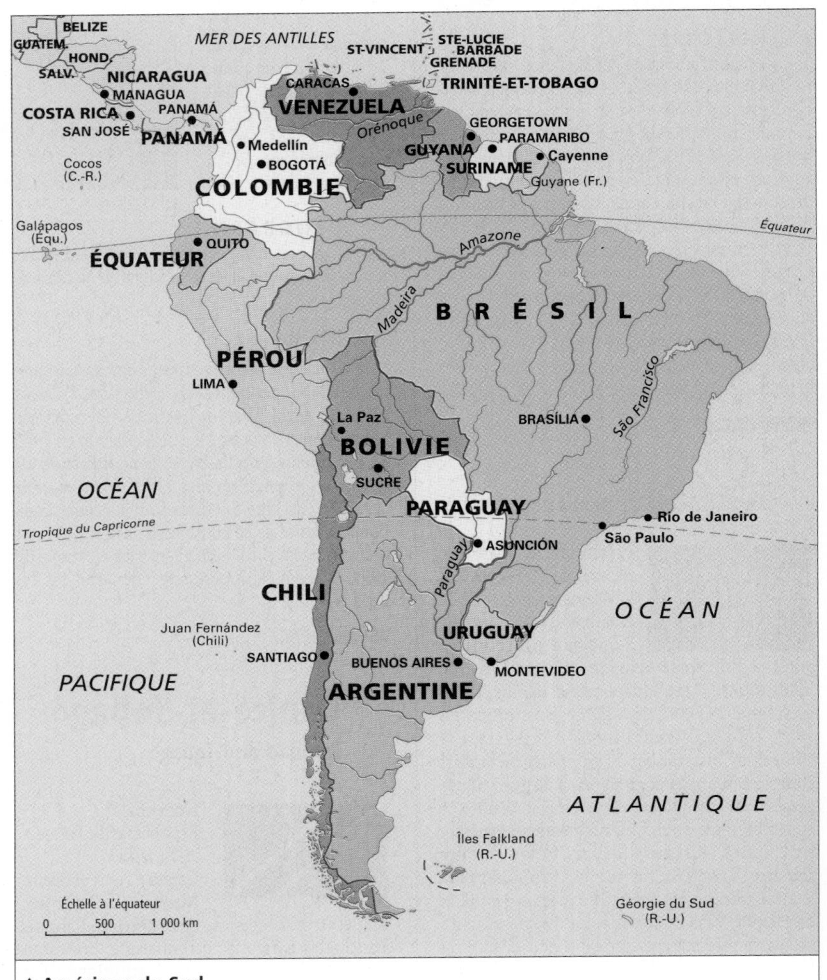

◆ Amérique du Sud.

GÉOGRAPHIE

Le territoire colombien est constitué d'un littoral étroit et marécageux à l'ouest et au nord (donnant sur les deux océans), de l'extrémité septentrionale de la cordillère des Andes plus à l'est, et enfin, dans sa moitié orientale, d'une région de plaines où se pratique l'agriculture (coton, canne à sucre, riz, café, ainsi que céréales et élevage bovin) qui occupe près du tiers des actifs. L'industrie est encore peu développée, malgré la présence dans le sous-sol de pétrole et de charbon. La population, urbanisée pour près de 75 %, s'accroît relativement vite.

HISTOIRE

La colonisation. Les hautes vallées de la Colombie précolombienne étaient habitées par différents peuples, parmi lesquels les Muiscas (ou Chibchas). La conquête du pays par les Espagnols, commencée avec Rodrigo de Bastidas (1500-1502), est poursuivie par Gonzalo Jiménez de Quesada qui fonde Santa Fe (Bogotá) en 1538. L'*audiencia* de Santa Fe est établie en 1549 et, en 1718, est créée la vice-royauté de Nouvelle-Grenade. Grâce à Cartagena et à Nombre de Dios qui exportent vers la métropole les métaux précieux du Mexique, du Pérou et même des Philippines, la colonie connaît une certaine prospérité.

L'indépendance. Commencée en 1810, l'insurrection pour l'indépendance est durement réprimée par les Espagnols (prise de Bogotá, 1815). En 1817, Simón Bolívar reprend la lutte et remporte la victoire de Boyacá (1819), qui lui permet, au congrès d'Angostura, de proclamer la république de Grande-Colombie (Nouvelle-Grenade et Venezuela), à laquelle sont rattachés le Panamá (1821) et l'Équateur (1822). À la mort du président Bolívar (1830), le Venezuela et l'Équateur font sécession. La vie politique est dès lors marquée par l'antagonisme entre les conservateurs centralistes, qui bénéficient de l'appui de l'Église, et les libéraux fédéralistes anticléricaux, ainsi que par les luttes entre les clans oligarchiques locaux. À partir de 1849, les libéraux accomplissent un certain nombre de réformes : abolition des privilèges de l'Église, affranchissement des esclaves. Lors du second mandat de T.C. Mosquera (1861-1864), ils adoptent une constitution fédéraliste (1863). Président de la République en 1880, Rafael Núñez renoue avec l'Église (concordat de 1883) et dote le pays d'une constitution unitaire (1886). Les libéraux, partisans du fédéralisme, se soulèvent à plusieurs reprises, notamment lors de la « guerre des Mille Jours » (1899-1903).

Le XXe siècle. À partir du gouvernement du général Rafael Reyes Prieto (1904-1909), la Colombie connaît une période de stabilité politique et de modernisation. Panamá accède à l'indépendance en 1903 sous la pression des États-Unis, dont l'influence économique s'accroît (plantations de caféiers et de bananiers, exploitation du pétrole). Durement ressentie, la crise de 1929 amène le retour au pouvoir

◆ Colombie.

des libéraux (1930), qui tentent une politique réformiste. En 1946, Jorge Eliecer Gaitán se porte candidat aux élections. Son assassinat en 1948 provoque une insurrection qui inaugure un conflit sanglant entre les libéraux et les conservateurs, les guérilleros paysans et les différentes polices.

Le coup d'État du général Rojas Pinilla (1953) ramène en partie la paix. Mais son autoritarisme ligue contre lui conservateurs et libéraux, qui constituent un Front national et concluent le pacte de Sitges (1957) qui prévoit, pour une période de seize ans, l'alternance au pouvoir de présidents conservateurs et libéraux ainsi que le partage égal des postes gouvernementaux.

Malgré le bon fonctionnement du système, l'abstention électorale croissante témoigne du malaise de la démocratie colombienne, tandis que se développe une guérilla d'inspiration castriste (1961-1964). À partir des années 1970, la situation s'aggrave avec les mouvements de guérilla urbaine qui provoquent l'adoption de lois d'exception en 1978. Élu en 1982, le président conservateur Belisario Betancur tente une solution politique plutôt que militaire au problème de la guérilla. Nationaliste, il cherche à développer l'indépendance de la Colombie à l'égard des États-Unis et engage son pays dans l'effort de paix en Amérique centrale. Mais il se heurte à la crise économique et aux trafiquants de drogue. Le libéral Virgilio Barco (1986-1990) intensifie la lutte contre ces derniers (sommet de Carthagène, 1990). En mars 1989, le mouvement de guérilla M-19 abandonne la lutte armée pour s'intégrer au jeu électoral. Son candidat est l'un des trois candidats assassinés durant le scrutin, marqué par une violence généralisée. En mai 1990, le libéral César Gaviria Trujillo est élu à la présidence. Une nouvelle Constitution (1991) démocratise la vie locale et renforce le contrôle parlementaire. Les législatives anticipées d'oct. 1991 confirment le bipartisme traditionnel. Jusqu'à la fin de son mandat, la popularité de César Gaviria, qui a su surmonter l'agitation sociale et dont la police a éliminé (déc. 1993) le chef du cartel de Medellín, narco-trafiquant « évadé » depuis plus d'un an, ne se dément pas. En 1994, le Parti libéral conserve la majorité au Congrès, et son candidat, Ernesto Samper, est élu président, grâce en partie à son programme social. Accusé de corruption (sa campagne ayant apparemment été financée par les trafiquants de drogue), il échoue à régler le problème persistant du trafic de cocaïne, ainsi que celui posé par la guérilla du FARC (Forces armées révolutionnaires de Colombie). Un candidat conservateur, Andrés Pastrana Arango, succède à Ernesto Samper en 1998.

Venezuela

Nom officiel : République du Venezuela. **Capitale :** Caracas. **Monnaie :** bolívar (= 100 céntimos). **Langue officielle :** espagnol. **Principale religion** : catholicisme. **Institutions :** République fédérale. Constitution de 1961. Un président de la République élu pour 5 ans. Un Congrès, comprenant un Sénat et une Chambre des députés, élus pour 5 ans. Les anciens présidents sont membres de droit du Sénat. **Président de la République et chef du gouvernement :** Hugo Chavez (depuis 1998). **Drapeau :** il a été adopté en 1811. Le rouge représente l'union ; le jaune, les vertus militaires ; le bleu la liberté. Les 7 étoiles ajoutées au drapeau en 1817 représentent les provinces qui constituaient l'État au moment de l'indépendance. **Hymne national :** « Gloire au peuple courageux qui s'est libéré du joug, respectant la loi, la vertu et l'honneur... » Paroles de Vicente Salias (1786-1816), musique de Juan José Landaeta (1780-1814). Déclaré officiel en 1881. **Fête nationale :** 5 juillet (anniversaire de la signature de l'acte de l'indépendance, en 1811).

Superficie : 912 050 km². **Point culminant :** 5 007 m au pic Bolívar, dans la cordillère de Mérida.

GÉOGRAPHIE

Le Venezuela est constitué, à l'ouest, de l'extrémité septentrionale de la cordillère des Andes, du bassin de l'Orénoque au centre, et du Massif guyanais à l'est, région montagneuse et couverte par la forêt, peu peuplée. L'économie repose principalement sur l'extraction du pétrole, l'agriculture (céréales, canne à sucre, café, cacao, élevage bovin) occupant moins du sixième des actifs. La population est presque entièrement urbanisée et s'accroît rapidement.

HISTOIRE

La colonie espagnole. Peuplée d'Indiens Caraïbes, la contrée est découverte par Christophe Colomb (1498) et baptisée « Petite Venise » (Venezuela) par Amerigo Vespucci (1499). Elle est rattachée en 1556 à l'Empire espagnol. Au XVIIIe s., le pays s'enrichit de l'exportation du cacao et du café. Rattaché à la vice-royauté de Nouvelle-Grenade (1739), il accède en 1777 au rang de capitainerie générale. Un créole libéral, Francisco Miranda, tente vainement en 1806 de déclencher une insurrection.

La lutte pour l'indépendance. Les créoles conservateurs déposent en 1810 le capitaine général, mais, effrayés par le radicalisme de Miranda, qui proclame l'indépendance (1811), ils se rangent dans le camp espagnol. Vaincu (1812), Miranda est relayé par Simón Bolívar, qui, avec l'appui des cavaliers (*llaneros*) commandés par José Antonio Páez, remporte la victoire de Carabobo (1821). Ayant fondé la fédération de la « Grande-Colombie » (unissant la Colombie et le Venezuela, auxquelles se joindront le Panamá et l'Équateur) au congrès d'Angostura (1819), Bolívar en est le premier président, mais il doit démissionner en 1830.

Le XIXe siècle. Páez réalise l'indépendance du Venezuela et gouverne au nom de l'oligarchie des propriétaires. Il est chassé par la famille des Monagas qui, de 1848 à 1858, consolide le parti conservateur tout en libérant les esclaves. En 1858, la révolution de J. Castro ouvre une période de guerres civiles qui s'achève par l'arrivée au pouvoir d'Antonio Guzmán Blanco. Caudillo autoritaire, celui-ci laïcise l'État et modernise l'économie (1870-1887).

◆ Démographie.

population	23 300 000 hab.
densité	25,5 hab./km²
accroissement naturel	20,2 ‰
taux de natalité	24,9 ‰
taux de mortalité infantile	22 ‰
espérance de vie	73 ans
part des moins de 15 ans	36,2 % de la pop. totale
part des plus de 65 ans	4 % de la pop. totale
population urbaine	86 %
principales villes	Caracas, Maracaibo, Valencia

◆ Principales ressources et productions (1997).

canne à sucre	6 429 000 t
pétrole	173 500 000 t (5e rang)
aluminium	641 000 t (7e rang)
bauxite	3 580 000 t (8e rang)
fer	16 000 000 t (5e rang)

◆ Économie et niveau de vie (1996).

PNB	65,769 milliards de $
PNB/hab.	8 130 $
taux de croissance *(1995)*	3,4 %
taux d'inflation	99,9 %
taux de chômage	n.d.
dette extérieure	35 343,8 millions de $
importations	12 069 millions de $
exportations	19 082 millions de $
répartition des actifs	agriculture 14,1 %, industrie 22,6 %, services 63,2 %
transports	routes 100 571 km, voies ferrées 363 km
taux d'analphabétisme	8,9 %

◆ Armée.

budget militaire *(1996)*	0,5 % du PIB
forces armées *(1997)*	79 000 hommes

Les généraux au pouvoir. Les dictateurs se succèdent : Joaquín Crespo (1892-1898), puis Cipriano Castro (1899-1908), renversé par son second, Vicente Gómez, qui bénéficie à partir de 1920 de la manne pétrolière et se maintient au pouvoir jusqu'en 1935. Sous la présidence de López Contreras (1935-1941) s'amorce un processus de démocratisation qui aboutit en 1945 à un coup d'État de jeunes officiers alliés au chef de l'Action démocratique (AD), Rómulo Betancourt. Jouissant d'un large appui populaire, l'AD, dont le candidat, le romancier Rómulo Gallegos, est élu président de la République, mène des réformes radicales qui effraient les modérés. Un coup d'État des militaires conservateurs y met fin en 1948 et le général Marco Pérez Jiménez instaure une dictature archaïque. Le mécontentement de l'armée et l'entente entre l'AD et le COPEI (Comité d'organisation politique électoral indépendant, démocrate-chrétien) permettent le retour à la démocratie (1958).

Le Venezuela des civils. Surmontant des tentatives de putsch conservateur et une guérilla castriste, le président Betancourt (1959-1964) consolide les institutions démocratiques et s'assure la loyauté des militaires. L'alternance entre l'AD et le COPEI caractérise ensuite la vie politique : Raúl Leoni (AD, 1964-1969), Rafael Caldera, démocrate-chrétien (1969-1974). La nationalisation des compagnies pétrolières est réalisée en 1975 sous la présidence de Carlos Andrés Pérez (AD, 1974-1979). Au président Herrera Campins (COPEI, 1979-1984) succède, en 1984, Jaime Lusinchi (AD), qui applique une politique d'austérité renforçant la dégradation de l'économie. Carlos Andrés Pérez (AD) revient au pouvoir en 1989, mais avec un projet néolibéral strict qui provoque immédiatement de graves émeutes et une agitation sociale endémique. Après deux tentatives de coup d'État en 1992, Pérez est destitué par le Congrès en août 1993 pour détournement de fonds. En février 1994, Rafael Caldera Rodriguez revient à la présidence, mais en tant qu'indépendant : le bipartisme AD-COPEI n'est plus dominant. La profonde récession l'oblige à prendre des mesures d'urgence (contrôle des prix et des changes, suspension de certaines libertés) rendant plus incertain le climat social. L'élection présidentielle de 1998 voit la victoire de l'ex-colonel putschiste Hugo Chavez au terme d'une campagne populiste.

♦ Venezuela.

Guyana

Nom officiel : République coopérative de Guyana. **Capitale :** Georgetown. **Monnaie :** dollar de la Guyana (= 100 cents). **Langue officielle :** anglais. **Principales religions :** protestantisme, hindouisme, islam. **Institutions :** État indépendant depuis 1966, membre du Commonwealth. République depuis 1970. Constitution de 1980. Un président de la République élu pour 5 ans. Est élu le candidat désigné par le parti qui a obtenu le plus grand nombre de voix aux élections législatives. Une Assemblée nationale élue pour 5 ans. **Président de la République :** Janet Jagan (depuis 1997). **Premier ministre :** Samuel Hinds (depuis 1997). **Drapeau :** il a été adopté en 1966. Le vert représente la végétation ; le blanc, l'eau ; le jaune, les richesses minérales ; le noir, la persévérance ; le rouge, l'enthousiasme du peuple prêt au sacrifice. **Hymne national :** « Chère terre de Guyana, de rivières et de plaines, enrichie par le soleil, fécondée par les pluies, sertie tel un joyau entre les montagnes et la mer, tes enfants te saluent, chère terre de liberté... » Paroles d'Archibald Leonard Luker (1899-1971), musique de Robert Cyril Gladstone Potter (1899-1981). Adopté en 1966. **Fêtes nationales :** 23 février (journée de la République) et 4 août (journée de la liberté).

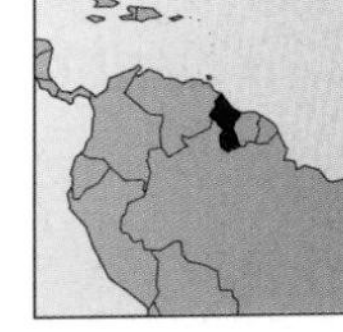

Superficie : 215 000 km². **Point culminant :** 2 810 m au mont Roraima, à la frontière du Venezuela.

GÉOGRAPHIE

La Guyana est un État très pauvre, presque entièrement couvert par la forêt tropicale. Les plantations de canne à sucre, la culture du riz et l'extraction de bauxite sont ses principales ressources. La population, composée de descendants d'esclaves noirs et d'immigrés venus de l'Inde, est urbanisée pour un peu plus d'un tiers. Son niveau de vie est très faible et son accroissement naturel modéré.

◆ Démographie.

population	700 000 hab.
densité	3,2 hab./km²
accroissement naturel	15,4 ‰
taux de natalité	21,9 ‰
taux de mortalité infantile	59 ‰
espérance de vie	67 ans
part des moins de 15 ans	32,4 % de la pop. totale
part des plus de 65 ans	3,9 % de la pop. totale
population urbaine	36 %
principales villes	Georgetown, Linden

◆ Principales ressources et productions (1997).

canne à sucre	3 340 000 t
riz	538 000 t

◆ Économie et niveau de vie (1996).

PNB	0,663 milliard de $
PNB/hab.	2 280 $
taux de croissance *(1995)*	8,2%
taux d'inflation	15%
taux de chômage	n.d.
dette extérieure	1 630,7 millions de $
importations	536 millions de $
exportations	496 millions de $
transports	routes 8 890 km,
taux d'analphabétisme	3,6 %

◆ Armée.

budget militaire *(1996)*	0,9 % du PIB
forces armées *(1997)*	1 600 hommes

HISTOIRE

La colonie britannique. Colonisée par les Néerlandais, la région est occupée par les Britanniques en 1796. Les traités de 1814 prévoient de laisser l'actuel Suriname aux Pays-Bas, et les Britanniques reçoivent la partie occidentale des Guyanes, baptisée British Guiana en 1831. Zone de cultures tropicales, la région se peuple de Noirs, d'hindous et de Blancs. Lorsqu'un statut d'autonomie est concédé à la colonie (1953), les clivages politiques et ethniques entre le Parti progressiste populaire (PPP), dirigé par le communiste Cheddi Jagan, qui représente la communauté indienne (majoritaire), l'United Force des Blancs et le People National Congress (PNC), parti des Noirs mené par Forbes Burnham, retardent le processus d'accès à l'indépendance, proclamée en 1966.

L'indépendance. Burnham accède au pouvoir en 1969, et le nouvel État de Guyana devient une « République coopérative » (1970). Reconduit aux élections de 1973 et de 1980, le gouvernement de Burnham, autoritaire et procubain, doit faire face à l'opposition active de Jagan et à l'hostilité des États-Unis et du FMI. Il règle cependant provisoirement en 1983 le conflit frontalier qui oppose depuis longtemps le Guyana au Venezuela à propos de la région de l'Essequibo. En 1985, à la mort de Forbes Burnham, le Premier ministre Hugh Desmond Hoyte est élu chef de l'État. En 1989, l'opposition réclame une réforme électorale et le respect des droits de l'homme. Les élections promises sont en permanence reportées, et l'état d'urgence est instauré en nov. 1991. Lorsqu'elles ont lieu (oct. 1992), elles portent au pouvoir Cheddi Jagan, qui libéralise l'économie. À sa mort, en 1997, sa veuve, Janet Jagan, est élue à la présidence, ce qui suscite le mécontentement des « Afro-Guyanais » et de leur parti, le PNC, et de vives tensions interethniques.

Suriname

Nom officiel : République du Suriname. **Capitale :** Paramaribo. **Monnaie :** florin de Suriname (= 100 cents). **Langue officielle :** néerlandais. **Principales religions :** hindouisme, catholicisme, islam. **Institutions :** État indépendant depuis 1975. Constitution de 1987. Un président de la République élu pour 5 ans.

Une Assemblée nationale. **Président de la République** : Jules Wijdenbosch (depuis 1996). **Vice-président et Premier ministre** : Pretaapnarian Radhakishun (depuis 1996). **Drapeau** : il a été adopté en 1975. Le vert représente la fertilité du sol et l'espoir du progrès ; le blanc, la droiture et la liberté ; le rouge, l'amour et la foi dans le progrès. L'étoile symbolise l'unité du peuple prêt au sacrifice et à l'altruisme. **Hymne national** : « Que Dieu soit avec le Suriname, qu'il élève notre merveilleux pays... » Paroles de Cornelis A. Hoekstra (1852-1924), musique de Johannes Corstianus de Puy (1835-1924). Déclaré officiel en 1975. **Fête nationale** : 25 novembre (anniversaire de l'indépendance).

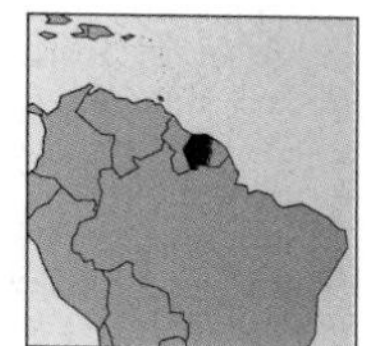

Superficie : 163 265 km². **Point culminant** : 1 280 m au Julianatop, dans les monts Wilhelmina.

GÉOGRAPHIE

Le Suriname est presque entièrement couvert par la forêt tropicale, avec au nord une plaine marécageuse. Les ressources de ce territoire se limitent, pour l'essentiel, à la bauxite. La population est composée d'Indiens, d'Indonésiens, de créoles et de Noirs ; elle est urbanisée pour la moitié et s'accroît relativement vite. Son niveau de vie est faible.

HISTOIRE

Une colonie hollandaise. Occupée par les Britanniques, puis cédée (1667) aux Hollandais en échange de La Nouvelle-Amsterdam (New York), la région se développe au XVIIIᵉ s. avec les plantations de canne à sucre. Occupée par les Britanniques (1796-1802 et 1804-1816) et restituée aux Pays-Bas en 1816, la Guyane hollandaise se peuple d'Indiens et d'Indonésiens après l'abolition de l'esclavage (1863). L'économie de plantation, en déclin, est relayée par l'exploitation de la bauxite, qui prend son essor en 1938. Le Suriname, ainsi baptisé en 1948, reçoit en 1954 une Constitution qui lui confère une large autonomie. Le Suriname accède à l'indépendance en 1975.

L'indépendance. Le pays est gouverné jusqu'en 1980 par Henck Arron, renversé par un coup d'État militaire. Derrière des gouvernements civils (Hendrik R. Chin, 1980-1982) ou civils et militaires, le commandant de l'armée, Desi Bouterse, est l'homme fort du pays. S'engageant dans la voie de la démocratisation (Constitution de 1987), il transmet le pouvoir en 1988 à un président élu, Ramsewak Shankar. Dans le même temps, l'armée lutte contre la guérilla qui s'est développée dans l'est et le sud du pays, en particulier contre le Jungle Commando de Ronnie Brunswijk. Des négociations s'ouvrent en juin 1988 qui aboutissent à l'accord de Kourou (juill. 1989). Mais les guérillas Tucayana et d'autres groupes relancent immédiatement leurs opérations. Desi Bouterse se retire partiellement en 1990, mais inspire un coup d'État qui porte à la présidence Johan Krag en 1990. Aux élections de mai 1991 triomphe le Nieuw Front, groupement politique proche des auteurs du coup d'État. Ronald Venetiaan est élu président (sept. 1991) et Jules Wijdenbosch lui succède en 1996 de façon régulière, malgré l'agitation politique permanente.

Impliquant des personnalités proches du pouvoir (dont Bouterse), les activités liées au trafic de drogue (cocaïne) se développent. L'aide internationale, principalement nord-américaine et néerlandaise, joue encore un grand rôle, malgré la découverte récente de gisements pétrolifères sous-marins.

◆ Démographie.

population	400 000 hab.
densité	2,4 hab./km²
accroissement naturel	16,2 ‰
taux de natalité	21,8 ‰
taux de mortalité infantile	25 ‰
espérance de vie	72 ans
part des moins de 15 ans	34,8 % de la pop. totale
part des plus de 65 ans	4,9 % de la pop. totale
population urbaine	50 %
principale ville	Paramaribo

◆ Principales ressources et productions (1997).

riz	218 000 t
bauxite	4 000 000 t (6ᵉ rang)

◆ Économie et niveau de vie (1996).

PNB	0,49 milliard de $
PNB/hab.	2 630 $
taux d'inflation	235,9 %
importations	293 millions de $
exportations	415 millions de $
transports	routes 4 470 km
taux d'analphabétisme	7 %

◆ Armée.

budget militaire *(1996)*	3,2 % du PIB
forces armées *(1997)*	1 800 hommes

Brésil Brazil

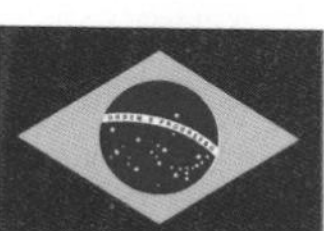

Nom officiel : République fédérative du Brésil. **Capitale** : Brasília. **Monnaie** : real (= 100 centavos). **Langue officielle** : portugais. **Principale religion** : catholicisme. **Institutions** : République fédérale : 26 États (dotés d'un gouvernement et d'un parlement), et un district fédéral. Constitution de 1988 amendée en 1994. Président élu pour 4 ans au suffrage universel. Congrès : une Chambre des députés élue pour 4 ans et un Sénat fédéral élu pour 8 ans. **Président de la République et chef du gouvernement** : Fernando Henrique Cardoso (depuis 1995). **Drapeau** : le vert évoque les feuilles de tabac et de café, le fond bleu du cercle la couleur du ciel. Les étoiles représentent à la fois la constellation de la Croix du Sud et les États de la fédération, dont celle qui se trouve au-dessus de la devise affirme l'unité indivisible. Créé en 1889, ce drapeau a été adopté officiellement en 1968. **Hymne national** : « De l'Ipiranga les berges paisibles entendirent, d'un peuple héroïque, la clameur retentissante, et le soleil de la liberté, en rayons éclatants, brilla dans le ciel de la Patrie à cet instant... » Paroles de Joachim Osório Duque Estrada (1878-1927), musique de Francisco Manuel da Silva (1795-1865). Déclaré officiel en 1890. **Fête nationale** : 7 septembre (anniversaire de l'indépendance).

Superficie : 8 512 000 km². **Point culminant** : 3 014 m au Pico da Neblina, à la frontière du Venezuela.

GÉOGRAPHIE

Par sa superficie et par sa population, le Brésil constitue la moitié, lusophone, de l'Amérique du Sud. La plus grande partie de son territoire est composée, au nord-ouest, de l'essentiel de la forêt amazonienne. C'est une zone tropicale insalubre, impropre au développement économique et pourtant menacée par la construction de routes. Le sud est formé de plateaux arides peu propices à l'agriculture. Cette dernière, pratiquée plus près de la côte, permet cependant au Brésil de figurer parmi les premiers producteurs mondiaux de café, de cacao, d'agrumes, de sucre, de soja, et de posséder un élevage bovin développé. Les ressources minérales sont également présentes en grande quantité (fer, bauxite, manganèse et pétrole). L'économie souffre pourtant d'une structure agraire inefficace (trop de grandes propriétés sont insuffisamment mises en valeur) et d'un étatisme longtemps excessif. La population, lusophone et catholique dans l'ensemble, est cependant disparate (Blancs, Noirs, Indiens, Asiatiques).

Les trois quarts des Brésiliens vivent dans les villes, dont la plupart (notamment les mégalopoles Rio de Janeiro et São Paulo) ont été bâties au sud, le long de la côte. La capitale, Brasília, a été édifiée de toutes pièces à l'intérieur des terres, plus près du centre du pays.

HISTOIRE

La découverte et la colonisation portugaise. La découverte du Brésil est attribuée traditionnellement au Portugais Pedro Alvares Cabral (1500), mais il faut attendre 1522 pour qu'il soit reconnu dans la mouvance portugaise. Jusqu'au début du XVIIᵉ s., la colonisation ne dépasse pas les plaines côtières. Pour faire face aux convoitises françaises,

◆ Démographie.

population	162 100 000 hab.
densité	19 hab./km²
accroissement naturel	15,5 ‰
taux de natalité	19,6 ‰
taux de mortalité infantile	36 ‰
espérance de vie	68 ans
part des moins de 15 ans	31,6 % de la pop. totale
part des plus de 65 ans	4,7 % de la pop. totale
population urbaine	80 %
principales villes	São Paulo, Rio de Janeiro, Belo Horizonte, Brasília

◆ Principales ressources et productions (1997).

agrumes	22 128 000 t (1ᵉʳ rang)
cacao	293 000 t (4ᵉ rang)
café	1 170 000 t (1ᵉʳ rang)
canne à sucre	336 599 000 t (1ᵉʳ rang)
bovins	165 000 000 têtes (2ᵉ rang)
porcins	36 600 000 têtes (3ᵉ rang)
maïs	34 610 000 t (3ᵉ rang)
manioc	24 354 000 t (2ᵉ rang)
soja	26 546 000 t (2ᵉ rang)
canne à sucre	336 599 000 t (1ᵉʳ rang)
tabac	456 000 t (4ᵉ rang)
bauxite	12 260 000 t (3ᵉ rang)
étain	20 000 000 t (3ᵉ rang)
fer	122 330 000 t (1ᵉʳ rang)

◆ Économie et niveau de vie (1996).

PNB	731,514 milliards de $
PNB/hab.	6 340 $
taux de croissance *(1995)*	4,1 %
taux d'inflation	15,8 %
dette extérieure	179 047,4 millions de $
importations	49 663 millions de $
exportations	46 506 millions de $
répartition des actifs	agriculture 27,3 %, industrie 18,3 %, services 54,3 %
transports	routes 1 824 364 km, voies ferrées 30 379 km
taux d'analphabétisme	16,7 %

◆ Armée.

budget militaire *(1996)*	0,9 % du PIB
forces armées *(1997)*	295 000 hommes

Amérique du Sud

les Brésiliens construisent des forteresses côtières (Rio de Janeiro, 1565). Le pays est, au XVIIe s., un gros producteur de sucre. Au XVIIIe s., après la découverte d'or à Ouro Preto (1694), dans le Mato Grosso (1718) et dans le Goiás (1725), le Brésil devient le premier producteur de ce métal au monde. Cette recherche de l'or entraîne la création du Brésil intérieur, domaine des métis mamelucos, qui laissent la côte aux Blancs. L'achèvement de l'occupation et de la mise en valeur des territoires brésiliens donne lieu à des incidents diplomatiques, et la signature par le Portugal du traité de Methuen (1703), accordant à la Grande-Bretagne le monopole du commerce avec le Brésil, entraîne l'intervention de la France lors de la guerre de la Succession d'Espagne. En 1777, à la suite d'une guerre avec l'Espagne, le Portugal doit céder à celle-ci l'Uruguay. Sous le règne de Joseph Ier (1750-1777), le Premier ministre, le marquis de Pombal, entreprend au Brésil comme au Portugal une politique de rénovation, visant à réduire le rôle des grands propriétaires. L'esclavage des Indiens est aboli en 1775, tandis qu'il est fait un appel accru à la main-d'œuvre servile originaire de l'Angola. Lors des guerres d'indépendance de l'Amérique latine, le Brésil reste fidèle aux Bragance, qui y résident d'ailleurs de 1808 à 1821, et aussi à l'alliance britannique. Au congrès de Vienne (1815), Jean VI élève même le Brésil au rang de royaume. Aussi, les liens avec la métropole sont-ils coupés sans peine : rappelé à Lisbonne (1821), Jean VI laisse tous les pouvoirs à son fils, Pierre (Dom Pedro), qui annonce l'indépendance du Brésil et, le 12 oct. 1822, se proclame empereur du Brésil sous le nom de Pierre Ier.

L'Empire brésilien. Pendant la période de régence (1831-1840) qui suit l'abdication de Pierre Ier, un véritable système parlementaire est instauré, caractérisé par l'alternance au pouvoir des partis libéraux et conservateurs. Devenu empereur en 1840, Pierre II sait imposer une politique de large expansion économique favorable à l'aristocratie foncière. Le Brésil connaît alors un essor démographique remarquable, lié à l'immigration européenne. Dès 1869, le pays, dont l'histoire se confond pratiquement avec celle de l'État de São Paulo, assure la moitié de la production mondiale de café. La guerre contre le Paraguay (1865-1870) lui permet de rectifier ses frontières en mettant fin à l'isolement dangereux du Rio Grande do Sul. En 1888, l'esclavage des Noirs est aboli. Un an plus tard, Pierre II est renversé : la république qui naît est conservatrice, en réaction contre un empire progressiste.

La république des « coronels ». La Constitution républicaine, promulguée en 1891, crée un État laïque (séparation de l'Église et de l'État) et fédéraliste. Cependant, la réalité du pouvoir appartient aux oligarchies : les *coronels*. Le président Manuel Ferraz de Campos Sales (de 1898 à 1902) s'appuie sur les grands propriétaires et sur le Parti républicain, parti unique. Le pays est, depuis cette date et jusqu'aux années 1930, le Brésil du café, c'est-à-dire un pays soumis aux fluctuations internationales des prix agricoles. En 1914, il est devenu la première puissance de l'Amérique latine. La Première Guerre mondiale, à laquelle il participe aux côtés des Alliés (1917), active encore son économie. La crise de 1929 amène la ruine économique, la fin des coronels et la montée en puissance de l'armée, représentative des classes moyennes naissantes. Les militaires portent au pouvoir, en 1930, Getúlio Vargas.

L'ère Vargas. Populiste, réformiste et nationaliste, Getúlio Vargas constitue un gouvernement provisoire et dictatorial, suspend la Constitution de 1891, se fait élire président pour quatre ans, et impose le vote d'une nouvelle Constitution (1934). En 1937, il licencie le Congrès, dissout les anciens partis et devient, en vertu d'un plébiscite, dictateur du Brésil pour six ans. Il favorise le développement industriel, l'ascension des classes moyennes et l'essor du prolétariat. Déposé par un groupe de généraux en 1945, Vargas redevient président en 1951. Mais l'opposition, liée aux intérêts étrangers, l'accule au suicide (1954). Le pays, où le latifundium (grand domaine agricole à exploitation intensive) reste la forme principale d'exploitation rurale et où les grands groupes internationaux, américains notamment, sont dominants, connaît alors des expériences réformistes (Juscelino Kubitschek [1956-1961], Jânio Quadros [1961], João Goulart [1961-1964]). L'équipement industriel se poursuit, tandis qu'un effort est fait pour décentraliser l'organisation politique et économique du pays. En 1960, une nouvelle capitale, Brasília, est inaugurée au cœur du Goiás. Accusé de complaisance à l'égard du communisme par les militaires, Quadros démissionne en 1961. Le vice-président Goulart lui succède mais il est déposé par les militaires en 1964.

Les militaires au pouvoir. Un régime militaire strict est alors institué. Les partis politiques traditionnels sont supprimés, tandis que

♦ Brésil • Bolivie.

le président reçoit des pouvoirs exceptionnels au détriment du Congrès et des États. Les différents présidents, tous militaires, pratiquent une politique de développement économique, mais aussi de répression des oppositions. Cependant, en 1979, le président João Baptista Figueiredo, nouvellement élu, amorce un processus de libéralisation et de retour progressif à la démocratie rendu nécessaire par une inflation galopante et une disparité sociale de plus en plus criante.

Le retour de la démocratie. En 1985, les civils reviennent au pouvoir avec Tancredo Neves, qui meurt à peine élu. Le vice-président José Sarney lui succède et entame les réformes qu'il avait annoncées. En 1986, il met en œuvre un programme d'austérité (plan Cruzado). En nov. 1989, les premières élections directes que connaît le pays portent à la présidence Fernando Collor de Mello (Parti de reconstruction nationale). Son programme économique comporte un blocage immédiat des avoirs des particuliers et des actifs des entreprises, la création d'une nouvelle monnaie, le cruzeiro, des privatisations et des suppressions d'agences fédérales. Mais son échec dans la lutte contre l'inflation contribue, avec les accusations de malversations, à la fragilité d'un gouvernement devenu impopulaire. La coalition au pouvoir perd notamment de nombreux sièges de gouverneurs en oct. 1990. Menacé de destitution, Collor de Mellor démissionne en sept. 1992 ; le vice-président Itamar Franco le remplace. Sans majorité au Congrès, son équipe lance pourtant un ambitieux plan économique. Le ministre des Finances, le social-démocrate Fernando Henrique Cardoso, obtient d'abord du Congrès un budget en équilibre, avec un « fonds social d'urgence » (févr. 1994), puis procède par étapes avec le plan Real, du nom de la nouvelle monnaie, lancée au cours d'un dollar (juill. 1994). En oct., l'inflation a beaucoup baissé et Cardoso est élu président au premier tour, face au candidat de la gauche. Son entrée en fonctions, le 1er janv. 1995, coïncide avec l'entrée en vigueur du Mercosur, marché commun avec l'Argentine, l'Uruguay et le Paraguay (traité signé en 1991). Le Brésil continue cependant de souffrir de ses déséquilibres sociaux et se trouve de surcroît atteint par la crise financière de 1998. Cette dernière n'a cependant pas empêché la réélection d'Henrique Cardoso fin 1998.

Équateur **Ecuador**

Nom officiel : République de l'Équateur. **Capitale :** Quito. **Monnaie** : sucre (= 100 centavos). **Langue officielle :** espagnol. **Principale religion :** catholicisme. **Institutions :** République depuis 1830. Constitution de 1979. Un président de la République élu pour 4 ans. Une Chambre des représentants élue pour 4 ans. **Président de la République et chef du gouvernement :** Jamil Mahuad (depuis 1998). **Drapeau :** il a été adopté en 1900. Il superpose le jaune du soleil au bleu du ciel et de la mer et au rouge du sang versé. **Hymne national :** « Les premiers, les fils du sol que domine le superbe Pichincha t'ont acclamée pour toujours, Mère Patrie, et ont versé leur sang pour toi… » Paroles de Juan León Mera (1832-1894), musique d'Antonio Neumane (1814-1971). Déclaré officiel en 1861. **Fête nationale :** 10 août (anniversaire de l'indépendance).

Superficie : 270 670 km², y compris les îles Galápagos.
Point culminant : 6 310 m au Chimborazo.

GÉOGRAPHIE

Le territoire de l'Équateur se compose de trois parties distinctes : à l'est, une région couverte par la forêt tropicale, au centre, du nord au sud, une partie de la cordillère des Andes et enfin, au nord-ouest, une plaine côtière où se pratique l'essentiel de l'activité agricole (riz, maïs, ainsi que cacao, café et bananes, qui sont exportés). L'industrie est peu développée. La population, à 60 % urbanisée, s'accroît rapidement. Son niveau de vie est relativement faible.

♦ Équateur.

HISTOIRE

La colonisation et l'indépendance. Annexé par les Incas à la fin du XVe s., l'Équateur est conquis par un lieutenant de Pizarro (Pizarre), Sebastián Moyano de Belalcázar, en 1534. Doté d'une *audiencia* (Quito, 1563), il est rattaché à la vice-royauté du Pérou puis de Nouvelle-Grenade (1739). Dès cette époque se dessine la dualité de l'Équateur : la côte (vallée du Guyas), qui vit d'une agriculture moderne, s'oppose à la sierra, avec une agriculture traditionnelle dirigée par l'aristocratie foncière et politique de Quito. L'élite créole de Quito proclame l'indépendance le 10 août 1809. Mais celle-ci est éphémère et c'est seulement avec l'arrivée des troupes de Simón Bolívar (1820) et la victoire d'Antonio José de Sucre au Pichincha (1822) que les « patriotes » parviennent à chasser les Espagnols. L'Équateur se rattache à la fédération de Grande-Colombie fondée par Bolívar, mais reprend son indépendance en 1830.

L'Équateur indépendant. La vie politique de la nouvelle République est dès cette date dominée par les militaires. Le général Juan Flores, premier président (1830-1834), renverse le libéral Rocafuerte en 1839 et gouverne autoritairement jusqu'en 1845. Après une période dominée par les libéraux, un conservateur catholique de Quito, Gabriel Garcia Moreno, prend le pouvoir (1861-1865 et 1869-1875). Il s'efforce de moderniser le pays et de renforcer le gouvernement central en s'appuyant sur l'Église. Après son assassinat (1875), les conservateurs dominent la vie politique jusqu'en 1895, date à laquelle ils sont renversés par une révolution qui redonne le pouvoir aux libéraux.

Le XXe siècle. Ceux-ci consomment la séparation de l'Église et de l'État sous la présidence d'Eloy Alfaro, qui, à sa mort (1912), laisse une situation politique troublée. La crise persistante de l'économie cacaoière affaiblit la bourgeoisie libérale. À partir de 1924, le système fondé sur l'opposition libéraux-conservateurs est remis en question. En 1934, José María Velasco Ibarra, incarnant les aspirations des classes populaires, est élu président. Renversé dès 1935, il dominera pourtant la vie politique jusqu'en 1972. Il revient au pouvoir de 1944 à 1947 après que l'Équateur, en guerre contre le Pérou, eut perdu sa province amazonienne. En 1972, un coup d'État militaire porte au pouvoir le général Rodríguez Lara, remplacé en 1976 par une junte. L'armée nationalise le pétrole à 80 %, met en œuvre une réforme agraire (1973) mais, devant les difficultés économiques croissantes, rend le pouvoir aux civils. Candidat de la gauche modérée, Jaime Roldós l'emporte en 1979. Élu grâce aux voix des secteurs populaires (1981), son successeur, Oswaldo Hurtado Larrea, pratique une politique d'austérité. Élu en 1984, le conservateur León Febres Cordero mène une politique fondée sur le libéralisme, entraînant une austérité accrue et, à l'extérieur, aligne le pays sur les États-Unis. Les élections de 1988 consacrent l'opposition traditionnelle entre la côte (Guayaquil) et la sierra (Quito), le nouveau président, Rodrigo Borja (Gauche démocratique) n'ayant pas de majorité sur la côte. Il continue, dans des conditions économiques défavorables, la politique d'austérité dont les effets récessifs le rendent très

♦ Démographie.

population	12 200 000 hab.
densité	45 hab./km²
accroissement naturel	19,6 ‰
taux de natalité	25,6 ‰
taux de mortalité infantile	34 ‰
espérance de vie	70 ans
part des moins de 15 ans	36,4 % de la pop. totale
part des plus de 65 ans	4,3 % de la pop. totale
population urbaine	60 %
principales villes	Guayaquil, Quito, Cuenca

♦ Principales ressources et productions (1997).

bananes	5 727 000 t (3e rang)
café	105 000 t
cacao	94 000 t (8e rang)
pétrole	20 200 000 t

♦ Économie et niveau de vie (1996).

PNB	17,661 milliards de $
PNB/hab.	4 730 $
taux de croissance *(1995)*	2,3%
taux d'inflation	24,4 %
taux de chômage	n.d.
importations	3 488 millions de $
exportations	4 890 millions de $
transports	routes 43 118 km, voies ferrées 956 km
taux d'analphabétisme	9,9 %

♦ Armée.

budget militaire *(1996)*	0,9 % du PIB
forces armées *(1997)*	57 100 hommes

Amérique du Sud

impopulaire. Sixto Durán (Parti d'union républicaine) accède à la présidence en 1992 sur un programme économique libéral. L'agitation sociale croît et les relations se tendent entre le président et le Congrès, qui refuse une révision de la Constitution. De même, les communautés indiennes s'insurgent contre une loi autorisant la vente de leurs terres, ce qui motive l'état d'urgence déclaré en juin 1994. La guerre avec le Pérou, au début de 1995, s'achève sur un statu quo. Abdala Bucaram Ortiz succède à Durán à la présidence en 1996 mais le Congrès le déclare mentalement inapte. Fabian Alarcon Rivera lui succède à titre intérimaire en 1997, alors qu'une assemblée constituante est finalement réunie. Ce processus s'achève avec l'élection de Jamil Mahuad en 1998.

Pérou Peru

Nom officiel : République du Pérou. **Capitale :** Lima. **Monnaie :** sol (= 100 centavos). **Langues officielles :** espagnol, quechua. **Principale religion :** catholicisme. **Institutions :** République. Constitution de 1979 modifiée en 1993. Président de la République élu pour 5 ans. Congrès unicaméral élu pour 5 ans. **Président de la République :** Alberto Fujimori (depuis 1990). **Premier ministre :** Victor Joy Way (depuis 1999). **Drapeau :** le général argentin José de San Martín rencontra un vol de flamants en 1820 au cours d'une campagne contre les Espagnols, ce qu'il considéra de bon augure. Les couleurs de ces oiseaux furent adoptées comme couleurs nationales en 1825. **Hymne national :** « Nous sommes libres, puissions-nous toujours l'être... » Paroles de José de la Torre Ugarte (1786-1831), musique de José Bernardo Alcedo (1788-1878). Déclaré officiel en 1913. **Fête nationale :** 28-29 juillet (anniversaire de la proclamation de l'indépendance et de l'instauration du régime républicain en 1821).

Superficie : 1 285 000 km². **Point culminant :** 6 768 m à l'Huascarán dans la cordillère des Andes occidentale.

GÉOGRAPHIE

Le territoire du Pérou se compose d'un littoral étroit, au climat désertique, qui vit surtout de la pêche, d'une partie de la cordillère des Andes qui borde le littoral, d'une vaste région forestière enfin, au climat tropical et peu peuplée. L'économie du Pérou est principalement minière (argent, plomb, zinc, cuivre, fer, pétrole). L'agriculture n'emploie qu'un peu plus du tiers des actifs. La population, au faible niveau de vie, comprend une importante communauté indienne. Elle est à près de 70 % urbanisée et s'accroît rapidement.

HISTOIRE

Les premières civilisations. Très anciennement occupé par l'homme (v. 22 000 ans av. J.-C.), le Pérou fut le centre de nombreuses civilisations amérindiennes (Chavins, Moches, Chimús, Nazcas, Paracas). L'expansion des Incas commence en 1438 avec Pachacútec (1430-1440), qui entreprend la conquête de vastes territoires et se fait nommer roi. En 1490, l'Empire s'étend depuis la frontière entre l'Équateur et la Colombie jusqu'au fleuve Maule, au Chili. Les Incas étendent également leur domination sur les plateaux andins, faisant épanouir une remarquable civilisation.

La conquête espagnole et l'époque coloniale. Divisé depuis 1525 entre les rois Atahualpa (Quito) et Huáscar (Cuzco), l'Empire inca, ravagé par la guerre civile, voit débarquer en 1531 une expédition commandée par les conquistadors espagnols Francisco Pizarro (François Pizarre), Diego de Almagro et Hernando de Luque. Pizarre capture Atahualpa à Cajamarca (nov. 1532) et prend Cuzco. Après l'exécution d'Atahualpa éclate une révolte indienne (1533), conduite par Manco Cápac II, puis par Túpac Amaru Ier, définitivement écrasée en 1572. Après la fondation de Lima (1535), l'organisation de la colonie est retardée par la guerre qui éclate entre Pizarre et Almagro (1537-1544), puis par la révolte (1544-1554) des colons contre les « Nouvelles Lois » de 1542. Sous les vice-rois Andrés Hurtado de Mendoza (1555-1561) et Francisco Toledo (1569-1581), la colonie entre dans une période de paix. Les Indiens, lentement christianisés, sont soumis à l'*encomienda* (paiement obligatoire d'un impôt et travail au service d'un « protecteur ») ou, comme sous l'Inca, à la *mita* (corvée). La mine d'argent du Potosí, intensément exploitée à partir de 1585, enrichit rapidement la société coloniale. Mais son déclin après 1630 et la chute démographique provoquent une longue dépression économique. Malgré la reprise du XVIIIe s., la vice-royauté du Pérou, amputée de la Nouvelle-Grenade (1718), du Río de la Plata (1776) et du Chili (1778), reste à l'écart de la prospérité de l'Empire espagnol. En 1780-1781, une grave révolte indienne, conduite par un métis qui prend le nom de Túpac Amaru II, secoue le pays.

Le Pérou indépendant au XIXe siècle. Le Pérou est libéré par le général argentin José de San Martín, qui impose l'indépendance à Lima en 1821, puis par Simón Bolívar, qui achève la destruction de l'armée espagnole (batailles de Junín et Ayacucho, 1824). À peine indépendant, le Pérou, divisé géographiquement (sierra isolée et plaine côtière) et socialement (grands propriétaires créoles et Indiens exploités), entre dans l'ère des pronunciamientos de caudillos militaires. Après une tentative de confédération avec la Bolivie (1836-1839), sous la dictature du président Ramón Castilla (1845-1851, 1855-1862), il connaît un certain développement économique grâce à l'exploitation du salpêtre et du guano. Mais, endetté, il doit faire face à l'intervention espagnole (1864-1866), puis aux ambitions du Chili, qui, à la suite de la guerre du Pacifique (1879-1883), lui enlève la province de Tarapacá. Mais le président Nicolás de Piérola (1879-1881, 1895-1899), soutenu par l'oligarchie commerçante avide de paix, met fin au caudillisme militaire, ce qui permet la modernisation du pays.

Le XXe siècle. Président de 1908 à 1912 et de 1919 à 1930, A.B. Leguía impose sa dictature et poursuit la modernisation en s'appuyant sur de nouvelles couches sociales urbaines. Mais celles-ci forment bientôt la principale clientèle de l'APRA (Alliance populaire révolutionnaire américaine), parti fondé en 1924 par Haya de la Torre. Désormais alliée aux militaires contre l'APRA, l'oligarchie porte le général Luis Sánchez Cerro à

♦ Pérou.

la présidence (1931). D'abord favorable à l'APRA, le président Luis Bustamante Rivero (1945-1948) est renversé par le général Odría (1948-1956).

♦ Démographie.

population	26 100 000 hab.
densité	20,3 hab./km²
accroissement naturel	19,2 ‰
taux de natalité	24,6 ‰
taux de mortalité infantile	42 ‰
espérance de vie	67 ans
part des moins de 15 ans	35,9 % de la pop. totale
part des plus de 65 ans	4,3 % de la pop. totale
population urbaine	71 %
principales villes	Chiclayo, Trujillo, Callao

♦ Principales ressources et productions (1997).

pêche	768 000 t
argent	2 059 t
cuivre	503 000 t
étain	28 000 000 t
plomb	95 000 t
zinc	758 000 t

♦ Économie et niveau de vie (1996).

PNB	59,406 milliards de $
PNB/hab.	4 410 $
taux de croissance	7,2% par an
taux d'inflation	11,5 %
taux de chômage	9,1 %
dette extérieure	n.d.
importations	7 761 millions de $
exportations	5 591 millions de $
répartition des actifs	n.d.
transports	routes 69 942 km, voies ferrées 2 121 km
taux d'analphabétisme	n.d.

♦ Armée.

budget militaire *(1996)*	1,3 % du PIB
forces armées *(1997)*	125 000 hommes

Alors que Haya de la Torre est le vainqueur de l'élection de 1962, l'armée annule les résultats et impose l'élection de Belaúnde Terry (1963), chef de l'Action populaire, concurrente de l'APRA. Débordé par la montée de l'opposition révolutionnaire, Belaúnde Terry est renversé par l'armée (1968). Favorable à une « révolution par en haut », la junte militaire, présidée par le général Velasco Alvarado, mène une politique nationaliste et étatiste. Les multiples nationalisations ont des conséquences sociales dramatiques. Face à la montée de l'agitation sociale, le général Francisco Morales Bermúdez remplace Velasco Alvarado en 1975 et prépare le retour des civils au pouvoir. Belaúnde Terry remporte les élections de 1980 mais, obligé de mener une politique d'austérité et de durcir la répression contre la guérilla maoïste du Sentier lumineux, il est battu par Alan García à la présidentielle de 1985. Pour la première fois, l'APRA conquiert le pouvoir sans se heurter au veto de l'armée. En 1990, Alberto Fujimori, candidat indépendant, est élu président et applique des réformes. En avril 1992, il dissout le Congrès et suspend la Constitution par un « coup d'État civil ». Lors de l'élection, boycottée par l'opposition, du Congrès constituant en nov. 1992, son parti, Cambio 90, obtient 40% des voix. En oct. 1993, la Constitution révisée n'est approuvée que par 52,2% des voix. Malgré la capture du chef du Sentier lumineux en sept. 1992, le mouvement révolutionnaire Túpac Amaru poursuit la lutte armée et organise en 1996 une prise d'otages massive à l'ambassade du Japon, qui échoue.

La guerre contre l'Équateur, au début de 1995, renforce le poids de l'armée. À l'élection d'avril 1995, Fujimori est réélu face à une opposition désunie. Il maintient depuis un pouvoir autoritaire et populiste, et obtient du Congrès la possibilité de se représenter en 2000.

Bolivie Bolivia

Nom officiel : République de Bolivie. **Capitale :** La Paz. **Monnaie :** boliviano (= 100 centavos). **Langue officielle :** espagnol. **Principale religion :** catholicisme. **Institutions :** République depuis 1825. Constitution de 1947. Un président de la République et un vice-président élus pour 4 ans. Un Congrès, comportant un Sénat et une Chambre des députés, élus pour 4 ans. **Président de la République et chef du gouvernement :** Hugo Banzer Suárez (depuis 1997). **Drapeau :** il a été adopté en 1888. Les couleurs avaient été choisies par le premier président en 1851. Le rouge signifie la bravoure militaire, le jaune les richesses minières, le vert la fertilité de la terre. Selon une autre légende, la fleur cantua poussa sur la tombe de deux jeunes frères qui s'étaient entretués, et ses trois couleurs furent choisies en mémoire de leur réconciliation pendant leur agonie. **Hymne national :** « Boliviens : un sort propice a couronné nos vœux et notre désir ardent. Elle est libre, elle est libre cette terre dont le servage a désormais pris fin... » Paroles de Genaro Sanjinés (1786-1864), musique de Leopoldo Benedetto Vincenti. Adopté en 1845. **Fête nationale :** 6 août (anniversaire de l'indépendance).

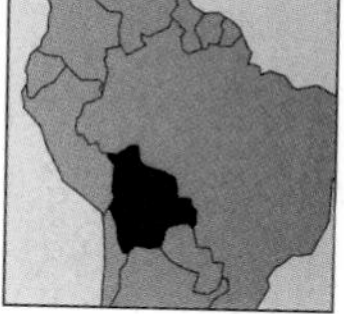

Superficie : 1 100 000 km². **Point culminant :** 6 458 m à l'Illimani.

GÉOGRAPHIE

La Bolivie est un État enclavé, dont la partie orientale est couverte par la forêt tropicale et peu peuplée, et la partie occidentale formée de hauts plateaux où se trouvent la plupart des villes. Outre l'élevage et une agriculture peu importante (orge, pommes de terre, coca), les ressources principales du pays sont minières (étain, argent, tungstène). La population, indienne ou métissée, est à 60 % urbanisée. Son accroissement naturel est rapide et son niveau de vie faible.

◆ Démographie.

population	8 000 000 hab.
densité	7,2 hab./km²
accroissement naturel	24,1 ‰
taux de natalité	33,2 ‰
taux de mortalité infantile	67 ‰
espérance de vie	62 ans
part des moins de 15 ans	40,5 % de la pop. totale
part des plus de 65 ans	3,8 % de la pop. totale
population urbaine	61 %
principales villes	Sucre, La Paz, El Alto

◆ Principales ressources et productions (1997).

soja	1 038 000 t (10e rang)
gaz naturel	3 010 millions de m³
étain	12 924 000 t (4e rang)

◆ Économie et niveau de vie (1996).

PNB	6,395 milliards de $
PNB/hab.	2 860 $
taux de croissance *(1994)*	4,6 %
taux d'inflation	12,4 %
taux de chômage	n.d.
dette extérieure	5 173,6 millions de $
importations	1 368 millions de $
exportations	1 132 millions de $
transports	routes 50 419 km, voies ferrées 3 694 km
taux d'analphabétisme	16,9 %

◆ Armée.

budget militaire *(1996)*	1,9 % du PIB
forces armées *(1997)*	33 500 hommes

HISTOIRE

La colonie espagnole. Le pays, pendant l'époque coloniale espagnole, dépend de la vice-royauté du Pérou et de l'*audiencia* de Charcas (rattachée au XVIIIe s. à la vice-royauté de la Plata) : les Indiens forment la masse de la population et travaillent, dans de très dures conditions, dans les mines d'argent.

L'indépendance. Proclamée le 6 août 1825, elle fait du haut Pérou la république de Bolivie (avec Simón Bolívar comme président) et profite surtout aux haciendas, les Indiens étant maintenus dans un état de quasi-servitude. Cette situation explique le nombre important de jacqueries et de pronunciamientos jalonnant l'histoire de la Bolivie. À l'issue de la guerre du Pacifique (1879-1884), le Chili lui enlève toute façade maritime.

Le XXe siècle. Vaincue encore en 1935 par le Paraguay (guerre du Chaco), la Bolivie connaît une misère endémique. Les gouvernements militaires qui se succèdent de 1936 à 1952 se heurtent constamment à l'oligarchie minière. Victor Paz Estenssoro, président de 1952 à 1956 et de 1960 à 1964, nationalise les mines et amorce une réforme agraire, mais l'économie bolivienne, en faillite, doit recourir à l'aide américaine. Paz Estenssoro est renversé en 1964 et les militaires reviennent au pouvoir. Ces derniers sont eux-mêmes menacés par la guérilla, dont le chef le plus prestigieux est Ernesto « Che » Guevara (tué en 1967). En 1971, Hugo Bánzer Suárez devient président et s'appuie sur les éléments les plus conservateurs de l'armée. Lors des élections de 1978, annulées pour irrégularités, la dictature de Bánzer est renversée : de nouveau, les militaires sont au pouvoir. Les putschs se succèdent alors jusqu'à l'élection, en oct. 1982, de Hernán Siles Zuazo à la présidence de la République. Confronté à une situation économique catastrophique (récession et hyperinflation), celui-ci tente d'imposer des mesures d'austérité. Revenu pour la troisième fois à la tête du pays en 1985, Paz Estenssoro ouvre le secteur d'État à l'investissement privé. Le redressement économique est spectaculaire. L'élection de 1989 porte à la présidence Jaime Paz Zamora, du Mouvement de la gauche révolutionnaire, qui gouverne grâce à l'« accord patriotique » conclu avec l'Action démocratique nationale du général Hugo Bánzer. Il poursuit la politique d'austérité, aidé en partie par les revenus fournis par la culture du coca et le trafic de cocaïne qui en découle, essentiels aux transformations économiques.

En 1992, un accord avec le Pérou donne enfin à la Bolivie un accès sur le Pacifique, revendiqué depuis 1879. En 1993, le centriste Gonzalo Sánchez de Lozada, architecte de la réforme économique, est élu président, avec l'indigène Víctor Hugo Cárdenas pour vice-président, une première en Amérique latine. La réforme agraire engagée en 1996 suscite le mécontentement d'une partie de la paysannerie. L'élection de 1997 voit le retour de Hugo Bánzer Suarez, qui annonce sa volonté d'éradiquer la production de coca grâce à l'aide internationale.

Paraguay

Nom officiel : République du Paraguay. **Capitale :** Asunción. **Monnaie :** guarani (= 100 céntimos). **Langue officielle :** espagnol. **Principale religion :** catholicisme. **Institutions :** République depuis 1813. Constitution de 1992. Un président de la République et un vice-président élus pour 5 ans en même temps que le Congrès. Un Congrès, comprenant un Sénat et une Chambre des députés, élu pour 5 ans. **Président de la République :** Raúl Cubas Grau (depuis 1998). **Drapeau :** le « soleil de mai » évoque l'indépendance du 14 mai 1811, tandis que les couleurs rappellent l'insurrection des Indiens Guaranis (1753-1756). **Hymne national :** « Paraguayens : la République ou la mort ! Notre courage nous a donné la liberté. Il n'y a place ni pour les oppresseurs ni pour les esclaves, là où règnent l'union et l'égalité. » Paroles de Francisco Esteban Acuña de Figueroa (1790-1862), musique de Francisco S. de Dupuis (mort en 1861), modifiée par Remberto Giménez. Déclaré officiel en 1933. **Fête nationale :** 14 mai (anniversaire de l'indépendance).

Superficie : 407 000 km². **Point culminant :** 850 m dans la cordillère de Caaguazu (plateau du Paranà).

GÉOGRAPHIE

Le Paraguay est un pays au relief peu accidenté et en partie couvert par la forêt, qui se prête à l'élevage bovin. L'économie est principalement agricole (tabac, coton, soja, canne à sucre), l'agriculture occupant presque la moitié des actifs. L'industrie est peu développée malgré le potentiel hydroélectrique du pays. La population, urbanisée pour un peu moins de la moitié, est très métissée. Son niveau de vie est faible et son accroissement naturel élevé.

Amérique du Sud

HISTOIRE

Les jésuites au pouvoir. Exploré après 1520 par des Portugais et des Espagnols, le bassin du Paraguay, peuplé d'Indiens Guaranis, connaît un début de colonisation espagnole avec la fondation d'Asunción (1537). Les jésuites, qui ont reçu la mission d'évangéliser les Indiens de la région, la colonisent à partir de 1585. Ils en font une province séparée (1604) et fondent la première réduction (village indigène interdit aux colons) en 1609, parvenant ainsi à attirer les Guaranis nomades. Après avoir subi plusieurs attaques d'esclavagistes (1628-1640) agissant avec la complicité des autorités coloniales, les jésuites obtiennent en 1640 l'autorisation de fournir des fusils aux Indiens. Les réductions prospèrent jusqu'en 1767, année où les jésuites sont expulsés de toute l'Amérique espagnole. Les Guaranis sont alors dépouillés de leurs terres et dispersés.

L'indépendance et le XIXe siècle. Le Paraguay proclame son indépendance en 1811 (ratifiée par le congrès de 1813). Il connaît dès lors une succession de longues dictatures et de conflits. Rodriguez de Francia (1814-1840) ferme le pays aux étrangers. Sous la direction de son neveu Carlos Antonio López (1844-1862), le Paraguay, plus ouvert sur l'extérieur, est doté d'une armée efficace. Son fils Francisco Solano López (1862-1870) entraîne le pays dans un conflit contre l'Argentine, l'Uruguay et le Brésil (1865-1870). Le Paraguay en sort ruiné, et la Constitution de 1870 ne permet pas d'éviter les conflits entre deux factions politiques, les *azules* (« bleus », libéraux) et les *colorados* (« rouges », conservateurs).

Le XXe siècle. La présence possible de pétrole dans le sous-sol du désert du Chaco, territoire dont la Bolivie et le Paraguay se disputent la possession, provoque un conflit armé entre les deux pays (1928-1929 et 1932-1935). À la suite d'une guerre atroce remportée par le Paraguay, mais qui se solde par des conditions de paix jugées défavorables (partage du Chaco entre les deux pays), le pouvoir revient à des officiers nationalistes : le colonel Rafael Franco (1936-1937), le général José Félix Estigarribia (1939-1940) et le général Higinio Moríñigo (1940-1948). À la montée de la gauche libérale et communiste répond une série de coups d'État militaires, appuyant les colorados, qui culmine avec la prise du pouvoir par le général Alfredo Stroessner (1954) qui dirige le pays pendant plus de trente ans. En février 1989, il est renversé par le général Andrés Rodríguez. Le régime politique est libéralisé et, aux élections de mai, seul le Parti communiste ne peut participer. Andrés Rodríguez est élu président pour le Parti colorado et s'engage à remettre le pouvoir à un civil en 1993. La nouvelle Constitution, élaborée par une assemblée constituante à majorité colorado élue en déc. 1991, est promulguée en juin 1992. À l'élection de mai 1993, le civil colorado Juan Carlos Wasmosy est élu président avec 40 % des voix, malgré le soutien de tout l'appareil d'État, les libéraux détenant désormais la majorité au Congrès. En oct. 1993, Wasmosy signe un « pacte de gouvernabilité » avec l'opposition libérale. La démocratisation des institutions est source de conflits et, en mai 1994, a lieu la première grève générale depuis 1958. En 1991, à Asunción, est signé un accord avec le Brésil, l'Argentine et l'Uruguay, établissant une zone de libre-échange, le Mercosur, qui entre en vigueur le 1er janvier 1995. Malgré les difficultés de la démocratisation (comme la mutinerie du général Oviedo en 1996), Raul Cubas Rau (colorado) succède démocratiquement à Wasmosy en 1998.

◆ Démographie.

population	5 200 000 hab.
densité	12,7 hab./km²
accroissement naturel	24,7 ‰
taux de natalité	31,3 ‰
taux de mortalité infantile	24 ‰
espérance de vie	71 ans
part des moins de 15 ans	41,6 % de la pop. totale
part des plus de 65 ans	3,5 % de la pop. totale
population urbaine	53 %
principales villes	Asunción, San Lorenzo, Ciudad del Este

◆ Principales ressources et productions (1997).

bovins	9 788 000 têtes
canne à sucre	2 736 000 t
manioc	3 155 000 t
soja	2 670 000 t (7e rang)

◆ Économie et niveau de vie (1996).

PNB	9,563 milliards de $
PNB/hab.	3 480 $
taux de croissance *(1995)*	4,7%
taux d'inflation	9,8 %
taux de chômage	n.d.
dette extérieure	2 140,9 millions de $
importations	3 184 millions de $
exportations	1 871 millions de $
transports	routes 28 067 km, voies ferrées 441 km
taux d'analphabétisme	7,9 %

◆ Armée.

budget militaire *(1996)*	1,2 % du PIB

Uruguay

Nom officiel : République orientale de l'Uruguay. **Capitale :** Montevideo. **Monnaie :** peso urugayen (= 100 centésimos). **Langue officielle :** espagnol. **Principale religion :** catholicisme. **Institutions :** République depuis 1828. Constitution de 1997. **Président de la République :** Julio María Sanguinetti (depuis 1995). **Drapeau :** il a été adopté en 1830. Les couleurs rassemblent en 5 bandes blanches et 4 bleues les 9 provinces du pays. Le soleil rayonnant de la liberté brille sur toutes les nations latino-américaines indépendantes. **Hymne national :** « Uruguayens, la Patrie ou la tombe ! Liberté ou mourir avec gloire ! » Paroles de Francisco Acuña de Figueroa (1790-1862), musique de Fernando Quijano et Francisco José Debali (1791-1859). Déclaré officiel en 1845. **Fête nationale :** 25 août (anniversaire de l'indépendance de la République orientale de l'Uruguay en 1825).

Superficie : 177 500 km².

GÉOGRAPHIE

Pays de plaine et de bas plateaux, irrigué par de nombreux cours d'eau du bassin du Río de la Plata, le territoire de l'Uruguay est particulièrement favorable à l'agriculture et surtout à l'élevage, principale ressource du pays. Il bénéficie également d'un climat tempéré, doux, assez humide. Presque entièrement d'origine européenne (espagnole et italienne), les habitants sont inégalement répartis entre l'agglomération de Montevideo, qui rassemble plus de la moitié de la population, quelques villes moyennes et des campagnes presque désertées. L'accroissement naturel est relativement faible et le niveau de vie assez élevé.

HISTOIRE

Un territoire disputé. La côte est visitée par Juan Díaz de Solís dès 1516. Les Portugais fondent Sacramento (1680), puis les Espagnols établissent la forteresse de Montevideo (v. 1726) et colonisent l'est du fleuve Uruguay. José Artigas soutient d'abord les Argentins contre l'Espagne (1810) puis forme un gouvernement national (1814). Conquis par les Portugais, rattaché au Brésil (1821), l'Uruguay se soulève et accède à l'indépendance (1828).

L'opposition des colorados et des blancos. En 1838 débutent les luttes civiles entre les rouges, ou *colorados* (libéraux), dont le chef Rivera défend Montevideo avec l'aide périodique des Britanniques, et les *blancos* (conservateurs), qui, alliés du dictateur argentin Rosas et conduits par Oribe, sont vaincus en 1851 avec l'intervention du Brésil. Soutenus par le Brésil et l'Argentine qu'ils promettent d'aider dans la guerre contre le Paraguay, les colorados s'emparent du pouvoir en 1865 ; ils le conserveront jusqu'en 1958. L'immigration massive entraîne l'urbanisation et l'essor de l'élevage.

La création d'un État stable et efficace est l'œuvre de José Batlle y Ordóñez, président de la République en 1903-1907 et 1911-1915. Après avoir brisé le dernier soulèvement national blanco (1904), il se consacre à la démocratisation du pays. Mais, frappé

◆ Démographie.

population	3 200 000 hab.
densité	18 hab./km²
accroissement naturel	6,4 ‰
taux de natalité	16,8 ‰
taux de mortalité infantile	18 ‰
espérance de vie	73 ans
part des moins de 15 ans	24,3 % de la pop. totale
part des plus de 65 ans	12,2 % de la pop. totale
population urbaine	91 %
principales villes	Montevideo, Salto, Paysand

◆ Principales ressources et productions (1997).

chevaux	480 000 têtes
bovins	10 677 000 têtes
ovins	19 865 000 têtes
maïs	162 000 t

◆ Économie et niveau de vie (1996).

PNB	17,993 milliards de $
PNB/hab.	7 760 $
taux de croissance *(1994)*	0,6 %
taux d'inflation	28,3 %
taux de chômage	n.d.
dette extérieure	5 898,7 millions de $
importations	3 142 millions de $
exportations	2 440 millions de $
répartition des actifs	agriculture 4 %, industrie 28,4 %, services 67,6 %
transports	routes 49 800 km, voies ferrées 3 004 km
taux d'analphabétisme	2,7 %

◆ Armée.

budget militaire *(1996)*	1,5 % du PIB

par la crise, l'Uruguay connaît la dictature du président Terra (1933-1942). Le retour des libéraux progressistes au pouvoir (1946) ramène le système collégial (Constitution de 1951). À partir de 1955, l'Uruguay entre dans une phase de crise économique et financière chronique, dont les blancos nationalistes, de retour au pouvoir en 1958, ne peuvent venir à bout. Les élections de 1966 sont favorables aux libéraux. Une réforme constitutionnelle renforce la présidence.

De la dictature militaire à la démocratisation. À partir de 1963, le mouvement de guérilla urbaine des Tupamaros défie les institutions. En 1973 le président libéral Juan María Bordaberry dissout le Congrès. Il laisse l'armée réprimer durement la guérilla, avant d'être destitué par un coup d'État militaire (1976) qui maintient cependant une apparence de démocratie. Mais le projet constitutionnel des militaires est rejeté par référendum en 1980, tandis que leur politique économique rencontre une opposition croissante. Le pouvoir civil est rétabli en 1984 avec l'élection du candidat colorado Julio María Sanguinetti à la présidence. Il met fin ainsi à douze années de dictature militaire par une amnistie vivement contestée, mais finalement adoptée après référendum (1989). Le blanco Luis Alberto Lacalle devient président en 1990. Un pacte de *Coincidencia nacional* avec les colorados lui donne un soutien parlementaire jusqu'en 1991, où le non l'emporte au référendum sur les privatisations. En nov. 1994, Julio María Sanguinetti est de nouveau élu président (avec 31,36 % des voix, car la gauche a réussi à briser le bipartisme traditionnel). Le Mercosur, accord sur la constitution d'une zone de libre-échange, conclu en 1991 avec l'Argentine, le Brésil et le Paraguay, entre en vigueur en 1995.

Argentine Argentina

Nom officiel : République argentine. **Capitale :** Buenos Aires. **Monnaie :** peso argentin (= 100 centavos). **Langue officielle :** espagnol. **Principale religion :** catholicisme. **Institutions :** République fédérale de 22 provinces (ayant chacune un gouverneur et une constitution), plus le district de la capitale et le territoire de la Terre de Feu. Constitution de 1853 amendée en 1994. Un président de la République et un vice-président élus pour 4 ans. Un Congrès, comportant un Sénat désigné pour 9 ans et une Chambre des députés élue pour 4 ans. **Président de la République :** Carlos Menem (depuis 1989). **Drapeau :** créé en 1816, il reprend les couleurs de la cocarde portée au début de la révolte du 25 mai 1810 et en son centre le « soleil de mai ». **Hymne national :** « Entendez, mortels, le cri sacré : liberté, liberté, liberté... » Paroles de Vicente López y Planes (1785-1856), musique de José Blas Parera (v. 1775-1830). Déclaré officiel en 1813. **Fêtes nationales :** 25 mai (anniversaire de la révolution de 1810) et 9 juillet (anniversaire de l'indépendance).

Superficie : 2 780 000 km². **Point culminant :** 6 959 m à l'Aconcagua (point culminant des Andes).

GÉOGRAPHIE

Grande comme cinq fois la France, l'Argentine a une géographie contrastée. Sa partie occidentale est montagneuse avec la cordillère des Andes qui la sépare du Chili et culmine à près de 7 000 m, alors que la Patagonie au sud est une terre de plateaux au climat froid. À l'est et au nord, se trouvent les grandes plaines de la Pampa et du Chaco. Les climats sont variables (subtropical au nord, tempéré au centre, froid au sud). L'agriculture et l'élevage (céréales, soja, vins, sucre, viande, peaux, laine) sont le fondement de l'économie, bien que les services occupent désormais plus de la moitié des actifs. L'industrie est peu développée, sauf dans la branche agroalimentaire. La population est presque entièrement urbanisée et s'accroît faiblement. Le niveau de vie est relativement élevé.

HISTOIRE

La domination espagnole. La région, partie de l'Empire colonial espagnol, est englobée dans la riche vice-royauté de La Plata à partir de la création de celle-ci en 1776. À l'annonce de la prise de Séville par les troupes françaises, le vice-roi est déposé (1810), une junte révolutionnaire se constitue à Buenos Aires et l'indépendance est proclamée par le congrès de Tucumán, en 1816. Les victoires remportées sur les Espagnols par le général José de San Martín sont déterminantes.

Fédéralistes et centralistes. La personnalité de l'Argentine ne se dégage que lentement, car les caudillos provinciaux, fédéralistes, jouissent longtemps d'une autonomie de fait. Un mouvement unitaire et centraliste essaie de s'imposer contre eux. La confusion qui règne entre 1820 et 1829 favorise la dictature du « Restaurateur » Juan Manuel de Rosas, qui, de 1829 à 1852, forge, au milieu d'excès de toutes sortes, l'Argentine moderne, la dotant d'un régime fédéral qui trouvera son cadre juridique dans la Constitution de 1853.

Une prospérité fragile. Les chefs de l'État qui se succèdent jusqu'à la fin du siècle, notamment Bartolomé Mitre (1862-1868) et Julio Argentino Roca (1880-1886 et 1898-1904), président à la révolution économique de l'Argentine. Mais l'économie est trop spécialisée (viande bovine) et dépend de capitaux étrangers. Son essor s'accompagne de l'élimination des Indiens et de l'appel aux immigrants (Italiens et Espagnols surtout) et aux capitaux extérieurs. Les crises et le caractère despotique de l'oligarchie dirigeante provoquent, au début du XXe s., la montée de l'opposition populaire sous la forme du radicalisme. Celui-ci rassemble tous les mécontents mais est dépourvu de programme défini. Le président Hipólito Yrigoyen (1916-1922 et 1928-1930), radical, fait adopter une législation sociale, mais ne touche pas aux structures agraires.

Les militaires au pouvoir. La crise mondiale de 1929 favorise la mise en place de régimes conservateurs militaires et corrompus. En 1943, une junte d'officiers neutralistes et nationalistes dépose le président Ramón Castillo. De cette junte se dégage très vite le colonel Juan Domingo Perón. Celui-ci, devenu président de la République en 1946, applique avec sa femme Eva Duarte Perón une doctrine dite « justicialiste » qui mêle nationalisme, neutralisme, réformisme social, démagogie et paternalisme. Perón écarté en 1955 par une junte militaire, l'Argentine entre dans un état de crise permanente, marquée par le passage rapide au pouvoir de présidents successivement renvoyés par les militaires. Le péronisme, dont la force et la popularité sont intactes, reste le suprême recours. Aussi, rentré d'exil en 1973, Perón est réélu avec plus de 61% des voix. À sa mort, en juillet 1974, sa troisième épouse, Isabel, vice-présidente, accède au pouvoir, mais elle est renversée, en mars 1976, par une junte militaire présidée par le général Jorge Rafael Videla, qui impose un régime d'exception. Lui succèdent les généraux Roberto Eduardo Viola (1981) puis Leopoldo Galtieri (1981). Celui-ci démissionne après la défaite subie dans le conflit qui oppose l'Argentine à la Grande-Bretagne au sujet des îles Malouines (1982). Le général Bignone remet le pouvoir aux civils fin 1983.

Le retour à la démocratie. Élu président en oct. 1983, le radical Raúl Alfonsín élimine les forces armées du jeu politique au prix de lois (1986, 1987) qui équivalent à une amnistie et de plusieurs rébellions militaires (1987, 1988 et 1989). Le président Carlos Menem, élu du Parti justicialiste en 1989, abandonne la tradition péroniste et met en œuvre un plan économique libéral qui mate l'hyperinflation. En 1991 et 1993, le Parti justicialiste conserve encore la majorité parlementaire. Fin 1993, Menem conclut avec Raúl Alfonsín le « pacte d'Olivos »

◆ Argentine.
◆ Paraguay.
◆ Uruguay.

◆ Démographie.

population	36 100 000 hab.
densité	12,9 hab./km²
accroissement naturel	11,6 ‰
taux de natalité	19,9 ‰
taux de mortalité infantile	22 ‰
espérance de vie	73 ans
part des moins de 15 ans	28,9 % de la pop. totale
part des plus de 65 ans	9,4 % de la pop. totale
population urbaine	88 %
principales villes	Buenos Aires, Rosario, Córdoba

◆ Principales ressources et productions (1997).

bovins	54 000 000 têtes (5e rang)
laine	70 000 t (5e rang)
maïs	15 540 000 t (6e rang)
soja	14 500 000 t (3e rang)

◆ Économie et niveau de vie (1996).

PNB	290,962 milliards de $
PNB/hab.	9 530 $
taux de croissance *(1994)*	7,4 %
taux d'inflation	0,2 %
taux de chômage	n.d.
dette extérieure	93 841 millions de $
importations	20 122 millions de $
exportations	20 963 millions de $
transports	routes 215 578 km, voies ferrées 34 059 km
taux d'analphabétisme	3,8 %

◆ Armée.

budget militaire *(1996)*	1,5 % du PIB
forces armées *(1997)*	72 500 hommes

Amérique du Sud

pour réunir une assemblée constituante (1994) afin d'autoriser la réélection du président sortant en échange de la création du poste de « ministre coordonnateur ». En dépit des difficultés sociales liées à l'ajustement économique en cours, Carlos Menem est réélu en mai 1995 mais son parti perd les législatives partielles de 1997. Le Mercosur, accord sur la constitution d'une zone de libre-échange avec le Brésil, le Paraguay et l'Uruguay signé en 1991, entre en vigueur au début de 1995. Il bénéficie largement à l'économie argentine, malgré la crise financière de 1997-1998.

Chili Chile

Nom officiel : République du Chili. **Capitale :** Santiago. **Monnaie :** peso chilien (= 100 centavos). **Langue officielle** : espagnol. **Principale religion** : catholicisme. **Institutions :** République. Constitution de 1980 amendée en 1989. Président de la République élu pour 4 ans. Congrès : Sénat de 47 membres (dont 38 élus), Chambre des députés de 120 membres élus au suffrage universel pour 4 ans. **Président de la République et chef du gouvernement :** Eduardo Frei Ruiz-Tagle (depuis 1994). **Drapeau :** il a été adopté en 1817. Le blanc représente la neige de la cordillère des Andes; le bleu, le ciel; le rouge, le sang versé pour la patrie. L'étoile symbolise le progrès et l'honneur du pays. **Hymne national :** « Pur, Chili, est ton ciel azuré; pures les brises qui te parcourent aussi… » Paroles d'Eusebio Lillo (1826-1910), musique de Ramón Carnicer (1789-1855). Déclaré officiel en 1847. **Fête nationale :** 18 septembre (anniversaire de l'indépendance de fait en 1810).

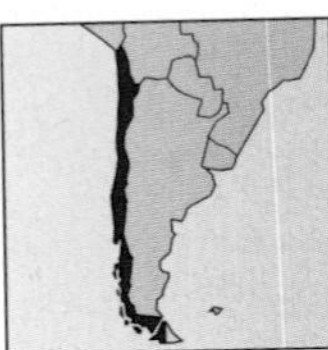

Superficie : 757 000 km². **Point culminant** : 6 880 m à l'Ojos del Salado.

GÉOGRAPHIE

Le Chili est une bande côtière de plus de 4 000 kilomètres de long, séparée de l'Argentine par la cordillère des Andes. Les climats s'y échelonnent selon la latitude (désertique, méditerranéen, océanique, froid et humide du nord au sud). L'économie chilienne est surtout minière (cuivre, fer), l'agriculture comportant blé, vignobles et élevage. Presque entièrement urbanisée, la population s'accroît faiblement.

HISTOIRE

La période coloniale. Le Chili précolombien était habité par les Indiens Araucans, victimes successivement de l'invasion des Incas (milieu du XVe s.), puis de la conquête espagnole. Celle-ci commence vraiment avec Pedro de Valdivia, qui, venu du Pérou, fonde Santiago (1541) et Concepción (1550). En 1553, Valdivia est vaincu et tué par les Araucans, qui entament ainsi leur lutte contre les Espagnols, lutte qui se prolongera jusqu'à la fin du XIXe s. Dans le même temps, les Espagnols colonisent la Grande Vallée centrale. Dépendant de la vice-royauté du Pérou, puis devenu capitainerie générale en 1778, le Chili, alors dénommé Nouvelle-Estrémadure, est isolé du reste de l'Empire espagnol. Le mouvement d'indépendance débute en 1810 lorsque la municipalité de Santiago, dirigée par Juan Martínez de Rozas et Bernardo O'Higgins, obtient du gouverneur espagnol la création de la première « Assemblée du gouvernement » (18 sept.). Mais, en 1814, les insurgés chiliens commandés par O'Higgins et José Miguel Carrera sont vaincus par les Espagnols à Rancagua. Grâce à l'aide du général argentin José de San Martín, O'Higgins remporte les victoires de Chacabuco (1817) et de Maipú (1818), qui libèrent le pays de la domination espagnole.

Le XIXe siècle. Après la dictature d'O'Higgins (1817-1823), la République chilienne connaît dix années d'affrontements entre libéraux et conservateurs. En 1833, ces derniers promulguent une Constitution et gouvernent jusqu'en 1871. Une coalition de libéraux et de radicaux dirige jusqu'en 1891 le pays, qui mène de 1879 à 1884 la guerre du Pacifique contre le Pérou et la Bolivie pour le contrôle du Nord désertique, riche en nitrates. Vainqueur, le Chili reçoit la province de Tarapacá. En 1891, un grave conflit oppose le président José Manuel Balmaceda au Congrès, qui aboutit au triomphe du régime parlementaire sur le régime présidentiel.

Le XXe siècle. Le Chili connaît une période de prospérité pendant la Première Guerre mondiale, due à l'exploitation de ses richesses minières (cuivre, nitrates). En 1925, le président Arturo Alessandri réforme la Constitution et rétablit le régime présidentiel. L'entrée dans la vie politique des classes moyenne et ouvrière amène au pouvoir des gouvernements de Front populaire (1938-1952), puis de centre gauche (jusqu'en 1958). À une réaction oligarchique sous la présidence du conservateur Jorge Alessandri (1958-1964) succède le gouvernement du démocrate-chrétien Eduardo Frei (1964-1970), qui amorce la nationalisation des richesses minières et décrète la réforme agraire. Le candidat de la gauche qui l'emporte à l'élection présidentielle de 1970, le socialiste Salvador Allende, nationalise les mines et les banques et radicalise la réforme agraire. Mais la situation économique se dégrade rapidement, aggravée par le boycottage du cuivre chilien organisé par les États-Unis, alors qu'Allende perd le soutien des démocrates-chrétiens et des classes moyennes.

De la dictature militaire à la démocratisation. Le 11 sept. 1973, un coup d'État militaire installe un régime d'exception, marqué par la violence policière, dont la figure majeure est le général Augusto Pinochet, commandant en chef de l'armée. Très tôt, il met en œuvre une politique néolibérale qui s'appuie sur l'économie de marché. La Constitution de 1980 fait de lui le chef de l'État. La crise économique de 1983 nourrit une agitation sociale et politique durement réprimée. En 1988, le « non » l'emporte au plébiscite sur la reconduction de Pinochet à la présidence. En 1989, le démocrate-chrétien Patricio Aylwin, candidat unique de l'opposition démocratique, est élu président, mais ne peut éliminer les « entraves autoritaires » dans les institutions, faute de la majorité suffisante au Congrès (2/3) pour modifier la Constitution. Le rapport Rettig (1991) sur les violations des droits de l'homme durant la dictature n'est pas suivi de poursuites judiciaires contre les responsables. En 1994, le démocrate-chrétien Eduardo Frei (fils du président au pouvoir de 1964 à 1970) succède à Aylwin et poursuit la politique économique du précédent régime. Le Chili est invité par les États-Unis, en 1994, à négocier son adhésion à l'ALENA, puis est associé au Mercosur en 1996. À la fin de l'année 1998, l'arrestation à Londres du général Pinochet, toujours sénateur à vie, ravive le débat sur la sanction des crimes commis pendant la dictature.

◆ **Chili.**

◆ Démographie.

population	14 800 000 hab.
densité	19,5 hab./km²
accroissement naturel	14,2 ‰
taux de natalité	19,9 ‰
taux de mortalité infantile	12 ‰
espérance de vie	75 ans
part des moins de 15 ans	29,4 % de la pop. totale
part des plus de 65 ans	6,6 % de la pop. totale
population urbaine	84 %
principales villes	Santiago, Viña del Mar

◆ Principales ressources et productions (1997).

pêche	6 500 000 t
argent	1 088 t (6e rang)
cuivre	34 000 t

◆ Économie et niveau de vie (1996).

PNB	72,357 milliards de $
PNB/hab.	11 700 $
taux de croissance *(1995)*	8,5 %
taux d'inflation	7,4 %
dette extérieure	27 410,6 millions de $
importations	14 657 millions de $
exportations	16 137 millions de $
répartition des actifs	agriculture 17,1 %, industrie 24,8 %, services 58,1 %
transports	routes 79 593 km, voies ferrées 6 560 km
taux d'analphabétisme	4,8 %

◆ Armée.

budget militaire *(1996)*	3,2 % du PIB
forces armées *(1997)*	89 700 hommes

◆ **Démographie.**

population	2 500 000 hab.
densité	2,3 hab./km²
accroissement naturel	25,2 ‰
taux de natalité	38,3 ‰
taux de mortalité infantile	94 ‰
espérance de vie	54 ans
part des moins de 15 ans	43,1 % de la pop. totale
part des plus de 65 ans	3,1 % de la pop. totale
population urbaine	53 %
principales villes	Nouakchott, Nouadhibou, Kaédi

◆ **Principales ressources et productions** (1997).

dromadaires	1 087 000 têtes (5ᵉ rang)
ovins	6 199 000 têtes
caprins	4 133 000 têtes
fer	7 253 000 t

◆ **Économie et niveau de vie** (1996).

PNB	1,037 milliard de $
PNB/hab.	1 810 $
taux de croissance *(1993)*	5,3 %
taux d'inflation	4,7 %
taux de chômage	n.d.
dette extérieure	2 363,3 millions de $
importations	293 millions de $
exportations	476 millions de $
transports	routes n.d., voies ferrées 689 km
taux d'analphabétisme	62,3 %

◆ **Armée.**

budget militaire *(1996)*	2,9 % du PIB
forces armées *(1997)*	15 650 hommes

Nord à ses territoires d'Afrique noire. Les Français repoussent les Maures, qui se livrent à de terribles razzias. La conquête se fait en trois étapes : pénétration pacifique de Coppolani (1900-1904), campagnes de Gouraud (1908-1909) et de Mangin (1912). La Mauritanie est érigée en colonie, rattachée à l'Afrique-Occidentale française en 1920. La France revalorise le rôle des Noirs, parmi lesquels elle recrute des cadres administratifs. Le pays devient en 1946 un territoire d'outre-mer.

L'indépendance. La République islamique de Mauritanie, proclamée en 1958, accède à l'indépendance en 1960. Le régime du président Ould Daddah (1961-1978), qui érige le Parti du peuple mauritanien (créé en 1961) en parti unique, est stable malgré les incidents ethniques. À partir de 1973, la décolonisation du Sahara espagnol entraîne la Mauritanie dans des complications croissantes. Ould Daddah, qui se rapproche du Maroc, est renversé en 1978 par un coup d'État et remplacé par un Comité militaire de redressement national. Les divergences au sein de cet organe entraînent de fréquentes révolutions de palais. Celle de décembre 1984, due à la reconnaissance de la République arabe sahraouie démocratique par le président Ould Haidalla, a porté au pouvoir le colonel Sid Ahmed Ould Taya. En 1989 éclatent de graves incidents interethniques qui entraînent la rupture des relations diplomatiques avec le Sénégal. Elles ne seront rétablies qu'en 1992. En 1991, une nouvelle Constitution est adoptée. L'année 1992 confirme la libéralisation du régime avec la tenue en janvier d'une élection présidentielle (dont le vainqueur est le président sortant Ould Taya) et l'instauration du multipartisme avec, en mars, la tenue d'élections législatives. Malgré cette évolution, le pays reste confronté à des tensions politiques et sociales. L'opposition boycotte ainsi l'élection présidentielle de 1997, que remporte de nouveau Sid Ahmed Ould Taya.

Algérie Barr Al-Djazaír

Nom officiel : République algérienne démocratique et populaire. **Capitale :** Alger *(al-Djazaír)*. **Monnaie :** dinar algérien (=100 centimes). **Langue officielle :** arabe. **Principale religion :** islam. **Institutions :** République. Constitution de 1980. **Institutions de transition** : Haut Conseil de sécurité (qui a avalisé la suspension du processus électoral en 1992), composé de membres du gouvernement et de l'armée ; chef de l'État élu pour 5 ans au suffrage universel. Parlement bicaméral composé d'une Assemblée populaire nationale, élue pour 5 ans, et d'un Conseil de la nation (2/3 des membres élus, 1/3 désignés par le président de la République). **Chef de l'État :** Abdelaziz Bouteflika (depuis 1999). **Premier ministre** : Ismaïl Hamdani (depuis 1998). **Drapeau :** apparu lors d'une manifestation antifrançaise en 1925 et adopté officiellement en 1962, il porte le vert et les astres de l'islam, le rouge du socialisme, le blanc de la pureté et de l'honnêteté. **Hymne national :** « Par les foudres qui anéantissent, par les flots de sang pur et sans tache, par les drapeaux éclatants qui flottent sur des hauts djebels orgueilleux et fiers, nous jurons nous être révoltés pour vivre et pour mourir, et nous avons juré de mourir pour que vive l'Algérie ! Témoignez ! Témoignez ! Témoignez ! » Paroles de Mufdi Zakariyya (1912-1977), musique de Muhammad Fawzi (1918-1966). Déclaré officiel en 1986. **Fête nationale :** 1ᵉʳ novembre (anniversaire de la révolution de 1954).

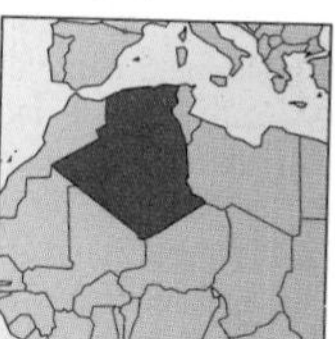

Superficie : 2 380 000 km². **Point culminant :** 2 918 m au Tahat.

GÉOGRAPHIE

Bien que l'Algérie soit très vaste (environ quatre fois la France), la plus grande partie du pays appartient au désert du Sahara. La population algérienne, composée principalement d'Arabes mais aussi d'une forte minorité kabyle berbérophone, connaît une croissance démographique rapide. Plus de la moitié des Algériens ont moins de 20 ans. Les villes de la côte ont connu récemment une forte croissance (Alger est l'une des villes les plus peuplées du Maghreb), mais l'économie, malgré les importants revenus pétroliers, n'a pas permis d'élever le niveau de vie de la population. La politique de collectivisation des années 1960 a fortement entravé le développement d'une industrie aujourd'hui peu importante et de l'agriculture, autrefois florissante. Le chômage est aujourd'hui endémique. Enfin, la guerre civile empêche actuellement toute amélioration notable.

HISTOIRE

L'Algérie antique. Peuplée par les Berbères, l'Algérie est influencée par les civilisations phénicienne (dès la fin du IIᵉ millénaire) et carthaginoise (à partir du IXᵉ s. av. J.-C.). Masinissa y fonde le royaume numide (berbère), qui passe sous domination romaine après la défaite de Jugurtha (105 av. J.-C.). Le pays forme une province prospère et urbanisée (Timgad, Lambaesis, etc.), troublée cependant par des révoltes. Christianisé aux IIᵉ-IIIᵉ s., il est dévasté par les Vandales au Vᵉ s. et reconquis en 533 par Bélisaire, général de l'empereur byzantin Justinien. Mais l'autorité de Byzance reste lointaine et fragile.

VOIR AUSSI
- **Décolonisation** p. 465
- **Tiers-mondes** p. 817

Illustrations
- **Drinn des Touareg** p. 173
- **Tassili des Ajjer** p. 415
- **De Gaulle à Alger** p. 465
- **Manifestation contre le terrorisme à Alger** p. 702

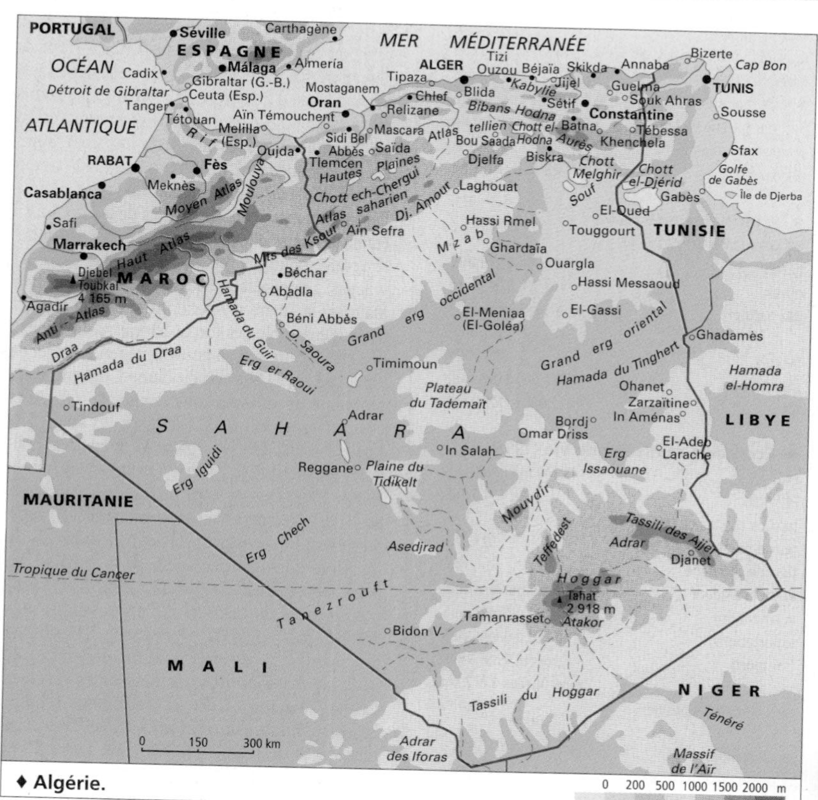

◆ **Algérie.**

Afrique du Nord et Maghreb

Arabes et Berbères. Les raids arabes de 647 et 665 sont le prélude de celui d'Uqba ibn Nafi en 681-682. Les Arabes viennent vite à bout des Byzantins et se constituent en caste aristocratique dominante, mais ils se heurtent aux Berbères. La résistance berbère s'exprime au VIIIe s. par l'adhésion au kharidjisme, doctrine puritaine et égalitaire. Le royaume kharidjite de Tahert (776-911) se maintient jusqu'à sa destruction par les Fatimides. Ces derniers étendent leur domination sur tout le Maghreb au Xe s. puis en confient le gouvernement à leurs vassaux zirides. Les Hammadides (1015-1152) se rendent indépendants, mais ils doivent, sous la pression des Banu Hilal, se replier vers le littoral.

L'Oranais et l'Algérois sont conquis par les Almoravides vers 1080, puis, à partir de 1147, par les Almohades, qui éliminent ensuite les Hammadides de Bougie. Les villes du littoral s'ouvrent alors à la civilisation andalouse et entretiennent un commerce actif avec l'Occident chrétien. Au XIIIe s., l'Afrique du Nord est de nouveau morcelée, et le domaine algérien, avec Tlemcen pour capitale, échoit aux Abdalwadides (1235-1550). À la fin du XVe s., les Abdalwadides ne tiennent plus que l'Ouest algérien ; tout le reste du pays est morcelé en de nombreuses principautés, fédérations de tribus, terres maraboutiques ou ports libres. De 1505 à 1511, les Espagnols occupent Mers el-Kébir, Oran et Bougie.

La domination ottomane. Face aux menées espagnoles, les Algérois demandent l'aide des corsaires turcs. Barberousse place Alger sous la protection de Constantinople (1518), et la régence d'Alger est organisée en 1587. Elle tire le meilleur de ses ressources de la course en Méditerranée, très prospère aux XVIe et XVIIe s., et lève l'impôt sur les trois provinces de son territoire. Les liens avec le sultan ottoman se relâchent au point que, en 1711, le dey d'Alger devient le souverain effectif.

La conquête de l'Algérie. Le dey ayant frappé le consul français en 1827 lors de pourparlers, la conquête commence. Alger est prise en 1830. Mais, jusqu'en 1839, la France n'occupe que Blida, Bône, Bougie et Oran, et se heurte à l'ouest à Abd el-Kader (1832). Les Français tentent de négocier avec lui en 1834, puis en 1837 (traité de la Tafna). Mais, fort de l'appui du sultan du Maroc, Abd el-Kader déclare la guerre à la France en 1839. Le général Bugeaud entreprend alors la conquête du pays. Abd el-Kader, défait sur l'Isly (1847), doit se rendre.

La colonisation française. Le pays est ensuite pacifié : la domination française s'étend à la Petite Kabylie (1849-1852), puis à la Grande Kabylie (1857) et aux confins sahariens. Paris hésite entre le régime militaire et le régime civil (qui triomphe), et entre l'association (« royaume arabe » de Napoléon III) et l'assimilation (qui a gain de cause). Alger, Oran et Constantine forment trois départements et sont administrés par des préfets. De nombreux colons s'installent, surtout après 1870 (il y aura près d'un million de « pieds-noirs » en 1954). Si la colonisation française donne un essor certain à l'Algérie, les autochtones n'obtiennent pas de postes administratifs importants. Le mouvement nationaliste et islamique qui se développe à partir de 1930, incarné d'abord par Messali Hadj, se radicalise pendant la Seconde Guerre mondiale (soulèvement du Constantinois en 1945). Il connaît une nouvelle vigueur en 1954 sous l'impulsion de Hocine Aït Ahmed, d'Ahmed Ben Bella et de Mohammed Khider.

La guerre d'Algérie. Le 1er novembre 1954, une insurrection éclate dans les Aurès et en Grande Kabylie. L'Armée de libération nationale (ALN) est créée au service d'un nouveau parti, le Front de libération nationale (FLN). La France réagit en instaurant l'état d'urgence (1955). Puis le gouvernement Guy Mollet rappelle les réservistes et les envoie en Algérie avec des unités formées d'appelés du contingent. L'insurrection s'étend, cependant, à l'Oranais, puis au Sud (Tindouf, Colomb-Béchar), en mai 1956. Le congrès de la Soummam établit la charte de l'insurrection et crée une infrastructure politique et administrative dans les wilayas. Les généraux Massu et Salan tentent de maîtriser la guerre révolutionnaire par un engagement d'ensemble des forces françaises. Le général de Gaulle, de retour au pouvoir, se rend à Alger en juin 1958. Le FLN s'autoproclame Gouvernement provisoire de la République algérienne (GPRA) et c'est en vain que de Gaulle lance un appel à la « paix des braves ». Les grandes opérations militaires menées par le général Challe reprennent en février 1959. De Gaulle proclame en septembre le droit des Algériens à l'autodétermination. Le rappel du général Massu (janv. 1960) déclenche la journée sanglante du 24 janvier, suivie de la semaine des barricades à Alger (24 janv.-1er févr.). De Gaulle précise, dans un discours de novembre, ce qu'il entend par « Algérie algérienne ». L'annonce des pourparlers de paix à Évian déclenche, les 22-25 avril 1961 à Alger, le putsch des généraux Challe, Jouhaud, Zeller et Salan, qui échoue. Les négociations entre la France et le GPRA commencent en mai 1961. Un accord de cessez-le-feu intervient en mars 1962. Après le référendum d'autodétermination, l'Algérie devient indépendante.

L'Algérie indépendante. Ahmed Ben Bella parvient à s'imposer et établit en 1963 un régime présidentiel, avec un parti unique, le FLN. Il est renversé en 1965 par les militaires, qui, sous la direction de Houari Boumediene, instaurent le Conseil de la révolution. Celui-ci entreprend la nationalisation de la plus grande partie des exploitations de pétrole et de gaz naturel (1967-1971), et lance la révolution agraire (1971). Il oriente la politique extérieure, d'abord anti-impérialiste, dans le sens du non-alignement. En 1976 est élaborée la Charte nationale se réclamant du socialisme. Une Constitution est adoptée en novembre 1976 sur la base des thèmes développés dans la Charte nationale et H. Boumediene est élu à la présidence en décembre. Après la mort de celui-ci (déc. 1978), Chadli Bendjedid, candidat unique à l'élection présidentielle, lui succède en février 1979. Il tente de promouvoir des réformes en vue d'une plus grande efficacité économique et combat le dogmatisme du FLN. Mais l'essor démographique (en 1985, 60 % des Algériens ont moins de 20 ans) compromet le

◆ **Démographie.**

population	30 200 000 hab.
densité	12,6 hab./km²
accroissement naturel	21,8 ‰
taux de natalité	29,2 ‰
taux de mortalité infantile	31 ‰
espérance de vie	69 ans
part de moins de 15 ans	39,1 % de la pop. totale
part des plus de 65 ans	3,5 % de la pop. totale
population urbaine	56 %
principales villes	Alger, Oran, Constantine, Annaba

◆ **Principales ressources et productions** (1997).

dattes	303 000 t (6e rang)
olives	319 000 t (8e rang)
gaz naturel	70 900 millions de m³ (6e rang)
pétrole	61 900 000 t
phosphates	1 051 000 t (8e rang)
fer	1 212 000 t (10e rang)

◆ **Économie et niveau de vie** (1996).

PNB	43,349 milliards de $
PNB/hab.	4 620 $
taux de croissance *(1992)*	2,6 %
taux d'inflation	21,6 %
taux de chômage	n.d.
dette extérieure	33 259,5 millions de $
importations	10 200 millions de $
exportations	10 260 millions de $
transports	routes 99 974 km, voies ferrées 4 772 km
taux d'analphabétisme	38,4 %

◆ **Armée.**

budget militaire *(1996)*	2,8 % du PIB
forces armées *(1997)*	123 700 hommes

◆ **Divisions administratives.**

Wilayas	Superficie (en km²)	Population
Adrar	422 500	217 000
Aïn-Eddefla	4 557	536 000
Aïn Temouchent	2 491	271 000
Alger	263	1 688 000
Annaba	1 196	454 000
Batna	12 121	757 000
Bechar	163 000	184 000
Beyyadh (El-)	79 912	155 000
Bejaia	3 280	698 000
Beskra	16 327	429 000
Boulaïda (El-)	1 597	704 000
Bordj bou Arreridj	4 136	429 000
Bouira	4 572	525 000
Boumerdès	1 619	647 000
Cheliff (Ech-)	4 205	680 000
Constantine	2 150	662 000
Djelfa (El-)	23 328	490 000
Ghardaia	87 000	216 000
Ghilizane	5 016	545 000
Guelma	4 291	353 000
Ilizi	260 000	20 000
Jijel	2 350	471 000
Khenchla	10 596	244 000
Laghouat	25 403	215 000
Lemdiyya	8 834	651 000
Mestghanem	1 977	504 000
Mila	3 490	511 000
Mouaskar	5 846	563 000
M'Sila	17 852	606 000
Naâma (En-)	30 801	113 000
Oran	2 114	917 000
Oum El-Bouagui	6 259	403 000
Saïda	6 129	235 000
Sidi Bel Abbes	9 258	444 000
Skikda	4 120	619 000
Souq Ahras	4 345	298 000
Stif	6 648	997 000
Tamenghest	570 000	94 000
Taref	3 144	277 000
Tbessa	14 984	409 000
Tihert	19 921	575 000
Tilimsen	9 335	707 000
Tindouf	153 000	16 000
Tipasa	2 072	615 000
Tissemssilt	3 477	228 000
Tizi-Ouzou	3 025	932 000
Wad (El-)	73 200	380 000
Wargla	280 000	287 000

développement économique. Une première campagne pour l'espacement des naissances est lancée en 1983. La cherté de la vie, le cycle chronique des pénuries et le système du parti unique provoquent cependant un grave malaise social. L'intégrisme musulman se développe et une nouvelle rédaction de la Charte nationale (1986) se réclame davantage de l'islam. La pénurie de semoule mais surtout l'échec de toute une politique de développement déclenchent en octobre 1988 une révolte de la jeunesse que l'armée réprime dans le sang. Chadli promet des réformes politiques et économiques, et est réélu en décembre La Constitution algérienne adoptée en février 1989 met fin à l'option socialiste de l'État et ouvre la voie au multipartisme, institué en juillet.

L'après-socialisme. Aux élections locales d'avril 1990, le Front islamique du salut (FIS) devance le FLN. Plus de 30 partis sont reconnus. D'importantes manifestations réclament la dissolution de l'Assemblée nationale, toujours dominée par le FLN. En mai 1991, le FIS appelle à la grève générale et affronte, dans des manifestations, les forces de l'ordre. Malgré l'arrestation de leurs dirigeants (Abassi Madani), les islamistes remportent 48 % des voix au premier tour des élections législatives de décembre. L'armée obtient la démission du président Chadli (janv. 1992). Le processus électoral est suspendu, et un Haut Comité d'État, présidé par Mohammed Boudiaf, assure transitoirement le pouvoir. L'état d'urgence est instauré et le FIS dissous. Après l'assassinat de Mohammed Boudiaf (juin 1992), Ali Kafi lui succède. La vague d'attentats islamistes (souvent revendiqués par le Groupe islamique armé) s'amplifie. Le gouvernement y répond par des actions de représailles.

En janvier 1994, après l'échec d'une Conférence nationale de consensus, le général Liamine Zeroual est promu chef de l'État. Des tentatives de dialogue politique avec le FIS échouent. Les forces de l'opposition (FLN, FIS, formations démocratiques) réunies à Rome (nov. 1994 - janv. 1995) proposent un processus graduel de retour à la paix civile, rejeté par le gouvernement. L'élection présidentielle de 1995 reconduit Liamine Zeroual à la tête de l'État mais, en 1998, il annonce son intention de quitter le pouvoir. En 1999, Abdelaziz Bouteflika lui succède. Si l'État semble avoir repris le contrôle des grandes villes, où les attentats se font plus rares, les groupes islamistes se livrent à de véritables massacres dans les campagnes. Dans l'incapacité de rétablir l'ordre, le pouvoir militaire, lui-même divisé en clans, est accusé de privilégier la protection des sites pétroliers afin de maintenir la présence des investisseurs étrangers. Inquiétée par la situation, la communauté internationale doit cependant se contenter de l'envoi de missions d'observation.

Tunisie Tunisiyya

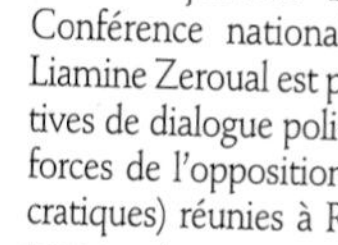

Nom officiel : République tunisienne. **Capitale** : Tunis. **Monnaie** : dinar tunisien (= 1 000 millimes). **Langue officielle** : arabe. **Principale religion** : islam. **Institutions** : République depuis 1957. Constitution de 1959, amendée en 1988. Président de la République et Assemblée nationale élus en même temps pour 5 ans. **Chef de l'État** : Zine el-Abidine Ben Ali (depuis 1987). **Premier ministre** : Hamed Karoui (depuis 1989). **Drapeau** : en usage depuis 1835, le rouge du drapeau beycal propage la lumière sur tout le monde musulman. **Hymne national** : « Ô défenseurs de la patrie, répondez, répondez à l'appel de la gloire, à la clameur du sang dans les veines. Consentons, consentons au suprême sacrifice pour que vive la patrie. » Paroles de Mustafa al-Sadiq al-Rafii (1880-1937) et d'Abd al-Qasim al-Chabbi (1909-1934), musique d'un auteur inconnu. **Fête nationale** : 20 mars (anniversaire de l'indépendance).

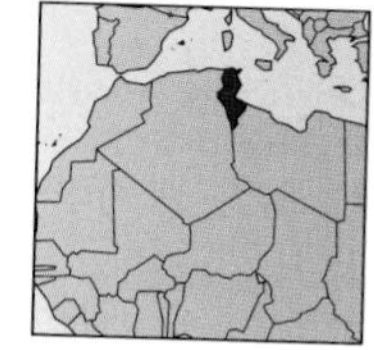

Superficie : 164 000 km². **Point culminant** : 1 544 m au djebel Chambi.

GÉOGRAPHIE

La Tunisie se compose essentiellement d'un littoral montagneux et relativement humide, où se concentrent l'activité agricole (céréales, vigne, oliviers), les villes et la population, et d'un Sud désertique ou couvert par la steppe, où l'activité dominante est l'élevage nomade des ovins. Production de dattes dans les oasis. La population, à moitié urbaine et généralement arabe et musulmane, connaît une croissance rapide et un taux de chômage que ne parviennent à réduire ni l'industrie, encore faible, ni une forte émigration, ni le développement du tourisme balnéaire. Le déficit commercial est également préoccupant.

HISTOIRE

La Tunisie antique. Les Phéniciens fondent, avant la fin du IXe s. av. J.-C., Utique et Carthage. Cette dernière impose, au VIe s., sa suzeraineté aux comptoirs phéniciens de la Méditerranée occidentale. Le territoire de l'actuelle Tunisie, peuplé de Berbères, est mis en valeur par les Carthaginois, qui préparent ainsi la prospérité de la province d'Afrique, constituée par Rome après la destruction de Carthage (146 av. J.-C.). La romanisation et l'urbanisation reculent après la période de grande prospérité du règne des Sévères (193-235). Lors de l'occupation vandale (429-533), une partie des Berbères romanisés retournent à leurs coutumes antiques, le nomadisme se développe dans les campagnes et le christianisme, florissant aux IIIe-IVe s., régresse. La reconquête byzantine (533-698) ne peut pas enrayer cette évolution.

L'Ifriqiya arabe. Après une première incursion en Byzacène (647), les Arabes conquièrent l'Ifriqiya de 669 à 705. Kairouan, fondée en 670, devient la résidence des gouverneurs omeyyades puis abbassides. Carthage tombe en 698. Les villes anciennes développent leurs activités, des couvents fortifiés (Sousse, Monastir, Sfax) sont créés sur la côte. Les Aghlabides (800-909), qui ont conquis la Sicile, sont éliminés par les Fatimides, qui, après la conquête de l'Égypte (969), abandonnent l'Ifriqiya à leurs vassaux zirides. Dans la seconde moitié du XIe s., les invasions des Banu Hilal ruinent le pays. Les Zirides, indépendants depuis 1051, se réfugient alors à Mahdia. Les Almohades, après avoir chassé (1160) les Normands, qui occupaient presque tout le littoral de Sfax à Gabès, gouvernent le pays jusqu'à ce que les Hafsides (de 1229 à 1574) rejettent l'autorité de Marrakech. Tunis se développe grâce au commerce, alors aux mains des Vénitiens, des Génois, des Aragonais ou des Siciliens. Le pays accueille à partir de 1391 une importante communauté juive espagnole.

La domination ottomane. À l'issue d'une longue confrontation entre les Espagnols et les Ottomans (occupation par Khayr al-Din Barberousse [1534] puis par Charles Quint [1535], chassé par les corsaires turcs [1556-1558]), Tunis, alors occupée par don Juan d'Autriche (1573), devient le centre d'un *pachalik* ottoman (1574). La Tunisie est, en fait, gouvernée à partir de 1590 par un dey, élu par la milice des janissaires, puis éclipsé au XVIIIe s. par le bey (dynastie beylicale des Husaynides [1705-1957]). Autonome de fait, la régence de Tunis ne contrôle pas l'intérieur divisé entre des clans rivaux. La guerre de course reprend (XVIe-XVIIe s.) et les *fondouks* français se multiplient dans les ports grâce au système des capitulations. Au XIXe s., les Britanniques, les Italiens et les Français développent leurs entreprises dans le pays.

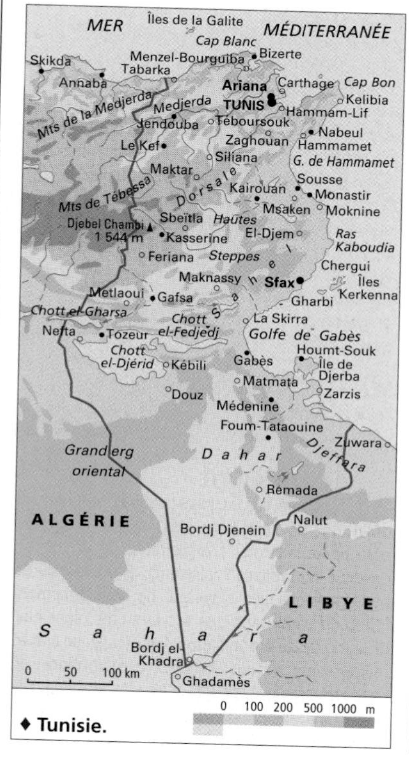

◆ Tunisie.

◆ Démographie.

population	9 500 000 hab.
densité	58 hab./km²
accroissement naturel	17,2 ‰
taux de natalité	23,9 ‰
taux de mortalité infantile	30 ‰
espérance de vie	70 ans
part des moins de 15 ans	34,9 % de la pop. totale
part des plus de 65 ans	4,4 % de la pop. totale
population urbaine	63 %
principales villes	Tunis, Sfax, L'Ariana

◆ Principales ressources et productions (1997).

olives	1 550 000 t (4e rang)
dattes	109 000 t (10e rang)
ovins	6 400 000 têtes
phosphates	7 100 000 t (2e rang)
huile d'olive	218 000 t (4e rang)
vin	290 000 hl

◆ Économie et niveau de vie (1996).

PNB	18,458 milliards de $
PNB/hab.	4 550 $
taux de croissance *(1995)*	6,9 %
taux d'inflation	3,7 %
taux de chômage	n.d.
dette extérieure	9 886,5 millions de $
importations	7 459 millions de $
exportations	5 470 millions de $
répartition des actifs	agriculture 23,2 %, industrie 32,8 %, services 44 %
transports	routes 29 183 km, voies ferrées 2 008 km
taux d'analphabétisme	33,3 %

◆ Armée.

budget militaire *(1996)*	1,9 % du PIB
forces armées *(1997)*	35 000 hommes

Afrique du Nord et Maghreb

Libye • Égypte

L'endettement conduit à la banqueroute et à la création d'une commission financière internationale anglo-franco-italienne (1869). Le congrès de Berlin (1878) reconnaît les intérêts particuliers de la France en Tunisie. Puis le traité du Bardo (1881) et la convention de La Marsa (1883) instituent le protectorat français.

Le protectorat français (1881/1883-1956). Paul Cambon devient résident général en 1885, et met en place des contrôleurs civils français qui supplantent les caïds. L'économie se développe (réseau ferroviaire ; phosphates ; olivettes). La vie politique est marquée par la naissance du parti urbain la « Jeune-Tunisie » (1907), par les émeutes de 1911 et la longue répression de 1911 à 1921. Le Destour est fondé en 1920, le Néo-Destour de Habib Bourguiba, laïque et nationaliste, en 1933. Il rompt en 1934 avec le Vieux-Destour. Les chefs du Néo-Destour sont déportés et, après l'échec des négociations engagées par le gouvernement de Léon Blum, des incidents sanglants éclatent (1937) et l'état de siège est proclamé (1938). La campagne de Tunisie libère le pays, occupé par les Allemands de novembre 1942 à mai 1943. En 1950, Salah ben Youssef, secrétaire général du Néo-Destour, plus radical que Habib Bourguiba, entre dans le gouvernement formé par le bey, avec l'accord du résident général. Cependant, l'intransigeance française entraîne un durcissement du Néo-Destour (1952-1954) et le recours au terrorisme. Pierre Mendès France promet l'autonomie interne (1954), acceptée par Habib Bourguiba (1955). L'indépendance totale est proclamée le 20 mars 1956.

La Tunisie indépendante. Habib Bourguiba, chef du gouvernement, brise l'opposition de Salah ben Youssef (1956-1957), promulgue le Code du statut personnel (1956), de tendance laïcisante, écarte le bey et proclame la république (1957). Au cours de la guerre d'Algérie, les rapports avec la France se détériorent (affaire de Bizerte, 1961), puis les problèmes posés par les nationalisations des terres de colons s'aggravent (1964). La vie politique est caractérisée par la tension qui se développe entre l'Union générale des travailleurs tunisiens (l'UGTT, fondée en 1947) et le parti du président (Néo-Destour), qui prend en 1964 le nom de Parti socialiste destourien (PSD). En matière économique, la politique de Bourguiba est dans un premier temps caractérisée par des nationalisations qui s'intensifient jusqu'à la fin des années 1960. En raison de l'échec de cette politique et du mécontentement qu'elle provoque, Bourguiba décide en 1970 de privatiser l'agriculture et l'artisanat, non sans imputer l'échec des nationalisations aux initiatives du ministre Ben Salah, qui est arrêté et jugé. En dépit de l'agitation universitaire et syndicale des années 1970 pour la libéralisation du régime, le président Bourguiba n'instaure officiellement le multipartisme qu'en 1983 et doit faire face à la montée de l'intégrisme musulman. En novembre 1987, Bourguiba est destitué par le général Ben Ali, qui le remplace à la tête de l'État. En 1988, le Parti socialiste destourien est transformé en Rassemblement constitutionnel démocratique (RCD) et des amendements constitutionnels suppriment la présidence à vie, instaurée en 1975 au profit de Bourguiba. Ben Ali, candidat unique du RCD, est élu au poste de président de la République en 1989. Les élections législatives sont remportées par le RCD. Le gouvernement renforce sa politique répressive à l'égard des islamistes. En 1994, Ben Ali est réélu à la tête de l'État et les élections législatives confirment la position de quasi-monopole du RCD. Mais le régime tunisien reste critiqué pour ses nombreuses atteintes aux droits de l'homme, notamment avec les arrestations et les condamnations d'opposants et de syndicalistes. En politique étrangère, la position tunisienne modérée à l'égard d'Israël entraîne des tensions avec la Ligue arabe dominée par Nasser et une rupture des relations diplomatiques avec l'Égypte (1966-1967). Les problèmes frontaliers avec l'Algérie ont été réglés en 1968 et en 1983, et un projet de fusion avec la Libye (1974) a avorté. Après l'exclusion de l'Égypte de la Ligue arabe à la suite de la signature des accords de Camp David, la Tunisie a accueilli le siège de cette organisation, de 1979 à 1991. De 1982 à 1994, les organes directeurs de l'OLP ont été installés à Tunis. En 1989, la Tunisie fait partie des membres fondateurs de l'Union du Maghreb arabe. À la fin des années 1990, le régime de Ben Ali se caractérise principalement par sa stabilité politique, obtenue néanmoins au prix d'une répression politique dénoncée par de nombreuses organisations non gouvernementales, et ce bien que l'opposition politique demeure peu menaçante. L'économie tunisienne obtient de bons résultats, devenant l'une des plus développées d'Afrique. Cette évolution devrait être à moyen terme favorisée par l'accord de libre-échange conclu en 1995 avec l'Union européenne.

Libye Libiya

Nom officiel : Djamahiriyya (République des masses) arabe libyenne populaire et socialiste. **Capitale** : Tripoli *(Tarabulus)*. **Monnaie** : dinar libyen (1 000 dirhams). **Langue officielle** : arabe. **Principale religion** : islam. **Institutions** : « État des masses » (Djamahiriyya). Constitution de 1977. Le Congrès général du peuple (équivalent du Parlement) élit le Comité général du peuple, de 22 membres (qui sont l'équivalent de ministres), et un secrétaire général. Muammar al-Kadhafi demeure le chef de la révolution. **Chef de l'État** : Muammar al-Kadhafi (depuis 1969). **Secrétaire général du Comité général du peuple** (équivalent d'un Premier ministre) : Muhammad Ahmad al-Mangoush (depuis 1997). **Drapeau** : adopté en 1977, il commémore la « révolution verte » de 1969. **Hymne national** : adopté en 1969. Paroles de A. Chams al-Din, musique de Mahmud al-Charif. **Fête nationale** : 1er septembre (anniversaire de la révolution de 1969).

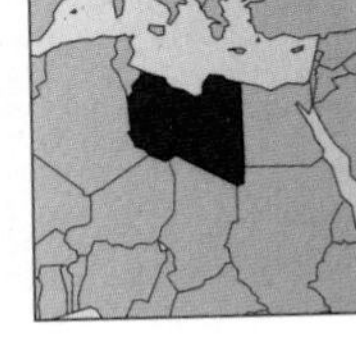

Superficie : 1 760 000 km². **Point culminant** : 2 285 m dans le Tibesti.

GÉOGRAPHIE

La Libye est un pays presque entièrement désertique, où l'agriculture est concentrée dans les oasis et sur le littoral. L'exploitation du pétrole est devenue la principale ressource économique du pays mais n'a pas engendré de développement industriel significatif. Les services emploient plus de la moitié de la population. Celle-ci, arabe et islamisée, comprend une minorité berbérophone, et, dans les oasis, des groupes nomades toubous. Elle est peu nombreuse, malgré un accroissement naturel élevé, et concentrée le long de la côte.

HISTOIRE

L'Antiquité. Les Grecs appelaient « Libye » la région côtière de l'Afrique du Nord, dont ils nommaient les habitants « Libyens ». Les Peuples de la mer s'y établissent puis envahissent le delta du Nil (XIIIe-XIIe s. av. J.-C.). Dans l'Antiquité, la Libye ne forme pas une entité. L'histoire de la Tripolitaine est liée à celle des territoires de l'actuelle Tunisie : domination du littoral par Carthage (Ve s. av. J.-C.) et conquête romaine en 106 av. J.-C. La Cyrénaïque – où les Grecs créent des colonies dont Cyrène, fondée vers 631 – devient une riche province agricole. Elle est rattachée à l'Égypte lagide (IVe s.) jusqu'à la conquête romaine (96 av. J.-C.). Rome s'étend jusqu'au Fezzan en 19 av. J.-C., et la romanisation atteint son apogée au IIIe s. apr. J.-C. La décomposition du monde hellénico-romain ruine les provinces libyennes, dont s'emparent les Arabes en 642-643.

La Libye musulmane. Comme dans le reste de l'Afrique du Nord, le pouvoir central (omeyyade, puis abbasside), puis les dynasties maghrébines et égyptiennes dominent des tribus berbères plus ou moins dociles, qui s'arabisent peu à peu. Les Ottomans se rendent maîtres de l'Égypte et de la Cyrénaïque (1517), de la Tripolitaine (1551) et du Fezzan (1577-1578).

La colonisation italienne. Les régions côtières sont conquises par les Italiens en 1911 et leur sont cédées par les Ottomans à la paix d'Ouchy (1912). La résistance armée, dirigée en Cyrénaïque par la confrérie senousi, s'opposera à la conquête italienne jusqu'en 1931. En 1934 est créée la colonie italienne de Libye. À l'issue de la campagne de Libye (1940-1943), la France et la Grande-Bretagne administrent le pays.

◆ Démographie.

population	5 700 000 hab.
densité	3,2 hab./km²
accroissement naturel	33,1 ‰
taux de natalité	40 ‰
taux de mortalité infantile	25 ‰
espérance de vie	66 ans
part des moins de 15 ans	45,3 % de la pop. totale
part des plus de 65 ans	2,6 % de la pop. totale
population urbaine	86 %
principales villes	Tripoli, Benghazi, Misourata

◆ Principales ressources et productions (1997).

pétrole	70 200 000 t
dattes	67 000 t
olives	55 000 t

◆ Économie et niveau de vie (1996).

PNB	n.d.
PNB/hab.	n.d.
taux de croissance	n.d.
taux d'inflation *(1992)*	7 %
taux de chômage	n.d.
dette extérieure	n.d.
importations	7 000 millions de $
exportations	9 200 millions de $
transports	routes 25 675 km, voies ferrées 0 km
taux d'analphabétisme	23,8 %

◆ Armée.

budget militaire *(1996)*	5,3 % du PIB
forces armées *(1997)*	65 000 hommes

L'indépendance. L'ONU préside à la formation d'une Assemblée nationale (1950) et confie la couronne à Idris Ier (1951-1969). L'indépendance est proclamée en 1951. Dès 1961, l'exploitation du pétrole provoque d'importants changements sociaux. Après la déposition d'Idris Ier (1969) par les « officiers libres », Muammar al-Kadhafi devient le maître du pays. Il nationalise les compagnies pétrolières (1971) et lance une révolution culturelle islamique et antibureaucratique (1973), dont la théorie est exposée dans le « Livre vert » (1976-1978).

Aux termes de la Charte du pouvoir populaire (1977), l'« État des masses », la Djamahiriyya, est fondé. Le colonel al-Kadhafi se conduit en nationaliste intransigeant : il fait expulser les 12 000 ressortissants italiens présents en Libye, obtient l'évacuation des bases militaires étrangères et nationalise l'ensemble de l'industrie pétrolière. En mars 1979, il renonce officiellement à toutes ses fonctions dirigeantes – qu'il continue en fait à assumer – pour n'être plus que le guide de la révolution. À l'extérieur, l'intransigeance révolutionnaire de M. al-Kadhafi le conduit à s'affirmer comme un nouveau Nasser, promoteur du panarabisme et ennemi de l'Occident comme d'Israël. Il conclut ainsi d'éphémères unions panarabes avec l'Égypte, la Syrie et le Soudan (1972), avec la Tunisie (1974), avec la Syrie (1980), avec le Maroc (1984). Aucune ne connaît cependant le moindre début de réalisation. Outre ses ambitions régionales, qui le conduisent à intervenir dans la guerre civile au Tchad, M. al-Kadhafi se veut également le chef de file du « front du refus », qui s'oppose à toute concession vis-à-vis d'Israël. Le revenu pétrolier, dont l'économie bénéficie très peu, est désormais utilisé pour financer un outil militaire qui demeure d'une efficacité médiocre, malgré l'assistance technique de l'URSS, et pour aider et entraîner des mouvements terroristes de toutes origines, palestiniens, mais également irlandais, allemands, japonais ou arméniens, entre autres. La détérioration des relations entre la Libye et l'Occident est manifeste en 1979 et 1980, lorsque les ambassades française et américaine sont mises à sac. Cette imprudente diplomatie finit par conduire à des représailles de la part des États-Unis, qui bombardent Tripoli et Benghazi (avr. 1986).

Au cours des années 1980, la situation économique du pays se dégrade, malgré les progrès de l'irrigation et la découverte de nouveaux gisements pétrolifères. Les troupes libyennes, engagées depuis 1973, au Tchad, où la Libye revendique la bande d'Aozou, essuient d'importants revers. Cherchant à sortir de son isolement international, la Libye s'entend avec le Tchad, en 1988, pour s'en remettre au jugement de la Cour internationale de justice de La Haye. Elle se rapproche, en 1989, des pays du Maghreb dans le cadre de l'Union du Maghreb arabe (UMA). En 1991, elle se tient à l'écart de la guerre du Golfe. Depuis 1992, elle subit un embargo aérien international imposé par l'ONU en raison du refus du gouvernement d'extrader les auteurs présumés des attentats terroristes perpétrés contre des avions de ligne en 1988-1989. En 1994, ses troupes se retirent de la bande d'Aozou, que le jugement de la Cour internationale de justice a attribuée au Tchad. Isolé sur la scène internationale, le pouvoir de Muammar al-Kadhafi est à plusieurs reprises secoué, à l'intérieur, par des complots ou des émeutes. En 1999, la livraison des auteurs présumés de l'attentat de Lockerbie permet cependant une levée partielle des sanctions économiques.

VOIR AUSSI
• **Eau dans les déserts** p. 53
• **Sécheresse** p. 76

Égypte Misr

Nom officiel : République arabe d'Égypte. **Capitale** : Le Caire *(al-Qahira)*. **Monnaie** : livre égyptienne (= 100 piastres). **Langue officielle** : arabe. **Principale religion** : islam. **Institutions** : République depuis juin 1953. Constitution de 1971. Président de la République élu pour 6 ans sur proposition de l'Assemblée du peuple. Premier ministre responsable devant l'Assemblée du peuple (10 de ses membres sont nommés par le président de la République) élue pour 5 ans. **Chef de l'État** : Hosni Moubarak (depuis 1981). **Premier ministre** : Kamal Ganzouri (depuis 1996). **Drapeau** : le rouge représente le sang versé par les martyrs ; le blanc, la révolution blanche de 1952 ; le noir, l'époque monarchique ; quant à l'aigle, qui reprendrait un thème de l'époque des croisades sous Saladin, il symbolise l'acuité visuelle intense. Le drapeau actuel a été adopté en 1984. **Hymne national** : « Patrie, ô Patrie, mon cœur bat pour toi. Patrie, ô Patrie, mon cœur bat pour toi. Égypte, mère de toutes les nations, objet de mon espoir, de mon attente, qui pourrait dire les bienfaits du Nil envers l'humanité. Patrie… » Paroles et musique de Sayyid Darwich (1892-1932). **Fête nationale** : 23 juillet (anniversaire de la révolution de 1953).

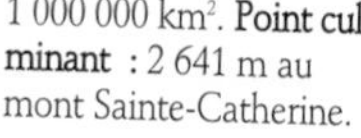

Superficie : 1 000 000 km². **Point culminant** : 2 641 m au mont Sainte-Catherine.

GÉOGRAPHIE

L'Égypte doit sa permanence historique au Nil, fleuve dans la vallée duquel se sont toujours concentrées l'activité et la population de ce pays (moins de 5 % de sa superficie). La construction de barrages a permis à l'agriculture de dépendre moins étroitement des crues annuelles et de s'orienter vers des produits d'exportation, comme le coton et la canne à sucre. L'industrie demeure en revanche peu développée, et les villes connaissent un grave problème de surpeuplement. La population, arabe et généralement musulmane, croît à un rythme rapide et connaît un niveau de vie relativement faible. Les revenus du pétrole, du canal de Suez et du tourisme, fortement entravé par le terrorisme islamique, ne suffisent pas à combler le déficit commercial.

HISTOIRE

L'Égypte pharaonique. Peuplée dès l'époque préhistorique, l'Égypte entre dans l'histoire vers 3200 av. J.-C., quand Narmer (ou Ménès) unifie les deux royaumes existant alors, celui de Haute-Égypte et celui de Basse-Égypte. Il est le premier des rois qui pendant 30 dynasties (selon les listes chronologiques de Manéthon) présideront aux 3 000 ans de l'Égypte pharaonique. Narmer fixe sa capitale à This. Sous son règne et sous celui de ses successeurs (époque thinite), l'administration royale centralisée s'organise et le pharaon, assimilé à Horus, le roi-faucon, établit clairement sa filiation divine. L'Ancien Empire (2700-2190 av. J.-C.) voit s'affirmer la civilisation égyptienne ; c'est l'ère des grandes pyramides, qu'illustrent les noms de Djoser, et de son ministre, Imhotep, de Snefrou, de Kheops, de Kephren et de Mykerinus. La capitale est établie à Memphis. Le pouvoir royal s'appuie sur une caste de hauts fonctionnaires ; la charge de vizir est créée. Utilisant les enseignements religieux des prêtres d'Héliopolis, le pharaon affirme la prééminence de Rê, dieu-Soleil, dont il se dit le fils. Après une période confuse (première période intermédiaire, de 2160 à 2060 av. J.-C.), l'unité de l'Empire est reconstituée par les princes de Thèbes, qui inaugurent le Moyen Empire ou premier Empire thébain (2060-1785 av. J.-C.).

Avec les Amenemhat et les Sésostris, la monarchie retrouve sa puissance, patronnée par le dieu Amon Rê, dont la personnalité représente la fusion des conceptions du clergé de Thèbes et de celui d'Héliopolis. Autour du pharaon se rassemble une société plus différenciée, où apparaît une classe moyenne formée des scribes, des techniciens, des artisans. Le Fayoum est systématiquement mis en valeur ; jusqu'à la 3e cataracte, la Nubie est colonisée. Conséquences des invasions des peuples indo-européens dans le Proche-Orient, des vagues de nomades sémites, les Hyksos, pénètrent en Égypte. Ils soumettent le pays à leur tutelle, gouvernant depuis Avaris, leur capitale bâtie dans le Delta. C'est la seconde période intermédiaire (1785-1580 av. J.-C.), à laquelle mettra fin le Nouvel Empire ou deuxième Empire thébain (1580-1085 av. J.-C.), dont la capitale est fixée à Thèbes. Cette période raffinée, caractérisée par une intense activité culturelle et artistique (construction des temples de Karnak, des hypogées de la vallée des Rois et de la vallée des Reines), représente l'âge d'or de la monarchie pharaonique. Thoutmosis III conquiert l'Orient jusqu'à l'Euphrate et la Nubie jusqu'à la 5e cataracte. Ramsès II contient la puissance hittite par la victoire de Qadesh. Mineptah puis Ramsès III luttent victorieusement contre les invasions des Peuples de la mer.

Vers la décadence. La réforme d'Aménophis IV (ou Akhenaton), qui tente d'imposer à tout l'Empire le culte exclusif d'Aton, le disque solaire, ne lui a pas survécu. À partir de 1085 av. J.-C., l'unité de l'Égypte est brisée. Commence une longue période de décadence, la Basse Époque (1085-333 av. J.-C.), au cours de laquelle plusieurs dynasties étrangères (libyennes, kouchites), vont régner dans un pays souvent livré aux invasions (Assyriens). Psammétique Ier chasse les Assyriens et les Kouchites, et fonde la dynastie saïte qui, pour un siècle, redonne à l'Égypte son unité et son indépendance.

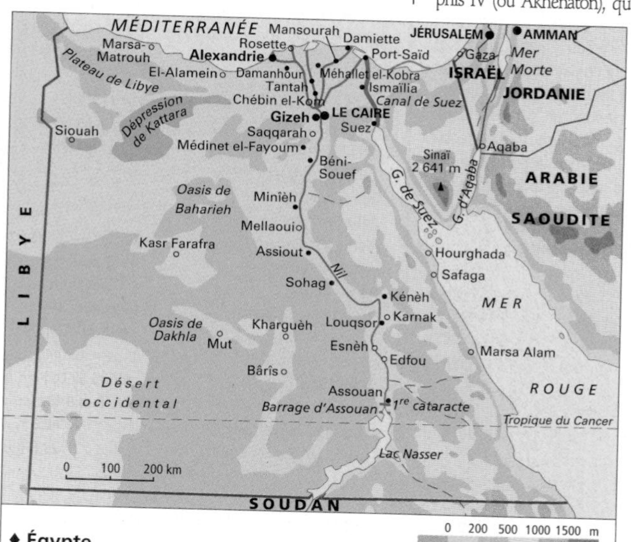

♦ Égypte.

Afrique du Nord et Maghreb

Égypte (suite)

Mais, dès 525, le pays est soumis à l'Empire perse, avant de tomber sous la domination d'Alexandre le Grand en 332 av. J.-C.

L'Égypte hellénistique, romaine et byzantine. Grâce au conquérant macédonien, l'Égypte pénètre dans le monde grec. À la mort d'Alexandre, elle est gouvernée par les Lagides (époque ptolémaïque), qui instaurent une exploitation de type colonial au profit des Grecs. Leur capitale, Alexandrie, s'impose comme la métropole intellectuelle et commerciale de la Méditerranée orientale. L'Égypte romaine (30 av. J.-C.-395 apr. J.-C.) sera longtemps le grenier à blé de l'Empire. Au IIIe s., elle est christianisée. Deux formes nouvelles de vie religieuse s'y développent : l'érémitisme et le monachisme. L'Église chrétienne d'Égypte (Église copte) adhère après 451 au monophysisme. De la mort de Théodose (395) jusqu'à la conquête arabe, le pays fait partie du domaine byzantin.

L'Égypte musulmane jusqu'à Méhémet-Ali. Les Arabes conquièrent l'Égypte entre 639 et 642. Les Égyptiens acceptent cette nouvelle domination, qui se traduit par la levée de l'impôt au profit du califat et le versement d'un fort tribut de blé. L'Égypte, au sein de l'Empire musulman (omeyyade, puis abbasside), développe ses activités agricoles et artisanales. Les Arabes imposent leur religion, l'islam, et leur langue. Le clergé copte lui-même emploie l'arabe dès le Xe s. Avec les Tulunides (868-905), l'Égypte s'affranchit de la tutelle abbasside. Puis les Fatimides sont les maîtres du pays de 969 à 1171. Ils fondent Le Caire, centre du califat chiite ismaélien. Le vizir Saladin s'empare du pouvoir en 1171 et rétablit le sunnisme en Égypte. Il fonde la dynastie ayyubide, qui gouverne l'Égypte (de 1171 à 1250) et la Syrie, et qui se pose en protectrice de l'islam, menacé par les croisades. Les Ayyubides sont renversés par leurs anciens esclaves, en majorité turcs.

Les Mamelouks (1250-1517) s'érigent en caste militaire dominante, qui fournit au pays ses sultans. Ils recueillent au Caire le calife abbasside, arrêtent les Mongols à Ayn Djalut (1260), libèrent la Syrie et la Palestine des Francs. Les Ayyubides puis les Mamelouks développent le commerce avec les États occidentaux. L'Égypte devient l'entrepôt des denrées en provenance de l'Arabie et de l'Extrême-Orient. La découverte de la route des Indes à la fin du XVe s. entraîne la décadence de l'activité commerciale. L'Égypte devient une province de l'Empire ottoman en 1517. Elle est administrée par un pacha et des beys, choisis parmi les Mamelouks, qui demeurent les maîtres du pays. C'est une période de misère. La campagne d'Égypte (1798-1801), conduite par Napoléon Bonaparte, offre à ce pays le spectacle des techniques occidentales et lui fait prendre conscience de son retard, au moins technique, sur l'Occident.

L'Égypte moderne. Méhémet-Ali, pacha d'Égypte à partir de 1805, décapite la puissance des Mamelouks et entreprend une vaste politique de modernisation avec le concours des chrétiens ou des étrangers qu'il nomme beys ou ministres. Il conquiert le Soudan (1820-1823) et, avec son fils Ibrahim Pacha, enlève la Syrie aux Ottomans. Après l'intervention des puissances occidentales (1840) en faveur de ces derniers, il ne conserve que le Soudan et l'Égypte, à laquelle Constantinople consent une certaine autonomie, confirmée par le firman de 1867, qui accorde aux souverains égyptiens le titre de khédives (vice-rois). Said Pacha (1854-1863) et Ismail Pacha (1867-1879) dotent l'Égypte d'infrastructures modernes. En 1869 est inauguré le canal de Suez, construit par Ferdinand de Lesseps.

Le pays a contracté de nombreux emprunts et, en 1876, il doit accepter le contrôle de ses finances par la France et la Grande-Bretagne. Sous le khédive Tawfiq (1879-1892), la Grande-Bretagne anéantit le mouvement nationaliste d'Urabi et occupe militairement l'Égypte (1882). La convention de 1899 établit un condominium anglo-égyptien sur le Soudan. L'Égypte conserve cependant une fiction d'indépendance jusqu'à l'établissement formel du protectorat britannique (1914), qui met fin à la suzeraineté ottomane. Les nationalistes égyptiens se regroupent autour de Zaghlul, qui dirige en 1919 une délégation du parti nationaliste, le Wafd, chargée de négocier avec les Britanniques. L'Égypte obtient son indépendance en 1922, et le roi Fuad Ier (1922-1936) accorde une Constitution de type parlementaire. Le traité de 1936 ne libère pas le pays des troupes britanniques et ne règle pas la question du Soudan. Sous Farouk Ier (1936-1952), la situation se détériore (émeutes des étudiants et des ouvriers contre les Britanniques, troubles sociaux), surtout après la défaite de l'armée égyptienne engagée en 1948 en Palestine contre les Israéliens.

L'Égypte républicaine. L'armée s'empare du pouvoir en 1952. En 1953, les partis politiques sont dissous et la république est proclamée. Le colonel Néguib, président de la République jusqu'en 1954, est éliminé par Gamal Abdel Nasser, qui devient le véritable maître de l'Égypte. Il nationalise le canal de Suez en 1956, entreprend des réformes agraires (1952, 1961, 1969) et engage l'Égypte dans la voie du socialisme. Voulant faire de l'Égypte le pays leader du monde arabe, Nasser s'engage dans une politique étrangère active dont le succès demeure néanmoins limité. Si la nationalisation du canal de Suez est une victoire diplomatique, en dépit d'une double défaite militaire face, d'un côté, à Israël (qui envahit une première fois le Sinaï avant de l'évacuer sous la pression internationale) et, de l'autre, à un contingent franco-britannique (qui doit également se retirer), les principales initiatives de Nasser en politique étrangère se soldent par des échecs. L'union avec la Syrie (1958-1961), réalisée sous le nom de République arabe unie, demeure essentiellement verbale, aucun rapprochement concret n'ayant lieu entre les deux pays. L'intervention dans la guerre civile du Yémen (1967) s'enlise et les menaces proférées à l'encontre d'Israël (notamment la fermeture du détroit de Tiran) aboutissent à la guerre des Six-Jours (juin 1967), lourde défaite militaire au terme de laquelle l'Égypte perd, durablement cette fois, le Sinaï. Cette défaite plonge le pays dans un profond désarroi, qu'accentue la mort de Nasser en 1970. Sous la présidence d'Anouar el-Sadate, l'Égypte attaque Israël en 1973 et ne subit qu'une défaite limitée. Sadate rompt avec les Soviétiques (1974) et se rend à Jérusalem (nov. 1977). À la suite des accords de Camp David (1978), il signe avec Israël le traité de paix de Washington (1979). L'Égypte, qui récupère ainsi le Sinaï en 1982, est mise quelque temps au ban du monde arabe. À l'intérieur, sous l'impulsion de Sadate, qui libère les prisonniers politiques en 1971, les partis sont de nouveau autorisés à partir de 1978. Mais des groupes islamiques extrémistes recourent à des actions violentes à partir de 1974 (assassinat de Sadate en 1981). Hosni Moubarak, qui succède à Sadate, poursuit la politique d'ouverture de celui-ci. Il procède à une certaine islamisation des lois, de la Constitution et de l'enseignement. En 1989, l'Égypte est réintégrée dans la Ligue arabe. En 1990, elle prend la tête des pays arabes opposés à l'invasion du Koweït par l'Iraq et participe à la force armée multinationale engagée, en 1991, dans la guerre du Golfe. En 1998, en revanche, elle condamne les bombardements anglo-américains sur l'Iraq. Le gouvernement exerce une sévère répression contre les extrémistes islamistes qui, depuis le début des années 1990, multiplient les attentats, notamment contre les touristes étrangers. Alors que la société égyptienne doit faire face à de nombreux défis économiques et sociaux, le gouvernement entreprend à partir du début des années 1990 une politique d'assainissement financier et de libéralisation économique. Celle-ci est cependant limitée par la menace islamiste. Le régime du président Moubarak oscille entre des concessions aux élites islamistes et la répression sévère du terrorisme.

◆ Chefs d'État et de gouvernement de l'Égypte.

Protectorat	
Husayn Kamil	1914-1917
Fuad Ier	1917-1936
Farouk Ier	1936-1952
République	
Muhammad Néguib	1953-1954
Gamal Abdel Nasser	
- premier minitre	1954
- président de la République	1956-1970
Anouar el-Sadate	1970-1981
Hosni Moubarak	depuis 1981

◆ Démographie.

population	65 500 000 hab.
densité	65,5 hab./km²
accroissement naturel	19,3 ‰
taux de natalité	26,1 ‰
taux de mortalité	53 ‰
espérance de vie	66 ans
part des moins de 15 ans	37,9 % de la pop. totale
part des plus de 65 ans	4,2 % de la pop. totale
population urbaine	45 %
principales villes	Le Caire, Alexandrie, Gizeh

◆ Principales ressources et productions (1997).

blé	5 849 000 t
dattes *(1995)*	650 000 t (2e rang)
agrumes	2 415 000 t (8e rang)
lin	13 000 t (8e rang)
canne à sucre	14 000 000 t
pétrole	43 900 000 t
fer	1 750 000 t

◆ Économie et niveau de vie (1996).

PNB	67,850 milliards de $
PNB/hab	2 860 $
taux de croissance *(1995)*	4,6 %
taux d'inflation	7,2 %
taux de chômage	n.d.
dette extérieure	31 407,2 millions de $
importations	13 169 millions de $
exportations	4 779 millions de $
répartition des actifs	agriculture 34,2 %, industrie 21,6 %, services 44,2 %
transports	routes 52 000 km, voies ferrées 8 487 km
taux d'analphabétisme	48,6 %
taux d'analphabétisme	23,8 %

◆ Armée.

budget militaire *(1996)*	3,2 % du PIB
forces armées *(1997)*	440 000 hommes

VOIR AUSSI
- **Calendrier égyptien** p. 407
- **Religions de l'Antiquité** p. 482
- **Hiéroglyphes** p. 951

Illustrations
- **Le Caire** p. 702
- **Art de l'Égypte ancienne** p. 1046

Soudan Al-Sudan

Nom officiel : République démocratique du Soudan. **Capitale :** Khartoum *(al-Khurtum).* **Monnaies :** livre et dinar soudanais. **Langue officielle :** arabe. **Religion officielle :** islam. **Principales religions :** catholicisme, cultes animistes. **Institutions :** République. Constitution provisoire de 1986, suspendue depuis le coup d'État militaire de 1989. **Chef du Conseil de commandement de la révolution de salut national :** Umar Hasan al-Bachir (depuis 1989). **Drapeau :** les couleurs ont été choisies en 1971 ; le rouge représente le sang des patriotes versé pour l'indépendance ; le blanc, l'amour de la paix ; le noir, la couleur éponyme du pays « soudan » ; le vert, l'islam. **Hymne national :** « Nous sommes les soldats de Dieu et de la Patrie... » Paroles de Sayyid Ahmad Mohammad Salih (1896-1971), musique d'Ahmad Murdjan (1905-1974). Déclaré officiel en 1956. **Fête nationale :** 1er janvier (anniversaire de l'indépendance).

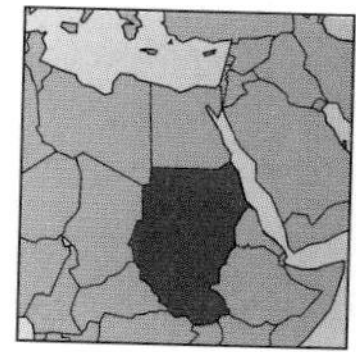

Superficie : 2 506 000 km². **Point culminant :** 3 187 m au Kinyeti.

GÉOGRAPHIE

Le Soudan, l'État le plus étendu d'Afrique, bénéficie désormais d'une irrigation qui a permis un certain développement agricole. Il demeure néanmoins extrêmement pauvre, en partie en raison de la guerre civile qui sévit depuis plusieurs décennies. Elle oppose la population blanche arabophone et islamisée du Nord, politiquement dominant, à celle du Sud, sans unité linguistique ni religieuse, de type négroïde, animiste et chrétienne. Le pays ne possède aucune industrie. Le Sud souffre de la famine, qui a fait des milliers de morts.

◆ Démographie.

population	28 500 000 hab.
densité	11,3 hab./km²
accroissement naturel	26,5 ‰
taux de natalité	33,7 ‰
taux de mortalité infantile	74 ‰
espérance de vie	55 ans
part des moins de 15 ans	41 % de la pop. totale
part des plus de 65 ans	3 % de la pop. totale
population urbaine	32 %
principales villes	Khartoum, Omdurman, Port-Soudan

◆ Principales ressources et productions (1997).

arachide	1 051 000 t (5e rang)
sorgho	3 369 000 t (6e rang)
dromadaires	2 950 000 têtes (2e rang)

◆ Économie et niveau de vie (1996).

PNB	n.d.
PNB/hab.	n.d.
taux de croissance *(1992)*	11,3 %
taux d'inflation *(1993)*	101 %
taux de chômage	n.d.
dette extérieure	16 972 millions de $
importations	1 339 millions de $
exportations	620 millions de $
transports	routes 73 577 km, voies ferrées 4 764 km
taux d'analphabétisme	53,9 %

◆ Armée.

budget militaire *(1996)*	3 % du PIB
forces armées *(1997)*	89 000 hommes

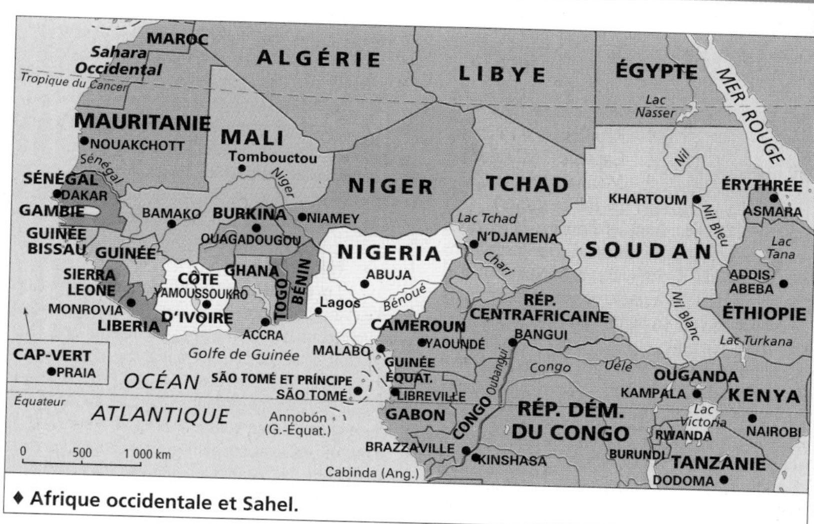

◆ Afrique occidentale et Sahel.

◆ Soudan.

HISTOIRE

La Nubie. La région est appelée pays de Koush par l'Égypte ancienne, qui en a conquis le Nord ou Nubie, au début du IIe millénaire av. J.-C. La XXVe dynastie pharaonique est originaire de l'actuel Soudan. Méroé, capitale de la Nubie depuis le VIe s. av. J.-C. env., est détruite v. 350 apr. J.-C. par les Éthiopiens. Converti au christianisme, le pays paie tribut aux Arabes établis en Égypte depuis le milieu du VIIe s.

Les sultanats. Les Arabes s'installent au Soudan à partir du XIVe s. en deux vagues distinctes d'immigrants. Le premier sultanat soudanais des Fung (XVIe-XIXe s.) naît d'une alliance entre les Arabes et un peuple noir islamisé aux origines obscures. Sennar en devient la capitale. Il décline, alors que se constitue, à partir de 1640, un nouvel État musulman, le Darfour. Méhémet-Ali conquiert le Soudan à partir de l'Égypte (prise de Sennar, 1821). Une nouvelle capitale est fondée à Khartoum. Si l'économie se développe, la traite des esclaves sévit de plus en plus. Les Britanniques, maîtres de l'Égypte depuis 1881, interviennent pour réprimer des révoltes.

L'insurrection mahdiste. Muhammad Ahmad ibn Abd Allah, originaire du Dongola, se proclame *mahdi* en 1881. Il déclare le *djihad* (guerre sainte). Ses guerriers, les derviches, remportent sur les Égyptiens une première victoire (août 1881) qui les auréole d'un prestige miraculeux. En 1885, ils prennent Khartoum et créent un État islamiste indépendant. Le mahdi meurt quelques mois plus tard, mais la guerre se poursuit.

Le condominium anglo-égyptien. Lord Kitchener rétablit le pouvoir anglo-égyptien en 1898 sous forme d'un condominium, dirigé en fait par les Britanniques jusqu'en 1956. L'opposition reste totale entre le Nord, désertique, peuplé d'Arabes musulmans, et le Sud, marécageux, peuplé de chrétiens et d'animistes. De 1924 à 1936, les Égyptiens se retirent sous la pression des Britanniques et ils admettent dès lors le principe du séparatisme soudanais.

L'indépendance. La République indépendante du Soudan est proclamée en 1956. La révolte séparatiste du Sud ouvre une période d'instabilité politique au terme de laquelle le général Nimayri prend le pouvoir (1969). Au sud s'organise en 1983 l'Armée populaire de libération du Soudan (APLS). Après plusieurs tentatives de coup d'État, le putsch d'avril 1985 évince le président Nimayri. En 1986, le pouvoir est remis aux civils Ahmad Ali al-Mirghani et Sadiq al-Mahdi. S'orientant vers le non-alignement, le pays, très endetté, connaît une grave famine, amplifiée par l'afflux des réfugiés éthiopiens et tchadiens, et aggravée par la rébellion du Sud, opposé à l'application de la *charia* (loi canonique islamique).

En juin 1989, un coup d'État porte au pouvoir une junte militaire d'inspiration islamiste contre laquelle se mobilise l'APLS. Les populations sont les premières victimes de cette guerre civile, les belligérants n'hésitant pas à utiliser l'arme alimentaire, provoquant des famines régulières.

En août 1998, le Soudan, tenu pour un soutien du terrorisme islamiste, subit des bombardements américains en riposte à des attentats qui ont visé les ambassades des États-Unis au Kenya et en Tanzanie.

VOIR AUSSI
Illustrations
• **Réfugiés soudanais** p. 702

Afrique occidentale et Sahel

Tchad • Niger • Burkina

Tchad

Nom officiel : République du Tchad. **Capitale** : N'Djamena. **Monnaie** : franc CFA (= 100 centimes). **Langue officielle** : français. **Principales religions** : islam, cultes animistes, christianisme. **Institutions** : République. La Conférence nationale réunie de janvier à avril 1993 a mis en place des institutions de transition vers un régime pluraliste. Le processus s'est terminé en 1997 par l'élection de la première Assemblée nationale. **Président de la République** : Idriss Déby (au pouvoir depuis 1990). **Premier ministre** : Nassour Guelendouksia Ouaido (depuis 1997). **Drapeau** : les couleurs adoptées en 1959 sont disposées selon le modèle tricolore français ; le bleu représente le ciel et la région sud du pays ; le jaune, le Soleil et la région nord ; le rouge, le progrès et l'unité. **Hymne national**, dit « la Tchadienne » : « Peuple tchadien, debout et à l'ouvrage ! / Tu as conquis ta terre et ton droit ! / Ta liberté naîtra de ton courage ! / Lève les yeux : l'avenir est à toi ! » Paroles de Louis Gidrol, musique de Paul Villard. Déclaré officiel en 1960. **Fête nationale** : 11 août (jour anniversaire de l'indépendance).

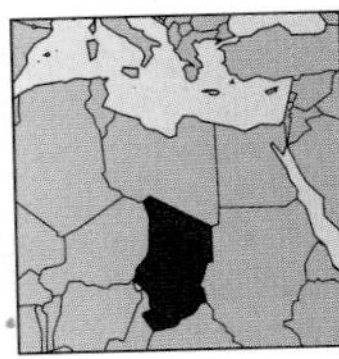

Superficie : 1 284 000 km². **Point culminant** : 3 415 m à l'Emi Koussi.

GÉOGRAPHIE

Très vaste, le Tchad comprend un Nord désertique et montagneux (Tibesti), où l'élevage constitue la principale activité (ovins, bovins et caprins) et un Sud plus arrosé, où vit la majeure partie de la population. Celle-ci se concentre dans les vallées du Chari et du Logone, où se pratiquent diverses cultures (mil, arachide, coton).

Encore récemment en proie à la guerre civile, le Tchad ne peut aujourd'hui subsister sans l'aide internationale, surtout française. Sa population, en majorité musulmane, connaît un taux de mortalité infantile supérieur à 100 ‰ et demeure très pauvre.

◆ **Démographie.**

population	7 400 000 hab.
densité	5,7 hab./km²
accroissement naturel	25,3 ‰
taux de natalité	41,6 ‰
taux de mortalité infantile	115 ‰
espérance de vie	50 ans
part des moins de 15 ans	43,5 % de la pop. totale
part des plus de 65 ans	3,6 % de la pop. totale
population urbaine	23 %
principales villes	N'Djamena, Moundou, Abêché, Sarh

◆ **Principales ressources et productions** (1997).

dromadaires	600 000 têtes (8ᵉ rang)

◆ **Économie et niveau de vie** (1996).

PNB	1,133 milliard de $
PNB/hab.	880 $
taux de croissance *(1992)*	0,3 %
taux d'inflation	12,4 %
taux de chômage	n.d.
dette extérieure	997 millions de $
importations	212 millions de $
exportations	136 millions de $
transports	routes 32 000 km,
taux d'analphabétisme	51,9 %

◆ **Armée.**

budget militaire *(1996)*	3,7 % du PIB
forces armées *(1997)*	30 350 hommes

HISTOIRE

Les origines. Des populations de chasseurs et d'éleveurs, qui ont laissé des gravures rupestres, vivent dans la région à l'époque néolithique. Elles en sont chassées au VIIᵉ millénaire par l'assèchement du climat. Fondé au IXᵉ s. apr. J.-C., le royaume de Kanem, qui s'islamise, connaît au XVIᵉ s. son apogée, avec pour centre le Bornou. Vers 1740, le royaume esclavagiste du Baguirmi devient le vassal du Bornou. Les Arabes, de plus en plus nombreux, s'implantent dans le pays.

Au XIXᵉ s., le lac Tchad est le point de convergence de nombreux explorateurs européens. Les ambitions des pays occidentaux se heurtent à celles des négriers arabes, notamment de Rabah, et l'emportent finalement.

La colonisation française. Entre 1895 et 1900, les colonnes françaises Foureau-Lamy et Gentil éliminent les dernières résistances. Le Territoire militaire du Tchad est intégré à l'Oubangui-Chari puis à l'Afrique-Équatoriale française (A-ÉF). Il devient colonie en 1920. Le Nord reste fidèle à l'islam, tandis que le Sud se développe (culture du coton) et est christianisé. En 1940, le Tchad est la première colonie à se rallier sous l'égide de son gouverneur noir, Félix Éboué, à la France libre. Il devient un État autonome au sein de la Communauté en 1958.

L'indépendance. L'indépendance est proclamée en 1960 et Félix Tombalbaye devient président de la République en 1962. La révolte éclate dans le Nord en 1967. La plupart des insurgés se groupent dans le Frolinat, créé au Soudan au moment du coup d'État de Kadhafi en Libye (1969). F. Tombalbaye, renversé par un coup d'État militaire en 1975, est remplacé par le général Malloum. Mais la rébellion reprend en 1977 et le cessez-le-feu d'avr. 1978 est tout de suite dénoncé par le Frolinat et Goukouni Oueddeï, dont les forces progressent vers N'Djamena.

Les rivalités au sein du Frolinat ont permis un accord (août 1978) avec le chef du mouvement rebelle Hissène Habré, qui devient Premier ministre. Malloum démissionne et s'exile en 1979. Mais la tentative d'union nationale menée par Goukouni Oueddeï et Hissène Habré se solde par un échec et par le rapprochement d'Oueddeï et du colonel Kadhafi (janv. 1981).

Après mai 1981, la France se rapproche d'Oueddeï alors que Hissène Habré reprend l'offensive et devient président de la République (oct. 1982). L'année suivante, la Libye intervient de nouveau militairement en faveur d'Oueddeï. L'armée française s'interpose alors jusqu'en oct. 1984. La situation politique reste bloquée. La France doit encore intervenir en févr. 1986. En nov., Oueddeï rompt son alliance avec la Libye et une partie de l'opposition tchadienne se rallie à Hissène Habré. Les troupes de ce dernier remportent d'importantes victoires sur les Libyens.

Un cessez-le-feu est conclu en septembre 1987 et le litige frontalier concernant la bande d'Aozou, annexée par la Libye depuis 1973, est porté devant la Cour internationale de justice, qui tranche, en 1994, en faveur du Tchad. En 1989, la nouvelle Constitution maintient le système du parti unique et Hissène Habré est élu à la présidence, mais son régime s'effondre, en 1990, devant l'avancée des troupes rebelles d'Idriss Déby, qui prend le pouvoir. En 1993, une conférence nationale, chargée de la mise en place d'institutions démocratiques, est réunie, mais l'élection présidentielle, que remporte Idriss Déby, n'a lieu qu'en 1996. Cependant, les troubles persistent et l'unité du pays paraît toujours menacée.

Sans renoncer aux liens avec la France, le président Déby n'en poursuit pas moins la régularisation de ses relations avec les autres pays africains et s'est ainsi rapproché de la Libye et du Maroc.

VOIR AUSSI
• **L'eau dans les déserts** p. 53
• **La sécheresse** p. 76

Niger

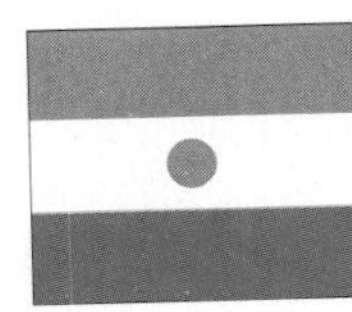

Nom officiel : République du Niger. **Capitale** : Niamey. **Monnaie** : franc CFA (= 100 centimes). **Langue officielle** : français. **Principale religion** : islam. **Institutions** : République. Constitution de 1992. Président de la République et Assemblée nationale élus pour 5 ans au suffrage universel. Parlement monocaméral. Multipartisme depuis 1991. **Président de la République** : Ibrahim Baré Maïnassara (depuis 1996). **Premier ministre** : Ibrahim Hassane Mayaki (depuis 1997). **Drapeau** : les couleurs orange-blanc-vert choisies en 1959 représentent, la première, la savane ; la deuxième, la pureté ; la troisième, la végétation dans la vallée du Niger. Le disque du centre schématise le Soleil. **Hymne national** : « Debout, Niger, debout ! Que notre œuvre féconde / Rajeunisse le cœur de ce vieux continent / Et que ce chant s'entende aux quatre coins du monde / Comme le cri d'un peuple équitable et vaillant. Debout, Niger, debout ! » Paroles de Maurice Thiriet (1906-1969), musique de Robert Jacquet (1896-1976) et Nick Frionnet. Déclaré officiel en 1961. **Fête nationale** : 3 août (anniversaire de la proclamation de l'indépendance en 1960).

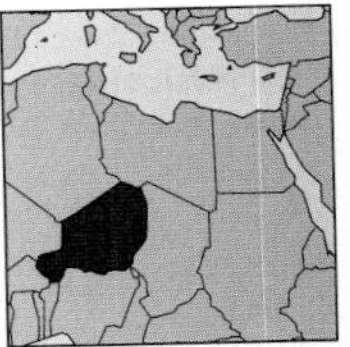

Superficie : 1 267 000 km². **Point culminant** : 2 020 m au Bagzane.

GÉOGRAPHIE

Principalement désertique, le Niger vit d'une agriculture peu productive (élevage ovin, cultures de subsistance) et de l'extraction de l'uranium. Sa population, concentrée pour l'essentiel dans la vallée du Niger, est composée de populations sédentaires (Haoussas et Songhaïs) dans le Sud et nomades (Touareg et Peuls) dans le Nord, entre lesquelles les tensions sont fréquentes. Principalement musulmane, elle connaît un taux de mortalité infantile supérieur à 100 ‰ et demeure très pauvre.

HISTOIRE

La préhistoire et l'Antiquité. Le Ténéré a livré le plus vieux squelette noir de l'Afrique occidentale (paléolithique supérieur). Au Vᵉ millénaire, des Noirs, ancêtres des Songhaïs, des Kanouris et des Haoussas, se replient, à la suite de la désertification, vers le Sud où ils trouvent des pasteurs d'origine nilotique, pendant que les Berbères remontent vers le Nord. Des conflits incessants opposent au nord les nomades touareg et les sédentaires noirs.

L'époque des grands empires. Trois foyers de civilisation se développent pendant la période médiévale européenne : le premier royaume songhaï (autour de Koukia), celui de Kanem vers 800 et les royaumes haoussas à la limite du Niger et du Nigeria actuels, au Xᵉ s. À l'ouest, Sonni Ali Ber fonde au XVᵉ s. l'Empire songhaï, qui connaît son apogée sous son successeur Mohammed Askia. Il contrôle alors les routes transsahariennes par lesquelles transitent l'or et le sel. Cet empire est anéanti par l'attaque marocaine de 1591. Les États haoussas se développent aux XVIIᵉ et XVIIIᵉ s. Le pays passe sous le contrôle des Peuls lors de la guerre sainte menée par Ousmane dan Fodio, au début du XIXᵉ s.

La colonisation française. La progression militaire française commence à l'extrême fin de ce siècle (colonne Voulet-Chanoine, 1899-1900). Les Touareg resteront longtemps insoumis. Le Niger actuel est constitué en colonie de l'A-OF en 1922. En 1958, il devient République autonome au sein de la Communauté.

L'indépendance. Le Niger accède à l'indépendance en 1960. Son président, Hamani Diori, est renversé en 1974 par un coup d'État qui porte au pouvoir le colonel Seyni Kountché. À sa mort, en 1987, le colonel Ali Seibou lui succède. Sous la pression populaire, il accepte la tenue d'une conférence nationale (1991), le multipartisme et une nouvelle Constitution (1992). L'élection présidentielle de 1993 est remportée par Mahamane Ousmane, mais ne met pas fin à l'instabilité politique aggravée par la rébellion touareg et les difficultés économiques du pays. Les élections législatives de février 1995 donnent la victoire à l'opposition, qui constitue un gouvernement. Un accord de paix est signé avec les rebelles touareg en avril 1995, mais en 1996 un coup d'État porte au pouvoir le général Ibrahim Baré Maïnassara, qui se fait élire à la présidence en juillet 1997 au cours d'un scrutin contesté. La crise économique et sociale que connaît le pays entretient l'agitation menée par l'opposition, malgré une répression sévère.

◆ Démographie.

population	10 100 000 hab.
densité	7,9 hab./km²
accroissement naturel	33,1 ‰
taux de natalité	50,2 ‰
taux de mortalité infantile	118 ‰
espérance de vie	49 ans
part des moins de 15 ans	48,4 % de la pop. totale
part des plus de 65 ans	2,4 % de la pop. totale
population urbaine	19 %
principales villes	Niamey, Zinder, Maradi, Agadès

◆ Principales ressources et productions (1997).

millet	1 713 000 t (4ᵉ rang)
uranium	3 400 t (1ᵉʳ rang)

◆ Économie et niveau de vie (1996).

PNB	1,958 milliard de $
PNB/hab.	920 $
taux de croissance	n.d.
taux d'inflation	5,3 %
taux de chômage	n.d.
dette extérieure	1 556,9 millions de $
importations	306 millions de $
exportations	288 millions de $
transports	routes 13 808 km,
taux d'analphabétisme	86,4 %

◆ Armée.

budget militaire *(1996)*	11 % du PIB
forces armées *(1997)*	5 300 hommes

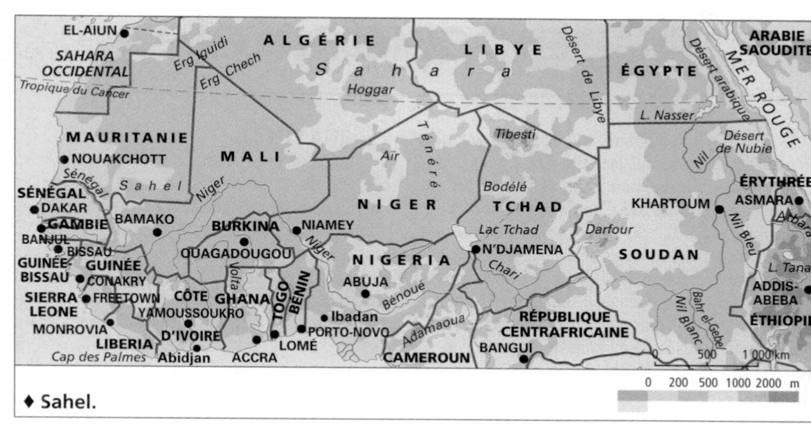

◆ Sahel.

Burkina

Nom officiel : Burkina. **Capitale** : Ouagadougou. **Monnaie** : franc CFA (= 100 centimes). **Langue officielle** : français. **Principales religions** : islam, cultes animistes. **Institutions** : République. Constitution de 1991. Président de la République élu au suffrage universel pour 7 ans. Bicaméralisme. Multipartisme. **Chef de l'État** : Blaise Compaoré (depuis 1987). **Premier ministre** : Kadré Désiré Ouedraogo (depuis 1996). **Drapeau** : adopté en 1984, il reprend les couleurs panafricaines inaugurées en Éthiopie, remodelées avec une étoile au centre qui exprimait les principes révolutionnaires du nouveau régime. **Hymne national** : « Sous la férule humiliante, il y a déjà mille ans, / Beaucoup succombèrent et certains résistèrent. / Mais les échecs, les succès, la sueur, le sang / Ont fortifié notre peuple courageux et fertilisé sa lutte héroïque. » Adopté en 1984. **Fête nationale** : 15 octobre (anniversaire de la prise de pouvoir de Blaise Compaoré).

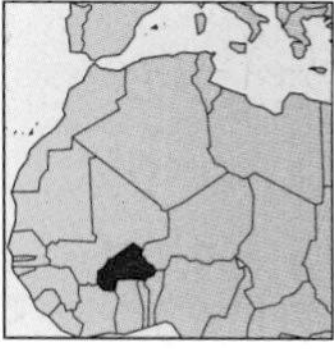

Superficie : 275 000 km². **Point culminant** : 747 m au Tenakourou.

GÉOGRAPHIE

Le Burkina est un pays pauvre du Sahel. L'élevage (ovins et caprins) et l'agriculture (sorgho, mil) composent une économie de subsistance. Un peu de coton et d'arachide. La population est majoritairement musulmane et très pauvre, avec une mortalité infantile supérieure à 97 ‰.

HISTOIRE

Les royaumes mossi et gourmantché. Le pays est occupé, dans sa partie orientale, par les Mossis et les Gourmantchés, qui fondent des royaumes guerriers. Les Mossis, aujourd'hui le groupe dominant, résistent à l'islamisation. L'Ouest est occupé plus tardivement par de nombreux peuples (Dioulas, Samos, Markas, Gas, Lobis, etc.). Au XVIIIᵉ s., les Dioulas du royaume de Kong (actuelle Côte d'Ivoire) créent le Gwiriko, autour de Bobo-Dioulasso.

La colonisation française. Les Français pénètrent pour la première fois en pays mossi en 1890. En 1896, le Gourounsi passe sous protectorat français. La France achève d'occuper le pays en 1899. Incluse dans le Haut-Sénégal-Niger (1904), la Haute-Volta est constituée en territoire en 1919. Partagée entre le Soudan, la Côte d'Ivoire et le Niger en 1932, elle est reconstituée en 1947. Le Rassemblement démocratique africain (RDA) favorise l'éveil politique voltaïque : en 1946, son candidat, Ouezzin Coulibaly, est élu député. En 1958, la Haute-Volta devient une république, membre de la Communauté.

L'indépendance. En août 1960, l'indépendance est proclamée et la présidence confiée à Maurice Yaméogo. L'armée prend le pouvoir en 1966. Le général Sangoulé Lamizana, chef de l'État, rétablit un pouvoir civil en 1977, mais il est renversé par le colonel Saye Zerbo en 1980. Le pays entre alors dans une période d'instabilité.

◆ Démographie.

population	11 300 000 hab.
densité	41 hab./km²
accroissement naturel	26,2 ‰
taux de natalité	45,9 ‰
taux de mortalité infantile	98 ‰
espérance de vie	47 ans
part des moins de 15 ans	47,4 % de la pop. totale
part des plus de 65 ans	2,6 % de la pop. totale
population urbaine	16 %
principales villes	Ouagadougou, Bodo-Dioulasso, Kandougou

◆ Principales ressources et productions (1997).

caprins	7 300 000 têtes
sorgho	1 250 000 t (9ᵉ rang)

◆ Économie et niveau de vie (1996).

PNB	2,527 milliards de $
PNB/hab.	950 $
taux de croissance	n.d.
taux d'inflation	6,2 %
taux de chômage	n.d.
dette extérieure	1 294,2 millions de $
importations	215 millions de $
exportations	344 millions de $
transports	routes 13 117 km, voies ferrées 518 km
taux d'analphabétisme	80,8 %

◆ Armée.

budget militaire *(1996)*	2 % du PIB
forces armées *(1997)*	10 000 hommes

Afrique occidentale et Sahel

Mali • Sénégal • Gambie

Deux coups d'État militaires successifs portent au pouvoir le commandant Jean-Baptiste Ouedraogo (nov. 1982) puis le capitaine Thomas Sankara (août 1983). Ce dernier, à la tête d'un Conseil national de la révolution (CNR), opère une « révolution démocratique et populaire » symbolisée par le nouveau nom donné au pays en 1984 (Burkina Faso signifie « Pays des hommes intègres »). En 1987, Thomas Sankara est tué au cours d'un coup d'État fomenté par le capitaine Blaise Compaoré, qui prend le pouvoir. Ce dernier lance à partir de 1990 un processus de démocratisation, qui aboutit, en 1991, à l'adoption d'une nouvelle Constitution et à une élection présidentielle qu'il remporte. Sa rigueur dans la gestion des affaires publiques lui vaut l'appui des bailleurs de fonds internationaux. À l'intérieur, il fait cependant preuve d'un certain autoritarisme à l'égard de son opposition. De nombreuses affaires entachent son régime, qui est également soupçonné de violences à l'égard de l'opposition et de fraude électorale lors des élections législatives de 1997.

Mali

Nom officiel : République du Mali. **Capitale** : Bamako. **Monnaie** : franc CFA (= 100 centimes). **Langue officielle** : français. **Principales religions** : islam, religion coutumières. **Institutions** : République. Constitution de 1992. Président de la République élu au suffrage universel pour 5 ans. Assemblée nationale de 129 membres élus au suffrage universel pour 4 ans. **Président de la République** : Alpha Oumar Konaré (depuis 1992). **Premier ministre** : Ibrahim Boubacar Keita (depuis 1994). **Drapeau** : les couleurs panafricaines ont été disposées suivant le modèle tricolore français en 1961. **Hymne national** : « À ton appel, Mali, / Pour ta prospérité, / Fidèles à ton destin, / Nous serons tous unis. / Un peuple, un but, une foi / Pour une Afrique unie. / Si l'ennemi découvre son front, / Au-dedans ou au-dehors, / Debout sur les remparts ! / Nous sommes résolus à mourir. » Paroles de M'pe Bengaly (né en 1928), musique de B. Sissoko ou M. Gambetta. Déclaré officiel en 1959. **Fête nationale** : 22 septembre (anniversaire de l'indépendance).

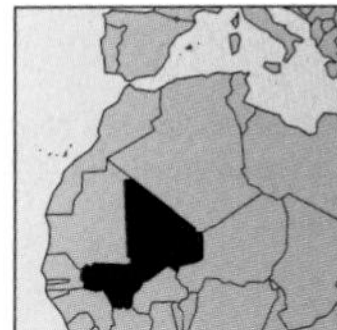

Superficie : 1 240 000 km². **Point culminant** : 1 155 m au mont Hombori.

GÉOGRAPHIE

Le Mali se compose d'un Nord désertique, qui appartient au Sahara et où l'on pratique principalement l'élevage nomade (bovins, ovins et caprins), et d'un Sud propre à la culture sédentaire (sorgho, riz, arachide, mil). Des tensions entre populations nomades et sédentaires résultent de cette division du pays et de l'avancée progressive du désert. La population, en croissance rapide, est presque entièrement musulmane. La mortalité infantile est supérieure à 120 ‰ et l'espérance de vie inférieure à 50 ans, ce qui témoigne d'un niveau de développement particulièrement faible.

HISTOIRE

L'empire du Ghana. Lieu de rencontre des peuples du nord de l'Afrique et de ceux de l'Afrique noire, le Mali est le berceau des grands empires médiévaux qui prospèrent dans le bassin du Niger. L'empire du Ghana se développe au VIIe s. à la limite du Sahel. Sa capitale est un centre commercial fréquenté par des commerçants nord-africains qui diffusent l'islam avant que celui-ci ne soit imposé au Ghana par les conquérants almoravides (1076-1077). Puis son territoire est annexé en 1235-1240 à l'empire du Mali par Soundiata Keita.

L'empire du Mali. C'est un empire mandingue, dont le noyau initial semble avoir été la région de Bamako, dans la vallée du Niger : le Mandé. Ses origines remontent aux Xe-XIe s. Il devient un vaste empire au temps de Soundiata Keita (1230-1255). À son apogée, sous Mansa Moussa (v. 1312-1337), il s'étend de Dakar à Gao et du Sahel aux abords de la forêt, sans toutefois comprendre le bassin des Volta. Sa puissance repose sur le contrôle des mines d'or et du commerce transsaharien. Cet empire se réduira au XVIIe s. à son noyau originel.

L'empire de Gao et le royaume de Ségou. Les Songhaïs, qui étaient soumis au Mali, s'émancipent peu à peu et leur chef Sonni Ali (1464-1492) jette les bases de l'empire de Gao. Il s'empare de Tombouctou et de Djenné, importants carrefours commerciaux. Son successeur, Askia Mohammed (1492-1528), porte les limites du Mali à l'Aïr. L'invasion marocaine entraîne la chute de l'empire (1591). Les Marocains s'effacent à leur tour devant les Touareg, qui s'installent à Tombouctou en 1737. Au XVIIe s. s'affirme la puissance des Bambaras de Ségou, dont le royaume décline au XIXe s.

Les États musulmans du XIXe s. Au début du XIXe s., Cheikhou Amadou (1818-1844) crée l'empire peul du Macina, qui tombe sous les coups d'El Hadj Omar, fondateur de l'empire toucouleur, en 1862. Enfin, les confins guinéo-maliens sont, dès 1874, le point de départ d'un nouvel État sous l'impulsion du dioula Samory Touré, qui s'installe à Dabakala en Côte d'Ivoire. Les Français le font prisonnier en 1898.

La colonisation française. L'intervention militaire française depuis la vallée du Sénégal avait commencé avec la construction du fort de Médine (1857). L'occupation, dirigée par le colonel Archinard, est presque totale en 1893. Les territoires conquis forment la colonie du Haut-Sénégal-Niger (1904), puis celle du Soudan français (1920) et relèveront jusqu'en 1959 de l'A-OF (Afrique-Occidentale française).

L'indépendance. La République soudanaise, proclamée en 1958, est d'abord associée au Sénégal, ainsi que durant quelques semaines au Dahomey et à la Haute-Volta, dans la Fédération du Mali. Celle-ci accède à l'indépendance en juin 1960 et le Sénégal s'en retire en août. L'ex-Soudan français devient alors la République du Mali. Son président, Modibo Keita (1960-1968), adopte l'option socialiste, sans rompre toutefois avec l'Occident. Moussa Traoré prend le pouvoir lors du coup d'État de 1968. Le parti unique, l'Union démocratique du peuple malien, s'est officiellement constitué en 1979. Le pays, sans grandes ressources, connaît des difficultés économiques persistantes. Un conflit frontalier l'oppose depuis 1974 au Burkina (combats en 1985). Lors des émeutes de mars 1991, l'armée renverse le général Traoré (qui est condamné à mort en 1993) et prend le pouvoir. Après une courte période de transition, de nouvelles institutions sont mises en place (Constitution de 1992 instaurant le multipartisme). Après les élections législatives remportées par l'Alliance pour la démocratie au Mali, Alpha Oumar Konaré est élu président de la République et parvient en 1996 à conclure la paix avec la rébellion touareg. Il est réélu en 1997 au cours d'un scrutin boycotté par l'opposition et marqué par de nombreuses manifestations. Le Mali reste néanmoins un des pays les plus démocratiques d'Afrique. Le président Konaré s'est également distingué par un réel activisme international, multipliant les médiations dans les conflits africains et les voyages.

◆ **Démographie.**

population	10 100 000 hab.
densité	8,1 hab./km²
accroissement naturel	30,3 ‰
taux de natalité	47,4 ‰
taux de mortalité infantile	120 ‰
espérance de vie	48 ans
part des moins de 15 ans	47,4 % de la pop. totale
part des plus de 65 ans	2,5 % de la pop. totale
population urbaine	27 %
principales villes	Bamako, Ségou, Mopti

◆ **Principales ressources et productions** (1997).

millet	739 000 t (6e rang)

◆ **Économie et niveau de vie** (1996).

PNB	2,597 milliards de $
PNB/hab.	710 $
taux de croissance *(1992)*	4 %
taux d'inflation *(1996)*	6,8 %
taux de chômage	n.d.
dette extérieure	3 019,5 millions de $
importations	551 millions de $
exportations	433 millions de $
transports	routes 14 040 km, voies ferrées 642 km
taux d'analphabétisme	69 %

◆ **Armée.**

budget militaire *(1996)*	2 % du PIB
forces armées *(1997)*	7 350 hommes

VOIR AUSSI

Illustrations
• **Danse des Dogons** p. 537
• **Mali** p. 713 (carte)

Sénégal

Nom officiel : République du Sénégal. **Capitale** : Dakar. **Monnaie** : franc CFA (= 100 centimes). **Langue officielle** : français. **Principale religion** : islam. **Institutions** : République. Constitution de 1963. Assemblée nationale, élue pour 5 ans au suffrage universel. Président de la République élu également au suffrage universel pour 5 ans. Multipartisme intégral depuis 1981. **Chef de l'État** : Abdou Diouf (depuis 1981). **Premier ministre** : Mamadou Lamine Loum (depuis 1998). **Drapeau** : les couleurs choisies en 1960 reprennent les couleurs panafricaines disposées selon le modèle tricolore français, y ajoutant l'étoile à 5 branches de la liberté et du progrès. **Hymne national** : « Pincez tous vos koras, frappez les balafons, / Le lion rouge a rugi, le dompteur de la brousse / D'un bond s'est élancé, dissipant les ténèbres, / Soleil sur nos terreurs, soleil sur notre espoir. / Debout, frères ! Voici l'Afrique rassemblée. » Paroles de Léopold Sédar Senghor (né en 1906), musique d'Herbert Peppert (né en 1912). Déclaré officiel en 1960. **Fête nationale** : 4 avril (anniversaire du transfert des compétences entre la République française et la Fédération du Mali en 1959 [Fédération qui sera dissoute en janvier 1960]).

Superficie : 197 000 km². **Point culminant** : 581 m, sur les contreforts du Fouta-Djalon à la frontière de la Guinée.

GÉOGRAPHIE

La majeure partie du Sénégal appartient au Sahel et connaît un climat tropical et sec. L'activité économique du pays est principalement agricole (arachide, mil, riz, élevage), et des tensions naissent de l'opposition entre cultures pratiquées par des populations sédentaires et élevage nomade. La pêche est assez active. Du phosphate est extrait du sous-sol. La population, majoritairement musulmane, connaît un accroissement naturel relativement élevé, que ne suffit pas à occuper une industrialisation encore embryonnaire.

HISTOIRE

Les origines. Les mégalithes témoignent d'anciens peuplements dans la région du Sine-Saloum. L'empire du Ghana, le royaume de Tekrour et l'empire du Mali ont atteint le territoire du Sénégal actuel. Les populations de la région sont très métissées. Elles ont acquis une certaine unité après l'apparition du royaume dyolof (XIVe s.).

Le royaume dyolof. Regroupant tous les États du groupe ouolof, il aurait été fondé par Ndiadiane Ndiaye, probablement au début du XIVe s. On peut dater de la fin du XVe s. l'épopée de Koli Tenguela, d'origine peule et mandingue, qui, venant probablement du Macina, s'installe par la force dans la vallée du Sénégal. Il s'empare du Fouta-Toro, puis d'une partie du royaume dyolof. Ce dernier a une structure sociale en pyramide à large base d'esclaves, dominée par les nobles et le roi *(bour)*. Il se scinde au milieu du XVIe s. en 4 royaumes : Dyolof, Oualo (ou Walo), Cayor et Baol. Les Sérères, venus de la vallée du Sénégal, continuent de descendre vers le Sud-Ouest pour échapper à la domination des Ouolofs. L'islam fait des progrès décisifs à la fin du XVIIIe s. grâce à l'activité des confréries (la Qadiriyya, notamment).

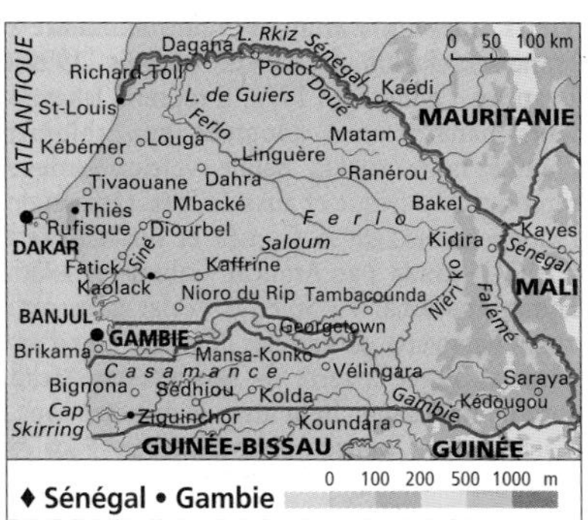

♦ Sénégal • Gambie

◆ **Démographie.**

population	9 000 000 hab.
densité	45,6 hab./km²
accroissement naturel	26,6 ‰
taux de natalité	41,1 ‰
taux de mortalité infantile	60 ‰
espérance de vie	51 ans
part des moins de 15 ans	44,5 % de la pop. totale
part des plus de 65 ans	2,9 % de la pop. totale
population urbaine	44 %
principales villes	Dakar, Thiès, Kaolack

◆ **Principales ressources et productions** (1997).

arachide	680 000 t (7e rang)
ovins	4 800 000 têtes

◆ **Économie et niveau de vie** (1996).

PNB	5, 025 milliards de $
PNB/hab.	1 650 $
taux de croissance *(1992)*	2,9 %
taux d'inflation	2,8 %
taux de chômage	n.d.
dette extérieure	36 627 millions de $
importations	1 243 millions de $
exportations	993 millions de $
transports	routes 14 280 km, voies ferrées 904 km
taux d'analphabétisme	66,9 %

◆ **Armée.**

budget militaire *(1996)*	1,4 % du PIB
forces armées *(1997)*	13 400 hommes

La pénétration européenne. Les Portugais s'installent au milieu du XVe s. en Gambie et en Casamance. Les Hollandais construisent deux forts à Gorée, tandis que les Français et les Britanniques fréquentent l'embouchure du fleuve Sénégal. En 1659 y est fondé Saint-Louis, établissement français destiné au commerce. La concurrence britannique ne se relâche qu'en 1815-1816.

La colonisation française. Préconisée par Bouet-Willaumez (gouverneur de 1842 à 1844), l'expansion territoriale française est l'œuvre du général Faidherbe (1854-1865). Il entreprend la conquête de l'arrière-pays, se heurtant aux grands chefs maures de la révolution islamique de l'Afrique noire, El-Hadj Omar à Médine (1857) et Lat-Dior (1886) au Cayor. Dakar est fondée en 1857. Le Sénégal est constitué dans ses frontières actuelles peu après 1890. La Casamance n'est pacifiée qu'au début du XXe s. En 1895 est institué un gouvernement général de l'A-OF, dont le siège est fixé à Dakar. La destruction ou l'affaiblissement des structures anciennes s'accompagne du développement des confréries musulmanes (celle des Mourides et la Tidjaniya). Le Sénégal occupe une place privilégiée au sein de l'Empire colonial français. En 1945, Léopold Sédar Senghor et Amadou Lamine Gueye (1891-1968) sont élus à l'Assemblée de l'Union française.

L'indépendance. République au sein de la Communauté depuis 1958, le Sénégal accède à l'indépendance en 1960 sous la présidence de Senghor. Son parti, l'Union progressiste sénégalaise (UPS), domine la vie politique du pays. Après l'échec de la tentative de coup d'État de Mamadou Dia (fin 1962), le régime devient en 1963 présidentiel et à parti unique. Le multipartisme est progressivement instauré à partir de 1976. En plus de l'UPS, devenue le Parti socialiste (PS), le Parti démocratique sénégalais (PDS), dirigé par Abdoulaye Wade, est institutionnalisé. Le pays a changé de président le 1er janv. 1981, à la suite de la démission de Léopold Sédar Senghor au profit d'Abdou Diouf, secrétaire général du Parti socialiste. Pays modéré, le Sénégal entretient de bonnes relations avec l'Occident. Il forme en 1982, avec la Gambie, la Confédération de Sénégambie, suspendue en 1989. Cette même année éclatent de graves incidents interethniques qui entraînent la rupture des relations avec la Mauritanie. Cette situation se dénoue en 1992, mais le séparatisme casamançais constitue bientôt une nouvelle source de difficultés pour le président Diouf, réélu en 1993. En juin 1998, l'armée sénégalaise intervient en Guinée-Bissau afin de faire échouer un putsch orchestré par des militaires favorables aux rebelles casamançais.

Sur le plan économique, le Sénégal a renoué avec la croissance après les difficultés consécutives à la dévaluation du franc CFA en janvier 1994, qui avait provoqué de violentes émeutes à Dakar. Mais la majorité de la population tarde à percevoir les bénéfices de ces meilleures performances.

Longtemps un modèle de stabilité, le Sénégal semble désormais empêtré dans ce conflit autour de la région du Sud, la Casamance, où la rebellion sécessionniste entamée en 1982 est devenue chronique.

Gambie The Gambia

Nom officiel : République de Gambie. **Capitale** : Banjul. **Monnaie** : dalasi (= 100 butut). **Langue officielle** : anglais. **Principale religion** : islam. **Institutions** : République. Constitution de 1970 modifiée en 1982, suspendue depuis le coup d'État de juillet 1994, puis rétablie. Président de la République (également chef de l'exécutif) élu pour 5 ans au suffrage universel. Parlement monocaméral. **Chef de l'État et du gouvernement** : Yaya Jammeh (depuis 1994). **Drapeau** : il a été adopté en 1965 ; le rouge représente le Soleil ; le blanc, la paix ; le bleu, la rivière ; le vert, l'agriculture. **Hymne national** : « Pour la Gambie, notre patrie, nous peinons, nous œuvrons et nous prions, afin que tous, chaque jour, vivent dans l'union, la liberté et la paix. Que la justice guide notre recherche du bien commun, qu'elle unisse nos divers peuples pour attester la fraternité humaine. » Paroles de Virginia Julia Howe (née en 1927), musique de Jeremy Frederic Howe (né en 1929). Déclaré officiel en 1965. **Fête nationale** : 18 février (anniversaire de l'indépendance).

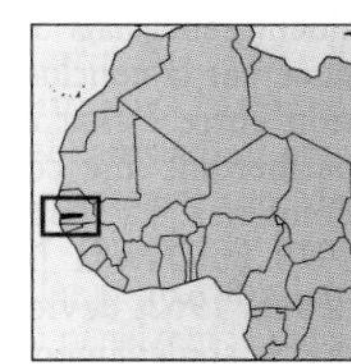

Superficie : 11 300 km².

GÉOGRAPHIE

Pays entouré par l'Atlantique d'un côté, le Sénégal de l'autre, la Gambie s'étend de part et d'autre du fleuve du même nom. L'économie est exclusivement agricole. Malgré la faible autonomie de ce petit pays enclavé, la tentative de fusion avec le Sénégal, mise en œuvre en 1982 sous le nom de Sénégambie, a pris fin en 1989 à la suite de tensions entre les deux États.

HISTOIRE

Les origines. Vassale de l'empire du Mali (du XIIIe s. au début du XVIIe s.), l'actuelle Gambie est alors composée de

Afrique occidentale et Sahel

années 1953-1958. La lutte pour la décolonisation est engagée par le syndicaliste Sékou Touré, qui devient en 1952 secrétaire général du Parti démocrate de Guinée (PDG), affilié au Rassemblement démocratique africain.

L'indépendance et la révolution. La Guinée est en 1958 le seul pays de l'Afrique francophone à choisir l'indépendance immédiate. Le PDG devient le parti unique. La France suspend alors son aide financière et technique et Sékou Touré, président de la République et chef du gouvernement (1958-1984), obtient d'abord l'aide de l'URSS puis, à partir de 1961, celle de la Chine et des États-Unis. Le XIe congrès du PDG proclame la « République populaire et révolutionnaire ». Sékou Touré radicalise encore le régime, remplaçant le français par les langues autochtones, interdisant le commerce avec les étrangers et déjouant de nombreux complots réels ou supposés. Il normalise cependant les relations de la Guinée avec la France en 1975 et celles avec le Sénégal et la Côte d'Ivoire en 1978. Il se livre à une sévère répression, notamment fin 1980-début 1981, après le débarquement à Conakry de Guinéens hostiles au régime, aidés par les Portugais.

La reconstruction. Après la mort de Sékou Touré (1984), l'armée institue un Comité militaire de redressement national dirigé par le colonel Lansana Conté. Le nouveau régime choisit, pour remédier aux graves problèmes économiques du pays, l'option libérale, sous l'égide du FMI et de la Banque mondiale. Dans un climat tendu, Lansana Conté est élu président de la République en décembre 1993. Des élections législatives, plusieurs fois repoussées, se déroulent en juin 1995, mais n'apportent pas la stabilité politique, ce dont témoignent la mutinerie et la tentative de putsch qui ont lieu en 1996. En 1998, l'élection présidentielle, contestée par l'opposition qui a dû subir l'autoritarisme du pouvoir, confirme Lansana Conté à son poste. Par ailleurs, le pays est aussi indirectement touché par les conflits qui frappent ses principaux voisins (Sierra Leone et Liberia).

Sierra Leone

Nom officiel : République de Sierra Leone. **Capitale** : Freetown. **Monnaie** : leone (= 100 cents). **Langue officielle** : anglais. **Principales religions** : islam, cultes animistes. **Institutions** : République. Constitution de 1991 (introduisant le multipartisme). Président de la République élu au suffrage universel pour 5 ans. Parlement monocaméral. Depuis le coup d'État d'avril 1992, la Constitution est suspendue. **Chef de l'État** : Ahmad Tejan Kabbah (depuis 1996). **Drapeau** : Les couleurs choisies en 1961 représentent : le vert, les richesses de la nature ; le blanc, l'unité et la justice ; le bleu, la mer et l'espoir. **Hymne national** : « Nous te glorifions, royaume d'hommes libres, grand est l'amour que nous te portons. Soyons à jamais fermement unis, pour chanter ta louange, ô terre natale ! » Paroles de Clifford Nelson Fyle (né en 1933), musique de John Joseph Akar (1927-1975). Déclaré officiel en 1961. **Fête nationale** : 27 avril (anniversaire de l'indépendance).

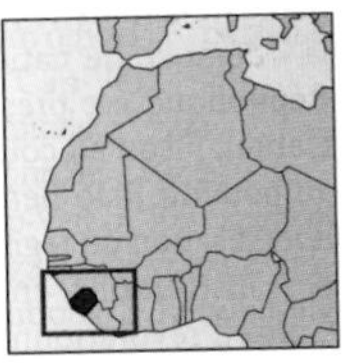

Superficie : 72 000 km². **Point culminant** : 1 948 m au Bintimane.

GÉOGRAPHIE

Ce pays au climat chaud et humide est principalement formé de plaines et de plateaux. Les industries extractives (bauxite, rutile et diamants) ont relativement peu souffert de la guerre civile, ce qui n'est pas le cas de l'agriculture, en partie destinée à l'exportation (café, cacao). La population, composée principalement de Mandingues (appelés Mendés en Sierra Leone) et de Temnés, est extrêmement pauvre, et en majorité musulmane.

HISTOIRE

Navigateurs portugais et migrations mandingues. La découverte de la péninsule de Sierra Leone, alors occupée par le royaume Sapes, par les navigateurs portugais (Pedro de Sintra, 1462), précède d'un siècle l'invasion de l'arrière-pays par des groupes guerriers mandingues (mendés). Les plus connus sont les Manés, qui s'installent vers 1545, s'assimilant aux populations autochtones : Likos, Buloms, Temnés, comme le feront un peu plus tard les Mandingues. Ils comprennent rapidement l'intérêt que présente la vente de leurs captifs de guerre aux commerçants européens. Du XVIe au XVIIIe s., le pays est un repaire de pirates et un centre du commerce des esclaves.

La domination britannique. En 1787, la société antiesclavagiste britannique Sierra Leone Company achète la zone côtière et y accueille des Noirs affranchis de Nouvelle-Angleterre et des Antilles. Les descendants des anciens esclaves rapatriés, désignés sous le nom de « créoles », et devenus le plus souvent de riches commerçants, bénéficient de l'évolution politique qui fait du territoire une colonie britannique (1808). En 1885 est signé un accord de délimitation avec le Liberia et, en 1895, un traité avec la France reconnaît la suzeraineté britannique sur l'arrière-pays. Le protectorat y est proclamé en 1896. L'administration de ces deux entités territoriales, colonie et protectorat, restera entièrement distincte pendant toute la période de la domination britannique. La Constitution de 1947 accentue la prédominance des représentants du protectorat, dont le chef, Milton Margai, conduit le pays à l'indépendance (1961).

L'indépendance. La vie politique de la Sierra Leone est ponctuée de coups d'État, ce qui entraîne l'intervention militaire de la Guinée en 1971-1973. La république est proclamée (avr. 1971) et Siaka Stevens devient président. En 1978, une nouvelle constitution instaure l'APC (All People's Congress) comme parti unique. En 1985, le général Joseph Momoh, candidat unique, succède à Siaka Stevens. Malgré une tentative de démo-cratisation en 1991 (nouvelle Constitution, multipartisme), le pays bascule dans une guerre civile meurtrière. Les coups d'État se succèdent, entraînant l'intervention d'une force ouest-africaine d'interposition ; l'ECOMOG. Cette dernière, dominée par les Nigérians, rétablit le président Kabbah au pouvoir en mars 1998. Les combats opposant les différentes factions armées et leurs soutiens étrangers se poursuivent néanmoins avec pour enjeu le contrôle des richesses minières du pays.

◆ **Démographie**

population	4 600 000 hab.
densité	63,8 hab./km²
accroissement naturel	23,4 ‰
taux de natalité	46,5 ‰
taux de mortalité infantile	174 ‰
espérance de vie	41 ans
part des moins de 15 ans	44 % de la pop. totale
part des plus de 65 ans	2,9 % de la pop. totale
population urbaine	34 %
principales villes	Freetown, Koindu, Bo

◆ **Principales ressources et productions** (1997).

riz	400 000 t
bovins	360 000 têtes

◆ **Économie et niveau de vie** (1996).

PNB	0,921 milliard de $
PNB/hab.	510 $
taux de croissance	n.d.
taux d'inflation	23,2 %
taux de chômage	n.d.
dette extérieure	1 167,1 millions de $
importations	189 millions de $
exportations	116 millions de $
transports	routes 11 674 km, voies ferrées 84 km
taux d'analphabétisme	68,6 %

◆ **Armée.**

budget militaire *(1996)*	2,5 % du PIB
forces armées *(1997)*	16 200 hommes

Liberia

Nom officiel : République du Liberia. **Capitale** : Monrovia. **Monnaie** : dollar libérien (= 100 cents). **Langue officielle** : anglais. **Principales religions** : religions coutumières, islam, christianisme. **Institutions** : République. Constitution de 1984 suspendue du fait de la guerre civile. Selon les accords de Cotonou (1993), les institutions de transition comportent un Conseil d'État (exécutif collégial formé de représentants des factions en lutte) et une assemblée législative. **Président** : Charles Taylor (depuis 1997). **Drapeau** : créé dès 1827 et officiellement adopté lors de l'indépendance en 1847, c'est le premier drapeau d'une nation indépendante en Afrique. Il s'inspire directement du drapeau des États-Unis, le *Stars and Stripes* (bannière étoilée). **Hymne national** : « Salut, Liberia, salut à toi. Salut, Liberia, salut à toi. Cette terre glorieuse de liberté sera longtemps nôtre. Bien que son nom soit nouveau, que sa renommée reste toujours jeune et ses forces puissantes. Dans la joie et l'allégresse, les cœurs à l'unisson, nous clamerons la liberté d'une race maintenue dans les ténèbres. Vive le Liberia, terre heureuse, patrie de la glorieuse liberté, de par la volonté divine. » Paroles de Daniel Bashiel Warner (1815-1880), musique d'Olmstead Luca. **Fête nationale** : 26 juillet (anniversaire de l'indépendance).

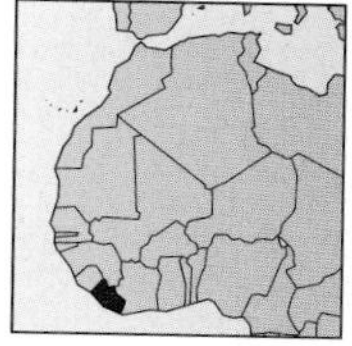

Superficie : 110 000 km². **Point culminant** : 1 752 m aux monts Nimba.

GÉOGRAPHIE

Ce pays, recouvert par une forêt dense, possède une agriculture destinée à l'exportation (hévéas, café) et quelques industries extractives (diamants, fer). L'économie a été détruite par la guerre civile, liée à la multiplicité des ethnies. Le pays doit surtout compter sur les revenus de son pavillon maritime de complaisance. La population, très pauvre, est aux trois quarts animiste. Elle comporte de nombreux descendants d'esclaves américains ainsi que des réfugiés sierra-léonais.

HISTOIRE

Les origines. La forêt libérienne est peuplée depuis les XVe-XVIIe s. par des populations de langues diverses, notamment mandingues (mendés) et kwas. Découverte au XVe s. par les Portugais, la côte de Malaguette, ou côte des Graines, est fréquentée par des commerçants britanniques, hollandais et français.

La colonisation des Noirs américains. En 1822, la Société américaine de colonisation, fondée en 1816 et représentée par Jehudi Ashmun, y installe des esclaves noirs libérés, malgré l'hostilité des autochtones. L'établissement, à l'embouchure du Mesurado, proclamé indépendant et pourvu d'une Constitution de type nord-américain (1847), est reconnu dès 1848 par presque toutes les grandes puissances (les États-Unis attendront 1862) sous le nom de Liberia. Sa capitale, Monrovia, a été fondée en l'honneur du président Monroe. Mais le Liberia ne prend sa forme actuelle qu'après la fusion avec le Maryland (1857), établissement du même type, fondé en 1833 au cap des Palmes. Ses frontières seront définitivement fixées par des accords signés avec la Grande-Bretagne (1885) et la France (1892 et 1910). En 1926, la société Firestone inaugure le régime des grandes concessions américaines en obtenant 400 000 ha pour une durée de 99 ans (plantations d'hévéas). Puis la Liberia Mining Company (1945), la Liberia Company, de E. R. Stettinius (1947), et la Liberia Products Company (1948) entreprennent à leur tour l'exploitation des ressources naturelles.

Le Liberia contemporain. Très endetté, le pays connaît de nombreuses crises financières. William Tubman, soutenu par le True Whig Party, est à la tête de l'État de 1944 à 1971. Il lance une politique d'intégration destinée à la réconciliation avec les peuples de l'intérieur. Le président Tolbert (1971-1980) poursuit cette politique. L'opposition d'inspiration marxiste, dirigée par Gabriel B. Matthews, déclenche de graves émeutes, réprimées avec l'aide de la Guinée en 1979. Le président Tolbert est tué et le sergent-chef Samuel K. Doe, à la tête d'un Conseil populaire de rédemption, prend le pouvoir. En 1984, il rétablit le multipartisme, dissout le Conseil populaire de rédemption, fait approuver une constitution par référendum (elle entrera en vigueur en 1986). En 1985, il est élu à la présidence de la République au cours d'élections à la légalité contestée. Tentatives de coups d'État et complots se succèdent, durement réprimés.

La guerre civile. En 1990, une guerre civile très meurtrière, conduite par Charles Taylor et Prince Johnson, a raison du régime et de la personne de Samuel Doe. Mais les troubles continuent, Johnson se rebellant à son tour contre Taylor et les partisans de l'ancien président Doe s'étant de leur côté organisés en mouvement armé. L'intervention de la force ouest-africaine d'interposition ECOMOG et de l'ONU finit par aboutir, en 1997, à un cessez-le-feu partiel. La plupart des combattants déposent alors les armes et Charles Taylor est élu à la présidence. Après 7 années de guerre civile, qui ont fait plus de 150 000 morts et 500 000 réfugiés, le Liberia reste un pays à la situation politique fragile.

◆ **Démographie**

population	2 800 000 hab.
densité	25,4 hab./km²
accroissement naturel	31,9 ‰
taux de natalité	47,5 ‰
taux de mortalité infantile	162 ‰
espérance de vie	58 ans
part des moins de 15 ans	42,3 % de la pop. totale
part des plus de 65 ans	3,7 % de la pop. totale
population urbaine	46 %
principale ville	Monrovia

◆ **Principales ressources et productions** (1997).

caoutchouc	25 000 t
bananes	85 000 t
canne à sucre	235 000 t
manioc	215 000 t
bovins	36 000 têtes
ovins	210 000 têtes
caprins	220 000 têtes

◆ **Économie et niveau de vie** (1996).

PNB	n.d.
PNB/hab.	n.d.
taux de croissance	n.d.
taux d'inflation *(1992)*	75 %
taux de chômage	n.d.
dette extérieure	2 106,6 millions de $
importations	5 871 millions de $
exportations	667 millions de $
transports	routes 8 064 km, voies ferrées 490 km
taux d'analphabétisme	61,7 %

◆ **Armée.**

budget militaire *(1996)*	2,9 % du PIB
forces armées *(1997)*	2 000 hommes

Côte d'Ivoire

Nom officiel : République de Côte d'Ivoire. **Capitale** : Yamoussoukro. **Monnaie** : franc CFA (= 100 centimes). **Langue officielle** : français. **Principales religions** : islam, catholicisme, cultes animistes. **Institutions** : République. Constitution de 1960 réformée en 1990. Assemblée nationale et président de la République élus au suffrage universel pour 5 ans. Multipartisme depuis 1990. **Président de la République** : Henri Konan Bédié (depuis 1993). **Premier ministre** : Daniel Kablan Duncan (depuis 1993). **Drapeau** : il a été adopté en 1959. La disposition des couleurs est inspirée par le drapeau français ; l'orange représente la savane du Nord ; le vert, la forêt du Sud ; le blanc, l'unité du Nord et du Sud. **Hymne national** : « Salut, ô terre d'espérance, / Pays de l'hospitalité ! / Tes légions remplies de vaillance / Ont relevé ta dignité… » Paroles de M. Ekra, J. Bony, P. Coty et P.M. Pango / musique de P.M. Pango et P. Coty. **Fête nationale** : 7 décembre (anniversaire de la proclamation de la République de Côte d'Ivoire).

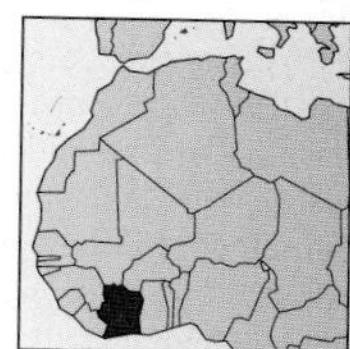

Superficie : 322 000 km². **Point culminant** : 1 752 m aux monts Nimba.

GÉOGRAPHIE

La Côte d'Ivoire se compose principalement d'un littoral bordé par des lagunes et partiellement occupé par une forêt dense, et de plateaux recouverts par la savane. Son économie demeure fondée sur une agriculture en large partie destinée à l'exportation (cacao, café, fruits). La population, dans son ensemble pauvre, se compose pour presque un tiers d'immigrés et connaît un accroissement naturel élevé. Aux trois quarts animiste, elle comporte des minorités musulmane et chrétienne.

HISTOIRE

Migrations et premiers royaumes. À partir du XVIe s., dans le nord du pays, des migrations amènent des populations mandingues islamisées au milieu des peuples établis antérieurement, comme les Sénoufos.

Sekou Ouattara, un dioula mandingue, est le fondateur au début du XVIIIe s. de l'empire de Kong, lié au développement du commerce dans le golfe de Guinée et à la diffusion des armes à feu. La puissance des dioulas s'exerce sur toute la boucle de la Volta noire, sur l'ensemble des Sénoufos jusqu'à la rive droite du Bani et la forêt en aval de la Comoé. Après sa mort vers 1740, la dislocation de l'empire est très rapide. Au XVIIe s. s'est formé à l'ouest de la Volta noire un royaume abron dont la classe dirigeante appartient au groupe akan et qui lutte, au XVIIIe s., pour échapper à la tutelle achanti. En effet, un groupe achanti, les Baoulés, crée au XVIIIe s. un royaume entre les fleuves Comoé et Bandama, refoulant les Sénoufos et les Gouros ou se mêlant à eux. En revanche, les peuples occupant les forêts du Sud-Ouest, dont les Krus, ne créeront jamais d'États. Sur le littoral exploré par les Portugais en 1471-1472, les Français créent l'établissement d'Assinie (1687-1705).

La colonisation française. Les Français prennent possession de la zone lagunaire après l'action de l'amiral Bouet-Willaumez (1842), puis le résident Marcel Treich-Laplène, parti d'Assinie, et Louis Binger, parti de Bamako, se rejoignent à Kong, dont les chefs acceptent le protectorat français (1889). En 1893 est créée la colonie de la Côte d'Ivoire, dont le capitaine Binger est le premier gouverneur. Elle est rattachée en 1895-1896 à l'Afrique-Occidentale française. La conquête de l'intérieur se heurte à la vive résistance des populations, notamment gouros et baoulés (colonne Monteil de 1894-1895, mission Braulot de 1896), tandis que le nord du pays est entraîné dans les guerres de Samory Touré. La véritable conquête militaire du pays est menée par le gouverneur Gabriel Angoulvant (1908-1915).Sous le régime colonial, l'économie ivoirienne se développe rapidement grâce à l'exploitation de la forêt et aux plantations de cacao et de café, qui connaissent un grand essor à partir de 1920-1925. Le sud du pays est christianisé. Entre les deux guerres et immédiatement après, de grands travaux sont entrepris : creusement d'un canal pour ouvrir vers la mer la lagune d'Abidjan (terminé en 1950),

Afrique occidentale et Sahel

Ghana • Togo

aménagement de ce port, construction de la voie ferrée Abidjan-Niger, qui atteint Ouagadougou en 1954.

L'indépendance. Territoire d'outre-mer en 1946, État membre de la Communauté (1958), la Côte d'Ivoire accède à l'indépendance en 1960 sous la présidence de Félix Houphouët-Boigny et demeure fidèle à la coopération avec la France. En 1961, à la suite de la conférence de Yaoundé, la Côte d'Ivoire intègre l'Organisation africaine et malgache de coopération économique (OAMCE) et l'actuelle Organisation commune africaine et mauricienne (OCAM), organismes dans lesquels Houphouët-Boigny s'efforce de regrouper les États hostiles à la tendance socialiste. Le régime du parti unique (Parti démocratique de Côte d'Ivoire, PDCI), assoupli en 1985, est aboli en 1990. À la mort de Félix Houphouët-Boigny, en déc. 1993, le président de l'Assemblée nationale, Henri Konan Bédié, devient président de la République en vertu de la Constitution, puis est élu en 1995 à l'issue d'un scrutin contesté par l'opposition. La dévaluation du franc CFA, en 1994, entraîne une transition économique difficile, puis une reprise des exportations qui confirme la relative prospérité de ce pays.

Encouragée par le FMI et aidée par ses bailleurs de fonds, l'économie ivoirienne reste cependant fragile, d'autant que les élections de l'an 2000 seront certainement disputées et tendues.

◆ Démographie.

population	15 600 000 hab.
densité	48,4 hab./km²
accroissement naturel	32,3 ‰
taux de natalité	37,2 ‰
taux de mortalité infantile	84 ‰
espérance de vie	50 ans
part des moins de 15 ans	44,7 % de la pop. totale
part des plus de 65 ans	48 % de la pop. totale
population urbaine	44 %
principales villes	Abidjan, Bouaké, Daloa, Yamoussoukro

◆ Principales ressources et productions (1997).

cacao	1 119 000 t (1er rang)
café	165 000 t (10e rang)
caoutchouc	108 000 t (9e rang)
plantain	955 000 t (9e rang)
igname	2 979 000 t (2e rang)
bovins	1 277 000 têtes

◆ Économie et niveau de vie (1996).

PNB	9,794 milliards de $
PNB/hab.	1 580 $
taux de croissance	n d
taux d'inflation	2,5 %
taux de chômage	n.d.
dette extérieure	19 713,1 millions de $
importations	2 474 millions de $
exportations	3 820 millions de $
transports	routes 53 736 km, voies ferrées 660 km
taux d'analphabétisme	59,9 %

◆ Armée.

budget militaire *(1996)*	0,8 % du PIB
forces armées *(1997)*	13 900 hommes

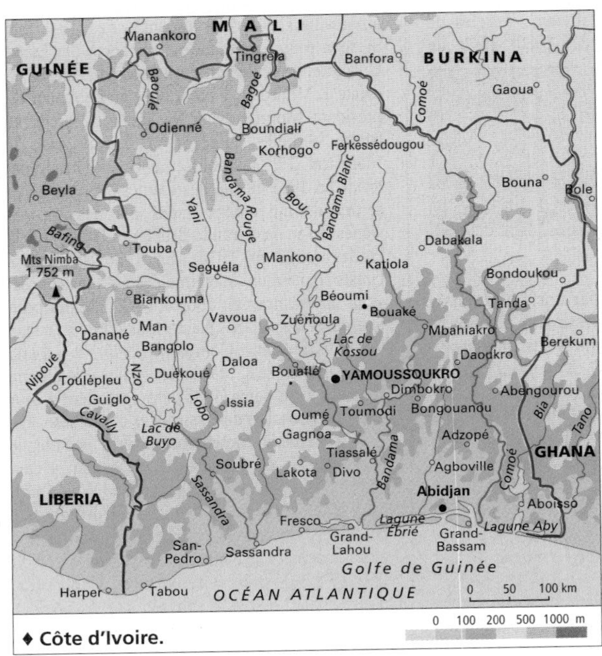

♦ Côte d'Ivoire.

Ghana

Nom officiel : République du Ghana. **Capitale :** Accra. **Monnaie :** cedi (= 100 pesewa). **Langue officielle :** anglais. **Principales religions :** religions coutumières, islam, christianisme. **Institutions :** République. Constitution de 1992. Régime présidentiel, séparation des pouvoirs. Multipartisme. **Président de la République :** Jerry Rawlings (depuis 1992; à la tête de l'État depuis 1981). **Drapeau :** créé en 1957 aux couleurs du panafricanisme, modifié en 1964, puis repris sous cette forme en 1966, il commémore par le rouge le sang versé pour la liberté; par le jaune, les richesses minières qui donnèrent au pays son ancien nom (Côte-de-l'Or) ; par le vert, la végétation. L'étoile noire est expressément désignée sous le nom de « l'étoile conduisant la liberté de l'Afrique ». **Hymne national :** « Que Dieu bénisse notre patrie, le Ghana, qu'il fasse d'elle une nation grande et forte, qui défende pour toujours et sans peur la cause de la liberté et du droit. » Musique de Philip Gheho (1904-1976). Adopté en 1957. **Fête nationale :** 6 mars (anniversaire de l'indépendance).

Superficie : 240 000 km². **Point culminant :** 885 m au mont Afadjoto.

GÉOGRAPHIE

Pays au climat tropical, le Ghana se compose d'un littoral formé d'une chaîne de grands plateaux, couverts par une forêt dense, et d'un Nord recouvert par la savane. Le cacao et les produits d'extraction (or, diamants, bauxite, manganèse) constituent l'essentiel de ses ressources. La population, principalement anglophone mais comportant une importante minorité francophone, compte un grand nombre d'ethnies et rassemble à parts comparables, des musulmans, des catholiques, des protestants et des animistes. Son niveau de vie demeure faible.

HISTOIRE

Les origines. Au Nord, dans la savane, existaient depuis la fin du XIVe s. des royaumes mossis et, au XVIe s., fut fondé le royaume de Gondja. Dans la forêt dominait le groupe akan, composé des Achantis, installés au cœur du pays, et des Fantis, établis sur la côte.

Les Européens et la Côte-de-l'Or. Les Portugais atteignent en 1471 la côte de la région, qui sera désignée sous le nom de Côte-de-l'Or ou Gold Coast. Ils créent en 1482 le comptoir de São Jorge da Mina, mais en sont expulsés par les Hollandais, attirés comme eux par les profits de la traite des esclaves (1637). Les Britanniques, à leur tour, installent des bases fortifiées, détruites par l'amiral néerlandais Ruyter, en 1664-1665. Marchands suédois, danois, brandebourgeois et français s'intéressent eux aussi à cette côte, si bien qu'en 1700 on compte 35 comptoirs fortifiés.

Les luttes entre Achantis et Fantis. Le royaume achanti, apparu à la fin du XVIIe s., se développe autour de Kumasi et étend au début du XIXe s. sa domination sur les peuples côtiers soutenus par les Britanniques. Les États fantis, qui interdisent aux Achantis l'accès à la mer, sont défaits en 1807 par ces derniers, qui accroissent leur influence politique dans le nord. Les Achantis développent alors le commerce avec la savane et facilitent la pénétration de l'islam vers le Sud. Ils infligent en 1824 un échec sanglant aux Britanniques à Isamankou (ou Nsamankow). Les hostilités s'intensifient après 1863. Sir Garnet Wolseley prend et brûle Kumasi en 1874.

La colonisation britannique. Rachetant les derniers forts danois (1850) et néerlandais (1872), les Britanniques font du pays une colonie de la Couronne (1874), dont les frontières sont fixées avec la Côte d'Ivoire française et le Togo allemand en 1889. Ils établissent leur protectorat sur les territoires du Nord (1892) et conquièrent définitivement l'Achanti (1896). Les frontières de l'actuel Ghana sont fixées dès 1899, sauf à l'est. L'essor économique de la colonie est rapide grâce à l'extraction de l'or, du manganèse, des diamants, de la bauxite et à la culture du cacao. Après la Seconde Guerre mondiale, Kwame Nkrumah, dont l'action s'inspire de celle de Gandhi, crée, en 1949, le Convention People's Party (CPP) qui réclame l'autonomie immédiate. Son parti remporte les élections (1951), et il devient Premier ministre (1952).

L'indépendance. En 1957, la Côte-de-l'Or, à laquelle est réuni le Togo sous administration britannique, accède à l'indépendance sous le nom de Ghana. La république est proclamée en 1960 et Nkrumah en devient le premier président. Il établit des relations étroites avec les pays de l'Est. Son régime évolue vers une dictature personnelle, et toutes les branches de l'économie sont touchées par la socialisation. Kwame Nkrumah est renversé en 1966 et le Conseil national de libération renoue des relations avec l'Occident. Les gouvernements civils ou militaires se succèdent depuis lors. Le Dr Busia (1969-1972) est écarté par les militaires, qui craignent le développement de l'agitation politique et sociale et le retour de Nkrumah. Mais le gouvernement du général Acheampong (1972-1978) se révèle incapable de remédier à la situation économique catastrophique (famines de 1975-1976, 1977-1978). Après le gouvernement du président Limann (1979-1981), les militaires reviennent au pouvoir avec le capitaine Jerry Rawlings. La réorganisation du secteur productif et le développement du tourisme contribuent au redressement de l'économie. À partir de 1990, Jerry Rawlings entreprend avec habileté un processus de démocratisation. Il dote le pays d'une nouvelle constitution en av. 1992 et est élu président (nov.) à l'occasion d'un scrutin pluraliste, puis est réélu en 1996. En 1994, des troubles ethniques ensanglantent le nord du pays, qui demeure politiquement instable. De plus, en raison de la sécheresse et de difficultés économiques persistantes, le Ghana ne semble pas réussir à surmonter une crise économique malgré d'importants efforts de restructuration qui lui valent le soutien du FMI.

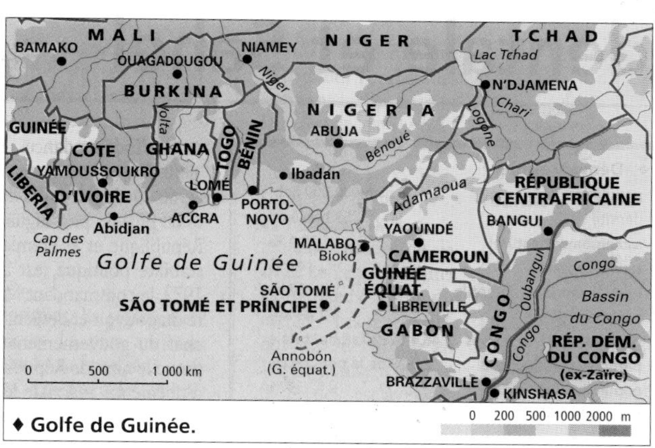

◆ Golfe de Guinée.

◆ **Démographie.**

population	18 900 000 hab.
densité	78,7 hab./km²
accroissement naturel	28,9 ‰
taux de natalité	38,2 ‰
taux de mortalité infantile	71 ‰
espérance de vie	58 ans
part des moins de 15 ans	44,8 % de la pop. totale
part des plus de 65 ans	2,9 % de la pop. totale
population urbaine	36 %
principales villes	Accra, Kumasi, Tamale

◆ **Principales ressources et productions** (1997).

cacao	370 000 t (2e rang)
manioc	6 800 000 t (6e rang)
manganèse	90 000 t (8e rang)
arachide	135 000 t
plantain	1 800 000 t
maïs	2 250 000 t
igname	2 250 000 t
manioc	6 800 000 t
bovins	1 200 000 têtes
ovins	2 400 000 têtes

◆ **Économie et niveau de vie** (1996).

PNB	6,202 milliard de $
PNB/hab	1 790 $
taux de croissance *(1995)*	4,4 %
taux d'inflation	34 %
taux de chômage	n. d.
dette extérieure	62 023 millions de $
importations	1 688 millions de $
exportations	1 431 millions de $
transports	routes 38 145 km
	voies ferrées 947 km
taux d'analphabétisme	35,5 %

◆ **Armée.**

budget militaire *(1996)*	2,1 % du PIB
forces armées *(1997)*	6 950 hommes

Togo

Nom officiel : République togolaise. **Capitale :** Lomé. **Monnaie :** franc CFA (= 100 centimes). **Langue officielle :** français. **Principales religions :** religions coutumières, catholicisme, islam. **Institutions :** République. Constitution de 1993. Assemblée nationale et président de la République élus au suffrage universel direct pour 5 ans. Multipartisme instauré en 1991. **Président de la République :** Étienne Gnassingbe Eyadéma (depuis 1967). **Premier ministre :** Kwassi Klutse (depuis 1996). **Drapeau :** les couleurs adoptées en 1960 reprennent les couleurs panafricaines et un dessin inspiré du drapeau du Liberia. Les bandes symbolisent les diverses ethnies et l'étoile, l'espoir. **Hymne national :** dit « Terre de nos aïeux » : « Salut à toi, pays de nos aïeux, toi qui les rendais forts, paisibles et joyeux, Salut à toi pays de nos aïeux. Cultivons vertu et vaillance pour la postérité. » Déclaré officiel en 1992. **Fête nationale :** 27 avril (anniversaire de l'indépendance).

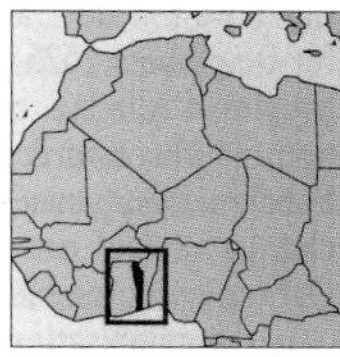

Superficie : 56 600 km². **Point culminant :** 986 m au mont Agou (pic Baumann).

GÉOGRAPHIE

Le territoire du Togo ne fait que prolonger un littoral pratiquement réduit au port de Lomé et à ses environs. Son climat, tropical au sud, devient de moins en moins humide vers le nord. Le pays vit essentiellement de ses exportations de produits agricoles (palmiers à huile, café, cacao, coton) et de phosphates. La population, relativement pauvre, est très diverse et pour moitié animiste.

HISTOIRE

Les origines. L'histoire du Togo est liée à celle de ses voisins : Ghana, Burkina, Bénin et Nigeria. Sur un fonds autochtone se sont entrecroisées des migrations : Éwés et Yorubas du sud du Bénin, Baribas de Kouandé, Tyokossis de Côte d'Ivoire, Fantis et Gouins du Ghana, Kotokolis du Burkina.

Pénétration européenne et colonisation. Du XVIe au XIXe s., les Portugais et les Danois, ainsi que les Français et les Britanniques, y font prospérer le commerce négrier, générateur de violences et de mouvements de population, dont les mieux connus sont ceux des Éwés. Dans la seconde moitié du XIXe s., le commerce de l'huile de palme remplace la traites et des comptoirs européens sont établis sur la côte. Puis des conventions délimitent la zone d'influence allemande avec les Français et les Britanniques (1885-1886). En 1884, l'explorateur allemand Nachtigal signe des traités de protectorat avec certains chefs et donne au pays le nom de « Togo ». Un plan de mise en valeur systématique est mis en œuvre par l'Allemagne. Après la défaite allemande de 1918, le Togo est partagé en 1919-1922 en mandats. La SDN attribue à la Grande-Bretagne la partie occidentale et à la France les deux tiers du pays avec toute la côte. En 1946, le Togo français passe sous la tutelle de l'ONU tout en entrant dans l'Union française. En 1956, le nord du Togo britannique vote son rattachement au Ghana.

L'indépendance. Indépendant en 1960, le Togo est dirigé par Sylvanus Olympio, appuyé par le Sud. Mettant en œuvre une politique isolationniste et autoritaire, il devient vite impopulaire et est assassiné en 1963. Un coup d'État militaire porte au pouvoir en 1967 le lieutenant-colonel Eyadéma, originaire du nord du pays. Il fait approuver par référendum, en 1979, une nouvelle constitution qui, s'appuyant sur un parti unique, le Rassemblement du peuple togolais, assure la

◆ **Démographie**

population	4 900 000 hab.
densité	86,5 hab./km²
accroissement naturel	30,4 ‰
taux de natalité	41,9 ‰
taux de mortalité infantile	87 ‰
espérance de vie	57 ans
part des moins de 15 ans	45,8 % de la pop. totale
part des plus de 65 ans	3,1 % de la pop. totale
population urbaine	31 %
principales villes	Lomé, Sokodé, Kpalimé

◆ **Principales ressources et productions** (1997).

ovins	1 200 000 têtes
phosphates	2 400 000 t (5e rang)
coton	52 000 t
sorgho	165 000 t
millet	58 000 t
café	12 000 t
bananes	16 000 t
cacao	5 000 t
manioc	571 000 t
maïs	452 000 t
caprins	1 900 000 têtes
ovins	1 200 000 têtes
bovins	202 000 têtes

◆ **Économie et niveau de vie** (1996).

PNB	1,388 milliard de $
PNB/hab.	1 650 $
taux de croissance	n. d.
taux d'inflation	n. d.
taux de chômage	n. d.
dette extérieure	1 463,3 millions de $
importations	365 millions de $
exportations	328 millions de $
transports	routes 7 545 km,
	voies ferrées 525 km
taux d'analphabétisme	48,3 %

◆ **Armée.**

budget militaire *(1996)*	2,1 % du PIB
forces armées *(1997)*	6 950 hommes

Afrique centrale

São Tomé et Príncipe • Guinée-Équatoriale • Cameroun

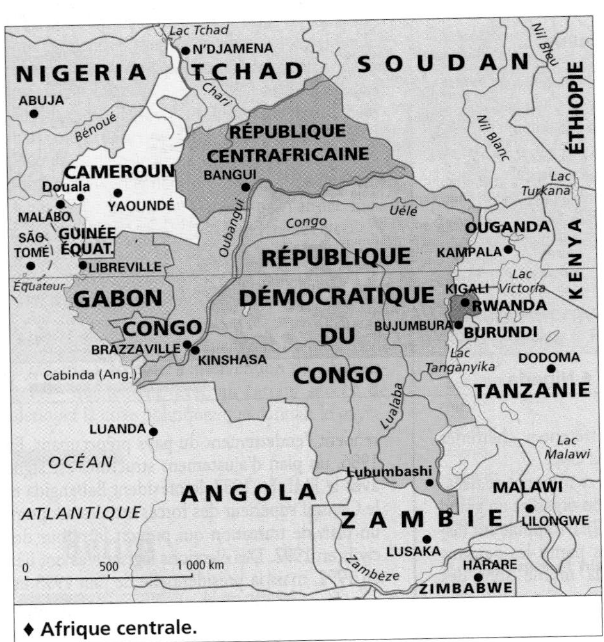

♦ Afrique centrale.

São Tomé et Príncipe

Nom officiel : République démocratique de São Tomé et Príncipe. **Capitale :** São Tomé. **Monnaie :** dobra (= 100 centavos). **Langue officielle :** portugais. **Principale religion :** catholicisme. **Institutions :** République démocratique. Constitution de 1990. Assemblée du peuple, élue au suffrage universel pour 4 ans. Président de la République élu pour 5 ans au suffrage universel. Multipartisme. **Président de la République :** Miguel Trovoada (depuis 1991). **Premier ministre :** Guiherme da Costa (depuis 1999). **Drapeau :** adopté en 1975, il reprend les couleurs traditionnelles des drapeaux africains, les deux étoiles symbolisant les deux îles de São Tomé et de Príncipe.

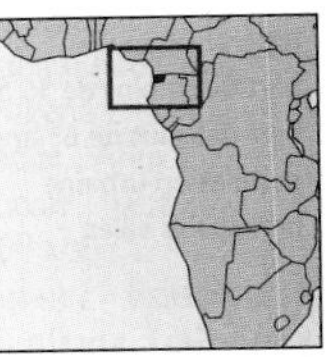

Superficie : 964 km² (836 km² pour São Tomé, 128 km² pour Príncipe). **Point culminant :** 2 024 m au pic de Tomé.

GÉOGRAPHIE

Constitué des îles de São Tomé et de Príncipe, ce pays montagneux est pour l'essentiel recouvert par une forêt tropicale, entrecoupée de plantations produisant du cacao, du café, des bananes et des noix de coco. La population, lusophone et catholique, connaît un meilleur niveau de vie que celles de la plupart des États côtiers.

HISTOIRE

La période coloniale. Les deux îles sont découvertes en 1471 par João de Santárem et Pêro Escobar. Les premiers colons venus de Madère en 1493 introduisent la canne à sucre et l'esclavage pour mettre en valeur de grandes plantations. En 1800 sont introduits le caféier et, à la fin du siècle, le cacaoyer. L'histoire des îles est jalonnée de révoltes d'esclaves (notamment au XVIe s.) et de longues luttes entre métis, gouverneurs portugais et autorités ecclésiastiques. L'abolition de l'esclavage n'intervient qu'en 1876. En 1953, les autorités répriment durement l'agitation de la main-d'œuvre des plantations.

L'indépendance. Le Mouvement de libération de São Tomé et Príncipe (MLSTP) accède au pouvoir en 1975 avec l'indépendance. Parti unique, il nomme les candidats à l'Assemblée. La nationalisation des plantations rend l'État propriétaire de 90 % du sol. D'abord non alignée et aidée par l'Occident, la République démocratique de São Tomé et Príncipe s'est rapprochée des pays socialistes, à partir de 1977, sans rompre avec le Portugal, en même temps que le pouvoir se concentrait entre les mains du président Manuel Pinto da Costa. Cependant, la détérioration de la situation économique provoque des émeutes fin 1981. À partir de 1985, le président Pinto da Costa prend ses distances à l'égard du bloc communiste et de l'économie dirigée. De nombreux conseillers techniques et militaires angolais, cubains et soviétiques quittent le pays. Après l'adoption, en 1990, d'une Constitution qui instaure le multipartisme, l'opposition gagne les élections de 1991 et Miguel Trovoada devient président de la République. Après un coup d'État manqué en 1995, il est réélu en 1996. Très dépendant de l'aide extérieur, le pays reste aussi particulièrement divisé sur le plan politique.

♦ **Démographie.**

population	141 000 hab.
densité	146 hab./km²
accroissement naturel	25 ‰
taux de natalité	35 ‰
taux de mortalité infantile	50 ‰
espérance de vie	62 ans
part des moins de 15 ans	42 % de la pop. totale
part des plus de 65 ans	5 % de la pop. totale
population urbaine	44 %
principale ville	São Tomé

♦ **Principales ressources et productions** (1997).

coprah	1 000 t
bananes	15 000 t
cacao	2 000 t
manioc	3 000 t
ovins	2 000 têtes
bovins	4 000 têtes
caprins	5 000 têtes

♦ **Économie et niveau de vie** (1996).

PNB	0,04 milliard de $
PNB/hab.	350 $
taux de croissance	n. d.
taux d'inflation	27,4 %
taux de chômage	n. d.
dette extérieure	260,9 millions de $
importations	20 millions de $
exportations	5 millions de $
transports	routes 380 km
taux d'analphabétisme	27 %

Guinée-Équatoriale

Guinea ecuatorial

Nom officiel : République de Guinée-Équatoriale. **Capitale :** Malabo. **Monnaie :** franc CFA (= 100 centimes). **Langue officielle :** espagnol. **Principale religion :** catholicisme. **Institutions :** République. Constitution de 1991. Président de la République élu au suffrage universel pour 7 ans. Assemblée nationale élue au suffrage universel. Multipartisme. **Président de la République :** Teodor Obiang Nguema Mbasogo (depuis 1979). **Premier ministre :** Angel Serafin Seriche Dougan (depuis 1996). **Drapeau :** élaboré en 1968, officialisé dix ans plus tard, il comporte du bleu évoquant la mer ; du vert, la végétation ; du blanc, l'amour pour la liberté. Au centre, le blason de l'État porte un arbre sommé de 6 étoiles figurant les 5 îles et le territoire continental du pays. **Hymne national :** « Marchons joyeusement sans discrimination, sans séparation et en fraternité vers la liberté. Sauvegardons la liberté acquise. » Paroles d'Atanasio Ndong (en 1970). Adopté en 1968. **Fête nationale :** 12 octobre (anniversaire de l'indépendance).

Superficie : 28 100 km². **Point culminant :** 3 007 m au pic Santa Isabel.

GÉOGRAPHIE

État partiellement insulaire, la Guinée-Équatoriale possède un climat chaud et humide. La forêt couvre une grande partie du territoire. Le pays exporte du bois, du cacao et du café. La population, essentiellement hispanophone et francophone, est aux trois quarts catholique. Avec une mortalité infantile supérieure à 100 ‰ et une espérance de vie de 50 ans, elle est extrêmement pauvre.

HISTOIRE

La période coloniale. La Guinée-Équatoriale est constituée d'une province continentale et des îles d'Annobón et de Fernando Poo, découvertes par les Portugais en 1471-1472 et cédées par eux à l'Espagne en 1777-1778. Sa province continentale est constituée du Río Muni, convoité à partir des années 1840 par la France et par l'Espagne. Le traité de Paris (1900) fixe les frontières du pays, réduisant l'emprise espagnole sur le continent. L'intérieur du Río Muni n'est effectivement occupé qu'en 1926. La colonie devient province espagnole en 1959.

L'indépendance. Elle obtient l'autonomie en 1964, puis l'indépendance en 1968. Le président de la République, Macías Nguema (1968-1979), établit un régime dictatorial à parti unique. Il est renversé en 1979 par le coup d'État du colonel Teodor Obiang Nguema Mbasogo, son neveu, qui lui succède à la présidence de la République. Aidé de mercenaires venus de Cuba ou de l'Europe de l'Est, il tente de proclamée le 30 juin 1960 avec Joseph Kasavubu comme président de la République, et Patrice Lumumba comme Premier ministre.

La sécession du Katanga. Une lutte sans merci oppose pendant cinq ans les Congolais, divisés sur la forme unitaire ou fédérale à donner à leur État. En juill. 1960, le président de la province du Katanga, Moïse Tschombé, prononce l'indépendance de cette riche région minière, tandis que les troupes belges en prennent le contrôle. Les Casques bleus de l'ONU, appelés par Lumumba, n'intervenant pas au Katanga, celui-ci menace de faire appel à l'URSS. Kasavabu se sépare alors de son Premier ministre, pourtant appuyé par le Parlement. Le pouvoir central est exercé par Cyrille Adoula (1961-1964), sous l'égide de l'ONU. En revanche, Moïse Tschombé fortifie son pouvoir sur le Katanga, malgré le départ des troupes belges. Soutenu par l'Union minière, il constitue une force armée puissante encadrée par des mercenaires blancs. Après l'échec d'une négociation avec Tschombé, plusieurs tentatives de réduire la sécession katangaise sont menées par les forces de l'ONU en 1961 et 1962. Celles-ci, appuyées par les États-Unis, reconquièrent le Katanga en 1963. Le Congo connaît un sévère marasme économique. Adoula laisse le pouvoir à Tschombé, rappelé d'exil en 1964. La rébellion progresse dans le pays et Tschombé s'appuie sur le général Mobutu, commandant l'armée nationale, qui parvient à contrôler l'ensemble du pays en 1965. La rivalité entre le Premier ministre, Moïse Tschombé, et le président de la République, Joseph Kasavubu, s'aggrave. En oct. 1965, Tschombé est destitué.

De Mobutu à Kabila. Kasavubu est destitué par le général Joseph Désiré Mobutu (nov. 1965), qui se fait proclamer président de la République. Il dissout le Parlement, suspend la Constitution, puis met en place un régime présidentiel, après le référendum de 1967. Mobutu s'appuie sur un parti unique, le Mouvement populaire de la révolution (MPR), fondé en 1967. Ce parti milite pour l'unité nationale, le socialisme africain et lutte contre le tribalisme. En 1971, il lance la politique d'« authenticité » et décide que la République démocratique du Congo s'appellera désormais République du Zaïre, et le Katanga, le Shaba. La Constitution de 1978 renforce encore le rôle du MPR. Mobutu doit faire appel à la France en 1977 et en 1978 pour mater des opposants. À partir de 1990, il doit faire face à un profond mécontentement populaire, exacerbé par les difficultés économiques. Tout en menant une politique de répression sévère qui fait de nombreuses victimes, il est conduit à faire quelques concessions : multipartisme, Conférence nationale. En août 1992, celle-ci élit un Premier ministre issu de l'opposition, Étienne Tshisekedi, que confirme Mobutu. Une épreuve de force s'engage alors entre les deux hommes et entre les forces qui les soutiennent. Le pays est dans un état de désagrégation avancée. La crise rwandaise de 1994 et le problème des réfugiés permettent d'abord à Mobutu de sortir de son isolement international, mais entraînent finalement sa chute. Une rébellion, dirigée par Laurent-Désiré Kabila et soutenue par le Rwanda, emporte le pouvoir en 1997. Le Zaïre reprend le nom de Congo. Le pouvoir autoritaire de Kabila est bientôt menacé par une révolte appuyée par le Rwanda et l'Ouganda. L'anarchie règne plus que jamais dans la majeure partie du pays. L'appel de Kabila à de nouveaux soutiens extérieurs (Angola, Namibie, Zimbabwe) menace d'internationaliser ce conflit, si les timides tentatives de règlement pacifique n'aboutissent pas. L'avenir du Congo paraît aujourd'hui très incertain.

Rwanda

Nom officiel : République rwandaise. **Capitale :** Kigali. **Monnaie :** franc rwandais (= 100 centimes). **Langues officielles :** français et rwanda. **Principales religions :** catholicisme, religions coutumières. **Institutions :** République. Un gouvernement provisoire de coalition dirigé par le Front patriotique rwandais est en place depuis 1994. **Président de la République :** Pasteur Bizimungu (depuis 1994). **Vice-président de la République :** Paul Kagamé (depuis 1994). **Premier ministre :** Pierre-Célestin Rwigema (depuis 1995). **Drapeau :** les couleurs panafricaines identiques à celles disposées sur le drapeau guinéen ont été différenciées en 1961 par l'adjonction du « R » et adoptées en 1962. **Hymne national :** « Rwanda, ma patrie, à toi la gloire, à toi la victoire. » Paroles et musique du groupe Abanyuramatwi, d'après un chant populaire. Déclaré officiel en 1962. **Fête nationale :** 1er juillet (anniversaire de l'indépendance).

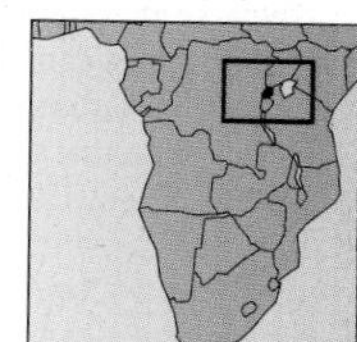

Superficie : 26 338 km². **Point culminant :** 4 507 m au Karisimbi.

GÉOGRAPHIE

Le Rwanda est un pays de hauts plateaux au climat tempéré par l'altitude. Essentiellement producteur de café et de thé, le Rwanda a été saigné par la guerre civile. La population, composée pour environ 10 % de Tutsis et de 90 % de Hutus, est l'une des plus pauvres du monde. Malgré un accroissement naturel élevé (plus de 2,5 %), la mortalité due au conflit et l'exode de nombreux réfugiés ont provoqué une diminution de la population.

HISTOIRE

Les origines. Le Rwanda, l'ancien Ruanda, entre dans l'histoire (XIVe s.) avec la dynastie des rois Nyiginya, issus de l'ethnie guerrière des Tutsis. À la fin du XIXe s., les Allemands tentent d'intégrer la région à l'Afrique-Orientale allemande, mais ne parviennent pas à la contrôler totalement. En 1916, les Belges l'envahissent dans le cadre des opérations menées contre les possessions allemandes en Afrique. En 1923, la Belgique reçoit de la SDN un mandat sur la région, qui prend le nom de Ruanda-Urundi, rattaché au Congo belge. À partir des années 1950, les Hutus, majoritaires et soutenus par la métropole belge, essaient d'imposer leur pouvoir aux Tutsis. En 1961, la monarchie est abolie.

L'indépendance. Un Hutu, Grégoire Kayibanda, préside la République rwandaise, qui est proclamée indépendante en 1962. Le coup d'État de 1973 porte au pouvoir le général Habyarimana. Il institue en 1978, en parti unique, le Mouvement révolutionnaire national pour le développement. À partir de 1990, le gouvernement doit faire face simultanément à la guerre menée par le Front patriotique rwandais (FPR), surtout composé de Rwandais tutsis émigrés en Ouganda, et à des revendications démocratiques. Une nouvelle Constitution est adoptée en 1991 et un espoir de paix avec le FPR naît en août 1993 à la suite des accords d'Arusha (Tanzanie). Mais, le 6 avr. 1994, l'avion qui transporte le président Habyarimana et son homologue burundais est abattu à Kigali. Aussitôt, les extrémistes hutus, organisés en milice, déclenchent un massacre qui fera de 500 000 à 1 million de victimes, tutsis principalement, mais aussi hutus modérés. Parallèlement, les forces du FPR., commandées par Paul Kagamé, mènent une offensive qui les conduit à conquérir entièrement le pays et à prendre le pouvoir. Les troupes françaises, bientôt relayées par celles de l'ONU, créent dans le sud-ouest du pays une zone humanitaire sûre. S'y réfugient, ainsi que dans les camps installés au Zaïre voisin, des centaines de milliers de Rwandais fuyant l'avance du FPR, dont les responsables des massacres. Début 1995, un peu plus d'un million de réfugiés sont rentrés au pays. Un tribunal international installé à Arusha s'efforce depuis de juger les responsables du génocide, non sans difficultés.

Malgré le retour d'une relative prospérité économique, le pays semble peu susceptible de retrouver rapidement la stabilité politique tant les blessures de la guerre civile et du génocide restent vives. Le caractère militarisé du régime, qui s'est directemnt engagé dans le conflit que connaît le Congo voisin, n'est pas favorable à cette stabilisation.

◆ Démographie.

population	8 000 000 hab.
densité	304 hab./km²
accroissement naturel	25,8 ‰
taux de natalité	42,8 ‰
taux de mortalité infantile	129 ‰
espérance de vie	47 ans
part des moins de 15 ans	46,6 % de la pop. totale
part des plus de 65 ans	2,2 % de la pop. totale
population urbaine	6 %
principales villes	Kigali, Ruhengeri

◆ Principales ressources et productions (1997).

café	15 000 t
plantain	2 248 000 t

◆ Économie et niveau de vie (1996).

PNB	1,316 milliard de $
PNB/hab.	630 $
taux de croissance *(1992)*	2,5 %
taux d'inflation	7,4 %
taux de chômage	n. d.
dette extérieure	1 034,3 millions de $
importations	213 millions de $
exportations	64 millions de $
transports	routes 13 173 km, voies ferrées 0 km
taux d'analphabétisme	39,5 %

◆ Armée.

budget militaire *(1996)*	4,1 % du PIB

Burundi

Nom officiel : République du Burundi. **Capitale :** Bujumbura. **Monnaie :** franc du Burundi (= 100 centimes). **Langues officielles :** français et kirundi. **Principales religions :** catholicisme, religions coutumières. **Institutions :** République. Constitution de 1992. Président de la République et Assemblée nationale élus au suffrage universel pour 5 ans. Multipartisme. **Président de la République :** Pierre Buyoya (depuis 1996). **Premier ministre :** Pascal-Firmin Ndimira (depuis 1996). **Drapeau :** adopté en 1967, ses couleurs représentent : le vert, l'espé-

Afrique centrale

rance ; le rouge, les combats pour l'indépendance ; le blanc, l'amour de la paix. Les étoiles rouges symbolisent les 3 mots « unité, travail, progrès » et les 3 ethnies du pays. **Hymne national** : « Burundi notre patrie, héritage de nos ancêtres... » Musique de Marc Barengayabo (né vers 1932). Déclaré officiel en 1962. **Fête nationale** : 1er juillet (anniversaire de l'indépendance).

Superficie : 28 000 km². **Point culminant** : 2 670 m au mont Heha.

GÉOGRAPHIE

Pays de hauts plateaux exclusivement agricole, le Burundi produit essentiellement du thé et du café. Sa population, composée à 10 % environ de Tutsis et à 90 % de Hutus, connaît l'un des niveaux de vie les plus faibles du monde.

HISTOIRE

Les origines. Le Burundi, l'ancien Urundi, est l'un des rares États africains à avoir existé tel quel avant la colonisation. Ce royaume, dont la dynastie pourrait remonter au moins au XVIIe s., jouit même d'une unité linguistique, le kirundi, langue bantoue, qui est le support d'une littérature orale raffinée. Le pays appartient à l'Afrique-Orientale allemande à partir de 1890. Les premières expéditions allemandes ont lieu en 1896-1897, puis la conquête s'intensifie, et le souverain se soumet en 1903. Comme le Rwanda voisin, le Burundi est occupé à partir de 1916 par des troupes belges, dans le cadre des opérations menées contre les possessions allemandes d'Afrique. En 1923, la SDN confie les deux royaumes, sous le nom de « Ruanda-Urundi », à la Belgique, au titre de mandat. En 1946, ce statut est transformé en celui de territoire sous tutelle. Économiquement, le Ruanda-Urundi vit dans l'orbite du Congo belge jusqu'à l'indépendance.

L'indépendance et la prépondérance des Tutsis. En 1959, le Burundi est doté d'un régime autonome. Il est indépendant depuis le 1er juill. 1962. Malgré les efforts déployés par le roi *(mwami)* Mwambutsa IV afin de sauvegarder l'unité nationale, les oppositions tribales entre les Hutus et les Tutsis continuent à dominer la vie politique. En 1966, Michel Micombero, d'origine tutsi, dépose le roi Ntare V, qui vient d'évincer son père. La royauté est alors abolie au profit de la république (28 nov.). En 1972, les Hutus, traités en vassaux, se révoltent et massacrent les Tutsis à Bujumbura et dans le Sud. Ces massacres et les représailles qui s'ensuivent coûtent la vie à 300 000 personnes. Les règlements de comptes se poursuivent et des milliers de Burundais gagnent l'étranger. En 1976, un coup d'État militaire porte à la présidence de la République Jean-Baptiste Bagaza. Ce dernier est renversé en 1987 par le major Pierre Buyoya, également tutsi. Il instaure un Comité militaire de salut national. Les Hutus, qui représentent près de 90 % de la population totale, s'opposent au monopole du pouvoir exercé par les Tutsis et de nouveaux massacres ont lieu en 1988.

Avec la libéralisation du régime, un Hutu, Melchior N'Dadaye, est élu président en juin 1993, mais est assassiné par des militaires extrémistes tutsis (oct.). Le pays plonge alors dans un climat de violence extrême. De laborieuses négociations conduisent à l'élection par l'Assemblée nationale, en janv. 1994, de Cyprien Ntaryamira. Celui-ci meurt à son tour dans l'attentat perpétré contre l'avion du président rwandais Habyarimana. Le président de l'Assemblée, Sylvestre Ntibantunganya, lui succède, alors que le pays est au bord de l'implosion. Pierre Buyoya, qui prend le pouvoir par un putsch en 1996, parvient à l'éviter, mais le coup d'État suscite une vive réaction internationale ainsi qu'un embargo peu durable.

Le nouveau président parvient néanmoins a stabiliser progressivement le pays en négociant avec l'opposition. Il a également obtenu par étapes une reconnaissance partielle de son régime.

◆ **Démographie.**

population	5 500 000 hab.
densité	196 hab./km²
accroissement naturel	27,7 ‰
taux de natalité	42,5 ‰
taux de mortalité infantile	97 ‰
espérance de vie	51 ans
part des moins de 15 ans	46,5 % de la pop. totale
part des plus de 65 ans	2,9 % de la pop. totale
population urbaine	8 %
principales villes	Bujumbura, Gitega

◆ **Principales ressources et productions** (1997).

bananes	507 000 t
caprins	900 000 têtes

◆ **Économie et niveau de vie** (1996).

PNB	1,122 milliard de $
PNB/hab.	590 $
taux de croissance *(1993)*	5,6 %
taux d'inflation	26,4 %
taux de chômage	n. d.
dette extérieure	1 126,8 millions de $
importations	176 millions de $
exportations	113 millions de $
transports	routes 6 285 km, voies ferrées 0 km

◆ **Armée.**

budget militaire *(1996)*	3,2 % du PIB
forces armées *(1997)*	22 000 hommes

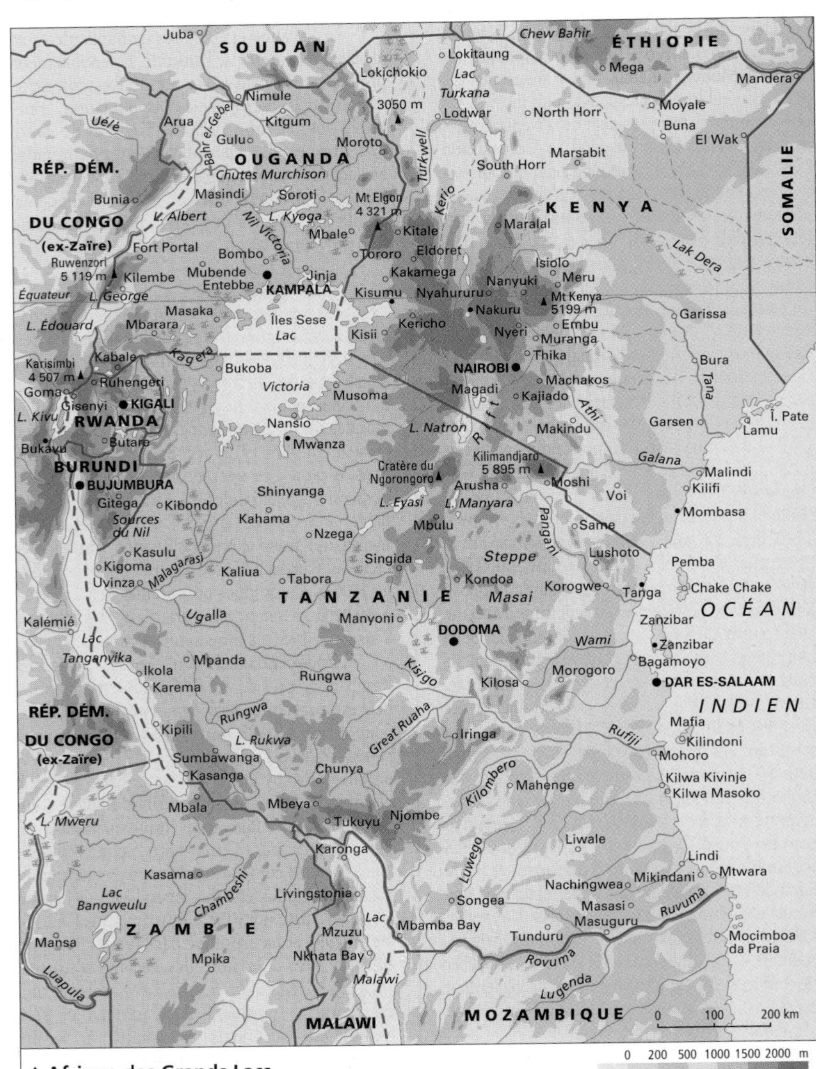

◆ **Afrique des Grands Lacs.**

Afrique orientale

Érythrée • Éthiopie

Érythrée

Nom officiel : Érythrée. **Capitale :** Asmara. **Monnaie :** nafka. **Langue officielle :** tigrignia. **Principales religions :** islam, christianisme (Église monophysite), religions coutumières. **Institutions :** République présidentielle à parti unique. Constitution de 1997. Le Conseil national de transition détient l'essentiel du pouvoir. **Chef de l'État et président du Conseil d'État :** Issayas Afeworki (depuis 1993). **Drapeau :** adopté en 1993, il reprend les couleurs du Front populaire de libération de l'Érythrée. **Fête nationale :** 24 mai (anniversaire de l'indépendance proclamée en 1993).

Superficie : 120 000 km².

GÉOGRAPHIE

L'Érythrée constituait avant son indépendance, en 1993, le seul débouché maritime de l'Éthiopie, avec le port d'Asmara. Elle se compose d'une bande côtière étroite et aride dominée par un plateau plus arrosé, associant maigres cultures et élevage extensif. La population, très peu dense, connaît un niveau de vie très faible.

HISTOIRE

Avant l'indépendance. L'histoire de l'Érythrée est liée à celle de l'Éthiopie, de l'Arabie du Sud et du Soudan. Cette région a longtemps constitué la seule province maritime de l'Éthiopie. Elle devient une colonie italienne en 1890. Conquise en 1940 par les forces anglo-françaises libres, elle est administrée par les Britanniques jusqu'en 1952, date à laquelle elle est réunie à l'Éthiopie avec le statut d'État fédéré (1952) ; elle en devient une province en 1962.

La lutte de libération et l'indépendance. La politique autoritaire d'Addis-Abeba à l'égard de l'Érythrée, avant et après la révolution de 1974, provoque en retour une forte résistance armée, incarnée par le Front populaire de libération de l'Érythrée (FPLE) formé en 1970. Après la chute du régime de Hailé Mariam Mengistu (mai 1991), le FPLE forme en Érythrée un gouvernement provisoire présidé par Issayas Afeworki. La Conférence nationale d'Addis-Abeba accepte (juill.) le principe d'un référendum d'autodétermination. Celui-ci est organisé en avril 1993 et l'indépendance, reconnue notamment par l'Éthiopie, est proclamée en mai. En réalité, le nouveau régime d'Addis-Abeba n'a reconnu l'indépendance de l'Érythrée que contraint et forcé : le FPLE constitue en effet, en 1991, l'un des mouvements les plus puissants du pays, sans le soutien duquel les rebelles érythréens n'auraient pas pu s'emparer du pouvoir aussi facilement. L'indépendance de l'Érythrée signifie la perte par l'Éthiopie de son unique accès à la mer, situation qui ne peut manquer d'engendrer de graves tensions, l'Érythrée pouvant toujours abuser du moyen de pression dont elle dispose désormais sur son ancien suzerain. Aussi les excellentes relations qu'entretiennent dans un premier temps les deux pays se dégradent-elles jusqu'à ce qu'éclate, en juin 1998, une guerre dont la violence suggère que le litige territorial dont elle est née n'en est pas le seul enjeu.

◆ Démographie.

population	3 800 000 hab.
densité	31,6 hab./km²
accroissement naturel	26,5 ‰
taux de natalité	39,8 ‰
taux de mortalité infantile	64 ‰
espérance de vie	53 ans
part des moins de 15 ans	44 % de la pop. totale
part des plus de 65 ans	2,9 % de la pop. totale
population urbaine	17 %
principales villes	Asmara, Assab, Massaoua

◆ Économie et niveau de vie (1996).

PNB	0,412 milliard de $
PNB/hab.	165 $
taux de croissance	n.d.
taux d'inflation	n.d.
taux de chômage	n.d.
dette extérieure	45,9 millions de $
importations	514 millions de $
exportations	95 millions de $
taux d'analphabétisme	n.d.

◆ Armée.

budget militaire *(1996)*	1,3 % du PIB
forces armées *(1997)*	48 000 hommes

Éthiopie Ityopya

Nom officiel : République d'Éthiopie. **Capitale :** Addis-Abeba. **Monnaie :** birr (= 100 cents). **Langue officielle :** amharique. **Principales religions :** islam, christianisme (Église monophysite), religions coutumières. **Institutions :** République fédérale. Constitution de 1995. Président de la République. Parlement bicaméral (Conseil des représentants du peuple [548 membres élus] et Conseil de la fédération [117 membres désignés par les conseils régionaux et le Conseil des représentants du peuple]). **Président de la République :** Negasso Gidada (depuis 1995). **Premier ministre :** Meles Zenawi (depuis 1995). **Drapeau :** redessiné en 1941, il porte les couleurs vert-jaune-rouge panafricaines, qui représentent la fertilité du sol, l'amour de la patrie et le sang versé pour l'indépendance. **Hymne national :** « Éthiopie, avance vers la gloire, Éthiopie. À l'apogée du socialisme, tu progresses et fleuris. » Paroles d'Assefa Gabre Mariam (né en 1936), musique de Daniel Yohannis (né en 1950). Déclaré officiel en 1975. **Fête nationale :** 12 septembre (anniversaire de la révolution de 1974).

Superficie : 1 100 000 km². **Point culminant :** 4 550 m au Ras Dachan.

GÉOGRAPHIE

L'Éthiopie est un pays essentiellement montagneux, en dehors des régions de l'Ogaden et du Danakil. L'agriculture est surtout pratiquée aux altitudes intermédiaires (entre 1 800 et 2 500 m), et produit des céréales, du coton, du tabac, des légumes, des fruits et du café, qui est exporté. La population, composée principalement d'Abyssins et de Gallas, est très pauvre. La mortalité infantile est supérieure à 100‰ et l'espérance de vie n'excède pas 50 ans. L'Éthiopie est un des pays les plus démunis du monde.

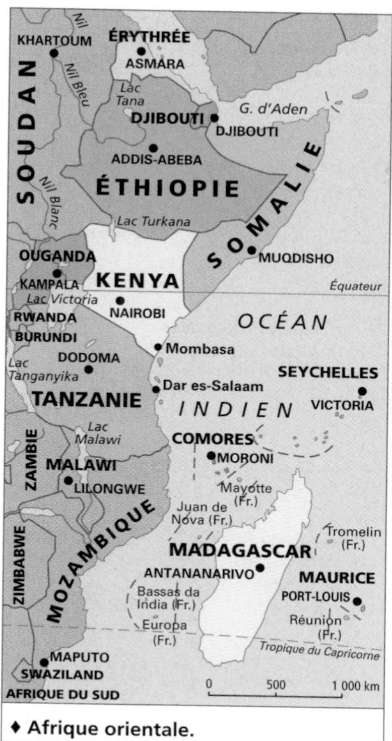

◆ Afrique orientale.

HISTOIRE

Saba, le royaume d'Aksoum et les Zagoué. C'est en Éthiopie, dans la Rift Valley, qu'ont été découverts en 1974 les restes d'un hominidé vieux de 3,3 millions d'années, baptisé Lucy. Les fouilles archéologiques ont également mis au jour dans le Tigré des monuments et des inscriptions du Vᵉ au IIIᵉ s. av. J.-C. appartenant à la culture sabéenne. À partir du IIᵉ s. av. J.-C. apparaît une écriture qui deviendra celle du guèze. Dans la même région se développe le royaume d'Aksoum (du Iᵉʳ au IXᵉ s. env.). Au milieu du IVᵉ s., l'empereur Ezana se convertit au christianisme, qui devient la religion officielle du royaume. L'Église éthiopienne, dépendant du patriarcat d'Alexandrie, adopte au Vᵉ s. le monophysisme. Le royaume d'Aksoum connaît son apogée de 520 à 572 env., lorsqu'il domine l'Arabie du Sud. Mais l'expansion de l'islam au VIIᵉ s. entraîne son isolement progressif. Au VIIIᵉ s., les Arabes occupent le littoral et les îles Dahlak. Après les incursions dévastatrices des Agaous et de leur reine (Xᵉ s.) apparaît, vers la fin du XIᵉ s. ou dans le milieu de XIIᵉ s., une dynastie Zagoué qui a pour capitale Roha (auj. Lalibela), dans le Lasta.

L'apogée médiéval et la lutte contre l'islam. Yekouno Amlak (1270-1285), que la tradition considère comme le restaurateur de l'ancienne dynastie d'Aksoum, descendant du roi Salomon, renverse la dynastie Zagoué. Le pays connaît alors une brillante renaissance. La culture éthiopienne prend sa forme originale. L'Église demeure fidèle au monophysisme et à une liturgie fortement influencée par les traditions africaines et judéo-chrétiennes, employant la langue guèze, tandis que l'amharique devient la langue parlée. Aux XIVᵉ et XVᵉ s., les rois d'Éthiopie s'illustrent dans la lutte

Afrique orientale

Djibouti • Somalie

◆ **Démographie.**

population	58 400 000 hab.
densité	53 hab./km²
accroissement naturel	29,5 ‰
taux de natalité	48,2 ‰
taux de mortalité infantile	109 ‰
espérance de vie	50 ans
part des moins de 15 ans	46,1 % de la pop. totale
part des plus de 65 ans	2,8 % de la pop. totale
population urbaine	16 %
principale ville	Addis-Abeba

◆ **Principales ressources et productions** (1997).

chevaux	2 750 000 têtes (6ᵉ rang)
caprins	16 700 000 têtes (8ᵉ rang)
ovins	21 700 000 têtes

◆ **Économie et niveau de vie** (1996).

PNB	5,949 milliards de $
PNB/hab.	500 $
taux de croissance *(1994)*	1,3 %
taux d'inflation *(1995)*	10 %
taux de chômage	n.d.
dette extérieure	10 076,9 millions de $
importations	1 137 millions de $
exportations	423 millions de $
répartition des actifs	agriculture 88,5 %, industrie 2 %, services 9,5 %
transports	routes 27 972 km, voies ferrées 782 km
taux d'analphabétisme	64,5 %

◆ **Armée.**

budget militaire *(1996)*	1,8 % du PIB

contre les musulmans du sultanat d'Ifat (dans le Choa oriental) et de l'Adal. La renommée du pays est telle qu'on l'identifie en Occident au pays du légendaire « Prêtre Jean ». Lorsque, sous les règnes de Lebna Denguel (1508-1540) et de l'empereur Claude (Galaoudéos) [1540-1559], le pays est occupé par les musulmans de l'imam Gran (1527-1543), aidés par les Ottomans, il est secouru par les Portugais débarqués à Massaoua en 1541. Profitant de l'épuisement des chrétiens et des musulmans, les Gallas, population païenne du Sud, pénètrent au cœur du plateau éthiopien. Le royaume, dont la capitale est transférée à Gondar (v. 1636), sombre au XVIIIᵉ s. dans les luttes entre les seigneurs, maîtres des provinces.

Modernisation et rivalités des puissances européennes. L'ère des réformes commence avec le règne de Théodoros II (1855-1868), qui brise la puissance des seigneurs féodaux, les *ras*, et se fait proclamer empereur (ou *négus*, « roi des rois »). Il organise un trésor public et une armée de métier. Mais, tout comme son successeur Johannès IV (1872-1889), il doit freiner les ambitions des puissances européennes, qui, depuis l'ouverture du canal de Suez (1869), se partagent les ports de la mer Rouge. Il arrête les tentatives d'expansion des Égyptiens et des mahdistes. Ménélik II, roi du Choa à partir de 1865, fonde Addis-Abeba en 1887, puis est couronné empereur en 1889. Il doit signer le traité d'Uccialli aux termes ambigus (2 mai 1889). Les Italiens s'en prévalent pour s'emparer de l'Érythrée et établir leur protectorat sur l'Éthiopie. Mais Ménélik affirme son indépendance et dénonce en 1893 ce traité. Bien que ses troupes soient victorieuses à Coatit et à Addigrat (janv.-mars 1895), l'Italie est contrainte de signer la paix à Addis-Abeba (26 oct. 1896) après les

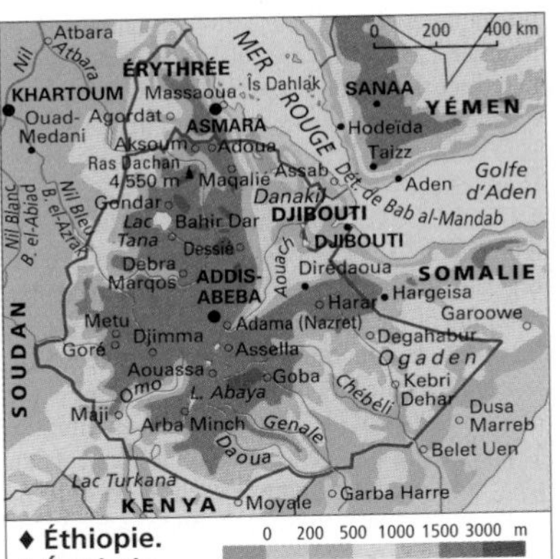

♦ **Éthiopie.**
♦ **Érythrée.**

défaites d'Amba Alagi (7 déc. 1895) et d'Adoua (1ᵉʳ mars 1896). Cette victoire permet à Ménélik, qui étend en outre son autorité jusqu'au lac Rodolphe et sur l'Ogaden, de signer trois traités fixant les limites de la colonisation de la Somalie, de l'Érythrée et de Djibouti. Il fait appel à des techniciens européens pour moderniser le pays, mais il doit accepter le partage d'influence anglo-franco-italien de 1906.

Le règne de Hailé Sélassié. D'abord régent (1916-1930), le ras Tafari devient empereur (1930-1974) sous le nom de Hailé Sélassié Iᵉʳ et fait entrer son pays à la SDN en 1923. L'Éthiopie est conquise puis occupée par les Italiens (1935-1942). Elle est libérée par les Britanniques, qui reconnaissent son indépendance en janvier 1942. L'Érythrée lui est rattachée en 1952 dans un cadre fédéral. En 1955 est promulguée une Constitution instituant un Parlement, et une université est créée à Addis-Abeba, ville dont le prestige international s'accroît lorsqu'elle devient, en 1963, le siège de l'OUA.

La République éthiopienne. Le négus, aux prises depuis 1962 avec la rébellion de l'Érythrée, est renversé en 1974 par des officiers réformistes. Leur « comité de coordination », le Derg, que préside depuis 1977 le colonel Hailé Mariam Mengistu, impose un régime autoritaire se réclamant du marxisme-léninisme. Aidée par les Soviétiques et les Cubains, l'armée éthiopienne repousse les Somaliens qui envahissent l'Ogaden (1977-1978, 1982-1983), et reconquiert les villes de l'Érythrée en 1978. Mais elle ne parvient pas à contrôler entièrement les campagnes de l'Érythrée, du Tigré et de l'Ogaden. À partir de 1983, l'Éthiopie fait appel à l'aide internationale afin de lutter contre la famine provoquée par une sécheresse. L'intense médiatisation de cet appel, relayé dans les pays occidentaux par de multiples associations et de nombreuses célébrités du monde du spectacle, constitue pour le régime de H. M. Mengistu une aubaine dont il saura tirer parti. Détournant la plus grande partie de l'aide humanitaire, le régime d'Addis-Abeba intensifie sa politique de déplacement forcé de populations vers les régions du Nord, qu'il entend coloniser. Le détournement de l'aide humanitaire contribue plus généralement à prolonger la survie du régime. Pendant la même période, plusieurs milliers de Falachas, Juifs noirs d'Éthiopie, sont acheminés vers l'État d'Israël. En septembre 1984, un parti unique est créé. En 1987, une nouvelle Constitution fait de l'Éthiopie une République populaire et démocratique. Le Derg est dissous et Mengistu est élu président par le nouveau Parlement. Cinq régions autonomes, dont l'Érythrée, l'Ogaden et le Tigré, sont créées. En 1988, un traité mettant fin au conflit de l'Ogaden est signé avec la Somalie. À partir de 1989, les progrès des rébellions érythréenne et tigréenne menacent de plus en plus le régime, malgré quelques concessions démocratiques. Le 21 mai 1991, Mengistu abandonne le pouvoir et quitte le pays. Peu après, l'Érythrée se proclame indépendante. En juillet, Mélès Zenawi, chef du Front démocratique révolutionnaire du peuple éthiopien (FDRPE), devient président à titre intérimaire. Le nouveau régime reconnaît l'indépendance de l'Érythrée (avr. 1993). Une nouvelle Constitution, approuvée par l'Assemblée constituante en décembre 1994, fait de l'Éthiopie un État fédéral admettant le droit à la sécession. Les élections de mai 1995, qui mettent fin à la période de transition, sont remportées par le FDRPE. Le pays connaît une agitation politique (revendications des Oromos et des Somalis) et religieuse. Plus grave, les relations avec l'Érythrée se détériorent rapidement. L'indépendance de l'Érythrée, reconnue dès 1991, était alors inévitable en raison de la suprématie locale des indépendantistes, dont la participation à la chute de Mengistu avait été essentielle. Avec l'Érythrée, l'Éthiopie perd cependant son unique accès à la mer, tout en continuant à dépendre d'elle pour son commerce extérieur. En juin 1998, des litiges territoriaux mineurs dégénèrent en une véritable guerre dont l'enjeu semble plus important. Plus généralement, l'Éthiopie demeure un pays très peu développé, susceptible d'être secoué par des tensions ethniques importantes et dont le voisinage demeure fort instable, qu'il s'agisse de l'Érythrée, du Soudan ou de la Somalie.

Djibouti

Nom officiel : République de Djibouti. **Capitale :** Djibouti. **Monnaie :** franc de Djibouti (= 100 centimes). **Langues officielles :** arabe et français. **Principale religion :** islam. **Institutions :** République. Constitution de 1992. Le président de la République est élu pour 6 ans au suffrage universel. Assemblée nationale élue pour 5 ans au suffrage universel. Multipartisme limité (4 partis). **Président de la République :** Hassan Gouled Aptidon (depuis 1977). **Drapeau :** adopté en 1977, le bleu représente le ciel et la mer, couleur tribale des Issas ; le vert, les Afars et leur foi en l'islam ; le blanc de la paix soutient l'étoile rouge de l'unité et de l'indépendance. **Hymne national :** « Debout ! Nous avons hissé le drapeau pour lequel vous avez eu soif et peiné. » Paroles de Qoryareh (né en 1946), musique de Kharchileh (né en 1947). Déclaré officiel en 1977. **Fête nationale :** 27 juin (anniversaire de l'indépendance).

Superficie : 23 000 km². **Point culminant :** 2 010 m au mont Musa Ali.

GÉOGRAPHIE

Djibouti est un pays désertique, au climat chaud et aride. Seul un élevage ovin extensif y est possible. La population, composée d'Afars et d'Issas entre lesquels les tensions sont fréquentes, est l'une des plus pauvres du monde. Le port de Djibouti doit l'essentiel de son activité économique à la présence militaire française.

HISTOIRE

La période coloniale. Le territoire, occupé par des tribus Afars et Somalies, est progressivement acquis par les Français au cours de la seconde moitié du XIXᵉ s. Ils s'y font céder Obock par le sultan de Tadjoura (1862) et y passent divers accords de protectorat avec les chefs afars et issas. En 1888 est créée la ville de Djibouti. Léonce Lagarde organise la colonie de la Côte française des Somalis, fondée en 1896, et dont la capitale est transférée à Djibouti. Lagarde lie des relations amicales avec l'empereur éthiopien Ménélik. Il fait préciser la frontière avec l'Abyssinie et commence la construction du chemin de fer franco-éthiopien Djibouti - Addis-Abeba. En 1940, la colonie évite l'occupation italienne, mais elle est bloquée par les Britanniques jusqu'au ralliement à la France libre, en 1942. Elle devient en 1946 un territoire d'outre-mer et connaît des tensions qui aboutissent à un référendum en mars 1967. Celui-ci confirme le maintien au sein de la République française et le territoire prend le nom de Territoire français des Afars et des Issas. Cependant, les partisans de l'indépendance se regroupent pour former la Ligue populaire africaine pour l'indépendance. La métropole reconnaît le principe de l'indépendance, qui est acquise en juin 1977.

L'indépendance. En accédant à l'indépendance, le territoire devient la République de Djibouti. Celle-ci adhère aussitôt à la Ligue arabe. Hassan Gouled Aptidon en devient le président. Réélu en 1981, il instaure cette même année le système du parti unique (Rassemblement populaire pour le progrès). Il est réélu en 1987. À l'extérieur, Djibouti entretient des rapports étroits avec la France, qui y maintient, pour des raisons stratégiques, une importante base aéronavale. Sa diplomatie s'ouvre de plus en plus vers les États arabes qui développent leur assistance économique. En 1991, la rébellion des Afars (FRUD) plonge le pays dans une situation de quasi-guerre civile permanente. Simultanément, le président Gouled amorce, non sans réticence, un processus de démocratisation. L'adoption d'une nouvelle Constitution en 1992 ne met pas fin aux atteintes aux droits de l'homme. Hassan Gouled est réélu en 1993, mais la rébellion armée du FRUD continue. La république de Djibouti doit en grande partie sa relative stabilité (dans la mesure où la rébellion armée n'a pas encore menacé sérieusement le pouvoir en place) à l'importante présence militaire française qui, en outre, contribue notablement au commerce local. Le désengagement partiel de la France, annoncé en 1997, devrait être en partie compensé par l'augmentation des échanges avec l'Éthiopie, qui cherche à réduire sa dépendance vis-à-vis de l'Érythrée.

◆ Démographie.

population	634 000 hab.
densité	27,5 hab./km²
accroissement naturel	22,2 ‰
taux de natalité	38,6 ‰
taux de mortalité infantile	108 ‰
espérance de vie	50 ans
part des moins de 15 ans	41,1 % de la pop. totale
part des plus de 65 ans	3 % de la pop. totale
population urbaine	82 %
principale ville	Djibouti

◆ Principales ressources et productions (1997).

bovins	1 900 000 têtes
ovins	470 000 têtes
caprins	570 000 têtes
dromadaires	620 000 têtes

◆ Économie et niveau de vie (1996).

PNB	0,43 milliard de $
PNB/hab.	780 $
taux de croissance	n.d.
taux d'inflation *(1992)*	5,5 %
taux de chômage	n.d.
dette extérieure	241,1 millions de $
importations	205 millions de $
exportations	34 millions de $
transports	routes 2 879 km, voies ferrées 106 km
taux d'analphabétisme	53,8 %

◆ Armée.

budget militaire *(1996)*	5,1 % du PIB
forces armées *(1997)*	9 600 hommes

Somalie Soomaaliya

Nom officiel : République démocratique de Somalie. **Capitale :** Muqdisho (Mogadiscio). **Monnaie :** shilling somali (= 100 cents). **Langue officielle :** somali. **Principale religion :** islam. **Institutions :** République. Constitution de 1990 (instituée à titre temporaire), mettant fin au régime de parti unique instauré depuis 1969. L'accord de mars 1993 entre factions prévoyant de nouvelles institutions est resté lettre morte. **Chef de l'État :** (pays contrôlé de fait par différentes factions). **Drapeau :** les couleurs choisies en 1954 reprennent le bleu du drapeau des Nations unies qui contrôlèrent le pays après le départ des Italiens, et une étoile dont les 5 branches représentent les 5 régions somaliennes aujourd'hui séparées (les Somalies italienne, française, britannique, les territoires somaliens d'Éthiopie et du Kenya). **Hymne national :** musique de Giuseppe Blanc (1886-1969). Adopté en 1960, sans paroles. **Fête nationale :** 21 octobre (anniversaire de la révolution de 1969).

Superficie : 638 000 km². **Point culminant :** 2 408 m dans les monts Midjourtin.

GÉOGRAPHIE

Ce pays aride et désertique, où seuls l'élevage nomade et une agriculture limitée au sud, plus arrosé, sont possibles, vit essentiellement aujourd'hui de l'aide humanitaire. La population, avec une mortalité infantile supérieure à 100 ‰ et une espérance de vie inférieure à 50 ans, subit de plus les conséquences de l'état d'anarchie qui prévaut aujourd'hui dans le pays. En outre, l'ancien Somaliland britannique a proclamé son indépendance en 1991, instituant une partition de fait entre le nord et le sud du pays.

HISTOIRE

Les origines. La Somalie, connue des Égyptiens, était appelée « pays de Pount » ou encore « pays des Zendj » (des Noirs). La côte est atteinte très tôt par des Persans et des navigateurs arabes, qui, métissés avec les populations locales, créent la civilisation swahili. À partir du Xᵉ s., les Somalis, venus du Yémen et de l'Arabie par vagues successives, s'installent sur la côte. Nomades, divisés en sept tribus, ils recherchent des pâturages dans la vallée du Chébéli et les collines voisines, atteignant leur extension actuelle à la fin du XVIIIᵉ s. L'islam gagne très vite la région. Le sultanat d'Ifat combat l'Éthiopie chrétienne, particulièrement au XIVᵉ et au XVIᵉ s.

La période coloniale. Au XIXᵉ s., les puissances européennes s'installent dans la région. Les Britanniques, qui viennent d'établir sur le golfe d'Aden le protectorat du Somaliland (1887), délimitent leur zone d'influence. Ils concluent des accords en 1888 avec les Français installés à Djibouti et, en 1894, avec les Italiens, maîtres de l'Érythrée et de la région de Mogadiscio. La Somalie italienne (Somalia) devient une colonie en 1905. À l'issue de la campagne d'Éthiopie (1935-1936), l'Ogaden lui est rattaché. Les Somalies italienne et britannique sont le théâtre d'opérations militaires au cours de la Seconde Guerre mondiale (1940-1941).

L'indépendance. La Somalie italienne (sans l'Ogaden, rendu à l'Éthiopie), placée sous la tutelle de l'ONU depuis 1950, est proclamée indépendante en 1960 ainsi que l'ancien protectorat britannique. Les deux Somalies s'unissent immédiatement. La nouvelle République réclame des terres « irrédentes » : Ogaden, nord-est du Kenya et une partie de l'actuelle république de Djibouti. Elle rompt ses relations avec la Grande-Bretagne en 1963 et réclame à l'ONU l'indépendance de la Côte française des Somalis, qui sera proclamée en 1977. En 1969, un putsch militaire porte au pouvoir le Conseil supérieur de la Révolution (CSR), présidé par le général Siyad Barre. Après la dissolution de ce Conseil (1976), ses pouvoirs sont transférés à l'appareil du Parti socialiste révolutionnaire. En 1977 et 1978, la Somalie tente de conquérir l'Ogaden, région qui appartient à l'Éthiopie. Les Soviétiques, qui ont soutenu depuis le début le régime de S. Barre, changent alors de camp et soutiennent désormais le régime de H. M. Mengistu, en Éthiopie, provoquant du même coup la défaite de la Somalie. Cette dernière n'obtient des États-Unis qu'un soutien mesuré et insuffisant pour éviter la déstabilisation du pays. C'est en effet la défaite qui, par ses conséquences indirectes, plonge progressivement la Somalie dans le chaos. Ne pouvant plus entretenir l'armée, le général Barre la laisse en effet vivre sur le terrain, c'est-à-dire piller des régions entières, provoquant du même coup la ruine d'une partie du pays et le

◆ Démographie.

population	10 700 000 hab.
densité	16,7 hab./km²
accroissement naturel	30,7 ‰
taux de natalité	50 ‰
taux de mortalité infantile	127 ‰
espérance de vie	49 ans
part des moins de 15 ans	47,4 % de la pop. totale
part des plus de 65 ans	2,7 % de la pop. totale
population urbaine	26 %
principales villes	Muqdisho, Hargeisa, Kismaayo

◆ Principales ressources et productions (1997).

sorgho	160 000 t
dromadaires	6 200 000 têtes (1ᵉʳ rang)
caprins	12 500 000 têtes (10ᵉ rang)

◆ Économie et niveau de vie (1996).

PNB	n.d.
PNB/hab.	n.d.
taux de croissance	n.d.
taux d'inflation *(1992)*	36,3 %
taux de chômage	n.d.
dette extérieure	2 643,1 millions de $
importations	205 millions de $
exportations	117 millions de $
transports	routes 17 215 km,
taux d'analphabétisme	75,9 %

Afrique orientale

Kenya • Ouganda • Tanzanie

mécontentement de la population, qui aboutit bientôt à un soulèvement général. Une guerre larvée continue avec l'Éthiopie jusqu'à l'accord de paix somalo-éthiopien de 1988. La guérilla antigouvernementale, menée par des groupes divers dont certains reçoivent le soutien de l'Éthiopie, persiste en revanche depuis la fin de la guerre. En janvier 1991, les rebelles s'emparent de Muqdisho, mettant fin au régime de Siyad Barre.

La guerre civile. Depuis cette date, les factions rebelles s'entre-déchirent, mettant une grande partie du pays à feu et à sang. En particulier, les partisans du général Aïdid s'opposent violemment à ceux du président par intérim Ali Mahdi Mohamed pour le contrôle de la capitale. L'ex-Somaliland britannique fait sécession en mai 1991. Pour permettre l'acheminement de l'aide humanitaire et désarmer les belligérants, des troupes majoritairement américaines sous mandat spécial de l'ONU interviennent en décembre 1992. Les accords entre factions (mars 1993) restent inappliqués. En mai 1993, les forces de l'ONU prennent le relais des troupes internationales. Mais ni les États-Unis, ni l'ONU, ni l'Éthiopie et l'Érythrée – en tant que médiateurs – ne réussissent à obtenir une solution politique au conflit. Les dernières troupes internationales quittent le pays en mars 1995. La mort du général Aïdid, en 1997, n'a aucune répercussion sur la situation d'anarchie qui continue de prévaloir dans le pays.

Kenya

Nom officiel : République du Kenya. **Capitale :** Nairobi. **Monnaie :** shilling du Kenya (= 100 cents). **Langues officielles :** anglais et swahili. **Principales religions :** christianisme, islam, religions coutumières et syncrétiques. **Institutions :** République. Constitution de 1963 avec amendement de 1964 introduisant le régime républicain. Président de la République et Assemblée nationale élus au suffrage universel pour 5 ans. Multipartisme depuis 1991. **Président de la République et chef du gouvernement :** Daniel Arap Moi (depuis 1978). **Drapeau :** il a été adopté en 1963 ; le rouge représente le prix du sang versé pour l'indépendance ; le noir, le peuple africain ; le vert, la vocation agricole ; le blanc, la paix. Le centre porte un trophée traditionnel massaï. **Hymne national :** « Bénis, ô Seigneur, ô Créateur de l'univers, notre peuple et notre patrie. Que le droit soit notre guide. Vivons en harmonie, en paix et dans la liberté. Et répands sur nous tes bienfaits. » Paroles et musique par un groupe d'auteurs d'après un chant populaire kenyan. Déclaré officiel en 1963. **Fêtes nationales :** 20 octobre (anniversaire de Jomo Kenyatta) et 12 décembre (anniversaire de l'indépendance).

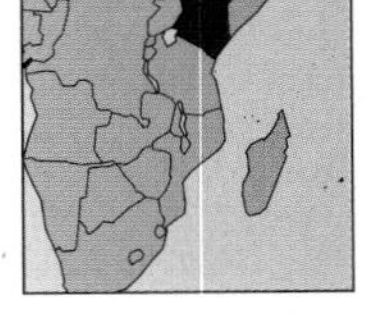

Superficie : 583 000 km². **Point culminant :** 5 199 m au mont Kenya.

GÉOGRAPHIE

Le Kenya est composé d'un Ouest montagneux et volcanique où l'on cultive le thé et le café, et d'un Est formé de plaines où se trouvent des plantations de canne à sucre, de bananiers et de sisal. La population comprend de nombreux groupes ethniques, dont celui des Kikuyus, le plus nombreux. Composée pour moitié de chrétiens et pour un quart de musulmans, elle connaît une relative prospérité par rapport à ses voisins. Le tourisme représente une ressource appréciable.

HISTOIRE

Les temps préhistoriques. Pays où ont été découverts les restes les plus anciens des préhominiens, le Kenya était occupé par des populations proches des Bochimans, vivant de chasse et de cueillette. Vers 500 av. J.-C., elles sont submergées par des pasteurs venus du nord qui importent l'agriculture et le travail du fer. Des Couchites se mêlent vers 200 av. J.-C. à ces populations, absorbées à leur tour par des Bantous et par des Nilotiques, dont les Kalenjins.

Pasteurs, guerriers et commerçants. Sur la rive orientale du lac Victoria arrivent au XVIe s. d'autres Nilotiques, les Luos, puis, à partir du XVIIe s., les Massaïs, pasteurs et guerriers. Sur le littoral, où se sont établis les Bantous durant le Ier millénaire, les Arabes ont installé des comptoirs (Sofala, Mombasa), où, depuis des siècles, se fait le commerce de l'ivoire, de l'or, du cuivre, des esclaves. Un métissage s'opère alors avec les populations bantoues du littoral, et le swahili s'élabore. Les Portugais apparaissent en 1497 dans l'océan Indien, affirmant leur supériorité navale sur les Arabes. Ils contrôlent la côte du XVIe au XVIIIe s. Ils installent des comptoirs, jusqu'à ce que les Arabes d'Oman les remplacent. Les Massaïs, déchirés par des guerres intestines, font régner l'insécurité dans toute la région des hauts plateaux. De 1830 à 1880, les Kambas, excellents commerçants, contrôlent la route du lac Victoria, entre les Kikuyus et la côte.

La colonisation britannique. Au moment du partage de l'Afrique, l'Allemagne reconnaît les revendications britanniques sur le Kenya (1886). En 1888, la British East Company reçoit du sultan de Zanzibar la concession de la majeure partie du pays. Quant à la zone côtière, elle est louée à bail à l'année. L'ensemble devient protectorat britannique (1895), puis colonie de la Couronne (1920). Des colons britanniques et originaires du Commonwealth font du pays une colonie de peuplement. Ils utilisent sur leurs plantations une main-d'œuvre africaine et indienne. À partir des années 1925, Jomo Kenyatta (qui appartient à l'ethnie kikuyu) prend la tête du mouvement nationaliste. Après la révolte des Kikuyus, connue sous le nom de révolte des Mau-Mau (1952-1956), sévèrement réprimée, des partis s'organisent sur une base régionale.

L'indépendance. Elle est proclamée en 1963 et la République est instaurée en 1964. Le gouvernement est dirigé par Jomo Kenyatta. Celui-ci doit faire face au marasme économique et aux difficultés de coexistence entre les minorités et la majorité noire divisée entre les Kikuyus et les Luos. Malgré son ralliement au socialisme, le Kenya se rapproche des pays occidentaux dès 1965. En 1968, de nombreux commerçants indiens sont expulsés. L'équilibre entre les Luos et les Kikuyus est rompu en juill. 1969 lors de l'assassinat du Luo Tom Mboya, dauphin de Kenyatta. Mais, politiquement stable, relativement bien industrialisé, le pays se développe, grâce, notamment, aux investissements étrangers. Après la mort de Kenyatta (1978), le vice-président Daniel Arap Moi, de la petite ethnie Tugen (Kalenjin), lui succède. En 1982, le système de parti unique est officiellement instauré, au profit de la Kenya African National Union (KANU). Le régime se durcit : arrestations arbitraires, intolérance à l'égard de l'opposition. À partir de 1990, Daniel Arap Moi doit accepter quelques concessions démocratiques, comme le multipartisme. Grâce à la division de l'opposition, il est réélu en décembre 1992, puis en décembre 1997. Il se trouve confronté, depuis lors, à un regain des tensions ethniques et religieuses, accompagnées de violences. En août 1998, l'ambassade des États-Unis à Nairobi est détruite par un attentat, attribué à des islamistes, qui fait près de 250 morts.

◆ Démographie.

population	28 300 000 hab.
densité	48,5 hab./km²
accroissement naturel	31 ‰
taux de natalité	36,9 ‰
taux de mortalité infantile	57 ‰
espérance de vie	54 ans
part des moins de 15 ans	46 % de la pop. totale
part des plus de 65 ans	49 % de la pop. totale
population urbaine	30 %
principales villes	Nairobi, Mombasa, Kisumu

◆ Principales ressources et productions (1997).

dromadaires	810 000 têtes (7e rang)
thé *(1995)*	245 000 t (3e rang)

◆ Économie et niveau de vie (1996).

PNB	8,965 milliards de $
PNB/hab.	1 130 $
taux de croissance *(1995)*	4,4 %
taux d'inflation	8,8 %
taux de chômage	n.d.
dette extérieure	6 892,9 millions de $
importations	2 581 millions de $
exportations	2 071 millions de $
transports	routes 63 324 km, voies ferrées 3 034 km
taux d'analphabétisme	21,9 %

◆ Armée.

budget militaire *(1996)*	5,1 % du PIB
forces armées *(1997)*	24 200 hommes

VOIR AUSSI
Illustrations
• **Mangrove au Kenya** p. 49
• **Saisie de défenses d'éléphants** p. 190

Ouganda Uganda

Nom officiel : République de l'Ouganda. **Capitale :** Kampala. **Monnaie :** shilling ougandais (= 100 cents). **Langue officielle :** anglais. **Principales religions :** christianisme, religions coutumières, islam. **Institutions :** République. Constitution de 1967 suspendue en 1971, rétablie de 1980 à 1985. Gouvernement militaire. Conseil national de la résistance. **Chef de l'État** : Yoweri Museveni (depuis 1986). **Premier ministre** : Apolo Nsibambi. **Drapeau** : il a été adopté en 1962. L'emblème de la grue couronnée remonte à la domination britannique. Les couleurs, noir, jaune, rouge, réparties en bandes, sont celles du parti indépendantiste. **Hymne national** : « Ô Ouganda ! Que Dieu te soutienne ! Nous te confions notre avenir. Unis et libres, tenant ferme, nous lutterons pour la liberté. » Paroles et musique de George Wilberforce Kakoma (né en 1923) et Peter G. Wingard. Déclaré officiel en 1962. **Fête nationale** : 9 octobre (anniversaire de l'indépendance).

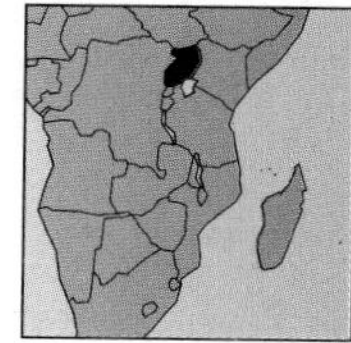

Superficie : 237 000 km². **Point culminant** : 5 119 m au Ruwenzori.

GÉOGRAPHIE

L'Ouganda est un pays de plateaux couvert de savanes, au climat tropical tempéré par l'altitude. L'élevage, le coton, le thé et le café en constituent les principales ressources. La population, composée de divers groupes ethniques, est très pauvre. La mortalité infantile est supérieure à 98 ‰ et l'espérance de vie inférieure à 45 ans.

HISTOIRE

Les origines. L'histoire de cette région est très mal connue. De petits royaumes ont sans doute dominé des populations de Bantous agriculteurs, organisées en clans. Parmi eux, le royaume de Kitara. Des Nilotiques, les Luos, venus par vagues successives au XVIe s., ont été assimilés. Au XIXe s., après de multiples luttes claniques, émerge le royaume du Buganda. Pays très fertile, il est bien administré par le roi *(kabaka)* Mutesa Ier (1856-1884). Celui-ci et son successeur ouvrent le pays aux missionnaires protestants et aux pères blancs.

Le protectorat britannique. Devenu un protectorat britannique en 1894, le Buganda est gouverné selon le système de l'*Indirect Rule*, confiant tout le pouvoir et la propriété des terres aux Bugandais. Au début du XXe s., la Grande-Bretagne étend son protectorat sur les autres royaumes (l'actuel Ouganda). Les premières manifestations africaines s'appuient sur les Églises et sur les chefs de clan avant la Seconde Guerre mondiale. Le malaise paysan et les frustrations des jeunes Africains éduqués sont à l'origine des émeutes de 1945. Des partis aux objectifs fort opposés se créent.

L'indépendance. Elle est proclamée en 1962. Milton Obote, homme du Nord, chef du Parti de l'Ouganda (parti anti-Buganda), devient Premier ministre. L'État est alors organisé sur une base fédérale. Le règlement des tensions entre les quatre royaumes qui le constituent (Buganda, Bunyoro, Toro et Ankole) peut ainsi s'effectuer, non sans affrontements. En 1963, Mutesa II, kabaka du Buganda, est élu à la tête de l'État. Mais, dès février 1966, Obote suspend la Constitution et s'attribue tous les pouvoirs. En 1967, une nouvelle Constitution met fin à l'existence des royaumes. Le régime devient de plus en plus autoritaire, et s'engage dans la voie du socialisme (nationalisation du commerce). Le 25 janvier 1971, le chef d'état-major de l'armée, le général Idi Amin Dada, s'empare du pouvoir. Les garanties constitutionnelles sont abolies et les libertés fondamentales supprimées. Un régime de terreur s'instaure. Sur le plan international, d'abord favorable à l'Occident, Idi Amin Dada rompt en 1972 avec Israël et se rapproche de la Libye.

Les relations avec la Grande-Bretagne et la Tanzanie se détériorent gravement. En 1979, l'armée tanzanienne renverse la dictature d'Idi Amin Dada. Des gouvernements provisoires se succèdent dans un climat d'insécurité permanente. Obote, revenu au pouvoir en 1980, ne peut ramener le calme. Des mouvements de guérilla (Mouvement pour la liberté de l'Ouganda, Armée nationale de résistance) se lancent dans la lutte armée. En 1985, un coup d'État militaire renverse Obote et porte le général Tito Okello au pouvoir. En janv. 1986, celui-ci est renversé par Yoweri Museveni, chef de l'Armée nationale de résistance. Confirmé à la tête de l'État par l'élection présidentielle de 1996, Museveni tente de reconstruire l'économie. Cependant, l'agitation persiste dans le Nord et dans l'Est, due à la pauvreté et à la prolifération des armes distribuées à divers groupes par les précédents régimes. Confronté notamment à une guérilla active dans le nord du pays, soutenue par le régime de Khartoum, l'Ouganda soutient en réponse la guérilla dans le sud du Soudan, avec l'aide ponctuelle des États-Unis, désireux de déstabiliser l'État terroriste qu'est le Soudan. Cette confrontation entraîne pendant les années 1990 la mise en place d'un jeu d'alliances dont les répercussions atteignent aussi bien la corne de l'Afrique (l'Ouganda favorise la chute de H. M. Mengistu, en Éthiopie) que le Zaïre (où L. D. Kabila prend le pouvoir en 1997 avec le soutien de Kampala) et le Rwanda (où l'Ouganda soutient le FPR, qui prend le pouvoir en 1994). L'ensemble de la région demeure toutefois très instable. Ainsi, l'Ouganda soutient en 1998 la rébellion qui menace, dans l'ex-Zaïre, le pouvoir de son ancien allié Kabila. L'activisme régional de Yoweri Museveni ne doit néanmoins pas faire oublier que l'Ouganda, même s'il s'est en partie relevé des errements des années 1970 et 1980, demeure un pays d'importance mineure à l'échelle du continent africain.

◆ **Démographie.**

population	21 000 000 hab.
densité	88,6 hab./km²
accroissement naturel	29 ‰
taux de natalité	51,1 ‰
taux de mortalité infantile	99 ‰
espérance de vie	43 ans
part des moins de 15 ans	48,5 % de la pop. totale
part des plus de 65 ans	2,4 % de la pop. totale
population urbaine	13 %
principales villes	Kampala, Mbalé

◆ **Principales ressources et productions** (1999).

café	220 000 t (7e rang)
bovins	5 200 000 têtes
caprins	3 500 000 têtes

◆ **Économie et niveau de vie** (1996).

PNB	6,068 milliards de $
PNB/hab.	1 030 $
taux de croissance	5,8 %
taux d'inflation	7,2 %
taux de chômage	n.d.
dette extérieure	3 674,3 millions de $
importations	991 millions de $
exportations	639 millions de $
transports	routes 28 332 km, voies ferrées 1 240 km

◆ **Armée.**

budget militaire *(1996)*	2 % du PIB
forces armées *(1997)*	50 000 hommes

Tanzanie **Tanzania**

Nom officiel : République unie de Tanzanie. **Capitale** : Dodoma. **Monnaie** : shilling tanzanien (= 100 cents). **Langues officielles** : anglais et swahili. **Principales religions** : islam, catholicisme, protestantisme, cultes syncrétiques. **Institutions** : République. Constitution de 1977 plusieurs fois remaniée (avec une Constitution particulière pour Zanzibar, entrée en vigueur en 1985). Président de la République élu au suffrage universel pour 5 ans. Assemblée nationale. Multipartisme depuis 1992. **Président de la République** : Benjamin Mkapa (depuis 1995). **Premier ministre** : Frederick Sumaye (depuis 1995). **Drapeau** : adopté en 1961 ; le noir représente le peuple ; le vert, l'agriculture ; le jaune, les richesses minérales ; le bleu ciel, l'union de 1964 avec le Zanzibar. **Hymne national** : « Ô Dieu, bénis l'Afrique, ses chefs, sa sagesse, l'unité et la paix. Sois notre protecteur, le protecteur de l'Afrique et de ses peuples. » Paroles de divers auteurs, musique d'après un hymne bantou composé par Mankayi Enoch Sontonga (1870-1904). Déclaré officiel en 1961. **Fêtes nationales** : 26 avril (anniversaire de l'union du Tanganyika et de Zanzibar) et 9 décembre (anniversaire de l'indépendance).

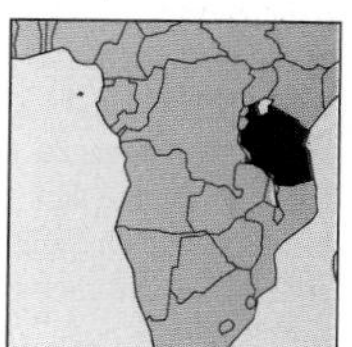

Superficie : 940 000 km². **Point culminant** : 5 895 m au Kilimandjaro.

GÉOGRAPHIE

La Tanzanie réunit l'ancien Tanganyika, plaine côtière dominée par des massifs volcaniques les plus hauts d'Afrique (Kilimandjaro) et l'ancien sultanat insulaire de Zanzibar, centre de la civilisation swahilie. L'ensemble du territoire connaît un climat chaud et humide. Les cultures commerciales (café, thé, coton, clous de girofle) s'ajoutent aux cultures vivrières (maïs, manioc). La population, nettement plus dense à Zanzibar, croît rapidement. Elle est principalement constituée de Bantous. Le niveau de vie est faible.

HISTOIRE

La civilisation swahilie. Des peuples d'origine bantoue s'établissent dans le pays au cours du Ier millénaire, suivis par des peuples d'origine nilotique. Du IXe au XIe s., probablement, s'installent sur la côte des Arabes d'Oman et du golfe Persique ainsi que des Persans. Ils s'allieront aux tribus bantoues pour former la civilisation swahilie. Kilwa est, aux XIIe-XIVe s., un important centre commercial, où l'or de l'intérieur, l'ivoire et les esclaves sont échangés contre les textiles du Proche-Orient et de l'Extrême-Orient. Les cités swahilies ne peuvent s'unir, mais elles luttent efficacement contre les Portugais (fin XVe s. - fin XVIIe s.). Dès 1652, les Arabes chassent les Portugais de Zanzibar et ils dominent le littoral tout au long du XVIIIe s. Un commerce à longue distance vers l'intérieur s'établit avec la collaboration de la communauté arabe de Zanzibar. Des points d'appui se créent sur les routes caravanières (Kisaki). Les Nyamwezis, établis dans le centre de la Tanzanie, approvisionnent en porteurs les Arabes, qui profitent des dissensions entre chefferies rivales pour assurer leur pouvoir.

L'État de Mirambo. À partir du milieu du XIXe s., une nouvelle conjoncture économique s'établit, fondée sur l'activité commerciale des négriers. Le troc des armes à feu et de la poudre

Afrique orientale

contre des esclaves et de l'ivoire s'établit à l'intérieur. À cette époque, les Ngonis, repoussés du Sud par les Zoulous, se répandent dans l'ouest et dans le sud de la Tanzanie constituant des chefferies. Ainsi celle de Mirambo, qui concurrence les Arabes dans les années 1870 : s'appuyant sur une armée de jeunes guerriers, organisée selon la tradition zouloue, elle domine alors le commerce entre Tabora (où s'étaient installés les Arabes) et Ujiji sur le lac Tanganyika.

La colonisation européenne. Dans les années 1880, Britanniques et Allemands qui ont pénétré dans l'intérieur délimitent leurs zones d'influence. En 1890, Zanzibar devient un protectorat britannique. L'Allemagne, à titre de compensation, obtient la zone côtière continentale. Ainsi est constituée l'Afrique-Orientale allemande, qui devient un protectorat en 1891.

La capitale est établie à Dar es-Salaam (aujourd'hui, elle se situe à Dodoma). Après la Première Guerre mondiale, le territoire du Tanganyika est confié par la SDN en mandat à la Grande-Bretagne (1920-1946), avant de devenir un territoire sous tutelle de l'ONU. Les sultans musulmans, favorisés par l'Allemagne, sont remplacés par les chefs coutumiers en pays bantou. Malgré l'essai d'une Haute Commission de l'Afrique orientale commune au Kenya, à l'Ouganda et au Tanganyika, ce dernier territoire évolue vers l'autonomie grâce au Conseil législatif, créé en 1926. Celui-ci s'ouvre aux Africains en 1945, et les membres sont élus en 1955. Julius Nyerere, chef de la Tanganyika African Nationalist Union (TANU), en devient le président en 1960.

L'indépendance. Elle est acquise en 1961, au sein du Commonwealth. La République est proclamée en 1962, avec Nyerere comme président. En 1964, Zanzibar, protectorat britannique jusqu'en 1963, fusionne avec le Tanganyika pour former la Tanzanie. Le nouvel État s'oriente vers le socialisme et le TANU devient parti unique. En 1977, il fusionnera avec le parti Afro-Shirazi, parti unique de Zanzibar, pour former le Parti révolutionnaire de Tanzanie. En 1966, un traité d'amitié est signé avec la Chine. De 1978 à 1981, le pays lutte avec succès contre le régime ougandais d'Idi Amin Dada. Cependant, le socialisme ujamaa (« de la solidarité ») pratiqué par Nyerere est un échec, et ce dernier ne sollicite pas le renouvellement de son mandat en 1985. Les élections portent à la présidence Ali Hassan Mwynyi, qui engage en 1990 un processus de libéralisation. En 1995, Benjamin William Mkapa est élu à la présidence. À partir de 1994, la Tanzanie, en plus d'une situation économique difficile et de l'instabilité croissante de l'archipel de Zanzibar, doit faire face aux conséquences de la crise des Grands Lacs. 300000 réfugiés hutus (du Rwanda et du Burundi) sont présents près de la frontière, ce qui pose de graves problèmes de sécurité et contribue à la détérioration des rapports entre la Tanzanie et le Burundi, qui se plaint de l'activité des groupes d'opposition armés basés dans les camps de réfugiés.

◆ **Démographie.**

population	30 600 000 hab.
densité	32,5 hab./km²
accroissement naturel	27,6 ‰
taux de natalité	41,2 ‰
taux de mortalité infantile	86 ‰
espérance de vie	52 ans
part des moins de 15 ans	45,9 % de la pop. totale
part des plus de 65 ans	2,5 % de la pop. totale
population urbaine	25 %
principales villes	Mwanza, Dar es-Salaam, Dodoma

◆ **Principales ressources et productions** (1997).

bovins	13 360 000 têtes
manioc	6 444 000 t (7e rang)
canne à sucre	1 460 000 t
maïs	2 107 000 t
sorgho	498 000 t

◆ **Économie et niveau de vie** (1996).

PNB	5,713 milliards de $
PNB/hab.	90 $
taux de croissance *(1994)*	3 %
taux d'inflation	19,7 %
taux de chômage	n.d.
dette extérieure	7 412,4 millions de $
importations	1 213 millions de $
exportations	764 millions de $
transports	routes 88 000 km, voies ferrées 3 569 km
taux d'analphabétisme	32,2 %

◆ **Armée.**

budget militaire *(1996)*	1,7 % du PIB
forces armées *(1997)*	34 600 hommes

Comores Qumr

Nom officiel : République fédérale islamique des Comores. **Capitale :** Moroni. **Monnaie :** franc des Comores (= 100 centimes). **Langues officielles :** arabe et français. **Principale religion :** islam. **Institutions :** République fédérale islamique. Constitution de 1996. Président de la République élu pour 5 ans au suffrage universel. Parlement bicaméral : Assemblée nationale de 43 membres élue pour 5 ans au suffrage universel. Sénat de 15 membres représentant les conseils régionaux des 3 îles. Multipartisme depuis 1991. **Président de la République :** Tadjidine Ben Said Massounde (depuis 1998). **Premier ministre :** Abbas Djoussouf (depuis 1998). **Drapeau :** adopté en 1978, il porte le croissant de lune et la couleur verte de l'islam. Les 4 étoiles représentent les îles principales de l'archipel : Ngazidja (anc. Grande Comore), Moili, Ndzouani et Mayotte (qui appartient encore à la France). **Hymne national :** « Le drapeau flotte, qui annonce la liberté ; le peuple se lève, car nous avons foi en les Comores. Toujours nous aimerons ardemment nos grandes îles. Nous, Comoriens, sommes du même sang, nous, Comoriens, sommes d'une même foi... » Paroles de Said Hachim Sid Abderamane (né en 1942), musique de Kamildine Abdallah (1943-1982) et Said Hachim Sidi Abderamane. Déclaré officiel en 1978. **Fête nationale :** 6 juillet (anniversaire de l'indépendance).

Superficie : 1 900 km². **Point culminant :** 2 361 m au Kartala (Ngazidja).

GÉOGRAPHIE

Cet État insulaire comprend les îles de la Grande Comore, de Moili (anc. Mohéli) et de Ndzouani (anc. Anjouan). La population est majoritairement musulmane et son niveau de vie est faible. L'agriculture (vanille, coprah, manioc) constitue l'unique ressource du pays.

◆ **Démographie.**

population	672 000 hab.
densité	354 hab./km²
accroissement naturel	35 ‰
taux de natalité	40,9 ‰
taux de mortalité infantile	67 ‰
espérance de vie	58 ans
part des moins de 15 ans	46,5 %
part des plus de 65 ans	2,4 %
population urbaine	31 %
principale ville	Moroni

◆ **Principales ressources et productions** (1997).

manioc	50000 t

◆ **Économie et niveau de vie** (1996).

PNB	0,23 milliard de $
PNB/hab.	1770 $
taux de croissance *(1993)*	1,2 %
taux d'inflation	n.d.
taux de chômage	n.d.
dette extérieure	205,6 millions de $
importations	45 millions de $
exportations	11 millions de $
transports	routes 851 km, voies ferrées 0 km
taux d'analphabétisme	42,7 %

HISTOIRE

Des éléments bantous de l'Est africain, arrivés avant le XIVe s., se sont joints à des populations malayo-indonésiennes venues de Madagascar pour former l'actuelle population de l'archipel. Des marchands musulmans originaires du sud de l'Arabie ou des colonies arabes de l'Est africain fréquentaient les îles au XVIe s. Les Comores passent sous protectorat français en 1886 (la France possédait Mayotte depuis 1841). Territoire d'outre-mer à partir de 1958, l'archipel, à l'exception de Mayotte, devient indépendant en 1975. En 1978 est proclamée la République fédérale islamique. Son président, Ahmed Abdallah, est assassiné en 1989 par ses propres mercenaires. Said Mohamed Djohar, puis Mohamed Taki Abdoulkarim, en 1996, et Tadjidine Ben Said Massounde, en 1998, lui succèdent. Le pays vit depuis lors dans un climat politique tendu, marqué notamment par deux coups d'État avortés en 1992 et 1995. En outre, des grèves générales ont éclaté en 1994. L'île de Ndzouani demande son rattachement à la France en 1997.

Seychelles Sesel

Nom officiel : République des Seychelles. **Capitale :** Victoria. **Monnaie :** roupie des Seychelles (= 100 cents). **Langues officielles :** anglais, créole, français. **Principale religion :** catholicisme. **Institutions :** République. Constitution de 1993. Président de la République, également chef du gouvernement et commandant en chef des forces armées, élu au suffrage universel pour 5 ans. Assemblée nationale élue au suffrage universel pour 5 ans. Multipartisme depuis 1992. **Président de la République et chef du gouvernement :** France Albert René (depuis 1977). **Drapeau :** adopté en 1977; le rouge représente la révolution; le blanc, les plages de l'océan Indien; le vert, la végétation de l'archipel. **Hymne national :** déclaré officiel en 1978. « Avec couraz e disiplin nou ti briz tou bayer/Gouvernay dan nou lanmen, nou pou resté touzour fyer/Zanmen zanmen nou pou aret lité/Plito lanmor ki viv dan lesclavaz! /zanmen, zanmen, nou pou arret lité, /Légalité pou nou tou! La liberté pou touzour! » Musique de Pierre Dastros-Geze. Déclaré officiel en 1978. **Fête nationale :** 5 juin.

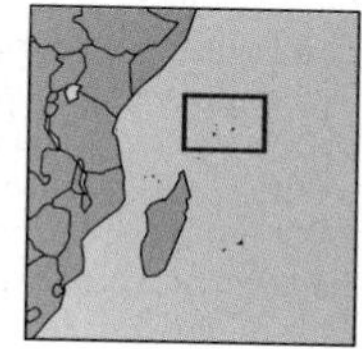

Superficie : 410 km². **Point culminant :** 905 m au Morne Seychellois.

GÉOGRAPHIE

Composé de 115 îles dont 46 sont habitées, l'archipel des Seychelles connaît un climat tempéré et vit essentiellement de l'agriculture vivrière (cannelle, vanille, cocotier) et du tourisme. Sa population, métissée, est majoritairement catholique. Son niveau de vie est relativement élevé.

HISTOIRE

Découvert en 1502 par les Portugais, l'archipel est possession française en 1756. Occupé en 1811 par les Britanniques, il passe sous leur contrôle en 1814. Dépendance de l'île Maurice, puis colonie de la Couronne à partir de 1903, l'archipel des Seychelles a obtenu son autonomie en 1970. L'indépendance a été proclamée en 1976, dans le cadre du Commonwealth. Le régime socialiste instauré par France Albert René à partir de 1977 a dû faire face à plusieurs tentatives de coups d'État. Sur le plan extérieur, le régime, solidaire des mouvements et pays progressistes d'Afrique et opposé à l'apartheid sud-africain, réclame la démilitarisation de l'océan Indien. À partir de 1990, le président René s'efforce de contrôler l'inéluctable évolution des Seychelles vers la démocratie. Une nouvelle Constitution, approuvée par référendum en juin 1993, consacre le multipartisme introduit en janvier 1992.

◆ Démographie.

population	76 000 hab.
densité	185 hab/km²
accroissement naturel	17 ‰
taux de natalité	25 ‰
taux de mortalité infantile	18 ‰
espérance de vie	68 ans
part des moins de 15 ans	35 % de la pop. totale
part des plus de 65 ans	6 % de la pop. totale
population urbaine	95 %
principale ville	Victoria

◆ Principales ressources et productions (1997).

bananes	2000 t

◆ Économie et niveau de vie (1996).

PNB	0,514 milliard de $
PNB/hab.	6 620 $
taux de croissance *(1992)*	2 %
taux d'inflation *(1994)*	1,8 %
taux de chômage	n.d.
dette extérieure	147,9 millions de $
importations	251 millions de $
exportations	92 millions de $
transports	routes 285 km
taux d'analphabétisme	12 %

◆ Armée.

budget militaire *(1996)*	2,6 % du PIB
forces armées *(1997)*	300 hommes

Madagascar

Madagasikara

Nom officiel : République démocratique de Madagascar. **Capitale :** Antananarivo. **Monnaie :** franc malgache. **Langue officielle :** malgache. **Principales religions :** catholicisme (forte minorité protestante), cultes animistes. **Institutions :** République. Constitution de 1992. Président de la République élu pour 5 ans au suffrage universel. Parlement bicaméral : Assemblée nationale élue pour 4 ans au suffrage universel; Sénat (dont un tiers des membres sont nommés par le président de la République). **Président de la République :** Didier Ratsiraka (depuis 1997). **Premier ministre :** Tantely Andrianarivo (depuis 1998). **Drapeau :** adopté en 1958, il reprend les couleurs blanche et rouge de la monarchie Hova. Le vert a été rajouté à la demande des habitants de la côte, et signifie l'espoir en un avenir meilleur. **Hymne national :** « Ô ma patrie bien-aimée, Madagascar. Notre amour pour toi ne s'éteindra jamais, il vivra toujours. » Paroles de Rahajason, musique de Norbert Raharisoa. Déclaré officiel en 1960. **Fête nationale :** 26 juin (anniversaire de l'indépendance).

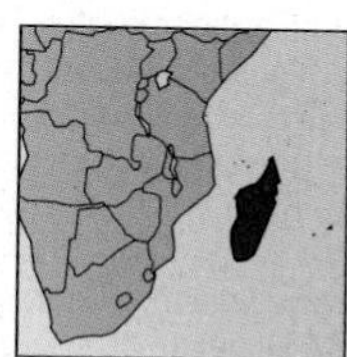

Superficie : 587 000 km². **Point culminant :** 2 876 m dans le massif de Tsaratanana.

GÉOGRAPHIE

Ce pays insulaire est constitué de hauts plateaux granitiques et de quelques massifs volcaniques au centre, dont le climat est tempéré par l'altitude, ainsi que d'une plaine littorale à l'est, chaude, humide et forestière. L'Ouest est composé de plateaux et de collines au climat plus sec, couverts par la forêt claire et la brousse. Les principales exportations sont les produits du sous-sol (graphite, mica, chrome) et les produits agricoles (café, sucre de canne, vanille) mais la balance commerciale est déficitaire. La population, d'origine à la fois africaine et asiatique, connaît un niveau de vie extrêmement faible.

HISTOIRE

Les origines. La population actuelle de l'île résulte d'un mélange de Négro-Africains et de Malayo-Polynésiens vraisemblablement originaires d'Indonésie. Du XIIe au XVIIe s., des Antalotes, commerçants islamisés parlant un dialecte swahili, venus de la côte africaine, créent des comptoirs sur la côte ouest. Sur la côte orientale s'établissent d'autres immigrés islamisés, indonésiens et noirs. En 1500, le navigateur portugais Diogo Dias découvre l'île. À partir de la fin du XVIe s., Portugais, Hollandais et Britanniques fréquentent ses rades, afin de s'approvisionner en vivres sur la route des Indes. Mais ils ne parviennent pas à créer des établissements durables. En 1643, Fort-Dauphin est fondé au sud-est de l'île par le Rochelais Jacques Pronis, de la Compagnie d'Orient. En 1674, Madagascar est abandonnée par les Français au profit de la Réunion, étape sur la route des Indes. L'île devient alors un repaire de pirates, où les colons français vont chercher au XVIIIe s. des esclaves, du riz et des bœufs. Des tribus s'y sont regroupées pour former des royaumes à l'est (Menabe, Boina), à l'ouest (Betsimisaraka) et au sud (Betsileo). Au centre du plateau, les Hovas fondent la ville fortifiée d'Antananarivo (Tananarive). Ils appellent le pays Imerina et ses habitants les Merinas. L'Imerina est gouverné par Andrianampoinimerina (v. 1787-1810) puis par son fils Radama Ier (1810-1828). Les Britanniques lui confèrent le titre de roi de Madagascar (1817) et lui apportent leur concours pour moderniser le pays. À sa mort, sa femme, Ranavalona Ire (1828-1861), ferme les écoles et chasse les Européens. Après le règne de Radama II (1861-1863), le pouvoir passe entre les mains du Premier ministre Rainilaiarivony (1865-1895), qui épouse successivement les trois reines Rasoherina, Ranavalona II et Ranavalona III. Pour éviter la mainmise européenne sur son pays, il le modernise et se convertit au protestantisme avec une grande partie du peuple (1869).

La colonisation. Cependant, la France impose son protectorat à l'île par le traité de 1885, qui est reconnu par la Grande-Bretagne en 1890. Un corps expéditionnaire français débarque à Majunga et atteint Tananarive (1895) malgré de lourdes pertes (6 000 hommes). Après l'insurrection de l'Imerina, l'île devient une colonie française (1896). Gallieni, gouverneur de 1896 à 1905, abolit l'esclavage, pacifie l'Imerina et exile la reine. Le régime colonial (1896-1946) parvient à ruiner l'autorité de l'oligarchie merina, en rétablissant des chefs locaux et en remplaçant les gouverneurs merinas par des administrateurs français. Il met en

◆ Démographie.

population	14 000 000 hab.
densité	23,8 hab./km²
accroissement naturel	31,1 ‰
taux de natalité	41,1 ‰
taux de mortalité infantile	88 ‰
espérance de vie	59 ans
part des moins de 15 ans	46,8 %
part des plus de 65 ans	2,6 %
population urbaine	27 %
principales villes	Antananarivo, Toamasina, Fianarantsoa

◆ Principales ressources et productions (1997).

café	55 000 t
sisal	17 000 t (6e rang)
canne à sucre	2 160 000 t
manioc	2 418 000 t
riz	2 558 000 t
patate douce	457 000 t
bananes	260 000 t
bovins	10 320 000 têtes

◆ Économie et niveau de vie (1996).

PNB	3,986 milliards de $
PNB/hab.	900 $
taux de croissance *(1994)*	0,2 %
taux d'inflation	19,8 %
taux de chômage	n.d.
dette extérieure	4 175,4 millions de $
importations	629 millions de $
exportations	509 millions de $
transports	routes 34 739 km, voies ferrées 1 030 km
taux d'analphabétisme	54,3 %

◆ Armée.

budget militaire *(1996)*	1,4 % du PIB
forces armées *(1997)*	21 000 hommes

Afrique orientale

♦ Madagascar.

place un enseignement laïc, une infrastructure médicale et préside au développement économique de l'île. Ralliée à Vichy, Madagascar est occupée par les Britanniques en 1942 et rendue à la France libre en 1943. En 1947, la France réprime très violemment les velléités d'indépendance du pays à l'occasion de l'insurrection des Menalambas.

L'indépendance. L'île devient un territoire d'outre-mer (1946-1958), puis une république autonome (1958-1960) qui accède à l'indépendance en 1960. Le président Tsiranana (1958-1972) assure la stabilité du pays. Mais, à partir de 1967, l'opposition critique notamment les avantages accordés aux côtiers au détriment des Merinas. Après les grèves des étudiants et des ouvriers déclenchées en 1972, Tsiranana accorde les pleins pouvoirs au général Ramanantsoa et se retire. En 1973 s'ouvrent à Paris des négociations qui aboutissent à la conclusion de nouveaux accords de coopération franco-malgaches. Après plusieurs années mouvementées, le capitaine de frégate Didier Ratsiraka est nommé en 1975 président du Conseil suprême de la révolution. La République démocratique de Madagascar est instaurée le 31 décembre et Ratsiraka en devient le président. Les nationalisations s'étendent progressivement, tandis qu'à l'extérieur le président Ratsiraka exige la démilitarisation de l'océan Indien. Cependant, le pouvoir est incapable de mobiliser la population. En outre, la personnalisation de la fonction présidentielle s'ajoute à la dégradation de l'économie et à la montée de l'insécurité. Émeutes et pillages touchent l'ensemble du pays (1982). La capitale est dévastée (1984-1985). Le pouvoir doit reconnaître l'échec de l'économie socialiste. Un certain libéralisme est instauré. Les relations s'améliorent avec la France ainsi qu'avec l'Afrique du Sud. Dans ce contexte de crise économique profonde, et malgré les promesses de libéralisation du régime, un ample mouvement populaire pacifique se développe en 1991. Le 10 août, les forces armées tirent sur la foule, faisant une centaine de morts. L'opposition, regroupée au sein du Mouvement des forces vives, dirigé par Albert Zafy, contraint peu après le pouvoir légal à un compromis définissant des règles du jeu constitutionnel pour une période de transition (Convention du 31 octobre 1991). En août 1992, une nouvelle Constitution est approuvée par référendum. En février 1993, Albert Zafy est élu président de la République. Cependant, les difficultés économiques favorisent le retour au pouvoir de Didier Ratsiraka, par la voie des urnes cette fois, en 1997.

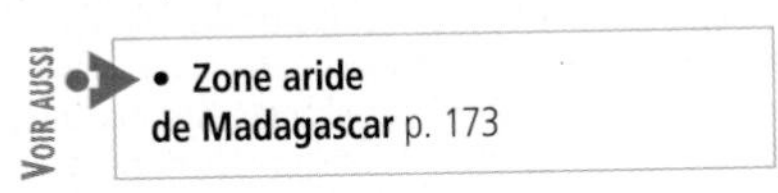
VOIR AUSSI
• **Zone aride de Madagascar** p. 173

Maurice Mauritius

Nom officiel : Maurice. **Capitale :** Port-Louis. **Monnaie :** roupie mauricienne (= 100 cents). **Langue officielle :** anglais. **Principales religions :** hindouisme, christianisme, islam. **Institutions :** État indépendant depuis 1968, République depuis 1992, membre du Commonwealth. Président de la République désigné pour 5 ans par le Premier ministre. Un Parlement monocaméral : Assemblée législative de 71 membres, en poste pour 5 ans (62 élus au suffrage universel, 8 choisis parmi les candidats ayant reçu le plus de voix, parmi chaque communauté). Multipartisme. **Président de la République :** Cassam Uteem (depuis 1992). **Premier ministre :** Navin Ramgoolam (depuis 1995). **Drapeau :** il a été adopté en 1968 ; le rouge signifie le sang versé pendant les combats pour l'indépendance ; le bleu, la mer qui entoure cet État insulaire ; le jaune, le Soleil et la lumière d'or de l'indépendance ; le vert, la fertilité de la végétation. **Hymne national :** « Gloire à toi, patrie, ô mienne patrie. Douce est ta beauté, doux ton parfum. Autour de toi nous nous assemblons, peuple uni, nation une, dans la paix, la justice et la liberté. » Paroles de Jean-Georges Prosper (né en 1933), musique de Philippe Gentil (né en 1928). Déclaré officiel en 1968. **Fête nationale :** 12 mars (anniversaire de l'indépendance).

Superficie : 2 040 km². **Point culminant :** 828 m au piton de la Petite Rivière Noire.

GÉOGRAPHIE

Cet État insulaire de petite taille, au climat subtropical, vit essentiellement de la canne à sucre, de l'industrie textile et surtout du tourisme. Sa population, très urbanisée, principalement d'origine asiatique, connaît un niveau de vie élevé.

HISTOIRE

La colonisation. Découverte au début du XVIe s. par les Portugais, l'île est colonisée par les Néerlandais (1598-1710), qui la baptisent Mauritius en l'honneur de Maurice de Nassau et qui en font un centre de déportation. En 1715, les Français, déjà maîtres de l'île Bourbon (Réunion), s'en emparent et la nomment île de France. L'île joue un rôle capital lors des guerres franco-britanniques pour le contrôle des Indes. Elle est cédée à la Grande-Bretagne en 1814 à la chute de Napoléon. La prospérité de l'île repose sur la culture de la canne à sucre, confiée, après l'affranchissement des esclaves, à des travailleurs indiens dont beaucoup s'installeront dans l'île. Mais le percement du canal de Suez est fatal à son rôle d'escale sur la route des Indes. Le XIXe s. est aussi marqué par la récession de l'industrie sucrière de l'île, conséquence de l'essor de la culture de la betterave en Europe. Après la Seconde Guerre mondiale, l'île est dotée d'une certaine autonomie.

L'indépendance. Maurice devient un État indépendant, membre du Commonwealth, en 1968. Le travailliste Seewoosagur Ramgoolam, Premier ministre depuis 1961, forme en 1969 un gouvernement de coalition avec le Parti social-démocrate. Le Mouvement militant mauricien (MMM), appuyé sur les déshérités indiens et créoles, organise des grèves qui font décréter l'état d'urgence (1971-1972). Dirigé par Paul Bérenger, il gagne les élections de 1976 mais est frustré du pouvoir. Enfin, lors des élections de 1982, allié au Parti socialiste mauricien, son président, Aneerood Jugnauth, devient Premier ministre. Ce dernier se sépare du MMM, fonde le Mouvement socialiste mauricien (MSM) et forme en 1983 un gouvernement de coalition, reconduit après les élections de 1987.

En 1990, une nouvelle alliance entre le MSM et le MMM permet à Aneerood Jugnauth de demeurer au pouvoir. Maurice devient une république en mars 1992 et Cassam Uteem est élu à la présidence.

♦ Démographie.

population	1 200 000 hab.
densité	588 hab./km²
accroissement naturel	12,8 ‰
taux de natalité	19,3 ‰
taux de mortalité infantile	17 ‰
espérance de vie	72 ans
part des moins de 15 ans	27,6 % de la pop totale
part des plus de 65 ans	5,8 % de la pop totale
population urbaine	41 %
principales villes	Port-Louis, Beau Bassin - Rose Hill, Vacoas-Phœnix

♦ Principales ressources et productions (1997).

canne à sucre	5 500 000 t
pomme de terre	16 000 t
bananes	10 000 t

♦ Économie et niveau de vie (1996).

PNB	4,24 milliards de $
PNB/hab.	9 000 $
taux de croissance *(1994)*	4,3 %
taux d'inflation *(1995)*	6,6 %
taux de chômage	n.d.
dette extérieure	1 817,7 millions de $
importations	2 087 millions de $
exportations	1 793 millions de $
taux d'analphabétisme	17,1 %

♦ Armée.

budget militaire *(1996)*	0,3 % du PIB
forces armées *(1997)*	1 300 hommes

Mozambique
Moçambique

Nom officiel : République du Mozambique. **Capitale :** Maputo. **Monnaie :** metical (= 100 centavos). **Langue officielle :** portugais. **Principales religions :** catholicisme, cultes animistes. **Institutions :** République. Constitution de 1990. Président de la République et Assemblée nationale élus pour 5 ans au suffrage universel. Multipartisme. **Président de la République :** Joaquim Chissano (depuis 1986). **Premier ministre :** Pascoal Mocumbi (depuis 1994). **Drapeau :** les symboles de la révolution (livre et fusil), associés à la houe, figurant sur le fond d'une étoile d'or, représentent les forces vives du pays. Les couleurs vert, rouge, noir, or symbolisent la fertilité, les combats de libération, le continent africain et les richesses du sous-sol. **Hymne national :** « Vive, vive le FRELIMO, guide du peuple de Mozambique ! Peuple héroïque qui, l'arme au poing, a débouté le colonialisme. » Paroles et musique de Justino Sigaulane Chemane (né en 1923). Déclaré officiel en 1975. **Fête nationale :** 25 juin (anniversaire de l'indépendance).

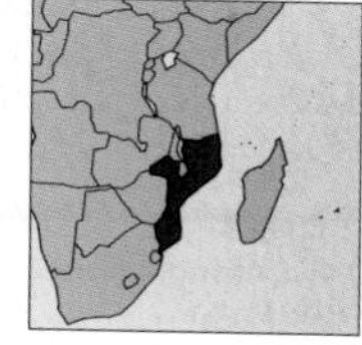

Superficie : 785 000 km². **Point culminant :** 2 436 m au mont Binga.

GÉOGRAPHIE

Pays en grande partie couvert par la forêt et au climat humide, le Mozambique est formé d'une bande côtière relativement étroite. La plupart des voies de communication relient la côte à l'intérieur des terres. L'économie est principalement agricole. Cependant, la restauration du corridor de Maputo, rendue possible par la fin de la guerre civile, pourrait permettre à ce pays de tirer un important revenu du transit des matières premières en provenance de la Copper Belt. La population, principalement d'origine bantoue et extrêmement pauvre, vit de l'agriculture vivrière et émigre massivement vers l'Afrique du Sud.

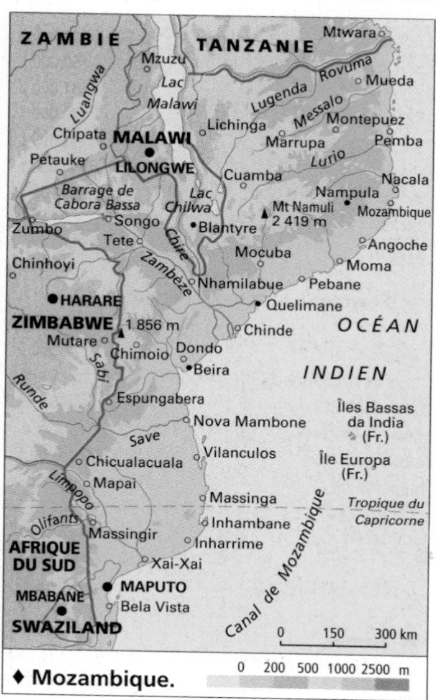

♦ **Mozambique.**

HISTOIRE

Les origines. Dès le Xᵉ s., il existe un important commerce d'ivoire, et peut-être d'or, avec la région située au sud des bouches du Zambèze, où les Arabes créeront ultérieurement le port de Sofala. Les royaumes Maravi, entre le lac Malawi et le Zambèze, dominent la région. Le pays est déjà prospère lorsque arrivent les Portugais. Covilhã en 1490 et Vasco de Gama en 1498 s'installent dans les ports, remontent le Zambèze et éliminent les Arabes. Le commerce est désorganisé aux XVIᵉ-XVIIᵉ s. à la suite des migrations des Ngonis vers le sud. À la fin du XIXᵉ s., la poussée coloniale, surtout britannique, menace la présence portugaise.

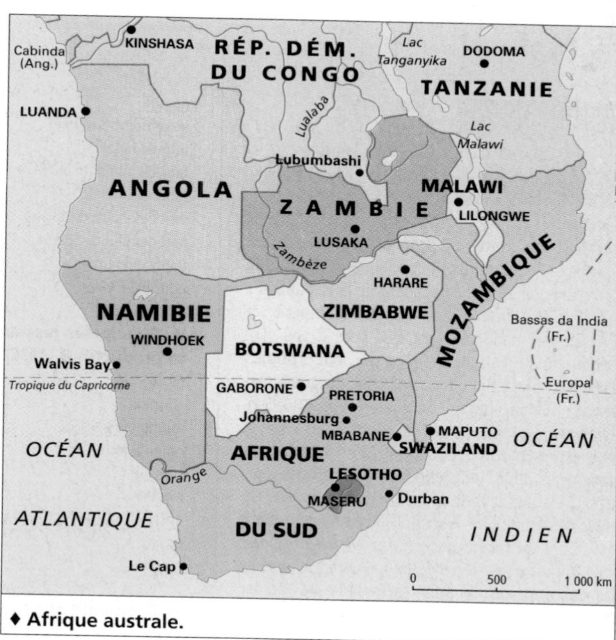

♦ **Afrique australe.**

La colonisation portugaise. Le Portugal entreprend alors la conquête du Mozambique (1895-1913). Il confie la plus grande partie du pays à des compagnies à charte, qui pratiquent le système des cultures forcées et de l'indigénat. De nombreux Africains partent travailler dans les mines d'Afrique du Sud et de Rhodésie. Des mouvements nationalistes se développent, avec l'appui des pays de l'Est et du Parti communiste portugais. Le Frente de Libertação Moçambique (FRELIMO), fondé en 1962 par Eduardo Mondlane, déclenche la guérilla en 1964. La ligne dure marxiste l'emporte et, après l'assassinat de Mondlane (1969), Samora Machel prend la tête du FRELIMO et repousse l'autonomie proposée en 1970 par le Portugal.

L'indépendance. Après le coup d'État d'avril 1974 à Lisbonne, l'indépendance est proclamée en 1975. Le territoire devient une république populaire, présidée par Samora Machel. En 1977, le FRELIMO se définit comme un parti marxiste-léniniste d'avant-garde. Confronté à la sécheresse et aux difficultés économiques, puis attaqué par la guérilla antigouvernementale animée par la Résistance nationale du Mozambique (RENAMO), le FRELIMO doit signer un pacte de non-agression avec l'Afrique du Sud (1984, renouvelé en 1988). Joaquim Chissano, qui succède à Samora Machel en 1986, libéralise l'économie. Le FRELIMO abandonne toute référence au marxisme-léninisme (juill. 1989). Une nouvelle Constitution (déc. 1990) permet l'instauration du multipartisme. Le 4 octobre 1992, un accord de paix signé à Rome entre le FRELIMO et la RENAMO met fin à la guerre civile. Des élections législatives et présidentielle, enfin tenues en 1994, donnent la victoire au FRELIMO et au président sortant. La transition politique en Afrique du Sud favorise en outre la coopération entre les deux pays.

♦ **Démographie.**

population	18 600 000 hab.
densité	23,6 hab./km²
accroissement naturel	25 ‰
taux de natalité	42,5 ‰
taux de mortalité infantile	123 ‰
espérance de vie	47 ans
part des moins de 15 ans	44,9 % de la pop. totale
part des plus de 65 ans	3,2 % de la pop. totale
population urbaine	35 %
principales villes	Maputo, Beira, Nampula

♦ **Principales ressources et productions** (1997).

coprah	5 337 000 t (9ᵉ rang)
manioc (1995)	74 000 t (8ᵉ rang)
arachide	126 000 t
sorgho	262 000 t
canne à sucre	300 000 t
bananes	86 000 t
manioc	5 337 000 t
maïs	1 042 000 t
bovins	1 290 000 têtes
caprins	386 000 têtes

♦ **Économie et niveau de vie** (1996).

PNB	1,542 milliard de $
PNB/hab.	500 $
taux de croissance *(1993)*	18,6 %
taux d'inflation	45 %
taux de chômage	n. d.
dette extérieure	5 841,6 millions de $
importations	704 millions de $
exportations	226 millions de $
transports	routes 29 195 km, voies ferrées 3 131 km
taux d'analphabétisme	59,9 %

♦ **Armée.**

budget militaire *(1996)*	3,7 % du PIB
forces armées *(1997)*	11 000 hommes

Afrique australe

Malawi • Zambie • Zimbabwe

Malawi

Nom officiel : République du Malawi. **Capitale :** Lilongwe. **Monnaie :** kwacha (= 100 tambala). **Langue officielle :** anglais. **Principales religions :** catholicisme (forte minorité protestante), cultes animistes. **Institutions :** République. Constitution provisoire de 1994. Le président de la République, qui est également chef du gouvernement, et l'Assemblée nationale sont élus pour 5 ans. (Un Sénat, élu au suffrage indirect, doit être institué.) **Président de la République et chef du gouvernement :** Elson Bakili Muluzi (depuis 1994). **Drapeau :** les couleurs ont été adoptées en 1964 ; le noir représente le continent africain ; le rouge, le sang versé pour l'indépendance ; le vert, la végétation. Le soleil levant symbolise l'espoir dans le développement de l'Afrique. **Hymne national :** « Ô Dieu, bénis notre terre du Malawi, qu'elle soit toujours une terre de paix. Anéantis chacun de nos ennemis, la faim, la maladie et l'envie. Que nos cœurs battent tous à l'unisson, afin que nous ignorions la peur. Bénis notre chef et chacun d'entre nous, et notre patrie, le Malawi. » Paroles et musique de Michael-Fredrick Paul Sauka (né en 1934). Déclaré officiel en 1964. **Fête nationale :** 6 juillet (anniversaire de la proclamation de la République).

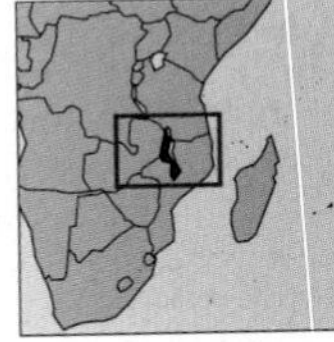

Superficie : 118 000 km². **Point culminant :** 3 000 m au mont Mulanje.

GÉOGRAPHIE

Le Malawi est un pays de hauts plateaux, presque exclusivement agricole. La population, particulièrement pauvre avec une mortalité infantile de 133‰, vit de l'agriculture vivrière. Les rares exportations (tabac, sucre et thé) sont loin de compenser les importations.

HISTOIRE

Les origines. Les alentours du lac Malawi sont occupés depuis des siècles par des populations bantoues, victimes dès 1840 des razzias des négriers de Zanzibar. Elles sont soumises par les Ngonis, éleveurs chassés du Zoulouland par Chaka. Les Yaos, Bantous à la solde des Swahilis, installés aux confins du Malawi et du Mozambique, se font les intermédiaires des esclavagistes de la côte. Livingstone découvre le lac Malawi en 1859 et des Écossais, missionnaires et marchands, s'établissent dans la région peu après. Les traités conclus avec les chefs locaux dès 1889 aboutissent à la constitution du protectorat britannique de la British Central Africa, qui prend le nom de Nyassaland en 1907. En 1953, la Grande-Bretagne décide la constitution d'une fédération de Rhodésie et du Nyassaland, qui se heurte à une vive opposition africaine dirigée par le Dr Hastings Banda.

L'indépendance. Le Nyassaland se sépare des Rhodésies (1962) et devient indépendant en 1964 sous le nom de Malawi. La république est proclamée en 1966. Le pays est dès lors dirigé par Hastings Banda (président à vie depuis 1971), qui instaure le système du parti unique. Le Malawi est le premier État africain à avoir reconnu officiellement la République d'Afrique du Sud (1967), avec laquelle il développe ses relations. La rébellion anticommuniste de la Résistance nationale du Mozambique (RENAMO), qui bénéficiait du soutien logistique de l'Afrique du Sud, a disposé jusqu'en 1988 de plusieurs bases au Malawi. Usant de la répression et de la corruption, le président Banda résiste longtemps aux revendications démocratiques de la population. Il doit finalement concéder un référendum sur le multipartisme (juin 1993) et accepter une élection présidentielle. Celle-ci se tient en mai 1994 et Hastings Banda doit s'incliner devant Elson Bakili Muluzi, chef du Front démocratique uni.

◆ **Démographie.**

population	9 800 000 hab.
densité	83 hab./km²
accroissement naturel	27,8 ‰
taux de natalité	47,7 ‰
taux de mortalité infantile	133 ‰
espérance de vie	45 ans
part des moins de 15 ans	46,8 % de la pop. totale
part des plus de 65 ans	2,6 % de la pop. totale
population urbaine	14 %
principales villes	Lilongwe, Blantyre, Mzuzu

◆ **Principales ressources et productions** (1995).

tabac	132 000 t (9e rang)
arachide	69 000 t
sorgho	40 000 t
canne à sucre	1 750 000 t
bananes	90 000 t
manioc	200 000 t
maïs	1 225 000 t
bovins	700 000 têtes
caprins	1 257 000 têtes

◆ **Économie et niveau de vie** (1996).

PNB	2,156 milliards de $
PNB/hab.	690 $
taux de croissance *(1993)*	10,8 %
taux d'inflation	37,6 %
taux de chômage	n. d.
dette extérieure	2 311,6 millions de $
importations	639 millions de $
exportations	363 millions de $
transports	routes 18 800 km, voies ferrées 789 km
taux d'analphabétisme	43,6 %

◆ **Armée.**

budget militaire *(1996)*	1,2 % du PIB
forces armées *(1997)*	9 800 hommes

Zambie Zambia

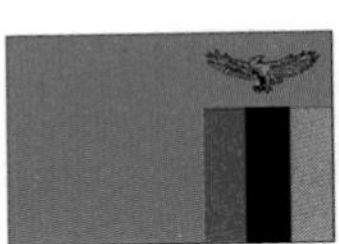

Nom officiel : République de Zambie. **Capitale :** Lusaka. **Monnaie :** kwacha (= 100 ngwee). **Langue officielle :** anglais. **Principales religions :** protestantisme (forte minorité catholique), cultes animistes. **Institutions :** République. Constitution de 1991. Président de la République élu pour 5 ans au suffrage universel. Assemblée nationale comprenant 150 députés, dont 142 élus au suffrage universel pour 5 ans. Multipartisme. **Président de la République :** Frederick Chiluba (depuis 1991). **Drapeau :** le vert représente l'agriculture ; le rouge, le sang versé pour l'indépendance ; le noir, le peuple ; l'orange, les richesses minières, notamment le cuivre ; l'aigle, enfin, est symbole de la liberté retrouvée. Il a été adopté en 1964. **Hymne national :** « Gloire à Dieu. Bénis notre grande nation, c'est en hommes libres que nous saluons le drapeau de notre pays. Zambie, gloire à toi ! Tous unis, forts et libres. » Paroles de J. M. S. Lichilana (né en 1935) et autres, musique dérivée d'une ancienne mélodie sud-africaine. Déclaré officiel en 1964. **Fête nationale :** 24 octobre (anniversaire de l'indépendance).

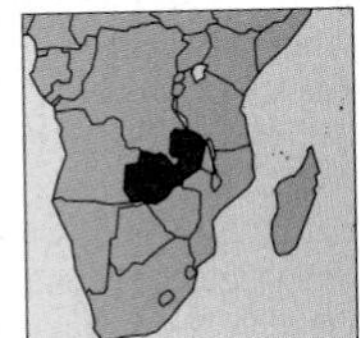

Superficie : 746 000 km². **Point culminant :** 2 164 m dans le nord-est du pays.

GÉOGRAPHIE

La Zambie est un pays de hauts plateaux au climat tropical tempéré par l'altitude. Les minerais que recèle le sous-sol (cuivre, or, argent, cobalt) constituent la principale ressource du pays, très endetté. La population vit essentiellement de l'agriculture (maïs, surtout), et croît rapidement, ce qui entrave l'élévation de son niveau de vie, très faible.

HISTOIRE

Origines et colonisation. Probablement habitée initialement par des Pygmées, la Zambie actuelle a été peuplée par des agriculteurs de langue bantoue à l'âge de fer. Puis, venus du nord, des pasteurs s'ins-

◆ **Démographie.**

population	9 500 000 hab.
densité	12,7 hab./km²
accroissement naturel	25,7 ‰
taux de natalité	42,4 ‰
taux de mortalité infantile	112 ‰
espérance de vie	46 ans
part des moins de 15 ans	48,1 % de la pop. totale
part des plus de 65 ans	2,3 % de la pop. totale
population urbaine	43 %
principales villes	Lusaka, Kitwe-Nkana, Ndola

◆ **Principales ressources et productions** (1997).

cuivre	331 000 t (10e rang)
arachide	50 000 t
sorgho	31 000 t
canne à sucre	1 420 000 t
patates douces	52 000 t
manioc	540 000 t
oranges	4 000 t
bovins	2 600 000 têtes
caprins	580 000 têtes

◆ **Économie et niveau de vie** (1996).

PNB	3,293 milliards de $
PNB/hab.	860 $
taux de croissance *(1995)*	6,4 %
taux d'inflation	46,3 %
taux de chômage	n. d.
dette extérieure	7 112,6 millions de $
importations	1 300 millions de $
exportations	1 190 millions de $
transports	routes 37 359 km, voies ferrées 1 273 km
taux d'analphabétisme	21,8 %

◆ **Armée.**

budget militaire *(1996)*	0,8 % du PIB
forces armées *(1997)*	21 600 hommes

tallent dans le centre, tandis qu'à l'est la population développe une production de cuivre assez intense. La région est peu à peu intégrée aux réseaux commerciaux des Empires louba (XVIe s.) puis lunda (XVIIe-XVIIIe s.), qui se développent vers le bas Zambèze et l'océan Indien. À partir de 1840, les effets de la traite arabe et le contrecoup des guerres zouloues entraînent de nouvelles migrations (celles des Ngonis, des Kololos). Des missionnaires européens s'installent dans la région à la suite des explorations de Livingstone (1853-1854, 1858-1860). Le traité de 1885 établissant la frontière sur la ligne de partage des eaux entre Congo et Zambèze laisse à la Grande-Bretagne une part importante des gisements de cuivre. Cecil Rhodes et ses agents signent des traités avec les chefs locaux. Le pays est entièrement occupé en 1899. Exploité par la British South Africa Chartered Company, il prend en 1911 le nom de Rhodésie du Nord. Il sert de réserve de main-d'œuvre pour la Rhodésie du Sud et l'Afrique du Sud. Il est doté en 1924 du statut de colonie de la Couronne britannique et entre en 1953 dans la Fédération de Rhodésie et du Nyassaland.

L'indépendance. Après la désintégration de cette fédération (1963), l'indépendance est proclamée en 1964. Kenneth Kaunda, un ancien disciple de Gandhi, devient président de la République. La Zambie se rapproche de la Tanzanie socialiste (1966) et accepte l'aide chinoise pour la construction d'un chemin de fer. Celui-ci, achevé en 1975, permet de désenclaver le pays. K. Kaunda, en aidant les mouvements nationalistes de Rhodésie, du Mozambique et de l'Afrique du Sud, provoque une rupture avec la Rhodésie du Sud en 1973 et crée de sérieuses difficultés économiques. En 1972, le Parti uni pour l'indépendance nationale (UNIP) est institué en parti unique. Depuis 1982, les relations avec le Zaïre se sont dégradées à la suite de graves incidents de frontière. En 1990, après l'échec d'une tentative de coup d'État, le système du parti unique est aboli. L'année suivante, la Constitution est modifiée dans ce sens. Fin 1991, le président Kaunda, « père » de l'indépendance, est battu, à l'occasion d'une élection présidentielle libre, par un responsable syndical très populaire, Frederick Chiluba. Kenneth Kaunda est arrêté en 1997, accusé d'avoir participé à une tentative de coup d'État. Mais les difficultés économiques que connaît le pays et des affaires de corruption renforcent l'opposition au nouveau pouvoir.

Zimbabwe

Nom officiel : République du Zimbabwe. **Capitale :** Harare. **Monnaie :** dollar du Zimbabwe (= 100 cents). **Langue officielle :** anglais. **Principales religions :** protestantisme, cultes animistes, catholicisme. **Institutions :** République. Constitution de 1980 plusieurs fois remaniée. Président de la République (également chef du gouvernement) élu pour 6 ans au suffrage universel. Parlement monocaméral (depuis 1990). Assemblée de 150 membres, dont 120 élus au suffrage universel pour 6 ans. Multipartisme. **Président de la République et chef du gouvernement :** Robert Gabriel Mugabe (au pouvoir depuis 1980). **Drapeau :** les couleurs ont été adoptées lors de l'indépendance, en 1980 ; le noir représente les ethnies du pays, entourées des couleurs panafricaines (jaune, vert, rouge), répétées deux fois, à côté d'un triangle blanc, symbole de paix, portant l'étoile rouge de la révolution et l'oiseau zimbabwe d'or. **Hymne national :** non connu. **Fête nationale :** 18 avril (jour anniversaire de l'indépendance).

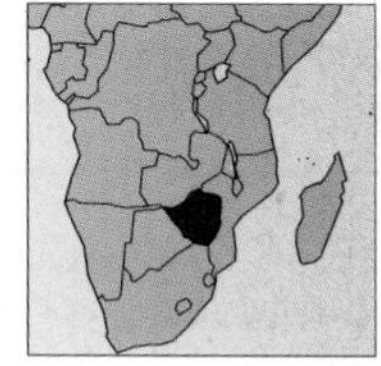

Superficie : 390 000 km². **Point culminant :** 2 593 m au mont Inyangani.

GÉOGRAPHIE

Le Zimbabwe est une région de plateaux couverte par la forêt claire et la savane. La population vit essentiellement de l'agriculture, vivrière (maïs) et d'exportation (coton, tabac). Les exploitations de grande taille appartiennent pour la plupart à des fermiers blancs. Quelques matières premières sont extraites du sous-sol (nickel, platine, charbon, chrome). La population, composée pour l'essentiel de Shonas mais comportant une minorité de Ndébélés, ce qui suscite de fréquentes tensions, est peu urbanisée. Elle croît rapidement et possède un niveau de vie relativement élevé.

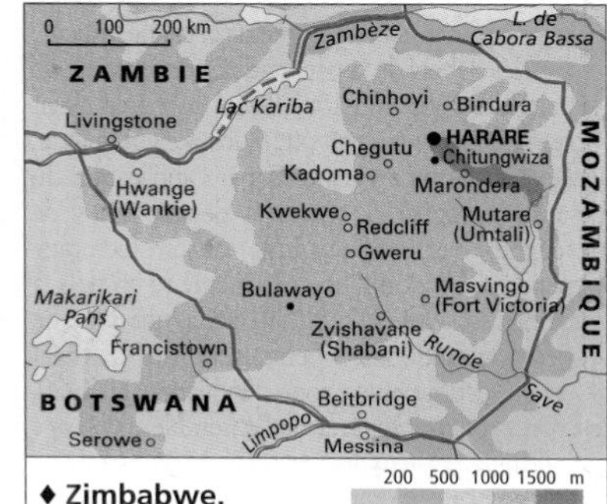

♦ Zimbabwe.

HISTOIRE

Les origines et la colonisation. Les premiers occupants du plateau rhodésien sont des Bochimans. Ils sont rejoints, probablement vers le VIIIe s., par des groupes d'agriculteurs shonas d'origine bantoue, qui exploitent l'or et le cuivre. Au XIe s., une autre ethnie entreprend la construction d'ouvrages en pierre dont 150 environ ont été conservés, parmi lesquels ceux de Zimbabwe et de Mapungubwe. Vers le XVe s., l'État, dont la capitale est Zimbabwe, se transforme en empire du Monomotapa, qui assure la vente de l'or (que pratiquaient auparavant les Arabes) aux Portugais installés sur la côte.

Au cours du XVIe s., l'empire du Monomotapa éclate en quatre territoires qui continuent de commercer, échangeant or et ivoire contre des cotonnades. Les Portugais, soutenant le pouvoir du Monomotapa, sont entraînés dans des conflits locaux. Leurs privilèges, et notamment l'exploitation minière, en sont fragilisés durant tout le XVIIe s. À partir de 1684, le chef des Rozwis, le *changamira*, entreprend la conquête du plateau. L'expansion portugaise s'arrête alors, puis décline au XVIIIe s. Le Monomotapa subit vers 1830 la pression des guerriers ngonis, chassés du Natal par l'essor de l'empire zoulou de Chaka. Ils détruisent la société rozwi et emmènent vers le nord de nombreux captifs shonas. Les derniers envahisseurs sont les Ndébélés, chassés du Transvaal par les Boers en 1837. Ils ont pour chef Mzilikazi, qui met en place un État de type zoulou, abandonne les mines et développe l'agriculture tout en conservant l'habitude des razzias. Ils participent en 1896-1897 à une révolte aux côtés des Shonas contre la British South Africa Company et sont dès lors refoulés dans des réserves.

La Rhodésie du Sud est constituée en 1911 et devient une colonie de la Couronne britannique en 1923. Les colons blancs ont refusé en 1912 d'adhérer à l'Union sud-africaine. L'essor économique de

♦ Démographie.

population	11 000 000 hab.
densité	28,2 hab./km²
accroissement naturel	22,8 ‰
taux de natalité	37,1 ‰
taux de mortalité infantile	56 ‰
espérance de vie	51 ans
part des moins de 15 ans	44,3 % de la pop. totale
part des plus de 65 ans	2,7 % de la pop. totale
population urbaine	33 %
principales villes	Harare, Bulawayo, Chitungwiza

♦ Principales ressources et productions (1997).

tabac	180 000 t
canne à sucre	4 060 000 t
sorgho	90 000 t
arachide	70 000 t
millet	95 000 t
maïs	1 750 000 t
bovins	4 500 000 têtes
ovins	550 000 têtes
caprins	2 530 000 têtes

♦ Économie et niveau de vie (1996).

PNB	7,227 milliards de $
PNB/hab.	2 200 $
taux de croissance *(1993)*	4,6 %
taux d'inflation	21,4 %
taux de chômage	n. d.
dette extérieure	5,42 milliards de $
transports	routes 91 099 km, voies ferrées 2 759 km
taux d'analphabétisme	n. d.

la Seconde Guerre mondiale suscite un accroissement de l'immigration blanche. La Rhodésie du Sud appartient de 1953 à 1963 à la Fédération de Rhodésie et du Nyassaland. Après la dissolution de celle-ci, le Premier ministre Ian Smith proclame unilatéralement l'indépendance de la Rhodésie du Sud (1965), qui prend le nom de Rhodésie. Après la proclamation d'une Constitution républicaine en 1970, la rupture est consommée avec la Grande-Bretagne. L'ONU condamne la politique raciale du nouvel État. Ian Smith se rapproche de l'Afrique du Sud pour sortir de son isolement. Les autochtones s'organisent à l'image des mouvements sud-africains. Les sanctions économiques des grandes puissances obligent Ian Smith à composer, d'autant plus que la guérilla s'intensifie. L'évêque Muzorewa prend la tête d'un gouvernement multiracial en 1979, mais la guerre civile ne cesse pas pour autant.

L'indépendance. La conférence constitutionnelle de Londres (1979) prépare l'indépendance de la Rhodésie. À la suite des élections de février 1980, le chef du Parti socialiste, Robert Mugabe, devient Premier ministre. L'indépendance est proclamée le 18 avril. Le révérend Canaan Banana est élu président du nouvel État du Zimbabwe. À partir de 1984, le pays s'engage sur la voie d'une « révolution socialiste » et d'un régime de parti unique, qui est établi en fait en 1988 par la fusion du Zimbabwe African People Union (ZAPU) avec le Zimbabwe African National Union (ZANU) de Robert Mugabe. En 1987, une réforme de la Constitution abolit la représentation séparée de la minorité blanche au Parlement et instaure un régime présidentiel. Robert Mugabe devient chef de l'État. Réélu en 1990, il doit cependant renoncer à instaurer un régime socialiste à parti unique. La vie politique du pays est marquée par le problème de la nationalisation des terres appartenant aux Blancs, en partie réalisée en mars 1992. Robert Mugabe promet de la poursuivre en 1997, alors que son pouvoir est de plus en plus contesté. Le pays s'enfonce en effet dans une crise sociale : grèves et émeutes se multiplient alors que Mugabe se comporte en

Afrique australe

Angola • Namibie • Bostwana

autocrate à la tête d'un régime corrompu. À l'extérieur, il apporte son soutien au régime de Kabila dans le conflit interne au Congo-Kinshasa.

VOIR AUSSI
Illustrations
• Chutes du Zambèze p. 48

Angola

Nom officiel : République d'Angola. **Capitale** : Luanda. **Monnaie** : kwanza (= 100 lwei). **Langue officielle** : portugais. **Principales religions** : catholicisme, religions coutumières. **Institutions** : République depuis 1975. Constitution de 1975, amendée en 1976, 1980 et 1991. Un président de la République élu pour 5 ans au suffrage universel. Parlement monocaméral : Assemblée nationale. Multipartisme depuis 1991. **Président de la République** : José Eduardo dos Santos (au pouvoir depuis 1979). **Premier ministre** : Fernando José de Franca Dias van Dúnem (depuis 1996). **Drapeau** : il a été adopté en 1975 ; le rouge représente le sang versé pour la liberté ; le jaune, les trésors de la nature ; la machette, les paysans et les combats pour la liberté ; la roue dentée, les ouvriers ; l'étoile, le progrès et la liberté. **Hymne national** : « Ô Patrie, jamais nous n'oublierons les héros du 4 février. Ô Patrie, nous saluons tes fils tombés pour notre indépendance. Nous honorons le passé et notre histoire et construisons par le travail l'homme nouveau… » Paroles de Manuel Rui Alves Monteiro (né en 1941), musique de Rui Alberto Vieira Dias Mingas (né en 1939). Déclaré officiel en 1975. **Fête nationale** : 11 novembre (anniversaire de l'indépendance).

Superficie : 1 246 700 km². **Point culminant** : 2 620 m au mont Mocco.

GÉOGRAPHIE

Formé d'un haut plateau assez bien arrosé et couvert de savanes qui domine une étroite plaine côtière aride, l'Angola est un pays aujourd'hui ravagé par la guerre civile ethnique. L'agriculture, qui tirait d'importants revenus des exportations de café, n'y a pas survécu. En revanche, l'extraction du pétrole, pratiquée le long des côtes (enclave de Cabinda) ou au large de celles-ci, a connu une forte expansion. La population, composée surtout de Mbundus et d'Ovimbundus lusophones, ainsi que de Bakongos francophones, connaît l'un des niveaux de vie les plus faibles du monde. Elle souffre en outre de la présence dans le sol de milliers de mines antipersonnel.

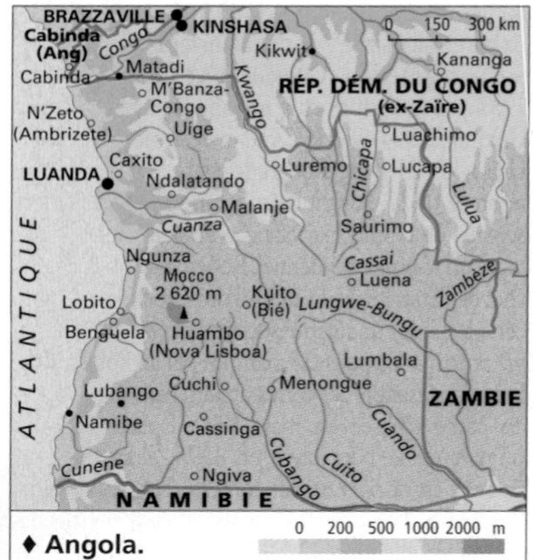

♦ **Angola.**

HISTOIRE

Découverte et colonisation. En 1482, le Portugais Diogo Cão découvre et remonte l'estuaire du Congo. Des relations s'établissent avec le royaume du Kongo, qui étend son influence sur une grande partie de l'Angola et dont les souverains, qui embrassent le christianisme, poussent à l'européanisation de leur État. Mais, peu après, des colons portugais plantent à São Tomé de la canne à sucre : ce sont les débuts de la pénétration portugaise et de la traite des Noirs. En 1583, le roi d'Angola réagit violemment, ce qui provoque une longue guerre. Celle-ci se termine vers 1625 par l'application du système espagnol (le Portugal dépend alors de l'Espagne) des *encomiendas*, ou protectorats. Cependant, la colonisation elle-même se borne à la traite des esclaves. À la fin du XIXe s., une série de traités internationaux permettent au Portugal d'étendre peu à peu sa zone d'influence. En 1920, les Portugais sont maîtres de l'ensemble d'un pays par ailleurs médiocrement exploité. Mais, bientôt, le régime salazariste renforce les pouvoirs de l'administration et le système de l'indigénat. Il fait de l'Angola une province de la métropole (1955). Aussitôt s'organisent les premières forces autochtones indépendantistes. En 1961, à Luanda, éclate une violente insurrection déclenchée par l'Union des populations de l'Angola (UPA). Mais les résultats sont freinés par les dissensions entre l'UPA et le Mouvement populaire de libération de l'Angola (MPLA). Au prix d'un énorme effort militaire, le Portugal maintient sa présence. Mais le coup d'État qui éclate à Lisbonne en avril 1974, et qui porte au pouvoir le général de Spinola, partisan d'une solution négociée, accélère le processus de décolonisation qui aboutit, le 14 janvier 1975, à la signature d'un accord sur l'indépendance, proclamée le 11 novembre de la même année.

L'indépendance. Favorisé par les militaires portugais qui viennent de prendre le pouvoir à Lisbonne, le MPLA parvient à tenir la capitale le jour de l'indépendance. Mais il se trouve aussitôt confronté à l'opposition conjointe du Front national de libération de l'Angola (FNLA) et de l'Union nationale pour l'indépendance totale de l'Angola (UNITA). Agostino Neto, président du MPLA, triomphe de ses rivaux avec l'aide de mercenaires cubains, tandis que persistent des guérillas, organisées par l'UNITA et soutenues par l'Afrique du Sud. En 1979, Neto meurt et est remplacé par José Eduardo Dos Santos. Un accord conclu en 1988 avec Pretoria permet le retrait progressif des troupes cubaines. Les négociations engagées en 1990 entre le MPLA (qui abandonne le marxisme-léninisme) et l'UNITA aboutissent, en mai 1991, aux accords de paix d'Estoril. Au cours des mois qui suivent, de notables progrès sont réalisés, permettant la tenue, en septembre 1992, d'une élection présidentielle et d'un scrutin législatif libres. Mais la victoire du président sortant Dos Santos et de son parti, le MPLA, est contestée par Jonas Savimbi, chef de l'UNITA. Les violences, qui n'avaient jamais totalement cessé, reprennent. Un nouvel accord de paix signé à Lusaka en novembre 1994 entame une nouvelle période au cours de laquelle le gouvernement, par une stratégie d'enlisement calculé, s'efforce d'affaiblir l'UNITA, en combinant négociations et offensives militaires.

◆ **Démographie.**

population	12 000 000 hab.
densité	9,6 hab./km²
accroissement naturel	31,5 ‰
taux de natalité	47,7 ‰
taux de mortalité infantile	124 ‰
espérance de vie	49 ans
part des moins de 15 ans	47,7 % de la pop. totale
part des plus de 65 ans	2,8 % de la pop. totale
population urbaine	32 %
principales villes	Luanda, Huambo, Benguela

◆ **Principales ressources et productions** (1997).

pétrole	36 000 000 t
diamants *(1995)*	4 435 000 carats

◆ **Économie et niveau de vie** (1996).

PNB	3,454 milliards de $
PNB/hab.	1 030 $
taux de croissance	n. d.
taux d'inflation *(1992)*	496 %
taux de chômage	n. d.
dette extérieure	10 611,8 millions de $
importations	3 655 millions de $
exportations	4 701 millions de $
transports	routes 76 626 km, voies ferrées 2 798 km
taux d'analphabétisme	58,3 %

◆ **Armée.**

forces armées *(1997)*	97 000 hommes

Namibie

Namibië, Namibia

Nom officiel : Namibie. **Capitale** : Windhoek. **Monnaie** : dollar namibien (= 100 cents). **Langues officielles** : afrikaans et anglais. **Principales religions** : protestantisme, catholicisme. **Institutions** : République. Constitution de 1990. Président de la République élu pour 5 ans. Parlement bicaméral : Assemblée nationale et Conseil national représentant les régions. Multipartisme. **Chef de l'État** : Sam Nujoma (depuis 1990). **Premier ministre** : Hage Geingob (depuis 1990). **Drapeau** : le bleu symbolise la couleur du ciel de Namibie, le Soleil représente la vie et l'énergie et le rouge, la plus importante ressource de la Namibie, son peuple. Il a été adopté en 1990. **Hymne national** : « Namibie, terre des braves, nous avons gagné le combat de la liberté. Gloire à la bravoure de ceux dont le sang irrigue notre liberté ! » Paroles d'Axali Doeseb. L'hymne a été adopté en 1992. **Fête nationale** : 21 mars (anniversaire de l'indépendance).

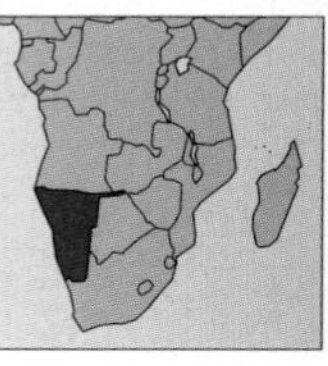

Superficie : 825 000 km². **Point culminant** : 2 350 m au mont Erongo.

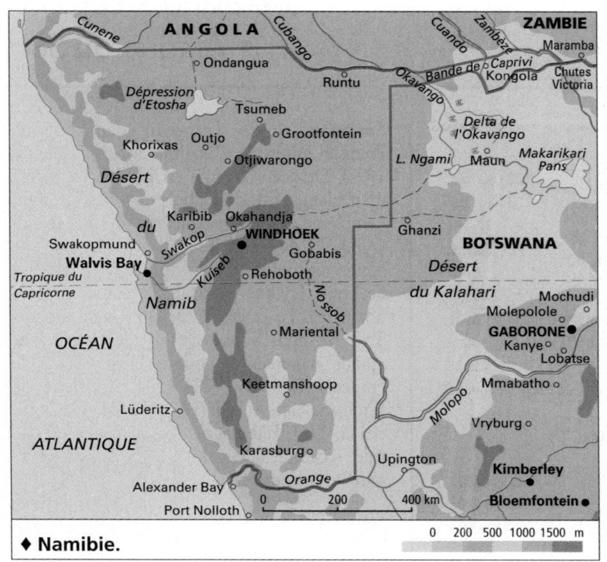

♦ Namibie.

nation contre les Hereros jusqu'en 1907. Le général sud-africain Botha fait occuper en 1914 le territoire, qui est confié à l'Union sud-africaine par un mandat de la SDN (1920). Dès 1946, Le Cap demande l'incorporation du Sud-Ouest africain et rejette la tutelle de l'ONU. À partir de 1948, l'Union sud-africaine se livre à une véritable annexion. L'ONU affirme le droit à l'indépendance du Sud-Ouest africain en 1961, et prive l'Afrique du Sud de son mandat en 1966. La même année, le principal parti indépendantiste, la SWAPO (South West Africa People's Organization), lance la lutte armée et est reconnu par l'ONU comme représentant du peuple namibien (en 1968, le Sud-Ouest africain prend le nom de Namibie). Sous la pression du Conseil de sécurité de l'ONU, l'Afrique du Sud, en 1978, organise l'élection d'une Assemblée législative, d'où émane un gouvernement provisoire. À partir de 1979, l'armée sud-africaine intensifie sa lutte contre la SWAPO et organise des raids contre ses bases en Angola. Après la dissolution de l'Assemblée législative (1983), un gouvernement provisoire est mis en place en 1985 par l'Afrique du Sud.

L'indépendance. En 1988, un accord signé à Brazzaville par les Angolais, les Cubains et les Sud-Africains ouvre la voie à l'indépendance de la Namibie. Celle-ci est proclamée en mars 1990 et Sam Nujoma, chef de la SWAPO, devient président. En mars 1994, l'Afrique du Sud transfère à la Namibie la souveraineté qu'elle exerçait sur l'enclave de Walvis Bay. En décembre 1994, les élections présidentielle et législatives confirment la popularité du président et de son parti, ainsi que le monopole du pouvoir des Ovambos , qui composent un peu plus de la moitié de la population. La SWAPO est en effet en mesure de réformer la Constitution afin de permettre la réélection de S. Nujoma. L'opposition a néanmoins progressé lors des élections locales de 1998. Alors que la Namibie a soutenu la rébellion qui a porté au pouvoir Laurent-Désiré Kabila au Zaïre, ses relations avec le Botswana se sont dégradées en raison d'un litige opposant les deux pays à propos des eaux de l'Okavango. L'approvisionnement en eau est en effet un problème crucial pour chacun des deux pays.

GÉOGRAPHIE

La Namibie est composée de vastes plateaux désertiques au sud et le long du littoral, et d'une région plus arrosée au nord. L'élevage est pratiqué dans la partie sud du pays (moutons caraculs, qui fournissent l'astrakan, et bovins) et le littoral vit de l'industrie de la pêche (conserves). Mais le diamant et l'uranium constituent l'essentiel des revenus nationaux. La population aborigène, composée d'Ovambos au nord et de divers groupes ethniques venant d'Afrique du Sud (Bochimans, Hottentots), est dans son ensemble très pauvre. Seule la minorité blanche, d'origine allemande ou afrikaner, jouit d'un niveau de vie très élevé.

HISTOIRE

La colonisation. Des missionnaires, puis des commerçants allemands sont à l'origine du protectorat établi en 1884 sur le Sud-Ouest africain. Les troupes allemandes mènent des guerres d'extermi-

♦ Démographie.

population	1 600 000 hab.
densité	1,9 hab./km²
accroissement naturel	25,9 ‰
taux de natalité	35,9 ‰
taux de mortalité infantile	61 ‰
espérance de vie	61 ans
part des moins de 15 ans	42,3 % de la pop. totale
part des plus de 65 ans	3,7 % de la pop. totale
population urbaine	37 %
principales villes	Windhoek, Swakopmund

♦ Principales ressources et productions (1997).

ovins	2 137 000 têtes
diamants *(1995)*	1 300 000 carats

♦ Économie et niveau de vie (1996).

PNB	3,327 milliards de $
PNB/hab.	5 390 $
taux de croissance *(1995)*	2,6 %
taux d'inflation	8 %
taux de chômage	n. d.
importations	1 374 millions de $
exportations	1 349 millions de $
transports	routes 41 762 km, voies ferrées 2 382 km
taux d'analphabétisme	60 %

♦ Armée.

budget militaire *(1996)*	2,4 % du PIB
forces armées *(1997)*	8 100 hommes

Botswana

Nom officiel : République du Botswana. **Capitale :** Gaborone. **Monnaie :** pula (= 100 thebe). **Langue officielle :** anglais. **Principales religions :** protestantisme, cultes animistes. **Institutions :** République depuis 1966, membre du Commonwealth. Constitution de 1965. Un président de la République élu par et parmi le Parlement, pour la durée de la législature. Une Assemblée nationale élue pour 5 ans au suffrage universel. **Président de la République et chef du gouvernement :** Festus Mogae (depuis 1998). **Drapeau :** tricolore bleu, blanc, noir; le bleu pour l'eau, rare dans ce pays; les bandes noires et blanches pour les différentes ethnies. **Hymne national :** « Béni soit ce noble pays, à nous remis par la main de Dieu, hérité de nos ancêtres, puisse-t-il à jamais prospérer dans la paix. » Paroles et musique de K. T. Motsete. Déclaré officiel en 1966. **Fête nationale :** 30 septembre (jour anniversaire de l'indépendance).

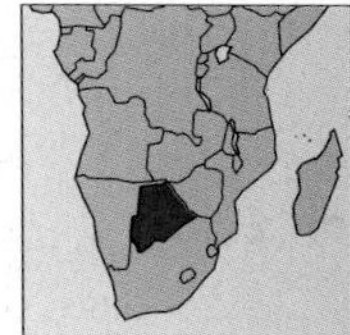

Superficie : 570 000 km². **Point culminant :** 1 489 m au mont Otse.

GÉOGRAPHIE

Le Botswana est en majeure partie désertique (désert du Kalahari) avec, au nord-ouest, le delta de l'Okavango, fleuve dont le pays tire l'essentiel de ses ressources hydrographiques. L'élevage bovin extensif pratiqué sur ce vaste territoire rapporte peu, mais les gisements de diamants procurent au pays un revenu appréciable. Ce dernier, utilisé à bon escient par le gouvernement, a permis une élévation considérable du niveau de vie. La population, composée de Tswanas, est peu urbanisée, mais la capitale, Gaborone, connaît néanmoins un problème de surpeuplement.

HISTOIRE

À l'époque des migrations bantoues, le pays est peuplé par les Tswanas ou Bechuanas. En 1885, le protectorat britannique est établi sur la partie nord du Bechuanaland. En 1960, une constitution crée un Conseil législatif, qui entre en fonctions l'année suivante. En 1966, l'indépendance du Bechuanaland est proclamée, au sein du Commonwealth. Le pays devient alors la république de Botswana, dont le premier président est sir Seretse Khama. Lors des élections de 1969, le Parti démocratique (BDP) de Seretse Khama conserve la majorité, malgré l'importance de l'opposition, notamment du Parti du peuple (BPP), hostile à l'Afrique du Sud. Or, les liens économiques avec celle-ci demeurent étroits : le Botswana lui vend ses matières premières et lui achète ses produits manufacturés, de nombreux

♦ Démographie.

population	1 400 000 hab.
densité	2,4 hab./km²
accroissement naturel	28,9 ‰
taux de natalité	35 ‰
taux de mortalité infantile	56 ‰
espérance de vie	67 ans
part des moins de 15 ans	43,4 % de la pop. totale
part des plus de 65 ans	2,4 % de la pop. totale
population urbaine	63 %
principales villes	Gaborone, Francistown

♦ Principales ressources et productions (1997).

diamants	15 547 000 carats (3ᵉ rang)

♦ Économie et niveau de vie (1996).

PNB	4,76 milliards de $
PNB/hab.	7 390 $
taux de croissance *(1992)*	6,5 %
taux d'inflation	10,1 %
taux de chômage	n. d.
dette extérieure	612,5 millions de $
importations	1 579 millions de $
exportations	2 164 millions de $
transports	routes 13 500 km, voies ferrées 887 km
taux d'analphabétisme	30,2 %

♦ Armée.

budget militaire *(1996)*	4,3 % du PIB
forces armées *(1997)*	7 500 hommes

Afrique australe

Swaziland • Lesotho • Afrique du Sud

Tswanas y travaillent et la voie ferrée de Pretoria demeure le seul débouché vers l'extérieur. En 1977, le gouvernement décide le remplacement du rand sud-africain par une monnaie nationale, le pula. À la mort de Seretse Khama, en 1980, le vice-président Quett Masire est élu président de la République, puis Festus Mogae lui succède en 1998. Le rejet de la politique d'apartheid de son puissant voisin en fait un pays de la «ligne de front». Mais son enclavement l'oblige au réalisme. En matière économique, ce même réalisme a permis au Botswana de connaître une croissance rapide au cours des années 1980. Le pays demeure l'un des plus démocratiques et des mieux gérés d'Afrique. Néanmoins, le problème de l'approvisionnement en eau se pose d'une manière de plus en plus pressante, en particulier dans la capitale, Gaborone, dont la population augmente rapidement. Les eaux de l'Okavango font l'objet d'un litige avec la Namibie, que le Botswana a porté devant la Cour internationale de justice en 1997.

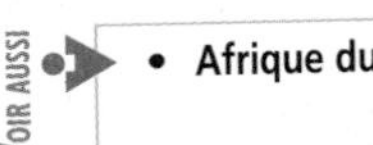
VOIR AUSSI
• **Afrique du Sud** p. 701 (carte)

Swaziland

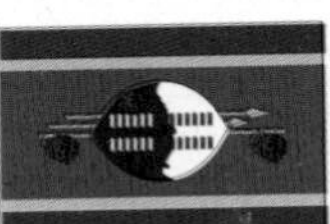

Nom officiel : Royaume du Swaziland. **Capitale :** Mbabane. **Monnaie :** lilangeni (= 100 cents). **Langue officielle :** anglais. **Principale religion :** protestantisme. **Institutions :** Monarchie constitutionnelle. Constitution de 1978, modifiée en 1982. Parlement : Assemblée (dont 55 membres sur 65 ont été élus pour la première fois au suffrage universel direct en 1993) et Sénat. **Souverain :** Mswati III (depuis 1986). **Chef du gouvernement :** Barnabas Sibusiso Dlamini (depuis 1996). **Drapeau :** adopté en 1940, l'emblème national du royaume du Swaziland rappelle les batailles du passé par le rouge, la paix par le bleu. Le trophée d'armes avec le bouclier swazi (qui est également présent sur les armoiries) figurait sur l'insigne du bataillon de pionniers swazi. **Hymne national :** «Ô Dieu qui répands tes bienfaits sur les Swazis, nous te rendons grâces pour le bonheur que tu nous donnes, nous te louons et te rendons grâces pour notre roi et pour notre pays, ses montagnes et ses fleuves.» Paroles d'Andrease Enoke Fanyana Simelane (mort en 1934), musique de David Kenneth Rycroft (mort en 1934). Déclaré officiel en 1968. **Fête nationale :** 6 septembre (anniversaire de l'indépendance).

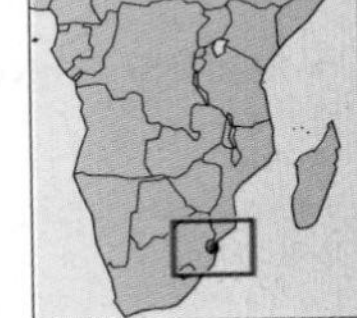

Superficie : 17 363 km². **Point culminant :** 1 862 m au mont Emlembe.

GÉOGRAPHIE

Le Swaziland est un pays enclavé, entouré principalement par l'Afrique du Sud et jouxtant le Mozambique. Exclusivement agricole, il dépend économiquement de l'Afrique du Sud.

HISTOIRE

Les origines. Le groupe bantou des Amangwanes, proche des Zoulous, installé entre Natal et Mozambique, prend au XVIe s. le nom de son roi Mswati (ou Mswazi). Contrôlé par les Zoulous à partir de 1820, le roi Sobhuza Ier (1815-1836) est remplacé par Mswati II, qui accorde de nombreuses concessions aux Blancs. Initialement sous le protectorat du Transvaal, le pays passe sous celui de la Grande-Bretagne après la guerre des Boers, et son administration est confiée au haut-commissaire en Afrique du Sud (1906). L'autonomie interne est octroyée en 1967 par le Royaume-Uni.

L'indépendance. Le roi Sobhuza II proclame l'indépendance de son pays le 6 septembre 1968. En 1978, il remplace le Parlement par un réseau d'assemblées tribales *(tinkhundla)*. Il meurt en 1982 et deux de ses veuves, les reines Dzeliwe et Ntombi, se disputent la régence. Ntombi l'emporte et règne de 1983 à 1986. Son successeur, Mswati III, maintient une politique de bon voisinage avec l'Afrique du Sud et se refuse à toute démocratisation du régime.

◆ Démographie.

population	1 000 000 hab.
densité	57,5 hab./km²
accroissement naturel	27,2 ‰
taux de natalité	36,8 ‰
taux de mortalité infantile	67 ‰
espérance de vie	60 ans
part des moins de 15 ans	43 % de la pop. totale
part des plus de 65 ans	2,6 % de la pop. totale
population urbaine	32 %
principales villes	Manzini, Mbabane

◆ Principales ressources et productions (1997).

canne à sucre	3 694 000 t
pommes de terre	6 000 t
maïs	81 000 t
coton	4 000 t
patates douces	2 000 t
ovins	27 000 têtes
bovins	646 000 têtes
caprins	438 000 têtes

◆ Économie et niveau de vie (1996).

PNB	1,037 milliard de $
PNB/hab.	3 320 $
taux de croissance *(1995)*	2,3 %
taux d'inflation *(1995)*	12,5 %
taux de chômage	n. d.
dette extérieure	219,9 millions de $
importations	964 millions de $
exportations	887 millions de $
transports	routes 2 782 km, voies ferrées 301 km
taux d'analphabétisme	32,7 %

Lesotho

Nom officiel : royaume du Lesotho. **Capitale :** Maseru. **Monnaie :** loti (= 100 lisente). **Langues officielles :** anglais et sotho. **Principale religion :** catholicisme (forte minorité protestante). **Institutions :** Monarchie constitutionnelle. Constitution de 1993. Assemblée élue au suffrage universel. Sénat représentant les chefs traditionnels. Le Premier ministre est le chef de l'exécutif. **Souverain :** le roi Letsie III (depuis 1996). **Premier ministre :** Pakalitha Mosisili (depuis 1998). **Drapeau :** adopté en 1987, il est formé d'un triangle blanc (symbole de pureté) portant l'emblème de la monarchie et d'un triangle vert (symbole de l'agriculture), séparés par une bande diagonale bleue (symbole de la pluie et de l'eau). **Hymne national :** «Lesotho, pays de nos pères. Tu es le plus beau pays du monde. Ta terre nous a portés, sur elle nous avons grandi. À jamais tu nous es cher.» Texte de François Coillard (1834-1904), musique de Ferdinand-Samuel Laur (1791-1854). Déclaré officiel en 1967. **Fête nationale :** 4 octobre (anniversaire de l'indépendance).

Superficie : 30 355 km². **Point culminant :** 3 482 m au Thabana-Ntlenyana (Drakensberg).

GÉOGRAPHIE

Ce pays montagneux, totalement entouré par le territoire sud-africain, possède peu de ressources, hormis l'élevage et la vente à l'Afrique du Sud d'une partie de ses ressources hydrographiques. De nombreux Sothos travaillent en Afrique du Sud, notamment dans les mines.

HISTOIRE

La création du Basutoland. Les Sothos ou Bassoutos du Sud, peuple de pasteurs, s'établissent sous la direction de Moshoeshoe Ier dans la région montagneuse dominée par le Drakensberg pour échapper à un groupe zoulou (v. 1822). Ils battent

◆ Démographie.

population	2 100 000 hab.
densité	69,1 hab./km²
accroissement naturel	26,3 ‰
taux de natalité	35,4 ‰
taux de mortalité infantile	74 ‰
espérance de vie	63 ans
part des moins de 15 ans	42,1 % de la pop. totale
part des plus de 65 ans	3,9 % de la pop. totale
population urbaine	24 %
principales villes	Maseru, Maputsoe

◆ Principales ressources et productions (1997).

sorgho	13 000 t
maïs	91 000 t
chevaux	120 000 t
ovins	1 200 000 têtes
bovins	590 000 têtes
caprins	750 000 têtes

◆ Économie et niveau de vie (1996).

PNB	1,234 milliard de $
PNB/hab.	2 380 $
taux de croissance *(1993)*	6,2 %
taux d'inflation	9,3 %
taux de chômage	n. d.
dette extérieure	654,2 millions de $
importations	810 millions de $
exportations	143 millions de $
transports	routes 5 324 km, voies ferrées 3 km

◆ Armée.

budget militaire *(1996)*	3,3 % du PIB
forces armées *(1997)*	2 000 hommes

les Britanniques en 1852 et défient les Boers de l'État d'Orange. Leur chef demande alors la protection britannique (1868), mais le peuple refuse d'être désarmé (1878). Le conflit qui s'ensuit, la « Gun War» (1880-1881), aboutit à un compromis aux termes duquel il est interdit aux Blancs d'acquérir des terres. Le pays, qui avait été annexé par Le Cap en 1871, repasse sous contrôle direct du gouvernement britannique en 1884. Comme le Bechuanaland et le Swaziland, il refuse, à partir de 1910, d'être intégré à l'Union sud-africaine et demeure une colonie britannique.

L'indépendance. Le Basutoland accède à l'indépendance en 1966 et prend le nom de Lesotho. Le chef des Sothos devient alors roi sous le nom de Moshoeshoe II. Son Premier ministre, Leabua Jonathan, chef du Parti national basotho (BNP), s'arroge en fait tous les pouvoirs, suspendant la Constitution à partir de 1970. Malgré la dépendance économique du Lesotho à l'égard de l'Afrique du Sud, Lebua Jonathan apporte son soutien au Congrès national africain (ANC), alors interdit. En 1986, il est renversé par un coup d'État militaire qui porte au pouvoir le général Justin Metsing Lekhanya, favorable à l'Afrique du Sud. En 1990, le général Lekhanya dépose Moshoeshoe II, fait proclamer roi le fils du souverain et s'investit de tous les pouvoirs. Il est renversé en mai 1991 par un groupe d'officiers qui portent à la tête du pays le colonel Elias Ramaema. Les nouveaux dirigeants instaurent le multipartisme et mettent en chantier une nouvelle Constitution. À la suite d'élections tenues en mars 1993, ils remettent le pouvoir aux civils. Ntsu Mokhele, chef du Parti du Congrès du Basutoland (BCP) depuis sa création en 1952, est nommé Premier ministre. Après une année 1994 troublée (rébellion de militaires, dissolution de l'Assemblée), le roi Moshoeshoe II est rétabli sur le trône en janvier 1995, mais meurt en 1996. Son successeur, Letsie III, doit faire face à une instabilité politique croissante qui entraîne une intervention sud-africaine en 1998.

Afrique du Sud

Zuid-Afrika, South Africa

Nom officiel : République d'Afrique du Sud. **Capitales :** Pretoria (siège du gouvernement) et Le Cap (capitale administrative). **Monnaie :** rand (= 100 cents). **Langues officielles :** afrikaans, anglais, ndebele, sotho du Nord, sotho du Sud, swazi, tsonga, tswana, venda, xhosa, zoulou. **Principales religions :** protestantisme, religions coutumières et syncrétiques, catholicisme. **Institutions :** République. Constitution adoptée en 1996. Président de la République élu en son sein par l'Assemblée nationale. Parlement bicaméral : Assemblée nationale élue au suffrage universel et Conseil national des provinces élu au suffrage indirect par les assemblées provinciales. Gouvernement élu par l'Assemblée. **Président de la République et chef du gouvernement :** Thabo Mbeki (depuis 1999). **Vice-président :** Mangosuthu Buthelezi (depuis 1999). **Drapeau :** adopté à titre provisoire en 1994, il conserve les trois couleurs rouge orangé, blanc et bleu qui figuraient sur le drapeau sud-africain depuis 1928 (ce dernier les ayant lui-même empruntées au Prinsenvlag des Pays-Bas), mais il y adjoint le vert, le noir et l'or. Le motif central du V couché contre la hampe et se prolongeant par une ligne horizontale symbolise la convergence des différents éléments constitutifs de la société sud-africaine prêts à s'engager d'un même pas sur un chemin unique. **Hymnes nationaux :** l'hymne dit «Die stem van Zuid-Afrika», paroles de Cornelis Jacob Langenhoven (1873-1932) et musique de M. Lourens de Villiers (1885-1977), adopté en 1928, a été maintenu dans sa version anglaise : «À ton appel nous ne faillirons pas, fermes et constants nous resterons, que ce soit à la vie ou à la mort, ô Afrique du Sud, cher pays.» On y a adjoint, en 1994, l'hymne dit «Nkosi Sikelel'iAfrika», paroles en xhosa d'Enoch Sontonga (mort en 1904) et de Samuel Mqhayi : « Seigneur, bénis l'Afrique; que son esprit s'élève jusqu'à toi; entends nos prières et bénis nous.» **Fête nationale :** 27 avril (anniversaire des premières élections multiraciales de 1994).

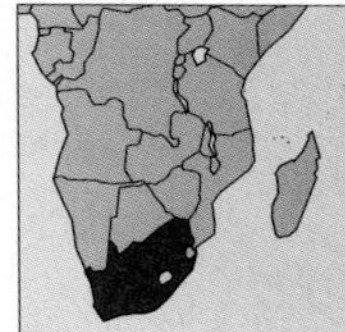

Superficie : 1 221 000 km². **Point culminant :** 3 408 m au mont Injasuti.

GÉOGRAPHIE

Vaste ensemble constitué par les Britanniques au début du siècle et regroupant des territoires divers par leurs populations comme par leurs paysages, l'Afrique du Sud se trouve dans une zone subtropicale, au climat relativement tempéré par l'altitude. Son territoire s'étend sur de vastes plateaux, peu arrosés vers l'intérieur. La population, composée à 75 % de Noirs, comporte d'importantes minorités asiatique et blanche. Urbanisée à 60 %, elle croît rapidement. Le secteur tertiaire emploie plus de la moitié des actifs. L'agriculture, pratiquée dans de grandes fermes, requiert relativement peu de main-d'œuvre. L'industrie et, surtout, l'extraction de matières premières dont le sous-sol est richement doté (or, diamants, chrome, titane, charbon, uranium) représentent l'essentiel des ressources de ce pays dont le revenu est équivalent à celui de tout le reste de l'Afrique subsaharienne.

HISTOIRE

Les origines. Ce sont les populations khoisans qui constituent le peuplement le plus ancien de l'Afrique du Sud. Arrivent ensuite les Bochimans, puis, au XIe s, les Namas et, au XVe s., les Bantous (Ovambos, Sothos, Zoulous, Tswanas...), qui refoulent leurs prédécesseurs. Les côtes du pays sont abordées à plusieurs reprises au XVe s. par les Portugais, qui ne s'y installent pas.

La colonisation hollandaise. La Compagnie hollandaise des Indes orientales, fondée en 1602, sert bientôt de base à l'expansion coloniale des Provinces-Unies. En 1652, les Hollandais (Boers) fondent au Cap leur premier établissement permanent en Afrique du Sud. La révocation de l'édit de Nantes (1685) provoque une forte immigration de huguenots français.

Britanniques et Boers. En 1814, le pays passe sous administration britannique. Les relations des nouveaux maîtres avec les Boers, d'abord excellentes, ne tardent pas à se tendre, les Boers reprochant aux Britanniques de protéger les Noirs, lors de l'abolition de l'esclavage, en 1833. Cette mesure provoque en 1834 le «Grand Trek», qui conduit les Boers dans le Nord, où ils s'imposent aux Zoulous. En riposte à l'assassinat d'un des chefs du Grand Trek, Piet Retief, par l'empereur zoulou Dingane, les Boers écrasent l'armée zouloue (1838). Le Natal devient possession britannique en 1844, mais le Transvaal et l'Orange sont reconnus comme républiques indépendantes (1852-1854). En 1880, à la suite de l'annexion du Transvaal (1877), les Boers se révoltent à l'appel de Pretorius, Joubert et Kruger, et battent les Britanniques à Majuba Hill (1881). La paix de Pretoria (août 1881) reconnaît l'indépendance des États boers. Mais ceux-ci sont encerclés progressivement, à la suite de l'annexion du Bechuanaland par les Britanniques et de la concession des territoires au nord du Zambèze à la British South Africa Company, société dirigée par le britannique Cecil Rhodes, qui anime toute la transformation économique de l'Afrique australe.

La guerre des Boers. Le conflit est inévitable et aboutit à l'épuisante guerre des Boers (1899-1902). C'est le 11 octobre 1899 que les Boers envahissent le nord du Natal. En février 1900, les troupes britanniques, sous la direction de lord Roberts, les battent à Paardeberg. La lutte se poursuit pendant deux ans sous forme de guérilla, très durement réprimée par lord Kitchener. Elle se termine par la victoire britannique

VOIR AUSSI
Illustrations
• **Nelson Mandela et Bill Clinton** p. 469
• **Écoliers sud-africains** p. 702
• **Gardiens privés en Afrique du Sud** p. 1003

◆ **Démographie.**

population	38 900 000 hab.
densité	31,8 hab./km²
accroissement naturel	21,6 ‰
taux de natalité	29,7 ‰
taux de mortalité infantile	49 ‰
espérance de vie	65 ans
part des moins de 15 ans	37,2 % de la pop. totale
part des plus de 65 ans	4,3 % de la pop. totale
population urbaine	50 %
principales villes	Johannesburg, Le Cap, Durban, Pretoria

◆ **Principales ressources et productions** (1997).

houille	220 100 000 t (4e rang)
chrome *(1995)*	1 490 000 t (1er rang)
fer *(1995)*	21 700 000 t (8e rang)
or *(1995)*	522 400 kg (1er rang)
plomb *(1995)*	88 000 t (8e rang)
thé	12 000 t
blé	2 294 000 t
canne à sucre	22 510 000 t
arachide	157 000 t
blé	2 294 000 t
porcins	1 630 000 têtes
caprins	6 460 000 têtes

◆ **Économie et niveau de vie** (1996).

PNB	132,431 milliards de $
PNB/hab.	7 450 $
taux de croissance *(1995)*	3,3 %
taux d'inflation	7,4 %
taux de chômage	n. d.
dette extérieure	23 590 millions de $
importations	27 001 millions de $
exportations	28 611 millions de $
transports	routes 182 329 km, voies ferrées 19 955 km
taux d'analphabétisme	18,2 %

◆ **Armée.**

budget militaire *(1996)*	1,8 % du PIB
forces armées *(1997)*	137 900 hommes

Afrique australe

et la suppression des États boers. Les chefs boers (Botha, De Wet, Reitz, Smuts) acceptent la paix de Vereeniging, signée à Pretoria le 31 mai 1902. Cependant, dans un cadre fédéral qui se révèle viable, les Boers renaissent rapidement à la vie politique et culturelle.

L'Union sud-africaine. Elle est créée en 1910, avec l'entrée en vigueur du South African Act, Constitution commune aux quatre colonies. Le pouvoir exécutif est assumé par un gouverneur général nommé par Londres. Un cabinet, dont le Premier ministre est le leader de la majorité, est responsable devant le Parlement. Le Premier ministre désigné est un Afrikaner, Louis Botha (1910-1919). Les Noirs tentent de s'opposer à la politique de ségrégation en créant l'African National Congress ou ANC (1912). Mais Louis Botha et le parti afrikaner sont débordés par le National Party, fondé en 1913 par James Hertzog, qui se fait le champion de l'apartheid, politique selon laquelle les indigènes doivent être séparés des Blancs. La même année est promulguée une législation sur les terres, aux termes de laquelle les Africains, qui représentent 67 % de la population, ne peuvent plus disposer que de 7,3 % des terres (chiffre porté à 13,8 % en 1936). À l'issue de la Première Guerre mondiale, l'Union sud-africaine reçoit de la SDN le mandat sur l'ancienne colonie allemande du Sud-Ouest africain, que l'Union annexera en 1949. James Hertzog, Premier ministre de 1924 à 1939, obtient en 1926 la reconnaissance de la souveraineté de son pays. Les mesures d'apartheid s'intensifient. C'est le Dr Daniel Malan qui, durant la période 1933-1939, anime la minorité raciste et extrémiste au Parlement. Le Dr Malan ayant triomphé en 1948 de Jan Smuts, Premier ministre depuis 1939, la politique d'apartheid s'étend non seulement aux Noirs, mais aux Indiens du Natal (1948-1954). Les successeurs du Dr Malan, J. C. Strijdom (1954-1958) et Hendrik Verwoerd (assassiné en 1966), accentueront sa politique. En 1952, l'ANC et son chef, Albert Luthuli, lancent un mouvement de désobéissance civile qui est durement réprimé (Sharpeville, 1960 ; Transkei, 1963).

L'Afrique du Sud. Exaspéré par les critiques de l'ONU et du Commonwealth, le pays se proclame République indépendante d'Afrique du Sud le 31 mai 1961. Charles Swart en est le premier président. Le Parti nationaliste, au pouvoir depuis 1948, est libre d'intensifier les mesures d'apartheid et de développer sa politique des bantoustans, malgré la réprobation mondiale. L'accession à l'indépendance, en 1975, de l'Angola et du Mozambique modifie la situation de l'Afrique du Sud, de plus en plus isolée. Le Premier ministre Johannes Vorster (1966-1978) se heurte à l'intérieur à la résistance grandissante de la communauté noire (émeutes de Soweto, 1976). Pieter Botha, qui lui a succédé en 1978, tente d'engager une politique de réformes limitées à l'intérieur, associée à une politique régionale active visant à obliger les pays voisins à reconnaître à l'Afrique du Sud la place qui lui revient du fait de son importance économique. Poursuivant la lutte contre la guérilla indépendantiste de Namibie, l'Afrique du Sud soutient les guérillas anticommunistes en Angola (UNITA) et au Mozambique (RENAMO), contribuant ainsi à déstabiliser deux gouvernements hostiles. Une nouvelle Constitution, entrée en

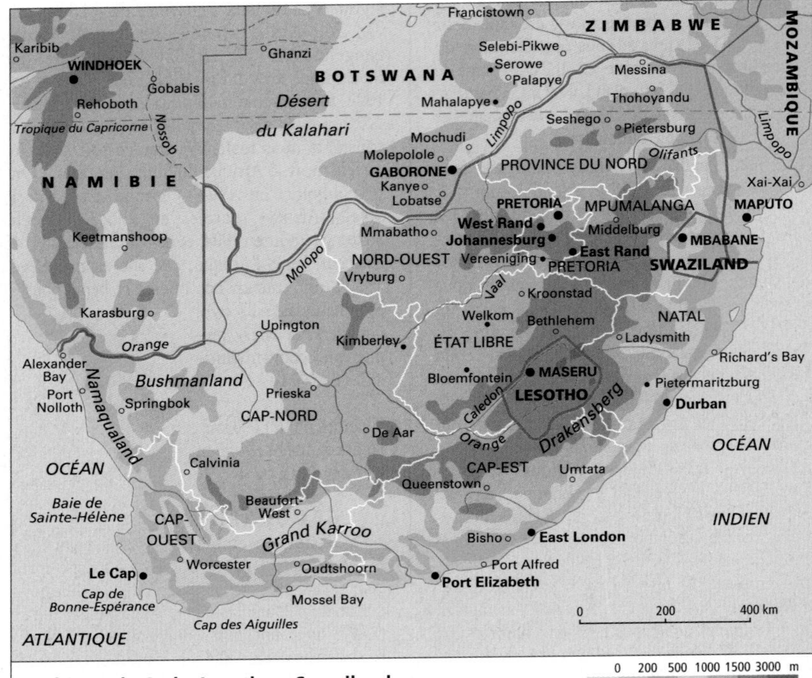

♦ **Afrique du Sud • Lesotho • Swaziland.**

vigueur en 1984, échoue à satisfaire la majorité noire et n'aboutit qu'à renforcer l'opposition, y compris au sein de la communauté indienne et chez les métis. C'est à cette époque que le pouvoir afrikaner perd l'ensemble de ses soutiens, notamment lorsque les milieux d'affaires anglophones se retournent contre lui et entament des négociations avec l'ANC. Ce retournement est en partie dû aux sanctions économiques prises par les pays occidentaux. L'état d'urgence est régulièrement reconduit à partir de 1985. Dès 1988, l'Afrique du Sud multiplie les négociations afin d'aboutir à un règlement politique des conflits régionaux (Angola, Namibie [qui accède à l'indépendance en 1990]).

La fin de l'apartheid et la nouvelle Afrique du Sud. En août 1989, Pieter Botha, mis en cause au sein de son propre parti, démissionne, et Frederik De Klerk lui succède à la tête de l'État. Il met en œuvre, dès 1990, une politique d'ouverture vers la majorité noire. Il légalise ainsi l'ANC ainsi que d'autres organisations interdites, fait libérer les prisonniers politiques, dont le Noir Nelson Mandela, chef de l'ANC, avec lequel il engage les négociations, et s'attache à démanteler l'apartheid. Cette révolution légale est entérinée par la population blanche lors du référendum de mars 1992. Mais elle se réalise dans un climat de violence extrême. Elle occasionne de très nombreuses victimes noires, du fait notamment de l'opposition entre l'ANC et divers chefs de bantoustans, dont le chef zoulou Buthelezi. De longues et laborieuses négociations aboutissent au principe d'élections générales non raciales. La dissolution des bantoustans est décidée (oct. 1993) pour permettre à leurs habitants de participer au suffrage et à l'adoption d'institutions de transition (nov. 1993). Les élections ont lieu les 24 et 27 avril 1994, et donnent la victoire au parti de Nelson Mandela. Celui-ci est proclamé président le

♦ **Divisions administratives.**

Province	Superficie (en km²)	Population
Cap-Oriental	169 580	6 481 000
Mpumalanga	78 490	3 007 000
Gauteng	18 810	7 048 000
Kwazulu-Natal	92 100	8 713 000
Cap du Nord	361 830	742 000
Province du Nord	123 910	5 397 000
Nord-Ouest	116 320	3 552 000
État libre	129 480	2 782 000
Cap-Occidental	129 370	3 721 000

9 mai et l'Afrique du Sud rejoint dès 1994 les grandes organisations internationales (OUA, Commonwealth, SADC). Après une brève période de gouvernement d'union nationale, l'ANC, qui s'appuie sur un électorat essentiellement xhosa, s'impose comme la principale force politique du pays. Lorsqu'il arrive à terme en 1998, le processus de réconciliation engagé par la commission « Vérité et Réconciliation » suscite de nombreux mécontentements, aussi bien chez les proches de l'ANC que dans les milieux blancs proches du Parti national. En outre, la perspective de l'arrivée au pouvoir de Thabo Mbeki, successeur désigné de Nelson Mandela, inquiète les milieux blancs. Surtout, la population noire, fortement touchée par le chômage (plus du quart de la population active), tarde à récolter les fruits des réformes politiques et économiques. Malgré des efforts certains destinés à favoriser l'intégration des Noirs à la vie économique du pays, la politique gouvernementale de rigueur budgétaire pèse lourdement sur le climat social. Après avoir assuré la transition avec un certain succès et le retour de l'Afrique du Sud sur la scène internationale, le président Mandela se retire, laissant la place à son dauphin, le vice-président Thabo Mbeki, élu à la faveur d'une très large majorité, consacrant le succès durable de l'ANC.

L'Antarctique

Une géographie hostile à la présence humaine

À la différence de l'Arctique au nord, l'Antarctique, qui occupe une superficie de 13 millions de km² (10% des terres émergées), constitue un véritable continent. L'absence de l'homme, à l'exception des quelques stations scientifiques, s'y explique par des conditions climatiques et géographiques extrêmes. Entouré d'une banquise presque permanente, le continent est couvert d'une calotte glaciaire pouvant atteindre 4 700 m d'épaisseur et en moyenne supérieure à 2 000 m, ce qui interdit presque toute présence de flore et de faune terrestres. Le continent dispose également d'un relief très marqué (altitude moyenne de 1 800 m) et culmine à 4 897 m (mont Vinson). Rarement supérieure à – 10 °C, la température peut atteindre les – 92 °C, les vents violents dépassant parfois les 300 km/heure.

L'exploration du sixième continent s'est donc faite tardivement. Après que des navigateurs anglais et français (Jean-Baptiste Bouvet de Lozier et James Cook) se sont lancés dans ces mers australes au XVIIIe s., d'autres (Bransfield de Smith, James Weddel, Dumont d'Urville, John Ross) ont progressivement découvert les contours de l'Antarctique pendant la première moitié du XIXe s. La reconnaissance terrestre par différents explorateurs européens ne commence qu'au début du XXe s. et donne lieu à une véritable course au pôle Sud, ponctuée de drames, et finalement remportée par le Norvégien Roald Amundsen en 1911. Le continent ne sera intégralement traversé par une expédition qu'en 1957-1958.

Un statut unique à préserver

Si l'hostilité du climat ne permet à aucun pays de s'installer massivement et durablement, les puissances n'en avancent pas moins leurs revendications territoriales dans les années 1950. Motivées par les richesses supposées du sous-sol, ces prétentions sont fondées soit sur une proximité géographique (Australie, Nouvelle-Zélande, Argentine, Chili), soit sur l'antériorité des découvertes (Norvège), soit sur une combinaison des deux (Royaume-Uni et France grâce à leurs possessions outre-mer). D'autres pays, enfin, entendent avoir accès à tout le continent pour leurs expériences scientifiques (États-Unis, Union soviétique, Japon, Afrique du Sud, Belgique).

Devant cet imbroglio juridique, les douze pays concernés ont fini par signer, le 1er déc. 1959, le traité de Washington démilitarisant le continent et organisant la coopération scientifique. Il interdit aussi qu'y soient pratiqués les essais nucléaires, le stockage de déchets nucléaires, et il gèle les revendications territoriales. Entré en vigueur en 1961, il a été complété en 1972 et en 1980 par des dispositions concernant la protection de la faune et de la flore marines. Il a également accueilli de nouveaux États parties, dont certains ont installé des bases (Allemagne, Inde, Pologne et Brésil).

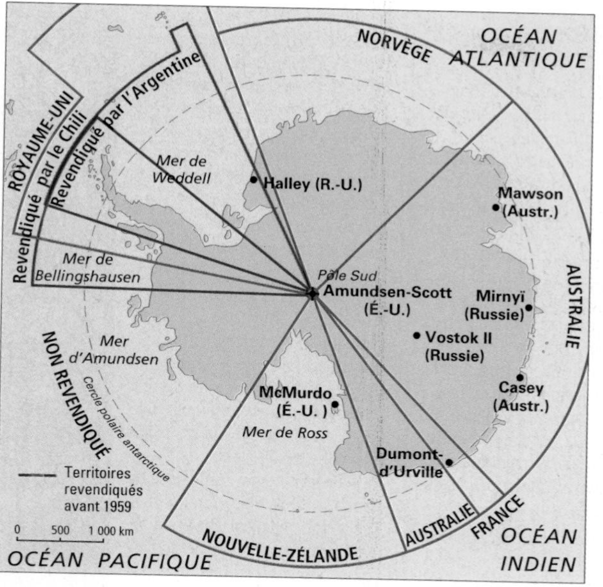

◆ **Le sixième continent, zone internationale vouée à la recherche.** Afin de couper court aux rivalités entre les puissances, l'Antarctique a fait l'objet d'un traité en 1959 qui, sans se prononcer sur les revendications territoriales des uns et des autres, en a fait une zone internationale et a limité l'exploitation de ses richesses supposées à des recherches scientifiques. Malgré la confirmation de ce statut, les États concernés (Chili, Argentine, Royaume-Uni, Norvège, Australie, France et Nouvelle-Zélande n'ont pas formellement renoncé à leurs revendications territoriales, représentées sur cette carte.

Le traité compte désormais 39 signataires, mais son organisation donne aux 16 pays disposant d'une présence scientifique permanente un rôle central, parfois critiqué par les petites nations qui voient dans l'Antarctique le patrimoine commun de l'humanité. Des débats sérieux se poursuivent sur l'avenir du continent entre ceux qui veulent préserver la possibilité d'une exploitation économique de ses richesses (États-Unis notamment) et ceux qui préféreraient faire de l'Antarctique une vaste réserve naturelle. Lors de la conférence de Madrid en 1991, l'interdiction de l'exploitation minière n'a été obtenue que pour cinquante ans, alors que la France et l'Australie militaient pour une interdiction permanente. Soutenu par l'Organisation des Nations unies, le renforcement des normes écologiques se fait donc par étapes. Un Protocole sur la protection de l'environnement a ainsi été adopté.

Ces rivalités et ces débats sont justifiés par les immenses richesses en matières premières du continent. Elles sont aujourd'hui inexploitables dans les conditions économiques et techniques actuelles, mais suscitent de nombreuses ambitions pour l'avenir. Le continent présente enfin un intérêt scientifique non négligeable dans de nombreux domaines qui intéressent l'humanité tout entière (sismométrie, climatologie, étude de la haute atmosphère, magnétisme, analyse des comportements des matériels et des hommes en milieu extrême) et qui peuvent avoir, malgré le coût élevé de l'entretien de laboratoires, des applications en médecine, en astronomie, en biologie. L'Union européenne finance ainsi différents projets scientifiques sur le continent.

Le statut international de l'Antarctique est aujourd'hui encore un modèle de coopération internationale pacifique, qui a réussi, par exemple, à faire cohabiter les États-Unis et l'Union soviétique pendant la guerre froide, l'Argentine et la Grande-Bretagne après la guerre des Malouines.

VOIR AUSSI
• **Milieux polaires** p. 50
• **Trou d'ozone** p. 59

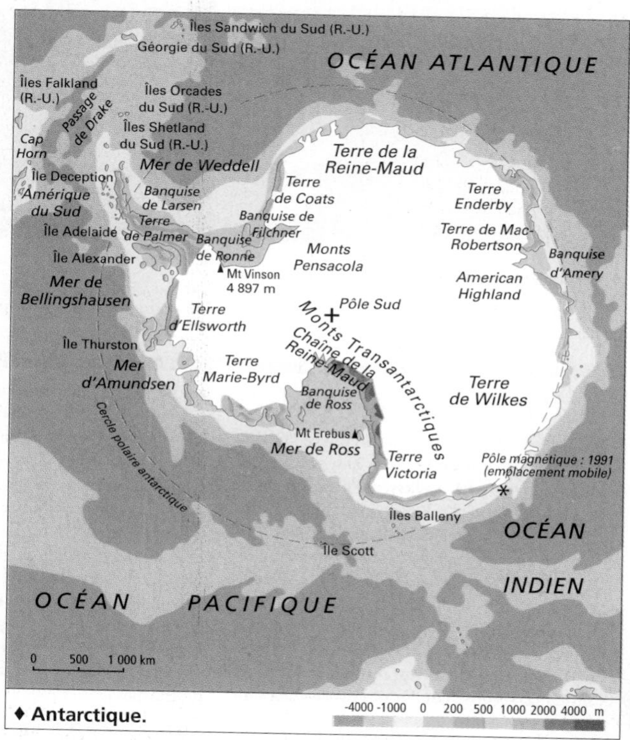

◆ **Antarctique.**

L'ONU

Les origines

L'ONU est la plus grande organisation internationale à vocation universelle, c'est-à-dire ouverte à tous les États de toutes les parties du monde. Mais ce n'est pas la première : au sortir de la guerre de 1914-1918, la Société des Nations (SDN) avait été créée dans l'espoir de faire régner le droit dans les relations internationales et de substituer des mécanismes de contrôle et d'arbitrage à la force dans le règlement des différends entre États.

L'échec de la SDN à garantir la paix, sa mise en sommeil par le retrait progressif de nombreux États n'ont pas empêché les pays en lutte contre l'Allemagne pendant la Seconde Guerre mondiale de reprendre l'idée d'une organisation internationale à vocation universelle et à compétence générale qui pourrait, à l'avenir, empêcher le retour de la violence. C'est ainsi qu'est née, en 1945, l'Organisation des Nations unies (en angl. United Nations, ou UN), qui compte 185 membres en 1999.

Les dates clés des origines de l'Organisation sont les suivantes :

– 14 août 1941. Charte de l'Atlantique. Franklin Delano Roosevelt et Winston Churchill définissent les principes de leur politique de sécurité.

– 1er janv. 1942. Déclaration des Nations unies. À Washington, le président des États-Unis, F. D. Roosevelt, prononce pour la première fois l'expression « Nations unies » dans une déclaration par laquelle les représentants de 26 nations s'engagent à poursuivre ensemble la guerre contre les puissances de l'Axe.

– 30 oct. 1943. Déclaration de Moscou. Signée par les représentants britannique, américain, soviétique et chinois, cette déclaration proclame la nécessité de créer « une organisation internationale fondée sur le principe de l'égalité souveraine de tous les États pacifiques » et ayant pour objectif le maintien de la paix et de la sécurité internationales.

– 21 août-7 oct. 1944. Proposition de Dumbarton Oaks (près de Washington). Une commission de juristes (États-Unis, Grande-Bretagne, Chine et URSS) élabore un projet destiné à organiser la sécurité collective après la Seconde Guerre mondiale.

– 4-11 févr. 1945. Conférence de Yalta. Roosevelt, Staline et Churchill achèvent l'examen de ce projet et décident de convoquer une conférence internationale en vue de la création de l'Organisation.

– 25 avr.-26 juin 1945. Conférence de San Francisco. La « conférence des Nations unies sur l'organisation internationale », convoquée par les États-Unis, le Royaume-Uni, l'URSS et la Chine, regroupe 50 États. Elle adopte un traité multilatéral signé le 26 juin 1945 : la Charte de l'Organisation des Nations unies. La Pologne, non représentée à la conférence, signera la Charte plus tard, mais est néanmoins devenue l'un des 51 membres originels.

◆ **Réunion de la Société des Nations le 21 septembre 1935.** Quelques semaines avant l'invasion de l'Éthiopie par l'Italie, le 3 octobre 1935, la Grande-Bretagne et la France tentent d'imposer leur médiation. À la tribune de la Société des Nations, le ministre des Affaires étrangères britannique, Samuel Hoare.

– 24 oct. 1945. Existence officielle de l'Organisation des Nations unies. Ratification par la Chine, les États-Unis, la France, le Royaume-Uni, l'URSS et la majorité des autres pays signataires. Chaque année, le 24 oct. est célébré comme la Journée des Nations unies.

– janv. 1946. Première session de l'Assemblée générale et première réunion du Conseil de sécurité.

– 1er févr. 1946. Élection du premier secrétaire général, le Norvégien Trygve Lie.

– 3 avr. 1946. Installation de la Cour internationale de justice à La Haye.

– 1951. L'ONU s'installe à New York.

◆ **Signature de la Charte des Nations unies.** La Charte de San Francisco, signée le 26 juin 1945, est l'acte fondateur de l'Organisation des Nations unies. La France (qui s'était tenue à l'écart, faute d'avoir participé aux travaux de Moscou) se joindra au dernier moment aux puissances invitantes, États-Unis, Grande-Bretagne, URSS et Chine.

L'admission à l'ONU

L'ONU est une organisation intergouvernementale : seuls les États indépendants et souverains peuvent y adhérer. En raison de sa vocation universelle, elle est largement ouverte aux États qui demandent leur adhésion. La Charte stipule cependant que l'adhésion est limitée aux « États pacifiques qui acceptent les obligations de la présente Charte et [qui], au jugement de l'Organisation, sont capables de les remplir et disposés à le faire ». C'est par décision de l'Assemblée générale sur recommandation du Conseil de sécurité que les nouveaux États sont admis. L'État qui enfreint les principes de la Charte peut être suspendu ou expulsé. L'hypothèse d'un retrait volontaire d'un membre n'est pas envisagée par la Charte. L'appartenance à l'ONU n'est une obligation pour aucun État : la Suisse, par exemple, ne fait pas partie de l'ONU. En pratique cependant, tout État accédant à l'indépendance demande (et obtient) son admission à l'ONU.

Les langues officielles de l'ONU sont l'anglais, le chinois, l'espagnol, le français, le russe et l'arabe (devenu langue officielle en 1973). L'anglais et le français sont les langues de travail.

Les années de la guerre froide

L'Organisation des Nations unies est créée à San Francisco le 26 juin 1945. La Charte des Nations unies, acte fondateur de l'Organisation, entre en vigueur le 24 oct. suivant. L'ONU est une organisation de coopération, c'est-à-dire que les actions qu'elle mène résultent de la volonté des États qui la composent. Le domaine d'intervention de l'ONU est extrêmement vaste, mais ne doit en principe pas empiéter sur ce qui relève de la souveraineté nationale des États. Un autre principe fondamental est l'interdiction faite aux États de recourir à la force pour régler un différend interétatique, celui-ci devenant alors la responsabilité du Conseil de sécurité.

Établie pour gérer l'ordre international après la Seconde Guerre mondiale, l'Organisation voit néanmoins rapidement ses espoirs déçus en raison

◆ **Salle de réunion de l'Assemblée générale de l'ONU à New York.**
Cette salle immense comporte des sièges pour 626 représentants des États, 270 observateurs, 234 membres de la presse et 800 visiteurs. À l'Assemblée générale, chaque État membre ne dispose que d'une voix (quelle que soit l'importance de sa délégation). Ce fonctionnement consacre le principe de l'égalité entre États et a pour conséquence d'attribuer le même poids, dans un vote, aux superpuissances et aux micro-États.

◆ **États membres de l'Organisation des Nations unies.**

Année	États membres	Membres fondateurs
1945	51	Afrique du Sud, Arabie saoudite, Argentine, Australie, Belgique, Biélorussie, Bolivie, Brésil, Canada, Chili, Chine, Colombie, Costa Rica, Cuba, Danemark, Dominicaine (République), Égypte, Équateur, États-Unis, Éthiopie, France, Grèce, Guatemala, Haïti, Honduras, Inde, Iran, Iraq, Liban, Liberia, Luxembourg, Mexique, Nicaragua, Norvège, Nouvelle-Zélande, Panama, Paraguay, Pays-Bas, Pérou, Philippines, Pologne, Royaume-Uni, Salvador, Syrie, Tchécoslovaquie, Turquie, Ukraine, Union des républiques socialistes soviétiques, Uruguay, Venezuela, Yougoslavie

Année	États membres	Nouveaux membres
1946	55	Afghanistan, Islande, Suède, Thaïlande,
1947	57	Pakistan, Yémen,
1948	58	Birmanie,
1949	59	Israël,
1950	60	Indonésie,
1955	76	Albanie, Autriche, Bulgarie, Cambodge, Ceylan (auj. Sri Lanka), Espagne, Finlande, Hongrie, Irlande, Italie, Jordanie, Laos, Libye, Népal, Portugal, Roumanie,
1956	80	Japon, Maroc, Soudan, Tunisie,
1957	82	Ghana, Malaisie,
1958	83	Guinée,
1960	100	Cameroun, Chypre, Congo, Côte d'Ivoire, Dahomey (auj. Bénin), Gabon, Haute-Volta (auj. Burkina), Madagascar, Mali, Niger, Nigeria, République centrafricaine, Sénégal, Somalie, Tchad, Togo, Zaïre (auj. Rép. démocratique du Congo),
1961	104	Mauritanie, Mongolie, Sierra Leone, Tanganyika (auj. Tanzanie),
1962	110	Algérie, Burundi, Jamaïque, Ouganda, Rwanda, Trinité-et-Tobago,
1963	113	Kenya, Koweït, Zanzibar (auj. Tanzanie),
1964	115(1)	Malawi, Malte, Zambie,
1965	118	Gambie, Maldives, Singapour,
1966	122	Barbade, Botswana, Guyana, Lesotho,
1967	123	République populaire du Yémen du Sud,
1968	126	Guinée-Équatoriale, Maurice, Swaziland,
1970	127	Fidji,
1971	132	Bahreïn, Bhoutan, Émirats arabes unis, Oman, Qatar,
1973	135	Bahamas, République démocratique allemande, République fédérale d'Allemagne,
1974	138	Bangladesh, Grenade, Guinée-Bissau,
1975	144	Cap-Vert, Comores, Mozambique, Papouasie-Nouvelle-Guinée, Sào Tomé et Principe, Suriname,
1976	147	Angola, Samoa, Seychelles,
1977	149	Djibouti, Viêt Nam,
1978	151	Dominique, îles Salomon,
1979	152	Sainte-Lucie,
1980	154	Saint-Vincent-et-les Grenadines, Zimbabwe,
1981	157	Antigua et Barbuda, Belize, Vanuatu,
1983	158	Saint Christopher and Nevis,
1984	159	Brunei,
1990	161(2)	Namibie, Liechtenstein,
1991	166	Lituanie, Lettonie, Estonie, Corée du Nord, Corée du Sud, îles Marshall, États fédérés de Micronésie,
1992	179	Saint-Martin, Arménie, Azerbaïdjan, Kirghizistan, Kazakhstan, Moldavie, Ouzbékistan, Tadjikistan, Turkménistan, Slovénie, Croatie, Bosnie-Herzégovine, Géorgie,
1993	184(3)	Macédoine, Andorre, Érythrée, Monaco,
1994	185	Palau

(1) La fusion du Tanganyika et de Zanzibar en 1964 ramène le nombre des États membres à 112.
(2) L'unification des Allemagnes et des Yémens en 1990 ramène le nombre des États membres à 159.
(3) La partition de la Tchécoslovaquie en 1993 porte le nombre des États membres à 184.

des premiers développements de la guerre froide. L'antagonisme Est-Ouest se traduit par une paralysie chronique du Conseil de sécurité, où les vetos américain et soviétique empêchent toute action constructive.

Dès lors, les activités de l'ONU s'en trouvent très largement réduites. L'épisode de la guerre de Corée (1950-1953) implique pour la première fois l'Organisation dans une opération de guerre, mais l'intervention est avant tout américaine et le Conseil de sécurité ne fait que légitimer, par ses résolutions, l'opération.

Dans les années 1950 et 1960, l'ONU joue un rôle déterminant dans le processus de décolonisation, et l'Assemblée générale fournit une tribune à de nombreux pays du tiers-monde. Parallèlement, certains organes comme la CNUCED, créée en 1964, tentent de mieux défendre les intérêts des pays en développement. Dans l'ensemble, l'ONU ne parvient pourtant pas à favoriser une véritable politique de développement économique et social des pays nouvellement indépendants. De même, l'Organisation reste globalement absente de la gestion des conflits de la guerre froide, tels que la guerre du Viêt Nam, la crise de Cuba ou les conflits israélo-arabes… Elle est également largement écartée du processus de détente (accords de désarmement [SALT, START…], accords de Camp David).

Le « nouvel ordre mondial »

La fin de la guerre froide, matérialisée par la chute du mur de Berlin en 1989, marque un véritable tournant dans l'histoire de l'Organisation des Nations unies. L'espoir d'un « nouvel ordre mondial », qui apparaît au début des années 1990 au moment de la guerre du Golfe contre l'Iraq, place l'ONU au centre du dispositif juridique – et militaire – devant régir les nouvelles relations internationales. Selon le président américain George Bush, l'ONU doit assurer le respect du droit international et, le cas échéant, autoriser les États à recourir à la force afin de sanctionner ceux qui violeraient les dispositions de la Charte des Nations unies.

L'ONU recouvre ainsi théoriquement les prérogatives que la guerre froide lui avait déniées, notamment en matière de maintien de la paix et de la sécurité internationales. Le Conseil de sécurité, au sein duquel l'utilisation du droit de veto n'est plus systématique depuis la fin de l'opposition Est-Ouest, se trouve saisi de plus en plus fréquemment de questions relatives à la sécurité mondiale, et s'affirme comme l'organe politique suprême de décision. Il se réunit quotidiennement et crée un nombre croissant d'opérations dites de « maintien de la paix », par lesquelles des dizaines de milliers de Casques bleus sont envoyés aux quatre coins du monde pour gérer des situations de guerre.

Dans le cas de la guerre du Golfe en 1991, l'ONU n'envoie pourtant pas de Casques bleus, mais se contente d'autoriser une coalition internationale, commandée par les Américains, à faire la

◆ Trygve Lie.
Ce Norvégien a été le premier secrétaire général de l'ONU, de 1946 à 1952. Avec lui s'est instauré l'usage en vertu duquel le secrétaire général n'est jamais le ressortissant d'une grande puissance ou d'un État engagé. Le choix de ce personnage est en effet un acte politique qui pose toujours de délicats problèmes d'équilibre entre les grandes tendances.

◆ Dag Hammarskjöld.
Secrétaire général de 1953 à 1961, ce Suédois a conçu sa fonction comme celle d'un véritable homme politique international et, profitant de l'obscurité de certains textes de la Charte, il a accru les responsabilités du secrétaire général pour le bénéfice de l'Organisation. En 1960-1961, il a défendu l'indépendance de la fonction contre l'URSS, qui contestait son rôle.

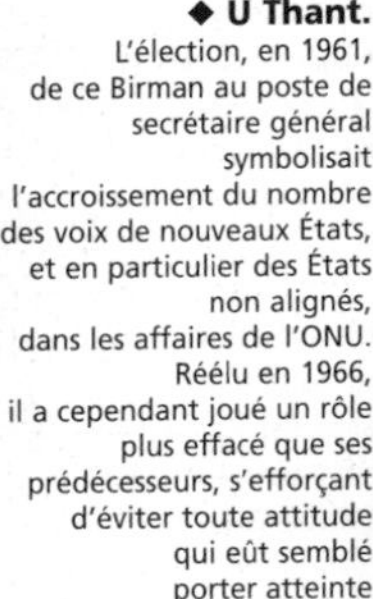

◆ U Thant.
L'élection, en 1961, de ce Birman au poste de secrétaire général symbolisait l'accroissement du nombre des voix de nouveaux États, et en particulier des États non alignés, dans les affaires de l'ONU. Réélu en 1966, il a cependant joué un rôle plus effacé que ses prédécesseurs, s'efforçant d'éviter toute attitude qui eût semblé porter atteinte aux grandes puissances.

◆ Javier Pérez de Cuellar.
Péruvien, a exercé deux mandats (1982-1991). Une partie de ses activités a été consacrée à la réforme du fonctionnement administratif et financier de l'ONU. Mais son nom reste surtout attaché au regain de faveur qu'a connu l'Organisation, à la fin des années 1980, du fait du dégel entre l'Est et l'Ouest puis de la fin du monde bipolaire.

◆ Kurt Waldheim.
Ressortissant d'un pays neutre, l'Autriche, il a exercé deux mandats (de 1972 à 1981). Il a déployé une activité considérable, en particulier dans le règlement des conflits du Moyen-Orient, mais sa réputation s'est trouvée ternie par les accusations qui ont été ensuite portées contre lui à propos de ses activités dans l'armée allemande pendant la Seconde Guerre mondiale.

◆ Boutros Boutros-Ghali.
Égyptien, il entre en fonction en 1992, alors que le nombre des membres de l'ONU s'accroît et que les opérations de maintien de la paix se multiplient. Partisan d'une diplomatie préventive, il souhaite que l'ONU mette sur pied une force permanente d'interposition et que les organisations régionales s'associent davantage au règlement des conflits. Alors qu'il se porte candidat pour un second mandat en 1996, les États-Unis s'opposent à sa reconduction, lui reprochant certaines prises de position peu favorables aux Américains.

◆ Kofi Annan.
Ghanéen, il est le premier secrétaire général à avoir fait toute sa carrière à l'ONU, où il fut notamment secrétaire général adjoint, chef du département des opérations de maintien de la paix. Nommé secrétaire général en 1997 à la place de Boutros Boutros-Ghali, il fait face à l'urgente nécessité de réformer une organisation qui traverse une profonde crise politique et financière.

guerre à l'Iraq pour obtenir son retrait du Koweït (qu'il avait envahi en août 1990, invoquant un différend frontalier).

Pourtant, alors même qu'elle est sollicitée de toutes parts, l'ONU fait l'objet de violentes critiques. On lui reproche son impuissance à régler les conflits dont elle a la charge et surtout sa mauvaise gestion et sa lourdeur administrative. Elle doit faire face à une crise financière et politique sans précédent, qui rend indispensable un processus de réformes. Le Secrétariat et le Conseil de sécurité sont particulièrement concernés. Ce dernier fut établi en 1945 pour refléter les rapports de force au sortir de la Seconde Guerre mondiale, et de nombreux États contestent aujourd'hui sa composition, revendiquant pour eux-mêmes un siège parmi les

Organisations internationales et ONG

Bien qu'elles aient des origines lointaines, les organisations internationales n'ont commencé à s'épanouir et à prospérer qu'au XXᵉ s. Constituées par les États, les organisations internationales sont également appelées organisations intergouvernementales; elles visent à coordonner l'action des États et à tisser entre eux des liens de solidarité, dans tous les domaines de l'activité humaine.
On distingue généralement les organisations internationales à « vocation universelle », largement ouvertes à l'admission des États pourvu qu'ils remplissent certaines conditions minimales (l'ONU en est le prototype) et les organisations à « vocation limitée » pour lesquelles les critères d'admission sont de nature géographique (ou technique) et que l'on appelle le plus souvent « organisations régionales » (l'Union européenne en est, pour l'Europe, le principal représentant).
À côté de ces institutions créées par la volonté étatique, de nouvelles structures organisées se constituent à l'initiative de personnes privées : ce sont les organisations non gouvernementales, plus connues sous le sigle d'ONG. Leur rôle dans la vie publique est très variable suivant leur objet et suivant les circonstances. Elles sont aujourd'hui foisonnantes.

« Grands ». Sont candidats le Japon et l'Allemagne, mais aussi des grands pays du Sud, tels l'Inde, le Brésil ou le Nigeria. S'il n'est pas question pour les cinq membres permanents du Conseil d'abandonner leur siège, il est en revanche possible que le nombre total des sièges soit augmenté de trois ou quatre dans les années qui viennent.

Parallèlement, la crise politico-financière que traverse l'ONU s'accompagne d'une forte perte de crédibilité d'une organisation qui n'a finalement pas su répondre à l'importante demande du début des années 1990. Si bien que, après une période d'activité soutenue dans le domaine de la gestion des conflits, l'ONU se trouve progressivement écartée, au profit d'organisations régionales jugées plus adéquates (comme l'OTAN en Bosnie-Herzégovine ou au Kosovo). Le « renouveau onusien », que l'ancien secrétaire général Boutros Boutros-Ghali a appelé des ses vœux tout au long de son mandat (1992-1996), n'est donc que de courte durée et fait place, au milieu des années 1990, à une période où les rapports internationaux ne laissent qu'une place marginale à l'Organisation des Nations unies.

Celle-ci conserve cependant un grand rôle dans la gestion d'un certain nombre de problèmes dits transnationaux, c'est-à-dire qui touchent l'ensemble des États et qui ne peuvent être réglés à un niveau strictement étatique. Ainsi en est-il du sida, de l'environnement, de la démographie, des mouvements de réfugiés ou encore des mines antipersonnel, problèmes auxquels l'ONU tente d'apporter des solutions globales, notamment par le biais de conférences, de campagnes de sensibilisation ou par l'adoption de réglementations ou codes de bonne conduite.

VOIR AUSSI
• **ONG** p. 779 à 784

L'ONU

Buts et principes

Les articles 1 et 2 du chapitre premier de la Charte signée à San Francisco le 26 juin 1945 énoncent les buts et les principes de l'Organisation.

Les buts sont les suivants.
– Maintenir la paix et la sécurité internationales.
– Développer entre les nations des relations amicales.
– Réaliser la coopération internationale en résolvant les problèmes internationaux d'ordre économique, social, culturel et humanitaire, et en développant le respect des droits de l'homme et des libertés fondamentales.
– Être un centre où s'harmonisent les efforts des nations vers ces fins communes.

Les principes sont les suivants.
– L'Organisation des Nations unies est fondée sur le principe de l'égalité souveraine de tous ses membres.
– Tous ses membres doivent remplir de bonne foi les obligations qu'ils ont assumées aux termes de la Charte.
– Ils doivent régler leurs différends internationaux par des moyens pacifiques de telle manière que la paix et la sécurité internationales ainsi que la justice ne soient pas mises en danger.
– Ils doivent s'abstenir de recourir à la menace ou à l'emploi de la force dans leurs relations internationales.
– Ils doivent assister l'Organisation dans toute action entreprise par elle conformément aux dispositions de la Charte et s'abstenir de prêter assistance à un État contre lequel l'Organisation entreprend une action préventive ou coercitive.
– L'Organisation des Nations unies fait en sorte que les États qui ne sont pas membres des Nations unies agissent conformément à ces principes, dans la mesure nécessaire au maintien de la paix et de la sécurité internationales.
– Aucune disposition de la Charte n'autorise l'Organisation des Nations unies à intervenir dans les affaires qui relèvent essentiellement de la compétence nationale d'un État.

Les droits de l'homme

L'Organisation des Nations unies doit avoir pour but permanent d'encourager le respect des droits de l'homme et des peuples à disposer d'eux-mêmes. Cet objectif est inscrit dans la Charte, qui voit là un moyen de promouvoir la paix entre les nations.

Dès le 10 déc. 1948, l'Assemblée générale adoptait, par 48 voix contre 0 et 8 abstentions, la *Déclaration universelle des droits de l'homme.* Ce texte d'une très large portée, puisqu'il proclame les droits civils, politiques, économiques, sociaux et culturels de « tous les membres de la famille humaine », n'était cependant que la simple expression d'un idéal et ne comportait pas d'obligation juridique. Aussi a-t-il été complété en 1966 par deux pactes internationaux soumis à la ratification des États :
– le pacte relatif aux droits civils et politiques ;
– le pacte relatif aux droits sociaux, économiques et culturels.

Ces pactes, entrés en vigueur en 1976, et qui n'ont pas été ratifiés par tous les États membres, n'apportent encore que des garanties restreintes.

Parmi les autres conventions proposées à la ratification des États dans le domaine des droits de l'homme, on peut citer celles
– pour la prévention et la répression du génocide (1948) ;
– sur l'élimination de toutes les formes de discrimination raciale (1969) ;
– sur l'élimination et la répression du crime d'apartheid (1973) ;
– sur l'élimination de la discrimination à l'égard des femmes (1979) ;
– contre la torture (1984) ;
– sur les droits de l'enfant (1989).

Déclaration universelle des droits de l'homme

Considérant que le respect de la dignité inhérente à tous les membres de la famille humaine et de leurs droits égaux et inaliénables est le fondement de la liberté, de la justice et de la paix dans le monde ;

considérant que la méconnaissance et le mépris des droits de l'homme ont conduit à des actes de barbarie outrageants pour la conscience de l'humanité et que l'avènement d'un monde où les êtres humains seront libres de parler et de croire, libérés de la terreur et de la misère, a été proclamé comme l'aspiration la plus élevée de l'homme du commun ;

considérant qu'il est essentiel, pour éviter que l'homme soit contraint à user du suprême recours qui est la révolte contre la tyrannie et l'oppression, que les droits de l'homme soient protégés par un régime de droit ;

considérant que les peuples des Nations unies ont, dans la Charte, proclamé à nouveau leur foi dans les droits fondamentaux de l'homme, dans la dignité et la valeur des hommes et des femmes, qu'ils sont résolus à favoriser le progrès social et à instaurer de meilleures conditions de vie dans une liberté plus complète ; […]

l'Assemblée générale proclame la présente Déclaration des droits de l'homme comme représentant l'idéal commun que tous les peuples et toutes les nations devront s'efforcer de réaliser […].

article premier. Tous les êtres humains naissent libres et égaux en dignité et en droits. Ils sont doués de raison et de conscience et doivent agir les uns envers les autres dans un esprit de fraternité.
art. 2. Chacun peut se prévaloir de tous les droits et de toutes les libertés proclamés dans la présente Déclaration, sans distinction aucune, notamment de race, de couleur, de sexe, de langue, de religion, d'opinion politique ou de toute autre opinion, d'origine nationale ou sociale, de fortune, de naissance ou de toute autre situation. […]
art. 3. Tout individu a droit à la vie, à la liberté et à la sûreté de sa personne.
art. 4. Nul ne sera tenu en esclavage ni en servitude ; l'esclavage et la traite des esclaves sont interdits sous toutes leurs formes.
art. 5. Nul ne sera soumis à la torture ni à des peines ou traitements cruels, inhumains ou dégradants. […]
art. 6. Tous sont égaux devant la loi et ont droit sans distinction à une égale protection de la loi.
art. 7. Toute personne a droit à un recours effectif devant les juridictions nationales compétentes contre les actes violant les droits fondamentaux qui lui sont reconnus par la Constitution ou par la loi.
art. 8. Nul ne peut être arbitrairement arrêté, détenu ni exilé. […]
art. 9. Devant la persécution, toute personne a le droit de chercher asile et de bénéficier de l'asile en d'autres pays ; […]
art. 10. 1° Tout individu a droit à une nationalité ; 2° Nul ne peut être arbitrairement privé de sa nationalité ni du droit de changer de nationalité. […]
art. 18. Toute personne a droit à la liberté de pensée, de conscience et de religion. […]
art. 19. Tout individu a droit à la liberté d'opinion et d'expression. […]
art. 23. 1° Toute personne a droit au travail, au libre choix de son travail, à des conditions équitables et satisfaisantes de travail et à la protection contre le chômage ; […]
art. 24. Toute personne a droit au repos et aux loisirs, et notamment à une limitation raisonnable de la durée du travail et à des congés payés périodiques.
art. 25. 1° Toute personne a droit à un niveau de vie suffisant pour assurer sa santé, son bien-être et ceux de sa famille. […]
art. 26. 1° Toute personne a droit à l'éducation. L'éducation doit être gratuite, au moins en ce qui concerne l'enseignement élémentaire et fondamental.

Préambule de la Charte des Nations unies

Nous, peuples des Nations unies, résolus à préserver les générations futures du fléau de la guerre qui deux fois en l'espace d'une vie humaine a infligé à l'humanité d'indicibles souffrances, à proclamer à nouveau notre foi dans les droits fondamentaux de l'homme, dans la dignité et la valeur de la personne humaine, dans l'égalité de droits des hommes et des femmes, ainsi que des nations, grandes et petites, à créer les conditions nécessaires au maintien de la justice et du respect des obligations nées des traités et autres sources du droit international, à favoriser le progrès social et instaurer de meilleures conditions de vie dans une liberté plus grande, et à ces fins à pratiquer la tolérance, à vivre en paix l'un avec l'autre dans un esprit de bon voisinage, à unir nos forces pour maintenir la paix et la sécurité internationales, à accepter des principes et instituer des méthodes garantissant qu'il ne sera pas fait usage de la force des armes, sauf dans l'intérêt commun, à recourir aux institutions internationales pour favoriser le progrès économique et social de tous les peuples, avons décidé d'associer nos efforts pour réaliser ces desseins. En conséquence, nos gouvernements respectifs, par l'intermédiaire de leurs représentants, réunis en la ville de San Francisco, et munis de pleins pouvoirs reconnus en bonne et due forme, ont adopté la présente Charte des Nations unies et établissent par les présentes une organisation internationale qui prendra le nom de Nations unies.

L'ONU

Les finances

Les budgets de l'ONU

L'Organisation des Nations unies fonctionne sur la base de deux budgets distincts : le budget ordinaire et le budget des opérations de maintien de la paix.

Le budget ordinaire. Établi par le secrétaire général, transmis au Comité du programme et de coordination (34 membres), chargé de la conception des activités, puis au Comité consultatif pour les questions administratives et budgétaires (16 membres) qui les budgétise et qui émet un avis à l'intention de l'Assemblée générale, le budget ordinaire est soumis tous les deux ans à l'approbation de l'Assemblée générale. Il est alimenté par les contributions obligatoires des États membres, selon un barème fixé par l'Assemblée générale sur avis du Comité des contributions (18 membres). La quote-part de chaque État est déterminée en fonction de son revenu national par habitant. L'Assemblée générale a décidé qu'un État ne pourrait, à lui seul, financer plus de 25 % du budget de l'Organisation (il faut en effet ne pas tenir compte des seules facultés contributives, mais considérer aussi que tout État lourdement imposé est susceptible d'exercer une trop grande influence politique sur l'Organisation) ; inversement, aucun État ne saurait contribuer pour moins de 0,01% du budget total. Le budget ordinaire couvre les dépenses d'administration et de fonctionnement des organes principaux de l'ONU (Secrétariat, Assemblée générale, Conseil de sécurité, Conseil économique et social, Cour internationale de justice) ainsi que les dépenses d'administration de certains organes subsidiaires. Il se monte, pour les années 1997-1998, à 2,3 milliards de dollars (soit 1,15 milliard de dollars par an), en légère baisse par rapport au budget des années 1996-1997, qui était de 2,6 milliards de dollars.

Le budget des opérations de maintien de la paix. Parallèlement au budget ordinaire, les opérations de maintien de la paix ont donné lieu à la création, en 1973, d'un budget propre. Ce budget des opérations de maintien de la paix est alimenté par des contributions obligatoires, sur la base d'un barème spécial. Celui-ci établit quatre catégories de contributeurs. La catégorie B regroupe les pays industrialisés, dont la contribution au budget des opérations de maintien de la paix est la même que pour le budget ordinaire. La catégorie C regroupe les pays en développement, dont la contribution au budget des opérations de maintien de la paix représente 20% de leur contribution ordinaire. La catégorie D regroupe les pays les moins avancés, dont la contribution au budget des opérations de maintien de la paix représente 10% de leur contribution au budget ordinaire. Enfin, la catégorie A comprend les cinq membres permanents du Conseil de sécurité. Ceux-ci se partagent le montant restant, ce qui porte leur contribution au budget des opérations de maintien de la paix à approximativement 125% de leur contribution au budget ordinaire. Ainsi, les États-Unis, dont la participation au budget ordinaire est de 25%, contribuent théoriquement au budget des opérations de maintien de la paix à hauteur de 31,5%. Au sein de ce budget, chaque opération dispose d'un budget propre, alimenté indépendamment des autres opérations. Au début des années 1990, la multiplication des opérations de maintien de la paix a logiquement entraîné une forte hausse de leur budget, lequel se montait, en 1995, à 3,2 milliards de dollars, avant d'amorcer une baisse en 1996.

Les contributions volontaires. La pratique des contributions volontaires s'est beaucoup développée dans les organes subsidiaires à vocation spécialisée. Ceux qui drainent le plus d'argent sont le PNUD (Programme des Nations unies pour le développement), le Programme alimentaire mondial, le Haut-Commissariat des Nations unies pour les réfugiés, l'Unicef, l'UNRWA (Office de secours et de travaux des Nations unies pour les réfugiés de Palestine dans le Proche-Orient), le FNUAP (Fonds des Nations unies pour les activités en matière de population).

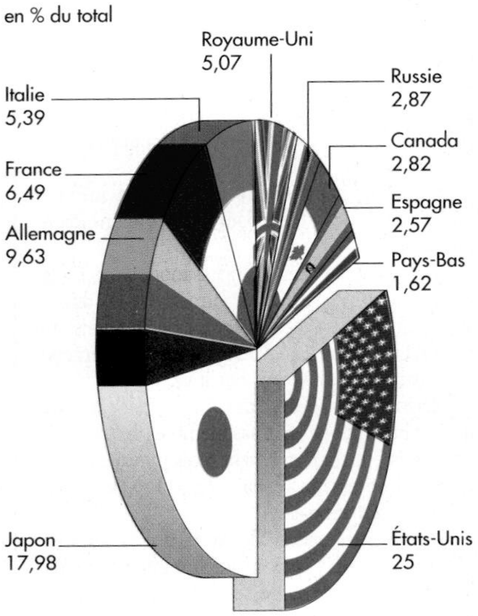

en milliards de dollars

1990-1991	1992-1993	1994-1995	1996-1997	1998-1999
1,983	2,467	2,632	2,608	2,532

◆ **Les budgets de l'ONU.**
Le budget ordinaire couvre les dépenses relatives aux programmes de fond et aux activités administratives. Pour limiter ses dépenses et accroître son efficacité, l'ONU s'est engagée dans un processus de rationalisation de ses structures et de ses méthodes de travail.

en % du total

Pays	%
États-Unis	25
Japon	17,98
Allemagne	9,63
France	6,49
Italie	5,39
Royaume-Uni	5,07
Russie	2,87
Canada	2,82
Espagne	2,57
Pays-Bas	1,62

Données 1998. *Source:* ONU.

◆ **Les contributions au budget de l'ONU.**
Les cotisations obligatoires des États membres au budget ordinaire sont proportionnelles à leur PNB par habitant. Les dix premiers contributeurs financent près de 80 % du budget ordinaire. La contribution la plus importante est celle des États-Unis, qui fournissent le quart des ressources.

La crise financière de l'ONU

La rentrée des contributions est plus ou moins régulière, si bien que les arriérés – qui n'ont cessé de croître – au titre du budget ordinaire tout autant qu'au titre du budget des opérations de maintien de la paix ont provoqué, au début des années 1990, une sérieuse crise financière. Mécontent de la gestion du Secrétariat, d'une part, et désireux, d'autre part, de réduire les dépenses publiques américaines, le Congrès des États-Unis s'est montré de moins en moins enclin à financer une organisation suspectée d'aller à l'encontre des intérêts américains et a progressivement lié le versement de ses cotisations à une réforme des structures de l'Organisation.

Plus encore, les États-Unis ont décidé unilatéralement de réduire leur contribution au budget des opérations de maintien de la paix à compter de 1996, faisant passer celle-ci de 31,5% à 25%, et projettent de ramener leur cotisation au budget ordinaire à 20%. La dette américaine, s'ajoutant aux dettes des pays de l'ex-Union soviétique, a compromis le fonctionnement de l'Organisation en dépit des mesures d'austérité proposées par le secrétaire général, Boutros Boutros-Ghali. En fait, rares sont les États qui paient leurs cotisations en temps et en heure, si bien que l'Organisation est en permanence au bord de la faillite. Ainsi, au 31 janvier 1998, les retards de cotisations des États s'élevaient à 2,84 milliards de dollars, dont 1,28 milliard pour le budget ordinaire et 1,56 milliard pour le budget des opérations de maintien de la paix.

Cependant, si les retards de cotisations sont en cause, la mauvaise gestion du Secrétariat est également régulièrement dénoncée. Ces problèmes financiers et administratifs viennent ainsi alimenter une crise d'ordre politique, liée en partie aux difficultés de l'Organisation à mettre en œuvre au début des années 1990 les opérations de maintien de la paix.Nombre d'États fustigent l'inefficacité de l'ONU à remplir son rôle de garant de la paix dans le monde tandis que la composition du Conseil de sécurité, qui s'affirme comme le seul organe de décision pour les affaires de sécurité, est de plus en plus contestée. En fait, après la courte euphorie qui a accompagné le « nouvel ordre mondial », l'ONU est rendue responsable de tous les dysfonctionnements qui caractérisent le système international de l'après-guerre froide.

Conscients de la lourdeur de la structure qu'ils dirigent, les deux secrétaires généraux, Boutros Boutros-Ghali entre 1992 et 1996 et Kofi Annan depuis 1997, ont mis en œuvre une série de réformes et procédé à une diminution sensible du nombre de fonctionnaires ; en dépit de ces efforts, la question de la réforme administrative de l'ONU reste ouverte.

L'ONU

Les organes principaux

L'Assemblée générale

Principal organe de délibération, l'Assemblée générale se compose de tous les membres des Nations unies, chacun disposant d'une voix. Elle statue à la majorité des deux tiers des membres présents et votants pour les questions importantes, à savoir le maintien de la paix et de la sécurité internationales, l'élection des membres non permanents du Conseil de sécurité, des membres du Conseil économique et social, des membres du Conseil de tutelle, l'admission de nouveaux membres, la suspension et l'exclusion des membres, les questions relatives au fonctionnement du régime de tutelle et les questions budgétaires. Elle statue à la majorité simple pour les autres questions. L'Assemblée générale nomme, sur recommandation du Conseil de sécurité, le secrétaire général.

Pouvoirs. L'Assemblée générale peut discuter de toute question ou affaire entrant dans le cadre de la Charte ou se rapportant aux pouvoirs et fonctions de l'un quelconque des organes prévus dans la Charte. Elle formule sur ces affaires ou questions des recommandations à l'adresse des États.

Les recommandations de l'Assemblée générale n'ont pas force obligatoire pour les États, mais elles ont l'autorité morale que confère le fait qu'elles expriment l'opinion de la communauté internationale.

L'Assemblée générale doit en revanche :
– s'abstenir d'intervenir dans les affaires qui relèvent essentiellement de la compétence nationale d'un État;
– s'abstenir de toute recommandation concernant un différend ou une situation tant que le Conseil de sécurité est saisi;
– renvoyer au Conseil de sécurité toute question qui concerne le maintien de la paix et de la sécurité internationales.

Sessions. L'Assemblée générale tient une session annuelle ordinaire qui débute le troisième mardi de septembre et se poursuit en général jusqu'à la mi-décembre. À l'ouverture de la session, l'Assemblée élit son bureau : un président, 21 vice-présidents et les présidents des commissions permanentes de l'Assemblée. Le président nomme une Commission de vérification des pouvoirs chargée de vérifier les pouvoirs des représentants des États. La présidence de l'Assemblée est assurée tour à tour annuellement par un représentant de l'un des 5 groupes régionaux suivants : Afrique, Asie, Europe orientale, Amérique latine, Europe occidentale et autres États. L'Assemblée peut tenir des sessions extraordinaires à la demande du Conseil de sécurité, de la majorité des États membres ou encore d'un seul État membre si la demande est soutenue par la majorité des membres. Des sessions extraordinaires d'urgence peuvent également être consacrées à un problème déterminé.

Commissions. L'Assemblée a institué six commissions permanentes et spécialisées :
– la première commission, chargée des questions de désarmement et de sécurité internationale;
– la deuxième commission, chargée des questions économiques et financières;
– la troisième commission, chargée des questions sociales, humanitaires et culturelles;
– la quatrième commission, chargée des questions politiques spéciales et de la décolonisation;
– la cinquième commission, chargée des questions administratives et budgétaires;
– la sixième commission, chargée des questions juridiques.

L'Assemblée renvoie la plupart des questions posées au début de chaque session à ces grandes commissions. Certaines questions sont examinées en assemblée plénière seulement et non en commission. Toutes les questions font l'objet d'un vote en assemblée plénière après examen par les commissions qui soumettent des projets de résolution.

Les travaux de l'Assemblée générale se poursuivent toute l'année :
– dans des commissions et autres organes établis pour étudier des problèmes relatifs au désarmement, à l'espace extra-atmosphérique, au maintien de la paix, à la décolonisation, aux droits de l'homme et à l'apartheid;
– dans les conférences internationales;
– au sein du Secrétariat de l'ONU.

Le Conseil de sécurité

Le maintien de la paix et de la sécurité internationales est sa responsabilité principale. Il agit soit de sa propre initiative, soit à la demande d'un État, de l'Assemblée générale ou du secrétaire général.

Pouvoirs. En présence d'un différend ou d'une situation pouvant entraîner un désaccord entre États, il peut enquêter et recommander les moyens (négociation, médiation, conciliation, arbitrage, recours à la Cour internationale de justice, etc.) d'arranger le différend.

S'il constate l'existence d'une menace contre la paix, d'une rupture de la paix ou d'un acte d'agression, il a un pouvoir de recommandation et d'intervention directe :
– il peut imposer des sanctions économiques ou diplomatiques;
– il peut théoriquement entreprendre une action militaire contre l'agresseur en faisant intervenir les forces aériennes, terrestres et navales des États membres, que ceux-ci se sont engagés à tenir à la disposition du Conseil pour assurer le maintien de la paix. Dans la pratique cependant, ce mécanisme d'intervention militaire prévu par la Charte n'a jamais été mis en place et, dans la gestion des crises, le Conseil a le plus souvent recouru au système palliatif des opérations de maintien de la paix (Casques bleus). Dans d'autres cas, le Conseil peut mandater des États pour mener une opération militaire coercitive contre un État qui aurait violé de façon flagrante les dispositions de la Charte (comme ce fut le cas contre l'Iraq en 1991, après l'invasion et l'annexion du Koweït).

Composition. Le Conseil de sécurité se compose de 15 membres (11 jusqu'en 1965) : 5 membres permanents (Chine, États-Unis, France, Royaume-Uni et Russie) et 10 membres non permanents élus pour 2 ans par l'Assemblée générale sur recommandation du Conseil de sécurité. La question de l'élargissement du Conseil de sécurité à de nouveaux membres permanents – l'Allemagne et le Japon, mais également l'Inde, le Brésil et le Nigeria – est à l'ordre du jour. La présidence du Conseil est assurée (par rotation tous les mois) par les délégués des divers États membres, dans l'ordre alphabétique en anglais. Chaque membre dispose d'une voix. Les décisions sont prises à la majorité de 9 voix pour les questions de procédure. Pour les questions de fond, les décisions sont prises à la majorité de 9 voix, dont celles des 5 membres permanents. Ainsi, les membres permanents disposent d'un droit de veto sur les résolutions du Conseil de sécurité. Dans la pratique, l'abstention ou la non-participation d'un membre permanent ne sont pas assimilées à un vote négatif (veto). Chacun des membres permanents a exercé à plusieurs reprises son droit de veto.

Conformément à la Charte, les États sont tenus de respecter les résolutions du Conseil de sécurité, qui ont une portée obligatoire. Contrairement aux autres organes de l'ONU, qui adressent des recommandations aux gouvernements, le Conseil de sécurité est le seul à pouvoir prendre des décisions (« résolutions ») que les États membres ont l'obligation d'appliquer.

Sessions. Le Conseil de sécurité ne tient pas de sessions à dates fixes mais se réunit chaque fois que les circonstances l'exigent. Le Conseil peut se réunir ailleurs qu'au siège (Paris en 1948 et en 1951; Addis-Abeba en 1972; Panamá en 1973). Il est organisé de façon à pouvoir exercer ses fonctions en permanence et à permettre l'action rapide et efficace de l'Organisation. Chaque État membre du Conseil désigne un représentant permanent qui réside à New York.

VOIR AUSSI • **Système de l'ONU** p. 755

◆ **Réunion du Conseil de sécurité de l'ONU à New York** (nov. 1997).
À la différence de l'Assemblée générale, qui tient une session annuelle, le Conseil de sécurité siège presque quotidiennement, en fonction des affaires à traiter. Au sein du Conseil (composé de 15 membres), les cinq membres permanents (États-Unis, Russie, France, Royaume-Uni et Chine) représentent les pays les plus influents. Le Conseil vote ici à l'unanimité contre l'Iraq.

Le Conseil économique et social (ECOSOC)

C'est l'organe principal de coordination des activités économiques et sociales de l'ONU, de ses institutions spécialisées et autres organes.

Composition et pouvoirs. Le Conseil économique et social se compose de 54 membres (18 à l'origine) élus pour 3 ans par l'Assemblée générale et renouvelables tous les ans par tiers. Leur répartition est établie en fonction des groupes régionaux : Afrique (14 membres), Asie (11), Amérique latine (10), Europe occidentale et autres États (13), Europe orientale (6). Chaque membre dispose d'une voix.

Les décisions du Conseil sont prises à la majorité simple. Un État particulièrement intéressé par une question examinée au Conseil peut y siéger bien que n'en étant pas membre, et participer sans droit de vote à ses travaux.

Petit lexique

fonctionnaire international : agent administratif qui exerce d'une façon continue et exclusive des fonctions pour le compte d'une organisation internationale et qui est soumis de ce fait à un statut particulier.

institution spécialisée : organisme intergouvernemental autonome relié à l'ONU. Les institutions spécialisées font un rapport au Conseil économique et social.

membre permanent du Conseil de sécurité : État appartenant de droit au Conseil de sécurité. La Charte désigne expressément la Chine (la République populaire a succédé à la Chine nationaliste en 1971), les États-Unis, la France, le Royaume-Uni et l'URSS. En 1992, la Russie a pris la succession de l'URSS en tant que membre permanent du Conseil de sécurité.

observateur : représentant permanent ou temporaire d'un État, d'un peuple ou d'une organisation internationale auprès de l'ONU à laquelle cet État, ce peuple ou cette organisation ne veut pas adhérer (cas d'un État comme la Suisse) ou ne peut pas adhérer (cas d'une organisation comme l'OLP).

organe principal : organe qui joue un rôle essentiel au sein de l'ONU. La Charte en prévoit 6 : l'Assemblée générale (qui est l'organe plénier, c'est-à-dire qui réunit tous les États membres), le Conseil de sécurité, le Conseil économique et social, la Cour internationale de justice et le Secrétariat.

organe subsidiaire : organe dont la création relève d'un organe principal et qui s'avère nécessaire à la réalisation des tâches de cet organe. (À la différence des institution spécialisées, les organes subsidiaires – que l'on appelle parfois organismes spécialisés – n'ont pas de personnalité juridique propre.)

recommandation : texte voté par l'Assemblée générale ou le Conseil de sécurité, mais dépourvu de force obligatoire à l'égard des États membres.

résolution : texte voté par l'Assemblée générale ou le Conseil de sécurité dont la portée est supérieure à la recommandation. Dans le cas du Conseil de sécurité, la résolution peut avoir un caractère obligatoire à l'égard des États membres.

veto (droit de) : prérogative conférée à chacun des 5 États membres permanents du Conseil de sécurité qui leur permet, par un vote négatif, de paralyser les décisions du Conseil pour toute question autre que de procédure.

Le Conseil économique et social est un organe consultatif dans les domaines économique, social, de la culture intellectuelle, de l'éducation et de la santé publique, etc. Il est placé sous l'autorité de l'Assemblée générale, à laquelle il présente un rapport et dont il exécute les décisions. Il tient en principe 2 sessions annuelles pendant 1 mois, l'une à New York, l'autre à Genève.

Organes subsidiaires. Les travaux du Conseil sont poursuivis durant l'année au sein de ses organes subsidiaires (commissions et comités) qui se réunissent régulièrement et lui remettent des rapports.

On compte 6 commissions techniques : commission de statistique; commission de la population; commission du développement social; commission des droits de l'homme; commission de la femme; commission des stupéfiants.

Il existe 5 commissions régionales : commission économique pour l'Afrique (siège : Addis-Abeba); commission économique et sociale pour l'Asie et le Pacifique (siège : Bangkok); commission économique pour l'Europe (siège : Genève); commission économique pour l'Amérique latine (siège : Santiago); commission économique pour l'Asie occidentale (siège : Bagdad).

Enfin, il y a 6 comités permanents : comité du programme et de la coordination; comité des ressources naturelles; commission des sociétés transnationales; commission des établissements humains; comité chargé des organisations non gouvernementales; comité chargé des négociations avec les institutions intergouvernementales.

D'autres organes permanents composés d'experts sont chargés plus particulièrement de questions telles que la prévention et la lutte contre le crime, la planification du développement, le transport des marchandises dangereuses.

La Cour internationale de justice

Organe judiciaire principal des Nations unies, elle a succédé à la Cour permanente de justice internationale (CPJI) créée en 1922 par la Société des Nations. Son siège est à La Haye. Tous les États membres de l'ONU sont automatiquement parties au statut de la Cour (statut qui fait partie intégrante de la Charte des Nations unies).

Composition et fonctionnement. La Cour se compose de 15 magistrats élus par l'Assemblée générale et le Conseil de sécurité. Ils sont élus de façon que les principaux systèmes juridiques du monde et les grandes formes de civilisation soient représentés. La Cour ne peut comprendre plus d'un ressortissant d'un même État. La durée du mandat des juges est de 9 ans.

La Cour siège en séance plénière mais peut constituer, à la demande des parties, des organes plus restreints (chambres).

Pour régler les différends, la Cour applique la coutume internationale, les conventions internationales reconnues par les États en litige, les principes généraux du droit reconnus par les nations, les décisions judiciaires et la doctrine des auteurs les plus qualifiés des différentes nations. Elle rend un arrêt qui a force obligatoire entre les parties.

Compétence. La Cour a une double compétence. Elle règle les différends entre États dont elle est saisie (compétence contentieuse). Elle donne des avis aux organisations internationales (compétence consultative). Les États ne sont pas soumis automatiquement à la juridiction obligatoire de la Cour. Sa saisine résulte toujours d'un accord des États. Celui-ci est donné soit à l'occasion d'un litige déterminé existant (par un compromis), soit pour une catégorie déterminée de litiges à venir (par un traité de juridiction obligatoire). Ces accords sont généralement assortis de réserves.

Le Secrétariat et le Conseil de tutelle

Au service des autres organes des Nations unies, le Secrétariat met en œuvre les programmes et politiques qu'ils ont arrêtés. Le personnel du Secrétariat, recruté dans le monde entier (plus de 25000 fonctionnaires en poste dans plus de 160 lieux d'affectation), ne doit accepter d'instructions d'aucune autorité extérieure à l'Organisation. Les gouvernements s'engagent en vertu de la Charte à respecter le caractère exclusivement international du Secrétariat et à ne pas

Les tribunaux pénaux internationaux

Les tribunaux pénaux internationaux pour l'ex-Yougoslavie et pour le Rwanda ont été créés par le Conseil de sécurité des Nations unies respectivement en 1993 et 1994 à la suite des guerres qui ont ensanglanté ces deux pays dans la première moitié des années 1990.

Ces deux tribunaux ont pour objet de poursuivre et juger les personnes présumées responsables de graves violations du droit de la guerre, notamment les crimes de guerre, les crimes de génocide et les crimes contre l'humanité.

Le tribunal pénal international pour l'ex-Yougoslavie siège à La Haye, aux Pays-Bas, mais il est indépendant de la Cour internationale de justice. Le tribunal pénal pour le Rwanda a son siège à Arusha, en Tanzanie ; dans les deux cas, les cours ne se substituent pas aux juridictions nationales.

En ex-Yougoslavie, peu de personnes ont effectivement été jugées, et les commanditaires des massacres commis entre 1991 et 1999 n'ont pas été réellement inquiétés ; ainsi en est-il des deux leaders serbes de Bosnie-Herzégovine, Radovan Karadžić et Ratko Mladic ou du président de la Yougoslavie, Slobodan Milošević, qui sont malgré leur inculpation par le tribunal, toujours en liberté.

Au Rwanda, le manque de moyens financiers freine également les poursuites contre les responsables du génocide de la minorité tutsie perpétré en 1994.

Le 17 juillet 1998 a été créée à Rome une Cour pénale internationale qui doit siéger de façon permanente ; cette Cour est distincte des deux tribunaux précités et destinée à juger les crimes de guerre, crimes de génocide, crimes contre l'humanité et crimes d'agression perpétrés à l'avenir en tous lieux de la planète.

chercher à l'influencer.

À la fois directeur du Secrétariat et secrétaire de quatre organes principaux de l'ONU, le secrétaire général joue un rôle essentiel. Il est nommé pour 5 ans (mandat renouvelable une fois) par l'Assemblée générale sur recommandation du Conseil de sécurité. Chaque année, il présente à l'Assemblée générale un rapport sur l'activité de l'Organisation. Mais il exerce également d'importantes responsabilités politiques : il attire l'attention du Conseil de sécurité sur les affaires susceptibles de compromettre le maintien de la paix et assume d'importantes fonctions diplomatiques (conciliation, bons offices, etc.)

Le Conseil de tutelle. Initialement créé pour surveiller l'administration des onze territoires placés sous le régime de la tutelle et veiller à l'évolution de ces territoires vers l'autonomie ou l'indépendance, le Conseil de tutelle a mis fin à ses activités en 1994 avec la levée de la tutelle sur l'île de Palau, qui est devenue membre de l'ONU le 15 décembre 1994.

L'Agenda pour la paix

Le 31 janv. 1992, soit quelques semaines après la dissolution de l'Union soviétique, le Conseil de sécurité des Nations unies se réunit pour la première fois de son histoire au niveau des chefs d'État et de gouvernement. Le Conseil prend acte, lors de ce sommet, de la fin de la Guerre froide et de l'apparition de nouvelles menaces, de nature non militaire, liées à l'instabilité dans les domaines économique, social, humanitaire et écologique, les flux massifs de réfugiés, les violations généralisées des droits de l'homme, la prolifération des armes de destruction massive ou encore le terrorisme international.

Constatant les mutations du système international, le Conseil demande au secrétaire général Boutros Boutros-Ghali d'élaborer « une étude et des recommandations [...] sur le moyen de renforcer la capacité de l'Organisation dans les domaines de la diplomatie préventive, du maintien de la paix et sur la façon d'accroître son efficacité, dans le cadre des dispositions de la Charte ». Cinq mois plus tard, le secrétaire général présente un rapport intitulé *Agenda pour la paix* qui, faisant référence à la « mission élargie de l'ONU » pour préserver la paix, trace les grandes orientations de l'Organisation en matière de sécurité internationale.

◆ **Le système de l'ONU.**
L'ONU a une tâche immense : non seulement maintenir la paix et la sécurité internationales, mais aussi réaliser la coopération internationale en résolvant les problèmes internationaux d'ordre économique, social, intellectuel ou humanitaire. Pour l'accomplir, elle a créé des organes subsidiaires très nombreux, spécialisés notamment dans le domaine de la coopération et du développement, et noué des liens avec des organisations indépendantes, déjà existantes ou nouvellement créées, qui sont les institutions spécialisées, dont elle coordonne les activités. Ces organismes divers forment une constellation que l'on appelle le « système de l'ONU ».

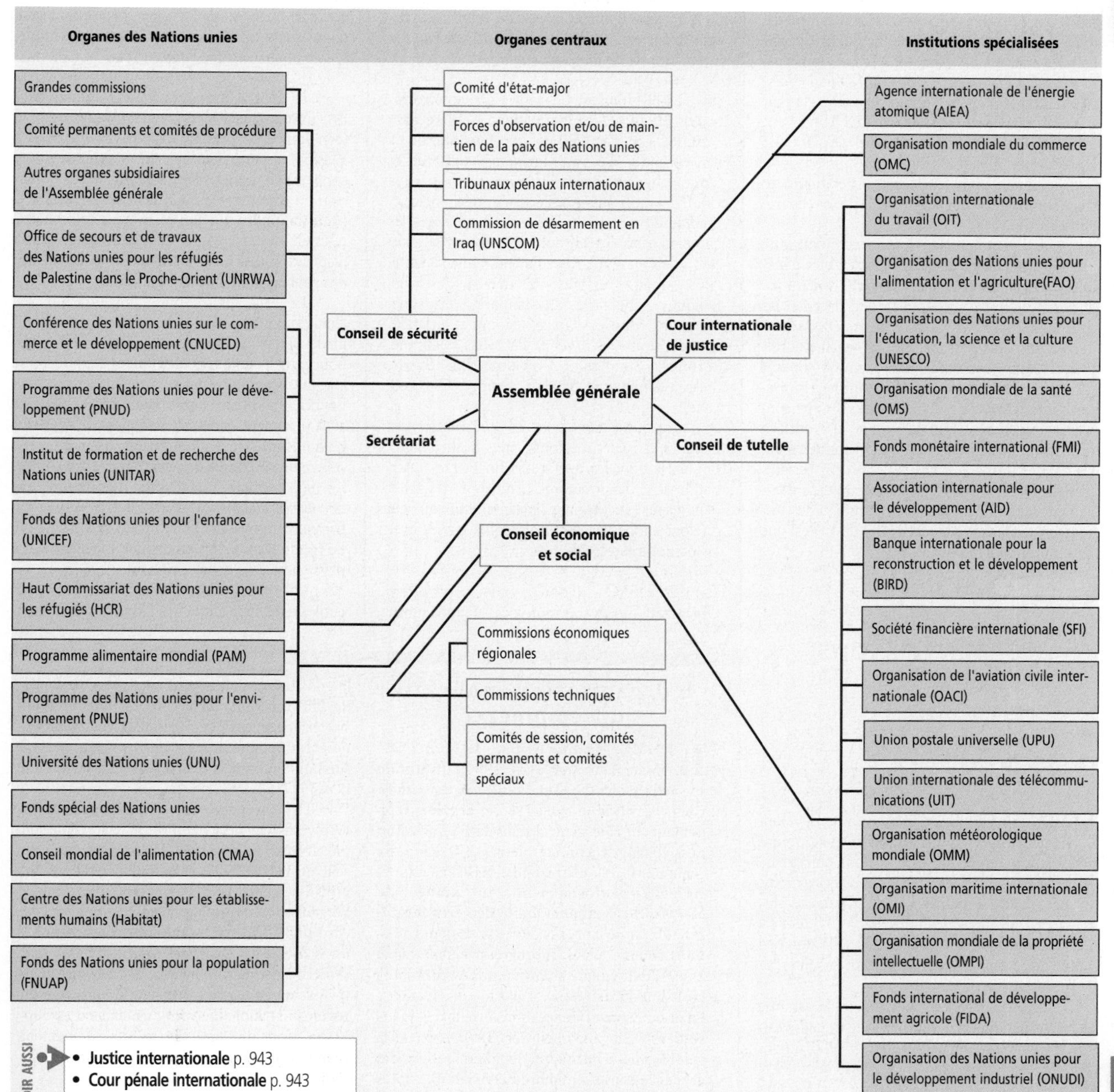

VOIR AUSSI
• **Justice internationale** p. 943
• **Cour pénale internationale** p. 943

L'ONU

Institutions spécialisées et organes subsidiaires

Les différentes organisations

Un certain nombre d'organisations intergouvernementales (créées par accords entre États) à vocation universelle et à compétence spécialisée sont liées à l'ONU par des accords spéciaux. Distinctes de l'ONU (la création de certaines étant même antérieure à celle des Nations unies), elles sont restées autonomes, mais elles collaborent avec l'ONU et entre elles par l'intermédiaire du Conseil économique et social. Dix-huit parmi ces organisations sont désignées par ce terme, employé par la Charte même. L'AIEA, qui a un statut particulier, n'est pas à proprement parler une institution spécialisée, comme ne l'était pas, non plus, le GATT, dont les activités sont assurées, depuis le 1er janv. 1995, par l'Organisation mondiale du commerce (OMC). Sont membres d'une institution spécialisée les États qui ont participé à sa création, ainsi que tous les États membres de l'ONU par admission automatique sur simple demande de leur part. Les États non-membres de l'ONU peuvent être admis sur décision favorable des organes de l'institution. Chaque institution possède son budget alimenté par des cotisations étatiques, et cela conformément aux règles de sa charte constitutive.

Parallèlement, la charte reconnaît aux organes principaux de l'ONU (Assemblée générale, Conseil de sécurité et Conseil économique et social principalement) la faculté de créer les organes subsidiaires qui se révèlent nécessaires à la réalisation de leurs tâches. Ces organes subsidiaires sont de nature variée, tantôt comités d'experts, instituts, universités, tantôt organisations intergouvernementales. N'ayant ni personnalité juridique ni budget propre, ils font, en principe, partie intégrante de l'Organisation qui les a créés. Dans la pratique, pourtant, certains (PNUD, PNUE, CNUCED, par exemple) sont largement autonomes et collectent même des ressources propres, indépendantes de celles que leur fournit l'Organisation.

Les institutions spécialisées économiques et financières

L'AID (Association internationale de développement)/IDA (International Development Association), créée en 1960, a pour objectif de contribuer au développement des pays les moins avancés (PMA). Destinée à aider les pays les plus pauvres, l'AID accorde (à des États) des crédits à des conditions très avantageuses : ils ont une durée de 35 ou 40 ans et ne portent pas intérêt.

L'AMGI (Agence multilatérale de garantie des investissements) /MIGA (Multilateral Investment Guarantee Agency), créée en 1988, a pour but d'encourager les flux d'investissement direct en faveur des pays en développement. Le nom de Banque mondiale/World Bank désigne la BIRD et ses filiales, AID, SFI et AMGI, qui ont pour objectif commun d'améliorer le niveau de vie des pays en développement, en canalisant vers eux des ressources financières fournies par les pays développés. La BIRD et ses trois filiales ont leur siège à Washington.

La BIRD (Banque internationale pour la reconstruction et le développement)/IBRD (International Bank for Reconstruction and Development) a été créée en 1945 (conférence de Bretton Woods 1944). Un État doit être membre du FMI pour pouvoir adhérer à la BIRD. Son but est d'apporter son concours aux pays en voie de développement, pour la réalisation de projets destinés à améliorer leur capacité de production et leur productivité. La BIRD consent à ces pays, ou à des institutions autonomes, avec la garantie de leurs gouvernements, des prêts d'une durée généralement comprise entre 15 et 20 ans, assortis d'un taux d'intérêt voisin de celui des marchés financiers. La BIRD est la principale banque internationale de développement.

La BRI (Banque des règlements internationaux) /BIS (Bank for International Settlements), créée le 27 février 1930 par la convention de La Haye, siège à Bâle. La BRI bénéficie de statuts et d'une charte particulière accordés par la Confédération suisse. Elle est entrée en fonctions le 20 mai 1930. Elle a pour membres les banques centrales ou autres institutions financières de 29 pays (Afrique du Sud, Canada, États-Unis, Japon, Australie, Allemagne, Autriche, Belgique, Bulgarie, Danemark, Espagne, Finlande, France, Grèce, Hongrie, Irlande, Islande, Italie, Norvège, Pays-Bas, Pologne, Portugal, Roumanie, Royaume-Uni, Suède, Suisse, République tchèque, Turquie, Yougoslavie).

Son but est de favoriser la coopération des banques centrales, de fournir des facilités additionnelles pour les opérations financières internationales ; d'agir comme mandataire ou agent dans les règlements financiers internationaux qui lui sont confiés en vertu d'accords passés avec les parties intéressées.

La FAO (Food and Agriculture Organization)/Organisation des Nations unies pour l'alimentation et l'agriculture, a été fondée en 1945 et siège à Rome. Son but est d'élever les niveaux de nutrition et les conditions de vie des peuples, d'améliorer la production, la conservation, la commercialisation et la distribution de tous les produits alimentaires et agricoles, ainsi que d'améliorer les conditions de vie des populations rurales et d'éliminer la faim par ces moyens.

Le FIDA (Fonds international de développement agricole)/IFAD (International Fund for Agricultural Development), créé en 1977 à l'initiative des pays de l'OCDE et de l'OPEP, siège à Rome. Il a pour objectif de mobiliser des ressources supplémentaires pour aider les pays en développement à améliorer leur production alimentaire et leur nutrition. Il travaille en étroite association avec la FAO (c'est pourquoi son siège se trouve aussi à Rome). Les fonds qu'il prête doivent financer des projets bénéficiant aux populations rurales les plus pauvres d'Afrique, d'Asie et d'Amérique latine.

Le FMI (Fonds monétaire international)/ IMF (International Monetary Fund), créé en 1945 (conférence de Bretton Woods, 1944), siège à Washington et a pour objectif de promouvoir la coopération monétaire internationale et l'expansion du commerce, notamment en favorisant la concertation internationale en matière monétaire et en mettant temporairement des fonds à la disposition des États membres dont la balance des paiements se trouve en déficit.

Le FMI qui, depuis l'instauration des changes flottants, n'intervient plus pour maintenir la parité des monnaies (1976), a désormais pour principale fonction de prêter à court terme aux États membres qui se trouvent en situation financière difficile, notamment parce qu'ils se sont fortement endettés. Toutefois, il impose à l'État emprunteur l'obligation de mettre en œuvre une politique de rigueur tendant à contrôler son déficit budgétaire (restriction des dépenses publiques, augmentation de la pression fiscale, compression de la masse salariale, etc.). Le Fonds accorde également des « facilités » aux pays en voie de développement.

Au conseil d'administration du FMI (exécutif permanent auquel le Conseil des gouver-

L'Organisation mondiale du commerce

L'OMC, instituée par le traité de Marrakech en avril 1994, institution spécialisée de l'ONU et dont le siège se situe à Genève, voit le jour en 1995 et acquiert rapidement un rôle central dans la libéralisation des échanges commerciaux. L'Organe de règlement des différends (ORD), auquel revient, conformément au traité de Marrakech, la responsabilité de gérer les différends opposant des États dans leurs relations commerciales, a progressivement gagné en crédibilité, en traitant un nombre toujours croissant d'affaires.

La première conférence ministérielle de l'OMC se tient à Singapour en déc. 1996 et ouvre la voie à une dynamique de libéralisation des échanges dans de nombreux domaines : après la conclusion d'un accord sur les technologies de l'information, un accord de libéralisation sur les échanges de services de télécommunications est obtenu en févr. 1997, puis un accord sur la libéralisation des services financiers en déc. 1997.

Parallèlement sont ouvertes des négociations sur les investissements à l'étranger. Bien qu'il ne soit pas négocié au sein de l'OMC même (mais au sein de l'OCDE), l'Accord multilatéral sur les investissements (AMI) concerne directement l'organisation puisqu'il est censé compléter l'accord de l'OMC sur les mesures concernant les investissements. Dans son principe, l'AMI doit proscrire les discriminations à l'encontre d'investisseurs étrangers sur la base du principe du traitement national. Le projet, non encore adopté, est sujet à de vives controverses et largement critiqué par la France, qui s'est retirée des négociations en oct. 1998.

neurs délègue l'essentiel de ses pouvoirs), le nombre de voix dont dispose chaque État est fonction de sa quote-part au capital, donc de ses capacités économiques. Les pays les plus riches (États-Unis, Japon, Allemagne, Royaume-Uni, France) pèsent donc d'un poids prépondérant dans la détermination de la politique du Fonds. Alors que l'URSS avait choisi de ne pas adhérer au FMI, l'entrée, en avril 1992, des États issus de son démembrement fait du FMI une organisation quasi universelle.

En 1969, pour accroître ses capacités d'intervention, le FMI a instauré des droits de tirage spéciaux (DTS), qui sont devenus la principale monnaie de réserve internationale.

L'ONUDI (Organisation des Nations unies pour le développement industriel/UNID (United Nations Industrial Development Organization), créée en 1967 et dès 1986 en tant qu'institution spécialisée, a son siège à Vienne. Son but est de promouvoir et d'accélérer l'industrialisation des pays en voie de développement et de coordonner toutes les activités menées dans le domaine du développement industriel par les organes des Nations unies, facilitant l'établissement d'un nouvel ordre économique international.

La SFI (Société financière internationale)/ IFC (International Finance Corporation), fondée en 1956, a pour objectif de promouvoir le secteur productif privé par des prêts (d'une durée en général inférieure à 15 ans) à des entreprises ou par des prises de participation dans leur capital.

Autres institutions spécialisées

L'AIEA (Agence internationale de l'énergie atomique)/IAEA (International Atomic Energy Agency) existe depuis 1957 et ses liens avec l'ONU ont été définis par une convention spéciale. Son siège est à Vienne. Elle a pour but de contribuer à la paix, à la santé et à la prospérité du monde en assurant le développement de l'utilisation pacifique de l'énergie atomique et de veiller, dans la mesure du possible, à ce que l'équipement et les matières nucléaires destinés à des applications pacifiques ne soient pas utilisés à des fins militaires.

Interpol (Organisation internationale de police criminelle)/International Criminal Police Organization, a été créée en 1923 à Vienne. Son siège est à Lyon. Bien que très proche dans son fonctionnement des autres institutions spécialisées, Interpol n'en possède pas le statut. Son objectif est d'assurer la liaison entre les autorités de police criminelle de tous les États, dans le respect des lois propres à chacun d'eux ; de créer et développer toutes les institutions susceptibles de contribuer à la prévention et à la répression des crimes et délits de droit commun. Le Secrétariat général coordonne les activités de la police des États membres dans les affaires internationales et centralise la documentation relative à la repression de la criminalité internationale.

L'OACI (Organisation de l'aviation civile internationale)/ICAO (International Civil Aviation Organization) a été fondée en 1947, à la suite de la ratification par 26 États de la Convention de Chicago relative à l'aviation civile internationale (1944) et siège à Montréal. Elle se propose de développer les principes et les techniques de la navigation aérienne internationale, de favoriser l'établissement et de stimuler le développement des transports aériens internationaux. Elle a un pouvoir législatif international en matière de règles techniques concernant la régularisation, la sécurité et l'uniformisation du transport aérien et agit en liaison avec l'International Air Transport Association (IATA).

L'OIT (Organisation internationale du travail)/ILO (International Labour Organization) a été créée en 1919 par le traité de Versailles et en 1946 en tant qu'institution spécialisée. Son siège est à Genève. Son but est de promouvoir des mesures propres à réaliser le plein-emploi des travailleurs et d'améliorer leurs conditions de travail, d'alimentation, de logement et de loisirs, de favoriser la formation professionnelle, l'établissement d'un régime de liberté des conventions collectives et le développement d'une législation protectrice des travailleurs et de leur famille. L'activité principale de l'OIT (exercée par son secrétariat permanent, le Bureau international du travail/BIT) consiste en l'élaboration de conventions internationales du travail que chaque État membre doit soumettre, après adoption, aux organes internes compétents pour les ratifier. L'OIT contrôle les obligations des États membres, qu'ils aient ratifié ou non la convention. La Commission d'application des conventions publie des rapports sur les manquements des États membres à leurs obligations.

L'OMI (Organisation maritime internationale)/IMO (International Maritime Organization) a été fondée en 1948 (sous le nom d'Organisation intergouvernementale consultative de la navigation maritime) et en 1959 (en tant qu'institution spécialisée). Son siège est à Londres. Elle s'attache à donner aux gouvernements les moyens de coopérer en ce qui concerne les questions techniques relatives à la marine marchande, en privilégiant particulièrement la sécurité en mer, et en prévenant la pollution des mers par les navires et autres engins qui y circulent.

L'OMM (Organisation météorologique mondiale)/WMO (World Meteorological Organization), créée en 1878 sous le nom d'Organisation météorologique internationale et en 1951 en tant qu'institution spécialisée, siège à Genève. Son but est d'aider au développement des centres d'observation météorologique et de faciliter la diffusion rapide des renseignements météorologiques, la normalisation des observations et des statistiques et l'échange des renseignements nécessaires aux communications aériennes et spatiales et à l'agriculture.

L'OMPI (Organisation mondiale de la propriété intellectuelle)/WIPO (World Intellectual Property Organization) existe depuis 1967 et depuis 1974 en tant qu'institution spécialisée, siégeant à Genève. Elle est issue de la Convention de Paris pour la protection de la propriété industrielle (1883) et de la Convention de Berne pour la protection des œuvres littéraires et artistiques, signée en 1886. Son but est d'imposer le respect de la propriété intellectuelle dans le monde entier, afin de favoriser le développement industriel et culturel en stimulant l'activité créatrice ainsi qu'en facilitant les transferts de technologie et la diffusion des œuvres littéraires et artistiques. La propriété intellectuelle comprend : la propriété industrielle (brevets, noms déposés, plans industriels) et le droit d'auteur (œuvres littéraires, musicales, artistiques, photographiques et cinématographiques).

L'OMS (Organisation mondiale de la santé)/WHO (World Health Organization) a été créée en 1948 et siège à Genève. Elle a pour objectif d'amener tous les peuples au niveau de santé et de bien-être physique et mental le plus élevé possible ; de lutter contre les grandes maladies endémiques et les épidémies, et de contribuer au développement de l'hygiène ; de coordonner l'action internationale en matière de santé ; de contribuer au progrès de la coopération scientifique en matière médicale.

L'OMS a mis en place des programmes spéciaux de recherche, comme ceux sur les maladies tropicales (de concert avec le PNUD et la Banque mondiale), sur l'action antipaludique ou sur les normes alimentaires (de concert avec la FAO), cherchant à définir avec précision les produits alimentaires à la fois sans danger et nutritifs, les niveaux acceptables d'additifs alimentaires ou les limites acceptables de résidus de pesticides, etc. Elle organise des campagnes d'information auprès du public (par voie d'affiches) ou auprès du personnel de santé des différents États (par la diffusion de brochures techniques). Elle organise aussi des campagnes de soins de vaccination (une de ses réussites les plus remarquables est sans doute l'éradication de la variole sous sa forme endémique).

L'OMT (Organisation mondiale du tourisme)/WTO (World Tourism Organization), créée en 1975 , résulte de la transformation de l'Union internationale des organismes de tourisme (UIOOT) créée en 1925 à La Haye. Son siège est à Madrid. Bien que très proche dans son fonctionnement des autres institutions spécialisées, l'OMT n'en possède pas le statut.

Elle a pour objectif de promouvoir le tourisme en vue de contribuer à l'expansion économique, à la compréhension internationale, à la paix, à la prospérité ainsi qu'au respect universel et à l'observation des droits et des libertés humaines fondamentales.

L'UIT (Union internationale des télécommunications)/ITU (International Telecommunication Union) a été fondée en 1932 et a obtenu le statut d'institution spécialisée en 1947. Issue en 1932 à Madrid de la fusion de l'Union télégraphique internationale, fondée en 1865 à Paris, et de l'Union radiotélégraphique internationale, créée en 1906, l'UIT a son siège à Genève et a pour but d'assurer l'élaboration et la révision périodique des règlements internationaux en matière de communications télégraphiques, téléphoniques et radioélectriques, d'assurer la normalisation des techniques d'exploitation, d'enregistrer les fréquences dont l'assignation aux stations est proposée par les États, et de coordonner les efforts pour harmoniser le développement des services de télécommunications, notamment ceux qui utilisent les techniques spatiales.

L'UNESCO (United Nations Educational, Scientific and Cultural Organization/ Organisation des Nations unies pour l'éducation, la science et la culture), créée en 1946, a établi son siège à Paris. Son objectif est de contribuer au maintien de la paix et de la sécurité dans le monde en resserrant la collaboration entre nations par l'éducation, la science, la culture et la communication, afin d'assurer le respect universel de la justice et de la loi, ainsi que des droits de l'homme et des libertés fondamentales que la Charte reconnaît à tous les peuples sans distinction de race, de sexe, de langue ou de religion. L'UNESCO s'efforce de promouvoir la coopéra-

VOIR AUSSI
- **Du GATT à l'OMC** p. 824
- **UNESCO et patrimoine mondial** p. 1110

◆ L'intérieur du bâtiment de l'UNESCO à Paris. *La Chute d'Icare* (détail), par Pablo Picasso. Cette œuvre, réalisée dans la villa de Cannes de l'artiste sur 40 petits panneaux de bois, est placée sur un mur en trapèze du bâtiment des Conférences, où elle couvre une superficie de 80 m².

tion intellectuelle internationale et de développer les activités opérationnelles ayant un caractère social ou culturel.

Dans le domaine de l'éducation, ses travaux comportent des programmes d'alphabétisation et une action en faveur de l'universalité de l'instruction primaire et de l'élimination des causes profondes de l'analphabétisme. Elle contribue à la formation des enseignants et encourage la construction d'écoles.

Elle s'efforce aussi de favoriser la coopération entre États pour la réalisation de projets destinés à sauvegarder le patrimoine culturel de l'humanité. Elle s'est intéressée à la sauvegarde des temples de Nubie lors de la construction du barrage d'Assouan, à la conservation des sites de Barabudur, Venise, Cuzco, Fès, Machu Picchu, Angkor, etc., à la reconstitution scientifique des routes de la Soie.

Malgré l'ampleur de ses réalisations et la modestie de son budget, on a souvent reproché à l'UNESCO une trop grande politisation, un personnel pléthorique, une inflation des colloques et un manque général d'efficacité. C'est en invoquant ces raisons que les États-Unis (déc. 1984), puis le Royaume-Uni et Singapour (déc. 1985) se sont retirés de l'Organisation. Les deux premiers de ces États bénéficient néanmoins du statut d'observateur.

L'UPU (Union postale universelle/Universal Postal Union) a été créée en 1874 par le traité de Berne, et a obtenu en 1948 le statut d'institution spécialisée. Son siège est à Berne. Son but est d'assurer l'organisation et l'amélioration des services postaux dans le monde conformément au principe de la liberté du transit postal. Les États membres forment un seul espace postal pour l'échange réciproque des correspondances, soumis aux règlements adoptés par l'UPU et mis en œuvre par les législations nationales.

Les organes subsidiaires

Le **CMA** (Conseil mondial de l'alimentation)/WFC (World Food Council) a été fondé en 1974 et siège à Rome. Il s'attache à examiner périodiquement les grands problèmes et les politiques concernant la situation alimentaire mondiale.

La CNUCED (Conférence des Nations Unies pour le commerce et le développement)/ UNCTAD (United Nations Conference on Trade and Development) existe depuis 1964. Siégeant à Genève, son objectif est d'accroître les échanges des pays en voie de développement tant avec les pays industrialisés qu'entre eux, d'adopter des mesures destinées à stabiliser les cours des produits primaires et des produits de base, d'éliminer les obstacles douaniers ou non tarifaires des pays industrialisés au commerce international.

C'est dans le cadre de la CNUCED que les pays en voie de développement ont proposé, à partir de 1974, de créer un « nouvel ordre économique international » (NOEI). Il s'agissait d'asseoir sur des bases nouvelles les relations économiques entre pays industrialisés et pays du tiers-monde par l'établissement d'un système de préférences généralisé (en vertu duquel les pays développés peuvent, unilatéralement, accorder des avantages douaniers à des pays en développement), par la réforme du système monétaire international, par le rééchelonnement de la dette des pays pauvres, par le contrôle des activités des sociétés multinationales, etc.

L'idée d'un nouvel ordre économique international a été particulièrement défendue par le « Groupe des 77 » constitué, lors de la première conférence de la CNUCED, en 1964, par 77 pays du tiers-monde animés par la volonté d'adopter une attitude commune en matière commerciale. Si l'utopie progressiste du nouvel ordre économique mondial a été abandonnée, le Groupe des 77 persiste en tant que groupe de pression à l'ONU et compte, au début des années 1990, quelque 130 membres.

Le FNUAP (Fonds des Nations unies pour les activités en matière de population)/UNFPA (United Nations Fund for Population Activities) a été fondé en 1967. Son siège est à New York. Il se propose de soutenir des projets concernant les données fondamentales sur la population ; la dynamique de la population ; la politique démographique, le contrôle des naissances.

L'Habitat (Centre des Nations unies pour les établissements humains)/United Nations Centre for Human Settlements a été créé en 1978 et siège à Nairobi. Son but est de coordonner les activités du système des Nations unies en matière d'établissements humains.

L'INSTRAW (International Research and Training Institute for the Advancement of Women)/Institut international de recherche et de formation pour la promotion de la femme date de 1979 et siège à Saint-Domingue. Il se propose de stimuler et de faciliter, par la recherche, la formation, la collecte et l'échange d'informations, les efforts des organisations en faveur de la promotion de la femme et de son intégration au développement.

◆ Campagne d'information sur le sida. «Ensemble face au défi» dit l'affiche. Le sida touche surtout les pays en développement où l'information sur la maladie reste faible. Le programme des Nations unies pour la lutte contre le sida (ONUSIDA) œuvre depuis 1995 pour une meilleure information auprès des populations exposées.

◆ Le financement de l'Unicef. Le financement des activités de l'Unicef dépend des contributions volontaires des États et de l'appel au grand public. L'UNICEF organise des campagnes de sollicitation, vend des cartes de vœux, etc. Une de ses grandes réussites a été l'Année internationale de l'enfant, en 1979. Les efforts de l'Unicef tendent à donner à tout enfant la possibilité de jouir des droits et privilèges fondamentaux énoncés dans la Déclaration des droits de l'enfant adoptée à l'unanimité par l'Assemblée générale le 20 nov. 1959.

L'ONUSIDA

Le Programme des Nations unies pour la lutte contre le sida (ONUSIDA) est un programme commun à l'Unicef, au Programme des Nations unies pour le développement (PNUD), au Fonds des Nations unies pour la population, à l'UNESCO, à l'Organisation mondiale de la santé et à la Banque mondiale. Il a été créé au cours de l'année 1995 afin de coordonner les efforts de ces différentes institutions dans leur lutte contre l'épidémie du sida. En 1996, a été lancé le premier « plan stratégique » (couvrant les années 1996-2000) de lutte contre le sida, comprenant des actions de recherche et d'information sur la maladie.

En avril 1998, l'ONUSIDA a lancé une campagne mondiale d'information sur la maladie : 30 millions de personnes sont infectées par le virus du sida dans le monde, dont 70 % en Afrique ; 16 000 personnes sont infectées chaque jour à travers le monde.

Le PAM (Programme alimentaire mondial)/WFP (World Food Programme), créé en 1961, a son siège à Rome. Son objectif est d'apporter des secours d'urgence aux pays touchés par des calamités naturelles ou par des problèmes de malnutrition chronique de leur population. Le PAM, qui ne fournit que des aliments, achemine près du quart de l'aide alimentaire mondiale.

Le PNUD (Programme des Nations unies pour le développement)/UNDP (United Nations Development Programme), fondé en 1965 et siégeant à New York, a pour but d'aider les pays en voie de développement à mieux utiliser leurs ressources en vue d'accroître la productivité économique et d'améliorer la qualité de vie des populations. Le PNUD est le mécanisme central de financement et de coordination des activités de coopération technique entreprises par l'ONU pour le développement.

Le PNUE (Programme des Nations unies pour l'environnement)/UNEP (United Nations Environment Programme) existe depuis 1972 et siège à Nairobi. Il a pour tâche de surveiller les modifications notables de l'environnement (pollution des mers, dégradation et désertification du sol, écologie, etc.) et d'encourager et de coordonner des pratiques respectueuses de l'environnement.

L'UNDRO (Office of the United Nations Disaster Relief Coordinator)/Bureau du coordonnateur des Nations unies pour le secours en cas de catastrophe, créé en 1972, a son siège à Genève et son but est de mobiliser les secours des diverses organisations du système des Nations unies et de les coordonner avec les secours fournis par d'autres sources.

L'Unicef (United Nations Children's Fund)/Fonds des Nations unies pour l'enfance a été créé en 1946 et siège à New York. Il s'efforce d'apporter aux enfants des pays en développement une aide pour faire face aux besoins essentiels en matière de santé, de nutrition et d'enseignement.

L'Unicef a été lauréat du prix Nobel de la paix en 1965. Son action est soutenue par des représentants spéciaux, qui sont bénévoles et envoyés par l'organisation afin de présenter ses activités et plaider la cause des enfants. Ces ambassadeurs sont souvent des personnalités connues, du monde du spectacle en particulier.

L'UNITAR (United Nations Institute for Training And Research)/Institut des Nations unies pour la formation et la recherche, fondé en 1965 et siégeant à New York, a pour but de renforcer l'efficacité des Nations unies dans la réalisation de ses grands objectifs, notamment le maintien de la paix et de la sécurité internationales et la promotion du développement économique et social.

L'UNU (Université des Nations unies)/United Nations University, créée en 1973 et siégeant à Tokyo, s'efforce de résoudre – par l'intermédiaire d'une communauté internationale de savants, vouée à la recherche, à la formation postuniversitaire et à la diffusion du savoir – les problèmes mondiaux pressants de la survie, du développement et du bien-être de l'humanité.

L'UNRWA (United Nations Relief and Works Agency for Palestine Refugees in the Near East)/Office de secours et de travaux des Nations unies pour les réfugiés de Palestine dans le Proche-Orient existe depuis 1949 et a son siège à Vienne. Créé au lendemain de la première guerre israélo-arabe (1948-1949), qui avait entraîné d'importants mouvements de réfugiés palestiniens, l'UNRWA a pour but de leur venir en aide en Jordanie, au Liban, en Syrie et dans les territoires occupés de la rive occidentale du Jourdain (Cisjordanie) et de la bande de Gaza. Son action se développe surtout dans les nombreux camps de réfugiés palestiniens établis dans ces différents pays.

Le Haut-Commissariat des Nations unies pour les réfugiés

Créé en 1951, le Haut-Commissariat des Nations unies pour les réfugiés est un organe subsidiaire de l'Assemblée générale de l'ONU. Il a pour fonction de porter assistance aux réfugiés, c'est-à-dire à toute personne qui, « craignant avec raison d'être persécutée du fait de sa race, de sa religion, de sa nationalité, de son appartenance à un certain groupe social ou de ses opinions politiques, se trouve hors du pays dont elle a la nationalité et qui ne peut ou, du fait de cette crainte, ne veut se réclamer de la protection de ce pays » (article premier de la Convention des Nations unies de 1951 relative au statut des réfugiés).

Dans les années 1990, les conflits en Afrique et en ex-Yougoslavie ont très sensiblement accru le nombre des réfugiés dans le monde, et placé le HCR au centre de l'actualité internationale. En dépit de graves difficultés financières, en 1997, le HCR s'occupait de plus de 22 millions de réfugiés, personnes déplacées et apatrides dans le monde, dont la très grande majorité viennent de pays pauvres.

◆ **Réfugiés kurdes à la frontière entre l'Iraq et la Turquie.** Au nombre de 25 à 30 millions, les Kurdes sont un peuple sans État répartis sur les territoires de la Turquie, de l'Iraq, de la Syrie, de l'Iran et de l'Arménie. En Iraq, beaucoup d'entre eux fuient la répression et tentent de se réfugier en Turquie.

◆ **Réfugiés pris en charge par le HCR.**

Afrique subsaharienne	7,84
Asie du Sud-Ouest, Afrique du Nord et Moyen-Orient	5,26
Europe	5,01
Ex-Yougoslavie	2,16
Asie-Pacifique	1,57
Amériques et Caraïbes	0,88
Total	22,72

Données 1997. En millions. *Source :* Les réfugiés dans le monde, HCR.

VOIR AUSSI
Illustrations
• **Réfugiés du Kosovo** p. 547 ; **réfugiés soudanais** p. 702

◆ **Réfugiés rwandais hutus à Kisangani (ex-Zaïre) en mars 1997.**
Le flux important de réfugiés dans la région des Grands Lacs mobilise depuis 1994 le HCR et de nombreuses organisations humanitaires.

L'ONU

Les opérations de maintien de la paix

Les missions des « Casques bleus »

Selon le système initialement prévu par la Charte des Nations unies, tous les États membres de l'ONU devaient mettre à la disposition de l'Organisation des forces armées afin de constituer une sorte d'armée multinationale capable d'intervenir, à la demande du Conseil de sécurité, dans des situations de crise menaçant la paix et la sécurité internationales. Un tel système ne vit cependant jamais le jour en raison de l'opposition entre les États-Unis et l'Union soviétique pendant la période de guerre froide. En conséquence, lorsque l'ONU fut confrontée à des situations menaçant la paix et nécessitant une intervention armée, elle eut recours à un système palliatif, non prévu par la Charte, et désigné par le terme d'« opération de maintien de la paix ».

Les opérations de maintien de la paix sont des opérations paramilitaires mises en place par l'ONU dans une zone de conflit pour aider au rétablissement ou au maintien de la paix. Ces forces, placées sous le commandement de l'ONU, sont constituées de contingents nationaux issus de différents pays et mis temporairement à la disposition de l'ONU ; ces soldats sont appelés des Casques bleus. L'opération de maintien de la paix répond en principe à trois caractéristiques : la neutralité des troupes, le non-recours à la force, sauf dans les cas de légitime défense, et le consentement des parties (en particulier de l'État sur le territoire duquel les troupes sont stationnées).

Les interventions. Expérimentées pour la première fois en 1956 dans le désert du Sinaï (Égypte) après la crise de Suez, des opérations de maintien de la paix furent par la suite établies au Congo (1960-1964), à Chypre (depuis 1964), à la frontière israélo-syrienne (depuis 1974), ou encore au Liban (depuis 1978). Au cours de la guerre froide, treize opérations de maintien de la paix ont été mises en place par l'ONU.

À la suite des bouleversements consécutifs à la fin de la guerre froide, les opérations de maintien de la paix ont connu une évolution fondamentale. Tout d'abord, le Conseil de sécurité a créé davantage d'opérations depuis 1989 que pendant toute la période de la guerre froide. Ainsi, en 1993, près de 70 000 Casques bleus étaient déployés sur les cinq continents dans des opérations de maintien de la paix.

En second lieu, ces opérations ont connu une évolution qualitative sans précédent. Alors qu'initialement elles ne concernaient que l'interposition entre deux factions sans recours à la force, elles mettent aujourd'hui en œuvre des activités beaucoup plus variées, telles que la surveillance de cessez-le-feu, l'organisation d'élections, l'aide à la reconstruction après un conflit, mais aussi l'imposition de la paix par la force ou l'acheminement de l'aide humanitaire. Il en est ainsi de l'opération mise en place au Cambodge de mars 1992 à nov. 1993 (appelée Apronuc, Autorité provisoire des Nations unies au Cambodge) et chargée, entre autres, de l'organisation et de la supervision des élections cambodgiennes, de l'aide à la reconstruction, du retour des réfugiés ; de l'opération mise en place en Somalie d'avr. 1992 à mars 1995 (appelée Onusom : opération des Nations unies en Somalie) et chargée de l'acheminement de l'aide humanitaire et de tâches d'imposition de la paix ; ou des unités établies en ex-Yougoslavie de mars 1992 à 1995 (appelées Forpronu : Force de protection des Nations unies) et chargée de tâches d'interposition et de l'acheminement de l'aide humanitaire. Ces opérations sont multifonctionnelles et intègrent de plus en plus souvent l'autorisation de recourir à la force, en rupture avec les caractéristiques des opérations mises en place pendant la guerre froide.

Un bilan nuancé. Dotés de moyens insuffisants pour la mise en œuvre de mandats souvent mal définis, les Casques bleus font face à des situations de plus en plus complexes, pour un bilan contrasté et controversé. Les opérations de Somalie et de Bosnie-Herzégovine ont été particulièrement critiquées, les « soldats de la paix » se révélant incapables de mener à bien leurs tâches dans ces deux pays où les combats n'ont jamais cessé. Il convient pourtant de nuancer les condamnations de l'action de Casques bleus et de l'ONU dans la mise en œuvre des opérations de maintien de la paix. En effet, les Casques bleus ne font que tenter d'appliquer un mandat établi par le Conseil de sécurité, avec des moyens consentis par les États ; l'ONU ne dispose en la matière d'aucune autonomie. En d'autres termes, l'action des Casques bleus ne fait le plus souvent que refléter la volonté (ou l'absence de volonté) des États à gérer efficacement une situation de conflit. L'opération de maintien de la paix est un instrument de gestion des crises à la disposition des États par l'intermédiaire de l'ONU, et nombre des difficultés rencontrées par ces opérations proviennent en fait du manque de clarté qui caractérise d'une part les objectifs réels des opérations, d'autre part la politique suivie par les États.

◆ **Casques bleus en Bosnie-Herzégovine.** Lors de la guerre dans cette région de l'ex-Yougoslavie, l'ONU envoie la Forpronu d'avril 1992 à décembre 1995.

La force de protection des Nations unies en ex-Yougoslavie

Les conflits qui touchent les républiques issues de la Yougoslavie entre juin 1991 et décembre 1995 conduisent l'ONU à créer la plus importante opération dite de « maintien de la paix » de son histoire : la Force de protection des Nations unies en ex-Yougoslavie (Forpronu). Celle-ci fut d'abord créée en février 1992 afin de s'interposer entre les forces croates et les forces serbes dans la république nouvellement indépendante de Croatie. Au cours de l'année 1992, la Forpronu est ensuite élargie à la Bosnie-Herzégovine voisine, pour une opération de protection de l'acheminement de l'aide humanitaire, puis à la Macédoine, pour une opération plus restreinte de déploiement préventif.

La Forpronu mobilise jusqu'à 40 000 hommes de plus de 35 pays, pour un coût total de 4,6 milliards de dollars. Sur le terrain, les trois composantes de la Forpronu (en Croatie, en Bosnie-Herzégovine et en Macédoine) connaissent des fortunes diverses, mais globalement la poursuite des combats en Bosnie-Herzégovine – où est déployée la plus importante des trois forces –, conjuguée à une mission jugée impossible, place la force onusienne dans l'incapacité de mener à bien son mandat.

Les Casques bleus ne sont pas autorisés à utiliser la force pour s'imposer et sont à plusieurs reprises pris en otages, notamment par la partie serbe, qui considère la Forpronu comme une force ennemie. Fréquemment pris pour cibles par les parties, les Casques bleus doivent faire face à des situations d'humiliation et n'ont que peu d'emprise sur l'évolution des conflits. Déployés pour une mission en principe strictement humanitaire, ils n'ont pas pour mandat d'imposer la paix aux combattants.

La Forpronu achève sa mission en décembre 1995, après la signature à Paris en déc. 1995 de l'accord de Dayton, qui met fin à la guerre en Bosnie-Herzégovine. La mise en œuvre de cet accord est assurée par une nouvelle force de maintien de la paix (Ifor), constituée non pas par l'ONU, mais par l'OTAN.

La construction européenne

La naissance du projet européen

Le processus de la construction européenne est engagé dès l'immédiat après-guerre en vue de fonder une paix durable sur la réconciliation des anciens ennemis, en particulier la France et l'Allemagne. L'objectif est également d'opposer un pôle de résistance à la menace soviétique en favorisant, par l'ouverture des frontières, le développement économique et le bien-être social dans la partie du continent européen qui a échappé à l'occupation de l'Armée rouge.

La plus ancienne des Communautés européennes est la Communauté européenne du charbon et de l'acier (CECA), créée par le traité de Paris (18 avril 1951). Les deux autres – la Communauté économique européenne (CEE), longtemps appelée « Marché commun » et devenue simplement, en 1992, Communauté européenne (CE), sans adjectif limitatif, et la Communauté européenne de l'énergie atomique (CEEA ou Euratom) – ont été créées par deux traités signés à Rome le 25 mars 1957. Les six pays signataires étaient l'Allemagne, la Belgique, la France, l'Italie, le Luxembourg et les Pays-Bas. En février 1986, l'Acte unique européen décide de renforcer le marché commun européen en créant, au 1er janvier 1993, un marché unique, au sein duquel les marchandises, les personnes, les services et les capitaux doivent circuler sans entraves.

Créée par le traité de Maastricht, signé le 7 février 1992 et entré en vigueur le 1er novembre. 1993, l'Union européenne couvre les Communautés européennes (CECA, CEE et Euratom), qui conservent leur personnalité juridique et leurs institutions (unifiées depuis 1967), et prévoit de nouvelles formes de coopération, qui, tout en demeurant pour l'essentiel intergouvernementales, n'en utilisent pas moins le cadre institutionnel communautaire.

Les nouveaux domaines de coopération ouverts par le traité de Maastricht concernent, d'une part, la politique étrangère et de sécurité commune (PESC) et, d'autre part, la justice et les affaires intérieures. Associés au domaine communautaire, ils constituent les deuxième et troisième piliers de l'Union européenne. En juin 1997, enfin, est adopté le traité d'Amsterdam, qui doit théoriquement renforcer les structures européennes et préparer l'Union à de nouveaux élargissements aux pays d'Europe de l'Est.

La CEE et l'Euratom

La CEE reçoit pour mission, « par l'établissement d'un marché commun et par le rapprochement progressif des politiques économiques des États membres, de promouvoir un développement harmonieux des activités économiques dans l'ensemble de la Communauté, une expansion continue et équilibrée, une stabilité accrue, un relèvement accéléré du niveau de vie, et des relations plus étroites entre les États membres ». Le traité de Rome précise les fondements de la Communauté : en éliminant les barrières douanières et les contingents entre États membres, et en mettant en place un tarif douanier extérieur commun, il s'agit de créer une union où les personnes, les marchandises, les capitaux et les services circulent librement. L'union douanière doit s'accompagner de la mise en œuvre de politiques communes dans le domaine économique : commerce avec les pays tiers, politique agricole, politique de la concurrence, transports. Les institutions se composent d'une Commission, indépendante des gouvernements, dont le rôle est surtout de formuler des propositions, d'un Conseil, composé de représentants des États, qui peut prendre la plupart des décisions à la majorité qualifiée (voix pondérées selon l'importance des États). L'Assemblée parlementaire est commune à la CEE et à la CECA. L'Euratom vise à assurer l'indépendance énergétique de l'Europe grâce à l'atome. Sa mission consiste à coordonner les programmes nationaux en matière de recherche et à développer son propre programme dans un Centre commun de recherche comprenant quatre établissements : Geel (Belgique), Ispra (Italie), Karlsruhe (Allemagne) et Petten (Pays-Bas).

Les origines de la CEE

1946 : dans un discours prononcé à Zurich, Winston Churchill appelle à la formation des « États unis d'Europe ».

1947 : la France et l'Italie décident de constituer une Union douanière; un traité est conclu le 26 mars 1949.

1948 : le congrès de La Haye, qui réunit les principaux dirigeants de l'Europe occidentale, décide la création du Conseil de l'Europe, première organisation européenne dotée de compétences politiques, mais dont les pouvoirs sont limités.

1950 : Robert Schuman propose la mise en commun, sous une Haute Autorité supranationale, des industries du charbon et de l'acier, alors considérées comme les bases de l'industrie de guerre.

1951 : le 18 avril, signature du traité de Paris instituant la Communauté européenne du charbon et de l'acier (CECA). Le traité est conclu pour une durée de 50 ans. L'organe central est la Haute Autorité, dont Jean Monnet devient le premier président. À ses côtés sont institués un Conseil des ministres, formé de représentants des États, dont l'accord est nécessaire pour les décisions les plus importantes, une Cour de justice, chargée de trancher les litiges, et une Assemblée parlementaire, composée de délégués des Parlements nationaux, dont le rôle est consultatif.

1954 : les projets de Communauté européenne de défense (CED) et de Communauté politique, élaborés en 1951-1952, sont abandonnés à la suite d'un vote négatif de l'Assemblée nationale française (30 août).

1957 : le 25 mars, signature des deux traités de Rome instituant la CEE et l'Euratom. Ils sont conclus pour une durée illimitée.

Monnet et Schuman, les « pères de l'Europe »

Jean Monnet (1888-1979) participe, au cours des deux guerres mondiales, à un grand nombre de réunions internationales en privilégiant constamment la recherche d'une solution globale par l'action concertée. Diplomate au service de la Grande-Bretagne à partir de 1940, rentré en France à la Libération, il est, en 1944, ministre du Commerce du Gouvernement provisoire. Il propose en 1945 l'adoption d'un « plan de modernisation et d'équipement » de l'économie française et devient premier commissaire général au Plan. Après 1950, il se consacre surtout à la construction européenne en exerçant les fonctions de président de la Haute Autorité de la CECA et de président du Comité d'action pour les États unis d'Europe.

Robert Schuman (1886-1963) participe, après la Seconde Guerre mondiale, à la fondation du MRP, dont il devient un des principaux dirigeants. Ministre des Finances (juin 1946-nov. 1947), président du Conseil (nov. 1947-juill. 1948), il apporte une contribution décisive, comme ministre des Affaires étrangères (juill. 1948-janv. 1953), aux progrès de la construction européenne. S'inspirant des idées de Jean Monnet, le plan Schuman, rendu public en mai 1949, expose les grands principes de cette politique. Robert Schuman propose la mise sur pied de la CECA, mais ne réussit pas à faire adopter son projet d'une armée européenne, ou CED (Communauté européenne de défense), et démissionne. Ministre de la Justice (févr. 1955-janv. 1956), il se consacre ensuite aux institutions européennes, comme président du Mouvement européen (1955) et de l'Assemblée parlementaire européenne de Strasbourg (1958-1960).

◆ **Jean Monnet** *(à gauche)* **et Robert Schumann** *(à droite).*

De la CEE à l'Union européenne

1963 : adoption des premiers règlements établissant une politique agricole commune (PAC).

1966 : le compromis de Luxembourg met fin à la « crise de la chaise vide » provoquée par le général de Gaulle qui refuse d'appliquer les dispositions du traité de Rome prévoyant que les décisions les plus courantes pourraient être prises par une majorité qualifiée.

1967 : fusion des institutions des trois Communautés.

1968 : suppression des droits de douane aux frontières intérieures (1er juill.).

1973 : premier élargissement des Communautés avec l'adhésion du Royaume-Uni, de l'Irlande et du Danemark.

1974 : le Conseil européen décide de faire élire au suffrage universel direct les membres de l'Assemblée parlementaire européenne, désormais appelée « Parlement européen ».

1979 : entrée en application (mars) du Système monétaire européen (SME), appelé à stabiliser les taux de change des monnaies participantes. Premières élections du Parlement au suffrage universel direct (juin).

1981 : adhésion de la Grèce.

1985 : accords de Schengen, qui visent à supprimer les contrôles des personnes aux frontières.

1986 : adhésion de l'Espagne et du Portugal. Signature (févier) de l'Acte unique européen, qui prévoit la création, au plus tard le 31 décembre 1992, d'un grand marché intérieur défini comme un espace sans frontières. L'Acte unique élargit le domaine du vote à la majorité qualifiée et, surtout, il rétablit son usage. Il institutionnalise la coopération politique entre gouvernements, engagée depuis 1972.

1987 : entrée en vigueur (1er juillet) de l'Acte unique européen.

1989 : chute du mur de Berlin, prélude à la réunification de l'Allemagne et à l'éclatement de l'URSS.

1990 : en avril, le chancelier Kohl et le président Mitterrand proposent d'ouvrir deux conférences intergouvernementales en vue de compléter l'Union économique et monétaire (UEM), déjà à l'étude, par une union politique. En juin, convention complémentaire aux accords de Schengen.

1992 : signature (7 février) à Maastricht du traité sur l'Union européenne. Les polémiques suscitées par le remplacement des monnaies nationales par l'écu, la décision de confier la défense commune à l'UEO, les exemptions accordées au Danemark et au Royaume-Uni, les lenteurs de la procédure de ratification, montrent la nécessité d'ouvrir un réel débat sur le sens de l'intégration européenne. Le 31 décembre, la création du marché unique aboutit à la suppression des contrôles aux frontières pour les marchandises, à la reconnaissance mutuelle des normes techniques, à l'ouverture des marchés publics aux entreprises des autres États membres, à l'harmonisation des taux de TVA, à la reconnaissance mutuelle de la liberté de prestation de service, à l'abolition des contrôles de change et à la libération des mouvements de capitaux.

1993 : entrée en vigueur (1er novembre) du traité de Maastricht.

1995 : l'adhésion de l'Autriche, de la Finlande et de la Suède porte à quinze le nombre des États membres de l'Union. En mars, les contrôles de police entre sept des neuf pays signataires des accords de Schengen (Allemagne, Belgique, Espagne, France, Grèce, Italie, Luxembourg, Pays-Bas, Portugal) sont supprimés. La mesure s'accompagne d'un renforcement des contrôles aux frontières extérieures, facilité par la mise en place du fichier informatique installé à Strasbourg.

1996 : le 31 mars, ouverture à Turin de la Conférence intergouvernementale, qui prépare la signature du traité d'Amsterdam.

1997 : les 16 et 17 juin, signature du traité d'Amsterdam. Il modifie et complète le traité de Rome (1957), l'Acte unique (1986) et le traité de Maastricht (1992). Malgré des ambitions initiales importantes, le nouveau traité ne répond que faiblement aux exigences de renforcement des institutions européennes, alors que des négociations pour de nouvelles adhésions (des pays de l'Est) sont engagées.

1998 : en mars, ouverture des négociations d'adhésion pour cinq pays d'Europe de l'Est et Chypre.

1999 : le 1er janvier, l'euro remplace officiellement les monnaies des onze États adoptant la monnaie unique (France, Allemagne, Italie, Espagne, Portugal, Belgique, Pays-Bas, Luxembourg, Autriche, Irlande, Finlande).

De l'Europe des Six à l'Europe des Quinze

Tout d'abord composée des six membres fondateurs de la Communauté économique européenne (France, Allemagne, Italie, Belgique, Pays-Bas et Luxembourg), la Communauté, puis l'Union européenne, a connu quatre élargissements. Le Royaume-Uni, l'Irlande et le Danemark en sont devenus membres en 1973, la Grèce en 1981, l'Espagne et le Portugal en 1986, l'Autriche, la Finlande et la Suède en 1995. La Norvège, qui a mené à deux reprises les négociations d'adhésion, refuse finalement de rejoindre l'Union.

Lors du sommet européen de Luxembourg en décembre 1997, les Quinze décident d'engager un nouveau processus d'élargissement afin de préparer l'admission de cinq pays d'Europe de l'Est (l'Estonie, la Hongrie, la Pologne, la République tchèque et la Slovénie) et de Chypre, avec lesquels des négociations sont officiellement lancées en mars 1998.

Cinq autres États (la Bulgarie, la Lettonie, la Lituanie, la Roumanie et la Slovaquie), ainsi que la Turquie, également candidats à l'adhésion à l'Union européenne, ne sont pas retenus dans l'immédiat, sans être cependant exclus du processus.

L'accès à l'Union européenne est réservé aux États démocratiques européens qui pratiquent l'économie de marché, acceptent une concurrence saine et une politique commune en divers domaines. L'admission de nouveaux membres est une procédure longue et complexe. Il faut une décision à l'unanimité du Conseil des ministres après avis de la Commission et avis conforme du Parlement. Un traité est ensuite conclu entre l'État candidat et chacun des membres de l'Union.

VOIR AUSSI
- **Une Europe en construction** p. 548
- **Futurs élargissements de l'Union européenne** p. 770

◆ **Les États membres de l'Union européenne.**
Composée de six États à sa création en 1957 (France, Allemagne, Italie, Belgique, Pays-Bas, Luxembourg), l'Union européenne compte en 1999 quinze membres. Les adhésions successives ont concerné le Royaume-Uni, le Danemark et l'Irlande en 1973, la Grèce en 1981, l'Espagne et le Portugal en 1986, et l'Autriche, la Suède et la Finlande en 1995.

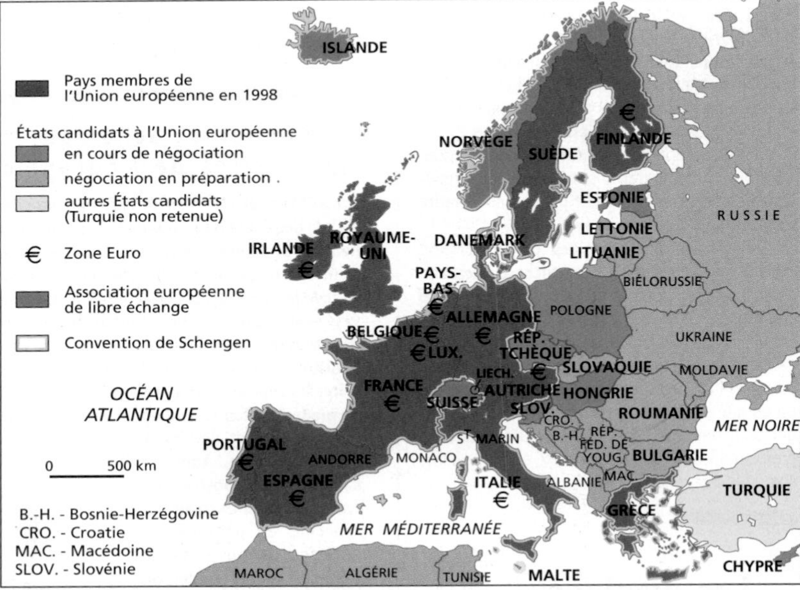

L'Europe des citoyens

Pour construire une véritable Europe des citoyens, différentes mesures ont été prises. Certaines ont une valeur symbolique, comme le passeport européen, le drapeau ou l'hymne. D'autres, comme le droit de séjour étendu (en 1990) aux retraités, aux inactifs et aux étudiants, font en sorte que le ressortissant d'un État membre soit appréhendé autrement que comme un agent économique. Mais c'est le traité de Maastricht qui, sans supprimer les nationalités, institue véritablement une citoyenneté européenne, à laquelle sont attachés des droits politiques : le ressortissant communautaire pourra voter et être éligible aux élections municipales et européennes dans tout État membre dans lequel il réside.

Les organes de l'Union européenne

La Commission

Parmi les six organes principaux de l'Union, communs aux trois Communautés depuis la fusion des institutions en 1967, la Commission exerce une double fonction, législative et exécutive, et joue le rôle d'une instance supranationale.

Elle se compose de 20 commissaires (2 pour l'Allemagne, la France, la Grande-Bretagne, l'Italie et l'Espagne, 1 seul pour les autres États membres), dont un président. Choisis (en principe collectivement) par les gouvernements des États membres, les commissaires exercent leurs compétences en pleine indépendance des États qui les ont nommés. La Commission (dont le mandat est de 5 ans) est investie par le Parlement (avis conforme), qui peut la censurer. Elle siège à Bruxelles.

La Commission a seule le pouvoir d'initiative : elle présente au Conseil les propositions et les projets de réglementation communautaire. Elle est tenue d'agir selon l'intérêt communautaire. Elle veille au respect, par les États, des obligations que leur imposent les traités et les actes communautaires. Elle dispose de pouvoirs propres en matière de concurrence. En cas de manquement, elle peut saisir la Cour de justice européenne.

La Commission a successivement été présidée par l'Allemand Walter Hallstein (1958-1967), le Belge Jean Rey (1967-1970), l'Italien Franco Maria Malfatti (1970-1972), le Néerlandais Sicco Mansholt (1972), le Français François-Xavier Ortoli (1973-1977), le Britannique Roy Jenkins (1977-1981), le Luxembourgeois Gaston Thorn (1981-1985), le Français Jacques Delors (1985-1995), le Luxembourgeois Jacques Santer (de 1995 à mars 1999) et l'Italien Roman Prodi (depuis 1999).

Alors qu'elle doit être renouvelée à la fin de l'année 1999, la Commission européenne démissionne collectivement le 15 mars 1999 après une crise de plusieurs mois et un affrontement inédit avec le Parlement européen. La Commission est critiquée pour son manque de rigueur dans la gestion d'un certain nombre d'organismes relevant de son autorité, tandis que plusieurs commissaires européens sont soupçonnés de népotisme.

Le travail de la Commission et du Conseil européen

Ensemble, la Commission et le Conseil fixent les politiques communautaires en matière d'agriculture, d'énergie, d'industrie, de recherche, d'environnement, de commerce extérieur, de monnaie, etc. La Commission propose les mesures utiles, le Conseil les arrête. Les mesures arrêtées se traduisent par : des règlements, qui s'imposent à tous; des décisions, qui s'imposent aux seuls États, entreprises ou individus visés; des directives, qui fixent des objectifs obligatoires qu'il appartient aux États membres de traduire dans leurs législations nationales. Ils élaborent également le budget.

La Commission et le Conseil exercent aussi des compétences spécifiques. Alors que le Conseil est chargé de mettre en œuvre les nouveaux domaines de coopération, la Commission poursuit et réprime les infractions des entreprises nationales au libre jeu de la concurrence; contrôle les aides accordées par les États à certaines entreprises ou à certaines productions, ainsi que leurs monopoles commerciaux ; négocie les accords commerciaux avec les États tiers et veille à l'application des traités.

Enfin, le Conseil européen exerce une fonction d'impulsion et d'orientation politique sur le Conseil des ministres ainsi que sur les organismes nationaux intéressés par la politique communautaire.

Le Conseil

Son rôle est composé de représentants des gouvernements. Le Conseil des ministres s'articule avec celui de la Commission et celui du Parlement. Du fait de son éclatement en autant de formations différentes qu'il existe de domaines de compétences ou de coopération (économie, affaires étrangères, finances, travail, agriculture, etc.), le Conseil ne présente pas un front uni. Un Conseil des affaires générales assure une certaine coordination avec l'aide du Comité des représentants permanents (COREPER) des États membres, qui prépare les délibérations. Le Conseil siège tantôt à Bruxelles, tantôt à Luxembourg. Dans le domaine communautaire, le Conseil ne peut agir, le plus souvent, que sur proposition de la Commission. Règlements et directives (qui constituent la législation communautaire) sont soumis, suivant les domaines, à l'avis ou à la codécision du Parlement. Le Conseil adopte les mandats de négociation sur la base desquels la Commission négocie avec les pays tiers ou au sein des organisations internationales (par exemple au sein de l'OMC). Depuis l'Acte unique, le domaine du vote à la majorité qualifiée a été élargi. Dans l'Europe des Quinze, la majorité qualifiée est de 62 voix sur 87 (le nombre des voix dont dispose chaque pays dépend de son importance démographique).

Depuis le traité de Maastricht, le Conseil a la charge de mettre en œuvre la politique étrangère et de sécurité commune et la coopération en matière de justice et de police. Dans ces domaines nouveaux, le droit d'initiative de la Commission est limité, et les décisions ne peuvent être prises qu'à l'unanimité, ce qui explique la modestie des résultats obtenus. À ce titre, le traité d'Amsterdam n'a pas apporté de changements significatifs.

Cour de justice, Cour des comptes

La Cour de justice. Organe juridictionnel, elle a un rôle considérable dans l'élaboration du droit communautaire, en comblant les lacunes des textes ou en précisant le sens de leurs dispositions. La Cour se compose de 15 juges (1 par État) et siège à Luxembourg. Elle a pour mission de statuer sur les manquements des États aux obligations qu'ils ont à assumer en vertu des traités européens. Elle est ainsi appelée à se prononcer sur les questions les plus diverses : acier, problèmes agricoles et sociaux, droits de douane, fiscalité, commerce, brevets, etc. Elle joue aussi le rôle d'un tribunal constitutionnel en contrôlant la conformité des actes des organes communautaires avec les traités fondateurs des Communautés, et celui d'un tribunal administratif en tranchant les différends qui opposent les Communautés à leur personnel.

La Cour peut être saisie par un État membre, par les organes communautaires, par les tribunaux nationaux (dans le cas où une juridiction se heurte à un problème qui met en cause l'interprétation ou la validité d'un texte communautaire) et, parfois, par des particuliers. Ses arrêts ont force exécutoire sur le territoire des États membres. Auprès de la Cour existe aussi, depuis 1988, un tribunal de première instance.

La Cour des comptes. Lorsque la Communauté européenne s'est dotée de ressources propres, les États membres sont convenus d'accroître les pouvoirs du Parlement en matière budgétaire et ont créé, en 1975, une Cour des comptes européenne, entrée en fonctions en 1977. Elle est formée de quinze membres nommés pour 6 ans par le Conseil, après consultation du Parlement. Son siège se trouve à Luxembourg. Elle a pour mission d'examiner le budget et de s'assurer de la bonne gestion financière des Communautés. Elle est dotée de pouvoirs étendus d'enquête sur les opérations financières accomplies par les États membres ou dans les États membres pour le compte de la Communauté (dépenses et recettes). Le Parlement s'appuie souvent sur ses enquêtes ou son rapport annuel pour renforcer son propre contrôle budgétaire.

Le Conseil européen

Contrairement aux autres institutions, le Conseil européen est né d'une pratique. Les réunions de chefs d'État et de gouvernement qui se tenaient depuis 1961 à des intervalles irréguliers ont été institutionnalisées sous le nom de « Conseil européen » à l'initiative de Valéry Giscard d'Estaing en décembre 1974. (Les pays du Benelux, réservés devant cette innovation qui leur faisait craindre l'établissement d'un directoire des grands pays, ne l'ont acceptée qu'en contrepartie de l'élection au suffrage direct du Parlement européen.) Le Conseil européen a fait son entrée dans les traités à l'occasion de l'Acte unique (1986).

Le Conseil européen comprend, outre les chefs d'État ou de gouvernement, le président de la Commission; il se réunit au moins deux fois par an, le plus souvent dans le pays qui exerce la présidence tournante (par semestre) du Conseil. Son rôle est de donner les impulsions et d'arbitrer les conflits politiques majeurs. Le Conseil européen est l'instance suprême de l'Union, notamment en ce qui concerne la politique étrangère et de sécurité commune, dont il détermine, à l'unanimité, les grandes orientations.

VOIR AUSSI
- **Réforme des institutions européennes** p. 770

Le Parlement européen

C'est le nom que s'est donné, dès 1958, l'« Assemblée parlementaire européenne » unique, prévue par les textes fondateurs des Communautés et qui est devenu officiel en 1962. Le Parlement n'a pas d'initiative législative. Mais, depuis son élection au suffrage universel à partir de 1979, ses prérogatives ont été progressivement étendues.

Sa composition. Le Parlement européen se compose de 626 parlementaires (le traité d'Amsterdam a fixé à 700 le nombre maximal de députés) qui représentent non les gouvernements, mais les peuples des États membres. Le nombre de sièges attribués à chaque État varie en proportion de leur importance démographique. Les parlementaires se regroupent non par nationalité, mais par affinité politique (démocrates-chrétiens, socialistes, conservateurs, libéraux, etc.). Leur mandat est de 5 ans. Le Parlement siège à Strasbourg.

Ses fonctions. En matière législative, il donne son avis sur les propositions de la Commission. Depuis 1987, dans plusieurs domaines importants (étendus en 1992), sa faculté d'amendement des textes est accrue (pouvoir de codécision). En matière budgétaire, le Parlement arrête le budget, conjointement avec le Conseil : à deux reprises, en 1979 et en 1984, il a rejeté le budget. (Toutefois, le Conseil dispose d'un pouvoir de décision finale sur les dépenses obligatoires.) Surtout, le Parlement exerce son contrôle sur l'action de la Commission : celle-ci doit lui présenter un rapport annuel et expliquer ses positions au cours de sessions publiques; elle peut être démise de ses fonctions par un vote de censure (à la majorité des membres et à celle des deux tiers des voix exprimées); elle est soumise (depuis 1992) à l'investiture du Parlement (procédure d'avis conforme). Certaines décisions importantes, comme l'élargissement de la Communauté, la conclusion d'accords d'association, ne peuvent être prises sans l'accord du Parlement (procédure d'avis conforme). Tout en renforçant le rôle du Parlement en matière de contrôle des décisions prises par la Commission, le traité d'Amsterdam a également simplifié la procédure dite de la codécision, qui associe le Parlement au processus décisionnel.

Depuis sa première élection au suffrage universel en juin 1979, le Parlement a successivement été présidé par la Française Simone Veil (1979), le Néerlandais Pieter Dankert (1982), le Français Pierre Pflimlin (1984), le Britannique Henry Plumb (1987), l'Espagnol Enrique Barón Crespo (1989), l'Allemand Egon Klepsch (1992), l'Allemand Klaus Hänsch (1994) et l'Espagnol José Maria Gil Robles (1997).

Les autres organes

Différentes institutions permettent à l'Union européenne de développer son action dans plusieurs domaines importants, notamment l'Union économique et monétaire (UEM), la protection de l'environnement, la lutte contre la criminalité et la toxicomanie. Ces organes spécialisés ou auxiliaires ne participent qu'indirectement au processus décisionnel.

Les assemblées consultatives. Elles sont chargées d'éclairer les décisions de la Commission et du Conseil.

Le Comité économique et social, créé en 1958 et siégeant à Bruxelles, a pour vocation de représenter les différents acteurs de la vie économique et sociale : producteurs, agriculteurs, artisans, professions libérales, salariés, commerçants, etc. Il doit être consulté par le Conseil et la Commission chaque fois que ces organes ont à prendre une décision importante relative au Marché commun ou à l'Euratom.

Le Comité consultatif de la CECA, siégeant à Luxembourg, est compétent pour les questions relatives aux industries du charbon et de l'acier.

Le Comité des régions a été créé en 1993 et siège à Bruxelles. Il doit permettre aux collectivités locales et régionales de participer à l'élaboration et à l'application des décisions communautaires. Il doit obligatoirement être consulté par le Conseil et la Commission sur tout sujet relatif à cinq politiques communautaires : cohésion économique et sociale, réseaux transeuropéens, santé publique, éducation, culture.

Les fonds structurels. Quatre fonds, représentant près de 30 % du budget communautaire, participent aux actions de développement des États membres pour une meilleure cohésion économique et sociale : le FEDER (Fonds européen de développement régional), le FSE (Fonds social européen), le FEOGA (Fonds européen d'orientation et de garantie agricoles) dans sa section orientation, l'IFOP (Instrument financier d'orientation de la pêche). Destinés à corriger les disparités régionales, ils interviennent soit sous forme de cofinancement des aides des États et des collectivités territoriales, soit directement, grâce aux programmes d'initiative communautaire. Dans le même esprit, le traité de Maastricht a aussi créé un Fonds de cohésion.

Les établissements financiers. À côté de deux instruments financiers propres à l'Union, la BEI et la Banque centrale européenne (qui a remplacé l'IME le 1er janvier 1999), il faut aussi mentionner la BERD, dans laquelle les États membres et la Communauté ont une participation majoritaire.

La Banque européenne d'investissement (BEI), créée en 1958 et siégeant à Luxembourg, a pour but de financer, par l'octroi de prêts ou de garanties, des projets structurels (amélioration des infrastructures de transport, développement des industries). Ses interventions sont réalisées principalement au bénéfice des régions en retard de développement.

L'Institut monétaire européen (IME), créé en 1994 conformément au traité de Maastricht et siégeant à Francfort, a été remplacé par la Banque centrale européenne lors du passage à la troisième phase de l'UEM, en janvier 1999. L'IME était composé de représentants des banques centrales des États membres et avait pour mission de renforcer la coopération entre les banques centrales nationales, de coordonner leurs politiques monétaires, d'instaurer un Système européen de banques centrales (SEBC) et de préparer le passage à la monnaie unique.

La Banque centrale européenne (BCE) a été créée le 1er janvier 1999 lors de l'entrée en vigueur de la monnaie unique (euro). Elle a son siège à Francfort et remplace l'IME, qui disparaît. La BCE est indépendante des gouvernements et a pour fonction la mise en œuvre de la politique monétaire des onze États de la zone euro.

Les agences européennes. Autonomes dans leur fonctionnement bien que financées par le budget communautaire, elles permettent à l'Union de développer son action dans des domaines spécialisés (généralement techniques ou scientifiques) jugés importants. Elles sont réparties à travers l'Europe.

Parmi les principales, on peut citer : l'Agence européenne de l'environnement (Copenhague); l'Office de l'harmonisation dans le marché intérieur (Alicante); l'Agence européenne pour l'évaluation des médicaments (Londres); l'Office d'inspection vétérinaire et phytosanitaire (Dublin); la Fondation européenne pour la formation (Turin); l'Agence pour la santé et la sécurité au travail (Bilbao); le Centre européen pour le développement de la formation professionnelle (Thessalonique); l'Observatoire européen des drogues et des toxicomanies (Lisbonne); Europol, ou Office européen des polices (La Haye).

La légitimité démocratique du Parlement européen

Malgré les dispositions des traités de Maastricht et d'Amsterdam visant à renforcer le rôle du Parlement européen, l'Union européenne souffre toujours d'une faible légitimité démocratique. Particulièrement concernée, la Commission est souvent considérée comme trop éloignée des préoccupations des citoyens de l'Union. Dans le souci de pallier ce déficit démocratique, le Parlement est plus étroitement associé au processus de décision de l'Union, que celui-ci relève du Conseil ou de la Commission. Les pouvoirs du Parlement en matière budgétaire et législative ont été accrus par le traité d'Amsterdam, et ses relations avec les Parlements nationaux ont été développées.

◆ **Les groupes politiques au Parlement en 1999.**
L'attribution des sièges aux pays est fonction de l'importance de leur population.
Depuis 1999, l'Allemagne dispose de 99 sièges; la France, la Grande-Bretagne et l'Italie, de 87; l'Espagne, de 64; les Pays-Bas, de 31; la Belgique, la Grèce et le Portugal, de 25; la Suède, de 22; l'Autriche, de 21; le Danemark et la Finlande, de 16; l'Irlande, de 15; le Luxembourg, de 6.
Les parlementaires se regroupent par familles politiques (et non par pays, ce qui les porte à dépasser les préoccupations nationales).

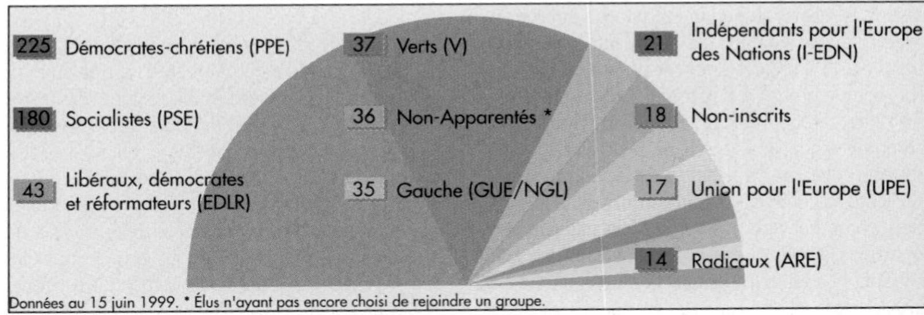

Données au 15 juin 1999. * Élus n'ayant pas encore choisi de rejoindre un groupe.

Le budget de l'Union européenne

Un équilibre précaire

Le budget de l'Union européenne, qui, jusqu'en 1994, ne pouvait excéder 1,2 % du produit national brut des États membres, atteint 1,27 % en 1999.

Les recettes communautaires. Depuis 1970, la CEE dispose de ressources propres, qui ont remplacé les contributions apportées par les États. Ces ressources, prélevées par les États membres et mises à la disposition de la Communauté, sont constituées par :
– les prélèvements agricoles sur les importations de denrées dont le prix est inférieur aux prix communautaires ;
– les droits de douane et assimilés perçus sur la valeur des marchandises importées ;
– un pourcentage de la TVA, fixé à 1,4 % au plus ;
– une contribution assise sur le PNB et calculée proportionnellement à la part de chaque État dans le PNB communautaire.

Les dépenses communautaires. Elles se décomposent en :
– dépenses obligatoires qui découlent des engagements communautaires (traités et actes de droit dérivés des traités). La PAC, par exemple, fait partie des dépenses obligatoires. Le Conseil des ministres est seul compétent pour les arrêter ; elles ne représentent plus que 47 % des dépenses en 1999 ;
– dépenses non obligatoires, par exemple, les dépenses de personnel. Le Parlement statue en dernier ressort sur les dépenses non obligatoires. Un taux maximal d'augmentation des dépenses non obligatoires est fixé annuellement par la Commission.

La procédure budgétaire. La Commission soumet au Conseil un projet de budget que celui-ci présente au Parlement. Le Parlement arrête le budget, sauf rejet « pour des motifs importants » (il a fait usage de ce droit en 1979, 1982, 1984).

La PAC

La politique agricole commune (PAC) est la première et principale politique commune aux États membres de la Communauté européenne, c'est-à-dire définie au niveau européen pour l'ensemble des pays de la Communauté. Mise en place à partir de 1962, elle repose sur le principe de prix garantis, assurant aux agriculteurs des prix stables, à l'abri des fluctuations du marché mondial. Mais la meilleure utilisation des facteurs de production, les progrès réalisés dans la recherche agricole et l'augmentation de la production (tandis que la demande de produits alimentaires n'augmente pas) ont eu plusieurs effets négatifs : apparition d'excédents, ventes à perte, problèmes de stockage, etc. Ces difficultés, aggravées par les fluctuations monétaires, ont conduit à l'adoption de plusieurs réformes : limitation des volumes garantis pour les céréales et quotas laitiers (depuis 1984), baisse des prix garantis compensée par des aides directes aux exploitants – aides qui sont subordonnées à la mise en jachère des terres –, encouragement aux techniques de production respectueuses de l'environnement. Cette réforme, adoptée en mai 1992, a permis de revaloriser le revenu moyen des agriculteurs et de conclure, en décembre 1993, les difficiles négociations du GATT.

Au début de l'année 1999, les négociations relatives au financement de l'Union européenne pour les années 2000-2006 (Agenda 2000) ont conduit à une nouvelle réforme de la PAC. L'accord adopté par les Quinze le 26 mars 1999 lors du sommet européen de Berlin prévoit, entre autres, la stabilisation du coût de la PAC, qui représente environ 47 % du budget communautaire en 1999 (contre 70 % en 1979, 71,35 % en 1988 et 53,4 % en 1992). Les prix garantis subissent des baisses plus ou moins fortes, compensées en partie par des aides directes aux agriculteurs, versées par tête d'animal ou en fonction de la richesse des exploitations. Le volet agricole de l'Agenda 2000 constituait une pierre d'achoppement entre la France et l'Allemagne, dont les agriculteurs ne bénéficient pas de la même façon des aides communautaires. La perspective de l'élargissement de l'Union européenne aux pays d'Europe de l'Est – parmi lesquels figurent d'importants pays agricoles comme la Pologne – rendait d'autant plus nécessaire une nouvelle réforme de la PAC.

Les défis du financement de l'Union européenne

Le financement de l'Union européenne oppose régulièrement les pays qui sont des « contributeurs nets » au budget de l'Union et ceux qui sont des « bénéficiaires nets ». Ainsi, en 1984, le Royaume-Uni de Margaret Thatcher avait obtenu que lui soit octroyé un traitement spécial lui conférant un rabais budgétaire annuel. De même, depuis mars 1998, l'Allemagne, les Pays-Bas, la Suède et l'Autriche, qui sont les plus gros contributeurs nets, demandent que la même règle leur soit appliquée.

Cette opposition pesa lourdement sur les négociations tenues au cours du premier semestre 1999 à propos de l'Agenda 2000 et de la réforme de la PAC. L'Allemagne se montra déterminée à ne plus supporter l'essentiel du fardeau financier de l'Europe, et se prononça pour une répartition plus juste des contributions au budget de l'Union européenne, préalable à tout nouvel élargissement. De leur côté, les pays moins riches de l'Union européenne (Espagne, Portugal, Grèce) dits « pays de la cohésion » sont particulièrement sensibles à ce qu'aucun rééquilibrage des dépenses ne se fasse à leur détriment. Pour la France, le rééquilibrage doit passer par une réduction des dépenses afin de réduire les cotisations des gros contributeurs. L'adoption de l'Agenda 2000 en mars 1999 représente un compromis entre ces différentes approches, et permet, après une crise ouverte sur le financement de l'Union, de relancer les discussions sur les futurs élargissements.

◆ **Répartition du fardeau financier (en milliards d'écus).**

	1980	1990	1995
Contributeurs nets			
Allemagne	– 1 531	– 5 550	– 13 431
Royaume-Uni	– 1 507	– 3 387	– 4 720
Pays-Bas	+ 459	+ 368	– 2 004
France	+ 422	– 1 805	– 1 727
Suède [1]	-	-	– 937
Autriche [1]	-	-	– 905
Italie	+ 739	+ 416	– 614
Belgique	+ 236	– 774	– 311
Finlande [1]	-	-	– 164
Luxembourg	+ 206	– 60	– 44
Bénéficiaires nets			
Espagne [2]	-	+ 1 711	+ 7 218
Grèce [3]	-	+ 2 470	+ 3 488
Portugal [2]	-	+ 601	+ 2 381
Irlande	+ 650	+ 1 892	+ 1 886
Danemark	+ 326	+ 422	+ 305

1. États membres de l'Union européenne depuis 1995.
2. États membres des Communautés européennes depuis 1986.
3. État membre des Communautés européennes depuis 1981.
Source : Cour des comptes européenne, *Ramses*, Dunod.

◆ **L'Europe et les Grands.**
L'Europe impressionne, au vu des chiffres. Mais il s'agit d'une association d'États aux intérêts parfois divergents, face à deux nations (États-Unis et Japon) dont le produit par habitant est largement supérieur et, spatialement, plus également réparti. La France et l'Allemagne ont, en fait, un produit par habitant voisin de celui du Japon ou des États-Unis, mais la moyenne communautaire est abaissée par le retard de l'Europe du Sud et de l'Irlande. La comparaison du volume des échanges par habitant exprime l'étendue du marché intérieur américain, le poids du commerce extérieur japonais (surtout exportateur). Elle traduit mal des disparités à l'intérieur de l'Union européenne.

	UEM à 11	États-Unis	Japon
PIB en 1997			
en milliards d'écus	5 546	6 848	3 712
en SPA* par habitant	19 182	27 561	22 371
1997/1996 en volume	2,5	3,8	0,9
Déficit public en 1997			
en % du PIB	– 2,5	– 0,3	– 3,4
par habitant en écus	– 486	– 78	– 1 004
Dette publique en 1997			
en % du PIB	74,7	61,5	86,7
par habitant en écus	14 279	16 894	21 411
Commerce extérieur en 1997			
Exportations**	757,1	607,0	370,1
Importations**	667,4	790,1	294,3
Solde**	89,7	– 183,1	75,8
Population au 1er janv. 1998 en millions	291	269	126
Taux de chômage en déc. 1997	11,5	4,7	3,5
Énergie et environnement en 1996			
Consommation d'énergie*** par habitant	3 547	7 897	3 960
Émissions de CO2**** par habitant	8 017	19 869	9 166

* SPA : parité de pouvoir d'achat : monnaie artificielle reflétant en termes réels le pouvoir d'achat de chaque pays.
** En milliards d'écus. *** En kg-équivalent pétrole. **** En kg.
Données 1998. *Source* : Eurostat.

VOIR AUSSI  • **Réforme des institutions** p. 770

Vers l'union politique et monétaire

Le traité de Maastricht

Le traité de Rome de 1957 et l'Acte unique de 1986 avaient pour principal objectif la création d'un marché commun, puis d'un marché unique (entré en vigueur au 1er janvier 1993), c'est-à-dire une coopération entre les États membres de la Communauté européenne dominée par la dimension économique. Le traité sur l'Union européenne (TUE) ou traité de Maastricht, signé en février 1992, ajoute à ces aspects économiques une dimension politique prépondérante.

Le processus de dislocation de l'Union soviétique au cours des années 1990 et 1991 avait pu laisser croire que la construction européenne était remise en cause. En avril 1990 cependant, tandis que l'Allemagne est lancée sur la voie de la réunification (qui intervient le 3 octobre 1990), le président français François Mitterrand et le chancelier allemand Helmut Kohl avancent, au Conseil européen de Dublin, l'idée d'un traité d'union politique venant compléter le projet d'union économique et monétaire déjà en préparation. Les négociations s'ouvrent en novembre 1990 à Rome et aboutissent, un an après, à la signature du traité de Maastricht (ville des Pays-Bas), lors du Conseil européen des 9 et 10 décembre 1991. Le traité de Maastricht opère une fusion des organes des Communautés européennes. Il est un compromis entre l'approche communautaire (par laquelle les États abandonnent aux institutions européennes une partie de leurs pouvoirs) et l'approche intergouvernementale (par laquelle les États conservent le contrôle intégral du processus de décision) de la construction européenne; ces deux approches sont d'ailleurs traduites dans les trois piliers définis par le traité.

L'Union économique et monétaire (UEM), qui appartient au premier pilier, et qui prévoit l'adoption de politiques économiques et monétaires communes aux États membres, ainsi que la création d'une monnaie unique (euro), est incontestablement la plus grande avancée du traité. Sur le plan politique, celui-ci prévoit la mise en place d'une politique étrangère et de sécurité commune (PESC), devant conduire à une politique de défense commune, voire à une défense commune.

Entré en vigueur le 1er novembre 1993, après avoir été ratifié par les douze pays membres, le traité de Maastricht marque, par la dimension politique qu'il donne à l'Union et par le projet d'union monétaire, une étape fondamentale de la construction européenne et du projet politique qui la sous-tend.

Les trois piliers du traité de Maastricht

Le traité de Maastricht (fév. 1992) est articulé autour de trois grands thèmes, appelés « piliers ».
Premier pilier : les affaires communautaires (titres II, III et IV). C'est le pilier originel de la CEE et le seul qui soit communautaire. Il regroupe les politiques communes telles que l'Union économique et monétaire (UEM) ou la politique agricole commune (PAC).
Deuxième pilier : politique étrangère et de sécurité commune (PESC) [titre V]. Il fonctionne sur une base strictement intergouvernementale et doit, à terme, permettre aux États membres d'avoir une politique étrangère et de sécurité commune, voire une politique de défense commune.
Troisième pilier : affaires intérieures et justice (titre VI). Également intergouvernemental, il concerne la coopération en matière de police, de politique d'immigration, de lutte contre la criminalité et de justice civile et pénale.
Les deuxième et troisième piliers sont des innovations du traité de Maastricht. Ces trois piliers sont « coiffés » d'un cadre institutionnel commun, constitué du Conseil européen, du Conseil des ministres, de la Commission et du Parlement européen.

◆ **Le sommet européen d'Amsterdam.**
Cinq années après l'adoption du traité de Maastricht en juin 1997, les quinze États membres de l'Union européenne signent aux Pays-Bas le traité d'Amsterdam, lequel ne répond que faiblement aux besoins des futurs élargissements de l'Union. Au centre, le président de la République Jacques Chirac et le chancelier allemand Helmut Kohl.

Le traité d'Amsterdam

Alors que l'Union européenne s'élargit une quatrième fois en 1995, avec les adhésions de l'Autriche, de la Finlande et de la Suède, et que de nouveaux élargissements se profilent (pays d'Europe de l'Est), la nécessité de réformer les institutions d'une organisation qui a presque triplé le nombre de ses membres depuis sa création est de plus en plus pressante. C'est à cette fin que s'ouvre à Turin, en mars 1996, la Conférence intergouvernementale sur la réforme du fonctionnement de l'Union, en présence des quinze chefs d'État et de gouvernement européens. Cette conférence, qui avait été prévue par le traité de Maastricht, aboutit à l'adoption, lors du Conseil européen d'Amsterdam, les 16 et 17 juin 1997, du traité d'Amsterdam.

Nouvelle pierre de l'édifice européen, ce traité est néanmoins globalement considéré comme un échec; il n'apporte pas les réformes rendues nécessaires par les élargissements passés et à venir et reste timide sur les questions relatives à la PESC. Le Royaume-Uni, l'Irlande et le Danemark font en outre l'objet de clauses spéciales relatives à des aspects heurtant leurs sensibilités.

Les principaux apports du traité d'Amsterdam sont :
– la définition d'un « espace de liberté, de sécurité et de justice » (troisième pilier du traité de Maastricht), qui s'inscrit davantage dans une logique communautaire, et l'intégration des acquis de Schengen;
– l'acceptation du principe des « coopérations renforcées », selon lequel les États qui le souhaitent peuvent aller de l'avant sans forcément associer les quinze États membres ;
– l'accroissement du rôle du Parlement européen (par l'élargissement de la procédure de codécision, qui associe le Parlement au processus décisionnel), afin de répondre au « déficit démocratique » des institutions européennes.

Le traité d'Amsterdam répond également à une certaine « demande sociale » en intégrant un

L'espace Schengen

Les accords de Schengen (signés en juin 1985 et entrés en vigueur le 26 mars 1995 entre les sept pays signataires) réunissent en 1999 les membres de l'Union européenne (à l'exception du Royaume-Uni et de l'Irlande), ainsi que l'Islande et la Norvège. Les accords ont pour objectif la suppression des contrôles aux frontières intérieures des États signataires et la libre circulation des personnes. Ils prévoient également le renforcement de la coopération policière et judiciaire au sein de l'« espace Schengen ». Non intégrés au traité de Maastricht (bien que correspondant aux activités du troisième pilier), les accords de Schengen le sont au traité d'Amsterdam, qui crée un véritable « espace de liberté, de sécurité et de justice » au sein de l'Union européenne.

L'opposition à l'Europe

Au cours des années 1990, les processus d'élaboration et de ratification des traités de Maastricht et d'Amsterdam, l'élargissement de l'Union européenne à l'Autriche, à la Suède et à la Finlande, le passage à la monnaie unique ou encore les débats tenus autour de l'approfondissement de l'Union et des futurs élargissements ont fait apparaître un courant d'opposition au processus de construction européenne. Celui-ci s'est exprimé dans un certain nombre de pays membres, dont le Royaume-Uni et le Danemark, mais aussi la France. Après avoir bénéficié de clauses spéciales lors de l'adoption des traités de Maastricht et d'Amsterdam, le Royaume-Uni et le Danemark ont ainsi refusé d'adopter la monnaie unique au 1er janvier 1999. En France, certains partis politiques ont fait de leur opposition à la construction européenne l'axe principal de leur programme. Les opposants font valoir que le projet européen implique une dilution des identités nationales et une perte de souveraineté qui doivent être combattues. Sont également critiqués la « bureaucratie européenne » et le fonctionnement des institutions européennes, qui sont accusées de ne pas suffisamment tenir compte des préoccupations des ressortissants de l'Union. En mars 1999, la crise qui a conduit à la démission de la Commission européenne a alimenté le courant d'opposition au projet européen. Afin de faire face à cette situation, les partisans de l'Europe tentent de développer la notion de citoyenneté européenne, en associant davantage les peuples aux différentes étapes de la construction européenne.

chapitre sur l'emploi, qui définit une « stratégie coordonnée pour l'emploi ». En dépit de ces dispositions, le traité d'Amsterdam n'est pas comparable à celui de Maastricht; tandis que celui-ci marquait un véritable tournant dans la construction européenne, le traité d'Amsterdam stigmatise au contraire un certain essoufflement du projet d'union européenne et la réapparition d'une frilosité de la part d'États soucieux de ne pas sacrifier leur souveraineté au profit d'une hypothétique supranationalité.

L'Union économique et monétaire (UEM)

À la fin des années 1980, la perspective du marché unique (au 1er janvier 1993) a conduit les États membres de la Communauté européenne à réfléchir à l'idée d'une union non seulement économique mais aussi monétaire, laquelle constituerait, par l'élimination des risques liés à l'instabilité des taux de change, le complément indispensable au marché unique. Le projet d'union économique et monétaire fut élaboré par un comité (présidé par Jacques Delors) et adopté par le Conseil européen de Madrid en juin 1989. Les dispositions de ce projet furent par la suite intégrées au traité de Maastricht, la première phase de l'Union économique et monétaire (UEM) ayant été lancée dès 1990, soit avant la signature du traité.

L'UEM est la plus grande avancée du traité de Maastricht. Celui-ci prévoit « l'établissement d'une union économique et monétaire comportant, à terme, une monnaie unique » (titre VI). L'objectif central de l'UEM est de constituer un espace économique intégré dont la stabilité doit être assurée par des politiques économiques convergentes et une politique monétaire unique. Face au phénomène de mondialisation économique et financière, il s'agit pour les Européens de créer un pôle économique compétitif sur la scène internationale. Réunissant 290 millions d'habitants (soit 6 % de la population mondiale), les onze pays de la zone euro représentent 20 % du commerce mondial, contre 19,6 % pour les États-Unis et 10,5 % pour le Japon.

L'UEM fait partie intégrante des politiques communes, c'est-à-dire qu'elle relève d'une logique communautaire, et non intergouvernementale. Les politiques économiques restent certes de la compétence des États, mais ceux-ci doivent œuvrer dans le sens de la convergence de leurs économies, conformément aux orientations fixées par le Conseil et aux recommandations de la Commission. Les politiques monétaires doivent en revanche être très largement intégrées, notamment par la création du Système européen de banques centrales (SEBC) – qui regroupe la Banque centrale européenne et les banques centrales nationales – et de la Banque centrale européenne (BCE).

Les étapes définies par Maastricht. Le traité de Maastricht définit trois grandes étapes dans la mise en œuvre de l'UEM, la troisième étant marquée par l'entrée en vigueur de la monnaie unique. Pour en faire partie, chaque État candidat doit remplir un certain nombre de conditions, appelées « critères de convergence » :

- déficit public inférieur à 3 % du PIB;
- dette publique inférieure à 60 % du PIB;
- taux d'inflation ne dépassant pas de plus de 1,5 % celui des trois États ayant les taux d'inflation les plus faibles;
- taux d'intérêt à long terme ne dépassant pas de plus de 2 % celui des trois États ayant la meilleure stabilité des prix ;
- respect des marges de fluctuation prévues par le SME, sans dévaluation depuis deux ans.

Le traité de Maastricht posait que la troisième phase de l'UEM devait débuter au 1er janvier 1997 si la majorité des États remplissait à cette date les critères de convergence, au 1er janvier 1999 dans le cas contraire. C'est cette deuxième échéance qui est finalement retenue par le Conseil européen de Madrid en décembre 1995. Ainsi, au 1er janvier 1999, tous les membres de l'Union européenne, à l'exception du Royaume-Uni, du Danemark, de la Suède et de la Grèce, soit onze États, accèdent à la monnaie unique, qui prend le nom d'euro. En effet, la Grèce ne remplit pas les critères d'adhésion, alors que le Royaume-Uni, la Suède et le Danemark refusent d'en faire partie.

Après une période de transition de trois ans, l'euro doit définitivement remplacer les monnaies nationales dans les onze pays de la « zone euro ».

Les étapes du passage à la monnaie unique

Le traité de Maastricht définissait trois grandes étapes pour le passage à la monnaie unique. La première étape débute le 1er juillet 1990 (soit avant la signature du traité de Maastricht), et marque la libéralisation des mouvements de capitaux et la suppression du contrôle des changes. La deuxième étape commence le 1er janvier 1994, avec la création de l'Institut monétaire européen (siégeant à Francfort), dont les objectifs sont de préparer le passage à la monnaie unique. Au cours de cette phase, les banques centrales nationales deviennent indépendantes des pouvoirs politiques, tandis que les économies des États candidats à la monnaie unique doivent tendre vers le respect des critères de convergence (déficit et dette publics, taux d'inflation, stabilité monétaire, etc.). La troisième et dernière phase commence le 1er janvier 1999, date de l'entrée en vigueur de la monnaie unique pour les onze pays retenus. Les taux de conversion définitifs des monnaies nationales en euro sont fixés (1 euro = 6,56 francs), l'euro remplace les monnaies nationales et devient la monnaie de l'Union monétaire. Après une période de transition de trois ans (jusqu'au 1er janvier 2002), les pièces et billets libellés en euros entreront effectivement en circulation dans les pays de la zone euro. Dans cette dernière phase, l'Institut monétaire européen disparaît au profit de la Banque centrale européenne (BCE), dont le mandat est la mise en œuvre de la politique monétaire des onze États ayant adopté l'euro.

Être associés. Dès lors, la politique monétaire de la « zone euro » relève de la Banque centrale européenne, qui prend la succession de l'Institut monétaire européen, qui disparaît. Elle est indépendante du pouvoir politique, et présidée par le Néerlandais Wim Duisenberg, ancien président de l'Institut monétaire européen. Les banques centrales nationales ne disparaissent pas pour autant et assurent, chacune dans leur État, l'application de la politique définie par la BCE. De par son statut, la BCE ne répond pas tout à fait à une logique communautaire et apparaît comme une autorité administrative indépendante, de type fédéral, posant la question des rapports entre pouvoir politique et pouvoir monétaire. Aussi, afin que les dirigeants politiques conservent un certain contrôle sur les affaires monétaires, est également instituée, à la demande de la France, une instance informelle appelée Conseil de l'euro ou « Euro 11 »; celui-ci réunit les ministres de l'Économie et des Finances des pays de la zone euro, et son objectif est d'assurer une certaine coordination des politiques budgétaires, fiscales et sociales.

Par ailleurs, la BCE est placée, à l'instar des autres institutions communautaires, sous le contrôle juridictionnel de la Cour de justice de la Communauté européenne.

L'adoption de la monnaie unique est une étape historique de la construction européenne. Pour la première fois dans l'histoire des relations internationales, des États indépendants acceptent de renoncer à l'un des éléments fondamentaux de leur souveraineté qu'est l'émission de la monnaie. À ce titre, le passage à l'UEM constitue également une étape du rapprochement politique des Quinze. Enfin, les États qui ont décidé de rester en dehors de l'UEM (Danemark, Royaume-Uni et Suède) pourraient rapidement s'engager dans le processus d'adhésion à cette union.

VOIR AUSSI
- **Du SME à l'UEM** p. 830
- **Euro** p. 831
- **Souveraineté nationale et Europe** p. 983

Le rôle international de l'Europe

La politique étrangère et de sécurité commune (PESC)

Jusqu'à l'entrée en vigueur du traité de Maastricht le 1er novembre 1993, les dispositions relatives à la politique étrangère de la Communauté européenne sont régies par la Coopération politique européenne (CPE), laquelle se réduit à une politique presque exclusivement déclaratoire. Le traité de Maastricht est à ce titre innovant, en définissant comme objectif de l'Union européenne « la mise en œuvre d'une politique étrangère et de sécurité commune, y compris la définition à terme d'une politique de défense commune, qui pourrait conduire, le moment venu, à une défense commune ». Il s'agit en clair de doter les douze États membres d'une politique étrangère commune, voire d'une politique de défense commune.

La PESC fait l'objet du deuxième pilier du traité sur l'Union européenne. Contrairement à la Coopération politique européenne, à laquelle elle doit se substituer, la PESC prévoit que soient menées des actions communes dans les domaines où les États ont des « intérêts importants en commun ». Les objectifs de la PESC sont ainsi définis :
– la sauvegarde des valeurs communes, des intérêts fondamentaux et de l'indépendance de l'Union;
– le renforcement de la sécurité de l'Union et de ses États membres sous toutes ses formes;
– le maintien de la paix et le renforcement de la sécurité internationale, conformément aux principes de la Charte des Nations unies;
– la promotion de la coopération internationale;
– le développement et le renforcement de la démocratie et de l'État de droit, ainsi que le respect des droits de l'homme et des libertés fondamentales.

Le traité de Maastricht fait par ailleurs de l'Union de l'Europe occidentale (UEO) le « bras armé » de l'Union européenne, en lui confiant un rôle central dans la mise en œuvre des décisions et des actions de l'Union qui « ont des implications dans le domaine de la défense ».

Le premier test. La PESC est mise à l'épreuve dès l'entrée en vigueur du traité de Maastricht en novembre 1993, par la guerre qui sévit au même moment en Bosnie-Herzégovine. Les Douze ne parviennent pas à adopter une politique commune, et leurs actions restent généralement motivées par des logiques nationales, si bien que le bilan de la PESC est, au cours des premières années, globalement négatif. Les décisions relatives à la PESC sont prises par le Conseil à l'unanimité des douze (puis quinze) membres, ce qui rend d'autant plus difficile l'adoption de positions, voire d'actions communes.

Par ailleurs, le rôle joué par les Américains et l'OTAN dans la résolution du conflit en ex-Yougoslavie et, partant, au sein de l'architecture européenne de sécurité, ne fait que souligner les difficultés rencontrées par les Européens à exister en tant que puissance politique, apte à définir puis à mettre en œuvre une politique commune.

Le traité d'Amsterdam et la PESC. Le traité d'Amsterdam, adopté en juin 1997, ne modifie que marginalement les dispositions relatives à la PESC. Il amende cependant le processus de décision au sein du Conseil : les décisions restent prises à l'unanimité pour les questions relatives à la PESC, mais apparaît le principe de l'« abstention constructive », selon lequel un État peut s'abstenir lors d'un vote relatif à la PESC tout en acceptant que la décision soit néanmoins adoptée et engage l'Union européenne. Il est aussi prévu que le Conseil puisse statuer à la majorité qualifiée (réunissant les voix d'au moins dix États membres) dans certaines situations délimitées (adoption d'actions ou de positions communes sur la base d'une stratégie définie par le Conseil européen, mise en œuvre d'actions ou de positions communes votées à l'unanimité). Est également prévue la nomination d'un Haut Représentant pour la politique étrangère et de sécurité commune.

Les relations entre l'UEO et l'Union européenne. Quant aux relations entre l'Union européenne et l'Union de l'Europe occidentale (UEO), le traité d'Amsterdam intègre les missions dites de Petersberg (opérations de gestion des crises) et pose que « l'Union de l'Europe occidentale fait partie intégrante du développement de l'Union en donnant à l'Union l'accès à une capacité opérationnelle »; dans cette optique, l'Union « encourage l'établissement de relations institutionnelles plus étroites avec l'UEO en vue de l'intégration éventuelle de l'UEO dans l'Union, si le Conseil européen en décide ainsi ». Mais il est également rappelé que la relation UEO-Union est établie « sans préjudice des politiques et des obligations » consenties dans le cadre de l'Alliance atlantique, du moins «pour certains États membres dont la défense commune est réalisée dans le cadre de l'OTAN».

Les vues divergentes des États membres de l'Union européenne mais n'appartenant pas à l'UEO ne facilitent pas l'harmonisation des positions. Par ailleurs, la question du rôle que peut jouer le couple Union européenne-UEO en tant qu'acteur politique ne peut être dissociée des rapports entre ce couple et l'OTAN, qui reste l'organisation privilégiée de sécurité sur le sol européen. À ce titre, les Européens tentent de développer, au sein de l'OTAN, une Identité européenne de sécurité et de défense (IESD), qui leur permettrait de jouer un rôle dans la sécurité du continent sans que soit remis en cause le rôle prééminent de l'OTAN, dominée par les États-Unis. Toute la difficulté de l'existence d'une Europe politique réside dans ces liens entre Européens et Américains, et dans l'aptitude des Européens à définir des positions et à mener des actions compatibles avec le rôle joué par les États-Unis et l'OTAN.

Le conflit en ex-Yougoslavie

Les conflits qui éclatent sur le territoire ex-yougoslave en 1991 devaient constituer l'« épreuve du feu » de la Communauté européenne, à quelques mois de la signature du traité de Maastricht. Dans un premier temps, le Conseil européen dépêche en Slovénie et en Croatie une mission diplomatique («troïka») et décrète un embargo sur les armes à destination de la Yougoslavie. Dans le même temps est créée la Mission de supervision de la Communauté européenne (ECMM), qui déploie sur le terrain des observateurs, chargés de surveiller l'application d'un certain nombre de dispositions (respect de cessez-le-feu, respect des minorités, etc.). L'Europe organise par ailleurs la conférence de paix de La Haye, ainsi qu'une commission d'arbitrage, chargée d'encadrer le processus d'éclatement de la Fédération yougoslave. Malgré ces efforts, les dissensions au sein des Douze à propos de la reconnaissance de la Slovénie et de la Croatie mettent à mal leur fragile unité. Ils parviennent certes à envoyer en ex-Yougoslavie des observateurs, mais butent sur l'envoi de forces d'interposition, et surtout sur la définition d'une politique commune. Dépassés par la violence des combats et de la «purification ethnique» en Bosnie-Herzégovine, les Douze abandonnent rapidement le monopole de la gestion des conflits au profit de l'ONU, qui déploie ses casques bleus. Reléguée au second plan de la gestion des conflits à partir de 1993, l'Union européenne est tenue à l'écart des négociations de paix par les Américains, et est finalement absente de la mise en œuvre de l'accord de Dayton (1995). Son rôle de premier bailleur de fonds dans la reconstruction de la Bosnie-Herzégovine ne parvient pas à cacher un bilan politique largement négatif.

Par la suite, la guerre qui s'installe au Kosovo à partir de mars 1999, et qui conduit à l'intervention de l'OTAN, ne permet pas à l'Europe de s'affirmer davantage. Certes, les pays membres opposent un front commun contre Milošević, mais c'est autour des Américains et au sein de l'OTAN que cette politique s'exprime. Une nouvelle fois, un conflit sur le territoire européen révèle l'inexistence d'une Europe politique. Au Kosovo comme en Bosnie-Herzégovine, l'Europe est en fait sollicitée pour le financement des programmes de reconstruction.

Le programme ECHO

En mars 1992, la Commission européenne crée l'Office humanitaire de la Communauté européenne, désigné sous l'acronyme anglais ECHO, dont la fonction est de superviser et de coordonner les opérations d'aide humanitaire menées par l'Union européenne dans les pays non membres.
ECHO est un bailleur de fonds, c'est-à-dire qu'il finance des programmes humanitaires auxquels il ne participe pas directement (en 1996, l'« aide directe » distribuée par ECHO représentait 15 % de l'aide totale et correspondait essentiellement à des opérations menées en ex-Yougoslavie). ECHO travaille ainsi en partenariat avec les organisations non gouvernementales (50 % des fonds alloués), les agences des Nations unies (25 %) ou le Comité international de la Croix-Rouge (10 %). Ces relations sont régies par des accords-cadres de partenariat. En 1996, le budget d'ECHO était de 656 millions d'écus, soit environ 4,3 milliards de FF. Un tel montant fait de l'Union européenne le plus grand donateur d'aide humanitaire dans le monde. À elle seule, l'Union européenne finance 25 % de cette aide, tandis que l'aide humanitaire cumulée de l'Union européenne et des États membres (sur un mode bilatéral) représente 50 % de l'aide humanitaire totale.

L'aide aux pays en voie de développement

La Communauté européenne puis l'Union européenne ont établi des relations particulières avec un certain nombre de pays en voie de développement. Ces relations, qui relèvent essentiellement de la coopération économique, concernent 70 pays de la zone Afrique, Caraïbes et Pacifique (ACP) et sont régies par des conventions renégociées régulièrement (conventions de Yaoundé en 1963 et 1969; conventions de Lomé en 1975, 1979, 1984 et 1989). Les conventions de Lomé ont pour objectif la promotion du développement économique, social et culturel des pays ACP, par l'établissement d'une coopération étroite. Ces accords garantissent aux pays ACP des recettes minimales d'exportation en soustrayant celles-ci aux fluctuations des marchés mondiaux (système STABEX) et établissent un système de protection contre les perturbations affectant le secteur minier (SYSMIN). Conformément à la convention de Lomé IV (1989), la quasi-totalité des produits des pays ACP peuvent entrer sur le marché européen sans restriction (droits de douane). Les accords concernent également la coopération dans les domaines de l'environnement, de l'agriculture, de la pêche, de l'industrie, des services et du rééchelonnement de la dette.

L'aide européenne aux pays ACP est assurée par le Fonds européen de développement; elle se monte à 13,3 milliards d'écus pour la période 1995-1999. La Banque européenne d'investissement participe également à hauteur de 1,2 milliard d'écus (sous forme de prêts) pour la même période. La quatrième convention de Lomé, signée en 1989, est entrée en vigueur en 1990 pour une période de 10 ans, et doit donc faire l'objet d'une nouvelle négociation en 1999.

L'aide apportée par l'Union européenne (et par les États membres individuellement) aux pays en voie de développement, par l'intermédiaire des conventions de Lomé et par d'autres programmes, représente la moitié de l'aide totale accordée à ces pays (alors que la part des États-Unis est de 15 % et celle du Japon de 17 %).

◆ **Répartition géographique des aides du programme ECHO.**

Bénéficiaire	Aide accordée	Pourcentage
Pays ACP	278	42,4 % (Rwanda : 25 %)
Ex-Yougoslavie	187	28,5 %
CEI	53,45	8,1 %
Asie	53,27	8,1 % (Afghanistan : 6,3 %)
Iraq	29,52	4,5 %
Afrique du Nord / Moyen-Orient	20,9	3,2 %
Amérique latine	19,1	2,9 %
Europe de l'Est (Albanie)	1,65	0,25 %

En millions d'écus.
Données 1996. *Source* : ECHO.

Les forces européennes

Le traité de Maastricht confie à l'Union de l'Europe occidentale (UEO) la mission de mettre en œuvre les décisions de l'Union dans le domaine de la défense. À cette fin, des efforts ont été faits dans le sens du renforcement des capacités opérationnelles de l'UEO, afin qu'elle puisse assurer par elle-même le contrôle politico-militaire d'opérations européennes. Les forces relevant de l'UEO (appelées FRUEO) sont composées de forces nationales et de forces multinationales, telles que le Corps européen (regroupant la France, l'Allemagne, la Belgique, le Luxembourg et l'Espagne) dont fait partie la Brigade franco-allemande, la Division multinationale centrale (Belgique, Allemagne, Pays-Bas et Royaume-Uni), la Force amphibie anglo-néerlandaise, l'Euromarfor et l'Eurofor (regroupant toutes les deux la France, l'Italie, le Portugal et l'Espagne). Malgré l'existence de ces forces, la capacité, pour l'Europe, de mener des opérations extérieures reste limitée.

La Méditerranée, talon d'Achille de l'Europe ?

L'Europe commença à manifester une volonté de coopération avec les pays riverains de la Méditerranée après la guerre du Golfe (1990-1991), alors que la fin de la guerre froide permettait simultanément de croire en un dialogue Nord-Sud plus fructueux. Le processus ainsi initié conduisit à la conférence de Barcelone des 24 et 25 novembre 1995, qui réunit pour la première fois 27 pays riverains de la Méditerranée. La déclaration finale de la Conférence pose les principes de la coopération, fondée sur le développement et la sécurité des pays du sud de la Méditerranée. Il est en particulier défini l'idée d'un « Pacte de stabilité pour la Méditerranée », qui devait être développé par le comité des hauts fonctionnaires chargés du suivi de Barcelone. Très vite cependant, les blocages du processus de paix israélo-palestinien, ainsi que les problèmes persistants du Sahara occidental, de Chypre, de l'opposition Grèce-Turquie, puis des Balkans, vont rendre difficile la mise en œuvre des quelques mesures adoptées à Barcelone.

Afin de relancer le processus, les Quinze et leurs partenaires méditerranéens organisent une deuxième conférence euro-méditerranéenne à Malte, les 15 et 16 avril 1997. Celle-ci doit pourtant davantage constater les blocages du dialogue et finalement se solder par un échec. La Méditerranée reste ainsi le talon d'Achille de l'Europe, et les faiblesses de la construction politique européenne conjuguée à la grande hétérogénéité des pays de la Méditerranée ne présagent pas d'un dialogue débouchant sur de véritables actions.

L'Europe et les États-Unis

Les relations entre l'Europe et les États-Unis sont marquées, depuis les débuts de la construction européenne, par une certaine ambiguïté. Liés politiquement, culturellement, économiquement et militairement, Américains et Européens sont avant tout des peuples alliés et amis; ils ont lutté pendant toute la guerre froide contre l'ennemi commun qu'était alors l'Union soviétique. Ces relations privilégiées n'ont cependant pas empêché certaines tensions, exprimées dans tous les domaines de la coopération. Car si les Américains sont officiellement favorables au grand projet de construction européenne, ils ne le perçoivent pas forcément dans les meilleurs termes lorsque celui-ci s'exprime au détriment des intérêts américains, économiques en particulier. Ainsi, le passage à la monnaie unique peut être perçu outre-Atlantique comme une menace, par la concurrence que l'euro est susceptible de faire au dollar. Les oppositions récurrentes entre l'Europe et les États-Unis au sein de l'Organisation mondiale du commerce (conflit de la banane en 1998-1999) témoignent également de relations quelque peu difficiles. Du côté européen, les États-Unis sont parfois considérés comme une puissance hégémonique cherchant à imposer ses règles dans tous les secteurs de l'activité humaine (culture, économie, diplomatie, etc.). En matière politique et sécuritaire, l'Europe a cependant du mal à exister indépendamment des États-Unis, comme en témoignent les guerres en Bosnie-Herzégovine et au Kosovo. Les Américains ont eux-mêmes une politique relativement ambiguë, oscillant entre la volonté de privilégier une plus grande autonomie européenne dans le domaine militaire et le souci de maintenir leur suprématie sur le sol européen.

VOIR AUSSI
• **OTAN** p. 771
• **UEO** (Union de l'Europe occidentale) p. 772

◆ **Kosovo : l'Europe face à la barbarie.**
Dessin de Plantu paru dans le journal *Le Monde* le 19 janvier 1999, après le massacre de 45 civils par les Serbes à Racak, au Kosovo.

l'Amérique centrale, les États membres ont instauré, en 1960 (par le traité de Managua), un Marché commun centraméricain (MCCA) dont le siège se trouve à Ciudad de Guatemala. La population des États membres du MCCA dépasse les 30 millions d'habitants pour un PIB d'environ 40 milliards de dollars.

L'ODECA et le MCCA ont tous deux souffert des aléas politiques que la région a connus jusqu'au début des années 1990. Le 2 septembre 1997, les six États d'Amérique centrale décidaient pourtant de s'engager sur la voie d'un renforcement de leur coopération politique.

Le Commonwealth

Créé en 1931 (traité de Westminster), il compte 51 États membres (en Afrique : Afrique du Sud, Botswana, Gambie, Ghana, Kenya, Lesotho, Malawi, Maurice, Namibie, Nigeria, Ouganda, Seychelles, Sierra Leone, Swaziland, Tanzanie, Zambie, Zimbabwe ; en Amérique : Antigua-et-Barbuda, Bahamas, Barbade, Belize, Canada, Dominique, Grenade, Guyana, Jamaïque, Saint Kitts-et-Nevis, Sainte-Lucie, Saint-Vincent-et-les Grenadines, Trinité-et-Tobago ; en Asie : Bangladesh, Brunei, Inde, Malaysia, Maldives, Pakistan, Singapour, Sri Lanka ; en Océanie : Australie, Kiribati, Nauru, Nouvelle-Zélande, Papouasie-Nouvelle-Guinée, Salomon, Samoa, Tonga, Tuvalu, Vanuatu; en Europe : Chypre, Malte, Royaume-Uni). Son siège est à Londres. Les institutions sont extrêmement légères et peu contraignantes (un secrétariat depuis 1965). Des Conférences des chefs de gouvernement se réunissent tous les 2 ans dans la capitale de l'un des États membres, sans ordre du jour, les décisions se prenant de façon non formelle.

De l'allégeance à la coopération. En l'absence de texte statutaire, les membres du Commonwealth se reconnaissent cependant un certain nombre d'objectifs communs : établir un pont entre les races et les religions et entre les riches et les pauvres, contribuer à instaurer la paix dans le monde, promouvoir l'égalité des hommes et faire obstacle à toute forme de domination coloniale ou de discrimination raciale. Ils souscrivent aux principes énoncés dans les Déclarations communes adoptées à la fin des Conférences des chefs de gouvernement.

Le traité de Westminster, que l'on retient généralement comme l'acte fondateur du Commonwealth, n'est pas une charte. Ce document créait une « communauté de nations » (British Commonwealth of Nations), regroupant le Royaume-Uni, ses dominions (anciennes colonies devenues quasiment indépendantes), ses colonies et ses protectorats, qui se substituait juridiquement à l'Empire britannique (British Empire). L'adhésion était volontaire et les membres étaient seulement liés par un commun serment d'allégeance à la Couronne britannique. À mesure qu'elles accédèrent à l'indépendance, les colonies britanniques choisirent de rester dans le Commonwealth. Ce choix s'explique par le fait que les anciennes colonies considéraient que leur appartenance au British Commonwealth leur apporterait des avantages économiques et diplomatiques et renforcerait leur influence internationale. Dès 1950, l'allégeance à la Couronne britannique cessa d'être une condition d'admission et, en 1951, l'adjectif « britannique » disparut de l'appellation officielle. Le souverain du Royaume-Uni reste cependant, de droit, le chef du Commonwealth. Plusieurs États ont exercé leur droit de retrait : l'Irlande en 1949, l'Afrique du Sud en 1961, le Pakistan en 1972 (mais ces deux derniers ont réintégré le Commonwealth, le premier en 1994, le second en 1989). L'organisation a usé de son droit d'exclusion, en 1987, à l'encontre des îles Fidji. Aujourd'hui, bien que les liens du Commonwealth ne soient plus aussi forts que dans le passé, l'institution continue de fonctionner comme un système de coopération souple entre États, permettant une confrontation entre peuples de cultures différentes.

La Ligue arabe

Créée en 1945 au Caire, elle compte 22 membres : Arabie saoudite, Égypte, Iraq, Jordanie (Transjordanie), Liban, Syrie, Yémen du Nord (membres fondateurs, 1945) ; Libye (1953) ; Soudan (1956) ; Maroc, Tunisie (1958) ; Koweït (1961) ; Algérie (1962) ; Yémen du Sud (1967) ; Bahreïn, Émirats arabes unis, Oman, Qatar (1971) ; Mauritanie (1973) ; Somalie (1974) ; Djibouti (1977) ; Comores (1993).

L'OLP (Organisation de libération de la Palestine) a été admise comme membre à part entière en 1976. L'Égypte, suspendue à la conférence de Bagdad en 1979 à la suite de la signature des accords de Camp David avec Israël, a retrouvé sa place dans la Ligue en 1989. La réunification du Yémen en 1990 a fait passer le nombre d'États membres de 23 à 22. Son siège se trouve au Caire. De 1979 à 1990, il avait été transféré à titre provisoire à Tunis.

L'objectif de la Ligue arabe est de favoriser la coopération interarabe et de coordonner la politique et les activités des États arabes. À cet effet, elle dispose d'un Conseil, organe suprême dont les décisions adoptées à la majorité relative ne lient que les États qui y ont souscrit, et d'un Secrétariat général. Les sommets des chefs d'État et de gouvernement tentent de définir une politique commune. Créée à l'instigation de l'Égypte, la Ligue arabe représentait la concrétisation des doctrines nationalistes arabes apparues à la fin du XIXe s. dans la mesure où elle tentait de réaliser l'unité de la « nation arabe ». Cependant, les crises qui, depuis son origine, ont agité le monde arabe ont affecté son fonctionnement. Peu d'accords ont été adoptés par le Conseil et ratifiés par l'ensemble des membres. Certains sont restés lettre morte, comme celui sur la sécurité collective, qui n'a pas joué lors des guerres israélo-arabes de 1956, 1967 et 1973. Enfin, les différends survenus entre États arabes n'ont pu, sauf exception, être réglés selon la procédure de résolution des conflits prévue par la charte. Cependant, l'œuvre de coopération économique et technique se poursuit dans le cadre des nombreuses institutions spécialisées. Parmi celles-ci, on peut citer le CUEA (Conseil de l'unité économique arabe), l'OPAEP (Organisation des pays arabes exportateurs de pétrole), la BADEA (Banque arabe pour le développement économique en Afrique) ; le FMA (Fonds monétaire arabe), le FADES (Fonds arabe pour le développement économique et social), l'Organisation arabe pour le développement agricole, l'Organisation arabe pour le développement industriel, l'ALESCO (Organisation pour l'éducation, la culture et la science de la Ligue arabe), l'Organisation arabe pour la standardisation et la météorologie, etc. Cependant, en dépit de ces nombreuses institutions, les divisions politiques entre les États arabes rendent la coopération relativement peu efficace.

L'Organisation de la Conférence islamique

Fondée en 1971, elle compte 52 membres et siège à Djedda (Arabie saoudite). Elle s'est fixé comme objectif de développer la solidarité entre les États membres et de soutenir la lutte de tous les peuples musulmans pour la sauvegarde de leur dignité, de leur indépendance et de leurs droits nationaux.

Formée sous l'impulsion de l'Arabie saoudite, avec le soutien des gouvernements monarchiques du Golfe et de Jordanie, l'Organisation de la Conférence islamique réunit des États musulmans, et non pas seulement arabes. Ses interventions politiques sont de moindre portée que celles de la Ligue arabe, mais elle joue un rôle économique important par le biais de ses institutions spécialisées. Ses instances dirigeantes se composent

◆ **Les États membres de la Ligue arabe et de l'Organisation de la Conférence islamique.**

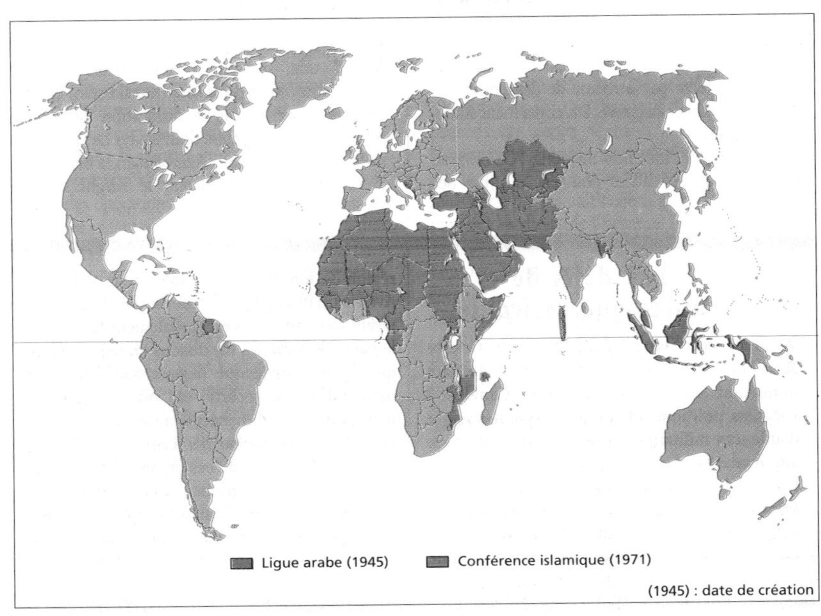

d'une Conférence des chefs d'État, organe suprême qui se réunit tous les trois ans, une Conférence des ministres des Affaires étrangères, qui se réunit une fois par an, plus, éventuellement, en session extraordinaire, et du comité de al-Ouds pour la libération de Jérusalem. La Conférence islamique comporte de nombreuses institutions spécialisées parmi lesquelles la Banque islamique de développement (BID), le Fonds islamique de solidarité, le Fonds al-Ouds, le Centre de recherche et de formation statistique, économique et sociale pour les États islamiques, l'Agence de presse internationale islamique, etc.

L'OEA (Organisation des États américains)

Créée en 1948 (charte de Bogotá), elle compte 35 États membres : tous les pays du continent américain (le Canada a adhéré en 1989), y compris les États des Caraïbes. En 1962, le gouvernement de Cuba a été expulsé, mais Cuba en tant qu'État reste membre. L'OEA est dirigée par une Assemblée générale qui se réunit annuellement ou sur convocation des ministres des Affaires étrangères, et des réunions de consultation des ministres des Affaires étrangères ont lieu en cas d'urgence; un Conseil permanent siégeant à Washington et un Secrétariat général complètent la structure. Une Cour inter-américaine des droits de l'homme a été instituée en 1978. L'OEA a pour but de maintenir la paix et d'assurer la sécurité sur le continent américain, de prévenir les sources de difficultés et de trouver une solution pacifique aux conflits, de mettre en œuvre une action commune en cas d'agression contre l'un des États membres. Son origine remonte à l'Union internationale des républiques américaines créée en 1890. Celle-ci s'inspirait de la doctrine de Monroe, tous les membres acceptant, en particulier, l'idée selon laquelle l'attaque d'un État américain par un tiers équivalait à une attaque contre tous. Le rôle des États-Unis, qui était prépondérant dans l'Union de 1890, l'est resté dans l'Organisation instaurée par la charte de Bogotá. À tel point que celle-ci a souvent été ressentie comme l'instrument de la domination américaine en Amérique latine. Cependant, depuis les années 1980, l'adoption de régimes démocratiques par les États d'Amérique latine a accru le consensus au sein de l'OEA, dont les pouvoirs ont été renforcés par des amendements apportés à sa charte (protocole de Cartagena, 1985; engagement de Santiago en faveur de la démocratie, 1991). L'Organisation a joué un rôle important (de médiation, de surveillance des élections) dans le rétablissement de la paix en Amérique centrale et est intervenue dans la crise haïtienne. Vaste forum politique, elle place aujourd'hui au centre de ses débats l'endettement de l'Amérique latine et l'économie de la drogue.

L'OUA (Organisation de l'unité africaine)

Créée en 1963, à la conférence d'Addis-Abeba (22 - 25 mai), sur la base d'un projet de l'empereur d'Éthiopie Haïlé Sélassié, elle compte 53 États membres, soit tous les États indépendants d'Afrique, depuis l'admission de l'Afrique du Sud en 1994, et siège à Addis-Abeba (Éthiopie). Son but est de promouvoir l'unité et la solidarité des États africains; de défendre leur souveraineté, leur intégrité territoriale et leur indépendance ; de supprimer toutes les formes de colonialisme en Afrique. L'OUA est dirigée par une Conférence des chefs d'État et de gouvernement, organe suprême et égalitaire qui se réunit une fois par an, un Conseil des ministres (ordinairement les ministres des Affaires étrangères), qui se réunit deux fois par an, éventuellement en session extraordinaire quand cela est nécessaire, et un Secrétariat général.

Aucun de ces organes n'a de pouvoir de décision et, de manière générale, l'action de l'OUA est très limitée, à l'image de sa Commission de conciliation et d'arbitrage, qui n'a jamais fonctionné malgré les nombreux litiges frontaliers et mouvements sécessionnistes africains. L'accord ne s'est fait que sur le principe de la décolonisation, et non sur ses modalités : d'où les crises plus ou moins graves qui ont secoué l'OUA lors des affaires du Katanga et du Biafra ou lors du conflit tchadien et à propos du Sahara occidental (en 1984, elle a admis la République arabe sahraouie comme membre, provoquant le retrait du Maroc). Fragile et divisée, l'OUA a cependant joué un rôle important en contribuant à faire accepter par les Nations unies la légitimité de mouvements de libération africains et en faisant valoir, dans de nombreux forums internationaux, la nécessité d'un nouvel ordre économique international. En 1999, l'OUA a proposé sa médiation dans le conflit opposant l'Éthiopie à l'Érythrée, sans pouvoir cependant imposer son autorité. Elle est de même restée impuissante à contenir les violents conflits qui ont touché successivement le Liberia, le Rwanda, la Sierra Leone ou le Congo-Kinshasa.

Les organisations du Pacifique Sud

La **Commission du Pacifique Sud**/SPC (South Pacific Commission) a été fondée en 1947 par la convention de Canberra. En plus des cinq États fondateurs (États-Unis, France, Royaume-Uni, Australie, Nouvelle-Zélande), en font partie vingt-deux pays de la région Pacifique, qui sont devenus membres à part entière à mesure qu'ils accédaient à l'indépendance ou à l'autonomie. Les Pays-Bas, qui faisaient partie des membres fondateurs, se sont retirés en 1962 quand la Nouvelle-Guinée néerlandaise a opté pour son rattachement à l'Indonésie sous le nom d'Irian Jaya. Le siège de la Commission se trouve à Nouméa (Nouvelle-Calédonie). Elle se propose de servir de cadre à la concertation des peuples insulaires de la région Pacifique, le droit d'expression étant accordé à chaque île sur une base strictement égalitaire.

Le Conseil du Pacifique, plus connu sous son nom anglais ANZUS, a été fondé en sept. 1951 à San Francisco. Il se compose uniquement des trois États fondateurs (Australie, Nouvelle-Zélande, États-Unis) et siège à Canberra (Australie). Son but est d'étudier l'évolution politique et les conditions de défense dans le Pacifique, mais ses réunions, en principe annuelles, ne se sont pas tenues depuis 1985.

Le Forum du Pacifique Sud existe depuis 1971 et compte 13 membres (Australie, Nouvelle-Zélande, Papouasie-Nouvelle-Guinée, Fidji, Vanuatu, Samoa occidentales, îles Salomon, Nauru, Tonga, Tuvalu, Kiribati, îles Cook, île de Niue). Son objectif est de lutter contre les puissances qualifiées de colonialistes (comme la France) ou d'impérialistes (comme les États-Unis). Il a servi de cadre aux négociations qui ont abouti à la signature du traité de Rarotonga sur la dénucléarisation du Pacifique Sud (1985), qui interdit l'achat, le stationnement et les essais d'armement nucléaire dans la région.

VOIR AUSSI • **Organisations régionales économiques** p. 776 à 778

◆ **Le collège bilingue Thung-Nhi à Hanoi (Viêt Nam).** A l'occasion du 7e Sommet de la francophonie, l'établissement est inauguré en présence du président de la République française Jacques Chirac, le 7 novembre 1997. Son financement a été assuré par l'Association des maires de France.

La francophonie

L'expression désigne l'ensemble des pays (une quarantaine sur les cinq continents) où le français est une langue maternelle ou familière. Le mouvement francophone, né dans les années 1960 à l'époque de la décolonisation (et animé notamment par Léopold Sédar Senghor), vise à défendre la langue française et la culture de langue française sur le plan international et à maintenir les liens entre pays francophones. Il a donné naissance à une seule organisation internationale publique permanente, l'ACCT (Agence de coopération culturelle et technique), créée en 1970 (siège : Paris). Mais ses objectifs sont aussi défendus par les sommets des chefs d'État et de gouvernement des pays ayant le français en partage (Paris et Versailles, 1986 ; Québec, 1987 ; Dakar [Sénégal], 1989 ; Paris, 1991 ; île Maurice, 1993 ; Cotonou [Bénin], 1995 ; Hanoi [Viêt Nam], 1997; Edmonton [Canada],1999). Les grands projets qui y ont été décidés portent principalement sur la culture, la communication, l'information scientifique et technique, l'énergie, l'agriculture. Les fonds dégagés pour leur réalisation sont gérés par l'ACCT. Les principaux contributeurs sont la France et le Canada. Lors du 7e sommet à Hanoi en 1997, l'Égyptien Boutros Boutros-Ghali, ancien secrétaire général de l'ONU, a été nommé Secrétaire général de la francophonie.

Organisations régionales économiques

L'Europe

L'AELE (Association européenne de libre-échange)/EFTA (European Free Trade Association) a été fondée le 4 janv. 1960 (convention de Stockholm signée par l'Autriche, le Danemark, la Norvège, le Portugal, le Royaume-Uni, la Suède et la Suisse). Elle compte 4 États membres : Norvège, Suisse (membres fondateurs), Islande (1970), Liechtenstein (1991). Le Royaume-Uni (1972), le Danemark (1972), le Portugal (1985), l'Autriche, la Suède et la Finlande (1994) ont quitté l'AELE à la suite de leur adhésion à la CEE ou à l'Union européenne. L'AELE siège à Genève et est dirigée par un Conseil, qui se réunit aux niveaux ministériels (env. 2 fois par an), et des représentants permanents.

Son but est de favoriser l'expansion de l'activité économique, le plein-emploi, l'accroissement de la productivité ainsi que l'exploitation rationnelle des ressources, la stabilité financière et l'amélioration continue du niveau de vie, d'assurer aux échanges entre États membres des conditions de concurrence équitable. Créée à l'instigation du Royaume-Uni, réticent à l'égard du Marché commun, l'AELE a des ambitions plus modestes que celui-ci : former une zone de libre-échange (sans tarif douanier extérieur commun ni intégration économique). Elle a progressivement tissé des liens avec l'Union européenne, avec laquelle elle forme, par le traité de Porto du 2 mai 1992, une zone de libre-échange, l'Espace économique européen ou EEE. (La Suisse n'adhère pas à ce traité.)

La BERD (Banque européenne pour la reconstruction et le développement de l'Europe de l'Est) a été fondée en 1991. Elle est composée de 57 pays (dont les quinze de l'Union européenne, qui détiennent 51 % du capital, les quatre de l'AELE, les États-Unis, le Japon) et deux institutions communautaires : la Commission et la BEI. Son siège est à Londres.

Elle est administrée par un Conseil des gouverneurs (au sein duquel chaque pays membre est représenté) et le Conseil d'administration. En contribuant au progrès et à la reconstruction économique des pays d'Europe centrale et orientale qui s'engagent à respecter les principes de la démocratie, elle a pour but de favoriser la transition de leurs économies vers des économies de marché et d'y promouvoir l'initiative privée et l'esprit d'entreprise.

L'OCDE (Organisation de coopération et de développement économiques) /OECD (Organization for Economic Cooperation and Development) a été fondée le 30 sept. 1961 à Paris. Elle a succédé à l'OECE (Organisation européenne de coopération économique), créée en 1948 à Paris. Elle compte 29 États membres (les 19 États européens [Allemagne, Autriche, Belgique, Danemark, Espagne, Finlande, France, Grèce, Irlande, Islande, Italie, Luxembourg, Norvège, Pays-Bas, Portugal, Royaume-Uni, Suède, Suisse, Turquie], membres de l'ancienne OECE, ainsi que le Canada, les États-Unis, le Japon, l'Australie, la Corée du Sud, la Hongrie, la Nouvelle-Zélande, la Pologne, la République tchèque et le Mexique) et siège à Paris. Elle est dirigée par un Conseil composé d'un représentant de chaque pays dont les décisions, prises à l'unanimité, engagent les États membres. Son objectif est de promouvoir des politiques visant à contribuer à une saine expansion économique dans les États membres, ainsi que non membres, notamment en améliorant le sort des pays en voie de développement.

L'OCDE (qui déborde largement le cadre géographique européen) joue un rôle important dans l'orientation des échanges internationaux vers le libéralisme et la lutte contre le protectionnisme. La majeure partie du travail est accomplie au sein de ses nombreux comités et groupes de travail spécialisés (plus de 200), composés de fonctionnaires gouvernementaux chargés de suivre des sujets aussi divers que l'économie politique, les affaires sociales, les échanges, l'aide au développement (CAD), l'agriculture, l'industrie, les marchés financiers, etc. En outre, plusieurs organismes autonomes ou semi-autonomes ont été créés au sein de l'Organisation : l'Agence de l'énergie nucléaire (1958) ; le Centre de développement (1962) ; le Centre de la recherche et de l'innovation de l'enseignement (1968) ; l'Agence internationale de l'énergie (1974).

L'Amérique

L'ALADI (Association latino-américaine d'intégration)/LAIA (Latin American Integration Association) existe depuis 1980 (traité de Montevideo). Elle s'est substituée à l'Association latino-américaine de libre-échange (ALALE), créée en 1960. Elle compte 11 États membres (Argentine, Bolivie, Brésil, Chili, Colombie, Équateur, Mexique, Paraguay, Pérou, Uruguay, Venezuela) et siège à Montevideo (Uruguay). Dans le but d'établir un marché commun latino-américain, un système de tarifs douaniers préférentiels accorde des avantages particuliers aux pays les moins développés (Bolivie, Équateur, Paraguay).

L'ALENA (Accord de libre-échange nord-américain)/NAFTA (North American Free Trade Association) a été fondé en 1994 (par l'entrée en vigueur du traité de 1992 qui donne un caractère multilatéral aux accords bilatéraux conclus entre les États-Unis et le Mexique en 1987 et entre les États-Unis et le Canada en 1988). Ce traité réunit les États-Unis, le Canada et le Mexique, soit près de 400 millions d'habitants, pour un PIB total de plus de 8 200 milliards de dollars. Il rassemble des pays aux fortes disparités démographiques et économiques : ainsi le Canada ne compte que 30 millions d'habitants contre 270 millions aux États-Unis et 97 millions au Mexique ; de même, alors qu'il représente un quart de la population de la zone, le Mexique dégage un produit intérieur brut de moins de 5 % du PIB total.

La principale disposition de l'ALENA est l'établissement d'un calendrier prévoyant l'élimination des droits de douane entre les trois pays, sur la quasi-totalité des produits, sur des périodes de cinq ans et dix ans. Le Chili est candidat à l'admission à l'ALENA, mais le Congrès américain manifeste de fortes réticences face à un éventuel élargissement, dont les conséquences en termes économiques ne seraient pas forcément favorables à l'économie américaine. La crise économique qui a touché le Mexique en 1994 et le Brésil en 1998 et 1999 a conduit à une certaine méfiance de la part du pays leader de l'ALENA. Les États-Unis, en effet, souhaitent avant tout assurer la stabilité économique dans une zone géographique qui représente aussi un important marché.

VOIR AUSSI
- **Commerce international** p. 821 à 824
- **ALENA** p. 824

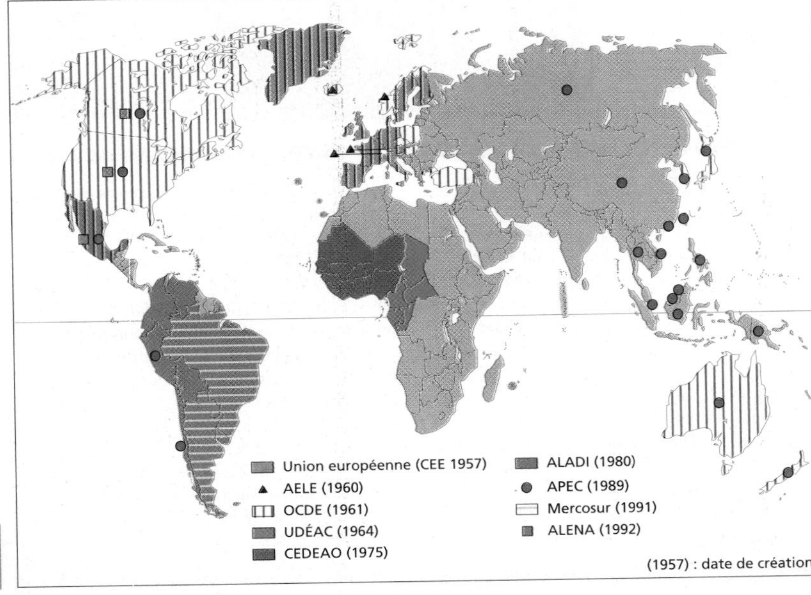

◆ Les organisations régionales économiques.
Les groupements économiques d'États visent à intensifier les échanges commerciaux entre États membres et à donner une plus grande cohérence à leurs politiques économiques. Parmi ces groupements, on distingue les marchés communs (comme la CEE, qui est à l'origine de l'Union européenne) et les zones de libre-échange (comme l'AELE ou l'ALENA). Dans les zones de libre-échange, chaque État conserve à l'égard des pays non membres son tarif douanier propre. Dans les marchés communs, à la suppression de toute restriction aux échanges entre États membres s'ajoute l'institution d'un seul tarif douanier autour des États membres ; de plus, des politiques communes (concernant un secteur précis – comme l'agriculture, l'industrie textile, etc.– ou les infrastructures) y nécessitent une réelle coopération entre États.

La BID (Banque interaméricaine de développement)/IADB (Inter-American Development Bank) a été fondée le 8 avr. 1959 à Washington, par les délégués des pays membres de l'Organisation des États américains. Elle compte 46 États membres (26 pays latino-américains, les États-Unis, le Canada et 18 pays «extra-régionaux» [Israël, Japon, 16 nations européennes]) et siège à Washington. Son objectif est de contribuer au développement économique et social des pays latino-américains et d'accorder des prêts aux États membres.

Le CARICOM (Caribbean Community)/(Communauté des Caraïbes) a été créé le 4 juill. 1973 (traité de Chaguaramas [Trinidad]) et réunit 16 membres (Antigua, Bahamas, Barbade, Belize, Dominique, Grenade, Guyana, Jamaïque, Montserrat, Saint-Kitts-et-Nevis, Sainte-Lucie, Saint-Vincent, Suriname, Trinité-et-Tobago, îles Turks et Caïques, îles Vierges britanniques). Son siège se trouve à Georgetown (Guyana). Son but est de renforcer la coopération au sein de la zone des Caraïbes, principalement par l'établissement d'un marché commun. Depuis 1994, les pays du Caricom forment avec les États d'Amérique centrale, le Mexique, la Colombie, le Venezuela, la République dominicaine, Haïti et Cuba l'Association des États des Caraïbes (ACS).

Le Mercosur (Mercado común del Sur)/(Marché commun du Sud) se compose de l'Argentine, du Brésil, du Paraguay et de l'Uruguay et siège à Buenos Aires. Créé en mars 1991 par le traité d'Asunción (Paraguay) et entré en vigueur le 1er janv. 1995, le Mercosur est un regroupement régional réunissant environ 206 millions d'habitants, pour un PIB total de 1 100 milliards de dollars et une superficie de 12 millions de km^2. Il a établi un tarif extérieur commun et des dispositions commerciales réglementant les échanges entre ses membres. D'autres dispositions concernent la libre circulation des biens et des services, la coordination des politiques économiques et l'harmonisation des législations. En 1996, le Chili et la Bolivie sont devenus membres associés; en 1997, le Pérou a signé un accord de libre-échange avec l'organisation, dotée de la personnalité juridique. Le Mercosur et l'ALENA sont les deux grands regroupements régionaux à vocation économique du continent américain.

Le Pacte andin a été conclu en 1969 (accord de Cartagena [Colombie]), entre la Bolivie, la Colombie, l'Équateur, le Pérou (membres fondateurs), le Venezuela (1973). Le Chili, qui était membre fondateur, s'est retiré en 1976 et le Pérou a suspendu sa participation en 1992. Le siège se trouve à Lima (Pérou). Le Pacte veut organiser une meilleure intégration économique des États andins et favoriser ainsi le développement de la région, tout en effaçant les disparités de niveaux de vie. Il tend, par la suppression progressive des barrières douanières, à établir – dans le cadre de l'ALADI dont tous ses membres font partie – un marché commun andin. L'organisation est en déclin en raison de la mise en place du Mercosur.

Le G7

C'est un groupe informel établi en 1975 et réunissant les États-Unis, le Canada, le Japon, l'Allemagne, la France, le Royaume-Uni et l'Italie. Les chefs d'État et de gouvernement de ces sept pays se rencontrent tous les ans pour étudier les grands problèmes économiques et monétaires.

En 1997, le G7 s'ouvre à la Russie et devient ainsi le G8, même si l'arrivée de la Russie s'explique davantage par la nécessité de mieux en contrôler l'évolution politique et économique que parce qu'elle serait devenue la huitième puissance économique mondiale. Au fil des ans, les effets de la mondialisation ont donné au G7/G8 un poids accru. Si sa structure informelle n'en fait pas une instance décisionnelle dont les actes auraient force obligatoire, l'instance joue cependant un rôle prépondérant dans la définition des grandes tendances de l'économie mondiale. Le G7/G8 a également acquis une stature politique de premier plan, si bien que l'ordre du jour de ses sommets dépasse les seuls aspects économiques.

L'Afrique

La BAFD ou **BAD** (Banque africaine de développement)/AFDB ou ADB (African Development Bank), créée le 4 août 1963 à Khartoum, réunit 77 États d'Afrique, d'Amérique, d'Asie et d'Europe et siège à Abidjan (Côte d'Ivoire). Son but est de contribuer au développement économique et au progrès social de ses membres, de promouvoir la coopération économique entre les pays africains. La BAFD, qui a fusionné avec le Fonds africain de développement (créé en 1972, à Abidjan, pour aider la BAFD dans son rôle de prêteur de fonds) et avec le Nigeria Trust Fund (créé en 1976), forme avec ces organismes le « Groupe de la Banque africaine de développement ».

La CEDEAO (Communauté économique des États de l'Afrique de l'Ouest)/ECOWAS (Economic Community of West African States) a été fondée le 18 mai 1975, à Lagos, par un traité entré en vigueur en mars 1977. Elle se compose de 16 pays de langues anglaise, française et portugaise : Bénin, Burkina, Cap-Vert, Côte d'Ivoire, Gambie, Ghana, Guinée, Guinée-Bissau, Liberia, Mali, Mauritanie, Niger, Nigeria, Sénégal, Sierra Leone, Togo. Son siège est à Lagos (Nigeria). Elle se propose de promouvoir la coopération et le développement dans les différents secteurs économiques. Conformément à un protocole d'assistance mutuelle en matière de défense signé en 1981, elle a mis sur pied une force (ECOMOG, Groupe d'observateurs militaires de la CEDEAO) qui, depuis 1990, tente de ramener la paix au Liberia. Initialement simple force d'interposition, l'ECOMOG, qui est composé à 80 % de militaires du Nigeria, a ouvertement pris part aux combats aux côtés du gouvernement en place à Monrovia, contre les forces rebelles du FNPL. En 1998 et 1999, l'ECOMOG est également intervenu dans le conflit en Sierra Leone.

La SACU (Southern African Customs Union) est créée en 1969. Elle regroupe en 1999 l'Afrique du Sud, le Botswana, le Lesotho, le Swaziland et la Namibie. Son siège est à Pretoria. C'est l'Afrique du Sud, rétribuée par les autres pays de la région, qui assure la gestion des services douaniers. Permettant une meilleure intégration économique des pays, elle constitue également un outil de domination pour Pretoria.

La SADC (Southern African Development Community)/Communauté pour le développement de l'Afrique australe, créée le 1er avril 1980 à Lusaka, compte 12 États membres : Afrique du Sud, Angola, Botswana, Lesotho, Malawi, île Maurice, Mozambique, Namibie, Swaziland, Tanzanie, Zambie, Zimbabwe. Son siège est à Gaborone (Botswana). La SADCC (Southern African Development Coordination Conference), nom de l'organisation lors de sa création, s'était constituée dans le but de libérer les pays d'Afrique australe de l'emprise économique de l'Afrique du Sud. Au sein de la SADCC, les États dits « de la ligne de front » concentraient leur activité sur la lutte contre l'apartheid. Avec l'évolution de l'Afrique du Sud vers une démocratie non raciale, la SADCC a étendu ses objectifs et changé son appellation. En août 1994, elle a enregistré l'adhésion de l'Afrique du Sud, tandis que les membres de la « ligne de front » dissolvaient leur organisation.

L'UDEAC (Union douanière et économique de l'Afrique centrale)/CACEU (Central African Customs and Economic Union) repose sur un traité conclu le 8 déc. 1964 à Brazzaville, entré en vigueur en 1966 et révisé en 1974 à Yaoundé. L'Union réunit 6 États membres (Cameroun, République centrafricaine, Congo, Guinée-Équatoriale, Gabon). Le Tchad, membre fondateur, s'est retiré en 1968, avant de réintégrer l'organisation en 1984. Le but de l'UDEAC est de parvenir à l'intégration économique par une union douanière et à l'établissement progressif d'un marché commun.

L'UEMOA (Union économique et monétaire ouest-africaine)/WAEMU (West African Economic and Monetary Union), créée en 1994, fait suite à la Communauté économique ouest-africaine, ou CEAO, dont les origines remontent à 1959. Les 7 pays de langue française (Bénin, Burkina, Côte d'Ivoire, Mali, Niger, Sénégal, Togo) qui la composent cherchent à favoriser l'essor économique des États membres et à contribuer à l'amélioration du niveau de vie.

L'UMA (Union du Maghreb arabe), créée en 1989 par le traité de Marrakech du 17 février, réunit 5 États membres (Algérie, Libye, Maroc, Mauritanie, Tunisie). En 1994, l'Égypte a demandé son admission. Un accord a été conclu en 1991 pour que le siège soit fixé au Maroc. Son but est de fournir un cadre à la coopération politique et économique des États membres, notamment en établissant, d'ici à l'an 2000, un marché commun nord-africain.

La zone franc (Conférence des ministres des Finances des pays de la zone franc), créée en 1964, à Paris, compte 15 États membres (la France, ainsi que Mayotte et les DOM-TOM, et 14 États africains : Bénin, Burkina, Cameroun, Comores, Congo, Côte d'Ivoire, Gabon, Guinée-Équatoriale, Mali, Niger, République centrafricaine, Sénégal, Tchad, Togo). Son siège est à Paris. La zone franc comprend tous les pays et groupes de pays dont les monnaies sont liées au franc français par un taux de change fixe.

Ces pays acceptent de conserver leurs réserves principalement en francs français et d'effectuer leurs échanges sur le marché boursier de Paris. L'unité monétaire est le « franc CFA » (franc de la Communauté financière africaine) pour l'ensemble des pays de la zone, et le franc comorien aux Comores. Le 1er janv. 1994, le franc CFA, qui était égal depuis sa création à 0,02 franc français a été dévalué de 50 %. Il est désormais à parité égale avec le centime français. Quant au franc comorien, il a été dévalué de 33%.

Les pays arabes et l'Asie

L'APEC (Asia Pacific Economic Cooperation)/CEAP (Coopération économique Asie-Pacifique), créée en 1989 à l'initiative du Premier ministre australien Bob Hawke, rassemble 21 pays ou entités riverains du Pacifique (Malaisie, Philippines, Thaïlande, Indonésie, Singapour, Brunei, Viêt Nam, tous membres de l'ASEAN, Papouasie-Nouvelle-Guinée, Corée du Sud, Japon, Chine, Taïwan, Hongkong, Australie, Nouvelle-Zélande, Pérou, États-Unis, Canada, Mexique, Chili, Russie). Son siège est à Singapour. L'APEC n'est encore qu'un forum de coopération économique dont le but est d'aboutir, au XXIe siècle, à une Communauté économique de l'Asie-Pacifique. Dans un premier temps, la libération des échanges dans la zone est prévue pour 2010 ou, au plus tard, 2020. Le premier sommet de l'APEC s'est tenu en nov. 1993 à Seattle (É.-U.), le deuxième en nov. 1994 à Bogor (Indonésie), le sixième en nov. 1998 à Kuala Lumpur (Malaisie).

L'ASEAN (Association of South East Asian Nations)/Association des nations d'Asie du Sud-Est, fondée en 1967 à Bangkok , réunit la Malaisie, les Philippines, la Thaïlande, l'Indonésie, Singapour, le Brunei, le Laos, le Viêt Nam (1995), le Myanmar (Birmanie, 1997). L'ASEAN, créée pendant la guerre du Viêt Nam, a d'abord joué un rôle économique. Depuis 1976, l'Association consacre une grande partie de son énergie aux problèmes politiques. En janv. 1992, elle a décidé de créer, en 15 ans, une zone de libre-échange en Asie du Sud-Est, l'AFTA (ASEAN Free Trade Association).

La BASD (Banque asiatique de développement)/ADB (Asian Development Bank), fondée en 1966 à Manille, sous les auspices de la Commission économique des Nations unies pour l'Asie et l'Extrême-Orient, réunit 56 pays et territoires d'Asie, d'Australie, d'Amérique du Nord et d'Europe. Elle siège à Manille (Philippines). Son objectif est de prêter des fonds et de fournir une assistance technique aux pays membres en développement, de favoriser leur industrialisation et d'y encourager, d'une façon générale, la croissance économique. En 1974, la BASD a créé un Fonds asiatique de développement, qui accorde des prêts à taux préférentiels aux États membres dont le PNB est très faible.

Le CCA (Conseil de coopération arabe), créé en 1989 à Bagdad, réunit l'Iraq, l'Égypte, la Jordanie et le Yémen. Son siège est à Amman (Jordanie). Il veut favoriser la complémentarité des économies dans tous les domaines, mais depuis la guerre du Golfe, le CCA est en sommeil.

Le CCG (Conseil de coopération des États arabes du Golfe)/CCASG (Cooperation Council for the Arab States of the Gulf), fondé en 1981 à Abu Dhabi, réunit 6 États membres (Arabie saoudite, Bahreïn, Émirats arabes unis, Koweït, Oman, Qatar) et siège à Riyad (Arabie saoudite). Le Conseil, dans lequel l'Arabie saoudite exerce une grande influence, promeut activement la coopération des forces armées, l'établissement d'un système unifié de défense aérienne et la création d'une industrie commune d'armement; il cherche également à renforcer la coopération économique entre ses membres.

L'OPEP (Organisation des pays exportateurs de pétrole)/OPEC (Organization of the Petroleum Exporting Countries) est créée le 14 septembre 1960 lors de la conférence de Bagdad regroupant cinq États : Arabie saoudite, Iraq, Iran, Koweït, Venezuela. Elle siège à Vienne (Autriche). Ses statuts ont été approuvés lors de la deuxième conférence à Caracas, en janvier 1961. Les États membres sont : l'Arabie saoudite, l'Iraq, l'Iran, le Koweït, le Venezuela (membres fondateurs), le Qatar (1961), la Libye (1962), l'Indonésie (1962), les Émirats arabes unis (1967), l'Algérie (1969), le Nigeria (1971), le Gabon (1975). L'Équateur, devenu membre en 1973, s'est retiré en 1992.

L'OPEP s'est constituée en 1960 pour obtenir un arrêt de la tendance à la baisse des prix du brut et modifier ainsi l'ordre établi depuis 1928 par les grandes compagnies pétrolières. En se partageant le marché – l'OPEP représentait alors plus de 66% des exportations de brut – et en s'attribuant les quotas de vente, les membres de l'OPEP purent imposer des hausses substantielles à leurs acheteurs. Pendant une vingtaine d'années, ils manifestèrent une grande solidarité. Ils parvinrent ainsi à leurs objectifs : définir les meilleurs moyens de protéger leurs intérêts sur le plan individuel et collectif ; stabiliser les prix et les recettes fiscales du pétrole brut exporté ; prendre le contrôle de l'industrie pétrolière par la voie de la participation et de la nationalisation dans le cadre plus global d'une stratégie de développement économique.

Mais les réactions de défense des pays acheteurs (réduction de consommation de pétrole, diversification des sources d'énergie par le recours au nucléaire, exploitation des ressources pétrolières dans les zones hors OPEP) ont montré la fragilité de ce cartel. Au milieu des années 1980, il a dû accepter une sévère baisse des prix. En 1998, l'OPEP disposait de 77,4% des réserves pétrolières mondiales, mais son influence s'est considérablement réduite en raison de la montée en puissance des pays non OPEP (60% de l'offre actuelle) et des dissensions entre ses membres, comme en témoigne la décision du Venezuela de ne plus suivre les directives de l'Organisation.

Le plan de Colombo « pour l'aide au développement économique des pays d'Asie du Sud et du Sud-Est » a été conçu par les ministres des Affaires étrangères des pays du Commonwealth réunis en janv. 1950 à Colombo (Ceylan, auj. Sri Lanka), et mis en place en 1951. Le plan réunit 23 États de l'Asie du Sud et du Sud-Est (soit tous les États à l'est du Pakistan, à l'exception de la Chine et du Viêt Nam), le Royaume-Uni, les États-Unis et le Canada. Son siège est à Colombo (Sri Lanka).

À l'origine, l'organisation avait pour principal but l'accroissement de la production de denrées alimentaires en Asie, zone de surpeuplement. L'Inde, le Pakistan et Ceylan ont été les principaux bénéficiaires des programmes. Le caractère régional du plan de Colombo a fait que les pays assistés ont préféré, de plus en plus, se tourner vers une aide multilatérale accordée par des organisations internationales.

La SAARC (South Asian Association for Regional Cooperation), créée en 1985, réunit le Bangladesh, le Bhoutan, l'Inde, les Maldives, le Népal, le Pakistan, le Sri Lanka. Elle veut développer la coopération mutuelle et harmoniser les positions des États membres dans les forums internationaux sur des questions d'intérêt commun et ambitionne de devenir en Asie du Sud le pendant de l'Association des nations d'Asie du Sud-Est (ASEAN).

VOIR AUSSI
Illustrations
• **Prix du pétrole de l'OPEP** p. 840
• **Le pétrole dans le monde** p. 920 (carte)

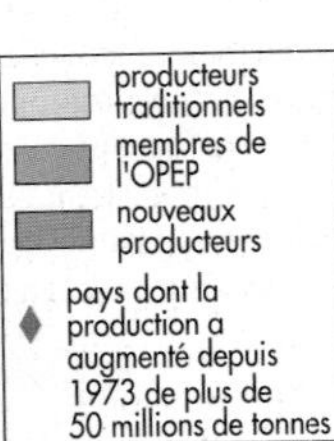

◆ **Les États membres de l'OPEP.** La puissance de l'OPEP repose sur l'importance des ressources pétrolières de ses membres. Dans les années 1970, ils fournissaient la moitié de la production mondiale. L'intensification de la production en mer du Nord ou en Alaska a fait que leur part dans la production mondiale n'était plus, en 1998, que d'environ 40%. Ils continuent cependant à détenir plus des deux tiers des réserves mondiales.

Les ONG

De nouveaux acteurs des relations internationales

Les organisations non gouvernementales (ONG) sont des organisations créées par des individus et composées de personnes physiques ou morales provenant d'États différents. Elles se définissent par trois critères : le caractère international de leurs membres ou de leur activité, le caractère privé de leur constitution (elles relèvent du mouvement associatif, issu de l'initiative privée et non de la volonté des États), et le caractère bénévole de leurs activités. Les ONG interviennent dans les secteurs social, politique, juridique, scientifique, religieux, sportif, etc. Il est difficile de dresser une typologie des ONG, tant elles sont nombreuses et diverses ; elles se distinguent cependant par leur objet, le nombre de leurs adhérents ou leur influence.

Peu nombreuses au début du XXe s., les ONG ont connu, à l'instar des organisations internationales, un essor important après 1945, avec le développement des échanges internationaux. Dans les années 1990, la disparition de l'Union soviétique d'une part, les conflits en ex-Yougoslavie et dans l'Afrique des grands lacs (Zaïre, Rwanda) d'autre part ont conduit à une multiplication des ONG humanitaires, particulièrement en France. Sur le terrain, ces ONG peuvent agir de pair avec les institutions spécialisées ou organes subsidiaires de l'ONU (FAO, Programme alimentaire mondial, Haut-Commissariat des Nations unies pour les réfugiés, etc.), mais également avec les forces de maintien de la paix de l'ONU, dont le mandat peut être la protection des équipes d'assistance humanitaire, comme ce fut le cas en Bosnie-Herzégovine (FORPRONU) ou en Somalie (ONUSOM).

De la défense des droits de l'homme (Amnesty International) à la protection de l'environnement (WWF) en passant par l'aide humanitaire (Médecins sans Frontières) et le développement (Oxfam), les ONG ont aujourd'hui une importance considérable. Par l'ampleur de leurs moyens, le poids de leur influence sur l'opinion publique, sur les gouvernements et sur les organisations internationales auprès desquelles elles ont souvent acquis un statut consultatif, elles sont devenues de véritables acteurs du jeu international, et illustrent d'une certaine façon le processus de mondialisation par lequel de plus en plus d'activités internationales échappent au contrôle strict des États.

Les organisations humanitaires

L'**Armée du salut**, créée en 1865, à Londres, par le prédicateur méthodiste William Booth (1829-1912), compte environ 3 millions de membres dans 83 pays. Son siège est à Londres. L'organisation, d'abord appelée «Mission chrétienne», s'efforçait d'élever matériellement et spirituellement les pauvres des quartiers de l'est de Londres. En 1878, elle prit le nom d' «Armée du salut» parce qu'elle se proposait d'apporter avec elle «le sang du Christ et le feu du Saint-Esprit à tous les coins du monde». Après des débuts difficiles, dus à la persécution (v. 1890 surtout), l'Armée du salut connut un essor considérable, grâce à Évangeline Booth, fille de William, générale de 1934 à 1939. Son but est de diffuser le christianisme, tout en poursuivant une action charitable. L'Armée du salut accepte l'essentiel des dogmes proposés aux Églises protestantes, mais aucun sacrement n'est spécialement admis ; sa doctrine, fondée sur le changement de vie, est inspirée par le plus ardent désir de réveiller la foi. Composée de soldats et d'officiers, qui portent un uniforme caractéristique, et commandée par un général élu par le Grand Conseil, l'Armée se considère «en service actif» contre l'incrédulité et le péché ; elle s'adresse à ceux qui sont indifférents au message chrétien prêché dans les Églises ; aussi l'apporte-t-elle en plein air, dans les rues.

ATD quart-monde, créé en 1958 par le père Joseph Wrésinski, a succédé au mouvement « Aide à toute détresse », fondé en 1957 à Noisy-le-Grand (France). Le mouvement s'est progressivement étendu en Europe et dans le monde. Son but est d'aider les populations les plus démunies à sortir du cercle vicieux de la grande pauvreté, de dénoncer la misère comme une violation des droits de l'homme et de pousser les pouvoirs publics à entreprendre une action globale contre la pauvreté.

CI (Caritas Internationalis, ou Confédération internationale d'organismes catholiques d'action charitable et sociale) est fondée en déc. 1951 à Rome. Appelée CI depuis 1954, elle continue l'action de Caritas Catholica, créée en 1924 à Amsterdam. Elle compte 118 organisations nationales réparties dans 115 pays et territoires, y compris Jérusalem et les îles du Pacifique. Son siège est situé dans la Cité du Vatican. Elle veut inciter les membres des organisations nationales à pratiquer la charité, à répandre la justice sociale (notamment par l'aide aux plus défavorisés) et à exercer une action apostolique.

Frères des hommes est une organisation créée en 1965, à l'initiative d'Armand Marquiset (1900-1981). Son siège est à Paris. Elle compte des équipes locales dans 5 pays (Belgique, France, Italie, Luxembourg, Royaume-Uni), et des représentants dans 18 pays du tiers-monde. Son but est de contribuer au développement des populations les plus défavorisées, en particulier celles d'Asie, d'Afrique et d'Amérique latine, et de sensibiliser l'opinion politique, en Europe et notamment en France, aux problèmes rencontrés par les pays en voie de développement. Frères des hommes apporte son soutien financier à des programmes de développement dans les régions pauvres du monde et y envoie des coopérants volontaires. Ceux-ci y conduisent des opérations de développement destinées à être confiées aux populations locales après un certain nombre d'années. Elle accueille aussi des partenaires de ces pays.

Handicap International, créée en France en 1982, a pour vocation d'apporter une aide aux personnes victimes des mines antipersonnel et de lutter contre la fabrication et l'utilisation de ces mines. Elle intervient dans des pays en guerre ou dans des pays qui ont connu la guerre et qui ne peuvent eux-mêmes assurer la protection de leur population contre les mines (Bosnie-Herzégovine, Cambodge, Angola, etc.). Les programmes de l'association ont un double objectif : réduire la vulnérabilité des personnes et favoriser le développement des capacités locales de prise en charge de la réadaptation physique, de l'appareillage et de l'intégration des personnes handicapées. Depuis 1992, Handicap International mène en outre des activités de prévention des accidents par mines et de sécurisation par le déminage.

L'Oxfam (Oxford Committee for Famine Relief) est une organisation humanitaire fondée au Royaume-Uni en 1942 afin de porter assistance à la population grecque victime du blocus des Alliés. Après la guerre, l'Oxfam poursuit ses activités d'assistance aux réfugiés de guerre, puis aux victimes de guerre en général, se finançant en partie par l'ouverture de magasins « de charité ». Il vient en aide aux réfugiés au Proche-Orient à la fin des années 1940, intervient en Corée pendant la guerre, puis en Afrique. Dans tous ses programmes d'assistance, le Comité est soucieux d'associer autant que possible les populations locales, lesquelles doivent conserver le contrôle des projets mis en place. À partir des années 1970, l'Oxfam lance des campagnes d'information et de sensibilisation auprès du public et tente de faire pression sur les gouvernements pour qu'ils prennent conscience des ravages du sous-développement et de la pauvreté. Les magasins d'artisanat se multiplient et les grandes famines africaines des années 1980 entraînent le développement de l'organisation. Dans les années 1990, l'Oxfam déploie ses activités en Europe de l'Est ; il est également largement présent en ex-Yougoslavie au cours de la guerre, au Rwanda et au Zaïre au moment du génocide de 1994 et des importants mouvements de populations. L'Oxfam est aujourd'hui une des plus importantes organisations non gouvernementales humanitaires.

La Convention d'Ottawa

Près de 120 millions de mines antipersonnel seraient disséminées dans plus de 70 pays, faisant quelque 2 000 victimes par mois. Les populations touchées sont en grande majorité civiles, et le sont surtout en temps de paix. En 1992, une Campagne internationale pour interdire les mines (International Campaign to Ban Landmines) est lancée à l'initiative d'organisations non-gouvernementales. Après l'échec en 1996 de la conférence de l'ONU sur la révision de la convention de 1980 qui bannissait les « armes inhumaines » sans interdire la production ni l'utilisation des mines, une Convention sur l'interdiction de l'emploi, du stockage, de la production et du transfert des mines antipersonnel et sur leur destruction est finalement adoptée à Ottawa en décembre 1997. La Convention d'Ottawa est entrée en vigueur le 1er mars 1999, après que 65 pays ont ratifié le traité. Si l'adoption de cette convention représente un grand pas vers l'élimination totale des mines antipersonnel, la faiblesse des moyens de vérification rend son application incertaine. Environ 60 pays ne sont en outre pas signataires, dont de gros producteurs et utilisateurs tels que les États-Unis, la Russie, la Chine, l'Inde, l'Iraq, l'Iran, les deux Corée, l'Ukraine, le Viêt Nam, la Yougoslavie, la Syrie, la Turquie et Israël.

La Croix-Rouge

Elle a été créée en 1859 par Henri Dunant pour venir en aide aux victimes de la guerre. À partir de 1863 apparaissent les premières associations, et, à leur tête, le Comité des cinq (outre Dunant, ses compatriotes suisses Moynier, Appia, Maunoir et le général Dufour), qui élabore et fait adopter la Convention de Genève (22 août 1864). Celle-ci reconnaît le rôle de la Croix-Rouge et l'obligation pour les belligérants de protéger les blessés de guerre et de leur assurer les soins médicaux nécessaires. Les principes de 1864 ont été étendus par d'autres conventions aux blessés des guerres navales (1899 et 1907), aux prisonniers de guerre (1929) et aux populations civiles (1949). En dehors du temps de guerre, la Croix-Rouge participe, dans le strict respect des principes de neutralité, d'universalité et de bénévolat, à un grand nombre d'actions humanitaires, d'entraide, de secours en cas de calamités ou d'accidents, d'interventions médico-sociales, etc. Son siège est à Genève.

L'organe suprême est le Comité international de la Croix-Rouge (CICR) – successeur, dès 1880, du Comité des cinq et, comme lui, uniquement composé de citoyens suisses, dont le nombre a été porté à dix-huit puis à vingt-cinq – relayé par la Ligue des sociétés nationales de la Croix-Rouge et du Croissant-Rouge, fédérant depuis 1919 les sociétés nationales, y compris (depuis 1979) celles des pays musulmans (Croissant-Rouge), soit près de 150 pays. Administrée par un comité exécutif élu par les délégués des sociétés nationales, et par un président, la Ligue a une fonction de coordination internationale et se charge, notamment, de l'envoi des secours en cas de catastrophes. La Ligue et le Comité international, ainsi que toutes les instances représentatives de la Croix-Rouge, se réunissent, tous les 4 ans environ, lors de la Conférence internationale de la Croix-Rouge, qui arrête les lignes principales de l'action de l'organisation dans le monde. Le « Mouvement international de la Croix-Rouge et du Croissant-Rouge » (appellation des statuts de 1986) associe le croissant rouge au traditionnel emblème de la croix rouge sur fond blanc. Depuis 1990, le CICR bénéficie du statut d'observateur auprès de l'ONU.

La Croix-Rouge française est une association reconnue d'utilité publique, issue de la fusion, en 1940, de trois associations fondées successivement en 1864 (Secours aux blessés militaires), 1879 (Association des dames françaises) et 1881 (Union des femmes de France). Son action est importante dans le domaine de la formation médicale ou paramédicale, de la prévention, de l'aide sociale, des secours d'urgence. Elle a amplement développé le secourisme. Cet enseignement de notions élémentaires, utiles en cas d'accident, est donné à tous les volontaires (plus de 100 000) qui se regroupent en équipes bénévoles.

Henri Dunant

Henri Dunant (1828-1910) était un Genevois qui s'était lancé dans des spéculations en Algérie. Se rendant en Italie pour solliciter l'appui de Napoléon III, il assiste à la bataille de Solferino (24 juin 1859). Il est scandalisé par l'abandon dans lequel les blessés, tant français qu'autrichiens, sont laissés par leurs propres armées. Alertant l'opinion publique internationale, il assure le succès de la conférence de Genève (1863), d'où sortira la Convention de Genève (22 août 1864), qui définit la protection des victimes de guerre. En 1901, il reçoit le prix Nobel de la paix.

Les organisations de défense des droits de l'homme

Amnesty International a été fondée en 1961 par l'avocat britannique Peter Benenson. L'organisation possède des sections nationales dans 45 pays et territoires, plus de 3 000 « groupes locaux d'adoption », ainsi que des membres à titre individuel, au total plus de 500 000 adhérents dans 150 pays. Son siège est à Londres. Elle se bat pour défendre les personnes emprisonnées à cause de leur race, de leur religion, de leurs opinions ; réclamer un jugement équitable et rapide pour tous les prisonniers politiques ; lutter pour l'abolition de la torture et de la peine de mort. Chaque groupe d'adoption prend en charge plusieurs prisonniers, choisis dans des zones géographiques et politiques différentes. Fondant son action sur la Déclaration universelle des droits de l'homme, elle a une voix consultative auprès de l'ONU, de l'Unesco et du Conseil de l'Europe. Elle a reçu le prix Nobel de la paix en 1977.

◆ **Médecins du Monde.**
Cette association française, créée en 1980, fait partie des nombreuses associations qui se sont formées, dans les pays riches le plus souvent, pour venir en aide aux personnes victimes de la guerre et de la pauvreté dans le tiers-monde. Elle réunit des volontaires, médecins ou membres du corps de santé, qui travaillent bénévolement pendant quelques mois dans des régions où les malades n'ont plus accès aux soins (Kurdistan, Afghanistan, Afrique…). Depuis 1986, elle a aussi une « Mission France » qui a ouvert des lieux de consultation pour les « exclus de la santé » dans ce pays.

La FIDH (Fédération internationale des droits de l'homme), fondée en 1922, compte de ligues nationales dans 36 pays. Son siège est à Paris. Elle veut faire connaître dans tous les pays les principes de justice, de liberté, d'égalité et de souveraineté des peuples, principes contenus dans les Déclarations françaises des droits de l'homme de 1789 et 1793 ainsi que dans la Déclaration universelle des droits de l'homme de 1948. La Fédération envoie des missions d'enquête et d'observation auprès des tribunaux (129 missions dans 52 pays depuis 1960), adresse des réclamations aux pouvoirs publics des États qui ne respectent pas les droits de l'homme, étudie (par l'intermédiaire des ligues nationales) les besoins propres à chaque pays en matière de droits de l'homme. La Fédération a un statut consultatif auprès de l'ONU, de l'Unesco et du Conseil de l'Europe.

La Ligue (française) des droits de l'homme est membre de la Fédération. Cette association, fondée en 1898 au moment de l'affaire Dreyfus sur une initiative du sénateur Ludovic Trarieux, s'est attachée à faire respecter les droits fondamentaux de l'homme chaque fois qu'ils sont menacés par l'arbitraire et l'injustice des pouvoirs administratif, politique ou judiciaire. Progressivement, elle a défini de nouveaux droits, s'ajoutant aux précédents : droits à l'éducation, à l'environnement, liberté de l'information et indépendance des médias, droits et libertés au sein de l'institution militaire, droit d'asile, défense des étrangers et des immigrés.

La LICRA (Ligue internationale contre le racisme et l'antisémitisme), créée à Paris en 1927

VOIR AUSSI
Illustrations
• **ATD quart-monde** p. 1018

Les « French Doctors »

En 1971, des médecins français de la Croix-Rouge, qui avaient participé aux opérations de secours lors du conflit du Biafra (Nigeria) à la fin des années 1960, créent l'organisation humanitaire Médecins sans Frontières (MSF). Ces « French Doctors » développent une conception nouvelle de l'assistance humanitaire, fondée sur l'intervention d'urgence et la dénonciation de toutes les injustices, dans ce que l'on a appelé le « sans-frontiérisme ».
Dans les années 1980, les « French Doctors » interviennent au Viêt Nam, au Cambodge et en Afghanistan, parfois dans des opérations spectaculaires (actions en faveur des boat people vietnamiens). Ils acquièrent rapidement une grande notoriété, et un débat interne à Médecins sans Frontières conduit à une scission de l'organisation et à la création en 1980, à l'initiative de Bernard Kouchner, de Médecins du Monde. Parallèlement à ses actions d'assistance aux victimes de guerres dans de nombreuses zones de conflits, Médecins du Monde développe également ses activités en France, notamment par des actions de lutte contre le sida et la toxicomanie. De faible poids par rapport aux grosses ONG anglo-saxonnes, les « French Doctors » de Médecins sans Frontières et Médecins du Monde ont une renommée mondiale ; ils représentent, chacun de leur côté, la philosophie française en matière d'aide humanitaire.

◆ **Camions de la Croix-Rouge.** Acheminer les secours vers les victimes d'un conflit est, à côté de l'assistance médicale aux blessés, une des tâches qu'assume le Comité international de la Croix-Rouge (CICR), qui dispose d'importants moyens logistiques. La nourriture est ici transportée par camions. Les rations sont remises directement aux victimes, femmes et enfants étant assistés en priorité. Le CICR s'efforce aussi, lorsqu'une famille le demande, de retrouver un parent disparu en raison d'un conflit. Il s'intéresse également aux conditions de détention des prisonniers de guerre et des détenus civils, afin d'obtenir une amélioration de leur sort.

sur une initiative de l'écrivain Bernard Lecache et de personnalités telles que Léon Blum, Édouard Herriot, Albert Einstein, Joseph Kessel et Romain Rolland, s'est d'abord appelée Ligue contre les pogroms. Elle avait pour but d'alerter l'opinion publique sur l'oppression des Juifs en Europe centrale.

Après la Seconde Guerre mondiale, la LICRA étendit sa lutte à toutes les formes de racisme et d'intolérance dans le monde. Elle dénonça en particulier la ségrégation raciale aux États-Unis, l'apartheid en Afrique du Sud, le génocide au Cambodge ou encore le sort des Indiens d'Amazonie. La lutte contre la montée des nationalismes en Europe et des formes de racisme dans les systèmes démocratiques occidentaux requiert aujourd'hui toute son attention.

La Ligue internationale des droits de l'homme, créée en 1941, et siégeant à New York, est constituée de 41 associations basées dans 26 pays. Elle s'attache à veiller au respect des droits civiques, économiques et sociaux énoncés dans la Déclaration universelle des droits de l'homme adoptée par les Nations unies en 1948 et dans les conventions internationales sur les droits de l'homme. La Ligue, représentée dans les différents comités et commissions des Nations unies intéressés par ce domaine, est étroitement associée au travail de cette organisation. Elle intervient directement auprès des gouvernements pour s'élever contre les violations des droits de l'homme, mène des enquêtes et publie des rapports sur ce thème.

Le MRAP (Mouvement contre le racisme et pour l'amitié entre les peuples) a été créé en 1949 en France en réaction contre les idéologies racistes et antisémites qui ont mené à la Seconde Guerre mondiale. Au cours de la guerre froide, le MRAP fut très actif dans la lutte contre le colonialisme et ses effets sur les populations concernées. Il stigmatise également les disparités socio-économiques entre les pays du Nord et ceux du Sud et la politique des pays riches à l'égard des pays en développement. Le MRAP est très présent dans la lutte contre les partis d'extrême droite, dont il dénonce les programmes sous-tendus par un racisme latent.

Les organisations pacifistes

Le **BIP** (Bureau international de la paix)/IPB (International Peace Bureau) a été fondé en 1892 et compte 170 associations nationales. Il siège à Genève. Tout au long du XXe siècle, le BIP a mené des actions en faveur du désarmement et de la paix dans le monde, selon une approche qualifiée de pacifisme bourgeois. Soutenant la création de la Société des Nations au lendemain de la Première Guerre mondiale, le BIP resta impuissant devant la montée des nationalismes en Europe et traversa une période difficile pendant et après la Seconde Guerre mondiale. Depuis les années 1960, il mène une politique active de promotion des valeurs de paix notamment au cours de la guerre du Viêt Nam et de la guerre du Golfe (1991), et lutte en faveur du désarmement nucléaire et de la prévention des conflits. Le BIP fut lauréat du prix Nobel de la paix en 1910.

L'International Crisis Group

L'ICG (International Crisis Group) est une organisation privée créée en 1995 afin de constituer un organe indépendant d'observation des conflits. Basé à Londres et parrainé par de nombreuses personnalités de haut rang, l'ICG a développé des activités principalement en ex-Yougoslavie et en Sierra Leone.
En 1996, l'ICG a lancé un programme de soutien à l'application de l'accord de paix en Bosnie-Herzégovine. L'objectif est de rassembler toutes les informations relatives à la mise en œuvre de l'accord, d'identifier les éventuels blocages et de proposer des solutions aux problèmes rencontrés. Censé influencer, par ses actions et pressions, les politiques des États, l'ICG fait partie d'une nouvelle génération d'organisations privées, à vocation politique et aux activités centrées sur la gestion des crises.

Le CMP (Conseil mondial de la paix)/WPC (World Peace Council), créé en 1950 lors du 2e Congrès mondial du pacifisme de Varsovie, possède des comités nationaux dans plus de 50 pays. (le comité français s'appelle le Mouvement de la paix). Le CMP s'attache à faire interdire les armes nucléaires, à mettre un terme à la course aux armements, à obtenir un désarmement généralisé, simultané et contrôlé. Ce mouvement avait recueilli en URSS le soutien de plusieurs millions d'adhérents. Après avoir été à Helsinki, de 1950 à 1996, le siège du CMP a été transféré à Paris.

Le Mouvement Pugwash/(Pugwash Conferences on Science and World Affairs) est né en 1957, à Pugwash (Nouvelle-Écosse, Canada), à la suite d'un appel lancé par Bertrand Russell, Albert Einstein et d'autres scientifiques. Il réunit les mouvements nationaux d'une trentaine de pays et a son siège à Genève. Il se propose d'organiser des conférences internationales de savants pour discuter des problèmes résultant du progrès de la science et, en particulier, des dangers que fait courir à l'humanité le développement des armes de destruction massive. Depuis sa fondation, le Mouvement Pugwash a publié de nombreux rapports sur le contrôle des armements et sur le désarmement. Il a reçu le prix Nobel de la paix en 1995.

◆ **Le logo d'Amnesty International.** La petite bougie, dont la flamme ne s'éteint jamais, symbolise l'espoir qui persiste malgré la détention, évoquée par les barbelés. Elle est devenue l'emblème de l'organisation.

◆ **Une affiche d'Amnesty international.** Amnesty fait largement appel aux médias, qu'elle considère comme une arme de dissuasion contre la répression. Affiches, dessins réalisés par les plus grands artistes internationaux donnent de la notoriété à son action en faveur de la libération des prisonniers d'opinion.

Les organisations de protection de la nature

Le grand élan écologiste, qui date du lendemain de la Seconde Guerre mondiale, a suscité, sur le plan international, la fondation de trois grandes organisations, qui travaillent souvent en étroite collaboration.

Greenpeace a été fondé en 1971 à Vancouver (Canada) et siège à Lewes (Grande-Bretagne). L'organisation veut mettre un terme à la destruction de la biosphère, faire arrêter les essais nucléaires, mener une action déterminée mais pacifique en faveur de la protection de l'environnement, porter témoignage, en étant présent sur le site, des dommages qui lui sont causés. En 1985, un bateau appartenant à Greenpeace, le *Rainbow Warrior*, qui devait participer à une campagne contre les essais nucléaires français de Mururoa, a été coulé par les services spéciaux français dans le port d'Auckland, en Nouvelle-Zélande. Afin de

◆ **Le panda, emblème du WWF.**
Cette espèce menacée fait l'objet d'un ambitieux programme de conservation en Chine depuis les années 1970. Alors que les premières campagnes du WWF étaient orientées vers la conservation d'espèces individuelles (tortue géante des Galápagos, orang-outang de Sarawak, aye-aye de Madagascar, onagre de l'Inde, tigre d'Asie, etc.), son action actuelle se tourne davantage vers la préservation des milieux naturels (forêts, zones humides, côtes...), la gestion des zones protégées et la formation en matière de préservation de la nature. Le WWF collecte des fonds auprès des particuliers, des entreprises et des institutions. Il a mis en œuvre à ce jour 12 000 programmes de conservation de la nature dans une centaine de pays.

n-nementaux, Greenpeace recourt à des actions souvent spectaculaires mais toujours pacifiques, l'objectif étant de forcer les solutions. Greenpeace a aussi pour objectif de promouvoir la paix, le désarmement et la non-violence.

L'UICN (Union internationale pour la conservation de la nature et de ses ressources), IUCN (International Union for Conservation of Nature and Natural Ressources), créée en 1948 à Fontainebleau, réunit 54 États, 126 établissements publics et administrations, et 369 organisations non gouvernementales. Son siège est à Gland (Suisse). Elle veut promouvoir une action scientifique tendant à l'utilisation durable des ressources naturelles et à leur conservation, en sorte que le potentiel des ressources naturelles renouvelables soit préservé pour le bénéfice présent et futur des hommes. L'activité principale de l'UICN est de mener à bien des études ou des programmes de protection des espèces rares ou des habitats naturels menacés. Elle attire l'attention des gouvernements et des organismes compétents sur les actions qu'il convient d'entreprendre, fournit les conseils scientifiques nécessaires à la réalisation de programmes de conservation de la nature et délègue des experts.

Ayant un statut consultatif auprès de nombreuses organisations internationales, parmi lesquelles le programme des Nations unies pour l'environnement (PNUE), l'UICN est un partenaire privilégié du Fonds mondial pour la nature.

◆ **Une action de Greenpeace.**
Le 7 juin 1995, dans le cadre de la campagne contre les exploitations pétrolières offshore, des membres de l'organisation investissent la plate-forme Brent Spar de la compagnie Shell, immergée en mer du Nord.

Le WWF (World Wildlife Fund for Nature)/Fonds mondial pour la nature, créé en 1961, est implanté dans 54 pays et compte 4,7 millions de membres dans le monde entier. Il siège à Gland (Suisse). Son but est de préserver, partout dans le monde, la faune, la flore, les forêts, les océans et les côtes, les écosystèmes d'eau douce, le sol et autres ressources naturelles. Le WWF, qui travaille en étroite collaboration avec l'Union mondiale pour la nature, agit sur le terrain par l'intermédiaire de ses bureaux nationaux et des associations affiliées. Il se livre également à une importante action éducative auprès des jeunes.

Les organisations religieuses chrétiennes

Toutes les Églises, tous les ordres religieux pourraient être considérés comme des organisations privées, dans la mesure où ce sont des groupements internationaux de particuliers constitués en vue de la réalisation d'un objectif n'ayant pas une finalité lucrative. Toutefois, ne sont citées ici que des organisations religieuses à caractère œcuménique ou fédéral et des organisations qui, tout en se réclamant d'une confession, ont des buts autres que la propagation d'une foi.

Le COE (Conseil œcuménique des Églises)/WCC (World Council of Churches), fondé en août 1948, à Amsterdam, résulte des efforts de deux associations (le Mouvement vie et travail et le Faith and Order Movement) qui avaient milité avant la Seconde Guerre mondiale pour la création d'un Conseil œcuménique des Églises. Il siège à Genève (annexe à New York). Il réunit environ 336 Églises, protestantes, anglicanes, orthodoxes, catholiques non romaines, appartenant à plus de 120 pays. Son but est de favoriser le rapprochement des Églises au nom de l'unité de la foi et de la communauté eucharistique. Sa structure se compose d'une Assemblée générale qui se réunit, en principe, tous les 7 ans (précédentes réunions : Amsterdam 1948, Evanston [États-Unis] 1954, New Delhi 1961, Uppsala [Suède] 1968, Nairobi 1975, Vancouver [Canada] 1983, Canberra [Australie] 1991, Harare [Zimbabwe] 1998, et d'un Comité central de 150 membres, réuni tous les 18 mois. Celui-ci nomme un Comité exécutif de 25 membres qui se réunit deux fois par an.

La communauté œcuménique de Taizé a été créée en 1940 à Taizé (France) par frère Roger (né en 1915). Elle compte 90 frères, issus de différentes Églises chrétiennes (catholiques et protestantes) et venant d'une vingtaine de pays, qui ont prononcé pour la vie des vœux monastiques. Son siège est à Taizé (Saône-et-Loire). La Communauté s'attache à travailler à l'unité des chrétiens et au maintien de la paix dans le monde, en s'appuyant notamment sur la jeunesse (organisation périodique de rencontres de jeunes de tous les continents).

La FLM (Fédération luthérienne mondiale)/LWF (Lutheran World Federation), fondée en 1947, à Lund (Suède), a succédé à la Convention luthérienne mondiale, née en 1923 à Eisenach (Allemagne). Elle réunit 104 Églises et 15 congrégations reconnues, dans 88 pays. Son siège est à Genève. Son objectif est de favoriser les échanges entre les différentes Églises luthériennes et d'accroître leur solidarité, sans jamais empiéter sur leur autonomie.

L'Opus Dei (Societas Sacerdotalis Sanctae Crucis et Opus Dei) ou Prélature de la Sainte-Croix et Opus Dei a été fondé le 2 oct. 1928 à Madrid par Mgr Jose María Escrivá de Balaguer

VOIR AUSSI

• **Défense de l'environnement**
p. 72 à 80 ; et 189 à 192

(mort en 1975, béatifié en 1992), approuvé par le Saint-Siège en 1947 et 1950, et érigé en prélature personnelle dans le sein de l'Église catholique par le pape Jean-Paul II, le 28 nov. 1982. Ses membres sont des individus, des clercs (plus de 1 000 prêtres) et 73 000 laïcs appartenant à plus de 87 pays. Son siège se trouve à Rome. Il recherche l'édification personnelle des membres qui s'engagent à aspirer à la sainteté dans toutes les occasions de leur vie et à pratiquer l'apostolat. L'Opus Dei mène une action éducative (direction d'instituts de formation religieuse, mais aussi technique et universitaire, comme l'université de Navarre), organise des colloques, publie la revue *Romana* et les œuvres de Balaguer. À l'époque franquiste, ses membres ont participé à plusieurs gouvernements espagnols. Son influence reste considérable en Espagne, dans les milieux financiers et dans la presse.

L'OSMM (Ordre souverain et militaire de Malte ou Ordre souverain militaire et hospitalier de Saint-Jean de Jérusalem, de Rhodes et de Malte) a été créé en 1099, à Jérusalem, après l'entrée des croisés, comme une communauté vouée à l'assistance aux pèlerins. Une bulle du pape Pascal II du 15 févr. 1113 la transforma en un ordre religieux, les Hospitaliers de Saint-Jean de Jérusalem. L'ordre a reçu une nouvelle constitution en 1961 et un code en 1966. Il est placé sous l'autorité d'un grand maître, élu à vie, qui est assisté d'un souverain conseil, et est organisé en associations nationales de Chevaliers. Son siège est à Rome (Jérusalem jusqu'au XIIIe s., Rhodes jusqu'en 1522, Malte jusqu'aux guerres napoléoniennes). L'objectif de l'ordre est l'assistance aux malades et aux pauvres, en particulier par la fondation et l'entretien d'hôpitaux.

Les témoins de Jéhovah/Watch Tower Bible and Tract Society of Pennsylvania, ou Jehovah's Witnesses est créé vers 1875 aux États-Unis. Son premier nom légal est Zion's Watch Tower Tract Society (1884). Sa dénomination actuelle est adoptée en 1995. L'organisation compte 97 branches regroupant environ 2 800 000 membres dans plus de 200 pays. Son siège est à New York. La Convention annuelle est ouverte à tous les membres. La Watch Tower Bible and Tract Society of Pennsylvania, par le biais de son Conseil d'administration, est l'organe dirigeant des Témoins du monde entier.

Les témoins de Jéhovah se veulent des chrétiens primitifs qui défendent et mettent en œuvre les préceptes de la Bible et travaillent à leur diffusion. La parole divine étant leur seule source d'inspiration religieuse et morale, ils refusent tout engagement politique.

Le scoutisme

Le mouveme5nt scout fut fondé en Grande-Bretagne par Robert Baden-Powell en 1907-1908 sous le nom de Boy Scout Movement. Appelé, le 11 octobre 1920, Bureau international du scoutisme, puis en 1961 Organisation mondiale du mouvement scout, le mouvement a pour objectif la formation morale, physique, pratique et civique des enfants et des adolescents. Implanté d'abord en Grande-Bretagne, le scoutisme s'est répandu rapidement dans le monde, prenant des noms différents selon les obédiences religieuses.

◆ **Camp de plein air scout.** La plupart des activité scoutes se déroulent en plein air. De même que le contact avec la nature, la vie en petits groupes est un élément permanent des programmes d'autoéducation progressive (adaptée à chaque tranche d'âge) du scoutisme. L'éducation se fait par l'action, les petits groupes agissant ensemble sous la conduite des jeunes eux-mêmes, avec l'aide d'adultes.

L'UEM (Union évangélique mondiale) ou Alliance évangélique universelle (AEU)/WEF (World Evangelical Fellowship) a été créée en 1951, par réorganisation de l'Alliance évangélique mondiale fondée à Londres le 19 août 1846. Ses membres sont des associations évangéliques nationales réparties dans 54 pays. Le siège se trouve à Wheaton (États-Unis). Conformément à l'Épître de saint Paul aux Philippiens, elle a pour but la défense et la diffusion de l'Évangile.

Autres organisations religieuses

L'AIU (Alliance israélite universelle), fondée en 1860 à Paris, avec l'appui de l'avocat et homme politique Adolphe Crémieux (1796-1880), se compose de comités, chapitres et branches (totalisant 12 000 membres dans 25 pays) et siège à Paris. Elle a pour but la défense et l'enseignement de la culture juive partout dans le monde et surtout dans les pays méditerranéens et orientaux, notamment par la création et l'entretien d'écoles.

L'AJI (Agence juive pour Israël)/JAI (Jewish Agency for Israel) a été créée le 29 août 1897 à Bâle, par le 1er Congrès sioniste, sous la dénomination d'Organisation sioniste mondiale (OSM), avec pour objectif la constitution d'une terre d'accueil en Palestine pour les Juifs du monde entier. En 1929, la réunion de l'Organisation (qui continue à exister comme telle) et de groupements juifs non sionistes a abouti à la formation de l'Agence juive. Elle possède des fédérations sionistes nationales dans 45 pays et territoires et siège à Jérusalem. Son but est de faciliter l'immigration du peuple juif dans l'État d'Israël, de protéger les droits des Juifs dans le monde entier et d'aider à la préservation de leur identité culturelle en particulier par l'éducation. Depuis la naissance de l'État d'Israël (1948), l'Agence fonctionne comme la branche exécutive de l'Organisation sioniste mondiale et travaille en étroite collaboration avec le gouvernement d'Israël.

Le CJM (Congrès juif mondial)/WJC (World Jewish Congress), succédant au Comité des délégations juives fondé en 1918, a été créé le 13 août 1936 à Genève. Il réunit les communautés juives affiliées, les sections nationales et les organisations représentatives dans 69 pays du monde. Son siège est à New York. Il s'attache à renforcer l'unité du peuple juif dans le monde et à renforcer les liens des différentes communautés nationales avec Israël, à aider à l'accomplissement des aspirations du peuple juif et à assurer la pérennité de son héritage religieux, social et culturel.

La LIM (Ligue islamique mondiale), créée en mai 1962 à La Mecque (Arabie saoudite) par une Conférence islamique, avec une constitution adoptée en 1963, se compose de bureaux par branche, et de représentants d'organisations. Son siège est à La Mecque. Elle s'attache à expliquer et à répandre les principes de la culture et de la foi islamiques, à consolider l'unité et la solidarité à l'intérieur de l'Islam, et à défendre les droits et les intérêts des musulmans dans le monde.

◆ **L'ordre de Malte.** Les dignitaires de l'ordre fêtant la Saint-Jean au château de Versailles, dans la galerie des Batailles.

VOIR AUSSI • **Religions dans le monde** p. 543

La franc-maçonnerie

La franc-maçonnerie est une société secrète et, de ce fait, rarement prise en compte dans les recensements des organisations internationales non gouvernementales. Ses adhérents sont répartis dans toutes les parties du monde, mais les statistiques les concernant sont sujettes à caution. Les plus nombreux se situent aux États-Unis (4 millions ?) et en Europe occidentale, notamment en Grande-Bretagne (1 million ?), en France, où la franc-maçonnerie fut introduite vers 1725 (env. 100 000 membres), en Belgique, aux Pays-Bas, en Norvège, en Allemagne, en Autriche, en Italie et au Portugal. La franc-maçonnerie se reconstitue progressivement en Russie et dans les anciennes démocraties populaires d'Europe de l'Est, où elle avait disparu ; sa situation est précaire dans les pays musulmans ; elle fut interdite en Espagne à l'époque du général Franco et autorisée de nouveau après la mort du Caudillo.

Les maçons font remonter leur origine aux temps bibliques et antiques, et font intervenir les mystères égyptiens et grecs, les traditions des croisés et des Templiers. Historiquement, une maçonnerie « de métier » est attestée au Moyen Âge, à l'époque des bâtisseurs de cathédrales. Suit une période de transition (XVIe-XVIIe s.) au cours de laquelle la maçonnerie, qui réunit ses adhérents en groupements appelés loges, s'ouvre à des membres qui ne sont pas des artisans maçons. Enfin, la maçonnerie moderne, qui n'a plus rien à voir avec les métiers du bâtiment, naît au début du XVIIIe s. En 1717 est créée la Grande Loge de Londres (qui devient quelques années plus tard la Grande Loge d'Angleterre) ; en 1723 sont promulguées les Constitutions d'Anderson.

Les francs-maçons sont groupés en loges autonomes, dirigées par un président élu appelé Vénérable et par un collège d'officiers (surveillant, orateur, expert, secrétaire, trésorier, etc.). Dans le cadre national, les loges qui choisissent de s'apparenter se groupent en obédiences que l'on appelle Grande Loge ou Grand Orient : ainsi, en France, le Grand Orient de France groupe 500 loges et 40000 membres, et la Grande Loge de France, qui réunit 420 loges et environ 20000 membres. Ces obédiences sont dirigées chacune par un Grand Maître, des grands officiers et un conseil.

◆ **L'épée flamboyante.**
Cette épée dont la lame ondulée rappelle les oscillations d'une flamme soumise à un vent léger symbolise la pensée vivante. Le Vénérable l'utilise pour conférer l'initiation, selon un rituel qui s'inspire de la chevalerie. Pour ceux qui y adhèrent, la franc-maçonnerie est avant tout une école d'initiation, un moyen de progresser sur le plan spirituel. Le profane, qui était censé vivre auparavant dans les ténèbres, « reçoit la Lumière » quand il est initié franc-maçon.

Les loges choisissent de pratiquer un rite, c'est-à-dire un cérémonial, qui définit en particulier le nombre des degrés, ou grades, constituant le parcours du franc-maçon depuis son initiation jusqu'aux plus hautes responsabilités. Les rites les plus importants sont : le Rite Émulation (en Grande-Bretagne surtout); le Rite écossais ancien et accepté ; le Rite d'York (États-Unis) ; le Rite français. Le rite de Memphis-Misraïm et le Rite Écossais rectifié sont plus rarement pratiqués.

La tenue rituelle est constituée par le tablier, ancien vêtement de travail des maçons et dernier signe des origines professionnelles de la franc-maçonnerie. La couleur et la décoration de ce tablier varient selon le grade du membre qui le porte.

◆ **Le tablier maçonnique de Maître.**
Le tablier, qui rappelle celui que portaient les tailleurs de pierre du Moyen Âge, est le véritable «vêtement» du maçon, à tous les grades. L'apprenti le porte avec la bavette relevée (ou rabattue vers l'intérieur), le compagnon et le maître, avec la bavette rabattue vers l'extérieur. Celui du maître est bordé de rouge dans le rite Écossais, de bleu dans les autres rites, et orné d'attributs symboliques. Ceux-ci servent de support à la réflexion philosophique propre au grade auquel ils se rapportent. Ici, le pélican et la croix décorent un tablier des hauts grades du Rite Écossais (le 18e degré, dit «Rose-Croix», les branches d'acacia, arbre symbolique de l'incorruptibilité, sont particulièrement attachées à la maîtrise. Jamais les maçons ne portent leur tablier devant un profane.

◆ **L'équerre et le compas.**
La franc-maçonnerie attribue une valeur symbolique morale à certains instruments, ou « outils », utilisés par les corporations du bâtiment. Parmi eux, l'équerre et le compas sont toujours représentés associés. L'équerre est le symbole de la rectitude, du droit et de la science maçonnique, le compas celui de la mesure. Ils sont ici brodés sur un « sac aux propositions », sorte d'aumônière que le maître des cérémonies fait circuler en loge avant la fermeture des travaux et où chaque « frère » (nom que les francs-maçons se donnent entre eux) peut déposer les demandes, propositions, questions, etc., qu'il désire voir soumettre à l'« atelier », c'est-à-dire à la loge en tant que groupe de travail.

8 La Vie économique

Les hommes ont très tôt cherché à définir les règles régissant la production, la distribution et la gestion des biens. Cette réflexion, entamée dès l'Antiquité, s'est développée surtout à partir de la fin du XVIIIe siècle, à l'aube de la première révolution industrielle. Comment utiliser des ressources rares – agricoles ou industrielles – pour satisfaire au mieux les besoins ? Comment accroître le profit ? Comment permettre une meilleure répartition des richesses ? Quels sont les facteurs de la croissance ? Ces questions sont rendues de plus en plus complexes par la mondialisation et la multiplication des acteurs (États, organisations internationales, firmes...) et par les intérêts financiers en jeu.

◆ **Déchargement de conteneur à quai.**

NOTIONS CLÉS

Les premiers économistes

La Grèce antique

Du VIIIe au Ve s. av. J.-C., l'économie athénienne connaît une expansion rapide due à l'esclavage, à l'exportation de produits finis comme les poteries ou le vin, et aussi à l'utilisation de la monnaie (inventée en Lydie). La défaite d'Athènes lors de la guerre du Péloponnèse contre Sparte (431-404 av. J.-C.) déclenche une crise sociale et politique: les petits agriculteurs, qui après la réforme foncière ont dû s'exiler en ville sans être certains d'y trouver du travail (puisqu'on leur préfère les esclaves), mais aussi les marchands et les affranchis, qui, en dépit de leur richesse relative bâtie sur l'expansion économique, ne disposent d'aucun droit politique, remettent en cause les lois de la cité. Dans ce contexte de crise, des philosophes s'interrogent sur le rôle de la monnaie dans l'économie.

Platon et l'économie. Dans son ouvrage *la République*, Platon (427-347 av. J.-C.) avance que l'économie doit obéir aux exigences de la justice: chacun doit se voir attribuer la fonction sociale qu'il mérite de par ses qualités. Pour éviter que la classe supérieure utilise ses richesses à des fins de domination, Platon suggère de lui interdire la propriété personnelle (en particulier celle des métaux précieux).

Plus généralement, Platon est méfiant à l'égard des mécanismes marchands, car rien ne garantit que, livrés à eux-mêmes, ils permettent d'organiser une société juste.

Aristote et l'économie. Dans le *Politique*, Aristote (384-322 av. J.-C.) adopte une position plus mesurée. Il accepte le principe de l'économie marchande, car la monnaie comme la propriété privée offrent de nombreux avantages par rapport au régime communautaire privilégié par Platon.

Mais il identifie également les excès de l'acquisition des richesses (chrématistique): il s'insurge ainsi contre l'accumulation illimitée des richesses par les activités financières et dénonce les pratiques de monopole des commerçants. Il condamne également l'activité salariée, le travail devant être le fait des esclaves.

Selon Aristote, la chrématistique et l'activité économique en général doivent donc faire l'objet de contrôles. Mais pour que ces contrôles soient efficaces, l'activité économique doit d'abord être comprise et étudiée.

Le Moyen Âge

L'Europe entre au Ve s. dans une période de troubles marquée par le morcellement de l'Empire romain, l'insécurité permanente, le recul des échanges commerciaux, la régression de la civilisation urbaine et de la culture écrite. Le pouvoir politique se fragmente (c'est la féodalité) et, dans ce contexte, seule l'Église occupe l'espace culturel, notamment à travers l'œuvre de saint Augustin (354-430). Celui-ci prône dans *la Cité de Dieu* un désengagement de l'Église vis-à-vis des problèmes politiques et sociaux, la «cité terrestre» n'étant pas digne de l'intérêt des chrétiens. Toutefois, la reprise économique qui s'amorce au XIe s. (perfectionnement des techniques de labourage, développement du commerce méditerranéen) et la restauration du pouvoir royal sous l'impulsion des Capétiens obligent l'Église à renouveler sa doctrine officielle. Ce sera l'œuvre de saint Thomas d'Aquin (1225-1274).

La doctrine du juste prix. On retrouve chez saint Thomas d'Aquin, et en particulier dans son ouvrage, *Somme théologique*, la plupart des analyses et des concepts d'Aristote. Le premier condamne toutefois l'esclavage prôné par le second. Il s'agit également pour l'homme d'Église de moraliser le fonctionnement de l'économie marchande. Les actes d'échanges et de partage des revenus doivent rester justes, selon la doctrine du juste prix, du juste salaire et du juste profit. Ainsi, le prix demandé par l'artisan doit simplement lui assurer une existence matérielle convenable, c'est-à-dire couvrir ses dépenses de matières premières et d'outillage ainsi que l'entretien de sa famille. Les exigences de chacun doivent donc rester modérées, de telle sorte que le commerce, la monnaie et la propriété privée allient l'efficacité à la justice.

La pensée mercantiliste

Après la Peste noire (1359) et la guerre de Cent Ans, qui provoquent un véritable effondrement démographique, la seconde moitié du XVe s. voit la population progresser à nouveau et, avec elle, l'activité économique. Ce mouvement est accéléré par les grandes découvertes (découverte de l'Amérique, contournement du cap de Bonne Espérance), les progrès agricoles (rotation des cultures) et techniques (invention de l'imprimerie, exploitation minière), ainsi que par de profonds changements culturels (Renaissance et remise en cause de l'autorité de l'Église), politiques (État centralisateur) et sociaux.

En particulier, on assiste à la remonétarisation de l'économie: la croissance des échanges internationaux (épices, tabac, maïs, or, mais aussi esclaves) et des volumes de production placent le commerce et la monnaie au centre de la vie économique. L'économie naturelle, où les richesses sont réparties de manière autoritaire selon le statut de chacun, est remise en cause par les opportunités de profit qu'entraîne la croissance du commerce, et l'on assiste à la montée en puissance de la classe des marchands (manufacturiers, armateurs, banquiers).

Les trois mercantilismes. Il n'y a pas d'école de pensée mercantiliste au sens strict du terme. Les auteurs du XVIIe s., dont John Locke est le plus célèbre, partagent surtout des préoccupations et des positions qui les distinguent de la future pensée économique classique. Selon eux, la pensée économique doit s'affranchir de la pensée religieuse: les mercantilistes prônent donc la sécularisation de la pensée économique. Les questions économiques sont ensuite abordées sous deux angles principaux: l'enrichissement des marchands et la puissance de l'État, qui sont donnés comme des facteurs positifs. Ces préoccupations donnent naissance à l'économie politique (le terme apparaît pour la première fois en 1615 sous la plume du Français Antoine de Montchrestien). Les mercantilistes souhaitent démontrer la communauté d'intérêts existant entre l'État et les marchands, la puissance du premier passant par l'enrichissement des seconds: un moyen efficace d'enrichir l'État est d'avoir une balance commerciale excédentaire (les flux d'entrée des métaux précieux l'emportant sur les flux de sortie), ce qui nécessite de favoriser l'activité des marchands (doctrine de la balance commerciale). Les mercantilistes sont donc partisans de l'interventionnisme: l'État doit intervenir dans la vie économique, par exemple en restreignant les importations et/ou en incitant à l'exportation de produits manufacturés. De manière générale, le commerce extérieur est conçu comme la continuation de la guerre par d'autres moyens et il ne peut être profitable aux deux échangistes.

Petit lexique

chrématistique: terme employé par Aristote dans le *Politique* et qui désigne le processus d'acquisition de richesses mis en place par les individus.

intérêt : somme que le débiteur paie au créancier en rémunération de l'usage de l'argent prêté ; plus le taux d'intérêt est élevé, plus il est intéressant de placer de l'argent.

mercantilisme: doctrine économique développée au XVIIe siècle en France et en Angleterre, qui met l'accent sur le rôle de l'État et du commerce extérieur dans l'accroissement de la richesse nationale.

monnaie: dans une économie d'échange, instrument qui occupe trois fonctions: celle d'unité de compte (en exprimant en une seule et même unité la valeur de tous les biens et services échangés), celle d'intermédiaire des échanges (puisque la monnaie permet d'acheter toutes les marchandises), celle de réserve de valeur (en permettant de reporter à plus tard des décisions d'achat ou d'investissement; par rapport aux autres placements financiers, la monnaie est un actif sans risque, sauf en cas d'inflation, mais au rendement nul).

John Locke

Médecin et philosophe anglais, John Locke devient commissaire royal au commerce et aux colonies après l'établissement de la monarchie parlementaire en Angleterre. Il est l'auteur du *Traité du gouvernement civil* (1690) dans lequel il expose sa théorie du droit naturel et s'oppose à l'absolutisme. Dans *Considérations sur les conséquences de l'abaissement de l'intérêt et de l'élévation de la valeur de la monnaie* (1691), il expose une analyse typiquement mercantiliste du commerce extérieur : la richesse d'un pays dépend essentiellement de ses excédents commerciaux. En ce qui concerne le taux d'intérêt, Locke s'oppose à la doctrine du juste prix de saint Thomas d'Aquin : rien ne justifie de réglementer le taux d'intérêt pour qu'il soit plus «juste». Par ailleurs, bien avant les classiques, John Locke expose la théorie de la valeur travail, selon laquelle la valeur d'un bien dépend du travail que sa production a nécessité. Il y introduit toutefois plusieurs considérations nouvelles sur le rôle de l'intérêt et de la monnaie qui préfigurent la théorie quantitative de la monnaie et la réflexion des économistes classiques.

Libéralisme et marxisme

Le contexte

La pensée libérale apparaît en même temps que se développe la révolution industrielle. À la fin du XVIIIe s. en effet, la croissance soutenue de la production industrielle (textile et métallurgique, surtout) «tire» l'ensemble de l'économie à un rythme de 2% par an. Jamais sans doute une société n'avait connu un accroissement de sa production aussi rapide sur une aussi longue période. Le phénomène, parti d'Angleterre, gagne progressivement l'Europe continentale, l'Amérique du Nord et le Japon.

Cette croissance est due à des innovations techniques dans les industries et dans la production agricole et à un climat institutionnel et favorable à l'investissement et à la croissance.

La révolution industrielle s'accompagne de transformations sociales: la part de la population active employée dans l'industrie et les services croît rapidement; l'urbanisation progresse; le travail en usine se développe et se déqualifie; le travail des femmes et des enfants se généralise, tandis que les conditions de travail sont souvent très dures (12 à 15 heures par jour en moyenne dans les pays européens jusqu'en 1860); les salaires, qui ne connaîtront aucune hausse avant les années 1850, se limitent au minimum vital. Il faut enfin attendre 1864 pour que soit reconnu le droit de grève, la résistance ouvrière se traduisant périodiquement par des révoltes violentes (canuts lyonnais en 1831), et par l'émergence d'organisations visant à défendre les intérêts des ouvriers.

Les classiques

L'expression «économistes classiques» est utilisée par Karl Marx pour désigner les économistes des XVIIIe et XIXe s., tels Adam Smith ou David Ricardo, qui, tout en développant des outils d'analyse économique, ont fait l'apologie du capitalisme libéral.

La source de la valeur. Dans l'*Éthique à Nicomaque*, Aristote se demandait pourquoi une maison s'échangeait contre un nombre déterminé de paires de chaussures. La première explication, élaborée notamment par Jean-Baptiste Say (1767-1832), a trait à l'utilité des biens échangés. Mais comme le souligne Adam Smith (1723-1790), cette tentative ne peut expliquer le paradoxe de l'eau et du diamant: l'eau ne vaut pas cher en comparaison du diamant et pourtant elle est bien plus utile. Pour Adam Smith et plus tard pour David Ricardo (1772-1823), la mesure réelle de la valeur échangeable de toute marchandise, c'est le travail que cette marchandise a nécessité.

Le rôle de l'État. Dans le système décrit par Adam Smith, la conjonction de l'intérêt personnel et de la concurrence assure l'efficacité et l'équilibre des marchés, comme si une «main invisible» ordonnait les intérêts individuels dans un sens conforme à la prospérité générale. Deux fonctions sont tout de même reconnues à l'État: celle de protéger ses sujets contre la violence et l'injustice et celle d'organiser les activités dont la société retire une grande utilité mais qui ne peuvent être entreprises par les particuliers (pour ceux-ci, le profit ne pourrait en compenser la dépense). L'État doit en revanche se garder d'une intervention trop importante dans l'économie car il ne dispose ni des incitations ni des compétences nécessaires pour diriger les activités économiques des particuliers.

Croissance et crise. La croissance est d'abord obtenue par des gains de spécialisation: chacun se spécialise dans ce qu'il fait le mieux, ce qui permet une plus grande productivité et des prix plus faibles, entraînant une augmentation de la demande. L'augmentation de la spécialisation crée encore plus de croissance, favorisant l'investissement et l'épargne. Enfin, l'offre va créer sa propre demande: chaque produit vendu permet à son vendeur d'acheter un autre produit (loi des débouchés). La seule faille de ce système est la thésaurisation : l'argent gagné qui n'est pas réutilisé peut être un facteur de crise, puisque cela implique une baisse de la demande, puis de l'offre.

L'œuvre d'Adam Smith

Né en Écosse, enseignant à l'université de Glasgow, Adam Smith est le premier, et certainement le plus célèbre, des économistes dits classiques. Son ouvrage majeur, *Recherches sur la nature et les causes de la richesse des nations* (1776), est considéré comme un tournant dans l'histoire de la pensée économique. Sa méthode (intégrer dans son analyse tous les aspects de la vie économique), son intérêt pour les mécanismes de la croissance économique, et surtout son argumentation en faveur du libéralisme économique, notamment à travers la célèbre «main invisible», font d'Adam Smith un des pères de l'économie contemporaine, même si on a souvent déformé le caractère nuancé de ses conclusions.

Ce serait ainsi une erreur de croire que cet auteur ne perçoit aucune des faiblesses du libéralisme. Il expose clairement le rôle des rapports de force dans les relations sociales, met en relief les inconvénients de la non-intervention de l'État et appréhende la valeur et la formation des prix selon une optique que rejetteront les néoclassiques et les libéraux actuels.

Karl Marx

Malgré l'harmonie qui semble régner dans le monde économique tel qu'il est décrit par les classiques, la vie quotidienne de la majeure partie de la population est misérable. Les premiers socialistes français, comme Pierre Proudhon (1809-1865) ou Charles Fourier (1772-1837), cherchent des remèdes à cette misère : le premier souhaite abolir la propriété privée, le second préconise une vie en communauté dans les phalanstères, sortes de communautés autogérées. Nul, parmi ces critiques du capitalisme, ne suscitera autant l'attention que Karl Marx (1818-1883).

Pour ce dernier, la société ne se résume pas à un réseau d'échanges impersonnels. Au contraire, la société est divisée en deux classes distinctes : celle qui détient les moyens de production (les capitalistes) et celle des ouvriers, qui n'ont que leurs bras pour gagner un salaire. Tous les mouvements de la société, y compris l'évolution économique, peuvent être analysés à partir de l'affrontement des intérêts des deux classes.

Marx se fait alors le critique virulent du capitalisme. Si la valeur d'un bien se mesure au travail qu'il a nécessité et si tout se vend à sa valeur-travail, la seule source de profit (ou de plus-value) possible, selon lui, réside dans l'exploitation des ouvriers par les capitalistes, qui disposent du monopole des moyens de production: le capitaliste paie à l'ouvrier un salaire juste suffisant pour que celui-ci continue de vivre.

Mais la concurrence entre ces capitalistes va réduire leurs profits et la seule solution pour conserver ces profits est la croissance de l'entreprise. Pour éviter une hausse des salaires, celle-ci s'effectue par la substitution du capital (machines) au travail. Le chômage paralyse la hausse des salaires. Mais, en substituant des machines aux hommes, le capitaliste supprime également sa principale source de plus-value : l'exploitation de la main-d'œuvre. En effet, la machine qu'il achète est détenue par un autre capitaliste et vendue à sa vraie valeur : par conséquent, elle ne peut être une source de profits. Le taux de profit ne peut donc que baisser jusqu'à ce que la production devienne plus rentable, et ce d'autant plus rapidement que, le chômage augmentant, la consommation décline. Seules les grandes entreprises restent alors viables (car elles ont les coûts les plus faibles), mais la course au profit entre ces entreprises entraîne une nouvelle crise, et ainsi de suite jusqu'à la crise finale. Pour Marx, la solution consiste alors à substituer à la coordination des volumes de production, des prix et des salaires par le marché une coordination gérée par l'État, à travers laquelle les hommes chercheraient à décider collectivement de ce qu'il convient de produire.

Si les thèses de Marx ont reçu un large écho, il ne faut pas en sous-estimer la fragilité, notamment lorsque Marx assimile la valeur-travail à la valeur des biens produits (due aux prix). Au contraire, certaines des lois tendancielles du capitalisme, comme la substitution du capital au travail ou la croissance des entreprises, restent vraies aujourd'hui.

VOIR AUSSI
• **Karl Marx** p. 967

Petit lexique

capitalisme : système économique fondé sur le comportement individuel des agents économiques, le rôle des prix comme régulateur de la répartition des biens, la propriété privée, la liberté d'entreprise, l'accumulation et la concentration du capital, la mise en concurrence des individus et des entreprises.

libéralisme : doctrine économique exprimant la croyance dans la liberté individuelle (liberté d'entreprendre, liberté de concurrence, liberté de propriété privée, etc.) et dans les mécanismes de marché et d'échange.

monnaie neutre : théorie monétaire selon laquelle la monnaie n'influe pas sur le niveau de la production mais seulement sur le niveau général des prix.

L'affirmation de la pensée libérale

Le contexte

Les années 1870-1914 sont celles du capitalisme triomphant dans les pays gagnés par la révolution industrielle. Une nouvelle vague d'innovations concernant notamment les industries chimiques et électriques soutient la croissance à partir de la fin du XIXe s. L'expansion ne se fait cependant pas sans heurts : le processus de croissance connaît des crises brèves, mais profondes, tandis que la rivalité entre grandes puissances est exacerbée par les conquêtes coloniales. Certaines des lois tendancielles prévues par Marx se vérifient : le grand capital s'accroît, les crises récurrentes et le chômage sévissent. Mais la misère du prolétariat n'augmente pas. Au contraire, elle se réduit, les salaires croissant et les heures de travail (la source même de la célèbre plus-value) diminuant.

Cette amélioration des conditions de vie peut être attribuée en partie à l'impérialisme et aux colonies. Il ne faut pas oublier qu'une des motivations communes des conquêtes de territoires était le profit et si toutes les industries ne bénéficiaient pas des marchés coloniaux, d'autres n'auraient pu s'en passer. Certaines colonies permettent d'ailleurs des dividendes exceptionnels aux investisseurs (jusqu'à 50 % du capital investi pour certaines matières premières comme le thé, le café, le cacao). De manière générale, les populations des colonies sont devenues le prolétariat du prolétariat en même temps qu'elles améliorent leurs propres profits et leurs conditions de vie. Rien d'étonnant donc à ce que l'impérialisme fût une politique populaire auprès de l'électorat.

Le monde semble par conséquent plein de promesses. Grâce à ses transformations et innovations, le système capitaliste renaît de ses crises avec une vigueur nouvelle et contredit le pessimisme de Marx. Parallèlement, l'économie cesse d'être un lieu de débat sur la marche générale de la société et devient le domaine de professionnels dont les investigations portent surtout sur des points techniques souvent obscurs pour le grand public.

La rupture avec les classiques

Les économistes néoclassiques (dont les plus célèbres représentants sont Léon Walras, Alfred Marshall, Arthur Pigou et Friedrich von Hayek) partagent avec les classiques une large adhésion aux principes du libéralisme économique, à la loi des débouchés et à la théorie quantitative de la monnaie. Mais le terme de « néoclassique » ne doit pas masquer les éléments de discontinuité.

D'abord, les néoclassiques remettent en cause la dissociation valeur d'échange/utilité (paradoxe de l'eau et du diamant) mise en avant par Adam Smith puis par David Ricardo : la valeur d'un bien se fonde sur le jugement subjectif de chaque individu quant à l'utilité de la détention de ce bien, et sur la rareté de ce même bien. Cette utilité varie d'un individu à l'autre, mais également en fonction de la quantité de biens dont dispose l'individu ; dans de nombreux cas, l'utilité marginale de chaque unité baisse en proportion de la quantité déjà détenue. C'est la révolution marginaliste qui s'applique non seulement à l'utilité, mais également aux profits, aux salaires ou à toute autre variable. Cette approche se prête à des calculs de maximisation d'objectifs (profits, utilité), comme l'a notamment montré le Britannique Alfred Marshall (1842-1924), et ce par le biais de la formalisation mathématique, dont les économistes de cette époque et d'aujourd'hui aiment à vanter la clarté et l'exactitude. Ce faisant, l'économie se déshumanise car les mathématiques obligent à la formulation d'hypothèses comportementales : apparaît l'*Homo economicus*, être parfaitement rationnel et dont l'unique souci est de maximiser son bien-être.

Les néoclassiques

L'économie néoclassique ne constitue pas un courant théorique uniforme ; trois écoles de pensée sont généralement distinguées.

L'école de Lausanne. À maints égards, cette école élabore une formulation mathématique des doctrines classiques. Le Français Léon Walras (1834-1910) montre ainsi que le mécanisme des prix assure l'équilibre général, c'est-à-dire l'équilibre entre l'offre et la demande sur plusieurs marchés interdépendants, et ce dès que la concurrence est pure et parfaite (nombre élevé d'acheteurs et de vendeurs, information parfaite, libre entrée sur le marché, produits parfaitement similaires entre eux). Cet équilibre général est optimal dans le sens où l'on ne peut améliorer la situation d'un agent économique sans diminuer celle d'un autre. Le Britannique Francis Edgeworth (1845-1926) et l'Italien Vilfredo Pareto (1848-1923) développeront des outils d'analyse économique, comme les courbes d'indifférence ou l'optimum de Pareto, qui restent très utilisés dans la science économique contemporaine.

L'école anglaise. En introduisant une dimension temporelle ou encore en étudiant des équilibres partiels sur un marché unique, cette école va s'efforcer d'intégrer la question du bien-être social, ce qui fait souvent défaut à l'école de Lausanne. Bien que libéraux, ces économistes, et notamment Alfred Marshall et Arthur Pigou (1877-1959), sont également amenés à justifier l'intervention de l'État dans certaines situations bien précises. Ainsi, la décroissance des coûts de production avec le volume de production conduit les firmes à produire des volumes illimités et à gaspiller leurs propres ressources : l'État doit alors intervenir pour organiser le monopole d'une telle activité de production (sans quoi les prix sont trop élevés puisqu'il n'y a pas de concurrence). De même, les gains sociaux qui ne peuvent être reconnus par le marché (le « bien-être non économique ») ou les externalités (effets d'une décision d'un agent sur l'utilité, c'est-à-dire la satisfaction d'un autre agent) sont des exemples d'imperfections du marché qui, aujourd'hui encore, alimentent la recherche économique. On retrouve en effet le concept d'externalité dans les travaux portant sur la pollution (une usine polluante réduit l'utilité des agents qui en pâtissent sans compenser cette perte d'utilité ou de satisfaction) ou sur les technologies (le développement d'une technologie augmente les profits d'autres firmes qui peuvent imiter cette technologie ou s'en inspirer). Puisque ces effets ne transitent pas par des prix, il y a excès de pollution (puisque polluer ne coûte rien) et insuffisance de recherche de nouvelles technologies (puisque toutes les firmes préfèrent imiter les technologies existantes plutôt que d'en développer de nouvelles).

L'école autrichienne. Certainement la plus atypique du courant néoclassique. Ses caractéristiques sont en effet les suivantes : 1) elle rejette la modélisation mathématique (Friedrich von Mises, 1851-1926) et exprime au contraire un souci de réalisme, notamment avec Friedrich von Hayek (1899-1992), qui lève l'hypothèse d'information parfaite posée par Léon Walras ; 2) c'est précisément de cette information imparfaite que naît la supériorité du marché, qui confie chaque activité productive au mieux informé (Friedrich von Hayek se fonde sur une analyse des prix du marché) ; 3) elle étudie les phénomènes de croissance et d'innovation (Joseph Schumpeter, 1883-1950) ; 4) passionnément libérale, elle associe marché et liberté individuelle, chaque entrave au jeu se fondant sur une analyse des prix du marché qui constitue potentiellement un pas de plus sur « la route de la servitude » (F. von Hayek, prix Nobel d'économie en 1974).

L'œuvre de Schumpeter

Ministre des Finances de l'Autriche en 1919 puis professeur d'université aux États-Unis, Joseph Schumpeter (1883-1950) se place en marge du courant de pensée dominant. Dans ses ouvrages, *Capitalisme, socialisme et démocratie* (1942) ou *les Cycles des affaires* (1939), il s'intéresse à la notion de « création destructrice » ou de « déséquilibre créateur », sous la forme d'innovations introduites par des entrepreneurs à la recherche de profits. À l'instar de Marx, dont il ne partage pas d'ailleurs les opinions politiques, il se préoccupe de la destinée du système capitaliste. La population des entrepreneurs étant selon lui appelée à diminuer inexorablement, il fait preuve de pessimisme sur l'avenir du capitalisme. Quelle que soit la validité de ses conclusions à cet égard, l'érudition de Schumpeter, son originalité et surtout son analyse des processus d'innovation ont amené certains à considérer ses apports comme majeurs, tant pour l'analyse des stratégies des entreprises que pour l'évolution des économies. Schumpeter est également l'auteur d'une célèbre *Histoire de l'analyse économique* (inachevée, publiée en 1954).

Petit lexique

courbe d'indifférence : ensemble des combinaisons de deux biens qui procurent la même utilité à un agent.

optimum : situation dans laquelle il n'est pas possible d'améliorer l'utilité d'un agent sans détériorer celle d'un autre agent.

utilité marginale : mesure de la variation de l'utilité (ou satisfaction) totale d'un consommateur lorsque ce dernier augmente la consommation d'un bien donné d'une unité.

valeur : richesse créée par des agents économiques et incorporée dans un bien. Pour Adam Smith, la valeur d'un bien est déterminée par la quantité de travail nécessaire à sa production.

La révolution keynésienne

Le contexte

Après huit années de prospérité, une crise économique éclate en 1929 aux États-Unis. Elle se propage en Europe, mais aussi dans le tiers-monde, durement affecté par la baisse du prix des matières premières. Les symptômes de la crise sont classiques (chute de la production, ralentissement du commerce international, déflation), mais d'une ampleur et d'une durée inhabituelles. La précédente crise, en 1921, avait en effet été résorbée en quelques mois.

Dans un premier temps, la plupart des gouvernements ne réagissent guère, croyant à une autre crise passagère; mais, au début des années 1930, l'ampleur des dégâts devient réellement inquiétante. Chaque pays essaie alors de rejeter les effets de la crise chez ses voisins en recourant soit à des mesures protectionnistes (comme les droits de douane), soit à des dévaluations monétaires, qui rendent les exportations plus compétitives. Parce qu'elles entraînent le recul du commerce international, ces politiques ne font qu'aggraver la crise.

Si ces événements renforcent les marxistes dans leur analyse, ils constituent un défi pour les libéraux. En effet, la crise semble faire la démonstration que les seuls mécanismes de marché ne parviennent pas à ramener l'équilibre. Alors que jusqu'à présent le chômage se résorbait grâce aux baisses des salaires, il persiste ainsi tout au long des années 1930. Les libéraux attribuent ce déséquilibre à la diminution des mécanismes concurrentiels sur le marché du travail (comme la montée en puissance des syndicats ou l'indemnisation du chômage, qui rendent les salaires rigides à la baisse). Mais l'argumentation néoclassique est contredite par les effets positifs de l'intervention étatique menée aux États-Unis ou en Suède à partir de 1933.

Les apports de Keynes

L'objectif principal de l'économiste britannique John Maynard Keynes est d'expliquer le chômage. Pour l'analyse économique classique, le chômage n'a pas à exister : le marché du travail est naturellement en équilibre grâce aux variations des salaires. S'il existe, le chômage ne peut être que volontaire (les travailleurs trouvent les salaires trop bas) ou frictionnel : c'est le cas par exemple lorsque les employeurs veulent des travailleurs qualifiés et qu'ils n'en trouvent pas, les travailleurs non qualifiés, eux, ne trouvant pas d'emploi.

Keynes va d'abord montrer que le chômage peut être involontaire. Supposons que l'offre de travail dépasse la demande. Théoriquement, une baisse des salaires devrait permettre aux employeurs d'embaucher un plus grand nombre de personnes. Keynes considère au contraire qu'une baisse des salaires entraîne d'abord une baisse des revenus des ménages et donc une baisse de la consommation. Les dirigeants d'entreprise prennent cette baisse en compte dans leurs anticipations et décident de réduire leurs investissements, leur offre de produits et donc le nombre de leurs employés. Autrement dit, pour Keynes, le fait que les salariés résistent à toute réduction de leur salaire est un bienfait pour l'économie.

John Maynard Keynes

Après des études d'économie à l'université de Cambridge, Keynes (1883-1946) mène une carrière de haut fonctionnaire et de professeur d'économie. À la fin de la Première Guerre mondiale, il démissionne et quitte la conférence de la paix pour montrer son désaccord au sujet des réparations imposées à l'Allemagne, qui selon lui appauvriront l'Europe tout entière et développeront les antagonismes qui la déchirent déjà.

Pendant les années 1920, Keynes s'intéresse à la montée du chômage en Grande-Bretagne, qu'il attribue à la surévaluation de la livre et à ses effets déflationnistes. La montée des importations induite par le taux de change élevé de la livre contraint les producteurs nationaux à baisser leurs prix; leurs profits diminuant, ils licencient, et le chômage augmente.

Dans ses deux principaux ouvrages (*Théorie sur la monnaie*, 1931, et *Théorie générale de l'emploi, de l'intérêt et de la monnaie*, 1936), Keynes rompt avec la tradition classique en se fondant sur une conception hétérodoxe de la monnaie. Il analyse la crise et le chômage comme les résultats d'une insuffisance de la demande globale de biens et services, qui peut nécessiter l'intervention de l'État.

Sa popularité grandissante l'amène à la direction de la Banque d'Angleterre. À la fin de la Seconde Guerre mondiale, le plan Keynes prévoit la création d'une banque centrale mondiale émettant une monnaie internationale (le « bancor »). Mais, à Bretton Woods (1944), ce plan est délaissé au profit du projet américain qui fait du dollar le pivot des relations monétaires internationales. Keynes meurt peu après, en 1946.

Le rôle de la demande. Pour les économistes classiques, la clé de la prospérité réside dans l'offre des entreprises, puisque, selon la loi des débouchés, l'offre crée la demande. Dès lors que les entreprises sont en bonne santé et parviennent à améliorer leur productivité, il ne peut y avoir de crise : l'offre créée par les entreprises crée des salaires et des revenus qui permettent de consommer ou sont investis.

De nouveau, Keynes s'oppose aux théories classiques. Comme Thomas Malthus (1766-1834) bien avant lui, il considère que la monnaie est un bien comme un autre et qu'elle peut être conservée (thésaurisée) en tant que telle, sans être ni consommée ni investie. Dans un monde où règne l'incertitude, la monnaie joue un rôle psychologique important, qui est de rassurer celui qui la détient. La demande de monnaie va donc dépendre de la psychologie des agents économiques, selon qu'ils sont anxieux ou optimistes quant à l'avenir. Elle est donc hautement instable, et la loi des débouchés, si cruciale dans la théorie classique, est remise en cause : la dépense n'est plus la conséquence nécessaire de la perception d'un revenu monétaire. L'offre ne crée plus sa propre demande et des situations de déséquilibre peuvent en résulter.

Si la demande ne découle plus automatiquement de l'offre produite, les entreprises doivent donc intégrer ce facteur dans leurs calculs économiques. La demande détermine par conséquent l'offre des entreprises, c'est-à-dire leur niveau d'investissement et d'emploi. Or les entreprises devant anticiper cette demande, elles peuvent, à tort ou à raison, être pessimistes et anticiper une faible demande. Dès lors, elles investissent peu, emploient peu. Les faibles revenus et l'inquiétude quant à l'avenir réfrènent la consommation des ménages. L'économie entre en crise.

Théoriquement, une baisse des taux d'intérêt devrait rendre l'investissement moins coûteux et permettre ainsi d'augmenter la production, donc l'investissement, l'emploi et les revenus des ménages. Mais une réduction des taux d'intérêt ne favorise guère l'épargne : comment les entreprises peuvent-elles investir si personne n'est disposé à leur prêter de l'argent? Il n'y a donc aucune raison pour que l'économie sorte de la crise : les mécanismes autorégulateurs prévus par les économistes classiques ne fonctionnent plus dès lors que la loi des débouchés est remise en cause.

Pour une intervention de l'État. Si les mécanismes autorégulateurs (salaires, prix, taux d'intérêt) ne permettent pas à l'économie de sortir de la crise, c'est à l'État d'intervenir pour corriger les comportements et les anticipations. Il dispose pour cela de plusieurs solutions. Il peut d'abord augmenter les dépenses publiques. Qu'elles prennent la forme d'investissements (construction de bâtiments par exemple) ou de transferts monétaires vers les ménages (allocation chômage, hausse des retraites, etc.), les dépenses publiques permettent d'augmenter la demande. Par conséquent, la production s'accroît également et le chômage diminue.

Toutefois, l'argent étant un bien comme un autre, plus les firmes investissent, plus elles doivent en demander aux banques, et plus le prix de cet argent (le taux d'intérêt) va augmenter. Pour compenser cette réaction, négative pour l'investissement et la croissance de l'économie, l'État peut décider de mener une politique monétaire expansionniste : il augmente la quantité de monnaie en circulation dans l'économie; les ménages prêtent leur argent plus facilement, et le taux d'intérêt diminue.

Selon Keynes, le krach de 1929 a incité les agents économiques à conserver leurs liquidités tout en déprimant les anticipations des dirigeants d'entreprise. Il en est résulté une réduction de l'investissement et donc une réduction de l'ensemble de l'activité. Dans une telle situation, il n'y a pas de mécanisme purement économique permettant le retour à la prospérité. L'État doit donc intervenir pour ramener l'activité à un niveau de plein-emploi. Keynes justifie ainsi les politiques interventionnistes, comme celle menée par Roosevelt aux États-Unis : la politique des grands travaux a permis de réduire le taux de chômage, d'augmenter les revenus et la consommation, et ainsi de stimuler la production des entreprises.

Petit lexique

chômage : situation dans laquelle un agent économique ne trouve pas de travail et se déclare en recherche d'emploi.

VOIR AUSSI 

• **Crise de 1929** p. 804 à 806

La pensée contemporaine

Keynes...

Bien que Keynes soit mort en 1946, les Trente Glorieuses sont les décennies du keynésianisme, aussi bien pour les gouvernements, qui adoptent ses recommandations de politique économique, que pour les économistes qui poursuivent son analyse. Cela ne signifie pas pour autant l'abandon des théories classiques ou néoclassiques. Au contraire, on assiste avec l'Américain Paul Samuelson (né en 1915) à une synthèse des deux courants.

L'école de la synthèse. Selon Samuelson, le keynésianisme doit amener l'économie à un équilibre de plein-emploi, les principes néoclassiques redevenant alors valides. L'école de la synthèse, avec en particulier le Britannique John Hicks (1904-1989), formalise le raisonnement de la *Théorie générale*. L'inconvénient de cette formalisation est qu'elle donne une idée faussement mécaniste des analyses de Keynes : le climat des affaires ou l'incertitude agissant sur les comportements de thésaurisation sont plus ou moins évacués de l'analyse.

La synthèse néoclassique souhaite également remédier aux lacunes de la *Théorie générale* de Keynes, notamment en explicitant la fixation des salaires nominaux (par opposition aux salaires réels, pondérés par le niveau général des prix). Représentant la relation entre taux de chômage et taux de variation du salaire nominal en Grande-Bretagne pour la période 1861-1957, la « courbe de Philips » montre que plus le chômage est bas, plus les salaires (nominaux) sont élevés. Cette courbe sera transformée en une courbe inflation/chômage par les Américains Robert Solow (né en 1924) et Paul Samuelson : en effet, des hausses de salaires nominaux qui ne sont pas justifiées par une plus grande productivité du travail font augmenter les prix. Il est alors difficile d'assurer à la fois plein-emploi et stabilité des prix.

Les nouveaux keynésiens. Né dans les années 1980, le courant des nouveaux keynésiens ambitionne d'expliquer certains des postulats mis en avant par l'école de la synthèse, comme la rigidité des salaires ou des prix, et d'analyser leurs effets sur l'économie.

Une explication de la rigidité des prix face aux variations de la demande ou à la concurrence a trait aux coûts impliqués par la modification des prix. Une autre réside dans le caractère monopolistique des industries, la concurrence entre les firmes portant souvent non sur les prix mais, par exemple, sur la qualité des produits.

Le marché du travail est également l'objet d'importantes études de la part de ces économistes : pour certains, les salaires élevés exercent un effet direct et positif sur la productivité, d'une part en attirant les candidats les plus qualifiés, d'autre part en motivant les employés. Le salaire accordé par les firmes devient supérieur au salaire d'équilibre égalisant offre et demande de travail.

D'une manière générale, les nouveaux keynésiens visent donc à démontrer que les « imperfections » microéconomiques (par exemple, lorsqu'un patron et un employé négocient un salaire) amènent des rigidités macroéconomiques (comme la non-adaptation des salaires à l'offre et à la demande de travail). À nouveau, l'intervention de l'État peut être souhaitable.

... et ses détracteurs

En opposition à la révolution keynésienne s'est développée une « contre-révolution monétariste » qui vise à démontrer la stabilité inhérente aux économies de marché et prône par conséquent la méfiance à l'égard de l'interventionnisme keynésien.

Les monétaristes. Au cœur des théories monétaristes, le versant monétaire de l'économie : inflation et masse monétaire sont les éléments déterminants de la vie économique. Grâce à la théorie du revenu permanent, Milton Friedman (né en 1912) montre l'inefficacité des politiques de relance de la demande : une politique monétaire expansionniste, c'est-à-dire une augmentation de l'offre de monnaie, semble alors bien plus efficace. Mais lorsque Keynes propose d'augmenter la masse monétaire (ce qui doit induire une baisse du taux d'intérêt et une hausse de l'investissement et de la consommation), il néglige les effets de cette politique sur les prix et donc sur les salaires exigés par les employés. Or, selon la théorie quantitative de la monnaie, une augmentation de la masse monétaire entraîne une hausse des prix. Les agents économiques prennent cette inflation en compte pour leurs exigences de salaires. Une politique keynésienne n'a donc d'effets qu'à court terme : dans un premier temps, les offres d'emploi augmentent, puis les salaires s'accroissent pour compenser l'inflation, et le chômage réapparaît.

Les monétaristes identifient alors un taux de chômage naturel, fonction de la structure du marché du travail (taux de syndicalisme, existence d'un salaire minimum), que les politiques keynésiennes ne peuvent durablement réduire : celles-ci n'ont qu'un effet de court terme, jusqu'à ce que les agents constatent l'inflation ou les hausses d'impôts et s'y adaptent (en augmentant par exemple leurs exigences en termes de salaire). Pour réduire le taux de chômage naturel, il faut accroître la flexibilité du marché du travail, ce qui passe par une réduction des interventions de l'État sur ce marché (salaire minimum, interdictions de licenciement, etc.).

Les nouveaux classiques. Ces économistes, dont l'essentiel des travaux est publié dans les années 1970 et 1980, souhaitent donner des fondements théoriques plus solides aux propositions des monétaristes, dont ils partagent les points de vue sur de nombreux sujets. Au centre de leur démarche réside l'hypothèse de marché parfait et d'anticipations rationnelles (Robert Lucas, né en 1937) : les consommateurs, les entreprises, etc. intègrent les modifications des paramètres économiques à leurs propres comportements de manière à s'approprier les effets des mesures économiques. Selon les nouveaux classiques, et contrairement aux conclusions de l'analyse monétariste, les politiques économiques de type keynésien n'ont pas d'effets à court terme : si le gouvernement augmente la masse de monnaie en circulation, les salariés demandent immédiatement des salaires plus élevés, ce qui a pour conséquence d'annuler tous les effets possibles de la mesure. Une politique économique ne peut avoir d'effet que si elle est inattendue, mais ces effets sont passagers et risquent d'être négatifs car la surprise peut induire chez les agents économiques des décisions erronées. Comme d'autres auparavant, ils en concluent que l'État doit se garder d'intervenir sur les marchés.

Petit lexique

masse monétaire : mesure statistique de la monnaie dans un pays, comprenant les actifs les plus liquides et ne supportant aucun risque : billets, pièces, dépôts à vue ; on y ajoute généralement les actifs financiers qui peuvent être transformés en moyen de paiement sans délais et sans perte de capital (livrets d'épargne ordinaires ou privilégiés tels que le livret A), certains placements contractuels (PEL, PEA) et certains actifs négociables (comme les bons du Trésor).

Les hétérodoxes

À l'écart des orthodoxies néo-classique ou keynésienne, plusieurs courants minoritaires ont vu le jour sans toutefois pouvoir prétendre à l'édification d'un corpus théorique réellement fédérateur. On peut identifier la plupart de ces courants soit avec les monétaristes (économie de l'offre), soit avec les keynésiens (théorie du déséquilibre).

L'économie de l'offre est notamment à l'origine de la réduction des dépenses publiques et des impôts aux États-Unis mise en œuvre sous l'administration Reagan. En se plaçant du côté de la sphère productive et des entreprises, ces économistes, et notamment Arthur Laffer (né en 1941), attribuent la crise à la stagnation de la productivité, elle-même entraînée par un système fiscal qui décourage l'esprit d'entreprise. Ils préconisent donc une réduction des impôts et des dépenses publiques — aide aux chômeurs, aux jeunes en difficulté, mais aussi dépenses d'éducation et de justice. Par cette méfiance à l'égard de l'intervention publique, ils rejoignent l'orthodoxie monétariste et néoclassique.

Les institutionnalistes, en revanche, tiennent à prendre en compte le contexte social dans lequel évoluent les agents économiques. Ainsi, plutôt que de tenir les préférences des agents pour exogènes, on cherchera à expliquer le pourquoi de ces préférences. Dans ce cadre, l'économiste suédois Karl Myrdal (1898-1987) a mis en évidence le phénomène des « causalités circulaires et cumulatives » : la pauvreté engendre par exemple une forte natalité, et la forte natalité rend difficile la sortie de la pauvreté.

Aujourd'hui, la pensée institutionnaliste connaît un regain d'intérêt en économie du développement, avec le concept de « développement durable ». Il s'agit de tenir compte, dans les objectifs de croissance économique des pays du Nord et du Sud, du maintien de la qualité de l'environnement (surtout lorsque les dégradations menacent d'être irréversibles) et du bien-être des générations futures (en ne surexploitant pas certaines ressources naturelles renouvelables). Comme le met en évidence le rapport Brutland (1987), qui est à l'origine de cette idée, « le développement soutenable répond aux besoins du présent sans compromettre la capacité pour les générations futures de satisfaire les leurs ».

Les ménages

La notion de ménage

Pris dans leur ensemble, les ménages détiennent une part importante des richesses d'un pays. L'origine de ces richesses (salaires, revenus financiers ou immobiliers) et l'utilisation qu'en font les ménages exercent donc une grande influence sur la vie économique d'une nation.

Selon le sens retenu par l'INSEE (Institut national des statistiques et des études économiques), un ménage est l'ensemble des personnes partageant le même logement, qu'elles aient ou non un lien de parenté.

Un ménage peut donc être une personne seule et n'est pas nécessairement une famille. Dans chaque ménage, l'INSEE distingue une « personne de référence du ménage » (autrefois appelée « chef du ménage »). Les ménages constituent donc un groupe très hétérogène. Dans ses études sur la consommation, le chômage ou l'épargne, l'INSEE classe les membres des ménages en huit catégories socio-professionnelles censées refléter l'origine et le montant de leurs revenus : 1) agriculteurs exploitants ; 2) artisans, commerçants et chefs d'entreprise ; 3) cadres et professions intellectuelles supérieures ; 4) professions intermédiaires ; 5) employés ; 6) ouvriers ; 7) retraités et 8) autres personnes sans activité professionnelle (dont les chômeurs n'ayant jamais travaillé).

En science économique, un ménage est avant tout une unité de décision ayant des préférences (la nourriture plutôt que la voiture, les loisirs plutôt que le travail) et des dotations initiales (essentiellement en termes de revenus). Les principales décisions que doit prendre un ménage portent sur sa consommation et sur son offre de travail, et sont prises de manière à maximiser sa satisfaction (c'est-à-dire son utilité). Une hypothèse importante implicitement faite par les économistes est que tout ménage se comporte comme s'il ne comprenait qu'une seule personne ou comme si toutes les personnes du ménage avaient les mêmes préférences : on parle d'« individualisme méthodologique ».

Les salaires

Le salaire est une somme versée par un employeur à un employé en contrepartie d'un certain temps de travail (x heures par semaine) ou d'une certaine quantité de travail. Dans la plupart des pays de l'OCDE (Organisation de coopération et de développement économiques), le salaire ne peut descendre en dessous d'un certain seuil qui est le salaire minimum. En France, ce salaire minimum a été instauré en 1950; il s'agissait alors du SMIG (salaire minimum interprofessionnel garanti), indexé sur le niveau des prix. En 1970, le SMIG est devenu le SMIC (salaire minimum interprofessionnel de croissance), indexé sur la croissance et les gains de productivité de l'économie. En 1998 le SMIC était de 6 797,18 F brut par mois pour un salarié à plein temps.

Les salaires diffèrent selon l'âge, le niveau de qualification ou le secteur d'activité. Ainsi, en France, le salaire net médian des 25-39 ans s'élève à 6190 F pour un individu ne possédant aucun diplôme, mais il est de 11690 F pour un diplômé de l'enseignement supérieur.

Les prélèvements obligatoires

Les revenus des ménages sont soumis à des prélèvements obligatoires, qui permettent notamment de financer les transferts sociaux. On distingue deux types de prélèvements obligatoires : les impôts et les cotisations sociales. Les impôts constituent un transfert de richesse d'emplois privés vers des emplois publics, comme l'éducation et la santé, de manière à réduire les inégalités de revenus et à permettre à tous l'accès à des services indispensables. Pour éviter que cette répartition ne soit trop arbitraire, à la légalité fiscale s'ajoute le principe de justice : les citoyens sont égaux devant l'impôt et la charge qu'ils devront supporter est déterminée en fonction de leurs revenus (à l'exception de la TVA, dont le taux n'est pas proportionnel au revenu). Les cotisations sociales obéissent à un principe différent. Il s'agit de transferts effectués par les salariés et les employeurs aux organismes chargés de distribuer les prestations sociales (afin d'obtenir ou de conserver le droit d'en bénéficier). Ces prestations peuvent être analysées comme un salaire indirect ou différé puisqu'elles permettent souvent de financer un salaire de remplacement (lorsqu'un salarié est au chômage, par exemple). Comparée aux autres pays de l'OCDE, la France présente le taux de prélèvements obligatoires le plus élevé.

Les revenus

Les revenus des ménages proviennent de deux sources : soit de l'activité productive ou de la détention d'un patrimoine (on parle alors de revenus primaires), soit des transferts accordés par l'État et les collectivités locales (on parle alors de revenus de transfert). On regroupe sous le nom de revenu domestique brut (RDB) l'ensemble de ces revenus, diminués des prélèvements obligatoires, et sous le nom de revenu disponible le RDB diminué de l'impôt sur le revenu.

L'INSEE classe le RDB en différents postes. Pour les entrepreneurs individuels, on prend en compte leur excédent brut d'exploitation (EBE), c'est-à-dire la rémunération de ces entrepreneurs. En France, l'EBE des entrepreneurs individuels (artisans, petits commerçants, etc.) représente 15 % des revenus domestiques bruts. L'EBE des autres ménages correspond aux revenus immobiliers (par exemple lorsqu'un ménage possède un appartement qu'il loue à d'autres particuliers) et représente 11 % du RDB.

On appelle salaire net la part qui reste aux salariés après paiement de toutes les cotisations sociales, soit environ 80 % de la rémunération brute des salariés. En France, les salaires nets représentent environ 44 % du RDB.

Les cotisations sociales versées par le salarié et retirées de sa rémunération brute servent à financer des prestations sociales, qui peuvent également être versées par l'État grâce au financement fiscal. En France, les prestations sociales concernent la santé, la vieillesse, la maternité et la famille ou encore le chômage et représentent environ 36 % du RDB.

Les revenus de la propriété d'actifs financiers sont issus soit d'actions (dividendes), soit de prêts (intérêts); ils comptent pour 5 % du RDB.

Les facteurs d'influence. Deux éléments peuvent faire évoluer le revenu disponible à la hausse ou à la baisse. La croissance économique a généralement une influence positive sur les revenus des ménages. La richesse créée par l'économie augmentant, une part de la richesse supplémentaire revient nécessairement aux ménages, soit par la hausse des salaires et de l'EBE des entrepreneurs individuels, soit par la hausse des revenus financiers ou par la baisse des impôts que permet la croissance économique. Inversement, un ralentissement de la croissance économique a un effet négatif sur les revenus des ménages.

La politique économique peut elle aussi exercer une influence : une politique de relance de la consommation consiste précisément à augmenter le revenu disponible des ménages afin de stimuler la demande et donc l'emploi.

L'évolution du pouvoir d'achat pour l'année 1997 reflète bien ces deux influences. Cette année-là, les ménages ont bénéficié en moyenne d'une croissance sensible de leur pouvoir

◆ **Du revenu primaire au revenu disponible des ménages.**
Les revenus primaires perçus par les ménages sont le résultat soit de la participation directe de ces ménages à l'activité productive (salaires et EBE), soit de la détention d'un patrimoine immobilier ou financier. Depuis les années 1960 on observe un mouvement de salarisation des revenus et une progression des revenus de la propriété.

		1959	1970	1980	1990	1997***
Revenu primaire brut en milliards de francs		**201, 6**	**592,3**	**2 159,6**	**4 731,9**	**6 067,4**
soit :	rémunération des salariés	60,1	66,1	72,9	71,2	69,8
	EBE* des entreprises individuelles	31,6	23,1	16,5	15,4	12,3
	revenus du patrimoine **	8,3	10,8	10,6	13,4	17,9
– Transferts net de redistribution		**- 3,8**	**- 5,0**	**- 7,6**	**- 6,7**	**- 6,3**
soit :	impôts courants sur le revenu et le patrimoine	- 5,4	- 6,3	- 7,8	- 8,3	- 10,6
	cotisations sociales versées	- 16,3	- 20,8	- 27,4	- 31,0	- 30,5
	prestations sociales reçues	17,9	21,8	27,0	31,5	33,8
	autres transferts nets	0,0	0,3	0,6	1,1	1,0
= Revenu disponible brut		**96,2**	**95,0**	**92,4**	**93,3**	**93,7**

*Excédent brut d'exploitation ** Revenus de la propriété + EBE hors entreprises individuelles. *** Prévisions. En % du revenu primaire. *Source* : INSEE.

◆ **Revenu disponible par habitant dans les pays industrialisés.**

Pays	1995
Allemagne	13 213
Autriche	12 236
Belgique	14 460
Danemark	9 658
Espagne	9 241
Finlande	8 752
France	12 587
Grèce	7 696
Italie	13 614
Norvège	10 730
Pays-Bas	12 937
Portugal	7 639
Royaume-Uni	11 697
Suède	9 864
Canada	13 101
États-Unis	18 164
Japon	13 616
Suisse	14 905

En dollars. *Source* : INSEE.

d'achat. La progression par rapport à 1996 peut être évaluée à près de 3 %, alors qu'elle avait été légèrement négative en 1996. Plusieurs facteurs expliquent cette progression. Les créations d'emplois ont permis un accroissement des revenus salariaux au moment même où la progression des salaires individuels était relativement forte (hausse du SMIC de 4 %). Le ralentissement de l'inflation a également joué sur le pouvoir d'achat des ménages, certaines hausses de salaires ayant intégré des anticipations d'inflation légèrement surestimées. Les ménages ayant des revenus financiers et de propriétés ont également bénéficié d'une très forte hausse de ces revenus, notamment grâce aux dividendes et aux contrats d'assurance-vie. Enfin, la diminution de l'impôt sur le revenu et le quadruplement de l'allocation de rentrée scolaire ont participé à la hausse des revenus disponibles des ménages.

Les lois d'Engel

Au XIXe siècle, le statisticien allemand Ernst Engel (1821-1896) met en rapport le revenu des ménages et la proportion des dépenses consacrées à la nourriture. Ses travaux montrent que plus une famille est pauvre, plus la part des dépenses qu'elle consacre à la nourriture est importante. En 1875, l'économiste américain Wright étend cette analyse à d'autres postes budgétaires. Ces nouvelles » lois d'Engel » montrent que la part des dépenses consacrées aux vêtements, à l'habitation ou au chauffage et à l'éclairage est identique quel que soit le revenu. En revanche, le pourcentage d'autres dépenses s'accroît avec le revenu. On peut distinguer trois types de biens. Un bien inférieur, dont la consommation baisse avec le revenu (le pain par exemple). Un bien dit normal, dont la consommation augmente faiblement avec le revenu (c'est par exemple le cas de la viande). Enfin, un bien dit supérieur dont la consommation augmente plus que proportionnellement avec le revenu (les dépenses liées aux loisirs par exemple).

La consommation des ménages

La consommation est l'utilisation immédiate des revenus distribués. Acheter des aliments, des vêtements, partir en voyage sont des actes de consommation. Une fois ces actes accomplis, la part du revenu qui n'est pas consommée est épargnée.

Structure de la consommation. La part du revenu consacrée à la consommation n'est pas une donnée stable. Le travailleur du XIXe s. consacrait la totalité de son revenu à la satisfaction de besoins de subsistance. À la fin du XXe s., l'habitant d'un pays du tiers-monde à très bas revenu par personne dépense encore tout son revenu pour survivre. En revanche, lorsque le revenu s'accroît, la part consacrée à la consommation diminue. Ainsi, dans un ensemble économique national donné, les différentes structures de la consommation (part du revenu consacré à la consommation et composition de cette consommation) dépendent des divers niveaux de revenu de la population. Les structures de consommation peuvent aussi se modifier si les prix relatifs des différents biens de consommation varient. Si le prix de l'essence augmente alors que celui des transports en commun diminue, le consommateur de déplacements changera s'il le peut de mode de transport.

Évolution de la consommation. Les structures de consommation, au même titre que les autres structures économiques, ont été affectées par la crise des années 1970-1990.

Entre 1965 et 1985, la part de la consommation privée dans le PIB des principaux pays industrialisés représente environ 60 %. Elle est en léger accroissement : le pourcentage est inférieur, en moyenne, à 60 % avant 1970, et un peu supérieur à 60 % de 1970 aux années 1980. Globalement, le niveau de consommation est élevé, en dépit de la crise économique, et se maintient malgré l'austérité salariale des années 1980-1990. C'est aux États-Unis que le taux est le plus fort : 65 %.

Dans le même temps, les structures de consommation par catégories de produits évoluent aussi. D'une manière générale, pour les principaux pays industrialisés, on constate dans le budget du consommateur une tendance à la baisse de la part des dépenses d'alimentation, une tendance à la hausse des dépenses de logement ainsi que d'éducation, de loisirs et de transport. Cette modification des structures indique que les besoins d'alimentation sont satisfaits et voient leurs coûts diminuer. En revanche, les besoins de logement sont plus difficiles à satisfaire, ce qui entraîne une hausse du prix de l'immobilier. L'élévation du niveau de vie, enfin, crée de nouveaux besoins en matière de santé, de culture, de loisirs et d'éducation.

La part du revenu consacrée à la consommation est aussi élevée, voire davantage, dans les pays industrialisés depuis le début de la crise. Son volume s'est même considérablement accru entre 1970 et les années 1990. La « société de consommation », dont on annonçait la fin au début des années 1970, non seulement n'est pas morte, mais ne s'est jamais si bien portée. Son rejet s'expliquait en partie par l'essoufflement d'un certain type de production à la fin des années 1960. L'amélioration des techniques et les nouveaux biens qui sont apparus pendant la crise ont induit une explosion de la consommation de nouveaux objets (magnétoscopes, disques compacts, micro-ordinateurs, etc.), ainsi qu'une plus grande diversité des choix offerts (de modèles d'automobiles, par exemple).

Toutefois, en engendrant une société « à deux vitesses », la crise et la transformation des économies industrielles aboutissent également à

◆ **Consommation des ménages par habitant dans quelques pays.**

	Allemagne	Dan.	Belgique	France	P.-Bas	R.-Uni	Italie	Espagne	Grèce
Ensemble en écus dont :	13 715	13 330	12 525	12 120	11 557	8 983	8 909	7 171	6 141
produits aliment., boissons et tabac	15,2	20,0	16,4	18,2	14,3	19,9	19,3	19,7	36,6
articles d'habillement, chaussures	6,3	5,2	7,2	5,4	6,0	5,9	9,1	7,6	6,4
logement, éclairage, chauffage	20,7	27,1	18,9	21,8	20,2	20,1	17,5	13,2	14,0
transports, communications	15,9	18,0	12,4	16,2	13,1	17,2	12,2	15,4	13,5
services médicaux, dépenses de santé	14,5	2,1	12,3	10,4	12,9	1,6	6,5	5,1	4,9

En %, données 1995. *Source* : INSEE.

◆ **Consommation des ménages en France.**

	Consommation milliards de F	Variation annuelle en volume (%)		
	1997	1991-1997	1996	1997
Alimentation, boissons, tabac	**871,0**	**0,5**	**- 0,2**	**0,3**
dont : viande	213,6	- 0,2	- 1,7	1,0
poissons	41,0	1,5	0,0	- 0,1
laits, fromages et œufs	101,6	1,3	1,0	1,7
fruits frais	39,4	- 0,3	- 0,8	- 1,4
boissons alcoolisées	92,9	0,8	0,2	0,0
tabac	75,3	- 1,8	- 1,8	- 3,5
Habillement (y compris chaussures)	**252,8**	**- 1,3**	**- 0,6**	**1,5**
Logement, chauffage, éclairage	**1 092,9**	**2,7**	**3,7**	**1,6**
dont : location de logement	793,2	3,2	3,1	3,1
chauffage et éclairage	175,1	1,7	6,6	- 3,2
Équipement du logement	**356,6**	**0,2**	**1,0**	**0,9**
dont : meubles, tapis	96,2	- 2,0	1,0	0,9
santé	498,0	2,6	1,4	1,7
dont : médicaments	127,8	4,5	1,7	3,9
médecins	110,0	2,1	1,9	0,9
dentistes	43,5	2,5	2,4	0,5
Transports, communications	**789,5**	**0,7**	**3,8**	**- 1,4**
dont : automobiles	132,1	- 3,3	11,4	- 17,5
transports collectifs	104,1	0,4	6,1	2,6
Loisirs, culture	**360,8**	**1,5**	**1,5**	**1,8**
dont : matériel électronique	31,1	1,6	0,0	4,2
livres, quotidiens, périodiques	65,8	- 0,6	- 0.4	- 0,5
Autres biens et services	**635,7**	**0.6**	**1.0**	**0,4**
dont : hôtels, cafés, restaurants, voyages	352,9	0,4	0,5	1,9
Consommation finale des ménages	**4 857,3**	**1,1**	**1,8**	**0,7**

Source : INSEE.

« deux vitesses de consommation ». Cette évolution est perceptible, en particulier, dans la hausse inégale des dépenses de logement. Dans les grandes villes du monde industrialisé (New York, Tokyo, Francfort, Londres ou Paris), le logement atteint des prix tels que certaines catégories sociales doivent migrer hors de ces métropoles.

L'épargne des ménages

L'épargne est la part du revenu qui n'est pas consommée ; le consommateur préfère différer sa consommation, faire des économies pour consommer encore mieux dans l'avenir. Par exemple, il épargne une partie de son revenu pour acquérir un logement ultérieurement. Les consommateurs ne sont pas les seuls à épargner en partie leurs revenus. Une part importante des profits des entreprises est également épargnée pour leur permettre d'investir. Pour réaliser tous les investissements qu'elles jugent souhaitables malgré l'insuffisance de leur propre épargne, les entreprises font appel à l'épargne des particuliers. Celle-ci est alors transformée en investissement par l'intermédiaire des institutions financières (banques et autres intermédiaires financiers). De même, l'État peut faire appel à l'épargne des particuliers pour financer ses déficits ou certaines opérations ponctuelles (cas des emprunts de guerre en 1914 et 1939).

Il existe des cas où l'épargne n'est pas utilisée pour une meilleure satisfaction ultérieure des besoins de la société ; elle est » gelée » sous forme d'achats de biens de thésaurisation ou de réserve de valeur : l'achat d'or en est la meilleure illustration.

Du point de vue de l'investissement, c'est la part de l'épargne drainée par les institutions financières qui compte. Si les épargnants placent leurs fonds en achetant des immeubles, cette richesse ne pourra pas être convertie en investissements. En France, la part de l'épargne financière est faible : dans la seconde moitié des années 1980, elle était du tiers de l'épargne des ménages. De plus, la part de l'épargne dans le revenu a baissé depuis les années 1970 et n'a jamais retrouvé le niveau antérieur, ce qui compromet d'autant plus l'investissement.

Évolution de l'épargne. Au cours de la période 1945-1970, avec le développement de l'industrialisation et la hausse des revenus, le niveau de l'épargne s'est considérablement accru — tout comme la consommation. Le solde entre revenu et montant de la consommation a connu des taux moyens de progression encore plus élevés que ceux de la croissance du revenu. Cette épargne s'est surtout dirigée vers l'immobilier et la propriété individuelle, mais l'épargne financière a permis, par exemple, la généralisation des retraites dans les pays industrialisés : l'épargnant réserve une part de son revenu à des cotisations-épargne lui permettant de vivre ultérieurement grâce aux pensions qui lui seront versées. Aux États-Unis, ce type d'épargne financière passe par les fonds de pension qui, grâce à l'épargne qu'ils ont su attirer, sont devenus des acteurs décisifs des marchés financiers internationaux.

À partir des années 1970, dans les pays industrialisés, la part de l'épargne a baissé (en moyenne). La volonté de maintenir une progression du niveau de consommation similaire à celle des Trente Glorieuses a entraîné la diminution du poids de l'épargne globale. Parallèlement, la crise modifiait les formes de l'épargne financière, et on a assisté à une floraison de nouveaux « produits financiers » (sicav, plans d'épargne en actions, etc.).

Depuis le début des années 1990, la propension des ménages à épargner est très élevée, puisqu'elle se situe en moyenne aux alentours de 14,5 % du revenu disponible. Elle reflète en réalité l'incertitude des ménages face à l'avenir. L'année 1996 a représenté une exception : l'épargne a baissé jusqu'à 13,3 %. Cette baisse de l'épargne a en partie été due au surcroît d'achats d'automobiles lié à la prime qualité et à des phénomènes financiers spécifiques survenus au premier semestre (en particulier la forte baisse du rendement des placements liquides). En 1997, la hausse du pouvoir d'achat a permis à l'épargne de retrouver son niveau de 1995 (14,6 %).

◆ **Évolution de l'épargne dans quelques pays industrialisés.**

Pays	1994	1995	1996
Allemagne	21	21,3	20
France	19	19,7	18,7
Italie	18,8	20,5	20,5
Royaume-Uni	13,5	13,8	14,6
États-Unis	16,2	15,9	16,6
Japon	31,2	30,8	31,4

Épargne brute = revenu national disponible - consommation privée et consommation des administrations publiques.
En pourcentage du PIB. *Source* : OCDE.

	Livrets d'épargne	Épargne-logement	Valeurs mobilières	Assurance-vie, retraite	Logement
Agriculteurs	89	68	30	62	80
Artisans, commerçants, Chefs d'entreprises	82	56	35	61	75
Professions libérales	82	61	55	71	68
Cadres	89	67	38	59	67
Professions Intermédiaires	87	57	25	54	62
Employés	82	40	13	42	42
Ouvriers qualifiés	85	40	10	43	54
Ouvriers non qualifiés	79	30	6	32	45
Agriculteurs retraités	86	33	23	45	70
Indépendants retraités	81	34	42	47	80
Salariés retraités	86	33	29	47	68
Autres inactifs	74	21	11	21	33
Ensemble	84	41	23	46	59

Taux de possession début 1998 ; en %.
Source : INSEE.

◆ **L'épargne en France selon les catégories socio-professionnelles.**

Les motivations de l'épargne

L'épargne représentant la part du revenu qui n'est pas utilisée pour la consommation immédiate, le niveau de l'épargne dépend étroitement de la consommation. Pour Keynes, l'épargne dépend du niveau des revenus disponibles la même année ou l'année précédente. Au-delà d'un certain niveau de revenu, l'agent économique préfère épargner, la consommation augmentant moins vite que le revenu (hypothèse de propension à consommer décroissante). En dessous de ce seuil de revenu, il y a réduction de l'épargne, voire épargne négative (c'est-à-dire emprunt) pour financer la consommation incompressible (comme la nourriture).

Cette formulation a été contestée par de nombreux économistes. En effet, les études statistiques, en particulier celle réalisée par Simon Kuznets (1901-1985) sur la relation entre consommation et revenu disponible de 1869 à 1938, montrent que la propension marginale à consommer peut être décroissante sur une courte période, mais qu'elle reste constante lorsque la consommation des ménages est étudiée sur plusieurs années ou plusieurs décennies.

L'analyse keynésienne est donc contredite par les comportements réels des ménages. Les économistes ont d'abord mis en relief un effet de cliquet : quand le revenu diminue, les ménages répugnent à réduire leur consommation. Plus importante encore sera l'idée que les ménages ne déterminent pas leur consommation en fonction de leur revenu courant, mais en fonction de leurs revenus anticipés sur une période beaucoup plus longue.

Le premier économiste à exploiter cette idée est l'Américain Franco Modigliani (né en 1918). Selon lui, les ménages consomment et épargnent en fonction de leur « cycle de vie ». Les ménages empruntent lorsqu'ils sont jeunes (pour financer leurs études ou acheter un logement), épargnent durant leur vie active (leurs revenus excédant largement leurs besoins de consommation) et enfin réduisent leur épargne durant leur retraite (le temps de loisir devenant largement supérieur au temps d'activité). L'épargne dépend donc essentiellement de l'âge du ménage.

Milton Friedman émet quant à lui l'hypothèse du revenu permanent. L'épargne et la consommation ne dépendent pas du revenu instantané (revenu total perçu à un moment donné) mais du revenu dont peut disposer l'agent économique à chaque période de sa vie sans entamer son patrimoine.

Au-delà des explications des économistes, il est difficile d'évaluer les déterminants de l'épargne. De nombreux facteurs sont susceptibles d'influer sur son niveau, et cette influence est de surcroît ambivalente : une hausse du taux d'intérêt incite à épargner, mais elle augmente également la richesse des ménages détenant des obligations, ce qui peut les inciter à consommer. Il en va de même si l'on considère les effets de la crise : elle incite à épargner par précaution mais, parallèlement, elle réduit l'intérêt des ménages pour les projets à long terme et augmente leur préférence pour le présent, les incitant donc à « désépargner ».

VOIR AUSSI
• **État providence** p. 994
• **Salaires** p. 1008

Les entreprises

Les types d'entreprises

Une entreprise est une unité économique qui associe main-d'œuvre et capital pour produire des biens ou des services destinés à être vendus sur un marché. Très nombreuses (près de trois millions aujourd'hui en France), très diverses de par leur taille, leur objet et leur structure juridique et financière, les entreprises forment un ensemble hétérogène. La plupart des firmes ont pour objectif de réaliser des profits qui sont ensuite redistribués à leurs propriétaires. Toutefois, un nombre croissant d'entreprises optent pour le statut d'association : ce statut leur offre des avantages fiscaux, mais leur interdit de faire des bénéfices (ceux-ci doivent être réinvestis dans l'entreprise). Il s'agit essentiellement d'entreprises caritatives ou de clubs de loisirs.

Il existe de nombreux angles d'étude de l'entreprise. Le sociologue ou le psychologue peuvent ainsi s'intéresser aux relations entre l'être humain et l'entreprise ou encore au rôle d'intégration de celle-ci, aspects souvent délaissés par les économistes. L'entreprise se voit alors attribuer de nouvelles dimensions qui peuvent aller au-delà et même à l'encontre de ses objectifs strictement économiques tels que la maximisation du profit de ses propriétaires.

Entreprises individuelles et sociétés. Dans une entreprise individuelle, une même personne assure la direction, l'apport des capitaux et l'activité productive. Il n'y a pas de séparation entre le patrimoine privé du chef de l'entreprise individuelle et son patrimoine professionnel. Le chef d'entreprise perçoit seul les bénéfices de son activité, même s'il peut avoir des salariés. C'est notamment le cas de beaucoup d'agriculteurs et de petits commerçants.

Dans certaines situations, lorsque les perspectives de croissance et les capitaux nécessaires pour financer l'investissement sont importants, ou au contraire lorsqu'il faut regrouper plusieurs entreprises individuelles pour leur permettre de survivre à l'intérieur d'une seule, l'entreprise individuelle se révèle insuffisante. On réunit alors les moyens de plusieurs agents économiques, qui forment une société.

Une distinction doit être faite entre les sociétés de personnes et les sociétés de capitaux. Les premières sont encore très proches des entreprises individuelles, la responsabilité des associés y étant le plus souvent illimitée (les créanciers peuvent faire saisir les biens personnels des associés pour se payer). En revanche, dans les sociétés de capitaux (société à responsabilité limitée [SARL], société anonyme), la responsabilité se limite le plus souvent à un montant défini ou à l'apport en capital du sociétaire : les législateurs se sont efforcés de séparer le patrimoine de la société de celui des sociétaires afin de limiter le risque couru par les propriétaires de l'entreprise. En contrepartie de cette réduction, il a fallu organiser la protection des créanciers de la firme en instaurant des obligations d'information comme la publication de documents comptables. Enfin, on peut distinguer les sociétés de capitaux privés des sociétés publiques, où le principal actionnaire ou propriétaire de l'entreprise est l'État.

La plupart des entreprises restent toutefois individuelles, le nombre de petites firmes étant largement supérieur au nombre des grandes. De plus, même les grandes entreprises préfèrent parfois le statut de société de personnes, qui permet notamment de maintenir une composante familiale ou encore de se protéger de prises de contrôle extérieures.

PME et grandes entreprises. La taille de la firme (appréciée le plus souvent par rapport au seuil de 500 salariés) permet de distinguer les petites et moyennes entreprises (PME) des grandes. Cette distinction est riche d'enseignements, car elle informe souvent sur la nature de l'activité. Ainsi la prestation de services domestiques ou la fabrication en petites séries conviennent bien aux PME, dont les structures légères permettent souplesse de fonctionnement et adaptabilité. En revanche, les activités pour lesquelles un effort massif de recherche ou des équipements lourds sont nécessaires ne sont possibles qu'à partir d'une taille minimale, appelée taille critique.

La distinction entre PME et grande firme se retrouve également dans les modes de gestion internes de l'entreprise (les rapports humains deviennent plus hiérarchiques, les salaires augmentent, etc.) et dans ses stratégies de commercialisation (la grande taille est une condition quasiment indispensable pour qu'une firme investisse à l'étranger et devienne une multinationale). Une PME en croissance est d'ailleurs conduite à des transformations radicales de ses modes de gestion internes lorsqu'elle franchit une certaine taille.

Signalons enfin que depuis la fin des années 1970 les petites entreprises sont l'objet d'attentions particulières de la part des gouvernements et des économistes en raison de leur répercussion sur l'emploi.

L'organisation des entreprises

Les entreprises peuvent être différenciées en fonction de leur structure juridique, de leur taille, mais aussi en fonction de leur structure organisationnelle. On distingue généralement deux types de structures. Dans celle dite en U, l'entreprise est organisée par fonctions (production, service commercial, finances, etc.) autour d'une direction générale unique. Dans le cas de la structure en M, en revanche, l'entreprise est décentralisée en divisions autonomes, en fonction de l'activité, de la région ou du pays. Dans ce second cas de figure, chaque division dispose de sa propre direction et est un centre de profits autonome, la direction générale assurant la coordination de l'ensemble.

À l'intérieur même de chaque division ou de chaque fonction de l'entreprise, le mode d'organisation peut être différent. À cet égard, on a longtemps distingué les firmes japonaises des firmes occidentales. Au sein des premières, l'organisation du travail est flexible, il existe une rotation des postes et la distinction entre exécutants et donneurs d'ordres n'est pas toujours très nette : les ingénieurs sont présents dans les ateliers de fabrication et les ouvriers disposent de temps pour échanger des informations entre eux ou avec les ingénieurs afin d'améliorer les produits ou le mode de fabrication. Dans les firmes occidentales au contraire, le travail a longtemps été attribué selon un principe de spécialisation et de hiérarchisation des tâches très rigide avant de se calquer progressivement sur le modèle d'organisation japonais.

Le bilan

Le bilan est un document comptable établi par l'entreprise à la fin de chaque année. Il constitue une photographie, à un instant donné, de la situation du patrimoine de la firme. Il indique en effet l'origine des fonds dont elle dispose à une date donnée (cette partie du bilan est appelée passif) et l'emploi qui est fait de ces fonds (cette partie du bilan est appelée actif, actif et passif devant toujours être égaux. Le bilan se présente donc sous la forme d'un tableau à deux colonnes.

◆ **Les grands postes du bilan.**

Actif	Passif
immobilisations	capitaux propres
terrains	capital
matériels	bénéfice mis en réserve
brevets	
licences	
Actifs circulants	**Dettes**
stock	dettes à moyen
créances	et à long terme
liquidités	dettes à court terme

Dans le passif, on peut distinguer :
– les capitaux propres, qui représentent les fonds apportés par le ou les propriétaires de l'entreprise (capital social) ainsi que les ressources provenant de l'activité de celle-ci et qui n'ont pas été distribuées aux actionnaires ou aux propriétaires de l'entreprise (bénéfices mis en réserve) ;
– les dettes, sommes prêtées à l'entreprise par des personnes extérieures à celle-ci. Il peut s'agir de dettes à moyen et à long terme (emprunt de plus d'un an consenti par une banque, par exemple) ou de dettes à court terme (crédits consentis par les fournisseurs de l'entreprise, découverts bancaires), exigibles à moins d'un an. Les dettes à moyen et à long terme ainsi que les capitaux propres constituent les capitaux permanents.

Petit lexique

SA (société anonyme) : société dont le capital est divisé en actions et dans laquelle les associés ne sont responsables des dettes sociales qu'à concurrence de leurs apports.

SARL (société à responsabilité limitée) : créée avec un capital social minimal mais en général peu important, la SARL, comme la SA, permet à ses propriétaires de n'être responsables que dans la limite de leurs apports. Toutefois, la SARL ne peut comprendre qu'une cinquantaine d'associés au maximum.

Dans l'actif, on distingue deux types d'emplois des fonds de l'entreprise :
– l'actif immobilisé dénote les emplois de fonds qui sont fixes, c'est-à-dire ceux qui restent dans la firme pendant une période assez longue (supérieure à un an) : terrains, constructions, matériel (machines, mobilier), mais aussi droits de l'entreprise (fonds de commerce, brevets, licences, prêts à plus d'un an consentis par l'entreprise). Au départ, c'est la valeur d'achat des biens qui figure dans le bilan. Puis, la valeur réelle de certains actifs se dépréciant avec le temps, le bilan doit refléter cette dépréciation à travers des opérations d'amortissement consistant à diminuer la valeur des actifs détenus par l'entreprise;
– l'actif circulant décrit les emplois de fonds qui sont de courte durée. Il s'agit des stocks de matières premières, de produits en cours de fabrication ou de produits finis, de crédits consentis aux clients de l'entreprise, d'argent en caisse ou déposé sur un compte bancaire.

Les postes du bilan sont classés du long terme vers le court terme, pour le passif comme pour l'actif. Lorsque le total des différents postes de l'actif et du passif est établi, la différence entre les deux totaux constitue le résultat de l'entreprise. Si ce résultat est positif, l'actif est supérieur au passif, ce qui signifie que l'exploitation de l'entreprise a dégagé des ressources supplémentaires qui ont permis d'en accroître le patrimoine. Ce résultat est ensuite imputé au passif de l'entreprise dans la catégorie « bénéfice mis en réserve ». On égalise ainsi actif et passif. Inversement, si le passif est supérieur à l'actif, la firme a enregistré des pertes, qui figureront à l'actif pour que le passif de l'entreprise soit égal à son actif.

La croissance des entreprises

Pourquoi et comment les entreprises se développent-elles ? On considérera d'abord que, dans une situation de concurrence, la petite taille d'une entreprise constitue le plus souvent un désavantage concurrentiel. En effet, elle ne permet pas d'exploiter des économies d'échelle ou d'expérience ; elle constitue également un désavantage pour obtenir des fonds auprès des banques ou des marchés boursiers. L'entreprise subit un désavantage en termes de coûts, qu'elle ne peut compenser par l'innovation puisqu'elle ne dispose pas des moyens financiers nécessaires pour réaliser des changements ou pour s'agrandir. C'est pourquoi les petites firmes se situent souvent dans des industries nouvelles (pour des opérations réunissant des firmes européennes de grande taille et de nationalité différente) ou dans des activités « de niche », où la demande et la concurrence sont faibles et ne nécessitent pas une taille importante. Même si l'on a parfois prétendu que les petites firmes disposaient d'avantages organisationnels (meilleure communication à l'intérieur de l'entreprise, par exemple), plusieurs études montrent que plus une firme est petite, plus elle est jeune et plus elle est fragile et susceptible d'être mise en faillite. Croître constitue donc une contrainte concurrentielle. Les vecteurs de cette croissance sont de deux types : la croissance externe et la croissance interne.

La croissance interne repose sur la création par l'entreprise d'une nouvelle capacité de production, de R & D (recherche et développement) ou de commercialisation. Pour qu'une telle croissance puisse s'opérer, des fonds sont nécessaires ; or, pour les attirer, il faut un projet digne d'intérêt. Ces dernières années, de nombreuses firmes, notamment américaines, ont bâti leur croissance sur des projets d'innovations qui séduisaient les marchés financiers, lesquels étaient alors prêts à financer la croissance de l'entreprise. Mais tous les secteurs d'activité ne présentent pas des perspectives d'innovations aussi séduisantes. De plus, la croissance interne est lente, alors que la rapidité de l'opération de croissance peut être un critère essentiel de son succès.

La croissance externe apparaît ainsi comme une solution. Elle se définit comme l'acquisition d'une ou de plusieurs capacités de production, de recherche ou de commercialisation en état de fonctionnement. Elle vise généralement un des trois objectifs suivants :
– au moyen de l'acquisition d'activités différentes (croissance conglomérale), la firme opère une diversification de son portefeuille (les activités exercées par l'entreprise) et tente de pénétrer un nouveau segment du marché ;
– au moyen de l'acquisition d'activités semblables (croissance horizontale), la firme tente de parvenir à une grande taille. L'acquisition permet de créer ou de contourner un obstacle lié à la présence d'économies d'échelle ;
– par l'acquisition de firmes situées en amont et en aval de son activité principale (croissance verticale), la firme cherche à s'assurer un approvisionnement ou à commercialiser elle-même ses produits.

Le contrôle de la concurrence

Les stratégies de croissance des firmes, et notamment de croissance externe, peuvent réduire la concurrence existant dans un secteur. En effet, quand un concurrent est racheté par un autre, leur nombre sur le secteur diminue. La concurrence permettant d'éviter que les prix ne montent à un degré trop élevé, l'État a intérêt à ce qu'existe un niveau de concurrence minimal dans chaque secteur de l'économie. Dans la plupart des pays industrialisés, il dispose notamment pour les grandes opérations de concentration d'un droit de veto lui permettant d'interdire l'opération s'il la juge trop dangereuse pour la concurrence, c'est-à-dire si elle crée un pouvoir de marché trop important (pouvoir de fixer des prix très élevés par rapport au coût de production) et si elle ne permet pas en compensation des économies de coûts substantielles.

En France, de telles pratiques de concentration sont examinées attentivement par le Conseil de la concurrence ainsi que par la Commission européenne chargée de la concurrence (pour les opérations réunissant des firmes européennes de grande taill et de nationalité différente). Généralement, lorsque la part de marché totale des entreprises concernées n'excède pas 25 %, l'opération est acceptée.

Ces dernières années, l'internationalisation des activités de concentration ou d'alliances des entreprises (par exemple dans le cas du secteur du transport aérien) a amené les économistes et les gouvernements à s'interroger sur la nécessité d'un Conseil de la concurrence mondial. Aucun accord n'a encore pu être trouvé à ce jour.

Il faut noter que, avec l'ouverture des marchés de produits et de capitaux, les firmes envisagent leurs projets de croissance dans une stratégie internationale. Elles s'implantent à l'étranger soit en créant de nouveaux établissements, soit en créant ou en rachetant des entreprises existantes.

Les alliances entre firmes

On constate depuis la fin des années 1970 une augmentation du nombre d'accords de coopération (ou alliances) passés entre des firmes juridiquement indépendantes. Ces accords permettent de partager les coûts de production d'un bien existant ou les coûts de développement d'une innovation (comme lorsque Intel s'allie avec Siemens pour développer de nouveaux semi-conducteurs).

Dans d'autres situations, les alliances permettent aux entreprises de fixer à l'avance et sur une longue durée les modalités et les conditions d'approvisionnement d'un certain bien (par la sous-traitance), ou encore de partager leurs connaissances sur des marchés étrangers ou sur de nouvelles voies de recherches. En réalité, la variété de ces accords interdit une définition trop parcellaire : notons simplement que ces accords concernent des firmes verticales (un fournisseur et son client, par exemple), mais aussi des firmes concurrentes. Ce dernier cas a bien entendu attiré l'attention des économistes et des juristes : cette forme d'alliance ne risque-t-elle pas à terme de réduire la concurrence et donc d'augmenter le niveau des prix et de réduire les gains de productivité ?

De manière générale, les économistes et les juristes voient ces accords favorablement car ils permettent de réaliser des économies (de coûts, notamment), de fournir de meilleurs produits et cela sans faire encourir de risques réels à la compétitivité entre les entreprises ; malgré leur alliance, les firmes partenaires restent en effet toujours concurrentes, ce qui limite le risque de cartellisation du secteur (les firmes s'entendant pour ne pas être trop agressives les unes envers les autres).

VOIR AUSSI 

- **Secteur privé et secteur public** p. 797
- **Grandes entreprises** p. 837
- **Vie de l'entreprise** p. 1012

Petit lexique

capital-risque : financement de la création et de la croissance de PME qui ont un potentiel élevé mais incertain en matière d'innovation. Il est réalisé par des entreprises de capital-risque qui jouent les intermédiaires entre des institutions financières traditionnelles et les PME innovantes.

économies d'échelle : situation caractérisée par la baisse du coût unitaire de production lorsque le volume produit augmente.

L'investissement

L'investissement consiste en l'achat de biens destinés à être utilisés dans le processus de production de l'entreprise. Il permet d'accroître la productivité globale du corps économique. Une partie de l'investissement, cependant, est d'abord consacrée au simple renouvellement de ce qui existe : c'est l'investissement d'amortissement, indispensable. L'accroissement de la productivité se répercute de manière positive sur la rentabilité de l'entreprise, qui peut elle-même permettre une hausse des profits ou des salaires. Ainsi, l'investissement est un enjeu déterminant dans l'évolution économique.

Évolution de l'investissement. Pendant les crises, un niveau élevé d'investissement est nécessaire pour améliorer les moyens de production. C'est alors que la part de l'investissement devrait s'accroître. Or, dans la plupart des pays industrialisés, les consommateurs ont voulu défendre leur pouvoir d'achat après 1970, et un ralentissement de l'investissement s'est poursuivi jusqu'au milieu des années 1980.

Les économies qui, en période de crise, accordent leur préférence à l'investissement modifient à leur profit la hiérarchie économique antérieure. Au cours des années 1970-1990, le pays qui symbolise le mieux cette attitude est le Japon.

La crise a modifié les structures de l'investissement. Dans le même temps, la révolution technologique a fait apparaître la nécessité d'un double investissement dans les nouvelles technologies et dans la qualification du travail qui leur correspond. L'investissement s'est aussi transformé dans sa définition spatiale : au cours des années 1970-1990, la part des investissements des États industrialisés effectués à l'étranger a été supérieure à la part à destination nationale.

Depuis le début des années 1990, l'investissement productif est resté très faible, essentiellement du fait de perspectives de croissance insuffisantes. Malgré un coût du capital décroissant, les entrepreneurs ont estimé le niveau de la consommation insuffisant pour rentabiliser les investissements réalisés et ont préféré se désendetter. Dès lors, le renouvellement du capital productif a été retardé, avec le risque pour les entreprises françaises de diminuer leur compétitivité à l'égard de leurs concurrentes étrangères. En cas de reprise durable de l'activité, les capacités de production auraient également pu se révéler insuffisantes. Cependant, dès le milieu de l'année 1997, la bonne situation financière des entreprises et, surtout, le début d'une reprise de la demande interne et externe combinée à une poursuite de la baisse du crédit amènent une reprise de l'investissement.

La production

L'objectif des entreprises est de réaliser un profit à travers la conception, la production et la commercialisation d'un produit ou d'un service. Plus le produit ou le service est réalisé à un coût relativement faible par rapport à celui de la concurrence, plus la firme dispose d'un avantage qu'elle peut exploiter pour accroître ses profits. Même lorsque les produits sont différenciés (par exemple, le jus d'orange et le jus de pomme), la baisse du coût de production de l'un d'eux, donc de son prix, est susceptible d'accroître le nombre de personnes qui le préféreront à un autre.

Les entreprises sont donc constamment à la recherche de ce qui pourrait leur permettre de réduire leurs coûts de production. Les coûts de main-d'œuvre représentant une part importante des coûts de production totaux, les firmes vont chercher à substituer du capital au travail. Une des transformations les plus radicales du mode d'organisation de la production des entreprises est le remplacement de l'homme par la machine. D'autres transformations ont permis une réduction des coûts : la pratique du juste à temps et du zéro stock a ainsi permis de réduire les coûts de stockage.

Une autre stratégie permettant de réduire les coûts est d'augmenter la dimension de la société. Une taille importante permet en effet de répartir le coût d'une machine ou d'une installation sur un grand nombre d'unités produites. C'est le phénomène des économies d'échelle. Elle permet aussi des économies d'expérience : plus une firme fabrique de produits, plus elle est à même d'en améliorer la fabrication et de trouver des moyens de réduire ses coûts de production. Il y a toutefois des limites à ces économies. La dimension de l'établissement est ainsi limitée par la dispersion de la clientèle : ainsi, il n'est pas rentable de rayonner dans toute la France à partir d'un même centre de production, car les coûts de transport se révéleraient prohibitifs. Longtemps, la recherche d'économies d'échelle ou d'expérience s'est aussi heurtée à la nécessité de différencier les produits : on ne pouvait à la fois produire un grand nombre d'unités à l'aide d'une même machine et obtenir des produits différents. Cet obstacle a toutefois été levé grâce aux récents progrès technologiques. L'introduction de l'informatique dans les processus de production permet ainsi d'enregistrer les spécificités de ce qui est créé beaucoup plus rapidement et une même machine peut fabriquer des produits très différents. Économies d'échelle et différenciation de la production ne sont donc plus antinomiques.

Le système Toyota

Le système de production Toyota apparaît dans l'entreprise du même nom à la fin des années 1950. Il s'établit sur plusieurs points essentiels. Le juste à temps consiste à tout mettre en œuvre pour que chaque composant de la production parvienne à son destinataire au moment et dans les quantités voulus (on utilise pour cela un système d'étiquetage des composants appelé *kanban*) ; le zéro stock vise à réduire l'importance de stocks de composants ou de produits finis de manière à libérer de l'espace (facteur capital au Japon) et plus généralement à réduire les coûts de stockage ; le zéro défaut consiste à éliminer les défauts de qualité des produits de manière à diminuer les coûts de retour des produits et surtout à bâtir une réputation de fiabilité ; grâce à l'auto-activation, les machines s'arrêtent automatiquement en cas d'anomalie, si bien qu'une même personne peut surveiller plusieurs processus de production. Enfin, les entreprises s'efforcent de répondre aux demandes de plus en plus différenciées des consommateurs en augmentant leur rapidité de réaction et leur flexibilité.

Au Japon, puis dans les pays occidentaux, l'augmentation de la concurrence internationale et la diversification croissante de la demande vont conduire les entreprises à abandonner le taylorisme en place depuis les années 1920 (spécialisation intense des tâches, production en grande série, pannes et défauts de qualité y sont considérés comme inévitables) pour adopter le toyotisme.

Petit lexique

établissement : unité située dans un lieu différent et ayant des fonctions distinctes des autres unités (usines, agence commerciale, siège social) de l'entreprise, leur ensemble formant la structure organisationnelle de cette dernière.

investissement : opération consistant à obtenir des biens de production (machines, bâtiments, équipements, etc.) en vue d'accroître le capital productif.

production : activité économique qui consiste à créer des biens et des services.

recherche et développement (R & D) : activité consistant à produire de la connaissance, qui peut ensuite être appliquée à des procédés (innovation de procédé) ou à des produits (innovation de produit).

VOIR AUSSI
- **Investissements étrangers** p. 842
- **Commerce et mondialisation** (multinationales) p. 843

◆ Les coûts salariaux dans les pays industrialisés.
On constate une double évolution des coûts salariaux dans les principaux pays industrialisés. Des années 1970 jusqu'au début des années 1980,la tendance est à la hausse. A partir d'un tournant situé avant 1983,la tendance s'inverse et les coûts baissent. Au Japon, la hausse avait été faible et la baisse l'est aussi. Aux États-Unis, c'est en 1981-82 que le mouvement se modifie, en France en 1982-83, en RFA entre 1981 et 1983; en Grande-Bretagneen 1981; en Italie en 1982; au Canada en 1982.

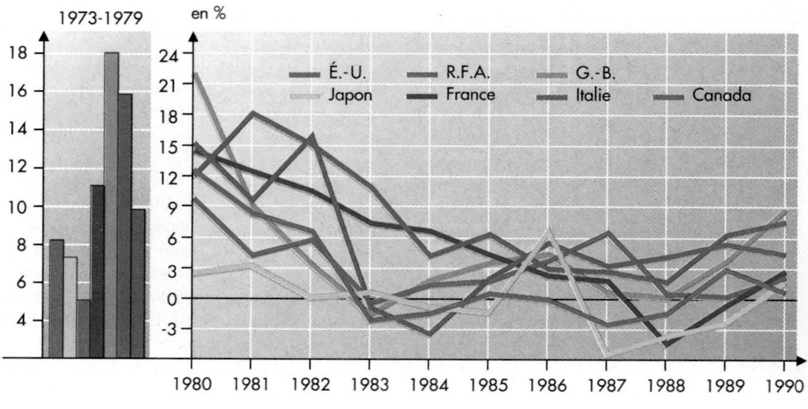

Coûts salariaux et profits

Depuis l'analyse de Karl Marx (1818-1883), l'économie différencie le sort des entreprises de celui de ses salariés et étudie comment ces deux types d'agents se répartissent les richesses produites. La part des richesses qui va aux employés est le salaire, celle qui va à l'entreprise et à ses propriétaires (les capitalistes) est le profit.

Les salaires sont la rémunération que des personnes perçoivent pour un certain temps de travail (journée, mois). Les profits sont la rémunération qu'apporte l'utilisation d'un capital : ils sont proportionnels à l'importance de ce capital. La rente foncière peut entrer dans cette large catégorie : elle est la rémunération de la propriété d'un capital foncier ou immobilier. Avec le développement du capitalisme, la part des salariés dans la population active augmente, et celle des salaires s'élève dans la structure d'ensemble de la répartition. En 1995, les salaires représentaient entre 60 et 68 % des richesses créées par un pays.

Évolution des coûts salariaux. Au cours des années 1950-1960, la croissance de la production a permis un mode de partage entre salaires et profits de telle façon que les deux catégories de revenus étaient en hausse. Le pouvoir d'achat des salaires s'est considérablement accru dans les pays industrialisés et les taux de profits ont atteint des niveaux très élevés. Après le tournant des années 1970, la croissance de la production a été freinée par le plafonnement de la productivité qui a affecté tout le monde industriel. Les taux de croissance ont été ralentis et la rentabilité des entreprises a diminué. Or le couple salaires-profits a évolué d'une manière différente, et les coûts salariaux ont continué à croître. Les salariés, en effet, ont tenté de maintenir l'accroissement de leur pouvoir d'achat, et les entreprises (confiantes dans les mécanismes keynésiens de stimulation de l'économie par la relance de la consommation) comptaient sur une croissance de la demande pour maintenir leurs marges bénéficiaires.

À partir des années 1980, la tendance s'inverse et le niveau des coûts salariaux décroît. Il s'ensuit une amélioration relative de la situation des entreprises dans l'ensemble du monde industrialisé. Le chômage, qui entre-temps s'était considérablement accru, explique en partie la pression à la baisse des coûts salariaux : les employés, craignant de se retrouver au chômage, acceptent la stagnation de leur pouvoir d'achat.

Les structures salariales accusent aussi, du fait de la crise, des modifications qualitatives :
– le salaire stable est remis en question. On assiste à la prolifération des emplois à temps partiel, des contrats à durée déterminée, du travail intérimaire, ainsi que celle des « petits boulots », à la limite de la légalité. Le phénomène peut être uniquement dû à la crise et, par conséquent, passager ; mais il se peut aussi que la « norme salariale » des années 1945-1970 soit définitivement remise en question par le ralentissement de la croissance ;
– la concurrence des pays à bas salaires et surtout l'importance croissante des technologies (et donc du travail qualifié) dans les processus de production entraînent une désarticulation entre deux mondes économiques distincts : celui des travailleurs qualifiés, qui profitent du commerce international pour augmenter leurs revenus, et celui des travailleurs non qualifiés, qui pâtissent de la concurrence des pays à bas salaires ou qui sont remplacés par des machines. Dans les principaux pays industrialisés, aujourd'hui, la hiérarchie des salaires présente des différences qui vont, en moyenne, de 1 à 6 et qui tendent à augmenter depuis la fin des années 1980.

Évolution des profits. Dans la crise des années 1970, les profits sont (en moyenne) doublement amoindris :
– par le ralentissement de la productivité globale, qui a atteint ses limites à la fin des années 1960 ;
– par la part croissante du coût salarial, qui s'élève plus vite que la production.

Dans les années 1980, bien que les courbes de niveau de profits donnent un profil assez plat, une amélioration semble se produire, et ce à partir de 1982-1983. Mais cette amélioration, due à la baisse des coûts salariaux, n'a nullement signifié la fin de la crise. C'est seulement lorsque la productivité globale des économies industrialisées retrouvera des taux de croissance satisfaisants que profits et salaires connaîtront de nouveau des conditions d'accroissement durable.

Toutefois, les évolutions des taux de profits sont très hétérogènes selon le secteur et le type d'entreprise étudiés. Les grandes firmes multinationales, celles situées sur des secteurs privilégiés tels que les industries de haute technologie ont des taux de profit bien plus élevés que les entreprises qui, du fait d'une taille insuffisante ou d'un secteur d'activité sans perspectives d'innovations, voient leurs profits diminuer du fait de la concurrence internationale.

Secteur privé et secteur public

Dans tous les pays industrialisés, certaines entreprises sont détenues par l'État. On constate toutefois que, aussi bien dans les pays en voie de développement que dans les pays développés, la part du secteur public dans l'économie tend à diminuer.

Les nationalisations. On appelle nationalisation le rachat (parfois l'expropriation) par l'État d'entreprises détenues par des particuliers ; ces entreprises deviennent ainsi des entreprises publiques. La France a connu deux vagues de nationalisations, l'une en 1945, l'autre en 1981, qui ont concerné les grandes entreprises industrielles (Renault, France Télécom, EDF, Air France), l'industrie de l'armement (Giat) ou encore certaines grandes banques et compagnies d'assurances (Crédit Lyonnais, GAN).

En France comme dans d'autres pays industrialisés (Grande-Bretagne, Italie) on donne à ces nationalisations trois raisons. La nationalisation de certaines entreprises (comme Renault) a d'abord été une sanction de leur comportement durant la Seconde Guerre mondiale. Il s'agit ensuite de protéger et d'assurer le développement économique (et politique dans le cas de l'armement), en soustrayant aux intérêts privés les entreprises les plus importantes pour ce développement. C'est pourquoi beaucoup d'entreprises situées dans des secteurs de haute technologie ou dans le secteur financier ont été nationalisées.

Il s'agit enfin de compenser par l'intervention étatique les défauts de l'économie de marché. Dans le cas des monopoles naturels, où il est plus efficace qu'il n'y ait qu'une seule firme sur le marché, la détention publique de l'entreprise permet d'accroître au maximum la capacité de rendement tout en intégrant dans la prestation de services ou la tarification les souhaits des consommateurs. Dans ces deux cas, l'État est censé se comporter comme un meilleur gestionnaire que le secteur privé, car son rôle n'est pas seulement de créer des profits, mais d'œuvrer pour les intérêts économiques, sociaux (notion de service public) et politiques de la nation tout entière.

Les privatisations. Depuis le milieu des années 1980 pour les pays anglo-saxons et le début des années 1990 pour les économies d'Europe continentale, les gouvernements favorisent une politique de privatisations. En France, on a assisté dans les années 1990 aux privatisations (partielles ou totales) de la BNP, de Rhône-Poulenc, de Renault ou encore de France Télécom. Plusieurs raisons à cela. De plus en plus d'économistes expliquent que l'État ne dispose pas des incitations (notamment concurrentielles) nécessaires pour maintenir un certain niveau d'efficacité ou effectuer des choix stratégiques judicieux (par exemple en matière de technologies clés). De plus, la plupart des arguments avancés pour justifier la substitution de l'État à l'actionnariat privé sont de moins en moins fondés : du fait des évolutions technologiques, les monopoles naturels sont de plus en plus rares. De surcroît, la tendance générale étant à la réduction des déficits publics, notamment pour parvenir à la monnaie unique européenne et pour rassurer les investisseurs internationaux, les privatisations d'entreprises publiques permettent de réduire les dépenses tout en augmentant les revenus de l'État. Enfin, la détention publique d'entreprises s'accorde mal avec la tendance à la mondialisation des économies (dans ce contexte, les firmes sont conduites à opérer des alliances stratégiques avec des partenaires étrangers, et elles doivent être plus compétitives pour résister à la concurrence internationale) et l'ouverture à la concurrence de nombreux monopoles publics (électricité, téléphone, transports, etc.), notamment dans le cadre de l'Union européenne.

VOIR AUSSI • Services publics p. 1014

◆ Montant des privatisations dans les pays de l'OCDE.

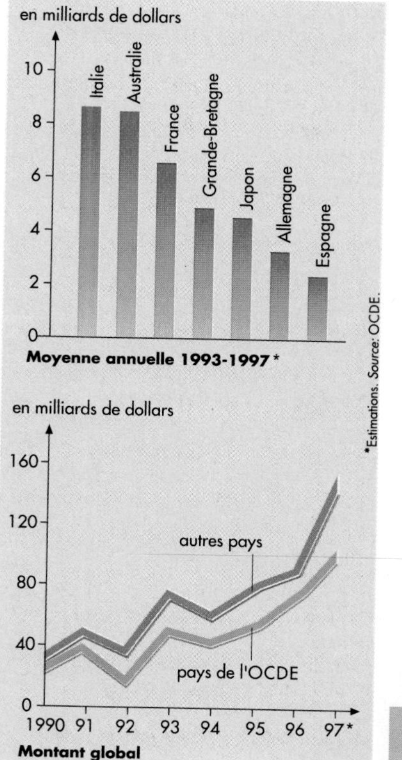

L'État

L'État dans les pays industrialisés

Depuis la formation du concept État-nation, l'État organise et assure le bon fonctionnement des activités économiques des ménages et des entreprises. Au fur et à mesure que les économies se sont complexifiées (augmentation du nombre d'activités, etc.), l'État a veillé à adapter aussi bien son rôle que ses moyens d'intervention. Son rôle varie également selon les pays, et en particulier selon leur culture (libéralisme anglo-saxon, interventionnisme continental).

L'ensemble des modes d'intervention de l'État sur les autres structures économiques forme sa politique économique ; les domaines dans lesquels il est susceptible d'intervenir recouvrent la totalité de l'activité économique. Les grands axes d'intervention modernes, qui s'étaient dessinés pendant la crise des années 1930, se sont stabilisés au cours de la période de croissance 1945-1970. Ce sont :
- la politique industrielle, qui consiste à intervenir dans la production *via* les entreprises publiques ou à réglementer la concurrence ;
- la politique des revenus et de réduction des inégalités ;
- la politique fiscale, qui agit sur la consommation et l'épargne ;
- la politique monétaire, dont l'objectif est de réguler la masse monétaire ;
- la politique fiscale, qui vise les structures financières ;
- la politique budgétaire, d'action de l'État sur les revenus des agents économiques ;
- la politique commerciale et des changes à l'égard de l'extérieur.

Les politiques économiques qui ont accompagné la grande croissance des années 1945-1970 avaient présenté un bilan positif. Mais les politiques étatiques ne sont pas parvenues au cours des années 1970 à maîtriser les événements (montées successives de l'inflation et du chômage). Cette inadéquation a suscité des expériences de modification du rôle de l'État. Bien que la tendance générale semble être une réduction des interventions étatiques, la part des dépenses publiques dans le PIB n'a pas pour autant cessé d'augmenter, même dans les pays anglo-saxons (réputés plus libéraux que les pays d'Europe continentale).

La politique monétaire

La politique monétaire a longtemps été conçue comme un instrument d'arbitrage entre inflation et chômage : lorsque l'économie entrait dans une phase de ralentissement de l'activité, une politique expansive devait permettre une relance de cette activité, avec en contrepartie une hausse de l'inflation. Toutefois, la conjonction dans les années 1970 de l'inflation et du chômage et l'échec des politiques de lutte contre celui-ci conduisent les autorités à préférer combattre l'inflation. L'idée d'un arbitrage entre chômage et inflation a été abandonnée.

Afin d'atteindre la stabilité des prix, les autorités monétaires (les banques centrales) se fixent des objectifs intermédiaires, qui peuvent porter sur la croissance de la masse monétaire (qui doit se rapprocher du taux de croissance de l'économie réelle), sur le niveau des taux d'intérêt nominal (qui influe sur l'investissement et sur les mouvements internationaux de capitaux) et sur la stabilité du taux de change à niveau dit d'équilibre (un taux de change élevé renchérit les exportations, mais ralentit l'inflation et oblige les entreprises à effectuer des gains de productivité ; en revanche, un taux de change faible encourage les exportations, mais ne stimule pas la productivité des entreprises et importe de l'inflation).

Toutefois, la lutte contre l'inflation n'est pas seulement une affaire de masse monétaire ou de taux d'intérêt. Elle pose également aux gouvernements un problème de crédibilité. En effet, la lutte contre l'inflation est une politique dont les résultats sont perceptibles à long terme, mais qui peut être douloureuse à court terme (puisqu'elle implique souvent un ralentissement de l'activité économique). Au contraire, une politique inflationniste est plus séduisante à court terme, même si elle a des effets dramatiques à long terme (ralentissement de la croissance). Par conséquent, un gouvernement ne parvient pas à rendre convaincante sa lutte contre l'inflation : l'annonce d'un ralentissement de la croissance monétaire, par exemple, ne persuadera pas les agents économiques de la fermeté des engagements de l'État, que l'on soupçonnera de revenir à une politique inflationniste pour des motifs électoraux ou financiers. Les agents économiques vont donc continuer d'anticiper un fort taux d'inflation et demander des salaires élevés ou une rémunération accrue du capital. Pour que l'annonce soit plausible et la politique désinflationniste efficace, le gouvernement ne doit pas pouvoir revenir à une politique expansive plus avantageuse

La politique monétaire au Japon

Les autorités monétaires des pays industrialisés utilisent les principaux instruments de politique monétaire dont elles disposent : maniement des taux de réserves obligatoires en monnaie centrale dans les banques, vente de titres publics sur le marché monétaire – c'est-à-dire aux banques – accroissement du taux d'escompte de la banque centrale, encadrement du crédit – c'est-à-dire limitation de sa progression. Elles peuvent moduler la gamme de décisions et privilégier un instrument par rapport à un autre. Les autorités monétaires japonaises ont agi, pendant les années 1970, par l'encadrement du crédit, le taux d'escompte et, à un degré moindre, les réserves obligatoires. Au cours des années 1980, elles ont utilisé principalement la vente de titres publics (marché ouvert). Le but de ces politiques monétaires était de restreindre les dépenses, ainsi que l'accroissement de la masse monétaire. On constate l'utilisation de moyens brutaux (encadrement du crédit) dans les années 1970 – à forte inflation – et plus souples (open market) dans les années 1980 – à décélération de l'inflation.

◆ **Structure des prélèvements obligatoires dans les principaux pays industrialisés.**

La France présente un certain nombre de spécificités par rapport aux autres pays de l'OCDE. Les cotisations sociales, et notamment les cotisations patronales, constituent la première source de prélèvements obligatoires et représentent plus de 40 % du total. L'impôt sur le revenu des personnes physiques occupe une place relativement modeste, les personnes à faibles revenus en étant exemptées. Enfin, les impôts indirects, et notamment la TVA, représentent une source importante de revenus.

Pays	Impôts sur le revenu	Impôts sur le bénéfice des sociétés	Sécurité sociale	Impôts sur salaires à la charge des employeurs	Impôts sur le patrimoine	Impôts sur les biens et services	Autres	Total
Allemagne	23,2	4,7	41,6	n.d.	2,8	27,7	n.d.	100
Belgique	n.d.	38,7**	31,8	n.d.	2,8	26,6	n.d.	100
Danemark*	*53,3*	*4,6* 60,3**	3,1	0,4	3,3	32,7	0,2	100
Espagne	22,5	7,5	35,1	n.d.	5,7	29,0	0,3	100
France	14,8	4,5	41,6	2,3	5,5	27,2	4,1	100
Grèce*	*12,3*	*6,4* 22,4**	30,5	0,7	3,4	42,9	n.d.	100
Irlande	31,0	10,1	12,8	1,1	5,4	39,6	n.d.	100
Italie	*29,8*	*6,5* 36,3**	33,5	0,2	5,1	24,8	n.d.	100
Luxembourg	20,7	19,0	25,8	n.d.	7,9	26,7	n.d.	100
Pays-Bas	15,7	10,5	40,7	n.d.	4,6	28,0	0,5	100
Portugal	17,9	10,9	25,9	n.d.	2,4	42,1	0,8	100
Royaume-Uni	25,8	11,2	17,0	n.d.	10,8	35,2	n.d.	100
Suède	34,1	6,3	29,8	3,2	3,9	22,5	0,2	100
États-Unis*	37,7	9,5	24,7	n.d.	11,0	17,2	n.d.	100
Japon*	20,0	16,6	36,5	n.d.	11,3	15,4	0,2	100
Moyenne UE 12	***26,8***	***7,3*** **34,7****	**28,9**	**0,9**	**4,2**	**30,8**	**0,5**	**100**
Ensemble OCDE**	**27,5**	**8,3**	**25,1**	**0,8**	**5,4**	**32,5**	**1,1**	**100**

Données 1997.* 1996 . **Comporte certaines rubriques non ventilables.** Les chiffres en italique donnent un ordre de grandeur.

Source : Statistiques des recettes publiques des pays membres de l'OCDE 1965-1967.

pour lui et la lutte contre l'inflation doit donc être menée par une institution indépendante. C'est pourquoi l'indépendance des banques centrales connaît aujourd'hui un succès croissant tant dans les pays industrialisés que dans ceux en voie de développement.

Le budget de l'État

Le budget de l'État présente l'ensemble des dépenses et des recettes pour l'année civile à venir. Il concerne les différents ministères, mais n'intègre pas les ressources et les dépenses des collectivités locales ni celles des organismes de Sécurité sociale. Le terme de budget peut également désigner les ressources et dépenses d'un ministère : on parle par exemple du budget de l'Éducation nationale. Le budget de l'État est préparé par le gouvernement et voté par l'Assemblée nationale. Il reçoit le nom de loi de finances. Ce budget étant prévisionnel, les recettes réelles peuvent se révéler plus faibles que celles estimées (inversement, un nouveau gouvernement peut décider de réduire les dépenses initialement prévues), et une loi de finances rectificative doit alors être votée. Le solde budgétaire est la différence entre les recettes et les dépenses publiques. Si le solde est positif, le budget est excédentaire. En revanche, lorsque les recettes ne couvrent pas les dépenses, il est déficitaire.

Les charges budgétaires. Les charges budgétaires, également appelées dépenses publiques, sont les dépenses de l'État. Elles constituent un des principaux moyens d'intervention de celui-ci dans la vie économique du pays. On distingue les dépenses publiques ordinaires (rémunérations des fonctionnaires, aides à l'emploi ou aux agriculteurs, etc.) des investissements publics (ou dépenses publiques en capital). Le financement de ces derniers pouvant s'étendre sur plusieurs années, le gouvernement doit soumettre au Parlement des autorisations de programmes afin d'obtenir son accord. Dans le budget fonctionnel, les dépenses publiques sont affectées par fonctions : éducation et culture, administration et défense, secteur social, santé et emploi, transports et communication, etc. On peut également les regrouper par nature : rémunération des fonctionnaires, aides et subventions, investissements, intérêts de la dette publique, contribution de la France au financement de l'Union européenne, etc.

Les recettes. Les ressources de l'État proviennent à 90 % des prélèvements obligatoires – impôts et cotisations sociales. En France, les impôts regroupent l'impôt sur le revenu, l'impôt sur les sociétés, la taxe sur la valeur ajoutée (TVA), la taxe intérieure sur les produits pétroliers et l'impôt de solidarité sur la fortune. On distingue les impôts directs, qui sont supportés et versés au percepteur par un même agent économique (impôt sur le revenu, impôt sur le bénéfice des sociétés, impôts locaux) des impôts indirects, qui sont versés au percepteur par l'intermédiaire d'un autre agent. Tel est le cas de la TVA, payée par le consommateur lorsqu'il achète un bien ou un service puis reversée au fisc par les commerçants.

Les cotisations sociales rassemblent les cotisations des employeurs (cotisations patronales), celles des salariés et des non-salariés (travailleurs indépendants ou personnes inactives). Enfin, il existe des recettes dites annexes, comme les recettes de la production marchande de l'État (armement) ou certaines recettes exceptionnelles (privatisations d'entreprises publiques).

Politique budgétaire. Jusqu'à la crise des années 1930, l'État n'avait d'autre rôle que d'assurer la paix et le maintien d'un certain nombre de services publics. La dépression qui a suivi le krach de 1929 ainsi que les travaux de l'économiste britannique J. M. Keynes (1883-1946) ont montré que l'État peut utiliser les dépenses publiques pour relancer la demande et aider l'économie à sortir d'une situation de sous-emploi. Cette politique de relance est d'autant plus efficace que la propension des ménages à consommer est importante : c'est pourquoi la relance budgétaire est dirigée vers les agents à faibles revenus, qui disposent donc d'une forte propension à consommer.

Toutefois, l'efficacité de la relance keynésienne est soumise à condition. D'une part, il doit exister des capacités de production inutilisées (sans quoi la hausse de la demande a pour seul effet d'augmenter l'inflation). D'autre part, la hausse des dépenses publiques relance l'activité et, pour financer leurs transactions, les agents ont besoin de monnaie : cette exigence, alors que l'offre de monnaie est constante, conduit à une hausse des taux d'intérêt, donc à une réduction de l'investissement privé. Pour combattre cet effet d'éviction, une politique expansionniste (hausse de l'offre de monnaie) doit accompagner la politique fiscale. Enfin, pour être efficace, la hausse des dépenses publiques doit être financée par un emprunt et non par une hausse des impôts. Or, pour que cet emprunt et les intérêts qui s'y rapportent puissent être remboursés sans qu'il soit nécessaire d'effectuer de nouveaux emprunts, le taux de croissance de l'économie doit être supérieur au taux d'intérêt de la dette. En France, les taux d'intérêt ont été constamment supérieurs au taux de croissance depuis 1979, d'où une hausse du poids de la dette dans le budget de l'État (qui est passé de 15 % du PIB en 1980 à 35 % en 1993).

Même lorsque ces conditions préalables sont respectées, les politiques budgétaires keynésiennes font l'objet de critiques de la part des économistes libéraux (monétaristes et nouveaux classiques). Selon eux, la hausse des dépenses publiques conduit à une réduction des dépenses privées, suivant deux mécanismes. D'abord, l'emprunt nécessaire pour financer cet accroissement des dépenses publiques conduit à une hausse des taux d'intérêt et à une réduction de l'investissement privé. Ensuite, les agents économiques peuvent estimer que la hausse des dépenses publiques sera suivie par des taux d'imposition plus élevés afin de rembourser l'emprunt, ce qui les fera épargner davantage.

En outre, si la consommation dépend du revenu permanent et non du revenu transitoire, la politique de relance ne peut affecter les dépenses des consommateurs. Enfin, si les dépenses publiques sont financées par une hausse de la création monétaire, la politique de relance ne peut avoir qu'un effet à court terme car l'inflation qui suit l'accroissement de la création monétaire conduit à une hausse des salaires et au chômage.

◆ Le budget de l'État français.

dépenses du Budget général (hors les dépenses financées par les fonds de concours)	1 618,5
fonds de concours	n.d.
dépenses totales du Budget général	1 618,5
charge nette des comptes spéciaux du Trésor	4,3
Total des charges	**1 622,8**
recettes fiscales nettes de recherche et développement	1 459,1
prélèvements	-254,7
recettes non fiscales	163,8
fonds de concours	
Total des recettes	**1 368,2**
solde	**-254,6**

En milliards de FF ; données 1998. *Source* : ministère de l'Économie, des Finances et de l'Industrie.

◆ Répartition des crédits par ministères, en France.

Ministères	Projet de loi de finances 1999
Affaires étrangères et coopération	20 775
Agriculture et pêche	33 547
Aménagement du territoire et environnement :	3 979
Environnement	2 180
Anciens combattants	25 478
Culture et communication	15 670
Économie, finances et industrie :	407 505
Éducation nationale, recherche et technologie :	
- Enseignement scolaire	297 744
- Enseignement supérieur	51 114
- Recherche et technologie	40 008
Emploi et solidarité :	
- Emploi	161 849
- Santé, solidarité	75 688
- Ville	1 000
Équipement, transports et logement :	
- Services communs	23 189
- Urbanisme et logement	41 442
- Transports	55 445
- Transports terrestres	45 182
Équipement, transports et logement *(suite)* :	
- Routes	7 011
- Sécurité routière	455
- Transports aérien et météorologie	2 797
- Mer	6 279
- Tourisme	372
Intérieur et décentralisation	79 619
Jeunesse et sports	3 021
Justice	26 258
Outre-mer	5 594
Services du Premier ministre :	
- Services généraux	4 038
- Secrétariat général de la défense	130
- Conseil économique et social	183
- Plan	153
Total des budgets civils	**1 380 071**
Défense	243 524
Total budget général	**1 623 595**

En millions de FF. *Source* : ministère de l'Économie, des Finances et de l'Industrie.

◆ Part de l'impôt dans le PIB.

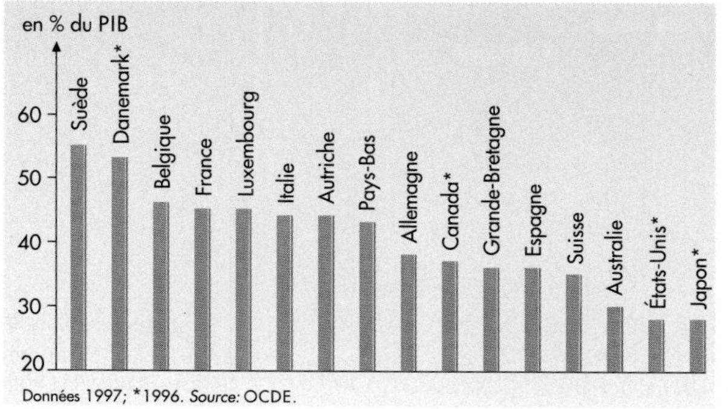

Données 1997; *1996. *Source:* OCDE.

Petit lexique

taux d'intérêt : le taux d'intérêt constitue le prix de la renonciation à la consommation présente. Plus le taux d'intérêt est élevé, plus il est intéressant de placer une somme d'argent afin de consommer ultérieurement. On comprend que la valeur de l'intérêt perçu dépend du taux d'inflation. On distingue alors le taux d'intérêt nominal, qui est celui affiché par les institutions financières, et le taux d'intérêt réel, qui est le taux d'intérêt nominal diminué du taux d'inflation. C'est ce dernier qui constitue le prix réel de la renonciation à la consommation.

Limites des politiques de relance

Les politiques de relance keynésiennes ont fait l'objet de critiques de la part des économistes libéraux, qui leur reprochent leurs effets inflationnistes et le fait qu'elles se substituent aux efforts d'investissement privés. Ces politiques de relance sont également peu efficaces dans le contexte d'une économie ouverte aux échanges internationaux.

On identifie deux types de contraintes extérieures. La première est une contrainte commerciale qui résulte de la croissance des échanges internationaux de produits et de services. Les firmes nationales réalisent ainsi une part importante de leur activité sur des marchés étrangers : leurs profits, leurs niveaux d'emploi et d'investissement ne dépendent plus exclusivement de la conjoncture intérieure mais également de celle des pays partenaires. Inversement, stimuler la demande intérieure peut occasionner une hausse des importations, et demeurer sans effet réel sur le niveau d'emploi des entreprises nationales. De plus, la hausse des importations déprécie le taux de change du pays : pour soutenir la monnaie nationale, la banque centrale doit vendre des devises et contracter ainsi la masse monétaire. La hausse des taux d'intérêt qui en résulte ralentit l'investissement, et la relance par les dépenses publiques n'a aucun effet. Évidemment, plus un pays est ouvert aux importations, plus la contrainte extérieure à laquelle il est soumis est forte, et moins la relance keynésienne sera efficace.

La seconde contrainte extérieure est financière. Depuis la fin des années 1980, la mobilité internationale des capitaux s'est considérablement accrue. Dans un premier temps, cette mobilité peut renforcer l'efficacité des politiques budgétaires. En effet, la relance entraîne une hausse des importations et la dépréciation du taux de change ; pour défendre sa monnaie, la banque centrale réduit la masse monétaire, ce qui induit une augmentation des taux d'intérêt et une baisse de la croissance. Mais, dans un contexte de mobilité internationale des capitaux, la hausse des taux d'intérêt va attirer les capitaux internationaux, ce qui permet une hausse du taux de change et une baisse du taux d'intérêt.

La loi de Wagner

Tout au long du XXe s., l'État est intervenu de manière croissante dans la vie économique. Même si l'on constate un niveau de dépenses publiques moins élevé dans les pays anglo-saxons, plus libéraux que ceux d'Europe continentale, les dépenses publiques ont augmenté plus rapidement que le PIB, et ce quel que soit le pays.

Dès la fin du XIXe s., l'économiste allemand Adolph Wagner (1835-1917) avait anticipé cette évolution des dépenses publiques. Selon lui, la croissance économique conduit à la mise en place d'infrastructures et de services publics (routes, ports, mais aussi éducation et culture). Aucun particulier ne prend en charge ces dépenses, non seulement parce qu'elles sont très importantes, mais aussi parce qu'il s'agit de biens collectifs dont tout le monde peut profiter.

À cette explication s'ajoute un effet de cliquet : les dépenses publiques augmentent fortement lors de crises ou de guerres. Celles-ci terminées, les dépenses publiques ne reviennent pas à leur niveau antérieur : la guerre est suivie d'une période de reconstruction, et les avantages sociaux acquis durant la crise ne sont pas abandonnés.

Toutefois, l'ouverture aux capitaux internationaux peut limiter les marges de manœuvre des gouvernements. En effet, pour pouvoir emprunter sur les marchés de capitaux internationaux, les États doivent offrir une rémunération intéressante à ces capitaux, via le taux d'intérêt, ou conduire des politiques économiques susceptibles de rassurer les investisseurs. La hausse des taux n'offre qu'un intérêt limité, puisque cette hausse réduit l'investissement des entreprises et le taux de croissance de l'économie tout en alourdissant le budget de l'État. Il apparaît donc plus intéressant de rassurer les investisseurs en suivant des politiques monétaire et fiscale qui n'encouragent pas de déséquilibres économiques. En particulier, les politiques de relance peuvent être responsables d'un déficit commercial et d'une dévaluation de la monnaie, ou créer de l'inflation. Dans les deux cas, la valeur des remboursements effectués par l'État aux investisseurs internationaux serait plus faible et les investisseurs demanderaient en contrepartie une hausse des taux d'intérêt.

La désinflation compétitive

Arrivés au pouvoir en 1981, les socialistes mettent en place une politique de relance budgétaire : création d'emplois publics, aide à la création d'emploi et au recrutement des jeunes, augmentation des aides au logement, augmentation des prestations sociales, etc. Mais la relance se solde par un échec. La croissance augmente peu, le déficit de la balance commerciale s'accroît du fait de la forte hausse des importations, alors que les exportations sont réduites par la mauvaise conjoncture mondiale.

Après l'échec de la relance Mauroy, la France rejoint les autres pays de l'OCDE dans une politique qualifiée de désinflation compétitive. Celle-ci doit non seulement réduire les taux de hausse des prix mais aussi stimuler la croissance et l'emploi. En effet, en améliorant la compétitivité-prix des entreprises nationales, la réduction de l'inflation doit entraîner une croissance des exportations. À cet égard, force est de constater l'efficacité des politiques suivies puisque la France, longtemps déficitaire, enregistre à présent d'importants excédents commerciaux. La solution préconisée jusqu'alors, la dévaluation de la monnaie, n'avait réussi qu'à entraîner hausse de l'inflation, sortie des capitaux et hausse des taux d'intérêt.

La désinflation compétitive se met en place à travers une politique monétaire et budgétaire restrictive qui, dans un premier temps, ralentit la croissance et augmente le taux de chômage. Ce chômage entraîne un gel des revendications salariales, donc une baisse du coût des entreprises et de l'inflation. On doit ensuite assister à une reprise des exportations, à une hausse des profits et donc à un redémarrage de l'investissement et de l'emploi.

La première limite de la désinflation compétitive tient à la lenteur de ses résultats. En France, l'épargne n'a pas augmenté avant 1988 ; l'investissement n'a pas redémarré avant 1987. Or la politique budgétaire et monétaire restrictive, nécessaire pour lutter contre l'inflation, est difficile à supporter en période de crise et conduit à court terme à une hausse du chômage. En outre, même à long terme, la reprise de l'investissement et la croissance des exportations n'entraînent pas d'effets notables sur l'emploi : comme les politiques de relance, les politiques de désinflation compétitive semblent être inefficaces contre le chômage.

La raison essentielle de ces résultats incertains réside dans l'hésitation des firmes à investir. L'investissement dépend des liquidités disponibles mais aussi de son coût, qui augmente à court terme du fait de la hausse des taux d'intérêt et de la demande anticipée, qui est réduite par la baisse des salaires.

La courbe de Laffer

L'État peut souhaiter financer la relance économique par une hausse du taux de l'imposition. Mais, comme l'a montré l'économiste américain Arthur Laffer (né en 1941), toute hausse de ce taux risque d'entraîner une baisse des recettes totales.

Plus précisément, il existe un niveau optimal de taxation au-delà duquel les recettes fiscales diminuent.

Au-delà de r*, l'effet négatif de l'impôt sur l'activité économique (pourquoi créer de la richesse si l'État ponctionne cette richesse et la redistribue ?) l'emporte sur la hausse du niveau de taxation : « Trop d'impôts tue l'impôt. » Mais la difficulté est évidemment de connaître le taux optimal d'imposition : on ne dispose en effet d'aucun critère permettant de savoir avec certitude s'il faut augmenter ou diminuer le niveau de l'imposition.

Malgré cela, la courbe de Laffer a inspiré de nombreuses réformes, en particulier dans les pays anglo-saxons. Ainsi, au cours des années 1980, l'administration des États-Unis a conduit une politique de réduction du taux marginal d'imposition, qui est passé de 70 % en 1981 à 28 % en 1986.

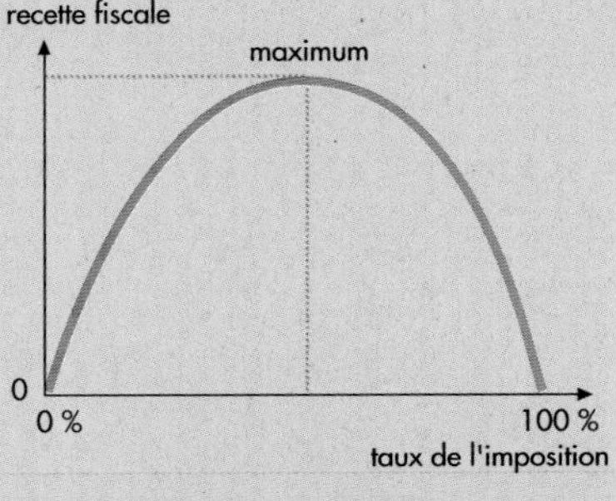

VOIR AUSSI
• **Prix et inflation** p. 840
• **L'État-providence en question** p. 994 et suivantes

Le système financier

L'organisation du système

L'État, les ménages et les entreprises sont les acteurs de la vie économique. Pour financer leurs opérations de consommation ou d'investissement, ces acteurs peuvent utiliser leurs propres ressources. Toutefois, et surtout dans le cas des entreprises et de l'État, les besoins de financement excèdent les ressources. En revanche, pour un certain nombre de ménages et d'entreprises, les ressources financières excèdent les besoins. Le système financier a pour fonction de faire la liaison entre les détenteurs de ressources financières et les agents qui ont besoin de financement.

La finance directe. Les agents qui souhaitent obtenir le financement de leurs projets (investissements, création d'entreprise) peuvent entrer directement en relation avec ceux qui disposent de ce financement. Les premiers vendent des titres aux seconds, principalement sous la forme d'actions ou d'obligations. Le premier avantage de la finance directe réside dans l'absence d'intermédiaires entre le demandeur de financement et le prêteur. Dès lors, il n'y a qu'une marge très faible entre le coût du financement pour l'émetteur de titres et le rendement de ceux-ci pour le souscripteur. De surcroît, comme il existe un grand nombre d'épargnants disposés à prêter de l'argent, les sommes empruntées par les émetteurs de titres peuvent être d'un montant très élevé.

En revanche, la finance directe est risquée : le financé sera-t-il capable de rembourser son prêt, augmenté des intérêts (ou dividendes) prévus initialement ? Quelle sera la valeur des titres lorsque leur détenteur souhaitera les revendre ? Pour réduire ce risque, le prêteur doit rassembler des informations sur l'emprunteur. Or ce processus de recherche d'informations peut se révéler très coûteux. Il s'agit en outre de coûts fixes, qui restent les mêmes que le prêteur possède 10 ou 10 000 titres. De plus, celui-ci a intérêt à diversifier ses placements, de manière à diminuer le risque de prêter à un agent défaillant, ce qui implique d'importantes ressources financières. Les émetteurs doivent également engager des coûts, essentiellement pour prouver qu'ils seront capables de rembourser leurs emprunts : publicité dans les journaux financiers et auprès des institutions de financement. On comprend alors que la finance directe ne soit le plus souvent accessible qu'aux très grosses entreprises qui doivent engager des projets très coûteux et aux très grandes institutions financières qui ont les moyens nécessaires pour rentabiliser leurs coûts d'information. Ces institutions joueront le rôle d'intermédiaires entre les petits épargnants et les emprunteurs.

La finance indirecte. Lorsque la finance directe se révèle peu rentable, un intermédiaire financier (le plus souvent une banque) intervient entre prêteur et demandeur de financement. L'intermédiaire perçoit une rémunération : les épargnants lui versent leurs liquidités en échange d'un faible intérêt et la banque prête cet argent en demandant un rendement plus élevé. En contrepartie, les prêteurs sont mieux prémunis contre le risque (car il est peu probable qu'une banque fasse faillite, compte tenu des règles de prudence auxquelles elle doit se soumettre et du soutien de l'État) et une plus grande liquidité leur est octroyée (car les fonds peuvent être récupérés rapidement et sans risque de moins-value). Dès lors, il est moins nécessaire pour le prêteur de s'informer sur la santé financière de sa banque. En outre, celle-ci est mieux placée pour rentabiliser les prêts qu'elle accorde aux demandeurs de financement. Grâce aux énormes quantités de liquidités qui lui sont confiées, elle peut en effet répartir son risque entre plusieurs emprunteurs, tandis que les fortes sommes qu'elle prête à un même emprunteur lui permettent de rentabiliser ses coûts d'information.

◆ **Les indices boursiers.**
Ces indices boursiers sont constitués par un panier d'actions représentatives du marché local. Chaque jour, ils sont modifiés en fonction des cotations. Quand, en un lieu, le nombre ou le choix des valeurs prises en compte par un premier indice n'était pas entièrement satisfaisant, un second indice a été créé pour compléter l'information.

Lieu	Nom de l'indice	Nombre de valeurs prises en compte
New York	Dow Jones	30
	Standard and Poors	500
Tokyo	Nikkei	225
	Topix	1 165
Londres	Footsie	100
	Financial Times	30
Francfort	FAZ	100
	DAX	30
Paris	CAC 40	40
	OMF 50	50

Les investisseurs institutionnels

Les intermédiaires financiers non monétaires sont des organismes qui collectent l'épargne à long terme et la placent en titres financiers (actions ou obligations) émis par les entreprises. On les appelle aussi « investisseurs institutionnels ». Il s'agit des caisses d'épargne, de la Caisse des dépôts et consignations (en France), des compagnies d'assurances, des caisses de retraites, des institutions gestionnaires de fonds, etc.

Dans les pays industrialisés, l'évolution économique, qui accroît la production et le niveau de vie, entraîne une hausse en valeur absolue de l'épargne – même si sa part dans le revenu a eu tendance à diminuer au cours des années 1970-1990. Les individus – ou ménages – disposent donc d'une quantité d'épargne plus grande qu'antérieurement. Le rôle des institutions financières non monétaires consiste à transformer cette épargne disponible à court terme en épargne à long terme.

Les investisseurs institutionnels sont devenus les premiers acteurs des marchés financiers et les plus gros actionnaires des firmes et des banques des pays industrialisés : le premier actionnaire de l'industrie américaine est le département de gestion de fonds de la banque Morgan, le premier actionnaire de l'industrie britannique est la compagnie Prudential Assurance et le premier actionnaire français est la Caisse des dépôts et consignations.

Cette prépondérance s'explique par la masse de capitaux collectée et son placement dans l'industrie. Les investisseurs institutionnels n'interviennent pas dans la gestion des firmes. La crise a modifié, en l'améliorant, la gamme des services qu'ils offrent : l'apparition des caisses de retraites complémentaires, par exemple, est une donnée nouvelle des années 1970-1990.

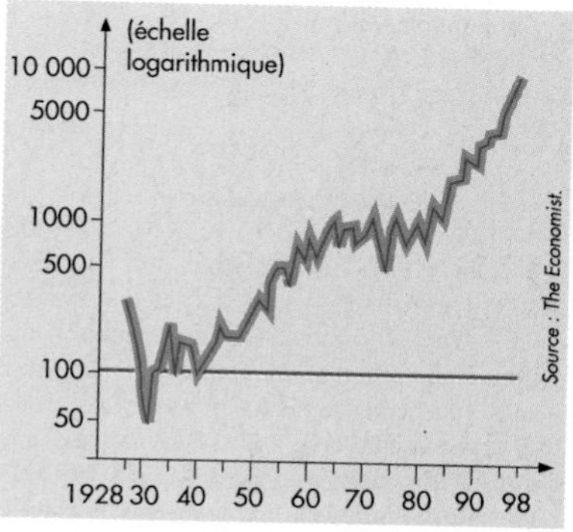

◆ **Le Dow Jones depuis 1928.**
L'envolée des cours, phénomène général depuis 1982, s'explique de deux manières : 1° le début des années 1980 s'illustre par le renversement de la tendance inflationniste antérieure. L'assainissement des économies, permis par les faillites et le chômage, déclenche l'optimisme sur les marchés ; 2° à partir d'une faible hausse des cours, les capitaux en attente de rentabilité se précipitent et créent un mouvement spéculatif entretenu jusqu'en 1987. Après le krach, le mouvement reprend, temporairement interrompu par la crise du Golfe (1990).

Action et obligation

La finance directe transite essentiellement par deux types de titres : les actions et les obligations. Les actions sont des droits de propriété sur les sociétés. Une entreprise récolte ainsi des fonds en vendant une part d'elle-même. La détention d'une action donne deux droits : celui de voter à l'assemblée générale des actionnaires (où sont prises les décisions importantes pour l'avenir de l'entreprise) et le droit de recevoir des dividendes, c'est-à-dire une partie des bénéfices distribués chaque année. Les actions ne sont jamais remboursées mais elles peuvent être revendues à d'autres agents. La valeur des actions varie donc en fonction des perspectives de profit des entreprises qui les ont émises: ces perspectives étant souvent incertaines, l'achat d'une action est un pari sur l'avenir.

Les obligations sont des titres correspondant à des fractions d'emprunts faits par les entreprises. Contrairement aux actions, elles sont remboursées à une certaine échéance (par exemple sept ans) et les dividendes sont remplacés ici par des intérêts fixes. Comme les actions toutefois, les obligations sont des titres qui peuvent être revendus à d'autres agents. Leur valeur varie en fonction de la demande et de l'offre d'obligations, mais surtout en fonction du taux d'intérêt des nouveaux titres émis au moment où l'on souhaite vendre : plus ce taux est faible, plus la demande pour d'anciennes obligations sera forte, et plus leur valeur sera élevée.

Le marché boursier

Les entreprises, lorsqu'elles veulent émettre des titres financiers pour se procurer des capitaux, sont obligées de passer par la Bourse, car les mécanismes d'émission d'actions et d'obligations sont réglementés. Le public (ménages et entreprises) et les investisseurs institutionnels peuvent acheter actions et obligations lors de leur émission ; on dit qu'ils se les procurent sur le marché primaire, première phase de la vie des actifs financiers. Une fois ces titres émis, individus et institutions financières peuvent les vendre ou en acheter d'autres sur le marché secondaire.

Évolution des cours. D'une manière générale, l'évolution des cours des titres financiers doit correspondre aux rythmes de l'activité économique : dans les périodes de stabilité et de croissance, la tendance est à une hausse régulière et, dans les périodes de crise, à une baisse tendancielle. Les années 1950-1960 ont été ainsi des périodes de hausse, tandis que les années 1970 ont plutôt traduit une morosité boursière dans les pays industrialisés. Mais des phases de spéculation peuvent intervenir à la suite d'un événement économique mineur, et un mouvement de hausse ne correspondant pas à l'économie réelle se déclenche, générateur d'un krach à moyen terme : ce fut le cas pendant les années 1920-1929 et de 1982 à 1987. À la fin des années 1990, une grande incertitude demeure quant à l'avenir des Bourses américaines et européennes, dont les cours, en hausse régulière depuis plusieurs années, sont soupçonnés par de nombreux analystes d'être surévalués.

Nouveaux produits financiers. La crise économique, en modifiant le monde économique dans son ensemble, a entraîné l'apparition de nouveaux produits sur les places boursières, notamment au cours des années 1980. Ainsi, de nouvelles formes d'actions (comme les certificats d'investissement), d'obligations (comme les obligations à taux variable), de titres intermédiaires (comme les titres participatifs), de « paniers » d'actifs (comme les fonds communs de placement ou les Sicav) sont apparues en France et dans les autres pays industrialisés. De nouveaux marchés ont aussi été créés : le second marché (1983), le MATIF (1986) et le MONEP (1987).

Les *raiders*

Les *raiders* (mot anglais qui signifie « prédateurs ») sont des acteurs spécialisés dans les offres publiques d'achat hostiles. Ils lancent une OPA sur une firme, souvent un conglomérat, sous-évaluée en Bourse et en même temps vulnérable (parce que la direction, par exemple, n'a pas les moyens de s'opposer à la prise de contrôle). Si l'OPA réussit, le prédateur profite de la hausse des cours qu'il a déclenchée ou revend la firme en question activité par activité. Les périodes de crise économique peuvent conduire à des sous-évaluations en Bourse. Elles sont d'autant plus propices à ce genre d'action que les occasions de profit dans le secteur productif sont plus rares.

Transformation des places financières. Les années 1980 voient également la transformation des places financières et des agents qui y officient : l'informatisation des calculs et la programmation des décisions bouleversent les qualifications des acteurs, maisons de courtage ou agents de change ; la mondialisation des transmissions permet des transactions financières instantanées et unifient les marchés boursiers en un marché unique et ininterrompu. Ce mouvement induit une restructuration de toutes les places financières, chacune visant à s'adapter à cette situation. La modernisation structurelle de la place de Londres s'est faite en 1986 sous l'appellation de « grande explosion » *(big bang)*. Les valeurs sont désormais cotées par un système informatique, les maisons de courtage ont un statut unique, leur capital est ouvert à l'étranger. La place de Paris a suivi le mouvement avec une série de transformations effectuées dans la même direction : modernisation des techniques (informatisation), modification du statut des acteurs (les agents de change ont perdu leur titre et leur charge est devenue une « société de Bourse » dont le capital peut être élargi à du capital extérieur).

Une nouvelle hiérarchie s'instaure entre les Bourses. La domination de Wall Street en volume de transactions a été entamée de 1987 à 1990, période au cours de laquelle la Bourse de Tokyo lui a ravi la première place mondiale (sans toutefois la distancer de beaucoup), mais sa position dominante dans le domaine de financement des nouvelles technologies lui permet d'envisager l'avenir avec sérénité.

Les OPA

Les places boursières sont les lieux où circulent les actifs financiers. Ces titres sont des créances, des actes de propriété sur les firmes et les banques ; ils sont des contreparties de l'économie. En période de bouleversement économique, les valeurs des titres varient. Certains opérateurs se débarrassent des leurs, d'autres profitent de cours plus faibles pour en acheter, et l'activité est nourrie, même si les valeurs des actifs financiers sont à la baisse.

Une offre publique d'achat, ou OPA, est l'engagement que prend une entreprise, ou un particulier, d'acheter les actions d'une société à un cours supérieur à celui du marché et dans un délai donné. C'est le moyen de s'emparer de la firme en question, si les actions sont largement répandues dans le public ou si la direction de la firme est hostile à un changement de propriétaire.

Une OPA peut être hostile ou bienveillante suivant que la direction de la firme visée est opposée ou d'accord avec le changement d'actionnaire majoritaire ; la direction, si elle refuse l'éventualité d'une OPA hostile, peut faire appel à une aide extérieure, appelée chevalier blanc, en opposition à l'auteur de l'OPA hostile, qualifié de chevalier noir.

En 1987-1988, une grande OPA et, par suite, une grande bataille boursière de dimension européenne ont opposé le conglomérat italien De Benedetti (dont les activités vont de l'agroalimentaire à l'électronique) à la Société Générale de Belgique (SGB), une banque d'affaires qui contrôle un tiers de l'économie belge. C'est par le procédé de l'OPA hostile que l'industriel italien voulait racheter la SGB. Mais celle-ci a fait appel à un chevalier blanc français, la Banque de Suez, qui en a finalement pris le contrôle. Cette OPA s'est donc soldée par un échec pour celui qui était à son origine.

Il faut enfin noter que la législation sur les OPA varie d'un pays à l'autre : bien acceptés en Grande-Bretagne, les rachats sauvages d'entreprises sont quasiment impossibles en Suisse. Comme toutes les opérations boursières, les OPA sont surveillées par des organismes de réglementation (la Commission des opérations de Bourse en France) chargées de vérifier leur légalité.

◆ **La Bourse de New York.**

Les principaux marchés de la Bourse de Paris

La Bourse de Paris fonctionne comme les autres places financières avec trois séries d'intervenants : 1° les agents à excédent d'épargne, qui sont le public et les institutions financières qui détiennent une partie de l'épargne du public ; 2° les agents à besoin de financement, qui sont les entreprises qui se procurent des fonds en émettant des titres ; 3° les sociétés de Bourse (ex-charges des agents de change, depuis la réforme de 1968), qui organisent le fonctionnement des différents marchés de titres. Pendant les années 1970-1980, plusieurs réformes ont modifié le fonctionnement de la Bourse de Paris : la disparition du statut des agents de change ; la modernisation informatique des techniques boursières ; le développement des nouveaux produits financiers.

Quatre nouveaux marchés ont été créés : le second marché, sur lequel l'émission d'actions se fait à des conditions moins contraignantes que sur le marché officiel, le MATIF (marché à terme international de France), qui permet aux opérateurs de se prémunir contre les variations de taux d'intérêt, et le MONEP (Marché des options négociables de Paris), qui permet aux opérateurs de se couvrir contre les risques de fluctuation des cours. Le nouveau marché a pour objectif de faciliter l'accès au capital boursier pour les très petites firmes, surtout celles situées dans des secteurs de haute technologie, en leur permettant de bénéficier de conditions d'entrée encore moins contraignantes que sur le second marché.

La masse monétaire

L'acte de créer de la monnaie, accompli sur un espace national, voire supra-national dans le cas de l'Union monétaire européenne, par les banques privées et la banque centrale, détermine un volume de monnaie de crédit – monnaie de papier ou d'écriture – détenue par les acteurs économiques, donc un volume d'actifs monétaires. Ce volume correspond aux besoins en liquidités de l'économie. Il doit ainsi y avoir cohérence entre le fonctionnement des structures monétaires et l'ensemble des structures économiques sur l'espace national. D'une manière générale, le taux de croissance de la masse monétaire doit être le même que celui de la production – et du revenu. C'est normal, puisqu'ils sont dans une relation de contrepartie.

Mais il arrive que la masse monétaire, par exemple, s'accroisse plus vite que la production. Lorsque l'on constate un accroissement malsain de masse monétaire, il faut analyser la manière dont s'est effectuée la création monétaire. En période de crise, beaucoup de firmes présentent des difficultés financières et s'endettent auprès des banques. Mais cet endettement est risqué, car nul ne connaît avec précision la durée de la crise. Les entreprises ne sont donc pas certaines de pouvoir rembourser leurs emprunts : les créances sont douteuses. De plus, cette hausse de l'endettement équivaut à une hausse de la masse monétaire, qui est dissociée du rythme d'accroissement de la production réelle. La monnaie perd globalement de sa valeur, ce qui entraîne une hausse des prix. C'est ainsi que la masse monétaire augmente, puisque le niveau général des prix s'est accru.

Au cours des années 1970, les taux d'accroissement des masses monétaires des pays industrialisés se sont élevés jusque vers 1979. Puis le chômage s'est accéléré. En licenciant, les firmes réduisent leurs coûts et augmentent leur capacité de remboursement des emprunts, ce qui entraîne une revalorisation de la monnaie. De même, les faillites sont une saisie par les prêteurs des actifs de l'entreprise afin de rembourser les emprunts contractés : le chômage signifie donc que les mauvaises créances sont brutalement éliminées.

Les banques centrales

Dans la plupart des pays ou zones monétaires (cas de l'Union monétaire européenne), la banque centrale gère la création monétaire, qui peut être de deux sortes. La monnaie peut être fiduciaire (billets de banque et pièces de monnaie) et seule la banque centrale est investie du pouvoir d'émettre ce type de monnaie. Mais la monnaie peut également être scripturale, c'est-à-dire qu'elle n'existe alors que sous forme de crédits. Les banques commerciales (comme le Crédit Lyonnais ou la BNP) ont le droit d'émettre de la monnaie scripturale, mais cette création de monnaie subit l'influence de la banque centrale, et cela grâce à plusieurs instruments.

Les instruments de régulation. La banque centrale peut d'abord effectuer des opérations de « marché ouvert ». Ces opérations consistent dans l'achat et la vente de titres négociables. Les ventes de titres vont attirer les capacités de financement des banques, qui auront donc moins de liquidités à prêter aux entreprises ou aux ménages. Inversement, les achats de titres donneront plus de liquidités aux banques, donc une plus grande capacité de financement de l'économie (entreprises et ménages).

Le deuxième moyen de gestion de la capacité de financement de l'économie est plus direct puisqu'il concerne les crédits qu'accorde la banque centrale aux banques prêteuses (ou banques commerciales, dites aussi de second rang). Ces crédits, sous forme d'escompte, de réescompte ou de prise en pension, consistent en des avances à court terme accordées aux banques afin qu'elles puissent répondre à des besoins saisonniers ou temporaires. Si le taux d'escompte fixé par la banque centrale est élevé, les banques ne peuvent recourir à cette forme de crédit et leurs capacités de financement de l'économie seront donc limitées. Inversement, si le taux est bas, la capacité de financement de l'économie sera plus forte.

Le troisième moyen, l'encadrement du crédit, consiste à fixer par voie réglementaire et pour une période donnée des normes de progression en matière de crédit.

Enfin, le système des réserves obligatoires oblige les banques commerciales à déposer des réserves à la banque centrale : une augmentation du taux de réserves obligatoires réduit les possibilités de crédit desdites banques.

Ces différentes opérations permettent d'assurer la stabilité monétaire du pays, et en particulier d'éviter l'inflation. Ainsi, lorsque l'économie court un risque de surchauffe, par exemple quand le pouvoir d'achat des ménages est devenu trop important par rapport aux capacités productives des entreprises, la banque centrale va ralentir le financement de l'économie (des ménages dans ce cas précis), réduisant le risque d'inflation.

Toujours dans cet objectif de stabilité monétaire, la banque centrale est chargée de protéger la monnaie nationale sur les marchés de changes : elle échange des devises étrangères contre sa propre monnaie lorsque celle-ci est attaquée. De même, elle fait office de prêteur en dernier ressort pour les banques de second rang, afin d'éviter que la faillite d'une grande banque n'induise des réactions en chaîne entraînant la faillite du système financier et la disparition des économies des épargnants. En 1998, la banque centrale américaine (la Federal Reserve Bank) est ainsi venue au secours d'un important fonds de placement ruiné par les effets de la crise asiatique et par la chute momentanée des cours de Wall Street.

La banque centrale est donc investie de grands pouvoirs. Pour la soustraire à l'influence des gouvernements qui pourraient, par exemple, l'obliger à augmenter le financement de l'économie alors qu'il y a un risque d'inflation, elle est aujourd'hui indépendante de ceux-ci dans la plupart des pays industrialisés.

◆ **Structure des bilans des banques.**

Banques et institutions financières	
Actif	*Passif*
monnaie	dépôts
réserves obligatoires	refinancement (éventuel)
titres supports du refinancement	titres émis
crédit	
autres titres souscrits	
Banque centrale	
Actif	*Passif*
créances sur l'étranger	réserves obligatoires
créances sur le Trésor	billets
dont:	
- avances directes	
- titres	
créances sur l'économie	

Les bilans des banques

La banque centrale doit assurer la converti - bilité entre les monnaies émises par les différentes banques. Dans certains cas, et en particulier en période de crise économique, les banques privées ne sont pas en mesure d'accorder tout le crédit sollicité par les entreprises : l'épargne nationale est insuffisante, et les banques ne peuvent collecter sur le marché les sommes nécessaires. Elles font appel à la banque centrale en se refinançant, c'est-à-dire en s'endettant auprès d'elle. La banque centrale devient alors le principal créateur de monnaie et joue un rôle fondamental dans l'émission nationale.

Dans les bilans, on trouve, pour les banques privées : à l'actif, la monnaie, les réserves en monnaie nationale, les créances sur l'économie, qui peuvent servir à un refinancement, et les autres créances ; au passif, les dépôts des clients et des titres émis par la banque. Lorsqu'une banque est déficitaire, figure aussi le poste « refinancement », qui est une dette envers la banque centrale.

Le bilan de la banque centrale comporte comme actif les devises étrangères (créances sur l'étranger), les créances sur l'État (Trésor) et les créances sur les banques (créances sur l'économie). Au passif, on trouve la monnaie nationale, qui circule dans le pays sous forme de billets et de pièces, et les réserves en monnaie nationale détenues par les banques privées.

VOIR AUSSI

- **Croissance et crise** p. 804
- **Cours de l'or** p. 840

Petit lexique

escompte : processus de refinancement des banques de second rang auprès de la banque centrale. Le réescompte correspond à l'escompte pratiqué par celle-ci. En modulant le taux et le niveau de réescompte, la banque centrale influe sur la création monétaire.

prise en pension : opération de la banque centrale consistant à acquérir un titre auprès d'une banque commerciale et à le lui revendre dans un délai très court. La prise en pension équivaut à un acte de création monétaire.

Croissance et crise

Les cycles économiques

L'activité économique est sujette à des fluctuations : après la Seconde Guerre mondiale, elle connaît une phase de croissance jusqu'en 1974, année à partir de laquelle cette croissance est durablement ralentie. Le ralentissement économique est d'ailleurs ponctué de brèves phases de reprise de la croissance, comme à la fin des années 1980, mais aussi de phases de dépression économique plus graves, comme au début des années 1980 ou des années 1990. Comment expliquer de telles fluctuations, ou cycles économiques ?

Les types de cycles. Si l'on considère la période qui va du début du XIXe s. à la crise de 1929, on relève une série de quatorze phases de dépression économique. Pour la plupart, ces dépressions débutent par un choc externe (comme un krach boursier ou bancaire). Elles sont toutes caractérisées par une contraction brutale de la production, une chute des prix, des faillites nombreuses, une montée du chômage ou un recul des salaires. Les années précédant la crise sont des années d'expansion économique, avec l'apparition d'une ou de plusieurs nouvelles industries ou innovations « motrices » (comme le chemin de fer en 1830) qui exercent des effets d'entraînement sur les autres activités économiques. L'accroissement soutenu et régulier de la production industrielle entraîne des tensions inflationnistes mais aussi une hausse des profits et des salaires. La demande continuant d'augmenter, l'expansion se transmet à toute l'économie. L'optimisme des entrepreneurs les incite à l'investissement. La spéculation boursière s'amplifie, guidée par la hausse des profits (parfois artificiellement gonflés par l'inflation).

Cette succession de phases d'expansion, de crises brutales puis de dépression a été notamment étudiée par l'économiste français Clément Juglar (1803-1905), d'où leur nom de cycles Juglar ou encore cycles classiques. Dans ces cycles, la période d'expansion est d'une durée moyenne de huit années.

En 1920, l'économiste russe Nicolas Kondratiev (1892-1920) identifie des cycles plus longs, la phase d'expansion s'étendant sur plus de vingt-cinq années. Il observe ainsi entre 1789 et 1920 trois phases d'augmentation des prix (1789-1816; 1847-1874; 1896-1920) auxquelles correspondent des phases de croissance soutenue de la production et du commerce international. À ces phases d'expansion succèdent des phases de déflation ou de stagnation des prix, de la production et du commerce international. L'apparente inéluctabilité de la crise comme aboutissement d'une phase d'expansion a fait s'interroger de nombreux économistes. Beaucoup d'ailleurs se réfèrent aux cycles de Kondratiev pour expliquer la crise des années 1970 et 1980, qui a succédé à la prospérité des années 1950 et 1960.

La crise est-elle impossible ou inéluctable ? Pour Adam Smith, l'équilibre des marchés se fait de façon automatique grâce aux mécanismes de régulation que sont les prix, les salaires et les taux d'intérêt. Une crise, expression du déséquilibre des marchés, ne peut donc pas advenir. De plus, le capitalisme permet une phase d'expansion continue grâce à la division croissante du travail. En effet, grâce à celle-ci, chaque tâche est réalisée plus efficacement, et l'on peut même remplacer les hommes par des machines lorsque ces tâches sont répétitives. Selon la loi des débouchés, l'augmentation de la production est toujours absorbée par la demande : les liquidités que reçoit un producteur sont immédiatement injectées de nouveau dans l'économie, sous forme d'investissement ou de consommation, et permettent ainsi à d'autres agents de consommer ou d'investir. En quelque sorte, l'augmentation de la production entraîne une hausse des revenus et donc de la demande.

Pour Karl Marx (1818-1883), au contraire, la crise est inéluctable. Les entreprises substituant progressivement le capital au travail, elles sont de moins en moins à même d'exploiter la main-d'œuvre ouvrière et leurs taux de profits se réduisent progressivement. Du fait des licenciements, les entreprises sont confrontées à une demande de plus en plus faible, ce qui les oblige à augmenter les licenciements. Ce cercle vicieux conduit le capitalisme à la crise.

Mais avant même que Karl Marx n'exprime sa vision critique du capitalisme, certains économistes de la période classique se sont interrogés sur l'avenir du capitalisme.

Les premières explications des crises. Robert Malthus (1766-1834) voit deux limites à l'expansion continue envisagée par Adam Smith. D'abord, la loi des débouchés est fragile. Elle repose en effet sur l'hypothèse que l'argent et les liquidités n'ont aucune valeur propre. Or, en réalité, rien n'oblige un individu disposant de liquidités à les injecter dans le circuit économique en consommant ou en investissant : il peut au contraire conserver son argent, le thésauriser. Ensuite, les ressources agricoles et énergétiques sont limitées et non renouvelables. La croissance ne peut donc se poursuivre faute de matières premières pour nourrir la main-d'œuvre et alimenter les machines et le processus de production.

Pour David Ricardo (1772-1823) également, les limites de la croissance viennent de l'insuffisance des ressources naturelles, et de celles de la terre en particulier. Puisque la population augmente, le nombre de terres mises en culture augmente également. En revanche, la productivité de ces terres est décroissante (car ce sont les plus mauvaises qui sont mises en culture les dernières) et leur prix est croissant (car la demande de terres augmente, alors que la superficie cultivable reste identique). Selon Ricardo, l'augmentation du prix des aliments entraîne une hausse des revenus nécessaires pour que la main-d'œuvre reste en vie et assure sa descendance. Les employeurs sont donc obligés d'augmenter les salaires, diminuant ainsi les ressources nécessaires pour investir et poursuivre l'expansion.

La limite de ces approches réside dans le fait qu'elles ne prennent pas en compte le progrès technique, qui permet d'améliorer la productivité agricole et industrielle. Les travaux les plus récents tentent d'intégrer cette dimension. Auparavant, les économistes se sont surtout attachés à l'étude des crises des années 1930 et 1970.

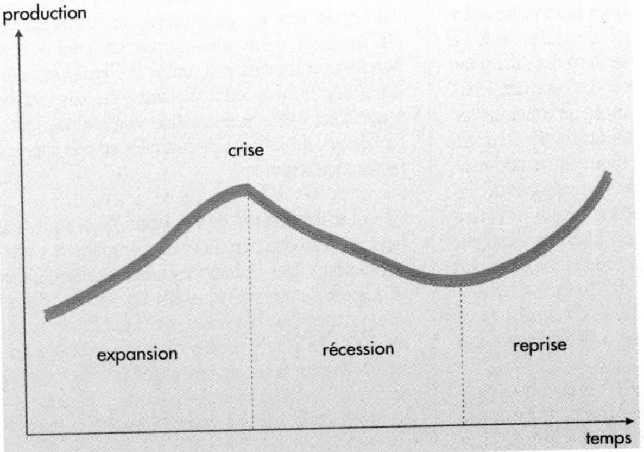

◆ Les phases d'un cycle.
Les cycles Juglar (« cycle classique » ou « cycle d'affaires ») se décomposent en quatre phases : une phase d'expansion économique caractérisée par une hausse de la production et de l'inflation; une phase de crise, de quelques semaines, caractérisée par un krach boursier et/ou la faillite de grandes entreprises; une phase de dépression, avec une baisse des prix et de la production; une phase de reprise, où production et consommation redémarrent.

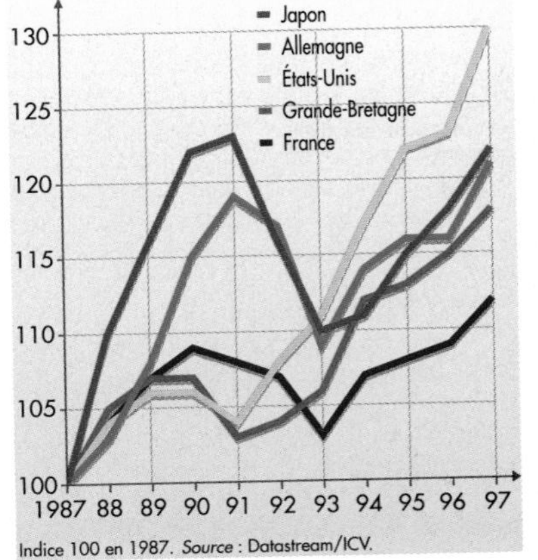

Indice 100 en 1987. *Source* : Datastream/ICV.

◆ Production industrielle dans les pays développés.
Ce graphique présente la croissance de la production industrielle des principaux pays développés. La production industrielle des États-Unis et de la Grande-Bretagne suit la même progression : elle augmente à partir de 1990. En revanche, les cycles d'affaires des économies d'Europe continentale ne sont pas en phase avec ceux des pays anglo-saxons : leur production industrielle augmente bien plus tard, à partir de 1994, alors qu'elle stagne de 1989 à 1993. En 1998, les États-Unis et la Grande-Bretagne semblent parvenir à la fin de leur phase de croissance.

Petit lexique

cycle (économie) : succession de phases de croissance et de récession (ou de dépression). On distingue plusieurs types de cycles, selon leur longueur.

Les grandes crises économiques

Dans l'étude des cycles économiques, la crise correspond à un retournement brutal de la conjoncture économique. À l'origine, la crise n'est donc qu'un court moment, qui précède la récession ou la dépression économique. Toutefois, en économie comme dans le langage courant, le terme de crise désigne également la phase de récession elle-même. La crise se caractérise alors par l'inflexion de la croissance et le maintien de déséquilibres comme l'inflation ou le chômage. Il faut reconnaître que la notion de crise devient de plus en plus floue et subjective, dans la mesure où tous les pays ou toutes les couches d'une population ne sont pas également touchés, ou encore parce que la crise semble s'installer pour de nombreuses années, comme c'est le cas en Europe continentale. Faut-il alors parler de crise structurelle ou considérer cet état de fait comme plus ou moins permanent?

D'une manière générale, jusqu'à la révolution industrielle, les crises économiques sont des crises agricoles. Ces « crises d'Ancien Régime » trouvent leur origine dans de mauvaises récoltes, qui entraînent une hausse du prix des denrées et une baisse du pouvoir d'achat. Au XIXe s., les crises sont également boursières : avec la baisse du pouvoir d'achat et de la demande, les agents économiques vendent les titres qu'ils détiennent en Bourse, ce qui provoque une chute brutale des cours. Toutefois, même si le XIXe s. est jalonné de plusieurs crises plus ou moins importantes, c'est essentiellement sur les crises de 1929, puis des années 1970 et 1980, que les économistes vont axer leurs réflexions.

La crise de 1929. Par l'ampleur de ses effets économiques et politiques, la crise de 1929 constitue une profonde rupture dans l'histoire du capitalisme. Elle s'inscrit pourtant dans la logique des cycles Juglar : elle intervient huit ans après la récession de 1921 et débute par le krach boursier du 24 oct. 1929, précédé par un léger ralentissement de la production industrielle à partir de 1928. Étant donné le poids de l'économie américaine dans les échanges mondiaux, la contraction des échanges commerciaux due au protectionnisme et au rapatriement des capitaux, la crise se propage à l'ensemble de l'économie mondiale. Chute des prix, faillites, chômage s'enchaînent sans que les mécanismes autorégulateurs du marché endiguent le phénomène. Pour la première fois, la crise ne connaît donc pas de reprise spontanée.

La crise des années 1970. La crise des années 1970 débute avec la hausse des prix du pétrole en 1973-1974. Le pétrole étant la ressource énergétique la plus utilisée dans le monde développé, cette hausse des prix a des conséquences dramatiques sur l'économie internationale. Comme en 1929, la dépression qui s'ensuit est d'un type nouveau : elle conjugue en effet chute des taux de croissance de la production industrielle, ralentissement de la productivité, chômage et faillites (phénomènes dramatiques, mais traditionnels) avec une forte poussée de l'inflation (alors que, logiquement, une déflation aurait dû suivre).

Le développement humain

Depuis 1990, on dispose d'un nouvel indicateur statistique qui a pour objectif de mesurer le « développement humain ». Établi par un organisme des Nations unies, le PNUD (Programme des Nations unies pour le développement), il est construit à partir de trois indicateurs : 1) l'espérance de vie à la naissance, reflet de l'état de santé et de nutrition de la population; 2) le niveau d'instruction, qui combine le taux d'alphabétisation des adultes et la moyenne des années d'études; 3) le PIB par habitant.

Le PNUD a également tenté d'affiner la mesure du développement humain avec des indications telles que la répartition des revenus ou les droits démocratiques, mais on ne dispose pas de données régulières et suffisantes dans ces domaines.

Le classement des pays selon l'IDH (Indicateur de développement humain) permet de constater qu'il n'y a pas de lien automatique entre PIB par habitant et développement humain. L'Algérie, l'Angola, le Gabon ont un classement moins favorable avec l'IDH qu'avec le PNB par habitant. C'est l'inverse pour le Chili, la Chine, le Sri Lanka ou les pays de l'Est.

Le détail de l'IDH à l'intérieur d'un même pays, par groupes de population, fait également apparaître des écarts importants, par exemple entre Américains blancs et Américains noirs ou hispaniques. Ces deux dernières catégories figurent respectivement aux 31e et 35e rangs, très loin derrière la position occupée par les États-Unis dans leur ensemble, ce qui traduit l'ampleur des inégalités dans ce pays.

Les lectures de la crise

Aussi bien pour la crise de 1929 que pour celle de 1973, les mécanismes de marché n'ont pas assuré leur fonction régulatrice. De même, dans les deux cas, les chocs exogènes, retournement boursier ou hausse des prix du pétrole, sont précédés, et non seulement suivis, de réductions de la croissance de la productivité ou de la demande. Quelles sont les explications données par les économistes?

La lecture keynésienne. La crise de 1929 est l'occasion d'une remise en cause du schéma classique et néoclassique. Dans la *Théorie générale de l'emploi, de l'intérêt et de la monnaie* (1936), Keynes montre que, lorsqu'un déséquilibre est introduit dans le circuit économique, les marchés ne retrouvent pas nécessairement le chemin de l'équilibre. En particulier, une réduction des salaires ne permet pas de réduire le chômage, car elle induit également une réduction de la demande, donc de l'investissement et finalement de l'emploi. Par ailleurs, Keynes identifie pour cause essentielle des cycles et des crises économiques la variation cyclique des taux de rentabilité anticipée du capital productif. Pendant la phase d'expansion du cycle, les anticipations des entrepreneurs les conduisent à effectuer des surinvestissements. L'efficacité marginale du capital diminue avec l'expansion, mais les anticipations sont excessivement optimistes par rapport à l'élévation du coût du capital. Or, fatalement, les investisseurs finissent par prendre conscience de leur trop grand optimisme et cessent d'investir, précipitant l'économie dans la crise. Keynes met ainsi en cause la capacité des entrepreneurs à gérer l'investissement sans provoquer de crise. Il donne une explication « psychologique » de la crise.

On peut rapprocher du schéma d'interprétation keynésien l'explication donnée à la crise de 1929 par l'économiste américain John Galbraith (né en 1908). Selon lui, le retournement de 1929 tient essentiellement à l'écart qui s'est creusé entre élévation de la productivité (+ 43 % entre 1919 et 1929) et salaires. La hausse des profits alimente la spéculation boursière des classes aisées (anticipations optimistes), laquelle entraîne le surinvestissement alors même que la consommation populaire croît trop lentement. Inéluctablement, le rythme de la production industrielle excède celui de la consommation, les taux de profit reculent et les entreprises diminuent leur taux d'investissement et leur niveau d'emploi.

Les lectures néoclassiques. À ces interprétations s'opposent celles des néoclassiques. Selon eux, la crise de 1929 comme celles des années 1970 et 1980 sont les conséquences des obstacles imposés au libre fonctionnement des marchés et de politiques économiques inadaptées. Ils pensent que les interventions de l'État qui visaient à atténuer les effets de la crise l'ont en fait prolongée.

Selon le monétariste Milton Friedman (né en 1912), la crise de 1929 a été déclenchée par la Banque centrale américaine qui, en décidant de contracter la masse monétaire entre 1929 et 1933, a provoqué la déflation et la réduction de l'activité. La crise de 1974 trouve aussi son origine dans la hausse des prix pétroliers, mais elle est renforcée et prolongée par l'interventionnisme étatique. L'inflation des années 1970-1980 est due au choc pétrolier et au comportement des autorités monétaires qui, dans le cadre d'une politique keynésienne, ont augmenté la masse monétaire.

Pour les économistes monétaristes et néoclassiques, l'interventionnisme étatique est également à l'origine des taux de chômage élevés que connaissent depuis plus de vingt ans les économies des pays industrialisés, notamment en Europe continentale. Des niveaux de salaires trop élevés, artificiellement soutenus par les pressions syndicales ou par les réglementations étatiques, obligent les employeurs à réduire leur demande de travail. Friedman propose le concept de « taux de chômage naturel », en dessous duquel il est impossible de descendre sans créer de l'inflation. Ce taux de chômage naturel dépend de la structure du marché du travail, et les aides aux chômeurs ou les salaires minimaux ont une influence à la hausse sur ce taux de chômage naturel. Dans un contexte de lutte contre l'inflation, il est ainsi inévitable que les économies où les interventions étatiques ou syndicales sur le marché du travail sont importantes connaissent des taux de chômage élevés.

Pour les économistes de l'offre, Arthur Laffer par exemple, les prélèvements obligatoires et la pression fiscale entraînent une réduction de l'activité économique en réduisant les profits que perçoivent les principaux acteurs de cette activité économique, et notamment les entreprises. De plus, les aides publiques aux chômeurs ou à l'embauche, qui obligent les gouvernements à alourdir la pression fiscale, n'ont pas l'effet de relance envisagé par les keynésiens. Ils ont plutôt un effet contraire, l'aide publique se substituant aux efforts privés pour retrouver de l'emploi. Il s'agit donc de réduire les dépenses publiques afin de pouvoir réduire les taux d'imposition et de stimuler l'activité.

Des lectures différentes. D'autres courants de pensée ont également fait de la crise économique leur objet d'étude. L'un d'eux reprend le concept déjà ancien d'« innovation destructrice » introduit par Joseph Schumpeter. Selon lui, cycles longs et cycles classiques peuvent être expliqués par le progrès technique, qui crée de nouvelles richesses, mais dont les possibilités, après avoir suivi une phase de croissance, vont ensuite en s'amenuisant. Aux cycles longs correspondent de véritables révolutions industrielles, tandis que les cycles courts trouvent leur origine dans des innovations significatives mais situées au sein d'une même révolution industrielle. À la fin des années 1920, on constate ainsi l'épuisement des opportunités engendrées par l'industrie de l'acier, tandis que le début des années 1970 marque la limite des possibilités offertes par le pétrole. La sortie de la crise nécessiterait donc l'émergence d'une nouvelle révolution technique. C'est dans ce cadre qu'il faut interpréter les espoirs suscités par Internet, la micro-informatique ou les biotechnologies.

Enfin, une autre analyse de la crise contemporaine s'appuie sur l'internationalisation croissante des échanges, de la production et des capitaux. Dans ce contexte, l'État privilégie la compétitivité des entreprises, la maîtrise des coûts salariaux et la réduction de la fiscalité. Cela remettrait en cause les mécanismes de la croissance des Trente Glorieuses tout en rendant impossible la mise en place d'une politique économique keynésienne.

La croissance économique

Par croissance on désigne l'augmentation sur une certaine période (généralement l'année) des quantités produites. La croissance est un facteur essentiel de la santé économique et du développement d'un pays, puisque l'augmentation des quantités produites permet une hausse des revenus, de l'emploi et des recettes fiscales.

La mesure de la croissance. La mesure la plus utilisée pour évaluer la croissance d'une économie reste l'évolution de son PIB, le produit intérieur brut. La croissance économique reflète alors la capacité croissante d'une économie à offrir à sa population une gamme sans cesse élargie de biens économiques. Cette capacité croissante est le résultat de l'augmentation des facteurs de production (capital et main-d'œuvre) mais aussi des progrès techniques réalisés pour améliorer la productivité de ces facteurs.

Économistes et statisticiens sont conscients des limites de cet indicateur qui ne permet d'envisager qu'un aspect très partiel de la croissance. C'est pourquoi ils utilisent aussi l'Indicateur de développement humain, qui présente une définition plus large de la croissance et prend notamment en compte le niveau d'instruction des agents économiques et leur espérance de vie.

Les grandes tendances. Entre 1400 et la fin du XXe s., la richesse produite par habitant chaque année dans les pays aujourd'hui les plus développés (Europe occidentale et Amérique du Nord) a été multipliée par trente-trois. Même si l'on tient compte de l'imprécision de la mesure de la production sur une période aussi longue et des différents aspects qu'elle néglige (comme l'amélioration qualitative de l'offre de produits), l'activité économique a incontestablement progressé. Pendant plus de quatre siècles, cette croissance a été très lente (0,2 % par an entre 1420 et 1820). Elle a ensuite été plus rapide au XIXe s. et pendant la première moitié du XXe s. (1,2 % par an en moyenne), pour s'accélérer encore après la Seconde Guerre mondiale (2,8 % par an en moyenne entre 1950 et 1989), même si, depuis 1974, le rythme de croissance des économies industrialisées s'est profondément ralenti.

◆ **La croissance économique depuis le Moyen Âge.**
La croissance est un phénomène récent de l'histoire économique. Pendant la période dite « agraire », puis durant la période dite « agraire progressive », le PIB ne progresse pas ou très légèrement. Durant la phase de « capitalisme commercial », le développement du commerce international permet une extension des débouchés et une plus grande productivité. Mais c'est surtout aux XIXe et XXe s. que l'on note une forte croissance du PIB total et du PIB par habitant.

Phases	Croissance en %		
Période agraire (500-1500)	0	0	0
Période agraire progressive (1500-1700)	0,2	0,1	0,3
Capitalisme commercial (1700-1820)	0,4	0,2	0,6
Capitalisme (1820-1980)	0,9	1,6	2,5

Les facteurs de la croissance. Alors que l'Europe de l'Ouest connaissait une croissance faible, mais significative, entre 1400 et 1820, la Chine, qui en 1400 était plus développée que l'Europe, ne connaît aucune croissance. Comment expliquer ce phénomène ? D'où vient la croissance ?

Pour l'économiste américain Robert Solow (né en 1924), la croissance est un phénomène exogène : elle résulte simplement de l'augmentation des facteurs de production, c'est-à-dire de la population (les travailleurs) et du capital (les machines). Or lorsqu'une économie accumule du capital, la productivité marginale de ce capital décroît, si bien qu'il ne devient plus rentable d'augmenter le stock de capital. À population donnée, la croissance est donc bloquée. Le progrès technique a pour fonction d'augmenter la productivité marginale du capital et Solow considère ce progrès technique comme exogène, indépendant des données fondamentales d'une économie.

De nombreuses études statistiques menées après la guerre confirment l'importance du progrès technique pour la croissance. Ainsi, la contribution des facteurs capital et travail à la croissance du PIB ne dépasse pas 50 %, ce qui a conduit les économistes à attribuer le résidu au progrès technique. Ainsi, la hausse du coût des ressources pétrolières à partir de 1973 a pu être surmontée par le recours aux énergies de substitution et donc par le progrès technique.

La théorie de Solow explique également que dans le cas où deux pays ont le même taux d'épargne mais un niveau de capital différent, le pays pauvre en capital connaîtra une croissance plus forte que le pays riche, car la productivité marginale de son capital est plus forte. Dans un contexte de libre circulation des capitaux, l'épargne du pays riche sera investie dans le pays pauvre. À terme, les pays pauvres doivent rattraper les pays riches. Les nouvelles théories de la croissance ont pour objectif d'expliquer le progrès technique par l'évolution économique elle-même. Cette théorie de la croissance endogène a pour principaux représentants les nouveaux classiques Paul Romer, Robert Lucas (né en 1937) et Robert Barro (né en 1944). Ces économistes introduisent dans la fonction de production traditionnelle (niveau de production en fonction du capital et du travail) un facteur supplémentaire, extérieur à la firme, dont l'accumulation à l'échelle de l'économie accroît la productivité de chaque entreprise. Il peut s'agir de la recherche-développement, du niveau général d'éducation et de formation, ou encore du nombre d'infrastructures collectives.

Les implications des modèles de croissance endogène sont très importantes. En effet, si le progrès technique est endogène, rien ne permettra que des pays aujourd'hui pauvres rattrapent les pays riches, car ils seront incapables d'engendrer le progrès technique nécessaire à la croissance. De plus, dans la mesure où la connaissance et le progrès technique ont une influence positive sur tous les agents économiques, y compris sur ceux qui ne font aucun effort pour créer ce progrès (on parle alors d'externalités), aucun acteur économique privé n'a intérêt à investir dans la technologie (surtout si elle est risquée et coûteuse). Même les néoclassiques conviennent alors que l'intervention de l'État peut être nécessaire pour instaurer un progrès technique suffisant. Les débats portent alors sur la manière dont l'État doit intervenir : doit-il subventionner la recherche ou augmenter des marchés de la connaissance avec des instruments tels que les brevets d'invention ?

◆ **La croissance économique depuis la fin du XIXe siècle.**
Ce tableau illustre les phases de croissance de 1950 à 1973 et les phases de ralentissement économique de 1870 à 1950 et de 1973 à 1990. La croissance est également différenciée selon les pays. Les États-Unis sont moins touchés par la dépression économique de 1913-1950, mais leur croissance d'après-guerre est également plus faible. C'est l'inverse pour les pays européens et le Japon. Il s'est produit un effet de rattrapage : les économies les plus touchées par la Seconde Guerre mondiale avaient une marge de progression plus importante.

Taux de croissance annuel moyen du PIB	France	Allemagne	Japon	Pays-Bas	Royaume-Uni	États-Unis
1870-1913	1,6	2,9	n.d	2,2	2,2	4,3
1913-1950	0,7	1,2	2,2	2,1	1,7	2,9
1950-1973	5,1	6,0	9,7	4,7	3,0	3,7
1973-1979	3,0	2,4	4,1	2,4	1,3	2,7
1979-1990	2,1	2,0	4,1	1,7	2,1	2,6

Source : OCDE.

VOIR AUSSI
Illustrations
• **Indice de développement humain**
p. 837

Petit lexique

croissance économique : accroissement de la richesse d'un pays au cours d'une période donnée (en général l'année).

PIB : produit intérieur brut. Cet agrégat mesure la valeur ajoutée totale créée par les unités économiques résidant dans un pays donné. Cet agrégat est brut car il comprend le remplacement des équipements usés.

PNB : produit national brut. Cet agrégat mesure la valeur ajoutée créée par les unités économiques de même nationalité que l'économie considérée. Le PNB est donc égal au PIB, diminué de la valeur ajoutée créée sur le territoire national par des unités économiques de nationalité étrangère et augmenté de la valeur ajoutée créée à l'étranger par des unités économiques de même nationalité.

productivité marginale : production supplémentaire issue du dernier facteur de production intégré dans le processus de production. La productivité marginale du capital est la production supplémentaire issue du dernier franc investi.

Trente Glorieuses : époque de croissance de l'économie française entre 1945 et 1975.

Chômage et emploi

Les grandes tendances

Depuis la fin des années 1970, le chômage est devenu un enjeu économique, social et politique majeur pour la plupart des pays industrialisés. En diminution constante depuis le début des années 1990 dans les pays anglo-saxons, il reste à un niveau élevé en Europe continentale. Quelles sont les causes du chômage et quelles sont les politiques mises en œuvre pour le combattre ? Mais tout d'abord, qu'est-ce que le chômage ? Selon les définitions du BIT (Bureau international du travail) et, en France, de l'INSEE, un chômeur est une personne sans emploi, disponible pour en occuper un et qui se consacre activement à cette recherche, l'emploi étant défini comme une activité rémunérée, salariée ou non. On définit la population active comme la somme de la population ayant un emploi (la « population occupée ») et des chômeurs. La définition du chômage laisse en suspens de nombreuses interrogations : quand une personne est-elle effectivement à la recherche d'un emploi ? quand est-elle effectivement en état d'obtenir un emploi ?

La mesure du chômage. Périodiquement, on voit réapparaître des controverses sur la validité de la mesure statistique du chômage. Il est vrai que les instruments de mesure de celui-ci sont imparfaits et que sa définition est imprécise.

En France comme dans la plupart des pays industrialisés, les instruments de mesure du chômage sont au nombre de deux : des enquêtes par sondage auprès de la population (réalisées annuellement en France par l'INSEE) et l'enregistrement des demandeurs d'emploi dans les organismes chargés du placement (en France, l'ANPE, Agence nationale pour l'emploi). Des comparaisons internationales sont réalisées par le BIT, l'OCDE ou l'OSCE (Office statistique des communautés européennes), qui tentent d'harmoniser les mesures nationales ou de surmonter leurs différences en procédant à un sondage unique sur les différents pays concernés.

Au-delà des instruments de mesure et de leur inévitable imperfection, le chômage reste difficile à quantifier avec précision car des franges importantes de la population sont dans des positions intermédiaires entre emploi, inactivité et chômage. Trois types de situations méritent d'être cités :
1) le travail à temps réduit (partiel, intérimaire ou saisonnier), qui peut être volontaire ou involontaire ;
2) l'inactivité en tant que chômage déguisé : les mécanismes institutionnels ou les contraintes économiques peuvent obliger certaines catégories de la population à se retirer de la population active ; tel est le cas des salariés mis en retraite anticipée, des demandeurs d'emploi en formation professionnelle, ou encore des chômeurs découragés ;
3) le travail clandestin, qui entraîne une surestimation du nombre de chômeurs lorsque les travailleurs clandestins (qui exercent une activité lucrative non déclarée) s'inscrivent à l'Agence nationale pour l'emploi..

Les controverses sur la mesure du chômage proviennent en particulier de l'ampleur des catégories qui échappent à un découpage clair entre emploi, chômage et inactivité, mais aussi de la marge de manœuvre politique ouverte par de telles imperfections statistiques : en effet, tout gouvernement a intérêt à adopter une mesure sous-estimant l'ampleur du chômage réel.

L'évolution du chômage et de l'emploi. Depuis la Seconde Guerre mondiale, l'évolution du chômage en France a connu trois phases principales. Entre 1945 et 1962, on observe une quasi-stagnation de la population active et de l'emploi. Le contexte est celui d'une pénurie de main-d'œuvre et le chômage est faible et mal mesuré. Selon les fluctuations de l'activité économique, ce chômage conjoncturel fluctue autour de 200000 personnes. De 1964 à 1974, la population active croît rapidement, et l'emploi augmente. Le rythme de croissance de la population active étant supérieur à celui de l'emploi, on enregistre une lente augmentation du chômage, dont le volume double en dix ans. L'ampleur des mutations techniques et sectorielles, auxquelles la population active ne s'adapte qu'imparfaitement, est une des causes de cette augmentation. La population active doit en effet acquérir de nouvelles compétences. Le chômage est alors frictionnel et résulte de l'inadéquation entre offre et demande de travail. Il est caractérisé par des passages plus fréquents mais brefs sur le marché du travail de la population active en général et par le maintien d'une pénurie de main-d'œuvre. Après 1974 s'ouvre une période de crise, avec un accroissement massif du volume du chômage et un allongement de sa durée. Le nombre de chômeurs en France était de 447000 personnes en mars 1974, de 1680000 en mars 1983 et d'environ 3000000 en 1998.

◆ **Évolution tendancielle du chômage dans les pays industrialisés.**

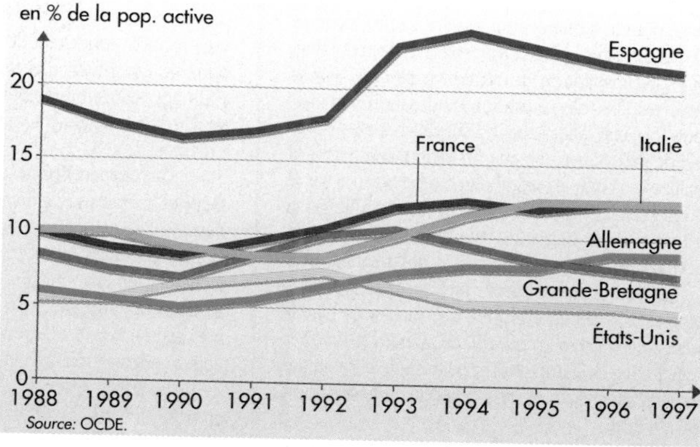

Source: OCDE.

◆ **Évolution du chômage en France.**

◆ **Nombre de chômeurs (en milliers)**

	mars 1995	mars 1996	mars 1997	mars 1998
Hommes	1360	1461	1523	1437
Femmes	1575	1638	1629	1613
Ensemble	**2935**	**3099**	**3152**	**3050**

◆ **Taux de chômage par sexe et par âge (en %)**

	mars 1985	mars 1996	mars 1997	mars 1998
Hommes				
15 à 24 ans	24,5	22,1	24,6	21,9
25 à 49 ans	6,2	9,6	9,9	9,5
50 ans et plus	5,9	7,8	8,0	7,8
Total	**8,5**	**10,4**	**10,8**	**10,2**
Femmes				
15 à 24 ans	30,5	31,9	32,8	30,0
25 à 49 ans	9,7	13,6	13,4	13,3
50 ans et plus	7,1	8,4	9,2	9,2
Total	**12,6**	**14,2**	**14,2**	**13,8**
Ensemble	**10,2**	**12,1**	**12,3**	**11,8**

Source : INSEE.

Le chômage de longue durée

Le chômage de longue durée est apparu dans les années 1970 et n'a cessé de se développer depuis. Auparavant, le chômage étant soit conjoncturel, soit frictionnel, il était nécessairement de courte durée. Avec la crise, les dépressions conjoncturelles deviennent des déséquilibres structurels et le chômage ne peut que s'aggraver, aussi bien en ampleur qu'en durée. Un deuxième effet vient s'ajouter à cet effet macro-économique : l'employabilité (la probabilité pour un chômeur donné de retrouver du travail) diminue avec la durée du chômage. En effet, les demandeurs d'emploi ont tendance à se décourager après plusieurs mois ou années de chômage et leurs compétences professionnelles ont été diminuées par l'absence d'activité. Surtout, les recruteurs tendent à interpréter le chômage de longue durée comme un indicateur négatif des aptitudes du travailleur. Sociologiquement, la perte de statut, la dévalorisation de l'individu et les répercussions sur la vie de famille font du chômage de longue durée un drame profond.

Des différences importantes. À l'échelle de l'OCDE, les évolutions sont analogues, à deux exceptions près. Le Japon connaît un taux de chômage relativement faible, essentiellement grâce à une définition extrêmement restrictive du chômage. Par ailleurs, on observe depuis la fin des années 1980 une baisse de celui-ci dans les pays anglo-saxons.

Si le chômage touche tous les pays de l'OCDE, il est à l'intérieur de chacun de ces pays un phénomène très hétérogène. Les personnes de moins de 25 ans sont les plus touchées, puisque le

VOIR AUSSI • **Protection des chômeurs** p. 998

Petit lexique

chômage frictionnel : chômage momentané, entre deux emplois.

emploi : exercice par un individu d'une profession rémunérée.

macroéconomie : étude des relations entre agrégats d'une économie et les faits économiques globaux.

microéconomie : étude des comportements individuels des agents économiques.

taux de chômage des jeunes est de 15 % pour la zone OCDE, alors qu'il est de 8,5 % en moyenne toutes populations confondues. Dans les pays de l'Union européenne, le chômage des femmes est particulièrement élevé (14 % en France); c'est l'inverse pour le reste des pays de l'OCDE. Enfin, le chômage varie selon le niveau d'études : il existe une relation décroissante entre chômage et niveau d'études. De plus, la progression du chômage des non-qualifiés est plus rapide que celle des qualifiés même de niveau de qualification modeste. Pour expliquer ce phénomène, les économistes citent l'existence d'un salaire minimum ou les effets des progrès techniques. Dans les deux cas, les moins qualifiés sont écartés par les employeurs soit parce que leur productivité est inférieure au coût du travail pour l'employeur, soit parce qu'ils ne disposent pas des compétences nécessaires pour remplir un emploi.

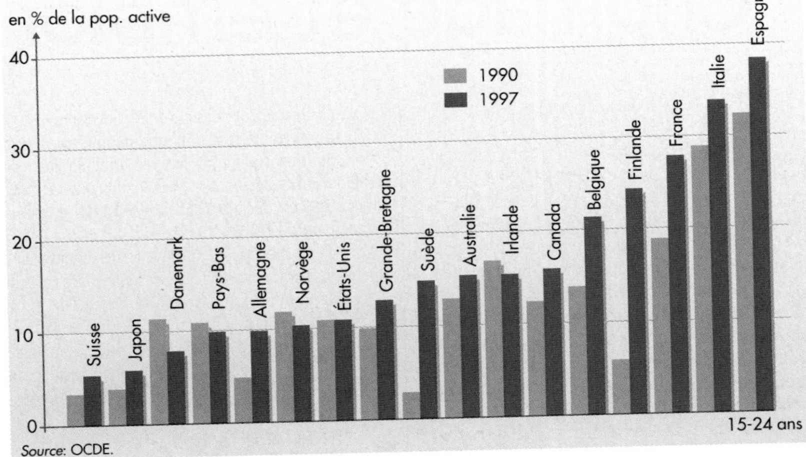

◆ **Le chômage des jeunes dans les pays industrialisés.**
Le taux de chômage des jeunes est généralement plus élevé que le taux de chômage moyen, notamment dans les pays disposant d'une forte réglementation en matière d'emplois. Ces réglementations rendent les licenciements plus difficiles ou instaurent des salaires minimaux ; les employeurs hésitent donc à embaucher des jeunes sans expérience.

Les explications du chômage

La montée du chômage depuis le milieu des années 1970 est un phénomène aux origines plus complexes qu'il n'y paraît. Certains, par exemple, expliquent ce phénomène depuis 1973 par une hausse de la population active, notamment du fait de l'arrivée de jeunes, de femmes et d'immigrés sur le marché du travail. Toutefois, les statistiques montrent que c'est l'évolution de l'emploi, et plus précisément sa chute en 1973 puis une croissance très ralentie à partir de 1976, qui distingue la période précédant 1973 de celle qui a suivi. De plus, la Grande-Bretagne, dont le taux de croissance de la population active est deux fois inférieur à celui de la France, et qui devrait donc moins souffrir du chômage, a connu dans les années 1970 des taux de chômage nettement supérieurs.

Une autre explication erronée a trait au progrès technique. Celui-ci modifie la composition qualitative de l'emploi et sa distribution entre les différentes industries. Le progrès technique est alors à la base d'un chômage d'inadaptation lorsque la main-d'œuvre ne s'adapte qu'avec lenteur à ces mutations. Mais il est erroné de croire que le progrès technique est destructeur d'emplois : l'effet négatif de ces technologies là où elles sont introduites est compensé par la croissance permise par le progrès (activités nouvelles et branches fournissant les équipements nouveaux).

Enfin, le chômage n'est pas un phénomène volontaire, et ne provient pas des chômeurs qui refuseraient de nombreuses offres de travail jugées par eux peu satisfaisantes. Cette « paresse » serait facilitée par les prestations sociales offertes aux chômeurs, qu'il faudrait donc réduire. Il est vrai que chercher, trouver et accepter un emploi peut être long : disposant d'une information imparfaite sur les offres disponibles, le chômeur souhaite augmenter cette information pour choisir la meilleure offre. Mais en même temps, on observe une baisse du nombre des offres d'emploi restées insatisfaites et une corrélation négative entre durée du chômage et probabilité de trouver un emploi. Il faut donc chercher des explications plus adéquates.

Le rôle du coût du travail. Engager des ouvriers ou des cadres est un investissement pour l'entreprise. Le chômage pourrait donc provenir d'un coût du travail trop élevé. Ce type de chômage est dit « classique », car son analyse est privilégiée par les économistes classiques et néoclassiques et par leurs descendants contemporains. Le coût du travail est d'autant plus susceptible d'être trop élevé que les progrès techniques induisent une substitution du capital au travail de plus en plus aisée et que la concurrence des pays à bas salaires oblige les entreprises des secteurs de grande consommation à réduire leurs coûts. Il s'agit donc de réduire le coût du travail pour le ramener au niveau de sa productivité. Les économistes libéraux préconisent une réduction, voire une disparition du salaire minimum, accusé d'être responsable du chômage des non-qualifiés. Toutefois, une telle réduction des salaires est susceptible de provoquer une augmentation des inégalités sociales sans que les effets d'une telle mesure sur le chômage soient garantis : il pourrait en résulter une réduction de la demande, qui entraînerait plus de chômage, et une nouvelle baisse des salaires. Une solution de remplacement, préférée par les pays anglo-saxons, serait de réduire le « coin fiscal » (la différence nette entre le coût du travail pour la firme et le salaire net de l'employé) et de faciliter la flexibilité des salaires, en réduisant le pouvoir de négociation des syndicats.

Selon l'OCDE, une grande partie du taux de chômage élevé de l'Europe continentale s'expliquerait par la réglementation trop importante du marché du travail. Il est vrai que le Royaume-Uni et les États-Unis, dont les taux de chômage sont très faibles comparés à ceux de l'Europe continentale, ont mis en place (à travers les mesures prises par Ronald Reagan et Margaret Thatcher) une plus grande flexibilité du marché du travail, qui a également entraîné une plus grande précarité et une augmentation des inégalités.

Le rôle de la demande. Pour les économistes keynésiens, les propositions des économistes libéraux visant à réduire le coût du travail par une baisse des salaires ne constituent pas une solution au chômage. En effet, la réduction des salaires conduirait à une baisse de la demande, laquelle détermine le niveau d'investissement des entreprises et donc le niveau d'emploi. L'effet négatif de la baisse des salaires sur la demande globale risque d'être d'autant plus élevé que cette baisse touchera les salaires les plus faibles, c'est-à-dire les couches de la population qui consomment le plus.

Mais les politiques de relance keynésienne ne sont pas parvenues pour le moment à réduire le chômage. Pour les monétaristes, cet échec doit être attribué aux effets inflationnistes de ces politiques. Les prix augmentant, les salariés exigent une hausse de leur salaire pour maintenir leur pouvoir d'achat. Comme cette hausse de salaire n'est la contrepartie d'aucun gain de productivité, et comme la hausse des prix a réduit la demande à son état initial, les employeurs licencient du personnel. Une autre raison de l'échec de ces politiques est la contrainte extérieure. Lorsque les partenaires commerciaux suivent une politique de désinflation compétitive, la relance profite surtout aux importateurs étrangers. Seule une relance concertée de la demande mondiale pourrait constituer une solution keynésienne au chômage, concertation qui, bien qu'évoquée dans les discours officiels, n'a jamais été mise en pratique.

La microéconomie du travail. Toutefois, les théories libérales sur la déréglementation du marché du travail peuvent être critiquées sur d'autres points. La nouvelle microéconomie du travail, courant de la recherche en matière d'économie, montre que les salaires sont supérieurs au salaire d'équilibre, indépendamment de l'intervention étatique ou du pouvoir de négociation des syndicats.

En effet, selon la théorie du salaire d'efficience, une baisse du salaire peut aboutir à une réduction de la productivité des employés. Au contraire, en proposant à son salarié une rémunération élevée, l'employeur encourage son employé, décidé à travailler pour garder son emploi. De même, pour effectuer une sélection entre les candidats à l'embauche, l'employeur peut proposer un salaire élevé, avec l'espoir de n'attirer que les candidats qui méritent effectivement ce salaire. Dans les deux cas, le taux de salaire est volontairement supérieur au taux de salaire qui permettrait d'engager tous les chômeurs.

Une autre explication que formule cette nouvelle microéconomie du travail est que ce ne sont pas les salaires qui régulent les relations entre travailleurs et employeurs, mais la durée de l'emploi : lorsque l'activité est en expansion, les salaires n'augmentent pas; mais lorsque l'activité est faible, ils ne baissent pas non plus. De ce fait, les entreprises sont forcées de licencier en période de récession, et elles licencient d'abord les nouveaux employés.

Petit lexique

récession : ralentissement ou fléchissement de l'activité économique.

relance : mesures permettant de donner un nouvel élan à l'économie ; ce nouvel élan lui-même.

Commerce international et emploi

Les exportations réalisées par une firme nationale ont indéniablement une influence positive sur l'emploi. Grâce à l'ouverture à l'international, les firmes peuvent répondre à une demande plus importante, augmenter leurs investissements et donc l'emploi. Le commerce international permet également à une économie de se spécialiser dans les activités où elle est la plus efficace et cette spécialisation augmente son volume total de production, donc son niveau d'emploi. Au contraire, l'ouverture commerciale d'un pays suppose que ce pays importe des produits fabriqués plus efficacement ailleurs. De surcroît, selon le théorème de Stolper-Samuelson, au fur et à mesure que l'offre totale d'un produit augmente, le prix de ce produit diminue et la rémunération des facteurs de production (hommes et machines) utilisés pour sa fabrication diminue. L'ouverture au commerce international peut alors provoquer une réduction des salaires ou, en cas de salaire minimum, une hausse du chômage.

Le rôle de la main-d'œuvre. Le commerce avec les pays à bas salaires est souvent rendu responsable d'une grande part du fort chômage que connaissent les pays industrialisés et à salaires élevés. Grâce à de faibles coûts de main-d'œuvre, les biens produits par les premiers ont souvent un prix inférieur et se vendent donc mieux que les biens produits dans les pays industrialisés.

Progressivement, les firmes installées dans les pays industrialisés soit se délocalisent, soit fabriquent d'autres produits, dans lesquels la dimension technique remplace progressivement la main-d'œuvre : ces firmes vont profiter de leur avantage comparatif en matière de capital technique, de la même manière que les pays du Sud tirent parti de leur avantage comparatif en main-d'œuvre. Dans les deux cas (délocalisation ou réorientation de la ligne des produits), les personnels les moins qualifiés se retrouvent au chômage (comme dans les pays européens où existe un salaire minimum), ou leur salaire diminue sensiblement (comme aux États-Unis, où il n'y a pas de salaire minimum). Le protectionnisme, comme il a été longtemps pratiqué par les pays européens pour l'industrie textile, permettrait alors de sauver des emplois.

L'importance de la productivité. Les économistes ont mené un nombre important d'études sur la liaison entre commerce avec les pays à bas salaires et chômage des moins qualifiés (ou inégalités salariales).

Ils aboutissent aux conclusions suivantes. D'abord, pour une large part, le salaire perçu par un employé reflète sa productivité. Si un ouvrier malaisien ou indien perçoit un salaire inférieur à celui d'un ouvrier américain, c'est que leur productivité est inférieure à celle de celui-ci, même si la pauvreté et la faiblesse de l'organisation des salariés en syndicats ont aussi une influence certaine. Dès lors, l'argument en termes de compétitivité supérieure des importations des pays en voie de développement est fragilisé. D'ailleurs, plusieurs études montrent que les prix des biens occidentaux concurrencés par les pays du Sud ne démontrent aucune tendance significative à la baisse des prix. Surtout, certains rapports montrent que l'effet du commerce international sur l'emploi et/ou les salaires des non-qualifiés est peu significatif lorsque l'on compare cette influence à celle du progrès technique, qui substitue aux activités intensives en main-d'œuvre des activités intensives en capital ou en main-d'œuvre qualifiée.

VOIR AUSSI • **Emplois atypiques** p. 1019

Petit lexique

flexibilité : caractéristique d'une production, d'une main-d'œuvre ou d'un marché en général, qui s'adaptent rapidement aux modifications de la demande et aux nouvelles conditions du marché.

La lutte contre le chômage

La lutte contre le chômage passe par divers instruments et répond en réalité à plusieurs objectifs. On distingue généralement les politiques actives, qui visent à agir directement sur le niveau d'emploi, des politiques passives, qui visent à gérer les personnes au chômage.

Les politiques actives. On regroupe sous ce terme les mesures qui visent à exercer un effet positif sur le niveau de l'emploi. On en dénombre plusieurs qui peuvent être rangées dans cette catégorie.

Les politiques monétaire et fiscale de réduction du chômage visent soit à relancer la demande par une politique monétaire et fiscale expansive (politique de demande), soit à restaurer la compétitivité en termes de prix des produits nationaux grâce à la lutte contre l'inflation (politique d'offre ou de désinflation compétitive). Les politiques de demande ont prévalu dans les années 1970 et au début des années 1980 ; mais l'internationalisation des économies et la montée de l'inflation ont incité les gouvernements à leur préférer des politiques centrées sur la rigueur budgétaire et monétaire. Toutefois, ces politiques, si elles ont permis de réduire l'inflation et d'améliorer les soldes commerciaux, n'ont pas entraîné la réduction du chômage espérée.

Les politiques de déréglementation du marché du travail, inspirées des économistes libéraux et toujours controversées, peuvent prendre deux formes. La flexibilité salariale passe par une réduction du pouvoir des syndicats, une réduction des indemnisations diverses, ou encore par la suppression du salaire minimum. La flexibilité de l'emploi passe par un assouplissement du droit du travail visant à rendre plus aisés l'embauche et le licenciement des employés. L'inconvénient majeur de telles mesures est d'instaurer une plus grande précarité de l'emploi, d'accroître les inégalités entre travailleurs qualifiés et non qualifiés et, à terme, de réduire la consommation des ménages en les incitant à se constituer une épargne de sécurité pour parer aux périodes de chômage.

Les subventions à l'emploi comportent trois types de dispositifs. Le premier vise à éviter des suppressions d'emploi, par exemple lorsque l'entreprise traverse des phases conjoncturelles difficiles ; l'État prend alors en charge l'indemnisation du chômage partiel ou du chômage technique. Le deuxième dispositif est constitué des primes et exonérations fiscales, qui visent à faciliter la création d'entreprises et donc d'emploi dans des régions ou zones particulièrement touchées par le chômage. Enfin, un troisième groupe de mesures incite à l'embauche par une prise en charge partielle ou totale du salaire ou des charges sociales pendant une certaine durée et s'applique surtout à des catégories particulières de travailleurs (jeunes chômeurs par exemple) plutôt qu'à des zones géographiques. Ces mesures sont souvent critiquées, car leur effet sur l'emploi est difficile à mesurer : ne permettent-elles pas à des employeurs de réduire le coût d'une main-d'œuvre qu'ils auraient embauchée de toute façon ? N'ont-elles pas pour effet le maintien d'activités dépassées plutôt que la promotion d'activités novatrices ?

La formation professionnelle est censée faciliter la réinsertion des chômeurs et réduire la vulnérabilité au chômage.

L'objectif est louable puisque la formation, en permettant une meilleure productivité des futurs employés, doit entraîner une réduction des taux de chômage (par réduction des licenciements et par augmentation des embauches) mais aussi une augmentation des salaires. Toutefois, les employeurs comme les chômeurs sont nombreux à juger ces formations inefficaces. Elles ont également l'avantage pour les gouvernements de dissimuler le niveau du chômage réel. Enfin, les politiques de formation ont tendance à accroître les inégalités face au chômage, puisque la probabilité de disposer d'une formation augmente avec la position hiérarchique.

Les politiques passives. Les politiques passives visent à rendre le chômage socialement tolérable. À nouveau, plusieurs types de mesures peuvent être distingués.

L'indemnisation du chômage a pour objectif de rendre la période de chômage supportable financièrement et moralement. Elle doit également permettre au chômeur de mener à bien sa recherche d'emploi et de conserver en partie son niveau de vie d'avant la perte de celui-ci ; enfin, l'indemnisation contribue également au maintien de la demande intérieure et réduit les inégalités sociales. Toutefois, le volume du chômage, notamment chez les jeunes, sa durée croissante ainsi que la précarité de certains emplois mettent en danger l'équilibre financier du système d'indemnisation. En particulier, on constate un accroissement du pourcentage des chômeurs relevant de l'assistance (financée par les fonds publics, conditionnée à un minimum de ressources) par rapport à ceux relevant de l'assurance (financée par les cotisations salariales et fonction du salaire antérieur et de la durée de cotisation).

La diminution de la population active est une autre mesure : le ralentissement, voire le blocage, de l'immigration et les cessations anticipées d'activité participent d'une telle logique, avec des résultats très inégaux. En Allemagne, la diminution du nombre d'immigrés n'a mené à aucun résultat tangible au niveau du chômage. Les nombreuses mises à la retraite anticipée sont coûteuses (car l'État participe à l'indemnisation versée au bénéficiaire) et créent de surcroît des effets pervers de dévalorisation du travail des plus de 50 ans, qui, dans leur ensemble, ont plus de mal à trouver du travail.

La réduction du temps de travail est explorée en France et en Italie avec la loi sur les 35 heures de travail hebdomadaires. Si la réduction du temps de travail participe d'une longue tradition historique, il faut garder à l'esprit que la loi sur les 39 heures avait eu en 1981 des résultats décevants (40 000 emplois créés, contre 430 000 espérés). La raison essentielle de cet échec réside dans le maintien des niveaux de salaires et donc dans la hausse du coût du salaire horaire.

La mise en place des 35 heures à travers un processus de négociation entre syndicats et employeurs devrait atténuer ces obstacles potentiels, notamment en permettant que la réduction du temps s'accompagne d'une réorganisation du travail lui-même et que les hausses du coût salarial soient ensuite conformes aux éventuelles hausses de productivité entraînées par cette réorganisation. Paradoxalement, par l'annualisation des horaires, les 35 heures devraient également accélérer la mise en place de la flexibilité du temps de travail tant souhaitée par les libéraux.

Inflation et désinflation

L'évolution des prix

À l'instar du chômage, l'inflation est généralement considérée comme un phénomène indésirable. En particulier, dans une économie devenue internationale, l'inflation est source de chômage car elle dégrade la compétitivité des prix des exportations.

Toutefois, l'inflation n'a pas toujours été considérée avec une telle intransigeance : au XIXe s. et durant les Trente Glorieuses, l'inflation est caractéristique d'une période de croissance. De plus, l'inflation n'a pas uniquement des effets négatifs. Quels sont les effets de l'inflation? Quelles en sont les origines ? Et d'abord, comment la mesure-t-on et comment a-t-elle évolué ?

La mesure de l'inflation. Inflation est le terme employé pour désigner une hausse durable et généralisée des prix. En France, cette hausse des prix (ou la baisse des prix dans le cas d'une déflation) est mesurée à partir de l'évolution de l'indice des prix de l'INSEE. Cet indice regroupe les prix de 266 produits considérés comme représentatifs de la consommation des ménages. Ceux-ci sont ensuite pondérés en fonction de leur part respective dans la consommation des ménages. Le taux d'inflation correspond, lui, au taux de variation des prix à la consommation entre deux dates. On appelle désinflation le ralentissement de l'inflation, et non une baisse durable des prix. Cet instrument a évidemment des limites : comment mesurer les changements du comportement de consommation des ménages ? Comment prendre en compte les produits nouveaux ?

L'inflation dans les pays industrialisés. En France et dans la plupart des pays industrialisés, le XIXe s. est une période de stabilité des prix : dans le cas français, l'inflation n'a été que de 0,25 % par an sur l'ensemble du siècle. Toutefois, on observe des successions de phases d'inflation et de déflation, qui correspondent aux cycles d'affaires. Cette alternance se poursuit dans l'entre-deux-guerres, mais les phases inflationnistes ne sont plus compensées par les phases de déflation. Les années 1914-1920 et 1940-1950 sont des années d'inflation, les années 1930 des périodes de déflation.

Depuis 1945, les économies industrialisées ne connaissent plus de déflation : aux phases d'inflation succèdent des phases où l'inflation est ralentie (désinflation) mais jamais arrêtée ou inversée. Sur la période 1945-1983, les évolutions sont également relativement contrastées selon les pays : au Japon, aux États-Unis et en Allemagne, les taux d'inflation sont inférieurs à la moyenne de l'OCDE ; c'est l'inverse pour l'Italie, le Royaume-Uni et la France. La France connaît par exemple des taux d'inflation anormalement élevés même hors des périodes de chocs conjoncturels communs à tous les pays industrialisés (deux chocs pétroliers). Les rigidités du marché du travail ainsi que la politique d'endettement de la France pourraient expliquer cette inflation structurelle.

Depuis 1983, la quasi-totalité des pays industrialisés s'emploient avec succès à combattre l'inflation grâce à des politiques monétaires restrictives, de concurrence accrue entre les firmes et de déréglementation du marché du travail. Ces politiques ont été très efficaces puisque l'inflation passe en dessous des 5 % dans tous les pays industrialisés. La lutte contre l'inflation a également été facilitée par la baisse du prix des matières premières et le niveau élevé du chômage dans la plupart des pays industrialisés.

L'inflation dans les PVD et pays en transition

Les PVD et les pays de l'Est présentent un taux d'inflation largement supérieur à celui observé en moyenne dans les pays de l'OCDE. L'année 1992 est à cet égard exemplaire : alors que le taux d'inflation atteint 3.2% dans les pays industrialisés, il s'élève à 35% pour les pays en développement et à 681% pour les pays en transition. Il est vrai que depuis cette date, la tendance inflationniste s'est ralentie, en particulier avec la mise en place des plans de stabilisation. Néanmoins, aujourd'hui encore subsiste un écart significatif en matière d'inflation : en 1997, on pouvait estimer que l'inflation était en moyenne 20 fois plus importante en Europe de l'Est par rapport aux pays de l'OCDE et 6 fois plus dans les pays en développement.

La présence d'une forte inflation engendre des comportements économiques très spécifiques, qui ne sont plus observés dans les pays à faible inflation :
– comportements de « fuite devant la monnaie» où les agents souhaitent se départir au plus vite des encaisses qu'ils détiennent, en achetant des bien durables. L'épargne prend alors la forme de détention d'actifs réels, au détriment de l'épargne liquide ;
– comportements d'économie de troc où les agents développent entre eux les échanges non monétaires ;
– comportements de substitution de monnaie où les agents recourent dans leurs transactions à des devises étrangères dont la valeur est reconnue, à l'image du dollar. Ainsi en Pologne, on a pu assister à la fin des années 1980, alors que sévissait une inflation galopante, à un véritable phénomène de « dollarisation » de l'économie : le dollar était devenu de fait la monnaie officielle, à la place du zloty.

L'existence d'une forte inflation dans les pays en développement et les pays en transition renvoie au fonctionnement même de ces économies. En premier lieu, compte tenu de la faiblesse des rentrées fiscales, les dépenses budgétaires de ces pays sont en grande partie financées par la création monétaire, qui débouche elle-même sur de l'inflation : ce phénomène de financement monétaire est parfois désigné sous l'expression de « seigneuriage ».

En second lieu, les pratiques d'indexation des salaires sur les prix conduisent à entretenir une inflation galopante : les hausses de prix entraînent une hausse des salaires laquelle incite les entrepreneurs à accroître à nouveau les prix. Une véritable spirale inflationniste se met alors en marche.

En troisième lieu, ces pays présentent dans certains secteurs (alimentation en particulier) des situations de pénuries, lesquelles sont propices à la spéculation : certains stockent volontairement des denrées, dans le but de limiter l'offre et de faire grimper les prix. En dernier lieu, dans le cas des pays de l'Est, la libéralisation des marchés a conduit à la formation de prix de marché, alors que le système communiste reposait sur l'existence de « prix administrés ».

Les sources de l'inflation

On peut distinguer deux sources principales de l'inflation, l'une liée à la demande, l'autre aux coûts.

L'inflation par la demande. L'offre de produits étant peu variable à court terme, une hausse de la demande crée nécessairement une hausse des prix. Pour Keynes, tel est le cas lorsque l'économie est en situation de plein emploi : les structures de production sont saturées et elles ne peuvent répondre à une hausse de la demande.

L'inflation par la demande peut également être issue des anticipations des agents. S'ils prévoient que les prix vont augmenter, ils effectueront leurs achats le plus tôt possible afin d'éviter les effets d'une hausse. Mais ils ne font bien sûr qu'accélérer celle-ci. On parle de prophétie autoréalisatrice : en croyant à une hausse des prix, les ménages l'engendrent effectivement.

Mais, comme le rappellent les monétaristes, l'inflation par la demande peut également être causée par une création monétaire excessive. La hausse des liquidités permet aux agents d'effectuer des dépenses plus aisément. Si cette hausse n'est pas suivie par une hausse de la production, il s'ensuit une hausse des prix. La création monétaire excessive est un phénomène particulièrement fréquent lorsqu'une économie accuse un déficit budgétaire élevé : le gouvernement peut alors financer ce déficit en faisant tourner la « planche à billets », ce qui revient à augmenter les impôts de manière indolore en réduisant le pouvoir d'achat des ménages.

La relation positive entre création monétaire et inflation a été démontrée dans de nombreuses études statistiques, notamment celles de Milton Friedman. Toutefois, cette relation positive n'épuise pas toute la profondeur du problème de l'inflation : en particulier, la création monétaire précède-t-elle l'inflation ou bien lui succède-t-elle ?

L'inflation par les coûts. Une hausse des coûts de production entraîne une hausse des prix de vente. Mais, au-delà de cette relation, plusieurs phénomènes peuvent provoquer une hausse des coûts de production.

Les chocs pétroliers de 1974 et de 1979 sont à l'origine d'une inflation par les coûts importée. La hausse des prix du pétrole a entraîné une hausse des coûts de production et une hausse des prix. L'inflation importée peut également être la conséquence d'une dévaluation qui entraîne le renchérissement des importations, qu'il s'agisse de produits finis ou de biens intermédiaires (dans ce dernier cas, les entreprises répercutent cette hausse de leurs coûts de production sur le prix de leurs produits finis).

L'inflation par les coûts pétroliers est la plus connue, mais l'inflation par les coûts salariaux est la plus fréquente. Cette hausse des coûts salariaux, obtenue par des grèves ou des

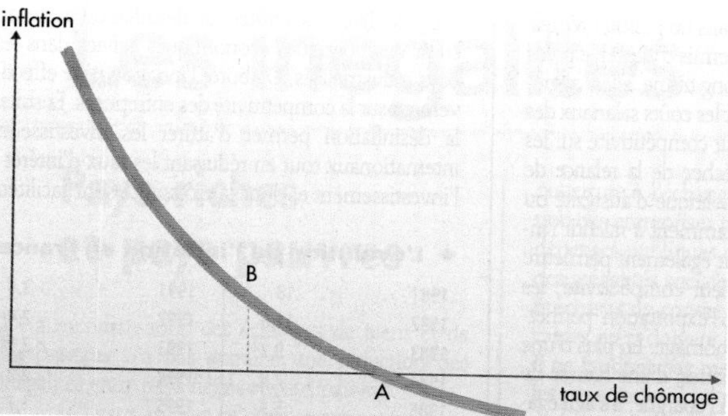

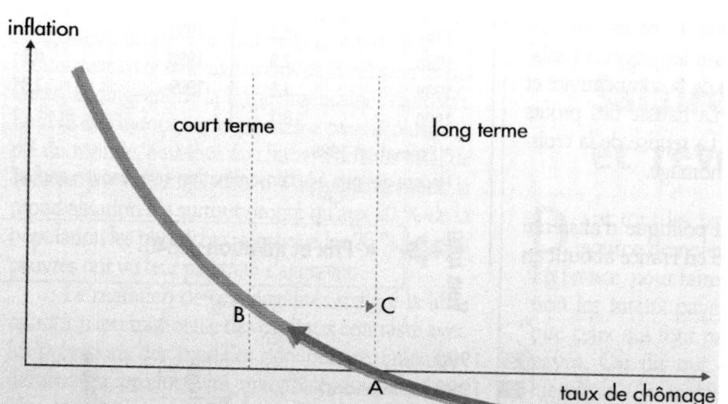

◆ **La courbe de Phillips selon les monétaristes.**

◆ **La courbe de Phillips selon les keynésiens.** Si le gouvernement effectue une politique de relance (par exemple par création monétaire et baisse du taux d'intérêt), l'inflation augmente, le salaire réel diminue et le chômage également (passage du point A au point B). Mais à long terme, les salariés s'aperçoivent de la hausse des prix et de la diminution de leur pouvoir d'achat : ils demandent une hausse de leurs salaires et le salaire réel revient à son niveau initial, le chômage également (passage du point B au point C). Toutefois, le taux d'inflation est maintenant plus élevé. Comme le soulignent les nouveaux classiques, les ménages peuvent également anticiper l'inflation induite par la création monétaire et immédiatement exiger une hausse de leur salaire. Dans ce cas, la politique de relance n'a pas d'effet à court terme.

mesures gouvernementales, se répercute sur les coûts de production et entraîne une baisse des taux de profit. Les dirigeants vont essayer de freiner cette réduction de leurs profits en augmentant le prix de leurs produits. Cela peut ensuite déboucher sur une spirale inflationniste : le prix des produits augmentant, le pouvoir d'achat des ménages diminue, ce qui les oblige à exiger une nouvelle hausse des salaires, qui entraînera à son tour une nouvelle hausse des prix.

La hausse des salaires peut également faire suite à une hausse des salaires dans d'autres secteurs. La productivité du travail n'est pas la même pour tous les secteurs d'activités. Or, lors des négociations salariales, le secteur de référence est souvent celui qui connaît les gains de productivité les plus élevés. Les employés du secteur public peuvent ainsi aligner leurs exigences salariales sur les salaires obtenus dans le secteur privé, alors que la productivité du travail est plus élevée dans le secteur privé. Le niveau de salaire sera trop élevé par rapport à la productivité du travail et une inflation par les coûts salariaux devrait suivre. Il en va de même si l'on considère un secteur exposé à la concurrence internationale où la productivité du travail est très élevée et un secteur non exposé où la productivité du travail est plus faible. Les employés dans le secteur non-exposé peuvent aligner leurs exigences salariales sur celles du secteur exposé et obtenir un salaire supérieur à leur productivité.

Mais les salariés ne sont pas toujours à l'origine de la hausse de l'inflation. Selon les économistes de l'offre, elle peut aussi être due à une hausse des impôts qui incite les ménages à réduire leur offre de travail. La hausse des salaires qui en découle conduit les employeurs à augmenter le prix de leurs produits.

Pour plusieurs économistes, l'inflation par les coûts salariaux joue un grand rôle dans l'inflation structurelle que la France a connue de 1950 à 1980. En effet, alors que les gains de productivité devenaient de plus en plus faibles, les salaires continuaient dans cette période de progresser.

Les conséquences de l'inflation

Les effets de l'inflation sont différenciés selon les agents économiques considérés. Par ailleurs, ils sont très différents, et parfois même ambigus, selon qu'on les observe dans le domaine de la consommation, du chômage ou encore de la croissance économique.

Les agents pénalisés par l'inflation sont ceux qui perçoivent des revenus fixes (ou indexés sur l'inflation avec retard) comme les salariés ou les retraités. Les épargnants sont également touchés par l'inflation dans la mesure où les taux d'intérêt n'intègrent que les anticipations d'inflation et non le taux d'inflation effectif. Ainsi, au cours des années 1970, les taux d'intérêt réels (taux nominaux moins taux d'inflation) étaient négatifs : ceux qui ont placé de l'argent en ont perdu au lieu de toucher des intérêts. Inversement, la valeur réelle des dettes est diminuée par l'inflation : les entreprises et l'État sont dans un premier temps bénéficiaires de l'inflation. À plus long terme, les épargnants se méfieront et demanderont des taux d'intérêt avant de placer leur argent. Suite à l'inflation des années 1970, les taux d'intérêt ont ainsi été très élevés au début des années 1980.

Des effets contradictoires. Les effets de l'inflation sur les variables économiques sont ambigus.

En diminuant le pouvoir d'achat, l'inflation peut avoir un effet négatif sur la consommation lorsque les ménages souhaitent conserver un certain niveau de richesse réelle. Pour conserver ce niveau, ils vont réduire leur consommation. En même temps, l'inflation peut avoir un effet positif sur la consommation lorsque les ménages anticipent une poursuite de l'inflation.

Il en va de même pour la croissance. L'inflation conduit à une hausse de l'endettement, puisque les dettes seront plus facilement remboursées, ce qui a un effet positif sur l'investissement et la consommation. L'inflation des Trente Glorieuses aurait ainsi stimulé la croissance économique. En retour, la saturation des capacités de production et le plein emploi entraînent une hausse de l'inflation. L'inflation peut également être un obstacle à la croissance, notamment dans le cadre de l'internationalisation des échanges et de la mobilité croissante des capitaux. En effet, l'inflation rend les entreprises moins compétitives (puisque leurs prix sont plus élevés) sur les marchés internationaux. Elle est également une source d'incertitude sur la valeur des dettes détenues par les créanciers : les épargnants mais aussi les investisseurs internationaux peuvent être méfiants devant un taux élevé d'inflation. C'est également pour ces raisons que les États ont fait de la lutte contre l'inflation l'une de leurs priorités depuis le début des années 1980.

Enfin, l'inflation a une influence ambiguë sur le taux de chômage, influence qui peut être illustrée grâce à la courbe de Phillips.

Inflation et chômage

L'économiste néo-zélandais A. Phillips (1914-1975) a étudié la relation entre taux de chômage et variation du salaire nominal en Grande-Bretagne de 1861 à 1957. Selon cette étude, les hausses de salaire sont d'autant plus fortes que le taux de chômage est faible. À partir de ce résultat, l'analyse keynésienne (notamment représentée par Paul Samuelson et Robert Solow) met en relief un arbitrage entre inflation et chômage : si le chômage diminue, l'inflation augmente. En effet, selon Keynes, l'inflation ne peut exister qu'en période de plein emploi, lorsque les capacités de production sont saturées. D'autre part, lorsque le taux de chômage est élevé, les syndicats ne peuvent exiger des hausses de salaire. Enfin, il existe un taux de chômage pour lequel l'inflation est nulle (point A). Si ces politiques avaient un succès relatif dans les années 1960, elles ne parviennent pas à relancer l'économie dans les années 1970. Le phénomène de la stagflation est en contradiction avec la courbe de Phillips : inflation et chômage peuvent coexister. Les monétaristes avancent alors qu'il n'existe pas d'arbitrage entre inflation et chômage si ce n'est à court terme, car les salariés modifient leurs revendications salariales en fonction de l'inflation.

Le traitement de l'inflation

Pour lutter contre l'inflation, la plupart des pays industrialisés ont longtemps utilisé le contrôle des prix. C'est par exemple ce qu'a fait la France en 1945, 1963, 1976 ou 1982. Toutefois, il se peut que l'inflation reprenne lorsque le contrôle des prix est levé. De surcroît, la tertiairisation de l'économie rend ce contrôle plus délicat à appliquer dans la mesure où les prix des services sont difficiles à connaître avec précision. Enfin, les entreprises peuvent anticiper cette mesure et augmenter leurs prix avant que le contrôle ne leur soit imposé.

Les gouvernements peuvent également s'efforcer de maîtriser la hausse des revenus en limitant l'augmentation du SMIC, en indexant les hausses de salaires sur les gains de productivité, voire en bloquant les salaires (mesure du gouvernement Mauroy en 1982).

Les pays développés

Le poids de la triade

Les richesses et l'activité économique sont inégalement distribuées. De 1960 à 1993, bien que le PIB mondial ait plus que triplé et que sa répartition ait évolué d'un pays à l'autre, les différences entre pays développés et pays du tiers-monde restent flagrantes. Globalement, on constate que la part de l'Europe occidentale et de l'Amérique du Nord dans la production mondiale a diminué au profit de l'ensemble Asie-Océanie. La triade Europe occidentale, Amérique du Nord et Asie-Océanie regroupe l'essentiel de l'activité économique mondiale.

Le déclin de l'Europe et des États-Unis. En 1960, les États-Unis réalisaient à eux seuls plus du quart du PIB mondial. Une baisse constante est ensuite survenue, à un rythme rapide jusqu'en 1980, et de façon ralentie depuis lors. En 1997, les États-Unis représentaient un peu plus du cinquième du PIB mondial.

Si l'on additionne le PIB de ses quinze membres actuels, l'Union européenne (UE) a connu entre 1960 et 1986 une baisse très sensible (3,6 %) de son poids dans la production mondiale. En 1993, elle produit toutefois plus de richesses que les États-Unis, avec 20,6 % de la production mondiale de biens et services. Mais, depuis plus de deux décennies, l'UE ne dispose plus d'une croissance suffisante pour assurer le plein-emploi. De plus, alors que les États-Unis profitent d'une phase de croissance entre 1990 et 1998, la part de la production européenne dans le PIB mondial continue de diminuer en 1998, elle se situe 20 % en dessous de la part des États-Unis.

L'essor de l'Asie orientale. Ce sont essentiellement le Japon, les pays de l'Asie du Sud-Est (les NPI, nouveaux pays industrialisés, tels Hongkong, Singapour ou Taïwan) et la Chine qui prennent les parts de la production mondiale abandonnées par l'Europe et les États-Unis.

Après sa défaite en 1945, le Japon abandonne sa politique expansionniste et reconstitue sa puissance industrielle pour conquérir les marchés extérieurs. Dans les années 1950 et 1960, grâce à une croissance moyenne de près de 10 % par an, il se hisse parmi les pays riches. Cette progression, bien que ralentie par les chocs pétroliers, se poursuit dans les années 1980, tant et si bien qu'en 1993 la part du Japon dans le PIB mondial (8,5 %) a pratiquement doublé par rapport à 1960 (4,3 %).

Plus tardifs, les NPI enregistrent une progression qui leur permet de passer d'une part de 2,4 % de la production mondiale en 1960 à 6 % en 1993. Tant pour le Japon que pour les NPI, cette réussite spectaculaire s'explique par une stratégie industrielle expansionniste fondée sur l'exploitation d'avantages comparatifs (coûts de la main-d'œuvre, innovation ou amélioration des technologies occidentales) et la conquête de marchés extérieurs. Depuis le début des années 1990, la production de la Chine, qui poursuit une stratégie identique, n'a cessé d'augmenter, tant et si bien que la part des pays d'Asie (hors Japon mais en comprenant l'Inde, la Thaïlande, l'Indonésie, etc.) dans la production mondiale est à présent de 26,5 %.

Toutefois, il faut souligner que, en termes de PIB par habitant, ces pays restent en deçà des niveaux occidentaux. En effet, les volumes de production de ces pays doivent être mis en parallèle avec une forte hausse démographique. La situation économique des populations, en termes de pauvreté, de niveau d'éducation ou d'inégalités sociales, reste encore préoccupante malgré des progrès notables. De plus, une certaine incertitude prévaut quant à l'avenir de ces économies. Le Japon ne parvient pas à surmonter une phase de dépression apparue en 1990. Après une vague de spéculation boursière et immobilière, cette « bulle spéculative » a éclaté : les agents économiques ne croyant plus à une hausse continue de la valeur des titres boursiers et de l'immobilier se sont mis à vendre. Cette dépression, d'abord conjoncturelle, est devenue structurelle (diminution de la consommation et de l'investissement), ce qui explique que la part du Japon ait diminué de 9 % en 1993 à 7,7 % en 1997. Par ailleurs, les déficits structurels et le système financier des économies asiatiques ont provoqué une fuite des capitaux étrangers, entraînant une chute des taux de change, l'alourdissement des dettes et la récession. Même si, selon certains, ces pays devraient surmonter leurs difficultés économiques, la durée et les conséquences à long terme de cette crise sont encore incertaines.

Pays stables ou en déclin

On peut comparer le léger déclin de l'Europe et des États-Unis et la croissance du Japon et de l'Asie du Sud-Est aux évolutions observées dans les autres pays du monde. À l'exception des NPI d'Asie et de certains pays d'Amérique latine (comme la Colombie, le Chili ou le Mexique), la part des pays du tiers-monde est restée stable ou a baissé.

En Amérique centrale, la part du Mexique dans le PIB mondial a augmenté de 1,6 % à 2,2 % malgré la crise de la dette au début des années 1980 et la crise du peso en 1993 et 1994. Plus généralement, entre 1960 et 1993, la croissance des pays d'Amérique latine a été entravée par l'insuffisance de l'épargne et par des politiques gouvernementales coûteuses, notamment dans le cas des dictatures militaires. Après une phase d'austérité nécessaire pour réparer les dommages causés par les déficits publics et le protectionnisme, ces économies deviennent plus compétitives et leur part dans le PIB mondial augmente de 6 % à 8,8 % entre 1960 et 1997.

Dans les pays de l'ex-URSS et dans ceux de l'Europe de l'Est, la transition du communisme au capitalisme a eu pour première conséquence une forte érosion de la production industrielle, les secteurs les moins compétitifs étant abandonnés. Entre 1960 et 1993, la part de la Russie a baissé de 8,8 % à 4,4 % ; celle des pays de l'Est de 4,5 % à 1,8 %. Même si les pays de l'Est (et notamment la Hongrie, la Pologne et la République tchèque) commencent à s'adapter au capitalisme, la récession que connaissent la Russie et l'Ukraine est telle que la part des anciennes économies socialistes a continué de diminuer entre 1993 et 1997 : leur production ne représente plus que 4,8 % de la production mondiale.

L'Afrique et le Moyen-Orient connaissent, quant à eux, des évolutions contrastées. Les pays pétroliers ne profitent que peu de la hausse du prix du baril à partir des années 1970, puisque leur gain total entre 1960 et 1993 n'est que de 0,3 point. L'Afrique du Nord et le Moyen-Orient progressent (à l'exception de l'Algérie et du Liban), mais les pays situés au sud du Sahara ont régressé économiquement. Ces pays ne parviennent pas à construire un environnement économique favorable à l'investissement et à la croissance.

Durant la seconde moitié du XXe siècle, on a donc assisté à l'éclosion d'une nouvelle puissance régionale, l'Asie orientale, au maintien dans le sous-développement ou la sous-industrialisation des pays du tiers-monde et à l'aggravation de la situation des pays de l'Est européen et de l'ex-URSS. La domination de la vie économique mondiale par la triade États-Unis, Union européenne et Asie-Pacifique est sans ambiguïté : la triade concentre plus de 70 % des richesses mondiales.

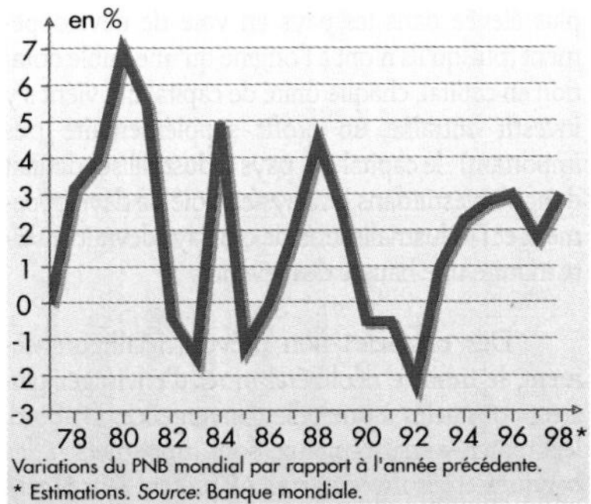

Variations du PNB mondial par rapport à l'année précédente.
* Estimations. *Source*: Banque mondiale.

◆ **Croissance mondiale.**
Entre 1973 et aujourd'hui, trois crises économiques ont particulièrement freiné la croissance mondiale : un premier choc pétrolier en 1973, un second en 1979, puis la récession du début des années 1990. Cette dernière crise résulte de l'épuisement des gains de productivité des économies industrialisées, situation aggravée en Europe par la volonté de maintenir des taux d'intérêt élevés pour sauvegarder le système monétaire européen. La crise des économies asiatiques puis de l'économie russe pourrait avoir un effet semblable (réduction de la demande mondiale), mais les conséquences réelles de ces crises sont encore difficiles à évaluer.

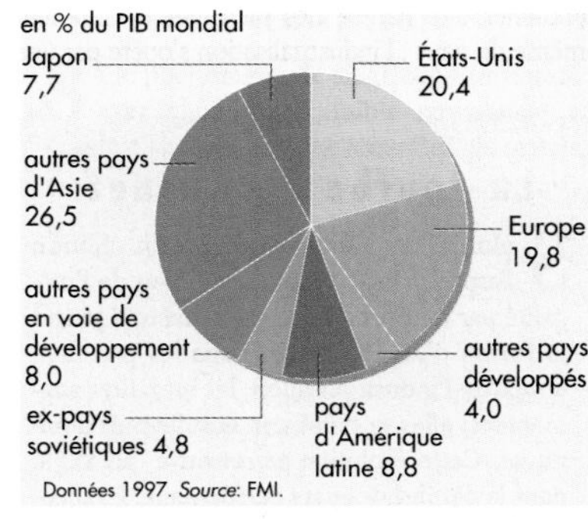

Données 1997. *Source*: FMI.

◆ **Répartition du PIB mondial par grandes régions.**
Plus de 70 % de la production mondiale est réalisée par la triade (Asie-Océanie, Amérique du Nord et Europe occidentale). En quelque trente années de croissance, l'Asie, pratiquement absente des échanges mondiaux en 1960, s'est hissée au premier rang de la production mondiale. Toutefois, il faut également prendre en compte le poids démographique de cette région. Il est certain qu'en termes de PIB par habitant l'Asie est encore loin derrière les pays occidentaux.

Pays industrialisés

Quel que soit le critère de classement retenu (PIB, PIB par habitant, etc.), le haut de la hiérarchie mondiale est occupé par les pays industrialisés.

Dans chacun de ces pays, la part de l'industrie dans la production totale est en diminution constante. Les services constitueront peut-être, au XXIe s., le critère essentiel pour établir une hiérarchie économique. Toutefois, l'industrie trouve dans le développement des services de nouveaux débouchés. Ainsi, des biens industriels (par ex. matériel de bureautique) envahissent ce secteur.

La notion de « potentiel industriel » continue d'être fondamentale. Ainsi, à la fin des années 1990, les plus grandes puissances économiques du monde restent les sept pays membres du G7 : ce sont les États-Unis, le Japon, l'Allemagne, la France, l'Italie, la Grande-Bretagne et le Canada. Toutefois, ce classement par pays ne rend pas compte des données régionales qui redéfinissent, à la fin du XXe s., le haut de la hiérarchie économique : perte relative de l'hégémonie américaine, émergence d'un grand pôle industriel en Asie, unification de l'espace économique européen.

États-Unis

L'économie américaine occupe la première place au niveau mondial. Bien que déjà tertiairisée aux deux tiers, elle est aussi la première du monde pour son industrie et son agriculture.

Les années 1950 et 1960 ont représenté l'apogée économique de ce pays; le modèle de production et le modèle de consommation américains (l'*American way of life*) s'imposaient alors au monde. À partir de la fin des années 1960, la dynamique économique est épuisée et les difficultés sont apparues. La crise des années 1970 a précipité l'éclatement de l'économie américaine en trois zones : le Nord, en déclin au début des années 1980, se redresse à la fin de cette décennie; le Sud, plus dynamique grâce à son industrie pétrolière, est tributaire des variations du prix du brut ; l'Ouest est tourné vers le Pacifique et les nouvelles technologies.

Le pays a traversé dans les années 1990 une phase de prospérité, grâce à ses industries de haute technologie et aux services. Cette croissance s'appuie aussi sur des facteurs caractéristiques de l'organisation de la vie économique américaine, comme l'esprit d'entreprise, de faibles charges sociales et des marchés de capitaux très efficaces, notamment pour les petites entreprises. Toutefois, le pays ne parvient pas à réduire les inégalités sociales toujours plus fortes. En effet, les années 1980 et 1990 correspondent à une réduction des dépenses publiques, à une plus grande flexibilité du travail, à une précarité de l'emploi et à l'accélération des mutations technologiques.

Japon

Le pays enregistre des performances économiques exceptionnelles entre 1950 et 1985, avec un taux de croissance du PNB proche de 8 % en moyenne. Très affaibli par la guerre, il a pourtant rattrapé, en termes de PIB, l'Italie dans les années 1950, la Grande-Bretagne, la France et la RFA à la fin des années 1960. À la fin des années 1980, le Japon est devenu la deuxième puissance économique du monde et le troisième exportateur après les États-Unis et la RFA. Malgré une population inférieure et un territoire exigu, le PIB du Japon est alors supérieur à la moitié de celui de la CEE et à la moitié de celui des États-Unis. L'industrie nippone s'est spécialisée dans trois secteurs clés : l'électronique, la sidérurgie, l'automobile. Le Japon est le premier exportateur de produits manufacturés. Les firmes et les banques japonaises sont très présentes dans les pays étrangers : en Asie d'abord, aux États-Unis ensuite, puis en Europe durant les années 1980. À la fin des années 1980, le Japon forme avec la Chine et les nouveaux pays industriels de l'Asie du Sud-Est le pôle de croissance le plus dynamique du monde.

Même si le phénomène est moins frappant qu'aux États-Unis, la société japonaise est elle aussi une société duale : un secteur en retard, celui des petites firmes de sous-traitance, coexiste avec le secteur de pointe des grandes firmes industrielles et des banques. Les employés de ces secteurs ont des conditions de vie, de travail et de rémunération très différentes. Au contraire des États-Unis, toutefois, la société japonaise comprend certains filets de sécurité, tels que l'emploi à vie dans de nombreuses firmes, qui limitent le risque de précarité. Cependant, de modèle le Japon devient une énigme, puis une source d'inquiétude dans les années 1990. En effet, depuis l'éclatement de la bulle financière japonaise (au début des années 1990), le Japon n'est pas parvenu à sortir du marasme économique, et ce malgré des taux d'intérêt extrêmement bas et plusieurs plans de relance.

En réalité, le pays doit résoudre des problèmes structurels, notamment dans la gestion de ses banques. Fragilisées par l'éclatement de la bulle financière puis par la crise asiatique, celles-ci sont de moins en moins en mesure de financer l'activité économique et entravent l'investissement des entreprises. Les mesures à adopter, politiquement risquées puisqu'elles impliqueraient de mettre en faillite les banques les plus fragiles et de solliciter le contribuable pour renflouer les autres, n'ont cessé d'être reportées.

Europe

Puissance industrielle et bancaire, grande exportatrice de biens d'équipement, l'Allemagne constitue le troisième grand pôle économique avec les États-Unis et le Japon. Elle est particulièrement présente dans les secteurs de la sidérurgie, de l'électromécanique, de l'automobile, de l'électronique et de la chimie. Si la réunification du pays en 1990 n'a pas manqué d'engendrer des difficultés économiques, l'Allemagne, comme beaucoup de pays d'Europe continentale, souffre plus de déséquilibres structurels que de crises conjoncturelles. Les charges sociales trop élevées et un système fiscal trop complexe ralentissent la croissance et augmentent le chômage. Pour retrouver la croissance et le plein-emploi, les espoirs des Allemands se portent à présent sur la monnaie européenne.

La France a bénéficié, pendant les années 1950 et 1960, de gains de productivité élevés grâce aux investissements importants effectués en matière de biens d'équipement par les entreprises. Mais, à partir des années 1970, la crise et l'inflation ont entraîné progressivement des blocages. On constate encore des gains de productivité, mais, au milieu des années 1990, le taux de chômage est supérieur à 12 % de la population active. Une nouvelle vague d'investissements et une amélioration des qualifications de la main-d'œuvre sont nécessaires pour contribuer à réduire le chômage. Comme l'Allemagne, la France souffre de déséquilibres structurels, en raison de ses charges sociales trop lourdes. Le coût élevé du travail est une des causes du chômage, lequel instaure un climat de marasme néfaste à la consommation et à l'investissement. L'insuffisance de la demande intérieure aggrave à son tour le chômage. De surcroît, malgré une recherche fondamentale mondialement reconnue, l'absence de goût d'entreprendre et une inefficacité des marchés capitaux pour les entreprises innovantes empêchent que cette recherche se transforme en applications commercialisables. À l'instar de l'économie allemande, l'économie française fonde de nombreux espoirs sur l'euro. Elle met également en œuvre des politiques originales, bien que contestées sur un plan économique, de réduction du temps de travail et de création d'emplois pour les jeunes chômeurs.

La Grande-Bretagne a dominé le monde jusqu'au XIXe s. Le démantèlement de son empire colonial et la perte de compétitivité de son industrie ont ensuite affaibli sa puissance économique. La crise des années 1970-1990 a accentué le processus.

À partir de la fin des années 1980, plusieurs éléments ont été des atouts pour l'économie britannique : des entreprises multinationales bien placées dans la chimie et l'agroalimentaire; la puissance financière de la place de Londres; un renouveau industriel créateur d'emplois en 1987-1988; une rente pétrolière due aux gisements de la mer du Nord. Il semble que depuis la dévaluation de la livre, en 1992, les entreprises britanniques aient su tirer parti des réformes draconiennes de Margaret Thatcher. La réduction des pouvoirs des syndicats a favorisé une réduction du coût du travail et du chômage; la réforme de la fiscalité a permis de relancer l'activité, tandis que la privatisation anticipée de grands groupes publics tels que British Airways et British Telecom a fait d'eux des géants mondiaux. Toutefois, comme aux États-Unis, les inégalités de revenus augmentent : malgré la baisse du chômage, la pauvreté progresse car la flexibilité accrue favorise la baisse des salaires.

La compétitivité des pays

La notion de « guerre économique » entre pays est largement erronée : le plus souvent, ceux-ci gagnent à commercer entre eux, à échanger des capitaux et des connaissances. Les économies restent toutefois en concurrence et il peut être intéressant de mesurer la compétitivité des nations. L'Institut pour le développement du management (IMD) de Lausanne a élaboré un index de compétitivité fondé sur plus de 200 critères, allant des investissements en recherche au système financier, du niveau de protectionnisme à celui des déficits budgétaires. Le tableau classe les pays suivant cet index. D'après celui-ci, les États-Unis seraient la nation la plus compétitive du monde, la Russie se classant en dernière position.

Petit lexique

G7 : club rassemblant depuis 1975 les 7 pays les plus riches de la planète.

sous-développement : état d'une économie qui ne permet pas d'assurer les besoins élémentaires de l'homme (alimentation, santé, etc.). Le sous-développement est souvent estimé à partir du niveau de production par habitant.

Les NPI d'Asie

Caractéristiques

Les nouveaux pays industrialisés d'Asie présentent plusieurs similitudes. Au stade initial de développement, l'avantage comparatif de ces pays réside dans de faibles coûts de main-d'œuvre. En outre, la plupart de ces NPI sont des pays de petite taille et leur PIB est peu élevé. Le marché intérieur offre donc peu de débouchés et les entreprises s'orientent vers l'exportation.

La conquête de nouveaux marchés est fondamentale, non seulement pour acquérir des devises, mais aussi et surtout pour accroître la compétitivité des entreprises, confrontées à la concurrence internationale.

Dès lors, le processus de croissance s'organise également de manière relativement similaire pour tous les NPI. La croissance repose sur une forte augmentation de la main-d'œuvre industrielle (qui vient du secteur agricole) et du capital (grâce au soutien de l'État aux politiques d'endettement des entreprises), sur la capacité d'épargne des ménages et sur l'ouverture au capital étranger. On assiste donc à une mobilisation croissante des ressources (capital, travail) longtemps restées inexploitées.

Dans un premier temps, l'amélioration des techniques de production et les produits nouveaux sont relativement rares. Toutefois, au fur et à mesure du processus d'industrialisation et de conquête des marchés extérieurs, la forte demande des entreprises en main-d'œuvre entraîne une hausse des salaires, les salariés pouvant faire jouer la concurrence à leur avantage. L'augmentation des revenus des salariés a plusieurs conséquences. Elle ralentit le développement des inégalités sociales et favorise l'alphabétisation, la scolarisation et la qualification de la population. Elle permet ensuite l'émergence d'une demande intérieure qui vient élargir les débouchés de la production locale, même si la priorité à l'épargne, du fait des restrictions des crédits à la consommation instaurées par l'État ou de la prudence des ménages asiatiques, reste importante. Enfin, la hausse des salaires incite les entreprises à rechercher une plus grande efficacité-coût, par des gains de productivité, des améliorations techniques et une délocalisation des activités exigeant une main-d'œuvre nombreuse.

Exception faite de Hongkong, l'État, parfois de manière très autoritaire, joue un rôle extrêmement important dans le développement des économies asiatiques. En Corée du Sud, il a favorisé l'éducation de la population, il a mis en place les réformes indispensables pour faciliter la transition de l'agriculture à l'industrie, orienter les entreprises vers les exportations et organiser la « montée en gamme » des productions asiatiques, devenues plus intensives en travail qualifié et en capital.

◆ **Croissance des NPI.**

	PNB par hab. en $	Croissance du PNB en % Moyenne annuelle 1970-1996	1997 (estimations)	1998 (prévisions)	1999 (prévisions)
Chine	3 120	9,1	8,9	6,3	7,5
Hongkong	25 400	7,5	5,1	1,8	3,8
Indonésie	4 280	6,8	5,4	–5,2	2,9
Malaisie	9 703	7,4	7,4	1,6	1,8
Philippines	3 060	3,6	4,8	1,9	4
Singapour	25 650	8,2	7,6	2,7	5
Corée du Sud	12 410	8,4	5,6	–2,5	1,7
Taïwan	17 720	8,3	6,3	5	5,7
Thaïlande	8 370	7,5	–0,7	–4	3,7

Sources : Banque mondiale et OCDE.

Les cinq économies asiatiques touchées par la crise (Malaisie, Thaïlande, Corée du Sud, Indonésie, Philippines) sont également celles dont le déficit de la balance courante était le plus important : ces économies consommaient et investissaient plus qu'elles ne pouvaient épargner et faisaient appel aux capitaux étrangers pour compenser ce déficit. Les autres

Les deux vagues

On peut identifier deux groupes de nouveaux pays industrialisés asiatiques. Le premier se forme à partir des années 1960 et est constitué de Hongkong, de Singapour, de la Corée du Sud et de Taïwan. Une main-d'œuvre bon marché constitue un avantage comparatif à l'exportation, et les secteurs du textile, de l'électronique grand public et des articles métalliques gagnent des parts de marché à l'exportation. Rapidement, la croissance amène les entreprises à recruter. La main-d'œuvre se raréfie et les salaires augmentent. L'avantage comparatif se réduit progressivement. Tant sous la pression du marché que sous celle de l'État, les entreprises de ces pays procèdent à une double transformation.

D'abord, elles conçoivent des produits plus sophistiqués, en profitant notamment des technologies étrangères (japonaise et américaine, essentiellement) importées par accords de licence ou investissement direct. Ainsi, dans les années 1990, les secteurs dans lesquels le premier groupe de NPI détient un avantage comparatif sont surtout l'informatique, l'électronique grand public, la chimie. Ensuite, les activités intensives en main-d'œuvre sont délocalisées vers des pays dont les coûts de main-d'œuvre sont restés faibles, du fait d'une absence d'industrialisation. La Malaisie, les Philippines, la Thaïlande et l'Indonésie sont les pays d'accueil de ces investissements, qui viennent s'ajouter à ceux en provenance du Japon et des États-Unis.

L'investissement direct favorise l'industrialisation de ces pays encore agricoles, qui deviennent peu à peu de nouveaux NPI. A la fin des années 1970, ces pays produisent avant tout pour l'exportation, et notamment vers les premiers NPI, dont la demande intérieure permet d'absorber les importations.

L'investissement direct (la multinationalisation des firmes) a donc aidé à l'industrialisation et à la croissance économique des pays d'accueil.

Dans la tourmente

Au cours de l'été 1997, les économies asiatiques entrent dans une tourmente financière qui aboutit à une dévaluation de leurs monnaies, à une réduction brutale de leurs taux de croissance (on passe en quelques mois d'une croissance moyenne de 7,2 % en 1996 à une croissance de 0,2 % en 1998 et à un appauvrissement des populations.

Plusieurs décisions et phénomènes économiques permettent d'expliquer cette crise :

– en raison de l'abondance de capitaux étrangers attirés par les perspectives de croissance de la région, les déficits commerciaux et courants des économies asiatiques se creusent : les agents économiques consomment et investissent au-delà de leurs moyens;

– les gouvernements ne peuvent augmenter les taux d'intérêt car les monnaies asiatiques seraient surévaluées par rapport au dollar;

– à partir de 1995, le taux de change du dollar augmente, entraînant une surévaluation des monnaies asiatiques, donc une réduction de la compétitivité à l'exportation et une hausse du déficit commercial. De plus, certaines firmes asiatiques se révèlent peu rentables.

Tous ces facteurs font des monnaies asiatiques une cible idéale pour les spéculateurs internationaux, qui les vendent avec une telle unanimité que les banques centrales épuisent leurs réserves de devises étrangères et doivent finalement laisser flotter les taux de change (c'est-à-dire que les banques centrales ne peuvent plus intervenir pour soutenir leur monnaie).

La dévaluation de fait entraîne un alourdissement des dettes des entreprises et des banques asiatiques, puisque ces dettes doivent être remboursées en dollars. Avec le faible taux de profit des entreprises et la situation financière fragile des banques (encouragées par les gouvernements à prêter aux entreprises), il devient peu probable que les économies asiatiques parviennent à rembourser leurs emprunts : les flux de capitaux vers les pays asiatiques se ralentissent et leurs détenteurs les retirent lorsqu'ils en ont la possibilité.

Pour pouvoir rembourser leurs emprunts aux créditeurs internationaux, les banques centrales sont forcées d'augmenter leurs taux d'intérêt, ce qui entraîne une baisse brutale de l'investissement des entreprises et de l'emploi. Comme condition à un prêt de « sauvetage », le FMI impose aux économies asiatiques des réformes structurelles du marché financier ainsi qu'une austérité budgétaire qui affaiblit encore la demande et accroît le chômage.

◆ **Le chantier naval d'Hyundai dans le port d'Ulsan** (Corée du Sud).

VOIR AUSSI • **FMI** p. 756

Petit lexique

balance courante ou **balance des paiements courants :** solde des échanges de marchandises et d'invisibles (services et transferts unilatéraux). La balance courante permet de voir si un pays a un besoin ou une capacité de financement.

FMI (Fonds monétaire international) : créé par les accords de Bretton Woods, il a pour fonction de favoriser la mise en place des mesures économiques et financières permettant d'éviter un effondrement du système financier international.

Les tiers-mondes

Les trois tiers-mondes

Entre la fin de la Seconde Guerre mondiale et les années 1970, le contexte international de reconstruction a permis une croissance modérée mais réelle des pays du tiers-monde (également appelés pays en voie de développement, PVD). Mais, avec la crise des années 1970-1990, leur taux de croissance est passé de 4,1 % (1965-1973) à 1,3 % (1980-1990), alors que leur population a continué d'augmenter pour atteindre 77,2 % de la population mondiale en 1990. Selon les projections de l'ONU, la population du tiers-monde devrait atteindre 81,8 % de la population mondiale en 2010. Toutefois, une analyse plus fine sortant sur des groupes de pays fait apparaître des différences de situation. Ainsi, les pays fortement endettés et/ou situés en Afrique subsaharienne se sont appauvris : le taux de croissance des premiers est passé de 4,2 % à –0,4 %; celui des seconds est passé de 3,1 % à –1 %. Les indications fournies par ces analyses invitent donc à considérer le tiers-monde dans toute sa diversité.

◆ **Inégalités de développement.**

Régions et pays	Population 1995 (millions d'habitants)	PNB/hab. 1995 (en dollars)	Taux moyen de croissance annuelle du PNB par habitant (en %)1 985-1995
Afrique subsaharienne	589,9	458	–1,1
Asie de l'Est	1 775,8	1 290	7,2
Asie du Sud	1 238,7	353	2,9
Europe, Moyen-Orient et Afrique du Nord	510,6	2 420	–3,8
Amérique latine et Caraïbes	479,3	3 195	0,3

Sources : L'Expansion, 1997 ; *Mondes en développement*, 1998. Les pays en développement d'Europe sont : Chypre, Grèce, Hongrie, Malte, Pologne, Portugal, Roumanie, Serbie, Bosnie, Albanie, Croatie.

Nouvelle hiérarchie du tiers-monde. Au cours des années 1970 à 1990, une hiérarchie apparaît entre nouveaux pays industrialisés (NPI), pays producteurs de pétrole et pays moins avancés.

Les nouveaux pays industrialisés (NPI) sont les pays d'Asie du Sud-Est, le Brésil, l'Inde, le Mexique, l'Argentine et la Turquie, dont le développement est moins rapide et plus heurté que celui des NPI d'Asie. On peut également leur adjoindre tous les pays en voie d'industrialisation et dont le revenu par habitant progresse. Ces pays réalisent une grande partie des productions manufacturées et des exportations du tiers-monde. On les désigne également sous le terme de « pays émergents » ou « marchés émergents. »

Les pays producteurs de pétrole tirent leurs revenus de la rente pétrolière qui leur permet d'avoir un revenu par habitant considérable dans les années 1970, mais qui décroît pendant les années 1980. Il s'agit des pays producteurs du Moyen-Orient : Arabie saoudite, Koweït, Oman, Émirats arabes unis, auxquels s'ajoutent Libye, Algérie, Venezuela, etc. Leur niveau de développement dépendra de l'évolution du prix du brut et de l'usage qu'ils feront de leur rente pétrolière.

Les pays moins avancés (PMA) sont les pays les plus pauvres, situés au bas de la hiérarchie mondiale des revenus par tête (environ 300 dollars ou moins par an et par habitant), souvent privés de littoral et exposés à la désertification ainsi qu'aux catastrophes naturelles. Ils étaient 44 en 1993, dont les trois quarts en Afrique.

Industrialisation et paupérisation du tiers-monde. L'augmentation du nombre des pays industrialisés à l'intérieur du tiers-monde est un trait notable de la nouvelle répartition. Ce phénomène fait contraste avec un autre : la paupérisation des pays les moins avancés. L'accroissement des écarts entre groupes de pays n'est pas nécessairement lié à l'évolution économique. En outre, les écarts pourraient s'accroître sans entraîner une paupérisation absolue du niveau le plus bas. Or l'indicateur de la ration alimentaire montre que l'apport journalier en calories par habitant a diminué dans 25 pays (Mali, Togo, Guinée, Cambodge, etc.) entre 1965 et 1985.

Le problème prend une importance mondiale, car l'opposition entre les pays les plus favorisés et les pays accablés par la misère ou les famines est génératrice de situations explosives.

Le tiers-monde est inégalement frappé par la crise. L'Afrique subsaharienne et l'Amérique latine, qui ont eu des taux de croissance négatifs dans la première moitié des années 1980, sont les plus touchées. Les taux de croissance élevés ne concernent que l'Asie de l'Est et du Sud.

Origines du sous-développement

De nombreux économistes ont tenté d'expliquer le sous-développement de certains pays. On distingue généralement l'approche libérale, selon laquelle le sous-développement n'est qu'un retard de développement, de celle prônée par les économistes du développement, qui mettent en relief les cercles vicieux du sous-développement.

Sous-développement et retard de développement. Pour les économistes libéraux comme Walter Rostow (né en 1916), le sous-développement ne serait qu'un retard de développement. Selon eux, la croissance connaît plusieurs étapes obligatoires. Toute société est d'abord une société traditionnelle; à ce stade, la productivité est stagnante, l'économie, agricole, la mobilité sociale, inexistante. S'esquissent ensuite les « conditions préalables » au démarrage : le niveau d'instruction s'élève, l'esprit d'entreprise, l'épargne, l'investissement, les échanges commencent à se développer. Parallèlement, la croissance agricole permet à la population de se nourrir et l'économie peut exporter des biens et obtenir ainsi les devises nécessaires pour importer d'autres biens. À ce stade, il incombe à l'État d'aménager, grâce aux revenus de la croissance agricole, les infrastructures nécessaires, en particulier dans les domaines du transport et de l'éducation.

Le véritable démarrage ne se produit que lorsque les conditions suivantes sont réunies :
– le taux d'investissement atteint au moins 10 % du PNB, permettant ainsi une forte croissance du revenu par habitant (et ce malgré la croissance démographique);
– plusieurs secteurs industriels entraînent le reste de l'économie grâce à leur croissance élevée;
– l'État parvient à importer des capitaux en provenance des pays développés et bâtit un système bancaire permettant le financement de l'activité économique et incitant à l'épargne. La phase de maturité se caractérise par des techniques de production plus efficaces; les secteurs industriels, puis de services se développent, préfigurant l'ère de la consommation de masse.

Le sous-développement n'est qu'une phase transitoire : c'est un retard de développement.

Une première critique de cette analyse optimiste réside précisément dans cet horizon temporel. Plusieurs études montrent qu'il faudrait pas moins de 200 ans pour que l'écart entre pays développés et pays en voie de développement disparaisse. Une seconde critique indique que les facteurs défavorables à la croissance et générateurs de sous-développement ne s'éliminent pas aisément : il existe des cercles vicieux.

Les cercles vicieux de la pauvreté. Selon les économistes du développement comme Albert Hirschmann (né en 1915) ou François Perroux (1903-1987), il n'y a pas nécessairement de rattrapage entre pays développés et pays en voie de développement. Il existerait en effet des cercles vicieux de la pauvreté au nombre de trois.

Le premier cercle est démographique. L'accroissement démographique nécessite une hausse des investissements structurels (logement, éducation, santé...) considérables, ne serait-ce que pour maintenir le niveau de vie; ces dépenses limitent l'argent disponible pour des investissements productifs dans l'industrie; la croissance économique est trop faible, la pauvreté se maintient, et cette pauvreté favorise une natalité élevée, tant par manque d'éducation sexuelle et absence de contraception contrôlée que par besoin de bras pour travailler la terre.

Le deuxième cercle vicieux est lié à l'étroitesse du marché. Des revenus bas entraînent en effet un faible niveau de consommation, des débouchés réduits pour les entreprises. Comme la demande est faible, les entreprises ne sont pas incitées à investir, et la stagnation de la productivité ne permet pas une hausse des revenus.

Le troisième cercle vicieux est lié au cycle épargne-investissement. Du fait de la faiblesse des revenus, les agents ne peuvent épargner, et les ressources internes sont donc insuffisantes pour financer les investissements; or il n'y a pas de croissance sans ces derniers, et il ne peut y avoir de hausse des revenus sans croissance.

VOIR AUSSI • Croissance et développement
p. 834 et suivantes

Les obstacles au développement

Que l'on préfère une approche en termes de rattrapage ou une approche en termes de cercles vicieux, il est indéniable que des facteurs sociaux et politiques ralentissent le rattrapage ou renforcent le caractère inéluctable des cercles de pauvreté. En effet, les pays du tiers-monde ont longtemps vécu selon certaines normes et valeurs, à l'intérieur de certaines institutions sociales (religions, système d'éducation, etc.) qui sont peu propices à l'épanouissement de la libre entreprise, à l'investissement et à la croissance. Les castes indiennes, par exemple, qui continuent d'exister malgré leur interdiction officielle, freinent la mobilité sociale et condamnent une partie de la population à la pauvreté, tandis que l'autre vit dans l'aisance.

Les facteurs néfastes à la croissance sont également politiques. Le rôle de l'État est indispensable, aussi bien pour procéder à des aménagements structurels (santé, éducation) que pour financer des investissements productifs (industrialisation du pays). Ces objectifs s'exercent souvent à travers un secteur public en proie à la corruption et au clientélisme. La possibilité de facturer au-dessus du prix normal les biens et services livrés à des entreprises publiques crée une situation néfaste aux investissements productifs. Une forte protection douanière aide à réduire la concurrence et augmente les possibilités d'enrichissements illicites. La sphère politique dispose ainsi d'un moyen de pression à l'égard de ses ennemis politiques : en leur permettant d'accéder à ses privilèges, le pouvoir en place diminue le pouvoir d'attraction de l'opposition (lorsque celle-ci n'est pas purement et simplement interdite). Enfin, la quête de profit par la corruption signifie souvent une multiplication des procédures administratives : l'esprit d'initiative est peu à peu étouffé.

Ce faisant, toutefois, l'État perd le respect dont il bénéficie auprès de ses citoyens qui travaillent dans le secteur privé ou sont au chômage. Au fur et à mesure que le ressentiment augmente, l'État tente d'accroître son autorité en étouffant l'opposition et les initiatives ou encore en augmentant les effectifs de la police et de l'armée, dépenses qui grèvent le budget public et limitent la liberté d'expression, à quoi s'ajoute, dans bien des cas, le coût de guerres civiles endémiques.

Les stratégies de développement

Le sous-développement a longtemps été – et est toujours – assimilé à une situation de sous-industrialisation. À partir des années 1950, les pays en voie de développement ont mis en œuvre des politiques d'industrialisation, centrées soit sur la fermeture du pays aux importations, soit sur l'ouverture du pays à l'environnement économique extérieur.

Les stratégies de fermeture. Au cours des années 1950 et 1960, des stratégies d'industrialisation telles que la « substitution aux importations » sont mises en œuvre par un grand nombre de gouvernements de pays les moins développés. Il s'agit de remplacer les produits importés par des produits fabriqués dans le pays lui-même, de manière à favoriser une industrie locale de biens de consommation. Cette politique a notamment été appliquée en Amérique latine (Brésil) et dans certains pays d'Asie (Corée du Sud, entre 1959 et 1962).

D'un point de vue économique, la substitution aux importations est coûteuse, car l'industrie nationale est moins performante que celle des pays développés. Cependant, l'augmentation des volumes de production et surtout la diffusion des connaissances et des savoir-faire dans tous les secteurs de l'industrie (une même technologie ou compétence pouvant être utilisée dans différents secteurs) entraînent une amélioration de la performance de l'industrie locale. Les pays en voie de développement ont alors recours au protectionnisme (hausse des tarifs douaniers, contingentement des importations, notamment, à des taux de change différenciés (pénalisant les importations non indispensables), à des crédits à faibles taux d'intérêt ainsi qu'à des subventions pour les entreprises industrielles.

Dans un premier temps, ces stratégies se sont révélées très efficaces, puisqu'elles ont permis à la production industrielle des pays du tiers-monde de croître rapidement. Toutefois, en raison du protectionnisme, les firmes locales sont devenues de moins en moins compétitives et il a été nécessaire de renforcer le protectionnisme pour continuer à favoriser la production locale tandis que l'inflation augmentait et que les importations devenaient indispensables. Dans les années 1970, les politiques de fermeture ont donc été abandonnées.

Les stratégies d'ouverture. Les stratégies d'ouverture consistent à favoriser, notamment grâce à l'intervention étatique, les exportations industrielles. Cette stratégie, adoptée par Hongkong dès 1945, et dans les années 1950 et 1960 par les premiers NPI asiatiques, a l'avantage non seulement de permettre des économies d'échelles (donc une plus grande efficacité productive), mais aussi de soumettre les biens produits localement à la concurrence internationale. De surcroît, l'absence ou le faible niveau de protectionnisme interdit la création de rentes pour certaines industries et encourage au contraire la recherche de gains de productivité. Enfin, les importations permettent aux firmes locales d'accéder aux techniques de production étrangères.

La stratégie d'ouverture repose sur la notion de compétitivité, donc sur celle d'avantage comparatif. Comme les pays du tiers-monde disposent d'une main-d'œuvre nombreuse, l'industrie des PVD a d'abord une forte composante en main-d'œuvre et une faible valeur ajoutée. Toutefois, grâce aux exportations, à la hausse des revenus intérieurs et à la maîtrise progressive des techniques étrangères, les économies en développement peuvent « monter en grade » et se spécialiser dans des secteurs à plus forte valeur ajoutée. L'efficacité d'une telle politique implique que la population locale accepte des conditions de travail parfois très dures, et conserve un taux d'épargne

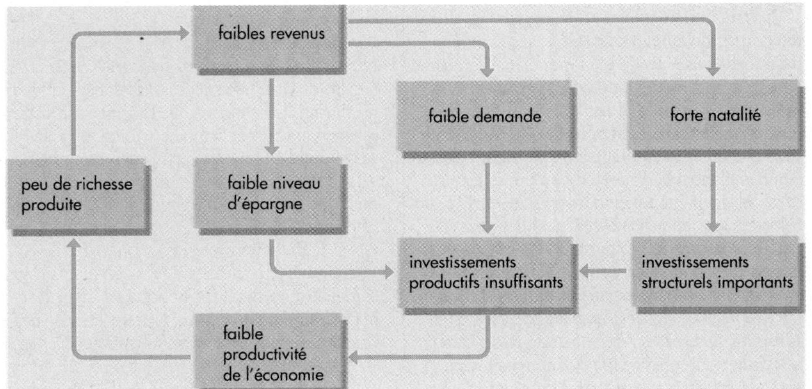

◆ **Les cercles vicieux du sous-développement.**

◆ **Une école de rue, à Bobo Dioulasso, au Burkina.** Le développement passe par l'éducation.

relativement élevé pour faciliter l'investissement des entreprises.

Le problème de la dette

À partir de 1973, les pays de l'OPEP placent leurs impressionnants revenus pétroliers dans les banques de l'OCDE. Cet afflux de capitaux ne trouve pas à s'investir dans les pays industrialisés, alors en période de marasme économique, et se dirige donc vers les pays en voie de développement, notamment en Amérique latine et en Afrique. La plupart des analystes étaient alors très optimistes quant à l'avenir du tiers-monde, ce qui rendait les investisseurs confiants : les prix des matières premières avaient augmenté, tandis que ces pays connaissaient une croissance moyenne d'environ 5 % par an. Pour financer sa croissance, le tiers-monde s'endette : l'endettement atteint 300 milliards de dollars en 1978 (contre 66 en 1970), avec un transfert net (octroi de nouveaux prêts à long terme moins le service de la dette à long terme) de 32 milliards de dollars (contre 4 en 1970).

Toutefois les liquidités obtenues grâce à l'endettement sont le plus souvent utilisées pour des dépenses peu productives (dépenses de prestige, notamment) et qui ne sont pas immédiatement identifiées en tant que telles en raison de la longueur des projets d'investissement et de l'éloignement géographique.

Le second choc pétrolier, en 1979, oblige les pays industrialisés à réduire leurs importations et les déficits budgétaires se creusent. Il y a donc une baisse des revenus des pays du tiers-monde associée, à partir de 1980, à une baisse des flux de capitaux, car ceux-ci se réorientent vers les pays industrialisés pour financer les déficits. Les banques occidentales constatent que, dans leur majorité, les prêts octroyés ont été mal employés, servant essentiellement à financer des projets mal gérés, souvent gangrenés par la corruption. De surcroît, l'afflux de capitaux a créé une illusion de richesse et les déficits n'ont pas été comblés mais aggravés lors de la période faste.

Dans les années 1980, la situation des pays emprunteurs s'aggrave : le taux de change du dollar et les taux d'intérêt augmentent du fait des déficits publics et de la lutte contre l'inflation. Cela augmente le remboursement et le service de la dette (les intérêts) tout en diminuant le niveau des prêts accordés par les banques occidentales aux PVD (pays en voie de développement).

On constate donc une faible rentabilité des projets entrepris par les PVD, une hausse du coût de la dette et une raréfaction des prêts. Ainsi, en août 1982, les PVD, Mexique en tête, annoncent qu'ils ne peuvent plus assurer leurs engagements financiers.

Le FMI met en place une stratégie à deux volets. D'abord, il s'agit de rendre la dette plus supportable en reportant dans le temps ses échéances : c'est le rééchelonnement. Ensuite, il s'agit de subordonner l'aide qu'accorde le FMI aux pays en difficulté à des programmes d'ajustement structurel. Ces derniers doivent permettre d'atteindre l'équilibre des finances publiques et des comptes extérieurs. Les experts du FMI préconisent donc une contraction de la demande intérieure, une hausse des taux d'intérêt, une diminution des dépenses publiques, la recherche d'une compétitivité à l'exportation.

Petit lexique

dette : somme d'argent empruntée, dont les remboursements sont effectués à une échéance plus ou moins longue. On distingue ainsi les dettes à court terme (moins d'un an), à moyen terme (de un à cinq ans) et à long terme (plus de cinq ans).

sous-développement : état d'une économie qui ne permet pas d'assurer les besoins élémentaires de l'homme (alimentation, santé, etc.). Le sous-développement est souvent estimé à partir du niveau de production par habitant.

spécialisation : politique consistant à encourager certaines productions, qui seront en partie exportées, et à délaisser d'autres productions, qui seront importées.

Les années 1930

La crise de l'endettement des années 1930 est considérée comme la plus importante de la période contemporaine : tous les pays d'Amérique latine, la plupart des pays d'Europe orientale, la Chine ont simultanément été en situation de défaut de paiement. Ce fait est la conséquence directe de la crise économique de 1929 : la récession aux États-Unis et en Europe a entraîné logiquement la chute des exportations des pays endettés, qui ne disposaient plus de devises suffisantes pour faire face aux remboursements. On estime aujourd'hui que les investisseurs américains (principaux bailleurs de fonds) ont enregistré des défauts de paiement sur environ les deux tiers des obligations étrangères qu'ils détenaient.

Le cas de la Corée du Sud

Jusque dans les années 1960, la Corée du Sud ne se différenciait guère des autres pays en voie de développement. À cette date, l'État prend le contrôle du financement de l'économie (nationalisation de grandes banques) et accorde des prêts bonifiés (à des taux d'intérêt inférieurs à ceux du marché) aux firmes exportatrices, tout en maintenant les coûts salariaux à un niveau bas (durée du travail élevée, limitation du droit de grève et réduction des pouvoirs des syndicats). L'État, par l'intermédiaire de l'Office coréen de la planification économique, encadre les conditions d'une montée en gamme des productions. Ainsi, dans les années 1960, le secteur textile assure la production d'articles de bonneterie à partir des fils et des fibres importés. Quelques années plus tard, la Corée fabrique elle-même ses fibres synthétiques, acryliques ou en polyester. Dans les années 1970, l'État programme la mise en place d'une industrie lourde (construction navale, sidérurgie), qui, contrairement à l'industrie algérienne, parvient à s'imposer sur les marchés mondiaux grâce à une bonne compétitivité. Les années 1980 et 1990 voient le développement de l'électronique grand public (téléviseurs) et des technologies de pointe (informatique, télécommunications), tandis que la demande intérieure s'accroît et que les syndicats redeviennent influents, comme l'ont prouvé les nombreuses grèves lors de la crise de 1997/1998.

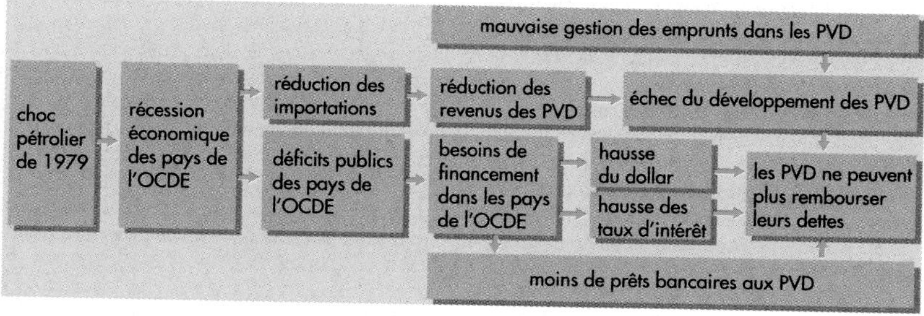

◆ **La crise de la dette.**

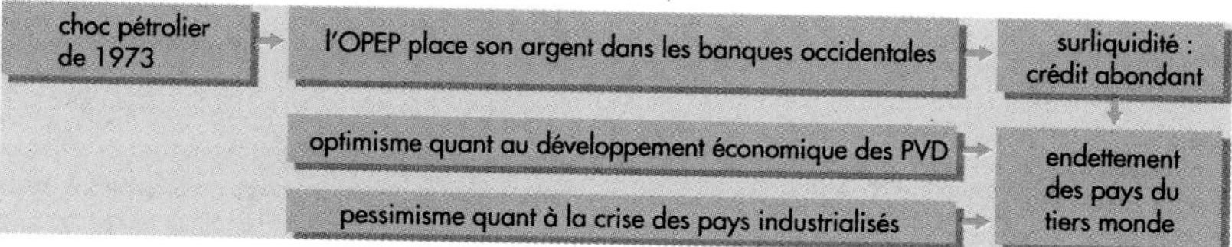

◆ **Origine de l'endettement des PVD.**

Même si la dette a été allégée par de telles mesures, elle reste encore lourde pour les pays les plus pauvres (notamment d'Afrique subsaharienne). Ceux-ci continuent de s'endetter, souvent à des taux très élevés, pour pouvoir rembourser les dettes antérieures. Le service de ces dettes successives empêche les PVD d'investir dans des projets plus productifs, dans des infrastructures industrielles ou éducatives.

D'où les propositions sporadiques et les initiatives individuelles pour une annulation pure et simple de la dette des PVD. Celle-ci serait alors prise en charge par les États occidentaux, leurs banques et, surtout, leurs contribuables.

Le cas de l'Algérie

À partir de l'indépendance (1962), l'Algérie s'efforce de créer une industrie de base (sidérurgie et hydrocarbures) et des infrastructures efficaces (transports) financés par des investissements publics considérables. La production nationale est censée se substituer aux importations de fer et d'hydrocarbures, mais l'industrie ne se révèle pas assez compétitive sur les marchés extérieurs et ne peut donc profiter d'économies d'échelle. Finalement, le secteur industriel ne parvient à se maintenir que grâce aux subventions publiques, qui auraient pu servir à améliorer le niveau de vie des populations.

Les pays en transition

Les économies socialistes

Une économie socialiste se définit principalement par la propriété collective des moyens de production et par la planification de la production, de la répartition des revenus, de la consommation et de l'investissement, le but global à atteindre étant la satisfaction des besoins de la société. Le marché, lieu de régulation de l'activité humaine, et le profit, moteur de l'activité, ne peuvent être intégrés à un tel système car ce sont des éléments inhérents à l'économie capitaliste.

L'objectif implicite de ce type de modèle est d'aboutir au règlement de problèmes prioritaires (industrialisation, révolution agricole) dans un contexte de retard économique, avec des moyens entièrement soumis au but à atteindre. Le rôle prééminent du Parti communiste, inscrit dans la Constitution de chacun des pays ayant adopté ce type de société, se traduit par le fait qu'un petit groupe d'hommes parle au nom du peuple et prend seul les décisions.

En Europe. Ce système a fonctionné en URSS, entre 1917 et la fin des années 1960, et en Chine populaire, entre 1949 et les années 1970. Il est parvenu à moderniser une industrie retardataire en Union soviétique, et à faire de celle-ci la première puissance spatiale en 1957 et un rival crédible pour l'Ouest, à l'époque où Nikita Khrouchtchev annonçait que le niveau de vie de l'URSS allait rattraper celui des États-Unis dans les années 1970. De même, en Chine, le système a permis de mettre fin à l'état de famine endémique d'avant 1949.

Mais les pays socialistes n'échappent pas à la crise mondiale. Dès le début des années 1970, la situation se dégrade en URSS et en Europe de l'Est, ce qui entraîne un ralentissement de la croissance de la production et de la productivité. Le problème n'est bientôt plus celui du rattrapage, mais celui de la lutte contre une récession catastrophique. Les pays socialistes s'ouvrent alors à l'économie mondiale. Ils importent des biens d'équipement pour se moderniser, s'endettent, créent des entreprises multinationales pour accroître leurs parts de marché et se procurer des capitaux.

Ces évolutions marquaient déjà la fin d'un modèle socialiste volontairement distinct des économies capitalistes. En 1989-1990, le système disparaît totalement en Europe et, en 1991, en Union soviétique, la transition vers l'économie de marché était à l'ordre du jour jusqu'à ce que la dépression de 1992 remette en cause le libéralisme.

En Asie. Le système socialiste est toujours en vigueur dans certains pays d'Asie ou d'Amérique latine économiquement très en retard, comme le Viêt Nam ou Cuba. C'est aussi celui dont se réclame toujours la Chine, qui l'a cependant adapté.

En Asie, la Chine exerce une influence prépondérante. Dès les années 1950, ce pays a affirmé sa volonté d'instaurer un modèle de développement différent de celui de l'Union soviétique : le modèle chinois, fondé sur un équilibre entre industrie et agriculture, industries lourde et légère, et sur un volontarisme économique qui touche même les régions les plus reculées du pays (création de communes populaires, aciéries villageoises, etc.). Les limites de ce modèle (faible productivité) et la mort de Mao Zedong en 1976 ont abouti aux réformes profondes des années 1980, qui ont rendu possibles l'essor des marchés libres, l'arrivée d'entrepreneurs privés et la création de zones d'accueil d'investissements étrangers. Parallèlement à cette restructuration, les dirigeants restent sourds aux revendications de démocratisation, réprimant dans le sang le mouvement politique des étudiants chinois de 1989 (Printemps de Pékin).

Les autres pays socialistes d'Asie font aussi une place au marché libre et au secteur privé (Viêt Nam, depuis le milieu des années 1980) ou cherchent, depuis la fin de l'URSS, à s'insérer dans l'économie libérale (Viêt Nam, Laos, Corée du Nord). La Mongolie a abandonné le socialisme en 1992.

Vers une économie de marché

La transition des anciens pays socialistes se manifeste sur deux plans : politique et économique. Bien que l'aspect politique de ces réformes soit au moins d'une égale importance, n'est abordé ici que l'aspect économique.

L'ère des réformes. Sur le plan économique, une transition brutale fut préférée à une transition plus graduelle. Ce choix peut se justifier de deux manières. D'une part, l'ancien modèle a été rejeté avec détermination par la population, même si elle allait plus tard exprimer certains regrets à l'égard du communisme économique. D'autre part, les institutions internationales, et notamment le FMI, dont les capitaux sont nécessaires pour aider la relance des économies socialistes, souhaitent une transition rapide vers l'économie de marché. Selon le FMI, la stabilisation d'économies fortement déséquilibrées et la mise en place d'institutions de type capitaliste (privatisation des entreprises et des banques) ne pouvaient qu'être facilitées par l'abandon rapide des structures archaïques de l'économie planifiée.

À bien des égards, le FMI a largement transposé à l'ex-bloc soviétique les programmes d'ajustement structurels élaborés pour les pays en voie de développement. La liberté des prix, l'austérité des politiques économiques (blocage des salaires, limitation du crédit, réduction des dépenses publiques) et la dévaluation des monnaies devaient permettre de restaurer l'équilibre des budgets publics et courants, et d'assurer la stabilité monétaire et la réduction de l'inflation (condition essentielle pour permettre la croissance). Ces réformes économiques ont été accompagnées de réformes institutionnelles, dans le domaine juridique et bancaire, et de réformes relatives à la fiscalité et à la protection sociale. Le secteur public est progressivement privatisé dans sa quasi-totalité.

Théoriquement, aux difficultés inévitables (diminution de la production industrielle, chômage, perte du pouvoir d'achat, pauvreté) qu'entraîne cette remise à niveau des anciennes économies planifiées doit succéder une forte période de croissance, lorsque ces économies pourront exploiter leurs avantages comparatifs sur les marchés mondiaux. En pratique, toutefois, plusieurs obstacles demeurent.

Les obstacles aux réformes. Les économies des pays de l'Europe de l'Est ont souffert du marasme dans lequel se trouvent les économies européennes au début des années 1990, mais aussi de la concurrence des NPI. Dans un contexte de baisse de la demande et de concurrence accrue, et compte tenu des faiblesses des économies en transition, le passage à l'économie de marché se révèle bien plus difficile que prévu.

Outre ces problèmes conjoncturels, ces économies connaissent des déficiences structurelles.

Le capitalisme tel que le connaissent les pays de l'Ouest n'a pas pu être transposé par la seule vertu du jeu des marchés. S'il est vrai que la situation de certains pays de l'Est semble aujourd'hui s'améliorer (Pologne, Hongrie, République tchèque), celle de l'ex-URSS, et en particulier de la Russie, reste très inquiétante. Ces pays ont en effet connu la forme la plus intransigeante du communisme, et celle-ci s'est durablement imprimée sur les comportements de la population à tous les niveaux. La méfiance à l'égard de l'État qui prévalait lors du communisme s'est transformée en défiance : les lois et règlements restent peu respectés, les particuliers marchandent continûment avec l'Administration, elle-même aisément corrompue du fait de salaires trop faibles.

Les droits de propriété, privés ou publics, sont également contestés, tandis que les politiques de privatisation ont favorisé un clientélisme qui a émoussé la confiance de la population dans le capitalisme. S'immisçant dans un État de moins en moins présent, la mafia russe a pu prospérer en menaçant les entreprises d'atrocités. Les entreprises profitent de la mafia et d'un système fiscal trop complexe pour ne pas payer leurs impôts. Les revenus des classes moyennes sont trop faibles pour alimenter le budget de l'État. Les retraités et l'armée en font les frais, ainsi que les fonctionnaires, qui ont donc recours à la corruption.

Les principes de l'État de droit étant peu respectés, les agents hésitent à investir; la croissance stagne, alors que les firmes étrangères, grâce auxquelles l'activité locale aurait pu être relancée, hésitent à investir en Russie, préférant des pays proches comme la Finlande ou la Pologne. Dans l'impasse politique (échec de nombreuses tentatives de réformes bloquées par le Parlement russe, à majorité communiste), la Russie a connu lors de l'été 1998 sa plus grave crise économique : après avoir annoncé un moratoire sur le remboursement de sa dette, la Russie a dû se résoudre à dévaluer sa monnaie pour enrayer la fuite des capitaux. La hausse des taux d'intérêt et la paralysie des importations vont considérablement ralentir la croissance de son économie.

VOIR AUSSI
- **Communisme** p. 979
- **Libéralisme et marxisme** p. 787

Petit lexique

planification : système économique caractérisé par la centralisation des décisions économiques (objectifs à atteindre et moyens à mettre en œuvre). Il existe deux types de planification : la planification indicative (modèle français des années 1960) et la planification impérative (modèle soviétique).

socialisme : doctrine économique, apparue au XIXe s., consistant à mettre l'accent sur les principes d'égalitarisme et de redistribution des richesses. Dans sa version marxiste, le socialisme implique la collectivisation des moyens de production, et donc la disparition de la propriété privée.

transition : processus de passage d'un système économique à un autre.

Le commerce international

Les grandes évolutions

C'est au XIXe s. que le commerce international de marchandises prend son véritable essor : entre 1830 et 1913, le volume des échanges mondiaux est multiplié par vingt. En effet, des innovations (machine à vapeur, moteur à combustion, électricité) permettent de réduire les coûts de transport et facilitent les échanges. Le commerce international est également favorisé par la croissance de la population mondiale ainsi que par les volumes de production.

Dès la fin du XVIIIe s., les idées libérales sur les gains mutuels de l'échange entraînent le démantèlement progressif du protectionnisme, si bien qu'au milieu du XIXe s. le libre-échange semble particulièrement bien accepté. Mais à partir de 1870 (avec la guerre franco-allemande et la crise économique qui lui succède), les économies de l'Europe continentale entament un retour au protectionnisme.

Après 1900, la forte reprise économique relance le commerce international, mais la Première Guerre mondiale et la crise des années 1930 entraînent une importante contraction des échanges. La généralisation du protectionnisme ne fait alors qu'aggraver la crise économique. Le commerce mondial redémarre avec la fin de la Seconde Guerre mondiale et la croissance économique qui lui succède. Le libre-échange est également favorisé par la création du GATT (General Agreement on Tariffs and Trade). Le dérèglement du système monétaire international au début des années 1970 et la crise économique déclenchée par le choc pétrolier de 1974 entraînent les économies dans la stagflation (récession économique et inflation) ; s'ils freinent la croissance du commerce international, ils ne parviennent pas à réduire celui-ci, contrairement à ce qui s'est passé dans les années 1930. Toutefois, la crise et la montée en puissance de pays produisant à coûts très bas (le Japon dans le secteur automobile, les pays du Sud-Est asiatique pour l'industrie textile) relancent le protectionnisme sous la forme de barrières non tarifaires, phénomène qui continue de ralentir la progression du commerce international. Au milieu des années 1980, la vision d'un monde tripolaire Amérique-Asie-Eurafrique se substitue progressivement à la vision Nord-Sud des relations économiques internationales. À l'intérieur de chaque zone se négocient des accords de type libre-échange ou d'union douanière.

Évolution par flux. Durant le XIXe s., l'Europe est le principal acteur du commerce mondial : en 1850, elle réalise 70 % des échanges, la Grande-Bretagne en assurant 20 % à elle seule, suivie par la France et l'Allemagne. La fin de siècle marque le déclin de la Grande-Bretagne dans le commerce mondial et en 1913, sa part n'est plus que de 14 %. Elle reste cependant la nation la plus ouverte aux échanges commerciaux.

Au cours du XXe s., le profil du commerce international se modifie considérablement. En 1950, les États-Unis dominent le commerce mondial (32 % des exportations) et la Grande-Bretagne est en 2e position. Le poids relatif de ces deux économies diminue au cours des années 1960 et 1970 au profit de la RFA et du Japon. La France, qui dominait jusqu'alors le Japon, est distancée ; le glissement de la Grande-Bretagne de la 2e à la 5e place permet à la France de ne régresser que de la 3e à la 4e.

Un autre phénomène de la seconde moitié de ce siècle est le rôle croissant joué par les nouveaux pays industrialisés (NPI) d'Asie du Sud-Est (Hongkong, Corée du Sud, Singapour, Taïwan). Ces pays se caractérisent par un rythme de croissance important et des politiques commerciales agressives. Ils exportent principalement vers les pays développés. Dans les années 1980, un second groupe de pays d'Asie (Thaïlande, Indonésie, Malaisie) puis la Chine dans les années 1990 acquièrent un poids de plus en plus significatif dans le commerce mondial.

Évolution par produits. Au XIXe s., les échanges de matières premières (produits agricoles et miniers) se substituent au commerce des épices, en même temps qu'apparaissent les premiers échanges de produits manufacturés. Au XXe s., le poids relatif de ces derniers est en augmentation constante : ils représentent 78 % des échanges mondiaux de produits en 1995, les biens d'équipement (machines, matériels de transport) représentant à eux seuls 40 %. Ils connaissent des taux de croissance très élevés, de plus de 15 % sur la période 1985-1990 et de 22 % pour la seule année 1992.

Une seconde évolution marquante est la croissance des échanges « intrabranches » ou « intra-industriels ». Le commerce est dit intrabranche lorsque deux pays échangent des produits appartenant à la même catégorie (exportations et importations de voitures de tourisme, de machines). L'analyse de ces échanges montre que des produits appartenant à la même branche se différencient par la qualité et reflètent les différences de goût des consommateurs dans différents pays.

Entre 1968 et 1992, la part des services dans les exportations mondiales totales passe de 27 % à plus de 30 %. Cette évolution est liée à la forte expansion des revenus d'investissement, dont le poids a doublé entre 1965 et 1990 grâce à la libéralisation des mouvements de capitaux internationaux. Parmi les services figurent également le tourisme et les transports.

Petit lexique

libre-échange : situation caractérisée par l'absence de restrictions aux échanges commerciaux entre pays.

protectionnisme : politique étatique caractérisée par la mise en place d'obstacles aux importations.

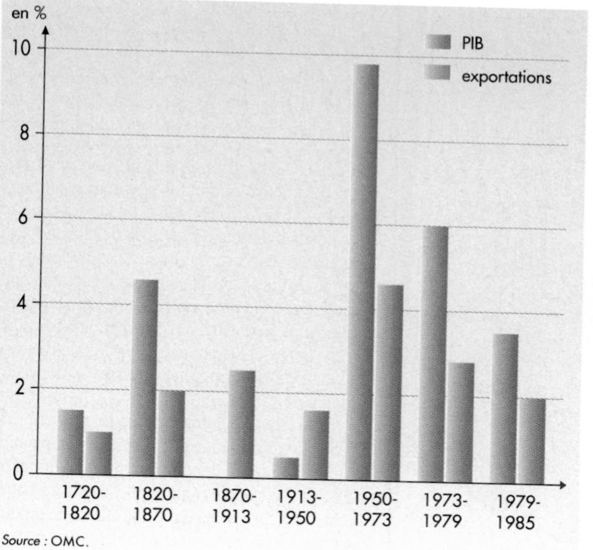

◆ Tendances historiques de la croissance du PIB réel et des exportations (moyenne de différents pays). On constate la forte accélération du commerce au XIXe s. et durant les Trente Glorieuses (1945-1975), la réduction du commerce international durant la première moitié du XXe s. et son ralentissement de la crise des années 1970 jusqu'à la fin des années 1980.

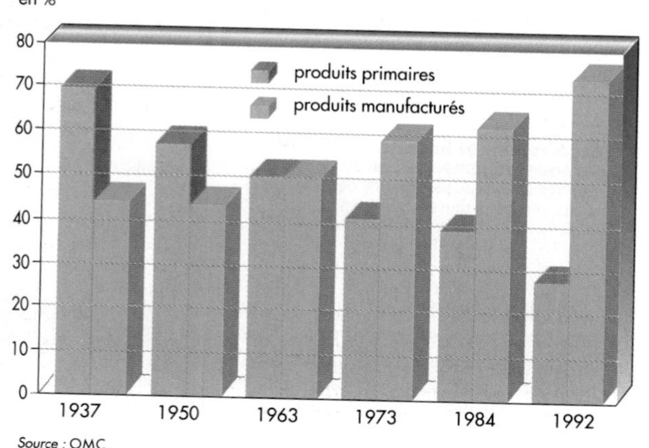

◆ Évolution de la part des produits primaires et manufacturés dans le commerce mondial. On constate dans la période donnée une hausse du commerce des produits manufacturés et un ralentissement des échanges de produits primaires.

VOIR AUSSI • Du GATT à l'OMC p. 824

Les théories

Pourquoi les pays commercent-ils entre eux? Tous les pays profitent-ils du commerce international? Pourquoi tel pays se spécialise-t-il dans la production de tel produit? Pourquoi certains pays échangent-ils des biens *a priori* identiques? C'est à ces questions que différents théoriciens ont tenté de répondre au fil du temps.

Les théories traditionnelles. La réflexion sur le commerce international prend son essor avec l'économiste britannique David Ricardo (1772-1823), qui développe la théorie des avantages comparatifs fondée sur celle des avantages absolus développée par Adam Smith (1723-1790). Un pays dispose d'un avantage absolu lorsqu'il peut produire un bien donné plus efficacement qu'aucun autre pays. Ricardo montre qu'il est toujours avantageux pour deux pays de commercer à condition que chacun se spécialise dans le bien pour lequel il a le plus grand avantage absolu ou le plus petit désavantage absolu. Autrement dit, même un pays qui produit tous les biens plus efficacement que les autres a intérêt à ne produire que le bien pour lequel il est beaucoup plus efficace que les autres et à confier la réalisation des autres produits à d'autres pays. Cela lui permet de produire plus, et on parle alors de gain à l'échange. Comme l'a montré l'économiste classique John Stuart Mill (1806-1873), la répartition de ce dernier dépend de la demande mondiale. Un pays qui se spécialise dans un produit faiblement demandé au niveau mondial ne s'approprie qu'une faible partie du gain à l'échange.

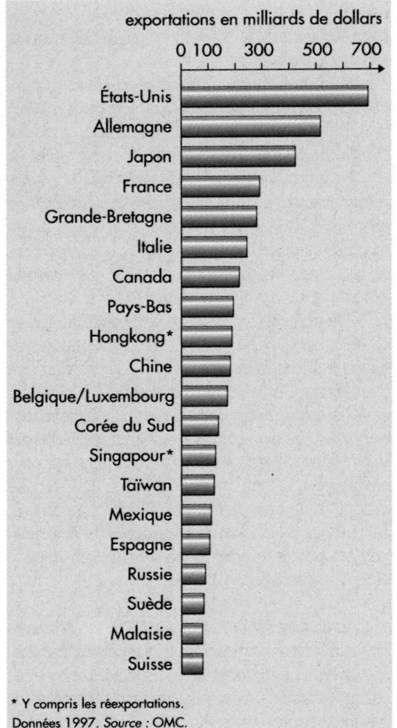

◆ Principaux pays exportateurs. Les principaux pays exportateurs de marchandises sont d'abord des pays industrialisés. On retrouve aux sept premières places les sept pays les plus riches du monde. Viennent ensuite les NPI (nouveaux pays industrialisés) d'Asie du Sud-Est et la Chine. À quelques exceptions près, comme la Russie, les pays essentiellement exportateurs de matières premières ne parviennent pas à se classer parmi les grands exportateurs mondiaux. On comprend donc la nécessité pour ces pays de bâtir une industrie compétitive.

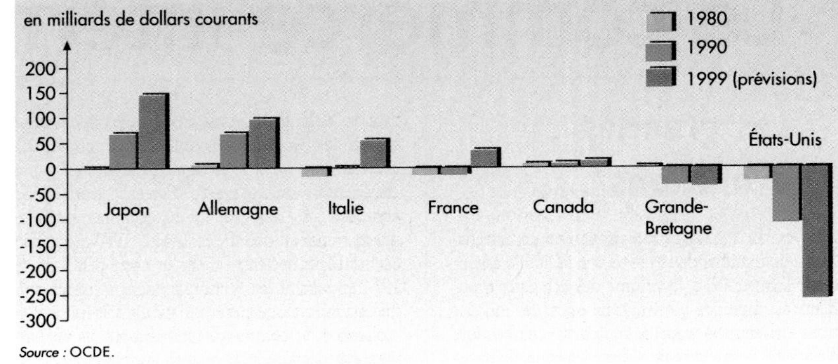

◆ Balance commerciale des principaux pays développés. Les déterminants de la balance commerciale sont nombreux. L'état de la demande intérieure est un facteur essentiel. Les États-Unis et la Grande-Bretagne ont un déficit car leur croissance a un effet positif sur la demande intérieure et donc sur les importations. C'est l'inverse pour les économies d'Europe continentale, où la demande intérieure est relativement faible du fait d'une croissance insuffisante. Mais de nombreux autres facteurs entrent en jeu : évolution des taux de change, productivité des entreprises nationales, degré de protectionnisme...

D'où proviennent les avantages comparatifs? Selon l'économiste suédois Bertil Ohlin (1899-1979), les avantages comparatifs dépendent des coûts de production, et donc de la dotation en facteurs de production. Ainsi, plus un pays est doté en main-d'œuvre, plus celle-ci sera bon marché, et plus il lui sera facile de produire des marchandises nécessitant beaucoup de main-d'œuvre.

L'ouverture au commerce international entraîne donc une augmentation de la production du bien dont les facteurs de production (soit les machines, soit la main-d'œuvre) sont abondants. Cette hausse de la production entraîne une hausse de la rémunération (prix des machines, salaires) du facteur abondant (théorème de Stolper-Samuelson).

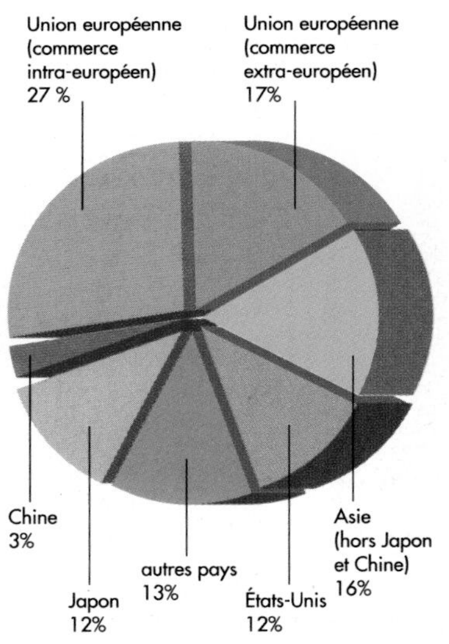

◆ Exportations et importations mondiales par grandes régions. Les pays développés représentent à eux seuls près de 78% des échanges mondiaux. On notera tout particulièrement le rôle prépondérant du commerce intra-européen.

Autrement dit, les détenteurs de facteurs rares sont perdants lorsque leur pays s'ouvre au commerce international. Ces différentes théories, pourtant anciennes, sont toujours d'actualité. La théorie des avantages comparatifs nous apprend que même un pays moins productif que d'autres a intérêt à s'ouvrir à l'échange. Toutefois, il existe des situations où le protectionnisme se révèle préférable, par exemple lorsqu'il permet l'acquisition d'avantages comparatifs ou lorsque le déficit commercial est trop important.

Les nouvelles théories. Les théories classiques ne sont pas toujours validées par la réalité du commerce international. Les États-Unis ne manquent pas de machines, mais ils ont longtemps exporté des biens dont le principal facteur de production était la main-d'œuvre. Ce résultat est connu sous le nom de « paradoxe de Leontief ». Pour expliquer ce paradoxe, l'approche dite néofactorielle considère qu'il existe deux types de main-d'œuvre, la main-d'œuvre non qualifiée et la main-d'œuvre qualifiée, cette dernière ayant nécessité un investissement en capital.

L'approche dite néotechnologique considère les capacités des pays à développer de nouveaux produits que, pendant un certain temps, ils seront les seuls à pouvoir produire. Le commerce international suit le cycle de vie du produit : les exportations démarrent lors de la phase de croissance du produit et sont remplacées par des importations lorsque d'autres pays parviennent à copier le nouveau bien et à le produire plus efficacement grâce, par exemple, à une main-d'œuvre moins coûteuse. Il est alors essentiel pour les pays à main-d'œuvre coûteuse de développer sans cesse de nouveaux produits.

Les échanges intrabranches ne peuvent être expliqués par la théorie des avantages comparatifs. L'approche étudiant le comportement des firmes en situation d'oligopole montre que, motivées par le profit, deux firmes de nationalité différente produisant deux produits parfaitement identiques mais situées dans des pays différents vont se concurrencer en exportant leur production dans l'autre pays. Selon l'approche en termes de concurrence monopolistique, des biens *a priori* identiques comportent toutefois des différences (fiabilité des voitures allemandes, élégance des voitures italiennes, etc.) qui séduiront certains consommateurs plus que d'autres et ce quelle que soit leur nationalité.

Petit lexique

oligopole : marché où il y a peu de vendeurs face à de nombreux acheteurs.

Le protectionnisme

Le protectionnisme est une politique de protection d'une production nationale contre les importations d'autres pays. Il peut prendre plusieurs formes.

La forme la plus ancienne est le droit de douane. Il suit soit un tarif spécifique (droit fixe par unité de bien importé), soit un tarif *ad valorem* (droit égal à un pourcentage de la valeur du bien importé). Dans les deux cas, le prix des biens importés sur le territoire national est majoré et les productions nationales sont favorisées.

Le protectionnisme peut aussi recourir à des restrictions quantitatives à l'importation. Même si cela est de plus en plus rare, un pays peut interdire complètement l'importation d'un produit particulier (l'alcool aux États-Unis pendant la prohibition). Le plus souvent, un pays va définir la quantité maximale d'un bien donné pouvant entrer sur le territoire national. Ces quotas peuvent être imposés, mais ils sont de plus en plus souvent négociés comme cela a été le cas au début des années 1980 entre le Japon et les États-Unis ou l'Europe (exemple du secteur automobile). Ces accords constituent un double contournement de l'accord général du GATT : ils sont négociés bilatéralement, et non multilatéralement; ils instaurent des restrictions quantitatives, alors que seuls les droits de douane peuvent être exceptionnellement instaurés selon l'accord du GATT.

Le protectionnisme peut également prendre la forme de normes ou de mesures administratives. Ainsi, les normes sanitaires, antipollution ou de sécurité, qui visent à protéger le consommateur, peuvent constituer une barrière protectionniste si, par exemple, les spécifications permises par ces normes correspondent aux seules qualités des productions nationales. De simples mesures administratives peuvent avoir un effet identique : l'obligation d'indiquer sur le produit son origine peut amener le consommateur à préférer celui qui est fabriqué dans son propre pays. De même, l'obligation de rédiger les notices d'accompagnement dans la langue du pays importateur ou l'instauration d'un centre de dédouanement unique et éloigné des grands ports augmentent le coût des importations.

Les subventions constituent une autre forme de protectionnisme. En réduisant les coûts de production des firmes nationales, elles favorisent ces dernières par rapport à leurs concurrentes étrangères. Ces subventions peuvent s'appliquer à l'exportation (les firmes n'en bénéficient que lorsqu'elles vendent la production à l'étranger) ou à la production elle-même (quelle que soit sa destination). Les conflits entre les États-Unis et l'Union européenne en matière de commerce international concernent notamment les subventions accordées à l'exportation des produits agricoles dans le cadre de la politique agricole commune. Une forme extrême de la subvention de type protectionniste débouche sur le dumping quand une firme vend un produit moins cher à l'exportation que sur son marché national.

Les effets du protectionnisme. Les répercussions du protectionnisme sur le bien-être d'un pays sont multiples. Un tarif douanier a pour conséquence de réduire les importations d'un produit et d'augmenter sa production par les firmes nationales. L'effet net du droit de douane est néanmoins de réduire la consommation du produit et de créer un revenu fiscal pour l'État. La mise en place d'un tarif douanier revient ainsi à instaurer un impôt sur le consommateur. Les profits supérieurs réalisés par les firmes nationales et les revenus fiscaux engendrés par le droit de douane ne compensent pas la réduction du bien-être des consommateurs entraînée par la hausse du prix.

Décider d'un quota a des conséquences similaires. Le prix des biens sur le marché national augmente, réduisant la satisfaction des consommateurs; les profits des producteurs nationaux augmentent eux aussi. Toutefois, il n'y a plus de revenu fiscal tandis que les firmes étrangères qui parviennent à entrer sur le marché national réalisent des profits plus importants : c'est la rente de quota. L'État peut tenter de s'approprier cette rente de quota en procédant à une mise aux enchères des licences d'importation, mais cette solution est de moins en moins utilisée.

L'analyse des autres formes de protectionnisme conduit à des conclusions similaires : les mesures protectionnistes nuisent aux économies qui les instaurent. Pourtant, en dépit des efforts internationaux pour le réduire, le protectionnisme est toujours utilisé. Plusieurs arguments en sa faveur peuvent en effet continuer d'être avancés. Il sert à protéger des industries naissantes qui disposent d'un avantage comparatif potentiel mais qui n'est pas encore établi (par exemple du fait d'un volume de production encore trop faible). La protection d'industries vieillissantes (comme l'industrie minière ou textile) permet quant à elle de ralentir la montée du chômage. Des États peuvent souhaiter restaurer l'équilibre de leur balance commerciale en réduisant leurs importations. Les subventions peuvent aussi répondre à un objectif stratégique de conquête de parts de marché ou de réalisation de progrès techniques. Enfin, le protectionnisme entraîne le protectionnisme : il est souvent employé comme une mesure de représailles contre des comportements protectionnistes de la part de partenaires commerciaux. Le plus évident des arguments en faveur du protectionnisme, souvent avancé, reste celui de la protection contre une concurrence étrangère à bas salaires, mais il n'est pas toujours pertinent dans la mesure où un salaire faible reflète souvent une faible productivité. Qui plus est, les importations en provenance de pays à bas salaires bénéficient directement aux consommateurs des pays développés, selon le principe de l'avantage comparatif.

Les taxes à l'importation de véhicules automobiles

Le protectionnisme pratiqué par un pays peut être très difficile à mesurer du fait de la diversité des formes qu'il peut prendre. Les droits de douane, les restrictions aux importations et les subventions ne fournissent qu'une mesure partielle du protectionnisme. L'industrie automobile a toujours fait l'objet de protections particulières en raison de son importance pour l'emploi (pays industrialisés) ou pour l'industrialisation (pays en voie de développement). Dans le cas des véhicules automobiles, les droits de douane peuvent être équivalents à deux fois la valeur du bien importé.

◆ Automobiles Hyundai prêtes pour l'exportation dans le port d'Ulsan, en Corée du Sud. La production automobile asiatique concurrence sérieusement celle des pays occidentaux.

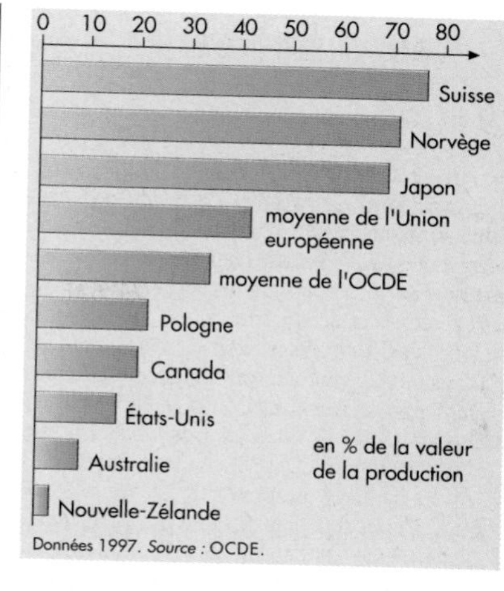

Données 1997. *Source* : OCDE.

◆ Subventions à l'agriculture.
Si de manière générale les pays développés ont tendance à abandonner le protectionnisme, l'agriculture échappe toujours à ce mouvement. La réforme, en 1999, de la politique agricole commune (PAC) de l'Union européenne ainsi que les accords réalisés sur ce terrain dans le cadre du GATT/OMC devraient toutefois se traduire par une réduction du montant des subventions.

Petit lexique

balance commerciale : état statistique qui retrace les échanges de marchandises (produits agricoles, matières premières, produits manufacturés) ; selon les pays, la balance commerciale peut également inclure les services.

barrières non tarifaires : mesures protectionnistes qui ne se fondent pas sur les tarifs douaniers mais sur les quotas, les normes techniques ou sanitaires, les subventions versées aux producteurs nationaux.

quota : forme de protection consistant à limiter les quantités importées, en volume ou en valeur.

Du GATT à l'OMC

À la fin de la Seconde Guerre mondiale, les gouvernements (en particulier le gouvernement américain) souhaitent éviter un retour à la situation des années 1930, durant lesquelles le protectionnisme avait beaucoup nui à la croissance économique et à la stabilité internationale. Pour éviter le retour au protectionnisme, trois objectifs sont fixés : 1) créer un cadre ordonné pour assurer les relations commerciales internationales ; 2) établir des règles dissuadant les prises de décisions unilatérales de restriction des échanges ; 3) éliminer progressivement les barrières commerciales. C'est dans cette optique que fut préparé le GATT, General Agreement on Tariffs and Trade (accord général sur les tarifs et le commerce) au cours de la conférence de Genève de 1947.

Les négociations du GATT. Progressivement, de simple accord, le GATT est devenu le cadre de négociations périodiques destinées à accélérer la libéralisation des échanges. Ces négociations, appelées *Round*, s'étalent sur plusieurs années. Dans les années 1960, le Dillon Round et le Kennedy Round permettent d'harmoniser et de réduire les tarifs douaniers sur près de 75 % des produits échangés, à l'exception de l'agriculture et du textile, secteurs sensibles du fait de leur importante main-d'œuvre. Dans les années 1970, le Tokyo Round poursuit les efforts entrepris, mais les négociations achoppent sur le protectionnisme non tarifaire, en pleine croissance du fait de la crise. Un autre échec du GATT est l'affaiblissement progressif des accords multilatéraux, la libéralisation des échanges se faisant de manière croissante au sein d'unions douanières et de zones de libre-échange.

Les négociations de l'Uruguay Round (1986-1994) visent plusieurs objectifs. Le premier est de réduire les protections non tarifaires dans l'agriculture et les services. Les négociations portent également sur l'intégration des pays en voie de développement et des nouveaux pays industrialisés d'Asie du Sud-Est dans les échanges internationaux : il s'agit en particulier de réviser les accords de limitation de leurs exportations textiles et d'obtenir en échange une réduction de leur niveau de protection. Ces négociations aboutissent à une baisse sensible du protectionnisme tarifaire et non tarifaire (notamment grâce à l'inclusion dans l'accord des produits agricoles, des textiles et des services), mais elles ne débouchent sur aucun résultat immédiat dans les domaines des services financiers, des subventions à l'aéronautique, à l'industrie de l'acier et aux télécommunications. Il est également décidé en 1995 d'instaurer une Organisation mondiale du commerce (OMC), qui substituera aux cycles de négociation du GATT des négociations permanentes entre les membres de l'organisation et surveillera l'application des accords de l'Uruguay Round (démantèlement des barrières douanières, réduction des subventions agricoles, poursuite des négociations dans le domaine des services). Au sein de cette nouvelle organisation prévaut la règle du consensus et non plus celle d'une majorité avec pondération des droits de vote. Cette règle risque d'entraîner de multiples blocages des décisions collectives.

◆ Discours du président américain Bill Clinton devant l'OMC, à Genève, le 18 mai 1998.

Les principes du GATT

L'accord du GATT proclame trois grands principes : la non-discrimination en matière de protectionnisme entre partenaires commerciaux, ou clause de la nation la plus favorisée, qui assure un traitement identique dans les négociations commerciales quel que soit le partenaire ; la réciprocité des concessions tarifaires, afin qu'aucun pays ne puisse profiter de réductions tarifaires sans jamais diminuer ses propres tarifs ; la transparence des politiques commerciales, qui interdit les restrictions quantitatives, dont l'impact économique est en fait plus lourd que celui du tarif douanier.

Mais le GATT reconnaît l'existence de contraintes de court terme, par exemple face à des déséquilibres économiques aggravés ; il existe donc des exceptions à ces principes généraux. L'article 6 autorise l'application de taxes de compensation en représailles à des mesures discriminantes ou de dumping. L'article 12 prévoit certaines exceptions à l'interdiction de pratiquer des restrictions quantitatives, notamment dans le cas de crise de la balance des paiements. L'article 19 rend possibles des restrictions aux échanges si les importations causent de sérieux dommages à la production locale. L'article 24 introduit une exception à la règle de la nation la plus favorisée et permet l'établissement d'une zone de libre-échange dont les membres pourront obtenir un traitement préférentiel. À partir de 1966, les pays en voie de développement peuvent bénéficier de la clause de la nation la plus favorisée sans être obligés d'appliquer le principe de réciprocité (secteur de l'agriculture pour l'Afrique, les Antilles...).

Uruguay Round

Un des objectifs des négociations de l'Uruguay Round (1986-1994) est d'aborder la question des échanges dans les domaines de l'agriculture et des services. D'âpres marchandages ont lieu entre les différents pays : l'Europe refuse d'affaiblir trop fortement sa protection agricole, et les pays en développement craignent la libération de services dans lesquels les États-Unis semblent avoir d'importants avantages comparatifs (services financiers et bancaires). Malgré un retard de quatre ans sur le calendrier initial, les accords finals signés par 111 pays entrent en vigueur le 1er janvier 1995. Outre une réduction généralisée des droits de douane, ils prévoient que le secteur des produits agricoles doit être pour la première fois libéralisé grâce à des engagements portant sur l'accès au marché et sur la réduction progressive des aides publiques à la production. Dans le cas de l'industrie textile, l'accord multifibres de 1974 restreignant la liberté des échanges doit être progressivement démantelé. Les échanges de services sont couverts pour la première fois par des accords du GATT, même s'ils sont partiels dans de nombreux cas. Un accord sur la propriété intellectuelle réglemente les brevets, les droits d'auteur, les droits d'interprétation et d'enregistrement, les marques, dessins et modèles, etc., afin de lutter contre la contrefaçon. Enfin, concernant leurs marchés publics, les parties s'engagent à respecter un certain nombre de procédures pour ouvrir ces marchés à la concurrence.

L'ALENA

L'accord de libre-échange nord-américain est entré en vigueur le 1er janvier 1994. Il établit entre le Canada, les États-Unis et le Mexique un calendrier de réductions tarifaires, étalé sur 5 ans pour les États-Unis et le Canada et sur 10 ans pour le Mexique. Cet accord prévoit que les droits de douane seront supprimés sur presque tous les produits d'ici à l'an 2003.

La plupart des barrières non tarifaires, comme les licences d'importation, seront progressivement éliminées par le Mexique. Chacun des trois pays accordera aux produits, services et investisseurs des deux autres le même traitement qu'aux siens. Une procédure de règlement des différends est également instaurée. Les trois pays sont convenus d'améliorer l'accès à leurs marchés publics respectifs pour les biens mais aussi pour les services.

L'ALENA assure en outre la pleine protection des droits de propriété intellectuelle. Il prévoit enfin que les cadres qui remplissent certaines conditions peuvent se voir accorder l'admission temporaire dans un des trois pays sans procédure d'approbation préalable.

Les firmes multinationales

Leurs caractéristiques

Une multinationale est une firme possédant au moins une filiale de production ou de commercialisation hors de son territoire national; la définition s'applique aussi aux banques. L'accélération de la multinationalisation coïncide avec le début de la crise économique : la révolution technique nécessitait des investissements importants, qui ne pouvaient se rentabiliser que sur un espace mondial. En s'implantant dans plusieurs pays, les firmes ont mis en œuvre de nouvelles structures de production qui dépassent les espaces nationaux. Le nouveau paysage économique qui transcende les États-nations est l'espace multinational. Les relations économiques qui se forment dans ce nouvel espace permettent de parler de l'émergence d'une économie mondiale où la concurrence est internationale et concerne non seulement les firmes, mais aussi les États (qui tentent d'attirer les capitaux et les entreprises) et la main-d'œuvre, qui doit rester compétitive pour dissuader les firmes déjà installées de se délocaliser dans des pays étrangers.

Pour attirer les entreprises, l'État doit assurer la stabilité de son économie en matière de taux de change, de taux d'inflation, de respect des droits de propriété. Il accorde aussi aux entreprises qui s'installent des subventions ou, plus généralement, il leur permet de baisser leurs coûts de production, par exemple en déréglementant le marché du travail. Enfin, une demande intérieure élevée est également un facteur d'attraction.

Les étapes de la multinationalisation. L'acteur économique qui développe l'économie mondiale est la firme multinationale. Le processus s'effectue en plusieurs étapes. Après avoir installé un réseau commercial à l'étranger destiné à faciliter ses exportations, une firme est amenée à y établir des filiales de production. Dans un premier temps, celles-ci ne sont pas spécialisées et reproduisent les types d'activités des pays d'origine. Mais, à mesure que la firme se développe, les spécialisations s'instaurent, et la planification de la production se fait à l'échelle de tout l'espace de l'entreprise, qui est parfois l'espace du monde.

Les causes du phénomène

Les comportements de multinationalisation des firmes ont commencé à être étudiés à partir des années 1950. La première question n'est pas celle de la multinationalisation en tant que telle, mais celle de la rentabilité des firmes multinationales. Comment une firme qui subit des coûts de délocalisation peut-elle rester compétitive face aux entreprises du pays local? Pour l'économiste américain Stephen Hymer, les multinationales disposent d'avantages spécifiques transférables internationalement, qui leur permettent d'obtenir des gains supérieurs aux coûts d'implantation et de demeurer compétitives sur les territoires étrangers. De tels avantages correspondent par exemple à une bonne image de marque ou à des avantages en termes de coûts, de technologies ou de taille. En permettant un meilleur contrôle du marché (par exemple par des achats d'entreprises étrangères) ou encore en réduisant les coûts de production, la multinationalisation permet à une firme de mieux défendre et exploiter ses avantages spécifiques. D'autres explications de la multinationalisation ont été avancées. L'économiste américain Oliver raisonne à partir des coûts de transaction. Lors de transactions internationales, une firme peut facilement être trompée : elle ne comprend pas nécessairement les spécifications du produit qu'elle achète, elle ne connaît pas suffisamment le marché, elle a également du mal à créer un contact entre vendeurs et acheteurs, elle a peur de voir son produit imité par le partenaire commercial, etc. Dans ce cas, il devient plus intéressant pour une firme de s'implanter dans le pays où elle s'approvisionne en produits intermédiaires ou dans le pays où elle vend ses produits finals : d'une part, cela permet une meilleure connaissance de l'environnement et donc une plus grande efficacité; d'autre part, la réunion des transactions au sein d'une même entreprise diminue les risques de tromperies. L'économiste canadien Robert Mundell (né en 1932) considère la multinationalisation comme un simple substitut au commerce : si le commerce est limité, par exemple par des barrières douanières, les investissements à l'étranger s'y substituent. Mais commerce et multinationalisation peuvent également être complémentaires : une firme peut délocaliser son capital et sa technologie dans un pays d'accueil qui dispose seulement d'une main-d'œuvre bon marché. Cette firme exportera ensuite du pays d'accueil vers son pays d'origine les biens produits : l'investissement direct étranger est alors créateur d'échange commercial.

L'index de transnationalité

L'index de transnationalité des firmes est construit par la CNUCED (Conférence des Nations unies pour le commerce et le développement). Il est formé à partir des ratios suivants : actifs étrangers sur actif total, ventes étrangères sur ventes totales, emploi étranger sur emploi total. Les firmes les plus internationalisées sont originaires de pays industrialisés de petite taille (Suisse, Belgique, Pays-Bas).

VOIR AUSSI
- **Premières entreprises mondiales** p.837
- **Commerce et mondialisation** p.841 à 843

Petit lexique

délocalisation : opération consistant pour une firme à fermer une unité de production sur le territoire national pour la transférer dans un pays étranger.

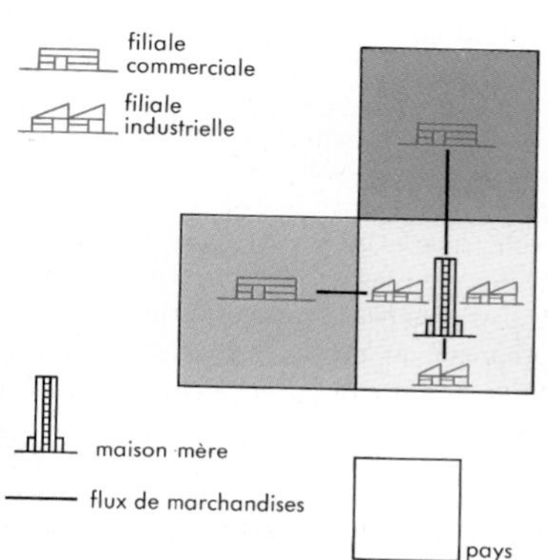

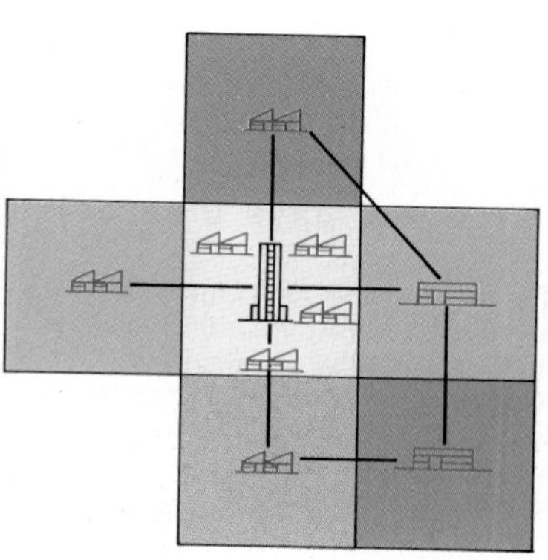
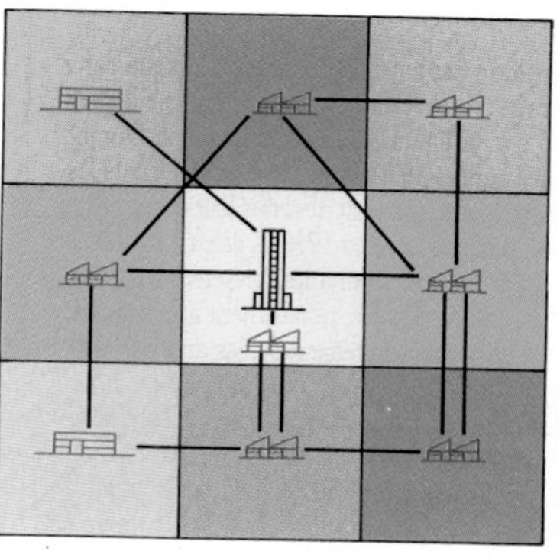

◆ **Les étapes de la multinationalisation d'une firme.**
Dans une première étape qui correspond en moyenne à la fin des années 1960, beaucoup de firmes des pays industrialisés avaient développé un réseau commercial à l'étranger, vers les pays où se dirigeaient leurs exportations. Il s'agissait de la première phase du processus de multinationalisation : la phase commerciale.
Dans une deuxième étape, la maison mère s'est multinationalisée en implantant des filiales de production hors du territoire national ; ces filiales reproduisent les activités déjà entreprises par la maison mère ou ses filiales nationales ; en prenant l'exemple de l'industrie automobile, les filiales étrangères sont des chaînes de montage qui assemblent des pièces fabriquées sur place ou venues de la maison mère.
La troisième étape de la multinationalisation des firmes est celle de l'intégration mondiale, par celles-ci, de la fabrication d'un produit ; cela signifie que, dans l'exemple de l'automobile, chaque pièce est produite dans un pays différent en fonction des coûts les plus bas par pays, et le véhicule est assemblé dans un ou dans plusieurs autres pays.

L'investissement direct étranger

L'investissement direct étranger (IDE) a des conséquences importantes en matière de création d'emploi et de développement. Les firmes multinationales créent des emplois dans les pays hôtes au détriment de leur pays d'origine. En transférant leur technologie et leurs modes de gestion d'un pays à l'autre, elles aident les pays hôtes à devenir plus productifs.

Évolution par pays d'origine. L'investissement direct étranger se développe au milieu du XIXe s. Il est essentiellement le fait des firmes britanniques, bientôt imitées par les firmes allemandes, américaines et françaises. Beaucoup d'entreprises qui existent encore aujourd'hui (General Electric, Kodak, Saint-Gobain...) deviennent des firmes multinationales entre 1875 et 1895. La multinationalisation apparaît donc comme un phénomène ancien.

La dépression économique des années 1930 et les guerres ralentissent les flux d'IDE, qui reprennent dans les années 1950 et 1960. La crise des années 1970 ne freine pas l'expansion de l'IDE, qui continue à croître à un rythme annuel moyen de 11 % entre 1978 et 1981. Après un essoufflement en 1982-1983, l'IDE connaît ensuite sa plus forte croissance, 28 % en moyenne et par an entre 1986 et 1990.

Avec la crise, la répartition de l'IDE connaît toutefois des modifications structurelles. Dans les années 1980, les États-Unis cessent d'être le principal pays exportateur d'IDE (en flux), d'abord au profit du Royaume-Uni, puis du Japon, lequel de manière croissante délaisse les pays en voie de développement (PVD) d'Asie du Sud-Est pour l'Europe et les États-Unis. L'IDE européen a également fortement augmenté durant les années 1980, principalement à destination des autres pays d'Europe et des États-Unis. De principale zone d'accueil à partir des années 1960, l'Europe devient la principale zone d'origine des IDE. La France devient le cinquième pays en termes de stocks d'IDE sortants. Ces IDE ont décollé à partir de 1986 et concernent essentiellement la banque (16,3 %), la chimie (13,6 %), le commerce (7,6 %) et les sociétés financières (6,5 %).

L'expansion des IDE européens s'accompagne d'une hausse générale des IDE de pays moins puissants, comme l'Australie ou l'Afrique du Sud, les nouveaux pays industrialisés (NPI) d'Asie du Sud-Est et, à un degré moindre, d'Amérique latine. Cet IDE des NPI s'explique par l'appréciation de la monnaie locale et la hausse des coûts de main-d'œuvre, qui incitent les NPI à investir dans des pays plus pauvres.

Évolution par pays de destination. Jusque dans les années 1960, les IDE avaient pour principale destination les pays en voie de développement. Durant la crise des années 1970, ils se sont orientés vers les pays industrialisés, qui sont devenus leur destination essentielle dans les années 1990. Durant les années 1970, la CEE est une destination préférée d'implantation des multinationales, notamment américaines. Mais cette situation s'inverse dans les années 1980, et les États-Unis deviennent le principal pays hôte. Ce phénomène a plusieurs explications. D'abord, le marché américain est le plus vaste du monde. Ensuite, la dépréciation du dollar a diminué la compétitivité des importations étrangères vers ce pays et incité les firmes étrangères à s'implanter directement pour éviter cet effet de change. Enfin, la perte de compétitivité des firmes américaines par rapport aux firmes étrangères a permis à ces dernières de s'y installer sans trop craindre la concurrence des entreprises locales.

Inversement, les IDE entrants au Japon restent faibles. En effet, malgré une libéralisation quasi généralisée des IDE (à l'exception de l'agriculture, du pétrole et des mines), de nombreuses lois permettent au gouvernement de restreindre l'IDE menaçant une activité particulière. De plus, les solides relations financières entre les entreprises japonaises rendent difficile une stratégie d'entrée par acquisition, tandis que la compétitivité des firmes japonaises rend les investisseurs étrangers craintifs. L'abrogation des lois anti-IDE dans les années 1990 a coïncidé avec une crise de la demande intérieure, qui a dissuadé les firmes étrangères d'entrer sur le territoire.

L'investissement dans les PVD augmente à partir de 1990, mais la répartition des investissements est inégale : les dix premiers pays, essentiellement asiatiques ou sud-américains, reçoivent plus des deux tiers du flux annuel total. Autrement dit, la majeure partie des PVD sont délaissés par l'IDE. On constate ainsi une marginalisation croissante de l'Afrique et, à un degré moindre, du Moyen-Orient. De manière générale, les PVD qui attirent le plus les firmes multinationales sont ceux qui ont un taux de croissance élevé : l'IDE, tout en stimulant le développement des pays hôtes, entretient également une discrimination entre deux tiers-mondes, les pays en croissance (émergents) et les pays les moins avancés, qui ne reçoivent pas d'investissements privés mais uniquement l'aide publique des États tiers.

Dès la perestroïka et plus encore après l'éclatement du bloc soviétique, les pays en transition pratiquent une politique active d'attraction des IDE (avantages fiscaux, libéralisation des mouvements de capitaux, etc.). Cette destination est toutefois relativement peu prisée, le risque étant jugé trop important. Les trois pays les plus attrayants, la Hongrie, la Pologne et la République tchèque, sont également ceux qui semblent avoir le mieux réussi la transition économique. L'instabilité politique des pays de l'ex-URSS joue en leur défaveur.

Enfin, depuis la fin des années 1980, la Chine apparaît comme l'une des destinations clés de l'IDE, surtout en raison de son marché intérieur et de ses faibles coûts de main-d'œuvre.

Évolution par secteur. Dans les années 1970, l'IDE se redéploie du primaire et de l'industrie vers le tertiaire et les activités de haute technologie. Cette tertiairisation de l'IDE ne fait que refléter la tertiairisation des principaux pays exportateurs ou importateurs d'IDE. Toutefois, l'IDE dans l'industrie représente encore plus de 40 % des IDE entrants. De même, les firmes multinationales du secteur primaire sont parmi les plus importantes, bien qu'elles soient relativement peu nombreuses.

Délocalisation et emploi

L'analyse des conséquences des multinationales sur l'emploi est complexe, car les effets sont à la fois positifs et négatifs, directs et indirects.

Les effets positifs directs de l'IDE entrant sur l'emploi d'un pays hôte sont : 1) la création d'emplois dans des activités en croissance ou dans les bassins de chômage ; 2) le versement de salaires plus élevés que ceux proposés par les firmes nationales (car la productivité des multinationales est plus élevée). Il existe également des effets indirects positifs, lorsque la firme multinationale permet la création d'emplois chez ses clients et fournisseurs locaux, et négatifs, lorsqu'elle importe les produits intermédiaires ou élimine du marché, par la concurrence, des fournisseurs locaux.

L'IDE sortant a des effets directs sur l'emploi dans le pays d'origine de la firme : 1) il crée ou maintient des emplois dans la maison mère pour fournir des biens ou des services aux filiales étrangères ; 2) il détruit des emplois en les délocalisant dans des pays étrangers. Il a également des effets indirects : 1) il crée ou maintient l'emploi chez les fournisseurs du pays d'origine qui exportent vers les filiales étrangères ; 2) il réduit des emplois et les salaires des firmes du pays d'origine qui fournissaient les filiales s'approvisionnant maintenant chez des fournisseurs du pays hôte.

Pour l'heure, aucune étude n'a permis de mesurer l'effet global des multinationales sur l'emploi. On sait toutefois que ces effets sont faibles en comparaison des facteurs macroéconomiques déterminant l'activité de chaque pays. On sait également que l'emploi des multinationales croît moins vite que leur stock d'IDE. En particulier, on note que l'intensité capitalistique (rapport capital sur effectifs employés) des multinationales augmente, ce qui indique l'utilisation croissante de technologies et de machines au détriment du travail. D'autres études montrent que l'emploi dans les filiales croît plus rapidement que dans les maisons mères. C'est pourquoi on a pu parler d'exportation ou de délocalisation d'emplois de la part des multinationales qui cessent leurs activités sur leur territoire national et s'implantent à l'étranger. Toutefois, pour mesurer l'incidence des multinationales sur le pays d'origine, il faudrait aussi prendre en compte les emplois créés par celles qui s'implantent sur le territoire national : l'impression d'exportation d'emplois serait alors nettement atténuée.

Les firmes multinationales face aux pays d'accueil

Dans les années 1980, la plupart des pays mettent en place une politique de libéralisation et d'incitation à l'investissement direct étranger qui rompt avec une longue tradition de restrictions, en particulier dans les pays en voie de développement. Pour autant, cette ouverture au capital étranger n'a pas empêché le maintien de pratiques sectorielles. Ainsi, un pays comme l'Inde dispose encore aujourd'hui d'une législation limitant la présence du capital étranger dans l'industrie.

Les effets bénéfiques de la délocalisation pour le pays hôte dépendent étroitement des modalités d'implantation de la multinationale. Ainsi, le pays hôte devrait préférer une entrée de la firme étrangère sous la forme d'une alliance avec une firme locale, car l'alliance génère un profit pour le producteur local. En revanche, la multinationale préférerait s'approprier tous les profits. Le conflit d'objectifs étant ainsi posé, le pays hôte peut imposer des restrictions à la propriété du capital qui empêcheront une firme étrangère de posséder une firme à 100 % sur son territoire.

Toutefois, le pays hôte ne peut pas satisfaire toutes ses exigences dans la mesure où tous les pays sont en concurrence pour attirer un nombre limité de firmes : certains pays, dotés d'un marché attrayant ou de coûts de production très faibles, disposent d'une marge de manœuvre plus importante. Certaines firmes disposent, elles, d'un grand pouvoir de négociation du fait, par exemple, de leurs atouts techniques qui rendent leur installation désirable.

Les migrations internationales

Les mouvements de population

Le terme de migration désigne tout mouvement collectif de population. Selon la durée et la distance du déplacement, on distingue les migrations journalières (notamment celles des travailleurs frontaliers), les migrations temporaires et les migrations définitives. On réserve habituellement le terme de migration à ces deux dernières catégories. Temporaires ou définitives, elles peuvent se faire dans le cadre national (migrations internes) ou le dépasser (migrations internationales).

Les grandes migrations historiques. La découverte de l'Amérique a déclenché un grand courant migratoire qui s'est poursuivi pendant plusieurs siècles de l'Europe vers l'Amérique du Nord et du Sud, en même temps que se sont effectuées les « migrations » forcées à partir de l'Afrique imputables à l'esclavage. Du XVIe au XVIIe s., Espagnols, Portugais, Français, Britanniques, Allemands, Hollandais, Suédois ont traversé l'Atlantique. L'ampleur du mouvement s'est encore accrue dans la seconde moitié du XIXe s. et au début du XXe s. jusqu'à la crise des années 1930. Durant cette période, les Britanniques et les Allemands ont été relayés par des Méditerranéens, des Russes et des représentants de toutes les nationalités de l'Empire austro-hongrois. En outre, au cours de la première moitié du XXe s., la révolution russe, la Première Guerre mondiale, puis la Seconde, ont entraîné de nombreux déplacements de population, volontaires ou forcés, en Europe et en Extrême-Orient.

Les mouvements de population contemporains. Les migrations journalières de travail affectent une grande partie de la population des pays développés qui ont de forts taux d'urbanisation. Quant aux migrations temporaires, après avoir répondu aux besoins occasionnels de main-d'œuvre dans l'agriculture pour certaines récoltes, elles sont dues actuellement aux grands chantiers (barrages notamment) ou aux loisirs (vacances d'été et sports d'hiver en Europe).

Les migrations transnationales et transcontinentales ne deviennent définitives qu'à terme, quels que soient les projets du migrant au départ. Les motifs de déplacement de celui-ci sont variés, mais ils ont trait le plus souvent soit aux possibilités de travail et au niveau de vie plus favorable dans le pays d'accueil choisi, soit à des choix politiques ou religieux qui ne permettent plus à certains de vivre dans leur pays d'origine.

Les années 1990 sont caractérisées par l'instauration de quotas, voire le refus d'un certain nombre de pays développés d'accueillir des migrants ou des réfugiés, après une période plus ou moins longue d'ouverture des frontières; c'est le cas pour les États-Unis et pour les pays d'Europe où l'immigration est devenue importante à partir des années 1950. Les entrées dans le pays d'élection se font alors clandestinement, parfois à grande échelle comme celles des Mexicains, aux États-Unis.

Afrique. On distingue plusieurs courants. Le mouvement de « fuite des cerveaux» est diffus : des intellectuels, pour des raisons politiques ou parce que leur formation professionnelle ne répond pas aux besoins du marché de leur pays d'origine, quittent définitivement celui-ci. Par ailleurs, des migrations de travail ont lieu entre différents pays, en Afrique de l'Ouest notamment (vers le Nigeria et la Côte d'Ivoire). Notons les migrations internes de travail très importantes en Afrique du Sud, les migrations forcées de paysans éthiopiens à l'intérieur du pays et vers le Soudan et la Somalie. Les mouvements entre le Rwanda et le Burundi sont dus aux conflits internes.

Moyen-Orient. La Turquie a vu partir, depuis le début des années 1950, nombre de ses ressortissants vers les pays d'Europe de l'Ouest (Allemagne notamment), tandis que dans les pays du Golfe les nationaux sont devenus minoritaires dans presque tous les secteurs économiques et à tous les niveaux de qualification – phénomène extrêmement rare. Les travailleurs étrangers sont d'abord venus des pays arabes (notamment l'Égypte et le Yémen), puis des pays asiatiques (Pakistan, Inde, Bangladesh, Thaïlande, Philippines, Corée). On estime à plus de 3 millions le nombre d'Afghans qui se sont installés « temporairement » dans les années 1980 au Pakistan.

Asie. Au Sri Lanka, les troubles poussent nombre de personnes à l'émigration vers l'Europe depuis quelques années. Au Viêt Nam, le mouvement des personnes qui depuis 1975 tentent de quitter clandestinement le pays par mer, en prenant de très grands risques pour leur vie même, se poursuit, notamment vers les États-Unis et l'Australie, tandis qu'à l'intérieur du pays des déplacements de population ont été organisés pour mettre en culture de nouvelles terres. Le Japon commence à recevoir des immigrés. Aux Philippines et en Indonésie, les dirigeants prennent des mesures d'incitation au déplacement des populations vers les îles les moins peuplées.

Amérique. En Amérique latine, le Chili notamment a connu ces quinze dernières années une forte émigration d'origine politique. En Amérique du Nord, les mouvements se font vers les États-Unis, depuis le Canada, le Mexique et les Antilles. Il faut citer pour le Canada les migrations de travail temporaire dues au grand chantier hydroélectrique de la baie James.

Europe. L'Union soviétique a organisé des mouvements de population vers la Sibérie, tandis que, jusqu'en 1989, un nombre réduit de juifs soviétiques ont pu émigrer en Israël ou aux États-Unis. Dans le reste de l'Europe orientale, l'effondrement du communisme a stimulé une émigration qui a été freinée par les difficultés d'accueil en Europe occidentale, où la plupart des pays ont imposé des contrôles stricts pour préserver le marché du travail devenu précaire.

VOIR AUSSI • **Migrations préhistoriques** p. 946

Petit lexique

émigration : fait de quitter son pays pour s'établir dans un autre.

immigration : arrivée et installation durable sur le territoire d'un État de personnes étrangères.

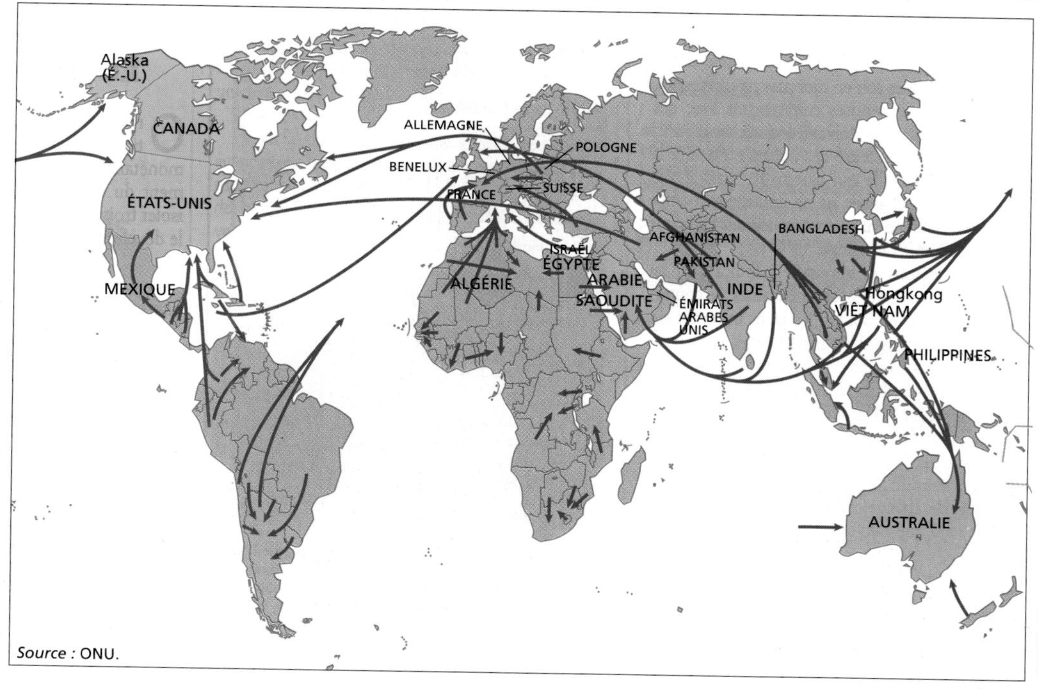

◆ **Les grands flux contemporains de populations.** L'Europe occidentale apparaît comme un grand réceptacle (image d'ailleurs un peu passée avec une quasi-fermeture récente, au moins régionale, des frontières), recevant des émigrants de tous les autres continents. L'Arabie saoudite et les États pétroliers du Golfe ont aussi été des centres d'accueil. En fait, les zones d'accueil se ferment ou se réduisent, évolution explosive à terme si la croissance démographique des pays de départ ne se ralentit pas.

Principaux pôles d'immigration

Principaux pôles d'émigration

Flux migratoires

Les mouvements de capitaux

Les mouvements internationaux de capitaux résultent de l'achat de titres de dettes (obligations, bons du Trésor, etc.) ou d'actions par des agents appartenant à un pays différent de celui où les titres ont été émis. Ils intègrent également l'investissement direct étranger (multinationalisation des firmes), mais cette composanteest mineure par rapport aux flux purement financiers.

Ces flux financiers se sont accélérés à partir des années 1980, grâce à la déréglementation des marchés de capitaux et à des innovations techniques qui permettent une diffusion instantanée des informations et des opérations (ordres de vente ou d'achat de titres). Ce mouvement a d'ailleurs pris une telle ampleur que les flux de capitaux sont désormais sans commune mesure avec les flux réels (biens et services) ou les revenus internationaux du capital (intérêts d'emprunts, dividendes).

En d'autres termes, des éléments aussi essentiels que le taux de change d'une monnaie ou la capacité de financement d'une économie ne dépendent plus exclusivement des facteurs réels d'une économie, mais également des décisions des investisseurs internationaux. Toutefois, la dichotomie entre sphère réelle et sphère financière est loin d'être complète, puisque les investisseurs se fondent également sur la sphère réelle pour prendre leurs décisions. Réciproquement, les comportements des investisseurs internationaux influent sur la santé d'une économie ; c'est pourquoi les États leur accordent une grande attention.

De manière générale, déficits budgétaires et projets d'investissement des entreprises peuvent être financés par des capitaux étrangers. Toutefois, ces capitaux ne sont pas illimités, et ils sont volatils. Les pays et les places financières se font donc concurrence pour les attirer. Cela suppose un bon niveau de développement du marché financier, autorisant des opérations rapides et une bonne information, mais aussi des politiques économiques qui rassurent les investisseurs internationaux. À défaut de telles politiques, les taux d'intérêt (les revenus versés aux capitaux étrangers) doivent être élevés, ce qui peut ralentir la croissance de l'économie.

La solution est de maîtriser l'inflation et les déficits budgétaires de manière à attirer les capitaux tout en ayant des taux d'intérêt faibles. Hors de cet axe politique, la marge de manœuvre des gouvernements est très étroite.

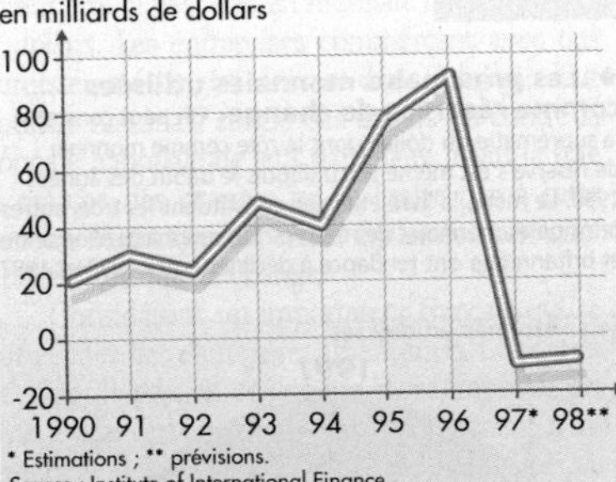

◆ **La fuite des capitaux : le cas de l'Asie du Sud-Est.**
En 1996, les flux de capitaux privés nets (solde entre les capitaux entrant dans un pays et les capitaux sortants) vers les pays émergents (pays en voie de développement les plus prometteurs en termes de croissance du PIB) se montaient à 295 milliards de dollars. En 1997, ces flux ne s'élèvent plus qu'à 200 milliards de dollars. Cette réduction de 30 % doit être attribuée à la crise financière asiatique, qui a entraîné une chute du montant des capitaux investis dans ces pays. En 1996, l'Indonésie, les Philippines, la Malaisie, la Corée du Sud et la Thaïlande ont accueilli près de 93 milliards de dollars. En 1997, le solde net des capitaux entrants et sortants était de −12 milliards de dollars.

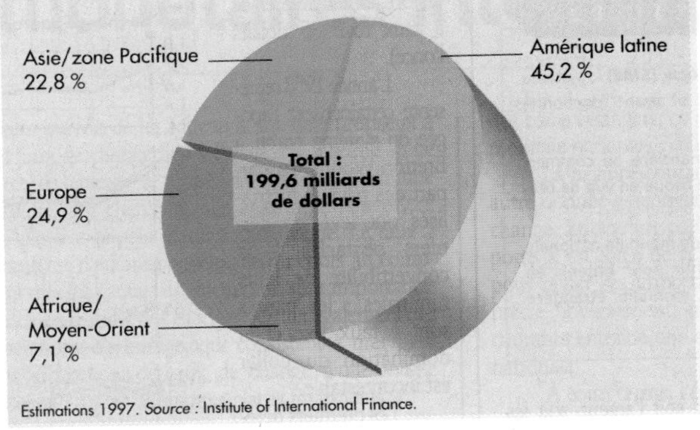

◆ **Répartition régionale des flux de capitaux dirigés vers les marchés émergents.**
La crise asiatique a entraîné une redistribution des flux de capitaux à destination des économies émergentes. Presque la moitié des flux de capitaux qui vont vers les pays émergents se dirigent à présent vers les pays latino-américains, soit plus de 90 milliards de dollars. Il faut souligner la part importante prise par les IDE, moins volatils que les investissements de portefeuille. De par son important programme de privatisations, le Brésil est la principale destination de ces flux.

Du SME à l'UEM

La création d'une aire de parités fixes était prévue dans le traité de Rome. Ce n'est pourtant qu'en 1972, après la faillite du système de Bretton Woods, que les pays européens (plus précisément l'Allemagne, la Belgique, le Danemark, la France et les Pays-Bas) mettent en place une coopération monétaire et réduisent les marges de fluctuation de leurs taux de change, à travers ce que l'on a appelé le serpent monétaire européen. Celui-ci montre très vite ses limites et est remplacé en 1979 par le SME (système monétaire européen).

Le système monétaire européen. Le SME fonctionne sur trois niveaux. D'abord, il rattache toutes les monnaies à un étalon unique, l'ECU (European Currency Unit). Celui-ci est défini à partir d'un panier réunissant les monnaies européennes et où l'influence de chaque monnaie est pondérée par son poids économique. L'ECU est également un instrument de règlement entre banques centrales européennes.

Le SME prévoit que chaque monnaie fluctue autour d'un cours pivot défini par rapport à l'ECU. Des marges de fluctuation, qui ont évolué au cours du temps et selon les pays, définissent un cours plancher et un cours plafond. Les banques centrales ont la charge de maintenir leur monnaie à l'intérieur de ces marges de fluctuation.

Enfin, le SME met en place un système de coopération entre banques centrales. Si une monnaie atteint son cours plancher par rapport à une autre monnaie, le FECOM (Fonds européen de coopération monétaire, alimenté par les banques centrales des pays membres) et la banque centrale du pays dont la monnaie s'est appréciée doivent prêter des devises à la banque centrale dont la monnaie est attaquée.

Le SME a instauré une certaine stabilité monétaire, mais il n'a pas empêché de fréquentes modifications du cours pivot ou l'élargissement des bandes de fluctuations. S'il a permis à ses membres de lutter plus efficacement contre l'inflation, il a également confirmé la domination allemande en matière de politique économique.

Disposant d'une crédibilité accrue grâce à sa puissance économique et à la stabilité de sa monnaie, la RFA était libre de décider de sa politique monétaire (optant le plus souvent pour une politique restrictive). Les autres pays membres ont dû s'aligner sur elle, même s'ils ne subissaient pas les mêmes contraintes économiques. Le SME n'a pas amélioré les perspectives de croissance de l'Europe dans les années 1980 ni permis une grande convergence des économies européennes (à l'exception des taux d'inflation). Les crises subies par le SME en 1992-1993 sont d'ailleurs la manifestation de ses déséquilibres internes.

La marche vers l'UEM. L'Union économique et monétaire (UEM) est une réponse aux déficiences du SME. L'idée de l'UEM apparaît d'abord dans l'Acte unique de 1986, puis dans le rapport Delors de 1989. L'UEM doit permettre la mise en place d'une monnaie unique, d'une Banque centrale européenne, d'une politique monétaire unique impliquant des politiques économiques concertées. Chaque pays abandonne donc sa souveraineté monétaire au profit d'une « souveraineté commune ». Au sommet de Maastricht, en 1991, l'engagement est pris de parvenir à la monnaie unique et d'instituer une Banque centrale commune avant le 1er janvier 1999.

La convergence économique des pays membres est indispensable pour permettre une politique monétaire commune. Le traité de Maastricht prévoit certains critères de convergence que les États membres doivent respecter pour pouvoir rejoindre l'UEM. Ils concernent :
– les taux d'inflation, qui ne doivent pas dépasser de plus de 1,5 point la moyenne des trois meilleurs pays ;
– le taux d'intérêt à long terme, qui ne doit pas excéder de plus de 2 points les taux moyens des trois meilleurs pays ;
– le déficit budgétaire, qui doit être inférieur à 3 % du PIB ;
– la dette publique, qui doit être inférieure à 60 % du PIB ;
– l'appartenance au mécanisme de change européen, la monnaie devant être depuis plus de deux ans (et sans dévaluation) dans la bande étroite (2,25 %) du SME.

La monnaie unique a plusieurs avantages. D'abord, elle rend inutiles les opérations de conversion des monnaies et de couverture de risque de change intra-européens, ce qui représente pour les entreprises une économie de près de 0,4 % du PIB des pays de l'Union européenne. Elle permet également une réduction des taux d'intérêt en supprimant la prime de risque que devaient verser les pays européens à monnaie faible. Elle réduit le pouvoir monétaire de l'Allemagne, en le diluant au sein d'institutions européennes.

La monnaie unique n'est cependant pas sans risque. En particulier, le processus de convergence a été difficile à mener dans une période de récession. Les politiques menées pour respecter les critères de convergence (réduction des dépenses publiques, taux d'intérêt élevés) ont eu un effet négatif sur l'emploi.

L'euro

L'euro est la monnaie commune des pays de l'UEM depuis le 1er janv. 1999. Les banques et les entreprises peuvent régler leurs opérations en euros, mais ce n'est que le 1er janv. 2002 que les billets et les pièces seront introduits sur le marché. En juillet de la même année, les monnaies nationales disparaîtront de la circulation. La zone euro dispose d'un PIB analogue à celui des États-Unis, mais son rôle dans le commerce international et ses réserves de devises étrangères sont plus importants. L'euro pourrait donc remettre en cause la domination du dollar sur les marchés de capitaux internationaux. Toutefois, des incertitudes demeurent. Pour que l'euro remette en cause la domination du dollar, il devra être une monnaie forte. La Banque centrale européenne devra poursuivre une politique monétaire restrictive, ce qui, dans le contexte de stagnation ou de faible croissance que connaît l'ensemble de l'Union monétaire, sera difficilement accepté par les citoyens. D'autre part, dans l'hypothèse d'un euro fort, quelles seront les conséquences pour le système monétaire international de la bipolarité euro-dollar des marchés de capitaux ? On sait en effet que la coexistence du dollar et de la livre sterling dans les années 1920 et 1930 fut une des causes de l'instabilité des systèmes financiers internationaux.

À l'avenir, les écarts entre les situations économiques des différents pays européens constituent un danger pour la monnaie unique. La suppression du taux de change et les limites imposées à la politique budgétaire (à travers le traité d'Amsterdam) vont interdire à un pays touché par une crise de mener une politique de relance par les exportations (dévaluation du taux de change) ou par les dépenses publiques. Seules la migration des travailleurs, la flexibilité des salaires et des prix ou une politique de transferts budgétaires entre pays pourraient permettre à ce pays de sortir de la récession. Or, la mobilité des travailleurs comme la flexibilité des salaires et des prix ou les transferts budgétaires entre pays européens sont peu développés en Europe. Toutefois, la probabilité qu'un pays européen se trouve en crise sans que ses partenaires soient également touchés est très faible, dans la mesure où l'interdépendance commerciale est très forte.

Les crises du SME

Le SME connaît des crises importantes en 1992 et 1993. En 1992, la lire italienne et la livre britannique sortent du SME, tandis que la peseta est dévaluée. En 1993, la peseta est une nouvelle fois dévaluée, ainsi que la livre irlandaise. Le franc français est attaqué, mais il peut résister grâce à l'élargissement des marges de fluctuations du SME (qui passent à +/–15 % du cours pivot).

Les mécanismes. Plusieurs raisons expliquent ces crises. D'abord, le début des années 1990 marque l'apogée de la mobilité internationale des capitaux. Celle-ci rend possible la formation de bulles spéculatives importantes, notamment sur les pays à monnaie faible. Les pays qui ont le taux d'inflation le plus élevé et donc les taux d'intérêt (nominaux) les plus élevés attirent les capitaux étrangers, et leur monnaie s'apprécie. C'est le cas de la peseta espagnole ou de la lire italienne. L'éclatement de ces bulles entraîne une fuite brutale des capitaux et la dévaluation des monnaies concernées.

Les crises de 1992-1993 ne résultent pas seulement des comportements des spéculateurs. Elles sont également le reflet de déséquilibres structurels au sein du SME. En 1992, l'Allemagne craint une reprise de l'inflation faisant suite à la réunification de la RFA et de la RDA. Elle augmente ses taux d'intérêt, mais les autres pays européens traversent alors une période de récession. Ces pays en crise ont le choix entre suivre la hausse des taux d'intérêt allemands pour éviter une fuite des capitaux, ou dévaluer leur monnaies pour relancer leurs économies. C'est la première solution qui est retenue, mais plusieurs événements laissent penser que certains gouvernements ne s'y tiendront pas. En particulier, le chômage atteint des niveaux très importants, et le traité de Maastricht est rejeté par les Danois alors que ni les Anglais ni les Français ne font preuve d'enthousiasme. Les marchés financiers doutent à ce moment de la possibilité d'une monnaie unique et donc de la politique de rigueur choisie par les pays en crise. Ils anticipent des dévaluations et vendent les monnaies concernées. Suivant le phénomène de prophétie autoréalisatrice, la dévaluation est finalement inévitable.

VOIR AUSSI

• **Union européenne politique et monétaire** p. 767

◆ **Monnaies nationales.**

Pays	Monnaie
Afghanistan	afghani
Afrique du Sud	rand
Albanie	lek
Algérie	dinar algérien
Allemagne	mark
Andorre	franc français
Andorre	peseta
Angola	kwanza
Antigua-et-Barbuda	dollar des Caraïbes orient.
Arabie saoudite	riyal saoudien
Argentine	peso argentin
Arménie	dram
Australie	dollar australien
Autriche	schilling
Bahamas	dollar des Bahamas
Bahreïn	dinar de Bahreïn
Bangladesh	taka
Barbade	dollar de la Barbade
Belgique	franc belge
Belize	dollar de Belize
Bénin	franc CFA
Bouthan	ngultrum et roupie indienne
Birmanie	kyat
Bolivie	boliviano
Bosnie-Herzégovine	mark convertible
Botswana	pula
Brésil	real brésilien
Brunei	dollar de Brunei
Bulgarie	lev
Burkina	franc CFA
Burundi	franc de Burundi
Cambodge	riel
Cameroun	franc CFA
Canada	dollar canadien
Cap-Vert	escudo du Cap-Vert
centrafricaine (République)	franc CFA
Chili	peso chilien
Chine	yuan
Chypre	livre cypriote
Colombie	peso colombien
Comores	franc des Comores

Pays	Monnaie
Congo	franc CFA
Congo (République dém. du)	zaïre
Corée du Nord	won
Corée du Sud	won
Costa Rica	colon costaricain
Côte d'Ivoire	franc CFA
Cuba	peso cubain
Danemark	couronne danoise
Djibouti	franc de Djibouti
dominicaine (République)	peso dominicain
Dominique	dollar des Caraïbes orientales
Égypte	livre égyptienne
Émirats arabes unis	dirham
Équateur	sucre
Érythrée	nakfa
Espagne	peseta
États-Unis	dollar
Éthiopie	birr
Finlande	mark finlandais
France	franc français
Gabon	franc CFA
Gambie	dalasi
Géorgie	lari
Ghana	cedi
Grèce	drachme
Guatemala	quetzal
Guinée	franc guinéen
Guinée-Bissau	franc CFA
Guinée équatoriale	franc CFA
Guyana	dollar de la Guyana
Haïti	gourde
Honduras	lempira
Hongrie	forint
Inde	roupie indienne
Indonésie	rupiah
Iran	rial iranien
Iraq	dinar irakien
Irlande	livre irlandaise
Islande	couronne islandaise
Israël	shekel
Italie	lire italienne

Pays	Monnaie
Jamaïque	dollar jamaïquain
Japon	yen
Jordanie	dinar jordanien
Kenya	shilling du Kenya
Koweït	dinar koweïtien
Laos	kip
Lesotho	loti
Lettonie	lats
Liban	livre libanaise
Liberia	dollar libérien
Libye	dinar libyen
Liechtenstein	franc suisse
Lituanie	litas
Luxembourg	franc luxembourgeois
Madagascar	franc malgache
Malaisie	ringgit
Malawi	kwacha
Maldives	rufiyaa
Mali	franc CFA
Malte	livre maltaise
Maroc	dirham
Maurice	roupie mauricienne
Mauritanie	ouguiya
Mexique	peso mexicain
Monaco	franc français
Mongolie	tugrik
Mozambique	metical
Namibie	dollar namibien
Népal	roupie népalaise
Nicaragua	cordoba oro
Niger	franc CFA
Nigeria	naira
Norvège	couronne norvégienne
Nouvelle-Zélande	dollar néo-zélandais
Oman	rial omanais
Ouganda	shilling ougandais
Pakistan	roupie pakistanaise
Panamá	balboa
Paraguay	guarani
Pays-Bas	florin
Pérou	nouveau sol

Pays	Monnaie
Philippines	peso philippin
Pologne	zloty
Portugal	escudo
Qatar	riyal du Qatar
Roumanie	leu
Royaume-Uni	livre sterling
Russie	rouble russe
Rwanda	franc rwandais
Salvador	colon salvadorien
Sénégal	franc CFA
Seychelles	roupie des Seychelles
Sierra Leone	leone
Singapour	dollar de Singapour
Slovaquie	couronne slovaque
Somalie	shilling somalien
Soudan	dinar soudanais
Sri Lanka	roupie du Sri Lanka
Suède	couronne suédoise
Suisse	franc suisse
Suriname	florin du Suriname
Swaziland	lilangeni
Syrie	livre syrienne
Taïwan	dollar de Taïwan
Tanzanie	shilling tanzanien
Tchad	franc CFA
tchèque (République)	couronne tchèque
Thaïlande	baht
Togo	franc CFA
Trinité-et-Tobago	dollar de Trinité-et-Tobago
Tunisie	dinar tunisien
Turquie	livre turque
Ukraine	hrivna
Union européenne	*euro*
Uruguay	peso uruguayen
Vatican	lire de la cité du Vatican
Venezuela	bolivar
Viêt Nam	dong
Yémen	rial yéménite
Yougoslavie	dinar yougoslave
Zambie	kwacha
Zimbabwe	dollar du Zimbabwe

Démographie

◆ **Importance relative des populations.**
Le planisphère a été construit de façon que l'espace occupé par chaque pays soit proportionnel à l'importance de sa population.
La prépondérance de deux États, la Chine et l'Inde, est évidente, de même que le seuil qui les sépare des autres pays les plus peuplés, les États-Unis, l'Indonésie, le Brésil, la Russie, le Japon et le Nigeria. Il ne faut pas négliger autour de ces deux grands la présence de plusieurs États de moyenne importance, le Pakistan et le Bangladesh, en dehors du Japon déjà cité.

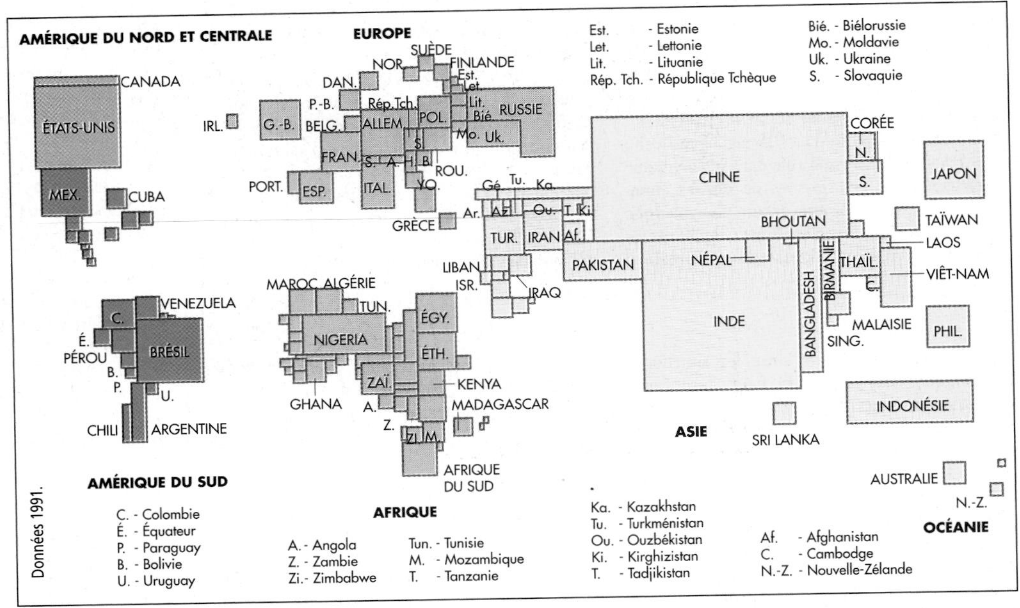

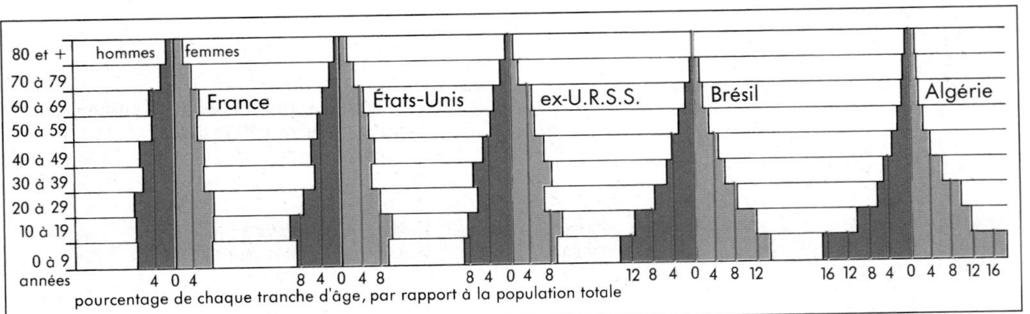

◆ **Pyramides des âges de quelques pays.**
La comparaison des pyramides des âges illustre la diversité des comportements démographiques : base rétrécie des pays où le taux de natalité a récemment reculé (France, ex-URSS ou États-Unis), croissance démographique soutenue (comme au Brésil), explosive (Algérie).
La pyramide des âges donne par sexe et par âge l'effectif d'une population donnée. Sur les dernières pyramides, on constate que le nombre de personnes jeunes ou d'enfants en bas âge progressera peu entre 1995 et 2050, alors qu'entre les mêmes dates, le nombre de personnes de plus de 55 ans va fortement augmenter. On assistera donc à un vieillissement de la population mondiale, qui remettra en cause les régimes de retraite (dans les pays développés) mais aussi les modes de croissance (puisque les personnes âgées sont moins actives et ont une propension à consommer inférieure à celle de leurs enfants).

◆ **Évolution de la fécondité.**
À partir des années 1960, dans de nombreux pays en développement, s'est amorcée une baisse de la natalité, en particulier en Chine, en Inde et au Brésil, où des politiques de contraception ont été mises en place. Au début des années 1990, seuls certains pays montagneux de l'Asie, une partie du Moyen-Orient arabe et l'Afrique subsaharienne restaient à l'écart de ce mouvement.

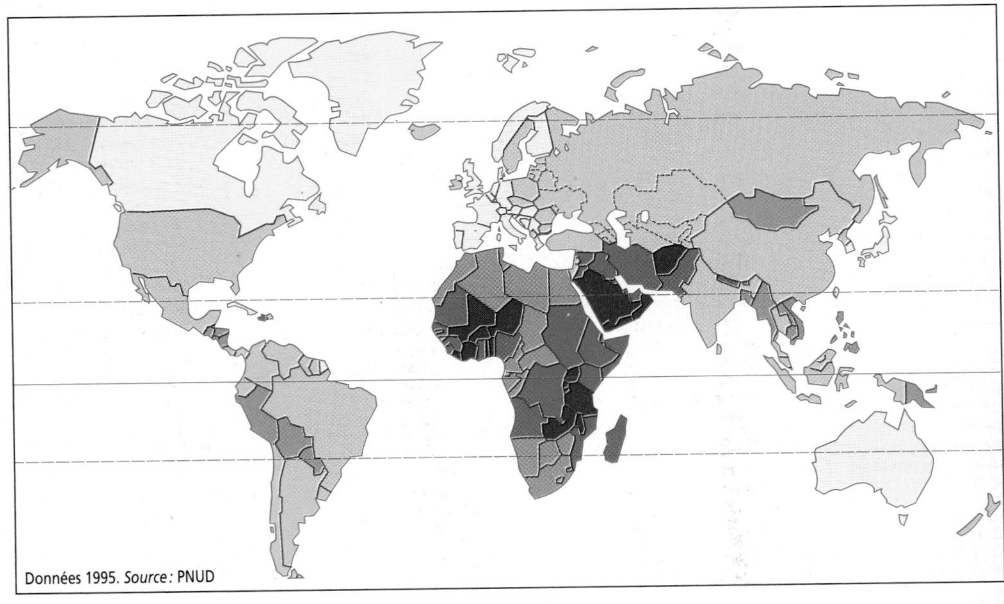

Données 1995. *Source :* PNUD

◆ **L'espérance de vie à la naissance.**
La liaison est évidente avec le planisphère montrant les pourcentages des jeunes et des personnes âgées (ci-dessous). Elle le serait encore aussi avec un planisphère du PNB par habitant. La longévité demeure l'apanage des pays développés. Savoir si elle est toujours accompagnée d'un maintien de la qualité de la vie est un autre problème, cartographiquement moins traduisible.

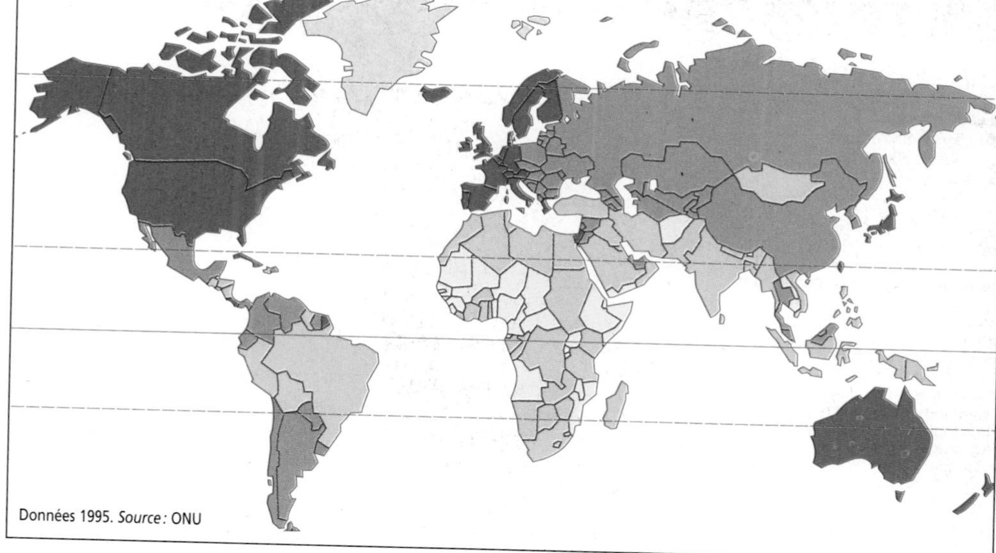

◆ **Les moins de 15 ans dans le monde.**
Ce planisphère est une illustration de la démographie galopante de la quasi-totalité de l'Afrique, avec une population de jeunes de 2 à 8 fois supérieure (en valeur relative) à celle de l'Europe occidentale. L'Algérie, par ex., a une population totale inférieure de plus de moitié à celle de la France, mais compte davantage de moins de 15 ans que notre pays.

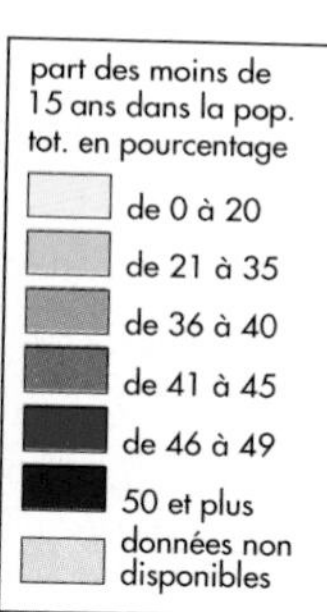

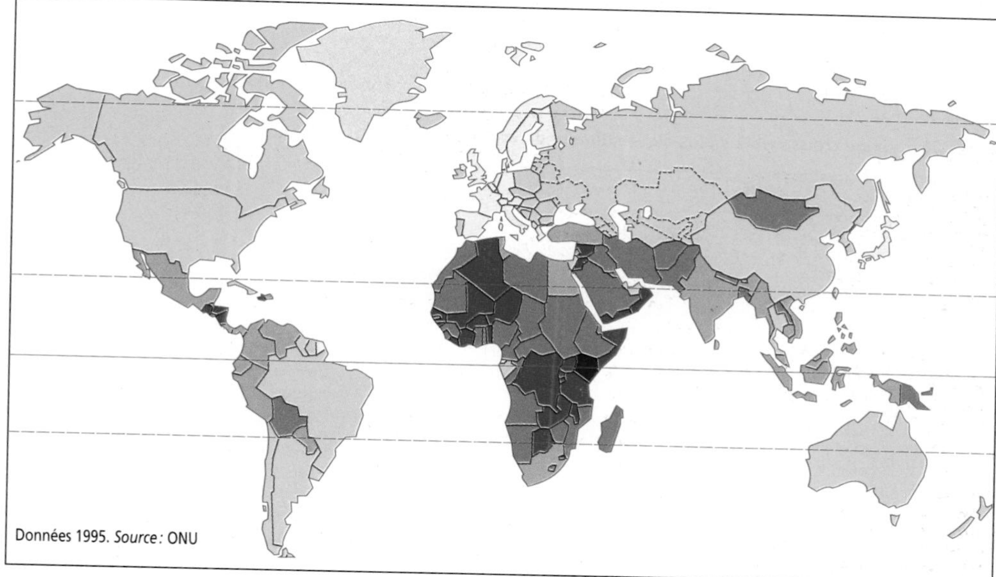

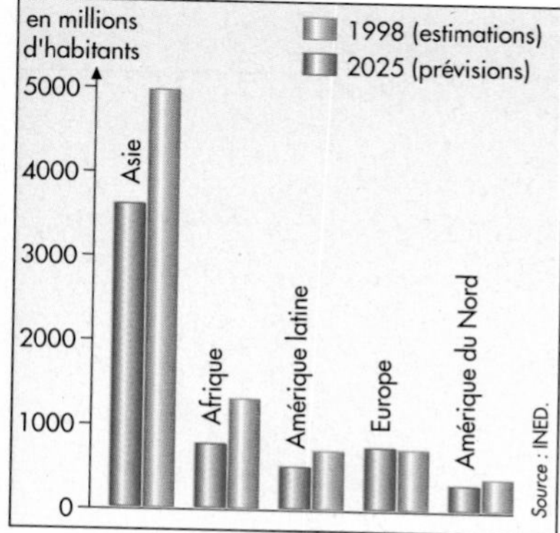

◆ **Répartition de la population mondiale par grandes régions jusqu'en 2025.**
Dans l'hypothèse d'un taux de fécondité de deux enfants par femme, la population de l'Afrique triplera durant les cinquante prochaines années, passant de 700 millions d'habitants à plus de 2 milliards. La population chinoise augmentera à un rythme plus lent, passant de 1,2 à 1,5 milliard d'habitants et devrait être inférieure à celle de l'Inde. Les populations des autres pays d'Asie et celles d'Amérique latine feront un peu moins que doubler. La population d'Amérique du Nord progressera légèrement. Seule la population européenne devrait diminuer.

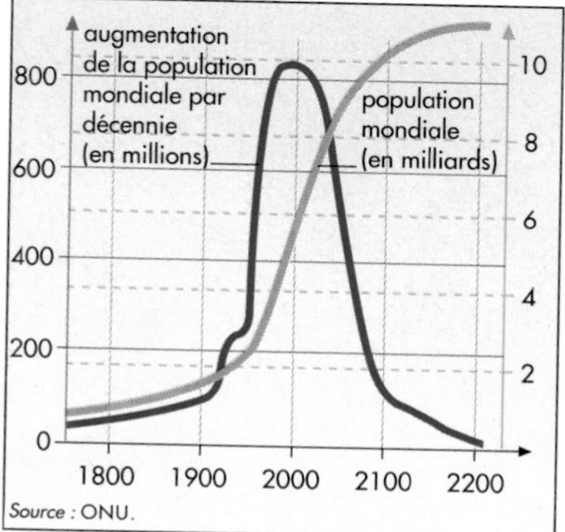

◆ **La fin de l'explosion démographique.**
On pense qu'à partir de 2020-2030, le taux de croissance de la population mondiale va fortement diminuer, et ce au moins jusqu'en 2200. Le facteur essentiel de ce ralentissement est la fin de la transition démographique des pays du tiers-monde : la réduction des taux de natalité de ces pays devrait entraîner une réduction de la croissance démographique. De surcroît, depuis plusieurs années, la croissance démographique des pays industrialisés est ralentie, tant du fait d'une situation économique moins satisfaisante que de nouveaux comportements de vie (durée plus longue des études, fragilité accrue du mariage...).

VOIR AUSSI
- **Urbanisation et industrialisation** p. 74
- **Évolution démographique** p. 946

Petit lexique

indice de fécondité : nombre d'enfants que mettrait au monde une génération fictive de 100 femmes si, à chaque âge de 15 à 50 ans (période de procréation), elle connaissait la fécondité observée à la date t pour chacun de ces âges.

taux brut de fécondité : rapport du nombre de naissances vivantes au nombre de femmes en âge de procréer (c'est-à-dire de 15 à 50 ans) pour une année donnée ; il est calculé en « pour mille ».

taux brut de mortalité : rapport du nombre de décès, pour une année donnée, à l'effectif total d'une population ; il est exprimé en « pour mille habitants ».

taux brut de natalité : rapport du nombre de naissances vivantes, pour une année donnée, à l'effectif total d'une population ; il est exprimé en « pour mille habitants ».

Croissance et développement

◆ **Les groupes de pays en fonction du PNB par habitant.** Les statistiques de la Banque mondiale classent les pays de plus de 1 million d'habitants par groupes en fonction de leur PNB par habitant, qui est considéré comme le principal indicateur du développement. La mondialisation croissante des économies n'a pas entraîné une réduction mais une augmentation des inégalités entre pays pauvres et pays riches. Le graphique divise les pays du monde en cinq groupes, représentant chacun un cinquième de la population mondiale. La part des richesses détenue par le cinquième le plus riche a augmenté de 14% depuis 1965.

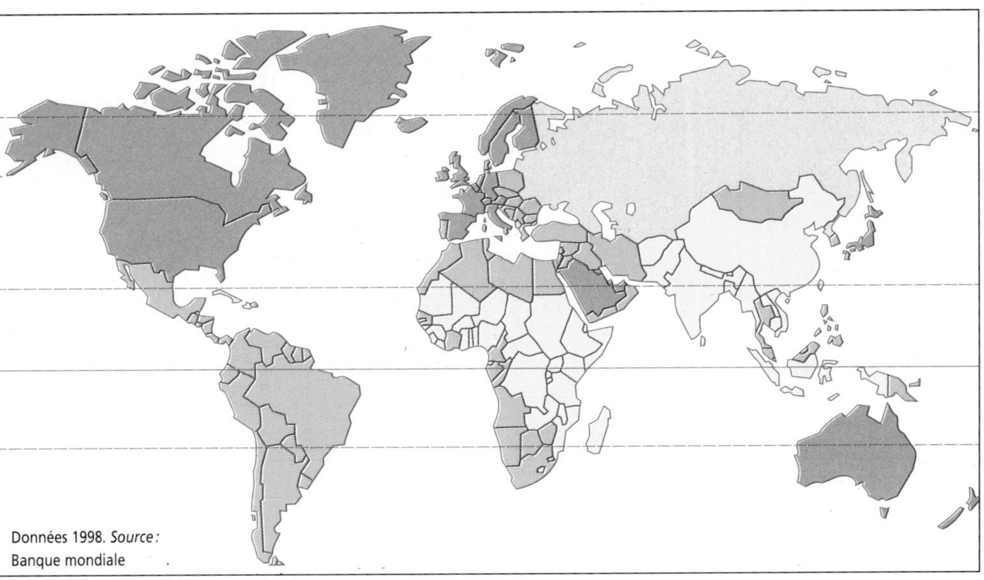

Données 1998. *Source :* Banque mondiale

◆ **Les 20 taux de croissance les plus élevés du monde et les 20 taux les plus faibles.**

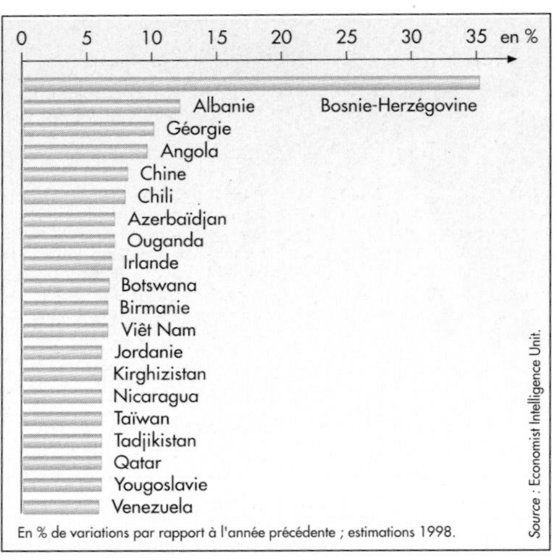

En % de variations par rapport à l'année précédente ; estimations 1998.

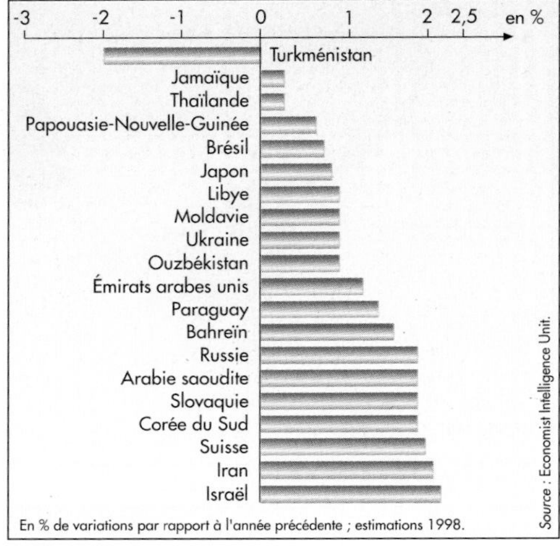

En % de variations par rapport à l'année précédente ; estimations 1998.

La Bosnie connaît le taux de croissance le plus élevé (35%) en raison de la reconstruction qui a suivi la guerre. Le premier pays de l'UE est l'Irlande (7%) qui, malgré la crise asiatique, devance largement ses partenaires européens. Le Turkménistan est le seul pays à enregistrer une croissance négative. Parmi les autres pays qui connaissent une faible croissance figurent la Russie, la Corée du Sud, la Thaïlande et le Brésil, tous touchés par des crises financières plus ou moins graves. La croissance mondiale diminue en 1998 et 1999 dans la plupart des pays, surtout en Grande-Bretagne et aux États-Unis, qui étaient précédemment proches du maximum de leur capacité.

◆ **La faim dans le monde.** Le planisphère met en évidence les régions sous-alimentées, c'est-à-dire essentiellement une grande partie de l'Afrique noire et de l'Asie.

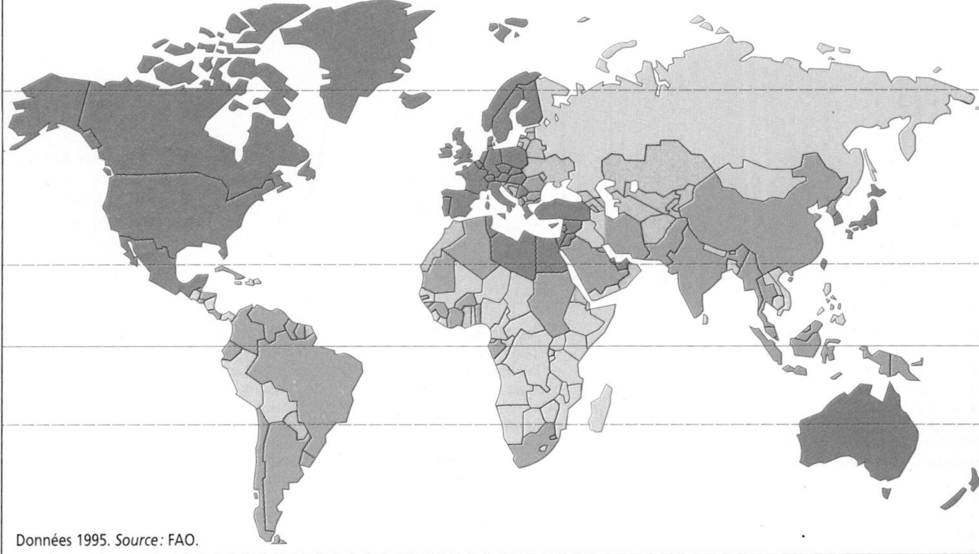

Données 1995. *Source :* FAO.

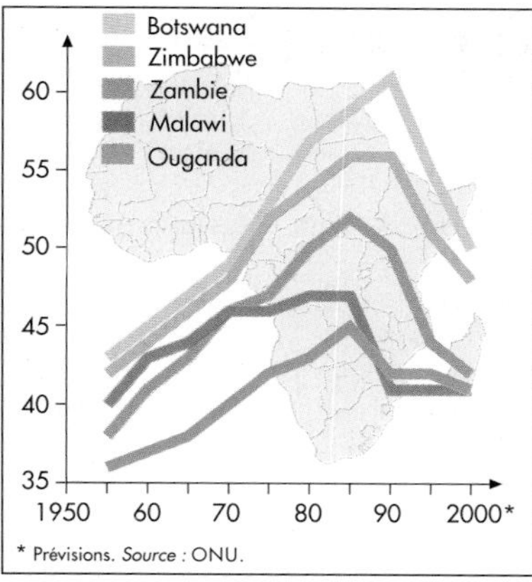

* Prévisions. *Source* : ONU.

◆ Évolution de l'espérance de vie en Afrique noire.
Les données montrent que celle-ci a connu dans un premier temps une forte croissance au cours de la période 1950-1980, en particulier à la suite de l'amélioration des conditions sanitaires et de l'élévation du niveau de vie. Mais depuis le milieu des années 1980, on peut observer une diminution très forte et rapide (quoique inégale selon les pays) de l'espérance de vie, due pour l'essentiel à l'épidémie du sida.

Pays	Primaire	Secondaire	Supérieur
Allemagne	20,7	15	n.d.
Canada	17	19,4	17,3
Espagne	16,4	14,5	21,3
États-Unis	17,2	16,5	14,4
France	19,4	13,1	19
Hongrie	11,6	10,6	8
Italie	10,6	9,9	29,1
Japon	19,5	16,1	8,5
Norvège	9,5	8,7	10,1
Royaume-Uni	21,9	14,9	n.d.
Suisse	15,7	n.d.	21,5
Turquie	27,9	23,7	21,5

Données :1997. *Source :* OCDE.

◆ Nombre d'élèves par enseignant dans quelques pays. On peut observer, au sein même des pays développés, une très grande disparité dans les conditions d'enseignement, mesurées ici par le nombre d'élèves par enseignant. Cette disparité s'observe tant au niveau de l'enseignement primaire que secondaire et supérieur, avec deux cas polaires : la Norvège et la Turquie.

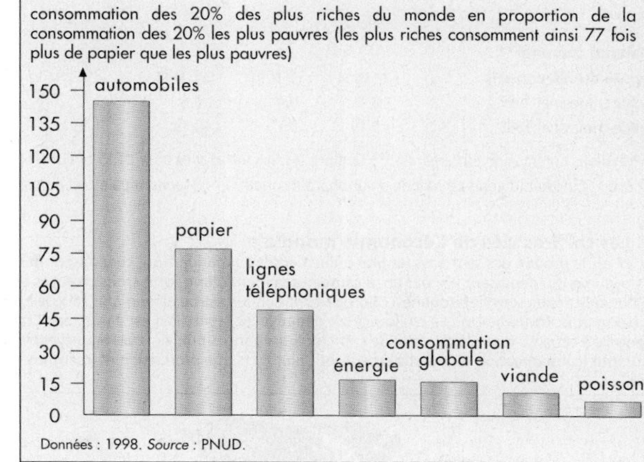

Données : 1998. *Source* : PNUD.

◆ Les inégalités de la consommation dans le monde.
Les inégalités de revenus se répercutent sur les modes de consommation.
La consommation de viande et surtout d'électricité, de lignes téléphoniques ou d'automobiles est essentiellement le fait de 20% de la population mondiale. Ces modes de consommation reflètent également des inégalités de développement entre pays : les pays pauvres ne disposent pas des ressources suffisantes pour construire des routes et des centrales électriques ou pour installer un réseau téléphonique important.

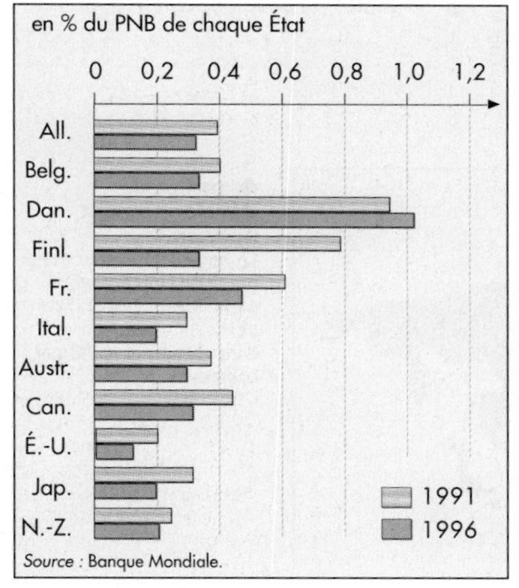

Source : Banque Mondiale.

◆ Évolution de l'aide publique internationale aux PVD.
On peut noter que l'aide publique dispensée par les principaux pays développés s'est réduite relativement entre 1991 et 1996, à l'exception du Danemark. Qui plus est, cette aide apparaît très variable selon les pays : alors qu'elle atteint plus de 1% du PNB au Danemark, elle est inférieure à 0,2 % aux États-Unis, même si le montant de l'aide est très élevé dans ce dernier pays en valeur absolue.

VOIR AUSSI
- **Inégalités** p. 813
- **Tiers mondes** p. 817
- **Dette des pays en voie de développement** p. 819
- **Mieux nourrir les hommes** p. 844

Illustrations
- **Part de l'agriculture dans l'économie** p. 847 (carte)

◆ L'analphabétisme dans le monde.
Il existe une relation très nette entre le niveau de développement d'un pays et le taux d'analphabétisation : les pays de l'OCDE ont une population alphabétisée à plus de 96 %, alors que les pays en voie de développement, et tout particulièrement l'Afrique noire, présentent un taux d'alphabétisation inférieur à 50 %.

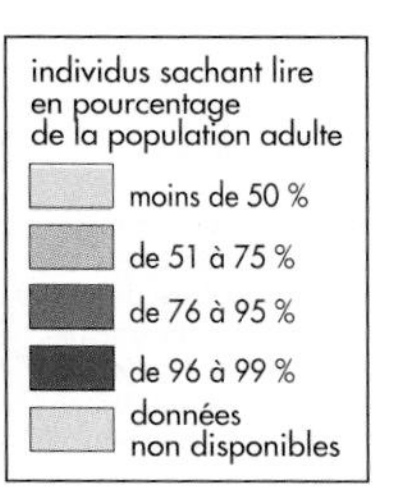

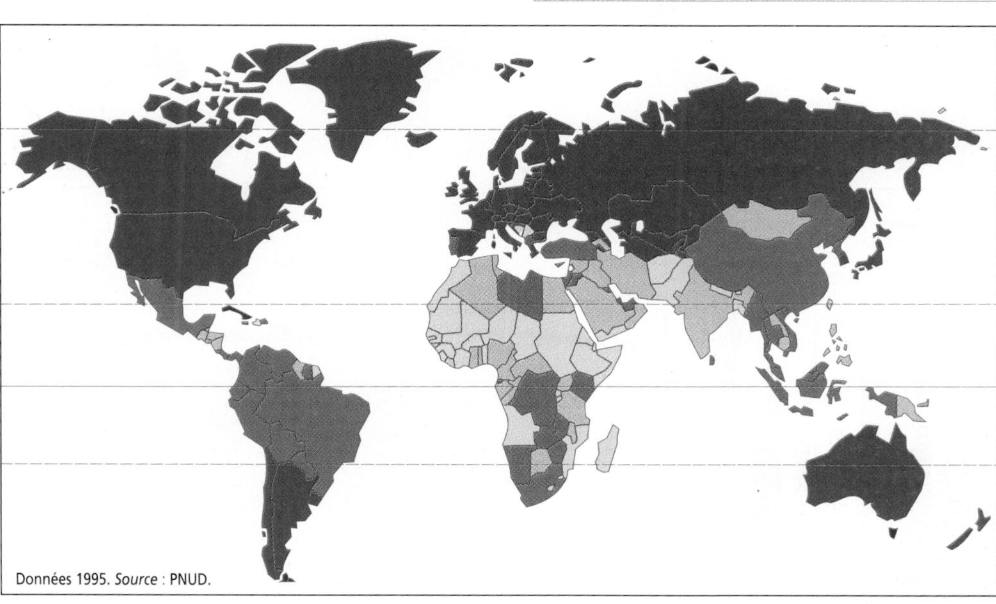
Données 1995. *Source* : PNUD.

Principaux indicateurs : croissance et développement (suite)

	États-Unis	Japon	Allemagne	Belgique	Espagne	France	Italie	Pays-Bas	R.-U.	Euro 11	UE 15
Production industrielle (en %)											
sur un an	2,0 (janv.)	−6,0 (janv.)	−1,1 (févr.)	0,6 (janv.)	4,6 (janv.)	2,9 (janv.)	0,3 (janv.)	2,1 (janv.)	−0,3 (janv.)	1,7 (janv.)	1,3 (janv.)
sur trois mois	0,2 (janv.)	−0,9 (janv.)	−0,7 (févr.)	0,1 (janv.)	0,7 (janv.)	0,5 (janv.)	0,9 (janv.)	−0,6(oct.)	−0,2(janv.)	−0,4 (janv.)	−0,4 (janv.)
Taux de chômage (en %)											
1999	4,3 (janv.)	4,3 (sept. 98)	9,1 (janv.)	8,4 (janv.)	17,8 (janv.)	11,6 (janv.)	12,3 (oct. 98)	3,6 (nov.98)	6,2 (oct.98)	10,6 (janv.)	9,6 (janv.)
Prix de la consommation (en %)											
sur un an	1,7 (janv.)	−0,1 (juil.)	0,2 (févr.)	1,0 (févr.)	1,8 (févr.)	0,3 (févr.)	1,4 (févr.)	2,0 (févr.)	1,5 (févr.)	0,8 (févr.)	1,0 (févr.)
sur un mois	0,2	−0,6	0,1	0,2	−0,1	0,3	0,2	0,7	0,2	0,3	0,3
PIB en volume											
(dernier trimestre connu, en %)	4e trim. 1998	4e trim. 1998	4e trim. 1998	3e trim. 1998	4e trim. 1998	4e trim. 1998	3e trim. 1998	4e trim. 1998	4e trim. 1998	4e trim. 1998	4e trim. 1998
sur un an	4,3	−3,0	2,6	2,2	3,6	2,8	1,2	3,3	1,1	2,3	2,2
sur trois mois	1,5	−0,8	0,4	0,3	0,7	0,7	0,5	1,2	0,1	0,2	0,2
Déficit public/PIB (en %)											
1997	0,1	−3,3	−2,7	−2,1	−2,6	−3	−2,7	−1,4	−1,9	−2,5	−2,3
1998*	1,4	−5,5	−2,1	−1,3	−1,8	−2,9	−2,7	−0,9	−0,6	−2,1	−1,5
Dette publique/PIB (en %)											
1997	n.d.	n.d.	61	117,3	65,6	58,5	118,7	67,7	49,4	73,8	69,5
Balance courante**											
(en % du PIB annuel)	1er trim.	2e trim.	3e trim.	3e trim.	3e trim.	3e trim.	3e trim.	3e trim.	3e trim.	3e trim.	3e trim.
solde trimestriel 1997	−0,4	0,4	0,1	1,4	0,1	0,6	0,6	1,4	0,2	0,4	0,3
solde trimestriel 1998	−0,49	0,7	−0,19	1,13	0,21	0,72	0,91	0,74	0,23	0,39	0,36

*Prévisions Commission européenne. ** Compris les flux intrazones pour UE15 et EURO11. Le chiffre de la balance courante belge inclut celui du Luxembourg.
Source : Eurostat, d'après *Le Monde*. Pour plus d'information : htpp/europa.eu.int/eurostat.html

◆ Les chiffres clés de l'économie mondiale.
Le G7 est le groupe des sept pays les plus industrialisés du monde. Tous connaissent des taux d'inflation très faibles, seule le Royaume-Uni dépassant 2% par an, à cause notamment d'une forte croissance. Les performances de ces pays quant aux autres indicateurs sont hétérogènes. L'Europe continentale est beaucoup plus touchée par le chômage que les États-Unis, le Japon et le Royaume-Uni. La croissance est négative au Japon. Elle est élevée aux États-Unis et au Royaume-Uni, ce qui a permis à ces pays de réduire, voire de combler leurs déficits publics, mais a aussi entraîné un déficit de la balance courante (consommation et investissement sont plus forts que production et épargne).

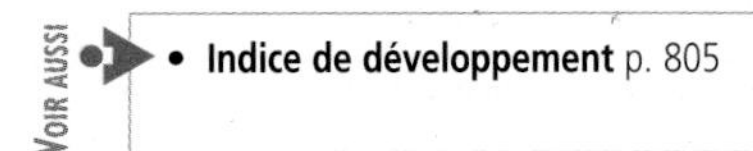
VOIR AUSSI • Indice de développement p. 805

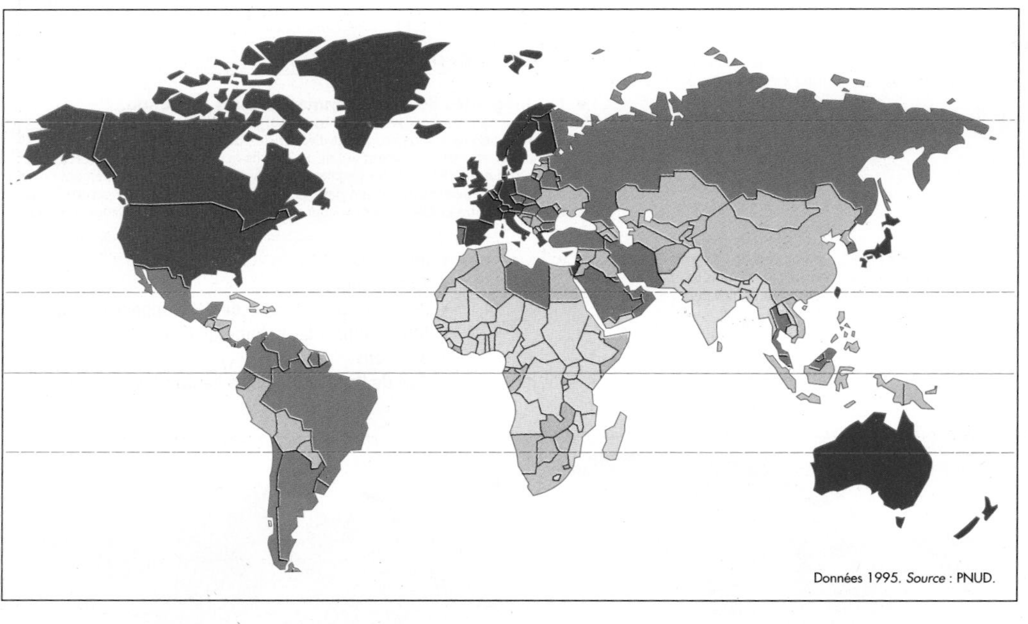
Données 1995. *Source* : PNUD.

◆ Indice de développement humain.
Ce nouvel indicateur établi par l'ONU intègre trois paramètres : l'espérance de vie, le niveau d'instruction et le PIB par habitant.

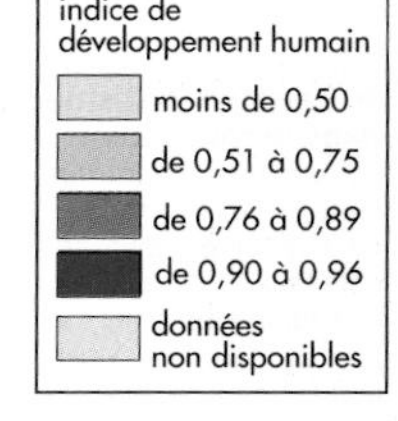

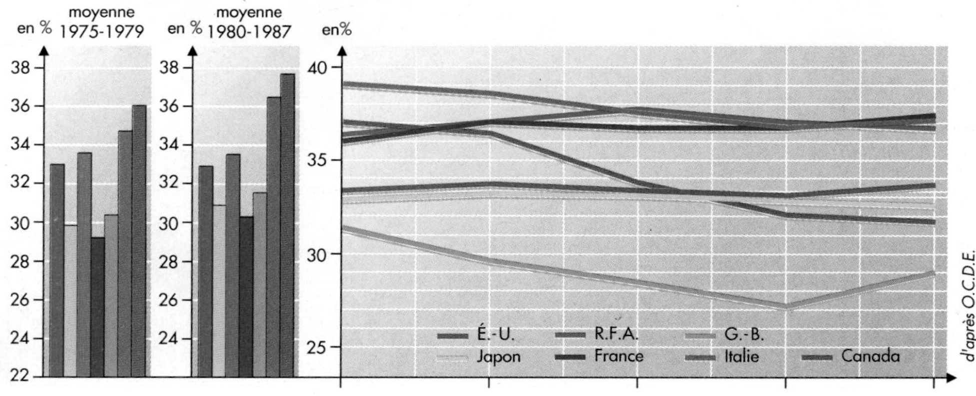

◆ Évolution des profits dans le revenu des pays industrialisés.
La part des profits privés présente, jusqu'en 1979, un profil à la baisse dans les principaux pays industrialisés. Un changement de tendance se produit autour de 1985, qui s'explique par la baisse des coûts salariaux. La remontée (même si elle est faible) de la part des profits s'est maintenue depuis lors (sauf pour la Grande-Bretagne et le Canada).

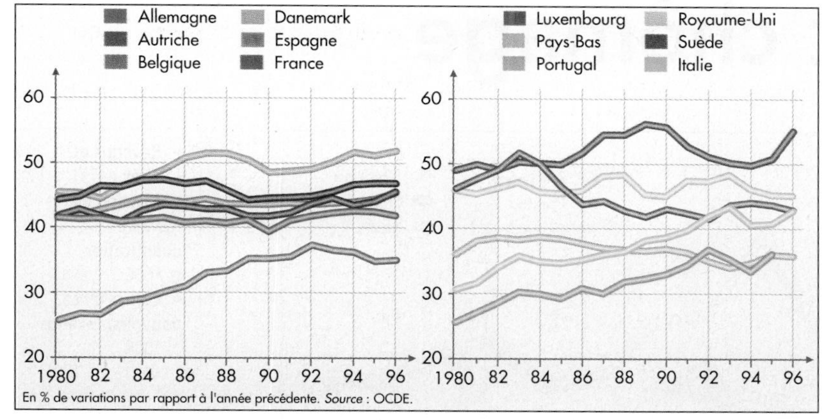

◆ **Évolution des prélèvements obligatoires dans les pays européens.**
Les dépenses publiques des États industrialisés n'ont cessé d'augmenter depuis le début de ce siècle. La réduction des déficits budgétaires s'est souvent effectuée par une hausse des impôts plutôt que par une baisse des dépenses.

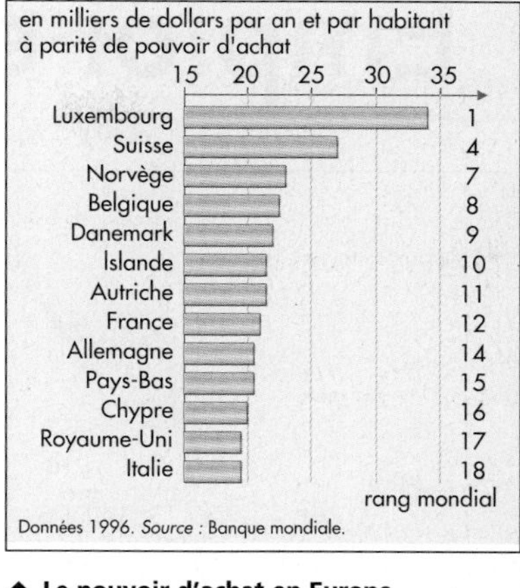

◆ **Le pouvoir d'achat en Europe.**
À l'exception du Luxembourg et de la Suisse, les écarts de pouvoir d'achat entre les pays européens apparaissent relativement limités. En valeur absolue, on peut constater que les pays européens figurent parmi les 20 premiers pays au monde en termes de pouvoir d'achat.

◆ **Les 10 premières banques mondiales.**

Banque	Nationalité	Chiffre d'affaires (en milliards de $)	Effectifs
Crédit suisse	Suisse	48,2	62 412
Deutsche Bank	All.	40,8	76 141
Hong-Kong & Shanghai Bank	G.-B.	37,4	132 969
Bank of Tokyo	Japon	34,7	18 386
Citicorp	É.-U.	34,7	93 700
Crédit agricole	France	34	84 670
Chase Manhattan	É.-U.	30,4	69 033
ABN Amro	P.-B.	28,9	76 749
Société générale	France	28,7	55 465
Industrial Bank of Japan	Japon	26,9	n.d.

Données : 1997. *Source : Le Monde.*

◆ **Les 10 premières assurances mondiales.**

Assurances	Nationalité	Chiffre d'affaires (en milliards de $)	Effectifs
Axa	France	76,8	80 613
Nippon Life	Japon	71,4	75 851
Allianz	All.	56,7	73 290
Dai-Ichi Mutual Life	Japon	47,4	64 598
State Farm Insurance	É.-U.	43,9	72 655
Sumitomo Life Insurance	Japon	42,2	64 628
ING	P.-B.	38,6	64 162
Prudential Insurance	É.-U.	37	79 000
Meji Life	Japon	31	40 188
Generali	Italie	30,8	41 417

Données : 1997. *Source : Le Monde.*

◆ **Dette publique et déficit budgétaire des principaux pays industrialisés.**
Les critères de Maastricht, et notamment ceux qui concernent le déficit budgétaire et la dette publique, ont conduit un grand nombre de pays européens à réduire leurs dépenses publiques. Tâche rendue difficile, tant pour les gouvernements que pour les populations, par la mauvaise conjoncture économique : seuls quatre pays ont un niveau de dette publique inférieur à 60% du PIB (l'Allemagne, la France, la Finlande et le Luxembourg), mais, en 1997, l'Allemagne, la France et la Grèce ont toujours des déficits supérieurs à 3% du PIB.

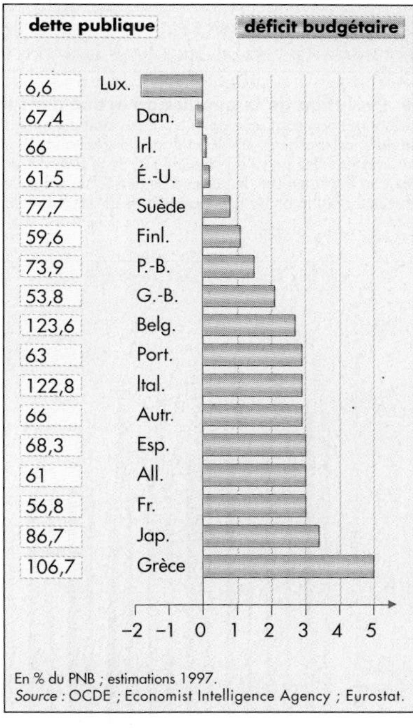

◆ **Les 20 plus grandes entreprises mondiales.**

Société	Nationalité	Activités	Chiffre d'affaires (en milliards de $)	Effectifs
General Motors	É.-U.	automobile	178,2	608 000
Ford Motor	É.-U.	automobile	153,6	363 900
Mitsui & Co	Jap.	distribution	142,7	40 000
Mitsubishi	Jap.	distribution	128,9	36 000
Royal Dutch-Shell	P.-B./G.-B.	pétrole	128,1	105 000
Itochu	Jap.	conglomérat	126,6	n.d.
Exxon	É.-U.	pétrole	122,4	80 000
Wal-Maart	É.-U.	distribution	119,2	825 000
Marubeni	Jap.	distribution	111,1	64 000
Sumitomo	Jap.	distribution	102,4	29 500
Toyota Motor	Jap.	automobile	95,1	150 700
General Electric	É.-U.	distribution	90,8	276 000
Nissho Wai	Jap.	conglomérat	81,9	18 000
IBM	É.-U.	informatique	78,5	269 000
NTT	Jap.	télécomm.	76,9	226 000
Axa	Fr.	assurances	76,8	81 000
Daimler-Benz	All.	automobile	71,5	300 000
Daewoo	Corée	automobile	71,5	265 000
Nippon Life	Jap.	assurances	71,4	76 000
British Petroleum	G.-B.	pétrole	71,2	56 000

Données : 1997. *Source : Le Monde.*

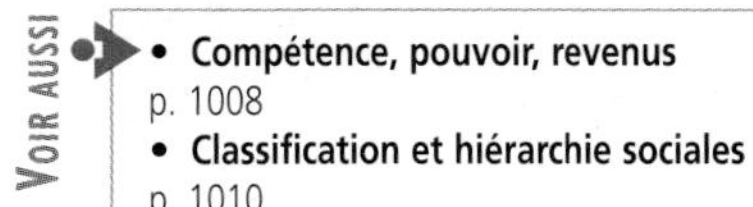
VOIR AUSSI
• **Compétence, pouvoir, revenus** p. 1008
• **Classification et hiérarchie sociales** p. 1010

◆ **La pauvreté dans les pays industrialisés.**
Le taux de pauvreté indique la proportion des ménages qui ne disposent pas d'un niveau de vie au moins égal à 60% du niveau de vie médian (qui partage la population du pays considéré en deux groupes d'effectifs égaux). En moyenne, le taux de pauvreté dans l'« Europe des douze » (en excluant la Suède, la Finlande et l'Autriche de l'Union européenne actuelle) est d'environ 17%. Le taux de pauvreté est très élevé pour les pays du sud de l'Europe (Portugal, Grèce, Italie), qui ont un niveau de développement inférieur à la moyenne, et pour le Royaume-Uni, dont le système social et fiscal (pas de revenu minimum au moment de l'étude) ne permet pas une réduction des inégalités sociales.

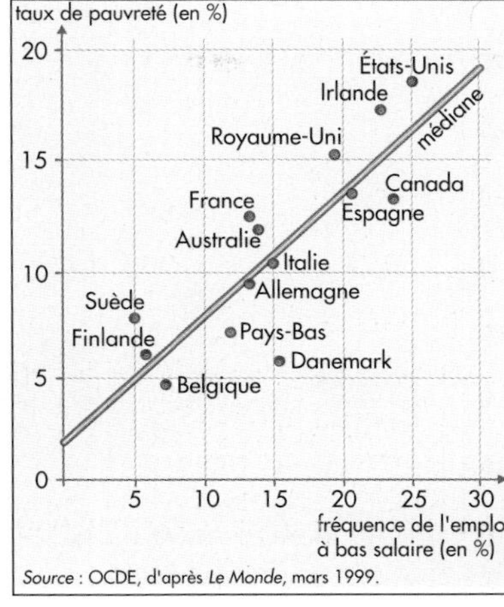

Emploi et chômage

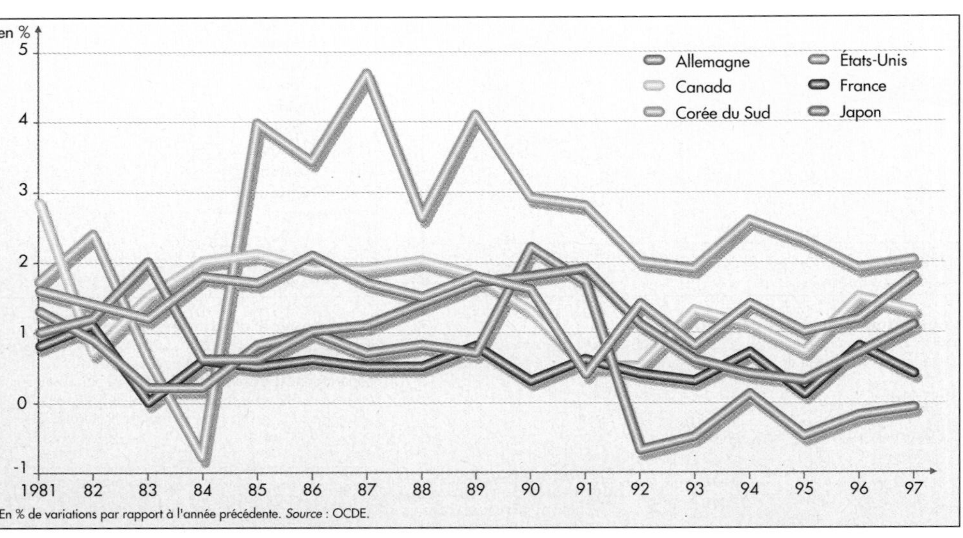

En % de variations par rapport à l'année précédente. *Source* : OCDE.

VOIR AUSSI
• **Revenus et salaires** p. 791
• **Division du travail et qualification** p. 1006
• **Compétence, pouvoirs, revenus** p. 1008

◆ **Évolution de la population active dans les principaux pays industrialisés.** Entre 1980 et 1997, le nombre de personnes occupant un emploi aux États-Unis a augmenté de 1,6 % en moyenne par an. Cette hausse s'explique par l'augmentation de la population en âge de travailler et par la création d'emplois. Le nombre de personnes occupant un emploi au Japon a augmenté jusque dans les années 1980, puis s'est stabilisé lors de la crise des années 1990 ; il devrait diminuer si le pays ne parvient pas à surmonter la récession. Sauf au Royaume-Uni, le nombre de personnes employées en Europe n'a que peu augmenté durant les années 1980-1990 : il faut y voir une certaine stagnation de la population, mais surtout les effets du chômage.

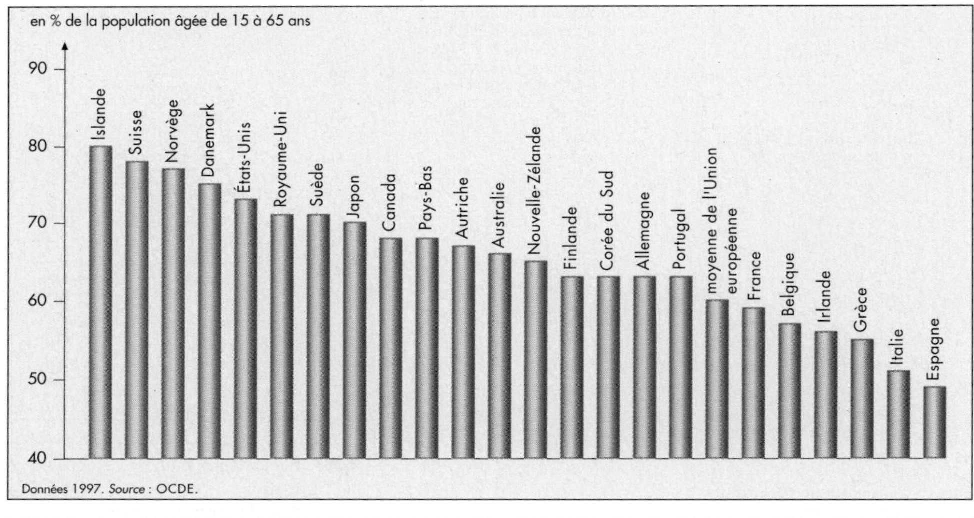

Données 1997. *Source* : OCDE.

◆ **Part de la population active dans les principaux pays industrialisés.**
La part de la population active dans la population totale diffère fortement selon les pays : alors qu'elle atteint plus de 70 % dans les pays du nord de l'Europe, elle est inférieure à 60 % en Italie et en Espagne.

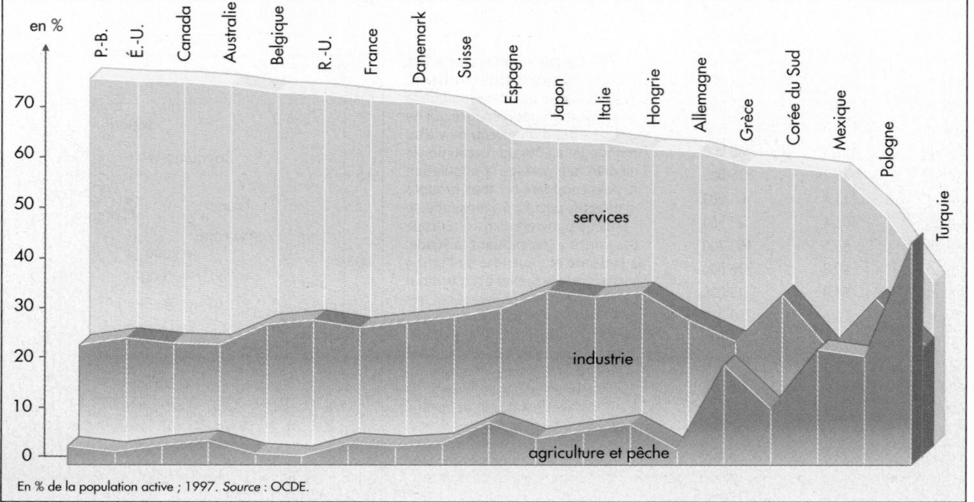

En % de la population active ; 1997. *Source* : OCDE.

◆ **Structure de l'emploi par secteurs dans les principaux pays industrialisés.**
La part de l'emploi primaire est relativement faible dans les pays du nord de l'Europe et aux États-Unis, contrastant avec la situation des autres pays (en voie de développement, de l'Est ou émergents).
De même, le développement de l'emploi tertiaire apparaît très inégal selon les pays, même si les services occupent la première place.

◆ **Part des femmes dans l'emploi dans les principaux pays industrialisés.** Par rapport à une Espagnole, une Scandinave a deux fois plus de chances d'occuper un emploi. Les différences de culture, mais aussi le système de garderies publiques des pays nordiques expliquent cette disparité. Pour l'ensemble de l'OCDE, seulement 50% des femmes ayant entre 15 et 64 ans sont employées, contre 75% des hommes de la même catégorie d'âge.

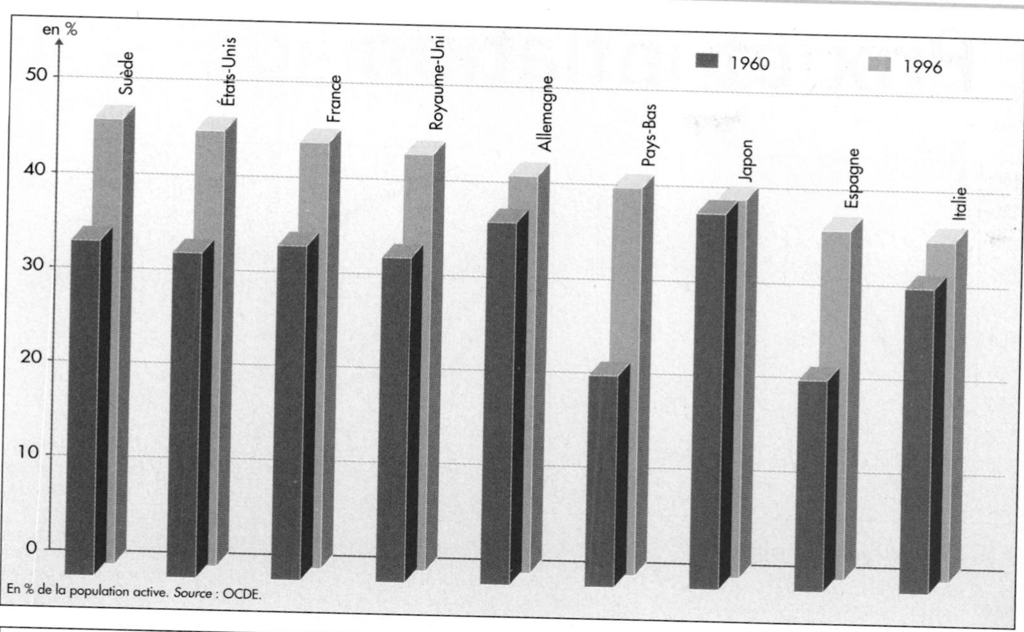

◆ **Évolution des taux de chômage dans quelques pays industrialisés.** Pour combattre le chômage, la France adopte une solution atypique, la réduction du temps de travail. Les firmes devraient donc embaucher plus de personnel afin de conserver le même volume d'activité. La réduction du temps de travail s'appréhende comme un partage de l'emploi. Toutefois, les effets d'une telle mesure restent sujets à caution. Si l'on observe les temps de travail annuels dans les pays industrialisés, on note que les pays où la charge de travail est la plus lourde (États-Unis, Japon) sont également ceux où le taux de chômage est le plus faible.

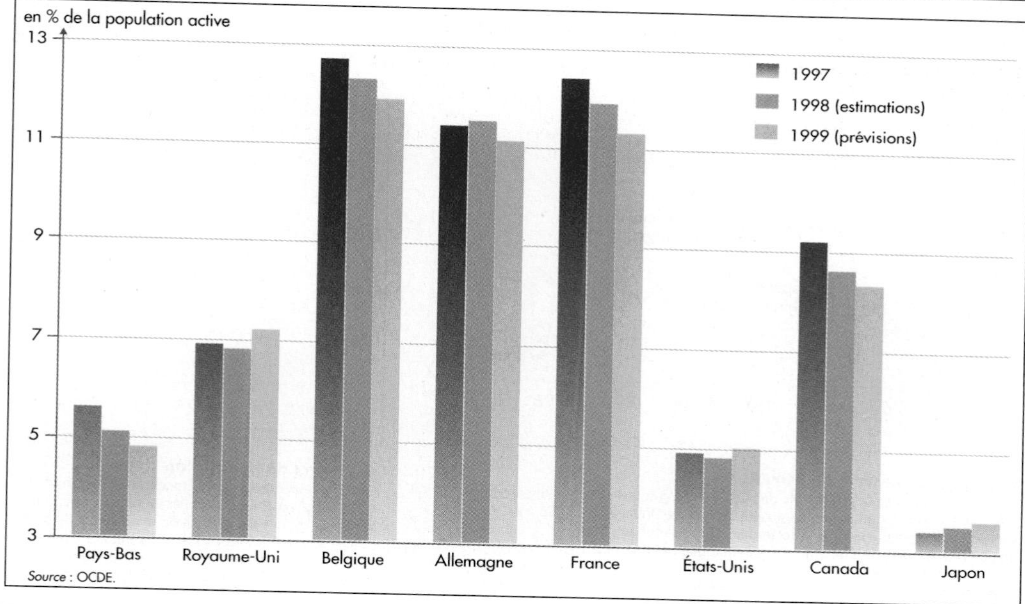

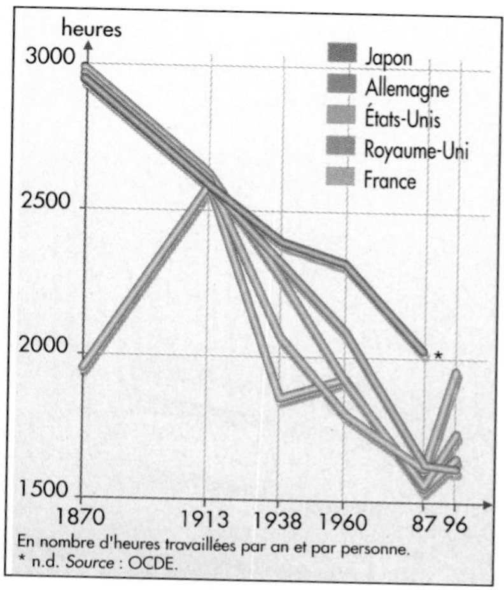

◆ **Évolution de la durée du travail dans quelques pays.** Depuis plus d'un siècle, la tendance générale est à la réduction de la durée annuelle du temps de travail dans les pays développés. On peut toutefois noter le maintien de fortes disparités entre pays : la durée annuelle aux États-Unis est sensiblement supérieure à celle de pays comme l'Allemagne ou la France.

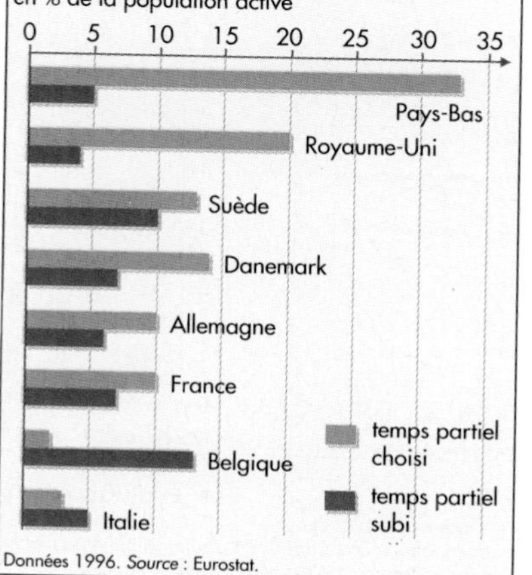

◆ **Évolution de l'emploi à temps partiel dans quelques pays.** En Europe, le travail à temps partiel est très développé aux Pays-Bas, contrastant avec la situation de l'Italie. Pour ce qui est du temps partiel choisi, il est prédominant aux Pays-Bas et au Royaume-Uni alors que la situation inverse est observée en Belgique et en Italie.

◆ **Évolution des salaires dans les pays industrialisés.**

	1997	1998*	1999*
É.-U.	4,9	4,4	4,4
Canada	4,7	1,9	3,1
Japon	1,9	−0,1	0,5
Allemagne	1,4	1,8	2,4
France	2,3	2,3	2,5
R.-U.	5,6	5,4	4,7
Italie	4,4	3,1	2,8

En %. * Prévisions. *Source :* OCDE.

En 1980, en Allemagne, pour appartenir aux 10% de salariés les plus « riches », il fallait gagner 2,5 fois plus que ceux qui faisaient partie des 10% les moins payés. Les salaires considérés ici sont ceux du secteur privé, nets de cotisations sociales. Les États-Unis sont le pays le plus inégalitaire de l'OCDE. À l'autre bout de l'échelle, la Suède est le pays le moins inégalitaire, tandis que la France se situe dans la moyenne. Depuis 1970, on observe une hausse sensible des inégalités dans la quasi-totalité des pays de l'OCDE et surtout dans les pays anglo-saxons. Cette évolution tient essentiellement à la disparité croissante des salaires entre travailleurs qualifiés et non qualifiés.

Prix et inflation

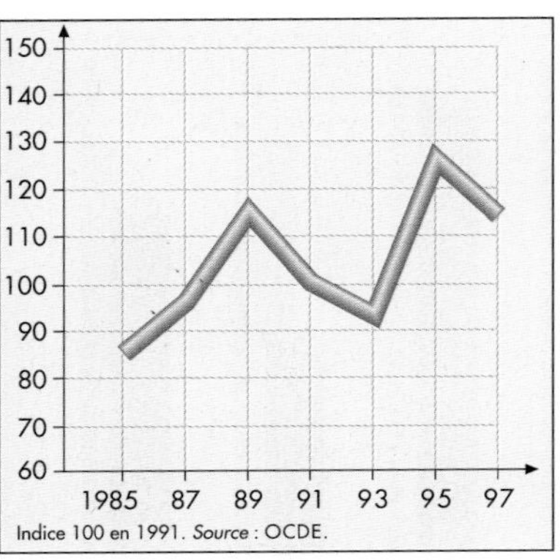

Indice 100 en 1991. *Source* : OCDE.

◆ **Évolution du prix des matières premières.**
L'évolution du prix des matières premières apparaît très erratique : on observe des fluctuations cycliques, dues aux modifications rapides de l'offre (par exemple, une mauvaise récolte) et de la demande.

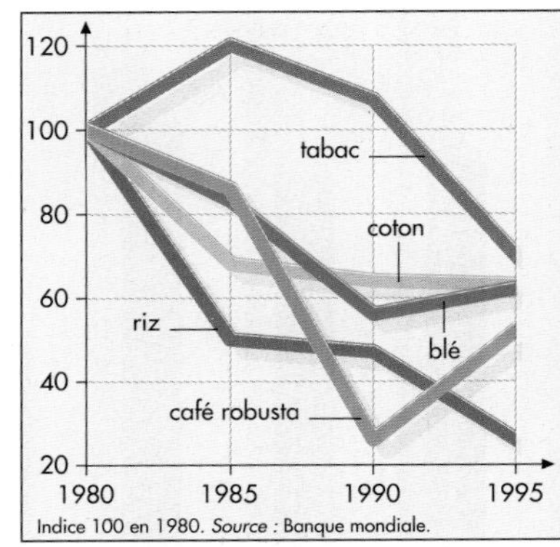

Indice 100 en 1980. *Source* : Banque mondiale.

◆ **Évolution du prix de quelques matières premières agricoles.**
On peut noter la tendance générale à la baisse du prix mondial des matières premières agricoles. Néanmoins, la situation apparaît différenciée selon les produits : alors que le déclin est continu pour le riz, le cours du café chute jusqu'en 1990 pour remonter ensuite.

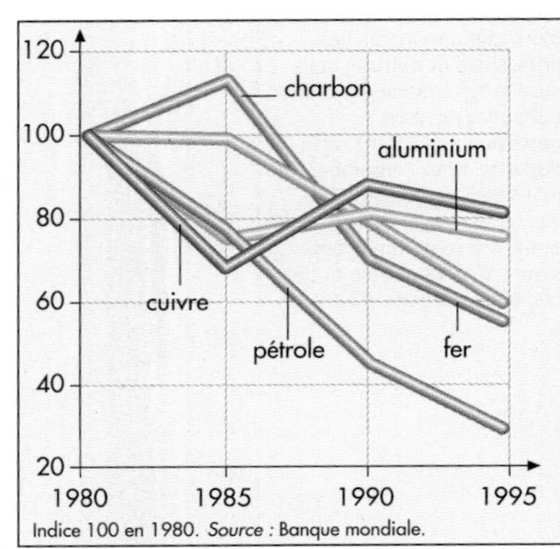

Indice 100 en 1980. *Source* : Banque mondiale.

◆ **Évolution du prix de quelques matières premières industrielles.**
Comme pour les produits agricoles, les matières premières industrielles connaissent une tendance générale à la baisse des prix. La situation est néanmoins différenciée selon les produits : très forte pour le pétrole, elle est limitée dans le cas du cuivre et de l'aluminium.

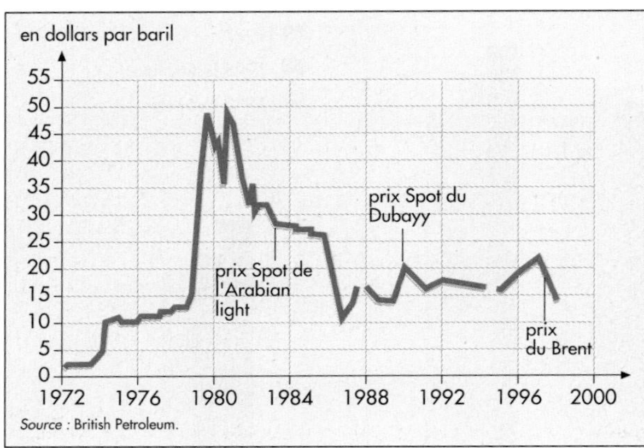

Source : British Petroleum.

◆ **Le prix du pétrole de l'OPEP.**
Le prix de référence pour le pétrole de l'OPEP a été, jusqu'en 1986, celui du brut d'Arabie saoudite ; depuis lors, c'est celui du brut de Dubayy. Le prix Spot est celui fixé sur le marché libre qui se tient à Rotterdam. Le prix Spot amplifie les fluctuations du prix officiel. En 1973, le prix officiel a été multiplié par quatre. En 1979, il a été multiplié par trois. Dans la première moitié des années 1980, les prix ont oscillé autour de 30 dollars le baril ; depuis lors, ils se maintiennent au-dessous de 20 dollars.

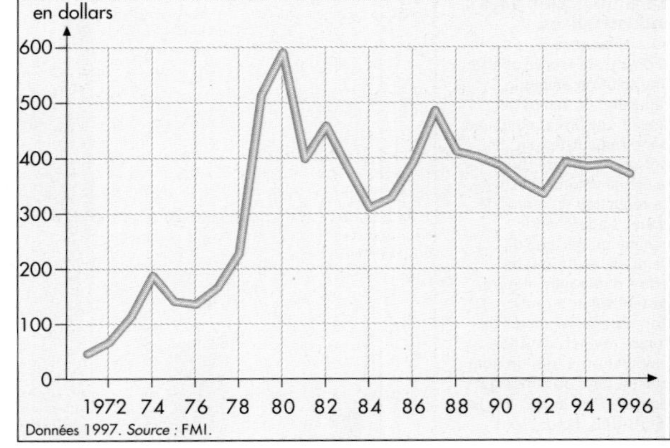

Données 1997. *Source* : FMI.

◆ **Le prix de l'once d'or.**
C'est en deux étapes que la fonction monétaire de l'or a été abandonnée : le 15 août 1971, la convertibilité du dollar en or est suspendue par le président Nixon ; en janvier 1976, lors des accords de la Jamaïque, la démonétisation de l'or est rendue officielle dans le cadre du Fonds monétaire international. Symbole de la fin d'une période, l'abandon de l'étalon-or sera probablement définitif. À partir de là, les cours de l'or fluctuent comme ceux d'une valeur refuge soumise à la spéculation.

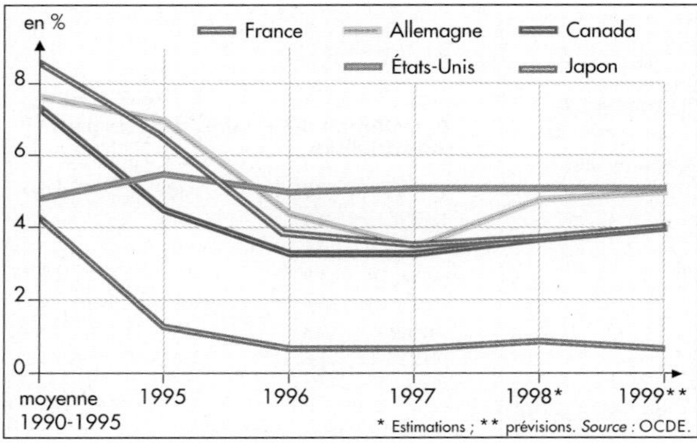

* Estimations ; ** prévisions. *Source* : OCDE.

◆ **Les taux d'intérêt dans les pays industrialisés.**
Les taux d'intérêt sont la rémunération des prêts. Ils sont aussi un moyen d'action de l'État, qui peut, en les faisant varier, avoir une action de politique monétaire. Toutefois, le niveau des taux dépend surtout de causes structurelles. Ainsi, dans les années 1970, les taux d'intérêt se sont élevés du fait de l'inflation, qui dévalorisait rapidement la monnaie. À partir de 1981-1982, la décélération de l'inflation entraîne une baisse des taux. Le contexte de chômage et de forte crise économique, ainsi qu'une offre de capitaux abondants, font que le « loyer de l'argent » est plus faible. Cependant, en 1988-1989, le redémarrage de l'inflation entraîne une nouvelle hausse générale des taux. Après 1990, l'inflation redevenue faible et un chômage en hausse permettent une baisse des taux américains et japonais. Mais l'Allemagne, pour les besoins de sa réunification, et la France, pour défendre le franc, maintiennent des taux élevés. Depuis 1995, la tendance est à la détente des taux dans les principaux pays industrialisés.

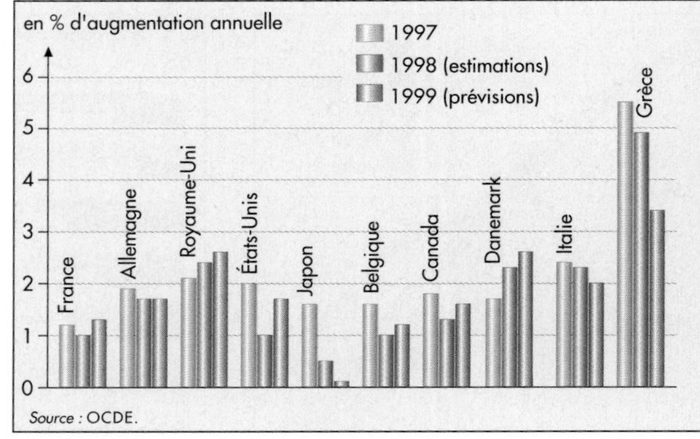

Source : OCDE.

◆ **Évolution des prix à la consommation.**
L'inflation (mesurée ici par l'évolution des prix à la consommation) se situe aujourd'hui à un niveau relativement bas dans les pays développés. Elle atteint moins de 2 % aux États-Unis et près de 1% en France. Si elle est en moyenne faible, l'inflation apparaît néanmoins disparate selon les pays : elle atteint près de 5 % en Grèce (1998), contre 0,5 % au Japon.

VOIR AUSSI
- **OPEP** p. 778
- **Système financier** (bourse, monnaie...) p. 801 à 803
- **Inflation et désinflation** p. 810 à 812

Commerce et mondialisation

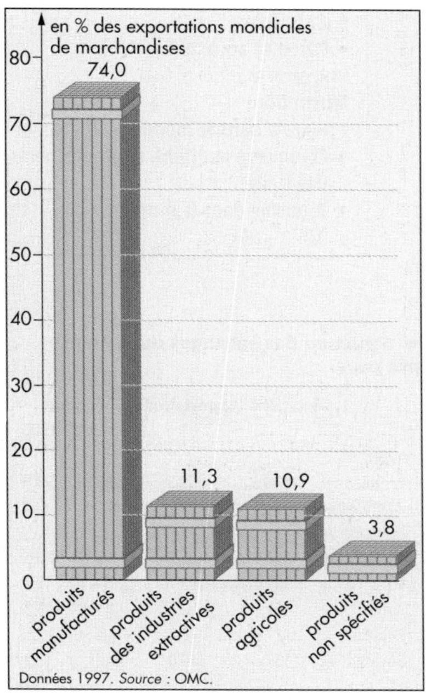

◆ Structure des exportations et importations mondiales par produits.
Dans les exportations mondiales, le poids de l'Europe est surévalué du fait de l'orientation d'une grande partie de ses exportations vers l'Europe même. L'Asie apparaît comme le deuxième exportateur mondial grâce à la puissance industrielle du Japon et des nouveaux pays industrialisés : Corée du Sud, Taïwan, Hongkong et Singapour. En comparant avec les importations, on constate que le commerce de l'Europe est équilibré, puisque le montant des importations est pratiquement égal à celui des exportations. Le commerce de la zone Asie est excédentaire, et on constate que le déficit de l'Amérique du Nord correspond à peu de choses près à l'excédent asiatique.

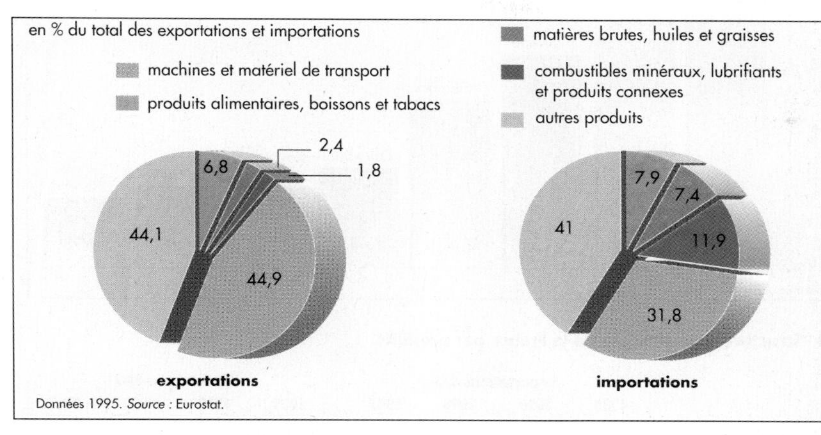

◆ Structure des échanges de l'Europe des Douze par catégories de produits.

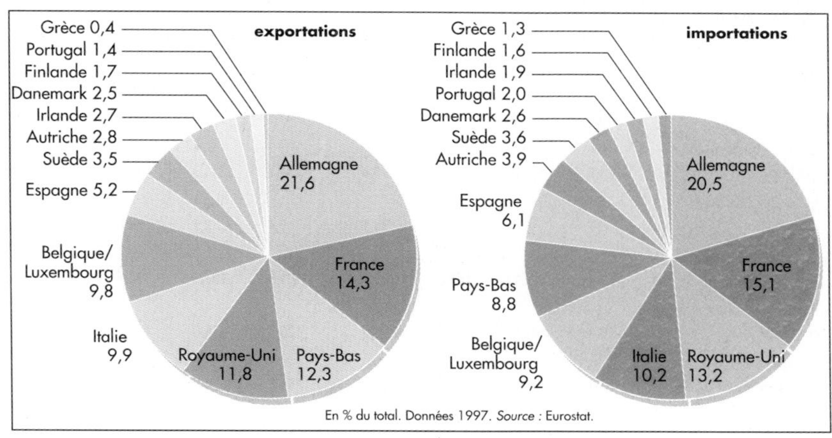

◆ Structure des échanges de l'Europe des Quinze par pays exportateurs et importateurs.

◆ Les 10 premiers pays exportateurs de produits agricoles dans le monde.

Pays	%	Pays	%
États-Unis	13,3	Australie	3,2
France	7,2	Belgique-Luxembourg	3,2
Pays-Bas	6,1	Brésil	3,2
Canada	5,7	Italie	2,9
Allemagne	5,0	En % des exportations mondiales.	
Royaume-Uni	3,6	*Source :* OMC, Rapport annuel, 1998.	

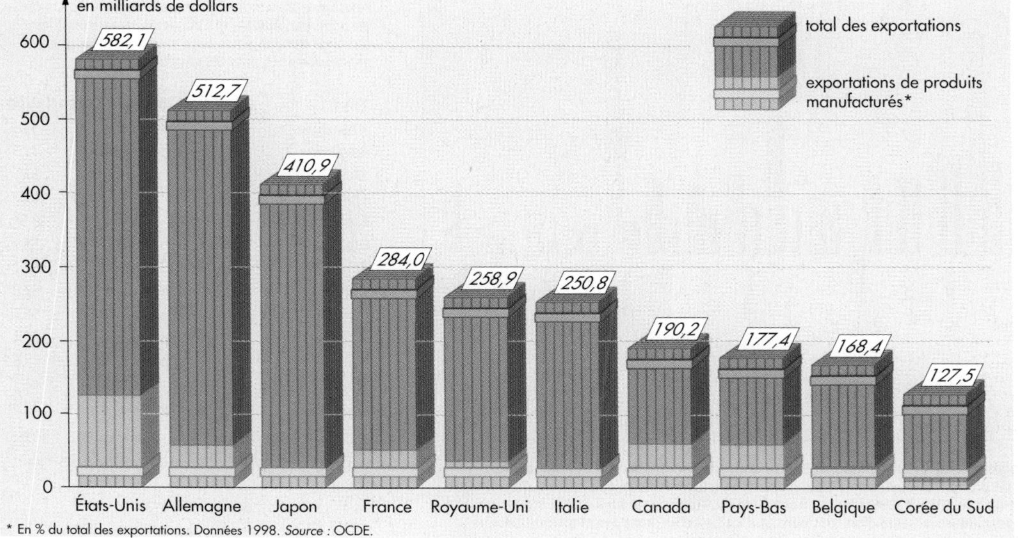

◆ Les 10 premiers pays exportateurs de produits manufacturés dans le monde.

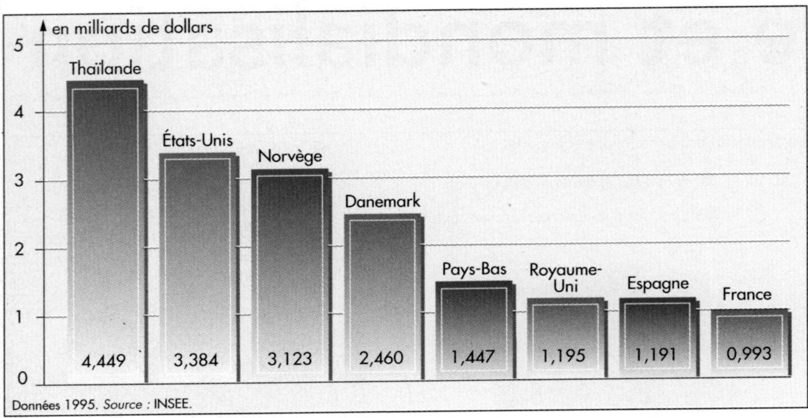

Données 1995. *Source* : INSEE.

◆ **Les principaux exportateurs des produits de la pêche.**

VOIR AUSSI
- **Commerce international** p. 821 à 824
- **Pêche et aquaculture** (demande et offre) p. 866

Illustrations
- **Pétrole dans le monde** p. 920 (carte)
- **Commerce maritime et grands ports** p. 942 (carte)
- **Tourisme dans le monde** p. 944 (carte)

◆ **Structure des échanges de la France par produits.**

	Importations CAF				Exportations FAB			
	1985	1990	1996	1997	1985	1990	1996	1997
agriculture, sylviculture, pêche	50,6	50,6	55,2	58,9	74,3	85,1	80,1	87,9
industries agricoles et alimentaires	71,4	89,0	109,9	116,1	77,2	105,6	141,6	156,0
énergie	219,1	124,5	117,2	129,6	37,2	31,2	39,4	43,8
biens intermédiaires	236,6	330,0	353,0	387,9	241,5	287,3	351,1	390,0
biens d'équipement professionnel	177,4	306,0	362,7	419,6	234,7	311,3	428,8	516,7
biens d'équipement ménager	18,1	33,8	32,9	34,1	9,4	19,7	26,8	28,8
matériels de transport terrestre	69,2	132,1	168,4	160,7	101,9	157,3	198,5	229,2
biens de consommation courante	128,4	207,8	231,5	256,6	125,2	175,6	230,2	260,9
transports et télécommunications	27,4	35,3	35,5	40,4	55,8	59,5	62,4	67,8
services marchands	46,0	51,2	78,2	90,1	88,1	86,4	138,9	160,1
services d'assurances et des organismes financiers	7,0	42,9	57,4	57,7	7,1	39,3	55,7	64,9
correction territoriale	41,4	66,6	90,3	96,3	71,5	109,7	144,2	162,4
Total	1 092,6	1 469,8	1 692,2	1 848,0	1 123,9	1 468,0	1 897,7	2168,5

En milliards de FF. CAF : coût, assurance, fret. FAB : franco à bord.
Source : INSEE, Tableaux de l'économie française 1998-1999.

◆ **Structure des échanges de la France par pays.**

	Exportations	Importations	Solde 1997	Solde 1996
Union européenne	1 048,6	959,3	89,3	28,9
Allemagne	263,7	259,2	4,5	3,4
Belgique et Luxembourg	133,7	125,5	8,2	3,6
Espagne	133,1	103,7	29,4	17,3
Italie	153,8	152,5	1,3	−10,8
Pays-Bas	77,8	78,2	−0,4	−7,5
Royaume-Uni	167,5	130,0	37,5	19,2
OCDE hors UE	261,0	282,2	−21,2	−22,9
Suisse	58,1	36,9	21,2	21,6
É.-U.	110,3	136,3	−26,0	−26,8
Japon	28,5	52,1	−23,6	−18,8
Reste du monde	403,7	322,1	81,6	59,7
Chine	20,0	38,7	−18,7	−18,7
Ensemble	1 713,3	1 563,6	149,7	65,7

En milliards de FF ; données 1997.
FAB : franco à bord.
CAF : coût, assurance, fret.
Source : INSEE, Tableau de l'Économie française 1998-1999.

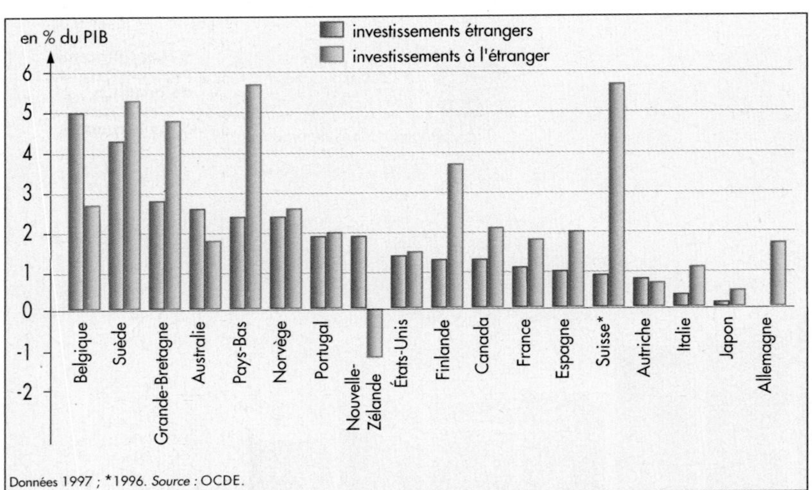

Données 1997 ; *1996. *Source* : OCDE.

◆ **Investissements étrangers.** Entre 1980 et 1996, les stocks d'investissements directs étrangers (IDE) entrant dans les pays industrialisés ont été multipliés par 7. Les stocks d'investissements directs entrant dans les pays émergents ont eux aussi augmenté : de 1980 à 1996, leur montant a été multiplié par 8, bien que le stock total soit largement inférieur à celui des pays industrialisés. Si l'on considère que les flux d'IDE sont avant tout originaires des pays industrialisés, on peut en conclure que l'investissement direct étranger reste surtout l'affaire de ces derniers.

◆ **Régionalisation du commerce mondial.** Malgré la mondialisation, une proportion importante du commerce mondial reste régionale, le principal pays partenaire étant quasi systématiquement un proche voisin. Un pays européen commerce avec d'autres pays européens, un pays nord-américain avec d'autres pays nord-américains. Cette tendance à la concentration géographique des échanges s'explique par la proximité physique et culturelle, mais aussi par l'existence d'accords commerciaux régionaux (Union européenne, ALENA) qui abolissent totalement les droits de douane entre pays membres, alors que des droits subsistent pour les pays tiers.

Pays	Principal marché à l'exportation	
Allemagne	Union européenne	55,5
Belgique	Union européenne	73,3
Canada	États-Unis	82,5
Chine	Asie	59,8*
Corée du Sud	Asie	35,9*
Espagne	Union européenne	58,9
États-Unis	ALENA	32,2
France	Union européenne	62,9
Royaume-Uni	Union européenne	55,1
Irlande	Union européenne	66,4
Italie	Union européenne	57,6
Japon	Asie	44,5
Pays-Bas	Union européenne	74,8

En % du total des exportations ; Données 1997 ; * 1996.
ALENA : Accord de libre-échange nord-américain (Canada, Mexique, États-Unis).
Asie : y compris Japon et Moyen-Orient.
Source : l'État du monde, La Découverte,1999.

◆ **Les différentes stratégies de globalisation pour les marchés développés et émergents.**

	Alliance	Joint venture	Fusions et acquisitions	Extension d'une unité de production	Nouvelle unité de production
Amérique du Nord	20	14	16	39	11
Europe occidentale	20	22	15	28	15
Japon	30	28	8	25	9
Australie, Nouvelle-Zélande	25	20	13	30	12
Chine	20	30	10	20	20
Asie du Sud-Est	22	29	9	25	15
Autres pays de l'Asie de l'Est	23	26	10	30	11
Inde et Pakistan	20	29	10	21	20
Brésil	20	22	14	27	17
Mexique	20	20	15	32	13
Autres pays d'Amérique latine	26	22	11	26	15
Moyen-Orient	30	29	2	29	10
Afrique du Nord (y compris Égypte)	30	14	11	35	10
Europe orientale	20	21	10	25	24
Ex-Union soviétique	30	25	6	19	20

En % du total ; données 1998.
Source : Deloitte and Touche, in *The Economist*, 1998.

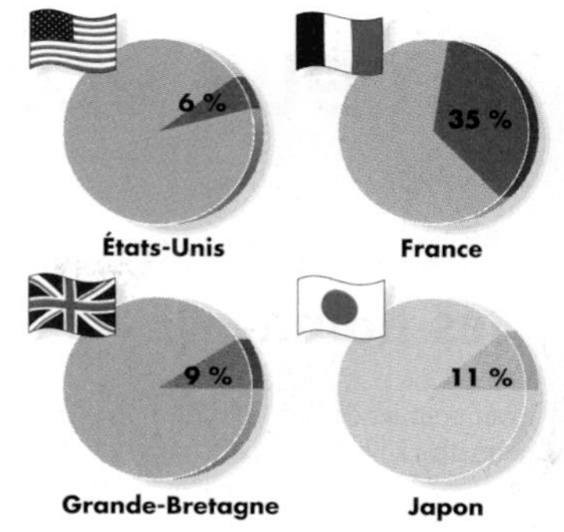

Taux de détention moyen de la capitalisation par les investisseurs étrangers.
Données 1997 ; *source* : OCDE.

◆ **Capitalisation étrangère dans quelques pays.** La France est aujourd'hui l'un des pays développés les plus ouverts aux investissements étrangers : ces derniers possèdent en moyenne plus d'un tiers du capital des firmes françaises, alors que cette proportion est nettement plus faible dans des pays comme les États-Unis ou la Grande-Bretagne

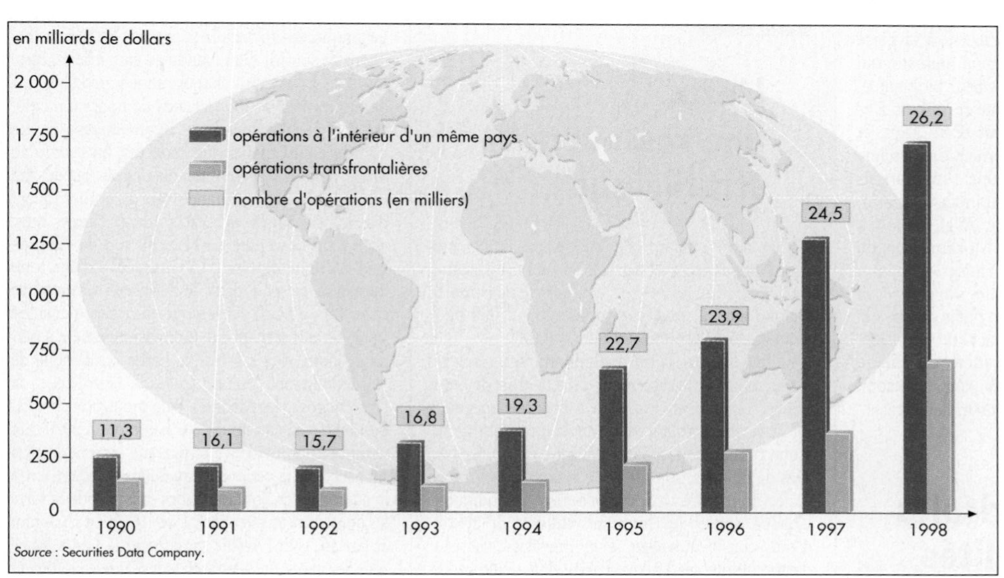

Source : Securities Data Company.

◆ **Fusions-acquisitions depuis 1990.** On observe une croissance en valeur des fusions-acquisitions après 1992, et tout particulièrement des opérations transfrontalières : en particulier, de nombreuses firmes européennes se sont implantées sur le marché américain en rachetant des firmes locales.

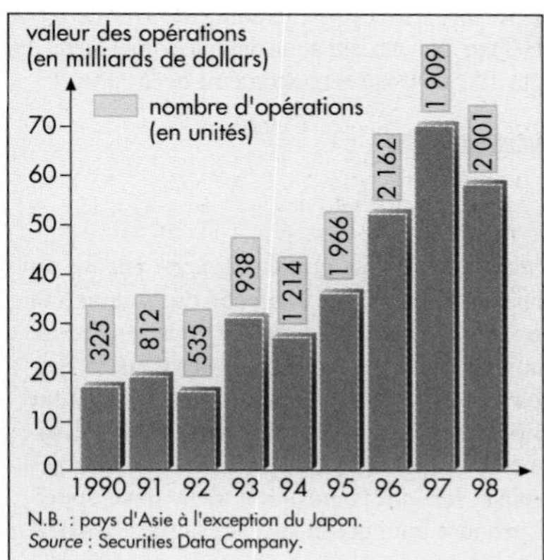

N.B. : pays d'Asie à l'exception du Japon.
Source : Securities Data Company.

◆ **Fusions-acquisitions dans les NPI.** Les années 1990 sont marquées, jusqu'au déclenchement de la crise asiatique, par une explosion du nombre d'opérations de fusions-acquisitions dans les NPI d'Asie du Sud-Est. Cette forte croissance doit être toutefois relativisée lorsque l'on raisonne en valeur.

◆ **Quelques exemples de pénétration dans les sociétés françaises.** Le capital des grandes firmes françaises est aujourd'hui détenu en partie par des actionnaires étrangers, à l'image du groupe Elf. Ce phénomène n'est pas spécifique à la France et se retrouve dans la plupart des pays développés.

Firme	%
Alcatel	40
AGF	42
AXA-UAP	37
BNP	35
ELF	51
Générale des eaux	42
Paribas	38
Société générale	45
Suez Lyonnaise	39

En % : Part du capital détenu par des étrangers.
Données fin 1997.
Source : d'après *Le Monde*, mars 1999.

◆ **Les multinationales implantées en Europe.** C'est en Europe que l'on trouve la plus grande concentration de filiales créées par les 500 premières multinationales. Les maisons mères sont américaines et japonaises, mais surtout européennes. Les implantations européennes en Europe ont un effet d'amplification du pôle européen comme principal lieu de multinationalisation. Les pays où l'accueil de filiales étrangères est le plus développé sont la Grande-Bretagne et l'Allemagne. À un niveau intermédiaire, on peut mentionner la France, la Suisse, l'Italie, l'Espagne, le Portugal. Enfin, les pays scandinaves comme la Norvège ou la Finlande et les pays de l'Est, surtout, semblent moins intégrés à l'espace multinational. Cette hiérarchie dans la multinationalisation correspond, d'ailleurs, aux différents niveaux d'industrialisation en Europe.

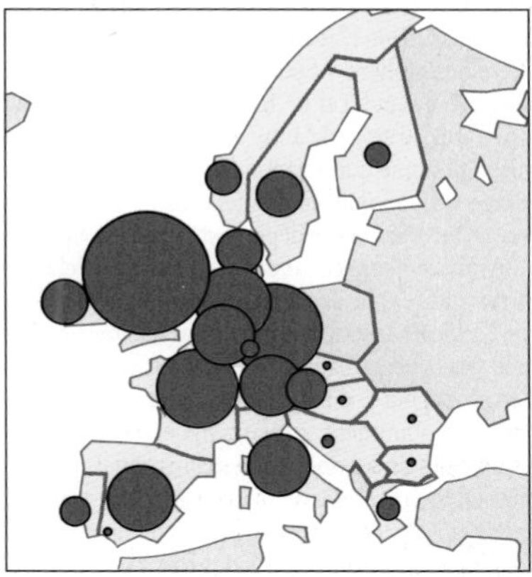

VOIR AUSSI • Multinationales p. 825

Enjeux économiques et stratégiques

Mieux nourrir les hommes

Le but premier de l'agriculture et de la pêche – permettre à l'humanité de couvrir ses besoins alimentaires – n'est pas encore atteint. Sans doute, de 1970 à 2010, le nombre d'habitants de la planète en état de sous-alimentation chronique aura-t-il baissé de un tiers. Mais, en 2010, plus de 600 millions de personnes, soit la population réunie de l'Union européenne et des États-Unis, souffriront encore de la faim en permanence. Près de la moitié se trouveront dans les pays d'Afrique subsaharienne qui, en 40 ans, auront vu ce chiffre multiplié par trois.

Au-delà de l'apport d'énergie, premier indicateur nutritionnel à prendre en compte, la qualité d'une ration alimentaire est liée à la place occupée par les produits d'origine animale, qui donnent des aliments à haute valeur biologique, essentiels pour la femme enceinte et l'enfant. Des disparités considérables existent entre pays, et entre groupes sociaux à l'intérieur d'un même pays, par rapport à cet indicateur : un Français dispose de 75 g de protéines animales par jour, soit 3 fois la moyenne mondiale (25 g), mais 15 à 20 fois plus qu'un habitant du Mozambique, du Burundi ou du Bangladesh (de 3 à 5 g).

La situation ne peut que s'aggraver au XXIe s., sous l'influence de deux phénomènes : la forte croissance démographique et l'urbanisation, laquelle vient aggraver la situation alimentaire des pauvres qui, dans les villes, sont beaucoup plus dépendants et exposés qu'en milieu rural.

Espaces agricoles et potentialités

Il existe des disparités considérables entre pays quant à l'espace labourable et pâturable. Ces disparités expliquent en bonne partie l'orientation donnée aux systèmes de production, le pouvoir de compétition, les difficultés ou l'impossibilité d'autoapprovisionnement en denrées alimentaires de certains pays.

L'Europe a une densité de population relativement élevée par rapport à l'espace agricole dont elle dispose pour la nourrir. Comparée aux autres zones du monde, l'UE (Union européenne) détient moins d'espace agricole par habitant (39 ares) que l'Asie, et elle est 4 fois moins bien dotée que les États-Unis (160 ares), 10 à 12 fois moins que plusieurs pays de l'hémisphère Sud (Argentine, Uruguay, Nouvelle-Zélande) et 67 fois moins que l'Australie (2610 ares). Certes, à l'autre extrême, elle est 10 fois mieux pourvue que le Japon (4 ares seulement). On comprend pourquoi ce dernier a perçu très tôt que son avenir alimentaire dépendait plus de sa capacité à maîtriser l'espace aquatique par la pêche et l'aquaculture que de sa technologie agricole. Bien sûr, l'indicateur surface agricole par habitant, utilisé seul, est approximatif et sa prise en compte doit s'accompagner d'indicateurs complémentaires portant, notamment, sur l'origine et les caractéristiques des sols, les dominantes climatiques (pluviométrie, températures et leurs variations dans le temps et l'espace), les ressources hydrauliques et la possibilité de les mobiliser à des fins d'irrigation.

Au sein de l'Union européenne, il est facile de comparer directement les pays, dans la mesure où ils sont situés à la même latitude et dans des milieux climatiques comparables. L'Irlande est la mieux dotée en espace agricole (124 ares par habitant) et les pays du Benelux (Belgique, Pays-Bas, Luxembourg), les moins bien pourvus (14 ares pour la Belgique et le Luxembourg, 13 ares pour les Pays-Bas). L'Irlande peut ainsi mettre en œuvre une agriculture moins intensive que celle adoptée dans les trois autres pays. La Grèce (90 ares) ou l'Espagne (78 ares), plus riches aussi que la moyenne de l'UE, ont des climats plus arides. Mais l'ensoleillement et des températures plus élevées deviennent des atouts quand on peut irriguer : la place croissante prise par les pays du sud de l'Europe sur le marché européen des fruits et légumes en témoigne.

L'eau, une ressource stratégique

Plus d'un milliard d'habitants de la planète n'ont pas accès à l'eau salubre, et l'insuffisante qualité de l'eau de boisson est la cause de la mort, chaque jour, à travers le monde, de 25000 personnes, dont la moitié sont des enfants.

La planète Terre a d'importantes réserves d'eau, mais 2,5 % seulement de celle-ci est de l'eau douce, répartie en outre de façon très inégale : 28 pays rassemblant 6 % de la population du globe connaissent déjà des pénuries chroniques et près de 80 pays, soit 40 % de la population mondiale, font face à des pénuries périodiques. Chaque année, les hommes utilisent 3500 km^3 d'eau, soit l'équivalent d'un immense château d'eau cubique de 15 km d'arête. L'agriculture en est la principale consommatrice à des fins d'irrigation (69 % du total). L'industrie en prélève 23 %, l'usage domestique se limitant à 8 % du total.

260 millions d'hectares sont irrigués chaque année. 70 % d'entre eux sont en Asie, dont près de 50 % dans trois pays, l'Inde, la Chine, le Pakisan ; 10 % sont en Europe et en Amérique du Nord ; 5 % sont en Afrique.

Des disparités considérables. Entre les plus gros utilisateurs d'eau, le Pakistan et les États-Unis, qui consomment chacun autour de 2000 m^3 par habitant et par an, et les plus petits, comme Haïti, qui en compte 7 m^3, il y a un écart considérable que l'on peut expliquer par les différences de précipitations, mais aussi par l'usage qui est fait de l'eau. Le Pakistan et les États-Unis se trouvent en tête de la consommation mondiale par habitant pour des raisons différentes : si les deux pays utilisent l'eau pour irriguer, au Pakistan ce sont 81 % des terres labourables et des surfaces en cultures pérennes qui sont irriguées, contre 12 % seulement aux États-Unis.

Selon la Banque mondiale, pour pouvoir éviter que, en 2025, deux personnes sur trois ne risquent de souffrir d'un manque d'eau, il sera nécessaire de consacrer, chaque année pendant une décennie, près de 500 milliards de francs (ou équivalent) aux équipements hydrauliques. Et les mêmes équipements que ceux mis en œuvre au XXe s. pour faire remonter du pétrole ou du gaz du sud de la Méditerranée vers le nord risquent d'être nécessaires au XXIe s. dans l'autre sens, pour faire descendre de l'eau du sud de l'Europe vers l'Afrique du Nord. La perspective d'une forte demande en eau dans le Maghreb, impossible à satisfaire à partir des ressources locales, a déjà fait imaginer des scénarios d'approvisionnement à partir du nord et de l'est de la partie occidentale de la Méditerranée (France, Italie du Nord, pays de l'ex-Yougoslavie, Albanie). Une projection des disponibilités en eau douce par habitant en 2020 met nettement en évidence le fait que la zone la plus menacée par la pénurie d'eau douce se trouve entre le Maroc et les Émirats arabes unis ; les deux pays les plus exposés, avec moins de 100 m^3 par habitant et par an, sont l'Arabie saoudite et la Libye. Mais tous les pays du Maghreb, ainsi que l'Égypte et le Yémen, seront également fragiles, avec de 100 à 1000 m^3/hab./an, situation délicate compte tenu du climat et de la faible pluviométrie de la zone.

La qualité de l'eau potable et son contrôle

L'eau est le produit alimentaire dont la qualité est la plus surveillée dans les pays industrialisés. Au sein de l'Union européenne, 64 paramètres, définis par les réglementations, sont ainsi régulièrement contrôlés pour garantir la sécurité des consommateurs. Ces règlements s'appliquent aux eaux vendues en bouteille, mais aussi aux grands distributeurs d'eau tels que Vivendi (ex-Compagnie générale des eaux), Lyonnaise des eaux, Saur, et à tous ceux assurant l'alimentation des particuliers ou des collectivités en eau du robinet. Par exemple, le groupe Lyonnaise des eaux effectue, chaque année, 700000 séries d'analyses, chaque série prenant entre un et deux jours.

Gagner du temps pour réaliser ces mesures permettrait d'envisager des économies et d'assurer une plus grande sécurité encore au consommateur. C'est l'objectif du programme de recherche-développement mis en route conjointement par Lyonnaise des eaux et BioMérieux, programme grâce auquel ils espèrent diviser par dix le coût de chaque série d'analyses et en limiter la durée à 4 heures. Le projet repose sur une innovation déjà développée et promise à un grand succès : la puce à ADN, composant de base hautement miniaturisé, puisque, sur 1 cm^2 de surface, sont rassemblées environ 400 000 sondes microscopiques d'acide désoxyribonucléique (ADN) synthétique. Cette puce a fait déjà son entrée dans les laboratoires médicaux et pharmaceutiques, notamment pour la conduite d'essais de nouvelles molécules. Dans le cas de l'eau, il s'agit d'identifier les bactéries, les virus, les parasites pathogènes : le génie génétique trouve là une application de plus, le principe étant de faire reconnaître par la puce l'empreinte génétique de ces organismes cibles.

◆ **L'eau utilisée dans le monde.**

Les 9 plus gros utilisateurs	
Pays	**m³ par hab./an**
Pakistan	2053
États-Unis	1870
Chili	1602
Canada	1602
Madagascar	1584
Bulgarie	1544
Iran	1362
Roumanie	1134
Soudan	1091

Les 9 plus petits utilisateurs	
Pays	**m³ par hab./an**
Congo	21
Ouganda	20
Malawi	20
Burundi	20
Congo (Brazzaville)	20
Burkina	18
Guinée-Équatoriale	15
Guinée-Bissau	11
Haïti	7

Données 1996.
Source : Banque mondiale.

◆ **Surfaces irriguées dans le monde.**

Pays ou zone	ares/habitant	% des terres labourables*
Grèce	13	34
Pakistan	12	81
Chili	9	34
Espagne	9	17
États-Unis	8	12
Inde	6	34
Portugal	6	22
Italie	5	25
Égypte	5	n. d.
Maroc	5	13
Chine	4	37
Tunisie	4	8
Israël	3	45
France	3	8
Japon	2	60
Algérie	2	7
EUROPE	3	8
MONDE	4	16

* Terres labourables et cultures pérennes (vergers...).
Données 1997.
Source : FAO.

Les aliments énergétiques

Dans ce groupe entrent les céréales, les racines et les tubercules, les plantes productrices de sucre, les oléagineux producteurs d'huile dont certains sont en outre riches en protéines. Plus globalement, tous les aliments fournisseurs de matières organiques fournissent des apports d'énergie, plus ou moins denses selon leur teneur en eau. Leur teneur en fibres influence aussi leur valeur énergétique effective pour le consommateur.

Au sein de ce groupe, les céréales occupent une place hautement stratégique. En effet, elles fournissent 50 % de l'énergie dans le bilan alimentaire mondial, en tant que consommées directement par l'homme, et sont de plus très utilisées dans l'alimentation animale. Mais la production mondiale, si elle progresse, a du mal à dépasser le rythme de la croissance démographique, et les inégalités ne cessent de s'accroître : le rapport de la ressource en céréales par habitant, déjà 2,8 fois plus élevé dans les pays industrialisés que dans les pays en développement à la fin du XXᵉ s., pourrait passer à 3,3 dès 2010.

Quelques pays producteurs seulement peuvent intervenir, à une échelle significative, dans l'approvisionnement des pays en déficit. Ainsi, la culture des céréales constitue un enjeu stratégique, comme en témoigne la politique agricole de certains pays parmi les plus industrialisés : le Japon, avec ses 4 ares de surface agricole par habitant, défend et protège la production de riz de ses agriculteurs, qui arrivent à assurer 97 % de la consommation nationale de la céréale symbole du pays; l'Union européenne, avec ses 40 ares de surface agricole par habitant, a soutenu ses agriculteurs, dans sa politique interne comme dans les grandes négociations internationales du GATT (General Agreement on Tariffs and Trade), qui ont abouti en 1995 à la création de l'Organisation mondiale du Commerce (OMC), au nom de son indépendance alimentaire face au géant américain (lequel dispose de 160 ares par habitant de surface agricole) et face aux pays peu peuplés et encore plus riches en espace que sont le Canada, l'Argentine, la Nouvelle-Zélande, l'Australie. Membres du Club de Cairns, ceux-ci sont désireux de vendre leurs produits plus librement, et moyennant moins de concurrence, à travers le monde. Il s'agit bien de géopolitique.

Les plantes riches en protéines

Dans la biomasse primaire, on distingue des graines de légumineuses, utilisées, pour l'essentiel, en alimentation humaine directe, et un ensemble d'espèces relevant de différentes familles (légumineuses pour l'arachide et le soja; composées pour le tournesol; crucifères pour le colza), appelées généralement « oléagineux », parce que productrices d'huile, mais qui sont aussi des protéagineux, car le reliquat (tourteau) laissé par la graine après l'extraction de l'huile, est riche en protéines. La graine de colza est deux fois plus riche en matières grasses qu'en matières protéiques; mais, pour la graine de soja, c'est l'inverse.

L'apport des graines de légumineuses dans l'alimentation directe des populations est très important dans certains pays, surtout dans tous ceux n'ayant pas accès aux protéines marines ou disposant de faibles productions animales terrestres : c'est le cas du Rwanda et du Burundi, où leur apport représente 45 % de la ration en protéines, de l'Ouganda (25 %), de Haïti (20 %), de l'Inde (14 %). La ressource mondiale représente 10 kg par habitant. Elle ne progresse guère.

Le groupe des matières riches en protéines destinées essentiellement à l'alimentation animale et donc, indirectement, à l'alimentation humaine, présente lui aussi un caractère géostratégique très important. En effet, la ressource mondiale est modeste : 30 kg par habitant et par an. Elle progresse (13 kg en 1950, 28 kg en 1990), mais la demande risque de progresser plus vite, en particulier dans les pays en développement d'Asie. La ressource est très concentrée : quatre pays en détiennent 70 % (État-Unis, Brésil, Argentine, Chine). Seuls les 3 premiers interviennent sur le marché international comme fournisseurs. La poursuite du développement de la production, par voie biotechnologique ou par voie chimique, des acides aminés essentiels (lysine, méthionine, thréonine, tryptophane), bien engagée pour les 3 premiers, serait de nature à résoudre une partie de ce problème.

Les herbivores

Ils sont toujours, à la fin du XXᵉ s., les principaux fournisseurs de protéines animales : 45 % du bilan total, dont 26 % par le lait et 17 % par les viandes de bovins, ovins, caprins et autres ruminants, ainsi que des équidés. Mais l'orientation relative adoptée dans le monde de 1961 à 2000 suscite des interrogations justifiées, la production de lait n'ayant progressé que

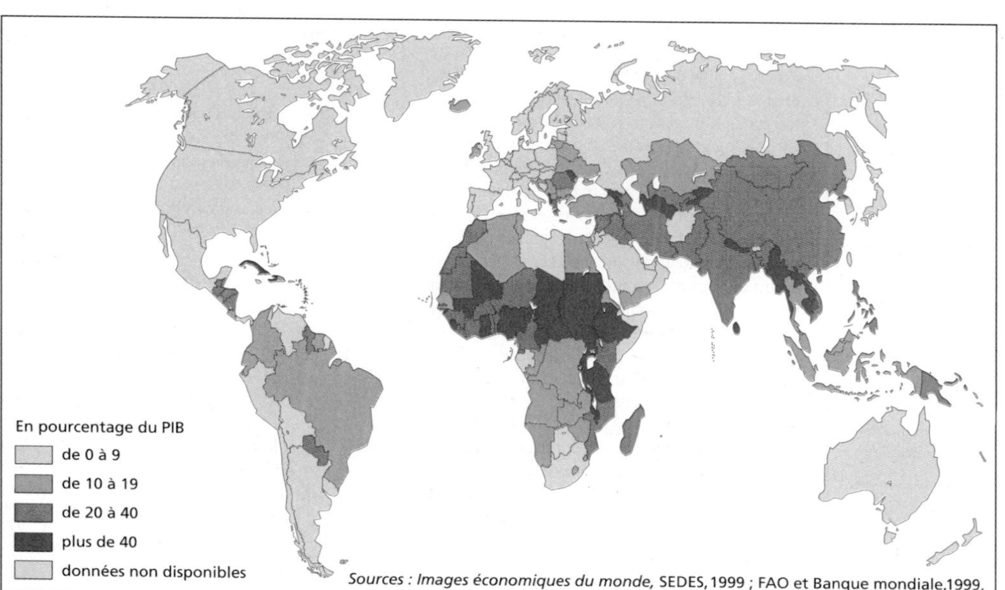

Sources : Images économiques du monde, SEDES, 1999 ; FAO et Banque mondiale, 1999.

◆ **La part de l'agriculture dans l'économie.**
On obtient cette donnée, qui est un autre indicateur du niveau de développement, en divisant le PIB d'un pays par la valeur ajoutée du secteur agricole. Toutefois, cette méthode ne donne aucune indication sur la valeur absolue de la production, car elle ne prend pas en compte la valeur de l'agriculture de subsistance.

de 50 % durant cette période et celle de viande d'herbivores de 100 %, alors que la production des œufs augmentait de près de 250 % et celle de viande de porc et de volailles de près de 350 %. N'oublions pas que 69 % de la surface agricole utilisable du globe est toujours en herbe. Avec une progression relativement modeste du nombre d'herbivores, cette surface sera moins bien valorisée.

Les raisons de cette moindre progression sont multiples et l'interprétation en est complexe. Parmi les facteurs en jeu entre, dans les pays industrialisés, l'image négative associée à la concentration plus élevée en acides gras saturés dans les produits (viande et lait) des ruminants. Ses répercussions éventuelles sur la santé, notamment la fréquence des accidents cardiovasculaires, ont été prises en compte par les consommateurs, d'ailleurs plus en Amérique du Nord qu'en Europe de l'Ouest. En outre, la capacité de reproduction et la vitesse de croissance de ces espèces sont moins importantes que celles des volailles. Il faut compter aussi sur la coordination différente entre les divers maillons des filières de production, bien plus vigoureuse et plus rationnelle pour les volailles et les porcs que pour les gros animaux.

La ressource en lait par habitant risque de continuer à diminuer : cela est hautement dommageable pour la qualité de la ration en protéines et en vitamines, mais aussi en minéraux, le lait étant la voie la plus sûre et la plus importante des apports de calcium.

Dans les pays en développement, la filière du lait souffre des facteurs climatiques et des difficultés techniques à maîtriser le circuit des produits (collecte, chaîne du froid, vaisselle laitière, problèmes liés à l'insuffisance et à la qualité de l'eau). Les problèmes sanitaires spécifiques posés, notamment en Afrique occidentale et centrale, par la mouche tsé-tsé, vecteur de la trypanosomiase (maladie du sommeil), interdisent le progrès génétique à partir de races de taurins améliorées en provenance des régions tempérées.

Les granivores

Le développement des productions de granivores (porcs et volailles), dans la seconde moitié du XXe s., est un des phénomènes les plus marquants de l'histoire des productions animales dans le monde. Certes, elles ne contribuent encore qu'à hauteur de 30 % à l'offre mondiale de protéines animales mais, de 1961 à 1997, la production de viande de volailles s'est accrue de 554 %, celle de porc de 258 % et celle des œufs de 238 %. La tendance s'observe partout dans le monde et concerne les pays en développement comme les pays industrialisés. Cette évolution risque de rendre plus aigu encore le problème de l'approvisionnement en aliments énergétiques et en matières riches en protéines – denrées stratégiques – que consomment ces catégories animales.

L'examen plus détaillé des productions et produits correspondants montre des différences entre pays et zones du monde : concernant l'importance relative des espèces, la production de viande de volailles a beaucoup plus progressé que celle de viande de porc en Amérique du Nord, alors qu'en Europe de l'Ouest le porc tient une place de plus en plus importante.

En outre, la zootechnie permet aujourd'hui de produire des poulets de 2 kg en moins de 40 jours. Cependant, surtout en France, des produits ayant reçu un label (poulets de plein air nécessitant un élevage de plus de 80 jours) ont connu une demande en forte augmentation au cours des dernières décennies du XXe siècle. Quant à la place relative des familles de produits, l'œuf est plus sollicité comme fournisseur de protéines animales que la viande de volailles par les pays dotés de faibles ressources, car sa production nécessite moins d'énergie que celle de la viande. Les habitudes alimentaires influencent aussi, bien sûr, l'orientation de ces choix. Ainsi, pour la Chine, le rapport entre la protéine fournie par l'œuf et celle fournie par la viande de volailles est de 1,66 contre 0,25 aux États-Unis.

◆ Cinq stratégies zootechniques.

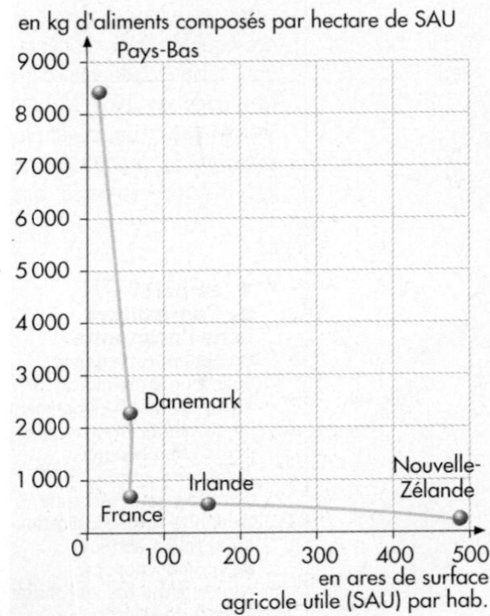

Données 1995. *Source* : FAO.

Le génie zootechnique

Si le consommateur, surtout celui qui est largement comblé, accepte l'idée que l'on ne peut plus revenir en arrière, que la nature ne peut plus nourrir l'humanité sans la mise en œuvre des technologies appropriées pour renforcer sa productivité, il découvrira que celles-ci sont très diversifiées et que des stratégies de substitution très différentes les unes des autres peuvent développer les productions animales. Par contre, il est faux de penser que tout est possible partout, que l'on peut, à volonté, intensifier ou désintensifier, en recourant plus ou moins aux facteurs de production : eau, fertilisation, lutte ou non lutte contre les ravageurs et les maladies des animaux et des plantes. Pour illustrer la diversité des stratégies applicables, un graphe simple représentant cinq systèmes nationaux de production animale a été construit à partir de deux critères :
– la ressource de chaque pays en espace agricole, traduite en ares de SAU (surface agricole utile) par habitant, indicateur de potentialités ;
– le recours, plus ou moins important, de chaque pays aux aliments composés (mélanges de matières premières concentrées réalisés en usine) pour renforcer les apports de sa biomasse végétale primaire sous forme d'herbe et de fourrage : indicateur exprimé en kilogrammes de ces aliments par unité de SAU.

Les cinq pays retenus pour illustrer la diversité des stratégies applicables ont tous une forte tradition zootechnique ; il s'agit de la Nouvelle-Zélande, de l'Irlande, de la France, du Danemark et des Pays-Bas. Leurs systèmes nationaux ont en commun :
– le fait d'assurer à leur population un niveau d'offre élevé en protéines animales, parmi les plus élevés du monde (de 2,5 à 3 fois la moyenne mondiale) ;
– la capacité, variable mais importante, de placer une part de leurs produits sur le marché international.

Cet exercice met en évidence :
– l'importance stratégique de la ressource en espace agricole, abondante et bon marché, en valeur foncière comme en valeur d'exploitation ;
– la possibilité de compenser l'insuffisance d'espace par un recours, plus ou moins libéral, à des aliments concentrés, que ceux-ci aient été produits dans le pays ou qu'ils aient été importés ;
– l'atout naturel de la Nouvelle-Zélande, détentrice de 36 fois plus de surface par habitant que les Pays-Bas. Elle peut utiliser cet atout et se contenter d'utiliser 29 kg seulement d'aliments composés par hectare de SAU. Son climat, tempéré et bien arrosé, ne l'oblige pas non plus à recourir à l'irrigation. Son espace abondant n'impose pas plus le recours à la fertilisation, non quantifiée ici mais très discriminante :
– à l'autre extrême, le système des Pays-Bas qui, très peu dotés en espace agricole et obligés depuis longtemps de recourir très largement à la fertilisation sur toute leur surface agricole, sont amenés aussi à faire un usage important de l'alimentation composée (près de 9 000 kg par hectare, soit 300 fois la dose utilisée en Nouvelle-Zélande);
– la plus grande souplesse dont disposent les pays détenteurs de beaucoup d'espace (Nouvelle-Zélande) pour orienter leur production : très naturellement, ils font largement appel aux herbivores. En outre, ils peuvent, selon la conjoncture et le marché international, pour lequel ils travaillent essentiellement, intensifier ou désintensifier à volonté la taille élevée de leurs exploitations agricoles, rendant plus souple ses adaptations. Les Pays-Bas ont beaucoup moins de degrés de liberté dans leurs choix : ils ont surtout développé des productions de monogastriques granivores.

De la pêche à l'aquaculture

Logiquement, les mers, qui recouvrent 70 % de la Terre, devraient constituer la principale source de produits animaux.

◆ L'offre mondiale de produits animaux.

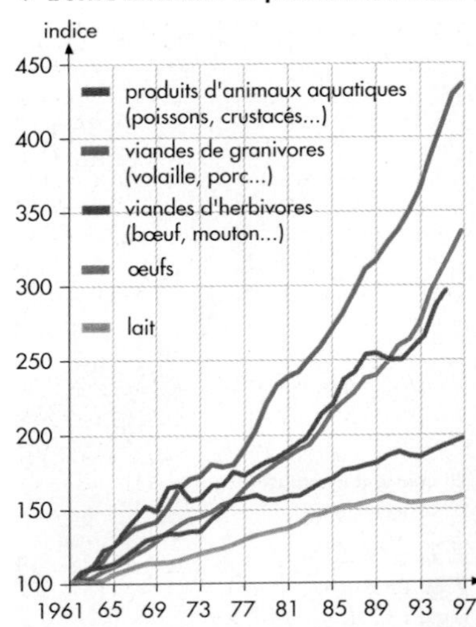

Indice 100 en 1961. *Source* : FAO.

Malheureusement, elles ne fournissent que 5 % des protéines totales et 15 % des protéines animales, et cette part reculera encore si, comme le prévoient certains spécialistes, l'élevage en milieu aquatique n'est pas développé pour apporter, au premier tiers du XXIe s., une contribution égale à celle que fournira la pêche à cette époque. Même si l'aquaculture, sous ses diverses formes, est une très ancienne activité humaine, sa production ne représentait que 8 % de celle de la pêche seule en 1985, et 23 % en 1995. Certaines techniques aquacoles commencent à être appliquées de manière rentable dans différentes zones du monde. Reste que la mer pourrait être mieux gérée si tous les États acceptaient de respecter l'écosystème marin et ne prélevaient pas de façon abusive sur certaines parties du stock vivant. Ils pourraient même participer activement au repeuplement des stocks naturels des océans. La technique dite du « pacage marin » offre, en effet, des perspectives intéressantes.

Les produits « bio »

En réaction contre l'image négative des aliments produits par un recours, jugé abusif par certains consommateurs, aux traitements phytosanitaires mis au point pour aider l'agriculteur, l'horticulteur, l'arboriculteur à lutter plus efficacement, s'est développée, dans les pays riches, une agriculture dite biologique, plus soucieuse de qualité que de productivité, et qui connaît un succès grandissant. Un nombre croissant de consommateurs vont rechercher les produits à l'ancienne, les légumes ou les fruits cultivés comme autrefois… L'Autriche est le pays d'Europe où cette agriculture alternative est la mieux implantée avec 345 000 hectares. En France, le secteur ne compte actuellement que 6 500 exploitations sur 235 000 hectares, soit 0,78 % de la surface agricole utile, pour un chiffre d'affaires de 6 milliards de francs. L'objectif est de 1 million d'hectares à l'horizon 2005. Bien qu'elle se heurte à un surcoût de l'ordre de 20 à 30 %, la production « bio », qui est soutenue par les pouvoirs publics et qui bénéficie d'un label de qualité, est intéressante en tant qu'alternative offerte au consommateur. Mais elle ne saurait prétendre apporter une solution universelle pour résoudre les problèmes majeurs de l'humanité dans sa lutte contre la faim, car sous certains climats, les ravageurs des cultures compromettent toute chance de récolte.

La biotechnologie : de gros enjeux

Les biotechniques vont occuper une place croissante dans le champ agroalimentaire, qu'elles bouleversent. L'apparition de certaines d'entre elles, comme les manipulations génétiques (clonage, organismes génétiquement modifiés…), a suscité des controverses qui opposent l'industrie agroalimentaire aux associations de consommateurs et de protection de l'environnement, voire les États entre eux : c'est aujourd'hui le cas à propos du maïs transgénique dont les États-Unis autorisent la production, tandis que la législation européenne, se fondant sur des critères de santé publique, se veut beaucoup plus prudente.

Il s'agit là d'une bataille économique dont les enjeux sont considérables. Ainsi, aux États-Unis, le marché de l'agrochimie représente environ 29 milliards de dollars (dont 81 % sont contrôlés par dix sociétés), et celui des semences, 15 milliards de dollars.

Le développement de la biotechnologie. Il est honnête de rappeler que la génétique n'avait pas attendu la transgénèse pour faire acquérir aux plantes des capacités de résistance : sur une quarantaine d'espèces de légumes cultivées en Europe, une dizaine ont fait l'objet d'améliorations génétiques par des méthodes classiques, fondées, notamment, sur des emprunts de capacité de résistance à des ancêtres sauvages. Même si les méthodes étaient différentes, on était déjà dans la stratégie et dans la logique actuelles. Les avancées formidables de la biologie fournissent, à l'entrée du IIIe millénaire, le moyen de réduire le volume des produits de défense phytosanitaire répandu chaque année sur les champs, les vergers et les parcs. Quelques espèces ont servi à créer des organismes transgéniques dans les années 1990 ; certains en sont encore au stade des essais en laboratoire. En 1998, près de 35 millions d'hectares ont été cultivés avec des plantes transgéniques (maïs, colza, pommes de terre…), principalement aux États-Unis. L'Europe est plus réservée ; en France, l'autorisation de mise en culture d'une variété de maïs transgénique en 1997 a suscité des protestations.

La plupart des plantes transgéniques ont cependant permis d'améliorer la résistance à différentes nuisances (herbicides, virus, bactéries, champignons, insectes ravageurs). Les avantages acquis par le biais des manipulations sont à cet égard réels : ainsi, une laitue transgénique a la particularité de ne plus accumuler les nitrates ; des tomates transgéniques se conservent plus longtemps. Des cultures comme celles du manioc et du riz pourraient bénéficier de la transgénèse. L'introduction dans leur patrimoine de gènes étrangers les rendrait plus productives, plus résistantes à certaines maladies, mieux adaptées aux conditions climatiques et moins consommatrices de pesticides.

La recherche d'une meilleure rentabilité et le contrôle du marché mondial de l'alimentation constituent d'autres enjeux essentiels du développement de la biotechnologie, la bio-industrie et le « biocommerce » étant toutefois aux mains des plus grandes multinationales de la chimie, de la pharmacie et de l'agroalimentaire. Plus près de nous, un petit nombre de groupes industriels fournissent les semences, les engrais et les traitements (pesticides, herbicides), et rendent ainsi les agriculteurs entièrement dépendants d'eux. La stratégie de ces multinationales risque d'induire l'extension planétaire du modèle de l'agriculture industrielle, y compris dans des zones où il est mal adapté aux structures sociales et aux terrains.

Les hectares consacrés à la culture de plantes transgéniques se comptent dès aujourd'hui par dizaines de millions aux États-Unis – seulement par dizaines de milliers en Europe. À moyen terme, le marché potentiel lié aux OGM (organismes génétiquement modifiés) est de plusieurs centaines de milliards de dollars. La France, deuxième exportateur agricole mondial, ne saurait en être exclue. Comme d'autres pays européens, elle dispose de ressources matérielles et humaines capables de développer une biotechnologie non inféodée à certains groupes industriels, condition nécessaire à une exploitation avisée des OGM et à une gestion soucieuse des disparités géographiques et sociales.

Révolution verte et santé publique. La sélection des espèces et l'hybridation ne sont pas des pratiques récentes ; l'inédit réside aujourd'hui dans le franchissement des barrières naturelles entre espèces et dans l'impossibilité de mesurer les conséquences à long terme que pourraient avoir ces modifications génétiques sur les écosystèmes.

L'introduction d'une résistance aux antibiotiques dans les OGM pourrait avoir des conséquences graves sur la santé publique, en entraînant l'inefficacité de certains traitements médicaux. Le transfert de gènes modifiés à des variétés voisines pourrait aussi se révéler désastreux pour la diversité génétique. Or, la préservation de cette diversité est une nécessité vitale, une garantie contre d'éventuelles modifications de l'environnement. Dans la mesure où les excès de la sélection risquent d'aboutir à un appauvrissement du patrimoine génétique, il est indispensable de sauvegarder des variétés en gérant des « collections génétiques » ; on s'y attelle déjà dans plusieurs pays.

Au niveau du consommateur enfin, rien ne permet aujourd'hui de reconnaître la présence d'OGM dans la fabrication de certaines préparations alimentaires (sauces, plats cuisinés, biscuits…). Afin de laisser le choix aux consommateurs, la « traçabilité » devrait s'imposer. Toutefois, elle s'avère aujourd'hui difficile à mettre en œuvre dans un marché mondial où les intérêts sont par trop divergents.

Entre les dithyrambes commerciaux et les anathèmes irraisonnés, il est urgent d'accorder sa place à une réflexion sereine et de considérer les biotechniques pour ce qu'elles sont : une chance à saisir impérativement, mais avec discernement. En effet, la planète Terre n'aurait pas son visage actuel sans les formidables apports de la transgénèse. La nature, tous les jours, la met en oeuvre, mais au hasard. La biologie moderne devrait permettre à l'homme de choisir ses objectifs.

Petit lexique

phytosanitaire : relatif aux soins à donner aux plantes, à leur protection contre leurs ennemis naturels.

traçabilité : possibilité de suivre un produit aux différents stades de sa production, de sa transformation et de sa commercialisation, notamment dans les filières alimentaires.

VOIR AUSSI

- **Exploitation des milieux** p. 72
- **Chaînes alimentaires** p. 84
- **Sélection des espèces par l'homme** p. 104
- **Utilisation des végétaux par l'homme** p. 177 à 185
- **Les aliments peuvent-ils être dangereux ?** p. 213
- **PAC** p. 765
- **Engrais** p. 929
- **Développement durable** p. 1038

Illustrations
- **Faim dans le monde** p. 834 (carte)
- **Premiers pays exportateurs de produits agricoles dans le monde** p. 841
- **Raréfaction des ressources en eau et en zones boisées** p. 1038

Les céréales

Le paysage mondial

Trois grandes céréales dominent nettement la production mondiale, avec 85 % du total de grains produit à la fin du XXe siècle. Il s'agit du blé, du maïs et du riz, chacun assurant une contribution comparable à celle des deux autres. Dans le commerce mondial, le blé joue le premier rôle : sur 210 Mt (millions de tonnes) de toutes les céréales échangées, en moyenne annuelle, au cours des décennies 1980 et 1990, 100 millions étaient du blé, 20 du riz, 90 des céréales secondaires (terme rassemblant l'ensemble des céréales autres que le blé et le riz), dont 65 Mt pour le maïs.

Les petites céréales, dont la production cumulée se limite à 15 % du total, méritent cependant notre attention. L'orge, par sa production et son volume échangé (10 % de celui qui est produit annuellement), reste la plus importante (près de 50 % de la production de ce groupe). L'ensemble sorgho-mil en fournit le tiers, 10 % passant sur le marché international. Le rôle de l'avoine et du seigle, dans la production comme dans les échanges, est désormais beaucoup plus modeste. Faible sur le plan mondial, la place des petites céréales dans l'alimentation humaine de certaines zones du monde peut être très importante : au Niger, par exemple, les céréales dites « secondaires » sont présentes dans la ration à un taux 10 fois supérieur à celui du blé et du riz. Précisons que partout, quand elle est disponible, l'avoine reste la céréale privilégiée dans l'alimentation des chevaux.

L'approvisionnement en céréales de la planète risque de devenir insuffisant : depuis les années 1980, la production mondiale suit tout juste la croissance démographique. Il risque d'en aller de même au début du IIIe millénaire. D'après les données et les projections de la FAO (Food and Agriculture Organization, Organisation pour l'alimentation et l'agriculture), la production de céréales par habitant, en moyenne centrée sur 3 ans, resterait au même niveau : 325 kg en 1980, 326 kg en 1990, 326 kg en 2010.

Le blé

Sa domestication remonte au néolithique. Mais plusieurs civilisations du Bassin méditerranéen se sont disputé le lieu de sa première apparition sur la planète : les Grecs, qui attribuaient l'apparition des céréales à un don de Déméter, déesse de l'agriculture, les Romains, qui la portent au crédit de la déesse Cérès, et les Égyptiens, pour qui la déesse Isis aurait trouvé le blé chez les Phéniciens, dans l'actuel Liban. Quoi qu'il en soit, la technique culturale a dû peu évoluer pendant plusieurs millénaires et il aura fallu attendre le milieu du XXe s. pour voir l'agronomie du blé faire des progrès. C'est ainsi que les rendements sont passés, en 50 ans, de 15 quintaux à l'hectare à plus de 70 en moyenne nationale, mais au-dessus de 100 chez certains exploitants avant la fin du XXe s. Mais le rendement n'est pas, partout dans le monde, le premier indicateur permettant de discriminer entre eux les grands producteurs et exportateurs de blé.

Le blé fait toujours figure de céréale noble par excellence – car il est le principal constituant du pain, et aussi des pâtes alimentaires, ou de la semoule pour le couscous et autres préparations – même si, dans les dernières décennies du XXe siècle, en Europe de l'Ouest, cette grande céréale a vu ses volumes en alimentation animale dépasser de 2 à 3 fois ceux consacrés à l'alimentation humaine directe.

Le blé dur

Même si sa production reste très modeste dans le monde (5 % du blé), le blé dur tient un rôle particulier dans l'alimentation des populations du Bassin méditerranéen, car c'est la céréale des pâtes alimentaires au nord de celui-ci, et du couscous au sud. L'Union européenne en est le principal producteur mondial (plus de 25 % du total) : l'Italie assure plus de 50 % de la production de l'Union, la France moins de 20 %, l'Espagne 15 %. Avec la Turquie et les trois pays maghrébins, capables de faire ensemble un autre quart les bonnes années, la moitié de la production mondiale de blé dur est assurée autour de la Méditerranée. C'est aussi plus de la moitié du total mondial qui y est consommée. L'Algérie est le plus gros importateur du monde (de 2 à 4 Mt par an dans la décennie 1990); même l'Union européenne est importatrice nette à la fin de cette même décennie, à hauteur de 0,5 à 1 million de tonnes, alors qu'elle fut exportatrice nette pour 2,5 Mt au début. Bien que plus petits producteurs, le Canada (17,5 %) et les États-Unis (10,5 %) sont les principaux fournisseurs (80 à 90 %) du marché international, exportant entre 50 et 90 % de leur production.

La production et les échanges. La production totale est proche de 600 millions de tonnes à la fin du XXe s. et se répartit entre blé tendre (95 %) et blé dur (5 %). Cinq pays ou ensembles de pays dominent l'économie mondiale du blé : avec un effectif de population modeste (un habitant sur 8 de la population du globe), ils produisent plus du tiers du blé et exportent 93 % du tonnage total échangé par an dans le monde, celui-ci représentant 16 % de la production totale de cette céréale. Parmi ces cinq producteurs figure l'Union européenne (de 15 à 18 %), suivie par les États-Unis (11 à 12 %). Ensemble, ils fournissent de 27 à 29 % du blé produit dans le monde, tout en ne regroupant que 11 % de la population mondiale. Les trois autres, même réunis, sont peu peuplés (1,4 % de la population mondiale) et produisent moins de 10 % du blé mondial : 4 % pour le Canada, entre 3 et 4 % pour l'Australie, de 2 à 2,5 % pour l'Argentine.

À l'exportation, même si leur position a reculé de 40 % à 30 % du total en une décennie, les États-Unis sont encore en tête avec 30 % environ, assez loin devant l'Union européenne (de 16 à 18 %), désormais talonnée et parfois dépassée par les trois autres : le Canada (de 16 à 22 %), l'Australie (de 16 à 17 %), l'Argentine, encore à distance (8 à 10 %), mais riche de potentialités et en croissance rapide (3,5 % seulement en 1988). Au début des années 1990, les trois petits ne réalisaient que 29 % des exportations mondiales, contre 62 % pour les deux gros ; à la fin de cette même décennie, ils font pratiquement jeu égal avec eux sur ce terrain. Dans cette évolution, la donnée « espace agricole par habitant » favorise les pays riches en espace qui peuvent ainsi se contenter de faibles rendements par unité de surface. Dans l'Union européenne, la France tient le premier rôle dans le commerce du blé, aussi bien dans les échanges intracommunautaires que dans les ventes aux pays tiers (50 % des exportations nettes de l'Union).

Cette présentation ne met pas en avant la Chine, pourtant en tête de la production de blé dans le monde (18 à 20 %), pas plus que deux autres acteurs qui, selon l'année, se glissent eux aussi entre l'Union européenne et les États-Unis : l'Inde et la CEI. Ensemble, ils produisent entre 41 et 45 % du blé mondial, mais ils occupent une place négligeable sur le marché international, sans doute parce qu'ils comptent 42 % de la population mondiale, qu'il faut nourrir en priorité.

◆ **Part de chaque céréale dans la production mondiale.**

Céréales	%
blé	29,4
maïs	28,2
riz	27,6
sorgho	3,1
avoine	1,6
millet	1,4
seigle	1,2
Total (en milliards de tonnes)	2,1

Données 1997.
Source : FAO.

◆ **Vannage du mil dans le nord du Cameroun.**

Le maïs et le riz

Le maïs est né sur le continent américain : aucun indice archéologique ne permet de le repérer sur notre continent avant 1492. Il est désormais présent partout dans le monde, mais reste avant tout le grain américain, car, sur près de 600 Mt (millions de tonnes) produites dans le monde à la fin du XXe s., le continent américain en fournit 56 %. C'est de ce continent que part l'essentiel (86 %) du maïs échangé internationalement. Les États-Unis en fournissent de 60 à 70 %. Loin derrière, l'Argentine fait une poussée régulière : 6 % en 1990, près de 20 % en 1998.

La CEI a été un grand importateur en 1991-1992 (12,4 Mt, soit 20 % des échanges), mais la Russie, en pleine crise économique et financière n'achète plus que 0,5 % du total. Le grand importateur stable, avec 16 Mt environ par campagne, est le Japon (25 % environ des achats). Au total, l'essentiel du flux à l'importation (près de 50%) est tourné vers trois pays d'Extrême-Orient : le Japon, la Corée du Sud et Taïwan, qui ont à soutenir le développement de leurs productions avicole et porcine.

La culture du riz est apparue, il y a 5000 ans environ, en Chine ou en Inde. L'Asie en produit 91 % du total mondial. La Chine (avec 35 %) et l'Inde (22 %) dominent le jeu, laissant loin derrière l'Indonésie (9 %), le Viêt Nam (5 %), la Thaïlande (4 %) et le Japon (2 %). Les techniques agronomiques et les rendements moyens obtenus sont très contrastés, mettant en évidence des conditions et une maîtrise variables selon les pays.

Les échanges sont beaucoup plus modestes que pour le blé et le maïs (3,6 % de la production mondiale). Plus de la moitié se font entre pays d'Asie. Les plus actifs à l'export sont la Thaïlande (27 % des échanges mondiaux) et l'Inde (12 %). Beaucoup de pays sont déficitaires en riz, mais il n'y a pas de gros importateurs.

L'Afrique importe 17 % du tonnage mondial, l'Europe 7 %; l'Amérique du Sud est en équilibre. L'Amérique du Nord est devenue exportatrice nette pour 5 % du marché mondial, grâce à une stratégie de commercialisation, par les États-Unis, de produits conditionnés et différenciés vers le haut de gamme, que l'on retrouve notamment en Europe.

Les autres céréales

L'orge, peut-être la plus ancienne des céréales cultivées, est apparue d'abord sur les hauts plateaux éthiopiens, puis en Asie du Sud-Est, avant d'être cultivée en Égypte, il y a 7000 ans. Elle a reculé en importance, même si elle continue à jouer un rôle majeur en brasserie. L'Europe est la principale zone de production (42 % du total mondial), l'Union européenne comptant pour 34 %, devant le continent américain (15 %), l'essentiel venant d'Amérique du Nord et surtout du Canada. L'Asie fournit 12 % du total.

Le sorgho ne concerne que trois continents; 37 % sont récoltés en Amérique du Nord et en Amérique centrale (États-Unis 26 %, Mexique 9,8 %). L'Afrique a une place assez importante (31 %) avec, en tête, le Nigeria (11,4 %). L'Asie contribue pour 24 %, avec deux pays principaux, l'Inde (14 %) et la Chine (8 %).

Pour le mil, seule l'Asie (51 %) et l'Afrique (44 %) sont concernées. En Asie, l'Inde est le grand acteur (36 %) loin devant la Chine (12 %). En Afrique, le Nigeria domine encore (20 % du total mondial), devant les pays sahéliens dont le Niger (6 %).

L'avoine est une céréale européenne (70 % du total) où dominent la Russie (33 %) et l'Union européenne (20 %), avec un apport plus important des pays du nord-est de l'Union (Allemagne, Suède, Finlande). En Amérique du Nord (19 %), le Canada précède les États-Unis.

Le seigle est encore plus nettement européen que l'avoine (93,5 %), avec une contribution de l'Union européenne pour 25 %, l'essentiel étant produit en Europe centrale et orientale.

Dans ce groupe, seule l'orge est l'objet d'échanges significatifs (entre 12 et 19 Mt par an au cours de la décennie 1990). L'Union européenne est généralement en tête des exportateurs. Pour les autres petites céréales, les échanges portent sur des volumes modestes (3,1 Mt pour le seigle, 2,5 pour l'avoine) et se pratiquent, pour l'essentiel, au niveau de chaque grande zone régionale.

Le cas du Danemark

Comment un pays comme le Danemark peut-il être considéré comme un grand céréalier ? En moyenne triennale centrée sur 1996, il a produit seulement 9,4 Mt, contre 60 pour la France, 1er producteur européen, et 50 pour le Canada, qui a une forte image internationale de céréalier. Pourtant, le Danemark devient n° 1 mondial si l'on prend pour critère la production par habitant : 1793 Kg en 1996 (moyenne triennale) devant le Canada (1697), qui le précède parfois, devant aussi les États-Unis (1184 kg) et la France (1027 kg). Depuis un siècle, le Danemark a adopté une stratégie de producteur et surtout d'exportateur de viande de porc, domaine où il est numéro un, même en tonnage absolu (1,2 million de tonnes en équivalent carcasse), parfois devancé par les Pays-Bas. Pour ce faire, il a voulu disposer de sa propre énergie alimentaire nationale, à la différence des Pays-Bas, qui utilisent principalement des aliments importés pour produire du porc. En tête dans le monde pour la production de céréales par habitant, le Danemark est aussi un exportateur direct de céréales (303 kg sur les 1793 produits), dans la même classe que la France (446) ou que les États-Unis (329), tout en ayant transformé et exporté l'essentiel de sa production de grain sous forme de porc (227 kg exportés par habitant sur 287 kg produits). Sur cet indicateur de production de porcs par habitant, il laisse tout le monde à distance : les Pays-Bas, n° 2 (97), la France (38), la Chine (33), 1er producteur mondial de porc (40 % du tonnage), les États-Unis (29).

◆ **Les cinq grands pays céréaliers.**

Pays ou zone	%
Union européenne	16,8
États-Unis	11,2
Canada	4,3
Australie	3,7
Argentine	2,4

Moyenne des années 1996-1998.
Source : Conseil international des céréales.

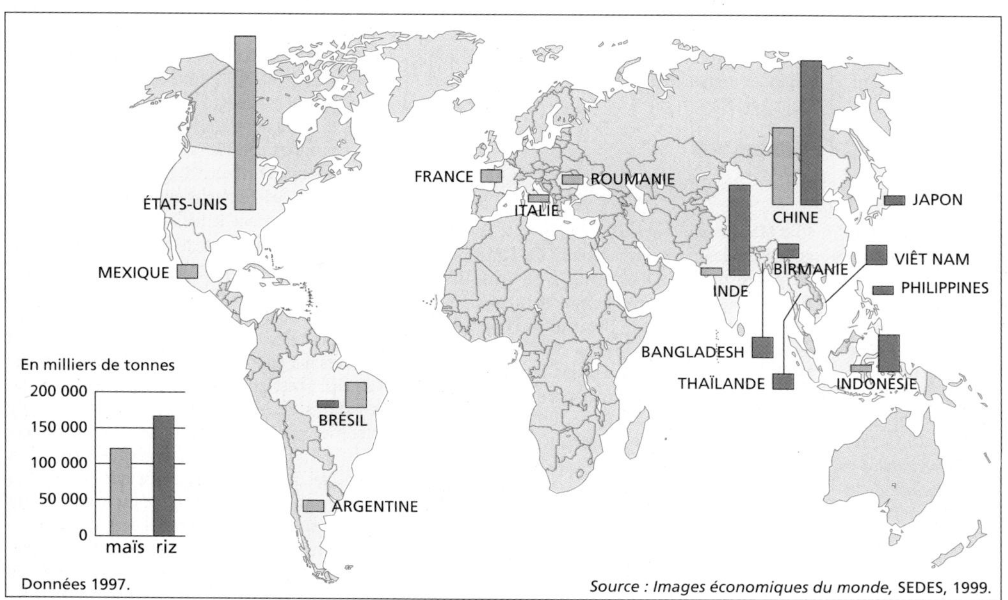

Source : Images économiques du monde, SEDES, 1999.

◆ **La production de riz et de maïs dans le monde.**

VOIR AUSSI • Part des céréales dans l'apport calorique alimentaire mondial p. 871

Les racines et tubercules

Un développement modeste

Ce groupe de plantes productrices d'amidon a connu un développement global beaucoup plus modeste que celui des céréales durant la seconde moitié du XXe siècle. En effet, si la production mondiale de céréales est passée de l'indice 100 en 1961 au-dessus de 220 en 1997, celle des racines et tubercules n'a guère dépassé 120. Et leur contribution au bilan alimentaire mondial ne représente que 10 % de l'apport calorique des céréales pour l'alimentation humaine directe (5,1 % contre 50 % en 1996). Cette contribution varie peu selon les pays. Cependant, quelques zones et pays leur accordent plus de place dans la ration : l'Afrique, avec 14 % de l'énergie alimentaire, est nettement au-dessus des autres continents et, en son sein, la zone subsaharienne les incorpore à hauteur de 20 % de l'énergie totale du régime. Il existe des espèces adaptées aux zones tempérées comme aux zones inter-tropicales. Dans celles-ci, les potentialités de production de matières premières riches en énergie sont grandes et devraient être davantage prises en considération dans le futur. En effet 1 kg de matière sèche de racines et tubercules apporte sensiblement la même quantité d'énergie brute que les céréales (entre 4000 et 4400 kilocalories).

La pomme de terre

La pomme de terre reste essentiellement une plante des régions tempérées froides, bien qu'elle craigne le gel. À la fin du XXe s., elle est encore cultivée sur près de 20 millions d'hectares, dont 52 % en Europe, 34 % en Asie, 5 % en Amérique du Sud, 4 % en Amérique du Nord et centrale, 4 % en Afrique, 0,3 % en Océanie.

La pomme de terre est l'objet d'échanges internationaux, mais à une échelle plus modeste que les céréales (2,5 % du total produit). Du fait des teneurs élevées en eau, les échanges se font essentiellement au sein de chaque grande région du monde. C'est en Europe qu'ont lieu 74 % des échanges mondiaux. En Amérique du Nord, les exportations se font du Canada vers les États-Unis. En Asie comme en Afrique, ce sont les pays proches de la Méditerranée qui sont les plus actifs dans les échanges : l'Égypte est le plus gros exportateur africain. Au Proche-Orient, ce sont la Turquie et Chypre.

La culture de la pomme de terre avait déjà été très perturbée entre 1830 et 1850, par le mildiou, cette maladie fongique qui déclencha, en 1846 et 1847, la grande famine irlandaise, induisant une mortalité très élevée dans la population et le début de l'émigration vers les États-Unis : de 1845 à 1851, l'Irlande perd 2 millions d'habitants. Malgré ce premier recul de la culture, qui avait affecté toute l'Europe occidentale, la France lui consacre encore près de 1,5 million d'hectares de 1892 à 1939; mais sa place tombe en dessous de 1 million d'hectares en 1955, et à 175000 hectares en 1997. Dans l'alimentation humaine, la pomme de terre a sensiblement reculé : 160 kg par habitant et par an en 1950, 72 kg en 1996. Les efforts faits en matière de sélection pour obtenir des variétés de meilleure qualité gustative et adaptées aux modes de préparation culinaire modernes permettent d'envisager un maintien de la culture au niveau actuel.

Autres amylacés de la zone tempérée

Le topinambour, cultivé en France depuis le début du XVIIe s., est une plante très rustique qui occupait en 1945-1950 à peu près 150000 ha, principalement en zone limousine. Il a presque disparu. Comme le tournesol, le topinambour appartient à la famille des composées et au genre *Helianthus*.

Le rutabaga, amené de Suède à la fin du XVIIIe s., a été cultivé en France, principalement en Bretagne, sur une surface de 100000 hectares environ jusque vers 1950. Son déclin a été rapide. Il appartient à la famille des crucifères et au genre *Brassica*, comme le chou et le navet : on l'appelle aussi chou-navet.

Le navet et la rave sont aussi du genre *Brassica (B. napus* et *B. rapa)*, et étaient encore cultivés, vers 1950, à hauteur de 50000 ha, principalement dans l'ouest de la France (Maine-et-Loire et Loire-Atlantique).

La carotte est toujours cultivée en tant que légume, mais elle a disparu en tant que racine fourragère.

La stratégie de la Thaïlande et de l'Indonésie

La Thaïlande et l'Indonésie ont développé la culture du manioc en vue de sa mise sur le marché international en tant que produit de substitution des céréales. La production thaïlandaise passe, de l'indice 100 en 1950, à l'indice 7696 en 1990, l'indonésienne ne progresse, dans le même temps, que de 100 à 232. La poussée thaïlandaise, plus forte encore à partir de 1965, se traduit par une hausse de la production, en 25 ans, de 1,4 Mt en 1965 à 20,7 en 1990, alors que l'Indonésie ne progresse, sur la même période, que de 12,6 à 15,8 Mt. Ce phénomène a été induit par la demande des pays importateurs de l'Europe du Nord, des Pays-Bas surtout. Au total, la CEE (Communauté économique européenne) voit croître son tonnage importé de cossettes séchées de manioc de 3 Mt en 1976 à 7 Mt en 1988. Ce tonnage aurait encore progressé si des quotas d'importation n'avaient pas été négociés et imposés à partir de 1987 pour l'entrée dans la CEE. Ces mesures, relayées ensuite par les nouvelles dispositions de la politique agricole commune, qui stimulent la consommation interne de céréales en alimentation animale, ont fait reculer de plus de 50 % les échanges mondiaux de manioc.

Racines et tubercules tropicaux

Leur contribution au bilan alimentaire de l'humanité est le double de l'apport énergétique de la pomme de terre même si, dans les pays occidentaux, ils sont moins connus qu'elle.

Le manioc (*Manihot utilissimo,* famille des euphorbiacées) est un arbrisseau de 3 à 5 m poussant facilement dans toutes les zones tropicales humides. On en produit 165 millions de tonnes dans le monde, le Brésil se plaçant en tête en tant que pays, l'Afrique en tant que continent. Mais c'est dans deux pays d'Asie, la Thaïlande et l'Indonésie, que la production et les échanges de manioc ont connu un développement très important au cours de la seconde moitié du XXe siècle.

La patate douce (*Ipomea batatas,* famille des convolvulacées) est une plante originaire d'Amérique, herbacée vivace mais annuelle en culture, qui fournit des tubercules dont le poids varie de 0,5 à 3 kg. Sa production est proche de celle du manioc. Elle se fait surtout en Asie ; la Chine en est le leader incontesté et a réussi à vendre la patate douce comme PSC (produit de substitution des céréales) quoique à une échelle moindre que le manioc.

L'igname (genre *Dioscorea,* famille des convolvulacées) comprend des espèces variées. Plante herbacée à tige volubile, spontanée dans la plupart des régions tropicales, son aire culturale est limitée, pour l'essentiel, à l'Afrique tropicale : le Nigeria produit près de 70 % de la récolte mondiale. Le tubercule, de forme allongée, peut peser de 2 à 20 kg. La production d'igname ne représente que 20 % de celle du manioc. Ce produit ne fait pas l'objet d'échanges internationaux en tant que matière première pour l'alimentation animale.

Le taro, de la famille des aracées (genre *Colocasia*) a une production encore plus modeste : moins de 5 % de celle du manioc à la fin du XXe siècle, 71 % de la production se faisant en Afrique, et principalement au Nigeria (38 %) et au Ghana (20 %). La Chine est le principal producteur d'Asie (76 %). En Océanie, la Papouasie-Nouvelle-Guinée produit les deux tiers du total régional.

L'avenir des féculents tropicaux. Dans une évaluation prospective pour 2010, la FAO considère que la ration de féculents par habitant, qui a reculé d'un peu plus de 20 % entre 1970 et 1990, devrait normalement continuer à baisser, notamment en raison de l'urbanisation croissante, dans les 93 pays en développement considérés. En effet, la consommation de racines et tubercules tropicaux est plus forte dans les populations rurales que dans les populations urbaines. Cependant, la FAO souhaite que la ration de féculents par habitant en 2010 reste au niveau de celle de 1990 pour espérer maintenir le niveau calorique, largement tributaire de cette ressource dans une quinzaine de pays, dans la zone subsaharienne notamment. Pour y parvenir, il faudrait accroître leur production à un rythme supérieur à celui enregistré jusqu'ici. C'est possible sur le plan agronomique, et toute la zone intertropicale humide devrait s'y intéresser pour accroître encore plus rapidement sa production d'aliments énergétiques, tant pour l'alimentation directe de l'homme que pour nourrir les animaux. Les pays de l'Europe du Nord viennent également de montrer que ces plantes, produites en Asie du Sud-Est, pouvaient prendre une place importante dans l'alimentation des porcs et des volailles, en permettant des économies appréciables de céréales.

Le café, le thé, le cacao

Le café

Le mot « café » vient-il du mot arabe *qahwah* ou plutôt de Kaffa, nom d'une province du sud-ouest de l'Éthiopie ? Le café, qui y poussait à l'état sauvage, aurait été transféré et cultivé dans le sud de l'Arabie depuis plus d'un demi-millénaire. Quoi qu'il en soit, il n'apparaît en Europe qu'au XVIe ou au XVIIIe s., selon les pays.

La production. Jusqu'à la fin du XVIIe s., le café provenait, pour l'essentiel, de la province du Yémen, au sud de la péninsule Arabique. Sa consommation se généralisant, il fut introduit d'abord à Ceylan (Sri Lanka) et à Java, puis sur l'île d'Haïti, avant de s'implanter dans la plupart des pays latino-américains. Aujourd'hui, il est surtout présent en Amérique latine, avec pour principaux producteurs le Brésil et la Colombie; le Pérou et l'Équateur occupent une place plus modeste. Plus au nord, le Mexique et les petits pays d'Amérique centrale produisent ensemble autant que le Brésil. L'Afrique, avec l'Éthiopie, l'Ouganda et la Côte d'Ivoire, l'Asie, avec l'Indonésie, le Viêt Nam, l'Inde et les Philippines, assurent chacune près de 20 % du tonnage mondial.

◆ Production de café dans le monde.

Pays ou zone	%
Amérique latine	61
dont Brésil	22
Colombie	12
Mexique	7
Amérique centrale	15
Autres	6
Afrique	19
dont Éthiopie	4
Asie	19
dont Indonésie	5
Océanie	1

Données 1997. *Source :* FAO.

Des 25 espèces de café sauvage identifiées, c'est *Coffea arabica* qui a connu le plus gros développement, essentiellement en Amérique latine. *C. robusta* et *C. liberica* ont aussi été cultivées, la première en Afrique de l'Ouest surtout (Côte d'Ivoire). Le café pousse à diverses altitudes, mais les plus fins (notamment les arabicas) viennent d'altitudes assez élevées, entre 900 et 1 800 mètres.

Les échanges. La presque totalité (91 %) de la production fait l'objet d'échanges sur le marché international, ce qui est considérable. Il est normal de trouver l'Amérique du Sud (31 %) et l'Asie (17 %) comme principales zones d'exportation, avec le Brésil (15,4 %) en tête, mais serré de près par la Colombie (12 %). En Asie, l'Indonésie fait 7,2 % des exports, le Viêt Nam 4,5 %, l'Inde 3,1 %. Les flux à l'import sont orientés vers l'Europe pour 59 %, et vers l'Amérique du Nord pour 25 %, dont 22 % pour les États-Unis.

Le thé

Boisson asiatique traditionnelle, le thé est introduit en Europe au XVIIe s. et rapidement commercialisé en Angleterre et aux États-Unis par la Compagnie des Indes orientales. Le relèvement des droits sur le thé en 1773 (Tea Act) est la cause des premiers incidents qui allaient entraîner la révolution américaine. Le thé est commercialisé sous trois formes : thé vert (non fermenté), thé oolong (à demi fermenté), thé noir (fermenté).

Production et échanges. L'Asie produit et consomme la majeure partie de la production totale (84 %), avec trois acteurs principaux : l'Inde, la Chine, le Sri Lanka. Derrière eux viennent l'Indonésie et la Turquie. L'Afrique assure 13 % du produit mondial avec un pays producteur très important, le Kenya.

Le tonnage de thé échangé, s'il est proportionnellement moins élevé que le tonnage de café, représente néanmoins 44 % de la production. 59 % du tonnage exporté part d'un pays asiatique ; le Sri Lanka figure en tête avec 18 %, devant la Chine (14 %) et l'Inde (11 %). L'Afrique intervient pour 30 % dans les exportations mondiales, dont 21,5 % assurés par le Kenya.

À l'importation, l'Europe achète 40 % du total, avec deux clients principaux, le Royaume-Uni (15 %) et la Russie (10 %). L'Asie importe 33 % du total, le Pakistan et le Japon venant en tête avec 10 % et 4 %. L'Afrique intervient pour 15 %, l'Égypte (5,5 %) devançant le Maroc (2,4 %). L'Amérique du Nord ne représente que 9 % du total, dont 7,5 % pour les États-Unis.

◆ Production de thé dans le monde.

Pays ou zone	%
Asie	84
dont Inde	29
Chine	23
Sri Lanka	10
Indonésie	6
Turquie	4
Autres pays	12
Afrique	13
dont Kenya	8
Amérique du Sud	3

Données 1997. *Source :* FAO.

Le cacao

L'Afrique est, des cinq continents, le plus gros producteur de fèves de cacao : elle fournit 62 % de la production mondiale. La presque totalité de la production est concentrée en Afrique de l'Ouest : d'abord en Côte d'Ivoire, puis au Ghana, au Nigeria, au Cameroun. L'Amérique du Sud et l'Asie font jeu égal (16 % du total), le Brésil étant en recul et l'Indonésie en fort progrès.

Les échanges. Dans les échanges de fèves de cacao, l'Afrique joue le premier rôle (71 % des exportations mondiales, dont 44 % fournies par la Côte d'Ivoire). L'Amérique du Sud est moins active avec 4,7 % du total. En Asie (14,7 %), l'Indonésie assure à elle seule 11,5 %.

À l'import, l'essentiel (67,4 %) vient en Europe, l'Amérique du Nord important 23 %, dont 21 % pour les États-Unis. Dans l'Union européenne, les grands acteurs sont les Pays-Bas, qui importent 19,3 % du total échangé dans le monde (ils sont aussi revendeurs pour 2,5 %), l'Allemagne, qui dépasse 14 %, le Royaume-Uni (10,3 %) et la France (5,6 %).

Au-delà du produit de base, la fève de cacao, qui s'échange pour une valeur de 3,1 milliards de dollars, un marché important a pour objet la poudre de cacao (0,5 milliard de dollars), la pâte de cacao (0,5 également), le beurre de cacao (1,6), mais surtout le chocolat et les préparations diverses (8 milliards de dollars), soit au total 10,6 milliards correspondant à 3,4 fois la valeur des échanges sur la fève. Avec 8 milliards d'export sur ces produits, l'Europe tient une forte place.

Certains pays producteurs de la ressource de base, à la suite de l'installation d'usines de première transformation sur place, vendent des produits partiellement transformés : en 1996, pour 100 de recette sur la fève de cacao, la Côte d'Ivoire a vendu 13 de produits transformés, mais l'Indonésie 42 et le Brésil 369. Aussi, les exportations de ce dernier pays en matières brutes ne sont-elles pas à l'échelle du volume de sa production.

◆ Production de cacao dans le monde.

Pays ou zone	%
Afrique	62
dont Côte d'Ivoire	38
Ghana	13
Nigeria	5
Cameroun	4
Amérique latine	21
dont Brésil	10
Asie	16
dont Indonésie	11
Océanie	1

Données 1997. *Source :* FAO.

La « course du thé »

Le thé fut à l'origine des premières courses mondiales de voiliers transatlantiques. Vers 1770, les Anglais en importaient six millions de livres de feuilles, les Hollandais et les Danois quatre millions et demi chacun. Cela mobilisait presque une flotte spéciale dont la rentabilité tenait beaucoup au rythme de rotation des bateaux. Autre argument en faveur des courts voyages et par conséquent de la vitesse des navires : le thé s'évente rapidement au cours d'une longue traversée. Alors les armateurs réalisèrent la merveille des mers, les *clippers* à la voilure superbe, écrêtant l'écume des vagues dans un sillon aussi rapide, net et droit que la tondeuse *(clip)* sur la toison des moutons gallois. Chaque année, le ruban bleu de la « course du thé », assorti d'une jolie prime, fut désormais remis en grande pompe au capitaine titulaire du plus grand exploit. Cette épreuve passionnait tous les ports du globe et sur elle roulaient des paris invraisemblables. Quant à la vie à bord des coursiers du thé, cela tenait à la fois de l'hystérie et de l'enfer. Mais l'équipage du *clipper* gagnant était assuré de boire gratis partout... au moins jusqu'à l'année suivante. Le commerce du thé devint presque tout bénéfice pour la Grande-Bretagne dès 1834, date à laquelle on commença méthodiquement les cultures dans l'Empire des Indes, au grand dam de la Chine qui vit même, au temps de l'impératrice Tseu-hi, Ceylan s'y reconvertir après qu'une maladie eut ravagé les caféiers de l'île. Dorénavant, le thé de Chine perdait sa suprématie sur tout autre marché que la Russie et les pays arabes, toujours fidèles à cette qualité.

M. Toussaint-Samat, *Histoire naturelle et morale de la nourriture*, Bordas, 1987. (Extrait)

Les textiles naturels

Le coton

Plante herbacée ou arbustive originaire de l'Inde, cultivée depuis la plus haute antiquité dans les régions tropicales pour ses graines oléagineuses et pour le duvet de ses fruits, le cotonnier a été introduit en Sicile par les Phéniciens et en Espagne par les Arabes. Mais sa culture n'a véritablement pris son essor qu'à partir de la fin du XVIIIe s., quand furent inventées la machine à égrener le coton (en 1793) et les procédés mécaniques de filature.

Si le cotonnier aime les climats chauds, il supporte les climats tempérés sans gelées et avec alternance d'une saison humide, pour son développement, et d'une période sèche, pour la maturation des fruits. Son aire de culture est donc maintenant très étendue.

La fibre, classée en courte (moins de 25 mm), moyenne (de 25 à 32 mm), longue (plus de 32 mm) et extralongue (actuellement très recherchée), est, du point de vue chimique, composée de cellulose pure, avec quelques traces de cire et de graisse. Son diamètre varie de 18 à 25 µm et son allongement à la rupture est assez faible (de 5 à 12 %). Différentes espèces, appartenant toutes au genre *Gossypium*, permettent de trouver des types génétiques appropriés aux utilisations envisagées.

Le coton brut, dont la production a doublé entre 1955 et 1995, représente, à la fin du XXe s., 82 % des fibres textiles naturelles végétales produites dans le monde. Les trois premiers pays producteurs, la Chine, les États-Unis et l'Inde, fournissent près de 57 % de la production mondiale. À l'échelle continentale, le coton reste un produit d'Asie (60 % du total).

Les échanges. Le commerce mondial porte, en fibres brutes, sur 30 % de la production. Les États-Unis viennent en tête des pays exportateurs avec 25 % des échanges, suivis par l'Ouzbékistan (17 %). Au total, c'est l'Asie (38 %) qui est la principale zone alimentant le marché international, devant l'Amérique du Nord (27 %), les deux zones fournissant les deux tiers de la masse échangée.

Les pays d'Asie sont devenus les premiers importateurs mondiaux (51 %), en particulier pour alimenter en matières premières les usines implantées par les firmes multinationales, devant l'Europe (26 %), touchée par la crise de l'industrie textile.

Le fonctionnement de la filière coton s'est complexifié au cours des décennies 1980 et 1990, pour trois raisons principales :
– un changement de la politique américaine. De 1950 à 1980, les États-Unis ont régulé les rapports entre offre et demande en agissant sur leurs stocks en fonction de l'orientation de la demande et des prix ; depuis 1980, devant le constat d'une perte de parts de marché, ils ont liquidé leurs stocks, augmenté leur production, laissé courir les prix à la baisse sur le marché mondial, tout en subventionnant leur propre production.
– la place de la Chine dans le marché mondial en raison de l'importance considérable de son marché intérieur (1,3 milliard de consommateurs). Or, des variations climatiques, positives ou négatives, peuvent influencer fortement son offre potentielle ou sa demande sur le marché international. Un recul de sa production de 600 000 t d'une année sur l'autre, ce qui est arrivé durant la décennie 1990, correspond à toute la production de l'Afrique francophone de l'Ouest ;
– la liberté d'action acquise par l'Ouzbékistan, 5e producteur mondial, qui, avant 1991, vendait à l'Union soviétique en circuit fermé, et qui cherche désormais des devises sur le marché international.

◆ **Récolte du coton aux États-Unis.**

Petit lexique

étoupe : partie la plus grossière de la filasse de chanvre ou de lin.
kératinique : se dit d'une fibre qui contient de la kératine, scléroprotéine imperméable à l'eau, composant fondamental de l'épiderme et des poils, ongles, etc.
suint : graisse qui imprègne la toison des moutons.

Autres textiles végétaux

Le lin est une plante textile d'un usage très ancien. Ses utilisations ont évolué, bien qu'il garde un rôle parmi les tissus d'habillement et d'ameublement. Sa production recule de façon inquiétante : le lin a perdu 50 % de sa surface cultivée durant les années 1990. La Chine assure 58 % de la production, l'Europe 39 %.

L'Europe est le principal fournisseur de fibres et d'étoupes sur le marché international (93 % du total), avec, en tête, la France (34 %), la Belgique et le Luxembourg (30 %). Les échanges se font, pour l'essentiel (84 % des ventes), au sein de l'Europe.

Le jute et les fibres apparentées servent à fabriquer des ficelles et des toiles (emballage et ameublement). L'Inde est le principal producteur (52 %), suivie par le Bangladesh (27 %) et la Chine (12 %). Il s'échange autour de 300 000 t de fibres de jute, le Bangladesh étant le principal exportateur (85 à 90 %). Les deux tiers restent en Asie, l'Inde important 27 % du total, le Pakistan 20 %.

Le sisal, produit d'un agave, *Agave sisalana*, est latino-américain pour 61 % de sa production, avec le Brésil en tête (43 %), suivi par le Mexique (11 %), dont Sisal, port du Yucatán, lui a donné son nom. L'Afrique assure 25 % de la production, la Chine 14 %. Les échanges de fibre de sisal et autres agaves portent sur environ 100 000 t par an à la fin du XXe siècle. Les trois acteurs principaux à l'exportation sont le Brésil (45 %), le Kenya (22 %), Madagascar (14 %). L'Europe est importatrice pour 69 %,

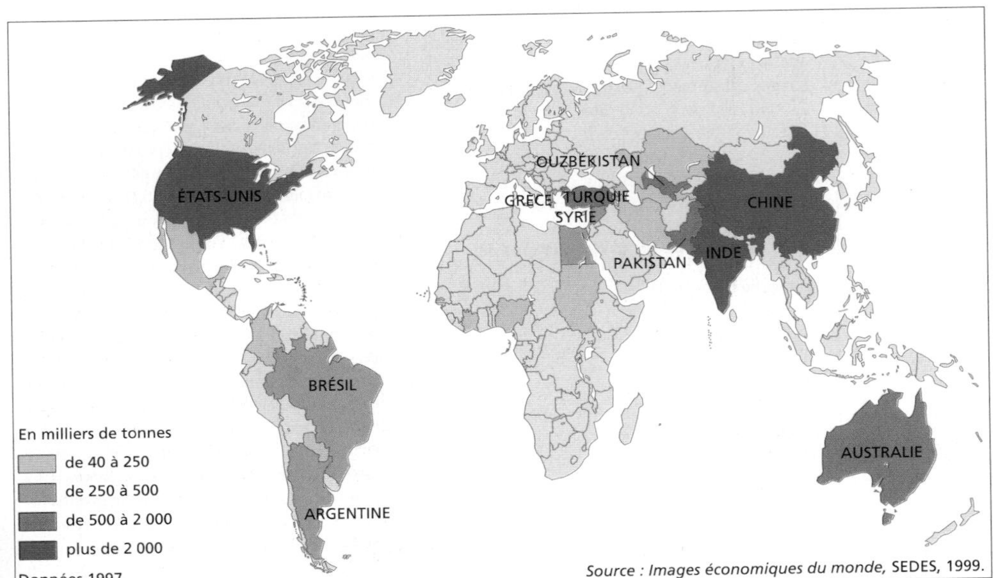

◆ **La production de coton dans le monde.** Le coton est l'un des grands produits commercialisés, malgré une transformation croissante sur place. Les trois premiers pays producteurs sont la Chine, les États-Unis et l'Inde, qui fournissent à eux seuls 57 % de la production mondiale.

dont 36 % pour le Portugal, l'Asie pour 17 %, dont 10 % pour la Corée et le Japon.

Le chanvre, une des premières plantes productrices de fibres utilisées par l'homme, et dont une espèce fournit aussi la marijuana, semble en voie de disparition en tant que plante textile. À cet usage, la France le cultivait sur 175 000 ha en 1830, sur 3 300 ha seulement en 1945. Selon les données FAO, il serait en reprise en France (3 000 ha en 1990 et 8 000 en 1997). Cependant, les surfaces totales déclarées dans le monde auraient reculé durant cette période de 196 000 à 133 000 ha, soit, pour le monde, une surface inférieure à celle que cultivait la France en 1830. À la fin du XXe s., la production mondiale avoisine 100 000 t, 75 % étant le fait de l'Asie, pour l'essentiel l'Inde, la Chine et la Corée du Nord. L'Europe en produit 21 %, le Chili 4 %.

Le travail des enfants dans les filières textiles

Bien que les filières textiles ne soient pas les seules à exploiter le travail des enfants de moins de 15 ans, voire de moins de 10 ans, ce secteur d'activité a, depuis toujours, fait appel aux enfants pour des tâches diverses.

En 1832, 40 % des travailleurs des usines de la Nouvelle-Angleterre étaient des enfants. En 1870, le recensement américain dénombrait 750 000 enfants de 10 à 15 ans dans les industries du pays, chiffre qui s'éleva régulièrement jusqu'en 1910. Dans la grande fabrique lyonnaise, les enfants du maître ouvrier travaillaient la soie auprès de leur père ou des compagnons employés sur l'un des quatre métiers que ce chef d'atelier était autorisé à faire fonctionner au service du marchand-fabricant, entrepreneur d'un segment important de la filière soie au XVIIIe siècle. La première loi britannique interdisant le travail des enfants dans les usines textiles de coton est adoptée en 1802, mais elle reste sans effet. Elle n'est appliquée qu'à partir de 1833 avec la mise en place d'un système d'inspection du travail dans les usines. Aux États-Unis, il faut attendre 1938 pour qu'une réglementation fédérale mette fin au travail des enfants.

Sur le plan international, les efforts pour réglementer le travail débutent en 1890 à Berlin avec la tenue de la première conférence internationale du travail. Le traité de Versailles, en 1919, crée l'Office international du travail, implanté à Genève, qui devient une institution spécialisée des Nations unies en 1946. Bien que 160 États aient adhéré à l'OIT à la fin du XXe s., l'exploitation des enfants, notamment dans les filières textiles, perdure dans de nombreux pays, surtout en Asie.

La laine

La laine est l'un des textiles les plus anciennement connus et utilisés par l'homme.

Fibre d'origine animale, elle provient de la toison du mouton; cependant, l'appellation est souvent étendue aux fibres textiles issues de plusieurs autres animaux, notamment l'alpaga, le chameau, la chèvre du Cachemire, le guanaco, le lama, le lapin angora, la chèvre mohair, la vigogne et le yack, qui fournissent, en petites quantités, des fibres textiles très appréciées.

Du point de vue chimique, la laine est une fibre protéinique kératinique dont les principales caractéristiques sont la finesse (de 16 à 50 µm), la longueur (de 35 à 350 mm), l'élasticité (allongement à la rupture de l'ordre de 50 %) et l'aptitude au feutrage. Cette dernière caractéristique est une qualité ou un défaut selon le type d'utilisation (défaut pour le lainage, qui est délicat, qualité pour confectionner le feutre, étoffe obtenue sans filature ni tissage, par agrégation des filaments de laine).

La laine en toison est enduite de suint, dont le poids varie entre 15 % et 75 % du total. On utilise les laines provenant de la tonte de moutons et d'agneaux (les plus douces), la qualité la plus fine provenant du type génétique mérinos.

La production et les échanges. Le troupeau mondial ovin comporte, depuis le début de la décennie 1990, un peu plus de 1 milliard de têtes. L'Australie, qui a possédé longtemps le premier troupeau du monde, a été rejointe et dépassée, à partir de 1995, par la Chine. Mais l'Australie reste le premier producteur de laine du monde, le rendement par animal y étant très supérieur.

Le volume échangé sur le marché international est important : 60 % environ du tonnage brut produit. La plus grande part, si l'on compte en tonnage effectif échangé, se fait en laine en suint; mais, si l'on transforme le tonnage échangé en laines dégraissées en équivalence laine brute, les deux formes sont très proches en flux. Les deux pays d'Océanie spécialistes de la filière ovine dominent très nettement le marché à l'exportation, puisque l'Australie (63,5 %) et la Nouvelle-Zélande (7 %) font 70,5 % du tonnage échangé en suint, les mêmes, Australie (28,4 %) et Nouvelle-Zélande (33,6 %), assurant aussi 62 % des tonnages exportés en laine dégraissée. À l'importation, 94 % des flux en laine en suint reviennent à l'Europe (50 %) et à l'Asie (44 %), ainsi que 90 % des laines dégraissées (Asie 53 %, Europe 37 %).

◆ **Les pays producteurs de laine.**

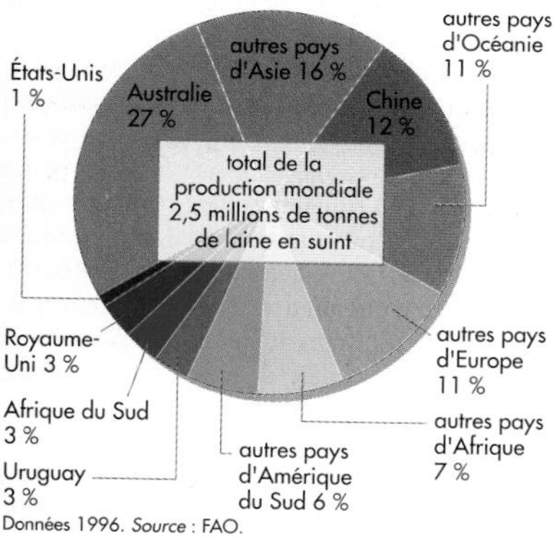

Données 1996. *Source* : FAO.

◆ **Les pays importateurs de laine.**

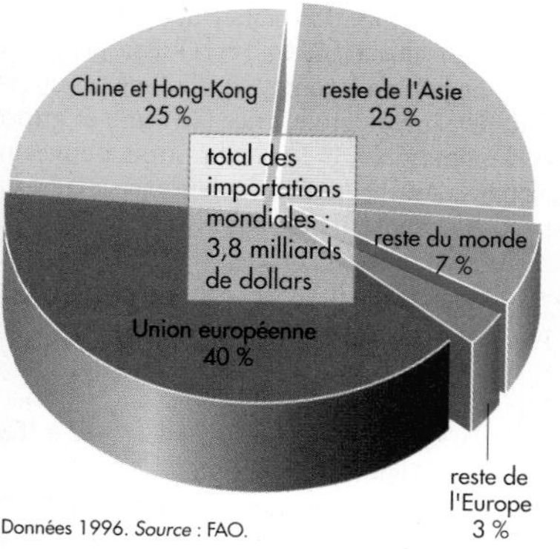

Données 1996. *Source* : FAO.

◆ **Les pays exportateurs de laine.**

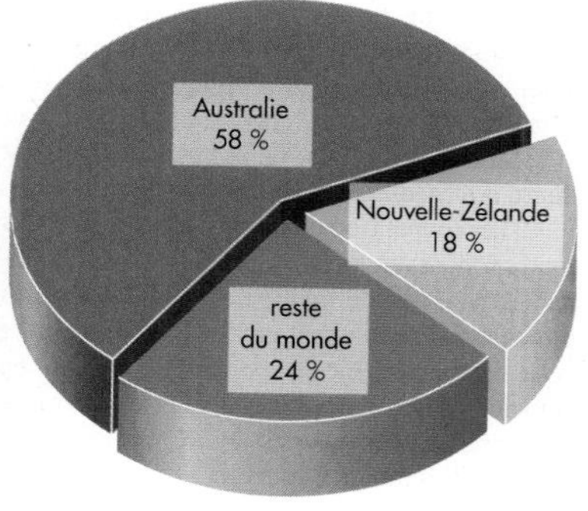

Données 1996. *Source* : FAO.

La soie

L'élevage des vers à soie, nourris de feuilles de mûrier (genre *Morus*), et le travail de la soie sont d'origine chinoise. La Chine les pratique dès le XVIIe s. av. J.-C. et en garde longtemps le monopole. À partir du VIe s., ce travail se développe au Moyen-Orient et en Grèce, puis, au XIIe s., il passe en Sicile, d'où il essaime en Italie et en Espagne. En France, Avignon au XIVe s., Tours au XVe s., puis Lyon, Montpellier et Paris travaillent la soie. Au XVIIIe s., la soie de Lyon acquiert une réputation universelle et, au XIXe s., le métier Jacquard y est inventé. En Europe, la production ne cesse de diminuer à partir de la fin du XIXe s. Un siècle plus tard, la production mondiale est de 80 000 t environ. La Chine vient au premier rang (61 %), suivie de loin par l'Inde (19 %) et par la Corée du Nord (6 %).

Il s'échange 38 000 t de soie sur le marché international, 75 % allant vers d'autres pays d'Asie, 24 % vers des pays d'Europe. À l'export, on trouve la Chine, qui assure 41 % des flux et Hongkong (11 %), mais aussi les républiques asiatiques de la CEI, le Turkménistan (11 %) et l'Ouzbékistan (7 %).

VOIR AUSSI
• **Fibres synthétiques et artificielles** p. 929
• **Industrie textile** p. 938

Fibres naturelles ou artificielles ?

Il existe une grande variété de fibres textiles. Les tissus sont souvent le résultat du mélange de fibres d'origines diverses. Toutefois, ce mélange ne pose généralement pas de problème technique, puisqu'on donne aux fibres chimiques des caractéristiques de longueur qui permettent de les travailler sur les matériels habituels de l'industrie cotonnière ou lainière. L'évolution de la production a généré un bouleversement de la géographie de l'industrie textile, lié notamment à la place croissante des produits privilégiant les fibres chimiques aux dépens des fibres naturelles, d'origine végétale comme animale, à l'exception peut-être du coton – tendance qui ira se confirmant.

Le bois et le caoutchouc

L'espace boisé

Avec ses 35 millions de km² (Gha), l'espace boisé occupe 27 % de la surface émergée de la planète et près de 3 fois la surface exploitée en cultures annuelles ou pérennes (1,5 Gha). Elle est plus présente dans les pays tempérés (2,3 Gha) que dans la zone intertropicale (1,7 Gha). L'Union européenne, avec ses 3 millions de km² forestés (dans sa configuration à 15 pays), ne détient que 2,7 % de la forêt mondiale.

Les utilisations du bois. Pendant des millénaires, le bois a été la principale source d'énergie. Dans les pays développés, la maîtrise des nouvelles sources d'énergie a permis de le décharger en grande partie de cette fonction : en France, il fournit seulement 8 % de la production énergétique. Mais, dans les pays en développement, le bois est encore très utilisé comme combustible alimentaire et l'on estime que, dans le monde, 17 Mha de forêts sont chaque année consacrés à cet usage. Une situation inquiétante pour les régions fragiles du monde, notamment les zones péridésertiques où l'homme l'utilise comme combustible et où l'animal vient brouter ses feuilles et son écorce : elle concourt à la progression du désert, qui occupe, malheureusement, déjà 20 % d'espace de plus que la forêt (4,8 Gha).

Le bois a beaucoup d'autres fonctions. Il a servi et sert toujours à édifier des maisons, des bâtiments d'élevage, mais aussi des ponts, des bateaux, à fabriquer des planchers, des meubles, à partir de rondins d'arbres, de bois sciés et tranchés, de panneaux de particules agrégées pour remplacer la planche, ou encore de bois déroulés en tranches fines pour revêtir des supports en bois tendre ou en panneaux. Il sert aussi à produire du papier, des cartons, des emballages, dont nous sommes devenus de gros consommateurs.

La sylviculture

La sylviculture est l'art de cultiver les forêts, c'est-à-dire de leur donner les soins nécessaires pour en assurer la protection, le développement et la régénération, et pour leur permettre de fournir un rendement soutenu en bois de qualité.

Les peuplements forestiers. Le facteur qui conditionne la régénération des arbres en forêt étant la lumière, le sylviculteur cherche à éclaircir le peuplement pour permettre aux jeunes semis de s'installer et de croître. Mais les plants de différentes essences n'ont pas les mêmes besoins : il existe des essences d'ombre et des essences de lumière, et le sylviculteur applique des méthodes différentes aux unes et aux autres. Le mode de traitement (ou régime) le plus simple d'un peuplement forestier est le taillis, mais on ne peut l'utiliser que pour les essences qui rejettent de souche : chêne, châtaignier, hêtre (en montagne), eucalyptus. Ce traitement consiste à couper tous les arbres au ras du sol ; après quelques semaines, on voit apparaître sur le pourtour de la souche des rejets, dont l'ensemble constitue une cépée. On coupe les rejets tous les 20 à 25 ans, plus souvent pour les essences à croissance rapide, comme l'eucalyptus. Mais le taillis ne fournit que des petits bois, d'où l'intérêt d'une production complémentaire de bois d'œuvre, obtenue en réservant les arbres, issus de graines disséminées entre les souches.

La futaie. C'est l'opération du balivage qui conduit peu à peu à un régime nouveau, le taillis sous futaie. En laissant vieillir le taillis, on effectue une conversion, qui transforme progressivement le taillis sous futaie en futaie. Celle-ci constitue le régime le plus répandu, parce que c'est celui qui permet d'atteindre le meilleur rendement en bois d'œuvre de qualité. La régénération de la futaie s'obtient soit par une « coupe rase » (ou coupe à blanc), dans le cas du pin maritime par exemple, soit plus souvent par la méthode des coupes progressives : ensemencement, éclaircies, coupe définitive. Le sylviculteur ouvre peu à peu le peuplement à la lumière en enlevant les arbres qui gênent le développement des sujets d'avenir et des porte-graines. C'est la méthode du réensemencement naturel et des éclaircies. Suivant l'âge des arbres, la futaie porte des noms différents : semis, fourré, gaulis, perchis, jeune ou vieille futaie.

Ce traitement, qu'on appelle « futaie régulière » (ou futaie pleine), est utilisé pour les forêts de chênes, de hêtres, de sapins ou d'épicéas, en plaine. En montagne, le forestier préfère utiliser la méthode de la futaie jardinée, qui est plus souple, mais plus délicate. Elle consiste à parcourir la forêt tous les 10 ou 15 ans en enlevant les arbres exploitables, ainsi que les sujets morts ou dépérissant. La futaie jardinée est une méthode plus naturelle, mais plus coûteuse.

L'aménagement de la forêt. Pour assurer une production soutenue de bois, tout en préservant l'avenir et la régénération du repeuplement, le sylviculteur effectue un inventaire des ressources puis il détermine l'âge d'exploitabilité, âge auquel la croissance s'arrête et où il convient d'abattre les arbres. Cet âge permet de fixer la « révolution », c'est-à-dire le temps nécessaire pour assurer la régénération complète de la forêt. Il faut ensuite calculer la « possibilité », qui correspond au volume moyen de bois que l'on peut extraire chaque année sans nuire au développement de la forêt. L'aménagement doit définir également le règlement d'exploitation, c'est-à-dire la nature, l'intensité et la périodicité ou rotation des coupes, ainsi que la liste des travaux d'équipement à effectuer.

La mécanisation de l'exploitation du bois entraîne pour le sylviculteur un certain nombre de contraintes d'ordre technique et financier. En effet, l'exploitant utilise des engins tout-terrain, suffisamment puissants pour pouvoir transporter de lourdes charges : ils sont donc encombrants et nécessitent, pour pouvoir circuler en forêt, des passages ayant au moins 3 à 3,50 m de large. Le sylviculteur doit respecter cette largeur entre les lignes au moment des plantations ; il doit prévoir aussi l'ouverture de layons ou lignes de cloisonnement pour faciliter la circulation des engins et la création d'un réseau de pistes suffisamment dense pour réduire la distance de débardage.

Les coupes trop petites ou trop éloignées des routes sont devenues inexploitables et donc invendables ; il en va de même des arbres de petites dimensions. Le sylviculteur doit en tenir compte pour l'établissement de son plan de gestion, en agissant sur le volume des coupes et la dimension moyenne des arbres, c'est-à-dire en prévoyant des éclaircies moins fréquentes et plus fortes.

Le marché du bois

Si l'on évalue l'accroissement annuel des forêts exploitables pour le mettre en rapport avec la production effective dans l'année considérée, on obtient une estimation de la ressource productrice d'un pays ou d'un groupe de pays. Si l'on compare dans cette perspective tous les pays d'Europe pour l'année 1990, on constate des différences très fortes d'un pays à l'autre.

Le passage de l'Union européenne (UE) de 12 à 15 membres, s'il a induit un doublement de l'espace forestier, n'a pas pour autant permis de doubler la production : le bois rond récolté (grumes et bois d'industrie) est passé de 130 millions de mètres cubes (Mm³) par an à 240 Mm³ sur une moyenne quinquennale 1990-1994. Cette progression modeste est liée à la moindre productivité biologique des forêts nordiques par rapport à celle des autres pays membres.

L'élargissement a toutefois permis à l'UE de prendre la 4e place dans le monde pour la production récoltée de bois rond, loin derrière les États-Unis (495 Mm³), mais juste après par la Chine (290 Mm³) et l'Inde (265 Mm³), et devant le Brésil (240 Mm³), l'Indonésie, le Canada et la Russie, dont la production se situe pour chacun autour de 175 millions de mètres cubes.

L'exemple de l'Union européenne. La valeur économique d'un peuplement forestier tient à l'adéquation plus ou moins bonne des espèces à l'usage que le pays veut faire de son bois et à la gamme de produits à fabriquer par la filière. Un pays industrialisé serait peu satisfait de voir, comme la Chine actuellement, 69 % de sa biomasse récoltée sous forme de bois de feu (94 % en Inde). L'exemple de l'Union européenne montre que son élargissement a modifié sa capacité de fabrication de produits terminaux, en raison non seulement de l'augmentation du volume disponible, mais de la nature des essences. L'Europe des douze était plus équilibrée quant au rapport entre résineux (80 Mm³) et feuillus (55 Mm³). L'Europe des quinze se trouve avec un rapport de 180/65, qui est loin d'être un désavantage, car le renforcement en conifères lui permet d'augmenter sa capacité en matière de sciage et de produits papetiers.

En bois de sciage, l'UE équilibre presque sa production interne et sa consommation : le retard sur les feuillus n'a pas beaucoup baissé (12 Mm³ consommés pour 8 Mm³ produits). En résineux de sciage, la consommation est de 62 Mm³ pour 58 Mm³ produits. L'UE est devenue numéro deux mondial, derrière les États-Unis (100 Mm³) et devant le Canada (56 Mm³) et la Russie (40 Mm³).

En bois pour panneaux, l'Europe des douze était déjà grosse productrice (27 Mm³) et grosse consommatrice (30 Mm³). Les trois nouveaux membres avaient une position faible sur ce créneau, précisément du fait de la nature de leurs essences forestières, ce secteur utilisant, en trituration et en placages déroulés, plus de bois de feuillus que de résineux. L'Europe des quinze, qui produit 31 Mm³

VOIR AUSSI
- **Plantes dans leur milieu** p.162 à 168
- **Déforestation** p. 189
- **Développement durable** p. 1038

◆ **Forêts publiques et privées en Europe.**

Pays	Surface boisée		Feuillus / Résineux	Propriété publique	Propriété privée
	ha	%	%	%	%
Suède	27 800	14	86	27	73
Finlande	23 373	8	92	24	76
France	14 100	64	36	28	72
Espagne	12 511	52	48	34	66
Allemagne	10 490	29	71	47	53
Italie	6 403	75	25	33	67
Autriche	3 877	24	76	17	83
Portugal	3 200	58	42	16	84
Grèce	2 620	81	19	80	20
Royaume-Uni	2 300	27	73	43	56
Belgique	617	53	47	47	53
Danemark	504	35	65	31	69
Irlande	475	10	90	80	20
Pays-Bas	334	40	60	48	52
Luxembourg	88	66	34	46	54

Données 1994.
Source : Eurofor.

◆ **Les principaux pays importateurs de caoutchouc naturel.**

Pays ou zone	%
États-Unis	20
Union européenne (à 15)	19
Japon	15
Chine	13
Autres pays d'Asie	18
Autres pays du monde	7
Amérique du Nord et Amérique centrale	4
Autres pays d'Europe	4

Données 1996.
Source : FAO.

et utilise 33 Mm^3, reste encore un peu déficitaire, mais est le 2e producteur mondial de panneaux, juste derrière les États-Unis et loin devant la Chine (12 Mm^3) et l'Indonésie (10 Mm^3), numéros trois et quatre.

En ressource pour la fabrication de la pâte à papier, l'élargissement de l'Europe lui a été de nouveau bénéfique puisque l'UE, grosse consommatrice (37 Mt) par rapport à sa production (31 Mt), reste déficitaire (6 Mt), mais beaucoup moins qu'auparavant (10 Mt). Elle occupe désormais la 2e place mondiale pour l'offre de fibres (pâtes et vieux papiers), avec 53 Mt contre 89 Mt pour les États-Unis, loin devant le Japon, le Canada et la Chine, qui produisent entre 20 et 25 Mt.

L'agroforesterie

L'agroforesterie, qui a pour fonction de nourrir hommes et animaux à partir des ressources sylvestres, s'est relativement peu développée dans le monde. Elle mériterait cependant d'être encouragée.
Les arbres fourragers à gousses constituent un bon exemple : leur développement permettrait de favoriser les productions animales, notamment dans les zones arides et semi-arides de la planète. En effet, l'eau ne peut pas être mobilisée dans ces régions en tant que facteur de mise en valeur agronomique. En revanche, nombre d'espèces arbustives peuvent aller chercher, par leur système radiculaire, l'eau à de grandes profondeurs, même dans les zones où la pluviométrie ne dépasse pas 200 mm de précipitations par an. Parmi les arbres capables de jouer un tel rôle, on trouve plusieurs légumineuses dans la famille des acacias, dont *Acacia albida* en Afrique de l'Ouest, mais aussi des *Prosopis*, dont *Prosopis juliflora*, très présent en Amérique latine, et des *Gleditschia* (féviers).
Les arbres fourragers à gousses permettraient une révolution fourragère dans les zones du monde qui confinent au désert ; sinon celles-ci continueront à progresser. Les légumineuses, capables de fixer l'azote de l'air, de pousser même sur des sols caillouteux et en pente où il ne saurait être question de cultiver, sont potentiellement susceptibles de produire l'équivalent de 20 quintaux de grains à l'hectare. Beaucoup de plaines cultivées en céréales en Afrique du Nord où le climat est moins sévère ne produisent pas 10 quintaux par hectare.

Le caoutchouc naturel

Le caoutchouc naturel, produit élastique obtenu à partir de la sève de certains végétaux, a un concurrent, le caoutchouc synthétique, résultant de réactions de chimie de synthèse. En 50 ans, le premier, qui fournissait 70 % du caoutchouc mondial en 1948, a été largement supplanté par son concurrent, qui ne lui laisse plus, à la fin du XXe s., que 30 % de part de marché.

La production. La production de caoutchouc naturel a continué néanmoins à se développer dans le monde durant la fin du XXe s. ; en 37 ans, de 1961 à 1998, le volume produit a été multiplié par 3,2, rythme nettement supérieur à celui des céréales, groupe alimentaire de base, qui a été multiplié seulement par 2,3. Plusieurs raisons y ont concouru.

Les premières sont historiques. Christophe Colomb, durant son 2e voyage en Amérique du Sud (1493-1496), fut frappé, paraît-il, de voir des populations indiennes s'amuser avec une balle noire et dense fabriquée à partir d'une gomme végétale. Il fallut attendre trois siècles pour que ce matériau devienne un produit commercial en Europe, d'abord pour fabriquer des gommes à effacer. Depuis, il est entré dans la fabrication d'un grand nombre de produits plus ou moins proches du caoutchouc élastique que nous connaissons.

En outre, de très nombreuses espèces et variétés d'arbres, appartenant à des familles botaniques très différentes, sont capables de produire du latex. Mais *Hevea brasiliensis*, originaire du sud de l'Amazonie, qui appartient à la famille des euphorbiacées, détient la quasi-exclusivité de la production de gomme naturelle. Il doit sans doute principalement sa position au taux élevé de caoutchouc (plus de 90 %) qu'il renferme et à la qualité de sa gomme. Une espèce proche, issue comme lui d'Amazonie, mais du nord de celle-ci, *Hevea benthamiana*, peut seul entrer avec lui dans la classe de qualité la plus cotée sur le marché des caoutchoucs.

Enfin, il ne faut pas négliger les aspects géographiques de la production. L'Amazonie reste la seule source de caoutchouc naturel jusqu'à ce que, en 1834, un industriel britannique, Thomas Hancock, pour résoudre le problème du haut coût de la gomme brésilienne, effectue les premiers essais d'implantation en Asie du Sud-Est, à Ceylan (Sri Lanka) d'abord, puis dans la plupart des autres pays de la région, qui allait devenir le berceau privilégié de la culture de l'hévéa.

C'est en effet dans cette zone qu'est produit l'essentiel du caoutchouc naturel du monde : à la fin du XXe s., l'Asie produit 94 % de la production mondiale, l'Afrique moins de 5 %, le Brésil, berceau originel, ne contribuant plus que pour 0,8 % à ce total. Les trois grands pays producteurs de caoutchouc naturel sont la Thaïlande, l'Indonésie et la Malaisie qui produisent, à eux trois, 71 % du tonnage mondial. L'accès de la Thaïlande à la première place date de 1992. Ce pays a multiplié sa production par 11,6 de 1961 à 1998, l'Indonésie se contentant de 2,2, la Malaisie de 1,4. D'autres ont encore obtenu de meilleurs résultats en croissance relative : multiplication par 20 pour l'Inde, par 54 pour les Philippines, par 115 pour la Chine, par 1 410 pour la Côte d'Ivoire ; cependant, partie de plus bas, leur production ne représente, à la fin du XXe s., que respectivement 8 %, 2,9 %, 6,6 % et 1,7 % du tonnage mondial. Parmi les petits producteurs, le Viêt Nam revient en force (production multipliée par 9 en 25 ans depuis 1973), même s'il ne représente que 2,7 % du tonnage mondial ; le Sri Lanka, premier relais vers l'Asie du Sud-Est dans l'histoire du développement de l'hévéa, représente 1,6 %, soit deux fois plus que le Brésil, son pays d'origine.

Les échanges. La plus grande partie du caoutchouc naturel est commercialisée sur le marché international : plus de 5 millions de tonnes par an, soit 78 % de la production. Néanmoins, dans certains pays en développement, la demande intérieure croît très rapidement, notamment en Chine et en Inde.

Les pays d'Asie sont les principaux exportateurs (91 % du total), avec en tête la Thaïlande (37,5 %), l'Indonésie (28 %) et la Malaisie (19 %).

À l'importation, l'Asie vient en tête avec 46 % des achats mondiaux, alors que, en 1976, elle ne prélevait que 24 % du volume échangé.

◆ **Les principaux pays producteurs de caoutchouc naturel.**

Pays ou zone	%
Thaïlande	32
Indonésie	24
Malaisie	16
Autres pays d'Asie	22
Autres pays du monde	1,6
Côte d'Ivoire	1,4
Nigeria	1,4
Total mondial	6,6 millions de t

Données 1999. *Source* : FAO.

VOIR AUSSI
• **Caoutchouc** p. 929
• **Industrie du bois** p. 932

L'élevage

Historique

Depuis le néolithique, l'homme est entouré d'animaux domestiques qui ont constitué pour les sociétés primitives une source précieuse de travail et de matières premières comme le cuir, la laine, le lait, la viande. L'élevage, en particulier du gros bétail, a été très longtemps le signe d'une richesse exceptionnelle. Dans certaines sociétés rurales, aujourd'hui encore, et dans nos propres sociétés autrefois, la richesse se mesure à la tête de bétail. Le premier capital, au sens économique du terme, est le cheptel, le mot *capital* étant dérivé, de même que *cheptel,* du latin *caput,* « tête ».

La production de viande. À l'origine, les gros animaux, aujourd'hui fournisseurs de viande, sont élevés pour leur force mécanique (animaux de trait, de selle ou de bât comme le bœuf, le cheval) ou pour produire de la laine, comme le mouton. La viande est un produit rare et cher réservé aux riches. Le gibier, la pêche, les petits animaux de basse-cour, bien que fréquents dans les campagnes, sont aussi destinés à la table des privilégiés.

Pour la majorité de la population, la viande n'apparaît sur les tables qu'à l'occasion des fêtes carillonnées : le « bon roi Henri » souhaitera pour ses sujets la poule au pot du dimanche. Cette consommation très faible de viande est encore de nos jours le lot de beaucoup de populations dans les pays en voie de développement.

La production de viande, organisée à grande échelle, est un phénomène historique récent, datant de la seconde moitié du XXe siècle. Son développement, induit par la demande alimentaire consécutive à l'essor industriel, a été permis par les progrès de la zootechnie durant cette période et par la rationalisation du circuit productif. Les premières formes d'organisation de la production et de la filière sont apparues, non pas dans le secteur avicole, mais dans celui de la viande bovine. Dès le courant des années 1920, 25 % des bovins abattus aux États-Unis avaient séjourné en unités d'engraissement spécialisées *(feed lot)* entre la sortie des ranchs d'élevage et l'abattage. En 1925, ce circuit représentait 3,6 millions de têtes – un effectif qui devait peu croître jusqu'en 1940 –, pour passer à près de 7 millions en 1945. Mais c'est de 1950 à 1970 que la production intensive allait exploser, passant de 7,4 à 25,6 millions de têtes (avec, en 1970, 72,4 % des bovins abattus aux États-Unis).

C'est également aux États-Unis qu'est née l'aviculture moderne, dès la fin de la décennie 1930. La filière du poulet de chair s'y est structurée et organisée durant les deux décennies suivantes. Et c'est depuis 1980 que la poussée y est très forte, avec un doublement du volume produit de 1980 à 1994, soit une augmentation de 6,5 millions de tonnes (contre 3,7 au cours des deux précédentes décennies). Le modèle s'est propagé à travers le monde : les pays d'Europe l'ont adopté à grande échelle à partir de 1950, mais certains pays, dont la France, ont su développer des systèmes particuliers (sous label).

Dans le secteur porcin, la Chine avait une grande tradition historique et a gardé sa position de premier producteur mondial, en mode traditionnel ; mais c'est en Europe que le système moderne de production porcine a été mis au point, dès le début du siècle au Danemark, depuis 1960 dans les autres pays de l'Union européenne.

◆ **Élevage traditionnel de bovins dans le Cantal, à Allanche.**
Des veaux sont conduits à l'abreuvoir.

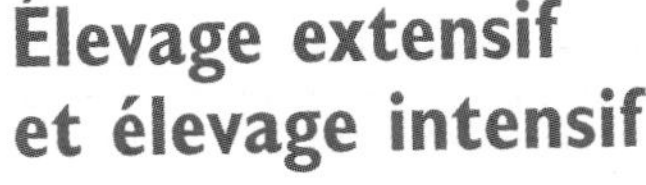

Élevage extensif et élevage intensif

Dans les élevages extensifs, les animaux se déplacent librement sur de vastes espaces plus ou moins couverts d'herbe. Seuls les ruminants (bovins et ovins) et les autres herbivores, qui digèrent la cellulose, peuvent bénéficier de cette forme de pâturage. Ce type d'élevage, portant sur de grands troupeaux bovins, se rencontre dans les ranches nord-américains ou les *ranchos* sud-américains. On trouve également de grands troupeaux de moutons en Australie ou dans les Highlands d'Écosse. En France, l'élevage extensif est pratiqué dans le grand bassin vert du Centre (élevages allaitants du Charolais et du Limousin), ainsi que dans les zones de montagne. Mais les tailles plus modestes des exploitations et le coût relativement élevé de la terre ne permettent pas une économie hyperextensive.

Dans les élevages intensifs, les animaux sont réunis sur une surface restreinte, couverte ou non, où l'alimentation leur est apportée. Les différents facteurs de production touchant l'animal ou son environnement sont maîtrisés pour obtenir dans les conditions économiques données le meilleur rendement possible.

Les critères de choix. Le type d'alimentation et l'espace disponible constituent des critères essentiels.

Il serait logique que l'herbe constitue l'alimentation principale des herbivores élevés pour la production de lait ou de viande. Elle fait toujours partie du système alimentaire, et dans tous les pays, mais dans des proportions variables. Ainsi, pour une vache laitière produisant 8 000 kg de lait par an, les éleveurs bretons du Finistère n'utilisent, en plus de l'herbe et des autres fourrages grossiers, que 1 400 kg d'aliments concentrés (c'est-à-dire des grains et des tourteaux) par vache et par an, alors que les producteurs laitiers néerlandais, eux, recourent à 2 400 kg en moyenne et les éleveurs laitiers américains à 4 000 kg. Ces différences tiennent à beaucoup de facteurs : un climat plus doux permet à la pointe de la Bretagne de bénéficier d'une plus longue période de végétation et de pâturage ; la rareté de l'espace agricole aux Pays-Bas et la volonté de ce pays d'être et de rester le plus grand exportateur de produits laitiers du monde, en concurrence avec la France, imposent de faire appel à plus d'aliments venus d'ailleurs ; les États-Unis, qui disposent de 3 fois plus d'espace par habitant que la France, et de 13 fois plus que les Pays-Bas, auraient pu choisir un système moins intensif en faisant plus appel à l'herbe. Mais ils sont aussi très riches en céréales

◆ **Transhumance.** Liaison entre zones d'élevage de plaine et d'altitude, la transhumance a tendance à reculer sous l'influence de divers facteurs. Ici, par les drailles (pistes) cévenoles, sur le mont Lozère, montaient autrefois plus de 20 000 moutons ; aujourd'hui, il n'y paît qu'un troupeau – qui, de surcroît, a fait l'essentiel de son parcours en camion.

VOIR AUSSI
• **Sélection des espèces par l'homme** p. 104
• **Animaux de la ferme** p. 140
• **Génie zootechnique** p. 846
• **Herbivores** p. 846
• **Biotechnologies : de gros enjeux** p. 847

◆ **Engraissement intensif des porcs.**
Après le sevrage, les porcelets sont placés par lots d'une dizaine dans la porcherie. Celle-ci peut être entièrement fermée ou ouverte sur l'extérieur, avec de petites aires d'exercice. L'alimentation est fournie sous forme d'aliments composés en vue d'une croissance rapide. Au cours de l'engraissement, qui dure environ 5 mois, l'alimentation est calculée de manière à obtenir le meilleur rapport entre les quantités consommées et le gain de poids (environ 3 kg d'aliments par kg de gain de poids).

et en tourteaux d'un faible coût pour les éleveurs qui incorporent les aliments concentrés à des taux élevés (0,5 kg par kg de lait produit) dans la ration de leurs vaches, dont ils veulent aussi faire des championnes pour pouvoir exporter leurs reproducteurs, en vif, en paillettes de semences congelées ou en embryons à implanter sur les vaches d'autres pays du monde.

L'intensivité d'un système d'élevage se mesure aussi à la charge animale introduite par unité de surface. Si les éleveurs européens ont des systèmes comportant plus d'animaux par hectare qu'en Amérique du Nord ou dans les pays de l'hémisphère Sud, c'est parce que la terre est rare et chère en Europe. Pour nourrir les Européens à des prix acceptables pour le consommateur, il a fallu apprendre à tirer plus de matière organique de chaque hectare de terrain : cela s'appelle « intensifier son système agricole ».

Les éleveurs européens ont du mal à résister face à la concurrence des pays qui, disposant de grands espaces, pratiquent l'élevage extensif. Ainsi, l'Union européenne achète la moitié de ses agneaux à la Nouvelle-Zélande et à l'Australie.

Exemples d'élevages intensifs. Le *feed-lot* à l'américaine, unité spécialisée d'engraissement de bovins, ne se rencontre guère qu'aux États-Unis. De taille variable, certaines unités vont néanmoins jusqu'à dépasser 100 000 têtes. À l'origine, durant la décennie 1920, les feed-lots bovins américains étaient, pour l'essentiel, implantés sur les fermes de polyculture-élevage, principalement au cœur de la zone de production intensive du maïs (le Cornbelt). L'État de l'Iowa est resté longtemps leader sur ce créneau : en 1950, on y comptait 1 million de têtes de bovins en engraissement, soit 20 % de l'effectif total des États-Unis, et 2,2 millions en 1970. Il s'agissait alors d'unités de taille modeste, inférieure à 1 000 têtes, et le plus souvent autour de 100. Les grands feed-lots se sont développés dans les années 1960 : en 1962, ils fournissaient déjà 5 millions de bêtes par an, contre 10 pour les petits feed-lots. En 1968, les deux modèles assuraient le même effectif (11 millions par an). Depuis lors, la contribution des grands domine, celle des petits plafonnant puis reculant. Les grands et surtout les très grands se sont développés dans le Sud, l'Ouest et le Sud-Ouest, dans les États au climat sec permettant la création d'unités en parcs disposés de part et d'autre d'un chemin de distribution d'aliments et comportant des auges, sans recours aux abris ni à aucun apport de paille en tant que litière. Celle-ci, comme le foin ou le fourrage ensilé, ne figure dans la ration qu'à des taux faibles, ajustés pour éviter l'apparition de troubles de fonctionnement de la panse ; l'alimentation est à base dominante de grains (maïs ou sorgho), plus aisément mécanisable.

◆ **Les principaux pays éleveurs de moutons dans le monde.**

Pays ou zone	%
Asie	38
dont Chine	12
Afrique	20
dont Afrique du Sud	3
Océanie	16
dont Australie	11
Europe	16
dont Royaume-Uni	4
Amérique	9
Total mondial	1 069 millions de têtes

Données 1996. *Source :* FAO.

Les systèmes intensifs de production avicole ou porcine se sont développés, aux États-Unis comme dans les autres zones du monde, au sein d'unités spécialisées, de taille variable, le plus souvent implantées dans des exploitations agricoles pour améliorer le revenu des agriculteurs de petites ou moyennes fermes, à travers un système dit « hors-sol » : l'approvisionnement en aliments de l'unité spécialisée dépend plus, voire totalement, d'un apport extérieur d'aliments, sous forme soit de matières premières séparées (céréales, tourteaux, composés minéraux et vitaminés), soit d'aliments composés complets, livrés périodiquement par des camions spécialisés à partir d'usines de mélanges et de granulations des aliments.

Les productions de lapins ont emprunté aussi ce schéma d'organisation. Le veau de boucherie se produit essentiellement dans des unités spécialisées avec recours à des aliments d'allaitement.

Pour le consommateur, l'intérêt principal du développement des systèmes intensifs et des modèles d'organisation des filières se traduit à la fois par un abaissement régulier des coûts des produits, qu'il s'agisse d'œufs, de lait ou de viandes, et par un accroissement de la sécurité alimentaire, malgré quelques crises et graves affaires récentes.

La seule limite à la mise en œuvre des progrès zootechniques tient sans doute à l'excès de performances obtenues, notamment en matière de vitesse de croissance : quand un poulet atteint 2 kg avant l'âge de 40 jours, comme aujourd'hui, la sapidité, le goût et la texture de la chair en sont affectés, en particulier pour les consommateurs ayant la mémoire des animaux abattus à des âges plus avancés. Le succès rencontré en France par les poulets label tient surtout à leur durée de vie (82 jours avant d'être abattus).

Les facteurs de progrès

Le succès du développement des filières animales intensives repose sur la convergence et l'accumulation d'un ensemble de facteurs.

Le premier facteur de décollage de l'élevage moderne a été la maîtrise des grandes maladies propres à chaque espèce animale, avec la mise au point de produits pharmaceutiques et vétérinaires de prévention pour certaines affections (telle la coccidiose, maladie parasitaire très ruineuse pour les premiers élevages intensifs implantés), ou la détection de souches animales porteuses d'une maladie insidieuse (telle la pullorose, induite par un agent bactérien, qui échappait à toutes formes de traitement classiques, vaccination y compris), et alors éliminées de la sélection.

Le deuxième facteur de progrès est imputable à l'amélioration génétique, conduite de façon assez différente selon les espèces : chez les vaches laitières, elle résulte d'un travail collectif d'éleveurs et d'organismes spécialisés créés au début de la décennie 1960 dans le cadre de la loi sur l'élevage. En revanche, chez les volailles, le travail d'amélioration génétique a été réalisé par un nombre très limité de grandes entreprises de sélection : à la fin du XXe siècle, il n'existe que quelques compagnies pouvant se battre sur le marché international des poulets de chair lourds : trois américaines (Arbor Acres, Avian Farms, Cobb-Vantress), et une anglaise (Ross Breeders).

Un autre facteur très important de progrès a été la fabrication de matériels spécialisés et de bâtiments répondant à des conditions optimales de mécanisation, mais aussi d'ambiance (atmosphère contrôlée, température...). Encore plus décisive a été la maîtrise du système alimentaire – soit 50 %, voire 60-70 %, du coût de production : ici, les firmes productrices d'aliments composés, par trop décriées, ont joué et continueront à jouer un rôle majeur d'interface opérationnelle entre la science et les éleveurs.

Enfin, la dynamique des filières animales a reposé sur l'apparition plus ou moins précoce, selon l'espèce et le produit concernés, d'un opérateur de coordination : firme privée ou firme coopérative, contrôlant un ou plusieurs maillons. Son rôle est toujours déterminant, et les filières les moins bien coordonnées sont celles qui progressent le moins vite, ainsi, celle de la viande bovine, aux États-Unis comme en Europe.

◆ **Les herbivores et leur production dans le monde.**

Espèce	Effectifs	Lait	Viande
grands ruminants	1 500	96,5	81,5
dont bovins	1 334	86,0	77,4
dont bubalins	166	10,5	4,1
petits ruminants	1 767	3,5	15,7
dont ovins	1 064	1,5	10,7
dont caprins	703	2,0	5,0
chevaux	61		0,8
ânes	43		0,05
mulets	15		0,04
équidés	119		0,9
camélidés	20		0,37
lapins	n. d.		1,4

En millions de têtes, et en pourcentages de lait et de viande.

Données 1997. *Source :* FAO.

Les herbivores

Les herbivores, animaux mangeant, de façon dominante voire exclusive, de l'herbe et d'autres fourrages grossiers, rassemblent toutes les espèces d'animaux polygastriques, dotés d'un estomac à quatre poches dont la principale, en volume, est le rumen (ou panse). Mais il existe aussi des herbivores monogastriques (dont, par exemple, le lapin), qui, bien que possédant un estomac simple à une seule poche comme l'homme, sont capables de consommer de l'herbe et d'autres fourrages grossiers : dans leur intestin, un cæcum bien développé est équipé d'une flore digestive adaptée.

À coté des grands et des petits ruminants, il ne faut pas oublier, même s'ils sont beaucoup moins nombreux que les autres, le renne, cervidé domestiqué par les Lapons et les populations proches des zones polaires, le yack, bovidé des hauts plateaux tibétains, les camélidés, qui rassemblent deux groupes très contrastés et vivant dans des milieux très différents, d'une part les chameaux et dromadaires (3/4 en Afrique et 1/4 en Asie), animaux des zones arides, d'autre part les lamas ou camélidés andins, avec le lama proprement dit mais aussi la vigogne, l'alpaga, le guanaco.

Parmi les herbivores monogastriques, les équidés sont très utiles : le cheval, mais aussi l'âne, présent dans les zones pauvres et difficiles d'accès d'Asie (1/2) et dans des pays pauvres de l'Afrique subsaharienne tels que le Mali (1/3), ou encore le mulet, hybride des deux précédents, présent en Amérique latine et en Asie.

Les herbivores dans l'alimentation humaine. Ce groupe est le 1er fournisseur de protéines animales, tant au niveau de la planète (46% du bilan d'offre en protéines animales) que de l'Union européenne (50 %) ou des États-Unis (47 %). Son importance relative est moindre en Chine (12 %), où l'on a accordé plus de place aux granivores (64 %), et au Japon (20 %) où poissons et produits de la mer tiennent une grande place (47 %).

Selon certains, l'élevage des herbivores, producteurs de méthane, contribue à l'aggravation de l'effet de serre. Mais l'analyse du rôle de ces animaux dans l'écosystème planétaire ne doit pas se limiter à cet aspect. Leur intervention dans la gestion et l'entretien des espaces pastoraux est considérable et se fait à coût minimal. En outre, ils sont, dans l'écosystème, les maillons terminaux de la chaîne trophique, en fabriquant des aliments à haute valeur biologique pour le consommateur humain : les meilleures protéines quant à la qualité, des graisses chargées en vitamine A et en carotène dans le lait. Ils sont aussi la meilleure source d'approvisionnement en minéraux (calcium et phosphore). Leur contribution en protéines animales à notre système alimentaire est assurée par le lait, à hauteur de 27 %, par la viande pour 18 %. Le lait conserve à ce groupe sa principale position stratégique, malgré son recul relatif en tant que producteur de viande.

La production de lait et de produits laitiers. La production laitière mondiale a plafonné autour de 530 millions de tonnes (Mt) durant les années 1990, dont 400 Mt disponibles pour la consommation humaine, la différence correspondant au lait consommé par les jeunes animaux. 86% du total sont produits par la vache, ce lait étant quasiment le seul à faire l'objet d'échanges internationaux sous la forme de produits transformés.

Les grandes zones de production du lait de vache se trouvent dans l'hémisphère Nord et l'essentiel de la production est fourni par les pays industrialisés (71 % du total). Trois grands ensembles se détachent dans le monde : l'Union européenne, l'Europe de l'Est (y compris l'ex-Union soviétique) et les pays de l'ALENA (Accord de libre échange nord-américain) qui assurent ensemble 61 % de la production mondiale de lait. L'ensemble Australie-Nouvelle-Zélande (4 % du lait mondial) consomme peu à cause de sa faible population, et a, de ce fait, une forte capacité exportatrice.

L'évolution et les perspectives. La production laitière dans le monde a du mal à suivre la croissance démographique : 109 kg par habitant et par an en lait brut, toutes espèces réunies, ont été produits au cours de la période 1963-1967 ; 93 kg (soit un recul de 15 %), en 1993-1997, dont seulement 75 kg par habitant et par an pour la consommation humaine. À titre de repère, un Français consomme annuellement 400 kg d'équivalent lait.

Cette famille de produits, en raison des acteurs intervenant sur le marché international, est sensible aux crises économiques et financières. À la fin du XXe s., les crises asiatique et russe perturbent les échanges et la dynamique de production : ces deux zones représentent en effet 50 % de la demande mondiale en poudre de lait écrémé, 30 % de celle en poudre de lait entier, et 40 % de la demande en matières grasses butyriques (beurre et dérivés) et fromages.

La production de viandes et de produits carnés. Elle a presque doublé durant les quatre dernières décennies du XXe s. Cependant, cette évolution a été beaucoup moins forte que celle de la production des viandes de granivores, multipliée par 4,5 au cours de la même période. Cela s'est traduit par un recul des herbivores en part de marché de la viande sur la planète : 51 % en 1961, 31 % en 1997.

Le bovin est encore ici le plus gros fournisseur : près de 80 % du total des viandes d'herbivores. Par contraste avec le bovin, le buffle (bubalin) est l'animal des pays en développement (99,9 %) ; il est asiatique à 92 %, l'Inde étant le principal producteur (49 %). La viande ovine, surtout produite en Asie (44,6 %), est aussi la grande spécialité des Océaniens (15 % de la production mondiale), les Néo-Zélandais en produisant 144 kg par habitant et par an, les Australiens, 32 kg, contre 1,2 kg seulement pour l'ensemble du monde. La viande de caprins reste la viande du pauvre : 95 % dans les pays en développement, 72 % en Asie, 21 % en Afrique. Il en va de même pour celle des petits équidés (98% dans les pays en développement et 85 % en Asie). L'élevage des chevaux reste partagé entre les pays du Nord (50 %) et ceux du Sud (50 %), en raison des formes différentes d'utilisation du cheval, sport d'un côté, traction de l'autre.

Le trait et le bât

La traction animale et le portage de fardeaux à dos d'animal sont encore des fonctions majeures que le moteur n'est pas près de supplanter partout dans le monde. Beaucoup d'herbivores y participent : les équidés, dont c'était la fonction essentielle jusqu'au milieu du XXe s., mais aussi les grands ruminants, les camélidés, grands et petits, les rennes et les yacks, chacun dans son milieu.

La seconde moitié du XXe siècle, qui a marqué le déclin de la traction et du portage par animaux dans les pays industrialisés, a été, dans certains pays en voie de développement, le moment d'une grande révolution agronomique. Les ethnies de laboureurs de la savane sahélienne, qui travaillaient le sol exclusivement à la houe (ou *daba*), donc à la main, ont alors adopté le travail animal en dressant des bovins, notamment, pour le labour. C'est le début de l'intégration de l'animal dans l'agrosystème, très prometteuse pour l'avenir de l'agriculture et de l'élevage dans ces régions.

La plupart des pays en développement n'ont pas les devises nécessaires pour accéder à la traction motorisée – ni pour l'achat de l'engin ni pour le remplacement ultérieur des pièces détachées. Ils n'ont pas non plus le carburant national pour le faire tourner. L'animal adapté au pays, quelles que soient sa force et sa puissance, se reproduit et se nourrit sur place. En outre, il fournit des déjections qui, bien gérées, vont contribuer à fabriquer du fumier, vital pour la fertilisation organique des sols, souvent fragiles dans les pays du Sud.

◆ **Les principaux pays producteurs de viande bovine dans le monde.**

Pays ou zones	%
Amérique	45
dont États-Unis	21
dont Amérique du Sud	18
Europe	
dont Union européenne	15
Asie	18
Afrique	7
Océanie	5

Données 1997. *Source* : FAO.

◆ **La production de viande bovine par habitant dans divers pays du monde.**

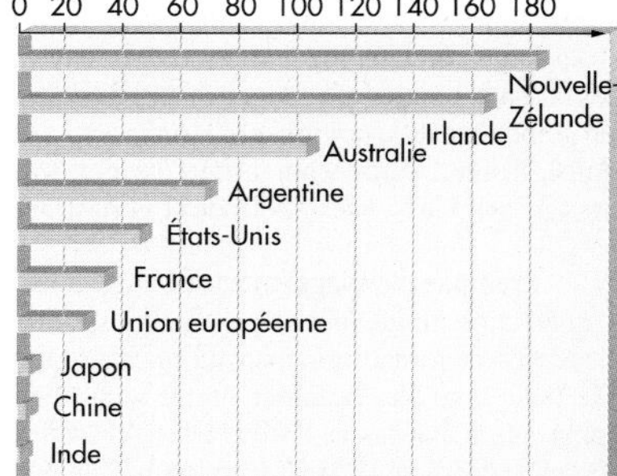

Données 1997. *Source* : FAO.

◆ **La production de lait de vache par habitant.**

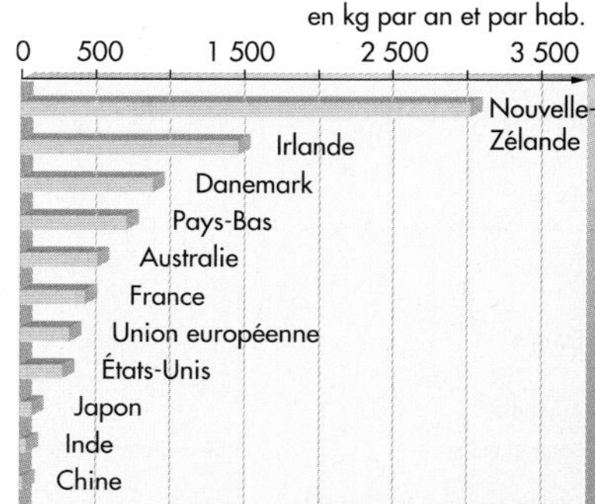

Données 1997. *Source* : FAO.

Le porc ibérique et le jambon de Serrano

Quand on a goûté du vrai jambon de Serrano, surtout celui venant de Jabugo, bourgade de la sierra Morena, on peut être curieux, à juste titre, de savoir comment il a été produit et fabriqué.
L'habitat traditionnel du porc ibérique est la *dehesa*, forêt méditerranéenne de faible densité, peuplée de chênes verts, de chênes-lièges et d'autres espèces du genre *Quercus*, qui fournissent les glands *(bellotas)*, à la base du régime alimentaire du porc ibérique. C'est un système de production de porcs de plein air en élevage extensif, pratiqué dans le triangle situé au sud-ouest d'une ligne reliant Malaga à Salamanque, sur une surface de 2,3 millions d'hectares. La production de glands de la zone (15 kg par arbre en moyenne avec une densité de 30 à 40 arbres par ha) permet de nourrir au mieux un porc sur 2 ha. L'animal est abattu à un poids relativement lourd (160 à 180 kg), atteint à l'âge de 16 à 18 mois. L'âge, le poids, l'alimentation et surtout le type génétique du porc ibérique de race pure, ou du moins pure à 75 %, sont les critères qui donnent droit à la dénomination d'origine. La préparation du jambon serrano, qui sèche pendant une durée de 6 à 10 mois, voire moins (autrefois deux ans), lui confère les substances volatiles, produites par l'hydrolyse des protéines et des lipides, auxquelles il doit son arôme et sa saveur.
Le troupeau de race ibérique a été victime de la peste porcine dans les années 1960 et 1970 : le nombre des femelles reproductrices est tombé de près de 600 000 en 1955 à moins de 70 000 en 1982. En 1990, l'effectif était remonté à 110 000, mais il ne compte qu'un tiers de souche ibérique pure, les deux tiers étant issus de croisements.
Les races françaises anciennes suscitent un regain d'intérêt à la fin du XXe siècle, mais il est difficile de réunir des conditions d'élevage en plein air comparables au système traditionnel espagnol.

Les porcs et les volailles

Les animaux mangeurs de grains élevés par l'homme sont des porcs ou des oiseaux et appartiennent à deux genres principaux : *Sus* pour le porc et *Gallus* pour la poule, auxquels il faut ajouter *Meleagris* pour la dinde, *Phasianus* pour le faisan, ainsi que tous les anatidés, famille regroupant canards et oies, voire *Columba* pour les pigeons, et *Coturnix* pour la caille. Le porc, s'il est omnivore, est pour l'essentiel nourri de grains en élevage.

Il ne convient plus de présenter, comme cela s'est fait parfois, l'importance de chacune de ces espèces domestiques à travers une analyse des effectifs d'animaux élevés dans le monde, dans chaque continent ou chaque pays. Le fait de détenir un patrimoine animal reste toujours très important. Mais, à la différence des herbivores, dont toutes les espèces, sauf le lapin, se multiplient à faible taux (de 0,5 à 1,8 petit mis au monde effectivement par femelle adulte et par an), toutes les espèces de granivores ont une capacité de reproduction et une vitesse de croissance beaucoup plus élevées. Il faut toujours 21 jours, comme il y a plusieurs millénaires, pour assurer l'éclosion d'un poussin sous sa mère en couvaison naturelle ou dans un incubateur du centre d'accouvage. Cependant, la poule d'aujourd'hui produit plus de 300 œufs par an et, en élevage intensif, un poulet de 2 kg peut être obtenu en 40 jours après sa naissance tandis que, dans un élevage bien conduit, la truie de la fin du XXe s. mène au sevrage 25 porcelets par an, soit le double de ce qu'elle assurait au lendemain de la Seconde Guerre mondiale.

◆ **Les principaux pays producteurs de viande porcine.**

Pays ou zone	%
Chine	44,4
Union européenne (à 15)	20,2
États-Unis	9,7
Autres pays d'Europe	9,7
Amérique du Sud	3
Canada	1,6
Autres pays d'Amérique du Nord et d'Amérique centrale	1,5
Afrique	1
Océanie	0,5
Total mondial	**81 millions de t**

Données 1997. *Source* : FAO

Les granivores dans l'alimentation humaine. Ils assurent moins de fonctions que les herbivores mais concourent, pour 38 % du bilan mondial en protéines animales, à la production d'aliments de qualité pour l'homme avec deux types de produits, la viande et l'œuf. Aux caractéristiques liées à leur reproduction et à leur croissance est venu s'ajouter le génie zootechnique : amélioration génétique, alimentation rationnelle, prévention et traitement des maladies, techniques d'élevage étudiées, transformation et conditionnement des produits terminaux obtenus, enfin logistique et organisation des circuits de production et d'approvisionnement des consommateurs ; tous ces facteurs expliquent la montée rapide et impressionnante des productions de ce groupe depuis les années 1960. En effet, de 1961 (indice 100) à 1997, le volume des productions est passé, à l'échelle du monde, à l'indice global de 433 pour toutes les viandes de granivores, à 338 pour les œufs, et à l'indice 654 pour la viande de volailles seulement contre 358 pour la viande et les produits du porc.

◆ **Les principaux pays producteurs de viande de poulet.**

Pays ou zone	%
Amérique	31
dont États-Unis	25
Asie	32
dont Chine	15
Europe	18
dont Union européenne	13
Amérique du Sud	14
dont Brésil	7
Afrique	4
Océanie	1

Données 1997. *Source* : FAO.

Notons cependant que les granivores restent des concurrents de l'homme quant à l'utilisation directe des grains de céréales et des matières protéiques des graines d'oléagineux et de protéagineux, dont la production pourrait ne plus couvrir les besoins humains si la démographie mondiale continuait à progresser à un rythme élevé.

La production de porcs. Si plus de la moitié de la viande de porc est produite dans les pays en développement, ce n'est pas, comme pour d'autres espèces, le signe que le porc est l'animal du pauvre. L'Asie et l'Europe jouent un rôle majeur et assurent 82 % du tonnage mondial. Dans chacun de ces continents, deux acteurs principaux émergent, assurant presque les deux tiers de la production, la Chine et l'Union européenne.

Comme pour le lait, de petits pays ont su développer, certains depuis la fin du XIXe s., comme le Danemark, des stratégies leur permettant de jouer sur le marché mondial un rôle beaucoup plus important que ne le ferait attendre leur surface ou le nombre des habitants.

La crise du porc en 1998-1999. La production porcine est exposée, de façon cyclique, à des situations de crise, en raison de la vitesse potentielle de croissance du troupeau, si celle-ci n'est pas bien maîtrisée. Une crise plus grave s'est déclenchée sur le marché international en 1998 et 1999, due à ce que les deux premiers importateurs mondiaux, le Japon et la Russie, dont les volumes achetés se rapprochaient de 1 million de tonnes chacun, sont entrés simultanément dans une phase de crise économique et financière. L'Union européenne, première zone exportatrice du monde, s'est trouvée la plus exposée, d'autant que les États-Unis ont commencé à développer, avant la fin du XXe s., une industrie nouvelle du porc tournée aussi vers ces deux marchés.

La production de viande de volaille. À la fin du XXe s., la production mondiale est assurée, par le poulet à raison de 83 %, par la dinde pour moins de 9 %, par les palmipèdes, canard et oie, pour 7 %. L'aviculture a pris position partout dans le monde, mais de façon encore inégale : l'Asie est en tête, devant l'Amérique du Nord. Dans l'Union européenne, le poulet représente 69 %, la dinde 20%, la France étant le 1er producteur, suivie par le Royaume-Uni, l'Italie, l'Espagne.

Les œufs. Plus de 50 millions de tonnes sont produites, dont 91 % en œufs de poule. L'œuf est, à 66 %, produit dans les pays en développement. L'Asie (60,5 %) vient en tête, avec la Chine comme plus gros producteur (42 %). Au sein de l'Union européenne, la France (18 %) mène, devant l'Allemagne.

◆ **Les flux d'échanges de viande de volaille dans le monde.**

Provenance	Destination						
	CEI	Extrême-Orient	Japon	Afrique du Nord et Moyen-Orient	Union européenne	Autres	Total
États-Unis	1130	565	93	16	12	527	2 343
Union européenne	363	120	5	265		296	1 049
Chine et Hongkong		716	273	2	7	16	1 014
Brésil		111	99	260	77	104	701
Thaïlande		8	130	1	43	5	187
Autres	96			26	144	42	308
Total	**1 639**	**1 520**	**600**	**570**	**283**	**990**	**5 602**

En millions de tonnes. Données 1997. *Source* : OFIVAL/GIRA/CE.

La pêche et l'aquaculture

Une production très diverse

L'homme pêche ou élève pour son alimentation un nombre considérable d'espèces animales vivant en milieu aquatique : 83 % sont des poissons, obtenus par pêche ou aquaculture ; 17 % sont des crustacés (homard, langouste, crevette, crabe, écrevisse, etc.), des céphalopodes (seiche, calmar, etc.), ou autres mollusques (huîtres, moules, coquilles Saint-Jacques, palourdes, praires, coques, voire bulots, bigorneaux...). Les poissons, pour 62 % sont pêchés ou élevés en mer et pour 21 % en eau douce. Certains poissons d'eau douce passent une partie de leur vie en mer, comme le saumon ou l'anguille.

Plus de 70 % de la surface de la Terre est constituée d'océans, sans compter les eaux continentales : ce qui peut laisser imaginer un énorme garde-manger vivant aux ressources renouvelables. En fait, la contribution du milieu aquatique à l'alimentation de l'homme demeure modeste : à l'échelle de la planète, à la fin du XXe s., les produits animaux aquatiques n'apportent que 5,6 % des protéines totales figurant au bilan alimentaire du monde et 15,4 % de l'ensemble des protéines animales.

Des ressources limitées. En outre, l'évolution des captures inquiète certains observateurs. En quatre décennies, le volume capturé avait été multiplié par cinq, passant de 20 millions de tonnes (Mt) en 1950 à 101 Mt en 1989, mais il a marqué le pas pendant plusieurs années avant de remonter entre 110 et 121 Mt au milieu des années 1990. Une analyse sectorisée montre que le gros poste des poissons de mer n'a pas progressé en 7 ans, de 1989 à 1996, alors que les poissons d'eau douce gagnaient 62 %, et le groupe des crustacés, des céphalopodes et autres mollusques 54 %. Sur une plus longue période, de 1961 à 1996, cette évolution différenciée se retrouve. Par rapport à un indice 100 en 1961, les poissons de mer sont passés, en 1996, à 245, l'ensemble des produits animaux aquatiques à 306, mais les poissons d'eau douce à 495, et le dernier groupe cité à 556. C'est dans ces deux derniers secteurs que l'aquaculture, ou élevage des animaux aquatiques, s'est surtout développée durant ces années, et surtout à partir de 1980.

La pêche

La pêche est une activité de prélèvement sur des ressources vivantes et renouvelables, mais qu'il faut gérer raisonnablement sous peine de les épuiser. Or les constats sont assez alarmants car, à l'exception de quelques stocks de poissons pélagiques assez bien sauvegardés, la plupart des ressources accessibles aux pêcheurs européens, par exemple, sont ou pleinement exploitées ou même, pour certaines, nettement surexploitées.

Les deux principales explications de cette situation sont l'excès des capacités de captures mises en œuvre par rapport aux potentialités des stocks, et une capture trop importante des jeunes individus dans beaucoup d'espèces. Des spécialistes européens considèrent qu'il n'existe pas de ressources nouvelles assez intactes pour autoriser une expansion significative des pêches. Un tel diagnostic justifie les mesures réglementaires de plus en plus sévères prises aux plans national, européen et mondial. L'utilisation des océans et de leurs ressources a longtemps été régie par le principe de la liberté des mers – librement accessibles à quiconque au-delà des limites étroites (3 à 12 milles marins) à l'intérieur desquelles s'exercent les juridictions nationales. Les Nations unies ont organisé, en 1958 et 1960, deux conférences sur le droit de la mer dont il n'est rien sorti de positif. La convention de Londres en 1964 a étendu le droit de pêche des pays côtiers à une zone, dite « contiguë », portant à 18 milles l'espace réservé, l'accès restant libre au-delà. Il a fallu près de deux décennies pour que soit entériné, par la Convention des Nations unies de 1982 sur le droit de la mer, le concept de ZEE (zones économiques exclusives), étendant à 200 milles marins les zones de pêche des États riverains, mais imposant aussi des obligations de gestion des prélèvements. Tout un arsenal de mesures a été mis en place aux niveaux français et

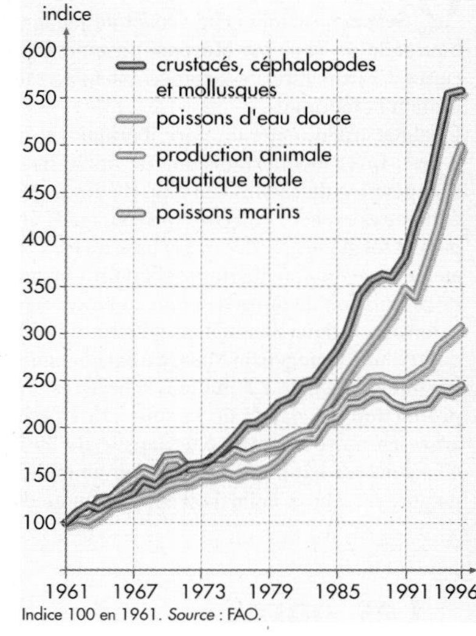

Indice 100 en 1961. *Source* : FAO.

◆ **L'évolution des productions animales aquatiques mondiales.**

Petit lexique

astaciculture : élevage des écrevisses.

conchyliculture : élevage de l'ensemble des coquillages représentés par des mollusques bivalves, comme l'huître, la moule, la palourde, etc.

crevetticulture : élevage des crevettes.

mytiliculture : élevage des moules.

ostréiculture : élevage des huîtres.

pisciculture : élevage des poissons, quels que soient l'espèce, le type de production, le milieu où elle se pratique.

salmoniculture : élevage des salmonidés (saumon atlantique, saumon pacifique, saumon Coho ou truites de mer, en élevage marin, truite Fario, truite arc-en-ciel, en eaux douces).

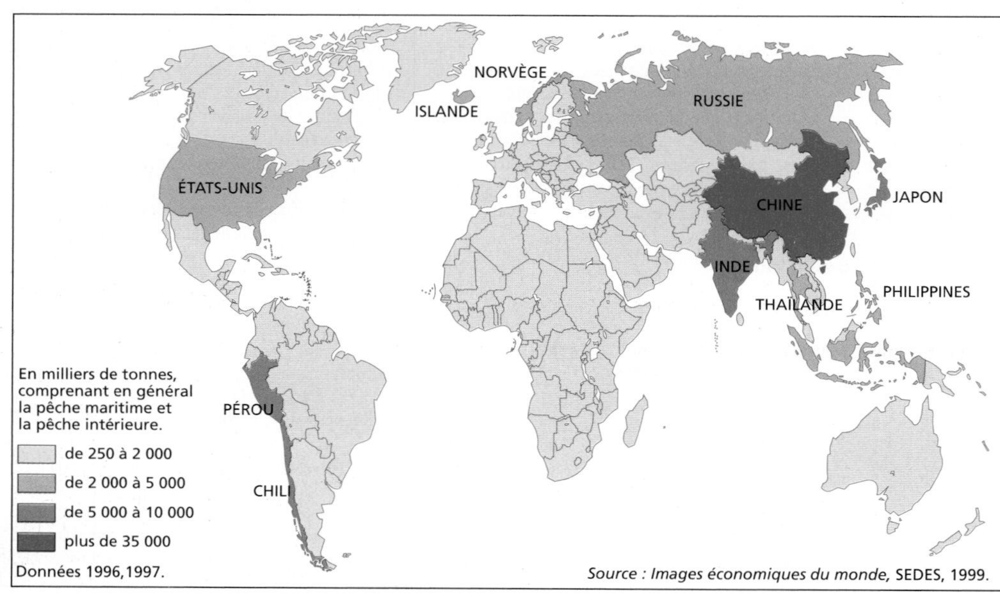

◆ **La pêche dans le monde.**

VOIR AUSSI
• **Poissons** p. 115, 116, 912
• **Mollusques et crustacés** p. 117, 914
Illustrations
• **Évolution des prises des pêcheries maritimes depuis 1950** p. 72
• **Principaux pays exportateurs de produits de la pêche** p. 842

◆ **Élevage de saumons en Norvège.**

communautaire depuis cette décision, visant à limiter les capacités de captures ainsi que la prise de juvéniles (gestion par la taille des mailles des filets, par l'instauration de saisons de pêche, par des zones protégées, etc.).

Toutes ces mesures visent à sauvegarder les ressources, mais aussi les entreprises de pêche. Toutefois, les pêcheurs les ressentent généralement comme des contraintes venant gêner à court terme l'exercice de leur activité.

L'aquaculture

L'aquaculture est une activité pratiquée depuis très longtemps. Elle consiste à créer une unité d'élevage dans laquelle plus ou moins de facteurs de production sont maîtrisés. Elle s'applique dans les trois groupes : poissons marins ; poissons d'eau douce ; crustacés, céphalopodes et autres mollusques. Mais toutes les espèces vivant en milieu aquatique ne sont pas, pour l'instant, l'objet d'un élevage.

La salmoniculture. La France est le plus gros producteur de truite, et essentiellement de truite arc-en-ciel *(Salmo gairdneri)*. En 40 ans, sa production a été multipliée par près de 40. La France compte 500 producteurs de truites, implantés surtout dans deux régions : la Bretagne (26 %), et l'Aquitaine (21 %). L'Europe produit les deux tiers de la production mondiale.

En Europe, la salmoniculture marine est dominée par l'élevage du saumon atlantique *(Salmo salar)*, qui devance nettement la truite de mer *(Onchorynchus mykiss)*.

La Norvège, avec près de 80 % de la production à la fin du XXe s., domine nettement la production européenne. C'est le premier pays d'Europe à avoir entrepris, dans la décennie 1970, la salmoniculture en mer. Mais c'est à partir de 1985 que sa production a pris une réelle importance (74000 t en 1988). Les autres pays européens dans la course sont, dans l'ordre, la Grande-Bretagne avec l'Écosse, l'Islande et les îles Féroé, l'Irlande, l'Espagne et la France étant loin derrière.

◆ **L'offre mondiale en produits animaux aquatiques.**

Année	Pêche	Aquaculture	Total
1985	74	6	80
1990	86	12	98
1995	91	21	113
2010 (hypothèse basse)	80	27	107
2010 (hypothèse haute)	105	39	144

En millions de tonnes. *Source* : FAO.

L'impact de la salmoniculture marine est déjà important : le tiers des saumons capturés dans le monde en proviennent ; l'Europe fournit 70 % de la production aquacole mondiale.

Le bar et la daurade. Le bar, ou loup *(Dicentrarchus labrax)*, jouit d'une bonne image dans tous les pays d'Europe ; la daurade *(Sparus aurata)* est moins appréciée dans certains pays comme l'Allemagne, et est surtout achetée en France et en Italie. Ces deux poissons sont produits par élevage intensif, principalement autour de la Méditerranée, à une échelle beaucoup plus modeste que les salmonidés. Le développement de ces deux espèces a été rapide : multiplication par 22 de 1988 à 1997.

Dans le Bassin méditerranéen, la Grèce s'est imposée comme 1er producteur à partir de 1991. Elle devance nettement, à la fin du XXe s., l'Italie, l'Espagne et la France. Au plan technique, 70 % de la production est assurée en cages flottantes, 15 % en bassins en béton.

Dans l'ensemble méditerranéen, la contribution de l'aquaculture était, dès 1996, nettement supérieure à celle de la pêche pour le loup et la daurade (dans un rapport de 2,4 pour 1).

Les tilapias. C'est un groupe de poissons d'eau douce dont plusieurs espèces sont élevées, le principal étant *Oreochromis niloticus*. De 1984 à 1994 la production a triplé, passant, dans le monde, de 200 000 à 600 000 tonnes. Cet élevage se développe partout dans le monde, mais surtout en Asie, avec la Chine (200 000 t), les Philippines, l'Indonésie, la Thaïlande. C'est une production propre aux pays chauds en zone intertropicale : la France est un petit producteur grâce à la Réunion et à la Martinique.

Le poisson-chat. Ce groupe comprend 2 000 espèces appartenant à 28 familles, dont s'est dégagé le poisson-chat tacheté *(Ictalurus punctatus)*, en anglais *channel catfish*, pour son grand pouvoir d'adaptation et ses qualités organoleptiques. Mais trois ou quatre autres espèces sont également élevées aux États-Unis. Dans ce pays, la production de poisson-chat a progressé de 200 000 t en une décennie. Elle se concentre dans trois États, le Mississippi, l'Arkansas et l'Alabama, avec des systèmes de production très contrastés, le Mississippi produisant les deux tiers du total dans des fermes aquacoles de grande taille (plus de 63 ha et plus de 50 t par an), les deux autres États produisant dans des fermes plus polyvalentes.

Le poisson-chat est le 3e produit aquatique consommé aux États-Unis. Le développement des firmes multinationales de restauration rapide a contribué à son développement.

◆ **La demande mondiale en produits animaux aquatiques.**

Année	Alimentation humaine	Farine de poisson	Demande totale
1970	40	20	60
1980	52	20	72
1990	70	28	98
1995	80	32	112
2010 (hypothèse haute)	114	32	146

En millions de tonnes. *Source* : FAO.

Les crevettes. Depuis 1990, sur une production mondiale de 2,5 à 2,7 millions de tonnes, 70 % continuent à provenir de la pêche, mais avec de fortes fluctuations selon les zones, les captures dans les zones chaudes comme le golfe du Mexique et celles des eaux froides du Nord se compensant parfois. Au nord, la pêche est correctement gérée par les quatre principaux producteurs que sont le Groenland, l'Islande, la Norvège et le Canada : cette gestion est importante pour l'espèce dominante de cette région, *Pandalus borealis*, qui met sept ans pour se renouveler.

La crevetticulture a fait une très forte poussée durant la décennie 1980 et son apport, dès le début du IIIe millénaire, pourrait égaler le produit de la pêche. Cent cinquante pays sont concernés par cette activité, mais moins de vingt assurent 90 % du total, la plupart en Asie (Thaïlande, Indonésie, Chine, Inde), mais certains en Amérique latine (25 % de la production mondiale en 1996) : l'Équateur est le 2e producteur mondial et son modèle d'organisation est considéré comme solide et exemplaire.

Une trentaine d'espèces sont élevées, mais trois dominent. Ce sont, dans l'ordre décroissant, la crevette tigre noir *(Paeneus monodon)*, la crevette chinoise *(P. chinensis)*, la crevette blanche occidentale *(P. vannamei)*. Les deux premières, préférées en Asie, ont connu, à la fin du XXe s., des attaques virales qui ont fait reculer la production ; l'Amérique latine a choisi la crevette blanche.

◆ **L'apport des animaux aquatiques dans le bilan des protéines animales.**

Type d'animaux aquatiques	%
poissons de mer	9
poissons d'eau douce	4,2
crustacés et coquillages	2,2
Total	**15,4**

Données 1996.
Source : FAO.

Le pacage marin

Cette technique, connue depuis longtemps, consiste à faire naître, dans une écloserie, de petits poissons que l'on va lâcher à un âge défini (smolt de quelques mois) dans un ruisseau côtier qui va les mener à la mer, avec l'espoir d'un retour à la source des poissons adultes après leur migration. La technique repose sur la mémoire olfactive des poissons, liée à l'odeur caractéristique de la rivière originelle, suggérée dès 1880 par Buckland et démontrée depuis par plusieurs équipes de chercheurs. Les premiers essais ont concerné le saumon, poisson anadrome. La technique a été largement étendue, notamment par le Japon et la Norvège. Dans les dernières années du XXe s., le Japon, qui travaille sur ce domaine depuis les années 1960, a procédé, chaque année, au lâcher de 3 à 18 milliards de juvéniles appartenant à 35 espèces de poissons, dont le saumon, la daurade et la limande, à 25 espèces de mollusques et à 13 espèces de crustacés.

La création en mer de récifs artificiels peut contribuer à améliorer la protection des animaux lâchés. Ce type d'aménagement a déjà été réalisé au Japon, mais aussi à Taïwan et aux États-Unis.

Des essais conduits en France par Ifremer vers 1980 avaient eu des répercussions très positives quant au repeuplement en saumon sur le site choisi, la rivière de l'Elorn (Finistère).

Les produits des céréales

L'aliment de base de l'humanité

Les céréales constituent, dans toutes les civilisations, une partie essentielle de la nourriture des hommes et des animaux, avec des dominantes par grandes zones : le blé en Europe, le maïs en Amérique, le riz en Asie, le mil en Afrique.

La plupart des céréales appartiennent à la famille des graminées, plantes annuelles dont les fruits (les grains) sont groupés en épis et épillets et protégés par des enveloppes dures et adhérentes, les glumes et glumelles.

Les céréales ont constitué au fil de l'Histoire, et constituent aujourd'hui encore, l'aliment de base de l'humanité : en 1996, 50 % des calories alimentaires consommées dans le monde avaient pour origine des céréales. Toutefois, cette moyenne recouvre des situations très contrastées, les céréales ne représentant par exemple que 24 % des calories aux États-Unis, contre 82 % au Bangladesh.

Principales céréales alimentaires. La famille des graminées, la plus importante, comprend les plantes suivantes : le blé tendre, le blé dur, le blé amidonnier, le blé épeautre, le blé engrain, l'orge d'été, l'orge d'hiver ou escourgeon, le seigle, l'avoine, le riz, le maïs, le millet, le sorgho et le mil (il en existe différentes espèces). Dans la famille des polygonacées, on trouve le sarrasin, et, dans celle des chénopodiacées, le quinoa.

Valeur alimentaire. La valeur alimentaire des grains tient d'abord à leur constituant principal, l'amidon, qui représente 70 % du poids total, le reste se répartissant en eau (12 %), protéines (10 %), lipides (2 %), cellulose (2,5 %) et cendres (c'est-à-dire sels minéraux : 2 %). Elle tient aussi à leur teneur en protéines, en sels minéraux – dont des sels de fer – et en vitamines du groupe B, dont la vitamine B1. L'apport énergétique des grains de céréales est élevé, puisque l'amidon fournit 400 kcal pour 100 g.

Une image en évolution. Après une certaine dégradation de leur image diététique, les céréales sont aujourd'hui réhabilitées par les nutritionnistes, grâce à l'amidon et au son qu'elles contiennent.

Longtemps éliminé au cours de la fabrication de la farine, le son (enveloppe du grain) a été mis en valeur par les travaux du cancérologue sud-africain D. P. Burkitt sur le rôle des fibres végétales dans la prévention des cancers du tube digestif. Quant à l'amidon, ses qualités digestives sont aujourd'hui bien établies. Les glucides à absorption lente, auxquels appartiennent le son et l'amidon, ont aujourd'hui détrôné les produits sucrés dans les régimes des sportifs de haut niveau. Le souci d'une alimentation saine et la recherche de performances sportives ont ainsi grandement amélioré l'image des céréales auprès du public.

Entre 1961 et 1996, la consommation directe par l'homme de produits céréaliers a considérablement évolué. Globalement, on note un recul de cette consommation dans les pays développés (–10 %) et une augmentation dans les pays en voie de développement (+29 %), ce qui s'est traduit par une croissance de la consommation mondiale moyenne (+20 %). Dans certains pays, l'augmentation a été spectaculaire : +65 % en Chine, où les céréales constituent 59 % du total énergétique en 1996 (la Chine, il est vrai, n'avait pas encore couvert les besoins énergétiques de sa population au début de la période).

Quelle que soit l'amélioration de l'image des céréales, il est important de noter que, dans les pays développés, les céréales sont désormais des matières premières destinées davantage à l'alimentation des animaux qu'à l'alimentation directe de l'homme : aux États-Unis, le rapport de ces deux modes d'utilisation est de 5 à 1, au sein de l'UE de 3 à 1. Dans les pays riches, c'est aux États-Unis que l'image des céréales alimentaires a été le plus réhabilitée, la demande s'étant accrue de 39 %. Au contraire, la consommation directe de céréales a reculé de 12 % dans l'Union européenne et de 20 % au Japon sur la même période, ces pays ayant été moins touchés antérieurement par le recul de consommation de ce type de produits.

Le blé

Le blé tendre (*Triticum sativum* ou *Triticum vulgare*) est la grande céréale panifiable. Ses rendements ont connu une croissance spectaculaire, qui a dépassé les 100 quintaux à l'hectare en Europe occidentale. Il est semé soit en octobre-novembre (blé d'hiver), soit en février-mars (blé de printemps).

Le blé tendre est aujourd'hui envoyé en meunerie, c'est-à-dire dans un moulin industriel qui broie le grain et sépare les issues (son et produits intermédiaires de rebut) de la farine. Celle-ci est destinée à fabriquer du pain et des produits de boulangerie. Les blés n'ayant pas une qualité boulangère satisfaisante doivent être mélangés à des blés dits « de force » ; sinon, ils sont utilisés en alimentation animale.

Le blé dur (*Triticum durum*) est une plante de climats chauds cultivée dans les régions méditerranéennes, même si sa culture a remonté en latitude en France. Ses grains sont destinés à la fabrication de la semoule. Riche en gluten (protéines), la semoule est utilisée pour la fabrication des pâtes alimentaires et, dans une moindre part, pour préparer le couscous, des gâteaux, puddings, etc. C'est en Italie et en Russie que l'on enregistre les plus hauts niveaux de consommation annuelle moyenne de blé par habitant : respectivement 148 kg et 126 kg en 1996, la moyenne mondiale étant de 71 kg.

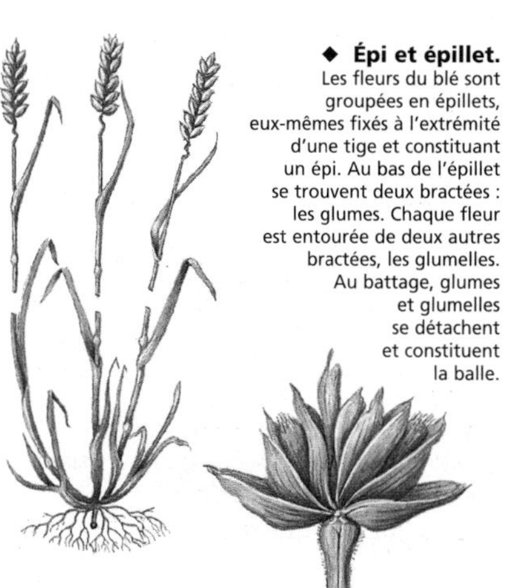

◆ **Épi et épillet.** Les fleurs du blé sont groupées en épillets, eux-mêmes fixés à l'extrémité d'une tige et constituant un épi. Au bas de l'épillet se trouvent deux bractées : les glumes. Chaque fleur est entourée de deux autres bractées, les glumelles. Au battage, glumes et glumelles se détachent et constituent la balle.

◆ **Blé.** On classe les variétés de blé selon les caractéristiques de leur cycle végétatif (nécessité ou non de vernalisation, c'est-à-dire d'avoir reçu une certaine quantité de froid), selon le temps qui leur est nécessaire pour arriver à maturité depuis la date du semis, d'après la résistance aux maladies, d'après la qualité du grain (valeur boulangère). En France, en 1950, 1 ha produisait en moyenne 16 q de blé et fournissait le pain pour 20 Français (80 kg/hab./an). En 1990, le rendement moyen était de 66 q/ha, et 1 ha fournissait le pain pour 114 Français (58 kg/hab./an).

◆ **Le grain de blé.** Le fruit est un caryopse creusé d'un sillon longitudinal. Au sommet, il porte une brosse (1) constituée des restes du stigmate de la fleur. Sous les téguments du grain (2), qui donnent le son, se trouve l'albumen farineux (3). Le germe (4), dont sera issue la nouvelle plante, se trouve à la base et sur le côté.

Le riz

Le riz (*Oryza sativa*) est la plante la plus cultivée dans le monde : il pousse dans tous les pays d'Asie, continent d'où il est originaire, mais également en Afrique, en Amérique et en Europe méridionale. On a dénombré plus de 6 000 variétés de riz. Le riz est surtout consommé en Asie (92 kg par habitant en Chine, 79 kg en Inde, 62 kg au Japon en 1996), mais il a conquis certains pays africains (72 kg au Sénégal, 63 kg en Côte d'Ivoire).

Les formes d'exploitation sont très variables, depuis des systèmes primitifs de riz de montagne, en culture sèche, jusqu'à des systèmes très intensifs caractérisés par un semis en pépinière suivi d'un repiquage en rizière submergée. Ce véritable jardinage impose des façons culturales soignées et un travail pénible, en particulier pour le repiquage, qui demande 20 journées de repiqueurs par hectare.

Le produit obtenu par le riziculteur, ou paddy, est impropre à la consommation en l'état, car il est encore enveloppé par des glumes et glumelles très dures. Le décorticage, qui dégage le paddy de ses enveloppes, permet d'obtenir le riz cargo, ou brun, qui subira une opération mécanique de blanchiment pour perdre sa dernière enveloppe et donner le riz blanchi, ou poli.

La cuisson du riz repose essentiellement sur sa capacité d'absorption des liquides : une tasse de riz cru donne trois tasses de riz cuit, que cette imbibition se fasse à l'eau, au lait, à l'huile, à la vapeur.

◆ **Riz.** La culture du riz exige chaleur, lumière et eau. C'est pourquoi elle ne s'étend pas au-delà du 35e degré de latitude sud (Uruguay) et du 45e degré de latitude nord (Lombardie, Kazakhstan). Sous climat sec, l'irrigation est nécessaire (Méditerranée).

La valeur alimentaire du riz tient au caractère très digeste de l'amidon qu'il contient.

La composition chimique de 100 g de riz poli cuit est la suivante : eau : 71,5 g ; glucides : 25,4 g ; lipides : 0,6 g ; protéines : 2,4 g ; calcium : 4 mg ; vitamine : 0. Valeur calorique : 116 kcal. Le riz poli cuit ne contient pratiquement pas de vitamines, ce qui explique de graves carences parmi les populations nourries à base de riz. Lorsque le riz conserve ses enveloppes (riz brun), il est plus riche en vitamines B1, B2, PP ainsi qu'en magnésium, potassium et fer (de l'ordre de 3 à 5 fois pour chacun de ces corps).

Le maïs

Si le blé s'identifie à l'Europe et le riz à l'Asie, le maïs *(Zea mays)* s'identifie à l'Amérique, dont il est originaire (régions de l'actuel Mexique). Il a transité par l'Espagne avant d'être introduit en France et en Europe continentale dès le XVIe s. Grande plante cultivée dans les régions tempérées comme dans les régions chaudes, le maïs peut fournir plus de 100 quintaux de grains secs à l'hectare (maïs grain). Il peut également être récolté comme fourrage (maïs fourrage).

Le maïs est une plante alimentaire de premier ordre, malgré sa relative déficience en protéines. Il est très utilisé en alimentation animale (porcs et volailles), mais également en alimentation humaine (whisky, semoulerie, brasserie, corn-flakes, etc.). Les dérivés industriels du maïs sont extrêmement nombreux, soit à partir des tiges et rafles (pâte à papier, panneaux ligneux, furfural) soit à partir des grains (colles, produits pharmaceutiques, vitamines, plastifiants, etc.).

◆ **Maïs.** Les maïs cultivés aujourd'hui dans les pays développés sont des hybrides vigoureux et productifs, obtenus par croisement de variétés améliorées par la sélection.

Le maïs est nettement déficitaire pour deux acides aminés essentiels, la lysine et le tryptophane. Une alimentation à dominante de maïs conduit à de graves maladies de carence, dont la pellagre, qui se traduit par des troubles cutanés, digestifs, nerveux et mentaux. Les populations méso-américaines, qui consomment des quantités considérables de maïs, lui font subir une cuisson particulière, dite « nixtamalisation » : avant cuisson à l'eau bouillante les grains sont mélangés avec de la cendre de bois, riche en potassium. L'intérêt vital de ce traitement alcalin de la farine de maïs a été démontré récemment.

Les autres céréales

Parfois qualifiées de « secondaires », les autres céréales représentent ensemble, à l'échelle mondiale, une production sensiblement égale à chacune des trois grandes (blé, maïs, riz). Pourtant, dans leur zone d'élection, leur place est loin d'être marginale (cas du mil en Afrique de l'Ouest, où sa consommation annuelle par habitant approche les 200 kg dans certains pays, comme le Niger, et représente 90 % du total des céréales).

L'orge est utilisée en alimentation animale et, en alimentation humaine, principalement pour la fabrication de la bière. On distingue, selon la conformation de l'épi, des orges à deux rangs (orge d'été, *Hordeum distichum*), qui fournissent les meilleures variétés brassicoles (destinées à la fabrication de la bière), et les orges à six rangs, appelées aussi escourgeons ou orges d'hiver *(Hordeum vulgare)*.

Le seigle *(Secale cereale)* a été longtemps la principale céréale des zones de montagne et des régions de l'ouest de la France. Le pain de seigle regagne de la place dans la consommation.

L'avoine *(Avena sativa)* est traditionnellement la base de la nourriture des chevaux. Sa farine est employée pour produire des flocons, des gruaux, du porridge, de la bouillie.

Le sarrasin *(Fagopyrum tataricum* et *Fagopyrum esculentum)*, encore appelé « blé noir », fournit une farine permettant de préparer des crêpes, des galettes, des bouillies. Le développement des crêperies a relancé sa culture.

Les mils. On cultive, dans les pays tempérés, deux sortes de mil : les millets et les sorghos. Le millet, ou petit mil, était autrefois largement répandu en Europe, sous deux formes principales : le millet à grappes, ou millet commun *(Panicum miliaceum)*, et le millet des oiseaux, ou moha *(Setaria italica)*. Le sorgho, ou gros mil *(Sorgho vulgare)*, fournit une farine servant à préparer des bouillies et de la semoule, mais il entre surtout dans l'alimentation animale. Une variété, le sorgho sucré appelé aussi *Sudan grass*, est utilisée comme fourrage vert. Il existe également des sorghos papetiers.

Les millets comme les sorghos se retrouvent surtout en Afrique et dans d'autres régions chaudes (Inde), avec de nombreuses espèces de graminées alimentaires baptisées « mils », par exemple le fonio d'Afrique, le mil à chandelle et le mil pénicillaire. Les mils servent à préparer des bouillies et des couscous, qui sont la base alimentaire de nombreuses ethnies en Afrique et en Asie.

VOIR AUSSI

Illustrations
- **Racines fasciculée du blé** p. 155
- **Structure de la graine contenue dans un grain de maïs** p. 159

◆ **Avoine, seigle, sarrasin.** Avec la régression de l'utilisation du cheval dans l'agriculture, l'avoine (C) est beaucoup moins cultivée qu'autrefois. Le seigle (D) est une plante de grande taille (2 m) dont les grains gris verdâtres sont plus longs que ceux du blé. Sa culture a beaucoup diminué. Le sarrasin (E) est une plante qui s'accommode de milieux défavorables.

Petit lexique

cellulose : substance complexe formant l'armature et la paroi des cellules végétales.

dextrines : substances résultant des attaques de l'amidon par l'amylase, comportant de huit à deux molécules de glucose.

glumes et glumelles : enveloppes ou balles des grains de céréales, qui se détachent au moment du battage des épis. L'enveloppe intime du grain donne le son.

levure : champignon qui fait lever la pâte à pain ou fermenter des solutions sucrées.

ovoproduit : produit préparé à partir d'œufs frais, afin d'offrir aux industries agroalimentaires des matières premières plus faciles d'emploi que les œufs.

protéine texturée : protéine ayant subi un traitement modifiant sa structure.

La confiserie

Une confiserie est un produit alimentaire dans lequel l'ingrédient dominant est le sucre. Par extension, le terme de confiserie s'applique à l'atelier, à l'usine, au magasin où sont fabriqués ou vendus des produits sucrés. Le sucre employé doit être de bonne qualité, correctement déshydraté pour éviter une cristallisation irrégulière ou grossière.

La cuisson du sucre est une pratique ménagère, artisanale ou industrielle. Elle se réalise dans un simple bassin en cuivre ou en acier inoxydable, à feu nu, ou dans des cuiseurs à pression atmosphérique et à grande vitesse – moins de 10 secondes – pour éviter la formation de sucre inverti. La cuisson peut également être réalisée dans des cuiseurs industriels en continu, sous vide. Pour faciliter l'opération, on ajoute en général du glucose et de l'eau.

Du sucre au caramel. Les professionnels distinguent 13 phases successives avant d'atteindre le point dit « au caramel ». Au stade de cuisson dit au « filet », le sirop en ébullition commence à épaissir et une petite quantité prise entre le pouce et l'index forme un filet lorsqu'on écarte les doigts. Le sucre au filet correspond à 30° au pèse-sirop. On distingue ensuite le sucre « au soufflé » (37 à 38°), puis le sucre « au boulé », le sucre « au petit cassé » et le sucre « au grand cassé ». À ces stades, le sucre est trop épais pour qu'on puisse utiliser le pèse-sirop. Au dernier degré de cuisson, on aboutit à une coloration jaune puis brune et à la formation de caramel, qui est très utilisé par l'industrie alimentaire, en particulier comme colorant (E 150).

Les bonbons

L'industrie de la confiserie classe les bonbons selon divers critères. Selon leur texture, on distingue bonbons durs, bonbons mous (gélifiés ou fondants) et bonbons fourrés (extérieur dur, intérieur mou). Selon leur taille, on distingue petits bonbons, de dimension inférieure au centimètre, souvent à goût de réglisse (cachou, zan), bonbons moyens, de 2 à 3 cm et correspondant à une seule bouchée, grands bonbons, qui demandent un fractionnement (pâte de guimauve) ou une consommation longue (sucette). Le petit bonbon à saveur parfumée contient dix fois moins de calories que le classique bonbon acidulé. Selon le critère de la diffusion commerciale, on distingue des spécialités locales et des produits banalisés internationaux. Cette distinction correspond souvent aussi à une opposition entre une fabrication artisanale et une fabrication industrielle.

◆ **Production française de confiserie.**

gommes, gélifiés, pâtes de fruits, réglisse	62 107 t	28,7 %
chewing-gums	53 018 t	24,5 %
caramels, toffees, pâtes à mâcher	37 221 t	17,2 %
sucres cuits	36 572 t	16,9 %
dragées, dragéifiés, œufs liqueur	15 148 t	7,0 %
nougats, fruits confits, marrons glacés	8 655 t	4,0 %
pastilles et comprimés	3 679 t	1,7 %

Données 1997.
Source : Organisation des industriels en confiserie et chocolaterie.

À tous ces classements se superposent la composition du bonbon et, surtout, son arôme, qui fait appel aux fruits (orange, citron, fraise, etc.) ou aux plantes aromatiques comme l'anis, les réglisses, la menthe. Cette dernière est souvent utilisée pour renforcer un autre arôme, par exemple dans la fabrication des caramels ou des chocolats fourrés. Ces différents arômes sont le plus souvent soulignés par des colorants, fort nombreux à être autorisés et utilisés en confiserie.

Dragées et pralines, bonbons durs. Les dragées et pralines sont des confiseries préparées à partir d'une amande autour de laquelle est pulvérisé un sirop de sucre très pur. Le sucre est fin, durci, coloré, puis glacé ou poli pour les dragées, alors qu'il est cuit et caramélisé pour les pralines.

Les bonbons de sucre cuit pleins, formés d'une masse compacte et homogène comme les sucres d'orge et les bonbons acidulés, sont mis en forme par un cylindre ou par une presse. Pour les bonbons de sucre cuit fourrés, la masse cuite est disposée autour de lances reliées à une pompe à fourrage qui injecte une pâte aromatisée aux fruits, ou une liqueur, ou du miel, etc.

Les bonbons sont recouverts d'une fine pellicule de saccharose pour les protéger de l'humidité. Au sortir de la chaîne de fabrication, ils sont refroidis, enveloppés, pesés et ensachés. Le berlingot, parfumé à la menthe et coloré en vert, est une variété de bonbon dur.

Les caramels. Ce sont des produits préparés à partir de sucre, de glucose, de matière grasse animale, de lait, de beurre, de crème ou de matière grasse végétale. Après cuisson, caramélisation et refroidissement, la pâte est découpée en carrés ou en cubes. Le goût des caramels peut être au naturel ou parfumé au café ou au chocolat. Les caramels durs sont surtout constitués de sucre cuit, alors que, dans les caramels mous, la part de glucose est augmentée, et la masse traitée dans un mélangeur-malaxeur pour éviter la caramélisation. Les *hopjes* et les *toffees* sont des variétés de caramel à structure feuilletée.

Les pastilles. Les pastilles sont des petits bonbons de sucre cuit, de chocolat, etc., de forme ronde et de surface plate ou légèrement bombée. Pour les confiseurs traditionnels, le pastillage représente tout un art, par exemple pour préparer les pastilles bicolores « à la goutte », aujourd'hui fabriquées par des machines à trémies. Parmi les pastilles timbrées, les plus célèbres sont celles de Vichy, obtenues par laminage d'une pâte dans laquelle on a incorporé du sucre et une gomme.

Les gommes. Elles représentent une famille importante de confiseries dont la base, d'origine végétale (gomme arabique, caroube, guar), n'a pas de valeur nutritive, mais sert de support à divers arômes, colorants ou remèdes, les gommes médicamenteuses étant vendues en pharmacie. La pâte de guimauve est une gomme qui contient de l'eau, du blanc d'œuf, du sucre, du glucose et divers colorants ou parfums. Elle ne contient absolument pas de guimauve, mais son nom lui a été donné en raison de la ressemblance des bâtons souples de sa pâte avec la plante. Les marshmallows sont une variante de guimauve molle.

Les pâtes à mâcher. Appelées aussi chewing-gums, ce sont des produits d'origine américaine. Le chewing-gum a d'abord été fabriqué à partir du chicle, latex du sapotillier, un arbre originaire des forêts du Mexique et de l'Amérique centrale. On le fabrique maintenant avec des résines végétales ou synthétiques. L'industrie des pâtes à mâcher diversifie ses produits par les arômes, les formes (tablettes, dragées) et en fonction des publics visés : bulles à claquer ou à gonfler (bubble gum) pour les enfants, chewing-gums sans sucre (avec édulcorants) pour les adultes, etc.

Les loukoums. Originaires du Moyen-Orient, ce sont des produits composés de sucre, de miel, de sirop de glucose et de farines (traditionnellement farine de sagou, de froment ou de riz mais aujourd'hui amidon de maïs). Quant au halva, il s'agit d'une confiserie à base de graines de sésame écrasées et de sucres : miel, saccharose de sucre inverti, sirop de glucose.

◆ **Fruits confits.**
L'art du confiseur a évolué avec la découverte des matières premières. Le miel a précédé le sucre pour enrober graines et fruits. Le sucre de canne, introduit en Europe par les croisés, permit le développement de la confiserie. La production du sucre de betterave, au XIXᵉ s., donna un regain d'activité à la profession. Il n'existe pas de réglementation propre aux produits de confiserie mais des « usages loyaux et constants », fondés sur des recettes traditionnelles et qui servent de référence au regard de l'Administration et des tribunaux.

Quelques spécialités

Les spécialités françaises les plus célèbres et les plus appréciées sont :
– les calissons d'Aix-en-Provence, en forme de losange, préparés à partir de pâte d'amande, de fruits confits, en particulier du melon, d'essence de fleur d'oranger. Ils présentent un dessus glacé et un dessous en pâte azyme ;
– les bêtises de Cambrai, dont l'origine (vers 1850) serait due à l'erreur d'un apprenti qui aurait insufflé de l'air dans la pâte ;
– les marrons glacés, spécialité originaire de l'Ardèche. Les marrons sont d'abord cuits à l'eau pendant plus d'une heure avant d'être baignés dans un sirop chaud et vanillé. Cette opération, dont dépend la qualité du produit final, peut durer plusieurs jours ;
– le nougat, préparé à partir de noix ou d'amandes grillées, de sucre, de miel ou d'amidon caramélisé. Le nougat tendre est moins cuit que le nougat dur. Le nougat de Montélimar (le nom désigne une recette et non le lieu d'origine) contient au minimum 28 % d'amandes et 2 % de pistaches ;
– la bergamote de Nancy, bonbon parfumé à l'essence naturelle du fruit du bergamotier, fabriqué à partir de sucre cuit à feu nu, subissant une cuisson dite « au cassé », puis mélangé au parfum, versé en nappe sur marbre huilé, marqué à l'emporte-pièce, refroidi et détaché.

Les produits à base de fruits

Les confitures. Elles sont préparées par cuisson de pulpe de fruits, de sucre, de glucose (ajouté pour éviter la cristallisation) et de divers additifs autorisés (arômes, colorants, acides ou pectine). La pectine est une substance glucidique extraite industriellement du marc de pommes. Elle est utilisée comme additif (E 440) en confiturerie pour ses propriétés gélifiantes.

L'opération principale de préparation des confitures est la cuisson, qui peut avoir lieu à l'air libre dans des ateliers artisanaux ou industriels de petite dimension, disposant de bassines à double fond, traditionnellement en cuivre et le plus souvent aujourd'hui en acier inoxydable. La cuisson peut s'effectuer sous pression réduite dans des cuiseurs-malaxeurs qui permettent d'obtenir des produits de meilleur aspect.

Parmi les produits proches des confitures, il faut signaler les compotes, préparations à base de fruits entiers et de sucre, auxquels on ajoute des aromates. Dans la fabrication des marmelades, les fruits sont écrasés en bouillie avant l'incorporation de sucre. Les gelées sont également préparées à partir de sucre et de fruits broyés dont les débris sont éliminés par tamisage après cuisson.

Les pâtes de fruits. Leur fabrication, à partir de pulpe de fruits et de sucre, est comparable à celle des confitures, avec cependant une cuisson plus poussée, suivie d'une mise en forme : elles sont coulées en plaque, découpées après refroidissement, ou placées dans des alvéoles en amidon. Pour améliorer leur aspect, on les pare de sucre semoule ou de glace royale. Parmi les plus renommées, on peut citer les pâtes de fruits d'Auvergne, les cassissines de Dijon (pâte de cassis fourrée à la liqueur de cassis), le cotignac d'Orléans (pâte de coing présentée sous forme de roudoudou), etc.

Les fruits confits. Pour les fabriquer, on utilise des fruits de bonne qualité, qui sont souvent conservés par congélation avant de subir les différents traitements : lavage et blanchiment, bain dans l'eau chaude au-dessous du point d'ébullition, puis confisage proprement dit. Il s'agit d'une immersion dans un sirop de sucre auquel on a ajouté du glucose pour éviter la cristallisation. Cette opération se pratique soit dans des terrines, récipients en terre vernissée, soit dans des bacs. Elle peut durer jusqu'à 10 ou 12 jours, après quoi les fruits, nourris à cœur par le sirop de sucre, sont glacés avec une pellicule sucrée qui empêche la déshydratation. Les fruits le plus couramment confits sont l'abricot, la prune, la pêche, l'orange, la figue, la poire, la clémentine, l'ananas, le melon et le bigarreau.

◆ **Consommation de miel dans le monde.**

Pays ou zone	kg/hab./an
Autriche	1,7
Grèce	1,5
Nouvelle-Zélande	1,4
Canada	1,0
Allemagne	1,0
Suisse	1,0
Espagne	0,8
États-Unis	0,6
Belgique et Luxembourg	0,6
Union européenne	0,6
France	0,5
Irlande	0,5
Pays-Bas	0,5
Suède	0,4
Danemark	0,4
Italie	0,4
Portugal	0,4
Royaume-Uni	0,4
Japon	0,4
Finlande	0,3
Chine	0,1
PAYS DÉVELOPPÉS	0,5
PAYS EN DÉVELOPPEMENT	0,1
MONDE	0,2

Données 1996.
Source : FAO.

Le miel

Le miel est une substance sucrée produite par les abeilles à partir du nectar des fleurs. L'abeille mellifère, insecte hyménoptère, vit en société. Au sommet de chaque société d'abeilles, ou ruche, se trouve une seule mère, ou reine, qui vit plusieurs années et pond jusqu'à 2 millions d'œufs. Les ouvrières sont des femelles non fécondées qui vivent quelques semaines une existence programmée avec précision : elles passent les trois premiers jours de leur vie active à nettoyer les alvéoles, puis elles deviennent nourrices. Au sixième jour, elles produisent la « gelée royale », sécrétée par les glandes pharyngiennes, pour en nourrir les jeunes larves. Elles produisent ensuite de la cire et construisent des alvéoles avant de devenir gardiennes à l'entrée de la ruche et de sortir, pendant un mois environ, pour butiner. C'est à l'occasion du butinage qu'a été mis en évidence un « langage » des abeilles, danse au moyen de laquelle l'insecte indique à ses congénères la direction et la distance du lieu de récolte. Les abeilles butinent le nectar, liquide sucré incolore plus ou moins visqueux sécrété par de petits réceptacles situés à la base des fleurs et des feuilles, les nectaires. Le nectar est riche en saccharose, dextrine et mucilage. Dans le jabot de l'abeille, le nectar subit une digestion qui provoque une inversion des sucres et le transforme en miel.

L'apiculture. Dans les formes primitives d'apiculture, encore très courantes en Afrique et en Asie, on recueille des essaims naturels, on les installe dans des ruches à rayons fixes que l'on vide à l'automne, généralement par asphyxie, quand les abeilles ont constitué leurs réserves pour l'hiver. Le miel est alors séparé de la cire par pressage. Ce miel de « presse » est d'une qualité assez médiocre, et les rendements sont faibles.

Sous les climats tempérés, l'apiculture se pratique selon des formes plus complexes. Les apiculteurs disposent de plusieurs centaines, voire de plusieurs milliers de ruches ; ils pratiquent l'élevage des reines, le contrôle de l'essaimage, les nourrissements pour favoriser la croissance des colonies.

Les ruches sont des caisses en bois où s'insèrent des cadres mobiles. Les abeilles construisent leurs rayons de cire à partir d'une feuille de cire gaufrée mise en place par l'apiculteur sur les cadres. Suivant l'activité de la colonie, il est possible d'agrandir la ruche en ajoutant des rayons supplémentaires.

La composition du miel. À température ordinaire, le miel, dont la couleur varie du jaune très pâle au brun sombre, est une solution sursaturée de sucres dans 15 à 20 % d'eau, ce qui explique qu'il puisse être liquide ou pâteux, solide, cristallisé. Par chauffage léger à 60 °C, le miel solide redevient liquide. Le miel renferme une quinzaine de sucres et d'autres constituants, présents pour moins de 1 % du poids : sels minéraux, acides organiques, acides aminés libres, protéines, enzymes, substances volatiles responsables de l'arôme. On peut également y trouver des grains de pollen, des spores de champignons, des levures, éléments dont l'analyse permet de déterminer l'origine du miel. Les deux sucres principaux, le glucose et le lévulose (fructose), sont des sucres invertis. Ils sont accompagnés de maltose, saccharose, mélézitose, etc. Les proportions des constituants donnent à chaque cru de miel une spécificité correspondant aux fleurs butinées.

Petit lexique

fructose ou lévulose : sucre frère du glucose, ayant les mêmes propriétés.

glucose ou dextrose : sucre le plus simple à assimiler par l'organisme.

saccharose : sucre ordinaire, fourni par la canne et la betterave, correspond à l'union de deux sucres plus simples, le glucose et le fructose. Pour passer dans le sang, il doit être préalablement décomposé en ces 2 sucres par des enzymes présentes dans le tube digestif.

sucre inverti : saccharose transformé en glucose et fructose par hydrolyse.

Les types de miel. On distingue :
– les miels unifloraux, parmi lesquels le miel de sainfoin, en particulier celui du Gâtinais, est le plus recherché pour sa couleur blanche, sa finesse, son parfum. Le miel de trèfle est le plus répandu. Le miel de romarin et celui de lavande ont des couleurs prononcées et des arômes forts ;
– les miels « toutes fleurs », qui proviennent de mélanges dans lesquels, outre les espèces précédentes on peut trouver le robinier (faux acacia), le sapin, la bruyère, le colza, etc. Ces miels ont une valeur commerciale inférieure à celle des miels unifloraux ;
– les miels de miellat, qui sont produits dans des régions où poussent le sapin et l'épicéa (miel de miellat des Vosges et du Jura), les miellats étant des substances sucrées excrétées par des hyménoptères qui se nourrissent de la sève de ces résineux.

◆ **Récolte du miel.**
Il existe deux types d'apiculture : l'une est dite fixiste, l'autre mobiliste. Dans l'apiculture fixiste, on utilise des ruches dans lesquelles les abeilles construisent et fixent elles-mêmes leurs rayons sur des cadres. L'apiculteur doit désoperculer les alvéoles à l'aide d'un couteau chauffant (ci-dessus) pour récolter le miel. Dans l'apiculture mobiliste, les ruches contiennent des cadres mobiles qu'il est facile de retirer ou de replacer.

Les huiles et les graisses alimentaires

Corps gras dans l'alimentation

D'origine végétale ou animale, les corps gras sont des matières fluides ou concrètes (solides à la température ordinaire), plus ou moins colorées, onctueuses, inflammables, insolubles dans l'eau et dans l'alcool et formant des savons avec les bases. Les corps gras alimentaires, huiles et graisses, forment la catégorie des lipides. Dans le régime alimentaire des pays développés, les lipides apportent aujourd'hui de 40 à 45 % des calories consommées, alors qu'au début du XXe s. le pourcentage n'était que de 20 %. Cette croissance spectaculaire tient aux diverses qualités des corps gras. Les huiles et graisses apportent aux aliments :
– une onctuosité agréable au palais ;
– un goût propre, avec les arômes qu'elles dissolvent, et qui s'exhalent à la cuisson ;
– une importance nutritionnelle considérable sur le plan énergétique, les lipides fournissant 9 kcal/g et étant, de loin, les plus caloriques des nutriments ;
– les acides gras essentiels.

Sont dits « essentiels », pour l'homme et les autres mammifères, les acides gras que ceux-ci ne peuvent synthétiser et qu'ils doivent donc trouver dans leur alimentation. Ils sont tous polyinsaturés et appartiennent :
– soit à la famille linoléique, qui comprend l'acide linoléique lui-même, présent dans toutes les huiles végétales, et d'autres dérivés, dont l'acide arachidonique, apporté par la consommation de viande rouge, de foie, de cervelle ;
– soit à la famille alpha-linoléique, dont le principal représentant est l'acide alpha-linoléique, présent dans le beurre, mais aussi dans le germe de blé, la noix, le colza, le soja. L'acide cervonique, son principal dérivé, et d'autres qui en sont proches sont presque exclusivement apportés par les poissons.

Autre qualité exceptionnelle des lipides sur le plan nutritionnel, l'apport des vitamines qu'ils contiennent en dissolution, et notamment des quatre grandes vitamines liposolubles :
– vitamine A (rétinol, axérophtol), qui joue un rôle dans la vision ;
– vitamine D (cholécalciférol), antirachitique ;
– vitamine E (tocophérol), qui joue un rôle dans la fécondité ;
– vitamine K (naphtoquinone), qui joue un rôle dans la coagulation du sang.

Le revers de ces qualités exceptionnelles tient aux excès caloriques provoqués par l'absorption trop massive de lipides.

Consommation. Dans les pays riches, les niveaux totaux de consommation de graisses sont actuellement très élevés (147 g/hab./j. dans l'Union européenne, 141 g aux États-Unis, soit 2 fois la moyenne mondiale et 3 fois celle des pays à faible revenu) ; les graisses animales et végétales occupent sensiblement la même place, malgré quelques différences régionales : on consomme un peu plus de graisses animales dans l'Union européenne (56 %), un peu moins aux États-Unis (49 %) et dans le reste du monde (46 %). Réalité souvent ignorée des consommateurs, la plus grande partie des graisses animales est consommée sous forme de graisses cachées ou liées à d'autres aliments (73 % dans l'Union européenne), les graisses animales visibles (10 g de beurre et 12 g d'autres graisses animales consommés par habitant et par jour dans l'Union européenne) ne pesant que 27 % du total ingéré. Les viandes sont les principaux aliments consommés porteurs de graisses animales (40 % aux États-Unis et dans l'Union européenne), suivies par les produits laitiers (38 %). Dans l'Union européenne, les pays du Nord consomment plus de 55 % de graisses animales, ceux du Sud de 53 à 66 % de graisses végétales.

Huiles d'origine végétale

Chez les végétaux fournisseurs d'huile, appelés « oléagineux », les réserves lipidiques se rencontrent le plus souvent dans les graines : d'arachide, de soja, de colza, etc., ou dans la pulpe qui entoure le noyau des fruits comme l'olive.

L'olive, fruit de l'olivier *(Olea europaea),* arbre méditerranéen de la famille des oléacées, peut être cueillie verte (avant maturité) ou noire (à pleine maturité) et conservée dans la saumure pour être consommée nature. Les olives contiennent 20 % de matière grasse, dont on peut extraire une huile très appréciée, riche en acide oléique. L'huile d'olive vierge est obtenue par pression à froid des olives préalablement broyées et réduites en pâte. Les extractions suivantes, provoquées par chauffage et solvants chimiques, produisent des huiles de moindre qualité.

L'arachide *(Arachis hypogea)* est une légumineuse papilionacée, cultivée pour ses graines, qui se développent à 3 ou 5 cm sous terre. Les cacahuètes (ou « arachides de bouche ») sont commercialisées en coques ou décortiquées, nature ou apprêtées. L'arachide sert surtout de matière première pour extraire une huile utilisée en cuisine et en savonnerie.

Le sésame *(Sesamum indicum),* de la famille des pédaliacées, est une plante originaire d'Asie, cultivée depuis des millénaires pour la production d'huile. Les graines de sésame, légèrement grillées, sont aussi consommées directement comme condiment, après broyage et mélange avec du sel, ou utilisées en pâtisserie et confiserie.

◆ Le soja. Légumineuse qui se sème au printemps, le soja a un cycle végétatif qui dure de 90 à 150 jours, selon la variété. La plupart des variétés cultivées ont été sélectionnées aux États-Unis, où cette plante est d'une grande importance économique. Sa culture est entièrement mécanisée.

Le soja *(Soja hispida),* originaire d'Asie, légumineuse papilionacée, est devenu aujourd'hui une plante américaine, les deux premiers pays producteurs et exportateurs étant les États-Unis et le Brésil. Les graines de soja ont une excellente valeur alimentaire en raison de leur haute teneur en protéines ; elles constituent un légume mais sont également utilisées en farine, en lait, en fromage. On en tire une huile de table et une huile pour la margarinerie. Déshuilée, la farine est utilisée notamment en biscuiterie et dans les pâtes alimentaires.

Le colza *(Brassica napûs),* plante annuelle, fournit par ses graines une huile comestible appréciée. Sa culture a connu récemment une grande expansion. L'huile de colza contenait, dans les variétés anciennes, de l'acide érucique, provoquant, lors d'expériences effectuées sur des rats, des troubles cardiaques graves. Les sélectionneurs ont mis au point des variétés qui en sont dépourvues.

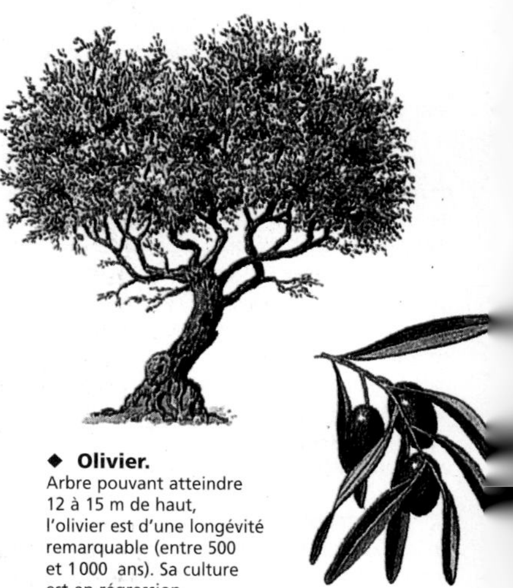

◆ Olivier. Arbre pouvant atteindre 12 à 15 m de haut, l'olivier est d'une longévité remarquable (entre 500 et 1 000 ans). Sa culture est en régression.

◆ Consommation de graisses végétales et animales dans le monde.

Pays ou zone	Graisses végétales	Graisses animales	Total
Belgique et Luxembourg	21,4	25,4	46,8
Allemagne	18,1	21,6	39,7
Autriche	19,6	18,6	38,2
Suède	16,5	19,7	36,2
Italie	24,3	10,6	34,9
France	16,5	18,7	35,2
Danemark	7,1	26,6	33,7
Union européenne	19,5	14,2	33,7
Irlande	15,0	17,8	32,8
Grèce	29,6	3,1	32,7
États-Unis	23,9	6,3	30,3
Portugal	18,4	11,8	30,2
Royaume-Uni	16,4	9,3	25,7
Pays-Bas	17,1	7,8	24,9
Finlande	8,8	14,1	22,9
Japon	12,5	2,1	14,6
Inde	7,3	1,5	8,8
Chine	5,1	1,7	6,8
PAYS DÉVELOPPÉS	15,6	8,6	24,2
PAYS EN DÉVELOPPEMENT	7,8	1,6	9,4
MONDE	9,5	3,2	12,7

En kg/hab./an. Données 1996.
Source : FAO.

◆ **Tournesol et arachide.** Plante de 1,5 à 8 m de haut, le tournesol (A) se sème en avril et se récolte en septembre à la moissonneuse-batteuse. Le capitule peut atteindre 40 cm de diamètre et porter 1 500 grains.

L'arachide (B) est une plante annuelle, cultivée dans les pays chauds, des plus secs aux plus humides.

Le tournesol *(Helianthus annuus)*, plante annuelle de la famille des composées, fournit des graines contenant 40 % d'une huile appréciée par les diététiciens. L'huile de tournesol est devenue la troisième huile végétale au monde après l'huile de soja et l'huile de palme.

Le carthame *(Carthamus)* est aussi une composée, autrefois cultivée comme plante tinctoriale et condimentaire, mais aujourd'hui utilisée pour la production d'huile, en particulier en Amérique du Nord.

Le cocotier *(Cocos nucifera)*, arbre de la famille des palmiers (palmacées), est cultivé dans les régions côtières de la zone intertropicale, en particulier dans les Caraïbes. La pulpe de noix de coco, ou coprah, une fois séchée, présente un grand intérêt en savonnerie, car sa teneur en acide laurique lui donne des qualités moussantes. Mais l'utilisation principale en est alimentaire.

Le palmier à huile *(Elaeis guineensis)* est un arbre de soleil et d'eau à croissance continue, qui produit un fruit oblong de 3 à 5 cm de diamètre comprenant une pulpe jaune orangé, riche en huile de palme, et une amande, ou noix de palme ou palmiste, qui donne l'huile de palmiste. Ses rendements par hectare sont six fois supérieurs à ceux de l'arachide et douze fois supérieurs à ceux du colza. L'huile de palme est fractionnée en une partie liquide jaune d'or, utilisée en alimentation, et une partie concrète destinée à la margarinerie. L'huile de palmiste est également utilisée en alimentation et en savonnerie. L'huile de palme est devenue la concurrente directe de l'huile de soja, qu'elle va dépasser au début du XXIe s., alors qu'elle ne représentait en 1965 que le tiers de la production mondiale de soja.

Les autres huiles sont très nombreuses, mais leur utilisation reste faible. Ainsi, l'huile de noyau d'abricot était consommée en Chine, comme l'était en France l'huile de noyau de cerise, qui était aussi utilisée dans les Alpes, pour l'éclairage. Citons encore l'huile de pépins de raisin (3 à 5 pépins par grain contiennent 15 à 18 % d'une huile comestible très appréciée), l'huile de noix, l'huile de noisette, l'huile de germe de maïs, etc.

Graisses animales

À côté des laits, surtout de vache, et de leurs dérivés, l'homme a toujours consommé des corps gras d'origine animale, en particulier les tissus adipeux qui constituent les réserves lipidiques des mammifères.

Chez les animaux marins, la baleine a été l'objet, autrefois, d'une pêche active, et sa graisse, fondue sur les bateaux, donnait une huile appréciée. Aujourd'hui, la part totale des corps gras provenant d'animaux marins a baissé. Il s'agit surtout d'huiles de poisson, en particulier d'huiles de foie (morue, requin, flétan). Dans le bilan mondial des matières grasses alimentaires, visibles et cachées, les animaux marins contribuent pour 2,9 % des graisses animales, taux plus fort en Asie (4 %), moindre dans l'Union européenne (1,8 %) et aux États-Unis (1,4 %).

Chez les animaux de boucherie, on récupère les graisses des espèces bovines et ovines, qui constituent le suif, et la graisse de porc, qui constitue le saindoux. Leur place, en graisse visible, diminue, mais est très importante en graisse totale.

Traitement industriel

Le traitement industriel des huiles végétales comprend deux grandes phases : la trituration et le raffinage.

La trituration est elle-même un ensemble d'opérations comprenant : un décorticage et un nettoyage des graines, un broyage et une cuisson préalable sous pression dans un appareil continu à vis *(expeller)*, qui fournit une huile brute et un tourteau de pression contenant encore 20 à 25 % d'huile. Sur ce dernier, on procède à une extraction par un solvant volatil (hexane) qui permet de récupérer l'huile et d'obtenir un tourteau définitif déshuilé et sans solvant. L'huile vierge est obtenue par pression (qui est effectuée uniquement grâce à des moyens mécaniques) des grains ou des fruits d'une seule espèce végétale (olive, tournesol, etc.).

Le raffinage. La deuxième phase de la fabrication intervient alors : on raffine l'huile brute pour éliminer des impuretés, des mucilages (démucilagination), des colorants (traitement sur terres décolorantes), des odeurs désagréables (par chauffage à 200 °C sous vide).

Après le raffinage, l'huile, qualifiée d'alimentaire, est éventuellement filtrée puis stockée et conditionnée. La mise en bouteilles s'effectue dans des bouteilles plastiques opaques pour des huiles sensibles à la lumière : tournesol, olive, pépin de raisin, maïs, ou en bouteilles transparentes pour les huiles qui supportent la lumière : colza, arachide.

Coproduits animaux. Les tissus gras des animaux, collectés dans les abattoirs et dans les boucheries et les charcuteries artisanales, sont traités dans des fondoirs. La matière première est préparée par élimination des impuretés, lavage, broyage et hachage, etc., puis on procède à l'extraction par fusion à température modérée, parfois en autoclave à basse pression ; pour séparer les tissus dégraissés (ou cretons) de la graisse, on procède par essorage et centrifugation. L'ensemble des opérations doit être conduit rapidement et à l'abri de l'air pour conserver toutes ses qualités alimentaires au produit fini. L'industrie des coproduits animaux a fait des efforts considérables pour produire des matières grasses alimentaires de qualité (saindoux, graisse de canard et de poule, blanc de bœuf…).

Margarines

La margarine est un corps gras alimentaire constitué par une émulsion stabilisée d'huiles, de graisses végétales et d'eau. Pâte onctueuse à température ordinaire, elle contient une phase solide représentant 85 % du poids et une phase liquide (de l'eau) en représentant 15 %. Elle a la même valeur calorique que le beurre : 780 kcal pour 100 g.

La margarine fut inventée par le pharmacien français Mège-Mouriès, qui déposa en 1869 deux brevets, en France et en Grande-Bretagne, pour répondre à un concours, lancé à l'initiative de Napoléon III, pour « découvrir un produit propre à remplacer le beurre ordinaire pour la marine et pour les classes sociales peu aisées […], capable de se conserver sans contracter le goût âcre et l'odeur forte ». D'abord fabriqué à partir de petit-lait, ce nouveau produit fut baptisé margarine (du latin *margaritas*, « perle ») en raison de son aspect nacré. La margarine a ensuite été produite à partir d'huile d'olive refroidie à 4 °C et ayant subi divers cycles de pression pour aboutir à l'oléomargarine.

La découverte du processus chimique favorisant le « durcissement des huiles végétales » (hydrogénation catalytique) a permis l'utilisation d'un grand nombre d'huiles pour fabriquer de la margarine : coprah, arachide, palme, palmiste, soja, colza, tournesol, etc. De nouvelles formes ont été mises au point à partir des huiles végétales, judicieusement traitées et mélangées pour répondre à des besoins très diversifiés : margarine aromatisée (diacétyle, glycérides) et facilement tartinable, margarine allégée, margarine vitaminée, margarine pour pâte feuilletée, etc.

VOIR AUSSI • **Beurre** (le lait et les produits laitiers) p. 904

◆ **Consommation de beurre et de margarine en Europe.**

Pays	Beurre	Margarine	Total
Suède	5,9	16,6	22,5
Danemark	5,0	17,3	22,3
Belgique et Luxembourg	6,0	11,1	17,1
France	8,3	8,7	17,0
Finlande	5,3	10,9	16,2
Pays-Bas	3,5	10,8	14,3
Allemagne	7,0	7,2	14,2
Royaume-Uni	3,2	8,5	11,7
Autriche	5,1	5,9	11,0
Irlande	3,5	3,5	7,0
Portugal	1,5	4,3	5,8
Grèce	1,2	4,1	5,3
Italie	2,6	1,5	4,1
Espagne	0,5	2,2	2,7
UNION EUROPÉENNE	4,5	5,9	10,4

En kg/hab./an. Données 1996.
Source : CNIEL/EUROSTAT.

Les fruits

Fruits à noyau

Le pêcher (*Prunus persica*, famille des rosacées) est un arbre originaire de Chine, cultivé pour ses fruits à chair savoureuse et parfumée. Les pêches sont produites, commercialisées et consommées en été, particulièrement en juillet et août. Les variétés à chaire blanche représentent 30 % de la production (springtime, robin, grenadix, impero) et les variétés à chair jaune 70 %. Celles-ci ont un calibre moyen supérieur à celui des blanches et une meilleure résistance au transport (dixired, redhaven, springlady, suncrest, toutes créations d'origine américaine).

La nectarine et le brugnon (obtenu par greffe du pêcher sur un prunier) sont des pêches à peau lisse, qui se distinguent par le noyau adhérent à la chair pour le brugnon, libre pour la nectarine. Les nectarines à chair blanche (morton) ou à chair jaune (mayred, nectared, etc.) sont toutes originaires des États-Unis.

◆ **Pêche.** Fruit d'été, la pêche peut avoir le noyau libre (pêche jaune, pêche blanche, nectarine) ou le noyau adhérent à la chair (pavie, brugnon).

Le prunier (*Prunus domestica*, famille des rosacées) est un arbre cultivé largement en France. La dizaine de variétés traditionnelles, comme la reine-claude, représentent de 35 à 40 % des prunes commercialisées pour la table. Elles sont également transformées en confitures et en fruits au sirop. Les variétés nouvelles, dites japonaises, implantées en région méditerranéenne, ont une meilleure productivité et une plus grande précocité; leurs fruits se manipulent facilement, mais leur qualité gustative est médiocre.

Fruit produit et consommé frais en été, la prune subit de nombreuses transformations industrielles pour la conserverie et la confiturerie (mirabelle de Nancy), pour la distillerie (mirabelle de Metz, quetsche d'Alsace) ou pour le séchage (prune d'ente du Lot-et-Garonne fournissant le pruneau d'Agen).

A

B

◆ **Prune.** Il existe deux types de prunes : celles qui sont consommées à l'état frais (reines-claudes, etc. [A]), fragiles et difficiles à conserver à maturité; celles qui servent surtout à l'industrie (mirabelles [B], quetsches : conserves, confitures, alcools) et à la fabrication des pruneaux (prune d'ente du Lot-et-Garonne fournissant le pruneau d'Agen).

Le cerisier (*Prunus cerasus*, famille des rosacées) est un arbre poussant spontanément dans toute la France, mais cultivé en vergers intensifs dans le Sud-Est. Les variétés de cerises cultivées sont toutes des bigarreaux :
– bigarreau hâtif de Burlat, savoureux et juteux;
– bigarreau cœur de pigeon, savoureux mais aux fruits petits;
– bigarreau napoléon, surtout pour l'industrie;
– bigarreau reverchon, etc.

Le temps des cerises est bref, de mai à début juillet pour les fruits frais. En revanche, l'industrie fournit de nombreux produits transformés : fruits confits, fruits au sirop, confitures, jus de fruit, alcools et liqueurs (kirsch de Fougerolles, en Haute-Saône, et d'Alsace), et fruits surgelés. Les fruits confits absorbent 65 % des quantités transformées et sont exportés vers la Grande-Bretagne et les États-Unis.

◆ **Cerise.** La cerise est produite par un arbre atteignant un grand développement (cerisier). Elle est très appréciée comme fruit frais de printemps.

L'abricotier (*Prunus armenica*, famille des rosacées), originaire d'Asie, est un arbre dont la production, localisée dans le Roussillon et le Sud-Est, est très irrégulière d'une année sur l'autre et se limite aux mois de juin-juillet avec une fin en août. Les variétés d'abricots hâtifs colomer et rouge du Roussillon, les plus cultivées, sont françaises.

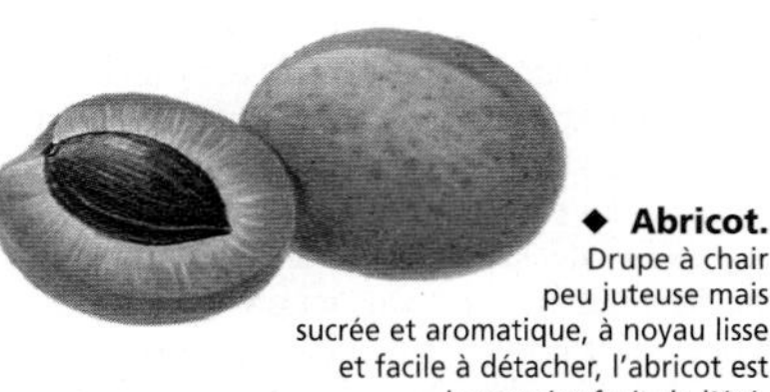

◆ **Abricot.** Drupe à chair peu juteuse mais sucrée et aromatique, à noyau lisse et facile à détacher, l'abricot est le premier fruit de l'été.

◆ **Pomme.** Ce fruit est présent toute l'année sur les marchés grâce à une conservation de longue durée en chambre froide et atmosphère contrôlée. Le pommier est l'espèce fruitière la plus cultivée dans le monde.

Fruits à pépins

Le pommier (*Pirus malus*, famille des rosacées) est l'arbre fruitier le plus cultivé dans le monde. Il est spontané en Europe. Le pommier cultivé offre de très anciennes variétés de pommes : les pommes d'api, à fruits petits, lisses, rouge vif ; les calvilles, à fruits côtelés blancs ou rouges ; les reinettes, parmi lesquelles la reine des reinettes, au fruit de calibre moyen, couleur jaune strié de rouge, très appréciée pour sa chair juteuse, acidulée, au parfum agréable ; les reinettes blanche et grise du Canada ; la belle de Boskoop et la boskoop rouge.

Les variétés dites « nouvelles » correspondent aux nouveaux vergers intensifs établis au cours des années 1960. Ce sont des variétés caractérisées par une couleur très franche. La golden delicious, d'origine américaine, a représenté pendant quelque temps la moitié de la consommation nationale. Elle donne des rendements élevés de fruits à belle coloration, à chair fine, juteuse et sucrée, à conservation facile. Mais elle a cédé du terrain au bloc des nouvelles variétés. Parmi les étrangères introduites depuis 1960, on peut citer la richared delicious (rouge) et la granny smith. Plus récemment, d'autres variétés ont été importées ou créées; jonagold, royal gala, jubilé, fuji, braeburn progressent bien.

Grâce à la bonne maîtrise technique dans la filière et aux importations d'appoint venant de l'hémisphère Sud (Nouvelle-Zélande, Chili), la pomme est offerte et consommée tout au long de l'année. La France est parmi les gros consommateurs de pommes d'Europe (29 kg), au double de la consommation britannique (14 kg), mais loin derrière l'Autriche (45 kg) et l'Allemagne (39 kg).

Le poirier (*Pirus communis*, famille des rosacées), à port pyramidal, peut atteindre 15 m de haut et fournit des fruits qui, grâce aux procédés de conservation et à l'étalement des périodes de récolte, sont également présents sur le marché toute l'année :

◆ **Consommation de fruits dans le monde.**

Pays ou zone	Total	Agrumes	Pommes	Bananes	Raisins
Grèce	184	59	17	5	26
Italie	141	43	22	8	18
Belgique et Luxembourg	138	66	29	12	5
Pays-Bas	130	63	30	3	10
Portugal	125	27	29	14	11
États-Unis	124	53	18	12	7
Espagne	116	28	19	9	7
Allemagne	115	15	39	14	8
Union européenne	113	31	23	10	10
Autriche	112	22	45	8	6
France	96	37	29	7	5
Suède	93	30	19	14	6
Danemark	84	25	21	10	7
Finlande	83	22	15	11	5
Royaume-Uni	83	24	14	11	10
Irlande	76	19	16	9	8
Chine	54	7	11	2	1
PAYS DÉVELOPPÉS	88	26	17	7	7
PAYS EN DÉVELOPPEMENT	59	9	5	8	2
MONDE	66	13	8	8	3

En kg/hab./an. Données 1996.
Source : FAO.

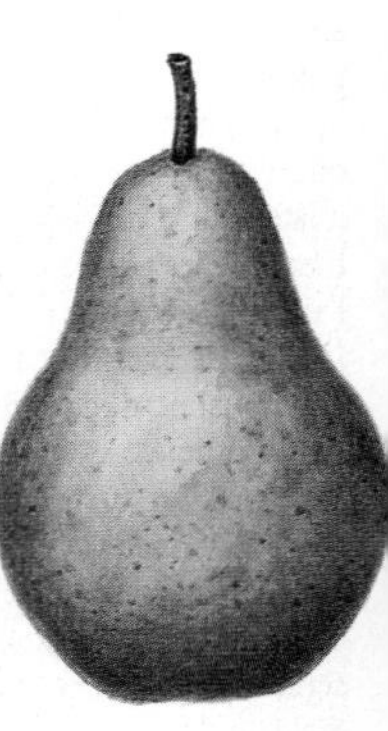

◆ **Poire.** Comme la pomme, la poire se vend en toute saison grâce à l'existence de variétés permettant l'étalement des récoltes dans le temps et grâce aux procédés de conservation.

– les poires d'été représentent environ la moitié de la récolte (docteur-jules-guyot et williams);
– les poires d'automne représentent 30 % de la récolte (beurré hardy, conférence, doyenné du comice, général-leclerc) ;
– les poires d'hiver représentent 20 % de la récolte (passe-crassane).

Les fruits dans l'alimentation

Un fruit est un organe végétal provenant de l'évolution de la fleur fécondée. Il comporte une enveloppe, le péricarpe, une chair et des graines. Tous les fruits consommés, soit plus d'une centaine d'espèces et des dizaines de milliers de variétés, répondent à cette définition mais offrent une extrême diversité par leur forme, leur couleur, leur consistance, leur saveur, leur origine, leur période de commercialisation.
Si les fruits sont pauvres en protéines et en graisses, ils contiennent en revanche de 5 à 20 % de sucres : glucose, fructose, saccharose, amidon, pectine et cellulose. Ils apportent également diverses vitamines, en particulier de la vitamine C. Leur intérêt alimentaire les rapproche des légumes. Ils ont cependant l'avantage d'être pour la plupart consommables en l'état, sans préparation culinaire.
Au cours des quatre dernières décennies du XXe siècle, la consommation de fruits en France a fluctué : 79 kg dans la décennie 1960, 72 et 78 dans les deux suivantes, 95 kg depuis 1991. Ce sont les agrumes qui sont actuellement le groupe de fruits le plus demandé, dans l'ensemble de l'Union européenne (31,3 kg en 1996) comme en France (37 kg). La consommation de pommes vient en 2e position (29 kg en 1996, contre 23 kg en moyenne dans l'Union européenne).

Agrumes

L'**oranger** (*Citrus sinensis*, famille des rutacées) est un arbre cultivé dans toutes les régions méditerranéennes. Parmi les variétés principales d'oranges, on distingue les navels, précoces, à chair blonde ayant un petit fruit (ombilic, ou navel), les sanguines, à chair rouge (avec en particulier la maltaise de Tunisie, au goût exceptionnel), et les tardives (valencia late). Souvent consommée fraîche, l'orange intervient aussi dans un grand nombre de préparations industrielles (jus, confitures, marmelades, sirops, liqueurs, confiserie, etc.). L'orange est une bonne source de vitamines, en particulier de vitamine C (50 mg pour 100 g). La consommation française moyenne d'oranges et de petits agrumes a atteint 30,1 kg par habitant en 1996, ce qui dépasse le niveau de l'Union européenne (25,9 kg), mais reste au-dessous de celui des États-Unis (43 kg) et de certains pays membres de l'Union européenne, comme la Belgique et le Luxembourg (58,9 kg à eux deux), les Pays-Bas (51,6 kg), la Grèce (47,9 kg). Sans compter les autres agrumes, ce groupe est désormais en tête de la consommation de fruits dans les pays de l'Union européenne, devant les pommes.

◆ **Orange.** Les navels sont disponibles de novembre à mai; les sanguines de décembre à avril; les tardives sont produites d'avril à juin.

Le mandarinier *(Citrus reticulata)* est un arbre des régions méditerranéennes qui donne les fruits nommés « mandarines ». La clémentine est une variété de mandarine sélectionnée en 1902 par le père Clément. Si la mandarine est en régression, la clémentine a considérablement accru son marché. Parmi les clémentines importées, on distingue trois variétés : nules, oroval et fines, originaires d'Espagne, et la variété du Maroc, bekria. La clémentine de Corse représente 10 % de la consommation française.

Le citronnier *(Citrus limonum)* est un arbre de petite taille, très cultivé pour ses fruits, les citrons, consommés nature ou utilisés pour de nombreuses préparations. Le citron est commercialisé tout au long de l'année. La France consomme 2,1 kg de citrons par personne et par an, ce qui est au-dessous de la moyenne de l'Union européenne (3,1 kg en 1996), renforcée surtout par le niveau de consommation des pays méditerranéens producteurs, la Grèce avec 10 kg, l'Italie 9,1, l'Espagne 3,1.

Le lime *(Citrus aurantifolia)*, de taille généralement petite, est appelé improprement « citron vert », alors qu'il s'agit du fruit du limettier.

Le pomelo *(Citrus paradisi)* est un arbre dont les fruits poussent en grappe, d'où son nom anglais de grapefruit. Le pomelo est quelquefois qualifié à tort de « pamplemousse », qui est le fruit du pamplemoussier *(Citrus grandis)*, très gros, à peau très épaisse et dont la pulpe est rarement consommée crue mais destinée à la confiture ou au jus. La consommation de pomelos frais s'est fortement accrue en France au cours des dernières décennies pour atteindre 4,8 kg par personne et par an en 1996, plaçant les Français en troisième position dans l'Union européenne, derrière les Néerlandais (10,4 kg) et les Belges et Luxembourgeois (5,3 kg), la moyenne communautaire étant de 2,3 kg, assez loin derrière celle des États-Unis premier producteur mondial, il est vrai. Les variétés à chair rose (ruby) ont connu un succès important et sont aujourd'hui préférées aux variétés à chair blonde.

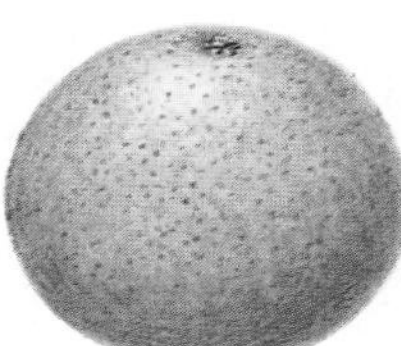

◆ **Pomelo.** Ce fruit, appelé à tort pamplemousse, est produit par un arbre très vigoureux, très cultivé aux États-Unis et en Israël.

Le cédrat *(Citrus medica)*, utilisé pour préparer des fruits confits et des confitures, est le fruit au zeste épais et verruqueux d'un arbre nommé cédratier.

◆ **Transformation et conservation des agrumes.**
Les fruits se prêtent à de nombreux modes de transformation en vue de leur conservation et de leur consommation ultérieure sous diverses formes. C'est en particulier le cas des agrumes (orange [1], pamplemousse [2], citron [3], citron vert [4], clémentine [5]). On peut en tirer les classiques jus, présentés sous des emballages de carton (jus d'orange [6]) ou de verre (jus de pamplemousse [7]), ainsi que des concentrés en poudre (orange) donnant des boissons par dissolution instantanée dans l'eau [8].
Le pamplemousse est conservé au sirop en boîte métallique [9]. L'orange amère sert à préparer des confitures ou marmelades, [10] dont les Britanniques se sont fait une spécialité. Les agrumes peuvent aussi être confits, telles les mandarines [11].

Fruits rouges

Le **fraisier** (*Fragaria vesca,* famille des rosacées) est une plante de petite taille dont les fruits rouges, ou fraises, sont garnis de petites graines dures, ou akènes. Beaucoup de types (non remontants, fraises des 4 saisons, remontants à gros fruits, fraisiers grimpants à palisser) et de variétés sont disponibles : les anciennes, comme madame moutot, ou surprise des halles, du type non remontant, ont été concurrencées, dans les fraiseraies spécialisées, par gorella, primella, talisman, appartenant au même type, mais aussi par red gauntlet et bordurella (remontants à gros fruits). Guariguette et mara des bois se sont bien implantées, depuis 1990, grâce à leurs qualités gustatives indéniables. La production commercialisée provient surtout d'Aquitaine, mais toutes les régions cultivent la fraise. Le recours aux importations d'Europe du Sud a allongé le calendrier d'offre de fraises, ce que critiquent les producteurs français.

◆ **Fraise.**
Ce fruit est formé par le réceptacle charnu de la fleur, sur lequel sont disposés les fruits vrais, petites graines dures (akènes). Le fraisier, plante vivace de petite taille, forme de petites touffes et émet des stolons qui se marcottent naturellement.

Le **framboisier** (*Rubus idæus,* famille des rosacées) est un arbrisseau spontané en Europe, cultivé pour son fruit, la framboise, très recherché pour son parfum par l'industrie alimentaire, qui l'utilise pour des gelées, des confitures et des liqueurs.

◆ **Framboise.**
Fruit du framboisier, arbrisseau cultivé, spontané dans les sous-bois montagneux, ayant une racine vivace. La pousse de l'année est dressée et garnie d'aiguillons peu piquants. Les fruits sont de petites drupes rondes.

Le **groseillier** (*Ribes rubrum,* famille des saxifragacées), ou groseillier à grappes, est un arbuste spontané en Europe et cultivé dans tout le nord de la France pour ses fruits, les groseilles, petites baies rouges ou blanches à saveur acide. Le groseillier épineux *(Ribes grossularia),* ou groseillier à maquereau, fournit des baies plus grosses, blanches, jaunes, rouges ou violettes, dont on se sert pour relever certains mets, en particulier les maquereaux. Les groseilles représentent de petites quantités commercialisées en frais, tandis que les industries alimentaires utilisent l'essentiel de la production pour fabriquer gelées, confitures, sirops, etc.

◆ **Groseille.**
Fruit du groseillier, arbrisseau rustique qui peut être cultivé jusqu'à 1 300 m d'altitude. Les groseilles sont des petites baies rondes réunies en grappes, de couleur rouge, rose ou blanche.

◆ **Cassis.**
Fruit du cassissier, groseillier à fruits noirs qui se plaît dans les zones tempérées froides. Le cassis est une petite baie noire, utilisée pour la fabrication de liqueurs, sorbets, sirops.

Le **cassissier** (*Ribes nigrum,* famille des saxifragacées) est un arbuste fournissant des baies noires nommées cassis, aigrelettes, à odeur aromatique, peu consommées nature mais utilisées pour fabriquer de la crème, de la liqueur (Dijon), des confitures et des gelées.

Autres fruits

Le **melon** (*Cucumis melo,* famille des cucurbitacées) est une plante annuelle, exigeante en chaleur et en lumière, ce qui limite sa culture, en France, au Sud-Est et au Sud-Ouest, que ce soit sous serre, sous tunnel plastique ou en plein champ. Les variétés charentaises dominent toutes les autres avec, en particulier, le cantaloup charentais. La commercialisation s'étend de juin à septembre, et même octobre.

La **pastèque** (*Citrulus vulgaris,* famille des cucurbitacées) est une plante annuelle donnant des fruits à chair rouge, aqueuse, contenant des graines noires. Certaines variétés, dites « melon d'Espagne », donnent des fruits à chair blanche et graines rouges.

Le **figuier** (*Ficus carica,* famille des moracées) est un arbre spontané dans le bassin méditerranéen, cultivé en France sur un millier d'hectares dans le Var et présent dans les jardins de l'Ouest (îles du Centre-Ouest, Bretagne). La consommation de figues sèches, importées du sud et de l'est de la Méditerranée, représente quatre fois les tonnages de figues consommées fraîches, qui se conservent mal.

◆ **Figue.**
Ce fruit est fourni par un arbre méditerranéen qui produit pendant plus de soixante ans. Les figues, cueillies quand elles commencent à se ramollir, se conservent mal (24 h à maturité complète).

La **vigne** (*Vitis vinifera,* famille des ampélidacées) est une plante pérenne, cultivée surtout pour fournir des raisins destinés, après fermentation, à donner du vin. Elle est aussi cultivée pour fournir du raisin de table, soit du raisin noir (cardinal, alphonse-lavallée, muscat de Hambourg), soit du raisin blanc (damier de Beyrouth, italia, chasselas, servans). La consommation française de raisin de table était, en 1996, avec 5,2 kg par habitant, au-dessous de la moyenne européenne (10,2), tirée vers le haut par la Grèce (25,7), l'Italie (17,5), le Portugal (11,1), mais aussi le Royaume-Uni (10,2) et tous les autres, la France se trouvant en 14e position devant la Finlande (4,9).

◆ **Raisin.**
Les cépages produisant le raisin de table sont choisis pour l'aspect de la grappe, le goût de la baie, la résistance au transport. Le chasselas, l'italia, le muscat de Hambourg, le dattier de Beyrouth sont parmi les plus appréciés.

Le **dattier** *(Phœnix dactylifera)* est un palmier originaire de Perse, cultivé dans les régions chaudes et arides et dont les fruits, les dattes, sont très riches en saccharose. Les dattes demi-molles, ou muscades, sont exportées. Les dattes sèches conservent une très grande richesse calorique.

◆ **Melon.**
Le melon est cultivé selon diverses techniques : en plein champ avec ou sans paillage plastique, sous serre, en culture hâtée sous tunnel plastique. On peut échelonner la production d'avril à octobre dans les régions méditerranéennes.

◆ **Kiwi.**
Cette baie, couverte d'une pellicule très velue, est produite par une liane, l'actinidia, qui a besoin d'un climat humide et chaud.

Le **kiwi** est le fruit de l'actinidia (*Actinidia sinensis,* famille des actinidiacées), liane originaire de Chine. Cultivé et exporté massivement par la Nouvelle-Zélande, ce fruit exotique a été implanté dans les pays du bassin méditerranéen et, en France, dans les Landes et le Sud-Ouest ainsi qu'en Bretagne. Le kiwi a une chair vert clair, juteuse et parfumée, très riche en vitamine C (300 mg pour 100 g).

Fruits tropicaux

Même banalisés par leur présence sur les marchés, les fruits tropicaux restent exotiques, c'est-à-dire extérieurs aux traditions alimentaires européennes.

Le **bananier** (genre *Musa,* famille des musacées) compte de très nombreuses espèces. Les bananes sont cueillies et transportées vertes. Elles subissent une opération de mûrissage dans un mélange d'azote et d'éthylène, l'entreposage se faisant à 12 °C.

La cueillette directe

Cette formule nouvelle de libre-service aux champs s'est développée en France depuis les années 1970. Des fermes, antérieurement polyvalentes dans leurs activités de production, ont créé, autour des grands centres urbains, des zones spécialisées de cultures, dans lesquelles les clients sont reçus pour procéder eux-mêmes à la cueillette des produits, qui seront pesés et facturés à la sortie. La cueillette est programmée dans le temps en fonction du stade de maturité des fruits ou des légumes et fleurs offerts. Les fruits rouges ont été les produits-vedettes de cette formule à son démarrage. Par la suite, la gamme s'est plus ou moins diversifiée selon les centres. Certains ont même prolongé l'activité de cueillette par des ateliers où l'on apprend à faire des confitures ou des conserves. D'autres ont créé des points de vente directe à la ferme qui commercialisent toute sorte de produits et proposent des services de restauration. Certains exploitants, pour faciliter leurs opérations de communication et mettre en commun leur savoir-faire, ont constitué des groupements, comme Le Chapeau de paille dans la région parisienne.

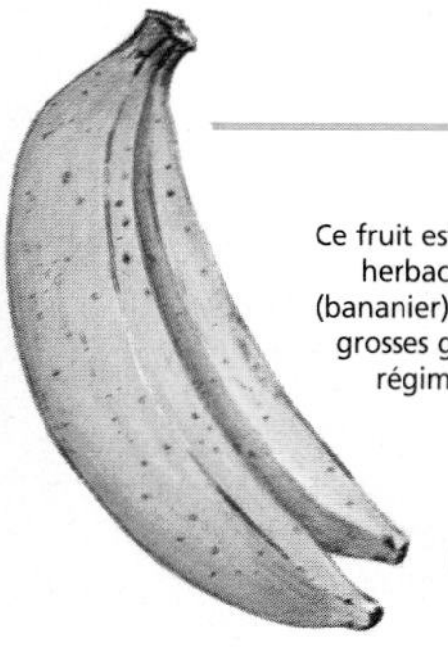

◆ **Banane.**
Ce fruit est produit par une plante herbacée de grande dimension (bananier) qui donne des fleurs en grosses grappes, d'où provient le régime. La maturité du fruit a lieu trois mois après la floraison. Après avoir fructifié, la tige du bananier sèche et meurt, le cycle végétatif de la plante durant de huit à dix mois.

La consommation de la banane, avec 7,3 kg en France et 9,9 kg dans l'Union européenne en 1996 par personne et par an, arrive loin derrière celle des agrumes et des pommes. La consommation française est proche de celle des pays développés (7,5 kg) ou des pays en développement (8,2 kg), mais inférieure à la consommation américaine (11,7 kg) et surtout à celle des gros consommateurs européens (14,5 en Suède, 14,3 au Portugal, 13,6 en Allemagne, 12,3 en Belgique et Luxembourg).

L'ananas (*Ananas comosus,* famille des broméliacées) est une plante herbacée pérenne, originaire d'Amérique du Sud, cultivée pour son fruit du même nom, qui se transporte facilement et donne lieu à de nombreuses transformations : jus, sirop, tranches, etc. L'ananas est un fruit apprécié sur le marché français.

L'avocatier (*Persea americana,* famille des lauracées), originaire d'Amérique, est cultivé pour ses fruits, les avocats, consommés nature. On en extrait également de l'huile, utilisée pour les cosmétiques et pour des préparations pharmaceutiques.

◆ **Avocat.**
Produit par l'avocatier, arbre des régions tropicales et méditerranéennes, l'avocat se récolte au sécateur. Il est conservé entre 7 et 12 °C, sous une humidité forte. Sa richesse en matières grasses varie de 9 à 80 %, selon les variétés.

Le manguier (*Mangifera indica,* famille des anacardiacées) est un arbre originaire de l'Inde, qui peut atteindre 30 m de haut. Il en existe de très nombreuses variétés, cultivées dans toutes les régions tropicales. La mangue est un fruit très savoureux qui se consomme frais et entre aussi dans la préparation de condiments, confitures, compotes et jus.

◆ **Mangue.**
Ce fruit contient un très gros noyau aplati. Sa chair est juteuse et très parfumée, avec un arrière-goût acidulé. Certaines variétés sont filandreuses. La mangue mûre ne se conserve pas longtemps.

Les anones comptent la cherimole *(Anona cherimola),* qui a un fruit vert de la dimension d'une poire, couvert de fausses écailles, à la pulpe particulièrement savoureuse; l'anone écailleuse, ou pomme-cannelle *(Anona squamosa)*; le cachiman, ou cœur-de-bœuf *(Anona reticulata)*; le corossol, ou cachiman épineux, fruit du corossolier (*Anona muricata*), arbre de la taille d'un poirier donnant de gros fruits contenant une pulpe à la saveur agréable, qui sont consommés frais ou cuits. Les anones servent aussi à parfumer des boissons et des glaces.

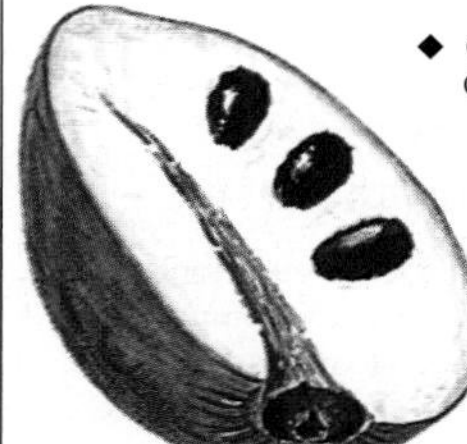

◆ **Chérimole (anone).**
Ce fruit est fourni par un arbre de 5 à 6 m (le chérimolier, une espèce d'anone). Il renferme une pulpe blanche sucrée, crémeuse, à odeur de rose et à saveur aigre-douce.

Le papayer *(Carica papaya),* arbre originaire du Mexique, pousse rapidement et donne dès la première année des fruits (papayes) gros comme des melons, à chair rose-orangé, ou parfois jaune clair savoureuse. La plante contient dans tous ses organes une enzyme, la papaïne, utilisée comme attendrisseur de viande et très bon adjuvant naturel pour la digestion des protéines.

Le sapotillier, ou chicle *(Achras sapota),* est un arbre de 20 à 25 m de haut, portant des baies grisâtres de la taille d'une orange, nommées sapotilles, à pulpe jaune particulièrement savoureuse. On en fait des conserves et des jus, mais on tire surtout des tiges un latex, ou chicle, qui est l'élément essentiel du chewing-gum.

◆ **Sapotille.**
Cette baie, fruit du sapotillier, arbre originaire des forêts du Mexique et de l'Amérique centrale, est récoltée pour sa pulpe savoureuse ; elle est consommée crue ou en conserves. Le latex, ou chicle, du sapotillier sert à fabriquer le chewing-gum.

Autres fruits tropicaux : la grenadille, ou fruit de la Passion *(Passiflora edulis),* dont les fruits sont consommés à l'état frais, mais surtout transformés pour l'industrie des jus et des sorbets; les litchis *(Litchi sinensis),* dont les fruits sont consommés frais, séchés ou au sirop; le kaki, fruit du plaqueminier du Japon *(Diospyros kaki),* consommé frais, en compotes ou en sirop.

Fruits à coque

Les fruits à coque sont très riches en matières grasses et en protéines. Ils contiennent aussi des sucres, des vitamines surtout du groupe B, et des sels minéraux. Ce sont des aliments de grande valeur nutritive.

Le noyer (*Juglans regia,* famille des juglandacées) est un arbre originaire d'Asie, cultivé pour son bois, très apprécié en ébénisterie, mais surtout pour ses fruits, les noix, dont on peut extraire une huile, et que l'on consomme fraîches ou séchées. La noyeraie française est surtout localisée dans le Périgord (Dordogne) et dans l'Isère (qui bénéficie de l'appellation noix de Grenoble). Ces deux régions ont mis en place des vergers modernes (noyers de la variété franquette).

Le noisetier (*Corylus avellana,* famille des bétulacées) est un arbuste vigoureux, spontané dans toute l'Europe et cultivé pour ses fruits, les noisettes, renfermant une seule graine d'une saveur agréable. Limitée à deux régions, le Loiret et la Dordogne, la production française est insuffisante. Malgré des efforts récents de plantation, les importations de noisettes décortiquées, de Turquie notamment, sont indispensables pour couvrir les besoins de la chocolaterie et de la biscuiterie.

◆ **Noisette.**
La noisette est surtout utilisée grillée entière ou en poudre, en chocolaterie et biscuiterie.

L'amandier (*Prunus amygdalus communis,* famille des rosacées) est un arbre originaire des régions méditerranéennes orientales et cultivé, en France, surtout en Corse et dans les Bouches-du-Rhône. La France importe des quantités considérables d'amandes sèches, en coque ou décortiquées, pour les besoins de la biscuiterie, de la chocolaterie et de la confiserie.

◆ **Amande.**
On emploie les amandes entières (amandes grillées, nougat), effilées ou hachées, et sous forme de farine.

Innovation et tradition

Dans la production fruitière, l'innovation est permanente. Elle est principalement d'ordre génétique mais peut aussi résulter de l'introduction dans un pays d'une espèce qui ne figurait pas antérieurement dans son patrimoine biologique ; un exemple d'implantation réussie en Europe, au cours de la seconde moitié du XXe s. est donné par le kiwi. Né en Chine, *Actinidia sinensis* est exploité massivement par les Néozélandais. Il a été introduit dans le Bassin méditerranéen et en France, où l'on produit entre 70 000 et 85 000 tonnes par an, soit plus que la production de cerises et, certaines années, autant que la production de fraises.

L'innovation peut apparaître aussi par le biais des techniques de production, ou paradoxalement, par un retour aux techniques traditionnelles. La production de fruits par l'agriculture biologique s'inscrit dans cette optique d'innovation par retour à la tradition. En 1996, la surface fruitière française respectant le cahier des charges de l'agriculture biologique n'atteignait pas 3000 ha (2650 ha pour les 9 principaux fruits). C'est relativement peu par rapport aux 137 084 ha de surface agricole consacrés au total à l'agriculture biologique, d'autant que celle-ci reste elle-même très modeste par rapport à la surface agricole utilisée en France (0,5 %). Parmi les fruits cultivés dans le cadre de l'agriculture biologique, la pomme, la prune et la poire sont les principaux (58 %).

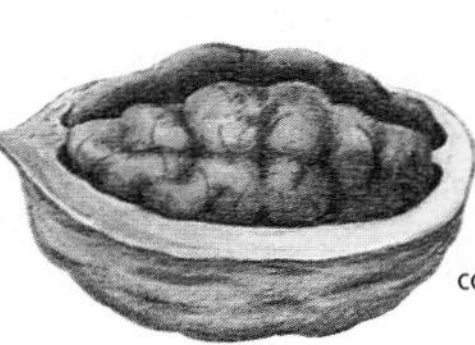

◆ **Noix.**
On consomme le cerneau, amande à la surface tourmentée qui remplit presque complètement la coque.

Les légumes

Légumes frais

Les légumes sont des plantes cultivées pour fournir des aliments consommés crus ou cuits, à l'état frais ou après conservation par appertisation ou surgélation. On les prépare souvent avec un assaisonnement ou une préparation culinaire généralement salée. Les parties de la plante consommées peuvent être : les racines ou les tubercules (carotte, navet, salsifis, betterave); les tiges ou les bulbes (asperge, ail, oignon); les feuilles ou leur pétiole (choux, salades, épinard, poireau, céleri, bette); les fleurs ou les inflorescences (chou-fleur, artichaut); les fruits, au sens botanique du terme, ou les graines (tomate, aubergine, concombre, potiron, courgette, haricots, petits pois, fèves).

Les fruits (graines), racines et tubercules des plantes contenant une forte proportion d'amidon et donc de sucre sont classés à part, même s'ils sont considérés ou employés comme légumes.

Évolution des produits. Les légumes, traditionnellement cultivés autour des villes (la ceinture verte du maraîchage), sont devenus aussi des plantes de grande culture et de serriculture, qui ont connu une spécialisation régionale (chou-fleur et artichaut en Bretagne, petits pois en Picardie, asperges dans le Gard), ainsi qu'une évolution rapide en fonction des stratégies industrielles développées dans les différentes régions.

La disponibilité en légumes frais est encore dépendante des saisons, mais beaucoup moins que dans le passé. En effet, on a développé des techniques destinées à étaler les productions (sélections des variétés précoces ou tardives, cultures à contre-saison par forçage sous abri plastique ou dans des serres), et on importe des produits provenant de régions climatiquement favorisées, notamment du bassin méditerranéen et d'Afrique. Les conserves obtenues par appertisation et la surgélation permettent également de disposer de légumes d'une manière continue. Présentés sous vide dans des emballages plastiques (sachets ou barquettes) sont apparus des produits dits de la « quatrième gamme », légumes frais mais préparés, épluchés, lavés, coupés, quelquefois stérilisés. Ces nouveaux produits permettent de proposer des salades (découpées – ou mélanges de salades : scarole, frisée, mâche), des végétaux râpés (carotte, céleri, chou blanc) et des légumes en rondelles ou en cubes (pomme de terre, betterave).

Intérêt alimentaire. Les légumes – souvent riches en eau – ont une faible valeur calorique. Ils tiennent leur valeur nutritionnelle de leur richesse vitaminique (essentiellement vitamine C et provitamine A) et de leur richesse en sels minéraux (calcium, potassium, magnésium, fer), mais surtout de leur structure et de leur teneur plus ou moins élevée en fibres alimentaires. Celles-ci, qui jouent un rôle favorable dans la digestion et la prévention de certains cancers de l'intestin, doivent, selon les nutritionnistes, faire partie de l'alimentation courante. Cet effet de prescription explique en partie que la consommation de légumes qui avait chuté de 27 % entre les années 1960 et la fin des années 1980, progresse en France et dans l'Union européenne.

Autrefois, la consommation fournie par la production familiale était très importante, mais elle recule et est difficile à apprécier objectivement.

Les fibres dans l'alimentation

Dans les rapports entre nutrition et santé, l'attention des consommateurs est insuffisamment attirée sur le rôle des fibres alimentaires. En France, depuis le début du XXe s., la consommation de fibres alimentaires par habitant a baissé de moitié : 31 g/jour en 1900, 15,9 g en 1989. C'est une tendance générale dans les pays développés. Or cette évolution a été identifiée comme l'un des facteurs de risque de développement des maladies dites « de civilisation ». Depuis la proposition de l'« hypothèse fibre », faite en 1972 par le cancérologue sud-africain Burkitt et ses collègues, de nombreux travaux ont été conduits montrant que :

– certaines sortes de fibres (fibres solubles : pectine, gommes de guar, bêtaglucanes de certaines céréales) peuvent abaisser le taux de cholestérol circulant et contribuer à la protection contre les accidents cardiaques;

– ces fibres atteignent le côlon, y fermentent en produisant notamment des acides gras à chaîne courte, dotés de propriétés physiologiques et chimiques qui pourraient protéger contre le développement du cancer du côlon. La plupart des légumes sont des sources normales d'approvisionnement en fibres alimentaires.

Types de légumes

Cinq groupes principaux de légumes sont distingués, en fonction de la partie du légume qui est effectivement consommée : légumes à racines ou tubercules, à tiges ou à bulbes, à feuilles ou à pétioles, à fleurs ou à inflorescences, à fruits et à graines.

Légumes à racines ou à tubercules. La carotte (*Daucus carota,* famille des ombellifères) est une plante bisannuelle dont la racine est consommée à l'état frais ou en conserve. De faible valeur calorique (37 kcal pour 100 g), elle est par contre riche en vitamines, en particulier en carotène, pigment rouge précurseur de la vitamine A. D'autres vitamines sont présentes : B1, B2, PP, C. Bien qu'elle soit encore parmi les légumes les plus utilisés, sa consommation est en baisse.

Le navet (*Brassica napus,* famille des crucifères) est une plante bisannuelle cultivée pour sa racine, consommée crue par les animaux et cuite par l'homme. Les variétés de navet présentent des formes, des couleurs (blanche, violette ou jaune), des tendretés (tendres, demi-tendres, secs, ou navets à ragoûts) très différentes. Le rutabaga (variété de navet) et le chou navet, ou rave (*Brassica rapa),* sont des plantes voisines ayant des racines plus grosses. Leur culture et leur consommation, même pour les animaux, sont en régression.

Le salsifis vrai (*Tragopogon porrifolius,* famille des composées), à racine blanche, a été détrôné en culture par la scorsonère d'Espagne, ou salsifis noir (*Scorzonera hispanica),* à racine brun-noir, dont la chair blanche est fine et savoureuse.

Le radis (*Raphanus sativus,* famille des crucifères) possède une racine charnue croquante, à saveur piquante, consommée crue.

Légumes à tiges ou à bulbes. L'asperge (*Asparagus officinalis,* famille des liliacées) est une plante vivace dont les pieds sont buttés, c'est-à-dire recouverts de terre à la fin de l'hiver, pour fournir au printemps de jeunes tiges, ou turions, qui sont récoltées et consommées cuites, fraîches ou en conserve.

Légumes à feuilles ou à pétioles. Le chou (*Brassica oleracea,* famille des crucifères) présente plusieurs centaines de variétés cultivées : chou vert, chou pommé (dont les feuilles, serrées et imbriquées, forment la « pomme » comestible), chou rouge (dont les tissus sont colorés par des anthocyanes), chou-fleur (dont on consomme l'inflorescence blanche), chou de Bruxelles (qui développe à l'aisselle de ses feuilles un bourgeon qui constitue la partie comestible), brocoli (qui émet à l'aisselle de ses feuilles des pousses florales charnues consommables).

◆ **Assortiment de légumes frais.**
Les légumes sont obtenus selon trois modes de culture : le plein champ, le maraîchage et les jardins familiaux. Les cultures de plein champ rentrent dans la rotation d'une exploitation agricole et sont mécanisées (le petit pois en est l'exemple typique). Une partie importante de la production est destinée à l'industrie. Le maraîchage se pratique sur des parcelles, le plus souvent petites, qui donnent deux à quatre récoltes par an. Il peut être réalisé en pleine terre, sous abri ou au contraire sous protection (tunnels de plastique, serres). Enfin, une partie des légumes est récoltée dans les jardins familiaux.

Les choux et choux-fleurs doivent être cuits sans couvercle et dans deux eaux successives, car ils contiennent des composés sulfurés qui doivent se volatiliser pour assurer une bonne digestibilité. L'odeur de chou constitue un défaut pour beaucoup.

Les salades représentent diverses plantes dont on consomme les feuilles crues avec un assaisonnement. La laitue (*Lactuca sativa,* famille des composées) est une espèce annuelle comprenant de nombreuses variétés comme la romaine, la batavia, la pommée. La chicorée endive (*Cichorium endivia,* famille des composées) fournit deux variétés consommées : la frisée et la scarole. L'endive, ou chicorée de Bruxelles *(Cichorium intybus),* forme, après forçage, une pomme (ou chicon) de feuilles souterraines, consommées crues ou cuites. Le mesclun est une préparation mélangeant différentes espèces de salade, en particulier de la laitue, des chicorées, de la frisée, de la roquette *(Eruca sativa).*

L'épinard (*Spinacia oleracea,* famille des chénopodiacées) est une plante annuelle ou bisan-nuelle à croissance rapide dont les feuilles sont consommées cuites, parfois crues en salade. Le marché du frais est fortement concurrencé par le surgelé et la conserve.

Le poireau (*Allium porrum,* famille des liliacées) est une plante bisannuelle rustique donnant un stipe et des feuilles comestibles. Présent sur le marché tout au long de l'année, le poireau est cependant en régression régulière.

Le céleri (*Apium graveolens,* famille des ombellifères) est une plante bisannuelle fournissant diverses variétés comestibles : le céleri-rave, dont on consomme la racine, le céleri à côtes, ou céleri branche, dont on consomme le pétiole.

La bette (*Beta vulgaris,* famille des chénopodiacées), proche de la betterave, aussi dénommée bette à cardes, blette, carde, poirée, est un légume d'hiver dont la production se développe.

Légumes à fleurs ou à inflorescences. L'artichaut (*Cynara scolymus,* famille des composées) est une plante vivace dont la tige porte à son sommet un capitule dont le fond (réceptacle) et la base des écailles (bractées) sont consommés crus ou cuits. La Bretagne, et plus spécialement le Finistère, concentre l'essentiel de la production nationale. La consommation est plutôt en régression.

Légumes à fruits et à graines. La tomate (*Lycopersicum esculentum,* famille des solanacées) est une plante annuelle originaire d'Amérique, cultivée pour ses fruits, que l'on consomme frais ou en conserve sous des formes très diverses : sauce, jus, concentré, purée, pâte, etc. La tomate est en tête de la consommation de légumes en France, mais à un niveau nettement inférieur à celui des pays de l'Europe du Sud (132 kg/hab./an en Grèce pour 23 kg/hab./an en France).

L'aubergine (*Solanum melongena,* famille des solanacées) est une plante annuelle cultivée dans des régions chaudes pour son fruit, de couleur violette, de 15 à 20 cm de long, consommé après cuisson.

Le potiron (*Cucurbita maxima,* famille des cucurbitacées) est une courge à fruits très volumineux (de 10 à 25 kg, mais qui peut atteindre 100 kg).

La courgette (*Cucurbita pepo,* famille des cucurbitacées) est une courge d'été dont les fruits sont cueillis jeunes. Sa consommation, croissante, est possible tout au long de l'année grâce aux importations des pays méditerranéens, qui complètent la production provençale.

Le concombre (*Cucumis sativus,* famille des cucurbitacées) est une plante annuelle cultivée de plus en plus sous serre. Les fruits, oblongs, à chair blanche très aqueuse, se consomment surtout crus en salade. Les petites variétés, confites dans le vinaigre, portent le nom de cornichon.

Légumineuses

Les légumineuses comme les haricots, les pois, les fèves, les lentilles possèdent un fruit caractéristique : la gousse, composée d'une enveloppe ou cosse enfermant des graines comestibles. Leur valeur alimentaire est excellente, leurs graines contenant des glucides (60 % environ) et surtout des protéines (20 à 25 %). Elles sont riches en sels minéraux et en vitamines B. Pourtant, la consommation des légumineuses, encore très importante dans certaines populations, par exemple au Brésil, s'est effondrée en France de 2,5 kg il y a vingt ans à 300 g aujourd'hui, par personne et par an.

Le haricot *(Phaseolus vulgaris)* est une plante annuelle aux très nombreuses variétés cultivées et classées en trois groupes :

– les haricots à filets, haricots verts, aux gousses longues et fines, consommées jeunes, après cuisson ;

– les haricots mange-tout, haricots verts dont on consomme la gousse entière, moins fine que celle des haricots à filets ;

– les haricots à écosser, dont on consomme seulement les graines (« haricots secs ») et dont il existe plusieurs variétés : coco, michelet, mistral, flageolet vert, et lingot, la plus recherchée.

La lentille *(Lens culinaria)* est une plante annuelle cultivée pour ses graines, qui représentent le second légume sec consommé en France après le haricot. On distingue des variétés blondes, brunes et vertes. La plus renommée, la lentille verte du Puy, cultivée sur les terres volcaniques du Velay, bénéficie d'une appellation d'origine. Si la consommation de lentilles en légume sec a régressé, celle des lentilles en conserve progresse avec des variétés blondes d'importation.

La fève *(Vicia faba major),* sous-espèce de la féverole *(Vicia faba),* est une plante annuelle. La farine de fève est autorisée en panification, où son adjonction à un taux de 5 % améliore la fermeté des pâtes déficientes en gluten. La consommation excessive de fèves dans certaines régions méditerranéennes (Sardaigne) conduit au favisme : accident circulatoire avec hémoglobinurie.

Il existe plusieurs genres de pois. Le pois potager *(Pisum sativum)* est une plante annuelle cultivée pour ses graines, les « petits pois ». Le dixième de la production est consommée fraîche, un dixième est destiné à la surgélation et le reste à la conserve. Le petit pois est le premier légume de conserve en France. Les pois cassés sont des petits pois traités en casserie pour être séparés en deux parties et séchés. Le pois chiche *(Cicer arietinum)* est une plante annuelle dont la graine est conservée à l'état sec ou séchée puis cuite et conservée par appertisation.

◆ **Consommation de légumes dans le monde.**

Pays ou zone	Kg/hab./an
Grèce	246
Italie	168
Portugal	161
Chine	146
Espagne	134
Belgique et Luxembourg	125
France	124
Union européenne	117
États-Unis	113
Pays-Bas	9
Royaume-Uni	88
Allemagne	86
Danemark	82
Autriche	78
Irlande	76
Finlande	68
Suède	67
Bangladesh	11
PAYS DÉVELOPPÉS	102
PAYS EN DÉVELOPPEMENT	78
MONDE	83

Source : FAO. Données 1998.

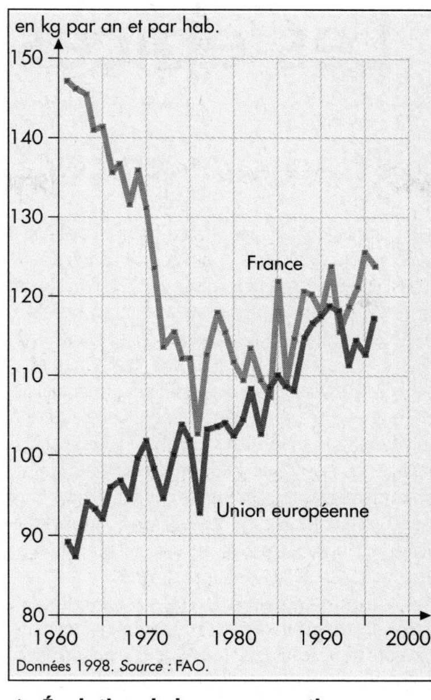

◆ **Évolution de la consommation de légumes en France et en Europe.**

Champignons cultivés

La myciculture, culture des champignons, se pratique depuis le XVIIIe s. sur le champignon de couche, ou champignon de Paris *(Agaricus bisporus).* Les Français en consomment en moyenne 800 g par personne et par an.

Le pleurote, basidiomycète de la famille des agaricacées, est un gros champignon très apprécié des gastronomes. Sa culture se développe en particulier pour l'espèce *Pleurotus ostreatus,* ou pleurote en huître, cultivée sur des substrats organiques. D'autres champignons sont cultivés, comme le strophaire, à large chapeau en forme de cloche de 10 cm poussant sur substrat de paille, ou encore le shii-take, très cultivé au Japon sur des rondins de bois, en plein air ou en serre, et connu sous le nom de lentin du chêne *(Lentinus edodes),* à chapeau de 5 à 10 cm.

Pour la truffe *(Tuber melanosporum),* les résultats de culture expérimentale sont encourageants.

La valeur alimentaire des champignons est intéressante car, s'ils contiennent 90 % d'eau, leur matière sèche est très riche en protéines (dont la plupart sont des acides aminés essentiels), ils sont pauvres en lipides et contiennent peu de sucres, dont du glucose et du mannitol. Leur richesse en vitamines, spécialement celles du groupe B (thiamine et riboflavine), et en sels minéraux (phosphore, potassium, fer et oligo-éléments) en fait un aliment peu calorique mais particulièrement équilibré.

VOIR AUSSI • **Produits de racines et de tubercules** p. 874

Les épices, condiments et aromates

Principales épices

Les canneliers (*Cinnamomum,* famille des lauracées) sont des arbres dont l'écorce séchée fournit la cannelle, commercialisée en l'état ou sous forme de poudre. Il en existe un grand nombre d'espèces : le cannelier de Ceylan *(C. zeylanicum),* présent, en dehors de son lieu d'origine, aux Seychelles, à Madagascar et au Ghana ; le cannelier de Chine *(C. cassia)*; le cannelier dit « de Batavia » *(C. burmannii)* et d'autres espèces de canneliers sauvages poussant sur les îles de Java et de Timor notamment. Des feuilles, on extrait par ailleurs une essence. La cannelle, à odeur suave et saveur sucrée, est utilisée par les industries alimentaires, par la liquoristerie et par la parfumerie.

La cardamome (*Elettaria cardamomum,* famille des zingibéracées) est une plante pérennante à port de roseau. Originaire de Malabar (Inde), elle fleurit presque toute l'année et donne des fruits qui constituent une épice très recherchée, une des plus chères après le safran. La cardamome entre dans la composition du curry et du pain d'épices. Les pays nordiques l'utilisent en boulangerie et en biscuiterie.

Le cari, ou carry, ou curry, est un mélange d'épices préparé sous forme d'une poudre et traditionnellement utilisé dans la cuisine indienne. En principe, le curcuma, la coriandre, l'anis, le cumin, la cannelle, la cardamome, le fenugrec, le gingembre, le poivre, le clou de girofle et la muscade entrent dans la composition du cari. En pratique, les formes de cari sont très variables suivant les régions et suivant les plats qu'elles accompagnent.

Le clou de girofle provient du giroflier (*Eugenia caryophyllata,* famille des myrtacées), arbre pouvant atteindre 15 m et qui fleurit toute l'année. Originaire de l'île d'Amboine, dans les Moluques, le giroflier est cultivé à Zanzibar, dans l'ouest de l'Inde, et à Madagascar. Les bourgeons floraux, cueillis avant épanouissement de la corolle, constituent les « clous », qui renferment de l'eugénol et du bêta-caryophyllène. Utilisé en cuisine, le clou de girofle, qui a des propriétés antiseptiques et analgésiques, entre aussi dans la préparation de certains médicaments, de pâtes dentifrices, etc.

Le curcuma (*Curcuma longa,* famille des scitaminacées) est une plante proche du gingembre, dont on utilise également le rhizome. Originaire d'Asie du Sud-Est, il est aussi appelé safran des Indes, car il contient un pigment jaune, ou curcumine, et des constituants aromatiques dont le principal est la turmerone. Le curcuma est un des constituants essentiels du curry. Il est aussi utilisé pour la préparation de certaines moutardes.

Le gingembre (*Zingiber officinalis,* famille des zingibéracées) est une plante herbacée cultivée pour ses tiges souterraines, ou rhizomes, désignées sous le nom de « mains » ou « pattes ». Les principaux producteurs sont l'Inde (50 % de la production mondiale), suivie du Sri Lanka, de la Chine, de Taiwan, de la Jamaïque et du Nigeria. Le gingembre peut être consommé à l'état frais ou conservé dans de la saumure, de l'acide citrique ou du sirop de sucre. Pour l'exportation, on prépare du gingembre sec, vêtu (conservant ses écailles) ou non vêtu (décortiqué). Le gingembre présente un arôme délicat et une saveur brûlante. Utilisé traditionnellement pour préparer le pain d'épices, pour aromatiser des biscuits, le gingembre sert à épicer certains plats typiques. Il est également utilisé pour les bières dites « de gingembre ».

Le muscadier (*Myristicoe fragrans,* famille des myristicacées) est un arbre originaire de l'île Banda, dans l'archipel des Moluques, surnommée l'« île aux épices ». Cultivé en Indonésie et dans l'Inde de l'Ouest, dans l'île de Grenade aux Antilles, cet arbre de 15 m de haut fournit des noix qui, après séchage doux au soleil ou au feu, libèrent l'amande de noix de muscade. On commercialise aussi, sous le nom de macis, une partie rouge qui enrobe l'amande comme un filet.

La noix de muscade est utilisée, comme le macis, pour assaisonner des plats doux, des tartes, des puddings et des sauces diverses. Ses propriétés digestives, stimulantes, carminatives sont reconnues. Elle possède également un pouvoir narcotique lié à la présence de myristicine.

Le piment (*Capsicum frutescens,* famille des solanacées), originaire d'Amérique tropicale, est aussi appelé « piment enragé », chili ou poivre de Cayenne. Il sert à préparer le condiment nommé pili-pili. D'autres piments sont cultivés, comme *Capsicum annuum,* ou poivron doux, qui comprend des variétés légumières rouges à maturité et vertes lorsqu'elles sont cueillies immatures. Des variétés plus fortes, rouges, sont commercialisées comme aromates sous le nom de paprika.

Le poivrier (*Piper nigrum,* famille des pipéracées) est originaire de l'Inde. Cultivé dans beaucoup de régions tropicales : Inde, Indonésie, Brésil, Madagascar, Malaisie, ouest de l'Afrique, Sri Lanka, il fournit trois types de poivre :

– le poivre vert, cueilli deux mois avant maturité, commercialisé en l'état et qui est aujourd'hui de plus en plus apprécié ;

– le poivre noir, cueilli juste avant maturation, qui est parfois ébouillanté avant de subir un séchage au soleil, au cours duquel le grain noircit et se ride ;

– le poivre blanc, cueilli lorsque les baies sont bien mûres, qui subit une immersion dans de l'eau pendant une semaine avant qu'on ne débarrasse les grains de leur tégument par frottage.

Les nombreuses variétés commercialisées sont en général des mélanges de poivre noir et de poivre blanc ; 1 kg de poivre contient environ 18000 grains. La saveur piquante du poivre est due d'abord à la pipérine, mais aussi à bien d'autres composés (chavicine, isochavicine, etc.). Une des propriétés importantes du poivre, qui contribuait autrefois à sa très grande valeur, est son caractère antiputride, mis à profit dans la conservation des viandes, des produits de charcuterie et des marinades.

Les épices dans l'alimentation

Les épices sont des végétaux, ou des organes végétaux, entiers ou en poudre, utilisés pour donner arôme et saveur relevés aux aliments. Les condiments sont des préparations élaborées à partir de légumes, épices et aromates, consommées avec d'autres aliments pour en relever la saveur. Les aromates sont également des végétaux caractérisés par leur odeur suave mais dépourvus de saveur piquante ou chaude. Épices et aromates donnent de la flaveur aux aliments. Ils ont une action bactéricide qui facilite la conservation des mets. Les épices sont stimulatrices de la sécrétion salivaire. Certaines épices ont encore d'autres propriétés thérapeutiques, carminatives, antispasmodiques, hépatiques et même aphrodisiaques. Les épices sont commercialisées en l'état ou en poudre après un traitement simple de stabilisation : séchage, fermentation, blanchiment. On utilise aussi dans l'industrie alimentaire des composantes de ces produits : huiles essentielles extraites par entraînement à la vapeur d'eau, et des oléorésines, extraites par solvants organiques.

Condiments

Les câpres sont les bourgeons floraux d'un arbuste méditerranéen, le câprier (*Capparis spinosa,* famille des capparidacées). On utilise aussi les boutons floraux de la capucine (*Tropæolum majus,* famille des tropoeolacées). Ces organes sont macérés dans du vinaigre ou dans de la saumure.

Les cornichons sont des variétés de petits concombres (*Cucumis sativus,* famille des cucurbitacées), macérés dans le vinaigre. Ils sont souvent mélangés avec des petits oignons ou avec d'autres légumes (carottes en particulier) dans la fabrication des pickles.

La moutarde est un produit onctueux obtenu à partir de graines broyées de moutarde noire *(Brassica nigra)* ou brune *(B. juncea),* plantes de la famille des crucifères, ou d'un mélange de graines de ces deux espèces. Le caractère pâteux est obtenu par délayage dans du verjus – jus de raisin vert – selon la recette traditionnelle de Dijon, mais aussi dans du vin blanc ou rouge, dans du moût de raisin ou dans du vinaigre. Divers additifs (acide tartrique ou citrique), colorants (chlorophylle) ou épices sont rajoutés à la moutarde pour en améliorer la conservation, la couleur ou la flaveur.

Plantes aromatiques

Mis à part la vanille, l'anis et l'angélique, qui accompagnent des mets sucrés, les plantes aromatiques servent à rehausser la flaveur de préparations culinaires élaborées.

L'ail (*Allium sativum,* famille des liliacées) est cultivé dans les régions méditerranéennes pour ses bulbes, la tête d'ail, formée de plusieurs gousses enrobées dans une enveloppe feuilletée. Très utilisé dans la cuisine méridionale, l'ail apporte un arôme fort et piquant, constitué de divers composés sulfurés.

L'aneth (*Anethum graveolens,* famille des ombellifères) est aussi appelé fenouil bâtard ou faux anis en raison de son arôme, constitué de carvone et de limonène, proche de l'anis. Très utilisé en Europe orientale et même en Scandinavie pour parfumer les pommes de terre et les cornichons dit « à la russe ».

L'angélique (*Angelica archangelica,* famille des ombellifères) est employée en confiserie, notamment confite dans du sucre, spécialité de la ville de Niort (Deux-Sèvres). Les tiges macérées dans de l'eau-de-vie avec des amandes amères donnent le ratafia d'angélique.

L'anis (*Pimpinella anisum,* famille des ombellifères), originaire d'Asie Mineure, est cultivé dans le Bassin méditerranéen. L'anis vert, riche en anéthol, est utilisé par la pharmacopée, mais aussi pour fabriquer des apéritifs et pour la cuisine. Une autre plante, la badiane, ou anis étoilé (*Illicium verum*, famille des magnoliacées), arbre originaire de Chine, fournit des fruits secs dont la saveur est proche de l'anis vert. En France, la culture du fenouil amer (*Fœniculum vulgare*, famille des ombellifères) permet de produire de l'anéthol pour le pastis.

Le basilic (*Ocimum basilicum*, famille des labiées) est originaire des Indes. On lui reconnaissait autrefois des vertus médicinales, contre les spasmes, les douleurs, les piqûres de serpent ou les défaillances amoureuses. Aujourd'hui, le basilic entre dans de nombreuses préparations : sauces, salades, conserves de légumes, soupes, dont la soupe au pistou, liquoristerie.

Le cerfeuil (*Anthriscus cerefolium*, famille des ombellifères) est une plante annuelle cultivée pour ses qualités toniques, stomachiques et aromatiques. Il est utilisé pour des soupes, des omelettes, pour accompagner des poissons.

La ciboulette (*Allium schoenoprasum*, famille des liliacées) est cultivée pour ses feuilles, utilisées comme fines herbes. Sa saveur comme celle de l'échalote, évoque à la fois celle de l'ail et celle de l'oignon, mais dans un registre plus doux. On la consomme dans les salades, les soupes, les sauces ou avec des poissons.

La coriandre (*Coriandrum sativum*, famille des ombellifères) est une plante herbacée dont les fruits séchés sont utilisés comme aromate en raison de la présence de limonène et de linalol, tandis que les feuilles fraîches entrent dans la préparation de nombreux plats méditerranéens.

Le cumin (*Cuminum cyminum*, famille des ombellifères), originaire du Turkestan, est cultivé dans le Bassin méditerranéen, en Amérique centrale et surtout en Iran pour ses graines à saveur chaude et piquante, riches en cuminaldéhyde, utilisées en liquoristerie, en fromagerie et dans de nombreuses préparations : curry indien, rasel-hanout (condiment employé dans le bouillon du couscous) d'Afrique du Nord, chili beans du Mexique, etc.

L'estragon (*Artemisia dracunculus*, famille des composées) est cultivé pour ses feuilles, consommées nature avec la salade ou dans diverses préparations, par exemple pour parfumer le vinaigre, les cornichons.

Le laurier (*Laurus nobilis*, famille des lauracées) est un arbuste méditerranéen dont les feuilles sont utilisées comme aromate (laurier-sauce).

La menthe compte plusieurs espèces du genre *Mentha*. La menthe anglaise (*Mentha piperita*, famille des labiées), ou menthe poivrée, est cultivée à la fois pour ses propriétés stimulantes et digestives et pour son arôme caractéristique, utilisé en confiserie et en liquoristerie et aussi pour parfumer les tabacs. Le constituant principal de cet arôme est le menthol.

L'oignon (*Allium cepa*, famille des liliacées), plante très répandue dans le monde, est cultivé pour son bulbe, consommé comme légume aromatique. L'oignon est par excellence l'arôme utilisé dans les industries de plats préparés pour fournir ce que les professionnels appellent la « note légume ».

On cultive deux variétés de persil (*Petroselinum sativum*, famille des ombellifères) : l'une à feuilles plates, l'autre à feuilles frisées, réputée être moins aromatique mais plus décorative. Les feuilles du persil sont utilisées hachées comme aromate, surtout pour les plats de viande et de poisson.

Le romarin (*Rosmarinus officinalis*, famille des labiées) est originaire des régions méditerranéennes. C'est un arbuste de un mètre de haut, à feuilles persistantes, dont les tiges et les feuilles sont riches en bornéol, aux propriétés antiseptiques et digestives. Le romarin est utilisé en conserverie et comme aromate.

Le safran est une plante vivace (*Crocus sativus*, famille des iridacées) qui fournit, par séchage et broyage des stigmates floraux, une poudre jaune, riche en crocine et safranal, utilisée pour son pouvoir colorant et pour son parfum piquant. Originaire d'Orient, le safran est cultivé en Europe méridionale. Son rendement très faible (50 kg de stigmates à l'hectare) et la main-d'œuvre abondante nécessaire pour la récolte expliquent son prix très élevé.

La sauge (*Salvia officinalis*, famille des labiées) est cultivée pour ses propriétés médicinales mais aussi pour ses propriétés aromatiques, appréciées avec les viandes, les bouillons, les salades.

Le thym (*Thymus vulgaris*, famille des labiées), petit arbrisseau grisâtre, est une plante vivace spontanée sur les coteaux secs et rocailleux des garrigues et cultivée dans les régions chaudes. Le thym français, ou farigoule de Provence, se distingue d'autres thyms présents sur le pourtour méditerranéen comme le serpolet (*Thymus serpyllum*). On reconnaît au thym des vertus médicinales : tonique, stomachique, antispasmodique et pectoral. Il a, de plus, une activité bactéricide, utilisée pour préparer des sirops, bains de bouche, dentifrices, etc. Il entre dans la composition des bouquets garnis. Il contient du thymol et du carvacrol. La sarriette (*Satureia montana*, famille des labiées) a une odeur proche du thym et une saveur piquante.

La vanille est tirée des vanilliers (*Vanillia fragrans*, famille des orchidacées), lianes cultivées dans les pays chauds et originellement à la Réunion. Les vanilliers fournissent une gousse contenant du pipéronal et surtout de la vanilline. Il existe aussi une vanilline synthétique qui concurrence le produit naturel sur un marché considérable, car la vanille est l'arôme le plus utilisé dans tous les types de produits sucrés.

Le vinaigre

Le vinaigre résulte de la fermentation acétique du vin. Autrefois pratiquée dans les foyers, ou dans des ateliers artisanaux, cette fermentation se développe à température ordinaire et à l'air libre sous l'influence d'une bactérie (*Mycoderma aceti*) qui forme à la surface du vin un voile fin : la fleur, ou mère, de vinaigre. Aujourd'hui, le vinaigre est fabriqué industriellement dans des cuves (acétificateurs) où se développe le ferment qui transforme l'alcool en acide acétique. Il n'est plus guère préparé à partir de vin, mais en utilisant diverses sources alcooliques : vins piqués, alcool de synthèse, cidre, etc.

On distingue le vinaigre d'alcool (6°), coloré par adjonction de caramel; le vinaigre blanc (8°), dit cristal, destiné aux conserves; le vinaigre de vin (6° ou 7°), ayant éventuellement subi un vieillissement de 6 mois en fût de chêne, qui renforce son arôme.

◆ **Aromates et épices.**
1. Baies de genièvre; **2.** Laurier; **3.** Noix de muscade; **4.** Racines de gingembre; **5.** Anis étoilé (badiane); **6.** Piment langues d'oiseau; **7.** Paprika; **8.** Champignons séchés; **9.** Poivre vert; **10.** Poivre blanc; **11.** Menthe; **12.** Gingembre confit; **13.** Romarin; **14.** Cumin; **15.** Cannelle; **16.** Pili-pili; **17.** Persil.
Tous ces épices et aromates sont couramment utilisés pour donner arôme et saveur relevés aux aliments. D'autres vertus, médicinales, leur sont également reconnues.

VOIR AUSSI • **Plantes médicinales** p. 184

Le chocolat

Du cacaoyer au cacao

Le chocolat est le produit issu du mélange de pâte de cacao et de sucre, additionné ou non de beurre de cacao. Le cacao, la pâte de cacao et le beurre de cacao sont obtenus à partir de la graine de cacaoyer, ou fève de cacao.

On distingue trois variétés de cacaoyer :
- le criollo, de très grande qualité mais peu cultivé (5 à 8 % de la production mondiale) ;
- le forastero, originaire d'Amazonie et fournissant la presque totalité des cacaos courants (l'amelonado africain fait partie de ce type) ;
- le trinitario, hybride des deux variétés précédentes et qui représente 20 % de la production mondiale.

La récolte s'effectue à intervalles réguliers (dans le Chiapas, au sud du Mexique, on pratique trois récoltes de trois mois par an). Les cabosses (gros fruits du cacaoyer) sont détachées avec une machette ou avec une lame fixée au bout d'une perche. Un arbre fournit environ une cinquantaine de cabosses, ce qui conduit à des rendements de 2 à 3 t/ha.

Fèves de cacao. Après la récolte, la première opération est l'écabossage, qui consiste à briser, encore souvent manuellement, les cabosses pour en extraire les fèves. Les fèves sont soumises à une fermentation naturelle, en tas ou dans des bacs, qui dure environ une semaine et entraîne une élévation de la température allant de 44 à 47 °C. Puis les fèves subissent un séchage, soit au soleil pendant une durée de 8 à 15 jours, soit dans des séchoirs à feu de bois. Ces deux phases de fermentation et de séchage, qui se déroulent sur les lieux de production, jouent un grand rôle dans la qualité du cacao : les modifications qui se produisent diminuent l'amertume et l'astringence et créent l'arôme final. Après le séchage, les fèves sont stabilisées.

Cacao. Les fèves de cacao sont traitées industriellement pour aboutir à de la pâte, à de la poudre ou à du beurre de cacao. Après nettoyage et triage, les fèves subissent une torréfaction, c'est-à-dire un traitement par courant d'air chaud à 100 ou 150 °C. Cette étape est essentielle car elle permet à l'arôme de se développer. Dans certains pays (Allemagne et Belgique), on effectue une torréfaction à la flamme qui conduit à un chocolat plus amer, avec un certain goût de brûlé. Les différentes variétés de cacao exigent des torréfactions particulières : assez poussée pour le forastero, peu poussée pour le criollo, qui donne un cacao supérieur. Après la torréfaction, on effectue le concassage et le décorticage des fèves puis leur broyage. On obtient alors par traitement à la chaleur (50-70 °C) une pâte fluide : la pâte de cacao, qui est la base industrielle pour préparer le beurre ou la poudre de cacao.

◆ Le cacaoyer. Cet arbre, qui peut atteindre 10 m, fructifie dès sa troisième ou quatrième année. C'est une plante forestière typique des régions tropicales. Les fleurs d'un blanc rosé, petites et régulières, naissent sur des bourrelets cicatriciels des bourgeons tombés, sur les branches et même sur le tronc. La fécondation est croisée et la multiplication s'effectue par graines. La plantation exige un couvert forestier, notamment au cours des premières années.

Fabrication et consommation

Le chocolat est fabriqué par mélange de beurre de cacao, dit « liqueur », ou de poudre de cacao, fraction noble donnant au chocolat sa structure et son arôme, avec du sucre et éventuellement du lait.

Le mélange intime, ou conchage, est un travail mécanique de la pâte dans un broyeur-malaxeur, ou conche, chauffé entre 45 et 90 °C, pouvant contenir jusqu'à 10 tonnes de produit. Le conchage dure 24 heures et joue un rôle essentiel dans la texture finale du produit et dans le développement des arômes. À la sortie de la conche, le chocolat est prêt. Les opérations finales de moulage sont rapides et automatisées. Après un refroidissement, entre 5 et 10 °C, les tablettes sont solidifiées et emballées. Différents ingrédients peuvent être ajoutés en cours de préparation : des lécithines végétales (de soja en général), utilisées comme émulsifiant, des arômes, ou différents fruits secs : raisins, noisettes, amandes selon des proportions variables ; ainsi, le chocolat « granduja » doit contenir entre 20 et 40 % de noisettes finement broyées.

La consommation française a connu une forte hausse au cours des années 1990 (+ 45 %) et atteignait, en 1997, 6,8 kg par habitant : 31,2 % pour le chocolat en tablettes, où les tablettes pleines au lait dominent (44,6 % du total tablettes), devant les tablettes noires (40 %), 43,7 % pour la confiserie de chocolat, en très forte hausse, induite surtout par les bonbons au chocolat (36,4 % de la confiserie), devant les barres enrobées (36 %). Les pâtes à tartiner ne représentent encore que 11,5 % du marché global de la chocolaterie, mais elles progressent. La part du cacao en poudre sucré pour les petits-déjeuners est de 13 % : la demande a été stable sur 5 ans.

Types de chocolats

Le chocolat se définit réglementairement comme un produit de confiserie. Pour tous les produits où intervient la dénomination « chocolat », le critère de référence est la teneur en cacao, qui doit être au minimum de 35 g, dont au moins 18 g de beurre de cacao, pour 100 g de produit.

On distingue :
- le chocolat de couverture, ou chocolat de base, qui est un produit semi-fini (42,6 % de l'ensemble), préparé industriellement et vendu aux artisans pâtissiers et chocolatiers. La préparation industrielle de cacao en masse, de beurre et poudre de cacao a connu récemment un développement considérable pour arriver à 52,8 % du marché en 1997 ;
- le chocolat de ménage, ou chocolat à cuire, produit en tablettes ou en blocs, qui est obtenu par mélange de sucre et de pâte de cacao partiellement ou non dégraissée, de telle sorte que 100 g du produit contiennent entre 57 et 65 g de sucre et entre 35 et 43 g de pâte de cacao renfermant au moins 18 g de beurre de cacao ;
- le chocolat fondant, qui est obtenu par mélange de sucre (au maximum 52 %), de pâte et de beurre de cacao (au minimum 48 % de pâte de beurre, dont au moins 32 % de beurre sur le pourcentage total) ;
- le chocolat au lait, qui doit contenir, pour 10 g, au maximum 50 g de sucre, au moins 25 g de pâte et beurre de cacao, 16 g de lait sec et au total 26 g de matières grasses ;
- le chocolat blanc, qui est dépourvu de matières colorantes, doit contenir au moins 20 % de beurre de cacao.

◆ Les cabosses. Les fruits du cacaoyer, ou cabosses, se récoltent en général deux fois par an, au début et à la fin de la saison des pluies. La seconde récolte est de beaucoup la plus importante. Les fruits doivent être cueillis à maturité complète.

◆ La fève. Les cabosses sont ouvertes et les fèves, mises en tas, subissent une fermentation alcoolique puis acétique. La pulpe qui entoure la fève disparaît ; la fève perd alors de son âcreté et sa couleur se modifie.

◆ Consommation de chocolat dans le monde.

Pays ou zone	kg/hab./an
Allemagne	10,1
Suisse	10
Autriche	9,5
Royaume-Uni	8,7
Irlande	8,5
Danemark	8,2
Belgique/ Luxembourg	7,3
France	6,4
Union européenne	6,6
États Unis	5,3
Suède	5,2
Pays-Bas	4,5
Espagne	3,8
Finlande	3,6
Italie	3,2
Grèce	2,8
Japon	2,0
Portugal	1,8

Données 1996.
Source : CAOBISCO.

Le thé

Une boisson ancienne

Plante stimulante cultivée pour ses jeunes feuilles, le théier (*Camellia sinensis*, famille des théacées) est un arbre originaire des régions montagneuses de l'Asie du Sud-Est. Les variétés de thé sont nombreuses et s'apparentent à deux types : l'un, chinois, arbuste de 1 à 3 m, a des feuilles mates, dures, de couleur sombre, longues de 3 à 6 cm. Il donne des variétés rustiques cultivées en Chine et au Japon depuis l'Antiquité. L'autre type porte le nom d'un État septentrional et montagneux de l'Inde : l'Assam. Il correspond à des variétés d'arbres de 10 à 20 m de haut dont les feuilles, luisantes, souples, claires, atteignent 15 à 20 cm. Les variétés de type assam, qui ont les meilleurs rendements, sont utilisées pour les nouvelles plantations.

Les feuilles du théier contiennent des alcaloïdes, dont la théobromine et son isomère la théophylline, ainsi que la caféine, qui est en général présente en concentration plus élevée que dans le café : 1,10 à 5,6 % dans le thé et 0,8 à 2 % dans le café. On trouve également dans les feuilles de thé des tanins et une huile essentielle, qui apparaît au cours de la fermentation du thé noir et qui est caractéristique de l'arôme du thé.

La consommation. Connu en Europe au début du XVIIe s. et en France un peu plus tard, vers 1650, le thé demeura longtemps sur le continent la boisson d'une classe supérieure, alors qu'en Grande-Bretagne au milieu du XVIIIe s., le thé était devenu la boisson la plus répandue dans toutes les classes de la société. En Amérique, le thé fut introduit par les immigrants.

Aujourd'hui, le thé est, après l'eau et le lait, la boisson la plus répandue dans le monde. Mais son utilisation reste très différente selon les pays, et très liée à l'histoire. Le thé n'est d'ailleurs pas plus consommé dans l'ensemble des pays développés que dans les pays en développement.

Dans l'Union européenne, il existe un contraste marqué entre l'Irlande et la Grande-Bretagne, d'une part, et les pays du continent, d'autre part. Ainsi, un Irlandais consomme 6 fois plus de thé que la moyenne mondiale, alors que le Portugais en consomme 120 fois moins. Dans tous les pays du sud et de l'est de la Méditerranée où l'islam domine, la consommation de thé, traditionnelle, est très importante (entre 1 et 2 kg par habitant et par an). Les Néozélandais et les Australiens, héritiers de la tradition britannique, en sont eux aussi de grands consommateurs (de 1 à 1,5 kg).

La fabrication

La cueillette influe beaucoup sur la qualité finale du thé : plus les pousses cueillies sont jeunes, meilleur sera le produit final. Les pousses des jeunes feuilles sont cueillies tous les dix jours, à la main. Le jeune bourgeon terminal, nommé « pekoe », est la partie la plus recherchée, que l'on détache avec deux ou cinq feuilles. La cueillette manuelle garantit une meilleure qualité. Les rendements obtenus sont très variables, la moyenne étant de 1 à 1,2 t de thé sec à l'hectare. On fabrique du thé vert et du thé noir, qui proviennent des mêmes feuilles, mais dont la préparation est différente.

Pour fabriquer le thé vert, les feuilles de thé doivent être traitées très vite après la cueillette, ce qui impose la proximité d'une usine ou une fabrication artisanale, dominante d'ailleurs pour les thés verts. Les feuilles, qui ne doivent pas être flétries, sont traitées à la chaleur sèche ou à la vapeur pour empêcher toute fermentation ultérieure. Elles sont ensuite roulées, séchées puis coupées, triées et emballées. Éventuellement, on leur ajoute des produits colorants ou des parfums.

Le thé vert représente de 10 à 20 % de la production mondiale de thé. Il est surtout fabriqué au Japon, en Chine, au Viêt Nam.

L'usinage du thé noir s'opère de la façon suivante : la première étape est le flétrissage des feuilles, effectué à l'air libre sur des claies pendant une quinzaine d'heures. Les feuilles, ayant ainsi perdu une partie de leur eau, deviennent molles et sont roulées par des rouleurs mécaniques, de manière à préparer la masse des feuilles qui doit subir une fermentation de trois ou quatre heures, interrompue par un séchage à une température de 60 à 90 °C dans des séchoirs continus. La fermentation, étape principale de l'usinage, favorise les qualités aromatiques propres des thés noirs. Comme pour le thé vert, on peut procéder avant l'emballage à une adjonction de parfum par contact avec des plantes aromatiques, comme le font traditionnellement les Chinois, par exemple avec un jasmin, *Jasminum sambae*.

L'Inde, la Chine et le Sri Lanka fournissent la majeure partie de la production mondiale.

◆ La fleur et le fruit.
Les fleurs, blanches, sont solitaires ou groupées. La fécondation est en général croisée, les fleurs d'un arbre fécondant celles d'un autre. Le fruit est une capsule contenant deux ou trois graines.

◆ Le théier.
Cet arbuste supporte des sols fortement acides (pH 5) et aime à se développer sur des terres relativement pauvres. Il a besoin de beaucoup d'eau et de pluies bien réparties (1 500 mm par an). On effectue des tailles fréquentes, manuellement, sur les bourgeons et les feuilles terminales, pour faciliter ultérieurement la cueillette. La conduite des tailles de l'arbre est déterminante pour la qualité du thé. Les feuilles du théier sont persistantes, coriaces, pointues et dentées. Elles sont plus ou moins grandes (3 à 11 cm de long), épaisses ou tendres selon la variété. Les jeunes feuilles, appelées « pekoe » sont pubescentes. Les mêmes feuilles servent à préparer le thé vert ou le thé noir.

Types et grades

Les thés sont classés par grades suivant la forme et la taille de la feuille.

Les professionnels nomment « grands seigneurs » les thés ayant une origine précise, comme il existe des crus pour le vin. Parmi les thés de Ceylan (Sri Lanka), dans l'ensemble très appréciés, on peut signaler, venant de la province d'Uva, le cannavarella, l'uva highlands et, venant de la région de Dimbula, le diyagama. Parmi les thés de l'Inde, dont les qualités sont très diverses en raison de l'immensité du pays, les thés des régions nord sont les plus appréciés, en particulier le darjeeling (altitude de 2 000 m sur les contreforts de l'Himalaya) ou les thés de l'Assam. Parmi les thés de Chine, les plus réputés sont les thés du Yunnan, mais on trouve également de bons crus dans le Sichuan. On fabrique aussi des thés lyophilisés.

Thé noir. Les principaux grades sont les suivants.
– Thés à feuilles entières. FOP (Flowery Orange Pekoe) : petites feuilles de 5 à 8 mm roulées, provenant des bourgeons terminaux des rameaux. OP (Orange Pekoe) : feuilles un peu plus grandes, de 8 à 15 mm. S (Souchong) : très grandes feuilles roulées. P (Pekoe) : obtenu à partir de la seconde feuille, de catégorie inférieure.
– Thés à feuilles brisées. BOP (Broken Orange Pekoe) : thés de grande qualité. BP (Broken Pekoe) : de qualité inférieure. BT (Broken Tea) : morceaux irréguliers, thé de qualité très basse.
– Thés à feuilles broyées. Fannings : à petits morceaux. Dust : morceaux encore plus petits.

Thé vert. Les principaux grades sont les suivants.

Gunpowder : thé de première cueillette, un des meilleurs. Chun Mee : feuille roulée sur elle-même, de 1 cm environ, d'excellente qualité. Natural Leaf : feuilles entières, plates, donnant un thé très doux. Matcha : thé vert en poudre, au goût fort et amer du Japon.

◆ Consommation de thé dans le monde.

Pays ou zone	Kg/hab./an
Irlande	3,52
Royaume-Uni	2,53
Pays-Bas	0,82
Union européenne	0,62
États-Unis	0,40
Danemark	0,33
Allemagne	0,33
Suède	0,30
France	0,27
Finlande	0,25
Autriche	0,20
Belgique et Luxembourg	0,12
Italie	0,08
Grèce	0,06
Espagne	0,04
Portugal	0,03
Chine	0,35
PAYS DÉVELOPPÉS	0,60
PAYS EN DÉVELOPPEMENT	0,58
MONDE	0,59

Données 1996.
Source : FAO.

Le café

Origines du café

Le café est la graine, ou fève, du caféier, qui, torréfiée et moulue, sert à préparer la boisson du même nom. Importé d'Orient, où il s'était répandu à partir du XVe s., il fut introduit en France en 1643. Ce ne fut qu'en 1669 qu'on en fit usage à Paris malgré l'avis des médecins, convaincus qu'il provoquait de graves maladies.

Le caféier (famille des rubiacées) est représenté en Afrique par plus d'une centaine d'espèces sauvages. Deux espèces seulement sont cultivées. L'une, le caféier d'Arabie *(Coffea arabica)*, est un arbuste de 10 à 12 m qui pousse spontanément dans les forêts d'altitude (1300 à 2000 m) du sud-ouest de l'Éthiopie, du sud du Soudan et du nord du Kenya. Il a été diffusé au XVIIe s. à partir du Yémen, par le port de Moka. Les variétés d'arabica les plus connues sont le bourbon, le munconovo, le maragogype et le catturra.

◆ **Le caféier.** Les caféiers sont des arbustes de 6 à 8 m de haut maintenus à 2 m par la taille. Ces arbustes demandent une température assez élevée (20 à 25 °C) et une humidité atmosphérique importante. C'est une plante de demi-ombre, qu'il faut protéger des vents et des basses températures. La cueillette est faite en plusieurs fois et demande une abondante main-d'œuvre, qui rentre pour une part importante dans le prix de revient du café. Le problème de sa mécanisation n'est pas encore résolu. *Coffea arabica* est la plus abondante des espèces cultivées. Vient ensuite *C. canephora*.

◆ **Les fleurs, les fruits, le grain.** Les fleurs blanches du caféier sont disposées par groupes à l'aisselle des feuilles. Les fruits sont de petites « cerises » rouges, renfermant chacun deux graines de taille variable, selon les variétés de caféier. Les graines sont séparées de la pulpe des fruits avant d'être décortiquées, triées et mises en sac : c'est le café vert, forme sous laquelle le café est coté, vendu et exporté. Le café vert est ensuite torréfié.

L'autre espèce cultivée de caféier (*Coffea canephora)* provient des rives du fleuve Lomani en république démocratique du Congo. Sa variété robusta a été introduite à Java en 1901 alors que les variétés traditionnelles d'arabica étaient dévastées par la rouille orangée. L'arabica est le plus répandu : toute la production d'Amérique du Sud et d'Amérique centrale, soit 60% de la production mondiale, en est issue. Quant au robusta, il est plus cultivé en Afrique et en Indonésie.

La consommation. Le café est consommé partout dans le monde, mais, à la différence du thé, beaucoup plus dans les pays développés que dans ceux en développement. Dans l'Union européenne, les Méditerranéens le préfèrent nettement au thé, mais les plus fortes consommations sont observées dans les pays scandinaves et dans le nord de l'Europe, excepté en Irlande et au Royaume-Uni.

La préparation

Le caféier fournit, pendant une période de l'année assez longue, de petits fruits, ou cerises, qui ont un mucilage au goût sucré, agréable, enfermant deux graines, ou fèves, ou encore café en parches, les parches étant l'enveloppe superficielle des graines. La cueillette, le plus souvent manuelle, doit être réalisée quand les cerises sont bien mûres. Un travailleur peut ramasser de 30 à 100 kg de cerises par jour.

La préparation du café vert, ou café marchand, demande une série d'opérations pour éliminer les parches. Il existe un traitement par voie humide : le triage des graines s'effectue par immersion; on procède ensuite à un dépulpage par un moulin mécanique, suivi d'une fermentation qui permet d'éliminer le mucilage et les parches, les grains étant ensuite séchés et polis. La méthode par séchage au soleil, sur des claies en couche de 4 à 5 cm, demande environ 3 semaines. Après quoi il suffit de décortiquer les grains au pilon ou dans des décortiqueurs mécaniques.

Le café vert doit être ensuite torréfié pour développer complètement son arôme. La torréfaction est une opération de grillage rapide (de 12 à 15 minutes) à température élevée (200 à 230 °C). Un procédé récent de torréfaction à « haute intensité » réduit le temps nécessaire à 90 secondes. La torréfaction peut s'effectuer dans des brûleries artisanales, qui travaillent sur un torréfacteur de type « boule », sphère ou cylindre horizontal garni à moitié de café vert et qui tourne régulièrement au-dessus d'une source de chaleur. Les brûleries industrielles stockent des variétés de café vert dans des silos à trémies, d'où elles sont envoyées, éventuellement après mélange, vers les torréfacteurs. Avec la torréfaction, le café prend ses caractéristiques aromatiques définitives, qui proviennent de 150 à 300 substances différentes.

◆ **Consommation de café dans le monde.**

Pays ou zone	kg/hab./an
Finlande	11,02
Suède	10,53
Pays-Bas	10,04
Danemark	9,91
Autriche	7,25
Allemagne	6,93
Belgique et Luxembourg	5,60
France	5,56
Union européenne	5,51
Italie	4,87
Grèce	4,20
Espagne	4,02
États-Unis	3,89
Portugal	3,79
Royaume-Uni	2,71
Irlande	1,33
Chine	0,05
PAYS DÉVELOPPÉS	3,26
PAYS EN DÉVELOPPEMENT	0,36
MONDE	1,01

Données 1996.
Source : FAO.

La caféine

La caféine est une substance alcaloïde, la triméthyxanthine, présente dans le café (0,8 à 2 %), le thé (1,10 à 5,6 %), la noix de kola (2 à 3 %). Elle joue un rôle stimulant en augmentant la pression sanguine, l'activité cérébrale, la sécrétion rénale. Son abus peut entraîner une intoxication aiguë ou chronique, le caféisme. Les cafés du commerce contiennent de 1 à 1,3 % de caféine pour les arabica et de 2 à 3 % pour les robusta. On peut, industriellement, éliminer la caféine par différents solvants. Elle est alors récupérée pour des usages pharmaceutiques. Les cafés décaféinés ont aujourd'hui des arômes assez comparables à ceux des cafés entiers.

Les types de cafés

Les mélanges commerciaux de café correspondent à trois catégories :
- les cafés dits « mild » (doux), exclusivement de l'espèce arabica, ayant subi un traitement très soigné;
- les cafés brésiliens, qui sont aussi de l'arabica, mais de qualité plus courante et d'arômes moins recherchés;
- les cafés canephora, d'origine africaine, au goût plus neutre mais de plus en plus appréciés.

Dans le commerce de détail, le café est vendu soit en grains, soit moulu, soit soluble. Le café soluble est une poudre préparée selon deux techniques différentes : l'atomisation ou la lyophilisation. La technique la plus ancienne d'atomisation est une méthode de séchage à chaud d'un extrait de café pulvérisé en microgouttes au sommet d'une tour. Cette méthode est peu coûteuse en énergie, contrairement à la lyophilisation, déshydratation à très basse température (cryodessiccation) au cours de laquelle l'eau de l'extrait de café se sublime directement en cristaux de glace. La lyophilisation donne de meilleurs résultats quant à l'arôme du café. Les produits atomisés et lyophilisés se partagent à peu près à égalité le marché du café soluble en France.

La chicorée

Plante annuelle (*Cichorium intybus*, famille des composées), la chicorée « à café » est la variété cultivée d'une chicorée sauvage dont les feuilles, à saveur amère, sont consommées en salade et utilisées en pharmacie pour leur vertu dépurative. La chicorée à café est cultivée, en Europe, aux Pays-Bas, en Belgique, en Allemagne, au Royaume-Uni dans le Yorkshire, et en France, où elle est limitée à la région Nord-Pas-de-Calais. Elle a été introduite aux États-Unis à la fin du XIXe s. C'est la racine qui sert à la préparation de la chicorée à café. Récoltée mécaniquement comme la betterave, elle subit un séchage et un découpage en cossettes avant d'être torréfiée à 140 °C pendant deux heures. Cette opération produit un développement de la saveur, à la fois amère et caramélisée. Le produit fini est commercialisé en poudre ou en extrait liquide. Utilisée en période de pénurie comme un succédané du café, la chicorée en est plutôt un complément dans les régions du Nord, au Royaume-Uni.

L'eau et les boissons gazeuses

L'eau

L'eau est indispensable à la vie. Elle sert de véhicule aux éléments vitaux nécessaires aux animaux et aux végétaux, et entre souvent pour plus de 85 % dans la composition de leurs tissus. La quantité totale d'eau sur Terre est considérable, mais une grande partie en est inaccessible ou inutilisable (95,5 % de l'eau est salée ou contenue dans les calottes glaciaires et les glaciers pour 2,2 %), et le reste se trouve inégalement réparti. L'eau utilisée couramment, celle des lacs, des rivières et la vapeur d'eau de l'atmosphère, constitue moins de 1 % du total disponible.

Pourtant, au début du XXIe siècle, les besoins en eau excéderont les ressources renouvelables disponibles dans une trentaine de pays. Divers organismes internationaux, dont la FAO (Food and Agriculture Organization), attirent de plus en plus l'attention sur le caractère stratégique de l'eau pour l'alimentation directe de l'homme et pour l'agriculture.

Traitement de l'eau. L'eau livrée à la consommation humaine doit être potable, c'est-à-dire non nuisible à la santé de celui qui la consomme. Elle doit répondre ainsi à un certain nombre de critères concernant sa coloration, son odeur et son goût, sa limpidité, sa bactériologie et sa minéralisation, qui ne doit pas excéder 2 g par litre. Il faut donc la traiter.

Dans la plupart des usines de traitement, les diverses opérations sont réalisées par des procédés physico-chimiques. L'eau subit d'abord une désinfection (préozonisation, préchloration, ultraviolets), généralement suivie d'une opération de clarification, qui comprend une coagulation (action de sels de fer ou d'aluminium), une floculation, parfois une décantation, puis une filtration rapide.

Désinfection et clarification suffisent généralement à l'élimination des matières indésirables, biologiques, minérales et organiques. Une chloration, une ozonisation ou un rayonnement ultraviolet en fin de traitement agissent comme traitement préventif des contaminations microbiennes ultérieures.

Des étapes complémentaires d'affinage sont parfois nécessaires pour éliminer des substances minérales spécifiques telles que nitrates, fer, manganèse.

L'attention sur les teneurs excessives en nitrates dans l'eau potable dues à l'emploi massif d'engrais et aux rejets des élevages a été attirée, au cours des dernières décennies, par l'OMS (Organisation mondiale de la santé), qui recommande de ne pas dépasser le taux de 50 mg/l d'ions nitrate. La norme européenne est plus sévère (25 mg/l).

Souffrant de pénurie en eau, beaucoup de pays en développement sont exposés depuis longtemps à de graves risques de maladies transférées par l'eau : celle des fleuves sacrés de l'Inde, celle des mares des zones saharienne et sahélienne, celle des puits de nombreuses régions sèches, construits sans margelle et contaminés, à chaque retour des pluies, par les déjections animales qui s'y trouvent entraînées.

Eaux minérales et eaux de source. L'eau de source est une eau potable d'origine déterminée, introduite, telle qu'elle sort du sol, dans les récipients de livraison au consommateur. Elle est soumise à une déclaration préalable à la préfecture, qui accorde l'autorisation d'exploiter.

On appelle « eau minérale naturelle » une eau possédant des propriétés thérapeutiques et provenant d'une source dont l'exploitation a été autorisée par décision ministérielle. En règle générale, une eau minérale se caractérise par une origine naturelle, une composition stable garantissant la permanence de ses qualités organoleptiques et de ses propriétés spécifiques, ainsi qu'une grande pureté bactériologique. La qualification « thérapeutique » n'identifie pas les eaux minérales embouteillées à des eaux médicamenteuses ; au contraire, leurs propriétés doivent être compatibles avec la mise en libre circulation. Elles peuvent prétendre contribuer au bon fonctionnement de certains processus physiologiques (élimination, assimilation), à l'équilibre de certains métabolismes, au renforcement des capacités de résistance naturelle de l'organisme à certaines agressions, mais elles ne peuvent pas prétendre prévenir ou guérir des affections caractérisées.

La dénomination « eau gazeuse » est réservée à l'eau naturellement gazeuse.

Les boissons gazeuses

L'expression « boisson rafraîchissante sans alcool » (moins de 1 % d'alcool en volume), équivalent du « *soft drink* » américain, désigne toutes les boissons sans alcool, à l'exception des eaux minérales et des jus de fruits. On distingue :

– les limonades, boissons gazéifiées, sucrées, limpides, incolores, additionnées d'extraits naturels de citron (éventuellement d'autres agrumes), acidulées par les acides citrique, tartrique ou lactique ;

– les sodas, clairs ou troubles, sucrés et gazéifiés, comportant, outre des extraits naturels (orange, citron, mandarine, etc.), des colorants de synthèse alimentaires autorisés. Les « bitters » sont une variété de soda dont l'amertume est due à des extraits de quassia alors que celle des « tonics » provient des extraits amers de quinine ;

– les colas, sucrés et gazéifiés, diffèrent des sodas par la présence de kola, de caramel, d'acide phosphorique et de caféine, bien que certaines marques proposent leurs produits avec ou sans caféine.

Fabrication. La fabrication des limonades et sodas requiert de l'eau potable, du sucre (entre 70 et 100 g/l), des acides organiques (afin d'obtenir un pH final voisin de 3, l'acidité contribuant au goût, mais aussi à préserver du développement de micro-organismes), des colorants et des arômes naturels. En fonction du produit fabriqué, ces arômes sont soit des essences solubles (limonades, sodas clairs), soit des crèmes ou pâtes à soda (huiles essentielles additionnées de gommes végétales) pour les produits troubles.

Le sucre utilisé peut être du saccharose, du sirop de glucose ou d'autres édulcorants autorisés.

Dans le système de fabrication « postmix », on fabrique d'abord un sirop de base concentré additionné d'aromatisants, d'acidulants et de colorants que l'on introduit dans la bouteille. On ajoute ensuite de l'eau désaérée et carbonatée, l'arrivée de ce jet réalisant le mélange. Le système « premix » réalise d'abord un mélange sirop et eau, la carbonatation intervenant ensuite pour donner le produit fini (la boisson gazeuse). Les « premix » modernes effectuent directement le mélange sirop-eau carbonatée avant le soutirage.

Le Coca-Cola

C'est sûrement le produit dont les Américains sont le plus fiers et celui qui a le plus véhiculé, à travers le monde, l'image des États-Unis. Il est aujourd'hui présent, avec le même goût, dans 195 pays et bu, chaque jour, plus de 773 millions de fois dans le monde. Mise au point le 8 mai 1886 par le Dr John S. Pemberton, pharmacien d'Atlanta, en Géorgie, sa formule comportait, outre les extraits de feuille de coca, venue de Bolivie, et de noix de kola, venue d'Afrique de l'Ouest, du vin, importé de France. Mais, dès 1893, le vin disparaît de la formule et le brevet du Coca-Cola est déposé en tant que « *soft drink* ». En 1899, B. F. Thomas et J. B. Whitehead, ayant acheté les droits exclusifs de produire, commencent à vendre le *Coke* et créent un réseau mondial d'embouteilleurs indépendants. À partir de 1941, l'incorporation dans les rangs de l'armée américaine de 248 employés de Coca-Cola, portant le nom de la marque sur leur uniforme, favorise la diffusion du produit. Après le bombardement japonais de Pearl Harbor, en décembre 1941, le *Coke* fait partie de l'arsenal américain pour conquérir la planète, à travers l'image de « la pause-repos [au coca] nécessaire dans l'effort du guerrier ».

Depuis le début, le Coca-Cola connaît une guerre commerciale. En 1898, un concurrent, Pepsi-Cola, fait son apparition sur le marché ; grâce, notamment, à une guerre des prix, il parvient à supplanter Coca-Cola sur le marché intérieur américain. Coca-Cola s'impose en revanche sur le marché mondial, faisant 60 % de ses ventes à l'étranger, contre 22 % seulement pour Pepsi au début des années 1990. En 1996, Coca-Cola a réalisé un chiffre d'affaires de 15,1 milliards, mais avec 33 % seulement pour les boissons.

Coca-Cola serait le deuxième mot le plus connu et le plus utilisé dans le monde après OK.

VOIR AUSSI • **La qualité de l'eau potable et son contrôle** p. 844

Les boissons gazeuses représentent un milieu défavorable pour les microbes grâce à l'absence d'air, la teneur en gaz carbonique élevée (6 à 7 g/l) et une forte acidité. Un quart de litre de soda ou de limonade apporte environ 120 calories, provenant du saccharose.

Conséquence de l'autorisation d'utilisation des édulcorants de synthèse (aspartame, acésulfam, saccharine) et du changement de style de vie des consommateurs, le marché des boissons à basses calories est en pleine expansion.

◆ Consommation d'eaux minérales et de source en Europe.

Pays	l/hab.	Pays	l/hab.
Italie	133	Espagne	62
Belgique	116	Portugal	42
Allemagne	93	Pays-Bas	16
Suisse	87	Royaume-Uni	15
France	83	Irlande	14
Autriche	70		

Données 1997. *Source* : UNESEM-GISEMES.

La bière

Les matières premières

La bière est obtenue par fermentation alcoolique d'un moût fabriqué avec de l'eau, du malt d'orge, pur ou associé à 30 % au plus de grains crus (maïs ou riz) ou (et) des succédanés (glucose, saccharose), aromatisé par le houblon et additionné de levure pour déclencher la fermentation.

La préparation du malt à partir de l'orge de brasserie est l'objet d'une industrie particulière : la malterie.

Les grains crus et les succédanés. Le brasseur peut utiliser des substances amylacées en provenance de grains non maltés : maïs, riz, blé ou même orge. Le blé peut servir à la fabrication de bières très spéciales comme la lambic de Bruxelles, la peterman de Louvain. En Allemagne, le blé malté sert à fabriquer la bière blanche *(Weissbier)*. En Afrique, on emploie l'amidon du manioc ou du sorgho. Le brasseur peut aussi recourir à des succédanés, le glucose ou le saccharose, pour obtenir des bières très pâles, pauvres en azote ou plus parfumées (avec le saccharose). Les sucres caramélisés servent pour produire des bières spéciales foncées ou ambrées et aromatiques.

L'eau. Autrefois, quand on ne maîtrisait pas la composition de l'eau, la renommée de la bière venait beaucoup de la qualité de l'eau de la région (Pilsen, Dortmund, Munich). Elle doit être d'une pureté bactériologique absolue et la nature ainsi que la qualité de ses sels minéraux jouent un grand rôle au brassage en modifiant les réactions enzymatiques, l'amertume et la stabilité du produit. Aujourd'hui, le brasseur peut corriger la qualité chimique de l'eau utilisée grâce aux procédés de filtration, de décarbonatation et de déminéralisation afin de disposer d'une matière première de qualité constante.

◆ **Bières.**
Une bière se caractérise par trois facteurs : son amertume (qui ne doit pas aller jusqu'à l'âcreté), produite par le houblon et les tanins; sa brillance, qui provient de sa limpidité et de sa transparence, et qui prouve qu'elle a été bien travaillée et bien filtrée; sa mousse, qui doit être stable et de bonne tenue. La bière blonde se sert entre 7 et 9 °C. Pour l'apprécier pleinement, on ne doit pas la boire directement sortie du réfrigérateur. La bière brune se boit chambrée. Les bouteilles doivent être conservées debout. La bière ouverte s'évente très rapidement. Les verres ballons à pied et les gobelets cylindriques conviennent aux bières courantes. Les bières très mousseuses s'apprécient dans des verres tulipes ou dans des flûtes. (Ci-dessus, de droite à gauche : Dormunder Pilsen, bière d'abbaye belge, bière de Düsseldorf, bière blonde de Munich.)

Le houblon et la levure. Depuis le XVe s., le brasseur se sert de fleurs femelles d'une plante dioïque, le houblon, pour conférer une amertume agréable à la bière et la rendre désaltérante. On utilise de 170 à 175 g de houblon par hectolitre de bière.

Les bractées de la fleur femelle, ou cône, portent à la base de petites coupelles jaunes, brillantes, contenant la lupuline. Cette substance contient les résines amères et les huiles essentielles, principes actifs du houblon. Les résines amères du houblon comprennent les acides alpha (humulone), à fort pouvoir d'amertume, et les acides bêta (lupulone). La lupuline contient également des huiles essentielles (myrcène, humulène), qui, même à l'état de traces, contribuent à l'arôme de la bière.

La qualité et la variété de la levure déterminent le goût, le parfum de la bière, ainsi que sa stabilité biologique. La levure de brasserie est un champignon du groupe des ascosporogènes d'une taille de 7 à 12 µm. En général, les levures de fermentation haute *(Saccharomyces cerevisiae)* travaillent entre 15 et 25 °C et possèdent la particularité de remonter à la surface du moût fermenté, alors que les levures de fermentation basse, majoritairement utilisées dans le monde entier *(Saccharomyces uvarum)*, fermentent entre 8 et 12 °C et floculent vers le fond de la cuve en fin de fermentation.

Si les levures de fermentation haute produisent souvent des bières plus parfumées, celles de fermentation basse garantissent une meilleure stabilité. La production des levains pour l'ensemencement du moût industriel se fait, à partir de souches pures, dans des fermenteurs de laboratoire d'abord, puis dans des unités de production plus importantes.

La malterie

La malterie transforme l'orge en malt, matière première friable, riche en enzymes et en extrait soluble dans l'eau. Cette transformation, dénommée «désagrégation», s'opère pendant les trois phases que sont le trempage, la germination et le touraillage.

Le trempage. Il a pour objectif de gonfler d'eau le grain jusqu'à un taux d'humidité de 45 %, afin de le rendre capable de germer et de subir la désagrégation. Le trempage apporte aussi au grain l'oxygène indispensable pour commencer à développer la vie de l'embryon, mais, simultanément, il est indispensable d'évacuer le gaz carbonique formé par la respiration. Le trempage se déroule dans des cuves de forme cylindrique, d'une capacité de 150 à 200 tonnes d'orge. Il dure environ 55 heures pour une eau à 13-15 °C.

La germination. C'est la phase qui synthétise et active les enzymes nécessaires à la désagrégation de l'orge, puis, plus tard, au brassage. Les principales enzymes présentes dans le grain sont les glucanases, les amylases, les protéases dont la synthèse est sous la dépendance d'un vecteur hormonal. Deux séries d'importantes modifications se succèdent : d'abord l'attaque des parois cellulaires de l'amande, qui ainsi devient friable (désagrégation physique); ensuite la simplification des molécules complexes du grain, en particulier celles des protéines, qui libère les acides aminés dont se nourrira la levure (désagrégation azotée).

Pendant la germination, il faut ventiler la couche de grains de façon à maîtriser la température de germination, évacuer les calories et le gaz carbonique produits par la respiration et apporter la vapeur d'eau nécessaire au maintien de l'humidité. Les installations sont donc pourvues d'un équipement frigorifique permettant de refroidir soit l'eau d'humidification, soit l'air. On dispose enfin l'orge dans la case d'un retourneur qui, en avançant dans la couche, l'allège et évite l'enchevêtrement des radicelles (feutrage). À la fin de la germination, qui dure environ 6 jours à une température moyenne de 15 °C, on obtient le malt dit «vert», qui s'écrase entre les doigts.

Le touraillage. C'est l'opération qui consiste à sécher le malt pour amener son taux d'humidité vers 4 %, tout en lui conférant un arôme et une couleur spécifiques selon le type de malt désiré (malt pâle, munich, caramel). Le touraillage comprend deux stades : d'abord un séchage avec de l'air chaud à 50-60 °C qui peut durer 16 heures, puis le «coup de feu» à 80-85 °C pendant 4 heures. Le séchage arrête la germination et la désagrégation par départ d'eau, tandis que le «coup de feu», qui achève le séchage, donne au malt sa couleur et son arôme.

Après le touraillage, le malt sec passe sur une dégermeuse, qui arrache les radicelles et aspire les poussières. Le malt est ensuite moulu dans un concasseur.

◆ **Consommation et production de bière en Europe.**

Pays ou zone	Consommation	Production	Exportations	Importations
Allemagne	131,1	114 800	8,1	2,9
Irlande	123,7	8 152	40,1	9,8
Danemark	116,7	9 181	30,5	1,5
Luxembourg	115	481	28,3	30,7
Autriche	113,3	9 366	6,6	4
Royaume-Uni	103,6	59 139	5,2	9
Belgique	101	14 014	31,7	6,3
Pays-Bas	86,4	24 701	49,3	7
Finlande	81,1	4 804	6,7	1,5
Union européenne	79,2	315 881	12,6	7,5
Portugal	63,6	6 623	8,8	4,7
Espagne	67,1	24 879	2,2	7,6
Suède	61,7	4 899	0,8	10,8
Grèce	39	3 945	5,6	5,4
France	37	19 483	11	22,2
Italie	25,4	11 455	2,3	23

En l/hab./an (consommation) ; en milliers d'hl (production) ; en % de la production du pays (exportations) ; en % de la consommation du produit (importations). Données 1997. *Source :* CBMC, les Brasseurs européens.

Les techniques de la brasserie

Elles comprennent les opérations suivantes. Le brassage commence par l'empâtage, qui consiste à mélanger la mouture résultant du concassage du malt, et l'eau de brassage dans la cuve-matière ; le mélange obtenu est appelé « maische » ; celle-ci est portée à différents paliers de température pour extraire les matières solubles, hydrolyser les protéines, liquéfier et saccharifier l'amidon par les enzymes ; les opérations, qui durent une heure environ, se déroulent entre 60 et 75 °C. Dans une autre cuve (chaudière à grains crus), le brasseur traite le riz ou le maïs avec un ajout de malt qui apporte suffisamment d'amylases pour liquéfier l'amidon.

Deux méthodes de brassage peuvent être employées : le brassage par infusion, au cours duquel de l'eau réchauffe toute la maische jusqu'à 75 °C (méthode anglaise), ou le brassage par décoction, suivant lequel une partie de la maische est portée à ébullition dans une chaudière à trempe, puis mélangée au reste de la maische, de sorte que la masse totale atteigne la température désirée (méthode allemande).

Le moût est obtenu par filtration à partir de la maische. Le résidu de filtration, la drêche, est un excellent aliment pour le bétail, mais difficile à conserver. La cuisson et le houblonnage terminent l'opération de brassage. Le moût, à densité désirée, subit une première ébullition d'environ 30 minutes, et un précipité (la cassure) commence à se former. On verse ensuite le houblon dans le moût. Une cassure supplémentaire se forme, qu'on appelle le « gros trouble ».

Bières sans alcool et bières exotiques

Les bières normales contiennent de 4 % à 6 % d'alcool. Les bières dites « sans alcool », dont la consommation a longtemps stagné, se développent. Il est en effet possible, tout en délivrant un produit contenant moins de 1 % en volume d'alcool, de conserver une partie des constituants participant aux caractéristiques organoleptiques de la bière. Il faut aussi mentionner les *« light beers »* venues des États-Unis. Il s'agit de bières légères désaltérantes, peu denses et de degré alcoolique faible : de 1990 à 1997, les ventes d'une bière américaine, Bud Light, ont presque doublé, ses 27 millions d'hectolitres vendus en 1997 lui conférant la 3e place mondiale, derrière Budweiser (50,1 millions d'hectolitres, en recul de 15 % en 7 ans), et Asahi Super Dry (Japon), qui a progressé de 100 % en 7 ans avec ses 28 millions d'hectolitres commercialisés en 1997.

L'exotisme, soutenu par des actions de promotion très puissantes (100 millions de dollars en 1997 pour Corona), propulse à travers le monde des bières légères venues d'ailleurs : c'est le cas de la bière mexicaine Corona Extra, en dernière place aux États-Unis en 1985 parmi les 500 bières importées, en première en 1997, où elle a doublé Heineken ; inconnue en Europe, au début de la décennie 1990, elle y exporte plus de 5 millions de caisses en 1998, ce qui la place au 5e rang mondial des marques. Skol (Brésil) a progressé encore plus fortement (217 % en 7 ans), mais sa diffusion reste locale.

Les traitements du moût. Après l'ébullition, le moût est débarrassé du « gros trouble » (clarification), refroidi, ensemencé en levure et oxygéné. La clarification peut s'effectuer soit par décantation, soit par filtration, soit par centrifugation. Le refroidissement amène la température à 7 °C environ. Il est suivi d'une oxygénation du moût au moyen d'air stérile, indispensable à la reproduction de la levure dès le départ de la fermentation. L'oxygénation est immédiatement suivie de l'ensemencement par injection du levain (500 g par hl).

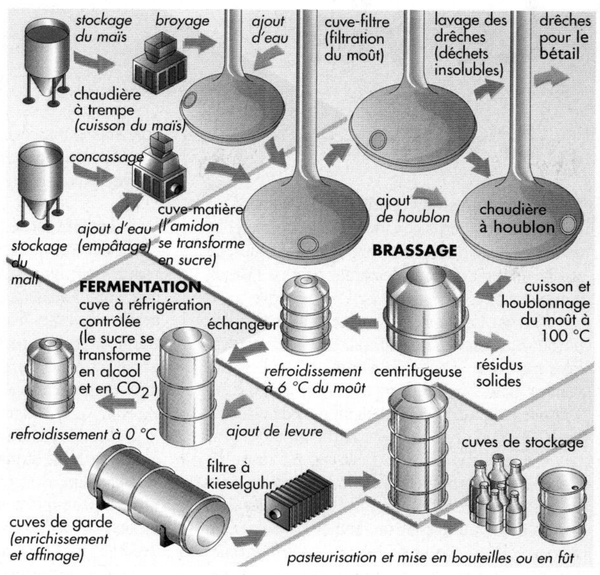

◆ **Élaboration de la bière.**

La fermentation. Elle comporte deux étapes : la fermentation principale, d'abord, qui dure de 5 à 10 jours, selon la densité de la bière, à la température de 8-10 °C ; puis la fermentation secondaire (ou garde), qui s'étend sur 2 à 8 (voire 12) semaines, à une température voisine de 1 °C. La fermentation principale se déroule dans des cuves parallélépipédiques ouvertes ou fermées, des tanks cylindro-coniques qui permettent de récupérer le gaz carbonique produit par la levure. Après une phase de latence, la levure se multiplie activement, fait fermenter le saccharose, le glucose puis le maltose. De nombreuses substances volatiles sont alors formées. Ce sont ces substances qui déterminent le parfum de la bière.

La fermentation secondaire, ou garde, va mûrir la bière, la saturer naturellement en gaz carbonique (4,5 à 5 g de CO_2/l), et précipiter le trouble.

La filtration. Son but est de rendre la bière brillante en éliminant les levures et le trouble au froid. La bière est filtrée sur des gâteaux de diatomées (kieselguhr), de nature siliceuse, puis stockée dans des tanks de présoutirage.

Le soutirage et la pasteurisation. La bière est mise en bouteilles, en fûts ou en boîtes métalliques au moyen de soutireuses, machines devant assurer de gros débits, en particulier pour les petites bouteilles (jusqu'à 100 000 bouteilles par heure).

Pour obtenir une bonne stabilité biologique de la bière de plusieurs semaines à plusieurs mois, celle-ci peut être pasteurisée en vrac par un échangeur à plaques (flash-pasteurisation) juste avant le soutirage, ou bien pasteurisée dans la bouteille même (pasteurisation-tunnel) après le soutirage et le bouchage.

Les types de bières

Les bières se divisent en trois grandes familles : les bières de fermentation haute, les bières de fermentation basse et celles de fermentation spontanée.

Les bières de fermentation haute. Elles sont généralement brassées suivant la méthode par infusion avec du malt foncé. La fermentation s'opère à la température de 15 à 20 °C durant un maximum de 6 jours. La plupart des bières appelées « spéciales » sont de fermentation haute. On les trouve dans les brasseries du nord de la France, en Belgique et partout en Grande-Bretagne. Elles portent le nom de « porter », « stout » et « ale », les bitter ales représentant environ 80 % de la consommation de bière dans les pubs anglais. Boisson nationale des Irlandais, le stout est brassé à partir de malt torréfié, ce qui lui donne sa couleur noire et son goût mi-réglisse, mi-caramel, auxquels s'ajoute l'amertume du houblon.

En Belgique, les « trappistes » (chimay, orval) sont obtenues par une refermentation en bouteille. Ce sont des bières foncées, avec un dépôt provenant des levures, d'où la nécessité de conserver les bouteilles debout et de les servir en versant doucement. Les bières blanches de la région de Louvain sont fabriquées à partir d'orge et de froment, la « blanche de Berlin » *(Weissbier)* étant, elle, brassée à partir de malt, de froment et d'orge.

En France, ces bières prennent parfois l'appellation de « bière de garde » (bière de Jenlain, bière des coulonneux, réserve de Saint-Landelin).

Les bières de fermentation basse. Elles exigent une fermentation d'environ 10 jours à la température de 6 à 10 °C. Le type de bière le plus répandu dans le monde est sans aucun doute la pils, nom dérivé de Pilsener, qui provient lui-même de Pilsen, aujourd'hui Plzeň, ville de la République tchèque. De nos jours, le terme « pils » est utilisé pour désigner une bière claire et amère, même si ce produit est maintenant très éloigné de la bière tchèque. Toutes les brasseries françaises fabriquent une pils : citons la Fischer, la 1664, la Mutzig. Les bières de fermentation basse peuvent être colorées, telles les bières de Munich, aromatiques et d'un brun foncé, ou la Pelforth brune.

Les bières de fermentation spontanée. Ce sont les bières typiquement belges, comme les gueuzes, krieks et lambics. Leur méthode de fabrication, encore assez empirique, consiste à laisser la fermentation se développer spontanément, sans ensemencement de levure, dans de grands fûts appelés « foudres ». La fermentation peut durer jusqu'à 2 ans. La bière porte alors le nom de « lambic » et peut se boire telle quelle. La gueuze résulte de l'assemblage de lambics de différents âges (un, deux et trois ans) et bénéficie aujourd'hui d'une appellation contrôlée ; ses noms sont évocateurs : Mort subite, Gueuze foudroyante, Belle-Vue. La bière aux cerises (kriek lambic) est un lambic coloré et aromatisé par des cerises qui macèrent pendant 4 à 8 mois.

Le vin

La vinification

Le vin est « un produit obtenu exclusivement par la fermentation alcoolique, totale ou partielle, de raisins frais, foulés ou non, ou de moûts (jus) de raisin » (définition adoptée par les pays de l'Union européenne).

Le vin, lorsqu'il est d'origine, est le reflet d'un terroir, à travers deux composantes environnementales majeures, le sol et le climat, auxquelles sont venus s'ajouter le ou les cépages appropriés, c'est-à-dire le patrimoine génétique du pied de vigne.

Le grain de raisin, dont la chair (pulpe) n'est pas pigmentée et la peau (pellicule) est rouge ou blanche, se compose de différents éléments dont trois sont dits solides, la rafle (pédoncules), les pépins et la pellicule, et un, liquide, la pulpe. Les parties solides apportent, par les tanins qu'elles contiennent, l'amertume du futur vin, la peau du raisin noir y apportant en plus la couleur. La partie liquide fournit la plupart des composants et principalement l'alcool, par la transformation fermentaire de ses sucres. C'est par le choix d'une utilisation totale ou partielle de ces différents éléments que sont élaborés les différents types de vins.

Les vins rouges. Après la vendange, le grain de raisin, exclusivement noir, est éclaté (foulage) et éventuellement débarrassé de sa rafle (éraflage). La vendange est mise en cuve, et la fermentation commence. Il est alors nécessaire de procéder à une aération fréquente du milieu (remontage) et de mettre en contact le jus du raisin (moût) avec l'ensemble des parties solides, qui se rassemblent sur le dessus de la cuve pour former un « chapeau » que l'on enfonce dans le moût (pigeage). Cette mise en contact (macération) de l'ensemble des éléments du raisin donnera au futur vin rouge les caractéristiques qui lui sont propres : couleur et amertume. Lorsque le sucre du raisin est totalement transformé par les levures, la fermentation s'arrête. Il est possible, selon le type de vin recherché, de poursuivre la macération ou bien de l'arrêter en séparant par écoulage ou pompage les deux éléments.

À côté de cette méthode traditionnelle, il faut mentionner la macération carbonique qui se réalise avec des raisins entiers, non foulés, dans des cuves closes saturées de gaz carbonique. Cette méthode donnera des vins légers, « proches de leur fruit ». Ce procédé ne donne le meilleur de lui-même que sur des vins à boire jeunes.

Les vins rosés. Leur vinification est identique à celle des vins rouges, mais la macération est plus courte pour limiter la diffusion des tanins et des pigments. Si leurs caractéristiques gustatives sont proches de celles des vins blancs, leur constitution chimique les rapproche des vins rouges. À l'exception du champagne, il est interdit d'élaborer les vins rosés par assemblage de vins rouges et blancs.

Les vins blancs. Le grain de raisin, noir ou blanc, est foulé et pressuré afin de séparer au plus vite la pulpe des matières solides, ces dernières risquant d'apporter une amertume et une pigmentation non désirées. Le moût est alors débarrassé des impuretés qu'il contient (débourbage) et la fermentation du seul jus propre peut alors commencer.

La dégustation

La dégustation est l'art d'expertiser un vin. Comme toute expertise, la dégustation se déroule en trois phases qui mènent à une conclusion : le jugement.

La première phase est celle de l'observation, qui met en œuvre, dans l'ordre, les sens de la vue, de l'odorat et du goût. Il s'agit là d'une opération consistant à « analyser » le vin, à retrouver son « histoire » afin d'en comprendre le caractère et la personnalité, en détectant, notamment, son terroir et son cépage.

La deuxième phase, plus complexe, est celle de la description. Elle consiste à exprimer avec des mots précis les sensations ressenties. Bien qu'un lexique de la dégustation soit couramment utilisé par les professionnels, il ne fait l'objet d'aucune règle officielle et manque parfois de précision.

La dernière phase avant le jugement est la phase la plus difficile, car elle fait appel à la mémoire et aux informations que le dégustateur aura assimilées par sa propre expérience ; il s'agit de la phase de comparaison. Après avoir observé et décrit, il est nécessaire, avant de juger, de comparer le vin tel qu'il est à ce qu'il devrait être. Chaque vignoble, chaque appellation, chaque millésime donne sa marque au vin et lui confère ses caractères propres. La notion même d'appellation, tout au moins en France, permet au consommateur non seulement de connaître la provenance, mais également par elle d'espérer un type de vin et un caractère précis, propre à cette origine. Il est donc important pour le dégustateur de tenir compte, au-delà des qualités gustatives, de cette typicité ou de son absence.

Cette précision du jugement est difficile. Non seulement le vin est en évolution permanente par son vieillissement, mais il est chaque année différent pour chaque appellation.

◆ Comment déguster.
Il faut se placer dans un lieu exposé à la lumière du jour pour bien apprécier la robe du vin. La température doit être de 19 à 20 °C. Le verre (lisse, transparent, incolore) doit permettre d'observer le liquide dans toutes les positions : horizontale, verticale, oblique ; son ouverture sera plus étroite que la partie convexe afin de concentrer les arômes. On tient le verre par le pied ou la tige, jamais par le gobelet. La dégustation se déroule en trois phases : examen visuel, phase nasale (ci-contre), phase buccale.

Bordeaux

Le vignoble bordelais, avec 90 000 ha de vignes en appellation d'origine contrôlée, est la première région d'appellation française. Il est complanté, pour les vins rouges, en cabernet-sauvignon, cabernet franc et merlot, et, pour les vins blancs, en sémillon, sauvignon et muscadelle. Les deux grands fleuves (Gironde et Dordogne) qui traversent le département de la Gironde le séparent en plusieurs grandes zones.

À l'ouest, le Médoc, qui porte les appellations médoc et haut-médoc et les prestigieuses appellations de margaux, moulis, listrac, saint-julien, pauillac et saint-estèphe. Ces vins sont les vins rouges les plus célèbres et les plus appréciés dans le monde.

◆ Bordeaux.

Au sud, l'ancien et historique vignoble de Graves, qui produit, dans les appellations pessac-léognan et graves, des vins rouges et blancs de grande race. Ce vignoble s'étend du sud de Bordeaux jusqu'à Langon, près de laquelle il ceinture les appellations de sauternes et barsac, mondialement connues comme vins blancs moelleux.

L'Entre-deux-Mers est une zone de vins blancs légers et vifs, mais également zone des premières côtes de rouges, de blancs et des moelleux de Sainte-Croix-du-Mont et de Loupiac.

Le Saint-Émilion est la zone des anciens et prestigieux vignobles du Libournais : Saint-Émilion et ses satellites, Montagne, Lussac, Parsac et Puisseguin Saint-Émilion ; Pomeroi et Lalande, Fronsac et Canon.

Autour de ces prestigieux vignobles se trouvent des vignobles moins célèbres, mais riches en surprises, tels ceux des côtes de Francs et de Castillon, ou ceux de Blaye et de Bourg, qui produisent à partir d'un encépagement identique d'excellents vins rouges et blancs.

◆ Consommation de vin dans le monde.

Pays ou zone	l/hab.
France	61
Portugal	59,8
Italie	57,3
Espagne	38,6
Union européenne	34,2
Autriche	32,8
Danemark	28,2
Allemagne	23,1
Belgique et Luxembourg	22
Grèce	16,3
Suède	13,3
Pays-Bas	13,1
Royaume-Uni	12,2
États-Unis	7,6
Irlande	7,4
Finlande	5,2
Chine	0,3
Pays développés	15,1
Pays en développement	0,6
Monde	3,9

Données 1996.
Source : FAO.

Bourgogne et Beaujolais

◆ **Bourgogne.**

La zone d'appellation bourgogne s'étend, sur 285 km, depuis Joigny jusqu'à L'Arbresle, aux portes de Lyon. L'ensemble des vins rouges de l'appellation sont issus du seul cépage pinot noir. Le cépage gamay, seigneur du Beaujolais, ne peut entrer que dans l'appellation bourgogne passe-tout-grains, et en assemblage avec le pinot. Les vins blancs sont issus pour l'essentiel du cépage chardonnay, qui produit ici les plus grands vins blancs secs du monde. Le cépage aligoté, qui donne des vins blancs vifs et nerveux, est utilisé pour l'appellation bourgogne aligoté.

Cinq grandes zones viticoles composent ce vignoble. Au nord, près d'Auxerre, se trouve le vignoble de Chablis, célèbre pour ses vins blancs secs et amples. À 160 km plus au sud commence à Dijon la Côte bourguignonne, formée par les vignobles de la côte de Nuits et de la côte de Beaune : succession de communes aux noms prestigieux qui, de Gevrey-Chambertin à Puligny-Montrachet, portent, par l'élégance et la classe de leurs grands vins rouges et blancs, la réputation mondiale de ce vignoble. Plus au sud, à la hauteur de Chalon-sur-Saône, se trouvent les appellations rully, mercurey, givry et montagny. À Mâcon, les célèbres vignobles de Pouilly-Fuissé prouvent que leurs vins peuvent rivaliser avec les plus grands blancs de la côte.

Le Beaujolais, qui commence au sud de Mâcon et se termine à la périphérie de l'agglomération lyonnaise, est protégé des influences océaniques; il s'étire sur environ 80 km en dessinant une bande de 12 km de large, orientée au levant. Ce vignoble, avec ses 21 500 ha, englobe deux zones viticoles : le haut Beaujolais, avec ses dix crus (saint-amour, juliénas, chénas, moulin-à-vent, fleurie, chiroubles, morgon, regnié, côte-de-brouilly et brouilly); le bas Beaujolais, avec les appellations beaujolais et beaujolais-villages.

Le millésime

Le millésime du vin indique l'année qui a vu mûrir le raisin ayant servi à son élaboration et, par là même, la caractéristique propre à cette année. La notion de millésime est souvent mal perçue et on considère, à tort, que seuls les vins de grands millésimes sont gustativement intéressants et que ceux non favorisés par certains facteurs, climatique notamment, sont sans intérêt. Si ce principe était assez vrai autrefois, il n'en est plus de même actuellement : les techniques et les connaissances œnologiques permettent une amélioration considérable de la qualité. Bien plus, les bouteilles de grand millésime sont généralement très longues à « se faire » et, si l'idéal reste un grand vin, bien vinifié et suffisamment vieilli dans un grand millésime, le « petit » millésime offre sa plénitude beaucoup plus rapidement.

Champagne et Alsace

◆ **Champagne.**

Le vignoble de Champagne, en progression, couvre une surface de 25 000 ha, principalement sur les sols crayeux des départements de la Marne et de l'Aube, pour une production d'environ 125 millions d'hectolitres. Son encépagement est le même que celui de la Bourgogne, soit : chardonnay pour les vins blancs (de blancs), pinot noir et pinot meunier pour les vins rosés (parfois en assemblage avec les vins blancs), les vins rouges et les vins blancs (de noirs). L'appellation « champagne » est réservée aux vins blancs et rosés effervescents, l'appellation coteaux champenois, aux vins dits « tranquilles », rouges, rosés ou blancs non mousseux.

Le vignoble alsacien couvre les 12 000 ha d'une bande de 120 km qui s'étend sur les collines sous-vosgiennes bordant la plaine d'Alsace, face au Rhin. Six cépages blancs et un rouge constituent traditionnellement l'appellation alsace : le sylvaner, qui produit un vin frais et léger ; le riesling, seigneur de l'Alsace, qui produit des vins de grande classe et de longue garde ; le gewurztraminer, au nez opulent et caractéristique; le muscat d'Alsace, très fruité; le pinot gris, anciennement dénommé tokay, corsé et capiteux; le pinot blanc, sec et souple; enfin, le pinot noir pour les vins rouges et rosés.

◆ **Vin d'Alsace.**

Jura, Savoie et Bugey

Le vignoble jurassien occupe les 1 400 ha d'une étroite bande qui longe le rebord du premier plateau du Jura, de Saint-Amour à Arc-et-Senans. Le vignoble, malgré sa bonne exposition et sa faible altitude (200 à 380 m), subit les effets d'un climat rude et connaît des variations de production extrêmes, de 25 000 à 80 000 hl. Son encépagement est basé sur : pinot noir et chardonnay, complétés de cépages locaux; poulsard et trousseau pour les vins rouges, savagnin pour les vins blancs. Il produit tous les types de vins : blancs, rouges, rosés, mousseux, jaunes, de paille, sous quatre appellations (arbois, côtes-du-jura, l'étoile, château-chalon). Cette dernière appellation est limitée au prestigieux vin jaune, issu du seul cépage savagnin.

Les vignobles de la Savoie et du Bugey occupent moins de 3 000 ha sur les coteaux ensoleillés des départements de la Savoie, de la Haute-Savoie, de l'Isère et de l'Ain, avec 6 appellations : vin de Savoie, roussette de Savoie, pétillant de Savoie, mousseux de Savoie, seyssel et crépy. La diversité se retrouve dans les cépages : jacquère mondeuse, altesse, molette, roussette, persan, gringet, chardonnay, aligoté, gamay et chasselas. Le vignoble du Bugey s'étend entre Bourg-en-Bresse et le lac du Bourget.

Loire

◆ **Vin de Loire.**

Sur les 1 000 km de son parcours, la Loire et ses affluents regroupent six régions viticoles. En suivant son cours et celui de son affluent l'Allier, nous trouvons les vignobles de l'Auvergne et du Forez, les appellations saint-pourçain et côtes-d'auvergne, côte-roannaise et côtes-du-forez, des vins blancs vifs et des vins rouges souples et légers.

Plus au nord, le vignoble du Centre comporte les appellations sancerre, reuilly, quincy et ménétou-salon, pouilly-sur-loire et côtes-de-gien. Ce sont tous des vins blancs secs et vifs issus du cépage sauvignon et quelques rouges et rosés légers et souples, issus du grand pinot noir de Bourgogne.

Dans la boucle que forme la Loire, on trouve le vignoble de l'Orléanais, puis, plus en aval, la Touraine, de Blois à Saumur, avec les vouvray et montlouis, vins blancs issus de cépages chenin ou pineau de la Loire, que l'on retrouve en Saumurois et en Anjou, et aussi des grands vins rouges de Chinon, Bourgueil et Saint-Nicolas. Le cépage roi est ici le cabernet franc utilisé seul.

Autour de Saumur, on produit de grands blancs secs et tendres et le célèbre saumur-champigny, vin rouge issu du cabernet sauvignon, cousin du précédent.

Autour d'Angers, on trouve des vignobles de vins blancs, moelleux sur la rive gauche, pour les appellations coteaux-du-layon, coteaux-de-l'aubance, bonnezeaux et quarts-de-chaume ; sur la rive droite, Savennières et ses grands vins blancs tendres.

Enfin, le pays nantais produit des vins blancs de muscadet et gros plant.

Les vins dans le monde

Le vignoble se situe, pour 62 %, en Europe. À elle seule, l'Union européenne, après avoir diminué de 25 % en 21 ans la surface en vigne pour mettre en place une politique de qualité, possède encore 45 % du vignoble mondial, avec les trois pays leaders, la France, l'Italie et l'Espagne. La France, avec 57 millions d'hectolitres en 1996, est le premier producteur européen, malgré le recul de 33 % de sa surface en vignoble en un tiers de siècle, le record annuel durant cette période ayant atteint 84 millions d'hectolitres.

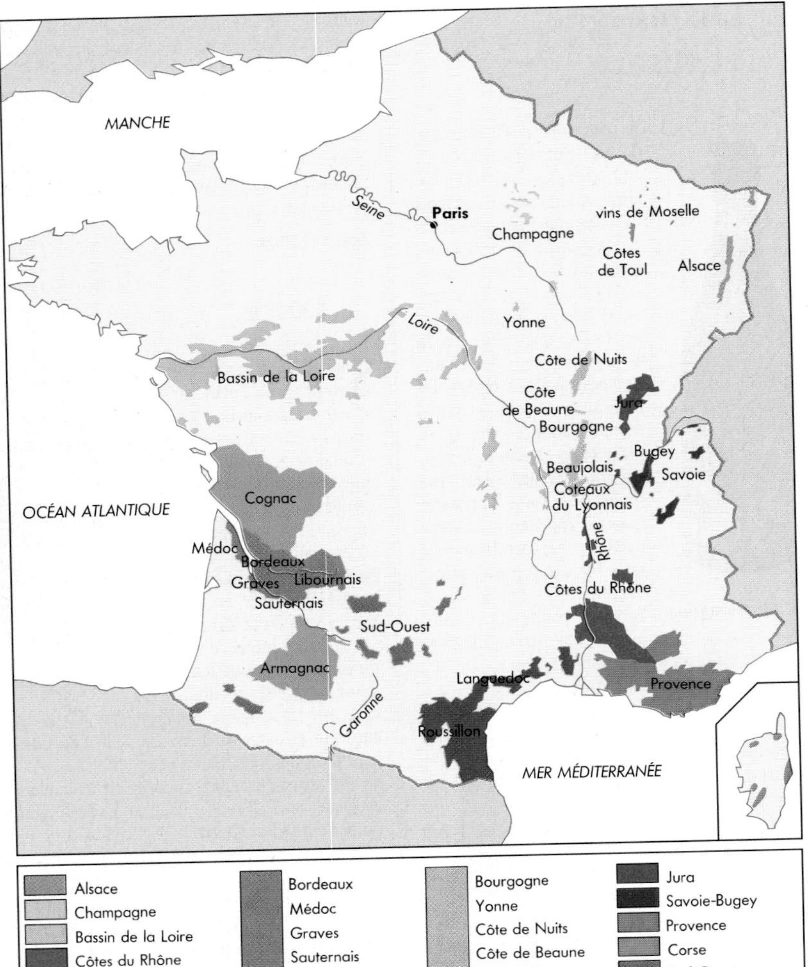

◆ **Vignobles de France.**

Sud-Ouest

Les vignobles du Sud-Ouest regroupent 25 principales appellations en 5 zones réparties sur 12 départements. La région la plus célèbre est le Bergeracois, avec l'appellation bergerac et les blancs moelleux de Monbazillac. À l'est s'étend le Cahors, vignoble de vins rouges uniquement, issus d'un cépage appelé ici l'« auxerrois » (malbec en Bordelais et cot sur les bords de la Loire). Lorsqu'ils sont vinifiés de façon traditionnelle, ces vins sont puissants et de garde. À l'est de Cahors s'étendent les vignobles de l'Aveyron et du Cantal : vins d'Estaing, d'Entraigues et de Marcillac, essentiellement rouges et issus d'un cépage local appelé « fer-servadou ». Au sud, le très ancien vignoble de Gaillac, planté en cépage duras pour les vins rouges, et mauzac pour les vins blancs. Au nord de Toulouse s'étendent le vignoble des côtes du Frontonnais et ses voisins de Lavilledieu et des côtes du Brulhois. Le vignoble de Buzet produit des vins rouges souples issus du cépage merlot. Plus au sud, en limite de la zone d'appellation armagnac, les vignobles de Madiran, avec un grand vin rouge très puissant, et de Pacherenc-du-Vic-Bilh, un vin blanc vinifié sec ou moelleux. Le jurançon, près de Pau, doit sa réputation au roi de France Henri IV. C'est un très grand vin blanc moelleux. Il est également actuellement vinifié en sec. Enfin, sur les contreforts des Pyrénées, le vignoble basque de l'Irouléguy produit des vins rouges, blancs et rosés.

Vallée du Rhône et Provence

Le vignoble de la vallée du Rhône regroupe deux zones dont l'une, au nord, commence à Vienne et se termine à Valence, et l'autre, au sud, commence à Montélimar et se termine au sud d'Avignon. La partie nord, très continentale, produit sur des sols granitiques des vins rouges puissants, très racés, à partir du seul cépage syrah. Ce sont les appellations côte-rôtie, hermitage, cornas, saint-joseph, crozes-hermitage. Quelques vins blancs sont produits à partir du cépage viognier, pour les appellations condrieu et château-grillet, et des cépages roussanne et marsanne pour les vins blancs d'Hermitage, de Crozes-Hermitage, de Saint-Joseph et de Saint-Péray, ce dernier étant vinifié en mousseux. La zone sud est prépondérante dans l'appellation côtes-du-rhône. En plus des appellations plus restrictives, telles que les villages, on trouve les vignobles de Gigondas, de Châteauneuf-du-Pape, de Lirac et de Tavel. Le vignoble de la vallée du Rhône produit des vins rouges puissants et épicés, des vins blancs majestueux et des roses solides.

Le vignoble de Provence s'étend d'Arles jusqu'à Nice. C'est probablement le plus ancien vignoble de France puisqu'il fut planté par les Grecs. Essentiellement connu pour ses vins rosés, le vignoble provençal produit également des vins rouges et blancs. La principale appellation est côtes-de-provence. Six appellations plus limitées proposent des vins de qualité : bellet, vin blanc élaboré à partir de cépages locaux tels que le rolle ; cassis, surtout connu comme vin blanc sec et peu acide ; palette, grands vins rouges, blancs et rosés ; coteaux-d'aix et baux, vins rouges, rosés et blancs puissants et chaleureux ; et enfin bandol, le seigneur de la Provence.

Languedoc-Roussillon et Corse

Le Languedoc-Roussillon est aujourd'hui la deuxième région française d'appellation d'origine, dont le vignoble couvre quatre départements et présente une très grande diversité de terroirs. Cinq cépages dominent : le grenache, le cinsaut, le carignan, la syrah et le mourvèdre. Si les deux régions vont de pair, le Roussillon est le terroir d'élection des vins doux naturels. Le Languedoc a évolué et les efforts des vignerons sur les encépagements et les méthodes de vinification changent l'image de cette région jusqu'alors vouée au vin de consommation courante. Onze appellations d'origine composent actuellement ces vignobles et, parmi elles, huit récentes, dont coteaux-du-languedoc, corbières et costières-du-gard.

L'île de Beauté détient huit appellations contrôlées : vin de Corse et cinq appellations vin de Corse « villages » ; deux appellations de crus, ajaccio et patrimonio. Son encépagement est originaire du Midi méditerranéen, mais également local, tels le nielluccio, le sciacarello et le vermentino.

Les vinifications spéciales

Vins doux naturels et vins de liqueurs : vins dont la fermentation a été volontairement arrêtée par un ajout d'alcool dans le moût.

Vins de paille : vins issus de raisins partiellement déshydratés par une mise sur lit de paille…

Vins jaunes : très réputés dans le Jura, ils sont, après vinification, entreposés dans des fûts pendant un minimum légal de 6 ans sans que le niveau soit jamais refait dans le fût (ouillage) ; le voile se formant sur le dessus du vin le protège de l'air et lui apporte un goût de noix particulier.

Vins demi-secs, moelleux et liquoreux : vins issus de raisins ayant fait l'objet d'une déshydratation sur souche, soit à la suite de vendange tardive (passerillage), soit à la suite de l'apparition d'un champignon *(Botrytis cinerea)* qui dessèche le raisin en lui apportant un caractère particulier. Cette concentration importante du sucre ne permet pas aux levures de l'absorber en totalité et il reste résiduel dans le vin, dans une proportion qui lui donne son caractère demi-sec, moelleux ou liquoreux selon son importance.

Vins mousseux : vins élaborés par ajout, dans la bouteille, d'une liqueur composée de sucre et de levures qui provoque une fermentation dégageant du gaz carbonique. Il donne au vin son caractère effervescent.

Vins sur lie : vin blanc mis en bouteilles à partir de la cuve dans laquelle il a fermenté et au fond de laquelle se trouvent encore les levures mortes (lies). Cette méthode maintient du gaz carbonique qui provoque dans la bouche une sensation de fraîcheur.

Vins cuits : vins dont les moûts sont chauffés pour concentration. Ils sont rares actuellement (région de Palette).

◆ Machine à vendanger. La machine à vendanger est apparue en France en 1971. La mécanisation s'est rapidement développée : en 1991, le parc s'élevait à 10 000 unités. Elle concerne toutes les régions viticoles, sauf la Champagne et le Beaujolais, où la législation impose la vendange en grains entiers, et le Sauternais, qui exige la récolte manuelle. La machine se compose d'un châssis enjambeur, d'un dispositif (tête de récolte) assurant le décrochage des baies de raisin, d'un tapis de plastique constitué d'écailles ou de gobelets, recueillant les grains lorsqu'ils tombent, d'un système de transfert pour acheminer la vendange vers des bacs de stockage, d'un dispositif d'élimination des feuilles et des morceaux de sarments par aspirateurs.

Italie, Portugal et Grèce

Le vignoble italien (860 000 ha en 1997) propose environ 1 500 vins différents pour une production totale de 54 millions d'hectolitres. Pour permettre aux amateurs de choisir, le gouvernement italien a établi par décret un système de contrôle à la fois simple et sûr, le label DOC, initiales de *Denominazione di Origine Controllata,* qui est en Italie ce que l'AOC (Appellation d'origine contrôlée) est en France.

Les régions viticoles italiennes sont : le Piémont, qui produit le roi barolo, le barbaresco et le célèbre asti spumante; les régions du Val d'Aoste, de Ligurie, la Lombardie, le Trentin-Haut-Adige, et Frioul-Vénétie-Julienne, la Vénétie avec son bardolino et son fameux valpolicella; la région d'Émilie-Romagne et son lambrusco, la Toscane et son illustre chianti, l'Ombrie et le Latium autour de la capitale, les Marches et les Abruzzes sur les rives de l'Adriatique, la Campanie, la Pouille, la Calabre et le Basilicate, les îles de Sardaigne et de Sicile avec, pour cette dernière, le très célèbre marsala.

Le vignoble portugais, de 250 000 ha en 1997, produit 9,5 millions d'hectolitres. La région du Douro, délimitée en 1756, produit le vin de Porto, internationalement connu. Il existe plusieurs types de porto, dont les plus connus sont le vintage, vin d'un millésime, mis en bouteilles jeune, et le late bottled vintage, vin de millésime ayant été élevé longtemps sous bois avant la mise en bouteilles. Dans cette seconde catégorie, on trouve, pour des vins millésimés ou non, les dénominations de crusted port, tawny port, porto ruby. Il existe également un porto blanc. Les autres régions principales du Portugal sont : le Vinho Verde, la région de Dão, la région de Colares, les régions de Bucelas et de Carcavelos, la région du muscat de Setúbal et l'île de Madère.

Le vignoble grec, de 73 000 ha en 1997, est complanté dans l'ensemble en cépages autochtones. La production de vin se situe à 4,1 millions d'hectolitres. Il existe trois types d'appellation d'origine : les appellations simples, les appellations de qualité supérieure et les appellations d'origine contrôlée. Les principales régions viticoles sont : le Péloponnèse, la Grèce centrale, l'Épire, la Thessalie, la Macédoine et la Thrace, les îles de la mer Égée, les Cyclades, Rhodes et le Dodécanèse, la Crète et les îles Ioniennes. Le vin le plus célèbre est le retsina, vin résiné, pour lequel la Grèce a créé la notion d'« appellation traditionnelle ». Ce vin blanc sec doit son caractère à la résine, ajoutée autrefois pour favoriser sa conservation.

Petit lexique

chaptalisation : opération consistant à ajouter, sous contrôle légal, au moût une quantité de sucre afin de remonter le degré alcoolique du vin résultant.

collage : opération entraînant les impuretés en suspension, sous l'effet d'une matière introduite.

étuvage : préparation des grands vins à la mise en bouteille et au vieillissement, généralement conduite en barriques de chêne.

fermentation alcoolique : opération par laquelle le jus de raisin devient du vin.

fermentation malolactique : rétrogradation du biacide malique en monoacide lactique en fin de fermentation alcoolique ou après celle-ci, sous l'effet de micro-organismes bactériens. Elle a pour effet de provoquer une chute d'acidité gustativement décelable.

filtration : opération mécanique faisant passer le vin à travers un élément poreux qui le débarrasse de ses impuretés.

soufre : substance à effet antiseptique, qui agit sur l'activité des ferments.

Espagne

L'Espagne, troisième producteur mondial, produit annuellement à partir de ses 1 154 000 ha de vignoble 30 millions d'hectolitres et est en train de passer du statut de producteur de vin de masse à des produits de qualité. En 1970, les AOC sont venues conforter les vignerons dans leur action en offrant un cadre plus strict aux 28 « dénominations d'origine » promulguées sur les principaux vignobles depuis 1933.

Ses zones viticoles regroupent les 28 appellations d'origine. On peut en distinguer cinq ; la plus célèbre est la vallée de l'Èbre, qui réunit les appellations telles que le rioja, vin rouge franc au grand bouquet, le navarra, vin frais et fruité qu'il convient de boire jeune, et, en Aragon, les appellations cariñena, rouge ou rosé, et campo de borga.

En Catalogne, on distingue six appellations d'origine : le penedes, vin blanc pâle, frais et peu alcoolisé, vin rouge léger et velouté; le cava, appellation de vins mousseux élaborés d'après la méthode champenoise; le tarragona, vin rouge très vigoureux; le priorato, vin rouge corsé; l'ampurdan, vin rouge très fruité et léger; et l'alella, vin blanc ou rouge légèrement sucré.

Les zones du Centre et du Nord-Ouest permettent de distinguer plusieurs terroirs : la Mancha, au sud de Madrid, le plus grand vignoble d'Espagne, dont les vins les plus remarquables sont les blancs à la coloration légèrement jaune, peu acides et très aromatiques; le valdepeñas, terroir aux vins rouges très renommés et qui se boivent jeunes; le Ribera del Duero, connu pour ses bons vins rouges, et, dans la région de Galice, le Ribeiro, qui produit des vins blancs et rouges marqués par une pointe d'acidité. Le pays de Valdeorras produit des vins au degré d'alcool plus élevé, les blancs y sont secs, les rouges sont marqués par une couleur très nette.

La région du Levant regroupe six appellations : le valencia, vin blanc pâle peu acide, le urielrequena, vin rouge très coloré, les alicante, jumilla et almansa, où domine le raisin monastel, enfin le vecla, vin rouge léger.

En Andalousie, le célèbre xérès, ou jeres, ou sherry, forme une série de vins de très grande classe, de sec à moelleux. Le malaga est un vin de dessert plus ou moins sucré, et le montillamoriles, dans l'arrière-pays, produit des vins riches, avec du corps et de l'alcool.

Allemagne, Europe centrale et orientale

Le vignoble allemand couvre 102 000 ha pour une production de 8,3 millions d'hectolitres en 1996. Les régions viticoles les plus importantes se situent le long des vallées du Rhin, de la Moselle, du Main et du Neckar. On y découvre une très grande variété de crus, essentiellement blancs. Onze régions principales composent le vignoble depuis la réunification : Hesse rhénane, Bade-Wurtemberg, Moselle, Sarre, Ruwer, Nahe, Palatinat, Franconie, Saxe et Saale-Unstrot et le célèbre Rheingau.

En 1996, les principaux producteurs de l'Europe centrale et orientale étaient, en millions d'hectolitres, la Roumanie (5,8) la Hongrie (4,2), la Moldavie (3,6), la Russie (2,8), la Bulgarie (2,4), la Croatie (2,3), l'Ouzbékistan (1,7), la Géorgie (1,2), la Macédoine (1), l'Ukraine (0,8).

Amérique

Aux États-Unis, la région viticole la plus importante est la Californie, qui compte 131 000 ha de vigne. Les cépages européens sont très présents dans ce vignoble, scindé en deux zones, celle des vallées fraîches et assez humides (vignobles de la Napa) et celle des vallées chaudes et sèches de l'intérieur (quelques vignobles réputés, dont Modesto). La vigne est aussi présente dans l'État de New York et dans quelques États de l'Est, dans l'Illinois sous un climat tempéré par la présence du lac Michigan, dans les États de l'Oregon et de Washington.

En Amérique du Sud, l'Argentine est un producteur important (plus de 12 millions d'hectolitres en 1996). Dans la province de Mendoza, au pied des Andes, on récolte les plus gros volumes. Le vin est une boisson nationale que l'on consomme à tous les repas. Le Chili apparaît avec ses vins sur le marché international : c'est le deuxième producteur de la région (près de 4 millions d'hectolitres en 1996). La Bolivie possède un vignoble modeste de vins rouges et blancs. La Colombie produit un vin de liqueur. Le Pérou produit un vin entièrement consommé sur place. La production du Brésil est principalement localisée dans les États du Sud.

Les aliments composés pour animaux

Mieux nourrir les animaux

Les vaches, les moutons, les chevaux et d'autres animaux de ferme continuent, comme il y a des siècles, à brouter l'herbe des prés. Celle-ci, complétée ou non par des fourrages cultivés, consommée en direct et à l'état frais, ou après mise en conserve pour l'hiver sous forme de foin sec ou d'ensilage humide, assure toujours, en France, les deux tiers du bilan alimentaire de l'ensemble des animaux ; dans l'Union européenne, cet apport se limite, en moyenne, à 50 % ; au Danemark ou aux Pays-Bas, deux pays qui accordent une forte place aux aliments composés, la contribution des fourrages représente moins du tiers du bilan.

La recherche d'aliments adaptés. Pour répondre à la demande des consommateurs (place croissante des produits des animaux granivores par rapport à ceux des herbivores) ainsi qu'aux exigences du marché en matière de régularité d'approvisionnement et de prix des produits, les fermes d'élevage ont dû faire appel à des aliments plus concentrés que les fourrages, dits « grossiers ». Les céréales renferment ainsi dix fois moins de matières cellulosiques, ou fibres, que les fourrages, et sont beaucoup plus énergétiques. Il y a longtemps que les éleveurs en distribuent à leurs animaux : de l'avoine aux chevaux, de l'orge, du maïs et du blé aux porcs et aux volailles, mais aussi aux vaches laitières et aux bovins ou aux agneaux à l'embouche. Cette pratique perdure : à la fin du XXe s., sur 65 Mt (millions de tonnes) de céréales produites annuellement en France, 10 millions sont utilisées en l'état à la ferme pour nourrir les bêtes. À ce volume important viennent s'ajouter encore 10 Mt, également destinées à l'alimentation des bêtes, mais après passage par l'industrie de l'alimentation animale.

Pourquoi ce détour ? Et pourquoi à cette échelle ? En fabriquant des aliments composés, l'industrie de l'alimentation animale y incorpore effectivement 10 Mt de grains de céréales, mais elle ne se limite pas à cela : elle utilise aussi plus de 13 Mt d'autres matières premières. En effet, si le grain apporte de l'énergie, la plupart des animaux exigent plus de protéines, et de meilleure qualité, que celles apportées par les céréales et les fourrages de la ferme. En outre, tous les animaux ont des besoins spécifiques, précisés depuis des décennies par les nutritionnistes du secteur animal, en minéraux (calcium et phosphore, sel, magnésium), comme en oligoéléments (fer, cuivre, cobalt, zinc, manganèse, iode, fluor, etc.), ainsi qu'en vitamines. En outre, la zootechnie a appris à l'homme comment agir sur certains critères de qualité des aliments destinés à la consommation humaine : la couleur de la coquille de l'œuf est déterminée seulement par voie génétique, mais la couleur du jaune d'œuf, ou celle du beurre, et même celle de la chair de la truite ou du saumon peuvent être améliorées par l'alimentation. On peut aussi modifier la composition des graisses corporelles, améliorant ainsi la valeur nutritionnelle des produits animaux. L'éleveur est au courant de ces besoins et de ces innovations. Cependant, il aurait beaucoup de mal à acquérir séparément, et dans des conditions économiquement viables, tous les ingrédients nécessaires.

L'aliment composé apporte tout cela, dosé avec une extrême précision, pour éviter les excès qui seraient aussi préjudiciables que les insuffisances, livré en sac ou en vrac dans l'unité d'élevage. L'industriel veille aussi, par les techniques de fabrication, à ajuster le mode de présentation des aliments produits en fonction du comportement des animaux consommateurs : les aliments prennent la forme de miettes, de granulés de taille et de densité variables, plus souvent que de farines, génératrices de poussière.

Une industrie dynamique

L'industrie des aliments composés pour animaux est très jeune. En France, en 1950, la production d'aliments composés se limitait à 0,6 Mt (million de tonnes) ; elle a atteint 23,3 Mt en 1997, et a donc été multipliée par près de 40 en moins de 50 ans. Au sein de l'Union européenne, dont la production s'élève à 120 Mt, la progression a été encore plus forte dans certains pays comme les Pays-Bas et le Danemark, qui ont produit et utilisé plus de 1 000 kg d'aliments composés par habitant. Dans le monde, elle est passée, de 1975 à 1995, de moins de 300 à plus de 600 millions de tonnes.

Des rôles multiples. L'industriel de l'alimentation animale est un intermédiaire, un acteur d'interface. Il intervient ainsi :
– entre les régions ou les pays producteurs de ma-tières premières (aliments simples) et les régions utilisatrices spécialisées en élevage ; dans le monde, trois pays seulement (États-Unis, Brésil, Argentine) fournissent l'essentiel des aliments simples entrant dans le groupe des matières riches en protéines ;
– entre les scientifiques et les éleveurs : les innovations zootechniques passent très vite en application, sans que l'éleveur ait besoin d'aller rechercher lui-même son approvisionnement ;
– entre les maillons de chaque filière de produits : l'industriel de l'alimentation animale a été et reste un organisateur dynamique au sein des filières ; il aide ou stimule le progrès génétique ; il conseille et intervient dans la conception et le fonctionnement des bâtiments et équipements d'élevage ; il aide, avec ses vétérinaires, à la sauvegarde et à la bonne gestion de l'état sanitaire des unités ; il coordonne la mise en marché ; il apporte parfois un concours financier au développement d'un ou de plusieurs maillons de la filière ; on peut lui reprocher d'exercer un pouvoir trop grand sur le circuit du produit, à travers le développement de processus d'intégration ou de quasi-intégration, mais c'est toujours l'éleveur qui choisit en fonction du produit et du service rendu par l'entreprise privée ou coopérative productrice ;
– entre les organismes de contrôle de l'État, d'une part, et le consommateur, d'autre part : la fabrication d'aliments composés pour animaux est soumise à une réglementation extrêmement rigoureuse, dont l'application est vérifiée et contrôlée au niveau de ce maillon avec beaucoup plus d'efficacité que s'il fallait assurer en permanence la vigilance au niveau de chaque élevage.

◆ **Les éléments composés en France.**

Années	Millions de tonnes
1950	0,5
1960	2
1970	7,5
1980	14,5
1990	18
1997	23

Données 1997.
Source : SNIA/SYNCOPAC.

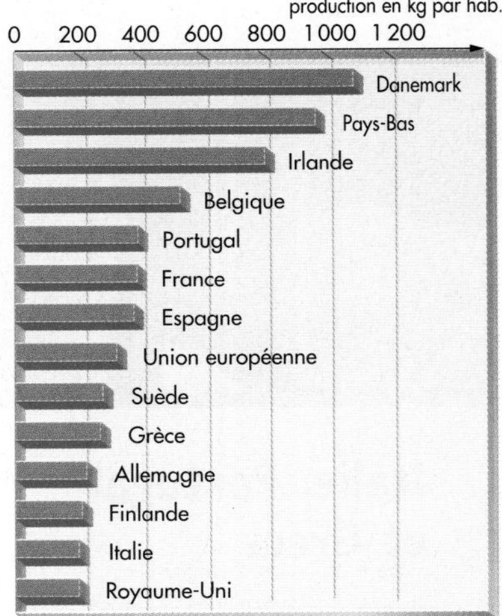

Données 1997. *Source* : FEFAC.

◆ **Les aliments composés dans les pays de l'Union européenne.**

Cette industrie apporte sa contribution à la protection de l'environnement. Chaque additif alimentaire incorporé dans un aliment composé doit, avant d'être autorisé à la vente, être examiné selon un protocole rigoureux destiné à en évaluer les effets éventuels sur l'environnement dans lequel il est prévu de l'utiliser. Une dizaine d'années de recherches précèdent parfois la commercialisation d'un produit.

Les industriels de l'alimentation animale ont mis au point des gammes d'aliments composés adaptés à chaque animal (par exemple, veau, vache destinée à la boucherie ou à fournir du lait), avec le souci de réduire au minimum les rejets d'éléments, tolérés par le milieu, mais dont l'excès peut devenir gênant.

Si l'aliment composé est parfois jugé agressif pour l'environnement, ce n'est pas lui qui est en cause, mais la concentration des animaux et l'abondance de leur déjections : sur ce point, les Pays-Bas, qui pratiquent un élevage ambitieux sur une surface agricole limitée, doivent faire face à des problèmes de pollution animale aigus.

Les matières premières utilisées

Les aliments composés sont des mélanges de produits destinés à l'alimentation animale. Ils sont constitués d'un certain nombre de matières premières.

Les céréales. Elles dominent : elles représentaient 42 % du total des aliments simples utilisés en 1997. Ce taux était proche d'environ 50 % vers 1970, mais il avait baissé en dessous de 30 % vers 1990. La part des céréales a augmenté en Europe au cours des années 1990, du fait de l'orientation, à partir de 1991, de la PAC (politique agricole commune), favorable à une mise à disposition de céréales à coût plus faible : par exemple, en France, en six ans, la demande en

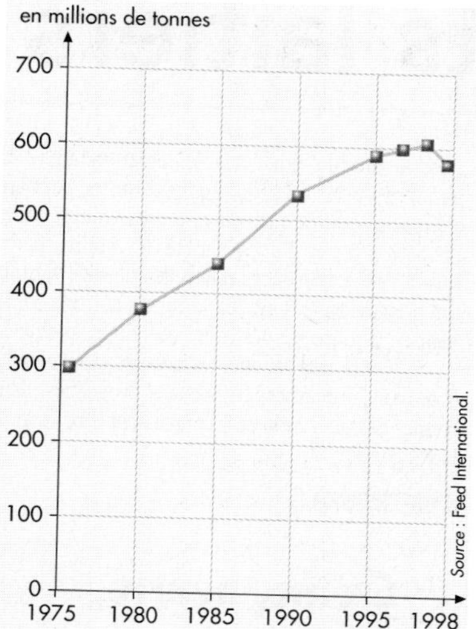

◆ **La progression de la production mondiale d'aliments composés.**

céréales des usines d'aliments composés a quasiment doublé. Le blé vient généralement en tête, mais son taux d'incorporation peut varier très sensiblement d'une année sur l'autre : depuis 1990, il est passé par un maximum de 28 % et par un minimum de 12 %. Il en va de même des autres céréales : le maïs est le plus souvent en deuxième position, mais son taux d'emploi a fluctué entre 9,5 et 17 %. L'orge est plus stable, entre 3,5 et 5 %. Les autres céréales comptent pour moins de 2 %.

À la fin du XXe s., chaque Français consomme au total, par an, l'équivalent de 430 kg de céréales, dont seulement 114 kg (environ le quart) sous forme de pain et de produits de la viennoiserie, pâtisserie et autres préparations. En revanche, 316 kg figurent au bilan par l'intermédiaire de l'alimentation animale, dont 158 kg sont transformés directement à la ferme et 158 kg par la voie des aliments composés. Dans ce total, même le blé (259 kg) est devenu une céréale servant plus à nourrir les animaux (163 kg) qu'à nous alimenter en direct (96 kg).

Les autres groupes d'aliments simples. Les tourteaux de graines oléagineuses constituent la seconde famille des aliments simples en importance, avec un total de 24 % qui fluctue peu. Le tourteau de soja occupe, en France comme ailleurs, la première position avec 15 % du total des matières premières et 63 % du total des tourteaux. Derrière lui, les deux tourteaux issus de l'agriculture française, le colza et le tournesol, représentent ensemble 7 % des matières premières et près de 30 % des tourteaux.

Les graines protéagineuses utilisées sont le pois et la féverole (7,5 % du total des matières) et, pour les oléagineux (2,6 %), les graines de soja, de colza et de tournesol. Cet ensemble représente 10 % environ du bilan.

Les coproduits des farines et amidons obtenus dans les industries céréalières apportent aussi 10 % du total. Il s'agit du son, des remoulages (résidus laissés par la transformation des semoules en farine), du gluten de maïs, plus connu sous son nom américain de *corn gluten feed* (CGF), produit principalement aux États-Unis.

Les aliments déshydratés artificiellement sont la luzerne et les pulpes de betterave (coproduit de la fabrication du sucre) : ils fournissent 3 % des ingrédients des aliments composés.

Les PSC (produits de substitution des céréales) avaient pris dans les années 1980 une place très importante dans le bilan d'approvisionnement en matières premières pour l'alimentation animale de l'Union européenne : près de 9 Mt (millions de tonnes) par an de manioc, principal PSC, ont été importées, pour l'essentiel, de Thaïlande et d'Indonésie. En 1993, après négociation de quotas limitant les importations, les Pays-Bas en utilisaient encore près de 3 Mt; la France était plus raisonnable avec 0,5 Mt. Au cours des campagnes suivantes, du fait de la nouvelle PAC (politique agricole commune), favorable aux céréales, les importations françaises ont fortement reculé. Le manioc ne représente plus que 0,3 % des céréales totales utilisées par les usines d'aliments composés. La patate douce a joué un rôle moins important (autour de 0,6 Mt importées par an par la CEE [Communauté économique européenne] à la fin de la décennie 1980). Le gluten de maïs (CGF) avait pris une position beaucoup plus forte : près de 5 Mt importées par la CEE à la fin de la décennie 1980. La France en a importé seulement 30 000 t à la fin de la décennie 1990. Les Pays-Bas ont joué un grand rôle dans cet épisode des PSC : ce pays sans espace agricole et sans grains avait pourtant l'ambition zootechnique de devenir le premier exportateur mondial de presque tous les produits animaux. Ses industriels sont donc allés chercher à travers le monde des produits de substitution des céréales pour ne pas acheter les céréales communautaires – ni les céréales importées de pays tiers pour éviter de payer les taxes prévues à l'entrée de la CEE. Ce faisant, ils ont démontré aux pays en développement qu'il était possible d'utiliser d'autres produits que les céréales pour l'alimentation animale, quand celles-ci sont rares ou prioritaires pour l'alimentation directe de l'homme.

Les autres matières premières représentent 10 % environ du total des aliments simples qui entrent dans les aliments composés; il s'agit de minéraux pour 4 %, de farines animales pour 3 % (qui ne sont pas utilisées dans l'alimentation des ruminants depuis 1996, à la suite des risques d'ESB [encéphalopathie spongiforme bovine, ou maladie de la «vache folle», transmissible à l'homme], dus à des modifications techniques de préparation de ces farines animales au Royaume-Uni), de mélasse de betterave et de canne pour 2 %, d'huile et de graisses pour 1 %.

Les bienfaits nutritionnels de l'alimentation composée

Chez les animaux comme chez les hommes, les céréales constituent la base de l'alimentation. Or, chaque type de céréale présente des carences nutritionnelles. Ainsi, toutes les céréales sont déficitaires en protéines. Pour fabriquer de la viande capable de fournir 80 % de protéines dans sa matière sèche, s'il s'agit d'une viande maigre, il faut donc trouver une autre source de protéines. Plus encore, la fabrication de la viande, du lait ou des œufs répond aujourd'hui à des critères nutritionnels précis. Il s'agit d'assurer des protéines de haute qualité, à haute valeur biologique, car riches en acides aminés essentiels, comme la lysine, difficile à trouver dans les régimes végétaliens. La viande en contient 14 fois plus que le maïs. Il en va de même pour le calcium, nécessaire à la croissance du jeune animal, comme à celui du jeune enfant. L'aliment composé fournit 10 g de calcium par kg d'aliment sec alors que le maïs n'en fournit que 0,1 g et le blé 0,6 g. L'aliment composé permet ainsi de résoudre les questions d'alimentation animale et, par conséquent, de mieux répondre aux besoins nutritionnels de l'homme. Une ration équilibrée permet en outre de fabriquer des produits animaux moins chargés en graisse, bénéfiques à l'homme. Par ailleurs, il ne faut pas négliger le rôle majeur de ce type de régime animal dans l'épargne de matières premières comme les céréales et les protéagineux : pour faire 1 kg de gain de poids vif, 5 kg de céréales sont nécessaires, alors qu'en régime équilibré 2 kg d'aliments suffisent.

◆ **La production d'aliments composés dans le monde.**

Pays ou zone	%
Amérique du Nord	31
dont États-Unis	27
Europe	30
dont Union européenne	21
Asie/Pacifique	24
dont Chine	10
Amérique latine	11
dont Brésil	5
Afrique/Moyen-Orient	4
Total (en millions de tonnes)	575

Données 1998.
Source : Feed international.

Quelques additifs en question

L'emploi des additifs en élevage a suscité des réactions de crainte de la part de consommateurs. Cependant, c'est une erreur de croire que les hormones sont utilisées dans tous les élevages, et qu'elles sont apportées aux animaux par la voie de l'aliment : dans les 15 pays de l'Union européenne, aucune substance hormonale n'est autorisée. Certains pays, comme les États-Unis, en autorisent l'emploi pour certaines productions (engraissement des bovins par exemple), par voie d'implants sous la peau et par l'alimentation. En Europe, les trafics de produits hormonaux sont sanctionnés par les tribunaux quand ils sont découverts.

L'utilisation de certains antibiotiques en tant que facteurs de croissance a commencé dans les années 1950. La législation sur leur emploi va sans doute devenir plus restrictive en raison d'une possible résistance acquise par les bactéries responsables des maladies infectieuses humaines et qui, de ce fait, deviendraient difficilement traitables. Pour œuvrer efficacement dans ce domaine, il sera nécessaire d'analyser objectivement, en les hiérarchisant, toutes les sources pouvant contribuer à l'accroissement de ce type de risque (notamment l'utilisation, en médecine humaine ou en médecine vétérinaire, des antibiotiques de façon généralisée).

Pour des additifs plus inoffensifs, comme les vitamines, nécessaires à une alimentation rationnelle de l'homme et des animaux, le risque d'accident par excès existe aussi. Cependant, les doses incorporées dans les aliments composés sont étroitement réglementées pour éviter, par exemple, qu'un gros consommateur de foie de veau n'ait à redouter des risques d'hypervitaminose A.

VOIR AUSSI
• **Les aliments peuvent-ils être dangereux ?** p. 213
• **Génie zootechnique** p. 846
• **Élevage** p. 862

Le lait et les produits laitiers

La consommation

Le lait est un liquide blanc sécrété par les glandes mammaires des mammifères femelles après la naissance du jeune : toutes, de la souris à la baleine en passant par l'homme, nourrissent ainsi leur petit. Parmi les espèces domestiques, l'homme utilise surtout le lait de vache mais aussi, sous nos climats, celui de brebis et de chèvre; dans certaines régions on utilise celui de bufflesse, de jument, d'ânesse, de chamelle, de dromadaire, de zèbre, de renne, de lama ou encore celui de yack. L'usage et la législation française font que le mot «lait» désigne dans le commerce le lait de vache et que tout autre lait doit être suivi du nom de la femelle de l'espèce.

La famille des produits laitiers est très diversifiée. Elle va du lait jusqu'aux fromages, eux-mêmes très divers, puisque la France, à elle seule, avait inventé plus de 400 fromages traditionnels. L'industrie laitière sait, à partir d'un produit unique, créer en permanence des produits nouveaux. Cette capacité d'innovation technique explique sans doute pourquoi le Français, qui n'est pas réputé être un grand buveur de lait (il n'en consomme en effet que 75 kg par an, contre 102 pour l'Américain, 169 pour l'Irlandais et 149 pour le Finlandais), est, pour l'ensemble des produits laitiers comptés en équivalent lait entier, un des plus gros consommateurs européens et même mondiaux : 403 kg en 1996, derrière le Suédois (453) et le Finlandais (446).

Cette position est due à la consommation de fromages, (la plus forte au monde avec 23,3 kg par habitant en 1996), laquelle a progressé de 4,6 % en 10 ans, de 1987 à 1997, pour les fromages affinés, et plus encore (+ 13 %) pour les fromages frais. Elle est due aussi à une forte consommation de beurre, celle-ci, malgré un recul de 4,6 % en 10 ans tout comme celle de laits liquides, restant malgré tout très élevée (8,3 kg en 1997, soit plus de 4 fois la consommation moyenne américaine). La consommation de produits laitiers frais a considérablement augmenté au cours de la décennie 1990 : 51,5 % pour les desserts lactés frais, 40,4 % pour les yaourts et les laits fermentés, 35 % pour la crème de consommation, 22 % pour les crèmes glacées, glaces et sorbets.

Du lait au yaourt

De nombreuses techniques différenciées interviennent entre le lait cru et, par exemple, un yaourt industriel.

Les laits liquides. Le lait cru ou fermier est la matière première de l'industrie laitière. Il est aussi consommé en l'état pour partie et utilisé pour la préparation de fromages de grande qualité, malgré les débats intervenus à son sujet dans l'Union européenne.

Il existe deux grandes catégories de laits traités par la chaleur :
- les laits pasteurisés, qui ont subi un chauffage à 75-85 °C pendant une période allant de 15 à 30 secondes;
- les laits stérilisés, en particulier le lait UHT (ultra-haute température), obtenus par un chauffage à 135-150 °C pendant un temps très court, de 2,5 s.

Par les deux voies, on traite soit des laits entiers, soit des laits demi-écrémés, soit des laits écrémés. Tous ces laits sont aujourd'hui conditionnés pour une longue conservation. Alors que le lait pasteurisé représentait autrefois la plus grande part du lait commercialisé, le lait UHT représentait, en 1997, 88 % du lait conditionné en France.

Les laits déshydratés. Il en existe deux grandes familles : les laits concentrés et les laits secs, ou laits en poudre.

Les laits concentrés sont obtenus par ébullition dans des évaporateurs fonctionnant sous vide partiel. Le lait concentré sucré est fabriqué à partir d'un lait enrichi d'un sirop de saccharose, à température peu élevée (50 °C environ). Cette véritable «confiture de lait» ne nécessite pas de stérilisation. En revanche, le lait concentré non sucré nécessite une stérilisation après son conditionnement en boîte métallique.

Le lait en poudre peut être préparé par deux méthodes de production : le procédé Hatmaker et le procédé spray, ou procédé par atomisation. Dans le premier procédé, le lait se dessèche au contact de cylindres en rotation portés à haute température. Dans le procédé spray, le lait est introduit au sommet d'une tour, où il est transformé en brouillard par une turbine. Soumis à l'action d'un courant d'air chaud, il perd son eau et se dépose sur une bande à lit fluidisé pour subir un dernier séchage. Le lait en poudre joue un rôle important dans le commerce international : c'est sous cette forme qu'il est le plus souvent exporté.

Les laits fermentés. Ils résultent de l'action des bactéries lactiques sur le lait. Il en existe de très nombreux types. Le yaourt est originaire des Balkans. Dans les pays du Moyen-Orient, on consomme le *leben,* fabriqué à partir de divers laits (vache ou jument). En Sardaigne, le *gioddu* est fabriqué à partir de lait de brebis.

La consommation de laits fermentés est plus importante que celle du lait liquide en Europe centrale et orientale (*kéfir,* originaire du Caucase, *koumis* préparé en Asie centrale, traditionnellement à partir de lait de jument et parfois d'ânesse ou de chamelle). Les laits fermentés des pays nordiques ont souvent un caractère visqueux et filant, comme le *skyr* en Islande, le *vilia-vüli* en Finlande ou l'*ymer* au Danemark. En Amérique du Nord, il existe un autre type très courant de lait fermenté : le babeurre de culture, lait écrémé ensemencé avec des bactéries aromatisantes au diacétyle. Il existe encore beaucoup d'autres types de laits fermentés, comme le *dahi* en Inde, le *dough* iranien, le *zivda* d'Israël ou le *tulum* de Turquie.

Le yaourt (ou yoghourt). Il n'est qu'un des laits fermentés. Mais il a pris une très grande place en France parmi les 1,1 million de tonnes de ces produits fabriqués en 1997. Deux types principaux de micro-organismes interviennent pour transformer le lait en yaourt : *Lactobacillus bulgaricus* et *Streptococcus thermophilus.* Selon la législation française, ces micro-organismes doivent se trouver dans le produit final «viables et abondants». Le yaourt est donc un produit vivant qui ne peut être stérilisé et doit être conservé à basse température. Il existe une très grande variété de yaourts, parfumés à l'aide d'essences naturelles de divers fruits. On prépare également des yaourts aux fruits contenant de la pulpe ou des morceaux de fruits divers.

À côté des yaourts, les desserts lactés vendus frais (laits aromatisés, emprésurés ou gélifiés, flans, crèmes-desserts, mousses) connaissent eux aussi un large succès.

Crème, beurre, caséine

La crème contient en général environ 35 % de matière grasse, mais ce taux peut s'élever jusqu'à 60 %.

Industriellement, la crème s'obtient dans des écrémeuses centrifuges travaillant à 60 °C. L'écrémage est la première étape de la fabrication du beurre. Il existe un grand nombre de variétés de crèmes commercialisées : crème crue, crème fraîche, crème maturée (qui a subi un ensemencement avec des bactéries productrices d'arômes), crème fraîche douce (non soumise à maturation), crème d'Isigny (qui bénéficie d'une appellation d'origine), crème Chantilly (crème fouettée et sucrée).

Le beurre est un produit provenant exclusivement du lait ou de la crème. Il est constitué de 82 à 84,5 % de lipides, parmi lesquels on dénombre plusieurs dizaines d'acides gras, mais peu d'acides gras essentiels. L'eau représente de 15 à 16 % du total et l'extrait sec non gras de 0,5 à 2 %. Le beurre est une bonne source de vitamine A et de carotène. L'ensemble des opérations nécessaires pour obtenir le beurre sont réalisées aujourd'hui en continu à l'aide de butyrateurs. La principale est le barattage, qui par agitation mécanique sépare le babeurre, liquide, de la mousse de beurre, à qui on fait subir une pasteurisation. Divers additifs sont autorisés dans la fabrication du beurre, soit comme antioxydant (acide ascorbique), soit comme désacidifiant (chaux, magnésie, carbonate et bicarbonate de soude), soit comme salant (chlorure de sodium), soit comme colorant (carotène et rocou).

La caséine est la fraction protéique du lait; elle est préparée par dessiccation après égouttage et lavage de la caillebotte provenant de la coagulation du lait totalement écrémé. Cette coagulation est obtenue traditionnellement par l'action de la présure, sécrétée par la caillette (dernière poche de l'estomac) des jeunes ruminants.

Composition du lait

Un litre de lait de vache pesant 1 032 g contient 902 g d'eau et 130 g de matières sèches. La composition du lait varie en fonction de la race de la vache, de son âge, de son alimentation. Le lactose est le premier constituant de la matière sèche : 49 g par litre, suivi par la matière grasse (39 g). Cette teneur, ou taux butyreux, est cependant très variable. La matière grasse est présente dans le lait sous forme d'une émulsion de globules gras de petite taille (1 à 8 µm de diamètre), constitués de glycérides et, en quantités beaucoup plus limitées, de substances liposolubles comme le cholestérol et les vitamines A, D, E et K. La fraction azotée, troisième constituant, représente un taux assez stable de 32,7 g de protéines par litre, la plus importante des protéines du lait étant la caséine.

Les sels minéraux sont présents à raison de 9 g par litre. Le lait est l'aliment qui apporte le plus de calcium et de phosphore : sa consommation tout au long de l'enfance et de l'adolescence permet de consolider le squelette. Elle constitue notamment une prévention efficace contre des maladies osseuses telles que l'ostéoporose, fréquente chez la femme âgée.

Les fromages

La fabrication

Le fromage est un produit, fermenté ou non, obtenu par égouttage après coagulation du lait. Tous les laits des mammifères sont susceptibles de donner des fromages. Le lait de chamelle, qui ne caille pas spontanément, posait des problèmes qui ont été surmontés dans les années 1990.

Le caillage est réalisé grâce à l'emploi de présure prélevée dans la caillette des jeunes veaux. Il pourrait aussi s'obtenir par l'action de sucs végétaux ou de plantes, voire de bactéries.

L'égouttage permet la séparation du lactosérum liquide du caillé solide. L'égouttage peut être spontané, mais, en général, il est accéléré par un travail mécanique (découpage en morceaux, pression ou, éventuellement, cuisson).

Le salage consiste en un dépôt de sel en surface, en profondeur ou par immersion en saumure.

L'affinage est la séquence majeure, durant laquelle chaque type de fromage acquiert son identité et sa saveur. Il peut durer entre 5 semaines et 3 ans, et se conduit dans des locaux appropriés aux plans thermique et hygrométrique.

Tous les fromages sont, avant tout, des sources de protéines. Le taux de lipides peut être ajusté au cours de la fabrication, de 0 % de matière grasse, surtout produits en fromages frais, à plus de 60 % sur l'extrait sec. Le fromage est riche aussi en minéraux, calcium et phosphore notamment.

Les fromages du monde

Les grands fromages connus sont en général d'origine européenne, mais certains sont fabriqués ailleurs dans le monde, sauf le roquefort, qui a réussi à bien défendre son appellation. L'Union européenne reste la plus grande zone fromagère du monde avec plus de 50 % de la production (6,5 millions de tonnes en 1997), les États-Unis (3,3 millions de tonnes) n'atteignant que la moitié de ce tonnage. La France est leader avec ses 1 660 000 t en 1997, soit le quart de la production de l'UE, mais l'Allemagne se rapproche (1 575 000 t).

Les fromages de France sont nombreux : le camembert n'est plus, depuis longtemps, produit exclusivement dans sa région normande d'origine, ni même sur le territoire français ou européen ; le Japon a commencé à en fabriquer. Le roquefort est préparé exclusivement à partir de lait de brebis et en deux étapes dont la seconde, l'affinage, se déroule obligatoirement dans les caves naturelles, les fleurines, du village de Roquefort, en Aveyron. Même si son tonnage reste modeste (20 650 t en 1996), son originalité et la rigueur mise en œuvre par cette petite filière en ont fait un fromage réputé dans le monde entier. Le beaufort et le comté portent l'image du haut de gamme des fromages français à pâte pressée cuite, même si, avec 3 622 t pour le beaufort et 42 300 t pour le comté en 1996, ils ne représentent que 16 % du tonnage de cette classe.

◆ **Pressage du comté.**
Le caillé est découpé, brassé puis chauffé dans une chaudière, au fond de laquelle il se dépose. On le rassemble alors dans une toile avant de le mettre dans une presse où le fromage va s'égoutter.

La Suisse est particulièrement réputée pour ses gruyères : le gruyère proprement dit tire son nom d'une vallée du canton de Fribourg, et est également fabriqué dans les cantons de Vaud et de Neufchâtel; l'emmenthal est né dans la haute vallée de l'Emme (canton de Berne). Les meules sont plus grandes (de 60 à 100 kg) que celles du gruyère (de 50 à 60 kg).

L'Italie se distingue avec le parmesan et le gorgonzola : le parmesan (étymologiquement : «de Parme») est préparé en Lombardie et dans la Romagne sous divers noms, celui de «parmesan» étant utilisé collectivement pour les exportations. Fabriqué à partir de lait de vache écrémé, il est soumis à une maturation qui dure près de 3 ans. Le parmesan est un fromage de très longue conservation; le gorgonzola est originaire d'un petite ville proche de Milan, en Lombardie. C'est un fromage à pâte finement persillée.

La Grande-Bretagne est connue pour le cheddar, originaire du comté de Somerset, qui est un fromage à pâte pressée, non cuite, non colorée (le Cheshire, à pâte colorée en rouge, en est très proche); il est principalement produit en Amérique du Nord; le stilton est considéré comme le meilleur fromage de Grande-Bretagne. Préparé au lait de vache enrichi, il est de la famille des «bleus» à pâte molle. Les Britanniques le font macérer dans du porto, du sherry ou du madère. Des Pays-Bas provient le gouda, fabriqué à partir de lait de vache pasteurisé. C'est un fromage à pâte pressée mi-dure, à croûte paraffinée teintée de jaune. Il existe aussi du gouda mi-étuvé, à croûte paraffinée teintée de rouge; l'édam, avec sa croûte paraffinée rouge, est aussi une production de «l'autre pays du fromage». De Grèce vient la feta, fromage de brebis traditionnel du bassin méditerranéen oriental, et qui fait une percée sur le marché français.

◆ **Affinage du roquefort.**
Les fromages en cours d'affinage doivent être placés dans des conditions spécifiques de température et d'humidité. Le roquefort est affiné dans des caves naturelles où la température est de 7 °C. Au bout de trois mois, la pâte s'assouplit et les veines bleues des moisissures ont gagné toute la masse du fromage.

◆ **Consommation de fromage dans le monde.**

Pays ou zone	kg/hab./an
France	23,3
Grèce	20,1
Allemagne	20,1
Italie	19,7
Belgique et Luxembourg	19,2
Suède	16,8
Danemark	16,6
Union européenne	16,6
Pays-Bas	16,1
Finlande	15,7
États-Unis	13,7
Autriche	13,7
Royaume-Uni	9
Espagne	8,7
Irlande	8,3
Portugal	6,9
Japon	1,5
Chine	0,15
Pays développés	9,5
Pays en développement	0,5
Monde	2,5

Données 1996.
Sources : CNIEL, FAO.

Les dix classes de fromages français

Fromages frais de lait de vache ayant subi seulement une fermentation lactique (petit-suisse, fromage blanc, fromage à la crème).
Fromages de lait de vache fermentés à pâte molle et croûte fleurie, caillé non malaxé à égouttage spontané, à moisissures externes (camembert, brie, chaource).
Fromages de lait de vache fermentés, à pâte molle, à croûte lavée, caillé non malaxé, à égouttage accéléré et dont la surface est lavée au cours de l'affinage (livarot, maroilles, munster, pont-l'évêque, époisses).
Fromages de lait de vache fermentés à pâte persillée, égouttage accéléré par découpage et brassage. La pâte contient des marbrures vertes de filaments mycéliens (bleu de Bresse, bleu d'Auvergne*, bleu des Causses*, fourme d'Ambert).
Fromages de lait de vache fermentés à pâte pressée non cuite, pâte demi-dure, caillé présure à égouttage accéléré par découpage, brassage et pressage (cantal, reblochon, saint-nectaire, tomme de Savoie).
Fromages de lait de vache fermentés à pâte pressée cuite, pâte dure, caillé présure à égouttage accéléré par découpage, brassage, cuisson et pressage (beaufort, comté, emmental français).
Fromages de chèvre, fabriqués exclusivement avec du lait de chèvre, à pâte molle et à croûte fleurie (chabichou, crottin de Chavignol, picodon de l'Ardèche ou de la Drôme).
Fromages de brebis, exclusivement au lait de brebis, fermentés, à pâte persillée (roquefort, ossau-iraty).
Fromages de laits mélangés, fabriqués avec du lait de vache mélangé à du lait de chèvre ou à du lait de brebis...
Fromages fondus, fabriqués par cuisson ou fonte d'autres fromages (crème de gruyère)...

***AOC (Appellation d'origine contrôlée).**

Les viandes de boucherie

L'industrie de la viande

Le secteur industriel de la viande est devenu, au cours des années 1980, le premier de l'industrie alimentaire française. Les structures d'abattage, de découpe, de traitement et de commercialisation, qui étaient exclusivement artisanales, sont devenues pour la plupart industrielles.

Des ateliers de découpe industrielle se sont installés en annexe des abattoirs ou de grands magasins; ils font appel à des machines automatisées. Les conditions d'hygiène y sont très sévèrement contrôlées et le froid omniprésent.

La grande évolution a porté sur le conditionnement, à la demande des collectivités et des grandes surfaces : le conditionnement sous vide et le conditionnement sous atmosphère contrôlée.

L'abattage. La première phase de l'abattage consiste en un étourdissement de l'animal. On procède ensuite à la saignée-égouttage. Au bout de quelques minutes, l'animal est mort. Après l'égouttage de l'animal, on procède à la dépouille, opération délicate, pour récupérer le cuir, qui sera ensuite travaillé en peau par les industries de tannerie. Puis vient l'éviscération, qui consiste à enlever estomac, intestins, foie, cœur, poumons, suivie éventuellement de l'émoussage, enlèvement des parties grasses superficielles. Dès que la carcasse est prête, on procède à son ressuage, qui impose l'abaissement de la température de 38 ou 39 °C au moment de l'abattage jusqu'à + 7 °C. Puis intervient une phase de maturation à 0 °C pendant 15 jours à partir de la date d'abattage, avant qu'il ne soit procédé à la découpe des carcasses ou des grosses pièces; cette maturation améliore la tendreté de la viande. Cependant, des études récentes ont montré que l'obtention de viandes tendres peut être assurée en des durées variables selon les animaux. Un objectif important pour l'industrie de la viande consistera à trouver des critères de classement précoce permettant de prévoir cette évolution.

Le froid et le transport. Les camions frigorifiques emportent vers les ateliers de découpe des grandes surfaces et même vers les boucheries des produits intermédiaires peu élaborés : muscles plus ou moins parés, présentés sous vide.

Les produits finis, destinés au consommateur, sont de plus en plus souvent proposés en conditionnement de morceaux classiques préemballés sous vide, pesés et étiquetés, puis soit congelés et conservés à – 10 °C, soit réfrigérés et conservés à 2 ou 4 °C, ou encore surgelés après traitement ultra rapide entre – 30 et – 35 °C et conservés ensuite à – 20 °C.

Les viandes hachées. Le hachage est une opération mécanique qui permet d'obtenir une viande attendrie avec les morceaux avant des animaux, qui fournissaient traditionnellement des viandes plus dures à cuisson lente. Il répond à une demande croissante des consommateurs, qui recherchent des viandes tendres à griller (hamburger notamment). Finalement, le hachage, pratiqué non pas chez le boucher à petite échelle, mais au niveau industriel, permet une commercialisation industrielle. La combinaison du hachage et de la surgélation a conduit au steak haché surgelé. On voit apparaître également des produits restructurés, obtenus à partir d'une viande très finement hachée puis moulée suivant une forme traditionnelle : côtelettes, steaks, boulettes, etc. Une étape supplémentaire est franchie avec la cuisson-extrusion qui traite simultanément des fibres de viandes et des fibres de protéines d'origine soit végétale (soja, par exemple), soit animale (poisson).

Le cinquième quartier. Il comprend tous les coproduits d'abattage en dehors de la viande. Parmi eux, certains, comme les abats, sont comestibles, d'autres sont récupérés à des fins industrielles, d'autres enfin doivent être éliminés dans un souci de respect de l'environnement. Depuis les craintes engendrées par la propagation, au Royaume-Uni notamment, de la maladie de la « vache folle » ou ESB (encéphalopathie spongiforme bovine), une réglementation très précise fixe les conditions d'exercice de ces activités, qui ont fait des progrès considérables dans la seconde moitié de la décennie 1990.

Les abats comprennent des organes comestibles vendus en l'état soit après congélation, soit après conditionnement sous vide : foie, poumons, cœur, reins, museau, pied, queue, etc.

Le sang est un produit précieux utilisé surtout à des fins alimentaires pour l'animal ou pour l'homme (boudin, saucisses, etc.). Le plasma, obtenu par centrifugation du sang traité par un anticoagulant, permet de récupérer le cruor, constitué par les globules. Celui-ci est utilisé en charcuterie, dans la préparation de plats cuisinés ainsi que dans la fabrication d'aliments en conserve pour les chiens et les chats.

Les boyaux, quand ils sont de bonne qualité, sont utilisés comme enveloppe pour des produits de charcuterie. Ils entrent dans la préparation des andouilles et andouillettes. La présure est destinée aux laiteries.

Le suif est le produit comestible obtenu par fonte des tissus adipeux des espèces bovines et ovines. Le suif est utilisé en alimentation humaine et animale mais aussi dans bien d'autres industries comme celle du cuir, et en savonnerie.

Les peaux, traitées en tanneries et en mégisseries, fournissent le cuir par une série d'opérations. Le tannage s'effectue à l'aide de tanins minéraux ou organiques.

◆ **Consommation de viande dans le monde.**

Pays ou zone	Bovins	Ovins Caprins
États-Unis	43,5	0,5
Australie	42,8	17,1
Autriche	21,7	1,1
Danemark	19,1	0,9
Espagne	13,2	6
France	27,6	4,3
Pays-Bas	18,3	1,4
Belgique et Luxembourg	22,4	2
Union européenne	19,6	3,6
Italie	24,1	1,6
Allemagne	17,6	1,1
Irlande	15,1	9,1
Argentine	54,4	2
Portugal	13,9	3,7
Grèce	13,3	25
Royaume-Uni	15,3	6,9
Suède	18,8	0,7
Finlande	19,1	0,4
Israël	22,1	1,2
Inde	2,7	0,7
Chine	3,4	1,8
Pays développés	23,3	2,4
Pays en développement	5,6	1,7
Monde	9,6	1,8

Consommation apparente d'équivalents carcasse en kg/hab./an. Données 1996.
Source : FAO.

De la découpe à l'assiette

La découpe est le traitement des carcasses qui donne les morceaux de viande. Elle se compose de trois phases principales :
– la coupe primaire sépare la carcasse en pièces de gros (demi-carcasses, quartiers avant et arrière);
– la coupe secondaire isole les morceaux de demi-gros (quartier avant coupé en quatre, quartier arrière coupé en trois ou en quatre);
– la coupe tertiaire, enfin, aboutit aux morceaux de détail, qui sont très nombreux : dans la coupe de Paris, on sépare dans une demi-carcasse 51 morceaux pour les gros bovins, 22 pour les veaux, 10 pour les agneaux et les moutons.

La découpe se termine par le parage de la viande.

Une image ternie

Parmi les viandes de boucherie, les viandes rouges ont eu longtemps une excellente image. Depuis 1996, la maladie dite de la « vache folle » est soupçonnée de se transmettre, par la consommation d'abats, à l'homme, et la consommation de viande bovine a baissé. Cette crise, déclenchée par une modification de la technique de préparation industrielle des farines de viande en Grande-Bretagne et par une utilisation de celles-ci à grande échelle dans l'alimentation des bovins, a été hautement préjudiciable au produit « viande bovine ». Mais les caractéristiques des graisses des ruminants, et notamment leur teneur élevée en acides gras saturés, avaient déjà terni, depuis plusieurs décennies, leur image de marque.

Alors que la consommation de viande bovine progressait régulièrement aux États-Unis jusqu'en 1976, elle a baissé depuis, en 23 ans, de 33 %, alors que celle de la viande de volailles a progressé dans le même temps de 87 %. Il ne faut toutefois pas oublier que les viandes rouges sont irremplaçables pour aider l'organisme à entretenir son stock en fer, si précieux dans la fabrication des globules rouges.

La viande de bœuf. La destination culinaire des différents morceaux conduit à distinguer des viandes de première et de deuxième catégorie à rôtir ou à griller, et des viandes de troisième catégorie, à bouillir ou à braiser. Cette classification tend à considérer comme bas morceaux des viandes dont les qualités gustatives ou nutritionnelles sont aussi bonnes que celles issues des parties nobles de l'animal.

Les rôtis et grillades de 1re catégorie sont les suivants :
- le romsteck (le cœur de romsteck est constitué par les trois muscles fessiers);
- le filet (muscles grand et petit psoas, psoas iliaque);
- le faux-filet, ou contre-filet (muscle de la gouttière supérieure lombaire);

(Ces morceaux, dits « nobles », font partie de l'aloyau, c'est-à-dire des régions dorsale postérieure, lombaire et iléo-sacrée.)
- le tournedos, petite tranche épaisse, de l'ordre de 2 cm et pesant de 100 à 120 g, est taillé dans le filet de bœuf et ceinturé d'une bande de lard qui lui donne sa forme ronde. Les morceaux analogues coupés hors du filet doivent être vendus sous l'étiquette « façon tournedos »;
- le chateaubriand est une tranche épaisse prise en plein cœur du filet;
- la tranche est la partie interne du membre postérieur (cuisse) sans os. On distingue encore la tende de tranche, le dessus de tranche, la tranche grasse, qui donne une viande très tendre;
- le plat (muscle vaste externe latéral);
- le gîte à la noix est la région postérieure et externe de la cuisse des bovins, dont on tire des biftecks;
- la culotte est la partie charnue de la cuisse, dont la pointe est servie braisée.

Les rôtis et grillades de 2e catégorie sont :
- la côte de bœuf, partie de côte attachée à une demi-vertèbre dorsale et les muscles qui la garnissent. Désossée, la côte de bœuf se débite en tranches, ou entrecôtes, qui sont les muscles intercostaux;
- les basses côtes, c'est-à-dire les 5 premières vertèbres dorsales avec une partie des côtes qui s'y rattachent et les muscles qui en dépendent;
- la hampe, bourrelet musculaire qui soude le diaphragme aux côtes et qui fournit une viande recherchée pour sa tendreté sous forme de bifteck;
- l'onglet, constitué par les muscles piliers du diaphragme, qui fournit une viande savoureuse, poêlée ou grillée;
- l'aiguillette (celle de rumsteck est appelée « baronne »), constituée de muscles se rattachant au rumsteck; plutôt destinée à la marmite, elle est maintenant souvent grillée;
- la bavette d'aloyau, qui provient d'un muscle plat de l'abdomen, à fibres longues, de tendreté inégale;
- la macreuse, partie de l'épaule entre le jumeau et le gîte, qui fournit la macreuse à pot-au-feu et la macreuse à bifteck;
- l'araignée, qui provient du muscle obturateur externe; la fausse araignée provient de l'obturateur interne : ces morceaux sont destinés à la fois à la grillade et au bourguignon;
- le paleron, partie charnue de l'épaule, qui se prépare surtout en bouillon, mais aussi braisé ou en ragoût.

Les morceaux de 3e catégorie sont le jumeau, le jarret, ou gîte de devant, les jambes, le collier, la poitrine, le flanchet. La plupart sont des morceaux découpés à partir du quartier avant.

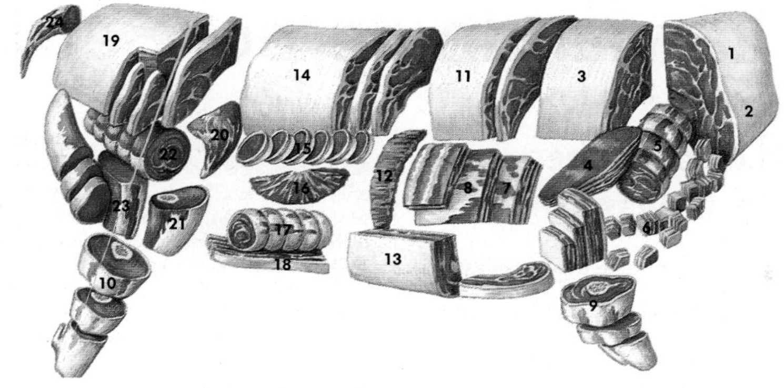

◆ **La découpe du bœuf.**
1. 2. Collier ; **3.** Basses-côtes ; **4.** Jumeau à bifteck ; **5.** Jumeau à pot-au-feu ; **6.** Macreuse ; **7.** Plat de côtes découvert ; **8.** Plat de côtes couvert ; **9.** Gîte de devant ; **10.** Gîte de derrière ; **11.** Entrecôte ; **12.** Hampe ; **13.** Poitrine ; **14.** Faux-filet ; **15.** Filet ; **16.** Bavette à bifteck ; **17.** Bavette à pot-au-feu ; **18.** Flanchet ; **19.** Rumsteck ; **20.** Aiguillette baronne ; **21.** Rond de tranche basse ; **22.** Tranche ; **23.** Gîte à la noix ; **24.** Queue.

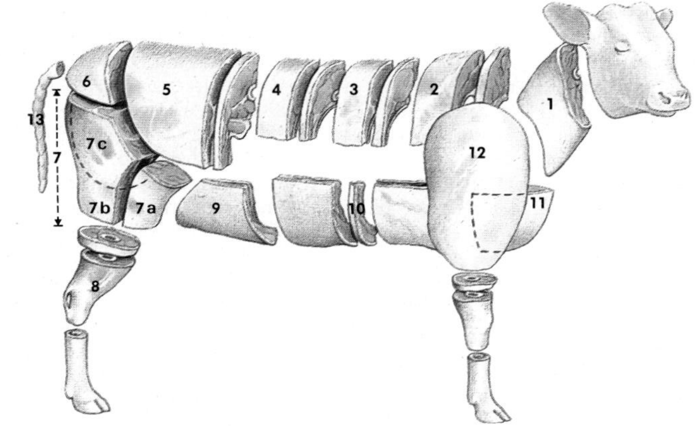

◆ **La découpe du veau.**
1. Collier ; **2.** Bas de carré ; **3.** Côtes secondes ; **4.** Côtes premières ; **5.** Longe ; **6.** Quasi ; **7.** Cuisseau : a. noix pâtissière, b. sous-noix, c. noix ; **8.** Jarret ; **9.** Flanchet ; **10.** Tendron ; **11.** Poitrine ; **12.** Épaule ; **13.** Queue.

Les autres viandes. La viande de veau, dans ce groupe des viandes de boucherie dominé par les viandes rouges, fait exception : c'est une viande blanche, en raison du système d'alimentation appliqué au veau – il est nourri au lait exclusivement ou à l'aliment d'allaitement. Les nouveaux règlements visant à l'amélioration de son bien-être, fixés par la Commission européenne pour son élevage (conduite en liberté, aliments complémentaires pour induire la rumination) risquent cependant de faire rosir sa chair.

Les dénominations des morceaux sont spécifiques au veau et se distinguent de celles du bœuf.

On vend sous le nom de « mouton » la viande du mouton proprement dit, celle de l'agneau de boucherie, celle de la brebis et du bélier. L'essentiel de ce qui est consommé en France provient de l'agneau de boucherie.

La partie postérieure est la plus recherchée. Elle comporte le gigot, la selle, le filet, le carré; les côtelettes proviennent des 13 côtes de l'animal (3 côtelettes premières, 5 côtelettes secondes; 5 côtelettes découvertes), l'épaule, ou éclanche. Le baron de mouton désigne l'ensemble comprenant les deux gigots et la région lombaire (culotte et selle anglaise).

La viande de cheval possède des qualités nutritionnelles et organoleptiques qui devraient la faire apprécier par le consommateur. Elle est moins grasse que celle de bœuf. Elle est trois fois plus riche en glucides, surtout en glycogène, que la viande de bœuf, elle a un goût plus sucré. Sa teneur en fer est forte. Sa consommation a régressé régulièrement et ne représente plus que 0,6 kg par an et par personne.

Les qualités de la viande

La viande doit répondre à un certain nombre de critères qualitatifs :
- la première est d'ordre hygiénique : fraîcheur et absence de microbes, résultant d'une série de mesures contraignantes tout au long de la chaîne de transformation, notamment de la maîtrise du froid ;
- la deuxième est d'ordre nutritionnel : richesse en protéines, pauvreté en corps gras ;
- la troisième est d'ordre culinaire : facilité de cuisson.

Elle doit également avoir des qualités organoleptiques :
- tendreté : aptitude à se laisser facilement déchiqueter par la mastication; c'est surtout le collagène qui est responsable de la dureté des viandes; la cuisson diminue cette dureté;
- saveur (flaveur) : souvent liée à la présence de matières grasses, en particulier à l'intérieur même des muscles, qui sont dits « persillés »;
- jutosité : aptitude à fournir du jus au moment de la mastication;
- couleur : appréciée surtout au moment de l'achat, mais aussi après cuisson.

Des études récentes ont montré que la tendreté est la qualité majeure recherchée dans la viande bovine à griller.

La viande de porc et la charcuterie

Les découpes et la viande

On distingue, en France, deux grands types de découpe :
– la découpe de Paris dans laquelle chaque demi-carcasse sans tête est divisée en 5 morceaux principaux (un jambon, une poitrine, un rein, un jambonneau de devant, deux pieds);
– la découpe de Lyon, plus poussée, qui conduit à 9 morceaux principaux (un jambon, une longe, une bardière, une poitrine, une épaule, une gorge, un plat de côtes, deux pieds, une queue).

L'appellation «jambon» est réservée à la musculature du membre postérieur. Le jambonneau représente la partie de la jambe située au-dessous du genou.

La longe est constituée par le rein débarrassé du gras de couverture. Les longes des porcs français ont 14 côtes, celles des porcs de race danoise en ont 15.

La bardière, ou lard gras, est le morceau constitué par le gras de couverture avec sa couenne. La barde est une tranche de lard mince employée pour garnir certains plats.

La poitrine est la partie basse du tronc. Elle comprend la poitrine proprement dite et les muscles de l'abdomen, de la pointe du sternum à la cuisse. La poitrine, avec la palette, l'échine et le plat de côtes (ou la plate côte), fournit le «petit salé». Elle peut également être fumée après salaison.

Le bacon est du lard maigre. En Grande-Bretagne et dans les pays nordiques, le terme «bacon» correspond à une demi-carcasse de porc, traitée en salaison. En France, il s'applique soit à la poitrine fumée, soit à la longe traitée en salaison.

L'épaule est le membre antérieur du porc. Rarement vendu entier, on en détache la palette, qui correspond anatomiquement à l'omoplate et à ses muscles. La palette est vendue fraîche sous forme de rôti ou salée et éventuellement fumée.

La gorge entre dans des préparations à longue cuisson comme les pâtés.

Les pieds, la queue, les oreilles sont vendus salés, précuits, panés ou non.

Les abats servent à différentes préparations. Le sang sert à la fabrication du boudin. Les chaudins, qui sont les gros boyaux, sont utilisés pour les andouillettes; la crépine, petite bande de gras qui entoure les viscères, sert à envelopper les saucisses plates; le menu, ou intestin grêle, sert également pour des saucisses. D'autres abats sont vendus pour la consommation comme la fressure, appelée communément mou et qui comprend les poumons et le cœur, ou encore le foie, la langue, la tête, les pieds, les rognons, la rate ou la cervelle. Les abats entrent aussi dans des préparations comme le museau de porc, dit aussi «fromage de tête».

Les techniques charcutières

Le salage améliore la conservation et augmente la saveur de la viande. Dans la salaison, on ajoute, en plus du sel simple, un nitrate et/ou un nitrite. L'usage du salpêtre, ou nitrate de potassium (additif autorisé sous le code E 252), associé à du sel et à des sucres comme adjuvants de salaison, remonte à plusieurs siècles. L'action de ces produits sur la myoglobine contribue à stabiliser une belle couleur rose, à améliorer la saveur et à empêcher le développement des micro-organismes, en particulier les clostidies ou sporulés, bactéries qui peuvent déclencher des fermentations responsables d'odeurs putrides et de goûts piquants. Parmi les autres additifs autorisés :
– l'acide ascorbique, ou vitamine C (E 300);
– les phosphates et polyphosphates alcalins (E 450), qui améliorent le pouvoir de rétention d'eau du muscle;
– les acides organiques : acides acétique (E 260), lactique (E 270), citrique (E 330), tartrique (E 334), pour abaisser le pH;
– les gélifiants et épaississants comme les alginates (E 401 à 404), les carraghénates (E 407), la caroube (E 410), le guar (E 412), la gomme xanthane (E 415);
– des colorants, une vingtaine, pour la plupart d'origine naturelle (cochenille [E 120], caramel [E 150], caroténoïdes [E 160], etc.);
– les lactoprotéines : caséine, caséinates, lactosérum utilisés pour leur pouvoir liant.

L'étuvage est une maturation-dessiccation, en particulier des saucissons. Celle-ci est conduite, selon l'importance de l'entreprise et son caractère artisanal ou industriel, dans des étuves ou dans des pièces de grande capacité, où la température et le degré hygrométrique sont soigneusement contrôlés (de 15 °C à 25 °C) de manière à favoriser la dessiccation, tout en permettant un bon équilibre fermentaire, qui détermine une couleur, un arôme et une texture satisfaisants. Cette phase de fabrication dure de 1 à 3 jours.

Le fumage, ou fumaison, des viandes a pour but principal de conserver les produits grâce à l'action bactériostatique des composants de la fumée, mais aussi d'obtenir un goût qui reste apprécié par les consommateurs. On fume à froid (moins de 30 °C) des pièces de viande comme la palette, la poitrine, le jambon ou des andouilles et du boudin. On fume à chaud (50 °C et même 80 °C quand il y a cuisson) des saucisses et saucissons à pâte fine du type francfort, strasbourg, cervelas. Les sciures ou copeaux de bois utilisés traditionnellement en France pour produire de la fumée proviennent d'abord de bois durs, considérés comme les meilleurs : chêne, hêtre, noyer, ou de bois tendres : aulne, bouleau, peuplier, sarments de vigne, souvent utilisés en mélange. Des pays où cette tradition n'existe pas utilisent des générateurs à fumée liquide, qui injectent le brouillard ultrafin d'un distillat de fumée débarrassé des goudrons et benzopyrènes considérés comme nocifs.

La cuisson se pratique à des températures très variables, autour de 55 °C pour un rôti, 100 °C pour les plats en sauce, 120 °C pour les conserves autoclavées sous pression. En plus d'effets favorables sur la digestibilité et le goût, la cuisson joue un rôle important sur la conservation des produits : la plupart des bactéries sont détruites à une température de 65 °C maintenue pendant 30 min. Parmi les produits de charcuterie cuits, on distingue des saucissons, des cervelas, des saucisses, des jambons et des pâtés. Les pâtés sont cuits dans des fours ou des cellules à des températures comprises entre 120 et 200 °C. La cuisson exige beaucoup de soins pour assurer une parfaite réussite des préparations.

Jambons, saucisses, saucissons

Les jambons. Les jambons crus, vendus entiers ou désossés, en morceaux ou en tranches, préemballés ou non, subissent un salage au sel sec et une maturation-affinage de plus ou moins longue durée. Le jambon de Bayonne est un jambon cru produit avec maturation-affinage d'au moins 130 jours. Les jambons de Savoie, d'Auvergne, de Lacaune, de Najac, de montagne, etc., sont proches du jambon de Bayonne et, comme lui, des jambons secs (ou «sel sec»).

Il existe plusieurs jambons crus européens. Le jambon de Westphalie est à coupe ronde longue, fumé à froid pendant une semaine avec des essences odoriférantes. Le jambon d'Ardenne est fumé à froid pendant plusieurs semaines puis séché. Le jambon de Parme est produit selon des règles très strictes, exclusivement en Émilie-Romagne, Lombardie, Vénétie et Piémont. Les jambons de Parme sont salés et amenés à maturité dans une zone précise et à basse altitude (moins de 900 m). La durée de fabrication (de la mise au sel à la vente) n'est pas inférieure à 10 mois.

Les jambons cuits sont d'abord parés et éventuellement désossés, et ensuite traités en salaison avant d'être cuits, opération qui permet une coagulation à cœur des protéines.

Le jambon d'York ne provient ni de cette ville anglaise ni du Yorkshire. Il s'agit d'une spécialité de jambon cuit, traité en salaison lente, étuvé en atmosphère de fumée et cuit avec os, gras et couenne. Le jambon de Paris est aussi un jambon

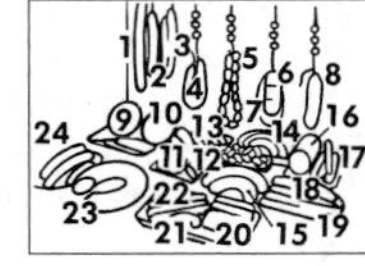

◆ **Les saucisses.**
1 et 2. Gendarmes;
3. Figatelli;
4. Chorizo;
5 et **7.** Saucisses sèches;
6. Saucisse de jambon;
8. Saucisse de Morteau;
9. Schinkenwurst;
10. Bierwurst;
11. Montbéliard;
12. Mettwurst;
13. Francfort;
14. Merguez;
15. Saucisses de Francfort «cocktail»;
16. Saucisse de foie;
17. Plockwurst;
18. Saucisses de Toulouse classiques et aux herbes;
19. Chipolatas;
20. Crépinettes;
21. Chipolatas «cocktail»;
22. Strasbourg (knack);
23. Cervelas;
24. Nuremberg.

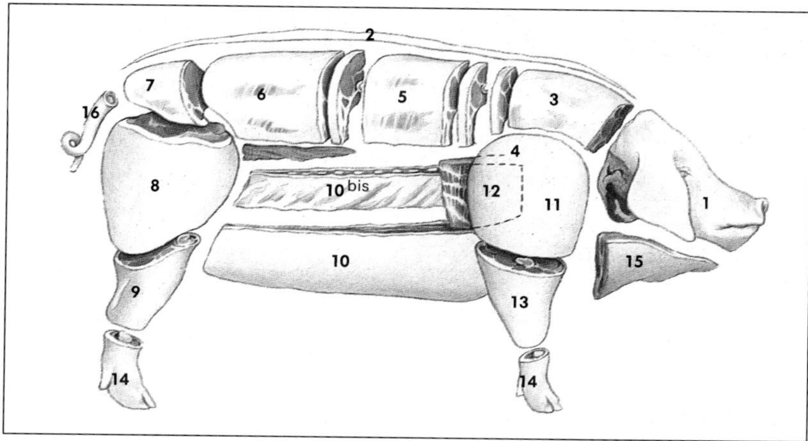

◆ **La découpe du porc.**
1. Tête
2. Lard gras
3. Échine
4. Palette
5. Carré de côtes ou côtes premières
6. Côtes de filet
7. Pointe
8. Jambon
9. Jambonneau arrière
10. Poitrine
10 *bis*. Travers
11. Épaule (palette et jambonneau)
12. Plat de côtes
13. Jambonneau avant
14. Pieds
15. Gorge
16. Queue

cuit, dont la forme a été remodelée en profil globuleux avant salaison et cuisson.

Les saucisses. Les saucisses françaises sont des mélanges de viande et de gras hachés, liés et assaisonnés, emballés sous boyaux naturels ou artificiels de différentes formes. La saucisse de Toulouse est composée d'une pâte pur porc à hachage gros sans farce, poussée sous boyau naturel de diamètre moyen (30 à 40 mm). Il en existe des variétés crues, destinées à être rôties, grillées ou frites, ainsi que des variétés étuvées. La saucisse de Morteau (35 à 50 mm) est pur porc, légèrement fumée. Le cervelas de Lyon est pur porc, additionné de truffes et/ou de pistaches. Les crépinettes, ou saucisses plates, sont préparées à partir de chair à saucisse enveloppée dans des morceaux de crépine. Les paupiettes sont préparées également à partir de chair à saucisse enveloppée d'une lame de maigre de veau, de bœuf, de lapin, de porc ou de volaille. Ce maigre doit représenter au moins 40 % du produit.

Il existe de nombreuses saucisses européennes. Le gendarme, d'origine suisse et autrichienne, est composé de maigre de bœuf et de gras de porc. Fortement séchée et fumée, de longue conservation, cette saucisse peut être consommée crue ou après cuisson. Sa section rectangulaire est caractéristique. La saucisse de Francfort est traditionnellement pur porc à pâte fine travaillée avec addition d'eau et fumée à froid. Aujourd'hui, les francforts commercialisées sont cuites. La saucisse à tartiner, ou tartinette *(weiche Mettwurst)*, spécialité d'origine allemande très riche en graisses (60 %), est fumée. La soubresade est une saucisse espagnole à pâte fine fortement aromatisée et colorée au piment doux, non fumée. La longaniza (ou longanissa), d'origine italienne, est une saucisse mi-sèche, mi-fumée, grasse, fortement colorée et aromatisée au piment et à l'anis. La merguez est une saucisse d'Afrique du Nord de petit calibre (20 mm) assaisonnée à base de piment rouge et de poivre. Les véritables merguez contiennent non pas du porc, mais du bœuf et éventuellement du mouton. La mortadelle est une spécialité italienne embossée sous boyaux de grande taille et cuite à sec. Dans la pâte fine se détachent de gros dés de gras. La chipolata est une saucisse pur porc poussée sous boyau naturel et destinée à être frite.

Les saucissons. Très caractéristique de la charcuterie française, le saucisson est fabriqué avec de la viande de porc crue et du gras dur, insérés sous boyaux naturels ou artificiels et subissant une maturation-dessiccation qui assure une bonne stabilité ainsi qu'un goût et un arôme typiques.

Dans certaines fabrications régionales, les saucissons ne sont pas à base de porc. Ainsi, le saucisson de Lyon est constitué d'une farce fine de couleur rouge foncé, en général à base de bœuf et de gras de porc. On peut de la même façon trouver du saucisson à base de maigre d'âne, de mulet ou de cheval.

Un certain nombre de saucissons secs sont particulièrement réputés. La rosette (ou fuseau) est préparée à partir d'une pâte pur porc emballée en fuseaux ou boyaux ficelés sous filet. Ce produit fait l'objet d'une maturation poussée. Le jésus est à gros diamètre et à hachage grossier. Le ménage pur porc ou porc et bœuf, de hachage moyen, de 5 cm de diamètre, a une forme irrégulière. Le chasseur est un petit saucisson de qualité courante, porc et bœuf mélangés, d'un poids inférieur à 250 g.

La dénomination salami, d'origine italienne, s'applique à des saucissons secs dont le hachage est en général fin et le gras abondant. Le salami de Milan est une appellation protégée. Le salami hongrois est parfumé au paprika. Le salami danois, fortement coloré et salé, est légèrement fumé. Le salami de Strasbourg (ou saucisson d'Alsace), composé de maigre de bœuf et de gras de porc, est fumé.

Le chorizo est une spécialité espagnole caractérisée par son assaisonnement et sa coloration au piment. Il est à base de porc, auquel on ajoute éventuellement du bœuf et parfois du cheval, de l'âne ou du mulet. Produit cru, le chorizo se consomme cru ou frit. Il existe aussi des variétés de chorizo sec vendues après maturation-dessiccation. Le chorizo au sang a une couleur noire et un arôme obtenus par adjonction de sang de porc.

Le *salpicão* (ou salpicon) est une spécialité portugaise devenue courante en France, en particulier dans le Sud-Ouest. C'est un saucisson sec très maigre pur porc, de qualité supérieure, épicé et légèrement fumé.

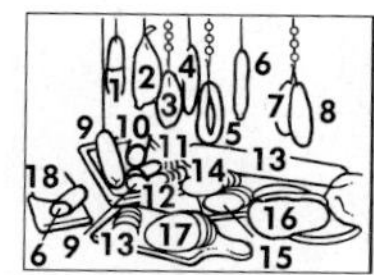

◆ **Les saucissons.**
1. Saucisson d'Ardèche ;
2. Jésus ;
3. Saucisson corse ;
4. Saucisson de Lyon truffé à cuire ;
5. Saucisse sèche ;
6. Salami ;
7. Saucisson de ménage ;
8. Saucisson de Lyon ;
9. Saucisson à l'ail (Paris) ;
10. Saucisson de foie ;
11 et **12.** Coppa ;
13. Rosette ;
14 et **15.** Salamis fumés et non fumés ;
16. Mortadelle ;
17. Saucisson de langue ;
18. Galet des Alpes au poivre.

Autres produits charcutiers

Certains produits sont cuits ou confits dans leur graisse. Tel est le cas dans les rillettes. Les appellations de « rillette » définissent une recette de fabrication et ne garantissent pas une provenance d'origine (rillettes du Mans ou de la Sarthe, rillettes de Tours).

Les pâtés de viandes et d'abats sont de plusieurs sortes. Le pâté de campagne est un mélange de maigre, de gras, de gorge et aussi de foie, de cœur, de rognons de porc. La terrine est un pâté de qualité supérieure. Les galantines sont composées de morceaux de maigre et d'une farce à base de porc mais aussi d'autres viandes comme le veau, le lapin, les volailles, etc.

Les produits en croûtes sont dits « de charcuterie pâtissière » : croustades, tourtes, croissants, bouchées à la reine, quiches, etc.

D'autres produits sont cuits à base de tête, additionnés de gelée avant cuisson et moulés après. Ce sont le museau, la langue (hure à la parisienne), le fromage de tête.

D'autres produits encore sont fabriqués à base d'estomac, d'intestins et de pieds. Parmi les andouilles les plus réputées sont l'andouille de Vire et celle de Guéméné. L'une des andouillettes les plus connues est celle de Troyes. À partir de morceaux d'estomacs et même de pieds désossés sont préparés les tripes et les tripoux.

Les produits à base de sang, ou boudins noirs, sont préparés avec un tiers de sang, un tiers de gras et un tiers d'oignons cuits, selon la recette du boudin de Paris. Mais chaque région ajoute ses ingrédients spécifiques. L'assaisonnement au piment et au rhum du boudin antillais est caractéristique.

Les boudins blancs sont composés d'une pâte fine de viande blanche maigre (volaille, veau, porc) et de matière grasse (crème, gras de porc) liées avec du lait et des œufs. Vendu cuit ou mi-cuit, le boudin blanc est consommé après avoir été grillé ou passé au four.

Les quenelles, voisines du boudin blanc, sont le plus souvent préparées à partir de chair de poisson.

Volailles, œufs et lapins

Les viandes

On appelle «volailles» l'ensemble des oiseaux vivant à l'état domestique et élevés pour leur viande. Souvent, on y intègre aussi les lapins parce que leur élevage, leur commercialisation et même la façon de les accommoder est semblable, mais cet usage est discutable.

Les familles de produits. Les produits offerts au consommateur peuvent se présenter sous des formes très diverses :
– en vif; beaucoup d'acheteurs venant d'Afrique du Nord ou subsaharienne ne veulent acheter leurs animaux de basse-cour que vivants afin de les abattre de la façon prescrite par leur religion ou par leur culture;
–en carcasses effilées (c'est-à dire sans l'intestin) ou prêtes à cuire (c'est-à-dire sans viscères) ainsi que sans cou ni pattes pour les volailles;
– en types d'animaux ou de carcasses se différenciant par l'âge et le poids, du poussin ou coquelet de moins de 800g à la poule de réforme adulte, en passant par le poulet standard, le poulet label;
–en carcasse entière, en demi-carcasse ou en morceaux (cuisse, pilon, aile, filet, lot de foies, lot de gésiers, lot de croupions, lot de bouts d'ailes, etc.);
–en frais, en congelé ou surgelé;
–en viande brute ou après intégration dans un plat cuisiné ou une spécialité (pâté, galantine, rillette, saucisson de volaille ou de lapin).

Leur place relative. En France, en 1997, la consommation de viande de volailles a atteint 1399800 t d'équivalent carcasse, dont 745100 de poulets, 331400 de dindes, 163500 de canards, 53200 de pintades. Celle de lapins se limite à 64100 t. Dans la consommation des ménages, les produits de ce secteur figurent pour 98,2 % à l'état frais et 1,8 % seulement pour le surgelé. Le poulet frais reste en tête avec 45,9 % du total, devant la dinde en hausse (25,4 %), les autres volailles en frais (17,7 %) et le lapin frais (9,2 %). L'achat de produits piécés est plus important en dinde (82 %) qu'en poulet de chair (36,7 %).

◆ **Consommation d'œufs dans le monde.**

Pays ou zone	kg/hab./an
Japon	19,9
France	15,9
Pays-Bas	15,0
Chine	14,6
Espagne	13,9
Danemark	13,7
Autriche	13,6
Israël	13,6
États-Unis	13,3
Belgique et Luxembourg	13,0
Union européenne	12,7
Allemagne	12,5
Suède	12,2
Italie	12,1
Grèce	10,6
Finlande	10,4
Royaume-Uni	10,2
Portugal	8,8
Irlande	12,7
Pays développés	12,0
Pays en développement	6,4
Monde	7,7

Données 1996. *Source :* FAO.

Les œufs

L'œuf de poule, comme tous les œufs, est constitué par un jaune (vitellus) entouré par le blanc (albumen), l'ensemble étant protégé par une coquille calcaire. La couleur de la coquille est déterminée par la génétique. Ce critère joue un rôle important dans le choix des consommateurs, les Français préférant nettement les œufs de couleur foncée. Entre la coquille et le blanc existe un espace (chambre à air). Les œufs destinés à la vente en coquille sont classés selon leur qualité en catégories A, B ou C, sur la base d'une mesure de l'épaisseur de la chambre à air, dont le volume ne cesse de croître après la ponte. La mention sur l'emballage de la date de ponte s'est imposée récemment en tant qu'indicateur de l'état de fraîcheur de l'œuf. Le tri des œufs correspond à un calibrage en 7 catégories d'après le poids : 1 (70g et plus); 2 (69 à 65g); 3 (64 à 60g); 4 (59 à 55g); 5 (54 à 50g); 6 (49 à 45g); 7 (moins de 45g).

Les ovoproduits. Pour les industries alimentaires, il existe une demande de produits d'œufs ou ovoproduits, présentés sous forme soit de coule fraîche (œufs entiers), soit de jaunes et de blancs, ces produits étant pasteurisés avant de subir une congélation, une surgélation et, dans une faible proportion, un séchage pour fournir de la poudre d'œufs.

Le foie gras

Canards ou oies spécialement gavés en sont les sources exclusives. C'est l'oie qui a donné à ce mets ses lettres de noblesse. Mais, même si les inconditionnels du foie gras d'oie apprécient toujours son goût plus fin et plus subtil, c'est le foie de canard qui domine la production française (96 % en 1997), en raison de son goût mais surtout d'une plus grande maîtrise de la zootechnie du canard gras, qui se traduit par un nombre d'œufs pondus plus élevé, une amélioration génétique plus poussée et une conduite de l'élevage plus souple.

La France, premier producteur de foie gras du monde (plus de 12000 t en 1997, soit 75 % du total), en a encore importé, en 1997, 1700t, dont 1000t de foie d'oie. Mais elle est aussi le premier consommateur mondial (près de 13000t) et le plus gros exportateur de préparations à base de foie gras (1020t d'échanges nets en 1997).

La demande en foie frais progresse, mais ne représente que 25 % du total. Sur les 75 % de produits prêts à consommer, une forme nouvelle, apparue il y a une dizaine d'années, est en train de s'imposer. Ce sont les foies gras mi-cuits, ou «foies frais», semi-conserves ayant subi une pasteurisation légère préservant mieux le moelleux et la saveur. Cette forme, préférée à la conserve depuis 1993, s'est vendue deux fois plus que celle-ci en 1997.

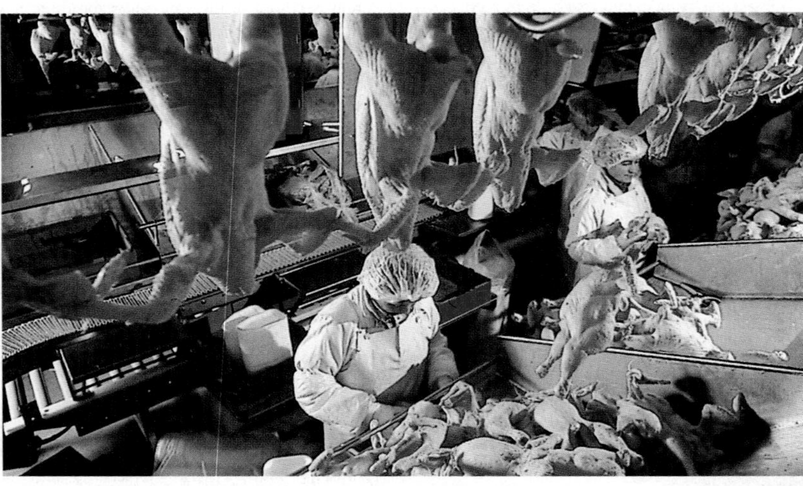

◆ **Atelier de découpe de volailles à Languidic, en Bretagne.**
Une des innovations les plus importantes intervenues dans les filières avicoles est le développement de la découpe des volailles avant leur mise sur le marché. Ses répercussions ont été particulièrement marquées dans la filière dinde. La découpe, désormais pratiquée sur plus de 90 % des dindes produites, permet d'en assurer la vente sur toute l'année. Toutes les pièces sont offertes à la vente, jusqu'aux foies, cœurs et gésiers. Si le poulet entier, éviscéré, continue à se vendre en plus grande proportion, la part découpée progresse également très régulièrement.

◆ **Foie gras.**
Chez l'oie, le foie gras pèse en moyenne 700g, soit trois fois plus que le poids normal; il atteint 400g chez le canard mulard et 350g chez le canard de Barbarie, soit le double du poids normal. Les foies gras sont classés en cinq catégories selon leur qualité (poids, texture, couleur, etc.). Les deux premières sont destinées à la fabrication de blocs entiers, souvent en semi-conserves, c'est-à-dire étuvés à moins de 100 °C; les trois dernières entrent dans la fabrication de produits qui contiennent, selon l'appellation, plus ou moins de foie gras.

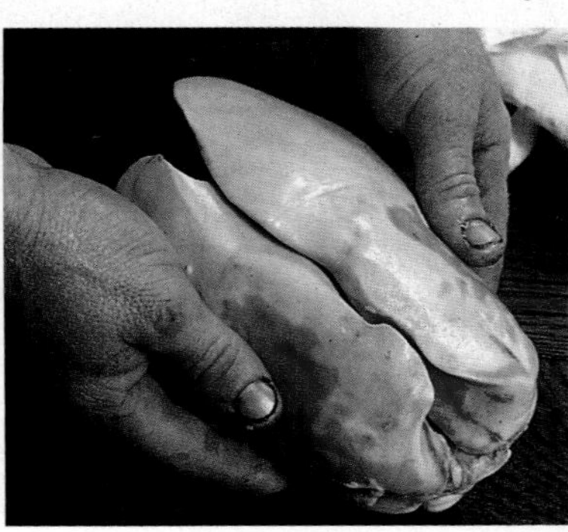

Le gibier

Les principales espèces

Le mot «gibier» est un terme collectif désignant les animaux qu'on prend à la chasse. Celle-ci joue un rôle alimentaire négligeable, le gibier étant peu présent dans le panier de la ménagère, même si l'autoconsommation ou, à plus forte raison, le braconnage sont mal saisis par les statistiques officielles. Les principales espèces dont la chasse est autorisée figurent dans la classification suivante:

– Le petit gibier à poil comprend le lièvre *(Lepus europaeus)*, le lièvre variable *(Lepus timidus)* et le lapin de garenne *(Lepus oryctolagus)*; le petit gibier à plume comprend le faisan commun *(Phasianus colchicus)*, le faisan vénéré *(Syrmaticus veneratus)*, la perdrix rouge *(Alectoris rufa)*, la perdrix grise des Pyrénées *(Perdix perdix hispaniensis)*, la perdrix grise de Beauce *(Perdix perdix)*, la bécasse des bois *(Scolopax rusticola)*, le pigeon ramier *(Columba palumbus)*, l'alouette *(Alauda arvensis)*, le merle, l'ortolan, l'étourneau, la tourterelle *(Columba turtur)* et la caille *(Coturnix vulgaris)*.

– Parmi le grand gibier, on compte le cerf *(Cervus elaphus)*, le chevreuil *(Capriolus capriolus)*, le sanglier *(Sus scrofa)* et le daim *(Dama dama)*.

– On nomme «gibier de montagne» le chamois *(Rupicapra rupicapra)*, l'isard *(Rupicapra rupicapra pyrenaeica)*, le mouflon *(Ovis)*, et «gibier d'eau» le canard colvert *(Anas platyrhynchos)*, l'oie sauvage à front blanc *(Anser albifrons)* et la bécassine *(Gallinago gallinago)*.

La chair du gibier

Les viandes de gibier sont assez proches, du point de vue nutritionnel, des viandes des animaux domestiques d'espèces voisines. Simplement, elles sont plus riches en sels minéraux ou plus pauvres en graisse. Cependant, la différence est importante après que le gibier a subi le faisandage, qui correspond à une maturation dans un lieu frais et aéré, pendant quelques jours. Le faisandage développe un goût caractéristique et rend la viande plus tendre. Aujourd'hui, le gibier à plume ne se faisande pratiquement plus, à l'exception du faisan lui-même, de la bécasse et du pluvier. Le gibier à poil peut être faisandé quelques jours avant d'être mariné dans une sauce – crue ou cuite – à base de vin rouge et d'aromates.

Selon la loi française, le gibier sauvage ne peut être vendu que pendant une saison limitée correspondant aux dates officielles de la chasse, ouverte courant septembre et fermée au plus tard le dernier jour de février. Traditionnellement, le gibier était commercialisé en l'état, c'est-à-dire en poils ou en plumes, et correspondait à des animaux français. Aujourd'hui, ce marché relativement stable de 10000 t par an correspond à des animaux importés et vendus préparés. C'est ainsi que les Français consomment des lièvres, lapins de garenne, faisans, pigeons, perdrix de Grande-Bretagne, des chevreuils, cerfs, biches, sangliers d'Autriche, des lièvres, antilopes, faisans, perdreaux de Chine.

Préparation du gibier

Le faisandage, plus ou moins excessif, a l'avantage d'attendrir une viande sauvage dépourvue du moelleux et de la graisse de la viande d'élevage. [...] Les petits oiseaux comme les bécasses ou les grives, selon les gastronomes, ne devraient pas se vider. Dès le retour de la chasse, on les suspend par les pattes jusqu'au moment où l'intérieur, se liquéfiant, coule par le bec et où les plumes tombent. On les prépare alors. Les marinades, à base de vin, d'alcool, d'herbes aromatiques, ont le pouvoir d'attendrir les viandes suspectées d'être coriaces, comme celles du lièvre ou du sanglier ou des grosses bêtes comme le cerf, le chevreuil, le daim. [...] En revanche, le gibier jeune n'a pas besoin de marinade; après quelques heures de repos, il se fait rôtir ou cuire au four après avoir été bardé car il est maigre. [...] Les accommodements aux fruits acides aident à la digestion et à l'assimilation. Mais il est d'usage de toujours faire mariner le sanglier jeune ou marcassin.

M. Toussaint-Samat, *Histoire naturelle et morale de la nourriture*, Bordas, 1987. (Extrait)

L'évolution des populations

Bien que difficile à apprécier, la régression du petit gibier est marquée dans l'ensemble de l'Europe. Diverses causes peuvent être avancées: le rôle des prédateurs, des maladies infectieuses, des variations météorologiques. Mais ce sont les actions humaines qui semblent le plus mettre en péril les populations de gibier.

On a mis en cause le nombre croissant des chasseurs: en France, de 1,8 million en 1945, ils étaient passés à 2,4 millions en 1974, mais ils sont descendus ensuite à 1,6 million. Il est vrai que les chasseurs, privés de lapins – décimés par la myxomatose depuis la fin des années 1950 –, se sont davantage tournés vers le gibier à plume. Le braconnage, aussi, a été invoqué. Mais la principale cause de raréfaction du gibier est liée au remembrement, avec la suppression des haies, et à l'évolution des techniques agricoles le drainage, avec la suppression des fossés à ciel ouvert, la mécanisation des travaux et des récoltes et, surtout, les divers pesticides provoquant soit des empoisonnements, soit la disparition d'insectes ou de plantes adventices utiles à la nourriture du gibier.

Parmi le petit gibier à plume, la perdrix grise, qui était abondante en France dans les plaines cultivées du nord de la Loire, a beaucoup reculé depuis les années 1960. La perdrix rouge, un peu plus volumineuse que la perdrix grise, est présente dans le sud de l'Angleterre et de la France.

Les faisans chassés en France correspondent à deux espèces principales: le faisan commun et le faisan vénéré. Originaire d'Asie, importé en Europe il y a 3000 ans, le faisan a été longtemps réservé aux chasses royales. Ce n'est que depuis la fin du XIXe s. qu'il s'est acclimaté en France. Présent sur l'ensemble du territoire, mais surtout dans la moitié nord du pays, le faisan est de plus en plus souvent élevé dans son jeune âge et relâché dans le milieu naturel, sans être très aguerri.

On constate en revanche une prolifération du grand gibier. L'accroissement de ses effectifs est illustré par un indicateur indirect : le montant annuel des indemnisations versées aux agriculteurs pour dégâts de gibier, qui est passé de 22 millions de francs (en francs constants 1996) en 1970 à 140 millions en 1996. L'espèce la plus coupable est le sanglier (82 % des dégâts en 1996) : de moins de 50000 en 1975, le tableau de chasse des sangliers est passé à 322767 en 1997. Les cervidés n'ont été jugés responsables que de 16 % en 1996. Mais leur développement, révélé par le tableau de chasse, a également été très important : 350000 chevreuils abattus en 1996 contre 50000 en 1973. Le cerf est moins présent (20000 environ sont abattus par an), mais il a aussi proliféré et fait des dégâts (surtout le cerf élaphe).

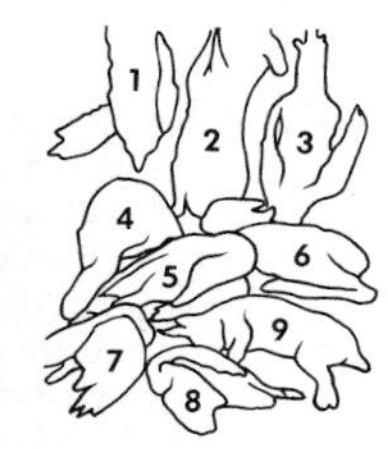

◆ **Pièces de gibier et de venaison.**
1. Poule faisane;
2. Lièvre;
3. Coq faisan;
4. Cuissot de sanglier;
5. Canard sauvage;
6. Gigue de chevreuil;
7. Palombe;
8. Poule faisane;
9. Lapin de garenne.

VOIR AUSSI • Chasse p. 1311

Les poissons

Les types de poissons

Les poissons sont des animaux vertébrés qui naissent et vivent dans l'eau. Les zoologistes les divisent en deux grands groupes selon que leur squelette est cartilagineux ou osseux.

Les poissons cartilagineux. On distingue les squales et les raies. Les grands squales comme le requin sont comestibles mais rares, alors que les petits squales comme le chien de mer ou la roussette sont couramment commercialisés. Les ailerons de requin servent à préparer des potages. La raie, au corps aplati, à chair maigre et savoureuse, est fréquente.

La baudroie, appelée aussi «lotte de mer», a une chair maigre et fondante. Dans ce groupe se trouve aussi l'esturgeon, dont les œufs donnent le caviar et qui vit en mer (Caspienne, mer d'Azov, mer Noire), mais qui remonte les fleuves pour frayer.

Les poissons osseux. Ils comprennent un grand nombre de familles :
– les clupéidés à nageoires ventrales, au corps allongé recouvert d'écailles qui se détachent facilement : sardine, hareng, alose, anchois, sprat, bar, mérou, mulet, rouget, vive, dorade, grondin;
– les scombridés, poissons fusiformes de grande taille, comme le thon rouge, ou commun, le thon blanc, ou germon, la bonite (thon de moins de 50 cm de long), le maquereau;
– les pleuronectes, ou poissons plats, qui comprennent la sole, la limande, la barbue, le turbot;
– les gadidés, famille de poissons d'eau froide qui rassemble la morue, le merlu le merlan, le cabillaud, l'aiglefin, le colin ou lieu noir;
– les anguillidés, dont l'anguille, qui fraye dans la mer, mais vit dans les fleuves et rivières, le congre, la murène, la lamproie;
– les salmonidés, dont le saumon, grand poisson de 60 à 150 cm, d'un poids moyen de 7 à 8 kg, qui vit en mer et remonte les rivières pour frayer, et la truite, qui vit dans les rivières, les lacs et certaines mers froides.

De très nombreuses espèces de poissons fournissent un excellent aliment, sur le plan nutritionnel. En 1990, la pêche était la principale voie d'approvisionnement (88 % de la ressource mondiale). L'aquaculture n'assurait donc que 12 %; mais, du fait d'une demande croissante à laquelle la mer ne semble pas en mesure de répondre dans le futur, les poissons d'élevage pourraient représenter de 15 à 20 % de la consommation dès 2010 et 50 % avant 2050. Les formes de présentation du poisson évoluent et se diversifient. Les consommations varient beaucoup selon les pays et les habitudes alimentaires.

◆ **Raie.**
Poisson cartilagineux des mers froides et tempérées, dont on consomme les nageoires pectorales.

◆ **Thon blanc** ou **germon.**
Poisson de grande taille des mers chaudes et tempérées, dont la chair ferme est d'un rouge très vif rappelant celle du bœuf; se consomme frais, mariné ou en conserve à l'huile.

◆ **Rouget.**
Poisson littoral qui doit son nom à la couleur qu'il prend une fois mort; sa chair ferme est très recherchée, malgré la présence de nombreuses arêtes.

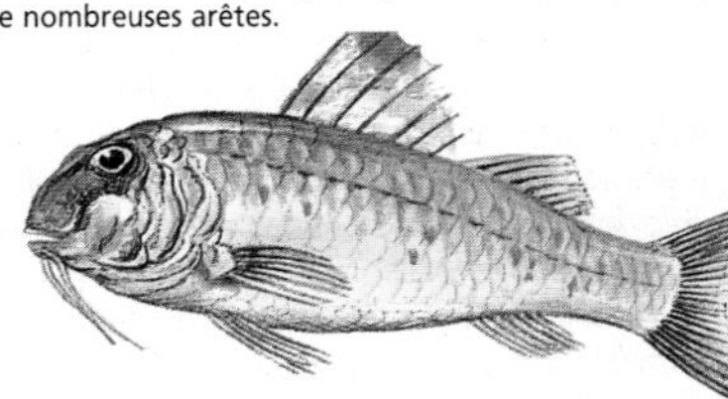

De la carcasse, une fois levés les filets, on peut encore tirer 10 % de chair, ou pulpe, permettant de fabriquer des steaks de poisson, snacks, pâtés, farces, soupes, etc., produits dits «charcuterie de poisson». La pulpe est un sous-produit qui conserve la structure, le goût, les arômes du poisson.

Les Japonais fabriquent depuis des siècles – et les Européens depuis une dizaine d'années – un produit proche : le surimi, ou pâté de poisson, qui se présente comme une poudre blanche. Il s'agit d'un concentrat de protéines de poisson, fabriqué près des lieux de pêche et parfois sur de véritables usines flottantes. Les débouchés du surimi sont notamment le «simili-crabe», en bâtonnet, en paillettes ou en morceaux.

◆ **Consommation de poissons et fruits de mer dans le monde.**

Pays ou zone	kg/hab./an	Protéines/hab./j
Islande	92	21
Japon	71	26
Portugal	59	15
Espagne	37	11
Finlande	31	10
Suède	31	10
France	28	6
Grèce	26	7
Union européenne	24	6
Danemark	23	11
Italie	23	6
États-Unis	22	5
Belgique et Luxembourg	21	6
Irlande	21	5
Royaume-Uni	20	5
Chine	19	5
Allemagne	16	4
Pays-Bas	15	5
Autriche	12	3
Inde	4	1
Pays développés	23	7
Pays en développement	12	3
Monde	14	4

N.B. : la non-proportionnalité entre les chiffres des deux colonnes tient à la différence de nature des produits consommés dans chaque pays.
Données 1996.
Source : FAO.

Le poisson vendu frais

L'état de fraîcheur du poisson se mesure à son odeur : la dégradation des chairs, très rapide, s'accompagne en effet d'un dégagement ammoniaqué. D'autres tests sont utiles, comme la coloration des ouïes, la fermeté, etc. Le marché du frais garde une place encore prépondérante, mais qui a beaucoup régressé (75 % en 1978, moins de 50 % dès le début des annnées 1990) au profit des produits surgelés ou séchés, salés, fumés.

Les espèces les plus commercialisées encore en entier sont le merlan, la sardine, le colin, le maquereau, la sole, la limande, le hareng, le carrelet, la dorade, le grondin, le rouget, etc. Mais la faveur des consommateurs va plutôt aux filets de poisson frais, en particulier pour le merlan, le lieu, le cabillaud, l'aiglefin, la limande et la sole. Les tranches sont relativement moins demandées que les filets.

Conservation et conditionnement

Les méthodes de transformation et de commercialisation des poissons ont aujourd'hui un caractère industriel marqué. Certaines opérations ont lieu aussitôt après la pêche, sur le bateau même : congélation, congélation-séchage, surgélation.

Les méthodes traditionnelles de conservation par séchage, salage ou fumage (produits SSF) portent sur des quantités considérables. En France, ce marché est en hausse constante depuis le début des années 1980.

◆ **Truite.**
Poisson carnivore des torrents, des rivières et des lacs, qui fait l'objet d'un important élevage.

◆ **Esturgeon.**
Grand poisson marin qui remonte les fleuves pour pondre; ses œufs fournissent le caviar.

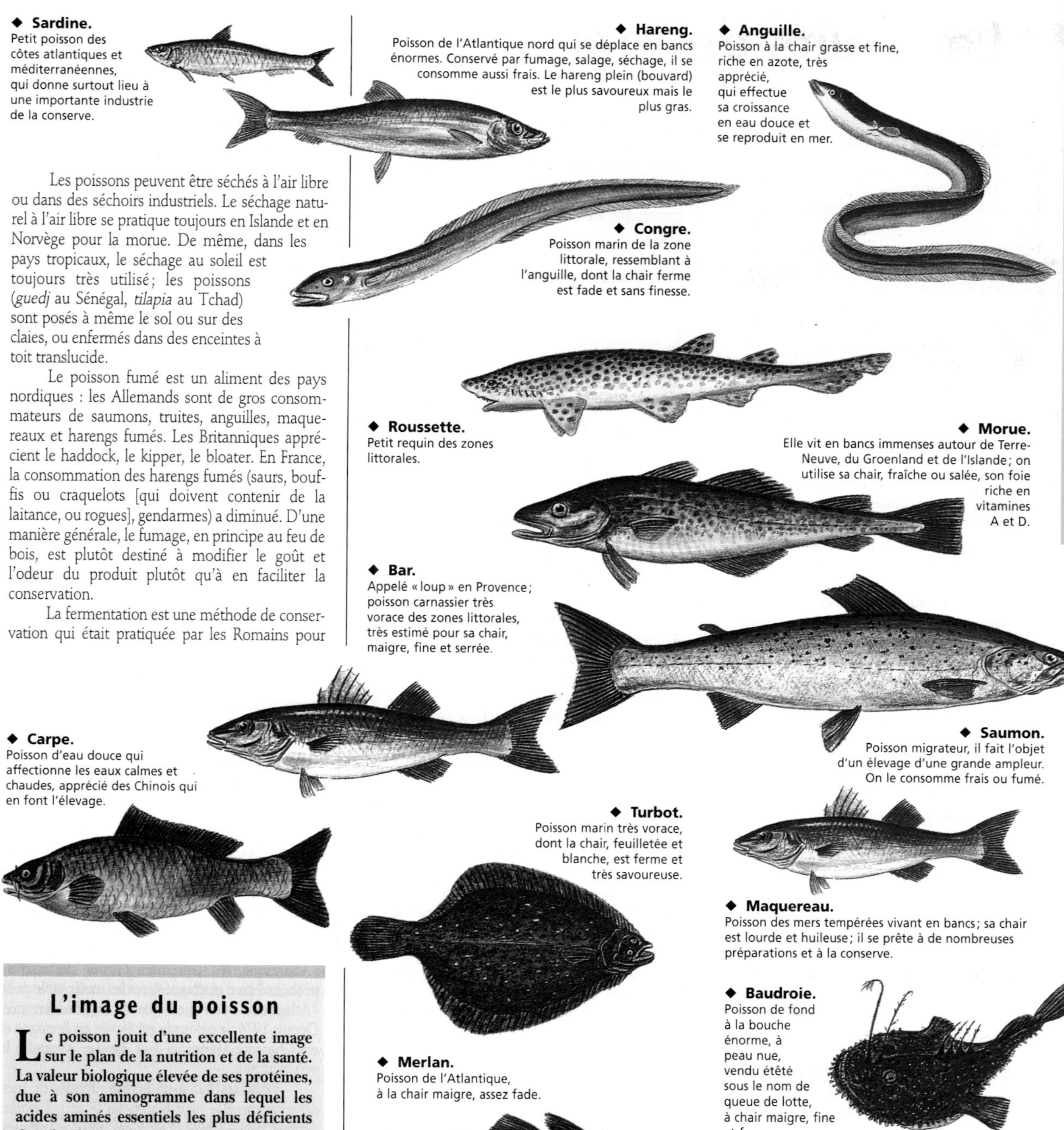

Les poissons peuvent être séchés à l'air libre ou dans des séchoirs industriels. Le séchage naturel à l'air libre se pratique toujours en Islande et en Norvège pour la morue. De même, dans les pays tropicaux, le séchage au soleil est toujours très utilisé; les poissons (*guedj* au Sénégal, *tilapia* au Tchad) sont posés à même le sol ou sur des claies, ou enfermés dans des enceintes à toit translucide.

Le poisson fumé est un aliment des pays nordiques : les Allemands sont de gros consommateurs de saumons, truites, anguilles, maquereaux et harengs fumés. Les Britanniques apprécient le haddock, le kipper, le bloater. En France, la consommation des harengs fumés (saurs, bouffis ou craquelots [qui doivent contenir de la laitance, ou rogues], gendarmes) a diminué. D'une manière générale, le fumage, en principe au feu de bois, est plutôt destiné à modifier le goût et l'odeur du produit plutôt qu'à en faciliter la conservation.

La fermentation est une méthode de conservation qui était pratiquée par les Romains pour aboutir au *garum*, sauce forte assez semblable sans doute au nuoc-mâm produit traditionnellement au Viêt Nam et au Cambodge à partir de petits poissons de la famille des clupéidés. Ceux-ci sont mis à macérer en couches successives avec du sel dans des récipients fermés, placés au soleil pendant plusieurs jours.

Parmi les activités de transformation du poisson, il faut signaler le développement de nouveaux produits dits « de charcuterie de poisson » : terrine de poisson, crèmes à tartiner, rillettes de poisson, beurre de poisson, saucisses, cubes apéritifs, brochettes, etc. Enfin, signalons qu'une puissante industrie des sous-produits du poisson s'est développée, fournissant surtout des farines destinées à l'alimentation animale, mais aussi des engrais, des huiles industrielles, etc.

L'image du poisson

Le poisson jouit d'une excellente image sur le plan de la nutrition et de la santé. La valeur biologique élevée de ses protéines, due à son aminogramme dans lequel les acides aminés essentiels les plus déficients dans la plupart des aliments d'origine végétale, notamment la lysine et les acides aminés soufrés (méthionine et cystine), sont présents en forte proportion, est un premier atout majeur. Les caractéristiques des graisses du poisson, parmi lesquelles figurent aussi des acides gras essentiels que notre organisme ne sait pas fabriquer, viennent consolider cette image. L'évolution technique de préparation et de conditionnement des poissons permet en outre de les conserver et de les cuisiner d'une façon plus pratique que le poisson frais acheminé en l'état. Cette image vaut pour tous les poissons, quelle que soit l'espèce et son mode d'obtention, pêche ou aquaculture.
Notons cependant que les espèces à teneur élevée en graisses sont relativement peu appréciées dans les pays riches, alors que les pays en développement, manquant souvent d'énergie alimentaire, les recherchent.

VOIR AUSSI
• **Poissons** p. 115
• **Pêche** p. 1306

Le zinc

Ce métal est connu dès l'Antiquité dans le Bassin méditerranéen, en alliage avec le fer, mais il faut attendre le début du XIXe s. pour qu'en soit faite une utilisation industrielle. Le zinc est utilisé en alliage ou comme métal à part entière : dans le secteur du bâtiment, sous forme de laminés (gouttières par exemple) ; en photogravure ; dans l'industrie chimique (oxydes de zinc entrant dans l'élaboration des émaux et des céramiques décorées); dans l'industrie automobile (protection des tôles contre la corrosion, avec les « supertôles » électrozinguées...).

Dans la production de minerai, on constate la suprématie de l'Amérique du Nord (près du tiers de la production mondiale), de l'Amérique du Sud (Bolivie, Brésil, Pérou) et de l'Asie (Chine). La production de métal est largement dominée par l'Europe avec 42,7 % du total mondial. Elle est suivie par l'Asie à hauteur de 37 % (la Chine assurant à elle seule 16 % de la production mondiale), par l'Amérique du Nord (19 %, le Canada faisant plus de la moitié), l'Amérique du Sud et, enfin, l'Australie.

Le cuivre

La métallurgie du cuivre est ancienne, mais sa production industrielle ne date que du XXe siècle. Son excellente aptitude à conduire l'électricité et la chaleur le destine à de nombreuses utilisations industrielles ou domestiques, et sa résistance à la corrosion en fait un matériau recherché dans le bâtiment et la construction navale. Depuis 1970, le cuivre est concurrencé par d'autres matériaux moins coûteux comme les matières plastiques du type PVC (polychlorure de vinyle), les aciers inoxydables et, plus récemment, les fibres optiques, qui remplacent progressivement les fils de cuivre dans les installations de télécommunication. La production du minerai de cuivre est dominée par le continent américain : les États-Unis et le Chili assurent 46 % du total mondial. Au Chili, la mine d'Escondida, ouverte en 1991, est la plus importante du monde. Les réserves mondiales, dont le tiers est situé au Chili, sont estimées à 33 années de production.

Le marché du minerai est dominé par des firmes multinationales nord-américaines ou européennes présentes dans les États producteurs. Des mines importantes sont exploitées en Zambie, en Argentine. Le cuivre est échangé sous forme de *wirebars* (barres à fils), plateaux, billettes, lingots, cathodes pour les deux tiers des échanges mondiaux : de minerais et concentrés pour 18 % ; de *blisters* (cuivre raffiné) pour 16 %. Le cuivre métal ou raffiné est l'objet d'une industrie dominée par l'Amérique du Nord, l'Asie, l'Europe, à égalité avec l'Amérique latine, les géants du cuivre métal restant les États-Unis, le Brésil et le Japon.

Petit lexique

cuproalliage : métal allié au cuivre.

ferroalliage : métal allié à un produit ferreux.

galvanoplastie : opération industrielle consistant à recouvrir par électrolyse un support métallique d'une couche de métal d'alliage.

Le plomb et le manganèse

La production est dispersée. L'Amérique du Nord domine le marché mondial, suivie par l'Australie et le Pérou. La production de plomb métal, ou plomb de fonderie, dépend essentiellement des pays industrialisés, l'Europe et l'Amérique du Nord assurant l'essentiel de cette industrie.

Le manganèse est un métal non utilisable seul. Il est avant tout utilisé en alliage par la sidérurgie, après avoir été transformé en ferroalliage, ou par la métallurgie du cuivre (cuproalliage). C'est uniquement un métal d'addition, capital pour renforcer les qualités chimiques et mécaniques des fontes et des aciers. Associé au chrome et au tungstène, le manganèse procure aux aciers une indéformabilité totale, d'où l'utilisation de ces alliages dans l'outillage, les rails d'aiguillage, les socs de charrues, les plaques de blindage. Le manganèse, associé au cuivre, sert également à faire des résistances électriques ; il entre dans la fabrication des piles électriques comme dépolarisant.

Avant les années 1980, les ferroalliages étaient aux mains des producteurs d'acier; depuis cette période, ils sont produits principalement par les métallurgistes du manganèse, qui fournissent aux sidérurgistes des pays développés un élément qui entre dans le processus de la fabrication de l'acier. Les principaux producteurs de minerai sont l'Afrique du Sud, le Gabon, l'Australie, le Brésil; ils offrent des minerais à haute teneur en manganèse; d'autres producteurs offrent un minerai à faible teneur, comme la Chine, l'Union indienne, la CEI (Communauté des États indépendants). La production donne lieu à des accords entre les pays détenant le minerai et les grands pays industrialisés : ainsi, en Afrique du Sud, Samancor a conclu des accords techniques et financiers avec des groupes nippons (Japan Metals & Chemical & Mitsui), et Feralloys avec Mizushima Ferroalloys Co. & Sumitomo. Les principaux exportateurs sont le Gabon, l'Australie, le Brésil et l'Ukraine; les importateurs majeurs sont le Japon, la Chine et la France.

Le nickel

Le nickel est également un matériau d'alliage pour la fabrication d'aciers inoxydables à haute résistance thermique, et pour la galvanoplastie. La production de minerai, qui a atteint 1,056 Mt (million de tonnes) en 1996, est dispersée entre les cinq continents : le Canada est le premier producteur de minerai avec 191 000 t, soit 20 % du total mondial, l'Australie et la Nouvelle-Calédonie assurant 22 % de ce total. La France, grâce à la Nouvelle-Calédonie, assure 10 % de la production mondiale. Le Brésil, la Colombie, Cuba, la République dominicaine produisent environ 8 % du total mondial, une partie du nickel cubain étant traitée sur place par la société canadienne Sherrit Gordon.

La production de nickel à partir du minerai est fluctuante, suivant une demande fort variable d'une année sur l'autre; estimée à 956 000 t en 1997, elle devrait croître de 5 % par an en raison d'une demande accrue des sidérurgistes pour les aciers inoxydables. Depuis 1995, de nouveaux utilisateurs apparaissent : bâtiment, installations de désulfurisation du gaz naturel, incinérateurs et conteneurs des déchets radioactifs. La Russie demeure le premier producteur de nickel métal avec 200 000 t, suivie par le Canada avec 127 000 t et le Japon avec 125 000 t; l'Europe (Russie comprise) assure près de 40 % de la production mondiale.

Le chrome et le cobalt

Le chrome est un métal d'alliage fournissant des ferrochromes destinés aux aciers inoxydables. Il offre une bonne résistance à la corrosion de l'atmosphère et des principaux agents chimiques; on l'utilise comme revêtement des aciers et des autres métaux. Le principal alliage obtenu à partir de chrome est le nickel-chrome, utilisé en revêtement de l'acier (acier inoxydable) afin de résister à des hautes températures, ou pour optimiser les qualités des aciers à roulement et à soupape. Les alliages au nickel-chrome donnent des résistances chauffantes et des fils de couples thermoélectriques. Le chrome intervient également comme composant de décoration dans l'industrie du verre et de la porcelaine. La production de chromite (principal minerai de chrome) est assurée par l'Afrique du Sud et la CEI (Communauté des États indépendants), qui assurent 57 % de la production mondiale, à côté de la Turquie et de l'Union indienne. La production de ferrochromes, de même que celle des autres alliages, est assurée par les pays industrialisés.

La production de cobalt est surtout localisée dans des gisements polymétalliques; la République démocratique du Congo, la Gambie, la CEI couvrent les trois quarts de la demande en minerai. Le cobalt entre dans la fabrication du carbure de tungstène, destiné à l'industrie du forage pétrolier et gazier; il est aussi utilisé dans l'aéronautique, dans l'industrie chimique (adhésifs, siccatifs), dans l'industrie électrotechnique (bandes magnétiques, codes-barres), dans les industries paramédicales (prothèses), dans la verrerie et la céramique.

L'étain

Résistant à la corrosion et inaltérable à l'air, l'étain est utilisé comme métal protecteur du cuivre et du fer; allié au cuivre, il donne le bronze, allié au plomb il permet de souder. Le fer-blanc est une tôle fine « étamée » (recouverte d'étain). L'étain est largement employé dans la conserverie, où il entre en concurrence avec l'aluminium pour les boîtes alimentaires; on l'utilise également dans la soudure, la fabrication de fils électriques, la chimie, les constructions mécaniques et la verrerie. La qualité des concentrés d'étain dépend de la concentration en arsenic, qui ne doit pas dépasser 5 %. La production de concentrés d'étain atteignait, en 1997, 180 300 tonnes. L'Asie reste le premier pôle productif, avec 64,2 % de la production mondiale en 1997 (Chine [en tête avec 55 000 t], Indonésie, Kazakhstan, Malaisie, Thaïlande); l'Amérique du Sud constitue le deuxième groupe avec 33 %. L'Australie devrait d'ici à 2010 devenir un gros producteur. La dernière mine d'étain européenne a été fermée en 1988; elle se situait à South Crofty, dans le sud-ouest de l'Angleterre.

Les produits miniers rares

L'or. C'est par définition un métal précieux. Il est lourd, inaltérable et malléable, doté d'une bonne conductivité électrique et thermique. L'extraction a lieu à partir de sables aurifères, en espagnol *placers,* dont la teneur est de 1 à 15 g d'or par tonne de sables aurifères extraite, les plus riches en contenant 30. L'Afrique du Sud reste le premier producteur avec 493 000 t en 1998, mais est en baisse depuis 1990 (603 000 t) ; les autres gros producteurs sont le Canada (168 000 t), les États-Unis (338 000 t), le Brésil, le Chili et l'Indonésie. Les États-Unis et le Canada posséderaient les mines les plus rentables et pourraient dépasser la production de l'Afrique du Sud d'ici à 2015. L'unité de qualité de l'or est le carat (24 carats = 100 % d'or pur), l'unité de quantité, le lingot (masse de 1 kg d'or fin à 995 millièmes) ou l'once d'or (31,105 g).

La bijouterie absorbe 72,5 % de la production d'or dans le monde, les monnaies officielles 9,7 %, l'électronique, devenue un nouvel utilisateur d'or, 9 %, la dentisterie 3,3 % et des industries diverses environ 5,5 %. Les réserves mondiales sont estimées à 20 années de production. Les pays de la Triade (Amérique du Nord, Union européenne, Japon) restent les plus gros consommateurs, ainsi que le Moyen-Orient. La récente crise asiatique a provoqué une baisse de la demande en or au Japon et dans les nouveaux pays industrialisés d'Asie.

L'argent. C'est un des rares métaux non ferreux dont la demande excédait la production en 1998 (16 000 t produites). Les principales industries consommatrices sont la photographie (papiers argentiques), l'électronique, la fabrication des piles électriques. Le Mexique est le premier producteur avec 2 673 t, devant le Pérou (2 059 t). La production argentifère provient aujourd'hui pour moins de 20 % de mines, l'essentiel étant issu de sous-produits du plomb, du zinc, du cuivre et de l'or, dont les sites sont souvent communs.

Le diamant. Le diamant reste le produit minéral le plus résistant, de par sa grande dureté. Utilisé communément dans la joaillerie et la bijouterie, il trouve de plus en plus d'applications dans des industries diverses (industries mécaniques, engins de coupe, miroiterie). La production de diamants de synthèse l'emporte désormais sur celle des diamants naturels, notamment en Europe, aux États-Unis et au Japon. Le marché du diamant, qui avait connu un essor sans précédent depuis 1990, s'est effondré en 1997 du fait de la crise asiatique. Sa commercialisation est essentiellement aux mains de la CSO (*Central Selling Organization*), organisme qui gère 60 % des ventes mondiales pour le compte de la De Beers (société exploitante en Afrique du Sud). L'Australie, spécialisée dans la production de petits diamants (moins de 0,07 carat) et indépendante de la CSO, pourrait modifier la donne du marché mondial d'ici à 2005 en imposant ses produits.

Les minerais stratégiques

On entend par « minerais stratégiques » des minerais plus ou moins rares, aussi bien ferreux que non ferreux, dont l'importance est primordiale parce qu'ils entrent dans la composition d'équipements de haute technologie ou d'alliages à hautes performances utilisés dans des secteurs industriels de pointe souvent liés à l'industrie militaire ou aérospatiale.

Un « minérai stratégique » l'est d'autant plus, pour un pays, que celui-ci n'a pas de gisements, ou qu'il en a et vit de ses exportations. Ainsi, le manganèse est stratégique pour les États-Unis, qui n'en extraient pas, mais il est aussi économiquement stratégique pour le Gabon, dont il constitue le premier revenu minier d'exportation, ou pour l'Union européenne ou le Japon, qui importent du ferromanganèse pour les besoins de leur sidérurgie.

La notion de « vulnérabilité industrielle » vis-à-vis des fournisseurs étrangers a été particulièrement vive aux États-Unis dans les années 1970, en raison de brutales augmentations de prix des minerais (en même temps que de celui du pétrole), de l'emprise de cartels de producteurs, souvent en conflit commercial avec les consommateurs, et de l'utilisation des matières premières minérales comme arme politique. En revanche, dans le contexte géopolitique actuel, on constate plutôt une certaine surproduction, liée à l'arrivée de nouveaux producteurs (ce qui diversifie l'offre), et donc une position plus forte des clients vis-à-vis des exportateurs de matières premières, et des contrats d'approvisionnement plus généralement négociés, de gré à gré, entre producteurs et consommateurs.

Le «caractère stratégique» de certains minerais est donc moins net et moins préoccupant. Les risques sont beaucoup plus liés à l'instabilité politique de pays producteurs (par exemple la République démocratique du Congo pour le cobalt) ; ces pays soit restreignent leurs exportations, soit les augmentent inconsidérément (pays de l'ex-URSS notamment) aux fins d'obtenir des devises.

Le diamant en Afrique du Sud

L'Afrique du Sud reste le premier producteur de diamants depuis 100 ans, avec la société De Beers, numéro un mondial. Le diamant représente 5 % des minerais exportés par l'Afrique du Sud en 1998, avec 10,4 millions de carats produits, dont 9,4 millions de carats produits par De Beers, le reste étant assuré par la société canadienne Southern Era, et par la Moonstone Diamond Mining of Australia. La plupart des mines sont sur la côte ouest, au sud de la frontière avec la Namibie.
À l'époque de l'apartheid, la plupart des pays occidentaux ont continué d'acheter des diamants à l'Afrique du Sud, faisant passer les intérêts économiques avant les droits de l'homme, et sans jamais vraiment dénoncer la société De Beers, liée au régime sud-africain ségrégationniste. Depuis dix ans, les achats occidentaux se sont quelque peu diversifiés, mais l'Afrique du Sud détient les diamants les plus prisés par les acheteurs européens, américains et japonais.

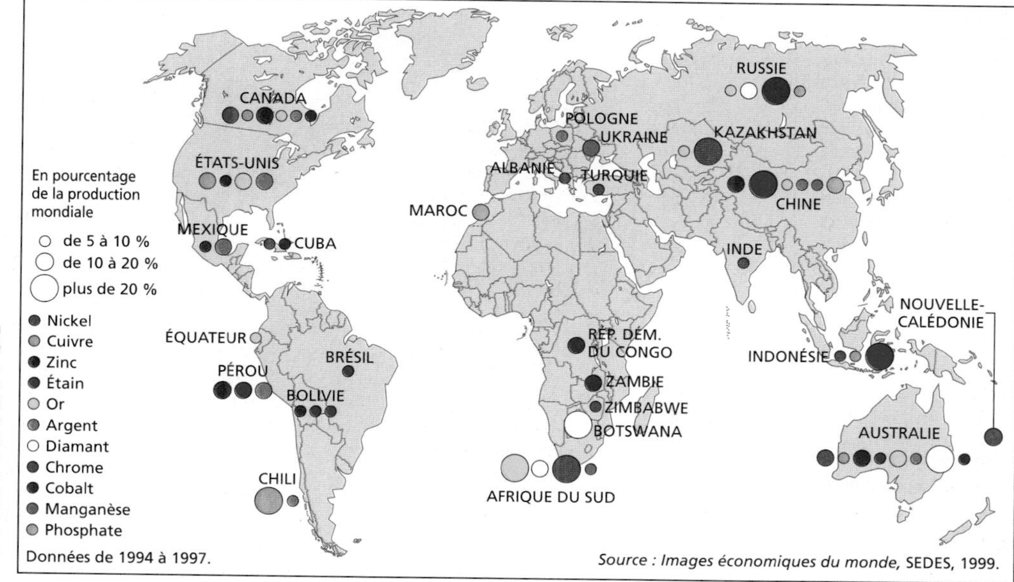

◆ **La production de minerais dans le monde.** Le planisphère ne prend en compte que les producteurs notables, fournissant au moins 5 % des productions minières représentées. Cette réserve explique le petit nombre d'États concernés par ces productions. Elle offre aussi l'avantage de mettre en évidence certaines concentrations.

La chimie et la parachimie

L'industrie chimique

L'industrie chimique est née avec la révolution industrielle, au XIXe siècle. Cette industrie traite deux grandes catégories de produits : des produits organiques à partir du pétrole et du gaz naturel, pour fournir de l'éthylène, du propylène, du méthanol et des dérivés, et des produits inorganiques, comme les gaz industriels (issus d'opérations industrielles, comme dans la sidérurgie), les grands acides (sulfurique, chlorhydrique, nitrique) et les sels. La chimie organique représente 70 % du total. La production de l'industrie chimique s'oriente vers deux grandes familles de produits : la chimie fine et la chimie lourde. La chimie fine s'intègre dans la pharmacie, la parfumerie et les cosmétiques, les produits d'entretien, les encres, les peintures, les vernis, mais également dans l'électronique, l'optique et l'agroalimentaire, les colles spéciales destinées à l'aéronautique et à l'aérospatiale, les cuirs et les textiles. La chimie lourde élabore des produits de grande diffusion issus de la pétrochimie, ou de la carbochimie, qui traite les produits issus de la houille. Les secteurs les plus performants de l'industrie chimique lourde en 1998 concernent les produits désinfectants et d'entretien à usage domestique ou professionnel, et une gamme de plus en plus large de produits agronomiques de prévention et de protection des plantes (la vente des produits phytosanitaires croît de 8,7 % par an).

La pétrochimie est la branche la plus récente, apparue au lendemain de la Première Guerre mondiale, quand la compagnie Standard Oil fabrique de l'isopropanol (antigel, solvant), suivie par Union Carbide, qui produit le glycol (antigel), Cities Service mettant au point le méthanol (solvant) et l'ammoniac de synthèse dès 1928 - puis le propylène qui permet de fabriquer les polyesters - en 1938, et surtout le révolutionnaire Nylon, à base de résine polyamide, en 1939. Les progrès sont très rapides au cours des années 1950 et 1960. Au début des années 1970, la pétrochimie est dominée par trois pôles : les États-Unis, l'Europe occidentale (République fédérale d'Allemagne, France et Royaume-Uni surtout), le Japon.

Économie actuelle du secteur. L'industrie chimique est un secteur où la recherche et le développement (R & D) sont particulièrement importants face aux innovations constantes. Elle représentait dès 1988 plus de 10 % du total de la R & D. La chimie industrielle fait l'objet d'une surveillance accrue depuis les graves catastrophes de Seveso (Italie, 1976, pollution par la dioxine) et de Bhopal (Inde, 1984, fuite de gaz toxiques ayant entraîné la mort de plus de 2 000 personnes).

La production de l'industrie chimique est dominée par l'Union européenne avec 32 % du total mondial, suivie par les États-Unis (26 %), le Japon (15 %), l'Asie hors Japon (12 %). Les échanges entre les trois partenaires de la Triade (É.-U., UE, Japon) sont équilibrés. La moitié de la production pétrochimique se situe à présent hors des États-Unis et de l'Europe occidentale, auparavant principaux marchés mondiaux. Les sociétés chimiques occidentales ont largement investi en Asie jusqu'en 1997. Au Moyen-Orient sont apparues des unités de production de chimie de base fondées sur les gisements de gaz naturel, qui sont beaucoup plus rentables que celles des vieux pays industrialisés, notamment pour la production de naphta (produit de distillation du pétrole entre l'essence et le kérosène). Cela conduit ces anciens pôles moteurs à abandonner une partie de la chimie de base pour se consacrer à des activités à plus forte valeur ajoutée, dans les domaines de la chimie fine et de la parachimie.

L'industrie chimique se restructure afin d'enrayer la surproduction apparue depuis 1990. Les grands groupes occidentaux recentrent leurs activités, comme Du Pont de Nemours (États-Unis), première société mondiale (45 milliards de dollars de chiffre d'affaires), qui limitera en 2000 ses activités à trois domaines : les sciences de la vie, qui représenteront 30 % de la production (contre 17 % en 1997), les produits de base (Nylon, polyesters, polymères) et les nouvelles fibres (Lycra). Il en sera de même de Hoechst (Allemagne) et de Rhodia, la firme créée par Rhône-Poulenc en janvier 1998, qui se consacrera aux sciences de la vie, pour devenir le deuxième chimiste mondial spécialisé devant Clariant et Ciba. Elf Atochem (France) produit, depuis févr. 1998, 24 % du tonnage mondial de résines acryliques, prenant ainsi la première place mondiale après rachat de la société américaine Plexiglas, et la 3e place mondiale pour la fourniture d'acide acrylique, en association avec une firme japonaise installée aux États-Unis, sur la côte du golfe du Mexique. Le nouveau groupe géant créé par l'Allemagne et la France (Hoechst et Rhône-Poulenc) en nov. 1998 renforce la puissance européenne.

La chimie minérale en France

À la différence de la chimie organique, la chimie minérale, ou « chimie de base », est devenue une activité secondaire. Les productions françaises sont variées : gaz comprimés (oxygène, azote, hydrogène servant à l'industrie), acide sulfurique, industries d'électrolyse, industries de synthèse et engrais. La France est première en Europe, avec plus de 4,1 millions de tonnes, sur le marché de l'acide sulfurique, obtenu à partir du soufre naturel ou récupéré par grillage des blendes (traitement industriel des sulfures de zinc), et destiné pour moitié à la fabrication d'engrais. Les groupes PUK (Pechiney-Ugine-Kuhlmann) et Rhône-Progil dominent ce secteur ; les principales productions proviennent de la région Nord-Pas-de-Calais. Les industries d'électrolyse ont commencé précocement en France, traitant les sels de soude et la potasse, pour obtenir le chlore gazeux, puis l'acide chlorhydrique, ou la soude caustique destinée aux détergents ; 65 % de la production vient du Sud-Est : 35 % de la région Rhône-Alpes, 30 % de la région Provence-Alpes-Côte d'Azur ; ce sont les mêmes groupes industriels qui font de la chimie électrolytique (PUK, Rhône-Progil, Solvay). Les industries de synthèse et les engrais datent de 1918, nées avec la synthèse de l'ammoniac, qui a permis de remplacer les nitrates naturels importés. La fabrication des engrais reste un secteur important, réalisant un chiffre d'affaires égal à celui de toute la chimie minérale. Six groupes sont concernés, dont la Compagnie française de l'azote, qui produit l'essentiel dans les usines du Sud-Ouest, en Haute-Normandie, dans le Nord-Pas-de-Calais, en Lorraine et dans la région lyonnaise.

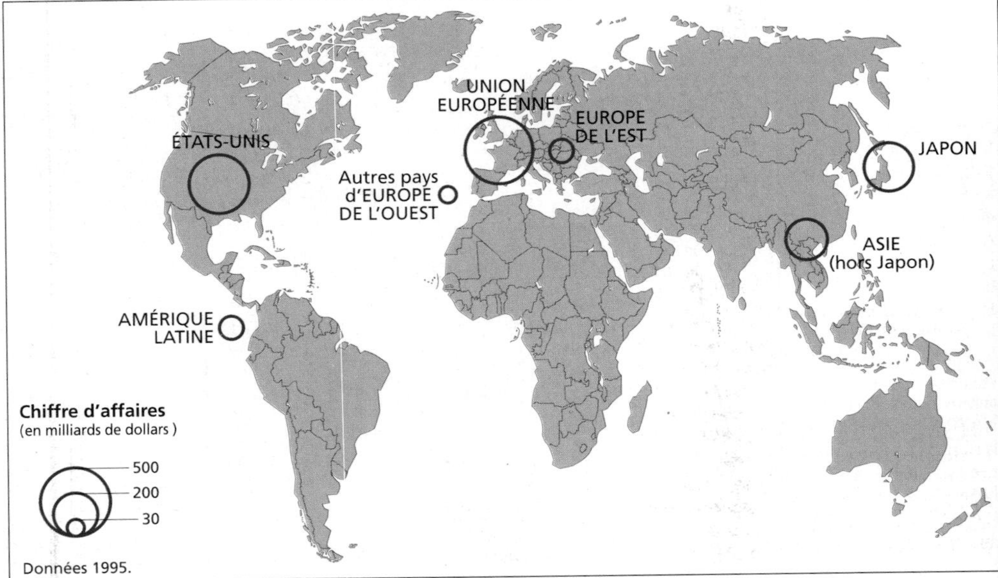

◆ **La chimie dans le monde.** Les grands pays industriels conservent la première place, en dépit de quelques pays émergents en Asie et en Amérique latine.

Le caoutchouc

Le caoutchouc (d'une langue indienne du Pérou *caao chu*, « bois qui pleure ») est un élastomère élaboré à partir du latex qu'on fait écouler par excision de l'écorce d'*Hevea brasiliensis*. Ce caoutchouc est dit « naturel », par opposition au caoutchouc dit « artificiel » ou « synthétique » obtenu par l'industrie chimique. L'essor de l'industrie automobile est à l'origine de l'intérêt porté à ce dernier produit. Les premiers caoutchoucs de synthèse sont élaborés par l'Allemagne au cours de la Première Guerre mondiale, mais c'est au cours de la Seconde Guerre mondiale que les Américains, privés de leurs matières premières asiatiques, mettent au point un nouveau produit à partir de dérivés du pétrole. Dès 1955, les États-Unis produisent près de un million de tonnes de caoutchouc de synthèse et dominent le marché. En 1998, le caoutchouc de synthèse, dont les applications sont nombreuses (pneumatiques, gaines techniques, enrobages divers), représente près de 80 % de la consommation totale.

La production de caoutchouc synthétique est assurée par les États industrialisés, où la demande est importante, le secteur automobile étant le principal client. Les pays de la Triade (É.-U., UE, Japon) dominent le marché mondial, mais on note l'émergence de nouveaux producteurs comme l'Union indienne, la Turquie, l'Afrique du Sud, l'Argentine. L'Europe forme un pôle important avec deux producteurs majeurs, l'Allemagne (584 000 t) et la France (593 000 t). La CEI (Communauté des États indépendants) fournissait 724 800 t en 1998.

La production de caoutchouc naturel est le fait des pays de la zone intertropicale (Amérique du Sud, Afrique subsaharienne, Asie du Sud-Est) où ont été créées de grandes plantations d'hévéas à la fin du XIXe siècle. Le Brésil a été le premier État à se lancer dans ce cycle productif. L'offre en caoutchouc naturel a cependant baissé en 1998 du fait à la fois de la sécheresse qui a frappé l'Asie, provoquée par le phénomène climatique El Niño, et qui a ravagé les plantations d'hévéas, et des grands incendies de forêts en Indonésie durant l'hiver 1997 ; mais l'Afrique subsaharienne, notamment la Côte d'Ivoire, augmente ses surfaces cultivées en hévéas. La Malaisie et la Thaïlande fournissaient la moitié de la production mondiale en 1998.

Le succès de Michelin

L'industrie du pneumatique est née en France à l'initiative des frères André et Édouard Michelin, héritiers d'une fabrique de balles en caoutchouc ; ils passent du stade artisanal au stade industriel en produisant le premier pneu démontable pour cycle en 1891, puis, en 1895, le premier pneu pour automobile. La Compagnie Michelin innove constamment, invente de nouveaux types de pneumatiques toujours plus efficaces (comme le pneu à carcasse métallique dès les années 1930 et le pneu « X » en 1949), destinés à tous les types de transport utilisant des roues. Au plan mondial, l'industrie du pneumatique est très concentrée : quelques groupes géants, dont Michelin est le numéro un incontesté, se partagent l'essentiel du marché. Les rivaux du groupe français, toujours installé à Clermont-Ferrand mais produisant des pneumatiques dans une trentaine de pays du monde, sont les sociétés Firestone, Bridgestone, Pirelli, Goodyear. La compétition automobile (formule 1 notamment) a permis aux grands du pneumatique d'associer leur nom à des victoires, ce qui a induit des retombées commerciales non négligeables, mais a également fait progresser l'industrie même du pneumatique.

Les engrais

Les engrais constituent des intrants de l'agriculture ; ils ont contribué à renforcer l'intégration agro-industrielle.

Les types d'engrais. Les engrais dits « azotés » sont d'origine minérale, et obtenus à partir de la synthèse de l'ammoniac, ou d'origine organique, et obtenus à partir de produits animaux ou végétaux ; la production d'azote, en 1997, était dominée par la Chine (21,3 Mt), l'Inde (8,5 Mt), la CEI (7,3 Mt), le Canada (3,8 Mt), la France (1,5 Mt). Les engrais dits « phosphatés » proviennent des phosphates naturels, employés directement après broyage ou solubilisés par un acide ; ce marché, en 1997, était dominé, pour les acides phosphoriques, par les États-Unis (10 Mt), la Chine (5,4 Mt), l'Inde (2,5 Mt), le Brésil (1,3 Mt), et pour les phosphates naturels par les États-Unis (47 Mt), la Chine (27 Mt), le Maroc (20,2 Mt), qui en est en outre le premier exportateur mondial. Les engrais dits « potassiques » proviennent de minerais naturels comme la sylvinite, la kaïnite ou la carnalithe : la production est dominée par le Canada (8,1 Mt), la CEI (5,3 Mt), l'Allemagne (3,3 Mt), Israël (1,5 Mt), la Jordanie (1,05 Mt), les États-Unis (0,83 Mt). Les engrais chimiques complètent ou remplacent les amendements traditionnels du sol (chaulage et marnage), apportant aux plantes cultivées le potassium et l'azote nécessaires à leur croissance. L'utilisation d'engrais dits « naturels » est encore largement répandue dans les pays du tiers-monde (comme au Pérou le guano, formé d'excréments d'oiseaux et de débris de poissons) ; elle connaît un certain regain d'intérêt dans les pays industrialisés, dans le cadre de l'agriculture biologique, tout en y restant très limitée, car l'essentiel provient de l'industrie chimique. Les industriels de ce secteur livrent deux sortes d'engrais : simples (azotés, phosphatés, potassiques) et composés (c'est-à-dire contenant plusieurs éléments fertilisants : azote, anhydride phosphorique, potasse), le marché de ces derniers étant dominé par les pays industrialisés. Les composants azotés proviennent surtout du phosphate (base de l'engrais azoté), dont la production mondiale est de 137,2 Mt en 1998. Les pays riches sont les premiers importateurs de phosphate brut.

Production et consommation. La production d'engrais azoté, en progression depuis 1992 (80,2 Mt), atteignait 86,7 Mt en 1997 ; celle d'engrais phosphatés dépasse 33 Mt, mais est en léger retrait par rapport à 1992 (34 Mt) ; celle d'engrais potassiques atteint 22,6 Mt (stable depuis 1992). De nouvelles unités de production de dérivés d'ammoniac et d'urée (composants essentiels des engrais chimiques) sont construites à un rythme élevé depuis 1990 dans l'ensemble des pays du monde ; la plus grosse unité de production sera ouverte en 2000 à Trinité-et-Tobago, mais c'est dans la région du golfe Persique que fonctionnent depuis 1998 des unités très modernes, à Abu Dhabi (400 000 t par an) et au Qatar (300 000 t par an). Une autre suivra en 2000 à Oman. Les pays du golfe Persique recyclent leur gaz naturel dans la production d'engrais, dont une bonne partie est vendue en Asie ; celle-ci absorbait en 1999 le tiers de la production mondiale. L'Algérie se lance également dans la production d'ammoniac et d'urée, en association avec un groupe chimique espagnol. La consommation d'engrais chimiques permet d'optimiser les rendements à l'hectare en Europe occidentale et au Japon, où l'agriculture est devenue très intensive. Aux États-Unis, cette consommation est plus modérée, de même qu'en Europe orientale et dans la CEI. Dans les pays du tiers-monde, elle était très faible il y a encore 15 ans, mais elle progresse, notamment dans les pays asiatiques – comme l'Union indienne dans le cadre de la révolution verte (fondée sur l'utilisation massive de variétés céréalières à haut rendement). Dans ces pays du tiers-monde, les unités de production sont souvent des firmes associées aux firmes multinationales américaines ou européennes. Le développement des cultures transgéniques aux États-Unis et en Europe pourrait faire diminuer la demande en engrais, dans la mesure où ces nouveaux procédés culturaux exigent moins de traitements phytosanitaires ; on estime qu'aux États-Unis, 30 % de la production de soja provient déjà de graines transgéniques.

◆ **Mine de phosphate à Khourigea, au Maroc.**
65% de la production nationale y est extraite.

Petit lexique

industrie légère ou **de transformation :** Industrie qui utilise peu de pondéreux et livre des produits finis à forte valeur ajoutée.

industrie lourde ou **de base :** Industrie qui utilise des matières premières et livre des produits semi-finis de faible valeur ajoutée (métallurgie, chimie de base…).

industries d'électrolyse : industries qui utilisent l'électricité comme moyen de production et non comme matière première.

Fibres artificielles et synthétiques

Le textile est un secteur industriel diversifié mettant en œuvre un matériau qui se présente sous la forme de fibres séparables susceptibles d'êtres filées, de composition chimique et de propriétés physiques variées. Un des bouleversements de l'industrie textile au XIXe s. est lié à l'apparition des fibres dites « artificielles » en Allemagne, en France (procédé Chardonnet) et au Royaume-Uni, puis, au XXe s., à l'apparition des fibres dites « synthétiques », les unes et les autres étant liées à l'industrie chimique.

Les fibres artificielles proviennent d'un réaménagement par l'homme de molécules qui existent à l'état naturel, la matière première essentielle étant la cellulose, d'où leur nom de « fibres cellulosiques » (rayonne et Fibranne). Les fibres synthétiques sont constituées de molécules totalement créées par l'homme, par polymérisation de structures simples. Les premières offrent une bonne élasticité et absorbent l'humidité, les secondes allient une bonne élasticité et une résistance supérieure à celle des fibres naturelles courantes ; elles résistent à l'abrasion et aux micro-organismes ; elles sèchent rapidement. Les polyamides, les acryliques, les polyesters constituent les principales fibres synthétiques.

La production de fibres synthétiques, qui connaît une croissance forte, a atteint 20,3 millions de tonnes (Mt) en 1997, dépassant largement les fibres cellulosiques (2,8 Mt), qui déclinent, et même les fibres naturelles (laine et coton représentent 20 Mt). Les capacités de production d'acrylique, Nylon, polyester et filaments devraient dépasser 31 Mt en 2002. La production industrielle est très nettement dominée par les pays industrialisés. L'Asie assurait, en 1998, 57 % de la production mondiale et devrait passer à 63 % en 2002, suivie par l'Europe (18 %) et l'Amérique du Nord (16,8 %). L'Union indienne est devenue depuis 10 ans un producteur notable avec plus de 5 % du total mondial, la Corée du Sud produit plus que le Japon (1,9 Mt, soit 9,5 % du total mondial), la Chine a doublé sa production en 10 ans. La production européenne est dominée par l'Allemagne (0,8 Mt). La production de fibres synthétiques, du fait de la haute technicité qu'elle requiert, ne revient qu'à un petit nombre de producteurs industriels, alors que celle de fibres artificielles peut être maîtrisée par des pays de moindre technicité (Afrique, Moyen-Orient, Asie du Sud hors Union indienne). Les firmes multinationales spécialisées dans les fibres synthétiques délocalisent de plus en plus leur production vers les pays à main-d'œuvre bon marché, notamment en Asie du Sud-Est, mais aussi en Amérique latine où ont émergé des producteurs notables, comme le Brésil depuis 1980.

Chimie organique et plastiques en France

L'existence de la chimie organique a longtemps été liée à la carbochimie, dans le Nord et en Lorraine, mais c'est aujourd'hui le pétrole qui est la matière première de cette industrie (ce qui n'est pas le cas dans d'autres États comme les États-Unis, où le charbon est encore abondant). Les grands groupes pétroliers, français ou étrangers, participent de cette industrie, localisée près des raffineries de pétrole situées soit dans les ports (basse Seine, basse Loire, golfe de Fos, étang de Berre, Gironde, Dunkerque), soit à l'intérieur des terres près de grandes métropoles et le long d'axes fluviaux majeurs (Alsace, Lyonnais avec le complexe de Feyzin), ou dans des régions aux traditions industrielles bien ancrées, comme le Jura méridional à Oyonnax et à Tavaux. Des corridors de la chimie organique apparaissent ainsi, créant des espaces industriels importants, mais non dénués de contraintes environnementales (fumées, pollutions chimiques...). La France produit plus de 4 Mt de plastiques, donnant naissance à une filière industrielle bien implantée sur son territoire, la plasturgie, qui transforme en produits finis l'ensemble de la production, dont 2 Mt de tuyaux et plaques, 1 Mt d'emballages, le reste étant une multitude de moulages en plastique destinés à diverses applications, dont l'automobile est devenue un des gros utilisateurs (accessoires, sièges, pièces diverses, carrosserie). On compte plus de 1 500 entreprises de plasturgie, en majorité des petites et moyennes, localisées surtout dans la région Rhône-Alpes (où se trouve la capitale de la plasturgie, Oyonnax), en Île-de-France et au nord de la Bourgogne. Le secteur est fortement pénétré par les firmes multinationales étrangères, notamment dans le domaine de la plasturgie automobile.

Les plastiques

Les premières matières plastiques sont apparues en Europe et aux États-Unis dans la seconde moitié du XIXe s. avec le Celluloïd, puis la Galalithe, qui remplacèrent peu à peu des matières naturelles comme la corne, estimées peu résistantes et de médiocre qualité. Dès 1910, des progrès sont réalisés avec les phénoplastes, puis les aminoplastes (1920) et enfin les alkydes (1930). La demande, au départ, est surtout ludique (boules de billard, jouets). La France a été pionnière dans ce secteur en développant dès la fin du XIXe s. les productions à base de Bakélite à Oyonnax. En 1900, la production est de 10 000 t ; elle est multipliée par six avant la Première Guerre mondiale, pour atteindre 100 000 t en 1930 et plus de 800 000 t en 1945.

En 1970, les États-Unis dominent le secteur des plastiques avec 40 % de la production mondiale et une capacité incontestée d'innovation. Vingt-cinq ans plus tard, ils sont concurrencés par l'Europe et l'Asie. La production est l'apanage des pays industrialisés en ce qui concerne les plastiques de qualité liés aux industries de haute technologie et à l'automobile. Cette dernière est devenue un client majeur, les matières plastiques remplaçant de plus en plus le métal, aussi bien dans les éléments de carrosserie que dans les aménagements intérieurs. De nombreux pays émergents, comme la Chine ou l'Union indienne, se sont lancés dans la production de plastiques de qualité moyenne destinés à des utilisations industrielles très variées.

L'industrie pharmaceutique

L'industrie pharmaceutique est située en aval des productions chimiques et – de plus en plus – biotechnologiques. Elle est destinée à des usages humain et vétérinaire, curatifs et préventifs. Les substances pharmaceutiques sont fondées sur les divers principes actifs de base des médicaments et d'origine humaine,

Petit lexique

acrylique : polymère de l'acrylonitrile entrant dans la fabrication de fibres synthétiques.

aminoplaste : résine synthétique durcissable à la chaleur.

Celluloïd : matière plastique obtenue à partir de la cellulose végétale.

Galalithe : matière plastique obtenue à partir de la caséine végétale.

phénoplaste : résine artificielle obtenue par traitement industriel.

polyamide : fibre synthétique (polyhexaméthylène-adipamide) produite par l'industrie pétrochimique, à l'origine du Nylon.

polyester : base acide téréphtalique entrant dans la fabrication de fibres synthétiques.

VOIR AUSSI
- **Chimie organique** p. 351
- **Caoutchouc naturel** p. 861

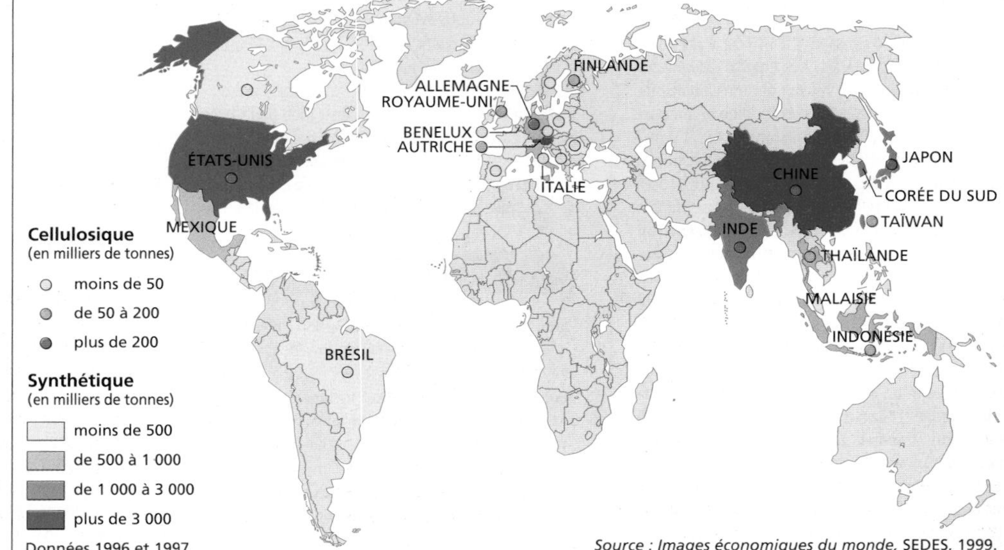

◆ **Textiles artificiels et synthétiques dans le monde.** On remarque la prépondérance très nette des fibres synthétiques, moins accentuée toutefois dans les pays techniquement moins développés, comme la Chine ou l'Inde. De même, le poids de l'Asie orientale dans la production des textiles synthétiques est bien apparent sur le planisphère.

De la pénicilline aux antibiotiques

Dès le début du XXe s., des chercheurs ont observé que certains champignons microscopiques peuvent inhiber la croissance des bactéries. La pénicilline a été découverte par un chercheur londonien, Alexander Fleming, qui, en 1928, reconnut le pouvoir bactéricide d'une moisissure. En 1940 deux chercheurs américains, H. W. Florey et E. Chain, reprennent les travaux de Fleming et réussissent à purifier de petites quantités de pénicilline, cliniquement active. On avait alors besoin de substances capables de guérir les plaies infectées des blessés de guerre. Les États-Unis et le Royaume-Uni mettent sur pied un vaste programme de recherche pour améliorer les méthodes de production et de purification de la pénicilline, ce qui permet dès 1945, en rendant ce nouveau médicament accessible à tous, de révolutionner la médecine dans le monde entier. Les laboratoires européens produisent alors de grandes quantités de pénicilline et accélèrent les recherches sur d'autres substances antibiotiques adaptées au traitement de maladies spécifiques. Des travaux récents montrent cependant les limites des antibiotiques, dans la mesure où des bactéries leur sont devenues résistantes.

animale, végétale ou chimique (3000 sont répertoriées en France). Les produits pharmaceutiques regroupent les médicaments qui contiennent une ou plusieurs substances de base. Les présentations concernent chaque association, dosage ou mode d'administration d'un même produit. L'essor de l'industrie pharmaceutique est récent, puisqu'il date des années 1950; il est lié aux progrès scientifiques, à l'élévation du niveau de vie des pays industrialisés et à la mise en place de systèmes de protection sociale dans ces mêmes pays, sans oublier l'action de l'OMS (Organisation mondiale de la santé) en direction des pays en développement. L'accès aux soins est devenu une priorité et l'un des paramètres de l'IDH (indice de développement humain), augmentant de fait la demande mondiale.

La production et la consommation. La production pharmaceutique est en forte croissance (environ 9 % par an aux États-Unis et en Europe, 7 % en Amérique latine, 13 % en Asie et 17 % au Moyen-Orient). Seule l'Afrique subsaharienne reste très nettement en retrait, à cause de la pauvreté et du faible accès aux soins. Selon l'Institut mondial de la santé, la croissance mondiale devrait se maintenir à 7 % par an d'ici à 2001. Les États-Unis restent le premier producteur, mais sont seulement le 8e exportateur. L'Europe domine nettement le marché mondial : Allemagne, Royaume-Uni, France, Suisse, Suède, Benelux occupent les six premières places pour l'exportation. L'industrie pharmaceutique est devenue une industrie de pointe liée à un secteur recherche et développement doté de moyens considérables, à hauteur de 15 % du coût final du produit. Certaines productions, comme celle des vaccins (vaccin contre l'hépatite B, par exemple), sont en plein essor et grâce au génie génétique et à la multiplication par 7 des coûts de la recherche, le groupe français Pasteur-Mérieux-Connaught prévoit de renouveler à 80 % sa gamme de vaccins d'ici à 2003. Les industriels du secteur misent sur les nouvelles molécules et les avancées de la génomique, en axant les travaux sur les gènes responsables des maladies dont le traitement pourra entraîner de confortables hausses du chiffre d'affaires dans les pays à haut revenu. Le Viagra, pilule miracle issue du laboratoire Pfizer en 1998, contraction de «vigueur» et «Niagara», atteint dans le monde 110 000 prescriptions par semaine, produisant 144,5 milliards de dollars et faisant apparaître Pfizer à la 4e place mondiale, contre la 11e en 1997. La contrefaçon, toutefois, devient un obstacle pour les industriels du secteur.

Le Japon, 2e producteur mondial, ne représente que 1 % du marché mondial car il exporte peu, mais il reste un très gros consommateur, certes loin derrière les États-Unis, premier consommateur en chiffre absolu dans le monde avec 31,1 % du marché mondial. Les dépenses annuelles par personne sont, elles, de 380 dollars au Japon, 225 dollars aux États-Unis, 170 dollars en Europe occidentale, contre seulement 1,5 dollar dans les pays en développement (4 dollars en Chine). On estime que les dépenses ont crû de 350 % depuis 1981. Les nouveaux médicaments sont lancés par les États-Unis (45 % en 1998), l'Europe (dont 14 % par le Royaume-Uni et seulement 3 % par la France) et le Japon (7 %). On estime que 14 % sont vendus dans le monde entier. La part de revenus consacrée par les ménages aux produits pharmaceutiques est passée de 5,2 % en 1960 à 12,4 % en 1998 aux États-Unis et de 4,2 % à 8,9 % en France dans le même laps de temps. Le vieillissement des populations des pays industrialisés est l'un des facteurs expliquant cette évolution : on estime qu'en France la dépense pour un individu de vingt ans est de 500 francs par an; à quarante ans elle atteint 1000 francs et à soixante-dix ans elle culmine à 2800 francs. Le nouveau marché des médicaments dits « génériques » (copie de produits dont les brevets sont tombés dans le domaine public) s'est nettement développé aux États-Unis et en Europe du Nord, où ces médicaments comptent maintenant pour la moitié, mais reste faible en France (3 % seulement). Ce marché ne semble plus aussi prometteur d'ici à 2010 : il ne devrait alors représenter que 11 % du marché pharmaceutique mondial, mais on estime qu'il pourrait représenter 40 % du total en Allemagne contre 5 % en France.

L'industrie pharmaceutique est un secteur de plus en plus concentré depuis 1990, tout en restant très fractionné : aucun groupe ne détient plus de 5 % du marché mondial. Les grands groupes mettent en œuvre des stratégies d'alliance et de fusion. Cinq des dix premiers groupes mondiaux sont américains : Merck (États-Unis) est devenu le premier du monde (11,8 milliards de dollars), devant le britannique Glaxo Wellcome (11,6 milliards de dollars) et le suisse Novartis (11 milliards de dollars). Les groupes procèdent à des délocalisations – comme Hoechst-Marion-Roussel (groupe franco-allemand) qui a inauguré une unité de production au Mexique, à Ocoyoacac, dans la banlieue de Mexico, afin de dominer le marché latino-américain – et se lancent dans la sous-traitance avec des laboratoires privés spécialisés dans la haute technologie et les biotechniques (1000 unités aux États-Unis contre 500 en Europe).

L'industrie parachimique

L'industrie parachimique, comme l'industrie pharmaceutique, vient en aval de la chimie. Elle offre des productions variées à usage domestique ou industriel : parfums, cosmétiques, détergents, colles, peintures, revêtements pelliculaires, encres, produits photographiques, applications pour l'électronique, etc. Les produits sont déjà anciens dans leur conception, mais leurs techniques de fabrication profitent des retombées de la recherche pour l'ensemble de la chimie.

L'élévation du niveau de vie des pays industrialisés explique, comme pour le secteur pharmaceutique, la progression constante de la consommation (10 % par an). On doit tenir compte également du rôle majeur de la grande distribution dans la vente de ces produits (40 % du secteur). Les entreprises fabricantes sont nombreuses, notamment dans les secteurs liés à la parfumerie et aux cosmétiques, mais seuls quelques groupes de dimension mondiale émergent, comme Unilever (Royaume-Uni et Pays-Bas), Procter & Gamble (États-Unis) ou Rhône-Poulenc (France).

La concurrence internationale. La parachimie est une industrie spécifique des pays industrialisés, qui diffusent dans l'ensemble du monde leurs produits et imposent des modes. La France émerge nettement dans le domaine de la parfumerie, en liaison avec les industries dites « du luxe » : 4 des 8 plus grands du secteur sont français, la France dominant les exportations mondiales (29,7 milliards de francs en 1997). On doit cependant remarquer que la France a perdu le monopole mondial du parfum haut de gamme en raison d'une concurrence farouche venue du Japon avec, principalement, le groupe Shisheido; de nombreuses maisons de parfum françaises ont été achetées par de grands groupes internationaux : Elf-Aquitaine, via sa filiale Sanofi, possède les marques Yves Saint-Laurent, Nina Ricci, Van Cleefs & Arpels, Oscar de la Renta; Chanel produit sous sa marque mais aussi sous celle d'Ungaro et assure 5 % du marché mondial. Grasse reste la capitale mondiale du parfum : 2000 personnes y travaillent dans les ateliers de création (Yves Rocher, Molinard, Fragonard, etc.); Robertet, industriel traditionnel, fabrique des essences spécialement étudiées pour le marché du Moyen-Orient.

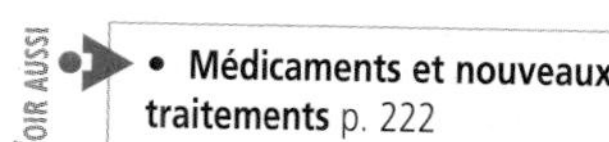
VOIR AUSSI • **Médicaments et nouveaux traitements** p. 222

La création de parfums

L'origine de la parfumerie, comme celle des cosmétiques, est commune à toutes les civilisations et remonte à la plus haute Antiquité. Depuis la fin du XIXe s., la chimie de synthèse permet de reconstituer artificiellement des odeurs existant dans la nature ; les laboratoires mettent au point une centaine de nouveaux parfums chaque année, tout en continuant d'offrir au public des produits conçus depuis des décennies, aux secrets jalousement gardés par les maîtres parfumeurs. La création d'un «jus» est désormais le fait d'une poignée de créateurs capables de marier les essences : ce sont les «nez», c'est-à-dire les personnes qui savent déterminer ce que sera le futur parfum à partir d'une dizaine d'essences (l'odeur perçue aussitôt est une «note de cœur» qui donne son caractère au parfum, une «note de fond» fixant le tout). Du mélange entre notes fruitées ou vertes, boisées, fleuries ou animales naîtra le parfum. Mais les «nez» doivent également tenir compte des effets de mode. La création d'un parfum est une œuvre d'art, reconnue comme telle pour les produits les plus prestigieux, tel le célèbre N° 5 de Chanel. On peut considérer qu'un parfum est représentatif d'une époque ou d'une civilisation, au même titre qu'un tableau.

Les industries du bois et du verre

L'exploitation du bois

Les ressources en bois sont très différentes selon les continents. Le couvert forestier total de la planète atteint 35 Mkm² (millions de kilomètres carrés). Les plus grandes forêts du monde sont localisées aux latitudes extrêmes : forêt dense ou sempervirente aux latitudes basses proches de l'équateur (Amazonie, Indonésie, Afrique équatoriale en façade ouest), dans un climat chaud et humide, sur 20 Mkm²; taïga aux latitudes les plus élevées (Scandinavie, la partie septentrionale de la Russie, une grande partie du Canada et de l'Alaska), dans des climats très froids, sur 12 Mkm². Ces forêts occupent des espaces continus sur des milliers de kilomètres. Quant aux forêts des climats tempérés, elles diffèrent les unes des autres en fonction de leur position, soit océanique, soit continentale, et par leur composition floristique, qui oppose les feuillus aux résineux; elles couvrent environ 18 Mkm².

Les forêts jouent un rôle majeur dans la régulation des phénomènes atmosphériques, et la déforestation accélérée, depuis des décennies, dans les pays industrialisés pose le problème de la limite de leur utilisation pour les coupes industrielles et le défrichement destiné à étendre les surfaces cultivées. Les États-Unis et l'Union européenne procèdent à des reboisements systématiques depuis les années 1980 afin de conserver leur patrimoine forestier. Les forêts de la zone intertropicale et la taïga sont, elles aussi, soumises à une déforestation intensive. Le Canada vise à arrêter les défrichements sur son territoire au niveau du 59e parallèle. On estime, malgré les abus constatés, que la moitié du patrimoine forestier mondial n'a pas encore été exploitée à la fin du XXe siècle.

L'exploitation de la forêt use de moyens mécaniques de plus en plus puissants (tronçonneuses, dessoucheuses), qui augmentent la productivité, depuis l'abattage des troncs jusqu'à la scierie en passant par le transport des grumes. Elle est dominée par les multinationales d'origine japonaise, européenne ou américaine, qui interviennent dans les pays tropicaux. En Europe, elle est encore souvent le fait d'entreprises plus modestes. L'Amérique du Nord (États-Unis et Canada) fournit 46 % de la production mondiale, les pays tropicaux assurant le reste (Malaisie, Indonésie, Brésil, Chili, Chine, Côte d'Ivoire et Ghana). La CEI a vu sa production divisée par 3 depuis 1991 (30,6 Mm³ en 1998 contre 114 Mm³ alors). Le bois alimente des courants d'échanges croissants; le Brésil est ainsi devenu le premier exportateur de sciages tropicaux.

La transformation du bois

La production mondiale de bois se partage entre les bois de feu, produits et consommés dans les pays tropicaux, et les bois industriels, des grumes destinées à la construction dans les pays industrialisés (notamment aux États-Unis, où la maison traditionnelle reste majoritairement en bois). Quelques multinationales se partagent le marché mondial, mais, dans les pays de l'Union européenne, les petites et moyennes entreprises dominent.

L'or vert en Scandinavie

La forêt couvre le quart du territoire de la Norvège, plus de la moitié des superficies de la Suède et de la Finlande, cédant la place dans l'extrême Nord à la toundra et, dans le sud de la Suède et au Danemark, aux cultures. Les essences sont celles de la taïga (conifères et bouleaux). Les surfaces forestières progressent depuis deux siècles; la forêt remplace souvent des terres arables abandonnées, imprégnant la culture locale, l'architecture (maisons en bois), l'ameublement, la littérature (Ibsen, Lagerlof), la musique, le cinéma (*Un été avec Monika*, œuvre d'Ingmar Bergman, où s'exprime la quête de la nature forestière notamment). La filière bois est devenue une industrie à la fin du XIXe siècle; les produits finis remplacent les produits bruts dans les exportations, comme la pulpe de bois au lieu des grumes. Les pratiques sylvicoles sont le reflet de l'agriculture industrielle : on pratique des coupes à blanc puis la régénération avec engrais, traitement du sol, manipulations génétiques et clonage des arbres. L'entreprise Ikea, née en Suède, exporte et s'implante dans tous les pays industrialisés. Elle a inventé un nouveau concept d'ameublement qui séduit le monde entier. La société finlandaise Kymenne, née dans la vallée de la Kymi, exporte elle aussi.

Les produits de l'industrie. Les industries mécaniques du bois fournissent des produits dérivés à partir des sciages de résineux et de feuillus : bois de charpente, de menuiserie, de tranchage et de déroulage, destinés à fournir des placages à l'ébénisterie ou des contreplaqués à partir des sciages tropicaux. La trituration fournit des bois à fragments destinés à être réagglomérés ultérieurement (on découpe le bois en copeaux plats) et des bois pour panneaux agglomérés très utilisés dans le bâtiment : Isorel, Biplac, panneaux de particules qui peuvent être mélaminés, c'est-à-dire recouverts d'une surface décorative (ameublement de cuisines par exemple). L'industrie du bois livre également les pâtes mécaniques ou «pâtes à bois» dont le procédé a été inventé en 1843 par F.G. Keller en Allemagne, destinées à fabriquer la pâte à papier dont le bois est la matière première essentielle (55,6 % contre 36,28 % pour le recyclage des vieux papiers et 17 % provenant d'autres produits). Les industries de la tannerie utilisent l'écorce du chêne ou du châtaignier dont on extrait les produits tannants. Les celluloses utilisées par l'industrie chimique (par exemple pour fabriquer la Cellophane) sont tirées de différents bois. Le pin d'Alep et le pin maritime fournissent l'essence de térébenthine (détachant). Le liège provient de l'écorce des chênes-lièges dont l'industrie de la bouchonnerie est le principal utilisateur. L'industrie pharmaceutique tire du quinquina des Andes un remède, la quinine, aux vertus antipyrétiques (contre la fièvre).

Le marché mondial. La production mondiale de bois rond atteignait 611 Mm³ (millions de m³) en 1997 contre 505 Mm³ en 1991; elle est dominée par les États-Unis (40 Mm³), le Canada (18,3 Mm³), la Chine (10,4 Mm³), le Brésil (8,4 Mm³) et la Russie (6,7 Mm³).

Les premiers exportateurs de bois rond sont les États-Unis, la Russie, l'Australie, la Malaisie, le Chili, la Nouvelle-Zélande. Les principaux importateurs restent le Japon avec le tiers du total mondial (47 Mm³ sur 123 Mm³), la Corée du Sud, la Finlande, la Chine. La production de contreplaqués atteint 55,5 Mm³ et est dominée par les États-Unis (17 Mm³), mais l'Indonésie et la Malaisie sont les premiers exportateurs.

Petit lexique

bois rond : grume destinée au sciage pour fournir des planches.
forêt sempervirente : désigne une forêt de la zone tropicale humide où la verdure est permanente.
grume : bois qui est transporté ébranché, mais avec son écorce.

Le verre

La fabrication du verre remonte au IVe millénaire av. J.-C., dans le bassin méditerranéen. La matière première du verre, la silice, extraite de carrières de sable, se trouve presque partout; elle est associée à la soude provenant de l'industrie chimique : la silice est fondue et mélangée à de la soude et de la chaux. Divers matériaux peuvent être ajoutés durant cette opération, comme l'oxyde de plomb pour obtenir le cristal, des oxydes teintants pour obtenir du verre coloré, des fluorures ou des phosphates pour fabriquer les opalines, etc.

La première étape de la fabrication du verre est la fusion à haute température d'un mélange constitué à 72 % de vitrifiants (dont la silice), à 14 % de fondants et à 14 % de stabilisants, toutes ces opérations étant gérées par informatique. La production industrielle de verre livre des verres plats (vitrage) et creux (produits moulés). Les fibres de verre, fruits d'une industrie récente apparue dans les années 1960, sont obtenues par centrifugation d'un filet de verre pour la fibre d'isolation, et par mise en filière pour la fibre dite textile; cette technologie est dominée par quelques pays, dont la France, pionnière dans ce domaine, notamment dans la fabrication de fibres optiques, qui permettent d'accroître les transmissions de données télématiques.

Le verre est un produit aisément recyclable, ce qui détermine une nouvelle branche de la filière ; on estime que 30 % du verre mondial est à présent recyclé chaque année; la France est le 2e pays européen à pratiquer ce recyclage (20 % du tonnage).

La production mondiale de verre est dominée par les États-Unis (1er rang), l'Union européenne et le Japon, mais, depuis le début des années 1990, on assiste à la montée en puissance de pays émergents comme le Brésil, l'Union indienne ou la Chine. À côté de l'industrie du verre subsiste un artisanat de luxe lié aux cristalleries, souvent très anciennes. Cet artisanat de luxe est dominé par la République tchèque (cristaux de Bohême) et par la France (cristaux de Saint-Louis, Daum, Lalique, Baccarat.) Les clients en sont non seulement les particuliers, mais aussi les industriels de la parfumerie (flaconnage).

VOIR AUSSI
- **Forêts** p. 73
- **Bois** (agriculture) p. 860

Le bâtiment et les travaux publics

Les matériaux de construction

Les matériaux de construction font partie des industries de base, nécessaires à la fois aux grosses infrastructures (ponts, tunnels, pistes d'aéroports…) et au bâtiment.

Le ciment. L'industrie cimentière est un secteur clé dans tous les pays, fournisseur en amont de l'industrie du BTP (bâtiment et travaux publics). De son dérivé, le béton, dépend tout l'équipement d'un pays : logements, écoles, hôpitaux, ponts, routes, autoroutes, ports, barrages, etc.

Les ciments courants sont fabriqués à partir d'un mélange de calcaire à 80 % et d'argile à 20 % porté à une température de 1500 °C puis refroidi brutalement, donnant un produit nommé « clinker », qui, mélangé à du gypse et à d'autres matériaux, donnera le ciment fini. Les ciments varient selon leur composition (alumineux fondu, prompt, super-blanc) et leur résistance à la compression. Les ciments sont choisis en fonction de leur utilisation (charges lourdes, piliers de ponts…), le plus souvent sous forme de béton, qui est un mélange de granulats, de ciment et d'eau : béton armé avec de l'acier, béton de masse non armé, béton précontraint (soumis à des compressions permanentes visant à renforcer sa résistance) pour les ouvrages d'art, bétons spéciaux (légers ou lourds) pour l'isolation phonique ou thermique, bétons réfractaires résistant aux hautes températures, etc.

Les cimenteries sont situées soit à proximité des carrières de calcaire afin de limiter les coûts de transport de la matière première à faible valeur ajoutée, soit à proximité des régions de grande consommation (grandes villes), où l'on achemine la matière première qui est transformée directement sur le lieu de consommation.

Les pays les plus industrialisés ou les plus peuplés sont les premiers producteurs, tandis que les pays en développement ont pris un grand retard.

Briques et tuiles. La production de ces matériaux remonte au IIIe millénaire av. J.-C., dans le bassin méditerranéen. La brique creuse est inventée en Grande-Bretagne en 1813, la tuile à emboîtement en France en 1841. La matière première des briques et des tuiles est la terre cuite (argile), mais entrent dans le processus de fabrication la silice (30 à 80 %), l'alumine (10 à 25 %), donnant aux argiles leur plasticité, le fer (8 %), la chaux (15 % parfois), des matières organiques pour la coloration, des oxydes alcalins pour les renforcer.

La production suit la demande du secteur du bâtiment, principal client. Les entreprises sont beaucoup moins concentrées que celles qui fabriquent du ciment, aussi bien au point de vue financier que spatial. Les briques et les tuiles font l'objet d'une recherche constante pour améliorer leur qualité : des matériaux de plus en plus légers comme les thermomousses et les mousses d'argile sont utilisés. La production est atomisée dans le monde; les plus gros producteurs sont la Chine, la CEI, les États-Unis, l'Union européenne.

en millions de tonnes

0 – 10 – 20 – 30 – 40 – 50 – 60 – 70 – 80 – 90 – 100 – 110 – 120 – 130 – 140 – 150

Chine 488,6 ; Japon ; Inde ; États-Unis ; Corée du Sud ; Thaïlande ; Brésil ; Allemagne

Données 1997. *Source* : Images économiques du monde ; SEDES.

◆ **Les grands pays producteurs de ciment.**

Le bâtiment

Ce secteur engendre un nombre important d'activités très diverses, dont l'objectif est de fournir les matériaux nécessaires à la construction de logements et de bâtiments industriels et commerciaux. C'est un secteur présent dans la quasi-totalité des pays du monde, et qui nécessite un gros volume de main-d'œuvre. Une multitude d'entreprises sont concernées par cette activité, le plus souvent des petites et moyennes entreprises, bien que quelques grands groupes de travaux publics s'y intéressent et proposent leur logistique et leur savoir-faire.

Les techniques de construction, qui étaient restées traditionnelles durant des siècles, ont considérablement évolué depuis les années 1950, en liaison avec l'apparition de nouveaux matériaux et surtout avec l'optimisation des matériaux existants (béton, verre). L'Amérique du Nord a innové dès la fin du XIXe s. avec les premiers gratte-ciel à Manhattan (New York). Les armatures en acier, venues des États-Unis, vont permettre également de construire des immeubles de plus en plus grands et de plus en plus hauts, en Europe puis en Asie. Aujourd'hui, toutes les grandes métropoles du monde, y compris dans les pays en développement, ont leur quartier de tours et de gratte-ciel, dédié en général aux bureaux et au commerce. La rénovation des bâtiments anciens, leur mise aux normes de sécurité actuelles créent de nouvelles activités, notamment en France, où cohabitent un patrimoine important de bâtiments séculaires et une architecture résolument moderniste comme dans le quartier de la Défense (Puteaux, Hauts-de-Seine). Au cours des décennies 1950-1970, les pays les plus industrialisés ont lancé de vastes programmes de logements en relation avec l'essor démographique, tournés soit vers le logement collectif populaire ou résidentiel, soit vers les pavillons et maisons individuelles qui, en France comme aux États-Unis, représentent plus de la moitié des logements. Dans les pays du tiers-monde, l'urbanisation galopante entraîne une progression rapide de cette activité, notamment en Amérique latine.

Secteur dynamique, le bâtiment reste cependant soumis à la conjoncture nationale ou internationale. La crise asiatique de 1997-1998 a montré l'extrême fragilité de cette industrie au Japon ou dans les nouveaux pays industrialisés d'Asie.

◆ **Le pont de Normandie.** Commencé en 1988 et achevé en janvier 1995, il rapproche Le Havre et Honfleur. D'une longueur de 2 141 m, ce pont a été calculé pour résister aux vents les plus violents (440 km/h).

Les grands travaux de la fin du XXe siècle

La maîtrise du franchissement d'estuaires ou de passages maritimes (détroits, Manche) a permis la réalisation d'ouvrages d'art remarquables.
Outre le tunnel sous la Manche, long de 50 km, inauguré en 1994 entre la France et le Royaume-Uni, des tunnels subaquatiques existent au Japon entre l'île principale de Honshu et les deux iles de Hokkaido au nord et de Shikoku au sud. Dans le domaine des ponts géants enjambant un estuaire, la France a réalisé le plus grand pont suspendu d'Europe à Tancarville en 1959, puis en 1995 le pont de Normandie. Au Portugal, la construction du pont Vasco-De-Gama sur le Tage a commencé en 1990 pour être achevée en 1998 : ses 17 km de longueur en font le pont le plus long d'Europe, dont 12 km au-dessus des flots.

Les travaux publics

Le secteur des travaux publics est le plus souvent associé à celui du bâtiment, l'ensemble formant le BTP. Les travaux publics ont cependant leur spécificité : réaliser de grandes infrastructures, y compris les voiries et réseaux divers, alors individualisés sous l'appellation « génie civil ». Le niveau de développement des travaux publics reflète le degré d'avancement économique et technique des pays : à la différence du secteur précédent, les travaux publics exigent d'énormes investissements et seuls quelques groupes industriels sont capables d'offrir la logistique nécessaire à la réalisation de grands ouvrages. Les principales activités des travaux publics concernent les ouvrages d'art (ponts, barrages hydroélectriques notamment), les travaux souterrains, les travaux en site maritime ou fluvial, les routes, autoroutes, pistes d'aérodromes, voies ferrées, travaux d'hygiène publique, travaux électriques publics et industriels, canalisations à longue distance, travaux de génie agricole.

C'est un secteur fortement concentré. Les États-Unis, la France, le Japon disposent des groupes les plus puissants.

Les industries de biens d'équipement

La construction automobile

L'industrie automobile est née à la fin du XIXe s. en Europe occidentale. Les Américains héritent les innovations des Européens et optimisent les méthodes de fabrication : Ford crée en 1910 la première usine moderne à Rivière Rouge. Alors que l'automobile européenne reste un produit de luxe jusqu'en 1939, l'industrie automobile américaine offre déjà des véhicules accessibles au plus grand nombre, grâce à la fabrication en série. À cette date, elle domine le marché mondial avec plus de 5 millions de véhicules produits par les Big Three (Ford, GMC, Chrysler) contre moins de 1 million en Europe. Il faut attendre les années 1950 et 1960 pour que l'industrie automobile produise en masse à l'échelle mondiale. Créatrice d'emplois dans les décennies 1950-1970, elle s'est profondément restructurée et modernisée pour rester, dans les pays industrialisés, un secteur clé dont le rôle d'entraînement est majeur pour de nombreuses autres industries sous-traitantes des grands fabricants (notamment les équipementiers) et pour tous les secteurs des services liés à l'automobile (assurances, garages, etc.).

◆ **« Coccinelle ».**
« Voiture populaire » *(Volkswagen)*, prévue pour un couple et trois enfants, elle a reçu son surnom en 1959 pour la publicité aux États-Unis. Le projet est né en 1934 de la rencontre entre A. Hitler et F. Porsche. La nouvelle Coccinelle, lancée en 1998, s'en inspire largement.

La production. La production mondiale dépend aujourd'hui de 32 États répartis sur tous les continents, mais seuls quelques-uns sont capables de concevoir et de réaliser des voitures, les autres ne faisant que de l'assemblage et du montage. La production mondiale est dominée par les États-Unis et le Japon qui réalisent 40 % du total avec près de 12 millions de véhicules chacun. La concentration est la règle. Elle s'est accompagnée de vagues de licenciements, ainsi que de délocalisations vers des pays où la main-d'œuvre est moins chère. Elle répond au souci d'optimiser la recherche (économies d'énergie, confort, sécurité, pollution, voitures électriques) et les méthodes de production, qui ont profondément changé en 30 ans : on est passé des méthodes « fordistes » aux méthodes héritées du Japon, plus performantes (« toyotisme », flux tendus). Le délai entre la conception d'un véhicule et sa commercialisation se réduit d'année en année. L'industrie automobile dépend de groupes puissants de dimension mondiale (on compte 11 sociétés au Japon dont 5 dominent la production, 6 en Europe, 3 aux États-Unis). Les constructeurs cherchent à proposer de nouveaux modèles pour s'imposer face à la concurrence et s'adapter à une mode changeante : ainsi les *light trucks* (4 x 4 en particulier), qui représentent 40 % du marché américain. L'idée d'une « *world car* », lancée par les Japonais en 1992, a été reprise par Renault, qui espère construire d'ici à 2005 un modèle destiné aux pays en développement.

◆ **Espace Renault.**
Nouveau concept de voiture créé en 1984, utilisant des carrosseries entièrement plastiques.

◆ **Ferrari.**
Elle allie goût du luxe et esprit de compétition. Depuis 1969, la firme est contrôlée par Fiat. Le tiers environ de la production est exporté aux États-Unis.

◆ **Les groupes qui dominent l'industrie automobile.**

Groupes	Pays	Ventes en unités	Part de marché en %
General Motors	États-Unis	8 776 000	16,2
Ford	États-Unis	6 943 000	
Toyota Motors Corp.	Japon	4 843 000	9
Vag	Allemagne	4 260 000	7
Chrysler Daimler-Benz	États-Unis et Allemagne	3 609 961	7,4
Fiat Auto Spa	Italie	2 864 000	5,3
Nissan	Japon	2 832 000	5,2
PSA Peugeot Citroën	France	2 106 000	3,8
Honda	Japon	2 037 000	3,5
Mitsubishi	Japon	1 911 980	3,5
Renault	France	1 834 000	3,4

Données 1997.
Source : Automotive News, in *Conjonctures 99*, Éditions Bréal.

La construction ferroviaire

La première usine de construction de locomotives à vapeur s'est ouverte en 1823 à Newcastle (Grande-Bretagne). Le coût de revient trop élevé de ces locomotives les a fait abandonner, à de rares exceptions près (Chine), au profit de la traction Diesel ou électrique. Inventé à la fin du XIXe s., le moteur Diesel connaît un grand essor après la Seconde Guerre mondiale puisque c'est le mode de traction dominant aux États-Unis et dans la majorité des pays en développement. Quant aux motrices électriques, elles ne se différenciaient pas des tramways à l'origine ; leur évolution et les recherches sur les turbomoteurs ont permis l'invention des rames TGV mises en service à partir de 1980. La traction électrique est le mode de traction dominant en Europe de l'Ouest. L'industrie du matériel ferroviaire est dispersée, mais seuls quelques pays dominent au plan technique, dont la France (groupe Alsthom), l'Allemagne, l'Italie, le Japon. La société JR Higashi Nippon, au Japon, expérimente depuis 1995 un nouveau concept de TGV roulant à 450 km/h (le Star 21) devant être mis en service en 2005. Le marché mondial des trains à grande vitesse est partagé entre la France, l'Allemagne et l'Italie, mais la France est, pour l'instant, la mieux placée en termes d'exportation (vers la Corée du Sud notamment). Le matériel plus classique (locomotives Diesel et électriques, wagons spécialisés, voitures de voyageurs) donne lieu à un commerce mondial intense, notamment depuis les pays industrialisés vers les pays du tiers-monde.

VOIR AUSSI

- **Électroménager** p. 375
- **Automobiles** p. 376
- **Chemin de fer** p. 378
- **Navires** p. 379
- **Système Toyota** p. 796

Illustrations
- **Train à lévitation magnétique** p. 316

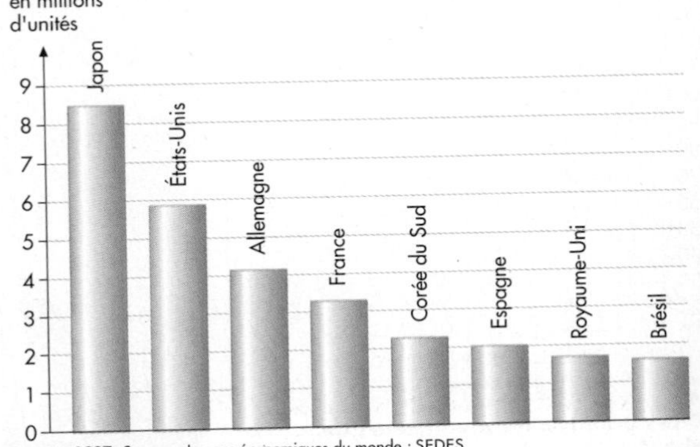

Données 1997. *Sources* : Images économiques du monde ; SEDES.

◆ **Les grands pays producteurs d'automobiles.**
Le Japon et les États-Unis viennent largement en tête, mais l'évolution de leurs productions respectives a été bien différente. Le Japon creuse l'écart.

La construction navale

La construction navale est une industrie très ancienne : elle s'est renouvelée avec la révolution industrielle au XIXᵉ s., et profondément transformée depuis les années 1970, en liaison avec l'essor de la flotte mondiale, qui a quintuplé depuis le début des années 1950. Les bateaux ont changé dans le même temps : on a construit des navires gigantesques, notamment des pétroliers géants de 300 000 tonnes ; la vitesse a progressé grâce aux nouveaux carénages (aujourd'hui, un porte-conteneur moderne relie Le Havre à New York en 4 jours et 4 heures). La spécialisation des navires est devenue la règle (minéraliers, porte-conteneurs, méthaniers, pétroliers, vraquiers, navires de croisière, etc.). La multimodalisation imposée dans les transports mondiaux assure le succès des porte-conteneurs.

Les bateaux sont désormais construits dans de vastes chantiers modernes intégrés, détenus par les grands groupes industrialo-financiers comme Mitsubishi Heavy Industries au Japon, Hyundai et Samsung en Corée du Sud, Alsthom-Atlantique en France. Le secteur est dominé par la Corée du Sud, le Japon et Taïwan, qui ont livré 68 % des bateaux dans le monde en 1998. La Chine détient, en 1998, 4,5 % du marché mondial, Singapour, la Malaisie et la Thaïlande émergent.

L'Europe connaît une crise grave : alors qu'en 1900 elle assurait 90 % de la production mondiale, elle en représente à peine 20 % aujourd'hui ; les chantiers navals européens se restructurent pour faire face à la domination asiatique.

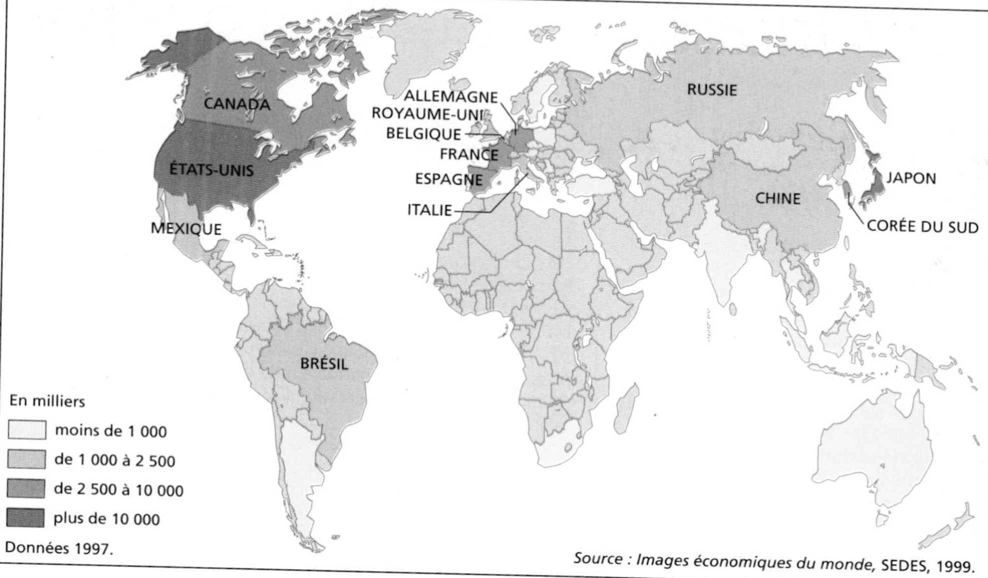

◆ **La production automobile dans le monde.**

Le matériel électrique

L'industrie du matériel électrique est liée aux grandes découvertes scientifiques du XIXᵉ s. et à la révolution industrielle. Les produits sont variés, alliant applications industrielles et domestiques. Sur le plan industriel, on trouve la signalisation électrique pour les chemins de fer, le matériel d'éclairage, les fils et câbles isolés pour l'électricité, les ascenseurs, les monte-charge, les escaliers mécaniques, les transformateurs, les alternateurs, etc. Les produits de consommation domestique sont plus limités : piles électriques, batteries, lampes électriques, appareillages de commutation pour les logements (interrupteurs, prises de courant).

C'est un secteur dynamique, détenu essentiellement par les pays industrialisés, avec une tendance à la concentration des entreprises et aux fusions, d'où émergent quelques grands groupes de dimension internationale, aux États-Unis et dans l'Union européenne (France et Allemagne notamment). La répartition spatiale des constructeurs tend également à la concentration près des grandes aires métropolitaines.

Legrand, une réussite mondiale

La société française Legrand est le numéro un mondial de l'appareillage électrique d'installation basse tension. Cette société née sous le second Empire fabriquait alors de la vaisselle de porcelaine à Limoges. Après 1945, elle réoriente son activité vers la construction d'interrupteurs et de prises de courant en porcelaine (matériau isolant). Aujourd'hui, la maison mère est toujours à Limoges.
Avec un chiffre d'affaires de 13 milliards de francs en 1997, dont 80 % réalisés à l'étranger, le groupe est international par ses activités et par sa présence dans une trentaine de pays (20 000 salariés en tout). Récemment, le groupe a racheté des sociétés en Colombie, en Pologne (groupe MDS) et en Inde, où il est devenu la première entreprise pour les disjoncteurs.
Legrand investit massivement dans le domaine de la moyenne tension et se spécialise dans les détecteurs infrarouges. Le catalogue, au plan mondial, se compose de plus de 45 000 références, dont une bonne partie sont dédiées à la domotique (commandes à distance des lumières, du chauffage, etc.).

Petit lexique

multimodalisation : système mis en œuvre pour acheminer le même produit par différents modes de transport d'un point à un autre.

en millions de tonnage port en lourd

Japon 15,4
Corée du Sud 12,2
Chine
Allemagne
Pologne
Taïwan
Danemark
Italie

0 – 0,5 – 1,0 – 1,5 – 2,0 – 2,5 – 3,0 – 3,5 – 4,0

Données 1996. *Source : Images économiques du monde ; SEDES.*

◆ **La construction navale dans le monde.**
Dans la construction navale, l'essor des pays asiatiques et le déclin des pays européens sont liés.

◆ **Cargo de 16 000 t en cours de montage** dans une cale de lancement des chantiers de Bremerhaven (Allemagne).

Les industries de haute technologie

Des industries de pointe

Les industries de haute technologie (High Tech), dites aussi « de pointe » ou « intelligentes », se situent au cœur de l'innovation et de l'invention : elles nécessitent un intense effort de recherche (entre 30 et 35 % du bénéfice y est investi) et emploient au moins 40 à 50 % d'ingénieurs et de techniciens (la « matière grise » de l'entreprise). Ce secteur permet de classer les pays en fonction de leur niveau de développement et de leur avance technique, d'où la domination des États-Unis, de l'Union européenne et du Japon et de quelques pays émergents (Brésil, Union indienne). Ce sont des industries à forte intensité capitalistique, à forte productivité, dont les répercussions sur l'économie des pays sont considérables. Par rapport à d'autres secteurs comme le textile ou la sidérurgie, les industries de pointe sont très dynamiques, et créatrices d'emplois ; elles sont souvent localisées soit à proximité des grandes villes où se concentrent les laboratoires de recherche et les pôles universitaires, soit dans des régions de reconversion où la main-d'œuvre est disponible. Les principales branches retenues par l'OCDE (Organisation de coopération et de développement économiques) sont l'électronique, l'informatique, la télématique, les télécommunications, l'aéronautique, l'aérospatiale, la robotique, la domotique, la bureautique.

La construction aéronautique

L'aviation a connu un processus de développement à peu près identique à celui de l'automobile, d'abord en Europe puis aux États-Unis, mais avec des enjeux différents : au départ, seule l'armée a favorisé son essor. Si l'entre-deux-guerres fait apparaître un embryon d'aviation civile avec les premières lignes régulières sur l'Atlantique nord (Lufthansa, KLM), il faut attendre les années 1950 et 1960 pour que l'industrie aéronautique civile démarre vraiment. Le poids des États est important pour stimuler cette industrie de haute technologie, par des investissements directs ou des subventions. La localisation des sites productifs répond à des enjeux stratégiques liés aux guerres (cas de Toulouse, qui a reçu cette industrie grâce à sa situation à l'écart des frontières menacées).

La révolution des transports aériens civils devient alors l'affaire des États-Unis : la firme Boeing lance en 1970 le Boeing 747, qui marque le début de l'aéronautique moderne. En 1965, la CEE réalisait seulement, en parts de marché, 15 % de l'aéronautique mondiale contre 70 % par les États-Unis, mais, en 1998, l'Union européenne (France, Allemagne, Royaume-Uni surtout) en réalisait plus du quart, grâce notamment au programme Airbus, dominé par la France. Entre 1991 et 1994, Airbus a réalisé 23 % des ventes d'avions dans le monde, Boeing 52 %, Mc Donnell Douglas 7 %. La CEI n'a réalisé que 7 % des commandes d'avions civils au cours de la même période, et est confrontée à la difficile reconversion de son ancien et énorme complexe militaro-industriel.

La domination américaine demeure, avec un rapport de 4 à 1. L'industrie aéronautique américaine a une meilleure rentabilité que l'industrie européenne ; elle est plus concentrée, tant au niveau des entreprises (Boeing et Mc Donnell Douglas) que des régions (Seattle et le Nord-Ouest réalisent plus de la moitié des constructions d'avions américains).

Le succès d'Airbus. L'Europe a choisi, à l'initiative de la France (qui avait dès 1955 proposé un avion devenu mythique, la Caravelle), de développer dès 1970 un vaste programme inter-États pour contrer la domination américaine. La motorisation des avions européens est assurée par une coopération entre la SNECMA (France) et les motoristes américains Pratt & Whitney et General Electric. Le succès de l'industrie européenne est réel : dès 1974 et 1975, Airbus équipe la Korean Airlines, Indian Airlines et South African Airways, puis en 1977 la compagnie américaine Eastern Airlines. Les modèles Airbus, comme l'A 330 (1992) dont le rayon d'action atteint 10 200 km avec 325 passagers sans escale, et l'A 340 600 (1989) avec 380 passagers et un rayon d'action de 13 500 km, ont séduit les Canadian Airlines, la TWA, United Airlines, Delta Airlines. En 1997, Airbus lance le projet A 3XX, très gros porteur qui, en 2005, pourrait accueillir entre 500 et 700 passagers avec un rayon d'action de 15 700 km.

Quelques pays en voie de développement émergent sur ce marché, comme le Brésil (groupe Embraer) ou la Chine.

L'aérospatiale

L'industrie de l'espace était quasiment inexistante en Europe avant les années 1970, décennie au cours de laquelle sont lancés des programmes européens avec l'Agence spatiale européenne, qui assure les études et les montages financiers, le CNES (Centre national d'études spatiales, France), qui est le maître d'ouvrage des productions spatiales, Aérospatiale (France), devenue l'architecte industriel, et Arianespace, qui assure la commercialisation des lanceurs.

Le programme Ariane (lanceurs mettant en orbite des satellites), grande réussite française, a débuté en 1974, au moment du premier choc pétrolier. La France détient 59 % de son capital, l'Allemagne 5 %, la Belgique et d'autres États, de petites participations. L'ampleur du financement requis (plus de 2 milliards de dollars pour les lanceurs Ariane 1 à 4, celui d'Ariane 5 étant estimé à 10 milliards de dollars), a amené la création, comme dans l'aéronautique, d'un consortium européen afin de partager les coûts de recherche, de montage, de mise au point, mais l'essentiel en revient à la France. Les lanceurs de la famille Ariane sont considérés comme les plus sûrs du monde. Le dernier-né, Ariane 5, sera le lanceur du XXIe siècle. En revanche, les projets européens de construire une navette spatiale pour concurrencer les Américains (Hermès), et une station orbitale n'aboutiront pas, en raison d'un coût jugé trop élevé.

Voir aussi
- **Principaux lanceurs spatiaux** p. 23
- **Stations spatiales** p. 316
- **Lanceurs spatiaux** p. 381
- **Satellites et stations orbitales** p. 387

Illustrations
- **Station orbitale Mir** p. 23

◆ **La construction aérospatiale et les principales bases de lancement dans le monde.**

Le matériel électronique

Les industries liées à l'électronique forment le secteur le plus récent des industries de haute technologie, lié à la troisième révolution industrielle. Les Américains en sont les seuls précurseurs, à une époque où les militaires initient ce nouveau secteur en associant des laboratoires de recherche civils aux scientifiques de l'armée. Le premier ordinateur naît aux États-Unis en 1942, avec pour objectif la mise au point de la bombe atomique. Après 1945, ce secteur reçoit de nouvelles applications, comme le transistor, inventé par l'Américain W. Shockley pour remplacer les lampes dans les calculateurs. En 1958 et 1959, les Américains réalisent les premiers circuits intégrés et, en 1962, IBM lance le premier disque dur optimisant le stockage des informations numériques. En 1971, Intel invente le microprocesseur.

L'électronique est devenue la 2e industrie du monde. Les États-Unis, l'Europe et le Japon assuraient 78 % de la production en 1998, les États-Unis en réalisant, à eux seuls, près de 30 %. Les applications de l'industrie électronique sont nombreuses : informatique, télécommunications (équipements, télédiffusion, communication mobile), appareils industriels divers (médecine, instruments de mesure, de contrôle, d'assistance à la production), produits destinés au grand public (matériel audio, vidéo, domotique, appareillages électriques divers), aérospatiale civile et militaire, composants électroniques utilisés par l'industrie automobile, ateliers flexibles (fabrication en continu de petites séries de pièces grâce à l'informatique et à la robotique). L'Asie, apparue tardivement dans ce secteur, tend à le dominer de plus en plus : sur les 15 premiers fabricants d'électronique, 8 sont japonais, 2 sont coréens, 4 sont américains et un seul est européen.

L'informatique

L'informatique est le traitement automatique de l'information, opéré par des machines de plus en plus performantes. L'industrie informatique, liée à celle de l'électronique et souvent confondue avec elle dans les statistiques, connaît une croissance exponentielle depuis le début des années 1990. L'industrie livre les ordinateurs et leurs périphériques (imprimantes, scanners, etc.), les logiciels qui permettent d'aboutir au traitement de l'information par l'ordinateur (traitement de texte, dessin assisté par ordinateur, bases de données, programmes divers), les machines de reprographie et de traitement du courrier. Elle représente 31,1 % de la production de l'électronique ; son chiffre d'affaires est passé de 164 milliards de dollars en 1989 à plus de 235 milliards de dollars en 1997, avec une croissance globale de 43 % depuis 1989, ce qui en fait le secteur industriel le plus compétitif à l'aube du XXIe s., une croissance qui devrait se confirmer durant encore des décennies. Ses applications sont devenues innombrables, l'informatique étant aussi bien industrielle que domestique. L'essor de la micro-informatique dans les années 1980 étend le champ de cette industrie au grand public et aux entreprises.

L'informatique ne peut fonctionner sans les semi-conducteurs et les logiciels. Les premiers forment une branche de l'électronique. Ils relèvent de la très haute technologie. Le Japon en domine le marché mondial depuis 1985, premier en matière de miniaturisation, de capacité des mémoires (80 % de la production mondiale), de puissance de calcul et de bas prix. La numérisation des produits électroniques, les produits nomades (ordinateurs portables, organiseurs) entretiennent une demande en pleine expansion.

Les composants informatiques (circuits intégrés, dispositifs à mémoires) dépendent de 7 sociétés américaines, de 10 japonaises et seulement de 3 européennes, qui se partagent 80 % du marché mondial, à côté de nouvelles venues nées en Corée, à Taïwan, à Singapour et en Chine.

Le marché des logiciels est aux mains de quelques sociétés, dont Microsoft (États-Unis) est le premier mondial.

◆ Les cinq plus grandes entreprises mondiales d'électronique.

Société	Pays	Chiffre d'affaires	Effectifs
Samsung	Corée	474 083	250 000
General Electric	États-Unis	404 508	239 000
IBM	États-Unis	388 457	258 648
Hitachi	Japon	387 035	330 152
Matsushita	Japon	348 584	327 225

En dollars.
Source : Conjonctures 99, Éditions Bréal.

◆ Taux d'équipement des foyers en ordinateurs.

États-Unis	35 %
Japon	34 %
Royaume-Uni	22 %
Italie	17 %
Allemagne	15 %
France	13 %

Source : Conjonctures 99, Éditions Bréal.

La télématique

Le secteur industriel de la télématique (transmission de données informatiques via un réseau de télécommunications) et celui des télécommunications connaissent une expansion récente et rapide. La numérisation des informations en est le déclencheur essentiel dans les années 1980. La France a ainsi lancé le Minitel, premier moyen télématique au monde au service du grand public. L'industrie des fibres optiques (mise au point par la société Corning Glass en 1970) permet à partir de 1990 d'optimiser la dimension des réseaux télématiques en augmentant la quantité de flux de communications sur un même réseau. Depuis 1993, c'est la téléphonie nomade (téléphones portables) qui porte le secteur vers l'expansion. Ce secteur n'a pas la même structure que celui de l'informatique, et de petits pays peuvent devenir compétitifs, comme la Finlande avec la firme Nokia, et la Suède avec Ericsson; le téléphone mobile représente 14 % du chiffre d'affaires mondial des équipementiers en télécommunications. La déréglementation des télécommunications a stimulé cette industrie depuis 1995.

On assiste depuis lors à une coopération entre États et sociétés publiques, mais le choix d'une alliance de Deutsche Telekom avec Italia Telecom au printemps 1999 au détriment de France Télécom, pourtant choisi auparavant par l'opérateur allemand, montre à l'évidence que la concurrence sera de plus en plus vive.

La robotique

Industrie de haute technologie, la robotique marque la troisième révolution industrielle qu'inaugure l'invention de la cybernétique par le mathématicien américain Norbert Wiener en 1948 ; elle succède à la mécanisation pure et simple de l'époque taylorienne. Les robots, pilotés par ordinateur, sont largement utilisés dans l'usinage et le montage (automobile, par exemple), comme dans la CAO (conception assistée par ordinateur). Les machines à commande numérique permettent d'optimiser les procédés de fabrication, d'augmenter la productivité et d'améliorer la qualité des produits finis.

La robotique entraîne la diminution de la main-d'œuvre employée dans les grands pays industriels du monde. Le marché mondial est dominé par les États-Unis et le Japon, suivis par l'Union européenne.

La France, venue tardivement à la robotique, connaît un taux d'équipement en importante croissance. Son parc de robots industriels a ainsi doublé depuis 1989, passant de 7 063 unités en service à cette date à plus de 15 000 en 1998.

◆ Usine Renault à Sandouville (Seine-Maritime). Dans cet atelier très moderne, l'utilisation de robots permet d'augmenter la productivité. Renault est l'un des premiers constructeurs européens.

Petit lexique

calculateur : machine de traitement de l'information capable d'effectuer automatiquement des opérations mathématiques.

cybernétique : étude des processus de commande et de communication dans les machines et chez les êtres vivants.

fibre optique : câble à âme de silice dans lequel passent des informations sous forme lumineuse.

microprocesseur : ensemble de circuits intégrés, imprimés sur une plaque de silicium, formant l'unité centrale d'un ordinateur. Invention datant de 1971 (T. Hoff).

semi-conducteurs : composants électroniques fabriqués à partir de silicium et se comportant soit comme conducteurs, soit comme isolants.

VOIR AUSSI
- **Moteurs** p. 366
- **Turbines et réacteurs** p. 368
- **Robots industriels** p. 373
- **Avions et hélicoptères** p. 380
- **Lanceurs spatiaux** p. 381
- **Ordinateurs et réseaux** p. 388

Illustrations
- **Maison du futur** p. 375

Industries du textile et de l'habillement

Les textiles

L'artisanat du textile est d'une grande ancienneté ; il est lié à la nécessité de produire des étoffes pour s'habiller. Ce secteur a acquis son caractère industriel au XIXe siècle. De grandes régions lui ont consacré l'essentiel de leur activité, autour de Lyon, Liverpool, Manchester, Brême, Boston. Initialement, l'Europe domine ce secteur, mais dès 1913 les États-Unis la devancent. L'industrie du textile est l'une des plus répandues dans le monde.

L'industrie textile regroupe la production de fibres naturelles (soie, coton, laine, lin, jute) et chimiques. Elle livre des produits semi-finis (tissés, filés) et des produits finis pour l'habillement (industrie de la maille, bonneterie, confection) et l'industrie (toiles, etc.) La filière textile est un secteur recourant à des techniques simples pour le traitement des fibres naturelles, mais plus complexes pour les fibres chimiques. Ses produits sont à faible ou moyenne valeur ajoutée. Elle nécessite une main-d'œuvre peu qualifiée (seulement 5 % de cadres et 2 % d'ingénieurs, 80 % d'ouvriers). La part de la main-d'œuvre féminine est prépondérante. Depuis les années 1980, le textile profite des progrès liés à l'informatique et à l'électronique.

La demande mondiale devrait, selon la Fédération mondiale des industries textiles, progresser de 2,5 à 3 % par an jusqu'en 2002 au profit des fibres artificielles et synthétiques et au détriment des fibres naturelles. On assistera, dans les années à venir, à la poursuite de la localisation des capacités productives en Asie, et à une tendance à l'amélioration qualitative de l'offre, par l'innovation technologique (production assistée par ordinateur, développement de la recherche, pour des produits à haute valeur ajoutée comme les microfibres), dont bénéficieront les pays les plus avancés, et par de nouvelles méthodes commerciales.

Dans le domaine des exportations de textiles (150 millions de tonnes en 1997), l'Asie joue un rôle prépondérant, mais l'Europe parvient à se maintenir : Hongkong est le premier exportateur, avec 9,5 % du marché mondial, devant l'Allemagne (9 %), l'Italie (8,8 %), la Corée (8,5 %), la Chine (8,1 %), Taiwan (8 %), les États-Unis (4,9 %), la France réalisant 4,9 % du total. Les principaux importateurs sont Hongkong (10 %), le Royaume-Uni (5,1 %), l'Allemagne (7,2 %), la Chine (7,5 %). L'Europe réalisait, en 1998, 40 % des échanges mondiaux, suivie par l'Asie avec 38 %.

L'habillement

Située en aval de l'industrie textile, l'industrie de l'habillement livre des produits variés (robes et jupes, vestes, pantalons, chemises, prêt-à-porter destiné à la grande distribution ou haute couture). À la fois artisanale et industrielle, elle est dominée par des groupes multinationaux. Industrie typique de la sous-traitance, elle est souvent délocalisée (42 % de l'activité pour l'Allemagne, 25 % pour la France) vers les pays à main-d'œuvre bon marché d'Asie, d'Afrique ou d'Amérique latine et n'hésite pas à recourir au travail au noir dans des ateliers clandestins où travaillent souvent des enfants (dans les pays du tiers-monde surtout).

Le commerce mondial des vêtements dépasse celui du textile avec 163 milliards de dollars en 1998 (contre 150 pour le textile). La domination asiatique se confirme et s'amplifie depuis 15 ans, ce continent détenant 50 % du marché mondial des vêtements contre 30 % pour l'Union européenne et seulement 4,2 % pour les États-Unis. La Chine était en 1998 le premier producteur et le premier exportateur de vêtements, à côté de Taiwan ou de la Corée.

En Europe, les importations couvrent environ la moitié de la consommation d'habillement et représentent les trois quarts de la production de vêtements, ce qui montre l'extrême dépendance européenne à l'égard des marchés internationaux.

Le budget consacré à l'habillement diminue : en 1997, il était en France de 5,2 %, contre 7,3 % en 1980, au Japon, de 4,2 %, contre 5,6 % en 1980, aux États-Unis, de 3 %, contre 3,4 % en 1980.

Le secteur de la haute couture est encore dominé par la France, mais de nouveaux concurrents, comme le Japon, émergent. L'industrie française de la haute couture exporte 70 % de sa production (vers le Japon, les États-Unis, les pays du Proche- et du Moyen-Orient) ; elle est essentiellement parisienne et très concentrée financièrement, participant au prestige de la France à l'étranger.

Le cuir et les chaussures

L'industrie du cuir est ancienne. Elle fournit des produits très variés : chaussures, maroquinerie, ameublement, sellerie, bagagerie. La production de cuir est universelle. L'industrie du cuir utilise des peaux (de bovins surtout) ayant subi un tannage (action chimique sur les cuirs).

L'Europe domine le marché mondial des cuirs de qualité (Italie en tête), mais les pays en développement (Chine, Brésil, Inde, Thaïlande) proposent des productions de plus en plus appréciées, comme des chaussures de sport ou de ville.

L'industrie de la chaussure utilise divers matériaux, dont le cuir est le principal. En 1998, les pays en développement fournissaient 60 % des exportations mondiales de chaussures ; le commerce mondial est en progression et atteignait 36 milliards de dollars en 1998, soit 1 % des exportations mondiales de produits manufacturés. La plupart des entreprises des pays développés ont réorienté leur production vers les chaussures de sport et de loisirs (des marques américaines prestigieuses comme Nike ou Reebok font fabriquer en Asie) et les chaussures haut de gamme. La France, qui a dû changer de stratégie face à la concurrence de l'Italie et des pays d'Asie du Sud et du Sud-Est, conserve quelques sites productifs à Fougères ou Romans. Le Canada, producteur notable, s'est spécialisé dans les bottes d'hiver et les chaussures de sécurité très appréciées aujourd'hui (effet de mode) et exporte deux fois plus qu'il n'importe (131 millions de dollars contre 55 millions de dollars), en direction des pays d'Europe occidentale et orientale, mais aussi du Japon ; la production canadienne, comme celle de la France, est le fait de petites et moyennes entreprises.

◆ **Principaux pays importateurs d'habillement.**

	1991	1994	1996	1996 en %
États-Unis	27 696	38 643	43 317	25,3 %
Allemagne	24 051	22 707	24 098	14,1 %
Japon	9 306	15 265	19 672	11,5 %
France	8 828	9 122	10 891	6,4 %
Royaume-Uni	7 295	7 548	9 696	5,7 %

En millions de dollars.

Données 1997. *Source :* OMC.

Les innovations

L'industrie textile des pays avancés consacre entre 3 et 4 % de son chiffre d'affaires aux investissements productifs, notamment en outils nouveaux. Le textile est devenu au cours de la décennie 1990 un débouché majeur pour les industries de pointe (robotique, électronique, informatique, productique), d'où une véritable révolution technique et un accroissement considérable de la productivité. Ainsi, en France, en 1996, 1 heure suffit pour carder 100 kg de fil contre 11 heures en 1980. La production annuelle de tissu par métier est passée de 14 300 à 43 700 m[2] et celle des filatures de 6 à 16 t par salarié. La vitesse de production des nouveaux métiers à jet d'air, jet d'eau et projectiles est de 4 à 6 fois supérieure à celles des métiers à navette. La vitesse en filature « *open end* » (filature à bout libre ou à fibres libérées consistant à décomposer la mèche d'alimentation en fibres séparées et à la reconstituer en fil à l'intérieur d'une turbine) accroît de 10 fois la production traditionnelle.

La modernisation des équipements passe par la réduction des étapes de la production, l'automatisation des processus de transformation et des manutentions tout au long de la chaîne de fabrication, et l'utilisation de machines polyvalentes. Les microprocesseurs sont présents dans tous les types de matériel ; la fabrication assistée par ordinateur optimise la création de dessins, de tissus, de formes, etc. Il en est ainsi des nouvelles machines Jacquard, équipées de systèmes de lecture du dessin et de sélection électromagnétique des fils de chaîne qui permettent de passer directement de la mise en carte à la réalisation du tissu. Les bureaux de style créent en permanence de nouveaux produits. En France, l'Institut textile de France (ITF) est présent dans le Nord, l'Alsace, la région lyonnaise, la Champagne, la Normandie et le Midi-Pyrénées. Il stimule la recherche et l'innovation dans ce secteur grâce à ses équipes d'ingénieurs et de techniciens qui travaillent en étroite collaboration avec les industriels : recherche sur les matières premières et leur comportement aux divers stades de fabrication, optimisation des procédés de fabrication, intervention au niveau des molécules pour rendre les fibres de plus en plus fines. Ainsi la fabrication d'un tissu teint « sans colorant » a pu être mis au point en gravant au laser des sillons hyperfins à la surface du fil (que l'ITF qualifie de « couleur physique », de couleur plus pure que celle qui est obtenue avec des colorants) – ou encore en ayant recours à la microencapsulation, qui consiste à intégrer dans le tissu des principes actifs logés dans de minuscules billes disséminées dans le tissu et qui permettent d'obtenir des tissus qui changent de couleur en fonction de la variation des conditions extérieures (tissus thermochromes, photochromes, aquachromes, radiochromes, acidochromes…).

Les textiles dits « techniques », comme les matériaux composites, élargissent le champ de l'industrie textile en associant celle-ci au bâtiment (ils viennent renforcer le béton), au domaine médical (des tissus biodégradables sont introduits dans le corps humain : armatures textiles en chirurgie esthétique, par exemple). L'image de l'industrie textile, souvent vieillotte, est devenue celle d'une industrie de pointe à part entière.

VOIR AUSSI
• **Textiles naturels** p. 858
• **Fibres artificielles et synthétiques** p. 930

Les services

Le secteur tertiaire

Le secteur des services, ou secteur tertiaire, produit tout ce qui n'est ni agricole ni industriel, c'est-à-dire l'ensemble des biens immatériels. Le tertiaire est devenu en 1998 le secteur le plus important en termes d'emploi dans les pays industrialisés : il regroupe 72 % des actifs aux États-Unis, 72 % au Royaume-Uni, 70 % en France, mais seulement 21 % des actifs en Chine et, en moyenne, de 30 à 50 % dans les pays en développement.

Alors qu'en 1850 le tertiaire en France ne regroupait que 20 % des actifs, en 2005 ce chiffre atteindra 80 % en France.

Cependant, le tertiaire n'est pas aisé à définir. La fonction publique et les administrations, les banques et les assurances, les différents services aux particuliers (poste, santé, éducation), les services aux entreprises, le commerce, le tourisme, les transports, les services de maintenance divers forment une sorte de nébuleuse d'activités en interaction avec les deux autres secteurs. L'évolution récente des économies modernes, à l'aube du XXIe siècle, est marquée par l'intégration des deux premiers secteurs dans un vaste complexe où le tertiaire devient essentiel, ce qui les a d'ailleurs fait qualifier de « postindustrielles ». Le tertiaire stimule l'économie. Les aires urbaines, qui au XIXe siècle concentraient l'industrie, sont désormais des pôles de concentration du tertiaire. Les exportations effectuées par les entreprises de services en France procurent 36 % des recettes à l'export. France est le deuxième exportateur mondial de services après les États-Unis, les deux tiers du PNB (produit national brut) en dépendent, comme dans l'ensemble des pays industrialisés. Mais la dynamique du tertiaire dépend en grande partie de celle des autres secteurs d'activités et produit des inégalités régionales. On parle à présent d'une « tertiarisation » des économies, comme il y a eu « industrialisation » des économies au XIXe siècle dans les pays européens.

Les échanges. Les échanges mondiaux de services commerciaux étaient estimés en 1998 à plus de 1 257 milliards de dollars, une donnée largement sous-évaluée dans la mesure où de nombreux flux échappent aux statistiques, notamment dans le domaine des télécommunications et des nouveaux services liés aux technologies de l'information (NTIC, nouvelles technologies d'information et de communication). L'accord général sur les services, signé à Marrakech en 1994 par les pays de l'OCDE, a été renforcé en 1997 par trois nouveaux accords : sur les télécommunications, sur les NTIC, sur les services financiers. Celui sur les télécommunications est entré en vigueur en février 1998 ; il prévoit l'ouverture des marchés nationaux aux opérateurs étrangers, ce qui est déjà le cas dans l'Union européenne depuis le 1er janvier 1998, pour aboutir, à terme, à la fin des monopoles d'État sur le téléphone.L'accord sur les technologies de l'informtion couvre 600 milliards de dollars d'échanges mondiaux et devrait se solder par la fin des droits de douane sur ces services en 2000.

◆ Les grands groupes des technologies de l'information.

Société	Pays	Chiffre d'affaires (milliards de dollars)
IBM	États-Unis	76
Fujitsu	Japon	40
Hewlett-Packard	États-Unis	38
Canon	Japon	22
Compaq	États-Unis	18
Xerox	États-Unis	17
Digital	États-Unis	13
Ricoh	Japon	11
Microsoft	États-Unis	11
Apple	États-Unis	7

En milliards de dollars.
Données 1997.
Source : Conjonctures 98, éditions Bréal.

La distribution en France

Le tertiaire marchand, c'est-à-dire les activités de distribution, est en pleine mutation depuis la fin des années 1970. Les petits commerçants de détail (épiceries, quincailleries, cordonneries, etc.) sont en repli face aux nouvelles formes de distribution très puissantes et, pour certaines, mieux adaptées aux goûts des consommateurs, jeunes notamment. Tous les circuits de distribution se sont modernisés rapidement, du fait d'opérateurs français et étrangers : location automobile (Hertz, Avis), messagerie rapide (Fedex, UPS), distribution spécialisée (Ikea, M. Bricolage, Go Sport), restauration rapide (McDonald's) ou à thème (Hard Rock Café).

Le fait le plus marquant reste l'évolution de la grande distribution, qui assure 86 % du commerce alimentaire en France contre 60 % en Allemagne, 58 % au Royaume-Uni et seulement 17 % au Portugal. L'essentiel est dû aux hypermarchés (Carrefour, Auchan, Continent, Intermarché, Leclerc). L'hypermarché a une surface de plus de 2 500 m² et offre entre 25 000 et 40 000 références, le supermarché est plus petit (400 à 2 500 m² et 3 000 à 5 000 références), la supérette et le mini libre-service remplacent de plus en plus les « petits commerçants ». Les chaînes spécialisées citées plus haut sont de plus en plus associées aux hypermarchés à l'entrée des villes moyennes ou plus importantes, formant des centres commerciaux très étendus. Les groupes géants de la grande distribution sont structurés en chaînes associant fabricants et distributeurs. La vente par correspondance (VPC), ainsi que le téléachat, connaissent en France un succès grandissant comme dans les autres pays de l'Union européenne, avec des groupes français (La Redoute, la CAMIF, les Trois Suisses) ou étrangers.

Le fer de lance de la croissance

La tertiarisation des économies est le résultat d'une transformation profonde des structures économiques que la mondialisation a accélérée au cours des années 1990 : le secteur tertiaire a ainsi pris le relais du secteur secondaire comme moteur de l'économie et de l'emploi. La progression de l'emploi dans les services en France, entre 1975 et 1998, a été de 85 % pour les services aux entreprises, 6 % pour les banques et assurances, 24 % dans les services non marchands, 13 % dans les transports et télécommunications… et elle est, en moyenne, de 25 %.

Fer de lance des économies des pays industrialisés où on assiste à un transfert des emplois du secondaire vers le tertiaire (en France, entre 1984 et 1995, plus de 1,113 M d'emplois ont été créés dans les services), les services jouent également un rôle moteur dans les nouveaux pays industrialisés d'Asie ou d'Amérique latine. En France, comme dans les autres pays de l'Union européenne, le secteur tertiaire n'est cependant plus ce secteur « refuge » des années 1980. La question de la productivité est aujourd'hui posée, en raison d'une concurrence accrue de services délocalisés vers les pays à coût de main-d'œuvre bon marché (Asie, Afrique du Nord, Amérique latine), où émergent des sociétés qui sous-traitent les services des entreprises françaises (comptabilité, gestion informatique, édition…). La précarité et la fragilité des emplois tertiaires génèrent des problèmes nouveaux qui doivent être pris en considération.

VOIR AUSSI 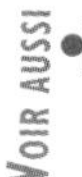
- **Dix premières banques mondiales** p. 837
- **Dix premiers assureurs mondiaux** p. 837

Les assurances

Les assurances constituent un secteur puissant, développé dans tous les pays industrialisés, dominé par des groupes de plus en plus importants du fait d'une concentration croissante. Parmi les dix premiers groupes mondiaux, on trouve 5 sociétés japonaises (Nippon-Life, Zenkyoren, Dai-Ici-Mutual Life, qui sont aux trois premiers rangs, Sumitomo Life, Meiji Mutual Life), deux américaines (Prudential Insurance et Metropolitan Life), trois européennes, dont deux françaises (Axa et Compagnie UAP) et une allemande (Allianz Holding qui détient, en outre, 78,7 % du capital des AGF, compagnie d'assurances française). Depuis la fin des années 1980, la banque et l'assurance ont réuni leurs compétences respectives pour créer un nouveau secteur où les entreprises françaises sont pionnières : baptisé « bancassurance », il occupe 59 % du marché des assurances, avec un taux de croissance de + 15,8 % en 1998, soit le double de la croissance des compagnies d'assurances traditionnelles. Il regroupe La Poste, le Crédit lyonnais (avec le Groupe Taitbout), le CCF (avec les Mutuelles du Mans) et d'autres. Il repose sur le principe que les banques offrent à leurs clients des services d'assurances. Ce nouveau secteur s'est étendu à d'autres groupes comme Crédit Suisse et l'assureur Wintherthur ou la Deutsche Bank avec Gerling et Nurnberger. Quant aux compagnies spécialisées dans l'assurance-vie, elles proposent, de plus en plus, à leurs clients (États-Unis, Japon, France, Allemagne notamment) des produits financiers (épargne, crédit, transactions boursières) entrant dans un nouveau concept, l'« assurfinance ».

Les transports

La route

La voie de terre est, avec les rivières et la mer, le premier type de voie de transports utilisé dans l'histoire. Concurrent direct des autres modes de transports terrestres actuels, le transport routier est le plus adaptable : il prend en charge personnes et marchandises et offre la plus grande souplesse d'utili-sation sur les courtes et moyennes distances. Le parc automobile mondial a connu une croissance lente entre 1900 et 1945, puis a été multiplié par quatre depuis 1950 (il permettra de transporter 500 millions de personnes en 2010), suivant l'élévation du niveau de vie et les nouveaux besoins liés à l'extension des aires urbaines.

◆ **Pourcentage des trafics par le rail et par route dans quelques grands pays industriels.**

Pays	Marchandises		Voyageurs	
	Rail	Route	Rail	Route
Allemagne	20,74 %	60,06 %	7,23 %	93 %
France	26,20 %	70,66 %	7,31 %	92,69 %
Italie	11,23 %	88,70 %	6,81 %	93,19 %
Royaume-Uni	8,12 %	91,76 %	4,59 %	95,41 %
Suisse	41,74 %	57,29 %	12,58 %	87,42 %
Autriche	57,20 %	33,61 %	12,37 %	87,63 %
États-Unis	48,95 %	34,54 %	0,41 %	85,96 %
Canada	67,77 %	24,59 %	0,30 %	99,70 %
Japon	4,73 %	52,11 %	31,14 %	68,86 %
Australie	50,25 %	49,75 %	0,26 %	98,0 %

Le total n'atteint pas 100 %, car la voie fluviale et les transports aériens ne figurent pas dans ce tableau.
Données 1997.
Source : l'Observateur de l'OCDE

◆ **Échangeur autoroutier.**
En Géorgie, aux États Unis, cet échangeur complexe permet de réguler sans interruption les flux de circulation.

Le taux de motorisation est très inégal selon les pays : les pays de la Triade (États-Unis, Union européenne et Japon) possèdent 90 % du parc mondial. Les transports par route sont aujourd'hui contestés en raison de la pollution (bruit, émissions de gaz nocifs) et des accidents dont ils sont responsables.

Les réseaux dans le monde. Les réseaux routiers sont très inégaux en étendue et en capacité de transport au kilomètre; ils dépendent des réseaux urbains qu'ils renforcent, mais aussi de certaines contraintes (pentes, vallées, conditions climatiques). La qualité du roulement (liée au revêtement des routes) est également très inégale, les pays développés ayant les meilleures infrastructures : 100 % des routes y sont revêtues, contre 30 % dans les pays en développement. Le réseau routier mondial totalise 25 millions de kilomètres de routes revêtues, dont 40 % au Canada et aux États-Unis. L'Union européenne et la Suisse disposent d'un réseau routier dense et hiérarchisé permettant d'atteindre presque tous les points du territoire, avec une disposition méridienne (nord-sud) dominante. Aux États-Unis et au Canada, les réseaux sont plus lâches et surtout transversaux (est-ouest), mais plus denses près des pôles économiques et urbains majeurs (nord-est des États-Unis, région du golfe du Mexique, Californie, Nord-Ouest, Grands Lacs, partie méridionale du Canada). La France possède le réseau routier le plus long d'Europe avec 800000 km de routes, suivie par l'Allemagne (500000 km), le Royaume-Uni (350000 km), l'Espagne (320000 km), l'Italie et la Pologne (300000 km).

Les premières autoroutes sont apparues en 1914, autour de New York. Le réseau autoroutier mondial atteignait, en 1998, 150 000 km dont 59 % en Amérique du Nord (82000 km aux États-Unis et 7200 km au Canada), et 26 % en Europe (soit 40 000 km). L'Afrique n'en compte que 2000 km, soit 1,3 % du total. En Asie, le Japon et la Corée sont les pays les mieux équipés avec plus de 5000 km, soit 3,3 % du total mondial. La France a rattrapé récemment son retard avec près de 8000 km en 1998 (contre 2250 km en 1960).

Transport de personnes et de marchandises. Le transport des personnes par voitures particulières atteignait en 1998 plus de 87,7 % du total des voyageurs dans les pays de l'OCDE (Organisation de coopération et de développement économiques), et est le plus utilisé depuis 1960. Les transports collectifs (autocars et autobus), mode de transport économique, représentaient 12,3 % du total en 1998, mais avec de fortes inégalités (5 % en France, 9,1 % en Allemagne, 3,1 % aux États-Unis).

Le transport de marchandises par la route s'est imposé depuis trente ans. On compte 150 millions de camions dans le monde. La moitié du parc se trouve aux États-Unis, 25 % en Asie (Chine et Japon surtout), 22 % en Europe. Le transport routier de marchandises (TRM)

◆ **Le parc automobile mondial.**
Le planisphère montre de forts contrastes dans la répartition du parc automobile mondial. Les parcs les plus denses sont localisés en Europe occidentale, Amérique du Nord et Japon. On note l'importance du parc automobile latino-américain par opposition à celui, très faible, de l'Afrique (à l'exception de l'Afrique du Sud) et celui, encore faible, de l'Asie du Sud et d'une bonne partie de l'Asie du Sud-Est.

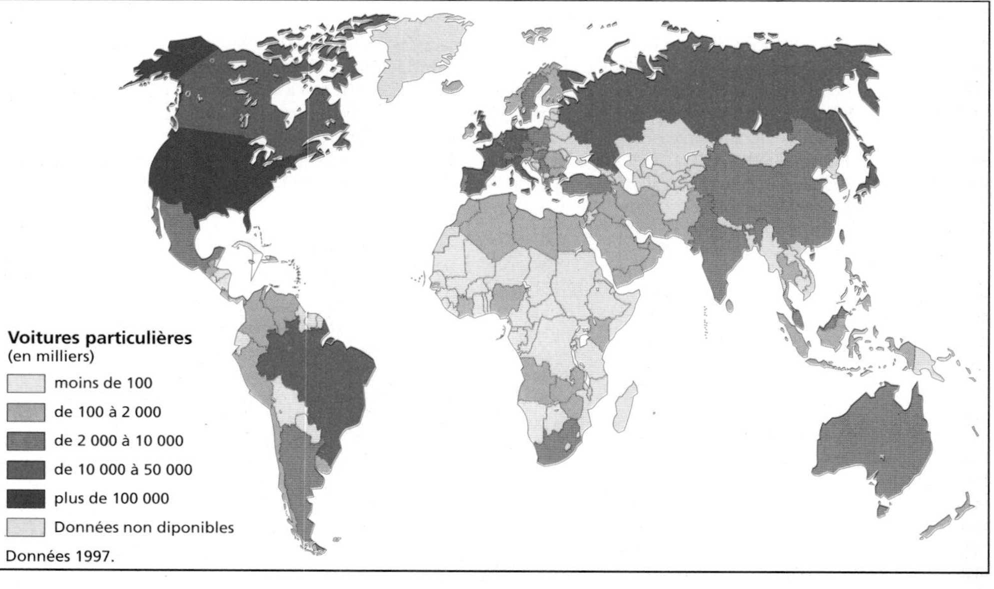

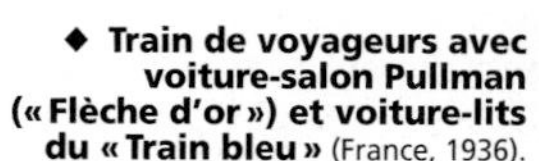

◆ **Train de voyageurs avec voiture-salon Pullman (« Flèche d'or ») et voiture-lits du « Train bleu »** (France, 1936).

train Liverpool Manchester 1830 (Grande-Bretagne).

◆ **Locomotive à vapeur type Atlantique** (France 1904). Locomotive du réseau Nord.

◆ **Locomotive à vapeur carénée** (États-Unis, 1935). La locomotive type Hudson « Commodore Vanderbildt » du réseau New York Central.

◆ **Locomotive électrique** (France, 1938). Locomotive type 2D2 du réseau Paris-Orléans.

◆ **Autorail sur pneumatiques** (France, 1934), appelé couramment « micheline ».

◆ **Turbotrain** (France, 1972). Rame à turbine à gaz type RTG.

est organisé différemment selon les pays, tant sur le plan des réglementations (vitesse, sécurité, charge à l'essieu) que sur celui des entreprises (petites et moyennes entreprises ou groupes importants). Dans l'Union européenne, la libéralisation très récente du TRM renforce la concurrence entre les opérateurs et crée le « cabotage routier » : depuis janvier 1998, tout opérateur peut charger et décharger du fret dans un pays différent du sien.

◆ **Tramway électrique** (France, 1994). Nouveau tramway de Strasbourg.

VOIR AUSSI
• **Chemin de fer** p. 378

Le transport ferroviaire

La révolution industrielle a fait du train le premier mode de transport jusqu'aux années 1960, tant pour les voyageurs que pour le fret, mais depuis cette date, c'est la route qui l'emporte. Le transport par rail offre les avantages d'une faible consommation d'espace des infrastructures (trois fois moins que la route), d'une consommation d'énergie réduite, d'une pollution très faible, d'une sécurité évidente. En revanche, le train est d'une utilisation moins souple que la route : il nécessite des ruptures de charge dans les gares et le recours à la route.

Les réseaux ferroviaires mondiaux sont très inégaux. Les plus denses et les mieux organisés sont situés dans les pays industrialisés. En Amérique du Nord, le réseau ferroviaire est plus lâche que dans les pays européens, en raison des très grandes distances à parcourir (4500 km de la côte atlantique à la côte pacifique).

Le transport des voyageurs par le rail est marginal aux États-Unis et au Canada (0,3 %) ; des projets de train à grande vitesse en Floride et dans le corridor Boston-New York-Washington sont en cours de réalisation. En Europe, le transport des voyageurs progresse légèrement depuis quelques années avec les réseaux TGV (train à grande vitesse).

Pour le fret, le combat avec la route est devenu très inégal, surtout pour des raisons de souplesse d'acheminement, sauf dans certains pays en développement (Chine) et en Europe orientale (90 % des marchandises en Hongrie, 43 % en République tchèque). Le train pourrait cependant reconquérir des parts de marché avec la mise en place du ferroutage (camions transportés sur wagons), comme en Suisse et en Autriche, et avec la création de corridors multimodaux associant la route, le chemin de fer et la batellerie fluviale le long des coaxiaux, conduites acheminant le gaz qui relient les grands ports à des pôles majeurs de l'arrière-pays, comme celui de Rotterdam à la Ruhr. Aux États-Unis, la création d'un pont ferroviaire entre les deux espaces économiques atlantique et pacifique montre l'intérêt du train sur les longues distances.

La privatisation en question. La France est le dernier pays de l'Union européenne à posséder un réseau ferroviaire entièrement aux mains de l'État, dans le cadre de la SNCF (Société nationale des chemins de fer français) créée en janvier 1938 (grande entreprise nationale appartenant au service public). Face aux nouvelles directives de l'Union européenne en matière de libéralisation des transports, la France devra, à terme, mettre en débat l'existence même de cette grande entreprise nationale, comme elle vient de le faire en 1998 pour Air France, dont le capital a été partiellement ouvert aux actionnaires privés.

Les trains à grande vitesse (TGV)

Le chemin de fer connaît depuis 1981 une véritable révolution avec la naissance des réseaux de TGV. C'est le Japon qui a créé en 1964 le premier TGV, le Shinkansen, mais c'est la France qui a su, dès 1981, organiser son territoire à partir d'un réseau TGV cohérent. Les pays voisins de la France sont à présent impliqués dans la connexion de leur territoire à un vaste réseau TGV européen, qui devrait atteindre 19000 km en 2010 et relier entre elles les grandes métropoles européennes en un temps exceptionnellement bref. D'ici à 2015, le réseau européen TGV sera organisé à partir des six branches françaises et de treize branches européennes, méridiennes et transversales. Le train Thalys relie Paris à trois pays voisins, mettant la capitale française à 4 heures de Cologne et à moins de une heure et demie de Bruxelles.

◆ **Eurostar.** Mis en service en 1994, il permet de relier en 3 heures Paris et Londres à la vitesse de 300 km/h.

Le transport fluvial

Les grands axes fluviaux navigables et exploitables pour le transport moderne sont rares et inégalement répartis dans le monde ; ils sont absents des régions montagneuses et des zones arides. Les axes les plus fréquentés relient les ports maritimes aux espaces économiques en arrière du littoral les plus productifs des pays industrialisés.

L'Europe n'a plus de réseau vraiment intégré ; elle ne possède que deux axes notables, le Rhin et le Danube, interconnectés depuis 1985 par les vallées du Main et de la Regnitz et formant un axe continu de 3500 km de la mer du Nord à la mer Noire. Les autres fleuves européens comme le Rhône, la Seine, la Moselle ou la Meuse n'offrent que de brèves sections navigables et manquent de liaisons modernes adaptées à la navigation à grand gabarit de type européen. La CEI (Communauté des États indépendants) hérite d'un réseau intégré datant de la période soviétique avec le système de la Volga (3500 km) et des canaux de liaison. L'Amérique du Nord possède deux systèmes cohérents, celui du Saint-Laurent et des Grands Lacs et celui du Mississippi, relié au Missouri et à l'Ohio, formant 6000 km de voies navigables. La Chine dispose de deux grands fleuves, le Yangzi Jiang et la rivière des Perles (Xi-jiang), reliant Canton à Macao et Hongkong.

La batellerie se modernise en Europe avec les convois poussés et les trains de barges, les canaux à grand gabarit autorisant des convois de 5000 tonnes. La voie fluviale pourrait reconquérir des parts de marché sur les autres types de transports grâce à la multimodalisation et à la conteneurisation par voie fluviale, à l'image de la liaison récente entre Lille, Dunkerque et Rotterdam par le coaxial européen. Mais, en Europe, le transport fluvial ne représente que 16 % du transport de fret terrestre. En France, il s'est effondré depuis trente ans. La France a abandonné en janvier 1998 le projet de liaison Rhin-Rhône, mais a confirmé celui de la liaison Seine-Nord, qui devrait s'ouvrir au trafic moderne en 2010 pour relier l'Île-de-France aux ports du nord de l'Europe, dont Dunkerque.

VOIR AUSSI
- **Navires** p. 379
- **Avions et hélicoptères** p. 380

Illustrations
- **Concorde** p. 311

◆ **Les grands ports du monde.**

Port	Pays	Total	Mouvements de conteneurs	Pays	Total en MEVP
Singapour	Singapour	305 Mt	Hongkong	Chine	1,2
Rotterdam	Pays-Bas	291 Mt	Singapour	Singapour	1,185
South-Louisia	États-Unis	207 Mt	Rotterdam	Pays-Bas	0,479
Chiba	Japon	176 Mt	Pusan	Corée	0,364
Shanghaï	Chine	186 Mt	Long Beach	États-Unis	0,296
Nagoya	Japon	143 Mt	Hambourg	Allemagne	0,289
Yokohama	Japon	132 Mt	Kaohsiung	Taiwan	0,288

MEVP : millions d'équivalent vingt pieds (mesure de volume).
Source : ISL Brême, Shipping-Statistic-Yearbook.

◆ **Les grandes flottes commerciales.**

Pays	Total	Pavillon national	Pavillon étranger en %	Flotte mondiale en %
Grèce	118-400	46-445	60,77	17,41
Japon	87-228	22-117	74,66	12,84
États-Unis	49-129	13-134	73,27	7,22
Norvège	48-909	28-127	42,49	7,19
Chine	32-258	23-162	36,12	5,33
Hongkong	33-481	5-401	83,27	4,92
Corée	23-123	10-254	55,66	3,40
Royaume-Uni	21-145	5-270	75,08	3,11

En milliers de TPL (tonne de poids en lourd ; nombre de tonnes qu'un navire peut transporter).
Données 1997. *Source* : d'après *Review of Maritime Transport*, UNCTAD.

Le transport maritime

Ce mode de transport a connu des fortunes diverses selon les époques. Le transport par mer des personnes a pris un essor notable à l'ère des grands paquebots à vapeur, à partir de la seconde moitié du XIXe s., mais ce trafic a perdu tout intérêt après 1950, avec la concurrence du transport aérien. Il a connu ensuite un certain renouveau avec les paquebots de croisière et les trafics sur courte et moyenne distance par les ferries (transbordeurs). En revanche, le transport par mer reste rentable sur de longues distances pour les marchandises, qu'il s'agisse de produits bruts (pétrole, céréales, minerais, bois) ou manufacturés (voitures, machines). La conteneurisation, apparue dans les années 1950 et qui s'est largement confirmée depuis, redonne au transport maritime d'importantes parts de marché.

Les lignes régulières. Les lignes régulières, où les cadences sont fixées et les escales déterminées à l'avance, totalisent 20 % du trafic mondial ; la conteneurisation croissante débouche sur un nouveau système dit « point à point » (c'est-à-dire de port à port), avec le tour du monde inauguré par le groupe Evergreen en 1992. Le tramping désigne des lignes non régulières, où le navire circule au gré des affrètements. Les Conférences maritimes créées en Grande-Bretagne en 1849 et regroupant les armateurs des grandes puissances, afin d'en privilégier un petit nombre, organisent des ententes entre opérateurs sur les lignes régulières, où ne circulent que les navires admis par elles. Les outsiders sont les navires qui ne font pas partie des Conférences et circulent malgré tout sur ces couloirs de navigation. Ils viennent surtout de pays en développement.

Pavillon national ou de complaisance. Le transport maritime sous pavillon national a reculé de 65 % à 27,8 % entre 1970 et 1997, au profit des flottes sous pavillon de complaisance, qui sont passées de 27 % à 44,8 %. Les pays de l'OCDE arment de moins en moins de navires sous leur pavillon. Japon représente 13 % de la flotte mondiale, les États-Unis 7,2 %. Les pays en développement assuraient, en 1996, 38 % du trafic maritime mondial, l'Asie à elle seule en représentant 21,6 % dont 38 % dans les nouveaux pays industrialisés (Taiwan possède la 3e flotte mondiale). La mondialisation renforce la déréglementation du trafic maritime.

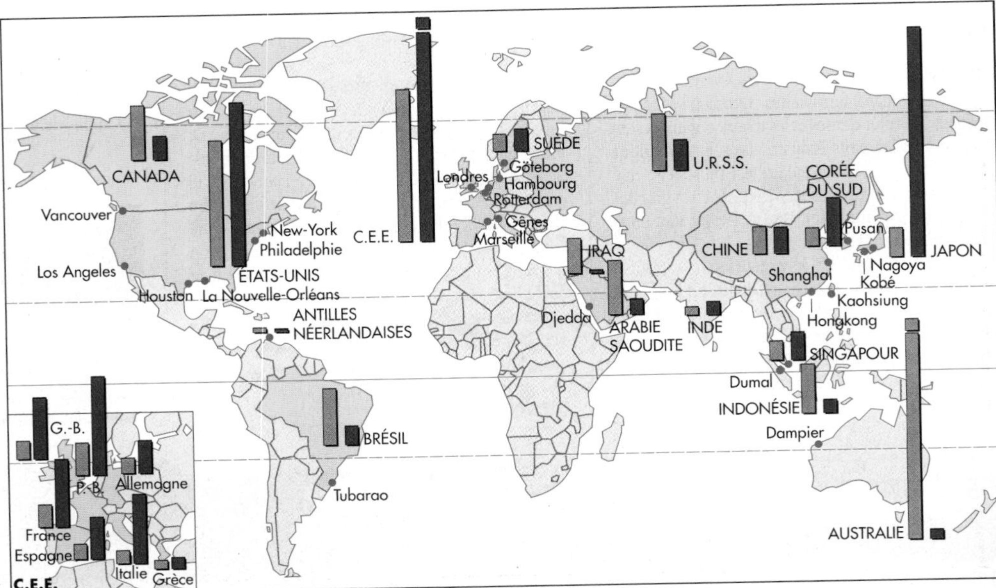

◆ **Les grands ports de commerce dans le monde.**
La carte permet de constater l'extrême concentration spatiale des grands ports mondiaux en Amérique du Nord, en Europe occidentale et en Asie orientale. Ces façades portuaires les plus puissantes du monde absorbent l'essentiel du trafic maritime international.

◆ **Latécoère 28-1 (1928).**
Monoplan aux lignes racées pour son époque, le Latécoère 28-1 fut utilisé aussi bien pour l'acheminement du courrier que pour le transport de passagers.

◆ **Boeing 777 (1995).**
Plus gros biréacteur du monde, le Boeing 777 peut transporter de 305 à 440 passagers sur des distances allant de 7 340 à 13 670 km selon les versions.

◆ **Lockheed Constellation (1946).**
Symbole de la renaissance du transport aérien après la Seconde Guerre mondiale, le quadrimoteur Lockheed Constellation fut l'un des plus remarquables avions de ligne à hélices.

La déréglementation aérienne

Elle est liée à l'histoire de l'aviation. Les premières décisions remontent à 1919, avec la création de l'IATA (International Air Traffic Association) à Montréal pour harmoniser les procédures entre transporteurs. En 1944 et 1945, l'Organisation de l'aviation civile est rattachée à l'ONU (elle regroupe 144 pays en 1998) et prévoit, partout, le principe du droit d'escale absolu pour tout transporteur aérien. Les États-Unis sont à l'origine du grand mouvement de déréglementation du transport aérien quand, en 1977, ils lancent le *Cargo Act* et, en octobre 1978, l'*Air Deregulation Act* qui libéralise totalement le transport aérien américain, renforcé en 1984 par le *Civil Aeronautics Board* qui supprime tout contrôle étatique sur les tarifs aériens. La déréglementation initiée aux États-Unis a eu comme conséquence de faire baisser les tarifs, mais aussi de faire disparaître certaines compagnies comme la fameuse Panam, victime d'une concurrence tarifaire très dure. En 1998, le ciel européen s'est ouvert à la concurrence, mais il n'y a pas encore de vraie politique commune, ni de déréglementation homogène, comme aux États-Unis. La privatisation des compagnies européennes est à l'ordre du jour, conséquence de la déréglementation, même en France où Air France a ouvert son capital au privé en janvier 1998, suivant en cela les recommandations de la Commission européenne visant à remettre en question le principe de service public.

Le transport sous pavillon de complaisance est un phénomène récent, institué par les États-Unis durant la Seconde Guerre mondiale, mais dominé par des pays en développement ; les navires y sont armés par des opérateurs maritimes des pays industrialisés afin de bénéficier de détaxes fiscales. Panamá, le Liberia, Chypre, Malte, les Bermudes représentent ainsi 44,6 % de la flotte mondiale. Les États-Unis arment 73 % de leurs navires sous pavillon de complaisance.

Les ports. La répartition des plates-formes portuaires, c'est-à-dire des ports et de leurs activités annexes, notamment industrielles et commerciales, a changé depuis le milieu des années 1980. L'Europe a ainsi perdu sa suprématie : Rotterdam n'est plus le premier port du monde (tout en restant le premier européen avec 291 millions de tonnes, soit plus que le total de tous les ports français), devancé en 1996 par Singapour. Le trafic portuaire est de plus en plus orienté vers la conteneurisation, ce qui a nécessité des réaménagements des ports : l'Asie compte 8 ports de porte-conteneurs sur les 10 premiers du monde. L'avenir des ports dépendra, au XXIe s., de leur aptitude à recevoir des porte-conteneurs, comme Le Havre qui met en chantier de nouveaux bassins spécialisés.

Le transport aérien

Le marché de l'aéronautique a augmenté de 60 % depuis 1986. D'ici à 2015, 16000 nouveaux appareils seront livrés aux compagnies aériennes. La production de masse est apparue il y a 35 ans avec les alliages légers, la propulsion à réaction, l'électronique embarquée. Entre 1955 et 1957 le moteur à réaction (Boeing 707, Caravelle) s'impose au détriment du moteur à hélice, puis en 1970 apparaissent les gros porteurs (747, Airbus, DC 10). En 1946 il fallait près de 14 heures à un DC 4 pour relier Paris à New York ; en 1975, le B 747 met Paris à 7 heures 30 de New York (le Concorde supersonique fait le trajet en trois heures). Les avions cargos sont la grande nouveauté des années 1990 avec le 747-400 qui peut transporter 100 t de fret sur 6 000 km. Les prix ont considérablement baissé avec le gigantisme des avions, mais également en raison de la déréglementation intervenue aux États-Unis en 1978, laquelle a provoqué une âpre concurrence entre les compagnies aériennes, au détriment parfois de la sécurité. Le transport aérien triomphe sur les longues distances transcontinentales et intercontinentales, mais sur les moyennes distances à l'intérieur de l'Europe il est de plus en plus concurrencé par les trains à grande vitesse. Eurostar prend ainsi des parts de marché au trafic aérien sur les liaisons transmanche depuis 1995.

La circulation des avions se fait le long de routes aériennes, selon d'une part, les routes loxodromiques (trajet le plus court entre deux points de la surface terrestre), qui permettent de gagner du temps sur de longues distances ; d'autre part, les routes isobariques, qui utilisent les vents optimaux pour les courtes et moyennes distances. Ces routes aériennes forment des couloirs (d'une largeur de 18 km) à l'intérieur desquels chaque avion suit strictement sa trajectoire. Comme les navires, les avions peuvent suivre des parcours dits « réguliers » avec des vols fréquents et des escales précises ; d'autres suivent des parcours non réguliers, comme les charters, qui peuvent changer de route et d'escale au gré des demandes des agences de voyage. En 1998, la moitié des 1 500 compagnies aériennes mondia-les suivaient des routes régulières. Les trans-por-teurs aériens sont de plus en plus nombreux ; la saturation des espaces aériens est devenue un problème majeur, et l'accès aux aéroports nécessite souvent de longs temps d'attente dans le ciel avant d'atterrir, de même que sur les pistes avant de décoller.

Le marché. Les États-Unis dominent toujours le marché aérien, avec les quatre premières compagnies du monde (United Airlines, American Airlines, Delta, Northwest). Les Européens disposent des 5e (British Airways), 7e (Air France) et 9e (KLM). En Asie, Japan Airlines, Singapore Airlines et Korean Airlines occupent les 6e, 8e et 10e places mondiales. Aux États-Unis, le trafic interne au territoire national représente un quart du trafic total (les distances y étant importantes) contre 13 % en Europe. Le trafic à l'intérieur de la zone Pacifique représente 15 % du total, celui entre l'Amérique et l'Europe du Nord 11 %, entre l'Asie et l'Europe 6 %.

Les plates-formes aéroportuaires ont changé depuis 15 ans, avec notamment le *hubbing*, pratique inventée aux États-Unis dans les années 1980, juste après la déréglementation aérienne : le réseau d'une compagnie s'organise à partir du rabattement du fret ou des voyageurs sur un ou plusieurs aéroports pivots (*hub* en anglais), de manière à accroître les correspondances au lieu de ne faire qu'une liaison principale. L'Europe ne compte que 4 hubs : Paris-Roissy, Londres-Heathrow, Amsterdam et Francfort, contre 7 aux États-Unis. Le hubbing renforce l'importance des très grands aéroports mondiaux.

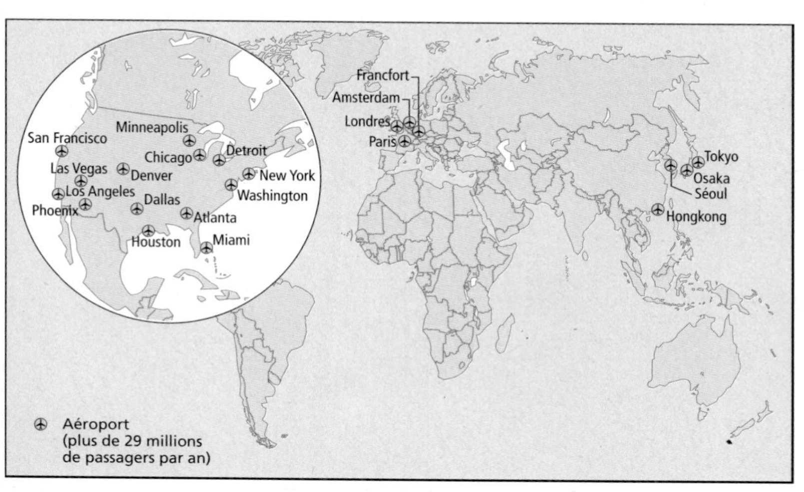

◆ **Les principaux aéroports dans le monde.**

Le tourisme

Une activité économique majeure

En 1998, le tourisme était certainement la première industrie de services mondiale, employant plus de 225 millions de personnes à travers le monde, soit un actif sur 10, avec une croissance annuelle de 3 à 5 % par an selon l'OMT (Organisation mondiale du tourisme). Il est toutefois très sensible aux événements internationaux et à la conjoncture économique. L'OMT estime que plus de 613 millions de touristes se déplacent dans le monde ; ils devraient être plus de 1 milliard en 2010 et 1,6 milliard en 2020. Les recettes du tourisme dépassaient 447 milliards de dollars en 1998 et devraient doubler d'ici à 2015.

La Conférence d'Ottawa (1991) a distingué le tourisme interne (c'est-à-dire activités touristiques effectuées par les résidents à l'intérieur de leur pays), le tourisme national (qui regroupe le tourisme interne et le tourisme émetteur, c'est-à-dire les touristes venus d'autres pays) et le tourisme international (qui regroupe tourisme récepteur et émetteur).

La demande touristique internationale augmente, mais irrégulièrement selon les zones, à l'image du tourisme en Égypte (instabilité politique) ou en Asie (crise économique de 1997-1998). L'influence du tourisme international peut être considérable sur la balance des paiements de certains pays comme la France, l'Espagne ou la Grèce.

Répartition géographique. La répartition géographique des flux touristiques fait apparaître des inégalités confirmant la prépondérance des pays industrialisés. L'importance de l'activité touristique dépend du niveau de vie et de la situation des pays émetteurs et récepteurs. L'Europe reste en tête avec 361,2 millions de touristes et 223,3 milliards de dollars de recettes, soit 60 % du total, suivie par le continent américain (118,9 millions de touristes et 119,8 millions de dollars de recettes), soit 19,8 % du total, l'Asie du Sud-Est et le Pacifique (90,2 millions de touristes et 83,2 milliards de dollars de recettes). L'Afrique reste nettement en retrait avec seulement 23,2 millions de touristes et 8,7 milliards de dollars de recettes, comme le Moyen-Orient (14,7 millions de touristes et 8,6 milliards dedollars de recettes) et l'Asie du Sud (4,6 millions de touristes et 4,1 milliards de dollars de recettes).

Le tourisme international est aux mains de firmes multinationales géantes qui intègrent toutes les activités (agences de voyages, chaînes hôtelières, transport aérien...) comme Holiday Inn (États-Unis), Choice Hotels, Accor, Club Méditerranée.

La France, destination privilégiée

La diversité de ses paysages, sa position géographique et son patrimoine culturel font de la France une destination privilégiée du tourisme. Les aménagements touristiques ont été précoces, et totalement intégrés à partir de 1963 dans la politique d'aménagement du territoire.
La France a reçu en 1998 65,6 millions de touristes (contre 50 millions aux États-Unis et 42 millions en Espagne). 30 000 emplois directs sont créés chaque année pour 600 000 emplois dans l'activité et un chiffre d'affaires de 700 milliards de francs. Le secteur fournit 8 % du PIB, soit plus que l'automobile ou l'agroalimentaire.
Eurodisney, avec plus de 12 millions de visiteurs en 1997, est devenu le lieu le plus visité d'Europe, devant Notre-Dame (10 millions) et le Centre Georges-Pompidou (8 millions). Neuf des quinze premiers sites visités dans le monde sont français (mont Saint-Michel, Futuroscope de Poitiers, tour Eiffel...). La majorité des visiteurs sont européens.

VOIR AUSSI • **Sociologie du tourisme** p. 1308

◆ **Le tourisme dans le monde.**
On remarque la prépondérance de l'Europe de l'Ouest, alors que trois ou quatre autres ensembles reçoivent chacun un nombre égal de touristes.

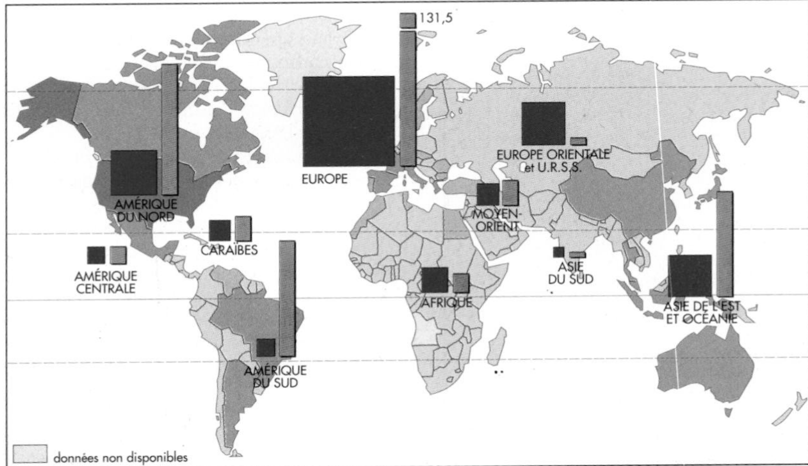

L'Homme en société

Un rassemblement d'individus ne constitue pas un groupe social. Toute société véritable se caractérise par des échanges et une organisation plus ou moins complexes. Les sociétés animales méritent bien, à cet égard, leur appellation : certaines sont non seulement anciennes, mais extrêmement évoluées.

Seules les sociétés humaines se donnent leurs lois et leurs fondements ; seules elles forgent rites, mythes et valeurs.

◆ ***Noce paysanne*, peinture de Jan Steen (1626-1679).** Une scène de la vie populaire au XVIIe siècle. (Kunsthistorisches Museum, Vienne)

LES FAITS DE CULTURE

LA SOCIALISATION DE L'INDIVIDU

LA VIE POLITIQUE

TRAVAIL ET SOCIÉTÉ

LA COMMUNICATION

LES DÉFIS MONDIAUX

Les peuples

L'évolution démographique

Aux époques paléolithiques, les groupes d'*Homo sapiens* (espèce à laquelle appartiennent les hommes actuels) sont de petite taille ; ils apparaissent à différentes époques en Afrique orientale, au Moyen-Orient et en Europe, régions où les données de la paléontologie et de la préhistoire ont permis d'attester leur présence. Vers 100000 av. J.-C. arrivent des néandertaliens qui, d'après la morphologie du larynx, n'ont encore qu'un langage articulé rudimentaire. Les squelettes trouvés sont presque tous ceux d'individus morts jeunes. Ce sont ensuite, beaucoup plus tôt au Moyen-Orient (80000 av. J.-C.) qu'en Europe (35000 av. J.-C.), des hommes de Cro Magnon, qui vivent plus vieux. En Chine, à Bornéo et en Australie, les premiers hommes modernes sont attestés également vers 30000 av. J.-C. Sur le continent américain, ils sont en revanche beaucoup plus récents (10000 av. J.-C. au Brésil).

La révolution néolithique, à partir de 8000 av. J.-C., a lieu sur tous les continents, mais ses effets sont plus ou moins profonds et se manifestent à des vitesses différentes, en particulier en ce qui concerne la croissance de la population. Les estimations évaluent le nombre d'individus à 15 millions vers 4000 av. J.-C. et à dix fois plus, soit 150 millions, un millénaire plus tard ; ils habitent déjà dans de vraies villes au Moyen-Orient.

Ensuite, la croissance se poursuit. La Rome impériale compte 600 000 habitants. Au cours des siècles, la population augmente à un rythme inégal, saccadé ; les périodes de croissance sont entrecoupées de reculs dus à des famines, à des guerres et à des épidémies (la Grande Peste en 1348, par exemple). Le premier milliard d'hommes est atteint au milieu du XVIIIe s.

C'est alors que la transition démographique commence en Europe occidentale. La mortalité précoce recule, les femmes s'écartent de la fécondité naturelle ; les taux d'accroissement de la population sont positifs mais modérés. Pour la planète, on les situe entre 0,5 et 0,8 % jusqu'en 1950. Le deuxième milliard d'hommes est atteint en 1927.

Entre 1950 et 1970, le taux d'accroissement naturel mondial s'emballe, atteignant 2 % par an. Le troisième milliard est franchi en 1974. Ensuite le taux amorce une descente, revenant à 1,6. Il est maintenant assuré que tous les pays du monde sont entrés dans la transition démographique. Quatre milliards d'hommes en 1987, cinq milliards en 1998, mais les projections pour le siècle à venir sont révisées à la baisse. On estime qu'après le huitième milliard, vers 2050, la croissance se ralentira nettement.

Densités inégales

Le nombre d'habitants au km² est un indicateur simple mais qui masque des réalités très différentes selon que les concentrations de populations se rencontrent dans les grandes agglomérations d'Europe et d'Amérique du Nord, dans l'archipel nippon, ou dans des zones rurales fertiles, vallées et deltas des grands fleuves d'Asie du Sud et surtout du Sud-Est, ou dans les gigantesques mégalopoles du tiers-monde : Mexico, Rio de Janeiro, Lagos, Le Caire, Calcutta, Bangkok, Jakarta et bien d'autres. La Chine et l'Inde sont parvenues à assurer la subsistance de leur population malgré une croissance encore forte, en partie contenue par des efforts de réduction des naissances. Cependant la pire misère est le lot des ruraux déracinés, qui viennent chercher leur subsistance dans ces villes duales où se côtoient deux mondes étrangers l'un à l'autre, celui de la modernité et celui des *favelas*, terme latino-américain qui a pris une valeur générique.

Les migrations de la préhistoire

Le genre humain *(Homo)* est apparu en Afrique il y a environ deux millions d'années et demi ; il est composé de plusieurs espèces dont seule l'espèce *Homo sapiens sapiens* (l'homme moderne) est présente sur Terre aujourd'hui. À partir de deux millions d'années av. J.-C. environ, en passant par la Palestine, des hommes appartenant aux espèces *Homo erectus* ou *Homo ergaster* sont partis vers l'Asie jusqu'au golfe du Bengale. Là, deux courants se sont séparés, l'un se dirigeant vers le sud, Java et Bornéo, l'autre vers le nord, la Chine. La marche vers l'Europe fut sans doute plus tardive, se faisant au gré des périodes interglaciaires qui en rendaient l'accès possible. Certaines régions n'ont pas été atteintes par ces espèces humaines anciennes : c'est le cas notamment de l'Amérique et de l'Australie.

L'origine des différentes populations d'hommes modernes *(Homo sapiens sapiens)* dans les différentes régions du globe fait l'objet de diverses théories. Selon la théorie dite « monocentrique », tous les hommes modernes seraient issus d'une même population, apparue en Afrique vers 200000 av. J.-C. et dont les membres auraient ensuite progressivement gagné le monde entier. En fonction des dates d'apparition des premiers hommes modernes dans les diverses parties du globe, on peut ainsi reconstituer les migrations : l'homme moderne a atteint le Proche-Orient vers 100000 av. J.-C., l'Asie du Sud-Est vers 70000 av. J.-C., et l'Europe vers 35000 av. J.-C.

À l'opposé de la théorie « monocentrique », la théorie du « pluricentralisme » suggère que les hommes ont évolué de façon indépendante dans les différentes régions du monde, mais tous en direction d'une même forme moderne *(Homo sapiens sapiens)*, l'évolution dans les régions hors d'Afrique se faisant à partir des premiers hommes originaires d'Afrique (*Homo erectus* ou *Homo ergaster*) qui étaient arrivés au cours des premières vagues de migration préhistoriques. Selon d'autres théories, les différents hommes modernes seraient le résultat d'un mélange d'évolution au niveau régional et de « métissage » lié à l'arrivée d'hommes modernes venus d'autres régions.

Les migrations indo-européennes. Au début de la période néolithique, de 8000 à 6000 av. J.-C., l'Europe est partagée entre deux grands groupes de cultures seulement. À l'ouest, la culture dite « danubienne », qui sera celle des premières périodes historiques et qui est bien connue, dans son unité comme dans ses variantes, par les poteries et les objets de l'âge du bronze. Plus à l'est, du Dniepr à l'Oural, s'impose la culture dite « des kourganes », terme slave désignant les tumulus servant de sépultures collectives. Les Indo-Européens sont, originairement, marqués par cette dernière culture et n'ont commencé à diverger que vers la fin du Ve millénaire av. J.-C. L'archéologie permet de suivre les traces de cette pénétration indo-européenne vers le Kazakhstan, l'Iran et l'Inde, d'une part, et vers l'Europe, d'autre part. Les Hittites sont les premiers à migrer, puis les Germains. La séparation des Italo-Celtiques d'un côté et des Indo-Iraniens de l'autre est plus tardive. De ces derniers se détacheront les Grecs archaïques ; à la même époque (IIe millénaire av. J.-C.), les langues védiques apparaissent en Inde. Par vagues successives, les envahisseurs indo-européens, peu nombreux, apportent des éléments qui bouleversent les cultures antérieures en même temps qu'ils s'y intègrent.

Le peuplement de l'Amérique, plus récent, n'a pu se faire que par voie terrestre, à partir de l'Asie, en passant la Béringie, c'est-à-dire le détroit de Béring asséché par la glaciation, condition réalisée aux environs de 36000 et 30000 av. J.-C. La migration vers le sud a pris des millénaires.

L'Australie, en revanche, a été peuplée par voie maritime à partir de la Chine ou de l'Indonésie. La multiplicité des îles – le niveau de l'océan étant beaucoup plus bas qu'à l'issue de la dernière glaciation – a pu autoriser un cabotage compatible avec des moyens de navigation rudimentaires, vers 60000 ou 50000 av. J.-C.

Les grandes migrations historiques

Aux époques historiques, il est parfois difficile de distinguer les migrations de populations qui se déplacent et les entreprises de conquête ou de colonisation.

Entre le XIIIe et le XIe s. av. J.-C., d'intenses bouleversements ont lieu en Méditerranée orientale, dont témoignent à la fois les poèmes homériques, les fouilles archéologiques et les éléments les plus anciens des institutions athéniennes (les tribus). À la même époque, les Étrusques arrivent en Italie, venant sans doute d'Anatolie, mais parlent une langue qui n'est ni indo-européenne ni sémitique et qui n'a toujours pas été décryptée.

Au IVe siècle av. J.-C., Alexandre le Grand n'est qu'un conquérant de passage, mais les royaumes établis par ses généraux ont hellénisé le Moyen-Orient et l'Égypte assez fortement pour que l'Empire romain qui leur a succédé en soit fortement affecté.

Les Barbares qui, au Ve s. de notre ère, ont franchi le limes (frontière orientale de l'Empire romain) et pris Rome étaient originaires d'Asie centrale mais ont été assimilés par l'Occident.

La marche des Arabes jusqu'à l'Atlantique et à Poitiers (743) impose à l'Afrique du Nord un nouveau peuplement, qui devient rapidement majoritaire, alors qu'en Espagne les conquérants arabes restent minoritaires et, en raison de la barrière religieuse très puissante, se mêlent peu aux populations ibériques. Tout à l'inverse, les Vikings, ou Normands, venus de Scandinavie sur leurs fameux drakkars entre le IXe et le XIe s., font souche en Angleterre et en France.

L'attrait de l'outre-mer. La découverte des Amériques entraîne des migrations aux destins très différents. Après les colonisateurs espagnols

La traite des Noirs : une migration forcée

Le pillage en grand de l'Afrique entrepris par les Blancs a commencé très tôt, dès le XVe s. Les Portugais, qui longeaient les côtes ouest du continent, font alors prisonniers les Africains qu'ils capturent pour les vendre et financer ainsi leurs expéditions. La formule est désormais trouvée : Espagnols, Portugais, puis Hollandais, Français et Anglais vont pouvoir exploiter leurs empires coloniaux américains. Car, pour tirer profit de ces empires nouvellement constitués, il faut de la main-d'œuvre : on fera appel aux esclaves. Les colonies fournissent la canne à sucre, le café, le cacao, le coton, le riz, l'indigo ; la culture de ces plantes se fera par des indigènes, qui sont plus adaptés au climat et que la condition d'esclave rend parfaitement exploitables. Le nombre de Noirs réduits en esclavage et déportés atteint 75 000 au début du XVIIe s. Les négriers inaugurent une nouvelle pratique : la livraison dans le Nouveau Continent du « bois d'ébène », soit quelque 300 000 esclaves africains au début du XVIIe s. Ce système se perfectionne aux XVIIe et XVIIIe s. Le nombre de Noirs déportés aux Amériques atteint 1,5 million au XVIIe s., puis 6,5 millions au XVIIIe s. La colonisation suggère aux entrepreneurs l'exploitation de nouveaux produits : café, sucre, cacao, tabac, dont ils lancent la mode ou qui sont à la mode. De produits de luxe, ces articles deviennent des besoins. C'est alors que s'organise le trafic triangulaire, qui consiste à aller échanger sur les côtes africaines des produits européens (rhum, verroterie...) contre des esclaves, à transporter ceux-ci aux Antilles et à les y vendre, pour rapporter en Europe sucre et cacao. De 12 à 15 millions de Noirs ont ainsi quitté, dans des conditions épouvantables, leur terre natale. Près de 2 millions sont morts en route pour le Nouveau Continent. Les esclaves seront libérés dans le courant du XIXe s. et le trafic sera interrompu ; mais la condition des Noirs restera, aux États-Unis par exemple, marquée à jamais par l'origine du peuplement noir. Les conséquences de la traite des Noirs pour le développement de l'Afrique sont, elles, incalculables.

et portugais qui, aux XVIe et XVIIe s., s'approprient le sud, alors que Français et Anglais s'établissent au nord, arrivent, contraints et forcés, les esclaves arrachés à l'Afrique. Aujourd'hui, 17 % de la population des États-Unis est d'origine africaine. Si l'égalité des droits a fini par être acquise, la ségrégation n'a pas entièrement disparu. Au Brésil, au contraire, toutes les formes de métissage se sont largement répandues, plus que partout ailleurs.

Dans la seconde moitié du XIXe s., des Européens pauvres s'embarquent massivement pour le Nouveau Monde. Après la famine de 1847, un million d'Irlandais émigrent aux États-Unis, suivis par des Italiens, puis des Grecs. Les Allemands candidats à l'émigration se partagent entre le nord et le sud (Chili et Argentine).

Au XXe s., les États-Unis et le Canada accueillent ceux qui fuient le bolchevisme, puis les adversaires ou les victimes potentielles du nazisme, beaucoup de juifs mais pas uniquement. Sur la côte du Pacifique, des Chinois arrivent en nombre. Dans les dernières décennies, Mexicains et Portoricains tentent de franchir la frontière que les États-Unis cherchent à fermer de plus en plus hermétiquement. La création de l'État d'Israël, en 1948, fait arriver deux millions de juifs sur le rivage d'Asie, mais déplace un demi-million de Palestiniens, ce qui crée des difficultés internationales non encore résolues.

Les chemins de l'Europe. L'Europe connaît aussi des déplacements de populations importants. L'URSS organise sans ménagement des déportations en masse pour russifier notamment l'est de l'ancienne Pologne (Biélorussie actuelle) et la Bessarabie (Moldavie actuelle). La France, pays d'immigration, fait d'abord venir des mineurs polonais dès 1880, puis des Italiens, parfois très mal accueillis dans les années de la grande dépression (1930-1937). Marseille voit arriver des Arméniens fuyant les massacres turcs, puis des Vietnamiens. Par Toulouse passe un demi-million d'Espagnols républicains qui, en 1939, fuient la répression franquiste. Avec l'essor économique des années 1950 arrivent des travailleurs espagnols et portugais puis maghrébins, principalement algériens. Au moins un des quatre grands-parents du quart des citoyens français actuels est d'origine étrangère. Dans l'Allemagne fédérale des années 1960, les arrivants sont surtout des Turcs et des Yougoslaves. À partir de 1973, les frontières des pays européens se ferment à l'immigration de travailleurs peu qualifiés. Cependant, la pression des pays pauvres se fait sentir : Maliens en France, Africains de l'Est en Grande-Bretagne, Albanais en Italie.

Malgré des tentatives destinées à limiter l'immigration, comme l'instauration de quotas aux États-Unis, son arrêt total est impossible et, peut-être, non souhaitable. Une maîtrise des flux est cependant aussi nécessaire que difficile.

◆ Débarquement de réfugiés albanais à Brindisi (Italie), en mars 1997. Le dernier régime communiste européen, dictatorial, ayant implosé, des dizaines de milliers d'Albanais, quittant un pays misérable plongé dans le chaos, ont tenté de trouver une planche de salut dans les pays européens, notamment le plus proche d'entre eux, l'Italie.

La démographie

Science des populations, la démographie utilise, plus que la plupart des sciences sociales, des séries statistiques longues, à commencer par les recensements de population, établis à l'origine pour des objectifs fiscaux et militaires : connaître le nombre de foyers, la ressource en conscrits. En France, les recensements sont plus ou moins réguliers depuis 1801. Un effort d'harmonisation de la périodicité dans les pays européens a été entrepris. Opération lourde, conduite en France par l'Institut national de la statistique et des études économiques (INSEE), le recensement établit la population légale, donc aussi celle des communes, laquelle détermine les dispositions applicables aux élections municipales et le nombre des conseillers à élire. Pour ce faire, tous les bulletins individuels de recensement sont comptés. En revanche, de nombreuses études, nationales ou régionales, qui sont faites à partir des données du recensement (évolution du parc de logements et de leurs équipements, composition de la population active, etc.), le sont sur deux échantillons, l'un utilisant le quart des réponses, l'autre le vingtième.

Alfred Sauvy et l'INED. Statisticien et économiste français, Alfred Sauvy (1898-1990) est convaincu, dès les années 1930, que la population est la richesse d'un pays et qu'il ne peut pas y avoir de croissance économique soutenue sans croissance de la population.

Scientifique soucieux d'influencer les politiques, il pense que la diffusion de résultats vrais peut combattre les préjugés et les idées fausses. En 1945, alors qu'il est secrétaire général à la Famille et à la Population, il obtient du général de Gaulle la création de l'Institut national d'études démographiques (INED), qui aura, entre autres missions, à présenter au président de la République un rapport annuel sur l'état de la population. Sous sa direction jusqu'en 1962, l'INED acquiert vite une autorité scientifique internationale qui permet aux démographes français de tenir une place importante au département « Études démographiques » de l'ONU, et dans les grandes conférences internationales où sont confrontées les analyses et projections qui sont à la base des prévisions.

À côté de ses travaux de démographie générale où se sont illustrés Jean Bourgeois-Pichat et Roland Pressat, l'INED a des démarches pionnières dans quatre domaines. En démographie historique, Louis Henry a mis au point une méthode d'analyse des registres paroissiaux, qui sera reprise dans de nombreuses monographies de villages grâce auxquelles des séries assez sûres ont pu être établies depuis le XVIIe s. Le département « Génétique des populations » a favorisé le dialogue avec des biologistes et permis le lancement, en Afrique notamment, de plusieurs grandes enquêtes sur des pathologies à origine éventuellement génétique. La collaboration entre démographes et sociologues a été à la base du développement de recherches sur l'évolution de la nuptialité ou l'acculturation des immigrants. Enfin, un département de psychosociologie a recours aux enquêtes, factuelles ou d'opinion (sur le nombre d'enfants désiré, les relations entre les générations, par exemple sur l'aide financière que les parents accordent aux enfants mariés, etc.)

VOIR AUSSI
• **Préhistoire** p. 410 à 415
• **Migrations internationales** p. 827
• **Indicateurs démographiques** p. 832
Illustrations
• **Réfugiés du Kosovo** p. 547 ; **soudanais** p. 702 ; **kurdes et rwandais** p. 759

Les rites

Un phénomène universel

Toutes les sociétés, même les plus laïcisées, observent des rituels en certaines occasions. Un rite est une action, individuelle ou plus souvent collective, figée dans sa forme et hétérotopique, c'est-à-dire dont l'intention s'adresse à un ailleurs. Dans une culture, les rites ont un sens pour les participants qui partagent les croyances sur lesquelles se fonde la confiance dans la nécessité et l'efficacité de ces rites. On distingue généralement les rites magiques, positifs ou négatifs, qui sont censés avoir une efficacité pratique ; les rites religieux et cérémoniels, qui se confondent souvent avec les rites cycliques et festifs ; les rites de passage.

Dans la pensée magique, le rite est la modalité de la communication avec des puissances surnaturelles de qui on attend des actions positives ou négatives. Les rites propitiatoires, accomplis en vue d'attirer quelque événement favorable sur la collectivité (la pluie ou une bonne récolte), apparaissent irrationnels à l'observateur extérieur, tenté de penser que ceux qui les accomplissent n'ont pas accès à la pensée rationnelle établissant des liaisons de cause à effet. Cette conception est erronée. Les rites d'appel à la pluie dans le Sahel se pratiquent vers la fin de la saison sèche, toujours trop longue, et ils précèdent d'habitude de quelques semaines l'arrivée des pluies. La relation peut parfaitement être conçue comme étant de même nature que celle qui est observée entre arrosage et croissance des plantes. La frontière entre causalité naturelle et causalité surnaturelle est d'autant plus facilement effacée que la causalité naturelle n'est pas comprise de façon scientifique. De même, les rites conjuratoires, accomplis en vue d'éviter un malheur, sont d'autant plus volontiers considérés comme efficaces que ledit malheur n'est pas très fréquent. Le pêcheur japonais qui croise la route d'un autre passe au plus près de la poupe afin de couper le fil invisible du mauvais génie qui pourrait poursuivre ce bateau.

Les rites religieux sont souvent une construction symbolique qui entretient une relation avec la parole fondatrice, mythique ou non. Ainsi, dans le baptême chrétien, les grains de sel sur la langue symbolisent la sagesse de l'Esprit. Ces rites sont également souvent commémoratifs et cycliques, volontiers en relation avec le cycle des saisons. Lorsqu'une cérémonie rituelle n'est pas fixée par un calendrier précis, décider de sa date est un pouvoir religieux important. Le rite manifeste, dans la vie de la collectivité, la présence du sacré. C'est également visible dans des rituels non religieux, comme ceux de la justice qui, dans les républiques contemporaines, est rendue au nom du peuple.

Les rites de passage – naissance, entrée dans l'âge adulte, mariage, funérailles – marquent le lien étroit qui existe entre l'individu et la collectivité.

◆ **Louis XI, suivi du Grand Dauphin, passant à cheval devant la grotte de Thétis, à Versailles,** peinture du XVIIe siècle. Le rituel de Cour a connu, avec Louis XIV, une élaboration extrême, voulue pour affirmer la majesté du monarque absolu. Toutes les Cours d'Europe s'en sont inspirées.

◆ **Rite initiatique chez les Papous, en Nouvelle-Guinée.** Les hommes Tamhuan portent des masques rituels lors des cérémonies d'initiation des jeunes gens à la société secrète.

Rites et grandes étapes de la vie

Les grandes étapes de la vie individuelle sont rituellement marquées par la collectivité. L'expression « rite de passage », créée en 1909 par un ethnologue des coutumes de la France rurale, Arnold Van Gennep (1873-1957), s'est imposée pour désigner ces ensembles d'obligations, d'épreuves et de fêtes qui s'observent pour le passage des garçons à l'âge adulte, les mariages et les funérailles. Par-delà la variété, un déroulement en trois temps est très généralement observé : rupture, période d'isolement, réintroduction dans la société. Ainsi, la mort est rupture par excellence, mais les funérailles donnent au défunt une place nouvelle parmi les ancêtres à vénérer ou les âmes pour qui l'on prie, ou dans la mémoire partagée. Les jours qui séparent le décès de la cérémonie sont une période d'incertitude où les proches doivent vivre dans l'isolement.

Les rituels les plus intéressants à étudier sont ceux qui concernent le passage à l'âge adulte. Dans la Grèce préclassique (VIIIe-VIe s. av. J.-C.), ce passage s'accompagnait d'épreuves d'inversion que les jeunes devaient subir pendant la période précédant la fête de leur admission parmi les hoplites, citoyens soldats. Les jeunes garçons devaient accomplir des exploits interdits aux vrais hommes : tuer seul un sanglier par ruse, ou avec un filet (technique jugée honteuse pour de vrais hommes) ; participer à une procession déguisés en filles, etc. À l'époque de Platon (IVe s. av. J.-C.), la fête d'admission subsiste, mais les épreuves sont devenues, plus banalement, le service militaire aux frontières.

Les rites dans les sociétés modernes

Les rites collectifs ne sont pas l'apanage des sociétés disparues. Cependant, pour que le terme « rite » soit approprié, il faut que deux conditions soient réunies : un déroulement codifié, stéréotypé, et une visée intentionnelle allant au-delà de ce qui se laisse voir. Une pratique collective n'est pas en soi un rite.

Un ethnologue français, Yves Lambert, a noté que, lors du premier enterrement civil qu'a connu une localité bretonne, le cortège, conscient d'un manque, a demandé au curé, venu simplement en ami du défunt, de dire quelques mots, considérant ainsi le prêtre comme le spécialiste patenté du rite.

Dans l'ordre festif, les grands carnavals latino-américains sont des rites d'inversion où l'exubérance du spectacle et la levée temporaire d'interdictions servent à conjurer la mort. Dans un tout autre registre, un grand match de football est également au centre d'un rite. Les spectateurs viennent pour participer ensemble à quelque chose qui ressemble à une mise à mort symbolique. Les affrontements entre supporters s'intègrent au rituel.

Les rites de réaffirmation d'identité collective sont variés. Aux États-Unis, en novembre, *Thanksgiving* célèbre le souvenir des premiers immigrants anglais et se fête par un repas où la dinde est de rigueur. L'*Independence Day,* le 4 juillet, donne lieu à de grands rassemblements. Pique-niques familiaux, lâchers de ballons, défilés entretiennent une forme de liesse populaire. En France, le 14-Juillet et les fêtes locales jouent le même rôle, et perpétuent les manifestations identitaires traditionnelles.

Les fêtes de Noël et du Nouvel An sont des rituels particulièrement complexes où le débordement commercial se combine avec l'attention particulière portée aux enfants, en accord avec la Nativité chrétienne, cependant que le sapin, toujours vert, rappelle de vieux rites calendaires du renouveau des jours.

VOIR AUSSI
- **Rites funéraires** p. 956

Illustrations
- **Carnaval en Roumanie** p. 546
- **Fête folklorique en Autriche** p. 959

Les mythes

◆ **Sculpture en marbre ornant un sarcophage d'époque romaine trouvé à Arles.**
Au centre, Prométhée crée le premier homme, qu'il façonne avec de la terre glaise. Le dieu de la mythologie grecque, fils d'un Titan, passe aussi pour avoir volé le feu aux dieux.
À gauche sur le document, casquée, Athena (Minerve chez les Romains), déesse de la Pensée, des Arts et des Sciences.
À droite, Hermès (Mercure pour les Romains), guide des voyageurs et messager des dieux.

L'universalité des mythes

Les mythes sont des récits qui répondent, sous forme imagée, aux interrogations les plus profondes d'une société : création de l'univers, conception du temps, mystère de la vie, place de l'homme, relation avec le divin, coexistence du bien et du mal, séparation du permis et de l'interdit, destin après la mort, fondement de l'ordre social.

Ils peuvent envelopper des références, plus ou moins explicites, à des événements historiques ayant marqué la vie du groupe et, en particulier, ses migrations et ses combats.

Transmis dans les sociétés traditionnelles, parfois jusqu'à l'époque actuelle, sous forme de littérature orale, ils sont généralement associés à des rituels. Ainsi, lors des Panathénées, grande fête religieuse et civique, l'*Iliade* et l'*Odyssée* étaient récitées en entier.

Les modernes face aux mythes. Avec la légende d'Œdipe qui tue son père et épouse, sans le savoir, sa propre mère, Freud a montré de façon éclatante la profondeur et la force du mythe qui dit des choses que la pensée rationnelle a bien du mal à expliciter.

Au XXe s., l'étude des mythes a été l'une des plus fécondes pour l'histoire et l'anthropologie. C'est par des rapprochements de mythologie comparée, notamment avec les légendes nordiques et romaines, que Georges Dumézil (1898-1986) a pu établir qu'au début de leur histoire les Romains vivaient selon une tripartition des fonctions : royales, guerrières et de subsistance ; il a ainsi rendus intelligibles certains traits institutionnels de la Rome classique.

Dans les quatre volumes des *Mythologiques* (1964-1971), qui reposent sur 612 récits amérindiens, Claude Lévi-Strauss a mis au jour un certain nombre d'invariants structurels et de lois de transformation des mythes. Il montre ainsi que, derrière le foisonnement des récits, les modalités structurelles de l'imagination humaine sont en nombre limité et qu'il n'y a guère de différence entre le fonctionnement mental d'un Nambikwara (Amérindien du Brésil) et le nôtre. L'une des leçons les plus claires est que les récits généalogiques, si fréquents dans toutes les cultures, sont, en même temps, des exposés de structures de couples opposés à l'œuvre dans l'esprit humain. Il en est ainsi des catégories du cru et du cuit, dont Lévi-Strauss a su montrer la portée considérable dans les représentations mythologiques amérindiennes.

Le mythe des âges

Pour conclure, le poète dit :« Écoute la justice et ne laisse pas grandir la démesure. » Au VIIIe s. av. J.-C., Hésiode raconte, dans *les Travaux et les jours*, l'évolution de l'humanité à travers les âges (or, argent, bronze, héros et fer). À l'âge d'or, tout était pur, les hommes étaient jeunes et n'avaient pas à travailler ; la justice régnait sans opposition. Puis vinrent les hommes d'argent qui n'hono-rèrent pas les dieux et inventèrent la démesure. Aussi sont-ils les seuls que Zeus punisse en les transformant en démons souterrains. Les hommes de bronze ne sont ni meilleurs ni pires. Ils sont guerriers, meurent dans les combats et deviennent des morts anonymes. Vient l'âge des héros, terme qui ne caractérise qu'une petite partie de la population, ceux que Zeus destine à l'immortalité dans l'île des Bienheureux : c'est l'âge des guerriers justes, à la différence de leurs prédécesseurs. L'âge de fer, qui est celui où vit le poète, est marqué par la dureté des temps et des couples d'opposition. Les hommes y deviennent vieux et blanchissent, fatigués par les travaux que la fécondité de la terre exige. La justice demande toujours une lutte contre la démesure. Tout est mélangé ; le bien est difficile et l'auditeur doit comprendre que seule la justice peut être le bon guide.

Lire le mythe comme le récit d'une décadence linéaire serait une erreur comme l'a montré Jean-Pierre Vernant dans *Mythe et pensée chez les Grecs*. Le temps n'est pas celui d'un déroulement irréversible : il est cyclique. La présentation chronologique était une façon pour le poète de présenter sa pensée des structures permanentes du social et de leur combinaisons.

Le déclin de la pensée mythique

La peinture européenne jusqu'à Delacroix (1798-1843) a largement puisé ses thèmes dans la mythologie classique et dans les récits bibliques. Les beaux-arts, la littérature et même la psychanalyse (Œdipe, chez Freud) s'approprient toujours les grandes figures des mythes. Orphée a eu les honneurs du cinéma (Jean Cocteau, *Orphée*, 1950, et *le Testament d'Orphée*, 1960 ; Marcel Camus, *Orfeu negro*, 1959). Prométhée, qui a volé le feu à Zeus pour l'apporter à l'humanité, est le sujet de nombreuses œuvres littéraires (André Gide, par ex.), et *prométhéen* est entré dans le vocabulaire courant. Antigone, qui, chez Sophocle, est le modèle de la piété filiale et fraternelle, exprime chez Jean Anouilh la révolte contre la froide raison de la loi qui s'oppose au devoir moral.

Si l'époque moderne a su incorporer les mythes à son univers mental, elle n'a en revanche pas produit de grands récits qui pourraient être considérés comme des mythes. Une exception : le couple formé par Faust et Méphistophélès, qui apparaît dans la littérature au XVIe s., accède au statut de mythe. Le pacte de Faust avec le diable, qui inspira Goethe, est perçu comme l'expression des tentations modernes de démesure. Don Juan, personnage légendaire, séducteur impie, apparaît, lui, dans la littérature au début du XVIIe s. avec Tirso de Molina.

Georges Dumézil

Georges Dumézil (1898-1986), de l'Académie française, a fourni une contribution capitale à la connaissance de la dynamique de l'esprit humain. Normalien, philologue classique de formation, il s'intéresse à la mythologie comparée et, en 1938, le rapprochement raisonné entre brahman indien et flamen romain lui donne la clef d'or qui le conduit à exposer, dans un livre d'accès aisé, *Jupiter, Mars, Quirinus* (1941), la théorie des trois fonctions (souveraineté et religion, guerre, production), tripartition qui se retrouve dans le vocabulaire, l'organisation sociale et le corpus légendaire de tous les peuples indo-européens. Les prolongements sont plus importants encore. Dans le grand poème épique indien *Mahabharata*, chaque héros agit selon le schéma trifonctionnel, en fonction du caractère et de la place du dieu dont il est le représentant. Dumézil prouve ensuite que l'histoire officielle des origines de Rome (ou de la dynastie des Kayanides, en Iran ancien) est une mise en scène de cette même idéologie structurante. Par conséquent, il est vain de chercher à démêler légende et histoire à propos de Romulus et de ses successeurs.

La méthode de Dumézil a fait école. Citons, du médiéviste Georges Duby (1919-1996), *les Trois Ordres ou l'Imaginaire du féodalisme* (1978).

Voir aussi
- **Religion de la Grèce antique** p. 486
- **Quelques grands noms des sciences humaines** p. 969
- **Poésie épique et narrative** p. 1116

Illustrations
- **Sigmund Freud** p. 966

Langues et écritures

Qu'est-ce qu'une langue ?

Depuis au moins 100000 ans l'espèce humaine est seule à disposer d'une faculté, le langage, qui permet les échanges à l'intérieur d'une société. Le langage a pour support physique des sons que l'homme produit en faisant vibrer la colonne d'air de sa respiration. La communication verbale orale suppose la mise en présence d'interlocuteurs qui ont l'intention de signifier quelque chose à l'autre et de s'influencer réciproquement. Celui qui parle (le locuteur) accompagne sa parole de signaux non verbaux (des postures du corps, des regards...) et paraverbaux (l'intonation, la vitesse du débit, les pauses...).

Tous les hommes ont cette faculté de langage mais elle se manifeste à travers un grand nombre de langues distinctes ; certaines sont parlées par une poignée d'individus, d'autres par des centaines de millions. Une langue est une institution, elle préexiste aux individus qui l'apprennent, elle permet de transmettre de génération en génération les savoirs et les valeurs d'une société. Produit d'une histoire, elle conserve la trace des expériences antérieures des gens qui l'ont parlée. C'est ce que montre en particulier l'évolution du sens des mots. L'une des caractéristiques les plus remarquables du langage est que l'on peut parler des langues à l'aide de ces langues mêmes : c'est ce que nous faisons en ce moment par exemple. On dit que l'homme dispose d'une faculté « métalinguistique », c'est-à-dire qu'il peut parler sur sa parole.

Toute langue est constituée d'un ensemble limité de sons (voyelles ou consonnes) qui permettent de constituer un grand nombre de mots formant le lexique. Les langues sont ainsi construites selon le principe d'une double articulation, c'est-à-dire qu'elles sont faites de deux types d'unités placées sur deux niveaux différents :
- les unités de première articulation (noms, suffixes, verbes...) sont des signes, elles possèdent un signifiant (une suite de sons) et un signifié (un sens) ;
- les unités de seconde articulation (dites phonèmes) n'ont pas de signifié : les unités sonores *é, o, p*... par exemple n'ont aucun sens. Ces phonèmes ont essentiellement une valeur distinctive : le phonème *s*, par exemple, permet de distinguer en français *sou* et *fou*, *sur* et *pur*, etc. Chaque langue n'utilise que quelques dizaines de phonèmes.

La double articulation est un facteur d'économie important puisque avec un nombre très réduit de phonèmes on peut construire des mots en quantité illimitée.

Le lexique d'une langue comprend des unités grammaticales (les prépositions, les articles, les préfixes ou suffixes...) en nombre restreint ; dans les phrases, elles sont associées à des mots très nombreux (adjectifs, verbes, noms) qui servent à exprimer les situations infiniment variées de la vie. Ces mots se combinent de multiples manières, selon des règles précises qu'étudient la morphologie et la syntaxe ; ainsi « Paul voit Marie » est une phrase grammaticale en français, mais pas « voit Marie Paul » ou « Paul Marie voit ».

Le multilinguisme

On pourrait penser que les membres de chaque société parlent une langue et une seule. En fait, le plus souvent les hommes sont amenés à manier plusieurs langues : c'est le phénomène de multilinguisme (ou plurilinguisme). Mais les diverses langues qu'un individu peut être amené à parler ne jouent pas le même rôle pour lui. On appelle langue maternelle la première langue qu'un enfant apprend, celle qui est parlée autour de lui dans sa famille.

Dans de nombreux pays, en Afrique noire en particulier, les langues des anciens colonisateurs (le français, l'anglais ou le portugais) servent de langue officielle, c'est-à-dire qu'elles sont utilisées dans les médias, l'administration, l'enseignement, bien qu'elles ne soient pas les langues maternelles de la grande majorité des habitants ; il s'agit en effet de pays où sont parlées un grand nombre de langues différentes, dont aucune ne peut s'imposer à tous. Certains pays comme la Suisse, la Belgique ou le Canada disposent de plusieurs langues officielles qui, en règle générale, sont parlées dans des territoires distincts. Le statut de langue officielle permet la défense du droit des minorités linguistiques.

Il existe aussi des langues dites véhiculaires, qui ne sont pas des langues officielles mais qui à l'échelle d'une région ou de plusieurs pays permettent les échanges entre des peuples de langues différentes ; c'est le cas par exemple du peul en Afrique de l'Ouest. Les sabirs sont des mélanges de langues qui permettent des échanges élémentaires dans le cadre d'activités définies : par exemple dans les ports ou sur les marchés.

Les créoles résultent d'un mélange des langues des esclaves africains avec celles des colonisateurs d'origine européenne. Aujourd'hui, en Haïti ou en Guadeloupe, les créoles à base de français sont devenus de véritables langues maternelles. On trouve aussi des créoles à base d'espagnol (Porto Rico), à base de portugais (Cap-Vert) ou d'anglais (Jamaïque).

Les langues ne sont pas homogènes, elles varient en fonction du lieu où elles sont parlées. À côté d'une langue qui sert de norme, de modèle, on trouve ainsi des dialectes qui varient selon les régions : par exemple le picard ou le normand à côté du français de Paris. Quand il s'agit de langues qui ne sont pas des dialectes proches de la langue dominante, on parle plutôt de langues de minorité : en FraOnce le basque ou l'alsacien, par exemple.

◆ Les langues de grande diffusion.

1 langues scandinaves, finnois
2 italien, roumain, langues slaves diverses, grec, hongrois, albanais
3 iranien, pachto
4 mongol
5 birman, thaï, vietnamien, môn-khmer
6 coréen

* langues de travail de l'ONU

anglais* · français* · espagnol* · russe* · chinois* · arabe* · portugais · allemand · langues turques · hindi-ourdou · langues austronésiennes · japonais

◆ Quelques exemples de familles de langues.

Europe

Famille indo-européenne
- groupe germanique : anglais (450 millions de locuteurs), allemand (90 millions), danois (5 millions)...
- groupe roman : espagnol (300 millions), français (100 millions), italien (60 millions)...
- groupe indien : hindi (350 millions), bengali (150 millions)...

Asie

Famille altaïque
- groupe turc : turc (40 millions), turcoman (2,5 millions)...
- japonais (120 millions)

Famille sino-tibétaine
- mandarin (400 millions)
- groupe thaï : siamois (30 millions), laotien (12 millions)...

Afrique

Famille nigéro-congolaise
- groupe mandé : bambara (5 millions), mandé (600 000)...
- groupe kwa : yoruba (18 millions), ijo (350 000)...

Famille nilo-saharienne
- groupe saharien : kanuri (2,5 millions), zaghawa (62 000)...
- groupe fur : fur (180 000), didinga (12 000)...

Amérique

Famille algonkine : cree (60 000), cheyenne (2 000)...
Famille maya : cakchiquel (400 000), tzotzil (80 000)...

Océanie

Famille australienne : 50 000 locuteurs et plus de 200 langues
Famille papoue : 6 millions de locuteurs et plus de 500 langues (enga, duna, medlpa...)

Même dans un pays où n'est parlée qu'une seule langue il existe une situation de diglossie, c'est-à-dire que les locuteurs, selon les situations, ont recours à deux variétés de leur langue. La «variété haute» est enseignée à l'école; elle est écrite, utilisée dans les situations formelles et évolue lentement. La «variété basse» est un emploi purement oral de la langue; liée aux situations familières, elle est en évolution constante.

Le bilinguisme

Les conditions de vie contemporaines favorisent deux formes de bilinguisme. La première est l'usage différencié d'une langue parlée avec ses proches, et d'une autre grande langue utilisée pour l'activité professionnelle; c'est le lot commun de l'Afrique subsaharienne mais aussi des Indiens d'Amérique latine. La seconde est la maîtrise de deux langues, elle sert de principe aux écoles bilingues.

La possession de deux langues est un atout évident; cependant, les psychologues font remarquer que l'apprentissage précoce et simultané de deux langues peut être source de tensions affectives pour l'enfant, surtout si certains éléments externes le conduisent à valoriser l'une plus que l'autre. Les cas ne sont pas rares d'enfants ayant vécu leurs premières années à l'étranger et qui ont occulté plus qu'oublié une langue qu'ils ont parlée.

L'écriture littéraire dans une langue autre que maternelle a longtemps été considérée comme exceptionnelle. Les cas sont devenus plus fréquents. On peut citer Julien Green, Américain et écrivain français, Isaac Bashevis Singer né à Varsovie, prix Nobel en 1978, qui écrit en yiddish et en anglais, Milan Kundera, écrivain tchèque émigré en France qui écrit en tchèque et en français.

Les langues indo-européennes

On appelle langues indo-européennes un ensemble de langues qui ont des ressemblances justifiant l'hypothèse d'une lointaine origine commune et d'évolutions divergentes à partir de formes aujourd'hui totalement disparues. Cette hypothèse est née au début du XIXe s. lorsqu'on a constaté certaines similitudes entre les langues latines, les langues germaniques et les textes védiques (livres sacrés de l'hindouisme écrits à partir de 1800 av. J.-C. en sanskrit, langue sacrée et langue littéraire de l'Inde ancienne). En réalité, le sanskrit n'est qu'une langue indo-européenne parmi d'autres, il diffère beaucoup de l'indo-européen primitif. Les langues indo-européennes connues apparaissent à la fin du IIIe millénaire av. J.-C. Ainsi, les Latins en Italie résultent de l'union d'une population indigène et d'un peuple parlant une langue indo-européenne.

Le terme «indo-européen» a été critiqué parce qu'il donnerait trop de réalité à ce qui n'est qu'une construction hypothétique de la science, mais il a l'avantage de désigner clairement l'ensemble des langues s'étendant de l'Inde à l'Europe du Nord-Ouest. D'autre part, les archéologues et les anthropologues ont pu adjoindre des éléments de culture tant matérielle que symbolique et religieuse qui renforcent l'hypothèse. Les Indo-Européens sont des éleveurs. La maison longue avec abside révèle qu'hommes et bêtes l'occupaient ensemble. Partout la famille est patrilinéaire et exogamique avec échange asymétrique des femmes. L'organisation sociale a quatre niveaux : la famille élargie, le clan qui coïncide avec le village, la tribu et le peuple ou la nation. Ainsi, à Rome comme à Athènes, des institutions portent la trace des tribus et le peuple des citoyens est formé de la réunion des tribus.

Enfin, pour le domaine symbolique, le Français Georges Dumézil (1897-1985) a fait en 1938 une découverte essentielle : la division en trois groupes des fonctions (prêtres, guerriers et agriculteurs), qui se retrouve dans tous les panthéons indo-européens avec trois divinités principales. Chez les Romains, ce sont Jupiter, Mars et Quirinus. Cette pensée tri-fonctionnelle est à l'œuvre dans toutes les institutions.

L'invention de l'écriture

La liaison entre langue parlée et système d'écriture est complexe. Le japonais n'a aucune parenté linguistique avec le chinois mais est entré dans l'âge de l'écriture, au VIIIe s. de notre ère, en important de Corée les caractères chinois, auxquels ont été ajoutés plus tard deux ensembles de signes syllabiques (où chaque syllabe est représentée par un caractère) hiragana et katakana, ce qui donne un système mixte. Le khmer, le thaï et le birman s'écrivent avec des systèmes syllabiques, tous d'origine indienne (et venus avec le prosélytisme bouddhiste) alors même que le thaï et le birman sont de la même famille que le chinois. Quant au khmer, il n'est ni chinois ni indo-européen. Jusqu'à l'arrivée des missionnaires catholiques, le vietnamien n'a été qu'une langue non écrite, la langue de culture étant le mandarin. C'est le Portugais Alexandre de Rhodes qui a diffusé l'usage de l'alphabet latin, accordé à la phonétique portugaise du XVIe s. avec adjonction de quelques marqueurs.

Les plus anciennes inscriptions datent du début du IIIe millénaire av. J.-C. : écriture de Mohenjo-Daro en Inde, dont on sait fort peu de choses, écriture cunéiforme à Sumer, caractères chinois, hiéroglyphes égyptiens. On distingue les systèmes d'idéogrammes, dont le plus bel exemple est l'écriture du chinois, les syllabaires des écritures indiennes ou qui en dérivent, les alphabets dont le plus ancien est celui des Phéniciens.

La plupart des écritures à pictogrammes ont évolué, en quelques siècles, vers des systèmes mixtes faisant place à la phonétique : un pictogramme est employé soit pour son sens direct d'après le dessin, soit comme signe graphique correspondant à un son du langage pour exprimer des notions abstraites. Il en fut ainsi de l'écriture cunéiforme des Sumériens qui a fini par n'employer que 300 signes environ.

VOIR AUSSI
- **Mythes** p. 949

Illustrations
- **Scribe** p. 1046

Petit lexique

alphabétique (écriture) : écriture dont chaque signe représente un son d'une langue.

cunéiforme : se dit du type d'écriture utilisé en Mésopotamie, dont les signes sont en forme de coin car ils sont l'empreinte laissée par un roseau taillé enfoncé dans l'argile des tablettes.

cursive : type d'écriture rapide, qui s'oppose à la calligraphie.

diachronique (point de vue) : étude de l'évolution d'une langue.

idéogramme : signe d'écriture qui représente une idée, soit en dessinant de manière stylisée l'objet désigné, soit en notant une abstraction, sans représenter des sons.

morphologie : branche de la linguistique qui étudie la forme des mots (préfixation, suffixation, conjugaisons, déclinaisons).

phonétique : branche de la linguistique qui étudie l'aspect sonore de la parole – les sons élémentaires (voyelles, consonnes), l'accentuation et l'intonation.

pictogramme : dessin représentant un objet.

sémantique : branche de la linguistique qui étudie de quelle façon est attribué un sens aux énoncés.

signe linguistique : unité constituée de l'association d'un signifiant (forme concrète : élément acoustique, symbole graphique) et d'un signifié (contenu sémantique, concept).

synchronique (point de vue) : étude d'une langue à un moment donné de son histoire.

L'invention de l'alphabet

L'écriture phénicienne, ancêtre des alphabets, est certainement, à ses débuts (XIe-Xe s. av. J.-C.), une écriture syllabique (où chaque syllabe est représentée par un caractère) à dominante consonantique qui évolua vers un alphabet sans voyelles. Les Hébreux partirent de la même conception. L'hébreu ancien s'écrit sans voyelles et, bien plus tard seulement, furent introduits des signes pour désigner la place des voyelles et faciliter la lecture.

L'écriture grecque, dont la forme la plus ancienne est le linéaire B, conservé sur des tablettes mycéniennes et déchiffré en 1953 seulement par l'Anglais Michael Ventris, dérive assez directement de l'écriture phénicienne en son état alphabétisé, mais s'écrit de gauche à droite. Les Grecs introduisent les voyelles, leur morphologie à flexions vocaliques s'accommodant moins bien que les langues sémitiques d'une écriture des consonnes seulement.

L'écriture arabe apparaît au IVe s. apr. J.-C. Elle part d'emprunts aux alphabets des voisins, en particulier à l'écriture nabatéenne.

◆ **Hiéroglyphes égyptiens** ornant un panneau en bois provenant de la région d'Abousir (Basse-Égypte). (Ancien Empire, IIIe dynastie, musée du Caire)

Faits de culture : langues et écritures *(suite)*

Les hiéroglyphes

L'écriture égyptienne n'a pu être déchiffrée par les savants qui accompagnèrent Bonaparte (1798-1799). Ce travail fut, en 1822, le fait de Jean-François Champollion (1790-1832), qui possédait une très forte culture linguistique. Si la pierre de Rosette fut essentielle, le déchiffrement réussit grâce à une méthode de travail érudite où la part du hasard heureux est faible. La pierre présente 14 lignes de hiéroglyphes, 32 lignes d'écriture démotique (une cursive populaire apparue au VIIe s. av. J.-C.), et 54 lignes de grec. Champollion identifie parmi les hiéroglyphes les signes qui correspondent aux noms Ptolemaos et Cleopatra en raison de leur ornementation en cartouche. Il comprend que l'écriture est en partie idéogrammatique, en partie phonétique, certains signes étant utilisés, indépendamment de leur sens, pour leur seule valeur phonétique. Il établit que l'Égypte ancienne a eu trois écritures. La hiéroglyphique n'est connue que par les inscriptions monumentales. L'écriture dite hiératique est celle des scribes de pharaon ; c'est une cursive qui marque déjà une certaine évolution vers un système semi-phonétique. Enfin, au VIIe s. av. J.-C., la démotique, terme grec qui signifie « populaire », est le dernier état à la fois d'élaboration et de complexité d'un mélange idéogrammatique et phonétique. Comme les Égyptiens ne connaissaient pas la syllabe, tout signe phonétique représentant une consonne. Avec la domination hellénistique, le grec et son alphabet s'imposent comme langue écrite.

◆ **Alphabet hébreu.**
Il s'écrit de droite à gauche et ne comporte que des consonnes, soit 22 lettres. Lorsqu'on leur ajoute un point, certaines lettres changent de valeur, comme le B et le V, le P et le F, le T et le TH. Comme en arabe, les voyelles ne sont en général pas indiquées ; elles peuvent l'être cependant par un point ou un trait placé sous les consonnes. Contrairement à l'arabe, les lettres ne sont jamais liées. L'écriture carrée est celle de l'imprimerie ; la cursive, dont l'existence est beaucoup plus récente, correspond à l'écriture manuscrite.

écriture carrée (imprimerie)	cursive moderne (manuscrite)	nom	transcription
א	א	aleph	ͻ (esprit doux)
ב בּ	ב בּ	bet	b, v
ג גּ	ג	gimel	g, gh
ד דּ	ד	dalet	d, dh
ה	ה	he	h
ו	ו	waw ou vav	w, v
ז	ז	zayin	z
ח	ח	ḥet	ḥ
ט	ט	ṭet	ṭ
י	י	yod	y
כ כּ [ך]	כ כּ [ך]	kaf	k, kh
ל	ל	lamed	l
מ [ם]	מ [ם]	men	m
נ [ן]	נ [ן]	nun	n
ס	ס	samek	s
ע	ע	ayin	ͼ (esprit rude)
פ פּ [ף]	פ פּ [ף]	pe ou phe	p, f
צ [ץ]	צ [ץ]	tsade	ṣ
ק	ק	qof	q
ר	ר	resh	r
שׂ שׁ	שׂ שׁ	sin ou shin	s, ch
ת תּ	ת	taw ou tav	t, th

Les lettres entre crochets sont des variantes finales.

◆ **Alphabet grec.**
Il comporte 17 consonnes et 7 voyelles, ainsi que deux variants graphiques pour les majuscules et minuscules. Il est le descendant de l'alphabet phénicien. La prononciation moderne ne distingue plus certaines voyelles et les dipthongues (iotacisme).

1	2	nom	valeur (grec ancien)	transcription (grec moderne)	1	2	nom	valeur (grec ancien)	(g.m.)
Α	α	alpha	a	a	Ν	ν	nu	n	n
Β	ϐ, β	bêta	b	v	Ξ	ξ	ksi ou xi	ks ou x	x
Γ	γ	gamma	g	gh	Ο	ο	omicron	o *(bref)*	o
Δ	δ	delta	d	dh	Π	π	pi	p	p
Ε	ε	epsilon	e *(bref)*	e	Ρ	ρ	rhô	r	r
Ζ	ζ	dzéta	dz	z	Σ	σ, ς	sigma	s	s ou ss
Η	η	êta	ê *(long)*	i	Τ	τ	tau	t	t
Θ	θ	thêta	th *(t aspiré)*	th	Υ	υ	upsilon	u	y
Ι	ι	iota	i	i	Φ	φ	phi	ph *(p aspiré)*	f
Κ	κ	kappa	k	k	Χ	χ	khi	kh *(k aspiré)*	kh
Λ	λ	lambda	l	l	Ψ	ψ	psi	ps	ps
Μ	μ	mu	m	m	Ω	ω	oméga	ô *(long)*	o *(long)*

1 : majuscules 2 : minuscules

◆ **Alphabet cyrillique.**
Il a été inventé par les saints Cyrille et Méthode au XIe s. Il comporte pour le russe 32 lettres dont 20 consonnes. La réforme intervenue en 1917 a supprimé 4 lettres. Le cyrillique est également utilisé pour le serbe, qui comporte 5 lettres particulières, pour l'ukrainien, le biélorusse, le bulgare, ainsi que d'autres langues de l'ex-URSS, comme l'azeri, le kazakh, le turkmène, le tadjik. Mais les États d'Asie centrale nés en 1991 de la dislocation de l'URSS veulent revenir à l'alphabet arabe ou latin.

majuscules	minuscules	valeur	majuscules	minuscules	valeur
А	а	a	Р	р	r
Б	б	b	С	с	s
В	в	v	Т	т	t
Г	г	g	У	у	ou
Д	д	d	Ф	ф	f
Е	е	ié, é	Х	х	kh
Ж	ж	j	Ц	ц	ts
З	з	z	Ч	ч	tch
И	и	i	Ш	ш	ch
Й	й	ĭ	Щ	щ	chch, cht
К	к	k	Ъ	ъ	*(signe dur)*
Л	л	l	Ы	ы	y *(i dur)*
М	м	m	Ь	ь	★
Н	н	n	Э	э	e
О	о	o	Ю	ю	iou
П	п	p	Я	я	ia

◆ **Caractères chinois.**
La plupart des pictogrammes chinois comportent une partie phonétique et une partie sémantique. Les traits permanents s'appellent « clés » ; celles-ci fondent les dictionnaires.

caractères simples (pictogrammes)	bouche	haut	bas	homme	herbe	arbre	eau	montagne	couteau	poisson
style sigillaire	[illegible]	[illegible]	[illegible]	[illegible]	[illegible]	[illegible]	[illegible]	[illegible]	[illegible]	[illegible]
style régulier	口	上	下	人	艸	木	水	山	刀	魚

simplification actuelle des caractères	nation	joie	vaste	dent
formes non simplifiées	國	樂	廣	齒
formes simplifiées	国	乐	广	齿

ordre dans lequel sont tracés les éléments du caractère "fleur" : 1 à 8 (花)

caractères composés : combinaison de plusieurs pictogrammes

日 (soleil) + 月 (lune) → 明 (lumière) 木 (arbre) + 木 (arbre) → 林 (forêt)
人 (homme) + 木 (arbre) → 休 (repos) 二 (deux) + 人 (humain) → 仁 (amour)

caractères composés : clef-pictogramme + prononciation phonétique :
1 "ming" 2 "meng" 3 "gan" 4 "han"

艸 (herbe) + 明 (lumière 1) → 萌 (germer 2)
水 (eau) + 干 (bouclier 3) → 汗 (sueur 4)

quelques mots composés avec la clef **herbe** (艹) et **eau** (氵) :
花 (fleur) 莖 (tige) 芽 (germe) 荷 (lotus) 菊 (chrysanthème)
江 (fleur) 湖 (lac) 海 (mer) 流 (couler) 湯 (soupe)

L'écriture chinoise

Elle est la seule à ne pas avoir connu une évolution. Vieille de plus de 3 000 ans, elle continue à ne pas utiliser de signes dont la valeur soit purement phonétique. Ainsi le pékinois et le cantonais, qui sont des langues parlées différentes, utilisent la même langue écrite. Plus de 2 000 caractères sont en usage courant mais les lettrés en emploient deux fois plus. Les plus simples sont des pictogrammes stylisés : femme, par exemple. Nombreux sont les caractères formés par combinaison de deux ou trois pictogrammes plus simples. D'autres sont formés d'un idéogramme renvoyant à un objet auquel a été ajouté un signe invitant à passer à une signification plus abstraite : on va ainsi de la jarre à la notion de plénitude.

figure 1	figure 2	figure 3	figure 4	nom	transcription
ا	ـا	ـا	ا	alif	ā
ب	ـب	ـبـ	بـ	bā'	b
ت	ـت	ـتـ	تـ	tā'	t
ث	ـث	ـثـ	ثـ	thā'	th *(interdentale spirante sourde)*
ج	ـج	ـجـ	جـ	djīm	dj
ح	ـح	ـحـ	حـ	ḥā'	ḥ
خ	ـخ	ـخـ	خـ	khā'	kh
د	ـد	ـد	د	dāl	d
ذ	ـذ	ـذ	ذ	dhāl	dh *(interdentale spirante sonore)*
ر	ـر	ـر	ر	rā'	r *(r roulé)*
ز	ـز	ـز	ز	zāy	z
س	ـس	ـسـ	سـ	sīn	s
ش	ـش	ـشـ	شـ	chīn	ch
ص	ـص	ـصـ	صـ	ṣād	ṣ
ض	ـض	ـضـ	ضـ	ḍād	ḍ
ط	ـط	ـطـ	طـ	ṭā'	ṭ
ظ	ـظ	ـظـ	ظـ	ẓā'	ẓ
ع	ـع	ـعـ	عـ	'ayn	ʿ *(laryngale)*
غ	ـغ	ـغـ	غـ	ghayn	gh *(r grasseyé)*
ف	ـف	ـفـ	فـ	fā'	f
ق	ـق	ـقـ	قـ	qāf	q
ك	ـك	ـكـ	كـ	kāf	k
ل	ـل	ـلـ	لـ	lām	l
م	ـم	ـمـ	مـ	mīm	m
ن	ـن	ـنـ	نـ	nūn	n
ه	ـه	ـهـ	هـ	hā'	h
و	ـو	ـو	و	wāw	ū, w
ي	ـي	ـيـ	يـ	yā'	ī, y

1 : isolées 2 : finales 3 : médiales 4 : initiales

Remarque : le point souscrit dans la transcription indique l'emphase.

◆ **Alphabet arabe.**
Il s'écrit de droite à gauche. Il ne comporte que des consonnes ou des semi-consonnes ; les voyelles peuvent être indiquées (à l'aide de signes dits « diacritiques »).

signe 1	signe 2	transcription	signe 1	signe 2	transcription	signe	transcription	signe	transcription	signe	transcription	signe	trans.
अ		a	ॠ	ॄ	ri *(long)*	क	k	ञ	ñ	द	d	व	v
आ	ा	ā	ऌ	ॢ	ḷ ou li *(bref)*	ख	kh	ट	ṭ	ध	dh	र	r
इ	ि	i	ॡ	ॣ	l ou li *(long)*	ग	g	ठ	ṭh	न	n	ल	l
ई	ी	ī	ए	े	e	घ	gh	ड	ḍ	प	p	श श	ç
उ	ु	u	ऐ	ै	ai	ङ	ṅ	ढ	ḍh	फ	ph	ष	ś
ऊ	ू	ū	ओ	ो	o	च	c ou ch	ण	ṇ	ब	b	स	ṣ
ऋ	ृ	ri *(très bref)*	औ	ौ	au ou aou	छ	ch	त	t	भ	bh	ह	h
						ज	j	थ	th	म	m	ः	ḥ
						झ	jh			य	y	ं	m ou ṃ

1 : en début de syllabe 2 : après une consonne

◆ **Écriture devanagari.**
C'est l'écriture utilisée en Inde pour transcrire le sanskrit, le hindi et quelques autres langues indo-aryennes (bihari, nepali).

katakana

	n	w	r	y	m	h	n	t	s	k	
a		ワ	ラ	ヤ	マ	ハ	ナ	タ	サ	カ	ア
i			リ		ミ	ヒ	ニ	チ	シ	キ	イ
u			ル	ユ	ム	フ	ヌ	ツ	ス	ク	ウ
e			レ		メ	ヘ	ネ	テ	セ	ケ	エ
o	ン	ヲ	ロ	ヨ	モ	ホ	ノ	ト	ソ	コ	オ

hiragana

	n	w	r	y	m	h	n	t	s	k	
a		わ	ら	や	ま	は	な	た	さ	か	あ
i			り		み	ひ	に	ち	し	き	い
u			る	ゆ	む	ふ	ぬ	つ	す	く	う
e			れ		め	へ	ね	て	せ	け	え
o	ん	を	ろ	よ	も	ほ	の	と	そ	こ	お

◆ **Syllabaires japonais.**
L'hiragana transcrit les désinences grammaticales et les mots d'origine japonaise.
Le katakana est utilisé pour les noms d'origine étrangère. Le japonais s'écrit enfin à l'aide de signes dérivés d'un système chinois, le kanji. Dans l'usage courant, on emploie moins de 2 000 kanji.

La linguistique

L'étude des langues est chose très ancienne. Dans l'aire occidentale, elle remonte aux Grecs ; la première grammaire systématique du grec, celle de Denys de Thrace, date du IIe s. av. J.-C. On trouve des analyses phonétiques d'une remarquable précision chez les Indiens au Ve s. av. J.-C.

On considère en général que la science du langage, la linguistique, s'est surtout développée depuis le début du XIXe s. À la fin du XVIIIe s., on a découvert une remarquable ressemblance entre le sanskrit (langue sacrée et littéraire de l'Inde ancienne), le grec, le latin et les langues germaniques. Deux grands savants, le Danois Rasmus Rask (1787-1832) et l'Allemand Franz Bopp (1791-1867) ont alors établi une méthode permettant de comparer ces langues et ont dégagé des lois de passage de l'une à l'autre. Pendant tout le XIXe s., la linguistique s'est attachée à reconstruire l'évolution qui menait de l'indo-européen aux langues modernes. On a aussi appliqué cette démarche aux langues du monde entier pour les regrouper en diverses familles : on groupe dans une même famille les langues dont on pense qu'elles dérivent d'une même langue. Au début du XXe s., une nouvelle démarche voit le jour. Au lieu de s'intéresser seulement à l'histoire des langues, on privilégie le système linguistique, c'est-à-dire les relations entre les diverses unités d'une langue à un moment donné. On veut comprendre comment la communication verbale est possible, comment deux individus parlant la même langue peuvent se comprendre. C'est le linguiste suisse Ferdinand de Saussure (1857-1913) qui est la figure la plus importante de ce mouvement, qu'on appellera structuralisme. Après sa mort, on a publié son *Cours de linguistique générale* (1916), qui a introduit l'opposition entre une étude synchronique et une étude diachronique des langues. Il a insisté sur le fait qu'une langue est un système « arbitraire », en ce sens qu'elle forme une structure, un tout qui est organisé selon des principes qui lui sont propres ; on ne doit donc pas étudier un élément (un son, un mot) de manière isolée, indépendamment de ses relations avec les autres éléments de la langue. Saussure a introduit une importante distinction entre « langue » et « parole » : la « langue » est le système que partagent ceux qui parlent une même langue, la « parole » est l'usage qui est fait de ce système. Chaque énoncé particulier que nous produisons en français relève donc de la « parole » (écrite ou orale), mais il est produit conformément aux règles de la « langue », du système particulier qu'est le français.

Dans les années 1950, le linguiste américain Noam Chomsky (né en 1928) reformule la distinction langue/parole en opposant la compétence (= le système) et la performance (= l'usage) ; mais pour lui la « compétence » est inscrite dans le cerveau : l'homme ne naît pas pour apprendre telle langue plutôt que telle autre, mais toutes les langues obéissent aux mêmes principes innés.

La linguistique contemporaine se développe dans deux grandes directions. Une tendance « formaliste » vise à construire des modèles mathématiques du langage, de manière à favoriser son utilisation informatique (traduction automatique, documentation, production automatique de textes...). L'autre étudie le « discours », c'est-à-dire la manière dont les énoncés sont produits et compris dans des situations concrètes.

VOIR AUSSI
Illustrations
• **Pictogrammes sumériens** p. 414

Classification des sociétés

Le système social

Toute société propose une organisation singulière de la vie matérielle et de la vie sociale, aussi bien l'organisation du groupe élémentaire que celle de la collectivité, y compris ses rapports avec le monde extérieur. Les relations avec les morts et, plus généralement, l'au-delà sont partie intégrante du social.

Plus les sociétés sont archaïques, moins les différents aspects du fonctionnement sont rendus autonomes et plus ses différents constituants sont liés, de façon étroite. Dans les sociétés dites primitives (îles du Pacifique, Indiens d'Amérique du Nord ou d'Amazonie, Esquimaux), la chasse et la pêche se pratiquent le plus souvent selon des modalités bien définies qui engagent la collectivité, aussi bien par des rites propitiatoires que par la composition des groupes et les règles de répartition du butin. « Comment irais-je à la chasse si je n'avais des beaux-frères ? », répond à l'ethnologue Claude Lévi-Strauss un Indien du Brésil.

La séparation des domaines (famille, travail, politique, religion) est le produit d'une évolution qui a vu apparaître le pouvoir d'État, la propriété individuelle, la restriction de la vie familiale à la sphère privée et, plus récemment, la séparation du politique et du religieux, ou la distinction entre budget de famille et compte d'entreprise individuelle.

Les fonctions sociales. On peut classer les fonctions universellement remplies dans les sociétés humaines en quatre catégories.

1. La perpétuation du groupe. Elle suppose des règles d'alliance et de filiation légitime, des modalités de socialisation. Toutes les sociétés définissent des critères d'appartenance et donc de légitimation des enfants par la naissance ou l'adoption. Dans les sociétés dites classificatoires ou lignagères, les conjoints possibles sont rigoureusement définis par leur position et le choix est très limité. Plus les sociétés sont complexes, plus grande est la liberté de choix du conjoint, et plus restreinte est la polygamie.

La socialisation des enfants et des jeunes est assurée conjointement par le groupe élémentaire, les parents souvent, et par des instances spécifiques qui peuvent être le groupe des pairs, l'école ou autres. Des épreuves et des cérémonies collectives consacrent le passage à l'âge adulte, avec les droits et responsabilités qu'il comporte.

2. Le pouvoir et l'ordre social. Il s'agit de maintenir la paix intérieure, de régler les conflits, d'organiser les cérémonies, de traiter avec les étrangers ou de conduire la guerre. Toutes les sociétés définissent des modalités d'accès au pouvoir ou les conditions de sa transmission.

3. La production et la distribution des biens. Trois systèmes sont connus : la propriété collective avec distribution sous le contrôle des tenants du pouvoir, l'appropriation par le souverain, la propriété privée. Le premier se rencontre dans les petites sociétés archaïques mais aussi dans les villages russes jusqu'au milieu du XIXe s. L'État redistributeur, qui va de pair avec la corvée, fut le fait de l'Égypte ancienne, de l'Empire inca et des régimes communistes, à des degrés divers. La propriété privée s'est imposée presque partout dans les temps historiques, mais elle n'est jamais absolue. C'est toujours une construction sociale à l'intérieur des limites définies par l'État.

4. L'intégration. Elle veille au maintien des croyances collectives et au respect des normes sociales. L'individu bien intégré respecte les usages, la frontière entre le permis et l'interdit et honore, d'une façon ou d'une autre, les valeurs propres à sa société et qui font d'elle une création collective singulière. Toutes les sociétés ont des rites et des cérémonies identitaires ou des fêtes dont la fonction est de raviver dans les esprits la croyance aux valeurs collectives du groupe ou de la nation. De même, elles affirment toutes le droit de châtier le déviant, par l'exclusion (ostracisme dans la Grèce ancienne), l'internement, voire la mort.

Nombre de cérémonies et rituels religieux participent fortement de cette fonction de l'intégration, même si l'on ne s'arrête pas à l'interprétation du sociologue français Émile Durkheim, pour qui le religieux est la sacralisation du social.

Émile Durkheim (1858-1917)

L'un des pères fondateurs de la sociologie, il a montré, dans *le Suicide* (1897), comment les sens, divers, d'une même action peuvent être consrtruits à partir de l'analyse de données statistiques. Il affirme le primat de la société sur l'individu. La conscience collective est l'ensemble des savoirs et des représentations valorisées qui sont le patrimoine commun d'une société et qui fondent sa morale, c'est-à-dire les bases du lien social, ou solidarité. La progression de la division du travail et des fonctions fait passer la société d'une solidarité mécanique, reposant sur l'interchangeabilité des rôles, à une solidarité organique, caractéristique des sociétés modernes fondées sur la spécificité des rôles.

Trois groupes de sociétés

Sociétés primitives, sans écriture, antiques, médiévales, paysannes, modernes, capitalistes, industrielles, ces expressions courantes renvoient à plusieurs principes de classification différents. Une tripartition qui respecte la cohérence des systèmes sociaux fera de l'âge néolithique d'une part, de la modernisation d'autre part, amorcée avec la Réforme et Descartes, les deux grandes lignes de séparation des trois types de sociétés.

Le paléolithique. Les sociétés d'avant le néolithique ont toujours été de petits groupes de chasseurs, cueilleurs, pêcheurs nomades, établissant des campements. Le lent progrès des outillages est assez bien restitué par l'archéologie. Les tombes attestent un souci esthétique en même temps qu'un dessein d'ordre religieux. En Europe, l'art pariétal s'épanouit à la fin du paléolithique supérieur et disparaît ensuite, vers 10000 av. J.-C. Quant à sa signification ou à ses fonctions, bien des inconnues demeurent et il n'est pas certain qu'il ait été aussi rigoureusement associé à des rites religieux qu'on l'a pensé.

La révolution du néolithique. Les fouilles démontrent que l'âge néolithique fait son apparition vers 10000 av. J.-C. sur tous les continents. Il se caractérise par un début de sédentarisation, l'apparition de villages, la maîtrise de la croissance de certaines espèces végétales, la domestication d'animaux (le chien et la chèvre avant le cheval et l'abeille). Le progrès des outillages de pierre, désormais affinée et polie après la taille des éclats, s'accompagne de l'apparition de la poterie séchée. Tressage, vannerie, tissage existaient peut-être déjà au paléolithique supérieur. Les premières villes connues, Our, Larsa, Ourouk, dans le royaume de Sumer (sud de l'Iraq actuel), qui ont dû compter au moins 40 000 habitants, apparaissent vers 5000 av. J.-C. Elles attestent l'existence de cités-États, voire de capitales, dominant leur environnement. L'écriture est inventée, pour des usages politiques et religieux, vers 3000 av. J.-C.

Dès lors, les transformations du néolithique sont accomplies et, jusqu'à la fin du Moyen Âge, l'humanité connaîtra des progrès et des changements culturels mais aucun bouleversement planétaire. Les sociétés les plus complexes de l'Europe vivent d'une économie agraire.

L'avènement de l'âge moderne. Il se fit sur deux siècles et demi : la Réforme au XVIe s., Galilée, Descartes et les débuts du capitalisme marchand au XVIIe s., les révolutions américaine et française à la fin du XVIIIe s., et l'industrialisation.

Contrainte et anomie

Dire que toute société impose à ses membres des règles, c'est dire que la contrainte est le trait le plus universel du social. Durkheim a montré que l'individu est d'abord membre d'une société qui le dépasse et lui impose les manières d'agir et de penser qu'elle a consacrées de son autorité. En même temps, la société protège ses membres par l'interdépendance que crée la solidarité. L'anomie désigne l'état de crise ou d'incertitude des règles sociales qui va porter au suicide des individus fragiles ou particulièrement mal intégrés.

La liberté individuelle progresse avec la division du travail et des rôles qui aboutit à la diminution du conformisme indifferencié. Ce faisant, la sociologie s'accorde avec la pensée de Spinoza, philosophe rationaliste. L'homme est plus libre, soumis aux lois de la cité, que seul, livré à ses passions.

Petit lexique

individualisation : processus par lequel les humains s'émancipent du conformisme de groupe, acquièrent une capacité personnelle de juger et revendiquent une liberté de choix, éventuellement contre le groupe; l'individualisation de la conscience apparaît à la fois en Grèce antique et dans le christianisme.

normes : règles de comportement respectées dans une société et qui traduisent un rapport aux valeurs ; certaines normes sont vécues de façon consciente; d'autres le sont beaucoup moins et sont comme enfouies dans les pratiques communes.

VOIR AUSSI
• **Systèmes de parenté** p. 957
Illustrations
• **Durkheim** p. 969

Société et culture

La diversité des cultures

Que l'Autre ait une culture, une langue différentes a longtemps été considéré négativement, avec mépris ou hostilité. Le mot « barbare » trouve ainsi son étymologie dans une onomatopée grecque désignant ceux qui ne parlaient pas le grec. Montaigne, au XVIe s., fut l'un des premiers à pressentir qu'une culture est un système, ayant droit à la reconnaissance. Et l'idée d'une égale dignité des cultures humaines ne s'est universellement imposée qu'après l'horreur nazie.

L'ethnologie a entrepris depuis le milieu du XIXe s. la description des cultures du monde.

Organisme situé sur le campus de l'université américaine de Yale (New Haven, Connecticut) et fondé par l'ethnologue George Peter Murdock, Human Relations Area Files tient à jour l'*Encyclopedia of World Cultures*, qui exploite toutes les publications scientifiques concernant plus de 1 500 cultures vivantes de par le monde. Les minorités sont bien représentées (Coptes d'Égypte, Amish et Mormons, 55 ethnies non Han en Chine). Parallèlement, une encyclopédie de la préhistoire traite de 350 cultures disparues. Ce sont des matériaux de base pour tout travail d'ethnologie comparative. Au-delà de simples relevés de fréquences, ils permettent d'aborder deux types de questions essentielles.

1. Étant donné une pratique culturelle, avec quelles autres pratiques est-elle toujours, fréquemment ou jamais associée ? Ainsi, une notion très complexe telle que le statut des femmes va se décomposer en une dizaine de traits plus simples, dont il faut examiner les associations avec les variables externes jugées pertinentes (répartition sexuelle des activités d'éducation et de subsistance, transmission de la propriété, relations entre générations, etc.).

2. Quelles sont les relations d'une pratique avec une autre, statistiquement observées, qui permettent de dire que la seconde est une conséquence de la première ? Par exemple, existe-t-il une corrélation entre les modalités d'éducation des enfants et le rapport à la violence dans la société ?

Les systèmes symboliques

On distingue l'image qui représente directement la chose ou la personne signifiée, l'indice qui entretient une liaison simple avec le signifié (l'empreinte du pas reconnaissable d'un animal ou le nuage noir annonciateur de pluie) et le symbole qui n'évoque un signifié que selon une liaison codée culturellement. Toute langue est un système symbolique, la part des onomatopées étant toujours infime. La pensée symbolique s'est affirmée avec le langage articulé et elle a commencé à forger la culture, parallèlement au développement de la pensée instrumentale (qui mène à l'action), alors que la pensée rationnelle est née bien plus tard.

Dans notre culture, le blanc signifie la pureté, le rouge la violence, le vert l'espoir. Ces couleurs ont valeur symbolique ; elles évoquent des signifiés abstraits. En héraldique, le lion et l'aigle évoquent royauté et puissance, tandis que le lynx est emblématique de l'intelligence rusée, et le sanglier du courage un peu lourd. Ces associations sont comprises, sans recours à la lecture ni au discours, mais elles ne sont ni innées ni universelles. Pour les Chinois, le blanc est la couleur du deuil et de la souffrance. Pour les musulmans, le vert symbolise la foi. Un Occidental ne voit que l'esthétique apparente d'une statue de Bouddha, aussi longtemps qu'il ne connaît pas le code des six postures de base et ne sait pas que la main qui touche le sol symbolise la méditation, l'index levé la prédication, la position couché sur le côté l'éveil final. Il ne comprend pas beaucoup mieux les mosaïques byzantines et les icônes russes s'il ne sait rien de l'identité des trois figures de la Trinité dans la théologie des Églises d'Orient.

◆ **Habitat Navajo.**
Les Indiens Navajo (notamment en Arizona) habitent des maisons très particulières, appelées *hogan*. Le hogan a souvent une forme circulaire et le sol est légèrement creusé. La construction se fait selon un rituel fixe. Le hogan sert d'abri, mais il joue aussi le rôle de chambre cérémonielle. Il symbolise le monde dans sa dimension spatiale.

Le code des symboles. L'ensemble des liaisons symboliques élémentaires utilisées dans une société constitue un code à partir duquel des élaborations plus complexes apparaissent dans tous les champs de la culture. La communication entre les hommes repose sur le partage d'une langue qui s'accompagne d'intonations, d'une gestuelle et de mimiques également codées et symboliques. Les croyances, rites, institutions, créations artistiques font largement appel à la puissance créatrice de l'imaginaire symbolique.

La pensée symbolique se nourrit des expériences collectives ; elle intègre le souvenir historique, les grandes figures, les grands débats. Elle autorise juxtaposition, effets de composition, de surimpression et même union des contraires.

La pensée rationnelle est née dans les cités grecques à la fin du VIIIe s. av. J.-C., lorsque les hommes ont découvert, lors des débats publics, les possibilités analytiques du langage, c'est-à-dire de l'argumentation et de la persuasion par le discours. La persuasion selon la raison remplace l'autorité de la coutume ou l'appel à un signe des dieux interprété symboliquement. Cependant, la raison n'a compétence que pour le Vrai. Le Bien, considéré dans ses rapports avec les fins dernières, le Beau et les arcanes de l'âme ne sont exprimables que par la création symbolique. Claude Lévi-Strauss défend l'idée d'une différence presque nulle entre la pensée sauvage et la nôtre, tant les usages de la raison logique et scientifico-technique sont mâtinés de recours à la pensée symbolique.

Les stades

L'hypothèse évolutionniste, en honneur chez les premiers ethnologues au milieu du XIXe s., voulait que les sociétés humaines passent toutes par une succession de stades de développement à peu près identiques et couvrant à la fois les domaines matériel, institutionnel et symbolique. La tâche scientifique était de caractériser ces stades et d'identifier les variantes apparentes pour les rapprocher d'une phase claire du modèle. Les études de terrain ont ruiné l'hypothèse. Le royaume aztèque, qui avait atteint un haut degré de complexité institutionnelle, ignorait la roue. L'écriture chinoise, à la différence de toutes les autres, n'a pas évolué vers une forme d'alphabet.

Au début du XXe s., l'anthropologue américain Franz Boas (1858-1942) propose une hypothèse diffusionniste : expliquer des phénomènes d'évolution par des emprunts et des rencontres entre cultures. Un bel exemple est donné avec la danse du soleil des Indiens des Plaines, identique du Canada à la Louisiane. En Europe, les migrations indo-européennes confirment l'importance des phénomènes de diffusion et de syncrétisme. Aux époques récentes, bien des changements culturels sont, plus ou moins directement, le résultat de l'extension à la planète entière de techniques et de modèles occidentaux. Pour autant, il est impossible d'expliquer la variété des cultures à partir de foyers de diffusion.

Légende et histoire

La mémoire des grands événements entremêle légende et chronique. L'analyse historique doit rendre compte des deux. Saint Louis, mort de la peste en 1270 devant Tunis, lors de la huitième croisade, est le cas type des transfigurations successives d'un personnage historique dans la mémoire collective. De son vivant déjà, il est comme « auréolé ». Le milieu du XIIIe s. est en France une période paisible et plutôt faste. Le mérite en est attribué au roi. L'historien Jacques Le Goff estime qu'il a été comme « programmé » par sa mère pour la sainteté et, de fait, on exalte sa piété, rendue plus profonde encore à la suite d'une sorte de conversion franciscaine en 1248. Immédiatement après sa mort, une « deuxième vie » commence : les partisans de sa canonisation, qui sera proclamée en 1287, renouvellent sa présence par leur activisme. Son compagnon et premier biographe, le chroniqueur Joinville, qui lui survit plus de 40 ans, entretient une mémoire qui alimente le culte du saint. Enfin, l'histoire scolaire a retenu de Saint Louis l'image d'un bon roi, intègre et vertueux, qui rendait la justice sous un chêne…

VOIR AUSSI
- Sociétés sans État p. 956
- L'homme et les savoirs p. 969

Les sociétés sans État

Le sacré et le social

Dans les sociétés sans État, c'est-à-dire sans loi instituée par convention humaine, le fondement de l'ordre social, la définition des obligations individuelles et collectives relèvent nécessairement de prescriptions divines qu'il faut chercher à recevoir. Le sacré et le social ont partie liée. Le sacré exige toujours une reconnaissance collective et la société comporte toujours une part de sacré. Est sacré ce qui est en relation avec l'au-delà de l'existence visible, qu'il s'agisse de puissances surnaturelles, d'un Dieu tout-puissant, ou de valeurs suprêmes. Les morts participent du sacré. Dans la tragédie grecque, Antigone se rebelle contre le roi Créon, son beau-père, au nom du devoir sacré de donner à son frère une sépulture. Le sacré inspire des attitudes ambivalentes, recul craintif autant que vénération respectueuse. Les rituels magiques ou les sacrifices religieux sont des formes de mise en œuvre d'une médiation entre le profane et le sacré. Les hommes qui sont en rapport avec le sacré – magiciens, chamans, devins, prêtres – se voient reconnaître un statut spécial qui comporte interdictions et droits particuliers.

La catégorie du sacré est plus large que celle du religieux. Le drapeau est sacré parce qu'il est le symbole de la Nation. Le respect de la personne humaine est considéré comme un principe sacré dans les sociétés contemporaines, indépendamment de tout impératif religieux. Durkheim a défendu l'interprétation extrême selon laquelle les religions seraient avant tout une sacralisation du social.

Les rites funéraires

Ce sont les rites les plus anciennement attestés grâce aux sépultures mises au jour par les archéologues. L'inhumation, soit dans une tombe individuelle, soit, le plus souvent, dans des chambres collectives, est attestée vers 100 000 av. J.-C. Aujourd'hui encore, elle est la règle dans les pays chrétiens et musulmans.

L'incinération – de règle dans l'hindouisme et le bouddhisme – se répand de plus en plus en Occident, bien que le catholicisme y soit opposé en raison d'une interprétation littérale de la promesse de la résurrection des corps. Chez d'autres peuples, on trouve aussi la dessiccation. Ainsi les Dogon, peuple africain, font sécher les corps dans des anfractuosités de falaises, difficiles d'accès. Les Marathes, population de l'ouest de l'Inde, exposent les cadavres à la voracité des grands corbeaux.

Mais quelle que soit la façon dont on dispose d'un corps, les relations avec les morts sont souvent ambiguës. On les pare le mieux possible, on dispose objets et nourriture pour leur voyage vers un séjour des âmes, embarquement vers l'autre rive d'un fleuve souterrain comme dans l'ancienne Égypte ou le monde gréco-romain, mais on s'entoure aussi de précautions. La fixation de la date des funérailles peut requérir l'autorité et la compétence de spécialistes qui consulteront les astres ou les divinités, des oracles ou les configurations des éléments. Chez les Indiens Jivaro (Haute Amazonie), l'inhumation se fait sous le sol de la maison, mais le rituel prescrit qu'un proche crache du tabac vert macéré dans les yeux des vivants, qui évidemment se mettent aussitôt à pleurer. Les larmes ainsi arrachées vont stimuler la clairvoyance et protéger contre les apparitions funestes du défunt dans les rêves de la nuit.

Le désir d'honorer les défunts participe de la crainte qu'inspire la mort. Les rites visent à exorciser les maux que les morts, dans leur courroux, pourraient provoquer.

Le potlatch

Le don et le contre-don sont au cœur de l'existence sociale. Le potlatch est une pratique de compétition non violente entre tribus indiennes rivales de la côte nord-ouest du Pacifique. La tribu A vient déposer en un lieu défini des présents : ornements, parfois esclaves. La tribu B accepte les cadeaux et, éventuellement, les détruit spectaculairement. Après un intervalle de temps non défini, la tribu B vient, à son tour, proposer à la tribu A un ensemble de biens luxueux que celle-ci prendra ou détruira. Ces échanges n'ont aucune visée commerciale. Ils participent davantage d'une gestion des relations intertribales de voisinage où chaque partenaire s'affirme dans la prodigalité.

Les îles du Pacifique sud connaissent un fonctionnement analogue avec la *kula*, mais il n'y a jamais destruction et on est plus proche de l'échange quasi commercial. En effet, entre certaines îles, on relève une pratique du commerce dit « silencieux ». Les pirogues de la tribu A accostent au rivage de la tribu B et déposent, sans rencontrer personne, des produits divers, y compris artisanaux. Elles reviennent quelque temps après et, de deux choses l'une : ou bien l'offre n'a pas été acceptée et il convient de la compléter dans l'espoir qu'elle le sera ultérieurement ; ou bien elle a été acceptée et, en échange, un ensemble de biens équivalent a été déposé. Il n'y a jamais de face-à-face.

Un apport nouveau

Alfred Radcliffe-Brown (1881-1955), anthropologue britannique, professeur à l'université d'Oxford, a introduit dans l'étude de la parenté la notion de « position fonctionnellement équivalente ». Au Mozambique, en reliant la terminologie et l'observation, il conclut : une sœur de père ou un frère de père peuvent être considérés comme une sorte de père, alors qu'un frère de mère est une sorte de mère et est désigné par un terme qui, littéralement, signifie « mère-mâle ». Il définit le système de parenté comme un réseau de liens sociaux, c'est-à-dire de droits et de devoirs basés sur les relations de fraternité, de filiation et de couple. Il sera un des premiers à développer l'analyse fonctionnaliste selon laquelle une société est un système qui organise de façon particulière les réponses à des fonctions universelles.

Petit lexique

anthropologie : étude de l'homme. On distingue l'anthropologie philosophique, analyse de la condition humaine, l'anthropologie biologique, science de la diversité et de l'évolution de l'espèce humaine, enfin l'anthropologie sociale, expression d'origine anglo-saxonne, synonyme d'ethnologie.

cousin croisé : fils du frère de la mère.

cousin parallèle : fils du frère du père.

culture (ethnologie) **:** ensemble des traits de structure sociale ainsi que des productions techniques, artistiques, morales et religieuses qui caractérisent une société.

Le grand rituel jivaro

La réduction des têtes, chez les Indiens Jivaro (nord de l'Amazonie), est en voie de disparition. Le contexte n'est pas celui d'une vendetta personnelle, et l'ennemi tué appartient à une autre tribu et n'est pas connu personnellement. Une fois que la tête est détachée, le cerveau et le cartilage du nez sont retirés. Le crâne, rempli de sable brûlant, est plongé dans une marmite bouillante et perd ainsi sa graisse. Les guerriers surveillent la dessication progressive, remodelant les traits quand la peau se tend. Enfin les yeux et la bouche sont suturés et le crâne est rempli de kapok.

Commence alors un grand rituel collectif qui se déroule en deux temps, séparés par un intervalle d'un an. La première fête s'appelle « le sang même »; la seconde : « l'accomplissement ». Une série de figures chorégraphiques et de chants en canon sont exécutés par le chœur des femmes du crépuscule à l'aube. La tête réduite est portée en procession entre une haie de guerriers qui frappent leurs boucliers de façon à simuler le bruit du tonnerre.

Les personnages principaux sont, d'une part, un trio comprenant le meurtrier, sa femme et une très proche parente, mère ou sœur, et, d'autre part, le maître de cérémonie et sa femme, chef de chœur. Une série de transfigurations symboliques et de permutations de rôles ont lieu. Le crâne est aspergé par les femmes d'un simulacre de sperme. Le meurtrier est d'abord maintenu en isolement, puis purifié et décoré de nouvelles peintures ; il est soumis à un rite de deuil, puis il doit faire fermenter la bière, fonction normalement réservée aux femmes. Des porcs sont sacrifiés et consommés comme substituts d'ennemis. Tout au long des cérémonies, le crâne, le maître de cérémonie et le trio du meurtrier permutent leurs positions et changent symboliquement de sexe. La tête est, tour à tour, un non-parent, un donneur de femme, un preneur de femme, la concubine du meurtrier, l'amant de son épouse, et enfin un embryon « collé au ventre de femme », dit le dernier chant rituel. Une union est ainsi symbolisée entre une communauté victorieuse et un ennemi générique inconnu, représenté par la tête. Il faut voir dans ce rite une manière de gérer des relations d'hostilité contenue avec des voisins étrangers et proches à la fois.

Les systèmes de parenté

La parenté, domaine privilégié de l'ethnologie, recouvre trois aspects. Premièrement, les règles d'alliance, ou choix du conjoint. Deuxièmement, les règles de parenté, patrilinéaire ou matrilinéaire. Enfin, les termes d'adresse, façons dont Ego nomme les frères de sa mère, de son père et leurs enfants. Il faut ajouter à cela l'étude du vécu, c'est-à-dire, par exemple, le fait que dans les sociétés matrilinéaires le rôle de père soit fréquemment rempli par le frère de la mère.

Les règles d'alliance. Elles définissent les conditions d'accès aux femmes, c'est-à-dire de la construction d'une collectivité susceptible de se perpétuer. On distingue trois grands types d'alliance.

Le mariage prescriptif, appelé également système de l'échange restreint, caractérise les aborigènes d'Australie et les peuples amérindiens. Ces sociétés sont dites classificatoires, c'est-à-dire qu'elles sont partagées en deux moitiés (parfois en quatre avec combinaison d'oppositions deux par deux) dites « exogames ». Cela signifie que chaque homme ne peut prendre femme que dans la moitié opposée en respectant la prohibition qui frappe les cousins parallèles, appelés frères ou sœurs, et traités comme tels. Le choix d'une cousine croisée matrilinéaire s'impose, et chaque union est à peu près compensée par une autre conclue en sens inverse. Le système se complique si l'union avec la cousine croisée matrilinéaire, que nous dirions germaine, est interdite et si la règle prescrit le mariage avec la fille de celle-ci, c'est-à-dire impose une différence de génération, ce qui est le cas chez les Aranda (ethnie d'Australie centrale).

Le mariage préférentiel est un système de l'échange généralisé, qui valorise un type particulier d'union mais laisse plus de liberté de choix, pour autant que la prohibition de l'inceste, dans l'extension que la société considérée lui donne, soit respectée. La formule la plus simple est l'union du garçon avec la fille du frère de la mère. Elle est fréquente dans l'aire sino-tibétaine, associée souvent avec la filiation matrilinéaire, mais on la trouve aussi chez les Kachin, un des grands peuples du nord-est de la Birmanie, chez qui la filiation est patrilinéaire. L'échange va être asymétrique et la circularité plus lente : aA épouse dans B ; bB épouse dans C ; cC dans D et nN dans A.

Le Maghreb, également patrilinéaire, valorise le mariage avec la cousine parallèle patrilinéaire (fille du frère du père), union qui, ailleurs, est le plus souvent tenue pour incestueuse et donc interdite. La raison en est que Mahomet a ouvert aux filles le droit à une part d'héritage et que, pour garder les biens de la famille du père dans la lignée paternelle, le plus simple est d'unir les enfants des frères.

Le mariage panmictique est le système que l'on trouve dans les sociétés qui ne font peser sur le choix que la prohibition de l'inceste, chacun pouvant, formellement, disposer d'un large choix.

Les sociétés africaines sont lignagères. Chacun se définit par rapport au plus ancien ancêtre dont la mémoire est gardée. Il est interdit d'épouser dans son patrilignage. D'autres interdictions peuvent s'ajouter. Les Beti du Cameroun, par exemple, interdisent d'épouser dans le patrilignage de la mère et ceux des deux grand-mères. Le choix deviendrait restreint, voire impossible, sans une solution pour échapper à la tyrannie du lignage : ne pas tenir compte des ancêtres antérieurs aux grands-parents.

La polygamie institutionnelle (fait d'être légitimement marié à plusieurs femmes) se rencontre souvent dans les sociétés asiatiques et africaines. Elle entraîne le célibat pour un certain nombre d'hommes, incapables de payer le prix de la fiancée. Cependant il n'est pas rare que des maris tolèrent ou encouragent les rencontres entre une épouse délaissée et un de ces hommes qui devient alors un obligé. La polyandrie (fait pour une femme d'avoir plusieurs maris) est rare. On la trouve dans des îles océaniennes (ainsi aux Marquises), et chez quelques petites ethnies de l'aire sino-tibétaine.

VOIR AUSSI
- **Rites** p. 948
- **Famille** p. 973

◆ **Danse de la kanaga.** Cette danse dogon symbolise la création ; le motif surmontant les masques représente l'homme, axe du monde, tendant les mains vers le ciel et les pieds vers la terre.

La cosmogonie des Dogon

Les villages dogon sont perchés sur la longue falaise de Bandiagara, non loin de la boucle du Niger, au nord du Mali.
Amma (divinité principale, créateur du monde) jette en l'air quelques boulettes de terre et ce sont les étoiles. Une poterie sertie de cuivre rouge, c'est le Soleil, une autre avec du cuivre pâle, la Lune. Amma façonne la Terre avec une boulette de glaise et s'unit à elle. Une termitière géante fait excroissance à la surface de la Terre ; il l'excise, comme seront à la suite excisées les filles. Un fils naît, Yurugu, « Renard pâle », l'inspirateur des devins. Il commet l'inceste, et ce sera l'origine des menstrues. Nommo, à la fois masculin et féminin, révélera les techniques aux huit grands ancêtres qu'Amma crée directement. Ainsi apparaîtront l'usage des fibres, le tissage du coton, le langage et la musique. Les maisons des Dogon ont 80 niches qui symbolisent la postérité des huit grands ancêtres.

◆ **Symboles utilisés dans la terminologie de la parenté.**

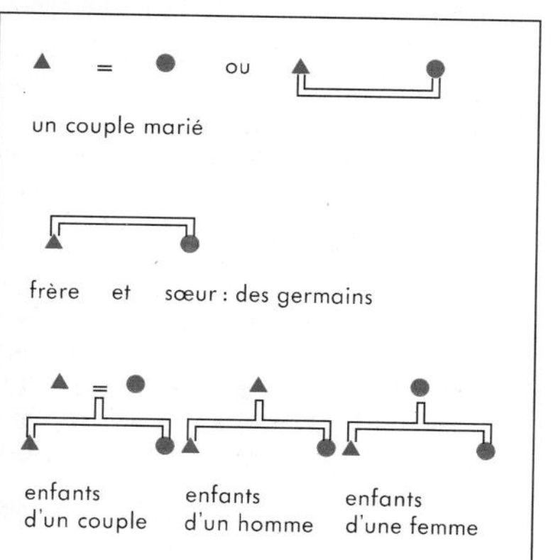

◆ **Filiation patrilinéaire.** C'est l'illustration des distinctions utilisées pour les règles de la consanguinité : selon cette règle de filiation, ce sont exclusivement les hommes qui transmettent la qualité de membre du lignage.

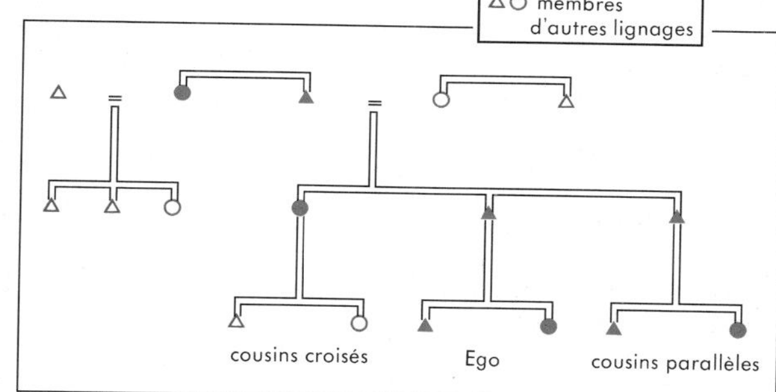

Ego : "moi", l'individu de référence dans un réseau donné de relations
● une femme
▲ une homme
Ⓐ un homme ou une femme

◆ **Consanguinité.** Les parents paternels sont les consanguins du père d'Ego, les maternels sont les consanguins de sa mère. Les parents en ligne directe sont nés les uns des autres ; les parents en ligne collatérale ne le sont pas ; mais ils ont un ancêtre commun.

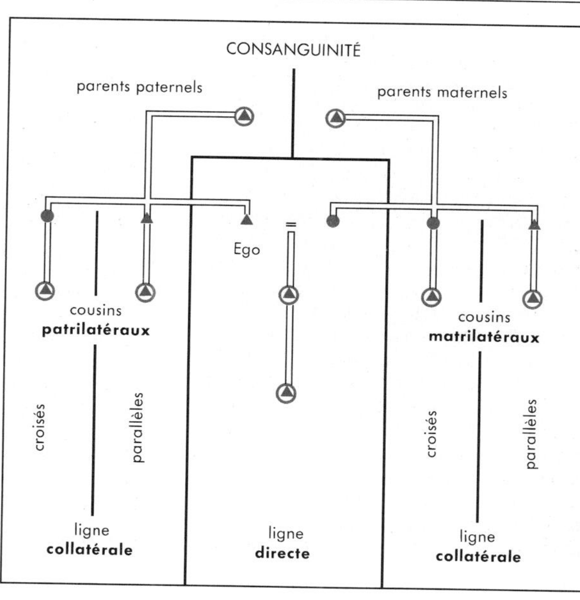

Les sociétés rurales

Économie et sociétés antiques

Marx voit une succession de modes de production : dans l'Antiquité, l'esclavage ; au Moyen-Âge, le servage; avec le capitalisme, le prolétariat.

Les sociétés antiques de la Méditerranée, cités grecques, royaumes hellénistiques, Rome, connaissaient deux sortes d'esclaves; des étrangers capturés à la suite d'une conquête et vendus (César aurait ainsi mis un million de Gaulois sur le marché) et des citoyens qui, débiteurs insolvables, tombaient en esclavage. Cette seconde catégorie disparut avec le développement culturel, tant il apparaissait choquant à Athènes ou à Rome de priver de liberté un concitoyen.

Si l'esclave de conquête prend une place importante dans la main-d'œuvre rurale, minière ou artisanale en ville, il serait faux de croire que tous les hommes libres ne travaillaient pas. Les situations des esclaves étaient très variées, allant du travail forcé dans des conditions pénitentiaires pour ceux qui étaient dans des exploitations minières (mines d'argent du Laurion, qui représentaient une part notable des exportations athéniennes) à l'intégration presque entière à la vie de la famille pour ceux qui étaient employés dans des exploitations rurales ou comme domestiques d'une riche maisonnée. En ville, les choses étaient encore différentes : nombre d'esclaves exerçaient un métier d'artisan, et leur vie matérielle se distinguait peu de celle des citoyens artisans ou salariés pauvres. Le philosophe Épicure était esclave et son cas n'était pas isolé. Comme il arrive souvent dans l'histoire, ce sont des étrangers qui, placés en position marginale et inférieure, y trouvent l'impulsion nécessaire pour développer des capacités d'innovation intellectuelle.

Les esclaves pouvaient être affranchis, par bonté du maître ou parce que la réussite dans leur travail leur en donnait les moyens. À Athènes, les affranchis avaient le même statut que les hommes libres étrangers (métèques). Dans l'Empire romain des premiers siècles apr. J.-C., les affranchis de l'Empereur constituaient un groupe d'acteurs économiques de premier plan dans le grand commerce, presque une bourgeoisie d'affaires, mais, s'ils jouissaient des droits civiques, ils n'avaient pas tous les droits politiques.

◆ **Disque de Phaistos (Crète, v. 1650 av. J.-C.).**
Sur les deux faces de ce disque d'argile figurent 210 signes pictographiques obtenus avec 45 poinçons différents et dont la signification demeure à ce jour inconnue. (Musée archéologique, Iráklion)

L'Égypte ptolémaïque

L'Égypte des Ptolémées, de la dynastie grecque des Lagides, qui règne de la mort d'Alexandre le Grand en 323 av. J.-C. au suicide de la reine Cléopâtre en 30 av. J.-C., offre un bel exemple de pouvoir bureaucratique et de monarchie absolue dans une société traditionnelle, comparable seulement à l'empire de Chine. Grâce à la bonne conservation des papyrus, ce régime est bien connu. Le roi définit lois, décrets et ordonnances particulières dans un esprit d'humanité et de justice vieux de plus d'un millénaire; la hiérarchie de ces trois types de textes est claire. En raison de la centralisation du pouvoir, un très grand nombre de requêtes arrivent au palais. Elles sont traitées par des scribes sous l'autorité d'un chef de chancellerie. L'administration territoriale civile connaît trois niveaux, le nome (préfecture), le tope (district) et le come (bourg) ; cependant, les commandements militaires et les services fiscaux interfèrent, ce qui aboutit à une sorte de contrôle mutuel des fonctionnaires de nature à limiter la prévarication. Le roi est propriétaire d'une grande partie des terres qu'il afferme, par contrats écrits. Il concède également, moyennant paiement ou non, des fiefs à de grands dignitaires. Dans un cas comme dans l'autre, il fait veiller au bon traitement des paysans, condition essentielle pour la levée des impôts si nécessaires à un pouvoir qui entend jouer dans le monde méditerranéen un rôle de premier plan.

◆ **Travaux agricoles dans l'Égypte ancienne.**
Les céréales sont transportées en sacs vers l'aire. Les bœufs, disposés en cercle sur celle-ci, dépiquent les épis pour séparer les grains de la balle. Fresque du tombeau de Menna, fonctionnaire du cadastre. (Thèbes, Vallée des Rois)

Les Na

Petite population non Han du sud-ouest de la Chine, les Na, agriculteurs, bien intégrés dans des réseaux commerciaux anciens, bouddhistes lamaïques (influence tibétaine), ont un système social tout à fait exceptionnel. Ils distinguent trois types de rencontres sexuelles : la visite « furtive » et nocturne, la visite « ostensible », accompagnée de cadeaux qui identifient un couple comme tel, et la cohabitation. Marco Polo avait noté « l'indécence » des femmes Na. La filiation est strictement matrilinéaire. Il n'y a pas de mot pour dire père. L'unité de base, le lignage, est aussi l'unité de résidence collective. La transmission des biens d'une génération à l'autre ignore tout partage entre frères et sœurs; la propriété du lignage est collective.
Les Na ne pratiquent le mariage qu'exceptionnellement. On se marie entre familles de chefs qui ont un statut social élevé reconnu et qui ont eu, à l'époque impériale, des fonctions mandarinales. La dynastie mandchoue (XVIIe s.) a dû imposer la normalisation en même temps qu'elle reconnaissait l'autorité des dignitaires indigènes dans les confins. Le mariage est également pratiqué dans les familles aisées de commerçants, lorsqu'une fratrie ne comprend aucune fille. Le recours à l'alliance est alors la solution. Certains éléments donnent à penser que des populations voisines avaient le même système mais l'ont, depuis longtemps, abandonné.

Les grandes villes de la Méditerranée constituent des sociétés de consommateurs qui importent, parfois de loin (blé d'Égypte pour Rome) leurs moyens de subsistance et exportent quelques ressources spécifiques : huile, métaux précieux, produits artisanaux à forte valeur ajoutée. L'activité portuaire est capitale, d'autant que les trajets par mer sont plus aisés que par voie terrestre.

La féodalité

La féodalité est un modèle d'organisation sociale et politique qui a régi les sociétés rurales de la fin de l'époque carolingienne à la fin du Moyen Âge. Elle s'est développée en Europe occidentale et centrale à la suite de l'effondrement de l'empire de Charlemagne, dans une période de pouvoirs centraux faibles et de conflits armés fréquents entre

◆ **Scène de moisson au Moyen Âge : « le mois d'août ».**
À gauche, un surveillant seigneurial. Miniature du *Psautier de la reine Mary*, début du XIVe s. (British Library, Londres)

seigneurs locaux. Il en fut de même en Angleterre, où les successeurs de Guillaume le Conquérant eurent du mal à imposer leur autorité sur l'ensemble du territoire.

La société féodale est composée de seigneurs, de vassaux, de manants et de l'Église. Les deux traits constitutifs de la féodalité sont, d'une part, le lien d'allégeance personnelle du vassal, petit seigneur ou simple chevalier, envers celui qu'il reconnaît librement pour suzerain et, d'autre part, la dépendance des manants, serfs ou non, envers le seigneur qui affirme droit de propriété sur les terres, droit de justice sur les personnes et droit d'appeler les hommes aux armes (le ban). L'Église soutient sans faiblesse les seigneurs. Le vassal se place sous la protection du seigneur et reçoit un fief en échange des services qu'il assure.

Avec la montée du pouvoir royal et le développement de villes et de communautés villageoises échappant à l'ordre féodal, le système s'affaiblit, puis se décompose à partir de la fin du XIIIe s. en France et en Angleterre. Il durera plus longtemps dans l'empire des Habsbourg et surtout en Russie, où il se perpétue jusqu'au milieu du XIXe s. Il a toujours été inconnu des Turcs et des Arabes.

En dehors de l'Europe, une partie de l'Inde, celle des rajahs, a connu une organisation proche de la féodalité et l'analogie s'impose. En revanche, les rapports d'exploitation coloniale ou latifundiaire, pour inégalitaires qu'ils soient, n'ont jamais, ni en Amérique latine ni ailleurs, constitué un système féodal.

Les communautés villageoises

La communauté villageoise, avec ses variantes, est le modèle d'organisation politique et sociale de base le plus fréquent dans les sociétés rurales. On présentera ici les traits les plus caractéristiques des villages européens entre le Moyen Âge et le temps présent (où la société du village se rencontre encore, dans les Balkans, par exemple).

Le village est un réseau fondé sur la connaissance personnelle réciproque. La pression sociale y est forte et, donc, le conformisme élevé. Les personnalités originales ou rebelles n'ont que deux solutions : partir ou se faire reconnaître comme dotées de pouvoirs particuliers, ainsi les griots d'Afrique noire ou les désensorcelleuses de l'Ouest de la France.

Les nécessités de la coopération pour assurer une bonne administration du village créent des liens de solidarité et d'entraide qui dépassent le cercle familial. La gestion des ressources communes, prés et bois communaux, réserves d'eau et circuits d'irrigation, fait l'objet de règles que l'ancienneté consacrera et dont la modification exigera toujours un haut degré d'accord.

Le tissu social. Pour autant, le village n'est nullement égalitaire; il héberge des riches, des pauvres et des miséreux. Le mariage entre les personnes de même statut social (homogamie) conduit généralement les familles riches à se renforcer, à moins d'une catastrophe. Les riches se reconnaissent un devoir minimum d'assistance aux miséreux qui acceptent d'entrer dans leur dépendance.

La proportion des mariages conclus à l'intérieur de la communauté est élevée. Cependant, l'étude des registres paroissiaux datant du XVIIe s. a mis en évidence que le village n'est pas, sauf en montagne ou dans des îles, un isolat démographique : le réseau des échanges peut s'étendre sur vingt ou trente kilomètres de rayon.

Les sociétés villageoises ont développé de riches cultures dites « populaires » ou « folkloriques » : mythes, contes, chants transmis à l'occasion de fêtes et de mariages, instruments de musique. Les thématiques principales du fonds indo-européen s'y retrouvent autour de héros des cultures régionales ou issues d'une aire plus étendue. Cependant, l'immobilité des traditions est très largement surestimée par un public attaché à l'ancienneté. Désuétude, innovations, influences urbaines et bourgeoises sont à l'œuvre et apportent des éléments de cultures nouveaux ; les hautes coiffes bretonnes ne sont apparues qu'au XIXe s., accompagnant une augmentation sensible du revenu.

◆ **Fête folklorique dans le village tyrolien de Fliess** (Autriche). Rites et traditions se perpétuent dans certaines campagnes. Ici, un arbre de fécondité.

VOIR AUSSI

• **Civilisations anciennes du Moyen-Orient** p. 416 à 419
• **Féodalité** p. 436

Les physiocrates

La rente foncière est la base des fortunes familiales solides ; même quand la réalité commence à changer avec le développement du commerce international, l'idée demeure.
Les physiocrates du XVIIIe s., parmi lesquels, autour de François Quesnay (1694-1774), inventeur du terme, on trouve les ministres Turgot (1727-1781) et Malesherbes (1721-1794), sont caractéristiques d'une pensée économique à la charnière entre le monde ancien et le monde moderne. Du premier, ils gardent l'idée que la seule vraie richesse est la terre et, donc, qu'elle seule doit être prise pour base d'imposition. La valeur du travail, que l'Écossais Adam Smith a vue, leur échappe. Cependant, ils pensent que l'exploitation des terres peut être améliorée par les hommes et ils sont à l'origine de progrès dans la production agricole. Ils ont réussi à attirer l'attention d'aristocrates ouverts aux idées nouvelles sur la rotation des cultures, la sélection des semences, l'introduction de plantes venues d'outre-mer, etc.
Modernes sont aussi leur plaidoyer en faveur de l'abolition des barrières intérieures qui s'opposent au développement du commerce, et leur prise de position en faveur du libre-échange. L'idée que la terre est en soi la richesse première ne disparaîtra de la pensée économique qu'avec l'Anglais Ricardo, en 1839; la terre à blé est chère parce que le blé est cher, et non l'inverse.

Petit lexique

griot : poète musicien ambulant en Afrique noire, dépositaire de la culture orale et réputé être en relation avec les esprits.

latifundiaire : relatif à un très grand domaine agricole exploité extensivement selon des méthodes archaïques.

manant : paysan, vilain, ou habitant d'un village dans la France de l'Ancien Régime.

seigneur : propriétaire féodal; personne noble de haut rang, sous l'ancien régime.

serf : personne dépendante à l'égard d'un maître et de la terre sur laquelle elle travaille.

suzerain : au Moyen Âge, seigneur ayant concédé un fief à un vassal.

vassal : personne liée à un suzerain par l'obligation de foi et hommage, et qui lui doit des services personnels.

Les sociétés préindustrielles

Types de villes

Trois phénomènes caractérisent les sociétés qui feront éclore la modernité : le développement urbain, le progrès de la civilité, c'est-à-dire l'intériorisation des contraintes et, enfin, l'achèvement de la reconnaissance de la Terre, qui ouvre la voie aux rêves de colonisation. Les villes du monde préindustriel ne contribuent à la production de biens matériels que par le bâtiment et l'artisanat. Leurs activités se situent dans les services marchands (commerce, emplois domestiques, auxiliaires de justice, etc.) et non marchands (administration, défense). Elles rassemblent des consommateurs et ont besoin de relations serrées avec une campagne proche qui produit les biens vivriers nécessaires.

Le pouvoir, le commerce, la défense, puis l'administration ont suscité, à partir du XIe s., le développement de villes qui gardent trace de leur fonction originaire principale.

Les villes du pouvoir s'organisent autour du château, qui, au fil du temps, de forteresse deviendra palais. Situé dans une ville haute, il est entouré des maisons nobles, à quelque distance de la cathédrale. Dans la basse ville, corporations d'artisans et gens de métier ont de très petites maisons. La brique et la pierre, utilisées depuis les temps gallo-romains dans le sud de la France, se diffusent progressivement vers le nord, mais l'Angleterre et la Scandinavie restent fidèles à la maison de bois.

Les villes de marchands s'épanouissent aux Pays-Bas, autour des comptoirs de la Hanse, et en Italie. Elles s'administrent démocratiquement dans le cercle restreint des familles qui ont droit de bourgeoisie ou qualité équivalente. Beffrois ou campaniles, palais communal et maisons des guildes, chapelles des familles puissantes ou béguinages les caractérisent. Du XIVe au début du XVIIe s., elles sont les grands foyers de la création artistique, mais elles n'ont pas résisté à la montée des États absolutistes. Certaines sont restées comme figées à une époque de splendeur, ainsi Bruges, cependant qu'Amsterdam ou Florence ont connu un grand destin, cette dernière devenant en 1569 capitale du grand duché indépendant de Toscane.

Les villes de défense construites près des frontières sont des produits de décisions du pouvoir, particulièrement du roi de France et de la dynastie des Habsbourg. Certaines ont vite perdu tout intérêt militaire et sont devenues des villes-marchés. D'autres, Metz ou Theresienstadt, plus stratégiques, remaniées au gré du progrès des techniques de défense, sont restées longtemps de sévères villes de garnison.

◆ **Montbrison, en Auvergne, exemple de ville forte.**
Gravure tirée de l'*Armorial d'Auvergne, Bourbonnais et Forez* dédié au roi Charles VII par le hérault Guillaume Revel, XVe siècle.

Les villes administratives apparaissent avec la création des parlements, des universités et la progression de l'encadrement étatique. En France, les villes sièges des intendants de justice, de police et des finances ont connu au XVIIIe s. les plus belles rénovations urbaines : Aix, Bordeaux, Montpellier.

L'invention de la civilité

La constitution de codes qui régissent, dans les sociétés européennes, la vie en société résulte d'un processus de civilisation. La phase décisive a été la création des cours royales selon le modèle français au XVIIe s. où quatre phénomènes principaux sont à l'œuvre : l'extension sans précédent du contrôle de l'État, les règles hiérarchiques qui définissent la place de chacun, la domination de la nature par la culture, la maîtrise personnelle de l'individu.

Le pouvoir central se réserve le monopole de la violence : les duels sont interdits, les manifestations de la force physique condamnées. La diversification croissante de la société urbaine conduit des personnes de rangs sociaux différents à se côtoyer et à interagir. Le privilège du noble s'arrête devant les consignes du fonctionnaire du roi ; le bourgeois doit savoir traiter avec le gentilhomme et celui-ci avec le paysan. Chacun apprend à faire montre de discrétion en sachant tenir son rang.

Les jardins à la française violentent la nature. Chacun doit savoir réprimer devant les autres les manifestations corporelles qui rappellent par trop la grossièreté de la nature.

Enfin, la morale des grands dramaturges, comme Corneille et Racine, enseigne le sens de la dignité : faire ce qui convient à son rang, à son amour propre. Seul l'amour justifie des transgressions, qui auront des règles entraînant des risques.

Les grandes découvertes

Après la fin des croisades, les voyages d'explorateurs sont le résultat de projets commerciaux, de plans politiques évangélisateurs, aussi hasardeux que grandioses. À la suite de Marco Polo, qui parcourt la Chine et en rapporte des récits émerveillés, les souverains et les marchands européens s'intéressent à l'Asie profonde. Des ambassades sont envoyées auprès du grand khan mongol à Karakorum. Plus important, la papauté rêve de prendre l'Église d'Orient en tenailles et envoie vers la Chine des franciscains dûment consacrés évêques. Ainsi, au début du XIVe s. et pendant trente ans, Pékin eut un archevêque. L'affaire tourna court, mais on savait aller en Chine.

Quant au reste du monde, l'infant portugais Henri le Navigateur, mort en 1460, explore ou fait explorer par ses marins la côte ouest de l'Afrique, notamment le Sénégal. En 1498, Vasco da Gama atteint l'Inde par voie maritime. À sa suite, le Portugal se rend maître des Indes orientales et de leurs richesses. L'Espagne, de son côté, explore les Amériques où Christophe Colomb est arrivé en 1492. Les deux pays se disputent ce nouveau monde, lutte arbitrée par le pape Alexandre VI qui, en 1493, fixe une ligne à 370 lieues (environ 1 000 miles) à l'ouest des îles du Cap-Vert, séparant les Portugais à l'est des Espagnols à l'ouest. Le Brésil, qui est abordé en 1500 par le Portugais Cabral, restera au Portugal. En revanche, les Espagnols pénètrent dans le fief des Portugais en occupant les Philippines.

En 1522, l'expédition de Magellan achève le premier tour du globe. De vastes zones africaines et amazoniennes restent encore terres inexplorées sur des cartes incertaines mais l'ère des voyages dans l'inconnu total est close ; celle des colonisateurs qui diffusent avec eux des éléments de cultures européennes commence.

La guerre en dentelles

Dans le monde traditionnel, la guerre est une activité valorisée, et la conquête est un objectif politique de tout État quelque peu puissant. La valeur guerrière est le fondement de la formation des noblesses européennes au haut Moyen Âge et le restera.
La montée de l'absolutisme à partir du XVIe s. engendre la formation d'armées permanentes, organisées. La guerre entre dans le processus général de développement des conduites réglées qui s'affirme aux XVIIe et XVIIIe s.
Guerre d'extermination et montée aux extrêmes sont exclues entre généraux ennemis qui partagent le même code d'honneur. La guerre est une sorte de jeu (*Kriegsspiel* en allemand) qui a ses conventions et ses figures obligées. « Messieurs les Anglais, tirez les premiers » : la phrase lancée au porte-voix, à la bataille de Fontenoy (1745) en présence de Louis XV, est célèbre. La première ligne des fantassins français bien alignés fut fauchée. Les effectifs engagés ne sont pas énormes et les opérations ne sont pas très meurtrières. Tout change avec la levée en masse des Français en 1792. Les règles anciennes ne sont plus respectées. Les généraux ne seront plus tous des nobles. La marche vers la guerre moderne a commencé.

◆ **Portulan vénitien du XVIe siècle.**
Les portulans sont les grandes cartes marines utilisées par les navigateurs jusqu'au XVIIIe siècle.

VOIR AUSSI • Marco Polo p. 1148

Les sociétés modernes

La naissance du capitalisme

L'entreprise capitaliste repose sur l'utilisation par un entrepreneur de sommes qui dépassent son avoir propre pour développer des activités économiques susceptibles d'assurer, à ses associés et à lui-même, un enrichissement. Les apporteurs de capitaux ne sont pas des prêteurs, mais des copropriétaires qui partagent le risque de l'entrepreneur.

Le système est né et s'est développé en Europe. Il apparaît d'abord timidement dans les cités-États maritimes, Gênes, Venise, Amsterdam, Hambourg où, dès la fin du XIVe s., des armateurs font construire à frais partagés des navires de commerce. L'essor du capitalisme marchand a lieu au XVIIe s., en Angleterre et aux Pays-Bas, pays protestants.

Le sociologue Max Weber s'est demandé pourquoi l'Empire romain, qui connaissait la lettre de change et commerçait avec la Chine, où depuis longtemps des organisations de commerçants riches étaient très développées, n'avait pas inventé le capitalisme. Sa réponse tient en trois points principaux. Premièrement, l'entrepreneur doit être rationnel, calculateur à long terme et savoir réinvestir, donc être ascétique. C'est le calvinisme qui, dès le XVIe s., et bien plus que le luthéranisme, favorise, plus qu'aucune doctrine avant lui, cette conjonction mentale. En outre, pour un calviniste, le succès dans les affaires humaines est signe d'une possible élection par Dieu. Ensuite, la séparation est nécessaire entre comptes privés et comptabilité d'entreprise. Les ateliers textiles seront désormais séparés de la maison d'habitation. Enfin il faut une main d'œuvre abondante que seuls des paysans pauvres mais libres pourront fournir. Le servage ou des restrictions quelconques à la mobilité des hommes sont incompatibles avec le développement de ce qui va devenir la classe ouvrière.

Les historiens ont mis l'accent sur deux autres conditions : la nécessité de la libre circulation sur les mers, d'où l'invention du droit naturel, et celle d'un vaste marché, ce qui suppose un grand pays avec des consommateurs nombreux et l'abolition des barrières douanières. L'Angleterre a été le premier pays favorable au libre-échange, qui va devenir un des piliers du système.

◆ ***Armateur avec sa famille*** (v. 1620), **par Adam Willaerts (1577-1664).** Une image de l'enrichissement de la bourgeoisie marchande. (Musée des Beaux-Arts de Valenciennes)

Le commerce triangulaire

Forme du capitalisme marchand florissant au XVIIIe s., le commerce triangulaire a fait la fortune d'armateurs, de négociants et de capitaines à Nantes et à Bordeaux : la richesse de leur patrimoine architectural en témoigne encore aujourd'hui. Les navires partaient de France, chargés de bimbeloterie, vers le golfe de Guinée. Là, après avoir, grâce à quelques cadeaux, obtenu la neutralité du chef de village, les marins emmenaient de force de jeunes Africains des deux sexes, qui étaient entassés dans la cale pour une traversée qui allait les conduire droit à un marché aux esclaves à Port-au-Prince, Fort-de-France ou La Nouvelle-Orléans. Sucre de canne, rhum, coton constituaient le fret de retour. Des navires anglais faisaient le même commerce avec Charleston.

La bureaucratie

Historiquement, la première grande bureaucratie (au sens de pouvoir d'un appareil administratif) fut celle des mandarins chinois qui entraient dans la carrière par des concours littéraires établis dès les premiers siècles de notre ère. Ce système s'est maintenu par-delà les changements de dynasties jusqu'en 1911.

Les États européens commencèrent à construire leurs bureaucraties à la Renaissance mais le mouvement ne fut accompli qu'au XIXe s. Jusqu'à la Révolution, les rois de France pratiquaient la vénalité des offices, c'est-à-dire la vente de certains emplois tant civils que militaires, et affermaient la collecte des impôts indirects à des fermiers généraux; les aides et les secrétaires des ministres étaient leurs employés privés.

Max Weber fait de la bureaucratisation un des trois processus fondamentaux de la modernité parce que la «domination légale» (l'affirmation de l'État) est par son biais rendue à la fois plus rationnelle et plus efficace. Les entreprises privées ont développé des systèmes de gestion interne et de conduite des carrières des personnels largement bureaucratisés.

L'établissement d'un système d'administration bureaucratique suppose en premier lieu que la loi écrite soit reconnue comme supérieure aussi bien à la tradition qu'à l'autorité arbitraire d'un seul individu, chef tyrannique ou charismatique. Toutes les procédures laissent une trace écrite qui est conservée; la régularité de l'action est indissociable de la tenue d'archives.

Les fonctionnaires de l'État doivent leur emploi à leur seule compétence reconnue par concours; ils sont mutés, promus ou rétrogradés en fonction de leur ancienneté et de leurs mérites, selon des procédures qui comportent des garanties statutaires contre l'arbitraire. Ils ne peuvent jamais disposer de leur emploi, le vendre ou le transmettre. Ils ont à traiter les affaires de façon impersonnelle, selon la loi et l'appréciation de l'intérêt supérieur de l'État, hors de toute influence partisane ou considération de personne.

Les critiques de la bureaucratie mettent en cause le primat du respect des règles sur les contenus, l'excès de centralisation, c'est-à-dire la distance entre les décideurs et le terrain, la lenteur et la complexité des procédures, notamment celle du contrôle de l'emploi des fonds publics.

Max Weber

Contemporains, l'Allemand Max Weber (1864-1920) et le Français Émile Durkheim (1858-1917), considérés maintenant comme les deux principaux inspirateurs de la sociologie du XXe s., se sont ignorés, car ils travaillaient aux deux pôles opposés de l'analyse du social. Tandis que Durkheim explore l'univers des contraintes et des représentations collectives qui s'imposent à l'individu, Weber s'intéresse à l'action, aux raisons matérielles et morales qui poussent l'individu à agir et aux conditions de surgissement des innovations sociales.
L'Éthique protestante et l'esprit du capitalisme **(1905), son texte le plus connu, contient déjà la méthode mise en œuvre dans *Économie et société* (1922), qui brasse le droit, l'histoire et la philosophie pour proposer une lecture des changements de modèle de société depuis l'Antiquité. À la différence de Marx, Weber considère le registre des valeurs comme autonome et susceptible d'avoir des effets majeurs sur les actions qui ont une intention économique ou sont motivées par l'économie. L'affirmation de l'importance du protestantisme pour la naissance du capitalisme demandait une vérification par une étude comparée des grandes religions de salut, que propose *Sociologie des religions* (1920), partiellement traduit en français. L'information historique date, parfois beaucoup, mais les pistes ouvertes sont loin d'avoir toutes été exploitées.**

Petit lexique

manager : terme anglais qui désigne le dirigeant salarié d'une entreprise capitaliste. Le livre de Peter Drucker, *l'Ère des managers* (1938), en a fait un vocable international à partir duquel le français a formé *management*, ensemble des techniques de conduite de l'entreprise.

proto-industrialisation : désigne l'apparition, au XVIIe s., d'ateliers textiles ou de transformation des métaux, antérieurs à la mécanisation et gérés de façon précapitaliste, c'est-à-dire sans appel à des capitaux rémunérés comme tels.

VOIR AUSSI
- **Théories du commerce international** p. 822
- **Durkheim** p. 954 et 969

Le capitalisme industriel

Au début du XIXe s., la machine à vapeur perfectionnée ouvre l'âge du capitalisme industriel, caractérisé par l'exploitation des mines de charbon et des mines de fer, la création de hauts fourneaux, de laminoirs, de fonderies, la fabrication de locomotives, de canons, la fondation de chantiers de constructions navales, de fabriques de tuyaux, d'usines textiles. Les profits sont élevés : en 1840, l'amortissement des investissements sur une seule année est atteint dans nombre de sociétés. Les conditions de travail des ouvriers sont épouvantables. Les premières lois réglementant le travail de nuit des enfants et des femmes interviennent au milieu du siècle (France, 1847).

Marx a donné, dans *le Capital*, l'analyse la plus critique mais aussi la plus pénétrante de son siècle. Il décompose le système capitaliste en trois points. Le premier est l'exploitation de l'homme par l'homme. L'ouvrier n'a que ses bras et il ne reçoit qu'un salaire de survie. Le profit du capitaliste est produit par la confiscation de la plus-value du travail ; à lui seul, son argent ne produirait rien. Le rapport social qui met l'ouvrier dans la dépendance du patron bourgeois est le résultat de la prise du pouvoir politique par la bourgeoisie.

Deuxièmement, la concurrence pousse les capitalistes à intensifier le recours aux progrès techniques, d'où des investissements coûteux qui vont entraîner une baisse tendancielle des taux de profit. Aussi, troisième point, les capitalistes seront-ils amenés à accentuer l'exploitation par le contrôle des ouvriers, l'imposition de cadences de travail et la baisse des salaires. La paupérisation absolue de l'ouvrier s'ensuivra.

La baisse annoncée des taux de profit est devenue réalité. Les industries anciennes et à équipements lourds deviennent moins rentables et les capitaux disponibles se déplacent vers les branches nouvelles.

En revanche, la paupérisation absolue des prolétaires n'a pas eu lieu. La réalité a été différente, sous les effets conjoints de trois processus. La croissance urbaine avait été sous-estimée par Marx : l'élévation du niveau de revenus des bourgeois élargit les marchés. En second lieu, avec la deuxième industrialisation (téléphone, électricité, pétrole et automobile), le capitalisme parvient à son apogée. L'introduction du travail à la chaîne selon les principes de Frederick Taylor (1854-1915) conduit Henry Ford au début du XXe s. à construire une voiture que ses ouvriers pourront acheter. La baisse des coûts unitaires permet de payer les ouvriers pour qu'ils deviennent des consommateurs. Enfin, et ce n'est pas le facteur le moins important, la lutte sociale, dure, oblige les patrons à des concessions et conduit les gouvernements à introduire les débuts d'une législation sociale.

La Bourse et l'actionnaire. La société anonyme par actions à responsabilité limitée, juridiquement créée au milieu du XIXe s., connaît deux mécanismes de régulation. Côté externe, la négociation boursière définit, au jour le jour, la valeur du capital en fonction des résultats connus et des anticipations que les opérateurs font sur le devenir de la firme considérée. Côté interne, l'Assemblée générale annuelle est censée créer une démocratie du capital où le poids de chaque actionnaire est fonction de son nombre de parts. Dans la pratique, les petits porteurs n'ont aucun pouvoir et les décisions sont arrêtées entre les détenteurs de paquets d'actions importants. C'est ainsi que des investisseurs ont pu s'assurer le contrôle de sociétés à capital très dispersé, à partir d'une fraction limitée du capital, ou que des dirigeants salariés ont pu s'affranchir largement de tout contrôle du capital. L'ère des managers a caractérisé la période 1930-1980.

Deux phénomènes récents y ont mis fin. La lutte pour l'accroissement des parts de marché et les économies d'échelle ont généré un énorme mouvement de concentration des sociétés avec processus divers d'acquisitions et de fusions. Les offres publiques d'achat en bourse (OPA) obligent une société qui veut garder son indépendance à s'assurer la loyauté d'un groupe d'investisseurs capables d'empêcher des adversaires de ratisser en Bourse de quoi prendre son contrôle. Ainsi les sociétés financières reconquièrent le pouvoir sur les managers.

D'autre part, le développement aux États-Unis des fonds de pension donne à leurs gestionnaires, qui sont, de fait, les représentants de petits porteurs, un poids que ces derniers n'avaient jamais eu. À eux seuls, les fonds de pension possèdent, en 1998, 38 % du capital des sociétés américaines cotées contre seulement 3 % en 1950. La situation est similaire en Grande-Bretagne. Les gestionnaires des fonds de pension travaillant pour leurs mandants, salariés, introduisent désormais un contrepoids considérable aux intérêts de l'establishment.

L'entrepreneur

L'entrepreneur capitaliste innovateur est, selon la définition de l'économiste autrichien Joseph Schumpeter (1883-1950), celui qui réalise une combinaison nouvelle des facteurs de production. L'innovation peut concerner le capital, le travail, l'organisation, les produits, les marchés.

Pour ce qui est du capital, l'ingénierie financière a considérablement diversifié ses offres à partir des deux produits de base, l'action et l'obligation.

Dans le domaine du travail et de l'organisation, l'adoption du taylorisme a été l'innovation principale dans l'industrie du début du XXe s. Sa remise en cause ouvre sur les inventions managériales et les expérimentations actuelles.

Les processus techniques et les produits qui leur sont liés peuvent être brevetés, ce qui protège pendant un temps la firme inventeur contre la copie et la contrefaçon et lui assure ainsi une rente d'innovation, que l'accélération du progrès technique tend à écourter. L'invention de produits va de plus en plus de pair avec la définition prospective de marchés : tel objet est conçu, fabriqué et présenté pour séduire tel segment de clientèle dont la demande potentielle a été préalablement étudiée.

Petit lexique

aliénation : chez Marx, processus mental par lequel les paysans et les ouvriers sont rendus aveugles à leurs intérêts de classe par l'endoctrinement diffus de l'idéologie dominante, celle qui porte les intérêts de la bourgeoisie et qui est relayée par les Églises et les intellectuels au service de la bourgeoisie.

capitalisme monopolistique : stade avancé du capitalisme où les grandes entreprises cherchent à s'assurer une position de monopole. Des règlementations nationales ou internationales (Union européenne) le combattent au nom de la protection du consommateur. Les analystes marxistes parlent de capitalisme monopolistique d'État (CME) pour souligner l'imbrication des politiques d'État avec les intérêts des grandes entreprises de leur pays.

La classe ouvrière

Les ouvriers, au sens moderne du mot, apparaissent timidement avec la proto-industrialisation du XVIIIe s., notamment dans le textile, puis leur nombre augmente fortement, en Angleterre dès 1820, en France à partir de 1840, avec la première révolution industrielle. Celle-ci concerne les ouvriers de l'industrie, mais aussi ceux du bâtiment car l'urbanisation progresse rapidement au XIXe s. Il faut loger les nouveaux arrivants, cependant que dans la seconde moitié du XIXe s., les espoirs de profits poussent la bourgeoisie à investir des sommes considérables dans la construction et la rénovation urbaines.

L'industrie lourde et le bâtiment sont des mondes d'hommes. Les ouvrières seront nombreuses, à la fin du siècle, dans l'électricité et les industries légères, et elles dominent dans le textile et la confection.

Les conditions de travail sont rudes, les salaires faibles, le droit social n'existe pas et

◆ **Un enfant dans une mine des États-Unis au début du XXe siècle.** Compte tenu de leur petite taille, les enfants passaient facilement dans les boyaux étroits. Ils étaient également chargés de pousser les wagonnets de houille. Le rude travail des enfants dans les mines a été l'un des aspects du développement du capitalisme industriel. (Photographie de Lewis H. Hine, v. 1908-1911.)

l'application du droit civil, conçu pour protéger la propriété, ignore les intérêts de celui qui n'a que ses bras à louer. Les changements importants commencent dans les dernières décennies du siècle. En France, une loi de 1898 introduit la notion de responsabilité civile de l'entreprise en matière d'accident du travail et, par conséquent, de droit à indemnisation.

Le monde des ouvriers. Parler de classe ouvrière, c'est reprendre l'expression de Marx, qui liait la lutte des classes à la nécessité d'une révolution. Celle-ci serait retardée par l'emprise de l'État bourgeois et de l'Église, qui empêchent les ouvriers de prendre conscience de leurs intérêts de classe. Contrairement à la prévision et à l'espoir de Marx, la révolution prolétarienne n'a pas lieu dans les pays les plus industrialisés, mais les bourgeoisies vivent pendant plus d'un demi-siècle dans la crainte de l'émeute ouvrière et prennent des dispositions de protection, notamment en matière d'urbanisme. Les constructions locatives destinées aux ouvriers se développent dans des quartiers périphériques; des zones centrales vouées à la dégradation et à l'insalubrité leur sont également laissées, en attendant une éventuelle rénovation qui les en chassera.

Confronté aux maladies professionnelles, à la tuberculose, à laquelle contribue l'insalubrité des logements, aux accidents du travail qui font des veuves et des orphelins, le monde ouvrier développe des formes de mutualité, avec des succès limités, faute de ressources et de capacités gestionnaires chez les mutualistes.

Vers 1880, à Paris comme à Londres, les foyers ouvriers représentent plus de la moitié de la population. Le concubinage, les avortements, les maternités précoces sont fréquents. Le monde ouvrier, en voie de déchristianisation rapide, se détourne aussi du mariage civil. Il est comme en marge de la société.

Il va y rentrer grâce, d'une part, au syndicalisme qui légitime le droit de revendiquer, d'autre part à la Première Guerre mondiale qui, sur plusieurs plans, provoque des ruptures. Malgré les déclarations pacifistes de leaders socialistes ou syndicalistes, les ouvriers partent au front et y font leurs preuves, désarmant ainsi une partie des préventions de la bourgeoisie. Après la guerre, l'État providence apparaît dans les pays à gouvernement social-démocrate, alors qu'aux États-Unis, les débuts de la consommation de masse battent en brèche, plus tôt qu'ailleurs, la barrière qui séparait le niveau de vie de la classe ouvrière de celui des classes moyennes du secteur tertiaire.

Les sociétés urbaines

Le premier exode rural, au XIXe s., a été suscité par les besoins de main-d'œuvre de l'industrie et du secteur du bâtiment. Les villes prennent une physionomie d'autant plus typée qu'elles sont plus grandes : activités directionnelles et financières au centre, zones résidentielles calmes et bourgeoises d'un côté, ateliers, usines et quartiers ouvriers de l'autre.

Le second exode rural, au milieu du XXe s., est lié à la mécanisation de l'agriculture, qui, désormais, n'emploie plus que 5 % ou moins de la population active, et à la croissance du secteur tertiaire. Aujourd'hui, les trois quarts de la population des pays développés vivent dans des zones urbaines. La proportion entre immeubles collectifs et logements individuels dépend des espaces disponibles mais aussi de préférences culturelles. On trouve ainsi plus d'immeubles en Italie ou en France, et plus de logements individuels dans les pays anglo-saxons.

La grande ville offre une opposition entre l'animation intense des quartiers centraux et le vide des rues dans les zones dortoirs périphériques. Elle entretient l'anonymat et la différenciation des réseaux sociaux : famille, travail, voisinage. À la solidarité directe – «mécanique», selon le mot de Durkheim – du village, s'oppose la solidarité «organique» de la ville. Produit de la division du travail et de la différenciation sociale, c'est une solidarité qui passe par des intermédiaires, ceux des services de l'État, des associations, etc., à défaut desquels l'individu ne trouve appui que dans la cellule familiale restreinte.

Les sociétés complexes

L'expression «sociétés complexes» ou «sociétés modernes avancées» désigne les interactions entre plusieurs lignes d'évolution.

1. La monétarisation des échanges, les principes démocratiques, la laïcisation de l'État et la rationalisation de l'action publique ont contribué à pousser à leur terme les processus de séparation institutionnelle entre les quatre grands groupes de fonctions : famille et vie privée; production; débat public et politique; rituels religieux, identitaires et d'intégration.

2. La croissance de la population, l'urbanisation généralisée, la perte d'influence des Églises et la valorisation culturelle de la liberté individuelle conduisent l'État à intervenir vigoureusement aussi bien dans la marche de l'économie que dans la vie des citoyens au nom de la recherche d'une croissance équilibrée d'un côté et de la solidarité de l'autre. Politique économique et politique sociale au sens large interfèrent de plus en plus.

3. La hausse du niveau général d'éducation et l'importance prise par la presse puis la radio et la télévision font que les citoyens n'acceptent plus de s'en remettre aveuglément à un pouvoir étatique, fût-il tutélaire. Les salariés entendent négocier les règles. Gouverner implique convaincre. L'information est devenue un pouvoir que les États démocratiques ne contrôlent pas.

4. Les moyens rapides de communication donnent aux événements des retentissements à l'échelle de la planète entière.

5. Par voie de conséquence, les sociétés complexes connaissent des conflits fréquents, variés, et doivent constamment inventer des modalités nouvelles d'organisation du «vivre ensemble». La négociation sociale portant sur les conflits du travail a tenu le devant de la scène pendant un siècle; elle ne disparaît pas mais d'autres sources de clivage sont apparues ou apparaîtront : revendications d'égalité des sexes, particularismes culturels ou de modes de vie, conflits à propos de l'usage de l'espace, de l'environnement, etc.

Les banlieues

Née vers 1880 autour d'un village dont les terres sont devenues terrain à bâtir, ou créée à partir de rien en 1970, aisée ou ouvrière, coquette ou triste, une banlieue reste longtemps une zone urbanisée dépendante, incomplète, et socialement tronquée. Satellite de la grande ville, le centre d'une banlieue ne répond qu'à des fonctions de proximité, principalement vivrières, et n'offre ni les constructions de prestige des édifices du pouvoir ou des activités culturelles ni l'animation du centre ville. Le développement des constructions a souvent obéi à la recherche de profits rapides pour les lotisseurs et les promoteurs plutôt qu'à un urbanisme raisonné. Faute des ressources fiscales provenant d'activités productives et marchandes importantes, les municipalités peinent à assurer les équipements publics nécessaires, en particulier en matière de transports publics.

Une agglomération de banlieue est toujours socialement mal équilibrée. Les ouvriers habitent près des usines d'hier transformées en friches industrielles ou dans les communes les moins bien desservies, dans lesquelles ni les médecins ni les professeurs du lycée aiment à s'établir. Les conflits entre modes de vie différents entraînent une accentuation de la ségrégation, qui concentre les foyers à problèmes dans certains secteurs, ainsi voués à devenir des zones de désespoir.

La dominante d'employés se rencontre autour de gares bien reliées aux activités tertiaires; elle est compatible avec la présence de jeunes ménages de cadres avec enfants mais ces derniers ne s'enracinent pas et partiront ailleurs dès que leurs revenus le leur permettront.

Plus récemment, pour des raisons de confort, une partie des couches aisées a préféré s'installer en banlieue, dans des villas ou de petits immeubles dispersés dans des parcs, produisant un autre type de communes dortoirs.

La rurbanisation ne doit pas être confondue avec la banlieue. Ce terme désigne l'installation dans des bourgs, à quelques dizaines de kilomètres d'un grand centre, d'habitants et d'activités tertiaires sans rapport avec la ruralité : entreprises de transport ou petits éditeurs, par exemple. Le télétravail accentue la tendance. Certaines régions anglaises ou françaises ont vu leur population augmenter dans ce type de communes.

La ségrégation sociale

La ségrégation sociale urbaine, ou séparation des zones d'habitation selon le niveau social, est un des maux de la société moderne. Elle est un produit de la croissance urbaine, de l'accentuation de la division du travail et de l'inégalité des revenus.
Les zones industrielles bruyantes ou polluées manquent d'attrait résidentiel et sont laissées à bas prix à des bailleurs qui doivent se contenter d'un petit loyer cependant que la demande des classes aisées fait monter les prix dans les quartiers plus proches du centre ou plus agréables quant à leur environnement. Les efforts volontaristes de rééquilibrage social par un urbanisme directif se heurtent aux images, positives ou négatives, que les quartiers suscitent dans les représentations collectives. Quant à la réhabilitation des quartiers dégradés, qui se situent entre le centre et la périphérie de la ville, elle aboutit le plus souvent à leur embourgeoisement.

VOIR AUSSI
• **Révolution industrielle** p. 453
• **Système financier** p. 801 à 803
• **Intégration et tensions sociales** p. 1004

La condition humaine

Naissance de la philosophie

Le mot Philosophie vient du grec où il signifie amour de la sagesse et désigne le travail de ceux qui pensent l'Être, la permanence, le changement, la relation entre apparences et réalité ultime, plus encore, la place de l'homme dans le monde. Exprimer la tension entre finitude éprouvée de la condition humaine et vocation à la dépasser, indépendamment de rites et de dogmes religieux est la première démarche commune à tous les philosophes. C'est pourquoi ceux-ci seront souvent suspects aux yeux des religions établies et des pouvoirs qui leur sont liés.

Les premiers philosophes de la tradition occidentale sont des Grecs du VIIe s. av. J.-C. dont des fragments de textes seulement ont été sauvegardés et qu'on appelle présocratiques pour marquer la rupture avec ce qui va suivre. Les deux plus célèbres sont Héraclite et Parménide. Ils écrivent en vers. Pour le premier, « le monde est feu éternellement vivant qui s'embrase et s'apaise ». La force est souffle. L'aspiration à l'unité ne se trouve que dans la chose sage. Parménide, tout au contraire, pense l'immobilité, affirme l'impossibilité de sortir de l'Un et l'inconsistance de ce qui change.

Socrate (470-399 av. J.-C.), que nous connaissons par son disciple Platon, travaille les possibilités de décomposition analytique du discours. Il oblige ses interlocuteurs à respecter trois principes de la logique élémentaire qui ne sont pas encore tout à fait reçus comme allant de soi. Le principe d'identité veut qu'une chose nommée ne puisse être autre (A est A). Le principe de non-contradiction veut qu'on ne puisse tenir en même temps deux affirmations opposées. Enfin : l'usage ordinaire de la parole n'a que deux valeurs, oui et non, il faut choisir, c'est le principe du tiers exclu. Ainsi armé, Socrate met à mal les sophistes qui charmaient l'assemblée des citoyens et enseigne la mise en pratique du discernement qui demande d'abord de se connaître soi-même, c'est-à-dire d'être au clair sur ce que l'on sait et veut. En l'interrogeant, il fait découvrir à son interlocuteur ce que celui-ci croyait ignorer (c'est la maïeutique, art d'accoucher les esprits). Accusé d'impiété envers les dieux et de corruption de la jeunesse, il fut condamné à boire la ciguë.

Platon et Aristote

Platon (philosophe grec, v. 427-v. 347 av. J.-C.), fondateur de l'Académie, est l'auteur de nombreux dialogues (une trentaine, dont *Phèdre* et *le Banquet*). Dans ces écrits, il met en scène son maître Socrate, celui qui sait qu'il ne sait rien. Par des questions ironiques, celui-ci mène un interlocuteur à l'aporie (suspension du jugement). Son but est maïeutique : faire accoucher les esprits de leurs savoirs et de leur ignorance, par une discussion et un jeu de questions-réponses (dialectique dichotomique – juste/injuste, subir/soumettre). Le constat d'ignorance doit faire naître un désir de connaissance (un amour pour la vérité). Alors que l'adage de Socrate était « Connais-toi toi-même et tu connaîtras Dieu et les hommes », il est accusé d'avoir corrompu la jeunesse et d'avoir introduit de nouveaux dieux dans la cité. Dans l'*Apologie de Socrate*, Platon raconte comment Socrate est condamné par les citoyens d'Athènes à boire la ciguë (poison mortel).

◆ **Socrate.** Condamné par les citoyens d'Athènes pour avoir troublé l'ordre de la Cité, il préfère mourir en buvant la ciguë plutôt que de partir en exil. Ce philosophe n'a rien écrit : son enseignement a été transmis par Xénophon, Platon et Aristote.

Le but de Platon, dans ces dialogues, est politique et philosophique : faire comprendre que la justice est liée à la vérité ; faire tendre l'intelligence vers l'Idée du Bien dont le Beau et le Bon (relatif à la vertu) sont des formes. Dans *la République* (livre VI), il illustre le passage du concret (monde sensible) à l'abstraction (monde intelligible).

Le passage des objets et des modes de la connaissance se fait du sensible vers l'intelligible selon un rapport d'imitation (copie – modèle). Chaque objet de connaissance admet un mode de connaissance, l'Idée étant l'objet le plus élevé.

Dans *la République*, livre VII, Platon pose le problème de la connaissance sous une forme allégorique : le mythe de la caverne. Des hommes sont enchaînés dans une caverne, tête et corps immobiles, regardant vers la paroi du fond sur laquelle ils voient des formes passer. Un prisonnier est libéré. En sortant, il est ébloui par le soleil. Voyant alors les objets, il comprend que ce qu'il prenait pour la réalité n'était que des images projetées, des ombres. C'est par la dialectique qu'il entre dans le monde intelligible, pour finalement contempler les Idées.

Aristote. Ce philosophe grec (384-322 av. J.-C.), précepteur d'Alexandre le Grand, élève de Platon pendant vingt ans, crée le Lycée à Athènes, où il enseigne la logique (on lui doit la figure du syllogisme), la physique (il se penche sur les êtres qui ont en eux le principe de leur mouvement), la métaphysique (venant après la physique – *méta*– signifie « après » et les commentateurs ont désigné ainsi les livres qui venaient après la physique), l'éthique (*Éthique à Nicomaque*, ouvrage dans lequel il traite de l'amitié), la politique (où il définit l'homme comme un animal doué de parole), la rhétorique (dont la pratique est liée à la morale et à la politique), la poétique (discipline cathartique, c'est le moyen offert aux hommes de purger leurs passions). La « métaphysique » est la science de l'être en tant qu'être, la connaissance rationnelle des réalités transcendantes et des choses en elles-mêmes, et étudie les principes élémentaires de la pensée dont toutes les autres disciplines font usage. Tout savoir ne peut pas relever du modèle mathématique selon lequel est vrai ce qui est démontré, comme en physique où est vrai ce qui est conforme à l'expérience ou, comme en histoire, où est vrai ce qui est conforme au plus grand nombre de témoignages.

Ayant acquis un savoir encyclopédique, Aristote développe le concept d'un univers fini et introduit la classification des êtres à partir d'une observation et d'une analyse approfondies. Il a défini des éléments de la pensée logique, par exemple le principe de non-contradiction : on ne peut pas dire, en même temps et par rapport au même sujet, une chose et son contraire.

Au Moyen Âge, les penseurs chrétiens reprennent l'enseignement d'Aristote et systématisent l'argumentation par syllogisme. Ce courant, appelé la scolastique, s'étend du Xe au XVIIe s.

Stoïcisme et épicurisme

D'abord enseigné à Athènes par Zénon de Kition (335-264 av. J.-C.) sous un portique (*stoa* en grec), ce courant philosophique fonde une morale de la dignité de la personne sur une conception du monde compris comme une entité ordonnée.

Pour le stoïcien, le sage est celui qui parvient à mettre sa conscience et ses attentes personnelles en harmonie avec le monde. La vertu est un tout; elle s'appuie sur une théorie de la connaissance, qui refuse à la fois le dogmatisme et le scepticisme. À Rome, Sénèque, au Ier s. apr. J.-C., et l'empereur Marc Aurèle, au IIe s., développent surtout ses aspects éthiques. Le stoïcisme a influencé des esprits aussi divers que Montaigne, Pascal ou Vigny.

L'épicurisme, doctrine rivale enseignée à la même époque que le stoïcisme par Épicure (341-270 av. J.-C.), à Athènes, prône également une limitation des désirs, mais au nom d'une recherche de la paix intérieure et du bonheur dans un monde où le hasard tient une place importante. L'emploi moderne d'épicurien pour « jouisseur » est presque un retournement de sens.

Du Moyen Âge à la Renaissance

De la période médiévale à la Renaissance (XVe et XVIe s.), la philosophie occidentale est liée à la théologie chrétienne (discours et raisonnement sur Dieu) et consacre Aristote comme autorité.

Les textes sacrés (l'Ancien et le Nouveau Testament), bien que révélés, sont expliqués. Toute nouvelle interprétation des textes sacrés est soupçonnée d'hérésie mettant en question l'universalité de la révélation.

Au XIe s., saint Anselme de Canterbury construit la première forme de l'argument ontologique ou preuve de l'existence de Dieu par les moyens de la raison humaine. Au XIIIe s., saint Thomas d'Aquin (1225-1274, théologien italien), auteur de la *Somme théologique*, sépare les preuves théologiques et les preuves philosophiques de l'existence de Dieu. Les preuves théologiques renvoient à une autorité, à un ordre supra-humain, à une révélation (miracles, prophéties, Bible). Les preuves philosophiques sont strictement rationnelles : Dieu existe car tous les faits ont une cause. Si on veut comprendre l'existence du monde, il faut bien admettre qu'il en existe une cause. De plus, le monde est suffisamment ordonné pour prouver qu'il a été conçu par une intelligence. Dès lors, cette séparation des ordres de la pensée (foi et raison) permet d'appréhender le christianisme comme un fait de culture.

Les humanistes de la Renaissance dégagent peu à peu la pensée des cadres de la scolastique. Abandonnant le carcan d'Aristote, ils renouent avec Platon et une vision plus vivante de la pensée antique à laquelle ils accèdent directement par le grec et non plus à travers des traductions latines surchargées de contresens chrétiens. Une nouvelle conception du monde s'institue : l'univers est infini (on met en question l'idée, défendue par les scolastiques, d'un monde clos, parfait, achevé, et de la Terre comme centre du

◆ **Baruch Spinoza.** Après une formation religieuse juive traditionnelle, il découvre la philosophie cartésienne. Exclu de la communauté juive d'Amsterdam, il apprend, pour vivre, à polir des verres. Sa vie a été un combat pour la liberté. Il a ouvert la voie à la critique biblique. (Peinture de l'école hollandaise du XVIIe s., Gemeentemuseum, La Haye)

◆ **René Descartes.** Élève des jésuites, il voyage dans toute l'Europe puis il embrasse la carrière des armes. Il abandonne tout quand, le 10 novembre 1619, en une illumination, il conçoit « les fondements d'une science admirable ». Dès lors, sa vie errante (Hollande, France, pour finir chez la reine Christine de Suède) n'a d'autre objectif que de préserver sa liberté de pensée et de mouvement. (Descartes, d'après Frans Hals. Musée du Louvre, Paris)

monde). On ne peut pas expliquer les phénomènes par une cause finale (la théorie des quatre causes – matérielle, formelle, efficiente, finale –, énoncée par Aristote, est contestée). Du point de vue méthodologique, les valeurs morales et religieuses et les faits physiques doivent être séparés.

Cette transformation conduit l'homme à l'autonomie. Une méthode expérimentale (contre la vérité révélée) est adoptée à la suite des découvertes de Galilée (la chute des corps). L'idée d'autonomie de l'homme conduit à séparer le domaine politique des valeurs morales et religieuses. Le comportement humain peut être étudié rationnellement.

La métaphysique classique

Les penseurs de l'Occident médiéval ont utilisé les catégories logiques et métaphysiques d'Aristote pour développer la scolastique, ou ensemble des procédés d'exposition et de discussion des problèmes soulevés par la théologie catholique. Au XIe s., saint Anselme de Canterbury, bénédictin, construit la première forme de l'argument ontologique, ou preuve de l'existence de Dieu, par les moyens de la raison humaine. Au XIIIe s., saint Thomas d'Aquin, dominicain, produit une *Somme de théologie* (1266-1273) qui, approuvée, interprétée, – parfois trahie –, devient la référence intellectuelle dominante pour deux siècles. On y trouve traitées toutes les grandes questions à partir de l'affirmation de l'unité de la substance par origine divine, compatible avec une distinction entre l'essence et l'existence de chaque être particulier. Du point de vue anthropologique, l'intellect prime sur la volonté. Enfin, il est admis que la vérité est toujours dans la conciliation entre la lecture des textes sacrés et l'autorité d'Aristote. Il n'y a pas de place dans la pensée scolastique pour l'invention humaine.

À la Renaissance, les humanistes se détournent de la sécheresse des catégories d'Aristote comme de la scolastique et trouvent plus de liberté dans des thèmes platoniciens, entre rigueur géométrique et élaborations analogiques autour du nombre d'or et de l'harmonie musicale. Le thomisme restera le cadre philosophique de la théologie de la Contre-Réforme catholique.

En revanche au XVIIe s., Descartes et ses continuateurs, Spinoza (1632-1677, *Éthique; Traité de la Réforme de l'entendement*), Malebranche (1638-1715), Leibniz (1646-1716), vont construire sur des bases purement laïques la métaphysique classique que le criticisme de Kant transformera et qui trouvera sa clôture avec Hegel, au début du XIXe siècle. À la même époque, la philosophie anglaise s'inscrit en marge (empirisme).

René Descartes (1596-1650), gentilhomme, est celui qui a rompu avec l'autorité des Anciens et avec le raisonnement par syllogisme de la scolastique. Il est le premier philosophe moderne. S'il est communément présenté comme l'auteur du canon de la démarche rationnelle, c'est d'abord parce qu'il est l'inventeur de l'affirmation du sujet pensant comme seule certitude de départ : « Je pense, donc je suis ». À partir de quoi la métaphysique est à reconstruire, libérée de tout souci d'accord avec la doctrine des conciles. Après le *Discours de la méthode* (1637), écrit en français et qui comporte aussi une morale provisoire et une défense de la liberté humaine, il expose dans six brèves *Méditations*, écrites en latin, donc pour les doctes, les fondements du système nouveau, qui a été qualifié d'idéalisme rationaliste. Cet idéalisme s'exprime à partir du dualisme : l'âme et le corps sont à la fois séparés et unis ; la liberté humaine est un don de Dieu, lequel manifeste sa puissance en la retenant : « Dieu le peut sans nous ; il le veut avec nous ». Les corps sont régis par les lois de la mécanique et la volonté agit sur le corps « comme un cavalier qui, d'un doigt léger, dirige sa monture ». Descartes s'affirme chrétien mais il parle en fait d'un Dieu des philosophes sans rapport direct avec l'Écriture. Le rationalisme est mécaniste. Descartes est un savant ; il formule les lois de l'optique géométrique, il correspond avec Galilée sur la physique. En revanche, ses vues en biologie n'ont d'intérêt que par rapport à sa pensée de l'union de l'âme et du corps. Confiant dans le progrès de la connaissance scientifique fondée sur les mathématiques, il affirme que l'homme peut « se rendre maître et possesseur de la nature ».

Le kantisme

Emmanuel Kant (1724-1804), professeur à Königsberg, entend rompre avec les obscurités de l'union de l'âme et du corps selon Descartes comme avec toutes les difficultés des démonstrations de l'existence de Dieu en affirmant la séparation entre ce qui est objet de nos intuitions et de nos concepts, les phénomènes, dans sa terminologie, et, d'autre part, les réalités dernières, les noumènes, qui sont inconnaissables et dont il ne sera rien dit. Voilà pourquoi le premier mot des titres de ses trois grands livres est *Critique*.

Le premier, le plus important, *Critique de la Raison pure*, paraît en 1781, et traite la question : Que sais-je ? Tout rapport au monde extérieur passe par la situation des phénomènes dans l'espace et dans le temps, qualifiés de formes *a priori* de la sensibilité. Toute connaissance suppose l'accord d'une intuition et d'un concept : « L'intuition sans concept est aveugle ; le concept sans intuition est vide ». L'enchaînement des propositions se fait au travers des catégories de l'entendement qui distinguera les jugements de nécessité logique (apodictiques), les conclusions scientifiques, qui sont des constructions (assertoriques) irréductibles à la logique formelle et, enfin, les affirmations hypothétiques ou conditionnelles.

◆ **Emmanuel Kant.** Dans la ville de Königsberg, il consacre sa vie à l'étude, à l'enseignement et à la méditation. Dans ses loisirs et son travail, il suit un horaire rigoureusement fixé dont il ne se départira que le jour où il apprendra les premiers effets de la Révolution française. (Peinture de Hans Kurth, 1931, d'après une miniature d'époque ; détail)

Critique de la Raison pratique (1788) traite du Bien. Que dois-je faire ? Kant propose de fonder la morale sans référence à aucune autorité extérieure à la conscience humaine, donc indépendamment de toute transcendance. L'autonomie du sujet, sa capacité de décision libre, et donc le respect de l'égale dignité humaine chez autrui, suffisent pour établir les impératifs catégoriques : « Agir toujours en sorte que la maxime de l'action puisse être universalisable », et « Considérer la personne humaine comme fin et jamais simplement comme moyen ».

La Critique du jugement propose, en 1790, une explicitation de la recherche du beau comme acte de liberté et visée du sublime. L'œuvre d'art échappe aux limitations de l'activité rationnelle. La contemplation est une sorte de trouée au-delà de notre finitude, instantané sur les harmonies de l'éternité.

L'empirisme

Les philosophes anglais du XVIIIe s. n'ont été conquis ni par le cartésianisme ni par le criticisme kantien. Le qualificatif d'empiristes a été forgé par Kant pour désigner les deux plus importants, John Locke et David Hume, à qui il s'oppose. En effet, pour Locke, auteur de l'*Essai sur l'entendement humain*, comme pour Hume (*Traité de la nature humaine*), il n'y a ni idées innées, ni catégories de l'entendement antérieures à l'expérience, laquelle commence par la sensation. À les suivre, il n'y aurait pas de différence de nature entre affirmations du sens commun et énoncés scientifiques. En fait, l'empirisme radical est difficile à tenir et Hume lui-même introduit déjà une possibilité de relation entre idées qui suppose quelque chose comme un système de relations possibles *a priori* dans l'esprit.

Si la théorie de la connaissance des Anglais est peu convaincante, en revanche, leurs développements de philosophie politique et morale à partir des notions de droit naturel et de contrat social sont de la plus haute importance.

VOIR AUSSI
- **Contrat social** p. 980
- **La poésie philosophique** p. 1118
- **Essais et œuvres philosophiques** p. 1142

Petit lexique

dialectique : chez Platon, méthode de discussion qui oblige l'interlocuteur à se prononcer par OUI ou NON et à accepter un enchaînement logique clair des propositions; chez Hegel, et Marx à sa suite, mouvement de la pensée et du réel : l'opposition entre thèse et antithèse est dépassée dans la synthèse, laquelle devient thèse à la phase suivante.

immanence : ce qui réside dans un être sans action extérieure. Principe immanent : relatif aux limites de l'expérience possible ; s'oppose à transcendant.

syllogisme : raisonnement formé de deux prémisses (proposition majeure et proposition mineure) et d'une conclusion déduite de la majeure par l'intermédiaire de la mineure.

transcendance : réalité située au-delà de l'atteinte humaine ; par excellence, le divin.

transcendantal : terme créé par Kant pour désigner l'horizon de la connaissance humaine, au-delà du pur empirisme, grâce aux possibilités de synthèse *a priori* (capacités logiques).

L'Esprit dans l'histoire

Au XIXe s., Georg Wilhelm Friedrich Hegel (1770-1831), philosophe allemand, définit la philosophie comme la Science des sciences. Son intention n'est pas indifférente à sa position dans l'histoire de la philosophie : il est lui-même pris dans son système de la raison historique. Dans *la Phénoménologie de l'esprit* (1807), il montre le mouvement dialectique de dépassement systématique qui l'institue, lui, comme terme : avènement du savoir absolu ou totalisation du savoir.

Dans son système, le mouvement de l'histoire (*la Raison dans l'histoire*, 1822-1830) est provoqué par le mouvement dialectique de dépassement ou résorption des contradictions (thèse, antithèse, synthèse) qu'engage chaque moment de la pensée. L'histoire de la vérité est l'histoire du concept. Elle se révèle dans un discours (ou pensée) d'homme vivant dans la réalité. Pour Hegel, la dialectique n'est rien d'autre que la réalité (ou la rationalité) se comprenant elle-même : tout ce qui est réel est rationnel, tout ce qui est rationnel est réel. L'histoire est sensée, parce que l'homme agissant, travaillant, pensant, donne son sens au monde qu'il habite. L'idée d'histoire de la philosophie est instituée par Hegel.

Les maîtres du soupçon

Après Hegel, s'ouvre l'ère tourmentée des philosophes du soupçon qui entreprendront la déconstruction de la métaphysique selon trois lignes d'attaque particulières : Marx pour le devenir et l'histoire, Nietzsche, le plus radical, pour les valeurs, et Freud pour la conscience et le moi.

La pensée spéculative contemporaine est largement tributaire de ces trois courants distincts, dont la réunion, incertaine, ou dégradée dans les vulgates médiatisées, produit les tentations de la condamnation du progrès, de la mise en accusation de la science, du relativisme généralisé des valeurs et de la dérision à l'endroit de l'humanisme.

Karl Marx (1818-1883). Né juif allemand, il a passé une grande partie de sa vie en Angleterre, pays qui respecte depuis longtemps la liberté d'expression, ce qui n'était pas le cas du royaume de Prusse. Auteur prolifique, il est pamphlétaire, philosophe, économiste, historien et prophète révolutionnaire.

Son grand livre est *le Capital* (livre I, 1867). Philosophe, il reconnaît sa filiation hégélienne. « Faire redescendre la dialectique sur terre », ou « la remettre sur ses pieds », c'est substituer, à la dynamique des oppositions d'idées, celle des forces matérielles à l'œuvre dans les rapports de production. Dans le matérialisme historique, les deux éléments sont liés mais la dialectique du devenir historique prime sur l'affirmation du matérialisme, qui est surtout une arme de combat contre les Églises et l'idéalisme bourgeois en ce qu'il contribue à maintenir leur domination. Le mode de production antique oppose les esclaves, produits de conquêtes aux hommes libres, qui sont les maîtres. La féodalité transcende cette opposition en réduisant les paysans au servage. L'émancipation urbaine, qui s'oppose à l'ordre féodal, est dominée par la montée de l'absolutisme et de ses prébendiers de cour, lequel, à son tour, est renversé par la révolution bourgeoise.

Karl Marx. D'origine bourgeoise, petit-fils d'un rabbin, le jeune Marx fit paraître à 21 ans une thèse sur les matérialistes de l'Antiquité avant de découvrir Hegel. Il rencontra Engels en 1842. Il mena, en Allemagne, en France et en Grande-Bretagne, la vie d'un perpétuel proscrit.

Les prolétaires, « ceux qui n'ont que leurs bras à louer », subissent la domination parce qu'ils sont victimes de l'aliénation idéologique qui les empêche de prendre conscience de leurs intérêts de classe et qui, par conséquent, ralentit la marche de l'histoire. Grâce à l'idéologie démocratique des droits de l'homme et du parlementarisme, la bourgeoisie, qui a réussi à enrôler à ses côtés le peuple pour mener combat contre l'absolutisme, maintient ensuite sa domination en se gardant bien d'assortir les droits civiques, qui sont des droits formels, de droits réels à l'égalité.

Marx, économiste, souhaitait asseoir la représentation de l'économie sur la notion de valeur travail, c'est-à-dire d'extraction de plus-value confisquée aux travailleurs. C'est la partie de son œuvre qui a le plus mal vieilli. Personne n'a réussi à donner une théorie économique à la valeur du salaire.

Marx, historien, a donné la plus pénétrante lecture des effets sociaux et politiques de la première industrialisation. Il explique dans le détail comment les petits paysans français qui auraient dû être aux côtés de la classe ouvrière ont vu en Napoléon III un sauveur parce qu'ils avaient peur de perdre la propriété de leurs pauvres exploitations. Le droit de propriété a un fort pouvoir d'aliénation.

Marx, prophète, prêche la révolution, qui doit mettre fin aux temps de la domination d'une classe. « Prolétaires de tous les pays, unissez vous », ainsi s'ouvre *le Manifeste communiste* diffusé en 1848, alors qu'un vent révolutionnaire soulève tout le continent européen. Humaniste et libertaire, il annonce le dépérissement de l'État, car le socialisme verra « le remplacement du gouvernement des hommes par l'administration des choses ».

Les prédictions de Marx ne se sont que partiellement réalisées dans l'ordre économique et, en Chine (1949) comme en Russie (1917), la Révolution a été menée par des paysans soldats bien plus que par des ouvriers. Il n'en reste pas moins que personne n'a eu sur le devenir du siècle une influence si peu que ce soit comparable à la sienne. La formulation du totalitarisme reviendra en propre à Lénine, et il reste difficile de dire si Marx l'a ou non cautionné par anticipation. En revanche, l'effondrement de l'URSS et de ses satellites n'entraîne pas le naufrage des outils intellectuels proposés par ce penseur pour analyser les relations entre état donné du capitalisme et forces sociales.

Friedrich Nietzsche. Il occupe la chaire de philologie de l'université de Bâle, où il est nommé pour son génie. Mis en congé, en 1879, pour raisons de santé, il commence dix années de pérégrinations (Gênes, Marienbad, Rapallo, Rome, Nice, Venise, Turin, Sils-Maria) pendant lesquelles il écrit son œuvre.

Sigmund Freud. Inventeur de la psychanalyse, il a longtemps lutté seul pour imposer l'idée d'inconscient. En dépit des hostilités que ses découvertes ont suscitées, aidé de ses disciples enthousiastes, il a pu initier le mouvement psychanalytique. Il vécut à Vienne de l'âge de 5 ans à 82 ans (1938). Juif, il fut contraint de fuir par l'arrivée du nazisme.

Friedrich Nietzsche (1844-1900). Philologue de l'antiquité grecque, philosophe, ce penseur allemand polémique et énigmatique s'exprime dans une langue déroutante. On l'a parfois présenté comme le père spirituel du nazisme. Une telle interprétation de *Ainsi parlait Zarathoustra* (1883-1885) notamment, trahit sa pensée. Pour cet auteur, il faut renverser les valeurs de Bien et de Mal héritées du christianisme. Il faut échapper au pessimisme par un effort constamment renouvelé de la volonté. L'œuvre de Nietzsche est l'expression d'un refus des jugements dualistes fondés sur l'idée d'une vérité absolue ou déjà accomplie. Son but est de développer une affirmation de la vie (*Humain, trop humain. Un livre pour des esprits libres* 1877-1878). Lui-même se dit « médecin de la culture ». Dans *Par-delà le bien et le mal* (1886), il fait apparaître une relation entre la conscience historique héritée de Hegel et la montée du « nihilisme européen ». Il dénonce ce nihilisme, « pessimisme de l'avenir », dans *la Généalogie de la morale* (1887) et lui substitue l'idée de « volonté de puissance » (opposée au « vouloir vivre » défini par Schopenhauer). La « volonté de puissance » dégage les forces de vie qui, libérées de leurs entraves, se régénèrent et sont impérissables. Pour lui, le progrès de la vie requiert en même temps un « art de l'oubli » et un emprunt au passé.

Sigmund Freud (1856-1939). Ce médecin psychiatre viennois juif, que le nazisme obligera à finir sa vie à Londres, expose dans *l'Interprétation des rêves*, en 1901, sa grande découverte : les images du rêve ont un sens ; l'inconscient s'y exprime. Dans le sommeil, les barrières qui s'opposent aux manifestations de la libido, désir sexuel et force vitale, sont levées et les fantasmes du rêve libèrent les pulsions profondes du sujet. À partir de quoi, Freud élabore la construction théorique des trois instances, le ça ou inconscient, le moi et le surmoi. Ce dernier est l'intériorisation des contraintes imposées par la société. Tout garçon désire sensuellement sa mère, comme le fait entendre le mythe grec d'Œdipe, d'où le nom de « complexe d'Œdipe » inventé par Freud. La peur du père fait censure et, plus généralement, l'image du père contribue à construire le surmoi. Il en va symétriquement à peu près de même pour les filles. Le jeune homme devient adulte en tuant symboliquement le père. La cure psychanalytique consiste à conduire le patient à prendre conscience de son inconscient et à admettre de traiter avec lui.

Freud entre dans le champ de la philosophie plus tard, lorsque ses textes développent une théorie du fonctionnement de l'esprit qui comporte des applications possibles à l'œuvre d'art, à la religion et à l'histoire. Il installe le moi conscient dans un espace restreint, entre libido et désir de mort d'une part, contrainte du surmoi de l'autre. Les activités créatrices, art et science, sont profondément des formes de sublimation du désir, analogues, en quelque façon, à l'extase religieuse.

L'existentialisme

Rendu célèbre par l'œuvre théâtrale autant que philosophique de Jean-Paul Sartre (1905-1980, *l'Être et le Néant*, 1943 ; *Les Mains sales*, 1948), l'existentialisme est un courant de pensée moderne qui part de l'existence et non de l'essence ou des concepts. Il fut développé d'abord par le danois Søren Kierkegaard (1813-1855) comme expérience douloureuse de la subjectivité et de l'enfermement dans l'individualité. Chez Sartre, les affirmations principales sont la liberté absolue de l'homme, l'absence de sens à attendre du monde, l'absence de valeurs universelles et donc la nécessité pour le sujet de s'engager pour donner sens à son existence. « L'existentialisme est un humanisme. » Considéré parfois comme amoral par son refus des valeurs et des règles extérieures, l'existentialisme sartrien propose pourtant un cheminement éthique par où la liberté cesse d'être angoissante pour devenir libératrice. À la même époque, Albert Camus (1913-1960) développe dans son théâtre et ses romans des thèmes proches à partir du non-sens du mal. Éclipsée par la montée des refus du sujet prônée par les auteurs structuralistes et antihumanistes, l'influence de l'existentialisme a également pâti de l'inclination de Sartre pour le communisme.

Grands courants du XXe siècle

Au XXe s., la philosophie se développe comme une interrogation sur l'existence concrète. D'un côté, la phénoménologie et l'existentialisme (Sartre) mettent l'accent sur l'être ou l'existence. La phénoménologie conduit à une philosophie conçue comme ontologie (étude de l'être, discours sur ce qui est). D'un autre, la philosophie analytique, mettant l'accent sur l'aspect logique de la dialectique (formes et fragmentation du discours) et sur des problèmes de connaissances, fait de l'ontologie une analyse du langage.

La démarche phénoménologique. Elle a un grand impact sur la pensée contemporaine. Elle pose la question de l'altérité (l'autre homme, le passé). Elle se développe suivant différentes orientations et expose des définitions différentes du sujet. Ces différences sont liées au rapport que le sujet entretient avec le monde et avec les autres.

Edmund Husserl, philosophe allemand (1859-1938), veut « fonder la philosophie comme science rigoureuse », projet dont naît la phénoménologie. Son principe est l'étude des phénomènes depuis une sphère de l'immanence pure. Il en pose les bases dans les *Leçons sur le temps* (1905) et dans les *Idées directrices pour une phénoménologie* (1913). Son but est le « retour aux choses mêmes ». Il fonde l'objectivité sur une intersubjectivité (*Méditations cartésiennes*, 1931), communauté des sujets définie par l'appartenance à un langage et plus largement à l'histoire comme histoire du monde.

Martin Heidegger, philosophe allemand (1889-1976), élève de Husserl, met l'accent sur la relation de l'être au temps (*Être et Temps*, 1927) : le *Dasein* (le fait d'être, l'existence) a pour horizon la mort. La pensée de l'Être n'échappe pas à la temporalité de dire ce qui est, à la clôture de la métaphysique.

Pour Maurice Merleau-Ponty, philosophe français (1908-1961), le sujet du « Je pense » (évidence première selon Descartes) n'est pas premier. Il est d'abord « au monde », pris dans un monde commun dont il hérite à sa naissance et dans lequel il est ancré par son corps et son langage. Ce monde, il ne le comprend qu'en lui donnant un sens. Le sujet s'apparaît à lui-même comme « être-au-monde », dans sa relation aux autres (*Phénoménologie de la perception*, 1945 ; *Signes*, 1960 ; *L'Œil et l'Esprit*, écrit en 1960).

La philosophie analytique ou « philosophie anglo-saxonne ». Elle prend naissance d'un côté avec les travaux de Bertrand Russell (1872-1970), mathématicien anglais, sur la logique formelle, et d'un autre, avec les philosophes du « Cercle de Vienne », comme son fondateur Rudolf Carnap (1891-1970) ou Ludwig Wittgenstein (1889-1951), logicien anglais d'origine autrichienne. Pour ces philosophes, un problème métaphysique, éthique, ou logique n'est que la conséquence d'une formulation incorrecte, d'un mauvais usage du langage. Pour Russell (*Recherche sur la signification et sur la vérité*, 1936 ; *la Connaissance humaine*, 1948), la résolution d'un problème consiste dans la transformation du discours en « expressions bien formées ». Il n'y a pas alors, à proprement parler, de problèmes moraux. Ces problèmes viennent de ce que des êtres doués de raison n'agissent pas rationnellement.

Fonder les valeurs

Quelques valeurs sont en honneur dans presque toutes les sociétés : respecter la vie et la propriété de son prochain, ne pas se faire justice soi-même ; elles ne sont pas nombreuses et elles ne sont pas naturelles. La démonstration de l'ethnologue Claude Lévi-Strauss est fondamentale : la prohibition de l'inceste dans les sociétés primitives renvoie à l'échange des femmes, base du lien social, mais, en dehors du rapport parent-enfant, les relations qui seront classées incestueuses et interdites varient et dépendent de la construction et de la division des sociétés.

De nombreux choix de valeurs sont historiquement et culturellement situés. Affirmer que la tradition, dans tel domaine, doit être respectée, est un choix de valeur, justement étiqueté conservateur ; affirmer qu'elle doit être bousculée au nom des possibilités techniques ou des demandes d'expression individuelle exprime d'autres choix, respectivement scientiste et libertaire individualiste. La liberté de penser et la tolérance religieuse ne faisaient pas partie des valeurs chrétiennes à l'époque où l'ordre des dominicains créait l'Inquisition et menait au bûcher les infidèles. Les succès religieux et politiques de la Réforme au XVIe s., puis les combats intellectuels du siècle des Lumières et le triomphe de l'esprit de la Révolution française, s'étendant à l'Europe, les ont imposées, mais il fallut attendre la fin du XIXe s. pour que la papauté reconnaisse le travail des théologiens modernistes et que les missionnaires passent de l'esprit de conquête à celui de témoignage.

La tentation relativiste. Dès qu'on admet que toutes nos valeurs ne dérivent pas, casquées et immuables, de la tradition ou de textes sacrés lus de façon figée, la question se pose de leur fondement. Deux familles de positions s'opposent. Pour les uns, la reconnaissance de la diversité entre les cultures et la valorisation de la liberté individuelle conduisent à plaider pour un relativisme, plus ou moins généralisé, des valeurs. Au nom du respect de l'Autre et du droit à la différence, on refusera toute prétention à l'universalité. C'est le creuset de la pensée dite « postmoderne » qui conduit, par exemple, à critiquer le primat accordé dans l'enseignement des littératures aux « grands textes ». Cette ligne de pensée prend source dans une certaine lecture des œuvres de Nietzsche et de Freud.

Les figures du scientisme. Du côté de ceux qui refusent le relativisme, on trouvera deux groupes différents, les scientistes et les humanistes. Dans les variantes dures, les premiers sont déterministes, y compris pour les affaires humaines ; ils valorisent peu la liberté individuelle, affirment que les valeurs dérivent de la nature des choses et donc que le progrès de la science peut conduire l'évolution des valeurs. C'est ainsi que les deux totalitarismes du XXe s. ont été scientistes. Le racisme hitlérien voulait voir dans la biologie le fondement de la hiérarchie des « races ». Le bolchevisme prend le déterminisme historique prophétisé par Marx pour une vérité scientifique et condamne, scientifiquement, tous ceux qui sont suspectés de s'opposer à sa marche victorieuse, c'est-à-dire au sens de l'histoire.

Dans les variantes modérées du scientisme, on trouvera l'idéologie du progrès moral, aujourd'hui affaiblie, et aussi les éléments principaux de la société technicienne contemporaine et de la pensée social-démocrate : mettre très haut l'expert et rêver de la fin des idéologies, qui seraient définitivement remplacées par la bonne façon de tirer les conséquences du savoir disponible ; éviter les choix qui engagent les fins en traitant les conflits de façon procédurale dans la recherche d'un compromis négocié.

Un humanisme pour aujourd'hui. Les humanistes, appellation qui désigne originairement Érasme et les penseurs de la Renaissance, y compris Montaigne, se situent, à l'époque contemporaine, dans la lignée de la philosophie morale de Kant et de la grande pensée politique libérale. Le fondement des valeurs est dans la liberté (autonomie et non pas arbitraire capricieux) du sujet et, indissociablement, dans la reconnaissance égale d'autrui et l'affirmation de l'humanité comme une. Il en découle que l'universalité est, tout à la fois, une valeur et le critère principal de toute hiérarchisation des valeurs. Une pratique universalisable vaut plus que celle qui ne l'est pas. Cela est assez simple dans une société monoculturelle.

Les difficultés viendront, avec l'avancée dans le XXe s., de l'ouverture du monde et de la montée en puissance des particularismes. La Déclaration universelle des droits de l'homme a été signée par des pays qui ne la respectent pas tous.

La pensée chinoise

La Chine a une forte tradition de pensée illustrée par Confucius (v. 551-v. 479 av. J.-C.) et Lao-Tseu (VIe ou Ve s. av. J.-C.).

On parle de « sagesse » et non pas de « philosophie » chinoise parce que le but est la quiétude : repos de l'esprit et détente du corps alors que toute chose est passagère ; la sagesse ne s'explique pas mais se pratique (méditation). L'accomplissement passe par la dissolution des conflits issus de la considération d'un intérieur et d'un extérieur. Le sage est « sans moi ». Il n'adopte aucune position, n'affirme rien en propre, ne défend aucune idée personnelle, n'oblige à rien. Il enseigne la possibilité de découvrir et de développer sa condition.

Dans le confucianisme comme dans le taoïsme, l'existence est comprise comme un renouvellement perpétuel lié à la non-permanence de toutes choses. Le tao, mettant en relation le Ciel et la Terre, a pour but de réintégrer l'ordre universel dont l'homme se sépare par son individualisme et son agitation mentale et physique.

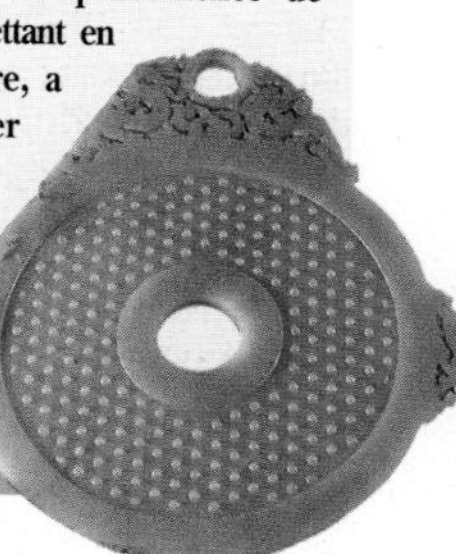

◆ **« Pi » (ou « Bi ») chinois.** Ce disque de jade est un objet rituel, de signification incertaine, relatif au culte du ciel. Il véhicule l'efficacité magico-religieuse dont la pensée chinoise classique est tributaire. L'orifice central pourrait symboliser le passage par lequel s'écoule le mouvement universel.

L'idée de progrès et le sens de l'histoire

On peut faire remonter l'idée de progrès à la querelle des Anciens et des Modernes au XVIIe s. et à Blaise Pascal, écrivant que les hommes avancent debout sur les épaules de leurs aïeux. On prend conscience de l'accroissement continu des connaissances, de la diversification des productions culturelles.

Au XVIIIe s., les hommes des Lumières mènent combat pour la tolérance, pour la liberté d'expression, contre la « question » (torture infligée aux suspects en instance de jugement criminel), au nom de la raison moderne et de la conscience. Jean-Jacques Rousseau pense que l'homme est « perfectible » (capacité de transformation de l'homme). Un bon gouvernement peut permettre à l'homme de se régénérer.

Au XIXe s., la confiance dans le progrès devient une doctrine du progrès : elle sert de fondement aux règles de l'action politique, notamment en matière d'éducation et d'hygiène publique. Cette doctrine comporte trois affirmations : le développement de la science et de la technique peut améliorer le sort de l'humanité ; il doit du même coup entraîner son progrès moral ; l'histoire a un sens et son déroulement s'oriente vers des lendemains plus heureux.

Après la science et la morale, vient l'histoire. Pour Auguste Comte, qui s'emploie à propager une philosophie positive, comme pour Marx, il ne fait pas de doute que l'histoire a un sens de marche et que, par-delà toutes les violences nécessaires à son avènement, le futur est radieux. Idéologie du progrès et recherche d'un sens de l'histoire vont de pair. L'expansion coloniale se fait au nom des bienfaits de la civilisation (entendons européenne) apportés aux peuples lointains.

La grande désillusion. L'édifice se lézarde avec la Première Guerre mondiale, ses millions de morts, l'écroulement de l'empire millénaire des Habsbourg en Europe centrale, la perte de puissance du Royaume-Uni qui n'occupe plus le premier rang dans le monde, et un traité de paix inapplicable. Oswald Spengler publie *le Déclin de l'Occident* (1918-1922). Paul Valéry écrit : « Nous autres, civilisations, savons que nous sommes mortelles ». Les totalitarismes et la révélation de leurs horreurs feront le reste. Plus personne ne peut croire que le savoir éloigne de la barbarie d'autant que communisme comme national-socialisme se sont imposés avec des doctrines scientistes. Plus personne n'ose penser que le futur éclairé par la raison installera la paix et la prospérité pour tous.

D'autre part, les luttes pour l'indépendance en Inde (1947), au Viêt Nam (1945-1973), au Maghreb (1954-1962), la révolution fondamentaliste en Iran ont fait comprendre que la supériorité de la civilisation occidentale technicienne peut ne pas être une croyance partagée, que le mouvement de laïcisation n'est ni universel ni à sens unique, que demander la tolérance à des cultures étrangères à cette notion peut être perçu comme une violence impérialiste.

Plus récemment enfin, un mouvement diffus de défiance envers la science elle-même s'est répandu dans les pays plus développés. Il se focalise principalement sur l'industrie nucléaire et les causes, encore mal connues, du réchauffement actuel de la Terre. Il trouve son expression politique dans les courants écologistes. Par ailleurs, les efforts faits à l'ONU et dans différentes instances internationales pour l'établissement d'un droit international témoignent à la fois de la force des idéaux qui ont inspiré la déclaration des droits de l'homme et de la difficulté de les faire passer dans la réalité.

Le communisme soviétique s'est effondré, celui de la Chine compose avec l'économie de marché. À vue humaine, les démocraties capitalistes ont triomphé ; mais le sens de l'histoire à plus long terme apparaît incertain.

◆ ***La Liberté guidant le peuple*** **(1830), par Eugène Delacroix (1798-1863).** L'idéal révolutionnaire exprimé ici avec la fougue du romantisme. Le tableau fut inspiré au peintre par les journées de 1830 (les Trois Glorieuses). (Musée du Louvre, Paris)

Éthique et science

Les abîmes de possibilités ouverts par les avancées des sciences et techniques physiques et biomédicales ont suscité, depuis les explosions atomiques d'Hiroshima et de Nagasaki en 1945, un mouvement de réflexion qui s'amplifie et s'interroge sur la responsabilité des savants et sur les exigences déontologiques, opposables aussi bien au désir normal de l'esprit scientifique d'aller toujours plus loin qu'aux applications pratiques dont les conséquences sont dangereusement imprévisibles.

En 1955, en pleine guerre froide, dix lauréats d'un prix Nobel, parmi lesquels Albert Einstein et lord Bertrand Russell, adressent une déclaration aux gouvernements : « Sachant que, dans une guerre mondiale future, les armes nucléaires seront employées et qu'elles menacent l'existence même de l'espèce humaine, nous exhortons les gouvernements du monde entier à reconnaître que leurs buts ne peuvent être atteints en recourant à une guerre mondiale. » En 1957, le mouvement Pugwash (nom du bourg canadien où il fut fondé) se constitue comme une internationale de scientifiques affirmant devoir assumer les conséquences de leurs inventions. Les conférences Pugwash ont pesé dans l'évolution des esprits qui a conduit aux divers accords de désarmement nucléaire (Salt I et II).

Les problèmes actuels. Plus récemment, fécondation humaine *in vitro,* mutations génétiques provoquées, clonage, posent des problèmes moraux et politiques qui ne peuvent plus être laissés à la seule appréciation des biologistes et des médecins. La nécessité est apparue de confrontations à conclusions publiques entre eux et des représentants des citoyens ou des spécialistes d'autres champs intellectuels : théologiens, philosophes, sociologues.

En France, a été créé en 1983 un Comité national d'éthique pour les sciences de la vie qui rend compte au président de la République. Il n'a pouvoir que de donner des avis sur les questions dont il est saisi par le gouvernement ou sur celles dont il se saisit. Cependant, la récente législation sur la bioéthique doit beaucoup à son travail. En 1992, le CNRS crée un Comité d'éthique des sciences.

Dans les pays anglo-saxons, des comités d'éthique se multiplient auprès des hôpitaux. Le corps médical, après avoir été longtemps récalcitrant devant cet empiétement sur sa souveraineté de décision, y voit maintenant au contraire un appui qui le soulage d'une trop lourde responsabilité.

Petit lexique

idéologie : système d'idées conditionnant le comportement individuel ou collectif.

positivisme : système philosophique qui, récusant les a priori métaphysiques, voit dans l'observation des faits et dans l'expérience le seul fondement de la connaissance.

Les âges de l'humanité

Le philosophe français Auguste Comte (1798-1857), auteur du *Cours de philosophie positive* (1830-1842), a formulé une loi, qui fait partie du credo positiviste ou scientiste, selon laquelle l'humanité serait passée par trois états. Le premier est l'âge théologique, celui des cosmogonies religieuses ; le second est l'âge métaphysique où les philosophes s'essaient à des conjectures faute de savoirs scientifiques. Le troisième est l'âge positif où les sciences peuvent désormais guider l'action : « Transformer le cerveau humain en un miroir exact de l'ordre extérieur. » D'où l'importance de la classification des sciences selon un ordre croissant de complexité de leur objet, la biologie occupant dans cette classification une place spéciale : dernière de la liste des sciences de la nature en raison de son éloignement des lois mathématiques et de l'astronomie, elle est la première des sciences de l'homme, car les suivantes, psychologie et sociologie, s'appuient sur elle.

VOIR AUSSI
- **Bioéthique et génétique** p. 195
- **Lumières** p. 450

L'homme et les savoirs

Le fondement des sciences humaines

Le XIXe s. voit la constitution des sciences philologiques et historiques. Avec la fin de l'exploration du monde et le colonialisme, l'ethnologie apparaît comme description des cultures, mettant fin, intellectuellement au moins, à l'ethnocentrisme de notre culture occidentale. À la fin du siècle, la sociologie, dont la naissance a été annoncée par Comte, commence à prendre la forme d'un savoir. Parallèlement, la psychologie se détourne définitivement de l'exploration introspective des données de la conscience, méthode à laquelle l'œuvre de Bergson aura donné son dernier éclat. Au XXe s., la modestie de démarches scientifiques s'impose progressivement dans tous ces domaines avec des conséquences partiellement contradictoires. Les grandes questions auxquelles les auteurs du XIXe s. n'hésitaient pas à s'attaquer sont délaissées au profit d'enquêtes et de démarches expérimentales fractionnées, parfois difficilement reliables. En même temps, l'ambition scientifique affichée suscite des attentes que les réalisations ne comblent pas et, dans la période récente, une désaffection à l'endroit des sciences humaines, qui n'épargne pas la linguistique, se fait jour. Le danger est réel d'une coupure de la communication entre les textes de spécialistes et les généralisations hasardeuses ou appauvries qui passent dans la culture commune.

Quant à savoir si ces disciplines participent de l'esprit scientifique au même titre que les sciences de la nature, la réponse, grâce aux travaux des épistémologues, est fondamentalement « oui », quelles que soient les spécifications particulières à apporter pour des savoirs dont la formalisation totale ne peut pas être l'horizon, même si la modélisation, informatique aidant, y tient une place.

Quelques grands noms des sciences humaines

Émile Durkheim (Fr., 1858-1917). Fondateur de la sociologie en France, il affirme le primat de la société sur l'individu. Il a notamment écrit *De la division du travail social* (1893), explication mécaniste de l'évolution de la société, et *le Suicide* (1897).

◆ Durkheim.

Marcel Mauss (Fr., 1872-1950). Sociologue et anthropologue, il montre en 1920 qu'il y a des rapports réels et pratiques entre la psychologie et la sociologie, qui s'enrichissent réciproquement (*Essai sur le don*, 1925).

Carl Gustav Jung (Suisse, 1875-1961). Psychiatre, il a notamment écrit *Dialec-tique du moi et de l'inconscient*, 1928 ; *Ma vie, souvenirs, rêves et pensées*, 1962. Il introduit l'idée d'un inconscient collectif : océan d'énergie antérieur à l'individu. Il refuse la conception freudienne limitée à l'impulsion sexuelle. Il définit une structure psychique dynamique.

Melanie Klein (G.-B., d'or. autrichienne, 1882-1960). Psychanalyste, elle fait apparaître, à partir d'un travail sur les petits enfants, un stade préœdipien. L'élaboration conflictuelle de l'individu remonte à la prime enfance. Selon un méca-nisme de projection et d'introjection, le bébé incorpore ses parents, en imagination : il en fait des objets internes. M. Klein formule l'idée d'identification projective (*Développement de la Psychanalyse*, 1952 ; *Envie et Gratitude*, 1957).

Bronislaw Malinowski (G.-B., d'or. polonaise 1884-1942). Anthropologue, il est l'auteur de *Argonautes du Pacifique occidental* (1922)et de *la Vie sexuelle des sauvages du nord-ouest de la Mélanésie* (1929). Dans le cadre d'une anthropologie sociale, il s'intéresse à la propriété et à l'insertion de l'activité productive dans la vie sociale. C'est le principal représentant du fonctionnalisme : la culture est un ensemble d'éléments complexes qui constituent des mécanismes interdépendants, une totalité organisée.

Jacques Lacan (Fr., 1901-1981). Médecin et psychanalyste, il a notamment écrit : *De la psychose paranoïaque dans ses rapports avec la personnalité*, 1932. Il a montré que l'inconscient est structuré comme un langage. Dans le *Séminaire* (20 vol., 1975-1991) il expose la technique et l'éthique de la psychanalyse. Il a également travaillé sur l'importance de l'apparence visible dans l'élaboration d'une relation à autrui.

◆ Lacan.

Claude Lévi-Strauss (Fr., né en 1908). Anthropologue, il est l'auteur de *Tristes Tropiques* (1955), belle autobiographie intellectuelle. Cependant sa contribution scientifique majeure est *les Structures élémentaires de la parenté* (1949). À partir de l'étude de l'universalité de la prohibition de l'inceste et de la diversité de l'extension des interdictions selon les sociétés, en particulier entre patrilinéaires et matrilinéaires, il montre que l'organisation sociale se comprend à partir d'une théorie de l'alliance fondée sur l'échange des femmes, et il définit des modèles de circulation et de réciprocité de l'échange. Dans *Mythologiques* (1964-1971), il montre, à partir de l'analyse structurale de 813 mythes des Indiens d'Amérique latine que, par-delà leur diversité apparemment très grande, les mythes expriment les principes fondamentaux de la pensée humaine et proposent une forme d'intelligibilité pour des problèmes touchant aux relations entre l'homme et le cosmos. Il est, à bon droit, considéré comme le maître du structuralisme.

◆ Lévi-Strauss.

L'épistémologie

Associée à l'histoire philosophique des sciences, elle étudie de façon critique les principes, les hypothèses et les résultats de ces dernières, et étudie leur élaboration historique. Cette démarche fait appel à des savoirs particuliers (mathématiques, physique, etc.). Elle met en évidence que l'histoire des acquis scientifiques est l'histoire des erreurs, des limitations ou des anomalies d'un savoir.

Gaston Bachelard (1884-1962), philosophe et épistémologue français, analyste de l'imaginaire poétique (*l'Eau et les Rêves, la Terre et le Feu*, etc.), montre à partir de l'étude du développement de la science contemporaine (*le Nouvel Esprit scientifique*, 1934) que le concret est plus construit que donné.

On retiendra deux conclusions :

1°) L'image d'une science progressant dans la clarté totale est à rejeter. La science qui se fait comporte toujours une grande part de « bricolage » et la mise en ordre des acquis se fait le plus souvent après coup.

2°) Le rationalisme appliqué est toujours à construire ; il n'est jamais donné ni acquis une fois pour toutes.

Les sciences cognitives

L'expression englobe des démarches diverses, très actives actuellement, ayant pour objectif d'avancer dans la compréhension du fonctionnement du cerveau humain. Les progrès les plus marquants ont été faits par les neurosciences dans l'étude de l'interprétation des informations sensorielles, dans celles de l'équilibre et de la conduite du mouvement. Ainsi, l'idée d'une aire cérébrale maîtresse de la vision est abandonnée, et la recherche s'oriente vers les modalités d'interconnection des champs cérébraux concernés.

La psycholinguistique met en évidence les nombreuses règles pragmatiques d'usage du langage et de réception des messages, qui sont bien éloignées de la logique des prédicats et des propositions. L'implicite, la référence au savoir partagé, la levée d'ambiguïté ou de paradoxe, sont autant de chapitres dont le développement enrichit le savoir sur les trois actes principaux : comprendre, raisonner, apprendre.

Enfin, les acquis obtenus avec des systèmes d'intelligence artificielle poussent des physiciens et des informaticiens à imaginer des analogies testables entre ordinateur et cerveau. Un système spécialisé d'intelligence artificielle associe une base de connaissances, enregistrées et classées, à un moteur d'inférence construit avec des règles proches de la pragmatique des spécialistes du domaine. Le temps n'est pas loin où un ordinateur gérant un système d'intelligence artificielle intégrera certaines particularités dans la manière de faire des inférences de l'humain qui interroge, créant ainsi des raccourcis de communication entre la machine et l'homme.

VOIR AUSSI 
- **Écrire l'histoire** p. 404
- **La condition humaine** p. 964 à 968
- **Individu et société** p. 970
- **Lévi-Strauss** *(Tristes tropiques)* p. 1149

Individu et société

Les apports de la psychologie

La psychologie étudie les facultés de l'esprit humain et ses opérations. Le terme est utilisé par les philosophes sensualistes du XVIIIe s. qui, avec Condillac, veulent que l'esprit humain, table rase à la naissance, se construise à partir de sensations. Au début du XIXe s. commencent les tentatives de classification à partir d'observations. La psychologie se constitue en science dans les dernières décennies du XIXe s. Aujourd'hui, psychologie expérimentale, psychologie de l'enfant et du développement, psychopathologie et psychologie clinique, psychologie du travail et psychologie sociale constituent des spécialités qui conduisent à parler de sciences psychologiques et, aux yeux de certains, à mettre l'unité de la psychologie en question.

La psychopathologie fut la première à disposer d'observations. L'étude de l'épilepsie, de l'aphasie et de l'apraxie fournit les premières connaissances sur les localisations cérébrales et le système nerveux (Paul Broca, 1824-1880). À la fin du siècle, la grande hystérie féminine, qui n'a aucune base physiologique, constitue une énigme scientifique. Sigmund Freud donne une réponse, avec l'hypothèse de l'inconscient, à partir de laquelle il construit la psychanalyse.

La psychologie expérimentale s'est constituée comme science des comportements. L'Américain John B. Watson (1878-1959), fondateur du courant dit « béhavioriste », veut que la psychologie ignore les aspects mentalistes, subjectifs ou porteurs de sens pour le sujet. La mise en évidence de la réponse réflexe (sans intervention cérébrale) par Pavlov, en 1922, a eu un retentissement considérable. Dans ses développements récents, l'étude expérimentale des activités mentales supérieures (comprendre, raisonner, apprendre) côtoie les neurosciences et, d'autre part, réhabilite la notion de conduite finalisée du sujet contre l'objectivisme trop réducteur des premiers béhavioristes.

En 1905, un médecin, Alfred Binet, affirme : « L'intelligence est ce que mesurent les tests. » Le développement de l'intelligence chez l'enfant est mieux compris avec les travaux du Genevois Jean Piaget (1896-1980) et de son école, dite de psychologie génétique, très active à partir des années 1940.

La psychologie sociale est, essentiellement, une discipline américaine et anglaise. La dynamique des petits groupes, avec l'émergence d'un chef accepté ou contesté, les questions d'influence et de communication lui ont apporté, à partir des années 1940, des résultats fondateurs dont certains ont pu être utilisés avec bonheur par les sociologues.

L'intelligence et les tests

Mesurer l'intelligence, c'est-à-dire les aptitudes potentielles, le plus indépendamment possible des connaissances acquises, tel est l'objet de la psychométrie, née en 1907 avec les travaux d'Alfred Binet.
La méthode est la suivante : on construit des épreuves, orales, écrites ou manuelles qui ont reçu le nom de tests ; faciles à évaluer, elles portent sur le rapport au langage, la représentation des objets dans l'espace, l'agilité dans l'abstraction, l'acuité logique. La validation d'un test suppose qu'il soit étalonné, c'est-à-dire que les résultats d'un groupe de sujets pris au hasard aient été classés selon leur distribution statistique. Ensuite, le test peut être administré à tout individu appartenant au même groupe d'âge de la même population. Par convention, il a été décidé que la moyenne vaudrait 100 dans l'échelle dite du quotient intellectuel.
Cette méthode a permis de distinguer deux facteurs principaux, assez peu liés l'un à l'autre. Le premier est dit verbal (richesse du vocabulaire et aussi mémoire), le second est dit spatial (représentation des objets dans l'espace). Cependant, une part significative de la variance statistique n'est attribuable ni à l'un ni à l'autre, ce qui limite la portée de l'opposition entre deux types d'intelligence.
Critiquée pour son manque d'assise théorique, la méthode des tests est toutefois largement utilisée en psychologie appliquée. Elle a été étendue à des domaines autres que l'intelligence avec des tests de personnalité très appréciés des services de sélection à l'embauche.

Les apports de la sociologie

Le mot sociologie est inventé en 1837 par Auguste Comte qui lui donne la dernière place dans la colonne « sciences de l'homme » de sa classification, en tant que discipline dépendant de toutes les autres mais appelée à en assurer le couronnement.

La sociologie se situe à l'origine, avec des questions « macrosociologiques » (concernant le fonctionnement ou le devenir d'une société prise globalement), dans une chaîne de continuité entre l'histoire, la philosophie de l'histoire et un projet sous-jacent d'intervention sur la politique au nom du savoir. La microsociologie, étude de réalités sociales de niveau inférieur (famille, entreprise, église), de groupes sociaux (les ouvriers) ou d'agrégats (la criminalité), à partir d'éléments recueillis au niveau de l'individu, se développe au XXe s.

Deux courants principaux parcourent la sociologie. Le premier se rattache au Français Émile Durkheim. Ce dernier nourrit une méfiance extrême à l'égard de tout appel à la psychologie individuelle et il développe des modèles dans lesquels l'action humaine est largement expliquée par des conditionnements d'origine sociale, de position socioprofessionnelle ou d'âge. Influence marxiste et héritage durkheimien se conjuguent bien dans l'œuvre du Français Pierre Bourdieu (né en 1930) ou de l'Anglais Anthony Giddens (né en 1928).

Petit lexique

affect : impression élémentaire d'attraction ou de répulsion qui est à la base de l'affectivité.

perception : processus psychologique par lequel un individu organise ses sensations et se donne une représentation du réel.

Le second mouvement d'idées se rattache à l'autre père fondateur, l'allemand Max Weber, pour qui toute explication doit avant tout rendre compte du sens de l'action pour l'acteur. On parle de sociologie compréhensive ou d'individualisme. Importé en Amérique par Talcott Parsons dès 1935, ce courant s'y est largement développé.

En France, les œuvres de François Bourricaud (1922-1991) et Raymond Boudon (né en 1934) ont conquis une respectabilité certaine mais leur réception se heurte à la pensée unique de certains médias. Parmi les nombreux travaux de sociologie spécialisée et appliquée, une place de choix doit être accordée à la sociologie des organisations, à celle des relations sociales du travail et à celle de l'éducation.

Le développement chez l'enfant

Jean Piaget a ouvert une longue série de recherches avec des dispositifs expérimentaux ingénieux, visant à décrire les stades et les modalités d'accès à l'abstraction chez l'enfant. Les expériences ont porté sur les notions de nombre, de temps, de jugement moral.
S'agissant du nombre on admet aujourd'hui qu'il y a deux étapes principales chez l'enfant. Vers quatre ou cinq ans, celui-ci sait dire immédiatement qu'un ensemble comprend deux ou trois éléments. Il dit « un, deux, trois, beaucoup » et il sait que beaucoup est plus que trois. Il acquiert la cardinalité : il sait que trois désigne à la fois le dernier élément et la somme. Vers sept ans seulement, il maîtrise le nombre, c'est-à-dire qu'il sait lier énumération et totalisation, passer de 8 = 5 + 3 à 8 = 6 + 2.
S'agissant du temps, Piaget fit l'expérience suivante, devenue célèbre. On fait observer par les enfants deux locomotives miniatures qui partent en même temps, s'arrêtent en même temps, l'une ayant eu cependant une vitesse double de l'autre et ayant donc parcouru une distance double. L'enfant de cinq ans reconnaît que les deux mobiles sont partis et se sont arrêtés simultanément, mais il affirme que celui qui avait la vitesse double a roulé plus longtemps que l'autre. À sept ans, il donne plutôt la réponse inverse : le véhicule lent a roulé plus longtemps. À huit ans il donne la réponse correcte du point de vue newtonien. Piaget conclut que, psychologiquement, l'espace et la vitesse sont premiers par rapport au temps et que celui-ci se construit comme une coordination de vitesses permettant de dépasser les contradictions de la perception.

Langage et culture

Le développement des aptitudes langagières et des pratiques symboliques, et le développement des pratiques de l'outil, sont allés de pair dans la préhistoire. Pour André Leroi-Gourhan (1911-1986, *le Geste et la Parole),* les mêmes faculés ont conduit l'homme à fabriquer des outils et à produire des signes (peintures rupestres). Des travaux sur les enfants sauvages révèlent que l'acquisition du langage (vers 2 ans) n'est possible que par la vie en société. Le langage est une forme d'éducation : en apprenant à parler, l'enfant apprend les interdictions et les valeurs de sa propre culture. Ferdinand de Saussure (1857-1913), linguiste suisse, montre dans son *Cours de linguistique générale* (1916) que le langage est le modèle de tout phénomène culturel.

Le langage est l'instrument de transmission de l'information et de la culture (lois, rites, croyances, histoire...). Il est aussi doué de pouvoirs : faire comprendre, produire une émotion, persuader, brouiller le message... Une formulation neutre est impossible. J'influence l'autre dans son jugement dès que je parle. Le langage est expression destinée à un autre. Il s'inscrit dans un espace commun (sinon il est parole de fou). Le sens des mots est sédimenté par une histoire. Les mots et leur usage véhiculent la pensée qui elle-même est structurée par eux. Mais le langage est en lui-même porteur d'équivoque.

Les apports de la psychanalyse

La psychanalyse est d'abord une méthode thérapeutique inventée par Sigmund Freud pour des malades atteints de névroses hystériques (*Études sur l'hystérie,* en collaboration avec J. Breuer, 1895). Les règles de la cure sont les suivantes. Le patient est allongé sur un divan; il est invité à exprimer, sans retenue, toutes les associations d'idées qui lui traversent l'esprit. Les séances durent 45 minutes; elles doivent être fréquentes, deux à trois par semaine, et payées très régulièrement, pour le bien de la cure. L'analyste doit accorder une « attention flottante » et éviter de provoquer des satisfactions de substitution pour le patient et pour lui-même.

Cette interaction très particulière entre analyste et « analysant » (le patient) déclenche progressivement, chez ce dernier, un transfert manifesté par le report actualisé sur l'analyste d'affects favorables ou hostiles, d'origine infantile, correspondant à la répétition de situations et au jeu de structures anachroniques. Le transfert est un phénomène transitoire que l'analyste va faire se résorber grâce à l'interprétation. Celle-ci est le dégagement du sens latent des souffrances et des conduites du patient, sens auquel celui-ci va devoir accéder lui-même, et qui va lui être révélé quand la cure sera assez avancée pour qu'il soit en état d'entendre et d'accepter.

Le patient est guéri lorsqu'il est redevenu capable d'affronter ses tensions sans angoisse, d'entretenir des relations normales avec les autres, et lorsqu'il n'a plus d'inhibitions invalidantes pour sa vie affective et son rapport au réel. Dans le traitement des névroses chez des sujets jeunes (moins de 40 ans), la psychanalyse est efficace. Devant des formes psychotiques, les succès sont plus incertains.

Freud a, part la suite, élaboré une théorie générale du psychisme humain à partir des trois instances, le ça, instance psychique correspondant aux pulsions inconscientes, le moi et le surmoi, instance psychique jouant un rôle de censure sur le moi (*Trois Essais sur la théorie de la sexualité,* 1905). Déjà du vivant de cet auteur, des divergences théoriques se sont manifestées parmi ses disciples. Elles ont conduit à l'apparition de différentes écoles, notamment aux Etats-Unis, par combinaison avec d'autres techniques psychotérapeutiques. En France, Jacques Lacan (1901-1981) a été le chef respecté d'un groupe qui revendique l'orthodoxie d'un freudisme approfondi par ses travaux théoriques, mais qui à été affaibli par des dissensions et des départs.

Les psychanalystes, médecins ou non, se forment en se soumettant à une analyse dite didactique.

Folie et société

Certaines maladies neurologiques comme l'épilepsie et certains écarts mentaux (« fou du roi », le demi-débile qui ne censure pas son expression) ont été ou sont encore, dans certaines sociétés, interprétés comme des signes de communication avec le surnaturel et considérés, de façon ambivalente, avec crainte et respect à la fois. Avec la modernité, les malades mentaux vont avec les incurables, les prostituées et les handicapés abandonnés, peupler l'Hôpital général, créé à Paris en 1656 et largement imité.

Michel Foucault (1926-1984), dans l'*Histoire de la folie à l'âge classique* (1961), a décrit comment, du grand renfermement, on passe au XIX s. à des traitements différenciés de ces déviants. En France, une loi de 1837 crée un asile par département et dispose que l'on peut être interné soit par décision des autorités, soit à la demande des familles, avec l'accord d'un médecin.

La psychanalyse fut la première thérapeutique à proposer autre chose que l'internement. La mise au point de molécules pharmacodynamiques a ouvert la voie plus largement à un traitement ambulatoire des malades mentaux, cependant qu'un courant dit d'antipsychiatrie se développait, dans les années 1960, chez certains neuropsychiatres, en particulier les Britanniques Ronald Laing (1927-1989; *l'Équilibre mental, la folie et la famille,* 1964) et David Cooper (1931-1986; *Mort de la famille,* 1971). L'apport important de ce mouvement d'idées est que la maladie mentale serait une réponse, douloureuse pour le patient, aux injustices et aux violences de la société, dont l'une des plus caractéristiques est précisément d'enfermer les esprits non conformes. Abandonné sous sa forme extrême, ce courant de pensée a influencé la réflexion et la pratique. Aujourd'hui, l'internement se pratique moins et, s'il n'a pas disparu, il n'est plus une prison.

Le suicide

La plupart des religions condamnent le suicide comme la négation d'une volonté supérieure. Pour le stoïcisme antique, mettre un terme à sa propre vie est permis dans le cas où l'acte répond à une exigence de dignité. Dans la tradition japonaise, se donner la mort signifie se reconnaître vaincu et a pour enjeu de sauver, au moins par le courage, son honneur devant l'adversaire.
Conduite extrême et peu fréquente (2,2 % des décès en France en 1996), le suicide touche des personnes jeunes. Les hommes sont 2,6 fois plus nombreux à se suicider, bien qu'ils fassent moins de tentatives que les femmes. Le taux de suicide est anormalement élevé en France chez les jeunes, et représente la deuxième cause de mortalité des 15-24 ans (après les accidents).
Dans *le Suicide* (1897), Durkheim soutient que les principaux facteurs de suicide sont liés à une incertitude de l'individu relative à son ancrage social et aux règles qui le gouvernent : précarité socio-économique; isolement (dans les sociétés fortement individualistes) ; célibat.

Petit lexique

instance (psychanalyse) : chacune des différentes parties de l'appareil psychique ; dans la première topique (représentation) proposée par Freud en 1900 : inconscient, conscient, préconscient ; dans la seconde (1920) ; ça, surmoi, moi.

◆ **Art et folie.**
August Klotz (1864- ?) a été interné à l'asile de Weinsberg (Wurtemberg), après de graves dépressions suivies de passages à l'acte (mutilations). Il est un de ceux dont le psychiatre allemand Hans Prinzhorn (1886-1933) a conservé le plus grand nombre d'œuvres (université de Heidelberg). Klotz reproduit dans cette œuvre (1919) tous les principes de la symétrie : il répète ses motifs autour d'un axe médian, même en intégrant des éléments de profil, comme l'oiseau. La tête est « monumentale » et fait contraste avec les éléments ludiques du reste du dessin : les cheveux sont figurés sous forme de vers, de doigts dotés d'ongle et de têtes de chenille. Les limites entre l'art et la folie sont souvent difficiles à déterminer tandis que l'expression artistique peut avoir par elle-même, dans certains cas, un effet thérapeutique.

VOIR AUSSI
• **Sexualité** p. 206
• **Troubles psychiques** p. 246
• **Langues et écritures** p. 950
• **Quelques grands noms des sciences humaines** p. 969

L'interaction sociale

Si l'on veut comprendre les rapports entre les individus, entre la socialisation et l'action, et donc l'importance de l'interaction, il faut évoquer les travaux du psychologue suisse Jean Piaget (1896-1980), qui a étudié la construction du jugement moral. L'enfant de sept ans répond encore de façon égoïste. La notion du respect de l'autre, de la réciprocité et de la justice se forme entre 8 et 11 ans quand le groupe des pairs devient le milieu dans lequel évolue l'enfant, en concurrence avec le cadre familial. La socialisation ne signifie pas seulement l'intériorisation des normes de conduite inculquées par les parents et l'école ; elle est aussi adaptation à la vie avec d'autres individus, capacité à percevoir les attentes d'autrui et à moduler sa réponse en fonction des objectifs de celui-ci. Un exemple paradoxal est donné par les conduites d'évitement : elles peuvent être interprétées comme une forme de coopération entre individus ayant pour objectif de ne pas se rencontrer.

Une recherche célèbre des sociologues américains E. Shils et M. Janowitz visant à comprendre comment des unités de la Wehrmacht avaient pu, en 1944-1945, de façon surprenante, garder bon moral jusqu'à la fin, conclut que le facteur principal a été la cohésion des groupes de base, dont le commandement s'efforçait de respecter la composition en évitant les mutations individuelles. Cette explication paraît plus convaincante que le conditionnement par la propagande.

◆ **Deng Xiaoping. L'ex-gouvernant au cœur d'une affiche murale géante, dans une rue de Chine.**
L'emplacement et la taille de l'image reflètent le poids de la propagande. Ils montrent bien la volonté du Parti communiste chinois d'imposer jusqu'au début des années 1990 son idéologie, ses leaders et de signifier sa toute-puissance.

L'action en société

L'action individuelle ou collective implique, hormis les cas de contrainte absolue, une décision de passage à l'acte et ne peut jamais se réduire à une chaîne de déterminations extérieures (appartenance à tel groupe social, religion ou type de résidence) ou à des effets de conditionnement social. L'engagement personnel est pris en fonction de l'évaluation de la situation, de l'ordre de priorité donné à divers objectifs possibles, de l'appréciation des moyens. Ces trois estimations sont subjectives, influencées par le milieu culturel, les expériences antérieures, etc. ; elles n'en conduisent pas moins à des choix. Ceux-ci, du point de vue de l'acteur, sont vécus comme rationnels, puisqu'ils conduisent à engager des moyens jugés adéquats pour atteindre le but retenu. L'observateur extérieur peut avoir des raisons de douter de la rationalité objective, il n'est pas fondé à dépouiller l'acteur du sens subjectif (rationnel pour lui) de son action. Les rituels propitiatoires (c'est-à-dire visant à s'assurer la faveur d'une divinité) sont ainsi perçus comme tout à fait rationnels par ceux qui croient à la communication directe entre hommes et puissances surnaturelles.

Pour ce qui concerne les motivations de l'action, Max Weber a établi au début du siècle une distinction fondamentale entre rationalité par rapport à un objectif pratique (la seule que veuille connaître la tradition utilitariste) et rationalité par rapport à des valeurs. L'éthique du savant, pour qui seule la vérité compte, ne peut pas être celle de l'homme politique qui doit, pour arriver à ses fins, composer avec l'opinion ou le calendrier politique, éventuellement ruser.

Tous les phénomènes sociaux (qui ont une régularité statistique) résultent d'actions menées par des individus agissant séparément, simultanément, ou collectivement. Aussi, l'explication sociologique d'un fait global doit-elle, autant qu'il est possible, prendre en compte des liaisons plus ou moins complexes entre niveau individuel et niveau global. Le sentiment d'insécurité, par exemple, n'est pas lié statistiquement au volume de l'insécurité mesurée dans une ville ; il est, en revanche, très fortement lié à la vulnérabilité physique et sociale des individus. Il augmente avec l'âge et la solitude.

Il ne s'ensuit pas que tout fait social global puisse être rapporté à la poursuite d'un objectif par un groupe ou une classe. Les embouteillages urbains, par exemple, ne sont voulus par personne ; ils résultent de l'addition des choix d'un grand nombre de personnes qui décident de prendre une automobile tout en connaissant probablement le risque. Des effets d'agrégation de ce genre, qui entraînent des conséquences non voulues, sont fréquents. Le sociologue américain R. Merton (né en 1910) s'y était intéressé en 1937, mais ils ont pris une place plus grande dans les recherches à partir des travaux du Français Raymond Boudon (né en 1934) qui, en 1976, leur a donné le nom d'effets pervers.

Autorité et obéissance

Une série d'expériences conduites en 1969 par le psychologue américain Milgram montre jusqu'où peut conduire l'autorité liée au statut. Assis dans un fauteuil, un complice du psychologue se laisse poser plusieurs électrodes sur le corps. On dit aux personnes testées que l'expérience porte sur les réactions du patient à des stimuli électriques. Il leur est demandé de regarder le patient et d'envoyer du courant selon les consignes du psychologue. Celui-ci précise que les intensités vont être croissantes jusqu'à une zone où les risques d'électrocution ne seront pas nuls. En réalité, aucun courant ne passe mais, avec les intensités affichées croissantes, le complice simule des manifestations de douleur de plus en plus fortes. La plupart des sujets n'en continuent pas moins d'obéir à chaque ordre d'accroître le voltage. Certains hésitent mais cèdent aux encouragements de l'expérimentateur. Rares sont ceux qui refusent.

Petit lexique

évitement : réaction par laquelle un être vivant évite, apprend à éviter un stimulus donné.

frustration relative : insatisfaction liée non à la situation objective mais à la comparaison avec celle d'un autre individu ou groupe. Ce processus joue un rôle important dans les mouvements revendicatifs contemporains.

groupe de référence : groupe par rapport auquel l'individu construit son identité.

socialisation anticipée : processus psychologique qui conduit un individu à adopter à l'avance les particularités de langage, de pensée et de conduite du groupe dans lequel il souhaite entrer.

VOIR AUSSI
- **Sociétés animales** p. 126
- **Société et culture** p. 955
- **Max Weber** p. 961
- **L'homme et les savoirs** p. 969
- **Les totalitarismes** p. 978
- **La mode et les modes** p. 1037

Dissonance cognitive

En 1957, Léon Festinger (1919-1989) a mis en évidence, expérimentalement, comment l'adhésion libre à un groupe ayant une forte cohésion peut pousser un individu à modifier son jugement et son interprétation de la réalité. L'individu qui se perçoit comme minoritaire dans ses opinions tend progressivement à abandonner certaines de ses anciennes croyances et à se rapprocher de la vision du monde de ses camarades ou collègues. Festinger pense que le désaccord perçu crée un état de tension, qu'il a appelé « dissonance cognitive » et qui doit être résorbé. Ceci est rendu possible par la dévalorisation des informations ou des priorités non conformes à celles du groupe. Le sujet se réinstalle ainsi dans un univers de représentations cohérentes. Ce mécanisme mental permettait de comprendre comment des intellectuels communistes ont pu refuser aussi longtemps d'admettre l'existence du goulag.

La famille

La famille nucléaire

Le terme « famille » s'emploie dans trois acceptions différentes. La première, la famille étendue, désigne l'ensemble des personnes qui se reconnaissent un lien de parenté, par le sang ou l'alliance. Les généalogistes et les historiens démographes travaillent à partir de ce concept. La seconde acception, plus restrictive, s'arrête aux cousins germains, et on parle de famille souche lorsque, dans une même maisonnée, vivent au moins trois générations d'une même lignée, un couple et tous ses descendants, même mariés. On a longtemps cru que l'Europe rurale préindustrielle vivait selon ce modèle, dont des traces vivantes se rencontrent encore dans les Balkans. Les travaux de démographie historique ont montré, à partir des archives ecclésiastiques d'état civil, que la famille nucléaire, correspondant à un foyer composé du couple parental avec ses enfants non mariés, était déjà de très large pratique au XVIe s. et sans doute plus tôt, au moins dans l'Europe occidentale et nordique. Cependant, la succession préférentielle, sur les exploitations agricoles, entraînait fréquemment la cohabitation de l'héritier avec ses parents, même s'il était marié. Aujourd'hui, quand on parle de droit de la famille, d'aide aux familles, de regroupement familial, etc., il s'agit toujours de la famille nucléaire.

Les fonctions de la famille

Deux points de vue sont à considérer, celui de l'individu, celui de la société. La famille, unité de vie, assure à ses membres des satisfactions affectives et la prise en charge matérielle de leurs besoins. Le mariage par choix libre des deux partenaires, qui s'est imposé dans les sociétés modernes, a fait du couple marié un modèle épanoui. D'où des attentes psychologiques très élevées chez chacun, qui, quand elles ne sont pas satisfaites, conduisent à la rupture de l'union et au divorce. Les relations affectives entre parents et enfants sont très fortes et résistent souvent à la séparation du couple parental. Frères et sœurs partagent pour la vie des souvenirs et des expériences enfantines constitutives de leur identité.

La répartition ancienne des rôles assignait à l'épouse-mère les tâches domestiques et l'entretien de l'équilibre affectif du foyer, cependant que l'époux-père assurait par son travail l'apport financier. La généralisation du travail féminin à l'extérieur et les transformations des mœurs, en partie sous l'influence des combats féministes, ont profondément modifié les choses et rendu la division des rôles masculins et féminins moins claire. Pères et mères se partagent désormais l'autorité. Les femmes modernes qui travaillent supportent une charge très lourde. De plus, le flou dans la répartition des tâches matérielles peut être source de tensions, voire de conflits.

La société attend des familles qu'elles aient des enfants et qu'elles les socialisent, c'est-à-dire qu'elles assurent leur éducation extrascolaire et les encadrent jusqu'à l'âge de la responsabilité individuelle (en France, 15 ans pour la responsabilité pénale ; la majorité, soit 18 ans, pour la responsabilité civile). La famille est une instance de normalisation.

◆ **Dictée d'un testament par un mourant.**
Enluminure tirée d'un *Traité des droits civils* du XIVe s. (Bibliothèque royale, Escurial)

L'héritage

La transmission du patrimoine d'une génération à l'autre s'effectue principalement par les familles. Deux groupes de pays, dans les sociétés modernes, s'opposent, sur le plan philosophique et juridique, même si les pratiques réelles diffèrent beaucoup moins.

Les pays latins sont attachés à l'autorité paternelle et favorisent l'héritage selon la lignée. En France, la fiscalité, très lourde dès que le bénéficiaire n'est pas un enfant du testateur, limite beaucoup la liberté de tester.

Le Code civil français est très restrictif à l'encontre du conjoint survivant qui, en l'absence de testament, ne reçoit que le quart de l'héritage en usufruit. Les enfants se partagent la propriété de la totalité de ces biens et les trois quarts de l'usufruit. Le testateur (l'auteur d'un testament) ne peut transmettre librement (par donation, par ex.) que la quotité disponible, un tiers du patrimoine s'il n'a qu'un enfant, un quart dès lors qu'il en a deux ou plus. Cette législation visait à protéger la continuité des entreprises familiales, agricoles d'abord, à une époque où l'accumulation des biens était lente et où le législateur voulait éviter que l'épargne accumulée sur plusieurs générations par une lignée ne passe, *via* un conjoint, aux neveux de ce dernier.

Le fondement de cette législation n'apparaît plus aussi solide aujourd'hui. En effet, en dehors de la propriété agricole, la part des héritages dans la valeur totale des biens de production du pays est aujourd'hui assez faible, entre 20 % et 30 % selon les estimations. Le système français constitue en outre une exception remarquée. Dans les pays européens à code civil, en effet, les droits du conjoint survivant sont plus étendus, un quart en pleine propriété pour l'Allemagne, la Grèce, la Norvège, un tiers pour l'Autriche et le Danemark, la moitié en Suisse, la moitié ou le tiers en Italie, selon qu'il y a un ou plusieurs enfants réservataires (qui ont un droit sur l'héritage).

Les pays anglo-saxons, plus individualistes et moins attachés à la protection de l'autorité paternelle, autorisent une liberté de tester beaucoup plus grande, qui est souvent utilisée pour une part importante en faveur du conjoint survivant. Aux États-Unis, les legs extrafamiliaux, encouragés par la législation et par la culture protestante et libérale, alimentent, pour une part importante, les caisses des associations philanthropiques, des institutions culturelles, des universités, qu'elles soient publiques ou privées.

Petit lexique

homogamie : union de deux individus proches selon un ou plusieurs critères sociodémographiques, dont les deux principaux sont l'origine sociale et le niveau d'éducation.

Mutations de la famille

Depuis une trentaine d'années, les changements que subit la famille sont si importants qu'ils remettent en question l'avenir de l'institution, sa place dans les fonctionnements de base de nos sociétés et, plus brutalement encore, l'avenir de la population européenne.

Le discrédit du mariage. La montée continue des divorces jusqu'à des taux qui, fréquemment aujourd'hui, atteignent 30 % des unions a été le premier symptôme fort. Elle a été suivie par la cohabitation juvénile ou préconjugale, qui apparaît dans les années 1960 et qui s'est, depuis, largement généralisée. Les mariages sont souvent célébrés après plusieurs années de cohabitation, et, depuis une époque plus récente, 1988 environ pour la France, assez fréquemment après la naissance du premier enfant. Tout donne à penser que les couples de concubins sont aussi stables que les couples mariés.

La baisse du nombre des mariages amorcée vers 1975 s'est accentuée depuis 1990. Les célibataires définitifs (jamais mariés à 40 ans selon la définition de la démographie) sont passés, en France, de moins de 10 % pour les deux sexes à plus de 15 %, mais beaucoup ne sont pas ou n'ont pas toujours été seuls. Une proportion croissante de couples considèrent désormais comme inutile le passage à la mairie, et la société est devenue plus tolérante à l'égard de ces situations. Le résultat est que près de 40 % des premières naissances ont lieu hors mariage. La plupart de ces enfants sont reconnus à la naissance par les deux parents.

VOIR AUSSI • **Politiques familiales** p. 997

Le choix du conjoint

Les familles ne contrôlent plus guère les choix matrimoniaux, et pourtant ceux-ci respectent très majoritairement les règles d'homogamie (relatives à l'appartenance sociale et au niveau d'éducation), jadis mises en avant comme des garde-fous contre les emballements du cœur... L'homogamie professionnelle a même tendance à augmenter dans les secteurs d'activité dont la mixité a augmenté. La proximité de résidence joue également un rôle. Lorsque l'homogamie n'est pas respectée, un phénomène que les sociologues appellent « échange compensatoire réciproque » est souvent repérable : par exemple, la beauté compense la médiocrité de la formation, les perspectives de carrière compensent la laideur du partenaire.
Trouver un conjoint n'est pas toujours facile, d'où l'utilité et le succès des annonces matrimoniales et des agences – non seulement dans les pays occidentaux, mais ailleurs. En Chine, en 1985, on pouvait lire : « Jeune ouvrière 1 m 52 cherche à rencontrer jeune ouvrier 1 m 60 possédant bicyclette et radio. »

◆ **Mariage sikh traditionnel à Bombay** (Inde).

◆ **Le divorce en Europe.**

Pays	1970	1980	1990	1995
Allemagne	–	–	–	33,0
Allemagne de l'Ouest	12,2	22,7	29,2	–
Allemagne de l'Est	20,7	32,0	23,5	–
Angleterre – Galles	16,2	39,3	42,5	46,0
Autriche	18,2	26,2	32,8	38,3
Belgique	9,6	20,8	31,9	58,1
Danemark	25,1	39,3	42,8	40,9
Espagne	–	–	8,0	12,0
Finlande	17,1	27,3	42,7	49,0
France	12,0	22,3	32,1	38,7
Grèce	5,0	10,8	12,0	17,0
Italie	5,0	3,2	8,0	8,0
Luxembourg	9,7	27,0	36,0	33,0
Norvège	13,4	25,1	42,9	46,0
Pays-Bas	11,0	25,7	29,1	37,0
Portugal	1,0	11,0	11,9	16,0
Suède	23,4	42,2	44,1	53,9

Proportion de divorces pour 100 mariages.
Source : Eurostat.

Le renouvellement des générations. La baisse de la natalité a été observée depuis 1965 pour les pays de l'Europe occidentale (plus tard, mais avec encore plus de brutalité, en Espagne et en Italie). Les mouvements de la natalité sont de longue durée et, malgré quelques remontées ponctuelles ici ou là, une reprise durable ne s'est pas encore produite. On note une augmentation de l'âge des mères à la première naissance, un espacement plus grand avant la deuxième ou la troisième et une petite augmentation des maternités tardives (aux approches de 40 ans). On ne sait pas si le mouvement est appelé à prendre de l'ampleur, ce qui confirmerait l'hypothèse, minoritaire chez les démographes, selon laquelle nous serions dans une période non plus de baisse des naissances mais de transition entre un ancien régime de naissances précoces rapprochées et un nouveau régime de naissances plus tardives et espacées.

Le renouvellement des générations, hors apport extérieur, demande 2,1 enfants par femme. En Europe, les niveaux les plus bas de fécondité s'observent actuellement en Espagne (1,4) et en Italie (1,3), pays qui étaient naguère les plus fidèles à l'enseignement de Rome et où la condition féminine subissait fortement le poids de la tradition. À l'opposé, en France où, depuis longtemps, l'usage de la pilule contraceptive s'est généralisé et où les femmes ont le plus fort taux d'activité professionnelle, le niveau de fécondité a sensiblement moins chuté et s'établit à 1,8. La Suède, pays qui fut le premier à connaître la montée de la cohabitation et où l'égalité des sexes est en bonne voie, présente un taux de fécondité très proche. Ainsi la liaison entre émancipation féminine et baisse de la fécondité apparaît moins simple et moins tranchée pour les pays développés qui ont franchi depuis longtemps la transition démographique que ne le donnent à croire certaines analyses de démographes.

La famille recomposée. Les divorces ou séparations de couples sont suivis, dans une proportion importante, par de nouvelles unions et la présence, dans un foyer, d'enfants issus de trois unions (le couple présent, un mariage précédent, légal ou non, de l'homme et de la femme) n'est plus exceptionnelle. On parle de familles recomposées. Selon plusieurs enquêtes, en Scandinavie, en France et au Royaume-Uni, les rôles sociaux assumés par le beau-père ou la belle-mère comme par les enfants sont en train d'évoluer et n'entraînent presque plus le rejet réciproque observé quand ces situations étaient rares et que personne ne savait comment les vivre.

Les débats actuels, qu'il s'agisse de l'utilisation de conquêtes techniques (fécondation artificielle), de la reconnaissance des unions homosexuelles ou du droit de l'adoption, mettent en question certaines valeurs. Il est techniquement possible, avec un risque d'échec, de féconder une femme avec le sperme conservé de son époux défunt. Faut-il le faire ? Ou encore, les couples homosexuels stables et qui concluent un contrat, tel que le PACS, doivent-ils un jour être autorisés à adopter des enfants ?

◆ **Mariage à Las Vegas.**
Réputée pour ses salles de jeux, la ville de Las Vegas l'est également pour les nombreux mariages qui y sont célébrés... très facilement et très rapidement, car la législation civile de l'État du Nevada est peu exigeante quant aux conditions de cette union.

L'éducation

L'école dans le monde

L'école, institution ayant pour objectif d'alphabétiser des enfants, de leur enseigner le calcul arithmétique et de leur transmettre l'ensemble des connaissances jugées nécessaires à la vie, existait dans le monde antique gréco-romain. Elle était privée, payante et n'était fréquentée que par des fils de notables. Il en allait de même en Chine et au Japon. Au Moyen Âge, dans les cultures fondées sur une religion telle qu'elle était enseignée par la Bible ou le Coran, l'enseignement devient l'affaire des clercs et, longtemps, les plus instruits seront les religieux. Les pays bouddhistes perpétuent encore en partie ce modèle.

En Europe, la diffusion de la lecture a augmenté après l'apparition de l'imprimerie, au milieu du XVe s. Cependant, à la fin du XVIIIe s., les taux d'alphabétisation se situaient au mieux à 30 %, avec un certain déséquilibre en faveur des garçons. Au XIXe s. seulement, l'instruction élémentaire tend à se généraliser et devient un souci de gouvernement. Des écoles publiques sont

◆ **Une leçon d'éducation civique dans une école de France, au début du XXe siècle.** « L'alcool empoisonne lentement », dit l'affiche.

créées en concurrence avec celles des congrégations religieuses. En France, la loi Guizot (1833) fait obligation aux communes d'avoir une école mais elle n'est ni gratuite, sauf pour les indigents, ni obligatoire.

Ce n'est qu'à la fin du XIXe s. que l'école élémentaire pour tous, avec ou sans obligation, devient pratique commune dans les pays développés. En France, la loi de 1881, prise à l'initiative de Jules Ferry, institue, conjointement, l'obligation scolaire jusqu'à 12 ans pour tous, la gratuité et la laïcité de l'enseignement public, mais elle n'interdit pas l'enseignement dit libre, c'est-à-dire l'enseignement privé, fortement défendu par l'Église catholique. En 1936, l'obligation est portée à 14 ans et, en 1959, à 16 ans. Néanmoins la maîtrise réelle de la lecture n'est pas universelle et il y a lieu de s'inquiéter de la régression observée dans une proportion de la population située entre 5 et 12 % selon les critères retenus.

Depuis 1945, l'UNESCO a organisé des campagnes d'alphabétisation dans de nombreux pays du tiers-monde et financé la formation d'instructeurs élémentaires, avec des succès variables. Par souci de s'adresser aux populations rurales reculées, certains programmes, en Amérique latine ou en Haïti, ont fait le choix de la langue vernaculaire et n'ont pas eu de succès, parce que la langue écrite véritablement utile est celle de l'administration. Globalement, l'illettrisme recule avec l'élévation du revenu par tête, cette corrélation s'expliquant par des facteurs divers.

L'apprentissage de la démocratie

La liaison entre instruction et démocratie peut se voir de plusieurs façons. La formation du jugement du citoyen demande l'accès à des sources d'information. La presse écrite, diversifiée, favorise le jugement critique davantage que les media audiovisuels.

L'école n'est pas en soi démocratique. Elle peut tout aussi bien chercher à endoctriner que viser à former la liberté de jugement, mais l'instruction est en soi libératrice. Partout les ouvriers du livre ont été à l'avant-garde des combats de la classe ouvrière et ont donné des cadres au syndicalisme, car ils étaient les plus instruits.

Enfin, l'école est une instance pratique de socialisation. Les enfants y apprennent des règles de la vie en commun. Elle peut être aristocratique, autoritaire, démagogique ou démocratique.

Dans le système français, le mode autoritaire faisait du maître le représentant d'un État fortement valorisé. Il est contesté aujourd'hui. Des expérimentations pédagogiques souhaitant favoriser l'initiative de l'élève ont développé la liberté de choix des activités et le contrat personnalisé. Elles réussissent à condition que la responsabilité imposée ne soit ni trop lourde, ni trop solitaire ; les maîtres ne peuvent pas éviter d'assumer un rôle symbolique de type paternel.

L'exercice d'une pratique démocratique dans la classe, comportant un certain nombre de choix – le droit d'expression, le vote et le respect de la règle de majorité, notamment –, se rencontre depuis longtemps dans des écoles américaines ou scandinaves. Cette pratique représente une voie pour concilier la liberté individuelle et l'engagement collectif, aussi souhaitable pour l'efficacité du travail que protecteur pour chacun.

Du collège au lycée

Au XIIIe s, alors que naissent les universités, des collèges se développent, à Paris comme à Oxford. Ils n'ont pas de lien avec l'Université, ils ne préparent à aucun examen et ils ne délivrent aucun titre. Ce sont des communautés regroupant des clercs permanents (*fellows* en anglais) et de jeunes garçons qui, pour quelques années, partagent leur vie, leur goût du savoir et de la discussion d'égal à égal, alors qu'à l'Université, des docteurs dispensent magistralement le savoir sous le contrôle des théologiens et de la papauté.

Ces collèges ont des devenirs différents en Angleterre et sur le continent. À Oxford et Cambridge, ils évoluent vers l'enseignement supérieur et, modifiés, ils sont incorporés à l'Université, tous gardant quelque chose de l'esprit originaire et chacun défendant sa spécificité.

L'évolution française. En France, les collèges sont au début du XVIIe s. transformés en établissements secondaires par les jésuites ou, sous l'influence de ce modèle, par des oratoriens. Le collège de Clermont, aujourd'hui lycée Louis-le-Grand à Paris, succède en 1667 à un collège médiéval. De par leur qualité, ces nouveaux types d'établissements ont fait rapidement paraître obsolètes les facultés universitaires traditionnelles, hormis celles de droit et de médecine qui étaient des écoles professionnelles. Napoléon, en 1802, n'a pas besoin de les bouleverser pour en faire des lycées qui préparent à un baccalauréat, institué en 1809. L'excellent niveau de ces lycées a certainement retardé la mise en place d'un véritable enseignement supérieur en lettres et en sciences, qui ne se fait que tardivement, à la fin du XIXe s.

Les jésuites ont inventé l'organisation de la classe de niveau et défini, avec des programmes, une progression qui va des classes dites de grammaire (6e à 3e) à celles de lettres, avec la classe de rhétorique (1re) et se termine avec celle de philosophie. Ils ont également codifié les exercices pédagogiques d'un enseignement à dominante littéraire, en particulier l'explication de texte et la dissertation en trois parties. L'égalité de la formation scientifique est consacrée en 1902 seulement avec un cursus différencié à partir de la seconde et le baccalauréat de mathématiques élémentaires.

L'évolution en Europe. L'Italie et l'Espagne, pour les mêmes raisons, ont tôt de bons lycées et des universités chétives. En revanche, l'Allemagne protestante n'a pas un enseignement secondaire de

◆ **Une école aujourd'hui, à Conakry** (Guinée).

qualité avant le milieu du XIXe s., mais les universités, qui ne connaissent pas la censure catholique, y suppléent en partie. En Angleterre, des écoles privées qu'on appelle *public schools* se créent à partir de la fin du XVIIIe s. pour préparer les garçons de bonne famille à l'entrée dans les collèges universitaires. L'équivalent des lycées français, *high schools*, d'État, n'apparaît que plus tard.

L'Université moderne

L'Université moderne a été inventée par Wilhelm von Humboldt qui a fondé l'université de Berlin en 1811, établissement de l'État prussien, où les professeurs se recrutent par cooptation des pairs (un membre nouveau est désigné par les membres déjà en place) et jouissent d'une totale liberté d'expression dans leur enseignement. Ils dispensent le savoir ou la science en train de se faire. Le concept de base est *Bildung*, qui, dans la langue du temps, signifie davantage jugement libre et vision du monde informée, culture générale, que, simplement, éducation. Dans les décennies qui suivent, les universités de Göttingen, Iéna, Heidelberg, Halle deviennent, comme celle de Berlin, des lieux de création scientifique, autant que d'enseignement, et le niveau de compétence en philologie classique, en mathématiques, en chimie, en histoire ancienne y est globalement le plus élevé du monde. Un professeur a un laboratoire, ou un séminaire de recherche, des assistants temporaires qu'il rémunère parfois de sa poche, toutes choses alors inconnues à Paris sauf au Collège de France. Au milieu du siècle, la liaison université-industrie se fait avec le chimiste Justus von Liebig, qui est à l'origine de l'extraordinaire développement de la chimie en Allemagne.

En Amérique. Les Américains s'inspirent du modèle de Berlin pour transformer leurs premiers établissements supérieurs, tels Harvard (fondé en 1636) ou Yale (1701), créer leurs universités, privées ou publiques, mais ils y ajoutent, avec les maisons d'étudiants et les fraternités, une atmosphère qui rappelle Oxford et Cambridge. À la suite de Charlottesville en Virginie, dont les plans ont été dessinés par Jefferson, les États de l'Union vont à partir de 1810 se doter, les uns après les autres, d'une université. Grâce aux dons et legs des anciens étudiants, pratique fréquente, certaines universités publiques comme Ann Arbor (Michigan), créée en 1817, disposent d'une fortune comparable à celle d'une université privée.

L'exception française. En France, Napoléon crée par décret (1808) l'Université impériale. Il décide que l'Université française est une et que son grand maître est le ministre. Il n'y aura pas d'universités autonomes jusqu'en 1969, mais des facultés (droit, médecine et pharmacie, lettres, sciences) placées sous le contrôle du recteur d'académie, haut fonctionnaire nommé. Victor Duruy, ministre, crée en 1867 l'École pratique des hautes études pour qu'y soit dispensé un enseignement de recherche. L'entrée de la science vivante dans les facultés ne se fera qu'après le choc de la défaite de 1871, l'avènement de la République, grâce à plusieurs réformes conduites avec des moyens étriqués. En fait, la classe dirigeante française comprend mal la liaison entre science, technique et développement ; elle considère que les grandes écoles, Polytechnique, Centrale, l'École libre des sciences politiques, créée en 1871, et les facultés de droit suffisent à fournir la nation en élites.

◆ **La bibliothèque de l'université de Coimbra** (Portugal), achevée en 1725. L'université, fondée à Lisbonne dès 1200, fut transférée à Coimbra en 1308. Elle fut un des hauts lieux de l'enseignement de la philosophie aristotélicienne.

◆ **Cérémonie de remise de diplômes** à des étudiants en tenue traditionnelle, au Canada.

Le cas du Japon

Au milieu du XIXe s., le Japon est le pays où la scolarisation de base est la plus développée. La qualité de la formation intellectuelle de la main-d'œuvre ouvrière a été un des principaux atouts pour la rapidité de la modernisation décidée en 1868, lors de la révolution du Meiji. Au milieu du XXe s., le Japon est en deuxième place derrière les États-Unis pour l'enseignement secondaire de masse avec 60 % des jeunes accédant au diplôme de fin d'études. Les lycéens portent un uniforme et participent à l'entretien matériel des bâtiments. L'appel à leur responsabilité et à leur fierté de groupe fait partie du modèle d'éducation.

Pour autant, les lycées et les universités sont de niveaux très divers, et aucun système n'est davantage fondé sur le mérite et plus sélectif que le japonais. La compétition pour l'entrée dans les bons lycées commence dès le plus jeune âge à grand renfort de cours de supplément. De même pour les concours d'admission à Todui, la grande université d'État à Tokyo, ou d'autres, privées, comme Sophia.

Le nouveau visage de l'Université

Open University, qui a son siège à Londres, est le plus grand établissement d'enseignement supérieur en formation continue et à distance : 120 000 étudiants, dont les deux tiers seulement résidant au Royaume-Uni, et 7 000 professeurs ou intervenants à temps partiel. L'éventail des formations offertes est large. Une semaine par an de session intensive, tenue sur place, fait en général partie du cursus. L'achèvement de la mise en réseau interactif de tous les modules pour tous les étudiants est prévue pour 2004. OU insiste sur l'importance de la relation tutoriale et donc l'intervention personnalisée de l'enseignant.

Ouverte en 1983, la Business School avec cursus à trois niveaux, certificats, diplômes et MBA (Master Business Administration) connaît un succès considérable : 25 000 inscrits, 4 000 entreprises ou organisations participant au financement.

Au Texas, vient de s'ouvrir la Globwide Network Academy qui est la première université entièrement sur Internet, sans existence physique.

Les missions de l'Université

Les universités assurent la formation au-delà des 12 ans de scolarité qui sont devenus la pratique générale, sinon la règle, dans tous les pays développés. La proportion de jeunes qui passent par l'université a augmenté depuis 1920, inégalement selon les pays et les périodes. Les États-Unis ont été les premiers à dépasser 40 % au début des années 1950 ; une stabilisation est intervenue autour de 60 % vers 1972, suivie d'une légère décrue. L'Allemagne et surtout le Royaume-Uni affichent des taux plus faibles. En Allemagne, les formations techniques avancées *(Fachhochschulen)* non universitaires sont plus développées, et les diplômes universitaires sont, pour de nombreux métiers, moins valorisés qu'un diplôme professionnel. Les Britanniques ont longtemps réservé les rares mais excellentes universités anglaises et écossaises à la formation de la seule classe dirigeante ; un changement s'est opéré avec l'ouverture des *red brick universities* à partir de 1960 (universités modernes de province, qui n'ont pas de traditions de prestige).

En France, une première explosion des effectifs d'étudiants s'est produite entre 1962 et 1970, suivie par une croissance plus modérée et un nouvel accroissement dans les années 1980. Ils y avait 200 000 étudiants en 1960, ils sont deux millions en 1999. Aujourd'hui, 40 % des inscrits quittent le système avec un diplôme universitaire (Instituts universitaires de technologie compris).

◆ **Un cours de décoration intérieure de cuisine dans une école de cuisine professionnelle en France** (centre Grégoire).

La question de la sélection, mal posée, a empoisonné les débats sur toute réforme. À la différence des pays anglo-saxons qui pratiquent diverses formes de tests, examens ou concours d'entrée, l'inscription en université est restée en France ouverte à tout titulaire du baccalauréat. Une sélection lente s'opère toutefois puisque la moitié des étudiants inscrits une première fois n'obtiennent jamais un diplôme de premier cycle (Bac + 2). L'entrée dans les premiers cycles finalisés (IUT) est pour sa part soumise à sélection.

Le rôle des universités. Les avancées majeures de la science pure et une part de la recherche-développement se font dans les universités. La prééminence américaine dans ce domaine est, en partie, due à l'accueil dans ses laboratoires universitaires de jeunes docteurs étrangers, en séjour post-doctoral. La science demande un personnel qualifié, en partie renouvelé rapidement, et des financements. Tous les grands pays ont créé des instances étatiques de financement de projets scientifiques : National Science Foundation aux États-Unis, Deutsche Forschungs Gemeinschaft et Max Planck Gesellschaft, Science and Engineering Council anglais, Centre national de la recherche scientifique en France, Japanese Society for the Promotion of Science, et bien d'autres plus spécialisées, pour les domaines de l'atome, de l'espace et la recherche biomédicale. La proportion des fonds publics dans le financement de la R et D (recherche et développement) est partout, sauf au Japon, supérieure à 60 %. Les financements d'entreprises accompagnent assez souvent les soutiens publics. Des fondations privées interviennent également, aux États-Unis et en Allemagne surtout. Enfin les universités ont un rôle de plus en plus important à jouer dans la formation continue.

L'enseignement de masse

Après un développement lent jusqu'en 1950, l'enseignement secondaire et, dix ans plus tard, les universités connaissent partout dans les pays industrialisés une explosion numérique qui modifie profondément la vie des établissements, le contenu de l'enseignement et le sens des diplômes. Le collège pour tous, le lycée pour plus de 70 %, l'université pour plus de 40 %, un million de professeurs de tous niveaux, soit presque 5 % de la population active, le premier budget de l'État : ce sont les données françaises. Dans les pays comparables, les chiffres sont un peu plus faibles, en Grand-Bretagne notamment ; mais les problèmes sont partout les mêmes.

Dans l'enseignement secondaire, les difficultés des établissements résultent d'abord de l'inadaptation aux changements culturels et de la ségrégation sociale intra-urbaine. Le lycée autoritaire d'avant-hier n'est plus et des règles nouvelles émergent dans une certaine confusion. Le chef d'établissement doit payer de sa personne. La ségrégation sociale et les disparités entre villes et banlieues concentrent les difficultés dans les collèges où les enfants de milieux défavorisés arrivent avec un faible bagage culturel et ne croient guère aux avantages de la scolarité.

Un climat difficile. L'incertitude des maîtres sur les contenus à transmettre, partagée par les élèves, entretient une insatisfaction permanente pour tous. La culture classique n'est plus recevable que par une minorité motivée. Est-ce une raison suffisante pour la faire disparaître ? Par quoi la remplacer ? On a multiplié les options, en croyant servir les intérêts des élèves. Il est maintenant prouvé que toute diversification entraîne une hiérarchisation des voies. L'enseignement démocratique est celui qui est suivi par tous ; il peut se rapprocher de l'égalité des chances, non de celle des résultats. La vérité peut être cruelle. Daniel Bell (né en 1919), grand sociologue américain, a bien exposé pourquoi une société largement basée sur le mérite est dure à supporter pour ceux qui ne réussissent pas : ils ne peuvent s'en prendre qu'à eux-mêmes. Vu l'importance accordée aux diplômes, l'Éducation nationale a la charge, démesurée, de définir le devenir professionnel et social de tous.

Dans les universités, l'orientation de certains enseignements vers une utilité professionnelle est en marche, de même que la séparation entre cursus courts et longs. La question de savoir si, et comment, ces développements différents peuvent coexister avec une orientation fondamentalement scientifique reste, elle, posée.

VOIR AUSSI 
• **Éducation** (indicateurs économiques) p. 835
• **Taux de chômage selon le niveau d'études** p.1009

La formation professionnelle

La formation professionnelle s'est longtemps partagée entre, d'une part, la scolarisation spécialisée dans des filières à entrée plus ou moins précoce (en France : CAP en 3 ans après la 5e ou la 4e, BEP en 2 ans après la 2e, filière de plus en plus suivie depuis 1985 jusqu'au « Bac pro »), et, d'autre part, l'apprentissage en entreprise avec journées d'enseignement général (CFA, Centres de formation d'apprentis gérés par les Chambres de commerce ou l'UIMM). L'apprentissage a été très développé en Allemagne ; les ouvriers sans qualification y sont par conséquent peu nombreux. En France, après 1945, l'Éducation nationale, convaincue que l'apprentissage comporte une exploitation des adolescents par les patrons, s'est efforcée de le concurrencer par d'autres moyens. Actuellement encore, près de 15 % d'une classe d'âge sort de l'école sans diplôme ni qualification. Récemment des efforts ont été faits pour inverser la tendance.

Plus significatifs, et faisant partie d'une évolution internationale, sont les mouvements qui conduisent à l'extension des formations de la deuxième chance, au développement des CQP (certificats de qualification professionnels) ou à la validation des acquis professionnels. Ces trois filières ont en commun qu'elles se situent en dehors du système scolaire et qu'elles confient la tâche de valider les connaissances à des professionnels.

Les formations pour jeunes adultes (type Association pour la formation professionnelle des adultes) concernent d'une part les jeunes sortis du collège ou du LEP (lycée d'enseignement professionnel) sans diplôme et qui, un peu plus tard, deviennent demandeurs, d'autre part des adultes bénéficiaires d'un congé formation ou des chômeurs en reconversion.

Les CQT ont été inventés par l'UIMM en 1975. Devenus CQP (qualification professionnelle), ils ont été imités depuis par d'autres formations initiant à des techniques en 6 mois ou plus, dispensées en dehors du cadre de l'Éducation nationale.

Enfin, la validation des acquis professionnels en cours de carrière est appelée à se développer dans un monde où le changement d'employeur et de métier est bien plus fréquent que naguère et où employés et ouvriers, soit au total près de 60 % de la population active, ont à mettre en œuvre des compétences de complexité croissante. Pour preuve, le « Bac pro », conçu, en 1985, pour de futurs techniciens d'atelier, est largement devenu le niveau de recrutement d'ouvriers qualifiés.

Les régimes politiques

Les légitimités

Tout régime politique doit répondre à un principe de légitimité reconnu par le peuple. En effet, tout État revendique le monopole d'usage de la contrainte, ce qui implique que sa domination soit acceptée. Par-delà les diversités singulières, il n'y a que trois grands principes de légitimité, déjà analysés et commentés par Platon et Aristote : celle de la personnalité exceptionnelle du fondateur, ce que Max Weber a appelée la domination charismatique, celle de la tradition et, enfin, celle de la démocratie, ou pouvoir du peuple.

Tous les grands conquérants, Alexandre, César, Gengis Khan, Napoléon, sont des personnalités charismatiques : ils peuvent obtenir de leurs troupes un dévouement sans limite ; ils sont capables de séduire peuple, notables ou diplomates et de faire partager la conviction de leur légitimité. Si le charisme faiblit, le chef n'est plus qu'un usurpateur, et le caractère despotique du régime personnel s'accroît inexorablement. La difficulté majeure des chefs charismatiques est de perpétuer le charisme en assurant leur succession. Cela suppose soit un successeur également charismatique, soit de faire accepter le principe de la transmission héréditaire dont le fondement est autre : celui de la tradition.

En effet, la transmission intrafamiliale du pouvoir, selon un ordre prédéfini ou selon le choix du souverain mourant, repose sur le respect de la tradition, qui doit avoir un caractère sacré, lequel se transmet aux personnes qui l'incarnent. Le roi de France une fois sacré à Reims guérissait les écrouelles, ce qui montrait bien qu'il était le « roi très chrétien ».

Dans les démocraties, la légitimité rationnelle et légale suppose à la fois l'affirmation du pouvoir du peuple et les modalités d'exercice dudit pouvoir, c'est-à-dire des règles de délégation et de contrôle. Si le respect de la loi est un fondement indispensable des démocraties, il ne faut pas en déduire qu'il est inconnu ou secondaire dans les autres régimes. Des monarchies dites absolues ont pratiqué un certain partage avec des corps intermédiaires à qui était reconnu un pouvoir législatif, plus ou moins large, soutenu par l'opinion. Les premiers califes ont composé avec les ulémas, interprètes autorisés du Coran, pour dire la loi civile. Dans la France d'Ancien Régime, le parlement de Paris a un pouvoir politique exercé selon des règles auxquelles, d'ordinaire, le roi se soumet. La légitimité appelle la règle ; l'exercice pur de l'arbitraire érigé en système ne sera jamais qu'usurpation.

Les monarchies constitutionnelles

Elles reposent sur un compromis entre le principe de légitimité traditionnelle au nom duquel la monarchie est maintenue et le principe démocratique du pouvoir du peuple délégué à ses représentants. Historiquement, ces régimes sont apparus soit à la suite de concessions considérables imposées au monarque lors de crises internes (France, de 1815 à 1848), soit à la suite d'un bouleversement de l'ordre politique (indépendance de la Grèce en 1839, de la Norvège en 1901, défaite du Japon en 1945, rétablissement de la royauté en Espagne avec Juan Carlos en 1975). Le Royaume-Uni, dont le parlementarisme sous sa forme moderne a été établi en 1688, est l'exemple le plus accompli, à cela près qu'il n'a pas de Constitution écrite.

Dans la plupart des royaumes contemporains, le principe monarchique incarné par le roi ou la reine est essentiellement un symbole d'unité de la nation. Néanmoins, la personnalité du roi peut jouer un rôle; ainsi, en 1940, le roi de Danemark a arboré l'étoile jaune pour exprimer sa solidarité avec les juifs.

L'invention de la démocratie

Démocratie vient du grec *demos* « peuple », *kratein* « commander et diriger ».

La démocratie a été inventée en Grèce au VIIe s. av. J.-C. Elle repose sur trois piliers : le logos, le débat public et l'égalité des citoyens. Le logos, le discours, permet de persuader par la parole. Parler pour convaincre demande un public ; la publicité des débats va cantonner au domaine religieux les procédures secrètes. Enfin, l'égalité doit être reconnue à tous les membres de l'Assemblée du peuple, parce que, dans l'esprit des Grecs, il ne peut pas y avoir de communauté sans égalité.

Les institutions athéniennes. Les citoyens hommes, à partir de 20 ans, sont seuls habilités à participer à l'Assemblée. Ils ne sont qu'une cinquantaine de milliers au plus sur une population estimée à 300 000. En effet, on compte une centaine de milliers d'esclaves et au moins autant d'étrangers, métèques, la plupart issus d'autres cités grecques, actifs notamment dans le commerce.

L'Assemblée (ecclésia) a des pouvoirs importants et tout citoyen est investi du droit de proposition. Cependant, le gouvernement et l'administration sont assurés par quelque 700 magistrats, la plupart tirés au sort parmi les candidats déclarés, âgés de 30 ans au moins, lors de séances solennelles de l'Assemblée. Les magistratures sont collégiales et les mandats sont d'un an. Avant d'entrer en charge, les nouveaux magistrats sont soumis à une procédure de ratification *(dokimasia)*, qui inspirera les constituants américains. Il s'agit d'éliminer les personnes au passé douteux ou connues pour leurs inclinations oligarchiques. À la sortie de la charge, le magistrat doit publiquement rendre compte de sa gestion *(euthunai)*. Nul ne pouvait occuper deux fois dans sa vie une même magistrature parmi celles qui étaient pourvues par tirage au sort. Les magistratures les plus importantes, militaires (stratèges), financières et judiciaires, une petite centaine en tout, sont, elles, pourvues par élection uninominale et elles sont reconductibles. Périclès est stratège (général en chef) vingt-deux ans de suite.

Le Conseil des cinq cents *(boulê)*, formé de délégués des 139 circonscriptions, âgés de plus de 30 ans, tirés au sort sur les listes proposées par les communes, constitue la magistrature la plus haute. C'est lui qui prépare la plupart des projets soumis à l'Assemblée et il a la haute main sur les relations internationales. Il supervise l'ensemble des autres magistrats avec des pouvoirs étendus pour la marine et les finances.

La république athénienne a servi de modèle idéal ou de base de réflexion à tous les théoriciens de la démocratie.

Les totalitarismes

On appelle « totalitarismes » les régimes apparus au XXe s., ouvertement fondés sur une doctrine qui stipule la négation de la barrière séparant action de l'État et société civile. Raymond Aron les a définis comme des « religions séculières », en mettant l'accent sur leur aspect messianique. Les citoyens ne s'appartiennent plus ; ils sont au service du projet de l'État, lequel se confond avec le parti qui en a pris le contrôle. Le pouvoir impose le parti unique tout en se prétendant démocratique : il organise des élections, sans liberté d'expression ni de candidature. La hiérarchie et le contrôle du parti sont dominants aussi bien dans l'administration, l'armée, l'économie

◆ **Séance solennelle d'ouverture du Parlement britannique en présence d'Élisabeth II, le 15 novembre 1995.**

que dans la culture. La presse libre est muselée ou interdite. Les Églises sont soumises à de fortes contraintes.

Un Code pénal révisé définit de la façon la plus vague les crimes d'atteinte à la sûreté intérieure ou extérieure de l'État. Cela permet de mettre pour longtemps en détention les dissidents, à la suite de procès où les droits de la défense sont ignorés. La police officielle est doublée par celle du parti. Les dénonciations sont encouragées. Le conditionnement idéologique s'opère par la propagande et par le biais d'associations d'encadrement, notamment destinées aux adolescents.

Ces caractéristiques se rencontrent dans l'URSS de Staline, l'Allemagne de Hitler et, pour certaines, dans l'Italie de Mussolini. Le Portugal de Salazar et l'Espagne de Franco en présentent plusieurs mais n'ont pas de grand projet idéologique qui fonde leur cohérence et n'ont guère été que des dictatures appuyées sur les forces conservatrices.

Le communisme

Bien avant de prendre le pouvoir en octobre 1917, Lénine développe une notion décisive : la dictature du prolétariat – en fait, du parti unique. Aux soldats et aux paysans qui l'appuient, il promet la terre et la suppression de la propriété privée. Pendant soixante-dix ans, le Comité central du Parti et surtout le Politburo seront les seules instances de contrôle du tout-puissant secrétaire général. Une Constitution définit des assemblées (dont le Soviet suprême), un chef d'État et un chef de gouvernement. La réalité est autre : Lénine, jusqu'en 1922, Staline, de 1922 à sa mort en 1953, ont régné en maîtres absolus.

Dans les premières années, un vif courant libertaire s'était exprimé dans des œuvres artistiques d'avant-garde et une presse satirique. À partir de 1922, il n'en est plus question ; l'édition est mise sous censure. L'Union des écrivains définit la doctrine officielle : le réalisme socialiste. La terreur est au cœur du système. Lénine a clairement dit que la fin justifie les moyens et affiché son mépris pour les droits bourgeois de la personne. Le régime est totalitaire et, dès ses débuts, une sinistre police politique (NKVD, Guépéou, KGB) est à l'œuvre. Les épurations, quelles qu'en soient les modalités, le goulag (système des camps de concentration) sont indissociables du système : un tiède est un suspect, et un suspect un traître.

La IIIe Internationale fut créée en 1919 pour faire advenir le socialisme réel – entendons le communisme de Moscou – dans le monde. Dans les années 1930, ses agents sont très actifs, y compris aux États-Unis. Les cadres des partis communistes sont formés à Moscou. Staline dicte la ligne à tenir en fonction des intérêts de l'URSS.

Le fascisme

Apparu en 1919, les *fasci* italiens, militants en chemise noire, se proclament anticapitalistes et nationalistes. Ils entendent promouvoir un système social corporatiste. Conduit par Benito Mussolini (1883-1945), le parti fasciste obtient en 1921 des succès électoraux. Ses milices, les *squadre*, se lancent dans la répression violente des manifestations de grévistes socialistes. En octobre 1922, Mussolini organise la marche sur Rome, et le roi lui confie le gouvernement. C'est lui qui invente l'expression « État totalitaire », troisième élément de son programme avec le corporatisme et le parti unique. En 1925, le Duce (chef) achève le démantèlement des institutions démocratiques, se déclare seul responsable devant le roi et légifère par ordonnances. Une police spéciale, l'OVRA, organisation volontaire pour la répression de l'antifascisme, est l'homologue de la Gestapo. Mussolini fait assassiner l'opposant Matteotti, met le théoricien marxiste Gramsci et bien d'autres intellectuels démocrates en prison aux îles Lipari. L'antisémitisme est présent, mais peu enraciné dans la culture italienne.

La diminution du chômage s'obtient grâce à de vastes programmes de travaux publics et une économie quasi autarcique de rationnement. Verbalement anticapitaliste, Mussolini a été considéré par la bourgeoisie conservatrice comme un rempart contre la gauche et les communistes, une sorte de moindre mal. La faiblesse de la culture démocratique, la compromission de l'Église catholique, le flou de la doctrine, l'encadrement des jeunes et le contrôle policier assurent sinon l'adhésion générale, du moins l'acceptation de la dictature, qui s'effondre en 1943 avec la défaite militaire.

Le nazisme

Adolf Hitler devient légalement chancelier en janvier 1933. En moins de six mois, il instaure le parti unique, interdit les syndicats, pourchasse les communistes. Son livre, *Mein Kampf*, écrit en prison après un putsch raté, était connu. Il y expose sa haine du « capitalisme juif », sa doctrine de l'inégalité des races et de la supériorité des grands aryens blonds. L'expansion du *Lebensraum* (espace vital) allemand à l'Est, le projet de domination sur l'Europe y sont annoncés.

Le nazisme est raciste, anticommuniste et ouvertement belliciste. La composante anticapitaliste disparaît vite, et Hitler fait assassiner ses premiers partisans, les chefs SA, réticents à prendre le virage. L'antisémitisme, qui a un fond ancestral en Europe centrale et orientale, est bien accepté dans un pays où le trop humiliant traité de Versailles de 1919 a engendré le besoin de boucs émissaires. La promesse de revanche séduit. L'anticommunisme et les commandes d'armement rallient la bourgeoisie industrielle. La propagande, les rassemblements de masse, l'encadrement de la jeunesse, les ratonnades des groupes paramilitaires SA puis des SS, l'omniprésence de la Gestapo (police secrète d'État) font le reste : enthousiasme des uns, résignation apeurée des autres. Les juifs qui le peuvent s'expatrient, ainsi que les intellectuels et les artistes lucides. Les opposants actifs sont très peu nombreux ; ils prennent des risques héroïques, sont souvent identifiés et supprimés dans des conditions atroces. À partir de 1935, des camps de concentration rassemblent juifs, Tsiganes, communistes, gardés par des SS, corps spécial de nazis fanatiques qui comprend à la fois des unités militaires d'élite incorporées dans l'armée et des unités de police. Les juifs sont déchus de la citoyenneté et livrés sans défense possible à toutes les exactions. La caste militaire reste fidèle, malgré le dégoût de quelques-uns. En juillet 1944 seulement, un groupe de généraux et de colonels tente vainement de tuer Hitler. Compromis, le maréchal Rommel, son meilleur stratège, doit se suicider.

La « solution finale », euphémisme officiel pour désigner le génocide organisé des juifs, a été planifiée en 1942 à Wannsee et aussitôt mise en œuvre. Le nombre de victimes est évalué à quelque 6 millions et le seul camp d'Auschwitz a fait 2 millions de morts.

VOIR AUSSI

• XXe siècle : la marche à la guerre p. 460
• Montée des totalitarismes p. 461

Les dictatures militaires

À l'époque contemporaine, de nombreux pays d'Amérique latine, d'Afrique et d'Europe (Espagne 1939-1975 ; Grèce 1967-1973) et quelques-uns en Asie (Birmanie, Pakistan) ont eu ou ont des régimes militaires musclés, plus souvent conservateurs que progressistes. Schématiquement, on distingue deux modèles. Franco, en Espagne, et Pinochet, au Chili, sont exemplaires du premier. Des officiers et les partis conservateurs refusent de respecter le gouvernement de gauche issu des urnes, surtout si celui-ci apparaît enclin aux utopies généreuses. Ils renversent la démocratie pour installer leur pouvoir. L'histoire montre qu'après bien des horreurs, devenus incapables de conduire sans appui populaire les transformations de leur société, ces régimes finissent par passer la main.

Dans le second modèle, plus nettement caractéristique des pays du tiers-monde, sans tradition démocratique, un militaire de quelque envergure, entouré de jeunes officiers déçus par l'inefficacité d'un Parlement inexpérimenté ou par la corruption des ministres, entend faire triompher l'ordre et mettre fin aux abus. Hélas, il arrive que le chef se rende coupable des méfaits mêmes dont il voulait débarrasser le pays, de sorte qu'il est renversé à son tour. Ainsi, un putsch suit l'autre au nom de la nécessaire révolution purificatrice, alors que les puissances régionales ou mondiales, qui ont des intérêts économiques à défendre, s'empressent de fournir subsides et armes.

◆ **Le général chilien Pinochet en 1973.** Il renverse cette année-là, à la tête d'une junte militaire, Salvador Allende, instaurant un régime dictatorial. En 1999, faisant l'objet de poursuites pénales, il est arrêté à Londres et mis en résidence surveillée.

Les démocraties

Le contrat social

À la base de la pensée politique moderne on trouve la théorie du droit naturel et celles du contrat social, développées au XVIIe et au XVIIIe s.

Le juriste néerlandais Hugo de Groot, dit Grotius (1583-1645), introduit initialement la notion de droit naturel ou droit des gens pour plaider en faveur de la liberté de circulation sur les mers et pour l'éradication de la piraterie. Les développements ultérieurs en firent un socle de la défense des droits de la personne contre l'arbitraire de l'absolutisme, par exemple chez les philosophes des Lumières et dans la Déclaration des droits de l'homme et du citoyen.

Dans *le Leviathan* (1651), le philosophe anglais Thomas Hobbes (1588-1679) est le premier à exposer que la source et la légitimité du pouvoir de l'État sont dans le consentement des citoyens, selon un contrat social originel non assignable historiquement. En l'absence de contrat qui fonde la « société civile », les hommes sont dans « l'état de nature », c'est-à-dire de « la guerre de tous contre tous ». Ce contrat est supposé conclu entre tous ceux qui deviendront sujet, de l'État. Ils sont tous égaux en droit et abandonnent leur souveraineté au profit de la protection assurée par l'État.

À partir de ces éléments, trois conceptions bien différentes des institutions politiques ont été développées : Hobbes est absolutiste et veut que les citoyens abandonnent complètement le pouvoir au souverain. Avec les mêmes prémisses quant au contrat social, son compatriote John Locke (1632-1704) élabore un demi-siècle plus tard, dans *Second Traité du gouvernement* (1690), la doctrine de la pluralité des pouvoirs et de leur limitation mutuelle. Elle inspirera la révolution anglaise de 1688 et les constituants américains dans leur souci d'établir un équilibre entre le président et le Congrès, entre l'État fédéral et les États membres, selon la formule célèbre, *check and balance* (équilibre des pouvoirs). Pour Locke, la société est faite d'individus qui ont des intérêts particuliers dont le respect est favorable à la collectivité. Le rôle de l'État est non seulement de protéger leur vie (ce qui, pour Hobbes, suffisait à justifier l'obéissance), mais aussi leur propriété ainsi que de leur permettre de développer leurs initiatives, notamment économiques. D'où deux points forts : une définition positive et limitative des interventions de l'État dans la vie et l'activité des citoyens ; une justification de l'inégalité acquise par l'enrichissement individuel, qui conviendra bien à l'esprit du capitalisme. C'est la base du parlementarisme libéral.

Le troisième modèle de contrat social est celui de Jean-Jacques Rousseau (1712-1778), qui a un attachement beaucoup plus fort à l'égalité. Il entend combiner liberté inaliénable du citoyen et satisfaction du besoin de force collective pour faire face aux nécessités de la vie matérielle aussi bien que sociale. Il montre dans *Du contrat social* (1762) comment chacun passe symboliquement contrat avec tous les concitoyens pris un à un pour constituer la volonté générale, laquelle, par nature, sera bonne. Le souverain n'est autre que le reflet de la volonté générale et, en se soumettant à lui, les citoyens n'abandonnent en rien leur souveraineté. La loi étant « l'expression de la volonté générale », la soumission du citoyen à la loi est la forme la plus haute de la liberté. C'est la théorie la plus rigoureuse de la souveraineté populaire, de la soumission à la règle de majorité ainsi que de la force vertueuse de la loi. La Constitution élaborée en 1793 par la Convention et jamais appliquée était profondément rousseauiste.

La représentation

La démocratie représentative s'oppose à la démocratie directe. Les représentants sont élus par le peuple souverain pour exercer le pouvoir en son nom. La démocratie directe est un modèle théorique qu'aucune collectivité politique n'a jamais mis en œuvre. En réalité, n'ont fonctionné, ou ne fonctionnent démocratiquement, sans assemblée de représentants, que de petites collectivités, tels les couvents suivant la règle de saint Benoit (VIe s.).

Les régimes représentatifs respectent tous quatre principes :

1. Les représentants ou les gouvernants sont élus (ou, dans le passé, parfois tirés au sort), pour une période définie, un an pour les consuls dans la Rome antique, deux ans pour les députés en Nouvelle-Zélande, quatre ans pour le président des États-Unis, sept ans pour le président de la République en France. Le représentant dont la durée du mandat est limitée sait qu'il est soumis à une épreuve de réélection. S'il veut être réélu, il doit s'acquitter honorablement du mandat qui lui a été confié par le peuple. C'est un moyen de contrôle pour le peuple.

2. Les représentants et les gouvernants ont des pouvoirs de décision, définis par la Constitution ou la tradition consacrée par la jurisprudence ; ils ne sont jamais liés par un mandat impératif, mais certaines de leurs décisions peuvent être soumises à ratification par les citoyens, comme c'est le cas en Suisse où le référendum peut remettre en question toute décision et est obligatoire quand il s'agit d'une modification de la Constitution.

3. Une séparation des pouvoirs entre le législatif et l'exécutif soumet le gouvernement à l'assentiment ou au contrôle des représentants du corps électoral. Cette séparation peut être plus ou moins équilibrée, selon les cas. Dans les régimes dits d'Assemblée, les gouvernements sont faibles et instables.

4. Le débat politique est public, les décisions aussi. Il n'y a pas de secret, hormis dans quelques questions touchant à la défense nationale. La publicité des débats garantit une sorte de surveillance permanente de l'opinion sur les représentants et déplace le conflit d'opinions de la rue vers l'arène codifiée de l'Assemblée. L'expression politique

◆ Deux cartes à jouer de la période de la Révolution française.
À gauche, Jean-Jacques Rousseau tenant le Contrat social. *À droite*, la vertu tenant la Constitution – celle de 1794 ayant été largement inspirée des vues de Rousseau.

La Constitution américaine

Écrite en 1787 par la Convention de Philadelphie, la Constitution américaine est fédérale et présidentielle. Les treize ex-colonies deviennent des États dont la souveraineté n'est limitée que par les pouvoirs expressément délégués à l'Union (défense et relations internationales ; pouvoir judiciaire suprême). La victoire des fédéralistes fut difficile car, à New York notamment, un fort courant de l'opinion ne voulait pas d'Union ou un pouvoir fédéral très faible.

Le président des États-Unis est élu pour quatre ans, par des grands électeurs eux-mêmes élus au suffrage universel. Il est chef d'État et de gouvernement.

Le pouvoir législatif appartient à deux chambres, le Sénat et la Chambre des représentants, renouvelables par moitié tous les deux ans. Chaque État a deux sénateurs, actuellement cent sénateurs puisque l'Union compte cinquante États. Le nombre des représentants par État est, lui, établi en fonction de la population. Le Sénat a d'importants pouvoirs de contrôle sur les actes du Président. C'est ainsi que les nominations, aussi bien celles des ministres que des hauts fonctionnaires et des juges de la Cour suprême, sont subordonnées à son approbation. La Cour suprême compte neuf juges, nommés à vie.

La Constitution a été complétée et modifiée par des amendements. En 1861, le 11e amendement interdit l'esclavage. Après la mort de Roosevelt qui avait été élu président quatre fois, le 22e amendement de 1947 limite à deux les mandats présidentiels.

des citoyens est libre : les gouvernants peuvent être critiqués et ne sont pas autorisés à museler les opposants. Les entorses à ce dernier principe existent, notamment par la manipulation des moyens d'information. Elles restent toutefois limitées ou bien signent la fin du modèle démocratique. On les trouve alors associées avec le report des élections, les irrégularités électorales et autres mauvaises pratiques.

La séparation des pouvoirs

Montesquieu (1689-1755), écrivain et philosophe politique français, a donné, dans *De l'esprit des lois* (1748), un exposé approfondi de la séparation des trois pouvoirs, législatif, exécutif et judiciaire, qui est devenu l'un des piliers de tous les régimes démocratiques : « Il y a dans chaque État trois sortes de pouvoirs : celui de faire des lois, celui d'exécuter les résolutions publiques et celui de juger les crimes ou différends des particuliers. » « Pour qu'on ne puisse abuser du pouvoir, il faut que, par la disposition des choses, le pouvoir arrête le pouvoir » : cette formule exprime une conscience des dangers inhérents au pouvoir et l'on y trouve, comme chez Locke, le souci d'imposer institutionnellement des freins aux puissants. Ainsi, le pouvoir d'édicter les lois ne doit pas être entre les mains de ceux qui les exécutent. C'est le seul moyen de garantir l'objectivité des lois (qui ne servent pas les intérêts de ceux qui les promulguent) et de contraindre l'État, par l'organisation du pouvoir, d'observer les lois. Diviser le pouvoir est le seul moyen de le limiter.

Les modalités de mise en œuvre du principe ouvrent sur différents débats qui ne sont pas clos. Entre le législatif et l'exécutif, comment s'établit le partage ? L'un a-t-il le pas sur l'autre ? Comment établir un équilibre qui assure à la fois une certaine stabilité aux gouvernants et le bon exercice du pouvoir parlementaire avec initiative législative et contrôle de la puissance publique ? Si le législatif est dominant, l'exécutif peut se trouver à la merci d'un renversement de majorité ou d'une coalition d'un jour. C'est le danger qui menace les régimes dits d'assemblée. Si l'exécutif est trop prépondérant, le risque est l'effacement de fait du contrôle parlementaire ou la diminution *de jure* de la responsabilité de l'exécutif devant les parlementaires.

Entre l'exécutif et le judiciaire, si l'indépendance des juges ne fait guère question, l'initiative des poursuites comporte en revanche une composante politique qui ne peut ignorer des raisons d'opportunité : plus ou moins de répression de tel ou tel type de délit, par exemple. D'autre part, un chef d'État ou un ministre en exercice peut-il être jugé pour des actes sans rapport avec l'exercice de ses fonctions ? Enfin, une tendance contemporaine est à l'extension du rôle des Cours constitutionnelles, au point que certains y voient un excès du pouvoir des juges.

L'élection

À Athènes, des fonctions étaient confiées à des citoyens tirés au sort parmi les volontaires et, comme des dispositions sévères leur imposaient, à la sortie de charge, une reddition de comptes, le volontariat assurait une sélection. Dans les villes-cités italiennes du Moyen Âge, le tirage au sort est encore fréquent, même si certaines, dont Venise, ont opté tôt pour l'élection. Les théoriciens ont débattu des avantages comparés des deux procédures. Le tirage au sort élimine la brigue mais non l'incompétence ; l'élection favorise le clientélisme mais aussi la sélection des talents.

La constitution américaine établit la victoire du principe de l'élection, même si, pendant la Révolution française, certaines tentatives de recours au tirage au sort ont pu apparaître. L'élection est le moyen le plus démocratique de désigner les représentants. L'électeur choisit entre les mains de qui il souhaite remettre son pouvoir. Pour autant, élection n'implique directement ni suffrage universel ni éligibilité de tous les citoyens. Les Constituants américains étaient convaincus que l'aisance économique offrait quelque garantie contre le risque de corruption, danger auquel ils étaient très sensibles et contre lequel ils voulaient se prémunir par dessus tout. Ils ont également débattu du point de savoir si les élus devaient être des citoyens ordinaires, ou si, au contraire, ils devaient avoir fait la preuve de leur capacité par une réussite personnelle. D'où l'adoption d'un critère censitaire repris par la monarchie constitutionnelle française et que le triomphe du suffrage universel masculin balaiera partout avant la fin du XIXe s.

Les systèmes électoraux. Schématiquement, on peut opposer règle majoritaire et règle proportionnelle. La première dégage facilement une majorité mais prive de toute expression les courants minoritaires. La seconde a le défaut et la qualité inverses : elle respecte mieux le droit d'expression mais peut produire des assemblées impuissantes faute de majorité stable. Il faut tenir compte du contexte culturel et des objectifs que privilégie la législation.

Le système anglais, majoritaire à un seul tour implique qu'avec trois candidats, l'élection peut être acquise avec 35 % des suffrages exprimés. Il ne serait guère adapté dans une culture moins fondamentalement bipartisane.

L'élection du président des États-Unis écarte plus de la moitié des citoyens qui, n'étant pas inscrits à un parti, ne peuvent pas participer aux primaires, c'est-à-dire à la désignation des grands électeurs qui, eux, élisent le président.

Le système allemand actuel qui, pour les élections législatives fédérales, associe à une règle majoritaire locale une compensation nationale proportionnelle présente une formule intéressante.

◆ **Des suffragettes à New York.**
Les mouvements de femmes revendiquant le droit de vote ont été particulièrement actifs au Royaume-Uni et aux États-Unis au début du XXe siècle. Celles-ci eurent gain de cause au Royaume-Uni en 1918 et aux États-Unis en 1920. Les Françaises durent attendre la décision du général de Gaulle en 1945.

Le référendum

Le référendum consiste à soumettre au suffrage universel un projet constitutionnel ou, si la constitution le permet, législatif. La Constitution française de la Ve République prévoit, avec des dispositions restrictives, l'appel au référendum, qui fut utilisé quatre fois par le président de Gaulle, en particulier pour faire adopter l'élection du président au suffrage universel en 1962. L'échec, en 1969, du référendum concernant les institutions régionales et les pouvoirs du Sénat entraîna sa démission immédiate, événement qui sert d'argument à ceux qui apparentent cette procédure à un plébiscite.
En Suisse, le référendum permet aux citoyens, pourvu que le nombre requis de signatures (actuellement 50 000) soit atteint, de remettre en question toute loi, fédérale ou cantonale, promulguée par le gouvernement respectif. Elle sera alors soumise à l'approbation des électeurs. En cas de majorité négative, le gouvernement est obligé de réviser son texte. Cet exercice de démocratie directe est largement utilisé. La statistique montre qu'en Suisse, deux fois sur trois, le référendum s'est soldé par un refus, comme en 1993 à propos de l'entrée dans l'Union européenne. Ainsi, le risque du référendum est de mettre en contradiction représentants et représentés.

VOIR AUSSI • **Montesquieu** p. 1144

Les trois âges du Parlement

Comme le montre Bernard Manin dans *Principes du gouvernement représentatif* (1995), la représentation parlementaire en Europe a vu sa place se modifier deux fois en moins de deux siècles, d'abord avec les partis de masse, ensuite avec les médias.

Le parlementarisme. L'âge d'or des parlementaires est le XIXe s. avec un Parlement, généralement à deux chambres, la conquête de la liberté de presse et d'expression politique, y compris le droit de manifester, enfin l'apparition de partis politiques.

La carrière politique est réservée aux classes aisées, avec quelques exceptions pour de fortes personnalités. Le député est un notable qui connaît personnellement une fraction significative de ses électeurs. Il n'est pas élu sur un programme politique mais grâce à son statut personnel.

Les usages de la conversation et du dialogue, art poussé à sa perfection dans les salons aristocratiques, s'imposent au Parlement. Les Chambres sont des enceintes de mise à l'épreuve des idées et de construction des projets politiques ; chaque élu pense et vote librement en conscience et non selon le programme d'un parti politique. Tous croient aux vertus de l'échange et de la discussion persuasive. La presse d'opinion accorde une place considérable aux discours parlementaires. Les administrations d'État sont petites et ne s'interposent guère entre le Parlement et l'exécutif. Celui-ci et son chef sont libres de leurs décisions mais sous contrôle étroit du Parlement.

Les partis. Après la généralisation du suffrage universel, la montée du socialisme, à l'aube du XXe s., des partis de masse apparaissent. Tous affichent des programmes, recrutent des militants, paient des permanents. La vie politique se transforme en l'absence même de tout changement constitutionnel. Les candidats aux élections sont investis par les partis après un contrôle rigoureux, selon des procédures diverses mais qui, toutes, donnent un poids fort à l'appareil, c'est-à-dire à la conjonction des dirigeants et des permanents salariés. Roberto Michels a montré dans un livre presque anticipateur (*les Partis politiques, essai sur les tendances oligarchiques des démocraties*, 1911, trad. française, 1914) comment les appareils tendent à assurer leur perpétuation au prix d'un double discours, cynique pour les initiés, idéologique pour l'extérieur, y compris pour les militants de base.

Au Parlement, le vote de parti s'instaure. Certains imposent à leurs élus le mandat impératif : le député ne décide pas librement mais en fonction de la discipline et du programme du parti qu'il représente. L'introduction du vote par boîtier autorise l'absentéisme et donne aux présidents des groupes parlementaires les voix de tous leurs élus.

Le débat au Parlement change de nature. La part de spectacle obligé dans des rôles convenus augmente au détriment de la sincérité de la discussion. Le vrai travail parlementaire se déplace en amont, vers les commissions ou comités d'audition (*hearing committees*) qui, loin du public, sont en rapport constant avec les hauts fonctionnaires, les ministres et les états-majors des partis. Le débat en séance plénière est préparé, le résultat est souvent sans surprise, sauf si la majorité gouvernementale est à la merci de défections.

Le Parlement a moins de place dans la construction de la négociation sociale, hormis pour ratifier, éventuellement, des principes et des dispositions préparés dans d'autres lieux. Partout, l'extension des interventions de l'État aidant, les pouvoirs de l'exécutif se renforcent et s'appuient sur des administrations puissantes et techniques. Le député de base est donc conduit à intensifier son activité de défenseur de sa circonscription, dans laquelle il retrouve du pouvoir, le moyen de se faire reconnaître personnellement et l'espoir de garantir son siège.

La démocratie de l'opinion publique. Le journal télévisé et l'usage des sondages entraînent à partir de 1960 une autre mutation, l'avènement de la démocratie de l'opinion. L'allure de l'homme politique, son style, sa présence à l'écran, sa capacité à susciter la sympathie du téléspectateur deviennent des éléments essentiels. L'électeur moyen se détermine, nous disent les études empiriques, moins en fonction d'un programme politique qu'en fonction de clichés associés aux candidats ; ainsi la modernité, la décontraction, l'ouverture au monde, ou, pour d'autres, l'impression de force et de stabilité garantie que donnent une apparence massive et une parole mesurée. Les élites sont des figures médiatiques.

On explique ainsi la diminution du poids des déterminants économiques et socioprofessionnels dans les votes. La classe ouvrière n'est plus la clientèle captive des partis sociaux-démocrates. La dimension affective de la confiance, assurée jadis par le contact personnel entre l'électeur et le candidat, reparaît en force.

◆ **Une session du Parlement de Madrid, en mai 1998.**
À droite, revenant vers son siège, après une allocution, le Premier ministre espagnol, José Maria Aznar.

Les fonctions du Parlement

Les Parlements exercent, par représentation, la souveraineté du peuple. La séparation des pouvoirs leur confère le pouvoir législatif. Les démocraties ont, presque toutes, adopté le bicaméralisme (système politique comportant deux assemblées législatives) : une Chambre des représentants, ou Assemblée nationale, élue au suffrage universel, représente les citoyens ; une Chambre haute (Sénat), dont les membres sont élus au suffrage à deux degrés (c'est-à-dire par des grands électeurs qui sont des élus du suffrage universel), représente les États membres dans les fédérations, les élus des collectivités locales dans les États unitaires. À l'exception notable des États-Unis et, dans une moindre mesure, du Brésil, la Chambre haute (le Sénat) n'a, le plus souvent, qu'un second rôle.
Les Parlements (Chambre des représentants + Chambre haute) votent le budget de l'État, contrôlent son exécution, débattent des projets de lois préparés par le gouvernement et des propositions de lois déposées par leurs membres. Ils disposent, selon des procédures variables, de pouvoirs de contrôle sur l'action du président, du gouvernement et, éventuellement, de certains organismes publics. Dans les régimes dits d'assemblée, tel celui de la IIIe et surtout de la IVe République française, le gouvernement est investi par l'Assemblée et peut être démis par elle. L'évolution historique a presque partout affaibli le législatif au profit de l'exécutif.

◆ **Comparaison de quelques systèmes parlementaires.**

	États-Unis (État fédéral)	**France** (État unitaire)	**Allemagne** (État fédéral)	**Royaume-Uni** (État unitaire, en évolution)
Parlement	Chambre des représentants Sénat : 2 représentants par État	Assemblée nationale Sénat élu au 2e degré	Chambre des députés (Bundestag) Sénat (Bundesrat, non élu ; représentants désignés par les gouvernements des régions [Länder])	Chambre des communes Chambre des lords (800 héréditaires, 300 à vie)
Président	Président élu au suffrage universel non responsable devant le parlement	Président élu au suffrage universel non responsable devant le Parlement	Président chef d'État, non responsable ; pouvoirs faibles	Reine (ou roi) : symbole de la nation
Gouvernement	Ministres dépendant du Président seul	Premier ministre responsable devant le Président et devant l'Assemblée	Chancelier responsable devant le Bundestag	Premier ministre responsable devant les Communes
Sénat	Pouvoirs importants de contrôle du Président	Pouvoir législatif second (possibilité pour le gouvernement de donner le dernier mot à l'Assemblée)	Les Länder définissent les positions à prendre par les sénateurs. Approbation du Bundesrat nécessaire pour les lois intéressant les Länder.	Lords : veto seulement suspensif d'un an Aucun pouvoir budgétaire
Contrôle constitutionnel	Cour suprême (9 membres, à vie)	Conseil constitutionnel (9 membres)	Tribunal constitutionnel de Karlsruhe	

1791 : première Constitution. Déclaration des droits de l'homme et du citoyen : liberté, égalité; souveraineté nationale, séparation des pouvoirs. Corps législatif (Chambre unique). Roi, monarque constitutionnel, non responsable devant le législatif, non plus que ses ministres; dispose d'un veto suspensif.

1792 : proclamation de la première République.

1795 : Directoire. Bicamérisme; Conseil des Cinq-Cents et Conseil des Anciens.

L'exécutif collégial de cinq directeurs est élu par les Anciens sur proposition des Cinq-Cents.

1799-1814 : Consulat et Empire. Les textes napoléoniens réduisent le pouvoir législatif à rien.

1814 : Charte constitutionnelle. Deux Chambres : députés élus au suffrage censitaire; pairs héréditaires ou à vie. Le pouvoir exécutif appartient au roi, qui nomme les ministres et détient l'exclusivité de l'initiative législative. Début d'un contrôle du Parlement sur le gouvernement avec la pratique des questions aux ministres en séance.

1830 : Charte constitutionnelle. Le Parlement partage l'initiative législative avec le roi et conquiert la « question de confiance ».

1848 : deuxième République. Une seule Chambre ; suffrage universel ; régime présidentiel.

1852 : second Empire. Pouvoir législatif très affaibli mais retour au bicamérisme, avec un Sénat entièrement nommé chargé du contrôle de la constitutionnalité des lois.

1870 : proclamation de la République.

1875 : Constitution. Bicamérisme avec pouvoirs égaux des deux Chambres : gouvernement responsable devant les deux ; députés élus au suffrage universel ; sénateurs élus au suffrage indirect (grands électeurs). Le président de la République choisit le chef du gouvernement (président du Conseil) et a droit de dissolution.

1940 : État français. Contrôlé par l'occupant nazi.

1944 : retour à la République. Initiative législative très large. Sénat sans pouvoir de contrôle sur le gouvernement.

1958 : Constitution de la Ve République. En juin 1958, le général de Gaulle accepte d'être président du Conseil en obtenant la mission de préparer une nouvelle Constitution, qu'il fait approuver.

◆ **Les Constitutions de la France.**
Dans chaque pays, la démocratie parlementaire s'est forgée avec des textes mais aussi avec leur usage. Le parlementarisme français naît dans les faits avec le serment du Jeu de paume (20 juin 1789), lorsque les députés du tiers état se constituent en Assemblée nationale.

La politique devient, comme les activités marchandes, ouverte au développement d'un *marketing* particulier. L'offre politique doit être présentée en fonction des effets attendus, immédiats ou permanents, et des cibles visées. D'où un risque évident de détournement de la démocratie par l'oligarchie de l'argent. Des lois interdisent ou limitent les dons, autres que de particuliers, faits aux partis et tentent, difficilement, de limiter les gigantesques dépenses des campagnes électorales.

Les gouvernants s'adressent directement et fréquemment aux citoyens, diminuant ainsi une des fonctions originaires du Parlement, la représentation au sens premier. Dans de nombreux pays, l'indépendance politique accrue de l'exécutif, appuyé sur des administrations puissantes et opaques, est allée de pair avec une extension significative, approuvée par l'opinion, du contrôle de la constitutionnalité et de la légalité. D'aucuns s'inquiètent, non sans raison, d'un risque de déséquilibre nouveau entre les pouvoirs, une part du contrôle passant des élus aux juges constitutionnels.

Souveraineté nationale et Europe

La construction de l'Union européenne se fait avec des traités qui, une fois ratifiés, imposent aux pays membres de mettre leur législation interne en conformité avec les dispositions européennes, dont la valeur juridique est réputée supérieure à celle des lois nationales. C'est ainsi que pour pouvoir ratifier le traité d'Amsterdam de 1997, la France a dû procéder à une modification constitutionnelle. Les souverainetés nationales sont, dans les domaines concernés, désormais bornées par les transferts de compétences consentis au profit de l'Union. L'exemple le plus frappant est la monnaie, avec la création de l'euro et la disparition des monnaies nationales en janvier 2002.

Désormais, il convient de distinguer trois ensembles : celui des compétences exclusives de l'Union, celui qui reste de souveraineté nationale parce que non concerné par les traités de l'Union et, entre les deux, celui des compétences partagées auxquelles s'applique le principe de subsidiarité, l'Union n'intervenant, par accords spécifiques des gouvernements, que pour compléter l'activité des États. C'est le cas pour la politique de recherche et technologie.

Les sondages

Utilisés aujourd'hui dans de nombreux domaines, le plus souvent à des fins commerciales, les sondages d'opinion ont pris une place importante dans la vie politique. Sollicitées soit par des médias, soit par des partis politiques, les mesures périodiques d'intentions de vote, les cotes de popularité des principaux dirigeants, sont devenues des éléments d'information qui influent, exagérément peut-être, sur l'action des politiques.

Exprimée par les organes de presse, par des manifestations diverses d'approbation ou d'opposition au gouvernement, par des rapports de police, par des prises de position publiques, l'opinion a toujours été un facteur avec lequel il fallait compter; beaucoup plus, certes, dans les régimes démocratiques que dans les États autoritaires.

La démonstration du pouvoir prédictif du sondage préélectoral sur petit échantillon est triomphalement donnée par George Gallup, statisticien américain (1901-1984), lors de l'élection présidentielle américaine de 1936, première réélection de Franklin D. Roosevelt. En France, Jean Stoetzel (1910-1987), qui avait vu de près l'institut de sondage d'opinion mis en place en 1935 par Gallup, crée en 1938 l'Institut français d'opinion publique (IFOP). Aujourd'hui, le plus grand institut de sondage en France est la SOFRES (Société française de sondages et d'études de marché), créée en 1963.

Qu'est-ce qu'un sondage ? Un sondage s'effectue par le biais d'un questionnaire, proposé à un échantillon de la population, suivi d'un travail d'interprétation plus ou moins fine des données brutes. Les bonnes questions sont celles qui séparent clairement les tendances de l'opinion; les mauvaises, celles qui n'ont pas un sens net, ou qui sollicitent par trop une réponse d'assentiment. Tirer au hasard, au sens du calcul des probabilités, un échantillon national est coûteux et long car il oblige les enquêteurs à de nombreux déplacements pour atteindre les personnes choisies au hasard. Aucun institut de sondage privé n'opère de la sorte. Aussi ont été développées des méthodes, mathématiquement moins satisfaisantes, à partir d'échantillons par quota, construits selon des variables qu'on incorpore selon leur importance. Si l'on travaille dans la perspective d'une élection présidentielle, par exemple, le sexe, l'âge, le niveau professionnel et la catégorie de commune de résidence pourront suffire.

Pour les élections législatives, une prévision fine des résultats exigerait un sondage par circonscription, ce qui est exclu. Les sondages se font, chacun, à partir de l'analyse des résultats des élections antérieures ; ils permettent d'établir une liste de villes, de communes à suivre avec un intérêt particulier, soit parce qu'elles donnent généralement un résultat très proche de la moyenne nationale, soit, au contraire, parce qu'elles amplifient les tendances. Le sondage proprement dit n'est qu'une part, importante certes, de l'élaboration des prévisions électorales.

La parité hommes-femmes

Dans le monde du travail, la suppression des barrières juridiques opposées aux femmes est acquise ou en marche, même si les inégalités de salaires et de carrières n'ont pas disparu. Dans la vie politique, la participation des femmes reste, le plus souvent, très minoritaire (50 % de femmes ministres en Suède, 35 % en Allemagne, 34,6 % en France, 7,5 % en Grèce). Le débat sur la parité qui a lieu en France illustre l'opposition entre deux tendances du féminisme qui, en fait, mettent en jeu deux conceptions de la démocratie : primat de l'universalisme ou reconnaissance des particularismes et des communautarismes. Selon la première, les femmes et les hommes sont des citoyens au même titre et toute idée de quota dans la représentation doit être refusée. En revanche, puisque, constitutionnellement, les partis concourent à la démocratie, des dispositions légales peuvent imposer l'égalité numérique des candidatures. Selon la deuxième, les femmes sont victimes d'une discrimination à laquelle il convient de mettre fin par l'établissement de quotas obligatoires d'élues. L'affaiblissement du concept de l'État-nation et la montée des revendications identitaires, régionales, culturelles ou autres, renforcent cette dernière position.

Les limites des sondages. Un sondage isolé donne, avec une marge d'incertitude liée au traitement des « non réponses » ou « sans opinion », l'état de l'opinion le jour où il est réalisé. C'est une erreur d'interprétation que de vouloir y lire une prévision. En revanche, une série de sondages utilisant les mêmes questions donne une évolution des tendances de l'opinion plus fiable, encore qu'elle soit à la merci d'un retournement. Enfin, répondre à un sondage, c'est faire un acte de communication ; voter, c'est faire un acte de décision. La différence est fondamentale.

Les sondages font l'objet de plusieurs critiques ou interrogations. L'affirmation selon laquelle les sondages seraient truqués pour manipuler l'opinion ne résiste pas à l'examen : les commanditaires sont trop divers, les instituts sont concurrents. Conscients du fait que leur crédibilité est en jeu, ils ont élaboré une déontologie rigoureuse. Est-ce que la publication de sondages influe sur la formation des préférences chez les électeurs ? Aucun fait patent n'a étayé la supposition. L'interdiction en France de divulguer des sondages dans les derniers jours précédent une consultation électorale est, contre ce risque, une précaution dont les sondeurs contestent le bien-fondé. Plus sérieuse est la question de savoir si les gouvernants ne sont pas enclins à se soumettre par trop aux sondages et à renoncer à des mesures qui nuiraient à leur cote de popularité.

Le système britannique

Le Royaume-Uni, où le roi a concédé à ses barons (origine de la Chambre des lords) le pouvoir de voter l'impôt par la Grande Charte de 1215, a un régime parlementaire sans Constitution écrite. Celle-ci est composée de coutumes ayant force de loi, la loi postérieure l'emportant sur la loi antérieure. La base moderne est le Bill of Rights de 1689 qui stipule le vote du budget par la Chambre des communes et la reconnaissance du pouvoir législatif du Parlement (composé de la Chambre des communes et de la Chambre des lords), sans entrave possible du roi. La responsabilité politique du Premier ministre et de son cabinet (le gouvernement) devant la Chambre des communes s'est affirmée par la coutume.

La seule élection au suffrage universel direct est celle qui désigne, pour un mandat de cinq ans, les représentants à la Chambre des communes. Cette élection détermine la composition du cabinet et la nomination du Premier ministre. En effet, celui-ci est le chef du parti qui remporte les élections. Il détient le pouvoir de dissoudre la Chambre des communes et l'utilise, soit en cas de difficultés avec sa majorité, soit avec l'idée de bénéficier d'une conjoncture favorable à sa victoire aux prochaines élections. Le mandat de cinq ans est ainsi souvent écourté.

Le système électoral majoritaire uninominal à un seul tour a stabilisé une compétition bipartisane entre le parti conservateur (tory) élitiste, se défiant de l'extension des interventions étatiques, et le parti travailliste (labour), social-démocrate, lié au puissant mouvement syndical *(trade-unions)*. Comme ce mode de scrutin amplifie l'effet des mouvements d'opinion, il favorise l'alternance.

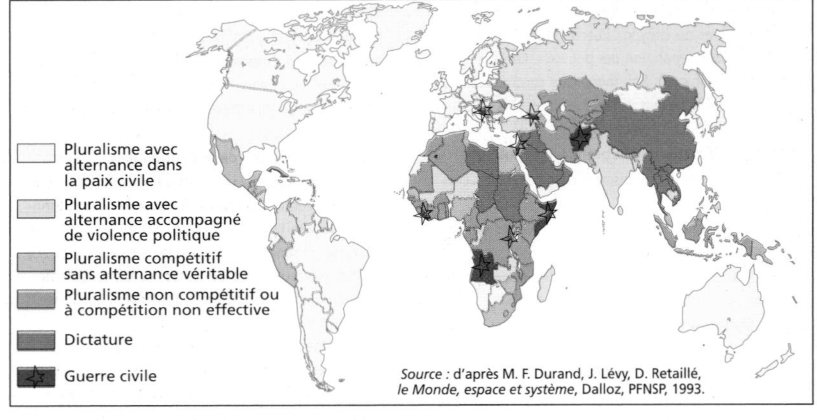

◆ **L'état de la démocratie dans le monde.**
Une démocratie se caractérise au minimum par des élections périodiques, dont les résultats sont reconnus, et par le respect des droits de l'homme.

Les Chambres. La Chambre des communes a la quasi-exclusivité d'un pouvoir parlementaire particulièrement important. En effet, la pratique d'une heure de questions préparées, adressées au gouvernement à chaque séance *(question time)* oblige les membres du cabinet à s'expliquer. Le contrôle est réel. Le président de la Chambre *(speaker)* rapporte les discours des ministres au souverain. Il doit être, par règle coutumière, impartial ; aussi survit-il fréquemment à un changement de majorité.

La Chambre des lords est composée d'environ 500 lords héréditaires, 300 nommés à vie par la couronne en accord avec le Premier ministre, en reconnaissance de services rendus au pays, plus, de droit, quelques évêques et 23 hauts magistrats, car la Chambre des lords a des attributions judiciaires. Les deux tiers des membres pratiquent l'absentéisme. Son rôle politique a été beaucoup réduit par les Parliament Acts de 1911 et 1949. Elle n'a plus aucun pouvoir sur le budget et son veto suspensif en matière législative est limité à un an.

Le système allemand

La République fédérale d'Allemagne a été établie dans les zones d'occupation contrôlées par les États-Unis, la France et le Royaume-Uni à la suite de la Seconde Guerre mondiale. Après la chute du mur de Berlin (nov. 1989), les Länder de l'Est l'ont rejointe. Le texte de la Constitution est la Loi fondamentale *(Grundgesetz)* de 1949, initialement conçue comme provisoire en attendant la réunification mais qui, en réalité, a été maintenue après 1989.

L'État allemand est fédéral, divisé en seize Länder ayant chacun une assemblée. Le Parlement est bicaméral ; le Bundestag est élu au suffrage universel pour une durée de quatre ans ; le Bundesrat compte 69 sénateurs non élus, nommés par les gouvernements des Länder, qui ont chacun entre trois et six sièges, selon leur population. Le président de la République fédérale, élu pour cinq ans par un collège comprenant les députés du Bundestag et un nombre égal de grands électeurs venant des Länder, est surtout une autorité morale. Le véritable pouvoir exécutif est entre les mains du chancelier, qui, proposé par le président, doit être élu par le Bundestag. Celui-ci peut le renverser, mais seulement en dégageant une majorité pour un autre candidat. Le chancelier nomme et renvoie librement les ministres. C'est lui qui fixe les grandes orientations de la politique et qui en assume la responsabilité. Il dispose du droit de dissolution dans des conditions si restrictives qu'elles rendent son usage peu probable.

Le mode de scrutin pour les législatives est original. Chaque électeur vote au scrutin majoritaire uninominal à un tour dans les 328 circonscriptions, et, d'autre part, au scrutin de liste dans le cadre de son Land pour répartir, à la proportionnelle, un nombre égal de sièges.

Le régime politique belge

Devenue monarchie constitutionnelle indépendante en 1831, la Belgique était un État unitaire, dans lequel les Wallons, francophones, ont joui longtemps d'une prépondérance certaine. Le déclin économique du bassin houiller et de la sidérurgie, la croissance démographique et le dynamisme des Flamands, néerlandophones, ont engendré un état de grande tension entre les deux communautés.

En 1993, une réforme constitutionnelle tente de sauver l'unité du pays par l'adoption d'un système fédéral complexe.

La monarchie est maintenue, mais joue, comme au Royaume-Uni, un rôle purement représentatif. Il y a trois régions dotées d'une autonomie politique définie : Région flamande, Région wallonne et Bruxelles-Capitale. Le gouvernement fédéral est dirigé par un Premier ministre. Le Parlement est divisé en deux chambres, aux pouvoirs identiques, élues pour 4 ans : la Chambre des représentants et le Sénat. Le gouvernement fédéral est compétent pour tout ce qui concerne l'intérêt général. Il reste que certaines attributions, en matière sociale, culturelle, d'éducation en particulier, ne relèvent pas des régions mais de trois systèmes à base communautaire linguistique (la Communauté française, la Communauté flamande et la Communauté germanophone). Un citoyen de Bruxelles est électeur dans sa région, et, par ailleurs, dépend, selon son choix, du régime d'allocations familiales de sa communauté.

États unitaires ou fédéraux

La République française est « une et indivisible » ; l'Italie, le Japon, le Royaume-Uni sont également des pays où les pouvoirs de souveraineté sont concentrés au niveau de l'État. La même loi y est appliquée à tous. L'Allemagne, le Brésil, le Canada, les États-Unis, le Mexique, la Suisse sont des États fédéraux dans lesquels les pouvoirs de souveraineté sont partagés entre la fédération et les États membres. Le niveau fédéral dispose d'une liste limitative de prérogatives. Le droit commun est de la compétence des États membres, de même que leur organisation politique interne, sauf au Canada où les pouvoirs des provinces sont délégués par la fédération.

Deux évolutions, apparemment contraires, se sont affirmées. Dans les systèmes fédéraux, le pouvoir central élargit son emprise. Enjeux économiques et militaires ont déterminé des interventions dans l'enseignement supérieur, la recherche, la technologie, le transport aérien, les marchés d'exportation, etc. Inversement, dans les États unitaires et centralisés, la diminution du prestige de l'État-nation à l'heure de l'Europe et les revendications d'autonomie, avancées avec le plus d'insistance par les régions dotées d'un patrimoine culturel et linguistique particulier, ont conduit, en France, à la grande loi de décentralisation de 1982 et au statut particulier de la Corse ; en Espagne, à un État semi-fédéral composé de 17 communautés autonomes ; au Royaume-Uni, vers une situation semi-fédérale vis-à-vis de l'Écosse et du pays de Galles. L'autonomie régionale a également avancé en Italie.

La répartition des pouvoirs. Le Bundestag est politiquement dominant, mais l'accord du Bundesrat est nécessaire pour toutes les lois ayant des incidences au niveau des Länder. Les grandes compétences de souveraineté relèvent du niveau fédéral. Les autres relèvent des Länder ou, pour quelques-unes, sont conjointes, auquel cas le fédéral prime.

La Loi fondamentale est très soucieuse de garantir les droits des personnes, les libertés et le fonctionnement de la démocratie. Ses vingt premiers articles s'y rapportent et sont déclarés non modifiables, alors que la suite peut être soumise à une procédure de révision. La Cour constitutionnelle est composée de seize membres, nommés pour douze ans, la moitié par le Bundestag et l'autre par le Bundesrat. Elle peut être saisie par tout citoyen pour atteinte à ses droits fondamentaux, à condition qu'il ait épuisé les voies de recours administratif et judiciaire ordinaires.

La Vᵉ République française

Promulguée, à la suite d'un référendum, le 4 oct. 1958, la Constitution répond largement aux souhaits du général de Gaulle, Premier ministre depuis juin et investi par l'Assemblée nationale d'une mission de réforme constitutionnelle. Si elle maintient la responsabilité du gouvernement devant les deux chambres, son objectif majeur est de rendre le pouvoir exécutif plus stable et moins dépendant des aléas parlementaires que sous la IIIᵉ et la IVᵉ République. La position du chef de l'État change du tout au tout; le régime devient semi-présidentiel. Le pouvoir exécutif est exercé par le président de la République, élu au suffrage universel direct pour sept ans, et par le gouvernement. Le Premier ministre est nommé par le président, qui désigne également les ministres, sur proposition du chef du gouvernement.

Le Premier ministre, qui « conduit l'action du gouvernement », a des pouvoirs importants, mais, s'il est responsable devant l'Assemblée et devant le président, en réalité, le soutien de l'Assemblée lui est parfois d'un faible secours devant la volonté présidentielle. En 1972, M. Chaban-Delmas, Premier ministre, demande et obtient un vote de confiance, qui n'empêche nullement le président Pompidou de le démettre quelques semaines plus tard. Le gouvernement peut obtenir de l'Assemblée le droit de légiférer par ordonnances pour des objectifs définis dans un temps limité, mais le contreseing du président est impératif.

◆ **La cohabitation.**
Jacques Chirac et Lionel Jospin lors du Sommet européen de Luxembourg sur l'emploi (20 et 21 nov. 1997).

Le fédéralisme canadien

Le Canada est un État fédéral souverain, membre du Commonwealth, où le gouverneur général représente la Couronne britannique. Une Constitution fédérale a été établie en 1867. Le droit commun est fédéral, et les dix provinces (auxquelles s'ajoutent les Territoires du Nord-Ouest et le Yukon, sous administration fédérale) ont des compétences déléguées. Chaque province est dotée d'un Parlement et d'un gouvernement. Le système politique, dont les représentants sont installés à Ottawa, capitale fédérale, est parlementaire et assez proche de celui du Royaume-Uni. Le Premier ministre, chef de la majorité parlementaire, est responsable devant le Parlement. Celui-ci est bicaméral : il est composé d'une Chambre des communes dont les membres sont élus pour cinq ans et d'un Sénat dont les membres sont nommés par le gouverneur général sur proposition du Premier ministre.

La dynamique des institutions a été influencée depuis 1960 par les tentations indépendantistes de la province du Québec, la seule qui soit très majoritairement francophone : après une longue période d'acceptation de la prépondérance anglophone, elle a développé des revendications linguistiques, culturelles, mais aussi politico-économiques. Par deux fois, les indépendantistes ont manqué la victoire d'assez peu. Leur cause a un peu perdu de son impact, car les Premiers ministres du Québec ont réussi à obtenir, d'une part, avec la loi 101, la protection linguistique du français et, d'autre part, des conditions favorables pour les ventes d'Hydroquébec (énergie hydroélectrique).

Le partage du pouvoir. Le deuxième objectif est de définir clairement les bornes du travail parlementaire et, en fait, de le limiter. À cet effet, la Constitution délimite les domaines respectifs de la loi (pouvoir législatif du parlement) et du règlement (pouvoir exécutif du gouvernement). Le gouvernement dispose de la maîtrise de l'ordre du jour (art. 48), d'une procédure de vote bloqué et peut, à propos d'un projet de loi, mettre l'Assemblée devant le choix de voter une motion de censure ou d'accepter le projet sans amendements (art. 49). L'Assemblée n'a pas d'initiative en matière budgétaire, et les délais restreints qui sont fixés aux deux chambres pour l'examen du projet de budget réduit, de fait, le rôle du Parlement.

La loi électorale, qui n'a pas valeur constitutionnelle, établit l'élection de l'Assemblée au suffrage universel selon un scrutin uninominal, majoritaire à deux tours. Ce mode de scrutin permet de dégager des majorités claires. Les sénateurs sont, eux, élus au scrutin de liste départemental par le collège des grands électeurs, formé des conseillers généraux et de délégués des conseils municipaux. Hormis en matière de révision de la Constitution, où son pouvoir est égal à celui de l'Assemblée, le Sénat a un rôle second. L'article 45 de la Constitution dit bien qu'une loi est promulguée lorsqu'elle a été votée par les deux chambres, mais, en cas de désaccord persistant entre elles après un deuxième débat dans les deux chambres, le gouvernement peut donner le dernier mot à l'Assemblée. Ces difficultés surviennent plus fréquemment lorsque les majorités des deux chambres sont opposées.

La Constitution a créé, innovation en France, un Conseil constitutionnel de neuf membres nommés pour neuf ans qui est chargé de rendre des décisions sur la constitutionnalité des lois qui lui sont soumises et sur les contentieux électoraux.

Outre l'introduction, capitale, votée par référendum, de l'élection du président au suffrage universel en 1962, la Constitution a été révisée déjà dix fois, dont une seule fois par référendum pour permettre la ratification du traité européen de Maastricht en 1992. Les autres révisions, moins sensibles et assez techniques, furent faites par la procédure de réunion des deux chambres en Congrès.

Bien adapté aux périodes d'accord de majorités entre le président et l'Assemblée pour donner au pays un exécutif bicéphale soudé, le système est moins convaincant en période dite de cohabitation où les risques de blocage sont réels. Cependant, les sondages montrent que l'opinion publique apprécie plutôt l'établissement d'un équilibre qui, pour un temps, interdit l'influence dominante d'un parti sur l'État et les grandes décisions politiques. Les lois de décentralisation, adoptées en 1982, ont transféré aux régions, aux départements et aux municipalités des compétences et des charges antérieurement étatiques, notamment en matière d'affaires sociales, d'éducation, d'équipement et d'urbanisme. La Corse est dotée depuis 1989 d'un statut dérogatoire.

La Confédération helvétique

La Suisse est un État fédéral divisé en 23 cantons. Son régime est connu pour être celui qui entend rester au plus près de la démocratie directe. L'autonomie locale et cantonale est forte. En 1971, les femmes obtiennent le droit de vote au niveau fédéral, mais, dans certains cantons, elles sont, pendant quelques années encore, écartées des consultations locales. Elles ont aujourd'hui les mêmes droits que les hommes.

L'Assemblée fédérale comporte deux chambres, élues pour quatre ans : le Conseil national, composé de 200 députés élus à la proportionnelle, et le Conseil des États, composé de 46 membres (deux par canton). Ensemble, ils élisent pour quatre ans le Conseil fédéral de sept membres qui constitue le gouvernement. Il a la particularité de ne pas avoir de vrai chef : la présidence, d'une durée d'un an, est tournante.

Le référendum est fréquent, car une pétition de 50 000 signatures suffit pour qu'un texte fédéral nouveau y soit soumis. Toute modification de la Constitution est obligatoirement soumise au vote populaire. Les citoyens peuvent également avoir l'initiative d'une révision constitutionnelle ou de n'importe quelle loi nouvelle. Référendum et initiative se pratiquent aussi bien au niveau fédéral qu'au niveau cantonal. La citoyenneté suisse impose un haut degré de civisme et les obligations militaires sont contraignantes.

VOIR AUSSI
• **Prérogatives du président français** p. 986
• **Contrôle de constitutionnalité** p. 992

Fonctions de souveraineté

Les fonctions régaliennes

Établie par le juriste français Jean Bodin (1530-1596) dans son grand livre *la République* (au sens de « chose publique »), la définition des fonctions régaliennes (sécurité, justice, monnaie) regroupe les charges qui incombent au souverain, quel que soit le régime politique, et qui justifient le monopole du pouvoir d'État. Assurer la sécurité du territoire est le premier devoir du souverain, en vertu de quoi il a charge de la guerre et de la paix. Le commandement des armées, la conduite de la diplomatie, la négociation des traités internationaux sont des attributs de souveraineté. Dans les États contemporains, les parlements ont charge de ratifier, ou non, les traités signés par les chefs d'État.

Si les choses sont très claires lorsqu'il s'agit de la sécurité extérieure, avec pour corollaire l'interdiction des armées privées sur le territoire national, elles le sont moins en ce qui concerne la sécurité intérieure des voies et des chemins, des biens et des personnes. La maréchaussée, ancêtre de la gendarmerie nationale en France, agissait au nom du roi, mais les autorités territoriales locales ont toujours eu des pouvoirs de police. Certains États, à commencer par le Royaume-Uni, n'ont pas de force de sécurité publique intérieure au niveau national.

La justice est rendue par les tribunaux au nom du pouvoir souverain. Celui-ci a pour charge de garantir une bonne justice, mais le pouvoir régalien devra composer avec le principe d'indépendance des juges. Le droit de grâce reste un attribut exclusif des chefs d'État.

Battre monnaie est un attribut régalien. La fabrication de fausse monnaie est un véritable crime, et non un simple délit d'atteinte au pouvoir du souverain. En effet, la frappe de l'effigie du souverain ou d'un symbole national au revers de la monnaie est la garantie du poids d'or ou d'argent de la pièce. La confiance en cette garantie est le fondement de la circulation de la monnaie frappée.

◆ **Les insignes du pouvoir.** Intronisation du chef du canton Fumassa, près de Boudoukou (Côte d'Ivoire), en mars 1997.

Depuis le XIXe s., les compétences de l'État se sont étendues, celui-ci intervenant de plus en plus à l'intérieur de la société civile et passant d'un État protecteur à un État providence. Les théoriciens de l'État minimal, qui sont surtout anglo-saxons, souhaiteraient réduire l'emprise de l'État à ses fonctions strictement régaliennes auxquelles ils acceptent toutefois d'ajouter un devoir d'assistance, limité, envers les nécessiteux.

Les prérogatives du président français

La Constitution de 1958 fait du président le principal détenteur du pouvoir exécutif. Il n'est pas responsable devant le Parlement à qui il ne s'adresse que par messages lus qui ne donnent lieu à aucun débat. Il nomme, mais aussi démet, le Premier ministre ; il dispose sans contreseing du droit de dissolution et d'appel au référendum, dans les limites de la Constitution (art. 11 et 89). L'article 16 lui confère des pouvoirs plus étendus en situation d'urgence. Il est largement maître des procédures de révision de la Constitution et, en particulier, peut interrompre à tout moment un processus de révision en cours. Le texte, qui en fait le chef des armées, et, plus encore, la pratique du général de Gaulle, reprise par ses successeurs, lui accorde en matière de défense et de politique étrangère un domaine réservé. Il préside le Conseil supérieur de la magistrature ; il est donc le garant de l'indépendance de la justice. Enfin la réforme de 1962, qui fait élire le président au suffrage universel, lui donne une légitimité première.

La diplomatie

Les Grecs et les Romains pratiquaient l'envoi d'ambassadeurs chargés de négocier les conditions d'une reddition ou d'un accord de paix. L'immunité du négociateur était un principe connu, mais non toujours respecté. La diplomatie au sens moderne apparaît au XVe s. en Italie avec l'établissement d'ambassades permanentes entre Milan et Gênes, puis entre Venise et le Grand Turc à Istanbul. Le développement des relations internationales a poussé les grands pays à envoyer des ambassadeurs auprès de tous les États, cependant que les relations diplomatiques entre petits pays ne sont pas automatiques. Les grands organismes internationaux sont également entourés de missions diplomatiques permanentes des pays membres.

L'ambassadeur est accrédité par le pays d'accueil pour y représenter son pays et son gouvernement. Il transmet à son ministre le fruit de ses observations, les messages dont il est chargé et fait connaître selon des procédures graduées, des plus officielles aux plus informelles, la position de son gouvernement auprès du pays d'accueil. Il prépare les accords que les deux pays auront à conclure, soit entre eux, soit dans un cadre plus large. L'ambassadeur est aussi devenu le chef d'une organisation qui va de 3 fonctionnaires à 300, voire plus, selon l'importance du poste. Outre le service politique et le service consulaire qui s'occupe des questions concernant les ressortissants, un service économique et commercial et un service culturel étoffés se rencontrent partout. Attachés militaires et conseillers financiers sont moins répandus.

La carrière de diplomate s'est tardivement vue soumise aux règles de la fonction publique, avec une forte exception : les chefs d'État se réservent le droit de confier des fonctions d'ambassadeur à des personnalités choisies en dehors des corps de hauts fonctionnaires des Affaires étrangères.

Les origines de la monnaie frappée

Succédant à l'échange de biens contre un poids de métal précieux, or ou argent, les premières monnaies frappées à l'effigie d'un souverain sont apparues dans le royaume de Lydie, sur les rivages d'Asie Mineure, au VIIe s. av. J.-C. Deux siècles plus tard, des pièces portent au revers la chouette, symbole de la république d'Athènes, alors que celles du royaume perse s'ornent des profils des souverains.

La monnaie est un progrès technique qui dispense de la pesée du lingot pour autant que les deux parties à l'échange aient confiance en l'autorité qui l'a frappée. Les pièces anciennes retrouvées sont toutes d'une valeur assez forte, ce qui montre que la monnaie servait pour les grandes transactions et en particulier pour les paiements de l'État à ses fournisseurs.

Rogner les monnaies pour récupérer un peu d'or, les refondre et modifier le titre (proportion de métal précieux) en ajoutant un peu de vil métal ont été des pratiques auxquelles certains souverains médiévaux n'ont pas résisté. La frappe de monnaie a toujours été le privilège exclusif du souverain ; elle est considérée comme un droit régalien.

L'apparition de la monnaie papier, au XVIIIe s., n'a pas fait immédiatement disparaître l'usage des pièces d'or. À la fin du XIXe s., un voyageur parcourait l'Europe avec ses guinées anglaises, ses louis ou ses napoléons de 20 francs, ses thalers allemands acceptés partout. Avec la Première Guerre mondiale, l'or devient réserve des banques centrales mais cesse de circuler en pièces.

◆ **Le cérémonial d'une audience auprès de l'empereur de Chine.** Aquarelle du XIVe s.

VOIR AUSSI
• **Rôle des banques centrales** p. 803
Illustrations
• **Louis d'or** p. 1301

La défense

La conscription

La conscription, ou appel sous les drapeaux de tous les jeunes hommes déclarés valides, a été inventée par la Révolution française avec la levée en masse de 1793 pour repousser la coalition européenne. Ce fut un succès. Napoléon la maintient, mais, après lui, elle admet nombre d'exemptions, les armées étant de volume plus réduit. La France du XIXe s. connaît jusqu'à la IIIe République le système du tirage au sort et du remplaçant acheté qui permet aux fils de la bourgeoisie de se soustraire à un service militaire long. À la veille de la Première Guerre mondiale seulement, le service militaire devient universel en France et le reste, de principe, jusqu'à la récente décision du président Chirac (abolition en 2001).

◆ Femmes-soldats de l'armée israélienne (Tsahal) dans le désert du Néguev.
Israël et la Suède ont été les deux premiers pays à soumettre les femmes à la conscription.

La Prusse a adopté le principe de la conscription dès 1811. En Suède et en Israël, les jeunes femmes y sont astreintes. La Suisse a un système particulièrement lourd qui impose aux citoyens un entraînement militaire périodique. Les pays anglo-saxons l'ont adoptée à certaines périodes mais n'en firent jamais une pièce maîtresse du civisme.

La mutation. Le service militaire se justifiait par une fonction de défense et par sa valeur civique. Il constituait un rite de passage à l'âge adulte. Le credo républicain français voyait aussi dans les citoyens soldats une garantie contre tout risque de putsch.

Or, avec l'avancée des techniques, la guerre n'est plus, dans les pays industrialisés, une activité nécessitant des troupes importantes et non spécialisées. À capacité opérationnelle donnée, les armées réduisent leur volume en hommes, arbitrent en faveur de matériels électroniques coûteux et n'ont plus l'emploi de recrues de faible niveau de formation. Le fantassin d'aujourd'hui est avant tout un observateur sur le terrain et met en œuvre des appareils de communication complexes. Parallèlement, la proportion de spécialistes qualifiés et de cadres techniques augmente, demandant un temps de formation que la durée du service national ne permet pas de rentabiliser.

L'effondrement du bloc communiste a accéléré la mutation. La Belgique et les Pays-Bas ont supprimé la conscription. En Allemagne, compte tenu du poids des objecteurs de conscience (un tiers des conscrits), moins de la moitié des jeunes gens effectuent le service. Nécessaire du point de vue militaire, la suppression laisse ouverte la question du rôle de socialisation que l'armée remplissait, notamment pour une partie des jeunes à faible bagage scolaire qui pouvaient y trouver une expérience, ou même la base d'une formation utile et un appui pour leur entrée sur le marché du travail.

L'armée de métier

Contrairement à une idée reçue, le coût global d'un engagé volontaire rémunéré est à peine de 30 % supérieur à celui d'un appelé. En revanche, les difficiles problèmes de transition mis à part, le passage à l'armée de métier implique de trouver le nombre d'engagés nécessaire dans les niveaux de qualification souhaités, de savoir les retenir et de gérer la reconversion civile d'hommes de 25 ou 30 ans ayant servi cinq ou dix ans sous les drapeaux. Les États-Unis sont confrontés au problème délicat d'un recrutement trop important parmi les couches défavorisées de la population et, en particulier, la minorité afro-américaine.

Une armée de métier ne vit plus aujourd'hui sur des valeurs exclusivement militaires : honneur, courage, engagement personnel. Les engagés possèdent au moins le niveau du baccalauréat professionnel ou technique. Seules quelques spécialités de mêlée peuvent recruter en dessous de ce niveau, sur critères de capacités physiques et d'équilibre émotionnel.

Les soldats en possession d'une compétence technique et professionnelle ont des motivations et des attentes qui conduisent, malgré les spécificités de l'organisation militaire, à un certain rapprochement avec le secteur civil. Si l'ouverture du droit de syndicalisation reste exceptionnelle (Pays-Bas), le droit à l'expression sera de plus en plus reconnu.

L'exception anglo-saxonne

Le Royaume-Uni et les États-Unis ne se sont résignés que deux fois à imposer la conscription pour faire face à leurs engagements dans les guerres mondiales et, à chaque fois, ils l'abolirent à nouveau, les Britanniques dès 1963, les Américains en 1973, à la fin de la guerre du Viêt Nam. Ces deux pays ont toujours eu suffisamment confiance en leur démocratie pour ne pas nourrir de craintes de putsch ; d'autre part, leur attachement à la liberté individuelle est incompatible avec la valorisation du citoyen soldat. Il serait tout à fait erroné d'en déduire que le patriotisme ou l'attachement national y est plus faible que sur le continent européen. Les enquêtes comparatives sur les valeurs de société montrent le contraire.

Le volume des armées

La conjonction de l'effondrement soviétique et de la dernière révolution technique introduisant les satellites et l'électronique entraîne, contradictoirement, une réduction générale du pourcentage du PNB consacré à la défense et une élévation constante du coût par kilo de matériel moderne. Dès lors, la diminution du volume des armées est à la fois budgétairement nécessaire et techniquement possible, sous condition d'une révision générale de l'emploi des forces.

Entre 1991 et 2000, l'armée de terre américaine sera passée de 18 divisions à 9 ; l'US Navy, de 546 bâtiments à environ 300 ; l'US Air Force, de 36 à 18 escadres de chasse. Grossièrement, la puissance militaire américaine représente dix fois celle du Royaume-Uni ou de la France. Les armées britanniques, qui comptaient 326 000 hommes en 1985, n'en auront plus que 200 000 (dont environ 10 % de femmes), 100 000 pour les forces terrestres, 45 000 pour la Royal Navy et 55 000 pour la Royal Air Force. En France, la prévision est de 220 000, dont 130 000 pour l'armée de terre (6 % de femmes), 40 000 pour la marine et 50 000 pour l'aviation. Corrélativement, la part du PNB consacrée à la défense a beaucoup diminué. Elle était, en France, de 4,6 % en 1962 ; elle n'est plus que de 2,2 % en 1999.

◆ Volume des armées et part des budgets militaires dans les budgets de quelques pays.

Pays	Budget militaire en % du PIB *	Forces armées (en hommes) **
Allemagne	1,3	358 400
Arabie saoudite	10,1	105 500
Chine	1,0	2 935 000
Corée du Nord	10,6	1 054 000
Corée du Sud	3,1	66 000
Cuba	2,5	100 000
Espagne	1,1	206 800
États-Unis	3,4	1 483 000
France	2,4	398 900
Grande-Bretagne	2,9	226 000
Inde	2,2	1 145 000
Iraq	15,2	382 500
Israël	7,2	175 000
Italie	1,7	325 150
Japon	0,9	235 500
Luxembourg	0,6	800
Russie	3,5	1 270 000
Suisse	1,5	3 300

* En 1996. ** En 1997.

La formation des officiers

Comparer les systèmes de recrutement et de carrière des officiers entre pays européens révèle d'intéressantes différences entre les cultures nationales. La France républicaine a fait de l'adage napoléonien « le bâton de maréchal dans la giberne » un principe de sa démocratie. Le métier des armes doit ouvrir des voies de mobilité sociale. L'armée de terre dispose ainsi de quatre filières d'accès à un corps d'officiers.

L'École spéciale militaire de Saint-Cyr, sise à Coëtquidan, admet sur concours, deux ans après le baccalauréat, une centaine de jeunes, dont quelques femmes, qui suivent une formation militaire et universitaire de trois ans, celle-ci étant, depuis 1983, de même niveau que le deuxième cycle universitaire. Après un court passage en corps de troupe, ils iront un an dans une école de spécialisation. Les saint-cyriens représentent moins de 30 % du total des officiers en activité. Le haut enseignement militaire complète, vers 35 ans, la formation de ceux, très majoritairement anciens de Saint-Cyr, qui accéderont aux échelons élevés du commandement.

L'École militaire interarmes, installée également à Coëtquidan, accueille, sur concours, de jeunes sous-officiers au moins bacheliers qui suivent un cursus proche de celui des saint-cyriens. Des écoles d'armes permettent également à d'autres sous-officiers, techniciens plus spécialisés, de franchir la barrière un peu plus tard. Enfin un tiers des officiers sont issus de la promotion par le rang. Leur accès tardif, après 30 ans, limite leurs perspectives de carrière.

L'organisation au Royaume-Uni et en Allemagne. Au Royaume-Uni, tous les futurs officiers de l'armée de terre sont recrutés très jeunes. À la sortie de l'enseignement secondaire, ils entrent à l'académie militaire de Sandhurst où ils reçoivent une formation courte, principalement militaire. Ils sont incorporés à l'armée sans avoir été étudiants. Plus tard seulement, une fraction d'entre eux sera envoyée pour suivre une formation universitaire, souvent d'ingénieur. La promotion par le rang est rare. La rémanence d'une conception aristocratique de l'état d'officier se laisse deviner, alors même que la féminisation est plus avancée qu'ailleurs.

Dans l'Allemagne fédérale, la Bundeswehr, qui a succédé à la Wehrmacht, forme ses officiers dans l'université de la Bundeswehr. Le terme révèle l'importance accordée à l'enseignement universitaire qui comprend, outre des matières scientifiques et techniques, de l'histoire, du droit et des sciences politiques. Le souci de rapprocher la formation des officiers de celle des étudiants et de développer l'esprit démocratique est évident. La carrière des armes reste, à ce jour, fermée aux femmes. La Bundeswehr sépare de façon plus étanche qu'ailleurs les officiers de commandement et les officiers spécialistes, ces derniers étant limités à une carrière courte de quinze ans.

La question de la carrière courte est partout posée. Les effectifs en officiers d'encadrement des troupes et en ingénieurs de mise en œuvre de moyens techniques sont largement supérieurs aux possibilités numériques d'accès aux fonctions de commandement plus élevées et aux postes d'état-major. La reconversion d'une partie d'entre eux vers une deuxième carrière, civile, s'impose. Actuellement, la Royal Navy elle-même introduit la carrière courte. Seule une fraction de ses officiers aura vocation à servir jusqu'à la limite d'âge du grade.

Espace et puissance militaire

Les satellites d'observation ont atteint un pouvoir de résolution de l'ordre du mètre. Six satellites bien positionnés suffisent pour assurer un passage par jour au-dessus de chaque point du globe. Les satellites de télécommunications en orbite géostationnaire affranchissent les forces en opération des contraintes logistiques lourdes liées aux télécommunications terrestres. Les pays qui disposent de ces deux ensembles de dispositifs sont également ceux qui possèdent l'armement nucléaire. Pour sa part, la France a, outre Telecom 2, les satellites d'observation Spot et Helios 1.

L'idée de pouvoir déclencher, depuis l'espace, un tir défensif antimissile est déjà ancienne. La réalisation en grandeur réelle rencontre cependant des obstacles, entre autres financiers.

De la dissuasion au désarmement

La dissuasion nucléaire réciproque des deux superpuissances militaires, États-Unis et URSS, a été le facteur principal du maintien du statu quo pendant la guerre froide. L'équilibre des menaces interdit l'utilisation de l'arme atomique. Le Royaume-Uni, très rapidement (vers 1953) et grâce à ses relations privilégiées avec Washington, la France (en 1962), à la suite de la décision prise par le général de Gaulle en 1959, la Chine enfin, à partir de 1965, se sont dotés de l'arme nucléaire mais n'ont jamais eu les colossales réserves de têtes nucléaires que les deux Grands ont accumulées.

Les conquêtes spatiales, qui ont ouvert la voie au développement de moyens d'observation à distance d'une redoutable précision, ont également été un champ de compétition d'intérêt stratégique entre les deux blocs. La décision prise par le président Reagan de lancer, en 1983, le gigantesque et coûteux programme, dit « Initiative de défense stratégique » (IDS), obligeant les Soviétiques à tenter de faire jeu égal, a contribué à creuser les déséquilibres internes à l'URSS.

L'énorme puissance atteinte par les armements stratégiques et les charges économiques importantes qu'ils imposaient ont permis de passer à la limitation négociée des moyens massifs de destruction. Les accords START (Strategic Arms Reduction Talks), entre les États-Unis et la Russie, START I, négociés à partir de 1982, complétés par START II en 1993, prévoient un démantèlement partiel et progressif de leurs stocks d'ogives nucléaires d'ici à 2003. De leur côté, le Royaume-Uni et la France faisaient savoir qu'ils renonçaient à moderniser les leurs. Parallèlement, le traité de réduction des forces classiques stationnées en Europe (FCE) a conduit en trois ans, entre 1992 et 1995, à des résultats concrets.

En sept. 1996, l'Assemblée générale de l'ONU adopte le traité d'interdiction complète des essais nucléaires. Trois pays votent contre, dont l'Inde qui procède à ses premiers essais en 1998, suivie quelques mois plus tard par le Pakistan.

Agenda stratégique

Toute opération militaire moderne est une opération conjointe, de bout en bout, entre aviation et forces terrestres, plus éventuellement les forces aéronavales.

Les stratèges américains de l'Office of Net Assessment considèrent que le problème le plus important est de gérer la maîtrise intellectuelle distribuée de tous les acteurs du champ de bataille en temps réel.

Les moyens techniques de repérage imposent deux exigences. La première est de se rendre aussi peu détectable que possible : la découverte du lieu d'origine d'un tir signifie sa destruction. La deuxième est de concentrer les frappes, dans le temps, sur des objectifs parfaitement définis, ce qui permet d'obtenir des résultats avec des moyens d'attaque conventionnels de destruction limitée, tout en réduisant sa propre vulnérabilité.

La protection dimensionnelle à distance doit couvrir toute la zone des déplacements possibles au cours de l'engagement, de manière à permettre les mouvements de troupes au sol. Enfin, la logistique doit pouvoir assurer les ravitaillements de toutes les forces opérationnelles engagées de façon quasi simultanée et sans stocks importants. Noria d'avions cargos et transports rapides au sol mobilisent des effectifs et des moyens en véhicules qui peuvent être supérieurs à ceux des combattants.

◆ **Le porte-avions à propulsion nucléaire français *Charles de Gaulle*** dans l'arsenal de Brest, avec un Super-Étendard sur le pont d'envol.

Petit lexique

force de dissuasion : force de frappe nucléaire d'un pays, dont l'existence en elle-même doit dissuader l'ennemi potentiel d'engager les hostilités.

VOIR AUSSI 
- **Guerre froide et décolonisation** p. 464
- **Ordre et désordre mondiaux** p. 468

La sécurité intérieure

Les missions

La sécurité intérieure recouvre un vaste ensemble de missions. En outre, trafics et terrorismes internationaux rendent la limite avec la sécurité extérieure moins claire, et des partages de compétences plus incertains sont apparus. Trois domaines se distinguent. Le premier concerne la paix civile, le second s'identifie à la répression des crimes et délits, le troisième participe de la fonction de souveraineté du pouvoir exécutif sur le territoire.

La paix civile. La sécurité publique consiste d'abord à assurer celle des voies et des chemins, des biens et des personnes, à préserver l'ordre public. Elle est principalement préventive et résulte de l'action combinée des citoyens et de professionnels dont le nombre pourra être d'autant plus réduit que le sens civique sera plus répandu. Le mouvement général de socialisation des risques, lié à l'État providence, encourage malencontreusement les populations à s'autoriser des imprudences et à s'en remettre pour leur sécurité et celle de leurs biens à la force publique. Le niveau de sécurité considéré comme acceptable dépend d'une appréciation collective fondée sur les expériences et les attentes des citoyens. Il est très différent d'un pays à l'autre, voire d'une ville à l'autre. Les pouvoirs de police sont, usuellement, de la compétence des autorités locales. La sécurité civile, la protection contre le feu, la prévention des risques naturels et l'organisation des secours sont à rapprocher de ce premier ensemble.

La répression de la criminalité. Bien différent est l'ensemble des tâches de répression des crimes et délits qui, dans la conception française, constituent les missions de la police judiciaire. Hormis les cas de flagrant délit, les forces de police n'interviennent que sous l'autorité de la justice. Les premières phases consistent à constater les faits, à rechercher les suspects, à procéder à des interpellations débouchant sur une garde à vue limitée dans le temps à l'issue de laquelle la présentation au ministère public est obligatoire. Ensuite, les policiers agissent sur mandat du juge d'instruction (commissions rogatoires). Le respect de la déontologie policière est capital en démocratie. La mise en œuvre de moyens techniques a développé les activités dites de police scientifique.

La protection de l'État. Un troisième ensemble de missions relève des fonctions du gouvernement. Le contrôle des frontières s'applique aux marchandises et aux personnes. Au-delà, il s'agit de prévenir toutes menaces, menées politiques à intentions subversives, espionnage industriel ou scientifique, terrorisme d'origine étrangère, ou, simplement, activités politiques des étrangers. La première tâche est le renseignement. Services de police spécialisés et organismes militaires sont souvent amenés à s'intéresser aux mêmes dossiers. Le secret d'État peut être invoqué à propos de certaines interventions.

◆ **Forces de l'ordre** lors d'une manifestation de lycéens à Paris (place de la Nation, le 15 octobre 1998).

La police de proximité

L'insécurité urbaine et le sentiment d'insécurité nourrissent un débat qui se cristallise sur la police de proximité et la question de l'îlotage, assuré par deux policiers connus du voisinage. La police française considère volontiers que l'îlotage, coûteux en policiers occupés à cet effet, est rassurant mais peu utile dans les quartiers et les banlieues tranquilles, alors qu'il est inefficace dans les zones à risque où les rondes et les interventions policières exigent des déplacements coordonnés, protégés et plus massifs. À Paris, le ministre de l'Intérieur et le préfet ont créé la police urbaine de proximité (PUP), comptant 12 000 hommes. Elle a pour tâche d'accueillir le public, de recueillir les plaintes et de diligenter les enquêtes judiciaires visant la petite délinquance locale.

Bien différente est la vision britannique où l'îlotage tient une grande place dans les corps urbains de police. Elle implique la coopération bénévole que les citoyens britanniques apportent à la police, attitude qui n'est pas dans la conception française du civisme. Plusieurs centaines de milliers de cottages affichent un label indiquant leur engagement volontaire dans l'aide à la police, l'accueil assuré aux personnes molestées ou simplement inquiètes.

Petit lexique

îlotage : surveillance policière d'un groupe de maisons ou d'immeubles délimité par des rues.

VOIR AUSSI 

- **Justice** p. 991
- **Délit et crime** p. 1000
- **Sentiment d'insécurité** p. 1003

La police scientifique

La PTS (Police technique et scientifique), en France, regroupe les différents supports techniques d'aide à l'exécution des missions de police judiciaire. Son rôle est d'apporter une aide à l'enquête dans le domaine des recherches criminelles et dans celui de la recherche d'identité judiciaire. Elle contribue non seulement à la lutte contre le terrorisme et le crime organisé, mais aussi à la lutte au quotidien contre la petite et la moyenne délinquance. La PTS assure également la formation, dans ces domaines spécialisés, de l'ensemble des personnels de la Police nationale.

Le laboratoire de la Police scientifique a pour objet la réalisation d'examens de type balistique, biologique, physique, physico-chimique à la demande des juges d'instruction, des parquets et de la police judiciaire. Ce laboratoire, le plus grand de France, traite quelque 1 200 dossiers par jour. Dans la section Biologie moléculaire, une vingtaine de profils génétiques peuvent être établis chaque jour.

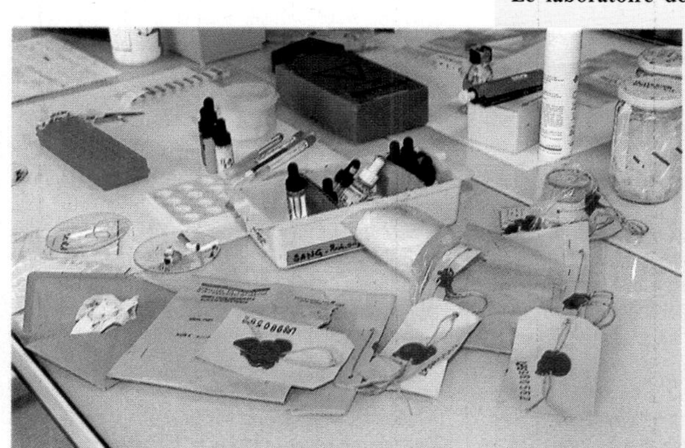

◆ **Dans les locaux du laboratoire de police scientifique de la préfecture de police de Paris.**

L'organisation américaine

Aux États-Unis, la sécurité et la police sont de la compétence des autorités locales. La diversité des situations et des niveaux de professionnalisme est considérable. Recrutements et promotions discrétionnaires, collusions avec des politiciens locaux, affaires de corruption et exactions policières demeurent, malgré des progrès, une réalité dans un pays où les niveaux de délinquance et surtout de criminalité sont plusieurs fois supérieurs à ceux que l'on connaît en Europe. L'État fédéral ne dispose que du FBI (Federal Bureau of Investigation). Celui-ci offre à Quantico (Virginie) un campus de formation pour les polices locales, mais son impact sur elles reste limité.

À côté des polices municipales, on trouve les services de police du shérif de comté. La New York City Police Authority a acquis récemment une excellente réputation en matière de sécurité publique à la suite de vigoureuses réformes mises en œuvre par le maire. Le métier de policier américain est dangereux : on compte environ 80 policiers assassinés par an et autant de décès accidentels en service.

Le FBI (Federal Bureau of Investigation) a été créé en 1908 comme service dépendant de l'attorney général (ministre de la Justice), constitutionnellement chargé de poursuivre les délits fédéraux. Le Congrès était réticent et mit des barrières qui tombèrent sous Roosevelt lorsque la recherche des agents soviétiques ou nazis devint une priorité. Depuis, guerre froide aidant et malgré l'émoi suscité un temps par l'affaire Nixon, les présidents ont tous admis une interprétation extensive de l'action du FBI. Essentiellement service de renseignement et de contre-espionnage intérieur, il peut être amené à intervenir dans des enquêtes criminelles, quand celles-ci dépassent les frontières d'un État de l'Union ou quand il s'agit d'un crime commis localement mais violant une loi fédérale, comme la fabrication de fausse monnaie. Puissant et efficace, le FBI ne compte que 22 000 fonctionnaires. La National Police Academy, partie du FBI, a développé le plus grand centre de recherches de police scientifique.

La Central Intelligence Agency (CIA) est le service de sûreté extérieure mais également un acteur important de la politique étrangère américaine. Ses interventions au nom de la lutte contre la menace communiste ont fait et surtout défait nombre de régimes politiques, en Amérique latine essentiellement. La nomination des directeurs de la CIA et du FBI par le président doit être confirmée par le Sénat.

L'organisation britannique

La sécurité publique est une compétence locale, partagée entre les comtés et les municipalités *(boroughs)*. De ce fait, il existe 44 autorités de police indépendantes les unes des autres en Angleterre. Cependant, le Parlement exerce un contrôle sur les administrations décentralisées et a imposé un modèle d'organisation des services de police et des relations de ceux-ci avec la justice qui a engendré une grande homogénéité d'un comté à l'autre.

Les policiers britanniques jouissent auprès de la population d'une excellente considération. Celle-ci tient à leur enracinement local et au respect d'une déontologie rigoureuse enracinée dans la culture britannique d'attachement à l'habeas corpus, c'est-à-dire aux droits et aux libertés de la personne, reconnus depuis 1214. Le policier anglais n'est pas armé et, même dans le corps de police spéciale d'Irlande du Nord (Royal Ulster Constabulary), confronté à une situation de semi-guerre civile, le port d'arme n'a été autorisé de jour que pendant les périodes de tension très vive.

Scotland Yard, seule autorité nationale de police intérieure en Grande-Bretagne, a des attributions à la fois de police judiciaire et de sûreté du territoire. L'Intelligence Service, avec ses célèbres divisions M 6 et M 15, a charge de la sécurité extérieure et a eu ses heures de gloire dans les contributions à la politique étrangère du royaume.

La coopération internationale

Depuis 1923, l'OIPC-Interpol, Organisation internationale de police criminelle (International Criminal Police Organization), dont le siège est à Lyon, anime la coopération policière internationale entre 177 pays dans leur lutte contre la criminalité de droit commun ; elle crée et développe des institutions susceptibles de contribuer à la prévention et à la répression des crimes et délits de droit commun. Les différents moyens techniques mis en œuvre par cet organisme, tels que son réseau mondial de messagerie électronique ou ses bases de données informatiques accessibles automatiquement à distance par les administrations autorisées, constituent une aide importante pour les services chargés de l'application de la loi dans les États membres.
En France, par exemple, la Police technique et scientifique collabore à des actions de coopération internationale dans le cadre d'Interpol et de l'Union européenne.

L'organisation française

L'organisation française repose sur la dualité entre la gendarmerie nationale, corps militaire relevant du ministère de la Défense, et la police nationale, qui dépend du ministère de l'Intérieur.

La gendarmerie territoriale. Héritière de la maréchaussée d'Ancien Régime, elle a perpétué le maillage du territoire rural par de petites brigades (environ 3500) de six sous-officiers. Un certain nombre de formations spécialisées (pelotons motocyclistes, gendarmes de haute montagne, garde républicaine à Paris) sont rattachées à des échelons supérieurs et composent la gendarmerie mobile.

Forte de près de cent mille militaires, dont quelques femmes, c'est en très grande majorité un corps de sous-officiers qui ont postulé leur admission alors qu'ils étaient dans l'armée, comme recrues ou comme sous-officiers. Ils participent à l'exercice de la police judiciaire, militaire, municipale, rurale, etc. Les officiers de gendarmerie, au nombre de 3500, comptent une forte minorité de saint-cyriens, très bien classés à la sortie de l'école, qui ont fait ce choix en raison de la variété des missions et du contact avec la vie du pays. L'armée de l'air et la marine ont toutes deux un petit corps annexe de gendarmes spécialisés et affectés à leurs installations.

◆ **Secours en haute montagne.**
Un chien d'avalanche est héliporté par le Secours aérien français. Œuvrant parallèlement aux secours privés comme celui-ci, la gendarmerie nationale, en France, a spécialisé des Pelotons de gendarmerie de surveillance en montagne (PGSM), de haute compétence, dont la base est située à Chamonix.

La police nationale. En vertu d'une répartition des compétences qui date de 1941, elle entretient, dans les villes de plus de 10000 habitants, des commissariats qui comptent au moins une trentaine de policiers. Forte de 115000 fonctionnaires, dont 80 000 gardiens et gradés opérant en tenue, elle possède deux corps de cadres, les officiers de police, gradés promus ou recrutés par concours direct, et les commissaires et hauts fonctionnaires, 1 200 environ, tous titulaires d'une maîtrise de droit, issus, pour la plupart, de l'École nationale supérieure de police sise à Saint-Cyr-au-Mont-d'Or.

Au niveau national, la police compte quatre grandes directions. La sécurité publique a les effectifs les plus importants et, *via* ses directions départementales, dirige les commissariats et certaines formations spécialisées. La police judiciaire, qui a des services régionaux, travaille sous le contrôle de la Justice, dans la recherche et l'instruction des poursuites pénales. La direction des renseignements généraux, petite et composée exclusivement de cadres, recueille et exploite toutes les informations, y compris d'ordre politique, qui sont utiles pour le gouvernement. Ses fonctionnaires sont en relation, dans les départements, avec les préfets. La sûreté du territoire est plus spécialisée dans le dépistage des agissements des étrangers en France. Il existe des situations où elle est en concurrence avec la Défense, chargée de la sécurité extérieure.

Les compagnies républicaines de sécurité, avec 14 000 hommes, composent une force mobile, disponible notamment pour les opérations de maintien de l'ordre, charge partagée avec la gendarmerie mobile.

La diminution tendancielle des heures de service, tant des gendarmes que des policiers (moins 20 % en vingt ans), conduit à remettre en cause la distribution des effectifs des uns et des autres sur le territoire, mais aussi à justifier la réapparition de polices municipales urbaines. Ces dernières peuvent exercer tout ou partie des pouvoirs de police du maire.

La sécurité civile, composante du ministère de l'Intérieur, exerce la tutelle des corps de sapeurs-pompiers. En dehors de Paris et de Marseille où ils sont militaires, et de quelques grandes villes qui ont des forces permanentes, ces corps sont très largement composés de volontaires (35000) qui se soumettent à des astreintes lourdes et sont faiblement indemnisés.

VOIR AUSSI
• **Délinquance et criminalité**
p. 1000 à 1003

La justice

Principes et sources

La recherche de principes de justice transcendants par rapport aux lois est un thème de débats philosophiques ancien et toujours actuel. Aristote opposait justice égalitaire (la même part pour chacun) et justice distributive (des parts inégales en fonction des mérites, des besoins ou de tout autre critère pris comme clé de répartition). Tout système juridique exprime la hiérarchie de valeurs de la société pour laquelle il est établi.

La doctrine du droit naturel qui s'est développée au XVIIe s. a inspiré les penseurs du contrat social et la Déclaration des droits de l'homme et du citoyen; elle porte affirmation de la valeur de la liberté individuelle contre tous les absolutismes et de l'égalité en droit des hommes, supérieure à toutes différences de conditions sociales. Le courant du droit positif, construit principalement par des philosophes du droit allemands au XIXe s. (Jehring), a montré que le droit naturel autorisait des conséquences contradictoires et ne permettait pas de bâtir un Code fondamental cohérent.

Les sources du droit. Deux grandes sources inspirent les droits de la plupart des États démocratiques. La tradition romaniste part des *Pandectes,* recueil rédigé (VIe s.) à la demande de l'empereur Justinien, qui a servi de référence pour l'édification, au XIXe s., des codes civils allemand (le plus grand cohérent), espagnol, français (le premier du genre) et italien. Les pays d'Amérique latine sont de la même famille. Règles de fond et de procédure sont strictement séparées et la rédaction des codes vise à la généralité en usant d'un langage abstrait.

À l'opposé, le droit anglais et tous ceux qui en dérivent s'appuient sur la Common Law, c'est-à-dire les coutumiers médiévaux, et l'Equity, qui est le corpus de jurisprudence élaboré par les chanoines spécialistes de droit canon pour trouver des solutions dans les cas singuliers. Règles de procédure et règles de fond sont peu distinguées; les textes sont très énumératifs et, si les règles fondamentales sont très fortes, la casuistique a, dans la pratique judiciaire, une grande place. L'Amérique du Nord, les pays du Commonwealth, Israël ont des droits de type anglais. Les pays scandinaves présentent le cas intéressant d'un mélange ancien entre les deux conceptions. Le Japon a construit son droit moderne à partir du modèle allemand dans les années 1880. Il a fait, après 1945, de nombreux emprunts au droit américain.

◆ **Rentrée solennelle de la Cour de cassation, à Paris.**

De manière générale, un rapprochement s'opère entre ces deux traditions. Dans les pays romanistes, la jurisprudence fait évoluer l'interprétation des textes pour répondre à des besoins nouveaux ou à l'évolution des mœurs; inversement, les pays de Common Law ont de plus en plus de textes et tendent à les rationaliser. Quant à l'islam, il ne connaît pas la séparation entre Dieu et l'État; le droit coranique est un droit révélé.

Le pouvoir judiciaire

Dans les pays démocratiques, l'indépendance du pouvoir judiciaire pose deux questions bien différentes : celle du mode de nomination des juges et des garanties qui leur sont données, celle de l'existence ou non d'un ministère public soumis au ministre de la Justice.

Les magistrats du siège. En France, les juges du siège (ceux qui jugent) sont inamovibles, ils ne sont mutés que volontairement, et leur carrière est régie par le Conseil supérieur de la magistrature que préside effectivement le président de la République. La tendance, ponctuée par deux réformes constitutionnelles, est de diminuer le poids du ministre de la Justice. À l'étranger, la nomination des hauts magistrats est souvent ratifiée par le Parlement. C'est le cas, en Allemagne, des juges de la Cour fédérale (équivalent de la Cour de cassation française). Au Royaume-Uni, tous les juges (135) de la Supreme Court sont nommés jusqu'à l'âge de 75 ans et seul le Parlement peut les révoquer; les 12 lords-judiciaires, choisis parmi eux, sont pairs à vie. Les juges de niveau inférieur (juges de comté) sont également nommés à vie mais ils peuvent être révoqués par le Chancelier, ministre de la Justice. Aux États-Unis, le principe de la nomination à vie s'applique largement, tant dans les Cours suprêmes des États que dans les cours fédérales et à la Cour suprême. Il arrive également que les juges des contentieux mineurs soient des non-professionnels, donc sans souci de carrière, tels les juges de paix anglais.

Le ministère public. Les pays de droit romaniste ont des magistrats du ministère public insérés dans une hiérarchie dont le chef est le ministre de la Justice. En France, les procureurs et les avocats généraux peuvent être déplacés ou révoqués, recevoir des instructions ministérielles; à défaut, ils ont une marge d'appréciation quant à l'opportunité d'engager des poursuites. En Allemagne, le classement sans suite est à la discrétion du ministère public. En Italie, de par une réforme récente, les procureurs sont aussi indépendants que les juges. L'objection à ce système est que le ministère perd tout moyen de proposer une doctrine à l'appréciation des juges, ce qui est exceptionnel dans les pays qui valorisent fortement l'État. Le Royaume-Uni n'a pas de ministère public; sur ce point, les États-Unis n'ont pas suivi son modèle.

Petit lexique

doctrine (droit) : ensemble des études de juristes ayant pour objet d'interpréter le droit et d'en dégager des principes, qui est une des sources du droit.
droit canon : droit codifié (1917) par l'Église catholique, pour les matières qu'elle juge de sa compétence, et applicable aux fidèles qui y adhèrent.
jurisprudence : ensemble des décisions de justice rendues, qui constitue une source du droit.

◆ **L'organisation judiciaire en France.**

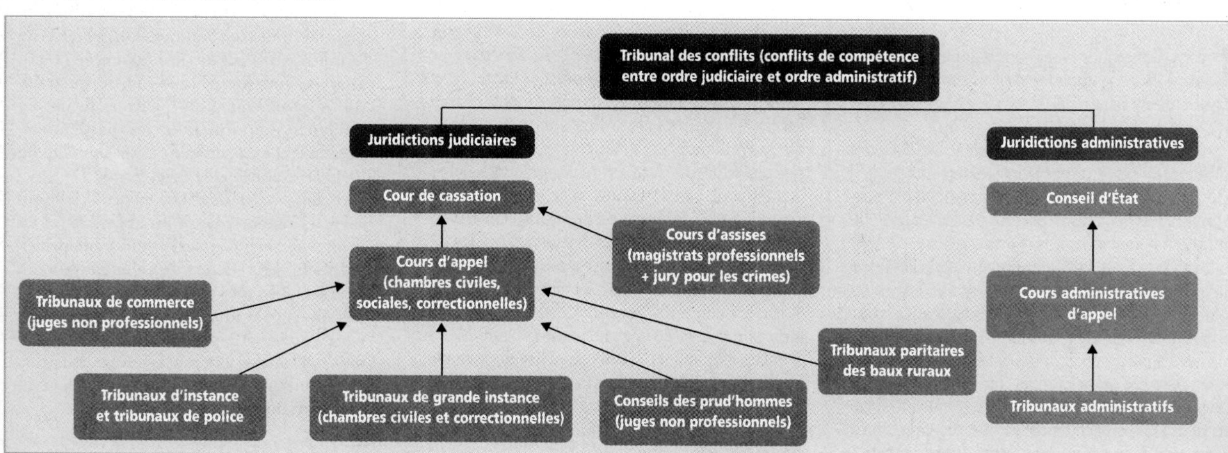

Le contrôle de constitutionnalité

Donner au juge le pouvoir de censurer le législateur et de déclarer nulle une disposition législative contraire à la Constitution fut une des innovations des Constituants américains.

La Cour suprême américaine. Tribunal d'appel dernier des Cours fédérales mais aussi des cours des États pour autant que l'interprétation d'une loi fédérale soit en jeu, la Cour suprême, composée de neuf membres à vie, choisis par le président et confirmés par le Sénat, s'est très vite révélée un organe important de la vie fédérale américaine. Elle ne peut pas se saisir elle-même, mais tout citoyen peut, après être passé par les instances judiciaires inférieures, s'adresser à elle. Cependant, la Cour peut refuser de statuer. Par-delà des inflexions dues à l'orientation politique de sa majorité, elle a défendu une interprétation extensive des compétences fédérales et promu une jurisprudence protectrice des droits de l'homme.

Le Conseil constitutionnel. En France, le Conseil constitutionnel apparaît seulement avec la Constitution de la Ve République. Il comprend neuf membres nommés pour neuf ans et renouvelables par tiers. Le président de la République et ceux des deux assemblées pourvoient chaque fois un siège. Le président du Conseil est choisi par le président de la République. Les anciens présidents de la République sont membres de droit.

Chargé de se prononcer sur la conformité de textes de lois nouveaux (la législation antérieure à 1958 est hors d'atteinte), le Conseil ne peut pas se saisir lui-même. La saisine était réservée à l'origine au président de la République, au Premier ministre et aux présidents des deux assemblées. Une réforme voulue par le président Giscard d'Estaing en 1975 l'a ouverte à la signature de 60 parlementaires, ce qui, de fait, a permis à l'opposition de saisir le Conseil. Sous la présidence de Robert Badinter, le Conseil a pris une importance croissante. Les spécialistes considèrent cependant que l'impossibilité pour les citoyens de le saisir limite par trop son pouvoir de contrôle. Le Conseil constitutionnel a également pour mission de contrôler la régularité des opérations électorales nationales.

L'Allemagne, l'Italie, l'Espagne ont également créé des Cours constitutionnelles.

L'organisation judiciaire

Les systèmes judiciaires sont toujours un assemblage assez complexe, profondément marqué par la culture nationale.

Juridictions civiles et pénales. Par-delà des différences fortes, quatre principes se retrouvent.
– Sauf pour des contentieux très mineurs, la possibilité d'appel existe partout; trois degrés de juridiction sont la norme, parfois quatre.
– Dans les affaires pénales graves, la décision sur la culpabilité est confiée à un jury qui siège seul (Angleterre) ou avec des magistrats (France, cour d'assises).
– Pour les procès civils, la collégialité est une quasi-règle dans les cours d'appel. En France, elle s'applique dès le niveau du tribunal de grande instance, mais avec des exceptions de plus en plus nombreuses en proportion du nombre des affaires.
– Un prévenu est assisté d'un avocat de la défense; un plaideur peut ou doit être assisté d'un avocat.

Juridictions administratives. Les pays de droit romanistes ont des tribunaux spéciaux pour les contentieux relevant du droit public, opposant un particulier à l'État ou aux collectivités publiques. En France, le Conseil d'État est la juridiction suprême du contentieux administratif. Il constitue un troisième degré de juridiction placé au-dessus des tribunaux administratifs et des cours administratives d'appel. Il est consulté pour avis par le gouvernement, obligatoirement pour certains textes et, de fait, officieusement, de façon plus large. La spécialisation des tribunaux est poussée au plus haut point en Allemagne, avec pour conséquence un nombre important de magistrats (17 000). En revanche, les pays de droit anglais n'ont pas de juridictions spécialisées pour les affaires de droit administratif.

Recours à la justice en matière civile. Les affaires civiles connaissent une différence de parcours aussi importante. Dans les pays romanistes, la justice est peu coûteuse; les plaideurs veulent un jugement et font même souvent appel. En France, il entre dans la mission du juge de concilier les parties. En 1995, ce rôle a été renforcé et le juge peut, avec l'accord des parties, désigner un médiateur pour tenter de parvenir à une solution amiable. En Grande-Bretagne et aux États-Unis, la justice est beaucoup plus chère, surtout pour le perdant, et seule une petite minorité des plaideurs vont jusqu'au bout des ressources de la procédure. Les avocats des parties élaborent des compromis qui, à tout le moins, économisent du temps. Par voie de conséquence, les magistrats professionnels sont peu nombreux : en Grande-Bretagne, guère plus de 1 000, contre 7 000 en France.

La justice des mineurs

L'évolution de la vision de l'enfance a conduit les États démocratiques à considérer que les mineurs délinquants devaient être traités par des juges spécialisés, et plutôt dans le cabinet du juge qu'en audience publique. Des mesures éducatives ou de rééducation semblent plus appropriées que la prison. Ces vues se sont développées à la fin de la guerre à partir de travaux de juristes et de psychologues italiens et français qui, de manière plus générale, cherchaient à faire évoluer la doctrine pénale de la punition vers un projet de réinsertion.

En France, une ordonnance de 1945 stipule que les mineurs de moins de 13 ans sont en dehors de la responsabilité pénale. Entre 13 et 18 ans, ceux qui sont reconnus coupables font l'objet de mesures de protection, d'assistance, de surveillance et d'éducation. À côté des centres éducatifs fermés où les mineurs délinquants sont pensionnaires avec un régime qui s'est libéralisé, la direction de la protection judiciaire de la jeunesse a créé des dispositifs socio-éducatifs en milieu ouvert où œuvrent des psychologues, des éducateurs et un service social. Actuellement, dans les zones difficiles, on s'efforce d'associer au plan local le procureur, les services de police, les chefs d'établissements scolaires et les associations concernées afin d'assurer un suivi concerté des jeunes à risque.

La justice internationale

Quatre domaines sont à considérer: les relations entre les États, la poursuite des crimes contre l'humanité, la protection des droits individuels, civils et politiques et, enfin, le droit communautaire européen.

Relations entre États. Après la Première Guerre mondiale, la création de la Société des Nations est une première tentative pour promouvoir la paix. La Cour internationale de justice, installée à La Haye, a pour mission de proposer un règlement pacifique pour les différends que les États accepteraient de lui soumettre. Malgré sa consécration par la charte de l'ONU comme « organe judiciaire principal », elle reste limitée à des arbitrages, et les conflits graves ne lui sont jamais soumis. Elle a cependant favorisé un important travail d'approfondissement du droit international, qui a servi à la rédaction de diverses conventions.

Crimes contre l'humanité. En 1945, après leur victoire contre l'Allemagne et le Japon, les Alliés décident de juger à Nuremberg les principaux dignitaires nazis pour crimes contre l'humanité. Indépendante de celle des crimes de guerre, la définition est « assassinat, extermination, réduction en esclavage, déportation et tout acte inhumain contre toute population civile; persécutions pour motifs politiques, raciaux ou religieux ».

La convention des Nations unies de 1948, dite convention de Genève, introduit l'imprescriptibilité de ces crimes et du génocide, qui sera reprise en droit interne dans plusieurs pays. En 1973, l'ONU lui adjoint le crime d'apartheid et les actes inhumains qui lui sont liés; en même temps est mis en place, à La Haye, un tribunal pénal international qui aura à connaître des crimes commis dans l'ex-Yougoslavie. En 1998, à Rome, un accord est signé pour le projet, plus ambitieux, d'une Cour pénale internationale qui retient quatre grandes catégories : génocide, crimes contre l'humanité, crimes de guerre, crime d'agression.

Droit et droits spécialisés

Le droit positif, qui comprend l'ensemble des règles s'appliquant dans un État, s'est divisé, en France, en droit privé et droit public. Ce dernier comprend notamment le droit constitutionnel (qui concerne le fonctionnement des institutions de l'État), le droit administratif (non codifié, qui traite du fonctionnement des pouvoirs publics et de leurs rapports avec les particuliers, notamment en matière de responsabilité de l'administration) et le droit fiscal.
Le droit privé se subdivise en droit civil (qui régit les rapports entre les individus) et en droit commercial et social (qui traite principalement des relations entre employeurs et salariés, ainsi que des conflits collectifs du travail). À côté de ces grandes divisions, on assiste à une multiplication de droits spécialisés : droit des assurances, de la construction, de l'urbanisme, de la consommation, de l'environnement, de la mer, etc.

◆ **Séance du procès de Nuremberg**
(20 nov.1945 - 1er oct. 1946). Ce procès fut intenté, devant un tribunal militaire international, à vingt-quatre hauts dignitaires du parti nazi et à huit organisations de l'Allemagne hitlérienne, inculpés de crimes de guerre et de crimes contre l'humanité. Ici comparaissent H. Goering, R. Hess, J. von Ribbentrop, W. Keitel.

Protection des droits civils et politiques. La protection des droits civils et politiques des citoyens a fait l'objet de conventions régionales, en Europe, en Amérique (que les États-Unis n'ont pas ratifiée), en Afrique et entre les pays arabes. Œuvre du Conseil de l'Europe, la Convention européenne, signée en 1950, qui fut la première, doit beaucoup à l'action du juriste René Cassin, proche du général de Gaulle et vice-président du Conseil d'État. À ce jour, 40 pays l'ont ratifiée, mais c'est en 1981 seulement que le droit français reconnaît aux citoyens la possibilité, après avoir épuisé les voies de recours internes, de s'adresser à la Cour européenne de Strasbourg, chargée de son application.

Droit communautaire européen. La Communauté européenne comprend, depuis l'origine, une Cour de justice des communautés, installée à Luxembourg, et compétente pour les domaines d'application des traités. Elle peut être saisie par les tribunaux internes des États membres, par les gouvernements et par la Commission de Bruxelles. Aujourd'hui, nombre de questions touchant au statut des étrangers, aux biotechnologies, au droit des médias relèvent tout à la fois des droits individuels, donc de la Cour de Strasbourg, et du droit communautaire, donc de celle de Luxembourg. Une harmonisation semble souhaitable.

Les peines de substitution

Les délinquants sont, en grande majorité, jeunes. Des efforts ont été faits pour que le séjour en prison puisse en quelque façon les aider à préparer une réinsertion et pour traiter à part les condamnés à de longues peines. Cependant, la position de prisonnier et la promiscuité, aggravée par le surpeuplement des prisons, sont peu favorables au développement d'une saine reconstruction de soi-même chez les condamnés considérés comme récupérables. Aussi, un mouvement d'idées s'est-il développé en faveur de la mise en œuvre de mesures substitutives faisant appel à la responsabilité personnelle. Il en va ainsi de la remise en liberté sous contrôle judiciaire.

Certains États américains imposent au condamné, libéré sous contrôle, de porter une puce électronique permettant de le localiser à distance et de savoir s'il contrevient aux engagements pris. La participation à des travaux d'utilité collective est utilisée, notamment en Allemagne et en France où, avec son accord, un condamné peut accomplir un travail d'intérêt général au profit d'une personne morale de droit public ou d'une association habilitée. En France toujours, des peines privatives ou restrictives du droit peuvent être prononcées à titre de peine principale. Le Japon est de loin le pays qui a le plus développé l'appel à la responsabilité de réparation qui libère de la culpabilité.

Peines et prisons

Malgré les reproches qui lui sont adressés, le recours à la prison est encore le moyen le plus utilisé par la société pour se protéger des individus considérés comme dangereux. Cela explique la surpopulation des prisons, qui nuit à la réinsertion sociale des détenus.

En France, les prisons sont de plusieurs types : maisons d'arrêt, pour les condamnés à de lourdes peines ou les multirécidivistes, établissements pour peines (centrales et centres de détention), pour les condamnés qui présentent des perspectives de réinsertion, et établissements spécialisés, comme les centres de semi-liberté qui permettent aux détenus d'exercer une activité professionnelle.

◆ **Chaise électrique utilisée dans une prison de haute sécurité (États-Unis).**
La peine de mort est un thème récurrent dans les débats philosophiques et juridiques. Ses adversaires lui reprochent essentiellement sa cruauté, l'absence d'exemplarité et les risques d'erreur judiciaire. La France l'a supprimée en 1981, suivant en cela l'exemple de la plupart des États démocratiques. Toutefois, elle subsiste dans certains États américains.

Depuis l'abolition de la peine de mort, il n'existe plus, en France, que deux sortes de peines : les peines privatives de liberté comme la réclusion criminelle ou l'emprisonnement correctionnel, et les peines restrictives de liberté telles que l'interdiction de séjour ou les travaux d'intérêt général.

Le droit islamique

Le droit dit « coranique », source des législations dans les États musulmans, a été, selon la tradition, révélé au Prophète. À Médine, Mahomet était à la fois chef religieux et chef d'État, sans distinction entre les deux rôles.

Le Coran contient un petit nombre de principes de droit auxquels des prescriptions inhumaines telles que couper la main du voleur sont étrangères. En fait, les califes, successeurs du Prophète, ont édicté nombre d'interprétations bien éloignées du souffle spiritualiste des paroles du Prophète. Ainsi s'est construite la *charia*, ou voie à suivre, qui ignore la distinction entre l'esprit et la lettre; elle est, de plus, marquée par l'univers culturel de princes des débuts du Moyen Âge. Ensemble fait d'ajouts et transmis ensuite avec de longs commentaires, les *Fikhi*, elle est la doctrine infaillible, religieuse, sociale, politique, assortie des peines encourues. C'est ainsi qu'aujourd'hui encore, selon de subtils juristes, les différences entre hommes et femmes, expressions évidentes de la volonté divine, justifient que les droits et devoirs des uns et des autres ne soient pas les mêmes, sans que, pour autant, il y ait la moindre atteinte au principe d'égale dignité des êtres humains, affirmé à plusieurs endroits dans le Coran.

Les muftis en pays sunnite, les grands ayatollahs dans l'Iran chiite sont les jurisconsultes autorisés. Leur avis, qui a force exécutoire et qui ne peut pas être rapporté (retiré), est une *fatwa*. Pour avoir été jugé coupable de blasphème, l'écrivain Salman Rushdie a été sous le coup d'une fatwa exonérant de toute culpabilité son assassin éventuel.

L'Islam ne peut faire place de droit à la tolérance puisque loi civile et principe religieux sont une seule et même prescription. Dans l'histoire, l'Empire ottoman a bien toléré des minorités chrétiennes et juives auxquelles il concédait une marge d'autoadministration et une liberté de juridiction privée (régime *dhimi*). Cependant, pour tout État musulman, la demande occidentale de reconnaissance de la tolérance comme valeur est inévitablement considérée comme une violence culturelle qu'il se doit de refuser. C'est dire que l'harmonisation juridique entre l'Occident et l'Islam est encore lointaine.

Petit lexique

apartheid : régime de ségrégation des gens de couleur appliqué en Afrique du Sud jusqu'en 1994.
code civil : ouvrage réunissant la législation relative à l'état et à la capacité des personnes, à la famille, au patrimoine et à sa transmission, aux contrats, obligations et sûretés (garanties); le Code civil français, voulu par Napoléon Ier, date de 1804.
génocide : extermination systématique d'un groupe humain, d'une société, d'un peuple.

VOIR AUSSI

• **Tribunaux pénaux internationaux** p. 754
• **Délinquance et criminalité** p. 1000 à 1003

L'État providence en question

Naissance de l'État providence

L'État providence désigne l'introduction, dans toutes les démocraties modernes, d'un système de transfert de ressources destiné à assurer, au plus grand nombre, l'accès aux soins, un revenu pour la vieillesse, des aides dans les moments difficiles (accidents du travail, chômage) et, éventuellement, des compensations pour charges de famille ou des aides au logement. Historiquement, la première réalisation d'envergure a été l'œuvre de Bismarck (1815-1898), chancelier du Reich allemand, qui, en 1880, a créé un système de retraites généralisé pour tous les salariés, avec contributions patronales et salariales. En France, seuls les fonctionnaires bénéficiaient alors de pensions de retraite. La première loi sur les retraites ouvrières et paysannes date de 1910 ; elles sont généralisées en 1930.

En ce qui concerne l'assurance maladie, le pionnier est le Britannique lord Beveridge (1879-1963) qui, avec ténacité, parvient à créer en 1942 un service national de santé reposant sur l'impôt et assurant des garanties minimales à tout le monde. Winston Churchill, Premier ministre, s'était laissé convaincre que les efforts de guerre demandés au peuple anglais exigeaient en contrepartie des mesures de protection sociale. Aux États-Unis, Franklin Roosevelt avait bien introduit, au cours de son deuxième mandat (1936-1940), une protection médicale publique, mais elle ne concernait et ne concerne toujours que les personnes âgées et les indigents.

Le système américain

Les États-Unis n'ont pas de protection maladie universelle, ils ont un PIB où les dépenses de santé sont supérieures à celles des autres pays et ont des scores très médiocres tant pour l'espérance de vie (16e rang des pays de l'OCDE) que pour la mortalité infantile (10 ‰). La médecine y est très coûteuse et les médecins sont nombreux.

Il existe deux programmes publics. Medicare couvre les soins hospitaliers des personnes âgées et des handicapés, aux frais du budget fédéral; environ 35 millions de personnes en bénéficient (une assurance complémentaire privée, Medigap, existe pour les soins de ville). Medicaid, financé à parts égales par le budget fédéral et par celui de l'État de résidence, prend en charge les soins lourds des 15 millions d'indigents reconnus.

La grande majorité de la population passe par les contrats collectifs que les entreprises souscrivent auprès de sociétés d'assurances spécialisées, telles Blue Cross ou Blue Shield. Tous les risques ne sont pas couverts et certains le sont avec un plafond vite atteint, aussi une partie de la population (15 millions) préfère les contrats individuels, beaucoup plus coûteux mais plus protecteurs. Enfin, 40 millions d'individus, soit 15 % de la population, vivent sans aucune couverture maladie.

Les efforts du parti démocrate et du président Clinton pour créer un système national de sécurité sociale se sont heurtés à une coalition d'intérêts bien défendus et, aussi, à un certain manque de soutien dans l'opinion des classes moyennes.

En France, une ordonnance du général de Gaulle, préparée par un conseiller d'État, Pierre Laroque, établit en 1945 la Sécurité sociale avec ses trois branches autonomes : maladie, vieillesse, famille.

L'étendue et le niveau de la prise en charge au titre de ces différentes branches varie fortement d'un pays à l'autre. Les deux extrêmes sont les pays scandinaves, avec des protections très développées, et les États-Unis, où l'individualisme et le libéralisme ont étroitement limité la protection sociale collective. Les modes de gestion combinent, dans des proportions variables, prélèvements fiscaux et intervention de l'État d'une part, cotisations et organismes autonomes d'autre part. Un des points essentiels réside dans le fait que la protection sociale fait partie des acquis de la démocratie ; son devenir constitue un enjeu crucial dans l'affrontement entre libéraux et sociaux-démocrates.

Assurance, solidarité, équité

Les systèmes de protection sociale admettent, dans des proportions variables, le principe de l'assurance individuelle, un objectif de solidarité entre fractions de la société (des riches avec les démunis, des actifs avec les retraités et les chômeurs) et, enfin, une ambition politique de réduction des inégalités.

L'assurance. Historiquement, la première conception a été l'assurance obligatoire des salariés (puis de tous les actifs) pour des risques communs à tous : la maladie et la vieillesse. La différence entre cotisation patronale et cotisation salariale importe assez peu : leur ensemble fait partie du coût du travail. Seuls ont droit à des prestations les cotisants et ceux qui sont à leur charge, conjoint et enfants.

La solidarité. Introduire un objectif de solidarité fait passer à une deuxième conception où l'état de besoin suffit à justifier la prise en charge par la société : couverture sanitaire universelle, minimum vieillesse, revenu minimum. Il y a déconnexion entre l'ensemble des cotisants et celui des ayants droit. La solidarité implique que les plus aisés paient pour les démunis. La progressivité des prélèvements selon le revenu s'impose, soit au titre des cotisations, soit par appel à l'impôt selon que les caisses sociales ont, ou non, une gestion autonome. Le plafonnement de certaines prestations pour les plus aisés peut accompagner le dispositif.

L'équité. Une conception encore plus exigeante de la solidarité en appelle à l'équité : l'État est chargé de réduire certaines inégalités, qui ne se situent pas uniquement entre aisés et pauvres. La politique familiale en donne de bons exemples. Les réductions d'impôt sur le revenu accordées aux familles avec enfants ne relèvent, à l'évidence, ni de l'assurance, puisqu'elles sont sans rapport avec une cotisation, ni de la solidarité envers les démunis. L'objectif d'équité vise à réduire, à revenu primaire identique, l'écart de niveau de vie entre deux foyers, l'un sans enfant et l'autre avec deux enfants au moins.

Dans un autre registre, les subventions et garanties de revenu, établies aux États-Unis comme au Japon et en Europe au bénéfice des agriculteurs, partent du souci qu'ils ne deviennent pas des oubliés de la croissance, alors que la part de la production agricole dans le PNB décroît. L'État cherche ainsi à

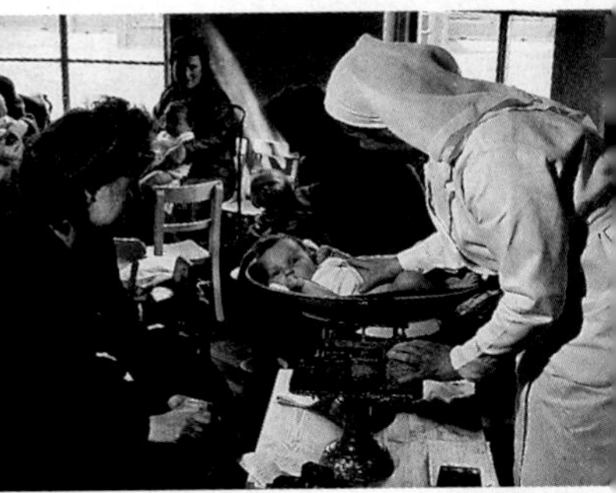

◆ **Consultation de puériculture dans un dispensaire en 1948, à Bristol** (au Royaume-Uni). La protection maternelle et infantile est aujourd'hui généralement bien organisée dans les pays développés.

réduire l'inégalité entre les agriculteurs et d'autres groupes socioprofessionnels. De même, l'Union européenne a mis en place un système de subventions à destination des régions les moins développées des pays membres. Dans l'ensemble, ce transfert s'effectue des pays du Nord vers les pays du Sud et l'Irlande.

La sécurité sociale

Les fondateurs de la sécurité sociale française avaient conçu en 1945 un système unique de protection, couvrant, selon les mêmes règles, l'ensemble de la population. Or certains secteurs, comme la fonction publique, les Charbonnages et les mines, la SNCF, Électricité et Gaz de France, bénéficiaient de régimes particuliers qu'ils ont fortement défendus et qui ont été maintenus.

Le régime général de sécurité sociale ne couvre donc, au départ, que les salariés du secteur privé. Une seconde brèche est ouverte, dès 1947, avec la convention collective qui rend obligatoire l'affiliation des cadres à une caisse de retraite complémentaire, avec des cotisations élevées.

Cependant, le principe de solidarité ne tarde pas à apparaître. Entre 1948 et 1952, les non-salariés puis les agriculteurs obtiennent des régimes particuliers d'assurance vieillesse. Entre 1961 et 1966, ils sont affiliés à des caisses d'assurance maladie.

En 1975, l'ensemble de la population active bénéficie au moins d'une assurance vieillesse obligatoire. En 1999, le projet de couverture médicale universelle concerne les 150 000 personnes non couvertes et les sept millions qui sont affiliées au régime de base sans caisse complémentaire.

La gestion de la sécurité sociale. À l'origine système d'assurance des actifs, la sécurité sociale est gérée par des représentants du patronat et des cinq centrales syndicales reconnues. Cependant, en raison des difficultés de financement quasi permanentes, l'État a dû intervenir et a alourdi sa tutelle. En 1967, une ordonnance impose la distinction en trois branches : famille, maladie et accidents du travail, vieillesse, avec l'espoir de mieux cerner les sources de déficit. Le ministère des Affaires sociales intervient dans la désignation des directeurs, et c'est toujours le gouvernement qui décide d'augmenter ou de réduire les prestations et les cotisations. L'URSSAF, pour le recouvrement des cotisations, a un statut différent des trois branches d'assurance prestataires.

Le besoin de financement imposant le recours au budget de l'État, une réforme constitutionnelle, votée en 1996, a donné au Parlement compétence pour établir par une loi annuelle le budget de la sécurité sociale. Le lourd déficit de cet organisme rend une réforme nécessaire, mais elle est difficile à mettre en place, comme en témoignent les débats qu'elle suscite et les mesures toujours partielles qui s'ensuivent.

La protection maladie

La définition de l'OCDE concernant les dépenses de santé comprend les soins et biens médicaux, plus les dépenses de médecine préventive individualisables. Elle ne comprend ni le fonctionnement des caisses, ni les charges de formation médicale et paramédicale, ni les budgets de recherche biomédicale et clinique, publics et privés. Pour la France, le total des dépenses de santé est passé de 701,4 milliards en 1997 à 841,3 en 1998, soit 10,7 % du PIB.

Le système français d'assurance maladie de 1945 a largement ouvert l'accès aux soins et permis, au moins jusqu'en 1985, un financement généreux du fonctionnement et de l'équipement médical des hôpitaux et des cliniques, responsables de la moitié des dépenses de santé. La qualité de la médecine hospitalière française est reconnue; elle doit beaucoup à la sécurité sociale, ainsi qu'à la réforme drastique du professeur Robert Debré qui, en 1959, a imposé le plein-temps aux médecins hospitalo-universitaires. L'hôpital permet à tout le monde d'accéder à un niveau de soins qui, aux États-Unis, n'est accessible qu'aux classes aisées.

Les Français sont très attachés à la « Sécu », quasiment identifiée à la prise en charge de la maladie. Ils enregistrent fort mal le fait, pourtant bien établi, que le rendement du franc de cotisation est l'un des plus mauvais des pays comparables. Le taux global de cotisation est de 17 % contre 11 % en moyenne pour l'Allemagne. En revanche, ils savent tous qu'au Royaume-Uni le secteur des soins et des médicaments dits de confort, qui ne sont pas pris en charge, est beaucoup plus large qu'en France.

Deux graves défauts du système, présents depuis l'origine, n'ont jamais fait l'objet d'une vraie réforme parce que le monde médical défend le libre choix, en invoquant le principe selon lequel la santé n'a pas de prix. L'accès aux soins n'étant pas

◆ **La consommation de soins en France** (en milliards de FRF).

Secteur hospitalier	348,2
Médecine de ville et soins à domicile	194,1
Ambulances	10,5
Médicaments	129,4
Prothèses	19,2
TOTAL	701,4

Données 1997.

◆ **Dépenses nationales de santé dans les pays de l'OCDE** (en % du PIB).

	1975	1980	1990	1996
Allemagne	9	9	8,2	10,5
Canada	7,2	7,3	9,2	9,2
États-Unis	8,2	9,1	12,7	14,2
France	7	7,6	8,9	9,8
Japon	5,5	6,4	6	6,9
Royaume-Uni	5,5	6,7	6	6,9
MOYENNE OCDE	6,4	6,7	7,1	7,9

réglementé, le problème de l'efficacité et des coûts est difficile à cerner. Par conséquent, la décision, en 1985, d'attribuer un budget global aux hôpitaux ne pouvait être qu'une mesure brutale, prise en l'absence des éléments de connaissance nécessaires pour un bon « pilotage ».

En second lieu, l'importance de la prise en charge des soins a masqué la faiblesse de la politique d'éducation sanitaire et de médecine préventive, alors qu'ils sont au cœur du dispositif public dans les pays scandinaves, avec des résultats reconnus. La Suède, par exemple, a réduit la mortalité infantile à 5 pour 1 000.

Les systèmes britannique et allemand

Le Royaume-Uni a, depuis 1943, un service national de santé financé par le budget de l'État. La part du PIB qui lui est consacrée est faible. Les contraintes pour les malades sont importantes : inscription obligatoire chez un praticien, délais d'attente considérables pour les interventions non urgentes, freinage de la demande de soins classés « de confort », limitation des dépenses engagées sans espoir de résultat. D'un autre côté, la recherche biomédicale est la première d'Europe, et la prise en charge clinique de la douleur et les soins palliatifs sont développés.

L'Allemagne, qui consacre à la santé une part de PIB importante, a réussi à stopper la croissance des dépenses depuis 1992. La loi oblige tout Allemand à s'assurer auprès d'une caisse de son choix, parmi les quelque 1 000 du réseau. Celles-ci sont placées en concurrence et proposent différents taux de cotisations, celles-ci étant payées à égalité par l'employeur et le salarié. L'accès aux soins est gratuit et le choix du médecin est libre, sous réserve d'une clause de fidélité minimale. Le système est administré conjointement par les unions de médecins et par les associations de caisses.

Dans chaque Land, les partenaires définissent l'enveloppe globale des honoraires médicaux. Celle-ci est versée à l'union des médecins, chargée de la répartir. Les médecins sont donc collectivement incités à limiter le nombre des actes médicaux s'ils veulent maintenir le niveau de rémunération unitaire de chaque acte. Cette régulation s'est révélée efficace.

La dernière réforme a introduit l'obligation de passer par un généraliste avant de voir un spécialiste et, d'autre part, un principe de compensation de solidarité entre les caisses de manière à soulager les caisses locales obligées d'assurer les démunis, les chômeurs, ceux qui n'ont pas pu s'affilier à une caisse professionnelle ou corporative et dont la cotisation « employeur » est payée par des fonds sociaux publics.

Enfin, il est fait obligation au pharmacien de proposer les divers médicaments de la classe thérapeutique concernée par l'ordonnance et de dire le prix plafond accepté par les caisses. Si le malade choisit un remède plus coûteux, il paie la différence alors qu'avant la gratuité était totale. La réforme de 1991 fait appel au sens des responsabilités de tous, les citoyens au même titre que les professionnels, par un ensemble de mesures qui associent incitation et contrôle, tant de la demande que de l'offre. L'envers du système est une forte inégalité entre les caisses : celles qui assurent un bon nombre de familles à revenu élevé et bien portantes ont les taux de cotisation les plus faibles.

Petit lexique

taux global de cotisation : pourcentage de prélèvement par rapport à l'assiette, c'est-à-dire au revenu distribué, base sur laquelle sont assis les prélèvements employeur et salarié.

◆ **Prestations sociales reçues par les ménages en France.**

	1987	1997	97/96 %
Santé	**344**	**557**	**2,3**
maladie	224	378	1,9
infirmité, invalidité	90	144	4,0
accidents du travail	30	35	0,8
Vieillesse-survie	**632**	**1 037**	**4,4**
cessation anticipée d'activité	46	27	34,6
vieillesse	475	860	4,2
survie (a)	111	150	1,8
Maternité-famille	**171**	**263**	**4,9**
maternité	18	21	–2,5
famille	153	242	5,7
Emploi	**91**	**159**	**– 4,5**
inadaptation professionnelle	15	32	–24,1
chômage	76	127	2,2
Divers	**4**	**33**	**14,4**
Total des prestations à des résidents	**1 242**	**2 049**	**3,3**
Total (y compris non-résidents)	**1 253**	**2 065**	**3,2**

En milliards de FF.
En espèces et en nature. (a) Pensions de réversion, capitaux décès.
Données : 1er juillet 1997.
Source : INSEE, *Tableau de l'économie française*, 1998-1999.

◆ **Montants des principales prestations sociales en France.**

	Montant mensuel en francs	Revalorisation en %
Allocations familiales		
– 2 enfants à charge	675	1,4
– enfant supplémentaire	864	1,3
– complément famillial	878	1,3
Prestations vieillesse		
– minimum pour une personne seule	3 433	1,3
– minimum pour un couple	6 159	1,3
– garanties de ressources *	8 512	1,3
– préretraite **	8 275	1,2
Prestations de chômage		
– prestation moyenne UNEDIC	4 631	2,2
– allocation de solidarité spécifique	2 340	0,8
Revenu minimum d'insertion		
– personne seule	2 403	1,3
– couple	3 064	1,3
– par personne supplémentaire à charge	721	1,3
– par personne à charge à partir de la 3e	961	1,3

* Montant moyen.
** Allocation du fonds national pour l'emploi.
Données : 1er juillet 1997.
Source : INSEE, *Tableau de l'économie française*, 1998-1999.

L'État providence en question

Capitalisation et répartition

Un système de retraite par capitalisation fonctionne selon les calculs actuariels des compagnies d'assurances. La caisse capitalise les primes encaissées et tente de les gérer au mieux. La rentabilité dépend des marchés financiers. Le retraité touche, en rente annuelle, le revenu de l'épargne-retraite qu'il a constituée. Les aléas des placements faits par sa caisse peuvent affecter le montant des rentes servies. Il n'y a pas de solidarité globale entre les générations; chacun reçoit le fruit de son épargne; les personnes âgées ne bénéficient pas de l'augmentation tendancielle du revenu distribué aux actifs. Cependant la capitalisation fructifie selon le dynamisme économique, c'est-à-dire le travail des jeunes générations.

Un système par répartition repose sur la solidarité entre les générations. La caisse distribue, chaque année, le produit des cotisations de ses adhérents actifs à ses adhérents retraités, proportionnellement à leurs propres cotisations antérieures. La rentabilité de l'épargne obligatoire constituée est liée à la croissance de l'économie. Quant à l'équilibre du régime, il repose sur le rapport entre le nombre des actifs et le nombre des retraités. Or l'allongement de la vie et une diminution du nombre des actifs, liée au chômage et à la précocité de l'âge de la retraite en France, mettent les régimes de retraite en péril. De deux actifs pour un retraité en l'an 2000, le rapport va se détériorer et continuera à se dégrader si la natalité ne remonte pas. Une prévision tendancielle pour la France serait presque de un pour un en 2040. Les pays européens qui ont vu leur natalité fléchir depuis 1965 sont tous dans la même situation.

Or, pour importante que soit la place prise par les systèmes de capitalisation dans les pays anglo-saxons et scandinaves, la répartition reste, partout, la règle pour les retraites de base.

Les réformes possibles. Les voies de réforme explorées sont de quatre types : appel à l'impôt, allongement de la durée d'activité ouvrant droit à pension complète, ce qui implique une élévation de l'âge de la retraite ou l'augmentation massive du nombre des retraités à pension réduite; augmentation du taux des cotisations afin de constituer, éventuellement, un fonds de réserve pour la mauvaise période à venir; création de fonds complémentaires par capitalisation accompagnée de mesures incitatives. Les choix dépendent autant des préférences et de la faisabilité politiques que d'arguments rationnels; ils sont surtout influencés par le passé de chaque pays. Le Royaume-Uni, qui finance majoritairement les retraites de base par l'impôt et qui a une forte capitalisation en fonds de pension, n'a pas à envisager les mêmes solutions de remplacement que l'Allemagne et la France qui, toutes deux, ont commencé par restreindre l'ouverture des droits, ce qui revient à alourdir les conditions du contrat d'assurance obligatoire pour les salariés du privé et qui hésitent quant à l'orientation des mesures suivantes.

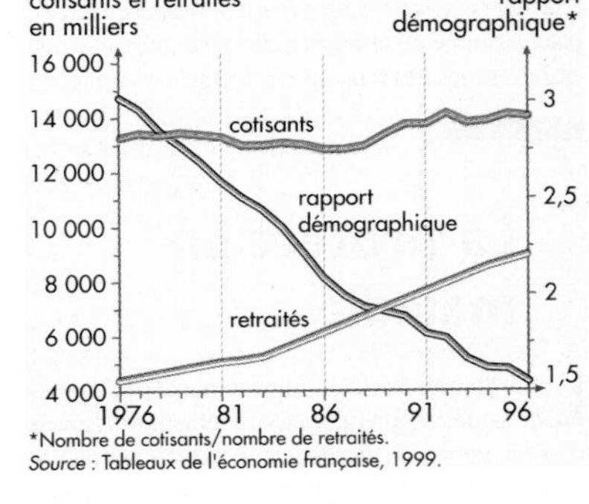

*Nombre de cotisants/nombre de retraités.
Source : Tableaux de l'économie française, 1999.

◆ **Évolution du nombre des retraités et du nombre des cotisants en France en 20 ans.**

◆ **La place des régimes complémentaires en Europe.**

	Avoirs des fonds de pension en % du PIB	Pensions complémentaires en % des pensions totales
Allemagne	5,8	11
Belgique	3,4	8
Danemark	20,1	18
Espagne	2,2	3
France	3,4	21
Grande-Bretagne	79,4	28
Irlande	40,1	18
Italie	1,2	2
Pays-Bas	88,5	32

Données 1993. *Source* : *European Economy* (1997).

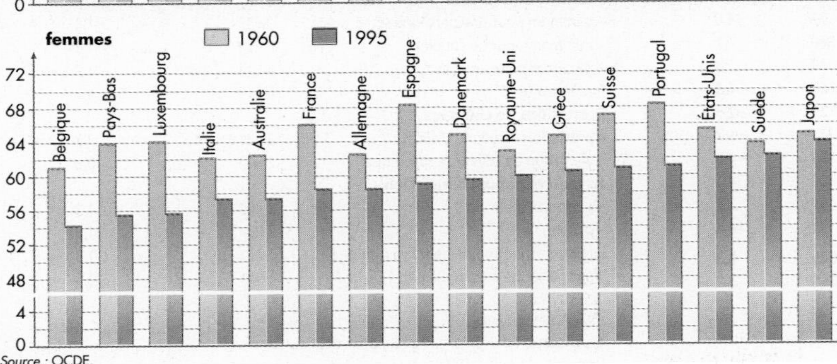

Source : OCDE.

◆ **Âge moyen de départ à la retraite dans quelques pays.**

Les fonds de pension

Florissants aux États-Unis, assez développés au Royaume-Uni sous la forme de l'assurance vie-retraite, les fonds de pension par capitalisation sont vus sur le continent européen, où ils n'existent guère, avec faveur par les tenants du libéralisme, avec méfiance par les sociaux-démocrates allemands ou français.

En 1996, 42 millions d'Américains cotisaient à un *mutual fund* de pension à contribution définie, avec, éventuellement, une contribution de leur employeur. Ces fonds sont en passe de supplanter les anciens fonds

L'aide à domicile

Quand il est possible, le maintien à domicile des personnes âgées a fini par apparaître comme étant de loin préférable à la maison de retraite médicalisée. En France, plusieurs dispositifs d'aide y concourent. Les deux principaux sont, d'une part, l'allocation compensatrice aux personnes dépendantes, créée en 1975 à la charge de la sécurité sociale et destinée à couvrir les frais de l'aide apportée par une tierce personne à environ 120 000 bénéficiaires, et, d'autre part, l'aide sociale départementale pour les personnes âgées à ressources faibles, moins gravement dépendantes, soit environ 300 000 bénéficiaires. La fixation du niveau de dépendance, qui déterminera la prise en charge par l'un ou l'autre régime, est une source de tensions entre les caisses d'assurance maladie et les directions départementales de l'aide sanitaire et sociale. Les services d'aide ménagère sont souvent assurés par des associations ou des agents municipaux à emploi précaire.

à bénéfice défini gérés par l'entreprise. Il ne sont pas sans danger (il y a des exemples) pour les salariés, qui risquent d'être simplement spoliés. Ces fonds de pension sont aujourd'hui des acteurs puissants du système financier. En dix ans, 23 % des ménages qui ignoraient la Bourse sont devenus détenteurs d'actions par le biais de leur adhésion à un fonds. Ainsi l'épargne pour la retraite alimente la capitalisation.

En Europe, l'inflation liée aux deux guerres a ruiné les caisses de retraite de base des salariés, dont les réserves étaient, par obligation légale, placées en fonds d'État et en obligations à revenu fixe. En France, les régimes complémentaires anciens, disposant pourtant de réserves importantes, sont, eux aussi, passés à la répartition. Dans le climat économique contemporain, où l'inflation ne paraît pas menaçante, ces mauvais souvenirs s'estompent. Le développement de fonds de pension par capitalisation, timidement décidé puis suspendu, permettrait de réduire quelque peu le taux du remplacement des retraités par les actifs qui fait vivre les régimes par répartition et apporterait des capitaux aux entreprises françaises dont la grande faiblesse est le manque d'actionnaires hexagonaux. Les adversaires du système par capitalisation dénoncent la confusion d'objectifs et un début d'abandon de la socialisation des risques et de la solidarité au profit d'un retour à l'assurance individuelle.

Les politiques familiales

Les politiques familiales sont beaucoup plus inégalement développées parmi les pays occidentaux que celles de la santé ou de la vieillesse. Elles associent plus ou moins quatre objectifs. Le premier combat pour un soutien à la famille a été mené par des démographes inquiets de la baisse de la natalité, et leur objectif était nataliste. Ensuite est venu le souci de réduire l'écart de niveau de vie par tête entre foyer avec et foyer sans enfants. Les réductions d'impôt sur le revenu sont censées répondre à ce problème. Troisièmement, le projet de rendre la maternité compatible avec une carrière professionnelle conduit à développer crèches, préscolarisation et, éventuellement, allocations spécifiques. Enfin, dans un contexte de réduction des inégalités, est introduite la dégressivité des diverses mesures selon le revenu. La contradiction avec les deux premiers objectifs est certaine.

La France, qui était à l'époque très touchée par la dénatalité, fut un des premiers pays à appliquer une politique familiale en adoptant le complément familial de salaire. Le code de la famille date de 1938, avec la création des allocations familiales. Le système du quotient familial décidé par décret-loi en décembre 1945 était particulièrement généreux et octroyait à toutes les familles, même aisées, des exonérations d'impôt substantielles.

Les défenseurs du quotient avancent que, si l'on cherche à encourager la natalité dans toutes les familles, il faut suivre l'échelle des revenus, car le troisième enfant entraîne une chute du niveau de vie par tête à peu près dans la même proportion, que le foyer soit aisé ou modeste, ce que les enquêtes de niveau de vie ont confirmé. Le plafonnement introduit en 1982, et drastiquement abaissé en 1998, montre que la réduction des inégalités verticales est devenue prioritaire par rapport à l'objectif nataliste. À l'étranger, les réductions d'impôt pour charges familiales sont d'un montant forfaitaire par enfant et elles sont plus faibles.

Des prestations spécifiques. Au fil des ans, une demi-douzaine de prestations spécifiques sont apparues en France. La plus nataliste, car elle n'est pas soumise à une condition de ressources, est l'allocation parentale d'éducation (APE) créée en 1985, attribuable pour trois ans à chacune des personnes qui cessent de travailler à l'arrivée d'un troisième enfant (ou rang ultérieur) et compatible avec un congé parental d'éducation garantissant le retour à l'emploi. Cette possibilité est, de fait, utilisée surtout par des femmes cadres. Les autres mesures, toutes sous condition de ressources, mêlent davantage soutien aux familles à faible revenu et allégement de la condition des femmes actives (allocations de garde).

En 1946, la famille recevait 40 % du budget social de la nation; dans les années récentes, le chiffre tourne autour de 15 %. Il apparaît évident que le soutien à la famille n'est plus depuis longtemps une priorité forte de la politique sociale. Les prestations familiales apportent globalement aux ménages 5 % de leur revenu, mais cette moyenne masque le ciblage opéré en direction des foyers monoparentaux et des familles de trois enfants et plus. Le financement est assuré, pour les deux tiers, par les cotisations, pour le reste par la fiscalité. La Belgique et les pays scandinaves soutiennent la famille à des niveaux comparables; l'Allemagne offre un soutien plus réduit et quasi insensible au revenu primaire, donc beaucoup plus faible qu'en France pour les foyers modestes.

Encouragement à la natalité

L'efficacité des encouragements financiers à la natalité avait été jugée réelle lorsque, dès les années 1940, une remontée du nombre des naissances a suivi la création des allocations familiales en France. En comparaison internationale, pour des périodes plus récentes, les démographes concluent à un effet positif mais modeste. En France, les mesures ciblées en faveur de l'arrivée du troisième enfant ne semblent pas avoir eu tout le succès escompté. En revanche, les enquêtes montrent que les jeunes couples subordonnent l'arrivée du premier enfant à la consolidation de leur situation professionnelle. Une diminution importante du chômage des jeunes rajeunirait très probablement l'âge des mères à la première maternité et, par voie de conséquence, pourrait avoir une incidence sur le nombre des naissances ultérieures. La question est aussi posée d'une inflexion du système d'allocations, afin de prendre en compte le premier enfant.

Maternité et activité

Le taux d'activité élevé des mères en France s'explique par l'important réseau de crèches publiques et privées ainsi que par le développement, tout à fait exceptionnel, de la préscolarisation.

Les écoles maternelles publiques accueillent, en France, près de 80 % des enfants de 3 ans et demi et plus de 90 % des enfants de cinq ans. Elles apparaissent comme un secteur protégé et dont l'excellence fait l'unanimité.

La participation des femmes au marché du travail a continué de croître malgré la montée du chômage. À noter cependant que la chute d'activité après 54 ans, volontaire ou contrainte, est plus forte chez elles que chez les hommes.

Petit lexique

calculs actuariels : calculs effectués par des spécialistes de l'application des statistiques pour des opérations de finance et d'assurance.

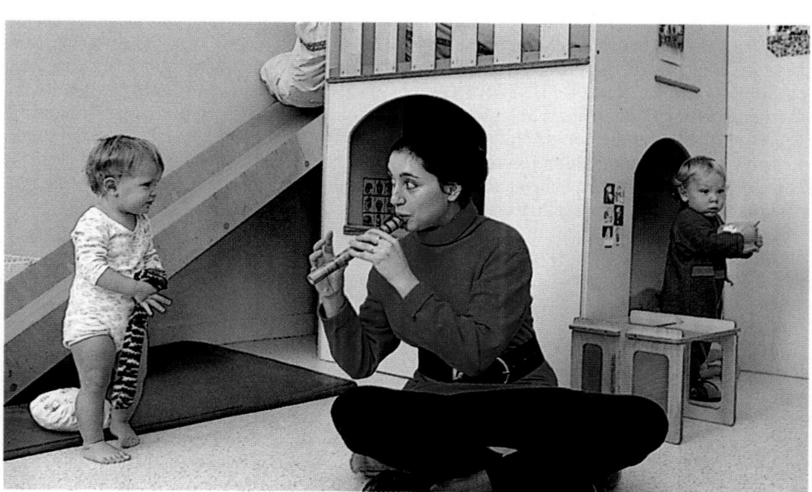

◆ **Une crèche.**
Éveil à la musique.

◆ **Évolution du taux d'activité par sexe et par âge en France en 20 ans.**

	Mars 1976	Mars 1986	Mars 1993	Mars 1997
Hommes	**71,8**	**66,9**	**63,0**	**62,3**
de 15 à 24 ans	54,7	46,8	35,1	31,4
25 à 49 ans	97,1	96,7	95,5	95,3
50 ans et plus	49,9	40,0	33,7	34,2
Femmes	**42,7**	**45,8**	**46,8**	**47,2**
de 15 à 24 ans	45,7	39,1	29,3	24,5
25 à 49 ans	60,3	72,2	77,4	78,2
50 ans et plus	23,5	21,6	20,1	22,1
Ensemble	**56,7**	**55,9**	**54,6**	**54,4**

Source : INSEE, *Tableaux de l'économie française*, 1998-1999.

◆ **Dialogue avec une infirmière dans un centre d'hébergement et d'accueil des sans-abri.**

La protection des chômeurs

Les charges sociales qui pèsent sur le travail salarié incluent une assurance chômage, de durée plus ou moins longue, proportionnelle au salaire, sauf au Royaume-Uni où le montant est uniforme et où la prise en charge représente moins de 2 % du PIB. Ailleurs, en Europe, les taux de remplacement se situent autour de 60 % du salaire (en début de chômage au moins), ce qui absorbe plus de 3 % du PIB.

En France, l'indemnisation des chômeurs, qui ne dépend pas de la sécurité sociale, comporte, d'une part, un système d'assurance financé et géré par les partenaires sociaux et, d'autre part, des dispositions d'assistance étatique.

Un accord interprofessionnel datant de 1958 a créé les Associations pour l'emploi dans l'industrie et le commerce (Assedic) et leur Union nationale (UNEDIC), gérées paritairement. À l'origine, cette assurance est financée par des cotisations assises sur les revenus du travail. La détérioration du marché de l'emploi a creusé les déficits ; un accord avec l'État a donc ajouté un financement par l'impôt. Les fonctionnaires et assimilés versent une contribution de solidarité à l'UNEDIC. Les chômeurs reçoivent une allocation unique et dégressive jusqu'à extinction de leurs droits. Ceux qui suivent une formation-reconversion et ceux qui ont entre 58 ans et demi et 60 ans continuent à bénéficier d'une allocation pleine. Par ailleurs, le contrôle sur les licenciements abusifs s'est accentué. Les employeurs qui licencient un salarié de plus de 50 ans sont tenus de verser 6 mois de salaire à l'UNEDIC. Toutefois, l'activité professionnelle est l'élément essentiel de la socialisation. Pour réduire les dépenses et répondre à cet objectif, les politiques de l'emploi cherchent davantage à former les chômeurs pour permettre leur réinsertion, voire à soutenir l'emploi par des aides, plutôt que de favoriser l'indemnisation.

Le revenu minimum

Assurer un revenu minimum à des catégories de personnes dépourvues de ressources est l'objectif qui a guidé la mise en place de minimums légalement définis, donc plus protecteurs de la dignité individuelle que l'appel à la charité ou à un bureau de bienfaisance. L'idée est de lutter contre l'exclusion et la précarité. Le Danemark a été un pionnier dès 1933. À partir de 1960, on voit apparaître ces minimums dans le reste des pays européens, moins dans le Sud que dans le Nord.

En France, 3,3 millions de personnes perçoivent l'un des sept minimums spécialisés, servis sous condition de faibles ressources, ou le revenu minimum d'insertion créé en 1988 et qui est le dernier recours pour tous les adultes démunis à la seule condition d'avoir 25 ans. On estime donc à 6 millions, soit 11 % de la population, le total de ceux qui vivent avec ce seul revenu.

Les différentes prestations. L'allocation de parent isolé (API), créée en 1976, est versée à 160 000 pères ou mères qui élèvent seuls un ou plusieurs enfants de moins de 3 ans. L'allocation pour handicapé adulte (AAH) est attribuée depuis la grande loi de 1975 sur le handicap ; elle touche 80 000 personnes. Le minimum vieillesse a vu le nombre de ses bénéficiaires fondre de moitié en 30 ans. Ils ne sont plus que 1,2 million, ce qui donne un aperçu partiel de l'amélioration de la situation des personnes âgées. L'allocation spécifique de solidarité (ASS) vient en aide aux chômeurs de longue durée qui ont épuisé leurs droits à l'assurance et qui n'entrent pas dans les dispositifs de préretraite ou assimilés. Ils sont 500 000 bénéficiaires. En 1998, près d'un million de personnes ont obtenu le revenu minimum d'insertion. Les départements d'outre-mer pèsent fortement sur ce chiffre. Le coût global a plus que doublé en 10 ans. La moitié des bénéficiaires sont stables, alors que l'ambition du système est qu'en joignant aide financière et aide aux efforts d'insertion, les titulaires de cette prestation retrouvent un travail. Le montant du RMI représente environ la moitié de celui du minimum vieillesse. Par décision de son créateur, Michel Rocard, le dispositif RMI fait l'objet d'un suivi statistique et d'études très utiles à la connaissance des trajets de pauvreté.

Les formations de la deuxième chance

L'exposition des jeunes au chômage est d'autant plus forte et d'autant plus longue que le niveau scolaire atteint est plus faible. Le type de cursus (général, technique, professionnel) ne pèse qu'en second rang. Ces résultats bien établis vont à l'encontre d'un propos pessimiste et démobilisateur sur l'utilité du collège ou du lycée. 10 % des jeunes Français quittent l'école sans aucun diplôme. Leur offrir une deuxième chance a été un objectif bien identifié à partir d'une loi importante de 1984 qui entendait promouvoir les formations en alternance pour les 17-25 ans, par le biais des contrats de qualification et d'adaptation.

À côté du contrat qui s'adresse à ceux qui n'ont aucune qualification, d'autres formules ont permis à quelques-uns de sortir du tunnel : contrat-emploi solidarité (CES) ou emplois-jeunes. Ceux-ci, créés en 1997, abordent le problème dans une perspective plus vaste. Les candidats ne manquent pas et les premiers échos semblent favorables, tant du côté des jeunes que de leurs employeurs. Reste que, alors qu'ils ont été conçus davantage pour les défavorisés de l'éducation, ce ne sont pas ces derniers qui sont recrutés en priorité mais des bacheliers, des diplômés de l'enseignement supérieur. Dès lors, est-ce que ces emplois-jeunes ne constituent pas une catégorie de salariés qualifiés et nécessaires, payés en dessous du SMIC ? Est-ce que la contribution, au titre de l'effort social de la nation, qui constitue une part de leur rémunération n'allège pas artificiellement la masse salariale de leur employeur ?

La crise de l'État providence

Équilibrer les comptes de la protection sociale de tous, c'est-à-dire maîtriser la dérive des coûts de la santé et établir pour les retraites de l'avenir une palette de financements socialement acceptable et économiquement saine, ce sont là des tâches difficiles pour les gouvernements européens.

◆ **Situation des jeunes dans l'Union européenne.**

	Actifs	dont chômeurs	Inactifs	dont en cours de scolarité
Union européenne	45,9	21,2	54,1	88,8
Allemagne	49,7	10,7	50,3	90,5
Autriche	58,4	7,6	41,6	92,0
Belgique	32,0	21,3	68,0	95,0
Danemark	74,2	8,1	25,8	83,2
Espagne	40,7	39,2	59,3	93,2
Finlande	48,4	35,4	51,6	90,9
France	34,2	28,1	65,8	94,2
Grèce	35,5	31,0	64,5	87,6
Irlande	45,6	15,9	54,4	91,9
Italie	38,0	33,6	62,0	84,3
Luxembourg	37,4	7,3	62,6	92,5
Pays-Bas	63,1	9,7	36,9	75,7
Portugal	44,2	14,1	55,8	90,2
Royaume-Uni	64,4	13,6	35,6	79,0
Suède	41,1	21,9	58,9	88,5

Répartition des jeunes de 15 à 24 ans par catégories, en % ; données 1997.

Source : INSEE, *Tableau de l'économie française*, 1999.

◆ **Évolution de la situation des jeunes en France.**

	1975	1985	1997
Population des 16-25 ans (en milliers)	8 257	8 457	7 827
hommes	4 184	4 246	3 939
femmes	4 073	4 205	3 888
Taux d'activité %			
hommes	73,7	66,2	50,1
femmes	58,7	54,5	41,0
Taux d'emploi %			
hommes	64,1	48,0	34,4
femmes	53,4	40,2	29,5
Part de chômage %			
hommes	3,6	12,4	10,7
femmes	5,3	14,3	11,4
Taux de chômage %			
hommes	4,9	18,7	21,4
femmes	9,0	26,2	27,8
Taux de scolarité %			
hommes	23,5	31,3	47,6
femmes	24,7	34,1	52,2
Taux d'inactivité non scolaire %			
hommes	2,8	2,4	2,3
femmes	16,7	11,4	6,8

Source : INSEE, *Tableau de l'économie française*, 1999.
N.B. Par convention, les étudiants ne sont pas comptés dans les actifs, d'où le faible taux apparent des actifs dans cette tranche d'âge.

Cependant, les incertitudes les plus graves sont ailleurs, là où les solutions techniques n'existent pas ou ne sont pas connues.

Déséquilibres comptables. S'agissant de la couverture maladie, chroniquement déséquilibrée en France, les défauts d'un système trop peu régulé sont connus. Le partenariat entre organisations patronales et syndicats a manqué de pertinence, alors qu'il a montré plus de clairvoyance dans la gestion de l'assurance chômage (UNEDIC) où les mêmes organisations parviennent beaucoup mieux à des décisions responsables. L'exemple allemand montre au moins une voie qui a réussi : faire participer les unions de médecins à la responsabilité directe de la gestion. La difficulté est de faire accepter par le corps social, mal informé, une réforme à la nécessité de laquelle il ne croit pas. En effet, des ajustements successifs à base d'augmentations des cotisations et de réductions des prestations ont permis au système de durer.

L'équilibre des régimes de retraite relève de solutions qui, du point de vue technique, existent. Les décisions à prendre sont politiques et mettent en question la relation de confiance entre la nation et ses dirigeants. Est-ce que le droit à la retraite dès 60 ans pour tous peut être remis en cause sur des bases raisonnables ? Est-ce que le basculement partiel sur la capitalisation est retenu ? Est-ce que les régimes spéciaux (SNCF, fonctionnaires, etc.), potentiellement les plus déséquilibrés, avec des retraités de 55 ans, sont intouchables ou non ?

Le social contre le travail. Il en va différemment du chômage des jeunes et de la misère urbaine, problèmes partiellement liés. Le niveau atteint par les prélèvements sociaux en Europe, 27,5 % du PIB (contre 15 % aux États-Unis et 12 % au Japon), pourrait être jugé favorablement s'il n'était pas devenu évident qu'il pèse négativement sur l'emploi. La grande majorité des cotisations sociales sont assises sur les salaires et incitent les employeurs à substituer massivement le capital au travail, bien au-delà des nécessités et même des opportunités liées aux mutations techniques.

Les Pays-Bas passent pour avoir réussi une spectaculaire réforme, avec un large consensus, en diminuant fortement la dépense publique. Une croissance de l'emploi s'en est suivie, mais le niveau de la population active en 1990 était tombé si bas (58 % des 18-60 ans) que l'exploit, heureux, n'est pas un exemple démonstratif. Quant au faible taux de chômage britannique (6 %), il résulte largement du développement d'emplois à temps très partiel (inférieur au mi-temps) et du traitement social des chômeurs de longue durée, exclus du compte des demandeurs d'emploi. La situation allemande, grevée par la réunification, est assez proche de celle de la France, avec un corporatisme syndical plus puissant qui génère une dérive encore plus forte à la hausse du coût du travail.

L'État providence protège les citoyens installés, aide les pauvres, plus ou moins selon les pays, mais il favorise les personnes âgées par rapport aux jeunes et ne lutte pas avec suffisamment d'efficacité contre la faible croissance de l'emploi.

◆ **Stage de tags** organisé par le service culturel de la ville de Bezons dans le Val d'Oise, en 1996. Dans certaines banlieues, les municipalités réservent aux jeunes certains emplacements afin de leur permettre de s'exprimer par des graff (graffiti) et des peintures.

La misère urbaine. La forte exposition au chômage des jeunes les moins formés et des salariés les plus vulnérables (secteurs en déclin, spécialisations obsolètes, handicaps divers, à commencer par celui de l'âge) constitue la première cause du renouveau d'une misère urbaine qui, en Europe occidentale, avait, il y a trente ans, sinon disparu, du moins beaucoup régressé. On doit ajouter les difficultés des groupes d'immigrants récents ainsi que celles de certaines familles monoparentales. Enfin, la concentration des défavorisés dans certains quartiers ou certaines banlieues des grandes agglomérations contribue à l'aggravation de la situation. On sait en effet l'importance des réseaux de relations personnelles dans la recherche d'un emploi, d'un logement, voire d'une filière de formation. La ségrégation spatiale et sociale constitue un obstacle lourd. Des enfants ayant grandi dans des grands ensembles où le chômage est presque la norme, où l'argent vient des prestations sociales, du travail au noir et de trafics divers (dont celui de la drogue) auront moins de repères et seront davantage touchés par la désorganisation sociale.

Ainsi se présente, dans une grande complexité, l'ensemble des difficultés auxquelles un État, qui ne se résigne pas à colmater les brèches et réprimer les dérives, tente de porter remède. La panoplie des interventions publiques comprend des mesures d'aide et d'assistance personnalisée selon des critères de ressources, la mise à disposition d'équipements publics, des subventions à des associations socioculturelles, des programmes ciblés de formation et même des innovations dans le champ de la répression judiciaire, tant il apparaît urgent de ne pas traiter les mineurs délinquants comme s'ils étaient voués à l'illégalité et aux emprisonnements multiples. Le recours, large, aux associations est pour partie un aveu d'impuissance de la part des services publics.

Trois écueils menacent des politiques urbaines qui se veulent généreuses. Le premier est le désordre des interventions peu coordonnées, l'inefficacité d'offres qui ne rencontrent pas de demande ; le second, la transformation des populations cibles en assistés permanents et résignés ; le dernier et le pire, la distance entre espoirs suscités et réalités vécues qui tue la crédibilité auprès des jeunes et nourrit la haine.

VOIR AUSSI
- **Chômage** p. 807 à 809
- **Principaux indicateurs : emploi et chômage** p. 838
- **Insertion et exclusion** p. 1019

Les préretraites

Les plans de réduction d'emploi dans les entreprises frappent en priorité les travailleurs de plus de 50 ans et, proportionnellement, davantage les moins qualifiés que les autres. La probabilité de leur retour à l'activité salariée est faible. Des dispositions étatiques assez changeantes ont été prises au titre de la solidarité afin d'accompagner les mutations de l'appareil productif et de prendre en charge ceux qui deviennent des préretraités ou des chômeurs dispensés de recherche d'emploi à partir de 57 ans et demi. La préretraite progressive permet aux travailleurs de plus de 55 ans de partir à la retraite en contrepartie de l'embauche, par l'employeur, de jeunes demandeurs d'emploi. Le salarié au départ forme le jeune qui le remplace. La complexité de la réglementation n'exclut jamais totalement la recherche d'effet d'aubaine de la part d'employeurs qui, tout en rajeunissant leur personnel, diminuent leur masse salariale. Toutefois, cette mesure est jugée trop coûteuse pour un certain nombre d'entreprises.

Délinquance et criminalité

Délit et crime

Un acte délinquant et un acte criminel, définis comme tels par le Code pénal ou les dispositions légales qui en tiennent lieu, sont punissables par des peines, variables selon la gravité de l'acte. Le crime est une catégorie de violations de la loi considérées comme particulièrement graves. Le meurtre et l'assassinat (qui implique la préméditation) en sont les figures emblématiques, mais le viol, la séquestration de personnes, la fabrication de fausse monnaie, l'atteinte à la sûreté de l'État sont également classés comme actes criminels. Le crime et la délinquance se rencontrent, avec des intensités diverses, dans toute société.

◆ **Nombre d'homicides dans les grandes villes américaines.**
La ville de New York, où le nombre des homicides a spectaculairement diminué depuis l'élection du maire Giuliani, présente encore un chiffre proche du total pour la France.

	1995	1996	1997
New York	1177	986	
Chicago	824	789	
Los Angeles	849	709	
Detroit	475	428	
Washington	361	397	
France entière	*n.d.*	*1171*	*963*

Sources : Congrès des États-Unis et ministère de l'Intérieur.

La criminalité, au sens large, forme un système en ce qu'elle implique trois ensembles d'acteurs : les criminels, les victimes, les agents de la répression (policiers, magistrats et auxiliaires de justice). Le délinquant ou le criminel a besoin, pour passer à l'acte, de trouver la victime digne de son intérêt, financier, passionnel ou autre, et de compter sur des conditions à peu près favorables, c'est-à-dire lui permettant d'espérer échapper aux recherches. Les victimes potentielles se protègent plus ou moins bien selon leur appréciation du risque et de ses conséquences dommageables. L'appareil répressif ne se met en mouvement que si l'acte vient à sa connaissance. L'intensité de ses efforts pour identifier l'auteur et le faire juger dépendra d'une appréciation liée à la gravité du fait, aux chances de succès dans la poursuite et à la disponibilité de ses forces.

La délinquance financière

Baptisée aussi « criminalité en col blanc », elle cause des dommages à la société beaucoup plus importants, en termes comptables, que l'activité de tous les malfrats, voleurs d'occasion ou professionnels. Cependant, elle peut sembler moins poursuivie.

D'une part, cette criminalité est souvent difficile à déceler, ou découverte tardivement, après le délai de prescription (en France, celui-ci est légalement allongé pour certains de ces délits). D'autre part, il n'est pas exceptionnel, dans les affaires importantes, que des personnalités du monde économique ou politique soient, directement ou indirectement, mises en cause, ce qui conduit inévitablement l'appareil judiciaire à agir avec beaucoup de prudence. À terme, les peines prononcées apparaissent souvent, aux yeux de l'opinion, légères en comparaison de l'importance des sommes détournées.

À l'heure de la mondialisation, des transferts instantanés de fonds spéculatifs, de l'enchevêtrement de sociétés, fictives ou non, éventuellement domiciliées dans des paradis fiscaux, l'instruction judiciaire est devenue très difficile en la matière et exige une réunion de compétences spécialisées.

◆ **La prison de Ramsey, près de Houston (Texas).** 1 400 prisonniers purgent leur peine en effectuant des travaux agricoles.

Le chiffre noir

La criminalité totale, dans un pays quelconque, est inconnue. Les statistiques de police ou de justice comptent la criminalité rapportée, ou enregistrée, c'est-à-dire les actes qui ont été directement observés (cas du flagrant délit), ou ceux qui ont fait des victimes et entraîné une plainte, déposée soit par la victime elle-même, soit en son nom. Une grande partie des petits vols dans les lieux publics n'est pas enregistrée parce que les victimes savent que les chances d'obtenir réparation sont quasi nulles. En revanche, les vols de voiture sont bien rapportés parce que les automobilistes sont assurés. L'évolution des mœurs peut faire que certains actes criminels soient, aujourd'hui, plus souvent rapportés qu'ils ne l'étaient dans le passé. C'est, semble-t-il, le cas de certaines agressions sexuelles et des violences perpétrées au sein de la famille. Ainsi, une augmentation enregistrée d'un type de crime ou de délit ne traduit pas nécessairement une augmentation réelle du phénomène. Les statistiques permettent d'analyser l'évolution dans le temps des différentes formes de délits et de crimes, sous la condition que l'on puisse raisonnablement tenir pour stable le rapport entre la criminalité rapportée et la criminalité totale.

L'élucidation. La criminalité élucidée, sous-ensemble de la criminalité rapportée, groupe les faits pour lesquels l'enquête a conduit à une mise en examen, quel que soit le destin judiciaire ultérieur, lequel n'est pas toujours une condamnation. Les taux d'élucidation sont généralement d'autant plus élevés que la violation est plus grave, ce qui veut dire que les polices concentrent leurs efforts sur ces affaires. Est considéré comme grave un acte qui cause un préjudice important à autrui, qui fait appel à des moyens violents, s'attaque à une victime particulièrement vulnérable et qui, enfin, a été commis délibérément.

Cependant, la faiblesse apparente des taux d'élucidation concernant certaines formes de délinquance de masse, notamment les atteintes aux biens, cambriolages et autres vols, peut être trompeuse et donner, à tort, une image médiocre de l'efficacité policière. En effet, ne seront considérées comme élucidées que les affaires pour lesquelles des éléments consistants sont transmis à la justice ; or, bien souvent, le voleur identifié dans une affaire a commis d'autres forfaits, qu'il avouera ou non, et pour lesquels les enquêteurs et le juge d'instruction n'auront que des soupçons insuffisants pour une mise en examen formelle.

L'époque contemporaine enregistre des augmentations massives pour plusieurs types de délinquance et de criminalité, cependant que la tendance longue concernant les meurtres est à la baisse, à tout le moins dans les pays d'Europe occidentale.

Le trafic de stupéfiants

L'offre ne cesse de se développer, facilités du transport aidant, et stimule la demande dans les pays développés.

Les principaux pays producteurs sont la Bolivie, le Pérou, la Colombie, le Maroc, l'Iran, la Turquie, le Pakistan, la Birmanie (Myanmar), la Thaïlande et le Laos, tous pays dans lesquels des paysans, vivant dans des zones peu accessibles, ont un intérêt évident à descendre sur leur dos quelques

Le piratage informatique

Le piratage informatique est vécu par certains adeptes comme un sport. Les *hackers*, souvent très jeunes, réalisent d'étonnantes performances et parviennent à casser les codes d'accès les plus complexes. Au-delà du jeu, les risques sont énormes. La sécurité des réseaux informatiques est, pour les polices comme pour les banques, une priorité coûteuse qui entraîne le recours à des mathématiciens spécialistes de cryptographie.

Le parasitage des réseaux par des « virus » qui détruisent les fichiers, est un vandalisme répandu et encore mal connu qui ne s'explique pas pleinement par le désir de nuire. Le marché des contre-mesures se développe avec la propagation des risques.

La communication informatique permet aux organisations criminelles de passer facilement des messages cryptés. Une de leurs techniques est de numériser une photo avec des anomalies, distribuées selon un code secret, connu de l'expéditeur et du destinataire.

◆ **Évolution du nombre d'infractions économiques et financières en France en 10 ans.**

	1988	1989	1990	1991	1992	1993	1994	1995	1996	1997
Infractions	568 638	548 354	651 810	651 810	413 617	409 146	410 179	357 104	310 910	295 511
Évolution	−0,53 %	−3,57 %	0,63 %	2,67 %	−27,03 %	−1,01 %	7,56 %	−18,87 %	−12,94 %	1,95 %

Sources : ministères de la Défense et de l'Intérieur.

dizaines de kilos de graines ou de feuilles qui les font vivre mieux que des cultures vivrières ou maraîchères difficilement transportables. Les drogues de synthèse chimiques ont plus récemment donné la possibilité à d'autres pays – au premier rang desquels figure la Pologne – d'alimenter le marché.

La distinction entre drogues douces (marijuana, haschisch) et drogues dures (héroïne et cocaïne) est parfois contestée : les consommateurs de cocaïne ont toujours commencé par fumer du cannabis. Cependant, les jeunes qui consomment des « joints », ne passent pas tous aux drogues dures, qui répondent à d'autres motivations.

Pour diverses raisons, dont la nécessaire clandestinité, la chaîne de distribution est longue et engendre des profits à chaque étape. Ainsi, contrairement à ce qui a été longtemps affirmé, décapiter des têtes de réseau ne raréfie guère l'offre et ne fait pas monter les prix de détail de façon sensible et dissuasive. Au demeurant, la liaison entre l'évolution des prix et celle de la consommation est certaine, et la baisse régulière des prix observée depuis dix ans explique, en partie, la hausse de la consommation.

La lutte contre la drogue. Les profits des gros réseaux sont colossaux : ils se comptent en milliards de dollars et sont, pour une part certainement croissante, investis dans des activités économiques tout à fait régulières, ce qui rend la lutte contre le blanchiment de l'argent sale très difficile. Les spécialistes s'accordent à penser que la façon efficace d'enrayer le trafic serait de diminuer l'offre par une réduction de la production. L'Union européenne a ainsi entrepris des négociations avec le Maroc en proposant de contribuer au financement d'un programme de désenclavement et de développement de certaines zones de production.

Quant à la répression, elle demande des déploiements de police considérables pour s'attaquer aux moyens et petits trafiquants, et obtenir peut-être des effets de dissuasion, avec le risque de voir simplement le trafic se déplacer vers un quartier ou une ville moins surveillés.

La désintoxication des drogués est toujours difficile ; elle n'est pas impossible, et les cas de guérison par effort de volonté sans grande aide extérieure ne sont pas exceptionnels, contrairement à une idée reçue et fausse. Le soutien psychothérapeutique et médical, en cure ambulatoire ou en milieu hospitalier ouvert, connaît des succès qui justifient la poursuite des efforts et des innovations ; il connaît aussi des échecs.

Le crime organisé

La mafia sicilienne, apparue au milieu du XIXe s., est la plus ancienne organisation criminelle. Elle s'est développée à la faveur de la sous-administration de l'île ; les membres de l'organisation, dits « hommes d'honneur », assurent une certaine protection de la population, l'aide aux pauvres, l'appui aux entreprises, moyennant des extorsions de sommes plus ou moins importantes. Les récalcitrants et les indiscrets sont d'abord menacés, puis abattus sans pitié. La certitude de représailles garantit une bonne observation de la loi du silence. Le cloisonnement organisé fait que chacun ne sait que ce qu'il doit savoir. La mafia se construit des protections en compromettant certains secteurs de l'appareil d'État.

Aux États-Unis, vers 1925, prohibition de l'alcool aidant, des organisations criminelles ont fleuri, en relation avec les « boss » politiques locaux. On les dit mafieuses en ce qu'elles pratiquaient le racket et la protection spécialisée des maisons de jeu et de vente de boissons illicites, mais elles n'ont jamais eu le rôle social de la mafia. Actuellement, les organisations criminelles prolifèrent en Russie, en raison, comme en Sicile, de la décomposition de l'administration et du manque de confiance en l'État. L'ampleur du phénomène est gigantesque car des secteurs entiers de l'économie sont concernés.

Le marché de la drogue alimente généreusement des organisations criminelles d'un tout autre type. Ce sont de véritables multinationales cloisonnées qui, d'un côté, organisent l'approvisionnement des pays consommateurs, de l'autre investissent l'argent sale dans des entreprises honorables. Seuls les grands chefs font la liaison entre les deux activités. Ainsi, l'investissement mondial est, avec la complicité d'organismes financiers volontiers établis dans des pays à contrôle faible, contaminé par l'argent de la drogue.

Le degré de réalité des organigrammes de groupes mafieux élaborés par les services de police soulève quelque doute. La fréquence des règlements de compte donne à penser que les partages de territoire et les hiérarchies internes ne sont pas intangibles.

VOIR AUSSI
• **Toxicomanies** p. 250
• **Justice** p. 991
• **Cryptographie** p. 1029

Le terrorisme international

Le gouvernement iranien fait assassiner, en France, un ancien Premier ministre du chah ; des organisations palestiniennes font exploser un avion israélien sur l'aéroport de Munich ; des islamistes algériens organisent des attentats à la bombe en plein Paris : ce sont là trois formes de terrorisme d'État à l'étranger – luttes de pouvoir en Iran, exportation du conflit israélo-palestinien, « punition » de la France pour son soutien au gouvernement algérien... Dans les deux derniers cas, le souci de faire impression sur l'opinion publique internationale fait partie du projet. Les terroristes ont recours aux trafics illicites pour se trouver des financements, ce qui rend tout à fait incertaine la frontière anciennement claire entre sécurité intérieure et extérieure.

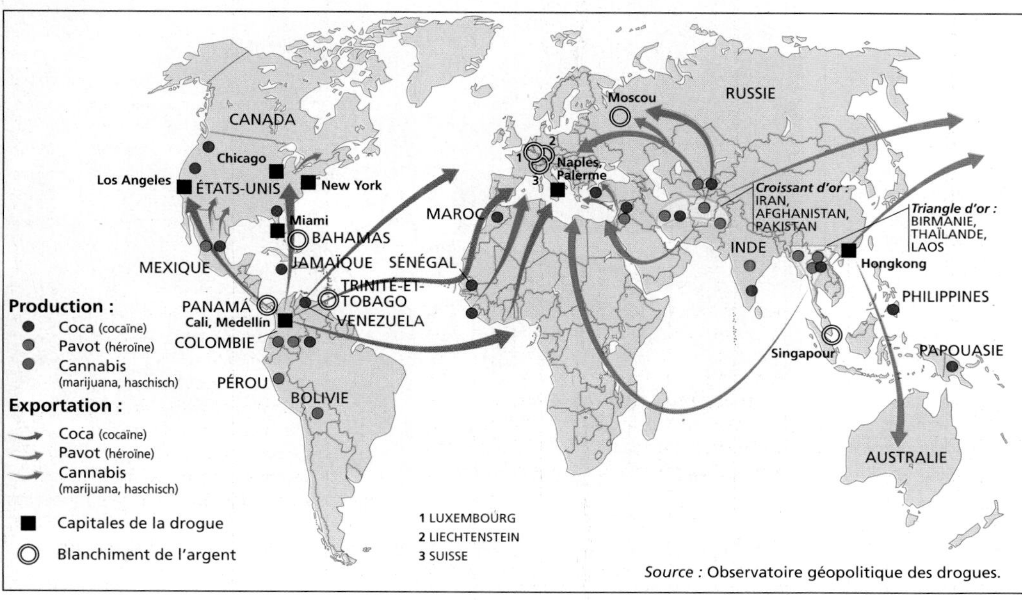

◆ **La drogue dans le monde.**

Délinquance de masse

On groupe sous l'expression « délinquance de masse » les atteintes de faible ou moyenne importance aux personnes et aux biens : vols à l'arraché, à l'étalage, dans les voitures, vols de voitures, cambriolages simples, bagarres entre automobilistes ou dans les transports en commun, etc. Cet ensemble est celui qui enregistre, dans la plupart des pays développés, la plus forte augmentation depuis la Seconde Guerre mondiale. Il fournit les deux tiers des enregistrements statistiques et entretient, de façon justifiée ou non, le sentiment d'insécurité.

Une grande partie de ces actes sont commis sans préparation spécifique et de façon sommaire par des jeunes gens, souvent mal insérés socialement. Lorsqu'il s'agit d'actes de violence physique, l'alcool, la possession d'un couteau, l'absence d'un tiers ou l'incapacité de celui-ci à s'interposer sont, en général, des facteurs contributifs. Les atteintes aux biens se caractérisent souvent par la facilité du geste.

La montée de l'individualisme, l'anonymat propre aux grandes villes, la crise du respect de l'autorité chez les jeunes, l'affaiblissement du sens moral sont volontiers invoqués comme éléments explicatifs. Pour autant, il ne faudrait pas oublier trois autres faits importants : la multiplication des tentations et des occasions dans la société de consommation, la perte du réflexe de défense, voire même des comportements individuels de résignation, dus à la conviction que la sécurité est l'affaire de la force publique et, enfin, l'adoucissement du châtiment encouru.

Les vols de voitures sont de deux types. Le premier s'assimile à un emprunt non autorisé, quand le véhicule est retrouvé dans les trois jours. Le second sort totalement de la petite délinquance : affaire de professionnels, il demande des réseaux et des filières qui sont, éventuellement, les mêmes que ceux du trafic de stupéfiants.

Profils de délinquants

Le délinquant est le plus souvent de sexe masculin et il est jeune : « Les effectifs d'une génération de délinquants commencent à diminuer dès la fin de l'adolescence et ils subissent au fil des arrestations successives une érosion qui se ralentit mais ne se dément jamais », écrit Maurice Cusson, criminologue canadien. Plus des deux tiers des jeunes ayant connu la prison ne seront jamais plus arrêtés, donc auront vraisemblablement réussi à se construire une existence normale. En revanche, la probabilité d'être arrêté à nouveau croît avec le nombre de condamnations.

Primodélinquants d'occasion et récidivistes endurcis ou criminels forment deux populations aux destins très différents. La recherche de caractéristiques propres à la personnalité délinquante n'a pas abouti à des résultats clairs. Les handicaps sociaux qu'on rencontre chez nombre de délinquants sont partagés par bien d'autres hommes. En revanche, les délinquants et les criminels qui recourent à la violence partagent très généralement quatre traits psychologiques : égocentrisme prononcé, manque de contrôle de soi avec incapacité à prendre en compte les conséquences, à terme, de ses actes, agressivité et, enfin, pauvreté affective, faiblesse des attachements et indifférence au sort d'autrui. Une agressivité qui sort nettement de la normale a souvent été remarquée dès les premières années de la scolarité. C'est le seul trait qui permette de découvrir les prémices d'une personnalité violente pouvant passer à l'acte.

L'augmentation de la délinquance des mineurs et, plus encore, des très jeunes (11 à 14 ans) est un sujet de préoccupation. Pour être précis, il s'agit de la proportion d'actes délictueux commis par des mineurs dans le total de la délinquance élucidée. La faiblesse des sanctions encourues par les jeunes mineurs dans de nombreux pays pousse des délinquants plus âgés à utiliser comme main-d'œuvre à risque des enfants que la carence éducative ou simplement l'indépendance précoce a rendus vulnérables aux tentations de l'argent facile.

◆ **Évolution des crimes et délits contre les personnes en France.**

Types d'infractions	1996	1997	Variation 1996/1997
Homicides	1 171	963	– 17,76 %
Tentatives d'homicides	1 214	1 122	– 0,58 %
Coups et blessures volontaires	75 425	81 910	+ 8,60 %
Autres atteintes volontaires contre les personnes	52 765	57 815	+ 95 %
Atteintes aux moeurs	29 678	99 898	+ 18,44 %
– dont viols	1 191	8 213	+ 14,21 %
– dont harcèlement sexuel et autres agressions sexuelles	12 056	13 923	+ 15,69 %
Infractions contre la famille et l'enfant	32 952	38 075	– 0,32 %
– dont non versement de pension alimentaire	13 318	12 229	– 4,42 %
Total	**198 155**	**214 075**	**+ 8,19 %**

Source : ministère de l'Intérieur.

De l'incivilité aux violences urbaines

Les villes, et plus encore les banlieues, voient se développer des comportements dits d'incivilité : déprédations des lieux publics, vol ou casse de mobilier urbain, petit vandalisme dans les parkings et les transports en commun, actes d'intimidation qui, parfois, tournent mal, à l'endroit de personnes vulnérables. Tous ces faits, pris isolément, ne sauraient être poursuivis pénalement, et pourtant ils nuisent à l'ensemble du voisinage, coûtent cher à la collectivité et alimentent fortement le sentiment d'insécurité.

Par ailleurs, il a été bien établi que, si les lieux détruits ne sont pas rapidement remis en état, le processus de dégradation va s'accélérant et peut créer ces zones de non-droit dans lesquelles tout est possible, du dépeçage des voitures volées au viol collectif.

La genèse des échauffourées. Certains quartiers composés de grandes HLM et plus ou moins écartés du centre ville connaissent, de façon apparemment peu prévisible, des explosions de violence. On peut y voir, pendant une nuit ou quelques jours, des centres commerciaux pillés, des voitures incendiées, des bandes de jeunes affronter les forces de l'ordre.

À l'origine, il y a souvent eu un incident dramatique déclencheur – bavure policière, bagarre entre bandes de jeunes ayant entraîné un décès accidentel, coup de fusil d'un voisin peu maître de soi, etc. Cependant, des observations systématiques et convergentes aux États-Unis et en France montrent que ces explosions sont loin de survenir dans tous les quartiers dits à risques, c'est-à-dire caractérisés par une forte présence de minorités ethniques, de familles monoparentales,

◆ **Hooligans dans le stade du Heysel (Bruxelles),** lors de la finale de la Coupe d'Europe des clubs champions, en 1985. Plus que la victoire de la Juventus de Turin sur Liverpool (1–0), l'histoire retiendra le déchaînement de violence de certains « supporters » et son bilan tragique : 39 morts, dont 31 Italiens, 454 blessés.

◆ **Évolution globale de la criminalité et de la délinquance en France en 10 ans.**

	1988	1989	1990	1991	1992	1993	1994	1995	1996	1997
Criminalité globale	3 132 694	3 266 447	3 492 712	3 744 112	3 830 996	3 881 894	3 919 008	3 665 320	3 559 617	3 693 442
Évolution	1,21 %	4,27 %	6,93 %	7,20 %	2,32 %	1,33 %	0,36 %	0,67 %	2,88 %	2,86 %

Sources : ministères de la Défense et de l'Intérieur.

◆ **Évolution des crimes et délits contre les personnes en France en 10 ans.**

	1988	1989	1990	1991	1992	1993	1994	1995	1996	1997
Crimes et délits	122 646	132 321	134 352	141 716	146 095	152 764	175 374	191 120	192 155	214 975
Évolution	16,47 %	7,89 %	1,53 %	5,48 %	3,09 %	4,56 %	14,80 %	9,01 %	3,65 %	8,49 %

Sources : ministères de la Défense et de l'Intérieur.

par un taux de chômage élevé, des équipements collectifs faibles. On constate, le plus souvent, que l'explosion est le point d'orgue d'un processus cumulatif qui a connu plusieurs stades antérieurs, de gravité croissante, le tout ponctué chez les jeunes d'un sentiment de déréliction et d'injustice, soit dans leurs relations avec les établissements scolaires, soit à l'occasion d'une condamnation lourde de l'un d'entre eux. À défaut d'avoir réussi à prévenir l'explosion, il apparaît essentiel, pour limiter les dégâts, que le contact soit vite établi et constamment maintenu entre les autorités et les manifestants.

Le sentiment d'insécurité

L'accroissement des agressions contre les personnes et l'écho que lui donnent les médias engendrent un sentiment d'insécurité diffus auquel les autorités politiques ne peuvent pas être insensibles. Quelles sont les personnes qui développent le plus ce sentiment ? Y a-t-il une relation claire entre insécurité observée et sentiment d'insécurité ? Ces questions sont à l'origine d'enquêtes développées d'abord au Canada et au Royaume-Uni, pays suivis par la France avec un fort retard.

Le sentiment d'insécurité est certes plus élevé chez ceux et celles qui ont effectivement été victimes d'une agression (sac arraché ou autre) ou d'une menace directe, mais, en l'absence d'expérience traumatisante, il augmente avec la vulnérabilité physique et sociale. Les femmes, plutôt âgées, à revenus modestes et vivant seules expriment un sentiment d'insécurité plus élevé que les autres, quel que soit le lieu de résidence. Le sentiment d'insécurité n'a pas de rapport avec la réalité de l'insécurité, telle qu'elle est connue par la police.

Ces enquêtes traitent aussi de la « victimation ». Le recueil de données est délicat, car il faut que la personne interrogée réussisse à se rappeler tout ce qui lui est arrivé depuis un an. Les chiffres obtenus permettent une estimation du « chiffre noir » pour les faits de délinquance de masse. Un travail anglais du Home Office Research Study (centre de recherche du ministère de l'Intérieur) sur les données de 1993 conclut que 48 % seulement des coups et blessures ou des vols avec violence et 73 % des effractions sont déclarés à la police. Un adulte sur cent a été agressé ou blessé au moins une fois dans l'année ; 3 % des foyers ont subi au moins un vol.

Une évolution assez récente a fait comprendre que les victimes qui viennent rapporter une petite agression ou un petit vol expriment au moins autant un besoin d'aide qu'une demande de justice ou de réparation. La formation des policiers commence à tenir compte de ce fait, et, surtout, des associations d'aide aux victimes, subventionnées en France par certaines mairies, offrent une aide juridique et un soutien psychologique.

Les très jeunes délinquants

Dans la délinquance juvénile enregistrée, qui augmente, la part des moins de 13 ans est croissante. Dans nombre de pays, dont la France en vertu d'une ordonnance de 1945, ces derniers ne sont pas pénalement responsables. Des jeunes un peu plus âgés enrôlent de petits gamins qui, assurés de l'impunité prennent des risques. Ces faits, et l'émancipation précoce des enfants, nourrissent aux États-Unis et ailleurs, un courant d'opinion en faveur d'une révision des textes d'exemption.

En France, le choix a été fait, en 1998, de refuser la tentation répressive et d'améliorer la coordination des instances concernées pour un meilleur suivi des gamins appréhendés une première fois. En liaison avec les services locaux de la protection judiciaire de la jeunesse, des associations de protection de l'enfance, subventionnées par le ministère de la Jeunesse et des Sports et par des municipalités, travaillent au développement de la prise en charge en milieu ouvert.

Prévention et sécurité privées

Tous les délinquants potentiels ou réels ne sont jamais mis de façon définitive hors d'état de nuire, et les sociétés contemporaines auraient tort de vouloir confier entièrement la sécurité quotidienne des personnes et des biens aux seules forces de l'ordre. L'augmentation de la délinquance fait redécouvrir une notion que les sociétés moins bureaucratisées et moins urbaines connaissaient bien, à savoir que la sécurité est l'affaire de tous et repose d'abord sur un accord largement partagé sur ce que recouvrent le bien et le mal, le tolérable et l'intolérable. Une politique judiciaire et pénale manquera d'efficacité si elle n'est pas tenue pour juste par la grande majorité du corps social, ce jugement s'imposant à ceux-là mêmes qui tombent sous le coup de la loi répressive. Certains pays, le Japon en tête, font plus que d'autres appel à la conscience du délinquant et à son désir de retrouver une place dans la société, au prix éventuellement d'une réparation dure, publique et humiliante.

L'appel au civisme. La défense de la sécurité peut impliquer que les citoyens consentent des efforts pour le bien de la collectivité. En Grande-Bretagne, plusieurs centaines de milliers de foyers affichent une vignette signifiant qu'un refuge est offert à toute personne en difficulté, ainsi qu'une assistance aux forces de l'ordre en cas de besoin. Aux États-Unis, des témoins à charge dans des affaires criminelles graves prennent des risques tellement lourds qu'ils sont amenés à accepter, sous la protection des autorités, de changer de résidence, voire de prendre un nom d'emprunt. En France, quoique les attentes fortes à l'endroit des institutions publiques et le mépris général pour tout ce qui ressemble à de la délation rendent les choses difficiles, différentes affaires, d'enlèvement notamment, ont montré que le corps social peut se mobiliser.

Une place particulière est à réserver aujourd'hui à la « prévention situationnelle ». Cette expression désigne l'ensemble des dispositifs passifs (portes blindées, suppression des cabines téléphoniques à pièces et de la vente de tickets dans les autobus) ou actifs (caméras de télésurveillance, sirènes asservies à un œil électronique, mécanisme de blocage du moteur d'une voiture mise en marche de façon irrégulière) destinés à rendre l'activité des malfaiteurs plus difficile, moins fructueuse ou plus risquée.

◆ **Propriété de Johannesburg** (Afrique du Sud) signalant, à l'entrée, la présence de vigiles privés armés.

Trois domaines présentent des innovations efficaces : les alarmes, la télésurveillance et le contrôle d'accès. Aux États-Unis, la télésurveillance par puce électronique est même en voie de remplacer partiellement le séjour en prison, car elle permet de contrôler des condamnés astreints à ne pas sortir de chez eux sauf pour se rendre au travail.

Les compagnies d'assurance et les fabricants de matériels de sécurité travaillent avec succès au développement d'un marché de la sécurité privée. Celui-ci connaît effectivement un essor important, au point que l'on peut se demander si le sentiment d'insécurité ne serait pas entretenu et renforcé par les offres du marché.

Petit lexique

victimation : fait d'être victime; les enquêtes de victimation visent à évaluer – indépendamment des données de police – la proportion de personnes ayant subi une agression, une atteinte corporelle ou un dommage aux biens.

Intégration et tensions sociales

Liberté et égalité

L'époque contemporaine a montré que l'objectif d'égalité totale des chances scolaires, poussé à l'extrême, implique de détruire la famille, de confier les enfants à l'État, ou d'imposer à l'entrée des études supérieures des quotas pour supprimer la surreprésentation des enfants de milieux favorisés, politique que l'ex-RDA (Allemagne de l'Est) a brièvement mise en œuvre. Inversement, la liberté du chef d'entreprise peut être redoutable pour le salarié; celle du propriétaire, cruelle vis-à-vis du locataire, etc.

Des règles doivent inévitablement fixer des limites tant à la poursuite de l'égalité qu'à l'exercice de la liberté. Égalité et liberté s'opposent en bien des domaines. La façon de se situer par rapport à cette contradiction de fond oppose les États-Unis, très attachés à la défense des libertés individuelles, et le continent européen où la promotion de l'égalité a été poursuivie au prix de restrictions plus nombreuses à la liberté.

Le développement de l'État providence est allé de pair, en France plus encore qu'en Allemagne, avec l'extension de l'emprise de l'État et des réglementations. La conception française du service public est marquée par l'idée que le monopole d'État sert mieux les citoyens que l'organisation par le marché. Le dirigisme, qui a sa racine culturelle dans le colbertisme, réalise une sorte de consensus entre la tradition gaulliste et son haut sens de l'État, et la pensée de gauche, opposée au libéralisme.

Même s'il y a débat pour introduire un volet social, le libéralisme, plus ou moins tempéré, qui prévaut dans la construction européenne conduit à un bouleversement gigantesque des habitudes d'une société jusqu'à présent plutôt douce à l'égard de ses salariés.

◆ **Cité de la banlieue nord de Paris.**
Les jeunes se servent d'un caddy comme panier de basket. De plus en plus nombreux sont ceux qui refusent l'encadrement d'un club sportif, et le sport de rue se développe au pied des immeubles ou dans les terrains vagues, laissant bien démunies autorités et associations dans leur recherche d'un contact suivi avec la jeunesse déshéritée.

Des sociétés duales

L'expression «société duale» s'est imposée pour désigner une situation dans laquelle, malgré une croissance économique positive, une fracture sociale se produit et sépare ceux qui profitent des bénéfices de la croissance et ceux qui en sont exclus. Sous deux formes principales, l'une anglo-saxonne et l'autre franco-allemande, la menace se précise.

Toutes les démocraties ont été secouées par deux grands bouleversements : l'effondrement du bloc soviétique, qui a détruit, pour un temps au moins, l'idée d'un modèle courant radicalement différent du capitalisme; la mondialisation économique et financière. D'abord lente, celle-ci est passée, avec les mutations techniques liées au traitement de l'information, à une vitesse supérieure. Les vieux pays développés et démocratiques s'étaient, de fait, réservé l'usage de l'investissement productif, donc de l'emploi. Leur croissance (et celle de leur bien-être) en a découlé. Ce temps est révolu; l'investissement est devenu mondial, et la croissance de l'emploi avec lui. Les situations liées au statut de « pays protégé » disparaissent pour les salariés. Les délocalisations sont une illustration forte de ce changement. Le compromis social qui a permis la forte croissance des Trente Glorieuses (1945-1974) reposait sur l'extension des classes moyennes, la diffusion d'un niveau de vie moyen en progression assez rapide, une certaine réduction des inégalités de revenus. Le contrat de travail à temps plein et à durée indéterminée était une quasi-règle.

De nouveaux défis. Ces conditions ne sont plus. Aux États-Unis, malgré un dynamisme économique florissant, les classes moyennes s'appauvrissent lentement, car, depuis les années 1980, les salaires (cadres supérieurs exceptés) n'augmentent annuellement que de 1,5 %, et 8 millions de travailleurs ont des salaires correspondant à la moitié du SMIC français. Pour les minorités ethniques, l'espoir de promotion sociale est faible. À l'autre extrémité, chefs d'entreprises, actionnaires et cadres dirigeants se portent fort bien et entretiennent l'image de la réussite du pays devenu la seule superpuissance.

En Europe, dix-neuf ans continus de gouvernement conservateur à Londres ont arrêté le déclin économique du Royaume-Uni, mais ont mis à mal l'État providence et largement ouvert la voie à la dualisation. Les emplois précaires et partiels, inférieurs au mi-temps, se sont développés. Les services publics ont été privatisés, avec les inégalités d'accès qui en découlent pour les titulaires de revenus faibles. Le niveau général d'éducation s'est peu élevé, et les bas niveaux de qualification sont plus nombreux qu'en France et en Allemagne. Les explosions de violence des jeunes déshérités disent la gravité du désespoir.

L'Allemagne et la France présentent, par-delà des différences, un modèle commun. Le coût du travail y est élevé; les salaires ont continué de suivre la croissance; la protection sociale est très bonne pour ceux qui en bénéficient à plein, certains retraités sont très aisés, mais le chômage est monté à plus de 10 % des actifs potentiels, et plus de 10 % de la population globale vit, durement, d'allocations et d'assistance. La fracture n'est pas que sociale, elle devient générationnelle, entre les aînés, qui ont bénéficié de toutes les avancées sociales, et les jeunes pour qui tout est plus difficile, comme en témoigne le tassement des salaires d'embauche.

Étrangers et immigrés

Les chiffres sont difficiles à établir parce qu'il ne peut pas y avoir de base unique suivie en temps réel. Environ 4,5 millions d'étrangers résident en France. Les départs et les naturalisations font que l'augmentation annuelle est faible.
Étudiants, stagiaires et autres temporaires exclus, de 1990 à 1997, on a enregistré l'arrivée de 170 000 citoyens de l'Union européenne et de 580 000 migrants issus, en ordre décroissant, du Maghreb, de l'Afrique francophone, de Turquie, de l'ex-URSS, des pays balkaniques. Les Européens ont pour les deux tiers un travail assuré ou en perspective; 60 % des non-Européens ont été admis au titre du regroupement familial. Le flux annuel d'entrées, qui était encore en 1990 de plus de 100 000, est descendu à 75 000.
100 000 étrangers par an sont devenus citoyens français, soit plus que les flux d'arrivée récents. Les réformes du code de la nationalité, juridiquement importantes, ont eu une incidence numérique faible.
L'ouverture, en 1997, d'une régularisation accordée aux immigrés entrés illégalement a suscité quelque 150 000 demandes. Une petite moitié d'entre elles entraient dans les critères de recevabilité. Les autres postulants sont devenus des illégaux connus.

L'immigration

La pression des pays du Sud s'exerce sur l'Europe riche comme sur les États-Unis. Ceux-ci ont mis en place un dispositif hautement technique de fermeture de la frontière mexicaine, mais des clandestins passent néanmoins. En Europe, la restriction de l'immigration a été décidée en 1974, avec le fort ralentissement de la croissance consécutif au choc pétrolier.

La France avait depuis la fin du XIXe s. accueilli et même recherché de nombreux immigrants. Les travailleurs espagnols et portugais ont été, à l'époque du plein-emploi, très demandés. Certains repartaient au bout de quelques années; beaucoup ont choisi l'installation définitive, ont demandé et obtenu la nationalité française et sont tout à fait intégrés, ce qui ne signifie pas qu'ils renient ou oublient leurs origines.

L'intégration en question. À partir de 1980, l'immigration fait l'objet de prises de position opposées et d'inquiétudes politiques. Les Maghrébins, Algériens surtout, déjà présents dans les flux antérieurs, constituent désormais plus de 50 % des entrants. L'immigration légale, maîtrisée, de l'ordre de 100 000 personnes par an, se fait pour près de la moitié au titre du regroupement familial.

Deux ordres de faits se combinent alors. D'une part, la religion musulmane devient la deuxième en France, des lieux de prière apparaissent, des mosquées sont demandées, d'où des conflits locaux. Or il n'existe pas de représentation unifiée des musulmans qui puisse traiter avec le gouvernement, comme c'est le cas pour d'autres religions. Deuxièmement, le chômage augmente, les Maghrébins arrivés adultes et peu qualifiés sont les plus frappés par le ralentissement du bâtiment et par les licenciements dans l'industrie. Les cités où ils sont proportionnellement nombreux deviennent des zones de concentration de misère urbaine peu propices au développement des adolescents, maghrébins ou non.

Selon un courant xénophobe et raciste, les musulmans ne s'intègrent pas et ne veulent pas s'intégrer, ils prennent le travail des Français ou grossissent la masse des chômeurs assistés. Ces affirmations sont sans fondement. Même s'ils n'excluent pas le retour, les immigrés maghrébins s'établissent et le succès économique et social d'une partie d'entre eux est certain. La pratique religieuse est très faible chez les Algériens de France (on l'estime à 17 % chez les hommes); elle ne s'oppose pas à l'acculturation, comme le prouve la baisse rapide de la fécondité des jeunes femmes qui adoptent le modèle français, contraception comprise. À niveau de qualification et d'âge égal, les jeunes Maghrébins ont le même taux de chômage que les autres jeunes de leur ville de résidence. Le vrai problème est celui de l'éducation dans des villes et des quartiers sinistrés, parce que l'intégration demande l'acculturation.

En France, l'intégration rencontre finalement moins de barrières légales qu'en Allemagne, culturelles qu'au Royaume-Uni, mais l'acculturation est ralentie quand l'écart culturel avec la modernité est large; elle demande vingt ans : à la seconde génération, elle est effective, avec une proportion forte au bas de l'échelle sociale.

◆ Funérailles de cinq Turcs morts dans l'incendie criminel de leur foyer, perpétré par des néonazis allemands, en juin 1993.

L'universalisme contesté

Le modèle culturel de citoyenneté français, forgé avec la Déclaration des droits de l'homme, est universaliste. La liberté et l'égalité sont des droits de l'homme, mais les communautés particulières ne sont pas reconnues en tant que telles. Les privilèges sont supprimés, les corporations de métier aussi. À partir de 1882, l'école publique impose le français, dévalorise les cultures régionales, fait péricliter l'usage du breton, du provençal, etc., au nom de l'unité et de la grandeur de la France. Les défenseurs des cultures locales ne se recrutaient alors que parmi les opposants à la République.

Ce modèle est aujourd'hui pris en tenaille par la montée en puissance de l'Europe, par le renouveau régionaliste et par l'éclosion de revendications particularistes, fondées sur une demande de reconnaissance et d'égalité, non plus d'individus, mais de groupes.

Rencontre des cultures

Les immigrés adoptent des attitudes variées à l'égard de la culture du pays d'accueil. L'acculturation est un processus par lequel un groupe adopte progressivement les normes culturelles de base d'un colonisateur, d'un pays d'accueil ou d'un modèle extérieur, à commencer par la langue. Elle n'implique pas nécessairement la perte de la culture d'origine. Les Japonais ont adopté brillamment une bonne part du modèle scientifico-technique et démocratique occidental; la culture japonaise antérieure a composé avec lui.

L'intégration est atteinte quand un individu ou un groupe minoritaire est admis, éventuellement avec ses particularismes, à égalité par le groupe majoritaire. L'acculturation facilite l'intégration; elle ne suffit pas, dans une société intolérante, à garantir la diversité religieuse ou ethnique

L'assimilation est l'état atteint par un groupe acculturé qui oublie ses origines, renonce à ses spécificités culturelles ou les confine à l'ordre privé. L'assimilation imposée est aujourd'hui considérée comme une violence culturelle.

Entre l'Europe et les régions, l'État-nation unitaire recule. La décentralisation politique, décidée en 1982, participe d'un vaste mouvement en Europe en faveur des autonomies régionales, dont un des aspects est la réhabilitation des patrimoines culturels. En témoignent la réintroduction des langues régionales dans l'enseignement, mais aussi le développement de pratiques contractuelles négociées entre l'État et des collectivités de niveau inférieur – un abandon de la souveraineté naguère impensable. La loi n'est plus tout à fait la même pour tous (ainsi du statut particulier de la Corse, voté en 1989).

L'ouverture à la diversité est acquise et il n'est plus question d'imposer aux étrangers l'abandon de leur culture. Il en résulte quelques difficultés, au regard de la laïcité ou du droit civil. L'Éducation nationale se doit, désormais, de prendre en compte les coutumes d'autres nationalités ou religions. La polygamie des Africains a été admise, en France, par le Conseil d'État. Elle est, au demeurant, rapidement abandonnée avec l'acculturation.

Le féminisme a conquis l'égale ouverture des emplois pour les femmes en tant qu'individus. Vouloir assurer par la loi une proportion garantie de femmes parmi les candidats aux élections revient à instaurer une partition entre hommes et femmes en tant que citoyens qui relève d'un courant de pensée opposé à l'universalisme, à savoir le communautarisme.

Le multiculturalisme

Plus de 500 associations culturelles algériennes ont été recensées en France ; l'ambassade subventionne des cours de langue arabe. Arméniens et Kurdes ont des associations culturelles identitaires, etc. La présence de communautés étrangères ou d'origine étrangère qui souhaitent conserver et transmettre à leurs enfants leur patrimoine culturel soulève deux questions totalement différentes.

La première est politique. Jusqu'où un pays démocratique peut-il admettre sur son sol des activités militantes en relation avec des combats politiques étrangers ? Le risque n'est pas nul d'offrir le territoire à l'extension de combats fratricides et d'ôter, par là-même, tout sens à un droit d'asile au nom duquel certains de ces militants ont été admis.

La seconde question est à la fois culturelle et politique. Si l'on souhaite que l'acculturation des immigrés se réalise, faut-il faire place, par la loi et dans la pratique, à des revendications particularistes qui mettent en cause des valeurs de fond de la culture française ? Une illustration du problème est donnée par la querelle du foulard islamique (tchador) dans les lycées. On peut conclure à une entorse à la laïcité ou, tout au contraire, au respect d'une culture autre au nom de la tolérance.

Petit lexique

multiculturalisme : coexistence de plusieurs cultures dans une société, un pays.

VOIR AUSSI 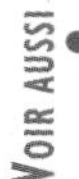
- **Peuples** p. 946
Illustrations
- **Stage de « tags »** p. 999

Division du travail et qualifications

Division technique et division sociale

Dans presque toutes les sociétés il existe une spécialisation des tâches dont le fondement est à la fois technique et social : les techniques rudimentaires de tissage, n'exigeant que des métiers à tisser simples et bon marché, vont se développer dans les campagnes françaises au XVIe s., tandis que l'industrie de la soie, qui demande des métiers plus coûteux et des ouvriers plus qualifiés, va s'implanter dans les centres urbains.

Cette spécialisation technique des tâches est aussi le fondement d'une hiérarchie sociale. Prenons l'exemple de la division du travail en milieu hospitalier; à un premier niveau apparaît la division horizontale du travail : le rhumatologue, le cardiologue, le neurologue sont spécialisés dans le traitement de différentes parties du corps. Ils n'entrent pas normalement en interaction, et on ne peut pas dire que l'un soit le subordonné de l'autre.

À cette première forme de division horizontale du travail, on peut opposer une forme de division verticale. Les tâches « nobles », savantes, bien rémunérées, sont assumées par le médecin : ce sont celles qui consistent à identifier la maladie du patient et à prescrire ce qui convient pour le soulager. À l'infirmière d'assurer l'administration du traitement et, dans une certaine mesure, le suivi du patient. Les tâches les moins nobles seront assurées par l'aide-soignante, le garçon de salle ou la femme de service. De même, dans le cas des accouchements, la sage-femme va assurer la plupart des tâches de préparation et d'assistance à l'accouchement, le médecin et éventuellement le chirurgien n'intervenant que dans les phases complexes.

Le taylorisme et sa remise en cause

L'Américain Frederick Winslow Taylor (1856-1915) a prôné une organisation des ateliers de production fondée sur la spécialisation des tâches, sur une division radicale entre tâches de conception, confiées au bureau des méthodes, et tâches d'exécution, confiées à des ouvriers. Ceux-ci sont encadrés par une hiérarchie très lourde et soumis à un contrôle sans précédent, notamment par l'imposition d'un mode opératoire unique jugé le plus efficace (le *one best way*) et par le chronométrage de toutes leurs activités.

À la suite de l'évolution des techniques et de l'effort pour augmenter la qualité de la production et le degré de satisfaction au travail, la remise en cause du taylorisme s'amorce dans certains secteurs industriels à partir des années 1970. On introduit par exemple les équipes semi-autonomes, libres d'organiser le travail et de répartir les tâches selon les besoins. Par ailleurs, le développement des technologies nouvelles va permettre l'émergence d'un processus de rationalisation de la production avec liaison assistée par ordinateur entre les tâches de conception, de planification de la production et de fabrication.

Une chaîne d'assemblage.
Des centaines de pièces sont nécessaires pour fabriquer (comme ici) un four à micro-ondes. À chaque étape, l'ouvrier ajoute une série de pièces au coffret qui passe ensuite au poste suivant au moyen de crémaillères; l'organisation du travail oblige les ouvriers à tenir les cadences.

Cette division du travail évolue souvent en suivant une pente descendante : au fil des changements technologiques, les travaux les plus pénibles ou les moins rémunérateurs se trouvent progressivement délégués au rang inférieur; tantôt, au contraire, une profession émergente rencontre des difficultés à être reconnue, se heurtant à l'hostilité d'une catégorie supérieure : ainsi des hydrothérapeutes que les kinésithérapeutes souhaiteraient maintenir au rang d'aides-soignants, ne reconnaissant pas la spécificité d'une profession susceptible de les concurrencer. À l'inverse, les conseillers juridiques, qui étaient des experts indépendants jusqu'en 1995, doivent désormais être inscrits au barreau des avocats.

Les recherches ethnologiques abondent en exemples montrant que la division du travail et la hiérarchie qui en découle sont portées par des valeurs religieuses qui définissent le pur et l'impur. Ainsi l'anthropologue Louis Dumont, étudiant le système des castes en Inde, montre que la place des groupes professionnels dans la hiérarchie sociale est déterminée par leur plus ou moins grande proximité avec les situations « impures » que sont la mort, le linge sale ou les menstrues.

La division sexuelle du travail

On a pendant longtemps opposé les tâches de reproduction, réservées aux femmes, aux tâches de production, fief masculin. En fait, les femmes ont depuis très longtemps apporté leur contribution à la sphère productive, mais leur accès à des postes de responsabilité, traditionnellement tenus par des hommes, est plus récent et reste limité. Certains métiers sont, de fait sinon de droit, un monopole quasi masculin (les métiers du bâtiment : couvreurs, électriciens, plombiers, etc.), d'autres sont exercés presque exclusivement par des femmes : secrétaires, infirmières, bibliothécaires, etc.

Cette division sexuelle du travail repose en partie sur des raisons fonctionnelles, mais les fondements sociaux en sont évidents : les femmes ont tenu pendant longtemps les postes subalternes les plus mal rémunérés et les moins prestigieux. Cette situation évolue, et les femmes deviennent plus présentes dans des métiers longtemps considérés comme des métiers d'hommes : avocats, médecins, magistrats, etc. Le nombre de femmes « cadres et professions intellectuelles supérieures » a plus que doublé entre 1982 et 1994.

Longtemps le manque de formation de la population féminine a pu être évoqué, mais ce n'est plus guère le cas : les femmes, notamment en France, ont une bonne, voire une meilleure formation que celle de leurs homologues masculins. D'importantes différences de salaire persistent néanmoins et l'application du principe « à travail égal salaire égal » (Convention n° 100 de l'OIT, 1951) ne progresse que très lentement : pour l'année 1995, les salaires horaires des femmes représentaient en France 73 % de ceux des hommes, et 64 % au Royaume-Uni. En éliminant les différences dues au fait que la population active féminine a des caractéristiques individuelles et des emplois différents des hommes, une différence de salaires entre hommes et femmes demeure, qui est de l'ordre de 13 % pour la Suède, 22 % pour l'Espagne, 23 % pour la France et 25 % pour le Royaume-Uni (Eurostat, 1997).

La gestion des emplois et des compétences

La gestion prévisionnelle des emplois et des compétences est une méthode moderne de management qui vise à assurer aux entreprises l'organisation humaine du travail dont elles ont besoin. Grâce à une connaissance plus fine des activités de l'entreprise et des savoir-faire qu'elles impliquent, il s'agit d'inventer une nouvelle façon d'évaluer les individus et les emplois, plus souple et moins dépendante du diplôme. Une expérience célèbre est mise en œuvre dans la sidérurgie en 1986 à la SOLLAC, à Dunkerque, sous le nom de SEC (système d'évaluation des compétences), puis de MIA (méthode d'investigation des activités). La notion de poste de travail est remplacée par celle de système d'activités. Pour chaque ensemble d'activités est mise en place une cellule de travail regroupant des agents qui poursuivent une mission commune. Cela permet d'augmenter la polyvalence du personnel ouvrier et d'atténuer la hiérarchie. Les relations entre agents d'exécution et agents de maîtrise en sont profondément affectées. En principe, chaque opérateur doit construire sa trajectoire de carrière en faisant évoluer la structure des activités qu'il maîtrise. Le repérage d'emplois types, définis par la direction, viendra, en fait, limiter fortement cette autonomie virtuelle des acteurs. L'expérience sera finalement étendue sous le nom d'ACap 2000 (ou Accord sur la conduite de l'activité professionnelle), signé le 17 décembre 1990 par le groupement des industries sidérurgiques et minières et quatre organisations syndicales (sauf la CGT). Ces démarches sont intéressantes, car elles témoignent d'une volonté de remettre en cause les méthodes tayloriennes. Elles sont aussi inquiétantes : la mise en place d'un système individualisé de compétences et de rémunérations est producteur d'inégalités nouvelles, car seuls les salariés ambitieux et organisés peuvent tirer profit de cette approche « cybernétique » de l'individu. Les autres se voient privés en partie des protections assurées par les syndicats et les conventions collectives.

Les grilles de classification

En France, tous les cinq ans, les partenaires sociaux de chaque branche doivent négocier une grille de classification professionnelle qui définit et hiérarchise les emplois ou les métiers de cette branche et les salaires minimaux correspondants. La révision des salaires est, par obligation légale, annuelle. Si les conventions collectives les plus anciennes, dites « classifications Parodi », déterminent la hiérarchie des postes et, par suite, des salaires, de nouvelles formes de grilles de classification, plus souples, dites « grilles à critères classants », font leur apparition à partir du milieu des années 1970.

L'élaboration des critères procède des méthodes anglo-saxonnes de *job-evaluation* (analyse des diverses compétences requises pour occuper un poste). Derrière ce changement en apparaît un autre, plus fondamental, celui de la modification des attributions respectives qui appartiennent aux branches et aux entreprises : la branche a désormais vocation à définir des principes généraux, des procédures à partir desquelles les entreprises définiront le classement des postes.

C'est donc à une internalisation de la qualification que l'on assiste, processus par lequel la qualification devient de plus en plus du ressort de l'entreprise : à l'intérieur des critères et procédures déterminés par les conventions collectives de branche, l'entreprise est libre de classer les postes. Elle n'est plus soumise à la contrainte des listes de métiers comme dans les premières conventions. Les qualifications deviennent à la fois plus spécifiques à chaque entreprise et plus évolutives. Ce mouvement coïncide avec une individualisation assez générale des qualifications. Les rapports entre qualification personnelle et qualification contractuelle changent.

La correspondance entre le certificat et le poste se distend : le diplôme, condition nécessaire d'accès au poste, définit davantage un niveau d'accès qu'une qualification contractuelle.

Les grilles à critères classants

Critères le plus fréquemment retenus pour évaluer les salaires :

– polyvalence ;
– niveau de connaissances ;
– consignes ;
– répétitivité ;
– exigences physiques ;
– autonomie et responsabilité ;
– types d'activité ;
– conduite machine.

Les classifications de type Parodi

Le cas type est celui des accords de la métallurgie parisienne du 12 juin 1936. Il fournit une simple énumération des postes, sans en donner une description précise. Par exemple, manœuvre ordinaire : « ouvrier auquel sont confiés des travaux élémentaires ne rentrant pas dans le cycle des fabrications et qui n'exigent aucune formation et aucune adaptation » ; ouvrier professionnel : « ouvrier possédant un métier dont l'apprentissage peut être sanctionné par un CAP et ayant satisfait à l'essai professionnel d'usage ».

La hiérarchie des salaires est généralement exprimée en points avec peu d'explications sur les éventuels fondements de cette hiérarchie.

Le barème des salaires correspond aux salaires minimaux, les salaires effectivement pratiqués étant généralement supérieurs. La première grille définit onze dénominations :

Manœuvres femmes	4,25
OS femmes (montage et divers)	4,90
Manœuvres hommes (ordinaires)	5,00
OS femmes (sur machines)	5,30
Manœuvres hommes (gros travaux)	5,40
OS hommes (montage et divers)	6,10
OS hommes (machines)	6,25
Professionnels machines fabrication (tourneurs, fraiseurs-rectifieurs, aléseurs, mortaiseurs, raboteurs)	7,20
Régleurs machines et divers	7,50
Professionnels d'outillage (traceurs outilleurs, graveurs outilleurs)	7,75
Régleurs sur machines automatiques	7,75

Vers la fin du travail ?

Le ralentissement de la croissance économique ne permet plus le plein-emploi. La généralisation des emplois précaires (intérim, contrats à durée déterminée) ou des horaires « atypiques » conduisent à un « effritement de la condition salariale » (Robert Castel). L'emploi stable et à temps plein devient un sort rare et enviable. Les politiques sociales mises en place par l'État providence ne suffisent pas à endiguer le glissement vers une société duale. On assiste à une cassure entre les nantis et ceux qui, exclus du marché du travail, se trouvent de fait placés en marge de la société (Serge Paugam). L'évolution technique ne fait qu'aggraver le processus : les progrès de l'automation et de la robotisation font disparaître des usines les postes d'ouvriers non qualifiés, et seuls les emplois de surveillance, en nombre restreint, demeurent. Le développement des activités tertiaires confirme cette rupture entre des emplois très qualifiés, fortement ancrés dans l'usage des technologies nouvelles, et des emplois de service pénibles, instables et mal rémunérés. Certains auteurs vont jusqu'à prédire « la fin du travail » (Jeremy Rifkin), tandis que d'autres soulignent à juste titre le rôle persistant joué par les positions professionnelles dans la définition de l'identité sociale (Dominique Schnapper). Redistribuer les richesses issues des gains de productivité est une voie possible. La réduction du temps de travail et le développement de l'économie sociale figurent parmi les remèdes envisageables contre la bipolarisation de la société.

Petit lexique

Aubry (lois) : lois relatives à la réduction du temps de travail (la « RTT ») et aux 35 heures hebdomadaires obligatoires.

qualification : appréciation, sur une grille hiérarchique, de la valeur professionnelle d'un travailleur suivant ses formation, expérience et responsabilités.

VOIR AUSSI
- **Principaux indicateurs** (chômage et emploi) p. 838
- **L'État providence en question** p. 998
- **Classification et hiérarchie sociales** p. 1010

◆ **Georges Friedman** (1902-1977), **par Robert Doisneau** (1912-1994).
L'auteur du *Travail en miettes* a eu un rôle considérable de pionnier en sociologie du travail.

Les tarifs

Agricol Perdiguier, *Mémoires d'un compagnon* (Genève, 1854) : « Les plus intelligents d'entre les ouvriers, les plus actifs, les plus dévoués, les plus gens de cœur, souvent les chefs des différentes sociétés de la corporation, rédigent un tarif, cotent la valeur de chaque genre d'ouvrage de métier et s'abouchent avec les maîtres.

Si ceux-ci veulent écouter leurs plaintes, leurs réclamations, les deux parties adverses négocient, débattent de leurs intérêts respectifs, fixent en commun le prix soit de la journée, soit de la façon aux pièces, et tout se règle à l'amiable comme en famille. Si les maîtres ne veulent rien écouter ou sont trop exigeants, les compagnons disent un mot et gavots et dévoirants cessent de travailler à la fois. Les ateliers se vident, les patrons n'ont plus d'ouvriers. Tous les travaux sont en suspens.

Il arrive que, de guerre lasse, les maîtres admettent les prétentions des ouvriers, signent le nouveau tarif et alors le bon ordre renaît aussitôt. D'autres fois, ils appellent à leur aide la magistrature, tendent des pièges aux directeurs de la grève, les font tomber sous le coup de la loi, condamner et emprisonner comme chefs de coalition. »

Compétence, pouvoir, revenus

Les salaires

La récente généralisation de l'emploi salarié ne doit pas faire oublier que l'état d'indépendant (agriculteur, artisan, commerçant) était jadis la condition la plus enviable et la plus répandue. Le salariat était au départ synonyme de misère et de dépendance (Robert Castel, *les Métamorphoses de la question sociale*, 1995). Claude Nicolet, l'historien contemporain du radicalisme, rappelle qu'en 1922 encore, au congrès de Marseille, le parti radical promet « l'abolition du salariat, survivance de l'esclavage ». Cependant, avec l'avènement de la société salariale dans les années 1960, le travail salarié va devenir pour une trentaine d'années « le support privilégié d'inscription dans la structure sociale ».

La théorie économique enseigne que la détermination des salaires dépend d'un mécanisme d'équilibre entre l'offre et la demande de travail : l'employeur entend se procurer une main-d'œuvre productive, c'est-à-dire bien formée et stable au prix le plus avantageux, tandis que les salariés cherchent à trouver un « bon emploi », offrant les conditions de travail et de rémunération les meilleures. L'ajustement entre l'offre et la demande se fait de façon imparfaite puisque les employeurs comme les salariés ne sont pas en possession de toute l'information nécessaire concernant les individus et les postes.

La théorie du capital humain (avec l'économiste américain Gary Becker) tente d'expliquer la détermination des salaires par les caractéristiques individuelles des salariés (sexe, âge, diplôme, expérience professionnelle). La théorie de la recherche d'emploi *(job-search)* postule que les demandeurs d'emploi vont optimiser leur accès à l'emploi par un arbitrage entre la durée de leur recherche et le salaire demandé. Le salaire de réserve correspond au niveau de salaire à partir duquel le demandeur d'emploi va accepter de travailler.

Les écarts de salaires peuvent aussi s'expliquer par des facteurs collectifs : conditions de travail, taille de l'établissement, secteur d'emploi, etc. La théorie de la dualisation des marchés du travail (P. Doeringer et M. Piore) tend ainsi à distinguer entre un segment primaire du marché du travail, constitué de grosses entreprises qui offrent des emplois stables, protégés, et un segment secondaire où de petites firmes offrent des emplois précaires et mal rémunérés. L'intérêt principal de cette théorie est de montrer que ces deux segments fonctionnent différemment et que la mobilité entre eux est difficile. Le segment primaire est principalement constitué de marchés internes où les salaires sont fixés par des règles administratives et où la mobilité ascendante s'effectue au sein de la même entreprise.

La construction de grilles de qualification peut être interprétée comme une tentative de stabiliser le conflit potentiel entre employeurs et salariés en ce qui concerne la définition des salaires. Cette tentative de régulation conjointe peut être considérée comme la mise en forme d'un accord préalable.

D'importantes différences de salaire existent entre les grandes catégories professionnelles : en début de carrière, un homme, cadre, gagne 45 % de plus qu'un employé ou un ouvrier. Ensuite, l'écart se creuse entre les salaires au sein d'une même branche car les professions les moins qualifiées ont une progression salariale plus faible que les autres : à 50 ans, le salaire d'un homme cadre est le double de celui d'un cadre en début de carrière, alors que pour les ouvriers, le rapport n'est que de 1,2.

◆ Effet propre du diplôme sur le salaire.

Pour une catégorie professionnelle donnée, le diplôme permet un salaire supérieur. En 1992, toutes choses égales par ailleurs, c'est-à-dire à catégorie socioprofessionnelle donnée, mais aussi à âge, ancienneté, taille de l'entreprise, secteur identiques, un homme titulaire du baccalauréat général a un salaire supérieur de 9,3 % à celui d'un non-diplômé (catégorie de référence).

	Hommes	Femmes
Sans diplôme	RÉF	RÉF
Certificat d'études primaires	+ 1,4	n.s.
BEPC	+ 4,6	+ 4,2
BEP, CAP	+ 5,8	+ 4,6
Bac technique ou pro, brevet technique	+ 9,4	+ 9,0
Baccalauréat général	+ 9,3	+ 9,2
DUT, BTS	+ 10,8	+ 12,9
1er cycle universitaire	+ 13,0	+ 16,5
2e cycle universitaire	+ 19,9	+ 14,2
3e cycle universitaire	+ 26,6	+ 30,9
Grande école	+ 30,5	+ 29,7

RÉF : modèle de référence ; n.s. : non significatif.
Source : INSEE, Enquête sur la structure des salaires, dans *Données sociales* 1996, p. 192.

Le paradoxe d'Anderson

Dans son article « A Skeptical Note on Education and Mobility », paru en mai 1961 dans *American Journal of Sociology*, Arnold Anderson pose la question suivante : « Est-il vrai que dans nos sociétés " complexes ", la mobilité verticale soit fortement dépendante du niveau d'instruction ? »

Étudiant une population de 416 individus, Anderson va compter ceux qui ont un niveau d'instruction inférieur, égal ou supérieur par rapport à celui de leur père. Il va ensuite faire la même opération en ce qui concerne leur statut professionnel. Il en résulte les trois tableaux ci-contre, en haut.

On lit en colonne les statuts professionnels relatifs des fils par rapport à ceux des pères (+, =, –) et en ligne le niveau d'instruction relatif des fils par rapport à celui des pères (+, =, –).

Si l'on compare successivement les trois tableaux, on constate que la distribution observée est plus proche de la première hypothèse que de la seconde. Anderson en déduit qu'un individu qui a un niveau d'études supérieur à celui de son père a à peu près autant de chances de maintenir ou d'améliorer son statut d'origine qu'un individu ayant un niveau d'instruction égal ou inférieur à celui de son père.

Ces résultats se sont vérifiés dans la plupart des pays occidentaux dans lesquels, d'une génération à l'autre, la structure des niveaux d'instruction a progressé plus vite que celle des emplois.

◆ Le paradoxe d'Anderson.

a) Données observées.

niveau d'instruction relatif fils/pères	statut professionnel relatif fils/pères				
	+	=	–	Total	%
+	134	96	61	291	70
=	23	33	24	80	19
–	7	16	22	45	11
Total	164	145	107	416	100
%	39	35	26	100	

b) Dans l'hypothèse d'une influence nulle de l'instruction.

niveau d'instruction relatif fils/pères	statut professionnel relatif fils/pères			
	+	=	–	Total
+	115 (291x39 %)	102	75	291
=	31 (80 x 39 %)	28	20	80
–	18 (45 x 39 %)	16	12	45
Total	164	145	107	416

c) Dans l'hypothèse d'une influence maximale de l'instruction sur le statut social.

niveau d'instruction relatif fils/pères	statut professionnel relatif fils/pères			
	+	=	–	Total
+	164	127	0	291
=	0	18	62	80
–	0	0	45	45
Total	164	145	107	416

(+) : Statut personnel ou niveau d'instruction élevé ; (=) : égal ; (–) : inférieur

Origine sociale et réussite professionnelle

L'enquête « Formation qualification professionnelle », quinquennale depuis 1964, fournit pour la France des informations très sûres concernant le lien entre origine socioprofessionnelle et devenir personnel des individus.

Considérons les hommes de 40 à 59 ans en 1993 dont le destin est scellé : 86 % des agriculteurs sont fils d'agriculteurs mais ils ne constituent que 25 % du total des fils d'agriculteurs ; leurs frères sont pour 35 % devenus ouvriers et, pour 10 %, cadres ou de profession intellectuelle supérieure. 56 % des ouvriers sont fils d'ouvriers, mais 45 % seulement des enfants d'ouvriers sont restés dans cette catégorie ; 11 % sont devenus employés, 24 % sont dans les professions intermédiaires (techniciens, instituteurs) et 10 %, cadres.

Dans ces deux groupes, la majorité est composée d'hommes qui ont « hérité » du métier de leur père. Ce n'est pas vrai pour les autres groupes : 23 % seulement des cadres et professions supérieures sont nés dans ce milieu, 20 % sont fils d'ouvriers, mais, inversement, on trouve parmi eux 53 % des fils des cadres de la génération précédente. De même, 14 % de la catégorie « professions intermédiaires » sont des « stables » ; 35 % de ceux dont le père était dans ce groupe sont devenus cadres, et 15 %, ouvriers.

Ces chiffres ne se comprennent que si l'on prend en compte l'évolution globale des PCS (catégories socioprofessionnelles) sur 30 ans. Les agriculteurs ont subi une très forte diminution, les cadres ont vu leur nombre multiplié par 3. La déformation « structurelle » de la composition des emplois, rapide entre 1950 et 1975, un peu moins après, a entraîné mécaniquement une mobilité structurelle forte. Le phénomène est encore plus net quand on établit le même tableau pour les femmes, comparées avec leur père. L'expansion du groupe des employés et de celui des professions intermédiaires, à forte participation féminine, fait que l'hérédité sociale des femmes est plus faible que celle des hommes.

L'effet de l'hérédité sociale ne peut être estimé qu'à partir d'un calcul exprimant l'écart statistique

◆ **Quelques décorations françaises et étrangères.**

Fr. Croix de la Légion d'honneur — Fr. Croix de la Libération — Fr. Palmes académiques — All. Croix fédérale du Mérite

Belg. Ordre de Léopold II — Esp. Ordre royal de Charles III — É.-U. Bronze Star Medal — G.-B. Distinguished Service Order

It. Ordre du Mérite — Lux. Ordre de la Couronne de chêne — P.-B. Ordre d'Orange-Nassau

entre le chiffre observé et celui qu'une distribution indépendante de l'hérédité aurait donné. Un individu a cinq fois plus de chances de devenir cadre s'il est fils de cadre que si la distribution de l'échantillon est définie selon le hasard ; un fils d'ouvrier trois fois moins. La forte mobilité structurelle n'a pas beaucoup diminué l'inégalité d'accès aux professions du haut de l'échelle sociale. En revanche, 10 % des cadres ne se recruteraient pas parmi les fils d'ouvriers si l'accès au lycée et à l'enseignement supérieur ne s'était considérablement élargi.

On trouve des résultats analogues dans les pays étrangers de développement comparable.

Statut et prestige social

Par statut social, on entend la position qu'un individu occupe dans un groupe ou qu'un groupe occupe dans une société. Il ne faut pas confondre statut juridique et statut social. On distingue la dimension horizontale du statut, c'est-à-dire la place qu'occupe un individu au sein du groupe de pairs (par ex. les élèves dans une classe), de la dimension verticale, c'est-à-dire la relation aux supérieurs et aux inférieurs (la relation entre le contremaître et ses ouvriers dans un atelier, entre l'entraîneur et les joueurs d'une équipe de football).

Le statut détermine l'ensemble des relations égalitaires ou hiérarchiques d'un individu avec les membres de son groupe. Il est à la fois une ressource et un produit. En tant que ressource, le statut est l'ensemble des qualités qui permettent à un individu de tenir son rôle : les individus naissent avec des caractéristiques propres (sexe, appartenance religieuse ou ethnique) auxquelles est attaché un certain statut. Le statut est aussi un produit, la sanction de la manière dont l'individu s'est acquitté de son rôle : ainsi, un citoyen particulièrement actif dans sa collectivité locale deviendra conseiller municipal, puis maire et va acquérir le statut de notable du village. La relation entre statut « reçu » *(ascription)* et statut produit ou conquis *(achievement)*, et la façon dont se construit la hiérarchie des statuts sont des questions centrales dans tout un pan de la sociologie américaine. Ottis Dudley Duncan a cherché à déterminer quelle est la part respective du statut reçu et du statut conquis. La théorie de l'acquisition du statut (ou *path analysis*) montre que la part du « statut conquis » par rapport au statut reçu est plus importante pour les jeunes générations que pour celle de leurs parents.

Le prestige est une notion voisine de celle de statut, mais elle est souvent difficile à caractériser à partir de traits objectifs. En fait, la distribution du prestige résulte de l'accord intersubjectif (consensus) entre les membres d'une société. On peut rapprocher la notion de prestige de celle de « réputation » ou d'« honneur social ». Le prestige, considéré à la fois comme objectif et comme subjectif, est un concept à caractère hybride. On établit l'approche intersubjective en demandant aux membres d'un groupe social, par exemple une collectivité locale, de classer les habitants ou d'évaluer le prestige des différentes professions représentées en attribuant à chacune une note. On aura donc une représentation de la façon dont les habitants considèrent la composition sociale du lieu et sa hiérarchie. Un des problèmes, c'est que le jugement porté par l'évaluateur n'est pas indépendant de sa position sociale. L'approche objective se fonde sur des indicateurs mesurables, comme le niveau de revenu, d'instruction, etc. C'est dans la théorie fonctionnaliste que les concepts de prestige et de statut ont été le plus utilisés.

Un exemple de prestige

Il existe dans chaque société des indicateurs, des signes de prestige. L'ethnologue Philippe Descola (né en 1949), qui a séjourné chez les Jivaro en Amazonie, a relaté dans *les Lances du crépuscule* (Plon, 1993) ses observations sur le terrain. Il fournit un bel exemple de signe de prestige : « Le chien *achuar* n'est pas un confident, mais une sorte de projection symbolique des aptitudes de sa maîtresse. Une femme est jugée à la façon dont les qualités constitutives de la condition féminine sont rendues plus ou moins manifestes dans les produits de son travail. Des chiens beaux et courageux, un jardin opulent, une bière de manioc onctueuse, une poterie fine et délicatement ornée, des tissus aux motifs savants provoquent le respect des hommes et l'admiration envieuse des femmes ; ils révèlent au plus haut point le zèle à la tâche, le savoir-faire et l'habileté et témoignent surtout d'une grande maîtrise de l'efficacité symbolique sans laquelle tout ne servirait à rien. Le chien est donc l'enjeu d'une lutte feutrée pour le prestige, et les soins qu'une femme lui prodigue expriment moins sa sollicitude qu'un désir d'accomplissement. »

VOIR AUSSI
- **Principaux indicateurs : emploi et chômage** p. 838
- **Formation professionnelle** p. 977
- **Division du travail et classification** p. 1006

Le rapport social de qualification

La comparaison entre la France et l'Allemagne montre qu'à des profils hiérarchiques différents correspondent des échelles de rémunération et des styles de gestion des carrières (mobilité) différents. La distance salariale qui sépare les ouvriers qualifiés des agents de maîtrise est significativement plus forte en France qu'en Allemagne. Une étude comparative menée par des économistes du Laboratoire d'économie et de sociologie du travail d'Aix-en-Provence met en relation ces différences du système hiérarchique avec les systèmes de formation professionnelle et les systèmes de mobilité en cours de carrière propres à chaque pays. En France, la relative faiblesse du système de formation professionnelle va venir accentuer l'écart entre les ouvriers et les agents de maîtrise, tandis que les ouvriers allemands, formés comme leurs supérieurs par la voie de l'apprentissage, sont plus proches de ceux-ci, le passage de l'un à l'autre niveau s'opérant plus facilement qu'en France.

La division de la société dans la Chine impériale

La structure hiérarchique proposée par Confucius comme ossature de la cellule familiale et donc de l'État n'avait qu'une valeur relative dans la Chine ancienne. Les idées du Sage connurent un grand retentissement à la Cour, au sein de la noblesse et de l'élite des lettrés, c'est-à-dire la classe dominante. Mais ces idées n'eurent guère d'écho parmi la population sur laquelle s'appuyait l'État, en l'occurrence les paysans. Ce n'était nullement un fait de mauvaise volonté. Le peuple, constituant environ 90 % des Chinois, resta privé d'une connaissance des écrits de la pensée classique parce qu'il ne participait pas à la culture : la vaste majorité de la population ne savait ni lire ni écrire. « Ceux d'en bas n'existent que pour nous nourrir, nous, ceux d'en haut », disait-on dans les cercles cultivés. Aux yeux des dignitaires et des courtisans, le droit à l'existence des paysans n'allait pas au-delà de cette définition. Cette profonde cassure dans la société chinoise, séparant non-lettrés et lettrés, survécut aux siècles. Ce système de classes antagonistes dura tant que le confucianisme demeura la doctrine officielle de l'État, en fait jusqu'à la révolte littéraire de 1919 qui modifia radicalement la vie intellectuelle [et] mit fin à 2 000 ans d'hégémonie du confucianisme [...].

R. Goepper, *La Chine ancienne*, Bordas, 1988. (Extrait)

Travail et société

La vie de l'entreprise

L'entreprise comme organisation

Une entreprise est un ensemble humain organisé : c'est un système social orienté vers la poursuite d'un ou de plusieurs objectifs (produire un bien ou un service, faire du profit, fournir des emplois) qui pèsent comme autant de contraintes sur ses membres. Ceux-ci tirent de leur position dans la structure formelle un ensemble de ressources qui modèlent les relations de pouvoir qu'ils entretiennent les uns avec les autres. À système technique semblable, il existe plusieurs modes possibles d'organisation formelle et plusieurs façons pour les acteurs de jouer avec le système hiérarchique qu'on leur impose. Les membres de l'organisation, définis comme acteurs supposés rationnels, tentent de majorer leurs sources de pouvoir en protégeant leurs zones d'incertitude.

Il s'agit toutefois d'une rationalité limitée, car on constate que les acteurs ne choisissent que rarement la meilleure solution et s'arrêtent au contraire à la première solution possible qui leur paraît relativement satisfaisante.

La maximisation stratégique des pouvoirs est source de conflits nécessairement limités : les acteurs et groupes d'acteurs sont obligés de coopérer afin que les objectifs collectivement définis puissent être atteints.

L'analyse stratégique organisationnelle. Développée en France par le sociologue Michel Crozier (né en 1922) à partir des années 1960 (*le Phénomène bureaucratique*, 1964) et fortement influencée par des travaux américains antérieurs, l'analyse stratégique organisationnelle s'attache à dévoiler derrière l'organisation formelle les traits de l'organisation informelle, faite de jeux d'alliance et de conflits entre individus et entre groupes. Les conflits et les dysfonctions (résultats contraires aux objectifs avoués : on parle aussi d'effets pervers ou *unintended effects*) apparaissent non comme le produit de facteurs psychologiques (théorie des relations humaines) mais comme le résultat des positions, explicites ou implicites, occupées dans la structure (formelle et informelle) de l'organisation, soit en interne, soit dans son rapport à l'environnement.

Un premier stade de l'analyse stratégique consiste à établir un diagnostic sociologique : ainsi l'enquête dans un atelier d'une manufacture des tabacs (le cas du monopole industriel, cité par Crozier) va révéler un conflit entre ouvriers d'entretien et chefs d'atelier ; les premiers sont en principe soumis à l'autorité des seconds, mais le fait que les ouvriers d'entretien ont le pouvoir de réparer les machines leur confère dans la structure de l'organisation un pouvoir informel lié au contrôle des pannes.

L'analyse stratégique débouche en outre sur un projet d'intervention et d'introduction du changement dans les organisations. Elle met en forme des recommandations visant à introduire plus de transparence dans les rapports sociaux, à développer les capacités de négociation des uns et des autres, à expliciter les divergences d'intérêts afin de rendre les conflits plus rationnels et moins coûteux.

Le management

En Occident, les industries manufacturières du début du siècle ont été principalement développées sous l'égide de deux grandes figures : l'économiste F. W. Taylor (1856-1915) et l'entrepreneur américain de l'automobile Henry Ford (1863-1947). Le fordisme intégrait le taylorisme et reposait sur trois grands principes : la standardisation des produits, l'assemblage à la chaîne et une politique de hauts salaires permettant une consommation de masse. Deux slogans : « Produire des automobiles suffisamment bon marché pour que mes ouvriers puissent les acheter » et « Le consommateur a le droit de choisir la couleur de sa voiture à condition qu'elle soit noire. »

Avec le développement de machines de plus en plus coûteuses et complexes, au moment même où les exigences de productivité augmentent, certaines entreprises vont, dans les années 1990, s'orienter vers de nouvelles perspectives. Un nouveau système productif, importé du Japon sous le nom de toyotisme (du nom de Toyota) ou d'ohnisme apparaît comme le remède miracle. De quoi s'agit-il ? Fini la voiture monochrome : il faut diversifier la production pour satisfaire les caprices du consommateur, donc posséder peu de stocks et développer ce qu'on nomme la *lean production*, la production allégée, et le « juste à temps » ; un nombre croissant d'activités va être confié à des sous-traitants qui livreront en petites quantités les éléments correspondant à des commandes déjà passées ; cette production « en flux tendus » permet à l'entreprise de réaliser des économies sur les stocks et donc de produire plus vite et à meilleur prix. Quelles sont les conséquences sur les ouvriers de

◆ Différents types d'organigrammes. L'organigramme est un graphique qui permet de représenter la structure de l'entreprise avec ses différents éléments et leurs relations.

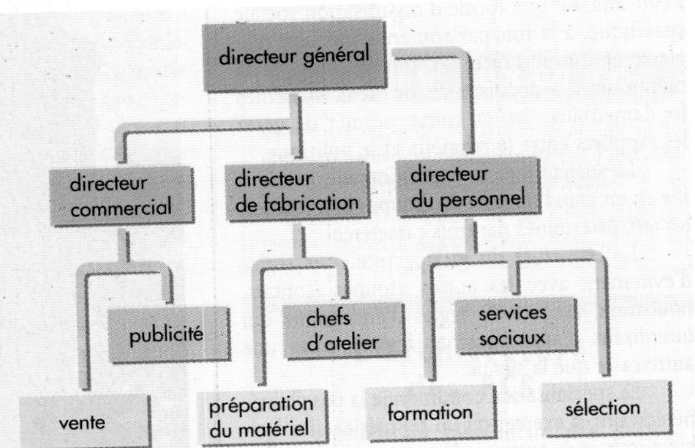

Structure « staff and line ». Fortement centralisée, elle est très répandue dans les groupes intégrés.

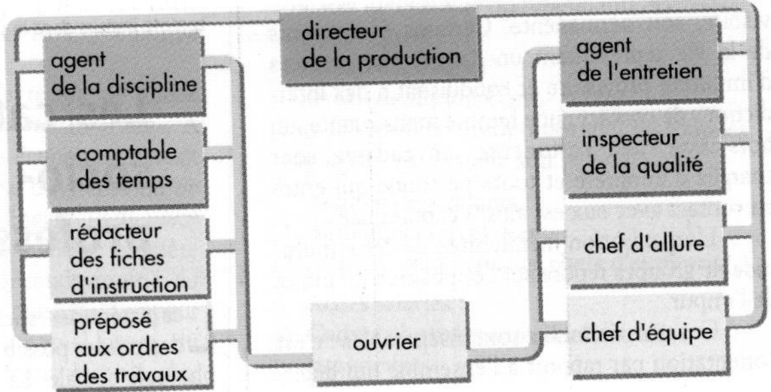

Structure fonctionnelle.

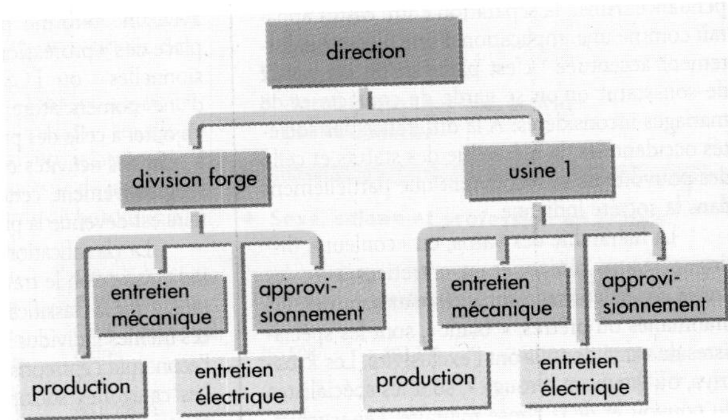

Structure par objectifs.

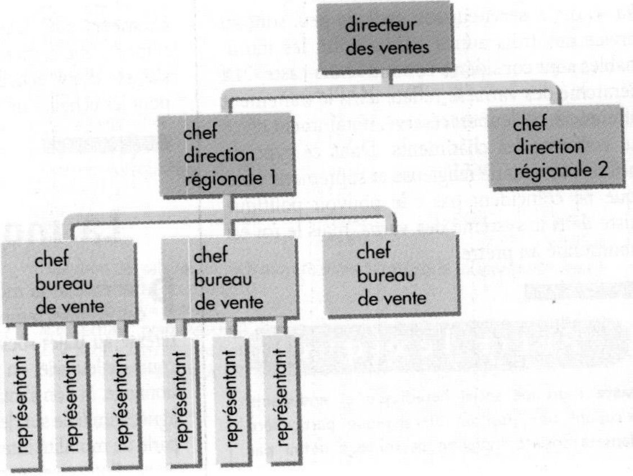

Structure hiérarchique.

production ? Une pression accrue, car les pannes doivent être réduites et le « zéro défaut » est à l'honneur. Une nouvelle organisation du travail voit donc le jour.

Une nouvelle organisation du travail. Ce qu'un cabinet d'organisation a baptisé « la bataille de la compétence » commence : raccourcissement des lignes hiérarchiques, augmentation de la polyvalence des ouvriers, remise en question des postes de travail individuels et mise en place de groupes de travail collectivement responsables de la production, exigences accrues envers les ouvriers de production, qui doivent être disponibles, « flexibles », compétents, de bon niveau scientifique, etc. Le système éducatif français reçoit le message émis par l'industrie : la création du baccalauréat professionnel en 1985 et son développement ultérieur correspondent, dans le domaine éducatif, à l'émergence du nouveau visage de l'ouvrier qualifié dans l'univers de la production.

L'insistance mise sur la « compétence » marque la dérive vers une gestion individualisée des ressources humaines, baptisée GPEC, « gestion prévisionnelle des emplois et des compétences ». Née d'une volonté d'aider les individus à envisager de manière évolutive leur carrière et leurs compétences, elle cache assez mal derrière l'impératif de « flexibilité » les impératifs des « plans sociaux » : responsabiliser les individus pour pouvoir leur faire croire que les problèmes de l'entreprise sont la conséquence de leurs propres carences. Le discours de la compétence peut être un avantage pour certains individus jeunes et bien formés tandis qu'il prive toute une partie de la main-d'œuvre, plus vulnérable, plus âgée et moins instruite, des garanties de niveaux de qualification et de salaires qui sont codifiées dans les conventions collectives. C'est pour cette raison que les organisations syndicales sont souvent assez hostiles aux méthodes de management importées de l'étranger.

La démocratie industrielle

Les régimes sociaux-démocrates ont développé des institutions permettant aux salariés d'exercer un droit d'expression et de riposte au sein de l'entreprise. En France, le gouvernement du Front populaire (1936) amorce la création des délégués du personnel, élus par l'ensemble des salariés, mais ils n'accèdent à une existence stable qu'une dizaine d'années plus tard. Ce mode d'organisation concerne les entreprises de plus de 10 salariés. Après la Libération sont créés dans les grandes entreprises les comités d'entreprise (ordonnance du 22 févr. 1945, modifiée par la loi du 16 mai 1946) ; ses membres sont élus au scrutin majoritaire par collège sur une liste syndicale, pour un an (deux ans à partir de 1954). Entre autres attributions, ils ont la charge de gérer les œuvres sociales et ont un rôle consultatif en matière économique et financière ; plus tardivement, le logement et la formation continue seront ajoutés à la liste de leurs attributions. Une loi de 1982 prévoit en outre la création d'une commission économique dans les très grandes entreprises (1 000 salariés). Enfin, en 1996, une loi oblige les entreprises nationales à créer une structure de représentation du personnel à l'échelon européen, le comité de groupe européen.

Les comités d'hygiène et de sécurité, créés en 1947, voient en 1982 leurs attributions fusionner avec celles des commissions d'amélioration des conditions de travail (nées en 1973). Les nouveaux CHSCT sont obligatoires dans les établissements de plus de 50 salariés. Les textes de 1982, dits « loi Auroux », complétés en 1986, concernent aussi le droit d'expression collective des salariés dans l'entreprise. Des groupes d'expression directe sont créés, souvent dans le prolongement de cercles de qualité. Il semble que ces groupes, après avoir connu un certain succès, souffrent de la crise économique, au même titre que d'autres rouages de la démocratie dans l'entreprise, notamment les délégués du personnel. Les nouveaux modes de management, axés sur l'individualisation du contrat de travail, y sont sans doute pour quelque chose.

La mondialisation et l'entreprise

La mondialisation de l'économie désigne le processus par lequel les échanges commerciaux internationaux s'intensifient à mesure que se développe l'imbrication des système productifs. De plus en plus d'entreprises déploient leurs activités dans plusieurs pays, à la fois pour se rapprocher des marchés où elles écoulent leurs produits (luttant ainsi contre les barrières douanières) et pour se procurer une main-d'œuvre à moindre coût. Cette mondialisation de l'entreprise revêt un triple aspect.

Le développement des activités de commerce international est la forme la plus ancienne d'internationalisation : une firme produit sur le territoire national un produit qu'elle vendra ensuite à l'étranger.

L'investissement direct productif à l'étranger consiste, pour une compagnie, à devenir entreprise multinationale en créant une filiale à l'étranger qui va assurer localement la production. Une partie de la main-d'œuvre est locale, mais une partie de l'encadrement vient souvent du pays d'origine.

La création d'entreprises réseaux consiste non plus à créer des filiales mais à construire un partenariat avec les pays d'accueil. Cette formule comprend des avantages à la fois économiques (moins de capitaux à investir, réduction des coûts d'expatriation de l'encadrement) et politiques (elle ménage les susceptibilités du pays d'accueil, favorise l'insertion locale). Le modèle de l'entreprise réseau a été décrit au début des années 1990 par l'économiste américain Robert Reich (ancien ministre du Travail du président Clinton). Prenons une voiture japonaise. Les pièces de son moteur ont été fabriquées en Grande-Bretagne, puis assemblées au Mexique, sa carrosserie a été dessinée en Californie, etc. Reich illustre ainsi sa thèse de l'influence décroissante de la nationalité des firmes, tandis que d'autres affirment que la capacité productive d'un pays est un élément décisif de sa puissance. Contre ces derniers, Reich prône le « nationalisme économique positif » : la lutte entre nations pour un plus grand enrichissement de leurs citoyens doit laisser place à une coopération mutuelle permettant que la prospérité économique de chaque pays favorise le bien-être de la planète entière. Néanmoins, l'accroissement de la concurrence entre firmes est généralement considéré comme l'un des effets majeurs de la mondialisation.

Voir aussi
- **Les entreprises** p. 794 à 797
- **Firmes multinationales** p. 843
- **Le taylorisme et sa remise en cause** p. 1006
- **Gestion des emplois et des compétences** p. 1006
- **Syndicalisme et conflits du travail** p. 1016

Petit lexique

maximisation : le fait de donner la plus haute valeur possible à quelque chose.

ohnisme : système de production, du nom de Taichi Ohno, jeune ingénieur de l'entreprise de construction automobile Toyota (fondée en 1937) qui, dans les années 1950, va, avec son patron Eiji Toyoda, remettre en cause le système de type fordiste. La distance entre conception et production est réduite, avec une meilleure intégration de la recherche-développement et de la production, un cycle de production plus court, une flexibilité des machines plus grande, un recours à la sous-traitance plus fréquent, une spécialisation des ouvriers moindre et une insistance sur la qualité des produits constante.

pouvoir : capacité que possède un individu A d'influer sur le comportement d'un individu B de telle sorte que les actions de B soient conformes à la volonté de A.

structure formelle : organisation explicite de la hiérarchie de l'entreprise telle que la reflète l'organigramme. On appelle au contraire structure informelle l'ensemble des éléments implicites et non officiels qui définissent le fonctionnement d'une organisation.

◆ **Une usine Nike à Djakarta** (Indonésie).
Les firmes étrangères implantées dans les pays du tiers monde ont à veiller à la législation sociale et à la protection des droits de la personne.

◆ **Pose de la première pierre de l'usine Toyota à Valenciennes** (12 nov. 1998). Toyota, grand constructeur automobile japonais, construit une usine en France afin de se rapprocher des marchés où il écoule ses produits et afin d'éviter le contingentement des importations. Il est bien accueilli dans une région où le déclin des industries minières a généré un fort taux de chômage ouvrier.

Communication : la presse *(suite)*

La presse d'information

Allemagne. La réunification de 1990 a accru le lectorat des journaux et suscité l'apparition de nouveaux titres parmi les hebdomadaires. En 1998, les 398 quotidiens diffusaient 24,8 millions d'exemplaires. Les trois quarts du marché sont assurés par des journaux locaux ou régionaux diffusés par abonnement. Les 9 titres de la *Boulevardpresse,* vulgaires et bon marché, sont vendus au numéro dans la rue ou en boutiques. Seuls quatre quotidiens ont une vocation nationale : *Bild Zeitung, Die Welt, Frankfurter Allgemeine, Süddeutsche Zeitung.*

Belgique. Sur 29 quotidiens belges (1998), 16 sont édités en français (soit 38 % de la diffusion), 12 en néerlandais et 1 en allemand. Principales publications : *Het Laatste Nieuws, le Soir, la Libre Belgique, la Dernière Heure, De Standaard, Gazet van Antwerpen.*

Espagne. La majorité des quelque 130 quotidiens espagnols a une diffusion locale. Depuis la mort de Franco (1975), l'avènement de la démocratie a suscité la création de nouveaux journaux, très modernes, et la disparition d'anciens titres phalangistes ou conservateurs. Depuis 1989, de grands groupes étrangers sont entrés dans le capital de quelques titres, et de nouveaux quotidiens ont été créés, par exemple *El Mundo* (285 000 exemplaires) et *El Independiente.* Principales publications : *El País, ABC, Diario 16, Ya, La Vanguardia, Marca, El Mundo...*

États-Unis. La presse quotidienne américaine se caractérise par la multiplicité de ses titres et le caractère local de sa diffusion. Seuls quelques titres ont une diffusion nationale ou une réputation qui assure aux articles de leurs chroniqueurs *(columnists)* d'être repris par des centaines de journaux dans toute l'Union. Les journaux américains, très factuels, séparent nettement dans la présentation les pages d'information *(news)* des pages de commentaire *(editorials* ou *views).* Le système de fac-similé leur permet de surmonter l'obstacle de la distance et des fuseaux horaires et de décentraliser leur impression sur tout le territoire de l'Union et à l'étranger. Beaucoup d'entre eux se sont lancés dans l'édition électronique, offrant aux détenteurs d'ordinateurs la possibilité de lire leur journal en ligne. Principales publications : *The New York Times, Los Angeles Times, The Washington Post, Chicago Tribune, USA Today, The Wall Street Journal.*

France. Le marché de la presse quotidienne est en France peu prospère. Les quotidiens de province assurent 63 % de la diffusion globale. La presse parisienne voit sa diffusion et sa part de marché se réduire. Les Français achètent leurs journaux au numéro et ceux-ci ont, de ce fait, un fort taux d'invendus. Il n'y a pas de grand quotidien populaire national comparable à ceux de l'Angleterre ou de l'Allemagne. L'année 1996 a vu la disparition de deux quotidiens : *Information* et *le Quotidien de Paris.* La dernière tentative de lancement d'un nouveau journal, *le Quotidien de la République,* en novembre 1998, a échoué au bout de quelques semaines. La presse magazine est, elle, beaucoup plus dynamique et en général prospère. Les recettes publicitaires de la presse française sont relativement faibles : 47 % de son chiffre d'affaires global, contre 63 % en Grande-Bretagne et 67 % en Allemagne. Quotidiens nationaux : *le Monde, le Figaro, France-Soir, le Parisien, Libération, l'Humanité, la Croix, la Tribune, les Échos, l'Équipe...* Quotidiens régionaux : *Ouest-France, le Progrès de Lyon, la Voix du Nord, Sud-Ouest...*

Grande-Bretagne. Les quotidiens londoniens nationaux l'emportent sur ceux de province. Les feuilles populaires, vulgaires, de petit format, bon marché, de fort tirage assurent encore 80 % du tirage de la presse nationale, mais leur diffusion est en baisse ; celle des journaux de qualité augmente. Le succès de la presse du dimanche (11 titres nationaux et 10 régionaux) réduit à peu celui des magazines. La presse nationale est dominée par de grands groupes multimédias comme NewsCorp du magnat Rupert Murdoch. En baissant leur prix (1993), *The Sun* puis *The Times* ont accru leur diffusion. Quotidiens nationaux de qualité : *The Times, The Guardian, The Daily Telegraph, The Independent.* Quotidiens populaires nationaux : *The Sun, Daily Mirror, Daily Mail, Daily Express.* Journaux du dimanche, feuilles populaires : *News of the World, Sunday Mirror, Sunday People, Sunday Express, The Mail on Sunday.* Feuilles de qualité : *Sunday Times, Sunday Telegraph, The Observer, The Independent on Sunday.*

Frankfurter Allgemeine

ZEITUNG FÜR DEUTSCHLAND

In Bosnien trotz verkündeter Waffenruhe wieder schwere Kämpfe

Zwielichtige Vergangenheit bei einem Drittel der Hilfspolizisten

READING Britain's love of books lives on

WELSH COUNTIES Restoring names from the past

DR JOHN HABGOOD Archbishop denies church-state rift

THE TIMES

US airdrop aid falls into hands of Serb attackers

Maxwell forged £37m profit

POLICE SHARE LIVERPOOL'S GRIEF FOR JAMES

LE CAHIER EUROPE DE LIBÉRATION DU VENDREDI

Libération

LES DOUZE DÉCIDENT UN PLAN DE RESTRUCTURATION DRASTIQUE

L'EUROPE LAMINE SA SIDERURGIE

DROGUE : LE CAS HOLLANDAIS

VGE SILLONNE LA CAMPAGNE

BRUXELLES FAIT UN GESTE POUR LES PÊCHEURS

RADIOGRAPHIE DE LA FRANCE RACISTE

◆ **Trois quotidiens de qualité.**
Dans les pays anglo-saxons et germaniques, le contraste est très net entre les « journaux de qualité », comme le *Times* ou *Die Welt,* et la presse populaire. Les journaux de qualité ont une pagination abondante, un prix de vente élevé, un contenu dense. Les feuilles populaires sont moins chères, ont une pagination plus réduite, un contenu vulgaire et de très forts tirages. La presse sérieuse a son style caractérisé par l'hypercorrection, qui peut conduire aux clichés et aux formules ampoulées. En France, *Libération* s'est distingué notamment en accueillant largement la langue parlée.

Italie. Les 92 quotidiens paraissant en 1998 (contre 136 en 1946) diffusent chaque jour quelque 5,9 millions d'exemplaires (soit 104 exemplaires pour 1 000 habitants, contre 87 en 1976). La lecture de la presse est plus forte dans l'Italie du Nord que dans le Centre et surtout le Sud. La plupart des quotidiens ont une diffusion régionale. Seuls ont une véritable diffusion nationale : *La Repubblica, Corriere della Sera, La Stampa, Il Giornale, L'Unità, Avanti, Il Popolo, L'Osservatore Romano, Il Messagero, Il Sole 24 Ore.*

Pays-Bas. Les Néerlandais sont des lecteurs assidus de journaux. Sur les 35 quotidiens, 7 organes nationaux ont acquis 43 % de l'audience. La presse nationale est contrôlée, pour l'essentiel, par trois groupes : Telegraaf, Perscombinatie et VNU Dagbladengroep. Principales publications : *De Telegraaf, De Volkskrant, Allgemeen Dagblad...*

Portugal. Il existe 29 quotidiens (11 nationaux, 18 régionaux). Après la révolution d'avril 1974, quelques journaux avaient été étatisés : ils ont été privatisés depuis 1988. De faible diffusion (84 exemplaires pour 1 000 habitants), la presse portugaise traverse actuellement de fortes turbulences : des titres disparaissent *(O Diário, Diário de Lisboa),* de nouveaux quotidiens s'efforcent de prospérer malgré un marché difficile. Principales publications : *Diário de notícias, Correio da manhã, Jornal de notícias, Público, A Bola, Record.*

Suisse. Du fait des cloisonnements cantonaux et linguistiques, la Suisse n'a pas de presse nationale, mais des quotidiens régionaux et locaux : leur plus vieux titre, *la Feuille d'avis de Neuchâtel,* a été fondé en 1738. Depuis une vingtaine d'années, les journaux politiques ou confessionnels, nombreux au XIXe s., ont disparu ou fusionné. La presse de grande information est aujourd'hui frappée par la crise de la publicité. La Suisse compte 95 quotidiens. Principales publications : *Blick, Tages-Anzeiger, Neue Zürcher Zeitung, 24-Heures, la Suisse, la Tribune de Genève, le Temps...*

Groupes multimédias

À la fin des années 1990, le mouvement d'imbrication entre les activités de presse traditionnelles et les activités du cinéma, de la radio, de la télévision et de l'Internet se poursuit, avec un renforcement des processus de concentration. « Je ne suis pas un directeur de groupe de presse, je suis à la tête d'une entreprise qui fabrique et vend des contenus », déclare le directeur du *Chicago Times,* l'un des grands groupes américains. Le maître-mot de l'heure est « synergie » : cette imbrication progressive est un moyen de rendre certaines activités (presse, radio, télévision) plus profitables par leur proximité avec d'autres (publicité, presse électronique, cinéma). Ces mises en commun de moyens et d'actions sont rendues possibles par la convergence des techniques de l'informatique, de l'audiovisuel et des télécommunications. Tous les contenus peuvent être aujourd'hui transformés en données numériques (codées en langage binaire, suite de 0 et de 1) et traités par l'informatique. Le même contenu peut donc être décliné désormais sur une multitude de supports (presse écrite, télévision, Internet...), d'où l'intérêt de développer des synergies au sein d'un même groupe. Les logiques proprement financières prennent le dessus : les budgets prévisionnels sont établis à partir de la valeur souhaitée de l'action en Bourse.

◆ **Principaux quotidiens d'information.**

Pays	Titre	Diffusion	Pays	Titre	Diffusion
Allemagne	Bild Zeitung	4 409 000	Grande-Bretagne	The Sun	3 613 000
	Süddeutsche Zeitung	414 000		Daily Mail	2 300 000
	Frankfurter Allgemeine Zeitung	400 000		The Mirror	2 290 000
	Die Welt	230 000		The Express	1 096 000
Belgique	De Standaard	309 000		The Daily Telegraph	1 026 000
	Het Laatste Nieuws	268 000		The Times	729 000
	Le Soir	140 000		Daily Star	545 000
	Vers l'Avenir	110 000		The Guardian	366 000
Canada	The Toronto Star	465 000		The Independent	208 000
	The Globe and Mail	319 000		Financial Times	178 000
	Le Journal de Montréal	259 000	Italie	Corriere della Sera	700 000
Chine	Le Quotidien du peuple	2 130 000		La Repubblica	625 000
Espagne	El Pais	441 000		La Stampa	385 000
	ABC	301 000	Japon	Yoemiuri Shimbun	14 533 000
	El Mundo	285 000		Asahi Shimbun	12 601 000
États-Unis	Wall Street Journal	1 740 000		Mainichi Shimbun	5 846 000
	USA Today	1 653 000	Suisse	Blick	316 000
	Los Angeles Times	1 068 000		Tages Anzeiter	283 000
	New York Times	1 067 000		Neue Zürcher Zeitung	162 000
	Washington Post	759 000		Tribune de Genève	77 000
France	Ouest-France	784 000	Russie	Moskovskaïa Pravda	950 000
(source OJD)	Le Parisien	476 000		Troud	866 000
	Le Monde	394 000		Komsomolskaïa Pravda	797 000
	Le Figaro	371 000		Izvestia	640 000
	Libération	172 000			
	France-Soir	164 000			
	La Croix	94 000			
	L'Humanité	58 000			

Source : Association mondiale des journaux. Éditions : Zenithmedia. World Press Trends 1999.

NewsCorp est le symbole même du grand groupe multimédia contemporain : ses interventions ne connaissent pas de frontières et s'appliquent à tous les domaines. Il est dirigé par le célèbre milliardaire Rupert Murdoch, Américain d'origine australienne. La chaîne de télévision Foxtel en Australie, Twentieth Television, Fox/Liberty Media aux États-Unis, Star TV en Asie (Japon, Chine, Inde et Sud-Est asiatique), BskyB en Grande-Bretagne (6,1 millions d'abonnés), JskyB (Japan Sky Broadcasting) au Japon font partie du groupe. Dans le domaine de la presse écrite, il contrôle les quotidiens britanniques *The Sun, The Times, The Sunday Times.* Aux États-Unis, il contrôle les éditions Harper Collins, le quotidien *N.Y. Post,* plusieurs magazines dont *TV Guide.* Il possède la Twentieth Century Fox et le réseau de télévision Fox.

Aux États-Unis, les plus grands groupes multimédias sont issus des industries de l'audiovisuel et du cinéma (RCA, CBS, Capital Cities/ABC, MCA Universal, Gulf and Western Paramount, Time Warner, Westinghouse...), auxquelles s'ajoutent souvent des activités dans le domaine de la presse ou de l'édition.

Le groupe Time Warner, numéro 1 mondial de la communication, a des activités très diversifiées. Son pôle édition publie les magazines *Time, Fortune, People...* Il est le premier opérateur de réseaux câblés des États-Unis. Il possède des studios de production pour le cinéma et la télévision (Warner Bros.) et des chaînes de télévision (CNN, Cartoon Network, HBO...) au rayonnement international.

Plus récemment, des groupes issus des télécommunications (AT & T) ou de l'informatique (Microsoft) ont pris pied dans le secteur des médias, le premier en rachetant des réseaux câblés, le second en prenant des participations dans le câble, les chaînes de télévision, la « Web TV » (Internet sur la télévision)...

Bertelsmann est le principal groupe allemand. Créé en 1835 à Gütersloh (Allemagne), il se situe en deuxième place mondiale, après l'américain Time Warner. Ses activités, extrêmement diversifiées, s'exercent à travers un réseau de 300 filiales couvrant plus de 60 pays; elles s'étendent du disque à la vidéo, au livre, à la diffusion, à l'imprimerie, à la radio et à la télévision (par le biais de la CLT-UFA dont il détient 50 % et qui contrôle RTL en France et en Allemagne) et contribue pour un tiers à l'édition des magazines du groupe Grüner + Jahr *(Stern, Brigitte, Géo;* aux États-Unis, *Family Circle).* Il détient 50 % des parts d'AOL Europe et 5 % d'AOL Inc. Sa filiale française, Prisma Presse, édite les mensuels *Prima, Ça m'intéresse, Géo,* et les hebdomadaires *Femme actuelle, Télé-Loisirs, Voici,* ainsi que *Capital* et *l'Essentiel du management.* Bertelsmann s'est lancé dans la fourniture d'accès à l'Internet (Telemedia, Mediaways).

En France, Lagardère s'est imposé dans le monde de la communication et des médias en regroupant Hachette, Filipacchi, Grolier Interactive, Matra Grolier Network (unité de Matra Communication), Interdeco Grolier (régie publicitaire multimédia). Hachette a des activités très diversifiées. Il opère dans la distribution, où il contrôle 49 % du capital des Nouvelles Messageries de la presse parisienne, les Maisons de la presse et les Relais H dans les gares. Dans l'édition : Librairie Hachette, Livre de Poche, Grasset, Fayard, Stock, Lattès. Dans la presse-magazine : *Télé 7 jours, Journal du dimanche, Première, Elle...* Dans la presse quotidienne : *la Provence,* 36 % du *Parisien...* Dans l'audiovisuel, il contrôle Europe 1, Europe 2, RFM. Après son échec avec La Cinq, il veut revenir à la télévision en rachetant des chaînes thématiques (MCM, Canal J).

Havas a fait l'objet, en février 1997, d'une prise de contrôle par la Générale des eaux, devenue depuis le groupe Vivendi. La convergence entre les télécommunications, l'image et l'écrit est ici manifeste : le multimédia, prolongement évident de l'écrit, tient une place de choix dans la plupart des sociétés du groupe Havas (télévision numérique, édition de CD-ROM, services Internet). Le pôle communication de Vivendi englobe Canal Plus, leader européen de la télévision à péage. Havas est le premier éditeur de livres en France dans les domaines les plus variés : éducation (Nathan, Larousse, Bordas, le Robert), littérature (Laffont, Plon, les Presses de la Cité, Pocket), édition universitaire et professionnelle (Dalloz, Dunod, Masson, A. Colin, etc.) En absorbant CEP Communication, Havas est devenu un acteur majeur de la presse économique et professionnelle en Europe continentale (*l'Usine nouvelle, le Moniteur, l'Expansion, Courrier international,* etc.).

Citizen Hearst

Orson Welles, en tournant *Citizen Kane* en 1941, s'est assez étroitement inspiré de la vie du magnat de la presse américaine William Randolph Hearst (1863-1951). Par le rachat de titres en difficulté, par la reprise du *Journal* de New York (1895), premier quotidien à 1 cent, Hearst avait constitué un groupe énorme, formant une puissance avec laquelle il fallait compter : une série de reportages sur Cuba poussa à la guerre contre l'Espagne en 1896. Sa fortune considérable, qui lui permit de construire une fabuleuse résidence, *Enchanted Hill* (« la Colline enchantée »), à San Simeon, en Californie, sa liaison de trente années avec l'actrice Marion Davies, ses ambitions politiques qui le portèrent presque à la mairie de New York, ses revers de fortune, tout contribua à faire de lui une figure légendaire. Collectionneur d'art, William Hearst dota son château californien de pièces de valeur, rassemblées toutefois de façon quelque peu hétéroclite.

VOIR AUSSI
- **Imprimerie** (aspects techniques) p. 397
- **Journalistes et patrons de presse** p. 1021

Illustrations
- ***Citizen Kane*** p. 1200

La radio et la télévision

L'équipement en récepteurs

Si l'équipement en récepteurs de radio a aujourd'hui atteint une quasi-saturation (99 % des ménages), cela est un peu moins vrai de la télévision, inaccessible à une minorité de personnes vivant dans la très grande pauvreté et, à l'autre bout de l'échelle sociale, par une poignée de bourgeois ou d'intellectuels, hostiles par principe à cette technologie. La possession d'un téléviseur, qui concernait 12,6 % des ménages dans les années 1960, atteint 69 % en 1970 et frise les 90 % dès 1980. En 1997, 95 % des ménages français possédaient au moins un poste, et 92 %, la télévision en couleurs, tandis que le magnétoscope, outil complémentaire, se diffuse de manière spectaculaire : la proportion d'utilisateurs passe de 24 % en 1989 à 66 % dix ans plus tard. Le magnétoscope pénètre aujourd'hui dans 59 % des foyers.

Le phénomène significatif le plus récent est celui de la multiplication des équipements : près d'un Français sur deux vit aujourd'hui dans un foyer équipé de plusieurs postes de télévision, et les études montrent que cette pratique est liée à une diversification des usages. La pénétration progressive des micro-ordinateurs dans les foyers (15,6 % en 1997 contre 3 % en 1983) ne devrait qu'accélérer ce processus puisque l'on peut désormais utiliser la télévision pour lire son courrier ou jouer avec des jeux électroniques.

On assiste non seulement à un accroissement de l'équipement électronique et audiovisuel et à une hausse de la consommation de divers services disponibles, mais aussi à une transformation des pratiques et des usages initiaux. Des passerelles se créent entre les équipements disponibles, dont la gamme ne cesse de s'élargir.

Magnétoscope, télécommande, usage de la télévision comme récepteur radio par satellite, utilisation du lecteur de CD-ROM, de DVD ou de la liaison à l'Internet pour retransmettre ensuite à la chaîne hi-fi ou à la télévision : non seulement la télévision n'a pas supplanté la radio, mais le principe d' « attention cumulé », bien mis en évidence par Paul Lazarsfeld, se vérifie toujours.

◆ **Les grandes dates de la radio et de la télévision.**

1887. L'Allemand Heinrich Hertz met en évidence les propriétés des ondes électromagnétiques.
1890-1895. Le Français Édouard Branly, le Britannique Oliver Lodge, le Russe Aleksandr Popov mettent au point la télégraphie sans fil (TSF).
1895. L'Italien Guglielmo Marconi met en application l'ensemble des travaux portant sur la radioélectricité.
1899 (mars). Première liaison internationale (Angleterre-France : 46 km).
1901 (déc.). Première liaison transatlantique, mais la TSF ne transmet encore que des signaux en morse.
1903. Installation d'une station radiotélégraphique militaire à la tour Eiffel, sous la direction du général Ferrié.
1914-1918. La TSF est utilisée pour les opérations militaires.
1919-1929. Mise en place des organismes, publics ou privés, diffuseurs de programmes (en France : Radiola, 1er poste privé, en 1922; aux États-Unis : NBC en 1926, CBS en 1927; en Grande-Bretagne : BBC en 1926).
1925. Fondation de l'Union internationale de radiodiffusion, chargée de répartir les bandes de fréquence entre les pays.
1928. Campagne radiophonique des candidats à la présidence des États-Unis (Hoover contre Al Smith).
1929. Premières émissions de télévision à la BBC, d'après les travaux de John Baird (balayage mécanique).
1932. Première utilisation gouvernementale de la radio en France (gouvernement Tardieu).
1933. Le régime hitlérien dissout les sociétés régionales de radiodiffusion et crée un organisme d'État. Instauration de la redevance en France. Premières émissions de Radio-Luxembourg.
1934. Aux États-Unis, Vladimir Zworykin (de la société RCA) achève la mise au point de l'iconoscope. En France, premier enregistrement et montage radiophonique (Poste parisien).
1935. La société allemande AEG fait une démonstration d'un appareil enregistreur à bande magnétique : le magnétophone.
1939 (juill.). En France, la radiodiffusion devient une administration autonome, dépendant de la présidence du Conseil et non plus du ministère des PTT.
1939-1945. La « guerre des ondes » : tous les pays belligérants font usage de la radio pour les opérations militaires et la propagande.
1944-1945. Instauration du monopole public de la radiodiffusion en France.
1947. Aux États-Unis, adoption du 525 lignes comme définition de l'image de télévision.
1948. Adoption du 819 lignes en France (travaux d'Henri de France).
1949. Naissance du journal télévisé quotidien à la RTF.
1953 (juin). Retransmission en Eurovision du couronnement d'Élisabeth II.
1954. Premières émissions de la RTF en modulation de fréquence.
1955. Naissance d'Europe n°1. Expansion des récepteurs radio portatifs (transistors).
1956. La société américaine Ampex présente un procédé d'enregistrement des images sur bande magnétique : le magnétoscope.
1960 (oct.). Débat télévisé en direct des deux candidats à la présidence des États-Unis, Richard Nixon et John Kennedy.
1961. Première démonstration en France de la commande à distance (télécommande).
1962 (juill.). Premières images transatlantiques diffusées par le satellite Telstar. Débuts de la Mondovision.
1964. Early Bird : premier satellite géostationnaire.
1965. Première campagne présidentielle télévisée en France. « Bataille des standards » en Europe pour l'adoption des normes de la télévision en couleurs (SECAM français/PAL allemand). Premiers magnétoscopes grand public.
1967 (oct.). Inauguration de la télévision en couleurs, en France et en URSS.
1969. Premiers pas de l'homme sur la Lune retransmis en direct en Mondovision.
1970. Démonstration des vidéo cassettes grand public.
1977 (janv.-févr.). l'UIT (Union internationale des télécommunications) répartit entre les pays les ondes centimétriques (canaux de diffusion de la télévision par satellite).
1985. Commercialisation des Caméscopes.
1992. La télévision et la radio numériques arrivent sur le marché.

La multiplication de l'offre

De nouveaux modes de distribution des programmes de télévision se sont développés ces dernières années, offrant à la fois une meilleure réception des émissions et une plus grande diversité dans le choix des programmes.

La diffusion numérique consiste à transformer les images et sons en une suite de données binaires (le 0 et le 1). Ces flux de données peuvent être « compressés » et, sur un même canal, où l'on diffusait auparavant une seule chaîne en mode traditionnel analogique, on peut désormais en faire passer huit à dix. Leurs signaux, numériques, sont mélangés, puis séparés à nouveau et décompressés par le décodeur numérique installé chez le téléspectateur.

En France, la télévision numérique a débuté avec le lancement de bouquets de chaînes diffusées par satellite : CanalSatellite en 1996, et TPS en 1997. Peu à peu, les réseaux câblés passent à la diffusion numérique. La télévision numérique par voie hertzienne sera lancée en 2002. Vers 2015, on estime que la télévision analogique aura quasiment disparu. Chacun recevra, par son antenne hertzienne, par câble ou par satellite, au moins une trentaine de programmes.

Les plans de câblage ont desservi, en premier lieu, les zones à forte densité, agglomération parisienne et villes de plus de 100 000 habitants.

◆ **Les usages de la télévision.**

	1989	1997
Ont en général la télévision allumée, qu'ils la regardent ou non	26	33
Suivent parfois plusieurs émissions en même temps	12	25
Choisissent les émissions à l'avance	25	20

Sur 100 Français de 15 ans et plus.
Source : ministère de la Culture.

Les séries télévisées

Reprenant le principe du « feuilleton » de la presse de jadis, les séries télévisées sont autant de contes de fées, parfois macabres, qui font entrer le public dans le rêve, tantôt américain *(Dallas)*, tantôt français et provincial *(l'Instit)*. Le genre a ses règles : chaque séquence doit s'achever de telle sorte que les spectateurs attendent avec impatience l'épisode suivant.
Traduites dans toutes les langues du monde, souvent génératrices de hiatus culturels, la plupart de ces séries participent de l'américanisation de la planète.
Les séries « collège » qui, en provenance des États-Unis, se sont développées en France dans les années 1990, mettent en scène des adolescents qui évoluent dans le cadre du lycée ou des universités : *Beverly Hills, Hélène et les garçons.* La plupart des séquences sont centrées sur la vie amoureuse des jeunes héros, et la charge émotionnelle est élevée. Si les plus jeunes regardent ces émissions au premier degré et en font le bréviaire de leur initiation amoureuse, les plus âgés les considèrent de haut, mais les regardent tout de même. Pour des raisons différentes, les séries, aux images aussi rassurantes que prévisibles, jouissent d'un succès certain auprès du public.

◆ **Les pratiques audiovisuelles.**

Au cours des 12 derniers mois	1989	1997
Ont regardé la télévision	**90**	**91**
Tous les jours ou presque	73	77
Durée moyenne (1)	19 h	21 h
Ont regardé des cassettes vidéo	**24**	**66**
Au moins une fois par semaine	13	28
Durée moyenne	1 h	2,5 h
Ont écouté la radio	**85**	**87**
Tous les jours ou presque	66	69
Durée moyenne	15 h	15 h
Ont écouté des disques ou des cassettes	**73**	**76**
Tous les jours ou presque	21	27
Durée moyenne	5 h	5 h
Ont utilisé un micro-ordinateur (2)		**14**
Tous les jours ou presque		4

Sur 100 Français de 15 ans et plus.
(1) Durée moyenne hebdomadaire, du lundi au vendredi.
(2) Dans le cadre de leurs loisirs.
Source : ministère de la Culture, Département des études et de la prospective.

À la fin de l'année 1998, l'AFCO (Association française des câblo-opérateurs) estime à 2,66 millions le nombre de foyers français abonnés au câble, dont 212 300 reçoivent le câble en numérique et 14 700 sont raccordés par câble à l'Internet. Le nombre de postes qu'il serait techniquement possible de raccorder est évalué à 7 millions. Plusieurs sociétés se partagent le marché du câble : trois grands opérateurs – Lyonnaise Câble (683 000 abonnés), NC Numéricâble (630 000), France Telecom Câble (754 000) – et une kyrielle de plus petits, regroupés au sein de l'ANOC (Association des nouveaux opérateurs constructeurs de réseaux câblés (481 000). Les enquêtes directes auprès des téléspectateurs (par ex. enquête Insee 1996 de conjoncture auprès des ménages) font apparaître une sous-évaluation du nombre de ménages qui déclarent être raccordés au câble. Il est probable que certains ignorent qu'ils sont raccordés, notamment lorsque le prix de l'abonnement est inclus dans les charges locatives de l'immeuble qu'ils habitent.

Câble et satellite apparaissent de plus en plus comme des techniques complémentaires. Les paraboles de réception par satellite se développent surtout dans les lieux où l'offre câblée n'existe pas ou pour des téléspectateurs qui souhaitent recevoir certaines émissions étrangères pour lesquelles une bonne réception n'est pas acquise autrement.

Mesure des audiences

L'audience de la radiotélévision désigne l'ensemble des auditeurs et des téléspectateurs susceptibles de suivre un programme (audience potentielle) ou ceux qui ont effectivement capté un programme (audience réelle). L'origine de la mesure d'audience, ou audimétrie, est étroitement liée à la diffusion publicitaire et à l'apparition des techniques de sondage d'opinion (1934 : fondation de l'American Institute for Public Opinion, de George Gallup ; 1935 : premières mesures d'audience radiophonique d'Arthur Nielsen).

La mesure d'audience est devenue un instrument indispensable, voire déterminant, de la gestion audiovisuelle. Pour les responsables de la programmation, elle est une réponse favorable ou défavorable à la composition d'une grille. Elle permet aux annonceurs de connaître les publics, leurs origines, leurs habitudes d'écoute, et donc de cibler les écrans publicitaires en fonction de l'audience globale de la chaîne, des heures de passage de certains programmes, du type de public à l'écoute à ces heures, tous éléments qui infléchissent la nature des messages, leur coût et… les recettes des chaînes.

Que peut-on mesurer ? Il existe trois grands indicateurs d'audience.

L'audience cumulée : pendant une période donnée, nombre ou pourcentage de personnes différentes ayant écouté une station ou une chaîne, quelle que soit la durée de leur écoute.

L'audience moyenne : pour un moment déterminé (qu'il s'agisse d'un spot, d'un écran, d'une émission, d'une tranche horaire), moyenne arithmétique de l'audience des différents instants mesurés (selon l'unité de temps utilisée par l'enquête : seconde, minute, quart d'heure).

La durée d'écoute : moyenne, exprimée en minutes, du temps passé par un individu à l'écoute d'une station ou d'une chaîne.

Ces mesures sont complétées par des informations qualitatives portant sur la nature des auditoires (âge, sexe, habitat, catégories socioprofessionnelles) et leurs habitudes d'écoute (durée d'écoute et moments d'écoute dans la journée, fidélité à une chaîne ou à un programme particulier…).

Comment mesure-t-on ? La première méthode est celle des enquêtes, auprès d'un échantillon de population jugé représentatif, cette « population » étant définie de façon variée, selon les pays (en France, par exemple, elle a longtemps exclu les enfants de moins de 15 ans). Ces enquêtes sont réalisées selon des techniques différentes, qui peuvent d'ailleurs se combiner (questionnaires, téléphone, tenue d'un carnet d'écoute).

Pour la télévision, on utilise le système de l'audimètre. Cet appareil, connecté au téléviseur, signale la mise sous tension du poste et la chaîne sélectionnée. L'audimètre est une mesure d'audience-foyer. Il enregistre le seul fonctionnement du récepteur et ne fournit aucune donnée sur l'écoute individuelle (nombre de personnes habitant le foyer présentes devant l'écran, absence ou présence intermittente, etc.). Ces appareils enregistreurs sont reliés à l'ordinateur central de l'organisme de mesure, qui est donc capable de fournir des résultats quotidiens sur l'audience.

L'audimètre est aujourd'hui complété par le bouton-poussoir. Il s'agit d'un boîtier de télécommande de 6 à 8 boutons attribués à chacun des membres du foyer. Ce dispositif permet de substituer à l'audience-foyer une mesure individualisée de l'écoute au sein des foyers qui en sont équipés.

Le rôle culturel de la télévision

Un débat oppose les partisans des chaînes spécialisées et les apôtres de la télévision « généraliste ». Les premiers déplorent la rareté et la faiblesse des émissions culturelles et voient dans le développement de chaînes thématiques le remède à ce problème. Les seconds soutiennent, non sans raison, que la voie démocratique exige que les chaînes généralistes répondent aux besoins de tous : le développement de chaînes dédiées aux thèmes culturels risque de provoquer la création de ghettos pour la culture savante tout en abandonnant aux chaînes généralistes les émissions de simple divertissement et de culture populaire.

Ce débat est un peu moins âpre depuis que la prolifération des chaînes numériques a entraîné un élargissement de l'offre de programmes télévisés. Dès lors, les chaînes thématiques représentent une proposition parmi d'autres, à côté et non à la place des chaînes généralistes. Les passionnés d'opéra, de musique ou de cinéma ont accès à leurs émissions préférées sans qu'il soit interdit aux chaînes généralistes de fournir une offre culturelle de qualité.

Le problème des chaînes éducatives ou « chaînes de connaissances » est légèrement différent. Les années 1960 ont vu naître l'idée selon laquelle la diffusion de la télévision allait révolutionner le système scolaire. Cette prophétie s'est révélée fausse. Certes, des cours du CNAM (Centre national des arts et métiers) ou du Centre national d'enseignement à distance sont relayés par la télévision, mais ces activités restent marginales par rapport à l'ensemble du système éducatif. Même les cours de l'Open University anglaise prévoient des sessions où les étudiants se regroupent.

Le développement de l'Internet pourrait bien entraîner une révision importante du mode d'accès à l'information dans les écoles. Toutefois, le rôle du maître, chargé d'accompagner l'élève dans ses progrès, et celui de l'appareil éducatif, chargé de la définition des étapes de la connaissance et de l'évaluation des individus, ne sont pas près de disparaître. Comme le soulignait Steve Jobs, directeur de la compagnie Apple, en février 1996 : « Les problèmes de l'éducation ne sauraient être résolus par la technologie. On peut mettre sur CD-Rom l'ensemble des connaissances. On peut installer un site Internet dans chaque classe. Rien de tout cela n'est fondamentalement mauvais, sauf si cela nous berce de l'illusion que l'on s'attaque ainsi aux maux de l'éducation. »

◆ **Organismes de mesure d'audience.**

France : Médiamétrie, CESP (Centre d'étude des supports de publicité), association fondée en 1956.
Japon : Broadcasting Culture Research Institute, Video Research ; Nielsen Research.
États-Unis : Nielsen Media Research Company.
Grande-Bretagne : BARB (Broadcasters' Audience Research Board), AGB Television Research.
Italie : Auditel.
Allemagne : GfK (Gesellschaft für Kommunikationsforschung).
Suisse : Télécontrol.

◆ **La régie.**
Le film a longtemps été le principal support des productions de télévision, y compris de l'actualité. L'usage des caméras vidéo, plus légères et moins coûteuses en exploitation, s'est généralisé dans les années 1970, non seulement pour le tournage des reportages, mais aussi pour la production de séries ou de dramatiques. L'apparition du Caméscope (caméra avec magnétoscope incorporé) a encore accéléré le processus. Cette évolution des méthodes de fabrication a infléchi le travail de contrôle des images et du son effectué en régie, ainsi que celui des monteurs.

Public et privé

La télévision française se caractérise par une forte imbrication du public et du privé. Les trois grandes chaînes privées dépendent de groupes industriels largement tributaires de commandes publiques. La première chaîne, TF1, est une filiale du groupe Bouygues (travaux publics, distribution d'eau, téléphone mobile). Canal Plus, chaîne cryptée créée en 1984, dépend du groupe Vivendi, et M6 est liée à la Lyonnaise des eaux. Dans cette situation, la nécessaire indépendance de la presse télévisée n'est pas bien établie : il est facile à un gouvernement de refuser des contrats au groupe si la firme de presse télévisée fait preuve de trop d'esprit critique.

La tutelle de l'État. Dès les années 1980, la nécessité d'une instance chargée de la régulation de l'audiovisuel se fait sentir. La Haute Autorité de la communication audiovisuelle est créée à l'arrivée des socialistes au pouvoir (loi Filloud du 29 juillet 1982). Ce comité des sages, doté du statut juridique d'autorité indépendante, est chargé à la fois de superviser la politique audiovisuelle et de choisir les présidents des chaînes publiques. Constitué de neuf membres, renouvelables par tiers tous les trois ans, ce comité aura, sous des formes diverses, une existence mouvementée. Il est supprimé en 1986 sous le gouvernement Chirac. À sa place est créée la CNCL (Commission nationale de la communication et des libertés), remplacée à son tour, après la réélection de François Mitterrand en 1988, par le Conseil supérieur de l'audiovisuel (CSA). Le rôle de cette instance, comme celui de ses prédécesseurs, n'est pas dépourvu d'ambiguïtés : responsable du succès des chaînes publiques et chargé de désigner leur président, le Conseil doit aussi, à l'image de la FCC américaine, jouer un rôle d'arbitre entre secteur public et secteur privé, notamment en ce qui concerne les attributions de fréquence.

La publicité. La volonté de réduire les coûts a conduit les chaînes publiques à se laisser envahir par la publicité, à asseoir une part importante de leur financement sur les spots télévisés, et à consacrer, pour accroître leur part d'audience, une partie du temps d'antenne à l'autopublicité. La loi adoptée par l'Assemblée fin mai 1998 réduit de douze à huit minutes par heure le temps consacré à la publicité sur les chaînes publiques. Le manque à gagner pour France 2 et France 3 sera compensé par un versement de l'État aux chaînes d'un montant équivalent aux exonérations accordées à certaines catégories de population (personnes âgées...).

Quelles perspectives ? L'avenir du secteur audiovisuel public en France n'est pas clair : la décision de J. Chirac, lors de la première cohabitation, de privatiser TF1, symbole du pouvoir public sur l'audiovisuel, a fait grand bruit. La concurrence des chaînes européennes et étrangères ira-t-elle dans le sens de l'affaiblissement ou de la dynamisation du secteur public français dans le domaine de l'audiovisuel ? La constitution d'une holding, regroupant l'ensemble des chaînes publiques – France 2 et 3, La Cinquième et Arte – prévue dans le projet de loi de 1998, a pour but de constituer un pôle industriel fort pour l'audiovisuel public français.

Au niveau européen, la tension est forte entre les partisans du libéralisme et les défenseurs de la télévision publique. Le rapport Oreja (DG X, 1998) incite les pays de l'Union européenne à être plus compétitifs dans le domaine audiovisuel, à prendre pour modèle les méthodes de la télévision américaine, en concédant toutefois un rôle à la télévision publique dans les domaines de l'éducation et de la culture. La détermination de l'importance respective du public et du privé est laissée à l'initiative de chaque pays, à condition que le principe de la séparation des comptes entre activités publiques et activités commerciales soit rigoureusement respecté. La France, quant à elle, a obtenu, à grand-peine, que la régulation des services audiovisuels soit distincte de celle des télécommunications.

La FCC aux États-Unis

Aux États-Unis, l'organisation de la radio et de la télévision correspond globalement aux principes appliqués à la presse écrite. La liberté d'expression et la liberté d'entreprendre caractérisent les médias. Généralement privés, ils sont financés par la publicité et leur très grand nombre se justifie par l'étendue du pays et la multiplicité des marchés locaux.

Dès les années 1920, l'État devait cependant limiter la totale liberté des entrepreneurs en affirmant la propriété publique des ondes et en subordonnant l'exploitation d'une station à l'octroi d'une licence. Le Radio Act (1927), complété par le Communication Act (juin 1934), confirme la mission de contrôle d'une agence fédérale, la Federal Radio Commission (FRC), à laquelle succède en 1934 la Federal Communications Commission (FCC), responsable de l'attribution des fréquences et chargée d'apprécier la conformité des activités des stations aux « besoins de l'intérêt public ».

Le rôle de la FCC. Dès l'après-guerre, la FCC impose aux stations des règles déontologiques en matière d'information politique et civique dont l'ensemble est connu sous le nom de « *Fairness Doctrine* » (doctrine d'équité). Transformée en loi en 1959, la *Fairness Doctrine* est cependant périodiquement contestée par les médias, au nom de la liberté d'opinion et d'expression.

La FCC a aussi réglementé la concurrence entre les stations. Pour enrayer une possible spéculation, elle a interdit à un diffuseur de céder sa licence à un tiers dans les trois années suivant l'obtention de l'autorisation. De plus, en 1953, elle fixe à sept le nombre de stations de chaque catégorie (grandes ondes, FM, télévision) que peut « posséder ou gérer » un groupe.

Au début des années 1980, pourtant, dans le contexte du reaganisme, la FCC s'oriente vers une politique de déréglementation, ce qui réduit ses compétences jusqu'à l'abandon de fait de la *Fairness Doctrine*.

Production de programmes

La notion de production de programmes de télévision doit être dissociée de celle de diffusion, assurée par les chaînes. Ces dernières peuvent produire des programmes avec leurs propres moyens techniques, notamment les émissions de caractère immédiat,dites émissions de « flux » (information, jeux, retransmissions sportives, émissions légères de plateau), peu susceptibles de rediffusion. Mais elles utilisent aussi les prestations de sociétés extérieures, privées ou publiques, et recourent aux coproductions pour alléger les investissements que nécessitent les œuvres de fiction, les documentaires, les magazines et les séries d'animation pour la jeunesse. Cette tendance s'accentue et gagne des organismes publics qui jusqu'alors assuraient leurs propres productions.

En Grande-Bretagne, à la fin de 1987, un accord fut signé, permettant aux producteurs privés de réaliser environ 25 % des programmes de la BBC. En France, jusqu'en 1964, l'exclusivité de la production interne fut l'une des composantes du monopole de la RTF. L'ORTF vit la fin de ce statut, mais continua à produire à 80 % par ses propres moyens.

Le rôle de la SFP. En 1974, lors de l'éclatement de l'ORTF, est créée la Société française de production et de création audiovisuelle (SFP). Société anonyme à capitaux d'État, elle a pour mission de réaliser pour les chaînes leurs programmes les plus lourds, ceux qui nécessitent des moyens techniques importants, un long temps de tournage, la mobilisation de plateaux distincts, de nombreux décors et costumes, etc. Le fonctionnement de la SFP est garanti par un quota de commandes obligatoires imposé aux chaînes. Néanmoins, la SFP connaît rapidement des problèmes financiers considérables et des crises graves lors des tentatives de restructuration (1978-1979 : grèves et succession de trois présidents en quelques mois).

La loi de 1986 supprime les commandes obligatoires des chaînes publiques à la SFP, qui devient une société anonyme de droit commun. La SFP s'équipe pour s'ouvrir aux productions privées à gros budget et commence une semi-privatisation de différents secteurs (décors, costumes, etc.).

Si la loi abroge le recours obligé à la SFP, la production propre des sociétés de diffusion reste néanmoins réglementée. À l'exception, notamment, de l'information, les chaînes privées ne peuvent produire par leurs propres moyens que 50 % des programmes et aucune œuvre de fiction diffusée en différé.

Face à la montée des coûts de production, les chaînes ont de plus en plus fréquemment recours aux importations. Si les programmes achetés par TF1,

◆ **La maison de Radio France, à Paris.**
Un monument conçu pour la radio : sa forme circulaire et son plan concentrique assurent l'isolation phonique parfaite des studios et des salles publiques (auditorium, studio 105...). Achevé en 1963 sur des plans de l'architecte Henri Bernard, il donnait à la RTF un moyen de production longtemps attendu. Son revêtement d'aluminium, le premier réalisé en France, surprit les contemporains. La tour abrite les archives.

◆ **Le plateau de télévision de TF1.** La télévision fait appel à des techniques coûteuses. Même un simple « plateau », en direct, nécessite la mobilisation de moyens considérables : deux ou trois caméras permettent au réalisateur, véritable metteur en scène, de varier les angles de prises de vue, de contrôler et de choisir instantanément l'image à diffuser. Interviennent également les opérateurs du son, les éclairagistes.

A2 (auj. France 2) et FR3 (auj. France 3) ne représentent encore que 12 % du volume horaire de diffusion en 1986, la tendance est bien à la hausse. Elle est particulièrement nette sur les réseaux privés, mais concerne aussi, de plus en plus, les télévisions publiques. Devant cette amorce d'internationalisation des écrans, marquée par la prééminence américaine (les États-Unis réalisent de 70 à 75 % des échanges internationaux), les États européens cherchent à réagir sur le plan national et, collectivement, dans le cadre de l'Union européenne.

Diffusion de programmes

Depuis le milieu des années 1980, la déréglementation a multiplié le nombre des chaînes : 14 chaînes publiques en Europe en 1980, 36 chaînes publiques et privées en 1990 (en ne comptant que les chaînes hertziennes), plus de 110 nouvelles chaînes (hors bouquets numériques) lancées entre 1994 et 1997. Cette croissance du nombre des chaînes et l'allongement du temps d'antenne (la programmation s'est généralisée le matin et, pour certaines chaînes, la nuit) génèrent une progression importante du volume horaire de diffusion : entre 1986 et 1990, celui-ci a plus que doublé en Europe, passant de 230 000 à 470 000 heures. En France, TF1 a diffusé 5 654 heures de programmes en 1986, 8 131 en 1990, soit une hausse de 69 %, et 8 759 en 1997. Pendant la même période, France 2 accroît son volume horaire de 83 %. Plus nombreuses, les émissions sont aussi devenues beaucoup plus coûteuses à produire, surtout la fiction. Comment construire et gérer une grille variée, attrayante, sans renoncer aux émissions de prestige, celles qui attirent l'audience et assurent l'image de marque de la chaîne ?

Le parrainage et le mécénat assurent des ressources complémentaires. Le recours croissant aux produits finis étrangers (films, téléfilms, séries et feuilletons), proposés sur les marchés internationaux, permet de s'approvisionner en programmes à des coûts inférieurs à ceux de la production originale. Enfin, la multiplication des émissions de plateau alimente l'antenne à moindres frais.

Télévision et cinéma

Tous les pays européens ont connu ces vingt dernières années une baisse très sensible de la fréquentation des salles de cinéma. À l'inverse, les films diffusés à la télévision ont très souvent une excellente audience. À titre d'exemple : parmi les dix émissions les plus regardées en France en 1987, on compte 9 films. Les rapports difficiles entre cinéma et télévision sont régis par des mesures qui varient selon les pays.

En France : l'encadrement de la concurrence. Pour protéger la création cinématographique et sa diffusion en salles, la législation française instaure toute une série de mesures qui s'appliquent au secteur public comme au secteur privé :
- plafond annuel de diffusion d'œuvres cinématographiques (192 œuvres maximum, dont 104 seulement entre 20 h et 22 h 30);
- interdiction de diffusion certains jours et à certaines heures (mercredi et vendredi soir, sauf ciné-club après 22 h 30 ; aucune diffusion le samedi ; diffusion le dimanche après 20 h 30 seulement);
- instauration de quotas d'origine (50 % de films français) et de délais de passage du grand au petit écran (2 ans après leur date de sortie pour les chaînes coproductrices, 3 ans si elles n'effectuent qu'un achat de droits de diffusion) ;
- pour les chaînes privées : limitation des coupures publicitaires.

Puisque la télévision s'approvisionne en programmes auprès du cinéma, il paraît logique

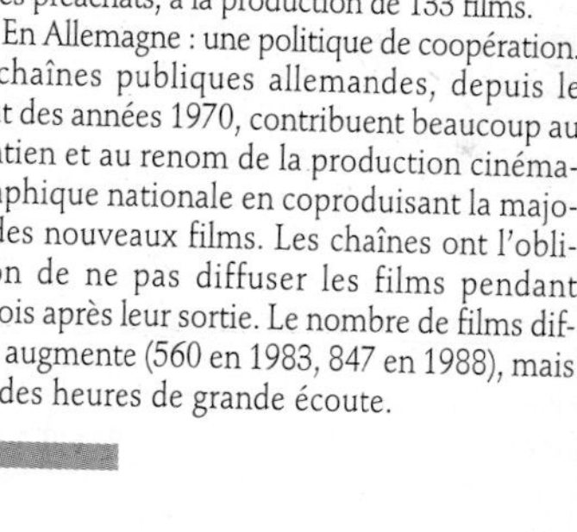

qu'elle participe au maintien de la création des œuvres cinématographiques par une contribution financière. Cette contribution représente, en 1998, 20 % du financement français des longs métrages et concerne 73 % du nombre de films produits. Canal Plus, « chaîne du cinéma », est autorisée à diffuser 364 films par an. En retour, elle contribue, en 1998, par ses préachats, à la production de 133 films.

En Allemagne : une politique de coopération. Les chaînes publiques allemandes, depuis le début des années 1970, contribuent beaucoup au maintien et au renom de la production cinématographique nationale en coproduisant la majorité des nouveaux films. Les chaînes ont l'obligation de ne pas diffuser les films pendant 24 mois après leur sortie. Le nombre de films diffusés augmente (560 en 1983, 847 en 1988), mais hors des heures de grande écoute.

◆ **Part d'audience par chaîne TV en France.**

Chaîne	Part
TF1	34,4 %
FR2	24,7 %
FR3	17,3 %
Canal +	4,6 %
La Cinq et Arte	3,3 %
M6	12,1 %
Autres	3,6 %

En % du total de l'audience des chaînes ; 1997.
Source : Mediamat Médiamétrie (adultes de 15 ans et plus).

Jeux Olympiques : le prix des images

Le Comité international olympique (CIO) possède tous les droits de retransmission des JO. Le montant total de ces droits, qui fait l'objet de négociations entre le CIO et les médias du monde entier, a singulièrement augmenté, puisqu'il est passé de 1,2 million de dollars pour Rome en 1960, à 287 millions de dollars pour Los Angeles en 1984. Les *networks* américains fournissent au CIO l'essentiel de ses recettes en matière de retransmission télévisuelle : ainsi, NBC, qui a décroché l'exclusivité de la retransmission de Séoul aux États-Unis, a déboursé 300 millions de dollars, soit trois fois plus que toutes les autres chaînes du monde réunies. Tout *network* qui décroche l'exclusivité de la retransmission réalise cependant de substantiels bénéfices grâce aux spots publicitaires.

L'Union européenne de radiodiffusion (UER), qui est devenue la première banque d'images mondiale au service des télévisions européennes, verse aussi des fonds importants au CIO. Elle a réussi à acquérir les droits de retransmission pour l'Europe des Jeux de Barcelone (1992) pour 481 millions de FRF. En 1993, elle a acquis les droits de retransmission des Jeux d'Atlanta contre 1,3 milliard de FRF. Et elle a aussi ceux de Sydney en 2002. Mais le système de l'UER qui permettait aux chaînes membres – petites et grandes – d'acheter les droits en commun est mis à mal par la surenchère autour des droits sportifs. Les droits des deux prochaines Coupes du monde de football (2002 et 2006) ont été cédés par la Fédération internationale à un groupe privé. L'Allemand Kirch a mis 11 milliards de FRF sur la table et les revendra dans chaque pays au plus offrant. L'intérêt des groupes audiovisuels pour les clubs de football (Canal Plus actionnaire du PSG, M6 des Girondins de Bordeaux) marque leur souci de s'assurer des droits de retransmission sur les matchs.

La concurrence internationale sur le créneau du sport est à l'origine de la création, en janvier 1993, d'Eurosport, chaîne sportive paneuropéenne qui regroupe des chaînes thématiques câblées et par satellites qui ont vu le jour en Europe depuis les années 1980. Elle diffuse en allemand, néerlandais et anglais, avec une version francophone dirigée par TF1 et Canal Plus associés.

VOIR AUSSI 
- **Radio et télévision** (aspects techniques) p. 390 à 392
- **Cinéma et vidéo** (aspects techniques) p. 394 à 396

Informatique et réseaux

Les origines

En 1957, à l'heure où l'URSS remporte une victoire technologique éclatante en lançant le premier Spoutnik, les Américains ripostent en créant l'ARPA (Agence pour la recherche avancée) au sein du ministère de la Défense. Le réseau ARPANET proprement dit (Advanced Research Project Agency Network), réseau dit « à commutation de paquet », est mis en place en 1969 ; c'est l'ancêtre du réseau Internet. L'idée de départ était d'assurer la sécurité d'un réseau de communication en lui donnant une forme « en toile d'araignée ». Cette forme décentralisée était une protection contre toute possibilité d'attaque générale du réseau venant de parties hostiles.

Le réseau ne se limitera pas au domaine de la défense. ARPANET est né d'une articulation privilégiée entre trois univers sociaux très différents : les militaires, les centres universitaires de recherche en informatique et l'industrie de l'informatique. Les milieux universitaires américains puis européens, avec la création de EARN (European Academic Research Network) en 1983, vont adopter cette technologie sans qu'elle se diffuse largement.

Puis, d'une entreprise particulière, limitée à un cercle restreint d'initiés, on passe dans les années 1990 à un réseau mondial de millions de personnes dont on ne fait qu'entrevoir aujourd'hui les répercussions économiques, politiques, juridiques et sociales. La naissance, en 1992, de l'Internet Society (ISOC), qui coordonne l'IAB et ses trois commissions (IANA, IETF, IRTF), marque le début d'une véritable accélération. Tout un chacun peut devenir membre de l'ISOC, moyennant une cotisation de quelques dizaines de dollars.

En France, l'arrivée du Minitel dans les années 1980 retarde longtemps la vulgarisation de l'Internet, mais, au milieu des années 1990, le mouvement mondial l'emporte.

Une nouvelle ère ?

Le réseau Internet permet trois sortes d'activités : la messagerie électronique, la participation aux groupes de discussion et la navigation sur les sites.

La messagerie électronique. Chaque utilisateur de l'Internet a, sur son ordinateur, sa boîte aux lettres dotée d'une adresse qui lui permet d'expédier et de recevoir du courrier. Ses correspondants ont eux aussi leur adresse et chaque message comporte quelques lignes obligatoires : le destinataire principal, la liste des personnes qui recevront une copie du message, le titre du message et la liste des fichiers qui peuvent être envoyés en annexe. Suit le texte du message. Plusieurs facteurs distinguent le message électronique du courrier traditionnel. Avant tout, la rapidité de l'expédition en fait, dans bien des domaines, un quasi-substitut du téléphone, avec, en outre, la certitude de ne pas déranger le destinataire puisque celui-ci « lit son courrier » lorsqu'il le désire. Le ton ensuite, car le style de la plupart des messages est à mi-chemin entre l'oral et l'écrit. La formule de politesse est généralement très simplifiée. Enfin, le point clé est que l'on peut lire son courrier à distance, pourvu que l'on puisse disposer d'un poste de travail relié à l'Internet. Le développement des téléphones portables permet également de lire et d'expédier son courrier à distance.

◆ **Un cybercafé à Cambridge** (Royaume-Uni).
Des services informatiques et multimédias de pointe sont offerts dans de tels établissements.

Les groupes de discussion. Centrés sur un thème, ils sont ouverts à qui le souhaite, mais il est requis de participer un temps comme observateur à tout groupe avant d'y prendre part de façon active. Ils permettent à plusieurs interlocuteurs de différents pays du monde de discuter en temps réel. Un « modérateur » assure parfois la coordination des débats; il veille en particulier à ce que les textes « hors sujet » ne prolifèrent pas et joue le rôle de « juge de paix » lorsque les débats s'enflamment. La variété des thèmes est très grande.

Les groupes de discussion ayant acquis une certaine notoriété peuvent être le germe de mouvements sociaux ou de revendications. Ainsi, le groupe de discussion des jeunes docteurs français, les « hot docs », fait le point sur les problèmes d'emploi rencontrés par ces jeunes diplômés et peut faire figure de syndicat virtuel.

La navigation sur les sites. Elle constitue une activité parfois pénible à cause de la lenteur d'accès à certains sites, mais exaltante par la variété des informations auxquelles elle permet d'accéder. On peut lire le journal, rechercher des informations, jouer, gérer son compte en banque, acheter des livres ou des disques, écouter de la musique, etc.

L'ensemble de ces trois possibilités constitue un outil vertigineux de circulation rapide de l'information, au point que certains y voient un outil possible de relance de la démocratie directe qui déboucherait sur une remise en cause des systèmes politiques et électoraux actuels.

◆ **Les utilisateurs de l'Internet.**

Selon l'AFTEL (Association française des utilisateurs de télématique multimédia), 75 millions de correspondants échangent mensuellement de 2 à 3 milliards de messages de par le monde.
On estime qu'en 1998 il existait en France :
60 358 sites;
3,7 millions internautes (soit 8,3 % des 18 ans et plus), dont :
66 % d'hommes et 34 % de femmes,
22 % d'assidus (tous les jours ou presque),
35 % de réguliers (plus d'une fois par mois),
43 % d'occasionnels (une fois par mois ou moins).

Source : www.mediavision.fr/regie/netmarketing.htm

Le développement des cybercafés. Il constitue un cas de figure intéressant d'incrustation de technologies nouvelles dans des pratiques sociales traditionnelles. Il s'agit de cafés qui, moyennant finance, offrent la possibilité d'utiliser des ordinateurs connectés au réseau. Ils permettent ainsi l'échange d'informations entre internautes d'expériences différentes. Aucun média traditionnel n'échappe à la vague Internet. Les radios (europinfos.com), les chaînes de télévision (tf1.fr, cplus.fr), développent des prolongements en ligne de leurs programmes : informations réactualisées en permanence, forums, débats sur des thèmes abordés à l'antenne, coulisses des tournages, etc.

Écrit sans papier

Du côté de la presse écrite, le développement de l'Internet constitue une véritable révolution. La lecture de plusieurs grands quotidiens ou de magazines sur le réseau est désormais possible, tels le *New York Times* (www.nytimes.com), le *Wall Street Journal, le Monde* (www.lemonde.fr). L'accès partiel à certains articles ou certaines rubriques est gratuit. Certains journaux constituent de véritables dossiers d'informations et indiquent la connexion entre différents sites en fonction des thèmes traités. La pari est que la consultation de numéros anciens peut inciter l'internaute à s'abonner ou à acheter les numéros récents. L'accès à la publication entière concernant une date précise est payant sur des bases variables, à l'unité ou par abonnement. La plupart du temps, l'édition « on line » n'est pas la simple réplique de l'édition papier. Une tendance se dessine : les éditions « on line » sont mises à jour avec les informations les plus récentes, un peu comme à la radio ou au journal télévisé.

L'avenir du livre. Le monde des bibliothèques est, lui aussi, le lieu de grands chambardements, de façon inégale selon les pays. Si la bibliothèque du Congrès américain s'est engagée dans une vaste opération de numérisation de son fonds qui permet l'accès « on line », la France reste plus en retrait. Néanmoins, un certain nombre de projets vise à numériser le fonds classique tombé dans le domaine public donc non sujet au paiement de droits d'auteurs. La lecture sur écran reste malgré tout assez pénible et seuls les internautes disposant d'une très bonne imprimante peuvent utiliser de manière extensive les possibilités offertes par les publications sans papier. De nouvelles techniques optiques, comme des lunettes qui remplaceraient l'écran d'aujourd'hui, sont à l'étude.

◆ **L'équipement en informatique.**

Catégorie socioprofessionnelle du chef de ménage	1996	1997	1998
Cadres du secteur privé et professions libérales	33	37	45
Cadres du secteur public et professeurs	38	41	43
Instituteurs	25	32	38
Techniciens et contremaîtres	18	22	28
Étudiants	15	34	28
Professions intermédiaires du secteur privé	23	20	27
Artisans, commerçants, chefs d'entreprise	13	16	22
Professions intermédiaires du secteur public	19	17	21
Employés	11	12	14
Autres (inactifs)	7	9	11
Ouvriers	7	7	10
Agriculteurs exploitants	6	7	6
Ensemble des ménages	15	16	19

Taux d'équipement des ménages selon la catégorie sociale de la personne de référence; en 1990.
Source : Insee Première, n° 629, janvier 1999.

◆ **Les ventes sur l'Internet.**

Produits et services	Paiement indirect	Paiement direct	Total
Matériel informatique	958	360	1318
Billets d'avion	798	91	889
Hôtels	100	23	123
Logiciels	94	175	269
Disques	59	175	269
Location de voitures	40	-	40
Équipement de la maison	30	19	49
Livres	24	105	129
CD-ROM	15	50	65
Alimentation	15	7	22
Vêtements	-	15	15
Spectacles	-	13	13
Autres	67	94	161
Total	2 200	1 100	3 300

Chiffre d'affaires en millions de FF; 1998.
Source : Mediangles.

Régulation

Le caractère fortement décentralisé, l'idée que l'existence du réseau comme objet social repose sur l'initiative de chacun, font de la liberté d'expression un principe fondamental sur l'Internet. Il existe une éthique du réseau qui ne supporte pas la moindre censure. Espace libertaire, l'Internet ne doit pas être pour autant un espace anarchique.

La plupart des groupes de discussion ont leurs règles et un modérateur va se porter garant du respect de celles-ci. Des dérapages sont bien entendu possibles et des tentatives récentes ont été faites pour empêcher, sur le réseau, la diffusion d'informations licencieuses ou carrément illicites. Le risque de trouver des sites racistes, des informations douteuses, des publications interdites, est réel et difficile à contrôler.

Des problèmes juridiques. La question de savoir si un fournisseur d'accès est, ou non, responsable des sites qu'il héberge s'est récemment posée. La déontologie du réseau se cherche. Son caractère mondial conduit à poser des problèmes juridiques intéressants. Ainsi, comment les pays ayant une législation qui encadre les pratiques de jeux vont-ils affronter l'apparition de casinos virtuels ? Comment les droits d'auteur seront-ils préservés ?

L'Internet Law Task Force (ILTF) va se charger de régler les problèmes juridiques posés par l'émergence du cyberespace. Les questions sont multiples : quelles lois faut-il promulguer, quelles en seraient les bases juridiques, qui serait chargé de surveiller leur application ou de réprimer fraudes, délits et crimes ? Comment régler les problèmes de taxation et de concurrence que pose la vente à distance sur un réseau international ? Il est probable que les sites immoraux ne menacent pas plus l'Internet que le Minitel rose n'a menacé l'existence du Minitel.

L'esprit des pionniers de l'Internet est probablement autant ou plus fragilisé par l'envahissement de la publicité que par le développement de la pornographie.

La cryptographie

L'un des problèmes cruciaux pour le développement du réseau est celui de la sécurité et de la confidentialité des données; il faut éviter que des tiers hostiles (on les appelle les « hackers ») puissent soit intercepter les messages et faire usage de leur contenu, soit détruire ou modifier leur contenu.
La cryptographie est l'ensemble des méthodes, fondées sur des principes mathématiques complexes, qui permettent de protéger la confidentialité des documents, notamment sur l'Internet.
Pendant longtemps, les procédures de chiffrage ont été, en France, l'apanage des services de la Défense et de la diplomatie. Or, le développement du commerce électronique sur le réseau suppose la confidentialité des données, notamment bancaires, et donc la libéralisation du cryptage. La France devrait lever prochainement une interdiction qui risquerait d'entraver le développement du commerce sur l'Internet.
En France, le cryptage a été longtemps limité à des clés d'une longueur de 40 bits. Cela met les communications à l'abri des pirates amateurs, mais, si l'on en croit l'Electronic Frontier Foundation, avec une machine à décrypter, un code de ce type peut être cassé en moins d'une minute. Les restrictions mondiales actuelles vont de 40 à 56, 64 ou 128 bits (ce qui correspond à la norme américaine). Plus la clé est longue, plus le code est difficile à casser.

◆ **Les sigles de l'Internet.**

Bitnet (Because it's time network) : réseau universitaire de transmission de message qui donnera naissance en 1989, par fusion avec Csnet, à CREN (Corporation for Research and Education Networking), < http://www.cren.net/>.
DES (Data Encryption Standards) : algorithme de cryptage mis au point par IBM, utilisé par l'administration américaine.
DNS (Domain Name Server) : protocole gérant la correspondance entre un nom IP et un numéro IP des machines reliées au réseau Internet.
FAQ (Frequently Asked Questions) : correspond généralement à un document répondant par avance aux questions le plus fréquemment posées à un site Internet donné. (En français : foire aux questions.)
IP (Internet Protocol) : protocole de communication utilisable sur Internet. Le protocole désigne l'ensemble de conventions définissant des normes techniques permettant la communication à distance entre serveurs.
IAB (Internet Architecture Board) : organe central de direction de l'Internet Society. Coordonne les actions de l'IANA, de l'IETF et de l'IRTF.
IANA (Internet Assigned Number Authority) : organisme qui gère les numéros et adresses électroniques sur Internet.
IETF (Internet Engineering Task Force) : organisme qui préside aux travaux sur les technologies et les protocoles.
IRTF (Internet Research Task Force) : organisme de recherche de l'ISOC.
ISP (Internet Service Provider) : fournisseur d'accès au réseau Internet. (En français, FAI : fournisseur à l'Internet.)
RENATER (Réseau national de télécommunications pour la technologie, l'enseignement et la recherche) : réseau IP reliant les universités et les centres de recherche français.

◆ **Réalisation de théâtre kabuki virtuel.**
Les mouvements corporels de l'homme qui se tient debout sont filmés par une caméra à infrarouge. Les expressions de visage de celui qui est assis (à droite du document) sont enregistrées par une caméra fixée sur son casque. Un ordinateur synthétise l'ensemble des images ainsi obtenues pour créer l'acteur virtuel. Photographie prise à l'Institut international de recherche avancée sur les télécommunications de Kyoto (Japon).

Petit lexique

réseau à commutation de paquet (packet switching) : c'est un mode de transmission d'information dans lequel le message est divisé en paquets pour la transmission, puis recomposé à la réception. Cette technique permet d'optimiser l'utilisation de la bande du réseau.
surfer : naviguer d'un site Internet à un autre.

VOIR AUSSI

- **Architecture des réseaux** (aspects informatiques) p. 355
- **Internet** p. 316 et p. 389

Publicité et marketing

Historique

Trois mille ans av. J.-C., à Thèbes, en Haute-Égypte, un maître a l'idée d'afficher un papyrus offrant une récompense à qui retrouverait son esclave enfui. Il signe ainsi, selon les historiens, l'acte de naissance de la publicité.

Les premiers pas de la publicité. Les plus anciens vestiges de publicité proprement commerciale proviennent de Pompéi (79 av. J.-C.), où l'on a retrouvé sur les murs des affiches annonçant des combats de cirque, offrant la location d'une taverne ou détaillant même les services de prostituées. Mais la publicité va balbutier pendant des siècles, jusqu'à ce que l'invention de l'imprimerie par Gutenberg, v. 1440, multiplie la diffusion des documents. Chaque nouveau média bouleversera à son tour la communication commerciale.

La première affiche imprimée, en 1482, annonce le Grand Pardon de Notre-Dame de Reims. La « réclame » s'épanouit particulièrement à partir du XVIIe s. à Londres, où la grande peste de 1665 suscite un essor inattendu de prospectus et d'affiches vantant des médicaments prétendument capables de prévenir la maladie. La presse, qui prend alors son essor dans tous les pays européens et en Amérique, recourt de plus en plus aux « réclames » pour abaisser le prix de vente des journaux et s'affranchir de la tutelle gouvernementale. La dérive va jusqu'à la publication de faux articles, qui ne sont que des encarts publicitaires déguisés. C'est ainsi que dans tous les pays occidentaux peut se développer à partir de 1830 une presse populaire à très fort tirage et à très bas prix.

À cette époque, le métier de publicitaire n'existe pas. Ce sont les vendeurs d'espace, c'est-à dire les éditeurs de journaux eux-mêmes, qui rédigent et mettent en forme la publicité de leurs entreprises clientes, les annonceurs. La publicité de presse est donc généralement dépourvue de toute recherche. L'affiche, en revanche, atteint un niveau esthétique remarquable : Toulouse-Lautrec, Cappiello, Mucha, Chéret, O'Galop (et son Bibendum Michelin) en seront tour à tour les maîtres.

Le XXe s. apporte trois nouveaux supports à la publicité : le cinéma, la radio et la télévision. Le premier film de cinéma publicitaire est réalisé dès 1904 par les frères Lumière (moins de 10 ans après l'invention du cinématographe) pour le champagne Moët et Chandon. Dès 1922, la radio est utilisée aux États-Unis comme média publicitaire. L'année suivante, en France, l'éditeur Albin Michel signe le premier contrat de publicité radiophonique avec la station Radiola. En 1947, c'est au tour de la télévision de venir bouleverser le marché américain. En France, il faudra attendre le 1er oct. 1968 pour que la publicité télévisée soit autorisée. Aujourd'hui, la publicité finance intégralement deux chaînes françaises sur six et contribue significativement aux ressources des autres. Les pays scandinaves ont été les derniers, à la fin des années 1980, à autoriser la publicité télévisée.

L'avènement de la publicité moderne. Après la Seconde Guerre mondiale, trois facteurs provoquent en Europe l'avènement de la publicité telle que nous la connaissons : l'essor de l'audiovisuel, la reconstruction de l'économie, qui débouche sur une société de production et de consommation de masse, l'ouverture, enfin, vers les États-Unis, où s'étaient déjà établies les principales règles du nouveau métier.

Dès 1920, un professeur en psychologie, Watson, devient patron de la grande agence new-yorkaise J. Walter Thompson et y impose sa science des désirs humains. En 1938, un Allemand exilé, du nom de Dichter, applique à la publicité les études de motivation. À la même époque, George Gallup, qui fondera plus tard l'institut de sondage le plus connu d'Amérique, est directeur des études dans l'agence de publicité Young & Rubicam. Il prend l'habitude de mémoriser les résultats des études de taux de lecture des publicités et de les analyser. Le directeur artistique Vaughn Flannery met à profit ces études pour réaliser des annonces plus efficaces.

◆ Goude for you.
Jean-Paul Goude est la « star » française du film publicitaire. Il a acquis une réputation internationale en jouant avec les marques Lee Cooper, Orangina, Citroën, Club Med, Radiola et Kodak. Il introduit toujours dans ses *spots*, qui sont de véritables *clips*, un délire coloré et saccadé.
Sa grande force est qu'en construisant son univers esthétique personnel il n'oublie jamais de servir la marque et de respecter ses codes. La publicité pour la marque Lee Cooper, réalisée en 1983 pour le compte de l'agence CLM/BBDO, est l'une des premières en France à montrer des mannequins de couleur. Le document ci-contre est une annonce-presse à l'intention des acheteurs professionnels (magasins), destinée à les informer de la campagne publicitaire à venir et à les inviter sur le stand Lee Cooper d'un salon professionnel de l'habillement.

◆ Au pays des aveugles.
Alors que la publicité emploie généralement des mannequins répondant aux canons classiques de la beauté, l'agence américaine Ogilvy eut l'audace d'utiliser un borgne pour vanter dans la presse les chemises Hathaway. Le bandeau sur l'œil suggère qu'il y a derrière cette photo une histoire à raconter et suscite l'envie de lire le texte. Le budget publicitaire d'Hathaway (en 1951) était de 30 000 dollars, contre 2 millions à son concurrent Arrow, mais l'impact compensa la différence budgétaire.

◆ Choc pétrolier.
Pas facile de faire sourire avec l'image d'un suicidaire. Et pas facile non plus de dire en quatre mots et un dessin qu'en pleine crise pétrolière la « coccinelle » Volkswagen est devenue la plus indispensable des voitures. L'exploit créatif réussi avec l'annonce « L'Homme à la pompe » par l'agence DDB (Doyle Dane & Bernbach) démontre que la surenchère des moyens et du grand spectacle actuellement à la mode dans la publicité automobile est absurde : ce qui fait une bonne publicité, c'est seulement une bonne idée.

Ce goût pour la recherche quantitative et qualitative, pour les tests en tout genre, et l'établissement progressif de règles « scientifiques » engendrent des méthodes beaucoup plus rationnelles pour faire de la publicité. Les publicitaires américains d'abord, européens ensuite, deviennent des experts en stratégie commerciale. Ils constituent le fer de lance du marketing dans les entreprises. Cette nouvelle « philosophie » des affaires privilégie l'adaptation aux demandes du marché. Elle commande de ne plus seulement fabriquer le produit que l'on sait fabriquer, mais celui que le client désire acheter, consciemment ou inconsciemment.

Dans les années 1960, la publicité devient l'objet de toutes les contestations. Les associations de consommateurs (consumérisme) s'organisent aux États-Unis à la suite des victoires de l'avocat Ralph Nader. Les mouvements estudiantins (singulièrement

◆ Un jeu de mots.
Le slogan Dubonnet, entièrement inclus dans la marque elle-même, est le résultat d'un hasard survenu en 1932 : sur une affiche en préparation, les contours des lettres étaient dessinés sans être remplis. Cassandre a ajouté la qualité de son graphisme épuré, dynamique comme une bande dessinée. L'extraordinaire pérennité de cette publicité s'explique aussi par son support d'affichage tout à fait original : les parois du tunnel du métro parisien.

◆ Tempête sous un crâne.
Raymond Savignac, qui fut longtemps l'assistant de Cassandre, a imposé son style d'affiche pendant la plus grande partie du siècle. « L'affiche, disait-il, doit être un scandale visuel. » La force du dessin qu'il réalise en 1963 pour l'aspirine Aspro rend en effet inutile tout slogan. Chacun a reconnu l'image de sa propre douleur. L'affiche est un coup de poing.

◆ Publicité clandestine.
La loi britannique interdit aux fabricants de cigarettes d'écrire quoi que ce soit dans leur publicité, si ce n'est la mise en garde du ministère de la Santé. Cette contrainte représente un défi pour les publicitaires. L'agence J. Walter Thompson de Londres a trouvé la solution pour la marque Winston (1984). Après avoir rappelé « Nous n'avons le droit de rien vous dire sur les cigarettes Winston », elle retient l'attention par un jeu de mots soutenu par un visuel surréaliste, la phrase suivante signifiant tout à la fois « voici une tarte reposant sur une barre » et « voici une prostituée appuyée à un bar ».

celui de mai 1968 en France) accusent la publicité d'être le véhicule de l'intoxication capitaliste.

Mais la publicité, que l'on appelle parfois la « pub », surmonte ces tempêtes. Elle conquiert petit à petit les territoires des institutions et de la politique (« la force tranquille », slogan de Mitterrand inventé par Séguéla en 1981). Des groupes gigantesques tissent leur réseau d'agences à travers le monde, répondant ainsi à l'internationalisation de leurs clients annonceurs. Ils recrutent des cadres issus des *business-schools*, signe de l'affaiblissement de la part créative du métier. Les grandes agences ne se contentent plus des services traditionnels de la publicité dans les cinq grands médias (affichage, presse, radio, cinéma, télévision), que les Anglo-Saxons appellent *above the line*. Elles annexent les disciplines proches : marketing direct, promotion des ventes, relations publiques, *sponsoring*, création d'événements, conseil en recrutement (*below the line* ou hors-média). Du coup, ces groupes publicitaires se rebaptisent volontiers groupes de « communication ».

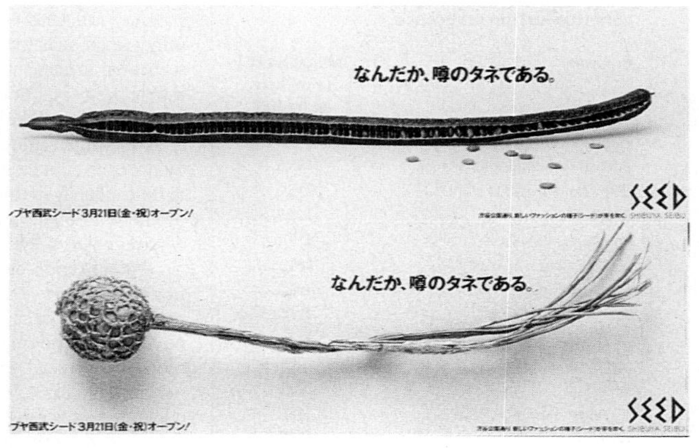

◆ Casse-tête japonais.
Si la publicité américaine possède la réputation de pratiquer le *hard selling* (la vente agressive), la publicité japonaise, elle, se veut poétique, allégorique, voire hermétique. Qui peut deviner, en effet, que derrière ces visuels végétaux, photographiés en 1986 par Kazumi Kungami et intitulés « racine de rumeur » et « graine de rumeur », se cache la chaîne de grands magasins Seibu & Co? Les créatifs publicitaires nippons sont traités comme de véritables artistes qui jouent sur l'écho profond des symboles traditionnels de la pureté. Autre singularité : la plupart des mannequins publicitaires utilisés au Japon sont occidentaux. À noter aussi que la recherche d'une image de qualité par les grandes firmes japonaises s'accompagne le plus souvent d'une politique très active de mécénat culturel.

VOIR AUSSI
Illustrations
• **L'estampe au XIXe s.** (Job) p. 1096

Les métiers de la publicité

La publicité regroupe plusieurs métiers. Certains sont nouveaux et propres au domaine publicitaire, d'autres sont plus anciens et se retrouvent dans d'autres secteurs économiques.

Dans une agence, le service commercial est chargé de la relation avec les clients, les annonceurs. Il gère les budgets des annonceurs, élabore une stratégie générale de communication et joue le rôle de coordinateur entre les différents services. Ces postes sont généralement pourvus par des personnes formées dans des écoles de commerce ou à l'Université. Dans les services financiers, on trouve également des postes de type « général », non spécifiques à la publicité mais qui requièrent des qualités particulières, compte tenu du milieu environnant. Le service financier est ici d'une importance extrême.

Certains services abritent des métiers spécifiques à la publicité. Le service « création » représente l'image de l'agence à l'extérieur. Le directeur de la création est à la tête d'une équipe composée de concepteurs-rédacteurs (qui se chargent de la partie sémantique des programmes : slogan, messages, etc.), d'un directeur artistique qui gère la partie visuelle du programme, et d'assistants PAO. La diversité des formations est grande car, si les directeurs artistiques émanent généralement des écoles d'art, les concepteurs-rédacteurs sont des littéraires recrutés pour leur imagination et leur créativité.

Le planning stratégique sert d'interface entre le service commercial et le service création. Il a pour rôle d'élaborer une stratégie publicitaire en réponse au marché négocié par le service commercial. Il doit donc être occupé par des personnes capables de communiquer avec les deux univers, commercial et artistique.

Le directeur du service médias doit connaître et savoir exploiter les études qui mesurent l'audience des différents médias. À ses côtés, le *médiaplanner* est responsable de la définition du plan de campagne publicitaire, le *médiaplanning*. Il s'agit de définir comment, à quel prix et sur quels supports réaliser une campagne de publicité. Trois services contribuent à la réalisation de celle-ci : le service production, le service achat d'art et le service fabrication. En France, l'Association des agences de conseil en communication (AACC) évalue à environ 16 000 salariés les effectifs qui étaient employés en 1995 dans les agences membres de l'association.

◆ Répartition des fonctions en agence.

Direction	2 %
Planning stratégique	3 %
Médias	10 %
Production	10 %
Secrétariat, services généraux	12 %
Administratifs et services financiers	15 %
Création	20 %
Commercial	28 %

Source : AACC.

◆ Les principaux groupes de communication en France.

Groupes	Marge brute (en millions de francs)
Havas Advertising en France	1945,5
Publicis Communication France	1196,5
DDB Communication France	775,6
BDDP	728,0
Young and Rubicam	417,1
Ogilvy France	401,2
Mc Cann Erickson	388,8
Ammiratipuris Lintas	327,2
BBDO Paris	312,3
Saatchi and Saatchi	207,4
DMB/B	206,8
J. Walter Thompson France	146,7
Grey	140,9
FCB	129,9
BL/LB	127,0
Alice	104,3

Données 1997.
Source : AACC (Association des Agences de conseil en communication).

◆ Les quinze premiers groupes de communication dans le monde.

Groupes	Marge brute (en millions de dollars)	Pays d'origine
Ominico Group (BBDO, DDB, TEMA)	4 154,3	États-Unis
WPP Group	3 646,6	Royaume-Uni
Interpublic Group	3 384,5	États-Unis
Dentsu	1 987,8	Japon
Young and Rubicam	1 143,0	États-Unis
True North Communications	1 211,5	États-Unis
Grey Advertising	1 143,0	États-Unis
Havas Advertising	1 033,1	France
Leo Burnett	878,0	États-Unis
Hakuodo	848,0	Japon
Mac Manus Group	842,6	États-Unis
Saatchi & Saatchi	657,0	Royaume-Uni
Publics Communication	625,0	France
Cordiant Communication Group	596,7	Royaume-Uni
Carlson Marketing Group	285,2	États-Unis

Données 1997.
Source : AACC.

La création publicitaire

Si la publicité a longtemps reposé sur le slogan (formule capable de frapper l'imagination du grand public), le degré d'exigence a varié selon les époques. Les premiers slogans s'apparentent aux comptines : « Dubo, Dubon, Dubonnet », « Et Badadi, et Badadoit, la meilleure eau c'est la Badoit ». C'est l'âge des publicités peintes sur les murs ou du rideau magique qui, à l'entracte au cinéma, diffuse de la publicité de quartier : les spectateurs vont se voir conseiller de fréquenter le bar du Tonneau ou le coiffeur Bigoudit.

En devenant un élément de plus en plus important de la scène quotidienne, la publicité risquait de se banaliser, mais les créatifs ont été attentifs et les supports se diversifient. Murs et Abri-bus, radio, télévision, diffusion gratuite d'échantillons et, dernier avatar, apparition de la pub sur l'Internet.

Les slogans et les images se font de plus en plus audacieux ; tout est bon pour « se faire remarquer ». Tantôt la publicité se veut humoristique : affiche d'une jeune personne qui de semaine en semaine perd une pièce de vêtement pour finalement annoncer : « Demain, j'enlève le bas. » Tantôt elle frise le mauvais goût.

La loi Evin (1991) soumet la publicité à un code moral spécifique : pas d'image de tabac ou d'alcool. Afin de contourner la loi, certaines marques de cigarettes n'hésitent pas à faire la promotion de leur marque par l'intermédiaire d'autres sujets publicitaires (voyages...).

L'utilisation des images virtuelles à des fins publicitaires est l'aboutissement du rôle de prestidigitateur de la publicité : la retransmission de certains grands matchs de tennis se fait avec modifications des images de fond de court, permettant ainsi d'adapter les bandeaux publicitaires aux exigences politico-économiques du pays de retransmission. L'incrustation du virtuel dans le réel, véritable prouesse technologique, pose des problèmes éthiques : faut-il indiquer au téléspectateur qu'il s'agit d'un montage ? Le débat n'est pas clos.

Les lauriers de la pub

La profession publicitaire adore s'autocélébrer. Les prix décernés chaque année sont si nombreux que les rares agences qui réussissent à ne pas en obtenir mériteraient un prix uniquement pour cet exploit.

Il y a d'abord les récompenses de la presse professionnelle ; viennent ensuite les trophées décernés par la profession elle-même, puis ceux attribués par des écoles privées, et ceux, enfin, décernés par un média particulier afin de se promouvoir auprès des annonceurs et d'encourager la créativité des publicitaires. Pour accentuer encore la confusion, toutes ces récompenses ne sont pas données chaque année à une seule campagne ou agence, mais à plusieurs.

Les grandes récompenses publicitaires

Compétitions internationales

Prix Epica : compétition européenne créée en 1987, à Bruxelles.
Lions du film publicitaire : grande compétition internationale, créée en 1953, à Cannes.

Prix américain

Prix Clio : prix de référence pour les États-Unis, créé en 1960 et décerné à New York.

Prix français

Grand Prix de *Stratégies*.
Prix du club des directeurs artistiques.
Grand Prix de l'École supérieure de commerce de Paris.
Prix de l'EDHEC.
Grand Prix de l'affichage.
Prix du son radio (IPRTL).
Grand Prix de l'APPM (Association pour la promotion de la presse magazine).

Prix allemands

Effi-Preis : prix de l'« efficience » publicitaire, créé en 1981.
Prix du Jury : créé en 1964 par le club des directeurs artistiques.

◆ **Travail dans une agence de publicité.** Réalisation de décors publicitaires par l'agence britannique Visum. *À gauche*, un mouton pose pour une prise de vue en studio. Un graphiste procède au montage des photographies. *Ci-contre*, l'image finale. Le texte pourra alors être placé en surimpression.

Chaque été, à Cannes, sont ainsi distribués 120 « Lions du film publicitaire ». Aux yeux des annonceurs, c'est l'accumulation des prix qui constitue l'indicateur pertinent. Quand une campagne est primée plusieurs fois la même année, elle a quelque chance d'être bonne ; quand une agence est systématiquement présente aux principaux palmarès, elle a la réputation d'être créative. Encore convient-il de rappeler que le but ultime d'une campagne n'est pas de rapporter des trophées à une agence, mais d'améliorer l'image d'une marque ou d'augmenter les ventes d'un produit. Le célèbre publicitaire britannique David Ogilvy notait avec humour dans son livre *la Publicité selon Ogilvy* que, sur « 81 classiques de la publicité télévisée choisis par les organisateurs du Clio au cours des années précédentes, 36 agences concernées avaient soit perdu le budget, soit fait faillite ». C'est dire que tel publicitaire peut être estimé par ses pairs, mais ne pas satisfaire le seul juge qui importe au bout du compte, c'est-à-dire son client.

Une campagne multimédia

Une campagne publicitaire utilise rarement un seul des cinq grands médias (presse, télévision, radio, affichage, cinéma). Elle combine généralement les médias entre eux en fonction du budget global, d'une stratégie commerciale (faut-il montrer le produit ? faut-il illustrer son mode d'emploi ? etc.), d'une cible, des qualités de chaque média et de leur tarif. Les dépenses globales des annonceurs en France se répartissaient en 1997 de la façon suivante : 47,1 % pour la presse (en baisse), 34 % pour la télévision (en croissance rapide), 11,7 % pour l'affichage (en baisse), 6,6 % pour la radio (en baisse), 0,6 % pour le cinéma (en diminution). La publicité peut investir d'autres supports, du Minitel au cadeau portant un logo, mais ces investissements demeurent marginaux.

L'affichage. Il est le média de la notoriété, indispensable pour un lancement de produit. Il doit délivrer un message concis, percutant et simple, avec des couleurs franches. La marque doit se voir de loin. L'affichage jouit d'une grande souplesse géographique : on peut cibler telle région, tel quartier, telle rue ; il est donc particulièrement efficace pour drainer une clientèle vers un point de vente. Les tarifs varient selon l'emplacement (en France, les Champs-Élysées constituent le plus cher) et la saison (en hiver, le temps de visibilité est moins long). L'affichage est extrêmement varié dans ses supports : grands réseaux de panneaux 4 x 3 m, couloirs de métro, flancs de bus, vitrines de magasins...

L'annonce-presse. Contrairement à l'affiche, elle permet d'argumenter longuement. Un texte copieux s'avère souvent très vendeur. Une photo est plus efficace qu'un dessin, la couleur plus que le noir et blanc. Le corps du texte lui-même est lu cinq fois plus vite que le titre et deux fois moins que la légende des photos. Il doit s'adresser à une seule personne et donner des informations détaillées dans un langage simple. Certains rédacteurs publicitaires se fondent, avec succès, dans le style du journal. Le publicitaire peut même insérer un coupon-réponse (c'est ce que l'on appelle du marketing direct). L'annonce dans la presse quotidienne permet de cibler géographiquement le lectorat : chaque journal arrose telle ou telle région (les quotidiens dits nationaux sont essentiellement lus en Île-de-France). En revanche, sauf exception, la presse quotidienne ne propose qu'une qualité de tirage passable et qu'un choix limité entre noir et blanc et bichromie (noir plus une autre couleur). Le magazine, lui, offre la couleur. Il permet de cibler le public très finement en fonction de critères de puissance de diffusion, sexe, âge, catégorie socio-professionnelle, ou centres d'intérêts (*Newlook* n'a pas le même lectorat que *le Pèlerin*).

Les films « télé » et « cinéma ». La télévision est le média publicitaire le plus puissant, capable d'installer immédiatement une notoriété. Cependant, dans tous les pays, les chaînes se multiplient, et l'audience de chacune d'entre elles s'en trouve diminuée. Par ailleurs, les études de comportement du téléspectateur, de plus en plus affinées, révèlent une attention très dispersée pendant les écrans publicitaires. Les tarifs varient considérablement en fonction de l'audience, qui dépend elle-même de la chaîne, du jour, de l'horaire et du programme. La télévision permet selon les cas de raconter une tranche de vie, de jouer sur l'humour ou sur l'émotion, de donner un témoignage, de montrer le produit (afin qu'il soit reconnu en magasin) et d'illustrer son utilisation. Les films publicitaires sont réalisés par des maisons de productions spécialisées, extérieures à l'agence, sur un scénario écrit par l'agence.

Le cinéma permet la diffusion de films beaucoup plus longs qu'à la télévision (2 minutes au lieu de 30 secondes en moyenne). Il permet de cibler un public jeune et urbain. Il souffre en revanche de la baisse constante des entrées en salles et d'une attention souvent distraite pendant l'entracte.

En France, le cinéma est de plus en plus utilisé par les secteurs économiques qui n'ont pas accès à la télévision : magasins, bières, tabac (par le biais des briquets ou allumettes).

Le message radio. Habituellement, la radio sert à des fins promotionnelles, pour l'annonce de séries spéciales en automobile, pour une réduction exceptionnelle de prix, ou encore pour l'ouverture d'un magasin. Elle emploie généralement des plages de 30 secondes avec une voix soutenue par une musique (jingle). Ces messages sont réalisés par des producteurs spécialistes du son, extérieurs aux agences. Depuis quelques années, en France, le paysage radiophonique s'est considérablement enrichi et permet au publicitaire de choisir les stations en fonction de leur couverture géographique, du confort de leur écoute (FM, ondes courtes, moyennes ou longues) et du contexte des programmes.

Publicité et médias

La participation de la publicité au financement des médias existe depuis l'origine. En 1836 déjà, le journaliste français Émile de Girardin avait eu l'idée de lancer un nouveau quotidien à bon marché en le finançant grâce à la vente de placards publicitaires. Au fil du temps, l'ampleur du phénomène n'a fait que croître : les budgets publicitaires ont augmenté, les supports se sont diversifiés.

Les différents médias. Croissance des budgets publicitaires et diversification des supports vont de pair. De 1987 à 1997, la presse écrite perd environ 10 points, l'affichage et la radio sont en légère perte de vitesse, tandis que la télévision connaît une croissance continue dans le partage des recettes de la publicité ; ce phénomène contribue à faire monter le prix des spots publicitaires télévisés et conduit les annonceurs à s'interroger sur la rentabilité de leur investissement dans ce domaine. La croissance du nombre des spots télévisés est frappante, ainsi que celle du nombre de marques accédant à la publicité. Les propositions du gouvernement français pour limiter la publicité télévisuelle sur les chaînes publiques ont déclenché, bien évidemment, les foudres de la profession, représentée par l'AACC, qui y voit une destruction pure et simple d'une partie des investissements publicitaires et, indirectement, un coup porté à la compétitivité des entreprises françaises.

Le problème n'est pas seulement quantitatif : il est aussi qualitatif. La publicité n'est plus un appendice de la programmation, elle en est devenue partie intégrante : les programmes et les contenus sont conçus en fonction des publics visés et de la concurrence sur les chaînes voisines. Leur but est de faire monter l'Audimat et de rendre ainsi le temps de publicité le plus cher possible. La télévision ne vend plus du temps d'antenne mais de l'audience. Les exigences de la publicité pèsent sur les horaires, sur le découpage des films, sur l'esthétique de l'ensemble.

Les dernières années ont vu apparaître un support publicitaire de plus, fort différent cette fois, l'Internet. Alors que sur les médias traditionnels, le lecteur, l'auditeur ou le téléspectateur est essentiellement passif, l'art publicitaire devient tout autre sur l'Internet : il s'agit d'amener l'internaute à cliquer sur le bandeau publicitaire, de l'inciter à avoir envie de s'informer. Pour l'heure, la part de la publicité sur l'Internet est minime par rapport aux supports traditionnels, mais la croissance atteint des taux à deux chiffres.

◆ Répartition des recettes publicitaires dans les grands médias en France.

	1987	1988	1989	1990	1991	1992	1993	1997
Presse	56,9	56,6	56,2	56,2	53,7	51,1	48,5	47,1
Télévision	22,4	24,	24,7	24,9	27,2	29,4	31,2	34,0
Publicité extérieure	12,2	11,7	11,5	11,5	12	12	12	11,7
Radio	7,4	7,2	6,8	6,6	6,5	6,9	7,7	6,6
Cinéma	1,1	0,9	0,8	0,8	0,6	0,6	0,6	0,6

En %. *Source* : IREP, cité par AACC.

◆ Les dix premiers groupes annonceurs en France.

	Société	Dépenses (millions de FRF)	Évolution (1997/96)	Secteur (1997/96)
1	PSA	1768	−7 %	automobile
2	L'Oréal	1697	+25 %	hygiène, beauté
3	Danone	1499	+12 %	alimentaire
4	Nestlé Entreprises	1471	=	alimentaire
5	France Telecom	1342	+48 %	télécommunications
6	Renault	1244	+6 %	automobile
7	Bouygues	1070	+43 %	bâtiment TP
8	Procter et Gamble	1060	+5 %	hygiène, beauté
9	Unilever	1034	+15 %	hygiène, beauté
10	Philips	982	−5 %	électroménager

Source : SECODIP, Investissements grands médias, 1997.

L'investissement publicitaire

La meilleure façon de mesurer le dynamisme publicitaire d'un pays est de considérer le montant global de l'investissement publicitaire par rapport au produit national brut. À ce baromètre européen, c'est l'Espagne qui arrive en tête (1,44 % en 1991), devant le Royaume-Uni (1,15 %) et les Pays-Bas (1,04 %). Viennent ensuite la Finlande, la Suisse, le Danemark, la Grèce, l'Irlande, l'Allemagne, le Portugal, la Suède, la France, la Belgique, l'Italie et, enfin, l'Autriche. À titre de comparaison, les États-Unis consacrent 1,3 % de leur PNB à la publicité, et le Japon 0,94 %. En France, l'investissement publicitaire varie considérablement d'un secteur économique à l'autre. Les secteurs qui vendent leurs produits au plus large public ont besoin d'affirmer leur présence en permanence dans les médias, pour à la fois convaincre les magasins d'installer leurs produits en rayon (référencement), et inciter les consommateurs à les acheter. Les six premiers secteurs économiques réalisent plus de la moitié de l'investissement total. Ce sont l'alimentation (11,6 % des investissements publicitaires en 1991), l'automobile (9,5 %), la culture et les loisirs (9,4 %), l'édition et les médias (9,4 %) et, enfin, la distribution (7,3 %).

La publicité est une activité économique fortement soumise à la saisonnalité. Le trimestre d'automne (sept.-oct.-nov.) rassemble 30,5 % des investissements publicitaires annuels dans les grands médias, tandis que celui d'été (juin-juill.-août) n'en recueille que 18,4 %. Avril et mai sont également des mois fastes.

Les dépenses publicitaires

En 1997, selon l'AACC (Association des agences de conseil en communication), les dépenses totales de communication des annonceurs en France sont évaluées à 158,3 milliards de francs. Le montant correspondant pour l'année 1992 est de 104,8 milliards de FRF. Globalement, la part des budgets de communication consacrée aux médias est en recul, au profit de nouvelles formes de communication dites « hors média ». Les cinq médias principaux (télévision, presse, radio, affichage, cinéma) représentent 35,2 % du total de l'investissement publicitaire, contre 41,5 % cinq ans auparavant. Le reste correspond aux postes suivants : promotion des ventes, marketing direct, sponsoring, publicité sur lieux de vente, annuaires et guides, expositions et salons (ou publicité par l'événement).

La structure des dépenses est fortement articulée autour de quelques acteurs majeurs, du côté des agences comme du côté des annonceurs. En 1997, on recense 25 804 annonceurs dans les grands médias. 9 % d'entre eux effectuent 94 % du total des investissements publicitaires. Les cent premiers annonceurs représentent 43 % des investissements publicitaires, et 86 % des annonceurs (soit 22 128) dépensent moins de 1 million de FRF par an.

Marketing et création industrielle

Étudier, innover, créer, lancer, communiquer, promouvoir, motiver, gérer, tels sont les maîtres mots du marketing moderne. Si la publicité des années 1950 reposait sur un univers dans lequel les produits étaient rares et les consommateurs avides de consommer, le marketing moderne est né de la crise économique, dans un univers où les consommateurs sont circonspects et les produits abondants. Dès lors, il s'agit de concevoir des produits en fonction d'une population dont on aura préalablement repéré non seulement les habitudes de consommation mais encore les identités, les valeurs, les styles de vie.

Le marketing peut également consister à segmenter une population en autant de sous-ensembles pertinents. Telle est la démarche préconisée par le CCA (Centre de communication avancée) dans la détermination des « socio-styles ». Cette démarche tient pour acquis que cerner l'identité sociale d'un individu suffit à prédire ses pratiques de consommation. Les différents groupes se verront ainsi rangés, au cours du temps, sous des étiquettes changeantes, des « décalés » aux « recentrés » en passant par les « utilitaristes » et les « aventuriers ».

Des études orientées ou non vers une population particulière seront conduites pour définir les contours ou le cœur de la cible. En fonction des résultats, des produits seront inventés dans l'espoir non seulement d'attirer le consommateur mais aussi de le fidéliser. Il faut modeler l'image du produit en fonction des consommateurs que l'on est susceptible d'attirer : la « Twingo » de Renault a été conçue et produite pour les jeunes urbains, plutôt pour les femmes, etc.

L'Internet. Il s'agit en outre, et tel est le but du marketing « personnel », de s'adresser directement à chaque individu dont on aura préalablement repéré les caractéristiques majeures. De ce point de vue, l'Internet offre des facilités exceptionnelles. Les annonceurs cependant s'inquiètent : le réseau est-il assez stabilisé pour que l'investissement en sites soit justifié ou faut-il attendre que le réseau à grande vitesse, dont la technologie est déjà au point, se diffuse largement ? Déjà les Américains pratiquent le « push », qui consiste à envoyer des messages commerciaux dans les boîtes aux lettres électroniques.

La vente en ligne permet également de constituer de précieux fichiers clients. La compagnie automobile Ford fournit un autre exemple de l'utilisation du réseau pour le marketing : elle a créé un site sur lequel, à partir des paramètres fournis par l'internaute (prix, couleurs, accessoires, etc.), il est possible d'établir gratuitement un devis pour la voiture de ses rêves. Ensuite, l'entreprise récupère les coordonnées du client potentiel et les transmet au concessionnaire le plus proche. Ici, tout est affaire de fichiers. Les possibilités de collectes d'informations par le réseau sont immenses. Les techniques sophistiquées du *data mining*, c'est-à-dire de l'analyse de données, pourront ensuite être appliquées à des données recueillies en grand nombre.

Marketing et gestion de grande consommation

Les professionnels du marketing s'intéressant à la grande consommation ont constaté que les comportements d'un groupe de consommateurs à l'égard d'un produit étaient en fait pertinents pour un ensemble de produits, d'où la naissance du « *category management* ». Les consommateurs évoluent dans un « univers de consommation » : vraisemblablement, une mère de famille qui s'intéresse aux couches s'intéressera également aux petits pots, à la poussette et aux vêtements pour bébés. Pour fidéliser ce type de public, il conviendra donc de concevoir et de commercialiser ces mêmes produits en fonction de l'« univers de consommation ».

◆ **Rayon alimentaire d'un supermarché.**
Mise en avant de certaines offres dans le rayon alimentaire d'un supermarché. Étudier les structures de la consommation est pour le marketing un moyen de définir des profils de consommateurs et d'influer sur leurs comportements d'achats.

Cela conduit à un partenariat entre le producteur qui conçoit les produits et le distributeur qui les place côte à côte dans la surface de distribution. Une même nomenclature va guider leurs actions. La collecte des données nécessaires au repérage de ces nomenclatures sera évidemment facilitée par le système des codes-barres mis en place dans les supermarchés. Reste à analyser les données. Tout ce système de gestion de l'information est à l'heure actuelle considéré comme le point clé de toute stratégie de marketing. La constitution de bases de données et leur exploitation sont d'une importance extrême et le développement de la vente *on line* ne fera qu'accentuer cette tendance.

Le « senior-marketing » est actuellement très en vogue car les consommateurs de plus de 55 ans sont ceux qui ont à la fois le plus de temps et le revenu disponible le plus élevé. Deux inconvénients, hélas : les « seniors » détestent avoir l'impression qu'on les enferme dans un ghetto en leur offrant des produits pour « vieux ». Donc le tact s'impose. Ensuite, les personnes âgées n'ont plus un statut de consommateur régulier ; il faut donc veiller à renouveler la clientèle.

Le « *consumer specific marketing* » est une autre approche qui a le vent en poupe. Il s'agit de repérer les consommateurs réguliers et de les récompenser pour renforcer leur fidélité à la marque. Les modes de récompense sont nombreux : cadeau aux habitués pour leur anniversaire, un passage privilégié aux caisses, ristourne sur les produits auxquels ils sont attachés, etc.

Parlez-vous pub ?

Plus que toute autre profession, la corporation publicitaire aime s'exprimer dans son jargon, qui est surtout constitué de locutions anglo-saxonnes qui n'ont pas d'équivalent en français. Cette « américanité » s'explique en particulier par l'histoire même de ce métier. Elle est due aussi à la recherche effrénée de codes de référence et de statut social.

Brainstorming : littéralement « provoquer une tempête de cerveau ». Réunion informelle où chacun donne libre cours à toutes les idées qui lui passent par la tête. Cette méthode est surtout utilisée pour défricher le travail de création publicitaire. Les amoureux de la langue française préfèrent le joli terme de « remue-méninges ».

Comparative : publicité où la marque concurrente est nommément citée. Si le fabricant de piles électriques A affirme explicitement que ses produits durent plus longtemps que les piles B, il fait de la « comparative ». Jusqu'en 1992, cette formule était interdite en France. Les publicitaires se contentaient de fausses « comparatives » (« lave plus blanc », « le meilleur détergent », etc.).

Corporate : qualifie une publicité qui n'est pas destinée à vendre des produits, mais à améliorer l'image d'une entreprise. Par exemple, au lieu de dire (publicité du produit) « la voiture 500 roule plus vite », la publicité *corporate* dira « l'entreprise X fait gagner la France ».

Marketing : ensemble des techniques et des méthodes qui dirigent les produits ou services vers leur marché. Attitude qui privilégie les besoins du consommateur.

Mediaplanning : travail de sélection des médias destinés à diffuser un message publicitaire. Dans chaque agence de publicité, un service médias collecte et analyse toutes les données statistiques concernant la diffusion et le lectorat des journaux, l'audience des stations de radio et de télévision, l'impact des réseaux d'affichage. Ces données sont à la fois quantitatives (combien de gens, par exemple, lisent tel journal ?) et qualitatives (qui sont ces gens ?). En fonction des résultats, en fonction aussi du tarif réclamé par le média et de la cible visée (par exemple, les enfants pour un jouet, ou les ménagères pour une lessive), le « médiaplanneur » choisit le média le plus adapté et le moins cher.

Pack-shot : image finale d'un film publicitaire où apparaissent généralement le produit en gros plan et le slogan de la marque.

Zapping : action du téléspectateur consistant à changer fréquemment de chaîne grâce à la télécommande. Le phénomène du zapping inquiète les publicitaires, qui craignent une fuite du public face aux écrans qu'ils ont achetés.

◆ **Part des plus de cinquante ans dans la consommation totale.**

Secteur de consommation	Pourcentage
Véhicules neufs en Europe	47 %
Crèmes pour le visage * (femmes)	54 %
Visites chez le coiffeur (femmes)	60 %
Paires de lunettes	60 %
Véhicules haut de gamme	75 %

* (en grande surface)
Source : Credoc, *le Monde*.

L'enquête marketing

Née des principes de base de la psychosociologie américaine des années 1950, l'enquête marketing a beaucoup évolué dans les techniques utilisées. La constitution d'un échantillon pose des problèmes différents selon le type d'enquête, « omnibus » ou « ad hoc », c'est-à-dire orientée ou non vers une population cible particulière. Vieux débat entre constitution d'un échantillon dit aléatoire, par utilisation de la loi des grands nombres, ou par quotas, c'est-à-dire en fonction de critères raisonnés. La collecte des données suppose le recours à des méthodes qualitatives : à partir d'une consigne relativement générale, l'enquêteur recueille les libres propos de la personne interrogée. Le recours à des méthodes quantitatives suppose l'élaboration d'un questionnaire bien précis dans lequel la plupart des questions conduisent à soumettre à la personne interrogée un éventail de réponses possibles.

Pendant longtemps, l'enquête par voie postale ou l'enquête à domicile ont été le principal mode de recueil de données. Trop coûteuses, ces méthodes sont de plus en plus remplacées par des systèmes d'interrogation par téléphone partiellement automatisés (CATI : *Computer assisted telephone interview*), ou CAPI *Computer assisted personal interview*), voire totalement automatisés (ATI : *Automated telephone interview*). CATI est un système couplé ordinateur-téléphone qui programme les numéros à appeler, gère les rappels, et accompagne l'enquêteur dans la passation du questionnaire. L'enregistrement des résultats s'effectue « on line », ce qui élimine beaucoup de risques d'erreurs liés à la saisie et au codage. ATI est un automate qui élimine toute intervention humaine, ce qui représente une grosse économie, mais il n'est utilisable que pour des protocoles relativement courts. Les plus grosses sociétés de terrain (Taylor Nelson France, BVA, Ipsos) ont quelques centaines de postes d'interrogation ; l'usage de l'ordinateur à écran tactile se développe.

Il existe un art du questionnaire et plus encore de l'analyse de données, étape cruciale de l'enquête marketing qui doit déboucher sur des recommandations à faire au client. À l'heure actuelle, de gigantesques centres, les *dataware houses*, tentent d'engranger un maximum de données marketing et de les analyser.

Actions de communication

Omniprésence de la communication

Dans les grandes organisations, entreprises, administrations, gouvernements, partis politiques, la communication, longtemps négligée, parfois refusée, est devenue vers 1980, un domaine d'activité bien identifié, ayant des objectifs, des méthodes, un budget et, éventuellement, une procédure d'évaluation des résultats.

La montée en puissance du souci de communication est allée de pair avec plusieurs évolutions. Les acquis de la psychosociologie appliquée ont convaincu de l'importance de l'information pour la motivation des personnels; les succès de l'entreprise japonaise, où la communication du bas vers le haut est beaucoup plus développée, ont été pris en compte dans les nouvelles techniques de management. La mondialisation pousse les entreprises à se doter d'une image d'elles-mêmes recevable sur ses différents marchés; syndicats et actionnaires ont convergé vers plus de transparence dans les projets de fusion.

Plus généralement, les médias sont consommateurs insatiables et poussent à la personnalisation des dirigeants d'entreprise comme des hommes politiques. Toutefois, le marketing politique, en pleine expansion, repose sur des constructions d'images, donc sur des actions de communication, fort différentes des actions publicitaires, qui s'appuient sur des produits.

Communication interne

Donner aux salariés des informations qui renforcent leur loyauté à l'endroit de l'entreprise et grâce auxquelles ils trouvent une satisfaction personnelle à en être membres est un objectif général qui se décline en plusieurs actions.

Le journal d'entreprise est un genre difficile, car chacun doit y trouver quelque chose et les textes qui s'adressent à tous risquent fort de ne satisfaire les attentes de personne. La hiérarchie doit s'engager, mais refuser la manipulation qui, percée à jour, ruine durablement le crédit de son auteur.

Fournir aux représentants des personnels élus au comité d'entreprise les informations légales sur la marche de la société fut longtemps vécu par bien des dirigeants comme une contrainte avec laquelle il était, pensaient-ils, admissible de biaiser. Bien évidemment, le secret n'était pas totalement gardé, les rumeurs se répandaient, le climat de confiance détérioré préparait mal les négociations à venir. En France, quatre textes de 1982, communément désignés lois Auroux, définissent la participation des salariés et en particulier les droits à l'information.

Décloisonner, développer des synergies plus grandes entre services fonctionnels et unités de production est l'un des principaux objectifs des séminaires internes ou sessions de formation permanente dans lesquels se nouent des relations de camaraderie professionnelle aux effets généralement bénéfiques mais troublants pour les tenants de l'ordre ancien et silencieux.

Plus difficile encore, faire monter l'information, ne pas décourager les suggestions, savoir leur donner suite, prendre le temps de consulter avant d'édicter, telle est la nouvelle frontière dans un monde où le pouvoir, privé comme public, ne passe plus en force. Parfois, certains dirigeants voudraient que des problèmes internes puissent se résoudre par de seules actions de communication ; or le défaut apparent est bien souvent le symptôme de dysfonctionnements divers mettant en cause la distribution des responsabilités et auxquels la politique de communication ne peut pas être la première réponse.

Communication externe

La communication externe permet à l'entreprise d'imposer son identité, de faire reconnaître une image globale par-delà les produits particuliers. Les messages exposant la solidité et la complémentarité des métiers du groupe, les performances techniques, les investissements en faveur du développement dans le tiers monde, la place donnée à la formation des hommes, font l'objet de plaquettes imprimées et de spots publicitaires, dans la presse écrite ou sur les chaînes de télévision.

Plus ciblés et plus précis sont les communiqués du président commentant ses résultats dans une page payée (mention obligatoire et visible) du supplément « Économie » des grands quotidiens ou, mieux encore, la conférence de presse réussie dont il est largement rendu compte.

Les exigences déontologiques accrues, contrôlées par la Security Exchange Commission (SEC) à New York, la Commission des opérations de bourse (COB) à Paris, ont profondément modifié la relation entre les sociétés cotées, les analystes financiers et les investisseurs. À leur surprise, certains dirigeants ont appris qu'une information trop partielle pouvait catastrophiquement nuire à la tenue de leur titre en Bourse.

Le bilan social, dont l'établissement est exigé des grandes entreprises seulement, relève à la fois de l'interne et de l'externe. Il est maintenant utilisé par les analystes financiers avec, pour conséquence, des incidences sur la valeur boursière et la plupart des entreprises ne manquent pas de faire savoir qu'elles vont au-delà des exigences de la loi.

La communication de crise (dioxyne de Seveso, Tchernobyl, éruption de la Soufrière) est un cas extrême qui concerne surtout les entreprises à risques technologiques et les pouvoirs publics. Elle est toujours très délicate et elle est souvent obérée par les premiers communiqués qui, pour se vouloir rassurants, minimisent les risques et les dégâts.

Mécénat et communication

Certaines grandes sociétés font du mécénat, d'autres s'y refusent fermement. Volkswagen Stiftung, la Fondation Électricité de France et bien d'autres ont été constituées pour gérer le mécénat d'entreprise, ce qui est fort différent du mécénat familial d'une Fondation Ford ou Rockefeller.

Le mécénat d'entreprise repose sur l'idée qu'un très grand groupe industriel ou commercial se doit de subventionner quelques activités non lucratives : progrès de la science, soutien à la culture ou encouragement à l'exploit. Le désintéressement n'est cependant pas total, car un catalogue d'exposition qui comporte la mention : « Exposition réalisée avec le concours de la Fondation d'entreprise X, ou de la société Y » contribue à la bonne image de celle-ci auprès du public et participe donc au renforcement de l'image.

La Fondation Électricité de France a été originale dans son action en faveur de l'archéologie égyptienne en joignant au soutien financier la mise à contribution d'une technologie très avancée de détection pour scruter l'intérieur des grandes pyramides de Gizeh. Les grands navigateurs, très aimés du public, sont sponsorisés et, parfois, le nom du bateau le fait savoir largement. De même, les clubs sportifs bénéficient de la générosité des entreprises, comme le proclame leur maillot.

◆ **Montgolfières sponsorisées,** par Kodak notamment, lors des jeux Olympiques d'hiver à Albertville, en 1994. Les retombées publicitaires de telles actions sont assurées par l'effet esthétique des grands ballons colorés.

VOIR AUSSI • **Sport et société** p. 1282

Bourse et communication

Au jour le jour, la Bourse s'intéresse plus aux informations concernant le marché qu'aux réalités économiques profondes. En septembre 1998, Serge Tchuruk, PDG du groupe Alcatel, connu pour sa compétence et son excellent esprit stratégique, déclare brutalement que les résultats du groupe vont être moins bons que les prévisions et les documents diffusés peu de mois auparavant ne l'avaient laissé espérer. Il n'en faut pas plus pour que le cours de l'action d'Alcatel baisse de 17 % en une séance, entraînant par contagion de défiance un mouvement général de repli des valeurs industrielles françaises. Une polémique s'ouvre dans la presse qui stigmatise les réticences et les retards de communication d'Alcatel. Certains vont jusqu'à parler de sous-estimation du risque imposé par cette conduite à l'ensemble du marché.

La mode et les modes

Les cycles de la mode

Souvent identifiée par la seule évolution du vêtement, la mode est un phénomène plus global qui enveloppe les changements de goût dans tous les domaines de la création. Un style se définit par des caractères propres aux objets concernés. Un style est ou n'est pas à la mode. La mode est une combinaison de caractères appréciés positivement à une date donnée. Des éléments d'un style ancien peuvent revenir à la mode. Les jupes longues entravées et fendues de la fin des années 1920, qui allaient avec le chapeau cloche, ont inspiré des créations de 1995 qui, cependant, ne sont pas pures reprises.

Les tendances profondes de la mode d'une époque forment un ensemble. D'un domaine à l'autre, les renvois se laissent voir. Les vases de Lalique, les grilles des premières stations du métro parisien et les grands chapeaux 1910 apparaissent au regard rétrospectif comme les composants d'un tout harmonieux. Les collections de 1999 incluent comme des allusions et des réminiscences des tendances folkloristes post-1968 et des recherches futuristes du début des années 1980.

Les cycles de la mode se composent de tendances de fond, qui évoluent selon un rythme lent, et de modifications très rapides dans certains secteurs. Les tendances sont liées à l'esprit d'une époque, à ses possibilités techniques, à ses priorités culturelles, tel que le désir de cacher la fonction utilitaire ou celui de la montrer, préférer les lignes droites et la rigidité ou les courbes. Un créateur dans le vent est celui qui sait, spontanément ou de façon plus analytique, inscrire sa démarche dans le courant dominant, lequel n'est jamais pure fabrication commerciale. En revanche, les ruptures très rapides, d'une collection à l'autre en haute couture, sont le principe premier de secteurs qui cherchent à vivre de l'obsolescence des biens mis sur le marché. L'industrie automobile cherche par des retouches, parfois minimes, à démoder les modèles vieux de deux ans, de façon à accélérer le remplacement de la part de clients porteurs, ceux qui ne peuvent pas ne pas être à la mode.

Conformisme et singularité

Conformisme d'abord : être à la mode c'était, depuis 25 ans, porter un pantalon de jeans comme tout le monde, même si ceux de l'année peuvent avoir une marque distinctive – patte d'éléphant ou très étroit, couleur en vogue, usure artificielle ou non. En 1998, les ventes de jeans chutent, de façon non prévue, chez les étudiants aux États-Unis et en Europe.

Singularité ensuite : être à la mode c'est porter quelque chose de peu commun qui donne aux autres envie de copier. En ce sens, être à la mode c'est anticiper, innover et c'est tout le contraire du conformisme. Ce qui ne donne pas envie de copier est jugé excentrique. Le jugement d'excentricité est socialement marqué. La haute couture est volontiers excentrique aux yeux de toutes celles qui n'en sont pas des acheteuses potentielles ; elle ne l'est pas pour celles qui auront immédiatement compris quel est le vêtement de la rue ou l'accessoire qui va faire fureur, précisément parce qu'il participe de l'esprit de la collection de haute couture de la saison.

Distinctions sociales et diffusion

En 1930, un jeune bourgeois de Paris porte un chapeau mou, un ouvrier, une casquette. Après 1940, tous deux vont tête nue. La diffusion de masse a, dans l'ensemble, beaucoup contribué à l'atténuation de la différenciation vestimentaire entre milieux sociaux. Des différences d'allure plus subtiles subsistent. Elles combinent les objets et l'usage qui en est fait, déterminant ce qui va ensemble et ce qui ne va pas ensemble. Tel dessin du tissu, voire du fil, va distinguer la mode chic et l'objet bon marché qui, lui aussi, est soumis à la mode, mais selon un code à plus petit nombre de paramètres. Les soldeurs vendront ce qui aurait dû ou pu être à la mode mais qui, pour quelque détail, n'a été adopté ni par les uns ni par les autres.

Les changements de mode dans les prénoms donnés aux enfants sont un objet d'étude intéressant parce que la différence de revenu ne prédétermine rien. Dans l'univers des prénoms, certains sont indémodables : Jean, Pierre, Marie, Françoise se rencontrent dans tous les milieux sociaux. En revanche, Hugues ou Amaury se transmettent toujours dans les familles aristocratiques mais n'ont jamais conquis une faveur populaire. D'autres ont la préférence des couches aisées et se diffusent dix ans plus tard dans toute la société au moment où les milieux qui se veulent d'avant-garde les délaissent et en promeuvent de nouveaux. Nicole ou Martine, Alain, en faveur dans la bourgeoisie de la fin des années 1930, ont eu une vogue de masse dans les années 1950, quand les quartiers dits résidentiels faisaient enregistrer des Sophie et des Isabelle.

La diffusion du goût à partir d'un milieu prestigieux est un modèle qui se rencontre dans de nombreux domaines. Le marché de la peinture est aussi affecté par la mode. Là, ce sont les historiens d'art qui influencent les experts, lesquels, à leur tour, agissent sur le goût des médias spécialisés, des collectionneurs puis du public et des magazines culturels.

◆ **La mode en 1913.** Couturier, mais aussi peintre et décorateur, Paul Poiret (1879-1944) débarrasse la femme du corset, retrouve les lignes du premier Empire puis s'éprend de l'Orient, habillant ses clientes de robes abat-jour et de jupes-culottes à la sultane, dans des tons orangés et vert-vif empruntés aux Ballets russes.

◆ **La mode en 1925.** Ce style était dit aussi « charleston », du nom de la danse en vogue à la fin des années 1920 aux États-Unis et en Europe.

◆ **La mode en 1930.** Les robes, allongées à la ville, jusqu'à terre pour le soir, sont coupées en biais (succès de Madeleine Vionnet) et moulent délicatement les formes féminines retrouvées grâce à la pratique des sports.

◆ **La mode en 1950.** Le style new-look fut imaginé en 1947 par Christian Dior pour satisfaire le désir de luxe et de féminité éprouvé par les femmes après la guerre et ses restrictions. Ici, « Bar », ensemble à jaquette cintrée, avec basque et jupe d'environ 10 m de tour (1947).

◆ **La ligne 1900.** Elle est obtenue grâce au concours du corset qui hausse la poitrine et cambre la taille, et de la jupe, qui rejoint le sol par un grand volant. La ligne s'allonge à partir de 1908 et se couronne d'un immense chapeau.

Le développement durable

Historique

Le terme de « développement durable » a été créé à la fin des années 1970 par l'Alliance mondiale pour la nature (UICN) dans sa *Stratégie mondiale de la conservation*, document qu'elle avait préparé pour le Programme des Nations unies pour l'environnement, avec le soutien de la FAO, de l'UNESCO et du WWF. Ce document explicitait le concept d'un développement durable qui respecterait l'environnement et ferait une utilisation prudente de la nature et de ses ressources par une exploitation rationnelle et modérée, de façon à assurer le maintien indéfini de la productivité biologique de la biosphère.

Ce concept a été largement repris et développé dans ses dimensions économiques en 1987 par le rapport de la commission des Nations unies pour l'environnement et le développement, dit « rapport Bruntland », du nom de sa présidente, l'ancien Premier ministre norvégien. Cependant, la notion de développement durable n'a été largement vulgarisée qu'après la conférence des Nations unies sur l'environnement et le développement qui s'est tenue à Rio, en juin 1992.

Principes

L'histoire de l'humanité a été marquée par deux phénomènes dont l'impact écologique n'a fait que s'amplifier : une croissance démographique continue qui s'est considérablement accélérée depuis la fin du XIXe s. ; un développement scientifique et technique qui, dans les conditions où il s'est jusqu'à présent effectué, a été générateur d'un gaspillage d'énergie, de matières premières et d'autres ressources naturelles, et d'une pollution croissante de l'environnement. En conséquence, l'équilibre population-environnement est plus que jamais compromis, et constitue un défi auquel l'humanité se doit de répondre dans un avenir proche en respectant quelques principes.

Stabiliser la population mondiale. Les objectifs du développement durable ne seront jamais atteints si l'humanité ne stabilise pas au plus vite sa population. En fonction de diverses hypothèses, les effectifs de la population mondiale plafonneront entre 10 et 15 milliards d'hommes entre 2100 et 2200. Dès à présent, il est possible d'affirmer que même la valeur inférieure serait difficile à gérer dans une perspective de développement durable. Déjà, dans plus de 50 pays du tiers monde, tout homme qui naît est « de trop » car l'eau nécessaire à l'irrigation des cultures indispensables pour nourrir cette bouche supplémentaire fait aujourd'hui défaut.

Économiser et diversifier les sources d'énergie. L'utilisation de quantités croissantes et considérables de combustibles fossiles est la cause d'innombrables pollutions et peut provoquer une véritable catastrophe climatique consécutive à l'augmentation de l'effet de serre, à l'origine d'un réchauffement déjà très perceptible. Elle conduira, en outre, à l'épuisement du pétrole et du gaz naturel d'ici à la fin du XXIe s. Les ressources d'énergie sont de surcroît fort mal réparties. La non-disponibilité de l'énergie constitue un frein considérable à tout développement. Il en résulte que le pétrole est encore trop cher pour de nombreux pays du tiers monde qui ne peuvent acquérir l'énergie nécessaire à leurs besoins. Tout cela plaide en faveur de strictes mesures d'économie d'énergie avec, de façon simultanée, un développement des énergies naturelles (solaires et éoliennes).

Préserver les processus écologiques fondamentaux. La conservation de ces processus garants des équilibres écologiques à l'échelle planétaire représente la plus primordiale des actions destinées à assurer un développement durable. Le recyclage des éléments minéraux nutritifs dans les sols et dans les milieux aquatiques, la préservation du cycle de l'eau, le maintien de la stabilité des climats sont autant d'impératifs pour la préservation à long terme du potentiel de production des écosystèmes.

Économiser les ressources en eau. La disponibilité de l'eau nécessaire aux divers besoins de l'homme (personnels, domestiques, industriels, agricoles) constitue un impératif absolu sans lequel il n'y aura pas de développement durable.

On estime que la totalité de l'eau douce disponible à la surface de la planète sera utilisée d'ici à 2040 par les activités humaines. Dès à présent, plus de 50 pays n'ont plus assez d'eau pour répondre aux normes minimales qu'exige un développement durable, soit 1700 m^3 par habitant et par an. Une économie de l'eau, en particulier dans l'irrigation des cultures qui est le premier poste de consommation, s'impose donc, ainsi que son recyclage, en particulier dans l'industrie et certains usages domestiques.

Recycler les matières premières. L'usage de nombreux métaux et minéraux est tel que les gisements s'épuiseront à plus ou moins brève échéance. En outre, le rejet de certains de ces éléments dans l'environnement provoque une redoutable pollution. Même l'argent, métal précieux par excellence, n'est pas entièrement recyclé de nos jours, ce qui peut poser localement des problèmes pour la protection des eaux. Le recyclage de nombreux métaux non ferreux comme l'aluminium, dont la fabrication est forte consommatrice d'énergie, est encore très insuffisant.

La conférence de Rio

La Conférence des Nations unies sur l'environnement et le développement s'est achevée le 14 juin 1992 par la signature de cinq accords (changements climatiques, biodiversité, forêt, développement durable, financement). Ont été débattus les points suivants :

– protection de l'atmosphère et des climats;
– protection des eaux douces et de leur qualité;
– protection des océans et des mers, et utilisation rationnelle de leurs ressources biologiques;
– protection des sols en luttant contre l'érosion, la déforestation et la désertification;
– conservation de la diversité biologique;
– utilisation de biotechnologies douces au plan écologique;
– gestion rationnelle des déchets et prévention du trafic international des déchets chimiques dangereux;
– amélioration de l'environnement où vivent et travaillent les populations démunies, tant dans les taudis urbains que dans les zones rurales défavorisées;
– protection de la santé des populations humaines et amélioration de la qualité de la vie.
– mise en œuvre chaque fois que cela s'impose, du principe de précaution.

◆ Raréfaction des ressources en eau et des zones boisées.

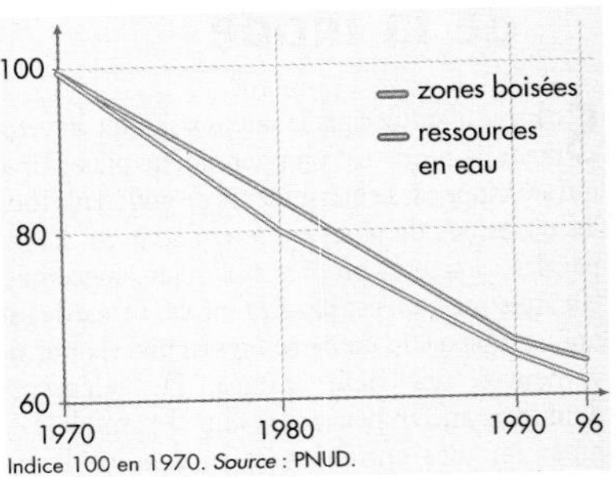

Indice 100 en 1970. *Source* : PNUD.

Exploiter durablement les ressources naturelles. L'exploitation de l'espace rural, des forêts et des mers concerne des ressources naturelles théoriquement renouvelables mais qui ne le sont plus dès lors que les prélèvements entament le capital biologique, ce qui est quasi systématique de nos jours.

En agriculture, par exemple, l'intensification des rendements conduit à une surexploitation et à une dégradation des terres cultivables et des pâturages naturels, et à une érosion des sols désastreuse. De même, la gestion durable des forêts implique de retourner à des modes de coupe plus soucieux du long terme et de privilégier les essences autochtones plutôt que les essences exotiques.

Quant à l'utilisation de la flore sauvage, à la chasse et à la pêche, leur avenir implique le souci de maintenir les effectifs à une valeur optimale, compatible avec leur exploitation dans le long terme.

Protéger la biodiversité. La dernière exigence est la sauvegarde la biodiversité planétaire. La disparition des espèces vivantes tant végétales qu'animales hypothèque l'avenir car un nombre considérable de plantes et d'animaux présentent des potentialités économiques.

Les objectifs imposent donc de prévenir l'extinction des espèces, de préserver le maximum de variétés de plantes cultivées et de races d'animaux domestiques, d'espèces intéressantes pour l'aquaculture et d'espèces sauvages apparentées.

Mise en œuvre

Atteindre les objectifs implique un ensemble de législations relatives à l'exploitation rationnelle des ressources naturelles tant au niveau national qu'international. Cela rend nécessaire en outre un changement d'attitude des acteurs économiques, sociaux et politiques.

Les bases juridiques. Depuis le rapport Bruntland, on a assisté à l'émergence progressive d'un nouveau concept juridique au niveau international, le « droit » au développement durable. Il est également issu des travaux d'organismes multilatéraux impliqués d'une façon ou d'une autre dans la gestion et la conservation des ressources naturelles, tels l'UNESCO ou la Commission océanographique internationale, qui avaient forgé dès le début des années 1980 le concept de droit des générations futures.

À l'heure actuelle, les conventions internationales entérinées par la plupart des États et concernant strictement le développement durable sont en nombre limité au regard de ce qui serait nécessaire. À Rio, des conventions ont été ratifiées : celle

Démographie, environnement et développement durable

À l'opposé des autres espèces vivantes, l'homme a pu s'affranchir des diverses contraintes limitant sa croissance démographique grâce aux progrès technologiques. En conséquence, depuis ses origines jusqu'à la période actuelle, les effectifs de l'espèce humaine ont crû de façon exponentielle. Ainsi, alors qu'il a fallu quelque 2,5 millions d'années à l'humanité pour atteindre en 1960 l'effectif de 3 milliards d'hommes, 40 ans lui ont suffi pour atteindre l'effectif actuel d'environ 6 milliards d'individus ! Cette explosion démographique représente le plus grand problème écologique auquel l'humanité est confrontée.

Le maintien du taux de croissance de la population mondiale, soit 1,5 % par an, conduirait à un nouveau doublement d'ici au milieu du XXIe siècle ! Cela implique qu'en 50 ans, la production agricole devrait s'accroître de la même quantité qu'au cours des derniers 10 000 ans, soit depuis l'aube du néolithique.

Bien que la transition démographique d'une phase de croissance à une phase de stabilisation – dite «néomalthusienne» – soit déjà en cours grâce à la contraception, les prévisions démographiques actuelles montrent que, selon toute probabilité, les effectifs de l'humanité se stabiliseront sans doute au niveau de 12 milliards d'individus. Il s'agit là d'un chiffre considérable au regard de la pénurie actuelle des ressources naturelles nécessaires pour assurer le développement de la population d'aujourd'hui.

Ainsi, des ressources aussi indispensables que l'eau ou les terres cultivables font déjà défaut dans de nombreux pays, tandis que les prévisions de croissance industrielle à long terme mettent en évidence un déficit grandissant en énergie et en matières premières minérales.

Le décalage qui ne cesse de se creuser entre effectifs humains et ressources naturelles disponibles constitue une entrave inexorable au développement du tiers monde, voire de l'humanité tout entière. En effet, l'humanité contemporaine est devenue interdépendante économiquement – et démographiquement, comme l'attestent les problèmes migratoires. En conséquence, les difficultés économiques apparues en une région du globe vont nécessairement se répercuter au cours des prochaines décennies sur des pays éventuellement situés aux antipodes, comme l'a montré la crise asiatique au milieu des années 1990.

sur le climat global, celle sur la diversité biologique et celle sur la désertification. Il est vrai que ces dernières viennent s'ajouter à d'autres conventions plus anciennes et très importantes en ce domaine, comme celles sur le droit de la mer ou sur les bois tropicaux.

L'opposition entre pays riches et pays pauvres. L'idée fondamentale est d'éviter que les hommes qui bénéficient d'un niveau élevé de développement économique surexploitent les ressources de la planète, ce qui serait néfaste aux générations futures. Ainsi, un citoyen d'un des pays les plus avancés du monde consomme en moyenne par unité de temps plusieurs dizaines de fois la quantité de ressources naturelles qui est produite par un habitant de l'un des pays les plus pauvres de la planète. Cette constatation suggère que le premier empêche le développement du second en lui enlevant ce dont il a besoin. Il faut aussi souligner qu'en ce domaine certains prélèvements sur les ressources naturelles, apparemment minimes, effectués dans un pays du tiers monde – par exemple, défriche illégale de quelques arpents de terre par un paysan dans une réserve forestière d'un pays en voie de développement – peuvent avoir un impact considérable sur la biodiversité.

Cette opposition souligne néanmoins la dualité du problème : les pays les plus avancés de la planète compromettent le développement durable en utilisant des quantités excessives de ressources naturelles (bien au-delà de leur possibilité de renouvellement pour celles qui sont réputées renouvelables), tandis que l'ensemble des pays du tiers monde détruisent leur propre environnement en raison d'une démographie galopante et d'un niveau technologique insuffisant, conduisant les populations locales à faire un usage non durable des ressources naturelles essentielles : eau, sols, pâturages, forêts, etc.

Dans les faits, l'opposition entre pays riches et pays pauvres n'est pas toujours évidente comme l'enseigne l'échec de la mise en œuvre de la convention de Rio sur les climats. Ainsi, à la réunion de Kyoto, puis à Buenos Aires, les États-Unis, pays industrialisé, ainsi que la Chine et l'Inde, pays en développement, se sont opposés à une écotaxe sur l'émission de gaz à effet de serre produite par l'usage des combustibles fossiles. Que dire alors des « permis de polluer » négociables, proposés lors de ces réunions internationales, certains pays du tiers monde ayant l'opportunité de vendre leur droit à polluer à des pays développés pollueurs ! Dans le passé, on a parfois rencontré une attitude comparable chez certains pays développés produisant des CFC (chlorofluorocarbures) destructeurs de la couche d'ozone et de pays du tiers monde utilisateurs de ces derniers, les uns et les autres s'opposant à leur interdiction.

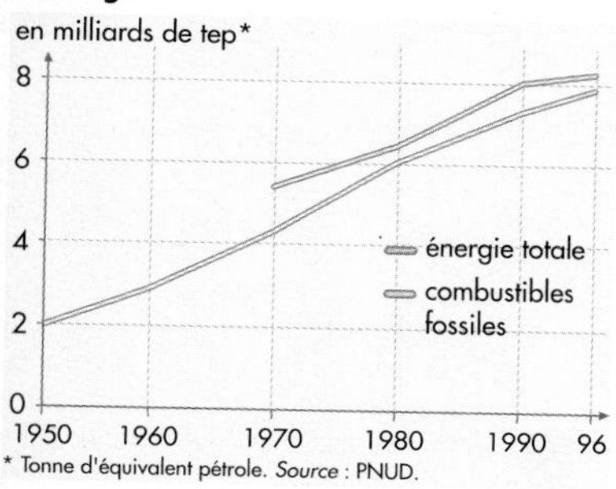

◆ Croissance de la consommation d'énergie.

* Tonne d'équivalent pétrole. *Source* : PNUD.

Les moyens et les actions. Atteindre les objectifs du développement durable implique une série d'actions concrètes, ainsi que la participation et l'évolution sociologique des populations concernées.

Il est tout d'abord évident que le rôle des États et donc des pouvoirs publics est irremplaçable. Souvent omise, la place de l'éducation est essentielle dans tout processus de développement avant même de s'interroger sur la durabilité de ce dernier. Il importe de souligner combien certaines mentalités qui prévalent aujourd'hui encore dans trop de régions de la planète constituent des obstacles rédhibitoires à cet égard. Ainsi, dans le tiers monde, un arrêt de la croissance démographique représente aujourd'hui un préalable impératif à tout développement durable. Or l'éducation en général et, en particulier, l'accès des femmes à cette dernière, constituent un élément incontournable de la réduction de la natalité ; pourtant, dans la majorité des pays musulmans, aujourd'hui, la scolarisation primaire concerne 70 % des garçons et seulement 20 % des filles. Il est aujourd'hui indiscutable que le progrès de la condition des femmes est une condition nécessaire au développement.

Les actions entreprises par les États sont essentielles pour atteindre les objectifs du développement durable. Il importe de souligner que l'Union européenne se place au premier rang sur ce plan par l'adoption de mesures relatives à l'économie de l'énergie et de matières premières, au développement des énergies renouvelables et à la protection contre les pollutions de l'environnement. Diverses mesures prises récemment ont permis de réduire significativement la pollution atmosphérique, d'inciter au développement d'énergies renouvelables, d'organiser le recyclage des métaux et des matières plastiques, de traiter radicalement le problème des déchets. De même, en matière de conservation de la biodiversité, l'Union européenne a lancé, dans chacun des pays qui la constituent, un programme de protection des espèces menacées au travers du développement du réseau de réserves dénommé Natura 2000.

La situation est très différente et très variable dans les pays du tiers monde. Dans les pays dits « émergents », essentiellement en Extrême-Orient et dans une moindre mesure en Amérique latine, des progrès sensibles ont été accomplis à l'initiative des États.

Néanmoins, dans le tiers monde, il apparaît au niveau local que ce sont, en règle générale, des associations philanthropiques à but non lucratif qui sont les agents les plus actifs pour mettre en œuvre et stimuler le développement : associations spécialisées dans la formation, le planning familial, l'aide au développement rural, à la fourniture d'énergie décentralisée, etc. En France, outre les nombreuses organisations non gouvernementales à but non lucratif qui travaillent sur le terrain, existe un Comité français pour l'environnement et le développement, dit « Comité 21 », dont le rôle est de coordonner les diverses actions de formation effectuées sur les divers continents.

Les dimensions socio-économiques. Le développement durable implique d'autres composantes que celles purement scientifiques et technologiques, liées à la gestion rationnelle des principales ressources naturelles. Tout aussi importantes sont les dimensions économiques (investissement, fiscalité en matière d'environnement…), sociales (cadre de vie, consommation, solidarité, équité…), et politiques (démocratie, participation, transparence…).

La question peut aussi être appréhendée dans trois dimensions fondamentales : l'espace, le temps et la démocratie. L'espace représente l'ensemble des écosystèmes menacés (forêts, océans, zones arides), ainsi que les milieux urbains et ruraux ; le temps fait intervenir les générations futures, la solidarité, le principe de précaution (moyens préventifs) et la durabilité des mesures ; la démocratie met en jeu la concertation, le consensus, la participation de tous et de toutes.

L'intégration de ces critères permet d'établir les fondements socio-économiques du développement durable tels qu'ils ont été énoncés à Rio dans le cadre de la Déclaration du même nom et surtout dans celui de l'« Agenda 21 ». Ce dernier est constitué par un ensemble de 40 mesures destinées à gérer l'environnement de l'homme au plan socio-économique, et précise les règles à respecter par la communauté internationale pour parvenir à un développement durable.

VOIR AUSSI
- **L'homme et l'environnement** p. 72 à 80
- **Protection de la nature** p. 189 à 192
- **Démographie** p. 832
- **Indicateurs de croissance et développement** p. 834
- **Enjeux de l'agriculture** p. 844 à 847

Vers une uniformisation culturelle ?

La prépondérance de l'anglais

Les penseurs, les savants et les hommes politiques ont toujours communiqué par-delà les frontières des États et les barrières du langage, dans une langue écrite dont l'adoption s'appuyait sur la prépondérance politique d'un pays et son poids dans la création culturelle. L'Empire romain, relayé par la papauté, avait imposé le latin en Occident, mais le grec est resté la langue de commandement et la langue savante de l'Empire d'Orient jusqu'à sa fin. Le français a dominé l'Europe, Russie comprise, aux XVIIIe et XIXe s. Sous l'effet de la colonisation britannique, l'anglais a commencé d'être la langue de communication en Asie avant que la puissance politique, économique et scientifico-technique américaine ne l'étende à la planète entière. Ce qui est nouveau n'est pas tant la domination d'une langue mais le fait que la communication internationale, naguère encore limitée à des groupes restreints, soit devenue une nécessité et une pratique quotidienne, au moins pour tous les Occidentaux et pour beaucoup d'autres. Les tours de contrôle de tous les aéroports utilisent l'anglais, les marchés financiers aussi, ainsi que le tourisme et le commerce international. L'Internet ne fait qu'accentuer la tendance.

Le danger n'est pas dans la communication; il est dans l'uniformisation du modèle culturel et dans la domination marchande de produits ou de brevets américains interdisant à d'autres d'être diffusés et, à terme, d'être simplement pensés. La science et les marchés des biens culturels coûteux sont concernés au premier chef.

Langues en perdition

L'UNESCO a contribué à la mise sur pied d'ambitieux programmes d'alphabétisation dans les pays les plus pauvres du tiers monde. Le principe est de former sur place des éducateurs et d'aider les gouvernements à les employer au mieux. Dans les pays à langue unifiée, les résultats ont été positifs. En revanche, lorsque les programmes ont promû, dans un souci de respect des cultures indigènes, le développement de l'alphabétisation en créole à Haïti ou en quechua pour la Colombie, des demi-échecs ont été enregistrés. En effet, les populations, conscientes du fait que leur langue parlée n'était pas celle des villes et du pouvoir, ont vu peu d'intérêt à écrire en langue vernaculaire.

De même, dans les anciens pays colonisés multilingues, la langue du colonisateur est trop indispensable pour enrayer un dépérissement probable d'une bonne part de la tradition orale qui deviendra, si elle a été recueillie, un patrimoine savant offert à la réappropriation des générations à venir. D'où l'importance d'une entreprise comme les 35 volumes de la « Collection des classiques africains » édités avec traductions par la Société d'ethnologie.

Le marché de la culture

Les règles négociées du commerce dans les enceintes internationales affichent, parmi leurs objectifs, celui d'offrir aux partenaires économiquement et politiquement faibles des protections contre l'excès de domination des pays plus puissants. L'Organisation mondiale du commerce, successeur, depuis 1993, avec plus de pouvoirs, du GATT, a accepté, sur l'insistance française, d'exclure du champ de la libéralisation les productions audiovisuelles, dont la composante marchande est lourde en raison du poids des investissements. L'industrie cinématographique française qui, soutenue par l'État, produit plus de 100 films long métrage par an, y a trouvé un répit, certainement provisoire. En effet, trop de forces vont dans le sens contraire : insistance américaine, nouvelles technologies et absence d'un accord entre les pays de l'Union européenne sur des objectifs partagés.

Vers une pensée unique ?

Dans les domaines scientifiques assez formalisés, les nuances des mots importent modérément; refuser l'anglais véhiculaire revient à se condamner à la marginalisation et à l'étiolement. Les scientifiques français communiquent en anglais des pensées écloses dans la culture scientifique française. Actuellement encore, pour universelle que soit la science dans ses résultats, elle ne l'est pas entièrement dans ses modes de construction, et la confrontation d'approches issues de contextes culturels différents est source d'enrichissements.

Des instruments de mesure ont été confectionnés qui permettent d'évaluer les poids scientifiques nationaux. Le « *Science Citations Index* » analyse, discipline par discipline, les revues de bon niveau, y compris européennes, à diffusion internationale, et comptabilise les références citées selon leur origine et leur fréquence. (En science, un texte qui n'est jamais cité n'a pas d'existence.) Dans presque tous les domaines, les Européens pèsent pour environ 15 % (dont 5 % pour les Français); Russes et Japonais sont marginaux et les Américains affichent près de 80 %. Le nombre des scientifiques américains, l'abondance des moyens, mais surtout le *brain drain* (captation des cerveaux) contribuent à ce résultat. Les laboratoires américains attirent massivement les meilleurs jeunes chercheurs du monde entier, et une part importante de la production scientifique originale est le fait de ces scientifiques de 27 à 33 ans qui offrent ainsi aux États-Unis le meilleur de la créativité allemande, italienne, suédoise, australienne ou tchèque.

VOIR AUSSI
- **Francophonie** p. 775
- **Langues et écritures** p. 950

10 Les Œuvres artistiques et littéraires

Pris dans le Temps, tenaillé par le besoin, tiraillé entre les exigences de sa morale et les tentations du quotidien, hanté par la mort, l'homme bien souvent souffre et tremble. Mais par ses œuvres artistiques il participe de l'Éternité, et leur contemplation même l'élève. Depuis toujours, l'homme crée et invente, laissant les traces de son passage éphémère. Ce sont les arts visuels – symbiose de l'œil et de l'esprit –, les littératures et le théâtre – paroles de la douleur, de l'espoir et des combats –, la musique – rythme et émotion –, le cinéma – image mobile de nos passions ...

◆ **Sandro Botticelli, *les Trois Grâces*,** détail du ***Printemps*** (v.1478 ?). (Musée des Offices, Florence)

L'art du paléolithique

Naissance de l'art

L'art apparaît il y a environ 35 000 ans. Il est le fait d'un nouveau venu, l'homme moderne *(Homo sapiens sapiens)*, qui se distingue par là, entre autres caractères, de l'homme de Neandertal *(Homo sapiens neandertalensis)*.

Précédées par des incisions sur os et par des parures funéraires – dents et coquillages percés – qui témoignent d'un souci esthétique et spirituel, les premières œuvres artistiques sont des figurations sexuelles, masculines et surtout féminines, sculptées dans le rocher, dans diverses grottes et abris-sous-roche du sud de la France. On trouve également des animaux schématisés. Les hommes qui ont ainsi inventé l'art appartiennent à la civilisation aurignacienne (nommée d'après la grotte d'Aurignac, en Haute-Garonne), répandue en Europe de 33000 à 26000 avant notre ère.

Les civilisations successives (gravettienne, de 27000 à 19000 av. J.-C.; solutréenne, de 19000 à 15000; magdalénienne, de 15000 à 8000) continuent à orner les parois des grottes (art pariétal) avec des gravures, des dessins et peintures, des sculptures en bas-relief. On trouve des figures d'animaux, bisons, chevaux, bovidés, bouquetins, ours, mammouths, chouettes; des hommes; des empreintes de mains ainsi que des « signes » abstraits dont le sens nous échappe. Avec le temps, le style devient plus réaliste. L'apogée artistique est atteint avec les peintures de Lascaux, en Dordogne, et d'Altamira, en Espagne (15000-13000 av. J.-C.).

Outre les grottes, les hommes du paléolithique ornent de nombreux objets (art mobilier) : pendeloques, « bâtons percés » (servant à redresser les sagaies), propulseurs de sagaies, plaques gravées, sculptures taillées ou modelées. La décoration consiste en figures animales ou en stries et marques diverses.

L'interprétation de cet art reste hypothétique. Pourquoi ces hommes allaient-ils dans des grottes peu accessibles, dans une obscurité que dissipaient mal leurs lampes à graisse, en s'installant sur des échafaudages ou en se coulant dans des boyaux étroits, pour graver ou peindre des figures et des signes que pratiquement personne ne verrait? La théorie d'œuvres à fonction magique (pour rendre la chasse favorable) a été abandonnée. Aujourd'hui, on imagine plutôt des lieux de culte et d'initiation. L'art, création de formes symboliques dans le domaine visuel, serait ainsi lié, à l'origine, à ces autres représentations symboliques que sont les comportements religieux et les mythes.

VOIR AUSSI • **Préhistoire** p. 412

◆ **La grotte de Pech-Merle** (20000-15000 av. J.-C.), dans le Lot. Cette grotte, proche du village de Cabrerets, renferme de nombreuses peintures préhistoriques attribuables au magadalénien. Par la qualité et le nombre des figures, c'est une des plus importantes grottes ornées de France. Deux sanctuaires s'y juxtaposent. Les ponctuations de la robe des chevaux pommelés et les mains négatives ont été obtenues en soufflant la peinture à travers un roseau puis en l'étalant au doigt.

◆ **La grotte de Lascaux** (15 000-14 500 av. J.-C.), en Dordogne. Détail de la frise de la salle des Taureaux. Deux aurochs affrontés. Entre eux, le « cheval flottant », incomplètement représenté, et des cerfs élaphes. Devant le museau de l'aurochs de gauche et sur le poitrail de celui de droite, des « signes » abstraits.

L'art du gravettien

La civilisation gravettienne (nommée d'après le site de la Gravette, en Dordogne) se répand de 27000 à 19000 av. J.-C. des Pyrénées à l'Europe orientale. Son art est célèbre par ses statuettes féminines dites « vénus » ou, moins improprement, « dames ». Le propos de ces œuvres n'est pas de représenter la femme mais de signifier la fécondité, rendue par l'exagération des caractères sexuels.

◆ **La Dame de Willendorf** (Autriche). Calcaire et traces d'ocre rouge. (Musée d'Histoire naturelle, Vienne)

◆ **La Dame à la corne de bison de Laussel** (Marquay, Dordogne). Calcaire et traces d'ocre rouge. (Musée des Antiquités nationales, Saint-Germain-en-Laye)

◆ **La Dame de Lespugue** (Haute-Garonne). Ivoire de mammouth. (Musée de l'Homme, Paris)

◆ **Bison se léchant** (13 000-10 000 av. J.-C.) provenant de l'abri de la Madeleine, en Dordogne. La puissance et la vie de l'animal sont ici rendues grâce à la protubérance naturelle du bois de renne ingénieusement utilisée. Fragment d'un propulseur (baguette de bois terminée par un crochet et permettant de propulser la sagaie). (Musée des Antiquités nationales, Saint-Germain-en-Laye)

La figure de l'homme

Entre les IXe et Ve millénaires av. J.-C., toute une population de chasseurs-collecteurs vit le long du littoral méditerranéen, de Barcelone à Almería, et orne de peintures murales les parois calcaires d'abris-sous-roche perchés entre 800 et 1 000 m. Cet art du Levant espagnol est marqué par un réalisme puissant puis par un schématisme de plus en plus affirmé, toujours alliés à un extrême dynamisme. Grande nouveauté, l'homme en est l'acteur principal : vêtu de larges pantalons, de longues jupes en fibre pour la femme, portant plumes et parures, avec pour vedettes les archers, toujours représentés en pleine action.

◆ **Chasse aux cervidés.** Relevé effectué dans la *cueva* de Los Cabellos, province de Castellón de la Plana, Espagne.

L'art de l'Islam

Ferveur religieuse et foisonnement régional

Au gré de ses conquêtes, l'Islam côtoie les traditions artistiques des chrétiens à Jérusalem, à Byzance, celles de l'Antiquité hellénistique en Syrie, celles des Sassanides dans le domaine iranien, et même celles de l'Inde sous la dynastie des Moghols. Cette diversité génère un art qui puise son originalité dans l'inébranlable foi en l'islam, dans le strict respect des dogmes, mais qui, par son expansion, la multiplicité et la vitalité de foyers locaux, échappe à une stérile uniformité.

Un des caractères les plus visibles de l'art islamique lui est conféré par le tabou de la représentation du vivant. Il en résulte un art fondé sur le décor abstrait et sur la calligraphie, même si, localement, la miniature arabe, persane, ottomane ou moghole sacrifie à l'illustration et si, dans la cour de l'Alhambra de Grenade, la célèbre fontaine des Lions constitue une exception.

◆ **Chaval ad-Din Yazdi, *Timur Lang assiège une citadelle*** (1523).
Chiraz fut sous la dynastie séfévide (1501-1736) un foyer important de la miniature persane. Son école se caractérise par un rendu réaliste et expressif des détails, et par des couleurs éclatantes. (British Museum, Londres)

◆ **Sinan** (1489-1588), **la mosquée Selimiye** (1569-1574), à Edirne (Turquie). C'est l'un des chefs-d'œuvre de l'architecte ottoman. La manière dont il conçoit les coupoles participe à la fois des traditions iraniennes, de celles des Seldjoukides mais aussi de celles des Byzantins à Sainte-Sophie.

◆ **La coupole de la salle du mihrab de la mosquée de Cordoue** (785-987), en Espagne. L'extraordinaire complexité des arcs polylobés et des arcs brisés qui nervurent la coupole est un précieux vestige de l'art classique des califes omeyyades.

◆ **La coupole nord de la Grande Mosquée du vendredi** (XIe s.), à Ispahan (Iran). L'époque seldjoukide en Iran (1038-1186) correspond à la mise au point du plan de la mosquée à quatre *iwans* (un *iwan* est une salle voûtée quadrangulaire, ouverte par un arc brisé). Le décor est obtenu par un savant agencement de briques.

◆ **Le Tadj Mahall** (1631-1641), près d'Agra (Inde). C'est le mausolée de Mumtaz Mahall, l'épouse préférée du souverain moghol Chah Djahan. Construit en marbre blanc incrusté de pierres semi-précieuses, il est encadré de deux mosquées, dont l'une, factice, n'est là que par souci d'harmonie.

◆ **La cour des Lions de l'Alhambra de Grenade** (XIVe s.), en Espagne. L'édifice a été construit par deux souverains de la dynastie nasride. Chaque palais est organisé autour de deux patios : la cour des Myrtes et, ici, la cour des Lions. Malgré son époque tardive, ce rare témoignage de l'architecture civile, au décor exubérant, permet d'imaginer les fastes de la vie palatine.

◆ **Mosaïque de la mosquée Sokolhu Mehmet Pacha** (1571), à Istanbul. Dans cette mosquée construite par Sinan, le décor de céramique diffuse une lumière bleutée. L'ornementation est fondée sur la calligraphie, versets du Coran ou autres saintes Écritures.

◆ **La Madrasa** (1356-1363) du sultan Hasan, au Caire (Égypte). Cette école religieuse est construite en pierre appareillée selon le plan iranien à quatre *iwans*, disposition particulièrement adéquate pour un collège où étaient enseignés les quatre rites de l'islam sunnite. Austère grandeur de l'architecture, sobriété du décor et originalité de la conception en font un véritable hymne à l'islam.

VOIR AUSSI • **Islam** p. 520 à 524

L'art de l'Inde non islamique

Un art religieux

Support de la dévotion, l'expression artistique est essentiellement religieuse. L'hindouisme, avec la diversité de son panthéon et les épopées du *Mahabharata* ou du *Ramayana*, le bouddhisme, avec le récit des vies du Bouddha (parmi lesquelles les *Jataka*), et le jaïnisme fournissent à l'art plastique une multitude de sujets.

Historiquement, c'est le bouddhisme qui constitue le premier moteur du développement artistique, si l'on met à part l'art propre de la civilisation de l'Indus. Les anciens brahmanes, en effet, ne se souciaient guère de temples et d'images divines. C'est l'empereur bouddhiste Açoka, au IIIe s. avant notre ère, qui répand dans l'Inde centrale, avec sa religion, des stupas, des colonnes symboliques, des figures sculptées. L'art hindou, qui se développe parallèlement, ne diffère pas de l'art bouddhique par le style, mais par les sujets que fournit sa surabondante mythologie et par les figures multiformes de son panthéon. Comme le monde réel, les formes créées par les artistes sont réputées illusoires. C'est peut-être la raison de leur profusion.

VOIR AUSSI • **Religions orientales** p. 525 et suiv.

◆ **Peinture murale d'Ajanta** (VIe s.), dans le Maharashtra.
Ce site du Deccan abrite un ensemble de vingt-neuf grottes artificielles creusées dans la roche, ornées d'entrées sculptées et de peintures murales. L'ensemble constituait un sanctuaire et un monastère bouddhique déjà en activité au IIe s. av. J.-C. Bien que d'inspiration religieuse, les peintures illustrent l'élégance raffinée de la vie de cour.

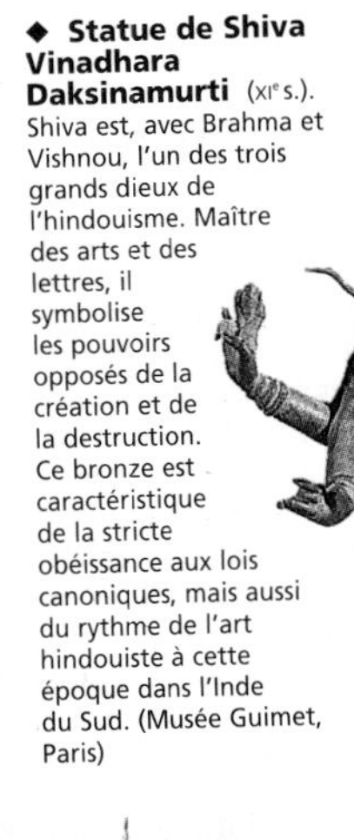

◆ **Statue de Shiva Vinadhara Daksinamurti** (XIe s.).
Shiva est, avec Brahma et Vishnou, l'un des trois grands dieux de l'hindouisme. Maître des arts et des lettres, il symbolise les pouvoirs opposés de la création et de la destruction. Ce bronze est caractéristique de la stricte obéissance aux lois canoniques, mais aussi du rythme de l'art hindouiste à cette époque dans l'Inde du Sud. (Musée Guimet, Paris)

◆ **Le Muktesvara** (Xe s.), **à Bhubaneswar,** Orissa.
Ce site fournit le plus parfait exemple de tours à arêtes curvilignes (*sikhara*). Ces hautes tours surmontent les lieux de culte et sont reliées à d'autres tours moins hautes. Bhubaneswar est une ville consacrée à Shiva, sacrée depuis le Ve s.

◆ **Buste d'homme** (IIIe millénaire av. J.-C.), **de Mohenjo-Daro.**
Il s'agit peut-être d'un roi-prêtre. Mohenjo-Daro était l'une des villes florissantes de la civilisation protohistorique de l'Indus, qui s'épanouit du IVe millénaire aux alentours de 1000 av. J.-C. (National Museum of Pakistan, Karachi)

◆ **Le Kailasa d'Ellora** (VIIIe s.), dans le Maharashtra.
Le temple symbolise la demeure mythique de Shiva dans l'Himalaya. Entièrement taillés dans la roche volcanique, le sanctuaire et ses dépendances (près de 100 m de long) sont l'étonnante transposition dans la pierre de la cosmologie brahmanique.

◆ **Le temple de Minaksi** (XVIIe s.), à Madurai.
Alors que l'islam domine le Nord, dans le Sud le temple devient une ville sacrée. Le temple de Minaksi est un exemple de cette ferveur. (Au premier plan, la piscine sacrée, entourée d'une galerie à colonnes; au fond, les hauts porches d'enceinte.)

◆ **Stupa principal de Sanci** (IIe-Ier s. av. J.-C.), dans le Madhya Pradesh.
Dérivé du tertre funéraire, le stupa, monument reliquaire ou commémoratif, abritait une relique du Bouddha. Les fidèles en faisaient rituellement le tour dans l'espace compris entre le dôme et la balustrade.

◆ **Bouddha de Sarnath** (Ve s.), dans l'Uttar Pradesh.
La qualité du modelé, la pureté de la ligne mais surtout l'intériorité et un souverain détachement marquent l'art bouddhique à son apogée sous la dynastie Gupta. (Archaelogical Museum, Sarnath)

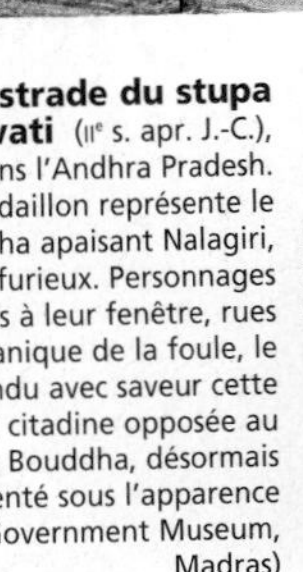

◆ **Balustrade du stupa d'Amaravati** (IIe s. apr. J.-C.), dans l'Andhra Pradesh.
Le médaillon représente le Bouddha apaisant Nalagiri, l'éléphant furieux. Personnages penchés à leur fenêtre, rues encombrées, panique de la foule, le sculpteur a rendu avec saveur cette animation citadine opposée au calme du Bouddha, désormais représenté sous l'apparence humaine. (Government Museum, Madras)

L'art de l'Asie du Sud-Est

Un art d'échange

La longue route maritime des échanges commerciaux entre l'Inde et la Chine a aussi été celle de l'expansion de la culture et des religions de l'Inde, en particulier du bouddhisme. Celui-ci se diffuse parallèlement à l'hindouisme, généralement sans conflit. Il arrive même que certains temples aient relevé des deux religions selon les périodes, ce qui est visible par leur ornementation.

Moines et lettrés, qui suivent les marchands, s'installent, au gré des étapes, auprès de l'élite dirigeante, implantent le sanskrit comme langue savante et suscitent les fondations pieuses : Barabudur va ainsi devenir un lieu célèbre de pèlerinage. Vivifiées par l'essor indien, les anciennes civilisations de l'Indonésie, du Cambodge, du Viêt Nam, de Thaïlande et de Birmanie élaborent un art essentiellement religieux, qu'elles enrichissent de leur génie propre.

VOIR AUSSI
• **Religions orientales** p. 525 et suivantes
• **Angkor** p. 1110

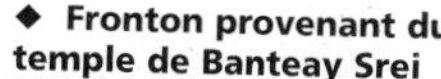

◆ **Fronton provenant du temple de Banteay Srei** (967 apr. J.-C.), Cambodge. Exemple de la délicatesse du décor architectural des Khmers, ce fronton illustre la légende de la belle *apsara* (nymphe céleste) Tilottama, qui a amené deux frères démons à s'entre-tuer pour elle. La bordure flamboyante représente le Naga, serpent polycéphale, l'un des thèmes favoris des sculpteurs khmers. Le temple de Banteay Srei a été élevé par le gourou du roi Jayavarman V. Son style semble, par sa douceur et son raffinement, être une réaction contre l'art de la capitale Angkor. (Musée Guimet, Paris)

◆ **Angkor Vat** (XIIe s.), Cambodge. Ce temple a été élevé par le roi Suryavarman II (1113 - apr. 1144). Sur près de 200 ha, l'ensemble, avec ses cinq enceintes et ses cinq tours en quinconce réunies par des galeries ornées d'admirables reliefs, représente l'aboutissement du temple-montagne, inspiré, ici comme en Inde, par le mont Meru, pilier central de l'Univers et séjour sacré des dieux. Angkor Vat est situé au sud du « parc d'Angkor », immense site de 300 km² où les rois khmers édifièrent leurs capitales successives, chacune avec son temple.

◆ **Mandala de Barabudur** (IXe s.), à Java. Expression de la piété de la dynastie Sailendra, mais aussi de sa puissance, ce gigantesque mandala (123 m de côté) construit en pierre a été inspiré par le bouddhisme mahayana.

◆ **Bas-relief de Barabudur** (IXe s.). Détail de l'un des reliefs ornant l'une des galeries de la pyramide à gradins, où les pèlerins suivaient les épisodes des vies du Bouddha. Ces reliefs sont devenus pour nous une inépuisable source de renseignements sur la vie quotidienne de l'époque.

◆ ***Danseur à l'écharpe*** (début du Xe s.), **ancien royaume du Champa,** Viêt Nam. Royaume indianisé en bordure de la mer de Chine méridionale, le Champa s'épanouit entre le IIIe et le XVIe s. Les ruines les plus importantes se trouvent dans l'actuel village de Mi Son, ancienne ville sainte dédiée à Shiva. L'apogée artistique se situe au Xe s., avec de hautes tours-sanctuaires et une sculpture où s'allient vigueur et dynamisme. (Musée Guimet, Paris)

◆ **Stupa de l'ensemble du Wat Rajapurana** (1424 apr. J.-C.), à Ayuthia, Thaïlande. Plusieurs centaines de monuments témoignent des fastes et de l'art raffiné qui fleurirent dans cette ville, ancienne capitale du Siam de 1350 à 1767. L'art qui s'élabora dans ce pays est une véritable synthèse des styles artistiques locaux et des styles khmers qui l'ont précédé.

◆ **Le temple Ananda** (v. 1090) **et le Thatbyinnyu** (XIIe s.), **à Pagan,** Birmanie. Pagan a été la capitale des Birmans de 1044 à 1287. Une centaine de stupas (ici nommés pagodes) et de temples restent debout, sur les cinq mille bâtis à l'époque. La structure fondamentale est la pyramide à gradins, perceptible dans les deux temples ci-dessus.

L'art précolombien

Amérique centrale

L'étendue du continent, sa diversité, la juxtaposition de populations indépendantes (dominées seulement par le commerce et le prosélytisme religieux des Olmèques, des gens de Teotihuacán puis par la guerre des Toltèques et des Aztèques) conduisent à étudier l'art précolombien par aires culturelles et selon un cadre chronologique divisé en périodes : préclassique, 2000 av. J.-C. -250 apr. J.-C. ; classique, 250-950; postclassique, 950-1500. Ces périodes sont elles-mêmes subdivisées en phases : ancienne, moyenne et récente. Malgré d'évidentes différences, on peut reconnaître chez les Amérindiens, avant l'invasion européenne, une communauté culturelle définie par son calendrier, une écriture pictographique, la construction d'édifices pyramidaux, des mosaïques de plumes ou de fourrures, le polissage de l'obsidienne et, enfin, la culture du maïs, que contrôlent de terribles divinités. Essentiellement religieux, l'art y est à la fois support et interprétation du mythe.

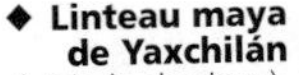

◆ **Linteau maya de Yaxchilán**
(période classique), Mexique.
Associés à des inscriptions gravées indiquant leur date d'érection, ces reliefs narratifs, qui ornaient temples et structures pyramidales, sont propres au plein épanouissement du classicisme dans les basses terres. La cité est située dans l'actuel Chiapas. Gouvernée par des princes guerriers, elle connut son apogée entre 692 et 726. (Musée national d'Anthropologie, Mexico)

◆ **La cité maya de Tikal**
(période classique), Guatemala.
C'est la plus importante des métropoles mayas (de 50 000 à 80 000 habitants entre 480 et 830). Elle comprend dans sa zone centrale, qui s'étend sur 16 km^2, plus de 3 000 constructions, dont l'acropole nord, cœur du centre cérémoniel. Élément essentiel du complexe sacré maya, la pyramide, tel un socle, supporte la cella édifiée au sommet. Érigée au cœur de forêts denses aux arbres très hauts, la pyramide maya se distingue de celles des plaines du Mexique central (Teotihuacán) par sa verticalité.

◆ **Temple toltèque de Tula**
(période postclassique), Mexique.
Tula (État de Hidalgo, anc. Tollan) était la capitale des Toltèques, qui ont dominé le Mexique central du xe au milieu du xiie siècle. L'édifice est dédié à Quetzalcóatl sous sa forme de l'Étoile du matin. Le dieu est personnifié par des atlantes colossaux (4,50 m) au sommet. Devant le temple, une grande salle hypostyle est réservée aux guerriers. C'est chez eux qu'apparaissent les ordres militaires, support de la puissance de l'empire et thème privilégié du décor sculpté de leurs temples.

Voir aussi
• **Calendriers maya et aztèque** p. 407
• **Religions précolombiennes** p. 540

◆ **Tête colossale olmèque**
(période préclassique), Mexique.
La culture olmèque connaît son épanouissement entre 1200 et 600 av. J.-C. La statue, haute de 2,15 m, est en basalte. Elle est installée dans le musée-parc archéologique de La Venta (près de Villahermosa, État de Tabasco), l'ancienne capitale des Olmèques. Probables portraits dynastiques, toutes ces têtes ont été sculptées avec un outil en obsidienne.

◆ **Urne funéraire zapotèque**
(période classique), sud du Mexique. En terre cuite polychrome, elle représente le jeune dieu du Maïs. Avec sa coiffure très élaborée, agrémentée d'un masque de jaguar, elle est caractéristique du style des Zapotèques, dont la capitale était Monte Albán et qui connut son apogée entre 300 et 900 apr. J.-C. (Musée national d'Anthropologie, Mexico)

◆ **Pectoral mixtèque**
(période postclassique), Mexique.
C'est une évocation du dieu maître du royaume des morts. Les Mixtèques, qui peuplèrent le Mexique du xie au xvie siècle, étaient réputés pour la beauté et la recherche technique de leurs bijoux, à tel point que les Aztèques déportaient leurs orfèvres à Tenochtitlán. (Musée régional, Oaxaca)

◆ **Statue aztèque de Quetzalcóatl**
(période postclassique), Mexique.
Les Aztèques fondèrent un empire au xve siècle. Dieu de la Végétation dans le panthéon des origines, Quetzalcóatl est devenu pour les Aztèques le dieu des Prêtres, de la Pensée religieuse et de l'Art. Le dieu est représenté sous sa forme d'homme et de serpent à plumes. Il a été vénéré par toutes les populations qui se sont succédé du préclassique à la Conquête. Ici, le sculpteur aztèque est l'un de ceux qui ont traduit avec le plus d'audace la complexité de ce mythe du serpent-oiseau-homme. (Musée de l'Homme, Paris)

Amérique andine

Parallèlement aux civilisations d'Amérique centrale, mais à plus de 3000 km au sud, dans les vallées des Andes et la plaine côtière du Pacifique, se développent d'autres civilisations amérindiennes. Celles-ci sont caractérisées par la connaissance de techniques fort élaborées (tissage au Pérou avant 3000 av. J.-C., métallurgie avant 1000 av. J.-C.) et par la construction de grands temples. Le centre de la civilisation andine est le Pérou, où se succèdent la culture chavín, celles de Paracas et de Nazca, la culture mochica, celle de la confédération chimú et enfin celle de l'empire inca. Malgré la variété de l'expression artistique, il existe certains traits culturels constants (comme le dieu à crocs de félin, le serpent symbole de fécondité, le dieu jaguar, le thème du sacrificateur) que toutes ces populations ont puisés au sein d'une lointaine tradition ancestrale.

◆ **Linceul *(manto)* de Paracas Necropolis** (Ier s. apr. J.-C.), Pérou. Paracas et Nazca sont deux cultures qui se côtoient sans interruption du Ve s. av. J.-C. au VIIe s. apr. J.-C. Ces magnifiques textiles brodés à usage funéraire ont été découverts dans les *fardos* (paquets de textiles qui enveloppaient les momies déposées dans une corbeille) reposant dans les chambres sépulcrales de vastes complexes funéraires. (Musée ethnographique, Munich)

◆ **Céramique mochica,** Pérou. Cette culture côtière, localisée autour de la rivière Mochge, se développe de 100 à 800 apr. J.-C. Son époque classique se situe aux IIIe-Ve s. Elle est connue pour la qualité de sa céramique et le réalisme étonnant de ses jarres-portraits. (Musée national, Lima)

◆ **San Agustín,** Colombie. Cette statue, taillée dans la roche volcanique, représente une divinité aux crocs de félin. La culture de San Agustín, qui s'est développée de 200 av. J.-C. au XVIe s. apr. J.-C., est célèbre pour ses grands monolithes, supports de la dalle de couverture de la chambre funéraire et gardiens du monde des morts.

◆ **Chavín de Huantar,** Pérou. Dalle de parement de l'ancien temple, où le thème des crocs de félin est intimement associé à celui du serpent. La culture chavín (1300-500 av. J.-C.) s'est très largement et pacifiquement diffusée jusque dans la région côtière du Pacifique. Entre 800 et 500 av. J.-C., on parle d'horizon chavín.

◆ **La porte du Soleil** (Ve s. apr. J.-C.), à Tiáhuanaco Bolivie. Tiáhuanaco est un site archéologique situé à 4000 m d'altitude, sur la rive sud du lac Titicaca. Le Kalasasaya est une grande plate-forme de 130 m de côté sur laquelle s'élève la porte dite « du Soleil », taillée dans l'andésite, qui encadre une imposante idole sculptée et gravée. Après celui du Chavín, l'essor de cette culture amène une seconde hégémonie culturelle sur la plus grande partie des Andes.

◆ **Réseaux de lignes de Nazca** (Ier millénaire av. J.-C.), Pérou. Les lignes de Nazca sont des dessins tracés sur le sol qui peuvent atteindre plusieurs kilomètres de longueur. Quantité d'hypothèses ont été émises à leur sujet. Si, pendant longtemps, l'interprétation astrologique a prévalu, les chercheurs estiment aujourd'hui que les figures illustrent plus probablement une religion centrée sur l'eau. C'est entre 350 av. J.-C. et 650 apr. J.-C. que se développa la culture de Nazca, qui a produit une belle et fine céramique polychrome.

◆ **La Huaca del Dragon,** à Chanchán, Pérou. Cette métropole de la confédération chimú (début du XIIIe - milieu du XVe s.), conquise par les Incas, fut bâtie sur 20 km² en adobe. La Huaca del Dragon est un ensemble cérémoniel orné d'un bas-relief d'argile moulé représentant un grand serpent enserrant des créatures extraordinaires. Il est situé en périphérie de la ville. Le centre de la cité est constitué de neuf « citadelles » aux murs de terre de 9 m de haut et de 4 m d'épaisseur à la base, abritant palais, temples, habitations des dignitaires, citernes, jardins et cimetières.

◆ **Le Machu Picchu,** Pérou. Fabuleuse cité perchée à 2045 m d'altitude, ignorée des Espagnols et découverte seulement en 1911, elle est l'une des mieux conservées et confirme le talent de bâtisseurs des Incas, derniers Précolombiens à avoir dominé les Andes. Probablement élevée après 1450, cette cité était environnée de terrasses agricoles.

L'art de l'Afrique noire

L'invisible et le quotidien

En terre cuite, en pierre, en métal, mais surtout en bois, la sculpture est le langage artistique privilégié de l'Afrique noire. Les styles alternent entre expressionnisme et réalisme. Dans la plupart des cas, l'objet d'art participe d'une hiérarchie religieuse ou politique. Intermédiaire entre la réalité humaine et le monde invisible, l'œuvre d'art traduit le pouvoir des forces vitales. Pour l'artiste, le geste créateur a autant, sinon plus, d'importance que l'œuvre elle-même, à laquelle le verbe confère toute sa valeur magique.

VOIR AUSSI
• **Religions de l'Afrique noire** p. 538

◆ **Porte au cavalier baoulé** (Côte d'Ivoire). Relief narratif : divinité du fleuve et divinité nationale des Baoulé, le crocodile perpétue le souvenir de l'offrande de la reine fondatrice de l'État baoulé. Perché sur le cheval, l'échassier symbolise aussi la fécondité, et l'homme rappelle probablement les cavaliers du grand chef Samory Touré (v. 1830-1900). (Musée des Arts africains et océaniens, Paris)

◆ **Figure de reliquaire des Koto** (Gabon). De nombreux rituels ont pour objet l'ancêtre du clan, évoqué chez les Koto par ce type de figure reliquaire, au visage ovale. La sculpture dominait un panier de vannerie où étaient déposées les reliques d'ancêtres notables du clan. L'œuvre est en bois recouvert de laiton et de cuivre. (Musée du Petit-Palais, Paris)

◆ **Siège de chef luba** (Congo). La sculpture constitue une cariatide, supportant le siège. L'art luba relève d'un style réaliste et naturaliste qui, par certaines accentuations stylistiques, parvient au surnaturel. (Musée des Arts africains et océaniens, Paris)

La figure humaine

Réceptacle de l'esprit des défunts ou image commémorative, figuration de divinité ou fétiche, la personne humaine est au cœur de l'art africain. L'artiste sait la traiter de façon attentive, avec une stylisation qui n'exclut ni le réalisme ni l'expressivité.

◆ **Tête de roi en alliage de laiton et zinc** (milieu du XIIIe s.) provenant d'Ife, au Nigeria. (Museum of Ife Antiquities, Ife)

◆ **Tête nok en terre cuite** (500 av. J.-C.-200 apr. J.-C.), Nigeria. (National Museum, Lagos)

◆ **Masque en ivoire** (fin du XVIe s.), culture du Bénin (S.-O. de l'actuel Nigeria). (British Museum, Londres)

◆ **Masque dogon** dit **« le Singe noir»** (Mali). C'est l'évocation des rapports originels entre animaux et premiers ancêtres. Caractéristique de l'art des Dogon, la forme, simplifiée, architecturale, acquiert une grande force suggestive. (Musée des Arts africains et océaniens, Paris)

Voir le sacré

Puissance de l'imaginaire chez les Baga ou stylisation des Bambara, deux façons de voir le sacré. Associés au culte de la fécondité et de la fertilité, au moment le plus intense de la cérémonie rituelle, masque, statue et porteurs deviennent l'incarnation du dieu et sont dépositaires de son pouvoir.

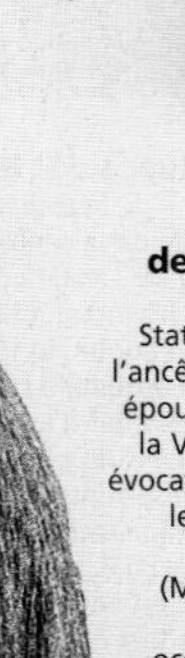

◆ **Art des Baga** (Guinée). Statue-masque de la fécondité, en bois et en fibres végétales. (Musée des Arts africains et océaniens, Paris)

◆ **Art des Bambara** (Mali). Statue en bois de l'ancêtre mythique, épouse du dieu de la Végétation, ou évocation du Niger, le grand fleuve nourricier. (Musée des Arts africains et océaniens, Paris)

L'art de l'Océanie

Un symbolisme mystérieux

L'Océanie comprend l'Australie, la Mélanésie, la Micronésie et la Polynésie. L'art est dominé par de constantes préoccupations religieuses (animistes) et fait référence à des mythologies complexes qui sont aujourd'hui en partie perdues. Il présente des statues de divinités, des masques, des armes, des objets usuels, des décors pour la maison ou la pirogue, des parures et des ornements corporels (tatouages). L'art le plus simple est celui des aborigènes d'Australie qui ne travaillent qu'en deux dimensions (peintures rupestres et peintures sur écorce). L'art des Mélanésiens, notamment en Nouvelle-Guinée, est le plus impessionnant par son aspect macabre, lié au culte des ancêtres. L'art le plus élaboré est celui des Maoris de Nouvelle-Zélande qui sculptent d'infinis entrelacs, ornés de spirales et de volutes.

D'une façon générale, l'art océanien dégage une impression de mystère qui a marqué le « primitivisme » de l'art occidental, de Gauguin aux surréalistes.

◆ **Sculpture de grade, de Vanuatu *(Malekula)*.** Réservée à la société des hommes, très élaborée, la hiérarchie des grades correspond à une prise de rang dans l'organisation sociale. Nombreux sont les rituels, parmi lesquels l'érection d'un monument commémorant cet événement. Plus ou moins travaillée selon le grade, la sculpture peinte est protégée par un toit. (Musée de l'Homme, Paris)

◆ **Ku, le dieu de la Guerre, à Hawaii** (île d'Oahu). L'art est ici au service d'une caste féodale dont il affirme la puissance. Ce genre de statue en bois était réservé aux temples (*marae*). Seules les effigies du dieu en vannerie et plumes sortaient de l'enceinte sacrée lors des cérémonies rituelles. (British Museum, Londres)

◆ **Tangaroa le démiurge, Polynésie centrale** (Rurutu). Le corps nu, couvert de haut en bas de petits personnages sculptés en relief, le dieu est représenté créant hommes et divinités. (British Museum, Londres)

◆ **Pièce rituelle mélanésienne en *tapa*** (Nouvelle-Guinée). Interdite aux hommes, la fabrication des *tapa* est une tâche féminine réalisée à partir d'écorce rouie, battue et pétrie. Ils servent de nappe, de vêtement ou de pièce rituelle (protégeant alors les statues du culte). Grenouilles, serpent, lézard, oiseaux schématisés et enchevêtrés créent ce décor propre à la région du lac Sentani. (Institut royal des Tropiques, Amsterdam)

◆ **Masque mélanésien de Nouvelle-Irlande.** Parties pleines et réseaux ajourés, aplats de couleurs et fines hachures peintes, gravures, ce travail tout en contrastes et d'une extrême complexité est spécifique à la Mélanésie. Ces masques étaient utilisés dans un cycle rituel appelé « malanggan ». (Musée de Sydney)

VOIR AUSSI • Religions de l'Océanie p. 537

◆ **Linteau sculpté maori de Nouvelle-Zélande.** Entrelacs, spirales et tatouages enchevêtrés ornent et encadrent la figuration de l'ancêtre mythique des Maoris. (Brooklyn Museum, New York)

◆ **Ornement de proue d'une pirogue asmat** (Nouvelle-Guinée). Très abondante, la production artistique des Asmat enrichit aussi bien les objets rituels que ceux de la vie quotidienne. Cet élégant travail ajouré accentue la beauté des lignes de l'embarcation. (Institut royal des Tropiques, Amsterdam)

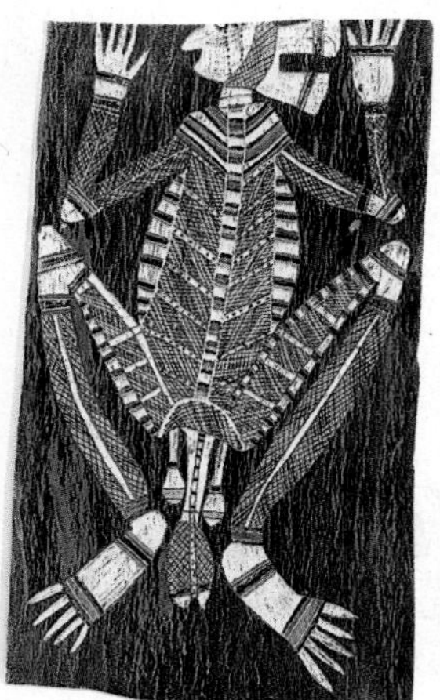

◆ **Peinture « radiographique » aborigène de la Terre d'Arnhem** (Australie). Le rêve est au centre de la culture aborigène, car il sert à la fois de trait d'union avec le passé et d'outil de connaissance du futur. C'est aussi une manière de fusionner avec la nature. Le peintre représente sur écorce les animaux ou les esprits familiers (les Mimi) dans un style hachuré où l'on reconnaît les éléments du squelette. (Musée des Arts africains et océaniens, Paris)

L'île de Pâques

Perdue au milieu du Pacifique, découverte le jour de Pâques 1722, d'où son nom, l'île de Pâques n'a cessé d'exciter l'imagination. Colosses schématisés, les *moai*, aux grands yeux de corail blanc et à l'iris en tuf rouge, taillés dans la roche volcanique, 300 sanctuaires (*ahu*) en terrasses de pierre, pétroglyphes figurant l'homme-oiseau, statuettes d'ancêtres en bois, tablettes gravées… quelle était leur signification ?

Colonisée vers le ve s. de notre ère par des peuples venus de Polynésie centrale, l'île fut bientôt surpeuplée ; difficultés de vivre et désordres sociaux furent sans doute à l'origine du renversement volontaire des derniers *moai*.

◆ ***Les moai.***

L'artisanat d'art ancien

L'Antiquité

Un artisan est quelqu'un qui fabrique à la main, le plus souvent en s'aidant d'outils, des objets qui reproduisent un modèle. On le distingue ainsi d'un artiste, dont l'œuvre est issue d'un processus créateur inséparable de sa réalisation. Dans l'Antiquité et jusqu'à la Renaissance, toutefois, cette distinction n'existait pas : artistes et artisans étaient tous gens de métier, travaillant de leurs mains et détenteurs d'un savoir-faire transmis par apprentissage. Ce savoir-faire n'était d'ailleurs pas de nature uniquement technique.

Le plus ancien document connu émanant d'un artiste est l'inscription funéraire d'un sculpteur égyptien du XXIe s. avant notre ère : Iritsen (c'est son nom) s'y montre fier de son habileté dans le travail des matériaux les plus divers mais aussi de sa connaissance des secrets religieux qui lui permettent de fabriquer des effigies en conformité avec les règles sacrées.

Une partie des efforts déployés dans les civilisations anciennes pour produire des objets de grande qualité artistique est ainsi liée au souci de les rendre dignes d'un usage religieux ou funéraire. Ce qui n'exclut pas la recherche de l'ornementation et de la beauté profane.

◆ **Cuiller à onguent égyptienne** (v. 1400 av. J.-C.). L'objet est en forme de nageuse tendant les bras pour saisir un canard. Les meubles et les ustensiles découverts dans les tombes du Nouvel Empire attestent un mode de vie très raffiné. Bois et ivoire, XVIIIe dynastie. (Musée du Louvre, Paris)

◆ **Monnaie d'or du roi Crésus** (v. 550 av. J.-C.). C'est sans doute au début du VIIe s. qu'apparurent les premières monnaies, en Lydie (Asie Mineure). La monnaie de Crésus, la créséide, était ornée d'un lion et d'un taureau se faisant face.

◆ **Figurine de cerf en bois** (VIe-IIe s. av. J.-C.) provenant de Pazyryk, dans l'Altaï L'art des steppes est celui des nomades d'origine indo-européenne qui, à l'âge du bronze (du IIIe millénaire au début du notre ère), ont occupé les plaines de la Roumanie à la Mongolie actuelles et dont les plus connus sont les Scythes décrits par les historiens classiques. Ces éleveurs nomades sont d'exceptionnels artistes animaliers.

◆ **Vase rituel chinois** (XVIe-XVe s. av. J.-C.). Les vases de ce type sont parmi les plus anciens bronzes chinois. Leur forme est dite *jue*. Ils servaient à chauffer les liquides lors de cérémonies. Extrêmement stylisé, le décor évoque un monstre aux yeux globuleux. Dynastie Shang, phase de Zhengzhou.

◆ **Cruche à décor géométrique cypriote** (VIIe s. av. J.-C.). Chypre connut aux VIIe et VIe s. av. J.-C. un important essor économique. Les artisans cypriotes réalisèrent de nombreuses céramiques à motifs géométriques ou floraux qui furent largement diffusées dans le monde méditerranéen. (Musée de Nicosie)

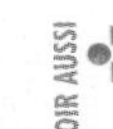
Voir aussi
Illustrations
• **Masque en verre** p. 261

◆ **Élan au galop** (Ve s. av. J.-C.), fragment d'une selle provenant de Pazyryk, dans l'Altaï. Ce revêtement de selle, trouvé dans le sud de la Sibérie, est une broderie d'application (ou appliqué) : les formes sont obtenues par découpe et couture de morceaux de feutre (ou de tissu) sur un fond. C'est la plus ancienne selle et la plus ancienne broderie d'application connues. (Musée de l'Ermitage, Saint-Pétersbourg)

◆ **Sarcophage étrusque de Cerveteri** (v. 520 av. J.-C.). L'art funéraire étrusque est particulièrement riche. Les époux sont représentés le buste dressé, dans une attitude de banquet. Leur posture sereine traduit leur confiance en une immortalité bienheureuse. (Villa Giulia, Rome)

◆ **Douris, *Éos et Memnon*** (v. 490 av. J.-C.). Célèbre dessinateur de vases attiques à figures rouges, Douris compte parmi les derniers artistes du style dit « sévère ». Peintre de la transition vers l'âge classique, il privilégie la noblesse de la composition et l'élégance de la ligne. (Musée du Louvre, Paris)

Le Moyen Âge

Les artistes-artisans du Moyen Âge européen pratiquent les techniques de l'Antiquité, mais ils en développent plusieurs autres. S'il cultive les arts du métal (armes et armures d'apparat) et du bois (coffres, chaires, buffets ou dressoirs), le Moyen Âge est l'époque du livre, de la tapisserie et du vitrail.

Dès le début de notre ère, le livre a adopté la forme du *codex* en feuilles pliées et reliées, comme dans nos livres actuels, au lieu du rouleau (*volumen*) de papyrus. Le support est le parchemin (peau de mouton) ou, à partir du XIIIe s., pour les ouvrages de luxe, le vélin (peau de veau, très fine). Les textes sont calligraphiés dans les ateliers des monastères, avec de nombreux raffinements qui visent à faciliter la lecture (lettres ornées au début des chapitres, titres en rouge ou « rubriques »). Des illustrations peintes ou « miniatures » viennent rehausser le prestige des plus luxueux.

La tapisserie, dont les motifs sont créés par le tissage lui-même, existe en Europe au moins depuis le XIIe s. mais les œuvres conservées ne remontent qu'au XIVe s. Elle couvrait les meubles, les portes et les murs, pour protéger du froid.

Les vitraux, qui garnissent surtout les baies des églises et dont les plus anciens connus remontent au IXe s., relèvent à la fois de l'art du verrier et de celui du peintre.

◆ **Revêtement carrelé de l'Alhambra de Grenade** (XIIIe-XIVe s.).
L'édifice fut construit pour les derniers souverains arabes d'Espagne. L'intérieur du palais est lambrissé de carreaux de céramique qui composent des mosaïques multicolores à l'ordonnancement géométrique.

◆ ***L'Assassinat et la mise au tombeau de saint Thomas Becket*** (XIIe s.), émail champlevé décorant une châsse de Limoges. Limoges fut un foyer important de développement des émaux, dont la technique fut sans doute importée de Byzance. Les figures se détachent sur un fond creusé dans la plaque de métal et garni d'émail bleu. (Musée du Louvre, Paris)

◆ **Vitrail de l'Ascension** (v. 1145) de la cathédrale du Mans (Sarthe).

◆ ***Le Christ trônant,* miniature extraite du « Livre de Kells »** (v. 800).
C'est l'un des plus célèbres manuscrits enluminés irlandais : le texte est celui des Évangiles; l'ornementation, qui allie entrelacs et figures géométriques, s'inspire des motifs de l'orfèvrerie celte. Les personnages se fondent dans ce décor aux coloris éclatants. (Trinity College, Dublin)

◆ **Nicolas Bataille** (1330/1340 - v. 1405), ***Dieu en majesté et les vingt-quatre vieillards*** (v. 1380). C'est l'une des scènes de la tenture de *l'Apocalypse de saint Jean,* vaste ensemble de tapisseries exécutées pour Louis d'Anjou par ce lissier parisien, sur des cartons de Jean de Bruges. (Château d'Angers)

◆ ***Saint Jean,* miniature extraite de l'« Évangéliaire d'Ebbon »** (premier tiers du IXe s.). C'est l'une des miniatures en pleine page de ce manuscrit carolingien aux peintures d'une étonnante virtuosité. Exécuté pour l'archevêque de Reims à l'abbaye de Hautvillers, le livre est conservé à la bibliothèque d'Épernay.

◆ **Tenture de la reine Mathilde, dite « tapisserie de Bayeux »** (XIe s.).
Il s'agit en fait d'une broderie, exécutée sur une toile de plus de 70 m de long. Elle retrace notamment la bataille de Hastings, qui vit la victoire de Guillaume le Conquérant sur Harold II et la conquête de l'Angleterre par les Normands en 1066. (Musée de Bayeux)

◆ **Livre d'heures** (fin du XVe s.) en latin et en français peint par un élève de Robinet Testard. La fin de la période gothique voit apparaître de nombreux livres peints, dont la finesse d'exécution témoigne des acquis de la peinture italienne. (Médiathèque F. Mitterrand, Poitiers)

◆ ***La Dame à la Licorne*** (entre 1484 et 1500). ***La Vue,*** détail de cet ensemble. Les six panneaux, décorés de motifs floraux (c'est le style « mille-fleurs »), composent une allégorie des cinq sens – le dernier étant consacré « à mon seul désir », pour signifier la maîtrise des sens. (Musée du Moyen Âge-Thermes de Cluny, Paris)

VOIR AUSSI
• **Art occidental au Moyen Âge** p. 1064 à 1070
Illustrations
• **Vitraux** p. 1068

L'architecture romane

Les édifices de la foi

L'architecture romane s'est développée du Xe au XIIe s. C'est le premier style original en Europe occidentale depuis l'Antiquité, à laquelle il est relié par les réalisations du haut Moyen Âge comme Saint-Vital (VIe s.) et les autres monuments de la Ravenne byzantine, le baptistère mérovingien de Poitiers (VIe-VIIe s.) ou la chapelle du palais de Charlemagne à Aix-la-Chapelle (fin du VIIIe s.).

L'art roman est marqué par l'influence de l'Église et des ordres monastiques (Cluny, puis Cîteaux). Les églises adoptent le plan basilical : une nef terminée par une abside et flanquée ou non de bas-côtés. Mais la principale nouveauté est l'usage de la voûte, qui remplace le plafond. À partir des années 1060, l'importance du pèlerinage de Compostelle conduit à bâtir, le long des itinéraires, des églises de grande capacité, avec un portail sculpté, un transept, un chœur avec déambulatoire.

La France montre sa créativité et sa diversité régionale, en Normandie (Caen; Jumièges), en Champagne (Saint-Remy de Reims), en Bourgogne (Vézelay; Autun; Cluny, dont l'abbatiale restera le plus vaste édifice de la chrétienté jusqu'à l'érection de Saint-Pierre de Rome), dans le Poitou (Saint-Savin-sur-Gartempe; Notre-Dame-la-Grande à Poitiers), dans le Massif central (Sainte-Foy de Conques), dans le Sud-Ouest (Saint-Pierre de Moissac; Saint-Sernin de Toulouse).

L'Espagne de la Reconquête connaît une floraison parallèle (Compostelle; León, etc.), tandis que l'Angleterre d'après la conquête de 1066 développe les caractères de l'école normande (cathédrale de Durham, avec voûtes sur croisées d'ogives, 1090-1140). L'Allemagne prolonge ses propres traditions (nouveau transept et chœur de Spire), de même que l'Italie, où le souvenir des basiliques paléochrétiennes (cathédrale de Pise, à nef principale plafonnée) est en concurrence avec les influences byzantines.

L'architecture française cistercienne s'oppose à celle de Cluny par son exigence d'austérité (Fontenay, en Bourgogne; Le Thoronet, en Provence) et commence à essaimer dans divers pays d'Europe.

◆ **La cathédrale de Pise** (entreprise en 1063), en Toscane. On distingue le campanile (la célèbre « tour penchée ») et, à gauche, une partie du baptistère. Cet ensemble, avec son décor d'arcatures typiquement pisan, ne sera achevé qu'au XIVe s.

◆ **Ste-Gertrude de Nivelles** (v. 1000-1050), dans le Brabant, en Belgique. Cette ancienne abbatiale est le chef-d'œuvre de l'architecture mosane. Le massif (c'est-à-dire l'ouvrage épaulant l'édifice) occidental, avec sa tourelle, à gauche, fut reconstruit au XIIe s. La crypte recèle des vestiges mérovingiens et carolingiens.

◆ **Crypte de la cathédrale de Spire** (v. 1030-1040), en Rhénanie. L'édifice est le plus grandiose de l'art roman germanique.

◆ **L'ancien hôtel de ville de Sai Antonin-Noble-Val** (XIIe s.), dans le Tarn- Garonne. Sans doute le plus ancien bâtiment c de Fran

◆ **Clairvaux, le cellier du réfectoire des convers** (v. 1134-1150). Saint Bernard fut le premier abbé de cette abbaye cistercienne dont l'architecture austère était à l'image de la discipline qui y régnait.

◆ **Le cloître de l'abbatiale de St-Pierre** Moissac (fin du XIe s.), dans le Tarn-et-Garonne. C'est l'un des plus anciens cloîtres à chapiteaux historiés inspirés des travaux des ivoiriers et des enlumineurs.

◆ **Vézelay, la nef de la basilique Ste-Madeleine** (1120-1140), dans l'Yonne. L'église est exemplaire de l'art roman bourguignon. La nef centrale est couverte d'une voûte en berceau, que renforcent et rythment les arcs doubleaux. Elle conduit à un chœur de style gothique.

◆ **Notre-Dame-la-Grande** (milieu du XIIe s.), à Poitiers, dans la Vienne. Sur la façade occidentale, la prolifération du décor sculpté, tant figuratif et narratif qu'ornemental, est une caractéristique de l'art roman poitevin et saintongeais.

◆ **St-Étienne de Nevers** (v. 1070-1100), dans la Nièvre. Structure d'une église prieurale marquée par l'influence des pays de Loire et de la Bourgogne.

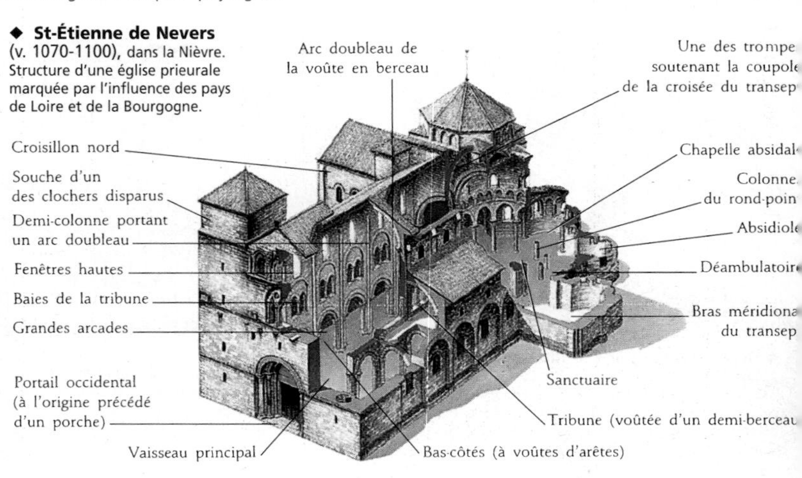

La sculpture et la peinture romanes

Images-symboles

Ornemental ou figuratif, parfois d'une exubérance fantastique qu'on attribue à des influences orientales, le décor roman sculpté brille surtout en France (Aquitaine : Toulouse, Moissac, Souillac; Bourgogne : Cluny, Autun, Vézelay; Provence : Saint-Gilles-du-Gard, marqué par la tradition antique; etc.). La peinture murale est très répandue en Italie (Sant'Angelo in Formis; Civate, prov. de Côme, fin du XIe s. ; S. Clemente de Rome, v. 1100), en France (Tavant, près de Chinon ; Nohant-Vic dans le Berry ; Saint-Savin en Poitou), en Catalogne (Tahull), tandis que l'enluminure de manuscrits est pratiquée dans de nombreux monastères. Des portes d'église en bronze sont fondues en Italie et en Allemagne, cependant que la région mosane (entre Rhin et Escaut) produit des objets liturgiques en laiton ainsi que de magnifiques pièces d'émaillerie et d'orfèvrerie.

◆ **Pilate et le Christ** (v. 1080), fresque de Sant'Angelo in Formis, dans le sud de l'Italie. Une des scènes du vaste ensemble de peintures murales marquées par les influences lombarde, carolingienne et byzantine.

◆ **La collégiale San Isidoro de León** (XIe s.), en Espagne. Les peintures du porche royal (XIIe s.) sont un exemple de peinture murale romane particulièrement chatoyant.

◆ **Cavalier** (début du XIIe s.), **baptistère de Poitiers.** Le style de cette peinture murale est proche de celui que l'on retrouve à Saint-Savin-sur-Gartempe. (Copie du musée des Monuments français)

◆ **Otton II reçoit l'hommage des nations** (Xe s.), miniature extraite des *Évangiles* de l'empereur Otton . L'influence de l'art carolingien est encore visible dans cette effigie due au Maître du *Registrum Gregorii.* (Musée Condé, Chantilly)

◆ **Vézelay, basilique Sainte-Madeleine** (apr. 1120). Portail entre narthex et nef. Au tympan, le Christ et les apôtres.

◆ **Vierge en majesté entourée des Rois mages** (v. 1123). Peinture du cul-de-four de l'abside de S. María de Tahull, transportée au musée d'Art de Catalogne, à Barcelone.

◆ **Le prophète Isaïe** (v. 1130-1140), abbatiale Ste-Marie de Souillac, dans le Lot.

◆ **Gislebertus, l'Ève d'Autun** (v. 1130), détail du linteau du portail nord de la cathédrale Saint-Lazare d'Autun. Ève allongée, glissant entre les feuillages à la manière d'un serpent tient d'une main le fruit défendu et implore de l'autre. C'est l'un des premiers nus de la sculpture romane. (Musée Rolin)

◆ **Tau pastoral** (seconde moitié du XIIe s.). Sommet de bâton d'évêque ou d'abbé, en ivoire, avec Vierge à l'Enfant, hommes combattant des monstres et enroulements végétaux typiques du décor roman, Angleterre ou France. (Victoria and Albert Museum, Londres)

L'architecture gothique

Un élan vers le ciel

Après la réussite du déambulatoire de Saint-Denis dans l'emploi des voûtes sur croisée d'ogives, les cathédrales de Noyon, Laon, Paris définissent le type complexe du gothique primitif; Chartres, prototype harmonieux du gothique classique, systématise l'emploi des arcs-boutants chargés de canaliser la poussée des voûtes; le style rayonnant (cathédrale d'Amiens ; Sainte-Chapelle de Paris) se caractérise par l'unité spatiale et par le développement des vitrages, fenêtres et roses aux réseaux décoratifs. L'Angleterre connaît ses propres phases de gothique primitif (Salisbury), décoré (Exeter), puis perpendiculaire, caractérisé par l'importance des lignes verticales, que recoupent les horizontales (Gloucester). L'Italie, malgré plusieurs fondations cisterciennes, est peu sensible à ce nouvel art de bâtir et à son élan vertical. Il est vrai que, compte tenu de la forte luminosité, elle ne tient guère à évider les murs et à installer des vitraux; elle reste fidèle à la peinture murale (Assise...). Mais l'architecture civile, brillante, emprunte au gothique (Sienne ; Venise...). Du gothique relèvent également pleinement les hôtels de ville des Pays-Bas du Sud (Bruxelles). L'Allemagne développe en particulier le type de l'église-halle (chœur de Saint-Laurent de Nuremberg...) et cultive dès la fin du XIVe s. le foisonnement décoratif du style flamboyant, également pratiqué en France (palais de justice de Rouen...). La péninsule Ibérique et la Scandinavie accueillent également le style gothique. Celui-ci s'impose un peu partout aux châteaux forts (Coucy), puis aux châteaux de plaisance.

◆ **La cathédrale de Laon** (v. 1160-début du XIIIe s.), dans l'Aisne. Six tours étaient prévues (dont deux à chaque croisillon), outre la tour-lanterne. L'élévation intérieure à quatre niveaux (dont un étage de tribunes) était usuelle dans le premier art gothique.

◆ **La cathédrale de Chartres** (reconstruite de 1194 à env. 1220-1230), dans l'Eure-et-Loir. *Ci-dessous,* vue générale. Les tours de la façade occidentale (partie ancienne de l'édifice, comprenant le « portail royal ») ont été terminées l'une à la fin du XIIe s., l'autre au début du XVIe s. *Ci-contre,* élévation intérieure à trois niveaux : grandes arcades, galerie ajourée au-dessus du bas-côté (triforium), fenêtres hautes.

◆ **La cathédrale de Salisbury** (1220-1265), dans le Wiltshire, Grande-Bretagne. Double transept, chapelle de la Vierge au chevet, haute tour centrale du XIVe s.

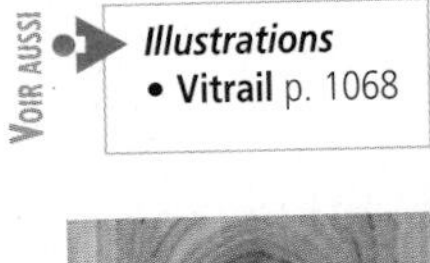

VOIR AUSSI *Illustrations* • **Vitrail** p. 1068

◆ **L'abbatiale d'Alcobaça** (XIIIe s.), au Portugal. L'austérité cistercienne subsiste dans cet édifice gothique.

◆ **Le chœur de la basilique de Saint-Denis** (1140 à 1144). En ce déambulatoire voûté d'ogives, le style gothique se manifeste pour la première fois dans sa légèreté et sa luminosité.

◆ **La cathédrale de Reims** (XIIIe s.), dans la Marne. L'ouvrage est de style rayonnant. La sculpture du portail central est consacrée à la Vierge. Au dernier étage règne une « galerie des rois ». Les tours ont été achevées au XVe s.

◆ **La cathédrale d'Amiens** (v. 1220-1270), dans la Somme. L'édifice est exemplaire du gothique rayonnant : chœur et partie orientale du vaisseau central. Voûtes hautes de 42 m.

Originalité du gothique

L'architecture des cathédrales se caractérise essentiellement par une volonté symbolique. La voûte de l'église s'identifie à la voûte céleste. L'édifice tend vers le ciel et se laisse inonder de lumière. Pour cela, il faut qu'il s'allège et que les murs cessent d'être porteurs, laissant place aux vitraux. L'accent est donc mis sur les structures (piliers, arcs, nervures, arcs-boutants), dont on découvre la capacité à répartir les forces beaucoup plus efficacement que ne le fait la construction romane. Des dispositifs comme la voûte sur croisée d'ogives ou l'arc brisé font partie des moyens mis en œuvre par les nouveaux bâtisseurs, mais ils ne sont pas par eux-mêmes caractéristiques du gothique (ils apparaissent aussi dans l'art roman). L'abbé Suger (1081-1151) qui, en tant que commanditaire des travaux de Saint-Denis, est à l'origine du nouveau style, écrit qu'en ce lieu la gloire du Christ allie indissociablement « le matériel et l'immatériel, l'humain et le divin ».

◆ La basilique S. Francesco (XIIIe s.), à Assise, Italie, vue de l'Église supérieure. Les fresques sont attribuées à Giotto. La basilique a été endommagée lors d'un tremblement de terre en 1997.

◆ La Ca'd'Oro (« maison dorée »), sur le Grand Canal (v. 1420-1440), à Venise. Un riche exemple de palais gothique vénitien, qui a fait l'objet de restauration.

◆ La Piazza del Campo de Sienne (XIIIe-XIVe s.), en Toscane. On distingue le Palazzo pubblico, construit entre 1297 et 1310, et la tour « del Mangia ». La ville, qui se développe de façon très organique autour de la place publique, est typique des cités-États italiennes établies sur des pitons rocheux.

◆ La cathédrale d'Albi (commencée à la fin du XIIIe s.), dans le Tarn. Elle est aractéristique du gothique français méridional, avec son vaisseau unique bordé de chapelles entre contreforts.

◆ La cathédrale de Gloucester (seconde moitié du XIVe s.), en Grande-Bretagne. Une des galeries du grand cloître, couverte d'un type nouveau de voûtes, dites « en éventail » ou « en cor de chasse ».

◆ Le chœur de l'église St-Laurent de Nuremberg (XVe s.), en Bavière. Le chœur fut construit selon le principe de l'église-halle (espace central largement ouvert sur un déambulatoire de même hauteur). Voûtes à réseau de nervures richement décoratif.

◆ La tour-lanterne de la cathédrale de Coutances (XIIIe s.), dans la Manche. Une tour-lanterne couvre la croisée du transept.

◆ La cour du palais de justice de Rouen (première moitié du XVIe s.), en Seine-Maritime. L'édifice est de style gothique flamboyant. Il fut très restauré après 1945.

◆ Le château fort des seigneurs de Coucy (deuxième quart du XIIIe s.), dans l'Aisne. Son formidable donjon avait 55 m de hauteur et 31 m de diamètre. (Reconstitution)

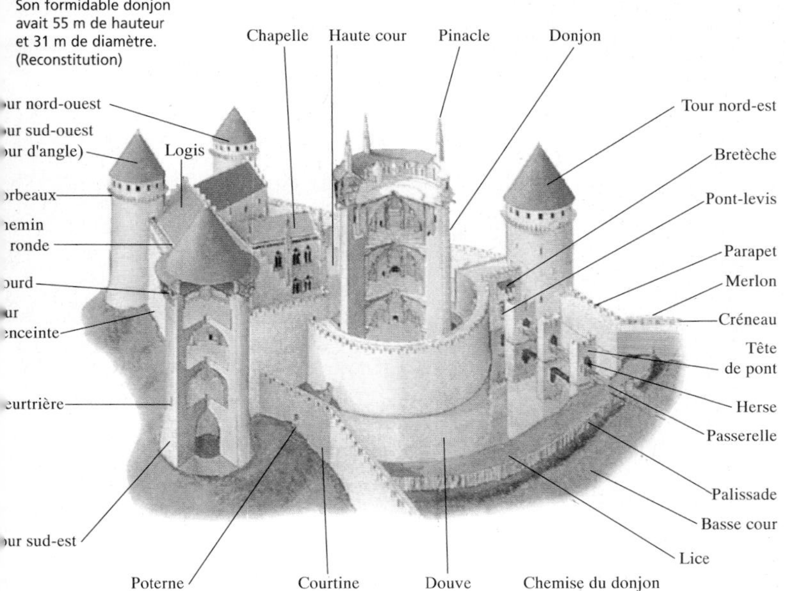

◆ L'hôtel de ville de Bruxelles (première moitié du XVe s.). Le plus ambitieux des édifices communaux du Moyen Âge en Belgique.

La peinture gothique

Un art d'émotion

L'art du vitrail, « peinture transparente », est dominant en France, en Grande-Bretagne, en Allemagne aux XIIIe-XIVe s. et demeure omniprésent aux siècles suivants en même temps que se développe la peinture sur panneau de bois. En Toscane, les conventions hiératiques de la peinture d'influence byzantine sont progressivement battues en brèche par Cimabue (fin du XIIIe s.), Duccio et surtout Giotto, qui établit les bases naturalistes de la figuration « moderne » (étude des volumes, de la perspective, de l'espace sensible). À la fin du XIVe s. apparaît l'art de cour précieux, dit « style gothique international » : combinant des influences françaises (la miniature parisienne) et italiennes, il se développe en Europe centrale, dans le milieu franco-flamand (les frères de Limbourg), en Italie (Pisanello, Gentile da Fabriano...), en Allemagne, en Catalogne. S'y oppose au XVe s. la révolution que constitue l'art de tendance réaliste des peintres des Pays-Bas du Sud, le Maître de Flémalle, Jan Van Eyck, Rogier Van der Weyden, Hugo Van der Goes... L'influence de ces peintres s'exerce, à des degrés divers, sur de nombreux artistes européens, certains d'une puissante originalité (Enguerrand Quarton, Jérôme Bosch, Martin Schongauer, Matthias Grünewald).

◆ **Histoire de Marie-Madeleine** (XIIIe s.). Un des vitraux du bas-côté sud de la cathédrale de Chartres.

◆ **Vierge à l'Enfant** (v. 1290). Partie d'un vitrail provenant de l'église des Dominicains de Fribourg-en-Brisgau. (Musée diocésain de Fribourg)

Le vitrail

Le vitrail est à la fois une « peinture » avec du verre et une peinture sur verre. Sur des morceaux de verre teints dans la masse et assemblés par des plombs, la couleur ou la grisaille peintes suggèrent le modelé et indiquent les détails. Si l'art du vitrail était connu dès l'Antiquité (les vitraux de Sainte-Sophie de Constantinople étaient célèbres), ce sont les grandes verrières gothiques qui lui ont donné tout son éclat. Chartres, qui fut et reste un important foyer d'art verrier, est la seule cathédrale à avoir conservé l'ensemble de ses vitraux.

◆ **Giotto** (1266-1337), ***le Baiser de Judas*** (v. 1303-1305). C'est une des fresques de la chapelle des Scrovegni dans le jardin de l'« Arena », à Padoue. L'artiste rompt avec la tradition byzantine : la plasticité des figures accuse l'intensité des situations, l'espace à trois dimensions commence à s'affirmer, la palette s'enrichit.

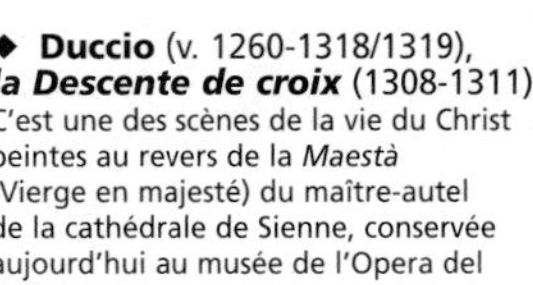

VOIR AUSSI
Illustrations
• **Giotto** p. 501-502

◆ **Duccio** (v. 1260-1318/1319), ***la Descente de croix*** (1308-1311). C'est une des scènes de la vie du Christ peintes au revers de la *Maestà* (Vierge en majesté) du maître-autel de la cathédrale de Sienne, conservée aujourd'hui au musée de l'Opera del Duomo.

◆ **Maître de Flémalle, *Triptyque de l'Annonciation*** (v. 1425). Le Maître de Flémalle est souvent identifié au Tournaisien Robert Campin (av. 1380-1444). L'Annonciation est située dans un intérieur bourgeois minutieusement décrit. Saint Joseph (volet droit) est dans son échoppe de menuisier, ouvrant sur la place : l'expression d'un réalisme nouveau. (Musée des Cloîtres, New York)

◆ **Pol, Herman et Jean de Limbourg** (début du XVe s.), ***Juin*** (v. 1415). Un des mois du calendrier *Les Très Riches Heures du duc de Berry.* (Musée Condé, Chantilly)

◆ **Ambrogio Lorenzetti** (documenté à Sienne de 1319 à 1347), ***Effets du Bon Gouvernement*** (1337-1339), détail de l'une des fresques réalisées pour le Palazzo pubblico de Sienne. Avec son frère Pietro (v. 1280-1348 ?), également peintre, Ambrogio introduisit dans la tradition siennoise la leçon de Giotto. Ses allégories renseignent à la fois sur la vie quotidienne et sur la pensée de l'époque.

◆ **Konrad Witz** (v. 1400/1410-v. 1445), ***la Pêche miraculeuse*** (1444).
Volet d'un retable peint pour la cathédrale de Genève. C'est le premier paysage véridique (bords du lac Léman) de la peinture occidentale. (Musée d'Art et d'Histoire, Genève)

◆ **Attribué à Enguerrand Quarton** (v. 1410-1466 ?), ***la Pietà de Villeneuve-lès-Avignon*** (v. 1455). Si l'influence de l'art flamand (notamment de Van der Weyden) est encore visible, la composition doit surtout à l'art italien. (Musée du Louvre, Paris)

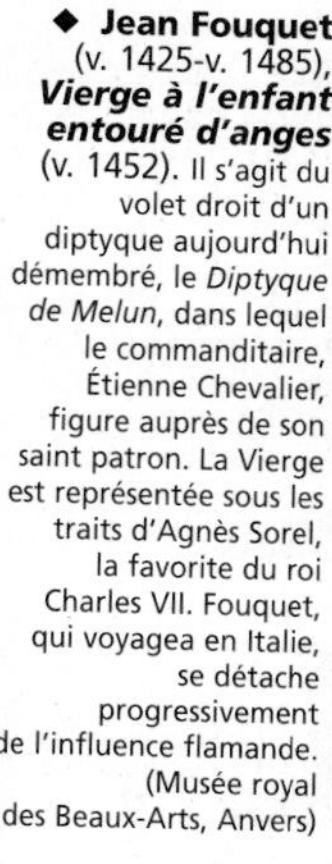

◆ **Jean Fouquet** (v. 1425-v. 1485), ***Vierge à l'enfant entouré d'anges*** (v. 1452). Il s'agit du volet droit d'un diptyque aujourd'hui démembré, le *Diptyque de Melun*, dans lequel le commanditaire, Étienne Chevalier, figure auprès de son saint patron. La Vierge est représentée sous les traits d'Agnès Sorel, la favorite du roi Charles VII. Fouquet, qui voyagea en Italie, se détache progressivement de l'influence flamande. (Musée royal des Beaux-Arts, Anvers)

◆ **Matthias Grünewald** (v. 1475-1528), ***Concert des anges*** et ***Nativité*** (v. 1511-1516). Deux panneaux du grand polyptyque exécuté pour le couvent d'Issenheim, en Alsace. L'expressionnisme de l'art gothique. D'autres panneaux du polyptyque montrent déjà des tendances Renaissance. (Musée d'Unterlinden, Colmar)

◆ **Jérôme Bosch** (v. 1450-1516), un détail de l'*Enfer* (v. 1500-1505 ?). Volet de droite du *Jardin des délices*, chef-d'œuvre de l'art fantastique médiéval, nourri d'occultisme et de symbolisme. (Musée du Prado, Madrid)

VOIR AUSSI
• Architecture gothique
p. 1066

◆ **Pisanello** (av. 1395-v. 1455), ***Saint Georges et la princesse de Trébizonde*** (v. 1435). Fresque de l'église S. Anastasia de Vérone. L'ultime floraison gothique en Italie.

L'œil de Van Eyck

Dans la première moitié du XVe s., Jan Van Eyck apparaît comme le premier peintre moderne du Nord. Esthétiquement, il apporte un réalisme visuel d'une acuité sans précédent. Dans son chef-d'œuvre, le polyptyque de l'*Agneau mystique* (1432, cathédrale St-Bavon, Gand), on le voit attentif aussi bien aux fleurs des prés, peintes à la loupe, qu'au corps humain (son Adam et son Ève sont les premiers nus monumentaux de l'art flamand, réalistes jusqu'au poil abdominal). Significatif de cet « œil du peintre » est le miroir rond d'*Arnolfini et sa femme*, où l'on distingue le reflet de l'artiste, qui affirme dans une inscription : « Jan Van Eyck fut là ».
Techniquement, il est, sinon l'inventeur, du moins le premier grand maître de la technique à l'huile, dont il tire des effets de transparence qui concourent à son réalisme.

◆ **Jan Van Eyck** (v. 1390-1441), ***Arnolfini et sa femme*** (1434). (National Gallery, Londres)

La sculpture gothique

Le réel et la grâce

Les façades restent le lieu privilégié de la sculpture monumentale jusqu'à la fin du XIIIe s. Vers 1170-1185, à Saint-Denis ou à Senlis, se manifeste un naturalisme encore très idéalisé qui évoluera au XIIIe s. vers plus de souplesse, d'élégance (cathédrales de Chartres, Paris, Amiens, Reims...), voire d'expression réaliste (dans l'Empire : Bamberg, Strasbourg, Naumburg). Statues isolées, Vierges au hanchement gracieux, aux beaux drapés, gisants qui tendent au portrait se multiplient à partir du XIVe s. La puissance de Claus Sluter, dans le milieu bourguignon, transforme l'art du XVe s., où apparaissent des thèmes douloureux comme celui de la Mise au tombeau ; la vogue des retables sculptés se développe en Europe centrale, dans les Flandres, en Espagne.

◆ **Annonciation et Visitation, cathédrale de Reims** (XIIIe s.).
Statues de l'ébrasement du portail central. Trois ateliers différents sont ici représentés : l'Ange souriant (à gauche) est spécifique d'un atelier proprement rémois ; la Vierge de l'Annonciation rappelle, dans sa noble simplicité, la statuaire de la cathédrale d'Amiens ; enfin, le groupe de la Visitation (à droite) est l'œuvre d'un maître original, connaisseur de la sculpture antique.

◆ **Nicola Pisano** (v. 1220-v. 1283), **chaire de la cathédrale de Sienne** (1265-1268).
Nicola fut assisté par son fils Giovanni et par Arnolfo di Cambio.

Petit lexique

retable : dans une église, construction portant un décor peint ou sculpté, placée verticalement sur un autel.

◆ **Résurrection et Couronnement de la Vierge, N.-D. de Paris** (v. 1220).
Ces hauts-reliefs forment la partie supérieure du tympan du portail de la Vierge.

◆ **Claus Sluter** (v.1340/1350-1405/1406), ***le Puits de Moïse,*** à la chartreuse de Champmol (1395-1404), à Dijon. Statues en marbre polychromé de Daniel, Isaïe et Moïse.

Vers une sculpture Renaissance

En 1400-1401, un concours est ouvert à Florence pour créer les nouvelles portes du Baptistère, côté est, regardant la cathédrale. Il est remporté par le jeune Lorenzo Ghiberti, face à Brunelleschi, le futur architecte. Sur le thème imposé du *Sacrifice d'Isaac*, son médaillon de bronze est un chef-d'œuvre de délicatesse. On y retrouve des éléments du style « gothique international », mais déjà le corps adolescent d'Isaac montre un modelé qui rappelle l'art grec. À l'aube du Quattrocento, l'esprit de la Renaissance commence à se faire sentir dans la sculpture.

◆ **Lorenzo Ghiberti** (1378-1455), ***le Sacrifice d'Isaac.***

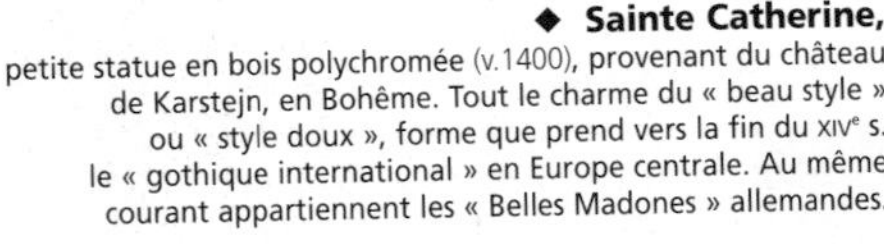

◆ **Sainte Catherine,**
petite statue en bois polychromée (v.1400), provenant du château de Karstejn, en Bohême. Tout le charme du « beau style » ou « style doux », forme que prend vers la fin du XIVe s. le « gothique international » en Europe centrale. Au même courant appartiennent les « Belles Madones » allemandes.

◆ **Niccollo dell'Arca** (v. 1440-1494), ***Pietà*** (v. 1485), Santa Maria della Vita, Bologne. Un groupe en terre cuite polychrome d'une extraordinaire force expressive.

La sculpture de la Renaissance

L'humanisme et les formes

Fondé en partie sur une redécouverte du grand art de l'Antiquité, sur une étude raisonnée de ses œuvres et, plus généralement, sur une effervescence intellectuelle qui remet en cause toutes les vieilles certitudes, le mouvement de la Renaissance naît au début du XVe s. à Florence : la métropole toscane conjugue puissance économique et financière, pouvoir politique fort, mécénat (les Médicis) et présence de créateurs hors pair. En sculpture se détachent Donatello, Ghiberti, Luca Della Robbia, Antonio del Pollaiolo, Verrocchio, sans parler de nombreux artistes de moindre puissance, mais d'un grand raffinement (tels les frères Rossellino : Bernardo, également architecte, et Antonio). Le génie de Michel-Ange domine le XVIe s. Il engendre chez un Cellini ou un Giambologna cet art fait de grandeur et de mouvement qu'on appelle le maniérisme et qui anime largement l'esprit de la Renaissance diffusée en Europe au XVIe s.

VOIR AUSSI • **Maniérisme** p. 1076

◆ **Andrea del Verrocchio** (1435-1488), ***le Colleone,*** à Venise (1479, fondue v. 1495). Cette figure équestre du condottiere Bartolomeo Colleoni exprime toute l'énergie de la Renaissance, en un équilibre de tensions opposées.

◆ **Antonio del Pollaiolo** (v. 1432-1498), ***Hercule et Antée*** (v. 1475-1480). Statuette en bronze. (Musée du Bargello, Florence)

◆ **Donatello, *le Festin d'Hérode*** (v. 1427). L'étrange composition, avec son vide central, accentue le pathétique de la scène. La rudesse, l'âpreté des personnages se situent à l'opposé de l'élégance du style gothique international. Enfin, le système nouveau de perspective géométrique accuse le caractère de l'œuvre comme «fenêtre» ouverte sur un espace plus vaste. Bas-relief en bronze doré ornant les fonts baptismaux du baptistère de Sienne.

◆ **Jean Goujon** (v. 1510-v. 1566), ***Nymphes*** (1549). Bas-relief ornant la fontaine des Innocents, à Paris.

◆ **Donatello** (Donato di Betto Bardi, 1386-1466), ***le Prophète Habacuc, dit le Zuccone*** (v. 1425-1435). Statue exécutée pour le campanile de la cathédrale de Florence.

◆ **Germain Pilon** (v. 1528-1590), ***le Christ sortant du tombeau*** (v. 1565-1570). Ce marbre était destiné à une chapelle funéraire des Valois, à Saint-Denis. (Musée du Louvre, Paris)

◆ **Luca Della Robbia** (v. 1400-1482), ***Saint Jean*** (v. 1445). Un des médaillons ornant la chapelle des Pazzi, à l'église Santa Croce de Florence. La terre cuite émaillée polychrome, typique de l'atelier des Della Robbia, contraste avec l'architecture rigoureuse de Brunelleschi.

◆ **Jean de Joigny** (1507 ?-1577), ***Mise au tombeau*** (v. 1545-1550). L'œuvre mouvementée et expressive d'un sculpteur français passé par l'Italie avant de se fixer à Valladolid. (Musée national de Sculpture, Valladolid)

L'œuvre sculpté de Michel-Ange

Sculpteur avant tout, même s'il fut aussi architecte, peintre et poète, Michel-Ange tranche sur l'art de la Renaissance classique par sa *terribilità*, l'énergie avec laquelle il communique au marbre les passions de l'âme. Parmi ses chefs-d'œuvre :

- **la *Pietà* de Saint-Pierre de Rome (1498-1499) ;**
- **le *David* symbolisant la république, à Florence (1501-1504) ;**
- **le tombeau de Jules II, commencé en 1505, maintes fois modifié et dont subsistent le monument de l'église Saint-Pierre-aux-Liens à Rome, avec le *Moïse*, et les *Esclaves* (« rebelle» et «mourant ») du Louvre ;**
- **les tombeaux des ducs Médicis, dans la Sacristie nouvelle de San Lorenzo, à Florence (1516-1534) ;**
- **les trois dernières *Pietà*, sculptées pour lui-même : *Pietà* de la cathédrale de Florence (1550-1555), *Pietà de Palestrina* (1550-1555), *Pietà Rondanini* (1555-1564).**

◆ **Michel-Ange** (Michelangelo Buonarroti, 1475-1564), ***Esclave mourant*** (1513-1516). (Musée du Louvre, Paris)

L'architecture de la Renaissance

Un génie antiquisant

Initiateur du renouveau à Florence, Brunelleschi, qui a mesuré à Rome les monuments antiques, élabore une architecture fondée sur le système modulaire, sur la symétrie, sur la légèreté et l'harmonie. Ses successeurs, tel Alberti, s'appuient sur le traité retrouvé de l'architecte romain Vitruve (Ier s. av. J.-C.) et s'inspirent plus étroitement des exemples antiques, notamment dans l'usage des ordres (dorique romain, toscan, ionique, corinthien, composite). Ainsi naît au début du XVIe s. une seconde phase, dite classique, de la Renaissance, avec Bramante à Rome et la dynastie des Sangallo. Raphaël et Michel-Ange contribuent comme architectes et peintres aux entreprises grandioses des papes. Dans l'œuvre de maîtres comme Jules Romain, Peruzzi, Palladio se fait jour ensuite un balancement subtil entre les règles classiques et leur transgression maniériste. Après l'ensemble des cités italiennes, de nombreux pays d'Europe sont touchés par le nouvel esprit (artistes italiens appelés dans les cours de Russie, de France, de Hongrie, de Bohême, de Pologne, d'Allemagne). En France et en Espagne, on observe au XVIe s. deux phases successives : l'une surtout décorative (châteaux de la Loire; style «plateresque» espagnol), la seconde classique ou maniériste (travaux de Fontainebleau, Louvre de Lescot; Escurial).

◆ **Donato Bramante** (1444-1514), **« Tempietto » de S. Pietro in Montorio** (v. 1503), à Rome. L'édifice circulaire (ou à plan centré) a été considéré par tous les architectes de l'époque comme une forme parfaite. Le petit temple de Bramante, par son usage exact d'un ordre antique (le dorique romain), inaugure la phase classique de la Renaissance.

◆ **Michelozzo** (1396-1472), **le palais Médicis** (commencé en 1444), à Florence. S'inspirant de Brunelleschi, l'architecte édifia le prototype des palais de la Renaissance. Les baies du rez-de-chaussée furent transformées au XVIe s.

◆ **Leon Battista Alberti** (1404-1472), **façade de S. Andrea de Mantoue** (1470). Une interprétation de l'arc de triomphe antique.

◆ **Filippo Brunelleschi** (1377-1446), **nef de l'église S. Lorenzo** (1421-v. 1460), à Florence. La parfaite cohésion de l'ensemble, son ordre statique, son articulation d'une grande précision sont dus à l'usage de rapports arithmétiques simples et au génie des proportions de l'artiste. Brunelleschi est aussi l'auteur, à Florence, du portique de l'hôpital des Innocents (1419), de la célèbre coupole de la cathédrale (1420-1436), de la chapelle des Pazzi (1429), de l'église S. Spirito (projet de 1436).

◆ ***Une ville idéale*** (milieu ou seconde moitié du XVe s.). Peinture par un artiste non identifié. (Galerie nationale d'Urbino)

◆ **La chartreuse de Pavie** (XIVe-XVe s.). Détail de la façade, élaborée par divers artistes durant le dernier tiers du XVe s. Son répertoire ornemental inspirera les débuts de la Renaissance française.

Voir aussi
Illustrations
• **Saint-Pierre de Rome** p. 1078
• **Inigo Jones** p.1078

◆ **Antonio da Sangallo le Jeune** (1484-1546), **cour du palais Farnèse** (commencée en 1514), à Rome. Le dernier étage est l'œuvre de Michel-Ange (apr. 1546).

◆ **Jules Romain** (Giulio Pippi, 1499-1546), **le palais du Te** (v. 1525-1535), à Mantoue. L'édifice, dont chacune des façades est différente, est considéré comme l'apogée du maniérisme.

◆ **Jacopo Sansovino** (Jacopo Tatti, 1486-1570), **la Libreria Vecchia di San Marco** (commencée en 1537), à Venise. À gauche, la Zecca (Monnaie), également de Sansovino. Le classicisme de la seconde Renaissance adaptée au goût vénitien.

◆ **Rodrigo Gil de Hontañón** (mort en 1577), **façade de l'université d'Alcalá de Henares** (v. 1545), près de Madrid. Un aboutissement du style plateresque.

◆ **Cornelis Floris de Vriendt** (1514-1575), **hôtel de ville d'Anvers** (1564). L'œuvre majeure de la Renaissance en Flandre.

◆ **Pierre Lescot** (1515-1578), **façade du nouveau palais du Louvre** (commencé en 1546), à Paris.

◆ **Le château de Chambord** (v. 1519-1537), dans le Loir-et-Cher. L'une des grandes entreprises (comme Fontainebleau et le Louvre) du roi François Ier.

◆ **Michel-Ange** (Michelangelo Buonarroti, 1475-1564), **la basilique Saint-Pierre** (1547-1564), à Rome.

Palladio et le palladianisme

Palladio est le grand architecte de la Renaissance en Vénétie. Trois voyages à Rome et l'étude de Vitruve l'imprègnent du classicisme antique. À Vicence, il édifie des palais, ceint d'un portique à étage le Palazzo Della Raggione, conçoit le théâtre Olympique (construit à partir de 1580 par son élève Scamozzi). À Venise, il façonne le débouché de la Giudecca avec les églises de San Giorgio Maggiore (1566-1580) et du Redentore (1577-1580). Il couvre la région d'harmonieuses villas (villa Foscari à Malcontenta, villa Barbaro à Maser). La clarté de ses conceptions et la variété avec laquelle il combine les motifs classiques (colonnes, arcs, frontons) ont assuré au palladianisme une diffusion européenne.

◆ **Palladio** (Andrea di Pietro, 1508-1580), **villa « Rotonda »** (1566), à Vicence. Un plan carré, une salle centrale circulaire sous coupole, quatre portiques symétriques : la limpidité palladienne.

Le chantier de Saint-Pierre de Rome

Basilique pontificale édifiée sur le tombeau présumé du fondateur de l'Église romaine, Saint-Pierre est la principale église de la chrétienté. Vers 1450, l'ancienne basilique de Constantin (IVe s.) est démolie. Ce n'est toutefois que sous Jules II, en 1506, que les travaux de reconstruction commencent, sous la direction de Bramante qui a conçu pour l'église un plan en croix grecque. Raphaël dirige le chantier à partir de 1514, en même temps qu'il travaille au palais du Vatican ; puis c'est Antonio da Sangallo le Jeune (1520). Michel-Ange, à partir de 1546, remodèle et amplifie le projet de Bramante et jette les plans de la coupole, qui doit être la plus haute du monde chrétien (119 m, achevée par Giacomo dDlla Porta en 1590). En 1605, le chantier est repris par Carlo Maderno, qui allonge la nef selon un plan en croix latine et édifie la façade. À l'intérieur, le Bernin édifie en 1624-1633 le baldaquin colossal au-dessus de la «confession de Pierre».
En 1656-1667, il réalise la place Saint-Pierre avec sa quadruple colonnade en ellipse. Le chantier a duré un siècle et demi, passant du pur style Renaissance à celui de la Contre-Réforme puis au baroque.

La peinture de la Renaissance

La première Renaissance

Les premières décennies du XVe s. (en italien, le *Quattrocento*) marquent un renouvellement radical de la vision proposée par les peintres. Le lieu de départ est l'Italie, principalement Florence. Les aspects les plus significatifs en sont l'esprit humaniste et la représentation de l'espace.

L'humanisme est à prendre dans son double aspect, archéologique et philosophique. Dès le siècle précédent, la passion des « humanités » avait poussé les érudits à rechercher les textes oubliés des littératures latine et grecque. La conviction que l'Antiquité a quelque chose d'essentiel à enseigner gagne les artistes du XVe s. Brunelleschi et son ami Donatello se rendent à Rome, vers 1406-1416, pour y étudier les monuments anciens; Alberti fait de même en 1432-1434. L'influence de ces trois hommes sur les peintres sera déterminante. Au-delà des questions de style et de proportion, ce que l'Antiquité païenne révèle aux nouveaux artistes, c'est qu'on peut placer l'homme, et non plus Dieu, au centre de notre vision du monde. La peinture ne se donne plus pour but de figurer des vérités symboliques, mais, même dans les scènes religieuses, elle se montre sensible aux apparences et tend à restituer un monde vu par l'œil humain.

Conséquence de cet état d'esprit, Brunelleschi met au point un système cohérent pour représenter l'espace : c'est la perspective géométrique, qu'il enseigne à Masaccio. L'œuvre de celui-ci représente une rupture telle qu'il faudra des décennies pour qu'elle soit assimilée. Écrit en 1435, le traité d'Alberti *De la peinture* définit désormais le tableau comme une « fenêtre » qui laisse voir le monde.

◆ **Paolo Uccello** (Paolo di Dono, 1397-1475), ***la Chasse nocturne*** (v. 1470). C'est l'une des dernières œuvres du peintre, exécutée sur la partie supérieure d'un coffre ou *cassone* : la forêt devient un réseau de lignes verticales dans lequel l'artiste dévoile toute sa jubilation à expérimenter la perspective. (Ashmolean Museum, Oxford)

◆ **Piero della Francesca** (v. 1416-1492), ***la Découverte de la Vraie Croix*** (v. 1452-1459). Détail de l'une des fresques de la « Légende de la Croix » de l'église San Francesco d'Arezzo (Toscane). Hélène, la mère de l'empereur Constantin, découvre la Croix du Christ, qui a le pouvoir de ressusciter les morts. La perspective et l'étude des formes géométriques sont abordées comme des moyens de comprendre l'univers, dont l'homme est le centre.

◆ **Andrea Mantegna** (1431-1506), oculus de voûte en trompe-l'œil faisant partie du décor à fresque de la « Chambre des époux » (v. 1473) au palais ducal de Mantoue (Lombardie).

◆ **Antonello da Messina** (v. 1430-v. 1479), ***le Christ à la colonne*** (1476-1477). Sensible à la peinture flamande, l'artiste contribua à la diffusion de la peinture à l'huile en Italie. (Musée du Louvre, Paris)

◆ **Sandro Botticelli** (1445-1510), ***le Printemps*** (v. 1478). La redécouverte de la mythologie païenne dans les milieux humanistes de Florence (ici, Mercure, les Grâces, Vénus, Flore...). (Musée des Offices, Florence)

◆ **Masaccio** (Tommaso di ser Giovanni Cassai, 1401-1428), ***le Paiement du tribut*** (1426-1427). C'est l'une des fresques de la chapelle Brancacci, dans l'église Santa Maria del Carmine de Florence. Le rendu de l'espace est obtenu grâce à l'agencement de la perspective, à l'unification du coloris ainsi qu'au modelé des formes par la lumière et l'ombre. Un réalisme expressif tend à individualiser les personnages.

◆ **Fra Angelico** (Guido di Pietro, v. 1400-1455), ***l'Annonciation*** (v. 1430-1432), détail du retable du Prado. Les œuvres de Fra Angelico se caractérisent par la simplification du dessin, la clarté de la composition et l'utilisation de couleurs franches. L'humanisme des formes n'exclut pas leur idéalisation, chez ce moine inspiré. (Musée du Prado, Madrid)

◆ **Giovanni Bellini** (v. 1430-1516), ***le Doge Leonardo Loredan*** (1501). Peintre de la cour vénitienne, Bellini emprunta aux maîtres flamands l'art du portrait et le traitement de la lumière. (National Gallery, Londres)

La Renaissance triomphante

Lorsque, à partir de Jules II, la papauté devient la principale puissance d'Italie, le foyer de la Renaissance se déplace de Florence à Rome. Pendant tout le XVIe s., la cité des papes est un gigantesque chantier dont la partie essentielle se situe au Vatican. L'art s'oriente vers l'expression de la grandeur.

Si, avec Léonard de Vinci, la peinture atteint une perfection sans précédent dans la représentation du visible et même de la vie en ce qu'elle a d'organique, les autres grands maîtres de la Renaissance triomphante instaurent un « grand style » fait d'harmonie et de solennité. Les principaux sont Raphaël, qui, avec son atelier, accomplit de gigantesques travaux de décoration (les Loges et les Chambres du Vatican, outre les cartons dessinés pour la galerie des Tapisseries), et Michel-Ange, qui passe deux fois quatre ans pour orner la chapelle Sixtine (la voûte, puis le *Jugement dernier*).

À Venise, Titien oriente l'art du peintre dans d' autres directions, qui seront celles de la peinture classique.

◆ **Giorgione** (Giorgio da Castelfranco, v. 1477-1510), ***la Tempête*** (v. 1507). On raconte que Giorgione peignait sans dessin préparatoire : les éléments du paysage, disposés sur la toile sans souci perspectiviste, sont plongés dans une lumière diffuse qui adoucit leurs contours. Le thème du tableau (les rapports unissant l'homme à la nature) s'en trouve chargé de mystère et de poésie. (Galerie de l'Académie, Venise)

◆ **Raphaël** (Raffaello Santi ou Sanzio, 1483-1520), ***l'Incendie du Bourg*** (1514). Le pape Léon IV éteint miraculeusement un incendie qui menaçait de dévaster Rome. En décorant les Chambres du Vatican, Raphaël fait preuve d'une extrême limpidité alliant harmonie et mouvement.

◆ **Michel-Ange, *la Création de l'homme*** (v. 1511), voûte de la chapelle Sixtine, Vatican. C'est la plus célèbre des neuf fresques retraçant différents épisodes de la Genèse qui sont disposées sur le plafond de la chapelle. Michel-Ange y figure le retour de l'âme humaine à Dieu. Commandé par le pape Jules II en 1508, le décor fut achevé en 1512.

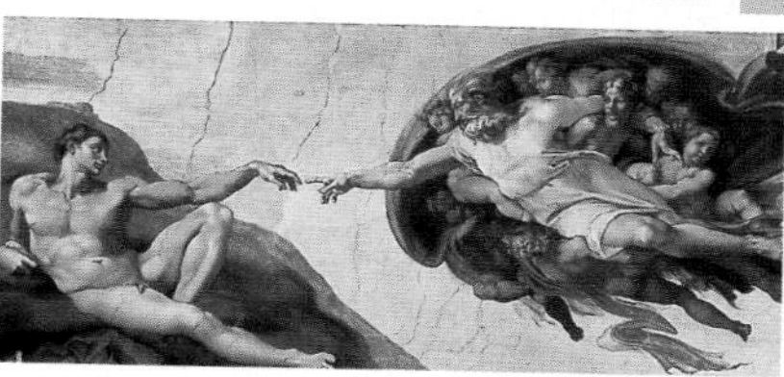

◆ **Le Corrège** (Antonio Allegri, v. 1489-1534), ***Vénus, satyre et Cupidon*** (v. 1525). La mythologie pleine de langueur du maître de Parme. (Musée du Louvre, Paris)

◆ **Le Tintoret** (Iacopo Robusti, 1518-1594), ***la Translation du corps de saint Marc*** (v. 1560). L'épisode religieux est prétexte à une mise en scène où les jeux de lumière et les effets de perspective renforcent l'atmosphère fantasmagorique. (Galerie de l'Académie, Venise)

◆ **Léonard de Vinci** (1452-1519), ***la Vierge et l'Enfant avec sainte Anne et saint Jean-Baptiste*** (v. 1500). Dessin préparatoire. (National Gallery, Londres)

Les œuvres de Léonard

En affirmant que la peinture est « chose mentale » Léonard de Vinci propose une véritable méditation sur la représentation du visible. L'ombre et la lumière, le mouvement, l'atmosphère le préoccupent et il introduit notamment le *sfumato*, technique qui consiste à noyer les contours dans une brume vaporeuse pour lier les personnages au paysage qui les environne.

Parmi les œuvres les plus célèbres : *L'Annonciation* (1473-1475, attribution discutée), musée des Offices, Florence; *la Vierge aux rochers*, deux versions, musée du Louvre, Paris (1483-1485) et British Museum, Londres (1486-1490 puis 1506-1508); *la Dame à l'hermine* (1483-1486), musée Czartoryski, Cracovie; *la Cène* (1495-1498), peinture murale, couvent de Sainte-Marie-des-Grâces, Milan ; *la Joconde* (1503-1507), musée du Louvre; *la Vierge, sainte Anne et l'Enfant Jésus* (1508-1510), musée du Louvre; *Saint Jean-Baptiste* (v. 1513-1516), musée du Louvre.

◆ **Véronèse** (Paolo Caliari, 1528-1588), ***les Noces de Cana*** (1563) (détail). Un épisode évangélique vu comme une immense fête vénitienne. (Musée du Louvre, Paris)

◆ **Titien** (Tiziano Vecellio, 1488/1490-1576), ***la Vénus au joueur d'orgue.***

VOIR AUSSI
• Machine volante de Léonard p. 267
• Chantier de Saint-Pierre p. 1072

Titien ou le peintre

Titien domine la peinture européenne du XVIe s. Pendant soixante ans, à partir de 1516, il est le premier peintre de Venise. Il devient le peintre préféré de Charles Quint, puis de Philippe II. Par l'équilibre de ses compositions, par sa profondeur psychologique, la sensualité de sa couleur et la vie qu'il confère à tout ce qu'il peint, il définit pour plusieurs siècles le classicisme pictural.

Il a abordé tous les genres : scènes bucoliques (*le Concert champêtre*, autrefois attribué à son maître Giorgione, v. 1510), scènes mythologiques (*Bacchanales*, 1518-1519 ; *Flore*), allégories (*l'Amour sacré et l'Amour profane*, v. 1515), peintures religieuses (*la Vierge à l'Enfant*, 1519-1526), portraits (*Charles Quint*, 1532-1535; *François Ier*), nus (*la Vénus d'Urbino*, 1538). Le premier, il a joué de la matière picturale et laissé la touche apparente, notamment dans les tableaux de la fin de sa vie comme *le Supplice de Marsyas* ou la *Pietà* (1573-1576) où il libère, dans toute sa véhémence, son génie de peintre.

La Renaissance européenne et le maniérisme

Le triomphe artistique de la Renaissance et le brassage causé, notamment, par les guerres d'Italie favorisent la diffusion du style italien dans toute l'Europe. Le développement de la gravure de reproduction y contribue. Les artistes du Nord visitent l'Italie (Dürer séjourne à Venise en 1495 puis en 1505-1507). Ils en rapportent des conceptions nouvelles non seulement sur l'art mais sur le statut de l'artiste, qui n'est plus un simple artisan mais un entrepreneur libéral et un homme de culture, signant désormais ses œuvres.

L'expatriation d'artistes italiens en Angleterre, aux Pays-Bas, en Allemagne, joue dans le même sens. François Ier fait venir Léonard de Vinci en France dès 1515. Le Primatice et le Rosso Fiorentino viennent travailler au château de Fontainebleau respectivement à partir de 1531 et de 1533 ; Niccoló dell'Abate à partir de 1552. L'« école de Fontainebleau » naît de cet apport italien. Plus tard, le Greco, né en Crète et donc sujet vénitien, s'installe en Espagne (1577), où il introduit le style maniériste acquis à Venise et à Rome. Car le grand style de la Renaissance a évolué vers ce qu'on a appelé, bien plus tard, le maniérisme. Le terme a reçu de nombreuses définitions. Historiquement, il désigne la grande « manière », faite d'aisance et de raffinement, pratiquée par les émules de Raphaël et de Michel-Ange, l'art de Jules Romain ou du Corrège. Avec le goût de la somptuosité et de la virtuosité, avec la recherche inquiète du mouvement (Lorenzo Lotto), des formes allongées jusqu'à l'irréalisme (le Parmesan, le Tintoret, le Greco), des couleurs inattendues (le Pontormo), ce raffinement a pu être jugé « maniéré » par les tenants d'une esthétique classique. Il vaut mieux y voir l'expression d'un insatiable désir créatif.

◆ **Le Pontormo** (Iacopo Carucci, 1494-1556), ***Déposition de croix*** (v. 1527). Retable du maître-autel de l'église Santa Felicità, à Florence. La complexité de la composition rythmique et l'irréalisme chromatique font de ce grand panneau un chef-d'œuvre.

◆ **Pieter Bruegel l'Ancien** (v. 1525/1530 -1569), ***les Chasseurs dans la neige*** (1565). Saveur et intensité du réalisme quotidien dans un paysage idéalisé. (Kunsthistorisches Museum, Vienne)

◆ **Rosso** (il Rosso Fiorentino, 1494-1540), ***Pietà*** (v. 1530-1535). Le maniérisme italien acclimaté à Fontainebleau. (Musée du Louvre, Paris)

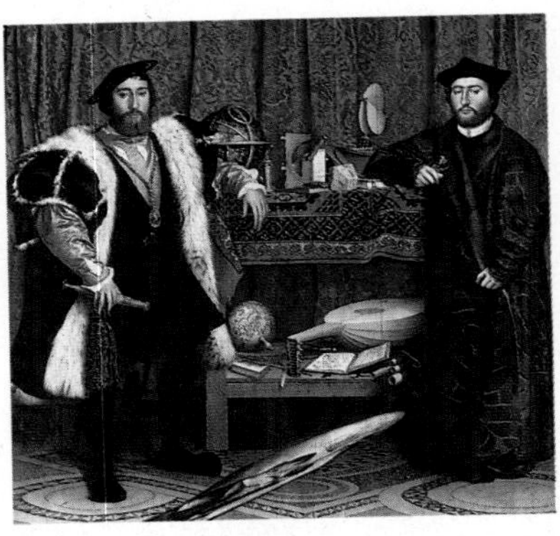

◆ **Hans Holbein le Jeune** (1497/1498-1543), ***les Ambassadeurs*** (1533). Ce double portrait des ambassadeurs français à Londres, Jean de Dinteville et Georges de Selve, est aussi une profession de foi en faveur de la réconciliation entre catholiques et protestants. Le luth à la corde brisée symbolise la rupture de l'harmonie entre chrétiens, mais, devant lui, un recueil d'hymnes luthériens est ouvert sur des pages que revendique aussi bien l'évêque catholique qu'est Georges de Selve, à droite. Au premier plan, anamorphose d'un crâne. (National Gallery, Londres)

◆ **Albrecht Dürer** (1471-1528), ***Autoportrait au chardon*** (1493). C'est le premier des six autoportraits de l'artiste. Dürer tient un chardon, emblème de la fidélité conjugale. (Musée du Louvre, Paris)

◆ **Lucas Cranach l'Ancien** (1472-1533), ***Judith tenant la tête d'Holopherne***. Proche de Luther et des réformateurs, l'artiste voit dans l'héroïne de l'Ancien Testament une championne de la lutte pour la nouvelle doctrine. Son style, qui s'inspire de celui de Dürer, frappe par son érotisme. (Musée Suermondt-Ludwig, Aix-la-Chapelle)

◆ **François Clouet** (v. 1510/1515-1572), ***Portrait d'Élisabeth d'Autriche, femme de Charles IX*** (v. 1571). La peinture de cour connut un vif succès au XVIe s. Succédant à son père Jean, François Clouet réalisa de nombreux portraits dont la facture sévère n'exclut pas la finesse psychologique. (Musée du Louvre, Paris)

◆ **Albrecht Altdorfer** (v. 1480-1538), ***Saint Georges et le dragon*** (1510). Un sens de la nature propre aux peintres allemands de l'« école du Danube ». (Pinacothèque de Munich)

◆ **Le Greco** (Dhomínikos Theotokópoulos, 1541-1614, dit el greco), ***Crucifixion*** (v. 1590-1600). Une pathétique recherche spirituelle se traduit par un allongement et une distorsion des corps, et par des lumières violemment contrastées. (Musée du Prado, Madrid)

L'artisanat d'art de la Renaissance

Un cadre de vie humaniste

L'idéal de civilité et d'humanisme venu d'Italie, qui prévaut à la Renaissance, modifie le cadre de vie. On fait entrer la lumière dans les lieux habités. Conséquence : le décor peint prend de l'importance. Aux pièces sombres de la période gothique, rythmées par les reliefs de la structure, succèdent des salles d'agrément couvertes de fresques allégoriques ou de décors grotesques (composés d'arabesques et de petites figures de fantaisie). Le coffre reçoit une ornementation somptueuse (peinture, incrustations, tissus) qui fait du *cassone* italien un objet d'art précieux (XIVe-XVIe s.). Les buffets ou les armoires à deux corps sont organisés selon une architecture à l'antique, avec frontons et colonnes (à partir du XVe s.). Les tables sont incrustées de magnifiques compositions de pierre ou d'ébénisterie. Les ustensiles de table sont prétexte à des raffinements délicats (verrerie, orfèvrerie), même si la fourchette ne s'impose en France qu'à partir d'Henri III (1574-1589). Les princes cultivés se font installer un cabinet d'étude (*studiolo*, en italien) au décor recherché.

L'art du livre connaît une révolution avec l'invention de la typographie (imprimerie à caractères mobiles). Si la Bible de Gutenberg (premier livre imprimé en Occident, 1455) reste d'aspect très médiéval avec ses caractères gothiques et ses enluminures peintes, très vite les imprimeurs italiens imposent le style moderne avec les caractères « romain » puis « italique ».

VOIR AUSSI • **Techniques artistiques** p. 1113

◆ **Cassone** (début du XVe s.). Les *cassoni* sont des coffres en bois peints ou marquetés. Celui-ci illustre une nouvelle de Boccace, *Saladin et Messire Torello*. (Musée du Bargello, Florence)

◆ **Alde Manuce** (Tebaldo Manuzio, v. 1449-1515), page imprimée du *Songe de Poliphile* (Venise, 1499). L'édition de ce roman allégorique, dont le titre latin est *Hypnerotomachia Poliphili* et dont l'auteur est le moine Francesco Colonna (1433-1527), constitue par sa limpidité et l'élégance de ses gravures un chef-d'œuvre de l'art typographique. Alde Manuce, inventeur du caractère italique (1501), est le fondateur d'une célèbre dynastie d'imprimeurs vénitiens. (Bibliothèque nationale de France, Paris)

◆ **Benvenuto Cellini** (1500-1571), **détail d'une salière de François Ier** (1539-1543). Le raffinement du style maniériste envahit les objets les plus usuels. Les thèmes mythologiques inspirent des œuvres qui éblouissent par leur virtuosité technique. (Kunsthistorisches Museum, Vienne)

◆ **La loggia des Psychés** (v. 1517-1519) à la villa Farnésine (Rome) ; architecture de Baldassare Peruzzi (1481-1536). Raphaël et de nombreux peintres ont créé un des plus célèbres décors « grotesques ».

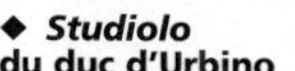

◆ ***Studiolo* du duc d'Urbino** (2e moitié du XVe s.), palais ducal, Urbino. Les parois sont recouvertes de marqueteries en trompe-l'œil représentant des armoires remplies de livres, d'armes, d'instruments de musique.

L'essor de la gravure

Si la gravure sur bois (ou xylographie) a permis dès le XIVe s. l'impression d'une grande quantité d'images, pieuses ou profanes, la gravure sur métal, au burin, est une création de la Renaissance. Elle apparaît vers 1450 dans les ateliers d'orfèvres de Florence. Le dessin obtenu peut être d'une extrême finesse et les œuvres atteignent un haut niveau artistique. Le peintre Antonio del Pollaiolo (v. 1431-1498), qui a une formation d'orfèvre, comme plus tard Dürer, est l'un des premiers à l'utiliser comme moyen d'expression directe. À Colmar, Schongauer grave 115 planches qui servent ensuite de modèles aux graveurs allemands et influencent les Vénitiens. Son rôle charnière est bien exprimé, dans la gravure ici reproduite, par le contraste entre le style gothique des personnages et la perspective de l'architecture. Mais le plus grand graveur de l'époque est Dürer, qui fixe dans le cuivre, avec une technique impeccable, des images d'inspiration complexe.

La Renaissance utilise aussi la gravure comme technique de reproduction : graveur-copiste, Marc-Antoine Raimondi assure une diffusion européenne aux œuvres de Raphaël et au style italien en général.

◆ **Martin Schongauer** (v. 1450-1491), ***la Nativité dans les ruines*** (v. 1470-1475). (Bibliothèque nationale de France, Paris)

◆ **Albrecht Dürer** (1471-1528), ***le Chevalier, la Mort et le Diable*** (1513).

◆ **Marc-Antoine Raimondi** (v. 1482-v. 1534), ***le Massacre des innocents*** (d'après Raphaël). (Bibliothèque nationale de France, Paris)

L'architecture du XVIIe siècle

Le baroque et le classique

Les mises en scène fastueuses et animées du baroque romain (le Bernin, Borromini…) donnent au siècle son accent majeur, expression de la Réforme catholique qui veut éblouir, toucher les sens plus que la raison. En France, les Lemercier, Le Vau, Mansart sont sensibles à cette révolution du goût tout en restant attachés à un art plus sévère ainsi qu'à la tradition française de la seconde moitié du XVIe s. La « Colonnade » du Louvre témoigne d'une permanence du souci archéologique (Perrault est l'auteur d'une traduction de Vitruve), tandis qu'avec le Versailles de Louis XIV (Hardouin-Mansart) s'élabore un prototype de magnificence princière que l'Europe imitera. En Angleterre, Inigo Jones prend Palladio pour modèle, et Wren réalise une alliance heureuse de noblesse classique et de mouvement baroque dans la cathédrale Saint-Paul de Londres. L'Allemagne (ravagée par la guerre) et l'Autriche n'en sont qu'aux premiers essais de ce qui sera l'explosion baroque et rococo du siècle suivant.

◆ **Borromini** (Francesco Castelli, 1599-1667), **coupole de l'église S. Ivo della Sapienza** (1642-1650), à Rome. La coupole à côtes épouse le plan étoilé de l'édifice. Cette géométrie complexe et vibrante est complétée par des ornements inédits, comme la lanterne en hélice qui somme le dôme extérieur.

◆ **Baldassare Longhena** (1598-1682), **église S. Maria della Salute** (1631), à Venise. Les influences de Palladio et du baroque romain se conjuguent dans cet édifice à espace central formé d'un double octogone, couvert d'une grande coupole en charpente et augmenté d'un chœur saillant qu'encadrent deux campaniles. Des ailerons à volute contrebutent la coupole, sommée d'une lanterne. Riche avant-corps à colonnes, fronton et statues.

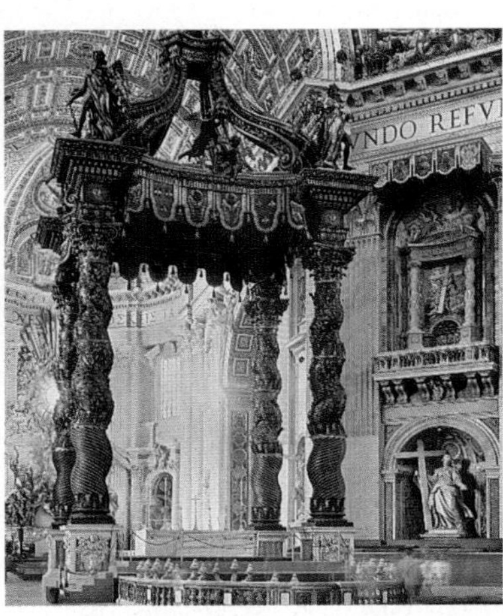

◆ **Pierre de Cortone** (1596-1669), **église S. Maria della Pace** (1656), à Rome. Jeux baroques du convexe et du concave, emboîtement des formes (frontons triangulaire et semi-circulaire).

◆ **Saint-Pierre de Rome** *(ci-dessous et ci-dessus)*.
Au sanctuaire à plan central sous coupole du XVIe s., Carlo Maderno (1556-1629) a ajouté vers 1610 une nef et une façade dont les rythmes annoncent l'art baroque. Cinquante ans plus tard, le Bernin (Gian Lorenzo Bernini, 1598-1680) compose, avec sa colonnade à deux bras incurvés, l'espace triomphal de la place en avant de la basilique. Le Bernin a également remodelé et scandé le chœur de Michel-Ange, avec, en avant-plan sous la coupole, son énorme baldaquin (voir photo ci-dessus) à colonnes torses de bronze (1624-1633).

◆ **Borromini** (Francesco Castelli, 1599-1667), **façade de l'église S. Agnese in Agone** (1653-1663), à Rome. La façade concave, reliée aux palais qui jouxtent l'église, est une invention typiquement baroque. Sur la place Navone, en face d'elle, se trouve la célèbre fontaine des Quatre-Fleuves (v.1650) du Bernin.

◆ **Guarino Guarini** (1624-1683), **le palais Carignano** (1679-1685), à Turin.

◆ **Willem Hesius** (1601-1690), **église St-Michel** (v.1650-1670), anc. église des Jésuites, à Louvain, Belgique.

◆ **Inigo Jones** (1573-1652), **Banqueting House** (v. 1620), salle des fêtes de **l'ancien palais de Whitehall**, à Londres : les débuts du palladianisme anglais.

◆ **La « Colonnade » du Louvre** (v. 1667-1670) attribuée à **Claude Perrault** (1613-1688). La façade orientale du nouveau palais est le premier chef-d'œuvre du « style Louis XIV ».

◆ **La Grand-Place de Bruxelles** (fin du XVIIe s.). Quelques maisons de corporations : toute l'exubérance décorative du baroque des Pays-Bas catholiques.

VOIR AUSSI • Arts décoratifs et art des jardins p. 1084

Le chantier de Versailles

Le château de Versailles et son parc, réalisés par la volonté de Louis XIV, constituent l'un des ouvrages les plus importants d'Europe, non seulement par son ampleur, mais par ses conséquences artistiques : consacrant le classicisme français, il fournit des modèles hors des frontières.

À partir de 1667, Le Vau modifie le petit château de Louis XIII. Le Nôtre redessine les jardins. En 1668-1671, Le Vau développe le bâtiment initial. Il crée la façade sur jardins, avec deux pavillons avançant de part et d'autre d'une terrasse centrale. Le Brun effectue d'importants remaniements intérieurs.

À partir de 1678, Jules Hardouin-Mansart supprime la terrasse et la remplace par la galerie des Glaces, qui relie les anciens pavillons, eux-mêmes remodelés. Il obtient ainsi une imposante façade, qu'il prolonge de part et d'autre, en retrait, par les ailes du Nord et du Midi (1679-1689), extensions rendues nécessaires par l'installation du gouvernement.

◆ **Louis Le Vau** (1612-1670) et **Jules Hardouin-Mansart** (1646-1708), **la façade sur jardin du château de Versailles** (1678-1684).

Il édifie encore la Petite et la Grande Écurie, la nouvelle Orangerie (1684-1686), la Chapelle (1698-1710, achevée par Robert de Cotte).

Au XVIIIe s., les travaux continuent : Gabriel édifie l'opéra (1753) puis le Petit Trianon (1762-1768).

Le chantier de Versailles a été l'occasion de prouesses techniques, comme les 400 glaces de la grande galerie ou la machine de Marly alimentant les fontaines du parc. Les plus grands artistes ont travaillé à la décoration intérieure sous la férule de Le Brun et ont orné le parc de statues (Marsy, Tuby, Girardon, Coyzevox). Le coût du chantier fut tel que Louis XIV fit détruire les factures.

◆ **Jacob Van Campen** (1595-1657) et **Pieter Post** (1608-1669), **façade arrière du Mauritshuis** (1633-1644), à La Haye.

◆ **Christopher Wren** (1632-1723), **cathédrale St Paul** (v. 1675-1709), à Londres. Un classicisme paré de traits baroques, synthèse d'influences italiennes, françaises et hollandaises. Wren fut le principal responsable de la reconstruction de Londres après l'incendie de 1666.

◆ **François Mansart** (1598-1666), **vestibule du château de Maisons** (1642-1651), aujourd'hui Maisons-Laffitte, dans les Yvelines.

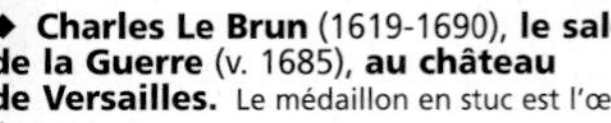

◆ **Charles Le Brun** (1619-1690), **le salon de la Guerre** (v. 1685), **au château de Versailles.** Le médaillon en stuc est l'œuvre de Coyzevox.

◆ **François Mansart** (1598-1666) et **Jacques Lemercier** (v. 1585-1654), **église de l'ancien couvent du Val-de-Grâce** (1645-1665), à Paris. La façade reste inspirée par le classicisme italien des débuts de la Contre-Réforme, tandis que le dôme affirme un fort mouvement baroque.

La peinture du XVIIe siècle

Les formes et la lumière

La peinture du XVIIe s. exprime le grand courant baroque sous deux aspects principaux : d'une part, elle contribue à créer un décor grandiose en s'intégrant à l'architecture (la virtuosité des trompe-l'œil atteint alors ses sommets); d'autre part, la lumière devient pour les peintres un élément prépondérant, le révélateur des formes.

Plusieurs courants irriguent la production italienne : celui, réaliste, du Caravage et des « caravagesques » (Italiens ou étrangers passés par Rome, comme le Français Valentin); celui, académique, des Bolonais (les Carrache, Guido Reni, le Dominiquin…). Les grands décorateurs baroques, comme Pierre de Cortone, s'inspirent de Titien ou du Flamand Rubens, qui a ouvert une voie neuve par ses compositions tournoyantes, son espace ouvert et fluide. L'époque, aussi bien, est un âge d'or pour la Flandre (Van Dyck), les Provinces-Unies (Hals, Rembrandt, Vermeer et tous les maîtres de la peinture de chevalet à l'usage de la bourgeoisie), l'Espagne (Velázquez, Zurbarán, Murillo, Ribera…), voire la France (Nicolas Poussin et le Lorrain, installés à Rome, Georges de La Tour, les frères Le Nain…).

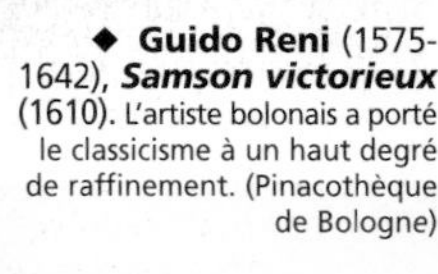

◆ **Guido Reni** (1575-1642), ***Samson victorieux*** (1610). L'artiste bolonais a porté le classicisme à un haut degré de raffinement. (Pinacothèque de Bologne)

◆ **Le Caravage (Michelangelo Merisi,** v. 1571-1610), ***la Vocation de saint Matthieu*** (v. 1600). Une des trois toiles de la *Vie de saint Matthieu* à St-Louis-des-Français de Rome. Le peintre affirme un tempérament de révolté, violence des contrastes et recherche du naturalisme.

◆ **Georges de La Tour** (1593-1652), ***le Tricheur à l'as de carreau*** (v. 1630). Une idéalisation française du caravagisme : la composition est rigoureuse, les volumes se découpent nettement, la psychologie des personnages (en particulier dans le jeu des regards) est mise en avant. (Musée du Louvre, Paris)

◆ **Petrus Paulus Rubens** (1577-1640), ***l'Enlèvement des filles de Leucippe*** (v. 1618). Science du mouvement, ampleur des compositions : Rubens, formé en Italie, importe le baroque en Flandre. (Pinacothèque de Munich)

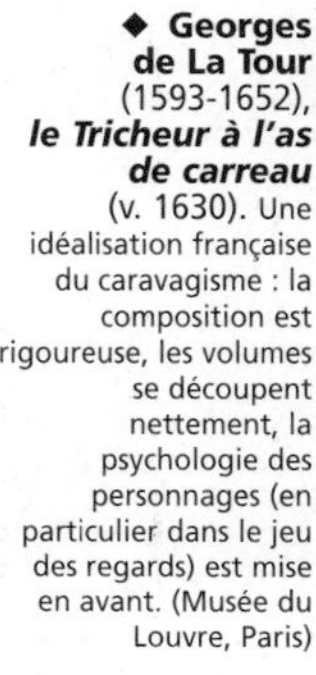

◆ **Frans Hals** (v. 1580/1585-1666), ***le Joyeux Buveur*** (1628-1630). (Rijksmuseum, Amsterdam)

◆ **Les frères Le Nain** (peut-être Louis [v. 1600/1610 - 1648]), ***Famille de paysans dans un intérieur*** (v. 1640 - 1645). Avant l'avènement de l'art solennel de Versailles, la peinture française connaît une veine réaliste. (Musée du Louvre, Paris)

◆ **José de Ribera** (1591-1652), ***le Pied-bot*** (1642). Espagnol, Ribera a fait carrière dans le royaume de Naples. Il introduit, par rapport au réalisme du Caravage, une crudité parfois morbide. (Musée du Louvre, Paris)

◆ **Anthony Van Dyck** (1599-1641), ***Charles Ier d'Angleterre*** (v. 1635-1638). Un chef-d'œuvre de l'art de cour européen. (Musée du Louvre, Paris)

◆ **Willem Claeszoon Heda** (1594-v. 1680), ***la Tourte aux cassis*** (v. 1640). (Musée des Beaux-Arts, Strasbourg)

Voir aussi  • **Le baroque** p. 1086

◆ **Claude Gellée,** dit **le Lorrain** (1600-1682), ***Ulysse remet Chryséis à son père*** (v. 1644). Un des « ports de mer » les plus suggestifs du peintre, avec son effet de contre-jour. (Musée du Louvre, Paris)

◆ **Nicolas Poussin** (1594-1665), ***Orphée et Eurydice*** (v. 1650). Dans l'herbe chemine le serpent qui va mordre l'épouse du chanteur-poète. Un paysage idéalisé, d'une classique harmonie, mais non exempt de menaces, sert de cadre à la fable mythologique. (Musée du Louvre, Paris)

◆ **Rembrandt** (Rembrandt Harmenszoon Van Rijn, 1606-1669), ***l'Archange Raphaël quittant la famille de Tobie.*** La science du clair-obscur mise au service d'une méditation sur la Bible. (Musée du Louvre, Paris)

◆ **Diego de Silva Velázquez** (1599-1660), ***les Ménines*** (v. 1656). Cette toile à l'étonnante suggestion spatiale représente, parmi divers familiers de la cour espagnole, l'infante Marguerite avec deux demoiselles d'honneur *(meninas)* ainsi que le peintre lui-même, occupé à brosser un portrait d'apparat du roi et de la reine – qui occupent notre place de spectateurs et dont l'image se reflète dans le miroir du fond. (Musée du Prado, Madrid)

◆ **Jacob Van Ruisdael** (1628/1629-1682), ***la Cascade.*** Le réalisme néerlandais, non dépourvu, ici, d'une discrète dramatisation. (Rijksmuseum, Amsterdam)

◆ **Johannes Vermeer** (1632-1675), ***la Femme au collier de perles*** (v. 1664). Une extase profane. (Musées de Berlin-Dahlem)

Jacques Callot, Rembrandt et la gravure

Outre la gravure de reproduction et la gravure ornementale (planches de livres), l'art de la gravure acquiert au XVIIe s. une autonomie stylistique. Le premier grand maître au début du siècle est le Lorrain Jacques Callot (1592-1635) qui, après une carrière à Rome et à Florence, rentre en France, initié désormais à la technique de l'eau-forte. Il en utilise la souplesse dans ses figures de gueux et surtout dans sa terrible série des *Misères de la guerre*. Le grand maître de la seconde moitié du siècle est Rembrandt, qui tire de l'eau-forte lui aussi des effets puissants, renforcés parfois de pointe-sèche ou par de profondes tailles au burin.

◆ **Rembrandt, *les Trois Croix*** (1653).

◆ **Andrea Pozzo** (1642-1709), **la voûte de l'église Saint- Ignace, à Rome.** Le décor peint est intégré à l'architecture, qu'il prolonge en une perspective vertigineuse.

L'architecture du XVIIIe siècle

Du baroque au néoclassicisme

Si les Anglais pratiquent un baroque sévère (John Vanbrugh) ou s'inspirent de Palladio (William Kent, 1685-1748), la première partie du siècle est plutôt dédiée au rococo, variété gracieuse et foisonnante du baroque. Il s'épanouit en France (décor intérieur surtout), dans les pays catholiques comme la Bohême, l'Autriche (abbaye de Melk ; palais de Vienne), la Bavière (abbayes et « résidences » princières), l'Espagne et l'Amérique latine, mais aussi dans l'Allemagne protestante (par ex. Matthäus Daniel Pöppelmann, 1662-1736, à Dresde). À partir de 1760 environ, une mutation du goût, favorisée par les découvertes archéologiques (Grèce ; Pompéi), suscite un retour à l'antique et au classicisme qu'illustrent l'élégance de Robert Adam (1728-1792) en Grande-Bretagne, la noblesse du style Louis XVI en France (Gabriel, Soufflot, Victor Louis…).

◆ **Jakob Prandtauer** (1660-1726), **l'abbaye bénédictine de Melk** (1702-1736), en Basse-Autriche. Un édifice baroque somptueusement déployé sur une butte au-dessus du Danube. Couverte de voûtes savantes, l'église possède un riche décor peint (par Johann Michael Rottmayr et Paul Troger) et sculpté.

◆ **John Vanbrugh** (1664-1726), **le palais de « Blenheim »** (1705-1722), à Woodstock. Il fut élevé pour le duc de Marlborough.

◆ **Johann Lucas von Hildebrandt** (1668-1745), **le Belvédère supérieur** (v. 1720), à Vienne. Le palais fut construit pour le Prince Eugène (1663 1736).

◆ **Filippo Juvarra** (1678-1736), **la coupole de la basilique de Superga** (1717-1731), à Turin. Un baroque retenu et solennel.

◆ **Johann Bernhard Fischer von Erlach** (1656-1723), **l'église Saint-Charles-Borromée** (1715-1739), à Vienne.

◆ **Pedro de Ribera** (1683-1742), **l'hospice San Fernando** (1722, auj. musée municipal), à Madrid. L'une des plus grandes réussites du baroque churrigueresque. Ce style particulièrement orné tire son nom d'une célèbre famille d'architectes : José Benito (1665-1725), Joaquín (1674-1724) et Alberto (1676-1750) Churriguera.

◆ **François de Cuvilliés** (1695-1768), **la salle des Glaces du pavillon d'Amalienburg** (1734-1739), dans le parc du Nymphenburg, près de Munich. L'architecte et ornemaniste, originaire du Hainaut, y a composé un décor de stucs argentés d'un charme rare.

Le baroque

Le terme « baroque » vient du portugais *barocco*, qui désigne une petite perle irrégulière. Dans le domaine des beaux-arts, il a servi à désigner un style esthétique caractérisé par la théâtralité, l'emploi de courbes et d'effets de surprise en architecture, et par le sens du pathétique, du mouvement et des éclairages dramatiques en sculpture et en peinture. En ce sens, il s'oppose au classicisme, selon les vues de l'historien de l'art Heinrich Wölfflin (1864-1945).

Aujourd'hui toutefois, les historiens appellent baroque le grand mouvement de l'art européen aux XVIIe et XVIIIe s. Le classicisme est alors une facette du baroque.

◆ **La bibliothèque de l'ancien monastère Strahov** (milieu du XVIIIe s.), à Prague.

◆ **Bartolomeo Rastrelli** (v. 1700-1771), **un des pavillons latéraux du Grand Palais de Petrodvorets** (milieu du XVIIIe s.), près de Saint-Pétersbourg.
Une version « russifiée » du baroque européen. Italien fixé en Russie, Rastrelli a notamment construit, à Saint-Pétersbourg, le couvent Smolnyï (1748-1755) et le palais d'Hiver (1754-1762).

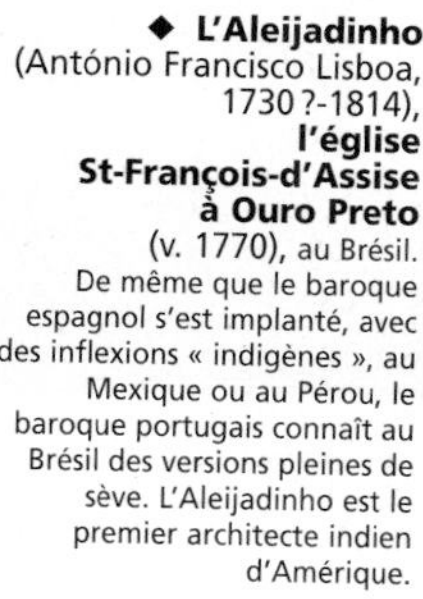

◆ **L'Aleijadinho** (António Francisco Lisboa, 1730 ?-1814), **l'église St-François-d'Assise à Ouro Preto** (v. 1770), au Brésil.
De même que le baroque espagnol s'est implanté, avec des inflexions « indigènes », au Mexique ou au Pérou, le baroque portugais connaît au Brésil des versions pleines de sève. L'Aleijadinho est le premier architecte indien d'Amérique.

◆ **Johann Baltasar Neumann** (1687-1753), **le grand escalier de la Résidence des princes-évêques de Würzburg** (v. 1740), en Bavière.
Une remarquable virtuosité dans le traitement de l'espace. À la voûte, fresque de Giambattista Tiepolo, composée vers 1750.

◆ **Claude-Nicolas Ledoux** (1736-1806), **entrée des Salines royales d'Arc-et-Senans** (1775-1779), dans le Doubs.
L'architecte avait imaginé une ville idéale, disposée en cercle, dont les Salines devaient être le centre. Il ne put en édifier qu'une partie, qui témoigne de son goût pour le symbolisme des formes géométriques et de sa volonté d'ordonnancement des bâtiments selon leur utilité économique et sociale.

◆ **La maison de Thomas Jefferson** (1743-1826, architecte puis président des É.-U. en 1801), à Monticello (v. 1780), Virginie.
Un exemple du style palladien, en vogue à l'époque aux États-Unis.

◆ **Jacques Ange Gabriel** (1698-1782), **le Petit Trianon** (1762), dans le parc de Versailles.

◆ **Victor Louis** (1731-v. 1811), **l'escalier du Grand Théâtre de Bordeaux** (v. 1775).
Un des prototypes du néoclassicisme en France.

◆ **Germain Soufflot** (1713-1780), **le Panthéon** (1764-v. 1790), à Paris.
Régularité et solennité empruntées à l'antique se doublent d'une hardiesse structurale qu'inspire à l'architecte son admiration – assez inhabituelle à l'époque – pour les cathédrales gothiques. L'église était dédiée à sainte Geneviève, patronne de Paris.

La peinture du XVIIIe siècle

La poétique du visible

Les écoles italiennes les plus brillantes du XVIIIe s. sont celle de Naples (Solimena...) et surtout l'école vénitienne (Pellegrini, les Tiepolo, Canaletto, les Guardi...), dont la vitalité rococo se transmet aux décorateurs d'églises autrichiens et bavarois (J. B. Zimmermann...). La peinture française de chevalet montre une grande fécondité, cultivant successivement une certaine légèreté tant dans la manière (Watteau) que dans les sujets (Boucher) et un sérieux rassurant (Chardin, Greuze). Alors que la Flandre et la Hollande sont moins productives, l'école britannique prend son essor (Hogarth, Reynolds) et tend à une sensibilité préromantique (Gainsborough, Fuseli). La fin du siècle voit la vogue du néoclassicisme (David), tandis que le génie de Goya produit ses premiers fruits.

◆ **Antoine Watteau** (1684-1721), ***Pèlerinage à l'île de Cythère*** (1717). Une atmosphère de fête galante où la vie mondaine est comme poétisée. (Musée du Louvre, Paris)

◆ **Francesco Solimena** (1657-1747), ***Borée enlève Orythie*** (1700). Un exemple du baroque napolitain. (Galerie Spada, Rome)

◆ **François Boucher** (1703-1770), ***l'Odalisque brune*** (v. 1743). (Musée du Louvre, Paris)

◆ **Jean-Baptiste Oudry** (1686-1755), ***le Canard blanc*** (1753). (Coll. priv.)

◆ **Giovanni Antonio Guardi** (1699-1760) et/ou son frère Francesco (1712-1793), ***la Pêche de Tobie*** (seconde moitié du XVIIIe s.). Une des toiles de *l'Histoire de Tobie* conservée à l'église de l'Angelo Raffaele, à Venise. Guardi est par ailleurs l'un des principaux auteurs de vues de Venise, qu'il traite dans une lumière irisée.

◆ **Canaletto** (Antonio Canal, 1697-1768), ***le Chantier du tailleur de pierre*** (v. 1730). Une vision d'un réalisme descriptif que transcende l'acuité du dessin. Ces *vedute* ou « vues » de Venise sont devenues un véritable genre pictural. (National Gallery, Londres)

◆ **Giambattista Tiepolo** (1696-1770), ***Pégase et la Renommée,*** ou ***le Génie et Vénus*** (1747-1750). Un Génie chevauchant Pégase fait fuir le temps. Le dernier des grands décorateurs baroques vénitiens montre toute sa virtuosité dans les effets de « ciel ». Plafond du salon principal du palais Labia, à Venise.

Les gravures de Piranèse

Piranèse fut presque uniquement graveur. Ses très nombreuses planches comportent diverses séries : *les Prisons d'invention* (1743-1760), célèbres pour leurs architectures fantastiques; les *Vues de Rome* (1748-1775), représentant les principaux monuments de la ville; les *Antiquités romaines* (publié en 1756), caractéristiques de la poétique des ruines.

◆ **Piranèse** (Giovanni Battista Piranesi, 1720-1778), ***Ruines d'une galerie de la villa d'Hadrien à Tivoli.***

◆ **Jean Honoré Fragonard** (1732-1806), ***l'Écrivain*** (v. 1769). Une des « figures de fantaisie » peintes par l'artiste à cette époque. (Musée du Louvre, Paris)

◆ **Jean Siméon Chardin** (1699-1779), ***le Bocal d'olives*** (1760). Le peintre de la « vie silencieuse » des choses. (Musée du Louvre, Paris)

◆ **William Hogarth** (1697-1764), ***la Marchande de crevettes*** (1759). L'un des maîtres du réalisme en Angleterre. (National Gallery, Londres)

◆ **Francisco [de] Goya y Lucientes** (1746-1828), ***le Parasol*** (v. 1780). Une des peintures de l'artiste destinées à la reproduction en tapisserie. Œuvres toutes de grâce, ces cartons contrastent fortement avec l'intensité dramatique que Goya atteindra ultérieurement. (Musée du Prado, Madrid)

◆ **Jean-Baptiste Greuze** (1725-1805), ***la Cruche cassée*** (v. 1773). Le peintre de l'anecdote bien-pensante. (Musée du Louvre, Paris)

VOIR AUSSI *Illustrations*
• **David** p. 453

◆ **John Henry Fuseli** (1741-1825), ***le Cauchemar*** (1781). Fixé en Angleterre, cet artiste suisse (dont le nom était alors Johann Heinrich Füssli) fut un des précurseurs du romantisme. (Musée Goethe, Francfort)

◆ **Joshua Reynolds** (1723-1792), ***le Général Tarleton*** (1782). (National Gallery, Londres)

◆ **Thomas Gainsborough** (1727-1788), ***Madame Sheridan*** (1785). (National Gallery of Art, Washington)

◆ **Louis David** (1748-1825), ***le Serment des Horaces*** (1784). Peinte à Rome, cette toile d'une inspiration antique sévère, en complète rupture avec la grâce de l'époque Louis XV, apparut au Salon parisien de 1785 comme le manifeste de la jeune école néoclassique. (Musée du Louvre, Paris)

L'architecture du XIXe siècle

Architectes et ingénieurs

La première moitié du siècle prolonge le mouvement néoclassique de la fin du XVIIIe s., avec des architectes comme Soane ou Nash, Percier et Fontaine, Zakharov, Schinkel ou Leo von Klenze. Mais, romantisme oblige, des incursions dans le Moyen Âge ou dans l'exotisme ne sont pas exclues. La seconde moitié du XIXe s. généralise ce recours aux styles anciens plus ou moins mêlés : c'est l'éclectisme, que représentent l'Opéra de Paris, de Garnier, ou l'église de la Trinité (néoromane), de Richardson, à Boston. Divers pays renouent, par l'historicisme, avec leur passé national. Eugène Viollet-le-Duc (1814-1879) restaure de nombreux édifices médiévaux (Vézelay, Notre-Dame de Paris, Carcassonne); il se fait par ailleurs le théoricien du courant rationaliste. Celui-ci se fonde notamment sur l'innovation technique (architecture du fer) et sur ce que l'on appellera plus tard le fonctionnalisme. Le renouvellement des structures portantes permet la création des premiers gratte-ciel aux États-Unis (école de Chicago avec William Holabird [1854-1923] et Martin Roche [1855-1925], Louis Sullivan...). Enfin, l'Art nouveau (Victor Horta, Hector Guimard [1867-1942], Charles Rennie Mackintosh [1868-1928]...) cherche une intégration de l'ensemble des éléments construits et du mobilier, et crée une ambiance décorative inédite, où prime l'inspiration végétale.

◆ **Adrian Zakharov** (1761-1811), **une des façades de l'Amirauté** (1806), à Saint-Pétersbourg.

◆ **Pierre Fontaine** (1762-1853) **et Charles Percier** (1764-1838), **arc de triomphe du Carrousel** (1806-1808), à Paris. Il est inspiré de l'arc de Septime Sévère à Rome. Le char en bronze est de Joseph Bosio (après 1815).

◆ **John Soane** (1753-1837), **la galerie de peinture et le mausolée du collège de Dulwich** (1811-1814), près de Londres. Une simplicité d'inspiration antique, sans recours aux ordres.

◆ **Karl Friedrich Schinkel** (1781-1841), **le Corps de garde** (1816), à Berlin. Usage du dorique grec et pureté géométrique chez le maître prussien, qui pratiquera également le néoroman et le néogothique.

◆ **Charles Barry** (1795-1860), **le palais de Westminster** (1839-1860), à Londres. L'édifice abrite le Parlement britannique. L'habillage et la décoration néogothiques sont l'œuvre d'Augustus Welby Northmore Pugin (1812-1852).

◆ **Henri Labrouste** (1801-1875), **la salle de lecture de la bibliothèque Ste-Geneviève** (1843-1850), à Paris. La file de colonnes de l'axe central et les arcs en fonte et en fer forgé, d'une grande légèreté, sont inscrits dans une enveloppe en pierre d'un style néo-Renaissance sévère. Labrouste dessina également, à partir de 1858, les réserves et la salle de lecture de la Bibliothèque nationale, à Paris.

◆ **Louis Sullivan** (1856-1924) **et Dankmar Adler** (1844-1900), **le Guaranty Building** (1894-1895), à Buffalo, New York, États-Unis. Le gratte-ciel à ossature métallique est une innovation utilisée par l'école de Chicago depuis les années 1880.

◆ **Joseph Paxton** (1801-1865), **le Crystal Palace** (1851), à Londres. Édifiée pour l'Exposition universelle, c'est la première construction de cette importance bâtie avec une structure métallique préfabriquée. Œuvre d'ingénieur et véritable manifeste de l'architecture moderne, elle fut détruite par un incendie en 1936.

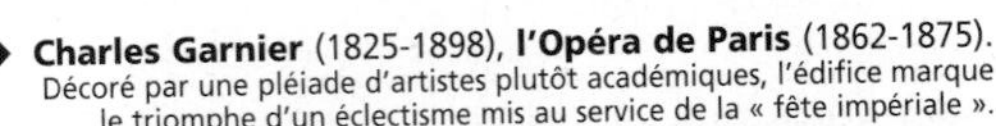

◆ **Charles Garnier** (1825-1898), **l'Opéra de Paris** (1862-1875). Décoré par une pléiade d'artistes plutôt académiques, l'édifice marque le triomphe d'un éclectisme mis au service de la « fête impériale ».

◆ **Victor Horta** (1861-1947), **la maison Van Eetvelde** (1895-1897), à Bruxelles. Le hall est de plan octogonal; le fer, associé au verre, contribue tant à la structure qu'au décor, d'un style Art nouveau délicat.

Les arts décoratifs au XIXe siècle

Emprunt et innovation

Le XIXe s. poursuit la tendance amorcée depuis 1760 consistant à réinterpréter des styles anciens et à en citer les motifs caractéristiques. L'Antiquité, gréco-romaine mais aussi égyptienne, est mise à contribution dans le style Empire, qui envahit l'Europe (sièges en forme de chaises curules, bureaux évoquant des arcs de triomphe, colonnes, urnes, palmettes et lauriers, sphinx et chimères) et qui évolue sans transformation radicale vers le style Restauration. Bientôt, d'autres styles historiques sont exploités : le style Louis-Philippe est fait de néogothique, de néo-Renaissance, voire de néo-Louis XV. Ce goût de l'emprunt et des mélanges aboutit à ce qu'on a appelé l'éclectisme du style Napoléon III et, en Angleterre, du style victorien.

La réaction vient d'ailleurs d'Angleterre, sous l'influence du théoricien John Ruskin (1819-1900). William Morris fonde en 1863 sa fabrique de papiers peints et d'objets d'ameublement afin de remettre en valeur les savoir-faire artisanaux et de contribuer à la réforme sociale. S'il se réclame du Moyen Âge quant aux méthodes, il crée en fait le premier style original apparu depuis le rococo du XVIIIe s. Le mouvement des *Arts and Crafts* (« arts et métiers »), instauré formellement en 1888, est issu de son action. Cette volonté d'unifier le style de tous les éléments de l'habitation, et de créer des formes en rapport avec la fonction des objets et les techniques de fabrication exerce une influence considérable sur l'ensemble des mouvements européens que l'on regroupe à la fin du siècle sous l'appellation d'Art nouveau.

◆ **Georges II Jacob** (1768-1803) et **François Jacob** (1778-1841), **commode à vantaux de style Empire.** L'inspiration néoclassique envahit le mobilier. Les formes sont sobres, et les motifs en bronze pleins de noblesse : couronne de laurier, vases antiques. (Château de Fontainebleau)

◆ **Fauteuil de style Biedermeier, Allemagne** (v. 1840). Une ligne sobre et des bois clairs qui s'opposent au style Empire. (Münchner Stadtmuseum)

◆ **William Morris** (1834-1896), **salle à manger verte** (1866-1867). Contre les méfaits de l'industrialisation, Morris revalorise la tradition artisanale : simplicité, fonctionnalité des objets, décoration en aplats. Le mouvement qu'il inspire, l'*Arts and Crafts movement*, influence l'Art nouveau. (Victoria and Albert Museum, Londres)

◆ **Le Grand Salon Napoléon III du musée du Louvre.** Il est caractéristique du style éclectique, qui mélange différentes inspirations, du néogrec (les pilastres d'ordre corinthien) au Louis XV, dans une profusion d'étoffes et de dorures.

◆ **Koloman Moser** (1868-1918), **couverture de la revue *Ver Sacrum*** (1899). La Sécession viennoise, dont *Ver Sacrum* est l'organe officiel, témoigne de l'influence de l'Art nouveau dans toute l'Europe. Les arts graphiques sont désormais considérés comme des modes d'expression à part entière.

◆ **Eugène Vallin** (1856-1922), **salle à manger en acajou** (1903). Le style Art nouveau, caractérisé par des lignes fluides évoquant des motifs végétaux, marque chaque élément de l'architecture et du mobilier, du plafond (œuvre de Victor Prouvé, 1858-1943) au service en porcelaine. (Musée de l'École de Nancy)

L'Art nouveau

L'Art nouveau est le nom donné en France, à partir de 1896, au style qui se crée pour réagir contre l'éclectisme et la tristesse « rationnelle » des productions industrielles. C'est en anglais le *Modern Style*. Il touche tous les arts visuels, mais particulièrement l'architecture et les arts décoratifs, qu'il entend intégrer dans une conception unitaire. Il recourt volontiers à la courbe, aux motifs végétaux, à une stylisation vigoureuse des formes, à des coloris délicats, à des matières rares et travaillées. Ses principaux représentants sont, en Belgique, les architectes Victor Horta (1861-1947) et Henry Van de Velde (1863-1957) ; en France, l'architecte Hector Guimard (1867-1942), l'affichiste tchèque Alfons Mucha (1860-1939) et les membres de l'école de Nancy : le verrier et ébéniste Émile Gallé (1846-1904), son successeur à la tête de l'école, Victor Prouvé (1858-1943), l'ébéniste Louis Majorelle (1859-1926), les verriers René Lalique (1860-1945) et Antonin Daum (1864-1930) ; en Espagne, l'architecte Antonio Gaudí (1852-1936) ; en Angleterre, le dessinateur Aubrey Beardsley (1872-1898) ; aux États-Unis, le verrier et décorateur Louis Comfort Tiffany (1848-1933) ; en Autriche, le peintre Gustav Klimt (1862-1918), fondateur de la Sécession viennoise, et le dessinateur Koloman Moser (1868-1918), fondateur des *Wiener Werkstätte* (« ateliers viennois »).

◆ **Émile Gallé** (1846-1904), **vase réalisé pour l'Exposition universelle de 1900.** Principal représentant de l'école de Nancy, Gallé exploite les propriétés de la pâte de verre (volutes et motifs floraux). (Coll. part.)

La sculpture du XIXe siècle

Romantisme et réalisme

À la suite de Canova, de nombreux sculpteurs se conforment à la doctrine néoclassique durant le premier tiers du siècle, notamment le Danois Thorvaldsen, installé à Rome. Puis l'académisme éclectique (Pradier…) tend à combiner la référence à l'art antique avec un certain goût bourgeois du naturalisme pittoresque. Barye développe un sens de l'expressivité dans le domaine animalier. Rude donne une expression romantique aux valeurs nationales. Carpeaux introduit la sensualité dans la sculpture au point de faire scandale avec *la Danse* (1869, réalisée pour l'Opéra de Paris). Constantin Meunier représente le versant réaliste de la sculpture. La fin du siècle, que domine le génie de Rodin, voit les recherches symbolistes d'un Menardo Rosso (1858-1928) ou d'un Georges Minne (1866-1941). Des peintres comme Daumier, Degas, Gauguin pratiquent la sculpture avec audace (comme feront Matisse et les expressionnistes au début du siècle suivant).

◆ **Bertel Thorvaldsen** (1770-1844), ***Jason*** (1801-1803). L'élégante froideur du néoclassicisme (Musée Thorvaldsen, Copenhague)

◆ **Honoré Daumier** (1808-1879), ***l'Obséquieux*** (1831). Un député vu par le plus grand caricaturiste de l'époque, qui modelait ses personnages avant d'en faire le croquis. Terre crue colorée. (Musée d'Orsay, Paris)

◆ **François Rude** (1784-1855), ***le Départ des volontaires de 1792*** ou ***la Marseillaise*** (1832-1835). Haut-relief placé sur une des piles de l'arc de triomphe de l'Étoile à Paris : une synthèse épique du néoclassicisme et du romantisme.

◆ **Antoine Louis Barye** (1796-1875), ***Lion au serpent*** (1833). Le thème romantique de l'énergie à l'état sauvage. À rapprocher de certaines peintures de Delacroix. Bronze. (Musée du Louvre, Paris)

◆ **James Pradier** (1790-1852), ***Sapho*** (1852). Un artiste suisse de l'école française. Marbre. (Musée d'Orsay, Paris)

◆ **Jean-Baptiste Carpeaux** (1827-1875), ***le Triomphe de Flore*** (1863-1866). Maquette en plâtre d'un haut-relief du palais du Louvre. Un sens du mouvement qui choqua les contemporains et trouva son apogée avec *la Danse*. (Musée d'Orsay, Paris)

◆ **Vincenzo Gemito** (1852-1929), ***le Petit Pêcheur*** (1877). Bronze. (Musée du Bargello, Florence)

◆ **Constantin Meunier** (1831-1905), ***le Puddleur*** (1887). Depuis Millet et Courbet, le monde du travail devient une source d'inspiration pour les artistes. (Musée des Beaux-Arts, Bruxelles)

Les grandes œuvres de Rodin

Porté par des intentions symboliques, l'art de Rodin est fait d'énergie, d'un sens du mouvement souvent obtenu par le déséquilibre des masses et d'une grande volonté expressive. L'artiste travaillait volontiers par séries, donnant de multiples versions, à des échelles différentes, des sujets qui le fascinaient. Parmi ses œuvres les plus importantes : *l'Âge d'airain* (1876-1877), *Saint Jean-Baptiste* (1879), *la Porte de l'Enfer* (1880-1917), projet inachevé qui devait intégrer entre autres *le Penseur* (1880) et *le Baiser* (1886-1898), *les Bourgeois de Calais* (1884-1895), *Iris, messagère des Dieux* (1890-1891), *Monument à Balzac* (1891-1898). Rodin est également l'auteur d'environ 20 000 dessins et aquarelles d'une extraordinaire liberté.

◆ **Auguste Rodin** (1840-1917), ***les Bourgeois de Calais*** (1895). Une puissance expressive qui transfigure l'analyse réaliste pour atteindre à la monumentalité. Le groupe fut commandé par la ville de Calais en 1884.

La peinture du XIXe siècle

Le néoclassicisme et le romantisme

Le retour à l'antique, caractéristique de la période révolutionnaire, pousse ses conséquences dans tout le XIXe s. Les élèves de David répandent le style néoclassique. Les sujets sont volontiers tirés de la mythologie ou de l'histoire gréco-romaine, mais on trouve aussi des scènes contemporaines : épisodes de l'épopée napoléonienne par Antoine Gros (1771-1835), portraits par Ingres ou par François Gérard (1770-1837), ainsi que des sujets littéraires modernes (*les Funérailles d'Atala* d'après Chateaubriand par Girodet-Trioson, 1767-1824) ou des thèmes orientalistes (les *Odalisques* et le *Bain turc,* d'Ingres). Le style, surtout, est significatif : solennel, recherchant la forme idéale au moyen d'un dessin linéaire, il procède de Raphaël et de Poussin autant que de l'antique. Le chef de file du mouvement est Ingres, dont l'exemple mal compris dégénère en académisme. C'est ce style « pompier » des peintres officiels qui triomphe au Salon annuel jusqu'à la fin du siècle, au grand dam des artistes novateurs.

Face à Ingres, les romantiques, à partir des années 1820, retrouvent le sens du mouvement, de la couleur, de la lumière, de la touche libre et passionnée. Les paysagistes anglais (Constable, Turner) exercent de ce point de vue une influence considérable. Comme chez Goya au début du siècle, les convictions politiques s'expriment fortement (*le Radeau de la « Méduse »,* 1819, par Théodore Géricault, 1791-1824; *Scènes des massacres de Scio,* 1824, et *la Liberté guidant le peuple,* 1831, par Delacroix), ainsi que les tourments individuels (Friedrich). Les sujets se renouvellent par des emprunts à une littérature non classique (Dante, Shakespeare, Goethe, Byron), par l'histoire et par l'exotisme. Mais la véritable leçon de Turner et de Delacroix – le primat du geste et de la matière picturale – ne sera perçue qu'au XXe s.

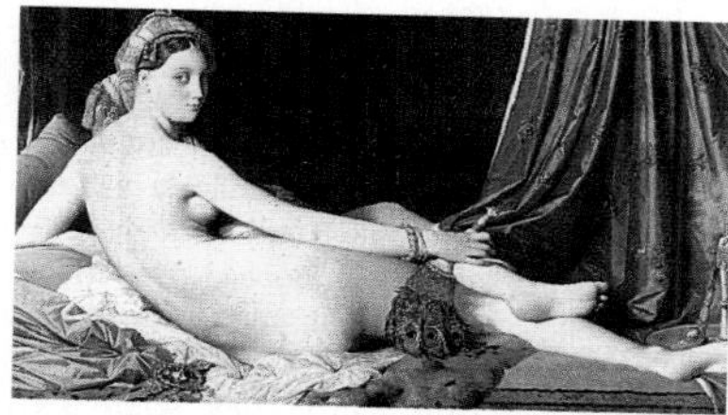

◆ **Jean Auguste Dominique Ingres** (1780-1867), ***la Grande Odalisque*** (1814).
La longue arabesque du corps, épuré, stylisé, exprime à la fois l'idéal néoclassique et la sensualité propre à Ingres. (Musée du Louvre, Paris)

◆ **Francisco de Goya y Lucientes, dit Goya** (1746-1828), ***les Exécutions du 3 mai 1808 à Madrid*** (1814). Une dénonciation bouleversante des atrocités commises par les troupes napoléoniennes. (Musée du Prado, Madrid.)

◆ **John Constable** (1776-1837), ***la Charrette à foin*** (1821). À la fois lyrique et réaliste, l'œuvre fut une révélation pour les peintres français, Delacroix et Corot notamment, au Salon parisien de 1824. (National Gallery, Londres)

◆ **Caspar David Friedrich** (1774-1840), ***Lever de lune sur la mer*** (1822). La nature comme miroir distant de l'âme mélancolique : un des thèmes qui dominent le romantisme de l'Europe du Nord. (Musées de Berlin-Dahlem)

VOIR AUSSI
Illustrations
- **Delacroix** p. 968

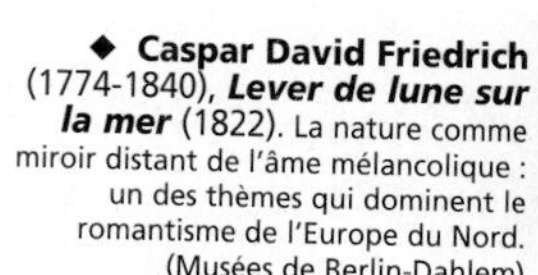

◆ **William Turner** (1775-1851), ***le « Téméraire » remorqué vers son dernier mouillage*** (1838).
Sujet moderne, flammes, incandescence. La matière picturale crée le paysage plus qu'elle ne le représente. (National Gallery, Londres)

◆ **Eugène Delacroix** (1798-1863), ***la Mort de Sardanapale*** (1827).
Dans Ninive en flammes, Sardanapale vaincu a fait dresser son lit sur un bûcher et s'apprête à mourir. Il fait massacrer ses femmes et son cheval favori. Thème érotique et funèbre, composition éclatée, exécution fougueuse : le chef-d'œuvre de Delacroix est le manifeste de la peinture romantique. (Musée du Louvre, Paris)

◆ **John Everett Millais** (1829-1896), ***Ophélie*** (1852).
La Confrérie préraphaélite est fondée en 1848, en Angleterre, par Millais, avec William Hunt (1827-1910) et Dante Gabriel Rossetti (1828-1882). Ces artistes veulent échapper à l'académisme en se recommandant des peintres antérieurs à Raphaël et en cherchant une inspiration plus poétique (Ophélie est la fiancée de Hamlet, dans la pièce de Shakespeare). (Tate Gallery, Londres)

Arts visuels : la peinture au XIXe siècle *(suite)*

Réalisme et impressionnisme

Après la révolution de 1848, des peintres comme Millet ou Courbet déplacent le sujet de la peinture. Délaissant les grandes émotions romantiques et les mythologies académiques, ils posent, au cœur des préoccupations du peintre, le monde réel. La peinture est un « art concret » lié aux « choses existantes », explique Courbet, et un « art vivant » en prise sur la société. On traite le paysage sans idéalisme (Corot en Île-de-France; Théodore Rousseau, Daubigny, Diaz, groupés autour de Millet à Barbizon; Boudin à Honfleur). Le travail – celui des paysans et celui des ouvriers – devient un thème central, et les artistes jettent un regard cru, souvent aiguisé par leur conscience politique, sur les rapports sociaux, la prostitution, les divertissements collectifs.
Les mêmes tendances profondes animent le groupe formé autour de Manet et le mouvement impressionniste. Mais alors que les réalistes restaient imprégnés de la grande tradition des ateliers, les nouveaux peintres, travaillant volontiers en plein air, « sur le motif », s'intéressent à la lumière et aux effets atmosphériques. Cela les conduit à une facture rapide, allusive, où la touche de couleur pure joue un rôle essentiel. L'espace, construit par la perspective depuis la Renaissance, se dissout en perceptions rétiniennes (Monet) et, avec Manet et Cézanne, le plan du tableau s'impose comme le véritable lieu où se joue la peinture.

La bataille du réalisme

Si la peinture réaliste commence en 1848 avec *Le Vanneur* de Millet, le véritable choc est provoqué en 1851 par *Un enterrement à Ornans* de Courbet qui, accepté au Salon, suscite néanmoins de violentes réactions. Encouragé par le critique Champfleury et par Baudelaire, Courbet persévère et livre la bataille du réalisme à l'occasion de l'Exposition universelle de 1855. Parmi diverses œuvres, il propose *l'Enterrement* et un autre grand tableau, *l'Atelier du peintre*, qu'il sous-titre de façon significative « Allégorie réelle ». Ces deux œuvres sont refusées et Courbet construit tout à côté de l'Exposition le « Pavillon du réalisme » où il expose quarante tableaux. À cette occasion, il signe un manifeste élaboré avec l'aide de Champfleury.

◆ **Gustave Courbet** (1819-1877), ***Un enterrement à Ornans*** (1849-1850). L'artiste élève au niveau de la « peinture d'histoire » (genre noble) un épisode de la vie de son bourg natal. Cette peinture, acceptée au Salon de 1851, suscite de violentes réactions.Encouragé par le critique Champfleury et par Baudelaire, Courbet persévère et livre la bataille du réalisme à l'occasion de l'Exposition universelle de 1855. (Musée d'Orsay, Paris)

◆ **Jean-François Millet** (1814-1875), ***les Botteleurs de foin*** (1850). Un tableau austère, à la facture classique,qui célèbre le monde paysan. (Musée du Louvre, Paris)

◆ **Jean-Baptiste Corot** (1796-1875), ***Entrée de village***, environs de Beauvais du côté de Voisinlieu. Une vision dépourvue d'affectation, où le réel commande la sensualité des formes et des pâtes. (Musée du Louvre, Paris)

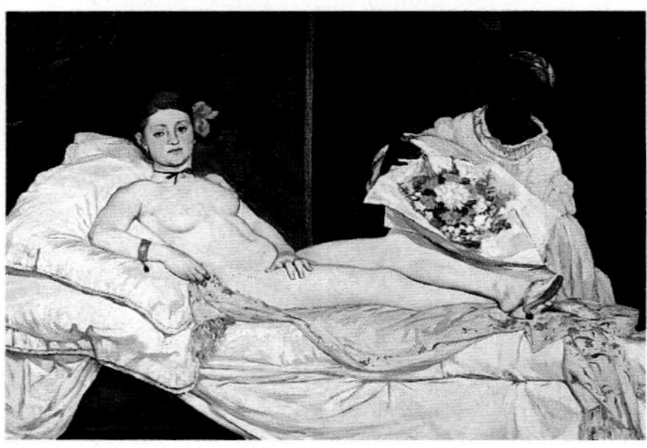

◆ **Édouard Manet** (1832-1883), ***Olympia*** (1863). Librement inspirée de la *Vénus* d'Urbino, de Titien, et de la *Maja nue*, de Goya, l'œuvre fait scandale au Salon de 1865 par sa facture « inachevée » et la crudité de son sujet – la prostitution. (Musée d'Orsay, Paris)

◆ **Pierre Auguste Renoir** (1841-1919), ***Bal au Moulin de la Galette*** (1876). Un bal populaire à Montmartre. Avant ses succès mondains, Renoir se montre attentif aux divertissements prolétariens. (Musée d'Orsay, Paris)

◆ **Camille Pissarro** (1830-1903),***les Toits rouges*** (1877).La vibration des couleurs s'allie à la fermeté de la composition. (Musée du Louvre, Paris)

◆ **Edgar Degas** (Edgar de Gas, 1834-1917), ***Fin d'arabesque*** (1877). La danse est l'un des sujets préférés du peintre. Degas utilise ici le pastel, dont il a renouvelé l'art. Le cadrage surprenant et les couleurs vives renforcent l'impression du mouvement. (Musée d'Orsay, Paris)

Les expositions impressionnistes

Réagissant contre l'académisme des Salons, de nombreux artistes, parmi lesquels Cézanne, Monet, Morizot, Pissarro, Renoir et Sisley, ont développé la peinture en plein air dès les années 1860. En avril 1874, ils exposent collectivement leurs œuvres dans l'ancien atelier du photographe Nadar, boulevard des Capucines, à Paris. La manifestation provoque un scandale et le tableau de Monet, *Impression, soleil levant*, inspire au journaliste du *Charivari* Louis Leroy le terme moqueur d'« impressionniste ». Sept expositions suivent (en 1876, chez le marchand Durand-Ruel, en 1877, en 1878, en 1880, en 1881, en 1882 et en 1886), auxquelles participent notamment Caillebotte, Gauguin, Seurat, Signac, mais aussi Van Gogh et Odilon Redon.

◆ **Claude Monet** (1840-1926), ***les Meules*** (1892). Installé à Giverny, l'artiste étudie les variations de la lumière. *Les Meules* constituent la première de ses séries peintes sur un même thème avec les *Cathédrales de Rouen* et *les Nymphéas.* (Musée d'Orsay, Paris)

◆ **Paul Cézanne** (1839-1906), ***les Joueurs de cartes*** (v. 1890-1895). Une composition réduite à des plans colorés qui détruit la profondeur mais renforce la vibration chromatique. La géométrisation des formes influencera le cubisme (Musée d'Orsay, Paris).

Post-impressionnisme et symbolisme

Les libertés conquises par les impressionnistes suscitent très vite, chez des peintres théoriciens comme Seurat ou Gauguin, des exigences contraires : retour à la forme, rigueur de la composition, souci de penser en profondeur la « manière » du peintre et le propos de l'œuvre. En se fondant sur la théorie du chimiste Chevreul (*Traité de la théorie des couleurs*, 1839) et en systématisant la division de la touche, Seurat retrouve l'intensité de la vision colorée. Il crée le divisionnisme (ou « pointillisme ») qu'adoptent Signac et, provisoirement, Pissarro et Van Gogh. Toutefois, aux sujets tirés de la vie quotidienne, il rend une grandeur toute classique.

Le même refus du prosaïsme, une recherche de suggestions plus secrètes ont fait appliquer à Gauguin l'épithète, alors en vogue chez les écrivains, de symboliste : pour lui, la peinture traduit non des perceptions, non des idées, mais une vérité quasi musicale. Si d'autres symbolistes mettent des moyens plus traditionnels au service d'un imaginaire inquiétant (Gustave Moreau, Odilon Redon, les Belges James Ensor et Félicien Rops), ses véritables disciples sont les nabis et c'est le nabi Maurice Denis qui léguera au XXe siècle cette formule clé de l'art moderne : « Se rappeler qu'un tableau est essentiellement une surface plane recouverte de couleurs en un certain ordre assemblées. »

◆ **Georges Seurat** (1859-1891), ***Un dimanche après-midi à la Grande-Jatte, 1884*** (1884-1885). L'avènement du divisionnisme. (Art Institute, Chicago)

◆ **Paul Sérusier** (1865-1927), ***le Talisman*** ou ***Paysage du Bois d'Amour*** (1888). Un paysage aux formes simplifiées et aux couleurs pures dans lequel a disparu tout effet de profondeur. (Musée d'Orsay, Paris)

Pont-Aven et les nabis

En 1888, Gauguin et le jeune Émile Bernard travaillent à Pont-Aven, dans le Finistère. En réaction contre l'impressionnisme, ils élaborent le « cloisonnisme », qui consiste à cerner vigoureusement les formes, et le « synthétisme », qui tend à leur simplification expressive. Bernard présente à Gauguin son ami Sérusier. Gauguin lui donne une leçon de peinture : « Comment voyez-vous ces arbres? Ils sont jaunes. Eh bien, mettez du jaune. Cette ombre plutôt bleue, peignez-la avec de l'outremer pur... » Le jour même, Sérusier rapporte son tableautin à Paris. C'est le *Talisman*. Il le montre à ses camarades de l'académie Julian et fonde le groupe des nabis (« prophètes ») : Maurice Denis, Pierre Bonnard, Édouard Vuillard, Paul-Élie Ranson, Félix Valloton, Aristide Maillol.

◆ **Vincent Van Gogh** (1853-1890), ***la Route aux cyprès*** (1890). Un grand cyprès partage le tableau en deux. De part et d'autre, le Soleil et la Lune, simultanés, installent la scène hors du temps. Les hommes cheminent sur la route. Une des grandes œuvres de la fin de la vie de « Vincent ». (Musée Kröller-Müller, Otterlo)

◆ **James Ensor** (1860-1949), ***Squelettes se disputant un pendu*** (1891). Un fantastique macabre qui annonce l'expressionnisme. (Mus. des Beaux-Arts, Anvers)

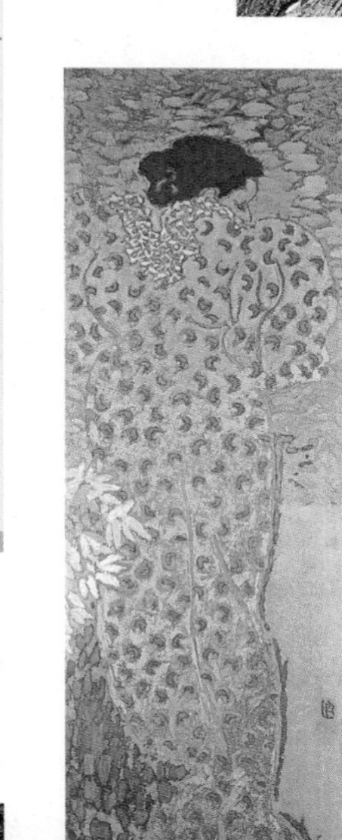

◆ **Pierre Bonnard** (1867-1947), ***le Peignoir*** (1892). Une scène intimiste traitée de manière très graphique sous l'influence des estampes japonaises (« japonisme »). (Musée d'Orsay, Paris)

◆ **Edvard Munch** (1863-1944), ***Angoisse*** (1894). Le malaise dû aux mutations de la société moderne, ressenti par un précurseur de l'expressionnisme. (Musée Munch, Oslo)

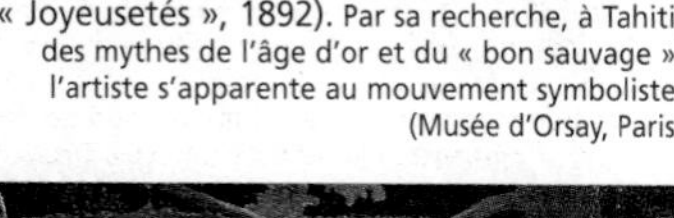

◆ **Paul Gauguin** (1848-1903), ***Arearea*** (« Joyeusetés », 1892). Par sa recherche, à Tahiti, des mythes de l'âge d'or et du « bon sauvage », l'artiste s'apparente au mouvement symboliste. (Musée d'Orsay, Paris)

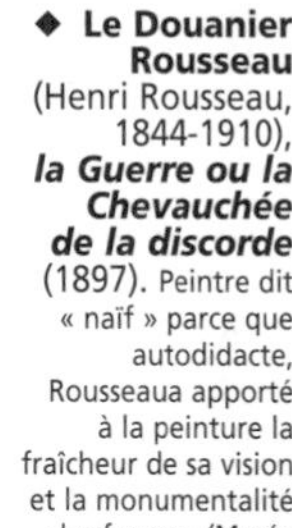

◆ **Le Douanier Rousseau** (Henri Rousseau, 1844-1910), ***la Guerre ou la Chevauchée de la discorde*** (1897). Peintre dit « naïf » parce que autodidacte, Rousseaua apporté à la peinture la fraîcheur de sa vision et la monumentalité des formes. (Musée d'Orsay, Paris)

◆ **Gustave Klimt** (1862-1918), ***Pallas Athene*** (1898). Une composition ornementale caractéristique du « style doré » de l'artiste. (Kunsthistorisches Museum, Vienne)

L'estampe au XIXe siècle

L'industrie de l'image

Le XIXe s. est le siècle de l'estampe – l'image imprimée. Le fait nouveau, qui rend possible une diffusion massive des images, est l'invention de la lithographie en 1796. Ce procédé de dessin sur pierre est plus souple et moins onéreux que la gravure. Il est utilisé pour des planches de caricatures (Daumier, Nadar), des portraits de célébrités (Achille Devéria, 1800-1857), et l'illustration de périodiques et de livres (avec des chefs-d'œuvre comme le *Faust* de Goethe, illustré par Delacroix, 1827, et *le Corbeau* d'Edgar Poe, traduit par Mallarmé et illustré par Manet, 1875). On l'utilise aussi pour réaliser des affiches illustrées, art dont les maîtres sont Jules Chéret (1836-1932), Toulouse-Lautrec, Bonnard, Mucha.

La gravure sur bois connaît un développement prodigieux dans la presse. À *l'Illustration* (fondé en 1843) collaborent Grandville (1803-1847) et Gustave Doré (1832-1883), célèbres également pour leurs illustrations de livres. Les dessins sont gravés par des praticiens et tirés en même temps que le texte. Mais bientôt de nouvelles techniques permettent d'interpréter sur bois des photographies, et donc de les imprimer. Avant la fin du siècle, la photogravure est au point.

La gravure traditionnelle, elle, perd progressivement son rôle de technique de reproduction. Elle se développe en revanche comme moyen d'expression à part entière, aux mains de peintres comme Goya, Corot ou Millet, mais aussi d'artistes spécifiquement graveurs comme Charles Méryon (1821-1868, auteur des *Eaux-fortes sur Paris,* 1850-1852), Rodolphe Bresdin (1825-1885), à la minutie proche du fantastique, Félix Bracquemond (1833-1914), promoteur de la gravure originale, ou le sulfureux Félicien Rops (1833-1898).

◆ **Goya** (Francisco [de] Goya y Lucientes, 1746-1828), ***Que faire de plus?*** (1810).
Gravure extraite de la série des *Désastres de la guerre.* (Prado, Madrid)

◆ **Eugène Delacroix** (1798-1863), ***Faust et Méphisto*** (1827).
Delacroix explore de façon inventive la technique alors récente de la lithographie. Illustration pour le *Faust* de Goethe. (Bibliothèque nationale de France, Paris)

◆ **Honoré Daumier** (1808-1879), ***Benjamin Dudessert*** (1833).
Caricature de l'industriel B. Delessert (1773-1847). L'essor de la presse permet celui de la caricature. Daumier réalise de nombreuses lithographies de financiers et d'hommes de pouvoir, croqués avec irrévérence et férocité. (Musée d'Orsay, Paris)

◆ **Henri de Toulouse-Lautrec** (1864-1901), ***Aristide Bruant dans son cabaret*** (1892).
Familier des lieux de plaisirs, l'artiste est l'auteur de peintures au réalisme à la fois aigu et sensible. Il est célèbre aussi par ses affiches au dessin stylisé, marqué par le japonisme, fait de cernes noirs et d'aplats de couleurs. (Musée Toulouse-Lautrec, Albi)

VOIR AUSSI
• **Techniques artistiques** p. 1113
Illustrations
• **Goya** p. 1089, 1093
• **Bonnard** p. 1095

◆ **Aubrey Beardsley** (1872-1898), ***Isolde*** (v. 1895). Un style inspiré par le préraphaélisme et par les estampes japonaises, qui annonce l'Art nouveau. Dessin gouaché. (Bibliothèque nationale de France, Paris)

◆ **Pierre Bonnard** (1867-1947), ***le Salon des Cent*** (1896).
L'art japonais influence également les nabis, comme en témoignent la simplification des formes et les traits sinueux de cette affiche. (Bibliothèque nationale de France, Paris)

◆ **Alphons Mucha** (1860-1939), ***le Papier à cigarettes Job*** (1898).
L'apogée de l'affiche Art nouveau : la figure s'inscrit dans un décor complexe de volutes et d'arabesques, la chevelure s'épanouit en des rythmes végétaux, la marque devient un élément ornemental. (Bibliothèque Fornay, Paris)

La photographie au XIXe siècle

La nouvelle image

L'obsession fort ancienne d'enregistrer des images du réel donne ses premiers résultats avec les travaux de Niépce et de Daguerre. Toutefois, l'impulsion décisive est donnée par le Britannique Talbot, qui invente un procédé permettant de tirer de multiples épreuves. Très vite, les applications de la photographie se diversifient. Une des principales est le portrait, qui justifie l'ouverture de nombreux ateliers où les gens en vue viennent poser comme pour un peintre. Le portrait de petit format ou « carte de visite » connaît une diffusion extraordinaire : il est vendu soit au modèle lui-même, qui le distribue à ses connaissances, soit au public, quand il représente une célébrité. La production d'albums photographiques se développe et se nourrit d'images du monde entier. Les voyages (Maxime du Camp en Orient, avec Flaubert), les guerres (Roger Fenton en Crimée, Timothy O'Sullivan lors de la guerre de Sécession), le patrimoine monumental (les frères Bisson, Édouard Baldus), les grandes réalisations industrielles donnent lieu à des publications photographiques. Les sciences, de l'archéologie à la psychologie expérimentale, ont recours à la photographie. On met au point des techniques pour photographier au microscope, sous l'eau, en ballon, pour photographier les astres, pour photographier le mouvement.

Une part significative de l'activité photographique est orientée vers l'art. La photographie fournit des modèles aux artistes, des nus par exemple, et des reproductions d'œuvres célèbres, supplantant ainsi la gravure dans ce rôle artisanal. Elle cherche même à rivaliser avec la peinture en produisant des œuvres qui se réclament de la « photographie d'art ».

VOIR AUSSI
Illustrations
- **Niepce** (1ère photographie) p. 281
- **Tour Eiffel en construction** p. 295
- **Métro de Paris; Marie Curie; première radiographie** p. 296-297
- **Autochrome des frères Lumière** p. 299
- **Portrait de Nerval par Nadar** p. 1123

◆ **Nadar** (Félix Tournachon, 1820-1910), ***Alexandre Dumas père.*** Journaliste et caricaturiste aux idées républicaines, Nadar se reconvertit dans la photographie sous Napoléon III. Son atelier, ouvert en 1853, accueille écrivains et artistes qui viennent y faire faire leur portrait.

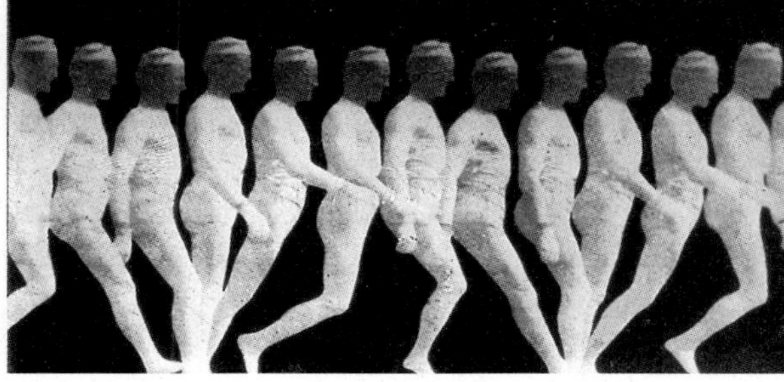

◆ **Étienne-Jules Marey** (1830-1904), ***Chronophotographie partielle d'un homme portant un costume moitié blanc moitié noir*** (1883). Médecin et physiologiste, Marey utilise la photographie à des fins scientifiques (l'étude du mouvement). Ses divers appareils ouvrent la voie au cinéma; ses images influenceront l'art moderne.

◆ **Julia Margaret Cameron** (1815-1879), ***Adriana*** (v. 1864). Contrairement aux photographes commerciaux, Cameron ne vend pas ses portraits, réalisés dans un but de recherche artistique. Elle tire de puissants effets de mises au point approximatives et travaille même, parfois, sans objectif. (Musée d'Orsay, Paris)

◆ **Robert Demachy** (1859-1936), ***Académie*** (1900). Demachy est, en France, le principal représentant du pictorialisme. Ce mouvement international (1890-1910) cherche, en travaillant notamment les techniques de tirage, à créer de véritables « images » (*pictures* en anglais) capables de concurrencer la peinture. (Musée d'Orsay, Paris)

◆ ***Deux touristes devant les chutes du Niagara.*** Daguerréotype anonyme. Le procédé de Daguerre produit une image très fine, mais unique, obtenue directement sur plaque métallique. Il est abandonné au cours des années 1850. (Bibliothèque nationale de France, Paris)

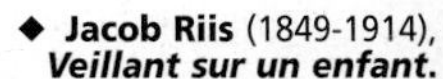

◆ **Jacob Riis** (1849-1914), ***Veillant sur un enfant.*** Journaliste « en guerre contre les taudis », Riis apprend la photographie pour montrer la misère de l'East Side new-yorkais, entre 1888 et 1898. (Museum of the City, New York)

Les débuts de la photographie

Années 1816-1827. Nicéphore Niépce (1765-1833) obtient des images en exposant des surfaces sensibles à la lumière dans une chambre noire. Il travaille avec des sels d'argent puis du bitume de Judée. Il nomme son invention héliographie.

1837-1839. Jacques Daguerre (1787-1851), associé à Niépce depuis 1829, rend le procédé exploitable (daguerréotype).

1839. La France acquiert l'invention par l'intermédiaire du ministre François Arago, afin de l'offrir au monde. Le Britannique William Henry Fox Talbot (1800-1877) révèle ses travaux, menés depuis 1834 : son procédé, nommé calotype, produit un négatif sur papier dont il est possible de tirer de multiples épreuves positives. Le Français Hippolyte Bayard (1801-1887) réalise des images positives directes sur papier.

1840. Premiers studios photographiques à New York.

1841-1851. Diffusion du daguerréotype. Innovations techniques. Sociétés photographiques, revues, expositions. La photographie est présente à la première Exposition universelle à Londres (1851).

1855. À Paris, première exposition de la Société française de photographie. Deuxième Exposition universelle : la photographie y est présentée au palais de l'Industrie (et non à celui des Beaux-Arts), dans une perspective d'utilité sociale. Elle est définitivement inscrite dans la culture moderne.

L'architecture du XXe siècle

Du fonctionnalisme au nouveau baroque

La rupture avec les formes du passé et l'académisme s'affirme avec l'école de Vienne : Otto Wagner (1841-1918), Josef Hoffmann (qui se réclame de Charles Rennie Mackintosh), Adolf Loos (qui répudie tout ornement). Divers architectes allemands, tel Peter Behrens (1868-1940), pratiquent tour à tour l'épuration formelle et un expressionnisme inventif.

Deux grandes tendances d'avant-garde s'affirment à partir des années 1920 : la géométrie rigoureuse, aux volumes cubiques, du style international (ou « mouvement moderne ») [Le Corbusier, Oud, Gropius, Mies van der Rohe…] et divers courants « organiques », aux structures plus souples (Frank Lloyd Wright, Hans Scharoun, le Finlandais Aalto…). Une sorte de lyrisme « néobaroque » caractérise les œuvres de Saarinen ou du Brésilien Niemeyer. Le brutalisme anglais (Stirling) ou japonais (Tange), en partie inspiré de Le Corbusier, entend faire trancher l'architecture sur son environnement. Il a engendré une architecture métallique de haute technologie (Piano, Rogers, Norman Foster). À l'opposé, en apparence du moins, se situent diverses attitudes qu'on a qualifiées de « postmodernes », car elles renouent un dialogue avec le patrimoine du passé, par exemple chez les Américains Robert Venturi et Michael Graves, l'Espagnol Ricardo Bofill, le Japonais Isozaki Arata, le Suisse Mario Botta.

À la fin du XXe s., les architectes se préoccupent de la valeur symbolique des édifices (Jean Nouvel, projet de *Tour sans fin,* 1989) et de leur originalité visuelle dans un environnement urbain de plus en plus complexe.

◆ **Josef Hoffmann** (1870-1956), **le palais Stoclet** (1905-1911), à Bruxelles. La salle à manger de ce chef-d'œuvre de l'école viennoise est décorée d'une mosaïque du peintre autrichien Gustav Klimt.

◆ **Jacobus Johannes Pieter Oud** (1890-1963), **ensemble d'habitations ouvrières** (1924-1927), à Hoek van Holland, près de La Haye.

◆ **Frank Lloyd Wright** (1867-1959), **la maison Robie** (1909), à Chicago. Une précoce réalisation « organique », caractérisée par la continuité de certains volumes intérieurs par leur interpénétration avec le cadre, l'espace extérieur, et par l'influence notable du Japon.

◆ **Walter Gropius** (1883-1969), **l'immeuble du Bauhaus** (1925-1926), à Dessau. Pour l'école d'art la plus célèbre du XXe s., dont il était le directeur, Gropius a conçu ces bâtiments de béton armé et de verre (mur-rideau), caractéristiques des débuts du style international.

◆ **Le Corbusier** (Charles Édouard Jeanneret, 1887-1965), **la villa Savoye** (1929-1931), à Poissy (Yvelines). Purisme et fluidité des espaces intérieurs chez un des maîtres du style international.

◆ **Le Corbusier, la chapelle de Ronchamp** (1950-1955), en Haute-Saône. Dessin (écorché) montrant la configuration générale : un retour à la liberté formelle qui n'est pas préjudiciable au fonctionnalisme de l'édifice.

VOIR AUSSI
Illustrations
• Grands musées du monde p. 1114

◆ **Ludwig Mies van der Rohe** (1886-1969), **le Crown Hall de l'Institut de technologie de l'Illinois** (1952-1956), à Chicago. Avant d'émigrer aux États-Unis (1937), Mies van der Rohe a été l'un des successeurs (1930-1933) de Gropius à la direction du Bauhaus. Il est le maître de l'architecture en métal et en verre, et le principal créateur du style international.

◆ **Alvar Aalto** (1898-1976), **le grand auditorium de l'école polytechnique d'Otaniemi** (1955-1964), près de Helsinki.

◆ **Oscar Niemeyer** (né en 1907), **le Parlement de Brasília** (1957-1960). Les plans de la nouvelle capitale du Brésil furent dressés en 1956 par l'architecte Lúcio Costa (né en 1902). Sur la place des Trois-Pouvoirs, Niemeyer a notamment construit les divers édifices du Parlement.

◆ **Eero Saarinen** (1910-1961), **détail du terminal de la TWA** (1956-1962), à Idlewild (aujourd'hui aéroport J.F. Kennedy), à New York. Des coques en béton d'une envolée lyrique.

◆ **Louis Kahn** (1901-1974), **le Centre de recherche médicale de l'université de Pennsylvanie** (1957-1961), à Philadelphie. Kahn est l'un des principaux représentants de l'architecture rationaliste.

◆ **Tange Kenzo** (né en 1913), **le stade nautique olympique de Tokyo (1960-1964).** Une immense couverture suspendue en câbles d'acier, audacieuse par sa technique et par son effet plastique.

◆ **Christian de Portzamparc** (né en 1944), **la Cité de la musique** (1984-1995), à Paris. À l'encontre de la rigueur géométrique, l'architecte privilégie les formes sinueuses et rythmées. Il a reçu le prix Pritzker en 1994.

◆ **Renzo Piano** (né en 1937) **et Richard Rogers** (né en 1933), **écorché d'un immeuble de bureaux à Novedrate** (1971-1973), en Italie. Aucun poteau ou mur ne fragmente le volume utile, suspendu à une structure tridimensionnelle de tubes d'acier; circulation des divers flux entre plafonds. (Les mêmes architectes ont construit, à Paris, le Centre national d'art et de culture Georges-Pompidou.)

◆ **Mario Botta** (né en 1943), **une maison à Ligornetto** (1975), en Suisse. Les lits de briques, caractéristiques de Botta, créent un lien avec une architecture de tradition et de sensibilité.

◆ **Norman Foster** (né en 1935), **la Banque de Hongkong et de Shanghai** (1979-1986), à Hongkong. Une tour de 180 m de haut à l'esthétique high-tech.

◆ **Frank O. Gehry** (né en 1929), **la Fondation Guggenheim** (1998), à Bilbao. Une architecture postmoderne dont les volumes éclatés dessinent des formes étranges, presque comiques.

L'urbanisme

L'urbanisme est l'art d'aménager les villes et les espaces collectifs. Les Romains, déjà, organisaient volontiers leurs villes selon un plan quadrillé; la Renaissance a réfléchi sur le plan de la ville idéale; à toutes les époques, les pouvoirs publics ont pris des mesures d'ensemble. Avec l'accroissement des villes, l'insalubrité des quartiers pauvres et les débuts de l'automobile, il devient nécessaire de repenser l'aménagement urbain. Les préoccupations sont d'abord d'ordre social (mouvement des cités-jardins à la croissance contrôlée, en Angleterre, en France).
Le principal théoricien de l'urbanisme est Le Corbusier qui, dans la *Charte d'Athènes* (1942), dégage les idées directrices. La ville doit être réglée sur quatre fonctions : habiter, travailler, cultiver le corps et l'esprit, circuler. Cette analyse reste fondamentale, même si les solutions apportées depuis lors cherchent à se dégager du rationalisme pour prendre en compte, par exemple, la psychologie collective, le besoin d'identité locale, la vie de quartier...

La sculpture du XXe siècle

Abstraction et expression

La sculpture moderne s'est dans un premier temps écartée des apparences du réel, notamment sous l'influence du cubisme, du futurisme et de l'expressionnisme (Jacques Lipchitz, Duchamp-Villon…). Du cubisme dérive une recherche de la forme pour elle-même. Les techniques traditionnelles, encore représentées par Maillol, sont concurrencées par des techniques d'assemblage telles que le fer soudé (Picasso, González, Calder). L'épuration formelle de Brancusi, d'inspiration archaïque et symbolique, influence de nombreux sculpteurs, tels Arp et Moore. L'abstraction géométrique, issue du constructivisme russe, donne souvent lieu à des œuvres monumentales, généralement austères.

Lyrisme et expressionnisme, abstraits ou non (Giacometti…), sont très pratiqués à partir des années 1950, avant d'être concurrencés par les assemblages du nouveau réalisme (Tinguely, César…), les moulages et les mises en scènes expressives du monde contemporain (pop art, hyperréalisme). La sculpture se dote volontiers de mouvement (Nicolas Schöffer, Pol Bury, Takis) et de lumière (Dan Flavin). À ce point, la sculpture éclate en nouveaux modes d'expression.

◆ **Raymond Duchamp-Villon** (1876-1918), ***le Cheval*** (1914). Fondateur de la Section d'or, marqué par le cubisme, l'artiste tend vers une simplification des formes qui rejoint les préoccupations futuristes. (MNAM, Paris)

◆ **Constantin Brancusi** (1876-1957), ***le Coq*** (1924-1935). À la recherche d'une essence symbolique de la forme, Brancusi a légué une leçon de purisme à l'art du XXe siècle tout en se mettant à l'écoute de traditions paysannes ancestrales. (MNAM, Paris)

◆ **Antoine Pevsner** (1886-1962), ***Construction dans l'espace*** (1923-1925). Dans le constructivisme, l'artiste joue sur les vides et les pleins, intégrant son œuvre dans l'espace total. (MNAM, Paris)

◆ **Aristide Maillol** (1861-1944), ***Île de France*** (1925). Un classicisme qui privilégie les volumes massifs et les lignes arrondies. Le corps féminin, principal sujet de l'artiste s'épanouit en des formes solides et douces. (Musée d'Orsay, Paris)

◆ **Alexander Calder** (1898-1976), ***Quatre Feuilles et Trois Pétales*** (1939). Mobile-stabile en métal peint. (MNAM, Paris)

◆ **Henry Moore** (1898-1986), ***Groupe familial*** (1946). Bronze. (Philips Collection, Washington)

◆ **Alberto Giacometti** (1901-1966), ***Tête de Diego*** (1953). Bronze. (Collection privée)

◆ **Jean Tinguely** (1925-1991), ***Metamatic n° 8*** (1958). Une machine-robot à dessiner : la dérision de l'abstraction gestuelle. (Musée d'Art moderne, Stockholm)

◆ **César** (César Baldaccini, 1921-1998), ***Vénus de Villetaneuse*** (1962). Bronze à patine brun clair. (Collection privée)

◆ **Sol LeWitt** (né en 1928), ***Pièce en 5 unités* (cubes ouverts en forme de croix,** 1966-1969). Acier laqué blanc. (MNAM, Paris)

◆ **Barry Flanagan** (né en 1941), ***Virtue*** (1993). Réagissant contre l'austérité de l'art conceptuel, Flanagan a cherché des formes molles, à l'encontre de la solennité habituelle de la statuaire. Bronze. (MNAM, Paris)

La peinture du XXe siècle

Les avant-gardes

Débarrassée des académismes, la peinture du XXe s. explore deux grandes directions : l'expression, sous le signe de Van Gogh, et la construction, sous le signe de Cézanne. Le mouvement expressionniste se développe en Allemagne durant les vingt-cinq premières années du siècle. Les artistes introduisent dans la peinture des préoccupations psychologiques et sociales (dénonciation de la misère, de la guerre). Un dessin violent, des couleurs stridentes, en aplats, une concentration sur la figure humaine en sont les caractéristiques. Le mouvement se structure autour des groupes Die Brücke (« le Pont », Dresde, 1905) avec Kirchner et Emil Nolde (1867-1956), puis Der Blaue Reiter (« le Cavalier bleu », Munich, 1911) avec Kandinsky et Franz Marc (1880-1916). En France, le fauvisme de Matisse, Derain, Vlaminck (1876-1958), se rapproche de l'expressionnisme par l'usage de la couleur mais ne possède pas sa dimension tragique ; il dure peu (1905-1907).

Le cubisme (1908-1914) consomme la rupture, commencée à la fin du XIXe s., avec le système de représentation hérité de la Renaissance. Le tableau n'est plus une « fenêtre » ouverte sur le monde, mais une surface où l'artiste organise formes et couleurs. Les créateurs du mouvement sont Picasso et Braque, suivis par Léger et Juan Gris. Du cubisme dérivent le simultanisme (ou orphisme) de Robert Delaunay (1885-1941), les futurismes italien (Boccioni, Balla) et russe (Malevitch), et toute l'abstraction géométrique.

En effet, le XXe s. a vu, à partir de 1909-1910, avec Picabia (1879-1953), Larionov (1886-1964), Kandinsky, la naissance d'un art « abstrait », c'est-à-dire sans référence au monde visible, non figuratif. On y retrouve la tendance à l'expression et au lyrisme (le premier Kandinsky), la tendance géométrique avec le suprématisme de Malevitch, le néoplasticisme de Mondrian et le constructivisme russe (Lissitzky, Rodtchenko) continué par l'enseignement du Bauhaus (Moholy-Nagy, Josef Albers).

◆ **Pablo Picasso** (1881-1973), ***les Demoiselles d'Avignon*** (1906-1907). C'est le point de départ du cubisme, de sa décomposition analytique du motif et de sa recomposition dans les deux dimensions de la toile. Influences de Cézanne, du Greco, de la sculpture ibérique primitive et, dans la partie droite, de la sculpture africaine. (Musée d'Art moderne, New York)

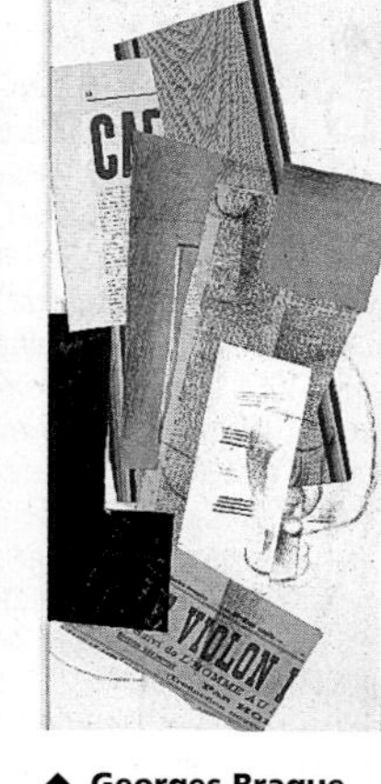

◆ **Georges Braque** (1882-1963), ***le Violon*** (1914). Une réussite du cubisme « synthétique », né de la technique du papier collé.

◆ **André Derain** (1880-1954), ***les Deux Péniches*** (1906). La simplification du dessin, l'utilisation de couleurs pures posées en aplats, sans souci de modelé : l'avènement du fauvisme. (MNAM, Paris)

◆ **Henri Matisse** (1869-1954), ***la Desserte rouge*** (1908). Une même sensibilité dans les contrepoints linéaires et dans le libre maniement de la couleur pure (héritée du fauvisme). (Ermitage, Saint-Pétersbourg)

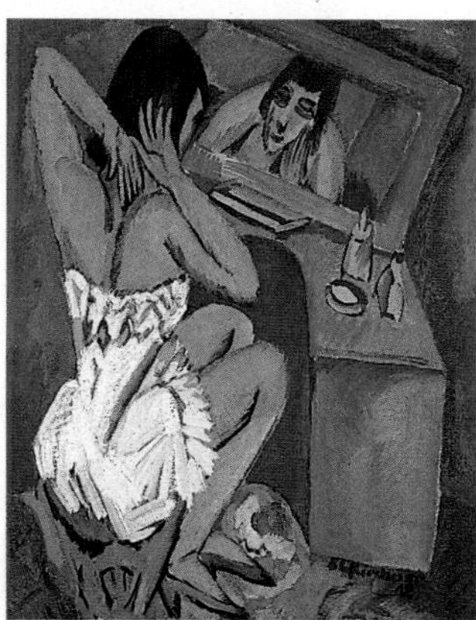

◆ **Ernst Ludwig Kirchner** (1880-1938), ***la Toilette, femme au miroir*** (1912-1913). Un sujet intimiste traité dans le style expressionniste du fondateur du groupe Die Brücke : traits anguleux, couleurs dissonantes, touche nerveuse. (MNAM, Paris)

◆ **Fernand Léger** (1881-1955), ***la Ville*** (1919). Issue du cubisme, une peinture d'une grande vigueur plastique, tournée vers la collectivité, la technique, le monde du travail. (Musée d'Art de Philadelphie, coll. Gallatin)

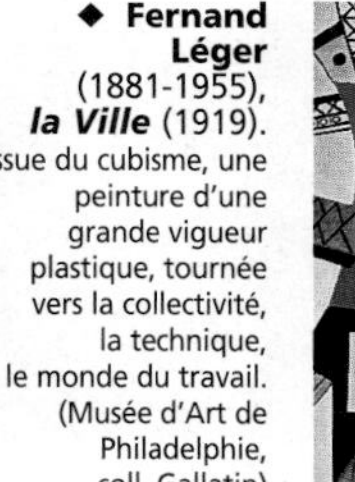

◆ **Kazimir Malevitch** (1878-1935), ***Croix*** [noire] (1915). Un pur signe plastique, aboutissement d'un art « non objectif » : le suprématisme. (MNAM, Paris)

◆ **El Lissitzky** (1890-1941), ***Étude pour Proun 30 T*** (1920). Les Proun (« pour l'affirmation du nouveau en art ») sont les modèles d'une nouvelle architecture, selon les principes du constructivisme. (Mc Crory coll., New York)

◆ **Wassily Kandinsky** (1866-1944), ***Tache rouge*** (1914). La peinture abstraite comme expression du monde intérieur et de la spiritualité. (MNAM, Paris)

◆ **Piet Mondrian** (1872-1944), ***Composition I avec bleu et jaune*** (1925). Rigueur du néoplasticisme, adopté par le groupe néerlandais De Stijl (« le Style »). (Kunsthaus, Zurich)

De Dada au renouveau figuratif

Dès avant la guerre de 1914-1918, Paris attire des artistes du monde entier. Des personnalités attachantes comme Marc Chagall, Amedeo Modigliani (1884-1920), Chaïm Soutine (1893-1943), Jules Pascin (1885-1930) forment l'« école de Paris ». En plein carnage de Verdun, le mouvement Dada se manifeste simultanément à Zurich (Jean Arp, 1886-1966) et à New York (Francis Picabia, 1879-1953 ; Marcel Duchamp) comme une protestation de l'absurde contre l'absurde. Le mouvement, introduit à Paris, se développe ensuite dans le surréalisme, davantage tourné vers les expériences de dessin automatique, les images oniriques et l'érotisme (Max Ernst, 1891-1976 ; André Masson, 1896-1987 ; Joan Miró ; Salvador Dalí ; Yves Tanguy, 1900-1955 ; René Magritte, 1898-1967).

L'entre-deux-guerres est la période du « retour à l'ordre » : même si la Nouvelle Objectivité allemande exprime un message anti-bourgeois (Otto Dix, 1891-1969 ; George Grosz, 1893-1959), elle n'en marque pas moins, comme d'ailleurs le surréalisme, un retour à la figuration, loin des expériences radicales des avant-gardes du début du siècle. Le même retournement de tendance est perceptible dans le réalisme américain (Edward Hopper ; Grant Wood, 1891-1942) et dans le néo-classicisme que traversent alors des maîtres comme Picasso, Matisse ou Derain.

VOIR AUSSI • Marc Chagall p. 494

◆ **Paul Klee** (1879-1940), ***Senecio*** (1922). Artiste inspiré, mais aussi théoricien, Klee fut professeur au Bauhaus. Un extrême raffinement et une constante invention formelle caractérisent son œuvre. (Kunstmuseum, Bâle)

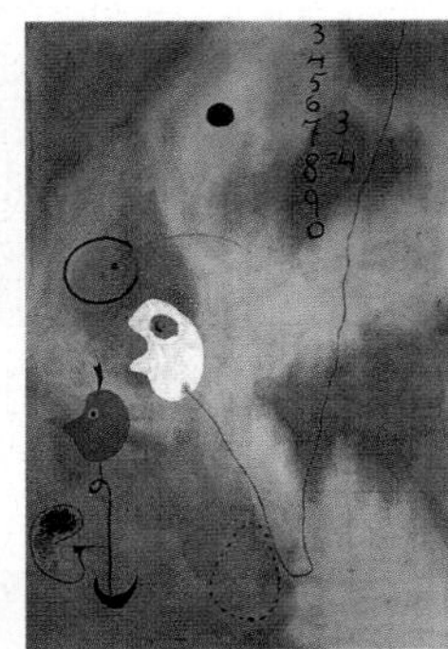

◆ **Joan Miró** (1893-1983), ***l'Addition*** (1925). Inspiré du *Surmâle*, d'Alfred Jarry, un tableau cocasse dans lequel les éléments figuratifs revêtent des formes oniriques et joyeuses. (MNAM, Paris)

◆ **Marc Chagall** (1887-1985), ***Moi et le village*** (1911). Un art sentimental, marqué par le folklore. (Musée d'Art moderne, New York)

Les périodes de Picasso

Pablo Ruiz y Picasso (1881-1973), qui signait Picasso, du nom de sa mère, est l'artiste qui a le plus révolutionné le langage de la peinture figurative au XXe s., dans « la plus grande entreprise de destruction et de création de formes de notre temps » (André Malraux).

1901-1904. Période bleue : tableaux réalistes, mélancoliques.
1905-1906. Période rose : réalisme poétique, gens de cirque.
1907-1909. Cubisme cézannien : simplification des formes, aplats. *Les Demoiselles d'Avignon* (1907), *Usine à Horta de Ebro* (1909).
1909-1912. Cubisme analytique : fragmentation des formes en facettes. *Portrait d'Ambroise Vollard* (1909-1910).
1912-1914. Cubisme synthétique : papiers collés en relation avec Braque, amplification des formes traitées en à-plats. Cette manière évolue jusqu'à la période cristal, qui s'achève avec *les Trois Musiciens* (1921), dernier tableau cubiste.
1917-1925. Période néoclassique : inspiration gréco-romaine et ingresque. Figures colossales.
1928-1937. Influence du surréalisme. Déformations violentes, culminant avec *Guernica* (1937), expression du drame collectif, et *la Femme qui pleure* (1937), expression du drame personnel.
1940-1944. Peintures sinistres, exprimant l'horreur de l'Occupation. Picasso s'inscrit au Parti communiste (1944).
1945-1973. Installation dans le midi de la France (Antibes, Cannes, Vauvenargues, Mougins). Œuvres heureuses. Méditations-variations sur de grandes œuvres du passé (*Femmes d'Alger*, d'après Delacroix, 1955 ; les *Ménines*, d'après Vélasquez, 1957). Série des *Ateliers* (1956). Autoportraits.

◆ **Giorgio De Chirico** (1888-1978), ***les Muses inquiétantes*** (1916). Le caractère visionnaire de la « peinture métaphysique » influencera les surréalistes. (Coll. Mattioli, Milan)

◆ **Pablo Picasso** (1881-1973), ***Guernica*** (1937). Au cours de la guerre d'Espagne, le 26 avril 1937, l'aviation allemande détruit le village de Guernica, foyer de résistance des républicains. Dans un camaïeu de noir et de gris, Picasso répond par cette œuvre, véritable cri d'horreur et de révolte : « Toute ma vie d'artiste n'a été qu'une lutte contre la réaction et la mort de l'art. » (Centre d'art Reina Sofia, Madrid)

◆ **Edward Hopper** (1882-1967), ***Dimanche matin de bonne heure*** (1930). Un réalisme épuré où dominent la tristesse et l'angoisse. (Whitney Museum of American Art)

◆ **Salvador Dalí** (1904-1989), ***la Métamorphose de Narcisse*** (1937). Une symbolique complexe qui s'exprime notamment par le moyen de l'« image double » (corps de Narcisse/main tenant l'œuf d'où sort le narcisse, la fleur). Ce thème témoigne également de l'influence permanente des *Métamorphoses* d'Ovide dans l'art occidental. (Tate Gallery, Londres)

Mouvements de l'après-guerre

Après la Seconde Guerre mondiale, la scène artistique se déplace vers New York, où les peintres américains (Willem De Kooning, 1904-1997 ; Arshile Gorky, 1904-1948 ; Jackson Pollock ; Mark Rothko, 1903-1970 ; Ad Reinhardt, 1913-1967) développent un expressionnisme abstrait en rupture violente avec les afféteries surréalistes. Si des tendances équivalentes se retrouvent en Europe (Jean Fautrier, 1898-1964 ; Wols, 1913-1951 ; Pierre Soulages, né en 1919), les peintres abstraits y pratiquent un style plus mesuré (Serge Poliakoff, 1900-1969 ; Hans Hartung, 1904-1989 ; Nicolas de Staël, 1914-1955).

La violence picturale se manifeste notamment dans la peinture figurative. En 1948, Jean Dubuffet fonde la Compagnie de l'art brut, cherchant dans l'œuvre des fous et des autodidactes les sources d'un art libéré de l'« asphyxiante culture ». La même agressivité à l'égard des conventions de l'image peinte se retrouve avec le groupe Cobra (1948-1951, Karel Appel, né en 1921 ; Pierre Alechinsky, né en 1927), la peinture nucléaire italienne (Enrico Baj, né en 1924), une partie des écoles anglaise (Francis Bacon, 1909-1992) ou espagnole (Antonio Saura, né en 1930) puis, à partir de 1978, les nouveaux fauves allemands, la *bad painting* américaine, la trans-avant-garde italienne et, à un moindre degré, la figuration libre française.

À l'opposé, issue du travail de Malevitch et de Mondrian, toute une tendance née dans les années 1960 cherche à traquer la peinture dans ce qu'elle a d'essentiel. Tels sont le minimalisme, avec ses purs champs de couleurs et ses formes élémentaires (Frank Stella, né en 1936) et, en France, les groupes Supports/Surfaces et BMPT (dont Daniel Buren est le principal représentant). La recherche d'effets purement optiques, dans l'op art, n'en est pas très éloignée (Victor Vasarely, 1908-1997).

Également liée aux années 1960 est la tendance qui entend rendre compte de la société contemporaine, avec des intentions tantôt dénonciatrices, tantôt ouvertement commerciales. C'est là le fait du pop art anglo-américain (David Hockney, né en 1937 ; Roy Lichtenstein, 1923-1997 ; Andy Warhol), du nouveau réalisme français (Martial Raysse, né en 1936 ; Yves Klein) et de divers groupes de « figuration narrative » à contenu volontiers politique.

Au XXe siècle, la peinture a remis en cause ses buts et ses moyens comme jamais elle ne l'avait fait depuis la Renaissance. La fièvre des avant-gardes successives a abouti à faire cohabiter les styles les plus divers. Un éclectisme qui s'identifie à la passion créatrice.

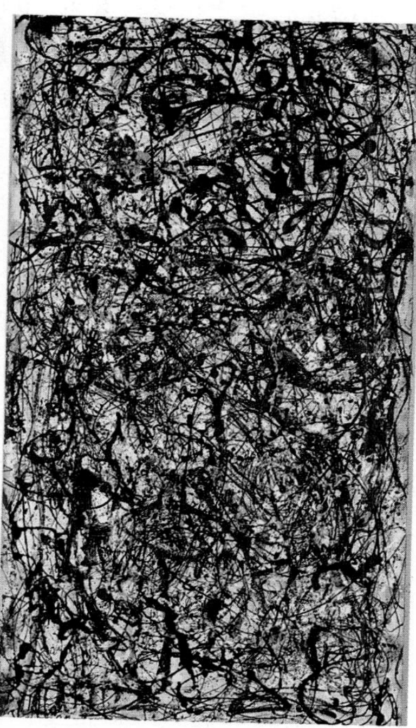

◆ **Jackson Pollock** (1912-1956), ***Number 26 A « Black and White »*** (1948). Le *dripping* est une technique inventée par Pollock consistant à laisser goutter la peinture sur un support posé au sol. Les arabesques créées par les gestes de l'artiste sur toute la surface de la toile *(all over)* libèrent l'œuvre de toute référence antérieure. (MNAM, Paris)

◆ **Jean Dubuffet** (1901-1985), ***Portrait d'Antonin Artaud*** (1950). À l'opposé de l'intellectualisme abstrait, Dubuffet propose une peinture charnelle, utilisant volontiers des matériaux divers. L'essentiel de son œuvre se groupe en cycles : *Mirobolus, Macadam et Cie* (1946), *Texturologies* (1956-1958), l'*Hourloupe* (1962-1974).(MNAM, Paris)

◆ **Yves Klein** (1928-1962), ***Anthropométrie de l'époque bleue, ANT 82*** (1960). Les modèles, véritables pinceaux vivants, laissent dans des performances publiques la trace de leur corps sur la toile. (MNAM, Paris)

◆ **Andy Warhol** (1928-1987), ***Jackie 1964.*** Dessinateur publicitaire devenu vedette du Pop Art, Andy Warhol désacralise l'œuvre d'art en produisant d'abondantes séries grâce à la sérigraphie et en exploitant des thèmes liés à la consommation et aux médias de masse.

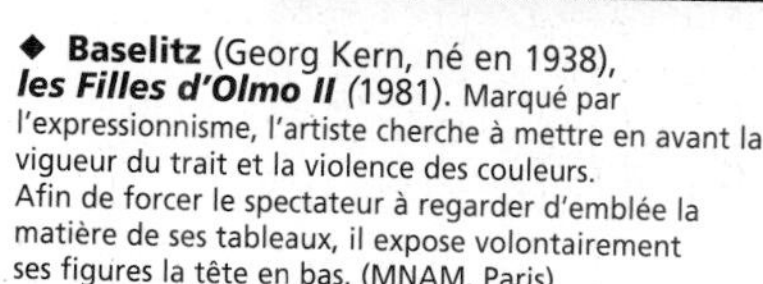

◆ **Frank Stella** (né en 1936), ***Parzeczew II*** (1971). Une étape intermédiaire entre les toiles « minimalistes » (années 1960) de l'artiste et ses hauts-reliefs des années 1980, d'une fantaisie débridée. (MNAM, Paris)

◆ **Balthus** (Balthasar Klossowski, né en 1908), ***la Chambre turque*** (1963-1966). Si la facture rappelle le néoclassicisme d'Ingres, le sujet dégage un érotisme sulfureux. (MNAM, Paris)

◆ **Antoni Tàpies** (né en 1923), ***Chapeau renversé*** (1979). Une peinture « informelle » dans laquelle les matières s'enrichissent de signes plastiques. (MNAM, Paris)

◆ **Baselitz** (Georg Kern, né en 1938), ***les Filles d'Olmo II*** (1981). Marqué par l'expressionnisme, l'artiste cherche à mettre en avant la vigueur du trait et la violence des couleurs. Afin de forcer le spectateur à regarder d'emblée la matière de ses tableaux, il expose volontairement ses figures la tête en bas. (MNAM, Paris)

Assemblages, installations…

L'éclatement des modes d'expression

S'affranchissant des règles, les artistes du XXe s. se sont souvent écartés aussi des strictes disciplines traditionnelles, peinture ou sculpture. Le cubisme (Picasso), le futurisme, le dadaïsme (Marcel Duchamp, Schwitters…) ont inauguré les assemblages de matériaux divers, développement des papiers collés, collages ou photomontages en trois dimensions. Les constructivistes (Moholy-Nagy) ont ouvert la voie au cinétisme, art du mouvement réel ou virtuel (Soto). Des assemblages, environnements et installations divers sont produits depuis les années 1960 par des artistes plus ou moins liés au nouveau réalisme (Christo), au pop art (dont Rauschenberg est un précurseur), à l'art pauvre italien (Mario Merz, Kounellis…), à l'art minimal et au *process art* américain (Robert Morris), au *land art* (Robert Smithson, la *Jetée en spirale,* 1970 ; Walter De Maria, *Champ d'éclairs,* 1977), à des formes variées d'art technologique (Takis) et d'art vidéo (Paik). L'art conceptuel (Kosuth et beaucoup d'autres) est avant tout investigation théorique, tandis que les performances de l'art corporel (Gina Pane) ont pris le corps et les processus psychiques pour matériaux. Plusieurs courants travaillent sur la communication : *mail art* (art postal, mouvement Fluxus), *copy art* (art de la photocopie), *computer art* (art de l'ordinateur, travaux interactifs).

◆ **Marcel Duchamp** (1887-1968), ***la Mariée mise à nu par ses célibataires, même*** ou ***le Grand Verre*** (1915-1923). Dans cette grande œuvre sur verre rassemblant peinture, vernis, fil et feuille de plomb, et même de la poussière, Duchamp tente d'analyser les mécanismes du désir érotique. Rupture décisive avec l'« art rétinien », l'œuvre impose une réflexion sur l'acte créatif lui-même. (Musée d'Art de Philadelphie)

◆ **Kurt Schwitters** (1887-1948), ***Merz 1926, 2, Selbst oben*** (1926). Un objet-relief d'inspiration dadaïste. Le mouvement dada, né en 1916, entreprend de « créer en détruisant ». (MNAM, Paris)

◆ **Jesús Rafael Soto** (né en 1923), ***Volume virtuel*** (1970). Environnement (tiges de métal peintes) réalisé pour le hall d'entrée d'un des bâtiments de l'Unesco, à Paris.

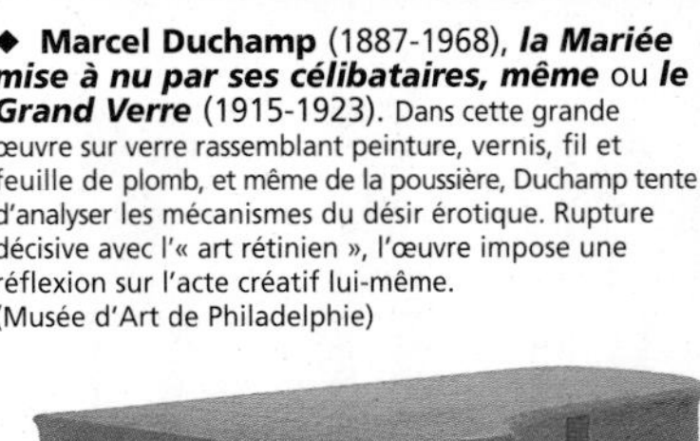

◆ **Robert Rauschenberg** (né en 1925), ***Monogram*** (1959), détail. Un assemblage incongru typique du néodadaïsme américain. (Musée d'Art moderne, Stockholm)

◆ **Joseph Beuys** (1921-1986), ***Infiltration homogène pour piano de concert*** (1966). L'artiste allemand s'est exprimé par des « actions » et par des installations d'objets. L'emploi du feutre relève pour lui d'un souvenir obsédant. (MNAM, Paris)

◆ **Daniel Buren** (né en 1938), ***Photo-souvenir : les Deux Plateaux*** (1985-1986). L'installation de ces colonnes de marbre dans la cour d'honneur du Palais-Royal, à Paris, fit grand bruit : de simples bandes alternées – motif employé systématiquement par l'artiste – permettent de jeter un regard neuf sur un lieu célèbre.

◆ **Christo et Jeanne-Claude** (Ch. Javacheff et J.-Cl. de Guillebon, nés en 1935), ***Valley Curtain*** (1970-1972), Colorado (É.-U.). Ces deux *environmental artists*, travaillant dans des sites naturels et urbains, créent en un geste esthétique un environnement éphémère qui va transformer l'espace

◆ **Nam June Paik** (né en 1932), ***TV Cello*** (1982). Performance avec moniteurs vidéo. La violoncelliste est Charlotte Moorman.

◆ **Jean Vérame** (né en 1936), ***Tibesti, Tchad*** (1989). Colorant des pierres ou dessinant des signes de couleur sur le sol, l'artiste transforme l'environnement par un geste plastique.

Arts décoratifs et design

Les formes du xxe siècle

Avec l'industrialisation, les arts décoratifs subissent une profonde mutation. Le ton est donné dès 1907 en Allemagne avec la création du Deutscher Werkbund, association d'architectes, de designers et d'industriels qui se donne pour objectif la standardisation des modèles et des procédés de fabrication.

Les créateurs conçoivent désormais leur travail comme une recherche à la fois esthétique et technique, concrétisée par des prototypes qu'ils proposent à l'industrie. Tel est le cas de Ruhlmann et des tenants du style Arts déco, consacré par l'exposition internationale des Arts décoratifs (Paris, 1925). Néanmoins, le fonctionnalisme qui se développe à partir des années 1920 conduit à une réflexion plus poussée sur la structure des objets. L'art du design (en anglais « projet » et pas seulement « dessin ») se préoccupe de leur intégration dans l'environnement et de leur utilisation. Il prend en compte leurs données techniques, leurs contraintes commerciales, leur impact psychologique; il les « reformule » et ne se contente pas de les décorer.

Si certains designers s'occupent surtout de l'« image » des objets au sens de la publicité (« la laideur se vend mal », affirme Raymond Loewy, créateur du paquet de cigarettes Lucky Strike et de la Studebaker), la plupart influencent en profondeur la production industrielle. Dans le mobilier, on met au point de nouvelles techniques, comme celle du moulage de contreplaqué (Charles Eames, 1907-1978; Arne Jacobsen, 1902-1971) ou des matières plastiques (Hans Knoll [1914-1955] et les architectes Saarinen ou Mies Van der Rohe; Joe Colombo, 1930-1971). On utilise le tube métallique (siège de Marcel Breuer). On conçoit des sièges empilables, des meubles modulaires, adaptables à l'environnement (Roger Tallon, né en 1929, également créateur du téléviseur futuriste Téléavia, 1963). On se soucie de produire à bon marché (meubles d'Olivier Mourgue pour Prisunic, 1969), ce qui n'exclut pas, par ailleurs, les productions raffinées d'un Jean-Michel Wilmotte (né en 1948). Le design concerne également les aménagements intérieurs, le mobilier urbain, le matériel industriel, les arts graphiques.

À partir des années 1960-1970 s'engage une réaction « postmoderne » qui réhabilite la fantaisie, l'arbitraire et les emprunts stylistiques à toutes sortes de traditions.

L'informatique, qui contribue, certes, à rationaliser le travail de conception dans l'industrie, permet aussi de produire, dans les arts graphiques, des effets d'une imagination débridée (infographie, images de synthèse, déformation d'images ou morphing).

◆ **Alvar Aalto** (1898-1976), **fauteuil n° 41.** Architecte et urbaniste marqué par le style international, Aalto dessina de nombreux objets industriels qui se caractérisent par leurs lignes pures, leurs courbes élégantes et leurs matériaux naturels (le contreplaqué

◆ **Eero Saarinen** (1910-1961), **chaise « 1513 »** (1956). Cette chaise aux formes audacieuses (elle repose sur un piètement unique) est en plastique moulé : les matériaux nouveaux envahissent au lendemain de la Seconde Guerre mondiale les objets usuels, désormais fabriqués en série. (MNAM, Paris)

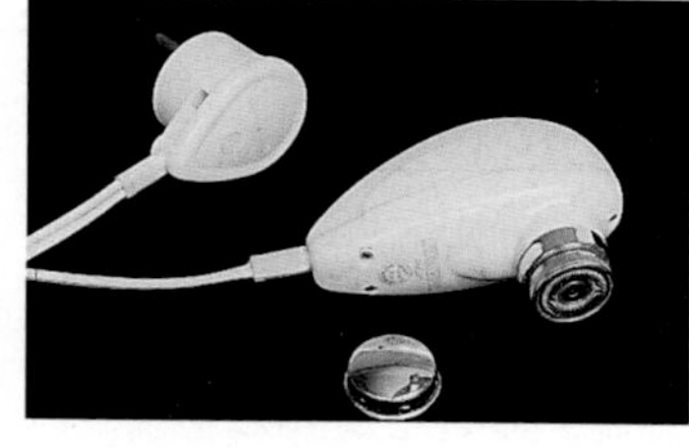

◆ **Raymond Loewy** (1896-1986), **rasoir électrique Philips** (1948). Les instruments les plus courants sont désormais pourvus de formes attrayantes et ergonomiques. Ils véhiculent l'image séduisante du mode de vie américain.

Petit lexique

designer (rec. off. **stylicien**) **:** praticien du design (stylique), discipline née au xxe s. et visant à créer des objets à la fois fonctionnels, conformes aux impératifs d'une production industrielle et esthétiques.

morphing : transformation continue d'une image en une autre.

◆ **Pablo Picasso** (1881-1973), **Assiette *Tête de toro*** (1957). À partir de 1947, Picasso séjourne fréquemment à Vallauris où il marque de son inventivité une importante série de céramiques. Durant la seconde moitié du xxe s., les valeurs de l'artisanat d'art se développent, face à la standardisation industrielle. Cela dans la céramique, mais aussi dans le travail du verre, l'art textile, le bijou.

VOIR AUSSI • Architecture du xxe s. p. 1098

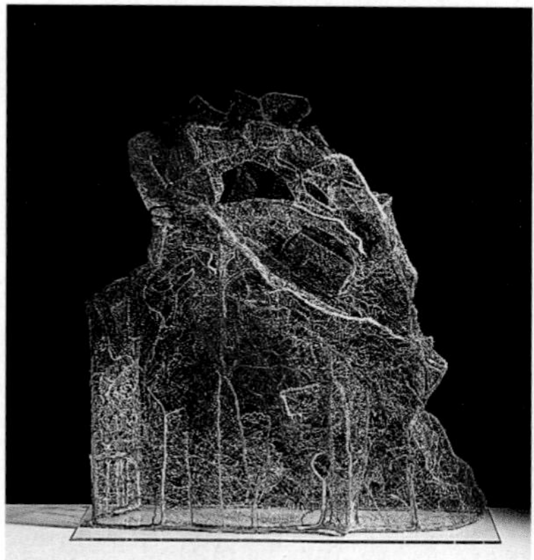

◆ **Marie-Rose Lortet** (née en 1945), ***le Chemin du milieu.*** Les arts du fil : quand une dentelle en volume devient une « sculpture » aérienne.

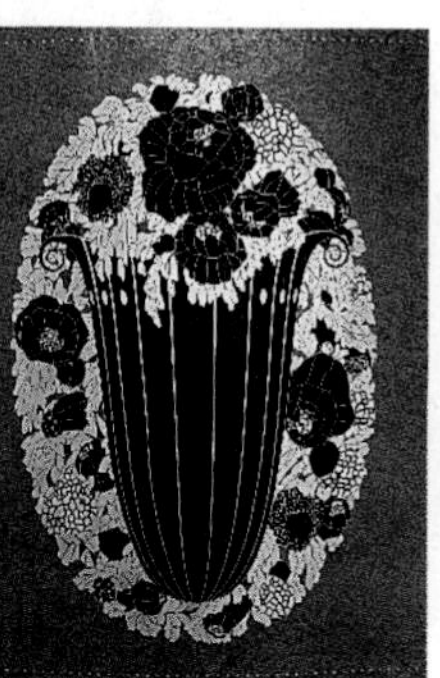

◆ **Émile-Jacques Ruhlmann** (1879-1933), **encoignure** (1923). Le vase de fleurs stylisé est réalisé en marqueterie d'ivoire sur ébène. C'est l'un des motifs les plus typiques du style Arts déco. (Musée des Arts décoratifs, Paris)

◆ **François-Xavier Lalanne** (né en 1924), ***Taureau*** (1987). Un détournement cocasse de la sculpture : l'animal de bronze se transforme en secrétaire. (MNAM, Paris)

◆ **Jonathan Ive** (né en 1967), **ordinateur iMac d'Apple** (1998). Une création du xxe s. : l'ordinateur individuel. L'objet le plus utilitaire ne peut se passer d'une esthétique : lignes fluides et douces, matériaux transparents, tout est fait pour que l'utilisateur entretienne un rapport affectif avec sa machine.

La photographie au XXe siècle

Le siècle de toutes les images

La photographie est désormais présente partout. À partir du moment où l'on sait la reproduire par des procédés photomécaniques (photogravure, fin du XIXe s.), l'image photographique est diffusée à grande échelle. Son « effet de réel » – le fait qu'elle est toujours le résultat d'un « événement » qui a laissé sa trace sur une surface sensible – lui confère un extraordinaire pouvoir de persuasion.

La photographie rend compte du monde naturel, à l'échelle humaine avec des artistes comme Ansel Adams (1902-1984), chantre du parc de Yosemite Valley en Californie, ou Ernst Haas, mais aussi à l'échelle microscopique, atomique ou astronomique, dans la photographie scientifique. Elle révèle les sociétés humaines dans leur diversité (Atget, Sander), dans leur particularité (*les Gitans*, de Josef Koudelka, né en 1938), dans leur effort, (*les Hommes au travail*, de Lewis Hine, 1874-1940), dans leur misère (Eugene Smith). Elle capte les soubresauts de l'Histoire (la guerre d'Espagne et la Libération, par Robert Capa, 1913-1954) et de la vie quotidienne (le New York de Weegee, 1899-1968; le Paris de Brassaï, 1899-1984, ou de Doisneau; le monde de Cartier-Bresson). Elle scrute le visage des individus (Man Ray; Gisèle Freund, née en 1912, pionnière du portrait en couleur).

Parallèlement, la photographie s'attache aux formes en tant que telles (Stieglitz, Weston) et n'hésite pas à les travailler loin de nos habitudes visuelles (Moholy-Nagy, Man Ray, Kertész). En même temps elle se sait capable de porter des messages très directs (mode et publicité, propagande, combat idéologique). Mais rien n'est plus significatif, pour comprendre la nature profonde de la photographie, que de rapprocher l'obsession d'un Lartigue (« fixer les instants de bonheur »), la doctrine d'un Cartier-Bresson (« le moment décisif ») et le travail d'un Harold Edgerton (1903-1990), qui fixe sur la pellicule l'impact d'une balle sur une plaque blindée.

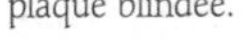

◆ **Alfred Stieglitz** (1864-1946), ***Sans titre*** (années 1920 ou 1930). Créateur de la revue *Camera Work* (1903) et de la galerie 291 (1905), Stieglitz, après être passé par le pictorialisme, devient le chef de file de la « photographie pure ». Son œuvre majeure est la série des *Équivalents* (1923-1933 env.), études de nuages qui confinent à l'abstraction. (National Gallery of Art, Washington)

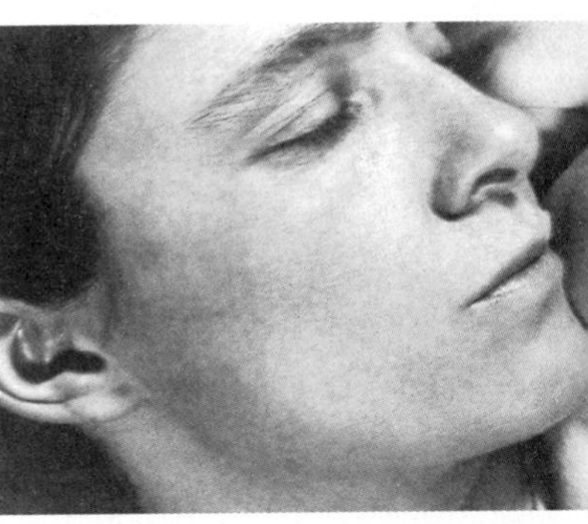

◆ **Paul Strand** (1890-1976), ***Rebecca*** (1922). Une vision « puissante », un travail « pur, direct, dénué de fioritures », selon Stieglitz, qui exposa Strand dans sa galerie. (Bibliothèque nationale de France, Paris)

◆ **Man Ray** (1890-1976), ***Rayogramme*** (1923). Ces « rayogrammes » ou « rayographies » sont des images obtenues sans objectif ni appareil, en posant des objets directement sur la surface sensible. Man Ray est l'un des principaux animateurs du mouvement Dada. (MNAM, Paris)

◆ **August Sander** (1876-1864), ***Employé de chemin de fer*** (s. d.). À partir des années 1920, Sander réalise plusieurs dizaines de milliers de portraits représentant toutes les catégories sociales et professionnelles de l'Allemagne de Weimar, ce qu'il appelle *le Visage du temps* (publication très partielle, 1929). (MNAM, Paris)

◆ **Eugène Atget** (1857-1927), ***« Au Tambour »*** (1908). Les petits métiers, les boutiques, les rues de Paris constituent un monde en voie de disparition dont Atget fixe le charme insolite. Il réunit ses images en albums qu'il vend directement.

◆ **Walker Evans** (1903-1975), ***Bud Field et sa famille,*** Hale County, Alabama (1936).
Après avoir été l'un des principaux photographes recrutés par la Farm Security Administration (FSA) pour photographier le monde rural américain victime de la Grande Dépression, Walker Evans réalise, avec l'écrivain James Agee, *Louons maintenant les grands hommes,* un reportage sur les fermiers les plus pauvres de l'Alabama, aujourd'hui un classique. (Library of Congress, Washington)

◆ **Jacques-Henri Lartigue** (1894-1986), ***l'Envol de Bichonnade*** (1905).
Lartigue photographie depuis l'âge de sept ans. Il veut « retenir » par la photographie les choses qui lui font « tant de plaisir », et fixer le mouvement.

Images politiques

Si la photographie a beaucoup été utilisée à des fins de propagande, notamment par les régimes totalitaires, elle a fourni aussi des images rebelles, des images de lutte politique. Le plus puissant exemple est donné, dans les années 1930, par les photomontages du communiste allemand John Heartfield (Helmut Herzfeld, 1891-1968) qui détourne des photographies pour dénoncer le régime nazi. Ici, une couverture de *AIZ* («Journal illustré des travailleurs»), Prague, 1933.

◆ **John Heartfield** (Helmut Herzfeld, 1891-1968), ***Goering, le bourreau du Troisième Reich*** (1933). Couverture de *AIZ* (« Journal illustré des travailleurs »), Prague. (Académie des Beaux-Arts, Berlin)

VOIR AUSSI
Illustrations
• Robert Capa p. 462

◆ **Lázló Moholy-Nagy** (1895-1946), ***Crevasse d'un glacier*** (v. 1931). Expérimentateur dans tous les domaines, de la peinture au cinéma, pionnier de l'art d'assemblage et de l'art cinétique, professeur au Bauhaus de 1925 à 1929, Moholy-Nagy est également connu comme photographe. Les formes naturelles sont pour lui le point de départ d'une vision abstraite. (Abbemuseum, Eindhoven)

◆ **Robert Doisneau** (1912-1994), ***les Bouchers mélomanes*** (1953). Photographe de la vie quotidienne, Doisneau est avec Brassaï, Izis, Willy Ronis le représentant du réalisme poétique.

◆ **Henri Cartier-Bresson** (né en 1908), ***Moscou*** (1954).

Le moment décisif, selon Cartier-Bresson

Grand reporter, cofondateur de l'agence Magnum en 1947 avec son ami Robert Capa, Cartier-Bresson voit la photographie comme une recherche du « moment décisif », qu'il oppose aux artifices de la photographie d'« art ». Du monde entier il rapporte des images pleines d'humanité mais légèrement distanciées par sa « passion de la géométrie ». Les jeunes femmes de l'image reproduite ici paraissent touchantes sous le regard sûr de soi des policiers soviétiques. Mais le malaise commence quand on se rend compte que tout ici est double : deux jeunes femmes et deux policiers, mais aussi deux wagons de tramway, deux voitures de marchands ambulants, deux bidons à terre, deux femmes en sombre au fond, deux femmes en clair à droite…

« La photographie est, dans un même instant, la reconnaissance simultanée de la signification d'un fait et de l'organisation rigoureuse des formes perçues visuellement qui expriment et signifient ce fait », écrit Cartier-Bresson dans *Images à la sauvette* (1952).

◆ **Edward Weston** (1886-1958), ***Feuille de chou*** (1931). La pureté du « document » conjuguée à une vision artistique. Weston est le fondateur du groupe f/64 (San Francisco, 1932) dont le nom (la plus petite ouverture de diaphragme, procurant la plus grande profondeur de champ) dit bien la volonté de pratiquer une photographie rigoureuse, dénuée de flou artistique. (Musée Ludwig, Cologne)

◆ **Eugene Smith** (1918-1978), ***Minamata*** (1968). Le reportage photographique à son plus haut point d'exigence et de grandeur tragique : dans la baie de Minamata, au Japon, une population de pêcheurs a été victime d'une pollution massive par le mercure.

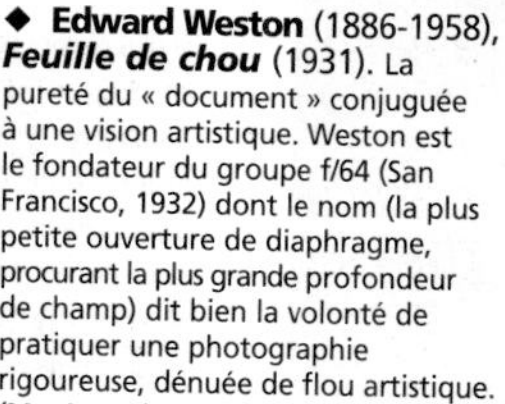

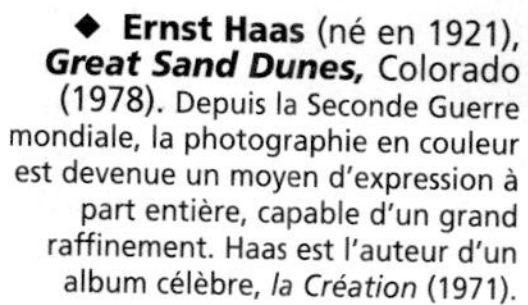

◆ **Ernst Haas** (né en 1921), ***Great Sand Dunes,*** Colorado (1978). Depuis la Seconde Guerre mondiale, la photographie en couleur est devenue un moyen d'expression à part entière, capable d'un grand raffinement. Haas est l'auteur d'un album célèbre, *la Création* (1971).

◆ **André Kertész** (1894-1985), ***Distorsion 40*** (1933). Image extraite d'une série de nus surréalisants, obtenus à l'aide d'un miroir déformant. (BNF, Paris)

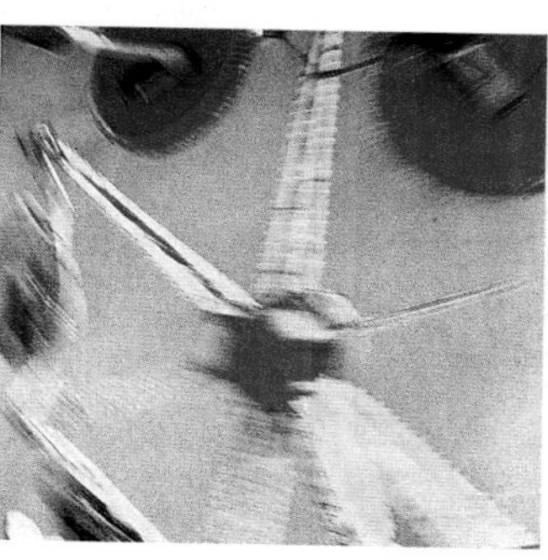

◆ **John Batho** (né en 1939), ***Manège*** (1980). Une recherche dynamique. (BNF, Paris)

Arts visuels

Le patrimoine mondial

L'action de l'UNESCO

En 1959, la décision de construire le grand barrage d'Assouan, en Égypte, émeut la communauté internationale, car elle prévoit l'inondation de la vallée où se trouvent les temples égyptiens d'Abou Simbel. À la demande des gouvernements égyptien et soudanais, l'Unesco lance une campagne internationale de sauvegarde. Les temples sont alors découpés, déplacés et remontés dans une zone exempte de risques, au cours d'une opération de sauvetage qui coûte 80 millions de dollars, dont une moitié provient des dons d'une cinquantaine de pays. Cette campagne révèle, au sein de la communauté mondiale, la conviction qu'il existe un patrimoine dépassant, par sa valeur universelle, les principes de la propriété nationale.

La « Liste du patrimoine mondial ». Le concept de patrimoine de l'humanité conduit à la Convention concernant la protection du patrimoine mondial, culturel et naturel, adoptée le 16 novembre 1972 par la Conférence générale de l'UNESCO, et signée à la date de 1998 par 153 pays. Ces pays s'engagent à aider à la protection de ces trésors de l'humanité.

◆ **Pétra,** en Jordanie, monuments rupestres d'époque hellénistique et romaine. Du IIIe s. av. J.-C. jusqu'à 106 apr. J.-C., Pétra a été la capitale des Nabatéens. Le site a été inscrit sur la liste de l'UNESCO en 1985.

◆ **El Tajín** (IIIe-Xe s.), dans l'État de Veracruz (Mexique). Cité des Totonaques, l'une des civilisations précolombiennes « classiques ». À droite, la « pyramide des niches », à la signification astronomique. Le site a été inscrit sur la liste de l'UNESCO en 1992.

Une « Liste du patrimoine mondial » est alors établie. L'inscription d'un site sur la liste se fait à la demande de l'État sur le territoire duquel le site se trouve. Les dossiers sont examinés une fois par an par le Comité du patrimoine mondial, dont les membres, issus de 21 États parties, sont élus pour six ans. Ce comité est aidé dans l'évaluation des sites culturels par un organisme consultatif, le Conseil international des monuments et des sites (ICOMOS). Le site, une fois inscrit sur la liste, est soumis à un suivi systématique, des rapports sur son état de conservation devant être régulièrement remis au comité par l'État partie.

En 1998, la liste compte 552 sites « culturels » et « naturels », un certain équilibre étant entretenu entre ces deux types de sites afin de souligner symboliquement l'étroitesse des liens entre l'homme et la nature. La France compte sur son territoire 23 de ces lieux exceptionnels, parmi lesquels le mont Saint-Michel et sa baie, le pont du Gard, la cathédrale de Bourges ou les rives de la Seine à Paris.

Une seconde liste émane de la première. Elle concerne le Patrimoine mondial « en péril » à cause, par exemple, d'une grande dégradation de son état de conservation, d'un conflit armé ou de projets architecturaux menaçant son intégrité. Le comité doit alors décider si des mesures supplémentaires doivent être prises pour la sauvegarde du site, ou si celui-ci, trop endommagé, doit être exclu des deux listes.

Les campagnes de l'UNESCO. Cette dernière mesure met en évidence les limites de l'action de l'UNESCO en faveur du patrimoine mondial. L'organisation dispose certes de moyens d'action, mais très insuffisants eu égard à la tâche à accomplir. Le budget annuel consacré au patrimoine, essentiellement constitué par la contribution des États parties, ne s'élève qu'à 3 millions de dollars. L'UNESCO ne peut donc prétendre qu'à quelques mesures d'assistance financière. Son véritable rôle est consultatif et administratif. Ainsi, elle propose son aide aux États parties pour l'identification des sites potentiels, l'élaboration de dossiers d'inscription ou la formation du personnel consacré à la préservation du patrimoine. Des experts peuvent être envoyés sur place. L'action de l'UNESCO relève aussi de l'information et de la diplomatie. Par de vastes campagnes de sensibilisation internationale, elle a permis le financement de travaux grâce à des fonds émanant d'États ou d'investisseurs privés. Ce fut le cas pour Abou Simbel, pour Venise ou pour le temple de Borobudur, en Indonésie. Par la négociation directe avec les États concernés, l'UNESCO a aussi empêché la destruction ou la dégradation de sites exceptionnels, tels que les pyramides de Gizeh, en Égypte, ou Delphes, en Grèce.

◆ **Église byzantine à Dháfni** (XIe s.), dans l'Attique (Grèce). Le site a été inscrit sur la liste de l'UNESCO en 1990.

La protection du patrimoine en France

Le souci de protéger le patrimoine artistique remonte aux années 1836-1859, quand l'écrivain et inspecteur des Monuments historiques Prosper Mérimée sillonne le pays afin de dresser l'Inventaire général des richesses dignes d'être classées. Il est parfois accompagné par l'architecte Eugène Viollet-le-Duc, qui dirige la restauration de nombreux édifices médiévaux. Un Inventaire supplémentaire voit le jour en 1925 pour les monuments qui, sans demander de classement immédiat, méritent d'être préservés. En 1964, à l'initiative d'André Malraux, une Commission nationale d'inventaire est créée qui, depuis lors publie canton par canton la description des édifices et des œuvres présentant un intérêt artistique. L'Inventaire systématique s'accompagne de bases de données et de publications scientifiques – tels les *Documents et méthodes* – ou destinées au grand public – comme les *Images du patrimoine*.

La direction de l'Architecture et du Patrimoine contrôle aujourd'hui l'ensemble des activités de recensement, d'étude, de protection et de promotion du patrimoine national. Les fouilles et les travaux de conservation relèvent, sur le terrain, des directions régionales des Affaires culturelles, mais peuvent aussi être conduits directement par l'État : ce fut le cas pour le sauvetage du château d'If ou pour le remplacement des vitraux de la cathédrale de Nevers.

Outre l'accueil traditionnel du public dans les monuments appartenant à l'État, des actions de sensibilisation sont menées. Les Journées du patrimoine attirent ainsi, depuis 1983, des millions de visiteurs dans plus de 10 000 monuments ou sites historiques. Afin de parfaire son dispositif, l'État a créé, en 1990, l'École nationale du patrimoine.

VOIR AUSSI
Illustrations
• **Venise** p. 1067

◆ **Le temple d'Angkor Vat** (XIIe s.), au Cambodge. L'ensemble du site d'Angkor, qui fut la capitale des Khmers du IXe au XVe s., a été inscrit sur la liste de l'UNESCO en 1992.

◆ **La vieille ville de Dubrovnik,** en Croatie. Fondée au VIIe s., la ville (ancienne Raguse) connut son apogée aux XVe-XVIe s. Le site a été inscrit sur la liste de l'UNESCO en 1979.

◆ **La vieille ville de Sanaa,** au Yémen. Le site est célèbre pour ses hautes maisons cubiques. Il a été inscrit sur la liste de l'UNESCO en 1988.

◆ ***Le parc Güell*** (1900-1914), à Barcelone, construit par **Antoni Gaudí** (1852-1926). Architecte spiritualiste, représentant de l'Art nouveau en Catalogne, Gaudí a notamment édifié l'église de la Sagrada Familia de 1884 à sa mort. Le parc Güell, le palais Güell et la Casa Mila ont été inscrits sur la liste de l'UNESCO en 1984.

Venise, un problème politique

Entreprise délicate sur le plan technique, le sauvetage de Venise rencontre surtout des difficultés politiques. Bâtie sur près de 120 îlots, la ville est en grand danger. En effet, l'amplitude des marées, l'enfoncement progressif du sol de la lagune, la pollution – créée par le complexe pétro-industriel de Porto Marghera-Mestre – , la circulation des bateaux à moteur (dont les remous attaquent les fondations des palais) et même les pigeons mettent la ville en péril. La campagne de sauvetage entreprise par l'UNESCO après l'inondation record de 1966 n'a pas suffi. Un très onéreux projet de construction de barrières flottantes aux trois entrées de la lagune a été élaboré, mais, aujourd'hui, Venise n'est prête à limiter ni la pression touristique ni ses activités industrielles, de sorte qu'aucune mesure sérieuse contre les sources de pollution n'a été prise.

Conservation et restauration

La course contre le temps

Jamais la volonté de conserver le patrimoine artistique n'a été si forte qu'au XXe siècle. Longtemps au service du sacré, l'art est devenu lui-même sacré – notre seul sacré, selon l'affirmation d'André Malraux. Un Pol Pot, dans une politique « de table rase », a pu exterminer 2 millions de ses concitoyens ; il s'est gardé de toucher aux temples d'Angkor. Cela n'empêche pas, toutefois, les destructions, les dommages accidentels et surtout la lente détérioration due à l'activité humaine, aux facteurs ambiants – humidité, lumière, composition de l'air – ou aux transformations naturelles subies par les matériaux (bois, textiles, pigments).

Dans la plupart des pays, des techniques extraordinairement fines ont été élaborées pour lutter contre l'action des hommes et du temps afin de conserver et, si besoin, de rétablir les monuments, les œuvres et les objets d'art dans leur état d'origine. Mais cela ne va pas sans controverses, non seulement sur la fiabilité et la réversibilité des techniques, mais sur les objectifs poursuivis. En effet, la notion d'état d'origine n'est pas toujours claire (un objet antique, usagé du fait de son utilisation ancienne, doit-il vraiment être remis à neuf ?) et, d'autre part, le goût du public est variable : telle reconstitution scientifique d'un édifice grec sera perçue comme dépourvue de charme par rapport aux ruines non restaurées, alors qu'une toile trouée ne paraît pas acceptable dans un musée. Il existe une « esthétique des ruines ».

L'examen technique. Avant d'intervenir sur un objet ou un monument, il faut déterminer les causes de sa détérioration. Pour cela, il est indispensable de comprendre dans le détail la façon dont il a été réalisé. À la lumière des résultats, l'observateur définira les mesures à prendre en matière de conservation. Après une inspection à l'œil nu, on procède à un examen plus approfondi, avec un microscope, par exemple. La radiographie, la photographie à infrarouge ou à ultraviolet, ou l'IRM (imagerie à résonance magnétique) permettent d'observer avec précision ce qui se trouve sous la surface.

Le nettoyage. L'opération consiste à débarrasser l'œuvre de la saleté qui la recouvre. Le conservateur doit d'abord répondre à des questions d'ordre éthique. En effet, la présence d'impuretés peut provenir de causes circonstancielles (pollution de l'air, enfouissement dans la terre), mais elle peut aussi avoir des origines relevant de l'ethnographie : que faire, par exemple, des traces sacrificielles découvertes sur des objets anciens ? D'autres problèmes se posent lorsque le nettoyage menace l'intégrité de l'œuvre, comme certains ont pu le penser à propos de la chapelle Sixtine. Il y a en outre une question de goût : la blancheur retrouvée des cathédrales ou de certains monuments d'Angkor ne fait pas l'unanimité.

La stabilisation. Une fois repérées les causes de détérioration d'un objet, il convient de les éradiquer ou, du moins, de les réduire. Par exemple, on peut éliminer avec de l'eau distillée des sels solubles rongeant une céramique, ou placer l'objet dans un lieu où l'humidité est contrôlée, stoppant ainsi le travail destructeur des sels. Le conservateur devra toujours choisir la solution la plus respectueuse de l'intégrité de l'objet.

La réparation. Réparer un objet consiste à en réassembler les fragments authentiques. Cette opération se distingue de la restauration en ce qu'elle ne suppose pas d'ajout. Il s'agit soit de reconstituer un objet brisé, soit de remédier à une ancienne restauration de mauvaise qualité. Le réparateur doit démanteler l'œuvre, qu'il remontera après son nettoyage.

La restauration. Au sens strict, il s'agit de combler les zones manquantes. Les problèmes éthiques posés par cette opération sont épineux. Car l'opération peut impliquer de retoucher, de peindre ou de sculpter. Or peut-on compléter ou reconstituer une œuvre sans trahir son créateur ? Les solutions adoptées varient en fonction des objets restaurés. Selon les cas, on choisit de conserver des objets lacunaires ou on les complète ; on choisit de rendre la restauration invisible aux yeux du spectateur, ou au contraire de la rendre évidente.

En peinture, les pigments utilisés par le restaurateur doivent être à la fois sans danger et visuellement plausibles. En sculpture, on tend aujourd'hui à limiter les ajouts. Des parties sculptées ne sont adjointes que dans les cas où, sans elles, l'œuvre est inintelligible ou risque de se détériorer. Les matériaux choisis pour la restitution ou la consolidation devront pouvoir être ultérieurement retirés sans dommage pour l'objet.

La prévention. Remédier aux dommages subis par l'œuvre ne suffit pas, il faut réduire les risques de détérioration. Les moyens de prévention dépendent de la nature du danger. La lumière, par exemple, dégrade les aquarelles : il faudra donc diminuer le temps d'exposition ou choisir un éclairage émettant peu d'ultraviolets. L'humidité, les variations de température ou la pollution de l'air constituent d'autres sources de détérioration contre lesquelles le conservateur doit lutter par des mesures adéquates et des contrôles permanents.

La restauration de la chapelle Sixtine

La restauration des fresques de Michel-Ange à la chapelle Sixtine, qui a nécessité deux campagnes de travaux – de 1980 à 1989 pour la voûte et les lunettes, de 1990 à 1994 pour *le Jugement dernier* –, a provoqué de houleux débats, concernant essentiellement les couleurs de la voûte : parfaite selon certains, la restauration aurait, selon d'autres, irrémédiablement dépouillé les couleurs de leur patine et les aurait rendues plus clinquantes qu'à l'origine. La découverte d'un Michel-Ange coloriste a surpris, et les débats ont donc tourné autour de l'authenticité des couleurs retrouvées. Sans provoquer autant de controverse, la restauration du *Jugement dernier* a soulevé d'intéressants problèmes. En effet, que fallait-il faire des voiles pudibonds ajoutés pour préserver le caractère auguste du lieu ? Les restaurateurs ont choisi de ne conserver que les voiles de Daniele da Volterra, peints sur ordre du concile de Trente, du vivant même de Michel-Ange, ainsi que quelques autres, plus tardifs, comme témoignages d'une histoire mouvementée.

◆ **Un détail du *Jugement dernier*** (1536-1541) **de Michel-Ange,** chapelle Sixtine, Vatican.
À gauche, avant restauration ; *à droite,* état actuel. On notera que la fresque a été nettoyée et les couleurs ravivées, que les fissures ont été bouchées et qu'une draperie pudique a été ôtée.

◆ Techniques artistiques.

Techniques de l'architecture

L'architecture peut suivre deux principes fondamentaux : un édifice est bâti soit à partir des murs, porteurs de l'ensemble, soit à partir de la structure, porteuse des éléments de façade, de séparation, etc. Ainsi, même si dans la réalité construite la distinction est moins tranchée, on peut opposer deux types d'édifices : l'iglou et le tipi ; l'église romane et l'église gothique; l'immeuble classique et le gratte-ciel. Dans tous les cas, il s'agit de répartir les poussées dues à la pesanteur.

On entend par **mur porteur** un mur servant de support à un édifice, notamment à ses étages. Il s'oppose aux cloisons, qui n'ont qu'un rôle de séparation.

Le **pilier** est un élément porteur, de section généralement carrée.

La **colonne** est une structure verticale et généralement cylindrique. Sa fonction est identique à celle du pilier. Ordinairement, la colonne est composée d'une base, d'un tambour, qui sert d'assise au fût de la colonne, et d'un chapiteau, partie élargie sur laquelle repose l'entablement.

L'**arc** est une structure de forme arrondie, qui supporte une partie du mur ou une voûte. La poussée qui s'exerce à son sommet est reportée à ses extrémités et, par là, sur les murs, piliers ou colonnes sur lesquels il repose. La pièce située au sommet s'appelle la clef de voûte. L'arc peut prendre plusieurs aspects : en plein cintre (demi-cercle régulier) ; brisé (deux cintres se rencontrent au sommet) ; outrepassé (cintre en forme de fer à cheval) ; polylobé (plusieurs découpures en arc de cercle).

L'**arc-boutant** est une construction en forme d'arc qui s'appuie sur un contrefort, afin de soutenir un mur.

La **voûte** constitue la couverture de forme arrondie d'un édifice. Les poussées qu'elle subit sont reportées sur les côtés. Une voûte en berceau présente un profil semi-circulaire. Une voûte d'arêtes est formée par l'intersection de deux voûtes en berceau. Une voûte en croisées d'ogives – gothique – est constituée de deux arcs brisés.

Le terme **coupole** désigne une voûte dont toutes les poussées sont réunies en un point central. La coupole peut avoir une base circulaire ou polygonale et être, entre autres, hémisphérique ou ellipsoïdale. La coupole est dite sur pendentifs quand des pendentifs, éléments architecturaux en forme de triangle sphérique, servent de raccord entre la base, carrée ou polygonale, et la calotte sphérique de la coupole. (Le dôme est la couverture extérieure arrondie d'un édifice en coupole.)

Techniques de la peinture

La **fresque** consiste à peindre sur un enduit encore frais – *fresco*, en italien. En séchant, la couleur forme avec l'enduit un tout extrêmement résistant qui a voué cette technique à la peinture murale.

La peinture **a tempera** ou **détrempe** est constituée de couleurs délayées dans de l'eau additionnée d'une matière agglutinante, comme de la colle ou de l'œuf.

La **gouache** est une peinture à l'eau gommée rendue pâteuse par un mélange avec des liants.

L'**aquarelle** est un mélange de pigments minéraux, d'eau et de gomme arabique. Elle est caractérisée par sa transparence.

La **peinture acrylique** est aussi une peinture à l'eau, composée d'une résine synthétique qui polymérise en séchant.

La **peinture à l'huile** est un mélange de pigments et d'huile (de lin ou d'œillette). Elle permet d'incomparables effets de transparence (glacis), un travail d'une grande finesse ou, au contraire, les empâtements les plus charnels.

Le peintre peut créer des formes en aplats, c'est-à-dire en appliquant une teinte uniformément. Il peut également les créer par le **clair-obscur**, jeu de la lumière et de l'ombre. Le passage de l'une à l'autre s'obtient par le modelé. Le **glacis** est une couche de peinture à l'huile qui reste transparente et laisse voir les couches situées au-dessous.

Un **empâtement** est une couche épaisse de couleur.

La **perspective aérienne** est la façon de prendre en compte l'éloignement supposé des objets en atténuant leurs couleurs dans les lointains.

Techniques du dessin

Pour dessiner, on choisit ses matériaux en fonction de leur dureté ou de leur couleur.

Les **mines métalliques** (mine d'argent, mine de plomb) ne sont plus guère utilisées. Ce qu'on appelle aujourd'hui mine de plomb est en fait du carbone (graphite) : c'est le crayon usuel.

Le **fusain** est un bâtonnet de charbon de bois, si tendre qu'il faut fixer le dessin en pulvérisant une résine.

La **pierre noire** ou **pierre d'Italie** est faite de schiste dont le ton va du gris au noir. La **sanguine** est une pierre d'argile ferrugineuse au ton rouge plus ou moins foncé.

Le **pastel** est un bâtonnet incorporant des pigments dans une pâte à l'eau ou à l'huile. Il permet de « colorer à sec », comme disait Léonard de Vinci. Le pastel gras fournit un travail proche de la peinture.

Enfin, nombre de dessins s'exécutent à l'encre, passée à la plume ou au pinceau. L'**encre de Chine** est élaborée à partir de noir animal ; la **sépia**, originellement encre de la seiche, a été remplacée depuis le XIXe s. par une simple encre brune. Avec le **lavis**, qui consiste à diluer l'encre dans l'eau et à la passer au pinceau, le dessin se rapproche de l'aquarelle.

Le **contour** délimite extérieurement un corps ou un objet. Les **hachures**, petits traits croisés ou parallèles d'un dessin ou d'une gravure, marquent les ombres ou les demi-teintes. Le **rehaut** est une hachure ou une touche claire accusant les lumières.

La **perspective** est un système conventionnel permettant de représenter l'espace à trois dimensions sur une surface à deux dimensions. La perspective géométrique, mise au point à la Renaissance, considère le tableau comme une fenêtre à travers laquelle l'espace réel apparaîtrait selon les lois de l'optique géométrique.

Techniques de l'estampe

Le terme d'**estampe** désigne toute image imprimée. La forme imprimante peut être en bois ou en métal (gravure), en pierre (lithographie) ou être constituée d'un simple écran (sérigraphie). La gravure peut être exécutée en creux ou en relief, tant dans le bois que dans le métal.

La **taille d'épargne** consiste à creuser le bois en laissant apparaître le motif en relief.

La **taille douce** désigne la technique de gravure sur métal consistant à creuser le dessin : la planche est ensuite encrée et nettoyée, pour que l'encre ne subsiste qu'au fond des tailles; passé sous presse, le papier vient chercher l'encre.

Dans la **gravure sur bois**, on distingue bois de fil et bois de bout. Le bois de fil, travaillé en taille d'épargne (en relief), est la technique la plus traditionnelle. Le bois de bout, qui présente une surface dure où le sens des fibres n'interfère pas avec le travail, a été surtout utilisé au XIXe s. dans la presse et l'illustration de livres.

Pour la **gravure sur métal**, on peut utiliser le **burin**, un ciseau d'acier qui creuse la plaque en profondeur, ou la **pointe sèche**, qui crée des incisions plus fines bordées de barbes, sources d'effets moelleux à l'impression.

Dans la **manière noire** toute la plaque est d'abord tramée, tel un velours de métal, à l'aide d'une lame courbe appelée berceau. Le travail de l'artiste consiste à polir certaines parties au brunissoir. L'encre adhère aux parties non polies. Cette technique procure des noirs profonds et de beaux dégradés.

Dans l'**eau-forte**, le dessin est réalisé avec une pointe sur une planche de cuivre ou de zinc uniformément vernie. Celle-ci est ensuite plongée dans de l'acide nitrique étendu d'eau. L'acide mord le métal aux endroits mis à nu par le dessin. On obtient une gravure en creux. L'**aquatinte** est une résine qui forme une trame sur la plaque. Lors de la morsure par l'eau-forte, elle procure une sorte d'aplat plus ou moins dense selon le grain.

La **lithographie** , mise au point à partir de 1796 par le Praguois Aloys Senefelder (1771-1834), est un procédé d'impression à plat. Le dessin est tracé avec un crayon gras sur une pierre calcaire qui absorbe l'eau et repousse la graisse. La pierre est préparée avec une solution acidulée, puis encrée : l'encre n'adhère alors que sur les parties dessinées.

La **sérigraphie** consiste à imprimer à plat à travers un écran de soie où des motifs ont été délimités par un vernis. L'encre est ensuite passée à la raclette à travers la soie.

Techniques de la statuaire

On distingue généralement deux grands procédés de sculpture : la taille directe et le modelage.

La **taille directe** consiste à retirer de la matière jusqu'à obtenir la forme souhaitée. On taille directement la pierre et le bois.

Le **modelage** s'effectue par le travail des mains sur une matière naturellement plastique. Le matériau privilégié est l'argile, montée sur une armature. À ces techniques de base, on peut ajouter les techniques d'assemblage, en particulier de métaux.

Une œuvre sculptée en faible saillie par rapport à un fond plan est nommée **bas-relief.** Une œuvre sculptée en forte saillie est un **haut-relief.** La **ronde-bosse** est une sculpture autour de laquelle on peut tourner.

Par **fonte**, on entend l'ensemble des opérations permettant d'obtenir une statue, généralement en bronze. Dans la méthode à la cire perdue, on sculpte un modèle en cire. Celui-ci, pris dans des matériaux réfractaires (argile), est détruit par la coulée du bronze en fusion. On procède par morceaux qui sont ensuite assemblés, polis et patinés. La méthode de la fonte au sable utilise un modèle en plâtre qui peut être réutilisé pour produire plusieurs exemplaires de la même œuvre.

VOIR AUSSI
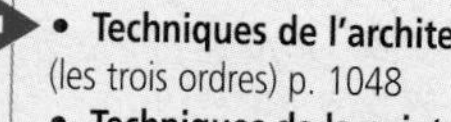
- **Techniques de l'architecture** (les trois ordres) p. 1048
- **Techniques de la peinture à l'huile** p. 1069 (L'œil de Van Eyck ; p. 1074 (Antonello da Messina)

Les grands musées

Histoire des musées

Le terme de musée désigne étymologiquement une institution consacrée aux Muses, ces divinités antiques des lettres et des arts. Plus particulièrement, le Musée d'Alexandrie était cette partie du palais de Ptolémée Ier (367-283 av. J.-C.) où étaient installées la Bibliothèque et des collections scientifiques, et où se réunissaient hommes de lettres et savants. L'idée moderne de musée prend forme entre la Renaissance et l'époque des Lumières. L'éclosion de l'humanisme, en effet, provoque un véritable engouement pour les collections de vestiges antiques. Papes et princes installent leurs collections dans des galeries, qu'ils font visiter aux amateurs. À partir de 1550 se développe la culture de la « curiosité » : c'est ainsi que, dans les cabinets savants, toutes sortes d'objets étranges se mêlent aux pièces historiques. L'art devient, au XVIIe s., la plus haute valeur et tous les « grands » collectionnent. Au siècle suivant, les souverains devenant conscients que le progrès passe par la connaissance, les collections tendent à devenir publiques. Sont ainsi ouverts le Prado de Madrid, le British Museum de Londres et l'Ermitage de Saint-Pétersbourg. En France, les artistes exigent l'exposition des collections royales au Louvre. La Révolution les satisfait : la Convention crée en 1793 un musée dans le Salon carré et la Grande Galerie. En 1801, Napoléon Bonaparte nomme l'écrivain et graveur Vivant Denon à la tête de la première administration des musées. Dès lors, l'ère des musées commence.

VOIR AUSSI
Illustrations
- **Musée Guggenheim** p. 1099

◆ Où voir les œuvres ?

Œuvres d'un seul artiste
Albi (France), musée Toulouse-Lautrec.
Amsterdam (Pays-Bas), Van Gogh Museum.
Anvers (Belgique), maison de Rubens.
Barcelone (Espagne), musée Picasso.
Figueras (Espagne), musée Dali.
Haarlem (Pays-Bas), musée Frans-Hals.
Montauban (France), musée Ingres.
Nice (France), musée Henri-Matisse.
Oslo (Norvège), musée Munch.
Paris (France), musée Eugène-Delacroix, musée Gustave-Moreau, musée Picasso, musée Rodin.

Art africain
Berlin-Dalhem (Allemagne), Musée ethnologique.
Lagos (Nigeria), Musée national.
Londres (Royaume-Uni), British Museum, Museum of Mankind.
New York (États-Unis), Metropolitan Museum of Art, Primitive Art Museum.
Paris (France), musée Dapper, Musée de l'Homme, musée national des Arts africains et océaniens.
Tervuren (Belgique), Musée royal de l'Afrique centrale.

Arts déco
Hambourg (Allemagne), musée des Arts et Métiers.
Paris (France), musée des Arts décoratifs.
Vienne (Autriche), musée des Arts appliqués.

Art assyrien
Bagdad (Iraq), Musée archéologique de l'Iraq.
Berlin (Allemagne), Pergamon Museum.
Damas (Syrie), Musée national.
Londres (Royaume-Uni), British Museum.
Paris (France), musée du Louvre.

Art asiatique
Chicago (États-Unis), Art Institute.
Londres (Royaume-Uni), British Museum, Victoria and Albert Museum.
Paris (France), musée Guimet.
Pékin (Chine), musée d'Histoire.
Saint-Pétersbourg (Russie), musée de l'Ermitage.
Séoul (Corée du Sud), Musée national.
Taipei (Chine), musée du Palais.
Tokyo (Japon), Musée national.

Art baroque
Berlin (Allemagne), Staatliche Museen.
Boston (États-Unis), Museum of Fine Arts.
Florence (Italie), musée des Offices, palais Pitti.
Londres (Royaume-Uni), National Gallery.
Madrid (Espagne), musée du Prado.
Milan (Italie), pinacothèque de Brera.
Munich (Allemagne), Alte Pinakothek.
Naples (Italie), galerie nationale de Capodimonte.
Paris (France), Louvre, musée Jacquemart-André.
Rome (Italie), galerie Borghese, galerie Doria-Pamphili.
Vienne (Autriche), Kunsthistorisches Museum.

◆ La Nouvelle Aile de la National Gallery de Washington, créée en 1978 par Ieoh Ming Pei (né en 1917). L'architecte privilégie les formes simples (ici, le rectangle) et les matériaux froids (le béton, le verre, l'acier). Le visiteur pénètre dans un espace d'exposition aux dimensions imposantes, d'une grande théâtralité.

Art byzantin
Istanbul (Turquie), Musée archéologique, musée des Mosaïques.
Paris (France), musée du Louvre.
Ravenne (Italie), musée de l'Archevêché.

Art celtique
Berlin (Allemagne), Preussisches Staatliches Museum.
Copenhague (Danemark), National Museum.
Dublin (Royaume-Uni), National Museum of Ireland.
Londres (Royaume-Uni), British Museum.
Saint-Germain-en-Laye (France), musée des Antiquités nationales.
Vienne (Autriche), Naturhistorisches Museum.

Classicisme
Chantilly (France), musée Condé.
Chicago (États-Unis), Art Institute.
Dresde (Allemagne), Gemäldegalerie.
Madrid (Espagne), musée du Prado.
New York (États-Unis), Metropolitan Museum of Art.
Paris (France), musée du Louvre, musée Jacquemart-André.
Saint-Pétersbourg (Russie), musée de l'Ermitage.
Versailles (France), Musée national du château de Versailles et des Trianons.

Art égyptien
Berlin (Allemagne), Musée égyptien.
Le Caire (Égypte), Musée égyptien.
Londres (Royaume-Uni), British Museum.
Oxford (Royaume-Uni), Ashmolean Museum.
New York (États-Unis), Metropolitan Museum.
Paris (France), musée du Louvre.
Turin (Italie), Musée égyptien
Vatican, musée des Antiquités égyptiennes.
Vienne (Autriche) Kunsthistorisches Museum.

Art étrusque
Chiusi (Italie), Musée national étrusque.
Paris (France), musée du Louvre.
Rome (Italie), musée de la Villa Giulia.
Vatican, Musée grégorien étrusque.

Art flamand
Amsterdam (Pays-Bas), Rijksmuseum.
Anvers (Belgique), Musée royal des Beaux-Arts.
Berlin (Allemagne), Staatliche Museen.
Bruxelles (Belgique), Musée royal des Beaux-Arts.
Dresde (Allemagne), Gemäldegalerie.
Londres (Royaume-Uni), National Gallery.
Madrid (Espagne), musée du Prado.
Munich (Allemagne), Alte Pinakothek.
New York (États-Unis), Metropolitan Museum of Art.
Paris (France), musée du Louvre.
Saint-Pétersbourg (Russie), musée de l'Ermitage.
Vienne (Autriche), Kunsthistorisches Museum.
Washington (États-Unis), National Gallery of Art.

Art gothique
Londres (Royaume-Uni), British Museum, Victoria and Albert Museum.
Paris (France), musée des Monuments français, musée du Louvre, musée national du Moyen Âge et des thermes de Cluny.
Vienne (Autriche), Kunsthistorisches Museum.

Art grec
Athènes (Grèce), musée de l'Acropole, Musée national.
Berlin (Allemagne), Pergamon Museum.
Boston (États-Unis), Museum of Fine Arts.
Londres (Royaume-Uni), Victoria and Albert Museum, British Museum.
New York (États-Unis), Metropolitan Museum of Art.
Olympie (Grèce), Musée archéologique.
Paris (France), musée du Louvre.
Rome (Italie), musée du Capitole.
Vatican, musée Chiaramonti, museo Pio-Clementino.
Vienne (Autriche), Kunsthistorisches Museum.

Impressionnisme
Chicago (États-Unis), The Art Institute.
Londres (Royaume-Uni), Courtauld Institute, National Gallery, Tate Gallery.

• En suivant l'ordre des sept premiers jours de la Genèse, le protestant Du Bartas mêle paraphrases bibliques et digressions savantes, mais aussi apostrophes au lecteur et effusions lyriques, qui font de ses vers une encyclopédie militante où se trouve résumé le savoir livresque de son temps. Une seconde *Semaine*, inachevée (1585), retrace l'histoire des premiers jours de l'humanité. Modèle de poésie didactique, l'œuvre a inspiré le Tasse, Milton et Goethe, avant d'être redécouverte comme un chef-d'œuvre de l'écriture baroque.

La poésie scientifique

La poésie des connaissances, et celle des techniques, est un genre qui a donné des chefs-d'œuvre dans le passé. Aux époques anciennes, il ne se distingue pas toujours de la poésie philosophique ou religieuse. Néanmoins, son point de vue est moins abstrait, moins général. Il existe toute une tradition descriptive, proche des phénomènes (*les Phénomènes* est d'ailleurs le titre du poème astronomique et météorologique d'Aratos, IIIe s. av. J.-C.). Les bestiaires et les lapidaires du Moyen Âge s'inscrivent dans cette lignée. Toutefois, la grande époque de la poésie scientifique est la Renaissance, période d'effervescence et de découvertes où les poètes affichent, par cette poésie du savoir, la hauteur de leurs visées intellectuelles et leur indépendance d'esprit par rapport aux dogmes.

Par la suite, le mot d'ordre moderniste d'André Chénier, « Sur des pensers nouveaux, faisons des vers antiques » *(l'Invention)*, n'a été suivi de façon vivante que par Raymond Queneau.

Hésiode (VIIIe s. av. J.-C.), ***la Théogonie*** (grec) • Inspiré par les Muses, filles de Mémoire, le poète conte la naissance des dieux : les Titans succèdent aux divinités et aux monstres primordiaux. Aidé par les Cyclopes et les Géants, Zeus attaque son père Cronos comme celui-ci avait attaqué Ouranos. Dans *les Travaux et les Jours*, les dieux victorieux règnent sur l'Olympe, mais Prométhée révèle le feu aux hommes, que les dieux punissent en façonnant Pandore. L'harmonie est au Ciel, mais la Terre est soumise aux tensions de Justice et de Démesure : l'homme peut en trouver l'équilibre dans les activités et dans les rythmes du travail des champs.

Virgile (Publius Vergilius Maro, v. 70-19 av. J.-C.), ***les Géorgiques*** (latin, 39-29 av. J.-C.) • La connaissance des dieux et de leurs signes, habituels ou non (les astres et les prodiges), guide les travaux des champs (livre I). La culture des arbres méditerranéens (la vigne et l'olivier), l'élevage et la vie des compagnons de l'homme, soumis aux mêmes lois d'amour et de mort que lui, le miracle des abeilles nées de la charogne, sont les sujets des trois livres suivants. Entrecoupé de digressions (la fable d'Aristée), le poème qui exalte le travail de l'homme est aussi un éloge du bonheur simple qu'apporte la nature.

Jacques Peletier du Mans (Fr., 1517-1582), ***l'Amour des amours*** (1555) • Après une centaine de sonnets d'amour pétrarquiste, le poète est confié par sa Dame à la muse Uranie qui lui révèle les secrets du ciel : guidé vers la science par l'amour, suivant la doctrine du *Banquet* de Platon, il décrit dans ses hymnes les mystères de l'air, des météores et des planètes. Précédant les *Hymnes* de Ronsard, Peletier inaugure une poésie scientifique qui vise moins à décrire le monde qu'à le recréer par l'inspiration poétique.

Raymond Queneau (Fr., 1903-1976), ***Petite Cosmogonie portative*** (1950) • Six chants en vers libres où abondent l'assonance et l'allitération tentent une description matérialiste du monde, de l'atome initial aux modernes machines à calculer. L'homme est à peine évoqué, et le discours scientifique sur la formation des planètes ou des minéraux amène le poète à user de mots techniques ou à en créer lui-même.

Avec un humour savant doublé de réminiscences littéraires, il prouve par l'exemple que l'électromagnétisme n'est pas moins poétique que le « bel aujourd'hui ».

La fable

Je me sers d'animaux pour instruire les hommes, écrit La Fontaine. La fable est un genre éminemment didactique, mais son enseignement est livré de façon indirecte. D'une petite histoire, mettant souvent en scène des animaux, on tire une moralité, c'est-à-dire une vérité générale sur le comportement des hommes, ou un conseil moral. Ce discours imagé permet au donneur de leçons de ne pas mettre directement en cause ses interlocuteurs, ou les puissants que bien souvent il vise à travers ses histoires d'animaux. C'est un discours de prudence. Mais ce décalage est aussi un raffinement esthétique. L'auditeur apprécie l'agencement de l'anecdote et son rapport avec la vérité qu'on veut lui faire entendre.

La fable est un genre très ancien, présent dans la plupart des cultures. Pour l'Europe, la source essentielle est Ésope, fabuliste légendaire qui aurait vécu au VIe s. avant notre ère et dont le recueil, en réalité plus tardif, fournit la matière des fables versifiées du Latin Phèdre (Caius Julius Phaedrus, Ier s.) et des ysopets du Moyen Âge (dont celui de Marie de France, XIIe s.). En Orient, les fables de Bidpai, brahmane indien qui aurait vécu au IIIe s., furent traduites en persan puis en arabe. Beaucoup passèrent ainsi en Europe, en particulier « le Corbeau et le Renard » que La Fontaine rendit célèbre.

Depuis le XVIIe s., le genre est dominé par le génie de La Fontaine et c'est à peine si l'on ose rappeler que d'autres eurent parfois du talent : Florian (1755-1794), dont les *Fables* comprennent « l'Aveugle et le Paralytique » ; le Russe Krylov (1769-1844), auteur de 9 volumes de fables ; le poète Jean Queval (*Un fablier*, 1985). La fable est généralement un genre poétique ; cependant, les fables d'Ésope (VIIe s.-VIe s. av. J.-C.) sont de brefs récits en prose et l'on rattachera à la fable un roman comme celui de George Orwell, *la Ferme des animaux* (1945), dont la « moralité » est célèbre : « Tous les animaux sont égaux, mais certains sont plus égaux que les autres. »

Jean de La Fontaine (Fr., 1621-1695), ***Fables*** (1668-1694) • Reprenant au Grec Ésope ou au brahmane indien Bidpai nombre de sujets, les douze livres de fables en vers mettent en scène des animaux mais aussi des hommes et des dieux, proposant une vision sans concession du monde de tous les temps : bien loin que la justice y règne (« les Animaux malades de la peste »), la force (« le Loup et l'Agneau ») et la ruse s'y unissent pour opprimer l'innocent… Le but est d'instruire en divertissant (l'âme de la fable est indissociable du corps de la fable), vertu pédagogique qui a fait de l'œuvre, en l'y réduisant injustement, un classique pour les enfants.

Les arts poétiques

Poésie de la poésie : ainsi pourrait-on définir ces poèmes qui visent à dire ce qu'est la poésie et comment la pratiquer. De nombreux traités ou essais en prose ont abordé ce sujet et relèvent de la théorie ou de la critique littéraires, mais le fait d'écrire poétiquement sur la poésie amène une intéressante mise en abyme : l'auteur ne peut faire moins que d'appliquer lui-même ses doctrines. Ainsi peut-on penser que le décousu apparent de l'*Épitre aux Pisons* ou *Art poétique* (v. 14 av. J.-C.) d'Horace est lié au « naturel » qu'il recommande, et que le nombre de vers demeurés célèbres dans *l'Art poétique* (1674) de Boileau n'est pas étranger à son exigence de limpidité (« Ce que l'on conçoit bien s'énonce clairement ») et au long travail qu'il s'impose pour y parvenir (« Vingt fois sur le métier remettez votre ouvrage »).

À l'époque moderne, les arts poétiques sont de brefs poèmes qui abandonnent l'examen historique des prédécesseurs et les exposés techniques pour distiller la substance d'une poétique. Ainsi Verlaine : « De la musique avant toute chose / Et pour cela préfère l'Impair » (effectivement le poète emploie des vers de neuf pieds) ; ou Queneau : « Prenez un mot prenez en deux / faites-les cuir' comme des œufs. » D'autres élargissent le propos bien au-delà de l'esthétique littéraire. Ainsi Claudel lorsqu'il intitule *Art poétique* ses essais-poèmes sur la « co-naissance au monde » (1907) ou Aragon lorsqu'il dédie son *Art poétique* aux résistants fusillés au mont Valérien (« Pour mes amis morts en mai… », 1942).

Nicolas Boileau (Fr, 1636-1711), ***l'Art poétique*** (1674) • Une histoire poétique qui, avant Malherbe, ne retient que Villon et Marot, suffit à établir cette leçon : l'inspiration n'est rien sans la raison, et le don doit être travaillé. Dans les petits genres, le sonnet, tout de maîtrise et de concision, et dans les grands genres (tragédie ou comédie), ceux qui se gardent de toute outrance seront préférés par un écrivain mis à l'abri de tout « sordide gain ». Loués par Voltaire de toujours donner « le précepte et l'exemple », les quatre chants de Boileau ont été le manifeste d'un classicisme rigoureux.

VOIR AUSSI 
- **Naissance de la philosophie** p. 964
- **Épicure** p. 965
- ***Mahabharata*** p. 1116

Illustrations
- **Nietzsche** p. 966
- **Boileau** p. 1122

◆ ***Le Savetier et le Financier,* fable de La Fontaine.**
Tapisserie d'un dossier de fauteuil, d'après un carton de J.-B. Oudry (1686-1755). (Musée Jacquemart-André, Paris)

La poésie lyrique

Le chant du moi

Le poète lyrique est, dans le sens courant, celui qui dit «je», celui qui prend la parole en son nom propre, qui exprime ses sentiments personnels, et qui, au fond intime de son être, trouve une vérité dans laquelle les autres pourront se reconnaître. «Insensé qui crois que je ne suis pas toi!» (Victor Hugo.) Certes, il éprouve les tourments de l'amour, de la tristesse, un sentiment de communion avec le vaste monde, ou d'autres émotions dont chacun a pu faire l'expérience; mais, lui, il trouve les mots pour les dire, et il les donne à tous. Il les dit ou plutôt il les chante, car le poète lyrique est, par excellence, celui qui chante. Dans l'Antiquité, à l'exemple d'Apollon, il s'accompagnait de la lyre, et l'on appelait lyrique toute poésie faite pour être chantée. Son domaine est donc plus vaste que celui des sentiments personnels. L'ode, forme lyrique la plus noble, peut célébrer un héros, un souverain, un site, un événement, mais le lyrisme peut emprunter les formes les plus diverses : élégie, *canso* des troubadours, *canzone* italienne, ballade, *ghazal* des Arabes, et même des formes très brèves comme le *haïku* japonais ou le *robaï* persan.

Sappho (fin du VIIe s. - VIe s. av. J.-C.), ***Poésies*** (grec, v. 630) • À un groupe de jeunes filles qu'elle initie à son art, la poétesse parle de l'amour et de la poésie : elle leur chante la joie d'aimer, mais aussi les tourments de la passion et de la jalousie. Cette œuvre, dont il ne reste que des fragments, fait entendre une des premières voix poétiques féminines. Elle a grandement influencé la poésie lyrique latine et a inventé une forme – la strophe sapphique – qui, depuis, a été souvent reprise.

Le lyrisme antique

En Grèce, à partir du VIIe s. av. J.-C., se développe une poésie chantée et dansée, accompagnée à la lyre ou par tout autre instrument. La poésie lyrique prend la forme d'œuvres monodiques ou chorales, selon qu'elle exprime des sentiments personnels (chez Sappho, chez Anacréon) ou qu'elle chante les louanges des dieux ou des héros (chez Pindare). La tradition romaine a ensuite tendance à la considérer comme un genre léger et divertissant. Toutefois, les poètes latins redonnent au lyrisme ses lettres de noblesse en exprimant leur passion (Catulle) ou en transmettant des vérités morales (Horace, Virgile).

VOIR AUSSI
• **«Art fermé» des troubadours** p. 1123
Illustrations
• **Troubadours** p. 1167

Omar Khayyam (Perse, v. 1047-v. 1122), ***Quatrains*** *(Roba'iyat)* • Reprenant la forme populaire du quatrain, le poète chante les joies de l'amour et de l'ivresse. À l'allégresse de ses évocations se mêlent une virulente critique sociale et une sombre méditation sur la finitude humaine. Mathématicien et penseur influencé par le philosophe Avicenne, Khayyam donne à son lyrisme une profondeur morale et philosophique. Longtemps censurée par les autorités islamiques pour son caractère blasphématoire, son œuvre s'est universellement imposée à partir du XIXe s., grâce à l'adaptation anglaise d'Edward Fitzgerald.

François Villon (Fr., 1431-apr. 1463), ***le Testament*** (1461) • Le poète, se croyant mourant, rédige son testament; il en profite pour régler ses comptes avec ses ennemis, dresser un amer bilan de sa vie et exprimer la détresse de sa condition. Plus qu'un testament, le recueil est une méditation sur la pauvreté, l'amour malheureux et la mort. Huitains et ballades témoignent de la personnalité complexe et toujours fascinante de leur auteur : l'humour et la férocité alternent avec la nostalgie; les calembours et les jeux poétiques se mêlent à une piété sincère et à un pathétique déchirant.

Le lyrisme médiéval

Aux XIIe et XIIIe siècles, la poésie lyrique des troubadours prend la forme du *trobar clus* provençal, de la chanson d'amour en langue d'oïl ou de la *canso* en langue d'oc (Guillaume d'Aquitaine, Bernard de Ventadour). Au XIVe siècle, les poètes lyriques privilégient les formes fixes, récemment codifiées. L'amour courtois est le thème majeur du lyrisme médiéval. Toutefois, les poètes italiens du *dolce stil nuovo* (Guido Cavalcanti, Dante) approfondissent la thématique amoureuse, exprimant à travers elle, avec rigueur et subtilité, la quête de soi. C'est Pétrarque, chantant l'amour spiritualisé dans une langue raffinée et musicale (dans le *Canzoniere*), qui est le véritable fondateur du lyrisme amoureux européen.

Louise Labé (Fr., 1524-1566), ***Poésies*** (1555) • Inversant audacieusement les codes traditionnels du lyrisme amoureux, la «Belle Cordière» exprime ses sentiments de femme amoureuse : désir, passion, souffrance. Dans ses sonnets et ses élégies, l'émotion jaillit de la densité et de la ciselure du style. Se démarquant de leur modèle pétrarquiste, ils font entendre une voix sensuelle et sincère, originale, au sein de l'école lyonnaise, et affirment la vitalité du lyrisme féminin.

Pierre de Ronsard (Fr., 1524-1585), ***les Amours*** (1552-1584) • S'inscrivant dans la tradition de la poésie amoureuse, le poète s'adresse successivement à trois inspiratrices, qu'il idéalise : Cassandre, Marie et Hélène. Il joint à l'évocation des sentiments une méditation sur la fuite du temps, où se mêlent gravité, sensualité et allégresse. Le recueil préfère à l'épanchement intime l'expression lyrique de préoccupations morales et philosophiques, aux dimensions personnelles et universelles. Enrichi par son auteur au fil des publications, puisant aux sources antiques (comme le *carpe diem* d'Horace), il participe au renouveau poétique inauguré par la Pléiade.

Samuel Taylor Coleridge (Angl., 1772-1834), ***la Ballade du vieux marin*** (1798) • Un vieux marin a tué un albatros, oiseau faste. Cette faute symbolique a causé la mort de ses compagnons de mer et l'a précipité chez les spectres. Revenu parmi les vivants, mais à jamais coupable, il erre en proie à «une étrange puissance de parole» qui lui fait dire et redire le poème qu'on vient de lire. Ce poème en sept chants, d'une extrême intensité visionnaire, fut publié dans *Ballades lyriques* avec trois autres poèmes de Coleridge et dix-neuf de William Wordsworth (1770-1850). Ce recueil marque la naissance du romantisme anglais.

Novalis (All., 1772-1801), ***Hymnes à la nuit*** (1800) • Sophie, le grand amour du poète, vient de mourir dans la fleur de l'âge. Cette expérience douloureuse devient, pour Novalis, le point de départ d'une quête spirituelle et métaphysique : la Nuit et le Rêve, sources de réconfort, lui révèlent l'union éternelle et absolue avec l'être aimé par-delà la mort. Ayant atteint l'extase mystique, le poète retourne dans le monde et attend sereinement la mort qui le délivrera. Dans ce chef-d'œuvre de la poésie romantique, le lyrisme donne l'ampleur du mythe à l'événement vécu et révèle le monde idéal.

Alphonse de Lamartine (Fr., 1790-1869), ***Méditations poétiques*** (1820) • Évoquant discrètement différents épisodes de sa vie personnelle, le poète médite sur l'amour, la fuite du temps et la mort. La nature s'accorde à l'expression de ses états d'âme; plus que la religion dont il se prend à douter, elle lui offre asile et réconfort. Considéré comme l'œuvre inaugurale du romantisme français, le recueil renouvelle le lyrisme personnel par sa tonalité élégiaque et mélancolique, sa musicalité et son pouvoir de suggestion.

Alfred de Musset (Fr., 1810-1857), ***les Nuits*** (1835-1837) • Dans un dialogue intérieur, le poète s'interroge et s'adresse à sa Muse; il lui confie ses tourments (la solitude, la rupture amoureuse, le mal de vivre) et ses préoccupations esthétiques. Dans cette méditation, une certitude s'impose : la poésie naît de la souffrance intime, que le poète a mission d'exprimer. Les quatre poèmes du cycle exposent l'art poétique de Musset et soulignent son originalité au sein

Le romantisme européen

Née à l'aube du XIXe siècle, la poésie romantique est par essence lyrique. Mais, tout en affirmant le primat du sentiment, elle possède une dimension morale, politique et métaphysique. Ainsi, les Allemands, héritiers de Goethe et du *Sturm und Drang*, développent un lyrisme idéaliste et mystique (Hölderlin, Novalis), qui n'exclut pas la satire (Heine, *Atta Troll*, 1843). Chez les poètes anglais, les états d'âme et l'imagination servent la connaissance de soi et du monde (Byron, Keats, Shelley). Les poètes italiens s'interrogent sur la destinée humaine à travers la méditation intime (Leopardi) ou historique (Manzoni). Le romantisme français, apparu plus tardivement, sacralise le poète en lui donnant une mission politique et morale (Vigny, Hugo).

◆ **Lord Byron.** Révolté, inspiré, plein de fougue, de verve et de passion, il est l'un des représentants majeurs du romantisme anglais. Détail d'une gravure d'après un portrait de Thomas Philips. (National Portrait Gallery, Londres)

du romantisme français : plus que la confession directe, c'est la fiction lyrique qui donne à l'expérience personnelle une valeur universelle.

Victor Hugo (Fr., 1802-1885), *les Contemplations* (1852) • « Mémoires d'une âme », le recueil suit une chronologie intime : organisé autour d'un épisode-pivot (la mort de la fille du poète), il débute par l'évocation du bonheur (« Autrefois »); il se poursuit par celle des combats politiques de l'auteur et par une méditation poétique et cosmique (« Aujourd'hui »). Représentative de l'esthétique romantique, cette œuvre présente le poète comme un guide de l'humanité, dont l'expérience personnelle, aux dimensions spirituelles et métaphysiques, prend valeur d'exemple.

Charles Baudelaire (Fr., 1821-1867), *les Fleurs du mal* (1861) • Ce recueil retrace le parcours initiatique du poète, déchiré entre le spleen (angoisse existentielle) et l'idéal, et qui cherche le remède à ses maux dans les paradis artificiels, la sensualité et le blasphème. Seule la mort, terme du « voyage », semble lui promettre le salut et la perfection. Baudelaire donne une image douloureuse de la condition de l'homme et du poète. Refusant l'épanchement, il cherche à extraire la beauté du mal grâce à l'alchimie poétique. Le recueil, qui fit scandale, inaugure véritablement la poésie moderne française.

◆ **Charles Baudelaire.** Héritier du romantisme, père de la modernité poétique, il développa, dans ses œuvres poétiques et critiques, une conception idéaliste de la beauté, fondée sur l'accord du sensible et du spirituel.

Robert Browning (Angl., 1812-1889), *l'Anneau et le Livre* (1869) • Cette œuvre est la recréation poétique d'une histoire découverte par Browning dans un vieux livre et qui narre un procès pour assassinat dans la Rome du XVIIIe s. Tel une pièce d'orfèvrerie, le « livre » est un « anneau » alliant réalité historique et inventions de l'imagination. D'inspiration romantique, ce vaste ensemble poétique de l'époque victorienne (12 livres, plus de 20000 vers) allie le tragique et le grotesque, l'expression personnelle et les changements de points de vue, la réflexion sur la condition humaine et le chant lyrique des émotions.

Walt Whitman (É.-U., 1819-1892), *Feuilles d'herbe* (1855-1892) • Le poème d'ouverture, « Chant de Moi-même », affirme d'emblée le thème central du recueil. Mais le poète chante aussi la vie tout entière, symbolisée par l'herbe : l'amitié, la sensualité, la liberté, le corps et la communion panthéiste avec le monde. Mêlant les notations les plus prosaïques aux élans les plus purement poétiques, Whitman invente une versification personnelle, fondée sur le verset, qui aura, au tournant du XXe s., une influence capitale sur le renouveau de la poésie américaine.

Paul Verlaine (Fr., 1844-1896), *Sagesse* (1880) • Ayant tiré plusieurs coups de feu sur Arthur Rimbaud à la suite d'une dispute sentimentale, Verlaine est condamné à deux ans de prison. Durant sa détention, il se convertit et rédige alors ces poèmes qui évoquent son itinéraire spirituel et ses états d'âme. Cherchant l'apaisement et le salut dans l'amour divin, le poète se penche sur le mystère de son destin, au moyen d'une poésie fluide, musicale, volontairement imprécise et discrètement sensuelle, très admirée des poètes décadents de la fin du siècle.

Petit lexique

ballade : forme fixe médiévale composée de trois strophes et d'un envoi; le terme désigne par la suite un poème narratif, souvent pathétique (Allemagne, Angleterre), ou une forme lyrique libre (France).

école lyonnaise : elle regroupe à Lyon, dans les années 1550, des poètes humanistes influencés par Pétrarque et la poésie italienne (Maurice Scève, Pernette du Guillet et Louise Labé, notamment).

élégie : genre lyrique exprimant la tristesse, la plainte et la nostalgie; codifiée dans l'Antiquité, elle prend par la suite des formes très variées.

hymne : (m.) chant célébrant un dieu, un héros, une idée ou un sentiment; (f.) louange à Dieu dans la liturgie catholique.

ode : poème lyrique d'origine antique, remis en vogue à la Renaissance; l'ode pindarique, très codifiée, d'inspiration héroïque, se distingue de l'ode anacréontique, forme lyrique libre.

Pléiade (la) : groupe poétique français né dans les années 1550; ses poètes (Du Bellay, Ronsard, Belleau, Baïf, Jodelle, Pontus de Tyard et Peletier du Mans) s'inspirent des modèles antiques pour renouveler profondément la poésie française.

sonnet : forme fixe, inventée par la Renaissance italienne, qui se caractérise généralement par sa densité et son trait final; sa structure originelle (deux quatrains et un sizain de vers de même longueur) connaît de nombreuses variantes.

Jules Laforgue (Fr., 1860-1887), *les Complaintes* (1885) • Ce recueil exprime le tragique de la condition humaine par le biais de notations quotidiennes. La naissance, l'amour, la maladie, la mort, tout y rappelle l'ennui, la fragilité et le désenchantement inhérents à la vie. Laforgue, « pierrot » désespéré, refuse de recourir au lyrisme traditionnel. Il lui préfère l'ironie et l'autodérision. S'inspirant des formes populaires, jouant avec les mots, *les Complaintes* font entendre une voix originale, en marge de la poésie décadente.

Oscar Wilde (Angl., 1854-1900), *Ballade de la geôle de Reading* (1898) • Condamné à deux ans de travaux forcés pour homosexualité (1895-1897), l'écrivain évoque son incarcération, son retour à la spiritualité et la pendaison d'un de ses compagnons de geôle, condamné pour crime passionnel. Choisissant pour la première publication le pseudonyme C.3.3 – son ancien matricule –, Wilde donne à lire l'émouvant témoignage de sa propre expérience ainsi qu'une réflexion âpre et sensible sur les conditions carcérales.

Victor Segalen (Fr., 1878-1919), *Stèles* (1912) • En 1909, le poète, qui est aussi médecin, explorateur et archéologue, fait un séjour en Chine : tout en découvrant la civilisation chinoise, il se découvre lui-même. À l'image des « stèles » qui matérialisent les points cardinaux et relient symboliquement le ciel à la terre, ses poèmes, illustrés de caractères chinois, plongent dans les profondeurs de l'intériorité. Le recueil évite l'exotisme pittoresque comme la confession intime : c'est un voyage intérieur, une quête de soi, guidés par la poésie et l'imaginaire.

Rainer Maria Rilke (Autr., 1875-1926), *Élégies de Duino* (1912-1922) • Comment triompher de la mort? Tel est l'objet de la quête morale et poétique des *Élégies*. Hanté par l'angoisse existentielle, le poète cherche à conjurer le tragique de sa propre condition et à conquérir son destin en forgeant son propre salut. Œuvre déroutante et d'une parfaite maîtrise formelle, le recueil tente de transcender l'individu au moyen de la figure emblématique de l'ange.

Federico García Lorca (Esp., 1898-1936), *Chant funèbre pour Ignacio Sánchez Meijas* (1935) • Un jeune et brillant toréro a trouvé la mort lors d'une corrida. Le poète fait l'éloge de son ami, évoque son trépas et chante la douleur du deuil en une courte suite de quatre poèmes. Le lyrisme du *Chant funèbre* fait montre d'une dignité et d'une sobriété remarquables : ses « mots qui gémissent » rendent l'hommage, la déploration et la méditation sur la mort d'autant plus émouvants.

Pablo Neruda (Neftali Ricardo Reyes, Chili, 1904-1973), *le Chant général* (1950) • Le poète retrace à sa manière l'histoire du continent sud-américain et plus particulièrement celle du Chili. Mêlant évocations historiques, portraits d'hommes illustres ou d'inconnus, et notations personnelles, il évoque ses thèmes de prédilection : la souffrance, la solidarité et l'union cosmique de l'homme et de la nature. Œuvre maîtresse de la poésie sud-américaine actuelle, cette somme en quinze chants, qui unit le souffle épique à l'émotion lyrique, chante la quête d'identité d'un homme et d'un peuple.

Louis Aragon (Fr., 1897-1982), *le Roman inachevé* (1956) • Le poète se penche sur certains épisodes de sa vie : sa jeunesse, ses séjours en Union soviétique, son amour pour Elsa, etc. À la précision chronologique et biographique, à l'introspection, Aragon préfère les notations personnelles et l'expression lyrique de ses sentiments, passés et présents. Pour lui, la poésie est inséparable de la vie. Rénovant et s'appropriant des formes poétiques traditionnelles, Aragon présente son expérience d'individu et de poète, pour susciter en tous une réflexion sur le devenir de l'homme.

Les formes orientales

Le lyrisme oriental a une prédilection pour les formes brèves. En Chine, la poésie lyrique se fonde sur des variantes, strictement codifiées, du quatrain, comme le *shi* et le *liu* (chez Li Bo, chez Du Fu). Intimement liée à la musique, elle conserve ses racines populaires et exprime des sentiments traditionnels. Au Japon, le *haïku*, limité à dix-sept syllabes réparties sur trois vers, propose à la méditation des aspects fugitifs de la nature (chez Buson). Au Moyen-Orient, les formes lyriques majeures sont le *robaï*, ou quatrain (chez Omar Khayyam), et le *ghazal*, ou chanson (chez Sa'di), dont les thèmes principaux sont l'amour et l'ivresse.

Saint-John Perse (Alexis Léger, Fr., 1887-1975), *Amers* (1957) • Composé d'*Invocation, Strophe* et *Chœur*, *Amers* célèbre la mer comme force cosmique. Plutôt que de la chanter lui-même, le poète, « homme au masque d'or », lui prête sa voix et donne la parole à des chœurs ou à des personnages symboliques (les Tragédiennes, les Patriciennes, les Amants, le Maître d'astres et de navigation). Grâce aux versets qui épousent le mouvement des flots et orchestrent cette vaste œuvre élémentaire, le lyrisme s'anime d'un souffle grandiose et prend une valeur visionnaire.

La poésie de combat

Le poète polémique

La dignité du poète lui enjoint parfois de prendre position. Le monde, avec ses tares et ses luttes, ne lui est pas indifférent; il refuse de s'enfermer dans une tour d'ivoire pour élaborer une langue de pure poésie. Il estime, au contraire, que sa parole doit rester sur le qui-vive et il n'hésite pas à l'engager dans les combats qu'il choisit de mener.

La satire, genre «mêlé» selon l'étymologie (latin *satura*, évoquant un plat mélangé, macédoine ou pot-pourri), remplit, dès l'Antiquité, des fonctions critiques et polémiques. La grande satire a, en principe, une portée universelle. En dénonçant le tyran ou l'imbécile, le poète, au-delà de son adversaire désigné, pourfend de ses vers la Tyrannie ou l'Imbécillité elles-mêmes. Tâche infinie… Aussi la satire appartient-elle à tous les temps et à tous les pays; aussi touche-t-elle tous les domaines : satire des mœurs, satire politique, satire religieuse, satire esthétique même, lorsqu'il s'agit de stigmatiser des adversaires littéraires (*La Dunciade* ou «épopée des imbéciles», 1728, d'Alexander Pope, 1688-1744). Fondée sur l'ironie et la véhémence, la poésie polémique ne se borne pas à attaquer. Elle défend aussi des valeurs et des idéaux. Telle est aussi l'ambition de la poésie de combat, qui chante, par exemple, la liberté en temps d'oppression.

Horace (65-8 av. J.-C.), *Satires* (latin, 30 et 35 av. J.-C.) • Les défauts de la société et les travers de la nature humaine sont les cibles du poète. Mais ces dénonciations féroces lui donnent aussi l'occasion de défendre une morale fondée sur la simplicité, la sagesse et l'épicurisme. Conformément au genre satirique, cette œuvre mêle différentes techniques et tonalités, unies par un style équilibré et mesuré dont se souviendra le classicisme français. La morale et l'esthétique d'Horace sont plus amplement développées dans les *Épîtres* (23 - 13 av. J.-C.).

Juvénal (v. 60-v. 130), *Satires* (latin) • Le poète dénonce les tares et les vices de son époque : l'injustice, la corruption, le désordre politique et religieux, la dissolution des mœurs, etc. Il est nostalgique des premiers temps de l'Empire, d'une Rome dont l'héroïsme et les vertus ont fait la grandeur. Organisées en 5 livres, les *Satires* se caractérisent par l'ampleur rhétorique et le recours à la parodie. Peu diffusées du vivant de leur auteur, exhumées par la suite, elles s'imposent à partir du IVe s. La pérennité de leur influence est perceptible jusqu'au XIXe s. (chez Hugo, chez Flaubert).

Le Roman de Renart (français, fin du XIIe s.-fin du XIIIe s.) • Cette œuvre raconte la lutte entre Renart, le goupil, et Ysengrin, le loup. Ils représentent les chevaliers médiévaux, mais ils ne respectent aucune valeur courtoise. À travers cette fable parodique, ce sont les hommes qui sont visés. Mosaïque de poèmes d'origines diverses, ce vaste ensemble poétique est une satire de la société féodale. Léger, plein de fantaisie, exempt de revendications politiques, il devient immédiatement populaire et inspirera aussi bien Rutebeuf (*Renart le Bestourné*, v. 1270) que Goethe ou la littérature enfantine.

Clément Marot (Fr., 1496-1544), *Œuvres* (1538) • Réunion d'œuvres antérieures, ce recueil témoigne de la personnalité et des combats de Marot. Très critique à l'égard de l'autorité religieuse, le poète est maintes fois emprisonné, puis exilé en Italie. Sollicitant l'aide de personnalités influentes, il en profite pour faire la satire des courtisans et de la justice, et pour régler ses comptes avec ses ennemis. Si cette œuvre n'est pas constamment satirique, elle met en valeur la franchise et l'originalité poétique de Marot. Elle mêle avec bonheur humour et ironie, allégorie et réalisme, éloge et polémique.

Joachim Du Bellay (Fr., 1522-1560), *les Regrets* (1558) • Le poète accompagne son oncle le cardinal Jean Du Bellay à Rome, en qualité de secrétaire. Expérience douloureuse : nostalgie et déception suscitent en lui d'amers «regrets», dont la poésie le console. Dans plusieurs sonnets, il déplore ses conditions d'existence, dénonce les vices de la cour pontificale et caricature les courtisans romains. Ce recueil allie la satire sociale au lyrisme élégiaque. S'inspirant de modèles antiques qu'il renouvelle (Ovide, notamment), Du Bellay donne à la Pléiade l'une de ses œuvres majeures.

Agrippa d'Aubigné (Fr., 1552-1630), *les Tragiques* (1616) • La France est déchirée par les guerres de Religion. Calviniste ardent, d'Aubigné, délaissant la poésie profane, s'engage dans la bataille sacrée. Il peint la violence des combats et l'horreur des massacres. Il dénonce les persécutions subies par les protestants. Tout en défendant clairement ses coreligionnaires, il déplore ces luttes fratricides. Publiée clandestinement par un poète traqué, cette vaste épopée en sept chants unit la satire à la déploration tragique et au lyrisme visionnaire. C'est l'une des premières œuvres baroques françaises.

Nicolas Boileau (Fr., 1636-1711), *Satires* (1666-1705) • Pour dénoncer les vices de ses contemporains, le poète caricature les gens de finances, se moque des rimeurs à la mode, épingle les grands personnages sous des noms d'emprunt et peint avec pittoresque les «embarras de Paris». Partisan des Anciens, fidèle aux modèles antiques (Horace, Juvénal), mêlant divers registres, Boileau veut plaire et instruire en faisant œuvre de moraliste. Si sa verve satirique perdure dans les *Épîtres* (1674-1698), elle est tempérée par l'expression, sincère et discrète, des sentiments personnels.

◆ **Nicolas Boileau.**
Il est intervenu dans toutes les questions de morale, de création et de religion de son temps. Ses *Satires* (1666-1705) lui attirent des haines nombreuses. Il compose à partir de 1669 ses *Épîtres*, puis en 1674 son *Art poétique* qui définit l'idéal littéraire du classicisme et qu'il illustre par son épopée parodique, *le Lutrin* (1674-1683). Nommé historiographe du roi en 1677, il entre à l'Académie en 1684. Son engagement dans la bataille janséniste lui vaudra cependant la défaveur de Louis XIV.

André Chénier (Fr., 1762-1794), *Iambes* (posth., 1819) • Écrit en prison, ce pamphlet poétique dénonce la radicalisation révolutionnaire, et notamment Robespierre, les Jacobins et le culte de l'Être suprême. En revanche, il défend une monarchie constitutionnelle imitée du modèle anglais. Le poète mêle satire, lyrisme et réalisme visionnaire dans un style âpre et vigoureux, alliant le grotesque au sublime. Fidèle à la tradition antique, ce recueil, publié de façon posthume, annonce également une sensibilité nouvelle, dans laquelle se reconnaîtront les romantiques français.

Victor Hugo (Fr., 1802-1885), *Châtiments* (1853) • De Jersey où il s'est volontairement exilé, le poète attaque Napoléon III «le Petit», dénonce toutes les formes d'autoritarisme et exprime ses convictions républicaines. Pamphlet politique et social, épopée d'un peuple en marche, le recueil est aussi une défense de l'humanité souffrante. Il se termine sur une vision prophétique, porteuse d'espoir. Les *Châtiments*, œuvre de la liberté et de la révolte, ont fait de leur auteur un chef politique à part entière. Hugo, dans une perspective romantique, y conçoit l'Histoire comme progrès.

Aimé Césaire (Fr., né en 1913), *Cahier d'un retour au pays natal* (1947) • Étudiant à Paris, le poète retourne à la Martinique. Il prend alors conscience de l'humiliation et de la servitude subies par le peuple noir. Dans ce recueil, il attaque le colonialisme et l'esclavagisme. Porte-parole de ses frères, guide et prophète, il leur annonce une libération prochaine. Inspiré par Rimbaud et par le surréalisme, Césaire utilise des images violentes et surprenantes pour susciter chez son lecteur l'émotion et le désir de révolte.

◆ **Aimé Césaire.**
Poésie et théâtre sont pour Césaire les deux voies d'un retour aux sources de la négritude.

Jacques Prévert (Fr., 1900-1977), *Paroles* (1946) • Porté par son tempérament anarchiste, le poète dénonce le pouvoir exercé par les institutions (école, armée, famille, religion) et prend la défense des marginaux et des opprimés. Tantôt il fait la satire de personnages exemplaires et de situations quotidiennes; tantôt il exprime sa sympathie ou sa pitié envers eux; tantôt il chante l'amour et le désir. Dans ce recueil, comme dans toute la poésie de Prévert, la liberté morale et politique est défendue par un langage libéré, une «parole» poétique proche de l'oral, ludique et pleine de vitalité.

La poésie de la Résistance

Durant la Seconde Guerre mondiale, la poésie entre au service de la Résistance. Dès 1939, Pierre Seghers (1906-1987) fonde *Poètes casqués*, revue réservée aux poètes-soldats. En 1942, Paul Eluard écrit «Liberté», poème lancé sous forme de tracts par l'aviation britannique. Aragon publie clandestinement *les Yeux d'Elsa* et *la Diane française*. En 1943, les deux écrivains collaborent à *l'Honneur des poètes*, anthologie clandestine retentissante, que stigmatise pourtant Benjamin Péret (1899-1959), alors au Mexique, dans *le Déshonneur des poètes*. Robert Desnos (1900-1945) lance des appels à la résistance («le Veilleur du Pont-au-Change») qui lui valent d'être déporté. En 1946, René Char publie son journal de guerre, *Feuillets d'Hypnos*.

La poésie hermétique

La quintessence du fait poétique

Créer une langue poétique qui ne doive rien à « l'universel reportage », telle est, selon Mallarmé, l'unique tâche du poète. Une telle langue s'oppose à la langue ordinaire non seulement par son chant, mais surtout par sa finalité. Il ne s'agit plus d'informer, de communiquer, ni même d'exprimer, mais de construire un objet poétique – le poème lui-même – qui soit irréductible à tout message, sinon à tout sens. La langue devient alors un matériau à travailler, une substance à laquelle le poète donne vie et qu'il charge, selon l'expression de Mallarmé, d'« un sens plus pur ».

Par rapport au langage de la prose, un tel objectif apparaît comme celui de toute poésie. Mais dans l'hermétisme poétique, la recherche d'une parole non triviale est si poussée que le texte en devient parfois impénétrable au profane. Historiquement, l'hermétisme était la religion d'Hermès Trismégiste (« trois fois grand »), dans l'Égypte des IIe et IIIe s. de notre ère, religion caractérisée par l'obscurité de ses mystères et de ses hymnes. Mais l'Antiquité avait déjà connu une poésie dense jusqu'à l'obscur (*Alexandra,* de Lycophron, IIIe s. av. J.-C.). L'« art fermé » ou *trobar clus* des troubadours relève d'un semblable souci, de même qu'une partie de la poésie savante et précieuse des XVIe et XVIIe s. À la suite de Mallarmé, tout un pan de la poésie moderne cherche, quant à elle, la quintessence du fait poétique, au point que l'hermétisme a donné son nom au principal mouvement poétique de l'entre-deux-guerres en Italie.

L'« art fermé » des troubadours

Le *trobar clus* s'épanouit au milieu du XIIe s. chez les troubadours provençaux (Arnaut Daniel, Raimbaud d'Orange). Cet « art fermé » se fonde sur de savantes recherches en matière de vocabulaire, d'images, de syntaxe et de versification. Il s'agit de donner au poème un sens caché, que le lecteur doit découvrir. Le *trobar clus*, ludique et énigmatique, s'oppose ainsi au *trobar leu,* ou poésie facile. Raimbaud d'Orange a toutefois inventé une forme hybride, le *trobar car,* dans laquelle les contraintes formelles ne nuisent pas à la clarté.

Maurice Scève (Fr., 1501-v.1560), *Délie* (1544) • Délie est la femme aimée, que le poète idéalise et à laquelle il confie ses peines et ses joies. Mais Délie est aussi l'anagramme de *l'Idée.* « Objet de plus haute vertu », comme l'indique le titre intégral du recueil, elle fonde le projet allégorique du poète. En effet, Scève, influencé par la philosophie néoplatonicienne et par Pétrarque, fait de l'expérience amoureuse une quête spirituelle et métaphysique. Précieux, symboliques et énigmatiques, ses dizains ont dérouté les contemporains de Scève, mais ils ont trouvé une plus large audience à la fin du XIXe s., grâce aux symbolistes.

William Shakespeare (Angl., 1564-1616), *Sonnets* (1609) • Destinés à un jeune homme, ces poèmes évoquent la solitude et la fuite du temps. Au moyen de symboles et de métaphores, ils présentent l'amour comme le seul remède au vieillissement et à la mort. Sans être, à proprement parler, hermétique, ce recueil demeure énigmatique à force de recherche. Il met en scène des personnages ambigus dont l'identité fait toujours problème : le jeune inconnu, fréquemment peint sous des traits féminins ; la mystérieuse Dame noire. Avec cette œuvre, Shakespeare invente une nouvelle forme de sonnet, qui sera, par la suite, abondamment imitée.

Luis de Góngora y Argote (Esp., 1561-1627), *les Solitudes* (1613) • S'inspirant de la poésie pastorale antique, le poète chante l'amour, les bienfaits de la « solitude » et les charmes de la vie à la campagne. Comme *la Fable de Polyphème et Galatée* (1612), ce recueil, inachevé, se signale par sa préciosité. Plein de symboles, hérissé de difficultés, il a pour ambition d'exprimer l'essence des choses. Longtemps considérée comme extravagante, la poésie de Góngora est pourtant à l'origine d'un style poétique, le « gongorisme ». C'est au début du XXe s. qu'elle trouvera, grâce à Lorca notamment, une plus large audience.

Gérard de Nerval (Gérard Labrunie, Fr. 1808-1865), *les Chimères* (1854) • À la recherche de son identité, le poète s'appréhende à travers différentes figures mythiques. Quêtant l'idéal, il crée un univers mystique et métaphysique, fondé sur le rêve, le panthéisme et la recherche de l'unité originelle. De l'aveu même de leur auteur, ces douze sonnets « perdraient de leur charme à être expliqués, si la chose était possible ». Héritier du surnaturalisme de Swedenborg et du romantisme allemand, Nerval fait ainsi entendre une poésie inouïe, qui n'aura pas de continuateur, mais qui influencera les symbolistes français.

◆ **Gérard de Nerval.** Photographie du poète par Nadar, vers 1854. Nerval reprochera au photographe de « faire trop vrai ». (Bibliothèque nationale de France, Paris)

Lewis Carroll (Charles Dodgson, Angl., 1832-1898), *la Chasse au Snark* (1876) • Dix personnages chassent un monstre, le Snark, dans une contrée fabuleuse. Pour raconter cette histoire, Carroll invente un univers merveilleux, parfaitement cohérent, mais qui rompt intégralement avec le discours rationnel. À l'image du Snark, qu'on ne voit jamais, et du Boulanger, qui disparaît mystérieusement au moment où il aperçoit le monstre, le sens de cette œuvre se dérobe et s'évanouit. Ce « délire en huit épisodes ou crises » tente d'exprimer le *nonsense,* grâce à la parodie, à l'invention verbale et au travail sur la logique.

Stéphane Mallarmé (Fr., 1842-1898), *Poésies* (1887) • Le poète cherche à atteindre l'essence secrète du monde. Seul un langage poétique pur et essentiel peut rendre compte de cette réalité indicible. Syntaxe inouïe, vocabulaire précis mais suggestif, musicalité, symboles, évocations du silence et de l'absence... tout concourt à l'avènement de la parole pure et au surgissement du mystère. La quête poétique et métaphysique de Mallarmé nécessite, de fait, une langue obscure et étrange. Réflexion sur la création poétique, elle ouvre la voie aux recherches du symbolisme et de la poésie moderne.

Paul Valéry (Fr., 1871-1945), *Charmes* (1922) • Le poète veut retranscrire le travail de sa pensée. Sa méditation a un double objet : l'essence cachée de toute chose et l'acte de création. Pour exprimer ces réalités complexes et mystérieuses qui échappent au langage habituel, il utilise un langage à la fois précis et suggestif, dont l'obscurité est inévitable. Héritier de Mallarmé, Paul Valéry cherche, dans ce recueil comme dans *la Jeune Parque* (1917), à atteindre la Vérité, au moyen d'une poésie qui possède les étranges pouvoirs de la magie.

Giuseppe Ungaretti (It., 1888-1970), *Allégresse* (1919) • Après la guerre, le poète, « homme de souffrance », cherche à reconquérir sa propre unité et à dégager l'essence de la condition humaine. Pour exprimer ces réalités indicibles, il recourt à un langage épuré, fondé sur les analogies et l'alliance des contraires. Ainsi, la guerre présente son double visage : synonyme de souffrance et de mort, elle engendre aussi l'« allégresse », née de la fraternité et de la solidarité. Alliant tradition et modernité, disloquant la syntaxe et les vers, cette œuvre, caractéristique de l'hermétisme, participe au renouvellement de la poésie italienne.

Eugenio Montale (It., 1896-1981), *Os de seiche* (1927) • Contemplant les paysages arides de sa Ligurie natale, le poète médite sur la condition humaine et exprime sa morale. Selon lui, l'homme, condamné à la solitude et à l'angoisse, n'a qu'une vision parcellaire du monde. Mais tel l'« os de seiche », son destin est ambivalent : érodé et dégradé par la nature, il est aussi purifié, si bien qu'il peut retrouver son essence. Symbolique sans être emphatique, construit sur des ellipses et des ruptures, ce recueil inaugure le mouvement poétique de l'hermétisme en Italie.

René Char (Fr., 1907-1988), *Fureur et Mystère* (1948) • À l'immobilité, synonyme de mort, le poète préfère le flux du devenir et la fulgurance de l'instant. Au moyen d'une esthétique mouvante et fragmentaire, il parle de ses rapports au monde et de la condition humaine. Ses images, violentes, expriment à la fois la révolte et l'émerveillement; elles épousent l'instabilité des choses. Marqué par la philosophie des présocratiques et de Heidegger, le recueil, malgré son obscurité, régénère notre monde et renouvelle, comme *la Parole en archipel* (1962), les pouvoirs mystérieux du langage poétique.

Yves Bonnefoy (Fr., né en 1923), *Du mouvement et de l'immobilité de Douve* (1953) • Parler des choses sans les trahir ni les figer, pénétrer leur mystère et retrouver leur unité originelle, telle est l'ambition de Bonnefoy. Ses poèmes tentent ainsi de signifier leur présence et de désigner leur essence. Sans être, à proprement parler, hermétique, ce recueil propose souvent des images déroutantes, qui cherchent à exprimer le fugace et l'indicible. Œuvre majeure de la poésie contemporaine, *Du mouvement et de l'immobilité de Douve* témoigne des préoccupations morales et philosophiques de son auteur.

La modernité poétique

Le poème en éclats

Au XIXe s., la distinction traditionnelle entre les genres vole en éclats. Non seulement cet éclatement rend plus difficile le classement des œuvres, mais il bouleverse profondément la manière de les écrire et de les lire.

Jusqu'alors Monsieur Jourdain pouvait, sans inquiétude, s'exprimer en prose ; mais avec *Gaspard de la nuit* (1842) d'Aloysius Bertrand (1807-1841) et les *Petits Poèmes en prose* (posth., 1869) de Baudelaire, la prose devient un mode d'écriture possible pour le poète, sans qu'il y ait doute sur le fait poétique. Avec Mallarmé, la syntaxe, à force d'être serrée de près, se disloque et laisse place au « hasard » – un hasard calculé au millimètre sur la page, qui agence soudain les mots autrement que par la grammaire. Le régime de l'image poétique est bouleversé. D'ornement du discours, elle en devient la substance même dans les *Illuminations* de Rimbaud et dans la poésie surréaliste. Pour sortir du carcan de la langue, Eliot ou Pound introduisent dans leurs poèmes des mots du monde entier ; Michaux ou Artaud en forgent d'inouïs, aux limites du dicible. Le poème lui-même perd de sa stabilité quand Queneau ou Roubaud le dissolvent (mais aussi le structurent) dans une combinatoire *ad libitum*.

La modernité poétique est donc tout autre chose qu'une poésie du monde moderne – ce qui ne l'empêche pas d'être *aussi* cela.

Le futurisme

En 1909, le poète italien Filippo Tommaso Marinetti (1876-1944) publie *le Manifeste technique de la littérature futuriste*. Mouvement d'avant-garde, qui étend son influence en Europe jusqu'à l'entre-deux-guerres, le futurisme veut révolutionner l'art et la société. Détruisant le passé, il affirme sa modernité absolue : « Une automobile rugissante est plus belle que la Victoire de Samothrace », déclare *le Manifeste*. L'écriture poétique est bouleversée. Marinetti, Soffici et Papini refusent le lyrisme sentimental et les formes traditionnelles. Ils prônent, à l'inverse, l'« imagination sans fils », fondée sur le choc des impressions et des associations d'idées. Ils inventent les « mots en liberté », qui détruisent la versification et la syntaxe. Désormais, les mots s'agencent dans l'espace de la page au moyen de juxtapositions, de jeux typographiques et de signes mathématiques.

Lautréamont (Isidore Ducasse, Fr., 1846-1870), *les Chants de Maldoror* (1869) • Maldoror est une sorte d'ange du mal, d'Antéchrist, qui subvertit et détruit toutes les valeurs, qu'elles soient morales, spirituelles ou esthétiques. Dans cette épopée en prose outrancière, le poète utilise toutes les ressources de l'humour noir, de la parodie, de la cruauté et du fantastique. Passée inaperçue à sa publication, longtemps jugée scandaleuse, cette œuvre atypique a été redécouverte par les surréalistes. Lautréamont, à qui l'on doit également des *Poésies* (1870) d'une tonalité toute différente, est aujourd'hui considéré comme un précurseur de la modernité poétique.

Arthur Rimbaud (Fr., 1854-1891), *Illuminations* (1886) • Le poète invente un monde où fusionnent les impressions personnelles, les images empruntées à la réalité et les féeries imaginaires. S'abandonnant aux vertiges de la sensation et aux délires de la parole poétique, il espère repousser les limites de l'expérience humaine et atteindre un univers aux « richesses inouïes ». Insolites, déroutants, voire énigmatiques, les poèmes en prose de ce recueil se fondent sur les dérèglements sensoriels et verbaux. Comme les *Poésies* (1895) et *Une saison en enfer* (1873), ils mettent en œuvre l'« alchimie du verbe » qui permet au poète de se faire « voyant ».

Stéphane Mallarmé (Fr., 1842-1898), *Un coup de dés jamais n'abolira le hasard* (1897) • Pour réaliser son rêve de « Livre » total, le poète doit formuler poétiquement l'« Idée », ou essence absolue des choses. Il la met en scène au moyen d'une seule phrase, qui forme une constellation poétique, sonore et visuelle, rompant avec la linéarité et la grammaire. Jouant sur la spatialisation et la composition musicale, il tente de dire l'indicible et de bannir de sa création le « hasard » (étymologiquement, « le dé » en arabe). Cette expérience ultime, interrompue par la mort du poète, fascine toujours les écrivains et suscite encore de nombreuses interprétations.

Guillaume Apollinaire (Wilhelm Apollinaris de Kostrowitzky, Fr., 1880-1918), *Alcools* (1913) • Ce recueil traite de thèmes traditionnels comme l'amour malheureux ou la fuite du temps. Simultanément, il évoque les merveilles du monde moderne et affirme la toute-puissance du poète qui prend possession de l'univers par le lyrisme. « Chantre » de l'Esprit nouveau, Apollinaire fonde son esthétique sur l'alliance de la tradition et de l'invention, sur la suppression de la ponctuation, la surprise, les ruptures, les collages, l'union des contraires et les calembours créateurs. Poursuivant inlassablement son exploration des ressources de la poésie (*Calligrammes*, 1917), il ouvre la voie aux recherches modernes et notamment au surréalisme.

Blaise Cendrars (Frédéric Sauser, Fr., d'or. suisse, 1887-1961), *Prose du Transsibérien et de la petite Jehanne de France* (1913) • Le poète évoque ses impressions de voyage, ses souvenirs

Le surréalisme

Issu du dadaïsme, ce mouvement littéraire et artistique naît officiellement en 1924, avec la parution du *Manifeste du surréalisme* de Breton, et perdure jusqu'à la mort de ce dernier, en 1966. Réunis autour de Breton, les surréalistes (Desnos, Soupault, Crevel, Eluard, Aragon, Leiris, Péret…) veulent exprimer « le fonctionnement réel de la pensée ». Contre la logique rationnelle, jugée restrictive et normative, ils choisissent l'intuition, le rêve et l'imagination. Ils expérimentent l'écriture automatique, l'hypnose, la simulation de délires, etc. Cherchant à faire surgir le merveilleux, ils créent des images surprenantes, nées du rapprochement insolite de réalités hétérogènes. Par tous ces moyens, la poésie devient exploration et connaissance du surréel, cette réalité supérieure, cachée dans le monde.

Dada

Né en 1916 à l'instigation du poète Tristan Tzara (1896-1963), ce mouvement atypique et informel prône la destruction, la subversion et la liberté absolue. Il regroupe plusieurs artistes de différentes nationalités, révoltés par la guerre et le conservatisme artistique. Son nom ne signifie rien et ne veut rien signifier : il désignerait le néant absolu grâce auquel l'artiste peut tout changer. Les frontières entre l'art et la vie sont alors abolies. La poésie n'est plus considérée comme un moyen d'expression, mais comme une activité de l'esprit inscrite dans la nature humaine. Les textes de Tzara et de Georges Ribemont-Dessaignes (1884-1974) se fondent sur la simultanéité, les collages et les ruptures. Ils cherchent l'expression spontanée et paroxystique. Dada, qui se dissout en 1923, participe largement à la naissance du surréalisme.

et ses préoccupations esthétiques. Il chante les beautés du monde moderne et le bonheur de vivre. À travers son expérience, il cherche aussi à se connaître et à prendre possession de l'univers par le lyrisme. Procédant par collages, ruptures, changements de vitesse, et par juxtapositions des temps et des lieux, ce long poème caractérise la modernité et le cosmopolitisme poétiques que l'on retrouve dans *les Pâques à New York* (1912) et *le Panama ou les Aventures de mes sept oncles* (1918).

Max Jacob (Fr., 1876-1944), *le Cornet à dés* (1917) • Les poèmes en prose de ce recueil évoquent un univers fictif, né de l'imagination et du langage. Les choses et les situations y sont engendrées par les associations d'idées et par la création verbale. Cependant, elles ne doivent rien au hasard : le poète motive et construit rigoureusement les combinaisons poétiques qui sortent de son « cornet à dés ». Plein de fantaisie, jouant sur les mots et sur les ruptures, tour à tour tragique, émouvant et jubilatoire, ce recueil explore les ressources du rêve et du langage, comme le fera plus tard le surréalisme.

Aleksandr Blok (Russie, 1880-1921), *les Douze* (1918) • Ce long poème évoque les aventures de douze gardes rouges dans la Russie de la révolution. Le poète, qui s'est rallié au bolchévisme, peint, en visionnaire, la fin d'une époque et l'avènement d'une nouvelle ère. Tour à tour populaire et mystique, satirique et lyrique, cette épopée unit l'inspiration symboliste aux innovations les plus audacieuses. Blok, déçu par la révolution, a par la suite pris ses distances avec elle. Mais son poème reste considéré comme l'une des premières œuvres majeures de la littérature soviétique.

André Breton (Fr., 1896-1966) et Philippe Soupault (Fr., 1897-1990), *les Champs magnétiques* (1919) • Ces textes de prose poétique sont produits par l'écriture automatique. Les deux poètes les ont écrits sous la dictée de l'inconscient, en refusant de se soumettre au contrôle de la logique rationnelle. Il en résulte des changements de rythme inattendus, des images déroutantes et des créations verbales inouïes. Tentative de libération de l'homme, du langage et de la poésie, exploration de territoires inconnus et illimités, cette

L'Oulipo

L'OUvroir de LIttérature POtentielle est fondé en 1960 par Raymond Queneau et le mathématicien François Le Lionnais. S'inspirant des Grands Rhétoriqueurs du XVIe s., ce groupe explore les potentialités de la littérature en s'imposant des contraintes formelles très strictes. Les règles ainsi élaborées permettent soit de transformer des œuvres existantes, soit de produire de nouveaux textes. Parmi ces contraintes, citons le lipogramme (consistant à bannir du texte telle ou telle lettre de l'alphabet); les combinatoires mathématiques et formelles; les matrices inspirées de divers jeux, etc. Le groupe, formé à l'origine de dix membres, poètes (Roubaud, Lescure) et romanciers (Calvino, Perec), s'est par la suite élargi. Il existe toujours.

œuvre jette les bases de la révolution morale et esthétique prônée par le surréalisme naissant.

Thomas Stearns Eliot (É.-U., nat. brit., 1888-1965), *la Terre vaine* (1922) • Le poète évoque la crise du monde contemporain et sa propre crise intérieure, fruit de ses désillusions et de son sentiment de culpabilité. Dans cette œuvre, il s'inspire de grands mythes antiques et arthuriens, qu'il allie aux innovations poétiques les plus audacieuses : collages, images surprenantes, changements de points de vue. Premier grand poème d'Eliot, dédié à Pound, *la Terre vaine* participe au renouvellement de la poésie américaine.

Paul Eluard (Eugène Grindel, Fr., 1895-1952), *Capitale de la douleur* (1926) • Ce recueil rassemble deux plaquettes publiées antérieurement (*Répétitions*, 1922, et *Mourir de ne pas mourir*, 1924) et deux sections inédites (*les Petits Justes* et *Nouveaux Poèmes*). Il alterne vers et prose, chants d'amour et textes dédiés aux peintres compagnons du poète. Joignant ses aspirations surréalistes à un lyrisme nourri d'une grande culture classique, Eluard se fait le chantre du désir et de l'ouverture au monde.

Ezra Pound (É.-U., 1885-1972), *Cantos* (1919-1969) • Cette œuvre retrace, sur le mode épique et lyrique, la carrière du poète. Mais elle est surtout une somme esthétique. Pound y défend l'héritage culturel gréco-latin, qu'il intègre à son projet de rénovation poétique. Aussi, cet admirateur d'Homère, de Dante et des troubadours insère-t-il dans ses poèmes des traductions, des adaptations, de l'iconographie et des fragments en langues étrangères. Avec ses images fulgurantes et son esthétique discontinue, cette œuvre inachevée, qui occupa la majeure partie de la vie du poète, inaugure une nouvelle ère de la poésie américaine.

Francis Ponge (Fr., 1899-1988), *le Parti pris des choses* (1942) • Le poète s'intéresse aux choses les plus banales : l'abricot, l'huître, le cageot, etc. Selon lui, elles contiennent des mystères insoupçonnés que seule une approche neuve, voire naïve, peut déceler. Celle-ci nécessite un langage poétique renouvelé. Ainsi, jouant sur les étymologies, les analogies et le sens des mots, les poèmes deviennent des objets poétiques, des équivalents verbaux des choses observées. Aux antipodes du lyrisme et du discours scientifique, ce recueil renouvelle notre sensibilité et notre vision du monde.

Raymond Queneau (Fr., 1903-1976), *Cent mille milliards de poèmes* (1961) • Le poète a écrit 10 sonnets, qui se lisent de façon autonome, mais qui peuvent aussi se combiner entre eux. Il suffit de substituer tel vers d'un sonnet à un autre vers qui occupe la même position dans un autre sonnet. Le lecteur peut opérer autant de substitutions qu'il le désire. Il est ainsi en mesure de créer indéfiniment, à partir des poèmes de base, de nouveaux poèmes. Avec cette expérience combinatoire, Queneau renouvelle les contraintes du sonnet et confirme la fécondité des principes prônés par l'Oulipo.

Jacques Roubaud (Fr., né en 1932), ∈ (1967) • 361 textes de genres divers (sonnets, citations, poèmes en prose, etc.) se lisent séparément mais forment ensemble un long poème s'ordonnant selon le déroulement d'une partie de go. Avec ce recueil, Roubaud fait entrer la combinatoire dans le champ de la poésie, renouant avec les exercices formels des troubadours. Cette approche ludique détermina son entrée à l'Oulipo.

Henri Michaux (Fr., d'or. belge, 1899-1984), *Ailleurs* (1948) • Ce recueil réunit trois publications antérieures : *Voyage en Grande Garabagne*; *Au pays de la magie*; *Ici, Poddema*. Le poète y invente des pays imaginaires qu'il observe en voyageur et en ethnologue. Il entend ainsi repenser la civilisation occidentale, mais il cherche surtout à explorer son propre univers intérieur, comme il l'a déjà fait dans *Plume* (1938). Tentant de repousser les limites du dicible et du connu, il forge une langue étrange, onirique et magique, qui part à la conquête de la connaissance et du destin.

Antonin Artaud (Fr., 1896-1948), *Pour en finir avec le jugement de dieu* (1948) • Le poète se révolte contre dieu (auquel il refuse la majuscule) et contre la religion. Mais il combat aussi toutes les formes d'ordre et de domination. Il leur oppose la libération absolue d'un corps voué au déchaînement de ses fonctions organiques et livré aux transes d'une danse frénétique. Ce texte déroutant, écrit avec un accompagnement musical et destiné à la radio, paraît souvent incompréhensible. Il est également en rupture avec le discours logique et la pratique de la littérature.

Tendances contemporaines

Après 1945, inspirés par le *Coup de dés* de Mallarmé, les calligrammes d'Apollinaire et les expériences futuristes, certains poètes font éclater l'organisation traditionnelle du poème. Les logogrammes de Christian Dotremont (Belg., 1922-1979) allient texte et calligraphie; la poésie concrète de Blaine utilise les signes graphiques et les collages (papiers, photographies). D'autres poètes, après Dada et Artaud, explorent les ressources phoniques du langage. La poésie sonore de H. Chopin mêle les voix aux sons électroniques; celle d'Heidsieck recourt exclusivement à l'enregistrement; la poésie *beat* américaine (Ginsberg, Kerouac), inspirée du jazz, met à contribution la voix et le corps du poète. De leur côté, Isidore Isou et les lettristes recherchent la fécondation réciproque du graphisme et de sonorités.

◆ **Le groupe surréaliste : *Au rendez-vous des amis* (1922), peinture de Max Ernst.**
Louis Aragon (12), Hans Arp (3), Johannes Theodor Baargeld (14), André Breton (13), René Crevel (1), Giorgio de Chirico (15), Robert Desnos (19), Paul Eluard (9) et sa femme Gala (16), Max Ernst (4), Theodor Fraenkel (8), Max Morise (5), Jean Paulhan (10), Benjamin Péret (11), Philippe Soupault (2). Dostoïevski (6) et Raphaël (7) sont là en souvenir de leur œuvre… (Wallraf-Richartz Museum, Cologne)

Le roman psychologique

L'action intérieure

Les « événements » qui surviennent dans une fiction romanesque ne sont pas nécessairement des actions au sens ordinaire : ils peuvent être intérieurs aux personnages. Si le récit consiste à rendre compte de ce qui se passe ainsi dans l'« âme » des personnages plus que de leurs actes, si l'auteur s'attache à décrire les émotions, les réactions, les mobiles intimes plus que les comportements, ou s'il cherche à motiver ceux-ci par des sentiments ou des processus intérieurs, on a affaire à un roman psychologique.

L'exploration de cette intériorité peut donner lieu à de véritables analyses qui figent l'action extérieure ou plutôt la relaient sur un autre plan. La critique estime souvent que le roman d'analyse est spécifique à la littérature française. En réalité, de *Clarisse Harlowe* (Richardson) à *l'Égoïste* (1879) de George Meredith (1828-1909) et aux grandes œuvres de Henry James, le roman anglo-saxon a fait une part considérable à l'analyse psychologique. En italien, *la Conscience de Zeno* (Italo Svevo) constitue même un roman d'« analyse » au sens freudien.

Gabriel de Lavergne, comte de Guilleragues (Fr., 1628-1685), ***Lettres portugaises*** (1669) • Une religieuse portugaise écrit, à l'officier français qui l'a délaissée des lettres passionnées. Dans ses espoirs et dans ses transports, elle fait montre d'une lucidité bouleversante qui la conduit à une douloureuse résignation. Publiées anonymement, puis longtemps attribuées à une véritable religieuse, Mariana Alcoforado, ces cinq lettres sont en réalité l'œuvre de leur prétendu traducteur. Chefs-d'œuvre de l'analyse psychologique, elles décrivent dans un style tragique et dépouillé les illusions de la passion.

Mme de La Fayette (Marie-Madeleine Pioche de La Vergne, Fr., 1634-1693), ***la Princesse de Clèves*** (1678) • À la cour d'Henri II, le prince de Clèves épouse une jeune fille d'une grande beauté. Lors d'un bal, celle-ci rencontre le duc de Nemours. Une passion se développe, qu'elle avoue à son mari. Celui-ci en meurt de chagrin. Désormais libre, la princesse refuse cependant d'épouser le duc et se retire du monde. L'observation des sentiments rompt avec le style précieux et fonde le réalisme psychologique à la française. C'est le modèle du roman d'analyse.

Samuel Richardson (G.-B., 1689-1761), ***Clarisse Harlowe*** (1747-1748) • Pour échapper à un mariage forcé, Clarisse a cru trouver un protecteur en l'ignoble Robert Lovelace qui, ne parvenant pas à la séduire, finit par la droguer et la violer. Les lettres qu'elle adresse à une amie composent un tableau apologétique de la vertu bafouée. Clarisse meurt dans la solitude et le déshonneur, alors que, dans *Pamela ou la Vertu récompensée* (1740), l'héroïne, livrée au fils libertin de sa tutrice décédée, lui résistait et se mariait avec un noble. Ces romans épistolaires furent admirés par l'abbé Prévost (qui traduisit *Pamela*), Diderot et Sade.

Pierre de Marivaux (Fr., 1688-1763), ***la Vie de Marianne*** (1731-1741) • Une orpheline, de naissance inconnue, est courtisée par un vieux dévot. Elle s'éprend de M. de Valville, dont la famille, avertie des origines nobles de Marianne, consent au mariage. Abandonnée par son fiancé, elle se destine au couvent. Une religieuse, Mlle de Tervire, tente de l'en dissuader en lui racontant sa vie. Ce roman inachevé (sous-titré *les Aventures de Mme la Comtesse de ****) joue sur la distance entre les événements et l'état d'esprit de la narratrice, offrant l'introspection lucide, ironique, d'une femme qui a conquis son autonomie. On retrouve cette acuité réjouissante dans *le Paysan parvenu* (1735-1736), mémoires fictifs de Jacob, paysan champenois devenu grand bourgeois parisien.

Jean-Jacques Rousseau (né à Genève, 1712-1778), ***Julie ou la Nouvelle Héloïse*** (1761) • La passion partagée de Julie d'Étanges pour son précepteur Saint-Preux se heurte au préjugé social. Julie épouse M. de Wolmar, qui lui fait partager la vie vertueuse de la communauté de Clarens et invite Saint-Preux afin de le « guérir ». À la mort accidentelle de Julie, ce dernier apprend qu'elle l'aimait toujours. La forme épistolaire autorise l'expression des sentiments dans leur authenticité et l'insertion de débats sur des problèmes moraux ou religieux. Ces « Lettres de deux amants, habitants d'une petite ville au pied des Alpes » ont ému toute l'Europe.

Johann Wolfgang von Goethe (All., 1749-1832), ***les Souffrances du jeune Werther*** (1774) • Un jeune bourgeois, que la contemplation de la nature puis la rencontre de la femme idéale plongent dans l'extase, confie ses épanchements dans des lettres exaltées. Charlotte, avec qui il partage ses émotions esthétiques et littéraires, aime Albert, qu'elle épouse. Le double échec de sa passion (la vertueuse Charlotte est fidèle à son mari) et de son intégration dans la société aristocratique à laquelle il se sent lié par le cœur conduisent le jeune Werther au suicide. Esprit cultivé et exigeant, victime de son hypersensibilité, il est un modèle de héros romantique.

Pierre Choderlos de Laclos (Fr., 1741-1803), ***les Liaisons dangereuses*** (1782) • Naguère amants, le vicomte de Valmont et la marquise de Merteuil sont complices en libertinage. Par jeu, Valmont séduit la présidente de Tourvel, puis Cécile de Volanges, fiancée de son ancien amant, Danceny. Les deux intrigants seront punis. L'auteur, qui se présente comme moraliste, observe sans complaisance les mœurs des « roués » (les aristocrates libertins). La technique du roman par lettres, jouant sur la diversité des points de vue, révèle la duplicité des personnages, leur cynisme, leur vide moral.

Cao Xueqin (Chine, 1715-1764), ***le Rêve dans le Pavillon rouge*** (1791) • Sur fond de fresque familiale se détache le destin de Baoyu, né avec une pierre de jade dans la bouche. Amoureux de sa cousine, il mène dans le quartier des femmes une vie oisive et galante. Le rêve qu'il fait dans le pavillon rouge est l'un des songes annonciateurs de son « éveil » final, son entrée par la « Porte immense du grand vide ». Avec ses centaines de personnages dont 189 héroïnes, ce roman taoïste, achevé par Gao E après la mort de l'auteur des 80 premiers chapitres, dépeint la diversité du cœur humain.

François René de Chateaubriand (Fr., 1768-1848), ***René*** (1805) • *René* est un épisode des *Natchez*, nom de la tribu d'Amérique qui a accueilli le jeune homme dans *Atala* (1801). Isolé par sa mélancolie, le héros raconte au vieux chef Chactas et à un missionnaire son enfance bretonne, son affection pour sa sœur Amélie, ses tentations incestueuses et suicidaires, les « orages désirés » qui l'ont résolu à franchir l'océan. D'abord publié dans le *Génie du christianisme* (1802), *René* illustrait les idées de l'auteur sur le « vague des passions » dont il souhaitait montrer les méfaits, mais l'œuvre emporta l'adhésion d'une jeunesse en proie au « mal du siècle ».

Jane Austen (G.-B., 1775-1817), ***Orgueil et préjugé*** (1813) • Dans le Hertfordshire se joue entre les sœurs Bennet, de condition modeste, et trois jeunes gens aux personnalités contrastées la comédie des demandes en mariage contrariées par les vanités, les convoitises et le snobisme. En dépit de sa fin « heureuse » et de son écriture lisse et polie, ce roman publié anonymement distille une satire aigre-douce du provincialisme des âmes et des mœurs.

Benjamin Constant (Benjamin Constant de Rebecque, Fr., 1767-1830), ***Adolphe*** (1816) • Adolphe s'éprend follement d'une femme plus âgée, Ellénore. Elle lui cède et abandonne son amant. Mais lui se lasse, sans toutefois le lui avouer, par lâcheté. Un ami hâtera leur séparation, provoquant la mort d'Ellénore et laissant le héros libre, mais désormais incapable d'amour. Présenté comme une « anecdote », ce drame de la faiblesse et de l'indifférence, largement autobiographique (Ellénore doit beaucoup à Mme de Staël), traduit dans un style classique un malaise déjà romantique.

Emily Brontë (G.-B., 1818-1848), ***les Hauts de Hurlevent*** (1847) • Un fils de bohémiens, Heathcliff, détesté par le fils légitime de sa famille adoptive, aime sa demi-sœur Catherine qui, en dépit de son attirance, le dédaigne. Humilié, il part faire fortune. À son retour, obsédé par sa passion pour Catherine, qui s'est mariée et meurt en couches, il se venge sur la fille de celle qu'il rejoindra dans la mort. À Wuthering Heights, le tourment des âmes est à l'image du décor de landes du Yorkshire, où vécut l'auteur. Publié sous pseudonyme, ce roman d'amour fou révélait un univers intérieur violent et poétique.

Joris-Karl Huysmans (Georges Charles Huysmans, Fr., 1848-1907), ***À rebours*** (1884) • Le duc Des Esseintes combat l'ennui en s'abîmant dans les raffinements les plus rares. Il lit Baudelaire, Mallarmé. Il s'entoure de parfums étranges, de compagnons insolites (une tortue à la carapace incrustée de pierreries), d'objets luxueux et inutiles. Cette vie à rebours de la nature le conduit à la

◆ **Henry James.**
Portrait de l'écrivain par John Singer Sargent (1919). (National Portrait Gallery, Londres)

névrose. Avec cette figure emblématique du dandysme et de la décadence, Huysmans rompait avec le naturalisme. Ses commentaires sur les goûts de Des Esseintes, notamment en matière d'art et de littérature, sont autant de manifestes du symbolisme.

Henry James (É.-U., nat. brit., 1843-1916), ***les Ambassadeurs*** (1903) • Lambert Strether quitte le Massachusetts pour l'Europe, d'où il doit ramener un héritier bostonien qui vit à Paris avec une Française. Mais le quinquagénaire américain voit vaciller ses valeurs puritaines et tombe à son tour sous le charme du Vieux Continent. Il en revient changé, enrichi par l'expérience esthétique et humaine qu'il a vécue au contact d'un autre monde. Les variations subtiles de cette âme partagée entre deux cultures, si proche de celle de l'écrivain, sont suggérées avec une extrême finesse.

Alain-Fournier (Henri Alban Fournier, Fr., 1886-1914), ***le Grand Meaulnes*** (1913) • Augustin Meaulnes est un adolescent aventureux et secret qui s'installe un jour chez le narrateur du roman, l'écolier François Seurel. Entraîné par hasard dans une fête costumée, il rencontre Yvonne, dont il tombe amoureux. Il se lance à sa recherche et l'épouse mais, à l'appel de son beau-frère, Frantz, il s'enfuit. Lorsqu'il revient, Yvonne est morte en couches, lui laissant une fillette. Cette quête éperdue de l'amour baigne dans une atmosphère parfois féerique, riche en symboles. Seul livre publié du vivant de l'auteur, *le Grand Meaulnes* sonde avec poésie les grands mythes de l'adolescence.

Italo Svevo (Ettore Schmitz, It., 1861-1928), ***la Conscience de Zeno*** (1923) • À la demande de son médecin, Zeno Cosini se livre à une autoanalyse qui a volontiers le ton de l'autodérision. Cet indécis aux tendances hypocondriaques tente sans cesse d'arrêter de fumer, hésite entre quatre fiancées, assume difficilement la mort de son père et son complexe de culpabilité, cède au pessimisme, et renonce à sa cure. Sceptique quant à l'efficacité de la psychanalyse, Svevo conteste avec humour le bien-fondé du discours freudien, qui est sans doute ici pour la première fois le sujet d'un roman.

Raymond Radiguet (Fr., 1903-1923), ***le Bal du comte d'Orgel*** (posth., 1924) • François de Séryeuse est partagé entre son amitié pour le comte Anne d'Orgel et l'amour qu'il éprouve pour la femme de celui-ci, Mahaut. Celle-ci, découvrant un sentiment identique, l'avoue à son mari, qui refuse de l'entendre. Inspirée de *la Princesse de Clèves*, l'œuvre introduit dans le roman d'analyse le doute et le cynisme. Écrivain précoce, Radiguet avait déjà fait preuve d'une grande acuité psychologique dans son premier roman, *le Diable au corps* (1923).

Georges Bernanos (Fr., 1888-1948), ***Sous le soleil de Satan*** (1926) • Une adolescente tue son amant, qui refusait de l'enlever à la médiocrité provinciale. Au terme d'une nuit d'errance avec Satan, le jeune abbé Donissan, prêt à offrir son âme pour sauver ses semblables, rencontre Mouchette, lit dans son âme et lui fait avouer son crime. Elle se tranche la gorge, mais, mourante, retrouve la foi tandis que l'abbé porte son corps devant l'église. Parti à la suite de ce scandale, et devenu le « saint de Lumbres », Donissan tente de ressusciter un enfant et demeure jusqu'au bout la proie d'un combat intérieur contre le Mal, qui est au centre du livre.

Virginia Woolf (G.-B., 1882-1941), ***la Promenade au phare*** (1927) • Une soirée en famille dans une maison de vacances, une discussion entre le petit James et son père au sujet d'une promenade jusqu'au phare voisin suffisent à évoquer la mystérieuse capacité de Mrs. Ramsay à incarner les joies fugitives de la vie. Des années après sa mort, son mari et James reviennent dans la maison délabrée et font enfin leur promenade en barque. Mais la magie s'est enfuie avec la présence lumineuse de Mrs. Ramsay : son amie Lily, une artiste ratée, témoin de la scène, perçoit cette évidence qui résume la mélancolie du roman.

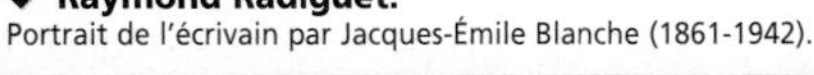

◆ Raymond Radiguet.
Portrait de l'écrivain par Jacques-Émile Blanche (1861-1942).

◆ Virginia Woolf.
Dessin de F. D. Dodd (1908). (National Portrait Gallery, Londres)

David Herbert Lawrence (G.-B., 1885-1930), ***l'Amant de lady Chatterley*** (1928) • L'épouse d'un invalide imbu de prétentions littéraires découvre l'amour avec le garde-chasse du domaine. Constance part vivre dans les bois avec Mellors, dont elle a un enfant. D'une sensualité audacieuse, le roman fut condamné pour obscénité ; il manifestait en fait des intentions philosophiques fondées sur une conception libératrice de la nature, opposée à l'intellect, et du plaisir contre les barrières morales et sociales.

Voir aussi

Illustrations
- **Goethe** p. 1127
- **J.-J. Rousseau** p. 1146

◆ David Herbert Lawrence.
Il fit scandale par la peinture de l'amour physique qui animait ses romans et publia des poèmes empreints d'une sensualité ardente.

Alberto Moravia (Alberto Pincherle, It., 1907-1990), ***les Indifférents*** (1929) • Carla et Michel ont été élevés par une mère égoïste et son ambitieux amant, Léo. Incapables d'émotion, ils agissent soudain comme pour secouer leur indifférence et leur ennui : le jour de ses 24 ans, Carla se donne à son beau-père, que Michel tente de tuer. Le dégoût ambigu que cette union inspire à Michel, le cynisme avec lequel sa sœur consent à épouser Léo, participent d'un état psychique qui annonce l'existentialisme. Ce malaise était aussi un symptôme de la montée du fascisme dans la bourgeoisie italienne.

Taha Husayn (Ég., 1889-1973), ***le Livre des jours*** (1929) • Un enfant aveugle doté d'une intelligence et d'une mémoire peu communes parvient courageusement à faire des études de lettres au Caire, loin de son village natal, et à s'émanciper grâce à sa culture. Ce roman autobiographique à la troisième personne est essentiellement psychologique : le héros reconstruit le monde par l'esprit et se forge une lucidité purement intellectuelle. Parvenu à l'âge adulte, il devient l'un des promoteurs du renouveau moderniste de la littérature arabe.

Yasunari Kawabata (Jap., 1899-1972), ***Pays de neige*** (1935-1947) • Un citadin fait trois séjours dans une auberge de montagne, où il rejoint une geisha qu'il aime pour la pureté et la fraîcheur qui émanent d'elle. Il est attiré par une autre femme, Yoko : elle meurt dans un incendie, au cours d'une scène finale qui contraste avec l'atmosphère de blancheur frissonnante tissée tout au long du récit, telle la fine étoffe de Chijimi, traditionnellement blanchie « à la neige ». L'intrigue est reléguée à l'arrière-plan de cette œuvre impressionniste, rattachée à l'« école des sensations nouvelles ».

Ernesto Sábato (Arg., né en 1911), ***le Tunnel*** (1948) • Lors d'une exposition à Buenos Aires, le peintre Castel remarque une visiteuse fascinée par l'un de ses tableaux. La mystérieuse María devient son inspiratrice, puis sa maîtresse. Mais elle lui a caché qu'elle était mariée et garde sans doute d'autres secrets… Des soupçons obsédants entraînent le narrateur dans le « tunnel » d'une passion minée par la folie, qui débouche sur le meurtre. Le mécanisme de la jalousie est démonté avec une précision que renforce l'écriture sèche et efficace de ce premier roman.

Roman de société

Un personnage collectif

Au-delà des individus, le roman peut mettre en scène ce personnage collectif dont les passions, les aberrations, les transformations permettent à l'écrivain des créations complexes : la société. Peindre l'ensemble d'une société nationale dans une période significative implique au moins trois choses : une esthétique ou du moins une intention réaliste (il ne s'agit pas de décrire une société imaginaire); un plan assez large pour faire place aux diverses catégories sociales, aux divers milieux et à leurs relations (ce qui, avec Balzac, Zola et leurs émules a conduit à des ensembles romanesques de vastes dimensions); un point de vue politique ou philosophique sur la société, qui donne un sens à ce tableau. Le sens importe d'ailleurs plus que l'exhaustivité. Certains romans se limitent à la peinture de milieux ou de problèmes choisis : la fin des idéaux (Stendhal), le traumatisme allemand, après la guerre (Grass), les relations colonisé-colonisateur (Bâ).

Murasaki Shikubu (Jap., v. 978-v. 1014), ***le Dit du Genji*** (v. 1007) • Fils d'une concubine impériale, le « Genji » est un prince de sang écarté définitivement du pouvoir. Marié de force, le prince à la beauté radieuse connaît bien d'autres amours, notamment avec une concubine de l'empereur : il lui donne un fils qui, devenu prince héritier, le rappelle à la cour, où le Genji connaît une gloire éphémère, avant de déchoir. Les amours contrariées de son fils complètent la description de la cour raffinée de Kyoto, éprise de plaisirs et d'intrigues, que constitue le monumental *Genji monogatari*.

Stendhal (Henri Beyle, Fr., 1783-1842), ***le Rouge et le Noir*** (1830) • D'origine modeste, Julien Sorel est engagé comme précepteur chez Mme de Rênal, qu'il séduit par calcul. Craignant le scandale, il part pour Paris. Il y fait la conquête de Mathilde, la fille de son protecteur, et obtient la reconnaissance sociale que son ambition espérait. Mme de Rênal le dénonce comme intrigant : furieux, Julien tire sur elle. Il ne goûtera la paix intérieure qu'en prison, avant d'être guillotiné. En s'inspirant d'un fait divers pour écrire cette « chronique de 1830 », Stendhal compose une peinture de la société sous la Restauration (noblesse de province, milieux ecclésiastiques, salons parisiens), société où les idéaux des périodes révolutionnaire et napoléonienne n'ont plus cours et qui asphyxie les énergies.

Honoré de Balzac (Fr., 1799-1850), ***le Père Goriot*** (1835) • Dans la pension de Mme Vauquer se croisent Vautrin, bourgeois aux activités mystérieuses, Rastignac, étudiant venu de province, et le père Goriot, un brave homme ruiné par ses deux filles. Rastignac apprend la vanité sociale (Goriot meurt dans l'indifférence de ses filles), la duplicité (Vautrin est un ancien forçat) et le cynisme (seul compte le mariage d'intérêt). Il est prêt à conquérir Paris. À travers deux destins parallèles (un « martyre de la paternité » et un apprentissage sentimental et social) se dessine un portrait réaliste de la société de l'époque. C'est un roman essentiel dans *la Comédie humaine*, car c'est en l'écrivant que Balzac eut l'idée de faire réapparaître les mêmes personnages d'un livre à l'autre.

◆ **Honoré de Balzac.**
Ses romans, rassemblés dans *la Comédie humaine*, forment une vaste fresque de la vie française, de la Révolution à la monarchie de Juillet. Plus de 2 000 personnages composent cette société, hantée par le pouvoir de l'argent et livrée aux passions destructrices. (Portrait de l'écrivain d'après un daguerréotype. Maison de Balzac, Paris)

Charles Dickens (G.-B., 1812-1870), ***les Aventures de M. Pickwick*** (1837) • Le digne Samuel Pickwick et son cercle de petits-bourgeois excentriques vivent des aventures burlesques relatées dans les « Papiers posthumes du Pickwick club ». Autour de ce « héros de la sociabilité » surgit une galerie de personnages créés à partir de vignettes dessinées pour la parution en feuilleton (l'humour du domestique Sam Weller a aussitôt séduit les lecteurs). Dans cette œuvre joviale, qui fit connaître Dickens, s'ébauche la critique des élections, de la prison pour dettes, des injustices. La peinture sociale prend un ton plus dramatique dans son roman autobiographique *David Copperfield* (1849).

Stendhal, ***la Chartreuse de Parme*** (1839) • Rêvant de gloire, Fabrice del Dongo combat dans l'armée napoléonienne, mais c'est Waterloo… Il trouve protection auprès de sa tante, la duchesse Sanseverina. Il subit les intrigues de cour, est emprisonné, tombe amoureux de Clélia, s'évade. Devenu prédicateur, il ne peut retrouver Clélia, mariée, que clandestinement. Leur enfant meurt, puis Clélia. Fabrice se retire à la chartreuse de Parme. Composé en 52 jours dans un style à la fois allègre et mélancolique, ce roman est celui de la passion, de la « chasse au bonheur », dans une société livrée aux politiques et aux ecclésiastiques.

◆ **Stendhal.**
Détail d'un tableau peint par D. J. Södermark. (Château de Versaille

Le naturalisme

Entre 1860 et 1880 se constitue, sous l'influence du positivisme, un mouvement dont les frères Goncourt sont les précurseurs (*Germinie Lacerteux*, 1865). Théorisée par Émile Zola, l'esthétique naturaliste est subordonnée à un projet d'analyse de la société qui prend ses modèles dans les sciences expérimentales. Le roman est donc fondé sur l'observation scrupuleuse de la réalité et de l'individu soumis au déterminisme de l'hérédité et du milieu. Le recueil de nouvelles *les Soirées de Médan* (1880), qui doit son nom à la maison où Zola réunissait ses amis, forme le manifeste de l'école naturaliste (Zola, Maupassant, Huysmans, Henry Céard, Léon Hennique, Paul Alexis), groupe auquel se rattachent Alphonse Daudet et Octave Mirbeau. Son influence dépassa les frontières (le « vérisme » italien, le théâtre scandinave), en dépit d'une critique qui lui reprocha ses outrances.

George Sand (Aurore Dupin, baronne Dudevant, Fr., 1804-1876), ***la Mare au diable*** (1846) • Un laboureur devenu veuf, Germain, part demander la main d'une riche veuve, en compagnie de Marie, une paysanne de 16 ans. Abrités pour la nuit dans un bois, près de la « Mare au diable », symbole de leurs désirs inconscients, ils ont l'intuition de leur entente profonde. Leurs noces, célébrées dans la tradition berrichonne, sont décrites par la romancière avec une précision d'ethnographe. À l'allégorie pessimiste d'une gravure de Holbein (un laboureur escorté par la mort), elle oppose une imagerie paysanne douce et radieuse.

◆ **George Sand.**
Sa vie et son œuvre évoluèrent au gré de ses attachements passionnés (Sandeau, Musset, Leroux, Chopin). Elle écrivit ainsi des romans sentimentaux, sociaux ou campagnards. Détail d'un portrait par A. Charpentier. (Musée Carnavalet, Paris)

Nicolaï Gogol (Russie, 1809-1852), ***les Âmes mortes*** (1842) • Tchitchikov parcourt la Russie pour acheter à bas prix des « âmes mortes », des paysans décédés après le recensement : leur transfert « sur le papier » dans des provinces éloignées lui sert à obtenir des terres et des prêts de l'État. Peignant « les défauts et les vices du Russe » à travers son médiocre héros et les propriétaires qu'il rencontre, osant « remuer l'horrible vase des bassesses où s'enlise notre vie », Gogol prévoyait les attaques dont son « Poème » fut l'objet. Il écrivit une seconde partie édifiante, qu'il brûla, et dont il reste quelques fragments.

Victor Hugo (Fr., 1802-1885), ***les Misérables*** (1862) • L'ancien forçat Jean Valjean veut désormais faire le bien. Pourchassé par l'inspecteur Javert, il traverse l'Histoire en venant en aide aux plus démunis. Il sauve Cosette de ses sordides employeurs, les Thénardier, et prend part avec Marius et Gavroche à la révolte des « misérables » parisiens, en 1832. Il meurt libre et respecté. Cette somme romanesque, qui est aussi une épopée du peuple, ne se limite pas à la lutte du Bien et du Mal : au-delà de ses idéaux, Hugo a créé des personnages inoubliables.

Fedor Dostoïevski (Russie, 1821-1881), ***Crime et châtiment*** (1866) • Raskolnikov, trop pauvre pour continuer ses études, mène à leur aboutissement des théories morales et sociales élaborées à partir de la pensée de Nietzsche et de l'exemple de Napoléon. Persuadé de la justification de son acte, il assassine à la hache une vieille usurière, pour un peu d'argent. Loin de le libérer, ce crime l'obsède jusqu'à ce qu'il l'avoue à Sonia, prostituée dont l'amour sera l'instrument de sa rédemption, puis au juge Porphyre, qui a deviné son secret. Le roman policier métaphysique est inventé.

◆ **Dostoïevski.**
Portrait par V. G. Perov, 1878.

Gustave Flaubert (Fr., 1821-1880), ***l'Éducation sentimentale*** (1869) • Un étudiant en droit, Frédéric Moreau, fait ses débuts dans les salons parisiens en compagnie de son ami Deslauriers. Son amour déçu pour Mme Arnoux, dont il se console avec Rosannette, fait écho à des velléités politiques qui ne se réalisent pas davantage avec la révolution de 1848 qu'avec le coup d'État du 2 décembre. À la fois roman de l'échec et étude sociologique, cette œuvre, précédée de plusieurs ébauches, accomplit le projet de Flaubert : « Je veux faire l'histoire morale des hommes de ma génération. »

Émile Zola (Fr., 1840-1902), ***Germinal*** (1885) • Embauché dans une mine de charbon, Étienne Lantier découvre chez son logeur, Maheu, la misère ouvrière. Une grève éclate qu'il tente d'organiser, mais les mineurs, affamés, sombrent dans la violence. Maheu est tué. Le travail reprend avant qu'un saboteur nihiliste, Souvarine, ne noie les ouvriers. Sauvé, Lantier part pour Paris en espérant en une « germination » future de la justice sociale. Ce roman de la « lutte du capital et du travail » est sans doute le volet des *Rougon-Macquart* le plus engagé politiquement. Zola dénonce la condition pitoyable des mineurs dans un style souvent lyrique.

◆ **Zola.**
Chef de l'école naturaliste, il a appliqué la rigueur scientifique à la description des faits humains et sociaux. Il excelle aussi dans la critique d'art et la critique scientifique. Il fut enfin un ardent défenseur de Dreyfus.

◆ ***Les Rougon-Macquart.***

Les titres composant *les Rougon-Macquart, histoire naturelle et sociale d'une famille sous le second Empire*, d'Émile Zola, sont présentés ci-dessous.

La Fortune des Rougon, 1871
La Curée, 1872
Le Ventre de Paris, 1873
La Conquête de Plassans, 1874
La Faute de l'abbé Mouret, 1875
Son Excellence Eugène Rougon, 1876
L'Assommoir, 1877
Une page d'amour, 1878
Nana, 1880
Pot-Bouille, 1882
Au bonheur des dames, 1883
La Joie de vivre, 1884
Germinal, 1885
L'Œuvre, 1886
La Terre, 1887
Le Rêve, 1888
La Bête humaine, 1890
L'Argent, 1891
La Débâcle, 1892
Le Docteur Pascal, 1893

◆ ***La Comédie humaine.***

En 1845, Balzac établit un plan de *la Comédie humaine*. Son organisation et les ouvrages les plus importants sont présentés ci-dessous :

I. Études de mœurs

1 - Scènes de la vie privée : *la Fausse Maîtresse*, 1841 ; *le Colonel Chabert*, 1832 ; *la Femme de trente ans*, 1842 ; *le Père Goriot*, 1835.

2 - Scènes de la vie de province : *le Lys dans la vallée*, 1835 ; *Eugénie Grandet*, 1833 ; *le Curé de Tours*, 1832 ; *Illusions perdues*, 1837-1843.

3 - Scènes de la vie parisienne : *Ferragus*, 1833 ; *la Duchesse de Langeais*, 1834 ; *la Fille aux yeux d'or*, 1835 ; *Grandeur et décadence de César Birotteau*, 1837 ; *Splendeurs et misères des courtisanes*, 1838-1847.

4 - Scènes de la vie politique : *Une ténébreuse affaire*, 1841.

5 - Scènes de la vie militaire : *les Chouans*, 1829.

6 - Scènes de la vie de campagne : *les Paysans*, 1844 *le Médecin de campagne*, 1833.

II. Études philosophiques

La Peau de chagrin, 1831 ; *le Chef-d'œuvre inconnu*, 1831 ; *l'Auberge rouge*, 1831.

III. Études analytiques

Physiologie du mariage, 1829.

Ne figurent pas dans ce plan : *la Cousine Bette*, 1846 ; *le Cousin Pons*, 1847.

Alfred Döblin (All., 1878-1957), ***Berlin Alexanderplatz*** (1929) • Franz Biberkopf, ancien prisonnier qui cherche à s'amender, est entraîné dans le monde des truands. Devenu manchot au cours d'un cambriolage, il est soupçonné du meurtre de sa petite amie. Mis hors de cause, il trouve un emploi modeste. En contrepoint de ce destin sans gloire apparaissent le Berlin chaotique des années 1920 et son centre nerveux, l'Alexanderplatz. Ce roman futuriste varie les styles et les techniques narratives : l'entrecroisement des actions, le collage de textes (articles de journaux, publicités) annoncent *USA*, de John Dos Passos (1930-1936).

Roger Martin du Gard (Fr., 1881-1958), ***les Thibault*** (1922-1940) • La chronique d'une famille de la bourgeoisie catholique française, du début du siècle à 1918, se déroule autour du parcours de deux frères : Jacques, en butte dès l'enfance à un père intolérant (*le Cahier gris*, 1922), choisit l'engagement révolutionnaire, dans l'espoir d'empêcher le conflit mondial où il sera tué ; Antoine, voué tout entier à son métier de médecin (*la Consultation*, 1928), ne comprendra cet être passionné qu'après sa mort, au cours d'une méditation qui clôt le cycle (*Épilogue*, 1940).

Jules Romains (Fr., 1885-1972), ***les Hommes de bonne volonté*** (1932-1947) • Le tableau du quart de siècle qui s'est écoulé entre le 6 oct. 1908 et le 7 oct. 1933 exprime une vision « unanimiste » du monde moderne, représenté « dans le mouvement et la multiplicité, dans le détail et le devenir ». Les personnages incarnent la « bonne volonté » collective, qui s'illustre dans la camaraderie de Jallez et Jerphanion. Grâce à la multiplication des points de vue, toutes les sphères de la société sont explorées dans la dynamique des événements historiques, des idées, des arts, au long des 27 volumes du cycle.

John Steinbeck (É.-U., 1902-1968), ***les Raisins de la colère*** (1939) • Ruinée par la crise économique des années 1930, une famille de fermiers quitte l'Oklahoma pour la Californie, terre promise et lieu de désillusions : les exploitants profitent de l'afflux de main-d'œuvre pour offrir des salaires de misère et persécuter les émigrants qui s'organisent au sein des « Camps du gouvernement ». Les Joad trouvent du travail dans une plantation de coton, mais le fils, Tom, relayant

VOIR AUSSI 
• **Réalisme** (arts) p. 1094
• ***Germinie Lacerteux*** p. 1132

son ami Casey, tué en tant que meneur de grève, part combattre les abus d'un capitalisme dont le roman est une dénonciation généreuse.

Miguel Angel Asturias (Guat., 1899-1974), ***Monsieur le Président*** (1946) • Le meurtre d'un colonel, protégé du dictateur d'un État d'Amérique latine, enclenche la liquidation des opposants au régime, parmi lesquels le général Canales. L'amour qui unit la fille de celui-ci, Camila, à Miguel Face d'Ange, âme damnée du Président, leur est fatal : disgracié, Miguel est jeté au cachot, où on lui dit que Camila est la maîtresse du Président, alors que, de son côté, elle croit à une trahison. Les mécanismes de la dictature et de la dégradation morale qui en résulte sont montrés dans toute leur horreur.

Nadjib Mahfuz (Ég., né en 1911), ***Impasse des deux palais*** (1956) • Les deux années qui précèdent la révolte de 1919 sont racontées à travers la vie d'une famille cairote, que Mahfuz a élevée au rang de métaphore. Le patriarche, Ahmed Abd Al-Gawwâd, type du tyran domestique qui sous un masque de piété austère cache un libertin, incarne une Égypte traditionaliste bientôt en crise. *Le Palais du désir* et *la Sucrerie*, parus en 1957, complètent une trilogie qui évoque, en montrant leurs effets sur trois générations, les bouleversements sociaux et politiques de l'histoire égyptienne jusqu'en 1944.

Günter Grass (All., né en 1927), ***le Tambour*** (1959) • Oskar Matzerath, né dans une famille de petits commerçants de Dantzig, décide à l'âge de 3 ans d'arrêter de grandir. Gardant l'aspect d'un enfant armé de son tambour de fer, à la fois attachant et inquiétant, il regarde ce qui l'entoure, de la montée du nazisme à l'après-guerre. De l'hôpital psychiatrique où il s'est fait interner et tient son journal, ce témoin singulier rend compte dans un monologue truculent des mesquineries et des grands crimes de ces pantins grotesques que l'on nomme les « adultes ».

Amadou Hampaté Bâ (Mali, 1901-1991), ***l'Étrange Destin de Wangrin*** (1973) • Élevé dans la tradition bambara, Wangrin accède à un poste d'interprète dans l'administration française du Soudan de l'entre-deux-guerres : il y constate une corruption dont il sait tirer profit à l'occasion, déployant toutes « les roueries d'un interprète africain », souvent dictées par sa générosité. Mais la transgression de cultes totémiques et son amour pour une Blanche lui font perdre sa place dans une société coloniale qu'il décrit de manière nuancée, depuis sa position médiane entre le monde des marabouts et celui du pouvoir blanc.

Leonardo Sciascia (It., 1921-1989), ***Todo Modo*** (1974) • Un peintre connu arrive par hasard dans un hôtel où un prêtre organise des stages d'« exercices spirituels » pour des notables, politiciens ou industriels. Deux meurtres perpétrés au cours de ces séances de prière en commun obligent le narrateur à prolonger son séjour, qui se passe en éblouissantes conversations théologico-littéraires avec le prêtre, assassiné à son tour, puis avec le procureur. Ce bref récit policier, dont l'énigme est moins résolue qu'escamotée, dénonce en filigrane l'opacité de la vie politique italienne.

Petit lexique

unanimisme : doctrine littéraire conçue par Jules Romain au début du XXe s., et qui privilégie l'évocation de la collectivité.

Le roman de mœurs

Le récit des conduites humaines

Dès qu'un roman se propose d'observer la façon dont se conduisent les humains, c'est un roman de mœurs. Par un aspect ou un autre, la plupart des romans tant soit peu réalistes sont dans ce cas ; on restreindra l'appellation à ceux dont c'est une préoccupation dominante.

L'observation des mœurs peut avoir une visée purement pittoresque : évoquer, pour des lecteurs bourgeois, la vie des souteneurs et des filles ; pour des lecteurs casaniers, des coutumes exotiques ; pour des gens d'aujourd'hui, des « mœurs antiques ». Au-delà de ces aspects superficiels, le romancier des mœurs saisit la réalité humaine dans sa double caractéristique, sociale et individuelle. Aussi vivants et individualisés que soient les personnages, leur comportement se dessine toujours par rapport à une norme. Cet écart permet au romancier de manifester ses intentions : tantôt, satirique, il s'en prend à la norme morale et se montre compréhensif pour le personnage qui s'y heurte ; tantôt, moralisateur, il marque fautes et faiblesses.

Certains auteurs tirent de puissants effets d'une observation distanciée (Flaubert) ; d'autres voient dans la dénonciation de normes malfaisantes l'enjeu d'un combat culturel et leur raison d'écrire (Boudjedra).

Pétrone (Caius Petronius Arbiter, Ier s.), ***Satiricon*** (latin) • Dans le sud de l'Italie, deux jeunes dévoyés, Ascylte et Encolpe, suivis par leur désirable petit ami, Giton, vivent de chapardages et de l'hospitalité de riches débauchés. Après avoir subi les tortures perverses d'une prêtresse de Priape dont ils ont troublé les rituels, ils assistent au banquet fastueux offert par Trimalcion, un affranchi incarnant la grossièreté et l'immoralité du parvenu, puis s'enfuient sur un bateau avec Eumolpe, vieux poète exubérant qui leur conte l'histoire de la matrone d'Éphèse. Les fragments que nous connaissons de ce roman bondissant font revivre avec réalisme les mœurs des Romains à l'époque de Néron.

Antoine Furetière (Fr., 1619-1668), ***le Roman bourgeois*** (1666) • Javotte, la fille d'un procureur, est courtisée par l'avocat Nicodème ; mais Lucrèce, séduite par un marquis, espérant donner un père à son enfant, allègue une ancienne promesse de Nicodème et intente un procès qui empêche le mariage. Javotte va dans les salons, lit des romans précieux et trouve un nouvel amoureux. La satire de la bourgeoisie parisienne, des écrivains à la mode et des juristes se poursuit en une série de petites histoires dans la seconde partie du livre, aiguisée par la désinvolture de l'auteur et son refus des conventions romanesques.

Gustave Flaubert (Fr., 1821-1880), ***Madame Bovary*** (1857) • Fille de paysans normands, Emma épouse Charles Bovary, modeste officier de santé. Insatisfaite, elle rêve d'une autre vie... Ses aventures adultères (avec un clerc de notaire, Léon, puis avec un hobereau, Rodolphe), décevantes et mesquines, la conduisent au suicide. Cette peinture apparemment réaliste des « mœurs de province » conduisit Flaubert au tribunal à cause du sujet, jugé « immoral ». La satire de l'imbécillité, illustrée par le personnage du pharmacien Homais, s'étend à celle des idéaux romantiques et des aspirations humaines en général. « Livre sur rien », écrit dans un style volontairement impersonnel, *Madame Bovary* est le premier des romans modernes.

◆ Flaubert.
Si réalisme et rigueur stylistique marquent son œuvre, les élans romantiques, la passion et l'amitié jalonnent sa vie.

Edmond et Jules de Goncourt (Fr., 1822-1896 et 1830-1870), ***Germinie Lacerteux*** (1865) • Fille d'ouvriers misérables, Germinie est domestique chez une vieille aristocrate et mène l'existence avilissante des pauvres. Exploitée par les êtres auxquels elle s'attache, elle s'endette, vole et se prostitue pour son amant, Jupillon. Sa patronne apprend la déchéance de sa servante lorsque celle-ci meurt à l'hôpital. Les auteurs déploient les finesses d'une « écriture artiste » pour décrire minutieusement un « cas » réel et porter un jugement sur leur époque : de fait, le roman devenait, selon leur vœu, « l'Histoire morale contemporaine ».

◆ Tolstoï.
Idole de la jeunesse russe, il fit de la société et de l'âme de son pays une peinture subtile et d'une étonnante diversité. Son œuvre est un essai d'analyse personnelle et d'ascèse à la lumière d'élans mystiques et de refus contestataires. Portrait par Répine. (Galerie Tretiakov, Moscou)

Léon Tolstoï (Russie, 1828-1910), ***Anna Karenine*** (1875-1877) • L'épouse d'un haut fonctionnaire avoue sa passion pour l'officier Vronski ; son mari lui pardonne et laisse partir les amants. Mais le remords de l'héroïne, le chagrin d'abandonner ses enfants, la superficialité de Vronski, la déchéance sociale détruisent leur relation. Anna y met fin en se jetant sous un train. À côté de ce drame inspiré par un fait divers, la vie paisible que s'efforce de mener le couple uni formé par Kitty et Lévine, et la résignation de Daria, mariée à un noceur (Oblonski), composent une vision mitigée de la famille russe.

Guy de Maupassant (1850-1893), ***Bel-Ami*** (1885) • Georges Duroy, dit « Bel-Ami », gravit les échelons du journalisme grâce à ses succès féminins. Son absence de scrupules et sa fréquentation des salons lui ouvrent les portes la politique et du monde des affaires. Dans cette peinture précise, cynique et dérisoire d'un Rastignac médiocre, intriguant dans une société dominée par l'argent et par la soif de pouvoir, Guy de Maupassant fait preuve d'un pessimisme féroce qui caractérisait déjà son premier roman, *Une vie* (1883).

Thomas Hardy (G.-B., 1840-1928), ***Tess d'Urberville*** (1891) • Séduite par Alec d'Urberville, jeune noble dont elle a un enfant mort-né, une villageoise épouse un fils de pasteur, Angel Clare, qui la quitte en apprenant sa faute. Tess retombe dans les bras d'Alec, jusqu'au jour où son mari, pris de pitié, lui revient. Désespérée, elle tue son amant. Angel tente de la protéger, mais elle est condamnée à la pendaison. Derrière la fatalité qui frappe les personnages transparaissent un pessimisme et une aspiration à la liberté en marge de la morale victorienne, qui s'accentuent dans l'autre grand roman de Hardy, *Jude l'Obscur* (1895).

Francis Scott Fitzgerald (É.-U., 1896-1940), ***Gatsby le Magnifique*** (1925) • Installé à Long Island, Nick Carraway lie connaissance avec son riche voisin, un homme d'affaires au passé douteux, Jay Gatsby, dont les fêtes luxueuses attirent toute la jeunesse dorée new-yorkaise. Il reconstitue le drame sentimental qui a brisé Gatsby et qui précipite sa chute. Par la voix sobre et distanciée de son narrateur, Fitzgerald prend discrètement parti pour le self-made-man d'origine modeste et dénonce la cruauté frivole de la haute société américaine dont les codes sont en partie destinés à rejeter les nouveaux venus.

François Mauriac (Fr., 1885-1970), ***Thérèse Desqueyroux*** (1927) • Comment une bourgeoise ordinaire en vient-elle à empoisonner son mari ? En retraçant l'itinéraire de Thérèse, enfant orgueilleuse et passionnée, élevée sans religion mais avide de joies immenses, frustrée par son mariage avec un riche propriétaire qui, au procès de sa femme, demande le non-lieu pour sauver l'honneur de son nom, l'auteur nous fait partager sa fascination pour son héroïne : Thérèse, monstre ou victime, est de ces êtres dont l'intense force intérieure se heurte à l'étroitesse familiale ou sociale, et se mue en puissance destructrice.

Carlo Emilio Gadda (It., 1893-1973), ***l'Affreux Pastis de la rue des Merles*** (1957) • Le commissaire Don Ciccio enquête sur une double affaire de vol de bijoux et de meurtre. Si l'énigme policière n'est pas élucidée, elle nous met en présence de toute la population de Rome au temps du fascisme, du grand bourgeois à la maquerelle. La réussite de cette fresque baroque est inséparable de la création d'un langage : l'auteur mélange les styles et les registres, joue avec les formes dialectales pour exprimer la diversité sociale et linguistique du monde qu'il dépeint.

Rachid Boudjedra (Alg., né en 1941), ***la Répudiation*** (1969) • Rachid raconte à sa maîtresse française comment sa mère a été répudiée par son mari, désireux d'épouser une femme plus jeune. Ce traumatisme amorce un récit libérateur, influencé par la psychanalyse : les expériences sexuelles et politiques du héros sont marquées par la violence, l'inceste et le « meurtre » symbolique du père. Écrit dans une langue française luxuriante, ce livre dérangeant où l'auteur fustige la société masculine puritaine et répressive de l'Algérie traditionaliste fut censuré dans son pays.

VOIR AUSSI • **Naturalisme** p. 1130

Le roman historique

Histoires dans l'Histoire

Une action romanesque située dans un passé réel… Le propos peut être simplement de l'ordre de la curiosité : restituer pour le lecteur des décors, costumes et modes de vie anciens. Plus subtilement, jouer sur le fait que les personnages – ou certains d'entre eux – étant déjà connus, par l'Histoire, il devient possible d'en approfondir ou d'en renouveler l'image, avec un décalage riche de sens, ou plaisant. Mais le roman historique digne de ce nom est celui dans lequel se manifeste une véritable réflexion sur le passé et où l'évolution des personnages est perçue en liaison avec le devenir historique de la société. L'Histoire est alors un enjeu pour le présent. Dès qu'un roman de société veut regarder les choses en profondeur, il doit intégrer la dimension du temps sur une assez longue durée ou dans une période charnière. Le sentiment du temps, qui est consubstantiel au roman, s'exprime alors dans son ample vérité.

Walter Scott (G.-B., 1771-1832), *Ivanhoé* (1819) • Le noble saxon Ivanhoé, de retour des croisades, prend part aux luttes des Saxons contre l'hégémonie grandissante des Normands, encouragée par le prince Jean en l'absence de son frère Richard Cœur-de-Lion. Celui-ci, revenu incognito, reprend en main son royaume, dont il restaure l'unité. La fragilité des sources historiques est compensée par la « couleur » d'époque. Avec cette reconstitution, le romancier écossais a donné à l'Angleterre l'un de ses mythes nationaux.

Alessandro Manzoni (It., 1785-1873), *les Fiancés* (1825-1827) • Deux jeunes paysans, Lucia et Renzo, dont les noces sont empêchées par Don Rodrigo, sont séparés et contraints de fuir. Le narrateur, qui prétend copier en le commentant un manuscrit anonyme, nous emporte dans une Lombardie ravagée par la guerre, la famine, la peste. Sous-tendue par les rapports de force entre bonne et mauvaise Église, cette « Histoire milanaise du XVIIe siècle », très documentée, plusieurs fois remaniée, est un roman unique par la richesse de sa texture littéraire. Son rôle dans la naissance d'une littérature nationale reflète l'engagement de Manzoni pour l'indépendance de l'Italie.

Victor Hugo (Fr., 1802-1885), *Notre-Dame de Paris* (1831) • La Bohémienne Esmeralda, enlevée sur ordre du prêtre Frollo par Quasimodo, le sonneur de Notre-Dame, est sauvée par le beau capitaine Phœbus, dont elle s'éprend. Le bossu vénère la danseuse, bientôt accusée à la place de Frollo du meurtre de Phœbus, et pendue. Il la venge en précipitant le coupable du haut d'une des tours. Décor pittoresque du Paris du XVe s., la cathédrale est un lieu chargé de signes à déchiffrer (le mot Anankê – fatalité – gravé par Frollo), au cœur d'une œuvre qui, selon Hugo, « a ouvert quelques perspectives vraies sur l'art du Moyen Âge ».

◆ **Illustration de *Notre-Dame de Paris*, de Victor Hugo** (1831).
Au centre Esmeralda et sa fidèle chèvre Djali. Aquarelle de Louis Boulanger (1806-1867). (Maison de Victor-Hugo, Paris)

Alexandre Dumas (Fr., 1802-1870), *les Trois Mousquetaires* (1844) • Le Gascon d'Artagnan se lie avec Athos, Porthos et Aramis. Autant que leur amitié, leur fidélité à la couronne pousse les « trois » mousquetaires à s'opposer aux manœuvres de Richelieu : son espionne Milady fait assassiner lord Buckingham, à qui Anne d'Autriche a imprudemment remis les ferrets de diamants que Louis XIII exige de lui voir porter lors d'un prochain bal. Mais, grâce à leur fougue et à leur habileté, les jeunes gens déjoueront les pièges mortels de leur ennemie. Fantaisies historiques, émotions et rebondissements font de cet ouvrage le modèle du roman de cape et d'épée.

Nathaniel Hawthorne (É.-U., 1804-1864), *la Lettre écarlate* (1850) • Son enfant illégitime dans les bras, Hester Prynne est mise au pilori, la lettre A de l'adultère brodée sur sa robe. Son mari, que l'on croyait mort, arrive dans la colonie de Boston sous le nom de Chillingworth et découvre la vérité. Hester garde secrète l'identité de son mari comme celle de son amant, le pasteur Dimmesdale, persécuté par le diabolique Chillingworth. Avec sa fille Pearl, elle assiste à la confession publique du pasteur et à sa mort. La Nouvelle-Angleterre puritaine du XVIIe s. est le théâtre de ce « drame de culpabilité et d'angoisse ».

Charles De Coster (Belg., 1827-1879), *la Légende d'Ulenspiegel* (1867) • Reprenant au folklore germanique la légende du facétieux paysan, les aventures picaresques de Thyl Ulenspiegel racontent comment, à la tête d'une bande de gueux, escorté du gai Lamme Goedzak et de la jolie Nele, il joue des tours aux Espagnols. Dans le contexte des guerres de religion et de l'occupation des Pays-Bas au XVIe s., il incarne l'anticléricalisme et la résistance à la tyrannie. Au moment où la jeune nation se cherchait une identité, ce livre truculent fondait la littérature belge d'expression française.

Léon Tolstoï (Russie, 1828-1910), *Guerre et Paix* (1869) • Sur la vaste fresque des campagnes napoléoniennes de 1805 et 1812 s'entrecroisent les histoires de deux familles nobles, les Rostov et les Bolkonsky. La radieuse Natacha s'éprend d'André Bolkonsky, puis du décevant Anatole Kouraguine, avant de trouver le bonheur auprès de Pierre Bezoukhov, dont la personnalité attachante doit beaucoup à celle de l'auteur. Ces êtres changeants sont dépeints avec la même justesse que Napoléon, ou surtout le général Koutouzov, qui représente cet esprit du peuple russe auquel Tolstoï confère la plus haute importance historique.

Les époques de choix du roman historique

Le roman historique puise dans le passé la grande variété de ses décors. Rosny aîné a évoqué les débuts de l'humanité dans *la Guerre du feu* (1911). L'Antiquité égyptienne est le cadre de *Sinouhé l'Égyptien* (1945) du Finlandais Mika Waltari ; les guerres puniques, celui de *Salammbô* (1862) de Flaubert ; les premiers temps du christianisme celui de *Quo Vadis ?* (1896) du Polonais Henryk Sinkiewicz, et des *Derniers Jours de Pompéi* (1834) de l'Anglais Bulwer-Lytton. Après Walter Scott et Victor Hugo, les troubles du Moyen Âge ont encore inspiré la Norvégienne Sigrid Undset (*Olav Aunundssøn*, 1927) et incité Umberto Eco à renouveler le genre policier dans *le Nom de la rose* (1980). Les Temps modernes sont la période préférée d'Alexandre Dumas (*la Reine Margot*, 1845), jusqu'à la fin de l'Ancien Régime (*Joseph Balsamo*, 1848). Le Nouveau Monde voit en Fenimore Cooper le chantre de sa colonisation (*le Dernier des Mohicans*, 1826), et la guerre de Sécession constitue le fond de *Autant en emporte le vent* (1936) de Margaret Mitchell.

Marguerite Yourcenar (Marguerite de Crayencour, Fr., 1903-1987), *Mémoires d'Hadrien* (1951) • Au soir de sa vie, l'empereur Hadrien écrit longuement à son successeur Marc Aurèle. Formation hellénique, voyages mouvementés, actions politiques sont la matière de ce récit, nourri de recherches érudites, d'une vie consacrée à la consolidation de l'Empire romain. La fêlure d'un deuil (le suicide de son amant Antinoüs), l'inquiétude face aux menaces de guerres et à sa propre mort, la sensibilité à une beauté classique dont l'écriture élégante de l'auteur est le miroir, donnent au portrait sa vibrante humanité.

Alejo Carpentier (Cuba, 1904-1980), *le Siècle des Lumières* (1962) • Débarqué à La Havane, Victor Hugues, franc-maçon et porteur des idées de 1789, transforme la vie de deux adolescents de l'île, Carlos et Sofia. Leur cousin Esteban le suit en France, où son ardeur révolutionnaire s'émousse. Devenu jacobin, Victor fait régner le régime de la Terreur en Guadeloupe, puis en Guyane. Il a une liaison brûlante avec Sofia, qui meurt en Espagne aux côtés de l'idéaliste Esteban. L'Amérique de la fin de la période coloniale apparaît dans toute la splendeur de sa nature, dans un tourbillon d'idées et de contradictions.

Pierre Mertens (Belg., né en 1939), *les Éblouissements* (1987) • L'écrivain et médecin allemand Gottfried Benn est le témoin et l'acteur des conflits qui déchirent l'Europe durant un demi-siècle. Son adhésion au nazisme en 1933 est la brisure centrale autour de laquelle se noue la réflexion de l'auteur. En recréant la biographie d'un poète qui tente, par l'écriture, d'assumer une erreur injustifiable, il montre comment une intelligence peut s'enliser dans les boues de l'Histoire. Il se met en cause, en tant qu'écrivain, dans cette articulation problématique entre l'homme et son époque.

Roman utopique et philosophique

La fable de l'« ailleurs »

Œuvre de fiction, le roman n'est pas limité par le réel : il décrit aussi des sociétés imaginaires, situées Nulle Part. « Nulle Part », en grec, c'est *Ou-Topos,* d'où vient le nom d'Utopie donné par Thomas More à l'île où il situe sa société idéale.

Les romans situés dans des lieux imaginaires, décrivant des peuples aux lois différentes des nôtres, ont une finalité philosophique. Il s'agit de montrer ce que le monde pourrait être si les hommes n'étaient pas ce qu'ils sont. Supposition optimiste. Une autre façon de postuler un « ailleurs » est d'imaginer un temps irréel, un futur dans lequel on projette le devenir de l'humanité (roman d'anticipation). Cela permet les suppositions les plus pessimistes.

Certains auteurs traitent la fable philosophique avec un réalisme apparent (Defoe, Flaubert). Il ne faut pas en être dupe : Robinson dans son île, Bouvard et Pécuchet dans leur retraite sont aussi « nulle part » que Cyrano sur la Lune ou Gulliver à Lilliput.

Lucien de Samosate (v. 125-v. 192), ***Histoire vraie*** (grec) • Naviguant sur l'Atlantique pour découvrir des choses nouvelles, Lucien et ses compagnons participent à la guerre des Lunaires contre les Solaires, abordent au pays des Lampes, sont avalés par une baleine dont le ventre est peuplé d'habitants peu amènes, l'île des Bienheureux... Ils rencontrent maints êtres invraisemblables, souvent évoqués déjà par des poètes, conçus par des philosophes ou accrédités par des historiens. Contrairement à eux, toutefois, Lucien de Samosate a d'entrée prévenu son lecteur que tout ce qu'il raconte est faux.

François Rabelais (Fr., v. 1494-1553), ***Pantagruel*** (1532) • Étudiant à Paris, le géant Pantagruel se fait un ami de Panurge, dont la ruse l'aide à vaincre les géants de Loupgarou avec lesquels le roi des Dipsodes (les Assoiffés) a envahi Utopie, le royaume de son père. La vie de ce dernier est relatée dans *Gargantua* (1534) : s'il a bénéficié d'une éducation humaniste (opposée aux méthodes néfastes de son précédent maître, un théologien), il n'en a pas moins su reconnaître la valeur de frère Jean des Entommeurs. Avec le bouillant moine, Gargantua réduit à néant la guerre menée contre son père Grandgousier, sous un prétexte futile, par son voisin Picrochole (Bile Amère). Jean est récompensé par l'octroi de l'abbaye de Thélème, dont l'idéal de liberté est l'une des facettes de l'humanisme joyeux de Rabelais.

Savinien de Cyrano de Bergerac (Fr., 1619-1655), ***l'Autre Monde*** (1657-1662) • À bord d'une machine de son invention, le narrateur s'envole pour les États et Empires de la Lune, où il tombe sur l'un des deux arbres du Paradis. Les habitants y vivent de fumées et se paient avec des poèmes. Revenu sur Terre, il repart pour les États et Empires du Soleil et passe en jugement au pays des oiseaux. Pleine de fantaisie et d'érudition, l'évocation de mœurs et de sciences étranges se double d'une critique des conventions de ce monde. Les discussions philosophiques avec le démon de Socrate ou l'utopiste Campanella permettent à Cyrano de professer l'épicurisme, redécouvert par son maître Gassendi.

Daniel Defoe (G.-B., 1660-1731), ***Robinson Crusoé*** (1719) • Unique rescapé d'un naufrage, un marin recrée ingénieusement sur une île déserte le confort de la vie anglaise. Il civilise le sauvage Vendredi, cannibale qu'il sauve de ses congénères et dont il fait son domestique. Au bout de 28 ans, Robinson quitte son île sur un navire dont il a aidé le capitaine à mater une mutinerie, et rentre en possession de sa fortune. Le succès de ce roman d'aventures, à la fois hymne à la volonté, au travail et à la vertu chrétienne, lui a valu nombre d'imitations.

Jonathan Swift (Irl., 1667-1745), ***les Voyages de Gulliver*** (1726) • Les minuscules habitants de l'île de Lilliput se consument en vaines querelles, les géants qui peuplent Brobdingnag jugent insensées les coutumes de son pays, les philosophes délirants de Laputa comme les devins de Glubdubdrib lui apprennent que tout repose sur l'illusion et le mensonge : le chirurgien Gulliver a-t-il ainsi découvert le secret de la condition humaine ? En tout cas, les Houyhnhnms, sages chevaux rencontrés dans son dernier voyage, tiennent en esclavage la race perverse des Yahoos, humains dégénérés, et la satire ne dissimule guère l'amertume du propos.

◆ ***Les Voyages de Gulliver,* de Jonathan Swift.**
Cette illustration du roman se rapporte à l'épisode de la capture de Gulliver par ses ennemis. Édition datée de 1860.

Voltaire (François Marie Arouet, Fr., 1694-1778), ***Candide ou l'Optimisme*** (1759) • Injustement chassé de son château natal, Candide apprend la vie à travers l'Europe et le Nouveau Monde : partout, sauf dans l'inaccessible Eldorado où il parvient par accident, la guerre, la misère et la fourberie mènent le monde et contredisent l'enseignement du philosophe Pangloss, son maître. Aidé du fidèle Cacambo, puis du sceptique Martin, il retrouve ses amis et son amour Cunégonde, devenue vieille et acariâtre. Un vieux Turc lui apprend le secret du bonheur : il faut cultiver son jardin, c'est-à-dire travailler sans s'occuper du monde.

Denis Diderot (Fr., 1713-1784), ***Jacques le Fataliste et son maître*** (posth., 1796) • Pour égayer leur voyage, le valet Jacques devise avec son maître, petit noble provincial, à qui il raconte sa vie. Le récit est interrompu par celui d'autres aventures, vécues par eux ou narrées par des personnages de rencontre (ainsi Mme de la Pommeraye qui fait épouser une prostituée à son amant infidèle), mais aussi par des propos que Diderot adresse au lecteur. Comme le fatalisme, qui considère que ce qui arrive est ce qui devait advenir, les ruptures de l'écriture rendent compte des caprices et de la richesse de l'existence.

Gustave Flaubert (Fr., 1821-1880), ***Bouvard et Pécuchet*** (posth., 1881) • Deux retraités étudient toutes choses connaissables : l'agriculture, la chimie, l'archéologie, la pédagogie, etc. À force d'accumuler les savoirs, ils sentent passer sur eux « le vent de l'aile de l'imbécillité ». À ce roman inachevé, Flaubert avait prévu une fin : ses deux bonshommes, découragés, reprennent leur ancien métier d'expéditionnaires et « ils copient ». Il comptait aussi y joindre une compilation de fines sottises, le *Dictionnaire des idées reçues* (posth., 1913). Dix ans de travail pour raconter l'absence de sens.

Aldous Huxley (G.-B., 1894-1963), ***le Meilleur des mondes*** (1932) • Au XXVIIe s., on obtient la stabilité sociale en clonant les êtres humains, en les normalisant physiquement et psychiquement : les embryons reçoivent plus ou moins d'oxygène, l'endoctrinement se fait par hypnopédie, les passions sont contrôlées par des drogues. Seuls des individus instables, comme l'ingénieur Helmholz, trop intelligent, et son ami Bernard, victime d'un accident chimique, ne se satisfont pas de ce monde sans âme. Quant à John Le Sauvage, lecteur de Shakespeare, il se suicide après avoir réclamé le droit d'être malheureux, cruel paradoxe de cette anti-utopie exemplaire.

George Orwell (Eric Blair, G.-B., 1903-1950), ***1984*** (1949) • En 1984, Londres est la capitale d'un pays dominé par un parti unique et où tout le monde est surveillé en permanence, sous le regard de Big Brother. L'Histoire est niée, les valeurs sont subverties, et un nouveau langage, la « novlangue », ne laisse aucune place aux idées déviantes. Coupable de rébellion et d'amour, Winston Smith est torturé jusqu'à ce qu'il trahisse ignoblement celle qu'il aime. À l'instant de son exécution, il en vient à éprouver de l'amour pour Big Brother, demeuré le symbole d'un ordre dictatorial dont la menace pèse d'autant plus sur nos sociétés qu'il leur emprunte certains mécanismes.

Ray Bradbury (É.-U., né en 1920), ***Fahrenheit 451*** (1953) • 451 degrés Fahrenheit est la température à laquelle le papier s'enflamme : dans le monde où vit Montag, les pompiers comme lui sont chargés de brûler tous les livres, source de subversion. Malgré l'interdiction, il lui vient un jour à l'idée de les lire. Devenu un proscrit, il échappe à une mortelle chasse à l'homme et rejoint un groupe de réfractaires qui apprennent par cœur, pour les sauver de l'oubli, les chefs-d'œuvre de l'esprit humain.

VOIR AUSSI
- **Science-fiction** p. 1136
- **Utopie** p. 1142 (Thomas More)

Le récit fantastique

Les failles du réel

Le fantastique naît de l'irruption, dans le réel, d'un événement impossible selon les propres lois du réel. Cette irruption déstabilise les personnages du récit, mais surtout le lecteur, qui perd confiance dans la solidité de l'univers « normal » et que gagne un sentiment d'« inquiétante étrangeté », selon l'expression de Freud. Fantômes, apparitions, vampires, monstres relèvent d'un fantastique traditionnel, mais les auteurs modernes ont considérablement raffiné les modes d'irruption du fantastique : thème du double, onirisme, métamorphoses, logiques perverses, objets agissants, etc. Ce faisant, ils ne font qu'explorer les présupposés fondamentaux de la littérature : le « réel » du récit étant par définition une fiction, l'impossible qui le met en cause manifeste, à la deuxième puissance, les pouvoirs de l'écriture.

Le fantastique traditionnel est présent dans toutes les littératures, où il puise dans les fonds légendaires et mythologiques. Le fantastique moderne se manifeste avec *le Diable amoureux* (1772) de Jacques Cazotte (1719-1792), qui introduit entre le « diable » et la figure de femme en qui il s'incarne une ambiguïté désormais caractéristique du genre. Parmi les ancêtres du genre figurent également les romans « gothiques » anglais : *Le Château d'Otrante* (1769) d'Horace Walpole (1717-1797), *les Mystères d'Udolphe* (1794) d'Ann Radcliffe (1764-1823), *le Moine* (1796) de Matthew Gregory Lewis (1775-1818).

Jan Potocki (Pol., 1761-1815), ***le Manuscrit trouvé à Saragosse*** (français, 1804-1805) • Un capitaine traverse la contrée désolée de la sierra Morena, passe près d'un gibet où sont pendus deux brigands, et se fait héberger chez deux jolies mauresques qui veulent l'épouser. À son réveil, il voit devant lui le même désert, puis les pendus, et rencontre un ermite qui lui raconte des faits analogues. Ainsi commence un cycle vertigineux de récits emboîtés, tous bâtis sur cette trame qui unit érotisme galant et imagerie macabre. Sa duplication infinie subit des variations qui réactivent sans cesse le sentiment d'épouvante.

Fantasmes

Le récit érotique, qui met en scène les fantasmes d'un auteur, relève en partie de la littérature fantastique. Il lui emprunte volontiers ses décors : depuis Sade et *les Cent Vingt Journées de Sodome* (1785), d'inaccessibles châteaux aux sortilèges pervers (la serrure-vulve qui ferme la porte du *Château de Cène* de Bernard Noël, 1969) sont les lieux de séquestration et de soumission à un « maître » (*Histoire d'O* de Pauline Réage, 1954). Ils situent hors du réel des expériences érotiques qui franchissent les limites de la morale commune, mais aussi de la résistance à la douleur, et décuplent les performances sexuelles dans une fantasmatique de la répétition infinie.

Le délire érotique produit par la transgression des tabous, que les surréalistes admiraient dans *les Onze Mille Verges* (1907) d'Apollinaire, a inspiré des récits relevant du rêve ou de l'hallucination (*la Liberté ou l'Amour*, de Desnos, 1927 ; *le Con d'Irène*, d'Aragon, 1928).

Fantaisies

Les *Aventures du baron de Münchhausen* (1786) font revivre, sous la plume du poète allemand Gottfried Bürger (1747-1794), les invraisemblables galéjades d'un officier qui se vantait d'avoir chevauché des boulets de canon et visité la Lune. Dans *Alice au pays des merveilles* (1865), Lewis Carroll fait accomplir à une petite fille, le temps d'un songe, un voyage souterrain où des personnages bizarres mettent à l'épreuve sa logique et son bon sens. En 1883, *Pinocchio* de Carlo Collodi (1826-1890) relate les aventures mouvementées que doit vivre une marionnette sans fil, mais dissipée, pour devenir un petit garçon bien sage. Si les lois du réel sont bousculées, l'inquiétude ou la peur sont chassées à la fin de ces récits qui valorisent l'imagination : c'est sans doute pourquoi l'on considère comme destinées aux enfants ces histoires à rire ou à sourire.

E.T.A. Hoffmann (All., 1776-1822), ***la Princesse Brambilla*** (1820) • Délaissant l'imaginative petite couturière Giacinta, l'acteur Giglio s'égare dans un rêve d'amour pour la princesse Brambilla, aperçue dans un cortège du carnaval romain. Ses tribulations dans un monde de *commedia dell'arte*, et un duel avec son double « raisonnable », le mènent au bord de la source d'Urdar, aux côtés d'une princesse... qui n'est autre que Giacinta. On les retrouve à Rome, mariés et heureux : dans le miroir merveilleux d'Urdar, ils ont su « reconnaître la vie, eux-mêmes et tout leur être ». Dans ce « Caprice à la manière de Callot », Hoffmann met en scène une étonnante initiation par l'humour et la fantaisie.

Stevenson (Robert Louis Balfour, G.-B., 1850-1894), ***l'Étrange Cas du docteur Jekyll et de Mr. Hyde*** (1886) • Un médecin désireux de décupler son énergie expérimente une drogue qui, en lui donnant les traits hideux de Mr. Hyde, révèle la soif de domination et la violence sexuelle refoulées au fond de l'âme du philanthrope. D'abord révocable à merci, le double maléfique dont les crimes atroces font trembler Londres prend le pas sur la personnalité du docteur Jekyll, qui se suicide pour tuer le mal en lui. Cette longue nouvelle met en scène de façon magistrale l'idée du dédoublement comme projection de l'inconscient.

Villiers de l'Isle-Adam (Auguste, comte de, Fr., 1838-1889), ***L'Ève future*** (1886) • Pour satisfaire l'idéalisme de lord Ewald, Thomas Edison donne au robot qu'il a inventé la beauté physique de la femme dont son ami est épris. Immuable et sans défaut, Hadaly sera habitée à l'insu d'Edison par l'intelligence d'une autre femme plongée dans le coma. Alors qu'il se prépare à vivre avec un être rendu conforme à son attente par l'électricien démiurge, le possesseur de l'Ève « scientifique » la perd dans l'incendie qui ravage son navire. Le thème de l'être artificiel, repris du *Frankenstein* (1817) de Mary Shelley, est traité par Villiers sur le mode ironique de ses *Contes cruels* (1883).

Oscar Wilde (Irl., 1854-1900), ***le Portrait de Dorian Gray*** (1891) • Un aristocrate raffiné et corrompu conserve une parfaite jeunesse, tandis que le portrait qu'un ami peintre a fait de lui est peu à peu défiguré par ses péchés. Sous la double influence de lord Wotton, esthète cynique en qui il se reconnaît, et de Basil, l'artiste idéaliste, Dorian Gray en vient à haïr le tableau, qu'il poignarde : l'œuvre retrouve sa beauté, le modèle meurt. Son cadavre hideux est l'allégorie paradoxale de l'homme anéanti par son image, puni d'avoir choisi l'illusion contre la vérité, l'art contre la nature.

VOIR AUSSI • **Fantastique** (cinéma) p. 1210

Henry James (É.-U., nat. brit., 1843-1916), ***le Tour d'écrou*** (1898) • Un cottage anglais est perturbé par des apparitions. On ne saura jamais quelle réalité leur accorder puisque nul ne les a observées, sinon la gouvernante qui est aussi la narratrice, et que les enfants refusent d'en parler – jusqu'au drame. Avec ces « présences » qui n'existent que par leurs effets sur certains personnages et mettent en cause le statut de la narration, Henry James installait la modernité au cœur du fantastique.

Gustav Meyrink (Autr., 1868-1932), ***le Golem*** (1915) • Le mot hébreu *golem* désigne dans la Bible la matière brute à partir de laquelle Dieu a façonné l'homme. Selon une légende pragoise, un rabbin du XVIe s. donna ce nom à un automate en argile qu'il anima grâce à une formule magique. Une nuit, la créature s'échappa, et l'on dit qu'elle revient tous les 33 ans dans le quartier juif du vieux Prague. C'est l'année d'une des apparitions du Golem que se joue le roman. Les ruelles sombres du ghetto sont le théâtre de forfaits inexplicables, dans une atmosphère de superstition et de sorcellerie.

◆ ***Le Golem* (1920)**, film de Paul Wegener, d'après le roman de Gustav Meyrink.

Mikhaïl Boulgakov (Russie, 1891-1940), ***le Maître et Marguerite*** (posth., 1966) • Dans le Moscou des années 1930, Satan apparaît pour se porter garant de l'existence de Dieu, tandis que ses acolytes sèment le désordre. Le récit se double d'un roman sur Ponce Pilate, qui, refusé par les autorités littéraires, a conduit son auteur, le Maître, dans un asile. Il en est libéré par son amante, Marguerite, que Satan remercie ainsi d'avoir été la reine de son bal annuel. Le couple vivra heureux dans l'au-delà après que le Maître aura délivré son héros du remords d'avoir laissé mourir Jésus. Cette œuvre polyphonique associe des éléments allégoriques et grotesques à une méditation sur la création.

La science-fiction

Projection dans le futur

La fiction scientifique (en anglais *science fiction*) fonde le roman sur des développements imaginaires de la science et des techniques. Il s'agit donc de romans d'anticipation (situés dans un futur plus ou moins lointain). Le romancier, adoptant le mythe du progrès scientifique perpétuel, fait porter son effort créatif sur l'état de civilisation matérielle dans lequel se meuvent les personnages plus que sur leurs mœurs ou leur psychologie – encore que ces thèmes, moins faciles, soient abordés par les meilleurs auteurs.

Si la science-fiction se reconnaît des précurseurs, notamment chez les romanciers de l'utopie, elle se constitue à la fin du XIXe s. avec Jules Verne et Herbert George Wells, puis se développe comme genre populaire aux États-Unis (*Amazing Stories*, revue fondée par Hugo Gernsback en 1926). Ses thèmes classiques sont les catastrophes planétaires, les civilisations extraterrestres, les voyages dans le temps, les robots (terme créé par Karel Čapek dans la pièce *R.U.R.*, ou *les Robots universels de Rossum*, 1920), les mutants, les univers « parallèles », les logiques « différentes ». À partir des années 1960 apparaissent des thèmes liés à l'exploration du psychisme et aux problèmes de communication, avec parfois un souci d'écriture plus innovante.

Les récits d'aventures dans l'espace sont appelés *space operas*. Des fictions qui empruntent non à la science mais à des mythologies passées relèvent de la *fantasy* (*le Seigneur des anneaux*, 1954-1956, de J. R. R. Tolkien).

J.-H. Rosny (Joseph Henri Boex, Fr., 1856-1940), ***les Xipéhuz*** (1887) • Les Xipéhuz sont des créatures géométriques qui détruisent leurs adversaires par le feu. Ils engagent une lutte sans merci avec les hommes primitifs, qui peinent à les neutraliser. Avec ce premier roman, Rosny aîné charge la science-fiction d'énoncer une vérité morale. Il rappelle aux hommes la fragilité de l'humanité et les met en garde contre la conviction qu'ils sont les maîtres de l'univers.

Herbert George Wells (G.-B., 1866-1946), ***la Machine à explorer le temps*** (1895) • Un savant invente une machine pour se transporter dans le futur. Lors d'un premier voyage, il découvre Londres en l'an 802701. Les Eloïs, peuple doux et oisif, y sont confrontés aux Morlocks, affreuses créatures qui dominent les systèmes de production. L'explorateur revient à son époque pour témoigner, puis disparaît mystérieusement lors de son second voyage. Comme *l'Homme invisible* (1897), ce roman reprend un fantasme humain très ancien. Réflexion sociologique et politique sur les développements possibles du capitalisme, c'est une œuvre fondatrice de l'anticipation.

Isaac Asimov (Russie, nat. amér., 1920-1992), ***Fondation*** (1952-1986) • Cette série (*Fondation, Fondation et Empire, Seconde Fondation, Fondation foudroyée, Terre et Fondation*) raconte la grandeur et la décadence de la planète Trantor aux XIIIe et XIVe millénaires. Pour préserver la civilisation de cet Empire galactique moribond, le « psychohistorien » Seldon crée une Fondation qui suscite aussitôt toutes les convoitises. Mais, comme l'avait prévu son créateur, elle résistera à tous les assauts. Inspirée par les travaux de l'historien Gibbon et transposant l'histoire de l'Empire romain, cette œuvre est une réflexion sur le devenir de l'humanité.

Jules Verne

S'ils ont une ambition didactique, les récits d'anticipation de Jules Verne (1828-1905) sont surtout des œuvres d'imagination qui extrapolent les découvertes scientifiques et techniques du XIXe s. pour les confronter à des thèmes ou à des mythes universels et pour affirmer le triomphe de l'esprit scientifique (comme dans *le Château des Carpathes*, 1892). Dans la série des *Voyages extraordinaires*, les hommes explorent la Terre pour se l'approprier (*le Tour du monde en 80 jours*, 1873; *Voyage au centre de la terre*, 1864; *Vingt mille lieues sous les mers*, 1870) et partent à la conquête de l'espace (*De la Terre à la Lune*, 1865). Toutefois, certains romans sont davantage ancrés dans la réalité politique et sociale contemporaine (*les Cinq Cents Millions de la bégum*, 1879; *Michel Strogoff*, 1876). Ces caractéristiques ont permis aux romans de Verne de toucher immédiatement un large public.

Alfred Elton Van Vogt (Can., nat. amér., né en 1912), ***le Monde des Ā*** (1948) • Gilbert Gosseyn apprend qu'il n'est pas celui qu'il pensait être. Il se met alors en quête de son identité. Au cours de ses aventures, il découvre les rouages de la mystérieuse Machine des Jeux ainsi que l'étrange monde des non-A. Ces derniers ont installé sur Vénus une utopie fonctionnant selon une logique non aristotélicienne (« non-A »), appelée « sémantique générale ». Inspiré par la pensée du logicien Korzybski, ce roman tient du mythe, de l'intrigue policière et de la réflexion métaphysique. Il doit sa célébrité en France à la traduction de Boris Vian.

Ray Bradbury (É.-U., né en 1920), ***Chroniques martiennes*** (1950) • En 26 nouvelles, l'auteur raconte les tentatives de colonisation de Mars par les Terriens. Présentant les Martiens comme des êtres civilisés parvenant à résister à l'invasion humaine, il écrit une fable humaniste où s'affrontent le Bien et le Mal. Son recueil, représentatif des préoccupations morales et politiques de son temps, est caractérisé par un univers imaginaire qui peut aujourd'hui sembler « désuet »; il reste cependant un classique de l'anticipation.

Clifford Donald Simak (É.-U., 1904-1988), ***Demain les chiens*** (1952) • Les chiens deviennent progressivement les maîtres de la Terre. Les hommes leur abandonnent la planète après les avoir dotés de la conscience et du langage. Ils leur ont aussi construit des robots pour les servir. Chaque épisode de cette longue histoire relate une étape de la démission des hommes et évoque leurs rapports avec leurs anciennes créatures. Ce roman visionnaire s'interroge ainsi sur l'avenir de l'humanité.

Stanislas Lem (Pol., né en 1921), ***Solaris*** (1961) • Une équipe de trois astronautes observe Solaris, une planète apparemment déserte, recouverte d'un étrange océan luisant. Confrontés aux forces « protoplasmiques » émanant de Solaris, deux des observateurs vont connaître une mort violente tandis que le troisième va se trouver pris au piège des simulacres. Cet angoissant roman, qui mêle l'imaginaire à la réflexion philosophique, est une méditation sur la vie et sur la fatalité.

Philip Kindred Dick (É.-U., 1928-1982), ***le Maître du Haut-Château*** (1962) • La Seconde Guerre mondiale a été remportée par les forces de l'Axe. L'Allemagne et le Japon se partagent les États-Unis. Un mystérieux écrivain de science-fiction, dans un château de l'ouest du pays, se met à écrire un livre invraisemblable qui raconte la victoire alliée en 1945. Nourri de philosophie chinoise, ce roman s'interroge sur la perception de la réalité, sur l'histoire, sur la dictature et sur la création littéraire.

John Brunner (G.-B., 1934-1995), ***Tous à Zanzibar*** (1968) • Au XXIe s., la Terre vit au rythme des affrontements entre populations du tiers-monde et grandes firmes multinationales. Trois personnages, un cadre, un espion et un sociologue, se croisent dans cet univers chaotique aux mégalopoles surpeuplées. Ce roman d'anticipation se présente donc comme une mise en perspective politique et sociale pessimiste. Inspiré par l'art de Dos Passos, il renouvelle l'écriture de la science-fiction grâce à sa créativité verbale et à sa construction fragmentaire.

Kurt Vonnegut (É.-U., né en 1922), ***Abattoir 5*** (1969) • Billy Pilgrim quitte Dresde et traverse l'Allemagne dévastée par les bombardements. Brusquement, malgré lui, il est amené à revivre sans cesse différentes époques de sa vie passée. Changeant constamment de temps et d'espace, il est ensuite transporté sur la planète Tralfamadore. De là, il peut contempler toute l'histoire humaine, qui lui apparaît comme une comédie grotesque et tragique. Construite sur le principe du fragment et de la répétition, cette fiction dénonce la guerre et propose une méditation sur le sens de l'existence.

VOIR AUSSI
- **Roman utopique** p. 1134
- **Science-fiction** (cinéma) p. 1211

L'épouvante

Alors que le récit fantastique se situe aux frontières du réel et du surnaturel, le roman d'épouvante plonge le lecteur dans un univers de cauchemar où toutes les monstruosités sont envisageables. Le précurseur du genre est Poe, dont le fantastique engendre la terreur (« Une descente dans le Maëlstrom », 1841). Après lui, Bram Stoker reprend le mythe romantique du vampire (*Dracula*, 1897), le Gallois Machen fait naître la panique en renouvelant les motifs du diabolisme (*le Grand Dieu Pan*, 1894). Créant une mythologie originale, Lovecraft met l'humanité aux prises avec des forces monstrueuses et extraterrestres (*la Couleur tombée du ciel*, 1927). Quant à Stephen King, dont plusieurs œuvres ont été portées à l'écran, il recourt notamment au paranormal (*Shining*, 1976).

Le roman policier

Le crime comme révélateur

Si le crime est présent dans toute la littérature, de la tragédie grecque au roman naturaliste, le roman dit « policier » se distingue en ce qu'il fait du crime l'objet central du récit, soit qu'on cherche à découvrir les criminels, soit qu'on se plaise à suivre leurs détestables agissements. On distingue le roman d'énigme et le roman d'action.

Dans le premier, un crime est commis ; un enquêteur (policier ou autre) recueille témoignages et indices, et, grâce à une capacité de raisonnement qui doit émerveiller le lecteur, il trouve la solution. Certaines nouvelles d'Edgar Poe, par exemple *le Mystère de Marie Roget* (1842), passent pour les archétypes du genre. Le crime sert ici à révéler les pouvoirs de l'intelligence.

Le roman policier d'action, appelé aussi roman criminel ou roman « noir », décrit les méfaits eux-mêmes, le caractère des personnages qui les perpètrent, les milieux du crime organisé. La violence et la mythologie urbaine en sont des éléments presque obligés. S'il y a un enquêteur, c'est plus un homme luttant physiquement contre les méchants qu'un esprit apportant une improbable lumière dans un monde toujours glauque. Le crime apparaît là comme le révélateur d'une société.

Arthur Conan Doyle (G.-B., 1859-1930), ***les Aventures des Sherlock Holmes*** (1887-1927) • Le détective Sherlock Holmes, secondé par son ami et biographe le Dr Watson, résoud toute une série d'énigmes. Dans ses aventures, narrées en 4 romans (dont *Une étude en rouge*, 1887 ; *le Chien des Baskerville*, 1902) et 56 nouvelles, son implacable logique, nourrie de nombreuses connaissances scientifiques, triomphe de problèmes complexes, qui semblent parfois irrationnels. Se fondant sur les thèses positivistes de son temps, Doyle donne à l'enquête policière la dimension d'un travail intellectuel dont l'humour et l'intuition ne sont pas exclus.

Gaston Leroux (Fr., 1868-1927), ***le Mystère de la chambre jaune*** (1908) • Qui a tenté de tuer Mlle Stangerson ? Comment le criminel a-t-il pu s'échapper de la chambre jaune, qui ne comporte aucune issue ? Il revient au reporter Joseph Rouletabille de résoudre cette énigme apparemment insoluble. Il mène une enquête pleine de rebondissements, qui éprouve sa perspicacité exceptionnelle.

Aventures et mystères

Au début du XXe s., les romans d'aventures populaires choisissent souvent des héros qui tantôt résolvent des énigmes, tantôt en sont les instigateurs. Mystérieux, dotés de pouvoirs exceptionnels (intelligence, richesse, habileté), ils remettent en cause l'ordre social classique. Ainsi, Fantômas, le « génie du crime » de Marcel Allain et Pierre Souvestre, bafoue la société. En revanche, Arsène Lupin, le « gentleman cambrioleur » de Maurice Leblanc, allie droiture chevaleresque et ruse criminelle. Chéri-Bibi, le bagnard rude et généreux de Gaston Leroux, cherche le rachat et le bonheur.

Gilbert Keith Chesterton (G.-B., 1874-1936), ***Histoires du père Brown*** (1911-1926) • Le père Brown, prêtre et détective à l'intuition infaillible, est le héros de 4 séries de nouvelles (dont *la Clairvoyance du père Brown*, *l'Incrédulité du père Brown*). Ce personnage complexe et ambigu incarne et dramatise les tensions entre folie, foi et raison. Pleines d'humour et de suspense, ses histoires sont oniriques, souvent fantastiques. Déroutantes, elles proposent également une critique sociale et politique précise de la société britannique.

Georges Simenon (Belg., 1903-1989), ***Pietr le Letton*** (1929) • Le commissaire Maigret traque Pietr le Letton, chef et caissier de plusieurs bandes internationales. Son enquête le mène notamment dans les milieux cosmopolites qui hantent les palaces des Champs-Élysées. Avec ce roman, Simenon inaugure sa série des Maigret, devenue depuis un classique de la littérature policière. Il renouvelle aussi le genre en préférant au brillant raisonnement à la manière de Doyle l'analyse psychologique et sociale. Le dévoilement de la vérité humaine prend autant de valeur que celui de la culpabilité.

◆ **George Simenon.**

Dashiell Hammett (É.-U., 1894-1961), ***le Faucon maltais*** (1930) • Le détective Sam Spade, « dur à cuire » lucide et désabusé, est sollicité par Miss Wonderly, qui lui demande de retrouver sa sœur. Commence alors une aventure pleine de faux-semblants et de coups de théâtre, centrée sur une statuette de faucon noir ayant appartenu à l'ordre de Malte. Ce thriller témoigne du pessimisme de son auteur, qui peint avec noirceur la société américaine. Violent, volontiers argotique, il a contribué à renouveler le genre policier en préférant l'action à la psychologie et au raisonnement.

Agatha Christie (G.-B., 1890-1976), ***le Crime de l'Orient-Express*** (1934) • Un voyageur américain a été assassiné dans l'Orient-Express, bloqué par la neige. Comme l'auteur de ce meurtre inexplicable ne peut se trouver qu'à l'intérieur du train, le détective Hercule Poirot interroge tour à tour voyageurs et employés. Il parvient à établir entre eux un lien insoupçonné. Dans ce roman, comme dans *Dix Petits Nègres* (1939), la romancière place son lecteur au cœur d'une situation apparemment inextricable pour mieux le surprendre par la révélation finale.

Raymond Chandler (É.-U., 1888-1959), ***le Grand Sommeil*** (1939) • Le général Sternwood demande au détective Philip Marlowe d'enquêter sur le chantage dont il est victime et sur la disparition d'un de ses proches. Au cours de ses investigations, Marlowe se trouve confronté à une série de personnages cupides et violents. L'auteur allie ainsi l'analyse psychologique et sociale du roman traditionnel aux ressorts du suspense policier. Complexe et ambigu, idéaliste et cynique, son personnage principal, qui est aussi le narrateur, donne une profondeur humaine à ce thriller.

Albert Simonin (Fr., 1905-1980), ***Touchez pas au grisbi !*** (1953) • L'auteur nous transporte, avec son personnage principal, le truand Max, dans la pègre de Pigalle pour une histoire de règlement de comptes. Le « nerf de la guerre », c'est l'argent, ou « grisbi », qui déclenche toute les passions. Souhaitant écrire un thriller à la française, Simonin truffe son récit de l'argot pittoresque du milieu. Il le fait d'ailleurs suivre d'un lexique.

Le néopolar

Fils du roman noir américain, le « néopolar » a des préoccupations sociales. Son ambition est moins de valoriser la perspicacité d'un enquêteur que de peindre un milieu. Dans *Nada* (1972), Jean-Patrick Manchette (1942-1995) retrace la lamentable épopée d'un groupe de terroristes anarchistes. Jean Vautrin situe *Billy-ze-kick* (1974) dans une cité de la banlieue parisienne où les meurtres de femmes se multiplient. Daniel Pennac raconte Belleville dans *la Fée Carabine* (1987).

Chester Himes (É.-U., 1909-1984), ***la Reine des pommes*** (1958) • Au cœur de Harlem, le candide Jackson est aux prises avec les roueries de son frère et de sa petite amie Imabelle. Il doit aussi échapper aux investigations de deux policiers noirs, Ed Cercueil et Fossoyeur Jones, qui deviendront, par la suite, des personnages récurrents de l'œuvre de Himes. Mêlant humour, réalisme cru et ironie cinglante, le romancier peint les milieux interlopes de Harlem et se livre à une sévère critique sociale.

Jim Thompson (É.-U., 1906-1977), ***1275 Âmes*** (1964) • Pottsville, archétype de la petite ville américaine, possède 1275 habitants, sans compter les Noirs. Son shérif, Nick Correy, est le représentant de l'ordre le moins recommandable qui soit. Narrateur de l'histoire, il raconte ses crimes avec froideur et complaisance (faux témoignages, assassinat, etc.). Comme dans *Le facteur sonne toujours deux fois* (1934) de James Cain, cette confession brutale est empreinte d'un pessimisme que la caricature fait cruellement ressortir.

Jerome Charyn (É.-U., né en 1937), ***Marilyn la dingue*** (1976) • Isaac Sidel est un flic new-yorkais coriace, cynique mais humain. Il lutte contre la pègre, incarnée par la tribu des Guzman. Mais il doit aussi s'occuper de sa fille, Marylin, qui, après sept mariages, n'en folâtre pas moins avec l'adjoint d'Isaac, Zyeux-Bleus. Dans cette fresque haute en couleur, l'humour juif donne à l'intrigue policière la dimension d'une farce aux limites du vraisemblable.

Le roman d'espionnage

La période qui va de l'entre-deux-guerres à la fin de la guerre froide a été propice à l'essor du roman d'espionnage. Chez Peter Cheyney (série des Lemmy Caution), les intrigues reposent sur la personnalité d'un héros d'exception et sur des intrigues assez conventionnelles. L'héroïsme et le spectaculaire sont aussi de mise chez Ian Fleming, qui crée James Bond, agent secret aux multiples ressources. En revanche, chez Eric Ambler (*la Frontière des ténèbres*, 1936) et chez John Le Carré (*l'Espion qui venait du froid*, 1963), l'espion, démythifié, évolue dans le cadre réaliste de réseaux secrets labyrinthiques.

La modernité romanesque

Qui parle ? Qui écrit ?

Qui raconte, dans un roman ? Quelle crédibilité accorder au récit ? Les personnages, êtres de mots, comment « existent » -ils ? Y a-t-il un « réel » du roman, un référent solide dont l'auteur omniscient serait le garant, ou ce qui « se passe » est-il vu, par définition, à travers le filtre d'un individu-narrateur ? N'y a-t-il pas intérêt, alors, à avouer les insuffisances de celui-ci, sa subjectivité, ses hallucinations parfois ?

Le temps, qui est la dimension la plus caractéristique du roman, se déroule-t-il de manière continue, en phase avec le récit, ou montre-t-il des effets d'accélération, de retour en arrière, d'arrêt sur image ? Comment est-il lié à la mémoire de l'instance narratrice ou des personnages ? Tout peut-il être raconté, de la vie des personnages ? Certainement pas. Mais alors, que tait le romancier ? Comment se disposent ces effacements ? Quel sens leur accorder ? Ce que l'on choisit de dire est-il là pour faire sens, ou au contraire pour montrer le non-sens du réel ? Comment s'organise le texte ? Quelles figures de rhétorique épouse-t-il ? Peut-on parler de symétries, de correspondances, de rimes entre les situations, entre les personnages ?

Toutes ces questions travaillent le roman depuis la fin du XIXe siècle. Elles permettent de distinguer une modernité romanesque, que l'on se gardera de confondre avec l'ensemble de la production de romans au XXe siècle.

Joseph Conrad (Józef Konrad Korzeniowski, Pol., nat. brit., 1857-1924), ***Lord Jim*** (1900) • Un garçon aventureux, beau et sain, embarqué comme second à bord d'un vieux bateau transportant des pèlerins, l'abandonne dans une tempête. Après le sauvetage du *Patna*, une enquête prouve l'acte de lâcheté de Jim. Repartant sur les mers avec « la conscience aiguë de l'honneur perdu », il gagne la confiance des habitants d'une île de Malaisie. Trompé par un trafiquant blanc, il passe pour un traître et se fait tuer. Conté par un vieux marin, le récit de cette déchéance par la trahison exprime la fraternité de Conrad pour un homme « oublié, non pardonné », qui est simplement « l'un de nous ».

Marcel Proust (Fr., 1871-1922), ***À la recherche du temps perdu*** (1913-1927) • Le narrateur, prénommé Marcel, se rappelle son enfance à Combray, ses promenades du côté de chez Swann et du côté de Guermantes, son amour pour Gilberte, puis pour Albertine… Un apprentissage sentimental, social, esthétique, est remémoré au fil des sept tomes, où la société française se transforme (de l'affaire Dreyfus à la guerre de 1914), où les personnages changent ou se révèlent. Si les réminiscences font ressurgir le passé par l'analogie des sensations (le goût de la madeleine), l'enjeu de la quête est surtout dans le progrès d'une conscience : Marcel découvre que c'est l'œuvre qui donne sa signification à la vie. Il se met à écrire.

◆ **Marcel Proust.**
Il reste la figure dominante du roman français au XXe siècle.

Raymond Roussel (Fr., 1877-1933), ***Locus solus*** (1914) • Le savant Martial Canterel fait visiter sa villa des merveilles : « Locus solus ». Ses hôtes découvrent le diamant à *aqua micans* où nagent d'extraordinaires ludions, la résurrectine qui permet à des cadavres de rejouer les mêmes scènes à l'infini, etc. Ces inventions sont élaborées à partir du « Procédé », fondé sur des dislocations de mots, que l'auteur avait déjà utilisé dans *Impressions d'Afrique* (1910). L'adaptation théâtrale du roman en 1922 fit scandale. L'œuvre de Roussel fut célébrée par les surréalistes, par la revue *Tel quel* et par les pataphysiciens.

James Joyce (Irl., 1882-1941), ***Ulysse*** (1922) • La déambulation de Leopold Bloom dans Dublin, le 16 juin 1904. Un foisonnement de personnages, d'allusions, de signes. L'Ulysse citadin rencontre enfin son Télémaque, un possible fils spirituel, en la personne de Stephen Dedalus, image de l'auteur jeune. Puis il s'endort auprès de Molly, son infidèle Pénélope, qui, dans un demi-sommeil, livre une des plus belles confessions de toute la littérature. Avec ce roman total, qui multiplie les significations et les techniques narratives (dont le fameux monologue intérieur), Joyce pulvérisait tous les modèles littéraires. Il devait pourtant aller au-delà en écrivant, dans une langue semi-inventée, *Finnegans Wake* (1939).

Franz Kafka (né à Prague, d'expr. allemande, 1883-1924), ***le Procès*** (1925) • Un employé de banque, Joseph K., est arrêté chez lui un matin et convoqué devant un tribunal. Ses efforts maladroits pour comprendre ce qui lui arrive, identifier ses accusateurs, se justifier au cours d'un procès sans cesse recommencé dans une administration labyrinthique, sont voués à l'échec : K. est exécuté. En dépit des interprétations (l'obsession de la culpabilité, l'absurdité bureaucratique), le sens de ce récit se dérobe, comme celui du procès pour son héros.

André Gide (Fr., 1869-1951), ***les Faux-Monnayeurs*** (1925) • La bâtardise, l'adolescence, l'homosexualité, le mensonge sont les thèmes traités par le biais de divers personnages, parmi lesquels Édouard, un écrivain qui tente d'écrire un roman intitulé *les Faux-monnayeurs*. Pratiquant la diversification des points de vue et la mise en abyme (on suit, dans les extraits du « Journal » d'Édouard, l'élaboration de « son » livre), Gide fonde l'unité (suggérée par le titre) de ce « roman pur » sur une critique des traditions romanesques et des fausses valeurs de la bourgeoisie ; ses recherches sont explicitées dans *le Journal des Faux-Monnayeurs* (1926).

◆ **James Joyce.**
La fascination du langage est au cœur de son œuvre, à l'origine de nombreuses recherches de la littérature contemporaine.
Photographie de Gisèle Freund.

William Faulkner (William Falkner, É.-U., 1897-1962), ***le Bruit et la Fureur*** (1929) • Au monologue haletant de Benjy, un idiot torturé par des souvenirs familiaux qui lui reviennent par fragments incohérents, succède celui de Quentin, qui évoque le drame provoqué par son amour jaloux pour leur sœur Caddy, dix-huit ans plus tôt. Un troisième frère, Jason, raconte froidement une journée révélatrice de ses malversations et de sa haine envers la fille de Caddy. Le romancier prend alors la parole pour orchestrer les trois mouvements de cette œuvre musicale et tragique, d'une intensité oppressante.

Robert Musil (Autr., 1880-1942), ***l'Homme sans qualités*** (1930-1943) • La folie du criminel Moosbrugger est un symptôme des temps, comme les célébrations patriotiques de l'empire de Cacanie organisées par « l'Action parallèle », dont Ulrich est le secrétaire. Détaché d'un « réel » perçu comme superficiel, au milieu

L'autofiction

Le concept « autofiction » a été employé par le critique Serge Doubrovsky pour qualifier « la fiction d'événements et de faits strictement réels » dans un récit dont le matériau est la vie de l'écrivain. Dès *les Confessions* de Rousseau, la vie est réinventée en même temps qu'elle est écrite : ce « mentir vrai », comme dit Aragon (1980), est plus ou moins revendiqué dans des récits où l'identité entre narrateur et auteur est affichée, tels ceux d'André Breton (*Nadja*, 1928), Henri Miller (*Tropique du Cancer*, 1934), ou Claude Simon (*la Corde raide*, 1947).

Alors que dans le roman autobiographique l'auteur intègre son expérience à une fiction, dans l'autofiction, « libre mise en mots d'informations garanties vraies » (Philippe Lejeune), il peut s'inventer des expériences et même façonner sa légende, comme l'ont fait Blaise Cendrars (*l'Homme foudroyé*, 1945) ou Jean Genet (*le Journal du voleur*, 1949). Pour une modernité défiante envers la subjectivité romanesque, c'est le moyen d'un retour du sujet dans la fiction, notamment par le récit d'événements intimes (Georges Perec, *W ou le Souvenir d'enfance*, 1975 ; Nathalie Sarraute, *Enfance*, 1983).

Le nouveau roman

Dans les années 1950, des écrivains publiés aux éditions de Minuit partageaient à divers titres un refus de l'illusion « réaliste » du roman, du personnage, de la psychologie et de la chronologie. Faulkner et Joyce avaient montré la voie d'une mise à distance critique du narrateur, et d'une autonomie de l'écriture. Les recherches narratives dont les précurseurs sont Samuel Beckett, et Nathalie Sarraute, qui s'attache depuis *Tropismes* (1939) à « recréer des mouvements intérieurs et non à camper des individus », ne furent théorisées que plus tard, notamment par Jean Ricardou (*Problèmes du Nouveau Roman*, 1967).

***La Modification* (1957) de Michel Butor, *la Jalousie* (1957) d'Alain Robbe-Grillet, *la Route des Flandres* (1960) de Claude Simon, *la Mise en scène* (1958) de Claude Ollier relèvent d'une déconstruction du récit, mais aussi d'un travail sur le temps et sur la mémoire. On les retrouve chez des auteurs en marge, comme Marguerite Duras (*Moderato Cantabile*, 1958) et Robert Pinget (*l'Inquisitoire*, 1962), dont les œuvres témoignent d'évolutions postérieures au nouveau roman.**

Si le mouvement du « nouveau roman » fut éphémère, il influença la génération de *Tel quel* et *Change*, et marqua l'entrée du roman dans « l'ère du soupçon ».

◆ **Franz Kafka.**
Homme de paradoxes, installé dans une situation sans issue, il a exprimé avec force le désespoir de l'homme face à l'absurdité du monde (*la Métamorphose*, 1915; *le Château*, 1926, posth.).

de personnages formant le tableau ironique de l'Autriche-Hongrie d'avant 1914, Ulrich est l'homme du « peut-être », tantôt actif (socialement), tantôt passif (dans sa relation amoureuse avec sa sœur). Avec ce roman inachevé, dont l'édition d'après une masse de brouillons et d'ébauches reste problématique, Musil a laissé une œuvre ouverte à toutes les lectures.

Malcolm Lowry (G.-B., 1909-1957), ***Au-dessous du volcan*** (1947) • Dans une petite ville du Mexique, un consul déchu, Geoffrey Firmin, est en proie à l'alcool et à ses délires. Ni son immense culture ni l'amour de sa femme, Yvonne, qui revient après une longue absence, ne peuvent le sauver des forces « qui l'amènent à s'épouvanter lui-même ». Son autodestruction, sa quête désespérée de connaissance (il est versé dans les sciences secrètes) sont la matière de ce roman dont la complexité symbolique (structure fondée sur le nombre 12, références à la kabbale) est alliée à une poignante vérité humaine.

Samuel Beckett (Irl., 1906-1989), ***Molloy*** (français, 1951) • Un clochard infirme, en route pour la ville, livre des souvenirs lacunaires : il sait qu'on lui prend régulièrement les pages qu'il écrit, se rappelle son nom, Molloy, quand la police l'interroge. Son monologue incertain suit le cours d'une errance qui aboutit dans un fossé. Un second récit est le rapport fait par Moran sur sa mission : chercher Molloy. Son esprit étroit est mis à l'épreuve ainsi que son corps, qui se paralyse peu à peu, comme celui de Molloy. Les questions sans réponses, la solitude, l'impossibilité de dire, surgissent dans l'écriture âpre et l'humour noir qui créent l'univers singulier de Beckett.

Boris Vian (Fr., 1920-1959), ***l'Arrache-Cœur*** (1953) • Un psychiatre incapable de passion observe les excès de l'amour maternel dont Clémentine étouffe les petits Joël, Noël et Citroën, au point de les mettre en cage. Il constate les brutalités exercées sur des vieillards achetés pour cet usage par des villageois qui n'en éprouvent nulle honte, puisqu'un paria, la Gloïre, se charge de l'assumer en repêchant leurs détritus dans la rivière avec ses dents. Les enfants, qui savent que l'on peut voler en avalant des limaces bleues, glissent un sourire dans cette fable symbolique, lacérée par « les lanières rêches de visions insolites ».

Yacine Kateb (Alg., 1929-1989), ***Nedjma*** (français, 1956) • Quatre amis fascinés par leur cousine Nedjma plongent tour à tour dans leur passé individuel (transposant des expériences sentimentales et politiques de l'auteur) et remontent aux origines de leur tribu. Le refus de la chronologie, la linéarité remplacée par une pluralité de voix manifestent la complexité de la métaphore centrale : déchirée par une quête d'identité avivée par le contexte de la guerre d'indépendance, l'Algérie s'incarne en la belle Nedjma (« l'étoile » en arabe), figure mythique autour de laquelle gravite également l'œuvre poétique et théâtrale de Kateb Yacine.

Lawrence Durrell (G.-B., 1912-1990), ***le Quatuor d'Alexandrie*** (1957-1960) • Retiré sur une île, Darley revient par le souvenir vers Alexandrie (« la ville qui s'est servie de nous ») : sa passion pour Justine, les relations entre eux et Mélissa, Cléa, Nissim, évoquées dans le premier volet (« Justine »), sont racontées à nouveau, en changeant de point de vue, dans « Balthazar » et « Mountolive ». La suite nous est apprise dans « Cléa », sorte d'épilogue qui termine le récit dans l'apaisement. La construction du roman, dont les intrigues diffractées mêlent l'art, l'espionnage et l'érotisme, se veut ancrée dans l'espace (Alexandrie), mais libérée du temps, au profit d'un « continuum de mots ».

William Burroughs (É.-U., 1914-1997), ***le Festin nu*** (1959) • Les hallucinations provoquées par la drogue sur William Lee, ses fantasmes et ses rêves fixent une imagerie obscène peuplée de monstres pervers. Fractionné en 23 « sections », le texte visionnaire de Burroughs propose une analyse de la toxicomanie comme « possession », au même titre que d'autres assujettissements de l'individu. Avec un humour noir et un lyrisme satirique, il dénonce le cannibalisme de la société américaine contemporaine. Ce livre provocateur, dont le langage utilise argots et accents, est l'une des références de la *Beat generation*.

Gabriel García Márquez (Col., né en 1928), ***Cent Ans de solitude*** (1967) • La chronique d'un village imaginaire de Colombie, Macondo, se confond avec celle de la famille Buendía : commencée avec le pionnier José Arcadio, elle s'éteint cent ans plus tard avec Aureliano, à l'instant où il déchiffre dans de vieux manuscrits toute l'histoire de sa lignée, jusqu'à sa propre mort. D'une genèse à une apocalypse, c'est l'épopée foisonnante d'un microcosme qui, après des contacts sporadiques et parfois désastreux avec le reste du monde, retourne à sa solitude. L'histoire de l'Amérique latine et le fantastique se fondent avec jubilation dans ce chef-d'œuvre du « réalisme magique ».

Georges Perec (Fr., 1936-1982), ***la Vie mode d'emploi*** (1978) • Dans un immeuble parisien, des centaines de destinées se croisent autour de trois personnages : Valène, le peintre, Bartlebooth, le riche excentrique, et Winckler, l'auteur d'une vengeance qui ne s'accomplira qu'après sa mort. Roman ludique et foisonnant dont la structure complexe obéit à de nombreuses contraintes oulipiennes, l'œuvre se présente comme une succession d'histoires assimilables aux pièces d'un puzzle. La virtuosité narrative de Perec était apparue dès son premier roman, *les Choses*, en 1965.

Italo Calvino (It., 1923-1985), ***Si par une nuit d'hiver un voyageur*** (1979) • La lecture d'un roman est une aventure qui peut commencer avec l'achat d'un ouvrage défectueux et se terminer par un mariage. Ce récit est entrecoupé de dix débuts de romans, qui composent avec humour un panorama du genre (historique, spéculatif, japonais…). S'adressant à son lecteur, dont il a fait son héros, Calvino examine le phénomène de la lecture sous tous ses aspects (position physique, mécanismes d'identification) et le met en rapport avec celui de l'écriture, déployant avec jubilation un éblouissant jeu de miroirs.

VOIR AUSSI
- **Oulipo** p. 1125
- **Beckett** p. 1159

Le roman d'idées

Une partie de la littérature, notamment en France au XXe siècle, a cherché à donner une forme romanesque à des problèmes de morale, de politique, voire de métaphysique. Dans de tels ouvrages, situations et personnages deviennent l'illustration de conflits et de positions intellectuelles : le geste meurtrier de Lafcadio, dans la sottie d'André Gide *les Caves du Vatican* (1914), illustrait une théorie de l'acte gratuit. Les héros de *la Condition humaine* (1933), qui vivent un épisode de l'insurrection communiste de Shanghai en 1927, incarnent les idées d'André Malraux sur le terrorisme et la révolution, tandis que la référence à Pascal suggère son intention philosophique. Dans *la Nausée* (1938) de Sartre, Roquentin fait l'expérience d'une fascination nauséeuse devant le réel, thème majeur de l'existentialisme. *L'Étranger* (1942), où Camus exprime à partir du meurtre commis par Meursault le sentiment de l'absurde, est une transposition romanesque de son essai *le Mythe de Sisyphe* (1942). Ce type de démarche implique une primauté du message sur le travail littéraire, dans un esprit bien différent de celui d'une modernité engagée dans une interrogation sur l'écriture.

Le conte et la nouvelle

Deux formes brèves

Le conte et la nouvelle sont deux formes de récit caractérisées par une relative brièveté. Ils correspondent à deux genres que la théorie distingue, quoiqu'ils soient souvent confondus dans la pratique.

Le conte traditionnel renvoie à un temps et à des personnages indéterminés : « Il était une fois, une petite fille [...] que partout l'on appelait le Petit Chaperon rouge. » Son univers n'est pas réaliste et se présente ouvertement comme une création du conteur. Il est en effet structuré par des symétries, des répétitions (trois vœux, trois tentatives), etc. En outre, ses personnages sont davantage des rôles que des caractères. Enfin, c'est un univers où règnent l'imagination et le merveilleux.

La nouvelle, au contraire, rapporte des événements déterminés et a, le plus souvent, des intentions réalistes. C'est par excellence un genre voué à l'observation des mœurs et des caractères. Mais c'est aussi un genre propice au fantastique, puisque celui-ci suppose un « réel » que l'« impossible » vient perturber.

Toutefois, les écrivains ne respectent pas toujours ces distinctions. Ils intitulent conte ce que nous analyserions comme une nouvelle, ou inversement. Ils inventent aussi d'autres formes, dénommées « histoire » ou « récit », et censées correspondre à des nuances dans le traitement narratif.

Les Mille et Une Nuits (arabe, traduit pour la 1re fois en fr. par Antoine Galland, 1646-1715) • Schéhérazade sait que son époux, le prince Harun al-Rachid, veut la tuer. Elle entreprend donc de lui raconter chaque nuit une histoire qui le tienne en haleine et lui fasse oublier sa décision. Elle lui narre les aventures d'Aladin, d'Ali Baba, de Sindbad le marin, etc. Ce vaste recueil de contes, rédigés à partir du IXe s., maintient la curiosité de l'auditeur et du lecteur en éveil grâce à un procédé narratif consistant à emboîter les épisodes et à inventer indéfiniment de nouveaux rebondissements.

Boccace (Giovanni Boccaccio, It., 1313-1375), *le Décameron* (1349-1353) • La peste dévastant Florence, dix jeunes bourgeois, hommes et femmes, se retirent à la campagne. Pour tromper l'ennui, ils racontent à tour de rôle une histoire dont l'amour est le principal sujet. Par là même, ils défendent une morale pratique, fondée sur l'exaltation des passions et sur la réussite sociale. Plein de variété et de fantaisie, ce recueil allie le raffinement à la sensualité et à la satire. Sa forme novatrice inspirera par la suite l'Italien Pogge et Marguerite d'Angoulême (*l'Heptaméron*, 1559).

Charles Perrault (Fr., 1628-1703), *Contes* (1694 et 1697) • S'inspirant du fonds populaire français, le conteur reprend et adapte *Peau d'âne, Cendrillon, la Belle au bois dormant, Barbe Bleue*, etc. Écrits en vers ou en prose, ses contes se caractérisent par leur intention moralisatrice, souvent perceptible dans l'ironie. C'est pourquoi ils s'adressent aussi bien aux enfants qu'aux adultes. Ces derniers peuvent y déceler des allusions à l'actualité et la distance que le conteur prend avec son sujet. Perrault a permis au conte populaire de devenir un genre littéraire à part entière.

Jean de La Fontaine (Fr., 1621-1695), *Contes et Nouvelles en vers* (1665-1685) • Pour évoquer l'amour, le conteur choisit des thèmes traditionnels (l'adultère, l'initiation sensuelle, la galanterie des gens d'Église), mais il affirme aussi ses propres valeurs morales en faisant l'éloge du désir, du plaisir et de l'amour partagé. Inspirés par Boccace et Rabelais, ses récits sont légers, gracieux et souvent hardis (« Comment l'esprit vient aux filles »). D'abord très prisés, ils furent ensuite occultés pour des questions de moralité. Longtemps délaissés au profit des *Fables*, ils sont aujourd'hui redécouverts.

◆ **La Belle au bois dormant.** Illustration de C. Hirlemann (1923). Puisés dans la tradition populaire française, les *Contes* de Perrault rédigés en prose (« la Belle au bois dormant ») ou en vers (« Peau d'âne ») appartiennent désormais au patrimoine culturel occidental.

Ueda Akinari (Jap., 1734-1809), *Contes de pluie et de lune* (1776) • Le conteur s'inspire de légendes populaires japonaises et chinoises. Ses neuf contes constituent autant de variations sur un même thème : celui des fantômes (« le Rendez-vous aux chrysanthèmes »). Ils donnent l'occasion à leur auteur de se livrer à une réflexion morale et philosophique mais aussi esthétique. En effet, tout en retournant aux sources de la littérature japonaise, Ueda Akinari renouvelle l'écriture romanesque et invente un nouveau genre, le « livre de lecture » *(yomi-hon)*.

Dominique Vivant Denon (Fr., 1747-1825), *Point de lendemain* (1777) • Un jeune noble fait son apprentissage amoureux auprès de deux amies, qui l'utilisent, à son insu, pour mener leurs intrigues personnelles. Il comprend, mais trop tard, qu'elles se sont jouées de lui et que son aventure n'aura « point de lendemain ». Cette nouvelle, écrite à la première personne, est une peinture spirituelle et gracieuse des mœurs aristocratiques du XVIIIe s. Elle s'inscrit dans la tradition de la littérature libertine.

Heinrich von Kleist (All., 1777-1811), *la Marquise d'O* (1810) • Dans une citadelle assiégée, une femme, la marquise d'O, échappe à ses agresseurs grâce à l'intervention d'un officier ennemi. Elle perd connaissance dans ses bras. Quelque temps plus tard, elle se livre à une recherche en paternité. Adoptant une narration froide et objective, Kleist met en scène la brutalité mystérieuse des passions. Hanté par le tragique de l'existence, il tente de repenser les rapports entre vraisemblance et vérité, innocence et culpabilité. Sa nouvelle a inspiré un film (1976) au cinéaste français Éric Rohmer.

Jacob et Wilhelm Grimm (All., 1785-1863 ; 1786-1859), *Contes d'enfants et du foyer* (1812-1814) • Puisant dans les contes et les légendes germaniques, les deux frères reprennent les histoires de Blanche-Neige, de Hänsel et Gretel, etc. Leur but est de sauvegarder, grâce à une transcription fidèle, le patrimoine culturel véhiculé par les traditions orales. Leur démarche illustre ainsi une ambition majeure du romantisme allemand : retrouver les origines culturelles de la nation pour y enraciner la littérature du temps présent.

Le conte fantastique

Le conte fantastique se développe à partir du XIXe s. Sa brièveté – comme celle de la nouvelle – est particulièrement bien adaptée aux exigences du fantastique. Racontant une histoire étrange, à laquelle le lecteur peut donner une interprétation rationnelle ou irrationnelle, ce type de conte recourt à une narration dense et allusive, qui engendre et souligne les ambiguïtés. Contrairement au conte merveilleux, le conte ou la nouvelle fantastique provoque l'inquiétude, voire la terreur chez le lecteur (comme dans *la Merveilleuse Histoire de Peter Schlemihl* [1814] de Chamisso, *le Horla* [1887] de Maupassant, *les Contes cruels* [1883] de Villiers de l'Isle-Adam). Mais la prédominance de l'angoisse n'exclut pas d'autres préoccupations, thématiques et narratives : le jeu (dans *la Nuit sous le pont de pierre* [1953] de Leo Perutz), la méditation existentielle (dans *la Métamorphose* [1915] de Kafka)...

Ernst Theodor Amadeus Hoffmann (All., 1776-1822), ***Contes des frères Sérapion*** (1819-1821) • Réunis le jour de la saint Sérapion, six amis décident de raconter des histoires à tour de rôle. Les unes se fondent sur le pittoresque historique («Maître Martin le tonnelier et ses apprentis»), les autres font surgir le surnaturel dans un cadre réaliste («les Automates», «le Choix d'une fiancée»). À travers elles, Hoffmann, laissant libre cours à son imagination et à son humour, exprime aussi ses idées artistiques et musicales. Son recueil a beaucoup influencé les écrivains et les musiciens de son temps.

Hans Christian Andersen (Dan., 1805-1875), ***Contes*** (1835-1875) • Le conteur reprend des récits populaires, auxquels il joint des souvenirs personnels. À l'origine, ses 137 contes («le Vilain Petit Canard», «la Petite Sirène», «la Petite Fille aux allumettes») ne sont pas destinés précisément aux enfants. Ils expriment, avec authenticité et sobriété, une sensibilité et une morale personnelles. Mais leur simplicité et leur sincérité leur ont permis de conquérir un très large public et de connaître une notoriété sans précédent.

Edgar Allan Poe (É.-U., 1809-1849), ***Histoires extraordinaires*** (1840-1845) • Les nouvelles de ce recueil plongent le lecteur dans une atmosphère mystérieuse et terrifiante («Double Assassinat dans la rue Morgue», «le Scarabée d'or», «Morella», «Metzengerstein»). Mêlant le fantastique et l'intrigue policière, elles font naître la terreur de la confrontation entre le rationnel et l'irrationnel. Maître du suspens et de l'horreur, Poe trouve son inspiration dans ses propres obsessions intimes. C'est à la traduction de Baudelaire qu'il doit sa notoriété en France.

Prosper Mérimée (Fr., 1803-1870), ***Carmen*** (1845) • Carmen est une jeune bohémienne, belle et indépendante, cigarière dans une manufacture de tabac. Incarnation de la femme fatale, elle cause la perte de son amoureux Don José, qui la tue par jalousie. Située en Espagne, cette nouvelle progresse dans une atmosphère pittoresque et mystérieuse, où se mêlent superstitions et sorcellerie. Comme *Tamango* (1829) et *Colomba* (1840), elle est écrite dans un style volontairement sobre, qui fait d'autant mieux ressortir l'étrangeté fascinante des passions et des situations. Elle a inspiré un opéra (1875) à Bizet.

Nouvelles russes

Au début du XIXe s., la littérature russe s'émancipe de l'influence étrangère et affirme ses propres valeurs. Elle s'attache désormais à dépeindre, au moyen d'une écriture renouvelée, la vie et la sensibilité russes. La nouvelle devient florissante; elle allie la peinture sociale, le portrait psychologique et l'approche physiologique. Chez Pouchkine, le réalisme est travaillé par l'imaginaire et le fantastique (*la Dame de pique*, 1834). Chez Gogol (*le Manteau*, 1892; *le Nez*, 1835; *le Journal d'un fou*, 1835), la satire sociale prend une dimension fantastique qui frôle l'absurde. La brièveté de la nouvelle permet à Tchekhov (*les Moujiks*, 1897; *Récit d'un inconnu*, 1893; *la Dame au petit chien*, 1899) d'évoquer, avec une sobriété laconique, le tragique de la condition humaine. Chez les écrivains de l'«école naturelle», la nouvelle est le lieu d'une réflexion politique et sociale. En peignant la vie rurale, Tourgueniev s'érige contre le servage et médite sur la destinée de l'homme (*Récits d'un chasseur*, 1852).

Gérard de Nerval (Gérard Labrunie, Fr., 1808-1865), ***Aurélia*** (1855) • L'écrivain retranscrit les «étranges rêveries» nées de ses hallucinations. Il est persuadé qu'elles lui entrouvrent les «portes» du monde idéal et que cette retranscription peut lui éviter de sombrer dans la folie. Aurélia représente à la fois la femme idéale et la divinité primitive, mère de toute chose. À l'instar des héroïnes du recueil de nouvelles *les Filles du feu* (1854), elle mène le poète dans le labyrinthe des mondes parallèles. Ce récit poétique, complexe et déroutant, a beaucoup influencé les symbolistes, puis les surréalistes.

Herman Melville (É.-U., 1919-1891), ***Contes de la véranda*** (1856) • Ce recueil réunit six récits publiés antérieurement. Ils évoquent la désillusion («la Véranda»), le désenchantement («les Îles enchantées») et le tragique de la condition humaine («Benito Cereno»). Interrogeant le sens de l'existence et de la création littéraire («Bartleby»), hanté par les thèmes de l'échec et de l'illusion, ce recueil témoigne des préoccupations morales et métaphysiques de son auteur.

Alphonse Daudet (Fr., 1840-1897), ***les Lettres de mon moulin*** (1869) • L'auteur situe les nouvelles de son recueil dans sa Provence natale. Dans ce cadre rustique et familier, il fait évoluer des personnages pittoresques, comme maître Cornille, le curé de Cucugnan ou M. Seguin et sa chèvre. Il en profite pour faire la satire des ecclésiastiques et des fonctionnaires. Unissant le réalisme et la fantaisie, la caricature et la compassion, il donne à lire des récits plaisants qui s'adressent aux petits comme aux grands.

Jules Barbey d'Aurevilly (Fr., 1808-1889), ***les Diaboliques*** (1874) • Les six nouvelles de ce recueil montrent comment un milieu aristocratique et bourgeois de province cache, sous des apparences décentes et tranquilles, des passions destructrices et des drames inavouables («le Dessous de cartes d'une partie de whist»). Fasciné par l'insolite et le mal, l'écrivain montre l'«enfer par un soupirail» : selon lui, un crime inquiète et trouble davantage le lecteur s'il est suggéré que s'il est directement dépeint. Il donne ainsi à sa réflexion morale une dimension fantastique.

Guy de Maupassant (Fr., 1850-1893), ***Boule-de-Suif*** (1880) • Une jeune prostituée, surnommée «Boule de suif», fuit en diligence Rouen occupée par les Allemands. Méprisée par les autres voyageurs, elle accepte néanmoins de céder aux avances d'un officier allemand pour les sauver. Elle se heurte ensuite à leur ingratitude. Faisant de la diligence un microcosme de la société, le conteur dénonce ainsi la lâcheté hypocrite des bourgeois de province et les violences de la guerre. Comme *la Maison Tellier* (1881), cette nouvelle exprime, à travers le personnage humble et marginal de la «fille», le pessimisme de Maupassant.

◆ **Guy de Maupassant.** Passé maître dans l'art de la nouvelle et du roman réalistes, il a tour à tour évoqué la vie des paysans normands et celle des milieux bourgeois. *Le Horla* (1887) porte les marques de la folie qui devait l'emporter. Détail d'un portrait (1876) par François Feyen-Perrin. (Château de Versailles)

Henry James (É.-U., nat. brit., 1843-1916), ***l'Image dans le tapis*** (1896) • L'illustre romancier Hugh Vercker déclare avoir fondé son œuvre sur une trame secrète qu'aucun critique n'est jusqu'alors parvenu à déceler. Plusieurs personnages se mettent alors en quête de cette «image dans le tapis», qui devient rapidement le centre de leurs obsessions et de leurs relations. À travers cette longue nouvelle, le romancier propose à son lecteur une réflexion sur l'activité critique et sur la quête du sens. Il représente, non sans humour, le mystère de la création littéraire.

Jorge Luis Borges (Arg., 1899-1986), ***Fictions*** (1944) • Toutes les nouvelles de ce recueil soumettent une énigme ou un paradoxe à la sagacité du lecteur. Ces «fictions» prennent par exemple la forme de l'intrigue policière («le Mort et la Boussole»), du conte métaphysique et philosophique («Tlön», «la Bibliothèque de Babylone») ou du récit de rêve («les Ruines circulaires»). Sur des bases réalistes, Borges construit savamment des univers imaginaires et oniriques, qui requièrent la complicité du lecteur. Comme *l'Aleph* (1949), ce recueil propose de réfléchir, de jouer et de rêver.

◆ **Jorge Luis Borges.**

Birago Diop (Sén., 1906-1989), ***les Contes d'Amadou Koumba*** (1947) • Ce recueil est né de la rencontre de l'auteur avec le conteur et griot africain Amadou Koumba. Ses histoires d'animaux sont des fables. Elles peignent la société africaine, dont les traditions, amusantes ou fascinantes, entrent en tension avec le développement de la civilisation moderne occidentale. Contrairement à d'autres auteurs noirs qui ont choisi la littérature de combat, Diop a préféré exprimer et défendre son identité en retrouvant les traditions orales africaines.

VOIR AUSSI • **Récit fantastique** p. 1135

Nouvelles américaines

L'entre-deux-guerres représente l'âge d'or de la nouvelle aux États-Unis. Journaux et revues prisent ce genre littéraire, que les écrivains choisissent pour ses potentialités narratives et sa dimension réaliste. Sherwood Anderson fait une critique virulente des mœurs américaines, à travers la peinture d'un village du Middle West (dans *Winesburg-sur-Ohio*, 1919). Hemingway évoque, sans détours, des personnages représentatifs de ses expériences et de ses obsessions (*De notre temps*, 1925; *Hommes sans femmes*, 1927; *Le gagnant ne gagne rien*, 1933; *les Neiges du Kilimandjaro*, 1935). Comme lui, Fitzgerald appartient à la «génération perdue» de l'après-guerre, dont il exprime la révolte, les désillusions et la quête d'identité (dans les recueils *les Enfants du jazz*, 1920; *Un diamant gros comme le Ritz;* dans la nouvelle «la Fêlure»). Faulkner, quant à lui, propose une vision onirique et personnelle de son Sud natal, en renouvelant, comme dans ses romans, l'écriture narrative (*Treize Histoires*, 1931; *l'Invaincu*, 1938).

Essais et œuvres philosophiques

Penser et écrire

Un essai est un texte de réflexion qui cherche à affûter les idées, sans fournir sur la question traitée une documentation exhaustive. Le terme se réfère à Montaigne, mais les hommes n'ont pas attendu le XVIe s. pour penser et écrire.

On peut se demander si la philosophie, qui vise à penser juste, relève vraiment de la littérature, qui vise au plaisir esthétique. Platon peut être un merveilleux écrivain; Kant et Heidegger sont beaucoup plus arides. Cela ne signifie pas que certains textes philosophiques seraient de la littérature, et d'autres pas. Tous en sont, mais l'intérêt littéraire d'une œuvre de la pensée est distinct de son intérêt philosophique. L'écrivain s'occupe des mots, le philosophe des concepts, en des termes parfois très techniques. Mais le philosophe peut être aussi écrivain, de même que l'écrivain peut philosopher. Dans le *Génie du christianisme* (1802), Chateaubriand met son lyrisme au service d'une apologie de la religion chrétienne.

L'essai est une forme libre, une exploration de la pensée qui tire à hue et à dia. Les penseurs ont également utilisé le dialogue, qui permet d'opposer des opinions contradictoires, la lettre, qui préserve l'aspect vivant de la pensée, le traité, qui vise à une organisation systématique des idées, voire les simples notations éparses, aphorismes ou fragments.

Platon (428-348 av. J.-C.), *Dialogues* (grec, IVe s. av. J.-C.) • Pour développer ses théories morales, politiques et métaphysiques, Platon utilise une forme nouvelle : le dialogue. Par la dialectique, le personnage de Socrate amène ses interlocuteurs à «accoucher» de la vérité (principe «maïeutique»). Dans un dessein pédagogique, il recourt à des «mythes», récits illustrant une démonstration ou compensant l'aporie d'un raisonnement (mythe de l'androgyne dans *le Banquet*, de la caverne dans *la République*). Ainsi, les dialogues platoniciens, très vivants et parfois humoristiques, mettent-ils la fiction au service de la philosophie.

Nicolas Machiavel (Niccolo Machiavelli, It., 1469-1527), *le Prince* (1513) • Cet opuscule enseigne au prince à conquérir et à gérer le pouvoir; il préconise l'indifférence absolue à toute pression (sociale, politique ou religieuse), la ruse du «renard» et la force du «lion». Paradoxalement, il ne s'agit pas de conseils cyniques à quelque despote. Face aux troubles agitant l'Italie, Machiavel bâtit la principauté idéale, unité fondée sur la vertu (force morale et physique). Préférant à la démonstration abstraite les leçons de l'expérience et les images, cette œuvre longtemps controversée est une référence séculaire de la philosophie politique.

◆ **Érasme** (1469-1536).
Il chercha à définir un humanisme chrétien à la lumière de ses travaux philologiques et critiques sur le Nouveau Testament. Détail d'une peinture de Quentin Metsys. (Galerie Barberini, Rome)

Thomas More (Angl., 1478-1535), *Utopie* (latin, 1516) • Utopie est une île imaginaire, à la société idéale. Ses habitants vivent dans la concorde et le bonheur selon des principes démocratiques et humanistes. À travers cette «utopie», More n'entend pas construire le modèle de la république idéale. Il veut, en revanche, amener les gouvernements chrétiens d'Europe à envisager des réformes politiques et sociales. Parce qu'elle critique l'absolutisme et la propriété, cette fiction philosophique en latin, inspirée de Platon, n'a jamais cessé d'intéresser tous ceux qui ont développé une pensée politique.

Michel de Montaigne (Fr., 1433-1592), *Essais* (1580-1592) • Montaigne a pour but d'«essayer» sa pensée, c'est-à-dire de l'évaluer selon divers points de vue, et de «s'essayer» lui-même, autrement dit d'évaluer ses propres expériences. Il développe donc ses réflexions sur la vie humaine, la philosophie, l'éducation, la littérature, etc. Il restitue l'instabilité de l'homme et du monde en variant les formes de discours (expression personnelle et poétique, analyse, narration) et en reprenant sans cesse son manuscrit : l'œuvre, qui inaugure le genre de l'essai, a connu 4 éditions successives, dont une posthume.

René Descartes (Fr., 1596-1650), *Discours de la méthode* (1637) • Le philosophe cherche à débarrasser la raison humaine de tous ses préjugés pour lui permettre de s'exercer pleinement. Il élabore une méthode du doute, qui aboutit au «cogito», certitude à partir de laquelle il fonde l'évidence de la pensée et construit une métaphysique rationnelle. Renonçant à écrire en latin, choisissant de raconter l'histoire de son esprit en lui donnant une valeur exemplaire, il s'exprime sur un ton proche de la conversation. Cet ouvrage fondateur du rationalisme possède ainsi un charme indéniable.

Blaise Pascal (Fr., 1623-1662), *Pensées* (posth., 1670) • L'objectif du philosophe est de ramener ses amis libertins et tous les incrédules à la religion chrétienne. Dans cette apologie, Pascal insiste sur la misère de la nature humaine, notamment caractérisée par le «divertissement», pour convaincre son lecteur de «parier» sur l'existence de Dieu et d'entrer au sein de l'Église. Cette œuvre tire sa force de persuasion de sa sincérité, de la puissance de ses images, et de l'acuité de ses analyses et de ses démonstrations. Laissée à l'état de notes et de fragments à la mort de Pascal, elle a fait l'objet de divers classements ultérieurs.

Jean de La Bruyère (Fr., 1645-1696), *les Caractères* (1688-1696) • Le moraliste peint les mœurs de son temps. En une série de maximes et de portraits, il dénonce les vices (l'ambition, l'hypocrisie) ou raille les ridicules (la distraction) pour énoncer une vérité générale sur l'homme. C'est par l'ellipse, l'humour, l'ironie et la précision du trait que La Bruyère parvient à plaire et à instruire en même temps. Inspirée par Théophraste (v. 372-287 av. J.-C.), cette œuvre a été remaniée et complétée plusieurs fois par son auteur. Peinture vivante des mœurs du Grand Siècle, elle est aussi un traité de morale à valeur universelle.

◆ **Voltaire.**
Maître à penser des Lumières, il défendit toute sa vie le libéralisme et la tolérance à travers ses contes, son théâtre et ses essais philosophiques. Portrait par Quentin de La Tour. (Château de Versailles)

◆ **Denis Diderot.**
Détail d'un portrait de l'écrivain et enclycopédiste en 1767, par Louis Michel Van Loo. (Musée du Louvre, Paris)

Paradoxe et anti-essais

Le paradoxe est un énoncé qui va à l'encontre de l'opinion commune. On le trouve souvent dans des discours, ou «anti-essais», dont les arguments provocateurs ou atypiques tournent en dérision le raisonnement traditionnel et les idées reçues, pour affirmer une vérité originale et pour dénoncer ironiquement une croyance, une valeur ou une situation. Ainsi, dans son *Éloge de la folie* (1511), Érasme fait un éloge doublement paradoxal de la déraison inhérente à la condition humaine. Swift rédige une *Modeste Proposition pour empêcher les enfants des pauvres d'Irlande d'être à charge, en en faisant un article d'alimentation* (1729). Dans *De l'assassinat considéré comme un des beaux-arts* (1827), De Quincey fait l'apologie du crime parfait en célébrant les principes esthétiques des meurtres célèbres.

Voltaire (François Marie Arouet, Fr., 1694-1778), ***Lettres philosophiques*** (1734) • À partir de notes prises lors d'un séjour en Angleterre, le philosophe rédige 25 lettres dont les motifs essentiels sont la tolérance et la liberté. Abordant les domaines les plus variés (religion, politique, sciences, commerce, lettres et arts), il oppose le libéralisme anglais au conservatisme français. Cherchant à convaincre son lecteur, il se fait journaliste, conteur et surtout polémiste. Cette œuvre représente ainsi la quintessence des combats que Voltaire mènera, tout au long de sa vie, pour la justice et le progrès de la raison.

Denis Diderot (Fr., 1713-1784), ***le Neveu de Rameau*** (posth., 1805) • «Lui», musicien raté, fantasque et bouffon, est inspiré du neveu du musicien Rameau. Il s'entretient avec «Moi», philosophe quelque peu timoré, et double déformé de l'auteur. Par ce dialogue fictif, forme également utilisée dans *le Rêve de d'Alembert* (1769), Diderot dramatise ses propres réflexions sur l'art et sur la morale. Manifeste en faveur de la sensibilité artistique et de la musique italienne, satire des milieux parisiens, éloge paradoxal de la folie, ce dialogue est animé par la parole et les pantomimes du Neveu. Rédigé entre 1761 et 1782, il ne fut édité qu'en 1805, dans une traduction de Goethe.

L'*Encyclopédie*

Initialement, Diderot et d'Alembert devaient simplement refondre certains articles de l'encyclopédie anglaise de Chambers. Rapidement, le projet change d'orientation pour devenir une véritable *Encyclopédie ou Dictionnaire universel des sciences, des arts et métiers.* Y collaborent notamment Diderot, d'Alembert, Dumarsais, d'Holbach, Jaucourt, Marmontel, Rousseau et Voltaire. Cet ouvrage théorique et pratique en 17 volumes (1751-1772) ne compile pas les savoirs mais en dresse un inventaire raisonné. Célébration de la science, il affirme le progrès de la raison et la place centrale de l'homme. Influencée par la méthode de Pierre Bayle (*Dictionnaire historique et critique*, 1695-1697), maintes fois censurée car jugée subversive, *l'Encyclopédie* représente la somme des idées et des combats philosophiques des Lumières.

Mme de Staël (Germaine Necker, baronne de Staël-Holstein, Fr., 1766-1817), ***De l'Allemagne*** (1813) • De retour d'Allemagne où elle s'est exilée à la suite de désaccords avec Bonaparte, Mme de Staël entreprend de faire connaître aux Français la littérature, la philosophie et la religion de ce pays. Elle est ainsi l'un des premiers écrivains à défendre le romantisme allemand en France. Cherchant aussi à approfondir ses idées et ses sentiments, elle digresse volontiers sur la place sociale des femmes et s'exprime souvent avec enthousiasme. Cet ouvrage, unissant analyse et lyrisme, fut d'abord mal reçu, avant de devenir le «bréviaire» des romantiques français de 1820.

Arthur Schopenhauer (All., 1788-1860), ***le Monde comme volonté et comme représentation*** (1818) • Le «vouloir-vivre» nous pousse à désirer sans fin, donc à souffrir. Il participe de la «volonté» universelle qui gouverne le monde. Nous pouvons échapper au pessimisme et au tragique par la pitié, l'ascétisme et l'art. Renonçant à bâtir un système, empruntant au kantisme et au bouddhisme, Schopenhauer procède par fragments, additions, et commentaires, en alternant concret et abstrait, poésie et ironie. Il a influencé Nietzsche (qui comparait son style à celui de Goethe), Wagner et les artistes de la fin du XIXe s.

Charles Alexis de Tocqueville (Fr., 1805-1859), ***De la démocratie en Amérique*** (1835-1840) • L'auteur rédige cet essai de philosophie politique après son séjour en Amérique. Il y tire les enseignements de l'expérience démocratique américaine. Il étudie d'abord le fonctionnement de ce système pour en montrer le bien-fondé, les qualités et les tares. Puis il analyse l'impact politique et social des idées démocratiques, pour enfin chercher comment faire le meilleur usage de la démocratie. Cette œuvre, précise, rigoureuse et rythmée, a connu un succès immédiat des deux côtés de l'Atlantique et demeure une référence dans le domaine politique.

Søren Kierkegaard (Dan., 1813-1855), ***le Traité du désespoir*** (1848) • Le désespoir est inhérent à la condition humaine. Ceux qui espèrent ne font qu'entretenir des espoirs fictifs qui ne sont que d'autres formes du désespoir. Mais ce dernier permet à l'homme, et surtout au chrétien, d'atteindre la conscience de soi et de chercher le salut. Pour étayer cette dialectique, le philosophe se réfère au théâtre de son temps et attaque ses contemporains au moyen d'une ironie cinglante, marquée par un vocabulaire incongru dans ce genre de texte. Sa pensée non systématique, articulant subjectivité et vérité, a influencé Nietzsche puis l'existentialisme contemporain.

Miguel de Unamuno (Esp., 1864-1936), ***le Sentiment tragique de la vie*** (1912) • L'écrivain s'interroge sur le sentiment universel du tragique, qui prend sa source dans la finitude humaine. Selon lui, l'angoisse liée à l'immortalité est paradoxalement nécessaire pour nourrir la volonté et chercher le salut. Là réside notamment la liberté humaine. Antirationaliste, Unamuno se réfère à Kierkegaard, à Nietzsche et à William James. Dans ce traité philosophique, il préfère l'expression subjective et sensible à la démonstration organisée.

◆ **Paul Valéry.** Le poète en 1939 par Gisèle Freund.

Paul Valéry (Fr., 1871-1945), ***Monsieur Teste*** (posth., 1946) • L'écrivain réunit huit textes parus depuis 1896 et qui mettent tous en scène Monsieur Teste, incarnation de l'intelligence à l'état pur. Ce personnage évite, autant qu'il est possible, la réalité et se consacre exclusivement à la pensée. Il entend tout voir, tout comprendre du monde grâce à ses seules spéculations. Valéry représente ainsi, non sans humour, ses propres préoccupations morales et philosophiques, également consignées dans les *Cahiers* qu'il a rédigés quotidiennement.

Alain (Émile Chartier, Fr., 1868-1951), ***Propos*** (1906-1935) • Ces quelques 5000 «propos», parus dans *la Dépêche de Rouen,* puis dans la *NRF,* et enfin en volume, traitent surtout d'art, de politique et de morale. Ils défendent la paix et la démocratie. Ils prônent aussi une sagesse fondée sur la connaissance de soi, l'humanisme et la recherche du bonheur. Refusant la métaphysique traditionnelle, fondant ses perceptions et ses jugements sur l'événement, le pédagogue ne méprise pas le discours journalistique. Il donne à ses essais une forme concise, imagée, et le ton de la conversation. Il a réussi à élever le «propos» au rang de genre littéraire.

VOIR AUSSI
• **La condition humaine** p. 964 à 968
• **L'homme et les savoirs** p. 969
Illustrations
• **Voltaire et Frédéric II le Grand** p. 451

Albert Camus (Fr., 1913-1960), ***le Mythe de Sisyphe*** (1942) • La conscience de l'absurdité de la condition humaine peut mener au suicide. Mais, selon Camus, on peut et on doit éviter ce dernier si l'on accepte de faire de cette absence de sens le sens même de l'existence. C'est la leçon que nous enseignent certains mythes, dont celui de Sisyphe, qui pousse lucidement et inlassablement son rocher. C'est à cette condition que l'homme peut trouver le bonheur. Cet essai, où l'écrivain se met au service du penseur, est devenu une référence pour plusieurs générations.

Georges Bataille (Fr., 1897-1962), ***l'Érotisme*** (1957) • L'écrivain analyse l'érotisme dans ses rapports avec le travail, le sacré et la mort. Il étudie d'abord la dialectique de l'interdit et de la transgression pour mener, ensuite, diverses études, dont celle de Sade. L'érotisme a, selon lui, le pouvoir de nous faire accéder à la contemplation de l'être. Une telle plénitude ne peut naître que dans le silence. C'est pourquoi cet essai anthropologique et ethnologique se construit selon le double processus du discours logique et de l'évocation littéraire pour aboutir à un silence d'ordre mystique.

Maximes et aphorismes

La maxime est un énoncé, bref et dense, à valeur morale. Ainsi, les *Maximes* de La Rochefoucauld (1664), de Vauvenargues (1746) ou de Chamfort (posth., 1795) suggèrent-elles des vérités générales par l'ellipse, l'image, l'antithèse et la pointe finale. Si l'aphorisme possède la même concision et les mêmes traits stylistiques, il est plus subjectif et moins universel. Il montre le mouvement d'une pensée tentant de se saisir et de saisir un aspect de la réalité. C'est la forme que choisissent les moralistes Lichtenberg (*Aphorismes*, posth., 1902) et Cioran (*Aveux et Anathèmes*, 1987), ainsi que le philosophe Nietzsche (*Aurore*, 1881). Maximes et aphorismes réclament une participation active du lecteur.

Elias Canetti (Bulg. nat. Brit., 1905-1994), ***le Territoire de l'homme*** (1973) • L'écrivain, de langue allemande, s'interroge sur les principaux problèmes de son temps, notamment sur le pouvoir et sur les phénomènes de masse. Refusant les systèmes de pensée dominants (marxisme, freudisme), sa réflexion est tout entière guidée par le motif de la mort. Ce recueil de réflexions et d'aphorismes de formes et de longueurs variables, est inspiré par Montaigne, Pascal, les moralistes français et la philosophie extrême-orientale. Il présente, non une démonstration systématique, mais une pensée en action qui interroge plus qu'elle n'affirme.

Roger Caillois (Fr., 1913-1978), ***le Champ des signes*** (1978) • Observant les minéraux, l'écrivain découvre qu'ils ont des propriétés similaires à celles de la spéculation intellectuelle et de l'imagination. Il affirme alors que tous les phénomènes, qu'ils soient naturels ou humains, réels ou fictifs, forment un réseau complexe réfléchissant l'unité essentielle du monde. Il aboutit ainsi à une conception de l'univers comme «poétique généralisée». Cherchant les liens secrets entre matière et pensée, cet ouvrage se présente, non comme une démonstration, mais comme une rêverie lyrique sur les signes.

Le pamphlet

La prose de combat

Prendre position, détruire les arguments adverses, dégonfler les fausses valeurs, dénoncer les abus et faire valoir ce qui, on en est sûr, représente le vrai et le juste : c'est la dignité du discours humain que de se substituer aux pugilats et aux batailles.

Le pamphlet proprement dit est un écrit plutôt bref, par lequel on prend parti dans un conflit ou par lequel on s'insurge contre un état de fait révoltant. Il est par nature de ton violent et il ne ménage ni les institutions ni les personnes. Comme une polémique n'a de sens que dans l'actualité, son intérêt se fane souvent dès que la situation a changé. Néanmoins, des *Philippiques* de Démosthène au *J'accuse* de Zola, le discours de combat a su aussi, chez les plus grands, se fonder sur des exigences supérieures, au-delà des luttes du jour.

Lucien de Samosate (v. 125-v. 192), ***Philosophes à vendre*** (grec, IIe s. apr. J.-C) • Les dieux décident de vendre des philosophes sur le marché aux esclaves. Voici notamment Pythagore, Héraclite, Socrate, Diogène et Épicure qui défilent devant un acheteur potentiel. Quoiqu'il tourne tout le monde en dérision – les dieux, le marchand d'esclaves borné et les philosophes –, Lucien n'en défend pas moins la philosophie, et plus précisément le scepticisme. Ainsi, faisant fusionner le dialogue socratique et la comédie, jouant sur plusieurs niveaux d'interprétation, il suspend tout jugement de vérité dans le discours philosophique.

Francisco Gómez de Quevedo y Villegas (Esp., 1580-1645), ***les Songes*** (1627) • Ces 5 songes sont des satires sociales et morales. Ils stigmatisent différents personnages, dont les fautes se répercutent sur l'ensemble de la société en raison de leurs fonctions politiques et sociales. Au cœur de ces dysfonctionnements et de ces aberrations se trouve l'argent, force transcendante, qui gouverne les hommes et la société. La satire est d'autant plus efficace qu'elle prend la forme de fantaisies baroques et macabres, pleines de verve et de virulence.

Blaise Pascal (Fr., 1623-1662), ***les Provinciales*** (1656-1657) • S'adressant d'abord à son beau-frère de province, Pascal défend le Grand Arnauld contre les condamnations de la Sorbonne. Puis il fait le procès des jésuites en les prenant directement à parti, avant de plaider en faveur de Port-Royal auprès du confesseur du roi. Publiées clandestinement et anonymement, ces lettres sont une œuvre collective, rédigée par Pascal d'après les informations que lui fournirent Pierre Nicole et Antoine Arnauld. Elles sont caractéristiques des positions de Pascal en faveur du jansénisme.

Charles de Secondat, baron de Montesquieu (Fr., 1689-1755), ***Lettres persanes*** (1721) • Deux Persans, Usbek et Rica, voyagent en France. Ils écrivent à leurs compatriotes pour leur faire part de leurs impressions et pour continuer de gérer, à distance, leurs affaires. Ce roman épistolaire allie ainsi l'intrigue romanesque à la réflexion politique et morale. Se plaçant du point de vue des Persans, l'écrivain se livre à une satire des mœurs et des institutions françaises. Confrontant l'Orient et l'Occident, il défend ses idéaux politiques, fondés sur la raison, la liberté, la justice et la tolérance.

Paul-Louis Courier (Fr., 1772-1825), ***Pamphlet des pamphlets*** (1824) • Ses pamphlets contre la Restauration ont valu à Courier bien des avanies. Dans ce texte, il entreprend donc de défendre ses activités en confrontant l'opinion de ses détracteurs à celle d'un de ses amis anglais, dont il fait son porte-parole. Apologie vive et mordante, ce texte déclare que le pamphlet est absolument nécessaire au progrès politique, social et moral des nations. Fort de cette conviction, défiant une nouvelle fois les autorités, Courier conclut en réaffirmant son intention de ne pas désarmer.

Karl Marx (All., 1818-1883), ***le 18-Brumaire de Louis Bonaparte*** (1852) • Marx analyse le coup d'État du 2 décembre 1851, qui permettra à Louis Bonaparte d'instaurer le second Empire un an plus tard. Il replace cet événement, lié à l'histoire napoléonienne, dans son contexte économique, social et culturel. Écrit dans l'urgence, ce vigoureux pamphlet applique à l'actualité française les concepts majeurs de la pensée marxienne, notamment celui de « classe ».

Émile Zola (Fr., 1840-1902), ***J'accuse*** (1898) • En publiant cette lettre ouverte le 12 janvier 1898 dans le quotidien de Clemenceau *l'Aurore*, Zola défend le capitaine Dreyfus en prenant à parti les plus hautes autorités de l'État, et notamment le président de la République. Ce manifeste déclenche la campagne dreyfusarde qui aboutit à la cassation du procès. Mais il vaut à Zola une condamnation à la prison et à un an d'exil. Grâce à ce pamphlet, le romancier inaugure la figure moderne de l'intellectuel s'impliquant dans la vie politique par le biais des journaux.

Julien Benda (Fr., 1867-1956), ***la Trahison des clercs*** (1927) • Esprit farouchement indépendant, refusant toute forme d'aliénation intellectuelle, Benda dénonce « la trahison des clercs » : trahit le clerc qui renonce à sa mission – dire la vérité à tout prix – pour conserver ses avantages et se construire une situation institutionnelle confortable. Mais Benda n'est ni révolutionnaire ni anarchiste ; il accepte les règles sociales, tout en plaçant la vérité au-dessus de tout.

Frantz Fanon (Fr., 1925-1961), ***Peau noire, masques blancs*** (1952) • Psychiatre antillais, Fanon s'engage dans la lutte anticoloniale aux côtés des peuples du tiers-monde et des minorités raciales. Dans cette œuvre, il analyse, du point de vue psychique et sociologique, les ravages de la colonisation et de la domination raciale. Il s'adresse aux intellectuels pour les encourager à se battre et à construire l'indépendance de leur pays. Devenue un classique, cette diatribe a beaucoup influencé la communauté noire américaine et les écrivains antillais Aimé Césaire et Édouard Glissant.

VOIR AUSSI
• **Poésie de combat** p. 1122
Illustrations
• ***J'accuse*** p. 455

Écrivains engagés

La notion d'« engagement » est née dans les années 1930 sous une double impulsion : celle des intellectuels chrétiens de la revue *Esprit* d'Emmanuel Mounier, et celle des écrivains liés, de près ou de loin, au marxisme, comme Romain Rolland, Paul Nizan (*la Conspiration*, 1938) ou même Gide (*Voyage au Congo*, 1927). Elle se développe ensuite chez les écrivains de la Résistance, singulièrement chez les communistes. C'est le cas d'Aragon (*les Communistes*, 1949-1951). Sartre (*les Chemins de la liberté*, 1945-1949), créateur de la revue *les Temps modernes*, affirme que, la parole de l'écrivain étant action, toute œuvre est engagée, quels que soient sa forme et son genre.

◆ **André Gide** (debout) avec à sa droite Aragon et à sa gauche André Malraux : hommage à Romain Rolland, au palais de la Mutualité, Paris, le 31 janvier 1936, pour le 70e anniversaire de l'écrivain, auteur de *Jean-Christophe*, et fondateur de la revue *Europe* en 1923.

Les prophètes

Le prophète est un porte-parole de Dieu, chargé de découvrir les desseins divins et d'intercéder en faveur des hommes. Il interprète l'Histoire et oriente les actions humaines en fonction de cette transcendance. Dès lors, sa vérité rompt avec l'organisation et les discours sociopolitiques officiels. Ainsi, les prédictions d'Isaïe, de Jérémie et d'Ezéchiel, les principaux prophètes bibliques, exhortent le peuple hébreu à se libérer. La révélation énoncée par les textes apocalyptiques transcende également les événements historiques (*Apocalypse de Jean*; *le Pasteur d'Hermas*, IIe s. apr. J.-C.).

L'éloquence politique et sacrée

L'éloquence est l'instrument rhétorique de la persuasion. En Grèce, elle sert les harangues politiques d'Isocrate (*Panégyrique*, Ve s. av. J.-C.) ou de Démosthène (*Sur les symmories*, IVe s. av. J.-C.). Cette tradition se poursuit chez les orateurs romains, comme Caton l'Ancien (239-149 av. J.-C.) et Cicéron, qui dénonce la conjuration de Catilina en 4 harangues restées fameuses (*Catilinaires*, 63 av. J.-C.). Bien plus tard, elle est retrouvée par les révolutionnaires français Danton et Saint-Just. L'éloquence sert aussi le discours sacré, qu'il relève de l'apologie, comme chez Jean Chrysostome (v. 344-407), ou du sermon, comme chez Bossuet (*Oraisons funèbres*, 1656-1687) ou chez Lacordaire (1802-1861).

L'Histoire et la biographie

Le passé recomposé

Écrire l'Histoire, c'est d'abord écrire. La visée scientifique des historiens depuis le XIXe s. ne change rien au fait qu'un ouvrage historique est d'abord un texte. Il se distingue d'un roman par la réalité de ce qu'il relate, garantie par tout un appareil documentaire, mais il y a bien un auteur qui organise le récit, fait agir les personnages, dégage la portée des événements et demande au lecteur de le croire. La crise du roman au XXe s. se retrouve d'ailleurs chez les historiens : même suspicion à l'égard du narrateur omniscient, à l'égard de l'intrigue (l'histoire événementielle) et des personnages (les grands hommes), à l'égard même de la notion de « fait ». D'où la psychohistoire, l'histoire multidisciplinaire, la « nouvelle histoire ».

L'historiographie, ou écriture de l'histoire, comprend différents type d'écrits. Les récits mythiques fondent en général l'origine des civilisations. Les annales consignent, année par année, les événements marquants. Les chroniques lient entre eux des faits enregistrés de façon chronologique. Les mémoires donnent sur les événements le témoignage d'un acteur qui y a été mêlé. La biographie est un livre d'histoire consacré à un individu particulier. L'histoire proprement dite cherche à retracer le devenir d'une collectivité avec un objectif de véracité, mais aussi d'explication et de recréation d'un réel désormais disparu.

Sima Qian (Chine, v. 145-v. 86 av. J.-C.), *Mémoires historiques* (92 av. J.-C.) • Cette œuvre est une synthèse de l'histoire du monde. Ses 130 chapitres présentent les dynasties, les institutions, les mœurs et les coutumes chinoises. Toutefois, dans ce travail encyclopédique fondé sur l'objectivité et l'authenticité, l'auteur n'hésite pas à critiquer indirectement la dynastie régnante. Grâce à un style vivant, souvent épique, et à la multiplication des points de vue, il fait également œuvre d'écrivain. Son ouvrage s'est rapidement imposé, et pour plusieurs siècles, comme le modèle absolu de l'historiographie chinoise.

Snorri Sturluson (Isl., v. 1179-1241), *Sagas des rois de Norvège (Heimskringla)*, (v. 1230) • Ce recueil de 16 sagas raconte l'histoire des souverains norvégiens depuis les mythiques Ynglinga jusqu'au roi Magnus Erlingsson. Très documenté, épris de vérité, son auteur refuse la mythification et le romanesque pour privilégier l'analyse objective. Mais il sait aussi rendre son histoire vivante grâce à la dramatisation des faits et à la vivacité des dialogues. Cette œuvre exprime également ses convictions philosophiques, influencées par Évhémère et par saint Augustin.

Jean de Joinville (Fr., v. 1224-1317), *Vie de Saint Louis* (1305-1309) • Seigneur champenois, Joinville a participé à la croisade (1248-1254) de Louis IX. Il relate son voyage en Terre sainte, mais il entend aussi, et surtout, écrire la geste hagiographique de Saint Louis, dont il raconte toute la vie et dont il loue les mérites militaires, politiques, moraux et spirituels. Rédigée dans un style très vivant, proche de l'oral, et faisant une large place au dialogue, son œuvre constitue un document personnel attachant sur cette période de l'histoire médiévale.

Ibn Khaldun (1332-1406), *Chronique universelle* (arabe, 1375-1379) • L'auteur écrit l'histoire du Maghreb en lui donnant une dimension universelle. S'appuyant sur une abondante documentation, il invente des concepts (celui du pouvoir central, celui du prestige), qui lui permettent d'analyser et de modéliser les faits sociopolitiques. Précédé de *Prolégomènes*, qui exposent la théorie et la méthode de son auteur, l'ouvrage développe une authentique philosophie de l'Histoire, fondée sur la quête de la vérité.

Philippe de Commynes (Fr., 1447-1511), *Mémoires* (posth., 1524) • L'auteur est un noble flamand entré au service de Louis XI puis de Charles VIII. À la demande de l'archevêque de Vienne, il entreprend de rédiger, entre 1489 et 1498, ses *Mémoires*. Il relate ainsi les événements auxquels il a participé ou dont il a été le témoin. Mais il ne se borne pas à en faire la chronique. Il se donne pour buts d'analyser et d'évaluer les faits et les hommes. Son œuvre se présente donc comme un document historique très vivant et comme un travail d'historien très efficace.

Voltaire (François Marie Arouet, Fr., 1694-1778), *le Siècle de Louis XIV* (1751) • Pour critiquer le gouvernement de Louis XV, Voltaire fait l'histoire du règne précédent, caractérisé, selon lui, par l'épanouissement du commerce, de l'industrie et des arts, mais aussi par l'absolutisme et l'intolérance religieuse. Il défend ainsi ses propres convictions politiques et philosophiques. Cet ouvrage devait s'insérer dans l'*Essai sur les mœurs* (1756), histoire générale des civilisations dans lequel Voltaire, en présentant l'histoire comme progrès vers la raison et la vérité, s'oppose à la conception chrétienne de Bossuet (*Discours sur l'histoire universelle*, 1681).

Jules Michelet (Fr., 1798-1874), *Histoire de France* (1833-1867) • Michelet écrit l'histoire de la France depuis le Moyen Âge : s'appuyant sur une abondante documentation, il fait revivre les principaux événements et les grands personnages, en les intégrant à une fresque épique et lyrique. En effet, tout en travaillant en historien épris de vérité, il chante la geste du peuple français et affirme ses convictions républicaines, fondées sur un idéal de progrès. Cette vaste somme en 17 volumes a beaucoup compté pour les générations romantique et postromantique.

James Boswell (G.-B., 1740-1795), *Vie de Samuel Johnson* (1791) • En 1763, l'auteur rencontre l'essayiste et romancier Samuel Johnson (1709-1784), dont il devient l'ami et le biographe. Donnant à son ouvrage le tour de leurs entretiens, il évoque de nombreuses anecdotes et de menus détails qui donnent vie au personnage tout en lui conservant sa part de mystère. Tout en se demandant par exemple pourquoi Johnson conservait des pelures d'orange sèches dans ses poches, Boswell se livre aussi à une réflexion politique et morale. Ce texte fondateur du genre biographique moderne a été salué par Marcel Schwob dans sa préface aux *Vies imaginaires* (1896).

Jean-Paul Sartre (Fr., 1905-1980), *l'Idiot de la famille* (1971-1972) • Sartre étudie la vie de Gustave Flaubert entre 1821 et 1857. Il s'agit pour lui non pas d'écrire une simple biographie, mais de se livrer à une critique de type anthropologique. À partir des théories marxistes et de la psychanalyse non freudienne, il analyse la névrose du romancier, qui aboutit, selon lui, à l'échec d'une vie. Cette monographie originale, dans laquelle le personnage même de Sartre apparaît en filigrane, prolonge la réflexion humaniste et existentialiste du philosophe.

Les mémorialistes

Ces auteurs écrivent pour conserver les faits, les transmettre à la postérité et, éventuellement, justifier leurs propres actions. Leurs textes sont donc des sources historiques capitales. Certains possèdent, de surcroît, une authentique valeur littéraire. Si ces écrits existent avant le XVIIe s. (*Mémoires* de Commynes, 1524), ils se développent surtout durant ce siècle et les suivants. Le cardinal de Retz (1613-1679), dans ses *Mémoires* à caractère autobiographique (posth., 1717), justifie sa position de frondeur et raconte de façon éblouissante le règne de Louis XIV. Saint-Simon (1675-1755), spectateur plus qu'acteur de premier plan, dépeint brillamment la cour et les mœurs à la fin de ce règne et sous la Régence (*Mémoires*, posth., 1829).

L'Histoire sacrée

Pour fonder sa propre Histoire, la chrétienté complète et interprète les événements en fonction des desseins de Dieu. La Genèse, qui raconte la création du monde, le livre des Rois et les quatre Évangiles, qui se fondent sur des faits authentiques (apogée d'Israël sous Salomon, vie de Jésus), affirment surtout l'accomplissement de la révélation et du salut divins dans l'Histoire. Sous l'Empire romain, Eusèbe de Césarée entreprend d'écrire une *Histoire ecclésiastique* (v. 310-324) retraçant les actes des premiers chrétiens et des Pères de l'Église. Plus tard, le dominicain Jacques de Voragine compile des hagiographies antérieures pour raconter la vie des saints dans *la Légende dorée* (1260-1265).

Les historiens de l'Antiquité

Le père de l'histoire occidentale est Hérodote (v. 484-v. 420 av. J.-C.). Son *Enquête* sur les guerres médiques confronte les sources, hiérarchise les informations et interprète les faits. À la même époque, Thucydide cherche à comprendre le passé pour éclairer le présent et le futur (*Histoire de la guerre du Péloponnèse*). Sa méthode influence le Grec Polybe (*Histoire universelle*, IIe s. av. J.-C.) et les latins Salluste (*Conjuration de Catalina*, Ier s. av. J.-C.) et Tacite (*Annales*, 105-108). Ces derniers, comme Tite-Live (*Histoire romaine*, 27 av. J.-C.-17 apr. J.-C.), ont aussi des visées morales et philosophiques. Homme d'action avant d'être historien, Jules César raconte la guerre des Gaules et la guerre civile dans ses *Commentaires* (Ier s. av. J.-C.).

VOIR AUSSI
• Écrire l'Histoire p. 404
Illustrations
• *Le Livre des merveilles* p. 1148

Récits et témoignages

Expérience vécue, expérience écrite

Un homme explore le monde et écrit ce qu'il a vu, ce qu'il a compris. Ce « monde » peut être vaste comme l'Asie de Marco Polo, ou restreint comme le réduit d'Anne Frank. Il peut-être exotique comme l'Amazonie de Lévi-Strauss ou familier comme le Paris de Fargue. Il peut consister en pays parcourus, en peuples visités, en milieux sociaux observés, mais aussi en un monde intérieur dont l'exploration ne demande pas moins de lucidité et de courage, comme chez Michaux.

L'ouvrage qui résulte d'une telle entreprise n'est pas seulement un document, c'est un témoignage. Son intérêt est lié au caractère exceptionnel de ce que l'auteur a à raconter, mais surtout au tempérament de celui-ci. Plus que les faits importe le témoin : sa sensibilité, sa curiosité, sa compréhension, sa faculté d'insurrection aussi, qui parfois lui fait prendre la plume pour dénoncer l'inacceptable. C'est pourquoi les grands livres de témoignage ne sont pas nécessairement l'œuvre d'écrivains patentés. C'est l'œuvre d'hommes assez généreux pour livrer leur expérience du monde et la prolonger par celle de l'écriture.

Marco Polo (It., 1254-1327), *le Livre des merveilles du monde* (français, 1298) • À la suite de son père et de son oncle, le commerçant vénitien parvient à la cour de Kubilay, à Pékin : appréciant son intelligence, le petit-fils de Gengis Khan lui confie plusieurs missions qui le conduisent dans toute l'Asie. De retour dans sa patrie en guerre et fait prisonnier par les Génois, il dicte au trouvère Rusticien de Pise ce livre sur « les grans merveilles qui sont en la terre d'Ynde ». Richesses, coutumes, religions des peuples lointains y sont décrites par un voyageur sans *a priori*, d'après ce qu'il a lui-même vu ou entendu. Son récit a marqué l'imaginaire européen.

Ibn Battuta (1304-1377), *Journal de route* (arabe, 1356) • Après avoir voyagé pendant vingt-huit ans, d'abord aux lieux de pèlerinage, puis dans l'ensemble du monde islamique, Ibn Battuta dicte son récit au scribe Ibn Juzay pour donner à connaître « les curiosités des villes et les merveilles du pays » : le voyageur professionnel s'y montre friand d'anecdotes et curieux d'un pittoresque qu'il excelle à camper. Musulman strict, fasciné par les ascètes mais bon vivant lui-même, ce conteur marocain qui a parcouru plus de pays que quiconque à l'époque (il aurait même visité Pékin et Constantinople) est le dernier des grands géographes arabes.

Bartolomé de Las Casas (Esp., 1474-1566), *Très Brève Relation de la destruction des Indes* (1542) • Après dix ans passés « aux Indes » (en Amérique centrale), ce religieux prend soudainement conscience que les « sauvages » sont traités avec la plus grande injustice par les chrétiens : dès lors, il ne cesse de dénoncer les méthodes inhumaines des colons dans ses prédications et auprès de la Cour. Il rédige, pour le roi Charles Quint, une relation où, le premier, il redonne une dignité humaine aux « indigènes ». Nommé « protecteur des Indiens », il devient évêque au Mexique, mais doit finalement rentrer en Espagne.

Laurence Sterne (G.-B., 1713-1768), *Voyage sentimental à travers la France et l'Italie* (1768) • Ne voulant pas, comme les touristes ordinaires, abandonner son cœur avant de s'embarquer, Yorick ne laisse rien ignorer au lecteur des sentiments et émotions (rires ou larmes) que suscitent les péripéties du voyage, ni des aventures galantes qui lui arrivent durant son séjour en France avec le tambour Lafleur, dont il a fait son valet. Des portraits savoureux (le moine calaisien, le pâtissier versaillais) y voisinent avec les citations et les réflexions. Le succès de cet hymne (inachevé) à la sensibilité frémissante a fait adopter par toute l'Europe le nouvel adjectif « sentimental ».

Louis Antoine de Bougainville (Fr., 1729-1811), *Voyage autour du monde* (1771) • Avocat, mathématicien et capitaine de vaisseau, Bougainville fait le tour du monde de 1766 à 1769. Parti à bord de la frégate royale *La Boudeuse*, il fait quelques escales en Amérique centrale (qui suscitent des commentaires sur l'expulsion des Jésuites), avant de passer le périlleux détroit de Magellan. À Tahiti, il est émerveillé par une hospitalité et une liberté des mœurs dont la description fera le succès d'un ouvrage qui n'apporte pas seulement des informations géographiques et scientifiques : il contribue au développement du mythe du « bon sauvage » et donne l'occasion à Diderot, dans son *Supplément au voyage de Bougainville* rédigé en 1772 (paru en 1796), de débattre du colonialisme et de questions de morale sexuelle.

Charles de Brosses (Fr., 1709-1777), *Lettres familières écrites d'Italie* (posth., 1799) • Entre 1739 et 1740, l'auteur, jeune magistrat bourguignon, visite l'Italie et adresse à ses amis, au fil des étapes, le récit de ses impressions et de ses rencontres : remaniées bien après son retour, ces 55 lettres sont une description alerte et amusante de la société tourbillonnante des villes italiennes. Du « reportage » sur un conclave aux incidents de transports, de l'analyse de la galanterie à celle des jeux de cartes, on y découvre un vaste éventail de l'activité humaine ; la nature et l'art étant plus sommairement appréciés par ce voyageur davantage épicurien qu'esthète, qui influença toutefois Stendhal.

Évariste Régis Huc (Fr., 1813-1860), *Souvenirs d'un voyage dans la Tartarie, le Tibet et la Chine* (1850) • Quittant la Mongolie en 1844, deux lazaristes français, les pères Huc et Gabet, accompagnés d'un lama, parviennent à Lhassa. Expulsés par les autorités, ils traversent la Chine jusqu'à Macao. Riche en épisodes pittoresques, le récit du père Huc décrit les mœurs et le gouvernement de pays jusqu'alors peu accessibles, et communique au lecteur la prodigieuse énergie du voyageur. Comme *l'Empire chinois* qui l'a suivi (1855), l'ouvrage a eu un succès immense, et fait figure de premier regard « colonial » posé sur l'empire qui avait fait rêver les philosophes du XVIIIe s.

Gérard de Nerval (Gérard Labrunie, Fr., 1808-1855), *Voyage en Orient* (1851) • Durant un an, en Grèce d'abord, puis en Égypte, au Liban et en Turquie, Gérard fuit la folie qui le guette, et le souvenir d'Aurélia défunte. Il s'intéresse non seulement aux « scènes de la vie orientale » (le pittoresque des coutumes et des harems), mais aussi aux croyances des minorités religieuses (druzes et maronites) et aux légendes immémoriales : la partie centrale de l'ouvrage transcrit la féerique « Histoire de la Reine du Matin et de Soliman Prince des Génies », dite par un conteur professionnel dans un café d'Istanbul. Ouvert aux choses qu'il découvre comme aux gens qu'il rencontre volontiers, il offre un récit curieux et érudit qui témoigne d'une sympathie rare dans un siècle que l'Orient a pourtant fasciné.

Michel Leiris (Fr., 1901-1990), *l'Afrique fantôme* (1934) • Traversant l'Afrique centrale de Dakar à Djibouti avec l'expédition menée par Marcel Griaule, l'écrivain fait son apprentissage d'ethnographe : il apprend à critiquer l'administration coloniale et à contester la distance que l'ethnologie classique prétend imposer à son objet d'étude (comme garantie d'une objectivité qui, plus qu'un leurre, est un frein à son universalisme). Parallèlement à ses notes de terrain et au récit de l'expédition scientifique, il note dans son journal ses impressions d'Européen déçu par une Afrique qui se dérobe et le laisse en tête à tête avec ce qu'il pensait avoir abandonné en France : la solitude, l'ennui, ses obsessions, et lui-même.

Antoine de Saint-Exupéry (Fr., 1900-1944), *Terre des hommes* (1939) • L'œuvre décrit l'apprentissage du pilote de ligne, exalte la mission sacrée du transport du courrier grâce auquel les hommes communiquent (c'était déjà le thème de *Vol de nuit*, 1931), raconte les épreuves subies au cours de l'initiation au métier, et les accidents

◆ **Homme à tête de chien de l'île d'Agaman**, dans le golfe du Bengale. Miniature (v. 1410) du *Livre des merveilles du monde* relatant les voyages de Marco Polo. (Bibliothèque nationale de France, Paris)

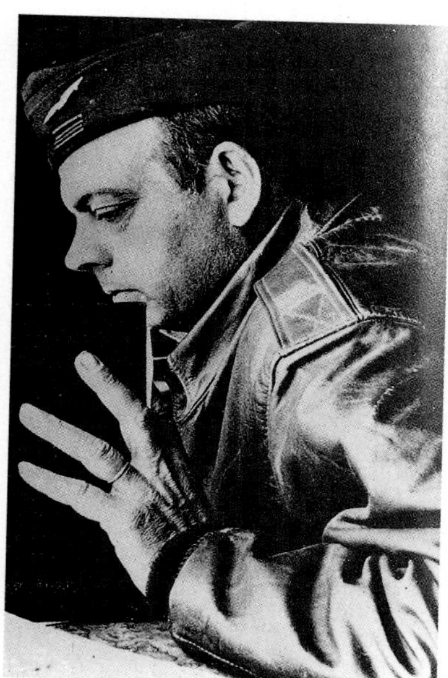

◆ **Antoine de Saint-Exupéry.**
Photographie de l'aviateur et écrivain français. (Musée de l'Air, Paris)

parfois mortels. Vue du ciel, la Terre apparaît bien comme la demeure des hommes, tous frères mais appelés à devenir hommes en se dépassant : après une semaine de marche pour ne pas décevoir l'attente de ses amis, Guillaumet, tombé dans les Andes à 3 000 m d'altitude, confie : « Ce que j'ai fait, aucune bête ne l'aurait fait. »

Léon-Paul Fargue (1876-1947), ***le Piéton de Paris*** (1939) • Vingt-deux chroniques tracent un « Plan de Paris pour personnes de tout repos » qui nous guide de La Chapelle à Passy, de Montparnasse à la Halle aux vins, de quartiers méconnus en palaces. Les vagabondages de Fargue nous promènent aussi dans le temps : ils constituent un témoignage vivant sur le Montmartre de 1900 comme sur les nuits du Paris de l'entre-deux-guerres, dont les institutions sont *le Bœuf sur le toit* et la brasserie Lipp. En nous faisant percevoir la magie de lieux comme le canal Saint-Martin ou le Jardin des Plantes, ils dessinent la géographie secrète d'un poète « en état d'osmose » avec sa ville.

Anne Frank (All., 1929-1945), ***Journal*** (néerlandais, posth., 1947) • Une adolescente juive de 13 ans est cachée avec sa famille (ils avaient émigré d'Allemagne en 1933) dans un immeuble d'Amsterdam, pour échapper à la Gestapo. Elle tient un journal en écrivant des lettres à une amie imaginaire. Pendant deux ans, ses réflexions, ses craintes et ses espoirs sont consignés, à côté de l'observation des menus faits et des détails matériels d'une vie quotidienne difficile. Document d'une qualité exceptionnelle, ce récit émouvant est celui de l'éveil à une vie qui sera brisée dans sa seizième année : Anne Frank est morte en déportation à Bergen-Belsen.

Robert Antelme (Fr., 1917-1990), ***l'Espèce humaine*** (1947) • Déporté en 1944 pour activités de résistance, l'auteur raconte la vie du Kommando allemand où il est détenu. À Buchenwald d'abord puis à Dachau, où les survivants ont été évacués avant d'être libérés par les Américains, il fait l'expérience de « l'inimaginable ». Face à une administration minutieuse qui vise à les exterminer, l'existence quotidienne des prisonniers dans les camps de concentration nazis, décrite sans pathos, fait au contraire ressortir une chose : la conscience désespérée et tenace de chacun des détenus, en dépit de leur réduction au néant, d'appartenir à l'espèce humaine.

Primo Levi (It., 1919-1987), ***Si c'est un homme*** (1947) • En 1944, Primo Levi est arrêté comme résistant et déporté à Auschwitz, où son métier de chimiste lui permet de survivre. Juif, mais complètement « assimilé », il ne s'en retrouve pas moins en compagnie d'autres Juifs, et prend conscience d'une communauté d'exil et de persécution. Libéré par les Russes en 1945, il écrit pour témoigner autant que pour comprendre. Sa sobre description pose la question à laquelle semblait répondre le récit contemporain de Robert Antelme : pour les autres hommes, l'homme avili est-il encore un homme ?

Claude Lévi-Strauss (Fr., né en 1908), ***Tristes Tropiques*** (1955) • Ramené au concret par sa lecture de Marx et de Freud, un professeur de philosophie découvre chez les Indiens d'Amérique du Sud des sociétés en voie de disparition qu'il s'efforce de ne pas juger. Relations sociales et mythologies complexes révèlent une conception du monde élaborée où apparaît une culture qui n'a rien de « sauvage ». Ses qualités d'écriture ont valu à cette autobiographie intellectuelle d'initier le grand public à l'ethnologie.

Henri Michaux (Belg., nat. fr., 1899-1984), ***Connaissance par les gouffres*** (1961) • En observant sur lui-même les effets des drogues, depuis le haschisch jusqu'à la mescaline, l'écrivain analyse la modification des états de conscience qu'elles engendrent : au-delà de la normalité contrôlée, il s'intéresse à la réalité de la folie ordinaire et aux mécanismes de la création, notamment à partir de son propre poème, puis explore les « situations-gouffres » que révèlent certaines pathologies. Les gouffres sont les cimes inversées du psychisme, où l'aliéné est enfermé dans une certitude que ne soupçonne pas l'homme ordinaire. Voyageur de l'espace du dedans, Michaux partit aussi vers les pays lointains : *Un barbare en Asie* (1933) ne se veut pas un récit de voyage en Extrême-Orient, mais celui d'un contact avec une pensée « autre ».

◆ **Henri Michaux.**

Truman Capote (É.-U., 1924-1984), ***De sang froid*** (1966) • Dans une bourgade du Kansas, le 15 novembre 1959, quatre membres d'une famille sont massacrés par deux hommes, Smith et Hickok. L'enquête minutieuse menée par l'auteur sur les lieux, dans l'entourage des victimes et en interrogeant les meurtriers, a fourni la matière des 500 pages d'un « roman-vérité ». Sans rien modifier des faits, il les traite en employant une technique romanesque, narrations et documents efficacement agencés faisant progresser son récit jusqu'à l'exécution des coupables. Cette dramatisation d'un fait divers n'est pas gratuite : elle puise dans le réel une analyse de la violence absurde de la société américaine.

Aleksandr Soljenitsyne (Russie, né en 1918), ***l'Archipel du Goulag*** (1973-1976) • Dans une vaste chronique de la déportation durant la période stalinienne, Soljenitsyne décrit en détail le processus destructeur du goulag, de l'arrestation à la plongée dans l'univers concentrationnaire, en s'appuyant sur les témoignages de 227 anciens détenus. Long réquisitoire contre « l'industrie pénitentiaire », le livre avait pour dessein de rétablir le cours d'une histoire falsifiée, en montrant les réalités des camps soviétiques de façon à éveiller les consciences. Il fut interdit dans son pays et valut à son auteur d'être expulsé, mais ses trois volumes furent traduits dans le monde entier.

◆ **Aleksandr Soljenitsyne en 1974.**

Le genre épistolaire

La *Correspondance* de Cicéron (800 lettres) montre celui-ci sur le vif : adressée à son ami Atticus, à son frère Quintus ou à d'autres familiers, elle n'était pas destinée à la publication ; Pline le Jeune, en revanche, a lui-même regroupé des *Lettres* qui sont pour la plupart de courts traités littéraires ou philosophiques destinés à être lus et commentés. Impromptues ou apprêtées, les lettres se révèlent en tout cas de précieux documents sur leur auteur ou sur leur époque : sans doute authentiques, celles d'Héloïse et Abélard, publiées au Moyen Âge, ont fait figure d'histoire exemplaire. À l'époque moderne, les *Lettres* (1624) de Guez de Balzac (1595-1654) visent à introduire dans les milieux mondains les questions de littérature ou d'esthétique ; une génération plus tard, les *Lettres* de la marquise de Sévigné (publiées à partir de 1725) sont dues au choc éprouvé après le départ de sa fille, à qui elle adresse une chronique de sa vie et de son âme. Celles du président de Brosses forment un récit de voyage. Au XXe s., confession et témoignage atteignent une limite extrême avec les *Lettres de Rodez* (1946) où, depuis son asile, Antonin Artaud décrit sa double expérience de la mystique et de la folie.

◆ **Marie de Rabutin-Chantal, marquise de Sévigné (1626-1696).**
Jeune veuve, elle se consacre, en Bretagne et à Paris, à l'observation des mœurs de son temps. Ses *Lettres*, adressées pour la plupart à sa fille, Mme de Grignan (1646-1705), constituent un témoignage « impressionniste » qui rompt avec la formalité du genre.

VOIR AUSSI
• **Lévi-Strauss** p. 969
• **Écrits intimes** p. 1146

La tragédie

La force du destin

La tragédie place sur le théâtre un héros aux prises avec une force qui le dépasse. Dans l'Antiquité, c'est le Destin ; à l'époque classique, l'absolu des passions ; au XXe s., l'inconscient, le sentiment de l'absurde ou les rouages de l'Histoire. Le héros tragique, généralement de condition royale, est animé d'une pureté qui, précisément, déclenche les catastrophes et l'entraîne à sa perte. En cela réside le tragique.

La tragédie antique est issue du culte de Dionysos. Elle naît à Athènes au VIe s. av. J.-C. quand le poète Thespis introduit un acteur pour répondre aux chants du chœur. Eschyle et Sophocle font définitivement de la tragédie une action dialoguée en ajoutant respectivement un deuxième puis un troisième acteur.

Ressuscitée à la Renaissance, la tragédie trouve sa forme classique dans la France du XVIIe s. avec la tragédie régulière, c'est-à-dire conforme aux « règles » du théâtre, édictées à partir de 1631 (unité d'action, de lieu, de temps), et aux « bienséances » (ce qui convient à la morale des spectateurs, ce qui convient aux situations représentées).

Le modèle antique, toutefois, touche peu l'Angleterre et l'Espagne, terres du drame. Si un profond sens de l'inexorable anime les grandes tragédies de Shakespeare, la plupart des « tragédies » élisabéthaines sont en réalité des drames.

Au XXe s., l'enjeu aura été de dire le tragique de situations modernes, soit en réinterprétant des thèmes antiques, soit en conférant une valeur mythique à des personnages contemporains.

Le théâtre grec

Les représentations ont lieu en plein air, et de jour. D'abord construits en bois, puis en pierre, les gradins de forme semi-circulaire s'adossent au flanc d'une colline et peuvent accueillir environ 14000 spectateurs. Ils enserrent un petit cercle en terre battue, d'un diamètre de 20 m, appelé *orkhêstra*, où, autour de l'autel de Dionysos, se déroule une partie de l'action : c'est là que sont placés le chœur (de 12 à 15 choreutes pour la tragédie, 24 pour la comédie) et, assis, un joueur de flûte. Derrière l'*orkhêstra* s'étend le *proskênion*, sorte de terrasse étroite et allongée où évoluent les acteurs. Au fond du *proskênion* se dresse la scène (*skênê*), petit bâtiment qui ferme partiellement l'horizon, supporte éventuellement des éléments de décor et sert de coulisses. Deux dispositifs peuvent être utilisés au cours de l'action : la *mêchanê* (sorte de grue qui, plus tard, donnera le *deus ex machina* des Romains parce qu'elle permet aux personnages de dieux et de héros de se mouvoir au-dessus du sol), et l'*ekkyklêma* (praticable sur roulettes).

Les acteurs et les choristes portent tous des masques, ce qui permet à certains interprètes de jouer plusieurs rôles. Les cérémonies théâtrales, qui durent trois jours, n'ont lieu que trois fois par an, au cours des fêtes données en l'honneur de Dionysos : une tétralogie (trois tragédies et un drame satyrique) est donnée le matin, une comédie l'après-midi – chaque pièce n'étant représentée qu'une seule fois pendant la « dionysie ». Les comédiens sont pris en charge par les riches de la cité. Les auteurs, tels qu'Eschyle ou Aristophane, peuvent aussi être acteurs et chefs de troupe.

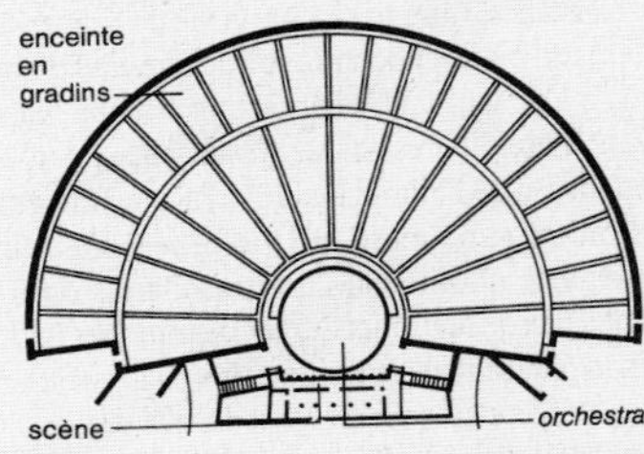

◆ **Plan d'un théâtre grec (Épidaure).**

Eschyle (v. 525-456 av. J.-C.), *l'Orestie* (grec, 458 av. J.-C.) • C'est la seule trilogie antique parvenue jusqu'à nous dans sa totalité. Dans *Agamemnon*, Clytemnestre se venge du sacrifice d'Iphigénie en tuant Agamemnon, son mari. Dans *les Choéphores*, Oreste, leur fils, tue sa mère. Dans *les Euménides*, Oreste est jugé par un tribunal auquel il affirme : « Ma mère s'était souillée de deux crimes ensemble… En tuant son époux, elle a tué mon père. » En dépit de la fureur des Érinyes, il est acquitté grâce à l'entremise d'Athéna et Apollon. *L'Orestie* illustre la pensée de son auteur, le créateur de la tragédie : l'homme ne trouve sa grandeur que dans la soumission aux dieux.

Sophocle (v. 495-406 av. J.-C.), *Antigone* (grec, v. 442 av. J.-C.) • Après la guerre fratricide qui opposa les deux fils d'Œdipe, leur sœur, Antigone, se dresse contre la décision du roi Créon qui interdit d'enterrer celui que l'on considère comme l'agresseur, Polynice. Seule contre tous, elle couvre de terre, rituellement, son frère réprouvé. Condamnée à être emmurée, elle se pend dans le tombeau où elle a été enfermée. Grâce à la force exemplaire de son héroïne qui exprime la fidélité et la résistance au pouvoir (« Je ne suis pas faite pour haïr mais pour aimer »), cette tragédie est, plus qu'aucune autre, d'une actualité permanente.

Le théâtre romain

Tout en reprenant l'architecture du théâtre grec en plein air, il n'est pas nécessairement construit sur une pente naturelle. Sa scène est fermée et ne donne plus sur l'horizon. Friands d'effets spectaculaires – participations d'animaux, combats nautiques, etc. –, les Romains mettent en place des installations souterraines et des machineries complexes.

L'un des premiers changements consiste à placer des spectateurs privilégiés dans l'*orchestra*, qui perd ainsi sa fonction de scène, et à développer l'action sur le *proscenium*, qui devient *scaena* : sur cette scène élargie et abaissée au niveau des gradins les plus bas se joue un répertoire qui utilise de moins en moins la présence du chœur. Les scénographes inventent le rideau de scène, les décors peints et les promenoirs avec colonnes et statues. Les représentations ont lieu l'après-midi, au cours de jeux scéniques s'échelonnant d'avril à novembre. Les acteurs – qui sont des esclaves ou des affranchis – portent des masques et des costumes dans la tradition grecque mais le recours au maquillage et aux costumes romains se répand, surtout avec l'essor de la comédie populaire et de la pantomime.

Parallèlement, un autre type de lieu théâtral connaît la faveur du public cultivé : l'odéon, salle partiellement couverte, de plus petites dimensions (environ 800 spectateurs), que les Grecs avaient inventée pour l'exécution d'œuvres musicales et qui s'adapte à un répertoire littéraire et à des lectures publiques.

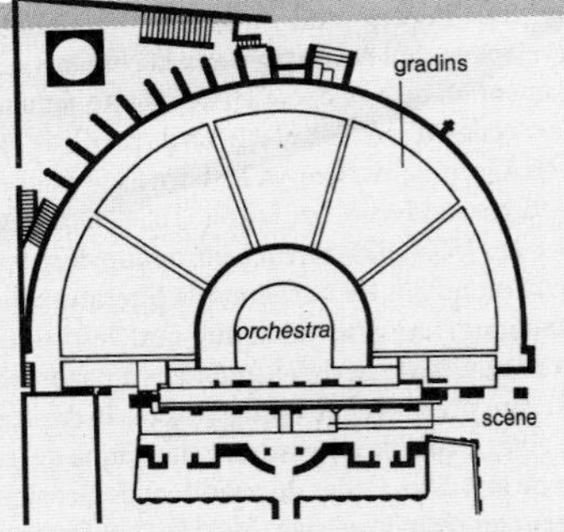

◆ **Plan d'un théâtre romain (Pompéi).**

Euripide (480-406 av. J.-C.), *les Troyennes* (grec, 415 av. J.-C.) • « Qu'y avait-il sur les genoux des dieux? Rien en vérité, sinon mes souffrances et Troie qu'ils ont haïe entre toutes les villes », dit Hécube, reine de Troie. En compagnie de Poséidon et d'Athéna, les femmes illustres de la ville, Cassandre, Andromaque, Hélène et un chœur de captives se lamentent sur le sort de Troie ruinée. Euripide change profondément le ton de la tragédie antique. En n'acceptant pas la fatalité et en prenant le parti des hommes contre les dieux, il lui donne une sensibilité jusqu'alors inconnue.

Sénèque (Lucius Annaeus Seneca, v. 4 av. J.-C.-65 apr. J.-C.), *Médée* (latin) • La magicienne Médée apprend que son mari, Jason, qu'elle a aidé à conquérir la Toison d'or, va la quitter pour épouser la fille du roi de Corinthe. Elle tue sa rivale à l'aide d'un manteau magique puis égorge les deux fils qu'elle a eus de Jason. Elle s'enfuit sur un char ailé. Inspirée de la *Médée* (431 av. J.-C.) d'Euripide, la pièce de Sénèque humanise la figure mythique de la femme vengeresse jusqu'à la folie et modifie les règles de la représentation antique : le meurtre des enfants est non plus évoqué, mais représenté sur la scène.

William Shakespeare (Angl., 1564-1616), *Hamlet* (v. 1601) • Prince du Danemark, Hamlet apprend, par le spectre de son père disparu, que celui-ci a été assassiné par Claudius. L'usurpateur a épousé la reine et s'est emparé du pouvoir. Simulant la folie, Hamlet se venge en perturbant la vie de la cour et en traitant sa fiancée, Ophélie, d'une manière incohérente et cruelle. Un duel truqué par ses ennemis lui fait perdre la vie, mais ses adversaires meurent avec lui. Tragédie élisabéthaine de la vengeance, le chef-d'œuvre de Shakespeare est aussi un drame métaphysique sur le sens de l'existence (« Être ou ne pas être, là est la question »).

Pierre Corneille (Fr., 1606-1684), *Cinna* (1642) • L'empereur de Rome, Auguste, apprend que ses amis et sa fille adoptive, l'amante de Cinna, conspirent à sa perte. Hésitant entre la répression et la clémence, il renonce à la vengeance (« Je suis maître de moi

◆ **William Shakespeare.**
Le plus grand poète dramatique anglais fut également acteur et directeur de troupe. Son théâtre se caractérise par la diversité et la vigueur du style, le foisonnement des personnages, la maîtrise de la construction dramatique. Détail d'un portrait présumé du dramaturge. (National Portrait Gallery, Londres)

comme de l'univers »), pardonne, nomme Cinna consul et l'unit à sa fille adoptive. Sous-titrée *la Clémence d'Auguste*, l'œuvre est plus politique qu'historique. Méditation sur l'exercice du pouvoir, elle porte le titre de tragédie alors que tous ses personnages échappent à la mort.

Jean Racine (Fr., 1639-1699), *Britannicus* (1669) • « Narcisse, c'en est fait. Néron est amoureux », dit l'empereur de Rome à son conseiller. Néron, alors dans sa jeunesse, s'est épris de Junie, mais celle-ci est aimée du demi-frère de l'empereur, Britannicus. La mère du tyran, Agrippine, et son entourage essaient en vain d'empêcher Néron de faire assassiner son rival. Britannicus est empoisonné, et Junie se réfugie dans le collège des vestales. L'amour impossible est le moteur de la tragédie racinienne. Mais, ici, la tragédie est aussi une leçon d'histoire, avec deux grandes figures perverses, Néron et Agrippine.

Jean Racine, *Phèdre* (1677) • Épouse du roi Thésée, Phèdre est amoureuse de son beau-fils, Hippolyte. Elle ose lui déclarer son amour, ayant appris que Thésée était mort. Mais la nouvelle est fausse : le roi revient et, abusé par un récit mensonger, accable Hippolyte pour avoir tenté de séduire la reine. Hippolyte meurt dans un combat avec un monstre. Phèdre avoue sa faute et, renonçant à la vie (« Soleil, je viens te voir pour la dernière fois »), s'empoisonne. Le sens janséniste du péché est ici l'instrument de la tragédie, malgré le contexte païen. Après *Phèdre*, Racine n'écrira plus de tragédies « profanes ».

Les tragédies de Racine

Auteur de onze tragédies, Jean Racine s'inspire tantôt de modèles grecs (*la Thébaïde*, 1664; *Alexandre le Grand*, 1665 ; *Andromaque*, 1667; *Mithridate*, 1673; *Iphigénie*, 1674; *Phèdre*, 1677), tantôt, mais plus rarement, de modèles romains (*Britannicus*, 1669; *Bérénice*, 1670). *Bajazet* (1672), dont le sujet est emprunté à l'histoire récente de la Turquie, fait exception. Toutes ces œuvres sont des tragédies de la passion. Racine renonce au théâtre après *Phèdre* mais, par didactisme chrétien, écrira plus tard deux autres pièces tragiques, d'inspiration biblique, *Esther* (1689) et *Athalie* (1691). Dans sa préface à *Bérénice*, il se reconnaît une règle essentielle : « Il n'y a que le vraisemblable qui touche dans la tragédie ».

Heinrich von Kleist (All., 1777-1811), *le Prince de Hombourg* (1810) • Frédéric, prince de Hombourg, a remporté une brillante victoire ; mais il a enfreint les ordres (qu'il n'avait pas compris). C'est un héros, mais coupable. Jugé, il est amené à décider lui-même sa condamnation à mort… La pièce est encadrée par deux scènes symétriques : l'ouverture, où Frédéric, somnambule, erre devant la cour ; la fin, faussement heureuse, où libéré de son bandeau de condamné, il découvre la même cour, qui lui accorde sa grâce. La fougue de la jeunesse convertie à la raison d'État : c'est, renouvelée par le romantisme, la tragédie de l'étrangeté d'être au monde.

Sean O'Casey (Irl., 1880-1964), *la Charrue et les Étoiles* (1926) • Dans un quartier pauvre de Dublin, en 1915, puis au cours de la semaine de Pâques 1916, toute une communauté entre en révolte contre la domination anglaise ; mais, quand l'insurrection a vraiment lieu, les comportements se désagrègent. Même les vrais combattants ne sont pas animés par une réelle pureté. Plus que celle d'une défaite sévèrement infligée par l'armée anglaise, la tragédie est celle du peuple irlandais incapable de se dépasser. Violemment contesté et incompris, l'auteur dut quitter son pays et s'exiler à Londres.

Federico García Lorca (Esp., 1898-1936), *la Maison de Bernarda Alba* (posth., 1936) • Bernarda Alba a décrété que le deuil de son mari durera huit ans et impose un huis clos de cette durée à ses cinq filles. Un homme, pourtant, tourne autour d'elles, exacerbant une sensualité qui conduira l'une des femmes à la mort et les autres au malheur. Alternant vers et prose, García Lorca fonde sa pièce sur l'oppression de la femme dans la société espagnole et, prétendant avoir fait « un document photographique », retrouve instinctivement la matrice méditerranéenne de la tragédie antique.

Jean Giraudoux (Fr., 1882-1944), *Électre* (1937) • Dans la mythologie et dans les tragédies d'Euripide (v. 417 av. J.-C.), et de Sophocle (v. 410 av. J.-C.), Électre est la figure de la vengeance : elle va, avec son frère Oreste, tuer sa mère Clytemnestre, coupable du meurtre de leur père, Agamemnon. Giraudoux reprend le mythe pour opposer la pureté idéale d'une jeune fille à la violence du monde. La pièce est aussi message d'espoir face aux menaces de l'année 1937. Comment s'appelle le moment où « les innocents s'entretuent » et où « les coupables agonisent » ? demande une femme. « Cela s'appelle l'aurore », conclut le mendiant.

Jean Anouilh (Fr., 1910-1987), *Antigone* (1944) • À la noblesse des combats antiques Anouilh oppose la vision ricaneuse du XXe s. cynique. Étéocle, Polynice et Créon sonnent creux comme les faux héros. Seule Antigone incarne l'innocence et le refus : « Je suis là pour vous dire non et pour mourir. » « J'ai réécrit la pièce de Sophocle à ma façon, avec la résonance de la tragédie que nous étions en train de vivre », dit Anouilh dans ses souvenirs. Écrite en 1942, sa pièce reprend l'éternel thème du bien et du mal pour affirmer la nécessité de la résistance individuelle.

Jean-Paul Sartre (Fr., 1905-1980), *Huis clos* (1944). • Pour inventer la tragédie moderne, Sartre emprunte à la comédie bourgeoise son décor de salon classique ; des rapports de séduction traditionnels, il fait la matière même de l'enfer. Un pacifiste couard, une lesbienne perverse et une séductrice infanticide, qui viennent de mourir, se rencontrent dans un au-delà immobile et éternel : des relations entre l'un ou l'autre ne pouvant se nouer durablement sous le regard du troisième, il apparaît que « l'enfer, c'est les autres ». Cette tragédie sans fin ni dénouement préfigure le théâtre de l'absurde.

Henry de Montherlant (Fr., 1895-1972), *Port-Royal* (1954) • En 1664, à Port-Royal, haut lieu de la pensée et de la foi jansénistes devenu « lieu maudit » au regard de l'Église, les religieuses doivent se soumettre ou se démettre face aux exigences de l'archevêché. Leurs crises de conscience empruntent des chemins divers, mais toutes refusent d'abdiquer et sont révoquées. Montherlant prouve là qu'à partir d'un sujet historique une œuvre proche de la tragédie classique peut encore être écrite, en prose, dans la seconde moitié du XXe siècle.

Eugene O'Neill (É.-U., 1888-1953), *Long Voyage vers la nuit* (posth., 1956) • En une longue journée, commencée à huit heures du matin et achevée à minuit, les quatre membres de la famille Tyrone, le père, qui fut un comédien célèbre, la mère et les deux fils, déversent leurs querelles, leurs frustrations, leurs échecs et leurs incompréhensions sous l'effet de l'alcool et de la drogue. Rédigée en 1940 et 1941, « ourdie de vieux chagrins, écrite avec des larmes et du sang », la pièce porte à la scène les blessures les plus intimes. C'est le chef-d'œuvre de la tragédie autobiographique.

VOIR AUSSI • **Drame** p. 1154

Le théâtre à l'italienne

Par rapport au théâtre antique semi-circulaire et à la salle de jeu de paume rectangulaire et étroite du siècle classique français, il introduit une nouvelle relation du public avec le théâtre. Côté scène, le plateau est surmonté par un cadre derrière lequel des cintres permettent la descente et la montée d'éléments scéniques : c'est une boîte fermée disposant de différents artifices pour créer l'illusion. Côté salle, la place du public est étagée et hiérarchisée : orchestre généralement en forme de U, balcons et galeries, loges superposées. Une telle salle est conçue pour que le public soit lui-même un spectacle.

Cette architecture nouvelle s'est développée en Italie dans la seconde moitié du XVIIe s. et a été d'abord mise au service du théâtre lyrique. Elle a été rapidement adoptée dans toute l'Europe, au point que le théâtre à plusieurs niveaux, aux formes baroques, aux rideaux et aux fauteuils de velours rouge, est devenu un archétype, adapté avec de multiples variantes par les architectes des différents pays. Parmi les exemples les plus remarquables figurent la Scala de Milan, l'Odéon et la Comédie-Française (salle Richelieu) à Paris, et le Grand Théâtre de Bordeaux. Au début du XXe s., les nouvelles possibilités techniques et les recherches en matière d'éclairage ont mis en cause la suprématie de ce style architectural associé à la culture aristocratique et bourgeoise. Il reste toutefois le plus utilisé, mais de nouvelles conceptions – salles à disposition frontale et modulables, dotées d'une meilleure visibilité – ont considérablement changé le paysage théâtral.

La comédie

Le ridicule humain

La comédie met en scène des hommes de condition inférieure, affirme Aristote. Comprenons : des hommes tout court, par opposition aux héros tragiques. L'homme réel prête à rire. Au théâtre, c'est même le fait qu'on puisse en rire qui le désigne comme réel. Entre les prétentions humaines et ce qu'il en advient, la comédie révèle un hiatus, éternelle cause d'hilarité. Cette révélation s'appelle le comique.

La comédie se dénoue par une fin heureuse. Point de cadavres, de sang ni de folie, mais un mariage, une famille retrouvée, la richesse : un idéal en tout point humain. Avec de telles caractéristiques, la comédie, issue comme la tragédie du culte orgiaque de Dionysos, s'est développée de façon beaucoup plus large : l'homme est bas et ridicule à toutes les époques et dans toutes les cultures. D'où l'infinie diversité des sous-genres.

La comédie d'intrigue est fondée sur la complication des événements et le comique de situation (par exemple, dans le vaudeville). La farce moque des types tirés de la vie quotidienne, non sans coups de bâton et bouffonneries de langage. La comédie de caractère fouille un trait psychologique qu'elle grossit à plaisir. La comédie de mœurs raille des comportements typiques d'une époque ou d'une classe sociale.

L'objet essentiel de la « comédie ancienne » des Grecs du Ve s. av. J.-C. ou de la sottie médiévale (XVe - XVIe s.) est la satire d'actualité, souvent politique, tandis que la « comédie nouvelle » des Grecs et des Romains est une comédie de mœurs ou de caractère.

La *comedia* espagnole du Siècle d'or désigne aussi bien des comédies de caractère que des drames, mêlant le tragique et le comique.

Aristophane (v. 445-385 av. J.-C.), ***les Oiseaux*** (grec, 414 av. J.-C.) • Mécontents de leur vie à Athènes, deux Grecs vont créer une cité dans les airs, en accord avec les oiseaux, et décrètent : « Les hommes ont aujourd'hui pour dieux les oiseaux. » Cela crée un beau charivari sur terre et sur l'Olympe. À la différence des autres pièces d'Aristophane, telle *Lysistrata* (411 av. J.-C.) où les femmes grecques imposent la grève de l'amour à leurs maris pendant la guerre contre Sparte, cette comédie politique passe par l'allégorie : rêver d'une ville utopique, c'est refuser la réalité de sa vie.

Plaute (Maccius Plautus, v. 254-184 av. J.-C.), ***Amphitryon*** (latin, v. 195 av. J.-C.) • Jupiter convoite une humaine mariée à un général, Amphitryon. Pour la séduire, il se transforme en Amphitryon, et le dieu Mercure prend l'aspect du valet, Sosie. Une fois la femme séduite, les dieux s'en vont et laissent aux hommes les quiproquos. Partant sans doute d'un modèle grec, Plaute mène avec brio une comédie des méprises dont Molière s'inspirera (*Amphitryon*, 1668).

Aucassin et Nicolette (picard, début du XIIIe s.) • Aucassin, fils d'un comte, aime Nicolette, une esclave sarrasine. Amours impossibles. Ils s'enfuient et découvrent l'étrange pays de Torelore. Là, Nicolette apprend qu'elle est fille de roi. Les amants séparés seront réunis. L'œuvre est une chantefable : elle alterne dialogues en prose et récits chantés, un peu comme dans nos comédies musicales. Elle parodie les genres en vogue à l'époque, la chanson de geste et le roman courtois, et conserve aujourd'hui sa saveur et sa fantaisie.

La Farce de Maître Pathelin (Fr., auteur inconnu, v. 1465) • Avocat sans le sou, Pathelin roule le drapier Guillaume en feignant d'être malade lorsque celui-ci lui réclame le prix de son drap. Il le roule à nouveau en conseillant à son client, le berger Thibaut, que Guillaume accuse de vol, de faire le demeuré et de répondre « Bée ! » aux questions du juge. Mais quand Pathelin réclame ses honoraires, le prétendu niais continue de bêler ! Sur le thème de l'abuseur abusé, une farce en vers, qui tend à la comédie de mœurs et annonce Molière.

Ben Jonson (Angl., v. 1572-1637), ***Volpone ou le Renard*** (1606) • « Salut au jour d'abord puis à mon or », telle est la première réplique du vieux, riche et cupide Vénitien Volpone qui fait croire à son entourage qu'il est à l'article de la mort. Ses faux amis perdent toute retenue pour plaire au faux mourant. Au grand jeu du cynisme ils perdront tous leurs cartes. Sur le thème classique de l'avare et de son valet trompeur, Ben Jonson a écrit une comédie d'une effrayante noirceur, qui devait connaître une nouvelle jeunesse dans une adaptation de Stefan Zweig et Jules Romains en 1928.

William Shakespeare (Angl., 1564-1616), ***la Tempête*** (1611) • Sur une île quasi déserte, l'homme se transforme : Prospero, duc de Milan banni, a acquis l'harmonie de l'âme en vivant avec l'esprit Ariel et le monstrueux Caliban. Lorsque débarquent sur l'île ceux-là mêmes qui l'avaient rejeté, les péripéties burlesques provoquent une série de conflits qui mènent à la fin des crises et à l'apaisement des esprits autour du sage proscrit. « Nous sommes faits de la même étoffe que les songes », dit Prospero. La pièce – la dernière de Shakespeare – a cette dimension du rêve et constitue un sommet de la comédie philosophique.

Félix Lope de Vega Carpio (Esp., 1562-1635), ***le Chien du jardinier*** (1618) • La comtesse Diane de Belfor est semblable au chien de la fable : « Il ne laisse jamais manger les autres, il ne mange jamais lui-même. » Elle ne laisse pas son secrétaire Théodore aimer la femme dont il rêve. Mais le coup de théâtre final rapproche ces deux êtres que tout oppose. C'est l'une des 436 *comedias* de Lope de Vega qui nous sont parvenues : une comédie de la métamorphose construite sur la contradiction entre les sentiments et le jeu social.

Pierre Corneille (Fr., 1606-1684), ***l'Illusion comique*** (1635-1636) • Pour retrouver son fils Clindor, Pridamant consulte le magicien Alcandre. Celui-ci, par son art, lui fait voir la vie du jeune homme : Clindor est valet de Matamore ; il courtise sa prétendue maîtresse ; le voilà battu en duel, emprisonné, évadé et enfin poignardé par un rival. Pridamant s'effondre. Mais un rideau se lève : c'était du théâtre. Pièce dans la pièce (mise en abyme), sommet de l'art baroque, *l'Illusion comique* est surtout un hymne à la magie du théâtre.

Molière (Jean-Baptiste Poquelin, Fr., 1622-1673), ***Tartuffe*** (1664-1669) • « Couvrez ce sein que je ne saurais voir. » Derrière la pruderie de Tartuffe se cachent la cupidité et l'appétit de jouissance sans frein d'un imposteur. Le bourgeois Orgon s'est entiché de ce « faux dévot ». Une famille entière risque la ruine parce qu'un chef de famille aime trop et mal la religion. Rarement une comédie aura été si brûlante parce qu'elle touche à la pratique religieuse et aux interdits d'une société. Molière mettra plusieurs années à faire admettre cette insolente forme du rire.

Molière, ***Dom Juan*** (1665) • Dom Juan et Sganarelle composent le couple traditionnel du maître et du valet. Mais Dom Juan est un libertin

VOIR AUSSI • Shakespeare p. 1154

Le vaudeville et la comédie légère

Au XVIIIe s., le vaudeville est une pièce mêlée de chansons. Au XIXe s., à partir d'Eugène Scribe (1791-1861), les vaudevilles mettent surtout en scène des relations de séduction et d'adultère ; le mot devient alors synonyme de comédie légère. Si Labiche (1815-1888), maître du genre et peintre ironique du bourgeois, utilise encore des couplets, les chants disparaissent des pièces de Feydeau (1862-1921) où les courses-poursuites égrillardes ont une précision diabolique. Du règne de Sacha Guitry (1885-1957) jusqu'aux années 1960, le théâtre de divertissement bourgeois reste en accord avec la société. Il s'essouffle ensuite, face à l'évolution des mœurs.

Le mime et la pantomime

L'art du mime est présent dans les théâtres originels, le théâtre grec antique et les théâtres orientaux, sans se dissocier de la danse. Il ne devient un art indépendant qu'à Rome, où les mimodrames sont très prisés, qu'ils soient des recherches corporelles accompagnées d'un texte et de musique, ou qu'ils traduisent par le silence et des gestes suggestifs une audace politique interdite aux mots. Devenu un art forain, le mime se renouvelle au XIXe s. avec de grands artistes comme Deburau (1796-1846) et fait, au XXe s., l'objet de recherches multiples, dominées en France par Étienne Decroux (1898-1991) et Marcel Marceau (né en 1923).

Les œuvres de Molière

Presque exclusivement auteur de comédies (il écrivit aussi des poèmes et une tragédie), Molière a parcouru toutes les possibilités du genre : la farce avec *les Fourberies de Scapin* (1671), la comédie satirique (*les Précieuses ridicules*, 1659), la comédie-ballet conçue pour les fêtes de la cour (*George Dandin*, 1668), la comédie politique (*Tartuffe*), la comédie de caractère (*le Misanthrope*, 1666 ; *l'Avare* 1668 ; *le Malade imaginaire*, 1673), la comédie de mœurs (*l'École des femmes*, 1662 ; *le Bourgeois gentilhomme*, 1670 ; *les Femmes savantes*, 1672), la comédie-manifeste (*la Critique de l'École des femmes*, 1663) et la comédie philosophique (*Dom Juan*).

Cette parade imaginaire réunit les acteurs qui s'illustrent sur la scène parisienne au cours des soixante dernières années du XVIIe s., notamment dans les rôles de la *commedia dell'arte*. (École française du XVIIe s. [1670]; coll. Comédie-Française, Paris)

Le Capitan Matamore. Le Capitaine, à l'origine type du fanfaron italien, s'adjoint des traits espagnols. Ses noms les plus fréquents sont Spaventa, Fracassa, Matamoros. Ce masque a été créé par Francesco Andreini, de la troupe des Gelosi.

Arlequin. Il porte un habit rapiécé de toutes les couleurs, un masque noir et un bâton. Le masque de ce valet souple et agile, parfois niais, souvent distrait et inquiétant, a changé de contenu au cours des siècles : il a pu, par exemple, devenir le type du séducteur.

Le Docteur. Descendant du pédant de la comédie savante avec lequel il apparaît parfois dans certains scénarios, il est donné comme juriste bolonais, aussi ignorant que vaniteux. Il porte le nom de Dottor Graziano, de Dottor Balanzone.

Polichinelle. Masque d'origine napolitaine et de tradition ancienne, il a été créé à la fin du XVIe s. par Silvio Fiorillo et Coviello, originaires des Abruzzes.

Pantalon. Le vieillard qui s'appelait d'abord Magnifico prit ensuite le nom de Pantalone, marchand vénitien incarnant la sagesse populaire, avant de connaître divers avatars : vieillard avare et vaniteux, il oscille entre le ridicule et le sérieux.

◆ **Farceurs français et italiens.**

La commedia dell'arte

Style de théâtre improvisé, la *commedia dell'arte* est née en Italie, à Bergame, au milieu du XVIe siècle. *Dell'arte* signifie « du métier ». Cette forme théâtrale repose en effet autant sur le savoir-faire que sur l'improvisation puisque les acteurs, masqués, jouent d'après un canevas et inventent leurs répliques et leurs jeux de scène, appelés *lazzi*. Chaque acteur représente un personnage qui est un type bien défini : Pantalon le vieil avare, les valets rusés tels que Arlequin, Polichinelle, etc. Le genre est resté vivant pendant trois siècles et a eu une influence considérable en France, grâce à la présence permanente d'artistes italiens à Paris aux XVIIe et XVIIIe siècles.

au sens philosophique : ce « grand seigneur méchant homme » ne croit pas en Dieu mais croit aux mathématiques. Échappant aux poursuites de ses conquêtes féminines et de ses adversaires, il meurt dans un dernier défi, en prenant la main de la statue vengeresse du Commandeur – un homme qu'il avait naguère tué. Molière donne au mythe de Don Juan emprunté à Tirso de Molina sa dimension suprême. Même dans les scènes les plus triviales, le rire est philosophique.

Marivaux (Fr., 1688-1763), *le Jeu de l'amour et du hasard* (1730) • Deux jeunes aristocrates, Dorante et Silvia, recourent au même subterfuge : ils se font passer pour leur domestique afin d'observer la personne qu'ils doivent épouser et chargent leur valet et leur femme de chambre de jouer leur rôle. Une série de quiproquos en découle. Mais Dorante ne peut pas s'intéresser à l'humble Lisette, ni Silvia au grossier Arlequin. La pièce est animée d'un rire subversif : dans ce jeu où les domestiques jouent aux maîtres et inversement, l'ordre social est mis en question.

Carlo Goldoni (It., 1707-1793), *Baroufe à Chioggia* (1762) • À Chioggia, village de pêcheurs près de Venise, le commérage va bon train parmi la population féminine, surtout quand il s'agit de se disputer le jeune Toffolo. Le moindre incident est monté comme œufs en neige. Seule l'autorité suprême pourra séparer combattants et amoureux. Le théâtre de Goldoni dépeint surtout la société bourgeoise de Venise. Cette comédie illustre une autre veine : l'observation des classes populaires, effectuée avec un magistral sens de la progression comique.

Pierre Caron de Beaumarchais (Fr., 1732-1799), *le Barbier de Séville* (1775) • Que serait un noble sans son valet ? À Séville, le barbier Figaro mène à bien les entreprises amoureuses de son maître, le comte Almaviva, qui parvient à épouser la jeune Rosine dans la maison même du vieillard qui la garde. Beaumarchais transforme le valet traditionnel en dénonciateur de l'inégalité sociale. « Un grand nous fait assez de bien quand il ne nous fait pas de mal », dit Figaro. Son insolence ira encore plus loin dans la suite de ses aventures, *le Mariage de Figaro* (1784).

Alfred de Musset (Fr., 1810-1857), *On ne badine pas avec l'amour* (1834) • Perdican et Camille mettent par plaisir des obstacles à leur amour. Perdican adopte un jeu dangereux : il fait la cour à une autre femme, Rosette, une jeune paysanne. Celle-ci en mourra et l'amour entre les deux jeunes gens sera définitivement impossible. Chez Musset, la comédie de l'amour est grave, sans frontière avec la tragédie qu'elle implique. Mais elle conserve la grâce des conversations juvéniles et utilise des personnages secondaires hautement comiques.

John Millington Synge (Irl., 1871-1909), *le Baladin du monde occidental* (1907) • Dans une auberge perdue de la côte occidentale d'Irlande, un héros se révèle : Christy Mahon, qui se vante d'avoir tué son père. Un tel exploit lui vaut l'admiration de tous et l'amour de Pegeen. Quand le père réapparaît, il lui faut le « retuer ». Du coup, les « crétins d'ici » renient leur héros. Le réalisme populaire de sa farce déclencha un scandale historique.

George Bernard Shaw (Irl., 1856-1950), *Pygmalion* (1913) • Certain du pouvoir de l'éducation, un élégant passionné de phonétique décide de transformer une bouquetière inculte en femme du monde. La jeune Eliza devient en effet une reine des salons. Mais son Pygmalion l'a traitée comme un objet. Sous les mots d'esprit, Shaw a construit une comédie psychologique et sociale qui défend par l'humour et la sensibilité la cause de la femme.

Roland Dubillard (Fr., né en 1923), *Naïves hirondelles* (1961) • Que dit-on, que vend-on dans cette boutique d'« on ne sait quoi » où arrive une jeune modiste ? Elle est venue pour des chapeaux, mais on ne parlera que de porcelaine, de quincaillerie et de photographie. À la dernière minute, cet étrange commerce reste sans acheteur. Le comique énigmatique de Dubillard traduit une absurdité qui est moins celle du monde que celle de l'individu dérouté face au langage.

Cabaret et café-théâtre

Le cabaret est par vocation le lieu de la chanson et du music-hall mais il favorise parfois la naissance d'un nouveau théâtre, comme pendant la période faste des cabarets berlinois, entre 1918 et 1933 (Karl Valentin, 1882-1948, y joue ses propres textes), ou à Paris, avec la fièvre créatrice de Saint-Germain-des-Prés à la Libération et pendant les années 1950.
Toujours à Paris, le mouvement du café-théâtre commence en 1966, en réaction contre les grands théâtres indifférents aux jeunes auteurs. Il se banalise à partir des années 1980 mais a révélé des auteurs-acteurs comme Romain Bouteille ou Josiane Balasko.

Le drame religieux et historique

Une action mêlée

Le drame est une pièce qui développe librement une « action », selon le sens même du grec *drama*. Celle-ci est moins stylisée que dans la tragédie ou la comédie, et la succession des événements ressemble plus aux péripéties de la vie, avec, parfois, le mélange du tragique et du comique. Le drame est au théâtre ce que le roman est à la prose narrative, un genre très ouvert, volontiers proche du réel mais capable aussi de se déployer dans des univers poétiques.

Dans les drames religieux et historiques, l'action met en scène des intérêts collectifs. C'est notamment le cas aux origines puisque le drame, comme la tragédie et la comédie, naît d'un culte de Dionysos. Le drame satyrique des Grecs met ainsi en scène les satyres, compagnons du dieu. De la même façon, le drame liturgique du Moyen Âge illustre des épisodes de l'Histoire sainte. Joué initialement à l'intérieur de l'église, il en déborde pour donner lieu à de vastes représentations qui mobilisent toute une ville pendant plusieurs jours, les mystères (XIVe-XVIe s.). Dans l'Espagne de la Reconquête puis du Siècle d'or, cette forme dramatique acquiert une importance particulière, sous le nom d'*auto sacramental*, tandis que la *comedia* profane inclut non seulement des comédies, mais aussi des drames, souvent dits « de cape et d'épée ». En Angleterre, de même, le théâtre élisabéthain, au XVIe s., aime le mélange des genres et le drame à épisodes. La tragi-comédie représente la forme française en vogue autour de 1630. Après le règne de la tragédie classique (surtout en France), le drame historique devient le genre favori des romantiques.

Le Jeu d'Adam (v. 1150-1170) • La Genèse portée au théâtre : Dieu, appelé la Figure, et Satan, appelé Diabolus, se disputent l'attention d'Adam et Ève. « Tu es mon serf et moi ton sire », dit Dieu à Adam. Après la faute, le premier couple est chassé du paradis et se lamente de son nouvel état de souffrance. *Le Jeu d'Adam* est le premier des drames liturgiques du Moyen Âge écrits en langue vulgaire (avec seulement des chants et des didascalies en latin). D'une grande liberté par rapport aux Écritures bien qu'il soit joué dans les églises, il constitue la naissance du théâtre français.

Arnoul Gréban (Fr., v. 1420-1471), *le Mystère de la Passion* (v. 1450) • La vie du Christ, de l'Annonciation à la Résurrection. La Passion constitue l'essentiel de ce long texte de 34000 vers, qui nécessite quatre jours de représentation et que jouaient sur la place publique, dans une mise en scène spectaculaire, 393 acteurs. Le mystère est un drame religieux et édifiant, consacré au Christ ou à un saint. Il y eut, au XVe s. et au début du XVIe s., de nombreux *Mystères de la Passion*. Celui-ci est empreint d'une grande sensibilité.

Fernando de Rojas (Esp., v. 1465-1541), *la Célestine* (1499) • « Lecteur, ne sois pas inquiet ni choqué de cette histoire lascive qu'on te présente », dit l'auteur pour atténuer l'effet de scandale lié à son personnage central, la Célestine, une entremetteuse qui cherche à obtenir de manière crapuleuse les faveurs de la vierge Mélibée au profit du jeune Calixte. Au sein d'un climat d'obscénité et de violence naît un amour pur entre les deux jeunes gens – que la mort va faucher. Énorme pièce de 22 actes, *la Célestine* renouvelle, par la richesse de sa psychologie et des éléments réalistes, le genre du drame.

Christopher Marlowe (Angl., 1564-1593), *la Tragique Histoire du docteur Faust* (v. 1590) • Disposant, grâce au diable, de tous les pouvoirs, Faust montre sa puissance aux grands de ce monde et réalise tous ses désirs, même celui de rencontrer Hélène de Troie ; mais, malgré ses suppliques, il ne peut échapper à la mort. « L'enfer, c'est où nous sommes », dit Faust quelques instants avant de disparaître. Pour la première fois, l'histoire de Faust – inspirée d'un personnage réel – est portée au théâtre. Marlowe charge le drame philosophique d'insolence à l'égard de l'ordre politique et religieux.

William Shakespeare (Angl., 1564-1616), *Richard III* (v. 1592) • Ascension et chute de Richard, duc de Gloucester, affublé d'un pied bot : il accède au trône d'Angleterre en cajolant et en tuant ses ennemis, même les enfants de son frère. « Mon royaume pour un cheval ! » s'écrie-t-il sur le champ de bataille avant de mourir. Les familles de York et de Lancastre se réconcilient sur son cadavre. Drame historique, *Richard III* tient sa puissance d'une réinvention hallucinée d'événements passés (ils ont eu lieu plus d'un siècle avant l'écriture de la pièce) et de la fascination-répulsion provoquée par un criminel hors de toute norme.

Félix Lope de Vega Carpio (Esp., 1562-1635), *le Cavalier d'Olmedo* (1606, publ. en 1641) • Cavalier d'Olmedo, amoureux de la belle Inès et aimé d'elle, Don Alonso sauve la vie de son rival, qui le fait assassiner et se fait passer pour lui. Le roi venge cette imposture : « Tranchez la tête de ces infâmes pour mettre fin à la tragique histoire du chevalier d'Olmedo. » La pièce est l'un des plus brillants exemples du drame espagnol avec son mélange de comique et de tragique, son intrigue complexe et sa conscience d'un monde réel en rupture avec l'idéalisation héroïque.

Cyril Tourneur (Angl., v. 1575-1626), *la Tragédie du vengeur* (1607) • Lussurioso (Luxurieux), Castiza (Chasteté), Vendice (Vengeur) et d'autres habitants d'un duché italien corrompu sont engagés dans une lutte féroce entre le vice et la vertu. « Il est temps de mourir quand nous devenons des ennemis pour nous-mêmes », dit Vendice, sa tâche de justicier accomplie. Ce drame défie les limites de la représentation des actes de cruauté. Sa première fonction est d'assouvir le goût du public pour l'horreur en conservant le goût shakespearien des débats élevés et d'une langue élégante.

John Ford (Angl., 1586-v. 1639), *Dommage qu'elle soit une putain* (1626, publ. en 1633) • Dans une Italie de convention chère aux écrivains élisabéthains et post-élisabéthains, un amour fou entre un frère et une sœur (enceinte de celui-ci) déclenche le plus sanglant des conflits. « Jamais le meurtre et l'inceste n'ont été aussi étroitement mêlés », dit l'auteur par la bouche du cardinal. Dernier grand drame de la prodigieuse époque de création théâtrale que furent les années 1580-1630 en Angleterre, la pièce frappe

Les principales pièces de Shakespeare

L'œuvre théâtrale de Shakespeare est traditionnellement divisée en drames historiques, comédies et tragédies. Les drames historiques (*Henry VI*, v. 1590 ; *Richard III*), qu'on peut appeler chroniques (*chronicle plays*), sont au nombre de dix. Les comédies (*la Mégère apprivoisée*, v. 1594 ; *le Songe d'une nuit d'été*, v. 1595 ; *la Nuit des rois*, v. 1602), au nombre de douze. *Le Songe d'une nuit d'été* recourt au genre de la féerie pour dépeindre la fragilité et la mobilité des sentiments amoureux. Enfin, les tragédies sont au nombre de quinze. Alliant un sentiment intense de la violence du monde et une recherche de la langue la plus raffinée, elles mettent en scène les passions et les questions essentielles : l'amour et la rivalité des clans (*Roméo et Juliette*, v. 1595), la dissimulation et la folie (*Hamlet*, 1602) ; la jalousie (*Othello*, 1604), l'abandon et la solitude (*le Roi Lear*, v. 1606), l'ambition effrénée (*Macbeth*, v. 1606), la quête de l'harmonie *la Tempête*, v. 1611).

La scène élisabéthaine

De forme ronde ou hexagonale, le théâtre élisabéthain est une construction en bois de deux ou trois étages. À l'intérieur, des galeries superposées entourent le plateau, sauf à l'arrière-plan de la scène, fermée par un bâtiment en forme de tour dont les deux niveaux servent de coulisses et de lieux d'action complémentaires. La scène, en plein air mais disposant d'un auvent en chaume dans sa partie la plus proche des coulisses, est posée sur des tréteaux ou des piliers et arrive jusqu'au milieu du parterre. Les décors, les draperies et les accessoires sont utilisés de façon limitée, mais les costumes sont luxueux. Parfois, des écriteaux indiquent l'endroit où se passe la scène (la forêt, le champ de bataille...). Les représentations ont lieu l'après-midi (seuls les théâtres privés, c'est-à-dire appartenant à des familles, donnent des représentations nocturnes ; ils sont fermés et ont des systèmes d'éclairage). Les troupes, où ne figurent que des hommes (les rôles de femmes sont joués par de jeunes acteurs), sont parrainées par des aristocrates. Le public assiste debout aux représentations. Au parterre et sur les trois côtés de la scène, il est à découvert. Dans les galeries, il est protégé par le plafond de l'étage supérieur ou un toit de chaume.

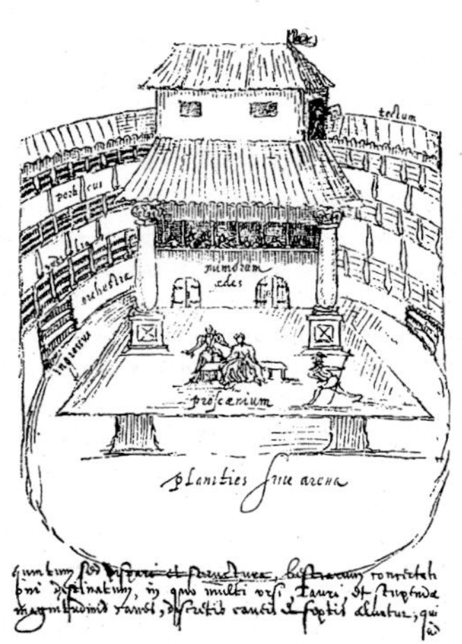

◆ **Le théâtre du Cygne** (Swan Theatre), à Londres. Croquis de J. De Witt, v. 1596.

Les marionnettes

Chargées de caractères magiques, les marionnettes sont apparues dès la plus haute antiquité en Chine et en Égypte, puis vers le VIe s. av. J.-C. en Europe.

En français, le mot « marionnette » vient de « Marion », « petite Marie », ce qui atteste un rapport à la liturgie, alors que, jusqu'au VIIe s., l'Église a interdit l'usage des figurines anthropomorphiques.

Il existe deux grands types de manipulation : « bras en l'air » et « bras en bas ». Parmi les marionnettes manipulées bras en l'air, on connaît surtout la marionnette à gaine, popularisée par Guignol, dont on retrouve des homologues en Allemagne avec Kasperle, en Italie avec Pulcinella, en Angleterre avec Punch. Traditionnellement satiriques, voire contestataires, ces personnages (auxquels se rattache le Karagöz du théâtre d'ombres turc) incarnent souvent les réactions des petites gens face à l'oppression. Des marionnettes à tige sont utilisées dans les théâtres d'ombres d'Extrême-Orient.

La manipulation bras en bas survit dans l'*opera dei puppi* de Sicile et dans les marionnettes de Belgique (Toone à Bruxelles, Tchantchès à Liège). À ces deux types de manipulation s'ajoutent de multiples variantes dont les plus notables sont celles du *bunraku* japonais ou de troupes contemporaines comme le Bread and Puppet Theatre.

La marionnette est souvent apparue aux auteurs (*Essai sur les marionnettes,* de Heinrich von Kleist) et aux metteurs en scène contemporains (Edward Gordon Craig, Gaston Baty) comme l'interprète idéal du texte dramatique et même comme le support d'un art du geste qui englobe et excède toutes les conventions du langage (Antonin Artaud). En France, depuis 1968, Philippe Genty développe une forme dramatique qui dépasse le théâtre de marionnettes et d'objets ; il associe acteurs-danseurs et personnages animés dans un univers plastique où lumières et projections ont une grande part.

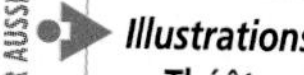
VOIR AUSSI
Illustrations
• **Théâtre de rue** (Troupe royal de Luxe) p. 1306

◆ **Guignol et Gnafron.**
Animé par l'index de l'opérateur, Guignol est un pantin sans fil, au visage poupon et rieur. Il a été créé vers 1808 à Lyon par Laurent Mourguet, qui donna à son personnage l'esprit et le langage des canuts. Guignol et son ami Gnafron symbolisèrent l'esprit populaire frondeur en lutte contre les autorités.

◆ ***Opera dei puppi.***
Ce spectacle de marionnettes très populaire en Sicile est fondé sur un répertoire héroïque et chevaleresque. Les marionnettes, hautes de plus d'un mètre et suspendues par la tête à une tringle tenue par un manipulateur, portent de splendides armures pour les scènes de duels et de batailles. (*Duel de Roland et Renaud,* Théâtre de marionnettes siciliennes, Palerme)

◆ **Marionnettes japonaises.**
Scène de ningyô-jôruri. Cette forme de spectacle connut son apogée au XVIIe s., grâce au récitant Takemoro Gidayu et au dramaturge Chikamatsu Monzaemon. Les marionnettistes, au nombre de trois, manipulent les poupées *(ningyô)* sur la scène, à la vue du public. Un narrateur, accompagné d'un joueur de *shamisen*, déclame le *jôruri*, histoire poétique qui tient du drame épique.

◆ **Le Bread and Puppet Theatre.**
Fondée en 1962, cette troupe américaine a intégré aux techniques traditionnelles des recherches inspirées du théâtre contemporain. Des personnages, mi-géants, mi-masques de carnaval manœuvrés à vue, figurent les protagonistes de fables politiques et écologiques. Spectacle « Bread and Puppet » (Cité universitaire, Paris, 1969), réalisé par Peter Schumann.

◆ ***Wayang.***
Ce mot javanais désigne diverses formes de théâtre et particulièrement le théâtre d'ombres. Il utilise des figurines plates, richement peintes, dont l'ombre est projetée sur un écran. Une représentation de *wayang* se déroule sous la direction d'un *dalang*, récitant et « metteur en scène », et avec un accompagnement musical. (Théâtre d'ombres à Songkhla, en Thaïlande)

Le théâtre d'ombres

Originaire de Chine (et probablement de l'Inde et du Tibet), le théâtre d'ombres utilise des silhouettes découpées dans du cuir ou du papier, souvent peintes et articulées. Éclairées par l'arrière, elles se découpent sur l'envers d'un écran blanc transparent. Ces spectacles sont largement répandus dans l'Orient et le Moyen-Orient, où ils demeurent très populaires. Les plus connus sont les ombres de Java *(wayang)*, qui gagnèrent Bali et la Thaïlande, ou celles du Karagöz turc qui, avec ses figurines translucides et colorées, s'est répandu dans les pays arabes et en Grèce. Le théâtre d'ombres fut introduit à Paris vers 1770. Les « ombres chinoises » de Séraphin eurent alors la faveur de la cour. À la fin du XIXe s., les spectacles d'ombres étaient très à la mode dans les cabarets de Montmartre grâce à des auteurs comme le dessinateur Caran d'Ache.

Les théories littéraires

Penser la littérature

C'est le philosophe grec Aristote qui fonde la tradition occidentale des théories littéraires (*Poétique*, v. 340 av. J.-C.). Après lui, de nombreux auteurs (écrivains, critiques, philosophes) réfléchissent à la manière de concevoir les œuvres et de définir la littérature, ses genres et ses formes.

Théories et manifestes d'écrivains. Les écrivains explicitent fréquemment leur esthétique, et, le cas échéant, celle du mouvement littéraire auquel ils appartiennent. Leurs textes théoriques sont autant de jalons dans l'histoire littéraire.

À la Renaissance, la *Défense et illustration de la langue française* (1549) de Du Bellay présente les conceptions poétiques de la Pléiade (Ronsard, Du Bellay, Belleau, Baïf, Jodelle, Pontus de Tyard et Peletier du Mans) : il s'agit de rompre avec les pratiques médiévales et de s'inspirer des modèles antiques pour renouveler en profondeur la poésie française.

Au XVIIe s., Malherbe puis Boileau (*Art poétique*, 1674) codifient les règles de l'esthétique classique, fondées sur la clarté, la mesure et l'équilibre.

Au début du XIXe s., les œuvres romantiques deviennent elles-mêmes de véritables manifestes. Hugo, dans la préface de *Cromwell* (1827), défend l'alliance du grotesque et du sublime, et le mélange des genres. À la fin du siècle, avec la multiplication des écoles et des courants, les écrivains renouent avec le manifeste et la théorie. *Le Roman expérimental* (1880) de Zola théorise le naturalisme, dont l'analyse sociale s'inspire des méthodes de Claude Bernard. *Le Manifeste du symbolisme* (1886) de Moréas défend une poétique idéaliste recourant au symbole.

Au XXe s., le *Manifeste du surréalisme* (1924) de Breton jette les bases d'une révolution littéraire et artistique fondée sur l'exploration de l'inconscient et du surréel. Dans *Pour un nouveau roman* (1963), Alain Robbe-Grillet tente de théoriser et de synthétiser les expériences convergentes mais dissemblables de plusieurs romanciers (Nathalie Sarraute, Samuel Beckett, Claude Simon, Jean Ricardou, Robert Pinget, Claude Ollier, Michel Butor) qui, refusant d'écrire une histoire, racontent l'histoire de leur propre travail d'écriture.

La pratique de la critique donne aux écrivains le moyen d'exprimer leurs idées esthétiques et de réfléchir aux relations entre création et perception du texte. Ainsi fait Baudelaire, dans sa critique artistique, musicale et littéraire (*Notes nouvelles sur E. A. Poe*, 1857). Ainsi fait également Proust (*Contre Sainte-Beuve*, posth., 1954), qui refuse en critique l'interprétation biographique et le jugement de valeur, et pour qui la réflexion esthétique est inséparable du travail de création.

Approches critiques. La critique littéraire est une pratique ancienne qui s'est longtemps incarnée dans les formes du commentaire, de l'art poétique et du traité esthétique ou rhétorique. C'est au XIXe s. qu'elle prend son sens moderne. Essentiellement fondée sur l'érudition et sur la théorisation, elle classe, analyse et interprète les œuvres. Censément plus objective que la critique journalistique, elle n'exclut pourtant pas tout jugement de valeur.

Premier critique moderne, Sainte-Beuve (1804-1869) construit sa critique psychologique sur l'évaluation de la personnalité de l'écrivain (*Port-Royal*, 1840-1859 ; *Causeries du lundi*, 1851-1862).

À cette pratique subjective s'oppose la critique positiviste, qui défend une méthode scientifique et objective. Hippolyte Taine (1828-1893) étudie les œuvres en fonction de leur milieu (*Essai de critique et d'histoire*, 1857). Dogmatique attaché au classicisme, Ferdinand Brunetière (1849-1906) classe les genres littéraires en s'inspirant de Darwin (*l'Évolution de la critique*, 1890). Son élève Gustave Lanson (1857-1934) met au point une méthode historique à partir de l'étude des sources (*Histoire de la littérature française*, 1894).

Refusant la critique érudite et universitaire, certains écrivains affirment que seuls les créateurs sont capables de produire une critique pertinente. Anatole France, Jules Lemaître et Remy de Gourmont (*Promenades littéraires*, 1904-1913) développent ainsi une critique impressionniste, ouvertement subjective, fondée sur les qualités personnelles et sur les expériences du critique.

Au XXe s., les pratiques antérieures sont remises en cause par la « nouvelle critique », qui recourt aux sciences humaines. Inaugurée par Freud, la psychocritique applique aux textes littéraires la méthode et les outils de la psychanalyse (Charles Mauron, *Des métaphores obsédantes au mythe personnel*, 1963 ; Julia Kristeva, *Semeiotikè, recherches pour une sémanalyse*, 1969). La sociocritique de György Lukács (*la Théorie du roman*, 1920) et de Lucien Goldmann (*Pour une sociologie du roman*, 1964) allie méthode structuraliste et analyse marxiste.

À partir de la linguistique, la critique structuraliste, quant à elle, étudie le texte comme une structure créatrice de sens, indépendante de l'auteur et du contexte historique. À la suite des formalistes russes (Propp, Todorov), Roland Barthes insiste sur la prééminence de la forme et du langage dans le fonctionnement et dans l'interprétation du texte littéraire (*le Degré zéro de l'écriture*, 1953 ; *le Plaisir du texte*, 1973).

La « nouvelle critique » s'est peu à peu imposée à l'Université tandis que le structuralisme est aujourd'hui remis en cause. Très diversifiée, la critique littéraire actuelle se tourne vers l'étude génétique, poétique et sémiotique. Elle prend également en compte les théories de l'énonciation et celles de la lecture. Elle s'enrichit, en outre, des apports de la phénoménologie.

Victor Hugo, préface de *Cromwell*

Mettons le marteau dans les théories, les poétiques et les systèmes. Jetons bas ce vieux plâtrage qui masque la façade de l'art ! Il n'y a ni règles ni modèles ; ou plutôt, il n'y a pas d'autres règles que les lois générales de la nature, qui planent sur l'art tout entier, et les lois spéciales qui, pour chaque composition, résultent des conditions d'existence propres à chaque sujet. Les unes sont éternelles, intérieures, et restent ; les autres, variables, extérieures, et ne servent qu'une fois. Les premières sont la charpente qui soutient la maison ; les secondes, l'échafaudage qui sert à la bâtir et qu'on refait à chaque édifice. Celles-ci enfin sont l'ossement, celles-là le vêtement du drame. Du reste, ces règles-là ne s'écrivent pas dans les poétiques. […] Que le poète se garde surtout de copier qui que ce soit, pas plus Shakespeare que Molière, pas plus Schiller que Corneille. (1827)

Extraits du *Manifeste du surréalisme*

Ce n'est pas la crainte de la folie qui nous forcera à laisser en berne le drapeau de l'imagination. Le procès de l'attitude réaliste demande à être instruit, après le procès de l'attitude matérialiste. Celle-ci, plus poétique, d'ailleurs, que la précédente, implique de la part de l'homme un orgueil, certes, monstrueux, mais non une nouvelle et plus complète déchéance. Il convient d'y voir, avant tout, une heureuse réaction contre quelques tendances dérisoires du spiritualisme. Enfin, elle n'est pas incompatible avec une certaine élévation de pensée. Par contre, l'attitude réaliste, inspirée du positivisme, de saint Thomas à Anatole France, m'a bien l'air hostile à tout l'essor intellectuel et moral. Je l'ai en horreur, car elle est faite de médiocrité, de haine et de plate suffisance. […] Le merveilleux n'est pas le même à toutes les époques ; il participe obscurément d'une sorte de révélation générale dont le détail seul nous parvient : ce sont les *ruines* romantiques, le *mannequin* moderne ou tout autre symbole propre à remuer la sensibilité humaine durant un temps. Dans ces cadres qui nous font sourire, pourtant se peint toujours l'irrémédiable inquiétude humaine, et c'est pourquoi je les prends en considération, pourquoi je les juge inséparables de quelques productions géniales, qui en sont plus que les autres douloureusement affectées. Ce sont les potences de Villon, les grecques de Racine, les divans de Baudelaire.

André Breton, 1924.

Voir aussi
- **Surréalisme** p. 1102, 1124
- **Arts poétiques** p. 1119

Illustrations
- **Boileau** p. 1122

Petit lexique

ballade : forme fixe médiévale composée de trois strophes et d'un envoi ; le terme désigne, par la suite, un poème narratif, généralement pathétique (Allemagne, Angleterre), ou une forme lyrique libre (France).

élégie : genre lyrique exprimant la tristesse, la plainte et la nostalgie ; codifiée dans l'Antiquité, elle prend par la suite des formes très variées.

épître : poème d'origine antique, de longueur variable, généralement adressé à un personnage, fictif ou réel ; mondaine et polémique, elle se caractérise par ses intentions satiriques et didactiques.

hymne : (m.) chant d'éloge célébrant un dieu, un héros, une idée ou un sentiment ; (f.) louange à Dieu dans la liturgie catholique.

ode : poème lyrique d'origine antique, remis en vogue à la Renaissance ; l'ode pindarique, très codifiée, d'inspiration héroïque, se distingue de l'ode anacréontique, forme lyrique libre.

sonnet : forme fixe inventée par la Renaissance italienne, qui se caractérise généralement par sa densité et sa « pointe » finale ; sa structure de base (deux quatrains et un sizain de vers de même longueur) connaît de nombreuses variantes.

Théorie et pratique du théâtre

Le texte fondateur

La *Poétique* d'Aristote est le premier texte théorique connu sur le théâtre, écrit vers 344 av. J.-C. ; cet essai n'est pas uniquement consacré à l'art dramatique puisqu'il traite aussi de la poésie et de l'épopée mais, partant du langage poétique, le philosophe définit la nature du théâtre et, avant tout, de la tragédie. Ses deux idées centrales sont l'imitation, qui est le travail de l'auteur (*mimesis* : « La Tragédie est l'imitation d'une action grave, entière, étendue jusqu'à un certain point »), et la purgation, qui est l'effet obtenu sur le spectateur (*catharsis :* la Tragédie « opère, non par le récit mais par la terreur et la pitié, la purgation des passions »). Le théâtre est donc un art moral puisqu'il élève celui qui le regarde.

Sensible à l'art de l'auteur, Aristote exprime ce que sont pour lui les secrets de la composition : « Puisque c'est en agissant que la Tragédie imite, il est nécessaire, premièrement, que le Spectacle, la Mélopée, les Paroles soient des parties de la tragédie. Car c'est par ces trois moyens que la Tragédie réalise son imitation. […] En second lieu, puisque c'est une Action que la Tragédie imite et qui s'exécute par des personnages agissants, qui sont nécessairement caractérisés par leurs mœurs et leur pensée actuelle (car nous avons dit que les actions humaines sont caractérisées par ces deux choses), il s'ensuit que les actions qui font le bonheur ou le malheur de chaque homme ont deux causes, les Mœurs et la Pensée. Or l'imitation de l'action est la Fable ; car j'appelle Fable l'arrangement des parties dont est composée une action poétique. J'appelle Mœurs ce qui caractérise celui qui agit, et Pensée, l'idée ou le jugement qui s'exprime par la parole. Il y a donc nécessairement dans toute Tragédie six éléments : la Fable, les Mœurs, les Paroles, les Pensées, le Spectacle et le Chant ».

Extrait de la préface de *Bérénice*

Ce n'est point une nécessité qu'il y ait du sang et des morts dans une tragédie : il suffit que en soit grande, que les acteurs en soient héroïques, que les passions y soient excitées, et que tout s'y ressente de cette tristesse majestueuse qui fait tout le plaisir de la tragédie. Je crus que je pourrais rencontrer toutes ces parties dans mon sujet ; mais ce qui m'en plut davantage, c'est que je le trouvais extrêmement simple. Il y avait longtemps que je voulais essayer si je pourrais faire une tragédie avec cette simplicité d'action qui a été si fort du goût des Anciens. Car c'est un des premiers préceptes qu'ils nous ont laissés : « Que ce que vous ferez, dit Horace, soit toujours simple et ne soit qu'un. » Ils ont admiré l'*Ajax* de Sophocle, qui n'est autre chose qu'Ajax qui se tue de regret, à cause de la fureur où il était tombé après le refus qu'on lui avait fait des armes d'Achille. […] Et il ne faut point croire que cette règle ne soit fondée que sur la fantaisie de ceux qui l'ont faite : Il n'y a que le vraisemblable qui touche dans la tragédie. Et quelle vraisemblance y a-t-il qu'il arrive en un jour une multitude de choses qui pourraient à peine arriver en plusieurs semaines ? Il y en a qui pensent que cette simplicité est une marque de peu d'invention. Ils ne songent pas qu'au contraire toute l'invention consiste à faire quelque chose de rien, et que tout ce grand nombre d'incidents a toujours été le refuge des poètes qui ne sentaient dans leur génie ni assez d'abondance, ni assez de force pour attacher durant cinq actes leurs spectateurs par une action simple, soutenue de la violence des passions, de la beauté des sentiments et de l'élégance de l'expression. (Jean Racine, 1670)

La scène

La fonction de metteur en scène, qui dépasse celle exercée précédemment par le chef de troupe, le régisseur et l'auteur, et qui vise à donner une unité organique à un spectacle, apparaît au XIXe s. avec les fondateurs (1870) de la troupe des Meininger, le duc de Saxe-Meiningen et son épouse Ellen Franz, dont les réalisations sont soucieuses d'une harmonie générale, et avec le Français André Antoine, qui oriente le spectacle théâtral vers une tonalité d'ensemble naturaliste. L'art de la mise en scène – « écriture scénique » selon la formule de Roger Planchon – prend au XXe s. un essor considérable, soit qu'il organise un nombre important d'éléments autour d'un texte, comme chez le Soviétique Vsevolod Meyerhold (1879-1940), soit qu'il revendique l'« espace vide », autour duquel s'orientent les recherches de l'Anglais Peter Brook (né en 1925).

Le décor et les éléments scéniques. Au début du XXe s., deux réflexions décisives font évoluer la conception de l'espace ainsi que les relations entre les éléments traditionnels et les techniques nouvelles. D'une part, l'Anglais Gordon Craig (1872-1966) propose que l'acteur devienne une « sur-marionnette » à l'intérieur d'une scène dilatée et métamorphosée par ses différents niveaux et par la lumière. D'autre part, le Suisse Adolphe Appia (1862-1928) apporte au théâtre les révolutions de l'art et de la musique pour un spectacle d'ensemble où la scène devient un « espace rythmique ». Désormais, le mot de décor, trop circonscrit à l'espace étroit de la scène, est de plus en plus souvent remplacé par celui de scénographie. Au fil des ans, le rôle des lumières et du son revêt une importance de plus en plus grande. Ils donnent lieu à des créations intégrées à la scénographie et à la mise en scène. Quant au lieu théâtral, il a changé dans le sens d'une amplification de l'espace et avec le souci d'intégrer le public à la représentation.

L'acteur. Qu'est-ce qui fonde l'art, la psychologie et la technique de l'acteur ? L'un des premiers théoriciens en ce domaine est Diderot ; dans *le Paradoxe sur le comédien,* il démontre que l'acteur paraît d'autant plus sensible qu'il compose intellectuellement cette sensibilité. Le Russe Constantin Stanislavski (1863-1938), dont les cours, *la Formation de l'acteur,* sont publiés en 1938, définit d'une manière théorique et pédagogique les mécanismes sur lesquels s'appuie l'interprète : l'imagination, la concentration, la relaxation, la mémoire affective, le subconscient… « Chacun de vos mouvements et chacune de vos paroles dépend de l'expression juste de votre imagination », dit-il à l'acteur.

Sur cette analyse se développe un enseignement moderne qui privilégie l'exploitation des émotions refoulées (l'Actors Studio de Lee Strasberg, à New York), ou l'engagement total (avec Jerzy Grotowski, libérant l'acteur de ses acquis et le projetant dans l'inconnu et l'inconscient), ou les ressources de l'expression corporelle (avec la méthode de Jacques Lecocq, dont s'est inspirée Ariane Mnouchkine).

◆ **Ariane Mnouchkine dirigeant la mise en scène de la pièce *Richard II*,** au théâtre du Soleil.

Extrait du *Théâtre et son double*

Théâtre de la cruauté veut dire théâtre difficile et cruel d'abord pour moi-même. Et sur le plan de la représentation, il ne s'agit pas de cette cruauté que nous pouvons exercer les uns sur les autres en nous dépeçant mutuellement les corps… mais de celle, beaucoup plus terrible et nécessaire que les choses peuvent exercer sur nous. […] Le théâtre ne peut redevenir lui-même, c'est-à-dire constituer un moyen d'illusion vrai, qu'en fournissant au spectateur des précipités véridiques de rêves, où son goût du crime, ses obsessions érotiques, sa sauvagerie, ses chimères, son sens utopique de la vie et des choses, son cannibalisme même, se débondent, non pas sur un plan supposé et illusoire, mais intérieur. (Antonin Artaud, 1938)

Les prix littéraires

Prix Nobel de littérature

Prix annuel, décerné par l'Académie de Stockholm, il couronne, selon le vœu exprimé par Alfred Nobel dans son testament (27 nov. 1895), « l'auteur de l'ouvrage littéraire le plus remarquable d'inspiration idéaliste ». De 1901 à 1998, il a été décerné 91 fois à 95 lauréats dont 8 femmes (Selma Lagerlöf, Grazia Deledda, Sigrid Undset, Pearl Buck, Gabriela Mistral, Nelly Sachs, Nadine Gordimer, Toni Morrison). Il a été refusé 2 fois (par Boris Pasternak en 1958 et par Jean-Paul Sartre en 1964) et non attribué 7 fois (1914, 1918, 1935, 1940, 1941, 1942, 1943).

Nombre de lauréats par pays après les attributions de 1998 : France (12) ; États-Unis (11) ; Grande-Bretagne, Suède (7) ; Allemagne, Italie (6) ; Espagne (5) ; Irlande, URSS (4) ; Danemark, Norvège, Pologne (3) ; Chili, Grèce, Suisse, Japon (2) ; Afrique du Sud, Australie, Belgique, Colombie, Égypte, Finlande, Guatemala, Inde, Islande, Israël, Mexique, Nigeria, Portugal, Sainte-Lucie, Tchécoslovaquie, Yougoslavie (1).

◆ **Lauréats du prix Nobel de littérature.**

1901 Sully Prudhomme (Fr.)
1902 T. Mommsen (All.)
1903 B. Bjørnson (Norv.)
1904 F. Mistral (Fr.), J. Echegaray (Esp.)
1905 H. Sienkiewicz (Pol.)
1906 G. Carducci (It.)
1907 J. R. Kipling (G.-B.)
1908 R. Eucken (All.)
1909 S. Lagerlöf (Suède)
1910 P. von Heyse (All.)
1911 M. Maeterlinck (Belg.)
1912 G. Hauptmann (All.)
1913 R. Tagore (Inde)
1915 R. Rolland (Fr.)
1916 V. von Heidenstam (Suède)
1917 K. A. Gjellerup (Dan.), H. Pontoppidan (Dan.)
1919 C. Spitteler (Suisse)
1920 K. Hamsun (Norv.)
1921 A. France (Fr.)
1922 J. Benavente (Esp.)
1923 W. B. Yeats (Irl.)
1924 W. Reymont (Pol.)
1925 G. B. Shaw (Irl.)
1926 G. Deledda (It.)
1927 H. Bergson (Fr.)
1928 S. Undset (Norv.)
1929 T. Mann (All.)
1930 S. Lewis (É.-U.)
1931 E. A. Karlfeldt (Suède)
1932 J. Galsworthy (G.-B.)
1933 I. A. Bounine (URSS)
1934 L. Pirandello (It.)
1936 E. O'Neill (É.-U.)
1937 R. Martin du Gard (Fr.)
1938 P. S. Buck (É.-U.)
1939 F. E. Sillanpää (Finl.)
1944 J. V. Jensen (Dan.)
1945 G. Mistral (Chili)
1946 H. Hesse (Suisse)
1947 A. Gide (Fr.)
1948 T. S. Eliot (G.-B.)
1949 W. Faulkner (É.-U.)
1950 B. Russell (G.-B.)
1951 P. Lagerkvist (Suède)
1952 F. Mauriac (Fr.)
1953 W. L. S. Churchill (G.-B.)
1954 E. Hemingway (É.-U.)
1955 H. Laxness (Isl.)
1956 J. R. Jiménez (Esp.)
1957 A. Camus (Fr.)
1958 B. Pasternak (URSS)
1959 S. Quasimodo (It.)
1960 Saint-John Perse (Fr.)
1961 I. Andrić (Youg.)
1962 J. Steinbeck (É.-U.)
1963 G. Seféris (Grèce)
1964 J.-P. Sartre (Fr.)
1965 M. A. Cholokhov (URSS)
1966 S.J. Agnon (Isr.), N. Sachs (Suède)
1967 M. A. Asturias (Guat.)
1968 Kawabata Yasunari (Jap.)
1969 S. Beckett (Irl.)
1970 A. Soljenitsyne (URSS)
1971 P. Neruda (Chili)
1972 H. Böll (RFA)
1973 P. White (Austr.)
1974 E. Johnson (Suède), H. Martinson (Suède)
1975 E. Montale (It.)
1976 S. Bellow (É.-U.)
1977 V. Aleixandre (Esp.)
1978 I. B. Singer (É.-U.)
1979 O. Elytis (Grèce)
1980 C. Miłosz (É.-U.)
1981 E. Canetti (G.-B.)
1982 G. García Marquez (Col.)
1983 W. Golding (G.-B.)
1984 J. Seifert (Tch.)
1985 C. Simon (Fr.)
1986 W. Soyinka (Nigeria)
1987 J. Brodsky (É.-U.)
1988 N. Mahfuz (Ég.)
1989 C.J. Cela (Esp.)
1990 O. Paz (Mex.)
1991 N. Gordimer (Afr. du Sud)
1992 D. Walcott (Ste-Lucie)
1993 T. Morrison (É.-U.)
1994 Oe Kenzaburo (Jap.)
1995 S. Heaney (Irl.)
1996 W. Szymborska (Pol.)
1997 D. Fo (It.)
1998 J. Saramago (Port.)

Prix français

Prix Goncourt. C'est le prix littéraire le plus recherché. Les 10 membres de l'Académie des Goncourt, créée par E. de Goncourt par testament et officiellement constituée en 1902, le décernent, après un déjeuner traditionnel, à un roman publié dans l'année, qui s'impose par la jeunesse d'esprit et l'originalité de la forme. À partir de 1974, l'académie a attribué également une bourse de la nouvelle et une du récit historique, depuis 1980 un prix de biographie, et depuis 1985 un prix de poésie.

Prix Théophraste-Renaudot. Créé en 1925, et décerné chaque année, le même jour que le Goncourt, il récompense un ouvrage en prose alliant talent et originalité.

Parmi les lauréats : Marcel Aymé (1929), Louis-Ferdinand Céline (1932), Louis Aragon (1936), Henri Bosco (1945), Louis Guilloux (1949), Michel Butor (1957), Yambo Ouologuem (1968), Annie Ernaux (1984), Raphaëlle Billetdoux (1985), Dan Franck (1991), François Weyergans (1992), Guillaume Le Touze (1994), Patrick Besson (1995), Boris Schreiber (1996), Pascal Bruckner (1997), Dominique Bona (1998).

Prix Femina. Destiné à récompenser chaque année la meilleure œuvre française de l'année, en prose ou en poésie, ce prix a été fondé en 1904 par les revues *Femina* et *Vie heureuse*. En 1985, a été créé un prix Femina étranger.

Parmi les lauréats du prix Femina français : Romain Rolland (1905), Roland Dorgelès (1919), Jacques de Lacretelle (1922), Joseph Delteil (1925), Georges Bernanos (1929), Saint-Exupéry (1931), Zoé Oldenbourg (1953), Robert Pinget (1965), Marguerite Yourcenar (1968), Jorge Semprun (1969), Anne Hébert (1982), Hector Biancotti (1985), Alexandre Jardin (1988), Olivier Rolin (1994), Emmanuel Carrère (1995), Geneviève Brisac (1996), Dominique Noguez (1997), François Cheng (1998).

Prix Médicis. Créé en 1958 et remis chaque année le même jour que le Femina, il est attribué à un auteur dont l'œuvre, publiée dans l'année, apporte un ton et un style nouveaux. Depuis 1970, un prix couronne l'œuvre d'un écrivain étranger et depuis 1985, un essai.

◆ **Lauréats du prix Goncourt.**

1903 John-Antoine Nau
1904 Léon Frapié
1905 Claude Farrère
1906 Jérôme et Jean Tharaud
1907 Émile Moselly
1908 Francis de Miomandre
1909 Marius et Ary Leblond
1910 Louis Pergaud
1911 Alphonse de Châteaubriant
1912 André Savignon
1913 Marc Elder
1914 Prix décerné en 1916
1915 René Benjamin
1916 Henri Barbusse, Adrien Bertrand
1917 Henri Malherbe
1918 Georges Duhamel
1919 Marcel Proust
1920 Ernest Pérochon
1921 René Maran
1922 Henri Béraud
1923 Lucien Fabre
1924 Thierry Sandre
1925 Maurice Genevoix
1926 Henri Deberly
1927 Maurice Bedel
1928 Maurice Constantin-Weyer
1929 Marcel Arland
1930 Henri Fauconnier
1931 Jean Fayard
1932 Guy Mazeline
1933 André Malraux
1934 Roger Vercel
1935 Joseph Peyré
1936 Maxence Van der Meersch
1937 Charles Plisnier
1938 Henri Troyat
1939 Philippe Hériat
1940 Décerné en juin 1946 à Francis Ambrière
1941 Henri Pourrat
1942 Marc Bernard
1943 Marius Grout
1944 Elsa Triolet
1945 Jean-Louis Bory
1946 Jean-Jacques Gautier
1947 Jean-Louis Curtis
1948 Maurice Druon
1949 RobertMerle
1950 Paul Colin
1951 Julien Gracq (décline le prix)
1952 Béatrice Beck
1953 Pierre Gascar
1954 Simone de Beauvoir
1955 Roger Ikor
1956 Romain Gary
1957 Roger Vailland
1958 Francis Walder
1959 André Schwarz-Bart
1960 Vintila Horia (qui le refuse)
1961 Jean Cau
1962 Anna Langfus
1963 Armand Lanoux
1964 Georges Conchon
1965 Jacques Borel
1966 Edmonde Charles-Roux
1967 André Pieyre de Mandiargues
1968 Bernard Clavel
1969 Félicien Marceau
1970 Michel Tournier
1971 Jacques Laurent
1972 Jean Carrière
1973 Jacques Chessex (de nat. suisse)
1974 Pascal Lainé
1975 Emile Ajar
1976 Patrick Grainville
1977 Didier Decoin
1978 Patrick Modiano
1979 Antonine Maillet
1980 Yves Navarre
1981 Lucien Bodard
1982 Dominique Fernandez
1983 Frédérick Tristan
1984 Marguerite Duras
1985 Yann Queffelec
1986 Michel Host
1987 Tahar Ben Jelloun
1988 Erik Orsenna
1989 Jean Vautrin
1990 Jean Rouaud
1991 Pierre Combescot
1992 Patrick Chamoiseau
1993 Amin Maalouf
1994 Didier Van Cauwelaert
1995 Andreï Makine
1996 Pascale Roze
1997 Patrick Rambaud
1998 Paule Constant

Parmi les lauréats du prix Médicis français : Claude Ollier (1958), Philippe Sollers (1961), Monique Wittig (1964), Marie-Claire Blais (1966), Claude Simon (1967), Elie Wiesel (1968), Hélène Cixous (1969), Maurice Clavel (1972), Tony Duvert (1973), Dominique Fernandez (1974), Georges Perec (1978), Jean Echenoz (1983), Bernard-Henri Lévy (1984), Christiane Rochefort (1988), Serge Doubrovsky (1989), Yves Simon (1991), Michel Rio (1992), Yves Berger (1994), Vassilis Alexakis et Andreï Makine (1995), Jacqueline Harpman (1996), Philippe Le Guillou (1997), Homeric (1998).

◆ **Octavio Paz** recevant le prix Nobel de littérature, en 1990. Le poète et essayiste mexicain (1914-1998) est l'auteur, en particulier, du *Labyrinthe de la solitude* (1960) et de *Courant alternatif* (1967).

Parmi les lauréats du prix Médicis étranger : Milan Kundera (1973), Julio Cortázar (1974), Doris Lessing (1976), Alejo Carpentier (1979), André Brink (1980), Umberto Eco (1982), Elsa Morante (1984), Thomas Bernhard (1988), Paul Auster (1993), Robert Schneider (1994), Alessandro Baricco (1995), Michael Krüger et Ludmila Oulitskaïa (1996).

Parmi les lauréats du prix Médicis essai : Michel Serres (1985), Julian Barnes (1986), Giovanni Macchia (1988), Václav Jamek (1989), René Girard (1990), Alain Etchegoyen (1991), Luc Ferry (1992), Michel Onfray (1993), Jérôme Garcin (1994), Pascal Bruckner (1995), Viviane Forester (1996).

Grand Prix du roman de l'Académie française. Fondé en 1915, il est destiné à récompenser chaque année un jeune prosateur pour une œuvre d'imagination, d'inspiration élevée.

Parmi les lauréats : Pierre Benoit (1919), Francis Carco (1922), François Mauriac (1926), Joseph Kessel (1927), Jacques de Lacretelle (1930), Henri Pourrat (1931), Jacques Chardonne (1932), Georges Bernanos (1936), Saint-Exupéry (1939), Jean Orieux (1946), Michel de Saint-Pierre (1955), Jacques de Bourbon-Busset (1957), Henri Queffélec (1958), Michel Mohrt (1962), François Nourissier (1966), Michel Tournier (1967), Albert Cohen (1968), Bertrand Poirot-Delpech (1970), Jean d'Ormesson (1971), Patrick Modiano (1972), Michel Déon (1973), Pierre Schoendoerffer (1976), Vladimir Volkoff (1982), Patrick Besson (1985), Pierre-Jean Remy (1986), Geneviève Dormann (1989), Paule Constant (1990), Frédéric Vitoux (1994), Alphonse Boudard (1995), Calixthe Beyala (1996), Patrick Rambaud (1997), Anne Wiazemsky (1998).

Prix Interallié. Destiné à récompenser de préférence le roman d'un journaliste, ce prix, décerné chaque année, a été fondé en 1930 par des journalistes au Cercle Interallié.

Parmi les lauréats : André Malraux (1930), Paul Nizan (1938), Roger Vailland (1945), Pierre Daninos (1947), Jacques Perret (1951), Jean Dutourd (1952), Félicien Marceau (1955), Armand Lanoux (1956), Paul Guimard (1957), Antoine Blondin (1959), René Fallet (1964), Alain Bosquet (1965), Michel Déon (1970), Lucien Bodard (1973), Jean-Marie Rouart (1977), François Cavanna (1979), Christine Arnothy (1980), Serge Lentz (1985), Philippe Labro (1986), Sébastien Japrisot (1991), Dominique Bona (1992), Marc Trillard (1994), Franz-Olivier Giesbert (1995), Eduardo Manet (1996), Éric Neuhoff (1997), Gilles Martin-Chauffier (1998).

Prix étrangers

Allemagne : prix Georg-Büchner. Fondé en 1923 par l'Académie de langue et de poésie de Darmstadt et d'abord décerné à un artiste ou à un écrivain, ce prix annuel est depuis 1951 exclusivement littéraire.

Parmi les lauréats : Gottfried Benn (1951), Erich Kästner (1957), Max Frisch (1958), Paul Celan (1960), Ingeborg Bachmann (1964), Günter Grass (1965), Heinrich Böll (1967), Golo Mann (1968), Thomas Bernhard (1970), Uwe Johnson (1971), Elias Canetti (1972), Peter Handke (1973), Hermann Lenz (1978), Christa Wolf (1980), Martin Walser (1981), Peter Weiss (1982), Friedrich Dürrenmatt (1986), Botho Strauss (1989), Tankred Dorst (1990), Wolf Biermann (1991), George Tabori (1992), Adolf Muschg (1994), Durs Grünbein (1995), Sarah Kirsch (1996), Hans Carl Artmann (1997), Arnold Stadler (1999).

Belgique : prix Victor-Rossel. Ainsi nommé en mémoire du fils du fondateur du quotidien bruxellois *le Soir*, ce prix, créé en 1938, récompense un écrivain belge (de langue française) pour un roman ou un recueil de nouvelles.

Parmi les lauréats : Maurice Carême (1947), Daniel Gilles (1951), Albert Ayguesparse (1952), Maud Frère (1962), Charles Bertin (1963), Pierre Mertens (1970), Georges Thines (1973), Gaston Compère (1978), Jean Muno (1979), François Weyergans (1981), René Swennen (1987), Jean-Luc Outers (1992), Bosquet de Thoran (1994), Patrick Roegiers (1995), Caroline Lamarche (1996), Henry Bauchau et Jean-Philippe Toussaint (1997), François Emmanuel (1998).

Canada : prix du Gouverneur général. Décerné depuis 1959 par le Conseil des arts, ce prix récompense les auteurs des meilleurs livres de langue française et de langue anglaise.

Parmi les lauréats du palmarès du roman et de la nouvelle : Hugh MacLennan (1959), Yves Thériault, Malcolm Lowry (1961), Jacques Ferron (1962), Gérard Bessette (1965), Claire Martin, Margaret Laurence (1966), Jacques Godbout (1967), Marie-Claire Blais (1968), Mordecai Richler (1971), Antonine Maillet (1972), Réjean Ducharme (1973), Anne Hébert (1975), Gabrielle Roy (1977), Alice Munro (1978), Gilles Archambault (1987), Louis Hamelin et Paul Quarrington (1989), Michael Ondaatje et Anne Hébert (1992), Robert Lalonde et Rudy Wiebe (1994), Greg Hollingshead et Nicole Houde (1995), Guy Vanderhaeghe et Marie-Claire Blais (1996), Aude et Jane Urquhart (1997), Christine Frenette et Diane Schoemperlen (1998).

Espagne : prix Nadal. Ce prix, fondé en 1944, couronne chaque année un roman ou des nouvelles inédites de langue espagnole.

Parmi les lauréats : Carmen Laforet (1944), José María Gironella (1946), Miguel Delibes (1947), Sebastián Juan Arbó (1948), Elena Quiroga (1950), Luis Romero (1951), Ana María Matute (1959), Manuel Mejía Vallejo (1963), Alvaro Cunqueiro (1968), Francisco Umbral (1975), Carlos Rojas (1979), Fernando Arrabal (1982), Juan José Saer (1987), Alejandro Gándara (1991), Rafael Argullol (1992), Rosa Regas (1993), Ignacio Carrion (1995), Pedro Maestre (1996), Carlos Caneque (1997), Lucia Etxeberria (1998), Gustavo Martin Garzo (1999).

États-Unis : prix Pulitzer. Institués par Joseph Pulitzer, ils sont décernés chaque année, depuis 1917, par le Conseil de l'université Columbia à des journalistes et à des écrivains pour leurs reportage, roman, pièce, poésie, essai, biographie, etc.

Parmi les lauréats du palmarès du roman : Edith Wharton (1921), Willa Cather (1923), Margaret Wilson (1924), Sinclair Lewis (1926), Louis Bromfield (1927), Thornton Wilder (1928), Pearl S. Buck (1932), Margaret Mitchell (1937), John Steinbeck (1940), Upton Sinclair (1943), Robert Penn Warren (1947), Ernest Hemingway (1953), William Faulkner (couronné en 1955, 1963), James Agee (1958), Katherine Anne Porter (1966), Bernard Malamud (1967), William Styron (1968), Saul Bellow (1976), John Cheever (1979), Norman Mailer (1980), John Updike (1982 et 1991), Alison Lurie (1985), Toni Morrison (1988), Anne Tyler (1989), Oscar Hijuelos (1990), Jane Smiley (1992), E. Annie Proulx (1994), Carol Shields (1995), Richard Ford (1996), Steven Milhauser (1997), Philip Roth (1998).

Parmi les lauréats du palmarès du théâtre : Eugene O'Neill (couronné en 1920, 1922, 1928, 1957), Sidney Howard (1925), Elmer Rice (1929), Marc Connelly (1930), Thornton Wilder (couronné en 1938, 1943), William Saroyan (1940), Tennessee Williams (couronné en 1948, 1955), Arthur Miller (1949), Edward Albee (couronné en 1967, 1975, 1994), Sam Shepard (1979), David Mamet (1984), August Wilson (1987 et 1990), Neil Simon (1991), Tony Kushner (1993), Edward Albef (1994), Horton Foote (1995), Johnson Larson (1996), Paula Vogel (1998).

Grande-Bretagne : Booker Prize. Fondé en 1969, ce prix est administré par la National Book League.

Parmi les lauréats : V. S. Naipaul (1971), John Berger (1972), Nadine Gordimer, Stanley Middleton (1974), Paul Scott (1977), Iris Murdoch (1978), William Golding (1980), Salman Rushdie (1981), Thomas Keneally (1982), J. M. Coetzee (1983), Anita Brookner (1984), Kingsley Amis (1986), Antonia S. Byatt (1990), Ben Okri (1991), Michael Ondaatje et Barry Unsworth (1992), Roddy Doyle (1993), James Kelman (1994), Pat Barker (1995), Graham Swift (1996), Arundhati Roy (1997), Ian Mc Ewan (1998).

Italie : prix Strega. Fondé en 1947 par Goffredo et Maria Bellonci, ce prix est décerné par un jury composé des principaux écrivains italiens.

Parmi les lauréats : Cesare Pavese (1950), Alberto Moravia (1952), Mario Soldati (1954), Elsa Morante (1957), Dino Buzzati (1958), Carlo Cassola (1960), Anna Maria Ortese (1967), Guido Piovene (1970), Tommaso Landolfi (1975), Primo Levi (1979), Umberto Eco (1981), Goffredo Parise (1982), Maria Bellonci (1986), Stanislao Nievo (1987), Paolo Volponi (1991), Domenico Rea (1993), Giorgion Montefoschi (1994), M. di Lascia (1995), A. Barbero (1996), C. Magris (1997), E. Siciliano (1998), D. Maraini (1999).

Prix Viareggio. Fondé en 1929 par Leonida Repaci, Alberto Colantuoni et Carlo Salsa, ce prix, qui marque une nette prédilection pour les œuvres engagées, couronne un roman (depuis 1930), un recueil de poèmes (depuis 1948) et un essai (depuis 1949).

Parmi les lauréats : Achille Campanile (1933), Antonio Gramsci (1947), Elsa Morante (1948), Domenico Rea (1951), Anna Banti (1952), Carlo Emilio Gadda, Anna Maria Ortese (1953), Italo Calvino, Natalia Ginzburg, Pier Paolo Pasolini (1957), Salvatore Quasimodo, Tommaso Landolfi (1958), Alberto Moravia (1961), Giorgio Bassani (1962), Mario Praz (1973), Mario Luzi (1978), Primo Levi, Vittorio Sereni (1982), Mario Spinella (1987), Luisa Adorno (1990), Antonio Debenedetti (1991), Luigi Malerba (1992), Antonio Tabucchi (1994), M. Maggini (1995), E. Rea (1996), C. Piersanti (1997), G. Pressburger (1998).

Suisse : prix Gottfried-Keller. Créé en 1921 par Martin Bodmer, ce prix, décerné tous les deux ou trois ans par la Fondation Bodmer, récompense pour l'ensemble de son œuvre un écrivain ayant un rapport avec la Suisse ou avec Gottfried Keller.

Parmi les lauréats : Hans-Urs von Balthasar (1975), Elias Canetti (1977), Max Wehrli (1979), Philippe Jaccottet (1981), Hermann Lenz, (1983), Herbert Lüthi (1985), Jacques Mercanton (1989), Erika Burkart (1992), Gerhard Meier (1994), Giovanni Orelli (1997).

La musique vocale sacrée

Le genre

La voix, instrument fondamental, a toujours joué un rôle majeur dans l'établissement des traditions musicales. La musique savante occidentale qui s'est développée sur la base du chant liturgique des premiers chrétiens n'a pas échappé à cette constante. Puisant dans les traditions vocales de l'ancien Orient, et tout particulièrement dans le chant hébraïque, le chant liturgique chrétien a d'abord donné lieu à diverses traditions, avant que la réforme engagée à la fin du VIe s. par le pape Grégoire Ier le Grand n'impose le chant dit « grégorien », répertoire officiel de l'Église latine. Monodique, ce chant a servi de fondement, à partir du IXe s., à la polyphonie et dessiné le cadre dans lequel la musique sacrée s'est développée au long des siècles. Dominée jusqu'à la Renaissance par la messe et le motet, la sphère sacrée s'est peu à peu émancipée de la liturgie pour donner lieu à des formes musicales d'inspiration religieuse, mais vouées toujours plus au concert qu'à l'église : cantate, oratorio, stabat mater, magnificat, Te Deum…

C'est l'ensemble de ces formes plus ou moins codifiées qui constitue la vaste sphère de la musique vocale sacrée, unifiée à la fois par l'exploitation des thèmes religieux traditionnels et par un style musical reflétant les traits dominants de la spiritualité chrétienne (du recueillement à la ferveur). Épousant l'évolution du sentiment religieux, la musique vocale sacrée, qui constitue le fondement de la musique savante occidentale, n'a cessé de décliner à partir du XVIIIe s.

Guillaume de Machaut (Fr., v. 1300-1377), ***Messe de Notre-Dame*** (v. 1365) • La *Messe* de Machaut est la première messe polyphonique connue entièrement écrite par un même musicien (les messes médiévales assemblant des parties d'origine diverse). L'œuvre est écrite pour quatre voix *a cappella* ; sur les cinq parties traditionnellement chantées de l'ordinaire (Kyrie, Gloria, Credo, Sanctus, Agnus Dei), trois sont ici basées sur le *cantus firmus* grégorien correspondant (texte latin). Genre dominant de la musique sacrée jusqu'à la Renaissance, la messe échappa peu à peu à la liturgie pour devenir un genre musical à part entière, associant au chœur un orchestre et plusieurs voix solistes (*Messe en si mineur* de Bach).

Le chant grégorien

Sous cette appellation, on désigne l'ensemble des chants liturgiques officiels de l'Église latine. Le chant grégorien doit son nom au pape Grégoire Ier le Grand (590-604), initiateur de la réforme qui visait à unifier le répertoire et a perduré jusqu'au VIIIe s. Monodiques, exécutées par un chœur d'hommes chantant *a cappella*, les mélodies grégoriennes déroulent de longues lignes souples. Le rythme demeure ici la principale incertitude, donnant lieu à des interprétations divergentes. Déformée à partir de la Renaissance par l'égalisation des valeurs rythmiques (plain-chant) puis par l'ajout d'un accompagnement harmonique, la tradition grégorienne est depuis les années 1970 l'objet d'un ample mouvement de restauration.

Jean-Sébastien Bach (All., 1685-1750), ***Cantate « Herz und Mund und Tat und Leben » BWV 147*** • C'est en Italie, au début du XVIIe s., que la cantate se développe, en même temps que l'opéra, dont elle reprend l'alternance d'airs, d'ensembles vocaux (duos, trios…), de chœurs, de récitatifs et de ritournelles instrumentales. Le mot désigne alors une composition vocale non représentée, avec accompagnement d'instruments, d'inspiration religieuse ou profane. Bach écrivit près de deux cents cantates d'église chantées en allemand, dont la cantate BWV 147 (qui contient le choral « Jésus que ma joie demeure ») l'une des plus célèbres, avec l'«Actus tragicus » (BWV 106). L'œuvre mobilise un chœur, quatre voix solistes et un orchestre.

Jean-Sébastien Bach (All., 1685-1750), ***Passion selon saint Matthieu* BWV 244** (1728-1729) • Avec la *Passion selon saint Jean* (1722-1723), la *Passion selon saint Matthieu* porte à son apogée un genre né au Moyen Âge. Récit de la Passion du Christ, elle est alors écrite pour chœur *a cappella* sur les textes en latin de l'Évangile. Composées sur des textes allemands, les Passions de Bach se rapprochent de l'oratorio pour voix soliste, chœur et orchestre, tout en équilibrant style d'église et lyrisme dramatique.

◆ **Jean-Sébastien Bach vers 1715.** Portrait du compositeur dû à J.E. Rentsch l'aîné peintre officiel de la cour de Weimar, où Bach, organiste puis *Konzertmeister* de 1708 à 1717, composa surtout des œuvres religieuses.

◆ **Répétition d'une cantate** (Allemagne, vers 1775). Les exécutants de cette cantate religieuse (luthérienne) – 3 chanteurs, 4 cordes, 6 vents – sont groupés autour du clavecin (basse continue). Le « chef » dirige à l'aide d'un rouleau de papier. (Gouache anonyme, Germanisches Nationalmuseum, Nuremberg)

Georg Friedrich Händel (All., naturalisé britannique, 1685-1759), ***le Messie*** (1741) • C'est le type même du grand oratorio. Drame lyrique sacré chanté en langue vulgaire, l'oratorio naît au début du XVIIe s., en même temps que l'opéra, dont il est une sorte de pendant religieux. Non représenté, il prend pour thème une histoire le plus souvent biblique, donnant lieu à une écriture volontiers dramatique et un découpage en « numéros » hérité de la cantate. Récit de la vie du Christ, *le Messie* déroule ainsi une succession d'airs, de duos, de chœurs reliés par les récitatifs.

Jean-Baptiste Pergolèse (Ital., 1710-1736), ***Stabat Mater*** (1736) • L'année de sa mort, Pergolèse compose son *Stabat Mater*, pour deux voix solistes, orgue et orchestre à cordes. Expression de la douleur de la Vierge devant son fils crucifié, le texte latin met l'accent sur les sentiments personnels. L'œuvre de Pergolèse doit plus ainsi à l'émotion intérieure qu'à la sévérité du « style d'église ».

Wolfgang Amadeus Mozart (Autr., 1756-1791), ***Requiem* K 626** (1791) • Dernière œuvre de Mozart, le *Requiem*, demeuré inachevé, a été terminé par l'un de ses élèves. Composé pour voix solistes, chœur et orchestre, il use d'une écriture savante faisant une large part au contrepoint (fugue), mais dans une expression sereine immédiatement accessible. C'est à partir de la Renaissance que les musiciens ont commencé à composer sur le texte latin de l'office des morts. Ce thème, qui donnera naissance à l'un des genres le plus connus de la musique sacrée, a été illustré par Berlioz (1837), Verdi (1874), Fauré (1888-1899) ou György Ligeti (1965).

Ludwig van Beethoven (All., 1770-1827), ***Missa solemnis* op. 123** (1818-1823) • Créée au concert, la *Missa solemnis* donne une ampleur inégalée aux cinq parties de la messe. L'œuvre dépasse radicalement le cadre liturgique autant par son architecture que par la puissance d'une expression qui témoigne d'une vision plus individuelle et artistique que religieuse.

Igor Stravinsky (Russie, nat. français, puis américain, 1882-1971), ***Symphonie de psaumes*** (1930) • Composée pour chœur mixte avec voix d'enfants et un orchestre sans violons ni altos, sur des versets de trois psaumes chantés en latin, l'œuvre de Stravinsky illustre la tendance des musiciens du XXe s. à préférer les formes personnelles aux moules hérités de la tradition. Portée au concert, la foi individuelle trouve désormais sa pleine expression dans l'œuvre artistique.

Petit lexique

a cappella : sans accompagnement d'instruments.

cantus firmus : mélodie préexistante, généralement issue du répertoire grégorien, servant de base à une composition vocale polyphonique.

choral : chant d'assemblée du culte luthérien.

monodie : écriture strictement mélodique.

motet : pièce vocale polyphonique chantée *a cappella*, formée au Moyen Âge à partir d'un *cantus firmus*.

polyphonie : superposition de plusieurs lignes mélodiques formant un ensemble homogène.

récitatif : chant déclamé par une seule voix dans un style proche de la langue parlée.

La musique vocale profane

Le genre

Dans l'Europe chrétienne des premiers siècles, la musique semble tenir tout entière dans le seul chant liturgique. Sans doute pouvait-il exister alors un chant profane ; mais outre qu'aucun témoignage ne nous est parvenu, il est probable qu'il s'agissait alors d'un art essentiellement populaire. Défini par l'alliance de la musique et de la poésie, l'art du chant profane se développe avec l'éclosion, à la fin du XIe s., de la poésie lyrique, qui s'épanouit aux XIIe et XIIIe s. : troubadours en pays de langue d'oc, au sud de la Loire ; trouvères en pays de langue d'oïl, au nord. Strictement monodique, la poésie lyrique donne naissance à un genre essentiel de la musique vocale profane : la chanson. Profitant du développement de la polyphonie, la chanson engendre jusqu'à la Renaissance diverses formes : du rondeau à trois voix à la chanson polyphonique parisienne (souvent à quatre voix) et jusqu'au madrigal italien. Avec l'essor de l'opéra et l'établissement d'un art musical classique, la chanson s'éclipse au profit d'amples formes vocales de concert (cantate profane, air), ou de genres intimes et raffinés (lied germanique, mélodie française). Engageant la voix soliste ou le chœur, avec ou sans accompagnement instrumental, la mise en musique du texte poétique participe ainsi à l'évolution de l'art musical.

Adam de la Halle (v. 1240-v.1287), ***Jeu de Robin et Marion*** (1285) • C'est à la cour du roi de Sicile qu'Adam de la Halle, le plus célèbre des trouvères, crée cette « pastourelle dramatique ». Relayés jusqu'au XIVe s. par les Minnesänger allemands, les troubadours et les trouvères ont donné une impulsion décisive à la chanson profane. Chant monodique strophé accompagné d'instruments, la poésie lyrique prélude à l'éclosion des grandes formes du chant profane des XIVe et XVe s. (rondeau, lai, ballade), dans lesquelles s'illustreront Guillaume Dufay, Gilles Binchois ou Guillaume de Machaut.

Clément Janequin (v. 1485-1558), ***le Chant des oiseaux*** • Grande pièce vocale de Janequin (avec *la Bataille, les Cris de Paris* ou *le Caquet des femmes)* écrite pour un ensemble de quatre voix chantant *a cappella*. Piquée d'effets descriptifs comiques (imitation de cris d'oiseaux), cette œuvre vive et enjouée est très représentative de la chanson polyphonique dite « parisienne », initiée par Josquin des Prés (v. 1440-1521) et incarnée par Clément Janequin. Le genre, sous un ton pittoresque et souvent badin, marque l'aboutissement de la polyphonie du Moyen Âge.

Claudio Monteverdi (Ital., 1567-1643), ***Livres de madrigaux*** (1587-1638) • Entre 1587 et 1638, Claudio Monteverdi publie huit livres de madrigaux, dans une évolution qui accompagne le passage de la Renaissance à l'âge baroque. Parti d'une écriture polyphonique à cinq voix, Monteverdi introduit dans le *Cinquième Livre* un soutien instrumental pour finalement évoluer vers une écriture à une ou deux voix avec accompagnement d'instruments, fondée sur la déclamation et la recherche d'une expression dramatique jusqu'à se rapprocher de l'opéra (Huitième Livre).

Joseph Haydn (Autr., 1732-1809), ***les Saisons*** (1799-1801) • Gigantesque fresque préromantique composée pour trois voix solistes, chœur et orchestre, *les Saisons* marquent le passage de l'oratorio au domaine profane. L'œuvre exalte le mystère reliant l'homme à la nature, dans une orientation panthéiste qui justifie le rapprochement avec l'oratorio.

Franz Schubert (Autr., 1797-1828), ***la Belle Meunière D 795*** (1823-1825) • En partie issu de la chanson populaire (*Volkslied*, en allemand), le lied éclôt au tournant du XVIIIe s. et devient le genre privilégié de la musique vocale germanique à la suite de Schubert, qui en écrit plus de 600. Les vingt lieder de *la Belle Meunière* témoignent d'une tendance à l'organisation en cycle confirmée par le Voyage d'hiver (1927). Gustav Mahler porte le genre au concert en inaugurant le lied avec orchestre (*le Chant de la terre*, 1909), suivi notamment par Arnold Schoenberg et Richard Strauss (*Quatre Derniers Lieder*, 1948).

Hector Berlioz (Fr., 1803-1869), ***les Nuits d'été*** (1856) • Intimiste comme le lied, parallèlement auquel elle se développe en France au XIXe s., la mélodie française n'en partage pas l'origine populaire, puisqu'elle est issue d'un genre mondain : la romance. Avec *les Nuits d'été*, dont on connaîtsurtout la version orchestre, Hector Berlioz donne au genre un premier chef-d'œuvre. Dominant la musique vocale française du tournant du XIXe et du XXe s., la mélodie française est portée à son apogée par Gabriel Fauré, Henri Duparc, Claude Debussy et Maurice Ravel. Avec le lied, elle contribuera au développement de genres identiques, notamment en Russie (Modest Moussorgski) et en Scandinavie (Edvard Grieg).

Arnold Schoenberg (Autr., 1874-1951), ***Pierrot lunaire*** (1912) • Célèbre pour la technique vocale mi-chantée mi-parlée qu'il met en œuvre, inventée par Schoenberg sous le nom de *Sprechgesang* (« chant parlé »), le *Pierrot lunaire* est écrit pour voix et cinq instruments, dans un climat expressionniste inspiré de la chanson de cabaret. Proche du mélodrame, il engage la recherche d'une expression vocale nouvelle, appuyée par une écriture atonale et le recours à un dispositif instrumental inusuel, caractéristiques que développeront plus encore les musiciens de la seconde moitié du siècle (Pierre Boulez : *le Marteau sans maître*), qui exploiteront toute la gamme des moyens vocaux, bien au-delà du chant (souffle, claquement de langue, murmure, rire…).

◆ **Schumann en 1839.**
Grand représentant du lied, après Schubert, Schumann composa 250 pièces, dont plusieurs grands cycles, parmi lesquels *Les Amours du poète*. (Lithographie de J. Kriehuber, Robert Schumann-Haus, Zwickau)

◆ **Extrait d'une chanson de** Guilhem de Montanhagol (1229–1258), l'un des derniers grands troubadours. (BNF)

◆ **« Schubertiade ».**
Presque inconnu du public viennois, Schubert était très apprécié d'un petit groupe d'amis musiciens.
Les « schubertiades », soirées musicales réunissant quelques amis autour du compositeur au piano. (*Une soirée musicale chez Joseph von Spaun*, dessin de Moritz von Schwind [vers 1825], Musée historique, Vienne)

La musique chorale

Mêlé intimement au théâtre antique et au culte chrétien, où il chante à l'unisson, le chœur devient, à partir du IXe s., le vecteur de la polyphonie et joue un rôle fondamental tout au long du Moyen Âge et de la Renaissance, donnant lieu à d'étonnants développements – du *coro spezzato* vénitien (où deux chœurs ou plus se font face et se répondent) à la démultiplication des parties (40 dans le motet *Spem in alium* de Thomas Tallis). C'est toutefois l'équilibre du chœur à quatre voix qui finit par l'emporter (soprano, alto, ténor, basse). Intégré à l'époque baroque (XVIIe-XVIIIe s.) aux grandes formes profanes et religieuses (opéra, cantate, oratorio), il bénéficie du soutien de l'orchestre et, jusqu'au XIXe s., son effectif ne cesse de croître. C'est à cette époque que la tradition du chœur *a cappella* renaît dans les pays de langue allemande, où se forment de nombreuses associations chorales pour lesquelles nombre de musiciens composent (de Schumann à Schönberg).

On distingue traditionnellement deux types de chœurs : le chœur à voix égales (voix de femmes, d'hommes ou d'enfants) et le chœur mixte (voix de femmes et voix d'hommes, auxquelles on associe parfois des voix d'enfants).

L'art lyrique

Le genre

Union de la musique vocale et instrumentale, de la poésie et du théâtre (voire de la danse), ce qu'en italien on appela rapidement *opera* («œuvre») se forme au tournant du XVIe et du XVIIe s. autour de la *Camerata fiorentina*, petit groupe de musiciens et de poètes florentins œuvrant à la résurrection de la prosodie antique. Issu de ces recherches érudites, l'opéra ne naît véritablement qu'un peu plus tard, avec l'*Orfeo* (1607) de Claudio Monteverdi, qui parvient d'emblée à imposer un style vocal capable de substituer à la rigueur de la polyphonie de la Renaissance cette inclination à l'expression des «passions» humaines qui marque l'esprit baroque. Devenu le genre emblématique de la musique baroque, qu'il a contribué à former, l'opéra révèle très vite son aptitude à épouser l'évolution du goût du public et des désirs des artistes. C'est cette capacité qui a permis au genre de traverser les siècles et d'acquérir l'importance historique qui est la sienne. Pourfendu pourtant à toutes les époques pour le ridicule sans cesse décrié de ses conventions, l'opéra a également prouvé son étonnante vitalité par son influence sociale, ce qui l'a fait passer des cours royales au public bourgeois et, aujourd'hui, à l'ample foule des *aficionados* et des simples mélomanes.

Qu'il s'attache aux sujets mythologiques tragiques *(opera seria)* ou qu'il emprunte, à l'inverse, à la comédie *(opera buffa)*, l'opéra propose sur plus de deux siècles et demi (de Monteverdi au premier Verdi) la même structure formelle composite, adaptée à chaque fois au texte mis en musique. Introduite par une ouverture orchestrale, l'action est tout au long des actes menée par cette forme de chant déclamé appelé récitatif (accompagné jusqu'à l'époque de Mozart par le clavecin, puis par l'orchestre), entrecoupé d'une succession d'airs, d'ensembles vocaux (du duo au sextuor ou plus) ou de chœurs donnant la parole à l'expression des sentiments individuels ou collectifs (joie, enthousiasme, tristesse, peur, angoisse, révolte...).

C'est cette coupe traditionnelle de «l'opéra à numéros» que le drame lyrique wagnérien vient abolir dans la seconde moitié du XIXe s., dans un souci de la continuité musicale et dramatique que partageront la plupart des musiciens ultérieurs.

Claudio Monteverdi (It. 1567-1642), ***Orfeo*** (1607) • Représentée pour la première fois à Mantoue, *Orfeo* signe la véritable naissance de l'opéra. S'appuyant sur les expériences musico-poétiques menées depuis la fin du XVIe s. par un petit cénacle de musiciens et de poètes florentins, Monteverdi donne à son premier opéra une dimension artistique qui assure d'emblée une forte assise au nouveau genre. Tout au service du drame, la partition joue des contrastes les plus abrupts, mêlant à la polyphonie de la Renaissance une écriture vocale monodique vouée à la traduction des sentiments individuels. Typique de l'expression baroque, qui trouve ici un essor décisif, ce *recitar cantando* est doublé par un orchestre formé de représentants de chaque famille instrumentale, auquel Monteverdi accorde un rôle dramatique décisif.

Jean-Baptiste Lully (Fr. 1632-1687), ***Alceste*** (1674) • Créée à l'Académie royale de musique, cette œuvre est l'un des tout premiers sommets de la tragédie lyrique. Genre strictement français, la tragédie lyrique est jusqu'au XVIIIe s. le seul genre dramatique à s'opposer à la domination de l'opéra italien. Créée par Lully, la tragédie lyrique se singularise par un style majestueux et solennel, une écriture vocale calquée sur la déclamation des tragédies de Racine et un ensemble d'ingrédients qui reflètent l'esprit du siècle de Louis XIV: ouverture «à la française» (lent/vif/lent), ballets, intermèdes avec décors fastueux et machineries sophistiquées. Après Lully, Jean-Philippe Rameau (Fr., 1683-1764) donnera un ultime éclat au genre en composant six grandes tragédies lyriques (de *Hippolyte et Aricie*, 1733, aux *Boréades*, 1764).

Christoph Willibald von Gluck (All., 1714-1787), ***Orphée et Eurydice*** (1762) • Créée à Vienne en italien, reprise en français à l'Opéra de Paris en 1774, cette œuvre marque les débuts de la réforme de l'opéra menée par Gluck pour s'opposer aux débordements du bel canto. Défenseur d'une expression simplifiée, Gluck cherche à restaurer la vérité dramatique, dans un esprit de sobriété et de naturel. Mettant la musique au service de l'action scénique, il rétablit l'équilibre entre les parties chantées et les pages orchestrales. Représentés pour la plupart à Paris entre 1774 et 1779, les opéras de Gluck (*Iphigénie en Aulide*, 1774; *Armide*, 1777), instaurent un équilibre entre musique et drame et entre voix et orchestre qui ouvre la voie au classicisme de Mozart.

Wolfgang Amadeus Mozart (Autr., 1756-1791), ***la Flûte enchantée* K 620** (1791) • C'est l'année de sa mort que Mozart compose cet ultime opéra. Second *Singspiel* du musicien (après *l'Enlèvement au sérail*, 1782), il reconduit l'équilibre atteint par les trois œuvres écrites en collaboration avec le librettiste Lorenzo Da Ponte (*les Noces de Figaro*, 1786; *Così fan tutte*, 1790; *Don Giovanni*, 1787), qui avaient porté l'opéra à son apogée classique. Réussissant la synthèse des différentes tendances de l'art lyrique de son siècle, Mozart parvient une fois encore à allier la sensualité du bel canto à la sobriété dramatique défendue par Gluck, et la verve comique de l'*opera buffa* à la dignité de l'*opera seria* (tendant au drame dans *Don Giovanni* et au sacré dans *la Flûte enchantée*). Confiant la continuité dramatique à un orchestre coloré et brillant, Mozart déploie dans ce second *Singspiel* un symbolisme féerique dont l'opéra allemand du XIXe s. se souviendra.

Gioacchino Rossini (It., 1792-1868), ***le Barbier de Séville*** (1816) • Sifflée lors de sa première représentation, cette œuvre marque l'ultime éclosion de l'opéra bouffe, illustré naguère par Pergolèse (*la Servante maîtresse*, 1733) ou Domenico Cimarosa (*le Mariage secret*, 1792). Conçue en plein essor du romantisme dans l'esprit de l'opéra italien du XVIIIe s., l'œuvre ranime (en la mesurant) la virtuosité vocale enjouée du bel canto, portée par un orchestre d'une légèreté piquante. Elle renouvelle en outre la synthèse de l'*opera buffa* et de l'*opera seria* inaugurée par Mozart, dans une vivacité théâtrale et une drôlerie communicatives, enchaînant des récitatifs, des airs et des ensembles vocaux d'un rare éclat. Amorcé avec *l'Italienne à Alger* (1808), l'art allègre et malicieux de Rossini se poursuivit notamment avec *la Pie voleuse* (1817) et *Guillaume Tell* (1829).

Giuseppe Verdi (It., 1813-1901), ***la Traviata*** (1853) • Avec Verdi, l'opéra italien sort du bel canto pour embrasser le romantisme. De *Nabucco* (1842) à *Otello* (1887) ou *Falstaff* (1893), l'œuvre de Verdi dessine une progression menant de l'alternance traditionnelle de «numéros» (récitatifs, airs, ensembles, chœurs) au souci de la continuité dramatique qui révèle l'influence de Wagner. Composée d'après *la Dame aux camélias* de Dumas fils, *la Traviata* joue un rôle majeur dans cette évolution, qui s'accomplit dans les œuvres de la maturité (*la Force du destin*, 1862; *Don Carlos*, 1867; *Aïda*, 1871). Quoique respectée, la coupe en numéros se trouve en effet fortement gommée dans *la Traviata*, garantissant la continuité émotionnelle. Le lyrisme italien prend chez Verdi une plénitude dramatique qui donne au brio vocal une teneur tragique d'une grande efficacité dramatique.

Georges Bizet (Fr., 1838-1875), ***Carmen*** (1875) • Dernière œuvre de Bizet, cet opéra compte sans doute parmi les plus populaires de tout le répertoire. Sifflée à sa création, l'œuvre apporte une contribution haute en couleur à l'opéra romantique français, inauguré par Berlioz (*Benvenuto Cellini*, 1838, *les Troyens*, 1856-1858) et Gounod (*Faust*,

Le bel canto

L'histoire du bel canto s'étend sur près de deux cents ans, de la fin du XVIIe s. à la première moitié du XIXe s. Art du «beau chant», il se caractérise par un style vocal volubile et orné, entièrement consacré au brio et à la virtuosité. Issu de l'opéra napolitain baroque (Alessandro Scarlatti), il atteint son apogée au milieu du XVIIIe s., où il règne sur l'Europe entière (à l'exclusion de la France). Combattu notamment par Gluck, soucieux de redonner au chant sa juste place au sein de la construction théâtrale, le bel canto décline à la fin du XVIIIe s., encore affaibli par la disparition des castrats. Réanimé par Rossini, qui le soumet à une écriture stricte, il trouve un ultime écho dans les opéras de Bellini et de Donizetti. Seuls ses traits les plus caractéristiques colorent encore le style vocal de Verdi ou de Puccini.

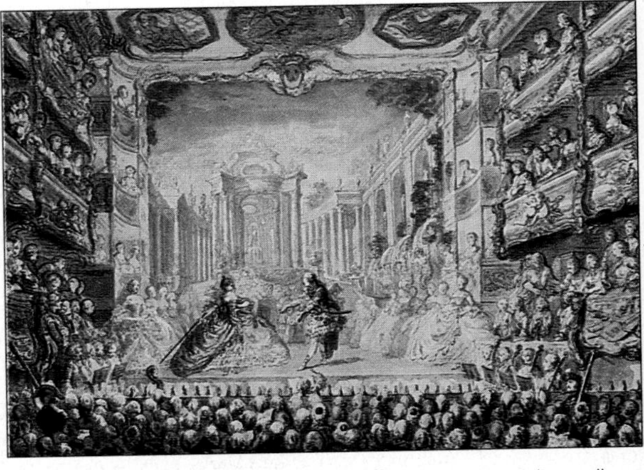

◆ **Une représentation d'*Armide* de Lully.** Dessin rehaussé d'aquarelle de Gabriel de Saint-Aubin (1724-1780). (Musée Carnavalet, Paris)

1859, *Roméo et Juliette,* 1867). Marquée par une invention mélodique franche et un éclat pittoresque d'un grand charme, l'œuvre passe de la plus claire légèreté au tragique le plus sombre, illustrant la tendance de l'opéra-comique de la fin du XIXe s. à se rapprocher des dénouements dramatiques jusque-là réservés au grand opéra.

Richard **Wagner** (All., 1813-1883), ***l'Anneau du Nibelung*** (1876, Tétralogie) • Écrite entre 1848 et 1874 (poème et musique), créée à Bayreuth deux ans plus tard, la Tétralogie se compose de quatre opéras: *l'Or du Rhin, la Walkyrie, Siegfried, le Crépuscule des dieux.* Révolutionnaire dans son projet comme dans sa réalisation, cette œuvre titanesque marque l'accomplissement de la pensée dramatique de Wagner. Sous le terme de « drame lyrique », le compositeur entend substituer au découpage en numéros une continuité dramatique ininterrompue et consacrer l'unité du théâtre, de la poésie, du chant et de la musique instrumentale *(Gesamtkunstwerk).* Le drame wagnérien, qui trouve un premier accomplissement dans *Tristan et Isolde* (1865) et se renouvelle sous une forme épurée jusqu'à *Parsifal* (1882), est marqué par l'invention des leitmotiv, une écriture vocale continue passant sans interruption d'une prosodie quasi parlée à l'envolée lyrique (« mélodie continue »), une harmonie complexe faisant un large usage du chromatisme, et un orchestre copieux jouant à part égale avec la voix.

Modest **Moussorgski** (Russie, 1839-1881), ***Boris Godounov*** (1874) • Composé en deux versions entre 1868 et 1872, représenté fragmentairement en 1874, « révisé » à deux reprises par Nicolas Rimski-Korsakov, cet opéra a suscité beaucoup d'incompréhension avant d'apparaître comme l'une des œuvres les plus profondément originales de toute la tradition lyrique. Suite de tableaux indépendants, brossant le portrait psychologique d'un homme livré à la torture de sa conscience, l'œuvre emploie une écriture vocale calquée sur la langue parlée et des harmonies âpres, portées par un orchestre puissant et ténébreux. Soumise à la seule exigence de la vérité dramatique, cette ample fresque musicale où le second personnage est tenu par le chœur, annonce par son refus du décoratif un large pan de l'art lyrique du XXe s.

Giacomo **Puccini**, (It., 1858-1924), ***Tosca*** (1900) • Histoire d'une passion amoureuse sur fond de dictature policière, cet opéra connaît sa première représentation française en 1903. Après le vérisme sentimental de *la Bohème* (1896), Puccini développe ici une action dramatique toute en concision, dans une effusion musicale et un lyrisme héroïque fondamentalement romantiques, mais exprimés par des moyens musicaux presque sévères, mêlant hardiesse harmonique et orchestration recherchée. L'insatiable verve mélodique de Puccini s'inscrit ici dans un langage musical d'une haute tenue, qui associe l'héritage de Verdi à la modernité du nouveau siècle. Avec *Tosca* et les autres opéras de Puccini (*Madame Butterfly*, 1904; (*Turandot,* posth. 1926), la longue tradition du lyrisme italien entre dans son ultime phase.

Claude **Debussy** (Fr., 1862-1918), ***Pelléas et Mélisande*** (1902) • Composée sur un livret de Maurice Maeterlinck, cette œuvre inaugure une approche en demi-teinte de l'art lyrique. Loin des tensions dramatiques wagnériennes comme de l'effusion lyrique de l'opéra italien, elle déploie un univers nocturne, où la ligne vocale épouse au plus près le rythme du mot français, selon une prosodie souple et subtile qui ne connaît alors d'équivalent que chez Leos Janáček (*Jenůfá,* 1904). Expression d'un drame intime, traduit par une écriture en petites touches, menée par un orchestre suggestif, *Pelléas et Mélisande* devait fournir l'un des modèles à l'art lyrique du XXe s., trouvant des résonances jusque chez Béla Bartók (*le Château de Barbe-Bleue,* 1918).

Richard **Strauss** (All., 1864-1949), ***le Chevalier à la rose*** (1911) • Après avoir donné deux grandes œuvres à l'expressionnisme germanique (*Salomé,* 1905, *Elektra,* 1909), Richard Strauss se détourne du drame romantique avec *le Chevalier à la rose,* pour renouer avec la grâce légère et l'équilibre de l'opéra classique. Composée sur un livret de Hugo von Hofmannsthal, qui demeurera le librettiste de Strauss durant trente ans, cette « comédie viennoise en musique » présente un imbroglio amoureux capricieux, teinté de mélancolie, dans la veine mi-comique mi-sérieuse des opéras de Mozart. Époustouflante renaissance de l'esprit classique vivifié par une écriture brillantissime, *le Chevalier à la rose* ne connaîtra toutefois aucune descendance, hors l'œuvre de Strauss lui-même (*Intermezzo,* 1924, *Capriccio,* 1942).

Alban **Berg** (Autr., 1885-1935), ***Wozzeck*** (1925) • Cet opéra, inspiré d'une pièce *(Woyzeck)* du dramaturge allemand Georg Büchner, déroule en quinze scènes concises la tragédie d'un soldat victime du mépris et des pressions sociales. Premier opéra atonal, l'œuvre développe un expressionnisme exaspéré, alimenté par un orchestre violent, aux couleurs crues. Elle donne lieu à une écriture vocale partagée entre un lyrisme distordu et un style parlé presque caricaturé. Comme un ultime aboutissement de toute la tradition lyrique, *Wozzeck* a semblé dévoiler les limites mêmes de l'opéra, vouant nombre de compositeurs à inventer dès lors de nouvelles formes de théâtre musical. C'est toutefois dans son sillage que d'autres chercheront à concilier la tradition lyrique avec son propre dépassement, de Benjamin Britten (*Peter Grimes,* 1946) à Bernd Alois Zimmermann (*les Soldats,* 1958-1964).

◆ **Parsifal.** Ce drame lyrique de Richard Wagner, créé à Bayreuth en 1882, est mis en scène ici par Klaus Michael Grüber en 1997, au Théâtre musical du Châtelet, à Paris.

L'opérette

Alternance de dialogues parlés et de pièces de musique légère (couplets, chœurs, danses), l'opérette est issue de l'opéra-comique et du vaudeville. Née en France au milieu du XIXe s., alors que l'opéra-comique se rapproche de l'opéra dramatique, l'opérette est favorisée par la société du second Empire, avide de divertissements et de plaisirs faciles. Marquée par une absence totale de prétention et une verve cocasse d'une franche gaieté, le nouveau genre trouve d'emblée son accomplissement dans les œuvres de ses deux « créateurs » : Florimond Hervé *(Mam'zelle Nitouche)* et, surtout, Jacques Offenbach (Fr., 1819-1880, *la Belle Hélène, la Vie parisienne*). Célébrée par une floraison de musiciens, dont Charles Lecocq *(la Fille de Mme Angot)* et Robert Planquette *(les Cloches de Corneville)*, l'opérette rayonne jusqu'en Grande-Bretagne avec sir Arthur Sullivan et trouve une seconde patrie en Autriche avec Johann Strauss fils (Autr., 1825-1899, *la Chauve-Souris*), Franz von Suppé *(la Cavalerie légère)* et Franz Lehár *(la Veuve joyeuse)*. Défendu en France jusqu'aux premières décennies du XXe s. par André Messager *(Véronique)* ou Reynaldo Hahn *(Ciboulette)*, le genre y conserve sa popularité après la Seconde Guerre mondiale avec Vincent Scotto *(Violettes impériales)* et Francis Lopez *(la Belle de Cadix)*, porté par des interprètes tels que Luis Mariano.

Petit lexique

leitmotiv: dans le drame lyrique wagnérien, motif mélodique incarnant une idée, une situation ou un personnage.

opera buffa (fr. **opéra bouffe**)**:** second genre du théâtre lyrique, qui se distingue de l'*opera seria* par un esprit et des sujets légers empruntés à la comédie (sur un livret en italien).

opéra-comique: genre typiquement français, né dans la seconde moitié du XVIIIe s. de l'opéra bouffe, présentant une alternance de dialogues parlés et de parties chantées (en français).

Singspiel: genre musico-théâtral écrit en allemand qui s'épanouit au XVIIIe s. sous l'impulsion de l'opéra-comique et présente comme lui une alternance de dialogues et de chants.

opera seria: forme dramatique fondamentale du théâtre lyrique, empruntant des sujets le plus souvent symboliques ou mythologiques (sur un livret en italien).

La musique de chambre

Le genre

Utilisée jusqu'à l'époque baroque pour désigner les œuvres vocales ou instrumentales destinées à une exécution privée (par opposition à la musique d'église et à l'opéra), l'expression « musique de chambre » désigne plus spécifiquement, à partir du XIXe s., toute musique écrite pour une formation instrumentale restreinte (du solo à une dizaine de musiciens) jouant sans chef d'orchestre. Développée à la fin du XVIIe s. par les maîtres italiens du violon et du clavecin (Corelli, Albinoni, Locatelli, Vivaldi), la musique pour petites formations instrumentales n'a acquis sa véritable identité que durant la seconde moitié du XVIIIe s., où elle s'oppose chez les musiciens classiques (Haydn, Mozart, puis Beethoven) à la musique symphonique et concertante. L'ample domaine de la musique de chambre, qui donne lieu à des dispositifs instrumentaux très différents, tant en genre qu'en nombre, n'en suit pas moins alors la tendance générale du classicisme à privilégier les formes appréciées pour leur homogénéité et leur équilibre : le quatuor à cordes (2 violons, 1 alto,

◆ **Beethoven en 1814.** Le compositeur à l'époque de sa plus grande renommée met au point la version définitive de son unique opéra, *Fidelio,* et écrit une cantate pour l'ouverture du congrès de Vienne (Gravure de B. Höfel d'après un dessin de L. Letronne).

1 violoncelle), mais aussi l'alliance du piano et d'un instrument soliste (violon ou violoncelle le plus souvent), ou du piano et des cordes (violon, alto, violoncelle), traitée en trio, en quatuor ou en quintette. Mais au-delà du dispositif instrumental et de l'effectif, c'est une certaine manière de jouer ensemble qui, plus profondément, incarne l'esprit de la musique de chambre, dans laquelle le jeu collectif et la libre expression des qualités individuelles s'articulent harmonieusement. Loin de l'éclat de l'orchestre, la musique de chambre, lieu de l'expression intériorisée, s'est aussi imposée comme celui d'une écriture volontiers savante.

La sonate

La sonate apparaît au XVIIe s. en Italie, où elle est tout particulièrement défendue par Archangelo Corelli (1653-1713). Elle s'apparente alors à la suite de danses, qu'elle détrône au cours du XVIIIe s. en s'en distinguant par la suppression du caractère dansé, la réduction du nombre des mouvements (trois ou quatre le plus souvent) et la mise en œuvre, à l'époque classique, d'une structure spécifique, appliquée au premier mouvement et appelée « forme sonate », qui s'imposera dans toute la musique de chambre (trio, quatuor, quintette...) et dans la symphonie et le concerto. Illustrée par presque tous les grands compositeurs, depuis Bach jusqu'aux auteurs contemporains, la sonate est écrite soit pour un instrument seul le plus souvent, soit pour piano et un instrument (violon ou violoncelle le plus souvent, mais aussi alto, flûte, clarinette, etc.).

François Couperin (Fr., 1668-1733), ***Concerts royaux*** (1714-1715) • Publiés en 1722, les quatre *Concerts royaux* de François Couperin ont été donnés devant Louis XIV, à Versailles. Selon un usage fréquent jusqu'au classicisme, la partition ne donne aucune indication de l'instrumentation, le nombre et le choix des instruments demeurant libres. Malgré un style volontiers solennel, conforme au goût du Grand Siècle français, il s'agit en fait de suites de danses, forme que Couperin reprendra encore dans les dix « Nouveaux concerts à l'usage de toutes sortes d'instruments de musique », imprimés en 1724 sous le titre *les Goûts réunis.*

Jean-Sébastien Bach (All., 1685-1750), ***Sonates et partitas pour violon solo* BWV 1001-1006** (1717-1723) • Écrites durant le séjour de Bach à la cour de Coethen, ces six grandes pièces pour violon seul alternent trois sonates et trois partitas (autre nom donné parfois à la suite de danses). Le

◆ **Debussy photographié par Nadar en 1909.** «Très cher M. Nadar... si jamais la postérité a le souci de conserver la mémoire de mes traits, je supplie cette honorable dame de ne s'adresser qu'à vous ! » (lettre du 19 juin 1909). Ainsi Debussy reconnaissait-il le talent du photographe.

cycle témoigne ainsi de l'égale importance au début du XVIIIe s. des deux formes majeures de la musique de chambre baroque. Comme les six *Suites pour violoncelle solo* que Bach composa à la même période, ces œuvres denses offrent l'un des rares exemples d'un répertoire de musique de chambre destiné à un instrument soliste non polyphonique, c'est-à-dire autre que le luth, l'orgue ou le clavecin.

Ludwig van Beethoven (All., 1770-1827), ***Sonate pour violon et piano n° 9, « À Kreutzer »*, op. 47** (1802-1803) • Avant-dernière sonate pour violon et piano de Beethoven, cette *Sonate* est dédiée au violoniste français Rodolphe Kreutzer (1766-1831), qui se refusa toujours à la jouer. De grande ampleur, cette œuvre passionnée instaure un dialogue intense entre les deux instruments (le piano ne se limitant jamais au rôle d'accompagnateur), sous le registre tour à tour de l'osmose ou de la confrontation. Elle constitua à ce titre un véritable modèle pour les successeurs de Beethoven.

Ludwig van Beethoven (All., 1770-1827) ***16 Quatuors à cordes*** (1798-1826) • Dispositif privilégié de la musique de chambre pour sa parfaite homogénéité, le quatuor à cordes trouve un aboutissement dans ces 16 chefs-d'œuvre de Beethoven (auxquels s'ajoute la *Grande Fugue,* mouvement

◆ **Le quatuor Alban Berg.** Forme privilégiée de la musique de chambre, le quatuor à cordes réunit deux violons, un alto et un violoncelle (de gauche à droite).

pour quatuor souvent donné comme *17*^e Quatuor). Cette somme trouve son apogée dans l'ampleur formelle et expressive, et dans la densité de l'écriture des tout derniers le *n° 14* tout particulièrement).

Franz Schubert (Autr., 1797-1828), ***Quintette pour piano, violon, alto, violoncelle et contrebasse, « la Truite »*, op. 114 D 667** (1819) • Sans doute l'une des pièces les plus célèbres de toute la musique de chambre, le quintette *la Truite* doit son sous-titre au quatrième mouvement de l'œuvre, suite de variations sur le lied de Schubert qui porte ce titre. Ce morceau enjoué propose une combinaison instrumentale insolite. Aucun quintette avec cordes n'aura d'ailleurs jamais de nomenclature fixe, les dispositions les plus fréquentes restant le quintette « avec piano » (piano et quatuor à cordes) et le quintette à cordes (quatuor à cordes à deux violoncelles).

Claude Debussy (Fr., 1862-1918), ***Sonate pour flûte, alto et harpe*** (1915) • Cette pièce subtilement colorée, au caractère d'improvisation, entre dans l'hommage que Debussy voulait rendre à l'art des maîtres français de l'époque baroque (Rameau, Couperin). Cette sonate illustre le désir commun à tous les musiciens du XXe s. de rechercher des sonorités nouvelles en imaginant des alliages instrumentaux inédits (*Sonate pour deux pianos et percussion* de Bartók, 1937).

Petit lexique

suite (ou **suite de danses**) **:** forme fondamentale de la musique instrumentale baroque, présentant une succession de danses (allemande, sarabande, gavotte...) introduites par un prélude.

La musique pour clavier

Le genre

Le répertoire dédié à l'orgue, au clavecin et au piano constitue une part importante de la musique écrite pour instrument seul. Cette suprématie s'explique par le jeu polyphonique qui caractérise ces instruments (possibilité de jouer plusieurs sons en même temps) et leur confère un avantage décisif à l'heure où la polyphonie s'est définitivement imposée en Occident. Profitant de l'essor de la musique instrumentale, un répertoire se constitue peu à peu à partir du XVIe s. pour l'orgue et le clavecin (ou l'épinette ou le virginal, instruments de la même famille).

Au cours des XVIIe et XVIIIe s., vont apparaître de grandes formes instrumentales (suite, sonate, concerto), qui donnent naissance à des formes particulières (prélude, toccata, variation, passacaille, etc.), base jusqu'à nos jours de l'écriture pour clavier. Tandis que l'orgue est peu à peu délaissé dans la seconde moitié du XVIIIe s. (il renaîtra à la fin du XIXe s., grâce notamment à César Franck), le clavecin se trouve parallèlement supplanté par l'apparition du piano. Définitivement adopté par l'école classique (Haydn, Mozart, Beethoven) pour sa souplesse de jeu, ses possibilités expressives et sa puissance sonore, le piano devient l'instrument privilégié du romantisme et conserve jusqu'à aujourd'hui le statut d'instrument soliste par excellence.

Domenico Scarlatti (It., 1685-1757), ***Sonates pour clavecin*** (1738-1757) • Compositeur et claveciniste italien, Domenico Scarlatti écrivit un grand nombre de sonates pour clavecin (555 répertoriées), dont seules les trente premières furent publiées (1738), sous le titre *Exercices*. Virtuosité, singularités rythmiques et harmoniques, recherche de l'effet, ces pièces parfois très courtes, en un seul mouvement, montrent une grande richesse. Elles font de Scarlatti l'un des maîtres fondateurs (avec François Couperin et Jean-Philippe Rameau) de la technique du clavier.

Jean-Sébastien Bach (All., 1685-1750), ***Passacaille et fugue en ut mineur pour orgue* BWV 582** • Selon le principe de la passacaille, l'œuvre est formée d'une succession de variations (20 au total) construites sur la répétition du même thème, que vient conclure une ample fugue. L'écriture polyphonique richement élaborée témoigne de la maîtrise avec laquelle Bach traite les formes de la musique pour orgue (toccata, prélude, fantaisie, fugue), développées notamment avant lui par Girolamo Frescobaldi (1583-1643), Johann Jakob Froberger (1616-1667) et Dietrich Buxtehude (1637-1707).

Wolfgang Amadeus Mozart (Autr., 1756-1791), ***Sonate facile pour piano n° 16* K 545** (1788) • Comme tous les musiciens de la seconde moitié du XVIIIe s. (dont Haydn), Mozart abandonne tôt le clavecin pour le piano, dont il sera un éminent virtuose. Il compose pour lui nombre de pièces pour ce nouvel instrument (concertos, variations , fantaisies), dont 18 sonates, écrites entre 1774 et 1789. Clarté du jeu, élégance de l'écriture, coupe formelle en trois mouvements équilibrés (vif/lent/vif), la célèbre *Sonate facile* — qui ne l'est qu'en apparence — est parfaitement représentative du piano classique qui prendra toutefois chez Mozart un caractère mouvementé nettement préromantique (*Sonate n° 8* K 310).

Ludwig van Beethoven (All., 1770-1827), ***Sonate pour piano n° 29, dite « Hammerklavier »* op. 106** (1817-1819) • La titanesque *Sonate Hammerklavier* (« piano », en allemand) montre la véritable révolution à laquelle Beethoven a peu à peu soumis l'écriture classique du piano, dilatation des proportions, recherche de la puissance sonore, usage des registres extrêmes, densité de l'écriture etc. De l'héroïsme des premiers accords au lyrisme douloureux de l'adagio (qui annonce Chopin), cette œuvre au grand souffle dénote tout au long de ses quatre mouvements une conception « symphonique » du piano qu'on retrouve dans chacune des quatre dernières sonates du compositeur (n° 28 à n° 32, 1816-1821).

Franz Schubert (Autr., 1797-1828), ***Six Moments musicaux* op. 94, D 780** (1823-1827) • À côté d'œuvres de grande envergure (*Wanderer-Fantasie*, 23 sonates), Schubert a cultivé l'expression des sentiments intérieurs dans ces courtes pages, ainsi que dans deux fameuses séries d'*Impromptus* (1827). D'une spontanéité proche de l'improvisation, ces pièces délicates et mélancoliques ouvrent la voie au piano romantique intimiste.

Frédéric Chopin (Pol., 1810-1849), ***Nocturnes*** (1827-1846) • Mêlant l'émotion la plus délicate à une virtuosité souvent extrême mais jamais extérieure, ces pages d'une intimité tour à tour mélancolique ou douloureuse révèlent les qualités profondes du style de Chopin : une harmonie riche et sensuelle, un jeu en *rubato* d'une grande souplesse et une inspiration mélodique qui révèle l'influence du bel canto, dont Chopin offre ici une transposition pianistique inattendue.

Robert Schumann (All., 1810-1856), ***Scènes d'enfants* op. 15** (1838) • Composées en 1838, treize instantanés musicaux dotés chacun d'un titre évocateur « Au coin du feu », « l'enfant s'endort », ou(la célèbre « Rêverie »). Après Schubert, l'art de la miniature prend ici un ton fantaisiste et mélancolique, qui ouvre le piano romantique à l'univers fragile du rêve et de la suggestion. Occasion d'une large gamme d'expressions et de couleurs (*Kreisleriana*, 1838 ; *Album de la jeunesse*, 1848) pour-suivis notamment par Edvard Grieg (*Pièces lyriques*) et Claude Debussy (*Préludes*).

Franz Liszt (Hongr., 1811-1886), ***Sonate en si mineur*** (1852-1853) • Monument unique, l'ample sonate de Liszt porte le piano romantique à l'apogée de son rayonnement : virtuosité flamboyante, puissance sonore extrême, expression ardente, ampleur et nouveauté de la forme (un seul mouvement d'une trentaine de minutes entremêlant des épisodes contrastés). À une organisation formelle complexe et originale répond un déploiement de moyens pianistiques d'une étendue inégalée. Premier pianiste virtuose de son temps, soliste international, promoteur du récital, Liszt signe par cette composition l'acte de naissance du piano moderne. .

Béla Bartók (Hongr., 1881-1945), ***Allegro barbaro* Sz. 49** (1911) • Explicite dans son titre, cette œuvre de Bartók montre une énergie rythmique primitive qui rompt radicalement avec le jeu fluide et lié des maîtres romantiques, que poursuivent sous des formes diverses la plupart des musiciens du début du XXe s. (Debussy, Ravel, Scriabine, Rachmaninov). En développant des sonorités acides et un jeu puissamment martelé, l'œuvre rappelle que le piano est aussi un instrument à percussion. Elle inaugure ainsi le renouvellement auquel la musique du XXe s. soumettra le piano, dans le jazz comme chez les représentants de l'avant-garde de l'après-guerre (Pierre Boulez, Karlheinz Stockhausen, John Cage).

◆ **Frédéric Chopin.** Le compositeur et pianiste d'après un daguerréotype réalisé quelques mois avant sa mort (1849). (Institut Frédéric Chopin, Varsovie)

◆ **Pianoforte.**

Petit lexique

fugue : forme élaborée du contrepoint écrite le plus souvent à trois ou quatre voix d'importance égale, entièrement construite sur un thème, le sujet, et composée selon des règles proches de celles du canon.

rubato : jeu librement mesuré caractéristique du piano romantique (chez Chopin notamment).

toccata : pièce de virtuosité et de caractère improvisé, destinée aux instruments à clavier (orgue, clavecin, piano).

Piano et pianoforte de Cristofori

Le piano a été inventé en 1698 par le facteur italien Bartolomeo Cristofori (1655-1731), qui adapta au clavecin (instrument à cordes pincées) le mécanisme du clavicorde (instrument à cordes frappées). Au lieu d'être pincée par un « bec », la corde est frappée ici par un martelet. C'est ce système que tout au long du XVIIIe s. ont adopté et amélioré les facteurs des premiers pianos, alors nommés « pianoforte » (c'est-à-dire capables de produire des sons doux ou forts). Ce terme est souvent repris pour distinguer les pianos joués par Haydn ou Mozart du grand piano moderne, issu des améliorations techniques apportées tout au long du XIXe s. Ces deux instruments, fabriqués selon les mêmes principes, sont dotés de caractéristiques acoustiques bien distinctes.

Histoire de la musique occidentale

La musique savante

Comme d'autres traditions (Chine, Inde, monde arabo-musulman), la tradition européenne a tôt développé un art musical « savant », indépendant des répertoires folkloriques. Cet art se distingue toutefois par deux particularités fondamentales : une écriture polyphonique et un système de notation élaboré. Développées conjointement à partir du IXe s., la polyphonie et la notation ont contribué à l'épanouissement d'un art élevé et singulier, soumis à une évolution constante. En donnant à la notation une véritable valeur de référence, la musique occidentale a aussi contribué à l'émergence de la notion d'œuvre (considérée comme un microcosme autonome) et introduit une distinction fondamentale entre compositeur et interprète, dégageant des catégories qui ont achevé de la caractériser.

Le Moyen Âge

Apport fondamental du haut Moyen Âge, le chant grégorien constitue le fondement historique de toute la tradition savante occidentale. Établi entre le VIe et le VIIIe s. comme répertoire officiel du chant liturgique de l'Église latine, il a servi de base à cette véritable révolution que constitua, à partir du IXe s., l'essor de la polyphonie. Œuvre des chantres, la polyphonie est, à ses débuts la superposition d'une seconde voix au chant liturgique, d'abord sous la forme primitive de la diaphonie (superposition à intervalle fixe), puis sous celle, plus élaborée, du déchant (deux voix progressant par mouvement contraire) et de l'organum à vocalises (où la voix ajoutée intercale des vocalises entre chaque note du chant liturgique, étirée en valeurs longues). C'est cet art que porte à son apogée, dans la seconde moitié du XIIe s., l'école de Notre-Dame de Paris (Léonin, Pérotin), dont le rayonnement s'étendit à toute l'Europe. Après la période de l'Ars antiqua (v. 1240-1300), au cours de laquelle naissent les premiers genres polyphoniques (motet) et dont Adam de la Halle (v. 1240-v. 1287) est le principal représentant, l'Ars nova (XIVe s.) enrichit encore l'écriture polyphonique. C'est durant l'Ars nova que naît la messe polyphonique (*Messe de Notre-Dame* de Guillaume de Machaut) et que se développent les premières formes vocales profanes : lai, ballade, rondeau, et, en Italie, madrigal et *ballata*.

◆ **Chansonnier cordiforme de Jean de Montchenu** (v. 470).
(Bibliothèque nationale de France, Paris)

Parallèlement à l'essor de la polyphonie, la chanson monodique aura connu un long et ultime éclat dans l'art des troubadours et des trouvères (fin du XIe s.-XIIIe s.), perpétué jusqu'au milieu du XIVe s. par les *Minnesänger* allemands.

La Renaissance

Loin d'une hypothétique « renaissance » de la musique antique (depuis longtemps perdue), la musique des XVe et XVIe s. prend plutôt valeur de transition entre le Moyen Âge et l'époque baroque. Elle s'affirme d'emblée comme l'apogée de la polyphonie vocale, dont témoigne l'art complexe des maîtres de l'école franco-flamande, qui rayonne dans l'Europe entière jusqu'au XVIe s. avec Guillaume Dufay (v. 1400-1474), Johannes Ockeghem (v. 1410-1497), Josquin des Prés (v. 1440-1521) et Roland de Lassus (1532-1594). Issus de la Picardie et du Hainaut, ces savants polyphonistes nordiques exercent dans divers pays, principalement en Italie. Leur art se perpétue dans la péninsule (avec Giovanni Pierluigi da Palestrina, 1525-1594), mais aussi en Espagne (Tomás Luis de Victoria, 1548-1611) et en Angleterre (Thomas Tallis, v. 1505-1585). Isolée par la Réforme, l'Allemagne reste rétive aux influences extérieures, et développe un chant religieux qui déterminera son développement musical : le choral.

Tandis que la messe demeure, tout au long de la Renaissance, le genre principal de la musique sacrée, le rayonnement de la polyphonie donne naissance à des formes vocales profanes écrites le plus souvent à quatre voix, tels la *frottola* et le madrigal italiens, ou la chanson polyphonique parisienne, incarnée par Clément Janequin (v. 1485-1558), qui allie la verve populaire à une écriture complexe.

Au XVIe s. apparaît en outre un premier répertoire instrumental, favorisé par le développement de l'imprimerie, dédié le plus souvent à l'orgue ou au luth. Constitué d'abord de transcriptions de chants et de danses populaires, il donne bientôt naissance aux premières formes spécifiquement instrumentales (prélude, toccata, variation, ricercare).

La période baroque

Avec la période baroque (v. 1600-1750), la musique européenne connaît l'une de ses premières grandes ruptures. Elle résulte d'une volonté délibérée des musiciens de substituer au contrepoint abstrait des anciens maîtres un art voué à l'expression des passions humaines. Il trouve d'emblée son expression dans un tout nouveau genre : l'opéra, qui naît véritablement avec l'*Orfeo* de Monteverdi (1607). À l'entrelacs savant de la polyphonie, les musiciens préfèrent désormais la monodie accompagnée, plus propice à l'expression des émotions individuelles, qui donne lieu à une écriture vocale le plus souvent ornée et tourmentée. Elle s'appuie sur l'un des éléments fondamentaux de la musique baroque : la basse continue (soutien instrumental réalisé à partir d'un canevas chiffré par un instrument polyphonique – orgue, clavecin, luth – auquel s'adjoignent souvent un ou plusieurs instruments de registre grave – viole de gambe, violoncelle).

L'ère baroque donne également une impulsion décisive à la musique instrumentale, qui, à l'exemple de la monodie vocale, développe un jeu soliste virtuose et donne naissance notamment au concerto, à la suite et à la sonate, défendus, entre autres, par Antonio Vivaldi, Angelo Corelli ou Giuseppe Tartini. Renouvelant la polyphonie abstraite des anciens maîtres, soumise toutefois aux tensions expressives de l'époque, le répertoire des instruments à clavier (orgue, clavecin) témoigne du caractère complexe et rigoureux du style baroque, qu'après Frescobaldi, Froberger, Pachelbel et Buxtehude, Bach mènera à son apogée.

Apparu en Italie, le style baroque gagne rapidement l'Allemagne (Schütz, Bach, Händel), puis l'Angleterre (Purcell). En développant sous la tutelle de Lully un style volontiers martial qui enserre les débordements de l'expression, la France de Louis XIV fait figure d'exception (tradition qui se poursuit notamment avec Fr. Couperin et Rameau).

La période classique

Le classicisme, introduit par les musiciens « préclassiques » – parmi lesquels Gluck, réformateur de l'opéra, et deux des fils de Bach (Carl Philipp Emanuel, 1714-1788, et Johann Christian, 1735-1782) –, oppose à l'écriture ouvragée du baroque finissant une recherche constante de l'équilibre et du naturel. Elle donne lieu à un style clarifié, où l'expression et la sensualité préfèrent la nuance à la démesure. S'étalant sur seulement quelques décennies (v. 1750-début du XIXe s.), la période classique est dominée par trois grands musiciens établis à Vienne : Haydn, Mozart et Beethoven (les deux premiers composant l'essentiel de leur œuvre entre 1760 et la fin du siècle, Beethoven entre 1790 et 1827). Accordant d'emblée une place centrale à la musique instrumentale, les Viennois s'emparent des formes existantes (sonate, concerto, sympho-

Tonalité et tempérament

Caractérisé par l'usage d'une gamme de sept sons hiérarchiquement organisés dans deux modes (majeur et mineur) à partir d'une note fondamentale (la tonique), la tonalité s'est peu à peu imposée au cours du XVIIe s. Issue de la simplification progressive des différents modes médiévaux, elle s'est appuyée sur l'adoption parallèle du tempérament égal (division de l'octave en 12 demi-tons égaux), qui a rendu possible l'exploitation des possibilités harmoniques offertes par le système tonal. L'adoption du tempérament égal a par ailleurs joué un rôle crucial dans la facture instrumentale (l'accord d'un instrument dépendant du choix du tempérament) et dans le jeu collectif (deux instruments accordés selon des tempéraments différents ne pouvant jouer ensemble).

◆ **Mozart en 1783.**
Portrait peint par le beau-frère du compositeur, J. Lange. (Musée Mozart, Salzbourg)

nie), auxquelles ils donnent des structures fixes et rigoureuses sur lesquelles s'appuiera largement la musique du XIXe et du début du XXe s.

Marquée par la constitution de l'orchestre symphonique, qui s'équilibre et s'enrichit d'instruments jusque-là peu utilisés (clarinette, trombone), la période classique l'est également par l'arrivée du piano, qui détrône rapidement le clavecin et devient l'un des axes de développement du style classique. Dans la musique de chambre, les trois Viennois accordent un privilège marqué à certaines formations (quatuor à cordes, duo violon et piano), appréciées pour leur homogénéité et leur équilibre. Parti du « style galant » d'abord adopté par Haydn et par Mozart, le classicisme empruntera dans les dernières œuvres de Mozart une expression tourmentée (*Sturm und Drang,* « orage et passion ») et confinera avec Beethoven au romantisme naissant, avec lequel il constitue l'essentiel du répertoire traditionnel des concerts.

Le XIXe siècle

Quoique en musique le romantisme ne recouvre véritablement que les années 1820-1860, ses options esthétiques et philosophiques ont imprimé leur marque à l'ensemble du XIXe s., rayonnant jusque chez certains musiciens du début du XXe s. (Mahler, R. Strauss, Rachmaninov). Affirmant les droits de l'individu et la primauté de l'émotion sur la raison, le romantisme a apporté un élargissement sans précédent des moyens expressifs : lyrisme mélodique, harmonies tendues, ample exploitation des ressources instrumentales (au piano comme à l'orchestre, qui trouve ici son ampleur maximale). Il a amplifié de façon souvent spectaculaire – jusqu'à parfois les modifier – les formes classiques (opéra, symphonie) et a cultivé des formes rhapsodiques où l'imagination du compositeur peut librement s'exprimer (pièces de caractère pour le piano, cycles de lieder, poèmes symphoniques, ouvertures).

Né dans l'Allemagne du début du XIXe s., le romantisme musical s'exprime d'abord dans l'œuvre tardive de Beethoven et de Schubert, et dans les opéras de Weber (*Freischütz,* 1821). Il trouve ses grands représentants dans la génération des musiciens nés dans les deux premières décennies du siècle : Berlioz, Liszt, Chopin, Schumann, Verdi, Wagner. Il s'est tout particulièrement exprimé dans la musique de piano, le lied germanique ou la mélodie française, l'opéra et l'orchestre, où se manifestent aussi les bouleversements sociaux liés à l'essor du public bourgeois, qui cultive à la fois le salon artistique (piano, duo chant et piano) et la sortie mondaine (concert, opéra).

La seconde moitié du siècle est amplement dominée par la personnalité de Richard Wagner, qui marque de sa puissante empreinte la plupart des musiciens des dernières décennies, et que seul le génie lyrique et dramatique de Verdi parvient à contrebalancer (non sans en subir l'influence). Fortement sous-jacente chez Wagner comme chez les maîtres des écoles historiques (Brahms en Allemagne, Bizet ou Saint-Saëns en France, Puccini en Italie), la fièvre nationaliste qui anime les peuples européens à la fin du siècle suscite l'un des phénomènes majeurs de la musique du XIXe s. : l'éclosion des écoles dites « nationales » au pourtour des grandes nations occidentales – en Europe centrale (Smetana, Dvořák), en Russie (Tchaïkovski, Moussorgski) et en Scandinavie notamment (Grieg).

◆ **Boris Godounov.**
Avec cette œuvre, Moussorgski a composé le chef-d'œuvre de l'opéra russe du XIXe s. Réalisation du théâtre Bolchoï. (Opéra de Paris, 1969)

Le XXe siècle

En musique comme dans les autres domaines artistiques, le XXe s. est celui de toutes les ruptures. D'un raffinement extrême, la musique des premières décennies montre déjà une nette tendance à transgresser les lois fondamentales du système tonal (déjà mises à mal dans l'harmonie complexe de Liszt ou de Wagner) et à sortir des grandes formes qui lui restent associées. Ébranlés à des degrés divers chez Debussy, Ravel, Stravinsky, R. Strauss ou Bartók, les fondements de la tradition classico-romantique sont ouvertement mis en cause par les pionniers de la musique moderne, dont Edgard Varèse (1885-1965) et Arnold Schoenberg (1874-1951). Suivi par ses disciples Alban Berg (1885-1935) et Anton von Webern (1883-1945), avec lesquels il forme l'école de Vienne, Schoenberg rompt dès 1908 avec le système tonal (atonalité) et emploie à partir de 1920 le sérialisme, système de composition fondé sur l'utilisation des douze sons de la gamme chromatique (dodécaphonisme), libérés de la hiérarchie tonale.

Alors qu'un certain nombre de compositeurs – Dmitri Chostakovitch (1906-1975), Benjamin Britten (1913-1976) – demeurent fidèles à la tonalité, la rupture inaugurée par l'école de Vienne est encore approfondie après la guerre par les représentants de l'avant-garde (Pierre Boulez, Karlheinz Stockhausen, Luciano Berio, Luigi Nono), qui pousseront le sérialisme dans ses ultimes conséquences. Les années de l'après-guerre sont également marquées par l'essor de la musique électroacoustique (explorée par Stockhausen et Pierre Schaeffer), qui n'a cessé depuis lors de profiter des progrès technologiques. Avec l'épuisement du sérialisme, et malgré le développement jusqu'en 1980 d'une grande diversité de courants (de la musique aléatoire de John Cage à la musique répétitive de Steve Reich et Philip Glass), la musique dite « contemporaine » ne peut s'opposer à un morcellement qui n'a cessé de croître, chaque compositeur développant un langage personnel (Iannis Xenakis, György Ligeti, Witold Lutostawski). À côté de ce que certains musicologues nomment déjà la « tradition moderne » émerge à partir des années 1980 un courant dit « postmoderne » qui, sous diverses formes, cherche à retrouver la continuité historique, en renouant le plus souvent avec certains aspects de la tonalité et en profitant par ailleurs des acquis de la modernité.

◆ **Richard Wagner.**
Portrait du compositeur par Guiseppe Tivoli, 1883. (Accademia Rossini, Pologne)

VOIR AUSSI
• **Chant grégorien** p. 1166
• **Art lyrique** p. 1168
• **Notation musicale** p. 1180

La musicologie

Liée à l'essor des sciences humaines depuis la fin du XIXe s., la musicologie s'attache à l'analyse rationnelle des multiples aspects de l'activité musicale (œuvres, formes, styles, périodes, instruments, etc.), observés sous l'angle historique, théorique, esthétique ou technique. La musicologie se divise en plusieurs branches, parmi lesquelles l'organologie (qui s'occupe des instruments de musique) et l'ethnomusicologie, qui s'attache aux musiques de tradition orale (populaires ou savantes, européennes ou extra-européennes), observées sous l'angle anthropologique (rôle social de la musique) ou musicologique (analyse des systèmes musicaux, des instruments ou de l'histoire de la musique d'une population donnée).

Orchestre et concert

L'orchestre

Constitué par un nombre élevé d'instrumentistes rassemblés pour une exécution musicale coordonnée, l'orchestre peut recouvrir divers types de formations, du gamelan javanais au grand orchestre symphonique occidental. Outre le nombre, la diversité ou la nature des instruments réunis, c'est avant tout le développement d'un jeu collectif qui définit musicalement l'orchestre, ainsi que la recherche de l'homogénéité, qui prime ici sur l'expression individuelle. Résultat d'une longue tradition, d'un travail permanent et de l'adoption de modes de jeu uniformes, l'homogénéité d'un orchestre résulte aussi d'une soumission de ses membres à une autorité dirigeante : chef d'orchestre (cas des orchestres symphoniques) ou instrument conducteur (cas des orchestres de chambre et de la plupart des formations traditionnelles). Enfin, un orchestre est défini par une composition instrumentale caractéristique (nombre et nature des instruments) et par la pratique étendue de la doublure (une partie jouée par plusieurs instrumentistes). Ces deux éléments donnent à l'orchestre une couleur et une ampleur dynamique uniques qui achèvent de le caractériser.

Historique

Singularité de la tradition musicale savante européenne, l'orchestre symphonique est le résultat d'une évolution qui commence à la fin de la Renaissance, éclôt véritablement à l'époque baroque et prend une forme décisive avec le classicisme. Initialement composé de vingt à trente musiciens, l'orchestre aboutit au début du XXe s. aux grandes formations pouvant réunir jusqu'à plus de cent instrumentistes.

De taille le plus souvent modeste, les ensembles instrumentaux réunis avant le XVIe s. résultent plus du hasard des possibilités offertes que du désir d'imaginer une combinaison instrumentale homogène. Interchangeables, les instruments se contentent de doubler les voix du chœur. Les premières véritables réalisations orchestrales apparaissent à la fin du XVIe s., à Venise notamment, avec Giovanni Gabrieli (v. 1557-1612), maître de chapelle à Saint-Marc, chez qui l'écriture instrumentale tend à se libérer de l'écriture vocale et témoigne d'une nette recherche instrumentale.

L'orchestre ne naît toutefois véritablement qu'à l'époque baroque, où il bénéficie non seulement de l'essor de la musique instrumentale, mais aussi de la naissance de l'opéra. Soutien naturel des voix, l'ensemble instrumental réuni au théâtre doit également refléter le caractère général de chaque scène et donner une traduction musicale de la progression dramatique ; c'est ce qui incite les musiciens à explorer le caractère spécifique de chaque instrument et les multiples combinaisons de timbres. Cette recherche est sensible dès Monteverdi, même si ses œuvres mettent encore en jeu des ensembles relativement hétérogènes. Avec Jean-Baptiste Lully, l'orchestre franchit une étape importante. Resserrant la formation instrumentale autour des instruments à cordes frottées, Lully parvient à une homogénéité que colore l'ajout de quelques bois. Lully est en outre un des premiers chefs à imposer à ses musiciens une discipline collective rigoureuse et des règles de jeu communes. Repris et légèrement développé par Rameau, qui introduit quelques nouveaux instruments (dont la clarinette, qui aura peine pourtant à s'imposer avant Mozart), l'orchestre défini par Lully est celui qu'emploient tous les compositeurs de la première moitié du XVIIIe s. (Bach et Händel notamment). Il sert également de modèle aux orchestres qui commencent à se constituer en Europe occidentale (l'orchestre des Concerts spirituels, fondé en 1725 à Paris par Anne Philidor, ou celui de la cour de Mannheim, constitué par Johann Stamitz dans les années 1740). C'est sur la base de ces ensembles que Haydn et Mozart ordonnent l'orchestre symphonique classique, qui repose sur la complémentarité de deux grands groupes instrumentaux : le quintette à cordes, qui demeure le noyau de la formation, et le groupe des vents (lui-même divisé en deux groupes : les bois – deux flûtes, deux hautbois, deux bassons, puis deux clarinettes) –, et les cuivres – deux cors, deux trompettes –, auxquels s'ajoute une paire de timbales.

Avec Beethoven, Berlioz, Liszt et Wagner notamment, l'orchestre ne cesse de s'étoffer tout au long du XIXe s., jusqu'à atteindre son ampleur maximale au début du XXe s., chez Mahler, R. Strauss, Stravinsky ou Ravel. Résultat de l'accroissement du nombre d'instruments à vent et de l'introduction d'instruments nouveaux ou inusités (flûte piccolo, flûte alto, cor anglais, clarinette basse, trombone, tuba, harpe, ainsi qu'un grand nombre d'instruments à percussion), cette augmentation considérable des forces orchestrales a bénéficié de quelques innovations majeures (systèmes de clefs pour les bois, mise au point du piston pour les cuivres). Elle marque également l'intérêt grandissant pour l'usage de la couleur instrumentale (orchestration), qui devient avec Berlioz notamment une dimension nouvelle de la composition musicale et acquiert au XXe s. un rôle central.

Composition de l'orchestre

La composition de l'orchestre, comme sa disposition, a beaucoup varié depuis le XVIIe s. À l'opéra, jusqu'au milieu du XVIIIe s., l'orchestre est disposé en longueur, de part et d'autre du clavecin, situé au milieu (cordes d'un côté, vents de l'autre). À partir des années 1770, la disposition en demi-cercle, encore en usage aujourd'hui, se généralise au concert comme au théâtre. Mais la répartition des instruments varie encore tout au long du XIXe s. (selon les orchestres et les pays). Généralement, les premiers et les seconds violons sont respectivement situés à la gauche et à la droite du chef ; les violoncelles sont alors placés sur la gauche des premiers violons (avec les contrebasses derrière eux) et les altos sur la droite des seconds violons. Les vents prennent alors place à l'arrière-centre, dans l'espace ouvert par les cordes (bois à gauche et cuivres à droite, ou bois au premier plan et cuivres au second plan), les timbales prenant toujours place au fond.

En 1945, le chef d'orchestre américain Leopold Stokowski (1882-1977) inaugure une disposition des cordes adoptée par la plupart des orchestres, même si de plus en plus de chefs reviennent à l'ancienne disposition pour le répertoire classique. Un certain nombre d'œuvres du XXe s. exigent par ailleurs une disposition spécifique.

Le concert

Le concert – au sens actuel du mot, c'est-à-dire public et payant – n'existe que depuis le XVIIe s. Auparavant, la musique accompagne les diverses activités des hommes : à l'église, dans les résidences royales et princières (où elle constitue un divertissement de choix), à la chasse, sur les champs de bataille et dans la rue, à l'occasion des fêtes populaires. Au début du XVIIe s., l'essor de la musique instrumentale, la naissance de l'opéra et l'éloignement progressif de la musique de son ancienne attache religieuse favorisent l'apparition d'un public d'amateurs, prêt à payer le prix d'un abonnement pour venir entendre les grands musi-

◆ **Frantz Liszt au piano.**
« *Galop chromatique* exécuté par le diable de l'harmonie le 18 avril 1843. » L'une des nombreuses caricatures montrant les exploits de Liszt au piano. À droite, le célèbre chef d'orchestre Habeneck, qui dirigea l'orchestre de l'Opéra de Paris (1824-1846). (Bibliothèque de l'Opéra, Paris)

L'interprétation

Véritable médiateur entre le compositeur et l'auditeur, l'interprète doit restituer une œuvre qui n'existe que sous forme de partition. Suivant les œuvres et les époques, celle-ci donne des intentions du compositeur un reflet plus ou moins riche ou précis, mais toujours incomplet (tout particulièrement dans le cas d'œuvres anciennes). La dimension esthétique de l'œuvre est livrée dès lors à l'entière subjectivité de l'artiste. L'interprétation balance donc perpétuellement entre la fidélité aux intentions du compositeur, telles que la partition les manifeste, et la nécessaire liberté de l'interprète, seule apte à communiquer à l'œuvre cet élément de vie que la notation ne permet pas de fixer.

Cette ambiguïté fondamentale constitue toute la richesse et la difficulté de l'interprétation, qui ne fait que proposer une certaine traduction de l'œuvre, jamais unique.

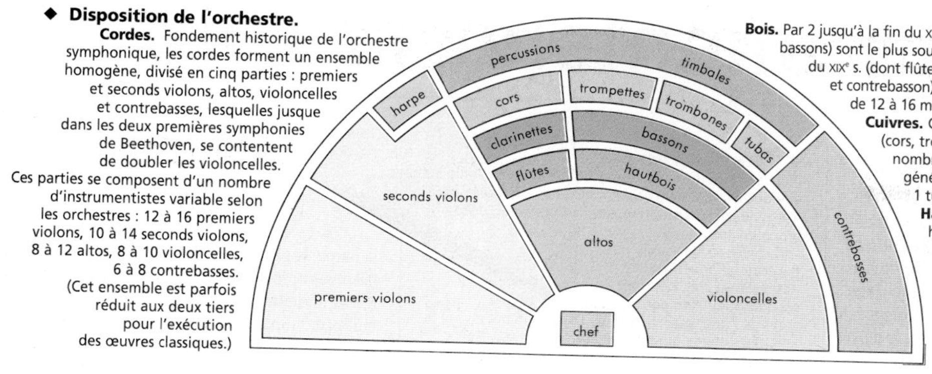

◆ **Disposition de l'orchestre.**
Cordes. Fondement historique de l'orchestre symphonique, les cordes forment un ensemble homogène, divisé en cinq parties : premiers et seconds violons, altos, violoncelles et contrebasses, lesquelles jusque dans les deux premières symphonies de Beethoven, se contentent de doubler les violoncelles. Ces parties se composent d'un nombre d'instrumentistes variable selon les orchestres : 12 à 16 premiers violons, 10 à 14 seconds violons, 8 à 12 altos, 8 à 10 violoncelles, 6 à 8 contrebasses. (Cet ensemble est parfois réduit aux deux tiers pour l'exécution des œuvres classiques.)
Bois. Par 2 jusqu'à la fin du XVIIIe s., les bois (flûtes, hautbois, clarinettes, bassons) sont le plus souvent groupés par 3 ou par 4 depuis la fin du XIXe s. (dont flûte piccolo, cor anglais, clarinette basse et contrebasson). Ils forment ainsi au total un ensemble de 12 à 16 musiciens appelé « petite harmonie ».
Cuivres. Comme les bois, les cuivres, par 2 au XVIIIe s. (cors, trompettes), sont devenus nettement plus nombreux au XIXe s. L'orchestre moderne compte généralement 6 cors, 4 trompettes, 4 trombones, 1 tuba. Ils forment la « grande harmonie ».
Harpes. Depuis le romantisme, une ou deux harpes sont habituellement intégrées à l'orchestre.
Percussions. Limitée jusqu'à la fin du XVIIIe s. à une seule paire de timbales, la percussion s'est enrichie de nombreux instruments aux XIXe et XXe s. (caisse claire, grosse caisse, cymbales, triangle, xylophone, cloches-tubes, gong...).

abonnement pour venir entendre les grands musiciens du moment. Après quelques autres, le compositeur et claveciniste français Jacques Champion de Chambonnières (1601 ou 1602-1672) peut ainsi créer en 1641 l'Assemblée des honnestes curieux, qui, par autorisation royale, se réunit deux fois par semaine dans une salle parisienne. En 1672, le compositeur et violoniste anglais John Banister (v. 1625-1679) ouvre dans sa demeure londonienne les premiers concerts payants. Les premières véritables entreprises commerciales de concerts ne seront toutefois véritablement fondées que dans la première moitié du XVIIIe s. (en France et en Italie sous le nom d'« académie », et dans les pays germaniques sous celui de « *collegium musicum* »). Parmi toutes les institutions musicales qui naissent ainsi (dont les concerts publics fondés à Hambourg en 1722 par Georg Philipp Telemann), la plus ancienne et la plus célèbre est le Concert spirituel fondé par Anne Philidor (1681-1728) à Paris en 1725 et dont l'activité s'étend jusqu'en 1791.

Accompagnant l'essor de la bourgeoisie et s'inscrivant dans les activités commerciales du capitalisme naissant, le concert public ne cesse dès lors de se développer. Il donne lieu à la fondation de grandes sociétés de concerts en Europe et aux États-Unis, au XIXe s.

C'est au XIXe s. également que se développe le récital où se produit un interprète seul (ou un soliste accompagné au piano). Défendu par les grands virtuoses romantiques, il est créé dès les années 1830 par Franz Liszt, qui inventa le mot en 1840.

VOIR AUSSI
• **Chefs d'orchestre** p. 1179
Illustrations
• **Instruments de musique** p. 1178

La direction d'orchestre

Assurée jusqu'au XVIIIe s. depuis le clavecin par le maître de chapelle *(Kappellmeister)* ou par le premier violon *(Konzertmeister)*, la fonction de chef d'orchestre n'apparaît sous la forme qu'on lui connaît qu'au début du XIXe s. Les premiers chefs sont alors pour la plupart compositeurs – tels Weber, Berlioz, Mendelssohn ou Liszt. Ils font de la direction d'orchestre une discipline à part entière et précèdent les premiers grand maîtres du pupitre : en Allemagne et en Autriche, Hans von Bülow (1830-1894), Arthur Nikisch (1855-1922), Felix Weingartner (1863-1942) ; en France, François-Antoine Habeneck (1781-1849), Jules Pasdeloup (1819-1887), Charles Lamoureux (1834-1899) et Édouard Colonne (1838-1910).

Principaux types de formations orchestrales

À côté de l'orchestre symphonique, l'orchestre à cordes représente la formation orchestrale la plus courante de la tradition européenne.
Parmi les musiques militaires, citons l'orchestre d'harmonie (bois, cuivres, percussions), où les clarinettes et les saxophones remplacent les cordes ; la fanfare (cuivres et percussions), présente dès l'Antiquité. Parmi des formations disparues, notons le consort anglais (XVIe s.), constitué d'instruments de la même famille (violes, le plus souvent, ou flûtes à bec).
Les traditions orales (savantes ou populaires) ont elles aussi développé de nombreuses formations, tels le gamelan de Java (composé pour l'essentiel de percussions métalliques), l'orchestre du gagaku japonais (cordes pincées, bois, percussions), le takht arabe (cordes pincées et frottées, flûte, tambour), le chôro brésilien (cordes pincées, vents), la cobla catalane (bois, cuivres, contrebasse), le bagad breton et le pipe-band écossais (cornemuses, bombardes, tambours) ou le big band de jazz (bois, cuivres, batterie, guitare, contrebasse, piano).

◆ **Exécution de la *Création*, de Haydn.** Témoignage de la popularité du compositeur, un an avant sa mort, ce concert fut dirigé par Salieri le 27 mars 1808. Sur l'estrade ont pris place 57 exécutants (chanteurs et instrumentistes). Plusieurs personnalités (parmi lesquelles Beethoven) rendent hommage au compositeur, assis au centre. (Copie d'une peinture de B. Wigand, aujourd'hui perdue, Musée historique, Vienne)

◆ **Quelques grands orchestres symphoniques.**

Pays	Désignation (date de fondation)
Allemagne	Orchestre du Gewandhaus de Leipzig (1781)
	Orchestre philharmonique de Berlin (1882)
Autriche	Orchestre philharmonique de Vienne (1842)
États-Unis	Orchestre philharmonique de New York (1842)
	Orchestre symphonique de Chicago (1891)
	Orchestre symphonique de San Francisco (1911)
	Orchestre de Cleveland (1918)
	Orchestre philharmonique de Los Angeles (1919)
France	Orchestre national de France (1934)
	Société des concerts du Conservatoire (1828 – devient l'Orchestre de Paris en 1967)
Pays-Bas	Orchestre Royal du Concertgebouw d'Amsterdam (1888)
Royaume-Uni	Orchestre symphonique de Londres (1904)
	The Philharmonia (1945)
Russie	Orchestre philharmonique de Saint-Pétersbourg (1921)
Suisse	Orchestre de la Suisse romande (1918)
République tchèque	Orchestre de la Philharmonie tchèque (1894)

Les instruments et la voix

Les instruments

Témoins de traditions aussi diverses qu'anciennes, les instruments de musique offrent une grande variété de représentants. Reflet de l'inventivité des hommes et d'une histoire faite d'échanges entre les traditions les plus éloignées, cette diversité n'a cessé de poser la question de la classification des instruments. De la Chine à l'Europe, de nombreux systèmes permettant de les classer ont été proposés ; tous marient des critères objectifs (principes acoustiques) à des critères issus de l'usage musical (mode de jeu, timbre) ou de la facture (matière, principes de construction). L'observation scientifique a permis de résoudre la difficulté en privilégiant les caractères acoustiques fondamentaux. C'est sur cette base que la musicologie a identifié quatre grandes catégories instrumentales, fondées sur le mode de production du son : les aérophones (instruments à vent), où le son est produit par la mise en vibration d'une colonne d'air à l'intérieur d'un tuyau ; les cordophones (instruments à cordes), où le son résulte de la mise en vibration d'une corde tendue entre deux points fixes ; les membranophones, groupes d'instruments à percussion où le son est produit par la mise en vibration d'une peau tendue sur un cadre ; et les idiophones, qui regroupent les autres percussions (où le son est produit par la mise en vibration du corps même de l'instrument). À ces quatre catégories « naturelles » s'ajoute désormais celle des instruments électroniques (parfois appelée « lutherie électronique »).

Un peu abstraite, cette classification universelle recoupe en large part la classification traditionnelle des musiciens occidentaux.

Les vents

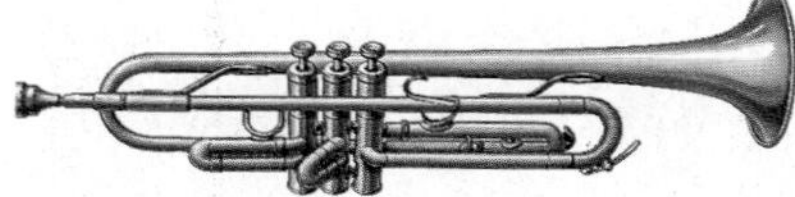

◆ Trompette. Connue depuis l'Antiquité, la trompette acquit au XVe s. sa forme recourbée moderne. Le système des pistons apparut vers 1820-1830.

Regroupant tous les aérophones, la famille des vents se divise en deux groupes : les bois et les cuivres. Ils se distinguent au moins sur trois points : la facture (tuyau percé de trous chez les bois ; colonne d'air allongée par l'action de pistons ou d'une coulisse (chez les cuivres), la matière (métal pour les cuivres ; bois pour la plupart des bois – sauf la flûte traversière et le saxophone, en métal) et le mode de production du son.

Dans l'orchestre, les bois regroupent la flûte traversière, le hautbois, la clarinette et le basson (voire le saxophone). Les bois se distinguent entre eux par le mode de production du son : biseau (flûte traversière), anche simple (clarinette, saxophone), anche double (hautbois, basson). Ils ont de nombreux équivalents dans les traditions folkloriques (flûte de pan, ocarina, cornemuse, harmonica) ou extra-européennes (flûte *nay* arabe, flûte japonaise *shakuhachi*, orgue à bouche asiatique, hautbois arabe *zorna* ou vietnamien *kèn*, etc.).

Les cuivres regroupent, à l'orchestre, le cor, la trompette, le trombone et le tuba. Outre la matière, ces instruments ont en commun le mode de production du son (par vibration des lèvres contre une embouchure creuse de forme variable) et la présence d'un ample pavillon. Comme en témoignent le clairon et le cor de chasse, les cuivres étaient à l'origine fabriqués sans pistons (système introduit au XIXe s.). Les autres principaux cuivres (qu'on trouve dans les fanfares et les harmonies) sont le cornet à piston, la famille des bugles et saxhorns, et l'hélicon.

◆ Flûte traversière. C'est au cours du XVIIIe s. que la flûte traversière, munie d'une embouchure qui permet de moduler le son (grâce aux lèvres de l'exécutant), remplace la flûte à bec, dont le son est fixe. Au XVIIIe s., sur la flûte traversière comme sur la flûte à bec, l'exécutant, pour produire des notes différentes, bouchait avec ses doigts les trous percés sur le corps de l'instrument. En 1832, Th. Boehm mit au point les clefs, système qui se généralisa à tous les « bois ».

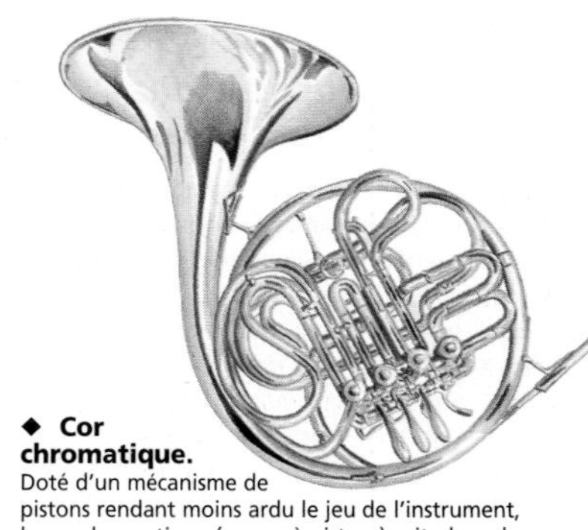

◆ Cor chromatique. Doté d'un mécanisme de pistons rendant moins ardu le jeu de l'instrument, le cor chromatique (ou cor à pistons) prit place dans l'orchestre en 1865. Il est accordé en *fa* ou *si* bémol.

Les cordes

On distingue les instruments à cordes frottées, pincées et frappées.

Le groupe des cordes frottées recouvre en large part celui des instruments à archet. Outre le violon, l'alto, le violoncelle et la contrebasse (qui forment les cordes de l'orchestre), la musique européenne a connu un grand nombre d'instruments à archet, tombés en désuétude après l'époque baroque, dont l'ample famille des violes (viole de gambe, *viola da braccio*, baryton). La plupart des traditions extra-européennes présentent également des instruments à archet : *rebab* arabe, *erhu* chinois, *sarangi* indien. Instrument populaire à la fois très ancien et très répandu, la vielle à roue est l'un des très rares instruments à cordes frottées mises en vibration par une roue tournante actionnée par une manivelle.

◆ Violon. La lutherie (facture des instruments à cordes) a connu son apogée en Italie dans la 2e moitié du XVIIe s. Aujourd'hui encore, les instruments fabriqués par A. Stradivarius (Crémone ?,vers 1644-1737) sont les plus recherchés.

Au groupe des cordes pincées appartiennent la harpe, la guitare, la mandoline, le banjo, la balalaïka russe, le bouzouki grec, et nombre d'instruments anciens (lyre, cithare, luth, théorbe) ou extra-européens (ukulélé hawaïen, *kora* africaine, *oud* oriental, *sitar* et *vina* indiens, *koto* et *biwa* japonais, *pipa* chinois). Les cordes peuvent être pincées soit directement par les doigts, soit à l'aide d'un plectre ou d'un onglet. Instrument à clavier très répandu du XVIe au XVIIIe s., le clavecin (comme l'épinette ou le virginal anglais) est aussi un instrument à cordes pincées : c'est un « bec » qui, par l'intermédiaire d'un mécanisme déclenché par l'enfoncement des touches, vient ici gratter la corde.

Le groupe des instruments à cordes frappées est essentiellement représenté par le piano (les cordes sont frappées par de petits marteaux actionnés par le jeu au clavier). Avec le *santur* persan, duquel il est issu, le cymbalum hongrois, qui se joue à l'aide de baguettes que l'instrumentiste tient dans chaque main, représente l'autre type connu d'instrument à cordes frappées. Notons que tous ces instruments entrent aussi dans le groupe des percussions à hauteurs déterminées.

◆ Timba Seuls instrum percussion dans l'orchest qu'à la fin du XVIIIe timbales (presque toujours par 2) sont générale associées aux trompettes pour des œuvres de car majestueux : elles n'ont qu'un rôle rythmique. Hayd Beethoven sont les premiers à les utiliser pour leur ti en leur confiant des roulements souvent impression

Les percussions

De loin la plus vaste et la plus diversifiée, la famille des instruments à percussion est la plus difficile à classer. Aux membranophones (familles de tambours et timbales) et aux idiophones de la classification scientifique, les musiciens préfèrent la distinction entre instruments à hauteurs déterminées (qui produisent des sons assimilables aux notes de la gamme) et instruments à hauteurs non déterminées (dont le son complexe se rapproche du bruit).

À la première catégorie appartiennent toutes les percussions qui peuvent être accordées selon une gamme donnée : les timbales, les différents types de cloches (cloches-tubes, cloches de vache, cloches-plaques), ainsi que certains petits gongs asiatiques et tous les instruments à lames disposés « en clavier », qu'ils soient effectivement munis d'un clavier (célesta, glockenspiel à clavier) ou joués à l'aide de baguettes (xylophone, vibraphone, glockenspiel, marimba, crotales, balafon africain).

À la catégorie des instruments à hauteurs non déterminées appartiennent toutes les percussions qui produisent des sons trop complexes pour être accordés. Ils se divisent en trois sous-groupes, caractérisés par la matière : les peaux, c'est-à-dire le groupe des tambours (caisse claire, tom-tom, grosse caisse, tambour de basque, bongo, tabla indien, *zarb* iranien, darbouka arabe...), les métaux (cymbale, triangle, grands gongs, tam-tam, enclume, flexatone), et les bois (claves, maracas, castagnettes, fouet, wood-block, temple-block). Quant aux « accessoires » et « bruiteurs » (crécelles, grelots, sifflet, sirène, machines à vent ou à tonnerre), leur jeu est toujours confié aux percussionnistes même s'il ne s'agit pas d'instruments à percussion.

Les claviers

Ce groupe n'entre pas dans la classification scientifique, mais répond à un usage musical suffisamment fort pour que les musiciens continuent de le considérer comme une famille instrumentale à part entière. Fondamentalement hétérogène par le mode de production du son, elle présente cependant le même principe de fonctionnement : l'enfoncement des touches actionne un mécanisme qui soit déclenche l'ouverture de l'air (orgue, harmonium, accordéon), soit pince (clavecin) ou frappe (piano) des cordes tendues, voire des lames de métal (glockenspiel à clavier) ou de verre (célesta), soit induit un courant électrique converti en ondes acoustiques (instruments électroniques).

Instrument à vent et à tuyaux, l'orgue possède un ou plusieurs claviers, ainsi qu'un pédalier et un grand nombre de tirettes manuelles appelés registres ou jeux qui permettent de modifier la sonorité de l'instrument. De différentes longueurs, les tuyaux présentent deux modes de mise en vibration de la colonne d'air : par l'ouverture d'un biseau (comme la flûte traversière), ou par la vibration d'une anche métallique libre fixée à l'intérieur du tuyau (comme dans l'accordéon ou l'harmonium).

La grande majorité des instruments électriques ou électroniques adoptent également le clavier comme mode de jeu : orgues électriques (orgue Hammond), ondes Martenot (inventées dans les années 1920 par Maurice Martenot) ou synthétiseurs. Le son ne résulte plus ici d'un phénomène acoustique naturel, mais de la transformation et l'amplification de fréquences électriques en fréquences acoustiques.

La voix

La voix ne peut être assimilée à aucun autre instrument de musique. Elle possède pourtant les attributs fondamentaux d'un instrument à vent, par le mode de production du son (un oscillateur – les cordes vocales – entre en vibration sous l'action du souffle) et par la présence d'un corps sonore (pharynx et cavités orale et nasale) servant à la fois de résonateur et de propagateur. Ce corps sonore se caractérise toutefois par une élasticité qu'aucun autre instrument ne possède, ce qui explique la grande différence qui sépare des voix de même catégorie.

Nettement distincte de la voix parlée par l'usage du vibrato et l'étendue du registre (près de quatre octaves, du son le plus grave que peut émettre une voix d'homme au son le plus aigu d'une voix de femme), la voix chantée est caractérisée par la prosodie. Elle s'appuie, dans la plupart des traditions musicales, sur une tendance naturelle à amplifier le rôle des voyelles qui s'exprime dans l'usage de la vocalise.

◆ **Maria Callas** (1923-1977). La soprano, américaine et grecque, possédait un timbre de voix extraordinaire et un exceptionnel pouvoir dramatique qui firent d'elle une interprète incomparable de l'opéra italien du XIXᵉ s.

La classification des voix

Résultat d'une longue tradition lyrique, la classification des voix repose sur les quatre registres identifiés au Moyen Âge avec l'essor de la polyphonie vocale : basse et ténor, pour les voix d'hommes, alto et soprano, pour les voix de femmes. À côté des quatre registres fondamentaux apparurent peu à peu des voix telles que le baryton (d'un registre un peu plus élevé que la basse et d'un caractère moins solennel), le mezzo-soprano (un peu plus grave et moins dramatique que la voix de soprano) ou le contralto (plus grave que l'alto). Certaines voix furent très prisées durant la période baroque telles les voix de haute-contre ou de castrat. L'émergence de conceptions lyriques différentes n'a cessé d'imposer des caractères vocaux singuliers : soprano *colorature*, voix virtuose, de registre suraigu et de timbre transparent et léger ; soprano lyrique, au timbre puissant et au registre étendu et homogène, caractéristique de l'opéra du XIXᵉ s. (Bizet, Verdi, Puccini) ; soprano dramatique, voix moins agile, mais puissante et profonde, typique du drame wagnérien ; ténor lyrique italien et *Heldentenor* allemand ; basse profonde de l'opéra russe, etc. Traditionnellement, les compositeurs ont attribué à chacune de ces voix un caractère psychologique stable.

Petit lexique

anche simple : lamelle de roseau fixée au bec de la clarinette et du saxophone.
anche double : paire de fines lamelles de roseau accolées, vibrant l'une contre l'autre entre les lèvres de l'instrumentiste (famille du hautbois).
castrat : chanteur eunuque fréquemment employé dans le répertoire lyrique baroque, et dont le registre pouvait couvrir ceux de l'alto et du soprano.
ciseau : arrête fixée à l'ouverture, placée à l'embouchure de certains tuyaux (flûte, orgue), qui excite la colonne d'air en brisant l'air insufflé.
embouchure : chez les cuivres, petit entonnoir métallique contre lequel vibrent les lèvres de l'instrumentiste.
haute-contre : voix de ténor aigu (registre proche de l'alto) au timbre voilé, usant d'une technique de chant appelée « voix de tête ».
organologie : science des instruments de musiques, de leur histoire et de leur classification.
plectre ou **médiator :** onglet utilisé pour gratter les cordes de certains instruments (guitare).
tessiture : ensemble des sons qu'une voix peut couvrir sans difficulté.
vibrato : oscillation expressive du son, d'une amplitude suffisamment faible pour ne pas altérer la perception de la hauteur.

◆ **Quelques artistes lyriques célèbres.**

Soprano	Hildegard Behrens, Cathy Berberian, Montserrat Caballé, Maria Callas, Régine Crespin, Kirsten Flagstad, Renée Flemming, Angela Gheorghiu, Barbara Hendricks, Victoria de Los Angeles, Mady Mesplé, Jessye Norman, Katia Ricciarelli, Elisabeth Schwarzkopf, Renata Tebaldi, Kiri Te Kanawa
Mezzo-soprano	Christa Ludwig, Teresa Berganza, Yvonne Minton
Alto	Kathleen Ferrier, Maureen Forrester
Haute-contre	Alfred Deller, René Jacobs
Ténor	Roberto Alagna, Carlo Bergonzi, José Carreras, Enrico Caruso, Giuseppe Di Stefano, Placido Domingo, Nicolaï Gedda, Luciano Pavarotti, Peter Schreier, Georges Thill, Jon Vickers, Fritz Wunderlich
Baryton	Gabriel Bacquier, Dietrich Fischer-Dieskau, Tito Gobbi, Hermann Prey, Ruggero Raimondi, José Van Dam
Basse	Théo Adam, Fedor Chaliapine, Boris Christoff, Nikolaï Ghiaurov

◆ **Quelques chefs d'orchestre et instrumentistes célèbres.**

Chefs d'orchestre	Claudio Abbado, Ernest Ansermet, Daniel Barenboïm, Léonard Bernstein, Karl Böhm, Pierre Boulez, Colin Davis, Wilhelm Furtwängler, Carlo Maria Giulini, Bernard Haitink, Nikolaus Harnoncourt, Herbert von Karajan, Otto Klemperer, Lorin Maazel, Zubin Mehta, Pierre Monteux, Charles Munch, Riccardo Muti, Seiji Ozawa, Georg Solti, George Szell, Arturo Toscanini, Bruno Walter
Clavecin	William Christie, Kenneth Gilbert, Wanda Landowska, Gustav Leonhardt, Scott Ross
Flûte	Jean-Pierre Rampal, James Galway
Guitare	Alexandre Lagoya, Andrés Segovia, John Williams, Narciso Yepes
Harpe	Lily Laskine
Orgue	Marie-Claire Alain, Michel Chapuis, Pierre Cochereau, Jean Guillou, André Isoir
Piano	Martha Argerich, Claudio Arrau, Vladimir Ashkenazy, Arturo Benedetti Michelangeli, Alfred Brendel, Alfred Cortot, Edwin Fischer, Samson François, Walter Gieseking, Glenn Gould, Emil Guilels, Clara Haskil, Vladimir Horowitz, Wilhelm Kempff, Dinu Lipatti, Yves Nat, Maria João Pires, Maurizio Pollini, Sviatoslav Richter, Artur Rubinstein, Artur Schnabel, Krystian Zimerman
Trompette	Maurice André
Violon	Arthur Grumiaux, Jascha Heifetz, Fritz Kreisler, Gidon Kremer, Yehudi Menuhin, Anne Sophie Mutter, David Oïstrakh, Itzhak Perlman, Isaac Stern, Henryk Szeryng, Joszef Szigeti, Jacques Thibaud, Eugène Ysaye
Violoncelle	Pablo Casals, Pierre Fournier, Mischa Maisky, Mstislav Rostropovitch, János Starker, Paul Tortelier

La notation musicale

Une spécificité occidentale

Si certaines traditions musicales usent d'éléments de notation à des fins pédagogiques, seule la musique européenne« savante » a élaboré un système de notation complexe, capable de traduire la musique graphiquement et d'en assurer la transmission avec une fiabilité satisfaisante. Concomitant à celui de la polyphonie, l'essor de la notation a vraisemblablement été rendu nécessaire par l'impossibilité de mémoriser des compositions devenues trop complexes. La musique occidentale, la polyphonie et la notation n'ont ainsi cessé de s'enrichir mutuellement, la musique, de plus en plus dense, exigeant une représentation graphique précise tandis que le développement de la notation permet aux musiciens d'imaginer des superpositions mélodiques encore plus élaborées.

En donnant à la musique une mémoire « objective » et un mode de transmission satisfaisant, la notation a contribué à forger la notion d'œuvre : dès le Moyen Âge, on distingue le musicien qui invente l'œuvre de celui qui la joue. Pourtant, si fiable et précise soit-elle à maints égards, la notation ne donne jamais qu'une image de la musique conçue par le compositeur. D'abord parce que des quatre paramètres du son (hauteur, durée, intensité, timbre), seuls les deux premiers ont fait l'objet d'une véritable attention, l'intensité et le timbre, comme l'expression et le caractère, ne jouissant que d'indications approximatives (symboles globaux ou simples mots ajoutés) ; ensuite parce que l'exécution d'une partition dépasse toujours sa représentation graphique, ce dont témoigne toute interprétation.

◆ **Principaux éléments de la notation traditionnelle.**

Historique

Œuvre des chantres de Picardie, les premiers signes de notation musicale (appelés « neumes ») apparaissent au IXe s. Rudimentaires, ils ne présentent encore qu'une succession de points et de traits inclinés placés au-dessus du texte latin pour figurer la hauteur du son et l'évolution approximative de la courbe du chant. On les retrouve un siècle plus tard, placés non plus au-dessus du texte, mais de part et d'autre d'une ligne continue figurant un son de référence (le plus souvent le *fa*) ; la position des signes par rapport à ce son donné permet alors de représenter la hauteur avec un peu plus de précision. Ils s'agit toutefois d'une forme de notation encore embryonnaire, plus capable d'aider la mémorisation des lignes mélodiques que d'en donner une véritable transcription graphique. Au début du XIe s., le moine italien Gui d'Arezzo (v. 991-apr. 1033) introduit une innovation décisive en donnant un nom à chacun des degrés de l'échelle (*ut, ré, mi, fa, sol, la, si*) et en proposant l'usage d'une portée de quatre lignes (tétragramme). Grâce à ces modifications substantielles, l'indication de la hauteur des sons acquiert une précision sensiblement accrue.

Vers la notation classique. L'effort ne cesse de se poursuivre tout au long des deux siècles suivants, alors que la polyphonie de l'école de Notre-Dame impose une écriture plus fiable encore. Elle aboutit à la mise au point de la notation dite « mensuraliste » (XIIIe s.), qui montre un progrès décisif, en particulier dans la notation de la durée du son. Alors que les signes utilisés jusque-là figuraient non une note, mais un groupe de notes, la notation mensuraliste représente chaque son par une figure isolée. Cette identification permet bientôt d'indiquer la durée de chaque son, figurée par les différentes formes que peut prendre la note (carré ou losange, noire ou blanche), selon une convention qui préfigure la notation classique. Parallèlement apparaissent les premiers signes figurant la durée des silences. Les auteurs de la fin du Moyen Âge achèvent de codifier cette notation déjà élaborée, parmi lesquels Philippe de Vitry (v. 1291-1361), théoricien de l'Ars nova, qui admet des subdivisions tant binaires que ternaires de la durée de référence et introduit une durée étalon (le *tactus*), repère temporel supplémentaire.

Avec l'introduction de la cinquième ligne de la portée et des signes d'altération (dièse, bémol, bécarre), puis la transformation progressive des carrés et des losanges en notes ovales noires ou blanches, la notation entre à partir du XVe s. dans la dernière phase de son élaboration. Stabilisée à l'époque baroque, elle n'évolue plus que superficiellement, s'adjoignant progressivement des indications précisant les nuances, le mouvement ou les modes de jeu instrumentaux.

Remise en question dans la seconde moitié du XXe s., où elle semble peu adaptée aux exigences des musiciens modernes, la notation classique est en partie éclipsée durant les décennies 1960 et 1970 par la multiplication des signes singuliers et l'apparition de représentations graphiques expérimentales. La complication introduite par la démultiplication des systèmes individuels a depuis lors convaincu les compositeurs de revenir à la notation classique, qui s'est toutefois enrichie de signes nouveaux dont l'usage tend à s'uniformiser. La notation de la musique électroacoustique demeure toutefois la question majeure de la musique d'aujourd'hui, l'écriture conventionnelle se révélant ici totalement inadaptée.

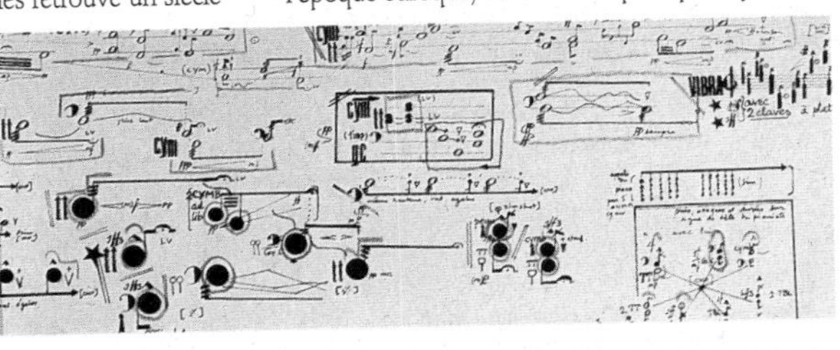

◆ **Partition d'*Archipel 3*, pour piano et six instruments à percussion, d'A. Boucourechliev** (1969).

Petit lexique

altération : modification de la hauteur d'une note, figurée par trois signes : dièse (élève le son d'un demi-ton), bémol (l'abaisse d'un demi-ton), bécarre (restitue la hauteur originelle).

binaire : se dit d'une mesure dont chaque temps est divisible par deux.

clé : signe placé au début de la portée, donnant une hauteur de référence à l'une des 5 lignes de la portée. Sur les sept clés existantes, quatre sont d'un usage régulier : clé de sol (registre aigu), clé de fa 4e ligne (registre grave), clés d'ut 3e et 4e lignes (médium).

chromatisme : usage de l'altération.

degré : chacune des 7 notes de la gamme.

diatonisme : usage de la gammes sans altération.

gamme : succession de sons conjoints contenus dans une octave, présentés selon une suite toujours identique d'intervalles. Le système tonal connaît trois gammes : la gamme diatonique majeure et la gamme diatonique mineure (formées de 7 sons) et la gamme chromatique (qui déroule les 12 sons contenus dans l'octave).

intervalle : distance séparant deux notes.

mesure : valeur temporelle étalon divisée en un nombre constant de temps de même valeur.

note : nom donné à chaque degré d'une gamme.

octave : intervalle séparant deux notes de même nom.

tempo : vitesse de pulsation des temps à l'intérieur de la mesure.

ternaire : se dit d'une mesure dont chaque temps est divisible par trois.

tonique : son duquel part et auquel aboutit la gamme majeure ou mineure.

Le solfège

Discipline fondamentale de la pratique musicale, le solfège permet de lire une partition. L'enseignement diffusé en classe de solfège inclut également certains aspects théoriques complémentaires : règles fondamentales du système tonal (formation des gammes, enchaînement des tonalités, intervalles) et du système temporel (mesure, rythme, mouvement), lexique et symboles usuels.

Les musiques de tradition orale

Traditions populaires et musiques savantes

Le très vaste ensemble des musiques de tradition orale comprend toutes les musiques autres que la musique savante occidentale. Il regroupe par conséquent non seulement les traditions extra-européennes, mais aussi tous les répertoires folkloriques européens. La transmission orale demeure toutefois le seul véritable trait commun de traditions aussi multiples que diverses, qui regroupent à la fois des répertoires populaires régionaux, et de véritables musiques savantes.

En effet, toutes les musiques de tradition orale ne sont pas populaires. Plusieurs traditions orientales ont développé des systèmes musicaux hautement élaborés, entretenant un art et un répertoire plusieurs fois séculaires, transmis oralement de maîtres à disciples. Cet ancrage profond a permis à ces musiques d'opposer une certaine résistance aux bouleversements auxquels l'internationalisation de la culture a soumis les sociétés traditionnelles. Beaucoup plus faibles, les musiques folkloriques ont, à l'inverse, bien mal résisté à l'acculturation, dans les pays développés tout particulièrement, où la plupart des répertoires traditionnels ont presque totalement disparu.

Les grandes aires

La carte des traditions musicales de transmission orale encore vivantes révèle quatre aires fondamentales : Asie orientale, sous-continent indien, Moyen-Orient, Afrique subsaharienne. Ce découpage ne doit pas gommer toutefois les différences qui singularisent les traditions constitutives de chacune de ces grandes aires, ni l'importance qu'y a joué l'interpénétration des répertoires. Laminées par l'évolution sociale, les musiques orales d'Europe et d'Amérique ne subsistent qu'artificiellement, sans réel ancrage social, si ce n'est dans certaines poches de l'Europe de l'Est (chez les Tziganes notamment) ou chez les Indiens d'Amérique du Sud (forêt amazonienne, Cordillère des Andes). L'Asie et l'Afrique constituent donc les deux ultimes lieux où les traditions musicales orales sont encore vivantes.

Des zones les plus occidentales du monde arabe aux confins de la Chine et de la Corée, l'Orient est dominé par des cultures musicales de tradition ancienne, qui ont adopté des systèmes musicaux élaborés (gammes, modes rythmiques, chant, formations orchestrales) où l'improvisation a une grande importance. Fondé sur des règles strictement codifiées dont la connaissance et le respect forment une large part de l'apprentissage du musicien, l'art de l'improvisation confère au musicien un statut d'interprète-créateur qui ignore la notion d'œuvre. Malgré leur grande différence, ces musiques savantes d'Orient s'intègrent toutes à des systèmes cosmologiques qui leur donnent une véritable valeur sacrée.

L'Asie orientale. Musicalement, l'Asie orientale se divise en deux grandes aires : l'Extrême-Orient (Chine, Japon, Corée, Mongolie, Viêt Nam) et le Sud-Est asiatique (péninsule indochinoise, Indonésie). L'aire extrême-orientale a été soumise à l'influence de la tradition chinoise, dominée par l'usage d'échelles de cinq sons (gamme pentatonique). La musique est ici fondamentalement liée aux arts du spectacle associant chant, dialogue et pantomime (opéra de Pékin, *gagaku* ou nô japonais, théâtre de cour coréen) ; elle met en jeu de petits ensembles mêlant voix et instruments dans un registre le plus souvent aigu, d'une riche couleur sonore.

L'aire sud-est asiatique se partage entre le groupe malais (Birmanie, Thaïlande, Laos, Cambodge, Malaisie) et le groupe javanais (archipel indonésien). La musique de cet ensemble géographiquement morcelé est dominée par un art instrumental raffiné, singularisé par des formations orchestrales où dominent les percussions à hauteurs déterminées. C'est notamment le cas du gamelan javanais et de ses cousins indonésiens, orchestres virtuoses formés pour l'essentiel d'instruments à percussion métalliques (métallophones à lames, gongs de toutes tailles), qui exécutent une forme singulière de polyphonie rythmiquement complexe, fondée sur la superposition d'une mélodie et de ses enrichissements ornementaux (hétérophonie).

Le sous-continent indien. À côté d'une multitude de traditions régionales populaires, l'aire indienne (Inde, Sri Lanka, Pakistan, Bangladesh) a développé un art musical savant, fondé sur un usage approfondi de l'improvisation. Il se base sur l'exploitation d'un grand nombre de gammes mélodiques et de modes rythmiques complexes, dont les musiciens mettent en valeur les différents aspects sur un temps extraordinairement allongé. Essentiellement instrumentale, la musique indienne fait appel à de nombreux instruments, dont les plus répandus sont le sitar et la vina (instrument à cordes pincées), le *sarangi* (cordes frottées), la flûte traversière *murali* et le tabla, instrument à percussion formé de deux tambours joués à mains nues.

Le Moyen-Orient. Malgré d'importantes singularités régionales (tradition soufi, Berbères d'Afrique du Nord), la musique du Moyen-Orient (Iran, Turquie, monde arabe) révèle une forte base commune, favorisée par le développement de l'islam. Proche de la musique indienne, cette tradition se fonde comme elle sur l'exploitation de modes mélodiques et rythmiques élaborés, base de longues improvisations. En grande part vocale, elle a développé un chant profondément lié à l'arabe classique, langue du Coran, dominé par un art de la vocalise tout en inflexions microtonales (du quart au huitième de ton). La musique instrumentale use de son côté de petites formations souples et méditatives, regroupant les instruments les plus répandus, tels que l'*oud* (ancêtre du luth européen), la flûte *nay*, la cithare *kanoun* ou le violon *rebab*.

L'Afrique subsaharienne. Mosaïque d'ethnies et de langues, l'Afrique subsaharienne montre aussi une grande diversité musicale. Comme en témoigne l'art des griots d'Afrique occidentale, qui parcourent les territoires pour narrer en musique les récits légendaires, la musique assure le lien entre les ancêtres et les vivants, le monde visible et les forces surnaturelles. Les traditions africaines sont à la fois instrumentales et vocales et mettent en jeu une grande diversité d'instruments : arc musical, harpe ou luth africain, flûtes en tout genre, trompes en bois ou en corne, tambours de bois ou à peau, grelots, sonnailles, xylophone. Les musiques africaines font un usage permanent de la répétition ; elles usent tour à tour de formes musicales libres, où l'improvisation est de règle, et des formes fixes élaborées, généralement réservées aux cérémonies religieuses.

◆ **Un griot, au Sénégal.** Conteur-musicien d'Afrique occidentale, le griot transmet les légendes ancestrales en s'accompagnant de la kora.

◆ **Gamelan javanais.** Cet orchestre d'instruments à percussion fut intégré par le compositeur Georges Aperghis dans un de ses spectacles, *Faust et Rangda*, créé à la Cité de la musique, à Paris, en juin 1995.

Le jazz des origines

Des folklores à une musique universelle

Le jazz est une création des Noirs des États-Unis, au début du XXe s. Descendants des esclaves importés d'Afrique, ils conservent leur manière de chanter non formalisée, souvent improvisée, au rythme marqué. Au contact des Blancs, ils apprennent les chansons folkloriques, les chants de travail, les hymnes, les psalmodies d'église en questions-réponses, les marches, les fanfares, les chansons et les danses à mode. Et ils les réinventent. C'est ainsi qu'ils développent des musiques originales, mais encore très typées localement : le blues, à l'origine folklore rural, sous l'influence des chants de travail des plantations ou des chantiers de travaux publics ; les negro spirituals – sermons rythmés et chœurs – les parades de rue qui égayent les festivités urbaines ; le ragtime, qui anime les bars et les maisons closes.

En 1917, la fermeture du quartier réservé de Storyville, à La Nouvelle-Orléans, conduit nombre de musiciens à chercher du travail en remontant vers le nord jusqu'à Chicago. Nouveaux contacts, nouveau public : les musiques du Sud s'enrichissent, se débarrassent de leurs aspects anecdotiques, s'universalisent. Quelques musiciens de génie sont les catalyseurs de cette évolution : Jelly Roll Morton, King Oliver, Ma Rainey, Louis Armstrong. Le jazz est né.

Scott Joplin (É.-U., 1868-1917) • Pianiste et compositeur, Scott Joplin est le principal représentant du ragtime. Il est devenu célèbre à la fin du XIXe s. en éditant un recueil de partitions – *Original Rags* (1898) – contenant notamment *Maple Leaf Rag*. Trois ans plus tard, il compose *The Entertainer*, célèbre aujourd'hui grâce à la musique du film *l'Arnaqueur*. Outre de nombreux ragtimes pour piano, il est l'auteur de ragtimes orchestrés, de marches et de valses, ainsi que de deux opéras (dont l'un a disparu). Sa musique, vive, syncopée et très élaborée, témoigne de sa culture musicale classique.

Buddy Bolden (Charles Joseph Bolden, É.-U., 1877-1931) • Le « premier homme du jazz » est une légende. Cornettiste, il n'a jamais enregistré. Avant d'être interné dans un asile psychiatrique à l'âge de 30 ans, il se produisait dans les salles de danse de Storyville, dans les parades et les pique-niques. Tous les vétérans de La Nouvelle-Orléans ont prétendu l'avoir entendu. Les sons de son cornet étaient si puissants, dit-on, qu'ils couvraient les orchestres des salles avoisinantes, attirant les danseurs dans celle où il jouait.

Jelly Roll Morton (Ferdinand Joseph Lemott, ou La Menthe, ou LaMothe, É.-U., 1890-1941) • Créole de La Nouvelle-Orléans, Jelly Roll Morton s'honorait lui-même du titre d'« inventeur du jazz ». Compositeur, arrangeur, pianiste et chanteur, il est l'un des premiers à avoir créé un jazz original en réussissant une synthèse de musiques disparates. Avec sa formation louisianaise des Red Hot Peppers, il enregistre dès 1922 des morceaux où il organise la polyphonie collective traditionnelle et où son piano génère un authentique swing porté par le contraste entre une main gauche puissante et une droite déliée et mélodique. Ses compositions *(The Pearls, King Porter Stomp, West End Blues, Mr. Jelly Lord)* alimentent une large part du répertoire du jazz traditionnel.

James P. Johnson (É.-U., 1894-1955) • Il a été le premier des pianistes *stride*, libéré de la rigidité du ragtime, et sachant allier une basse souple à des traits imaginatifs. À 20 ans, il joue dans les bars de Harlem, enregistre des *piano-rolls* (rouleaux perforés pour piano mécanique) et, en 1921, son premier disque, *Carolina Shout*. Son talent musical ancré dans la tradition européenne du XIXe s. l'a conduit à aborder des compositions plus ambitieuses que *The Charleston* ou *Mule Walk* : rhapsodies, concertos, et même un opéra. Il a joué avec Bessie Smith, King Oliver, Sidney Bechet et a influencé Fats Waller, Count Basie, Art Tatum et jusqu'à Thelonious Monk.

Ma Rainey (Gertrude Malissa Pridgett, É.-U., 1886-1939) • À l'instar de King Oliver, Ma Rainey fit du blues, musique folklorique afro-américaine, une branche du jazz. Dans *Stack-O-Lee Blues, Prove It on Me Blues* ou *Oh Papa Blues*, sa voix majestueuse s'impose comme une évidence. Son influence, notamment sur Bessie Smith, justifie son surnom de « mère du blues ».

King Oliver (Joe Oliver, É.-U., 1885-1938) • Comme Jelly Roll Morton et Ma Rainey, King Oliver est l'un des fondateurs du jazz. Issu de La Nouvelle-Orléans, où il a joué dans l'orchestre de Kid Ory, il monte à Chicago à la fermeture de Storyville. C'est là qu'il enregistre dès 1923 avec le jeune Louis Armstrong les premiers disques de tradition authentiquement noire. *Dippermouth Blues, Mabel's Dream, Chimes Blues, London Café Blues*, autant de morceaux où il hausse le folklore noir au niveau d'une musique universelle en structurant l'improvisation collective.

Louis Armstrong, dit « Satchmo » ou « Pops » (É.-U., 1901-1971) • Chacun chantonne encore ses grands succès, *What a Wonderful World, Hello Dolly, C'est si bon*, où son immense talent transcende de simples chansonnettes. Cette reconnaissance du grand public, Louis Armstrong la doit au génie qu'il a déployé depuis ses débuts à La Nouvelle-Orléans, où, adolescent, il apprend la trompette dans une maison de redressement. À moins de 30 ans, il s'émancipe de l'influence de ses mentors King Oliver, Kid Ory et Fletcher Henderson, et enregistre ces chefs-d'œuvre de l'histoire du jazz : *Gut Bucket Blues* (1925), *Heebies Jeebies, Cornet Shop Suey* (1926), *Wild Man Blues* (1927), *Struttin' with Some Barbecue, Weary Blues, St James Infirmary, West End Blues* (1928). Devenu une vedette internationale dans les années 1930, il parcourt le monde avec sa musique toute de générosité où la majesté de sa trompette rivalise avec le phrasé parfait de sa voix rocailleuse. D'autres grandes œuvres jalonnent alors son chemin, qui passe par les grands orchestres de jazz ou de variétés, les duos vocaux (notamment avec Ella Fitzgerald), les *gospel songs (The Good Book)* pour revenir toujours au jazz néo-orléanais : *Saint Louis Blues* et *New Orleans Function*, proches de ses origines, *You Rascal You* et *Pennies from Heaven*, extraits de comédies musicales filmées dans lesquelles il tourne, *Summertime* (parmi d'autres extraits du *Porgy and Bess* de Gershwin)…

Sidney Bechet (É.-U., 1897-1959) • Dans les années 1950, il est le jazzman le plus connu en France, où il a habité de 1950 à sa mort. Clarinettiste et saxophoniste soprano, il entraîne le grand public dans la gaieté ou la mélancolie de son ample vibrato. *Les Oignons* (1949), *Dans les rues d'Antibes* et surtout *Petite Fleur* (1952) sont imprégnés de l'authentique musique créole de La Nouvelle-Orléans. Dans la première partie de sa vie, Sidney Bechet en avait été un représentant majeur. En témoignent ses somptueuses versions des standards du Sud : *Wild Cat Blues* (1923), *Maple Leaf Rag* (1932), *Really the Blues* (1938), *Summertime* (1939).

Kid Ory (Edward Ory, É.-U., 1886-1973) • Entre 1911 et 1918, il a fait faire leurs premiers pas à Johnny Dodds, King Oliver ou Louis Armstrong. Jusqu'à l'âge de 75 ans, il a fait entendre son trombone typique de la musique créole de la Louisiane, sa sonorité grasse et ses glissandos relançant l'improvisation collective de l'orchestre. Il est le compositeur du célèbre *Muskrat Ramble* (1926).

Earl Hines (É.-U., 1903-1983) • Plus jeune que les grands jazzmen de La Nouvelle-Orléans et originaire de Pennsylvanie, Earl Hines les a néanmoins rencontrés à Chicago dans les années 1920. C'est avec eux qu'il a développé un style de piano totalement original, dégagé du pur *stride* alors en vogue, et constitué de syncopes, de ruptures de rythme, de traits ultrarapides. Sa musique n'a pas été sans influence sur Louis Armstrong lui-même, avec qui il a enregistré *Weather Bird* (en duo) et le sommet qu'est *West End Blues* (1928). Depuis, tous les pianistes de jazz se réfèrent à lui. Son inventivité permanente s'est aussi traduite dans ses grands orchestres, où il a fait travailler ceux qui allaient devenir les maîtres du be-bop.

Bix Beiderbecke (É.-U., 1903-1931) • Premier jazzman blanc d'envergure, tant au cornet qu'au piano, Bix Beiderbecke a développé une conception originale du jazz à partir de la musique créole de l'époque. Sa sonorité douce et pure, son inventivité, son swing léger, que l'on peut admirer dans *Jazz Me Blues* (1924) ou *Singin' the Blues* (1927), ont inspiré des musiciens blancs comme Bobby Hackett (1915-1976) ou Chet Baker (1929-1988), ou de couleur, comme Rex Stewart (1907-1967). Au piano, *In a Mist* (1927) fait ressortir les composantes européennes de son inspiration (Debussy et Ravel).

◆ **Louis Armstrong.**

Les classiques du jazz

Du swing au bop

Dans les années 1920-1930, le jazz s'installe dans les dancings. Les grands orchestres rivalisent de puissance et de swing. Leur musique vise à l'efficacité. Les quatre temps sont également accentués, les sections opposent leurs sonorités, se répondent en *riffs,* soutiennent les solistes. Les formations les plus célèbres sont celles de Fletcher Henderson (1897-1952), Duke Ellington, Jimmie Lunceford (1902-1947), Cab Calloway (1907-1994), Chick Webb (1909-1939), Count Basie, Benny Goodman (1909-1986). Leurs succès sont amplifiés par la radio. Elles gagnent en respectabilité et atteignent un public blanc aisé.

À l'approche de 1940, de jeunes musiciens refusent ce système commercial. Thelonious Monk, Charlie Christian (1916-1942), Dizzy Gillespie, Kenny Clarke (1914-1985), puis Charlie Parker expérimentent dans des petits clubs de Harlem, le Minton's et le Monroe's, une nouvelle musique qu'on appellera be-bop (ou bop). En petites formations, ils interprètent leurs propres compositions, sans concession à la danse ou au chant. Sur des harmonies enrichies, des rythmes aux accentuations décalées et des tempos rapides, ils improvisent loin du thème. Leur musique se diffuse après la guerre : ces pères fondateurs du jazz moderne sont aujourd'hui des classiques.

Parallèlement se développe une tendance opposée, le jazz cool, version policée du be-bop, dont les promoteurs sont Miles Davis (album *Birth of the Cool,* 1949-1950, avec des arrangements de Gil Evans), Gerry Mulligan (1927-1996), John Lewis et son Modern Jazz Quartet (1952), Stan Getz (1927-1991) et Dave Brubeck (né en 1920).

Duke Ellington (Edward Kennedy Ellington, É.-U., 1899-1974) • Maniant le grand orchestre comme un instrument, Duke Ellington, pianiste et chef, donne à chaque note une couleur, compose ou recrée des thèmes avec un sens mélodique raffiné, s'affranchit des formes limitées du jazz par des compositions d'une ampleur supérieure. Il s'entoure de grands jazzmen dont les talents servent au mieux sa musique (Johnny Hodges, Harry Carney, Ben Webster, Paul Gonzalves, Barney Bigard, Rex Stewart, Cootie Williams, Jimmy Blanton). Inventeur du style jungle dans les années 1920-1930 (*Black and Tan Fantasy,* 1927 ; *The Mooche,* 1928 ; *Caravan,* 1937), il élargit vite sa palette dans l'esprit *mood* (*Mood Indigo,* 1934 ; *Sophisticated Lady,* 1930 ; *Solitude,* 1933), en mettant ses solistes en valeur dans des morceaux concertants (*Concerto for Cootie,* 1940), ou en composant des suites orchestrales (*Black, Brown and Beige,* 1944). Il a gagné sa popularité dans les salles de bal où son orchestre réinterprétait sans vulgarité les standards. Mais l'essence du blues et du jazz ne l'a jamais quitté (*Koko,* 1940 ; *Diminuendo and Crescendo in Blue,* 1956).

Count Basie (William Basie, É.-U., 1904-1984) • Toute l'œuvre de Basie est placée sous le signe du swing. Sur un bon tempo, la rythmique démarre (Basie, pianiste et chef, le guitariste Freddie Green, le contrebassiste Walter Page, le batteur Jo Jones). Des *riffs* simples opposent les sections du grand orchestre, les solos de chanteurs (Jimmy Rushing, Billie Holiday, Joe Williams) et d'instrumentistes (Lester Young, Frank Foster, Buck Clayton, Thad Jones, Joe Newman) font tourner la machine. Le swing est là qui danse et fait danser, dans *One O'Clock Jump* (1938), *Tickle Toe* (1940), *Every Day I Have the Blues* (1956) ou *The Kid from Red Bank.*

◆ **Duke Ellington** entouré des membres de son orchestre, au Cotton Club de New York, en 1931.

Coleman Hawkins, dit **« Bean »** ou **« Hawk »** (É.-U., 1904-1969) • Coleman Hawkins est comme Lester Young un précurseur du jazz moderne au saxo-ténor. En soliste ou au sein de grands orchestres (Fletcher Henderson), il affirme sa puissance sur les tempos rapides et sa sensualité sur les ballades. *Body and Soul* (1939) reste un monument du jazz, à la fois abstrait et charnel.

Lester Young, dit **« Prez »** (É.-U., 1909-1959) • Poète lunaire gorgé de swing, Lester Young influence, plus encore que Coleman Hawkins, les saxophonistes ultérieurs, à commencer par Charlie Parker ; il influence aussi le style cool et Miles Davis. Dépassant les contraintes du thème, de l'accord et de la suite harmonique, il impose sa mélodie, décalée, planant au-dessus des mesures, accentuée suivant sa logique interne. Sa sonorité fluide avec très peu de vibrato, son jeu nonchalant renforcent paradoxalement son pouvoir d'expression. Jusqu'aux années 1940, c'est la joie rayonnante de jouer avec les meilleurs musiciens de Kansas City, notamment avec Count Basie et son orchestre (*Lady Be Good,* 1936 ; *Lester Leaps in,* 1939 ; *Tickle Toe,* 1940). Les dix dernières années de sa vie s'enfoncent dans la mélancolie (*A Foggy Day, Somebody Loves Me*).

Art Tatum (É.-U., 1909-1956) • Tatum n'est pas seulement un pianiste virtuose : richesse harmonique, vigueur de la mélodie, invention permanente s'expriment dans un feu d'artifice éblouissant. Jouant souvent sur des tempos rapides, il subjugue son auditoire (dont le jeune Charlie Parker). Parmi ses chefs-d'œuvre : *Tiger Rag* (1940), *Flying Home* (1944).

Dizzy Gillespie (John Birks Gillespie, É.-U., 1917-1993) • Trompettiste, il est l'un des créateurs du be-bop, enregistrant en 1945-1946 avec Parker les premiers classiques du genre (*Groovin' High, Salt Peanuts, Hot House*). Il monte ensuite un grand orchestre qui, de 1946 à 1950, diffuse la nouvelle musique dans le monde. Le style de Dizzy Gillespie se caractérise par le contraste entre phrases simples et phrases complexes, jetées en notes ultrarapides, par la variété de ses accentuations, par son goût pour les rythmes afro-cubains (*A Night in Tunisia,* 1946 ; *Manteca,* 1947) et aussi par son exubérance d'homme de scène et de chanteur.

Charlie Parker, dit **« Bird »** (É.-U., 1920-1955) • Il est le maître du be-bop, marquant par là tout le jazz moderne. Saxophoniste alto venu de Kansas City, il a l'intuition qu'on peut jouer « autre chose » que les classiques arrangements du style swing. Il se lie avec d'autres avant-gardistes tels que Dizzy Gillespie et met au point le nouveau style, qu'il présente avec Gillespie (1945) puis Miles Davis (1947). Exploitant sa virtuosité instrumentale, il introduit dans l'improvisation une complexité mélodique, rythmique et harmonique en rupture avec le jazz commercial de l'époque, mais qui reste dans la tradition. Ses compositions comportent d'ailleurs des blues (*Now's the Time, Billie's Bounce,* 1945) et des standards réinventés (*Koko,* 1945, sur les accords de *Cherokee*), et ses improvisations les plus vertigineuses restent nourries de citations musicales, tant d'Amstrong que de Stravinsky.

Thelonious Monk (É.-U., 1917-1982) • Pianiste et compositeur, il est le « gourou » du bop dès 1940 (il est le pianiste attitré du Minton's). Répugnant aux effets de virtuosité, il est un constructeur sonore d'une extrême logique, quoique peu orthodoxe. Suspensions de tonalité, déplacements rythmiques, notes sous-entendues, silences font partie de son vocabulaire musical (*Round Midnight,* 1947 ; *Evidence,* 1947 ; *Brilliant Corners,* 1956).

Bud Powell (Earl Rudolph Powell, É.-U., 1924-1966) • Disciple de Monk au Minton's, il révolutionne le style pianistique, rivalisant mélodiquement avec les instruments à vent des boppers. Il montre son éblouissante inventivité en trio dans les années 1947-1950 (*Dance of the Infidels*), lors du concert de Toronto en 1953 avec Parker, Gillespie et Mingus et à Paris (1959-1962).

Les vocalistes

Le chant de jazz n'a rien d'académique. L'expression y est privilégiée. Les inflexions rivalisent tant avec le langage parlé qu'avec les instruments. La voix rauque d'Armstrong, la gouaille de Fats Waller (1904-1943, également pianiste et chef d'orchestre), le *shout* (« cri ») de Jimmy Rushing (1903-1972, vocaliste de Count Basie), sont tout le contraire du « beau chant ».

Chez les femmes, Bessie Smith (1894-1937) instaure, à la suite de Ma Rainey, le règne du chant bluesy et dramatique (*Nobody Knows You when You're Down and Out,* 1929). Son admiratrice, Billie Holiday (1915-1959), ajoutera à ce registre douloureux musicalité et poésie (*He's Funny that Way,* 1937, avec Lester Young ; *Strange Fruit,* 1939). Sa contemporaine, Ella Fitzgerald (1917-1996), chanteuse de jazz dans l'âme, fait swinguer un répertoire largement étendu à la variété (*A-Tisket-A-Tasket,* 1938 ; *Mack the Knife,* 1960). À l'ère du bop et du cool, Sarah Vaughan (1924-1990) déploie une technique quasi instrumentale (*Jim,* 1954, avec le trompettiste Clifford Brown).

Le jazz moderne

Une profusion de styles

En 1955, le jazz est marqué par l'empreinte du be bop et du cool, mais l'éclosion du rock and roll va le priver de la partie la plus jeune de son public et le contraindre à chercher une nouvelle vitalité. Miles Davis et Coltrane adoptent l'improvisation modale. Mingus a rompu dès 1956 avec le cadre harmonique par des passages d'improvisation collective totalement libre. Dans cette voie de libération s'engage plus radicalement Ornette Coleman : thèmes et improvisations flirtant avec l'atonalité, base rythmique floue (album-manifeste *Free Jazz*, 1960). De nombreux jeunes musiciens (Don Cherry [1936-1995], Archie Shepp [né en 1937], Albert Ayler [1936-1970]) et les plus aventureux des néo-boppers (Eric Dolphy [1928-1964], John Coltrane) suivent ce mouvement. Mais les réserves du show-business envers le free conduisent le jazz – celui qui n'a pas pris le parti de la fusion avec le rock – à la confidentialité : vers 1970, ces jazzmen sont contraints à jouer dans des *lofts* (l'Artist House d'Ornette Coleman, le studio RivBea de Sam Rivers) et à s'autoproduire au sein de collectifs (Jazz Composer's Orchestra Association de Mike Mantler et Carla Bley, M-Base de Steve Coleman). De là naîtront simultanément les styles très divers qui composent la palette du jazz d'aujourd'hui.

Miles Davis (É.-U., 1926-1991) • Trompettiste et chef d'orchestre, Miles Davis est un créateur perpétuellement en mouvement, un de ceux qui ont le plus fait évoluer le jazz depuis 1945. Il participe au bop avec Parker, dès l'âge de 19 ans. Il invente le jazz cool à 22 ans. Son quintette de 1955-1957, avec Coltrane au saxophone, représente le type des petites formations de jazz moderne (*Round about Midnight*, 1956). Il expérimente des orchestrations « classicisantes » avec Gil Evans (*Miles Ahead*, 1957) et la musique modale avec Coltrane (album *Kind of Blue*, 1959). Il donne puissance et vitalité au free jazz avec son quintette de 1963-1969 (George Coleman, puis Wayne Shorter au saxophone, Herbie Hancock au piano ; album *E.S.P.*, 1965). Il imagine un jazz-rock ou « fusion » agressif, incorporant des instruments électroniques (*Bitches Brew*, 1969). La beauté de sa sonorité à la trompette et son souci de rester en phase avec le public lui ont assuré un succès mondial.

Le hard bop

Le bop « dur » est l'héritier du bop classique dont il propose une version plus directe et percutante. Le premier groupe de ce style – les Jazz Messengers – est créé en 1953 par le pianiste Horace Silver (né en 1928) avec le batteur Art Blakey (*Doodlin'*, 1954). Blakey (1959-1990) assure seul la direction à partir de 1955, avec des solistes comme Lee Morgan (1938-1972) ou Freddy Hubbard (né en 1938) à la trompette, Johnny Griffin ou Benny Golson au saxophone. Aussi important sur le plan musical est le quintette formé en 1954 par le batteur Max Roach (né en 1925) avec le trompettiste Clifford Brown et interrompu par la mort accidentelle de ce dernier en 1956 (album *Study in Brown*, 1955). Des musiciens comme les saxophonistes Sonny Rollins, John Coltrane (première manière) ou Julian « Cannonball » Adderley (né en 1928) se rattachent au hard bop.

John Coltrane (É.-U., 1926-1967) • Saxophoniste ténor et soprano, Coltrane conduit ses improvisations comme des explorations de l'harmonie à travers quelques formules simples (*Blue Train*, 1957 ; *Giant Steps*, 1959) et en vient à fonder sa musique sur des motifs répétés et variés jusqu'à l'extase. Il sort alors du cadre harmonique, créant le jazz modal (My *Favorite Things*, 1960 ; *A Love Supreme*, 1964) et s'intégrant au free jazz. Révélé par son travail avec Miles Davis (1955-1957) puis avec Monk (1957), il a dirigé à partir de 1960 un quartette (avec McCoy Tyner au piano et Elvin Jones à la batterie) qui a révolutionné le rôle de la section rythmique, désormais partie prenante dans l'improvisation.

Charles Mingus (É.-U., 1922-1979) • Contrebassiste, pianiste, compositeur et chef d'orchestre, Mingus est, à la tête de son Jazz Workshop (créé en 1955), le représentant d'un hard bop envoûtant. Mêlant composition et improvisation collective, Mingus crée avec ses partenaires (Eric Dolphy, Booker Ervin aux saxophones, Jimmy Knepper au trombone) un style à la fois d'avant-garde et lié à la tradition du New Orleans, du blues et du gospel. Ses principales créations sont *Pithecanthropus Erectus* (1956), *Fables of Faubus* (1959), *The Black Saint and the Sinner Lady* (1963).

Sonny Rollins (Theodore Walter Rollins, É.-U, né en 1930) • Le « Colosse du saxophone » est le principal représentant du hard bop dans les années 1950. Son jeu puissant est mis en valeur dans ses collaborations avec Miles Davis (*Oleo*, *Airegin*, 1954), Monk (*Brilliant Corners*, 1956) et Max Roach. Mais son originalité tient aux développements thématiques qu'il introduit dans l'improvisation au lieu de suivre la trame harmonique (*Blue Seven*, 1956, et surtout *The Freedom Suite*, en trio sans piano, 1958).

◆ **Miles Davis** (à droite) à la tête de son second grand quintette, à Paris en octobre 1964. À gauche, le saxophoniste Wayne Shorter.

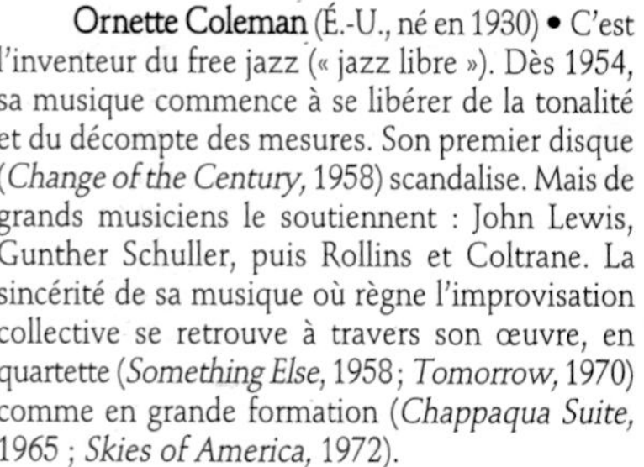

Ornette Coleman (É.-U., né en 1930) • C'est l'inventeur du free jazz (« jazz libre »). Dès 1954, sa musique commence à se libérer de la tonalité et du décompte des mesures. Son premier disque (*Change of the Century*, 1958) scandalise. Mais de grands musiciens le soutiennent : John Lewis, Gunther Schuller, puis Rollins et Coltrane. La sincérité de sa musique où règne l'improvisation collective se retrouve à travers son œuvre, en quartette (*Something Else*, 1958 ; *Tomorrow*, 1970) comme en grande formation (*Chappaqua Suite*, 1965 ; *Skies of America*, 1972).

Cecil Taylor (É.-U., né en 1933) • Dans les années 1960, Cecil Taylor, ancien danseur, s'engage dans le free jazz où il crée une musique très physique et pleine de mouvement. Rappelant parfois Art Tatum par ses fulgurances et sa précision, il alterne des passages diaphanes, des blocs sonores percussifs et des flux de notes torrentiels. Sa musique, dans sa profusion atonale et sa violence, est difficile, mais elle conduit l'auditeur à un swing nouveau (*Unit Structures*, 1966 ; *Indent*, 1972-1973 ; *Air Above Mountains*, 1976 ; *Olim*, 1985 ; *The Tree of Life*, 1991).

Steve Coleman (É.-U., né en 1956) • Saxophoniste alto, Steve Coleman est le fondateur du collectif M-Base qui réunit des artistes de toutes disciplines. Sur une puissante rythmique afro-funky-jazzy, il improvise en phrases post-free, réagissant aux musiciens qu'il mobilise autour de lui : ceux de son groupe central, The Five Elements, et aussi ceux de grandes formations (*Genesis*, 1997), de groupes de rap (*The Way of the Cypher*, 1995), d'ensembles traditionnels cubains (*The Sign and the Seal*, 1996).

Wynton Marsalis (É.-U., né en 1961) • Jazzman le plus connu de sa génération, ce trompettiste cultivé doit son succès à une position traditionaliste rassurante : il refuse le free jazz et le jazz-rock au profit d'un style délibérément éclectique (*Tune in Tomorrow*, 1990 ; *Blood on the Fields*, 1997).

Le jazz en France

Le créateur du jazz français est le guitariste Django Reinhardt (1910-1953), qui forme en 1934 le quintette à cordes du Hot Club de France avec le violoniste Stéphane Grappelli (1908-1997). Cette musique, marquée par les origines tsiganes de Django, se révèle à la hauteur du meilleur jazz américain et donne des morceaux désormais classiques (*Djangology*, 1935 ; *Nuages*, 1940, avec Hubert Rostaing à la clarinette).

Après la guerre, le jazz français se développe dans deux directions. D'une part, le *revival* du style New Orleans s'incarne dans les formations de Claude Luter et de Maxim Saury, et obtient un vaste succès grâce à Sidney Bechet, vivant en France depuis 1950. D'autre part, le jazz moderne se développe autour du batteur Kenny Clarke, installé à Paris en 1956, avec notamment le saxophoniste niçois Barney Wilen (1937-1996). Les tendances les plus récentes sont illustrées par le saxophoniste Michel Portal (né en 1935), le violoniste Didier Lockwood (né en 1956), le pianiste Michel Petrucciani (1962-1999).

Les techniques du jazz

Un art d'exécution

Au cœur du jazz bat sa pulsation fondamentale : le « swing ». La musique y prend sa vie, y puise sa spontanéité. Car le jazz est un art d'exécution. On joue « jazz »... Ce n'est pas le matériel musical qui fait le jazz, mais la façon de l'utiliser. Aussi, le jazz se permet-il d'hésiter entre une musique composée, écrite ou seulement apprise, et une musique librement improvisée.

Chez King Oliver ou Jelly Roll Morton, l'exposé du thème, les variations, les ensembles et les brefs solos, tout est minutieusement prévu. Les musiciens ne disposent que de brefs espaces de liberté, dans les breaks ou dans l'improvisation collective finale. Louis Armstrong fait éclater ce cadre pour imposer d'amples solos, paraphrases du thème d'origine.

Depuis les orchestres de *ballrooms* des années 1930, les grands orchestres jouent eux aussi des thèmes arrangés du début à la fin, où les solistes n'improvisent que rarement. Tout est dans l'orchestration.

Les arrangeurs-compositeurs (Fletcher Henderson, Duke Ellington, Billy Strayhorn, Count Basie, Benny Carter, Dizzy Gillespie, Gil Fuller, Tadd Dameron, Charles Mingus, Thad Jones, Gil Evans, Carla Bley) jouent sur les timbres, les oppositions entre tutti et solos, les progressions élaborées. Certains visent même des formes longues, de type classique : Duke Ellington et son *Concerto for Cootie*, bien sûr, mais aussi Ornette Coleman dans *Chappaqua Suite*, Gunther Schuller avec sa *Third Stream Music* (« troisième courant »), Carla Bley dans ses disques concepts (*Musique mécanique*), Steve Coleman (*Genesis*). En petites formations, certains – le Modern Jazz Quartet, Gerry Mulligan, Bill Evans ou Jimmy Giuffre – jouent également un jazz totalement prémédité.

Mais, le plus souvent, c'est la petite formation qui donne la plus grande liberté d'expression. Coleman Hawkins, Lester Young, Ben Webster ou Roy Eldridge y prouvent leurs talents de solistes. Les boppers Charlie Parker, Dizzy Gillespie ou Bud Powell poussent l'improvisation à des sommets de hardiesse technique.

Miles Davis, Stan Getz, John Coltrane, Sonny Rollins, Ornette Coleman, Archie Shepp, Keith Jarrett, Anthony Braxton et bien d'autres prolongent les inventions de leurs aînés en donnant toujours plus de liberté à leur musique. Interprète, auteur ou inventeur, le jazzman refuse de se soumettre au morceau joué, qu'il le recrée, le transcende ou le raille.

Thèmes et structures

Pour les jazzmen et les amateurs, la musique n'a pas de sens, si elle ne swingue pas. Si elle swingue, sa base mélodique ou harmonique importe peu : le jazz la métamorphosera. C'est pourquoi le répertoire du jazz se nourrit de chansons populaires, d'airs d'opérette ou du blues sous toutes ses formes. Les standards du jazz sont dus à des compositeurs comme George Gershwin, Cole Porter ou Irving Berlin, qui écrivaient pour les spectacles de music-hall, mais Louis Armstrong, Fats Waller, Thelonious Monk, Charlie Parker, Miles Davis, John Coltrane, Herbie Hancock ont développé une thématique spécifiquement jazzy.

Le jazzman s'exprime souvent mieux sur des structures simples, négligeant le couplet du morceau pour n'en exposer que le refrain (*chorus*), repris en boucle avec toutes sortes de variations mélodiques et d'extrapolations harmoniques. Rares sont les thèmes de jazz se développant sur plus de 32 mesures, et les 12 mesures du blues sont d'actualité depuis près d'un siècle. Les quelques compositions utilisant une forme développée (concerto, suite, opéra, musique de ballet) restent marginales.

Le jeu « jazz »

Le swing. Le rythme est une constante dans tous les styles du jazz : d'abord un peu raide, issu des marches des parades de La Nouvelle-Orléans, puis rebondissant sur chaque temps pour favoriser la danse dans les années 1930, il adopte des tempos débridés accentuant violemment l'improvisation des boppers dans les années 1940, devient succession ou juxtaposition de structures rythmiques différentes dans le free jazz, s'approprie des rythmes populaires et traditionnels dans le jazz contemporain... Cependant, la pulsation profonde du jazz est invariable : elle joue de l'alternance entre des phases de tension et des phases de détente, proche des cycles humains (inspiration/expiration, battements cardiaques, etc.). C'est de ce balancement, de cette pulsation que naît le « swing », élément fondamental du jazz affectif et subjectif. Jouant d'accentuations syncopées, de glissements du temps faible de la mesure vers le temps fort, refusant généralement tout martèlement mécanique, il est l'écho physique du rythme dans notre corps, à notre raison défendante.

La couleur sonore. À un matériau musical simple répond le richesse du traitement sonore : écoutons l'éclat de la trompette d'Armstrong transfigurant la plus plate des chansons, la sophistication d'Ellington opposant la fluidité d'un trio de clarinettes au *growl* des cuivres dans le style « jungle », le souffle incarné dans chaque note de Ben Webster, l'énergie paresseuse du timbre de Lester Young, le velours électrique de Miles Davis jouant avec sourdine et amplification... Chaque jazzman travaille sa sonorité personnelle pour trouver la qualité d'expression maximale, souvent proche des inflexions de la voix humaine. L'instrumentiste joue comme on chante et le chanteur chante comme on joue. Billie Holliday, Sarah Vaughan, Eddie Jefferson, Anita O'Day utilisent des inflexions plus proches du jeu d'un saxophoniste que de la diction. Ella Fitzgerald et Jon Hendricks ou Bobby McFerrin délaissent des paroles au profit d'un « scat » mélodico-rythmique.

L'improvisation. À la recherche d'une expression immédiate, le jazzman improvise volontiers. Dans les styles des origines du jazz, les musiciens enrichissent la mélodie à l'aide d'ornements, de paraphrases, d'extrapolations.

Les solistes des années 1930 inventent une mélodie indépendante du thème, mais fondée sur ses harmonies. Au temps du be-bop, on se détache de la grille d'accords par des variations harmoniques plus ou moins improvisées. Provoqué et engendré par des tempos très rapides, par des accentuations rythmiques décalées, les difficultés d'harmonies souvent extrêmes, l'improvisateur acquiert un degré de liberté supplémentaire. Les grands boppers se forcent au renouvellement permanent.

À la fin des années 1950, le jazz se libère de la contrainte du thème et de ses harmonies. Un mode, deux accords répétés à l'infini, et le musicien donne libre cours à son imagination en de longues improvisations, allant du chuchotement au cri. Parallèlement, le « free jazz » (jazz libre) cherche l'improvisation à l'état pur, dégagé de toute entrave. Jazz modal ou free jazz s'articulent sur le développement de concepts mystiques, esthétiques, politiques.

Depuis les années 1980, le jazz a assimilé l'approche modale, récupéré le free jazz, retrouvé les structures du jazz classique, s'est imprégné des musiques populaires (rock, rap) et traditionnelles du monde entier. C'est maintenant de ce mélange qu'il se nourrit, passant d'une forme à l'autre ou les juxtaposant dans un même morceau. Plus que jamais, le jazz reste une musique spontanée, guidée par une idée plus ou moins fixée sur partition et portée par une pulsation physique qui provoque l'émotion.

Petit lexique

ballade : thème généralement lent, d'esprit romantique, souvent emprunté au répertoire de la chanson populaire.

blues : structure « de thème » – généralement de 3 fois 4 mesures de forme A/A/B – très utilisé dans le jazz, le rock, le rhythm and blues et la soul, le blues est aussi un style de musique.

break : brève et brutale interruption de l'accompagnement rythmique pendant laquelle le soliste joue en suspens.

growl : effet de grognement obtenu avec ou sans sourdine sur les instruments à vent, dans le style « jungle » illustré vers 1930, notamment par Duke Ellington.

harmonies : suite d'accords sous-tendant les modulations du thème et constituant la trame, souvent notée sous forme de grille, des improvisations du jazz classique, reprise en boucle.

jam session : réunion impromptue de jazzmen jouant pour leur propre plaisir.

modes : gammes dont les intervalles entre les notes diffèrent de ceux des gammes habituelles, majeures et mineures.

riff : courte phrase musicale répétée plusieurs fois pour faire monter la tension.

scat : chant par onomatopées, permettant notamment aux vocalistes d'improviser.

standart : thème bien connu des jazzmen permettant à des musiciens de rencontre de jouer ensemble.

stride : évolution du style de piano ragtime, caractérisée par une solide « pompe » de la main gauche (alternance d'une basse et d'un accord).

swing : balancement, pulsation de la musique – pas exclusivement rythmique – alternant tension et détente au niveau de la note, de la mesure ou de la phrase, qui met physiquement en phase le jazzman et son auditoire.

thème : ensemble mélodique, généralement de 12, 16 ou 32 mesures, servant de base à des variations (improvisées ou non) sur le thème lui-même ou sur des fragments, sur ses harmonies ou sur le concept qu'il illustre.

VOIR AUSSI • **Notation musicale** p. 1180

Les classiques de la chanson française

Du caf'conc' au music-hall

Charles Trenet, Maurice Chevalier, Mistinguett, Tino Rossi, Édith Piaf…, toutes les grandes vedettes de la chanson française classique ont gagné leur célébrité au music-hall, dans la première moitié du XXe s., mais depuis longtemps d'autres leur avaient ouvert la voie.

Le « beau Fleury », en 1830, attire le public au Chalet Morel des Champs-Élysées par son répertoire grivois. À la suite de l'Eldorado, ouvert en 1858, se développent les cafés-concerts – grandes salles de spectacle des beaux quartiers – et leurs succédanés populaires, les « beuglants ». Les chanteurs que l'on va écouter dans les caf'conc' s'attachent à faire vivre, par leur costume, leurs attitudes, leur accent, des personnages typiques de la vie sociale. Chacun a son « genre » : il y a les « gommeuses » qui se trémoussent grivoisement, les « pierreuses » qui chantent le pavé de Paris, les « gambilleurs » qui dansent, comme Paulus, les « scieurs » qui chantent des chansons absurdes ou « scies », les « comiques troupiers », les « chanteurs à voix », les « fantaisistes de charme », etc. Les music-halls prennent la relève des caf'conc' au tournant du siècle. Ils s'en distinguent en ce qu'on n'y sert pas de consommations. Ce sont de pures salles de spectacle où la chanson figure entre des numéros d'acrobates et de prestidigitateurs. Le nouvel Empire est inauguré en 1924 par Maurice Chevalier. À sa suite s'ouvrent ou se transforment Bobino, l'ABC, l'Alhambra, l'Européen, le Casino de Paris. Des modes et des genres se créent, illustrés par des interprètes spécialisés : réalistes (Damia, Édith Piaf), exotiques (Joséphine Baker, Luis Mariano), fantaisistes (Maurice Chevalier), tragiques (Fréhel).

◆ **Yvette Guilbert, « la première diseuse de France ».**

Aristide Bruant (1851-1925) • Un refrain repris en chœur (« À la Bastille, on l'aime bien, Nini peau de chien »), des paroles qui expriment bien le petit peuple de Paris, quelques injures à un public de gens aisés venus s'encanailler dans les cabarets montmartrois (le Chat noir, le Mirliton) : la figure de Bruant demeure vivante. Dans les années 1880 et 1890, avec son grand chapeau, son costume noir, ses bottes et son foulard rouge, il interprète ses chansons de voyous, de prostituées, d'ouvriers : *À Belleville, Rue Saint-Vincent…*

Yvette Guilbert (1867-1944) • Chanteuse de « beuglant » (le Divan japonais) et de caf'conc', Yvette Guilbert est la première artiste de scène de la chanson française. Elle a l'honneur d'être caricaturée par Toulouse-Lautrec, sa renommée est immense. Elle la doit à son talent de chanteuse réaliste, dans un genre où le chant se transforme parfois en déclamation (« la première diseuse de France », dit-on à l'époque), illustré plus tard par Juliette Gréco ou Barbara. Son répertoire évolue de chansons lestes à double sens (*Madame Arthur, le Fiacre*) à la réhabilitation de chansons anciennes ou écrites par des poètes.

Mistinguett (Jeanne Bourgeois, 1875-1956) • Ses « belles gambettes », sa gouaille du faubourg Saint-Denis, sa voix éraillée ont séduit le public et Maurice Chevalier. Depuis ses débuts en 1893 au Casino de Paris (elle s'appelait alors la Miss Tinguette), elle a mené des revues, enchaîné les tours de chant pendant un demi-siècle : en 1941, elle fait encore sa rentrée à l'ABC. Son plus grand succès, *Mon homme* (1920), est un standard mondial. À chacun de ses passages aux États-Unis, les Américains le lui réclament : l'interprétation de Louis Armstrong l'a largement fait connaître outre-Atlantique. On retiendra aussi *Moi, j'en ai marre* (1921), *la Java* (1922), *C'est vrai* (1935).

Maurice Chevalier (1888-1972) • *Prosper, Ma pomme, Y a d'la joie, Valentine, les Gars de Ménilmontant, Dans la vie, faut pas s'en faire*, les grands succès de Maurice Chevalier sont encore dans toutes les oreilles. Cet homme a incarné Paris pendant plus de soixante ans. Il sait tout faire : chanter, danser, mener des revues de music-hall, interpréter le séducteur français dans des films hollywoodiens, tenir le premier rôle d'opérettes… Il débute à 13 ans en chantant dans des « beuglants » comme la Villa japonaise. Puis il est le protégé de Mistinguett avant de devenir, vers 1920, le chanteur favori des Français. Le mélange original d'élégance et de gouaille qu'il met dans ses interprétations fait connaître au monde entier ce petit « gars de Ménilmontant » et son célèbre canotier.

Damia (Marie-Louise Damien, 1889-1978) • La pathétique « tragédienne de la chanson » a inventé le personnage type de la chanteuse réaliste, fréquemment repris après elle : simple robe noire, cheveux courts coiffés en frange. De sa voix rauque, elle chante avec des accents poignants les misères du petit peuple de Paris, les femmes battues, les luttes entre bandes d'apaches, la guillotine. *Les Goélands, Mon grand frisé, Sombre dimanche, La guinguette a fermé ses volets* sont des mélodies dramatiques où le chant se mêle à l'accordéon fatigué de faire danser des couples passagers…

Fréhel (Marguerite Boulc'h, 1891-1951) • Faubourienne, Fréhel a un talent inimitable pour transformer les chansons les plus plates en airs populaires, souvent bouleversants, parfois drôles. Sa vie tourmentée, sa carrière à éclipses, se reflètent dans ses interprétations. La drogue et l'alcool modèlent sa voix, accentuant le caractère dramatique de ses chansons : *la Java bleue, Où est-il donc ?* (dans le film *Pépé le Moko*, 1937) ou, comique, *Tel qu'il est* (1936).

Joséphine Baker (1906-1975) • Arrivant des États-Unis en 1925 dans la Revue nègre du théâtre des Champs-Élysées, Joséphine Baker est à 19 ans une danseuse de revue déjà expérimentée. Elle doit vaincre sa pudeur pour devenir danseuse nue (ou succinctement vêtue d'un pagne de bananes) devant le public français. Mais c'est sa voix exotique qui l'a rendue populaire. Elle chante *J'ai deux amours* ou *la Petite Tonkinoise*, et les gens l'aiment. Elle s'établit en France où, après ses adieux à la scène en 1949, elle se consacre à une œuvre de bienfaisance.

Tino Rossi (Constantin Rossi, 1907-1983) • Le Corse de charme chante son pays (*Ô Corse, île d'amour*, 1934), les femmes et l'amour (*Marinella, Tchi-Tchi*, 1936), et parfois des niaiseries (*Petit Papa Noël*). Révélé en 1934 lors de son passage au Casino de Paris, il est déjà une vedette en 1936. Ténor léger à la voix douce, il dispose d'une très bonne technique vocale qui lui permet de chanter sans micro dans les salles de ses débuts. Adulé par son public, il franchit les modes sans modifier son style de « crooner latin ».

Charles Trenet (né en 1913) • Le « fou chantant », avec l'œillet à la boutonnière de son costume bleu, les cheveux frisés au-dessus d'un regard pétillant, est « swing », « zazou », mais aussi poète, tendre et cocasse. Il révolutionne la chanson française depuis 1938 et son triomphe à l'ABC. *La Mer, Je chante, le Jardin extraordinaire, Le soleil a rendez-vous avec la lune, Nationale 7, Que reste-t-il de nos amours ?*, toutes ses chansons sont des modèles d'accord entre les mots et la mélodie. « Le texte est l'époux de la musique », dit-il. Chanteur-compositeur-interprète génial, Trenet est la référence de la chanson française du XXe s.

Édith Piaf (Édith Giovanna Gassion, 1915-1963) • Ses mains blanches et décharnées volent comme des oiseaux. Minuscule dans la robe noire des chanteuses réalistes héritée de Damia, perdue au milieu de la scène, Édith Piaf envahit la salle de toute sa voix : *l'Hymne à l'amour* (1950), *l'Homme à la moto* (1956), *la Foule* (1958), *Milord* (1959), *Non, je ne regrette rien* (1961). Elle provoque chez tous ceux qui l'écoutent une émotion forte. Son talent fait d'elle la chanteuse la plus populaire de France pendant près de trente ans, depuis ses débuts (1935), quand elle est encore la « Môme Piaf », tout juste sortie de son enfance pauvre, et qu'elle chante *Mon légionnaire* (1937) en se référant à Marie Dubas. La maladie, une vie brûlée trop vite, en feront aussi la chanteuse la plus engagée dans son art que la France ait connue.

◆ **Édith Piaf à l'Olympia, le 27 septembre 1962.**

La chanson française après 1955

De l'artistique au commercial

À l'issue de la Seconde Guerre mondiale se multiplient à Paris, principalement sur la rive gauche, des cabarets où de nouveaux chanteurs tentent de faire reconnaître leur talent. La Rose rouge présente Juliette Gréco, Francis Lemarque, les Frères Jacques ; l'Échelle de Jacob fait débuter Jacques Brel, le Port du Salut affiche Serge Gainsbourg, tandis que Barbara se produit à l'Écluse. Sur la rive droite, les Trois Baudets de Jacques Canetti sont un tremplin pour Brassens, Guy Béart, Boris Vian, Boby Lapointe.

À partir de 1955, l'essor économique favorise le développement de la télévision et du disque. Les chanteurs gagnent un public de plus en plus nombreux. Pour le satisfaire, des music-halls consacrent leur spectacle entier à une seule vedette : c'est le one-man-show, formule déjà mise en œuvre par Jacques Canetti en 1946 pour Maurice Chevalier. Yves Montand, Charles Aznavour, Barbara ne se produisent bientôt plus sur scène que dans de tels spectacles, qui donneront naissance aux shows de Johnny Hallyday, de Claude François ou d'Eddy Mitchell dans des lieux de plus en plus grands.

Léo Ferré (1916-1993) • Chantre de la bohème à la française, Ferré est avant tout un poète. Compositeur, il met en musique Verlaine, Apollinaire aussi bien que ses propres textes. Le public le reconnaît à partir de 1961. Mais Léo Ferré, c'est aussi l'anarchiste, la conviction libertaire de *Ni dieu, ni maître*.

Georges Brassens (1921-1981) • La moustache souriante et l'œil malicieux, Georges Brassens gratte sa guitare. Le pied sur la chaise, quelques accords et un rythme apparemment simple, il égrène les perles d'une langue qu'il manie en virtuose : *le Gorille* (1952), *Chanson pour l'Auvergnat* (1953). Anticonformiste affirmé, amateur de langage dru et de rimes inattendues, Brassens perturbe et amuse, mais il sait aussi émouvoir (*Supplique pour être enterré sur la plage de Sète*, 1966). *Les Copains d'abord* (1965) est un standard de la chanson française.

Yves Montand (Ivo Livi, 1921-1991) • Grande vedette populaire, Yves Montand est un homme de spectacle complet. Italien d'origine, il donna à la chanson française des interprétations inoubliables, comme *les Feuilles mortes*, de Prévert et Kosma (1946), *À bicyclette* et *les Roses de Picardie*. Vite oubliés ses débuts où, habillé en cow-boy, il chantait *Dans les plaines du Far-West*. Il reste cependant marqué par le spectacle à l'américaine : *Battling Joe*. Parallèlement à sa carrière de chanteur, il est devenu une figure du cinéma français, n'hésitant pas à mettre sa notoriété au service de ses convictions d'homme de gauche.

Jacques Brel (1929-1978) • Belge (*le Plat Pays*), Jacques Brel conquiert Paris à partir de 1958. La scène mythique de l'Olympia est liée à sa carrière. Ses débuts agressent le public (*les Bourgeois*), mais celui-ci est conquis par sa fougue (*la Valse à mille temps*) et son sens du mélodrame (*Ne me quitte pas*, 1961). En 1964, toujours dans la salle de Bruno Coquatrix, *Amsterdam* est bissé en plein concert ! Trois ans plus tard, l'Olympia, encore une fois, ne désemplit pas pendant un mois entier : Brel fait ses adieux.

Charles Aznavour (né en 1924) • Très ancré dans la tradition de la chanson française – il écrit pour Édith Piaf –, Aznavour a su donner allant et modernité à son répertoire. Autodidacte, décrié par la critique, il s'impose auprès du public par sa voix brisée, sa parfaite mise en place rythmique et son goût du réalisme mélodramatique (*Tu te laisses aller*, 1960). Il aime évoquer ses débuts difficiles (*Je me voyais déjà*, 1961 ; *la Bohème*, 1963), joue de la fibre sentimentale et personnelle (*la Mamma*, *Mes emmerdes*) et devient l'un des rares chanteurs français capables de triompher aux États-Unis.

◆ **Jacques Brel.**

Serge Gainsbourg (Lucien Ginsburg, 1928-1991) • L'alcool, les filles, l'amertume de la vie, un ton cynique, mais aussi la poésie : depuis *le Poinçonneur des Lilas*, Serge Gainsbourg compose pour tout ce que la variété française compte de talents avant d'interpréter lui-même ses chansons (*la Javanaise*, *l'Homme à la tête de chou*, *Melody Nelson*). Il choque : *Je t'aime, moi non plus*, avec Jane Birkin (1969), *Aux armes et cætera*, adaptation de l'hymne national, *Lemon Incest*, avec sa fille Charlotte. La jeunesse lui fait un triomphe, au Zénith, en 1986.

Barbara (Monique Serf, 1930-1997) • Sur scène, la « grande dame brune » attire la lumière. Un piano et un chant bouleversant, Barbara grandit de récital en récital dans le Paris des cabarets des années 1960. En 1963, elle compose *Göttingen*, une réconciliation franco-allemande. Chanteuse réaliste et émouvante, elle s'offre au public : *Ma plus belle histoire d'amour, c'est vous* (1966). Elle laisse à la postérité une chanson étrange et magnifique, *l'Aigle noir* (1972).

Dalida (Yolande Gigliotti, 1933-1987) • Ça commence par un refrain italianisant et entêtant : *Bambino*. Dalida est la première chanteuse française à accéder au rang de phénomène mondial. Beauté rare, timbre de voix unique, elle traverse les époques avec *Parole, parole* (1973, avec Alain Delon) et *Gigi l'amoroso* (1974). En 1976, elle crée le disco français avec une nouvelle version de *J'attendrai*.

Pierre Perret (né en 1934) • Sourire aux lèvres et verbe coloré, Pierre Perret chante des comptines pour adultes et des refrains de famille. Le public retient *les Jolies Colonies de vacances* (1966) ou *le Zizi* (1974). Des paroles truculentes sur des mélodies pétillantes (*Tonton Cristobald*, 1968), mais aussi des chansons sensibles (*Ouvrez la cage aux oiseaux*, *Lili*).

Claude François (1939-1978) • Claude François fait entrer la France dans l'ère de la pop. Numéro un de la vague « yé-yé » dans les années 1960, il s'approprie les modes successives, jusqu'au disco des années 1970 (*Alexandrie-Alexandra*, *Magnolias For Ever*). En 1967, il crée un succès mondial : *Comme d'habitude* (*My Way*, adapté par Paul Anka pour Frank Sinatra). Sur scène, il impose les shows à l'américaine, avec ses danseuses, les Claudettes.

Johnny Hallyday (Jean-Philippe Smet, né en 1943) • Le rock and roll français tient en un nom : Johnny. L'attitude rebelle, les motos Harley-Davidson, les femmes, le rêve américain, la légende d'Elvis, tout cela est porté par sa voix d'une puissance hors du commun et sa présence scénique. Au début, Johnny séduit par des ballades (*l'Idole des jeunes*, 1962) et importe les tubes rock d'outre-Atlantique (*Tu parles trop*). Puis vient le temps de la débauche et du désespoir, le rocker national lance son cri : *Ma gueule* (1979). Parvenu à maturité dans les années 1980, il interprète des chansons composées par les meilleurs : Berger, Goldman, Bruel ou Obispo. Le rock and roll devient folie de grandeurs avec des spectacles donnés dans des stades.

Michel Berger (Michel Hamburger, 1947-1992) • *Starmania*, opéra-rock coécrit avec Luc Plamandon en 1978, vaut à Michel Berger une notoriété mondiale. Chanteur rêveur et fragile, il obtient le succès avec *la Groupie du pianiste* (1980). Il écrit pour ses compagnes, Véronique Sanson, puis France Gall. Il offrira aussi son *Quelque chose de Tennessee* à Johnny Hallyday (1986).

Jean-Jacques Goldman (né en 1951) • Emblème de la nouvelle chanson française, Jean-Jacques Goldman enchaîne les succès, en dehors des modes : *Il suffira d'un signe*, 1982. Il aborde le sujet du nazisme (*Comme toi*, 1983), parle de la liberté individuelle (*Je marche seul*, 1985). Sa musique bascule vers la ballade, puis reprend une touche rhythm and blues avec Michael Jones et Carol Fredericks. Compositeur pour Johnny Hallyday, Patricia Kaas ou Cheb Khaled, il offre la consécration à Céline Dion (*Pour que tu m'aimes encore*, 1995).

◆ **Serge Gainsbourg et Jane Birkin lors du tournage de *Melody Nelson* pour la télévision, en 1971.**

Renaud (Renaud Séchan, né en 1952) • Dès 1977, il chante les loubards, la zone, la banlieue (*Laisse béton*, 1978), s'affichant comme chanteur de rue avec son blouson de cuir (*Marche à l'ombre*, 1980). Il y a chez lui du populisme, mais aussi de la tendresse : *Morgane de toi* et *Mistral gagnant*. Socialement engagé, Renaud est l'initiateur de la chanson humanitaire française avec les Enfants de l'Éthiopie.

Les variétés internationales

Le monde de la chanson

Depuis les années 1920, les États-Unis inondent le monde entier de leurs chansons. Le système se construit à partir des revues ou des comédies musicales représentées à Broadway, et des films musicaux tournés à Hollywood souvent d'après ces spectacles. Ces films diffusés à travers le monde font connaître les airs, qui sont repris sur disque, adaptés éventuellement par des interprètes locaux ou vendus dans leur version originale. C'est ainsi que se diffusent *Night and Day* (extrait de *la Gaie Divorcée*, de Cole Porter), *White Christmas*, d'Irving Berlin, *Summertime* (de l'opéra *Porgy and Bess*, de Gershwin), *Tonight* (de *West Side Story*, de Leonard Bernstein), *Let the Sunshine in* (de la comédie musicale *Hair*). Les plus célèbres compositeurs sont Cole Porter (1891-1964), Irving Berlin (1888-1989), Richard Rodgers (1902-1979) et George Gershwin (1898-1937). Rares sont les chanteurs non américains à avoir fait une carrière planétaire, mais on peut citer le roi du tango argentin Carlos Gardel (Charles Gardés, né à Toulouse en 1890, mort en Colombie en 1935), la diva égyptienne Oum Kalsoum (Fatima Ibrahim, 1898-1975), Maurice Chevalier, Julio Iglesias…

Marlene Dietrich (Maria Magdalena Dietrich, All., natur. améric., 1901-1992) • La femme fatale des films de Josef von Sternberg est déjà une chanteuse : sa troublante voix « de ventre » donne une présence obsédante à l'air de « Lola Lola » dans *l'Ange bleu* (1930), *« Ich bin von Kopf bis Fuss auf Liebe eingestellt »*. Pendant la Seconde Guerre mondiale, Marlene chante pour les troupes américaines en Europe ; son air fétiche est *Lili Marlene*. Aussi, quand sa carrière au cinéma décline, dans les années 1950, s'oriente-t-elle vers le tour de chant, qui lui permet de régénérer son mythe. Elle chante à Las Vegas, puis dans le monde entier, en anglais, en allemand, en français. Depuis longtemps, l'air de *l'Ange bleu* est devenu *Falling in Love Again* et, grâce à son mentor, le pianiste et arrangeur Burt Bacharach, elle donne une résonance profonde à des chansons comme *Marie, Marie*, de Gilbert Bécaud, et *Where Have All the Flowers Gone*, de Pete Seeger.

◆ **Frank Sinatra,** « la Voix ».

Bing Crosby (Harry Lillis Crosby, É.-U., 1901-1977) • La voix d'or de Bing Crosby et son style de chant léger et précis ont donné naissance à toute la lignée des crooners. Il a inspiré Frank Sinatra, Nat King Cole et, en France, Jean Sablon. Sa célébrité a été portée par des centaines de films et de disques. C'est avec un charme très hollywoodien mais sans mièvrerie qu'il interprète *Dinah, Sweet Georgia Brown, How Deep Is the Ocean, A Ghost of a Chance, Where the Blue of the Night, Shine*.

Frank Sinatra (É.-U., 1915-1998) • Celui qu'on a appelé « la Voix » *(The Voice)* est le crooner type de l'Amérique triomphante des années 1950 et 1960. De *The Lady Is a Tramp* à *Fly Me to the Moon*, de *I've Got You under My Skin* à *Strangers in the Night*, Frank Sinatra charme tous les publics pendant plus d'un demi-siècle. Chanteur dans l'orchestre de Tommy Dorsey à ses débuts, admirateur constant de Billie Holiday, il a appris d'eux comment maîtriser son phrasé et son souffle, faire vibrer les inflexions, exprimer les émotions, la mélancolie dans les ballades aussi bien que l'exaltation sur les tempos rapides. Il allie le talent d'un grand acteur *(Tant qu'il y aura des hommes*, 1953 ; *l'Homme au bras d'or*, 1955) à celui d'un fin musicien aimant se faire accompagner par les meilleurs (Count Basie, Duke Ellington, Woody Hermann).

Nat King Cole (Nathaniel Adams Cole, É.-U., 1917-1965) • Chanteur de charme par excellence, Nat King Cole connaît ses plus grands succès *(Besame Mucho, Nature Boy, Unforgettable, Quizas, Quizas, Quizas)* dans les années 1950. Sa voix douce, parfois moqueuse, est accompagnée par des flots de violons enjôleurs. Auparavant, Nat King Cole a connu une autre carrière : pendant quinze ans, il a été chanteur et pianiste de jazz, se produisant en trio piano-guitare-basse selon une formule qu'adoptera notamment Ray Charles.

Judy Garland (Frances Ethel Gumm, É.-U., 1922-1969) • Propulsée au rang de vedette par sa participation au film musical *le Magicien d'Oz* alors qu'elle n'a que 17 ans, Judy Garland est déjà une chanteuse confirmée et *Over the Rainbow*, extrait du film, reste son plus grand succès. C'est toujours sur sa carrière d'actrice de cinéma qu'elle construit ses succès de chanteuse : *The Trolley Song* (du film *Meet Me in Saint Louis*, 1944). *The Man that got Away* (du film *A Star Is Born*, 1954), *Get Happy* (du film *Summer Stock*), *I Wish I Were in Love Again* (du film *Words and Music*), *By Myself* (du film *I Could Go on Singing*). Elle a pu enregistrer avec sa fille Liza Minnelli avant de mourir prématurément.

Ray Charles (Ray Charles Robinson, É.-U., né en 1930) • *Georgia on My Mind, What I Say* (1959), *Hit the Road Jack* (1961), *I Can't Stop Loving You* (1962), *The Right Time*... La célébrité de Ray Charles, le « Genius », est à la mesure de son vaste registre expressif. Il passe de la ballade tendre au rock and roll énergique, usant d'une voix tour à tour fluide comme celle d'un crooner (ce qu'il fut à ses débuts, dans la lignée de Nat King Cole), rauque et souffrante comme celle d'un vieux bluesman, puissante comme celle d'un prédicateur de gospel. La synthèse qu'il parvient à créer entre ces styles fournit à Ray Charles ses meilleurs morceaux, témoins d'un nouveau genre de rhythm and blues : *Lonely Avenue* (1956), *Drown in My Own Tears* (1955), *Halleluia I Love Her so* (1955), le très célèbre *I Got a Woman* (1954).

◆ **Michael Jackson.**
Le sens du spectacle, en vue d'un public mondial.

Barbra Streisand (É.-U., née en 1942) • Elle est révélée en 1964 par la comédie musicale de Broadway *Funny Girl*. Trois ans plus tard, *Funny Girl* devient un film hollywoodien à succès, et Barbra Streisand mène alors une carrière à la Judy Garland, entre cinéma musical et chanson, jusqu'à tourner un remake de *A Star Is Born* vingt-deux ans après son aînée. Jusqu'en 1994, Barbra Streisand ne s'est produite sur scène comme chanteuse que dans des spectacles destinés à soutenir des causes sociales ou politiques. Son plus grand succès a fait le tour du monde : *People*.

Julio Iglesias (Esp., né en 1943) • Chanteur de charme par excellence, Julio Iglesias est un phénomène multinational. Il a vendu à travers le monde plus de 220 millions de disques. Il enregistre dans toutes les langues : l'espagnol, bien sûr, mais aussi l'allemand, le français, l'anglais, le japonais, l'italien, le portugais. Et partout les femmes succombent à son charme latin : *Vous les femmes, C'est ma vie, Je n'ai pas changé*.

Michael Jackson (É.-U., né en 1958) • Du prodigieux gamin de 7 ans des Jackson Five à la star intouchable des années 1980-1990, Michael Jackson a dominé les variétés internationales. Le jeune Michael se démarque déjà dans le groupe familial, avec un style de pur rhythm and soul : *I Want You Back, Reach out I'll Be There*. Une dizaine d'années plus tard, en solo, il devient le numéro un mondial. En 1982, son album *Thriller*, mélange de soul, de funk et de pop, se vend à 40 millions d'exemplaires *(Billie Jean, Beat it)*. La voix aiguë de Michael Jackson s'associe à des pas de danse étonnants (le *moonwalk*). Sa méticulosité et un sens délirant de la mise en scène le conduisent à modifier son image à chaque spectacle, à chaque clip, allant jusqu'à abuser de la chirurgie esthétique. *Bad* (1987) et *Black or White* (1991) confirment son style. Depuis, ses apparitions rarissimes entretiennent le mythe de la star.

Madonna (Louise Ciccone, É.-U., née en 1958) • Blonde sulfureuse, Madonna choque. En 1983 et 1984, ses deux premiers succès, *Holiday* et *Like a Virgin*, montrent une femme aux attitudes et aux tenues provocantes. Sur une musique de variété mi-pop, mi-new wave, dominée par les sons synthétiques, son chant, d'abord enfantin, s'affine avec le temps *(Evita*, 1996). Capable de donner des concerts construits comme de véritables spectacles, elle fonde sur le scandale une ambitieuse carrière.

Le rock et la pop music

Idoles des jeunes

En 1954, l'essor économique de l'après-guerre, sensible d'abord aux États-Unis, et le développement de techniques nouvelles (disques microsillons, télévision) permettent l'émergence d'une musique rejetée par les adultes, mais appréciée par les jeunes : le rock and roll, issu du rhythm and blues des Noirs et de la country and western traditionnelle des Blancs. Bill Haley ouvre la voie, Elvis Presley en fait un boulevard, dans lequel s'engouffrent des jeunes chanteurs de tous les pays. Huit ans plus tard, le rock and roll est un langage musical universel important.

En Grande-Bretagne, le rock s'assouplit sous l'influence de la culture européenne : les Beatles en tirent une musique plus ouverte, intégrant des rythmes différents, des sonorités plus fluides, des harmonies plus chantantes. La pop music remplace le rock and roll dans la faveur des jeunes, mais conquiert aussi un public plus large, empiétant sur le domaine de la variété traditionnelle. À la fin des années 1960, la pop music se divise en courants divergents : les Noirs mènent le retour en force d'un rhythm and blues régénéré, les hippies promeuvent folk-songs, protest-songs et psychédélisme, les nostalgiques font revivre le rock and roll. Chacune de ces branches se prolongera à travers des styles successifs ou concomitants, correspondant aux rapides renouvellements des modes chez les jeunes.

Elvis Presley, dit « The King » (É.-U., 1935-1977) • Le jeune homme qui en 1956 chante *Heartbreak Hotel* est un démon. Sourire et mèche de cheveux arrogants, Elvis ensorcèle les États-Unis, puis la terre entière, et provoque des émeutes à chacun de ses concerts. Son chant haché est porté par des musiques nerveuses : *Hound Dog, All Shook up, Jailhouse Rock.* En contrepoint, le séducteur adopte le registre du crooner : *Don't Be Cruel, Love Me Tender, It's Now or Never* (qui n'est autre que *O sole mio*). Il tourne de nombreux films et vend plus de 400 millions de disques de son vivant.

The Beatles (G.-B., 1962-1970) • Quatre garçons dans le vent transforment le rock and roll en pop music. Partie de Liverpool en Grande-Bretagne, la musique des Beatles déferle sur le monde. Cela commence avec *Love Me Do* en 1962, puis *Twist and Shout, She Loves You* : la « beatlemania » s'impose au monde. Les mélodies sont simples, insouciantes, presque enfantines. Dès 1964, John Lennon, Paul McCartney, George Harrison et Ringo Starr ont conquis le marché américain. Dans les stades où ils se produisent, on assiste à des scènes d'hystérie collective lorsqu'ils chantent *A Hard Day's Night* (1964), *Help* (1965), *Yellow Submarine,* 1966 (tirés de leurs films), ou *Yesterday* (1965), *Michelle* (1965), *Can't Buy Me Love, Lady Madonna*... Puis les sons frais des débuts se changent en compositions et arrangements plus complexes. En 1967, *Sergeant Pepper's Lonely Hearts Club Band,* premier album concept, révolutionne la pop. Jusqu'à l'aube des années 1970, les Beatles alignent les succès, dans un registre large : *Hey Jude, Get Back, Here Comes the Sun.* Leur « son » exerce encore son influence sur la pop music.

◆ **Les Beatles.**

◆ **Elvis Presley** dans le film *le Cavalier du crépuscule.*

The Rolling Stones (G.-B., groupe fondé en 1963) • Le rock comme musique de voyous : les Rolling Stones, Anglais partis des mêmes bases du rhythm and blues, sont l'antithèse des Beatles. Décrits comme obscènes et sauvages, ils chantent. *I Can't Get no Satisfaction* en 1965. Guitares saturées, rythmes carrés, chant hurlé, le groupe assène *Get off of My Cloud, Paint It Black, Jumping Jack Flash, Sympathy for the Devil.* Mais la provocation se teinte de nuances dans des chansons mélodieuses, soulignées par des violons, comme *Angie, Lady Jane* ou *As Tears Go by.* En 35 ans de carrière, Mick Jagger, Keith Richards, Charlie Watts et Bill Wyman sont devenus des légendes du rock.

Bob Dylan (Robert Zimmerman, É.-U., né en 1941) • Une guitare, un harmonica, une voix : poète, Bob Dylan renouvelle en 1962 le folk américain avec ses *protest songs* militants. Il est alors le guide spirituel d'une génération qui reprend en chœur *Blowin'in the Wind, Masters of War, The Times They Are a Changin',* ou *God on Your Side.* À partir de 1965, il évolue vers une musique plus dure, inspirée du blues : *Subterranean Homesick Blues, Like a Rolling Stone, Knockin'on Heaven's Door.*

Janis Joplin (É.-U., 1943-1970) • Un cri déchire les airs : *Cry Baby.* Janis Joplin hurle son blues, teinté de country et de rock. Sa voix s'élève, rauque et limpide à la fois. Elle enflamme le festival Monterey Pop en 1967 et devient l'égérie de la vague hippie (*Piece of My Heart, Ball and Chain*...). Débauche d'énergie sur scène, excès d'alcool et de drogue, Janis Joplin meurt à Los Angeles, alors qu'elle enregistre son cinquième album.

The Doors (É.-U., 1967-1971) • À contre-courant de la déferlante *« peace and love »,* les Doors créent à la fin des années 1960 une musique dure et tragique. Au-delà d'une pop music marquée par l'usage peu commun des claviers, caractéristique dans *Light My Fire* ou *Break on Through,* le groupe revendique une démarche spirituelle et poétique. Figure charismatique, Jim Morrison chante des textes à double sens sur l'alcool et la drogue, une vision du monde noire et théâtralisée comme dans *The End.* Après sa mort en 1971 à Paris, le chanteur devient l'objet d'un culte encore vivace.

Pink Floyd (G.-B., groupe fondé en 1966) • L'expérience anglaise du psychédélique. Un fantastique jeu de sons et de lumières, produit par quatre musiciens : Roger Waters, Rick Wright, Nick Mason, Syd Barrett (remplacé par David Gilmour). En 1973, succès mondial de l'album *Dark Side of the Moon,* dont le titre *Money* pose les bases du rock des années 1970. En 1979, l'album *The Wall* confirme Pink Floyd comme groupe majeur. Le titre phare, *Another Brick in the Wall,* reste l'hymne d'une génération.

Queen (G.-B., groupe fondé en 1971) • Des chanteurs d'opéra sur une musique rock : le groupe Queen (Freddie « Mercury » Bulsara, Brian May, Roger Meddows-Taylor et John Deacon) se taille une place à part dans l'histoire du rock. *Bohemian Rhapsody* (1975) en est l'illustration : les voix s'entremêlent comme dans une opérette, sur une musique pleine de reliefs, où la légèreté du piano contraste avec la puissance des guitares électriques. Queen évolue avec son temps : rock dur avec *We Will Rock You* (1977), new wave avec *Radio Ga Ga* (1984). Freddie Mercury, figure emblématique du mouvement homosexuel, disparaît en 1991, emporté par le sida. Son titre *We Are the Champions* (composé en 1977) accède au rang de chanson universelle.

David Bowie (David Jones, G.-B., né en 1947) • L'étrange préside aux débuts de David Bowie. Il incarne d'abord le légendaire Ziggy Stardust, un Martien, héros d'un album sorti en 1972. Compositeur fécond, influencé par Bob Dylan, par Andy Warhol et son groupe Velvet Underground, il collabore avec Lou Reed *(Walk on the Wild Side),* John Lennon *(Fame),* puis s'intéresse à la musique électronique avec Brian Eno, l'un des pionniers du genre (album *Heroes*). Quelques succès pop (*Let's Dance* en 1983, ou *Dancing in the Street,* avec Mick Jagger, en 1985) ne doivent pas faire oublier que Bowie travaille un rock expérimental : *Little Wonder,* extrait du CD *Earthling* (1997), où la pop rencontre la techno.

U2 (Irl., groupe fondé en 1978) • Au début des années 1980, Dublin est le point de départ d'une déferlante rock. Un groupe, un son : Bono (Paul Hewson), The Edge (David Evans), Adam Clayton et Larry Mullen. Dès 1983, U2 sort des morceaux qui sont aujourd'hui des standards : *Sunday Bloody Sunday* et *New Year's Day.* Sur une rythmique bien calée et d'éblouissantes harmonies de guitare, le groupe chante des textes engagés sur l'indépendance irlandaise et les attentats. En 1987, U2 enregistre son chef-d'œuvre, l'album *Joshua Tree.*

La soul music

Le rhythm and blues et ses suites

Au lendemain de la Seconde Guerre mondiale, une certaine intégration des Noirs dans la société américaine et le développement des techniques de diffusion de la musique modifient profondément la musique populaire noire aux États-Unis. Le blues et le gospel, jusqu'alors confinés dans un ghetto culturel, se fondent dans une nouvelle musique de danse intégrant les éléments les plus directement percutants du jazz swing (rythme, orchestrations et riffs) et de la musique de variétés (mélodies simples).

Dès 1949, le journal *Billboard* classe cette musique sous la rubrique « rhythm and blues », où se situent des artistes comme Louis Jordan, Hank Ballard, Rufus Thomas ou Fats Domino. Le rock and roll, à partir de 1954, puisera largement dans le fonds de cette musique noire pour l'adapter au public blanc. Little Richard, Chuck Berry, Ray Charles sauront tirer profit de la vogue du rock pour s'imposer à tous les publics, de même que Otis Redding, James Brown, Aretha Franklin, Wilson Pickett, Arthur Conley et toutes les vedettes de la soul music trouveront le succès pendant la vague pop des années 1960. La musique populaire noire, bien qu'intimement intégrée à la production musicale générale, continue aujourd'hui à générer des styles spécifiques, groove, funky, rap.

Les promoteurs de la soul

À l'aube des années 1960, Detroit (Illinois) donne naissance à la soul music. Les clubs et surtout une marque label, Tamla-Motown (dirigée par Berry Gordy), créent un nouveau genre. Musique de danse torride, riche de ferveur et de communion, la soul révolutionne la pop music américaine. Ses chantres se nomment Aretha Franklin, Wilson Pickett. C'est la northern soul. Parallèlement, une autre école voit le jour, plus au sud : les labels Stax et Atlantic, basés à Memphis (Georgie), enregistrent Otis Redding, Carla Thomas, Booker T.

Chuck Berry (Charles Edward Berry, né en 1926) • Chuck Berry côté Noir, Elvis Presley côté Blanc : les deux premiers grands du rock and roll. Les succès de Chuck Berry, *Maybellene, Roll over Beethoven, Sweet Little Sixteen, Memphis Tennessee* et *Johnny B. Goode*, entre 1955 et 1958, donnent à entendre un style cadencé et nerveux. Typique est sa guitare : riffs accrocheurs en introduction, solos ultra-rapides, rythmiques tranchantes. L'enfant de Saint Louis (Missouri) s'appuie sur le blues urbain (Muddy Waters) pour créer une nouvelle musique dont l'influence sera profonde et durable (Beatles, Rolling Stones).

James Brown (né en 1928) • Il est le « parrain » de la soul. Déjà en 1956, son premier tube *Please, Please, Please* révèle tous les ingrédients de plus de quarante ans de succès. Mauvais garçon (de notoires démêlés avec la justice), mais génial, il sublime le rhythm and blues, invente le groove, le disco, le funk. A partir du *Try Me* des débuts, il impose en 1965 et 1966 un son neuf : *Papa's Got a Brand New Bag, I Got You (I Feel Good), It's a Man's World.* Derrière son chant syncopé, l'orchestre génère une pulsation nouvelle, menée par la basse. *Sex Machine* (1970) : son style funk influence, aujourd'hui encore, toute la musique de danse.

Little Richard (Richard Penniman, né en 1932) • « Awap-bop-aloula-alap-bam-boum ! » Le langage du rhythm and blues tient en une phrase. Au micro, un petit Noir en costume croisé, la chevelure gominée, trépigne, pousse des cris aigus, martèle son piano à la vitesse de l'éclair. Little Richard connaît son premier succès avec *Tutti Frutti*, puis tient les années 1950 en haleine avec *Long Tall Sally, Lucille,* ou *Good Golly Miss Molly.* Il inspire les plus grands (Paul Mc Cartney), provoque des vocations (Otis Redding) et vend 32 millions de disques dans le monde en quinze ans.

Isaac Hayes (né en 1938) • Compositeur, producteur, chanteur, musicien, Isaac Hayes a écrit, souvent dans l'ombre, quelques-unes des plus fortes pages de l'histoire de la soul. À la fin des années 1960, il rejoint David Porter chez Stax et offre au duo Sam & Dave son tube *Soul Man.* Sans jamais cesser de travailler pour les autres (Carla Thomas, Johnny Taylor, Aretha Franklin, Michael Bolton…), il sort ses propres albums à partir de 1967. Il expérimente des compositions très orchestrées où l'esprit soul est omniprésent. En 1971, sa musique du film *Shaft* s'impose comme une référence : guitare électrique « wah-wah », entrecoupée d'interventions orchestrales.

Marvin Gaye (1940-1984) • Une musique à la mélancolie persistante, au confluent de la sexualité et de la spiritualité, avec un son typique du label Tamla-Motown. Marvin Gaye est l'un des chanteurs soul qui ont exploré le plus de courants musicaux, du gospel au funk, *via* la pop. En 1968, son chef-d'œuvre, *I Heard It Through the Grapevine,* reste sept semaines en tête du hit-parade américain. Le public est séduit par *What's Going on* (1971), *Let's Get It on* (1973) et *Sexual Healing* (1982). Enfant battu, Marvin Gaye connut une vie difficile : divorce, drogues, ennuis fiscaux. Il est mort tué par son père lors d'une dispute.

Otis Redding (1941-1967) • Qui n'a pas sifflοté le refrain de *Sittin'on the Dock of the Bay*? Chanson universelle de la soul. Otis Redding l'avait enregistrée une semaine avant sa disparition dans un accident d'avion. Après cinq années d'une carrière très dense, le chanteur laisse un répertoire caractéristique de la première vague soul, le fameux son de Memphis. Quelques morceaux au tempo rapide *(Respect, Satisfaction* ou *Shake),* mais surtout des ballades inoubliables *(These Arms of Mine, I've Been Loving You Too Long, Try a Little Tenderness).*

Tina Turner (Anna Mae Bullock, née en 1939) • Célèbre pour la puissance de sa voix et pour son énergie débordante, Tina Turner a fait une double carrière. De la première période (1956-1976), avec son mari Ike Turner, on retient leurs duos dans *River Deep, Mountain High* (1966) ou *Proud Mary* (1971). Elle quitte Ike en 1976 et reconstruit seule une carrière sur des succès comme *What's Love Got to Do With* (1984), *We Don't Need Another Hero* (1985).

Aretha Franklin (née en 1942) • Elle est la « Reine de la soul ». Ces lettres de noblesse, Aretha Franklin les gagne en 1967 en enregistrant une version du succès d'Otis Redding, *Respect.* Comme dans la plupart de ses interprétations, sa voix phénoménale est soutenue par des chœurs féminins enlevés : de la soul inspirée par un gospel qu'Aretha Franklin pratique depuis l'âge de 9 ans. En 1968, on retrouve cette ferveur dans *Think* et *Say a Little Prayer.*

Jimi Hendrix (James Marshall, 1942-1970) • *Hey Joe, Foxy Lady, Purple Haze.* 1967, la Grande-Bretagne découvre la guitare fuzz et psychédélique

◆ **Jimi Hendrix.**

de Jimi Hendrix, musicien virtuose dont le rock violent est pétri de blues. Une révélation, aussitôt adoptée par le mouvement hippie en pleine explosion. Incendiaire, Jimi l'était. Au festival Monterey Pop, la même année, il met le feu à sa légendaire Fender Stratocaster, sur *Wild Thing,* après une performance survoltée. Sa mort prématurée ne lui a pas permis de faire aboutir les rapprochements qu'il souhaitait avec le jazz-rock (Miles Davis).

Stevie Wonder (Steveland Morris, né en 1950) • D'abord connu comme « Little » Stevie Wonder, c'est l'enfant prodige de la soul. À 7 ans, il maîtrise le piano, à 9 ans, l'harmonica et la batterie. À 10 ans, il fait partie de l'« écurie » Tamla-Motown. Trois ans plus tard, il accède au rang de star avec *Fingertips,* confirmé par le célèbre *Uptight.* À sa majorité, « Little » Stevie Wonder devient Stevie Wonder : sa musique s'affermit ; souvent empreinte de spiritualité, elle mêle la soul aux apports du rock et de la pop. Multi-instrumentiste fécond, il sème désormais ses standards au fil des décennies : *You Are the Sunshine of My Life, Pastime Paradise, I've Just Called to Say I Love You.*

Prince, dit « The artist formely known as Prince » (Roger Nelson, né en 1958) • Excessif, touche-à-tout, Prince représente la troisième génération soul. Héritier direct de la lignée Little Richard-James Brown, il repousse dans les années 1980 les limites de la *funky music.* Capable de tout faire (multi-instrumentiste, chanteur, compositeur, producteur, arrangeur, danseur), la star de Minneapolis s'impose en 1984 avec l'album *Purple Rain* aux accents rock. Le monde entier reprend en chœur le slow sensuel de la chanson-titre. Le public danse deux ans plus tard sur *Kiss,* un *Papa's Got a Brand New Bag* réactualisé, puis découvre le double album *Sign o'the Time,* véritable chef-d'œuvre musical.

◆ **Tina Turner.**

Les courants contemporains

Des modes nées dans la rue

À côté d'un star system mondial toujours plus envahissant, le rock n'a jamais perdu ses vraies racines : l'expression de la rue. Ainsi sont nés de multiples genres, renouvelés de génération en génération. Modes éphémères ou courants profonds, la jeunesse imprime son style à chaque époque : mouvement punk hier, culture techno à la fin des années 1990. Différents dans leurs préoccupations et leurs sonorités, ces courants musicaux alternatifs ont pour point commun d'être issus du phénomène de l'urbanisation, avec ses banlieues et ses marginaux. Novateurs, insolents, percutants, ils démontrent que la musique est un art vivant dont l'évolution est en prise directe sur la société.

Le reggae. Née à la Jamaïque, cette musique chaloupée et inspirée du calypso est représentative de l'état d'esprit de l'île caraïbe. Lancée par le légendaire Bob Marley (Robert Nesta, 1945-1981), elle revendique la philosophie du laisser-vivre et s'associe fréquemment à l'usage de drogue. Les tubes de Marley, comme *No Woman, No Cry* ou *I Shot the Sheriff*, ont trouvé un écho dans le temps, des années 1980 à nos jours, grâce à des artistes comme Peter Tosh, le groupe Burning Spear ou Jimmy Cliff.

Vers 1980, le reggae jamaïcain a fortement inspiré un courant anglais : le ska. D'origine populaire et joué par des Blancs sur un rythme plus haché, ce style, porté au succès par les groupes Madness et The Selecter, s'est peu à peu adouci, notamment avec le groupe UB40. En France, le reggae a exercé une influence essentielle sur le raggamuffin, apparu en 1990 (Tonton David).

Le courant punk. «*No future*» : ce slogan résume la philosophie destructrice du punk. Ce courant naît à Londres en 1977 et connaît son apogée les deux années suivantes. Musique brute, voire brutale, le punk donne à entendre des guitares saturées, des rythmes violents et des voix discordantes, le tout fondé sur un retour aux règles de base du rock. Maîtres du genre, les Sex Pistols scandalisent par des morceaux comme *Anarchy in the UK, God Save the Queen* ou une reprise de *My Way*. Autant de coups de pied à l'ordre établi. Attitudes et tenues vestimentaires choquantes expriment un refus de la société de l'époque. Les groupes The Clash ou Police, issus de ce mouvement, évoluent musicalement, en intégrant une influence reggae à leurs compositions.

Le hard rock. Cuirs, chaînes, bracelets cloutés : le hard rock est un genre violent. La musique, fondée sur une rythmique forte et très rapide, met en avant le son distordu des guitares et un chant parfois proche du cri. Les premiers groupes apparaissent aux États-Unis au début des années 1970. Deep Purple chante *Smoke on the Water* et Led Zeppelin, *Whole a Lotta Love* : le son est lourd, les riffs appuyés. Le groupe AC/DC perpétue cet héritage jusque dans les années 1980. Le hard-rock évolue vers différentes tendances : *heavy, speed, trash, death.* Plus modernes, les Guns'n'Roses fédèrent une génération de jeunes avec une adaptation du *Knockin'on Heaven's Door* de Bob Dylan.

Venu de Seattle, le son grunge, mélange de hard rock et de pop, voit la consécration du groupe Nirvana dans les années 1990. Le suicide du chanteur Kurt Cobain (1994) n'interrompt pas son culte.

◆ **Kurt Cobain.**
Le chanteur du groupe Nirvana, devenu presque l'objet d'un culte.

Le disco. Des boules à facettes, du strass, des pantalons «pattes d'éléphant» : le disco est une musique de danse, de fête et de frime. Phénomène de discothèques, il apparaît au milieu des années 1970. Fondée sur un rythme de batterie binaire et répétitif, cette musique utilise les nouveaux sons des synthétiseurs. Le film *la Fièvre du samedi soir (Saturday Night Fever*, de John Badham, avec John Travolta, 1977) résume l'esprit disco. Ce style, controversé à l'époque, produit des succès mondiaux : *Stayin'Alive,* des Bee Gees, *Born to Be Alive,* de Patrick Hernandez, *YMCA,* de Village People ou *I Will Survive,* de Gloria Gaynor. Dans les années 1980, ce courant dérive vers le funk (Kool and the Gang).

La world music. La «musique du monde» est la rencontre entre des traditions ethniques et des genres modernes. Le phénomène connaît un développement depuis la seconde moitié des années 1980. En particulier, les chanteurs Johnny Clegg et Savuka inventent ensemble des morceaux pop ouverts sur la culture noire d'Afrique du Sud. Avant cela, le chanteur Manu Dibango avait produit le premier tube africain avec *Soul Makossa* (1973). L'influence de l'indien Ravi Shankar sur l'œuvre des Beatles annonçait déjà la *world music.*

Ces rencontres ont produit en Algérie et en France un courant aujourd'hui très en vogue : le raï. Né à Oran, il est une adaptation pop de chants traditionnels, promue par Cheb Khaled (*Didi*, 1992, *Aïcha*, 1996), Cheb Hasni, Cheb Mami, Chaba Zahouania.

Le rap. Le rap, c'est la banlieue. Genre musical important dans la variété internationale des années 1990, il est l'expression de la culture hip-hop, inventée dès le début des années 1980 dans les quartiers noirs et pauvres de New York. Sur une base donnée par une boîte à rythmes et agrémentée de sons funk électroniques, les chanteurs scandent, sur un mode parlé, des textes virulents ou poétiques, selon les courants. Fondateurs spirituels, Public Enemy et LLCoolJ ont été supplantés par des rappers commerciaux comme MC Hammer. Sur la côte ouest, à Los Angeles, le phénomène urbain des gangs a produit des artistes d'envergure internationale (style «*gangsta*») : Coolio, Ice T, Snoop Doggy Dog. En France, le rap a insufflé un air frais à la variété. Consacré dès le début des années 1990, le style est dominé par MC Solaar (*Bouge de là,* 1991 ; *Obsolète*) par le groupe marseillais IAM et, dans une tendance plus dure, par le groupe NTM.

Les musiques électroniques. Fini, les instruments, voici l'avènement de la machine. Les progrès techniques ont révolutionné la pratique de la musique. La fin de siècle voit émerger des nouveaux styles : la house, la dance music, la techno. Nés à Chicago en 1986 des expérimentations de disc-jockeys, ces courants sont aujourd'hui largement répandus. Ils se fondent sur un battement *(beat)* constant et développent des motifs répétitifs en sons de synthèse. Excepté pour les tendances *dance* et commerciales, il n'y a pas de paroles ni de structure classique couplet-refrain.

Expression d'une génération qui anticipe le troisième millénaire, ces musiques sont jouées en discothèque, mais surtout lors de fêtes : des *rave parties* qui rassemblent plusieurs dizaines de milliers de personnes. Les Français Laurent Garnier et Daftpunk *(Around the World)* ont obtenu une reconnaissance mondiale.

◆ **MC Solaar.**
Un rap bien intégré.

Les ballets de cour et d'action

De la cour à la scène

C'est au XVIe s. que naît, en Italie, une nouvelle forme de danse : le ballet, qui s'épanouit en France sous Catherine, puis Marie de Médicis (*le Ballet comique de la Reine,* 1581), puis sous la monarchie absolue de Louis XIV. Jusque-là, la danse occupait un rôle social (le bal) ou un rôle festif pendant les banquets ou les mascarades. Sous l'impulsion des poètes, la danse s'intègre à une action dramatique générale, avec poésie, musique et scénographie. Les pas et les déplacements des danseurs sont réglés de façon géométrique au sol, selon des entrées et sorties successives. La danse, qui sert désormais la cause du roi, est alors dite «savante» et nécessite une connaissance des pas et de la musique. Placés sous l'autorité d'un maître de ballet, les interprètes sont des nobles, des courtisans proches du roi. Mais la danse reste au service d'une action, dont le thème, burlesque, exotique, mythologique, ou politique, est prétexte au divertissement. Très prisé par les monarques européens, codifié par des traités qui précisent les pas, la composition, l'utilisation du costume, le ballet de cour devient au XVIIe s. une des formes de spectacle les plus prisées.

Au XVIIIe s., la danse perd son statut d'intermède décoratif grâce à la réforme du Français Jean-Georges Noverre qui vise à lui donner son autonomie. En passant du ballet de cour au ballet d'action, la danse devient un art. Elle apparaît désormais sur la scène théâtrale, cherche à traduire le jeu des passions et devient le garant de la progression dramatique. L'allégement du costume et la recherche expressive influenceront la technique, désormais laissée à des danseurs professionnels.

John Weaver (Angl., 1673-1760), *The Loves of Mars and Venus* (1717) • À travers la figuration d'un amour entre Vénus et Mars, interprété par Louis Dupré, «dieu de la danse», John Weaver, danseur, chorégraphe et théoricien de la danse, pose dans ce ballet-pantomime les bases de ce qui deviendra le ballet d'action. Pour lui, la danse est expressive en elle-même. Le corps et les gestes sont propres à traduire les passions et les mouvements de l'âme, sans recours au chant ou à la parole. Par le biais de la pantomime, la danse accède à son autonomie en tant qu'art d'expression. Grâce à ce moyen, les mouvements du corps puis la technique du ballet suffiront à créer un «spectacle» en soi.

Marie Sallé (Fr., 1707-1756), *Pygmalion* (1734) • L'histoire du sculpteur amoureux de sa statue rendue vivante par Aphrodite sert de point de départ à un spectacle novateur. La danseuse-chorégraphe Marie Sallé s'octroie le droit d'abandonner sa robe encombrante et sa perruque pour adopter un véritable costume de danse : une tunique grecque. Elle privilégie ainsi par le costume et par le mouvement la recherche expressive plutôt que la virtuosité et la beauté gratuites. Sa danse favorisera l'extériorisation des sentiments et de la volupté en un jaillissement expressif, caractéristique de son style, pour lequel elle sera adulée.

◆ ***Le Ballet comique de la Reine.*** Exécutée au Petit-Bourbon, à Paris, le 15 octobre 1581, cette œuvre de Beaujoyeulx marque l'avènement du ballet de cour. Gravure du livret par Patin. (BNF, Paris)

Jean-Georges Noverre (Fr., 1727-1810), *Médée et Jason* (1763) • Après ses *Lettres sur la danse et sur les ballets,* ouvrage majeur qui prône l'expressivité, le naturel au lieu d'une technicité artificielle, Noverre met en pratique ses idées dans ce ballet. La tragique histoire antique des héros est mise en valeur par l'utilisation, là où la narration s'impose, de la pantomime à la place du vocabulaire classique préétabli, et de l'expression des sentiments par le visage. Les masques, dont l'usage était de mise dans les ballets de l'époque, disparaissent. Le rôle de Jason est tenu par le «dieu de la danse», Gaétan Vestris (1729-1808), qui répandra les idées novatrices du chorégraphe.

◆ **Marie Sallé.** Plus discrète que sa rivale, la brillante Camargo, Marie Sallé sut faire apprécier la précision et la délicatesse de son style. Elle reçut les compliments de Voltaire, qui admirait son charme et sa légèreté. D'après Lancret. (BNF, Paris)

Vincenzo Galeotti (It., 1733-1816), *les Caprices de Cupidon* (1786) • Disciple de Noverre, Galeotti dirige le Ballet royal du Danemark et crée à Copenhague ce ballet, qui figure au répertoire encore aujourd'hui. L'histoire, extrêmement simple, met en scène des couples qui viennent au temple pour être unis et bénis. Le chorégraphe veut prouver qu'il peut construire un ballet à partir d'une série de pas de deux, indépendants les uns des autres. Il fait du Ballet royal danois une école et une troupe à part entière, où, à sa mort, lui succède Antoine Bournonville (1760-1843), chorégraphe d'origine française.

Jean Dauberval (Fr., 1742-1806), *la Fille mal gardée* (1789) • Créé à Bordeaux, ce ballet se démarque des anciennes fresques mythologiques. Les personnages y sont des êtres réels, il n'y a pas d'effets artificiels, et l'action se déroule à la campagne. Ce ballet, produit du climat prérévolutionnaire, propose un thème léger (une histoire d'amour), mais dont le traitement prend des allures d'étude du monde paysan. Élève de Noverre, Dauberval allège le costume, prône le réalisme, et utilise la pantomime. L'œuvre figure depuis 1981 au répertoire du ballet de l'Opéra de Paris.

Charles-Louis Didelot (Fr., 1767-1837), *Flore et Zéphire* (1796) • Ce ballet de Didelot a la particularité d'enrichir la gestuelle classique déjà codifiée d'un nouvel effet : le porté. Désormais, la danseuse peut s'envoler, littéralement soulevée par son partenaire, ou soutenue par un fil. Influencé par ses maîtres Noverre et Dauberval, le chorégraphe ouvre la voie à l'évolution de la technique. Le costume se fait léger et moins contraignant pour le mouvement, dont Didelot explore les nouvelles possibilités en solo ou à deux. Son style fera école à Saint-Pétersbourg, où il s'installera et développera la technique qui deviendra celle du ballet russe.

Pierre Gardel (Fr., 1758-1840), *la Dansomanie* (1800) • Version dansée du *Bourgeois gentilhomme,* ce ballet apparaît comme un assemblage de toutes les danses traditionnelles, auxquelles s'ajoute la valse, incluse pour la première fois ici dans un ballet. Le chorégraphe Gardel y met en scène des personnages de toutes conditions, ce qui renforce le caractère composite de l'œuvre. Le tout devient un ballet drôle, loufoque, très différent des productions célébrant l'esprit de la Révolution, et qui séduit d'autant plus que Gardel met l'accent sur la virtuosité des danseurs.

Louis XIV et la danse

Si le ballet, par le caractère politique de ses thèmes, est fort utilisé dès le XVIe siècle. pour asseoir le pouvoir royal, il sert, sous Louis XIV, à célébrer la gloire du roi. Très jeune, le roi suit quotidiennement des leçons de danse, et apparaît dans de nombreux ballets. Arrivé au pouvoir en 1661, il fonde l'Académie royale de danse, première troupe de danseurs professionnels, au service du roi. Cette institution permet de mettre en relation des spécialistes de la danse. Pierre Beauchamp (1636-1705) fixe les règles du ballet, et pose les bases du genre classique. Raoul Feuillet (v. 1660-1710) invente le premier système de notation chorégraphique. Louis XIV aura été l'instigateur d'une volonté de théoriser, de conserver et d'enseigner la danse.

La danse académique

L'âge d'or de la danse classique

L'âge d'or de la danse classique se situe dans un contexte artistique marqué, paradoxalement, dans les arts plastiques, la littérature et la musique par le romantisme. Le ballet romantique a ainsi bénéficié non seulement des innovations techniques antérieures, mais aussi de l'élaboration de sujets liés non plus à l'Antiquité gréco-romaine, mais à des univers irréels, féeriques, fantastiques. Les personnages surnaturels font appel à des danseuses aériennes, immatérielles. La scénographie a recours à des machineries donnant l'illusion de l'envol, au costume et à une gestuelle qui privilégient les relevés sur pointe et les sauts de grande amplitude (sissonnes, grands jetés). Tous ces éléments deviennent la caractéristique du ballet romantique, qui disparaît à la fin du XIXe s.

C'est le Français Marius Petipa qui va, dans les années 1870, en Russie, formaliser un nouveau style : la danse académique. Associant la virtuosité italienne à la dramaturgie et reliant plus étroitement la danse à la musique, il organise le ballet selon des règles rigoureuses. Sa forme est redéfinie autour des variations créées pour les danseuses étoiles (pas de deux, adages, ou mouvement d'ensemble). La beauté, la virtuosité spectaculaire et l'artifice de cette nouvelle forme de danse séduisent les scènes européennes, et font partout école, grâce à l'enseignement très strict de Petipa, perpétué par les danseurs issus de l'école russe.

Philippe Taglioni (Fr., 1777-1871), *la Sylphide* (1832) • Créée à l'Opéra de Paris en mars 1832, cette œuvre marque la naissance du ballet romantique. Sur un argument relatant l'amour contrarié entre un jeune Écossais et un esprit des bois (la sylphide), le chorégraphe exploite un registre nouveau : le surnaturel, et l'opposition entre le monde réel et le monde immatériel. Sa fille, Marie Taglioni (1804-1884), y porte pour la première fois le juponnage léger en mousseline blanche créé par le peintre Eugène Lamy et danse en montant sur les pointes, défiant littéralement les lois de la gravité terrestre. En 1836, August Bournonville crée sa propre version de *la Sylphide* avec le Ballet danois. Il prend le soin de changer la musique et règle la chorégraphie autour de son étoile Lucille Grahn (1819-1907), dont il exploite la vélocité et la légèreté.

Jean Coralli (Fr., 1779-1854) et Jules Perrot (Fr., 1810-1892), *Giselle* ou *les Wilis* (1841) • Librettiste de ce chef-d'œuvre du ballet romantique (musique d'Adolphe Adam), Théophile Gautier s'est inspiré d'une ballade de Heinrich Heine pour raconter la légende d'une jeune fille morte de folie et d'avoir trop dansé. Celle-ci rejoint alors les Wilis, esprits errants. Le prince qui l'aimait vient se recueillir mais sera condamné au même sort. Mais Giselle le soutient jusqu'à l'aube et le sauve de la mort. Il y a là tous les ingrédients du ballet romantique : la confrontation de deux mondes, un amour passionné et tragique, des prouesses techniques, un rôle qui fait de la ballerine un être évanescent, presque intouchable. La chorégraphie est de Coralli, mais les pas de l'étoile Carlotta Grisi (1819-1899) sont réglés par Perrot, son professeur. Il fait du partenaire masculin un faire-valoir de la danseuse et le relègue à un rôle de porteur qui la sublime.

August Bournonville (Dan., 1805-1879), *Napoli* (1842) • Ayant étudié la danse à Paris avec Gardel et Vestris, Bournonville s'installe au Danemark. Là, il aura à cœur d'implanter et de conserver le style brillant et léger de la danse française. Dans ce ballet, une ambiance de fête paysanne sert de prétexte à un spectacle vif, joyeux et enlevé. La chorégraphie, au mépris de la scène à l'italienne, qui veut que le danseur se présente au public de face, exploite l'espace multidirectionnel. Alors que l'école française décline au profit de l'influence russe, Bournonville conservera et entretiendra cet héritage contre l'implantation de l'académisme.

Arthur Saint-Léon (Fr., 1821-1870), *Coppélia ou la Fille aux yeux d'émail* (1870) • Ce ballet, dont la musique est de Léo Délibes (1836-1891), est créé à l'Opéra de Paris en mai 1870 par le chorégraphe et danseur Saint-Léon. L'argument raconte l'histoire de l'automate à qui l'on veut donner forme et âme humaines. Si le ballet traite encore du surnaturel, le chorégraphe y intègre des danses traditionnelles et populaires, et le détourne du ballet blanc. Il repousse les limites de la technique, pour en faire une œuvre légère, charnière entre le romantisme et l'académisme. Ici, la présence d'une femme travestie dans un rôle masculin symbolise la suprématie de la ballerine. *Coppélia* connaît un succès vif et durable, et inspirera des versions à d'autres chorégraphes (Petipa, Balanchine ou R. Petit).

◆ **Jules Perrot** (1810-1892), ***Pas de quatre*** **(1845).** Le quatuor est composé pour satisfaire le public et encenser les plus grandes ballerines de l'époque : Marie Taglioni, Carlotta Grisi, Fanny Ceritto, Lucille Grahn. Gravure de A. Chalon. (Musée de la Scala, Milan)

Marius Petipa (Fr., 1818-1910), *la Belle au bois dormant* (1870) • Le chorégraphe Petipa passa commande auprès de Petr Ilitch Tchaïkovski d'une musique dont il imaginait déjà les mesures par rapport à ses enchaînements d'actions. D'après le conte de Perrault, il construit un ballet privilégiant la danse pure, au service de la virtuosité de la danseuse. La logique dramaturgique est délaissée au profit de la démonstration chorégraphique. Mais la musique porte si bien la danse que cette formalisation de la gestuelle et cette composition en « numéros » successifs ne nuisent pas au succès du ballet. C'est le genre académique qui s'exprime à travers ce sommet du ballet classique, créé à Saint-Pétersbourg et conservé au répertoire des plus grands ballets d'aujourd'hui.

Lev Ivanov (Russie, 1834-1901), *Casse-Noisette* (1892) • Inspiré du conte d'Hoffmann, ce ballet, également créé à Saint-Pétersbourg, reprend les éléments du triomphe de *la Belle au bois dormant* : un récit simple mêlant le fantastique et la féerie à une histoire d'amour qui met en scène une figure princière. Sur une partition originale de Tchaïkovski, le chorégraphe Ivanov, assistant de Petipa, règle le ballet selon la mécanique introduite par son maître. Les prouesses techniques apportées par l'école italienne sont désormais inscrites comme élément essentiel du ballet académique.

Marius Petipa (Fr., 1818-1910) et Lev Ivanov (Russie, 1834-1901), *le Lac des cygnes* (1895) • Créé au Bolchoï de Moscou en 1877, le ballet de Tchaïkovski est monté en 1895 à Saint-Pétersbourg par Petipa et Ivanov dans une nouvelle version. C'est l'histoire d'un prince amoureux d'une jeune femme transformée en cygne blanc par un sorcier. Pour éprouver son amour, celui-ci le confronte à un cygne noir, réplique exacte de sa belle. Le ballet mêle des scènes d'action à des moments romantiques, des danses de caractère à des variations classiques, des mouvements d'ensemble strictement composés à des solos éblouissants de virtuosité. Il est désormais indissociable du répertoire classique et permet aux étoiles de briller dans un rôle féminin double et complexe. Il inspira de nombreuses versions, tant classiques (M. Fokine, V. Bourmeister) que modernes (M. Ek, J. Neumeier).

Le costume classique

Autrefois, la lourde robe et le corset empêchaient le libre mouvement mais imposaient la posture droite du dos et les gestes enlevés des bras et des mains. L'habit et le masque conféraient au costume une fonction narrative et décorative. Avec *la Sylphide*, le romantisme apporte à l'étoile son costume traditionnel : une longue jupe blanche bouffante, et un haut qui dévoile les épaules. Le costume signale tout de suite l'immatérialité de la ballerine, auréolée d'un halo immaculé, le chausson de pointe participant encore à son envol. Ce véritable habit de scène permet l'élévation des membres, et donc la recherche de la virtuosité. L'académisme vient raccourcir la jupe et invente le tutu, dont la fonction principale est de cacher le bassin tout en accrochant l'œil du public.

Les Ballets russes

Une dynamique de création

Après le règne de Petipa en Russie, l'imprésario et amateur d'art Serge de Diaghilev (1872-1929) forme sous le nom de « Ballets russes » une troupe détachée des ballets impériaux. Ils commencent leur saison à Paris en 1909, première d'une longue série qui révolutionnera le ballet classique. Les principales danseuses sont : Tamara Karsavina, Anna Pavlova ; et les danseurs et chorégraphes : Vaslav Nijinski, puis Léonide Massine, Serge Lifar, George Balanchine, tous prodiges et transfuges de l'école académique russe. Le chorégraphe Michel Fokine apporte ses idées novatrices, prônant pour chaque ballet un style et un thème nouveaux, tandis que Diaghilev s'assure de la collaboration de peintres et de musiciens d'avant-garde. C'est le moment où la danse s'éloigne d'un projet imitatif pour se tourner vers la recherche. Le genre, vif, exotique, joyeux, plaît beaucoup à Paris, qui découvre un « spectacle total », une réunion des arts avec autant de créateurs d'horizons différents, dans le vent de la modernité.

Avant même la mort de Diaghilev, en 1929, la compagnie se disloque, laissant le champ libre à des troupes qui reprendront la formule. C'est le cas des Ballets suédois, dont le chorégraphe Jean Börlin produit dès 1921 un spectacle d'esprit dadaïste, *les Mariés de la tour Eiffel,* composé par des musiciens du groupe des Six sur un argument de Jean Cocteau. Il répond ainsi au climat d'effervescence artistique et continue de creuser la voie du renouveau du ballet.

Michel Fokine (Russie, 1880-1942), *les Sylphides* (1909) • Hommage au ballet romantique, ce ballet créé à Paris en 1909 par le jeune Fokine annonce déjà la modernité du chorégraphe. Le seul acte est composé de variations sans narration, sans thème conducteur, si ce n'est l'enchaînement de pièces de Chopin, prétexte à la valse et à la mazurka. Une telle utilisation de la musique est une nouveauté, de même que le magnifique décor du peintre Alexandre Benois. Cette douce rêverie intéresse et séduit le public, qui découvre les talents d'Anna Pavlova, de Tamara Karsavina et de Vaslav Nijinski.

Michel Fokine (Russie, 1880-1942), *Petrouchka* (1911) • Dans une foire de Saint-Pétersbourg, un magicien présente trois poupées (une ballerine, Petrouchka et un Maure) qui s'animeront devant la foule. Ce folklore russe dicte au peintre Benois des décors et des costumes aux couleurs chatoyantes. Sur la musique colorée de Stravinski, la gestuelle s'anime de mouvements désarticulés, mécaniques. La danse classique se mêle à la danse folklorique et à l'invention de nouvelles positions : Nijinski dans le rôle-titre s'essaie à une position jusque-là bannie du vocabulaire de la danse, à savoir celle des pieds rentrés en dedans. Tous ces apports fusionnent, créant un ensemble visuel exubérant et éclatant.

Vaslav Nijinski (Russie, 1890-1950), *l'Après-midi d'un faune* (1912) • Adulé en tant que danseur, Nijinski provoque le scandale avec cette première chorégraphie, établie sur le *Prélude à l'après-midi d'un faune* de Claude Debussy, dans des décors du peintre Léon Bakst. Relatant les aventures d'un faune surpris par des nymphes, Nijinski crée un vocabulaire gestuel inédit en lien direct avec l'argument du ballet, pour lequel il s'inspire des bas-reliefs et des vases antiques. Partant de là, il bouleverse l'espace en le réduisant à la bidimensionnalité, obligeant les corps à évoluer de profil et en torsion. Le choc viendra de la nouveauté de cette gestuelle, de la recherche plastique et de l'attitude ouvertement érotique du faune.

Vaslav Nijinski (Russie, 1890-1950), *le Sacre du printemps* (1913) • La musique de Stravinski est à l'origine de ce ballet inspiré des rites de l'ancienne Russie. Nijinski élabore la danse en fonction des structures rythmiques complexes de la musique qu'il décompose. Ainsi, il applique des rythmes différents à chaque partie du corps, rejetant en bloc les codifications classiques. La position « en dedans » est à la base de tous les mouvements. Cette conception résolument moderne du mouvement se heurte à l'incompréhension de tous. La consécration viendra par des versions d'autres chorégraphes (Béjart, Wigman, Graham…).

Léonide Massine (Russie, nat. amér. 1895-1979), *Parade* (1917) • En pleine guerre, le spectacle fait l'effet d'une bombe à Paris. Cocteau imagine une parade de cirque avec ses personnages insolites et extravagants. Picasso se charge du rideau de scène, des décors et des costumes, qu'il façonne à la manière cubiste. La musique d'Erik Satie évoque une ambiance urbaine survoltée. Mais la chorégraphie, face à ces avant-gardes, semble en retrait. Dépoussiérée du classique mais moins audacieuse que celle d'un Nijinski, elle devient un élément au service de tous les arts. Le ballet, dit cubiste ou même surréaliste, consacre toutefois les Ballets russes dans leur volonté de réunir les arts autour de la scène.

◆ ***Parade*, de Léonide Massine.**
Le rideau de scène, de même que les décors et les costumes, créés par Picasso, évoquent l'ambiance féerique du cirque, qui cherche à attirer les badauds en faisant miroiter un spectacle insolite et plein de surprises.

Bronislava Nijinska (Russie, nat. amér. 1891-1972), *les Noces* (1923) • Tout empreinte des idées novatrices de son frère Vaslav, Nijinska crée avec ce nouveau ballet de Stravinski une œuvre qui évoque le rituel d'un mariage dans l'ancienne Russie paysanne. Influencés par les avant-gardes russes, les décors et les costumes austères de Natalia Goncharova rompent avec l'habituel déluge de couleurs des Ballets russes. La gestuelle anguleuse, cassante et maladroite, suggère une certaine abstraction tout en s'inspirant des icônes russes. La partition mêlant voix et instruments inspirera plus tard des versions signées Béjart ou Kylian.

Jean Börlin (Suède, 1893-1930), *Relâche* (1924) • Cette œuvre des Ballets suédois, donnée à Paris, réunit le peintre dadaïste Francis Picabia, pour le livret et les costumes, Erik Satie pour la musique, Jean Börlin pour la chorégraphie, et René Clair pour les séquences cinématographiques. Les personnages évoluent devant un assemblage de couvercles de lessiveuses, dans une composition sans queue ni tête, prétexte à la parodie et à la farce. Le cinéma arrive sur scène avec la projection d'*Entracte*, dans un même esprit de collage éclectique. La danse est secondaire, s'effaçant au profit d'une manifestation expérimentale de mélange artistique. Le tout, provocateur et subversif, fait scandale.

◆ **Vaslav Nijinski et Tamara Karsavina dans *le Spectre de la rose* de Michel Fokine** (1911). Ce duo consacre les prouesses et le charisme de Nijinski, ici dans son célèbre port de bras

L'esthétique des Ballets russes

La gestuelle proposée par les Ballets russes est née de l'académisme, mais se nourrit déjà des idées de la danse moderne. Les chorégraphes successifs connaissent, du moins partiellement, les théories d'Isadora Duncan, d'Émile Jaques-Dalcroze ou de Rudolf von Laban. La technique lie le vocabulaire gestuel à l'expression du thème et du sentiment, et libère le mouvement au-delà des codifications. Certains ballets iront jusqu'à inventer leur propre langage, excluant le vocabulaire classique. Mais l'innovation vient surtout de la rencontre entre les arts. Avec Léon Bakst, Alexandre Benois ou Picasso, le peintre avant-gardiste remplace les habituels décorateurs, costumiers et accessoiristes. Le fond et la forme du ballet sont transformés au profit d'une danse d'apparence plus libre, en lien direct avec la musique de Satie, de Stravinski ou de Ravel.

Le néoclassicisme

L'exploration des codes

Les Ballets russes et les Ballets suédois inaugurent la période néoclassique en ouvrant le ballet à la modernité. Cependant, les nouveaux chorégraphes ne renient nullement le ballet académique dont ils sont issus. Au contraire, ils tentent d'en explorer toute la substance, d'en reculer les limites, proposent leurs inventions et leurs conceptions nouvelles en respectant les codes. Serge Lifar développe ainsi en France dans les années 1930 le ballet à thèse, qui ne se contente pas de raconter, mais cherche à faire réfléchir. Balanchine s'oriente de son côté vers le ballet sans thème, dépouillé de tout artifice et où la musique est réduite au strict nécessaire. À leur suite viendront des créateurs nourris de différentes influences, qui contribueront à enrichir le ballet. L'apport du jazz, de danses populaires venues du monde entier, ou de la danse moderne permet au ballet néoclassique d'explorer des directions toujours renouvelées, et de faire évoluer la technique de la danse classique. Roland Petit et Maurice Béjart travaillent en étroite relation avec les autres créateurs contemporains. Aujourd'hui, les chorégraphes comme William Forsythe, John Neumeier ou Jiřý Kylian, chacun dans un style facilement identifiable, créent des œuvres remarquables de beauté et de virtuosité, dont le thème s'inscrit dans l'air du temps. Tout en continuant à faire évoluer l'académisme, le ballet néoclassique, art vivant, manifeste sa volonté de trouver ses sources dans la réalité moderne. Il place le classique dans un contexte artistique, politique ou social nouveau, et suggère une autre conception du corps.

George Balanchine (Russie, nat. amér., 1904-1983), ***Sérénade*** (1934) • Balanchine crée ce ballet avec sa première compagnie d'outre-Atlantique, l'American Ballet. Le terrain est propice à ses innovations néoclassiques, l'Amérique n'étant pas marquée par la longue et encombrante tradition du ballet. Le chorégraphe laisse une place importante à la musique de Tchaïkovski dans ce ballet d'inspiration romantique. Cependant, Balanchine abandonne la narration pour donner à voir simplement la danse à laquelle il intègre des éléments survenus au cours des répétitions (une danseuse en retard, une chute). Destinée à une troupe quasi débutante, la composition privilégie les mouvements d'ensemble, qui tendent à la simplicité, presque à l'épure, préfigurant le style balanchinien de la maturité.

Serge Lifar (Fr., 1905-1986), *Icare* (1935) • Ce ballet est une application directe des idées de Lifar théorisées dans son *Manifeste du chorégraphe*. Il redonne au chorégraphe le statut d'auteur unique du ballet, et accorde à la danse la primauté sur les autres arts, contrairement aux aspirations prônées par les Ballets russes, dont Lifar est issu. Le mythe d'Icare sert de point de départ à une réflexion sur la danse et sur les contraintes de la pesanteur subies par l'interprète. Le mouvement, tout en restant académique, recherche cependant des gestes inédits pour exprimer la chute du héros. La musique, due à Lifar lui-même, est réduite à des séquences rythmiques exécutées aux percussions en accompagnement du mouvement. Lifar réhabilite en outre la danse masculine et enrichit le vocabulaire académique de nouvelles positions, ouvrant la voie au néoclassicisme.

Birgit Cullberg (Suède, née en 1908), *Mademoiselle Julie* (1950) • La chorégraphe favorise les échanges entre les différents genres en ouvrant le vocabulaire néoclassique à la modernité. Son ballet emblématique, relecture de la pièce de Strindberg, s'inscrit dans un répertoire marqué par la critique politique et sociale, qui rejoint ainsi le projet de la danse moderne.

Jerome Robbins (É.-U., né en 1918), *West Side Story* (1957) • Robbins règle en 1957 la chorégraphie de cette comédie musicale représentée à New York (Broadway), qui met en scène deux bandes rivales dans une ambiance new-yorkaise, sur une musique de Leonard Bernstein. La danse s'inspire d'influences multiples : jazz, danse classique, théâtre, danses populaires… De ce melting-pot typiquement américain naît un chef-d'œuvre populaire, immortalisé à l'écran par Robert Wise en 1961. Robbins fait de ses créations des spectacles éblouissants, éclectiques, jouant du mélange des styles et faisant du ballet américain un genre à part face au ballet européen. Robbins et Balanchine représentent les deux tendances de la danse néoclassique américaine.

George Balanchine (Russie, nat. amér., 1904-1983), ***Agon*** (1957) • Créé à New York, *Agon* est l'exemple type du ballet balanchinien, voué à l'épure et à l'abstraction. Dans cette œuvre, pas de décors ni de costumes, juste des danseurs et des danseuses en justaucorps qui donnent à voir la danse et à entendre la musique originale composée par Stravinski. Le chorégraphe utilise pleinement la technique académique, qu'il débarrasse toutefois de toute fioriture et dont il distord le vocabulaire. Il introduit ainsi l'extrême rapidité dans les pas, les mouvements des jambes et des bras, brise l'équilibre convenu, casse les lignes classiques au niveau des articulations des pieds ou des genoux. De cette gestuelle très technique, que Balanchine travaillera également avec son école, naîtra un autre genre de ballerine, plus longiligne, aux membres fins, longs et étirés.

Maurice Béjart (Fr., né en 1928), ***Messe pour le temps présent*** (1967) • Premier ballet à participer au Festival d'Avignon, cette œuvre s'inscrit directement dans les préoccupations libertaires de l'époque. La musique électronique de Pierre Henry présente un assemblage de styles rock, classique, moderne et exotique. Et si le vocabulaire chorégraphique reste profondément classique, le mélange des styles, l'apport du théâtre et l'actualité des costumes (jeans et baskets) font du spectacle un succès populaire. Les danseurs, aux corps athlétiques et puissants, et les danseuses à l'extrême virtuosité fascinent et séduisent un large public. Béjart cherchera ensuite à faire évoluer le ballet vers un « théâtre total ».

Jiřý Kylian (Tch., né en 1947), ***Symphonie des psaumes*** (1978) • Installé aux Pays-Bas, le chorégraphe tchèque crée en 1978 ce ballet, qui marque la volonté d'établir des passerelles entre les différentes techniques de la danse. La musique de Stravinski lui inspire une interrogation sur l'homme et son devenir. Les danseurs évoluent en simples justaucorps, sans pointes, et leur gestuelle est tout empreinte de modernité. Kylian élabore son vocabulaire à partir d'une synthèse du classique, de la danse moderne telle qu'elle est illustrée par Graham et Limón, et de danses folkloriques de son pays d'origine. À la tête de la troupe du Nederlands Dans Theater, il assouplira le néoclassicisme au travers de nombreuses créations, et fera de sa compagnie un modèle pour sa technique interdisciplinaire.

William Forsythe (É.-U., né en 1949), ***In the Middle, Somewhat Elevated*** (1987) • Deuxième volet du spectacle *Impressing the Czar*, ce ballet est une véritable explosion visuelle et sonore où la danse, la musique et la lumière s'enchevêtrent. Directeur du Ballet de Francfort, le chorégraphe use du vocabulaire classique en le déstructurant à l'extrême. Il désarticule le corps dans des enchaînements complexes, rapides, nécessitant technique et virtuosité, et utilise l'improvisation. Ce qui distinguait le néoclassique et le contemporain est remis en question, et les variations d'*In the Middle*… sont souvent l'occasion pour les danseuses de l'opéra de briller dans un style ouvert à la nouveauté.

◆ **Jorge Donn** (1947-1992), **dans *Boléro* de Maurice Béjart.**
Le *Boléro* de Ravel, chorégraphié par Maurice Béjart, met en valeur le danseur fétiche du chorégraphe, Jorge Donn, qui incarne un nouveau style de danseur, au corps viril et musclé, virtuose de la danse masculine débarrassée de toute fioriture classique.

La danse moderne

La modern dance américaine

Alors que le ballet européen stagne dans l'académisme, les théoriciens préparent dès la fin du XIXe s. l'apparition d'un courant novateur qui voit le jour presque simultanément des deux côtés de l'Atlantique. Aux États-Unis, pays neuf en pleine expansion, où la tradition classique est quasi inexistante, Isadora Duncan (1878-1927) pose les bases d'une danse expressive, libre de codes conventionnels, que lui inspire l'observation de la nature. Dans le sillage de cette pionnière mythique, Ruth Saint Denis et Ted Shawn introduisent un nouveau langage gestuel, fondé sur la mobilité du torse et la marche nu-pieds. Ils revendiquent les origines sacrées de leur art, dans une double tentative d'affirmer l'unité du corps et de l'esprit, et de réhabiliter le statut du danseur au sein d'une société puritaine. De leur école, la Denishawn School, sont issus les chefs de file de la modern dance, telles Doris Humphrey et Martha Graham, qui mettent au point de solides techniques, par le biais d'une recherche approfondie sur la motricité du corps. Le caractère explicitement américain qu'elles impriment à leurs créations deviendra la marque de la danse moderne. Pour leurs élèves, il importe essentiellement de consolider ces acquis, tout en se lançant dans des voies personnelles.

Dans les années 1950, la danse moderne constitue déjà une forme artistique fermement définie. Pivot entre deux époques, Merce Cunningham, en collaboration avec le musicien John Cage, opère une rupture radicale par la remise en question des pratiques spectaculaires. Convaincu que le mouvement est le support primaire de la danse, il le libère des lois de la perspective frontale, des rapports coordonnés avec la musique, de la contrainte de l'argument. Son expérimentation sur la notion du hasard prépare le terrain pour la génération postmoderne. Alwin Nikolaïs tente aussi de décentraliser le mouvement, mais par le moyen d'une fusion complète des effets chorégraphiques, sonores et visuels. Grâce à ces deux maîtres, la danse entrera bientôt dans l'ère du multimédia.

Ruth Saint Denis (É.-U., 1877-1968), *Radha* (1906) • Sans souci d'authenticité, Saint Denis puise dans l'orientalisme en vogue au tournant du siècle, pour interpréter sur scène une déesse hindoue. *Radha* est le solo emblématique de Saint Denis, consacrant son image de danseuse exotique. Sur ce fond éclectique et décoratif, elle saura mettre en place des éléments gestuels, telles l'ondulation des bras et la souplesse du dos, qui préfigurent la naissance d'un langage chorégraphique moderne.

Doris Humphrey (É.-U., 1895-1958), *The Shakers* (1931) • La pièce chorégraphique, créée en 1931 à New York, emprunte son titre à une secte religieuse d'origine puritaine qui pratiquait la danse collective. Partant de la transe des Shakers, Humphrey met en scène un rite tonique, qui traduit les tensions entre individu et société. Le motif récurrent du corps oscillant d'avant en arrière illustre le jeu entre équilibre et déséquilibre, qui constitue la base de la technique de Humphrey.

Ted Shawn (É.-U., 1891-1972), *Kinetic Molpai* (1935) • Désireux de replacer la figure masculine au cœur de la danse, Shawn cherche à accréditer l'image d'un danseur viril et sportif. Avec cette pièce chorégraphique, il signe son œuvre majeure, spécialement conçue pour sa compagnie exclusivement masculine. Dans cette suite de danses vigoureuses sur le destin de l'homme, Shawn inscrit une gestuelle percutante qui part du torse, en référence aux théories de François Delsarte.

◆ **Isadora Duncan et ses élèves** (1903). La grande prêtresse de la danse libre fonde et dirige, au gré de ses rencontres et de ses enthousiasmes, plusieurs écoles en Europe (Berlin, Bellevue et Moscou). À ses « Isadorables » elle demande de regarder la nature et de chercher à l'exprimer par leur corps. (BNF, Paris)

Martha Graham (É.-U., 1894-1991), *Night Journey* (1947) • L'œuvre appartient au deuxième cycle créatif de Graham, qui offre une relecture psychanalytique des mythes grecs. Au moment de sa mort, la reine Jocaste passe sa vie en revue avec Œdipe, son fils et époux. Ce retour en arrière permet à Graham de déplacer le centre de l'action sur le personnage de Jocaste, qu'elle incarne avec une intensité dramatique propre à sa gestuelle, fondée sur la mobilité du bas-ventre. La composition spatiale s'organise autour du lit conjugal, œuvre sculpturale épurée de son proche collaborateur, Isamu Noguchi (1904-1988).

José Limón (Mex., nat. amér. 1908-1972), *la Pavane du Maure* (1949) • Limón règle une version elliptique d'*Othello* de Shakespeare, sous forme d'une pavane, qui réunit les deux couples de protagonistes. Cette ancienne danse de cour contraste par sa rigueur formelle avec l'agitation des émotions individuelles, qu'exprime chaque danseur en se détachant du groupe initial. Le drame humain, force motrice de la création de Limón, imprègne cette œuvre, qui reste encore aujourd'hui dans le répertoire de nombreuses compagnies.

◆ **Martha Graham** est une figure essentielle de la danse moderne. Chorégraphe exceptionnelle, elle fut aussi une soliste inoubliable de ses œuvres. Ici, dans l'une de ses propres chorégraphies, *Letter to the World* (1940).

Merce Cunningham (É.-U., né en 1919), *Summerspace* (1958) • Cunningham crée un espace en perpétuel changement, en écho à la théorie de la relativité d'Einstein. Aucun point n'étant prééminent, chaque danseur devient un centre potentiel qui se déplace. Dans cette pièce, il s'attaque à la perspective frontale par un inversement ingénieux : ce n'est plus le dispositif scénique mais c'est le corps même, s'essayant au déplacement latéral, qui crée la frontalité en se tenant de face. Le peintre Robert Rauschenberg invente un décor pointilliste, incorporant les danseurs vêtus de collants du même style.

Alwin Nikolaïs (É.-U., 1912-1992), *Imago* (1963) • Nikolaïs, dit «le Magicien», conçoit ses spectacles dans toutes leurs composantes. Mouvement, musique et scénographie fusionnent dans des œuvres abstraites, où l'interaction entre les danseurs et l'espace s'avère le vrai protagoniste. *Imago* en constitue un exemple caractéristique : les corps des danseurs, transformés à l'aide de tissus élastiques et de diverses prothèses en une chaîne d'insectes, créent, sous des jeux lumineux multicolores, un univers kaléidoscopique de formes mouvantes.

Les théoriciens

Le Français François Delsarte (1811-1871) formule à la fin du XIXe siècle des principes qui auront une influence décisive outre-Atlantique. En attribuant à chaque mouvement une signification spirituelle, il établit une relation directe entre le geste et l'émotion dont il situe le centre dans le torse. De son côté, le musicien et pédagogue suisse Émile Jaques-Dalcroze (1865-1950) met au point la gymnastique rythmique, qui développe le sens musical en mobilisant le corps entier. Cette méthode d'enseignement du rythme par le mouvement rayonne surtout en Allemagne.

Enfin, le Hongrois Rudolf von Laban (1879-1958), grand expérimentateur, est le premier à doter la danse d'une «pensée motrice». Il élabore un système d'analyse du mouvement, ainsi qu'une méthode de notation (1928), qui exercent toujours une influence capitale. Pour Laban, l'espace, le temps et le flux sont les trois facteurs du mouvement, qu'il détermine comme un trajet parcouru entre différents points de l'espace.

spiritualité. Or, les personnages de tous ses films situent leur action et leur réflexion dans le champ spirituel. Ainsi Andreï Roublev, moine et peintre d'icônes au XVe s., en révolte contre l'art officiel, tout comme Tarkovski, qui, en butte aux tracasseries de l'administration soviétique, dut s'exiler pour poursuivre une œuvre contestataire qu'illustrent *le Miroir* (1976), *Nostalghia* (1983) et *le Sacrifice* (1986).

Ingmar Bergman (Suède, né en 1918), ***Cris et Chuchotements*** (1973) • « Un être humain meurt, mais comme dans un cauchemar, il est coincé à mi-chemin et il prie pour qu'on lui donne de la tendresse, de la pitié, une délivrance, n'importe quoi. » Ainsi décrit par son auteur, ce film mêle émotions et sensations fortes, analyse la solitude, l'humiliation, l'angoisse, comme *le Septième Sceau* (1957), *le Silence* (1963), *Persona* (1966), *Fanny et Alexandre* (1982).

John Cassavetes (É.-U., 1929-1989), ***Une femme sous influence*** (1974) • Mabel (Gena Rowlands) perd la tête et se réfugie dans l'alcool. Après un long traitement, retrouvera-t-elle le bonheur auprès des siens ? « L'amour, son absence, sa mort et la douleur qu'entraîne la perte des gens et des choses qui nous sont les plus chers » (Cassavetes), tels sont les sujets qui passionnent le cinéaste et qu'illustrent *Faces* (1968), *Husbands* (1970), *Ainsi va l'amour* (1971), *Gloria* (1980) et *Love Streams* (1983).

Rainer Werner Fassbinder (All., 1945-1982), ***le Mariage de Maria Braun*** (1979) • Mélo flamboyant au romantisme échevelé, ce film évoque l'histoire de l'Allemagne – de la défaite, en 1945, au spectaculaire redressement de son économie – à travers celle, métaphorique, de Maria Braun, prête à tout pour retrouver un mari et un bonheur perdus. Cinéaste indépendant et provocateur, Fassbinder a dénoncé dans ses films le « miracle allemand » et son idéologie réduite au slogan : « Enrichissez-vous ! »

Satyajit Ray (Inde, 1921-1992), ***la Maison et le Monde*** (1984) • Un mari aux idées libérales encourage l'émancipation de son épouse, au risque de compromettre leur union. Jean-Marie Le Clézio définit ainsi le style de Satyajit Ray : « Excepté Bresson, il n'y a pas de cinéaste qui puisse dire tant de choses avec tant de pudeur, tant de secret » *Pather Panchali* (1955), *le Salon de musique* (1958), *Charulata* (1964), *le Visiteur* (1991) illustrent aussi cette définition.

Woody Allen (É.-U., 1935), ***la Rose pourpre du Caire*** (1985) • « Le charme de l'imaginaire, en opposition à la difficulté de vivre, est un thème récurrent de mon travail », a déclaré Woody Allen à propos de ce film où la magie du cinéma transfigure le quotidien d'une femme pauvre. Ce message sous-tend l'œuvre du cinéaste où s'expriment, sur le ton de la comédie, les angoisses contemporaines : *Manhattan* (1979), *Hannah et ses sœurs* (1986), *Alice* (1990), *Tout le monde dit « I love you »* (1996).

Alain Resnais (Fr., 1922), ***Smoking/No smoking*** (1993) • Deux films jumeaux dont les neuf rôles sont interprétés par deux comédiens, Sabine Azéma et Pierre Arditi. Un vaudeville en forme de puzzle qui tente de répondre, par l'humour, à cette question : l'homme est-il maître de son destin ? Une œuvre expérimentale comme toutes celles qu'a signées Resnais, d'*Hiroshima mon amour* (1959) à *On connaît la chanson* (1997), en passant par *Providence* (1976), *Mon oncle d'Amérique* (1980) et *La vie est un roman* (1983).

Krzysztof Kieslowski (Pol., 1941-1996), ***Trois Couleurs - Bleu*** (1993) **- *Blanc*** (1994) **- *Rouge*** (1994) • Cette trilogie illustre les notions de Liberté (Bleu), d'Égalité (Blanc) et de Fraternité (Rouge). La réalité y est le point de départ d'une réflexion sur l'homme en conflit avec lui-même, la société et Dieu. Mais le fantastique et la poésie transfigurent cette réalité et font de *Trois Couleurs*, comme du *Décalogue* (1989-1990) et de *la Double Vie de Véronique* (1991) des œuvres uniques.

◆ **Jean Renoir** (Fr., 1894-1979), ***la Règle du jeu*** (1939), avec Paulette Dubost, Julien Carette, Gaston Modot. Impétueux et lyrique, amoureux d'une liberté qui l'écarte des normes classiques, Renoir fait le procès d'un monde qui meurt. Mutilé, puis interdit par la censure, le film devra attendre près de 30 ans pour ressortir dans sa version complète.

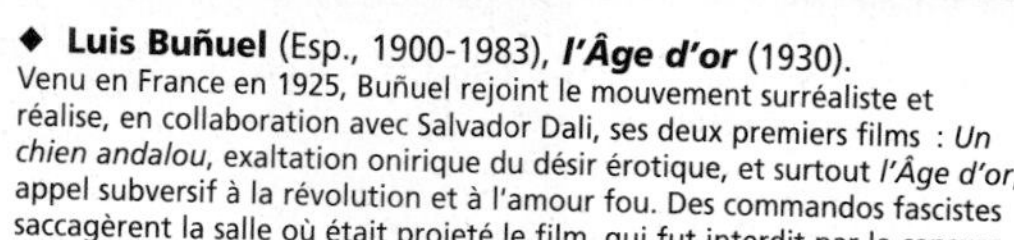

◆ **Luis Buñuel** (Esp., 1900-1983), ***l'Âge d'or*** (1930). Venu en France en 1925, Buñuel rejoint le mouvement surréaliste et réalise, en collaboration avec Salvador Dali, ses deux premiers films : *Un chien andalou*, exaltation onirique du désir érotique, et surtout *l'Âge d'or*, appel subversif à la révolution et à l'amour fou. Des commandos fascistes saccagèrent la salle où était projeté le film, qui fut interdit par la censure.

◆ **Des auteurs et des films.**

Cinéastes	Films
Theo Angelopoulos (Grèce, né en 1935)	*le Voyage des comédiens* (1975)
Jacques Becker (Fr., 1906-1960)	*Casque d'or* (1952)
Robert Bresson (Fr., né en 1901)	*Pickpocket* (1959)
Claude Chabrol (Fr., né en 1930)	*le Boucher* (1970)
Youssef Chahine (Ég., né en 1926)	*le Destin* (1997)
Marguerite Duras (Fr., 1914-1996)	*India Song* (1975)
Sergueï M. Eisenstein (URSS, 1898-1948)	*le Cuirassé Potemkine* (1925)
Jacques Feyder (Fr., 1885-1948)	*la Kermesse héroïque* (1935)
Abel Gance (Fr., 1889-1981)	*la Roue* (1923)
Peter Greenaway (G.-B., né en 1942)	*Meurtre dans un jardin anglais* (1982)
Hou Hsiao-Hsien (Taïwan, né en 1947)	*le Maître de marionnettes* (1993)
Elia Kazan (É.-U., né en1909)	*America, America* (1963)
Emir Kusturica (Youg., né en 1955)	*Arizona Dream* (1993)
Marcel L'Herbier (Fr., 1888-1979)	*l'Argent* (1929)
Joseph Losey (É.-U., 1909-1984)	*le Messager* (1971)
Joseph L. Mankiewicz (É.-U., 1909-1993)	*Eve* (1950)
Manoel de Oliveira (Port., né en 1908)	*le Val Abraham* (1993)
Max Ophuls (Fr., 1902-1957)	*Lola Montès* (1955)
Nagisa Oshima (Jap., né en 1932)	*l'Empire des sens* (1976)
Pier Paolo Pasolini (It., 1922-1975)	*Salo ou les Cent Vingt Journées de Sodome* (1976)
Maurice Pialat (Fr., né en 1925)	*Van Gogh* (1995)
Éric Rohmer (Fr., né en 1920)	*les Nuits de la pleine lune* (1984)
Jacques Rivette (Fr., né en 1928)	*la Belle Noiseuse* (1991)
Claude Sautet (Fr., né en 1924)	*Un cœur en hiver* (1992)
Martin Scorsese (É.-U., né en 1942)	*Raging Bull* (1979)
Agnès Varda (Fr., née en 1926)	*Sans toit ni loi* (1985)
Wim Wenders (All., né en 1945)	*les Ailes du désir* (1987)

◆ **Luchino Visconti** (It., 1906-1976), ***le Guépard*** (1968), avec Claudia Cardinale et Burt Lancaster. Au-delà du drame d'un homme vieillissant confronté à sa propre mort, ce film est aussi la peinture de l'aristocratie terrienne qui, avec la proclamation, en 1860, de l'unité italienne, cédera le pouvoir à la bourgeoisie libérale.

Drame et mélodrame

« L'art du désespoir »

Le drame émeut, parfois aux larmes. Il décrit les accidents douloureux de l'existence – mi-sère, solitude, maladie, mort… – et ne laisse guère de place à l'espoir. Ses sources d'inspiration sont intarissables ; il imprègne tous les genres, même le burlesque, comme en témoigne, exemplairement, l'œuvre de Chaplin, où le rire et les larmes sont les deux faces de la même pièce, le drame de la vie qu'on appelle aussi la comédie humaine.

Le spectateur projette dans des péripéties dramatiques ses propres angoisses quotidiennes. Le drame est foncièrement réaliste. Le mélodrame, en revanche, perd tout contact avec la réalité en accentuant délibérément le désespoir, au risque, parfois, du ridicule.

Souvent méprisé pour ses outrances, le mélodrame a néanmoins suscité de grands films – signés Frank Borzage (*l'Adieu aux armes*, 1933), Joseph L. Mankiewicz (*la Comtesse aux pieds nus*, 1954) ou Douglas Sirk (*Écrit sur du vent*, 1956) – qui retrouvent, au-delà du réalisme, le ton et l'univers de la tragédie où les héros, quelle que soit leur force de caractère, sont condamnés par un destin qui les accable.

Joseph von Sternberg (Autr., nat. amér. 1894-1969), ***l'Ange bleu*** (1930) • Un vieux professeur s'éprend de Lola-Lola (Marlene Dietrich), chanteuse dans un cabaret, L'Ange Bleu. Il l'épouse mais la belle, volage, le trompe. Le vieil homme en mourra. « Je suis, de la tête aux pieds, faite pour l'amour », chante Marlene, qui, en six films sous la direction de Sternberg, va devenir une star mythique de l'écran, incarnation de la sensualité et de la beauté.

George Cukor (É.-U., 1899-1983), ***le Roman de Marguerite Gautier*** (*Camille*, 1936) • Courtisane, Marguerite Gautier (Greta Garbo) mène une vie frivole jusqu'à sa rencontre avec Armand Duval (Robert Taylor), jeune homme de bonne famille dont elle tombe follement amoureuse. Pour éviter un scandale, elle se sacrifie et quitte son bien-aimé. Le talent, sobre et tragique, de Garbo éclate dans la scène de la mort de Marguerite, sommet mélodramatique de l'œuvre, adaptation de la *Dame aux camélias*, d'Alexandre Dumas fils.

Victor Fleming (É.-U., 1883-1949), ***Autant en emporte le vent*** (1939) • Alors que la guerre de Sécession fait rage, l'orgueilleuse Scarlett O'Hara (Vivien Leigh) se bat avec énergie pour conserver Tara, la plantation familiale que menace l'avance nordiste, et conquérir l'amour de Rhett Butler (Clark Gable), pour qui le mariage est une soumission. Par l'opulence des moyens mis en œuvre, le luxe des décors et des costumes, le gigantisme des séquences à grand spectacle, ce film, adapté du roman-fleuve de Margaret Mitchell, est un pur produit de l'âge d'or d'hollywood. Son véritable auteur est le producteur, David O. Selznick, plutôt que l'un ou l'autre des cinq cinéastes qui intervinrent dans sa réalisation.

Claude Autant-Lara (Fr., né en 1901), ***le Diable au corps*** (1947) • En 1917, la guerre fait rage. Alors que son mari est au front, Marthe (Micheline Presle) vit avec un lycéen, François (Gérard Philipe), une liaison que la morale bourgeoise réprouve. Les amants voient en effet dans la guerre l'opportunité de vivre leur passion, affirmant ainsi l'absolue primauté de l'amour sur le monde, de l'individu sur la nation. Les obsèques de Marthe, morte en mettant au monde l'enfant de son amant, seront célébrées le 11 novembre 1918. Le film fit scandale à sa sortie, tout comme l'avait fait le roman de Raymond Radiguet – dont il est l'adaptation – à sa publication en 1923, mais connut un grand succès commercial.

Vittorio (né en 1929) et Paolo Taviani (It., né en 1931), ***Padre Padrone*** (1977) • Exécutant la volonté de son père-patron, Gavino Ledda quitte l'école à 6 ans pour devenir berger. Plus tard, il apprendra à lire et à écrire et, de retour au pays, refusera de travailler aux champs. Père et fils se battent ; le patron doit se soumettre. Drame de l'ignorance, condamnation de l'obscurantisme et apologie de la révolte, cette œuvre de deux maîtres du lyrisme cinématographique a obtenu la Palme d'or au Festival de Cannes (1977).

Lars Von Trier (Dan., né en 1956), ***Breaking the Waves*** (1996) • En Écosse, dans une communauté protestante qui impose à ses fidèles une totale soumission aux préceptes moraux de la Bible, Bess épouse Jan. Par amour pour celui-ci, accidenté et paralysé, et croyant obéir à la volonté divine, la jeune femme se prostitue, subit les pires sévices et meurt. Jan, miraculeusement guéri, entend des cloches sonner dans le ciel : c'est Bess ! Affrontant les clichés les plus extravagants du mélodrame, Von Trier les transfigure par le lyrisme et exalte les correspondances plastiques entre la beauté sauvage des paysages où se déroule le drame, et la folle et tragique passion qui anime ses protagonistes.

◆ **Erich von Stroheim** (É.-U., 1885-1957), ***les Rapaces*** (1925), avec Zasu Pitts et Gibson Gowland. En dépit des mutilations et des coupures imposées par les producteurs, cette vaste fresque reste le meilleur exemple de la démesure de Stroheim, de son génie naturaliste, de sa vision féroce de l'humanité. Chassé des studios en 1928, « l'homme que vous aimerez haïr » (comme le baptisa la publicité) abandonnera la réalisation et se consacrera à son métier d'acteur.

◆ **John Huston** (É.-U., 1906-1987), ***The Misfits*** (1961). À côté de Clark Gable et devant Montgomery Clift, Marilyn Monroe, l'une des stars les plus fascinantes — et les plus pathétiques — de Hollywood.

◆ **Quelques classiques du mélo.**

Cinéastes	Films
David W. Griffith (É.-U., 1875-1948)	*les Deux Orphelines* (*Orphans of the Storm*, 1922)
Leo McCarey (É.-U., 1897-1969)	*Elle et Lui* (*Love Affair*, 1939)
Mervyn LeRoy (É.-U., 1900-1987)	*la Valse dans l'ombre* (*Waterloo Bridge*, 1940)
Max Ophuls (Fr., 1902-1957)	*Madame de…* (1953)
Douglas Sirk (É.-U., 1897-1957)	*Mirage de la vie* (*Imitation of Life*, 1959)
Luigi Comencini (It., né en 1916)	*l'Incompris* (*Incompreso*, 1967)
Alain Resnais (Fr., né en 1922)	*Mélo* (1986)
Jean-Paul Rappeneau (Fr., né en 1932)	*Cyrano de Bergerac* (1990)
Pedro Almodovar (Esp., né en 1949)	*Talons aiguilles* (1991)

◆ **François Truffaut** (Fr., 1932-1984), ***le Dernier Métro*** (1980). Catherine Deneuve et Gérard Depardieu interprètent ce mélodrame dont l'action se situe dans un théâtre parisien pendant l'Occupation. Grand succès public et critique, le film fut récompensé par neuf césars.

Le réalisme poétique

Dans les années 1930, certains cinéastes français puisent leurs sujets dans la réalité sociale. Mais les héros de ces films – chômeurs, prostituées, déserteurs –, jouets de la fatalité , les décors stylisés suintant le désespoir , la lumière violemment contrastée, expressionniste , ou encore les dialogues ciselés par des maîtres comme Henri Jeanson, Charles Spaak ou Jacques Prévert : tout concourt à nimber de poésie le réalisme de ces films.

La Rue sans nom **(Pierre Chenal, 1934),** ***l'Atalante*** **(Jean Vigo, 1934),** ***Pension Mimosas*** **(Jacques Feyder, 1935),** ***Pépé le Moko*** **(Julien Duvivier, 1936) sont quelques-uns des fleurons du réalisme poétique dont la trilogie de Marcel Carné (*Quai des Brumes*, 1938 ; *Hôtel du Nord*, 1938 ; *Le jour se lève*, 1939) est le sommet et Jean Gabin le comédien emblématique.**

La comédie

Rires et sourires

Au cinéma, le public accorde massivement ses faveurs à la comédie parce qu'elle peint la vie en rose et se termine bien. D'ailleurs, les comédies sont nombreuses en tête du palmarès des meilleures recettes, aux côtés de films d'aventures et de dessins animés. Depuis toujours vivace au théâtre, classique et de boulevard, le genre n'est apparu sur les écrans qu'après l'avènement du cinéma parlant, car il a besoin, pour être pleinement efficace, du discours, du dialogue, des accents et des jeux de mots, sous-entendus et pataquès qu'autorise le langage. C'est pourquoi il a supplanté le burlesque, ce comique de mouvements et de mimiques qui mettait en joie les spectateurs du cinéma muet.

La comédie ne vise pas à provoquer de continuels éclats de rire mais ambitionne, avec le sourire, de faire réfléchir son public. La parole, en effet, lui permet d'approfondir la psychologie de ses personnages (comédie de caractères), de développer des péripéties riches en potentialités comiques (comédie de situations), de fustiger, par la dérision, les travers et ridicules d'une société ou d'un groupe humain (comédie de mœurs). Le genre est si divers, si riche, si universel, si intemporel, qu'il n'est pas, tout comme le drame, réductible à une définition univoque. Mais alors, plutôt qu'un genre, la comédie ne serait-elle pas un ton, une vision optimiste de la vie et du monde, une couleur vive en contraste radical avec la tonalité, en noir et gris, du drame, son envers de toujours ?

Frank Capra (É.-U., 1897-1991), *New York-Miami (It Happened One Night*, 1934) • Une riche et capricieuse héritière (Claudette Colbert) et un journaliste ambitieux (Clark Gable) découvrent l'amour à la faveur d'un voyage impromptu. C'est le prototype de la « comédie américaine » qui oppose, avant de les réunir, des personnages que tout sépare en apparence, l'éducation et le statut social. Capra s'imposera en maître du genre avec *l'Extravagant M. Deeds* (1936), *Vous ne l'emporterez pas avec vous* (1938) et *Monsieur Smith au Sénat* (1939).

Sacha Guitry (Fr., 1885-1957), ***le Roman d'un tricheur*** (1936) • « 40 ans de la vie d'un homme auquel ses mauvaises actions portent bonheur et que la chance abandonne aussitôt qu'il veut s'amender ». Guitry résume ainsi ce film où, exploitant en virtuose les ressources de la technique et du montage, il invente une écriture cinématographique toute personnelle, au service des fantaisies de son imagination.

Howard Hawks (É.-U., 1896-1977), ***l'Impossible Monsieur Bébé*** *(Bringing up Baby, 1938)* • Cinéaste éclectique, Hawks a réalisé quelques-uns des plus réjouissants fleurons de la comédie américaine : *Allez coucher ailleurs* (1949), *Chérie, je me sens rajeunir* (1952), *Les hommes préfèrent les blondes* (1953). Monsieur Bébé n'est autre qu'un léopard apprivoisé et cabotin qui s'ingénie à voler la vedette au couple Katharine Hepburn-Cary Grant. La première est une richissime écervelée, le second un paléontologue distrait.

Ernst Lubitsch (É.-U., 1892-1947), *Ninotchka* (1939) • Communiste pure et dure, Ninotchka est dépêchée en mission à Paris par le gouvernement soviétique. Elle va succomber aux sirènes du capitalisme, aux charmes de la Ville Lumière et de son séduisant guide français qui transforme l'ancienne militante sévère en femme du monde élégante et amoureuse. Greta Garbo interprète la première comédie de sa carrière sous la direction d'un orfèvre du genre, Ernst Lubitsch, auteur, entre autres, de *Sérénade à trois* (1933) et *la Huitième Femme de Barbe-Bleue* (1938).

René Clair (Fr., 1898-1981), ***Le silence est d'or*** (1947) • Hommage aux pionniers du cinéma muet, le film – dont Maurice Chevalier tient le rôle principal – est un parfait exemple de la comédie « à la française » qui allie justesse et légèreté, ironie et émotion, mélancolie et bonne humeur, trouvailles visuelles et finesse des dialogues. René Clair fut un maître du genre : *Un chapeau de paille d'Italie* (1927), *les Deux Timides* (1928), *le Million* (1931), *À nous la liberté* (1931) et *les Belles de nuit* (1952), entre autres, en témoignent.

Billy Wilder (É.-U., né en 1906), ***Certains l'aiment chaud*** (1959) • Chicago, 1929 : pour échapper aux gangsters qui les traquent, deux musiciens se travestissent en femmes et partent en tournée avec un orchestre féminin. L'un tombe amoureux de Sugar (Marilyn Monroe), la chanteuse ; l'autre séduit, à son corps défendant, un milliardaire ! La situation est vaudevillesque, et Wilder l'enrichit à plaisir, avec la complicité de ses comédiens masculins, Tony Curtis et Jack Lemmon, de sous-entendus sexuels, équivoques et grivois !

Blake Edwards (É.-U., né en 1922), ***la Party*** (1968) • Peter Sellers (1925-1980), comédien britannique révélé par le film de Stanley Kubrick *Docteur Folamour* (1964), où il interprétait le rôle-titre, fut l'inspecteur Clouseau de la série *Panthère rose*. Imperturbable, naïf et terriblement gaffeur, il est, dans *la Party*, l'éléphant dans le magasin de porcelaine d'une réception mondaine où il a été invité par erreur.

◆ **L'humour, toujours.**

Cinéastes	Films
Leo McCarey (É.-U., 1898-1969)	*l'Extravagant M. Ruggles* (1935)
Gregory LaCava (É.-U., 1892-1952)	*My Man Godfrey* (1936)
Marcel Carné (Fr., 1909-1996)	*Drôle de drame* (1937)
Alexander Mackendrick (G.-B.,1912-1993)	*Whisky à gogo* (1948), *l'Homme au complet blanc* (1951)
Robert Hamer (G.-B.,1911-1963)	*Noblesse oblige* (1949)
Jacques Becker (Fr.,1906-1960)	*Édouard et Caroline* (1951)
Basil Dearden (G.-B.,1911-1971)	*Hold-Up à Londres* (1960)
Terry Gilliam (G.-B.,né en 1940) et Terry Jones (G.-B.,né en 1942)	*Monty Python, sacré Graal* (1975)
Blake Edwards (É.-U., né en 1922)	*Victor Victoria* (1982)
Jean-Marie Poiré (Fr., né en 1945)	*Le Père Noël est une ordure* (1982)
Percy Adlon (All., né en 1935)	*Bagdad Café* (1987)
Charles Crichton (G.-B.,né en 1910)	*Un poisson nommé Wanda* (1988)
Mike Newell (G.-B., né en 1942)	*Quatre Mariages et un Enterrement* (1994)
Peter Cattaneo (G.-B.,né en 1964)	*The Full Monty* (1997)

◆ **Gérard Oury** (Fr., né en 1919), ***la Grande Vadrouille*** (1966). Bourvil et Louis de Funès sont les héros de cette farce dont les péripéties se déroulent durant la Seconde Guerre mondiale et qui a attiré dans les salles plus de 17 millions de spectateurs : un record pour un film français.

◆ **George Dewey Cukor** (É.-U., 1899-1983), ***Indiscrétions*** (1940). Ce film est un sommet de la comédie américaine grâce, en particulier, au charme, à l'entrain et à l'humour de ses principaux interprètes : Katharine Hepburn, Cary Grant et James Stewart.

La comédie italienne

Au lendemain de la Seconde Guerre mondiale, les films néoréalistes dressent le constat tragique d'une Italie en ruine. Quelques années plus tard, le pays s'est relevé mais la crise sociale a succédé au marasme économique.

Dans la tradition de la commedia dell'arte, la comédie italienne dresse alors un nouvel état de la nation ; le ton est ironique, parfois amer, jamais désespéré. Mario Monicelli, en 1958, signe *le Pigeon*, acte de naissance d'un genre qu'il illustrera encore avec *la Grande Guerre* (1959) et *Mes chers amis* (1975). Dino Risi (*Une vie difficile*, 1961 ; *la Marche sur Rome*, 1962 ; *la Femme du prêtre*, 1970) et Ettore Scola (*Drame de la jalousie*, 1970 ; *Affreux, sales et méchants*, 1976) réalisent nombre de comédies où s'épanouissent les acteurs Vittorio Gassman, Nino Manfredi, Marcello Mastroianni, Alberto Sordi, Ugo Tognazzi.

Dans les années 1990, Nanni Moretti (*Journal intime*, 1993) et Roberto Benigni (*La vie est belle*, 1998) assurent la relève et se montrent les dignes héritiers des maîtres de la comédie à l'italienne.

La comédie musicale

De Broadway à Hollywood

Broadway, la grande artère qui traverse Manhattan, à New York, était au début du XXe s. la capitale mondiale de l'*entertainment*, vocable qui définit toute la magie du spectacle avec son luxe, ses lumières, ses paillettes, son rythme et ses couleurs (*That's entertainment*, « Ça, c'est du spectacle », fut le titre de plusieurs compilations de grandes comédies musicales). Dans ses nombreux théâtres se succédaient les revues de music-hall et des pièces chantées et dansées baptisées « comédies musicales ». Dès que le cinéma eut accès, en 1927, au son et à la parole, Hollywood se lança à son tour dans la production de ce type de spectacles dont seul, jusqu'alors, Broadway pouvait s'enorgueillir.

Les premières comédies musicales hollywoodiennes (*The Broadway Melody*, Harry Beaumont, 1929, la *Féerie du jazz*, John Murray Anderson 1930), ressemblèrent à du théâtre filmé. Mais, très vite, la caméra s'affranchit des limites de la scène pour suivre les évolutions de centaines de chanteurs et de danseurs dans de gigantesques décors.

Le succès fut tel qu'un département de la Metro-Goldwyn-Mayer fut, dans les décennies 1940 et 1950, totalement voué à la comédie musicale. Grâce à des cinéastes comme Stanley Donen (*Un jour à New York*, 1949), Vincente Minnelli (*Tous en scène*, 1953), Charles Walters (*Parade de printemps*, 1948), à des comédiens comme Judy Garland, Gene Kelly, Cyd Charisse, le genre connut alors son âge d'or. Trop coûteux, il ne survécut pas à la chute de fréquentation des salles. Et Broadway est redevenue la seule et prestigieuse vitrine de la comédie musicale.

Lloyd Bacon (É.-U., 1890-1955), ***42e Rue*** (1933) • L'histoire d'une revue de music-hall, jalonnée de périodes d'exaltation et de découragement jusqu'au triomphe, face au public le soir de la « première ». Les numéros dansés et chantés sont réglés, avec la rigueur d'une mécanique de précision, par Busby Berkeley, chorégraphe de génie qui dirige des dizaines de *girls* et de *boys* dont les mouvements d'ensemble composent des figures géométriques qui se font et se défont comme dans un kaléidoscope.

Mark Sandrich (É.-U., 1900-1945), ***Top Hat*** (1935) • C'est le quatrième film du couple Fred Astaire-Ginger Rogers et le plus représentatif des dix qu'ils interprétèrent ensemble de *Carioca* (Thornton Freeland, 1933) à *Entrons dans la danse* (Charles Walters, 1949), en passant par *la Joyeuse Divorcée* (1934) et *l'Entreprenant M. Petrov* (1937), l'un et l'autre de Mark Sandrich.

Quiproquos et marivaudages mettent en valeur le charme et l'intelligence des deux comédiens. Mais le meilleur de leur talent se révèle dans les pas de deux où, sur des mélodies d'Irving Berlin (1888-1989) et une chorégraphie de Hermes Pan, Ginger et Fred s'envolent vers un univers de rêve dont ils sont, en apesanteur, les réjouissants démiurges.

Vincente Minnelli (É.-U., 1910-1986), ***Un Américain à Paris*** (1951) • Un superbe ballet conclut cette comédie musicale considérée comme un sommet du genre.

Chorégraphe et danseur à la musculature d'athlète, Gene Kelly y partage la vedette avec la ballerine française Leslie Caron. Le couple évolue sur la partition de George Gershwin, dont de nombreuses compositions émaillent tout le film. Les décors s'inspirent des toiles de Dufy, Renoir, Rousseau, Toulouse-Lautrec, Utrillo et Van Gogh.

Gene Kelly (É.-U., 1912-1996) et Stanley Donen (É.-U., né en 1924), ***Chantons sous la pluie*** (*Singing in the Rain*, 1952) • Le scénario évoque les débuts du cinéma parlant ainsi que les difficultés techniques qu'eurent à surmonter auteurs et acteurs des premières comédies musicales. Gene Kelly, Debbie Reynolds et Donald O' Connor sont les boute-en-train de ce film où musique, chansons et danses se mêlent aux péripéties d'une action qui, par sa richesse, échappe aux conventions du genre.

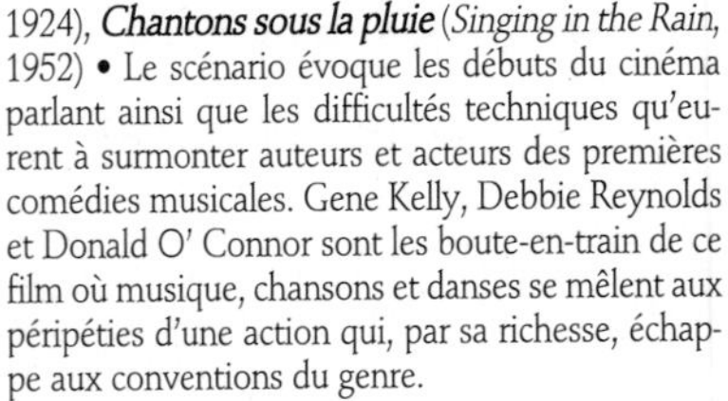

George Cukor (É.-U., 1899-1983), ***My Fair Lady*** (1964) • Éminent linguiste, le professeur Higgins (Rex Harrison) enseigne le beau langage et les bonnes manières à Eliza Doolittle (Audrey Hepburn), fleuriste sans éducation. Cukor compose une suite de tableaux d'une somptueuse élégance en hommage à la beauté – des décors, des voix, des couleurs, des costumes, des corps en mouvement – et à la femme, dont il fut – dans son œuvre, le peintre inspiré.

Bob Fosse (É.-U., 1927-1987), ***Cabaret*** (1972) • Les amours contrariées de Sally (Liza Minnelli), chanteuse de cabaret dans le Berlin des années 1930 alors que nazisme et antisémitisme exercent leurs premiers ravages. Dans ce film, on danse et chante encore, mais pour dire la précarité du bonheur dans un monde hostile. En rupture avec l'insouciance créatrice de ses prédécesseurs, Bob Fosse, danseur, chorégraphe et cinéaste, déclarait : « La mort est ce qui me fascine le plus. » Avec lui, le film musical n'est plus comédie, mais drame.

◆ Quelques autres comédies musicales.

Cinéastes	Films
Robert Z. Leonard (É.-U., 1889-1968)	*le Grand Ziegfeld* (1936)
Victor Fleming (É.-U., 1883-1949)	*le Magicien d'Oz* (1939)
Busby Berkeley (É.-U., 1895-1976)	*Place au rythme* (1939)
Charles Vidor (É.-U., 1900-1959)	*la Reine de Broadway* (1944)
Carol Reed (G.-B., 1906-1976)	*Oliver* (1968)
Brian De Palma (É.-U., né en 1940)	*Phantom of the Paradise* (1974)
Milos Forman (É.-U., né en 1932)	*Hair* (1979)
Alan Parker (G.-B., né en 1944)	*The Wall* (1983)

◆ Rouben Mamoulian (É.-U., 1898-1987), ***la Belle de Moscou*** (1957), avec Fred Astaire, le plus célèbre danseur de l'histoire du cinéma. La magie dansante de Fred Astaire, d'abord associé à Ginger Rogers, puis au côté d'autres partenaires également brillantes (Rita Hayworth, Eleanor Powell, Judy Garland, Cyd Charisse) a assuré pour une grande part le succès du genre dans les années 1930 et 1950.

◆ Robert Wise (É.-U., né en 1914) et **Jerome Robbins** (É.-U., 1918-1998), ***West Side Story*** (1961). George Chakiris, au centre, est la vedette de cette adaptation dansée et chantée de *Roméo et Juliette* de Shakespeare. Deux bandes d'adolescents, les Jets et les Sharks (Montaigus et Capulets modernes) s'y affrontent dans les bas-fonds de New York.

Jacques Demy

La comédie musicale « à l'américaine » n'a pas été adaptée en France jusqu'à la sortie, en 1964, du film de Jacques Demy (1931-1990) *les Parapluies de Cherbourg*. La tonalité de l'œuvre est celle d'un mélodrame plutôt que d'une comédie. En outre, si l'on y chante du début à la fin – sur des mélodies de Michel Legrand – on n'y danse pas encore. En revanche, dans *les Demoiselles de Rochefort* (1966), comédie sentimentale, les principaux interprètes – doublés pour les chansons – esquissent quelques pas de danse en compagnie de professionnels comme Gene Kelly et George Chakiris. Demy réalisera ensuite, entre autres, *Une chambre en ville* (1982), histoire d'amour sur fond de grève (musique de Michel Colombier), et *Trois Places pour le 26* (1988), interprété par Yves Montand : deux films « en-chantés », comme presque toute l'œuvre de Demy, le (seul) maître de la comédie musicale « à la française ».

Le burlesque

Un genre physique et visuel

Le film burlesque n'a cure de raconter une histoire. C'est pourquoi le genre a connu son âge d'or au temps du muet. L'essentiel, pour ses artisans, est de déclencher le maximum d'hilarité dans le minimum de temps. Une poursuite, une bataille de tartes à la crème suffisent à nourrir un scénario conçu pour un film de 10 à 20 minutes. Lorsque, au tournant des années 1920, le long métrage devient monnaie courante, les scénarios s'étoffent, laissant le temps à des créateurs de génie – Chaplin, Keaton, Lloyd, Langdon… – de composer un personnage mythique en le confrontant à un univers charpenté jusqu'au délire par une multitude de gags. Car le gag visuel, péripétie comique qui prend le spectateur par surprise, est tant le moyen que la fin de ce cinéma essentiellement physique.

Dès son arrivée en 1927, la parole, explicative, normative, psychologique, a tué le burlesque, monde de l'irrationnel et de la poésie. Les Marx Brothers, W.C. Fields ont cru le perpétuer en faisant jaillir du Verbe l'absurde, autre fondement du rire. Jacques Tati, Pierre Étaix ont renoué, avec succès mais sans lendemain, avec le silence aux origines de ce genre. Mais celui-ci, qui a tourné certaines des pages les plus réjouissantes de l'histoire du cinéma, est bien achevé.

Chaplin

Né à Londres le 16 avr. 1889, Charles Spencer Chaplin débute sur les planches en 1907. Lors d'une tournée aux États-Unis en 1913, il est engagé comme acteur par Mack Sennett. Dès 1914, il dirige ses propres films où il interprète Charlot, vagabond sentimental dont la maladresse fait rire et le regard pleurer, personnage mythique du cinéma. Jusqu'en 1923, il signe plus de 50 courts métrages muets, dont *l'Émigrant* (1917), *Une vie de chien* et *Charlot soldat* (1918), et *le Pèlerin* (1923). *Le Kid* (1921) est son premier long métrage, que suivront *la Ruée vers l'or* (1925), *le Cirque* (1928), *les Lumières de la ville* (1931), *les Temps modernes* (1936) et *le Dictateur* (1940). Chaplin abandonne Charlot – et le muet – avec *Monsieur Verdoux* (1947) et *Limelight* (1952), drames qui n'ont rien perdu de la boulever-sante humanité du mime génial dont le moindre des gestes révèle tout entier un cœur et une pensée infiniment fraternels (Jean-Louis Barrault). Charles Chaplin est mort dans la nuit de Noël 1977.

Fred Newmeyer (É.-U., 1888-1967) et **Sam Taylor** (É.-U., 1895-1958), ***Monte là-dessus*** (*Safety last,* 1923) • Harold Lloyd (1893-1971) est l'interprète de ce film où il escalade la façade d'un gratte-ciel. Avec ses lunettes d'écaille, son canotier et son opti-misme, il incarnait l'Américain moyen et fut, dans les années 1920, plus populaire aux États-Unis que Chaplin : son film *Vive le sport,* en 1925, eut plus de succès que *la Ruée vers l'or* !

Buster Keaton (É.-U., 1895-1966), ***le Mécano de la « General »*** (*The General,* 1926) • Co-réalisé par Clyde Bruckman, c'est le plus célèbre des films de Keaton, auteur, entre autres, de *la Croisière du Navigator* (1924), *les Fiancés en folie* (1925), *Ma vache et moi* (1925). Ici, faisant corps avec sa locomotive, la « General », il parcourt, « imperturbable », les champs de bataille de la guerre de Sécession à la poursuite de sa fiancée et de la gloire. « Plus j'étais sérieux, plus je faisais rire », a déclaré le comédien qui fut surnommé « l'homme qui ne rit jamais ».

◆ **Buster Keaton.** La silhouette imperturbable, le visage animé par le seul regard, il affronte la réalité sans autre ressource que son énergie. Il fut acteur, scénariste et réalisateur.

Clyde Bruckman (É.-U., 1894-1955), ***The Battle of the Century*** (1927) • C'est, selon l'écrivain Henry Miller, « le plus grand film comique jamais tourné ». Le sommet en est une apocalyptique bataille de tartes à la crème pour laquelle on fit fabriquer 4 000 tartes avec une tonne de pâte et 50 litres de crème. C'est le couple le plus calamiteux du cinéma burlesque, Stan Laurel (1890-1965) et Oliver Hardy (1892-1957), qui déclencha cette « bataille du siècle ».

Leo McCarey (É.-U. 1898-1969), ***Soupe au canard*** (*Duck Soup,* 1933) • Absurdité, illogisme, dynamitage des conventions, délire verbal et dérision systématique sont inhérents au comique non conformiste des Marx Brothers, vedettes de ce film. Dans *Soupe au canard,* Groucho, Chico et Harpo se livrent à un jeu de massacre dont le patriotisme et l'hystérie guerrière sont les cibles. « Ne faisons pas cette guerre », demande-t-on à Groucho, qui répond : « Trop tard, je viens de louer le champ de bataille ! »

◆ **Charles Chaplin** (É.-U., 1889-1977), ***la Ruée vers l'or*** (1925). Poète et vagabond, éternel insoumis en butte à la fatalité et à l'hostilité du monde, le personnage de Charlot acquiert avec ce film une véritable grandeur tragique.

◆ **Sam Wood** (É.-U., 1883-1949), ***Une nuit à l'Opéra*** (1935). Les Marx Brothers : à gauche, Groucho, portant moustaches, petites lunettes et gros cigare : c'est le cerveau des trois. À droite, Chico, qui réussit, par sa faconde, à embrouiller l'écheveau des quiproquos et des fausses identités. Couché sur les autres, Harpo, le muet lunaire et boulimique.

H. C. Potter (É.-U., 1904-1977), ***Hellzapoppin*** (1941) • Deux hommes montent dans un taxi. Le chauffeur leur demande où ils veulent aller. Allez au diable ! , lui est-il répondu. Et le taxi descend en enfer ! Alors l'enfer explose, car tel est le sens, *Hell is popping,* du titre de ce film où le non-sens est le moteur d'une action qui défie toute narration. Utilisant de nombreux truquages, décadrages, arrêts sur images, ralentis, accélérés, cette œuvre loufoque demeure un classique du burlesque.

Jerry Lewis (É.-U., né en 1926), ***le Zinzin d'Hollywood*** (*The Errand Boy,* 1961) • Morty S. Tashman (J. Lewis) est l'Attila des studios hollywoodiens ; rien ne résiste à son passage catastrophique. Mais il est drôle sans le savoir et va devenir une vedette. Dans tous ses films, Jerry Lewis campe un personnage complexe : inconscient et maladroit, il est pétri de bonne volonté. Son comportement est celui d'un enfant avide de reconnaissance, sevré de tendresse mais qui refuse de grandir.

En tant que cinéaste, Jerry Lewis invente des cascades de gags dans la tradition des pionniers du burlesque.

Le film noir

Gangsters, privés et policiers

Pickpocket et Policeman (1897), de Georges Méliès, raconte l'histoire vieille comme le monde de la justice pourchassant le crime, thème central du film policier auquel Louis Feuillade (Fr., 1873-1925) donnera ses premiers classiques avec *Fantomas* (1913-1914) et *Judex* (1917-1918). Mais le genre ne deviendra prolifique qu'à la fin du muet, à partir des *Nuits de Chicago* (Josef von Sternberg, 1927), dont les héros sont des gangsters, ces mercenaires d'un grand banditisme prospère aux États-Unis depuis la promulgation de la loi sur la prohibition de l'alcool (1919). « Le crime ne paie pas », telle était la morale de ces films à succès interprétés par James Cagney (*Ennemi public*, William A. Wellman, 1931), Paul Muni (*Je suis un évadé*, Mervyn LeRoy, 1932) ou Edward G. Robinson (*le Petit César*, Mervyn LeRoy, 1931). Or, non seulement le crime enrichit ses professionnels, trafiquants, gangsters, tueurs à gages, mais, en outre, il corrompt ceux qui sont censés le combattre : la police, l'administration, les politiciens. Le film noir des années 1940 et 1950 témoigne de cette mainmise de l'argent sur les rouages de la société : ses images en noir et blanc décrivent avec une précision documentaire la jungle des villes, monde glacial et crépusculaire où les frontières entre le Bien et le Mal ne sont plus perceptibles.

Si Philip Marlowe (*le Grand Sommeil*, Howard Hawks, 1946), Mike Hammer (*En quatrième vitesse*, Robert Aldrich, 1955), Sam Spade (*le Faucon maltais*, John Huston, 1941), les « privés » du film noir, n'enquêtent plus en eaux troubles, ils ont été remplacés par *Bullitt* (Peter Yates, 1968), *l'Inspecteur Harry* (Don Siegel, 1971) et autres *Serpico* (Sidney Lumet, 1973), policiers de choc dont l'éventail des adversaires s'est élargi ; toxicomanes, dealers, criminels en série, mineurs délinquants…

Fritz Lang (All., nat. amér., 1890-1976), ***M. le Maudit*** (1931) • Un maniaque, assassin d'enfants (Peter Lorre), échappe à la police. La pègre, aidée de tout un petit peuple d'indicateurs, clochards et mendiants, l'arrête, le juge et le condamne à mort. Si le film appartient au genre policier, il le dépasse en élaborant une réflexion sur les notions de culpabilité et de justice. Il est une dénonciation claire du nazisme qui menaçait déjà de gangrener l'Allemagne et condamnera Fritz Lang à l'exil, en 1933.

Howard Hawks (É.-U., 1896-1977), ***Scarface*** (1932) • La guerre des gangs aux États-Unis, à l'époque de la prohibition (1919-1933). Scarface (le balafré) est le surnom de Tony Camonte (Paul Muni), qui n'est autre, dans la réalité, que le célèbre Al Capone, dont le film évoque la sinistre carrière. Sous-titré « la Honte de la nation », *Scarface* est le plus représentatif des « films de gangsters ».

Alfred Hitchcock (G.-B., 1899-1980), ***les Trente-Neuf Marches*** (1935) • Alternant séquences dramatiques et bouffées de comédie, le cinéaste relate la folle équipée d'un innocent poursuivi par la police et un réseau d'espions. Ce film savoureux, léger et roboratif, illustre à merveille la manière dont Hitchcock jugeait lui-même son œuvre : « Certains films sont des tranches de vie, les miens sont des tranches de gâteau.» Également réalisé au cours de la période anglaise (1926-1939) du cinéaste, *Une femme disparaît* (1938).

Henri-Georges Clouzot (Fr., 1907-1977), ***Quai des Orfèvres*** (1947) • Clouzot a signé des films policiers « à la française », où la peinture d'individus à la dérive et d'une société corrompue prend le pas sur les péripéties de l'enquête criminelle. Avec son inspecteur misanthrope (Louis Jouvet), *Quai des Orfèvres* est de la même veine, corrosive, que *L'assassin habite au 21* (1942), *le Corbeau* (1943) et *la Vérité* (1960).

◆ **Charles Vidor** (É.-U., 1900-1959), ***Gilda*** **(1946).**
Rita Hayworth, comme Lauren Bacall et Ava Gardner, a incarné, dans nombre de films noirs, la vamp, femme fatale à la beauté vénéneuse.

Francis Ford Coppola (É.-U., né en 1939), ***le Parrain I, II, III*** (*The Godfather*, 1972-1990) • Cette trilogie – d'une durée proche de neuf heures, interprétée par des comédiens prestigieux, Marlon Brando, Robert De Niro, Al Pacino, et couronnée de multiples oscars – narre l'histoire pleine de bruit et de fureur des Corleone, l'une des cinq familles de la Mafia italo-américaine, le syndicat du crime. Cette tragédie a des accents shakespeariens.

Jonathan Demme (É.-U., né en 1944), ***le Silence des agneaux*** (1991) • Face-à-face d'une jeune agent du FBI et d'un psychopathe qui dévore ses victimes en écoutant Bach, cette œuvre, aux allures de marche funèbre dans les ténèbres du Mal absolu, ouvre la porte du genre au *serial killer* (tueur en série). Propice aux pires surenchères, dans la perversité et la violence, ce nouvel avatar du film policier a suscité en 1995 un autre film remarqué par le public et la critique, *Seven*, de David Fincher.

◆ **John Huston** (É.-U., 1906-1987), ***le Faucon maltais*** **(1941).**
Dans le rôle de Sam Spade, personnage créé en 1929 par Dashiell Hammett, Humphrey Bogart devient le premier privé moderne de l'écran : caustique et désabusé, mais vulnérable à l'amour.

◆ **Alfred Hitchcock** (G.-B., 1899-1980),***Le crime était presque parfait*** (1954).
Un classique du film noir.

Le thriller

Le film noir, ou thriller, a connu son âge d'or à Hollywood dans les décennies 1940 et 1950, en même temps que le roman noir, adaptant les œuvres d'écrivains fameux : James Cain, Raymond Chandler, David Goodis, Dashiell Hammett… Le cadre où se déroulent ces films est urbain, nocturne ; les protagonistes sont des anti-héros sans idéal, mus par l'argent. La pègre n'est pas ici celle des bas-fonds mais recrute parmi les « cols blancs » – fonctionnaires et politiciens corrompus, grands bourgeois et financiers avides de pouvoir. En marge de la police, qui se fait la complice de cette corruption, le « privé », détective sans scrupules, est prêt à tout – compromission, trahison, violence – pour mener à bien sa lutte. Entre la pègre et le privé prend place la femme fatale, créature aussi équivoque et dangereuse que belle. Le couple Humphrey Bogart – Lauren Bacall est archétypique d'un genre qu'illustrent, entre autres, *Tueur à gages* (Frank Tuttle, 1942), *le Grand Sommeil* (Howard Hawks, 1946), *En quatrième vitesse* (Robert Aldrich, 1955) et *la Soif du mal* (Orson Welles, 1957).

Le western

La genèse d'une nation

Plus de 7 000 westerns ont été tournés aux États-Unis au long du premier siècle du cinéma. La majorité d'entre eux ont fait le tour des écrans du monde, imprimant dans la mémoire et l'inconscient de millions de spectateurs une image flatteuse, héroïque, mythique d'un pays et d'un peuple.

Le pays du western, c'est le Far-West, l'Ouest américain, délimité par le Mississippi et la côte Pacifique, le Mexique et le Canada. Le peuple du western, c'est la cohorte des pionniers venus de la lointaine Europe pour édifier le Nouveau Monde, un Éden à la mesure de leurs rêves et une nation où vivre en hommes libres. Le XIXe s. est le temps du western, celui de la conquête de l'Ouest, de la ruée vers l'or, de la construction des voies ferrées, de la lente, difficile, mais irrésistible victoire de la loi sur le désordre, de la civilisation sur la sauvagerie. Ainsi le western raconte-t-il la genèse d'une nation, les États-Unis d'Amérique, et l'extermination d'une autre, celle des premiers occupants, les Indiens. Longtemps, le western a fait de cette histoire une légende, toute de grandeur et d'idéalisme ; le genre était alors, selon un historien, le « cinéma américain par excellence ». Puis, au tournant des années 1950, la vérité s'est peu à peu imposée et le sang des massacres perpétrés par les pionniers a éclaboussé le mythe américain.

Edwin S. Porter (É.-U., 1869-1941), *le Vol du rapide* (1903) • Des hors-la-loi attaquent un train, s'emparent de l'argent qu'il transporte et s'enfuient à cheval. Alertés par télégraphe, des volontaires se lancent à leur poursuite. Au terme de celle-ci, justice est faite. Filmée dans le New-Jersey, cette bande d'une dizaine de minutes est considérée comme le premier western de l'histoire du cinéma.

◆ John Wayne dans *Rio Bravo* (1959) d' Howard Hawks (É.-U., 1896-1977). Celui qu'on surnommait le « Duke », demeure l'incarnation exemplaire de l'homme de l'Ouest (cow-boy, shérifou militaire) : rugueux, loyal, lucide et expérimenté.

John Ford (É.-U., 1894-1973), *le Cheval de fer* (1924) • Le 10 mai 1869, à Promontary Point (Utah), les poseurs de rails de la Central Pacific, venant de Sacramento (Californie), font leur jonction avec ceux de l'Union Pacific, partis d'Omaha (Nebraska). Une voie ferrée relie au bout de six ans les côtes est et ouest des États-Unis. John Ford relate cette entreprise titanesque avec l'humanité et le souffle épique qui caractériseront son œuvre à venir.

Raoul Walsh (É.-U., 1887-1980), *la Piste des géants* (1930) • L'odyssée d'une caravane vers l'Ouest, du Missouri à l'Oregon. Les chariots bâchés sont guidés par un mauvais garçon (John Wayne) que vont régénérer la probité, le courage et l'idéalisme des pionniers. D'énormes moyens financiers et humains furent mis en œuvre pour reconstituer les péripéties qui jalonnèrent la route des conquérants.

Delmer Daves (É.-U., 1904-1977), *la Flèche brisée* (1950) • Tom Jefford (James Stewart), un vétéran de la guerre de Sécession, se lie d'amitié avec Cochise, le chef apache, et s'éprend d'une Indienne. Mais les Blancs renient leurs paroles de paix et brisent les traités passés avec les Apaches. C'est le premier western qui prenne en considération, avec sympathie, la culture et l'histoire de la nation indienne, et qui dénonce la politique d'extermination menée à son encontre.

◆ John Ford (É.-U., 1894-1973), ***la Chevauchée fantastique*** (1939). La diligence, lieu clos où cohabitent, le temps d'un voyage sur lequel pèse la menace d'une attaque des Apaches, un joueur, un représentant en whisky, un banquier véreux, une femme enceinte, un médecin alcoolique, une prostituée et un repris de justice (John Wayne). John Ford suit ce microcosme humain dans les espaces infinis de Monument Valley.

◆ Quelques autres grands westerns.

Cinéastes	Films
James Cruze (É.-U., 1884-1942)	*la Caravane vers l'Ouest* (1923)
Fred Zinnemann (É.-U., 1907-1997)	*Le train sifflera trois fois* (1952)
George Stevens (É.-U., 1904-1975)	*l'Homme des vallées perdues* (1953)
Nicholas Ray (É.-U., 1911-1979)	*Johnny Guitare* (1954)
Robert Aldrich (É.-U., 1918-1983)	*Vera Cruz* (1954)
Anthony Mann (É.-U., 1906-1967)	*l'Homme de l'Ouest* (1958)
Sam Peckinpah (É.-U., 1926-1984)	*la Horde sauvage* (1969)
Sydney Pollack (É.-U., né en 1934)	*Jeremiah Johnson* (1972)

Howard Hawks (É.-U., 1896-1977), *Rio Bravo* (1959) • L'action, fondée sur la tension d'une interminable attente, est limitée aux huis clos du saloon, de l'hôtel et de la prison d'une petite ville où un shérif (John Wayne) et ses adjoints tentent d'instaurer la loi et l'ordre. Ce western archétypique, dont des accents de comédie et des pointes d'érotisme enrichissent le classicisme, est l'œuvre d'un maître du genre, signataire, entre autres, de *la Rivière rouge* (1947) et *la Captive aux yeux clairs* (1952).

Arthur Penn (É.-U., né en 1922), *Little Big Man* (1970) • Selon Jack Crabbe (Dustin Hoffman) – qui égrène les souvenirs de sa vie aventureuse –, le fameux général Custer, tombé avec 200 de ses hommes lors de la bataille de Little Big Horn (1876) face aux Sioux et aux Cheyennes, était un officier mégalomane et incapable. Quant aux soldats de la cavalerie, ils ont massacré femmes et enfants indiens. Avec un humour grinçant, ce récit anéantit le mythe de la conquête de l'Ouest, sinistre génocide.

Kevin Costner (É.-U., né en 1955), *Danse avec les loups* (1990) • Le lieutenant Dunbar (K. Costner) est muté, à sa demande, dans un avant-poste, au contact avec l'ennemi indien. Il apprend à connaître et à aimer celui-ci et adopte son mode de vie. Totalement intégré à sa tribu d'adoption, il ne retournera plus chez « l'homme blanc ». Les thèmes traditionnels du western sont repris, magnifiés et démystifiés tout à la fois.

Clint Eastwood (É.-U., né en 1930), *Impitoyable* (1992) • L'héroïsme n'est plus de mise dans ce film où les tueurs, vieillis et fatigués, tremblent, hésitent et ne savent même plus tirer. Si le cadre du western traditionnel est encore présent, le cinéaste, à l'instar de Sergio Leone, dont il fut l'acteur favori, le peuple de pauvres hères guettés par la peur, la solitude et la mort.

Tournant le dos aux mythes du genre, l'œuvre est à l'image de son créateur, amère, lucide, désenchantée.

Le western-spaghetti

En 1964, un cinéaste italien, Sergio Leone (1929-1989), utilise le pseudonyme de Bob Robertson pour signer un film en forme de western, *Pour une poignée de dollars*, qu'il a tourné en Espagne. Avec son rythme lent, ses scènes de violence chorégraphiées, ses anti-héros sales et grossiers, aux antipodes de leurs modèles hollywoodiens, le film obtient un succès inattendu.

Sous son nom cette fois, Leone récidive en 1965 avec *Et pour quelques dollars de plus*. Puis, devenu célèbre en tant que créateur d'un genre nouveau, le western-spaghetti, il signe *le Bon, la Brute et le Truand* (1966), *Il était une fois dans l'Ouest* (1968) et *Il était une fois… la révolution* (1972), œuvres insolites qui utilisent encore le cadre, les personnages et les mythes du genre pour donner naissance à des opéras baroques nourris de la tradition lyrique italienne, dans le sillage de laquelle se situe la musique composée par Ennio Morricone (né en 1928).

Le fantastique

Démons et merveilles

Le fantastique cinématographique donne à voir ce qui n'existe pas et pourtant angoisse, émerveille ou terrifie l'être humain : l'inconnu, l'impossible, l'invisible… Les Français Georges Méliès (*les Quatre Cents Farces du Diable*, 1906) et Louis Feuillade (*les Vampires*, 1915-1916) explorèrent en pionniers ces territoires mystérieux au-delà du réel. Mais ce sont les cinéastes expressionnistes allemands qui donnèrent au genre ses premières lettres de noblesse dans les années 1910 et 1920. Puis, dans les années 1930 (âge d'or du cinéma fantastique), les studios hollywoodiens peuplèrent les écrans de monstres en tous genres : vampires (comme le légendaire Dracula), abominables créatures conçues par des savants fous (comme les docteurs Frankenstein, Jekyll ou Moreau), loups-garous, momies, morts-vivants (zombis) et animaux géants, dont le gorille King Kong demeure l'archétype. Les successeurs de ce dernier, Godzilla le reptile, Tarentula l'araignée et d'innombrables bestioles et insectes mutants n'ont, depuis, cessé d'envahir la Terre. Quant à Dracula et à Frankenstein, ils reviennent périodiquement de l'au-delà, sous les cieux les plus divers, pour hanter les humains.

Le genre fantastique est vivace car il se nourrit de tout ce qui, dans la société contemporaine, vient s'ajouter aux peurs ancestrales : l'insécurité, la violence, les criminels psychopathes, la parapsychologie… Utilisant les ressources du maquillage et des effets spéciaux, il apparaît toujours plus terriblement efficace : les monstres rivalisent de hideur, les crânes éclatent, le sang coule à flots !

Victor Sjöström (Suède, 1879-1960), ***la Charrette fantôme*** (1921) • Chaque année, dans la nuit de la Saint-Sylvestre, au douzième coup de minuit, la charrette qui procède au ramassage des morts change de cocher. Celui-ci, pendant un an, accomplira la sinistre besogne. L'œuvre de la romancière suédoise Selma Lagerlöf (1858-1940) était réputée inadaptable à l'écran. Sjöström releva le défi et, utilisant les « effets spéciaux » de son temps, sut recréer par l'image, le mystère et la poésie aidant, l'atmosphère surnaturelle suggérée par le roman.

James Whale (É.-U., 1896-1957), ***Frankenstein*** (1931) • Un savant, Henry Frankenstein, façonne un corps humain en assemblant membres et organes prélevés sur des cadavres. Une erreur de manipulation transforme la créature en monstre criminel. Réalisateur, entre autres, de *Une étrange soirée* (1932), *l'Homme invisible* (1933) et *la Fiancée de Frankenstein* (1935), Whale fut un maître du cinéma fantastique et Boris Karloff (1887-1969), incarnation de la créature inventée en 1816 par la romancière Mary Shelley, la vedette emblématique du genre.

Alberto Cavalcanti (Brés.,1897-1982), ***Au cœur de la nuit*** *(Dead of Night)* • Prémonitions, résurrections, fantômes, miroirs hantés, marionnettes criminelles figurent au sommaire de cette anthologie du genre en cinq sketches signés Charles Crichton, Basil Dearden, Robert Hamer et coordonnés par Cavalcanti. Ces histoires distillent une angoisse alimentée non par ce qu'elles montrent, mais par ce qu'elles suggèrent et laissent craindre.

Charles Laughton (É.-U., 1899-1962), ***la Nuit du chasseur*** (1955) • Un prêcheur fanatique traque deux enfants en possession d'une forte somme laissée par leur père mort en prison. Seul film réalisé par le comédien Charles Laughton, cette *Nuit* est l'illustration cauchemardesque, à la manière des films de l'expressionnisme allemand, de l'éternel combat du Bien et du Mal, ce dernier incarné de manière terrifiante par Robert Mitchum.

Roman Polanski (Fr., né en 1933), ***Rosemary's Baby*** (1968) • Ce cinéaste d'origine polonaise, qui travailla dans son pays natal, en Grande-Bretagne et aux États-Unis avant d'adopter la nationalité française, excelle dans la création d'atmosphères fantastiques, comme en témoignent *Répulsion* (1965), *Cul-de-sac* (1966), *le Bal des vampires* (1967) et *le Locataire* (1976). *Rosemary's Baby* est une histoire de possession démoniaque : le bébé que Rosemary (Mia Farrow) met au monde est, en effet, l'enfant du diable !

William Friedkin (É.-U., né en 1939), ***l'Exorciste*** (1973) • Une adolescente bave, vomit, hurle des obscénités et se livre aux pires sacrilèges. Un prêtre se sacrifie pour la débarrasser du diable qui la possède. Le film connut un immense succès en dépit, ou à cause, du caractère insoutenable de certaines séquences. Maquillage, effets spéciaux – la tête de la jeune actrice (Linda Blair) pivote sur elle-même – et torrents d'hémoglobine seront désormais, pour le meilleur et le pire, monnaie courante dans le cinéma fantastique.

Stanley Kubrick (É.-U., 1928-1999), ***Shining*** (1980) • Isolé dans les Rocheuses couvertes de neige, un hôtel fermé ; un couple de gardiens et leur jeune fils vont y passer l'hiver. L'homme (Jack Nicholson) perd la raison et, armé d'une hache, poursuit femme et enfant dans les couloirs de l'immense édifice. Cinéaste visionnaire, Kubrick transforme le roman de Stephen King en symphonie de l'horreur, où les pires cauchemars deviennent réalité.

VOIR AUSSI 
• **Récit fantastique** p. 1135

◆ **Friedrich Wilhelm Murnau** (All., 1888-1931), ***Nosferatu le vampire*** (1922).
Nosferatu est inspiré du *Dracula* de Bram Stoker, 1897. Ce classique de la littérature fantastique sera très souvent porté à l'écran, notamment par Tod Browning (1931, avec Bela Lugosi), Terence Fisher (1958, avec Christopher Lee), Werner Herzog (1979, avec Klaus Kinski), Francis Ford Coppola (1992, avec Gary Oldman).

◆ **Le fantastique français.**

Cinéastes	Films
Louis Feuillade (1873-1925)	*les Vampires* (1915-1916)
Jean Epstein (1897-1953)	*la Chute de la maison Usher* (1928)
Marcel L'Herbier (1888-1979)	*la Nuit fantastique* (1942)
Marcel Carné (1909-1996)	*les Visiteurs du soir* (1942)
Maurice Tourneur (1873-1961)	*la Main du diable* (1943)
Jean Cocteau (1889-1963)	*la Belle et la Bête* (1946)
Jean Delannoy (né en 1908)	*Les jeux sont faits* (1947)
René Clair (1898-1981)	*la Beauté du diable* (1950)
Claude Autant-Lara (né en 1901)	*Marguerite de la nuit* (1956)
Georges Franju (1912-1987)	*les Yeux sans visage* (1960)
Alain Resnais (né en 1922)	*Je t'aime, je t'aime* (1968)
Louis Malle (1932-1995)	*Black Moon* (1975)
Claude Chabrol (né en 1930)	*Alice ou la Dernière Fugue* (1977)
Jean-Pierre Jeunet (né en 1953) et Marc Caro (né en 1953)	*la Cité des enfants perdus* (1995)

◆ **Merian C. Cooper** (É.-U., 1893-1973) et **Ernest Beaumont Schoedsack** (É.-U., 1893-1979), ***King Kong*** (1933).
Version hollywoodienne de *la Belle et la Bête*, King Kong a donné au fantastique sa forme la plus américaine. Le gorille géant doit son existence aux truquages de Willis O'Brien, qui mit au point un système complexe de pantins articulés et de maquettes.

Le cinéma expressionniste allemand

Le *Cabinet du docteur Caligari*, de Robert Wiene (1881-1938), est la première manifestation, en 1919, de l'expressionnisme cinématographique. Ce courant, issu de l'avant-garde théâtrale (Max Reinhardt) et picturale (Kokoschka) germanique, révèle une volonté de fuir la réalité de l'Allemagne en crise et de se réfugier dans un monde irréel outré, chargé de symboles. Décors stylisés, perspectives faussées, ombres et lumières contrastées caractérisent ces films où évoluent des personnages à la démarche hallucinée. Les maîtres de ce courant sont Friedrich Wilhelm Murnau (1888-1931) avec *Nosferatu le vampire* (1922) et Fritz Lang (1890-1976) avec *les Niebelungen* (1924). *Le Rail* (Lupu-Pick, 1921), *le Montreur d'ombres* (Arthur Robinson, 1922) et *le Cabinet des figures de cire* (Paul Leni, 1924) comptent parmi les œuvres représentatives de l'expressionnisme.

La science-fiction

Destination futur

Dernier avatar du fantastique, le cinéma de science-fiction dépeint un avenir plus ou moins lointain que les connaissances scientifiques lui permettent d'imaginer. Le film de science-fiction est donc un rêve, ou un cauchemar, du futur. Au cours de la première moitié du XXe s., quelques œuvres isolées exploitent le thème du futur, mais sans susciter un intérêt public suffisant pour amortir le coût élevé de leur réalisation. Il fallut attendre la fin de la Seconde Guerre mondiale, la prise de conscience universelle de la puissance comme des périls de l'énergie atomique, les débuts de la conquête de l'espace pour que s'épanouisse, au cours des décennies 1940 et 1950, un genre nouveau – littéraire d'abord, puis cinématographique – : la science-fiction. Au cinéma, ce genre a considérablement accéléré l'évolution des techniques en recourant à des truquages et effets spéciaux toujours plus sophistiqués. Voyages intersidéraux, explorations de planètes, rencontres avec des extraterrestres amis ou ennemis du genre humain, conflits intergalactiques ; anticipations apocalyptiques sur le devenir des villes, des sociétés, de l'humanité, dans un monde pollué, robotisé, guetté par la misère, en proie à la violence et à la haine raciale : tel est l'espace, infini, dans lequel se meut un genre qui, sous couvert d'anticipation, cristallise les peurs et les interrogations contemporaines. Parmi les films représentatifs du genre, citons : *le Village des damnés* (1960) de Wolf Rilla (G.-B., né en 1920, *Planète interdite* (1965) de Fred McLeod Wilcox (É.-U., 1905-1964), *Rencontres du 3e type* (1977) de Steven Spielberg (É.-U., né en 1947), *Alien, le 8e passager* (1979) de Ridley Scott (G.-B., né en 1939).

Georges Méliès (Fr., 1861-1938), ***le Voyage dans la lune*** (1902) • C'est le premier film de science-fiction. Une expédition est envoyée sur la Lune dans un obus gigantesque tiré par un énorme canon. Elle est accueillie par les Sélénites, sorte de crustacés qui disparaissent dès qu'on les touche. De nombreux décors, d'ingénieux truquages, une importante figuration et trois mois de tournage – pour 14 minutes de projection – en font aussi la première superproduction de l'histoire du cinéma.

Franklin J. Schaffner (É.-U., 1920-1989), ***la Planète des singes*** (1968) • En l'an 3978, un vaisseau spatial égaré dans l'espace-temps s'écrase sur une planète peuplée de singes évolués et dotés de la parole. Les trois cosmonautes rescapés découvrent que leurs hôtes sont les descendants de l'Homme et que leur planète est la Terre du futur. Adaptation du roman homonyme du romancier français Pierre Boulle (1912-1994), le film concilie habilement le spectacle et la satire de la civilisation humaine revue et corrigée par des singes.

Richard Fleisher (É.-U., né en 1916), ***Soleil vert*** (1973) • New York en 2022. Sous l'effet de la pollution, la végétation a pratiquement disparu. Alors que quelques privilégiés affichent un luxe insolent, des dizaines de millions de miséreux, parqués dans des ghettos, se nourrissent de tablettes de « Soleil vert », substance fabriquée à partir de cadavres humains. Une vision cauchemardesque d'un avenir où seule une minorité riche, puissante et protégée peut survivre.

George Lucas (É.-U., 1944), ***la Guerre des étoiles*** (1977) • Premier volet d'une trilogie d'aventures interstellaires que viennent compléter *L'Empire contre-attaque* (Irvin Kerschner, 1980) et *le Retour du Jedi* (Richard Marquand, 1983), ce film fut un laboratoire d'expérimentation d'innombrables « effets spéciaux ». Ceux-ci, réalisés avec des maquettes d'astronefs, de robots et d'animaux monstrueux, ont été filmés par des caméras reliées à des ordinateurs qui mémorisaient, image par image, le contenu de chaque plan.

Ridley Scott (G.-B., né en 1939), ***Blade Runner*** (1982) • En 2019, à Los Angeles noyée dans le crachin et un épais brouillard, un policier traque des androïdes meurtriers venus d'une autre planète. Adaptation d'un roman de Philip K. Dick, ce film transpose dans l'univers de la science-fiction les personnages, détective privé et femme fatale, et l'action, une enquête criminelle, du film noir.

Terry Gilliam (É.-U., né en 1940), ***Brazil*** (1984) • Quelque part, au XXIe s., une cité de verre et de béton soumise à un pouvoir totalitaire. Qu'une mouche écrasée tombe sur un clavier d'ordinateur et le désordre s'installe ! Délirant et visionnaire, le film évoque l'univers littéraire d'un Franz Kafka ou d'un George Orwell, et celui, plastique, de Jérôme Bosch et d'Edvard Munch. À cela s'ajoute l'humour corrosif de Terry Gilliam, l'un des fondateurs du groupe comique anglais des Monty Python. Il réalise en 1995 *l'Armée des douze singes*.

VOIR AUSSI
• **Science-fiction** (littérature) p. 1136

◆ **Fritz Lang** (É.-U., 1890-1976), ***Metropolis*** (1927), avec Brigitte Helm. Le scénario d'anticipation sociale imaginé par Thea von Harbou, sa femme, inspira au cinéaste cette utopie grandiose et prémonitoire, au dénouement ambigu : la réconciliation du travail et du capital sous les auspices de l'amour.

◆ **Stanley Kubrick** (É.-U., 1928-1999), ***2001 : l'Odyssée de l'espace*** (1969). Ce film a revitalisé le genre à la fin des années 1960 et dessiné les voies à suivre : retour au *space opera*, inquiétude devant l'évolution technologique, interrogation sur la place de l'homme dans l'Univers, extrême exigence dans la qualité des effets spéciaux.

Les effets spéciaux

Ces effets résultent de procédés optiques ou acoustiques, mécaniques, électriques ou numériques aussi appelés truquages.

Georges Méliès utilise dès 1896 de nombreux « trucs » empruntés à son expérience de magicien et d'illusionniste. Dans ses films, il fait ainsi tour à tour disparaître, apparaître, se multiplier ou se métamorphoser choses et personnages.

Perfectionnés grâce aux avancées techniques, nombre des truquages inventés par Méliès furent utilisés pour réaliser les classiques du cinéma fantastique. *L'Homme invisible* (James Whale, 1933) reprend ainsi la technique de l'invisibilité expérimentée dans *Un homme de têtes* (1899), où un comédien perd et retrouve sa tête à volonté ! *King Kong*, le singe titanesque du film de Cooper et Schoedsack (1933), est une figurine animée et surimpressionnée sur les images d'un décor miniature. Méliès usait déjà de ce procédé, en 1901, pour réaliser *Nain et Géant*.

À partir de *2001 : l'Odyssée de l'espace* (Stanley Kubrick, 1969) se multiplient les films de science-fiction dont *la Guerre des étoiles* (George Lucas, 1977) est l'archétype. Avec ces films, l'électronique et l'informatique font leur entrée dans le cinéma et l'ordinateur devient un instrument de création d'images de synthèse qui permettent un champ technique et esthétique totalement neuf.

Les films historiques

Cinéma et Histoire

L'historien constate, rapproche, analyse des faits ; il est en quête d'une vérité. Le cinéaste reconstitue un décor, ressuscite des personnages historiques pour séduire, étonner, tenir en haleine les spectateurs. L'un est un savant, l'autre un illusionniste.

Pionnier dans tous les genres cinématographiques, Georges Méliès (1861-1938) inventa aussi les « actualités reconstituées », filmant dans son studio de Montreuil *Un combat naval devant Manille* (1898), épisode de la guerre entre les États-Unis et l'Espagne pour la possession des Philippines. Il anticipa même *le Couronnement du roi Édouard VII* (1902), entièrement tourné à Montreuil quelques semaines avant que la cérémonie n'ait lieu à Westminster !

Le cinéma n'a jamais cessé d'utiliser l'Histoire à des fins spectaculaires. Les successeurs de Méliès s'appellent ici Sacha Guitry (1885-1957), Cecil B. De Mille (1881-1959), William Wyler (1902-1981) ou Sergio Leone (1929-1989).

Mais si nombre de films puisent plus ou moins librement dans l'Histoire, seules deux catégories de productions cinématographiques méritent pleinement le qualificatif d'« historique » : les documentaires thématiques à caractère scientifique (qui traitent souvent d'événements du XXe s., comme *le Chagrin et la Pitié)* et les longs métrages qui, sous la forme de la fiction, cherchent à découvrir dans le passé (comme l'a fait en 1938 Jean Renoir dans *la Marseillaise*) les racines du présent.

André Calmettes (Fr., 1861-1942) et Charles Le Bargy (Fr., 1858-1936), ***l'Assassinat du duc de Guise*** (1908) • En 1908, d'éminentes personnalités des lettres et du théâtre se préoccupent de donner au cinéma, alors considéré comme une attraction foraine, ses lettres de noblesse et créent une société de production, « Le Film d'Art ». Première manifestation de ce souci de mise en valeur du cinéma, le film de Calmettes et Le Bargy, en illustrant une péripétie historique, inaugure un thème inépuisable de sujets cinématographiques : l'Histoire.

André Malraux (Fr., 1901-1976), ***l'Espoir*** 1939) • Aviateur combattant aux côtés des républicains espagnols, Malraux avait relaté son expérience dans un roman, *l'Espoir*, publié en 1937. L'année suivante, développant un épisode du roman, l'écrivain commence le tournage d'un film sur la guerre ci-vile espagnole, *Sierra de Teruel*. Unique incursion de son auteur dans le cinéma, cette œuvre ne sera présentée en France qu'en 1945, sous un nouveau titre, *Espoir*. Malraux y exalte, dans des images où se révèle l'influence du cinéaste soviétique S. M. Eisenstein, l'esprit de résistance au fascisme.

René Clément (Fr., 1913-1996), ***la Bataille du rail*** (1946) • Interprété par des comédiens peu connus et des figurants anonymes, réalisé comme un documentaire, ce film évoque la résistance des cheminots français contre l'occupant allemand.

Le péplum

Genre cinématographique à part entière, le péplum – du nom d'un vêtement porté dans l'Antiquité – puise ses sujets dans l'histoire et la mythologie grecques et romaines. Né en Italie avec *Quo Vadis* (1912), d'Enrico Guazzoni (1876-1949), et *Cabiria* (1914), de Giovanni Pastrone (1883-1959), le péplum émigra très tôt vers les studios hollywoodiens. Cecil B. De Mille fut un maître du genre avec des œuvres comme *les Dix Commandements* (1923 et 1956) ou *le Roi des rois* (1927), grands spectacles dont la tradition fut perpétuée par William Wyler (*Ben Hur*, 1959). Stanley Kubrick (*Spartacus*, 1960) et Joseph L. Mankiewicz (*Cléopâtre*, 1963). Dans les décennies 1950 et 1960, les cinéastes italiens remirent le genre au goût du jour avec, entre autres, *Ulysse* (1954), de Mario Camerini, et *le Colosse de Rhodes* (1960), de Sergio Leone.

Son auteur consacrera quatre autres films à la période de l'Occupation : *le Père tranquille* (1946), *Jeux interdits* (1952), *le Jour et l'Heure* (1963), fictions à caractère historique, et *Paris brûle-t-il ?* (1966), qui se veut une reconstitution historique.

David Lean (G.-B., 1908-1991), ***Lawrence d'Arabie*** (1962) • Le lieutenant Lawrence rêve d'une Arabie unie et indépendante. Son projet se heurte toutefois à l'hégémonie de l'Empire britannique et ne suscite guère d'écho auprès des tribus qui se disputent le pays. Maître imagier lyrique et ambitieux, David Lean illustre cette page d'histoire en magnifiant la personnalité de Lawrence, agent politique, aventurier et écrivain, auquel l'interprétation de Peter O'Toole confère charisme et puissance.

Richard Attenborough (G.-B., né en 1923), ***Gandhi*** (1982) • Le film décrit le parcours spirituel et politique de Gandhi, apôtre de la non-violence et de l'indépendance de l'Inde, devenu pour son peuple le « Mahatma » (« la grande âme ») avant son assassinat, en 1948. Attenborough réalise une scrupuleuse reconstitution historique rendue crédible par la ressemblance physique du comédien Ben Kingsley avec son modèle.

Steven Spielberg (É.-U., né en 1947), ***la Liste de Schindler*** (1993) • L'industriel Oskar Schindler a fait fortune grâce à ses relations avec les dignitaires nazis. Dans son usine, il n'emploie cependant que des Juifs ; par intérêt d'abord puis par humanité, il va finalement soustraire nombre d'entre eux à la déportation. Avec dignité et pudeur, Spielberg réussit à suggérer l'horreur des camps de la mort, incitant ainsi des millions de spectateurs à approcher la réalité de la Shoah.

◆ **Sergueï Mikhaïlovitch Eisenstein** (URSS, 1898-1948), ***Alexandre Nevski*** (1938).
Opéra cinématographique sur une musique de Serge Prokofiev, ce film exalte l'héroïsme du peuple russe face à l'invasion, au XIIIe s., des Teutons. Destinée à préparer la nation à l'inévitable conflit germano-soviétique, cette œuvre d'une rare richesse plastique utilise l'Histoire à des fins de propagande.

◆ **Bernardo Bertolucci** (It., né en 1941), ***le Dernier Empereur*** (1987).
Cette évocation de l'enfance et du règne De Pu Yi, le dernier empereur de Chine, a été réalisée avec une somptuosité qui n'exclut pas la rigueur historique

◆ **Autres films historiques.**

Cinéastes	Films
David W. Griffith (É.-U., 1875-1948)	*Naissance d'une nation* (1915)
Abel Gance (Fr., 1889-1981)	*Napoléon* (1927)
Jean Renoir (Fr., 1894-1979)	*la Marseillaise* (1938)
Pier Paolo Pasolini (It., 1922-1975)	*l'Évangile selon Matthieu* (1964)
Roberto Rossellini (It., 1906-1977)	*la Prise du pouvoir par Louis XIV* (1967)
Andrzej Wajda (Pol., né en 1926)	*Danton* (1982)
Bernardo Bertolucci (It., né en 1941)	*le Dernier Empereur* (1987)
Kenneth Branagh (G.-B., né en 1960)	*Henry V* (1989)
Oliver Stone (É.-U., né en 1946)	*J.F.K.* (1991)
Kenneth Loach (G.-B., né en 1936)	*Land and Freedom* (1995)

Cinéma et société

Propagande ou témoignage ?

Dans les démocraties libérales, le cinéma de la première moitié du XXe s. évite de critiquer une société qu'il ne songe pas à mettre en cause. Les dirigeants des studios hollywoodiens, grands pourvoyeurs de rêves, considèrent que les spectateurs vont voir leurs films pour fuir la grisaille quotidienne. À l'inverse, la société est la vedette des cinémas des pays totalitaires dont les films exaltent la perfection. Et pourtant, ils ne montrent pratiquement rien de la vie quotidienne sous le joug hitlérien ou stalinien (ou dans l'Italie fasciste), tant la réalité y est travestie par la propagande. Propagande ici, consensus là, les problèmes sociaux sont évacués à des fins idéologiques et économiques.

Après la Seconde Guerre mondiale, la société apparaît enfin sur les écrans : en ruine dans les films néoréalistes italiens et maints documentaires, corrompue ou à la dérive dans l'œuvre de quelques cinéastes des années 1960. La contestation de 1968, la chute du communisme, les crises du capitalisme accélèrent la prise de conscience (au Royaume-Uni, en France, en Italie) des dysfonctionnements de la société. Les films à contenu social se multiplient : ils sont aussi politiques dans la mesure où ils ouvrent et enrichissent des débats démocratiques.

King Vidor (É.-U., 1894-1982), *la Foule* (1928) • Histoire d'une famille ordinaire noyée dans l'anonymat d'une cité tentaculaire : New York. Un enfant meurt, le père songe au suicide. Sa femme va le quitter, puis se ravise : l'espoir renaît. Tourné dans les rues, avec des acteurs inconnus, le film présente un monde où l'individu est menacé dans son identité. Après le tournage, James Murray, l'acteur principal, sombra dans l'alcool : il mourut à 35 ans.

John Ford (É.-U., 1894-1973), *les Raisins de la colère* (1940) • Les Joad, paysans expropriés par des spéculateurs, traversent les États-Unis pour chercher du travail en Californie. Ils n'y trouveront que chômage, emplois précaires, conditions de travail inhumaines et répression policière. Le fils Joad, Tom (Henry Fonda), se révolte, tue un policier puis disparaît, déterminé à organiser la lutte des travailleurs. Ce film est adapté du roman de John Steinbeck.

Dennis Hopper (É.-U., né en 1936), *Easy Rider* (1969) • Des émeutes contre la misère, le racisme, la guerre au Viêt Nam, secouent l'Amérique de la fin des années 1960. Une contre-culture se développe, musicale, littéraire, qui exalte la jeunesse, la solidarité, la non-violence et rejette la société de consommation. Dans ce contexte, *Easy Rider* apparut comme un manifeste de la contestation, et ses héros – motards, hippies, marginaux qui se croisent sur les routes et partagent dans la musique, l'alcool et la drogue leurs rêves de paix et d'amour – furent accueillis par toute une génération en champions de la liberté.

Vitali Kanevski (URSS, né en 1935), *Bouge pas, meurs, ressuscite* (1990) • En pleine période stalinienne, 1947, dans un centre de détention de Sibérie orientale, un garçonnet et une fillette survivent en vendant et en volant. Fuyant cet enfer de la misère et de la corruption, ils se découvrent amoureux ; mais, au terme de leur cavale, la petite est tuée sous les yeux du gamin. « C'est l'histoire de ma vie, de mon pays, de ses habitants », déclare le cinéaste, qui n'obéit qu'à une règle : « Ne jamais mentir et ne jamais embellir non plus. »

Ken Loach (G.-B., né en 1936), *Ladybird* (1994) • C'est en observant la réalité quotidienne au Royaume-Uni, et tout particulièrement le sort que la société réserve à ses exclus, que Loach trouve les bases de la révolte fondatrice de son art. Dans *Ladybird*, il décrit le calvaire d'une mère à qui la garde de ses enfants est enlevée. Malgré le tragique de la situation, le courage, la solidarité, l'amour et l'humain présents dans ce film témoignent de la force de l'espoir de ceux que frappent le chômage, l'injustice et la misère.

Robert Guédiguian (Fr., né en 1953), *Marius et Jeannette* (1997) • Ce film, qui a connu un énorme succès, témoigne de l'intérêt croissant que nombre de jeunes cinéastes français portent à la réalité de leur pays. Guédiguian situe tous ses films à l'Estaque, faubourg populaire du nord de Marseille. Là, un microcosme humain à l'image de la France affronte le quotidien et ses difficultés avec un humour, un goût du bonheur et un sens de la solidarité exemplaires.

Le documentaire

Louis Lumière est le premier documentariste, avec *la Sortie des usines Lumière*, filmée en 1895. Sociologues, comme Raymond Depardon (*Délits flagrants*, 1994) ; ethnographes ou explorateurs, comme Jean Rouch (*Moi, un Noir*, 1958) et l'Américain Robert Flaherty (*l'Homme d'Aran*, 1934) ; historiens ou propagandistes, comme le Néerlandais Joris Ivens (*Terre d'Espagne*, 1938) ou le Russe Dziga Vertov (*l'Homme à la caméra*, 1929) ; essayistes, comme Chris Marker (*Soleil noir*, 1982) ; scientifiques, comme Jacques-Yves Cousteau (*le Monde du silence*, 1955) ou Claude Nuridsany et Marie Pérennou (*Microcosmos*, 1996)... les documentaristes jettent tous sur la réalité un regard d'artiste qui montre que l'objectivité « scientifique » ne peut être l'unique fondement du documentaire cinématographique.

◆ **Dix grands films politiques et leurs réalisateurs.**

Cinéastes	Films
Georges Méliès (Fr., 1861-1938)	*l'Affaire Dreyfus* (1899)
Sergueï Mikhaïlovitch Eisenstein (URSS, 1898-1948)	*la Ligne générale* (1929)
Slatan Dudow (All., 1903-1963)	*Kühle Wampe* (1932)
Jean Renoir (Fr., 1894-1979)	*La vie est à nous* (1936)
Charles Chaplin (É.-U., 1889-1977)	*le Dictateur* (1940)
Herbert Biberman (É.-U., 1900-1971)	*le Sel de la terre* (1953)
Francesco Rosi (It., né en 1922)	*Main basse sur la ville* (1963)
Jean-Luc Godard (Fr., né en 1930)	*la Chinoise* (1967)
Costa-Gavras (Fr., né en 1933)	*l'Aveu* (1969)
Andrzej Wajda (Pol., né en 1926)	*l'Homme de marbre* (1976)

◆ **Nicholas Ray** (É.-U., 1911-1979), ***la Fureur de vivre*** (1955).
Rebelle sans cause (traduction littérale du titre américain du film), James Dean (1931-1955) fut le héros d'une génération d'adolescents en quête d'identité et d'idéal.

◆ **Ettore Scola** (It., né en 1931), ***Nous nous sommes tant aimés*** (1974).
Le film suit ses trois personnages – incarnés par Vittorio Gassman, Nino Manfredi et Stefano Satta Flores – de 1945 à 1975, dans une Italie en pleine mutation économique, sociale et politique.

Le néoréalisme italien

Ce mouvement cinématographique est apparu au lendemain de la Seconde Guerre mondiale. Pour Cesare Zavattini (1902-1989), théoricien du mouvement, le cinéma doit s'intéresser « à l'actuel, au réel, à l'homme dans son aventure de tous les jours ». En 1942, Luchino Visconti (1906-1976) avait ouvert la voie avec *Ossessione* (1943). Mais les œuvres néoréalistes les plus marquantes apparurent après la Libération : *Rome, ville ouverte* (1945) et *Paisa* (1946), de Roberto Rossellini (1906-1977), *Sciuscia* (1946) et *le Voleur de bicyclette* (1948), de Vittorio De Sica (1901-1974), *Riz amer* (1949), de Giuseppe De Santis (1917-1997), et *La terre tremble* (1948), de Visconti. Le mouvement néoréaliste prit fin au début des années 1950, mais son influence fut décisive pour l'évolution du cinéma italien.

Le film d'aventure

« Action ! »

Le terme « aventure » caractérise un événement imprévu, extraordinaire. Cette définition, au cinéma, peut s'appliquer à des films très différents. *Les Aventures d'Arsène Lupin* (Jacques Becker, 1957) sont policières autant qu'humoristiques, tout comme celles qu'affronte Cary Grant dans *la Mort aux trousses* (Alfred Hitchcock, 1959). *Les Aventures de Don Juan* (Vincent Sherman, 1948) sont galantes, celles de *Rabbi Jacob* (Gérard Oury, 1973), incarné par Louis de Funès, comiques et celles du *Baron de Munchhausen* (Terry Gilliam, 1988), fantastiques. L'horizon du cinéma d'aventure apparaît donc sans limites. Des genres bien précis peuvent cependant être distingués : le western raconte l'aventure de la conquête de l'Ouest, la science-fiction celle de l'espace, le policier les aventures des gendarmes et des voleurs, et le fantastique celles des démons et merveilles.

Mais le cinéma d'aventure est aussi celui qui explore jungles, déserts et mondes perdus ; celui qui ressuscite le temps de la Bible et de l'Antiquité, de la cape et de l'épée, des pirates et des chevaliers ; celui où de mâles héros – *Robin des Bois* (Errol Flynn), *James Bond* (Sean Connery) ou *Indiana Jones* (Harrison Ford) – affrontent l'inconnu, bravent l'impossible et, surmontant la peur et les pires embûches, sortent toujours victorieux de leurs perpétuels combats. Royaume de l'imaginaire et du rêve, le cinéma d'aventure n'obéit qu'à une seule règle esthétique et dramatique, définie par Raoul Walsh, un maître du genre : « Action ! Action ! Action ! »

W. S. Van Dyke (É.-U., 1889-1943), ***Tarzan, l'homme singe*** (1932) • C'est en 1912 que l'écrivain Edgar Rice Burroughs (1875-1950) publie la première aventure de Tarzan l'enfant sauvage devenu roi de la jungle. Le cinéma s'empare de ce héros dès 1918 et, depuis, n'a pratiquement jamais cessé d'en narrer les exploits. Si le Tarzan de 1932 n'est donc ni le premier ni le dernier, il est demeuré le plus célèbre grâce à la personnalité du comédien qui l'incarne, le champion de natation Johnny Weissmuller.

Zoltan Korda (G.-B., 1895-1961), ***les Quatre Plumes blanches*** (1939) • Nombre de films britanniques des années 1930 situent leurs aventures dans les contrées exotiques de l'Empire britannique où des « rebelles » contestent par les armes la tutelle coloniale. Beaucoup ont pour cadre les Indes mais *les Quatre Plumes blanches* se déroule au Soudan, où un jeune officier accusé de lâcheté par ses pairs va faire la preuve de son héroïsme. Le caractère photogénique du désert, des foules de figurants, des couleurs somptueuses contribuent à faire de ce film un passionnant livre d'images.

James Bond 007

James Bond 007 est un agent secret créé par l'écrivain britannique Ian Fleming (1908-1964). Le code 007 signifie que Bond est autorisé à tuer. De *James Bond 007 contre Dr No* (1962) à *Goldeneye* (1995), en passant par *Goldfinger* (1964), *Les diamants sont éternels* (1971) et *Dangereusement vôtre* (1985), dix-neuf films ont relaté les exploits de ce héros face aux pires ennemis de l'humanité. Sean Connery, Roger Moore, George Lazenby, Timothy Dalton et Pierce Brosnan l'ont interprété, Terence Young, Guy Hamilton, Lewis Gilbert, John Glen et quelques autres se sont succédé aux commandes de ces films où prolifèrent des gadgets ultraperfectionnés et des escouades de jolies filles dénudées.

◆ **Guy Hamilton** (G.-B., né en 1922), ***Goldfinger*** (1964).
Sean Connery, premier interprète de James Bond, affronte ici un malfaiteur de haut vol qui se propose de détruire les réserves d'or américaines entreposées à Fort Knox.

John Huston (É.-U., 1906-1987), ***The African Queen*** (1951) • En 1914, le plus improbable des couples d'aventuriers, formé par Rosie (Katharine Hepburn), vieille fille et missionnaire, et Charlie (Humphrey Bogart), marin d'eau douce alcoolique, sillonne les cours d'eau africains à bord de l'*African Queen*, un caboteur délabré, à la poursuite, pour la couler, d'une canonnière allemande. L'humour et deux comédiens hors pair font le prix de ce classique de la comédie d'aventures.

John Boorman (G.-B., né en 1933), ***Délivrance*** (1972) • Quatre citadins descendent en canoë une rivière de Géorgie ; ils sont agressés et poursuivis par des montagnards. Ce qui était une partie de plaisir devient alors une lutte acharnée contre les éléments et les hommes : la mort ou la honte se trouvent au terme de ce voyage. L'œuvre de Boorman témoigne de la précarité de la civilisation lorsqu'elle est confrontée à la nature et voit se réveiller les instincts primitifs qui font de l'homme « un loup pour l'homme ».

Werner Herzog (All., né en 1942), ***Aguirre, la colère de Dieu*** (1972) • En 1560, une troupe de conquérants espagnols s'enfonce dans la forêt vierge péruvienne, à la recherche de l'Eldorado, le pays de l'or. Tous périront, de maladie, de faim, transpercés par les flèches indiennes, sauf Aguirre (Klaus Kinski), qui devient fou. Ce récit baroque et halluciné d'un retour aux sources est d'une étonnante richesse visuelle et poétique.

Jean-Jacques Annaud (Fr., né en 1943), ***l'Ours*** (1988) • César du meilleur réalisateur, Grand Prix national du cinéma, le film, adapté d'un roman de James Oliver Curwood, est écrit du point de vue de son héros, un ourson qui a perdu sa mère. Il est adopté par un gigantesque ours brun qui va le protéger des chasseurs et le sauver des griffes d'un puma. Un film d'aventure intelligent et spectaculaire.

VOIR AUSSI
- **Excalibur** p. 1117
- **Roman d'aventure** p. 1126

◆ **Steven Spielberg** (É.-U., né en 1947), ***les Aventuriers de l'Arche perdue*** (1981).
Ce film est le premier volet d'une trilogie complétée par *Indiana Jones et le temple maudit* (1984) et *Indiana Jones et la dernière croisade* (1989). Son héros, un archéologue incarné par Harrison Ford, se sort avec humour des situations les plus périlleuses

◆ **Aventures d'autrefois.**

Cinéastes	Films
Allan Dwan (É.-U., 1885-1981)	*le Masque de fer* (1929)
Michael Curtiz (É.-U., 1888-1962) et William Keighley (É.-U.,1889-1984)	*les Aventures de Robin des Bois* (1938)
Christian-Jaque (Fr., 1904-1994)	*Fanfan la Tulipe* (1952)
Richard Thorpe (É.-U., 1896-1991)	*Ivanhoe* (1952)
Henry Hathaway (É.-U., 1898-1985)	*Prince Vaillant* (1954)
Philippe de Broca (Fr., né en 1933)	*Cartouche* (1962)
Jean-Paul Rappeneau (Fr., né en 1932)	*les Mariés de l'An II* (1971)
Richard Lester (G.-B., né en 1932)	*les Trois Mousquetaires* (1973)
Jean-Jacques Annaud (Fr., né en 1943)	*la Guerre du feu* (1981)
John Boorman (G.-B., né en 1933)	*Excalibur* (1981)

◆ **Aventures en mer.**

Cinéastes	Films
Albert Parker (É.-U., 1889-1974)	*le Pirate noir* (1926)
Michael Curtiz (É.-U., 1888-1962)	*Capitaine Blood* (1935)
Frank Lloyd (É.-U., 1886-1960)	*les Révoltés du Bounty* (1935)
Cecil B. De Mille (É.-U., 1881-1959)	*les Naufrageurs des mers du Sud* (1942)
Robert Siodmak (É.-U., 1900-1973)	*le Corsaire rouge* (1952)
Raoul Walsh (É.-U., 1887-1980)	*Barbe-Noire le pirate* (1952)
Richard Fleischer (É.-U., né en1916)	*Vingt Mille lieues sous les mers (* (1954)
John Huston (É.-U., 1906-1987)	*Moby Dick* (1956)
Alexander Mackendrick (G.-B., 1912-1993)	*Cyclone à la Jamaïque* (1965)
Roman Polanski (Fr., né en 1933)	*Pirates* (1986)
Steven Spielberg (É.-U., né en 1946)	*Hook* (1991)

Le dessin animé et l'animation

Le 7e art bis

L'animation de dessins est antérieure à l'invention du cinématographe. Dès 1892, Émile Reynaud (1844-1918) en avait fait un spectacle au musée Grévin, à Paris. Son théâtre optique permettait de projeter sur un écran des images animées à partir d'une bande dessinée coloriée image par image. Mettant en avant cette antériorité, un maître de l'animation, Alexandre Alexeieff (1901-1982), juge son art foncièrement différent du cinéma : ce dernier, d'après lui, n'offre qu'un reflet de la réalité alors que l'animation crée d'autres mondes, totalement imaginaires. Ombres chinoises, marionnettes, papiers découpés, sable, allumettes, pointes d'épingles ; personnages en glaise, en pâte à modeler ; dessins sur Celluloïd, gravés sur la pellicule ou conçus par ordinateur : tels sont quelques-uns des moyens d'expression de l'animateur, créateur dont les gestes ne sont pas sans évoquer ceux du peintre ou du sculpteur.

Des impératifs économiques condamnent toutefois ces artisans à n'être que la partie cachée d'un iceberg dont seule émerge l'industrie du dessin animé à la façon de Disney. Mais leurs audaces plastiques, leur créativité, leur indépendance sont à ce prix et valent à l'animation d'être un art autonome, parfois baptisé 7e art bis.

Max (1883-1972) et **Dave Fleischer** (É.-U., 1894-1979), ***les Voyages de Gulliver*** (1939) • Créateurs de la sémillante Betty Boop et de Popeye, le matelot dopé aux épinards, les frères Fleischer souhaitaient surpasser leur rival Walt Disney. Ils mirent en chantier *les Voyages de Gulliver*, long métrage qui mobilisa 700 personnes pendant 18 mois pour dessiner et animer les 115 700 images du film. Mais le résultat déçut.

René Goscinny (Fr., 1926-1977), ***Astérix le Gaulois*** (1967) • Cette première adaptation de la B.D. de Goscinny et Uderzo fut réalisée dans les studios belges de la société Belvision, d'où sortiront nombre de dessins animés comme *Astérix et Cléopâtre* (1968). *Tintin et le Temple du Soleil* (1969), d'après Hergé, *Lucky Luke* (1971), d'après Morris et Goscinny, *la Flûte à six schtroumpfs* (1975), d'après Peyo, et *Tarzoon, la honte de la jungle* (1975), d'après Picha.

Ralph Bakshi (É.-U., né en 1939), ***Fritz le Chat*** (1972) • C'est le premier dessin animé à avoir été interdit aux mineurs. Un chat paillard en est le héros salace, et les quartiers chauds de New York, infestés de drogués, de loubards et de marginaux, servent de cadre sordide à ses orgies sexuelles. Parmi les chefs de file, à la fin des années 1960, de la contre-culture américaine, Robert Crumb est le créateur de ce personnage qui choqua en son temps.

René Laloux (Fr., né en 1929), ***la Planète sauvage*** (1973) • Adapté d'un roman de science-fiction de Stefan Wul, le film relate la lutte pour sa libération d'un peuple de nains, les Oms, contre ses oppresseurs, les géants Draags. Le dessinateur Roland Topor (1938-1997) collabora étroitement avec René Laloux pour ce film. Pour ses longs métrages suivants, Laloux fit appel à Moebius pour *les Maîtres du temps* (1982) et Caza pour *Gandahar* (1988).

Paul Grimault (Fr., 1905-1994), ***le Roi et l'Oiseau*** (1980) • Grimault avait signé des classiques du court métrage d'animation (*le Voleur de paratonnerres*, 1944 ; *le Petit Soldat*, 1947), avant d'entreprendre, en 1947, son premier long métrage. Celui-ci, écrit avec Jacques Prévert, sortit en 1953 dans une version désavouée par Grimault, sous le titre *la Bergère et le Ramoneur*. Délicat, chargé d'humour, d'émotion et de poésie, le film présenté en 1980 est conforme aux vœux du cinéaste.

◆ **Tex Avery** (É.-U., 1908-1980), ***le Loup*** (1936). Dès 1936, un mouvement tente de rompre avec le style de Disney. Tex Avery, « un Walt Disney qui aurait lu Kafka », en est l'âme. Entre autres créatures délirantes, il est l'inventeur du loup libidineux et obsédé, qui devient fou à la vue de Cendrillon ou du Petit Chaperon rouge, transformés en bombes sexuelles.

◆ **Walt Disney** (É.-U., 1901-1966), ***Bambi*** (1942). Grand dessinateur, Disney imposa dans le monde, durant plus de vingt ans, le fameux style « en O », tout en courbes et en boucles.

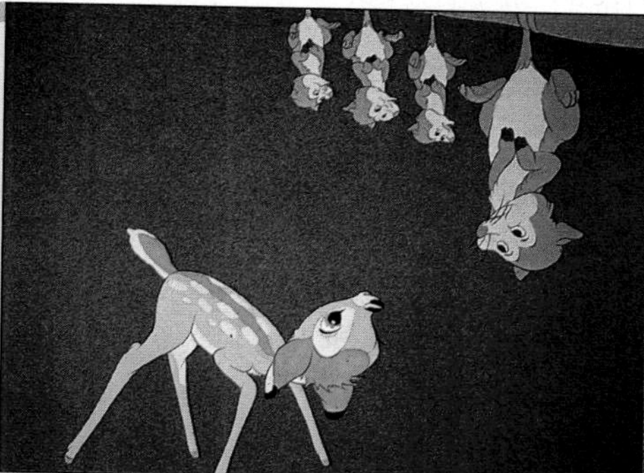

Walt Disney

Le 5 déc. 1901, naît à Chicago Walter Elias Disney. Le 16 oct. 1923, création des Hollywood Walt Disney Studios pour la production de dessins animés. Le 18 nov. 1928, sortie de *Steamboat Willie*, premier dessin animé sonore, interprété par Mickey, la petite souris née quelque mois auparavant dans *Plane Crazy*, court métrage muet. En oct. 1930, Pluto apparaît dans *The Chain Gang*. En juin 1934, Donald le canard joue dans *la Petite Poule avisée*. Le 21 déc. 1937, sortie de *Blanche-Neige et les Sept Nains*, premier dessin animé de long métrage. *Pinocchio* (1940), *Fantasia* (1940), *Dumbo* (1941), *Bambi* (1942), *Cendrillon* (1950), *les 101 Dalmatiens* (1961)… suivront. En 1949, sort *l'Île aux phoques*, premier documentaire des studios Disney qui, en 1950, produisent *l'Île au trésor*, film de fiction sans animation. En 1955, Disneyland (Californie), parc d'attractions voué à l'univers Disney, ouvre ses portes. Le 15 déc. 1966, Walt Disney meurt, mais l'entreprise lui survit : dessins animés, films de fiction et parcs de loisirs (dont Disneyland Paris, qui ouvre en 1992) perpétuent le nom et la légende de l'enchanteur des enfants du monde entier.

Voir aussi • **Personnages de BD** p. 1109

Marionnettes animées

Jiří Trnka (1912-1969), fondateur, en 1946, à Prague, d'un studio d'animation de marionnettes bientôt célèbre dans le monde entier, disait « Le film de marionnettes est capable d'exprimer tous les sujets et se prête à tous les genres ». En collaboration avec l'animateur Bretislav Pojar et le musicien Vaclav Trojan, Trnka, auteur complet de ses films et créateur des poupées, va réaliser les courts et longs métrages de marionnettes les plus prestigieux de l'histoire du genre : *l'Année tchèque* (1947), fresque de la vie rurale, *le Rossignol de l'empereur de Chine* (1948), d'après Andersen, *le Prince Bayaya* (1950), conte médiéval, *les Vieilles Légendes tchèques* (1953), *le Songe d'une nuit d'été* (1959), d'après Shakespeare. Son dernier film, *la Main* (1965), est une condamnation du stalinisme.

◆ **Wallace et Gromit** dans le film de Nick Park (G.-B., né en 1958), *The Wrong Trousers* (1993). Figurines en pâte à modeler, Wallace, l'inventeur farfelu, et son efficace collaborateur, le chien Gromit, sont lancés, image par image, dans des aventures cocasses qui évoquent les classiques du cinéma burlesque.

◆ **Quelques animations.**

Cinéastes	Films
Émile Cohl (Fr., 1857-1938)	*Fantasmagorie* (1908)
Ladislas Starevitch (Fr., 1892-1965)	*le Roman de Renard* (1930)
Norman McLaren (Can., 1914-1987)	*Blinkity Blank* (1955)
Youri Norstein (URSS, né en 1941)	*le Conte des contes* (1979)
Frédéric Back (Can., né en 1924)	*L'homme qui plantait des arbres* (1987)
Tim Burton (É.-U., né en 1960)	*l'Étrange Noël de Monsieur Jack* (1993)
John Lasseter (É.-U., né en 1957)	*Toy Story* (1995)
Hayao Miyazaki (Jap., né en 1941)	*Porco Rosso* (1972)

Oscars et palmes d'or

◆ Les palmes d'or au Festival de Cannes.

Créé le 20 sept. 1946, le Festival international du film de Cannes est organisé chaque année, en mai. Le principal prix est la palme d'or. Autres prix : prix spécial du jury, prix d'interprétation masculine et féminine ; prix de la mise en scène ; Caméra d'or. (N.B. Les noms de réalisateurs sont suivis de la mention du pays représenté.)

Date	Films et cinéastes
1946	11 grands prix décernés par nationalité
1947	5 grands prix décernés par genre
1948	pas de festival
1949	*le Troisième Homme* (C. Reed, G.-B.)
1950	pas de festival
1951	*Miracle à Milan* (V. De Sica, It.)
1951	*Mademoiselle Julie* (A. Sjöberg, Suède)
1952	*Deux Sous d'espoir* (R. Castellani, It.)
1952	*Othello* (O. Welles, Maroc)
1953	*le Salaire de la peur* (H-G. Clouzot, Fr.)
1954	*la Porte de l'enfer* (T. Kinugasa, Jap.)
1955	*Marty* (D. Mann, É.-U.)
1956	*le Monde du silence* (J.-Y. Cousteau, Fr.)
1957	*la Loi du Seigneur* (W. Wyler, É.-U.)
1958	*Quand passent les cigognes* (M. Kalatozov, URSS)
1959	*Orfeu Negro* (M. Camus, Fr.)
1960	*la Dolce Vita* (F. Fellini, It.)
1961	*Viridiana* (L. Buñuel, Esp.)
1961	*Une aussi longue absence* (H. Colpi, Fr.)
1962	*la Parole donnée* (A. Duarte, Brés.)
1963	*le Guépard* (L. Visconti, It.)
1964	*les Parapluies de Cherbourg* (J. Demy, Fr.)
1965	*le Knack... et comment l'avoir* (R. Lester, G.-B.)
1966	*Un homme et une femme* (C. Lelouch, Fr.)
1966	*Ces messieurs dames* (P. Germi, It.)
1967	*Blow Up* (M. Antonioni, It.)
1968	festival suspendu ; pas de prix.
1969	*If* (L. Anderson, G.-B.)
1970	*M.A.S.H.* (R. Altman, É.-U.)
1971	*le Messager* (J. Losey, G.-B.)
1972	*La classe ouvrière va au paradis* (E. Petri, It.)
1972	*l'Affaire Mattei* (F. Rosi, It.)
1973	*l'Épouvantail* (J. Schatzberg, É.-U.)
1973	*la Méprise* (A. Bridges, G.-B.)
1974	*Conversation secrète* (F. F. Coppola, É.-U.)
1975	*Chronique des années de braise* (M. Lakhdar Hamina, Alg.)
1976	*Taxi Driver* (M. Scorsese, É.-U.)
1977	*Padre Padrone* (P. et V. Taviani, It.)
1978	*l'Arbre aux sabots* (E. Olmi, It.)
1979	*le Tambour* (V. Schlöndorff, RFA)
1979	*Apocalypse Now* (F. F. Coppola, É.-U.)
1980	*Kagemusha* (A. Kurosawa, Jap.)
1980	*All That Jazz* (B. Fosse, É.-U.)
1981	*l'Homme de fer* (A. Wajda, Pol.)
1982	*Yol* (Y. Güney, Turquie)
1982	*Missing* (Costa-Gavras, É.-U.)
1983	*la Ballade de Narayama* (S. Imamura, Jap.)
1984	*Paris, Texas* (W. Wenders, É.-U.)
1985	*Papa est en voyage d'affaires* (E. Kusturica, Youg.)
1986	*Mission* (R. Joffé, G.-B.)
1987	*Sous le soleil de Satan* (M. Pialat, Fr.)
1988	*Pelle le Conquérant* (B. August, Dan.)
1989	*Sexe, mensonges et vidéo* (S. Soderbergh, É.-U.)
1990	*Sailor et Lula* (D. Lynch, É.-U.).
1991	*Barton Fink* (J. et E. Coen, É.-U.)
1992	*les Meilleures Intentions* (B. August, Suède)
1993	*la Leçon de piano* (J. Campion, N.-Z.)
1993	*Adieu, ma concubine* (Chen Kaige, Chine)
1994	*Pulp Fiction* (Q. Tarantino, É.-U.)
1995	*Underground* (E. Kusturica, ex-Yougoslavie)
1996	*Secrets et Mensonges* (M. Leigh, G.-B.)
1997	*l'Anguille* (S. Imamura, Jap.)
1997	*le Goût de la cerise* (A. Kiarostami, Iran)
1998	*l'Éternité et un jour* (T. Angelopoulos, Gr.)
1999	*Rosetta* (L. et J.-P. Dardenne, Belg.)

◆ La palme d'or du Festival de Cannes.

◆ Les oscars du meilleur film.

Ces récompenses – les *Academy Awards* – sont décernées aux États-Unis par l'Academy of Motion Picture Arts and Science.

Date	Films et cinéastes
1928	*les Ailes* (W. Wellman)
1928	*l'Aurore* (F. W. Murnau)
1929	*The Broadway Melody* (H. Beaumont)
1930	*À l'ouest rien de nouveau* (L. Milestone)
1931	*Cimarron* (W. Ruggles)
1932	*Grand Hôtel* (E. Goulding)
1933	*Cavalcade* (F. Lloyd)
1934	*New York-Miami* (F. Capra)
1935	*les Révoltés du Bounty* (F. Lloyd)
1936	*The Great Ziegfeld* (R. Z. Leonard)
1937	*la Vie d'Émile Zola* (W. Dieterle)
1938	*Vous ne l'emporterez pas avec vous* (F. Capra)
1939	*Autant en emporte le vent* (V. Fleming)
1940	*Rebecca* (A. Hitchcock)
1941	*Qu'elle était verte ma vallée* (J. Ford)
1942	*Mrs. Miniver* (W. Wyler)
1943	*Casablanca* (M. Curtiz)
1944	*la Route semée d'étoiles* (L. McCarey)
1945	*le Poison* (B. Wilder)
1946	*les Plus Belles Années de notre vie* (W. Wyler)
1947	*le Mur invisible* (E. Kazan)
1948	*Hamlet* (L. Olivier)
1949	*les Fous du roi* (R. Rossen)
1950	*Ève* (J. L. Mankiewicz)
1951	*Un Américain à Paris* (V. Minnelli)
1952	*Sous le plus grand chapiteau du monde* (C. B. De Mille)
1953	*Tant qu'il y aura des hommes* (F. Zinnemann)
1954	*Sur les quais* (E. Kazan)
1955	*Marty* (D. Mann)
1956	*le Tour du monde en 80 jours* (M. Anderson)
1957	*le Pont de la rivière Kwai* (D. Lean)
1958	*Gigi* (V. Minnelli)
1959	*Ben Hur* (W. Wyler)
1960	*la Garçonnière* (B. Wilder)
1961	*West Side Story* (R. Wise-J. Robbins)
1962	*Lawrence d'Arabie* (D. Lean)
1963	*Tom Jones* (T. Richardson)
1964	*My Fair Lady* (G. Cukor)
1965	*la Mélodie du bonheur* (R. Wise)
1966	*Un homme pour l'éternité* (F. Zinnemann)
1967	*Dans la chaleur de la nuit* (N. Jewison)
1968	*Oliver* (C. Reed)
1969	*Macadam Cow-Boy* (J. Schlesinger)
1970	*Patton* (F. Schaffner)
1971	*French Connection* (W. Friedkin)
1972	*le Parrain* (F. F. Coppola).
1973	*l'Arnaque* (G. Roy Hill).
1974	*le Parrain II* (F. F. Coppola)
1975	*Vol au-dessus d'un nid de coucou* (M. Forman)
1976	*Rocky* (J. G. Avildsen)
1977	*Annie Hall* (W. Allen)
1978	*Voyage au bout de l'enfer* (M. Cimino)
1979	*Kramer contre Kramer* (R. Benton)
1980	*Des gens comme les autres* (R. Redford)
1981	*les Chariots de feu* (H. Hudson)
1982	*Gandhi* (R. Attenborough)
1983	*Tendres Passions* (J. L. Brooks)
1984	*Amadeus* (M. Forman)
1985	*Out of Africa* (S. Pollack)
1986	*Platoon* (O. Stone)
1987	*le Dernier Empereur* (B. Bertolucci)
1988	*Rain Man* (B. Levinson)
1989	*Driving Miss Daisy* (B. Beresford)
1990	*Danse avec les loups* (K. Costner)
1991	*le Silence des agneaux* (J. Demme)
1992	*Impitoyable* (C. Eastwood)
1993	*la Liste de Schindler* (S. Spielberg)
1994	*Forrest Gump* (R. Zemeckis)
1995	*Braveheart* (M. Gibson)
1996	*le Patient anglais* (A. Minghella)
1997	*Titanic* (J. Cameron)
1998	*Shakespeare in love* (J. Madden)

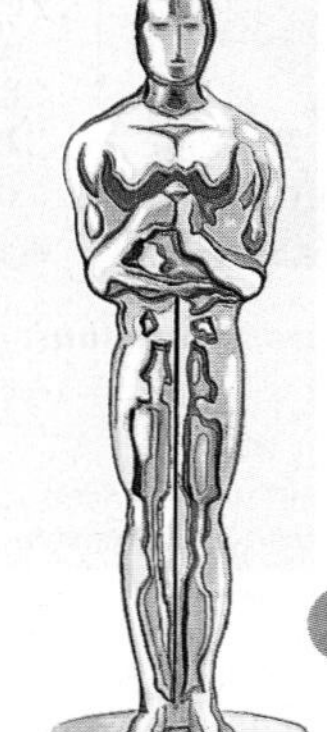

◆ L'oscar de Hollywood.

11 Sports, Jeux et Loisirs

Les activités de loisir ont pris une grande importance dans nos sociétés. Des jeux du premier âge aux jeux électroniques en passant par la pêche ou la chasse, du sport amateur au sport de compétition, les centres d'intérêt sont très nombreux.

Dans leur diversité, sports et jeux ont leurs règles et leurs conventions, fixées parfois depuis fort longtemps. Mais pour avoir sur eux un regard complet et objectif, encore faut-il se rappeler qu'ils sont devenus le champ d'enjeux économiques et financiers considérables, et qu'ils sont susceptibles de révéler de réels problèmes de société.

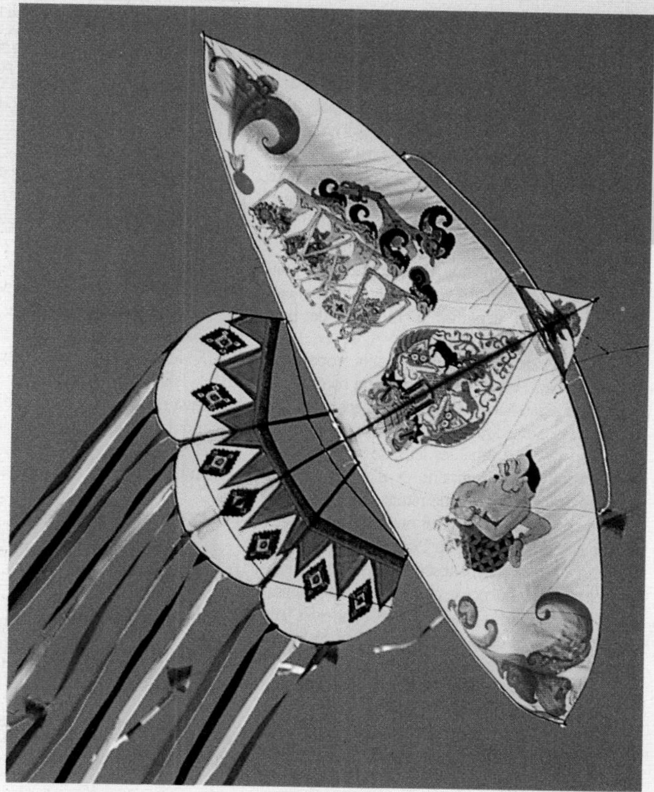

◆ **Une figure lors du festival international de cerfs-volants de Dieppe.**

LES SPORTS

LES JEUX ET LES LOISIRS

Les jeux Olympiques

Histoire des Jeux

Réunissant tous les quatre ans les meilleurs athlètes dans quelque trente sports, les jeux Olympiques sont la plus grande manifestation sportive du monde. Les Jeux d'hiver (depuis 1924) sont réservés aux sports de neige et de glace, et les Jeux d'été (depuis 1896), les plus importants, sont consacrés à toutes les autres disciplines. Depuis 1994, les Jeux d'hiver sont décalés de deux ans par rapport aux Jeux d'été. Le nombre et la nature des disciplines ont varié au cours du temps : certaines ont disparu (comme le polo ou le rugby) ; des épreuves ont été supprimées dans des sports conservés (comme les sauts sans élan en athlétisme), beaucoup ont été introduites (le beach-volley et le softball en 1996 à Atlanta, aux États-Unis, le snowboard en 1998 à Nagano, au Japon).

Initialement, en tout cas officiellement, les Jeux ont pendant longtemps été réservés aux sportifs amateurs. Depuis 1992 – la participation de la *Dream Team* américaine de basket-ball en constitue le meilleur exemple –, les professionnels sont autorisés à participer aux jeux Olympiques. Cette question réglée, d'autres problèmes continuent néanmoins de menacer les Jeux.

Politique, gigantisme et corruption. La politique a souvent perturbé le déroulement des jeux Olympiques, ou dénaturé le message de paix contenu dans l'esprit olympique. Ainsi, en 1936, Hitler se servit des Jeux de Berlin pour la propagande du régime nazi ; en 1972, à Munich, un commando palestinien assassina des sportifs israéliens ; en 1980, l'entrée des Soviétiques en Afghanistan quelques mois auparavent a privé les Jeux de Moscou de la participation des Américains et d'autres athlètes occidentaux ; par mesure de rétorsion, l'URSS et la quasi-totalité des pays de l'Est ont boycotté les Jeux de Los Angeles en 1984 ; en 1988, à Séoul, la Corée du Nord et Cuba étaient absents. La politique a également parfois influencé le choix des villes organisatrices : en 1993, le CIO a ainsi préféré confier les Jeux de l'an 2000 à Sydney plutôt qu'à Pékin en raison des violations des droits de l'homme en Chine.

En effet, les Jeux ne sont pas confiés (par le CIO) à un pays, mais à une ville (généralement désignée sept ans à l'avance). L'organisation des jeux Olympiques nécessite un budget énorme, financé essentiellement par le parrainage *(sponsoring)* et les droits de retransmission télévisée. Il est donc évident que seules les grandes métropoles peuvent accueillir les Jeux (surtout les Jeux d'été). Néanmoins, le choix de Sydney (pour l'an 2000) et d'Athènes (pour 2004) révèle un infléchissement du CIO, qui a pris conscience que l'organisation des jeux Olympiques d'Atlanta, en 1996, entièrement financée par des fonds privés, avec un budget de 1 700 millions de dollars, avait frôlé les limites du gigantisme. Mais le CIO lui-même n'est pas à l'abri des troubles.

En 1999, plusieurs de ses membres ont été convaincus de corruption pour avoir favorisé la candidature de Salt Lake City pour l'organisation des Jeux d'hiver 2002 et se sont vus contraints de démissionner ou ont été exclus.

◆ **Pierre de Coubertin.** Né à Paris en 1863, mort à Genève en 1937, il est unanimement considéré comme le rénovateur des jeux Olympiques. Il en lance l'idée en 1892, réunit à laSorbonne, en 1894, des représentants de 14 nations en un « Congrès international pour le rétablissement des jeux Olympiques » et propose le choix d'Athènes pour renouer symboliquement avec la tradition. Il assumera la présidence du CIO de 1896 à 1925, soit près de 30 ans, durée qu'aucun autre président n'a égalée. C'est évidement grâce à Pierre de Coubertin que le français est, avec l'anglais, l'une des deux langues officielles du CIO.

◆ **Le stade panathénaïque.** Pour les premier Jeux de l'ère moderne (en 1896), la Grèce reconstruisit le vieux stade panathénaïque dessiné au IVe s. av. J.-C. et naturellement détruit. Le nouveau stade est la reproduction exacte de l'ancien tant dans la forme (ovale étiré, évidemment peu propice aux grandes performances) que dans le matériau utilisé (marbre blanc du Pentélique).

◆ **Le drapeau olympique.** Le drapeau olympique, à fond blanc, sans bordure, porte en son centre cinq anneaux. Entrelacés, les « anneaux olympiques » (bleu pour l'Europe, jaune pour l'Asie, noir pour l'Afrique, vert pour l'Océanie, rouge pour l'Amérique) symbolisent l'union des cinq continents à l'occasion des Jeux. Adopté en 1914, le drapeau olympique a été présenté pour la première fois en 1920, aux Jeux d'Anvers (Belgique).

Jeux Olympiques et Olympiades

L'expression « jeux Olympiques » désigne la compétition sportive elle-même (d'une durée d'une quinzaine de jours pour les Jeux d'été comme pour les Jeux d'hiver). Le terme « olympiade » désigne à la période de 4 ans entre deux jeux Olympiques. Les Jeux ne s'étant pas déroulés pendant les deux guerres mondiales, les XXIIIe jeux Olympiques (à Atlanta) étaient les Jeux de la XXVIe Olympiade.

Les médailles

Les lauréats des Jeux sont récompensés seulement par des médailles : médaille de vermeil, dite à tort médaille d'or, pour le vainqueur, d'argent pour le deuxième, de bronze pour le troisième. Lors de la remise des médailles sur un podium, on joue l'hymne national du vainqueur, cependant que les drapeaux des pays des trois lauréats sont hissés au sommet d'un mât.

◆ **La flamme olympique.** Elle est allumée à Olympie, portée ensuite par des relayeurs dans la ville olympique. Elle est apportée au stade lors de la cérémonie d'ouverture (le dernier porteur a été souvent un sportif illustre du pays accueillant les Jeux, par exemple Muhammad Ali à Atlanta, aux États-Unis, en 1996). Elle y brûle durant toute la durée des Jeux.

◆ **La cérémonie d'ouverture.** C'est un moment grandiose. Les équipes (en fait souvent des représentants plus ou moins nombreux) des nations y défilent. Traditionnellement, la Grèce, berceau des Jeux, défile en tête, puis les autres pays viennent se présenter par ordre alphabétique, à l'exception du pays de la ville organisatrice, qui, non moins traditionnellement, ferme le défilé. C'est après celui-ci que la flamme olympique arrive sur le stade.

◆ **Villes organisatrices des Jeux.**

	Jeux d'été	Jeux d'hiver
1896	Athènes (Grèce)	
1900	Paris (Fr.)	
1904	Saint Louis (É.-U.)	
1908	Londres (G.-B.)	
1912	Stockholm (Suède)	
1920	Anvers (Belg.)	
1924	Paris (Fr.)	Chamonix (Fr.)
1928	Amsterdam (P.-B.)	Saint-Moritz (Suisse)
1932	Los Angeles (É.-U.)	Lake Placid (É.-U.)
1936	Berlin (All.)	Garmisch Partenkirchen (All.)
1948	Londres (G.-B.)	Saint-Moritz (Suisse)
1952	Helsinki (Finl.)	Oslo (Norv.)
1956	Melbourne (Austr.)	Cortina d'Ampezzo (It.)
1960	Rome (It.)	Squaw Valley (É.-U.)
1964	Tokyo (Jap.)	Innsbruck (Autr.)
1968	Mexico (Mex.)	Grenoble (Fr.)
1972	Munich (RFA)	Sapporo (Jap.)
1976	Montréal (Can.)	Innsbruck (Autr.)
1980	Moscou (URSS)	Lake Placid (É.-U.)
1984	Los Angeles (É.-U.)	Sarajevo (Youg.)
1988	Séoul (Corée du S.)	Calgary (Can.)
1992	Barcelone (Esp.)	Albertville (Fr.)
1994		Lillehammer (Norv.)
1996	Atlanta (É.-U.)	
1998		Nagano (Jap.)
2000	Sydney (Austr.)	
2002		Salt Lake City (É.-U.)
2004	Athènes (Grèce)	

Le Comité international olympique

Le Comité international olympique (CIO) a été créé en 1894 à l'instigation du baron Pierre de Coubertin. Son siège est à Lausanne (Suisse). En sont membres 34 fédérations internationales, 197 comités olympiques nationaux (1998). Seuls les comités nationaux olympiques reconnus par le CIO ont compétence pour inscrire les concurrents aux jeux Olympiques.

Le Comité se renouvelle par la cooptation de personnalités qu'il juge qualifiées. Il n'est recruté qu'un ou deux membres par nation, ces membres étant élus à vie. Le président, choisi parmi les membres du CIO, est élu pour une période de huit ans et il est rééligible pour une période de quatre ans.

La devise et le serment olympiques

La devise olympique – *Citius, Altius, Fortius* (« plus vite, plus haut, plus fort ») – exprime naturellement l'espoir des participants. Le serment olympique a été prononcé pour la première fois aux Jeux d'Anvers, en 1920 (par l'escrimeur belge Victor Boin). Très légèrement modifié, il est désormais rédigé ainsi : « Au nom de tous les concurrents, je promets que nous prendrons part à ces jeux Olympiques en respectant et suivant les règles qui les régissent dans un esprit de sportivité, pour la gloire du sport et l'honneur de nos équipes. »

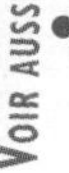

VOIR AUSSI
• **Budget des Jeux** p. 1283
Illustrations
• **Jesse Owens** p. 1222

Quelques grands noms

Nadia Comaneci (Roum., née en 1961). Lors des Jeux de 1976, elle remporte trois médailles d'or, dont celle du concours général. Surtout, elle se distingue en obtenant à plusieurs reprises la note exceptionnelle de 10 sur 10.

Mark Spitz (É.-U., né en 1950). Aux jeux Olympiques de 1972, ce nageur s'aligne sur sept épreuves : il remporte sept médailles d'or en améliorant les sept records du monde.

Paavo Nurmi (Finl., 1897-1973). Notamment champion olympique du 1 500 m et du 5 000 m en 1924, du 10 000 m en 1920 et 1928, il est considéré comme le plus grand athlète finlandais.

Emil Zatopek (Tchéc., né en 1922). Il a remporté quatre titres olympiques, dont trois (5 000 m, 10 000 m et marathon) en 1952. Il a été aussi le premier homme à courir plus de 20 kilomètres (20,052 km) dans l'heure (en 1951).

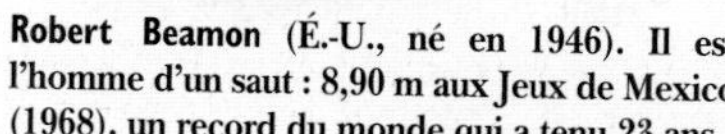

Robert Beamon (É.-U., né en 1946). Il est l'homme d'un saut : 8,90 m aux Jeux de Mexico (1968), un record du monde qui a tenu 23 ans.

Carl Lewis (É.-U., né en 1961). Cet athlète remporte neuf médailles d'or aux jeux Olympiques : 100 m, 200 m, 4 x 100 m, longueur en 1984 (Los Angeles) ; 100 m, longueur en 1988 (Séoul) ; 4 x 100 m, longueur en 1992 (Barcelone); longueur en 1996 (Atlanta).

◆ **Disciplines sportives des Jeux en 1996.**
En 1996, 271 épreuves ont été inscrites aux Jeux d'été, dont 163 réservées aux hommes, 97 aux femmes et 11 mixtes. Sont apparues lors de ces Jeux de nouvelles disciplines : le football féminin, le softball, le beach-volley et le VTT.

Jeux d'été		Jeux d'hiver
athlétisme	hockey sur gazon	biathlon
aviron	judo	bobsleigh*
badminton	lutte	combiné nordique*
base-ball*	natation	curling
basket-ball	natation synchronisée**	hockey sur glace
beach-volley	pentathlon moderne	luge
boxe*	softball	patinage artistique
canoë-kayak	tennis	patinage de vitesse
cyclisme	tennis de table	saut à ski*
équitation	tir	short track
escrime	tir à l'arc	ski acrobatique
football	voile	ski alpin
gymnastique	volley-ball	ski de fond
GRS**	VTT	snowboard
haltérophilie	water-polo	
handball		

* Discipline pratiquée seulement par les hommes.
** Discipline pratiquée seulement par les femmes.

L'athlétisme

Un sport universel

Les disciplines de l'athlétisme font appel à des gestes naturels : courir, lancer, sauter. C'est aussi, depuis 1896, le sport de base des jeux Olympiques, ce qui explique que des Championnats du monde n'ont été organisés que très tardivement (en 1983, à Helsinki). Il est régi par l'IAAF (International Amateur Athletic Federation), créée à Stockholm en 1912 (immédiatement après les jeux Olympiques), regroupant 209 fédérations en 1999 (plus qu'il n'existe d'États, certaines dépendances politiques des Antilles et d'Océanie étant affiliées), subdivisées en 6 régions continentales (Afrique, Asie, Europe, Océanie, Amérique centrale et du Nord, Amérique du Sud). L'IAAF, qui siège à Londres, régit non seulement l'athlétisme au sens strict mais aussi la marche et le cross.

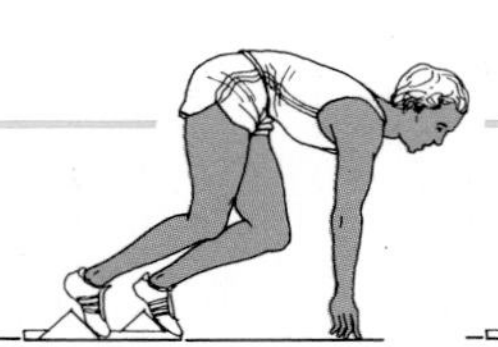

◆ **Sprint.** Le départ des épreuves du 100 au 400 m s'opère à l'aide de starting-blocks permettant une mise en action très rapide, essentielle sur des courtes distances où une course peut se gagner (ou se perdre) au départ.

Les épreuves. L'athlétisme associe, sur le même stade, les courses et les concours ; ces derniers sont subdivisés en lancers (poids, disque, javelot et marteau) et sauts (hauteur, longueur, triple saut et perche).

Les courses « classiques » sont les 100 m, 200 m, 400 m, 800 m, 1 500 m, 5 000 m et 10 000 m pour le « plat », les 110 m et 400 m haie, et le 3 000 m steeple pour les « obstacles », auxquelles s'ajoutent deux courses de relais : 4 x 100 m et 4 x 400 m. Les femmes ne courent pas le 3 000 m steeple. Elles ne lancent le marteau ou ne sautent à la perche dans le cadre de compétitions officielles que depuis 1998. Le 110 m haies est remplacé, dans les compétitions féminines, par le 100 m haies (avec des obstacles plus bas). Les courses se disputent en couloirs (d'une largeur minimale de 1,22 m) du 100 au 400 m (et pour une partie du 800 m), avec un décalage au départ pour compenser l'inégale longueur des virages. Le décathlon (pour les hommes) et l'heptathlon (pour les femmes) sont des épreuves moins régulièrement disputées. Quant au marathon, il est l'objet de nombreuses compétitions réunissant champions confirmés et simples amateurs.

◆ **Longueur.** C'est le plus naturel des concours, avec une course d'élan précédant une planche d'appel longue de 1,98 à 2,02 m (tout dépassement annule l'essai).

◆ **Triple saut.** Se succèdent un saut à cloche-pied (retombée sur le pied d'appel), une enjambée (retombée sur l'autre pied) puis un saut.

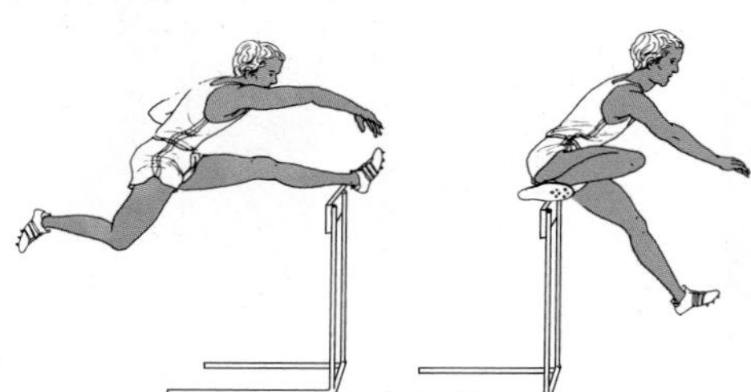

◆ **Haies.**
Le problème à résoudre est l'étalonnage de la foulée, afin d'aborder la haie avec le même pied d'appel et à une distance suffisante pour ne pas piétiner devant l'obstacle (surtout au 110 m haies). Au 110 m haies (comme au 400 m haies et au 100 m haies [dames]), il y a 10 haies à franchir.
Pour le 100 m haies dames, la hauteur de la haie est de 0,84 m ; pour le 400 m haies dames, de 0,762 m ; pour le 110 m haies hommes, de 1,067 m, pour le 400 m haies hommes, de 0,914 m. L'athlète peut, involontairement, renverser la haie sans pénalisation. Dans le 3 000 m steeple, la rivière doit être franchie sept fois.

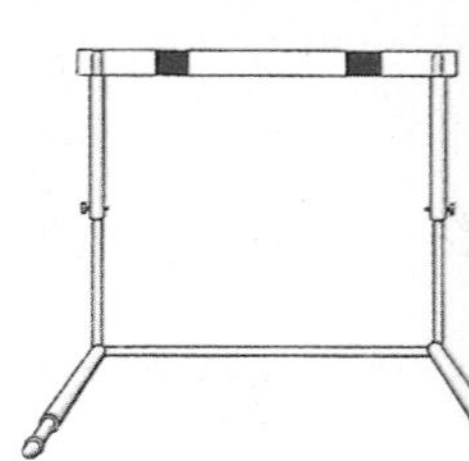

La perche.
La piste d'élan est assez courte, l'athlète devant acquérir la vitesse maximale tout en portant une perche.

Le poids.
Le poids doit tomber à l'intérieur d'une zone de chute dont l'angle d'ouverture est de l'ordre de 60°. Cette zone de chute a un rayon inférieur à 25 m.

Le javelot.
Le javelot nécessite une course d'élan qui doit se terminer par un blocage le plus près possible de la ligne de lancer.

Le disque.
Le lancement du disque s'effectue, après une rotation, à partir d'une cage grillagée avec un angle d'ouverture de 40°.

La longueur.
Le sauteur prend de la vitesse sur quelques dizaines de mètres, tout en contrôlant quelques repères en bord de piste pour ne pas mordre la planche d'appel.

Le triple saut.
La course d'élan au triple saut est évidemment voisine de celle du saut en longueur. En revanche, la fosse de réception est située beaucoup plus loin de la planche d'appel.

La hauteur.
La piste d'élan a une forme semi-circulaire, l'athlète effectuant une partie de sa course d'élan parallèlement ou presque à la barre.

Les couloirs.
Une piste d'athlétisme pour les épreuves de niveau international doit comporter 8 couloirs.

L'arrivée.
La ligne d'arrivée se situe à l'extrémité d'une ligne droite d'environ 100 m.

Le marteau.
Le lancement du marteau s'effectue à partir d'une cage grillagée, avec un angle de dispersion des lancers (qui peuvent dépasser 80 m) de l'ordre de 60°.

◆ **Le stade d'athlétisme.**
Le terrain a été souvent assimilé à une scène de théâtre sur laquelle se déroulent simultanément plusieurs épreuves : une course, souvent deux concours (un saut et un lancer).

◆ Saut en hauteur (dorsal).
C'est le *Fosbury flop*, du nom de son « inventeur », l'Américain Dick Fosbury, champion olympique à Mexico en 1968. Une course d'élan « contourné » précède l'appel dos à la barre. C'est aujourd'hui le style de loin le plus répandu, expliquant largement la progression des records masculins et féminins après 1970. Avant 1968, le style prédominant était le rouleau ventral, ainsi appelé parce que le sauteur enveloppait la barre, s'« enroulait » au-dessus d'elle.

◆ Poids.
Le lancer s'effectue avec une boule métallique de 7,260 kg pour les hommes (diamètre de 11 à 13 cm), de 4 kg pour les femmes (diamètre de 9,5 à 11 cm), à partir d'un cercle de 2,135 m de diamètre, sur la partie antérieure duquel est fixé un butoir. Ce lancer nécessite vitesse d'impulsion et, naturellement, force.

◆ Javelot.
Le javelot a une longueur de 2,60 à 2,70 m et pèse 800 g pour les hommes, une longueur de 2,20 à 2,30 m et un poids de 600 g pour les femmes. Le centre de gravité doit être situé entre 0,90 et 1,06 m de la tête du javelot pour les hommes, entre 0,80 et 0,95 m pour les femmes. La pointe doit toucher le sol la première.

◆ Disque.
En forme de lentille aplatie à la périphérie, il pèse 2 kg pour les hommes, 1 kg pour les femmes. Le lanceur, évoluant dans un cercle de 2,50 m de diamètre, utilise la force centrifuge en tournant plusieurs fois sur lui-même aussi vite que possible pour propulser l'engin.

◆ Marteau.
C'est une boule métallique (comme le poids) reliée par un câble d'acier à une poignée, l'ensemble ayant une longueur totale de 1,20 m et un poids minimal de 7,260 kg. Le lancer, opéré après plusieurs rotations nécessitant vitesse et force, s'effectue à partir d'une cage grillagée en forme de U (ouverture large de 6 m) pour assurer la sécurité.

◆ Perche.
C'est une épreuve associant à la fois vitesse et force (porter la perche le plus rapidement possible), détente et souplesse (pour s'élever et franchir la barre). Ces deux dernières qualités ont bénéficié de l'apparition vers 1960 de la perche en fibre de verre, agissant comme une catapulte et expliquant largement l'amélioration des records.

Les épreuves combinées

Les épreuves combinées couronnent les athlètes complets, capables aussi bien de sprinter, de sauter ou de lancer. Les hommes disputent le décathlon, discipline qui comporte dix épreuves (quatre courses, trois sauts et trois lancers) disputées en deux jours dans l'ordre suivant : 100 m, longueur, poids, hauteur et 400 m la première journée ; 110 m haies, disque, perche, javelot et 1500 m la seconde journée. Les épreuves sont cotées à partir d'une table internationale, accordant un certain nombre de points à chaque performance accomplie. Le vainqueur est celui qui totalise le plus grand nombre de points pour l'ensemble des dix épreuves.

Les femmes disputent l'heptathlon, soit sept épreuves, sur deux jours : trois courses (100 m haies, 200 et 800 m), deux sauts (hauteur et longueur) et deux lancers (poids et javelot). Jusqu'en 1981, les femmes disputaient seulement un pentathlon (le 800 m et le lancer du javelot ont été ajoutés à cette date). Le classement est établi sur des bases comparables à celles du décathlon.

Le cross

Le cross, ou cross-country (littéralement course à travers la campagne), se pratique surtout en hiver sur des terrains variés (qui peuvent être des hippodromes), parfois boueux, jalonnés d'obstacles naturels ou artificiels. Les distances sont généralement de 15 km pour les hommes et de 5 km pour les femmes. Cette discipline attire les coureurs de demi-fond et de fond, surtout depuis la création, en 1977, de Championnats du monde annuels (individuels et par équipes), succédant au Cross des nations. Discipline de la « mauvaise saison », le cross n'est pas disputé aux jeux Olympiques. Les temps réalisés ne sont évidemment pas comparables, compte tenu de la diversité des parcours et des conditions climatiques. Les Championnats du monde sont le plus souvent dominés par les athlètes africains, et plus particulièrement des Kenyans tels J. Ngugi ou P. Tergat.

La marche

La marche sportive est rigoureusement réglementée : c'est une progression effectuée de telle façon qu'un contact ininterrompu soit maintenu avec le sol. Elle entraîne un déhanchement particulier. Lors des compétitions, la marche dite irrégulière (les deux pieds étant décollés du sol) donne lieu à des avertissements, le marcheur se voyant disqualifié au bout de trois avertissements. Aux jeux Olympiques, les hommes disputent le 20 km (depuis 1956) et le 50 km (depuis 1932), et les femmes le 10 km (depuis 1992). Toutefois, les épreuves les plus spectaculaires demeurent les longues distances sur route, en particulier l'épreuve Paris-Colmar, qui a pris la succession de Strasbourg-Paris (ou Paris-Strasbourg), sur une distance de l'ordre de 500 km.

VOIR AUSSI
Illustrations
• Robert Beamon; Carl Lewis; Paavo Nurmi; Emil Zatopek p. 1219

Le jogging

Courir permet d'entretenir sa forme. Ainsi, le footing (course entrecoupée de marche) est pratiqué depuis longtemps, notamment dans les sous-bois. Depuis le début des années 1980, le footing, entraînement le plus souvent solitaire, s'est transformé en « jogging », pratiqué le plus souvent en groupe, parfois sur route, où un certain esprit de compétition règne souvent. Tout en cherchant à améliorer son temps sur un parcours donné, le joggeur tente alors de surpasser ses compagnons. Nombreux sont ainsi ceux qui s'orientent vers la course sur route et que l'on retrouve au départ de grands marathons de masse.

Le triathlon

Ce sport récent, né aux États-Unis, connaît un succès croissant malgré la difficulté due à la succession, sans interruption, même lors des changements de tenue, de trois disciplines : natation, cyclisme et course à pied. Les normes ne sont pas uniformes, mais il existe évidemment des rapports à respecter entre les différentes épreuves. Ainsi le triathlon olympique (inscrit aux Jeux de Sydney en 2000) comporte 1,5 km de natation, 20 km à vélo et une course à pied de 5 km. Lors d'une épreuve extrême comme l'Ironman, les triathlètes nagent 3,8 km, effectuent 180 km à vélo et terminent par un marathon (42,195 km).

Le pentathlon moderne

Ce sport est né à Stockholm, en 1912, d'une idée de Pierre de Coubertin. Simulant les difficultés auxquelles pourrait se heurter un messager militaire dans l'exercice de sa mission, il se compose de cinq épreuves : escrime, natation, tir, course et équitation (le pentathlon de la Grèce antique était composé de 4 épreuves d'athlétisme et d'une épreuve de lutte). Chaque épreuve est affectée d'une norme de performance (qui peut être dépassée) valant 1 000 points : concours hippique de 400 m comportant 12 obstacles à franchir sans faute en 1 min 9 s ; 70 % des assauts gagnés en escrime ; 3 min 54 s pour un 300 m en nage libre ; 194 points sur un maximum possible de 200 dans un tir au pistolet sur cible mobile à 25 m ; 14 min 15 s pour un cross de 4 000 m. Il existe un classement individuel et un classement par nations (sur 3 hommes). Le pentathlon moderne se dispute sur 5 jours avec une épreuve par jour dans l'ordre indiqué plus haut.

Quelques grands noms

Sergueï Bubka (Ukr., né en 1963). En 1985, il est le premier perchiste à franchir 6 m. Six fois champion du monde en six participations, il obtient également la médaille d'or aux jeux Olympiques de 1988 à Séoul. En 1994, il porte le record du monde à 6,14 m.

Sebastian Coe (G.-B., né en 1956). Champion olympique du 1 500 m et vice-champion olympique du 800 m en 1980 et en 1984, il porte en juin 1981 le record du monde du 800 m à 1 min 41 s 72 ; ce record tiendra jusqu'en 1997.

Michael Johnson (É.-U., né en 1967). Champion du monde du 200 m en 1991, du 400 m en 1993, des deux épreuves en 1995, il devient en 1996, à Atlanta, champion olympique du 400 m puis du 200 m, dont il pulvérise le record du monde (19 s 32 contre 19 s 66).

Edwin Moses (É.-U., né en 1955). Champion olympique du 400 m haies en 1976 et en 1984, il reste invaincu de 1977 à 1987, remportant 122 courses consécutivement.

Jesse Owens (É.-U., 1918-1980). Il est quatre fois vainqueur aux jeux Olympiques de Berlin en 1936 (100 et 200 m, 4 x 100 m, saut en longueur). Lors de la remise des médailles, Hitler refuse de serrer la main de ce sprinter noir qui vient de dominer les athlètes aryens.

Marie-José Pérec (Fr., née en 1968). Championne du monde du 400 m en 1991 et en 1995, championne olympique du 400 m en 1992, elle obtient deux médailles d'or, sur 200 et 400 m, lors des Jeux d'Atlanta en 1996.

◆ Marie-José Pérec.

Javier Sotomayor (Cuba, né en 1967). Il franchit 2,43 m en 1988 mais ne peut participer aux Jeux de Séoul en raison du boycottage décidé par Fidel Castro. Champion olympique en 1992, champion du monde en 1993 et en 1997, il porte le record du monde à 2,45 m en 1993.

◆ Jesse Owens.

◆ Records du monde.

Hommes

100 m	1996	D. Bailey (Can.) 9 s 84
200 m	1996	M. Johnson (É.-U.) 19 s 32
400 m	1988	H. Reynolds (É.-U.) 43 s 29
800 m	1997	W. Kipketter (Dan.) 1 min 41 s 11
1 500 m	1998	H. El Guerrouj (Maroc) 3 min 26 s
Mile	1993	N. Morceli (Alg.) 3 min 44 s 39
3 000 m	1996	D. Komen (Kenya) 7 min 20 s 11
5 000 m	1998	H. Gebrésélassié (Éth.) 12 min 39 s 36
10 000 m	1998	H. Gebrésélassié (Éth.) 26 min 22 s 75
20 km	1991	A. Barrios (Mex.) 56 min 55 s 06
Heure	1991	A. Barrios (Mex.) 21,101 km
110 m haies	1993	C. Jackson (G.-B.) 12 s 91
400 m haies	1992	K. Young (É.-U.) 46 s 78
3000 m steeple	1997	B. Bermasai (Kenya) 7 min 55 s 72
Hauteur	1993	J. Sotomayor (Cuba) 2,45 m
Longueur	1991	M. Powell (É.-U.) 8,95 m
Perche	1994	S. Bubka (Ukr.) 6,14 m
Triple saut	1995	J. Edwards (G.-B.) 18,29 m
Poids	1990	R. Barnes (É.-U.) 23,12 m
Disque	1986	J. Schult (RDA) 74,08 m
Marteau	1984	Y. Sedykh (URSS) 86,74 m
Javelot	1993	J. Zelezny (Rép. tch.) 98,48 m
Décathlon	1992	D. O'Brien (É.-U.) 8 891 pts
4 x 100 m	1992 et 1993	États-Unis 37 s 40
4 x 400 m	1998	États-Unis 2 min 54 s 20
20 km marche	1994	B. Segura (Mex.) 1 h 17 min 25 s 5
50 km marche	1996	T. Toutain (Fr.) 3 h 40 min 57 s 9
Marathon		pas de record reconnu

Femmes

100 m	1988	F. Griffith-Joyner (É.-U.) 1 0 s 49
200 m	1988	F. Griffith-Joyner (É.-U.) 21 s 34
400 m	1985	M. Koch (RDA) 47 s 60
800 m	1983	J. Kratochvílová (Tch.) 1 min 53 s 28
1 500 m	1993	Qu Yunxia (Chine) 3 min 50 s 46
3 000 m	1993	Wang Junxia (Chine) 8 min 6 s 11
5 000 m	1997	Bo (Chine) 14 min 28 s 09
10 000 m	1993	Wang Junxia (Chine) 29 min 31 s 78
100 m haies	1988	Y. Donkova (Bulg.) 12 s 21
400 m haies	1995	K. Batten (É.-U.) 52 s 61
Hauteur	1987	S. Kostadinova (Bulg.) 2,09 m
Longueur	1988	G. Tchistyakova (URSS) 7,52 m
Triple saut	1995	I. Kravets (Ukr.) 15,50 m
Perche	1998	E. George (Austr.) 4,59 m
Poids	1987	N. Lissovskaia (URSS) 22,63 m
Disque	1988	G. Reinsch (RDA) 76,80 m
Marteau	1998	O. Kuzenkova (Russie) 73,80 m
Javelot	1988	P. Felke (RDA) 80 m
Heptathlon	1988	J. Joyner-Kersee (É.-U.) 7 291 pts
4 x 100 m	1985	RDA 41 s 37
4 x 400 m	1988	URSS 3min 15 s 18
10 km marche	1990	I. Ryachkina (URSS) 41 min 56 s 23
Marathon		pas de record reconnu

◆ Jeux Olympiques.

Hommes

100 mètres

1896 T. Burke (É.-U.) 12 s
1900 F. Jarvis (É.-U.) 11 s
1904 A. Hahn (É.-U.) 11 s
1908 R. Walker (Afr. du S.) 10 s 8
1912 R. Craig (É.-U.) 10 s 8
1920 C. Paddock (É.-U.) 10 s 8
1924 H . Abrahams (G.-B.) 10 s 6
1928 P. Williams (Can.) 10 s 8
1932 E. Tolan (É.-U.) 10 s 3
1936 J. Owens (É.-U.) 10 s 3
1948 H. Dillard (É.-U.) 10 s 3
1952 L. Remigino (É.-U.) 10 s 4
1956 R. Morrow (É.-U.) 10 s 5
1960 A. Hary (RFA) 10 s 2
1964 R. Hayes (É.-U.) 10 s
1968 J. Hines (É.-U.) 9 s 95
1972 V. Borzov (URSS) 10 s 14
1976 H. Crawford (Trinité) 10 s 06
1980 A. Wells (G.-B.) 10 s 25
1984 C. Lewis (É.-U.) 9 s 99
1988 C. Lewis (É.-U.) 9 s 92
1992 L. Christie (G.-B.) 9 s 96
1996 D. Bailey (Can.) 9 s 84

200 mètres

1900 J. Tewksbury (É.-U.) 22 s 2
1904 A. Hahn (É.-U.) 21 s 6
1908 R. Kerr (Can.) 22 s 6
1912 R. Craig (É.-U.) 21 s 7
1920 A. Woodring (É.-U.) 22 s
1924 J. Scholz (É.-U.) 21 s 6
1928 P. Williams (Can.) 21 s 8
1932 E. Tolan (É.-U.) 21 s 2
1936 J. Owens (É.-U.) 20 s 7
1948 M. Patton (É.-U.) 21 s 1
1952 A. Stanfield (É.-U.) 20 s 7
1956 R. Morrow (É.-U.) 20 s 6
1960 L. Berruti (It.) 20 s 5
1964 H. Carr (É.-U.) 20 s 3
1968 T. Smith (É.-U.) 19 s 83
1972 V. Borzov (URSS) 20 s 00
1976 D. Quarrie (Jam.) 20 s 23
1980 P. Mennea (It.) 20 s 19
1984 C. Lewis (É.-U.) 19 s 80
1988 J. De Loach (É.-U.) 19 s 75
1992 M. Marsh (É.-U.) 20 s 01
1996 M. Johnson (É.-U.) 19 s 32

400 mètres

1896 T. Burke (É.-U.) 54 s 2
1900 M. Long (É.-U.) 49 s 4
1904 H. Hillman (É.-U.) 49 s 2
1908 W. Halswelle (G.-B.) 50 s
1912 C. Reidpath (É.-U.) 48 s 2
1920 B. Rudd (Afr. du S.) 49 s 6
1924 E. Liddell (G.-B.) 47 s 6
1928 R. Barbuti (É.-U.) 47 s 8
1932 W. Carr (É.-U.) 46 s 2
1936 A. Williams (É.-U.) 46 s 5
1948 A. Wint (Jam.) 46 s 2
1952 G. Rhoden (Jam.) 45 s 9
1956 C. Jenkins (É.-U.) 46 s 7
1960 O. Davis (É.-U.) 44 s 9
1964 M. Larrabee (É.-U.) 45 s 1
1968 L. Evans (É.-U.) 43 s 86
1972 V. Matthews (É.-U.) 44 s 66
1976 A. Juantorena (Cuba) 44 s 26
1980 V. Markin (URSS) 44 s 60
1984 A. Babers (É.-U.) 44 s 27
1988 S. Lewis (É.-U.) 43 s 87
1992 Q. Watts (É.-U.) 43 s 50
1996 M. Johnson (É.-U.) 43 s 49

800 mètres

1896 E. Flack (Austr.) 2 min 11 s
1900 A. Tysoe (G.-B.) 2 min 1 s
1904 J. Lightbody (É.-U.) 1 min 56 s 2
1908 M. Sheppard (É.-U.) 1 min 52 s 8
1912 J. Meredith (É.-U.) 1 min 51 s 9
1920 A. Hill (G.-B.) 1 min 53 s 4
1924 D. Lowe (G.-B.) 1 min 52 s 4
1928 D. Lowe (G.-B.) 1 min 51 s 8
1932 T. Hampson (G.-B.) 1 min 49 s 7
1936 J. Woodruff (É.-U.) 1 min 52 s 9
1948 M. Whitfield (É.-U.) 1 min 49 s 2
1952 M. Whitfield (É.-U.) 1 min 49 s 2
1956 T. Courtney (É.-U.) 1 min 47 s 7
1960 P. Snell (N.-Z.) 1 min 46 s 3
1964 P. Snell (N.-Z.) 1 min 45 s 1
1968 R. Doubell (Austr.) 1 min 44 s 3
1972 D. Wottle (É.-U.) 1 min 45 s 9
1976 A. Juantorena (Cuba) 1 min 43 s 47
1980 S. Ovett (G.-B.) 1 min 45 s 5
1984 J. Cruz (Brés.) 1 min 43 s
1988 P. Ereng (Kenya) 1 min 43 s 45
1992 W. Tanui (Kenya) 1 min 43 s 66
1996 J. Rodal (Norv.) 1 min 42 s 58

1 500 mètres

1896 E. Flack (Austr.) 4 min 3 s 2
1900 C. Bennett (G.-B.) 4 min 6 s 2
1904 J. Lightbody (É.-U.) 4 min 5 s 4
1908 M. Sheppard (É.-U.) 4 min 3 s 4
1912 A. Jackson (G.-B.) 3 min 56 s 8
1920 A. Hill (G.-B.) 4 min 1 s 8
1924 P. Nurmi (Finl.) 3 min 53 s 6
1928 H. Larva (Finl.) 3 min 53 s 2
1932 L. Beccali (It.) 3 min 51 s 2
1936 J. Lovelock (N.-Z.) 3 min 47 s 8
1948 H. Eriksson (Suède) 3 min 49 s 8
1952 J. Barthel (Lux.) 3 min 45 s 2
1956 R. Delaney (Irl.) 3 min 41 s 2
1960 H. Elliott (Austr.) 3 min 35 s 6
1964 P. Snell (N.-Z.) 3 min 38 s 1
1968 K. Keino (Kenya) 3 min 34 s 9
1972 P. Vasala (Finl.) 3 min 36 s 3
1976 J. Walker (N.-Z.) 3 min 39 s 17
1980 S. Coe (G.-B.) 3 min 38 s 40
1984 S. Coe (G.-B.) 3 min 32 s 53
1988 P. Rono (Kenya) 3 min 35 s 96
1992 F. Cacho (Esp.) 3 min 40 s 12
1996 N. Morceli (Alg.) 3 min 35 s 78

5 000 mètres

1912 H. Kolehmainen (Finl.) 14 min 36 s 6
1920 J. Guillemot (Fr.) 14 min 55 s 6
1924 P. Nurmi (Finl.) 14 min 31 s 2
1928 V. Ritola (Finl.) 14 min 38 s
1932 L. Lehtinen (Finl.) 14 min 30 s
1936 G. Höckert (Finl.) 14 min 22 s 2
1948 G. Reiff (Belg.) 14 min 17 s 6
1952 E. Zátopek (Tch.) 14 min 06 s 6
1956 V. Kuts (URSS) 13 min 39 s 6
1960 M. Halberg (N.-Z.) 13 min 43 s 4
1964 R. Schul (É.-U.) 13 min 48 s 8
1968 M. Gammoudi (Tun.) 14 min 05 s
1972 L. Viren (Finl.) 13 min 26 s 4
1976 L. Viren (Finl.) 13 min 24 s 76
1980 M. Yifter (Éth.) 13 min 21 s
1984 S. Aouita (Maroc) 13 min 5 s 59
1988 J. Ngugi (Kenya) 13 min 11 s 70
1992 D. Baumann (All.) 13 min 12 s 52
1996 V. Nyongabo (Burundi) 13 min 7 s 96

10 000 mètres

1912 H. Kolehmainen (Finl.) 31 min 20 s 8
1920 P. Nurmi (Finl.) 31 min 45 s 8
1924 V. Ritola (Finl.) 30 min 23 s 2
1928 P. Nurmi (Finl.) 30 min 18 s 8
1932 J. Kusocinski (Pol.) 30 min 11 s 4
1936 I. Salminen (Finl.) 30 min 15 s 4
1948 E. Zátopek (Tch.) 29 min 59 s 6
1952 E. Zátopek (Tch.) 29 min 17 s
1956 V. Kuts (URSS) 28 min 45 s 6
1960 P. Bolotnikov (URSS) 28 min 32 s 2
1964 W. Mills (É.-U.) 28 min 24 s 4
1968 N. Temu (Kenya) 29 min 27 s 4
1972 L. Viren (Finl.) 27 min 38 s 4
1976 L. Viren (Finl.) 27 min 40 s 38
1980 M. Yifter (Éth.) 27 min 42 s 7
1984 A. Cova (It.) 27 min 47 s 54
1988 M. T. Boutayeb (Maroc) 27 min 21 s 46
1992 K. Skah (Maroc) 27 min 46 s 70
1996 H. Gébrésélassié (Éth.) 27 min 07 s 35

110 mètres haies

1896 T. Curtis (É.-U.) 17 s 6
1900 A. Kraenlein (É.-U.) 15 s 4
1904 F. Schule (É.-U.) 16 s
1908 F. Smithson (É.-U.) 15 s
1912 F. Kelly (É.-U.) 15 s 1
1920 E. Thompson (Can.) 14 s 8
1924 D. Kinsey (É.-U.) 15 s
1928 S. Atkinson (Afr. du S.) 14 s 8
1932 G. Saling (É.-U.) 14 s 6
1936 F. Towns (É.-U.) 14 s 2
1948 W. Porter (É.-U.) 13 s 9
1952 H. Dillard (É.-U.) 13 s 7
1956 L. Calhoun (É.-U.) 13 s 5
1960 L. Calhoun (É.-U.) 13 s 8
1964 H. Jones (É.-U.) 13 s 6
1968 W. Davenport (É.-U.) 13 s 3
1972 R. Milburn (É.-U.) 13 s 24
1976 G. Drut (Fr.) 13 s 30
1980 T. Munkelt (RDA) 13 s 39
1984 R. Kingdom (É.-U.) 13 s 20
1988 R. Kingdom (É.-U.)12 s 98
1992 M. McKoy (Can.) 13 s 12
1996 A. Johnson (É.-U.) 12 s 95

400 mètres haies

1900 J. Tewksbury (É.-U.) 57 s 6
1904 H. Hillman (É.-U.) 53 s
1908 C. Bacon (É.-U.) 55 s
1920 F. Loomis (É.-U.) 54 s
1924 F. Morgan-Taylor (É.-U.) 52 s 6
1928 D. Burghley (G.-B.) 53 s 4
1932 R. Tisdall (Irl.) 51 s 7
1936 G. Hardin (É.-U.) 52 s 4
1948 R. Cochran (É.-U.) 51 s 1
1952 C. Moore (É.-U.) 50 s 8
1956 G. Davis (É.-U.) 50 s 1
1960 G. Davis (É.-U.) 49 s 3
1964 W. Cawley (É.-U.) 49 s 6
1968 D. Hemery (G.-B.) 48 s 1
1972 J. Akii-Bua (Oug.) 47 s 82
1976 E. Moses (É.-U.) 47 s 64
1980 V. Beck (RDA) 48 s 70
1984 E. Moses (É.-U.) 47 s 75
1988 A. Phillips (É.-U.) 47 s 19
1992 K. Young (É.-U.) 46 s 78
1996 D. Adkins (É.-U.) 47 s 54

3 000 mètres steeple

1900 Orton (É.-U.) 7 min 34 s 4 (sur 2 500 m)
1904 Lightbody (É.-U.) 7 min 39 s 6 (sur 2 500 m)
1908 Russel (G.-B.) 10 min 47 s 8 (sur 3 200 m)
1912 non disputé
1920 P. Hodge (G.-B.) 10 min 00 s 4
1924 V. Ritola (Finl.) 9 min 33 s 6
1928 T. Loukoka (Finl.) 9 min 21 s 8
1932 V. Iso-Hollo (Finl.) 10 min 33 s 4
1936 V. Iso-Hollo (Finl.) 9 min 03 s 8
1948 T. Sjöstrand (Suède) 9 min 04 s 6
1952 H. Ashenfelter (É.-U.) 8 min 45 s 4
1956 C. Brasher (G.-B.) 8 min 41 s 2
1960 Z. Krzyszkowiak (Pol.) 8 min 34 s 2
1964 G. Roelants (Belg.) 8 min 30 s 8
1968 A. Biwott (Kenya) 8 min 51 s
1972 K. Keino (Kenya) 8 min 23 s 6
1976 A. Gaerderud (Suède) 8 min 8 s 3
1980 B. Malinowski (Pol.) 8 min 9 s 7
1984 J. Korir (Kenya) 8 min 11 s 80
1988 J. Kariuki (Kenya) 8 min 5 s 51
1992 M. Birir (Kenya) 8 min 06 s 84
1996 J. Keter (Kenya) 8 min 7 s 12

◆ Jeux Olympiques *(suite).*

Saut en hauteur
1896 E. Clark (É.-U.) 1,81 m
1900 I. Baxter (É.-U.) 1,90 m
1904 S. Jones (É.-U.) 1,80 m
1908 H. Porter (É.-U.) 1,90 m
1912 A. Richards (É.-U.) 1,93 m
1920 R. Landon (É.-U.) 1,93 m
1924 H. Osborn (É.-U.) 1,98 m
1928 R. King (É.-U.) 1,94 m
1932 D. McNaughton (Can.) 1,97 m
1936 C. Johnson (É.-U.) 2,03 m
1948 J. Winter (Austr.) 1,98 m
1952 W. Davis (É.-U.) 2,04 m
1956 C. Dumas (É.-U.) 2,12 m
1960 R. Chavlakadze (URSS) 2,16 m
1964 V. Brumel (URSS) 2,18 m
1968 R. Fosbury (É.-U.) 2,24 m
1972 Y. Tarmak (URSS) 2,23 m
1976 J. Wszola (Pol.) 2,25 m
1980 G. Wessig (RDA) 2,36 m
1984 D. Mœgenburg (RFA) 2,35 m
1988 G. Adveienko (URSS) 2,38 m
1992 J. Sotomayor (Cuba) 2,34 m
1996 C. Austin (É.-U.) 2,39 m

Saut en longueur
1896 E. Clark (É.-U.) 6,35 m
1900 A. Kraenzlein (É.-U.) 7,18 m
1904 M. Prinstein (É.-U.) 7,34 m
1908 F. Irons (É.-U.) 7,48 m
1912 A. Gutterson (É.-U.) 7,60 m
1920 W. Pettersson (Suède) 7,15 m
1924 H. de Hart-Hubbard (É.-U.) 7,44 m
1928 E. Hamm (É.-U.) 7,73 m
1932 E. Gordon (É.-U.) 7,64 m
1936 J. Owens (É.-U.) 8,06 m
1948 W. Steele (É.-U.) 7,82 m
1952 J. Biffle (É.-U.) 7,57 m
1956 G. Bell (É.-U.) 7,83 m
1960 R. Boston (É.-U.) 8,12 m
1964 L. Davies (G.-B.) 8,07 m
1968 R. Beamon (É.-U.) 8,90 m
1972 R. Williams (É.-U.) 8,24 m
1976 A. Robinson (É.-U.) 8,35 m
1980 L. Dombrowski (RDA) 8,54 m
1984 C. Lewis (É.-U.) 8,54 m
1988 C. Lewis (É.-U.) 8,72 m
1992 C. Lewis (É.-U.) 8,67 m
1996 C. Lewis (É.-U.) 8,50 m

Saut à la perche
1896 W. Hoyt (É.-U.) 3,30 m
1900 I. Baxter (É.-U.) 3,30 m
1904 C. Dvorak (É.-U.) 3,50 m
1908 E. Cooke et A. Gilbert (É.-U.) 3,71 m
1912 H. Babcock (É.-U.) 3,95 m
1920 F. Foss (É.-U.) 4,09 m
1924 L. Barnes (É.-U.) 3,95 m
1928 S. Carr (É.-U.) 4,20 m
1932 W. Miller (É.-U.) 4,31 m
1936 E. Meadows (É.-U.) 4,35 m
1948 O. Smith (É.-U.) 4,30 m
1952 R. Richards (É.-U.) 4,55 m
1956 R. Richards (É.-U.) 4,56 m
1960 D. Bragg (É.-U.) 4,70 m
1964 F. Hansen (É.-U.) 5,10 m
1968 B. Seagren (É.-U.) 5,40 m
1972 W. Nordwig (RDA) 5,50 m
1976 T. Slusarski (Pol.) 5,50 m
1980 W. Kozakiewicz (Pol.) 5,78 m
1984 P. Quinon (Fr.) 5,75 m
1988 S. Bubka (URSS) 5,90 m
1992 M. Tarassov (CEI) 5,80 m
1996 J. Galfione (Fr.) 5,92 m

Triple saut
1896 J. Connolly (É.-U.) 13,71 m
1900 M. Prinstein (É.-U.) 14,47 m
1904 M. Prinstein (É.-U.) 14,35 m
1908 T. Ahearne (G.-B.) 14,91 m
1912 G. Lindblom (Suède) 14,76 m
1920 V. Tuulos (Finl.) 14,50 m
1924 A. Winter (Austr.) 15,53 m
1928 M. Oda (Jap.) 15,21 m
1932 C. Nambu (Jap.) 15,72 m
1936 N. Tajima (Jap.) 16 m
1948 A. Ahman (Suède) 15,40 m
1952 A. Da Silva (Brés.) 16,22 m
1956 A. Da Silva (Brés.) 16,35 m
1960 J. Schmidt (Pol.) 16,81 m
1964 J. Schmidt (Pol.) 16,85 m
1968 V. Saneiev (URSS) 17,39 m
1972 V. Saneiev (URSS) 17,35 m
1976 V. Saneiev (URSS) 17,29 m
1980 J. Uudemae (URSS) 17,35 m
1984 A. Joyer (É.-U.) 17,26 m
1988 C. Markov (Bulg.) 17,61 m
1992 M. Conley (É.-U.) 18,17 m
1996 K. Harrison (É.-U.) 18,09 m

Poids
1896 R. Garret (É.-U.) 11,22 m
1900 R. Sheldon (É.-U.) 14,10 m
1904 R. Rose (É.-U.) 14,81 m
1908 R. Rose (É.-U.) 14,21 m
1912 P. McDonald (É.-U.) 15,34 m
1920 V. Pörhölä (Finl.) 14,81 m
1924 C. Houser (É.-U.) 14,99 m
1928 J. Kuck (É.-U.) 15,87 m
1932 L. Sexton (É.-U.) 16 m
1936 H. Woellke (All.) 16,20 m
1948 W. Thompson (É.-U.) 17,12 m
1952 P. O'Brien (É.-U.) 17,41 m
1956 P. O'Brien (É.-U.) 18,57 m
1960 W. Nieder (É.-U.) 19,68 m
1964 D. Long (É.-U.) 20,33 m
1968 R. Matson (É.-U.) 20,54 m
1972 W. Komar (Pol.) 21,18 m
1976 U. Beyer (RDA) 21,05 m
1980 V. Kisseliev (URSS) 21,35 m
1984 A. Andrei (It.) 21,26 m
1988 U. Timmermann (RDA) 22,47 m
1992 M. Stulce (É.-U.) 21,70 m
1996 R. Barnes (É.-U.) 21,62 m

Disque
1896 R. Garrett (É.-U.) 29,15 m
1900 R. Bauer (Hongr.) 36,04 m
1904 M. Sheridan (É.-U.) 39,28 m
1908 M. Sheridan (É.-U.) 40,89 m
1912 A. Taipale (Finl.) 45,21 m
1920 B. Niklander (Finl.) 44,68 m
1924 C. Houser (É.-U.) 46,15 m
1928 C. Houser (É.-U.) 47,32 m
1932 J. Anderson (É.-U.) 49,49 m
1936 K. Carpenter (É.-U.) 50,48 m
1948 A. Consolini (It.) 52,78 m
1952 S. Iness (É.-U.) 55,03 m
1956 A. Oerter (É.-U.) 56,36 m
1960 A. Oerter (É.-U.) 59,18 m
1964 A. Oerter (É.-U.) 61 m
1968 A. Oerter (É.-U.) 64,78 m
1972 L. Danek (Tch.) 64,40 m
1976 W. McWilkins (É.-U.) 67,50 m
1980 V. Raschupkine (URSS) 66,64 m
1984 R. Danneberg (RFA) 66,60 m
1988 J. Schult (RDA) 68,82 m
1992 R. Ubartas (Lit.) 65,12 m
1996 L. Riedel (All.) 69,40 m

Marteau
1900 J. Flanagan (É.-U.) 49,73 m
1904 J. Flanagan (É.-U.) 51,23 m
1908 J. Flanagan (É.-U.) 51,92 m
1912 M. McGrath (É.-U.) 54,74 m
1920 P. Ryan (É.-U.) 52,87 m
1924 F. Tootell (É.-U.) 53,30 m
1928 P. O'Callaghan (Irl.) 51,39 m
1932 P. O'Callaghan (Irl.) 53,92 m
1936 K. Hein (All.) 56,49 m
1948 I. Németh (Hongr.) 56,07 m
1952 J. Csermák (Hongr.) 60,34 m
1956 H. Connolly (É.-U.) 63,19 m
1960 V. Rudenkov (URSS) 67,10 m
1964 R. Klim (URSS) 69,74 m
1968 G. Zsivótzky (Hongr.) 73,36 m
1972 A. Bondartchouk (URSS) 75,50 m
1976 I. Sedykh (URSS) 77,52 m
1980 I. Sedykh (URSS) 81,80 m
1984 J. Tiainen (Finl.) 78,08 m
1988 S. Litvinov (URSS) 84,80 m
1992 A. Abduvaliev (CEI) 82,54 m
1996 B. Kiss (Hongr.) 81,24 m

Javelot
1908 E. Lemming (Suède) 54,83 m
1912 E. Lemming (Suède) 60,64 m
1920 J. Myyrä (Finl.) 65,78 m
1924 J. Myyrä (Finl.) 62,96 m
1928 E. Lundqvist (Suède) 66,60 m
1932 M. Järvinen (Finl.) 72,71 m
1936 G. Stöck (All.) 71,84 m
1948 T. Rautavaara (Finl.) 69,77 m
1952 C. Young (É.-U.) 73,78 m
1956 E. Danielsen (Norv.) 85,71 m
1960 V. Tsibulenko (URSS) 84,64 m
1964 P. Nevala (Finl.) 82,66 m
1968 I. Lusis (URSS) 90,10 m
1972 K. Wolfermann (RFA) 90,48 m
1976 M. Németh (Hongr.) 94,58 m
1980 D. Kula (URSS) 91,20 m
1984 A. Haerkoenen (Finl.) 86,76 m
1988 T. Korjus (Finl.) 84,28 m
1992 J. Zelezny (Tch.) 89,20 m
1996 J. Zelezny (Rép. tch.) 88,16 m

Décathlon
1912 H. Wieslander (Suède)
1920 H. Lövland (Norv.)
1924 H.Osborn (É.-U.)
1928 P. Yrjölä (Finl.)
1932 J. Bausch (É.-U.)
1936 G. Morris (É.-U.)
1948 R. Mathias (É.-U.)
1952 R. Mathias (É.-U.)
1956 M. Campbell (É.-U.)
1960 R. Johnson (É.-U.)
1964 W. Holdorf (RFA)
1968 W. Toomey (É.-U.)
1972 N. Avilov (URSS)
1976 B. Jenner (É.-U.)
1980 D. Thompson (G.-B.)
1984 D. Thompson (G.-B.)
1988 C. Schenk (RDA)
1992 R. Zmelik (Tch.)
1996 D. O'Brien (É.-U.)

4 x 100 mètres
1912 Grande-Bretagne 42 s 4
1920 États-Unis 42 s 2
1924 États-Unis 41 s
1928 États-Unis 41 s
1932 États-Unis 40 s
1936 États-Unis 39 s 8
1948 États-Unis 40 s 6
1952 États-Unis 40 s 1
1956 États-Unis 39 s 5
1960 RFA 39 s 5
1964 États-Unis 39 s
1968 États-Unis 38 s 2
1972 États-Unis 38 s 19
1976 États-Unis 38 s 33
1980 URSS 38 s 26
1984 États-Unis 37 s 83
1988 URSS 38 s 19
1992 États-Unis 37 s 40
1966 Canada 37 s 69

4 x 400 mètres
1908 États-Unis 3 min 29 s 4
1912 États-Unis 3 min 16 s 6
1920 Grande-Bretagne 3 min 22 s 2
1924 États-Unis 3 min 16 s
1928 États-Unis 3 min 14 s 2
1932 États-Unis 3 min 08 s 2
1936 Grande-Bretagne 3 min 09 s
1948 États-Unis 3 min 10 s 4
1952 Jamaïque 3 min 03 s 9
1956 États-Unis 3 min 04 s 8
1960 États-Unis 3 min 02 s 2
1964 États-Unis 3 min 00 s 7
1968 États-Unis 2 min 56 s 1
1972 Kenya 2 min 59 s 8
1976 États-Unis 2 min 58 s 65
1980 URSS 3 min 01 s 1
1984 États-Unis 2 min 57 s 91
1988 États-Unis 2 min 56 s 16
1992 États-Unis 2 min 55 s 74
1996 États-Unis 2 min 55 s 99

20 kilomètres marche
1956 L. Spirine (URSS) 1 h 31 min 27 s 4
1960 V. Golubnitchi (URSS) 1 h 34 min 07 s 2
1964 K. Matthews (G.-B.) 1 h 29 min 34 s
1968 V. Golubnitchi (URSS) 1 h 33 min 58 s 4
1972 P. Frenkel (RFA) 1 h 26 min 42 s 6
1976 D. Bautista (Mex.) 1 h 24 min 30 s 8
1980 M. Damilano (It.) 1 h 23 min 35 s 5
1984 E. Canto (Mex.) 1 h 23 min 13 s
1988 J. Pribilinec (Tch.) 1 h 19 min 57 s
1992 D. Plaza (Esp.) 1 h 21 min 45 s
1996 J. Perez (Equ.) 1 h 20 min 7 s

50 kilomètres marche
1932 T. Green (G.-B.) 4 h 50 min 10 s
1936 H. Whitlock (G.-B.) 4 h 30 min 41 s 4
1948 J. Ljunggren (Suède) 4 h 41 min 52 s
1952 G. Dordoni (It.) 4 h 28 min 07 s 8
1956 N. Read (N.-Z.) 4 h 30 min 42 s 8
1960 D. Thompson (G.-B.) 4 h 25 min 30 s
1964 A. Pamich (It.) 4 h 11 min 12 s 4
1968 C. Höhne (RDA) 4 h 20 min 13 s 6
1972 B. Kannenberg (RFA) 3 h 56 min 11 s 6
1980 H. Gauder (RDA) 3 h 49 min 24 s
1984 R. Gonzalez (Mex.) 3 h 47 min 26 s
1988 V. Ivanenko (URSS) 3 h 38 min 29 s
1992 A. Perlov (CEI) 3 h 50 min 13 s
1996 R. Korzienowski (Pol.) 3 h 43 min 30 s

Marathon
1896 S. Louis (Grèce) 2 h 58 min 50 s
1900 M. Theato (Fr.) 2 h 59 min 45 s
1904 T. Hicks (É.-U.) 3 h 28 min 53 s
1908 J. Hayes (É.-U.) 2 h 55 min 18 s 4
1912 K. McArthur (Afr. du S.) 2 h 36 min 54 s 8
1920 H. Kolehmainen (Finl.) 2 h 32 min 35 s 8
1924 A. Stenroos (Finl.) 2h 41 min 22 s 6
1928 A. El Ouafi (Fr.) 2 h 32 min 57 s
1932 J. Zabala (Arg.) 2 h 31 min 36 s
1936 K. Son (Jap.) 2 h 29 min 19 s 2
1948 D. Cabrera (Arg.) 2 h 34 min 51 s 6
1952 E. Zátopek (Tch.) 2 h 23 min 03 s 2
1956 A. Mimoun (Fr.) 2 h 25 s
1960 A. Bikila (Éth.) 2 h 15 min 16 s 2
1964 A. Bikila (Éth.) 2 h 12 min 11 s 2
1968 M. Wolde (Éth.) 2 h 20 min 26 s 4
1972 F. Shorter (É.-U.) 2 h 12 min 19 s 8
1976 W. Cierpinski (RDA) 2 h 09 min 55 s
1980 W. Cierpinski (RDA) 2 h 11 min 03 s
1984 C. Lopez (Port.) 2 h 9 min 21 s
1988 G. Bordin (It.) 2 h 10 min 32 s
1992 Y. C. Hvang (Corée du S.) 2 h 13 min 23 s
1996 Thugwane (Afr. du S.) 2 h 12 min 36 s

Femmes

100 mètres
1928 E. Robinson (É.-U.) 12 s 2
1932 S. Walasiewicz (Pol.) 11 s 9
1936 H. Stephens (É.-U.) 11 s 5
1948 F. Blankers-Koen (P.-B.) 11 s 9
1952 M. Jackson (Austr.) 11 s 5
1956 B. Cuthbert (Austr.) 11 s 5
1960 W. Rudolph (É.-U.) 11 s
1964 W. Tyus (É.-U.) 11 s 4
1968 W. Tyus (É.-U.) 11 s
1972 R. Stecher (RDA) 11 s 11
1976 A. Richter (RFA) 11 s 08
1980 L. Kondratieva (URSS) 11 s 06
1984 E. Ashford (É.-U.) 10 s 97
1988 F. Griffith-Joyner (É.-U.) 10 s 54

◆ Jeux Olympiques *(suite)*

1992 G. Devers (É.-U.) 10 s 82
1996 G. Devers (É.-U.) 10 s 94

200 mètres
1948 F. Blankers-Koen (P.-B.) 24 s 4
1952 M. Jackson (Austr.) 23 s 7
1956 B. Cuthbert (Austr.) 23 s 4
1960 W. Rudolph (É.-U.) 24 s
1964 E. McGuire (É.-U.) 23 s
1968 I. Szewinska (Pol.) 22 s 5
1972 R. Stecher (RDA) 22 s 4
1976 B. Eckert (RDA) 22 s 37
1980 B. Wöckel (RDA) 22 s 03
1984 V. Briscoe-Hooks (É.-U.) 21 s 81
1988 F. Griffith-Joyner (É.-U.) 21 s 34
1992 G. Torrence (É.-U.) 21 s 81
1996 M.-J. Pérec (Fr.) 22 s 12

400 mètres
1964 B. Cuthbert (Austr.) 52 s
1968 C. Besson (Fr.) 52 s
1972 M. Zehrt (RDA) 51 s 2
1976 I. Szewinska (Pol.) 49 s 29
1980 M. Koch (RDA) 48 s 88
1984 V. Briscoe-Hooks (É.-U.) 48 s 83
1988 O. Bryzguina (URSS) 48 s 65
1992 M.-J. Pérec (Fr.) 48 s 83
1996 M.-J. Pérec (Fr.) 48 s 25

800 mètres
1928 L. Radke-Batschauer (All.) 2 min 16 s 8
1960 L. Lyssenko-Chevtsova (URSS) 2 min 4 s 3
1964 A. Packer (G.-B.) 2 min 1 s 1
1968 M. Manning (É.-U.) 2 min 00 s 9
1972 H. Folke (RFA) 1 min 58 s 6
1976 T. Kazankina (URSS) 1 min 54 s 94
1980 N. Olizarenko (Afr. du S.) 1 min 53 s 5
1984 D. Melinte (Roum.) 1 min 57 s 60
1988 S. Wodars (RDA) 1 min 56 s 10
1992 E. van Langen (P.-B.) 1 min 55 s 54
1996 S. Masterkova (Russie) 1 min 57 s 73

1 500 mètres
1972 L. Bragina (URSS) 4 min 1 s 4
1976 T. Kazankina (URSS) 4 min 5 s 48
1980 T. Kazankina (URSS) 3 min 56 s 6
1984 G. Dorio (It.) 4 min 3 s 25
1988 P Ivan (Roum.) 3 min 53 s 96
1992 H. Boulmerka (Alg.) 3 min 55 s 30
1996 S. Masterkova (Russie) 4 min 0 s 83

3 000 mètres
1984 M. Puica (Roum.) 8 min 35 s 96
1988 T. Samoïlenko (URSS) 8 min 26 s 53
1992 E. Romanova (CEI) 8 min 46 s 04

5 000 mètres
1996 Wang Junxia (Chine) 14 min 59 s 88

10 000 mètres
1988 O. Bondarenko (URSS) 31 min 5 s 21
1992 D. Tulu (Éth.) 31 min 06 s 02
1996 F. Ribero (Port.) 31 min 1 s 63

100 mètres haies (80 m jusqu'en 1968)
1932 M. Didrikson (É.-U.) 11 s 7
1936 T. Valla (It.) 11 s 7
1948 F. Blankers-Koen (P.-B.) 11 s 2
1952 S. Strickland De La Hunty (Austr.) 10 s 9
1956 S. Strickland De La Hunty (Austr.) 10 s 7
1960 I. Press (URSS) 10 s 8
1964 K. Balzer (RFA) 10 s 5
1968 M. Caird (Austr.) 10 s 3
1972 A. Ehrhardt (RDA) 12 s 59
1976 J. Schaller (RDA) 12 s 77
1980 V. Komossova (URSS) 12 s 56
1984 B. Fitzgerald-Brown (É.-U.) 12 s 84
1988 Y. Donkova (Bulg.) 12 s 38
1992 P. Patoulidou (Gr.) 12 s 64
1996 L. Enquist (Suède) 12 s 58

400 mètres haies
1984 N. El Moutawakil (Maroc) 54 s 61
1988 D. Flintoff-King (Austr.) 53 s 17
1992 S. Gunnell (G.-B.) 53 s 23
1996 D. Hemmings (Jam.) 52 s 82

Saut en hauteur
1928 E. Catherwood (Can.) 1,59 m
1932 J. Shiley (É.-U.) 1,66 m
1936 I. Csák (Hongr.) 1,60 m
1948 A. Coachman (É.-U.) 1,68 m
1952 E. Brand (Afr. du S.) 1,67 m
1956 M. McDaniel (É.-U.) 1,76 m
1960 I. Balas (Roum.) 1,85 m
1964 I. Balas (Roum.) 1,90 m
1968 M. Rezkova (Tch.) 1,82 m
1972 U. Meyfarth (RFA) 1,92 m
1976 R. Ackerman (RDA) 1,93 m
1980 S. Simeoni (It.) 1,97 m
1984 U. Meyfarth (RFA) 2,02 m
1988 L. Ritter (É.-U.) 2,03 m
1992 H. Henkel (All.) 2,02 m
1996 S. Kostadinova (Bulg.) 2,05 m

Saut en longueur
1948 V. Gyarmati (Hongr.) 5,69 m
1952 Y. Williams (N.-Z.) 6,24 m
1956 E. Krzesinska (Pol.) 6,35 m
1960 V. Krepkina (URSS) 6,37 m
1964 M. Rand (G.-B.) 6,76 m
1968 V. Viscopoleanu (Roum.) 6,82 m
1972 H. Rosendahl (RFA) 6,78 m
1976 A. Voigt (RDA) 6,72 m
1980 T. Kolpakova (URSS) 7,06 m
1984 A. Cusmir-Stanciu (Roum.) 6,96 m
1988 J. Joyner-Kersee (É.-U.) 7,40 m
1992 H. Drechsler (All.) 7,14 m
1996 Ajunwa (Nigeria) 7,12 m

Triple saut
1996 I. Kravets (Ukr.) 15,33 m

Poids
1948 M. Ostermeyer (Fr.) 13,75 m
1952 G. Zybina (URSS) 15,28 m
1956 T. Tychkevitch (URSS) 16,59 m
1960 T. Press (URSS) 17,32 m
1964 T. Press (URSS) 18,14 m
1968 M. Gummel (RDA) 19,61 m
1972 N. Tchichova (URSS) 21,03 m
1976 I. Christova (Bulg.) 21,16 m
1980 I. Suplianek (RDA) 22,41 m
1984 C. Losch (RFA) 20,48 m
1988 N. Lissovskaïa (URSS) 22,24 m
1992 S. Kriveleva (CEI) 21,06 m
1996 A. Kumbernuss (All.) 20,56 m

Disque
1928 H. Konopacka (Pol.) 39,62 m
1932 L. Copeland (É.-U.) 40,58 m
1936 G. Mauermayer (All.) 47,63 m
1948 M. Ostermeyer (Fr.) 41,92 m
1952 N. Romachkova (URSS) 51,42 m
1956 O. Fikotova (Tch.) 53,69 m
1960 N. Ponomareva (URSS) 55,10 m
1964 T. Press (URSS) 57,27 m
1968 L. Manoliu (Roum.) 58,28 m
1972 F. Melnik (URSS) 66,62 m
1976 E. Schlaak (RDA) 69,00 m
1980 E. Jahl (RDA) 69,96 m
1984 R. Stalman (P.-B.) 65,36 m
1988 M. Hellman (RDA) 72,30 m
1992 M. Marten (Cuba) 70,06 m
1996 I. Wyludda (All.) 69,66 m

Javelot
1932 M. Didrikson (É.-U.) 43,68 m
1936 T. Fleischer (All.) 45,18 m
1948 H. Bauma (Autr.) 45,57 m
1952 D. Zatopkova (Tch.) 50,47 m
1956 I. Iaounzem (URSS) 53,86 m
1960 E. Ozolina (URSS) 55,98 m
1964 M. Penes (Roum.) 60,54 m
1968 A. Németh (Hongr.) 60,36 m
1972 R. Fuchs (RDA) 63,88 m
1976 R. Fuchs (RDA) 65,94 m
1980 M. Colón (Cuba) 68,40 m
1984 T. Sanderson (G.-B.) 69,56 m
1992 S. Renk (All.) 68,34 m
1996 Rantanen (Fin.) 67,94 m

Pentathlon
1964 I. Press (URSS) 5 246 pts
1968 I. Becker (RFA) 5 098 pts
1972 M. Peters (G.-B.) 4 801 pts
1976 S. Siegl (RDA) 4 745 pts
1980 N. Tkatchenko 5 083 pts

Heptathlon
1984 G. Nunn (Austr.) 6 390 pts
1988 J. Joyner-Kersee (É.-U.) 7 291 pts
1992 J. Joyner-Kersee (É.-U.) 7 044 pts
1996 G. Shouaa (Syr.) 6 780 pts

4 x 100 mètres
1928 Canada 48 s 4
1932 États-Unis 47 s
1936 États-Unis 46 s 9
1948 Pays-Bas 47 s 5
1952 États-Unis 45 s 9
1956 Australie 44 s 5
1960 États-Unis 44 s 5
1964 Pologne 43 s 6
1968 États-Unis 42 s 8
1972 RFA 42 s 8
1976 RDA 42 s 55
1980 RDA 41 s 60
1984 États-Unis 41 s 65
1988 États-Unis 41 s 98
1992 États-Unis 42 s 11
1996 États-Unis 41 s 95

4 X 400 mètres
1972 RDA 3 min 23 s
1976 RDA 3 min 19 s 23
1980 URSS 3 min 20 s 2
1984 États-Unis 3 min 18 s 29
1988 URSS 3 min 15 s 18
1992 CEI 3 min 20 s 20
1996 États-Unis 3 min 20 s 91

10 kilomètres marche
1992 Y. Chen (Chine) 44 min 32 s
1996 Nikolaieva (Russie) 41 min 49 s

Marathon
1984 J. Benoit (É.-U.) 2 h 24 min 52 s
1988 R. Mota (Port.) 2 h 25 min 40 s
1992 V. Yegoreva (CEI) 2 h 32 min 41 s
1996 Roba (Éth.) 2 h 26 min 5 s

◆ **Le marathon de New York.**

Le marathon

Le mot rappelle l'exploit légendaire du coureur grec dépêché de Marathon, bourgade de l'Attique, à Athènes en 490 av. J.-C. pour annoncer la victoire des Athéniens sur les Perses.
L'épreuve se dispute sur la distance de 42,195 km, fixée après les jeux Olympiques de Londres de 1908 et représentant la distance séparant Windsor de Londres.
La chaleur, notamment, a causé des drames dans cette épreuve, mais une préparation spécifique l'a humanisée, à tel point que les marathons se sont multipliés (beaucoup de grandes villes en organisent chaque année, et celui de New York, sans doute le plus célèbre, attire des participants du monde entier).
Compte tenu de la diversité des parcours, il n'existe pas de record du monde officiel, mais les meilleures performances se situent au-dessous de 2 h 10 min (c'est-à-dire à une moyenne horaire d'environ 20 km). Le marathon est devenu aussi une discipline olympique pour les femmes en 1984.

La gymnastique

Les épreuves

Sport formateur de base enseigné dans le cadre scolaire, la gymnastique est aussi un sport de compétition, qui voit les concurrents exécuter des figures très spectaculaires. La gymnastique de compétition est dominée par les pays d'Europe (notamment la Russie, l'Ukraine et la Roumanie), d'Asie orientale (Chine et Japon) et par les États-Unis. Ce sport est beaucoup moins pratiqué en Asie occidentale, en Amérique latine et en Afrique, ce qui explique que la Fédération internationale de gymnastique, créée en 1881, ne compte que 125 nations affiliées en 1999.

La gymnastique est cependant l'une des grandes disciplines olympiques, inscrite au programme des Jeux dès 1896. Des Championnats du monde ont été créés en 1903 pour les hommes et en 1932 pour les femmes. La gymnastique offre une gamme assez variée d'épreuves individuelles (avec aussi un classement par équipes de 4 gymnastes).

Les épreuves sont des exercices aux divers appareils ou agrès. Les cinq agrès pour les hommes ont été définitivement choisis en 1936, les quatre agrès destinés aux femmes en 1952. Ces agrès sont parfois réservés aux hommes (cheval-d'arçons, anneaux, barres parallèles, barre fixe), aux femmes (barres asymétriques, poutre) ou peuvent être mixtes (cheval de saut, sol) avec toutefois des compétitions séparées et, pour le cheval de saut, de légères variations des dimensions de l'appareil. Il existe également un concours général (individuel et par équipes) destiné à distinguer le gymnaste (ou l'équipe) le plus complet après un passage à chaque agrès.

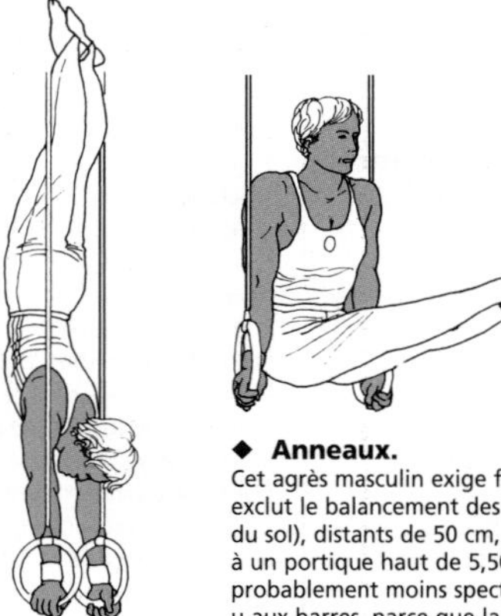

◆ **Anneaux.**
Cet agrès masculin exige force et élan, avec un maintien qui exclut le balancement des cordes. Les anneaux (base à 2,50 m du sol), distants de 50 cm, sont accrochés à des cordes fixées à un portique haut de 5,50 m. C'est une discipline ingrate, probablement moins spectaculaire que les exercices au sol o u aux barres, parce que la réussite de l'exercice n'est pas liée au mouvement et aboutit à une position statique.

◆ **Cheval de saut.**
Cet exercice est pratiqué à la fois par les hommes (1,35 m du sol au sommet du cheval) et les femmes (1,20 m seulement), avec une longueur de course d'élan ne devant pas excéder 25 m et pose de main obligatoire sur le cheval (pour la notation, l'envol jusqu'à la pose de main est aussi pris en compte).

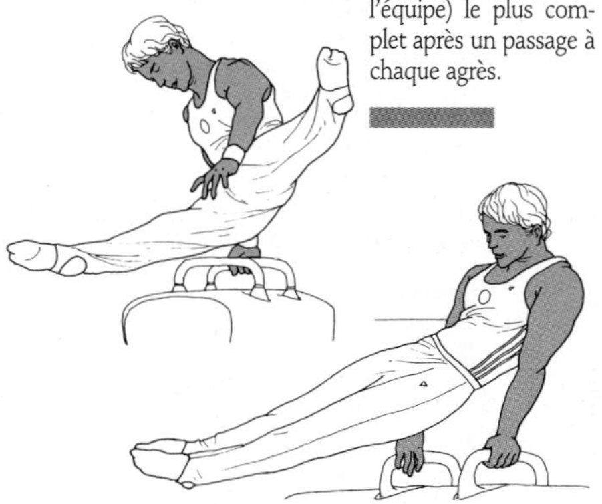

◆ **Cheval-d'arçons.**
Agrès masculin. Sur le sommet du cheval (à 1,11 m du sol) sont posés deux arçons (hauts de 11 cm et distants de 40 cm). Les figures comportent des ciseaux, mais les exercices avec les deux jambes serrées doivent prédominer. La réussite au cheval-d'arçons exige souplesse et vitesse. Elle est liée à la qualité des enchaînements, réalisés à un rythme soutenu.

◆ **Sol.**
Les exercices au sol sont effectués par les hommes et les femmes sur le même praticable, tapis carré de 12 m de côté, incorporant une bande-limite de 0,50 m de largeur. Très spectaculaire, la prestation doit offrir un ensemble harmonieux et rythmé, résultant de l'alternance de sauts et d'attitudes. Les hommes disposent de 50 à 70 secondes ; les femmes, de 70 à 90 secondes.

◆ **Poutre.** C'est un agrès féminin d'une longueur de 5 m et dont le plan supérieur est à 1,20 m du sol (l'épaisseur de la poutre est de 20 cm et sa largeur de 10 cm). La gymnaste dispose de 70 à 90 secondes pour sa prestation. La difficulté réside dans l'étroitesse de la surface sur laquelle l'athlète évolue.

La GRS

La gymnastique rythmique et sportive (GRS) est un sport uniquement féminin, exigeant des qualités d'adresse et de souplesse alliées à la grâce. Les Championnats du monde de GRS, maintenant annuels, se sont organisés depuis 1963. La discipline est inscrite aux jeux Olympiques depuis 1984. En avril 1999 ce sport est rebaptisé gymnastique rythmique (GR).

Le programme comprend cinq exercices : le ballon, le cerceau, la corde, les massues, le ruban. Les figures acrobatiques sont interdites, et toutes les épreuves sont accompagnées d'un fond musical. La durée de chaque exercice est comprise entre 1 min et 1 min 30 s. Le ballon doit avoir un diamètre compris entre 18 et 20 cm ; son poids minimal est de 400 g. Le cerceau a un diamètre compris entre 80 et 90 cm et un poids minimal de 300 g. La corde a une longueur libre. Les massues, au nombre de deux, ont un poids de 150 g. Le ruban est long de 6 m ; il est fixé à une baguette de 50 à 60 cm de longueur.

Dans la tradition des écoles de ballet, les championnes de gymnastique rythmique et sportive sont surtout issues d'Europe de l'Est (Bulgarie, Russie et Ukraine notamment).

VOIR AUSSI
Illustrations
• **Nadia Comaneci** p. 1219

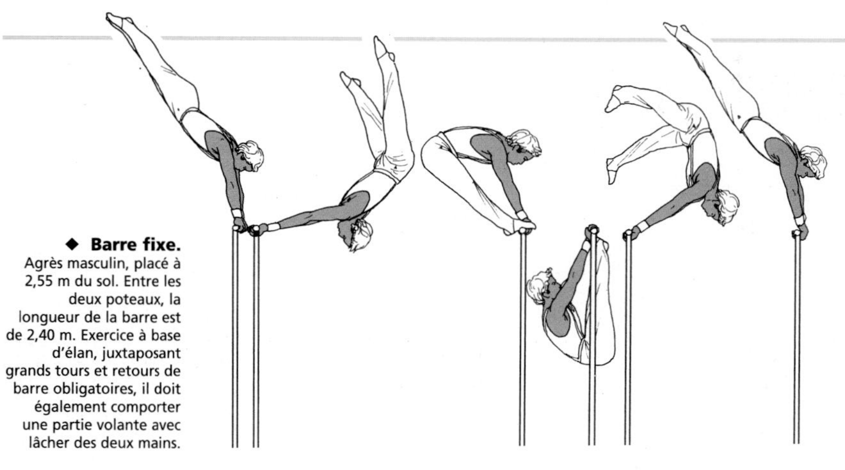

◆ Barre fixe.
Agrès masculin, placé à 2,55 m du sol. Entre les deux poteaux, la longueur de la barre est de 2,40 m. Exercice à base d'élan, juxtaposant grands tours et retours de barre obligatoires, il doit également comporter une partie volante avec lâcher des deux mains.

Le trampoline

Ce sport consiste à effectuer des figures en rebondissant sur une toile (4,28 x 2,14 m) tendue par des élastiques dans un cadre métallique (5,05 x 2,91 m). La Fédération internationale de trampoline a été créée en 1964, ainsi que les Championnats du monde. Une compétition de trampoline se déroule individuellement ou par équipes de quatre. Les concurrents doivent effectuer dix sauts et sont notés en fonction de la difficulté de ces sauts et aussi de la qualité de leur exécution.
Associé à la Fédération de trampoline et de sports acrobatiques, le tumbling fait enchaîner des figures acrobatiques sur une piste en bois de 25 m de longueur, montée sur ressorts. Quant à l'acrosport, il consiste à réaliser des figures sur un plancher élastique souple, formant un carré de 12 m de côté.

◆ Barres parallèles.
Agrès masculin. Les barres, longues de 3,50 m, sont à 1,75 m du sol. L'écartement entre les barres peut varier de 42 à 52 cm. L'exercice est caractérisé par une alternance d'élans au-dessus ou au-dessous des barres, avec changement de face, et comporte au moins un lâcher des deux prises et un exercice de force.

◆ Barres asymétriques.
Agrès féminin. Il s'agit de deux barres, longues de 2,40 m, placées respectivement à 1,55 et 2,35 m du sol, avec un écartement (horizontal) de 0,60 à 1,05 m. La difficulté essentielle est évidemment le passage d'une barre à l'autre lors des enchaînements de figures.

◆ Jeux Olympiques.

Hommes

concours général individuel

1900	S. Sandras (Fr.)
1904	J. Lenhardt (É.-U.)
1908	A. Braglia (It.)
1912	A. Braglia (It.)
1920	C. Zampoir (It.)
1924	L. Stukelj (Youg.)
1928	C. Miez (Suisse)
1932	R. Neri (It.)
1936	A. Schwarzmann (All.)
1948	V. Huhtanen (Finl.)
1952	V. Tchoukarine (URSS)
1956	V. Tchoukarine (URSS)
1960	B. Chakhline (URSS)
1964	Y. Endo (Jap.)
1968	S. Kato (Jap.)
1972	S. Kato (Jap.)
1976	N. Andrianov (URSS)
1980	A. Dityatine (URSS)
1984	K. Gushiken (Jap.)
1988	V. Artemov (URSS)
1992	V. Chicherbo (CEI)
1996	Xiaosahuang Li (Chine)

classement par équipes

1920	Italie
1924	Italie
1928	Suisse
1932	Italie
1936	Allemagne
1948	Finlande
1952	URSS
1956	URSS
1960	Japon
1964	Japon
1968	Japon
1972	Japon
1976	Japon
1980	URSS
1984	États-Unis
1988	URSS
1992	CEI
1996	Russie

Femmes

concours individuel

1952	M. Gorokhovskaïa (URSS)
1956	L. Latynina (URSS)
1960	L. Latynina (URSS)
1964	V. Cáslavská (Tch.)
1968	V. Cáslavská (Tch.)
1972	L. Tourichtcheva (URSS)
1976	N. Comaneci (Roum.)
1980	J. Davidova (URSS)
1984	M. L. Retton (É.-U.)
1988	E. Chouchounova (URSS)
1992	T. Goutsou (CEI)
1996	L. Podkopaïeva (Ukr.)

classement par équipes

1928	Pays-Bas
1936	Allemagne
1948	Tchécoslovaquie
1952	URSS
1956	URSS
1960	URSS
1964	URSS
1968	URSS
1972	URSS
1976	URSS
1980	URSS
1984	Roumanie
1988	URSS
1992	CEI
1996	États-Unis

La natation

Un sport olympique

La natation est le deuxième sport olympique, après l'athlétisme. Les premières compétitions de natation sont organisées à Londres en 1837 par la National Swimming Society, et une épreuve qualifiée de « championnat du monde » se dispute sur 440 yards à Sydney (Australie) en 1846. En 1869 est créée à Londres la Metropolitan Swimming Clubs Association, qui fixe les premières règles relatives au déroulement des épreuves. La natation devient un « sport » et elle est inscrite au programme des I[ers] jeux Olympiques en 1896. En 1908, la Fédération internationale de natation amateur (FINA) voit le jour ; depuis lors, c'est elle qui organise les compétitions. Si les premiers Championnats d'Europe ont lieu dès 1899, puis régulièrement depuis 1926, il faut attendre 1973 pour voir la tenue de Championnats du monde, à Belgrade. Ils se déroulent désormais tous les quatre ans.

Les compétitions. Les compétitions internationales se déroulent dans des bassins longs de 50 m (dits bassins olympiques), larges (au minimum) de 21 m, d'une profondeur minimale de 1,80 m. Le bassin est partagé en 8 couloirs d'une largeur minimale de 2,50 m chacun, délimités par des lignes de flotteurs de 5 à 10 cm de diamètre. L'eau doit être à une température minimale de 24 °C.

Les jeux Olympiques constituent le grand rendez-vous des nageurs de compétition. Lors des Jeux de 1896, seules trois épreuves sont inscrites au programme ; en 1908, ce nombre passe à six; en 1912, les femmes participent aux jeux Olympiques. Depuis lors, le nombre des épreuves n'a cessé d'augmenter. Elles se disputent dans quatre styles (nage libre, brasse, dos et papillon) sur différentes distances (du 50 au 1 500 m pour la nage libre ou crawl). S'y ajoutent le « 4 nages » et les relais. Le programme olympique compte désormais 33 courses. Lors des Championnats du monde sont en outre organisées des épreuves de longues distances (5 et 25 km, en mer). Longtemps dominée par les Américains (Johnny Weissmuller, double champion olympique du 100 m en 1920 et 1924, Mark Spitz, qui remporte sept médailles d'or lors des Jeux de Munich en 1972), la natation voit l'émergence, au cœur des années 1970, de la RDA, essentiellement chez les femmes. Ces résultats sont aujourd'hui expliqués par une pratique systématique et organisée du dopage. Plus récemment, les Chinoises ont eu recours aux mêmes méthodes pour s'imposer.

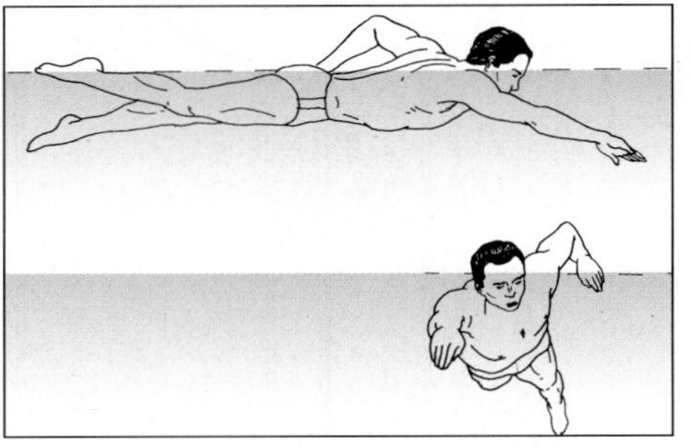

◆ Crawl.
Le crawl est devenu synonyme de nage libre, puisque c'est le style le plus rapide. Le nageur est en position plane sur le ventre. Ses bras sortent alternativement de l'eau à hauteur de la hanche et replongent dans l'axe longitudinal du corps après un parcours aérien. Sous l'eau, le bras travaille en 3 phases : un bref appui, la traction jusqu'à la perpendiculaire par rapport à la surface, la poussée jusqu'à la sortie de l'eau. Le mouvement alternatif des membres inférieurs, dans un plan vertical, assure l'équilibre général et ajoute à la propulsion.

◆ Brasse.
Le corps doit rester allongé sur la poitrine et les épaules, parallèles à la surface de l'eau. Les mouvements des bras (comme ceux des jambes) doivent être simultanés et dans le même plan horizontal. Les mains doivent être projetées en avant à partir de la poitrine et ramenées en arrière. Sauf au départ et aux virages, une partie de la tête du nageur doit émerger.

◆ Papillon.
Les bras doivent être projetés ensemble en avant au-dessus de la surface de l'eau et ramenés simultanément en arrière. Le corps doit reposer sur la poitrine, les épaules parallèles à la surface de l'eau. Les mouvements des jambes et des pieds, simultanés, de haut en bas selon un plan vertical, sont permis.

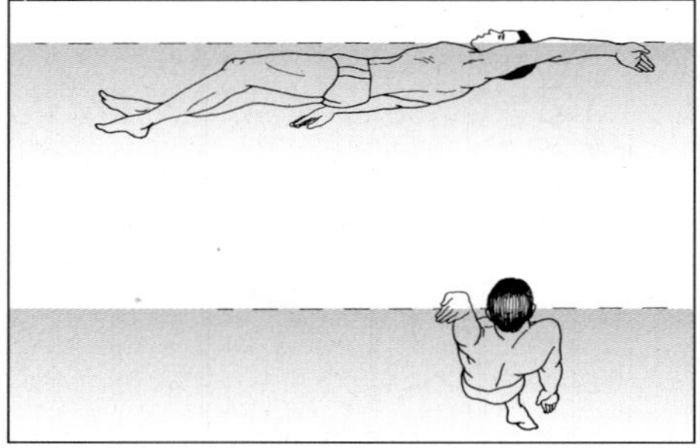

◆ Dos.
Les concurrents ne partent pas d'un plot (extérieur), mais s'alignent dans l'eau, dos au bassin, les mains sur les poignées de départ. Au signal du départ et au virage, ils se repoussent du mur et nagent sur le dos pendant toute la course. La position normale du dos peut inclure un mouvement de roulis du corps, mais pas au-delà de 90° à partir de l'horizontale.

Le plongeon

Discipline sportive spectaculaire, le plongeon est inscrit au programme olympique dès 1904 pour les hommes et dès 1920 pour les femmes. Deux épreuves sont disputées aux Jeux : le haut vol (tremplin de 10 m) et le tremplin (de 3 m). Lors des autres compétitions internationales s'ajoute le plongeon du tremplin de 1 m. Il existe de multiples formes de figures : plongeons avant, arrière, retourné, renversé, en tire-bouchon, vrillé, groupé, carpé… Les concurrents sont jugés en fonction de la difficulté de la figure proposée (à laquelle est attribué un coefficient) et de la qualité de son exécution. Le plongeur doit pénétrer dans l'eau le plus verticalement possible, en évitant de faire de l'écume. L'Américain Greg Louganis, champion olympique de haut vol et de tremplin en 1984 et en 1988, est tenu pour le plus grand plongeur de l'histoire.

Le water-polo

Sport olympique dès 1900, le water-polo oppose deux équipes de sept joueurs (dont un gardien de but) différenciées par la couleur de leurs bonnets. Le ballon a une circonférence comprise entre 0,68 et 0,71 m et il a un poids de 400 à 450 g. Une rencontre se déroule en 4 quart-temps de sept minutes de jeu effectif, entrecoupés de périodes de repos au cours desquelles les équipes changent de camp. La profondeur minimale de la piscine est de 1,80 m. Le joueur emmène le ballon devant lui, en le tenant d'une main ou en le poussant, mais ne peut le saisir à deux mains (sauf le gardien de but), ni sous l'eau. On peut gêner le porteur du ballon, mais sans le pousser, le tirer ou prendre appui sur lui. L'aire de jeu est délimitée par des lignes de flotteurs. Le long des deux grands côtés, des marques indiquent les lignes de but, les lignes des 2 et des 4 m, la ligne médiane. Le but a une largeur de 3 m et la barre doit être à 90 cm au-dessus de la surface de l'eau. Une faute à l'intérieur de la zone des 4 m est sanctionnée par une penalité tirée à cette même distance. La ligne de 2 m délimite les extrémités d'où sont tirés les corners.

Quelques grands noms

Jean Boiteux (Fr., né en 1933). Il remporte le 400 m nage libre lors des jeux Olympiques d'Helsinki, en 1952, devant l'Américain Ford Kono. Il demeure à ce jour le seul champion olympique français de natation.

Dawn Fraser (Austr., née en 1937). Elle remporte la médaille d'or du 100 m nage libre en 1956, 1960 et 1964, année où elle devient la première femme à couvrir le 100 m en moins d'une minute (58 s 9).

Michael Gross (All., né en 1964). Champion olympique du 200 m nage libre et du 100 m papillon en 1984, du 200 m papillon en 1988, il bat douze records du monde au cours de sa carrière et est couronné cinq fois champion du monde.

Catherine Plewinski (Fr., née en 1968). Elle obtient cinq titres de championne d'Europe (50 m nage libre en 1989, 100 m nage libre en 1991, 100 m papillon en 1989, 1991 et 1993). Elle est aussi médaillée de bronze olympique du 100 m nage libre en 1988 et du 100 m papillon en 1992.

Alexander Popov (Russe, né en 1972). Champion olympique des 50 et 100 m nage libre en 1992. Il bat le record du monde du 100 m en 1994 (48 s 21) et conserve ses titres olympiques en 1996. Grièvement blessé à la fin de 1996, il parvient néanmoins à redevenir champion du monde du 100 m en 1998.

◆ **Alexander Popov.**

Vladimir Salnikov (Russe, né en 1960). Il est le premier à nager le 1 500 m en moins de 15 minutes (14 min 58 s 27 lors des jeux Olympiques de Moscou en 1980). Il réussit l'exploit de retrouver son titre olympique en 1988. Il est également champion du monde des 400 et 1 500 m en 1978 et 1982.

Johnny Weissmuller (É.-U., 1904-1984). Il est champion olympique du 100 m, du 400 m et du 4 x 200 m en 1920, du 100 m et du 4 x 200 m en 1924. En 1922, il est le premier homme à couvrir le 100 m en moins d'une minute (58 s 6). Il demeure aussi le plus célèbre Tarzan de l'histoire du cinéma.

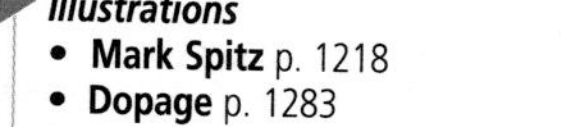

VOIR AUSSI
Illustrations
- **Mark Spitz** p. 1218
- **Dopage** p. 1283

◆ **La natation synchronisée .**
Discipline uniquement féminine, la natation synchronisée est un sport récent, inscrit au programme olympique depuis 1984 avec des épreuves en solo et en duo. Depuis 1996, ces deux disciplines ont été remplacées dans le programme olympique par le ballet en équipes. Les concurrentes sont jugées sur la qualité de la chorégraphie, la difficulté des figures exécutées et la synchronisation.

◆ Records du monde .

Hommes

50 m	1990 T. Jager (É.-U.)	21 s 81
100 m	1994 A. Popov (Russie)	48 s 21
200 m	1989 G. Lamberti (It.)	1 min 46 s 69
400 m	1994 K. Perkins (Austr.)	3 min 43 s 80
800 m	1994 K. Perkins (Austr.)	7 min 46 s 00
1 500 m	1994 K. Perkins (Austr.)	14 min 41 s 66
100 m dos	1992 J. Rouse (É.-U.)	53 s 86
200 m dos	1991 M. Lopez-Zubero (Esp.)	1 min 56 s 57
100 m brasse	1996 F. Deburghgraeve (Belg.)	1 min 0 s 60
200 m brasse	1992 M. Barrowman (É.-U)	2 min 10 s 16
100 m papillon	1997 M. Klim (Aust.)	52 s 15
200 m papillon	1995 D. Pankratov (Russie)	1 min 55 s 22
200 m 4 nages	1994 J. Sievinen (Finl.)	1 min 58 s 16
400 m 4 nages	1994 T. Dolan (É.-U.)	4 min 12 s 30
4 x100 m	1995 États-Unis	3 min 15 s 11
4 x 200 m	1998 Australie	7 min 11 s 86
4 x 100 m 4 nages	1996 États-Unis	3 min 34 s 84

Femmes

50 m	1994 Jingyi Le (Chine)	24 s 51
100 m	1994 Jingyi Le (Chine)	54 s 01
200 m	1994 F. Van Almsick (All.)	1 min 56 s 78
400 m	1988 J. Evans (É.-U.)	4 min 03 s 85
800 m	1989 J. Evans (É.-U.)	8 min 16 s 22
1 500 m	1988 J. Evans (É.-U.)	15 min 52 s 10
100 m dos	1994 Cihong He (Chine)	1 min 00 s 16
200 m dos	1991 K. Egerszegi (Hongr.)	2 min 06 s 62
100 m brasse	1996 P. Heyns (Afr. du S.)	1 min 07 s 02
200 m brasse	1994 R. Brown (Austr.)	2 min 24 s 76
100 m papillon	1981 M. Meagher (É.-U.)	57 s 93
200 m papillon	1981 M. Meagher (É.-U.)	2 min 05 s 96
200 m 4 nages	1997 Wu Yanyan (Chine)	2 min 09 s 72
400 m 4 nages	1997 Chen Yan (Chine)	4 min 34 s 79
4 x 100 m	1994 Chine	3 min 37 s 91
4 x 200 m	1987 RDA	7 min 55 s 47
4 x 100 m 4 nages	1994 Chine	4 min 01 s 67

◆ Jeux Olympiques.

Hommes

50 m nage libre

1988	M. Biondi (É.-U.)	22 s 14
1992	A. Popov (CEI)	21 s 91
1996	A. Popov (Russie)	22 s 13

100 m nage libre

1896	A. Hajós (Hongr.)	1 min 22 s 2
1904	Z. Halmay (Hongr.)	1 min 02 s 8
1908	C. Daniels (É.-U.)	1 min 05 s 6
1912	D. Kahanamoku (É.-U.)	1 min 03 s 4
1920	D. Kahanamoku (É.-U.)	1 min 00 s 4
1924	J. Weissmuller (É.-U.)	59 s 0
1928	J. Weissmuller (É.-U.)	58 s 6
1932	J. Miyazaki (Jap.)	58 s 2
1936	F. Csik (Hongr.)	57 s 6
1948	V. Ris (É.-U.)	57 s 3
1952	C. Scholes (É.-U.)	57 s 4
1956	J. Henricks (Austr.)	55 s 4
1960	J. Devitt (Austr.)	52 s 2
1964	D.Schollander (É.-U.)	53 s 4
1968	M. Wenden (Austr.)	52 s 2
1972	M. Spitz (É.-U.)	51 s 22
1976	J. Montgomery (É.-U.)	49 s 99
1980	J. Woithe (RDA)	50 s 40
1984	R. Gaines (É.-U.)	49 s 80
1988	M. Biondi (É.-U.)	48 s 63
1992	A. Popov (CEI)	49 s 02
1996	A. Popov (Russie)	48 s 74

200 m nage libre

1900	F. Lane (Austr.)	2 min 25 s 2
1904	C. Daniels (É.-U.)	2 min 44 s 2
1968	M. Wenden (Austr.)	1 min 55 s 2
1972	M.Spitz (É.-U.)	1 min 52 s 78
1976	B. Furniss (É.-U.)	1 min 50 s 29
1980	Kopliakov (URSS)	1 min 49 s 81
1984	M. Gross (RFA)	1 min 47 s 44
1988	D. Armstrong (Austr.)	1 min 47 s 25
1992	E.Sadovyi (CEI)	1 min 46 s 70
1996	D. Loader (N.-Z.)	1 min 47 s 63

400 m nage libre

1904	C. Daniels (É.-U.)	6 min 16 s 2
1908	H. Taylor (G.-B.)	5 min 36 s 8
1912	G. Hodgson (Can.)	5 min 24 s 4
1920	N. Ross (É.-U.)	5 min 26 s 8
1924	J. Weissmuller (É.-U.)	5 min 04 s 2
1928	A. Zorilla (Arg.)	5 min 01 s 6
1932	C. Crabbe (É.-U.)	4 min 48 s 4
1936	J. Medica (É.-U.)	4 min 44 s 5
1948	W. Smith (É.-U.)	4 min 41 s 0
1952	J. Boiteux (Fr.)	4 min 30 s 7
1956	M. Rose (Austr.)	4 min 27 s 3
1960	M. Rose (Austr.)	4 min 18 s 3
1964	D.Schollander (É.-U.)	4 min 12 s 2
1968	M. Burton (É.-U.)	4 min 09 s 0
1972	B. Cooper (Austr.)	4 min 00 s 3
1976	B. Goodel (É.-U.)	3 min 51 s 93
1980	V.Salnikov (URSS)	3min 51s 31
1984	G. Di Carlo (É.-U.)	3min 51s 23
1988	U. Dassler (RDA)	3min 46s 95
1992	E.Sadovyi (CEI)	3min 45s 00
1996	D. Loader (N.-Z.)	3min 47s 97

1 500 m nage libre

1904	E. Rausch (All).	27 min 18 s 2
1908	H. Taylor (G.-B.)	22 min 48 s 4
1912	G. Hodgson (Can.)	22 min 00 s
1920	N. Ross (É.-U.)	22 min 23 s 2
1924	A. Charlton (Austr.)	20 min 06 s 6
1928	A. Borg (Suisse)	19 min 51 s 8
1932	K. Kitamura (Jap.)	19 min 12 s 4
1936	N. Terada (Jap.)	19 min 13 s 7

◆ **Jeux Olympiques (*suite*).**

1948	J. McLane (É.-U.)	19 min 18 s 5
1952	F. Konno (É.-U.)	18 min 30 s 0
1956	R. Rose (Austr.)	17 min 58 s 9
1960	J. Konrads (Austr.)	17 min 19 s 6
1964	R. Windle (Austr.)	17 min 01 s 7
1968	M. Burton (É.-U.)	16 min 38 s 9
1972	M. Burton (É.-U.)	15 min 52 s 58
1976	B. Goodell (É.-U.)	15 min 02 s 40
1980	V. Salnikov (URSS)	14 min 58 s 27
1984	M. O'Brien (É.-U.)	15 min 05 s 20
1988	V. Salnikov (URSS)	15 min 00 s 40
1992	K. J. Perkins (Austr.)	14 min 43 s 48
1996	K. J. Perkins (Austr.)	14 min 56 s 40

100 m dos

1904	W. Brack (All.)	1 min 16 s 8
1908	A. Bieberstein (All.)	1 min 24 s 6
1912	H. Hebner (É.-U.)	1 min 21 s 2
1920	W. Kealoha (É.-U.)	1 min 15 s 2
1924	W. Kealoha (É.-U.)	1 min 13 s 2
1928	G. Kojac (É.-U.)	1 min 08 s 2
1932	M. Kiyokawa (Jap.)	1 min 08 s 6
1936	A. Kiefer (É.-U.)	1 min 05 s 9
1948	A. Stack (É.-U.)	1 min 06 s 4
1952	Y. Oyakawa (Jap.)	1 min 05 s 4
1956	D. Theile (Austr.)	1 min 02 s 2
1960	D. Theile (Austr.)	1 min 01 s 9
1964	non disputé	
1968	R. Matthes (RDA)	58 s 7
1972	R. Matthes (RDA)	56 s 58
1976	J. Naber (É.-U.)	55 s 49
1980	B. Baron (Suède)	56 s 53
1984	B. Carey (É.-U.)	55 s 79
1988	D.Suzuki (Jap.)	55 s 05
1992	M. Tewksbury (Can.)	53 s 98
1996	J. Rouse (É.-U.)	54 s 10

200 m dos

1900	E. Hoppenberg (All.)	2 min 47 s 0
1964	J. Graef (É.-U.)	2 min 10 s 3
1968	R. Matthes (RDA)	2 min 09 s 6
1972	R. Matthes (RDA)	2 min 02 s 82
1976	J. Naber (É.-U.)	1 min 59 s 19
1980	S. Wladar (Hongr.)	2 min 01 s 93
1984	R. Carey (É.-U.)	2 min 00 s 23
1988	I. Polianski (URSS)	1 min 59 s 37
1992	M. Lopez-Zubero (Esp.)	1 min 58 s 47
1996	Bridgewater (É.-U.)	1 min 58 s 54

100 m brasse

1968	D. McKenzie (É.-U.)	1 min 07 s 7
1972	N. Tagushi (Jap.)	1 min 04 s 94
1976	J. Hencken (É.-U.)	1 min 03 s 11
1980	D. Goodhew (G.-B.)	1 min 03 s 34
1984	S. Lundquist (É.-U.)	1 min 01 s 65
1988	A. Moorhouse (G.-B.)	1 min 02 s 04
1992	N.W. Diebel (É.-U.)	1 min 01 s 50
1996	F. Deburghgraeve (Belg.)	1 min 00 s 65

200 m brasse

1908	F. Holman (G.-B.)	3 min 09 s 2
1912	W. Bathe (All.)	3 min 01 s 8
1920	H. Malmroth (Suède)	3 min 04 s 4
1924	R.Skelton (É.-U.)	2 min 56 s 6
1928	Y. Tsuruta (Jap.)	2 min 48 s 8
1932	Y. Tsuruta (Jap.)	2 min 45 s 4
1936	T. Hamuro (Jap.)	2 min 42 s 5
1948	J. Verdeur (É.-U.)	2 min 39 s 3
1952	J. Davies (Austr.)	2 min 34 s 4
1956	M. Furukawa (Jap)	2 min 34 s 7
1960	W. Mulliken (É.-U.)	2 min 37 s 4
1964	I. O'Brien (Austr.)	2 min 27 s 8
1968	F. Munoz (Mex.)	2 min 28 s 7
1972	J. Hencken (É.-U.)	2 min 21 s 55
1976	D. Wilkie (G.-B.)	2 min 15 s 11
1980	R. Zulpa (URSS)	2 min 15 s 85
1984	V. Davis (Can.)	2 min 13 s 34
1988	J. Szabo (Hongr.)	2 min 13 s 52
1992	M. Barrowman (É.-U.)	2 min 10 s 16
1996	N. Rozsa (Hongr.)	2 min 12 s 57

100 m papillon

1968	D. Russel (É.-U.)	55 s 9
1972	M. Spitz (É.-U.)	54 s 27
1976	M. Vogel (É.-U.)	54 s 36
1980	P. Arvidsson (Suède)	54 s 92
1984	M. Gross (RFA)	53 s 08
1988	A. Nesty (Sur.)	53 s 00
1992	P. Morales (É.-U.)	53 s 32
1996	D. Pankratov (Russie)	52 s 27

200 m papillon

1968	S. Robie (É.-U.)	2 min 08 s 6
1972	M. Spitz (É.-U.)	2 min 00 s 07
1976	E. Bruner (É.-U.)	1 min 59 s 23
1980	A. Fesenko (URSS)	1 min 59 s 23
1984	C. Sieben (Austr.)	1 min 57 s 94
1988	M. Gross (RFA)	1 min 56 s 94
1992	M. Stewart (É.-U.)	1 min 56 s 26
1996	D. Pankratov (Russie)	1 min 56 s 51

200 m quatre nages

1968	C. Hickcox (É.-U.)	2 min 12 s 0
1972	G. Larsson (Suède)	2 min 07 s 17
1976-1980	non disputé	
1984	A. Baumann (Can.)	2 min 01 s 42
1988	T. Darnyi (Hongr.)	2 min 00 s 17
1992	T. Darnyi (Hongr.)	2 min 00 s 76
1996	A. Czene (Hongr.)	1 min 59 s 91

400 m quatre nages

1964	R. Roth (É.-U.)	4 min 45 s 4
1968	C. Hickcox (É.-U.)	4 min 48 s 4
1972	G. Larsson (Suède)	4 min 31 s 98
1976	R. Strachan (É.-U.)	4 min 23 s 68
1980	A. Sidorenko (URSS)	4 min 22 s 89
1984	A. Baumann (Can.)	4 min 17 s 41
1988	T. Darnyi (Hongr.)	4 min 14 s 75
1992	T. Darnyi (Hongr.)	4 min 14 s 23
1996	T. Dolan (É.-U.)	4 min 14 s 90

Relais 4 x 100 m nage libre

1964	États-Unis	3 min 33 s 2
1968	États-Unis	3 min 31 s 1
1972	États-Unis	3 min 26 s 4
1976-1980	non disputé	
1984	États-Unis	3 min 19 s 03
1988	États-Unis	3 min 16 s 53
1992	États-Unis	3 min 16 s 74
1996	États-Unis	3 min 15 s 41

Relais 4 x 100 m quatre nages

1960	États-Unis	4 min 05 s 4
1964	États-Unis	3 min 58 s 4
1968	États-Unis	3 min 54 s 9
1972	États-Unis	3 min 48 s 16
1976	États-Unis	3 min 42 s 22
1980	Australie	3 min 45 s 70
1984	Australie	3 min 39 s 30
1988	États-Unis	3 min 36 s 93
1992	États-Unis	3 min 36 s 93
1996	États-Unis	3 min 34 s 84

Relais 4 x 200 m nage libre

1908	Grande-Bretagne	10 min 55 s 6
1912	Australie	10 min 11 s 2
1920	États-Unis	10 min 04 s 4
1924	États-Uni	9 min 53 s 4
1928	États-Unis	9 min 36 s 2
1932	Japon	8 min 58 s 4
1936	Japon	8 min 1 s 5
1948	États-Unis	8 min 46 s 0
1952	États-Unis	8 min 31 s 1
1956	Australie	8 min 23 s 6
1960	États-Unis	8 min 10 s 2
1964	États-Unis	7 min 52 s 1
1968	États-Unis	7 min 52 s 3
1972	États-Unis	7 min 35 s 78
1976	États-Unis	7 min 23 s 22
1980	URSS	7 min 23 s 50
1984	États-Unis	7 min 15 s 69
1988	États-Unis	7 min 12 s 51
1992	CEI	7 min 11 s 95
1996	États-Unis	7 min 14 s 84

Femmes

50 m nage libre

1988	K. Otto (RDA)	25 s 49
1992	W. Yang (Chine)	24 s 79
1996	A. Van Dyken (É.-U.)	24 s 87

100 m nage libre

1912	F. Durack (Austr.)	1 min 22 s 2
1920	E. Bleibtrey (É.-U.)	1 min 13 s 6
1924	E. Lackie (É.-U.)	1 min 12 s 4
1928	A.Ossipowich (É.-U.)	1 min 15 s 0
1932	H. Madison (É.-U.)	1 min 06 s 8
1936	H. Mastenbrock (P.-B.)	1 min 05 s 9
1948	G. Andersen (Dan)	1 min 06 s 3
1952	K. Szöke (Hongr.)	1 min 06 s 8
1956	D. Fraser (Austr.)	1 min 02 s 0
1960	D. Fraser (Austr.)	1 min 01 s 2
1964	D. Fraser (Austr.)	59 s 5
1968	J. Henne (É.-U.)	1 min 00 s
1972	S. Neilson (É.-U.)	58 s 59
1976	K. Ender (RDA)	55 s 65
1980	B. Krause (RDA)	54 s 79
1984	C. Steinseifer (É.-U.)	55 s 92
	ex aequo avec N. Hogshead (É.-U.)	
1988	K. Otto (RDA)	54 s 93
1992	Y. Zhuang (Chine)	54 s 64
1996	L. Jingyi (Chine)	54 s 50

200 m nage libre

1968	D. Meyer (É.-U.)	2 min 10 s 5
1972	S. Gould (Austr.)	2 min 03 s 56
1976	K. Ender (RDA)	1 min 59 s 26
1980	B. Krause (RDA)	1 min 58 s 33
1984	M. Wayte (É.-U.)	1 min 59 s 23
1988	H. Friedrich (RDA)	1 min 57 s 65
1992	N. L. Haislett (É.-U.)	1 min 57 s 90
1996	C. Poll (Costa Rica)	1 min 58 s 16

400 m nage libre

1924	M. Norelius (É.-U.)	6 min 02 s 2
1928	M. Norelius (É.-U.)	5 min 42 s 8
1932	H. Madison (É.-U.)	5 min 28 s 5
1936	H. Mastenbroek (P.-B.)	5 min 26 s 4
1948	A. Curtis (É.-U.)	5 min 17 s 8
1952	V. Gyenge (Hongr.)	5 min 12 s 1
1956	L. Crapp (Austr.)	4 min 54 s 6
1960	C. von Saltza (É.-U.)	4 min 50 s 6
1964	V. Duenkel (É.-U.)	4 min 43 s 3
1968	D. Meyer (É.-U.)	4 min 31 s 8
1972	S. Gould (Aüstr.)	4 min 19 s 04
1976	P. Thümer (RDA)	4 min 08 s 89
1980	I. Diers (RDA)	4 min 08 s 76
1984	T. Cohen (É.-U.)	4 min 07 s 10
1988	J. Evans (É.-U.)	4 min 03 s 85
1992	D. Hase (All.)	4 min 07 s 18
1996	M. Smith (Irl.)	4 min 07 s 25

800 m nage libre

1968	D. Meyer (É.-U.)	9 min 24 s 0
1972	K. Rothhammer (É.-U.)	8 min 53 s 68
1976	P. Thümer (RDA)	8 min 37 s 14
1980	M. Ford (Austr.)	8 min 28 s 90
1984	T. Cohen (É.-U.)	8 min 24 s 94
1988	J. Evans (É.-U.)	8 min 20 s 20
1992	J. Evans (É.-U.)	8 min 25 s 52
1996	Bennett (É.-U.)	8 min 27 s 89

100 m papillon

1956	S. Mann (É.-U.)	1 min 11 s 0
1960	C. Schuler (É.-U.)	1 min 09 s 5
1964	S. Stouder (É.-U.)	1 min 04 s 7
1968	L. McClements (Austr.)	1 min 05 s 5
1972	M. Aoki (Jap.)	1 min 03 s 34
1976	K. Ender (RDA)	1 min 00 s 13
1980	C. Metschuck (RDA)	1 min 00 s 42
1984	M. Meagher (É.-U.)	59 s 26
1988	K. Otto (RDA)	59 s 00
1992	H. Qian (Chine)	58 s 62
1996	A. Van Dyken (É.-U.)	59 s 13

200 m papillon

1968	A. Kok (P.-B.)	2 min 24 s 7
1972	K. Moe (É.-U.)	2 min 15 s 57
1976	M. Pollack (RDA)	2 min 11 s 41
1980	I. Geissler (RDA)	2 min 10 s 44
1984	M. Maegher (É.-U.)	2 min 06 s 90
1988	R. K. Nord (RDA)	2 min 09 s 51
1992	S. E. Sanders (É.-U.)	2min 08 s 67
1996	O'Neill (Austr.)	2 min 07 s 76

100 m dos

1924	S. Bauer (É.-U.)	1 min 23 s 2
1928	M. Braun (P.-B.)	1 min 22 s 0
1932	E. Holm (É.-U.)	1 min 19 s 4
1936	D. Senff (P.-B.)	1 min 18 s 9
1948	K. Harup (Dan.)	1 min 14 s 4
1952	J. Harrison (Afr. du S.)	1 min 14 s 3
1956	J. Grinham (G.-B.)	1 min 12 s 9
1960	L. Burke (É.-U.)	1 min 09 s 3
1964	C. Ferguson (É.-U.)	1 min 07 s 7
1968	K. Hall (É.-U.)	1 min 06 s 2
1972	M. Belote (É.-U.)	1 min 05 s 78
1976	U. Richter (RDA)	1 min 01 s 83
1980	R. Reinisch (RDA)	1 min 00 s 86
1984	T. Andrews (É.-U.)	1 min 02 s 55
1988	K. Otto (RDA)	1 min 00 s 89
1992	K. Egerszegi (Hongr.)	1 min 00 s 68
1996	Bosford (É.-U.)	1 min 01 s 19

200 m dos

1968	L. Watson (É.-U.)	2 min 24 s 8
1972	M. Belote (É.-U.)	2 min 19 s 19
1976	U. Richter (RDA)	2 min 13 s 43
1980	R. Reinisch (RDA)	2 min 11 s 77
1984	J. DeRover (P.-B.)	2 min 12 s 38
1988	K. Egerszegi (Hongr.)	2 min 09 s 29
1992	K. Egerszegi (Hongr.)	2 min 07 s 06
1996	K. Egerszegi (Hongr.)	2 min 07 s 83

100 m brasse

1968	B. Bjedov (Youg.)	1 min 15 s 8
1972	C. Carr (É.-U.)	1 min 13 s 58
1976	H. Anke (RDA)	1 min 11 s 16
1980	U. Geweniger (RDA)	1 min 10 s 22
1984	P. Van Staveren (P.-B.)	1 min 09 s 88
1988	T. Dangalakova (Bulg.)	1 min 07 s 95
1992	E. Rudkovskaia (CEI)	1 min 08 s 00
1996	P. Heyns (Afr.du Sud)	1 min 07 s 73

200 m brasse

1924	L. Morton (G.-B.)	3 min 33 s 2
1928	H. Schrader (All.)	3 min 12 s 6
1932	C. Dennis (Austr.)	3 min 06 s 3
1936	H. Maehata (Jap.)	3 min 03 s 6
1948	H. Van Vliet (P.-B.)	2 min 57 s 2
1952	E. Székely (Hongr.)	2 min 51 s 7
1956	U. Happe (RFA)	2 min 53 s 1
1960	A. Lonsborough (G.-B.)	2 min 49 s 5
1964	S. Prozumenchikova (URSS)	2 min 46 s 4
1968	S. Wichman (É.-U.)	2 min 44 s 4
1972	B. Whitfield (Austr.)	2 min 42 s 71
1976	M. Kochevaïa (URSS)	2 min 33 s 35
1980	L. Katchouchite (URSS)	2 min 29 s 54
1984	A. Ottenbrite (Can.)	2 min 30 s 38
1988	S. Hoerner (RDA)	2 min 26 s 71
1992	K. Iwasaki (Jap.)	2 min 26 s 65
1996	P. Heyns (Afr. du Sud)	2 min 25 s 41

200 m quatre nages

1968	C. Kolb (É.-U.)	2 min 24 s 7
1972	S. Gould (Austr.)	2 min 23 s 07
1976-1980	non disputé	
1984	T. Caulkins (É.-U.)	2 min 12 s 64
1988	D. Hunger (RDA)	2 min 12 s 59
1992	L. Lin (Chine)	2 min 11 s 65
1996	M. Smith (Irl.)	2 min 13 s 93

400 m quatre nages

1964	D. De Varona (É.-U.)	5 min 18 s 7
1968	C. Kolb (É.-U.)	5 min 08 s 5
1972	G. Neall (Austr.)	5 min 02 s 97
1976	U. Tauber (RDA)	4 min 42 s 77
1980	P. Schneider (RDA)	4 min 36 s 29
1984	T. Caulkins (É.-U.)	4 min 39 s 24
1988	J. Evans (É.-U.)	4 min 37 s 76
1992	K. Egerszegi (Hongr.)	4 min 36 s 54
1996	M. Smith (Irl.)	4 min 39 s 18

Relais 4 x 100 m nage libre

1912	Grande-Bretagne	5 min 52 s 8
1920	États-Unis	5 min 11 s 6
1924	États-Unis	4 min 58 s 8
1928	États-Unis	4 min 47 s 6
1932	États-Unis	4 min 38 s 0
1936	Pays-Bas	4 min 36 s 0
1948	États-Unis	4 min 29 s 2
1952	Hongrie	4 min 24 s 4
1956	Australie	4 min 17 s 1
1960	États-Unis	4 min 08 s 9
1964	États-Unis	4 min 03 s 8
1968	États-Unis	4 min 02 s 5
1972	États-Unis	3 min 55 s 19
1976	États-Unis	3 min 44 s 82
1980	RDA	3 min 42 s 71
1984	États-Unis	3 min 43 s 43
1988	RDA	3 min 40 s 63
1992	États-Unis	3 min 39 s 46
1996	États-Unis	3 min 39 s 29

Relais 4 x 100 m quatre nages

1960	États-Unis	4 min 41 s 1
1964	États-Unis	4 min 33 s 9
1968	États-Unis	4 min 28 s 3
1972	États-Unis	4 min 20 s 07
1976	RDA	4 min 07 s 95
1980	RDA	4 min 06 s 67
1984	États-Unis	4 min 08 s 34
1988	RDA	4 min 03 s 74
1992	États-Unis	4 min 02 s 54
1992	États-Unis	4 min 02 s 88

Relais 4 x 200 m nage libre

1996	États-Unis	7 min 59 s 87

Le football

Le sport roi

Le football est le sport le plus populaire et le plus pratiqué dans le monde. S'il est le sport roi depuis longtemps en Europe et en Amérique latine, il règne maintenant également sur l'Afrique et gagne l'Asie, comme en témoigne le choix du Japon et de la Corée pour organiser la Coupe du monde en 2002. Aux États-Unis, il connaît quelques difficultés à s'imposer malgré la Coupe du monde très réussie qui s'y est déroulée en 1994. Il est régi par la FIFA (Fédération internationale de football association), dont le siège se trouve depuis 1952 à Zurich. Elle compte 203 associations membres en 1998, regroupant plus de 200 millions de joueurs.

Une partie se déroule en deux périodes de 90 minutes, avec une mi-temps de 15 minutes. En cas d'égalité lors des matchs à élimination directe, une prolongation de deux fois 15 minutes se dispute, et la première équipe marquant un but (but en or) est victorieuse (règle généralement appliquée en compétition). Si, à l'issue de cette prolongation, le score demeure nul, a lieu la séance des tirs au but.

Une histoire déjà longue. Si le football peut être considéré comme un lointain descendant du calcio, jeu pratiqué en Italie durant la Renaissance, sa véritable date de naissance est 1863. Cette année-là, la Football Association voit le jour en Angleterre, et les premières règles sont édictées.

En 1871, a lieu le premier match Angleterre-Écosse. En 1886, toujours à l'initiative des Britanniques, l'International Football Association Board est fondé ; sous son égide les règles s'affinent, et les premières épreuves internationales sont organisées. Le 21 mai 1904, à l'initiative du Français Robert Guérin, la FIFA voit le jour à Paris. Outre la France, y adhèrent la Belgique, le Danemark, l'Espagne, les Pays-Bas, la Suède et la Suisse. En 1904 également, l'équipe de France dispute son premier match international (Belgique-France, à Bruxelles, 3-3). La première Coupe de France se tient en 1918, le Championnat de France professionnel est créé en 1932.

La Coupe du monde. Si le football est inscrit aux jeux Olympiques depuis 1900, la principale compétition demeure la Coupe du monde. Créée malgré une hostilité polie des Britanniques, cette épreuve, imaginée et voulue par les Français Jules Rimet et Henri Delaunay, connaît sa première édition en 1930, en Uruguay, et ne réunit que treize nations. Dès lors, le succès de la Coupe du monde va grandissant, notamment depuis 1958, année où les matchs sont retransmis par la télévision pour la première fois. C'est aujourd'hui la plus importante manifestation sportive internationale après les jeux Olympiques. Elle exige des moyens considérables pour mener à bien son organisation, surtout depuis que 32 équipes participent à la phase finale. Une victoire ou une défaite peut engendrer liesse populaire ou passer pour une catastrophe nationale. Une ambiance de deuil s'empara du Brésil en 1950, lorsque l'Uruguay, en s'imposant 2-1 au Maracana, priva les Brésiliens d'un premier succès ; en revanche, une immense foule envahit les Champs-Élysées le 12 juillet 1998 dans une fête populaire et spontanée, à l'issue du triomphe de l'équipe de France.

Toutefois, la Coupe du monde n'est pas la seule épreuve internationale d'importance. Les confédérations continentales organisent à intervalles réguliers (tous les quatre ans pour l'Europe et l'Asie, tous les deux ans pour l'Afrique et l'Amérique) des compétitions entre nations. En 1991 se dispute le premier Championnat du monde féminin.

Les compétitions de clubs. Elles sont également très prisées du public, et les enjeux financiers sont là aussi considérables. La Coupe d'Europe des clubs champions, née en 1955 dans la discrétion sur une idée du Français Gabriel Hannot, est une compétition très populaire dont le règlement, pour des raisons principalement financières, est régulièrement modifié selon des critères sportifs discutés. Mettant à l'origine aux prises les clubs champions de leur pays, elle est rebaptisée en 1997 « Ligue des champions » et accueille également... les deuxièmes des championnats nationaux des grandes nations. En 1999-2000, devant la menace de projets privés concurrents, l'Union européenne de football association ouvre même la Ligue des champions aux troisièmes des principaux championnats. La Coupe de l'UEFA est créée en 1958, et la Coupe des vainqueurs de coupe en 1961. En 1999-2000, ces deux compétitions fusionnent.

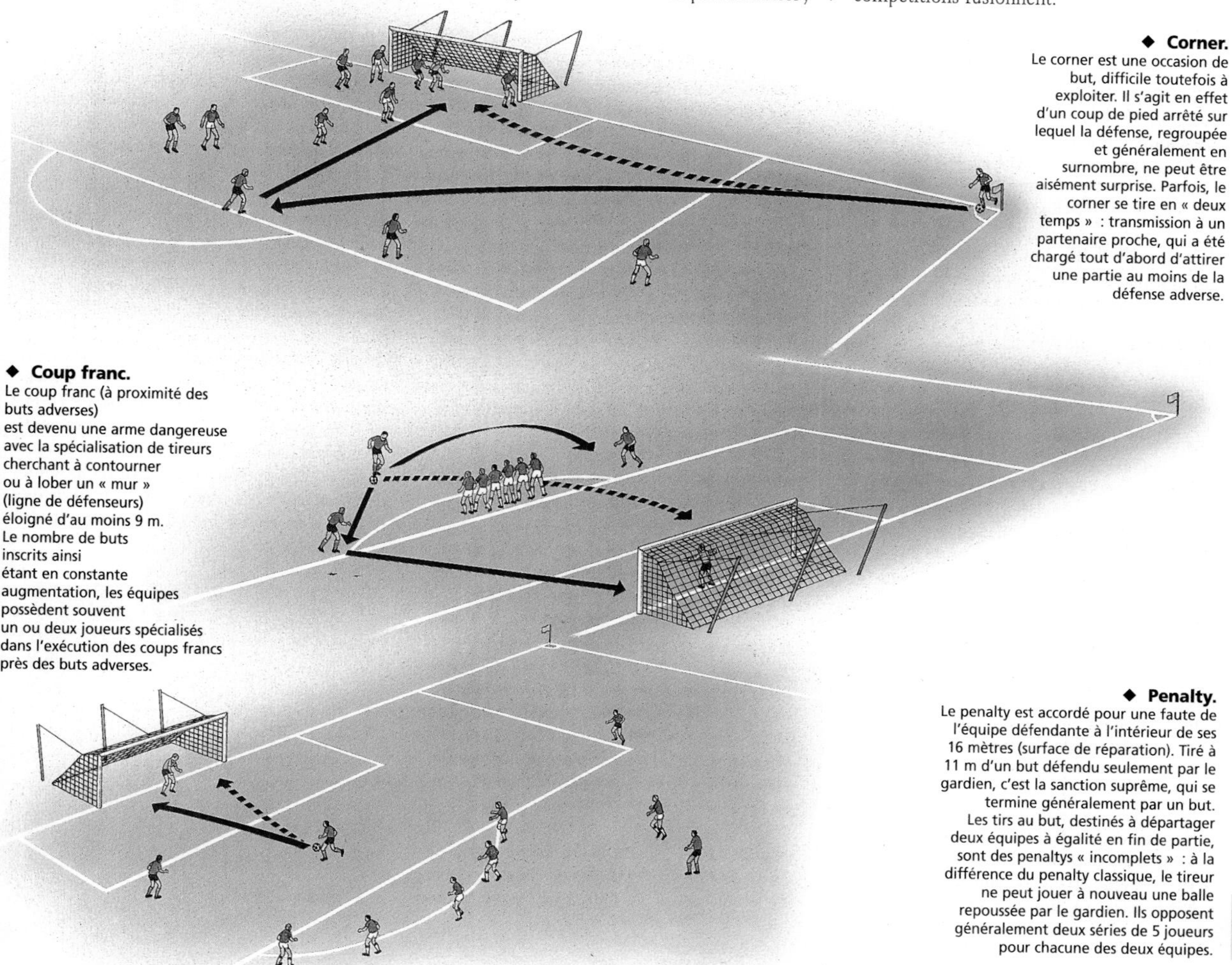

◆ **Corner.**
Le corner est une occasion de but, difficile toutefois à exploiter. Il s'agit en effet d'un coup de pied arrêté sur lequel la défense, regroupée et généralement en surnombre, ne peut être aisément surprise. Parfois, le corner se tire en « deux temps » : transmission à un partenaire proche, qui a été chargé tout d'abord d'attirer une partie au moins de la défense adverse.

◆ **Coup franc.**
Le coup franc (à proximité des buts adverses) est devenu une arme dangereuse avec la spécialisation de tireurs cherchant à contourner ou à lober un « mur » (ligne de défenseurs) éloigné d'au moins 9 m. Le nombre de buts inscrits ainsi étant en constante augmentation, les équipes possèdent souvent un ou deux joueurs spécialisés dans l'exécution des coups francs près des buts adverses.

◆ **Penalty.**
Le penalty est accordé pour une faute de l'équipe défendante à l'intérieur de ses 16 mètres (surface de réparation). Tiré à 11 m d'un but défendu seulement par le gardien, c'est la sanction suprême, qui se termine généralement par un but. Les tirs au but, destinés à départager deux équipes à égalité en fin de partie, sont des penaltys « incomplets » : à la différence du penalty classique, le tireur ne peut jouer à nouveau une balle repoussée par le gardien. Ils opposent généralement deux séries de 5 joueurs pour chacune des deux équipes.

Sports : le football *(suite)*

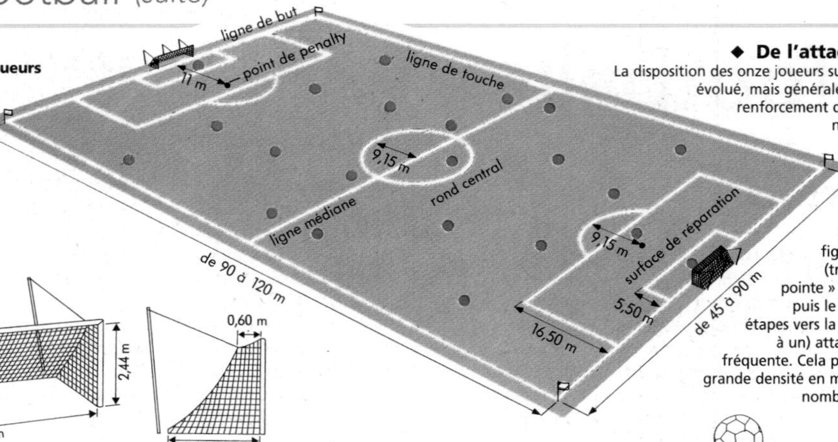

Disposition théorique des joueurs au début d'un match.
En bleu, en 4-2-4 ;
en rouge, avec
trois attaquants,
quatre arrières et un libero.

ligne de but
point de penalty
11 m
ligne de touche
9,15 m
rond central
ligne médiane
9,15 m
surface de réparation
de 90 à 120 m
5,50 m
16,50 m
de 45 à 90 m

◆ De l'attaque à la défense.
La disposition des onze joueurs sur le terrain a beaucoup évolué, mais généralement dans le sens d'un renforcement des défenses, le souci de ne pas perdre, de ne pas encaisser de but l'emportant progressivement sur le désir de gagner, de marquer. Dans la disposition WM figuraient cinq attaquants (trois attaquants dits « de pointe » et deux inters) ; le 4-2-4, puis le 3-2-4-1 ont marqué des étapes vers la réduction à deux (voire à un) attaquants, de plus en plus fréquente. Cela permet évidemment une grande densité en milieu de terrain, mais le nombre de buts marqués par rencontre a diminué considérablement.

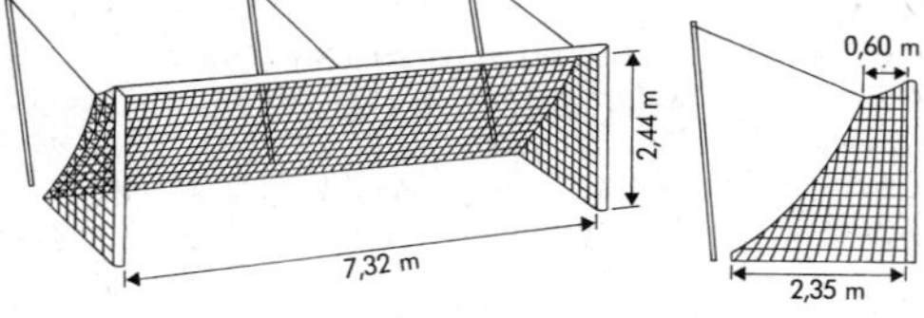

2,44 m
7,32 m
0,60 m
2,35 m

◆ Dimensions des buts.

◆ Dribble.
Le dribble consiste à conduire le ballon par petits coups de pied afin d'éviter ou de contourner l'adversaire.

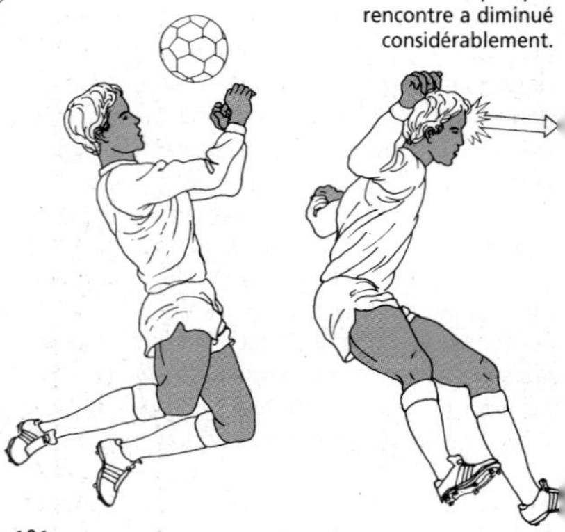

◆ Jeu de tête.
Le jeu de tête a été, initialement au moins, la spécialité des Britanniques. Il a un rôle essentiel à proximité des buts (en défense et en attaque), là où il peut se révéler décisif tant dans le cours du jeu que sur coup de pied arrêté (reprise de coup franc ou de corner). Les joueurs de grande taille sont naturellement favorisés, mais la détente et le sens de l'anticipation jouent aussi un rôle déterminant.

Quelques grands noms

Franz Beckenbauer (All., né en 1945). Ce libero est finaliste de la Coupe du monde en 1966 et remporte le trophée en 1974 face aux Pays-Bas (2-1). Il gagne trois fois la Coupe d'Europe des clubs avec le Bayern Munich (1974, 1975, 1976) et compte 103 sélections en équipe d'Allemagne.

Johan Cruijff (P.-B., né en 1947). Cet attaquant est le maître à jouer de l'Ajax Amsterdam, club qui remporte trois fois consécutivement la Coupe d'Europe (1971, 1972, 1973). En 1974, il est le meilleur joueur de la Coupe du monde, avec les Pays-Bas, qui s'inclinent en finale face à l'Allemagne (2-1).

Alfredo Di Stefano (Esp., né en 1926). Cet attaquant d'origine argentine connaît une carrière exceptionnelle au Real Madrid. Capitaine de ce club prestigieux, il remporte cinq fois la Coupe d'Europe (de 1956 à 1960). Malgré 7 sélections en équipe d'Argentine et 27 avec celle d'Espagne, il n'a jamais participé à la Coupe du monde.

Raymond Kopa (Fr., né en 1931). Il est le meneur de jeu du Stade de Reims, puis du Real Madrid, club avec lequel il remporte trois fois la Coupe d'Europe (1957, 1958, 1959). En 1958, relayé notamment par Just Fontaine qui inscrit 13 buts, il conduit l'équipe de France à la 3e place en Coupe du monde.

Pelé (Brés., né en 1940). Edson Arantes do Nascimento, dit Pelé, est considéré comme le meilleur footballeur de l'histoire. Il se révèle en 1958, en remportant la Coupe du monde avec le Brésil, ayant notamment inscrit 3 buts contre la France en demi-finale et 2 en finale face à la Suède. En 1970, au Mexique, son talent d'attaquant s'exprime pleinement ; inscrivant le premier but de la finale face à l'Italie, il ouvre la voie à une troisième victoire brésilienne en Coupe du monde (4-1). Pelé compte 93 sélections au sein de l'équipe du Brésil et a inscrit 1 282 buts au cours de sa carrière.

Ferenc Puskas (Hongr., né en 1927). Cet attaquant est le meneur de jeu de la prestigieuse sélection hongroise du début des années 1950, qui sera cependant battue en finale par l'Allemagne (3-2) en 1954, lors de la Coupe du monde en Suisse. En raison de l'invasion de son pays par les troupes soviétiques en 1956, il se réfugie en Espagne ; il remporte la Coupe d'Europe avec le Real Madrid en 1960.

Michel Platini (Fr., né en 1955). Meneur de jeu, il démontre son talent à Nancy, à Saint-Étienne et à la Juventus de Turin. En équipe de France, il inscrit 41 buts en 72 sélections ; il est aussi le « patron » des Tricolores qui atteignent les demi-finales de la Coupe du monde en 1982 et en 1986. Sa manière de tirer les coups francs, notamment, demeure un modèle du genre.

Diego Maradona (Arg., né en 1960). Cet attaquant de génie se trouve au sommet de sa forme lors de la Coupe du monde 1986, que son talent offre à l'Argentine. De nouveau finaliste de l'épreuve en 1990 (défaite face à l'Allemagne, 1 0), il est exclu de la Coupe du monde 1994 pour dopage.

Ronaldo (Brés., né en 1976). Luis Nazario de Lima, dit Ronaldo, est l'attaquant le plus célèbre du football actuel. En 1997, il fait l'objet du plus important transfert de l'histoire : il quitte Barcelone et rejoint l'Inter de Milan pour une somme de 180 millions de francs. En 1998, lors de la Coupe du monde, il connaît des difficultés pour imposer son talent, notamment en finale où, malade, il ne peut s'opposer à la supériorité de l'équipe de France.

Lev Yachine (URSS, 1929-1990). Considéré comme le meilleur gardien de but de l'histoire, il est sélectionné à 78 reprises en équipe d'URSS. Champion olympique en 1956, il remporte le Championnat d'Europe des nations en 1960.

Zinedine Zidane (Fr., né en 1972). Ce milieu de terrain, finaliste de la Coupe de l'UEFA avec Bordeaux en 1996, rejoint la Juventus de Turin en 1997. Avec ce club italien, il dispute et perd deux fois la finale de la Ligue des champions. Le 12 juillet 1998, il prend une éclatante revanche en inscrivant les deux premiers buts de la finale de la Coupe du monde qui voit la victoire de la France sur le Brésil (3-0).

◆ Michel Platini.

◆ **Palmarès.**

Championnats de France

1933	O. Lillois
1934	F. C. Sète
1935	F. C. Sochaux
1936	R. C. Paris
1937	O. Marseille
1938	F.C. Sochaux
1939	F.C. Sète
1944	Artois-Lens
1946	Lille O.S.C.
1947	C.O. Roubaix-Tourcoing
1948	O. Marseille
1949	Stade de Reims
1950	G. Bordeaux
1951	O.G.C. Nice
1952	O.G.C. Nice
1953	Stade de Reims
1954	Lille O.S.C.
1955	Stade de Reims
1956	O.G.C. Nice
1957	A.S. Saint-Étienne
1958	Stade de Reims
1959	O.G.C. Nice
1960	Stade de Reims
1961	A.S. Monaco
1962	Stade de Reims
1963	A.S. Monaco
1964	A.S. Saint-Étienne
1965	F.C. Nantes
1966	F.C. Nantes
1967	A.S. Saint-Étienne
1968	A.S. Saint-Étienne
1969	A.S. Saint-Étienne
1970	A.S. Saint-Étienne
1971	O. Marseille
1972	O. Marseille
1973	F.C. Nantes
1974	A.S. Saint-Étienne
1975	A.S. Saint-Étienne
1976	A.S. Saint-Étienne
1977	F.C. Nantes
1978	A.S. Monaco
1979	R.C. Strasbourg
1980	F.C. Nantes
1981	A.S. Saint-Étienne
1982	A.S. Monaco
1983	F.C. Nantes
1984	G. Bordeaux
1985	G. Bordeaux
1986	Paris-Saint-Germain
1987	G. Bordeaux
1988	A.S. Monaco
1989	O. Marseille
1990	O. Marseille
1991	O. Marseille
1992	O. Marseille
1993	non attribué
1994	Paris-Saint-Germain
1995	F.C. Nantes
1996	A.J. Auxerre
1997	A.S. Monaco
1998	R.C. Lens
1999	F.C. Nantes
1918	O. Pantin

Coupe de France

1919	C.A.S.G.
1920	C. A. Paris
1921	Red Star
1922	Red Star
1923	Red Star
1924	O. Marseille
1925	C.A.S.G.
1926	O. Marseille
1927	O. Marseille
1928	Red Star
1929	S.O. Montpellier
1930	F. C. Sète
1931	C. Français
1932	A. S. Cannes
1933	Excelsior
1934	F.C. Sète
1935	O. Marseille
1936	R.C. Paris
1937	F.C. Sochaux
1938	O. Marseille
1939	R. C. Paris
1940	R. C. Paris
1941	G. Bordeaux
1942	Red Star
1943	O. Marseille
1944	Lorraine
1945	R. C. Paris
1946	Lille O.S.C.
1947	Lille O.S.C.
1948	Lille O.S.C.
1949	R.C. de Paris
1950	Stade de Reims
1951	R.C. Strasbourg
1952	O.G.C. Nice
1953	Lille O.S.C.
1954	O.G.C. Nice
1955	Lille OSC
1956	Sedan
1957	Toulouse
1958	Stade de Reims
1959	Le Havre
1960	A.S. Monaco
1961	Sedan
1962	A.S. Saint-Étienne
1963	A.S. Monaco
1964	O. Lyonnais
1965	Stade rennais
1966	R.C. Strasbourg
1967	O. Lyonnais
1968	A.S. Saint-Étienne
1969	O. Marseille
1970	A.S. Saint-Étienne
1971	Stade rennais
1972	O. Marseille
1973	O. Lyonnais
1974	A.S. Saint-Étienne
1975	A.S. Saint-Étienne
1976	O. Marseille
1977	A.S. Saint-Étienne
1978	A.S. Nancy-Lorraine
1979	F.C. Nantes
1980	A.S. Monaco
1981	S.E.C. Bastia
1982	Paris-Saint-Germain
1983	Paris-Saint-Germain
1984	F.C. Metz
1985	A.S. Monaco
1986	G. Bordeaux
1987	G. Bordeaux
1988	F.C. Metz
1989	O. Marseille
1990	Montpellier
1991	A.S. Monaco
1992	finale non disputée
1993	Paris-Saint-Germain
1994	A.J. Auxerre
1995	Paris-Saint-Germain
1996	A.J. Auxerre
1997	O.G.C. Nice
1998	Paris-Saint-Germain
1957	Real Madrid

Coupe d'Europe des clubs champions

1958	Real Madrid
1959	Real Madrid
1960	Real Madrid
1961	Benfica Lisb.
1962	Benfica Lisb.
1963	Milan A.C.
1964	Inter Milan
1965	Inter Milan
1966	Real Madrid
1967	Celtic Glasgow
1968	Manchester U.
1969	Milan A.C.
1970	Feyenoord Rotterdam
1971	Ajax Amsterdam
1972	Ajax Amsterdam
1973	Ajax Amsterdam
1974	Bayern Munich
1975	Bayern Munich
1976	Bayern Munich
1977	Liverpool
1978	Liverpool
1979	Nottingham Forest
1980	Nottingham Forest
1981	Liverpool
1982	Aston Villa
1983	Hambourg
1984	Liverpool
1985	Juventus Turin
1986	Steaua Bucarest
1987	F.C. Porto
1988	P.S.V. Eindhoven
1989	Milan A.C.
1990	Milan A.C.
1991	Étoile rouge de Belgrade
1992	F.C. Barcelone
1993	O. Marseille
1994	Milan A.C.
1995	Ajax Amsterdam
1996	Juventus Turin
1997	Borussia Dortmund
1998	Real Madrid

Coupe du monde des nations

1930	Uruguay
1934	Italie
1938	Italie
1950	Uruguay
1954	RFA
1958	Brésil
1962	Brésil
1966	Angleterre
1970	Brésil
1974	RFA
1978	Argentine
1982	Italie
1986	Argentine
1990	RFA
1994	Brésil
1998	France
1960	URSS

Championnats d'Europe des nations

1964	Espagne
1968	Italie
1972	RFA
1976	Tchécoslovaquie
1980	RFA
1984	France
1988	Pays-Bas
1992	Danemark
1996	Allemagne

VOIR AUSSI • **Sport et société** p. 1282

Petit lexique

Ballon d'or : récompense distinguant, depuis 1956, le meilleur joueur européen et, depuis 1995, le meilleur joueur évoluant en Europe.

carton jaune : avertissement donné par l'arbitre à un joueur coupable d'une faute caractéristique contre l'esprit du jeu.

carton rouge : cette sanction, qui exclut un joueur du terrain sans qu'il puisse être remplacé, est infligée par l'arbitre lorsque ce joueur a déjà reçu un carton jaune ou lorsqu'il commet une faute particulièrement grave, qui pourrait notamment risquer de provoquer une blessure de son adversaire.

hors-jeu : un joueur se trouve en position de hors-jeu lorsque, au départ d'une passe adressée par un partenaire, moins de deux joueurs adverses se trouvent entre lui et la ligne de but. Cette faute est sanctionnée d'un coup franc.

libero : défenseur évoluant librement devant le gardien de but et en couverture de la ligne de défense.

La Coupe du monde 1998

La Coupe du monde 1998 ne saurait se résumer à un instant magique, la victoire, le 12 juillet 1998, de la France sur le Brésil (3-0). Sur le plan sportif d'abord, la phase éliminatoire a mis aux prises 168 équipes, qui ont disputé 643 rencontres. La phase finale a réuni 32 équipes, pour 64 matchs. Lors de ces 64 matchs, 171 buts ont été inscrits (2,67 par match), les arbitres ont distribué 258 cartons jaunes et 22 cartons rouges. Le meilleur buteur est le Croate Davor Suker (6 buts). L'équipe de France possède la meilleure attaque (15 buts) et la meilleure défense (2 buts encaissés). Sur le plan économique ensuite, le Comité français d'organisation, association à but non lucratif coprésidée par Fernand Sastre et Michel Platini, disposait d'un budget de 2,421 milliards de francs (hors construction et rénovations des stades). Le budget total se montait à 9,4 milliards de francs. 2 648 000 billets ont été vendus (dont 1 890 000 pour le grand public, 428 000 pour les partenaires du CFO, 201 000 pour les loges et les sièges de prestige, et 129 000 divers). Les rencontres ont été suivies par 40 milliards de téléspectateurs, les droits de retransmission ont atteint 1,9 milliard de francs. La Coupe du monde a été soutenue par 45 sponsors. Le Comité français d'organisation a dégagé un bénéfice brut de 350 millions de francs et un bénéfice net de 200 millions de francs.

◆ **L'équipe de France victorieuse.**
Le 12 juillet 1998, au Stade de France, la France remporte la Coupe du monde en dominant le Brésil 3 buts à 0. Se tenant à l'arrière-plan, l'entraîneur de l'équipe, Aimé Jacquet, est sans doute, autant que les joueurs, l'artisan de ce triomphe.

Le rugby

Le rugby à XV

Créé en 1823 à la suite d'un schisme du « football » anglais au collège de Rugby (d'où il tire son nom), le rugby à XV n'est pas encore un sport universel. Il est pratiqué essentiellement dans les îles Britanniques (qui constituent quatre nations rugbystiques : Angleterre, Écosse, pays de Galles et Irlande [unifiée sur ce plan]), dans les anciennes colonies britanniques de l'hémisphère Sud (Australie, Nouvelle-Zélande, Afrique du Sud) et en France. L'Argentine, le Japon, les Fidji, les Samoa et l'Italie deviennent des concurrents sérieux, alors que la Roumanie semble marquer le pas. Le Tournoi des cinq nations (les quatre équipes britanniques et la France) reste la grande compétition annuelle, même si son étoile pâlit en raison du poids grandissant des pays de l'hémisphère Sud. L'Italie est la sixième nation conviée au Tournoi en l'an 2000. Longtemps, les confrontations entre les pays des deux hémisphères se sont limitées aux tournées, mais la Coupe du monde, créée en 1987, est devenue une compétition majeure. Depuis 1995, le rugby à XV est un sport professionnel.

La partie, qui oppose deux équipes de 15 joueurs, se déroule en deux périodes de 40 minutes, avec une mi-temps de 10 minutes. Le ballon, de forme ovale, a les dimensions suivantes : longueur du grand axe, de 28 à 30 cm ; grand périmètre, de 76 à 79 cm ; petit périmètre, de 58 à 62 cm ; son poids peut varier entre 400 et 440 g.

◆ Arrêt de volée.
L'arrêt de volée consiste à réceptionner un ballon (envoyé au pied par un adversaire) en criant « marque ». Suivi par un coup de pied (de dégagement ou à suivre), il ne peut aujourd'hui être réalisé que par un joueur de l'équipe défendante à l'intérieur de ses 22 m.

◆ Placage.
Le placage consiste à arrêter le possesseur du ballon, généralement en entourant ses jambes avec les bras. C'est un acte essentiel de la défense, qui arrête (ou retarde) l'offensive adverse.

◆ Passe.
La passe est l'action de transmettre le ballon à un partenaire mieux placé.C'est le mode de progression le plus spectaculaire, effectué le plus souvent par les lignes arrière, bien que les avants participent aussi à ce type d'offensive. Le « cadrage » de l'adversaire permet, en évitant le placage, de décaler un équipier.

position extrême du verrouilleur (15 m du bord de la touche)
de 95 à 100 m
10 m
22 m
ligne de milieu
ligne des 10 m
ligne des 22 m
ligne de but
en-but
ligne de ballon mort
ligne de touche
de 66 à 69 m
5 m
15 m
de 12 à 22 m
12 m
3 m
5,60 m
d'après doc. F.F.R.

◆ Le terrain.
On remarque la ligne continue à 22 m devant chaque en-but. C'est seulement en deçà de cette ligne qu'un joueur de l'équipe défendante peut dégager directement en touche (sans que le ballon touche le sol avant de sortir). La ligne des 10 m marque la limite au-delà de laquelle le ballon doit être expédié au moment de l'engagement (en début de partie, de mi-temps ou après modification de la marque).
La ligne discontinue des 5 m, parallèle à la ligne de touche, indique la distance minimale devant séparer le joueur effectuant la touche et le premier avant à la réception.

◆ Coupe du monde.

1987	Nouvelle-Zélande
1991	Australie
1995	Afrique du Sud

◆ Tournoi des cinq nations.

1910	Angleterre
1911	pays de Galles
1912	Angleterre, Irlande
1913	Angleterre
1914	Angleterre
1920	Angleterre, Écosse, pays de Galles
1921	Angleterre
1922	pays de Galles
1923	Angleterre
1924	Angleterre
1925	Écosse
1926	Écosse, Irlande
1927	Écosse, Irlande
1928	Angleterre
1929	Écosse
1930	Angleterre
1931	pays de Galles
1947	Angleterre, pays de Galles
1948	Irlande
1949	Irlande
1950	pays de Galles
1951	Irlande
1952	pays de Galles
1953	Angleterre
1954	Angleterre, France, pays de Galles
1955	France, pays de Galles
1956	pays de Galles
1957	Angleterre
1958	Angleterre
1959	France
1960	Angleterre, France
1961	France
1962	France
1963	Angleterre
1964	Écosse, pays de Galles
1965	pays de Galles
1966	pays de Galles
1967	France
1968	France
1969	pays de Galles
1970	France, pays de Galles
1971	pays de Galles
1973	Angleterre, Écosse, France, Irlande, pays de Galles
1974	Irlande
1975	pays de Galles
1976	pays de Galles
1977	France
1978	pays de Galles
1979	pays de Galles
1980	Angleterre
1981	France
1982	Irlande
1983	France, Irlande
1984	Écosse
1985	Irlande
1986	France, Écosse
1987	France
1988	France, pays de Galles
1989	France
1990	Écosse
1991	Angleterre
1992	Angleterre
1993	France
1994	pays de Galles
1995	Angleterre
1996	Angleterre
1997	France
1998	France
1999	Écosse

◆ Essai.
L'essai est la finalité du jeu. Il consiste à déposer le ballon au sol derrière la ligne de but (dans l'en-but) de l'équipe adverse. La valeur de l'essai a augmenté dans l'histoire du rugby pour favoriser le jeu ouvert, récompenser l'esprit offensif. Depuis 1992, il vaut cinq points (auxquels s'ajoutent éventuellement deux points pour la transformation).

◆ Coup de pied placé.
Le coup de pied placé est généralement un acte offensif, destiné à déborder la défense adverse trop avancée ou ayant une disposition défectueuse sur le terrain. C'est un coup de pied « tactique ».

◆ Drop.
Le drop vise à faire passer le ballon entre les poteaux (et au-dessus de la barre) de l'équipe adverse ; il s'effectue impérativement par un coup de pied donné en laissant tomber la balle et en la frappant au moment où elle touche le sol. Valant trois points, il est souvent tenté à la sortie d'une mêlée, lorsque la défense n'a pas eu le temps de « monter » sur le possesseur (souvent le demi d'ouverture) du ballon.

◆ Touche.
C'est une remise en jeu effectuée à la main depuis la ligne de touche, entre les deux alignements d'avants (dont le nombre peut tomber de huit à deux lorsque l'équipe effectuant la remise en jeu décide de jouer une touche « raccourcie »). Désormais, selon le nouveau réglement, les joueurs des alignements peuvent aider leurs sauteurs à s'élever pour saisir ou dévier le ballon.

◆ Mêlée.
La mêlée est une remise en jeu sur le terrain, le plus souvent après une infraction mineure aux règles. Elle oppose les deux lignes d'avants (les packs) de chaque équipe, arc-boutées, s'efforçant de récupérer le ballon introduit par le demi de mêlée. La mêlée ouverte est un regroupement « spontané » au point de chute du ballon. Elle est fréquente dans le cours du jeu, souvent après un coup de pied à suivre. Quand le ballon ne sort pas du regroupement, l'arbitre ordonne une mêlée fermée, avec introduction du ballon pour l'équipe qui faisait acte de progression.

Le rugby à XIII

Appelé en France « jeu à XIII » de 1947 à 1988, ce sport est né en 1895 d'un schisme au sein de la Rugby Union anglaise, provoqué par vingt clubs qui acceptent une forme de professionnalisme. Il s'implante en France en 1933. L'Australie, la Grande-Bretagne et la Nouvelle-Zélande sont les nations majeures de ce sport. On compte seulement six avants (les avants aile de la troisième ligne de rugby à XV ont disparu) ; la disposition des autres joueurs, la durée de la partie, les dimensions du terrain et du ballon sont identiques dans les deux sports. Il existe cependant des différences dans les règles du jeu. Les touches sont ici remplacées par des mêlées. Tout joueur en possession du ballon, bloqué par l'adversaire, est dit tenu et joue lui-même le tenu (le terme est utilisé pour les deux actions). Ces changements ont été introduits pour tenter d'obtenir un jeu plus clair et plus rapide. Le décompte des points est aussi légèrement différent : l'essai compte pour 4 points (auxquels s'ajoutent 2 points pour une éventuelle transformation), le coup de pied (ou but) de pénalité ne compte que pour 2 points, et le drop pour seulement 1 point.

Le rugby à VII

Le rugby à VII (trois avants, quatre arrières), dont les règles sont presque les mêmes que celles du rugby à XV (sauf la durée des matchs), est un sport récent auquel s'adonnent volontiers les quinzistes les plus dynamiques. Peu connu en Europe, ce sport spectaculaire est très prisé en Océanie et en Asie. Les Fidjiens sont ainsi les maîtres de ce sport pour lequel le tournoi de Hongkong, organisé tous les ans, constitue une sorte de « Coupe du monde ».

Quelques grands noms

Serge Blanco (Fr., né en 1958). Cet arrière pratique un jeu offensif, fondé sur des relances continuelles. De 1980 à 1991, il porte 95 fois le maillot de l'équipe de France, pour laquelle il inscrit 39 essais et avec laquelle il remporte six fois le Tournoi des cinq nations, réussissant deux Grands Chelems (1981 et 1987).

Gareth Edwards (G.-B., né en 1947). Ce demi de mêlée gallois demeure le symbole de l'âge d'or du rugby du pays de Galles. De 1967 à 1978, il honore 53 sélections et, associé aux demis d'ouverture Barry John puis Phil Bennett, réalise le Grand Chelem dans le Tournoi des cinq nations en 1971, 1976 et 1978

Jonah Lomu (N.-Z., né en 1975). Trois-quarts aile très puissant, doté d'une grande vitesse et d'un gabarit impressionnant, il est la vedette de la Coupe du monde 1995, même si les All Blacks doivent s'incliner en finale face aux Springboks sud-africains (15-12).

Jean-Pierre Rives (Fr., né 1952). Ce troisième ligne aile se distingue par sa volonté farouche et son ardeur au combat. Il fait partie du quinze de France qui réalise le Grand Chelem en 1977. Capitaine des Tricolores qui battent pour la première fois les All Blacks sur leur sol le 14 juillet 1979 (24-19), il mène encore l'équipe de France au Grand Chelem en 1981.

Philippe Sella (Fr., né en 1962). De 1982 à 1995, ce trois-quarts centre fait valoir ses qualités physiques et techniques au sein de l'équipe de France. Il remporte six fois le Tournoi des cinq nations (dont un Grand Chelem en 1987) et honore 111 sélections internationales.

Walter Spanghero (Fr., né en 1943). Sélectionné 51 fois en équipe de France de 1964 à 1973 comme troisième ou deuxième ligne, sa vaillance lui vaut une immense popularité. En 1968, il fait partie du quinze de France qui réalise pour la première fois le Grand Chelem dans le Tournoi des cinq nations.

◆ Jonah Lomu.

Le basket-ball

Historique et règles

Ce sport a été créé aux États-Unis, au collège de Springfield (Massachusetts), par James Naismith (1861-1939), en 1891. Inscrit aux jeux Olympiques depuis 1936, il est l'un des sports les plus pratiqués dans le monde (plus de 100 millions de joueurs et de joueuses, plus de 150 pays affiliés à la Fédération internationale de basket-ball amateur, la FIBA, fondée en 1932). Outre les jeux Olympiques sont disputés des Championnats du monde (depuis 1950 pour les hommes, 1953 pour les femmes) et des championnats continentaux. Des compétitions européennes opposant les meilleures équipes de club sont annuellement organisées (Coupe des clubs champions depuis 1958, rebaptisée Euroligue en 1996).

Un match organisé sous l'égide de la FIBA oppose deux équipes de cinq joueurs (qui peuvent être remplacés, puis revenir en jeu), en deux périodes de 20 minutes effectives chacune (dans le championnat professionnel américain de la NBA [National Basketball Association], la partie se déroule en quatre périodes de 12 minutes). Il s'agit d'envoyer dans le panier un ballon rond (poids : entre 600 et 650 g; circonférence : 75 à 78 cm). Les paniers marqués dans le cours du jeu valent 2 points (3 points si le tir est réussi d'une distance supérieure à 6,25 m), 1 point pour un tir réussi lors d'un lancer franc, qui sanctionne une faute adverse.

Les règles sont strictes. Le porteur du ballon doit faire rebondir la balle au sol à chaque pas, il doit courir (la marche n'est autorisée que pour un dribble). Le joueur sanctionné 5 fois (ayant totalisé 5 fautes personnelles) est exclu de la partie, mais peut être remplacé. L'équipe possédant le ballon ne peut le conserver plus de 30 secondes sans effectuer un tir au panier. L'équipe attaquante ne peut faire revenir la balle dans son camp, et un joueur attaquant ne peut stationner plus de 3 secondes dans la raquette adverse.

◆ **Lancer franc.**
Le lancer franc sanctionne une faute de l'équipe adverse. Il permet au joueur sur lequel la faute a été commise de tirer d'une position fixe, sans être gêné par un adversaire.

Chaque équipe bénéficie de deux temps morts (interruptions de jeu) par mi-temps.

Les compétitions. Initialement, le basket-ball était un sport amateur. Les meilleurs joueurs sont des professionnels, depuis longtemps aux États-Unis (le Championnat professionnel de la NBA se dispute depuis 1946), plus récemment en Europe, notamment avec la multiplication des compétitions opposant les clubs de divers pays. Ces compétitions ont ainsi attiré sur le continent européen de nombreux joueurs américains. Ainsi, l'Euroligue est devenue une compétition majeure, un véritable Championnat d'Europe des clubs. Les championnats nationaux sont maintenant essentiellement destinés à qualifier les équipes pour l'Euroligue. En effet, une non-qualification pour l'Euroligue peut provoquer une crise financière pour un club, privé des recettes générées par cette épreuve.

Le basket-ball féminin. Il s'est également fortement développé. Naguère, dominé par l'Union soviétique et les pays de l'Est, ce sport s'est largement ouvert aux États-Unis, qui s'imposent régulièrement lors de compétitions internationales et où une ligue professionnelle a été créée. Comme pour les hommes, l'Euroligue est une compétition majeure en Europe.

◆ **Dribble.**
Le dribble a pour objet d'éliminer un adversaire, c'est-à-dire de créer un surnombre, de permettre le démarquage d'un partenaire mieux placé ou de s'ouvrir directement le chemin du panier. C'est une arme essentielle.

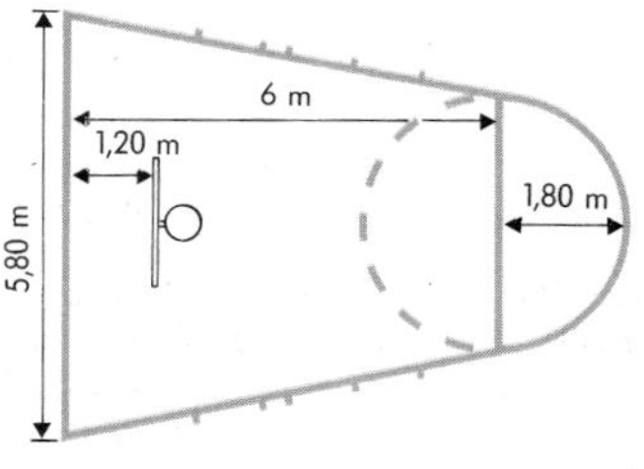

◆ **La raquette.**
La raquette est une zone essentiellement défensive où l'attaquant ne peut passer que très rapidement, pour tirer ou tenter une récupération après un tir manqué, par exemple. C'est une zone souvent très « chaude » où les contacts d'homme à homme sont évidemment fréquents.

1992 : la « Dream Team »

Les jeux Olympiques de Barcelone, en 1992, marquent une étape fondamentale pour le basket-ball comme pour le sport en général. En effet, pour la première fois, les professionnels sont officiellement autorisés à participer aux Jeux. Jusqu'alors, deux mondes coexistaient dans le basket-ball, sans jamais se rencontrer : celui des « amateurs », affiliés à la FIBA, et celui des professionnels de la NBA. Ainsi, aux jeux Olympiques, les États-Unis étaient représentés par des « universitaires », ce qui ne les empêchait pas de remporter souvent le titre. À Barcelone, les meilleurs joueurs du monde sont réunis sous le même maillot. Michael Jordan, « Magic » Johnson, Larry Bird, Pat Ewing, Scottie Pippen, Charles Drexler, Karl Malone, David Robinson, John Stockton évoluent au sein de la même équipe, l'équipe de rêve, la « Dream Team », qui s'impose en finale face à la Croatie (117-85).

VOIR AUSSI
Illustrations
• **Jeunes basketteurs** p. 1004

◆ **Jeux Olympiques.**

Hommes	
1936	États-Unis
1948	États-Unis
1952	États-Unis
1956	États-Unis
1960	États-Unis
1964	États-Unis
1968	États-Unis
1972	URSS
1976	États-Unis
1980	Yougoslavie
1984	États-Unis
1988	URSS
1992	États-Unis
1996	États-Unis

Femmes	
1976	URSS
1980	URSS
1984	États-Unis
1988	États-Unis
1992	CEI
1996	États-Unis

◆ **Championnats du monde.**

Hommes		Femmes	
1950	Argentine	1953	États-Unis
1954	États-Unis	1957	États-Unis
1958	Brésil	1959	URSS
1963	Brésil	1964	URSS
1967	URSS	1967	URSS
1970	Yougoslavie	1971	URSS
1974	URSS	1975	URSS
1978	Yougoslavie	1979	États-Unis
1982	URSS	1983	URSS
1986	États-Unis	1986	États-Unis
1990	Yougoslavie	1990	États-Unis
1994	États-Unis	1994	Brésil
1998	Yougoslavie	1998	États-Unis

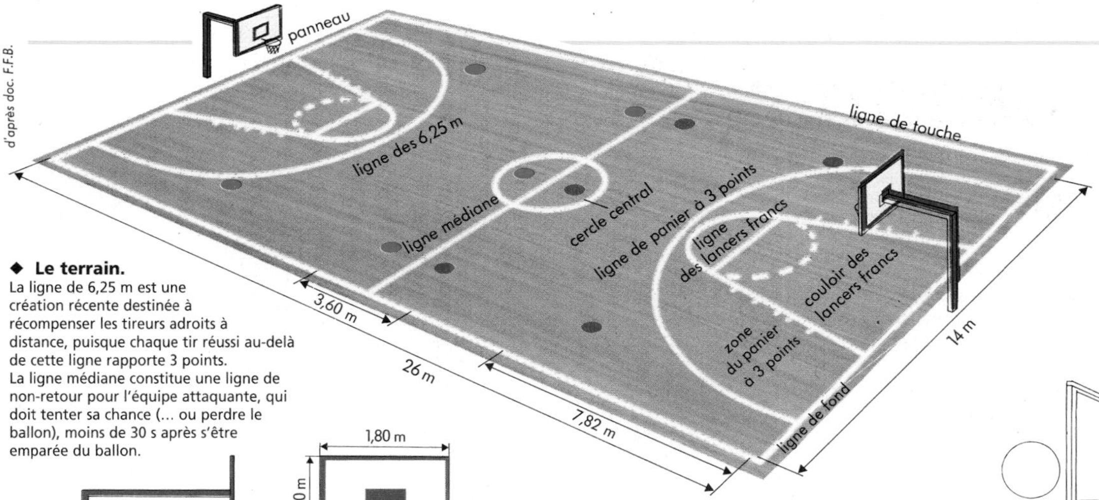

d'après doc. F.F.B.

panneau

ligne de touche

ligne des 6,25 m

ligne médiane

cercle central

ligne de panier à 3 points

ligne des lancers francs

couloir des lancers francs

zone du panier à 3 points

ligne de fond

3,60 m

26 m

7,82 m

14 m

◆ **Le terrain.**
La ligne de 6,25 m est une création récente destinée à récompenser les tireurs adroits à distance, puisque chaque tir réussi au-delà de cette ligne rapporte 3 points.
La ligne médiane constitue une ligne de non-retour pour l'équipe attaquante, qui doit tenter sa chance (… ou perdre le ballon), moins de 30 s après s'être emparée du ballon.

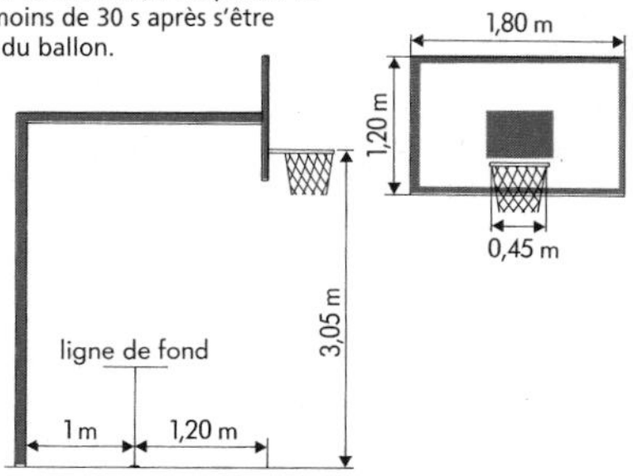

1,80 m

1,20 m

0,45 m

3,05 m

ligne de fond

1 m

1,20 m

◆ **Dimensions des paniers.**

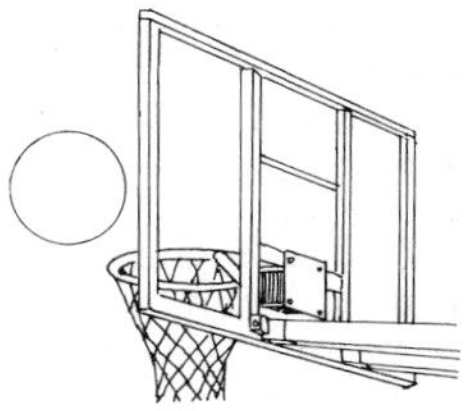

◆ **Tir en suspension.**
Le tir en suspension n'est apparu que tardivement (aux jeux Olympiques de Londres, en 1948). Il permet évidemment de passer plus facilement le contre adverse, mais nécessite une grande maîtrise corporelle et technique. Souvent effectué à une certaine distance du panier adverse, il peut être tenté arrêté (avec une simple élévation verticale) ou en course.

Quelques grands noms

Kareem Abdul-Jabbar (É.-U., Lew Aleindor, né en 1947). Converti à l'islam en 1968, il est durant vingt ans l'indiscutable pivot des Los Angeles Lakers, avec lesquels il remporte six titres de champion NBA.

Wilt Chamberlain (É.-U., né en 1936). Durant plus de dix ans, de 1960 à 1973, il est considéré comme le meilleur joueur du monde ; il joue successivement pour Philadelphie, San Francisco et les Los Angeles Lakers, club avec lequel il est deux fois champion NBA. Au cours de sa carrière, il inscrit plus de 30 000 points.

Earving « Magic » Johnson (É.-U., né en 1959). Il remporte cinq titres de champion NBA avec les Los Angeles Lakers. En 1991, il annonce qu'il est porteur du virus du sida ; l'année suivante, il devient champion olympique avec la Dream Team, à Barcelone.

Michael Jordan (É.-U., né en 1963). Considéré comme le plus grand basketteur de l'histoire, il incarne l'image la plus accomplie du sportif professionnel, ses revenus annuels étant estimés à plus de 30 millions de dollars. Champion olympique avec l'équipe universitaire des États-Unis en 1984, il remporte le championnat de la NBA en 1991, 1992 et 1993 avec les Chicago Bulls. Avec l'équipe des États-Unis, il obtient la médaille d'or aux jeux Olympiques de Barcelone. En 1993, il annonce qu'il arrête sa carrière, mais, dès 1996, il fait son retour dans l'équipe des Chicago Bulls et remporte de nouveau le titre NBA en 1996, 1997 et 1998.

Toni Kukoc (Croat., né en 1968). Il remporte quatre fois la Coupe d'Europe des clubs et devient champion du monde avec la Yougoslavie en 1990. C'est l'un des rares Européens à s'imposer dans le championnat NBA, remportant le titre en 1996 et 1997 avec les Chicago Bulls.

Akeem Olajuwon (É.-U., né en 1963). D'origine nigériane, ce redoutable pivot est champion NBA en 1994 et 1995 avec les Houston Rockets, et champion olympique en 1996.

Shaquille O'Neal (É.-U., né en 1972). Ce pivot est champion du monde en 1994, puis champion olympique en 1996. Il fait figure de successeur de Michael Jordan comme vedette du basket-ball mondial.

Antoine Rigaudeau (Fr., né en 1971). Meneur de jeu de l'équipe de France depuis 1990, il est champion de France avec Pau-Orthez en 1966. En 1997, il rejoint le club italien du Kinder Bologne, avec lequel il remporte l'Euroligue en 1998.

◆ **Smash de Michael Jordan.**
Le smash est une action spectaculaire où le joueur plaque le ballon avec une ou deux mains dans le panier adverse, très souvent à l'issue d'une rapide contre-attaque.

Le handball

Les règles

Originaire d'Europe continentale, donc non britannique, le handball s'est d'abord joué en plein air à onze joueurs. Aujourd'hui, c'est presque exclusivement un sport de salle opposant deux équipes de sept joueurs (des remplacements en cours de partie peuvent survenir). Le handball est régi par une fédération internationale créée en 1946, siégeant à Stockholm et regroupant une centaine de fédérations nationales. Il est présent aux jeux Olympiques (régulièrement depuis 1972).

La partie se dispute en 2 périodes de 30 minutes. Le ballon a une circonférence de 58 à 60 cm et un poids de 425 à 475 g pour les hommes, de 54 à 56 cm et de 325 à 400 g pour les femmes et les jeunes. Il ne peut être tenu plus de 3 secondes (même au sol) par un joueur, qui ne peut faire plus de 3 pas avec le ballon sans le passer ou le faire rebondir au sol. L'équipe attaquante doit tirer sans pénétrer dans la surface de but, où seul le gardien est autorisé à se trouver, d'où les caractéristiques des deux grands types de tir (tir plongé et tir en suspension). Il existe des exclusions temporaires (périodes de 2 minutes), trois exclusions entraînant l'expulsion (dite « disqualification »).

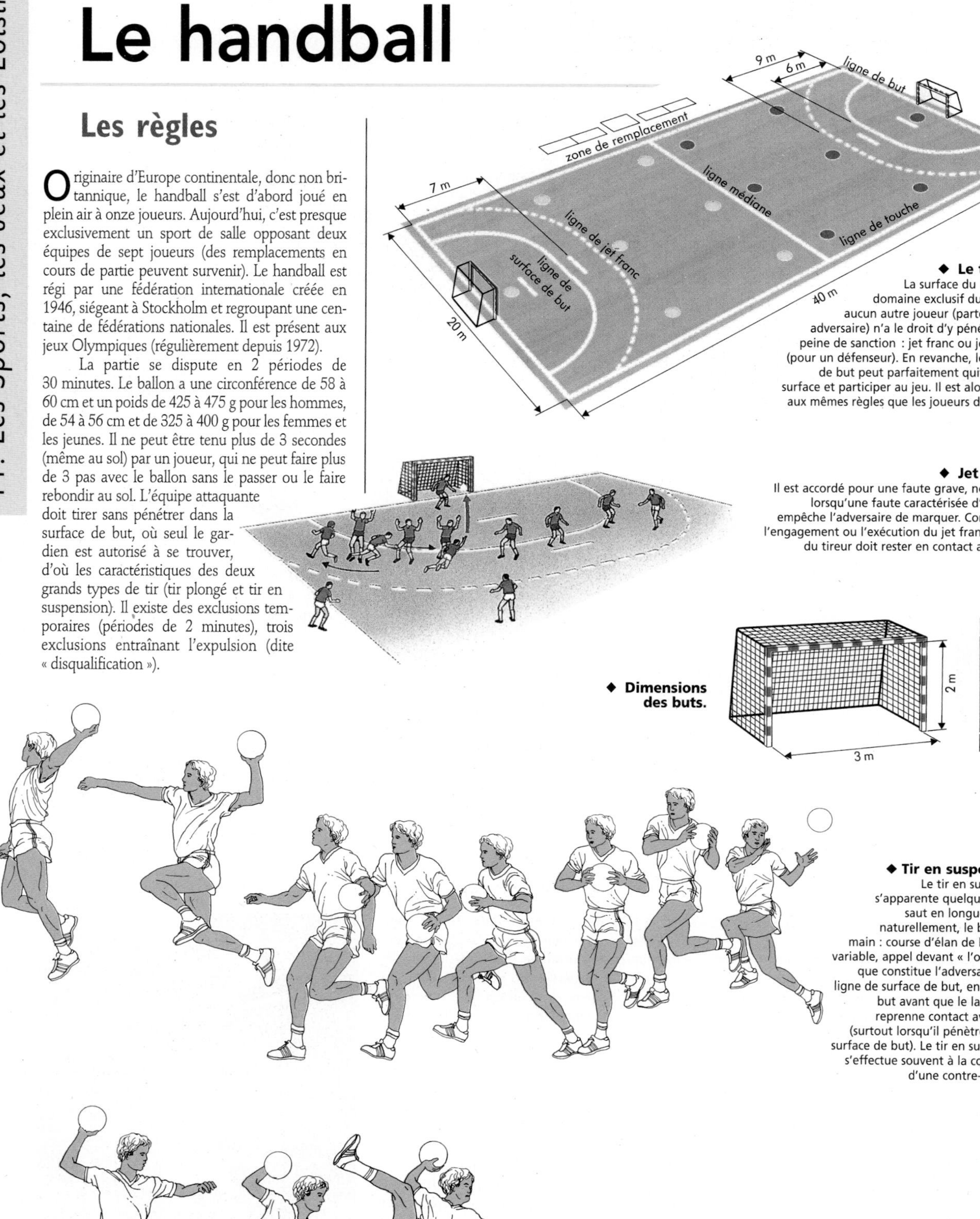

◆ **Le terrain.** La surface du but est le domaine exclusif du gardien, aucun autre joueur (partenaire ou adversaire) n'a le droit d'y pénétrer sous peine de sanction : jet franc ou jet de 7 m (pour un défenseur). En revanche, le gardien de but peut parfaitement quitter cette surface et participer au jeu. Il est alors soumis aux mêmes règles que les joueurs du champ.

◆ **Jet de 7 m.** Il est accordé pour une faute grave, notamment lorsqu'une faute caractérisée d'un joueur empêche l'adversaire de marquer. Comme pour l'engagement ou l'exécution du jet franc, un pied du tireur doit rester en contact avec le sol.

◆ **Dimensions des buts.**

◆ **Tir en suspension.** Le tir en suspension s'apparente quelque peu au saut en longueur avec, naturellement, le ballon en main : course d'élan de longueur variable, appel devant « l'obstacle » que constitue l'adversaire ou la ligne de surface de but, enfin tir au but avant que le lanceur ne reprenne contact avec le sol (surtout lorsqu'il pénètre dans la surface de but). Le tir en suspension s'effectue souvent à la conclusion d'une contre-attaque.

◆ **Tir plongé.** Le tir plongé permet de raccourcir la distance entre le lanceur et le but en retardant le lâcher du ballon, contrôlé jusqu'à la projection, laquelle intervient juste avant le contact avec le sol. Ce tir plongé peut être effectué de face, mais il est souvent réalisé du côté du bras lanceur ou du côté opposé au bras lanceur (tir désaxé, généralement pour contourner l'obstacle du défenseur entre le porteur du ballon et le but).

◆ **Jeux Olympiques.**

	Hommes	Femmes
1936	Allemagne	
1972	Yougoslavie	
1976	URSS	URSS
1980	RDA	URSS
1984	Yougoslavie	Yougoslavie
1988	URSS	Corée du Sud
1992	CEI	Corée du Sud
1996	Croatie	Danemark

Le volley-ball

Historique et règles

Ce sport, né à la fin du XIXe s aux États-Unis, sur une idée de William C. Morgan, oppose deux équipes de six joueurs (ou joueuses). Au début du XXe s, le volley-ball, devenu rapidement populaire en Amérique du Nord, gagne l'Extrême-Orient puis, dans l'entre-deux-guerres, l'Europe. La Fédération internationale de volley-ball (FIVB) est fondée à Paris en 1947, et le volley-ball devient sport olympique en 1964.

Longtemps, la partie s'est jouée en 2 ou 3 sets gagnants de 15 points chacun (avec l'obligation d'un écart minimal de 2 points), le point ne pouvant être marqué que par l'équipe au service. Le 28 oct. 1998, la FIVB adopte de nouvelles règles, applicables dès 1999 lors des compétitions internationales. Les quatre premiers sets se disputent en 25 points gagnants, mais il n'est plus nécessaire d'être au service pour inscrire le point; seul le cinquième set continue de se jouer en 15 points. Ces nouvelles règles sont destinées à diminuer la durée des matchs et à favoriser ainsi les retransmissions télévisées. Le point est acquis sur faute de l'équipe adverse qui ne peut empêcher le ballon de toucher le sol dans son propre camp ou qui l'expédie au-delà des limites du terrain. Outre les changements de joueurs, chaque équipe peut demander deux courts arrêts, ou temps morts, par set.

◆ **Championnats du monde.**

Hommes		Femmes	
1949	URSS	1952	URSS
1952	URSS	1956	URSS
1956	Tchécoslovaquie	1960	URSS
1960	URSS	1962	Japon
1962	URSS	1967	Japon
1966	Tchécoslovaquie	1970	URSS
1970	RDA	1974	Japon
1974	Pologne	1978	Cuba
1978	URSS	1982	Chine
1982	URSS	1986	Chine
1986	États-Unis	1990	URSS
1990	Italie	1994	Cuba
1994	Italie	1998	Cuba
1998	Italie		

◆ **Jeux Olympiques.**

Hommes		Femmes	
1964	URSS	1964	Japon
1968	URSS	1968	URSS
1972	URSS	1972	URSS
1976	Pologne	1976	Japon
1980	URSS	1980	URSS
1984	États-Unis	1984	Chine
1988	États-Unis	1988	URSS
1992	Brésil	1992	Cuba
1996	Pays-Bas	1996	Cuba

◆ **Contre** ou **block.**
Le contre est l'arme pour bloquer un smash. Il peut s'effectuer avec un, deux ou même trois joueurs qui passent les bras (sans toucher le filet) dans le camp adverse quand le smash est frappé. Il nécessite une parfaite synchronisation des sauteurs, mais présente souvent l'inconvénient d'un renvoi approximatif (hors des limites du terrain) ; en outre, il dégarnit largement la défense.

◆ **Service haut.**
Le service haut est frappé au-dessus de la tête. Il peut être « flottant » ou en « feuille morte » quand la balle est frappée assez doucement mais avec effet, ou « smashé » (ici, le serveur saute pour frapper violemment la balle, qui doit avoir une trajectoire rapidement descendante au-delà du filet).

◆ **Le terrain.**
Les six joueurs se placent comme ils le veulent au début de la partie, mais doivent obligatoirement effectuer une rotation d'un sixième de tour dans le sens des aiguilles d'une montre chaque fois que leur camp s'empare du service. La zone d'attaque occupe une surface de 27 m², entre la ligne centrale et la ligne d'attaque, où seuls les trois avants ont le droit de frapper la balle. Chaque équipe ne peut effectuer plus de trois touches de balle avant de la renvoyer dans le camp adverse sous peine de perdre le point.

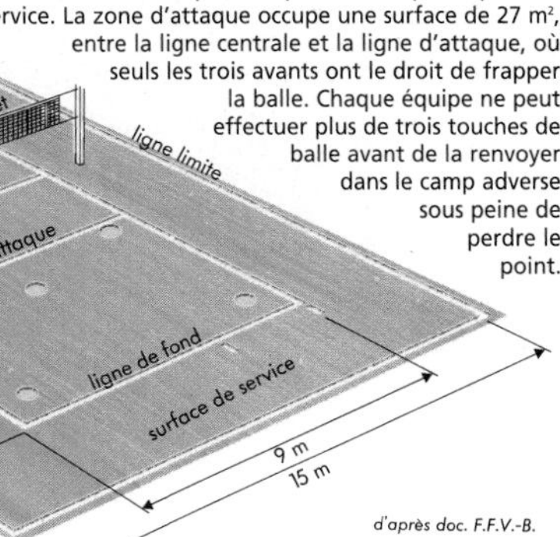

d'après doc. F.F.V.-B.

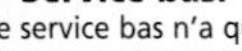

◆ **Service bas.**
Le service bas n'a qu'une valeur historique : c'est une mise en jeu sans grands risques, mais qui présente l'inconvénient d'offrir la balle à l'équipe adverse, qui peut préparer tranquillement son attaque.

◆ **Smash.**
Pour un joueur de volley-ball, le smash consiste soit à frapper la balle de face pour tenter de l'« écraser » dans le camp adverse, soit à obtenir le même effet par un mouvement de balancier, par une frappe plus ample, généralement effectuée plus loin du filet. Le smash est évidemment une attaque destinée à « faire le point ». Un joueur de grande taille est naturellement favorisé, mais la détente verticale est aussi déterminante.

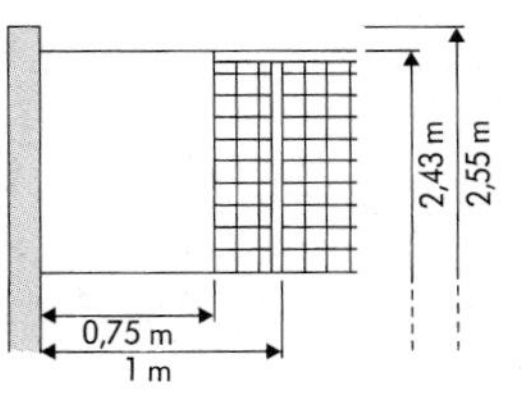

◆ **Filet.**
Le filet est (au centre) à une hauteur de 2,43 m pour les hommes et de 2,24 m pour les femmes. À la différence du tennis, un service qui touche le filet et retombe dans le camp adverse n'est pas à rejouer mais est compté comme mauvais (c'est-à-dire que le service change de camp).

Le beach-volley

Le volley de plage est un jeu pratiqué depuis longtemps par les vacanciers. Aujourd'hui, c'est devenu un sport de compétition. Le beach-volley prend son essor en Californie dans les années 1980. Deux raisons expliquent ce développement : les bonnes performances de l'équipe des États-Unis de volley-ball classique (championne olympique en 1984, championne du monde en 1986) et le goût des Américains pour les sports spectaculaires. Le beach-volley fait son entrée au programme olympique en 1996. Américains et Brésiliennes dominent les compétitions. Une partie internationale de beach-volley oppose deux équipes de 2 joueurs (ou joueuses) en 2 sets gagnants de 12 points chacun.

Le base-ball

Historique et règles

Ce sport, dérivé du cricket, naît aux États-Unis au milieu du XIXe s. Dès 1876, une première ligue professionnelle, la National League, est créée par William Hubert et Al Spalding. En 1900, une ligue concurrente, l'American League, voit le jour. À partir de 1905, les équipes championnes des deux ligues s'affrontent en une finale, baptisée World Series. Durant les années 1920, le base-ball connaît son âge d'or aux États-Unis, et la vedette de l'époque, « Babe » Ruth (1895-1948), est l'un des sportifs les plus renommés. Ce n'est qu'après la Seconde Guerre mondiale que ce sport va se propager hors des États-Unis. Il gagne notamment le Japon, où il demeure très populaire, et Cuba. Il est aujourd'hui pratiqué dans quelque quatre-vingts pays. Le base-ball devient sport olympique en 1992.

Les règles. Le base-ball oppose deux équipes de neuf joueurs. Les joueurs de l'équipe dont c'est le tour de marquer les points entrent sur le terrain un à un, pour leur tentative. Ceux de l'équipe adverse sont répartis sur toute l'aire de jeu, dont un angle est occupé par un carré de 27,50 m de côté, appelé le « diamant ». Un joueur marque un point pour son équipe en accomplissant le tour complet du carré. Il a la possibilité de s'arrêter aux différents coins – les bases –, à condition de s'y trouver seul. Une équipe ne peut donc avoir que trois coureurs au plus en route. Pour avoir le droit de prendre le départ, le joueur, placé dans un coin du carré, doit, avec une batte d'une longueur maximale de 1,07 m, expédier hors de portée de l'équipe opposée la balle que le lanceur adverse lui a envoyée.

Si la balle est cueillie au vol par un adversaire ou même si, ramassée, elle parvient avant lui à la base numéro 1, son refuge et sa première étape, le joueur a perdu : il est sorti. Si, au contraire, il atteint la première base, il court ensuite d'une base à l'autre, avec des risques, car il suffit qu'un adversaire le touche hors d'une base avec la balle tenue en main pour l'éliminer. Quand trois joueurs d'une équipe ont perdu, n'ayant pu partir ou ayant été arrêtés en cours de route, les rôles sont inversés et l'autre équipe s'efforce à son tour de marquer des points. Lorsque trois joueurs de chaque camp ont été « sortis », une manche est terminée et l'on recommence, les joueurs qui n'ont pas encore été à la batte y précédant les autres. La partie comporte neuf manches. On totalise les courses (et non les manches). L'équipe qui en compte le plus a gagné. En cas d'égalité à la fin des neuf manches, on continue jusqu'à ce qu'une manche, par un score inégal, décide de la victoire.

Le hockey sur gazon

Le hockey sur gazon se pratique sur une pelouse longue de 91,40 m (100 yards), large de 55 m (60 yards). Une partie oppose deux équipes de onze joueurs chacune (dont un gardien de but qui est le seul joueur autorisé à repousser ou frapper la balle avec le pied). Il s'agit, à l'aide d'une crosse aplatie, d'envoyer une balle de cuir (de 23 cm de circonférence) dans le but adverse. Les buts ont une largeur de 3,66 m, leur hauteur (sous la barre) est de 2,14 m. La partie comporte deux périodes de 35 minutes chacune (séparées par une mi-temps de 5 minutes). Essentiellement pratiqué en Grande-Bretagne et dans certaines anciennes colonies britanniques (comme le Pakistan, l'Inde, l'Australie et la Nouvelle-Zélande), il est sport olympique depuis 1908 pour les hommes et 1980 pour les femmes. La Fédération internationale, fondée en 1924, compte quelque 120 fédérations affiliées.

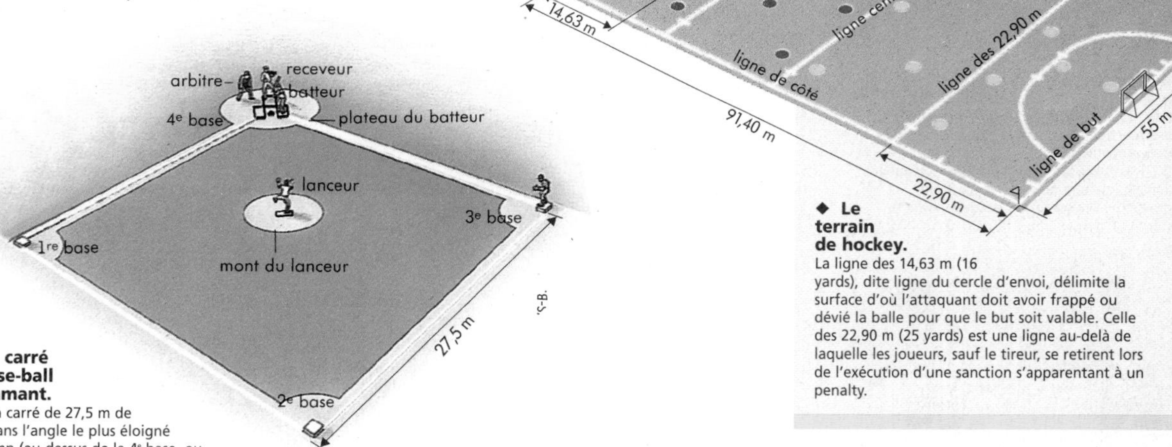

◆ **Le carré de base-ball** ou **diamant.**
C'est un carré de 27,5 m de côté. Dans l'angle le plus éloigné du champ (au-dessus de la 4e base, ou *home-plate*) se trouve le plateau du batteur. Il est divisé en deux (un côté pour les droitiers, un autre pour les gauchers) et, en face, légèrement en avant du centre du carré, à 18,43 m du centre du plateau du batteur, se trouve le « mont » d'où opère le lanceur.

◆ **Le terrain de hockey.**
La ligne des 14,63 m (16 yards), dite ligne du cercle d'envoi, délimite la surface d'où l'attaquant doit avoir frappé ou dévié la balle pour que le but soit valable. Celle des 22,90 m (25 yards) est une ligne au-delà de laquelle les joueurs, sauf le tireur, se retirent lors de l'exécution d'une sanction s'apparentant à un penalty.

◆ **Balle, batte et gant. de base-ball.**
La batte est une sorte de massue dont la longueur ne doit pas excéder 107 cm, avec un diamètre maximal de 6,98 cm. La balle est assez légère, avec un poids inférieur à 150 g (entre 141 et 149 g), pour une circonférence comprise entre 22,5 et 23,5 cm.

Le cricket

Ce sport est d'origine anglaise (le premier match opposa les comtés de Kent et de Surrey en 1709) et n'a guère essaimé, sinon dans les ex-colonies britanniques. Il est encore largement pratiqué en Australie et en Inde. Le cricket oppose deux équipes de onze joueurs chacune, qui lancent la balle, puis défendent aussi leur guichet à tour de rôle. Un joueur (le lanceur) envoie la balle vers le guichet opposé, le batteur s'efforce d'arrêter la balle et de la renvoyer le plus loin possible. Pendant que l'équipe adverse, dispersée dans le champ du jeu à l'exception des gardiens (surveillant le batteur), essaie de récupérer la balle, le batteur effectue le plus de trajets possible entre les deux guichets (chaque trajet valant un point). Quand le batteur manque la balle, il est remplacé par un coéquipier. Lorsque tous les joueurs des deux équipes ont été deux fois batteurs, on additionne les points.

◆ **Batte et balle de cricket.**
La batte a une longueur maximale de 96 cm, avec une largeur ne pouvant excéder 108 mm. Le poids de la balle doit osciller autour de 170 g (la circonférence entre 23 et 24 cm). On change de balle environ tous les 200 points.

Le football américain

Un sport tactique et spectaculaire

Ce sport, qui peut sembler violent, ne s'apparente plus guère au rugby, et encore moins au football, que les Américains nomment *soccer*. Il naît en 1875 à l'université Harvard, avec des règles ressemblant alors à celles du rugby pratiqué par les Britanniques. Dès les années 1880, les règles sont codifiées (nombre de joueurs, progression sur le terrain, décompte des points...). En 1902 se déroule la première finale du championnat universitaire (Rose Bowl) et, en 1920, se constitue une ligue professionnelle (American Professionnal Football, qui devient en 1922 la National Football League, NFL).

Depuis, la popularité de ce sport va grandissant aux États-Unis. Ainsi, en 1950, la NFL est l'une des premières instances sportives à passer un contrat pour la télédiffusion des rencontres. En 1960, une ligue concurrente, l'American Football League (AFL), voit le jour; en 1967 se dispute le premier Superbowl, finale opposant les champions de la NFL et de l'AFL, qui est aujourd'hui l'événement sportif majeur aux États-Unis. Ce sport a toutefois du mal à se développer hors de l'Amérique du Nord.

Les règles. Si les différentes tactiques employées semblent assez compliquées pour le profane, les règles sont en fait assez simples et se résument à une sorte de gagne-terrain. Onze joueurs de chaque équipe se trouvent simultanément sur le terrain, mais le nombre des remplaçants n'est pas limité (une formation professionnelle compte couramment 45 joueurs dans ses rangs). La partie se déroule en quatre périodes de 15 minutes, avec une mi-temps de 20 minutes entre les 2e et 3e périodes. L'équipe attaquante doit faire progresser le ballon (par des passes ou des courses) de 10 yards en quatre tentatives au maximum. Lorsqu'une équipe parvient à franchir la ligne de but adverse, elle inscrit un *touchdown* (essai) qui lui octroie 6 points; la transformation (au pied) rapporte 1 point supplémentaire. L'équipe attaquante peut aussi tenter un *fieldgoal* (coup de pied tombé) qui vaut 3 points. Lorsque l'équipe attaquante est refoulée dans son propre en-but, la formation adverse marque 2 points.

Par rapport à la quasi-totalité des sports d'équipe, le football américain présente plusieurs particularités. Les joueurs présents sur le terrain ne sont pas les mêmes lorsque l'équipe se trouve en possession du ballon ou non. Il y a donc une formation d'attaque et une formation de défense. Toutes sortes d'affrontements sont autorisés. Un joueur peut en effet, pour frayer le chemin au porteur du ballon, plaquer n'importe quel adversaire.

Quelques grands noms

Dan Marino (É.-U., né en 1961). Ce *quaterback* américain est finaliste du Superbowl en 1985 et demeure considéré comme l'un des meilleurs joueurs à ce poste.

Joe Montana (É.-U., né en 1956). Tenu pour le meilleur *quarterback* de l'histoire, il remporte quatre fois le Superbowl avec les San Francisco 49ers (1982, 1985, 1989, 1990).

Jerry Rice (É.-U., né en 1962). Considéré comme le meilleur receveur de tous les temps, il remporte le Superbowl en 1989, 1990 et 1995.

Orental James Simpson (É.-U., né en 1947). Ce spécialiste de la course est une immense vedette durant les années 1960. Il est le premier joueur professionnel à gagner plus de 2 000 yards à la course en une saison. Son procès a défrayé la chronique aux États-Unis (accusé du meurtre de son épouse, il est acquitté en 1996).

Emmitt Smith (É.-U., né en 1969). Spécialiste de la course, il remporte le Superbowl en 1993, 1994 et 1996. Durant la saison 1995-1996, il inscrit 25 *touchdowns* (record).

◆ **L'équipement.** Le football américain est un sport de contact qui nécessite un équipement spécial pour limiter les risques. Les articulations (épaules, coudes, poignets, genoux) et naturellement la tête sont particulièrement protégées.

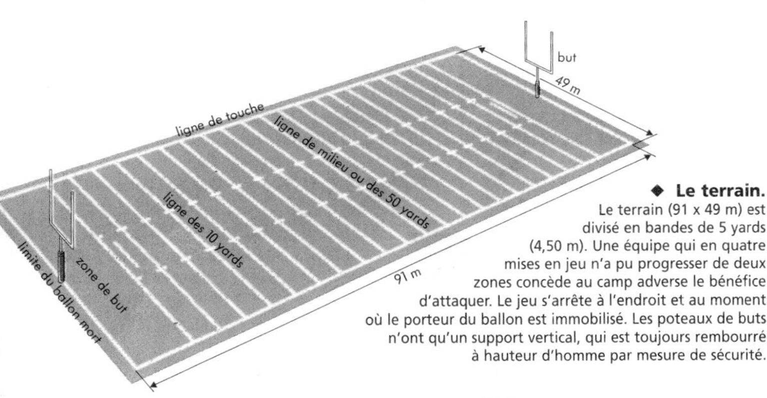

◆ **Le terrain.** Le terrain (91 x 49 m) est divisé en bandes de 5 yards (4,50 m). Une équipe qui en quatre mises en jeu n'a pu progresser de deux zones concède au camp adverse le bénéfice d'attaquer. Le jeu s'arrête à l'endroit et au moment où le porteur du ballon est immobilisé. Les poteaux de buts n'ont qu'un support vertical, qui est toujours rembourré à hauteur d'homme par mesure de sécurité.

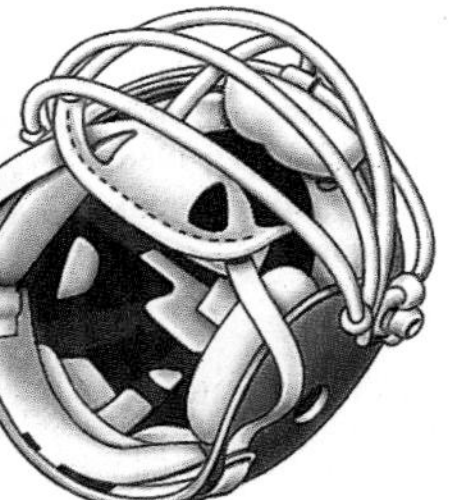

◆ **Le casque.**

◆ **Le ballon.**

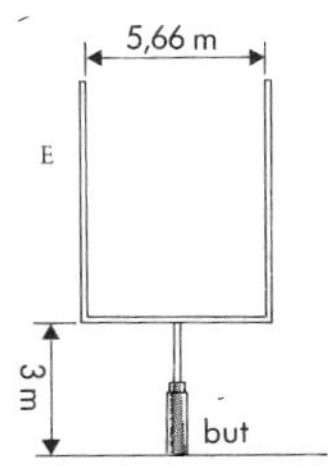

◆ **Dimensions des buts.**

Petit lexique

fieldgoal : coup de pied tombé, généralement tenté lorsque l'équipe, lors de sa dernière possession de balle, ne se trouve pas en position suffisamment favorable pour inscrire un *touchdown* ; c'est l'équivalent du drop en rugby

quarterback : meneur de jeu qui détermine notamment la tactique employée sur chaque action.

touchdown : action de franchir en possession du ballon, la ligne d'en-but adverse; c'est l'équivalent de l'essai en rugby.

◆ **Superbowl.**

1967	Green Bay Packers	1978	Dallas Cowboys	1989	San Francisco 49ers
1968	Green Bay Packers	1979	Pittsburgh Steelers	1990	San Francisco 49ers
1969	New York Jets	1980	Pittsburgh Steelers	1991	New York Giants
1970	Kansas City Chiefs	1981	Oakland Raiders	1992	Washington Redskins
1971	Baltimore Colts	1982	San Francisco 49ers	1993	Dallas Cowboys
1972	Dallas Cowboys	1983	Washington Redskins	1994	Dallas Cowboys
1973	Miami Dolphins	1984	Los Angeles Raiders	1995	San Francisco 49ers
1974	Miami Dolphins	1985	San Francisco 49ers	1996	Dallas Cowboys
1975	Pittsburgh Steelers	1986	Chicago Bears	1997	Green Bay Packers
1976	Pittsburgh Steelers	1987	New York Giants	1998	Denver Broncos
1977	Oakland Raiders	1988	Washington Redskins		

◆ Internationaux de Grande-Bretagne.

Simple messieurs

1877	S. W. Gore (G.-B.)
1878	P. F. Hadow (G.-B.)
1879, 1880	J. T. Hartley (G.-B.)
1881 à 1886	W. Renshaw (G.-B.)
1887	H. F. Lawford (G.-B.)
1888	E. Renshaw (G.-B.)
1889	W. Renshaw (G.-B.)
1890	W. J. Hamilton (G.-B.)
1891, 1892	W. Baddeley (G.-B.)
1893, 1894	J. Pim (G.-B.)
1895	W. Baddeley (G.-B.)
1896	H. S. Mahony (G.-B.)
1898 à 1900	R. F. Doherty (G.-B.)
1901	A. W. Gore (G.-B.)
1902 à 1906	H. L. Doherty (G.-B.)
1907	N. E. Brookes (Austr.)
1908, 1909	A. W. Gore (G.-B.)
1910 à 1913	A. F. Wilding (N.-Z.)
1914	N. E. Brookes (Austr.)
1919	G. L. Patterson (Austr.)
1920, 1921	W. T. Tilden (É.-U.)
1922	G. L. Patterson (Austr.)
1923	W. M. Johnston (É.-U.)
1924	J. Borotra (Fr.)
1925	R. Lacoste (Fr.)
1926	J. Borotra (Fr.)
1927	H. Cochet (Fr.)
1928	R. Lacoste (Fr.)
1929	H. Cochet (Fr.)
1930	W. T. Tilden (É.-U.)
1931	S. B. Wood (É.-U.)
1932	H. E. Vines (É.-U.)
1933	J. H. Crawford (Austr.)
1934 à 1936	F. J. Perry (G.-B.)
1937, 1938	J. D. Budge (É.-U.)
1939	R. L. Riggs (É.-U.)
1946	Y. Petra (Fr.)
1947	J. A. Kramer (É.-U.)
1948	R. Falkenburg (É.-U.)
1949	F. R. Schroeder (É.-U.)
1950	J. E. Patty (É.-U.)
1951	R. Savitt (É.-U.)
1952	F. A. Sedgman (Autr.)
1953	E. V. Seixas (É.-U.)
1954	J. Drobny (Tch.)
1955	M. Trabert (É.-U.)
1956, 1957	L. A. Hoad (Austr.)
1958	A. J. Cooper (Austr.)
1959	A. Olmedo (Pér.)
1960	N. A. Fraser (Austr.)
1961, 1962	R. Laver (Austr.)
1963	C. R. McKinley (É.-U.)
1964, 1965	R. S. Emerson (Austr.)
1966	M. Santana (Esp.)
1967	J.D. Newcombe (Austr.)
1968, 1969	R. Laver (Austr.)
1970, 1971	J.D. Newcombe (Austr.)
1972	S. R. Smith (É.-U.)
1973	J. Kodes (Tch.)
1974	J. Connors (É.-U.)
1975	A. R. Ashe (É.-U.)
1976 à 1980	B. Borg (Suède)
1981	J. McEnroe (É.-U.)
1982	J. Connors (É.-U.)
1983, 1984	J. McEnroe (É.-U.)
1985,1986	B. Becker (RFA)
1987	P. Cash (Austr.)
1988	S. Edberg (Suède)
1989	B. Becker (RFA)
1990	S. Edberg (Suède)
1991	M. Stich (All.)
1992	A. Agassi (É.-U.)
1993 à 1995	P. Sampras (É.-U.)
1996	R. Krajicek (P.-B.)
1997 à 1999	P. Sampras (É.-U.)

Simple dames

1884, 1885	M. Watson (G.-B.)
1886	B. Bingley (G.-B.)
1887, 1888	C. Dod (G.-B.)
1889	B. Bingley (G.-B.)
1890	L. Rice (G.-B.)
1891 à 1893	C. Dod (G.-B.)
1894	B. Bingley (G.-B.)
1895, 1896	C. Cooper (G.-B.)
1897	B. Bingley (G.-B.)
1898	C. Cooper (G.-B.)
1899, 1900	B. Bingley (G.-B.)
1901	C. Cooper (G.-B.)
1902	M. E. Robbs (G.-B.)
1903, 1904	D. K. Douglass (G.-B.)
1905	M. Sutton (É.-U.)
1906	D. K. Douglass (G.-B.)
1907	M. Sutton (É.-U.)
1908	C. Cooper (G.-B.)
1909	D. P. Boothby (G.-B.)
1910, 1911	D. K. Douglass (G.-B.)
1912	E. W. Larcombe (G.-B.)
1913, 1914	K. Douglas (G.-B.)
1919 à 1923	S. Lenglen (Fr.)
1924	K. McKane (G.-B.)
1925	S. Lenglen (Fr.)
1926	K. McKane (G.-B.)
1927 à 1930	H. N. Wills (É.-U.)
1931	C. Aussem (All.)
1932, 1933	H. Wills (É.-U.)
1934	D. E. Round (G.-B.)
1935	H. Wills (É.-U.)
1936	H. Hull Jacobs (É.-U.)
1937	D. E. Round (G.-B.)
1938	H. Wills (É.-U.)
1939	A. Marble (É.-U.)
1946	P. E. Betz (É.-U.)
1947	M. E. Osborne (É.-U.)
1948 à 1950	A. L. Brough (É.-U.)
1951	D. J. Hart (É.-U.)
1952 à 1954	M. Connolly (É.-U.)
1955	A. L. Brough (É.-U.)
1956	S. J. Fry (É.-U.)
1957, 1958	A. Gibson (É.-U.)
1959, 1960	M. E. Bueno (Brés.)
1961	A. Mortimer (G.-B.)
1962	J. R. Susman (É.-U.)
1963	M. Smith (Austr.)
1964	M. E. Bueno (Brés.)
1965	M. Smith (Austr.)
1966 à 1968	B. J. King (É.-U.)
1969	A. Jones (G.-B.)
1970	M. Court (Austr.)
1971	E. Cawley Goolagong (Austr.)
1972, 1973	B. J. King (É.-U.)
1974	C. Evert (É.-U.)
1975	B. J. King (É.-U.)
1976	C. Evert (É.-U.)
1977	V. Wade (G.-B.)
1978, 1979	M. Navratilova (Tch.)
1980	E. Goolagong (Austr.)
1981	C. Evert (É.-U.)
1982 à 1987	M. Navratilova (É.-U.)
1988, 1989	S. Graf (RFA)
1990	M. Navratilova (É.-U.)
1991 à 1993	S. Graf (All.)
1994	C. Martinez (Esp.)
1995-1996	S. Graf (All.)
1997	M. Hingis (Suisse)
1998	J. Novotna (Rép. tchèque)
1999	L. Davenport (É.-U.)

Wimbledon

Le tournoi de Wimbledon (correspondant aux officiels Internationaux de Grande-Bretagne) demeure sans doute le plus célèbre du monde, celui que tout joueur de tennis rêve de remporter. C'est en tout cas le plus ancien disputé sur un gazon, soigneusement entretenu toute l'année pour n'être utilisé que deux semaines. L'herbe (surface en fait de moins en moins utilisée) avantage les attaquants, les adeptes du service-volée, si bien que les échanges (et les matches) durent souvent peu de temps. À son palmarès figurent tous les grands noms de l'histoire du tennis mondial.

◆ Internationaux de France.

Simple messieurs

1891	Briggs (Fr.)
1892	J. Schopfer (Fr.)
1893	L. Riboulet (Fr.)
1894 à 1896	A. Vacherot (Fr.)
1897 à 1900	P. Ayme (Fr.)
1901 , 1902	A. Vacherot (Fr.)
1903 , 1904	M. Decugis (Fr.)
1905, 1906	M. Germot (Fr.)
1907 à 1909	M. Decugis (Fr.)
1910	M. Germot (Fr.)
1911	A. H. Gobert (Fr.)
1912 à 1914	M. Decugis (Fr.)
1920	A.H. Gobert (Fr.)
1921	J. Samazeuilh (Fr.)
1922	H. Cochet (Fr.)
1923	P. Blanchy (Fr.)
1924	J. Borotra (Fr.)
1925	R. Lacoste (Fr.)
1926	H. Cochet (Fr.)
1927	R. Lacoste (Fr.)
1928	H. Cochet (Fr.)
1929	R. Lacoste (Fr.)
1930	H. Cochet (Fr.)
1931	J. Borotra (Fr.)
1932	H. Cochet (Fr.)
1933	J. H. Crawford (Austr.)
1934	G. von Cramm (All.)
1935	F.J. Perry (G.-B.)
1936	G. von Cramm (All.)
1937	H. Henkel (All.)
1938	J. D. Budge (É.-U.)
1939	W. D. McNeill (É.-U.)
1946	M. Bernard (Fr.)
1947	J. Hasboth (Hongr.)
1948, 1949	F.A. Parker (É.-U.)
1950	J.E. Patty (É.-U.)
1951, 1952	J. Drobny (Tch.)
1953	K. R. Rosewall (Austr.)
1954, 1955	M.A. Trabert (É.-U.)
1956	L.A. Hoad (Austr.)
1957	S. Davidson (Suède)
1958	M.G. Rose (Austr.)
1959, 1960	N. Pietrangeli (It.)
1961	M. Santana (Esp.)
1962	R. Laver (Austr.)
1963	R. S. Emerson (Austr.)
1964	M. Santana (Esp.)
1965	F.S. Stolle (Austr.)
1966	A. D. Roche (Austr.)
1967	R. S. Emerson (Austr.)
1968	K.R. Rosewall (Austr.)
1969	R. Laver (Austr.)
1970, 1971	J. Kodevs (Tch.)
1972	A. Gimeno (Esp.)
1973	I. Nastase (Roum.)
1974, 1975	B. Borg (Suède)
1976	A. Panatta (It.)
1977	G. Vilas (Arg.)
1978 à 1981	B. Borg (Suède)
1982	M. Wilander (Suède)
1983	Y. Noah (Fr.)
1984	I. Lendl (Tch.)
1985	M. Wilander (Suède)
1986,1987	I. Lendl (Tch.)
1988	M. Wilander (Suède)
1989	M. Chang (É.-U.)
1990	A. Gomez (Équat.)
1991, 1992	J. Courier (É.-U.)
1993, 1994	S. Bruguera (Esp.)
1995	T. Muster (Autr.)
1996	E. Kafelnikov (Russie)
1997	G. Kuerten (Brés.)
1998	C. Moya (Esp.)
1999	A. Agassi (É.-U.)

Simple dames

1897 à 1899	Masson (Fr.)
1900	Prevost (Fr.)
1901	P. Girod (Fr.)
1902, 1903	Masson (Fr.)
1904, 1905	K. Gillou (Fr.)
1906	F. Fenwick (Fr.)
1907	de Kermel (Fr.)
1908	F. Fenwick (Fr.)
1909 à 1912	J. Matthey (Fr.)
1913, 1914	M. Broquedis (Fr.)
1920 à 1923	S. Lenglen (Fr.)
1924	D. Viasto (Fr.)
1925, 1926	S. Lenglen (Fr.)
1927	K. Bouman (P.-B.)
1928 à 1930	H. Wills (É.-U.)
1931	C. Aussem (Fr.)
1932	H. Wills (É.-U.)
1933, 1934	M.C. Scriven (Fr.)
1935 à 1937	H. Sperling (Dan.)
1938, 1939	R. Mathieu (Fr.)
1946	M.E. Osborne (É.-U.)
1947	P.C. Todd (É.-U.)
1948	N. Landry (Fr.)
1949	M.E. Osborne du Pont (É.-U.)
1950	D.J. Hart (É.-U.)
1951	S.J. Fry (É.-U.)
1952	D.J. Hart (É.-U.)
1953, 1954	M. Connolly (É.-U.)
1955	A. Mortimer (G.-B.)
1956	A. Gibson (É.-U.)
1957	S.J. Bloomer (G.-B.)
1958	Z. Körmöczi (Hongr.)
1959	C.C. Truman (G.-B.)
1960	D.R. Hard (É.-U.)
1961	A.S. Haydon (G.-B.)
1962	M. Smith (Austr.)
1963	L.R. Turner (Austr.)
1964	M. Smith (Austr.)
1965	L.R. Turner (Austr.)
1966	P.F. Jones (G.-B.)
1967	F. Durr (Fr.)
1968	N. Richey (É.-U.)
1969, 1970	M. Court (Austr.)
1971	E. Goolagong (Austr.)
1972	B.J. King (É.-U.)
1973	M. Court (Austr.)
1974, 1975	C. Evert (É.-U.)
1976	S. Baker (G.-B.)
1977	M. Jausovec (Youg.)
1978	V. Ruzici (Roum.)
1979, 1980	C. Evert (É.-U.)
1981	H. Mandlikova (Tch.)
1982	M. Navratilova (É.-U.)
1983	C. Evert (É.-U.)
1984	M. Navratilova (É.-U.)
1985, 1986	C. Evert (É.-U.)
1987, 1988	S. Graf (RFA)
1989	A. Sánchez (Esp.)
1990 à 1992	M. Seles (Youg.)
1993	S. Graf (All.)
1994	A. Sánchez (Esp.)
1995, 1996	S. Graf (All.)
1997	I. Majoli (Croat.)
1998	A. Sánchez (Esp.)
1999	S. Graf (All.)

◆ Internationaux des États-Unis.

Simple messieurs	
1881 à 1887	R.D. Sears (É.-U.)
1888, 1889	H.W. Slocum (É.-U.)
1890 à 1892	O.S. Campbell (É.-U.)
1893, 1894	R.D. Wrenn (É.-U.)
1895	F.H. Hovey (É.-U.)
1896, 1897	R.D. Wrenn (É.-U.)
1898 à 1900	M.D. Whitman (É.-U.)
1901, 1902	W.A. Larned(É.-U.)
1903	H.L. Doherty (G.-B.)
1904	H. Ward (É.-U.)
1905	B.C. Wright (É.-U.)
1906	W.J. Clothier (É.-U.)
1907 à 1911	W. A. Larned
1912, 1913	M.E. McLoughlin (É.-U.)
1914	R.N. Williams (É.-U.)
1915	W.M. Johnston (É.-U.)
1916	R.N. Williams (É.-U.)
1918	R.L. Murray (É.-U.)
1919	W.M. Johnston (É.-U.)
1920 à 1925	W.T. Tilden (É.-U.)
1926, 1927	R. Lacoste (Fr.)
1928	H. Cochet (Fr.)
1929	W.T. Tilden (É.-U.)
1930	J.H. Doeg (É.-U.)
1931, 1932	H.E. Vines (É.-U.)
1933, 1934	F.J. Perry (G.-B.)
1935	W.L. Allison (É.-U.)
1936	F.J. Perry (G.-B.)
1937, 1938	J.D. Budge (É.-U.)
1939	R.L. Riggs (É.-U.)
1940	W.D. McNeill (É.-U.)
1941	R.L. Riggs (É.-U.)
1942	F.R. Schroeder (É.-U.)
1943	J.R. Hunt (É.-U.)
1944, 1945	F.A. Parker (É.-U.)
1946, 1947	J.A. Kramer (É.-U.)
1948, 1949	R.A. Gonzales(É.-U.)
1950	A. Larsen (É.-U.)
1951, 1952	F.A. Sedgman (Austr.)
1953	M. Trabert (É.-U.)
1954	E.V. Seixas (É.-U.)
1955	M. Trabert (É.-U.)
1956	K.R. Rosewall (Austr.)
1957	M.J. Anderson (Austr.)
1958	A.J. Cooper (Austr.)
1959, 1960	N.A. Fraser (Austr.)
1961	R.S. Emerson (Austr.)
1962	R. Laver (Austr.)
1963	R.H. Osuna (Mex.)
1964	R.S. Emerson (Austr.)
1965	M. Santana (Esp.)
1966	F.S. Stolle (Austr.)
1967	J.D. Newcombe (Austr.)
1968	A. Ashe (É.-U.)
1969	R. Laver (Austr.)
1970	K.R. Rosewall (Austr.)
1971	S.R. Smith (É.-U.)
1972	I. Nastase (Roum.)
1973	J.D. Newcombe (Austr.)
1974	J. Connors (É.-U.)
1975	M. Orantes (Esp.)
1976	J. Connors (É.-U.)
1977	G. Villas (Arg.)
1978	J. Connors (É.-U.)
1979 à 1981	J. McEnroe (É.-U.)
1982, 1983	J. Connors (É.-U.)
1984	J. McEnroe (É.-U.)
1985 à 1987	I. Lendl (Tch.)
1988	M. Wilander (Suède)
1989	B. Becker (RFA)
1990	P. Sampras (É.-U.)
1991, 1992	S. Edberg (Suède)
1993	J. Courier (É.-U.)
1994	A. Agassi (É.-U.)
1995, 1996	P. Sampras (É.-U.)
1997, 1998	P. Rafter (Austr.)

Simple dames	
1887	E.F. Hansell (É.-U.)
1888, 1889	B.L.Townsen (É.-U.)
1890	E.C. Roosevelt (É.-U.)
1891, 1892	M.E. Cahill (É.-U.)
1893	A. Terry (É.-U.)
1894	H. Helwig (É.-U.)
1895	J. Atkinson (É.-U.)
1896	E.H. Moore (É.-U.)
1897, 1898	J. Atkinson (É.-U.)
1899	M. Jones (É.-U.)
1900	M. McAteer (É.-U.)
1901	E.H. Moore (É.-U.)
1902	M. Jones (É.-U.)
1903	E.H. Moore (É.-U.)
1904	M.G. Sutton (É.-U.)
1905	E.H. Moore (É.-U.)
1906	H. Homans (É.-U.)
1907	E. Sears (É.-U.)
1908	M. Barger-Wallach(É.-U.)
1909 à 1911	H. Hotchkiss(É.-U.)
1912 à 1914	M.K. Browne(É.-U.)
1915, 1916, 1918	M. Bjurstedt (Norv.)
1919	H. Hotchkiss (É.-U.)
1920 à 1922	M. Bjurstedt (É.-U.)
1923 à 1925	H. Wills (É.-U.)
1926	M. Bjurstedt (É.-U.)
1927 à 1929	H. Wills (É.-U.)
1930	B. Nuthall (G.-B.)
1931	H. Wills (É.-U.)
1932 à 1935	H. Hull Jacobs (É.-U.)
1936	A. Marble (É.-U.)
1937	A. Lizana (É.-U.)
1938 à 1940	A. Marble (É.-U.)
1941	S.P. Cooke (É.-U.)
1942 à 1944	P.M. Betz (É.-U.)
1945	S.P. Cooke (É.-U.)
1946	P.M. Betz (É.-U.)
1947	A.L. Brough (É.-U.)
1948 à 1950	M.E. Osborne (É.-U.)
1951 à 1953	M. Connolly(É.-U.)
1954, 1955	D.J. Hart (É.-U.)
1956	S.J. Fry (É.-U.)
1957, 1958	A. Gibson (É.-U.)
1959	M.E. Bueno (Brés.)
1960, 1961	D.R. Hard (É.-U.)
1962	M. Smith (Austr.)
1963, 1964	M.E. Bueno (Brés.)
1965	M. Smith (Austr.)
1966	M.E. Bueno (Brés.)
1967	B.J. King (É.-U.)
1968	V. Wade (G.-B.)
1969, 1970	M. Court (Austr.)
1971, 1972	B.J. King (É.-U.)
1973	M. Court (Austr.)
1974	B.J. King (É.-U.)
1975 à 1978	C. Evert (É.-U.)
1979	T. Austin (É.-U.)
1980	C. Evert (É.-U.)
1981	T. Austin (É.-U.)
1982	C. Evert ((É.-U.)
1983	H. Mandlikova (Tch.)
1984	M. Navratilova (É.-U.)
1985	H. Mandlikova (Tch.)
1986,1987	M. Navratilova (É.-U.)
1988, 1989	S. Graf (RFA)
1990	G. Sabatini (Arg.)
1991, 1992	M. Seles (Youg.)
1993	S. Graf (All.)
1994	A. Sanchez (Esp.)
1995, 1996	S. Graf (All.)
1997	M. Hingis (Suisse)
1998	L. Davenport (É.-U.)

◆ Internationaux d'Australie.

Simple messieurs	
1905	R.W. Heath (Austr.)
1906	A.F. Wilding (N.-Z.)
1907	H.M. Rice (Austr.)
1908	F.B. Alexander (É.-U.)
1909	A.F. Wilding (N.-Z.)
1910	R.W. Heath (Austr.)
1911	N.E. Brookes (Austr.)
1912	J.C. Parke (G.-B.)
1913	E.F. Parker (Austr.)
1914	A. O'Hara Wood (Austr.)
1915	F.G. Lowe (Austr.)
1919	A.R.F. Kingscote (Austr.)
1920	P. O'Hara Wood (Austr.)
1921	R.H. Gemmell (Austr.)
1922	J.O. Anderson (Austr.)
1923	P. O'Hara Wood (Austr.)
1924, 1925	J.O. Anderson (Austr.)
1926	J.B. Hawkes (Austr.)
1927	G.L. Patterson (Austr.)
1928	J. Borotra (Fr.)
1929	J.C. Gregory (G.-B.)
1930	E.F. Moon (Austr.)
1931 à 1933	J.H. Crawford(Austr.)
1934	F.J. Perry (G.-B.)
1935	J.H. Crawford (Austr.)
1936	A.K. Quist (Austr.)
1937	V.B. McGrath (Austr.)
1938	J.D. Budge (É.-U.)
1939	J.E. Bromwich (Austr.)
1940	A.K. Quist (Austr.)
1946	J.E. Bromwich (Austr.)
1947	D. Pails (Austr.)
1948	A.K. Quist (Austr.)
1949, 1950	F.A. Sedgman (Austr.)
1951	R. Savitt (É.-U.)
1952	K. McGregor (Austr.)
1953	K.R. Rosewall (Austr.)
1954	M.G. Rose (Austr.)
1955	K.R. Rosewall (Austr.)
1956	L.A. Hoad (Austr.)
1957, 1958	A.J. Cooper (Austr.)
1959	A. Olmedo (Pér.)
1960	R. Laver (Austr.)
1961	R.S. Emerson (Austr.)
1962	R. Laver (Austr.)
1963 à 1967	R.S. Emerson (Austr.)
1968	W.W. Bowrey (Austr.)
1969	R. Laver (Austr.)
1970	A. Ashe (É.-U.)
1971, 1972	K.R. Rosewall (Austr.)
1973	J.D. Newcombe (Austr.)
1974	J. Connors (É.-U.)
1975	J.D. Newcombe (Austr.)
1976	M. Edmondson (Austr.)
1977	(janv.) R. Tanner (É.-U.)
1977	(déc.) V. Gerulaitis (É.-U.)
1978, 1979	G. Vilas (Arg.)
1980	B. Teacher (Arg.)
1981, 1982	J. Kriek (Afr. du S.)
1983, 1984	M. Wilander (Suède)
1985	S. Edberg (Suède)
1986	Simples non disputés
1987	S. Edberg (Suède)
1988	M. Wilander (Suède)
1989, 1990	I. Lendl (Tch.)
1991	B. Becker (All.)
1992, 1993	J. Courier (É.-U.)
1994	P. Sampras (É.-U.)
1995	A. Agassi (É.-U.)
1996	B. Becker (All.)
1997	P. Sampras (É.-U.)
1998	P. Korda (Rép. tchèque)
1999	E. Kafelnikov (Russie)

Simple dames	
1922, 1923	M. Moleswort(Austr.)
1924	S. Lance (Austr.)
1925, 1926	D. Akhurst (Austr.)
1927	E.F. Boyd (Austr.)
1928 à 1930	D. Akhurst (Austr.)
1931, 1932	C. Buttsworth (Austr.)
1933, 1934	J. Hartigan (Austr.)
1935	D.E. Round (G.-B.)
1936	J. Hartigan (Austr.)
1937	N. Wynne (Austr.)
1938	D.M. Bundy (É.-U.)
1939	V. Westacott (Austr.)
1940, 1946 à 1948	N. Bolton (Austr.)
1949	D.J. Hart (É.-U.)
1950	A.L. Brough (É.-U.)
1951	N. Bolton (Austr.)
1952	T. C. Long (Austr.)
1953	M. Connolly (É.-U.)
1954	T. C. Long (Austr.)
1955	B. Penrosa (Autr.)
1956	M. Carter (Autr.)
1957	S.J. Fry (É.-U.)
1958	A. Mortimer (G.-B.)
1959	S.J. Reitano (Austr.)
1960 à 1966	S. Smith (Austr.)
1967	N. Richey (É.-U.)
1968	B.J. King (É.-U.)
1969 à 1971	M. Court Smith (Austr.)
1972	S.V. Wade (G.-B.)
1973	M. Court (Austr.)
1974 à 1976	E. Goolagong(Austr.)
1977	(janv.) G. Reid (Austr.)
1977(déc.)	E. Goolagong (Austr.)
1978	C. O'Neil (Austr.)
1979	B. Jordan (É.-U.)
1980, 1981	H. Mandlikova (Tch.)
1982	C. Evert Lloyd (É.-U.)
1983	M. Navratilova (É.-U.)
1984	C. Evert (É.-U.)
1985	M. Navratilova (É.-U.)
1986	simples non disputés
1987	H. Mandlikova (Tch.)
1988 à 1990	S. Graf (RFA)
1991 à 1993	M. Seles (Youg.)
1994	S. Graf (All.)
1995	M. Pierce (Fr.)
1996	M. Seles (É.-U.)
1997 à 1999	M. Hingis (Suisse)

◆ Coupe Davis.

1900, 1902	États-Unis
1903 à 1906	Îles Britanniques
1907 à 1911	Australasie*
1912	Îles Britanniques
1913	États-Unis
1914, 1919	Australasie*
1920 à 1926	États-Unis
1927 à 1932	France
1933 à 1936	Grande-Bretagne
1937, 1938	États-Unis
1939	Australasie*
1946 à 1949	États-Unis
1950 à 1957	Australie
1958	États-Unis
1959 à 1962	Australie
1963	États-Unis
1964 à 1967	Australie
1968 à 1972	États-Unis
1973	Australie
1974	Afrique du Sud
1975	Suède
1976	Italie
1977	Australie
1978, 1979	États-Unis
1980	Tchécoslovaquie
1981, 1982	États-Unis
1983	Australie
1984, 1985	Suède
1986	Australie
1987	Suède
1988, 1989	RFA
1990	É.-U.
1991	France
1992	É.-U.
1993	Allemagne
1994	Suède
1995	É.-U.
1996	France
1997, 1998	Suède

* Australie et Nouvelle-Zélande associées

Le tennis de table

Historique et règles

Appelé également ping-pong en raison du bruit que fait la balle en rebondissant), le tennis de table est un sport de loisir mais aussi un sport de compétition. Après avoir pris son essor en Grande-Bretagne à la fin du XIXᵉ s, il gagne l'Europe centrale au cours des années 1910. Dès 1926, la Fédération internationale de tennis de table est créée et, en 1927, se tiennent les premiers Championnats du monde. Reconnu sport olympique par le CIO en 1981, le tennis de table fait son entrée aux Jeux de Séoul en 1988. Si les Européens tiennent honorablement leur rang lors des compétitions internationales, celles-ci sont le plus souvent dominées par les Asiatiques, notamment les Chinois, pour lesquels le tennis de table est une sorte de sport national.

Ce sport se joue avec une balle de Celluloïd (ou d'une autre matière plastique), blanche ou jaune, d'un diamètre de 38 mm et d'un poids de 2,5 g. Un set est gagné lorsqu'un joueur atteint 21 points (il se prolonge éventuellement jusqu'à ce qu'un écart minimal de 2 points soit acquis). La partie se déroule au meilleur des 3 ou 5 sets. Elle oppose deux joueurs (simple) ou deux paires de joueurs (double messieurs, double dames ou double mixte).

2,74 m
1,525 m
filet
ligne de fond
ligne centrale
ligne latérale

◆ L'aire de jeu. L'aire de jeu est une surface étroite, mais nécessitant un dégagement important (6 à 8 m en compétition) autour de la table. Pour frapper la balle, le joueur peut passer du côté adverse, mais il ne doit en aucun cas, sous peine de perdre le point, toucher le filet.

1,83 m
0,1525 m
0,76 m

◆ Les revêtements de raquette.

Picot long . Revêtement pouvant s'appliquer sur bois ou sur mousse. Adapté à un style de défense ou de contre, il nécessite une excellente technique et un long temps d'adaptation.

Raquette lisse (picot intérieur). Revêtement autorisant un jeu rapide (mais avec un contrôle parfois approximatif) ou pouvant annuler l'effet imprimé par l'adversaire (revêtement dit « anti-top »).

Picot sec . Revêtement pour débutants, convenant à des jeux dépourvus d'effets, donc sans intérêt en compétition.

Picot sur mousse . La mousse accélère le jeu, le picot permet un certain contrôle.

◆ La raquette. Il n'existe pas de règle pour limiter ou déterminer la taille, la forme ou le poids de la raquette. En revanche, la palette doit être en bois, d'un seul tenant, de même épaisseur, plate et rigide. Quant aux revêtements, ils doivent être obligatoirement de couleurs différentes sur chaque face de la raquette (en fait, seuls le rouge et le noir sont autorisés en compétition internationale) et ne pas avoir une épaisseur supérieure à 2 mm.

◆ Championnats du monde individuel.

	Hommes	Femmes
1927	R. Jacobi (Hongr.)	M. Mednyanszky (Hongr.)
1928	Z. Mechlovits (Hongr.)	M. Mednyanszky (Hongr.)
1929	F. J. Perry (G.-B.)	M. Mednyanszky (Hongr.)
1930	G. V. Barna (Hongr.)	M. Mednyanszky (Hongr.)
1931	M. Szabados (Hongr.)	M. Mednyanszky (Hongr.)
1932	G. V. Barna (Hongr.)	A. Sipós (Hongr.)
1933	G. V. Barna (Hongr.)	A. Sipós (Hongr.)
1934	G. V. Barna (Hongr.)	M. Kettnerová (Tch.)
1935	G. V. Barna (Hongr.)	M. Kettnerová (Tch.)
1936	S. Kolár (Tch.)	R. H. Aarons (É.-U.)
1937	R. Bergmann (Autr.)	
1938	B. Vána (Tch.)	T. Pritzi (Austr.)
1939	R. Bergamann (G.-B.)	V. Depretrisová (Tch.)
1947	V. Vána (Tch.)	G. Farkas (Hongr.)
1948	R. Bergmann (G.-B.)	G. Farkas (Hongr.)
1949	J. Leach (G.-B.)	G. Farkas (Hongr.)
1950	R. Bergmann (G.-B.)	A. Roseanu (Roum.)
1951	J. Leach (G.-B.)	A. Roseanu (Roum.)
1952	H. Satoh (Jap.)	A. Roseanu (Roum.)
1953	F. Sidó (Hongr.)	A. Roseanu (Roum.)
1954	I. Ogimura (Jap.)	A. Roseanu (Roum.)
1955	T. Tanaka (Jap.)	A. Roseanu (Roum.)
1956	I. Ogimura (Jap.)	T. Okawa (Jap.)
1957	T. Tanaka (Jap.)	F. Eguchi (Jap.)
1959	Rong Guotan (Chine)	K. Matsuzaki (Jap.)
1961	Zhuang Zedong (Chine)	Qiu Zhonghui (Chine)
1963	Zhuang Zedong (Chine)	K. Matsuzaki (Jap.)
1965	Zhuang Zedong (Chine)	N. Fakazu (Jap.)
1967	N. Hasegawa (Jap.)	S. Morisawa (Jap.)
1969	S. Ito (Jap.)	T. Kowada (Jap.)
1971	S. Bengtsson (Suède)	Liu Huijing (Chine)
1973	Xi Enting (Chine)	Hu Yulan (Chine)
1975	I. Jonyer (Hongr.)	Y. Sun-kim (Corée du N.)
1977	Kohno (Jap.)	Y. Sun-kim (Corée du N.)
1979	Ono (Jap.)	Ge Xinai (Chine)
1981	Guo Yuehua (Chine)	Tong Ling (Chine)
1983	Guo Yuehua (Chine)	Cao Yanhua (Chine)
1985	Jiang Jialiang (Chine)	Cao Yanhua (Chine)
1987	Jiang Jialiang (Chine)	He Zhili (Chine)
1989	J. O. Waldner (Suède)	Qiao Hong (Chine)
1991	J. Persson (Suède)	Den Yaping (Chine)
1993	J.-P. Gatien (Fr.)	Yun-Hwa (S. Corée)
1995	Kong Linghui (Chine)	Den Yaping (Chine)
1997	J. O. Waldner (Suède)	Den Yaping (Chine)

◆ Championnats du monde par équipe.

	Hommes	Femmes
1927	Hongrie	
1928	Hongrie	
1929	Hongrie	
1930	Hongrie	
1931	Hongrie	
1932	Tchécoslovaquie	
1933	Hongrie	
1934	Hongrie	Allemagne
1935	Hongrie	Tchécoslovaquie
1936	Autriche	Tchécoslovaquie
1937	États-Unis	États-Unis
1938	Hongrie	Tchécoslovaquie
1939	Tchécoslovaquie	Allemagne
1947	Tchécoslovaquie	Grande-Bretagne
1948	Tchécoslovaquie	Grande-Bretagne
1949	Hongrie	États-Unis
1950	Tchécoslovaquie	Albanie
1951	Tchécoslovaquie	Albanie
1952	Hongrie	Japon
1953	Grande-Bretagne	Roumanie
1954	Japon	Japon
1955	Japon	Roumanie
1956	Japon	Roumanie
1957	Japon	Japon
1959	Japon	Japon
1961	Chine	Japon
1963	Chine	Japon
1965	Chine	Chine
1967	Japon	Japon
1969	Japon	URSS
1971	Chine	Japon
1973	Suède	Corée du Sud
1975	Chine	Chine
1977	Chine	Chine
1979	Hongrie	Chine
1981	Chine	Chine
1983	Chine	Chine
1985	Chine	Chine
1987	Chine	Chine
1989	Suède	Chine
1991	Suède	Corée du Sud
1993	Suède	Chine
1995	Chine	Chine
1997	Chine	Chine

◆ Jeux Olympiques.

	Simple hommes
1988	Yoo Nam-Kyu (Corée du S.)
1992	J.-O. Waldner (Suède)
1996	Liu Guoliang (Chine)
	Simples dames
1988	Chen Ting (Chine)
1992	Deng Yaping (Chine)
1996	Deng Yaping (Chine)
	Doubles hommes
1988	Chen-Mei (Chine)
1992	Lu Lin-Wang Tao (Chine)
1996	Kong-Liu (Chine)
	Double dames
1988	Jung-Yang (Chine)
1992	Deng Yaping-Qiao Hong (Chine)
1996	Deng Yaping-Qiao Hong (Chine)

Petit lexique

amorti : balle courte, placée juste derrière le filet, utilisée contre un adversaire éloigné de la table.

block : action de reprendre la balle, en contre, immédiatement après le rebond (en demi-volée).

service : mise en jeu dont l'importance s'est accrue avec les nouveaux matériaux permettant d'augmenter la rotation de la balle.

top-spin ou **top :** frappe de la balle de bas en haut, imprimant une rotation (vers l'avant) et une accélération à la balle.

Badminton et squash

Le badminton

Héritier de l'ancien jeu français du volant, en vogue en Europe au XVIIe s., ce sport est remis à l'honneur en 1873 à Badminton House (Angleterre) par des officiers de l'armée des Indes. Les premières règles sont édictées en 1877. La Fédération anglaise voit le jour en 1893; la Fédération internationale est créée en 1934. Elle regroupe aujourd'hui plus de 100 pays et organise tous les deux ans des Championnats du monde, depuis 1977. Le badminton devient sport olympique en 1992. En France, ce sport acquiert son indépendance en 1979, avec la création de la Fédération française de badminton (jusqu'alors il était régi par la Fédération française de tennis).

Les matchs se disputent au meilleur des trois sets, généralement de 15 points pour les hommes, de 11 points pour les femmes (ce nombre peut être porté à 18 pour les hommes et à 12 pour les femmes). Une faute (volant expédié hors des limites ou incapacité de l'empêcher de toucher le sol dans sa moitié de terrain par exemple) donne un point à l'adversaire si elle est commise par le joueur (ou l'équipe) qui n'est pas au service. Dans le cas contraire, le service change de côté.

◆ Service. Le service joue un rôle essentiel, d'abord parce que seule sa possession permet d'obtenir un point, ensuite parce que la trajectoire du volant ne doit pas permettre à l'adversaire de répliquer dangereusement. Il y a deux types de service : le service long fait retomber le volant presque verticalement près de la ligne de fond; le service court, rasant, le fait retomber un peu au-delà de la ligne de service court. Il convient d'éviter les trajectoires trop basses (pour un service long) ou trop hautes (pour un service court), qui permettent un retour offensif. En principe, aucune différence n'est perceptible avant l'exécution entre un service court et un service long.

◆ Smash. Le smash consiste à rabattre le plus violemment possible le volant vers le sol, grâce à une forte cassure du poignet. La trajectoire doit être la plus courte possible, afin de donner (avec la puissance du coup) sa pleine efficacité au smash.

◆ Raquette et volant de badminton. La raquette est légère (100 à 125 g), fine et flexible, mais robuste, avec un cadre en métal, fibre de carbone ou graphite. Le volant doit avoir un poids compris entre 4,73 et 5,50 g.

◆ Drop. Le drop est un amorti réalisé de telle sorte que le volant retombe chez l'adversaire le plus près possible du filet, c'est-à-dire presque à la verticale. Il se tente souvent contre un adversaire éloigné ou s'éloignant du filet (donc pris à contre-pied). Il peut provoquer directement ou indirectement la faute (le retour, difficile, peut être souvent contré par un smash gagnant).

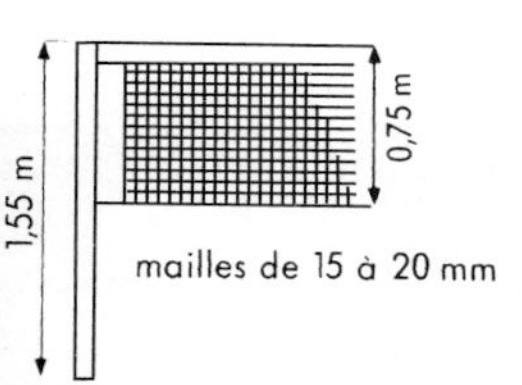

◆ Dimensions du filet.

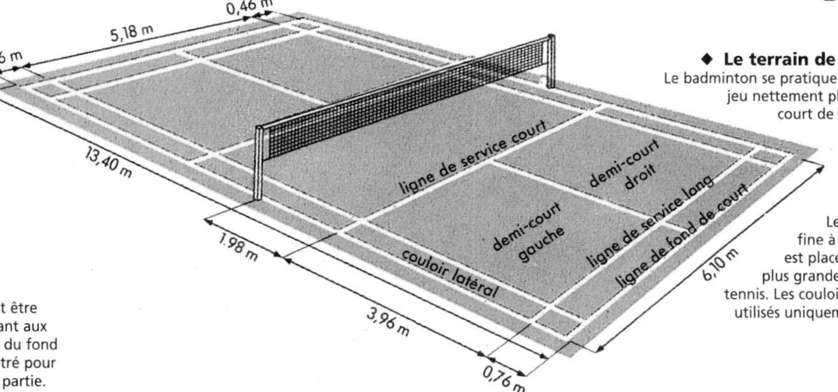

◆ Le terrain de badminton. Le badminton se pratique sur une aire de jeu nettement plus petite qu'un court de tennis. Le poids du volant est seulement du dixième de celui d'une balle de tennis. Le filet (en ficelle fine à mailles carrées) est placé à une hauteur plus grande (1,55 m) qu'au tennis. Les couloirs latéraux sont utilisés uniquement en double.

◆ L'aire de jeu du squash. Le mur frontal et les murs latéraux doivent être blancs et lisses, recouverts d'enduits résistant aux impacts de la balle en caoutchouc. Le mur du fond peut être semblable aux autres murs ou vitré pour permettre à des spectateurs d'assister à la partie.

◆ La raquette de squash. La raquette a une longueur maximale de 685 mm. Les dimensions du tamis à l'intérieur du cadre ne doivent pas dépasser 215 mm (pour la longueur) et 184 mm (pour la largeur). Le poids total ne peut excéder 225 g.

Le squash

En dépit (ou à cause) de la dimension relativement réduite (9,75 m sur 6,40 m) de l'aire de jeu, le squash est un sport exigeant réflexes, vitesse et résistance, c'est-à-dire une excellente condition physique.

C'est à Harrow (Angleterre), en 1850, qu'apparaît la première forme de ce jeu. Les règles sont fixées en 1924, et la Squash Rackets Association est fondée en 1928. La Fédération internationale de squash est créée en 1967 (elle compte aujourd'hui plus de 100 fédérations). Cette origine explique le développement du squash en Grande-Bretagne et dans les anciennes colonies du royaume, Australie, Nouvelle-Zélande et surtout Pakistan, pays d'où est originaire Jahangir Khan, considéré comme le plus grand joueur de l'histoire. En Grande-Bretagne, le nombre des pratiquants est d'environ 3 millions. En Europe continentale, le squash s'est développé d'abord en Suède, puis en Allemagne (plus de 1 million de joueurs). En France, la Fédération française de squash est fondée en 1981. Depuis lors, ce sport est en essor constant.

Une partie oppose deux adversaires, généralement au meilleur des cinq jeux. Le jeu est remporté par le premier joueur atteignant 9 points, mais, comme au badminton, un point ne peut être marqué que par le joueur au service (s'il commet une faute, le service passe à l'adversaire). La balle doit être servie sur le mur frontal, au-dessus de la ligne de service, pour tomber (si elle n'est pas reprise de volée) sur le plancher dans le quart du terrain touchant le mur opposé à celui d'où est parti le service. Le retour (par le relanceur) est bon si la balle (avant de rebondir deux fois sur le sol) est renvoyée directement ou indirectement (après un premier impact sur un mur latéral) contre le mur frontal, au-dessus de la plaque de tôle.

Le cyclisme

Le cyclisme sur route

L'ancêtre de la bicyclette est la draisienne, engin à deux roues inventé en 1813 par le baron Karl Drais von Sauerbronn. En 1866, le premier brevet pour un vélocipède est déposé par Pierre Lallement. La première course sur route, Paris-Rouen, disputée en 1869, est remportée par l'Anglais James Moore. En 1896, une course cycliste sur route est inscrite au programme des Iers jeux Olympiques. En 1900 est créée l'Union cycliste internationale. Dès lors, le cyclisme connaît un engouement croissant. Les compétitions se multiplient; la presse se fait l'écho des exploits des « forçats de la route ». Aujourd'hui, le cyclisme sur route est l'un des sports les plus appréciés du public. L'Europe reste sa terre de prédilection, le développement enregistré aux États-Unis à la suite des victoires de Greg LeMond, ou en Colombie, tardant à se confirmer. Pourtant les palmarès s'enrichissent de noms de champions venus de pays de plus en plus nombreux depuis que, en 1993, l'Union cycliste internationale a décidé de supprimer les catégories « professionnels » et « amateurs » pour les fondre en une catégorie unique, dite « élite ».

◆ **La course Paris-Roubaix.**
Sur les pavés, les coureurs vivent « l'enfer du Nord ». La poussière par temps sec, la boue, les chutes sous la pluie, les incidents mécaniques et les crevaisons : tous les ingrédients sont réunis pour faire de la « Pascale » une classique hors normes.

Les courses par étapes. Les courses par étapes, par leur caractère épique, frappent les imaginations. Au premier rang de ces épreuves se trouve le Tour de France. Créé en 1903, sur une idée du journaliste Henri Desgrange, c'est actuellement – tous sports confondus – l'épreuve annuelle la plus populaire, suivie par des millions de spectateurs et retransmise dans le monde entier par la télévision. Deux autres grands tours nationaux figurent au calendrier : le Tour d'Italie *(Giro)*, depuis 1909, et le Tour d'Espagne *(Vuelta)*, depuis 1935. Il existe d'autres courses par étapes, plus courtes (une semaine en général) : Tour de Suisse (depuis 1933), Paris-Nice (depuis 1933), Critérium du *Dauphiné libéré* (depuis 1947), *Midi-Libre* (depuis 1949), Quatre-Jours de Dunkerque (depuis 1955). Les vainqueurs de ces courses par étapes sont le plus souvent des champions complets, capables de faire valoir leurs qualités de rouleurs (contre la montre) comme de grimpeurs.

Les classiques. Contrairement aux courses par étapes, les courses dites « classiques » sont des épreuves d'un jour. La plus ancienne est Liège-Bastogne-Liège (1892). Les autres classiques les plus prestigieuses demeurent Paris-Roubaix (première édition en 1896), Milan-San Remo (1907), le Tour de Lombardie (1894), le Tour des Flandres (1913) et Paris-Tours (1896). Depuis 1989, la Coupe du monde distingue le meilleur coureur de l'année dans les classiques. Aujourd'hui, les courses longues (Paris-Brest-Paris ou Bordeaux-Paris), ont disparu. Les Championnats du monde se disputent également sur un jour, avec une particularité : il s'agit de la seule épreuve non olympique lors de laquelle les équipes de marques sont remplacées par des équipes nationales. Quant aux grandes courses contre la montre, tel le Grand Prix des nations qui, naguère, contribua en partie à la gloire de Jacques Anquetil, elles sont désormais délaissées par les champions.

Les qualités nécessaires pour s'imposer dans une classique sont foncièrement différentes de celles qui permettent de remporter les courses par étapes. Ici, le dynamisme, le sens tactique et, souvent, la pointe de vitesse sont prépondérants. Ainsi, rares sont les champions capables de dominer sur les deux tableaux, mis à part des coureurs d'exception, tels Eddy Merckx, Fausto Coppi, Louison Bobet ou Bernard Hinault.

Le cyclo-cross

Le cyclo-cross mêle la course à bicyclette (qui doit être prépondérante) et la course à pied, lorsque le terrain n'est pas praticable à bicyclette (le coureur porte alors sa machine sur l'épaule). Il s'agit d'une discipline hivernale, disputée sur des terrains accidentés (souvent à travers bois et champs), généralement boueux. Si, durant les années 1950-1970, le cyclo-cross est une discipline pour laquelle se préparent spécifiquement des champions, comme le Français André Dufraisse ou le Belge Eric De Vlaeminck, il est aujourd'hui considéré par les cyclistes comme un entraînement en vue de la saison sur route. De plus, la vogue nouvelle du VTT réduit encore son audience.

Le cyclisme féminin. Le cyclisme sur route féminin ne parvient guère à gagner les faveurs du public, malgré les innombrables exploits de la Française Jeannie Longo. Pourtant, des Championnats du monde existent depuis 1958, une course sur route est inscrite au programme olympique depuis 1984 et, depuis cette même année, les femmes disputent un Tour de France.

Quelques grands noms

Jacques Anquetil (Fr., 1934-1987). Il est le premier coureur à remporter 5 fois le Tour de France (1957, de 1961 à 1964). Spécialiste du contre la montre (il gagne 9 fois le Grand Prix des nations), il construit ses victoires en s'appuyant sur cette qualité et en contrôlant ses adversaires dans la montagne. Son duel avec Raymond Poulidor lors du Tour 1964 demeure un des grands moments du sport cycliste.

Louison Bobet (Fr., 1925-1983). Premier à remporter 3 fois consécutivement le Tour de France (1953, 1954 et 1955), il compte également un titre de champion du monde (1954) et de nombreuses victoires dans les classiques. Il demeure l'un des cyclistes les plus populaires.

Fausto Coppi (It., 1919-1960). Surnommé le *campionissimo*, il est considéré par beaucoup comme le cycliste le plus talentueux. Sa rivalité avec Gino Bartali a divisé l'Italie. À son palmarès : 2 victoires dans le Tour de France (1949 et 1952), 5 succès dans le Tour d'Italie et des titres de champion du monde de poursuite (1947 et 1949) et sur la route (1953).

Henri Desgrange (Fr., 1865-1940). Si son seul titre de gloire strictement sportif est le record de l'heure établi en 1893 (35,325 km), son nom demeure intimement lié à l'histoire du cyclisme. En effet, c'est lui qui, devenu journaliste, crée le Tour de France en 1903.

◆ **Tour de France 1997.**
Vainqueur en 1996, le Danois Bjarne Riis (à droite) s'est transformé en équipier modèle pour épauler son nouveau leader, l'Allemand Jan Ullrich (à gauche), qui remporte haut la main cette édition de la Grande Boucle.

Laurent Fignon (Fr., né en 1960). Dès sa première participation, il remporte le Tour de France, en 1983; il réédite sa victoire en 1984 en battant Bernard Hinault. Si la suite de sa carrière est contrariée par des blessures, il retrouve sa forme en 1989 mais connaît une cruelle désillusion : lors de la dernière étape du Tour, il doit concéder la victoire à Greg LeMond pour 8 secondes.

Bernard Hinault (Fr., né en 1954). Ce champion volontaire s'est construit un exceptionnel palmarès : cinq fois vainqueur du Tour de France (1978, 1979, 1981, 1982, 1985), 3 fois du Tour d'Italie (1980, 1982 et 1985), 2 fois du Tour d'Espagne (1978 et 1983), champion du monde en 1980. Il s'impose également dans de nombreuses classiques, notamment Paris-Roubaix en 1981.

Le cyclisme sur piste

Le succès populaire du cyclisme sur piste est sans doute plus ancien que celui du cyclisme sur route. Dès 1879 se disputent des courses de Six-Jours, dont la vedette est souvent le Français Charles Terront. Un Championnat du monde (vitesse et poursuite) se déroule en 1895 et des épreuves sur piste (vitesse et kilomètre) figurent au programme des Iers jeux Olympiques en 1896. Durant l'entre-deux-guerres, les courses de Six-Jours connaissent un immense succès, tant auprès du public populaire que de personnalités souhaitant se montrer au Vél' d'Hiv'. Ce succès se confirmera jusqu'aux années 1950, avant qu'un inexorable déclin, marqué par la démolition du Vél' d'Hiv'en 1959, ne s'amorce. Dans les années 1990, des pistes couvertes ayant été construites en France (Grenoble, Bordeaux), le cyclisme sur piste connaît un renouveau certain, les Six-Jours ont de nouveau droit de cité, et des compétitions nouvelles et spectaculaires, comme l'Open des nations, attirent un nombreux public, vibrant aux succès des champions français, tel Florian Rousseau, qui collectionne titres et médailles.

Les épreuves. Les épreuves sont nombreuses, chacune nécessitant des qualités différentes : vitesse individuelle et par équipes de trois; kilomètre contre la montre départ arrêté (500 m pour les femmes); poursuite individuelle (4 km chez les hommes, 3 km chez les femmes) et par équipes de quatre; course aux points (sur 40 km, des sprints attribuant des points tous les 2,5 km); demi-fond (course d'une heure disputée derrière un entraîneur à moto), keirin (course où les concurrents, en file indienne, dans un ordre déterminé par le tirage au sort, sont entraînés dans le sillage d'un cyclomoteur qui s'écarte, au début du dernier tour, pour les laisser se départager au sprint). Le programme olympique comprend, chez les hommes, vitesse, kilomètre, poursuite, poursuite par équipes, course aux points, et, chez les femmes, vitesse, poursuite et course aux points.

◆ **Florian Rousseau.** Champion du monde du kilomètre en 1993 et 1994, champion olympique de la même épreuve en 1996, le Français Florian Rousseau est champion du monde de vitesse en 1996, 1997 et 1998.

Le dopage

Le cyclisme n'est certes pas le seul sport touché par le dopage, mais les événements qui se sont déroulés lors du Tour de France 1998 ont mis en évidence des pratiques déjà anciennes. Dès 1955, les amphétamines sont en usage dans le peloton. Lors du Tour de France 1966, à la suite du vote par le Parlement français d'une première loi antidopage (1965), la police perquisitionne dans les hôtels des coureurs. En 1967, Tom Simpson meurt sur les pentes du Ventoux en raison de l'absorption d'amphétamines. En 1988, l'Espagnol Pedro Delgado, qui a pris de la Promedicide, ne se voit pas privé de sa victoire dans le Tour car ce produit, interdit par le Comité international olympique, ne l'est pas par l'Union cycliste internationale (UCI). Malgré les mesures prises par les instances sportives, la fuite en avant se poursuit. Les produits dopants sont le plus souvent des médicaments détournés de leur usage thérapeutique. Lors des interpellations effectuées par les douaniers et les policiers français durant le Tour 1998, des stéroïdes, des hormones de croissance et de l'érythropoïétine (EPO) ont été découverts. L'UCI a alors décidé d'instaurer un suivi médical des coureurs par des médecins indépendants; la Société du Tour de France établit une charte éthique, se réservant d'exclure de l'épreuve un coureur ou une équipe ne s'y conformant pas; Marie-George Buffet, ministre française de la Jeunesse et des Sports, a fait adopter une loi renforçant les sanctions prévues pour les pourvoyeurs et les trafiquants.

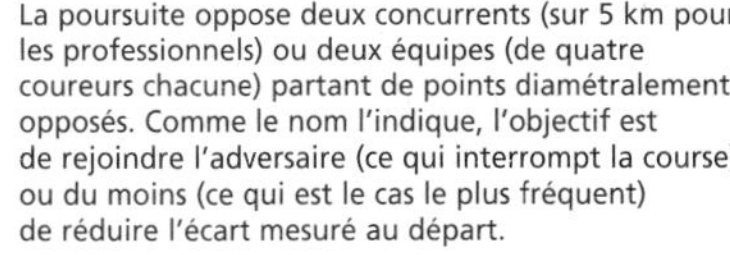

◆ **Poursuite.**
La poursuite oppose deux concurrents (sur 5 km pour les professionnels) ou deux équipes (de quatre coureurs chacune) partant de points diamétralement opposés. Comme le nom l'indique, l'objectif est de rejoindre l'adversaire (ce qui interrompt la course) ou du moins (ce qui est le cas le plus fréquent) de réduire l'écart mesuré au départ.

VOIR AUSSI • **Dopage** p.1283

Miguel Indurain (Esp., né en 1964). **Il remporte 5 fois consécutivement le Tour de France (de 1991 à 1995). Toutefois, pour le public, ses victoires, construites lors des étapes contre la montre, manquent un peu de panache.**

Greg LeMond (É.-U., né en 1960). **Il est le premier Américain à connaître le succès dans le sport cycliste. Champion du monde en 1983, il remporte le Tour de France en 1986. Grièvement blessé lors d'un accident de chasse en 1987, il parvient à recouvrer ses qualités et s'impose de nouveau dans le Tour en 1989 et 1990, ainsi qu'au Championnat du monde en 1989.**

Jeannie Longo (Fr., née en 1958). **5 fois championne du monde sur route, 3 fois championne du monde de poursuite, gagnante de 3 Tours de France, elle est également championne olympique sur route en 1996 et détentrice de multiples records de l'heure. Elle se distingue aussi en compétition de VTT (vice-championne du monde en 1993)**

◆ **Eddy Merckx.**

Eddy Merckx (Belg., né en 1945). **Vainqueur de 525 courses, il possède le plus beau palmarès de l'histoire du cyclisme : 5 Tours de France (1969, 1970, 1971, 1972 et 1974), 5 Tours d'Italie, 3 titres de champion du monde, des victoires dans toutes les classiques (dont 7 Milan-San Remo, 5 Liège-Bastogne-Liège, 3 Paris-Roubaix), un record de l'heure. Le palmarès du « Cannibale » est à ce jour inégalé.**

Jan Ullrich (All., né en 1974). **Deuxième du Tour de France en 1996, il remporte l'épreuve avec plus de 9 minutes d'avance sur Richard Virenque en 1997. Alors qu'il semble devoir dominer le Tour plusieurs années durant, il doit s'avouer vaincu, en 1998, par le grimpeur italien Marco Pantani.**

Le VTT

Le vélo tout-terrain (VTT) est un sport en vogue, qui compte des adeptes de plus en plus nombreux. Il naît en Californie en 1976 et prend son essor en Europe dans les années 1980. Il se pratique avec un vélo conçu spécialement (roues crantées, fourche télescopique). Des Championnats du monde sont organisés depuis 1990. Les deux disciplines du VTT sont le cross-country et la descente. Le cross-country est une épreuve en ligne comportant diverses difficultés, sur un parcours le plus souvent vallonné. La descente est une épreuve courte qui consiste à s'élancer d'un sommet pour rallier l'arrivée le plus rapidement possible. Contrairement au cross-country, la descente est une épreuve chronométrée (contre la montre). Les Français Nicolas Vouilloz, Miguel Martinez et Isabelle Chausson s'y distinguent particulièrement. Le VTT est inscrit au programme olympique en 1996 (cross-country).

En dehors des compétitions, il connaît un fort développement et concurrence désormais le cyclotourisme. Il permet en effet de s'échapper des routes pour gagner les chemins et les sous-bois, et de profiter ainsi de la nature.

◆ Championnats du monde professionnels sur route.

Hommes

Année	Vainqueur	Année	Vainqueur	Année	Vainqueur
1927	A. Binda (It.)	1956	R. Van Steenbergen (Belg.)	1978	G. Knetemann (P.-B.)
1928	G. Ronsse (Belg.)	1957	R. Van Steenbergen (Belg.)	1979	J. Raas (P.-B.)
1929	G. Ronsse (Belg.)	1958	E. Baldini (It.)	1980	B. Hinault (Fr.)
1930	A. Binda (It.)	1959	A. Darrigade (Fr.)	1981	F. Maertens (Belg.
1931	L. Guerra (It.)	1960	R. Van Looy (Belg.)	1982	G. Saronni (It.)
1932	A. Binda (It.)	1961	R. Van Looy (Belg.)	1983	G. LeMond (É.-U.)
1933	G. Speicher (Fr.)	1962	J. Stablinski (Fr.)	1984	L. Criquielion (Belg.)
1934	K. Kaers (Belg.)	1963	B. Beheyt (Belg.)	1985	J. Zoetemelk (P.-B.)
1935	J. Aerts (Belg.)	1964	J. Janssen (P.-B.)	1986	M. Argentin (It.)
1936	A. Magne (Fr.)	1965	T. Simpson (G.-B.)	1987	S. Roche (Irl.)
1937	E. Meulenberg (Belg.)	1966	R. Altig (RFA)	1988	M. Fondriest (It.)
1938	M. Kint (Belg.)	1967	E. Merckx (Belg.)	1989	G. LeMond (É.-U.)
1946	H. Knecht (Suisse)	1968	V. Adorni (It.)	1990	R. Dhaenens (Belg.)
1947	A. Middelkamp (P.-B.)	1969	H. Ottenbros (P.-B.)	1991	G. Bugno (It.)
1948	B. Schotte (Belg.)	1970	J.-P. Monseré (Belg.)	1992	G. Bugno (It.)
1949	R. Van Steenbergen (Belg.)	1971	E. Merckx (Belg.)	1993	L. Armstrong (É.-U.)
1950	B. Schotte (Belg.)	1972	M. Basso (It.)	1994	L. Leblanc (Fr.)
1951	F. Kubler (Suisse)	1973	F. Gimondi (It.)	1995	A. Olano (Esp.)
1952	H. Mueller (RFA)	1974	E. Merckx (Belg.)	1996	J. Museeuw (Belg.)
1953	F. Coppi (It.)	1975	H. Kuiper (P.-B.)	1997	L. Brochard (Fr.)
1954	L. Bobet (Fr.)	1976	F. Maertens (Belg.)	1998	O. Camenzind (Suisse)
1955	S. Ockers (Belg.)	1977	F. Moser (It.)		

Femmes

1985	J. Longo (Fr.)
1986	J. Longo (Fr.)
1987	J. Longo (Fr.)
1988	non disputés
1989	J. Longo (Fr.)
1990	C. Marsal (Fr.)
1991	L. Van Moorsel (P.-B.)
1992	non disputés
1993	L. Van Moorsel (P.-B.)
1994	M. Valvick (Norv.)
1995	J. Longo (Fr.)
1996	Heeb (Suisse)
1997	Cappellotto (It.)
1998	Ziliute (Lit.)

◆ Tour de France.

Année	Vainqueur	Année	Vainqueur	Année	Vainqueur	Année	Vainqueur
1903	M. Garin (Fr.)	1929	M. De Waele (Belg.)	1958	C. Gaul (Lux.)	1980	J. Zoetemelk (P.-B.)
1904	H. Cornet (Fr.)	1930	A. Leducq (Fr.)	1959	F. Bahamontes (Esp.)	1981	B. Hinault (Fr.)
1905	L. Trousselier (Fr.)	1931	A. Magne (Fr.)	1960	G. Nencini (It.)	1982	B. Hinault (Fr.)
1906	R. Pottier (Fr.)	1932	A. Leducq (Fr.)	1961	J. Anquetil (Fr.)	1983	L. Fignon (Fr.)
1907	L. Petit-Breton (Fr.)	1933	G. Speicher (Fr.)	1962	J. Anquetil (Fr.)	1984	L. Fignon (Fr.)
1908	L. Petit-Breton (Fr.)	1934	A. Magne (Fr.)	1963	J. Anquetil (Fr.)	1985	B. Hinault (Fr.)
1909	F. Faber (Lux.)	1935	R. Maes (Belg.)	1964	J. Anquetil (Fr.)	1986	G. LeMond (É.-U.)
1910	O. Lapize (Fr.)	1936	R. Maes (Belg.)	1965	F. Gimondi (It.)	1987	S. Roche (Irl.)
1911	G. Garrigou (Fr.)	1937	R. Lapébie (Fr.)	1966	L. Aimar (Fr.)	1988	P. Delgado (Esp.)
1912	O. Defraye (Belg.)	1938	G. Bartali (It.)	1967	R. Pingeon (Fr.)	1989	G. LeMond (É.-U.)
1913	Ph. Thys (Belg.)	1939	S. Maes (Belg.)	1968	J. Janssen (P.-B.)	1990	G. LeMond (É.-U.)
1914	Ph. Thys (Belg.)	1947	J. Robic (Fr.)	1969	E. Merckx (Belg.)	1991	M. Indurain (Esp.)
1919	F. Lambot (Belg.)	1948	G. Bartali (It.)	1970	E. Merckx (Belg.)	1992	M. Indurain (Esp.)
1920	Ph. Thys (Belg.)	1949	F. Coppi (It.)	1971	E. Merckx (Belg.)	1993	M. Indurain (Esp.)
1921	L. Scieur (Belg.)	1950	F. Kubler (Suisse)	1972	E. Merckx (Belg.)	1994	M. Indurain (Esp.)
1922	F. Lambot (Belg.)	1951	H. Koblet (Suisse)	1973	L. Ocaña (Esp.)	1995	M. Indurain (Esp.)
1923	H. Pélissier (Fr.)	1952	F. Coppi (It.)	1974	E. Merckx (Belg.)	1996	B. Riis (Dan.)
1924	O. Bottecchia (It.)	1953	L. Bobet (Fr.)	1975	B. Thévenet (Fr.)	1997	J. Ullrich (All.)
1925	O. Bottecchia (It.)	1954	L. Bobet (Fr.)	1976	L. Van Impe (Belg.)	1998	M. Pantani (It.)
1926	L. Buysse (Belg.)	1955	L. Bobet (Fr.)	1977	B. Thévenet (Fr.)		
1927	N. Frantz (Lux.)	1956	R. Walkowiak (Fr.)	1978	B. Hinault (Fr.)		
1928	N Frantz (Lux.)	1957	J. Anquetil (Fr.)	1979	B. Hinault (Fr.)		

◆ Championnats du monde sur piste élite.

Vitesse

1993	G. Neiwand (Austr.)
1994	M. Nothstein (É.-U.)
1995	D. Hill (Austr.)
1996	F. Rousseau (Fr.)
1997	F. Rousseau (Fr.)
1998	F. Rousseau (Fr.)

Kilomètre

1993	F. Rousseau (Fr.)
1994	F. Rousseau (Fr.)
1995	S. Kelly (Austr.)
1996	S. Kelly (Austr.)
1997	S. Kelly (Austr.)
1998	A. Tournand (Fr.)

Poursuite

1993	G. Obree (G.-B.)
1994	C. Boardman (G.-B.)
1995	G. Obree (G.-B.)
1996	C. Boardman (G.-B.)
1997	P. Ermenault (Fr.)
1998	P. Ermenault (Fr.)

◆ Record du monde de l'heure.

Année	Détenteur / Distance	Année	Détenteur / Distance	Année	Détenteur / Distance
1893	H. Desgrange (Fr.) 35,325 km (Paris)	1933	M. Richard (Fr.) 44,777 km (Saint-Brieuc)	1968	O. Ritter (Dan.) 48,653 km (Mexico)
1894	J. Dubois (Fr.) 38,220 km (Paris)	1935	G. Olmo (It.) 45,090 km (Milan)	1972	E. Merckx (Belg.) 49,431 km (Mexico)
1897	M. Van den Eynde (Belg.) 39,240 km (Paris)	1936	M. Richard (Fr.) 45,398 km (Milan)	1984	F. Moser (It.) 50,808 km (Mexico)
1898	W. Hamilton (É.-U.) 40,791 km (Denver)	1937	F. Slaats (P.-B.) 45,558 km (Milan)	1984	F. Moser (It.) 50,808 (Mexico)
1905	L. Petit-Breton (Fr.) 41,110 km (Paris)	1937	M. Archambaud (Fr.) 45,840 km (Milan)	1993	G. Obree (G.-B.) 51,596 km (Hamar, Norv.)
1907	M. Berthet (Fr.) 42,520 km (Paris)	1942	F. Coppi (It.) 45,871 km (Milan)	1993	C. Boardman (G.-B.) 52,270 km (Bordeaux)
1912	O. Egg (Suisse) 42,360 km (Paris)	1956	J. Anquetil (Fr.) 46,159 km (Milan)	1994	G. Obree (G.-B.) 52,713 km (Bordeaux)
1913	M. Berthet (Fr.) 42,741 km (Paris)	1956	E. Baldini (It.) 46,393 km (Milan)	1994	M. Indurain (Esp.) 53,040 km (Bordeaux)
1913	O. Egg (Suisse) 43,525 km (Paris)	1957	R. Rivière (Fr.) 46,923 km (Milan)	1994	T. Rominger (Suisse) 53,832 km (Bordeaux)
1913	M. Berthet (Fr.) 43,775 km	1958	R. Rivière (Fr.) 47,346 km (Milan)	1994	T. Rominger (Suisse) 55,291 km (Bordeaux)
1914	O. Egg (Suisse) 44,247 km (Paris)	1967	F. Bracke (Belg.) 48,093 km (Rome)	1996	C. Boardman (G.-B.) 56,375 km (Manchester)

Le motocyclisme

Les compétitions

Les courses de vitesse sur circuit sont des épreuves spectaculaires. Pour les Championnats du monde qui, comme pour le sport automobile, couronnent les meilleurs pilotes à l'issue d'une série annuelle de Grands Prix, elles se déroulent dans les catégories suivantes : 125 cm^3, 250 cm^3 et 500 cm^3. Le titre le plus prestigieux demeure celui des 500 cm^3, cylindrée aujourd'hui presque exclusivement japonaise. En effet, si, en 250 cm^3, la marque italienne Aprilia parvient à tirer son épingle du jeu, les marques Suzuki, Yamaha et Honda se partagent les trophées en 500 cm^3.

À côté de ces compétitions existe un Championnat du monde d'endurance (pour lequel comptent notamment le Bol d'or et les Vingt-Quatre Heures du Mans). Une autre catégorie est constituée par les rallyes (parfois disputés en même temps que les automobiles, comme le Paris-Dakar).

Le sport motocycliste compte d'autres disciplines spécialisées, comme le trial, le motocross et l'enduro. Ce dernier, qui s'apparente au trial, est une épreuve d'endurance et de régularité. Il peut se disputer sur des sentiers forestiers, des chemins de terre, des plages. Il associe des parcours de liaison à réaliser à une vitesse imposée et des épreuves spéciales. Certaines compétitions d'enduro peuvent durer plusieurs jours.

L'ensemble du sport motocycliste est géré par la Fédération internationale motocycliste (FIM) créée en 1949 à Londres, siégeant à Genève depuis 1959, (mais qui a eu des devancières depuis le début du siècle : une Fédération internationale de compétition motocycliste et une Union motocycliste de France furent créées dès 1912).

◆ **Trial.**
Le trial est une épreuve spectaculaire sur un parcours généralement plus accidenté que ceux de motocross. Il s'en différencie surtout par le fait que la vitesse n'y joue qu'un rôle secondaire. C'est une épreuve d'équilibre et de souplesse pour le pilote, de maniabilité de la machine, en particulier dans les zones non-stop (d'une longueur de 20 à 30 m en général) où le pilote ne doit pas (sous peine de pénalités) mettre pied à terre ou reculer.

◆ Championnats du monde de motocyclisme 500 cm^3.

1949	R. L. Graham (G.-B.), AJS
1950	U. Masetti (It.), Gilera
1951	G. Duke (G.-B.), Norton
1952	U. Masetti (It.), Gilera
1953	G. Duke (G.-B.), Gilera
1954	G. Duke (G.-B.), Gilera
1955	G. Duke (G.-B.), Gilera
1956	J. Surtees (G.-B.), MV Agusta
1957	L. Liberati (It.), Gilera
1958	J. Surtees (G.-B.), MV Agusta
1959	J. Surtees (G.-P.), MV Agusta
1960	J. Surtees (G.-B.), MV Agusta
1961	G. Hocking (Afr. du S.), MV Agusta
1962	M. Hailwood (G.-B.), MV Agusta
1963	M. Hailwood (G.-B.), MV Agusta
1964	M. Hailwood (G.-B.), MV Agusta
1966	G. Agostini (It.), MV Agusta
1967	G. Agostini (It.), MV Agusta
1968	G. Agostini (It.), MV Agusta
1969	G. Agostini (It.), MV Agusta
1970	G. Agostini (It.), MV Agusta
1971	G. Agostini (It.), MV Agusta
1972	G. Agostini (It.), MV Agusta
1973	P. Read (G.-B.), MV Agusta
1974	P. Read (G.-B.), MV Agusta
1975	G. Agostini (It.), Yamaha
1976	B. Sheene (G.-B.), Suzuki
1977	B. Sheene (G.-B.), Suzuki
1978	K. Roberts (É.-U.), Yamaha
1979	K. Roberts (É.-U.), Yamaha
1980	K. Roberts (É.-U.), Yamaha
1981	M. Lucchinelli (It.), Suzuki
1982	F. Uncini (It.), Suzuki
1983	F. Spencer (É.-U.), Honda
1984	E. Lawson (É.-U.), Yamaha
1985	F. Spencer (É.-U.), Honda
1986	E. Lawson (É.-U.), Yamaha
1987	W. Gardner (Austr.), Honda
1988	E. Lawson (É.-U.), Yamaha
1989	E. Lawson (É.-U.), Honda
1990	W. Rainey (É.-U.), Yamaha
1991	W. Rainey (É.-U.), Yamaha
1992	W. Rainey (É.-U.), Yamaha
1993	K. Schwantz (É.-U.), Suzuki
1994	M. Doohan (Austr.), Honda
1995	M. Doohan (Austr.), Honda
1996	M. Doohan (Austr.), Honda
1997	M. Doohan (Austr.), Honda
1998	M. Doohan (Austr.), Honda

Le motonautisme

Le motonautisme a une histoire déjà longue, puisque des démonstrations ont lieu lors de l'Exposition internationale de Paris en 1900 et que la Fédération française de motonautisme voit le jour en 1922. Une forme de motonautisme est constituée par les courses *inshore* (ou en circuit, le plus souvent sur un fleuve, comme la Seine pour les Vingt-Quatre Heures de Rouen). Les compétitions *offshore*, qui se déroulent en mer, constituent la discipline la plus spectaculaire, mais aussi la plus dangereuse. Depuis 1976, un Championnat du monde se tient sur le modèle du Championnat du monde de formule 1 en automobile. Les engins utilisés atteignent très fréquemment 250 km/h. Des records de vitesse sur l'eau sont également établis. Ainsi, en 1964, Donald Campbell atteint 445 km/h ; en 1978, Ken Warby est chronométré à 511 km/h.

◆ **La ligne droite.**
La position aérodynamique permet la meilleure recherche de vitesse.

◆ **Motocross.**
Une course de motocross se dispute sur un circuit fermé, au terrain accidenté. La longueur minimale habituelle du circuit est d'environ 1500 m, avec un meilleur temps au tour qui doit être supérieur à 2 min. La largeur de la ligne de départ est comprise (en championnat) entre 80 et 125 m et ne doit pas se rétrécir brutalement ni aboutir sur un premier obstacle dangereux ou susceptible de créer un bouchon. Le terrain ne doit pas être trop glissant (si c'est le cas, des déviations de portions rendues impraticables peuvent être mises en place), ni trop sec (l'arrosage est prévu, en dehors naturellement des zones de freinage et d'accélération, où il serait dangereux). Une forme spectaculaire du motocross est le supercross, disputé en salle, où les pilotes rivalisent d'audace.

◆ **Vitesse.**
La compétition de vitesse s'apparente à celle de la formule 1 en automobile, mais elle se déroule rarement sur les mêmes circuits, les normes de sécurité étant différentes; les vitesses sont également impressionnantes (surtout pour les 500 cm^3, la catégorie reine).

VOIR AUSSI • **Paris-Dakar** p. 1252

La boxe

Le noble art

Héritière du pugilat gréco-romain, la boxe moderne naît en Angleterre au XVIIIe s. James Figg remporte le premier combat, organisé en 1719. Cependant, les principales règles ne sont codifiées qu'en 1865 par un journaliste, Graham Chambers, qui, à l'instigation du marquis de Queensberry, définit ainsi les premières catégories de poids (trois seulement), la durée des reprises (3 min, suivies de 1 min de repos) et la durée maximale d'un knock-down (10 s).

La boxe est pratiquée par les amateurs (c'est une discipline olympique depuis 1904) et les professionnels. Les catégories peuvent être différentes et les poids qui limitent des catégories portant des appellations identiques ne sont pas les mêmes. En fait, les « mesures », décimales pour les amateurs, proviennent du système britannique chez les professionnels. La durée des combats diffère (3 reprises chez les amateurs ; 6, 10, 12 ou 15 reprises chez les professionnels).

L'Association internationale de la boxe amateur (AIBA), fondée en 1946, régit ce sport chez les amateurs. La boxe professionnelle est partagée entre plusieurs organismes rivaux – la World Boxing Association (WBA, fondée en 1960), le World Boxing Council (WBC, 1963), l'International Boxing Federation (IBF, 1983) et la World Boxing Organization (WBO, 1988) –, si bien que, dans une même catégorie, il y a généralement plusieurs champions du monde.

Cette multiplication des catégories (16) et des « champions du monde » a grandement contribué à discréditer le noble art auprès du grand public. Souvent, les meilleurs pugilistes d'une même catégorie possèdent chacun un titre mondial, et ne s'affrontent jamais. Chaque année, seuls quelques combats sont réellement dignes d'intérêt. Ils se déroulent, non dans des lieux classiques (tel le Madison Square Garden de New York), mais souvent dans des hôtels de Las Vegas, qui organisent à grands frais ces manifestations, lesquelles attirent une clientèle fortunée, prête à engager des sommes considérables dans des paris.

Si la boxe a perdu de sa crédibilité chez les professionnels, elle conserve ses vertus éducatives, particulièrement pour les jeunes des milieux défavorisés, qui trouvent ainsi à canaliser leur énergie en montant sur les rings.

◆ **Garde.** C'est la position du boxeur sur le ring : un pied et un poing en avant, l'autre poing en retrait, constituant un rempart mobile pour se protéger des coups adverses. La fausse garde désigne la position du boxeur gaucher opérant avec une garde inversée, c'est-à-dire pied et poing droits en avant.

◆ **Crochet.** Le coup doit être donné, le poids du corps sur la jambe opposée, dans un rapide mouvement de rotation avec le maximum de puissance partant de l'épaule. C'est un coup offensif, qui doit ébranler l'adversaire ou même le mettre hors de combat. Porté en séries (le gauche alternant avec le droit), le crochet atteint alors sa pleine efficacité.

◆ **Esquive.** C'est l'art d'éviter les coups de l'adversaire. Elle s'effectue par un rapide déplacement du corps ou par une simple rotation du torse. L'esquive trop basse (amenant celui qui l'effectue à placer sa tête au-dessous de la ceinture de l'adversaire) est interdite.

◆ **Direct.** Bien allongé et délivré sèchement, c'est l'arme défensive par excellence, le coup le plus utilisé dans la boxe. Il permet de tenir l'adversaire à distance, éventuellement de préparer des attaques en crochets des deux mains. Frappé du bras gauche pour un gaucher, du droit pour un droitier, le direct se donne le poing et le pied avancés.

◆ **Contre.** C'est une arme maîtresse pour un boxeur aux réflexes très rapides. Il s'agit d'un coup qui, parti après l'attaque adverse, arrivera avant. Le coup est redoutable, car sa vitesse se double de l'élan adverse pour accélérer la force de l'impact.

◆ **Gants.** Pour les amateurs au moins, le poids du cuir ne peut être supérieure à celui du rembourrage.

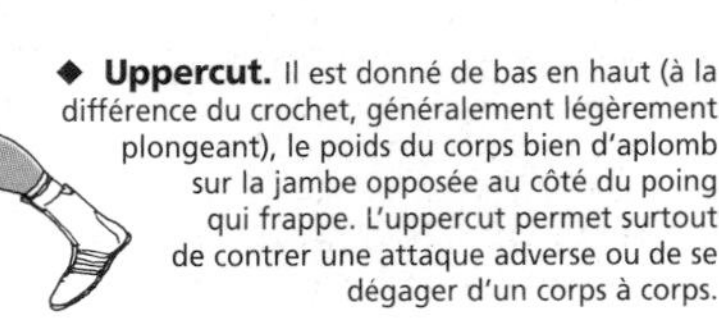

◆ **Uppercut.** Il est donné de bas en haut (à la différence du crochet, généralement légèrement plongeant), le poids du corps bien d'aplomb sur la jambe opposée au côté du poing qui frappe. L'uppercut permet surtout de contrer une attaque adverse ou de se dégager d'un corps à corps.

Petit lexique

jet de l'éponge : arrêt du combat marqué par l'envoi d'une serviette sur le ring par le soigneur ou le manager, lorsqu'un boxeur est malmené.

knock-down : chute au tapis d'une durée inférieure à 10 s, au terme de laquelle le boxeur peut reprendre le combat, après avoir été « compté ».

knock-out : mise hors de combat d'un boxeur qui reste au sol pendant plus de 10 s (en fait, l'arbitre compte lentement, en montrant avec les doigts les chiffres égrenés jusqu'à 10).

Quelques grands noms

Muhammad Ali (É.-U., né en 1942) commence sa carrière sous le nom de Cassius Clay. Après le titre olympique des mi-lourds en 1960, il remporte le championnat du monde (professionnel) des poids lourds en 1964. Il se convertit à l'islam et adopte le nom de Muhammad Ali. En 1967, son refus d'effectuer son service militaire par protestation contre la guerre du Viêt Nam et la discrimination raciale lui vaut d'être déchu de son titre (qu'il retrouve en 1974 en dominant George Foreman dans le « combat du siècle »). Très rapide pour un poids lourd, Muhammad Ali, par ses prises de position et son charisme, est devenu un personnage célèbre dans le monde entier, bien au-delà de la sphère sportive.

◆ Muhammad Ali (de face) contre Joe Frazier.

Georges Carpentier (Fr., 1894-1975), pugiliste élégant à la technique soignée, devient champion du monde des poids mi-lourds en 1920. L'année suivante, il tente vainement de conquérir le titre toutes catégories. Malgré sa défaite face à Jacques Dempsey, il acquiert une immense popularité en France.

◆ George Carpentier.

Marcel Cerdan (Fr., 1916-1949). Surnommé le « Bombardier marocain » (il avait vécu à Casablanca), redoutable frappeur, il s'empare en 1948 du titre mondial des poids moyens, en battant Tony Zale par abandon à l'appel de la 12e reprise. Battu en juin 1949 par Jake La Motta, il trouve la mort lors d'un accident d'avion alors qu'il se rendait à New York pour disputer le match revanche.

Julio Cesar Chavez (Mex., né en 1942). Il compte 100 victoires en 103 combats à son palmarès. Il conquiert, de 1984 à 1996, le titre mondial dans trois catégories différentes (super-plume, légers, super-légers).

Oscar De La Hoya (É.-U., né en 1973). Il est champion olympique des légers en 1992. Chez les professionnels, il devient champion du monde des super-plume en 1994, puis conquiert les titres chez les légers (1994 également), les super-légers (1996) et les welters (1997).

◆ Oscar De La Hoya (à gauche) contre Gennaro Hernamdez (à droite).

Jack Dempsey (É.-U., 1895-1983). De son vrai nom William Harrison, redoutable puncher, il est resté champion du monde toutes catégories de 1919 à 1926 (battant notamment en 1921 G. Carpentier), dépossédé par Gene Tunney.

George Foreman (É.-U., né en 1949), remporte le titre olympique des poids lourds en 1968 et devient champion du monde (professionnel) en 1973 en dominant Joe Frazier, titre qu'il perd l'année suivante face à Muhammad Ali. Après une longue éclipse, il redevient champion du monde en 1994.

Evander Holyfield (É.-U., né en 1962). Champion du monde des lourds-légers en 1987, il devient en 1990 champion du monde des poids lourds. Durant près de dix ans, il va demeurer au sommet.

Ray « Sugar » Leonard (É.-U., né en 1956). Champion olympique des super-légers en 1984, il réussit l'exploit de détenir, chez les professionnels, le titre mondial dans cinq catégories différentes (des welters aux mi-lourds). Il obtient sa victoire la plus probante en 1987 contre Marvin Hagler pour le titre des poids moyens.

Joe Louis (É.-U., 1914-1981). De son vrai nom Joseph Louis Barrow, cet Américain est l'un des plus grands poids lourds de l'histoire de la boxe. Invaincu de 1936 à 1950, il a été le plus long détenteur du titre de la catégorie, titre qu'il a défendu victorieusement 25 fois de suite, de 1937 à 1949.

Rocky Marciano (É.-U., 1923-1969). De son vrai nom Rocco Francis Marchegiano, il est l'un des rares invaincus de l'histoire de la boxe. Il remporta 49 combats en moins de 10 ans de carrière, dont 43 par K.-O. (11 au premier round). Il a détenu le titre des lourds de 1952 à 1956 (année de sa retraite).

Carlos Monzón (Arg., 1942-1995). La résistance et la puissance de frappe exceptionnelles de cet Argentin lui ont permis de dominer la catégorie des poids moyens dans les années 1970. Il a détenu le titre mondial de 1970 à 1977.

Ray « Sugar » Robinson (É.-U., 1920-1989). De son vrai nom Walker Smith, cet Américain réunit toutes les qualités : un style parfait et une puissance de frappe meurtrière. Sa carrière a duré un quart de siècle (de 1940 à 1965). Champion du monde des welters en 1946, il abandonne le titre en 1951 pour s'emparer de celui des poids moyens, qu'il conservera, perdra et regagnera jusqu'en 1960, consacrant dans l'intervalle quelques années au music-hall.

La boxe française

La boxe française combine les techniques de la boxe anglaise (coups portés avec les poings) et de la savate (coups portés avec les pieds). Les combats se déroulent sur une enceinte constituée d'un carré dont les côtés ont une longueur comprise entre 4,9 m et 6 m, en 2 à 5 reprises de 1 min à 1 min 30 s. En 1887, Joseph Charlemont et son fils Charles Charlemont créent à Paris l'Académie de boxe française.

La boxe française connaît son plus fort développement au début du XXe s. Après la Première Guerre mondiale, l'intérêt pour la boxe française décline. Il faut attendre 1965 pour voir la création d'un Comité national de boxe française, qui marque le renouveau de la discipline. En 1985, une Fédération internationale de boxe française-savate est créée. Des Championnats d'Europe se tiennent en 1986. Ils se déroulent depuis lors tous les deux ans. Des Championnats du monde sont institués en 1989 ; ils ont également lieu tous les deux ans.

Petit lexique

pesée : formalité que les boxeurs accomplissent le jour du match pour le contrôle de leur catégorie de poids.

pointage : nombre de points accordé à chaque boxeur durant chaque reprise et dont le total détermine le résultat du match (si celui-ci n'est pas interrompu avant). Le gagnant remporte alors une victoire aux points. L'arbitre et ses assistants notent les coups donnés (atteignant réellement l'adversaire), la technique, le respect des règles.

reprise ou **round :** chacune des périodes (3 min pour les professionnels) pendant lesquelles les boxeurs s'affrontent, le début et la fin étant signalés par un coup de gong. Le nombre des reprises varie selon l'importance des combats : trois pour les combats entre amateurs, de six à douze (parfois quinze) pour les combats professionnels. Une minute de repos sépare chaque reprise de la suivante.

ring : carré délimité par trois rangées de cordes et dont les côtés doivent être compris entre 4,90 m et 6,10 m. Le plancher du ring se trouve entre 0,91 m et 1,22 m du sol. Il doit être recouvert de feutre ou de caoutchouc, ou d'un matériau élastique, revêtu d'une toile tendue.

◆ **Catégories chez les professionnels.**

Aucun combat ne peut être autorisé entre deux boxeurs dont la différence de poids excède celle qui délimite la catégorie du boxeur le plus léger.

Catégorie	Poids
paille	moins de 47,628 kg
mi-mouche	47,628-48,988 kg
mouche	48,989-50,802 kg
super-mouche	50,803-52,163 kg
coq	52,164-53,524 kg
plume	53,525-57,153 kg
super-plume	57,154-58,967 kg
légers	58,968-61,235 kg
super-légers	61,236-63,503 kg
welters	63,504-66,678 kg
super-welters	66,679-69,853 kg
moyens	69,854-72,575 kg
super-moyens	72,576-76,203 kg
mi-lourds	76,204-79,378 kg
lourds-légers	79,379-88,450 kg
lourds	plus de 88,450 kg

Les arts martiaux

Des sports venus d'Extrême-Orient

Les arts martiaux, techniques de combat à mains nues ou armées, sont originaires d'Extrême-Orient (du Japon surtout). Leur objet dépasse souvent le simple plan physique et la connaissance anatomique et physiologique du corps humain. Leurs fondateurs y ont toujours associé la morale, parfois la religion. L'universalisation d'un certain nombre d'arts martiaux asiatiques n'a pas toujours permis de conserver cette dualité, qui a aussi parfois reculé sur les lieux d'origine.

Le judo. Le judo naît en 1882 lorsque Jigoro Kano (1860-1938), adepte jusqu'alors du jiu-jitsu, ouvre à Tokyo un *kodokan* (institut pour l'étude de la voie). Il reste confiné au Japon jusqu'en 1918, date à laquelle Gunji Koizumi (1885-1965) ouvre à Londres le premier club de judo, le Budokwai. En France, le premier club est créé en 1935, à Paris, par Mikinosuke Kawaishi (1889-1969). La Fédération internationale de judo est fondée en 1952. En 1964, le judo est inscrit au programme olympique des Jeux de Tokyo. Il fait définitivement partie du programme olympique depuis 1972 pour les hommes, et 1992 pour les femmes.

Initialement, les catégories de poids n'existaient pas. Le poids faisant la différence à valeur technique égale ou voisine, des catégories ont été créées, qui sont devenues progressivement plus nombreuses et plus diversifiées. Plus de 15 millions de licenciés pratiquent le judo dans le monde (dont 3 millions au Japon et 800 000 en France). Le judo est unanimement reconnu par les éducateurs comme un sport formateur, à forte valeur éducative, en raison du respect des règles et des adversaires exigé à tous les niveaux.

Le judo doit à son origine japonaise son rituel et son vocabulaire. Le niveau des judokas est indiqué par leur ceinture, dont la couleur détermine le grade. La progression est la suivante : blanche, jaune, orange, verte, bleu, marron, noire. En compétition officielle, le combat dure 4 min pour les femmes et 5 min pour les hommes. Le combat est dirigé par un arbitre et deux juges. Il peut se terminer par *ippon*, par *waza-ari-awasete-ippon* (2 *waza-ari*) ou aux points. La décision tient compte alors d'avantages plus ou moins marqués pendant le combat : *waza-ari* (presque point); *yuko* (gros avantage); *koka* (petit avantage).

Les autres arts martiaux. Après le judo, le karaté est le plus célèbre des arts martiaux. Originaire d'Okinawa, il s'est d'abord répandu (après 1920 et surtout après 1945) dans les grandes îles du Japon, puis dans le monde entier. Pratiqué à mains nues, il vise à mettre hors de combat l'adversaire, mais de manière fictive, les coups devant être arrêtés avant de le toucher. Le combat dure 2 ou 3 min et se dispute sur un carré de 8 m de côté. Les cibles d'attaque sont le *jodan* (partie supérieure du corps : tête et cou) et le *chudan* (partie moyenne du corps : poitrine, ventre, dos ; les coups

◆ **Sumi-gaeshi.** Technique consistant à faire passer l'adversaire au-dessus de soi en tendant la jambe et en le déséquilibrant vers la droite.

◆ **O-soto-guruma.** Projection spectaculaire consistant en un fauchage simultané des deux jambes de l'adversaire, alors projeté brutalement au sol.

◆ **Tsuri-goshi.** La hanche est soulevée en même temps que l'on saisit la ceinture de l'adversaire. Cette technique répond souvent à une attaque de l'adversaire.

◆ **Ko-soto-gake.** Technique de jambe, assez délicate, consistant en un petit « accrochage » extérieur, différent du fauchage (ko-soto-gari).

◆ **Uki-waza.** Projection où l'on se laisse aller au sol en attirant l'adversaire pour le faire basculer au-dessus de l'épaule. On utilise ainsi le poids de l'adversaire.

◆ **De-ashi-barai.** Technique de jambe, consistant en un balayage en avançant le pied. Cette technique nécessite une grande vitesse d'intervention pour être efficace.

◆ **Tani-otoshi.** Littéralement « chute dans la vallée », cette technique est exécutée avec un écartement de jambes faisant basculer l'adversaire en le projetant sur le dos.

◆ **Hiza-guruma.** C'est une sorte d'enroulement de l'adversaire autour d'un genou. Il est effectué en imprimant un mouvement tournant qui déséquilibre l'adversaire.

Quelques grands noms

David Douillet (Fr., né en 1969). Ce judoka devient, en 1993, le premier champion du monde français

◆ **David Douillet.**

des poids lourds. En 1995, à Chiba (Japon), il réussit l'exploit de conserver son titre en y ajoutant le titre toutes catégories. En 1996, à Atlanta, il est couronné champion olympique des poids lourds. Malgré un grave accident de moto à la fin de 1996, il parvient à conserver sa couronne mondiale des poids lourds en 1997 à Bercy.**Anton Geesink (P.-B., né en 1934).** Ce Néerlandais surprend le Japon en 1964. En effet, à Tokyo, le judo est inscrit pour la première fois au programme olympique, et nul ne pense que le titre toutes catégories puisse échapper à un Japonais. Pourtant, il domine Akio Kaminaga en finale. Il est également champion du monde toutes catégories en 1961 et 1965.

Jigoro Kano (Jap., 1860-1938). Après avoir étudié le jiu-jitsu, il crée en 1882 sa propre école, le *kodokan*, et enseigne le judo, qu'il définit comme la « voie de la souplesse ». Il est considéré comme l'inventeur du judo.

Marie-Claire Restoux (Fr., née en 1968). Remportant le titre de championne du monde de la catégorie mi-légers en 1995, elle confirme cette performance en devenant championne olympique en 1996 à Atlanta.

Yasuhiro Yamashita (Jap., né en 1957). Champion du monde des poids lourds en 1979, 1981 et 1983, champion du monde toutes catégories en 1981 et champion olympique toutes catégories en 1984, il demeure une idole dans son pays.

◆ **Yasuhina Yamashita.**

se portent avec le poing ou le pied. Il existe 6 catégories de poids (super-légers : – de 60 kg ; légers : – de 65 kg ; mi-moyens : – de 70 kg ; moyens : – de 75 kg ; mi-lourds : – de 80 kg ; lourds : + de 80 kg) et une épreuve toutes catégories. Bien qu'il compte environ 15 millions d'adeptes dans le monde et que des Championnats du monde se tiennent tous les deux ans depuis 1970, le karaté n'est pas encore un sport olympique.

Proche du karaté, le kung-fu, art martial chinois (littéralement « qui a atteint la perfection »), est à la fois une forme de culture physique et un sport de combat à mains nues. Il est toutefois plus aérien que le karaté, avec une place plus grande accordée aux techniques de jambes.

Art martial japonais (littéralement « art de la souplesse »), le jiu-jitsu est l'ancêtre du judo. Moyen d'attaque et de défense, ce n'est pas un sport de compétition. La technique du jiu-jitsu associe projections, luxations, étranglements et coups frappés (*atemi*) sur les points vitaux de l'adversaire, qu'il s'agit de mettre hors de combat.

L'aïkido (littéralement « voie de la divine harmonie ») se pratique à mains nues. C'est un art martial défensif visant à contrer une attaque en projetant l'adversaire, puis en neutralisant celui-ci par une compression des articulations ou des points vitaux. L'aïkido, créé vers 1925 par Ueshiba Morihei (1883-1969), n'est pas un sport de compétition.

Art martial japonais (littéralement « voie du sabre »), le kendo est une sorte d'escrime dans laquelle les combattants luttent avec un sabre de bambou et sont protégés par une armure composée d'un casque (comparable au masque qui est employé en escrime) et d'un plastron rigide. Des Championnats du monde existent depuis 1970, et plus de 2 millions de Japonais s'adonnent régulièrement au kendo.

Originaire des Philippines, l'eskrima se pratique avec le bâton, le sabre, le poignard, associés à des techniques à mains nues.

Plus qu'un véritable art martial, le sumo est une forme ancienne de lutte pratiquée au Japon et utilisant les techniques de préhension. Il s'agit simplement de projeter l'adversaire hors du *dohyo* (ring), mais la préparation du combat comporte un rituel très élaboré (beaucoup plus long que le combat lui-même). Le grade le plus élevé que peut atteindre un sumotori est celui de *yokozuna*.

Le tai-chi-chuan, ou tai-chi, d'origine chinoise, consiste en un enchaînement continu, lent et extrêmement précis de mouvements corporels. Le tai-chi-chuan (littéralement « pôle suprême »), d'origine très ancienne et lié au taoïsme, avait initialement pour but le combat, mais aussi l'union de l'action et de la méditation.

Petit lexique

dan : grade distinguant les ceintures noires. Du 1er au 10e, les dans sont délivrés au niveau national. Au Japon, les 6e, 7e et 8e dans portent la ceinture blanche et rouge ; les 9e et 10e dans, la ceinture rouge.

dojo : salle d'entraînement où se pratiquent les arts martiaux, particulièrement le judo.

ippon : point qui termine le combat, accordé pour une projection sur le dos, une immobilisation de 30 s au sol ou résultant d'un abandon ou d'une disqualification *(hansoku-make)* de l'adversaire.

judogi ou **kimono :** vêtement pour la pratique du judo, qui se compose d'une veste et d'un pantalon de toile solide.

tatami : tapis carré de 14 m à 16 m de côté, dont 9 à 10 m de côté pour la surface de combat. Ce terme désigne aussi les nattes de paille de riz tressée dont l'assemblage constitue le tapis.

◆ Karaté.
Attaque classique à la tête, avec le pied droit, jambe tendue pour la frappe. C'est le coup le plus utilisé dans le karaté.

◆ Aïkido.
Cet art martial demande de la souplesse. Toutes les techniques constituent des réactions opposées à une attaque de l'adversaire.

◆ Casque du kendo.
Comme en escrime, le casque est indispensable dans cet art martial.

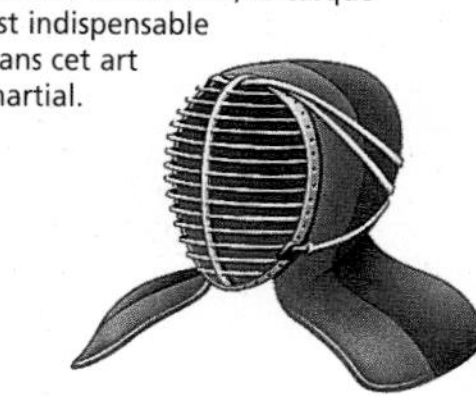

◆ Kendo.
Des risques de blessures accidentelles existent. Aussi, pratiquement, toutes les cibles sont-elles systématiquement protégées. Un plastron rigide amortit les coups sur la poitrine. Surtout, un casque métallique protège le visage.

◆ Catégories de poids au judo.

Catégorie	Hommes	Femmes
super-légers	moins de 60 kg	moins de 48 kg
mi-légers	60 à 66 kg	de 48 à 52 kg
légers	67 à 73 kg	de 53 à 57 kg
mi-moyens	74 à 81 kg	de 58 à 63 kg
moyens	82 à 90 kg	de 64 à 70 kg
mi-lourds	91 à 100 kg	de 71 à 78 kg
lourds	plus de 100 kg	plus de 78 kg

◆ Le judo aux jeux Olympiques.

Hommes

super-légers
1980 Rey (Fr.)
1984 Hosakawa (Jap.)
1988 Kim Jae-yup (Corée du Sud)
1992 Gousseinov (CEI)
1996 Nomura (Jap.)

mi-légers
1980 Solodouchine (URSS)
1984 Matsuoka (Jap.)
1988 Kyung Keun-lee (Corée du Sud)
1992 Sampaio Cardoso (Brés.)
1996 Quellmaz (All.)

légers
1964 Nakatani (Jap.)
1972 Kawaguchi (Jap.)
1976 Rodríguez (Cuba)
1980 Gamba (It.)
1984 Ahn Byeong-reun (Corée du Sud)
1988 Alexandre (Fr.)
1992 Koga (Jap.)
1996 Nakamura (Jap.)

mi-moyens
1972 Nomura (Jap.)
1976 Nevzorov (URSS)
1980 Khabareli (URSS)
1984 Wieneke (RFA)
1988 Legien (Pol.)
1992 Yoshida (Jap.)
1996 Bouras (Fr.)

moyens
1964 Okano (Jap.)
1972 Sekine (Jap.)
1976 Sonoda (Jap.)
1980 Röthlisberger (Suisse)
1984 Seisenbacher (Autr.)
1988 Seisenbacher (Autr.)
1992 Legien (Pol.)
1996 Ki-young (Corée du Sud)

mi-lourds
1972 Tchotchochvili (URSS)
1976 Ninomiya (Jap.)
1980 Van De Walle (Belg.)
1984 Ha Hyoung-zoo (Corée du Sud)
1988 Miguel (Brés.)
1992 Kovacs (Hongr.)
1996 Nastula (Pol.)

lourds
1964 Inokuma (Jap.)
1972 Ruska (P.-B.)
1976 Novikov (URSS)
1980 Parisi (Fr.)
1984 Saito (Jap.)
1988 Saito (Jap.)
1992 Khakhaleichvili (CEI)
1996 Douillet (Fr.)

toutes catégories
1964 Geesink (P.-B.)
1972 Ruska (P.-B.)
1976 Uemura (Jap.)
1980 Lorenz (RDA)
1984 Yamashita (Jap.)

Femmes

super-légers
1992 Nowak (Fr.)
1996 Kye Sun (Corée du Nord)

mi-légers
1992 Munoz Martinez (Esp.)
1996 Restoux (Fr.)

légers
1992 Blasco Soto (Esp.)
1996 Gonzales (Cuba)

mi-moyens
1992 Fleury (Fr.)
1996 Emoto (Jap.)

moyens
1992 Reve Jimenez (Cuba)
1996 Cho Min-son (Corée du Sud)

mi-lourds
1992 Kim Mi-Jung (Corée du Nord)
1996 Werbrouk (Bel.)

lourds
1992 Zhuang (Chine)
1996 Funming (Chine)

La lutte

Historique et règles

Sport très ancien, la lutte apparaît aux programmes des jeux Olympiques de l'Antiquité grecque en 708 av. J.-C. ; elle est inscrite aux jeux du cirque sous l'Empire romain et demeure fort prisée à la Renaissance (le combat entre François Ier et Henri VIII d'Angleterre au camp du Drap d'or en 1520 reste célèbre). La forme moderne de la lutte se dessine au milieu du XIXe s., la première salle permanente consacrée à ce sport étant ouverte en 1845, à Paris.

La lutte gréco-romaine est inscrite au programme des Iers jeux Olympiques de l'ère moderne en 1896 ; la lutte libre, en 1904. La Fédération internationale de lutte est fondée en 1912.

Ce sport comprend deux disciplines : la lutte gréco-romaine qui n'admet des prises qu'au-dessus de la ceinture, et la lutte libre, autorisant l'utilisation des jambes dans certaines prises, l'objectif étant toujours de faire tomber et, si possible, d'immobiliser l'adversaire au sol sur les épaules. Depuis 1997, seules huit catégories de poids sont reconnues (contre dix auparavant).

Les combats se déroulent en une reprise de 5 min sur un tapis de 9 m de diamètre, incorporant une bande circulaire de 1 m de largeur qui fait partie de la surface de combat. Celui-ci peut se conclure par un tombé (l'arbitre, en frappant le tapis avec la main et comptant 1, a eu le temps de constater qu'un lutteur avait les épaules clouées au sol) ou aux points (accordés pour certaines prises).

◆ **Projection par-dessus la poitrine.** Efficace, mais difficile à réaliser, elle s'effectue en ceinturant l'adversaire (une flexion des jambes et un écart en arrière facilitent son soulèvement). Le basculement s'opère après une forte inclinaison dorsale.

◆ **Projection par-dessus l'épaule.** Elle s'opère en passant le bras sous l'épaule de l'adversaire, l'autre main tenant le poignet. La projection est assurée par un tirage sur l'épaule, en même temps qu'un accroupissement facilite le basculement, avec décollage de l'adversaire. Celui-ci retombe sur le dos, épaules au sol, ce qui peut constituer un tombé.

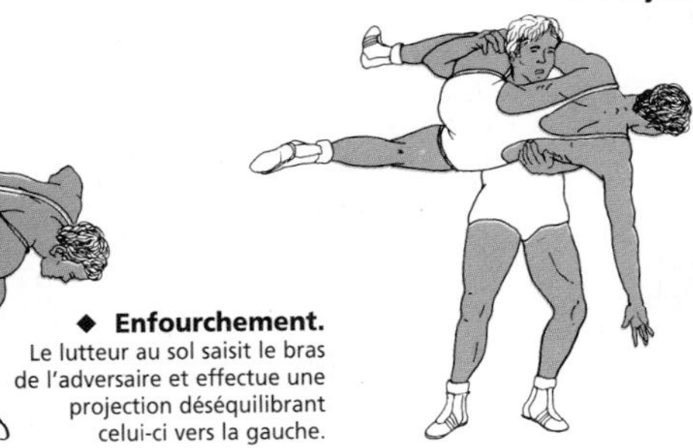

◆ **Projection sur ramassement de jambes** (avec arraché en enfourchement arrière avec bascule). Il s'agit de soulever verticalement l'adversaire avant de le faire basculer de 90 degrés (mouvement précédant la projection).

◆ **Enfourchement.** Le lutteur au sol saisit le bras de l'adversaire et effectue une projection déséquilibrant celui-ci vers la gauche.

◆ **Projection sur ramassement de jambes** (avec un arraché en double ramassement de jambes). L'adversaire est « pris dans les bras » ; la projection terminale est souvent facilitée par un écartement des jambes abaissant le centre de gravité.

◆ **Projection sur ramassement de jambes** (avec arraché en enfourchement arrière). La main passe entre les cuisses de l'adversaire, qui est ensuite soulevé et maintenu en l'air puis retourné presque parallèlement au sol, où il est ensuite plaqué sur le dos avant la tentative d'immobilisation.

◆ **Décalage arrière avec double ramassement de jambes.** L'attaquant ceinture les cuisses de son adversaire, le pousse par l'épaule et la poitrine pour le projeter au sol.

◆ **Décalage sur ramassement de jambe.** L'attaquant ramasse et attire vers lui la jambe de l'adversaire, la bloque sur sa cuisse avant de le pousser dans la direction où il n'a plus d'appui.

◆ **Double manchette latérale.** C'est un exemple de combat au sol, un lutteur se mettant initialement sur un ou deux genoux. Ici, il y a eu retournement grâce à une saisie des bras de l'adversaire.

◆ **Jeux Olympiques de 1996.**

	Lutte libre	Lutte gréco-romaine
jusqu'à 48 kg	Kim Il (Corée du N.)	Sim Kwon-ho (Corée du S.)
jusqu'à 52 kg	Jordanov (Bulg.)	Nazarian (Arm.)
jusqu'à 57 kg	Cross (É.-U.)	Melnichenko (Kazakh.)
jusqu'à 62 kg	Brands (É.-U.)	Zawadski (Pol.)
jusqu'à 68 kg	Bogiyev (Russie)	Wolny (Pol.)
jusqu'à 74 kg	Saytyev (Russie)	Azcuy (Cuba)
jusqu'à 82 kg	Magomedov (Russie)	Yerlikaya (Turq.)
jusqu'à 90 kg	Khadem (Iran)	Oleïnik (Ukr.)
jusqu'à 100 kg	Angle (É.-U.)	Wronski (Pol.)
jusqu'à 130 kg	Demir (Turq.)	Kareline (Russie)

L'escrime

Historique et règles

À l'origine, l'escrime est une pratique guerrière. L'épée est une arme essentielle des guerres médiévales ; les mousquetaires du roi Louis XIII, magnifiés par Alexandre Dumas, jouent leur vie avec leurs lames. Aux XVIIIe et XIXe s., les combats n'ont plus pour enjeu la vie, mais simplement la victoire. L'escrime devient alors un sport. Lors des I[ers] jeux Olympiques, en 1896, des compétitions d'escrime sont organisées. La Fédération internationale d'escrime est fondée en 1913. En 1937 se tiennent les premiers Championnats du monde, qui se déroulent désormais chaque année.

Il existe trois armes : le fleuret, l'épée et le sabre. Les combats se disputent sur une piste de 16 m de longueur. Il s'agit de toucher l'adversaire sur des surfaces variant selon les armes : à l'épée, tout le corps du tireur ; au fleuret, seul le tronc (thorax et abdomen) peut être touché ; au sabre, enfin, le tronc peut être atteint dans sa totalité (tête et bras inclus). Lors des assauts par élimination directe, le combat se déroule en 15 touches. Pour les trois armes, un appareillage électrique signale les touches valables.

◆ Attaque à la jambe. L'attaque à la jambe (ou au pied) ne s'effectue évidemment qu'à l'épée, et doit être réalisée et réussie très vite, la moitié supérieure du corps restant sans défense.

◆ Épée. Les coups doivent être portés avec la pointe de l'arme, visant généralement une des « avancées » du corps (main, avant-bras, genou, pied) puisque tout le corps peut être touché.

◆ Fleuret. C'est (comme l'épée) une arme d'estoc, avec des coups portés uniquement par la pointe. Le fleuret est une arme légère (environ 500 g).

◆ Sabre. Le sabre est une arme légère (environ 500 g). Les coups sont portés avec la pointe et le plat de la lame. C'est une arme d'estoc et de taille.

◆ Attaque à la tête. L'attaque à la tête (autorisée également à l'épée) s'effectue en général au sabre par un coup de taille (de tranchant) et non de pointe (estoc).

◆ Attaque en fente. L'attaque en fente est une utilisation du coup droit qui nécessite détente et rapidité pour éviter le retrait ou la contre-attaque de l'adversaire.

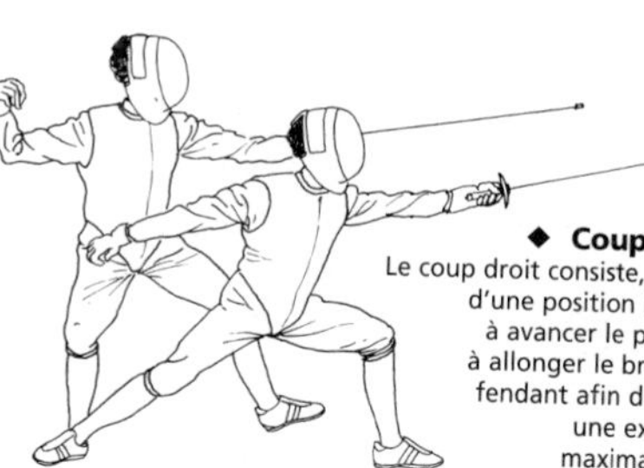

◆ Coup droit. Le coup droit consiste, à partir d'une position latérale, à avancer le pied puis à allonger le bras en se fendant afin d'obtenir une extension maximale pour toucher d'adversaire.

◆ Dégagement. Le dégagement consiste à « se débarrasser » de l'arme de l'adversaire par un rejet latéral ou vertical permettant de dégager un axe d'attaque (ou d'éviter une attaque).

◆ Jeux olympiques.

Hommes

fleuret

	individuel	par équipes
1896	Gravelotte (Fr.)	
1900	Coste (Fr.)	
1904	Fonst (Cuba)	Cuba
1912	Nadi (It.)	
1920	Nadi (It.)	Italie
1924	Ducret (Fr.)	France
1928	Gaudin (Fr.)	Italie
1932	Marzi (It.)	France
1936	Gaudini (It.)	Italie
1948	Buhan (Fr.)	France
1952	d'Oriola (Fr.)	France
1956	d'Oriola (Fr.)	Italie
1960	Jdanovitch (URSS)	URSS
1964	Franke (Pol.)	URSS
1968	Drimba (Roum.)	France
1972	Woyda (Pol.)	Pologne
1976	Dal Zotto (It.)	RFA
1980	Smirnov (URSS)	France
1984	Numa (It.)	Italie
1988	Cerioni (It.)	URSS
1992	Omnes (Fr.)	All.
1996	Puccini (It.)	Russie

sabre

	individuel	par équipes
1896	Georgiadis (Gr.)	
1900	de la Falaise (Fr.)	
1904	Diaz (Cuba)	
1908	Fuchs (Hongr.)	Hongrie
1912	Fuchs (Hongr.)	Hongrie
1920	Nadi (It.)	Italie
1924	Pósta (Hongr.)	Italie
1928	Terszyánszky (Hongr.)	Hongrie
1932	Piller (Hongr.)	Hongrie
1936	Kabos (Hongr.)	Hongrie
1948	Gerevich (Hongr.)	Hongrie
1952	Kovács (Hongr.)	Hongrie
1956	Kárpáti (Hongr.)	Hongrie
1960	Kárpáti (Hongr.)	Hongrie
1964	Pézsa (Hongr.)	URSS
1968	Pawlowski (Pol.)	URSS
1972	Sidiak (URSS)	Italie
1976	Krovopouskov (URSS)	URSS
1980	Krovopouskov (URSS)	URSS
1984	Lamour (Fr.)	Italie
1988	Lamour (Fr.)	Hongrie
1992	Szabo (Hongr.)	CEI
1996	Podzniakov (Russie)	Russie

épée

	individuel	par équipes
1900	Fonst (Cuba)	
1904	Fonst (Cuba)	
1908	Alibert (Fr.)	France
1912	Anspach (Belg.)	Belgique
1920	Massard (Fr.)	Italie
1924	Delporte (Belg.)	France
1928	Gaudin (Fr.)	Italie
1932	Cornaggia-Medici (It.)	France
1936	Riccardi (It.)	Italie
1948	Cantone (It.)	France
1952	Mangiarotti (It.)	Italie
1956	Pavesi (It.)	Italie
1960	Delfino (It.)	Italie
1964	Kriss (URSS)	Hongrie
1968	Kulcsár (Hongr.)	Hongrie
1972	Fenyvési (Hongr.)	Hongrie
1976	Pusch (RFA)	Suède
1980	Harmenberg (Suède)	France
1984	Boisse (Fr.)	RFA
1988	Schmitt (RFA)	France
1992	Srecki (Fr.)	All.
1996	Beketov (Russie)	Italie

Femmes

fleuret

	individuel	par équipes
1924	Osiier (Dan.)	
1928	Mayer (All.)	
1932	Preis (Autr.)	
1936	Schacherer-Elek (Hong.)	
1948	Elek (Hong.)	
1952	Camber (It.)	
1956	Sheen (G.-B.)	
1960	Schmid (RFA)	URSS
1964	Ujlaki-Rejtö (Hong.)	Hongrie
1968	Novikova (URSS)	URSS
1972	Ragno Lonzi (It.)	URSS
1976	Schwarczenberger (Hong.)	URSS
1980	Trinquet (Fr.)	France
1984	Luan Jujie (Chine)	RFA
1988	Fichtel (RFA)	RFA
1992	Trillini (It.)	Italie
1996	Badea (Roumanie)	Italie

épée

	individuel	par équipes
1996	Flessel (Fr.)	France

Le ski alpin

Historique et épreuves

Le ski alpin, particulièrement prisé depuis le développement des sports d'hiver, compte environ 60 millions d'adeptes qui s'y adonnent régulièrement, plus spécialement en Europe, en Amérique du Nord et au Japon. C'est aussi un sport de compétition dont les premières règles furent définies à la fin du XIXe s. par les Autrichiens Mathias Zdarsky (1856-1940) et Hannes Schneider (1890-1955). Le premier concours international de ski est organisé par le Club alpin français en 1907. La Fédération internationale de ski est créée en 1924 mais, la même année, le ski alpin ne figure pas aux I[ers] jeux Olympiques d'hiver – les Scandinaves considérant que la seule véritable forme de ski est le ski de fond. En 1931 sont organisés à Mürren (Suisse) les premiers Championnats du monde, qui se déroulent désormais tous les deux ans. Le ski alpin fait son apparition aux Jeux en 1936 (avec une seule épreuve, le combiné). Dès lors, ce sport connaît un développement constant; la Coupe du monde, destinée à distinguer le meilleur skieur et la meilleure skieuse sur une saison, voit le jour en 1966.

Aujourd'hui, cinq épreuves figurent au programme olympique : la descente, discipline de vitesse pure ; le super-géant, autre épreuve de vitesse ; le slalom (dit slalom spécial jusqu'en 1984), discipline technique ; le slalom géant, alliant technique et vitesse ; enfin, le combiné (descente + slalom). Rares sont les champions, comme naguère Toni Sailer ou Jean-Claude Killy, capables de briller dans chacune de ces spécialités.

Les différents tracés. La descente se dispute sur une dénivellation d'au moins 800 m pour les hommes et d'au moins 500 m pour les femmes.

Le slalom se dispute sur un dénivelé de 180 à 220 m pour les hommes, de 130 à 180 m pour les femmes, comportant le franchissement obligatoire de portes (50 à 75 pour les hommes, 45 à 60 pour les femmes). La victoire revient à celui qui obtient le meilleur temps total de deux manches sur deux tracés différents.

Le slalom géant se court sur une dénivellation plus importante que le spécial (200 à 500 m pour les hommes). Le nombre des portes, plus espacées, est égal à 15 % de la dénivellation en mètres de la piste. La piste, d'une largeur minimale de 30 m, est balisée comme une piste de descente. Le skieur adopte une position plus basse que dans le slalom, avec même parfois des positions de recherche de vitesse.

Créé dans les années 1980 (disputé aux Championnats du monde à partir de 1987, aux jeux Olympiques à partir de 1988), le super-géant est un compromis entre la descente et le slalom géant. Les dénivellations sont comprises entre 500 et 650 m pour les hommes, 400 et 500 m pour les femmes. Le nombre de portes à franchir varie entre 35 et 65 pour les hommes, 30 et 50 pour les femmes.

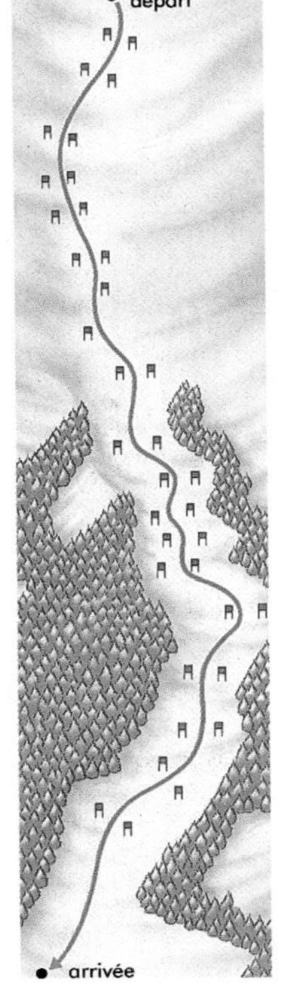

◆ **Descente.** C'est l'épreuve reine du ski alpin, avec une recherche constante de vitesse dont la moyenne horaire est souvent supérieure à 100 km. Les deux descentes les plus célèbres sont celles du Hahnenkamm (à Kitzbühel, en Autriche, longue de 3 510 m) et du Lauberhorn (à Wengen, en Suisse, longue de 4 260 m pour une dénivellation de 1 012 m).

Le ski acrobatique

Dit aussi parfois ski artistique (en anglais *free style*), c'est une discipline spectaculaire reconnue par la Fédération internationale de ski depuis 1979 et inscrite aux jeux Olympiques en 1992. Deux épreuves sont disputées aux Jeux : les bosses (descente d'un parcours raide jalonné de bosses avec réalisation de sauts notés), où le Français Edgar Grospiron s'est illustré ; le saut (exécution, à partir d'un tremplin de 67 degrés, de sauts périlleux notés en fonction de la difficulté technique et de la qualité d'exécution). L'acroski (anciennement dénommé ballet), épreuve non olympique, consiste à exécuter, sur une faible pente et avec un fond musical, des figures telles que des sauts et des vrilles.

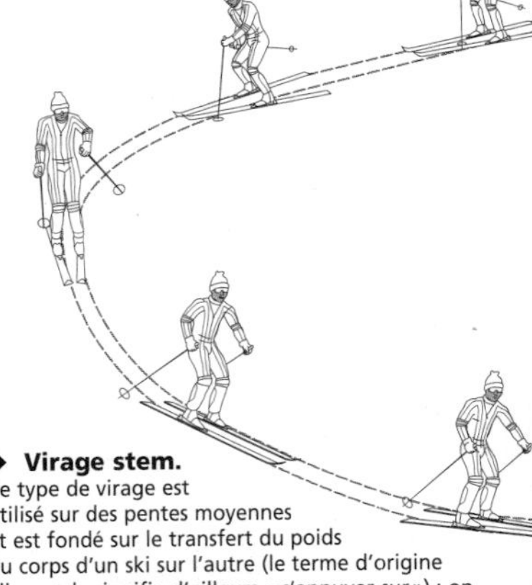

◆ **Virage stem.** Ce type de virage est utilisé sur des pentes moyennes et est fondé sur le transfert du poids du corps d'un ski sur l'autre (le terme d'origine allemande signifie d'ailleurs « s'appuyer sur ») ; on parle de stem amont et de stem aval. Le stem est un virage qui permet de freiner, un stem aval précédant un stem amont permet d'aborder un virage en ayant une plus grande maitrise de sa vitesse.

Quelques grands noms

Marielle Goitschel (Fr., née en 1945). En 1964, elle remporte la médaille d'or de slalom géant aux jeux Olympiques d'Innsbruck et la médaille d'argent du slalom spécial derrière sa sœur Christine. En 1968, à Grenoble, elle devient championne olympique du slalom spécial.

◆ **Jean-Claude Killy.**

Jean-Claude Killy (Fr., né en 1943). Champion du monde de descente en 1966, il gagne les trois médailles d'or (descente, slalom géant et slalom spécial) aux jeux Olympiques de 1968. Exemple parfait de reconversion, il est l'artisan du succès de la candidature d'Albertville pour l'organisation des Jeux d'hiver de 1992. Il est président de la Société du Tour de France.

Toni Sailer (Autr., né en 1935). Ce skieur remporte les trois épreuves lors des jeux Olympiques de Cortina d'Ampezzo en 1956. En 1958, il est champion du monde de descente, de slalom géant et du combiné.

Ingemar Stenmark (Suède, né en 1956). Spécialiste des épreuves techniques (slalom et slalom géant), vainqueur de 96 épreuves de Coupe du monde, il remporte trois fois le classement général de la Coupe du monde (1976, 1977, 1978). Il gagne le slalom géant lors des jeux Olympiques de Lake Placid en 1980.

Alberto Tomba (It., né en 1964). Surnommé la « Bomba », il remporte le slalom géant lors des jeux Olympiques de 1988, à Calgary, et de 1992, à Albertville. En 1995, alors qu'il ne dispute aucune épreuve de vitesse (descente et super-géant), il réussit néanmoins à remporter le classement général de la Coupe du monde.

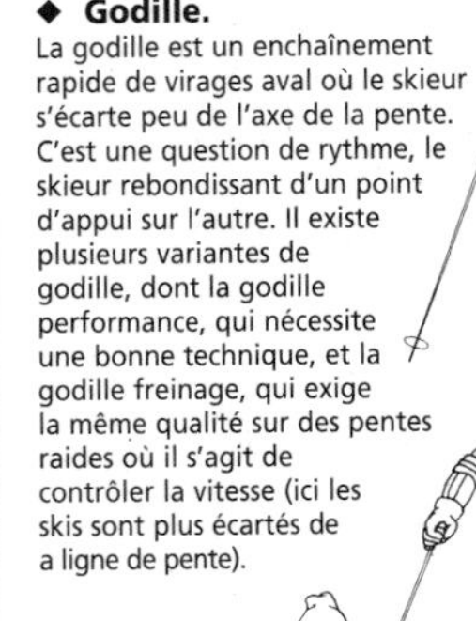

◆ **Godille.** La godille est un enchaînement rapide de virages aval où le skieur s'écarte peu de l'axe de la pente. C'est une question de rythme, le skieur rebondissant d'un point d'appui sur l'autre. Il existe plusieurs variantes de godille, dont la godille performance, qui nécessite une bonne technique, et la godille freinage, qui exige la même qualité sur des pentes raides où il s'agit de contrôler la vitesse (ici les skis sont plus écartés de a ligne de pente).

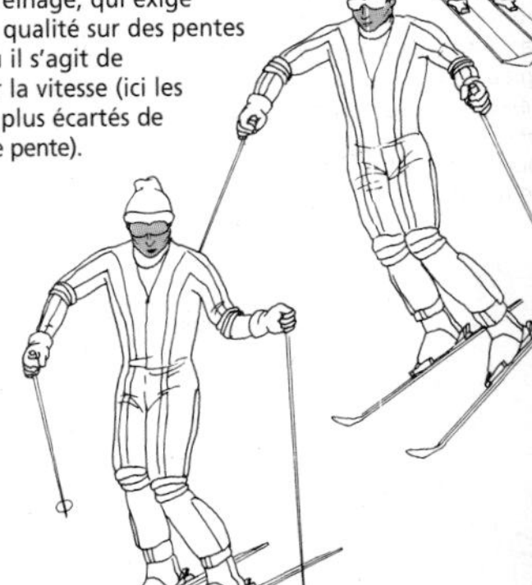

Le surf

Le surf des neiges, ou *snowboard*, connaît, depuis les années 1980, un fort développement. Il s'agit d'une discipline très spectaculaire, inscrite aux jeux Olympiques en 1998 (géant et half-pipe). Le géant consiste en un slalom disputé en parallèle. Le half-pipe se déroule sur une rampe d'environ 100 m, aux bords relevés à la verticale, où les concurrents réalisent des sauts et des figures. Une autre discipline, le free-ride, consiste à pratiquer le surf dans des terrains très raides, où le surfer peut effectuer des sauts de barres rocheuses. Depuis peu, le free-ride, ouvert aux skieurs, donne lieu à des compétitions.

Petit lexique

allègement : mouvement d'extension ou de flexion qui décharge partiellement les skis du poids du corps pour favoriser le déplacement latéral et l'exécution d'un virage.

anticipation : mouvement que le skieur produit par avance à l'abord d'une rupture de pente ou de toute autre difficulté, de façon à ne pas être trop déséquilibré.

avalement : mouvement de flexion permettant de supprimer l'effet de tremplin sur une bosse tout en conservant le contact avec la neige. (Il peut aussi être utilisé en neige fraîche ou profonde pour dégager les skis et favoriser leur rotation.)

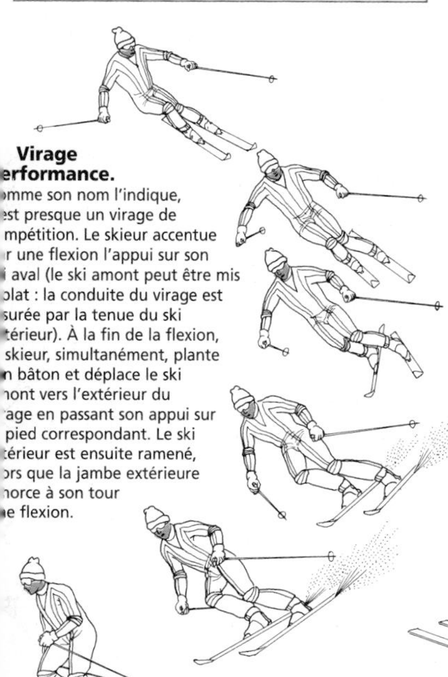

**Virage
erformance.**
ımme son nom l'indique,
est presque un virage de
mpétition. Le skieur accentue
r une flexion l'appui sur son
aval (le ski amont peut être mis
plat : la conduite du virage est
surée par la tenue du ski
térieur). À la fin de la flexion,
skieur, simultanément, plante
n bâton et déplace le ski
nont vers l'extérieur du
age en passant son appui sur
pied correspondant. Le ski
térieur est ensuite ramené,
ors que la jambe extérieure
norce à son tour
ne flexion.

◆ Coupe du monde.

Hommes

1966-1967	Killy (Fr.)
1967-1968	Killy (Fr.)
1968-1969	Schranz (Autr.)
1969-1970	Schranz (Autr.)
1970-1971	Thoeni (It.)
1971-1972	Thoeni (It.)
1972-1973	Thoeni (It.)
1973-1974	Gros (It.)
1974-1975	Thoeni (It.)
1975-1976	Stenmark (Suède)
1976-1977	Stenmark (Suède)
1977-1978	Stenmark (Suède)
1978-1979	Luescher (Suisse)
1979-1980	Wenzel (Liecht.)
1980-1981	Mahre (É.-U.)
1981-1982	Mahre (É.-U.)
1982-1983	Mahre (É.-U.)
1983-1984	Zurbriggen (Suisse)
1984-1985	Girardelli (Lux.)
1985-1986	Girardelli (Lux.)
1986-1987	Zurbriggen (Suisse)
1987-1988	Zurbriggen (Suisse)
1988-1989	Girardelli (Lux.)
1989-1990	Zurbriggen (Suisse)
1990-1991	Girardelli (Lux.)
1991-1992	Accola (Suisse)
1992-1993	Girardelli (Lux.)
1993-1994	Aamodt (Norv.)
1994-1995	Tomba (It.)
1995-1996	Kjus (Norv.)
1996-1997	Alphand (Fr.)
1997-1998	Maier (Autr.)
1998-1999	Kjus (Norv.)

Femmes

1966-1967	Greene (Can.)
1967-1968	Greene (Can.)
1968-1969	Gabl (Autr.)
1969-1970	Jacot (Fr.)
1970-1971	Proell (Autr.)
1971-1972	Proell (Autr.)
1972-1973	Proell (Autr.)
1973-1974	Moser-Proell (Autr.)
1974-1975	Moser-Proell (Autr.)
1975-1976	Mittermaier (RFA)
1976-1977	Morerod (Suisse)
1977-1978	Wenzel (Liecht.)
1978-1979	Moser-Proell (Autr.)
1979-1980	Wenzel (Liecht.)
1980-1981	Nadig (Suisse)
1981-1982	Hess (Suisse)
1982-1983	McKinney (É.-U.)
1983-1984	Hess (Suisse)
1984-1985	Figini (Suisse)
1985-1986	Walliser (Suisse)
1986-1987	Walliser (Suisse)
1987-1988	Figini (Suisse)
1988-1989	Schneider (Suisse)
1989-1990	Kronberger (Autr.)
1990-1991	Kronberger (Autr.)
1991-1992	Kronberger (Autr.)
1992-1993	Wachter (Autr.)
1993-1994	Schneider (Suisse)
1994-1995	Schneider (Suisse)
1995-1996	Seizinger (All.)
1996-1997	Wiberg (Suède)
1997-1998	Seizinger (All.)
1998-1999	Meissnitzer (Autr.)

◆ Jeux Olympiques.

Hommes

descente

1948	Oreiller (Fr.)
1952	Colo (It.)
1956	Sailer (Autr.)
1960	Vuarnet (Fr.)
1964	Zimmermann (Autr.)
1968	Killy (Fr.)
1972	Russi (Suisse)
1976	Klammer (Autr.)
1980	Stock (Autr.)
1984	Johnson (É.-U.)
1988	Zurbriggen (Suisse)
1992	Ortlieb (Autr.)
1994	Moe (É.-U.)
1998	Crétier (Fr.)

slalom

1948	Reinalter (Suisse)
1952	Schneider (Autr.)
1956	Sailer (Autr.)
1960	Hinterseer (Autr.)
1964	Stiegler (Autr.)
1968	Killy (Fr.)
1972	Ochoa (Esp.)
1976	Gros (It.)
1980	Stenmark (Suède)
1984	Julen (Suisse)
1988	Tomba (It.)
1992	Tomba (It.)
1994	Wasmeier (All.)
1998	Maier (Autr.)

slalom géant

1952	Eriksen (Norv.)
1956	Sailer (Autr.)
1960	Staub (Suisse)
1964	Bonlieu (Fr.)
1968	Killy (Fr.)
1972	Thoeni (It.)
1976	Hemmi (Suisse)
1980	Stenmark (Suède)
1984	Julen (Suisse)
1988	Tomba (It.)
1992	Tomba (It.)
1994	Wasmeier (All.)
1998	Maier (Autr.)

super-géant

1988	Piccard (Fr.)
1992	Aamodt (Norv.)
1994	Wasmeier (All.)
1998	Maier (Autr.)

combiné

1936	Pfnuer (All.)
1948	Oreiller (Fr.)
1988	Strolz (Autr.)
1992	Polig (It.)
1994	Kjus (Norv.)
1998	Reiter (Autr.)

Femmes

descente

1948	Schlunegger (Suisse)
1952	Beiser-Jochum (Autr.)
1956	Berthod (Suisse)
1960	Biebl (RFA)
1964	Haas (Autr.)
1968	Pall (Autr.)
1972	Nadig (Suisse)
1976	Mittermaier (RFA)
1980	Moser-Proell (Autr.)
1984	Figini (Suisse)
1988	Kiehl (RFA)
1992	Lee-Gartner (Can.)
1994	Seizinger (All.)
1998	Seizinger (All.)

slalom

1948	Frazer (É.-U.)
1952	Mead-Lawrence (É.-U.)
1956	Colliard (Suisse)
1960	Heggtveit (Can.)
1964	Goitschel (Fr.)
1968	Goitschel (Fr.)
1972	Cochran (É.-U.)
1976	Mittermaier (RFA)
1980	Wenzel (Liecht.)
1984	Magoni (It.)
1988	Schneider (Suisse)
1992	Kronberger (Autr.)
1994	Schneider (Suisse)
1998	Gerg (All.)

slalom géant

1952	Mead-Lawrence (É.-U.)
1956	Reichert (RFA)
1960	Ruegg (Suisse)
1964	Goitschel (Fr.)
1968	Greene (Can.)
1972	Nadig (Suisse)
1976	Kreiner (Can.)
1980	Wenzel (Liecht.)
1984	Armstrong (É.-U.)
1988	Schneider (Suisse)
1992	Schneider (Suisse)
1994	Compagnoni (It.)
1998	Compagnoni (It.)

super-géant

1988	Wolf (Autr.)
1992	Compagnoni (It.)
1994	Roffe (É.-U.)
1998	Street (É.-U.)

combiné

1936	Cranz (All.)
1948	Beizer (Autr.)
1988	Wachter (Autr.)
1992	Kronberger (Autr.)
1994	Wiberg (Suède)
1998	Seizinger (All.)

◆ Position de l'œuf.
C'est une position aérodynamique de recherche de vitesse. Elle a été mise au point dans les années 1960 par Jean Vuarnet.

Voir aussi • Sports «fun» p. 1283

Le ski nordique

Historique et épreuves

Le ski nordique trouve son origine en Scandinavie au XIXe s. Les premières compétitions sont organisées en Norvège, dans la région de Telemark. Le ski nordique englobe plusieurs disciplines. Le ski de fond pratiqué sur des distances de 10 à 50 km pour les hommes, de 5 à 30 km pour les femmes lors des compétitions officielles. Il est inscrit au programme olympique dès la première édition des Jeux (en 1924, pour les hommes, depuis 1952 pour les femmes). Deux disciplines sont uniquement masculines : le combiné nordique, constitué d'une épreuve de saut suivie d'une course de fond de 15 km et du saut à ski, inscrit aux Jeux dès 1924 et donnant lieu à des concours très spectaculaires. Le biathlon, enfin, consiste à effectuer un parcours de ski de fond (de 10 et 20 km pour les hommes, de 7,5 et 15 km pour les femmes) entrecoupé d'épreuves de tir (couché et debout), lors desquelles toute cible manquée entraîne une pénalité (en temps ou en distance).

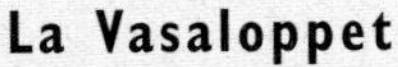

La Vasaloppet

Cette course de ski de fond trouve son origine dans l'histoire. En 1520, les habitants de la Dalécarlie (ancienne province suédoise) partent à la poursuite de Gustav Vasa pour lui demander de combattre les Danois afin d'obtenir l'indépendance de la Suède. Ils le rejoignent à Salen, gagnent avec lui Möra, et obtiennent la victoire. C'est pour commémorer cet événement qu'est organisée, chaque année en janvier depuis 1922, cette course de 85,5 km entre Salen et Möra. Depuis lors, cette épreuve constitue un rendez-vous majeur pour les fondeurs, simples amateurs ou compétiteurs confirmés, qui sont régulièrement plus de 10 000 au départ.

◆ **Pas alternatif.** Il est dit aussi « pas de base » et est en fait proche du pas du marcheur. Il consiste à lancer en avant un ski puis l'autre et en même temps le bras opposé. Pendant la durée de la glissade, les membres sont ramenés sur le même plan, avant un nouveau cycle de progression. Il y a quatre phases successives : un appui au sol, une impulsion de la jambe arrière, un transfert du poids du corps vers l'avant et enfin une glissée sur la jambe avant.

◆ **Starking.** Il est généralement utilisé pour une légère descente et sert à soutenir l'allure. C'est une poussée simultanée sur les deux bâtons, accompagnée d'une flexion des jambes, les skis étant sur le même plan. Il faut rythmer sa respiration pour poursuivre le mouvement.

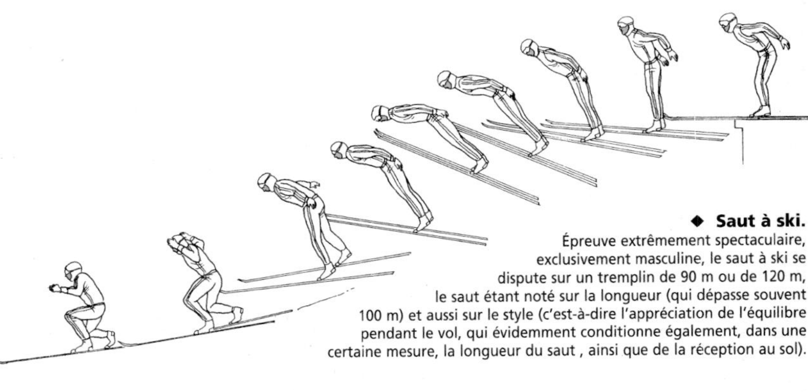

◆ **Saut à ski.** Épreuve extrêmement spectaculaire, exclusivement masculine, le saut à ski se dispute sur un tremplin de 90 m ou de 120 m, le saut étant noté sur la longueur (qui dépasse souvent 100 m) et aussi sur le style (c'est-à-dire l'appréciation de l'équilibre pendant le vol, qui évidemment conditionne également, dans une certaine mesure, la longueur du saut , ainsi que de la réception au sol).

◆ **Jeux Olympiques.**

Saut à ski

70 m	
1968	Raska (Tch.)
1972	Kasaya (Jap.)
1976	Aschenbach (RDA)
1980	Innauer (Autr.)
1984	Weissflog (RDA)
1988	Nykänen (Finl.)
80 m	
1968	Eugan (Norv.)
90 m	
1968	Beloussov (URSS)
1972	Fortuna (Pol.)
1976	Schnabl (Autr.)
1980	Tormänen (Finl.)
1984	Nykänen (Finl.)
1988	Nykänen (Finl.)
1992	Vettori (Autr.)
1994	Bredesen (Norv.)
1998	Soininen (Finl.)
120 m	
1992	Nieminen (Finl.)
1994	Weissflog (Finl.)
1998	Funaki (Jap.)

Biathlon

Hommes	
10 km	
1980	Ullrich (RDA)
1984	Kvalfoss (Norv.)
1988	Roetsch (RDA)
1992	Kirchner (All.)
1994	Tchepikov (Russie)
1998	Björndalen (Norv.)
20 km	
1968	Solberg (Norv.)
1972	Solberg (Norv.)
1976	Krouglov (URSS)
1980	Aliabiev (RDA)
1984	Angerer (RFA)
1988	Roetsch (RDA)
1992	Redkine (CEI)
1994	Tarasov (Russie)
1998	Hanevold (Norv.)
Femmes	
7,5 km	
1992	Restzova (CEI)
1994	Bédart (Can.)
1998	Koukleva (Russie)
15 km	
1992	Misersky (All.)
1994	Bédart (Can.)
1998	Dafovska (Bulg.)

Combiné nordique

1992	Guy (Fr.)
1994	Boerre Lundberg (Norv.)
1998	Vik (Norv.)

Ski de fond

Hommes	
10 km	
1992	Ulvang (Norv.)
1994	Daehlie (Norv.)
1998	Daehlie (Norv.)
15 km	
1968	Groenningen (Norv.)
1972	Lundback (Suède)
1976	Bajoukov (URSS)
1980	Wassberg (Suède)
1984	Svan (Suède)
1988	Deviatiarov (Norv.)
1992	Daehlie (Norv.)
1994	Daehlie (Norv.)
1998	Alsgaad (Norv.)
30 km	
1968	Nones (It.)
1972	Vedenine (URSS)
1976	Saveliev (URSS)
1980	Zimiatov (URSS)
1984	Zimiatov (URSS)
1988	Prokourazov (URSS)
1992	Ulvang (Norv.)
1994	Alsgaard (Norv.)
1998	Myllylä (Finl.)
50 km	
1968	Ellefsaeter (Norv.)
1972	Tyldum (Norv.)
1976	Formo (Norv.)
1980	Ziamiatov (URSS)
1984	Wassberg (Suède)
1988	Svan (Suède)
1992	Daehlie (Norv.)
1994	Smirnov (Kazakh.)
1998	Daehlie (Norv.)
Femmes	
5 km	
1968	Gustafsson (Suède)
1972	Koulakova (URSS)
1976	Takalo (Finl.)
1980	Smetania (URSS)
1984	Hämäläinen (Finl.)
1988	Matikainen (Finl.)
1992	Lukkarinen (Finl.)
1994	Egorova (Russie)
1998	Lazutina (Russie)
10 km	
1968	Gustafsson (Suède)
1972	Koulakova (URSS)
1976	Smetania (URSS)
1980	Petzold (RDA)
1984	Hämäläinen (Finl.)
1988	Ventsene (URSS)
15 km	
1992	Egorova (CEI)
1994	Di Centa (It.)
1998	Danilova (Russie)
30 km	
1992	Belmondo (It.)
1994	Di Centa (It.)
1998	Tchepalova (Russie)
Relais 4 x 15 km	
1992	CEI
1994	Russie
1998	Russie
Poursuite	
1992	Egorova (CEI)
1994	Egorova (Russie)
1998	Lazutina (Russie)

Bobsleigh, luge et curling

Le bobsleigh

Spectaculaire, parfois dangereux, ce sport est pratiqué avec une sorte de traîneau caréné (à 2 ou 4 places en compétition), sur des pistes naturelles ou, le plus souvent, artificielles. Le bobsleigh est équipé de deux paires de patins en acier, dont la première est directrice au moyen d'un volant. Le freinage s'effectue à l'aide de deux puissants crampons en acier placés à l'arrière et actionnés par le dernier équipier. La piste (en compétition), d'une longueur minimale de 1200 ou 1500 m, présente une pente moyenne au moins égale à 8 %, mais la section la plus rapide ne peut dépasser les 15 %. Le profil des virages est naturellement en rapport avec la vitesse, qui peut dépasser 100 km/h.

La Fédération internationale de bobsleigh est fondée en 1923, et ce sport est présent aux jeux Olympiques d'hiver depuis leur création (1924). Du fait du matériel et surtout de la piste, dont la construction nécessite des investissements importants, le bobsleigh demeure un sport assez confidentiel. Le palmarès des jeux Olympiques montre qu'un petit nombre de pays – notamment la Suisse et l'Allemagne – se sont partagé les titres.

Le bobsleigh est équipé de deux paires de patins en acier, dont la première est directrice au moyen d'un volant. Le freinage s'effectue à l'aide de deux puissants crampons d'acier placés à l'arrière et actionnés par le dernier équipier.

◆ **Jeux Olympiques.**

Bobsleigh à deux

1932	États-Unis
1936	États-Unis
1948	Suisse
1952	RFA
1956	Italie
1964	Grande-Bretagne
1968	Italie
1972	RFA
1976	RDA
1980	Suisse
1984	RDA
1988	URSS
1992	Suisse
1994	Suisse
1998	Canada

Bobsleigh à quatre

1924	Suisse
1928	États-Unis
1932	États-Unis
1936	Suisse
1948	États-Unis
1952	RFA
1956	Suisse
1964	Canada
1968	Italie
1972	Suisse
1976	RDA
1980	RDA
1984	RDA
1988	Suisse
1992	Autriche
1994	Allemagne
1998	Allemagne

Luge monoplace hommes

1964	Koehler (RFA)
1968	Schmidt (Autr.)
1972	Scheidel (RDA)
1976	Guenther (RDA)
1980	Glass (RDA)
1984	Hildgartner (It.)
1988	Muller (RDA)
1992	Hackl (All.)
1994	Hackl (All.)
1998	Hackl (All.)

Luge biplace hommes

1964	Autriche
1968	RDA
1972	Italie et RDA
1976	RDA
1980	RDA
1984	RFA
1988	RDA
1992	Allemagne
1994	Italie
1998	Allemagne

Luge monoplace femmes

1964	Enderlein (RFA)
1968	Lechner (It.)
1972	Muller (RDA)
1976	Schumann (RDA)
1980	Sosulia (É.-U.)
1984	Martin (RDA)
1988	Walter (RDA)
1992	Neuner (Autr.)
1994	Weissensteiner (It.)
1998	Kraushaar (All.)

Curling hommes

1998	Suisse

Curling femmes

1998	Canada

◆ **Technique du bobsleigh.** Le lancement s'effectue par poussée du ou des équipiers, sur une longueur minimale de 15 m (avant le chronométrage du départ), sur une pente qui ne doit pas dépasser 2 %. Les bobsleighs ne doivent pas avoir une longueur totale supérieure à 2,70 m (à deux équipiers) et 3,80 m (à quatre équipiers). Le poids maximal du bobsleigh (qui peut être lesté) est de 390 kg pour le « bob » à deux, et de 630 kg pour le « bob » à quatre.

La luge

À l'origine, la luge est un moyen de transport, utilisé dans les pays d'Europe du Nord dès le XVIe s. Les premières compétitions officieuses se déroulent à la fin du XIXe s, et la première piste est aménagée à Davos (Suisse) en 1913, année où sont créés le Club international de luge et l'Union internationale du sport de luge. Les premiers Championnats d'Europe ont lieu en 1914, les premiers Championnats du monde en 1955, mais il faut attendre 1964 pour que ce sport soit inscrit aux jeux Olympiques. En tant que sport de compétition, la luge est une discipline très spectaculaire qui a peu de rapports avec les glissades pratiquées lors des sports d'hiver. Une compétition se déroule sur une piste longue de 1000 à 1500 m. Les concurrents, allongés sur le dos, dévalent la piste pieds en avant sur un engin de 24 kg (monoplace) ou 27 kg (biplace), d'une longueur d'environ 1,50 m. Deux patins munis d'une semelle métallique, écartés de 45 cm, permettent aux lugeurs de se diriger, car, contrairement au bobsleigh, la luge n'est pas carénée et n'est munie d'aucun dispositif mécanique permettant les changements de direction.

Parfois tenu comme l'ancêtre de la luge, le skeleton, inscrit au programme olympique en 1928 et en 1948, consiste à descendre une piste comparable à la piste de luge, mais à plat ventre et tête en avant.

Le curling

Le curling est un jeu ancien, né au XVIe s., en Écosse, où des parties se déroulent alors sur les lacs gelés. En 1838 est fondé le Grand Caledonian Curling Club, qui définit l'essentiel des règles. Le jeu gagne le Canada (où il est toujours très populaire, certaines parties se déroulant devant plus de 20 000 spectateurs), et enfin les Alpes, au début du XXe s.

La Fédération internationale de curling voit le jour en 1966. Sport de démonstration lors des premiers jeux Olympiques d'hiver en 1924, le curling est officiellement sport olympique en 1998 à Nagano.

Ce sport peut se pratiquer en plein air sur la glace naturelle, mais les compétitions se déroulent sur des pistes artificielles en salle. La partie oppose deux équipes de 4 concurrents jouant chacun deux pierres alternativement avec le joueur correspondant de l'équipe adverse. Les pierres doivent venir se placer le plus près possible de la cible, éventuellement en contournant ou en chassant les pierres adverses. Pour cela, les joueurs ont recours à la technique du balayage qui, en échauffant la glace, a pour but de faciliter la progression du projectile. Une partie se déroule en général en dix jeux, chacun étant remporté par l'équipe dont la ou les pierres sont le plus près du centre de la cible.

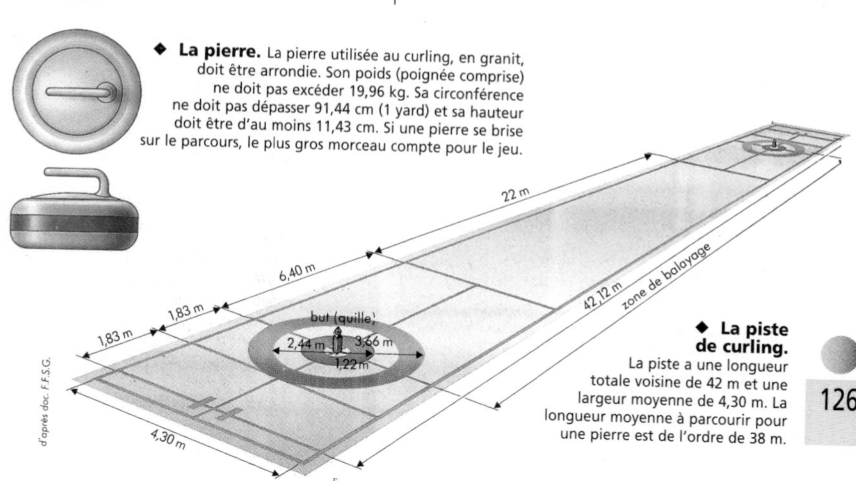

◆ **La pierre.** La pierre utilisée au curling, en granit, doit être arrondie. Son poids (poignée comprise) ne doit pas excéder 19,96 kg. Sa circonférence ne doit pas dépasser 91,44 cm (1 yard) et sa hauteur doit être d'au moins 11,43 cm. Si une pierre se brise sur le parcours, le plus gros morceau compte pour le jeu.

◆ **La piste de curling.** La piste a une longueur totale voisine de 42 m et une largeur moyenne de 4,30 m. La longueur moyenne à parcourir pour une pierre est de l'ordre de 38 m.

Le hockey sur glace

Historique et règles

Originaire du Canada (plus précisément de Kingston et Halifax), ce sport, spectaculaire et même violent, oppose sur une patinoire deux équipes de 6 joueurs (un gardien de but, deux défenseurs et trois attaquants), poussant ou projetant à l'aide d'une crosse un palet qu'il faut faire pénétrer dans le but adverse. Géré par la Ligue internationale de hockey sur glace, fondée en 1908, le hockey sur glace est sport olympique depuis la création des Jeux d'hiver en 1924 (un tournoi avait été organisé en 1920 dans le cadre des Jeux d'été). Les premiers Championnats du monde ont eu lieu en 1920. Outre ces compétitions existe depuis 1893 la Coupe Stanley, qui oppose les joueurs professionnels de la National Hockey League (NHL) d'Amérique du Nord. En 1998, à Nagano, les professionnels de la NHL participent pour la première fois aux jeux Olympiques. Le hockey sur glace, sport roi au Canada (plus de 2 millions de licenciés), est également très pratiqué en Russie (700 000 licenciés), en Scandinavie et en République tchèque.

La partie se dispute en trois périodes (ou tiers-temps) de 20 min de jeu effectif chacune (qui sont séparées par des pauses de 15 min). Chaque équipe dispose (au maximum) de 22 joueurs, et les changements s'opèrent aussi bien pendant les arrêts de jeu que pendant l'action (changements volants).

Lorsqu'un joueur commet une faute importante, il est pénalisé par une exclusion de 2 ou 5 min (selon la gravité de la faute). L'équipe qui se trouve alors en supériorité numérique met en place un jeu dit de « puissance », et les buts sont souvent inscrits lors de ces phases essentielles.

◆ Joueurs de hockey. Les contacts souvent brutaux nécessitent un équipement protecteur avec des jambières (recouvertes par des bas), une culotte épaisse (du nombril au-dessus des genoux), des coudières et des épaulières, des gants et surtout un casque (muni, pour le gardien de but, d'une grille protégeant le visage).

◆ Jeux Olympiques.

1920, 1924, 1928, 1932	Canada
1936	Grande-Bretagne
1948, 1952	Canada
1956	URSS
1960	États-Unis
1964, 1968, 1972, 1976	URSS
1980	États-Unis
1984, 1988	URSS
1992	CEI
1994	Suède
1998	République tchèque

◆ La crosse et le palet. La crosse est formée de deux parties, le manche et la palette. Celle-ci, plus large, qui dirige le palet, est souvent enveloppée d'un adhésif noir, accrochant mieux sur la glace et aidant à dissimuler le palet. Celui-ci, appelé aussi rondelle (au Québec) ou *puck*, est un disque de caoutchouc vulcanisé de couleur noire, de 2,54 cm d'épaisseur (1 pouce américain) et de 7,62 cm de diamètre (3 pouces), dont le poids doit être compris entre 156 et 170 g.

◆ Tir. Le tir frappé, *slapshoot* ou *slap*, très violent, termine un mouvement de grande amplitude. Il faut frapper la glace derrière le palet (à 2 ou 3 cm environ). Le tir balayé est un mouvement plus lent où, comme le nom l'indique, la crosse balaie la glace avant de heurter le palet. C'est un tir plus précis, exécuté à une distance moyenne du but adverse, mais qui exige un plus long délai d'exécution.

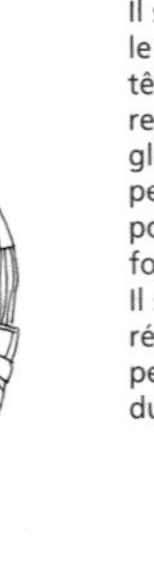

◆ Départ en avant. C'est le démarrage classique. Le joueur se penche en avant pour créer un déséquilibre du centre de gravité, en écartant les patins vers l'extérieur (l'un à 90°). Pendant le mouvement, le poids du corps se déplace latéralement, toujours au-dessus du patin propulseur.

◆ Virage. Le virage brusque est très fréquent. Il s'agit de changer de direction, en conservant le maximum de vitesse possible. Il s'effectue, tête, bras et crosse dans la nouvelle direction recherchée, en s'arrêtant de patiner, en glissant, le patin intérieur vers l'avant, le corps penché vers l'intérieur (ou l'avant) pour compenser l'effet de la force centrifuge. Il s'effectue lors d'une récupération (ou de la perte de contrôle) du palet.

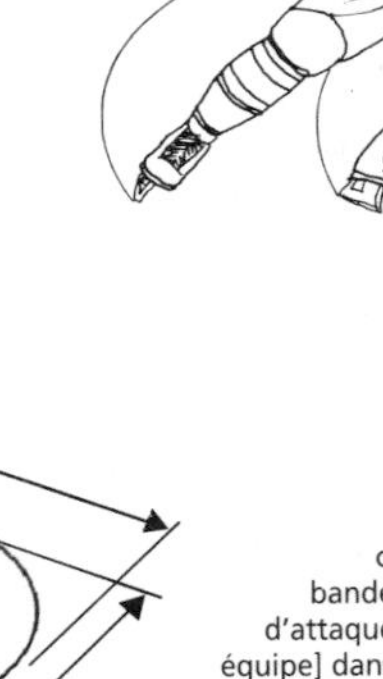

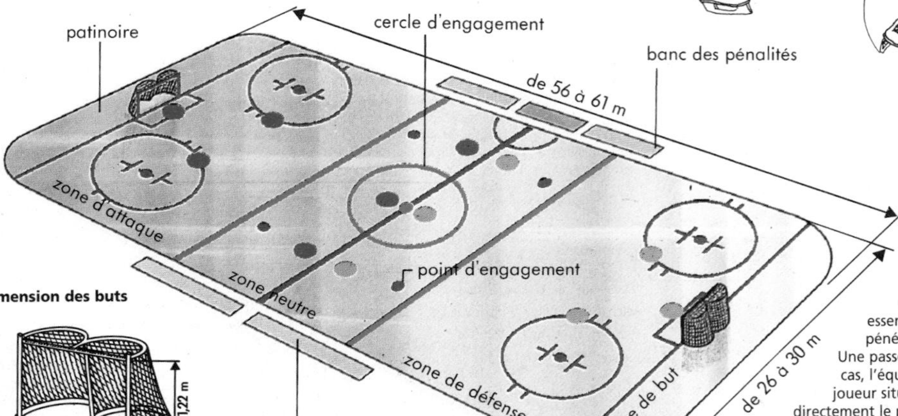

◆ La patinoire. Elle est coupée par trois bandes (deux bandes bleues délimitant une zone d'attaque [ou de défense, pour l'autre équipe] dans chaque moitié du terrain, et une bande centrale rouge) qui jouent un rôle essentiel dans le règlement. Le palet doit toujours pénétrer avant les joueurs dans la zone d'attaque. Une passe ne doit franchir qu'une ligne. Dans les deux cas, l'équipe fautive est sanctionnée d'un hors-jeu. Un joueur situé dans sa moitié de terrain ne peut expédier directement le palet au-delà de la ligne de but adverse. C'est un dégagement interdit, sanctionné par une remise en jeu dans un des deux cercles de la zone de défense du joueur fautif.

Le patinage

Le patinage artistique

La pratique du patinage connaît une vogue certaine dès le XIXe s. En 1813, le Français Jean Garcin décrit ainsi plusieurs types de figures dans un ouvrage illustré. La première patinoire artificielle est construite en 1876 à Londres. L'Union internationale de patinage est fondée en 1892, et les premiers Championnats du monde se tiennent en 1896. Originalité, le patinage artistique est présent aux jeux Olympiques avant la création des Jeux d'hiver, puisque des épreuves se déroulent aux Jeux de Londres en 1908 et d'Anvers en 1920. Ce sport figure bien entendu au programme des Jeux d'hiver depuis la première édition, en 1924. Depuis lors, son audience s'est considérablement accrue grâce aux retransmissions télévisées. Les compétitions comportent une épreuve individuelle, masculine et féminine, une épreuve dite de couple et, plus récente, une épreuve dite de danse.

Le patinage individuel a juxtaposé jusqu'en 1989 trois parties se succédant dans cet ordre : les figures imposées (supprimées depuis 1990), exécutées dans un ordre de difficulté croissant ; le programme court (2 min 40 s au maximum), aujourd'hui nommé programme original, composé de sauts et pirouettes imposés avec accompagnement musical choisi par le concurrent ; le patinage libre (de 4 à 4 min 30 s), où le patineur peut s'exprimer sans contrainte (sinon de temps). L'addition des places (et non des notes) attribuées au concurrent par chaque juge détermine le classement, le vainqueur étant celui qui arrive au plus faible total. Il existe des normes de sanctions pour pratiquement chaque type de faute. Cela n'empêche pas parfois des écarts surprenants dans la notation, même pour la note de la valeur technique, attribuée en patinage libre.

◆ **Katarina Witt.**
La grande championne est-allemande a marqué le patinage par sa technique, mais aussi par sa beauté et son élégance.

Pour tenter de pallier cet inconvénient, on ne prend pas en compte la meilleure et la moins bonne note attribuée par le jury. Malgré ces précautions, il existe souvent des décalages entre l'appréciation des juges et celle du public, les concurrents étant parfois notés en fonction de leur notoriété plus que sur la qualité d'exécution de leur programme.

◆ **Le patinage artistique aux jeux Olympiques.**

Hommes	
1908	Salchow (Suède)
1920, 1924, 1928	Grafström (Suède)
1932, 1936	Schäfer (Autr.)
1948, 1952	Button (É.-U.)
1956, 1960	Jenkins (É.-U.)
1964	Schnelldorfer (RFA)
1968	Schwarz (Autr.)
1972	Nepela (Tch.)
1976	Curry (G.-B.)
1980	Cousins (G.-B.)
1984	Hamilton (É.-U.)
1988	Boitano (É.-U.)
1992	Petrenko (CEI)
1994	Urmanov (Russie)
1998	Kulik (Russie)
Femmes	
1908	Syers (G.-B.)
1920	Mauroy (Suède)
1924	Planck-Szabo (Autr.)
1928, 1932, 1936	Henie (Norv.)
1948	Scott (Can.)
1952	Altwegg (G.-B.)
1956	Albright (É.-U.)
1960	Hriss (É.-U.)
1964	Dijkstra (P.-B.)
1968	Fleming (É.-U.)
1972	Schuba (Autr.)
1976	Hamill (É.-U.)
1980	Pötzsch (RDA)
1984, 1988	Witt (RDA)
1992	Yamaguchi (É.-U.)
1994	Baïul (Ukr.)
1998	Lipinski (É.-U.)
Couples	
1908	Hübler et Burger (All.)
1920	L. et W. Jakobsson (Finl.)
1924	Engelmann et Berger (Autr.)
1928	Joly et Brunet (Fr.)
1932	Joly et Brunet (Fr.)
1936	Herber et Baier (All.)
1948	Lannoy et Baugniet (Belg.)
1952	R. et P. Falk (RFA)
1956	Schwarz et Oppelt (Autr.)
1960	Wagner et Paul (Can.)
1964	Beloussova et Protopopov (URSS)
1968	Beloussova et Protopopov (URSS)
1972	Rodnina et Ulanov (URSS)
1976	Rodnina et Zaitsev (URSS)
1980	Rodnina et Zaitsev (URSS)
1984	Valova et Vassiliev (URSS)
1988	Gordeeva et Grinkov (URSS)
1992	Michkouteniok et Dmitriev (CEI)
1994	Gordeeva et Grinkov (Russie)
1998	Kazakova et Dmitriev (Russie)
Danse	
1992	Klimova et Ponomarenko (CEI)
1994	Gritchuk et Platov (Russie)
1998	Gritchuk et Platov (Russie)

Le patinage de vitesse

Héritier des randonnées sur les cours d'eau et les lacs gelés de Scandinavie, le plus ancien des sports sur glace naît au XVIe s. Un championnat du monde existe depuis 1889 et se tient tous les ans depuis 1947. Si le patinage de vitesse est inscrit au programme des premiers jeux Olympiques d'hiver et dès 1924 pour les hommes, les femmes n'y participent que depuis 1960.

Les compétitions officielles se disputent sur 500 m (seule véritable épreuve de vitesse), 1 000 m, 1 500 m, 5 000 m et 10 000 m pour les hommes, sur 500 m, 1 000 m, 1 500 m, 3 000 m et 5 000 m pour les femmes. Elles se déroulent sur des pistes de 400 m avec des couloirs larges de 6 m. Les concurrents courent par paires (tirées au sort), contre la montre, en changeant de couloir à chaque tour (celui venant de l'extérieur a priorité en cas de rencontre).

Si ce sport demeure relativement confidentiel en France, il en va tout autrement aux Pays-Bas et en Scandinavie. Ainsi, le Norvégien Jogan Olav Koss, triple médaillé d'or lors des Jeux de 1994, est considéré comme l'un des plus grands sportifs de l'histoire dans son pays. Il convient aussi de mettre l'accent sur la performance de l'Américain Eric Heiden, qui remporte les cinq épreuves lors des jeux Olympiques de 1980.

Le short-track

Le short-track, ou patinage de vitesse sur piste courte (111,12 m), est un sport extrêmement spectaculaire. Né au début des années 1980, il est sport olympique depuis 1992. S'il dérive du patinage de vitesse classique, ses épreuves se déroulent néanmoins d'une manière totalement différente. Les concurrents, par groupe de quatre ou six au départ, disputent des séries éliminatoires jusqu'à la finale, ce qui provoque bousculades et chutes. Les épreuves sont, pour les hommes comme pour les femmes, le 500 m et le 1 000 m, ainsi qu'un relais (quatre équipiers) de 5 000 m pour les hommes, 3 000 m pour les femmes. Les Asiatiques, les Sud-Coréens notamment, dominent les compétitions.

Petit lexique

axel : saut de carre avec appel en avant sur une jambe et réception sur l'autre jambe en arrière, le patineur effectuant une rotation d'un tour et demi en l'air.

boucle : saut de carre, avec appel et réception sur la même jambe (dans le boucle piqué, un pied pique la glace), où le patineur effectue une rotation en l'air.

flip : saut qui s'effectue avec un appel en arrière à l'aide des deux jambes, dont une, tendue, piquant la glace, est aussi la jambe de réception. Le patineur effectue une rotation en l'air.

putz : saut piqué avec un appel en arrière, une réception également en arrière (sur l'autre jambe) sur une courbe opposée à celle du départ. Le patineur effectue une rotation complète en l'air.

L'équitation

Historique et disciplines

Originaire d'Asie, l'art de monter à cheval remonte aux environs du IVe millénaire av. J.-C. Ce n'est que vers le XIIe s. que les cavaliers ont disposé d'un harnachement véritablement performant, notamment pour l'utilisation guerrière du cheval, laquelle fut la principale jusqu'au début du XXe s. Cependant, à partir du XVe s., une équitation savante en manège s'est développée dans les cours européennes (Espagne, Italie, France…). Elle vise à soumettre le cheval, sans effet de force, par un langage conventionnel, et à lui faire exécuter les allures et les airs demandés par le cavalier. Au XXe s., la pratique de l'équitation s'est démocratisée. Devenue sportive, relevant des loisirs de plein air ou de la compétition, elle figure au programme des jeux Olympiques depuis 1900.

Le saut d'obstacles. Le saut d'obstacles (ou jumping) consiste à effectuer un parcours chronométré jalonné de différents obstacles à franchir dans un ordre déterminé. Diverses pénalités peuvent être infligées aux concurrents : 3 points en cas de refus de franchissement ; 4 points pour un obstacle renversé ou une faute à la rivière ; 8 points en cas de chute. En cas de dépassement du temps imposé, une pénalité de 1/4 de point par seconde supplémentaire est infligée. Toute erreur de parcours entraîne l'élimination du cavalier.

Le dressage. Le dressage, c'est d'abord l'ensemble des exercices auxquels on soumet le cheval après le débourrage, pour qu'il réponde aux ordres du cavalier ; c'est aussi la recherche de l'équilibre le plus parfait du couple cheval/cavalier, équilibre qui doit permettre à tout moment l'exécution la meilleure de figures de plus en plus compliquées (dans ce sens, le dressage est une discipline olympique). La progression du travail est contrôlée par l'exécution de reprises de dressage de difficulté croissante, allant jusqu'aux figures de haute école, qui en représentent l'aboutissement.

Le concours complet. Discipline traditionnelle en équitation, le concours complet visait à l'origine à tester et à mettre en valeur les qualités des chevaux militaires. Il fut en effet créé par la cavalerie française, au début du siècle, sous le nom de championnat du cheval d'armes. C'est actuellement la discipline équestre la plus spectaculaire et la plus époustouflante ; en effet, sur un ou plusieurs jours se succèdent trois épreuves : le dressage, l'épreuve de fond et le concours de saut d'obstacles.

◆ Obstacle naturel d'un parcours de cross.
Passage de gué dont l'entrée est compliquée par un droit au-dessus du contrebas. Cette combinaison exige une très grande confiance du cheval envers son cavalier. En effet, si le cavalier a pu reconnaître le terrain la veille du concours, le cheval ne découvre les obstacles qu'au moment de les franchir. Dans le cas d'un contrebas, il prend sa battue d'appel avant de voir où se fera sa réception. (Concours complet des jeux Olympiques de Séoul, 1988).

L'épreuve de fond peut atteindre une grande difficulté quand à un « routier » (parcours de 4 à 5 km sur chemins et sentiers), effectué à 240 m/min, succède un steeple de 3 000 à 4 000 m, couru à un galop très soutenu (690 m/min) et comportant une dizaine d'obstacles, puis de nouveau

◆ Parcours d'obstacles.

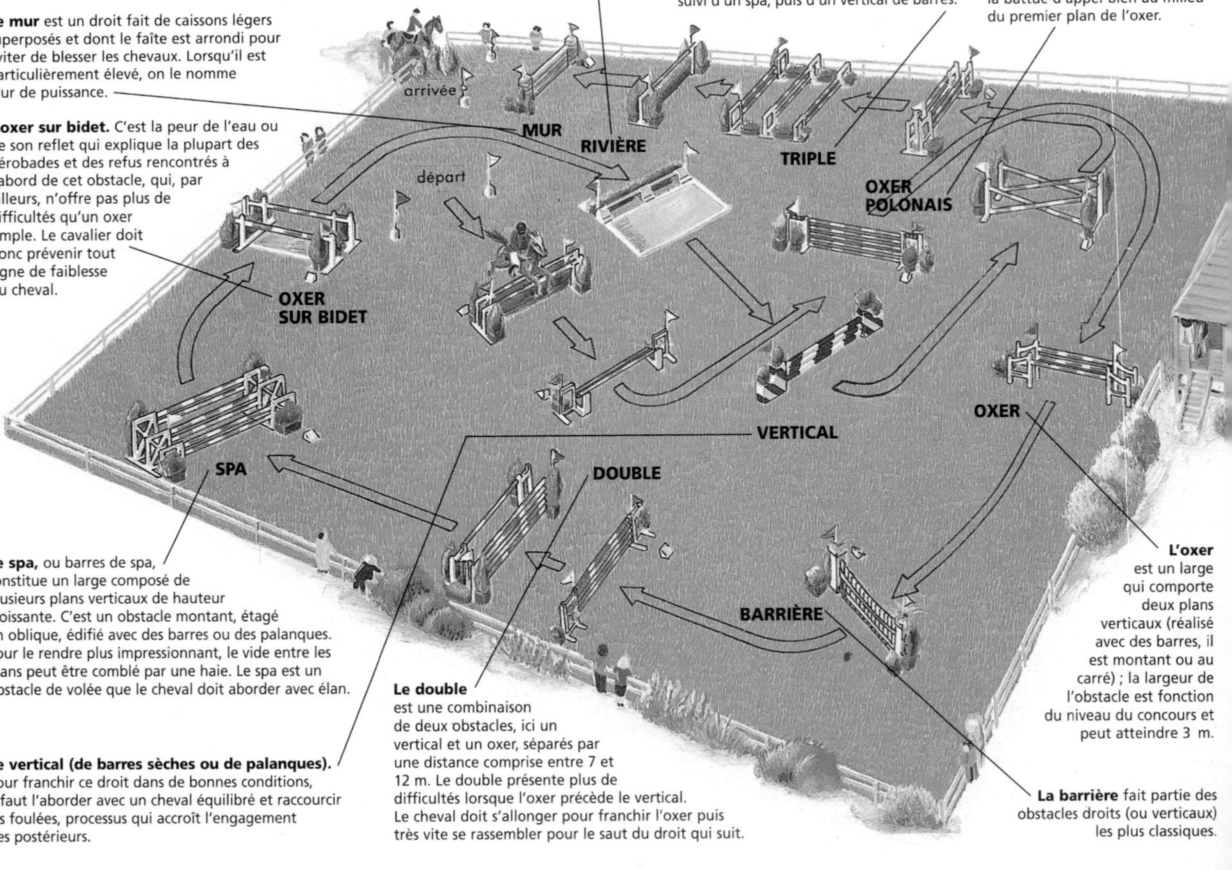

Le mur est un droit fait de caissons légers superposés et dont le faîte est arrondi pour éviter de blesser les chevaux. Lorsqu'il est particulièrement élevé, on le nomme mur de puissance.

L'oxer sur bidet. C'est la peur de l'eau ou de son reflet qui explique la plupart des dérobades et des refus rencontrés à l'abord de cet obstacle, qui, par ailleurs, n'offre pas plus de difficultés qu'un oxer simple. Le cavalier doit donc prévenir tout signe de faiblesse du cheval.

La rivière est un large, généralement précédé d'une petite haie d'appel, qui doit être franchie de volée. (Il y a faute si l'eau jaillit.)

Le triple est une combinaison de trois obstacles différents franchis en trois sauts, séparés chacun par une ou deux foulées de galop. Ici un oxer est suivi d'un spa, puis d'un vertical de barres.

L'oxer polonais ajoute à l'oxer ordinaire la difficulté de conduite du cheval, dont la trajectoire d'abord de l'obstacle doit mener la battue d'appel bien au milieu du premier plan de l'oxer.

arrivée
MUR
RIVIÈRE
TRIPLE
départ
OXER POLONAIS
OXER SUR BIDET
VERTICAL
OXER
SPA
DOUBLE
BARRIÈRE

Le spa, ou barres de spa, constitue un large composé de plusieurs plans verticaux de hauteur croissante. C'est un obstacle montant, étagé en oblique, édifié avec des barres ou des palanques. Pour le rendre plus impressionnant, le vide entre les plans peut être comblé par une haie. Le spa est un obstacle de volée que le cheval doit aborder avec élan.

Le vertical (de barres sèches ou de palanques). Pour franchir ce droit dans de bonnes conditions, il faut l'aborder avec un cheval équilibré et raccourcir les foulées, processus qui accroît l'engagement des postérieurs.

Le double est une combinaison de deux obstacles, ici un vertical et un oxer, séparés par une distance comprise entre 7 et 12 m. Le double présente plus de difficultés lorsque l'oxer précède le vertical. Le cheval doit s'allonger pour franchir l'oxer puis très vite se rassembler pour le saut du droit qui suit.

L'oxer est un large qui comporte deux plans verticaux (réalisé avec des barres, il est montant ou au carré) ; la largeur de l'obstacle est fonction du niveau du concours et peut atteindre 3 m.

La barrière fait partie des obstacles droits (ou verticaux) les plus classiques.

un « routier », de 6 à 9 km dans les mêmes conditions que le premier, suivi d'un parcours de cross de 6 à 7 km en terrain varié, jalonné d'une trentaine d'obstacles fixes aménagés à partir de difficultés naturelles, à effectuer à 570 m/min.

L'épreuve de dressage qui ouvre le concours complet a pour but de contrôler la soumission, l'impulsion, la maniabilité du cheval, la bonne entente du cheval et du cavalier.

Le concours de saut d'obstacles, qui s'effectue le lendemain de la très dure épreuve de fond, est destiné à tester la capacité de récupération des chevaux et leur faculté d'attention. Aucune négligence n'est permise sur les obstacles mobiles, moins impressionnants que les fixes qu'ils ont franchis la veille.

◆ Jeux Olympiques.

Saut d'obstacles individuel	
1912	Carion (Fr.)
1920	Lequio (It.)
1924	Gemuseus (Suisse)
1928	Ventura (Tch.)
1932	Nishi (Jap.)
1936	Hasse (All.)
1948	Mariles Cortés (Mex.)
1952	Jonquères d'Oriola (Fr.)
1956	Winkler (RFA)
1960	D'Inzeo (It.)
1964	Jonquères d'Oriola (Fr.)
1968	Steinkraus (É.-U.)
1972	Mancinelli (It.)
1976	Schockemöhle (RFA)
1980	Kowalczyk (Pol.)
1984	Fargis (É.-U.)
1988	Durand (Fr.)
1992	Beerbaum (All.)
1996	Kirchoff (All.)

Saut d'obstacles par équipes	
1912	Suède
1920	Suède
1924	Suède
1928	Espagne
1936	Allemagne
1948	Mexique
1952	Grande-Bretagne
1956	RFA
1960	RFA
1964	RFA
1968	Canada
1972	RFA
1976	France
1980	URSS
1984	États-Unis
1988	RFA
1992	Pays-Bas
1996	Allemagne

Dressage individuel	
1900	Haegeman (Belg.)
1912	Bonde (Suède)
1920	Lundblad (Suède)
1924	Linder (Suède)
1928	Langen (All.)
1932	Lesage (Fr.)
1936	Pollay (All.)
1948	Moser (Suisse)
1952	Saint-Cyr (Suède)
1956	Saint-Cyr (Suède)
1960	Filatov (URSS)
1964	Chammartin (Suisse)
1968	Kizimov (URSS)
1972	Linsenhoff (RFA)
1976	Stückelberger (Suisse)
1980	Theurer (Autr.)
1984	Klimke (RFA)
1988	Uphoff (RFA)
1992	Uphoff (All.)
1996	Werth (All.)

Dressage par équipes	
1928	Allemagne
1932	France
1936	Allemagne
1948	France
1952	Suède
1956	Suède
1964	RFA
1968	RFA
1972	URSS
1976	RFA
1980	URSS
1984	RFA
1988	RFA
1992	Allemagne
1996	Allemagne

Concours complet individuel	
1912	Nordlander (Suède)
1920	Mörner (Suède)
1924	Van der Voort van Zijp (P.-B.)
1928	Pahud de Mortanges (P.-B.)
1932	Pahud de Mortanges (P.-B.)
1936	Stubbendorff (All.)
1948	Chevalier (Fr.)
1952	von Bixen-Finecke (Suède)
1956	Kastenman (Suède)
1960	Morgan (Austr.)
1964	Checcoli (It.)
1968	Guyon (Fr.)
1972	Linsenhoff (RFA)
1976	Coffin (É.-U.)
1980	Roman (It.)
1984	Stives (É.-U.)
1988	Todd (N.-Z.)
1992	Ryan (Austr.)
1996	Tait (N.-Z.)

Concours complet par équipes	
1912	Suède
1920	Suède
1924	Pays-Bas
1928	Pays-Bas
1932	États-Unis
1936	Allemagne
1948	États-Unis
1952	Suède
1956	Grande-Bretagne
1960	Australie
1964	Italie
1968	Grande-Bretagne
1972	Grande-Bretagne
1976	États-Unis
1980	URSS
1984	États-Unis
1988	RFA
1992	Australie
1996	Australie

◆ Airs de haute école.
On distingue les airs relevés, dits aussi sauts d'école, parmi lesquels la croupade (A) et la courbette (C), et les airs bas. Ceux-ci, moins spectaculaires, comprennent notamment le piaffer et l'appuyer. Le piaffer (B) exige du cheval une grande concentration et un rassembler parfait : il doit lever ses membres diagonaux avec énergie, en cadence, tout en restant sur place. Dans l'appuyer (D), travail de deux pistes, le cheval se déplace en diagonale, parallèlement à lui-même. Ici, appuyer à gauche, l'antérieur droit passe devant l'antérieur gauche, la jambe droite du cavalier pousse les hanches du cheval vers la gauche.

◆ Saut. Il comporte trois phases : l'appel, le plané et la réception.

L'appel *(à gauche)***.** Durant la dernière foulée avant l'obstacle, il y a une réduction de la vitesse au moment du poser d'un postérieur puis, tandis que les antérieurs se posent, l'encolure s'allonge puis se relève en même temps que les postérieurs s'engagent. La foulée du saut débute avec la battue des postérieurs puis leur détente, projetant le cheval vers le haut et en avant. Le cheval quitte le sol, son encolure s'allonge et les antérieurs sont repliés.

Le plané *(au centre)***.** Le cheval est alors au-dessus de l'obstacle, encolure complètement étendue. Puis le mouvement de bascule s'amorce, les antérieurs s'étendent et l'encolure commence à se redresser.

La réception *(à droite)***.** Un antérieur reprend contact avec le sol. L'encolure se relève pour amortir la chute, puis elle s'allonge tandis que se pose l'autre antérieur et que les postérieurs s'engagent fortement. L'encolure se relève pour alléger les antérieurs. L'équilibre général est retrouvé, le galop reprend.

Polo et courses de chevaux

Le polo

Le polo, jeu d'origine asiatique, a été découvert dans le nord de l'Inde par l'armée britannique, qui l'a importé en Grande-Bretagne au XIXe s. La première partie a eu lieu en 1869 et, en France, la première rencontre s'est tenue à Dieppe en 1880. Un match de polo se joue sur une pelouse de 275 m sur 145 m, entre deux équipes de deux ou quatre joueurs montant des chevaux spécialement dressés. Les joueurs, casqués, tentent, à l'aide d'un long maillet (1,30 m environ) tenu dans la main droite, de frapper (par moulinets) une balle de bois (de 8,5 cm de diamètre et pesant entre 120 et 135 g), pour l'envoyer dans les buts adverses et marquer ainsi un point. La partie se joue en 4, 6 ou 8 périodes de 7 min et demie, entrecoupées de temps de repos de 3 min. L'un des grands tournois de polo est le Championnat mondial de Deauville, créé en 1895. Depuis 1987 existe un Championnat du monde auquel participent l'Inde, le Pakistan, le Mexique, le Chili, l'Argentine, la Grande-Bretagne et les États-Unis, principaux pays où l'on pratique le polo.

◆ **Revers vers l'avant.** Tous les revers s'obtiennent par un moulinet du maillet dans le sens des aiguilles d'une montre. Le revers vers l'avant s'effectue du côté gauche (le revers vers l'arrière, du côté droit).

◆ **Coup droit vers l'avant.** Tous les coups droits s'effectuent par un moulinet du maillet dans le sensdes aiguilles d'une montre. Le coup droit vers l'avant s'effectue à droite (vers l'arrière, il s'effectue à gauche).

Les courses

La passion des courses de chevaux est très ancienne, comme l'atteste l'existence des courses de chars à Rome. Mais c'est l'Angleterre qui a réglementé ces courses, sous Richard Cœur de Lion, au XIIe s. C'est dans ce pays aussi que fut créé vers 1750 le Jockey-Club, qui joue dans le monde entier un rôle primordial quant à la réglementation et au contrôle des courses. En France, la Société d'encouragement pour l'amélioration des races de chevaux, créée en 1833, contrôle les courses de plat au galop qui se déroulent sur les hippodromes de Saint-Cloud, Longchamp, Maisons-Laffitte, Chantilly, Deauville, etc. La Société des steeple-chases, créée en 1863, contrôle les courses d'obstacles (courses de haies, steeple-chases, cross-country) qui ont lieu notamment à Auteuil. Les courses de trot se disputent le plus généralement au trot attelé (le trotteur tracte un sulky), les courses au trot monté ne se pratiquant guère qu'en France, où la Société d'encouragement à l'élevage du cheval français organise les courses (trot attelé ou monté), dont le haut lieu est l'hippodrome de Vincennes. C'est le Pari mutuel urbain (PMU) qui gère ces épreuves et en assure la promotion. Les chevaux de courses de galop sont des pur-sang, alors que pour le trot la sélection par compétition de demi-sang a créé 5 grandes races de trotteurs.

Les grandes courses. Les courses les plus importantes chaque année sont, en France, le prix d'Amérique, le prix du Jockey-Club, le prix de l'Arc de Triomphe et le prix du Président de la République ; en Grande-Bretagne, le Derby d'Epsom et la Gold Cup à Ascot. Gagner la même année les trois grandes classiques réservées aux trois ans que sont le 2 000 Guineas Stakes de Newmarket, le Derby d'Epsom et le Saint Leger de Doncaster constitue la Triple Couronne. Aux États-Unis, le même titre de Triple Couronne revient au gagnant du Kentucky Derby, du Preakness Stakes de Pimlico et du Belmont Stakes.

Les hippodromes célèbres. Parmi les hippodromes les plus célèbres, il faut citer aux États-Unis Belmont Park et Aqueduct près de New York, Santa Anita et Hollywood Park près de Los Angeles, Pimlico près de Baltimore, Arlington Park près de Chicago, Churchill Downs à Louisville. En Grande-Bretagne, les plus prestigieux sont Ascot, Epsom, Newmarket et Doncaster.

◆ **Jockey.** Le poids idéal du jockey se situe à 53 kg environ. Le poids que le cheval doit porter : jockey, selle et harnachement, est déterminé précisément pour chaque type d'épreuve. La monte actuelle des jockeys a été importée des États-Unis en 1898. Elle peut se caractériser ainsi : rênes et étriers courts, corps penché sur l'encolure, pointe des pieds dirigée vers le sol.

VOIR AUSSI • **PMU** (jeu) p. 1300

Le PMU

Le PMU (Pari mutuel urbain) assure depuis le 16 avril 1930 l'organisation des paris sur les courses de chevaux en France. Depuis 1985, il est constitué en groupement d'intérêt économique placé sous la tutelle des ministères de l'Agriculture et des Finances. Chargé à l'origine d'organiser les paris hors hippodrome (gagnant, placé), le PMU a développé des types de paris destinés à attirer de nouveaux joueurs (pas spécialement turfistes), dont le plus célèbre est le tiercé, qui consiste à trouver les trois premiers chevaux, dans l'ordre ou le désordre, pour une mise de 6 FF. Sur une idée d'André Carrus, le premier tiercé a lieu le 22 janvier 1954. Depuis lors, le PMU a lancé, sur la même base, de nouvelles combinaisons. En 1976 est créé le quarté (devenu en 1987 le quarté plus) ; en 1989 le quinté plus voit le jour ; le deux sur quatre est institué en 1993. Le PMU est ainsi une machine économique prospère, qui emploie près de 2 000 personnes et compte quelque 8 000 points d'enregistrement. En 1997, le PMU a réalisé un chiffre d'affaires de près de 35 milliards de francs et organisé 545 réunions. Le PMU représente également une source de revenus importants pour l'État. Si 69,5 % des sommes engagées vont aux parieurs et 13 % aux sociétés de courses, l'État perçoit 17,5 % de ces sommes.

◆ **Le maillet et la balle de polo.** Le maillet est une sorte de canne en jonc tenue par une poignée à dragonne. Il se termine par la tête de frappe, longue de 25 cm environ, qui peut affecter diverses formes (cylindrique, en cigare...). La balle est en bois de saule ou en bambou.

◆ **Match de polo.**

Le golf

Historique et épreuves

Si la pratique du golf semble attestée au XVe s., son acte de naissance se situe en 1754 ; cette année-là est fondé le Royal and Ancient Club of Saint Andrews, qui établit les règles de ce sport. Le golf se pratique sur un terrain (parcours, ou links) au long duquel 18 trous de 10,8 cm de diamètre sont disséminés. Le parcours comprend des obstacles naturels (ruisseaux, étendues d'eau ou bosquets) ou artificiels (bunkers : creux partiellement remplis de sable). La distance entre les trous varie de 100 à 500 m, la longueur totale du parcours étant de 6 à 7 km. Le but du jeu consiste à envoyer une balle dont le diamètre va de 41 à 42,7 mm pour un poids maximal de 46 g dans chacun de ces trous, à l'aide de clubs, cela en jouant le moins de coups possible.

Inscrit aux jeux Olympiques en 1900 et 1904, le golf devient rapidement professionnel et les tournois se multiplient. Aujourd'hui, les épreuves majeures sont les quatre tournois du Grand Chelem : l'Open britannique (British Open), le plus ancien des grands tournois de golf, a vu sa première édition se dérouler en 1860 ; l'Open des États-Unis (US Open) date de 1895 ; l'USPGA (organisé par l'Association des professionnels américains) remonte à 1916 ; enfin, le Masters est le plus récent des grands tournois, sa première édition ayant eu lieuen 1934. Il existe également des compétitions par équipes, dont la plus célèbre, la Ryder Cup, créée en 1927, oppose tous les deux ans les États-Unis à l'Europe. Le golf est en expansion constante depuis le début des années 1980,les Américains (25 millions) et les Japonais (15 millions) se montrant les plus fervents pratiquants de ce sport.

Quelques grands noms

Severiano Ballesteros (Esp., né en 1957). Vainqueur du British Open en 1979, il devient, en 1980, le premier Européen à gagner le Masters, qu'il remporte de nouveau en 1983 ainsi que le British Open en 1984 et 1988.

Nick Faldo (G.-B., né en 1957). Il remporte le British Open en 1987, 1990 et 1992, le Masters en 1989, 1990 et 1996, la Ryder Cup (4 fois).

Ben Hogan (É.-U., 1912-1997). Dominant le monde du golf de 1945 à 1955, il remporte deux fois l'USPGA, quatre fois l'US Open, une fois le British Open et deux fois le Masters. Ben Hogan demeure ainsi l'un des rares golfeurs vainqueurs des quatre tournois du Grand Chelem.

Jack Nicklaus (É.-U., né en 1940). Remportant dès 1962 l'US Open, il s'impose par la suite encore trois fois à l'US Open, gagne trois fois le British Open, cinq fois l'USPGA et six fois le Masters.

Arnold Palmer (É.-U., né en 1929). Six fois victorieux de la Ryder Cup, il gagne quatre fois le Masters, deux fois le British Open et une fois l'US Open.

Tiger Woods (É.-U., né en 1975). Premier grand champion noir de golf, il réussit l'exploit, en 1997, de remporter le Masters pour sa première participation.

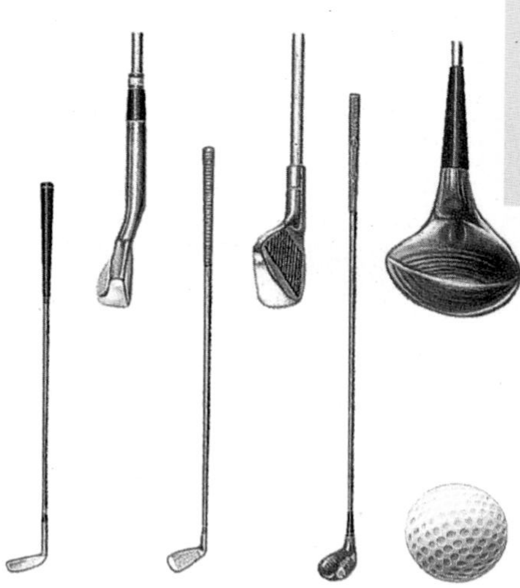

◆ Le matériel. Le joueur peut utiliser un maximum de 14 clubs, composés d'un manche et d'une tête. On distingue (de gauche à droite) : le putter, destiné à être utilisé sur le green en fin de trou ; les fers, avec une tête en acier et une partie arrière étroite expédiant des balles hautes, vite stoppées après leur chute ; les bois (tête en bois, en plastique, ou en métal léger), avec une face large, utilisés notamment pour des trajectoires longues et basses.

◆ Le putt. Le putt est l'acte terminal, nécessitant une parfaite maîtrise, et aussi une connaissance du jeu prenant en compte l'éventuelle pente et la qualité de l'herbe du green, d'autant que, sur le même parcours, il n'existe pas deux greens parfaitement identiques.

◆ Les terrains de golf. Le plus prestigieux est certainement le golf de Saint Andrews en Écosse, dont la création remonte à 1457. Le parcours le plus renommé est l'Old Course, long de 6 340 m, avec des greens géants souvent communs à deux trous.

◆ Le drive. Le drive est un coup de longue distance, joué au départ d'un trou. Le joueur repère la balle pour amorcer un swing (mouvement de balancement), frappant la balle avec le maximum de vitesse (entraîné par l'élan, le joueur, initialement dans une position latérale, se retrouve face à la direction de vol de la balle).

Petit lexique

albatros : trou réussi en 3 coups de moins que le par.

birdie : trou réussi en 1 coup de moins que le par.

bunker : fossé rempli de sable qui entoure généralement un green.

caddie : assistant du joueur, qui porte les clubs.

eagle : trou réussi en 2 coups de moins que le par.

fairway : partie (tondue) du parcours entre le départ et le green.

green : terrain à l'herbe rase, aménagé autour du trou.

par : nombre de coups (3 à 5 selon les trous, 70 à 75 au total) nécessaires à un champion pour un parcours moyen.

practice : terrain réservé à l'entraînement.

rough : espace bordant le fairway, où la végétation n'est pas entretenue.

tee : petit support pour poser la balle au départ d'un trou.

Voile et planche à voile

La voile

Si la première régate dont on garde la trace remonte à 1661 (elle oppose les vaisseaux de Charles II d'Angleterre et ceux du duc d'York), la voile prend véritablement son essor au XIXe s., notamment avec la création de l'America's Cup en 1851. Elle est inscrite au programme des jeux Olympiques en 1900. L'International Yacht Racing Union est fondée en 1907, la Fédération française de yachting, en 1946. Après la Seconde Guerre mondiale, la voile se démocratise, notamment grâce à la création, en France, du club des Glénan en 1947, qui permet à de nombreux jeunes de s'initier à ce sport. Aujourd'hui, la régate demeure l'épreuve de base de la voile, surtout grâce aux jeux Olympiques et lors d'épreuves comme l'America's Cup ou Sydney-Hobart ; mais ce sport connaît un renouveau depuis les années 1960 grâce aux courses transocéaniques.

Les courses. La première course transocéanique moderne est la Transat en solitaire (dite aussi Transat anglaise), remportée en 1960 par le Britannique Francis Chichester. Cette course devient un événement en France en 1964, grâce à la victoire d'Éric Tabarly. Dès lors, les courses transocéaniques se multiplient, se déroulant en solitaire, en double ou en équipage. Sur l'Atlantique, la Route du rhum (Saint-Malo - Point-à-Pitre) voit le jour en 1977 ; la Transat La Baule-Dakar est créée en 1981, Plymouth-Newport en 1981, Québec - Saint-Malo en 1984, Le Havre - Carthagène en 1993. Il faut également mentionner une course particulière, la mini-Transat, réservée aux monocoques de 6,5 m. Mais les marins cherchent à relever des défis plus insensés encore. C'est ainsi que naissent les courses circumterrestres. Around Alone, créé en 1968, est un tour du monde en solitaire avec escales par les caps Horn et de Bonne-Espérance ; le Vendée Globe, institué en 1989, consiste en un tour du monde en solitaire sans escale ; la Withbread, créée en 1973, est un tour du monde en équipage. Au fil des courses, la taille et l'aspect des bateaux se sont modifiés : augmentation des dimensions et de la surface de voilure, généralisation des multicoques tels que les catamarans « deux coques » et surtout les trimarans « trois coques ». L'incontestable supériorité des multicoques sur les monocoques conduit souvent les organisateurs à établir deux classements séparés.

Les records. Les océans et mers du monde sont depuis longtemps l'objet de tentatives de records de vitesse. En 1905, Charlie Barr, avec son équipage, traverse l'Atlantique d'ouest en est en 12 j 4 h 1 min 7 s. Ce record n'est amélioré qu'en 1980 par Éric Tabarly ; depuis 1990, il est la propriété de Serge Madec (avec quatre équipiers), en 6 j 13 h 3 min 32 s. Le record de la traversée de l'Atlantique en solitaire est détenu par Laurent Bourgnon (1994, 7 j 2 h 34 min). Créé en 1993, le trophée Jules-Verne consiste à effectuer le tour du monde en moins de 80 jours. Le premier à y parvenir est Bruno Peyron (79 j 6 h 15 min 56 s). Peter Blake en 1994, puis Olivier de Kersauson en 1997 (71 j 14 h 22 min 8 s) feront mieux.

◆ **Monocoques.**

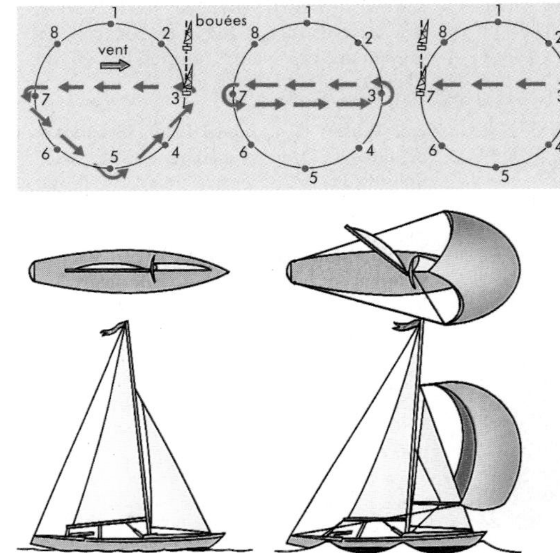

◆ **Parcours olympique.** Huit bouées numérotées jalonnent un cercle de 1 mille marin (1 852 m) de rayon. Le point de départ est fixé en fonction de la direction du vent. Sur le schéma, avec un départ à la bouée 3 face au vent, les bateaux effectuent d'abord un parcours triangulaire, puis un louvoyage avec retour au près, suivi d'un louvoyage terminal avec arrivée à la bouée diamétralement opposée au point de départ.

◆ **Lancer du spinnaker.** Le spinnaker (le spi) est la grand-voile triangulaire, légère, très creusée, que les bateaux envoient dans la marche au vent arrière et aux allures portantes. Le spinnaker tire très bien le bateau, mais son réglage est délicat, avec une vaste surface agissant sur la tête du mât : tout effort latéral risque de provoquer une gîte excessive, ralentissant finalement la marche du bateau.

Quelques grands noms

Florence Arthaud (Fr., née en 1957). En 1990, cette Française devient la première femme à remporter la Route du rhum.

Peter Blake (N.-Z., né en 1949). Vainqueur en 1990 de la Withbread, course autour du monde en équipage, il établit en 1994 le record du trophée Jules-Verne (le tour du monde en moins de 80 jours). Mais ce Néo-Zélandais doit essentiellement sa notoriété à sa victoire dans l'America's Cup en 1995.

Laurent Bourgnon (Fr., né en 1966). En 1994, ce Franco-Suisse remporte la Route du rhum et, la même année, bat le record de la traversée de l'Atlantique en solitaire. En 1998, il remporte de nouveau la Route du rhum (12 j 8h 41 min 6 s, record).

Alain Colas (Fr., 1943-1978). En 1974, ce navigateur boucle le tour du monde en solitaire à bord de son voilier *Manureva*. Deuxième de la Transat en 1976 derrière Éric Tabarly, il prend le départ de la première Route du rhum en 1978. Jamais il ne verra l'arrivée : *Manureva* disparaît en mer.

Paul Elvström (Dan., né en 1928). Considéré comme l'un des meilleurs régatiers, il remporte notamment la médaille d'or en finn lors des jeux Olympiques en 1948, 1952, 1956 et 1960.

Éric Tabarly (Fr., 1931-1998). Ce Français est sans doute le plus célèbre des navigateurs. En 1964, à bord de *Pen-Duick-II*, il remporte la deuxième édition de la Transat en solitaire, puis gagne de nouveau l'épreuve en 1976. En 1980, il bat le record de la traversée ouest-est de l'Atlantique détenu depuis 1905 par Charlie Barr. En 1997, il participe encore avec succès à la Transat Le Havre-Carthagène (monocoques). Il disparaît en mer d'Irlande en 1998.

◆ **Éric Tabarly** en compagnie d'Yves Parlier sur *Aquitaine Innovations* (première sortie en mer).

L'America's Cup

Née en 1851, l'America's Cup demeure l'une des épreuves les plus convoitées. À l'origine, il s'agit d'un défi lancé au Royal Yacht Squadron anglais par John Cox Stevens, au nom du New York Yacht Club. À l'occasion de l'Exposition universelle de Londres, l'*America* devait affronter quinze concurrents anglais autour de l'île de Wight pour le gain d'une coupe en argent. L'*America* s'impose et repart pour New York avec l'America's Cup. Depuis lors, le défendeur (tenant du trophée) se doit de relever le défi lancé par un challenger, le plus souvent britannique (de 1870 à 1970, les Anglais tenteront à seize reprises, sans succès, de gagner le trophée). Jusqu'en 1983, les Américains conservent la coupe. Mais, cette année-là, *Australia-II*, barré par John Bertrand, s'impose à *Liberty*, barré par Dennis Conner : l'America's Cup quitte Newport pour l'Australie. En 1995, Peter Blake l'offre à la Nouvelle-Zélande. Aujourd'hui, l'America's Cup se tient tous les quatre ou cinq ans. Des éliminatoires (Coupe Louis-Vuitton) mettent aux prises les candidats au titre de challenger. Une lutte acharnée se déroule pour connaître l'équipage qui aura l'honneur d'affronter le défendeur.

◆ Grandes courses transocéaniques.

Transat anglaise

1960	Chichester (G.-B.)
1964	Tabarly (Fr.)
1968	Williams (G.-B.)
1972	Colas (Fr.)
1976	Tabarly (Fr.)
1980	Weld (É.-U.)
1984	Fauconnier (Fr.)
1988	Poupon (Fr.)
1992	Peyron (Fr.)
1996	Peyron (Fr.)

Route du rhum

1978	Birch (Can.)
1982	Pajot (Fr.)
1986	Poupon (Fr.)
1990	Arthaud (Fr.)
1994	Bourgnon (Fr.)
1998	Bourgnon (Fr.)

Le Havre-Carthagène

1993	Vatine (Fr.)
1995	Vatine (Fr.)
1997	Bourgnon (Fr.)

Plymouth-Newport

1981	Blyth et James (G.-B.)
1986	Caradec et Despaigne (Fr.)
1990	Maurel et Desjoyaux (Fr.)
1994	Bourgnon (Fr.) et Lewis (É.-U.)

Around Alone

1968-1969	Knox-Johnson (G.-B.)
1982-1983	Jeantot (Fr.)
1986-1987	Jeantot (Fr.)
1990-1991	Auguin (Fr.)
1994-1995	Auguin (Fr.)

Vendée Globe

1989-1990	Lamazou (Fr.)
1992-1993	Gautier (Fr.)
1996-1997	Auguin (Fr.)

Withbread

1973-1974	Carlin (Mex.)
1977-1978	Van Rietschoten (P.-B.)
1981-1982	Van Rietschoten (P.-B.)
1985-1986	Péan (Fr.)
1989-1990	Blake (N.-Z.)
1993-1994	Dalton (N.-Z.)
1997-1998	Cayard (Fr.)

◆ Changement de bord.
Virer de bord est une manœuvre fréquente, avec certaines règles à respecter lorsqu'un second bateau est à proximité. Un bateau virant devant un autre doit achever son changement de bord avant l'arrivée du second. On considère que la manœuvre est terminée quand le premier a pris second bateau, arrivant plus rapidement, peut être amené à modifier légèrement sa route.

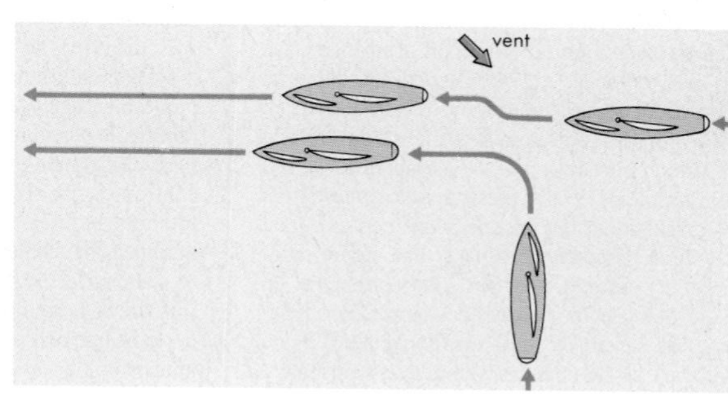

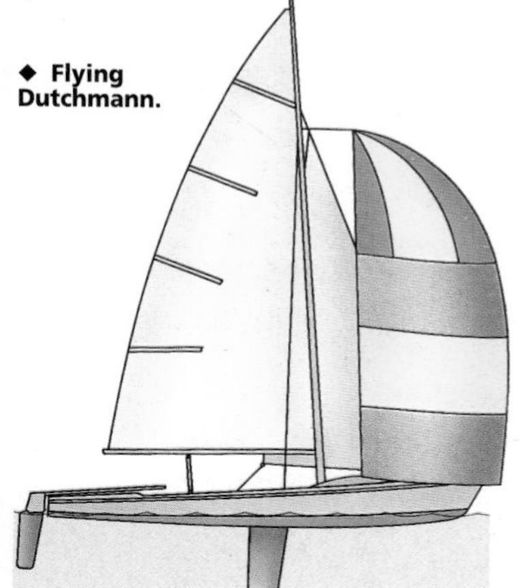
◆ Flying Dutchmann.

◆ 470.

◆ Tornado.

◆ Véliplanchiste.

◆ Une planche à voile et son équipement, dont : espar ou *wishbone* (1), pied de mât (2), flotteur (3), dérive (4), aileron (5).

La planche à voile

La planche à voile est constituée d'un flotteur en matière plastique (semi-rigide), insubmersible, d'une longueur minimale de 3,50 m, et muni d'une voile fixée à un mât mobile. Inventée par les Américains Hoyle Schweitzer et Jim Drake, diffusée sous l'appellation de Windsurfer, la planche à voile est très légère (pesant entre 15 et 20 kg). Peu épaisse, elle n'a donc qu'un très faible tirant d'eau. Elle comporte une dérive amovible qui contribue à sa stabilité et un aileron arrière l'empêchant de glisser latéralement. La planche à voile ne possédant pas de gouvernail, les changements de direction se font exclusivement à l'aide de la voilure, tenue à la main par l'espar transversal (appelé *wishbone*). Depuis la fin des années 1970, ce sport, qui nécessite des qualités athlétiques et le sens de l'équilibre, connaît un développement spectaculaire. La planche à voile fait partie du programme olympique depuis 1984.

Le canoë-kayak

Historique et épreuves

Le canoë et le kayak diffèrent en deux points : le premier, propulsé par une pagaie simple, se pratique à genoux ; dans le second, la pagaie est double et la position assise. Il existe trois types de compétitions : course en ligne, slalom et descente de rivière. Des Championnats du monde sont institués en 1938 pour la course en ligne (ils se tiennent tous les ans, sauf les années olympiques), en 1949 pour le slalom (ils ont lieu tous les deux ans), en 1959 pour la descente de rivière (ils se déroulent également tous les deux ans). La Fédération internationale de canoë-kayak, héritière de l'Internationale Representantschaft für Kanusport allemande créée en 1924, est fondée en 1946. Ces deux disciplines ne deviennent officiellement sports olympiques qu'en 1936 (pour les courses en ligne). Le slalom fait une apparition lors des Jeux de 1972, avant de revenir au programme en 1992 (sa présence a été contestée par les organisateurs des Jeux de Sydney en 2000, du fait de la nécessité d'aménager une rivière artificielle). La descente n'est pas sport olympique. En outre, aux Jeux, il n'y a pas de compétitions féminines de canoë. Le canoë est monoplace (C1) ou biplace (C2). Les épreuves olympiques se disputent sur 500 et 1000 m. Le kayak est monoplace (K1), biplace (K2) ou quadriplace (K4). Les épreuves olympiques ont lieu sur 500 m (K1 et K2) et 1000 m (K1, K2 et K4) pour les hommes, sur 500 m seulement pour les femmes.

Les épreuves en eaux vives. Deux types d'épreuves, très spectaculaires, se déroulent en eaux vives. L'une, le slalom, est une discipline olympique, très codifiée. Il s'agit d'une course contre la montre sur un parcours de 600 m au maximum, avec 25 portes (au maximum), constituées de deux perches, à franchir. Le temps réalisé est convertipoints, et des pénalités peuvent être infligées : 5 points si le concurrent franchit la porte en touchant l'une des perches ; 50 points en cas de non-franchissement d'une porte.

L'autre, la descente de rivière, n'est pas discipline olympique. S'il s'agit également d'une course contre la montre, le parcours (de 3 à 8 km en compétition) n'est pas jalonné de portes. Les concurrents sont confrontés aux obstacles naturels du cours d'eau (rochers, chutes, rapides...). La descente se déroule généralement sur des rivières à fort débit et à dénivelé (ou pente) important. La parfaite maîtrise de l'esquimautage, technique qui permet de redresser une embarcation qui a chaviré, est indispensable.

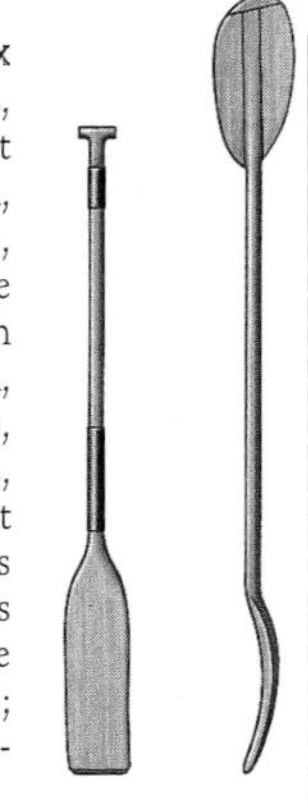

◆ **Pagaies.**

Le rafting

Le rafting (de l'anglais *raft*, signifiant radeau), n'est pas à proprement parler un sport de compétition, même si des épreuves officielles existent. C'est avant tout une activité de loisirs, réservée aux amateurs d'émotions fortes. Il s'agit de descendre les torrents sur un radeau constitué d'un fond plat et d'un boudin gonflable en caoutchouc. Le rafteur dirige les manœuvres, et ses coéquipiers font évoluer l'embarcation à l'aide de pagaies. En général, l'équipage est constitué de six personnes. Il existe des épreuves de vitesse ou de longue distance (25 km). Pour des raisons de sécurité, les participants doivent être munis d'un gilet de sauvetage. Les torrents des Alpes sont tout à fait adaptés à la pratique du rafting.

◆ **Canoë monoplace (C1).**

◆ **Kayak monoplace (K1).**

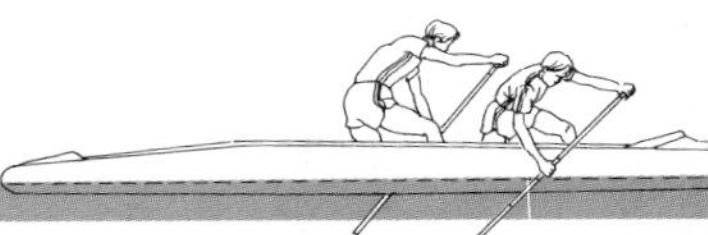

◆ **Canoë biplace (C2).**

◆ **Kayak biplace (K2).**

◆ **Kayak quadriplace (K4).**

◆ **Jeux Olympiques.**

Hommes		
kayak monoplace 1000 m		
1936	Hradetzky (Autr.)	4'22"9
1948	Fredriksson (Suède)	4'33"2
1952	Fredriksson (Suède)	4'07"9
1956	Fredriksson (Suède)	4'12"8
1960	Hansen (Dan.)	3'53"0
1964	Peterson (Suède)	3'57"13
1968	Hesz (Hongr.)	4'03"58
1972	Chaparenko (URSS)	3'48"06
1976	Helm (RDA)	3'48"20
1980	Helm (RDA)	3'48"77
1984	Thompson (N.-Z.)	3'45"73
1988	Barton (É.-U.)	3'55"27
1992	Robinson (Austr.)	3'37"26
1996	Holmann (Norv.)	3'25"78
kayak monoplace 500 m		
1976	Dika (Roum.)	1'46"41
1980	Parfenovitch (URSS)	1'43"43
1984	Ferguson (N.-Z.)	1'47"84
1988	Gyulay (Hongr.)	1'44"82
1992	Kolehmainen (Finl.)	1'40"34
1996	Rossi (It.)	1'37"42
kayak biplace 1000 m		
1936	Autriche	4'03"80
1948	Suède	4'07"30
1952	Finlande	3'51"10
1956	RFA	3'49"60
1960	Suède	3'34"70
1964	Suède	3'38"54
1968	URSS	3'37"54
1972	URSS	3'31"23
1976	URSS	3'29"01
1980	URSS	3'26"72
1984	Canada	3'24"22
1988	États-Unis	3'32"42
1992	Allemagne	3'16"10
1996	Italie	3'09"19
kayak biplace 500 m		
1976	RDA	1'35"87
1980	URSS	1'32"38
1984	N.-Z.	1'34"21
1988	N.-Z.	1'33"98
1992	Allemagne	1'28"27
1996	Allemagne	1'28"70
kayak à quatre 1000 m		
1964	URSS	3'14"67
1968	Norvège	3'14"36
1972	URSS	3'15"07
1976	URSS	3'08"69
1980	RDA	3'13"76
1984	N.-Z.	3'02"28
1988	Hongrie	3'00"20
1992	Allemagne	2'54"18
1996	Allemagne	2'51"53
canoë monoplace 1000 m		
1936	Amyot (Can.)	5'32"1
1948	Holecek (Tch.)	5'42"
1952	Holecek (Tch.)	5'56"3
1956	Rottman (Roum.)	4'05"3
1960	Parti (Hongr.)	4'33"03
1964	Eschert (RFA)	4'35"14
1968	Tatai (Hongr.)	4'36"14
1972	Pagaitchin (Roum.)	4'08"94
1976	Ljubek (Youg.)	4'09"51
1980	Lubenov (Bulg.)	4'12"36
1984	Eicke (RFA)	4'06"32
1988	Klementiev (URSS)	4'12"78
1992	Boukhalov (Bulg.)	4'05"92
1996	Doktor (Rép. tchèque)	3'54"42
canoë monoplace 500 m		
1976	Rogov (URSS)	1'59"23
1980	Postrekhine (URSS)	1'53"37
1984	Cain (Can.)	1'57"01
1988	Heukrodt (RDA)	1'56"42
1992	Boukhalov (Bulg.)	1'51"15
1996	Doktor (Rép. tchèque)	1'49"93
canoë biplace 1000 m		
1936	Tchécoslovaquie	4'50"1
1948	Tchécoslovaquie	5'07"1
1952	Danemark	4'38"3
1956	Roumanie	4'47"4
1960	URSS	4'17"04
1964	URSS	4'04"65
1968	Roumanie	4'07"18
1972	URSS	3'52"60
1976	URSS	3'52"76
1980	Roumanie	3'47"65
1984	Roumanie	3'40"60
1988	URSS	3'48"36
1992	Allemagne	3'37"42
1996	Allemagne	3'31"87
canoë biplace 500 m		
1976	URSS	1'45"81
1980	Hongrie	1'43"38
1984	Yougoslavie	1'43"67
1988	URSS	1'41"77
1992	CEI	1'41"54
1996	Hongrie	1'40"42
kayak monoplace (slalom)		
1972	Horn (RDA)	268,56
1992	Ferrazzi (It.)	106,89
1996	Fix (Allemagne)	141,22
canoë monoplace (slalom)		
1972	Eiben (RDA)	315,84
1992	Pollert (Tch.)	113,69
1996	Martikan (Slovaquie)	151,03
canoë biplace (slalom)		
1972	RDA	268,56
1992	États-Unis	122,41
1996	France	158,82

Femmes		
kayak monoplace 500 m		
1948	Hoff (Dan.)	2'31"9
1952	Saimo (Finl.)	2'18"4
1956	Dementieva (URSS)	2'18"9
1960	Seredina (URSS)	2'08"08
1964	Khvedossiouk (URSS)	2'12"87
1968	Pinaïeva (URSS)	2'11"09
1972	Riabchinskaïa (URSS)	2'03"17
1976	Zirzov (RDA)	2'01"05
1980	Fischer (RDA)	1'57"96
1984	Andersson (Suède)	1'58"72
1988	Guecheva (Bulg.)	1'55"19
1992	Schmidt (All.)	1'51"60
1996	Koban (Hongr.)	1'47"65
kayak biplace 500 m		
1960	URSS	1'54"76
1964	RFA	1'56"95
1968	RFA	1'56"44
1972	URSS	1'53"50
1976	URSS	1'51"15
1980	RDA	1'51"88
1984	Suède	1'45"25
1988	RDA	1'43"46
1992	Allemagne	1'40"29
1996	Suède	1'39"33
kayak à quatre 500 m		
1992	Hongrie	1'38"32
1996	Allemagne	1'37"08
kayak monoplace (slalom)		
1972	Bahmann (RFA)	364,50
1992	Micheler (All.)	126,41
1996	Hilgertova (R. tchèque)	169,49

L'aviron

Historique et épreuves

L'aviron, en tant que discipline sportive, s'est développé en Grande-Bretagne, dans la première moitié du XIXe s., essentiellement dans les universités. La célèbre rencontre annuelle des deux huit d'Oxford et de Cambridge date de 1829, et les régates royales de Henley se disputent dès 1839. Les Britanniques essaiment sur le continent, et Le Havre devient le berceau français de l'aviron, dès 1838. Une Fédération internationale est fondée en 1893 par la Belgique, l'Italie, la France et la Suisse, et le programme des jeux Olympiques admet ce sport en 1900 (1976 pour les femmes).

La distance à parcourir est de 2 000 m, dans des couloirs balisés, dont la largeur constante doit être comprise entre 12,5 et 15 m. Aux jeux Olympiques, les hommes disputent huit épreuves (6 « élites » et 2 « poids légers »), les femmes, six (5 « élites » et 1 « poids légers »). Il est intéressant de comparer les temps pour des bateaux ayant le même nombre de rameurs, mais armés différemment, avec ou sans barreur, malgré les variations dues à la diversité des plans d'eau et aux conditions atmosphériques.

Aux jeux Olympiques d'Atlanta en 1996, les 2 000 m ont été parcourus en 6 min 6 s 37 par le quatre sans barreur, en 5 min 56 s 93 par le quatre de couple.

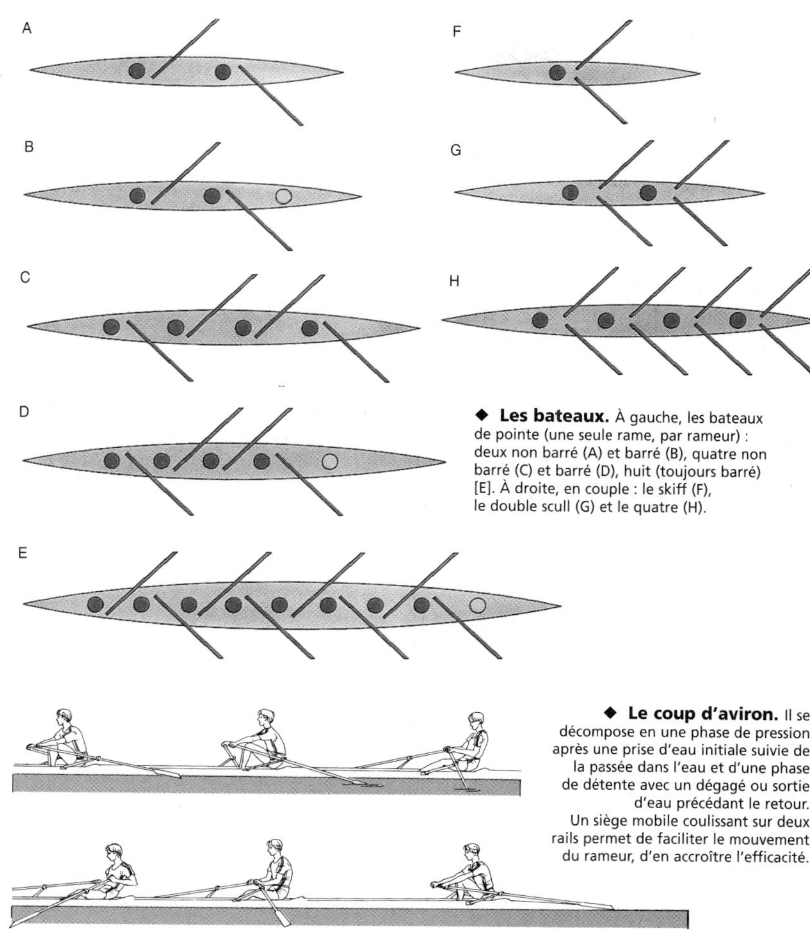

◆ **Les bateaux.** À gauche, les bateaux de pointe (une seule rame, par rameur) : deux non barré (A) et barré (B), quatre non barré (C) et barré (D), huit (toujours barré) [E]. À droite, en couple : le skiff (F), le double scull (G) et le quatre (H).

◆ **Le coup d'aviron.** Il se décompose en une phase de pression après une prise d'eau initiale suivie de la passée dans l'eau et d'une phase de détente avec un dégagé ou sortie d'eau précédant le retour. Un siège mobile coulissant sur deux rails permet de faciliter le mouvement du rameur, d'en accroître l'efficacité.

Petit lexique

barreur : individu qui rythme la cadence d'un aviron.

◆ **Jeux Olympiques.**

Hommes		
skiff		
1948	Wood (Austr.)	7'24"4
1952	Chukalov (URSS)	8'12"8
1956	Ivanov (URSS)	8'02"5
1960	Ivanov (URSS)	7'13"96
1964	Ivanov (URSS)	8'22"51
1968	Wienese (P.-B.)	7'47"08
1972	Malishev (URSS)	7'10"12
1976	Karppinen (Finl.)	7'29"3
1980	Karppinen (Finl.)	7'09"61
1984	Karppinen (Finl.)	7'00"24
1988	Lange (RDA)	6'49"86
1992	Lange (All.)	6'51"40
1996	Mueller (Suisse)	6'44"85
double scull		
1948	Grande-Bretagne	6'51"3
1952	Argentine	7'32"2
1956	URSS	7'24"
1960	Tchécoslovaquie	6'47"50
1964	URSS	7'10"66
1968	URSS	6'51"82
1972	URSS	7'01"77
1976	Norvège	7'13"20
1980	RDA	6'24"33
1984	États-Unis	6'36"87
1988	Pays-Bas	6'21"13
1992	Australie	6'17"32
1996	Italie	6'16"98
deux sans barreur		
1948	Grande-Bretagne	7'21"1
1952	États-Unis	8'20"7
1956	États-Unis	7'55"4
1960	URSS	7'02"2
1964	Canada	7'32"9
1968	RDA	7'26"5
1972	RDA	6'53"1
1976	RDA	7'23"31
1980	RDA	6'48"1
1984	Roumanie	6'45"39
1988	Grande-Bretagne	6'36"94
1992	Grande-Bretagne	6' 27"72
1996	Grande-Bretagne	6'20"09
deux avec barreur		
1948	Danemark	8'00"5
1952	France	8'28"6
1956	États-Unis	8'26"1
1960	RFA	7'29"14
1964	États-Unis	8'21"33
1968	Italie	8'04"81
1972	RDA	7'17"25
1976	RDA	7'58"99
1980	RDA	7'02"54
1984	Italie	7'05"99
1988	Italie	6'58"79
1992	Grande-Bretagne	6'49"83
quatre de couple		
1976	RDA	6'18"65
1980	RDA	5'49"81
1984	RDA	5'57"55
1988	Italie	5'53"37
1992	Allemagne	5'45"17
1996	Allemagne	5'56"93
quatre sans barreur		
1948	Italie	6'39"
1952	Yougoslavie	7'16"
1956	Canada	7'08"8
1960	États-Unis	6'26"26
1964	Danemark	6'59"30
1968	RDA	6' 39"18
1972	RDA	6'24"27
1976	RDA	6'37"42
1980	RDA	6'08"17
1984	Nouvelle-Zélande	6'03"48
1988	RDA	6'03"11
1992	Nouvelle-Zélande	6'02"13
1996	Australie	6'06"37
quatre avec barreur		
1948	États-Unis	6'50"3
1952	Tchécoslovaquie	7'33"4
1956	Italie	7'19"4
1960	RFA	6'39"12
1964	RFA	7'00"44
1968	Nouvelle-Zélande	6'45"62
1972	RFA	6'31"85
1976	URSS	6'40"22
1980	RDA	6'14"51
1984	Grande-Bretagne	6'18"64
1988	RDA	6'10"74
1992	Roumanie	5'59"37
huit		
1948	États-Unis	5'56"7
1952	États-Unis	6'25"9
1956	États-Unis	6'35"2
1960	RFA	5'57"18
1964	États-Unis	6'18"23
1968	RFA	6'07"0
1972	Nouvelle-Zélande	6'08"94
1976	RDA	5'58"29
1980	RDA	5'49"05
1984	Canada	5'41"32
1988	RFA	5'46"05
1992	Canada	5'29"53
1996	Pays-Bas	5'42"74
poids légers		
deux de couple		
1996	Suisse	6'23"47
quatre sans barreur		
1996	Danemark	6'09"58
Femmes		
skiff		
1976	Scheiblich (RDA)	4'05"56
1980	Toma (Roum.)	3'40"69
1984	Racila (Roum.)	3'40"68
1988	Behrendt (RDA)	7'47"19
1992	Lipa (Roum.)	7'25"54
1996	Khodotovitch (Biél.)	7'32"21
deux sans barreuse		
1976	Bulgarie	4'01"22
1980	RDA	3'30"49
1984	Roumanie	3'32"60
1988	Roumanie	7'28"13
1992	Canada	7'06"22
1996	Australie	7'01"39
double scull		
1976	Bulgarie	3'44"36
1980	URSS	3'16"27
1984	Roumanie	3'26"75
1988	RDA	7'00"48
1992	Allemagne	6'49"
1996	Canada	6'56"84
quatre barré		
1976	RDA	3'45"08
1980	RDA	3'19"27
1984	Roumanie	3'19"30
1988	RDA	6'56"00
1992	Canada	6'30"85
quatre de couple		
1976	RDA	3'29"99
1980	RDA	3'15"32
1984	Roumanie	3'14"11
1988	RDA	6'21"06
1992	Allemagne	6'20"18
1996	Allemagne	6'27"44
huit		
1976	RDA	3'33"32
1980	RDA	3'03"32
1984	États-Unis	2'59"80
1988	RDA	6'15"17
1992	Canada	6'02"62
1996	Roumanie	6'19"73
poids légers		
deux de couple		
1996	Roumanie	7'12"78

Surf et ski nautique

Le ski nautique

Ralph Samuelson a été le pionnier de ce sport né aux États-Unis dans les années 1920. L'Union mondiale de ski nautique est fondée en 1946. Rebaptisée Fédération internationale de ski nautique en 1988, elle compte plus de 70 nations affiliées, pour 30 millions de pratiquants. Institués en 1949, les Championnats du monde se tiennent désormais tous les deux ans. Les compétitions portent sur trois disciplines ; le slalom (ski d'une longueur de 160 à 175 cm), les figures (skis plus courts, de 93 cm à 1 m, mais plus larges, plus légers, sans dérive, pour faciliter le pivotement) et le saut (skis plus lourds et plus épais). Il existe aussi des courses de vitesse (le record est détenu par l'Australien Grant Torranus, avec 239,59 km/h). Le ski nautique est essentiellement pratiqué en Amérique du Nord, en Europe et dans l'hémisphère Sud (Australie). En France, ce sport a été fortement popularisé par les exploits de Patrice Martin, champion du monde en 1979 à 14 ans et qui, depuis lors, multiplie les titres. Une discipline particulière est le *bare-foot,* pratiqué pieds nus. Elle nécessite une vitesse de traction minimale de l'ordre de 60 km/h, une combinaison renforcée ; des compétitions ont lieu en slalom, en figures et en saut.

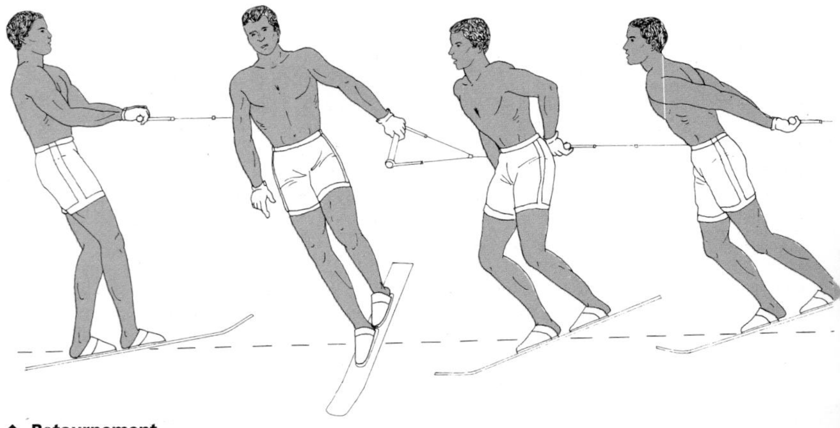

◆ **Retournement.**
Le retournement (dit aussi « 180° ») s'effectue avec deux skis ou à monoski. Initialement, le poids du corps est réparti sur les deux pieds, genoux légèrement fléchis, mais buste droit et bras tendus. Le retournement s'opère par une rotation complète des skis vers l'arrière, par braquage des pieds et des genoux fléchis ; le palonnier est tenu très près ; au cours de la rotation, la main extérieure lâche le palonnier pour venir le rattraper dans le dos. Le retournement peut s'effectuer (avec la même technique) de l'avant vers l'arrière ou de l'arrière vers l'avant.

◆ **Des skis au monoski.**
Le ski nautique se pratique sur deux skis ou sur un ski (monoski). Le slalom est disputé uniquement en monoski, long, profilé, avec une dérive sous le talon du ski.

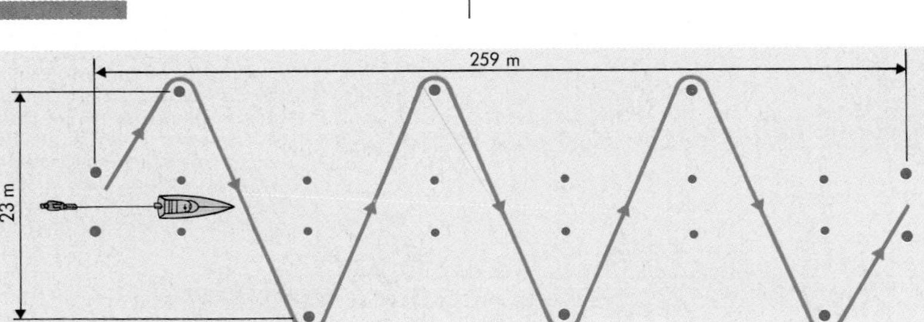

◆ **Slalom dans le ski nautique.**
Le parcours (sur une « piste » longue de 259 m, large de 23 m) comprend une porte d'entrée, 6 bouées à contourner à droite (3) et à gauche (3), et une porte de sortie. La distance entre les bouées et le bateau est de 11,50 m. Après chaque passage exécuté complètement, la vitesse du bateau est augmentée jusqu'à 55 km/h pour les femmes, 58 km/h pour les hommes ; ensuite la corde est raccourcie progressivement de 18 m jusqu'à 10,50 m. Le vainqueur

◆ **Surfeur.**
Ce surfeur semble bien petit devant la taille de la vague. Pourtant, c'est la force de cette vague qui va lui permettre d'évoluer et de réaliser des figures tout en gardant un équilibre précaire.

Le surf

Né à Hawaii vers 1900, le surf connaît une première époque de développement grâce à l'Américain Duke Kahanamoku, champion olympique de natation en 1912 et 1920, qui effectue des démonstrations en Californie. Mais son essor ne débute qu'après la Seconde Guerre mondiale. Le premier club de surf français (Waikiki Surf Club) est créé en 1959. Les premiers Championnats du monde ont lieu en 1964 pour les amateurs ; depuis 1976 pour les professionnels. Une Fédération française du surf et skate est fondée en 1964. En 1994, la Fédération française de surf devient autonome.

La planche de surf, généralement en matériau composite, mesure entre 1,75 et 2,10 m de long pour une largeur maximale de 50 cm. Lors de chaque compétition, les principaux éléments pris en compte par le jury sont l'utilisation maximale de la puissance de la vague, la durée de l'exhibition, le nombre et l'amplitude des figures. Les lieux les plus adaptés à la pratique du surf sont les îles Hawaii, la Californie, la Polynésie, l'Australie et, en France, la côte basque.

Vol libre et vol à voile

Généralités

Le vol libre est un sport aérien (on parle d'aile libre) qui regroupe deux spécialités : le deltaplane et le parapente. En deltaplane, l'aile est composée d'une structure triangulaire, servant d'ossature à une voile de 13 à 18 m². Le pilote modifie la direction de l'engin par les mouvements de son corps. En parapente, l'engin ressemble à un parachute à voilure carrée. Le pilote, sanglé dans un harnais, est relié à la voile par des suspentes et modifie son orientation à l'aide de commandes. Le vol à voile est le mode de déplacement d'un planeur utilisant à bon escient les courants aériens. Bien que ne relevant pas du vol à voile *stricto sensu*, l'ULM (ultra léger motorisé) s'en rapproche. Il est né en Californie dans les années 1970 ; c'est un petit avion de conception simplifiée, monoplace ou biplace, pesant (à vide) moins de 170 kg et doté d'un moteur d'une puissance pouvant atteindre quelques dizaines de chevaux. L'ULM a rapidement évolué vers deux types d'appareils. Le premier dérive des ailes libres et conserve le pilotage par action directe sur l'aile (système pendulaire). Le second est de forme aérodynamique plus classique, avec ailes et empennages, et pilotage par gouvernes sur 2 ou 3 axes.

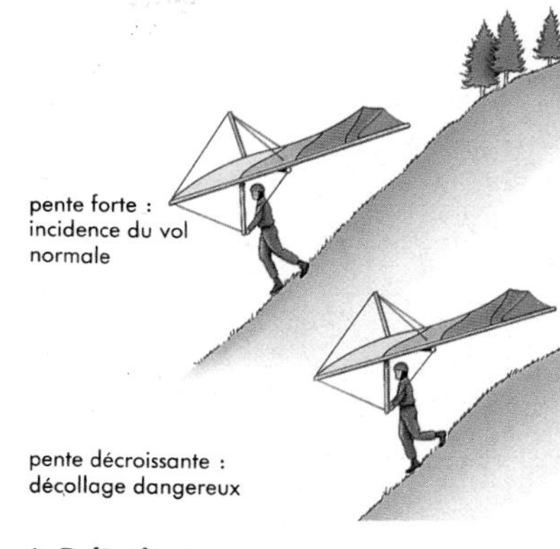

◆ Deltaplane.
Le décollage s'opère après une course d'élan effectuée sur une pente assez prononcée, face au vent (une inclinaison de l'ordre de 20°, un vent contraire d'une vitesse d'environ 15 km/h constituent des éléments naturels favorables).

◆ ULM.
Il existe des ULM monoplaces et biplaces (utilisés surtout pour l'apprentissage).
La structure des ULM est généralement à base de tubes en alliages légers, avec souvent aujourd'hui des moteurs spécialement conçus pour ce sport. La vitesse de croisière oscille généralement entre 40 et 80 km/h. Le décollage et l'atterrissage sur l'herbe ne demandent que quelques dizaines de mètres.

◆ Vol libre en deltaplane.
Le vol libre est fondé sur l'utilisation des courants aériens (essentiellement des courants ascendants). Il exige donc de bonnes connaissances dans le domaine de l'aérodynamique et de l'aérologie. La manœuvre du deltaplane s'opère à l'aide du trapèze (ou triangle), pièce principale de l'infrastructure avec la voilure, qui occupe une surface variant entre 17 et 25 m². Ce sport, né des recherches de l'Américain Francis Rogallo dans les années 1940, ne s'est développé que dans les années 1960, grâce à un autre Américain (R. Miller) et deux Autrichiens (Bennett et Moyes). Il a gagné l'Europe après 1970.

◆ Planeur.
La possibilité de conserver une faible vitesse de descente en air calme nécessite que le planeur ait une grande finesse aérodynamique, une voilure à grand allongement, au total une construction assez légère pour « flotter » ou glisser dans l'air, tout en étant suffisamment robuste lorsque le planeur évolue dans les zones de forte turbulence.

◆ Vol à voile.
L'art du vol à voile réside dans la recherche et l'utilisation des courants ascendants de l'atmosphère. Mais le planeur ne peut acquérir seul une vitesse et une altitude suffisantes pour évoluer dans une zone d'ascendance. Il faut donc au préalable soit le haler avec un câble s'enroulant sur un treuil mécanique, soit, le plus souvent, le tracter par avion, le câble de remorquage étant largué par le pilote du planeur au lieu et à l'altitude souhaités.

◆ Parapente.
La finesse de la voilure permet des décollages sur des pentes moyennes ou fortes. On l'utilise le plus souvent pour effectuer des vols en montagne.

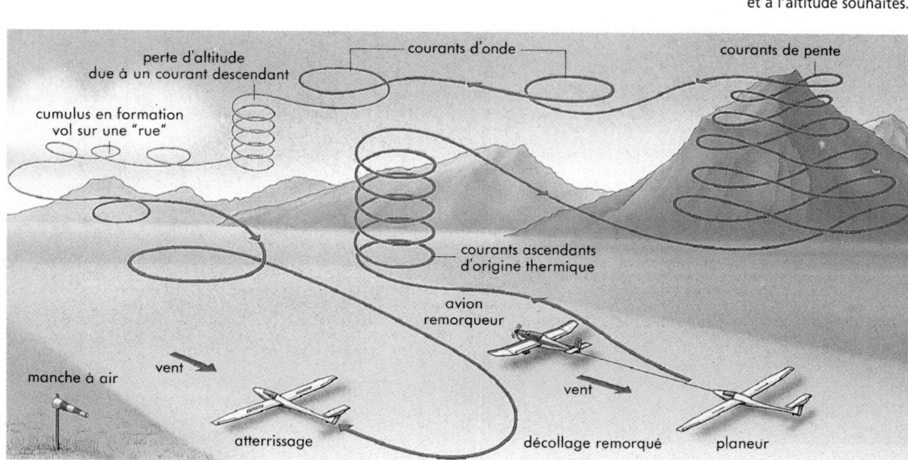

Le parachutisme

Historique et épreuves

Le premier saut en parachute authentiquement reconnu comme tel a été réalisé, au-dessus du parc Monceau, à Paris, par André Jacques Garnerin, qui s'est élancé d'un ballon le 22 octobre 1797. Par la suite, le développement du parachutisme est essentiellement lié aux conflits armés, notamment à la Seconde Guerre mondiale. Le parachutisme « civil » ne prend véritablement son essor qu'en 1946.

Aujourd'hui, le parachutisme est devenu un sport à part entière qui ne se limite plus à l'utilisation d'un équipement pour freiner la vitesse de chute (en chute libre, le corps acquiert une vitesse d'environ 200 km/h, réduite de près de 90 % par l'emploi du parachute). Il comprend une douzaine d'épreuves de compétition, que l'on peut parfois regrouper sous la même rubrique. La précision d'atterrissage (individuelle et par équipes) consiste, après un saut d'au moins 1 000 m, à venir toucher un plot de 5 cm de diamètre au milieu d'une cible. Le vol relatif consiste, pour un groupe de 4, 8, 16 ou plus, à réaliser, en chute libre, une série de figures imposées dans un ordre prescrit par le tirage au sort. La voile-contact (à 4, 8 ou en grande formation) s'effectue, parachutes ouverts, entre 2 000 et 2 500 m. Lors des Championnats du monde, qui se tiennent tous les deux ans depuis 1970, les Français accumulent les titres et les médailles.

◆ **Précision d'atterrissage.** En individuelle, un seul concurrent choisissant son départ saute à chaque passage du largueur. Toucher le plot est réussir un carreau. Par équipes, les 4 concurrents sautent au même passage, mais ouvrent leurs parachutes avec un léger décalage pour éviter d'atteindre en même temps, ou presque, la cible. L'addition des écarts de chacun des équipiers par rapport à la cible détermine le résultat.

◆ **Vol relatif.** Les sauts s'effectuent à des altitudes de 2 750 à 3 000 m. Il va de soi que cette discipline nécessite un entraînement en commun, ainsi qu'une bonne technique chez chacun des équipiers.

◆ **Parachutisme ascensionnel.** Souvent initiation au parachutisme classique, il consiste dans le décollage sous parachute tracté par un véhicule à moteur (sur terre ou sur l'eau), la descente s'opérant naturellement à la fin de la traction. Il existe une épreuve de précision d'atterrissage dans ce domaine.

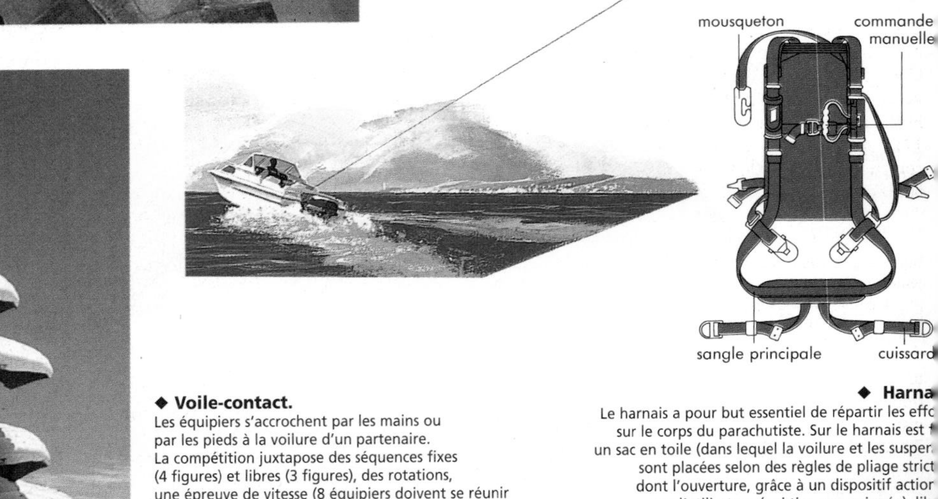

◆ **Harna**

Le harnais a pour but essentiel de répartir les effc sur le corps du parachutiste. Sur le harnais est un sac en toile (dans lequel la voilure et les susper sont placées selon des règles de pliage strict dont l'ouverture, grâce à un dispositif actior par l'utilisateur (qui tire une poignée), lib la voilure et en provoque le déploiem

◆ **Voile-contact.** Les équipiers s'accrochent par les mains ou par les pieds à la voilure d'un partenaire. La compétition juxtapose des séquences fixes (4 figures) et libres (3 figures), des rotations, une épreuve de vitesse (8 équipiers doivent se réunir le plus vite possible, à partir d'un saut à 2 500 m et rester groupés au moins 20 secondes).

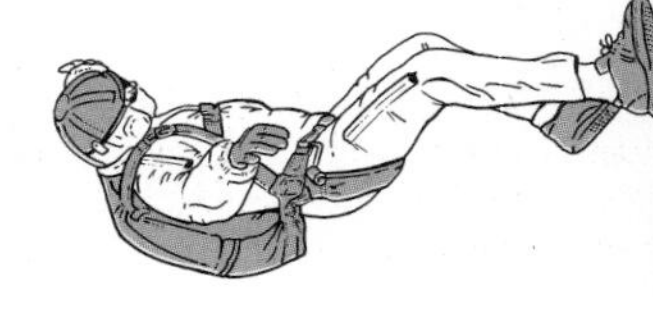

◆ **Voltige.** La voltige (à partir de 2 000 m) est une chute libre pendant laquelle le concurrent doit avoir le temps de réaliser une série de six figures imposées.

Tir au pistolet et tir à l'arc

Le tir aux armes à feu

Les premières sociétés de tir apparaissent au XIXe s. et l'Union des sociétés de tir est créée par la France en 1886. Le tir aux armes à feu compte parmi les épreuves des jeux Olympiques dès leur première édition, en 1896. L'Union internationale de tir, fondée en 1907, regroupe aujourd'hui plus de 100 nations et plusieurs millions de licenciés (dont 150 000 en France). Il existe une grande variété d'armes, pistolet, revolver, carabine, fusil de chasse, utilisées debout, à genoux ou couché, à différentes distances (de 10 à 300 m). Quinze épreuves sont reconnues comme disciplines olympiques. Chez les hommes : le pistolet à air comprimé à 10 m, le pistolet libre (22 long rifle) à 50 m, le double trap, la fosse olympique (tir sur 200 plateaux), la carabine à air comprimé à 10 m, la carabine (22 long rifle) à 50 m couché, la carabine 3 positions (40 coups en position couchée, 40 coups en position debout, 40 coups en position à genoux), la cible mobile (anciennement tir au sanglier courant), le skeet (tir sur plateaux d'argile, à 40 m), la vitesse olympique (tir au pistolet à 25 m). Chez les femmes : le pistolet sport (22 long rifle) à 25 m, le pistolet à air comprimé à 10 m, le double trap, la carabine à 10 m et la carabine 3 positions.

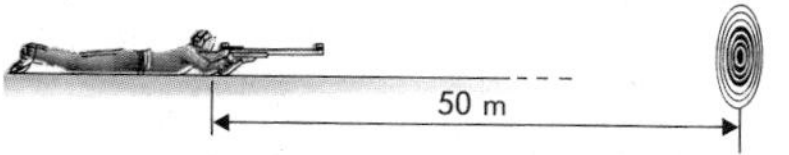

◆ Match anglais.
Tir de 60 coups en position couchée (en 1 h 30 min au maximum) à l'aide d'une carabine (22 long rifle), sur une cible située à 50 m (le 10 de la cible a un diamètre de 12 mm). Le tir de compétition est précédé (comme les autres épreuves) de tirs d'essai, appelés « coups d'essai » (15 ici).

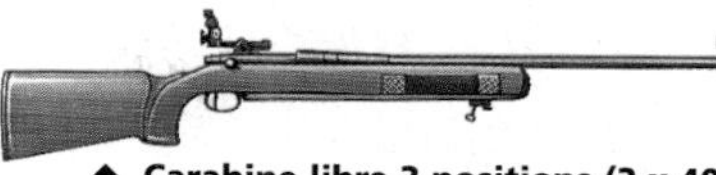

◆ Carabine libre 3 positions (3 x 40).
120 balles à tirer (40 coups en position couchée en 1 h 30 min, 40 coups en position debout en 2 h et 40 coups en position à genoux en 1 h 45 min) sur une cible située à 50 m dont le 10 a un diamètre de 12 mm.

◆ Fosse olympique.
Cinq postes de tir où se succèdent 6 tireurs formant la « planche » sont situés à 15 m d'une fosse d'où partent 200 plateaux (tirés par séries de 25). Dans la fosse sont juxtaposés 5 groupes de 3 appareils de lancement de plateaux. Ces plateaux sont expédiés selon un angle et une vitesse inconnus du tireur (qui, toutefois, déclenche lui-même le lanceur par microphone).

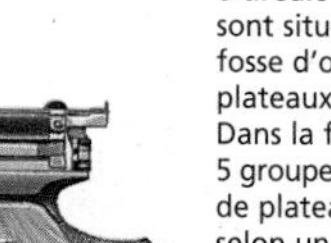

◆ Pistolet à 10 m.
C'est un pistolet à air comprimé avec lequel, en compétition, on tire 60 plombs, en un temps maximum de 2 h 15 min. L'épreuve au pistolet à 10 m est une bonne discipline d'initiation aux armes à feu.

◆ Pistolet libre.
Il s'agit de tirer 60 balles de calibre 22 long rifle (en un temps maximum de 2 h 30 min) en 6 séries de 10 coups chacune, sur une cible fixe située à 50 m (le 10 de la cible a un diamètre de 50 mm).

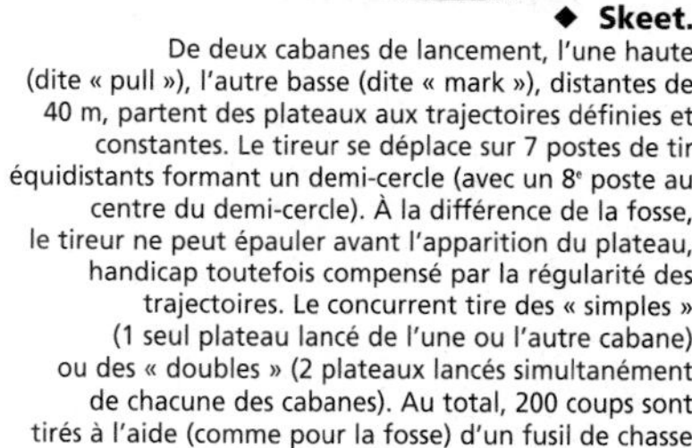

◆ Skeet.
De deux cabanes de lancement, l'une haute (dite « pull »), l'autre basse (dite « mark »), distantes de 40 m, partent des plateaux aux trajectoires définies et constantes. Le tireur se déplace sur 7 postes de tir équidistants formant un demi-cercle (avec un 8e poste au centre du demi-cercle). À la différence de la fosse, le tireur ne peut épauler avant l'apparition du plateau, handicap toutefois compensé par la régularité des trajectoires. Le concurrent tire des « simples » (1 seul plateau lancé de l'une ou l'autre cabane) ou des « doubles » (2 plateaux lancés simultanément de chacune des cabanes). Au total, 200 coups sont tirés à l'aide (comme pour la fosse) d'un fusil de chasse dont le calibre ne doit pas dépasser le 12.

25 m

◆ Vitesse olympique.
L'arme est un pistolet (calibre 22 long rifle). Il s'agit de tirer 2 séries de 30 coups chacune sur 5 cibles pivotantes situées à 25 m. Chaque série est composée de 6 séquences de 5 coups (1 par cible), 2 en 8 s, 2 en 6 s et 2 en 4 s.

◆ Le tir aux jeux Olympiques de 1996.

Hommes	
pistolet à 10 m	Di Donna (It.)
pistolet libre à 50 m	Kokorev (Russie)
double trap	Mark (Austr.)
fosse olympique	Diamond (Austr.)
carabine à 10 m	Khadzhibekov (Russie)
carabine à 50 m couché	Klees (All.)
carabine 3 positions	Amat (Fr.)
cible mobile	Yang (Chine)
skeet	Falco (It.)
vitesse olympique	Schumann (All.)
Femmes	
pistolet sport	Li Duihong (Chine)
pistolet à 10 m	Klochneva (Russie)
double trap	Rhode (É.-U.)
carabine à 10 m	Mauer (Pol.)
carabine 3 positions	Ivosev (Youg.)

Le tir à l'arc

Jadis arme de chasse et de guerre, l'arc est utilisé depuis le XIXe s., en Europe, à titre sportif. L'engin de tir actuel, sophistiqué, a peu de rapport avec l'arc primitif. Après une apparition aux jeux Olympiques en 1900, le tir à l'arc devient définitivement discipline olympique en 1972. La Fédération internationale de tir à l'arc, créée en 1931, regroupe une soixantaine de nations, et compte plusieurs millions de membres (dont 50 000 en France).

Les épreuves. Le tir dit « olympique » se pratique sur cibles rondes étalonnées par bandes concentriques colorées et donnant une valeur d'impact entre 1 et 10. Les deux grands types (ou blasons) de cible ont respectivement 122 et 80 cm de diamètre. La partie centrale des cibles, qui font un angle d'environ 15° avec la verticale, doit se trouver à 1,30 m du sol. Les hommes tirent à des distances de 90, 70, 50 et 30 m ; les femmes, de 70, 60, 50 et 30 m. Pour en accroître l'intérêt, les compétitions se déroulent désormais sous forme de duels, opposant les concurrents jusqu'à la finale. Le tir en campagne est un parcours de plusieurs kilomètres avec tir sur cibles échelonnées (14 ou 28). Le tir chasse s'effectue sur cibles constituées par des blasons animaliers (21 ou 42). Le beursault, pratiqué depuis longtemps en Picardie, consiste en un tir à une distance de 50 m sur une cible de 45 cm de diamètre divisée en seulement 3 zones d'impact.

◆ La tenue de l'arc.
Une main tient le corps de l'arc (juste au-dessous de la flèche). La corde est tendue et retenue par l'autre main, qui déclenche le tir en relâchant la corde.

◆ La flèche.
C'est un long tube, terminé par une pointe, avec un empennage, parfois une décoration. L'identification du possesseur se fait par une gravure du nom, des initiales ou d'un autre signe distinctif.

◆ L'arc.
Il est bandé par une seule corde reliée à deux embouts progressivement rapprochés.

VOIR AUSSI • **Classification des armes individuelles** p. 398

L'alpinisme

La conquête des cimes

Les cristalliers et les bergers fréquentent la haute montagne de longue date, lorsque Horace Bénédict de Saussure promet une prime à qui atteindra le sommet du mont Blanc. On s'accorde à dire que l'alpinisme débute avec la conquête du plus haut sommet d'Europe le 8 août 1786 par Jacques Balmat et Michel Paccard. La quasi-totalité des sommets des Alpes est atteinte durant le XIXe s. : la Jungfrau (1811), le Pelvoux (1828), le mont Rose (1855), la barre des Écrins (1864), le célèbre Cervin (1865), la Meije (1877). Les Britanniques (Whymper, Tyndall, Mummery…), accompagnés par les premiers grands guides (Almer, Anderegg, Burgener…), sont les pionniers de cette aventure.

Sommet	Première ascension	Altitude
mont Blanc (Alpes)	1786	4 808 m
mont Rose (Alpes)	1855	4 634 m
Eiger (Alpes)	1858	3 970 m
Marmolada (Alpes)	1864	3 342 m
Cervin (Alpes)	1865	4 478 m
Kilimandjaro (Afrique)	1889	5 895 m
Aconcagua (Andes)	1897	6 959 m
McKinley (Alaska)	1913	6 194 m
Annapurna (Himalaya)	1950	8 078 m
Fitz Roy (Andes)	1952	3 375 m
Everest (Himalaya)	1953	8 846 m
K2 (Karakorum)	1954	8 611 m
Kangchenjunga (Himalaya)	1955	8 586 m
Jaya (Indonésie)	1962	5 029 m

Hors d'Europe, l'Aconcagua (point culminant des Andes), le mont Cook (en Nouvelle-Zélande) et le Kilimandjaro (le plus haut sommet d'Afrique) sont gravis avant la fin du XIXe s. La conquête de l'Himalaya devient alors l'objectif des alpinistes, les « 14 plus de 8 000 m » alimentant les rêves.

Vient ensuite le temps de grandes expéditions nationales : en 1950, Maurice Herzog et Louis Lachenal atteignent le sommet de l'Annapurna (8 078 m). L'Everest (8 846 m) est conquis le 29 mai 1953 par Edmund Hillary et Tenzing Norgay. Les uns après les autres, les monts de l'Himalaya et du Karakorum sont vaincus. Dès lors, l'alpinisme prend un nouveau tour. Les expéditions deviennent légères, le recours à l'oxygène est contesté. La notion de performance entre en jeu. Certains cherchent à escalader les sommets les plus élevés en empruntant des voies plus difficiles que l'accès direct, ou en s'attaquant à des configurations particulières : pilier sud-ouest des Drus (Walter Bonatti, 1955) ; face nord du Cervin (Dieter Marchart, 1959) ; face nord de l'Eiger en hiver (1961)… L'alpinisme se réoriente ensuite vers la recherche d'enchaînements d'escalades, de records de vitesse, se combine avec d'autres sports (à titre d'exemple, en 1986, Jean-Marc Boivin enchaîne, en 17 heures, à l'aide d'une aile delta, l'aiguille Verte, les Droites, Courtes et Grandes Jorasses), etc. Si l'alpinisme n'est pas un sport de compétition, l'Union internationale des sociétés d'alpinisme est reconnue depuis 1995 par le Comité international olympique.

◆ **Grandes dates de l'alpinisme.**
Ne sont données ci-contre que des dates de première ascension par la voie normale. On pourrait y ajouter les directes, les hivernales, les ascensions en solitaire, sans oxygène, avec un matériel allégé, etc., multipliant les possibilités d'exploits.

Quelques grands noms

Walter Bonatti (It., né en 1930). Il réalise, en 1955, l'ascension solitaire du pilier sud-ouest des Drus et, en 1965, la première hivernale directe de la face nord du Cervin.

Edmund Hillary (N.-Z., né en 1919). Il est, en 1953, le premier vainqueur de l'Everest en compagnie de Tenzing Norgay, l'un des premiers sherpas à avoir acquis un haut niveau technique.

Benoît Chamoux (Fr., 1961-1995). Il gravit 13 des « 14 plus de 8 000 m » du globe. En 1995, il trouve la mort lors de l'ascension du Kangchenjunga.

Catherine Destivelle (Fr., née en 1960). D'abord très forte grimpeuse en rocher pur, elle s'est depuis orientée vers les grandes premières hivernales, dans les conditions les plus difficiles. Elle gravit notamment la face nord de l'Eiger en 1992 et celle du Cervin en 1994.

Maurice Herzog (Fr., né en 1919). Chef de l'expédition française sur l'Annapurna en 1950, il atteint le sommet en compagnie de Louis Lachenal, réalisant ainsi une grande première. De 1963 à 1966, il sera secrétaire d'État à la Jeunesse et aux Sports.

Reinhold Messner (It., né en 1944). En atteignant en 1986 le sommet du Makalu, il devient le premier à avoir gravi les « 14 plus de 8 000 m » de la planète.

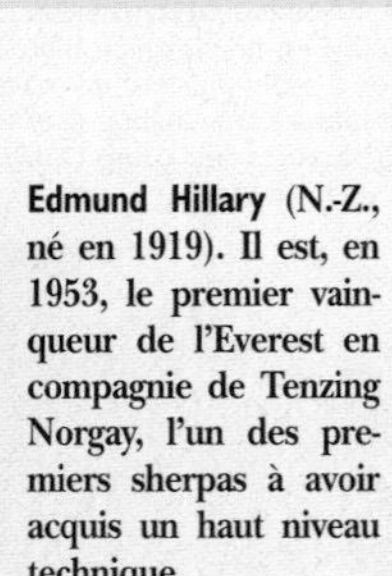

Gaston Rébuffat (Fr., 1921-1985). Il fait partie de l'expédition sur l'Annapurna en 1950. Par ses écrits et ses chroniques, il fait découvrir la « conquête de l'inutile » (selon le titre de Lionel Terray, autre alpiniste renommé) à un large public.

◆ **La recherche des prises.**

La vogue de l'escalade

L'escalade libre, avec un équipement extrêmement léger (chaussons, baudrier, corde…) est actuellement très pratiquée. Il s'agit de rechercher les mouvements permettant, grâce aux prises naturelles, de gravir des rochers ou des parois dont l'altitude ne constitue pas l'intérêt principal. Cette activité connue également sous le nom ancien de varappe, se pratique dans des sites tels que la forêt de Fontainebleau où l'on grimpe sur des blocs selon des circuits fléchés, ou en moyenne montagne. En France, la Provence (particulièrement les gorges du Verdon) demeure une terre d'élection. À partir du milieu des années 1980, l'escalade connaît une vogue nouvelle, attirant sponsors et médias. Des compétitions d'escalade sont organisées, comme de véritables spectacles, sur des murs spécialement construits en salle à cet effet. Le succès de cette nouvelle forme d'escalade est lié aux performances de champions comme Patrick Edlinger, qui a fait sensation avec ses escalades sans aucune forme d'assurage, et comme Isabelle Patissier.

Le canyoning

Cet autre sport en vogue consiste à descendre des falaises (souvent les parois entourant les gorges des rivières, ce qui implique de la nage et des plongeons) à l'aide d'une corde, en se servant des escarpements naturels de la roche comme points d'appui.

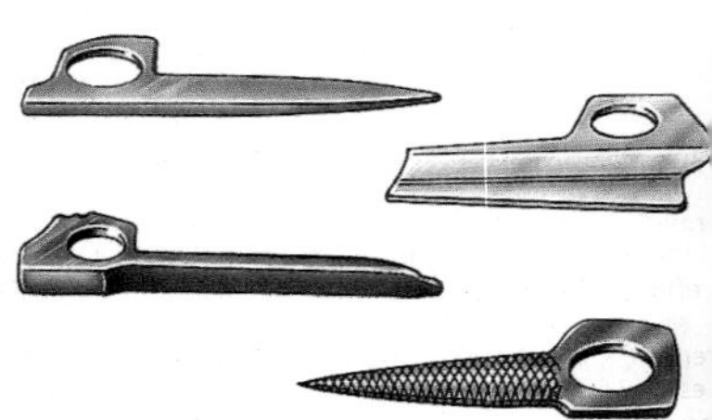

◆ **Pitons.**
Ils servent de points d'ancrage pour des relais ou des rappels, de points d'assurage (placés par le premier de cordée pour assurer sa progression), de points d'appui (pour l'escalade artificielle).

◆ Rappel.
Le rappel est une technique qui permet de descendre rapidement une paroi verticale ou surplombante au moyen d'une corde mise en double, fixée en son milieu à un piton ou à un anneau de corde. Actuellement, le rappel s'effectue sur un descendeur, fixé à un baudrier. Au terme de la descente, l'alpiniste tire sur un des deux brins et « rappelle » la corde.

◆ Cordée.
La cordée est un groupe d'alpinistes reliés par une même corde pour effectuer une ascension. On trouve généralement des cordées de 2 ou 3 alpinistes. La cordée à deux, plus rapide et plus sûre, est dite réversible, chaque grimpeur prenant alternativement la tête. Dans la cordée à trois, le meilleur marche en tête (c'est le premier de cordée), le plus faible au milieu (lors de la descente, le meilleur reste en dernier pour assurer ses deux compagnons).

◆ Piolet.
Utilisé pour les courses de neige et de glace, le piolet se compose d'un manche terminé à une extrémité par une pique maintenue par une douille, et à l'autre extrémité par une sorte de pioche formée d'une panne et d'un pic. La tête du piolet est souvent percée d'un trou, afin d'y passer un mousqueton.

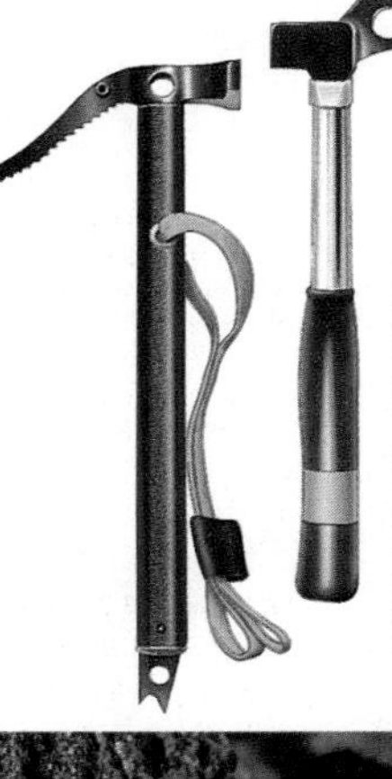

◆ Marteaux.
Les différences sont parfois subtiles entre piolet et marteau. Il existe d'ailleurs un marteau-piolet permettant à la fois d'ancrer et de planter des pitons. Le marteau à glace possède un manche court (50 cm env.) et se caractérise par une lame fortement courbée, inclinée vers le bas.

◆ Broche.
La broche à glace est un long piton métallique que l'on enfonce dans la neige ou dans la glace et auquel on fixe un mousqueton, pour s'assurer. Les broches traditionnelles, enfoncées au marteau, ont été progressivement remplacées par des vis à glace (broches à vis), qui résistent mieux à l'arrachement.

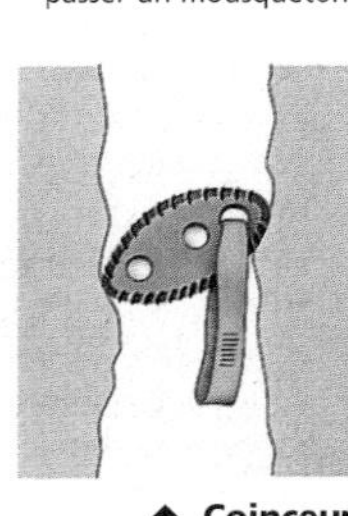

◆ Coinceur.
En acier ou en alliage léger, le coinceur est utilisé pour l'assurage sur une paroi rocheuse. Jouant le rôle du piton, il se place dans une fissure et se bloque sous l'effet de la traction. Bien placé, il permet un assurage efficace et, contrairement au piton, ne dégrade pas le rocher. Les coinceurs sont apparus dans les années 1950, et il en existe maintenant un grand nombre de variétés.

◆ Assurage ou **assurance.**
L'assurage, ou assurance, est l'ensemble des procédés ·mettant de progresser en terrain difficile avec le minimum de risques. Le guide, ou le premier de cordée, après avoir effectué l'ascension d'un passage difficile, assure ensuite le second en le tenant au bout de la corde d'attache (sans le ›r). De même, pendant son ascension, le premier de cordée ›st assuré d'en bas par le second qui se tient prêt à enrayer e chute éventuelle. Pour être efficace, l'assurage exige que grimpeurs disposent de bonnes plates-formes de relais, de oints d'appui. Si cette condition n'est pas remplie, l'emploi pitons d'acier permet de rendre l'assurage beaucoup plus ficace. Un grimpeur peut s'assurer lui-même, lorsqu'il est à rêt, en passant sa corde ou une boucle autour d'un bec de rocher ou autour d'un piton : c'est l'auto-assurage.

◆ Mousqueton.
C'est un anneau métallique en alliage léger, de forme ovale et portant un doigt articulé, qui est utilisé pour relier une corde ou un étrier à un piton, dans les manœuvres d'assurage et dans une escalade artificielle.

◆ Corde.
Les anciennes cordes en chanvre ou en manille ont été remplacées par des cordes en Nylon, plus souples, plus légères, imputrescibles et dont la trame très élastique absorbe au mieux l'énergie du choc en cas de chute. On utilise principalement les cordes d'assurage en simple (11 mm de diamètre), longues généralement de 50 m, et la corde de rappel, en double (9 mm de diamètre), longue de 70 à 80 m et bicolore.

L'haltérophilie

Un sport en difficulté

L'haltérophilie est l'héritière des tours de force, effectués, au XIXe s., le plus souvent dans des foires ou des expositions, par des « hercules » se proclamant « l'homme le plus fort du monde ». Lors des I^{ers} jeux Olympiques, en 1896, l'haltérophilie est présente au programme, avec une catégorie unique et deux épreuves (maniement à un bras et à deux bras). Le premier Championnat du monde reconnu se tient en 1897, la Fédération française d'haltérophilie est créée en 1914, la Fédération internationale, en 1920. Les Championnats du monde se déroulent tous les ans (sauf les années olympiques) et une compétition féminine existe depuis 1987.

L'haltérophilie se pratique avec des barres à disques aux caractéristiques précises. Distance minimale entre les disques : 1,31 m ; diamètre de la barre : 28 mm. La barre porte des disques d'un poids échelonné de 1,25 à 50 kg (les plus lourds étant à l'intérieur), des disques plus légers pouvant être utilisés pour battre un record (qui pour être homologué, doit dépasser d'au moins 500 g le record précédent et être établi lors d'une compétition internationale). Chaque athlète a droit au total à trois essais pour chacun des mouvements, qui ne sont plus que deux (arraché et épaulé-jeté), depuis la disparition du développé après les jeux Olympiques de Munich (1972).

Une crise grave. Depuis une dizaine d'années, l'haltérophilie connaît une crise grave. Devant la progression constante de l'emploi de produits dopants (stéroïdes anabolisants essentiellement), la Fédération internationale prend, en 1993, une décision sans précédent pour tenter de rendre ce sport crédible : toutes les catégories de poids sont modifiées, ce qui entraîne, de fait, l'annulation de tous les records du monde. À la fin de 1997, ces catégories connaissent un nouveau changement. Cette fois, le dopage n'est pas en cause : en raison de l'entrée controversée des femmes haltérophiles aux jeux Olympiques en 2000, le CIO a souhaité réduire le nombre de catégories (8 pour les hommes, 7 pour les femmes). Des minima (non atteints en 1998) sont fixés pour l'établissement des nouveaux records. La Fédération française, de son côté, est confrontée à un autre problème. Minée par des problèmes financiers, elle voit, le 15 avril 1998, l'État lui retirer son agrément. C'est la première fois qu'une fédération sportive connaît une telle sanction.

Quelques grands noms

Vassili Alexeïev (URSS, né en 1942). Il est tenu pour l'homme le plus fort du monde. Champion olympique des super-lourds en 1972 et 1976, titulaire de 22 titres mondiaux, il est le premier à soulever plus de 600 kg (aux trois mouvements).

◆ Vassili Alexeïev.

Charles Rigoulot (Fr., 1903-1962). Champion olympique en 1924, il a établi plus de cinquante records du monde de 1920 à 1932, comme amateur puis comme professionnel.

Naïm Suleymanoglu (Turq., né en 1967). Cet athlète d'origine bulgare (il a conquis ses premiers titres pour la Bulgarie sous le nom de Suleimanov) obtient trois titres olympiques (1988, 1992, 1996) et établit 46 records du monde.

Youri Zakharevitch (URSS, né en 1963). À 20 ans, il établit des records du monde spectaculaires chez les 100 kg : 200 kg à l'arraché et 240 kg à l'épaulé-jeté. Après une grave blessure qui l'éloigne de la compétition pendant un an, il gagne les Championnats du monde en 1985, 1986 et 1987.

◆ **Arraché.**
L'athlète saisit la barre, accroupi, les mains écartées. Détendant les jambes, il la soulève en la hissant au niveau de la poitrine. En s'accroupissant de nouveau, il se glisse sous la barre, qu'il doit tenir à bout de bras. Il stabilise alors la charge au-dessus de sa tête avant de se relever, bras toujours tendus, barre fixée.

VOIR AUSSI • **Dopage** p. 1283

◆ **Épaulé-jeté.**
L'athlète, accroupi devant la barre, effectue le même début de mouvement que lors de l'arraché (montée verticale de la barre et mouvement de relevé en passant le corps sous la barre) avec, cependant, un moindre écartement des mains sur la barre. Celle-ci est alors menée aux épaules : l'haltérophile, les bras repliés, la fait reposer sur les clavicules ou les deltoïdes. Il se redresse alors, ayant épaulé. Le jeté s'effectue ensuite : l'athlète se fend pour porter la barre au-dessus de la tête, à bout de bras, d'un mouvement rapide, avant de ramener les pieds sur le même plan, ayant stabilisé la charge.

◆ **Évolution des catégories de poids chez les hommes.**

Avant 1993	De 1993 à 1997	Depuis 1998
52 kg	54 kg	56 kg
56 kg	59 kg	62 kg
60 kg	64 kg	69 kg
67,5 kg	70 kg	77 kg
75 kg	76 kg	85 kg
82,5 kg	83 kg	94 kg
90 kg	91 kg	105 kg
100 kg	99 kg	plus de 105 kg
110 kg	108 kg	
plus de 110 kg	plus de 108 kg	

La tauromachie

La corrida

Les débuts des jeux tauromachiques semblent remonter au Moyen Âge en Espagne, sous une forme populaire, la chasse aux taureaux, et sous une forme réservée aux nobles, étroitement mêlée à l'art équestre. La vogue de la tauromachie se maintient parmi la noblesse espagnole jusqu'au XVIIe s. Au XVIIIe s., la corrida devient une distraction populaire, sous l'impulsion de Pedro Romero, originaire de Ronda, et de Francisco Montes Paquiro, de Séville, tous deux considérés comme les fondateurs de la corrida sous sa forme actuelle. L'Espagne est bien sûr le pays où ce « sport » est le plus prisé, mais la corrida se pratique également en Amérique latine (essentiellement au Mexique) et en France, où elle est, depuis une loi de 1951, autorisée « dans les villes de tradition ininterrompue depuis dix ans ».

◆ **Une passe classique.**
Lors de la *faena*, le matador (ici Jesulin de Ubrique) attire le taureau vers lui en agitant la *muleta* et esquive la charge de l'animal. C'est à ce moment du combat que le matador prend le plus de risques, un coup de corne pouvant lui être fatal.

Le déroulement de la corrida. Une corrida se déroule selon un rituel très précis. Avant le début des combats se tient le *paseillo*, défilé des matadors suivis de leurs aides (*peones* et banderilleros) qui se présentent au public et au président, lequel, en agitant un mouchoir blanc, annoncera le début du combat (*lidia*). En général, trois toreros se succèdent, affrontant chacun deux taureaux.

Un combat dure environ 20 minutes. Il se déroule en trois périodes *(tercios)*. Lors de la première, le matador prend la mesure du taureau. Il exécute une série de passes avec une grande cape fuchsia. Les picadores, à cheval, piquent l'animal avec leurs lances *(varas)* pour tester sa combativité. À l'issue de cette première phase, le président, sur la demande du public, peut décider de la sortie du taureau si celui-ci n'est pas jugé suffisamment combatif. Lors de la deuxième période, le torero et les banderilleros plantent trois paires de banderilles sur l'animal, en lui faisant face. Lors de la troisième période, le torero exécute de nouvelles passes, avec la muleta, morceau d'étoffe rouge. C'est la phase la plus spectaculaire du combat, durant laquelle le matador fait valoir sa virtuosité. Lorsqu'il pense que l'animal est suffisamment éprouvé, pendant que les *peones* attirent le taureau vers eux, le matador demande au président l'autorisation d'effectuer la mise à mort.

Le matador cherche alors à ce que le taureau se présente face à lui, tête baissée. La mise à mort s'effectue en plantant une épée dans l'encolure de l'animal. Pour ce faire, le matador peut soit attendre que le taureau le charge, soit s'élancer vers lui. Cette ultime phase du combat, la plus controversée, est aussi celle sur laquelle le torero sera jugé. Si l'animal tarde à mourir, le torero pourra se voir refuser les trophées (une oreille, deux oreilles, les deux oreilles et la queue en fonction de la qualité de sa prestation), et même connaître la *bronca* de la part du public. Le taureau mort est alors évacué de l'arène.

Pour ou contre ?

Sport ou non ? Art, spectacle ou barbarie ? La corrida alimente régulièrement les polémiques entre partisans et détracteurs, entre aficionados et défenseurs des animaux. Les partisans de la corrida soutiennent qu'il s'agit d'un élément essentiel de la culture ibérique ancestrale, partie fondamentale des *ferias* qui se tiennent en Espagne d'avril à octobre. De plus, sans la corrida, les *ganaderias* n'auraient plus lieu d'exister et, de ce fait, la race des taureaux de combat s'éteindrait. Pour ses détracteurs, la corrida est un spectacle sanguinaire qui se termine inéluctablement par la mise à mort du taureau. Celle-ci est autorisée en Espagne et effectuée au centre de l'arène ; elle est réglementée en France (la mise à mort ne peut se pratiquer que dans les villes revendiquant une tradition tauromachique de plus de cinquante ans), et s'effectue hors de l'arène au Portugal. Toutefois, certaines formes de sport tauromachique pourraient rapprocher les antagonistes, puisque les combats ne se terminent pas par la mise à mort de l'animal. Il en va ainsi, en France, de la course camarguaise, qui consiste à arracher au taureau divers attributs (cocarde placée au milieu du front, pompons fixés à ses cornes), ou de la course landaise, dont le but est de réaliser des figures, feintes, etc., face à des vachettes.

Les arènes

Les arènes n'ont pas de dimensions ou de forme obligatoires. Elles sont le plus souvent construites à l'imitation des cirques de la Rome antique, donc de forme circulaire. La *plaza de toros*, où le torero et le taureau s'affrontent, est le plus souvent faite de terre battue recouverte de sable. Elle est entourée d'une palissade, en général en bois, et de gradins. Traditionnellement, la loge présidentielle est située face à la porte qui permet d'accéder au toril. L'Espagne compte un nombre important d'arènes. Les premières arènes permanentes furent construites à Madrid en 1749, à Séville en 1761 et à Saragosse en 1764. Néanmoins, les plus grandes arènes se situent à Mexico (Monumentale Plaza Deportes, 48 000 places). En France, les arènes les plus connues sont celles de Nîmes (20 000 places) et d'Arles (12 000 places).

Petit lexique

alguazil : personnage vêtu de noir qui précède les combattants avant le défilé de présentation.

alternative : cérémonie au cours de laquelle un *novillero* devient torero.

brindis : se dit lorsqu'un torero offre la mort de l'animal à une personne de l'assistance.

faena de muleta : phase du combat où le torero exécute des passes avant la mise à mort.

ganaderia : élevage de taureaux de combat.

matador : celui qui est chargé de la mise à mort de l'animal.

novillero : torero non confirmé affrontant des taureaux de moins de trois ans.

Quelques grands noms

El Cordobés (Manuel Benitez Pérez, Esp., né en 1936). Il reçoit l'alternative en 1963. À la fin des années 1960, il donne une nouvelle impulsion à l'art tauromachique en employant des techniques s'éloignant des canons traditionnels. Il se retire en 1994, après avoir combattu plus de cent vingt fois.

◆ **El Cordobés.**

Luis Miguel Dominguín (Esp., 1925-1996). Il reçoit l'alternative en 1944. Rival de Manolete, il n'abandonne les arènes qu'en 1974.

Joselito (José Gómez Ortega, Esp., 1895-1920). Il reçoit l'alternative en 1912. Première véritable vedette de la tauromachie, il meurt dans l'arène le 16 mai 1920, après avoir participé à 680 corridas.

Manolete (Manuel Rodríguez Sanchez, Esp., 1917-1947). Il reçoit l'alternative en 1939. Voulant rivaliser d'audace avec Dominguín, il est mortellement blessé au cours d'une corrida le 28 août 1947.

Antonio Ordoñez (Esp., 1932-1998). Il reçoit l'alternative en 1951. Par la qualité de ses prestations, Ordoñez éclipse Dominguín.

Domingo López Ortega (Esp., 1906-1988). Il reçoit l'alternative en 1931. Son style est considéré comme l'un des plus épurés. Il est aussi l'un des premiers toreros espagnols à venir combattre en France.

Francisco Rivera Paquirri (Esp., 1948-1984). Il reçoit l'alternative en 1966. Réputé pour sa dextérité, s'exposant souvent au danger, il est tué le 26 septembre 1984 lors d'une corrida près de Cordoue.

Sport et société

Un phénomène de notre temps

Lorsqu'il proposa en 1894, à la Sorbonne, la rénovation des jeux Olympiques, le baron Pierre de Coubertin ne se doutait pas que le sport deviendrait, à la fin du XXe s., un phénomène de société dont les enjeux, notamment financiers et économiques, atteindraient des proportions considérables.

Le sport amateur. Le sport est avant tout une activité de loisirs qui permet à chacun, selon ses goûts et ses capacités, de passer des moments agréables et d'entretenir sa condition physique, voire sa santé. Les sportifs amateurs sont souvent membres d'un club et affiliés à une fédération. Il existe en France quelque 75 fédérations nationales, de la Fédération française de pentathlon moderne (250 adhérents dans 11 clubs) à la Fédération française de football (2,5 millions de licenciés dans 25 000 clubs). Les bénévoles – dirigeants, entraîneurs, éducateurs – tiennent un rôle essentiel dans cette organisation.

Le sport, facteur d'intégration. Nombre de champions affirment avoir choisi le sport pour échapper à la misère. Plus généralement, la pratique d'un sport permet de canaliser les énergies des jeunes et contribue à la prévention de la délinquance. Souvent, il constitue un moyen pour les jeunes en difficulté d'évoluer hors des structures officielles comme le montre le succès du basket des rues, qui peut se pratiquer n'importe où, pour peu que l'on dispose d'un simple panier fixé à un mur. Il convient de souligner aussi l'heureuse initiative prise en marge de la Coupe du monde de football organisée en France en 1998 : la Coupe du monde des banlieues, qui a permis à des jeunes venant de quartiers défavorisés du monde entier de se rencontrer. Une autre fonction du sport est l'apprentissage de la tolérance : sur un stade, les notions de race, de religion, d'exclusion n'ont plus droit de cité.

Enfin, le sport peut permettre aux handicapés de surmonter leurs souffrances et leur détresse. Le handisport compte une quarantaine de disciplines. Depuis 1960 se tiennent des jeux Paralympiques d'été, depuis 1976 des jeux Paralympiques d'hiver. En 1996, à Atlanta, les jeux Paralympiques ont réuni 5 000 athlètes, venus de 140 pays. L'équipe de France y a remporté 95 médailles, dont 35 en or.

◆ **Handisport en athlétisme.**

Le sport professionnel. Longtemps, la notion d'amateurisme est restée le fondement de l'olympisme. Toutefois, il est progressivement devenu évident que le terme « amateurisme » n'avait plus guère de sens. En effet, il est impossible de pratiquer un sport de compétition à haut niveau sans s'y consacrer à plein temps. Depuis 1992, le Comité international olympique autorise les professionnels à participer aux Jeux. Tous les sportifs peuvent donc être aujourd'hui rémunérés. Mais les gains sont très divers, selon les disciplines et la notoriété. En effet, outre les sommes gagnées lors des compétitions, les sportifs, généralement salariés par leur club, augmentent leurs revenus grâce aux contrats publicitaires. La gamme des revenus est large. Quoi de commun entre Ronaldo, dont les revenus quotidiens avoisinent les 100 000 F, et un footballeur « professionnel » évoluant en deuxième division française pour 15 000 F mensuels ?

Les excès. Malheureusement, le sport et ses enjeux, notamment médiatiques et financiers, conduisent à des dérives de toute sorte. Le dopage est sans doute la plus grave. L'ex-RDA avait institutionnalisé le dopage, souvent à l'insu des athlètes, pour obtenir des résultats et se voir reconnaître politiquement comme puissance internationale. Aujourd'hui, en toute légalité, les joueurs de rugby sud-africains absorbent de la créatine, alors que les risques pour la santé ne sont pas connus. Régulièrement arrivent sur le devant de la scène des affaires de corruption, comme la tentative de trucage du match de football Valenciennes-Marseille en 1993. Il est avéré que des membres du CIO ont reçu des « cadeaux » pour favoriser l'attribution des Jeux à telle ou telle ville. Et que penser de la grève, en 1998-1999, des basketteurs multimillionnaires de la NBA pour protester contre le gel de leurs salaires ?

Le hooliganisme

Le terme « hooligan » est employé pour la première fois dans les années 1920, par les dirigeants de la Russie soviétique, pour désigner un individu dont le comportement n'est pas conforme aux exigences du régime communiste. Dans les années 1970, en URSS, se produisent les manifestations du hooliganisme tel que nous l'entendons aujourd'hui. Les stades de football sont alors les seuls lieux de rassemblement possible et les premiers incidents s'y déroulent. Avec le développement des Coupes d'Europe, les affrontements entre supporters ou entre un public fanatisé et les forces de l'ordre se diffusent à l'Ouest, et plus particulièrement en Angleterre. L'Europe entière ne prend conscience de l'importance du hooliganisme que le 29 mai 1985, lorsque, à l'occasion de la finale de la Coupe d'Europe au stade du Heysel à Bruxelles, des hooligans anglais attaquent des *tifosi* italiens, provoquant la mort de 39 personnes. Les clubs anglais sont alors exclus des Coupes d'Europe par l'UEFA. Cette mesure drastique ne règle pas le problème. En effet, la question est complexe. Les hooligans ne sont pas forcément issus, comme on a pu le penser, des classes défavorisées, mais de toutes les couches sociales de la population. La première mesure prise est l'interdiction de la vente et même de l'introduction de boissons alcoolisées dans les stades. La police fiche les supporters, et les véritables hooligans qui ne se rendent aux matchs de football que dans un dessein de violence sont interdits de stades et de déplacements lors des rencontres internationales. Toutes ces mesures n'ont pas permis d'éviter des incidents lors de la Coupe du monde en France en 1998, mais en ont sans doute limité l'importance.

VOIR AUSSI
• **Sport et santé** p. 214
• **Dopage en cyclisme** p. 1248
Illustrations
• **Hooliganisme** p. 1002

L'émergence des sports « fun »

◆ **Skateboarder en action.**

Depuis les années 1980 est apparue une nouvelle catégorie de sports, dits « fun ». Ils correspondent à un goût de liberté, à une envie de sensations nouvelles, hors de toutes compétitions officielles. Souvent, ces sports ne sont pas à proprement parler « nouveaux » mais donnent des formes inédites à des sports déjà existants.

Le meilleur exemple est sans doute le *roller*, qui est tout simplement le patinage à roulettes, connu dès 1760 et très en vogue au début du XXe s., aujourd'hui transformé avec l'apparition d'un nouveau matériel, notamment les roues en ligne. Cette spécialité se décline sous de multiples aspects : courses de vitesse, figures acrobatiques, saut d'obstacles et surtout grands rassemblements (notamment à Paris). Le *skateboard* donne également lieu à toutes sortes d'expressions : vitesse, sauts, figures, endurance. Le *wind skating* se pratique sur une planche à roulettes équipée d'une voile. Le ski s'ouvre aussi à de nouveaux horizons : surf des neiges (ou *snowboard*, devenu discipline olympique en 1998), ski extrême (ou *free-ride*), qui consiste à descendre les pentes les plus vertigineuses (parfois des sauts de 20 à 30 m sont nécessaires pour franchir les obstacles). Le saut à l'élastique (ou *benji*) consiste à se lancer dans le vide, accroché à un câble en latex. En *sky surf*, les pratiquants, équipés d'une planche de surf, exécutent dans les airs des figures (filmées pour les compétitions) avant d'atterrir en parachute. Le char à voile permet aussi de découvrir de nouvelles sensations (notamment en *speed sail*, où l'on peut atteindre des vitesses de l'ordre de 100 km/h).

Dépassement de soi et compétition

En dehors des compétitions officielles, certains se lancent des défis à eux-mêmes, parfois avec un but scientifique, souvent uniquement pour la valeur de l'exploit, ou pour marquer les esprits. Liés à la vitesse ou à l'endurance, ces aventures ont toutes en commun le risque et le dépassement des limites humaines. Le pionnier est sans doute Alain Bombard, qui relie Las Palmas à la Barbade, en 1951, sans eau et sans vivres, à bord d'un canot pneumatique de 4,60 m, *L'Hérétique*. En 1980, sur un canot en bois et époxy de 5,60 m, Gérard d'Aboville traverse l'Atlantique à la rame. En 1981-1982, Christian Marty traverse l'Atlantique sur une planche à voile. En 1986, Jean-Louis Étienne parcourt le continent Arctique (1 200 km) à pied. En 1992, Guy Delage traverse l'Atlantique à bord d'un ULM. En 1999, le Suisse Bertrand Picard effectue le tour du monde en ballon dirigeable. Le record de vitesse automobile a donné lieu à de multiples tentatives : si le Belge Camille Jenatzy, sur la *Jamais-Contente*, dépasse les 100 km/h (105, 85) en 1899, le Britannique Andy Green atteint 1 233,596 km/h aux commandes de la *Thrust-SSC* en 1998. Le skieur autrichien Harry Egger atteint 248,105 km/h en 1999.

Le dopage

Le dopage consiste en l'absorption de substances chimiques (le plus souvent des médicaments détournés de leur emploi thérapeutique) afin d'améliorer les performances. Outre le problème éthique (tricherie), cet usage peut s'avérer dommageable pour la santé des sportifs. Tous les sports sont touchés, même si certains (haltérophilie, athlétisme, natation, cyclisme, etc.) semblent y être plus souvent confrontés. C'est en 1988, avec la disqualification du vainqueur du 100 m olympique, le Canadien Ben Johnson, que le grand public découvre l'importance du phénomène, qui a aussi été évoqué lors du décès prématuré en 1998 de l'athlète américaine Florence Griffith-Joyner, triple championne olympique en 1988.

Durant les années 1970 et 1980, les nageuses de la République démocratique allemande collectionnent les titres mais il s'avère aujourd'hui que ces jeunes filles étaient dopées, souvent à leur insu. Toujours en natation, de nombreuses Chinoises ont été prises en flagrant délit en 1993. La même année, la Fédération internationale d'haltérophilie a modifié toutes les catégories de poids (effaçant de fait tous les records du monde), pour tenter d'enrayer la pratique du dopage. En cyclisme, le Tour de France 1998 a été marqué par les affaires de dopage.

Les contrôles antidopage ont montré leurs limites et les sportifs, pris dans un système qui les contraint à toujours plus d'exploits, semblent autant victimes que coupables. Désormais, il est nécessaire que les pouvoirs politiques prennent le relais des autorités sportives pour combattre ce danger, aussi bien au niveau national qu'international.

Sport et médias

Les médias sont-ils au service du sport, ou est-ce l'inverse ? Si les journaux ont leur importance (*L'Équipe* est le quotidien le plus lu en France), les relations entre le sport et la télévision sont encore plus fondamentales. De nombreux événements sportifs n'auraient pas lieu sans les recettes liées aux droits de retransmission télévisée. Pourtant, la première manifestation sportive retransmise en direct – la Coupe du monde de football en Suède – ne remonte qu'à 1958. Depuis, le paysage audiovisuel s'est profondément modifié. Avec l'arrivée du câble et du satellite, des chaînes entièrement dédiées au sport voient le jour. Un danger se fait sentir : certains événements ne sont désormais retransmis que sur des chaînes payantes. De plus, la télévision influe parfois sur le déroulement, voire sur les règles de certains sports.

Par exemple, en tennis, pour raccourcir la durée des rencontres, le *tie-break* (jeu décisif) est instauré en 1973 ; en 1986, lors de la Coupe du monde de football au Mexique, certains matchs ont lieu à midi, au plus fort de la canicule, pour permettre, en raison du décalage horaire, aux téléspectateurs européens de recevoir les images en direct en début de soirée ; en 1999, le volley-ball modifie totalement son système de comptage des points pour tenter de devenir un sport « médiatique »... Grâce aux médias, il est vrai, le sport touche maintenant un nombre de personnes considérable.

Ainsi, en 1998, la finale de la Coupe du monde de football est suivie par 20,6 millions de téléspectateurs français, sur TF1, et la finale du Superbowl américain, sur NBC, le 28 janvier 1996, par 138 millions de téléspectateurs.

◆ Test d'équipement. En dehors de l'entraînement physique, le recours à la technologie est un moyen de faire progresser les performances. Ainsi, ces essais en soufflerie, réalisés par les skieurs de l'équipe de France, ont pour but d'optimiser la pénétration aérodynamique et les appuis ski-neige, ainsi que de déterminer le matériau le mieux adapté pour la combinaison.

◆ Repères chronologiques.

	Compétition	Événement
1896	JO	I[ers] jeux Olympiques de l'ère moderne à Athènes
1899	football	premier championnat professionnel, en Angleterre
1900	tennis	création de la Coupe Davis
1903	cyclisme	premier Tour de France
1910	rugby	premier Tournoi des cinq nations
1913	JO	Jim Thorpe, accusé de professionnalisme, doit rendre ses médailles obtenues en 1912
1920	JO	l'Allemagne et l'Autriche ne participent pas aux Jeux
1920	JO	le drapeau olympique est hissé pour la première fois à Anvers
1923	automobile	Ire édition des 24 heures du Mans
1924	JO	I[ers] jeux Olympiques d'hiver à Chamonix
1930	football	Ire Coupe du monde en Uruguay
1932	athlétisme	Jules Ladoumègue et Paavo Nurmi radiés pour professionnalisme
1933	football	premier Championnat de France professionnel
1948	JO	l'Allemagne et le Japon ne participent pas aux Jeux
1950	automobile	Ier Championnat du monde de formule 1
1960	JO	I[ers] jeux Paralympiques à Rome
1967	boxe	Cassius Clay déchu de son titre de champion du monde pour avoir refusé de combattre au Viêt Nam
1967	cyclisme	Tom Simpson, victime du dopage, meurt lors du Tour de France
1968	JO	introduction des tests de féminité
1968	JO	les athlètes noirs américains manifestent sur les podiums
1968	tennis	professionnels et amateurs sont autorisés à participer aux mêmes tournois, dits « open »
1970	JO	l'Afrique du Sud est exclue du CIO
1972	JO	le skieur autrichien Karl Schranz est exclu des Jeux de Sapporo pour professionnalisme
1972	JO	un commando palestinien assassine onze athlètes israéliens à Munich
1973	natation	I[ers] Championnats du monde à Belgrade
1976	JO	boycottage des Jeux de Montréal par la plupart des pays africains
1980	JO	boycottage des Jeux de Moscou par 63 pays à l'initiative des États-Unis
1983	athlétisme	I[ers] Championnats du monde à Helsinki
1984	JO	boycottage des Jeux de Los Angeles par 18 pays à l'initiative de l'URSS
1985	football	des hooligans anglais attaquent des supporters italiens : 39 morts
1987	rugby	Ire Coupe du monde en Australie et en Nouvelle-Zélande
1988	JO	Ben Johnson, vainqueur du 100 m, disqualifié pour dopage
1989	football	affrontements lors d'une demi-finale de la Coupe d'Angleterre : 95 morts
1992	JO	les professionnels sont officiellement autorisés à participer aux Jeux
1993	football	l'Olympique de Marseille, impliqué dans une affaire de corruption, déchu de son titre de champion de France
1993	cyclisme	les catégories « professionnels » et « amateurs » fondues en une catégorie « élite »
1995	rugby	le professionnalisme officiellement autorisé
1998	cyclisme	interventions de la police sur le Tour de France pour des affaires de dopage

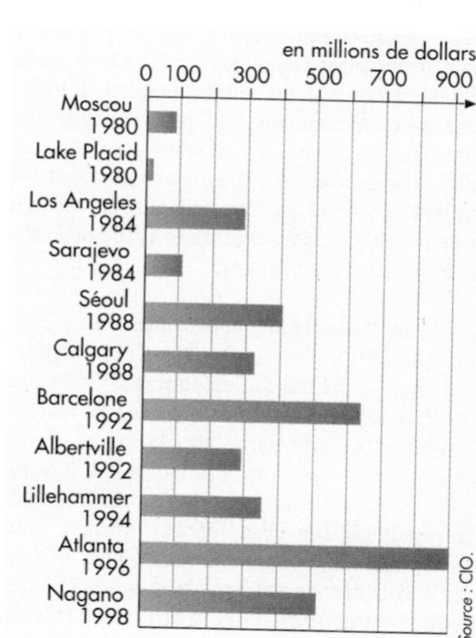

◆ Droits de retransmission télévisée des jeux Olympiques.

Jeux et jouets d'enfant

Les jeux d'éveil

Les jeux d'éveil apparaissent aux États-Unis au cours des années 1930, quand on commence à s'intéresser au développement de l'intelligence de l'enfant et à comprendre que c'est par le jeu, dès son plus jeune âge, qu'il acquiert la capacité de surmonter des situations complexes et développe des facultés motrices, affectives, intellectuelles et sociales. On cherche alors à concevoir ou à adapter des jeux pour chaque étape du développement de l'enfant. De la stimulation naturelle interactive entre le jeune enfant et son entourage, on passe à une attitude pédagogique et éducative volontaire, conçue pour accroître les capacités du futur adulte. Dès les premiers mois, les jouets proposés au bébé favorisent l'éveil sensoriel, principalement par la stimulation du toucher, de la vue, de l'ouïe.

Le hochet. C'est le premier jouet, présent dès l'Antiquité et dans toutes les cultures. À la fois objet symbolique et support de jeu, il a pour fonction primitive de protéger des forces maléfiques. Le hochet fait du bruit ; il enferme des graines, porte des grelots, qui signalent l'éveil du nourrisson et facilitent sa surveillance. Il est fait pour être saisi aisément par le bébé, qui le porte à la bouche, l'agite, le mordille quand il fait ses dents. Aujourd'hui en caoutchouc ou en plastique de couleurs vives, il est toujours producteur de sons. C'est l'objet le plus accessible pour le premier âge.

Les boîtes à musique. Apparues avec les automates, ce sont d'abord des objets décoratifs dont le mécanisme métallique reproduit des airs connus par une ligne mélodique simple. Après les salons aristocratiques, les boîtes à musique, adaptées pour favoriser l'éveil sonore du bébé, sont venues orner les chambres d'enfant. Aujourd'hui, c'est l'un des premiers objets placés près du nourrisson. Les boîtes à musique se fixent sur le lit ou le landau, ou bien sont intégrées à des mobiles. Certaines peuvent être actionnées par l'enfant grâce à une ficelle. On continue aussi à fabriquer des boîtes à musique décoratives qui se remontent avec une clé.

Les jeux d'eau. Les jeux d'eau, utilisés lors du bain, sont conçus pour être remplis et faire couler le liquide, pour flotter ou se mouvoir. L'enfant joue avec des animaux, des petits bateaux, des ustensiles de dînette, des moulins à eau, etc. De plus, tous les objets d'hygiène (savons et gants de toi-lette, shampoings) prennent aujourd'hui des formes ludiques, pour contribuer à faire de la toilette un plaisir pour l'enfant.

Les tableaux de découverte. Pièce maîtresse des jeux d'éveil, c'est l'un des plus fabriqués par l'industrie du jeu éducatif. Objet plat et rectangulaire en plastique qui se fixe verticalement dans un parc, sur la paroi d'une baignoire, ou que l'on pose sur le sol, il porte différentes pièces mobiles et sonores que l'enfant peut toucher et actionner : miroirs, boutons poussoirs, roues, etc. Ces pièces offrent des difficultés de manipulation graduées, qui permettent de stimuler la maîtrise gestuelle de l'enfant. Avec les tapis de découverte, on diversifie de plus en plus les fonctions et les supports. On fait découvrir à l'enfant différentes matières, on introduit des pièces cachées qu'il faut trouver, etc. Ces jeux d'éveil sont conçus pour accompagner le développement moteur des jeunes enfants jusqu'à 3 ans.

Les jeux de construction

Dans les premiers stades du développement de l'enfant, la manipulation des objets est essentielle. Elle est favorisée par les jeux d'empilement puis de construction.

Les cubes. Les jeux de cubes traditionnels en bois, le plus souvent ornés de dessins sur chaque face, offrent à l'enfant, vers 2 mois, la possibilité de différencier, d'organiser, de hiérarchiser, les couleurs, les figures, les volumes. Empiler, puis faire tomber sont des manipulations essentielles pour le jeune enfant.

Les jeux d'encastrement. Ces jeux favorisent, à partir de 18 mois, l'assemblage de formes complexes. Les maisons dans lesquelles on encastre des formes multiples, les puzzles simples faits de grosses pièces sont les plus classiques.

Le Lego. Le Danois Godtfred Christiansen dépose en 1954 le brevet de la brique en plastique munie de tenons qui sert de base au jeu baptisé Lego (contraction de *led godt*, qui signifie « bien jouer »). D'abord conçu pour construire des maisons, le jeu offre des possibilités plus élargies avec des séries de personnages, comme les Pirates ou les Legoland. Les Legotechnics, qui sont plus complexes, permettent aux jeunes adolescents d'élaborer de nombreuses machines.

Le Duplo, lancé en 1969, et constitué de briques huit fois plus grosses, est destiné aux enfants plus jeunes. Cette série comprend des personnages et des animaux que l'on peut fixer sur les briques.

Le Meccano. Ce célèbre jeu de construction a été breveté en 1901 par Franck Hornby. Cet homme d'affaires britannique voulait offrir à son fils le moyen de construire des grues comme celles du port de Liverpool. Meccano est une contraction de *make and know*. Son succès a été considérable. Il existe une revue, des bourses d'échange, des expositions qui montrent les constructions les plus étonnantes réalisées dans le monde entier. En 1965, une nouvelle gamme en plastique a été conçue pour les enfants âgés de plus de 4 ans.

Les jeux de motricité et d'adresse

L'acquisition de la position assise puis de la station debout ouvre à l'enfant un large éventail d'activités de motricité qui stimulent le goût de l'exercice et l'adresse.

Porteurs. Conçus pour l'intérieur de la maison comme pour l'extérieur, les porteurs et chariots de marche permettent à l'enfant de 9 mois de trouver son équilibre puis de marcher. En bois ou plus souvent en plastique, ils ont la forme de véhicules avec des roues. Le chariot se pousse debout en tenant une barre, tandis que le porteur est conçu pour s'asseoir dessus. L'enfant le fait avancer avec ses pieds en tenant un volant qui oriente les roues. Les porteurs sont agrémentés de boutons poussoirs comme sur un tableau de découverte, et peuvent posséder un coffre de rangement.

Tricycle. Muni d'une roue à l'avant et de deux roues à l'arrière, le tricycle est le premier vélo. Il permet, dès 24 mois, d'apprendre à pédaler. Il peut être en bois, en plastique ou en métal, ce dernier matériau étant préférable pour garantir l'équilibre et la solidité de ce jouet. Sur certains modèles, une canne amovible, placée à l'arrière, permet à un adulte de pousser l'enfant. À partir de 4 ans, on abandonne le tricycle pour le premier vélo, qui comprend deux roulettes placées de part et d'autre de la roue arrière pour assurer la stabilité tant que l'enfant n'a pas trouvé l'équilibre sur deux roues.

Patins à roulettes. Les patins à roulettes traditionnels sont en métal et s'adaptent à n'importe quelle chaussure grâce à un système de fixation. Ceux qui sont équipés d'un antirecul permettent de s'essayer au patinage dès 3 ans. En voie de disparition, ils sont remplacés par les rollers, dotés de roulements plus performants, avec une chaussure solidaire du patin. Les rollers ayant quatre roues en ligne combinent les apports techniques du patin à glace et ceux du ski. Casque, gants et protège-genoux font partie de la panoplie du jeune patineur. Pour les grands, le patin à roulettes prend une dimension plus sportive.

Billes. Les billes, dont on a retrouvé quelques spécimens dans les tombes d'enfants égyptiens, font toujours partie des jeux traditionnels, notamment à l'école. Autrefois en terre, elles sont aujourd'hui en verre, en ciment, en porcelaine (on les appelle aussi « agates »), plus rarement en métal. Les premières billes en verre sont apparues à Venise au XVIe s., et les billes en ciment dans les années 1870. Les jeux de billes sont très nombreux et donnent lieu à des concours et des championnats, en Grande-Bretagne depuis 1932 et en France depuis 1965. Des courses sur des circuits tracés dans le sable sont organisées sur les plages.

Balles et ballons. La balle est associée à de très nombreux jeux anciens, soit d'adresse (en particulier le jonglage), soit de jeux d'équipe (paume, pelote, tennis, hockey). Le ballon, plus moderne, a été conçu pour les sports collectifs, football, basket-ball, hand-ball, volley-ball, rugby. Leur volume, leur poids et leur qualité de rebond sont spécifiques de chaque jeu. Le ballon de rugby est ovale. Si les filles pratiquent volontiers le jonglage avec les balles, les garçons sont plus attirés par le ballon, avec lequel ils s'identifient aux joueurs de foot ou de basket.

Les jeunes enfants sont très tôt attirés par les ballons bariolés que l'on fabrique en plastique léger ; leur rôle est très important pour la maîtrise des jambes.

Les poupées

À toutes les époques, c'est un jouet populaire. Même si, dans les cultures traditionnelles, la poupée possède un caractère rituel, elle est aussi destinée au jeu. Fabriquée aujourd'hui en série, elle est accompagnée d'accessoires vestimentaires, d'éléments de mobilier et de divers objets. À partir du XIXe s., la poupée imite la mode des femmes, mais aussi les petites filles modèles et les nourrissons. Les poupées anciennes, ainsi que les poupées modernes de marque, sont très prisées des collectionneurs et elles ont leurs musées.

◆ La poupée Barbie.
Elle a été créée aux États-Unis, en 1959, par Ruth Handler, qui s'est inspirée du succès de la poupée allemande Lilli, dont le modèle avait été tiré d'un personnage imaginé par le quotidien allemand *Bild*. Elle a pour modèle la jeune femme libérée de l'après-guerre, à l'image notamment de Brigitte Bardot. Le succès de la poupée Barbie tient aussi bien à son caractère plus sexué (elle a un partenaire masculin, Ken) qu'au renouvellement régulier de la gamme de ses vêtements et de ses accessoires.

Les poupées « jouets ». Jouet de filles principalement, c'est un support d'identification et d'imagination très puissant. Le baigneur, ou poupon, permet de jouer à la maman. C'est une poupée solide que l'on peut habiller facilement. Elle est baignable, et ferme les yeux quand on l'allonge. La poupée proprement dite représente une petite fille et possède des cheveux que l'on peut coiffer. Certaines peuvent parler, marcher, verser des larmes, faire pipi, etc. Les fabricants ont multiplié les types ethniques et de nombreux accessoires associés au jeu avec la poupée : poussettes, landaus, tables à langer, mobilier, dînettes.

Les poupées anciennes. Jouets de luxe qui se multiplient à partir des années 1840, elles sont fabriquées en Grande-Bretagne, en France, en Allemagne, aux États-Unis. Les têtes, ainsi que les mains et les pieds, sont d'abord en cire ou en porcelaine, puis en biscuit, fixés à un corps en tissu ou en cuir fin, qui n'est pas destiné à être vu. Vêtues de belles robes, elles sont conçues plutôt comme objets de décoration très recherchés des collectionneurs. Des versions simplifiées et modernisées de ces modèles sont toujours fabriquées.

Les poupées de caractère. Leur visage est expressif, ce qui leur donne une plus grande présence psychologique. Leurs traits traduisent des émotions qui les rendent plus vivantes et plus individualisées. Ces poupées sont souvent produites en séries limitées.

Les poupées folkloriques. Leur tenue vestimentaire reproduit fidèlement les costumes traditionnels propres à un pays ou à une région. Elles sont le plus souvent de petite taille et représentent des adultes, femmes et hommes. Ce sont des objets de décoration ou de collection, des souvenirs qui évoquent une contrée particulière. Il en existe généralement toute une gamme, qui va du petit modèle bon marché à la poupée de grande taille richement habillée.

Les poupées de mode. Plus petites que la poupée classique, elles représentent des mannequins féminins portant des tenues et des accessoires à la mode. Avant 1945, leur finalité était surtout décorative. Destinées aux femmes, elles offraient le modèle de la femme libérée, de la garçonne, de la vamp, etc. Après la Seconde Guerre mondiale, la poupée est conçue pour que la petite fille s'imprègne des canons de la femme à la mode. Les types représentés se renouvellent, et certains connaissent un grand succès commercial : Lilli en Allemagne, puis Barbie aux États-Unis.

Plus que jamais, et en dépit de la production de masse, tout nouveau modèle est potentiellement une future poupée de collection. Sa boîte de présentation, ses accessoires peuvent acquérir une grande valeur. Aussi, les fabricants alimentent régulièrement ce marché en créant des séries spéciales limitées.

Le jouet, miroir d'une époque

Au siècle des Lumières, le jouet est un amusement destiné aux adultes. Lanternes magiques, maisons de poupées, automates, ont un grand succès dans les salons. Au XIXe s., le jouet d'adulte est progressivement adapté à l'usage de l'enfant. Les grandes inventions modernes, comme le train, la voiture, plus récemment le téléphone, inspirent des jouets devenus classiques. Les trains électriques JEP datent de 1925, les petites voitures de la marque Solido de 1932, la première version du téléphone à roulette de Fisher-Price est apparue en 1960. Ces jouets qui reproduisent fidèlement la réalité constituent des supports privilégiés d'identification à la puissance et au luxe d'une époque. C'est pourquoi ils peuvent séduire les adultes aussi bien que les enfants.

Les peluches

C'est d'abord l'ours, très présent dans les contes traditionnels de l'Europe du Nord, archétype de l'animal protecteur et complice, puissant tout en paraissant doux et placide. Tous les enfants connaissent l'histoire de *Boucle d'or et les Trois Ours*.

L'ours en peluche est apparu simultanément aux États-Unis et en Allemagne vers 1903. Morris Michtom, émigré russe, a inventé son ours, Teddy Bear, en s'inspirant d'une caricature représentant le président Theodore Roosevelt épargnant un ourson à la chasse. C'est le président lui-même qui a donné son accord pour qu'il porte le diminutif de son prénom. De son côté, en Allemagne, la famille Steiff fabrique des animaux en feutre, dont un ours qui sera remarqué à la foire de Leipzig de 1903. C'est avec l'ours que l'animal en peluche a perdu sa fonction uniquement décorative pour devenir, selon la théorie du psychanalyste britannique Donald W. Winnicott (1896-1971), l'objet transitionnel par excellence, diffusé dans tous les pays depuis le milieu du XXe s.

La production des animaux en peluche suit l'expansion très rapide du marché de l'ours en peluche. Ainsi, en 1911, le catalogue Steiff compte 1 700 sujets, les plus prisés étant les chiens et les chats. Leur fonction est restée plus décorative que ludique. D'abord fabriquées en laine et mohair, les peluches sont en soie artificielle dans les années 1930, en coton et en textiles synthétiques après la Seconde Guerre mondiale. Les fabricants renouvellent sans cesse les modèles, dont la variété semble illimitée : toute la faune passée (dinosaures) et présente, même les insectes et les crustacés, y est représentée, dans toutes les tailles, y compris la grandeur nature lorsque c'est possible. On réédite des modèles anciens à l'intention des amateurs, et certaines peluches atteignent des prix élevés lors des ventes aux enchères.

◆ La Cité des enfants, à la Villette
Au sein de la Cité des sciences et de l'industrie, à Paris, la Cité des enfants propose des espaces de découverte pour les 3-5 ans et les 5-12 ans.

Les jeux de société

Les jeux de parcours

Les témoignages archéologiques sur les jeux de société sont très rares ; en effet, les jeux les plus courants étaient pratiqués avec des formes très simples. Sur près de trois millénaires de civilisation égyptienne, on identifie seulement quatre jeux différents : tous sont des jeux de parcours qui répondent au même principe que l'actuel backgammon.

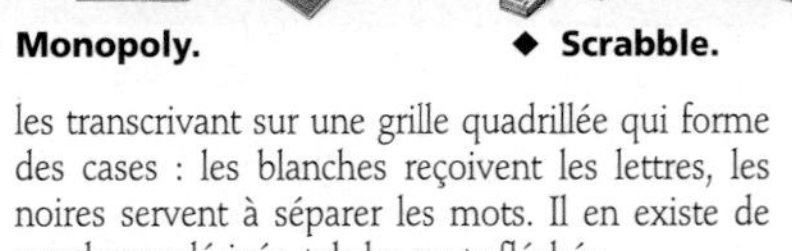

◆ Monopoly. ◆ Scrabble. ◆ Trivial Pursuit.

Le jeu de l'oie. Très en vogue aux XVIIe et XVIIIe s., le jeu de l'oie aurait été inventé, selon la légende, par Palamède, un héros grec, pendant le siège de Troie. Le nom complet du jeu était, au XVIIe s., le « noble jeu de l'oie renouvelé des Grecs ». Il se joue avec 2 dés sur un tableau représentant une spirale enroulée et divisée en 63 cases illustrées et comportant l'image d'une oie toutes les 9 cases. Le but du jeu est d'être le premier à atteindre la dernière case, tout en évitant de tomber dans des cases « piège ».

Les petits chevaux. Ce jeu connaît deux ancêtres : le *patolli*, au Mexique, et le *pachisi*, en Inde. Les historiens s'interrogent pour savoir comment le *patolli*, si proche du *pachisi*, a pu apparaître au Mexique avant l'arrivée des Espagnols. Sur un parcours en croix, les joueurs (entre 2 et 4) font avancer des pions en forme de petits chevaux, qui peuvent franchir un nombre de cases égal à celui qui est indiqué par 2 dés. Comme le jeu de l'oie, ce jeu de pur hasard est plutôt pratiqué par les jeunes enfants.

Le loto. Jeu de hasard, le loto est d'origine génoise : on tirait au sort, à l'aide de boules marquées, les noms des membres du collège gouvernemental. Les joueurs sont munis chacun de un ou plusieurs cartons (le jeu complet en compte 24), divisés en 27 cases numérotées, qu'ils couvrent à mesure que l'on sort d'un sac les boules portant les numéros correspondants. Le gagnant est le premier à avoir recouvert ses cartons.

Le Trivial Pursuit. Jeu de connaissances créé en 1982 par des Canadiens, Chris Haney et Scott Abbot, le Trivial Pursuit a été adapté en français en 1984. En 1987, 50 millions de jeux étaient déjà vendus dans le monde entier. Le gagnant est celui qui parvient le premier au terme d'un parcours, en répondant à des questions de toutes sortes, parmi les 6000 que compte le jeu.

Les jeux de lettres et de mots

Les mots croisés. Si on attribue à un Britannique l'invention des *crosswords* (« mots croisés ») au XIXe s., c'est aux États-Unis que le jeu s'est réellement développé. Les premiers mots croisés ont été publiés le 21 décembre 1913, dans le supplément du dimanche du *New York World*. Le jeu consiste à trouver un certain nombre de mots, dont les définitions, énigmatiques mais justes, sont données, en les transcrivant sur une grille quadrillée qui forme des cases : les blanches reçoivent les lettres, les noires servent à séparer les mots. Il en existe de nombreux dérivés, tels les mots fléchés.

Le Scrabble. Jeu de lettres breveté en 1946 aux États-Unis, le Scrabble est inspiré d'un jeu inventé en 1931 par un architecte américain au chômage, Alfred Butts. Il compte aujourd'hui plus de 10 millions d'adeptes dans le monde entier. Le jeu consiste à former des mots avec des lettres tirées au hasard, et à les placer sur une grille de façon qu'ils s'intègrent aux mots déjà constitués. En compétition officielle, tous les joueurs utilisent le même tirage de façon à éliminer le facteur chance.

Les jeux de stratégie

Le Monopoly. Précurseur des jeux de société modernes, le Monopoly a été inventé en 1935 par l'Américain Charles Darrow. Victime comme bien d'autres du krach boursier de 1929, il voulait créer un jeu qui, simulant des opérations commerciales, redonne l'esprit d'entreprise. La grille de jeu originale, utilisée aux États-Unis et dans les championnats du monde, symbolise la ville d'Atlantic City. Le principe du jeu consiste à acheter, à vendre ou à louer des terrains et des immeubles jusqu'à ce que l'un des joueurs arrive au Monopole. Des championnats de Monopoly sont organisés dans divers pays, et il existe même un championnat du monde (tous les deux ans).

Le Mastermind. Célèbre jeu de déduction, le Mastermind a été inventé en 1970 par un ingénieur israélien, M. Meirovitz. Il se pratique à deux. L'un des joueurs compose un « code » de 4 couleurs que son adversaire cherche, par propositions successives, à découvrir.

Wargames. Variantes modernes du *Kriegspiel* (« jeu de la guerre »), mis au point par les militaires au XIXe s. pour étudier les batailles du passé et imaginer celles de l'avenir, les wargames sont des jeux de stratégie et de tactique qui reproduisent la plupart du temps des batailles historiques. Les premiers wargames sont apparus aux États-Unis vers 1959. Il en existe aujourd'hui près de 300, parmi lesquels des jeux simulant des batailles célèbres, Austerlitz, Waterloo, Yom Kippour (qui simule le conflit de 1973), ou des guerres à caractère fantastique comme Seigneurs de guerre. Les wargames se jouent sur un plateau représentant la carte d'un champ de bataille, divisée en cases octogonales ou carrées, avec des pions ou des figurines représentant les armées en présence, et un ou plusieurs dés.

Donjons et Dragons. C'est le premier et le plus célèbre des jeux de rôle. L'Américain Gary Gigax l'a inventé en 1974 en s'inspirant des romans de J. R. R. Tolkien, *le Seigneur des anneaux* et *Bilbo le Hobbit*. Arrivé en France au début des années 1980, il y a conquis des milliers de joueurs fervents, qui se regroupent en clubs. S'il existe aujourd'hui de très nombreux jeux de rôle (Top Secret, Aftermath, l'Appel de Cthulhu, Maléfices), Donjons et Dragons reste le plus pratiqué dans le monde. Chaque joueur incarne un personnage lancé dans une aventure conduite par un meneur de jeu. Celui-ci, à la fois scénariste et arbitre, imagine un décor (un château, une ville médiévale), définit une action (renverser un tyran, sauver une princesse) et caractérise les héros. Tout au long du jeu, les joueurs font des propositions d'action. Le meneur indique au fur et à mesure ce qui se passe.

Les jeux de patience

Les puzzles. Ils consistent à recomposer une image (tableau, dessin, photo) découpée en multiples morceaux de petite taille qui s'emboîtent les uns dans les autres. Conçus au départ comme un passe-temps éducatif pour apprendre la géographie, ils sont apparus en Grande-Bretagne vers 1760 et ne sont devenus des jeux de patience qu'au milieu du XIXe s. Les jeux d'aujourd'hui comptent de 100 à 5000 pièces.

Les casse-tête. Les Chinois ont inventé de nombreux jeux de logique, comme le Tangram. Ceux-ci ont donné lieu à de nombreuses versions modernes. L'un des plus célèbres est le Rubicube.

Le mikado. Ce jeu est pratiqué depuis le Moyen Âge sous le nom de jonchets. Rabelais et Montaigne le mentionnent. Il a été remis au goût du jour sous le nom de mikado. Le jeu se compose de 40 baguettes, qui portent des marques différentes servant à indiquer leur valeur en point. Après qu'elles ont été jetées en vrac sur la table, chaque joueur essaie, à tour de rôle, d'en ramasser le plus possible sans que les autres baguettes bougent.

VOIR AUSSI

• **Jeux de lettres et de mots**
p. 1300 (jeux télévisés)

Les jeux électroniques

Les jeux vidéo

Les jeux électroniques voient le jour au début des années 1970, dans la foulée des recherches sur l'informatisation des jeux d'échecs. Mais le marché des jeux vidéo démarre vraiment à la fin des années 1980 avec l'invention des consoles. Les premiers jeux, comme Pong (1972), Space Invaders (1977), Tetris, Mario Bros., ont connu de grands succès. Si les informaticiens des campus américains furent des pionniers, ce sont les fabricants japonais qui ont alimenté le marché, dont la croissance est spectaculaire à partir de 1988. Depuis le milieu des années 1990, le recours au disque compact (CD) permet l'utilisation de la troisième dimension dans la conception des jeux. Plusieurs centaines de jeux sortent chaque année.

Les supports de jeu. On peut jouer à ces jeux soit dans une salle de jeu spécialisée, dite «salle d'arcades», soit chez soi, sur une console spécialisée ou sur un micro-ordinateur. Dans ce dernier cas, les jeux sont achetés sous forme de cartouches (circuit électronique imprimé) ou, depuis peu, de disques compacts. Les consoles sont des boîtiers que l'on relie à l'écran d'un téléviseur. Le boîtier comprend des manettes, les joypads, qui permettent de se diriger dans le jeu. Il existe aussi des miniconsoles portables, avec écran intégré, sur lesquelles on utilise des minicartouches pour des jeux plus simples. La qualité et la sophistication des jeux progressent en même temps que s'accroît la puissance des appareils supports. Les consoles sont passées de 8 bits de puissance, au départ, à 128 bits, aujourd'hui. L'ordinateur, qui revient dix fois plus cher que la console, permet toutefois des jeux plus complexes et plus beaux.

L'adaptation des jeux de société. Dans la foulée de l'adaptation du jeu d'échecs, les jeux de société les plus connus – le go, le bridge, la belote, le 421, la roulette, et beaucoup d'autres comme le Monopoly ou Trivial Pursuit – sont aujourd'hui disponibles en jeux électroniques. Ils permettent de jouer seul en se mesurant à des niveaux de difficulté qui dépassent ceux des meilleurs joueurs. Ils participent du vieux rêve de se mesurer à la machine, comme dans le cas du match fameux organisé par IBM, en mai 1997, entre Kasparov et Deep Blue, l'ordinateur spécialement programmé pour battre le champion du monde.

Les jeux de plate-forme. Les jeux dits «de plate-forme» forment la plus abondante des familles de jeux vidéo. Conçus en deux dimensions, ils mettent en scène un personnage qui se déplace de gauche à droite sur l'écran, de plate-forme en plate-forme, avec pour objectif d'éviter de nombreux obstacles. Le plus célèbre est le jeu Mario Bros., proposé par Nintendo en 1983. C'est le plus grand succès des jeux vidéo : avec plus de 100 millions d'exemplaires vendus en dix ans. De nombreux personnages de bandes dessinées, comme Astérix ou Lucky Luke, ont été adaptés en héros de jeux de plate-forme.

Les jeux d'aventure. Beaucoup plus complexes, ils font appel à la réflexion. Ils adaptent des histoires d'enquêtes policières, d'espionnage, de science-fiction, tel Space Quest, d'épopées médiévales, tel Dragon Quest, d'exploration, tel Tomb Raider avec le célèbre personnage féminin Lara Croft. Grâce à la troisième dimension (3D), les personnages peuvent se déplacer librement dans un espace, ou monde, défini à chaque étape du jeu en fonction de leur progression. Ces jeux connaissent aujourd'hui un grand développement.

Les jeux de simulation. Les jeux vidéo proposent des simulations très sophistiquées de sports (course automobile, tennis, football, surf, etc.). Dérivés des simulateurs professionnels, des jeux tels que Flight Simulator, créé en 1981, permettent de découvrir le pilotage d'un avion et de se familiariser avec toutes les situations de vol. Ils ont été transposés à différents types d'engins motorisés (navette spatiale, avion de combat, bateau).

Il existe également des jeux de simulation économique qui permettent de conduire une entreprise, de gérer une ville (Sim City), un parc d'attractions, etc. Les wargames qui reproduisent des batailles célèbres (Waterloo) ou des conflits (la Seconde Guerre mondiale, la guerre des Six Jours) s'apparentent aux jeux de simulation.

Les jeux électroniques portatifs

Les petits jeux électroniques apparus au début des années 1980 représentent la première génération des jeux vidéo. Il s'agit de petits boîtiers, de la taille d'une calculette, avec un écran à cristaux liquides. Ils ne possèdent qu'un seul jeu, dont le principe est fort simple. Très peu chers, ils ont connu un grand succès entre 1980 et 1985. Leur déclin est lié au développement des consoles portables, de type Game Boy ou Game Gear.

Toutefois, les Tamagochi, lancés en 1995 par la société japonaise Bandai, ont représenté une nouvelle génération de jeux électroniques. Combinant graphisme et texte, ils mettent en scène un animal familier, dont il faut s'occuper intelligemment, car, faute de soins réguliers, l'animal «meurt». Le principe de ces jeux est le même que celui des premiers jeux d'aventure en mode texte.

◆ **Jeunes dans des salles de jeux vidéo.** Les salles d'arcades, apparues aux États-Unis, sont aujourd'hui très répandues. Il s'agit de salles de jeu spécialisées qui permettent de jouer à des jeux de réflexe, de vitesse, de combat, etc. Les écrans vidéo sont intégrés à des machines très suggestives, qui reproduisent des environnements avec leurs mouvements, leurs bruits, etc.

Le marché des jeux électroniques

La conception des jeux mobilise des équipes importantes au sein de maisons d'édition qui financent, éditent et distribuent les jeux. Au début des années 1980, les logiciels étaient créés par une personne ou une petite équipe rémunérées en droits d'auteur selon la logique d'édition du livre. Aujourd'hui, de grosses équipes réunissant scénaristes, programmeurs, graphistes, ingénieurs du son, etc., fonctionnent selon le système de production du cinéma. Chez Nintendo, chaque jeu nécessite environ une année de travail. Pour être rentable, un jeu produit par la principale société française, Infogrammes, doit être vendu à plus de 25000 exemplaires. Parmi les centaines de jeux produits chaque année, une bonne partie ont une durée de vie commerciale très courte. Au milieu des années 1990, les trois pays les plus importants sur le marché mondial étaient les États-Unis, le Japon et la France. Sur le plan de la consommation de matériels, de supports et de jeux, la France arrive en tête des pays européens. Aujourd'hui, le chiffre d'affaires des jeux vidéo représente 50 % du marché du jouet. Parallèlement au marché des jeux vidéo, de nombreux magazines, spécialisés par consoles, présentent l'actualité des sociétés productrices de jeux : tests des nouveaux jeux, avant-premières, et codes qui servent à progresser plus facilement dans les jeux.

Les jeux de cartes

Origines et histoire

Les cartes à jouer seraient nées en Orient, soit en Inde, soit en Chine après l'invention du papier-monnaie. Les Chinois auraient créé les dominos en adaptant le jeu de dés. Après impression de ces dominos sur du carton, on obtint des cartes avec valeur de points. Les figures s'y ajoutèrent ensuite, à l'image des papiers-monnaies déjà en usage en Chine. Les plus anciennes cartes retrouvées ne sont pas antérieures au XVe s.; elles s'apparentent à des cartes du Xe s., qui ont disparu, mais dont on trouve trace dans les textes. Les historiens attribuent l'introduction des cartes en Occident à des voyageurs italiens comme Marco Polo. L'Italie aurait emprunté à l'Asie non pas la forme des cartes, mais l'idée d'utiliser des séries d'images pour un divertissement nouveau. Il y a eu, à l'origine, plusieurs séries d'enseignes (couleurs). Sur les premières cartes figuraient des bâtons, des deniers, des coupes et des épées, qui subsistent sur les jeux dits « espagnols », encore utilisés en Italie, en Espagne et dans le sud-ouest de la France. Les cartes allemandes, elles, comprenaient des séries représentant des cœurs, des grelots, des feuilles et des glands. En France, piques, cœurs, carreaux et trèfles s'imposèrent vers la fin du XVe s. et furent exportés en Angleterre, où trèfles et piques sont désignés par les mots *clubs* et *spades*, rappelant les bâtons et les épées.

En France, la fabrication et la vente des cartes ont été l'objet, depuis le XVIe s., d'une rigoureuse taxation grâce à laquelle fut partiellement financée la fondation de l'École militaire par Louis XV. Les infractions étaient sévèrement sanctionnées : parfois le carcan ou les galères. Jusqu'au 31 décembre 1945, les cartes étaient fabriquées au moyen de papier filigrané vendu par l'État, et leur vente soumise à un droit de timbre. Depuis 1946, la fabrication est libre.

Figures. Leurs noms (roi, dame, valet) ne seront fixés qu'à la fin du XVIIe s. Ils sont empruntés à la mythologie, à la Bible, aux chansons de geste, etc. Les rois représentent les quatre empires : juif, grec, romain, franc. La famille du pique comprend : David, Pallas, Ogier (le Danois) ; celle du trèfle : Alexandre, Argine (anagramme de Regina), Lancelot (du Lac) ; la famille du carreau : César, Rachel, Hector (Hector de Gallard, ou bien le héros troyen) ; celle du cœur : Charles (Charlemagne), Judith, Lahire (le compagnon de Jeanne d'Arc).

La belote

C'est le plus populaire des jeux de cartes pratiqués en France, bien qu'il n'ait été introduit que récemment, au début du XIXe siècle. Il se joue avec un jeu de 32 cartes à 2, 3 ou 4 joueurs, ces derniers faisant alors équipe par deux. C'est à la fois un jeu de levées et un jeu de combinaisons, le but étant de faire plus de points que son ou ses adversaires. Les points correspondent, d'une part, à la valeur des combinaisons annoncées par le joueur qui les détient et, d'autre part, à la valeur des cartes.

Valeur et force des cartes. Chacune des cartes possède une valeur selon qu'elle appartient à la couleur d'atout ou à l'une des trois autres couleurs. À l'atout, le valet vaut 20 points ; le 9 : 14 points ; l'as : 11 points ; le 10 : 10 points ; le roi : 4 points ; la dame : 3 points ; le 8 et le 7 : 0 point. Autres couleurs : as : 11 points ; 10 : 10 points ; roi : 4 points ; dame : 3 points ; valet : 2 points ; 9, 8 et 7 : 0 point.

Les annonces. Le carré (4 cartes de même hauteur) vaut 200 points pour les valets, 150 points pour les 9 et 100 points pour les as, rois, dames et 10. Une séquence de 5 cartes se suivant dans la même couleur (quinte, ou cent) vaut 100 points. La quatrième, ou cinquante (4 cartes se suivant), vaut 50 points et la tierce (3 cartes se suivant), 20 points. La belote (roi et dame d'atout) vaut 20 points. Elle s'annonce en cours de jeu, lorsque l'on joue l'une de ces 2 cartes. Le joueur doit alors annoncer « belote », puis « rebelote » lorsqu'il joue la seconde. Les séquences et les carrés doivent être annoncés lors du premier tour, et montrés après la première levée. La combinaison la plus forte annule les autres annonces éventuelles. À annonce égale, la plus haute l'emporte. S'il y a encore égalité, la combinaison à l'atout l'emporte sur l'autre. Un même joueur peut avoir plusieurs annonces qui seront toutes valables pourvu que l'une d'entre elles le soit.

Choix de l'atout. Dans la belote moderne, on a adjoint à l'atout classique – trèfle, carreau, cœur ou pique – deux nouvelles possibilités : sans-atout et tout-atout. Ces deux jeux ont en commun le fait qu'aucune couleur n'y prime une autre, et qu'il n'y a pas possibilité de couper. Le choix de l'atout se fait après la distribution des cartes, que le donneur effectue en deux fois : d'abord 3 cartes à chacun, puis 2 cartes si on joue à quatre, et 3 autrement. Après quoi, il retourne la carte suivante, qui servira de proposition d'atout : on fait un premier tour d'enchères où chaque joueur a le choix entre passer, prendre comme atout la couleur proposée ou demander sans-atout ou tout-atout. Si un joueur demande la couleur proposée, celle-ci est imposée comme atout à moins qu'un autre joueur n'enchérisse en demandant sans-atout ou tout-atout. Si un joueur prend sans-atout, cette demande ne peut être écartée que par quelqu'un qui demande tout-atout. Si tout le monde a passé, on fait un deuxième tour d'enchères, où il est possible, cette fois, de prendre une autre couleur comme atout, avec la même hiérarchie pour sans-atout et tout-atout. Si chaque joueur a passé deux fois, on donne une nouvelle fois.

Jeu de la carte. Une fois l'atout choisi, le donneur distribue encore trois cartes à chacun. Si on joue à quatre, celui qui a décidé de l'atout prend la carte retournée sur la table. À 3 ou 2 joueurs, cette dernière reste sur la table mais, si c'est l'atout et qu'un joueur possède le 7 d'atout,

◆ **Les principaux jeux.**

Jeu	Règles et origine
aluette	jeu d'origine espagnole, dérivant du tarot, et se jouant avec 48 cartes spéciales : les couleurs y sont remplacées par les catégories denier, coupe, bâton, épée. Le but du jeu est de faire connaître par des mimiques codifiées le contenu de son jeu à son partenaire.
barbu	jeu d'origine récente (début du XXe s.), dont le but est de répondre aux exigences de sept contrats différents.
bataille	jeu consistant à prendre une carte avec une carte plus forte et qui se joue à 2, avec un jeu de 32 ou 52 cartes.
bésigue	jeu d'origine limousine, dérivant de jeux très anciens comme le mariage ou la brisque. Jeu de levées et de combinaisons, il se joue à 2 avec deux jeux de 32 cartes. Son nom désigne la réunion dame de pique-valet de carreau.
canasta	d'origine sud-américaine, se jouant à 4 joueurs avec deux jeux de 52 cartes et 4 jokers, ce jeu consiste à se débarrasser de ses cartes en formant des séries de cartes de même valeur, allant de 3 (le brelan) à 7 (la canasta).
crapette	à mi-chemin du jeu de cartes et de la réussite, la crapette se joue à 2 avec deux jeux de 52 cartes, l'objectif consistant à se débarrasser le premier de toutes les cartes de son jeu.
écarté	apparu en France au début du XIXe s., c'est un jeu de levées, dans lequel les deux joueurs ont la possibilité d'écarter certaines cartes.
manille	d'origine espagnole, la manille est surtout pratiquée dans le midi de la France. Son nom désigne le 10, qui est, avec l'as (manillon), la carte maîtresse. Le but est de réaliser le maximum de points possible grâce à des levées. Elle se joue avec 32 cartes, à 3, 4, 5 ou 6 joueurs.
nain jaune	connu au XVIIe s. sous le nom de « lindor », le nain jaune se joue entre 3 et 8 joueurs, avec un jeu de 52 cartes et un tableau quadrilatéral où sont représentées les « belles cartes » : au centre, le 7 de carreau, tenu par un nain jaune (c'est la carte maîtresse), aux angles le 10 de carreau, le valet de trèfle, la dame de pique et le roi de cœur.
piquet	sans doute l'un des plus anciens des jeux de cartes français, le piquet aurait été pratiqué dès le règne de Charles VII. Jeu de combinaisons et de levées, il se joue à 2 avec un jeu de 32 cartes.
rami	il s'est diffusé dans le monde après la Seconde Guerre mondiale et se pratique avec 52 cartes plus 1 joker, entre 2 et 6 joueurs. Le but est de se débarrasser de toutes ses cartes (faire rami) en réalisant certaines combinaisons.
réussite (ou patience)	forme de jeu solitaire, au cours duquel le joueur s'efforce de placer ou d'employer toutes les cartes distribuées selon un ordre ou une combinaison déterminés. Les réussites, qui servaient autrefois à interroger l'avenir, se comptent par centaines, parmi lesquelles on peut citer la française, l'intermezzo, le mariage, les vingt-quatre mystères, les pyramides, le midi, la magistrale.
skat	inventé au XIXe s., ce jeu de levées évoquant le bridge est très populaire dans les pays germanophones d'Europe centrale. Il se joue à 3 avec un jeu de 32 cartes.
whist	apparu au XVIIIe s., il fut pendant près de 200 ans le jeu le plus pratiqué dans tous les pays de langue anglaise, avant d'être supplanté par le bridge, dont il serait l'ancêtre.

il pourra la prendre lors du premier tour et mettre le 7 à la place. En outre, si on joue à moins de quatre, le donneur retourne, après avoir distribué, la dernière carte du jeu. Celle-ci pourra ainsi servir d'indication. Le joueur situé à gauche du donneur entame, c'est-à-dire abat sa première carte. En même temps, s'il a une annonce à faire, il la dit. Les cartes seront ensuite jouées dans le sens des aiguilles d'une montre, chaque joueur déclarant ses éventuelles annonces en jouant sa première carte. À chaque coup, c'est le joueur qui a remporté le dernier pli qui attaque. On doit fournir la couleur demandée ou, à défaut, couper, sauf si le partenaire est maître. Si l'adversaire a coupé, et si on n'a pas la couleur demandée, on doit surcouper. Si ce n'est pas possible, on est tenu de « pisser », c'est-à-dire de sous-couper ; cette dernière règle n'est pas uniformément admise. À l'atout, il faut monter sur une carte de l'adversaire si celui-ci est maître. Les règles concernant l'atout sont applicables pour chaque couleur lorsqu'on joue à tout-atout.

Le tarot

Ancêtre des cartes à jouer, le jeu de tarot est apparu en Italie du Nord vers le XVe s. En France, le tarot de Marseille fut gravé aux environs de 1500, et réédité au XVIIIe s. Initialement dessinées et peintes à la main, les cartes n'ont pratiquement pas été modifiées au cours des siècles.

La cartomancie

Comme l'art de tirer les cartes est toujours fort en honneur, que nombre de personnes s'obstinent encore à y ajouter foi, nous allons, à titre de curiosité seulement, énoncer les principales règles de la cartomancie telles que les maîtres en l'art divinatoire les ont publiées [...]. Voici d'abord la signification particulière de chaque carte : le roi de cœur est un homme qui cherche à vous faire du bien ; mais quand il est renversé, c'est signe qu'il sera arrêté dans ses bonnes intentions. La dame de cœur est une femme honnête, bienfaisante, serviable, dont le bon vouloir est également paralysé si elle s'offre la tête en bas. Le valet de cœur est un militaire qui cherche à entrer dans votre famille, et qui vous sera certainement utile, à moins qu'il ne soit renversé. [...] Le carreau n'est pas, comme le cœur, une couleur favorable. Ici, le roi est un homme qui cherche à vous nuire ; la dame, une méchante femme qui dit du mal de vous ; le valet, un militaire qui vous sera désagréable ou un messager porteur de funestes nouvelles. [...] Le pique est plus funeste encore que le carreau : le roi de cette couleur *(monstrum horrendum)* représente un commissaire ou un homme de robe, et la perte d'un procès, quand il est renversé ; la dame, une veuve qui cherche à vous tromper ; le valet, un ami qui vous trahira [...]. Le trèfle est un peu plus consolant : le roi est un homme juste, qui rendra de grands services ; la dame, une femme qui vous aime, mais qui est jalouse, si elle est renversée ; le valet présage un mariage [...].

(Extrait de l'article « Cartomancie » du *Grand Dictionnaire universel du XIXe siècle*, de Pierre Larousse [1866-1876])

Cartes. Le tarot se pratique à 3, 4 ou 5 joueurs, avec un jeu spécial de 78 cartes qui comprend, outre les 52 cartes d'un jeu classique, un cavalier pour chacune des quatre couleurs, qui s'insère entre la dame et le valet, 21 atouts (numérotés de 1 à 21) et une excuse (ou fou). On appelle bouts, ou *oudlers,* le 21, l'as d'atout et l'excuse. L'as d'atout est aussi appelé petit.

L'ordre des cartes dans chaque couleur est, par force décroissante : roi, dame, cavalier, valet, 10, 9, 8, 7, 6, 5, 4, 3, 2, as. À l'atout, la force des cartes croît de 1 à 21, l'excuse pouvant être jouée à tout moment en remplacement de n'importe quelle autre carte.

Principe du jeu et déroulement de la partie. Le but du jeu est de remplir un contrat en réalisant le maximum de points. À la fin de chaque coup, on compte les points en appariant les cartes, un bout ou une figure ne pouvant être décomptés que s'ils sont accompagnés d'une carte blanche ou d'un atout (autre que le 21 ou le petit). Dans ces conditions, les bouts valent 5 points chacun, les rois 5 points, les dames 4, les cavaliers 3 et les valets 2. On distribue les cartes 3 par 3 dans le sens inverse des aiguilles d'une montre. Le donneur doit constituer à son gré au cours de la distribution un talon de 6 cartes (3 s'il y a 5 joueurs) : le chien. Ni la première ni la dernière carte du paquet ne peuvent faire partie du chien.

Le jeu comprend deux phases distinctes : les enchères et le jeu de la carte.

Les enchères sont au nombre de 5. Outre le passe (refuser de faire aller le jeu), un joueur peut choisir par ordre croissant la petite (ou prise), la garde (pour ces deux contrats, le preneur dispose du chien pour recomposer sa main), la garde sans le chien (le preneur ne peut utiliser le chien, qui reste caché, mais les cartes qui le composent seront comptabilisées dans les points du preneur), et la garde contre le chien (les cartes du chien restent cachées, mais sont au bénéfice de la défense).

Il n'y a qu'un tour d'enchères qui s'arrête sur le donneur. L'auteur de la plus forte enchère est le preneur. Les autres s'associent pour défendre.

Quelle que soit l'enchère choisie, le preneur s'engage à faire au moins un certain nombre de points. Ce nombre dépend de la quantité de bouts qu'il détiendra à la fin du coup. Ainsi, sans bout, il lui faut faire 56 points, avec un bout, 51, 41 avec les deux bouts et 36 avec les trois bouts.

Une fois effectué l'écart, le joueur à droite du donneur entame. Avant de jouer sa première carte, chaque joueur déclare ses annonces : la poignée (13 atouts au moins dans le jeu à 3, 10 dans le jeu à 4, 8 dans le jeu à 5), la double poignée (15, 13 ou 10 atouts suivant que l'on joue à 3, 4 ou 5), ou la triple poignée (au moins 18, 15 ou 13 atouts). Ces annonces donnent lieu à des points de prime qui reviendront au vainqueur du coup : 20 points pour la simple, 30 pour la double et 40 pour la triple.

Dans le jeu de la carte, on doit fournir obligatoirement de la couleur demandée, et à défaut couper, surcouper si quelqu'un a déjà coupé, ou sous-couper si on ne peut pas surcouper. À l'atout, on est obligé de monter.

Le joueur qui a fourni la plus forte carte dans la couleur demandée ou le plus gros atout ramasse le pli et attaque la levée suivante. Si la première carte d'une levée est l'excuse, c'est la carte suivante qui définit la couleur demandée.

◆ **Le tarot.**
Le tarot est l'ancêtre des jeux de cartes, et ce n'est que relativement récemment qu'il a été utilisé à des fins divinatoires. Ci-dessus, quelques atouts d'un jeu de tarot ancien. Les cartes étaient initialement dessinées et peintes à la main. (Bibliothèque nationale, Paris)

Petit lexique

annonce : déclaration faite par un joueur avant le jeu de la carte (enchère, couleur de l'atout, combinaisons ouvrant droit à une prime, etc.).

atout : couleur choisie ou déterminée par le hasard, qui l'emporte sur les trois autres couleurs.

capot : se dit du joueur qui n'a effectué aucune levée.

chuter : ne pas réussir le contrat demandé.

contrat : nombre de levées à réaliser.

couleur : chacune des séries trèfle, carreau, cœur, pique.

couper : séparer le jeu après l'avoir battu ; prendre avec un atout une carte de son adversaire.

défausser : se débarrasser de ses cartes inutiles.

donne : cartes distribuées aux joueurs au début du jeu.

écart : échange de certaines cartes de son jeu avec le talon.

étaler : montrer toutes ses cartes.

figure : carte sur laquelle est représenté un personnage, dite carte « habillée » (roi, dame, valet, et cavalier au tarot).

honneurs : cartes « habillées » et as.

impasse (faire une) **:** ne pas jouer la carte maîtresse, mais au contraire une carte plus basse pour ne pas affranchir la carte (ou les cartes) intermédiaire dans le cas où elle serait détenue par le joueur précédent.

joker : carte dont la valeur est fixée par son détenteur.

levée (ou **pli**) **:** cartes ramassées par un joueur en un coup.

main : ensemble des cartes distribuées à chaque joueur.

maîtresse : se dit d'une carte qui ne peut plus être battue par une autre carte de la même couleur.

parole ! : exclamation qui indique qu'on ne fait pas d'enchère.

talon : cartes restantes, quand la donne a été effectuée.

Le poker

Le poker est considéré comme le jeu national aux États-Unis. C'est là qu'il est apparu au début du XIXᵉ s., à La Nouvelle-Orléans, chez les descendants des colons français. Devenu très populaire en Louisiane, le poker allait bientôt se propager dans tout le pays – sur les bateaux à aubes du Mississippi, dans les arrière-salles des saloons au Far West, chez les soldats sudistes et nordistes pendant la guerre de Sécession, et enfin dans tous les cercles de jeu de Chicago, de New York et d'ailleurs – avant de conquérir l'Europe dès la fin du XIXᵉ s.

Si le poker moderne est bien né aux États-Unis, ses règles évoquent des jeux plus anciens connus en Europe dès le XVᵉ ou le XVIᵉ s., tels le frusso italien ou la prime française, devenue ensuite l'ambigu puis la bouillotte.

Principes. Le poker est exclusivement un jeu de combinaisons. À la différence de la belote ou du bridge, il n'y a pas de jeu de la carte. C'est un jeu d'argent qui se déroule par coups séparés. Le gagnant du coup est celui des joueurs qui, après une bataille de mises et l'élimination éventuelle d'un certain nombre de participants, expose la plus forte combinaison. Mais, et c'est là que résident tout l'intérêt et la complexité du poker, la victoire ne revient pas nécessairement au jeu le plus fort : si un joueur, au terme des enjeux et des relances, reste sans adversaire, il remporte le coup, quelle que soit la combinaison qu'il a en main. La perspicacité, la maîtrise de soi, les ruses permises, le bluff ont une influence considérable sur l'issue de la partie.

Le poker peut se jouer de 2 à 6 joueurs, avec 52 cartes, auxquelles on adjoint parfois le joker. Mais, en principe, la partie se joue à 4 ou 5 joueurs. La hiérarchie des cartes est la suivante : as, roi (R), dame (D), valet (V), 10, 9, etc. L'as peut dans certains cas remplacer la plus basse carte. Chaque joueur a devant lui la somme qu'il destine au jeu (sa cave). Avant le début de la partie, les participants sont convenus de la somme minimale que chacun sera tenu d'engager : c'est le chip.

Les combinaisons sont les suivantes : paire : 2 cartes de même valeur; double paire : 2 paires; brelan : 3 cartes de même valeur; quinte (ou suite) : 5 cartes se suivant et de couleurs différentes; couleur (ou flush) : 5 cartes de la même couleur; full : 1 brelan et 1 paire; carré : 4 cartes de même valeur; quinte flush : 5 cartes de même couleur et se suivant. Entre deux combinaisons du même type, c'est celle qui contient la plus haute carte qui bat l'autre. Dans deux fulls, le plus fort brelan bat l'autre. Deux paires identiques sont départagées par les cartes isolées.

Déroulement de la partie. Le coup se déroule en deux temps : après la donne, avec les cartes initiales; après le tirage des nouvelles cartes. Le donneur, qui change à chaque coup, distribue une à une et dans le sens des aiguilles d'une montre 5 cartes à chaque joueur. Après les mises, enjeux et relances, les joueurs peuvent, s'ils ne sont pas satisfaits de leur jeu, écarter certaines de leurs cartes (de 0 à 5), pour en recevoir de nouvelles, que le donneur prend au talon. Si un joueur s'en tient à son jeu, il se déclare servi. La seconde série d'enjeux commence alors. Il existe deux façons de jouer la partie : en pot continu ou au blind.

Partie en pot continu. Avant la donne, chaque joueur place au tapis une mise égale (l'unité de pot), dont le total constitue le pot. Après avoir pris connaissance de leur jeu, les joueurs à tour de rôle ont le choix entre passer (en disant «parole») ou ouvrir, c'est-à-dire effectuer une première mise. Une fois le pot ouvert, les autres joueurs peuvent alors passer (ils s'excluent définitivement du coup), suivre (mettre une mise égale à celle de l'ouvreur) ou relancer (mettre une mise supérieure). Les enchères sont terminées lorsque la plus forte relance a été égalisée. Ne restent alors pour la seconde partie du coup que les seuls joueurs qui ont mis au tapis la même plus grosse somme. On procède au tirage des nouvelles cartes, puis les paris reprennent. La marche est la même qu'avant l'écart, les joueurs ayant le choix entre passer, miser ou relancer.

Partie au blind. Après la donne et avant de relever son jeu (à l'aveugle, *blind* en anglais), le premier joueur dépose une mise quelconque, le blind, qui lui donne le droit de parler en dernier. Cette mise peut être doublée par le suivant (surblind), qui lui-même peut être relancé par un troisième (overblind). Chacun prend alors connaissance de son jeu, et c'est le joueur situé à droite du dernier blind qui a la parole. Le coup se déroule alors comme la partie en pot continu.

Fin du coup. Le coup peut se terminer de trois façons :
– personne n'a ouvert (partie en pot continu) ou personne n'a suivi le blindeur (partie au blind) : les mises restent sur le tapis et le coup suivant se joue en pot;
– un joueur reste sans adversaire : il ramasse les enjeux sans avoir à montrer ses cartes;
– les enjeux et relances ont été tenus à égalité par au moins 2 joueurs : on abat les jeux, et le gagnant est le détenteur de la plus forte combinaison. (Pour voir le jeu de son adversaire, il faut toujours couvrir son pari.)

Autres formes du jeu. Il existe de très nombreuses variétés de poker, notamment dans les pays anglo-saxons. Aux États-Unis, deux formes prévalent : le *draw-poker,* proche du poker français; le *stud-poker,* ou poker ouvert, où certaines cartes sont distribuées à découvert.

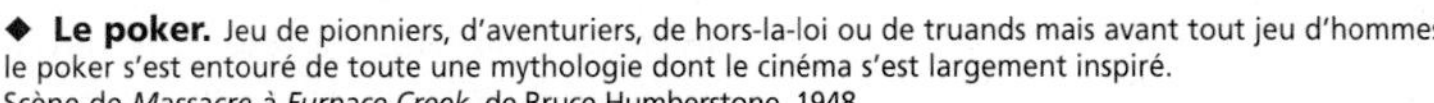

◆ **Le poker.** Jeu de pionniers, d'aventuriers, de hors-la-loi ou de truands mais avant tout jeu d'hommes, le poker s'est entouré de toute une mythologie dont le cinéma s'est largement inspiré. Scène de *Massacre à Furnace Creek*, de Bruce Humberstone, 1948.

Le bridge

Le bridge tel qu'il se pratique de nos jours est le bridge-contrat, inventé en 1926 par l'Américain Harold Vanderbilt, qui supplanta progressivement son prédécesseur, le bridge-plafond, lui-même dérivé de l'ancien et très célèbre whist.

Plus qu'un simple jeu de cartes, le bridge est devenu un véritable phénomène de masse, pour lequel des compétitions internationales sont organisées. La raison de ce succès réside dans l'essence même du jeu : le raisonnement, l'analyse permettent de dominer les effets du hasard auquel est soumis tout autre jeu. Le bridge est une science dont il faut connaître les lois, et c'est un art dans la manière d'appliquer celles-ci. Ce n'est pas un jeu difficile, mais il est difficile d'y très bien jouer. Son but est fort simple : il s'agit de réaliser le plus grand nombre possible de levées.

Principes du jeu. Le bridge se joue à 4 joueurs répartis en deux équipes (les partenaires se font face), avec un jeu de 52 cartes qu'on distribue une par une dans le sens des aiguilles d'une montre en commençant par le joueur situé à gauche du donneur. Chaque joueur classe par couleur et par valeur les 13 cartes qui composent sa main. La hiérarchie des cartes est la suivante : as, R, D, V, 10, 9, 8, etc. La hiérarchie décroissante des couleurs est : sans-atout (SA), pique (P), cœur (C), carreau (Q), trêfle (T). Le SA est considéré comme une cinquième couleur.

Le jeu se divise en deux phases distinctes : les enchères et le jeu de la carte. Durant les enchères, chaque équipe va essayer d'imposer sa couleur d'atout, ainsi que la hauteur du contrat, c'est-à-dire le nombre de levées qu'elle s'engage à réaliser avec cet atout. Pour cela, les joueurs parlent à tour de rôle dans le sens des aiguilles d'une montre, suivant un système de conventions bien établi. Une levée comptant 4 cartes, le nombre total des levées est égal à 13. On ne s'intéresse qu'aux contrats de 7 levées au moins. Les contrats maximaux de 12 ou 13 levées sont appelés respectivement petit et grand chelem.

Une fois les enchères terminées commence le jeu de la carte. Le contrat sera joué contre les deux joueurs de la défense par un seul des joueurs du camp attaquant, celui qui le premier a, lors des enchères, mentionné la couleur d'atout. On l'appelle le déclarant. Son partenaire, le mort, ne joue pas. Pour plus de commodité, on convient de représenter les 4 joueurs par les points cardinaux. Le déclarant est en sud, le mort en nord, le joueur à gauche du déclarant en ouest et son partenaire en est.

La première carte, l'entame, est alors jouée par ouest. Dès qu'elle est abattue, le mort étale son jeu en le posant sur la table, faces découvertes. C'est le déclarant qui décidera à chaque fois quelle carte du mort il convient de jouer. Un joueur doit fournir la couleur demandée. S'il n'en a pas, il peut couper avec de l'atout, mais il n'en a jamais l'obligation : il peut toujours se défausser en jetant n'importe quelle carte. Dans un contrat de sans-atout, il n'y a pas de coupe possible.

Après l'entame, une fois que le mort, le joueur placé en est et le déclarant ont joué, celui qui a mis la plus forte carte ou, en cas de coupe, le plus gros atout, ramasse le pli. C'est alors à lui qu'il appartient de rejouer en premier, les autres suivant dans le sens des aiguilles d'une montre. Après chaque pli, la main qui vient de remporter la levée attaque ainsi la levée suivante, et on doit, de nouveau, fournir en fonction de la couleur qu'elle demande. Chaque équipe ramasse ses plis et les dispose de telle sorte qu'on puisse facilement en distinguer l'ordre et le nombre sans qu'on en voie les cartes. À la fin du coup, on comptabilise les levées qui ont été faites de part et d'autre et, en fonction du contrat qui a été demandé, on inscrit les points respectifs des équipes sur une marque. Il faut 100 points de contrat pour faire une manche, et deux manches pour faire un robre. L'équipe gagnante est celle qui a réussi à faire le plus de points.

Évaluation de la main. Après avoir classé ses 13 cartes par couleur, le joueur va devoir estimer la valeur de son jeu, et il pourra, par le dialogue des enchères, le décrire au mieux à son partenaire. Une échelle de points permet d'évaluer la main selon plusieurs critères combinés :
– points d'honneur (ou points H) : as = 4, roi = 3, dame = 2, valet = 1 ;
– points de distribution (ou points D) : chicane = 3, singleton = 2, doubleton = 1. Toute carte au-dessus de la cinquième dans une même couleur vaut 1 point ;
– points DH = points D + points H. Pour ouvrir, c'est-à-dire pour faire la première déclaration, on convient qu'il faut un minimum de 13 points d'honneur ou de 14 points d'honneur et distribution. Pour déclarer une couleur, il faut qu'elle comporte au moins 4 cartes, dont 2 honneurs. Si l'on possède deux couleurs de 4 cartes ou plus, la méthode la plus répandue veut que l'on déclare la plus longue. Lorsque l'on possède un jeu régulier, sans singleton, et de 16 à 18 points d'honneur, on déclare un sans-atout. Si l'on a de 20 à 22 points et le même jeu régulier, on annonce directement 2 sans-atout. Il existe une ouverture conventionnelle de 2 trèfles pour signaler que l'on détient plus de 23 points, sans pour autant avoir des trèfles en main ;
– points de soutien : on ne les compte qu'en cas de fit. Les points H ne changent pas, mais il s'y ajoute 1 point quand on possède un ou plusieurs gros honneurs d'atout. Les points D sont augmentés si on a un soutien d'au moins 4 cartes à l'atout : la chicane vaut alors 5 points, et le singleton 3. De plus, on ajoute 1 point pour chaque atout à partir du neuvième atout connu.

Le déroulement d'une partie. Les enchères déterminent le contrat à jouer. Lorsqu'un joueur a la parole, il a le choix entre plusieurs déclarations :
– passer ;
– enchérir : une enchère est la combinaison d'un chiffre, compris entre 1 et 7, et d'une couleur. Le chiffre indique le niveau (palier) des enchères, c'est-à-dire le nombre de levées projetées moins 6. La couleur est celle que le joueur se propose de prendre comme atout. Ainsi, « un carreau » signifiera 7 levées avec carreau comme atout, « sept sans-atout », le grand chelem à sans-atout, c'est-à-dire 13 levées ;
– contrer la dernière annonce adverse (ce qui double les pénalités infligées à l'adversaire en cas de chute, c'est-à-dire s'il ne peut réaliser son contrat) ;
– surcontrer si une annonce de son camp vient d'être contrée par l'adversaire, ce qui augmente encore les pénalités en cas de chute mais quadruple les points en cas de réussite. Si les 4 joueurs, au premier tour des déclarations, ont tous passé, le coup est nul.

La première enchère est appelée l'ouverture, et son auteur l'ouvreur. Chaque enchère doit être supérieure à la précédente. L'enchère finale devient le contrat.

Technique des enchères. Tout l'art des enchères est de décrire sa main à son partenaire. Le système d'annonces utilisé par les joueurs est un code qui doit leur permettre d'avoir le plus économiquement possible les renseignements nécessaires pour le choix du contrat final. Chaque équipe devra en début de partie informer l'équipe adverse du système d'annonces utilisé.

Le système d'annonces le plus couramment pratiqué en France est appelé la majeure cinquième. On appelle majeure l'une des deux couleurs cœur ou pique, les mineures étant les deux autres. La marque privilégie les majeures, ainsi que le contrat de sans-atout. Dans la majeure cinquième, l'ouvreur doit, pour parler à une majeure, posséder au moins 5 cartes dans cette couleur. À défaut, il peut nommer une mineure ou sans-atout, mais il faut que, dans l'évaluation de sa main, il ait toujours compté au moins 13 points d'honneur ou 14 points de distribution et honneur. Autrement, il doit passer. Son partenaire, le répondant, doit avoir au moins 5 points pour lui répondre. Il pourra le soutenir dans sa couleur en disant, par exemple, 2 piques sur 1 pique, changer de couleur ou nommer sans-atout. Les enchères se déroulent alors en obéissant à des règles très strictes.

Il existe également au bridge des enchères artificielles, c'est-à-dire n'ayant aucun rapport avec la couleur annoncée. Ces conventions, tels le « deux trèfle Albarran », le « deux trèfle Stayman » ou le « Blackwood », permettent de décrire sa main à son partenaire.

Jeu de la carte. Sitôt après l'entame, le déclarant doit prendre le temps de faire son plan de jeu. Il compte ses levées maîtresses (celles qu'il est sûr de faire) et cherche les moyens de réaliser celles qui, *a priori*, lui manquent pour réaliser son contrat.

Parmi ces procédés, les plus courants sont l'affranchissement d'une couleur, la coupe et l'impasse.

Affranchissement. L'affranchissement d'une couleur consiste à manœuvrer de manière à rendre maîtresses des cartes qui ne l'étaient pas à l'origine. On affranchit une couleur en laissant l'adversaire faire les levées avec les honneurs : les petites cartes restantes se trouvent affranchies. Si, par exemple, le déclarant possède avec le mort 8 cartes à cœur commandées par la dame, le valet et le 10, en jouant dame puis valet, il pourra faire tomber l'as et le roi. Si ses deux adversaires ont fourni, il ne restera qu'un cœur dehors qui tombera sur le 10, et le reste des cœurs sera maître, à condition que les adversaires ne coupent pas, soit que le cœur soit l'atout, soit qu'on joue sans-atout, soit encore qu'il ne reste pas d'atout dehors.

Coupe. La coupe permet, par l'utilisation judicieuse des atouts, de réaliser un certain nombre de levées supplémentaires. Supposons en effet qu'on joue un contrat à cœur, que le mort n'ait que deux trèfles mais que le déclarant possède dans cette couleur as, roi et 2. Après avoir tiré les 2 honneurs, il joue le 2. Le mort qui n'a plus de trèfle peut alors couper avec un petit atout qui, *a priori*, était destiné à tomber sur un atout du déclarant. Il a ainsi effectué une levée de plus que s'il avait fait tomber les atouts avant de jouer trèfle.

Impasse. L'impasse consiste à prendre en fourchette une carte de l'adversaire. Si, par exemple, le déclarant possède dans sa main l'as et la dame dans une couleur, il peut prendre le roi si celui-ci se trouve dans la main du joueur situé à sa droite. Pour cela, il lui suffit de jouer une petite carte du mort. Si l'adversaire met le roi, le déclarant prendra de l'as et, si l'adversaire laisse passer, il mettra la dame. Si le déclarant possède encore le valet, il pourra alors recommencer l'impasse.

La marque. Dans une partie normale, le gain de la partie, appelé robre (ou rob), revient à celui qui a remporté deux manches. Pour gagner une manche, il faut totaliser 100 points au moins. La marque est inscrite sur une feuille divisée en deux colonnes, et coupée au milieu d'un trait horizontal. En tête de la colonne de gauche, celui qui tient la marque inscrit un N « nous » et sur celle de droite un V « vous ». Chaque colonne reçoit donc les points attribués à une équipe. Au-dessus de la barre figureront les points d'honneur, au-dessous les points de levée.

Dans la colonne des levées, on marque, du côté du demandeur, pour chaque levée demandée et réalisée : à trèfle : 20 points ; à carreau : 20 points ; à cœur : 30 points ; à pique : 30 points ; à sans-atout : 40 points pour la première levée et 30 points pour les levées suivantes.

Sont comptabilisés uniquement les points des levées demandées par le contrat. Si un camp effectue plus de levées que n'en exige son contrat, les levées supplémentaires sont comptées dans la colonne des honneurs.

Jeux de stratégie et de combinaisons

Origines et histoire

Toutes les civilisations ont inventé des jeux de stratégie. Les plus anciens qui nous sont parvenus sont souvent, à l'image du jeu de go, les plus complexes. On peut les classer en deux grandes catégories : les jeux de réseaux, qui peuvent être tracés sur n'importe quel support, et les jeux de plateau, qui se jouent sur un échiquier, un damier ou un plateau à flèches.

Les jeux de réseaux sont à la fois les plus simples quant à leur règles et les plus diversifiés quant à leurs possibilités stratégiques. Ils étaient associés, dans l'Antiquité, à la formation militaire. Le plus célèbre d'entre eux, le jeu de go, est connu en Chine depuis 3000 ans, mais sa diffusion en Occident ne date que du XXe s. Parmi les nombreux jeux de réseaux, les guerriers de pierre désignent un jeu pratiqué par les Indiens d'Amérique du Nord avec des statuettes en terre cuite. Les marelles, qui se jouent avec des cailloux, sont également des jeux de réseaux.

Le plus ancien des jeux de plateau serait l'ancêtre de l'actuel backgammon. D'origine indienne, la table de jeu comprend deux parties portant chacune douze flèches qui symbolisent les signes du zodiaque, et les dés que l'on utilise sont l'instrument du destin. Ce jeu, qui s'est diffusé dans l'Antiquité, était connu des Romains sous le nom de «jeu des douze lignes». Il était très apprécié au Moyen Âge et comportait à cette époque de nombreuses variantes locales. Le backgammon d'aujourd'hui est dérivé du jacquet, jeu très répandu en Europe à partir du XVIIe s. Le trictrac était un jeu voisin, aux règles un peu plus compliquées, qui a été abandonné à la fin du XVIIIe s.

Les échecs, ou jeux d'échiquier, sont également très anciens. Leur origine est indienne et remonterait à 1500 ans au moins sous le nom de *shaturanga*. Le jeu s'est propagé vers le Moyen-Orient dès le VIe s., puis jusqu'à l'Europe par le biais des Arabes et des croisés. Il en existe aujourd'hui de nombreuses variantes, tels les échecs chinois et japonais, les échecs de Tamerlan.

Les jeux de dames, ou jeux de damier, auraient également été introduits par les Arabes dans l'Europe du Moyen Âge. Plus accessibles que les échecs, ils utilisent le même type de plateau et de simples pions. Les variantes sont fort nombreuses et le jeu actuel, dit aussi «dames polonaises», serait l'invention d'un militaire français au début du XVIIIe s. Il existe des dames turques dont les règles sont très différentes, et plusieurs jeux africains de damier anciens, comme le dâmma et le seega.

Les échecs

Jeu de stratégie et de combinaisons, où le hasard n'a aucune part, les échecs sont tout à la fois un divertissement, un art, un sport cérébral et une véritable science, en progrès constant.

Principes. Le jeu d'échecs se pratique sur un échiquier de 64 cases, sur lequel chaque joueur à tour de rôle va déplacer l'une de ses pièces. Au début de la partie, les deux camps, blancs et noirs, disposent chacun de 16 pièces, soit 8 pions et 8 figures : 1 roi, 1 dame (ou reine), 2 tours, 2 fous et 2 cavaliers. Le but du jeu est de s'emparer du roi adverse : un roi est en échec lorsqu'il se trouve sous la menace d'une pièce qui pourrait le prendre au coup suivant; si l'échec est imparable, le roi est mat et la partie est terminée.

Une partie ne dépasse pas en général une soixantaine de coups, la moyenne se situant entre 25 et 40 coups joués de part et d'autre. Entre joueurs expérimentés, il est d'ailleurs relativement rare de voir une partie aller jusqu'au mat : la plupart du temps, c'est sur un abandon ou une nullité qu'elle prendra fin. Dans les tournois, on fixe une limite de temps : ainsi, au championnat du monde, le temps alloué à chaque joueur est de 2h30 au maximum pour 40 coups. Pour des matchs de moindre importance, on peut fixer 1 heure par partie, soit une demi-heure par joueur. Dans la forme de jeu dite blitz, ce temps peut être réduit à 5 minutes, voire moins.

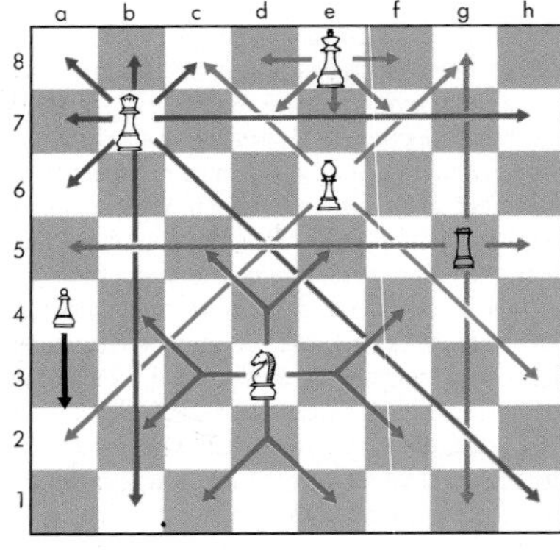

◆ **La marche des pièces sur l'échiquier.**

Marche des pièces. Les tours se déplacent en ligne droite horizontalement ou verticalement. Le fou marche en diagonale et la dame combine les possibilités de la tour et du fou. Le roi se déplace d'un pas dans toutes les directions. Le mouvement du cavalier se décompose en un pas en ligne droite suivi d'un pas en diagonale. Au contraire des autres pièces, le cavalier peut sauter par-dessus une case déjà occupée. Les figures peuvent reculer mais pas les pions : ceux-ci avancent en ligne droite et d'une case seulement sur leur colonne. Chaque pion a toutefois la faculté d'avancer de deux cases à la fois lors de son premier déplacement. Aucune pièce ne peut se rendre sur une case déjà occupée par une pièce de son propre camp. Si la case où elle se rend est occupée par une pièce ennemie, cette dernière sera prise et retirée du jeu. Les pions, contrairement aux figures, adoptent pour prendre une

Notation et symboles

Pour noter la position des pièces sur l'échiquier et décrire les coups qui se déroulent durant une partie, on repère chaque case par une lettre suivie d'un chiffre :
– les chiffres désignent les lignes de cases horizontales, ou rangées (ou traverses), numérotées de 1 à 8 en partant du côté des blancs;
– les lignes de cases verticales, ou colonnes, sont désignées par des lettres, de a à h, en partant de la gauche;
– chaque figure est identifiée par son initiale majuscule : R (roi), D (dame), T (tour), F (fou), C (cavalier). Le pion n'est pas désigné; pour indiquer un déplacement, on note l'initiale de la figure (on ne note rien s'il s'agit d'un pion), la case d'origine (facultatif) et la case d'arrivée;
– le simple déplacement se note par –, la prise d'une pièce par x l'échec au roi par + et le mat par ∏ ;
– les grand et petit roques sont respectivement représentés par les symboles O-O-O et O-O;
– un point d'exclamation souligne un bon coup, un point d'interrogation un coup mauvais.

◆ **Échecs.**
Le jeu d'échecs fut introduit en Europe par l'intermédiaire de l'Espagne, où l'avaient apporté les Arabes. «Deux femmes jouant aux échecs», *Livre des jeux,* d'Alphonse le Sage, 1283. (Bibliothèque de l'Escurial)

pièce un déplacement spécial : la pièce prise doit se trouver une case en avant et en oblique du pion preneur. Lorsque, en déplaçant une pièce, on menace le roi ennemi, on avertit l'adversaire en annonçant « Échec ! »

Promotion des pions. Un pion qui, au terme de sa progression, arrive à la dernière rangée, peut et doit se changer immédiatement en n'importe quelle figure de son choix et de sa couleur, excepté le roi. Le plus souvent, on décide d'en faire une dame, d'où l'expression « aller à dame ». On peut ainsi se retrouver avec 2 dames, ou plus, suivant le nombre de pions parvenus jusqu'à la huitième rangée. Il existe deux mouvements exceptionnels qui sont le roque et la prise en passant.

Roque. Il consiste en un déplacement simultané du roi et de l'une des deux tours. Il s'exécute de la façon suivante : on déplace le roi de deux cases en direction de la tour et on place cette dernière sur la première case qu'a franchie le roi lors de son déplacement. Suivant le côté où l'on aura choisi de roquer, la tour se sera ainsi déplacée de deux cases vers la gauche – le petit roque – ou de trois cases vers la droite – le grand roque. Pour que le roque soit possible, il est nécessaire que les conditions suivantes soient réunies : ni le roi ni la tour concernée ne doivent avoir bougé auparavant; toutes les cases qui les séparent doivent être inoccupées; enfin, le roi ne doit se trouver en échec ni au début, ni pendant, ni à la fin du roque.

Prise en passant. C'est un mouvement entre pions : lorsque, à partir de sa position initiale, un pion avance de deux cases, il peut être pris « en passant » par un pion adverse comme s'il n'avait avancé que d'une case, à condition que cette prise soit effectuée immédiatement. Le pion preneur se place alors à la position qu'aurait occupée le pion pris s'il n'avait avancé que d'une seule case.

Nullité. Il y a nullité lorsque aucun des adversaires ne dispose d'un matériel suffisant pour faire mat le roi ennemi. Ainsi, si un camp ne dispose, outre son roi, que d'un fou ou de deux cavaliers, il ne peut espérer gagner. Il y a encore nullité en cas de pat, quand un joueur, sans être en échec, est dans l'impossibilité de mouvoir aucune pièce sans mettre son roi en échec.

Enfin, une partie peut être déclarée nulle sur la demande d'un joueur quand la même position se reproduit trois fois, ou quand 50 coups ont été joués de part et d'autre sans qu'aucune figure ait été prise ni aucun pion avancé.

Hiérarchie des pièces. La valeur d'une pièce est liée à sa mobilité et dépend donc en principe de la position qu'elle occupe sur l'échiquier. On peut cependant assigner à chaque pièce une valeur théorique qui permet d'établir entre elles une hiérarchie et donc de savoir s'il convient ou non de procéder à un échange. On convient qu'une pièce mineure, fou ou cavalier, vaut environ 3 pions, une tour un peu moins de 5 pions et une dame 9 pions. Cette hiérarchie est approximative : une paire de fous a des possibilités d'attaque plus étendues qu'une paire de cavaliers ou qu'un fou et un cavalier; un pion parvenu à la septième rangée et qui menace de faire dame est plus dangereux qu'un pion qui n'en est qu'au début de sa progression, et, en fin de partie, une tour et deux fous sont supérieurs à deux tours et un fou.

Déroulement de la partie. L'échiquier est placé entre les joueurs, de telle sorte que chacun d'eux ait à sa droite une case blanche. Les blancs ont le trait, c'est-à-dire qu'ils jouent en premier. Chaque joueur à tour de rôle déplace une seule de ses pièces à la fois, sauf dans le cas du roque. Celui qui a touché une pièce doit, dans tous les cas où cela est possible, la jouer ou la prendre selon qu'elle lui appartient ou non. Une fois la pièce lâchée, le coup est considéré comme joué et ne peut être repris. Un joueur peut toutefois rectifier la position d'une pièce sur l'échiquier en prévenant préalablement l'adversaire par l'expression « J'adoube ».

Hors les cas de nullité, la partie s'achève sur un mat, un abandon ou sur le dépassement par un des joueurs du délai qui lui était imparti.

Champions

Le tournoi de Londres de 1851 inaugura la forme moderne des compétitions internationales. Le Championnat du monde fut instauré officiellement en 1886. Le titre est disputé tous les trois ans entre le tenant et son challenger. Quelques grands joueurs ont dominé l'histoire des échecs : l'Espagnol Ruy Lòpez (seconde moitié du XVIe s.), les Italiens Leonardo Da Cutri (1512-1585) et Gioacchino Greco (v. 1600-v. 1635), les Français F. A. D. Philidor (1726-1795), A. L. H. Lebreton Deschapelles (1780-1847) et Charles Mahé de La Bourdonnais (1797-1840), le Britannique Howard Staunton (1810-1874).

Champions de l'après-guerre	« Règne »
Vassili Smyslov (URSS)	1948-1957
Vassili Smyslov (URSS)	1957-1958
Mikhaïl Botvinnik (URSS)	1958-1960
Mikhaïl Tal (URSS)	1960-1961
Mikhaïl Botvinnik (URSS)	1961-1963
Tigran Petrossian (URSS)	1963-1969
Boris Spasski (URSS)	1969-1972
Robert Fischer (É.U)	1972-1975
Anatoli Karpov (URSS)	1975-1985
Garry Kasparov (URSS)	depuis 1985

Grands maîtres

Il existe un système de classement des joueurs qui attribue à chacun, en fonction de ses résultats dans les tournois, un certain nombre de points appelés points Élo, du nom de leur inventeur. Chaque année, la FIDE (Fédération internationale des échecs) publie l'Élo des meilleurs joueurs du monde, les GMI (grands maîtres internationaux). Le joueur ayant eu le plus grand nombre de points Élo est Garry Kasparov (2 789 points), qui a ainsi dépassé le record de Robert Fischer (2 780).

◆ Les principaux jeux.

Jeu	Principes du jeu
dames chinoises	appelé également jeu de l'étoile et très populaire en Chine, ce jeu se pratique sur un plateau en forme d'étoile à 6 branches, chacune étant d'une couleur différente. Chaque joueur (entre 2 et 6) démarre la partie avec 10 pions de couleur placés sur la pointe de l'étoile de même couleur. Il doit emmener le plus rapidement possible tous ses pions jusqu'à la pointe opposée.
échecs japonais, ou shogi	au Japon, où ce jeu est fort populaire, il existe des joueurs professionnels, dont certains sont très connus du grand public. L'échiquier, d'une seule couleur, a 81 cases et le jeu, 40 pièces. La règle la plus originale est la possibilité, pour un joueur, de remettre en jeu, pour son compte, une pièce adverse qu'il a capturée. Le mat du roi met fin à la partie.
échecs chinois, ou xiang-qi	ce jeu très ancien est dérivé du *shaturanga* indien. L'échiquier a 64 cases, et le jeu comprend 16 pièces rouges, les mandarins chinois, et 16 pièces noires, les envahisseurs tartares. La pièce maîtresse est le général, le but du jeu étant de le faire échec et mat.
hex	ce jeu a été inventé, parallèlement, par un chercheur danois en 1942 et par un étudiant américain en 1948. On l'appelle hex parce que le plateau, qui a la forme d'un losange, se compose de 11 rangées de 11 hexagones. On utilise 61 pions blancs et 60 pions noirs, le but du jeu étant de parvenir le premier à créer une ligne ininterrompue de pions de sa couleur, d'un bord à l'autre du plateau.
jacquet	ancêtre direct du backgammon, il se joue avec le même plateau et les mêmes principes que ce dernier. La principale différence tient au fait que les cases occupées par des pions adverses empêchent de passer ou de s'arrêter. Le prisonnier est une variante très prisée en Grèce et au Proche-Orient. Il permet de faire des prisonniers parmi les pions adverses.
marelle	la forme actuelle la plus connue de cette famille de jeux se joue sur un carré où sont tracées les deux médianes et les deux diagonales. Deux joueurs disposent de 3 pions chacun qu'ils posent, à tour de rôle, aux intersections des lignes du carré. Le premier qui aligne ses pions gagne la partie. Il existe des variantes à 5, à 9 et à 12 pions.
pachisi	ce jeu traditionnel indien connaît plusieurs variantes en Asie et en Amérique du Sud. Il se joue sur un plateau en croix qui ressemble à celui du jeu des petits chevaux, avec 6 cauris, petits coquillages en forme de graine de café, qui servent de dés. Chaque joueur, entre 2 et 4, dispose de 4 pions qu'il doit faire parvenir au centre du jeu, tout en essayant de retarder la progression des adversaires.
reversi	ce jeu assez simple date de la fin du XIXe s. Il se joue sur un damier de 64 cases avec 64 pions bicolores (une face noire et une face blanche). Les deux joueurs posent leurs pions à tour de rôle en essayant d'encercler ceux de l'adversaire. Les pions encerclés sont retournés et appartiennent ensuite au joueur qui les a capturés. Une fois tous les pions posés, c'est la couleur dominante sur le damier qui désigne le gagnant.
solitaire	c'est un jeu de damier pour joueur solitaire comme le sont les réussites pour les cartes. Le plateau percé de 37 trous a une forme octogonale. On dispose de 36 boules, que l'on place sur le plateau au démarrage du jeu en laissant un trou vide. On saute et on élimine les boules comme aux dames. La partie est gagnée si l'on parvient à les ôter toutes sauf la dernière.

Les dames

Le jeu de dames tel qu'il se pratique actuellement semble avoir été introduit en France vers 1725. Sont données ici les règles du jeu en vigueur dans les compétitions internationales. Il en existe cependant de nombreuses variantes.

Le jeu se joue à 2 sur un damier carré comprenant 100 cases, 50 blanches et 50 noires. En France, on ne joue que sur les cases blanches, et le damier est disposé de telle sorte que chaque joueur ait à sa gauche une case blanche. Chaque joueur dispose de 20 pions, blancs pour l'un, noirs pour l'autre, qu'il place en début de partie sur les quatre rangées les plus proches de lui.

Marche des pièces et prises. Les pions avancent ou prennent en se déplaçant toujours en diagonale à partir de leur case de départ. Ils n'avancent que d'une case à la fois, sans pouvoir reculer. En revanche, ils prennent une pièce adverse placée devant ou derrière eux en sautant par-dessus cette pièce à condition que la case située derrière soit vide. Ils continuent à prendre dans le même coup aussi longtemps que cela reste possible.

Lorsqu'un pion parvient à la dixième rangée, il se transforme en dame, à condition de ne pas avoir de prise à effectuer à partir de sa case d'arrivée. Pour signaler les dames, on utilise 2 pions posés l'un sur l'autre. Les dames se déplacent ou prennent sur les diagonales en avant ou en arrière d'autant de cases qu'elles veulent. Elles ne doivent jamais sauter par-dessus un pion de leur propre couleur.

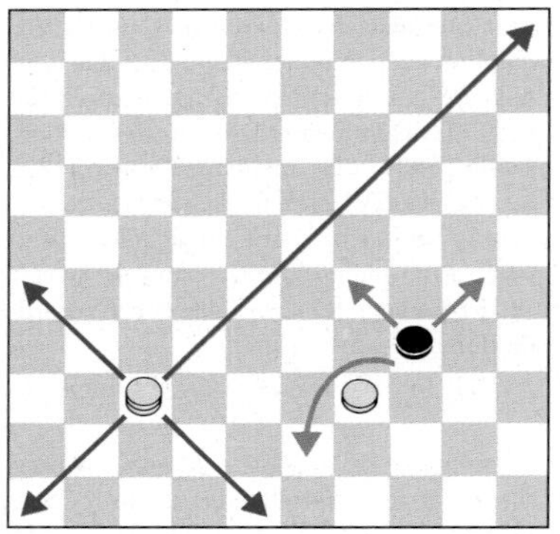

◆ **La marche des pièces sur le damier.**

Si une prise est possible, elle est obligatoire et, en cas d'oubli, peut être imposée par l'adversaire. Dans le cas où plusieurs possibilités s'offrent à lui, un joueur est tenu de prendre le plus grand nombre de pièces possible.

Gain de la partie. La partie est gagnée par le joueur qui a capturé toutes les pièces de son adversaire ou qui l'a bloqué, de telle sorte que tout mouvement lui est impossible.

Le go

Jeu de stratégie très populaire en Extrême-Orient, le go est sans doute né en Chine, il y a au moins trois millénaires. Au VIIe s., il est introduit au Japon et y connaît un grand développement. Adopté par les militaires comme moyen d'instruction dans l'art de la guerre, il se répand aussi grâce aux prêtres bouddhistes. Au XVIIe s. fut fondée la Go-in, académie officielle chargée de former les joueurs. Aujourd'hui, le Japon compte des millions de pratiquants (certains sont professionnels), classés en catégories internationales (*dan* et *kyu*). À la fin du XIXe s., le jeu gagne l'Occident, où il est apporté par l'ethnologue Korschelt. Il s'implante d'abord en Autriche et en Allemagne, aux États-Unis après 1945 et en France plus récemment.

◆ **Le jeu de go.**
Sans doute né en Chine, le go connaît en Asie du Sud-Est une popularité comparable à celle dont jouissent en Occident les grands événements sportifs. *Chinoises jouant au go*, XVIIIe s. (Musée d'Art oriental, Rome)

Go-ban et pions. Le go se pratique sur un plateau carré, le go-ban, composé de 19 lignes horizontales et de 19 lignes verticales, formant 361 intersections. Toutefois, pour les débutants, il est courant d'utiliser un go-ban de dimensions réduites, par exemple de 9 lignes sur 9 seulement. Les deux joueurs disposent chacun d'un nombre, en principe illimité, de pions, ou pierres, blancs pour l'un et noirs pour l'autre. Chacun son tour, ils jouent en posant un de leurs pions sur une intersection de lignes.

Principe du jeu. Le but du jeu est la création de territoires, c'est-à-dire de zones vides entourées par des pierres d'une même couleur.

Chaque intersection dans un territoire donne 1 point au joueur qui entoure ce territoire. Le joueur qui a au moins 1 point de plus que son adversaire a gagné la partie, celle-ci étant terminée au moment où toute intersection vide du go-ban se trouve appartenir soit au territoire noir, soit au territoire blanc.

Les pions posés sur la grille ne peuvent pas se déplacer, mais ils peuvent être capturés quand les intersections verticalement et horizontalement adjacentes à une pierre sont occupées par des pions adverses.

La capture d'un pion rapporte 1 point à celui qui l'a effectuée, qu'on ajoutera en fin de partie à ses points de territoire. Des pierres de même couleur reliées les unes aux autres par des traits horizontaux ou verticaux s'appellent des chaînes. Les chaînes peuvent être capturées comme les pions lorsque toutes les intersections contiguës à la chaîne sont occupées par des pierres de couleur opposée.

On dit d'une pierre ou d'une chaîne qu'elle est en atari lorsqu'il suffit d'un coup à l'adversaire pour la capturer, c'est-à-dire quand elle n'a plus qu'une liberté (intersection adjacente disponible). Initialement, une pierre possède 4, 3 ou 2 libertés, selon qu'elle est posée à l'intérieur, sur le bord ou dans un coin du go-ban.

Suicide et ko. Dans le jeu, il importe de respecter deux règles fondamentales qui sont la règle du suicide et la règle du ko. La première de ces règles interdit à un joueur de se mettre lui-même dans une position telle qu'il se ferait immédiatement prendre une pierre ou une chaîne, à moins qu'un tel coup ne lui permette de procéder à une capture et de parer ainsi la menace en question. Les sacrifices stratégiques pratiqués aux dames ou aux échecs sont inconnus du go.

Quant à la règle du ko, elle vise à empêcher la répétition indéfinie de coups, qui pourrait résulter de captures successives. Elle stipule donc qu'on ne peut reproduire sur le go-ban une situation identique à celle qu'on a laissée après son dernier coup. Si on veut recapturer un pion, il faut attendre au moins un coup pour le faire.

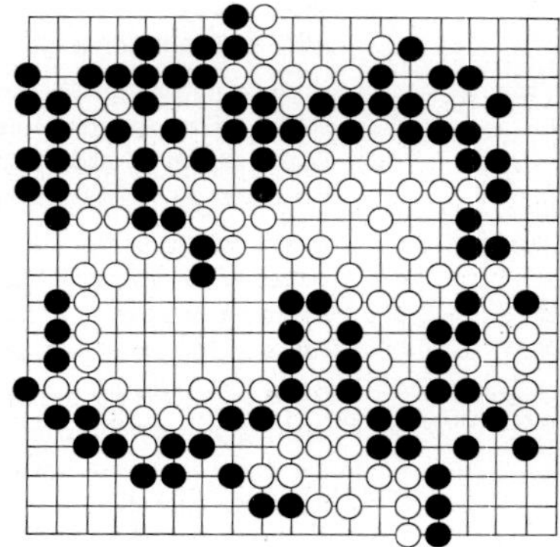

◆ **Le plateau de go-ban.**

Fin de la partie. Une partie est normalement achevée quand toute intersection vide de la grille se trouve appartenir à l'un des deux territoires, noir ou blanc. Cependant, l'application de la règle du suicide peut conduire à une situation, le seki, où aucun des deux camps ne peut jouer. On a, en ce cas, pour chaque joueur, une configuration de pierres imprenables, et l'on ne compte pas alors de points de territoire.

Le backgammon

Le backgammon est un jeu de dés dans lequel chaque joueur – blanc ou noir – essaie de sortir ses 15 pions avant son adversaire. Le damier, appelé aussi tablier ou trictrac (*board* en anglais), est formé de 24 cases en forme de triangle, les flèches, qui sont groupées en 4 compartiments, les jans. Chaque joueur a devant lui 2 jans, le jan intérieur et le jan extérieur. Les pions se déplacent de flèche en flèche, dans le sens des aiguilles d'une montre pour les blancs, dans le sens inverse pour les noirs. La progression des pions est régie par le lancer des 2 dés.

Marche du jeu. Si les chiffres indiqués par les 2 dés sont différents, le joueur peut à son choix faire avancer 2 de ses pions, chacun du nombre de flèches indiqué par 1 dé, ou 1 seul pion, du nombre de flèches égal à la somme des dés. Si le joueur tire un double, il multiplie par 2 le nombre de points indiqué par les dés, et peut déplacer de 1 à 4 pions. On peut passer au-dessus d'une case occupée, et il peut y avoir autant de pions de même couleur que l'on veut sur une même flèche. Mais un pion ne peut pas s'arrêter sur une flèche occupée par 2 pions adverses ou plus.

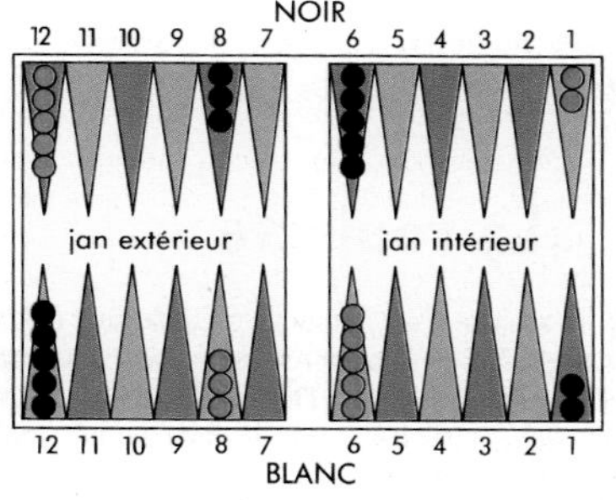

◆ **Backgammon : les pions en position de départ.**

Blots. Une flèche occupée par un seul pion est appelée blot et, si un pion adverse s'y arrête, il chasse le pion isolé. (On dit qu'on frappe le blot.) Le pion frappé est alors posé sur la barre intermédiaire qui sépare les jans intérieurs et extérieurs. Il rentrera dans le jeu en commençant par la case extrême du jan intérieur adverse et devra donc parcourir tout le tablier avant de pouvoir sortir. Un joueur ne peut déplacer aucun de ses pions tant que l'un d'eux est sur la barre. Il doit préalablement le faire rentrer dans le jeu et s'il ne peut pas, par exemple parce que les 6 premières flèches sont tenues par des pions adverses, il doit passer son tour. Un joueur n'a pas le droit de passer son tour s'il peut avancer un de ses pions. Un pion sort si on choisit de le faire avancer un pas au-delà de la case extrême du jan intérieur de sa couleur. Cependant, un joueur ne peut sortir aucun de ses pions avant de les avoir préalablement tous réunis dans ce jan intérieur.

Fin du jeu. La partie est terminée quand un des joueurs a sorti tous ses pions. Si, à ce moment, son adversaire n'en a pas encore sorti un seul, la partie est double, ou gammon. S'il reste encore un pion adverse sur la barre ou dans le jan intérieur du vainqueur, la partie est triple, ou backgammon.

Le mah-jong

Apparu en Chine au XIXe s., le mah-jong (« je gagne » en chinois), également appelé domino chinois, fut réservé à la cour jusqu'à la chute de la dynastie impériale (1911). Il s'est répandu dans tout le pays, puis aux États-Unis, enfin en Europe.

Pièces, honneurs, jetons. Le jeu se compose de 144 pièces, appelées tuiles, qui se répartissent de la façon suivante :
– tuiles ordinaires : 4 séries de bambous (de 1 à 9), 4 séries de caractères (de 1 à 9), 4 séries de cercles (de 1 à 9) ;
– honneurs simples : 4 vents d'est, 4 vents du sud, 4 vents d'ouest, 4 vents du nord ;
– honneurs supérieurs : 4 dragons rouges, 4 dragons verts, 4 dragons blancs ;
– honneurs suprêmes : 4 fleurs, 4 saisons.

Les jetons de marque sont des bâtonnets minces et plats, de quatre valeurs différentes (2, 10, 100 et 500 points).

◆ **Mah-jong.**
Les pièces du jeu de mah-jong s'appellent des tuiles, et peuvent être réalisées avec des matériaux précieux. (Coll. part.)

But du jeu. Jeu de combinaisons, le mah-jong s'apparente à un jeu de cartes, le rami. Il se joue à 4. Le gagnant – le joueur qui fait mah-jong – est celui qui est parvenu le premier à réunir dans sa main 4 groupes (de 3 ou 4 tuiles) et une paire. Il existe trois sortes de groupes : le brelan, ou *pung* (3 tuiles semblables), le carré, ou *kong* (4 tuiles semblables), la séquence, ou *chow* (3 tuiles se suivant dans la même série). Il existe en outre des combinaisons spéciales, les grands jeux, qui donnent le droit de faire mah-jong. Ces grands jeux sont innombrables, mais le jeu chinois n'admet que quelques-unes de ces mains. Citons entre autres : têtes et queues (brelans et carrés composés uniquement de 1 et de 9 plus n'importe quelle paire), le quadruple bonheur (les quatre vents plus n'importe quelle paire), les trois grands savants (trois dragons, plus un autre brelan ou carré, plus n'importe quelle paire), etc.

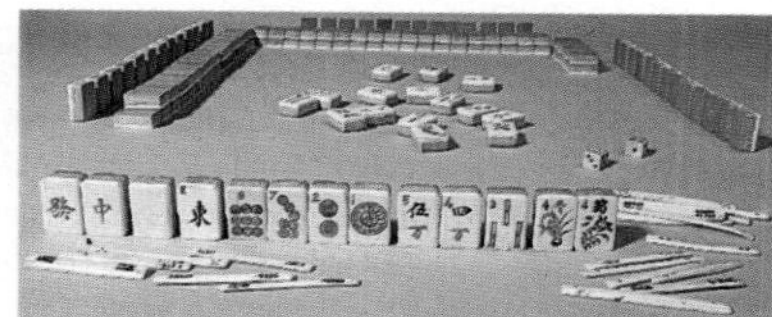

◆ **Partie de mah-jong.**
Les bâtonnets minces et plats sont les jetons de marque. (Coll. part.)

Les dominos

Le jeu de dominos, d'origine européenne, date du XVIIIe s. Il comprend 28 pièces, divisées en deux parties égales marquées chacune de 0 à 6 points ; les dominos dont les deux moitiés comportent un nombre de points identique sont appelés doubles ou doublets. Comme les cartes ou les dés, les dominos ne constituent pas un jeu en eux-mêmes, mais servent de support à une grande variété de jeux : le matador, le muggins, le berger, le cinq partout, etc.

Principe du jeu. Dans le jeu courant, celui qu'on appelle généralement dominos, les pièces sont mélangées, face cachée, sur la table. Chacun des joueurs (de 2 à 4) prend 7 dominos au hasard, les pièces éventuellement restantes constituant le talon. Le premier à jouer pose un de ses dominos sur la table, face visible. Puis chaque joueur, à tour de rôle, place dans l'alignement un nouveau domino, à l'une ou l'autre extrémité du jeu, à condition que les dominos qui se touchent présentent sur leurs moitiés voisines un nombre de points identique. Le joueur qui réussit le premier à poser tous ses dominos gagne la manche. Il marque un nombre égal à la somme des points (le total des points marqués sur les dominos) restant à ses adversaires.

L'awalé

L'awalé est un jeu africain, dont on trouve des traces en Égypte sur des sculptures vieilles de 3 000 ans. Il ne nécessite qu'un matériel rudimentaire puisqu'un tracé sur la terre et quelques petits cailloux suffisent pour y jouer. On peut aussi utiliser une planchette en bois qui possède 2 rangées de 6 alvéoles. Chacun des 2 joueurs dispose de 24 jetons similaires qu'il répartit au début de la partie dans les alvéoles de son camp, à raison de 4 par alvéole. Le but est de gagner le plus grand nombre de jetons.

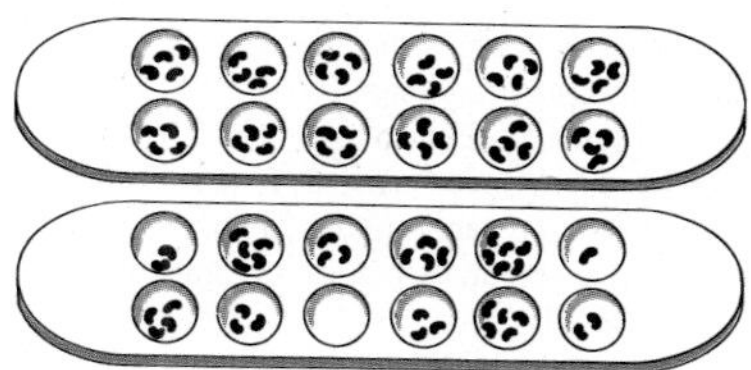

◆ **Awalé : position de départ et partie en cours.**

Déroulement du jeu. À chaque coup de la partie, un joueur choisira un de ses alvéoles et prendra dans sa main tous les jetons qui s'y trouvent. Il égrènera ces jetons un par un dans les alvéoles suivants en commençant par celui qui est à droite de l'alvéole choisi et en continuant dans le sens inverse des aiguilles d'une montre. Son dernier jeton tombera soit dans un des alvéoles de son camp, auquel cas c'est à l'adversaire de jouer, soit dans un alvéole adverse. Si ce dernier contient, outre le jeton qu'on vient d'y mettre, 1 ou 2 autres jetons, il peut être vidé de ses jetons qui seront alors capturés et retirés du jeu. Si, de plus, l'avant-dernier alvéole appartient aussi au camp adverse et qu'avant le jeton qui vient d'y tomber il n'en contenait que 1 ou 2, ces jetons pourront également être capturés avec le dernier jeton. Il est ainsi possible de remonter tous les alvéoles adverses jusqu'à ce qu'on en rencontre un qui, avant l'égrenage, ne contenait ni 1 ni 2 jetons. Il y a toutefois une règle qui protège le joueur en position perdante : on n'a pas le droit de vider tous les alvéoles de son adversaire. Il faut toujours lui laisser au moins 1 jeton. De même, on convient d'arrêter le jeu et de comptabiliser avec les jetons déjà pris les jetons de son camp lorsqu'il est manifeste que la partie pourrait durer indéfiniment, aucun joueur n'ayant assez de jetons dans son camp, pour espérer en capturer.

Les jeux de hasard et d'argent

Les jeux de dés

Petits cubes d'os, d'ivoire, de bois ou de matière plastique, les dés comportent des points creusés sur chacune de leurs six faces, depuis 1 jusqu'à 6. Les faces opposées sont 1 et 6, 2 et 5, 3 et 4, de sorte que la somme de ces points est toujours 7. On fait rouler les dés après les avoir agités dans un cornet; c'est la face supérieure qui donne le point obtenu. Un dé est dit «cassé» lorsqu'il ne repose pas à plat sur la table ou sur la piste; les dés doivent alors être relancés.

Les dés à jouer étaient connus en Égypte, en Orient, en Inde. Les Grecs, qui en attribuaient l'invention à Palamède lors du siège de Troie, y jouaient avec passion. Les Romains s'y adonnaient aussi et l'empereur Claude écrivit un traité du jeu. La tradition rapporte que les soldats romains, au pied de la croix, jouèrent aux dés la tunique du Christ. Pendant tout le Moyen Âge, les dés devinrent une occupation favorite, souvent même une passion, dans toutes les parties de l'Europe. Le calcul des probabilités est né de l'étude des jeux de dés et de l'évolution des chances que l'on a de gagner ou de perdre. Il est d'ailleurs intéressant de noter que le mot hasard vient de l'arabe *al-zahr*, qui signifie «dé à jouer».

Le 421. Variante du zanzi, ou zanzibar, qui se joue avec 3 dés qui doivent afficher un nombre identique de points, le 421 est le jeu de dés le plus populaire en France. Il s'agit de réaliser la plus forte combinaison possible de 3 dés. Les combinaisons sont, par ordre décroissant :
– le 421 (un 4, un 2 et un as);
– les paires d'as, avec un dé d'un autre point;
– les brelans, ou zanzis (3 dés identiques);
– les séquences, ou tierces, c'est-à dire : 6-5-4, 5-4-3, 4-3-2, 3-2-1;
– les autres possibilités qui s'échelonnent, par ordre décroissant, de 6-6-5 (qui se dit «six-soixante-cinq») jusqu'à 2-2-1 (qui se dit «nénette»).

◆ **421 : une combinaison gagnante.**

La partie se déroule en deux phases : la charge, pendant laquelle le perdant prend au pot un nombre de jetons correspondant à la combinaison la plus forte de ses adversaires, et la décharge, pendant laquelle le gagnant donne au perdant des jetons de sa propre part. Le gagnant est celui qui s'est débarrassé le premier de tous ses jetons. En cas de rampeau (égalité entre 2 joueurs), la décision se joue en un coup sec.

Le poker d'as. Le poker d'as (déformation de l'anglais *poker dice*, poker aux dés) se joue avec 5 dés spéciaux dont les faces portent non des points mais, par ordre décroissant : un as, un roi, une dame, un valet, un 10 et un 9. Comme le poker aux cartes, il s'agit d'un jeu de combinaisons, où l'as joue le rôle de joker.

Les combinaisons sont par valeurs décroissantes :
- le poker, ou quinton, ou pointu : 5 faces identiques;
- le carré : 4 faces identiques;
- le full : réunion d'un brelan et d'une paire;
- la séquence majeure (as, roi, dame, valet, 10) ou mineure (roi, dame, valet, 10, 9);
- le brelan : 3 faces identiques;
- la double paire;
- la paire : 2 faces identiques.

Le poker d'as est un jeu de paris. Les joueurs (2 ou plus) jettent à tour de rôle les 5 dés. Selon leur tirage, ils peuvent, s'ils le désirent, conserver leur jeu ou relancer une seconde fois tous les dés ou une partie d'entre eux. Le vainqueur est celui qui possède la main la plus forte.

◆ **Poker d'as.**

Le craps. Le craps tire son origine d'un ancien jeu anglais appelé *hasard*.

Il se joue avec 2 dés, entre un nombre illimité de joueurs. Il s'agit, en lançant les dés, de réaliser des points dont vont dépendre les mises initialement posées sur un tableau récapitulant toutes les possibilités d'affichage de ces 2 dés.

Le premier joueur à lancer est appelé le lanceur. Avant d'effectuer son premier jet, il est tenu de parier sur la sortie d'un coup gagnant pour lui et il invite les autres joueurs à miser. Dès que les jeux sont faits, le lanceur jette les dés. Les deux faces supérieures déterminent le point.

Après le premier jet, trois cas se présentent : si le lanceur a amené 2, 3 ou 12 points (connus sous le nom de craps ou de baraque), il perd automatiquement; s'il obtient 7 ou 11, il gagne immédiatement. S'il amène un des autres points, soit 4, 5, 6, 8, 9 ou 10, il doit jouer jusqu'à ce qu'il obtienne de nouveau le même point (dans ce cas il gagne) ou jusqu'à ce qu'il fasse un 7 (il perd). Lorsque le lanceur a gagné, il rejoue; s'il perd, il passe la main à un autre joueur, qui devient lanceur à son tour. On peut également parier sur la combinaison des faces qui composent le point.

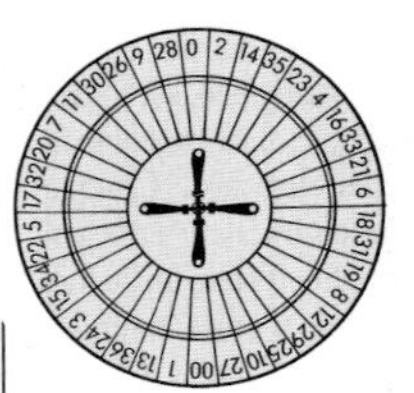

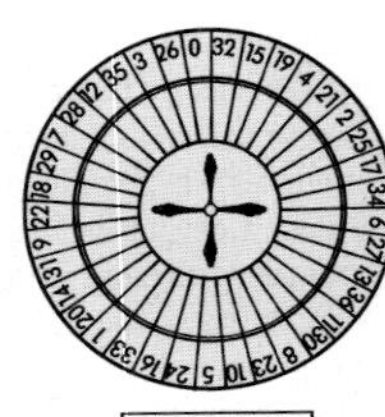

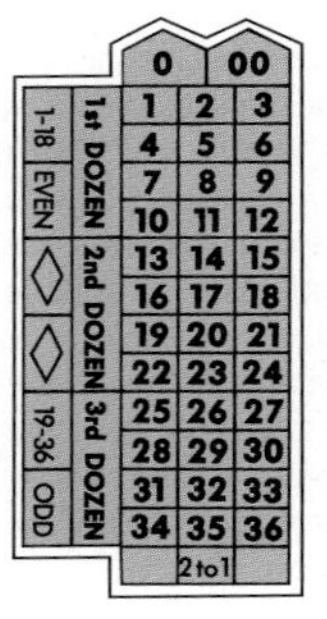

◆ **Roulette américaine.**

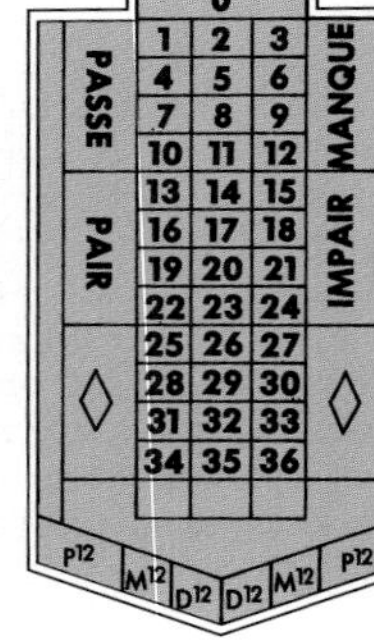

◆ **Roulette française.**

La roulette

La roulette a été introduite officiellement à Paris en 1760. Le matériel se compose, d'une part, d'un cylindre de bois, à l'intérieur duquel se trouve un plateau cylindrique mobile divisé en un certain nombre de cases numérotées et, d'autre part, d'un tableau appelé «tapis vert», qui porte les numéros du cylindre et sur lequel les joueurs placent leur mise.

Principe du jeu. Un des croupiers, après avoir annoncé : «Faites vos jeux», fait tourner le plateau dans un certain sens et lance la bille en sens inverse. Les joueurs peuvent continuer à miser jusqu'au moment où le croupier dit : «Rien ne va plus.» La bille finit par se loger dans une des cases, désignant ainsi le numéro gagnant.

La roulette française, la plus utilisée, comprend 37 cases numérotées de 0 à 36. À l'exception du zéro, qui est vert, ces numéros sont alternativement rouges et noirs, et disposés de telle sorte

Le jeu et l'État

La lutte contre le jeu commence dès l'Antiquité. En Grèce, le jeu de dés est banni à Sparte. L'Empire romain interdit de miser de l'argent aux dés et aux osselets. En 813, le concile de Mayence exclut de la communion ceux qui s'adonnent aux jeux de hasard. Saint Louis suspend même la fabrication des dés en 1254. Charles IV interdit toutes les sortes de jeux. Il en est ainsi sous Louis XIV sauf à la Cour, où l'on joue (et triche). Louis XV et Louis XVI multiplient, eux aussi, les édits répressifs. Mais la Révolution tolère les jeux de hasard, et le pouvoir comprend bientôt qu'il valait mieux contrôler et réglementer le jeu. En 1806, un décret autorise la création des premiers casinos dans les villes d'eaux. Cependant, le Code pénal de 1812 considère comme un délit la tenue d'une maison de jeu. Ce n'est qu'en 1907 qu'une loi clarifie la situation.

Pour obtenir l'autorisation du ministre de l'Intérieur d'ouvrir un casino, celui-ci doit être situé à plus de 100 km de Paris (à l'exception d'Enghien), et exclusivement dans une station balnéaire, thermale ou climatique. Le cercle est une association (loi de 1901), soumise également à l'autorisation préalable du ministre de l'Intérieur.

Le jeu constitue pour l'État une source substantielle de profit. Il y avait, en 1997, 159 casinos en France. Leur nombre et surtout leur chiffre d'affaires ont été dopés par l'introduction des machines à sous en 1987. L'État et les communes y trouvent une source importante de recettes fiscales : en 1997, ils ont prélevé 59,4 % du «produit brut des jeux» des casinos qui dépassait, cette année-là, 8 milliards de francs.

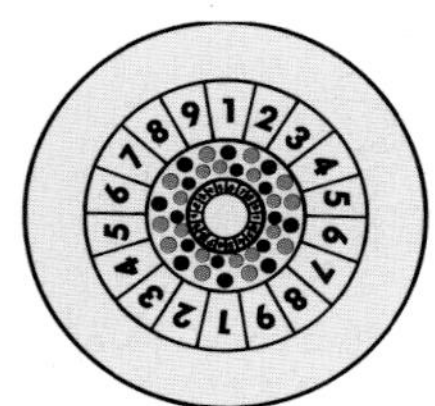

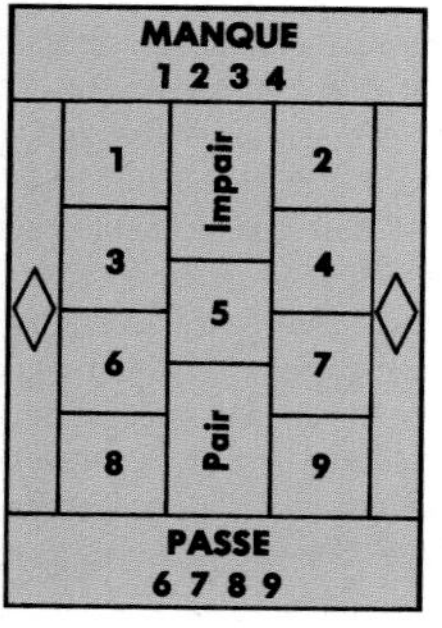

◆ **La boule : plateau et table de mise.**

La démocratisation des casinos

L'autorisation des machines à sous dans les casinos a révolutionné le monde jusque-là très fermé des établissements de jeu. Les 159 casinos en activité en 1997 ont comptabilisé 55 millions d'entrées, dont 95 % correspondent aux salles de machines à sous. Les jeux de table drainent à peine 3 millions d'entrées, dont plus de la moitié concerne la boule, jeu de table actuellement le plus prisé. Le public des casinos est aujourd'hui surtout attiré par l'ambiance excitante des salles de « bandits manchots » où l'on vient s'amuser entre amis sans craindre de perdre trop d'argent. C'est une sortie de divertissement que pratiquent surtout les jeunes entre 25 et 35 ans, célibataires ou vivant en couple et n'ayant pas d'enfants.

Les machines à sous ont fortement démocratisé le public des établissements de jeu. Les actifs des classes populaires et moyennes, commerçants et artisans, ouvriers et employés, professions intermédiaires, fréquentent les casinos comparativement plus que les cadres et les retraités. On y va en groupe le week-end ou pendant les vacances. Les joueurs de machines à sous jouent volontiers aux jeux de hasard (75 % s'adonnent aux jeux de la Française des jeux). Ils pratiquent moins les paris (22 % jouent au PMU) et les jeux de table du casino (27 %). La distance sociale reste très marquée vis-à-vis des jeux d'argent de la haute société : la peur de perdre beaucoup d'argent, de ne pas faire bonne figure, ainsi que le montant des droits d'entrée restent des obstacles pour entrer dans le monde feutré des tapis verts.

que les numéros pairs et impairs, les grands nombres et les petits se succèdent dans le plus grand désordre.

On distingue deux sortes de paris : les chances simples et les chances multiples.

Chances simples. Elles sont au nombre de 6 : rouge et noir, pair et impair (le zéro est exclu), manque (numéros de 1 à 18) et passe (de 19 à 36). Le gain est égal à 1 fois la mise. En cas de sortie du zéro, les mises portées sur les chances simples sont placées « en prison » par le croupier.

Chances multiples. Il en existe 9 :
– le numéro plein (un seul numéro), qui vaut au gagnant 35 fois sa mise ;
– à cheval (couvre 2 numéros) : 17 fois la mise ;
– la transversale (couvre 3 numéros) : 11 fois la mise ;
– le carré (couvre 4 numéros) : 8 fois la mise ;
– le sixain (couvre 6 numéros) : 5 fois la mise ;
– la colonne (couvre 12 numéros ; la mise se place dans les rectangles en bas de chaque colonne) : 2 fois la mise ;
– la douzaine (couvre 12 numéros ; la mise se place dans les rectangles portant la mention P [première douzaine], M [douzaine du milieu] ou D [dernière douzaine]) : 2 fois la mise ;
– à cheval sur 2 colonnes (couvre 24 numéros) : 1,5 fois la mise ;
– à cheval sur 2 douzaines (couvre 24 numéros : 1,5 fois la mise).

Tous les paris sur des chances multiples sont perdants quand le zéro sort. L'avantage mathématique du casino est de 1,35 % pour les chances simples et de 2,7 % pour les chances multiples.

La boule. Petite sœur de la roulette, la boule ne comprend que 9 numéros. Les mises simples sont pair et impair, rouge et noir, passe (numéros de 6 à 9) et manque (de 1 à 4). Elles rapportent une fois la mise et sont perdantes en cas de sortie du 5. Les autres possibilités sont le numéro plein (7 fois la mise) ou la mise à cheval sur 2 numéros (4 fois la mise). L'avantage mathématique du casino est très important : 11,11 %. Plus simple que la roulette, la boule jouit aujourd'hui d'une plus grande faveur. Ces dernières années, la roulette française a eu tendance à régresser dans les casinos à son profit.

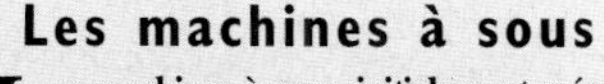

Les machines à sous

◆ **Jackpot.** Les machines à sous, encore appelées jackpots (en angl. *slot-machines*) ou bandits manchots, ont fait en 1987 leur entrée dans les casinos français. À la même date, à Las Vegas, on dénombrait déjà près de 50 000 *slot-machines* !

Les machines à sous, initialement mécaniques et aujourd'hui électroniques, possèdent un monnayeur qui distribue des pièces en fonction d'un certain nombre de combinaisons gagnantes. Après introduction d'une pièce, on actionne un levier ; des rouleaux se mettent alors à tourner et affichent des combinaisons de signes divers (des fruits, des figures, etc.). Certaines de ces combinaisons font gagner des sommes plus ou moins importantes. Le jackpot est celle qui rapporte le gros lot. L'existence de jeux à monnayeur est attestée dans l'Antiquité, dans l'entourage d'Alexandre le Grand, au Moyen Âge et au XVIIIe s., leur développement moderne date des années 1890. La première machine est créée aux États-Unis en 1892. Ces jeux, surnommés « bandits manchots » (ils n'ont qu'un bras, ou levier), ont connu un succès considérable dans les grandes villes, mais se sont vite heurtés aux réglementations imposées par les États sur les jeux d'argent. Certains pays les ont interdits, notamment la France entre 1937 et 1987. Ils connaissent actuellement un très grand succès, surtout dans les casinos, où ils ont permis d'élargir la clientèle. Les machines à sous se trouvent généralement à l'entrée des casinos, dans une salle spéciale, à laquelle on peut accéder sans payer de droit d'entrée. À Las Vegas (États-Unis), on les trouve partout, dans les bars, les commerces, l'aéroport.

Le baccara

D'origine italienne, le baccara a été pratiqué en Provence et en Languedoc dès le XVe s. Cependant, c'est sous Louis-Philippe qu'il s'imposa véritablement et prit sa forme actuelle.

Jeu de pur hasard, le baccara oppose un banquier, qui distribue les cartes, aux autres joueurs, appelés pontes. Le but du jeu est de totaliser le plus de points possible : toutes les cartes, depuis l'as (qui vaut 1) jusqu'au 9, ont leur valeur numérale. Les autres (10, valet, dame, roi), appelées bûches, valent zéro. Pour obtenir la valeur d'une main, on tient compte non pas des dizaines, mais des unités. L'objectif est donc de s'approcher le plus possible de 9 points.

On utilise 6 jeux de 52 cartes mélangées et rangées dans un sabot d'où l'on peut tirer les cartes une à une face cachée.

Il existe plusieurs formes de baccara, dont les plus répandues dans les casinos sont la banque, ou baccara à deux tableaux, et le chemin de fer.

La banque, ou baccara à deux tableaux. Les joueurs (12 au maximum) sont répartis en deux tableaux, séparés par le banquier. Le banquier mise une somme en banque et les pontes fixent leur enjeu, qui ne peut dépasser le montant de la banque. Si un joueur mise à lui seul le montant de la mise du banquier, il l'annonce en disant : « Banco. »

Une fois que les jeux sont faits, le banquier distribue les cartes, 2 par tableau à chacun des joueurs placés à sa droite et à sa gauche, et 2 pour lui-même. Tant que ces joueurs gagnent, ils reçoivent les cartes et décident pour l'ensemble des joueurs de leur tableau. S'ils perdent, la donne passe au joueur suivant, et ainsi de suite.

Le ou les joueurs qui totalisent 8 (le « petit ») ou 9 (le « grand ») découvrent leur jeu : sauf égalité avec le banquier, ils gagnent immédiatement et les cartes sont ramassées. Si personne ne sort un « naturel » (8 ou 9), les joueurs peuvent tirer une carte supplémentaire qui leur est donnée découverte, le banquier étant servi en dernier. Avec moins de 5 points, un joueur doit « tirer » (demander une carte).

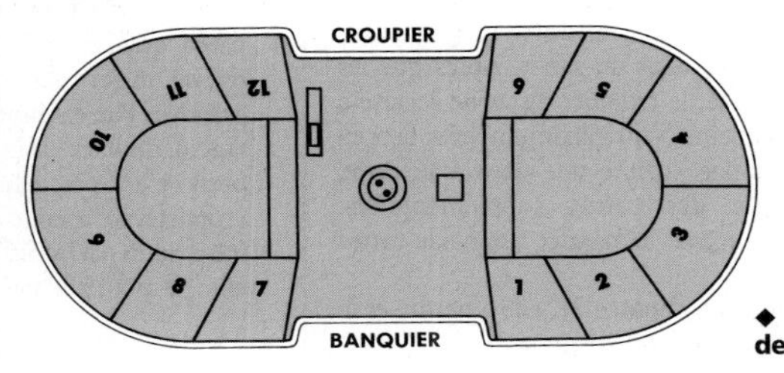

◆ **Table de baccara.**

◆ **Le casino de Monte-Carlo.**
C'est un des hauts lieux du jeu de la Côte d'Azur. En France, la liste des jeux autorisés dans les casinos est fixée par décret.

Avec 6 ou 7 points, il doit «rester» (ne pas demander de troisième carte). À 5 points, il a le choix.

Si aucun joueur ne tire, le banquier doit, lui, rester à 6 et tirer à moins de 6. Si les joueurs ont tiré, le banquier reste à 7, tire à moins de 3 et, si ses points sont compris entre 3 et 6, il agit selon un «tableau de tirage» qui lui dicte la meilleure conduite à tenir en fonction de la carte tirée par le ponte.

La situation des pontes n'étant pas la même dans les deux tableaux, le banquier peut avoir intérêt à tirer contre l'un, alors qu'il devrait rester face à l'autre. Dans ce cas, il prend sa décision en privilégiant le tableau qui a les enjeux les plus gros. En cas d'égalité, les paris sont annulés.

Le chemin de fer. À la différence du baccara à deux tableaux, où le banquier est fixe, les joueurs (9 au maximum) sont banquiers à tour de rôle. Une fois les paris effectués, le banquier distribue 2 cartes au ponte qui a fait la plus forte mise, et se remet à lui-même 2 autres cartes. Le banquier perd la main quand il perd le coup.

Le black jack

Variante du jeu français du vingt-et-un, le black jack est devenu le plus populaire des jeux de cartes de casino. Le but du jeu est de s'approcher le plus près possible de 21, sans dépasser ce nombre. L'as vaut, au gré du joueur, 1 ou 11 points. Les figures valent 10 et les autres cartes comptent leur valeur nominale. Faire black jack consiste à avoir 21 avec les deux premières cartes.

On utilise 5 ou 6 jeux de 52 cartes, mélangées et déposées dans un sabot. Après que les joueurs ont misé, le croupier distribue 1 carte à chacun des joueurs (7 au maximum) et se sert en dernier. Il donne ensuite une deuxième carte, puis propose des cartes supplémentaires. Chaque joueur peut demander autant de cartes qu'il le désire.

Si une main dépasse 21, elle a perdu, et le croupier ramasse immédiatement ses cartes. Quand tous les joueurs sont servis, le croupier tire une ou plusieurs cartes pour lui-même en respectant les règles suivantes : à 17 points ou plus, il reste ; à 16 points ou moins, il tire jusqu'à avoir au moins 17. S'il a un as dans ses cartes, le croupier est obligé de le compter pour 11 points si cette valeur lui permet d'atteindre au moins 17. Autrement il a le choix, comme les joueurs, entre 1 et 11. Les paiements se font à égalité du montant de la mise, sauf pour les joueurs ayant un black jack, qui reçoivent une fois et demie la valeur de leur mise. Le black jack l'emporte toujours sur 21 points obtenus avec plus de 2 cartes.

Lorsqu'un joueur a obtenu 9, 10 ou 11 points avec ses 2 premières cartes, il a le droit de doubler sa mise mais il ne peut en ce cas tirer que 1 carte supplémentaire.

◆ **Les jeux de casino.**
« La banque a sauté » (dessin, 1909).
Les jeux de casino se classent en : jeux dits « de contre-partie » (le casino joue contre le joueur, qui lui paie son gain ou encaisse intégralement la mise) : la *roulette*, la *boule*, le *trente-et-quarante*, le *vingt-trois*, le *black jack*, le *craps* ; jeux dits « de cercle » (les jeux se font entre les joueurs, et l'établissement perçoit un pourcentage sur les gains) : le *baccara*, le *chemin de fer*, l'*écarté*. Enfin, les machines à sous.

Le trente-et-quarante

Ce jeu est mentionné dès la fin du XVe s. Appelé aussi « le rouge et le noir », il se pratique avec un sixain, qui est un ensemble de 6 jeux de 52 cartes, et un sabot, dans lequel le croupier dépose les cartes préalablement mélangées. Un des joueurs fait le banquier, les autres les pontes.

Il y a quatre paris possibles : noir, rouge, couleur et inverse. Une fois que les pontes ont disposé leurs mises sur le tapis, le banquier étale à l'aide du sabot deux rangées de cartes. La première rangée s'appelle « couleur noire » et la seconde « couleur rouge ». On compte que l'as vaut 1 point, les figures valent 10 points et les autres cartes leur valeur nominative. Dès que le total des cartes étalées à la première rangée dépasse 30, le banquier s'arrête et passe à la seconde rangée. Quand le total de cette dernière dépasse 30, il annonce la couleur gagnante, noir ou rouge, qui est celle de la rangée dont le total est le plus proche de 30, c'est-à-dire le plus petit.

Si la couleur de la première carte retournée est celle de la rangée gagnante, les joueurs ayant parié sur couleur gagnent. Dans le cas contraire, ce sont ceux qui ont misé sur inverse qui gagnent. Toutes les mises sont simples, c'est-à-dire rapportent une somme égale en cas de gain.

Lorsque les deux rangées forment le même point, le coup est nul, sauf dans le cas où ce point est égal à 31. Dans ce cas, les enjeux restent « en prison » sur la table en attendant le coup suivant. Les mises perdantes seront alors ramassées par le banquier et les mises gagnantes simplement restituées à leur possesseur.

Les martingales

Les martingales sont des stratégies de mises qui doivent infailliblement rapporter un gain à leur utilisateur, mais elles ne peuvent être utilisées en pratique, parce qu'elles nécessiteraient un temps infini, ou bien parce qu'elles exigeraient du joueur qu'il puisse miser des sommes arbitrairement grandes. Par exemple, la martingale consistant à doubler sa mise chaque fois qu'on perd et à recommencer à 0 en cas de gain rapporterait à coup sûr un gain (égal à la mise de départ pour les jeux simples), mais elle ne pourrait pas être conduite plus de quelques coups sans qu'on dépasse la mise maximale autorisée. Une variante intéressante de cette martingale est la montante de d'Alembert. Elle consiste à augmenter la mise d'une unité chaque fois qu'on perd et à la diminuer d'une unité après chaque gain, jusqu'à ce que le joueur se retrouve gagnant. Ainsi, si un joueur perd ses 5 premiers paris, ses pertes seront de 1 + 2 + 3 + 4 + 5, soit 15 unités. Son pari suivant sera de 6 unités. S'il gagne ce coup, il ne se trouve plus perdant que de 9 unités. Il rejoue en misant 5 unités. S'il gagne de nouveau ainsi qu'au coup suivant, il se retrouvera dans la situation de départ, ayant perdu 5 fois et gagné 3 fois.

Les jeux de bar

Le billard

Jeu d'adresse et de maîtrise de soi, le billard français est devenu un sport professionnel. Son succès actuel pourrait lui redonner le dynamisme qu'il avait vers 1880, époque où l'on dénombrait quelque 200 000 billards en France, ou dans les années 1920 et 1930, lorsque le légendaire champion français Roger Conti collectionnait les titres mondiaux. Aujourd'hui, le Belge Raymond Ceulemans et le Français Francis Conesson dominent une discipline pratiquée en Europe, aussi bien qu'en Amérique du Sud et au Japon.

Origines et histoire. Sport populaire, le billard a de prestigieuses origines. Selon l'historien Georges Troffaes, ce sont les templiers, revenant des croisades, qui ont introduit en Occident le jeu de palle-mail qui se pratiquait sur terre battue avec des crosses (mails) au bout recourbé. Ballyards en Angleterre, vilorta en Espagne, boccia en Italie, le jeu est plusieurs fois mentionné dans les œuvres de Shakespeare et celles de François Villon. François Ier, Marie Stuart en furent des adeptes, et Richelieu inscrivit au programme de son Académie royale pour la noblesse les mathématiques, l'histoire, l'escrime et le billard, qui se jouait désormais sur une table de chêne. Louis XIV, qui y jouait tous les soirs, fit maître de requêtes le champion de l'époque, Michel Chamillart.

Le billard ne prend sa forme actuelle qu'en 1823, lorsque Mingaud invente le procédé, l'extrémité en cuir de la queue de billard (désormais rectiligne).

Billard français. Le billard français se joue aujourd'hui sur des tables longues de 2,85 ou 3,10 m et deux fois moins larges (1,425 ou 1,60 m), avec 3 boules (deux blanches, une rouge) d'environ 210 g et de 61 mm de diamètre. Dans la partie libre, chaque joueur choisit 1 des boules blanches (l'une d'elles est pointée) et doit, pour faire le point et continuer à jouer, toucher les 2 autres boules dans un ordre indifférent. Chaque coup doit donc placer les billes en position favorable pour le coup suivant. Si ce rappel est réussi, il est possible de réunir les 3 boules contre la bande et de les faire progresser plusieurs fois autour du billard. Cette position, dite « américaine », mène souvent à des séries (nombre de points consécutifs) de plusieurs centaines. Outre le rétro, qui se réalise en frappant la boule au-dessous de son centre, le coulé (en la frappant au-dessus du centre), les divers carambolages s'obtiennent en donnant de l'effet (en frappant à droite ou à gauche du centre), tandis que le piqué et le massé, qui donnent des trajectoires à fort rayon de courbure, se réalisent en frappant obliquement et de haut en bas. Le jeu de cadre est une variante plus complexe de la partie libre.

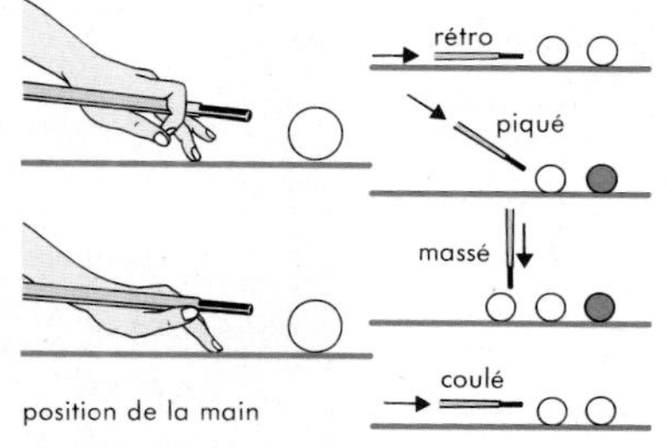

◆ **Principaux coups du billard.**

Des zones rectangulaires sont tracées à la craie dans chaque coin de la table, délimitant des régions où les 3 boules ne peuvent se trouver ensemble plus de un ou deux coups d'affilée. Le jeu de bande oblige à toucher au moins une bande avant de faire le point; le jeu de trois bandes, le seul qui soit l'objet d'un championnat du monde professionnel, consiste à toucher au moins trois fois une bande avant de faire le point. Le billard artistique, enfin, consiste à réaliser des figures imposées (trajectoires en zigzag ou sinusoïdales) dans un ordre donné.

Autres billards. Si le billard français est joué aux États-Unis et en Grande-Bretagne, deux variantes y prédominent nettement : le pool américain et le snooker britannique sont considérées comme des évolutions de la première manière du billard où il fallait envoyer les boules dans les poches disposées à la périphérie.

Le snooker britannique se joue sur une table de 3,90 m de long, possédant six trous, avec 22 boules : 15 rouges, 1 jaune, 1 verte, 1 bleue, 1 brune, 1 rose et 1 noire, ainsi que 1 boule de choc (c'est la boule que frappent les joueurs), qui est blanche. Le jeu consiste à mettre 1 rouge dans une poche à l'aide de la boule blanche (ce qui rapporte un point), puis une boule de couleur (jaune : 2 points ; verte : 3 points ; brune : 4 points ; bleue : 5 points ; rose : 6 points ; noire : 7 points). Cette dernière est aussitôt remise sur le billard, et le jeu continue jusqu'à disparition de toutes les boules rouges. La partie se termine lorsque toutes les boules de couleur sont empochées.

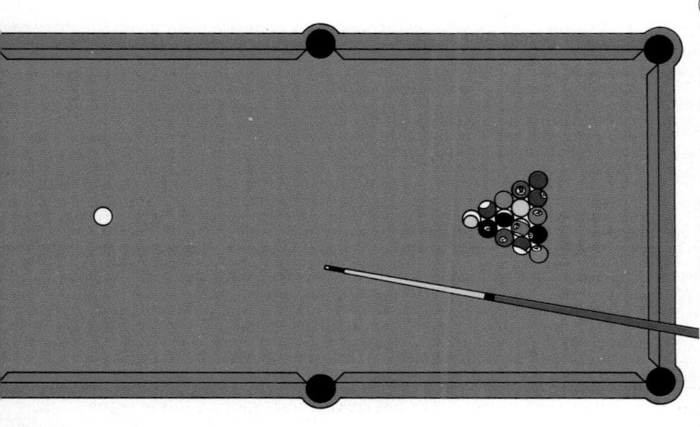

◆ **Billard américain : position de départ.**

Le pool, ou billard américain, se joue avec 1 boule de choc (blanche) et 15 boules numérotées de 1 à 15 qui rapportent, lorsqu'elles sont sorties, autant de points que le nombre qu'elles portent. Empocher la boule blanche compte un point de pénalité. Le vainqueur est le premier à atteindre 61 points. Les gains réalisés à ce jeu par les champions professionnels sont très importants.

Le flipper

Les flippers sont des jeux électriques dérivés de jeux anciens, le billard anglais et le billard japonais ou chinois. Ces deux billards sont des plans inclinés sur lesquels on lance, par un ressort, des billes que l'on cherche à faire passer à travers des arceaux (billard anglais) ou bien à loger dans des trous hémisphériques (billard japonais ou chinois). À partir de 1947, on fabrique, sur le même principe, de lourdes machines électriques destinées aux salles de jeu et aux bars. Le plan incliné du flipper est muni de multiples leviers que le joueur actionne pour renvoyer la bille vers le haut de la pente. On marque des points quand la bille touche des cibles, heurte des champignons à ressort, se loge dans un trou, etc. Les points s'affichent automatiquement sur un tableau vertical. L'appareil clignote et émet des sons en fonction des points marqués. La partie, qui est payante, se prolonge tant que le joueur ne perd pas la maîtrise de la bille. Le flipper, machine emblématique de la jeunesse des années 1960, a tendance aujourd'hui à disparaître au profit des jeux électroniques.

◆ **Flipper.**

Le baby-foot

Jeu mécanique, le baby-foot imite un terrain de football. On peut y jouer à 2 ou à 4. Les joueurs se font face, de part et d'autre de l'appareil ; ils actionnent des barres sur lesquelles sont enfilées les figurines qui représentent les joueurs sur le terrain. En manœuvrant ces barres, on cherche à envoyer la balle, une grosse bille, dans le but adverse. C'est un jeu très répandu dans les bars populaires fréquentés par les jeunes, quand ils disposent de suffisamment de place. La partie, payante, donne droit à un certain nombre de balles. Aujourd'hui, les versions destinées aux familles connaissent un grand succès.

Les loteries et les paris

Les loteries

Les premières loteries ont probablement vu le jour en Grèce, avant d'être développées par les Romains. Au Ier s. apr. J.-C., notamment, on distribuait, lors des jeux du cirque, des billets ou des boules numérotés qui donnaient lieu à des tirages de lots. À partir de la Renaissance, les États les plus puissants ont compris le bénéfice financier qu'il pouvait y avoir à contrôler la passion des jeux.

En France, la première loterie d'État a été organisée en 1530 par François Ier. Louis XIV en développa le principe et, sous Napoléon Ier, on comptait plus de mille bureaux distribuant des billets de loterie contrôlée par l'État. L'histoire moderne de la Loterie nationale ne commence qu'en 1933. Le développement de la diffusion radiophonique favorise son succès.

Depuis 1976, la loterie traditionnelle a cédé la place au Loto, inspiré par les jeux du Lotto italien et du Bingo anglais. Son principe le rend beaucoup plus attrayant : le gros lot n'est pas fixé à l'avance, mais dépend du nombre de parieurs; la mise de base est très minime; le jeu est moins passif, puisqu'il faut remplir une grille de numéros.

La diversité des jeux de loterie s'est notablement accrue avec l'introduction des loteries instantanées, sous la forme des jeux de grattage. Le Tac-o-Tac, introduit en 1984, le Banco (en 1990), le Millionnaire (en 1991) restent les plus joués. Après avoir acheté son billet, le joueur gratte des cases, constate immédiatement s'il a gagné ou non et connaît le montant de son gain. Le Millionnaire, associé à un jeu télévisé, est considéré comme le plus gros succès mondial en matière de jeux de loterie instantanée.

Toutefois, c'est le Loto qui draine le plus de mises (46 % de la recette annuelle des jeux de la Française des jeux, contre 31 % pour le Millionnaire ou 7 % pour le Banco).

L'État, promoteur des jeux

L'intervention de l'État sur les jeux a d'abord consisté, dès la Grèce de Périclès, à les interdire ou à en limiter l'usage. À partir de la Renaissance, l'État s'est mis à prélever des impôts sur les activités de jeux, notamment par des taxations sur la fabrication des cartes à jouer. Au XVIe s., les loteries se multiplient à des fins caritatives ou pour relever les finances publiques. Au cours du XVIIIe s., la Loterie royale alimente le Trésor public, en France comme dans d'autres États, y compris le Vatican. Quand l'économiste britannique John M. Keynes (1883-1946) recommande une politique de relance des investissements, il conseille le recours à la loterie. Aujourd'hui, le Trésor public prélève une part importante des recettes drainées par la Française des jeux : de 17 à 31 % des mises suivant le réglement de chaque jeu. De plus, depuis 1986, les gains sont taxés de 5 à 30 % selon les sommes gagnées. Parallèlement, le Trésor retient près de 18 % du montant des paris enregistrés par le PMU.

◆ **Hippodrome de Vincennes, à Paris.** Écran de visualisation qui retransmet les courses, à l'usage du public et des parieurs. Si les médias, notamment la télévision, ont contribué à la popularité du PMU, on constate néanmoins, aujourd'hui, une baisse des paris, alors que les jeux de loterie connaissent un remarquable essor.

Les jeux télévisés

Proposés par les grandes chaînes de télévision commerciales, ils ont été introduits en France, à partir de 1985, selon le modèle inventé aux États-Unis depuis plusieurs décennies. Wheel of Fortune, le plus ancien, The Right Price, The Goldwing Family ont été repris tels quels par TF1 sous les noms de « la Roue de la Fortune », « le Juste Prix », « la Famille en or ». Aux États-Unis, les jeux télévisés sont apparus en 1941 (naissance des télévisions commerciales, adaptés des jeux de quiz (jeux de questions) inventés pour la radio dans les années 1930.

Le Juste Prix. C'est le jeu le plus ancien (il reste programmé aux États-Unis depuis 1956). Introduit en France en 1988, il consiste à estimer le prix d'objets de consommation courante, de l'électroménager à l'automobile. Plusieurs candidats sont en compétition. Le gagnant d'une émission peut tenter d'atteindre la finale. Les « justes prix » trouvés sont cumulés et le gain total peut atteindre 400 000 francs.

La Roue de la Fortune est un jeu créé en 1975 aux États-Unis. La version française est apparue sur TF1 en 1987. Il s'agit de reconstituer des mots en blanc. Le gain record a dépassé 300 000 francs.

Le Millionnaire, qui connaît depuis 1991 un très grand succès, associe un jeu de loterie à un jeu télévisé. L'achat d'un billet à gratter permet de gagner soit directement une somme d'argent, soit le droit de participer à une émission de télévision, organisée deux fois par semaine. Le jour de l'émission, la personne est invitée à faire tourner une roue de loterie qui lui permet de gagner de 100 000 à 1 000 000 francs.

La famille en or. Adapté d'un jeu équivalent de la chaîne américaine CBS, et introduit en France par TF1 en 1990, ce jeu oppose 5 membres de deux familles. L'objectif est de deviner les réponses le plus souvent données au cours des sondages d'opinion. Après plusieurs manches, la famille qui obtient plus de 300 points peut accéder à la finale. Les points sont convertis en gains dont la somme dépasse parfois 200 000 francs.

VOIR AUSSI • **PMU** p. 1268

Les paris sportifs

Les paris sur les courses ont une longue histoire. Les premiers connus datent de l'Antiquité gréco-romaine. Et l'on sait que les Arabes et les Gaulois les pratiquaient également. Dans leur forme moderne, deux grands systèmes s'opposent : celui des bookmakers britanniques et celui du pari mutuel français. Dans les paris organisés par les bookmakers, ce sont ces derniers qui fixent la cote des concurrents en présence (chevaux ou tout autre enjeu). S'il gagne, le joueur empoche la somme correspondant au produit de la mise par la cote. S'il perd, le bookmaker conserve l'argent misé. Le gain est directement dépendant de la mise, mais non du nombre de parieurs.

Le principe du pari mutuel, inventé par le Français Joseph Oller en 1865, supprime les bookmakers. Les parieurs jouent entre eux, leurs mises sont cumulées, et la somme correspondante revient intégralement aux gagnants, qui se la répartissent. Ce système est plus « démocratique » : les enjeux sont limités au départ, le hasard tient un rôle plus important, et les gains que l'on peut escompter sont liés directement au nombre de parieurs.

Le PMU (Pari mutuel urbain) dispose du monopole des paris sur le territoire français et peut les organiser hors de l'enceinte des champs de course. La création du pari couplé en 1949 et du tiercé en 1954 facilitent l'accès aux paris sur les courses de chevaux. Il existe actuellement plus de 7 000 points de vente, principalement dans des cafés, lesquels sont équipés de terminaux informatiques qui permettent de gérer 5 tiercés par semaine et plus de 30 milliards de paris par an. Sur ces sommes, 69,50 % sont redistribuées aux gagnants, 17,50 % sont prélevées par l'État, 13 % vont aux sociétés de course.

Le Loto sportif. En France, une autre forme de pari sur les résultats sportifs est proposée depuis 1985 par la Française des jeux sous la forme du Loto sportif. C'est l'adaptation du Totocalcio italien, jeu extrêmement populaire de paris sur les matchs de football. Sous sa forme initiale, le Loto sportif prenait en compte une série d'épreuves de différents sports. Aujourd'hui, il se limite au championnat de France de football. Une partie des gains de ce jeu sont reversés au Fonds national du sport, si bien que 50 % seulement des mises sont redistribuées aux gagnants.

Les collections

La philatélie

L'idée de collectionner les timbres apparaît au cours des années 1850, très tôt après l'invention du timbre (fin des années 1830) par sir Rowland Hill. Le mot « philatélie », lancé par le Français Herpin, date de 1864.

Le premier timbre a été émis en Grande-Bretagne le 6 mai 1840. Très vite, de nombreux pays suivent cet exemple : la Suisse et le Brésil en 1843, les États-Unis en 1845, la France en 1849. Véritable révolution dans l'économie de l'acheminement du courrier – le destinataire ne paie plus le port des plis et il n'y a plus qu'un seul tarif quelle que soit la distance d'acheminement –, le timbre devient vite un support d'identité nationale au même titre que la monnaie. Dès le départ, la collection de timbres constitue un moyen de découverte ludique des pays du monde.

La philatélie acquiert rapidement une diffusion internationale et séduit de nombreux personnages illustres, tels Alphonse XIII (roi d'Espagne), George V (roi de Grande-Bretagne), Rainier III (prince de Monaco), Fouad Ier (roi d'Égypte), le président Roosevelt (États-Unis), le pape Pie IX. Il existe aujourd'hui des musées de la Poste dans la plupart des grandes villes du monde, ainsi que des négociants professionnels de timbres de collection. La France, pays où la philatélie est très active depuis 1860, organise régulièrement des expositions internationales. À Paris, un marché aux timbres en plein air se tient trois jours par semaine.

Le marché et son organisation. Le premier catalogue de timbres, le Potiquet, a été édité en France en 1861. Aujourd'hui, tous les timbres émis dans le monde sont répertoriés dans des catalogues et leur valeur est définie très précisément par une cote qui fournit le prix de référence pour un timbre parfaitement conservé. Il existe deux cours, l'un pour le timbre non utilisé, l'autre pour le timbre oblitéré, et un petit nombre de catalogues de référence : Stanley Gibbons en Grande-Bretagne (depuis 1865), Scott aux États-Unis (1867), Yvert et Tellier en France (1897), Michel en Allemagne; tous sont plus que centenaires. On trouve également des catalogues spécialisés pour les flammes et les marques postales.

Les États ont le monopole de l'émission. Compte tenu de la recette budgétaire que représentent les timbres, les États ont tendance à multiplier les émissions au-delà des besoins réels, et nombre d'entre elles alimentent le marché de la collection, notamment les vignettes sans utilité postale.

Les timbres les plus chers sont les quelques exemplaires conservés des premiers timbres émis. Ainsi, un timbre des États-Unis de 1845, exemplaire unique conservé sur une lettre, atteint la valeur de 900 000 francs. Le timbre européen le plus cher (800 000 francs) est espagnol; il date de 1851.

Petit lexique

bloc-feuillet : planche constituée de plusieurs timbres solidaires, dont les marges peuvent comporter des inscriptions ou des illustrations, très prisée par les collectionneurs.

dentelure : suite de perforations qui permettent de séparer les timbres facilement les uns des autres (inventée en 1854, en Grande-Bretagne). C'est une caractéristique essentielle pour le collectionneur. Un appareil, l'odontomètre, permet d'en vérifier la qualité.

flamme : cachet plus ou moins allongé qui sert à oblitérer d'un coup une bande de plusieurs timbres. Elle porte souvent une illustration se rapportant à la ville d'émission.

marque postale : cachet ou inscription apposés par le service postal sur un pli au moment de son oblitération. Elle faisait office de timbre avant l'invention de celui-ci et subsiste aujourd'hui, notamment pour les envois bénéficiant de franchises.

planche : plaque qui sert à imprimer une feuille entière de timbres, et par extension cette feuille une fois l'impression réalisée.

vignette : étiquette gommée décorative qui a l'apparence d'un timbre mais ne peut servir pour l'affranchissement. Elle présente un intérêt surtout pour le collectionneur.

La numismatique

La numismatique, science des monnaies et des médailles, exige une grande érudition. Longtemps réservée à une élite de collectionneurs, elle a pour objet la monnaie métal et la monnaie papier autant que les médailles et les jetons, et connaît un essor important depuis les années 1960. Les titres et les obligations relèvent d'une branche autonome, la scripophilie. On suppose que les Romains collectionnaient déjà les monnaies grecques. Dans leur redécouverte des Anciens, les lettrés de la Renaissance se sont intéressés aux « médailles », c'est-à-dire aux monnaies antiques. Le pape Boniface VIII (mort en 1303) et le poète italien Pétrarque (mort en 1374) ont été de grands collectionneurs.

Les monnaies. Les premières pièces ont été frappées en 600 av. J.-C. par le royaume de Lydie (région de l'actuelle Turquie). Les figures estampées dans un alliage naturel d'or et d'argent indiquaient la valeur. Le dernier roi de Lydie, Crésus (mort en 546 av. J.-C.), introduisit le principe de la double série de monnaies, l'une en or, l'autre en argent, principe repris par les Grecs. Depuis 2 600 ans, la technique de fabrication n'a guère évolué. Le disque de métal, appelé « flan », reçoit sur chaque face une empreinte frappée par un coin monétaire, matrice sur laquelle est gravée en creux la figure ou l'inscription. L'impression se fait par percussion : de là, l'expression « battre monnaie » pour le fait d'émettre des pièces.

◆ Louis d'or. Monnaie française de l'Ancien Régime, frappée ici à l'effigie de Louis XIV, en 1711.

La monnaie est par excellence la marque de la souveraineté d'un État. Les figures et symboles portés sur les pièces représentent les attributs de la puissance du souverain ou de la nation. Cette iconographie constitue le principal intérêt documentaire de la numismatique. Les collections sont classées par époque et par pays. On distingue les monnaies antiques (grecques, romaines et byzantines), les monnaies anciennes (du Moyen Âge et de l'Ancien Régime), et les monnaies modernes (à partir de 1791).

Les médailles et les jetons. La médaille est une invention du XIVe s., vraisemblablement italienne, dont la fonction est commémorative. Sous l'Ancien Régime, la médaille figure monarques et princes à l'occasion d'événements marquants de leur règne. Aux XIXe et XXe s., elle commémore toutes sortes de faits (politiques, religieux, etc.). Plus que la monnaie, la médaille relève de la création artistique. L'Italien Pisanello (mort v. 1455), sculpteur de Padoue, en est le premier grand maître. En France, Germain Pilon (1528-1590) et Jean Varin (1604-1672) sont deux des grands médailleurs. Les médailles antérieures à 1600 sont aujourd'hui très rares. Les collectionneurs distinguent les médailles royales, les médailles révolutionnaires, celles de l'Empire et les médailles modernes.

Le jeton est l'imitation d'une pièce, mais il ne porte pas de valeur, d'où l'expression « faux comme un jeton ». Au Moyen Âge, il sert à compter. Cet usage a perduré pour les jeux d'argent. À partir du XVIe s., il acquiert un rôle commémoratif et est alors assimilable à de petites médailles. Il est utilisé comme récompense symbolique.

Autres collections

De nombreuses collections concernent des objets d'art, des objets usuels du passé (meubles, vaisselle, horloges, etc.), des curiosités de la nature (coquillages, papillons, minéraux, etc.) ou des objets de la société de consommation. Les collections d'antiquités (livres anciens, gravures, objets d'art, etc.) s'adressent à des amateurs cultivés et associent la recherche du plaisir esthétique à l'avantage du placement financier.

Les collections d'objets des plus usuels répondent plutôt à un désir de la collection pour la collection. Elles consistent à tenter de rassembler dans toute leur diversité les formes d'un objet donné, de façon à faire acquérir de la valeur aux pièces les moins courantes et à la collection dans son ensemble. L'essor de la société de consommation a suscité, à partir des années 1960, des engouements successifs pour des collections comme celles des images pour enfants, des pin's (dits aussi « épinglettes »), des emballages de sucre, des fèves de la galette des Rois, des échantillons de parfum, des sous-bocks de bière, etc.

La fièvre du porte-clé, ou copocléphilie, a été particulièrement intense. Elle concernait les porte-clés publicitaires, dont le premier connu en France date de 1902. Entre 1963 et 1968, la vogue du porte-clé a donné lieu à une production pléthorique. Une revue spécialisée, l'*OBI* (Officiel de la Bourse internationale des porte-clés), a paru entre 1966 et 1967. Il existe toujours des collectionneurs de ces objets, dont la valeur reste faible.

La télécarte, adaptée de la carte à circuit intégré inventée par le Français Roland Moreno en 1974 et testée par France Télécom dès 1978 pour le paiement du téléphone en cabine, s'est généralisée entre 1984 et 1986. Support de messages publicitaires ou graphiques, elle est devenue un objet de collection autour duquel s'est constitué un marché. Il existe un catalogue, le *Phonecote,* qui établit la cote des séries dont la valeur, en raison de leur faible tirage, est élevée. Le prix des premières cartes atteint 30 000 francs.

Les arts manuels

Les travaux d'aiguille

Pour les générations nées avant la dernière guerre, la plupart de ce qui était en tissu ou en fil se travaillait à domicile. Les femmes passaient de longues heures à coudre et raccommoder les draps et les habits, à tricoter et à broder. À partir des années 1960, les changements de mode de vie et de consommation entraînent le déclin de ces activités. Aujourd'hui, la revalorisation de la fabrication manuelle face à la production industrielle et le goût de la créativité personnelle apportent un nouvel essor à ces travaux d'aiguille.

La broderie. Sa fonction est purement décorative. On brode les habits, le linge de maison, les nappes et des tableaux à encadrer. La difficulté d'exécution va croissant selon les points et la finesse du tissu. La technique la plus difficile, la broderie Richelieu, nécessite des années de pratique régulière. La broderie la plus traditionnelle est la broderie sur blanc, réservée à la lingerie, aux petits rideaux, au linge de toilette. Les points les plus utilisés sont le points de croix, les plumetis, le point de feston, le point de tige. Aujourd'hui, la broderie est colorée et s'inspire de motifs folkloriques ou de stylistes. Les abécédaires sont des travaux de broderie toujours appréciés.

La tapisserie à l'aiguille. Elle consiste à recouvrir de points l'intégralité d'un canevas (trame quadrillée en fil de coton) portant un motif, à l'aide de fils de couleur, généralement en laine. C'est l'équivalent d'une broderie exécutée en demi-point de croix simple ou en point Renaissance droit. Facile à réaliser, elle jouit d'une grande popularité. La tapisserie achevée est encadrée ou bien recouvre coussins ou fauteuils.

La dentelle. C'est la technique la plus élaborée du travail d'aiguille, qu'il s'agisse de la dentelle à l'aiguille ou de la dentelle aux fuseaux. La technique à l'aiguille est dérivée des jours sur toile. Elle utilise des points de feston travaillés à un seul fil. Le point de Venise est le plus connu. La technique utilisant les fuseaux a été développée à Gênes au XVIe s. Elle utilise un nombre illimité de fils montés sur les fuseaux et nécessite des accessoires spécifiques. C'est un travail d'expert. Néanmoins, des stages permettent de s'initier à ces techniques qui ont failli disparaître, mais qui exercent toujours une grande fascination.

Le tricot. Le tricot est une technique simple développée par les peuples nomades de l'Arabie, dès le néolithique. La fabrication domestique de tricot a connu un essor remarquable dans les années 1960 et 1970, fortement stimulée par les stylistes. Aujourd'hui encore, la plupart des magazines féminins ont une page tricot, malgré une pratique plutôt en déclin. Le point, appelé « maille », est formé au moyen d'un fil de laine ou de coton et de deux longues aiguilles au moins. Selon la manière de tricoter, on réalise différents types de mailles : les mailles à l'endroit, mailles à l'envers ou mailles jetées, notamment.

Bien qu'il existe des machines à tricoter, la majorité des femmes préfèrent le tricot à la main, dont la réalisation procure plus de plaisir. Le tricot n'est pas seulement destiné à la fabrication de chandails. Il sert aussi à faire des objet décoratifs (couvertures), ou des jouets (poupées ou animaux).

Le fil utilisé est fait de laine de mouton, mais aussi de chèvre (mohair, cachemire), de poil de lapin (angora) ou de fibres synthétiques (acryliques, polyester, etc.).

Le patchwork. Cette technique consiste à assembler des pièces de tissu en les cousant les unes aux autres. Le principe de l'assemblage de morceaux de tissu, très ancien, est représenté sur des peintures murales égyptiennes. Au patchwork est associé un matelassage, les épaisseurs de tissu étant cousues ensemble sur chaque face d'une nappe de fibres (laine, kapok, matériau synthétique). Jusqu'au XVIIIe s., le matelassage servait beaucoup à la fabrication du vêtement européen. En Grande-Bretagne, on réalisait traditionnellement des couvertures matelassées à base de *quilts* de formes variées. Les émigrants américains ont poursuivi cette technique qui donnait l'occasion de travailler en commun à de grandes pièces destinées aux trousseaux. Classiquement, le patchwork anglais se fait avec des pièces régulières nécessitant l'utilisation d'un gabarit. Le patchwork américain traditionnel s'inspire de motifs naturels comme la rose des vents, la tempête, la cabane de rondins, etc. Mais, aujourd'hui, le «crazy patchwork» renouvelle le genre, en assemblant de façon non répétitive des éléments dont certains peuvent être figuratifs.

La peinture sur tissu

C'est une activité récréative qui satisfait un désir de décoration. Elle permet de fabriquer aussi bien des vêtements, des écharpes, des sacs en toile que des abat-jour ou des rideaux.

La sérigraphie. Cette technique permet de reproduire un motif à l'aide d'un cadre que l'on applique sur le support à imprimer. Le châssis, dimensionné à la taille du motif, est tendu d'un tamis de nylon (originairement en soie, d'où le nom de «sérigraphie») sur lequel on dessine le motif. Un liquide obturateur des mailles du tamis est étalé sur les parties qui sont ainsi mises en réserve. Le châssis est alors prêt pour recevoir la peinture, que l'on étale avec une raclette. Par contact, la peinture diffuse de la surface de nylon sur la surface de tissu. Après séchage, on peut superposer d'autres couleurs et d'autres motifs. Ce procédé d'impression très simple permet de couvrir des tissus de motifs répétitifs. Il peut aussi être mis en œuvre sur du papier, du verre ou du plastique.

Le batik. Originaire de Java, cette technique s'est largement implantée en Afrique, où elle sert à imprimer les pièces de tissu pour les boubous. Traditionnellement utilisée sur coton, la technique du batik, aussi réalisable sur laine et sur soie, consiste à dessiner des motifs à l'aide de cire liquide, laquelle, en séchant, obture les mailles du tissu. Les parties recouvertes de cire sont ainsi mises en réserve. On enduit ensuite le tissu de couleur par un ou deux passages. Le fixage des couleurs et l'élimination de la cire s'opèrent à la vapeur dans une étuve. Facile à réaliser chez soi, cette technique s'est beaucoup diffusée parmi les amateurs de décoration sur tissu. On trouve facilement les outils nécessaires : le djanting, qui permet de dessiner avec la cire chaude, le cadre pour tendre le tissu, des colorants très liquides mélangés à l'alcool et que l'on étend à l'eau, et la paraffine, qui remplace la cire, pour obturer le tissu.

Le serti à la gutta. C'est une technique plus moderne, dérivée du batik, qui utilise, à la place de la cire, un latex végétal, la gutta-percha. Son usage est particulièrement adapté à la texture de la soie. À l'aide d'une burette qui permet d'étaler un trait fin de gutta, on dessine des formes qui délimitent des parties cloisonnées. Après séchage de la gutta, chacune de ces parties peut être peinte d'une couleur différente. Les colorants sont les mêmes que pour le batik, ainsi que le procédé de fixation en étuve. Ce procédé requiert une bonne maîtrise du dessin à la gutta, car les retouches sont impossibles.

Le « tie and dye ». C'est une technique très ancienne originaire du Japon (son nom, anglais, signifie « nouer et teindre »), spécialement adaptée au coton. Avant d'être plongé dans un bain de teinture, le tissu est plié, torsadé, noué de façon répétée, à intervalles réguliers. À l'aide de fil ciré ou de raphia, on coud, on ligature ou l'on noue des parties de tissu qu'ainsi le colorant n'atteindra pas. Il faut utiliser un mordant pour préparer l'étoffe et, après le bain dans le colorant, l'immerger dans un fixatif. Ce procédé convient bien à la décoration dans les styles ethniques aujourd'hui à la mode et permet, notamment, de faire des tentures pour la décoration intérieure.

La poterie et le modelage

La céramique est l'art de façonner et de cuire l'argile, roche à la fois plastique et imperméable à l'eau, qui, après séchage et cuisson, devient à la fois dure et poreuse. Il existe différents types d'argile,

◆ **Broderie.**
Détail d'un habit et culotte (France, entre 1804 et 1815) en velours ciselé prune, à points de soie bleu clair ; grandes fleurs brodées au passé en soie polychrome ; gilet en satin blanc orné des mêmes broderies. (Musée de la Mode et du Costume, Paris)

de grain plus ou moins fin, et de couleur variable. Le kaolin, en particulier, très pur et blanc, permet de fabriquer une céramique très fine et très dure : la porcelaine.

Depuis le néolithique, la poterie, assurant la fabrication des récipients nécessaires à la conservation et à la cuisson des aliments, remplit une fonction utilitaire majeure. Dès l'origine, elle est un support de création artistique, comme en témoignent la décoration des récipients ainsi que le modelage d'objets de toutes sortes.

Après une phase de déclin des productions artisanales traditionnelles, supplantées par la fabrication utilitaire de grande série, la céramique d'art a connu un véritable renouveau dans les années 1960. Des artistes comme Pablo Picasso se sont intéressés aux possibilités de la céramique et des céramistes, comme le Britannique D. Leach, ont acquis une réputation mondiale.

La poterie, enfin, a une grande importance comme activité pédagogique, pour les jeunes enfants en particulier, et comme loisir créatif pour les adultes. Elle se pratique dans des ateliers plutôt que chez soi, en raison du matériel nécessaire, du caractère salissant et de la nécessité d'œuvrer dans un endroit frais sans grandes variations thermiques.

La poterie au tour. Le tour est une plate-forme tournante, appelée « girelle », sur laquelle on travaille la forme à modeler. On fait tourner la girelle soit mécaniquement avec les pieds, soit électriquement. La force centrifuge sert au départ à centrer la motte de terre, puis à la façonner de manière régulière. La pièce monte à mesure qu'on la travaille par pression des mains et de divers ustensiles, comme l'estèque, outil en caoutchouc flexible qui permet d'enlever l'argile en excès. Pour lisser la poterie, on emploie un ruban de peau de chamois. Quand il produit en série, le potier utilise une baguette de mesure fixée près de la girelle. Pour ajouter des anses, des pieds, ou des éléments décoratifs, on attend que la pièce ait suffisamment séché, jusqu'à avoir la consistance du cuir. C'est aussi le moment du « tournassage », opération qui finit la poterie.

Le modelage au colombin. Cette technique, beaucoup plus simple que celle du tour, est particulièrement adaptée aux débutants, notamment aux jeunes enfants. Le colombin est un boudin de longueur variable, réalisé en roulant un morceau de terre sur une surface bien plane. Empilés les uns sur les autres de manière à obtenir la forme souhaitée, les colombins sont ensuite collés entre eux avec de la barbotine, un mélange liquide d'argile et d'eau. Cette technique plus grossière requiert un séchage plus long.

Le modelage à la plaque. Cette technique consiste à assembler des plaques d'argile dont les contours sont ajustés en fonction de la forme à donner à la poterie. On fabrique d'abord des plaques en abaissant l'argile avec un rouleau selon la même technique que pour la pâte à tarte. Une fois découpées, les formes nécessaires sont collées entre elles avec de la barbotine. Cette technique est répandue en Amérique latine.

La cuisson. Le four de potier, aujourd'hui électrique, doit pouvoir monter jusqu'à 1 500 °C. C'est un appareil onéreux, réservé à des ateliers spécialisés. Quand on prépare une cuisson, on y installe les poteries sur des supports, les « pernettes ». Leur disposition est délicate, car, par élimination d'eau au cours de la cuisson, les pièces se rétractent et perdent jusqu'à 25 % de leur volume initial. La première cuisson, qui conduit au biscuitage, doit être très progressive jusqu'à 1 050 °C : elle sert à éliminer l'eau interstitielle que retient l'argile. Il faut ensuite laisser refroidir lentement le four avant de sortir les pièces, qui sont alors des biscuits, c'est-à-dire d'une matière plus légère et cassante, prête à l'émaillage.

L'émaillage. Il consiste à enduire la céramique d'une « couverte », suspension aqueuse de poudre de verre additionnée d'oxydes métalliques et d'un fondant, comme le bore ou le potassium. L'application se fait par bains, au pinceau, ou au pistolet. Ces couvertes à base d'oxydes, opaques ou transparentes, donnent la couleur : bleue pour le cobalt, pourpre pour le manganèse, etc. Selon la température de cuisson, on obtient une faïence (émaillage à 1000-1100 °C), ou bien un grès (1250-1300 °C). L'émaillage, étape majeure du travail de création du potier, demande beaucoup d'expérience.

L'encadrement

Si encadrer des tableaux de maître demeure un travail de professionnel spécialisé, il existe aujourd'hui des moyens accessibles à tous pour mettre en valeur un dessin, un tableau, une affiche.

Les frises et bordures apparaissent au Moyen Âge pour encadrer des panneaux peints, notamment les retables. Le principe de l'encadrement s'inspire des motifs d'enluminure encadrant les textes des manuscrits. À partir de la Renaissance, le cadre devient un élément fondamental pour la mise en valeur des portraits princiers. Au XIXe s., l'usage du plâtre à modeler et de la pâte à bois permet de réaliser des cadres de dimensions beaucoup plus importantes aux formes baroques.

Fabriquer des cadres nécessite un matériel spécialisé : une scie adaptée aux baguettes à découper, qui sont le plus souvent en bois ou en métal, une presse d'angle pour réaliser leur découpe à 45°, une presse à feuillards pour serrer les baguettes dans la bonne position lors de l'assemblage des morceaux formant le cadre.

Un dessin, une photo, une affiche seront souvent protégés par une plaque de verre, à la différence d'une toile. Pour un dessin, on intègre à l'encadrement un « passe-partout », feuille de papier dont la fenêtre délimite le sujet du dessin. Et l'on peut ajouter une « marie-louise », cadre intérieur en carton d'une certaine épaisseur qui, en éloignant le dessin de la moulure de l'encadrement, donne de la profondeur.

Maquettisme et modélisme

La construction de maquettes est un passe-temps d'adultes qui réunit des passionnés organisés en associations très actives, disposant de plusieurs revues spécialisées et de salons internationaux. Paris offre le plus grand salon mondial de la maquette et du modèle réduit ouvert au public, qui accueille chaque année 250 000 visiteurs. Mais c'est à Nuremberg que se tient le plus important salon professionnel de la maquette.

Si une maquette reproduit exactement, à échelle très réduite, un bâtiment, un véhicule, un décor, c'est en s'autorisant une marge de liberté et d'invention qu'un modèle réduit imite la réalité. Les maquettes ont une fonction technique (maquettes professionnelles), pédagogique ou décorative. Les modèles réduits sont très souvent des véhicules animés par un moyen de propulsion (moteur et téléguidage). Le maquettisme réunit des mondes très différents : architecture, maisons de poupées, figurines, véhicules (bateaux, trains, avions, voitures).

Maisons de poupée. Leur essor date du début du XVIIIe s., notamment en Angleterre, où Anne Sharp (1665-1745) a réalisé des pièces restées célèbres. Ces maisons cultivent des styles architecturaux anciens, comme le style Regency, et sont accompagnées de tout un mobilier miniature. De très belles pièces, qui se sont transmises sur plusieurs générations, sont conservées dans des musées, notamment aux États-Unis et à Nuremberg.

Figurines et dioramas. Les figurines les plus répandues sont celles des armées anciennes et modernes. En plomb ou en plastique, elles peuvent être extrêmement fines, l'amateur se chargeant de les peindre lui-même avec beaucoup de précision. Les figurines permettent de réaliser des dioramas, c'est-à-dire des scènes très réalistes avec un décor, un fond en trompe-l'œil simulant un paysage ou l'horizon, des véhicules, des personnages. Présenté dans une vitrine, le diorama reconstitue une bataille, un monument ancien, un quartier et son animation, etc.

L'art des santons et leur mise en scène dans des reconstitutions de villages provençaux traditionnels participent de la même démarche.

Véhicules. C'est le domaine le plus actif du maquettisme et du modélisme. Les grandes marques de maquettes, allemandes, japonaises, américaines, italiennes, proposent de très nombreux modèles de petite taille en polystyrène. Pour les bateaux et les avions, les modèles réduits et les grandes maquettes sont réalisés en bois, principalement en balsa, très léger. Ne se limitant pas à la fabrication des appareils, le modélisme a également pour but de faire voler les avions ou courir les voitures de course, de faire naviguer voiliers et sous-marins, et même de faire décoller les fusées, avec le maximum de réalisme.

Monde à part, avec ses propres associations de passionnés et ses revues spécifiques, le train électrique (parfois tiré par une locomotive à vapeur ou à mouvement mécanique) fascine par sa quête d'un réalisme poussé à l'extrême et par la sophistication des moyens techniques servant à faire circuler les trains aussi bien que dans la réalité. La passion du train électrique est très exigeante par la minutie qu'elle implique. C'est surtout un jeu d'adultes.

◆ **Modèle réduit radiocommandé de navire** sur le bassin du Salon du modèle réduit, au Parc des expositions, à Paris. Très populaire, ce salon annuel attire un grand nombre de jeunes et d'adultes fascinés par les maquettes motorisées de bateaux, d'avions, de véhicules que l'on peut piloter à distance.

La gastronomie

Origine et évolution de la gastronomie

Les pratiques culinaires connaissent depuis toujours une extrême diversité à travers le monde, à cause non seulement des habitudes culturelles et religieuses mais aussi de la spécificité des productions locales. Depuis l'Antiquité, les produits ont été l'objet d'échanges économiques très importants qui ont favorisé l'enrichissement permanent des préparations culinaires. La cuisine de l'Europe, en particulier, n'a cessé d'incorporer des produits nouveaux : les épices, les pâtes lui sont venues de l'Orient dès le Moyen Âge ; à partir de la Renaissance, une grande variété de plantes exotiques (tomate, maïs, pomme de terre, vanille, café, chocolat, etc.) issues du Nouveau Monde, ont pris une place de plus en plus importante dans notre alimentation. En retour, l'Europe est devenue, depuis le XIXe s., un grand exportateur de produits alimentaires et d'art culinaire. La gastronomie telle qu'elle est connue en France, c'est-à-dire la « cuisine bourgeoise », et plus particulièrement la cuisine française, ne prend forme qu'au début du XIXe s. en raffinant et en codifiant la diversité des préparations culinaires des campagnes. La gastronomie des autres continents se développe plus tardivement, d'abord à travers la colonisation et aujourd'hui grâce aux flux migratoires.

Le modèle gastronomique

La gastronomie est un art très influencé par l'évolution des mœurs. Liée depuis toujours aux besoins de distinction sociale, elle l'est tout autant aux préoccupations de santé. Dans les années 1950 et 1960, l'abondance alimentaire se généralise. La viande rouge et les produits laitiers, les fromages notamment, apparaissent dans les menus de toutes les classes sociales. Les produits sucrés, boissons, sucreries, gâteaux, connaissent alors une très grande diffusion. Le modèle gastronomique se démocratise, favorisant une large consommation des produits chers (crustacés, saumon, caviar, truffes, foie gras, vins d'appellation contrôlée, etc.) autrefois réservés à l'élite. La profusion des produits alimentaires « riches » et des saveurs reste le modèle que l'on adopte volontiers dans les grandes occasions, repas de fête et réunions familiales.

Pourtant, aujourd'hui, la gastronomie subit deux grandes influences : celle de la diététique, conjuguée à la modernisation du conditionnement et au développement des produits prêts à consommer et, par ailleurs, l'attrait de l'exotisme et la nostalgie des terroirs qui, chacun à sa manière, participent à l'enrichissement continuel des saveurs.

Le repas traditionnel français. La structure du repas à la française (entrée, plat principal, fromage, dessert) résiste très bien à l'évolution des modes de vie et se révèle peu perméable au modèle anglo-saxon marqué par l'emprise de la restauration rapide. Même si la consommation alimentaire hors des repas tend à se développer chez les adolescents et les jeunes adultes, les trois repas de base, petit déjeuner, déjeuner et dîner, restent de mise. Les repas du soir et du week-end sont des moments familiaux dont l'horaire et la durée sont très stables. Cette stabilité est propre à la culture de l'Europe du Sud, dans laquelle le repas est d'abord un rituel de convivialité. Se retrouver ensemble est la première des motivations qui contribuent à la persistance de ces coutumes dans plus de 80 % des foyers.

Si le développement de l'offre de produits préconditionnés a permis de satisfaire l'aspiration à la réduction du temps passé à la cuisine tout en maintenant et même en augmentant la diversité des préparations culinaires, il est à noter que les hommes et les enfants participent de plus en plus à l'élaboration des repas.

Les préférences alimentaires selon les âges. Les plats qui connaissent la plus grande diffusion, lasagnes, spaghettis, pizzas, steak frites, couscous, et, pour les desserts, gâteaux et mousses au chocolat, glaces, îles flottantes, crème caramel témoignent des préférences des moins de 30 ans. Ce n'est qu'une fois installé dans la vie, passé 35 ans, que l'on s'ouvre véritablement à la cuisine gourmande. Les plats préférés sont alors les poissons, les fruits de mer, la choucroute, les magrets de canard, le foie gras. Ainsi qu'un large éventail de pâtisseries, parmi lesquelles charlottes, tartes aux fruits, éclairs, mille-feuilles, profiteroles, omelette norvégienne. Au-delà de 50 ans, des plats traditionnels et plus diététiques (pot-au-feu, rôti de bœuf, légumes seuls) sont plus appréciés. Les desserts sont eux aussi plus simples, les fruits étant placés au premier plan, suivis des tartes.

◆ *Le Garde-manger*, par **Snijders** (1579-1657). (Musées royaux des Beaux-Arts, Bruxelles)

Les guides et les chefs

La gastronomie, inventée par quelques grands chefs fondateurs, est devenue un art international grâce aux critiques et aux guides. Les gastronomes Brillat-Savarin (1755-1826) – dont l'ouvrage *la Physiologie du goût* est un grand classique – et Grimod de La Reynière (1758-1838), sont avec le cuisinier et auteur d'ouvrages de cuisine Marie-Antoine Carême (1784-1833) les pères de la gastronomie moderne. Aujourd'hui, trois grands guides font et défont, tous les ans, la réputation des meilleures tables et de leurs chefs en leur attribuant des étoiles (le guide Michelin et le Bottin gourmand) ou des toques (le GaultMillau, dont les auteurs, adeptes d'une cuisine simple et légère, ont popularisé la nouvelle cuisine à partir de 1972). En 1998, le Bottin gourmand a attribué 4 étoiles, la plus haute notation, à 22 restaurants en France.

Plats internationaux et restauration rapide

La grande distribution et la restauration bon marché dans les selfs et les cafétérias contribuent puissamment à diffuser dans le monde un petit nombre de préparations et de produits comme le poulet frites, le hamburger, le jambon et le gruyère, la pizza, les spaghettis ou le couscous. Perdant au passage leur référence au pays d'origine, ces plats s'intègrent à des menus de plus en plus composites. La pizza est la grande gagnante de cette internationalisation. Faisant l'unanimité dans toutes les tranches d'âge, elle domine largement le marché des chaînes de livraison à domicile. Pourtant, elle est consommée surtout à l'occasion de fêtes entre amis ou au restaurant.

Le développement récent des chaînes de restauration rapide (fast-food) est venu renouveler, plus que créer, une façon de manger déjà présente partout. Le fast-food américain compte de sérieux concurrents, parmi lesquels le chiche-kebab turc, le panini italien, les hot dogs, les croque-monsieur, les crêpes ; il n'a pas fait disparaître la vente des sandwichs à la française dans les boulangeries. Seule la vente des plats préparés dans les charcuteries-traiteurs a beaucoup régressé, faute de lieux adaptés pour les consommer. La restauration rapide répond à deux soucis : celui du manque de temps pour s'alimenter, surtout chez les citadins, et, plus souvent, l'économie. En Europe, la restauration rapide ne menace pas le repas traditionnel. Près de 80 % des Français mangent chez eux à midi, et le hamburger ne représente que 1 % de la quantité d'aliments consommée par les jeunes Français.

De l'art de sentir le vin

L'application de nos sens à la dégustation du vin peut se faire suivant des techniques bien différentes. L'acte gustatif est facile à décrire dans ses grandes lignes, mais il peut être varié dans son déroulement. Le vin est placé dans un verre d'une certaine forme et d'un certain volume, à une certaine température ; il est observé et senti après une agitation qui peut être conduite de diverses façons ; il est porté à la bouche ; on peut prolonger plus ou moins le contact avec les différentes parties du palais ; on peut procéder ou non à des mouvements des joues, de la langue, à une aspiration d'air, à une ou plusieurs déglutitions ; enfin, le vin est rejeté et les impressions ne s'éteignent que lentement. Pendant ces opérations, on est attentif aux diverses sensations, à leur évolution, à leur persistance. Il reste ensuite à décrire les impressions reçues, à les interpréter et à formuler un jugement. [...] Goûter est en effet un acte comportant un enchaînement de gestes, de mouvements musculaires et les interventions successives ou simultanées de plusieurs sens ; l'olfaction fonctionne d'abord seule, puis est couplée avec le goût.

***Le Goût du vin*, É. Peynaud, Bordas, 1980. (Extrait)**

◆ **Repas traditionnel au Maroc.**

Les habitudes alimentaires régionales

La transmission dans les familles des spécialités traditionnelles ne cesse de s'étioler et la gastronomie régionale se maintient vivante surtout grâce aux restaurants. Les habitudes alimentaires familiales conservent pourtant de fortes spécificités régionales. C'est dans le sud-ouest et le nord de la France qu'elles sont le plus opposées. Le Sud-Ouest connaît le repas le plus conforme au modèle gastronomique. On y consomme plus de volailles, de légumes, de fruits, de pain et de vin. La succession des trois plats – entrée, plat principal, dessert – y est de règle et le dîner familial dure 42 min en moyenne. Dans le Nord, le plat unique est beaucoup plus fréquent et la durée moyenne du dîner n'excède pas 19 min. Les habitants du Nord achètent deux fois plus de pommes de terre et de bière que le reste des Français et plus de charcuterie. L'Ouest se distingue par sa consommation de beurre, de lait, de fruits de mer, de cidre, et l'Est par la fréquence de la viande de porc, la farine pour les tartes et les pâtés, le fromage et certains fruits comme les prunes. En Île-de-France, un niveau de vie supérieur et le multiculturalisme génèrent une consommation plus forte d'agrumes et de fruits exotiques. On y mange deux fois plus de riz que dans le reste de la France, plus de viande, de produits laitiers, de sandwichs. On y boit plus de vins de qualité, plus de boissons sucrées et de thé.

Les cuisines du monde

Les oppositions entre le cru et le cuit, et entre le bouilli et le rôti, structurent toutes les cuisines du monde. Les plats bouillis (mais aussi fermentés) sont le plus souvent réservés au quotidien, tandis que le rôti (mais aussi le grillé et le frit) est dévolu aux occasions festives et cérémonielles et donc offert aux invités. Dans les cultures traditionnelles, les repas ne sont pas organisés en une succession de plats comme en Europe. Les préparations sont présentées sans ordre pour être consommées ensemble.

La cuisine indienne. Sirops de fruits et yaourts liquides accompagnent souvent le repas, qui est à base de riz, de légumes secs, de galettes de céréales utilisées pour manger à la main. Poissons, poulet, mouton et porc sont cuisinés en ragoûts épicés. La cuisine indonésienne, qui s'en rapproche, est la plus relevée de l'Asie du Sud-Est. Le plat national, le saté, qui associe des morceaux de viande grillés en brochette à une sauce épicée et du riz, connaît de très nombreuses variantes régionales.

La cuisine chinoise. Raffinée, elle est imprégnée des principes d'une philosophie de l'harmonie. Celle-ci guide le mélange des saveurs fondamentales (salé, aigre, doux, amer), associées dans chaque plat. Le repas traditionnel enchaîne les plats froids, puis les plats chauds, puis une soupe et, éventuellement, un dessert. Pour le repas familial, tous les plats sont apportés ensemble et chacun se sert en mélangeant à sa manière. Lors des repas de fête, les plats se succèdent, généralement en grand nombre.

La cuisine japonaise. Elle est raffinée, mais beaucoup plus frugale. Le dessert sucré à l'occidentale y est inconnu. L'un de ses grands principes est de concevoir les plats en fonction des saisons. La cuisine familiale reste marquée par la tradition. Au petit déjeuner, on prend un bol de riz ou de soupe. Le déjeuner, rapide, consiste en un plat unique de viande avec du riz ou des nouilles. Le dîner est le repas le plus important ; il comporte au moins quatre préparations mêlant des saveurs et des consistances très différentes. Thé et bière sont les boissons les plus répandues.

La cuisine du Maghreb. Algérie, Maroc et Tunisie ont en commun des plats largement diffusés dans le monde : le couscous, qui connaît de nombreuses variantes, les tajines, qui sont des plats de viande et de légumes cuits à l'étouffé, les merguez, saucisses de bœuf et de mouton fortement épicées, les brochettes de viande ou kebabs, les briks ou pastillas, sortes de pâte feuilletée croustillante enveloppant une farce de volaille. La gastronomie du Maghreb brille également par sa pâtisserie, qui utilise abondamment le miel et les fruits secs.

Les cuisines antillaises ou créoles. Elles cultivent le mélange sucré-salé et les épices. Ragoût et friture sont les modes de cuisson principaux. Les crudités en entrée, les poissons (morue), les fruits occupent une grande place.

La cuisine mexicaine. Depuis peu, elle s'exporte à travers le monde. S'y mêlent des traditions précolombiennes (le maïs, le piment, la cuisson à la vapeur ou à l'étouffée) et les apports espagnols (le riz, le porc, le principe de la friture). De nombreux fruits sont utilisés en légumes ou en dessert. La bière est la boisson la plus répandue.

Propos de gastronomes

Marie-Antoine Carême (1784-1833) : « Lorsqu'il n'y aura plus de cuisine dans le monde, il n'y aura plus d'intelligence élevée, rapide, de relations liantes, il n'y aura plus d'unité sociale. » ***Le Cuisinier parisien ou l'Art de la cuisine au XIXe siècle*, 1833.**

Alexandre Grimod de La Reynière (1758-1838) : « C'est incontestablement le lieu de l'univers où l'on fait la meilleure chère, et le seul en possession de fournir d'excellents cuisiniers à toutes les nations policées du monde. Quoique Paris, par lui-même, ne produise rien, car il n'y croît pas un grain de blé, il n'y naît pas un agneau, il ne s'y récolte pas un chou-fleur : c'est un centre où tout vient aboutir de tous les coins du globe, parce que c'est le lieu où l'on apprécie le mieux les qualités respectives de tout ce qui sert à la nourriture de l'homme, et où l'on sait le mieux les faire tourner au profit de notre sensualité. » ***Écrits gastronomiques. Almanach des gourmands*, 1803.**

Curnonsky (1872-1956) : « Véhément maroilles, roi des fromages forts, [...] si on pouvait transposer aux fromages le procédé un peu littéraire que Huysmans appliquait aux liqueurs, et chercher des analogies musicales, sa tonitruante saveur résonnerait comme le son du saxophone dans la symphonie des Fromages. » ***Célébration du fromage*, Maurice Lelong, 1961.**

VOIR AUSSI • **Produits alimentaires** p. 868 à 918

Les fêtes et les carnavals

Fêtes traditionnelles

Dans toutes les civilisations, il existe un certain nombre de fêtes rituelles marquant les transitions entre saisons, qui sont l'occasion de réjouissances communautaires. Les fêtes votives, ou kermesses, sont des fêtes annuelles célébrant le saint patron d'un lieu, village, ville, etc. Elles sont très souvent associées à des corporations de métiers mais aussi à de grands rassemblements commerciaux, telles les grandes foires du Moyen Âge. Les fêtes foraines, la fête de la Bière à Munich, la Grande Braderie de Lille sont issues de cette tradition.

Assimilés par le christianisme, les grands moments festifs perdurent depuis l'Antiquité. La grande fête du début de l'hiver est la Saint-Martin (11 novembre). Viennent ensuite la Sainte-Catherine (25 novembre), la Saint-Nicolas (6 décembre), la Sainte-Lucie (13 décembre), Noël (25 décembre), la Saint-Sylvestre (31 décembre), l'Épiphanie (6 janvier) et la Saint-Vincent (22 janvier). Le 1er février, on entre dans le temps du renouveau, qui court du carnaval jusqu'à Pâques. La Sainte-Brigitte (1er février) et la Chandeleur (2 février) inaugurent cette période, suivies de la Saint-Valentin (14 février), du mardi gras, de la mi-carême, des Rameaux et de Pâques (toutes ces fêtes, établies sur le calendrier lunaire, ont des dates variables). Le 1er mai inaugure la période estivale, dont les principales fêtes sont l'Ascension, la Pentecôte, la Trinité, la Fête-Dieu, la Saint-Jean (24 juin) et les fêtes des moissons. Avec le mois d'août vient le temps de l'automne, marqué par l'Assomption (15 août), la Saint-Michel (29 septembre) et la Toussaint (1er novembre).

À côté des traditions rurales et religieuses, les grands événements historiques constituent l'occasion de festivités collectives. Depuis les triomphes de la Rome antique, et les fêtes de couronnement de la monarchie, jusqu'aux commémorations contemporaines de grands faits de l'Histoire – la Révolution française (le 14 Juillet), l'armistice de la Première Guerre mondiale (le 11 Novembre), la Libération de 1945 (le 8 Mai) –, ces moments ont d'abord servi à exalter la magnificence du pouvoir, puis l'affirmation du sentiment national. Tous les pays ont, aujourd'hui, une fête nationale.

Un certain nombre de fêtes moins solennelles sont mondialement connues : les carnavals de Rio, de Venise et de Nice, les fêtes de la Semaine sainte à Séville et les ferias en Espagne, le Palio à Sienne, la fête de la Bière à Munich, les fêtes de Noël et de la Saint-Sylvestre, les fêtes de Thanksgiving et de Halloween aux États-Unis. Chaque religion a institué de grandes fêtes annuelles comme l'Aïd-el-Kébir et l'Aïd-el-Fitr (qui clôt le ramadan) dans les pays islamiques, la Pâque (Pessah) et le Grand Pardon (Yom Kippour) des juifs, la Pâque russe (Pashka), le Nouvel An chinois et la fête du Printemps dans les pays asiatiques. Moments privilégiés de défoulement collectif mais aussi de consommation, les fêtes traversent les siècles et s'internationalisent sans cesse en s'adaptant. Halloween, importée aux États-Unis par les émigrés irlandais, s'y est considérablement développée ; depuis le milieu des années 1990, elle semble trouver un terrain favorable à sa promotion dans les pays d'Europe.

Les carnavals. Événement des plus spectaculaires servant à exprimer le chaos, à renverser les hiérarchies sociales, le carnaval symbolise aussi la régénération du monde. Le christianisme l'a associé au carême : c'est un moment de défoulement et de bombance, juste avant l'entrée dans la période de jeûne de quarante jours précédant Pâques.

Le carnaval urbain date du XIIe s. Il associe des défilés, des banquets, des bals et mascarades. Le corso carnavalesque, apparu en Italie, parodie les entrées princières dans les villes et les processions religieuses. Diverses influences ont nourri les nombreuses formes de carnavals qui sont apparues en Europe à partir de la Renaissance : les jeux du monde à l'envers (concours de mensonges, de blasphèmes, charivaris, sotties) en France, l'héritage grec et latin des saturnales et des bacchanales en Italie, le merveilleux et le dérisoire exprimés en Allemagne par le thème de la nef des fous. Le principe du carnaval a sans cesse évolué avec les époques. Il est devenu aristocratique à Venise au XVIIIe s., les décors en carton-pâte ont assuré la célébrité mondiale du carnaval de Nice à la Belle Époque et les cortèges de chars ont vu le jour vers 1870 à Rio de Janeiro et à La Nouvelle-Orléans.

Plusieurs carnavals traditionnels sont encore vivants : les plus connus sont en Europe ceux de Binche (Belgique), de Cologne (Allemagne), de Bâle (Suisse), de Nice (France), de Venise, de Viareggio (Italie), de Tenerife (Canaries), et, dans le Nouveau-Monde, le carnaval de Rio (Brésil) et de Trinidad (Caraïbes).

◆ **Représentation de *Retour d'Afrique*, par la troupe Royal de Luxe, au Havre, en 1998.** Celle-ci réalise des spectacles avec des marionnettes géantes dont la présentation, très spectaculaire, attire de larges publics. C'est la plus connue des troupes qui, au cours des années 1980, ont relancé les arts de la rue.

Les arts de la rue

Profitant de la multiplication des festivals estivaux et du renouveau des grandes fêtes publiques, comme la fête de la Musique, les compagnies d'artistes de rue connaissent depuis vingt ans un remarquable essor. Au moins 800 sont aujourd'hui répertoriées, particulièrement nombreuses en Île-de-France, dans le sud de la France, dans le Nord et dans l'Ouest. Elles se consacrent majoritairement au théâtre de rue ou aux arts de la piste (arts de prouesses et du cirque), mais aussi à la danse ou à la musique. Près de 200 festivals programment, en France, des spectacles de rue. Les compagnies se produisent également lors de fêtes organisées par les villes (fêtes votives ou commémoratives, carnavals, fêtes de quartier) et dans le cadre d'animations privées.

Défilés et parades

Défilés et parades, ouverts par la fanfare et les majorettes, sont les formes modernes des processions des siècles passés qui honoraient les saints patrons ou accompagnaient les corporations de métiers. Ils servent à appeler l'ensemble des concitoyens à participer à la célébration des fêtes nationales ou des événements exceptionnels. Depuis la fin du XIXe s., les municipalités entretiennent les petites formations musicales – harmonies municipales, batteries-fanfares ou orphéons –, nécessaires aux défilés. Très liées à la vie ouvrière, elles étaient particulièrement développées dans le nord et l'est de la France. Chaque mine, chaque usine sidérurgique ou textile possédait un ensemble de cuivres et de percussions. Aujourd'hui encore, de grandes entreprises comme la RATP (Régie autonome des transports parisiens), EDF (Électricité de France), Peugeot entretiennent des orchestres d'harmonie. Les fanfares se limitent aux cuivres (trompettes, cors d'harmonie, tubas, etc.) accompagnés de percussions. C'est la formation privilégiée des Anglo-Saxons (le *brass band*) et des Allemands. La batterie-fanfare, typiquement française, regroupe instruments à vent (bois et cuivres) et contrebasse.

VOIR AUSSI
- **Commedia dell'arte** p. 1152
- **Marionnettes et ombres** p. 1161

Illustrations
- **Festival traditionnel en Roumanie** p. 548

Les masques

Depuis l'origine, l'usage du masque est associé aux défilés du carnaval. Si dans les traditions anciennes le masque était une image parfois funèbre et, de toute façon, rituelle, il est devenu en Europe, à partir du XVIIe s., le support de créations comiques dans les théâtres de foire. Depuis la commedia dell'arte, le masque exploite la dimension grotesque. Il joue sur la dérision et l'inversion de la réalité sociale en se donnant pour but principal de faire rire les hommes de leurs semblables.

Les parcs de loisirs

Les fêtes foraines

Les foires de l'Ancien Régime, où se produisaient les amuseurs, les jongleurs, les funambules, les montreurs d'animaux, les cracheurs de feu, ont été supplantées dans les années 1870 par la fête foraine, dont le développement a commencé dans les foyers d'industrialisation du nord de l'Europe, et qui bénéficie de la mécanisation des attractions proposées par des forains itinérants. L'âge d'or des manèges, notamment des carrousels de chevaux, date des années 1880 à 1900. Le style baroque (1880) et le style nouille (1900) demeurent la référence pour les manèges traditionnels. Outre les manèges, la fête foraine du début du XXe s. proposait des balançoires, des jeux de tir, des jeux de massacre, des jeux de force et elle présentait aussi des théâtres de foire, des musées de cire, des orgues de Barbarie.

Jusqu'à la Grande Guerre, la fête foraine est un lieu de divertissement de masse pour adultes. À partir des années 1920, elle s'adresse de plus en plus à la clientèle des enfants. L'électricité apporte une amélioration au mécanisme des manèges comme aux décorations lumineuses. Les voitures, les avions, les personnages de bandes dessinées et de dessins animés remplacent peu à peu les chevaux de bois. Après 1945, de nouvelles attractions – autos tamponneuses et manèges procurant des sensations fortes – rencontrent un grand succès. Les fêtes foraines, qui se déplacent de village en village, en s'arrêtant quelques journées à l'occasion d'une fête votive, sont sur le déclin, mais elles restent très florissantes dans les grandes villes ainsi que le prouve la foire du Trône, qui s'installe tous les ans à Paris pendant un mois.

Les Luna Parks. Sous leur forme moderne, les grands parcs d'attractions urbains trouvent leur origine dans les expositions universelles du XIXe s. Le nom « Luna Park » vient des États-Unis, où les 700 premiers manèges spectaculaires conçus sur le principe du grand huit évoquaient un voyage dans la Lune. Par extension, on appela ainsi les premiers parcs d'attractions des grandes villes, comme Sea Lion Park à New York (ouvert en 1887) ou encore Blackpool Pleasure Beach en Grande-Bretagne (1896). Sur le même principe, d'autres Luna Parks ont vu le jour de la fin du XIXe s. au début du XXe, à Paris (1903) et à Berlin (1904) notamment. Ces parcs (dont la fête des Loges à Saint-Germain-en-Laye et la foire du Trône à Paris sont aujourd'hui des exemples) sont gérés par des forains regroupés en société.

Les manèges

À l'origine, le carrousel est un jeu à cheval venu remplacer les antiques tournois à partir du XVIIe s. Il était associé au jeu de bague, qui consiste à attraper des anneaux au bout d'une lance. Dès 1680 en France et 1701 en Allemagne, il existe des manèges de nacelles tournantes associées à un jeu de bague. En 1829, à la Fête des Loges de Saint-Germain-en-Laye, on décompte parmi les 12 baraques d'attractions 10 manèges de jeu de bague, dont quelques rares exemplaires existent encore dans des parcs parisiens et à Versailles.

Parcs animaliers et parcs aquatiques

Les premières ménageries, dont celle du Jardin des plantes, à Paris, datent du XVIIIe s. Les parcs d'acclimatation destinés à introduire des espèces exotiques, animales et végétales, ainsi que les grands parcs zoologiques européens (Londres, Berlin, Bâle) datent du XIXe s. Les aquariums et les parcs animaliers comme celui de Thoiry, dans les Yvelines, ou le zoo de La Palmyre (Charente-Maritime), où règne un plus grand souci du milieu et du décor dans lesquels vit l'animal, sont beaucoup plus récents. Aujourd'hui, ce sont les parcs océanographiques qui présentent de très grands poissons comme les requins, qui suscitent les projets les plus importants, tel celui de San Antonio, au Texas, ouvert en 1988.

Les parcs centrés sur les activités aquatiques, qui sont venus renouveler la piscine classique mais aussi l'idée des thermes, connaissent beaucoup de succès dans les grandes agglomérations. Aquaboulevard (à Paris) est le modèle de la piscine ludique avec vagues, grands toboggans, bassins d'eau chaude, auxquels s'ajoutent saunas, clubs de remise en forme, activités sportives et lieux de restauration. Il existe des parcs nautiques de ce type sur les côtes du nord et du sud de la France. Les Centerparcs en Normandie et en Sologne répondent au même concept, mais pour des séjours de week-end. Autre approche, les Ludothermes, par exemple Thermapolys près de Metz, exploitent des eaux thermales et offrent tous les procédés de relaxation recourant à l'usage de l'eau (bains bouillonnants, massages au jet, hammam, sauna).

Les parcs d'attractions

Les parcs d'attractions cherchent à combiner les dimensions ludiques et pédagogiques avec l'intérêt commercial. Ils empruntent le modèle inventé par Disneyland, le premier des parcs Walt Disney, créé en Californie en 1955. Il existe aujourd'hui différents concepts de parcs. Visant le public des enfants accompagnés de leur famille, ils mettent en scène des mondes oniriques sur la base de personnages emblématiques : Astérix, les Schtroumpfs, Jules Verne, Heidi, Guillaume Tell, etc. Ces parcs adaptent les mêmes types d'attractions aux décors spectaculaires qui leur sont propres : le grand huit ou *roller-coaster,* la rivière de rafting ou *radja-river,* la maison hantée, le cinéma à sensation (écran à 180°, troisième dimension, film 70 mm), etc.

En Europe, il existe beaucoup de grands parcs de loisirs, dont certains sont anciens : en Allemagne, Phantasia Land, près de Bonn, et Holiday Park à Cologne ; au Danemark, le Tivoli Park, qui est l'un des plus anciens, et Legoland ; aux Pays-Bas, De Efteling, qui associe attractions et jardins, et le parc de la Hollande miniature à La Haye ; en Belgique, Walibi et Aqualibi près de Bruxelles ; en Grande-Bretagne, Space Adventure à Londres, Metro Center à Newcastle, qui mêle centre commercial et parc de loisirs ; en Suisse, Guillaume Tell Paradise à Saint-Maurice ; en Italie, Gardaland sur le lac de Garde ; en Espagne, le très ancien parc de Tibidabo à Barcelone.

De grands projets de parcs à thème voient le jour également en Asie et en Afrique : au Japon et à Singapour, un parc consacré à la mythologie chinoise ; à Hong Kong, Ocean Park ; en Afrique du Sud, Sun City, qui est un jardin tropical et un parc de safari ; au Kenya, le parc animalier de Nairobi, orphelinat pour grands animaux. Les parcs ayant pour thèmes la technique et le multimédia s'adressent plutôt aux adolescents et aux adultes. Dès 1895 à Hollywood, Universal Studios a ouvert un parc pour faire découvrir la fabrication des films. Il est considéré aux États-Unis comme la 4e attraction, par ordre d'importance. Le Wonderworld à Corbie (Grande-Bretagne), le Futuroscope à Poitiers et la Cité des sciences à Paris répondent à des objectifs plus pédagogiques.

◆ Le parc d'attractions Legoland, à Billund, au Danemark.
Créé en 1968, ce parc est constitué de deux espaces. Le plus important offre une reconstitution en lego de diverses villes, danoises notamment. Sur l'autre espace, de nombreuses attractions sont proposées, comparables à celles d'Eurodisney, à Paris.

Les parcs Walt Disney

Au premier parc californien s'ajoute, en 1971, à Orlando (Floride), le second parc américain de Walt Disney, où une extension largement consacrée au monde du cinéma a été ouverte en 1989. Hors des États-Unis, il existe un parc Disneyland à Tokyo depuis 1983, et en Europe, Eurodisney, qui a vu le jour près de Paris en 1992. Reprenant le même concept qu'aux États-Unis, un second parc va s'ouvrir bientôt à proximité de ce dernier, sur le thème du cinéma. Plus de 12 millions de personnes ont visité Eurodisney en 1997, soit plus du double du nombre de visites à la tour Eiffel ou au Louvre. Et pourtant, les Français ne sont pas de grands amateurs des parcs d'attractions : en 1997, seulement 11 % (parmi les plus de 15 ans) y sont allés au moins une fois sur une période d'un an, contre 33 % dans un musée.

Le tourisme

De la Renaissance à nos jours

Le tourisme est synonyme de mobilité saisonnière. Il associe la fréquentation de lieux où l'on s'adonne à des loisirs et la visite des curiosités naturelles ou culturelles. La mobilité a d'abord été un luxe de catégories sociales dégagées de l'obligation du travail quotidien. Dès les débuts de la Renaissance, l'Italie constitue la première destination culturelle. Le voyage en Italie fait alors l'objet de guides et de relations de voyage, à l'image du *Journal* d'Italie dû à Montaigne, qui fut considéré au XIXe s. comme le « premier touriste ». L'imprimeur Estienne publie en 1552 *le Guide des chemins de France*, premier manuel d'un genre devenu essentiel à tous les touristes. À la fin du XVIIe s., les aristocrates anglais sont à l'origine du « Grand Tour », voyage éducatif qui mène les jeunes nobles à travers l'Europe jusqu'à Rome. Ils inventent aussi la station thermale qui associe, dans un décor architectural à l'antique, la cure, les plaisirs mondains et les jeux d'argent, comme à Bath (à l'ouest de Londres) puis à Spa (en Belgique). Vient ensuite, au milieu du XVIIIe s., la vogue pour les stations balnéaires de bord de mer, avec toujours une fonction thérapeutique, ainsi Brighton tout d'abord (au sud de Londres). C'est à la même époque que prend forme le séjour hivernal dans le Midi, à Nice et à Hyères, qui, dès la fin du XVIIIe s., accueillent en majorité des Anglais. De la même époque datent les excursions pour découvrir les glaciers alpins, engouement qui aboutit à la première ascension du mont Blanc en 1786 et à la naissance de l'alpinisme. Au XIXe s., les rentiers succèdent aux aristocrates, développant le tourisme à travers toute l'Europe, sur les modèles du tour culturel, des stations balnéaires et des sites de villégiature. En pleine révolution industrielle, non seulement la grande nature mais aussi la campagne deviennent les espaces privilégiés du repos saisonnier des bourgeois. Au tournant du siècle, l'essor des colonies favorise les villégiatures exotiques. Là encore, les Anglais sont les premiers, notamment à Malte, à Chypre et surtout en Égypte. Thomas Cook, qui organise à partir de 1841 des voyages philanthropiques en Angleterre, est à l'origine de Cook and Sons qui, dès 1880, devient le spécialiste du voyage en Égypte. Le tourisme de luxe prospère entre 1880 et 1914 avec la multiplication des palaces, des trains transcontinentaux, des grands paquebots.

L'apparition des congés payés dans les pays industrialisés, dès les années 1925, les transports facilités par le train puis la voiture vont ouvrir la voie à la démocratisation du tourisme. Signe de cette révolution, le premier Guide vert de Michelin paraît en 1926 ; il est consacré à la Bretagne. Les années 1920 et 1930 voient le développement des œuvres philanthropiques favorisant le départ des jeunes en vacances et le tourisme social pour les familles. Mais il faut attendre 1950 pour que les congés payés créent un vrai mouvement de départ en vacances, stimulé par le phénomène du camping.

Tour-opérateurs et clubs de vacances

Les tour-opérateurs sont des entreprises commerciales qui sont spécialisées dans la conception et l'organisation de voyages à forfait. Ces formules sont vendues par l'intermédiaire des agences de voyages ou d'associations spécialisées. Apparue en Grande-Bretagne, la formule du voyage à forfait s'est considérablement développée en Allemagne, en Suède, en Suisse. Fondé sur l'utilisation de l'avion, le tour organisé suppose en effet des revenus plutôt élevés. Trois des cinq principaux opérateurs européens sont allemands, un est anglais, l'autre suisse. Le Club Méditerranée, premier voyagiste français, vient en sixième position, et Nouvelles Frontières en onzième. C'est un secteur en permanente innovation qui s'adapte à la demande des catégories aisées, exigeantes et très dépendantes des modes. Les croisières, les séjours à caractère sportif, les voyages culturels dans des régions peu connues se multiplient à côté des formules classiques en pension complète dans des clubs ou villages de vacances coupés du pays où ils sont implantés.

◆ **Une activité nautique au Club Méditerranée.**

Destinations et activités

En France, les vacances ont tendance à se diversifier avec plus de séjours à la campagne et à la montagne et plus de visites des villes. Néanmoins, la suprématie des vacances en bord de mer demeure : depuis 1980, 45 % des séjours d'été se passent sur le littoral. Les régions bénéficient très inégalement de la manne touristique : la région Rhône-Alpes vient en tête (12 % des séjours de vacances) en raison des sports d'hiver, suivie par l'Île-de-

◆ **Les vacances des Français.**
Fréquence des départs en vacances des Français, en % de la population de 15 ans et plus, par an.

	Jamais	1 fois	2 fois	3 ou 4 fois	15 fois et plus
Ensemble des Français	**39**	**26**	**15**	**14**	**6**
Sexe					
homme	39	25	15	14	7
femme	40	26	15	14	5
Âge					
15 à 19 ans	26	24	14	23	13
20 à 24 ans	39	21	14	20	6
25 à 34 ans	36	27	17	13	6
35 à 44 ans	39	29	17	12	4
45 à 54 ans	36	26	17	14	7
55 à 64 ans	40	27	14	14	5
65 ans et plus	53	23	11	9	4
Catégorie socioprofessionnelle du chef de famille					
agriculteurs	55	34	5	1	5
artisans, commercants et chefs d'entreprise	35	22	23	13	7
cadres et professions intellectuelles supérieures	15	21	19	29	16
professions intermédiaires	25	26	20	22	6
employés	41	25	17	12	5
ouvriers qualifiés	43	33	12	9	3
ouvriers non qualifiés	49	31	12	5	2
retraités	48	23	13	12	4
autres inactifs	51	18	12	12	7
Taille de l'agglomération					
communes rurales	44	27	13	10	5
moins de 20 000 habitants	42	25	17	12	3
20 000 à 100 000 habitants	44	26	16	10	4
plus de 100 000 habitants	39	25	15	14	7
Paris *intra muros*	17	23	14	28	15
reste de l'agglomération parisienne	29	25	16	23	7
Niveau d'études					
aucun diplôme, CEP	53	25	10	8	4
BEPC	24	27	19	19	9
CAP - BEP	37	30	17	11	5
BAC et équivalent	28	23	19	21	9
études supérieures	16	23	21	29	10

Données 1997. *Source :* Francoscopie, G. Mermet, Larousse, 1999, d'après le ministère de la Culture et de la Communication.

France (9 %) et la Provence-Alpes-Côte d'Azur (9 %). Les autres régions côtières viennent ensuite, puis la région Centre, notamment pour les châteaux de la Loire.

La pratique des sports d'hiver, qui n'est le fait que de 10 % des Français, est restée stable depuis 1980. La pratique du bateau bénéficie, quant à elle, d'un véritable engouement, le nombre des plaisanciers dépassant 2,5 millions : la France compte environ 220 ports de plaisance. Les activités de plein air (canoë, kayak, rafting en rivière, randonnées pédestres, cyclotourisme) attirent de plus en plus d'amateurs. Le golf a connu une véritable explosion depuis 1982 : par le nombre de licenciés, la France occupe aujourd'hui la troisième place en Europe derrière la Grande-Bretagne et la Suède.

Le tourisme de santé voit se dessiner des perspectives favorables. Si les cures thermales traditionnelles ne progressent que lentement (on enregistre quelque 600 000 cures par an), la thalassothérapie a en revanche connu une croissance exceptionnelle à la fin des années 1980 : il existe plus de 50 instituts dans ce domaine. Les séjours de remise en forme devraient également se développer, pour répondre à la demande plus nombreuse d'une population âgée.

La campagne, en dépit de l'accroissement très important du nombre des gîtes ruraux (40 000) et de chambres d'hôtes (10 000) n'occupe qu'une modeste place dans l'économie touristique. Actuellement, le tourisme vert se rencontre surtout dans les zones déjà très touristiques et sert d'abord à diversifier l'offre hôtelière. Néanmoins, le développement des écomusées et des parcs naturels régionaux ainsi que l'engouement pour une nature moins polluée peuvent contribuer à l'augmentation du nombre des séjours dans les arrière-pays.

Économie du tourisme

À l'échelle mondiale, le tourisme est le troisième secteur exportateur derrière les industries du pétrole et de l'automobile. En 1995, le Bureau international du travail (BIT) estimait à 200 millions le nombre de personnes employées par ce secteur, soit 11 % de la main-d'œuvre mondiale. Le nombre de touristes dans le monde serait passé de 60 millions en 1960 à 286 millions en 1980, puis à 613 millions en 1997. La progression des recettes de cette activité est encore plus spectaculaire puisque celles-ci ont été multipliées par 54 en 30 ans. Elle reste malheureusement encore fortement concentrée dans les pays riches, 70 % du tourisme bénéficiant aux pays de l'OCDE tandis que les pays en voie de développement n'enregistrent que 20 % des recettes de ce secteur. À lui seul, le vieux continent reçoit 60 % des touristes mondiaux et 51 % des recettes. Quatre pays arrivent largement en tête : si la France est la première au monde en ce qui concerne le nombre d'entrées de touristes étrangers sur son territoire, les États-Unis sont le premier pays pour les recettes touristiques ; viennent ensuite l'Espagne, premier pays pour les longs séjours, et l'Italie. La France est l'un des rares pays de l'Union européenne à dégager un solde touristique excédentaire (au sens de la balance des paiements). Elle emploie dans ce secteur plus de 1,2 million d'actifs (emplois indirects compris), nombre qui s'est accru de 9 % au cours des années 1980.

Les modes d'hébergement

Le recours aux résidences secondaires ou aux habitations de parents ou d'amis arrive aujourd'hui en tête des modes d'hébergement de vacances avec plus de 50 % des séjours. Les années de crise économique ont favorisé l'extension de ces formules qui échappent au circuit marchand, au détriment de l'hôtellerie et du camping dont la croissance a été lente ces quinze dernières années.

Si l'on prend en compte tous les modes d'hébergement, y compris les résidences secondaires, la France aurait aujourd'hui une capacité de l'ordre de 18 millions de lits, soit 60 % de plus qu'au milieu des années 1970. Ce sont les résidences secondaires qui offrent la plus grande capacité théorique. Viennent ensuite les terrains de camping et de caravaning, mode d'hébergement qui a connu une croissance rapide entre 1975 et 1985. Les hôtels et les meublés ont une capacité moindre et leur augmentation est faible : formules traditionnelles qui ont de la difficulté à renouveler leur offre de services, ils ont été très concurrencés par les villages de vacances, les résidences de tourisme et le système des gîtes et chambres d'hôtes, trois formules qui pèsent du même poids (de l'ordre de 250 000 lits chacune) et qui ont eu une croissance rapide dans les années 1980.

Le tourisme culturel

Les monuments historiques, les musées et les expositions temporaires, les parcs de loisirs sont de puissants aimants pour le tourisme urbain. Leur fréquentation ne cesse de croître. On enregistre 10 millions de visites par an à Notre-Dame de Paris, qui arrive largement en tête des monuments, 12 millions au parc Disneyland Paris (dont 60 % d'étrangers), 8 millions au centre Georges-Pompidou, 5 millions au musée du Louvre, dont la modernisation et l'extension au cours des années 1980 et 1990 ont nettement contribué à l'augmentation de la fréquentation. Les plus grandes expositions d'art dépassent souvent le million d'entrées.

Le tourisme culturel bénéficie d'abord aux grandes métropoles dites culturelles. En Europe, Londres arrive largement en tête, suivie de Paris, de Rome et de Madrid. Si les richesses architecturales et artistiques sont le premier moteur, l'attraction commerciale apparaît aujourd'hui tout aussi déterminante. Pour les Français, le nombre de séjours de tourisme dans les villes a augmenté de 50 % et celui des séjours à l'étranger de 75 %.

Il ne faut pas oublier la fréquentation des centres religieux et les pèlerinages qui, loin de tomber en désuétude, connaissent aujourd'hui une croissance régulière : ainsi, à Lourdes, le nombre de pèlerins est passé de 3 millions au milieu des années 1970 à 5 millions au milieu des années 1990. Le Sacré-Cœur de Montmartre, Chartres et le Mont-Saint-Michel sont les autres grands centres de pèlerinage français.

Les voyages à l'étranger

En matière de voyages à l'étranger, la tendance générale est à la multiplication des courts séjours. Les Français, qui bénéficient de ressources touristiques d'une grande diversité, font encore peu de séjours à l'étranger (10 % des séjours de vacances, 13 % des nuitées en 1996). Mais cette part progresse plus rapidement que la croissance du nombre de séjours en France.

Pour leurs vacances, les Européens privilégient les pays d'Europe : 90 % de leurs voyages à l'étranger se font dans un pays du vieux continent. La France reste la plus visitée (13 % des voyages des Européens hors de leur pays), mais c'est l'Espagne qui vient en tête pour la durée des séjours (27 % des séjours de 4 nuits et plus). Selon ce critère, la France (17 %) vient derrière l'Espagne, et devant l'Italie (15 %), l'Autriche (14 %), la Grèce (9 %), l'Allemagne (8 %), la Turquie (5 %).

VOIR AUSSI

• **Industrie du tourisme** p. 944

◆ **Parc ornithologique de la Camargue.**

◆ **La durée des vacances dans les pays européens.**

	Durée légale annuelle	Taux de départ *
Allemagne	18 jours ouvrables (20 dans les nouveaux Länder)	78,2
Belgique	24 jours ouvrables	63,2
Danemark	30 jours de calendrier	71,0
Espagne	30 jours de calendrier	44,0
France	5 semaines de calendrier	68,7
Grèce	22 jours ouvrables	48,0
Irlande	15 jours ouvrables	60,0
Italie	-	54,0
Luxembourg	25 jours ouvrables	n.c.
Pays-Bas	4 semaines de calendrier	69,0
Portugal	22 jours ouvrables	29,0
Royaume-Uni	-	60,0

Données 1993. * 1994

Source : *Francoscopie*, G. Mermet, Larousse, 1999, d'après Maison de la France.

La pêche

Histoire et lieux

À côté du harpon, l'homme de la préhistoire a très tôt utilisé l'hameçon. Les Égyptiens pratiquaient déjà la pêche à la ligne et les Grecs nous ont laissé les premières descriptions de la pêche de loisir. En Europe, ce sont les Anglais qui ont publié, dès 1496, les premiers traités de pêche à la ligne. Cette activité est présentée comme un passe-temps qui suppose un esprit contemplatif et l'amour de la nature. La pratique de la pêche sportive, qui implique d'aller loin chercher un poisson difficile à pêcher, apparaît au XVIIe s. Ce n'est que vers 1850, avec l'amélioration du matériel, que la pêche à la ligne devient populaire. Depuis lors, sont apparues toutes sortes de techniques.

La pêche en eau douce. Les petits plans d'eau, souvent riches en poissons blancs (ablettes, goujons, gardons, brèmes, tanches, carpes, etc.) et en carnassiers (perches, anguilles, sandres, brochets) constituent le meilleur terrain d'apprentissage pour les débutants. Le matériel est constitué d'une longue canne simple de 4 à 6 m, d'un bas de ligne d'une trentaine de centimètres (longueur de fil qui sépare l'hameçon du premier plomb). Comme appât, on utilise l'asticot, le ver de vase, le gammare (encore appelé «crevette d'eau douce»), ainsi que divers insectes. Les meilleurs endroits (les postes) se trouvent près des herbiers, des obstacles immergés, des arrivées de ruisseau.

Les grands plans d'eau, lacs naturels, grands étangs ou grands réservoirs, se prêtent mieux à la pêche en barque qu'à la pêche au bord. Les jours de grand vent constituent souvent les meilleurs moments. Le gardon, l'ablette et la brème se pêchent au ver de vase et à l'asticot ; la tanche, au blé ou au chènevis ; la carpe, à la mie de pain ; la perche avec un leurre ; et le brochet, au vif (petit poisson vivant).

Les plans d'eau à truite et les petits lacs d'altitude sont peuplés de salmonidés introduits artificiellement (truite arc-en-ciel, saumon de fontaine) qui s'attrapent au lancer léger avec une cuiller, à la mouche ou encore au buldo (flotteur rond transparent permettant de lancer l'appât plus loin du bord). La pêche au vif avec un vairon convient au saumon des lacs de montagne.

Les grands lacs naturels profonds, comme le lac Léman ou le lac d'Annecy, recèlent d'autres salmonidés (omble chevalier ou grosse truite de lac) que l'on pêche en bateau, à la traîne, avec des lignes de 20 à 70 m.

Les débutants trouveront dans les petites rivières peu profondes des lieux d'apprentissage faciles, peuplés de vairons, goujons, gardons, chevaines. Le pêcheur se déplace le long des berges pour repérer les meilleurs postes. En été, chevaines ou vandoises seront capturés avec des insectes (sauterelles, chenilles, grillons) au bout d'une ligne courte. Le vairon et le goujon se pêchent à l'asticot ou au ver de vase; la perche, au lancer léger avec une cuiller tournante ou un poisson nageur. Enfin, on peut tirer l'anguille de son trou grâce à la vermée (vers de terre attachés ensemble par un cordon).

La truite, l'ombre ou le saumon de fontaine sont réservés aux connaisseurs capables de beaucoup de discrétion et d'adresse qui pêchent à la sauterelle, au ver, au leurre ou à la mouche en remontant le cours d'eau.

Dans les grandes rivières – qui sont souvent victimes de la pollution –, on pêche, au coup ou au lancer, depuis la rive ou en barque, toutes sortes de poissons blancs ou de carnassiers.

La pêche en eau salée. La pêche à pied sur les grèves et dans les rochers est la plus simple. Un outil à crochet permet de capturer les crabes ; l'épuisette en demi-lune, les crevettes ; le râteau, les bigorneaux, les coques, les prairies et les palourdes.

La pêche à la ligne du poisson de mer, tributaire du temps et des saisons, se pratique à pied tant dans les ports et les estuaires que sur les plages de sable et sur les rivages rocheux et en bateau au large des côtes.

À partir des grandes plages sableuses, la technique du surf-casting permet de pêcher des limandes, des carrelets, des mulets et des bars. Pour atteindre les gros prédateurs comme le bar, il faut des cannes spéciales pouvant lancer l'appât jusqu'à 120 m du bord.

La pêche du haut des falaises rocheuses offre plus de chances d'attraper toutes sortes de poissons : vieilles, mulets, lieux, lingues, orphies, bars, etc. Les ports et les jetées des estuaires recèlent beaucoup de petits poissons qui attirent des carnassiers comme le congre ou l'orphie.

Le bateau permet d'atteindre les poissons côtiers d'eaux plus profondes comme la morue, les poissons plats, le lieu, le maquereau. Quant à la pêche au gros en haute mer, qui vise à capturer avec une ligne des thons, des marlins, des espadons, des requins, elle nécessite un équipement sophistiqué et un équipage coûteux.

◆ **Pêche au brochet en Irlande.**

Règlement

Le permis de pêche est délivré par une association de pêche et de pisciculture agréée. Il faut, de plus, respecter les dates d'ouverture de la pêche et la taille minimale imposée pour certains poissons (brochet, sandre, black-bass, truite, saumon, omble, ombre, alose, mulet, notamment).
En eaux closes (étangs privés, réservoirs, enclos de pêche), l'autorisation du propriétaire suffit et la pêche peut être pratiquée toute l'année. En eaux libres (cours d'eau, lacs), il faut respecter des périodes d'interdiction. Dans les cours d'eau de première catégorie (rivières à truites), la fermeture se situe entre septembre et mars. Dans les autres cours d'eau, dits de seconde catégorie, la pêche est interdite entre mars et juin.

Les techniques

Pour préparer la zone où l'on va pêcher, on y dépose une ou plusieurs proies à l'avance, de la nourriture (souvent une pâtée) : c'est l'amorce. Le poisson reviendra explorer ce qu'il considère comme une aire de nourrissage.

Le matériel. La canne, d'abord en bambou, aujourd'hui en fibre de verre ou en carbone, sert à lancer le fil de pêche au bout duquel est fixé l'hameçon. Avec une canne équipée d'un moulinet, la technique du lancer sert à envoyer, loin du bord, l'appât fixé à l'hameçon. Le moulinet, inventé au début du XIXe s., est un tambour rotatif qui permet d'enrouler et de dévider le fil de la ligne. Celle-ci est faite d'un fil de nylon transparent, dont le diamètre est choisi en fonction du poids du poisson recherché. Le bouchon ou flotteur, fixé sur la ligne, délimite la longueur de ligne qui se trouve immergée. Il flotte à la surface de l'eau et réagit à la moindre «touche», c'est-à-dire quand le poisson mord l'appât. Des petits grains de plomb y sont fixés au-dessus de l'hameçon pour permettre à celui-ci de descendre en profondeur.

Les appâts et les leurres. En plus des appâts naturels, graines, vers, insectes, petits poissons ou « vifs », il existe une multitude de leurres artificiels qui, par la forme, la couleur, l'éclat, le mouvement et même l'odeur, cherchent à provoquer la réaction la plus vive du poisson recherché. On trouve ainsi les têtes plombées, hameçons lestés par une tête de plomb habillée avec des plumes ou des poils ; les cuillers ondulantes et les cuillers tournantes, feuilles de métal allongées et galbées en laiton ou en aluminium ; les poissons-nageurs, imitations en bois ou en plastique de petits poissons. La pêche à la traîne consiste à tirer une ligne munie d'une cuiller derrière un bateau en mouvement.

L'art suprême réside dans la fabrication des mouches utilisées pour la pêche dite «au fouet» de la truite ou du saumon. Ce sont des assemblages de plumes qui imitent un insecte. La mouche «sèche» flotte sur la surface de l'eau, alors que la mouche «noyée» est conçue pour couler.

VOIR AUSSI
- **Poissons** p. 115
- **Pêche et aquaculture** p. 866
- **Poissons** p. 912

La chasse

Histoire et perspectives

La chasse a toujours mêlé le plaisir de la traque et l'espoir du festin. La noblesse féodale y voyait un moyen d'entretenir des aptitudes guerrières et la chasse ne s'est démocratisée qu'avec l'abolition des privilèges. De sa longue histoire aristocratique, il nous reste un patrimoine inestimable de grands massifs forestiers et la survivance de la chasse à courre. À partir du début du XIXe s., la chasse se trouve associée à la propriété de la terre, devenant le loisir rural qu'elle est encore aujourd'hui. Mais, dans les pays développés, elle est en déclin du fait de la disparition de la population agricole et se voit contestée par les mouvements écologistes. L'Union européenne intervient de plus en plus dans le domaine de la protection des espèces sauvages. En application de la directive «Habitats» qui a introduit le principe de la sauvegarde des milieux des espèces (1992), un réseau d'espaces protégés (réseau «Natura 2000») se met en place. Cette politique suscite en France de nombreuses résistances qui, lors des élections européennes, s'expriment par les listes «Chasse, pêche et traditions».

Principaux modes de chasse

La battue. Elle est réservée au gros gibier des forêts (cerf, chevreuil, sanglier) et au gibier de garenne (lapin, faisan, perdrix). Distants de 50 m les uns des autres, les rabatteurs, précédés par la meute des chiens fouillant les fourrés devant eux, progressent vers les tireurs, postés aux endroits où le gibier est susceptible de passer. La battue ratisse de cette manière chaque territoire, parcelle de forêt ou champ servant de refuge aux animaux recherchés.

Le fermé est une battue dans une parcelle cernée de banderoles, censées dissuader les animaux (lièvres, perdrix...) de franchir ce périmètre. Les chasseurs progressent de la ligne de banderoles vers le centre.

La chasse au chien d'arrêt ou au chien courant. Façons de chasser les plus courantes pour le petit gibier, elles sont pratiquées avec un ou deux chiens d'arrêt, par un chasseur solitaire ou un petit groupe, prospectant les lieux où le lièvre, le lapin, le faisan, la perdrix se tiennent blottis. Les chiens s'arrêtent quand ils ont repéré un animal, donnant ainsi le signal de tirer.

La chasse au chien courant est surtout adaptée au lièvre et au renard. Elle nécessite des chiens très spécialisés, capables de lever la proie puis de la poursuivre avec suffisamment d'endurance.

L'approche. C'est la technique du chasseur solitaire, sans chien, qui tente de parvenir à portée de fusil de l'animal sans être vu, entendu ou senti par lui. Elle s'effectue contre le vent en se dissimulant sans cesse. Demandant une grande connaissance des mœurs des animaux, beaucoup de patience et de persévérance, elle est réservée au chevreuil en forêt et au chamois en montagne. L'approche du cerf n'est possible que par grand vent.

L'affût. Il est particulièrement adapté aux oiseaux(gibier d'eau). Chasse statique, sans chien, il se pratique dans des abris souvent très élaborés : abris clos dans les arbres, à des mètres de hauteur, pour les cervidés; palombières pour les palombes et les tourterelles, aussi chassées en embuscade sur des cols de montagne. Le canard est souvent chassé à partir d'abris, avec des appelants (canards domestiques). Ce type de chasse nécessite de très longs temps d'attente, parfois infructueuse. Des appelants ou d'autres dispositifs (miroirs) servent à attirer les grives et les alouettes.

La chasse à courre. La chasse à courre consiste à traquer un animal à l'aide d'une meute de chiens jusqu'à ce que ceux-ci parviennent à l'encercler. L'équipage des chasseurs suit à cheval (grande vénerie) ou à pied (petite vénerie). En France, les équipages de grande vénerie chassent le cerf, le sanglier, le chevreuil; en Grande-Bretagne, le renard. Quant à la petite vénerie, elle a pour proie le lièvre.

Le maître d'équipage, fin connaisseur du gibier et de son territoire, dirige la chasse, assisté par le piqueur responsable de la meute. Ils sont accompagnés par les veneurs, ou boutons. L'équipage comporte aussi des valets de chiens qui entretiennent le chenil et des valets de limier. Chacun porte la tenue traditionnelle.

La chasse débute au petit matin. Un valet de limier, accompagné d'un chien ayant très bon odorat, localise l'animal et revient vers l'équipage rassemblé à un carrefour. Le maître d'équipage décide de la technique d'attaque. Les veneurs encerclent la zone et la meute est lancée aux trousses de l'animal. La poursuite s'engage. Elle peut avoir lieu sur plusieurs dizaines de kilomètres. L'animal qui ne réussit pas à semer les chiens finit par se faire encercler. Il est alors mis à mort à la dague, à l'épieu ou à la carabine. Les bons morceaux sont découpés sur place et le reste est donné aux chiens pour la curée. Tous les moments de la chasse, en particulier l'hallali, moment où l'animal cerné s'immobilise, sont ponctués de sonneries de trompes.

Règlement

Pour chasser, il faut être détenteur du droit de chasse (cas des propriétaires de terres) ou bien adhérer à une association de chasse). La chasse dans les forêts domaniales et domaines de l'État est l'objet d'adjudications ou de locations amiables spécifiques pour des durées limitées. La chasse se pratique aussi dans des enclos privés. Dans tous les cas, il faut être titulaire d'un permis de chasse, attribué à des candidats âgés de 16 ans au moins, après un examen théorique et une formation pratique. La chasse n'est possible qu'à certaines périodes de l'année, définies selon les départements et les espèces de gibier.

La chasse et la pêche sont interdites de nuit. La chasse à courre peut s'exercer du 15 septembre au 31 mars. Pour les autres formes de chasse, les périodes fixées chaque année par type de gibier pour chaque département s'étendent de début septembre (sud de la France) ou de fin septembre (dans le nord) jusqu'à fin février. Pour en favoriser le repeuplement, le préfet peut interdire la chasse de certaines espèces ou de certains types d'animaux, ou encore limiter le nombre d'heures ou de jours dans la saison.

◆ **Hallali lors d'une chasse au sanglier dans la forêt de Vincennes.** Détail d'une miniature des *Très Riches Heures du duc de Berry* par les frères de Limbourg (1413-1416). (Musée Condé, Chantilly)

Petit lexique

calibre : valeur numérique indiquant le diamètre intérieur du canon de l'arme à feu.

chevrotine : plombs de gros diamètre, utilisés pour les grands animaux.

lever : provoquer le démarrage du gibier surpris dans son refuge.

plombs : petits projectiles en alliage de plomb contenus dans une cartouche de fusil (arme à canon lisse).

poste : emplacement où un chasseur attend le passage du gibier qui est guidé dans sa direction par les rabatteurs.

tableau de chasse : ensemble des animaux tirés au cours d'une journée, qui sont présentés alignés à l'ensemble des chasseurs.

VOIR AUSSI • **Gibier** p. 911

Les safaris

Ce sont des parties de chasse sportive qui se pratiquent le plus souvent dans des pays exotiques. Leur but est de tirer des animaux difficiles, qui offrent des trophées spectaculaires. Chasse coûteuse car nécessitant le concours de guides, de pisteurs, de porteurs, etc., elle est d'un rapport intéressant pour les pays d'accueil, notamment les pays africains comme le Kenya. Ce type de chasse se doit d'observer la convention internationale de Washington (1973), qui réglemente le commerce international des espèces menacées d'extinction. Parmi le grand gibier, de nombreuses espèces sont protégées dans certains pays et pas dans d'autres. C'est le cas en France et dans certains pays d'Europe pour le bouquetin des Alpes, le mouflon de Corse, le loup, le lynx boréal et l'ours brun.

Le jardinage

Le jardinage de loisir

La moitié des ménages vivant dans une maison individuelle disposent d'un terrain attenant, ce qui représente, potentiellement ou réellement, 13 millions de jardins, dont la surface moyenne atteint près de 1000 m². S'y ajoutent 4 millions de foyers qui disposent d'un balcon, d'une véranda ou d'une terrasse propices à la culture de plantes d'agrément ou de fleurs. Le jardinage est une activité actuellement en pleine expansion, et la moitié des Français jardinent au moins occasionnellement.

Les deux tiers des ménages qui possèdent un tel espace y consacrent en moyenne 1 800 francs par an et les dépenses dans ce domaine ne cessent de croître (plus de 4 % par an). Un tiers de ces dépenses vont à l'achat de plantes et de contenants, 40 % aux outils et aux produits pour les plantes, et 25 % aux aménagements et au mobilier de jardin. La diffusion, à un rythme soutenu, des équipements comme les barbecues, les jeux pour enfants, les piscines, illustre bien l'importance que revêt aujourd'hui le jardin.

40 % des Français s'occupent d'un jardin d'agrément, 21 % d'un jardin potager. Les cadres apprécient le jardinage d'agrément plus que la moyenne des Français, avec, pour motivations, l'embellissement de l'environnement résidentiel et la décoration de l'espace de vie. Les ouvriers sont plus sensibles à la dimension utilitaire, c'est-à-dire au plaisir et à l'intérêt de produire soi-même des légumes et des fruits ou d'élever des animaux. Mais le jardin remplit également des fonctions ludiques importantes : c'est un lieu de récréation privilégié pour les jeunes enfants et pour les animaux de compagnie, ainsi qu'un lieu de réception très apprécié pour les repas et la détente en plein air.

Créateurs de jardins

Depuis l'Antiquité, les jardins sont, plus que des espaces de plantations, des théâtres de verdure conçus par des architectes pour la mise en scène des fêtes et des réceptions en plein air. Les fontainiers ont joué un grand rôle dans cet art, rivalisant d'ingéniosité pour alimenter fontaines ou bassins et créer des jeux d'eaux. À partir du XVIIe s., on multiplie les grottes artificielles, puis les fausses ruines, qui sont l'œuvre des rocailleurs. L'invention du béton armé, au XIXe s., stimule un grand mouvement de création. Tournant le dos aux espaces verts des années 1960 et 1970, un véritable renouveau de la conception des parcs et jardins est en cours, porté par des architectes-paysagistes comme Alexandre Chemetoff (parc de la Villette, Paris) et des artistes jardiniers comme Gilles Clément (parc André-Citroën, Paris).

Depuis 1992, le festival international des Jardins, à Chaumont-sur-Loire (Loir-et-Cher), est devenu le lieu privilégié où s'expose la création contemporaine des paysagistes.

L'art des jardins

L'art des jardins, comme l'art floral, s'appuie sur un petit nombre de modèles qui, par l'intermédiaire des magazines consacrés à la maison et au jardin, influencent la manière dont les particuliers conçoivent leur jardin et leurs bouquets.

Avant que le XVIIe s. généralise l'image du vaste parc ouvert sur la nature, le jardin, princier ou modeste, est le plus souvent un espace clos, intégré au palais ou à l'habitation. Ainsi, dans l'Égypte ancienne puis dans l'Espagne musulmane, c'est un espace géométrique où les plantations entourent un bassin rectangulaire alimenté par des rigoles. Le jardin romain a développé la forme de l'atrium, cour carrée cernée d'arcades au centre de l'habitation : ce modèle a perduré dans le patio méditerranéen et le cloître roman. Le jardin médiéval développe l'image du verger clos de hauts murs, jardin d'agrément couvert d'herbe et planté de plantes à fleurs et d'arbres greffés. Mais le jardin du Moyen Âge est aussi le « courtil », plus utilitaire, où sont plantés herbes et légumes, et parqués les animaux, le tout protégé de clôtures solides : tel est encore, dans les années 1950, le jardin attenant à la ferme. À la Renaissance, le jardin s'ouvre sur l'extérieur, mais garde des parties secrètes, constituées d'allées et de massifs très graphiques, qui concrétisent une pensée spéculative. Amplifié et systématisé, ce style donnera le jardin à la française. La composition symbolique est poussée à l'extrême dans l'esthétique du jardin japonais, très dessiné, où le sable, les rochers, l'eau qui coule, n'ont pas moins d'importance que les plantes et les arbustes.

Les cottages anglais du XVIIIe s. ont développé les petits jardins entièrement consacrés aux fleurs. Les maisons individuelles d'aujourd'hui continuent de reproduire ce modèle. Forme mixte juxtaposant des massifs de fleurs denses et des carrés de plantes potagères, le jardin de curé est, en fait, le jardin traditionnel des maisons de village.

VOIR AUSSI
- **Plantes d'intérieur** p. 178
- **Fleurs des jardins** p. 179
- **Art des jardins** p. 1084

Les jardins ouvriers

C'est dans les années 1890 que s'est affirmé le mouvement qui a donné naissance aux jardins ouvriers et aux cités-jardins situés aux abords des villes. L'abbé Lemire est à l'origine de la Ligue française du jardin ouvrier (1896), devenue ensuite Ligue du coin de terre et du foyer, toujours active. Autorités publiques et philanthropes du début du XXe s. ont soutenu ces initiatives qui contribuaient à lutter contre l'alcoolisme et la tuberculose. Face à l'expansion urbaine des années 1960, on est passé de 600000 parcelles en 1950, à seulement 140000 en 1970. Il y en aurait 150000 aujourd'hui, gérées par au moins 800 associations. Malgré leur petite taille (souvent moins de 100 m²), les demandes de location se multiplient (émanant, pour beaucoup, de citadins désireux de s'adonner au jardinage biologique) et les délais d'attente dépassent souvent deux ans.

Index général

MODE D'EMPLOI

- Cet index présente, classé selon l'ordre alphabétique, l'essentiel des notions, noms propres, titres d'œuvres traités dans le *Nouveau Mémo Larousse*.
- Les termes faisant ainsi l'objet d'une entrée dans l'index sont suivis de la mention du ou des numéros de pages concernés.
- Les numéros de pages venant en caractères maigres renvoient vers des informations brèves; ceux qui viennent en **caractères gras** correspondent à des développements encyclopédiques plus importants.
- Un numéro de page en ***italique gras*** signifie que le sujet cherché fait l'objet d'une illustration (photographie, dessin, carte...) et, en *italique maigre*, qu'il se trouve cité dans une légende d'illustration.
- Les abréviations en PETITES MAJUSCULES correspondent aux domaines du savoir dont la liste figure ci-contre. Elles sont destinées à faciliter la recherche dans le cas d'homonymes, ou de mots présentant des sens différents selon les disciplines scientifiques, ou encore dans le cas où le sujet est traité sous divers aspects.
- Les mentions entre crochets [ ] sont des précisions destinées, elles aussi, à aider la recherche.
- Les entrées (notions, titres d'œuvres...) commençant par des chiffres arabes ou romains sont classées à la place alphabétique correspondante. Exemples : *42ᵉ Rue* figure à la lettre « q », XIXᵉ siècle à la lettre « x ».

ABRÉVIATIONS UTILISÉES

AGR Agriculture, agronomie, agroalimentaire
ARM Armes, armement et domaines militaires
ART Beaux-arts
BD Bande dessinée
BIO Biologie et physiologie générale
CHI Chimie
CIN Cinéma
COM Communication et médias
DAN Danse
DÉC Découvertes et inventions
DRO Droit et système juridique
ÉCO Économie
ENV Sciences de l'environnement et écologie
HIS Histoire
IND Industrie
INF Informatique
JEU Jeux et jouets
LIN Sciences du langage et de l'écriture
LIT Littérature (théâtre compris)
MAT Mathématiques
MÉD Médecine
MUS Musiques
NAT Sciences de la nature (y compris anatomie et physiologies végétales et animales)
ORG Organisations internationales
PAYS Pays, régions et continents
PHI Philosophie
PHO Photographie
PHY Physique
POL Sciences politiques, institutions et vie politiques
PSY Psychologie et psychanalyse
REL Religions et mythologies
SOC Société et sciences sociales
SPO Sports
TEC Techniques
TER Sciences de la Terre
UNI Sciences de l'Univers et astronautique
VAR Chanson, musiques populaires, variétés

Index général

Index général

Index général

B

Index général

Index général

Index général

Index général

Index général

Index général

Index général

F

Index général

Index général

Index général

I

Index général

J

Index général

K

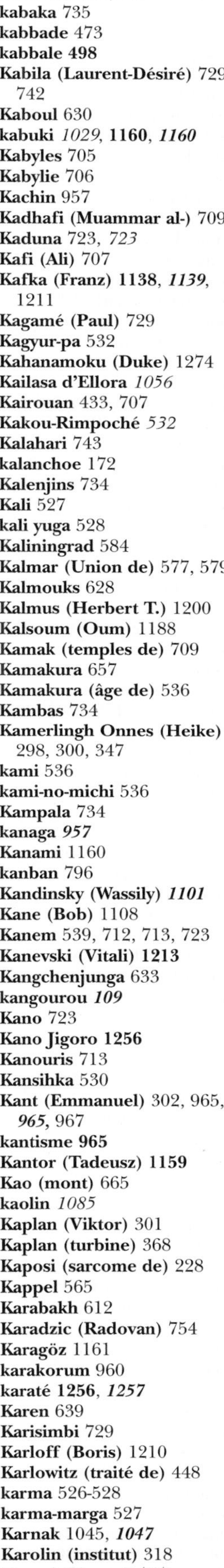

Index général

Index général

Index général

Index général

N

O

Index général

Index général

Index général

Index général

Index général

Index général

Index général

T

Index général

Index général

U

Index général

Index général

Z

Crédits photographiques

Les chiffres en caractères gras correspondent aux numéros des pages dans lesquelles figurent les photographies répertoriées. Les lettres minuscules en caractères gras indiquent la position d'une photographie dans la page, selon une lecture s'effectuant du haut vers le bas et de la gauche vers la droite.

Droits réservés (DR) : les droits de reproduction des illustrations sont réservés en notre comptabilité pour les auteurs ou ayants droit dont nous n'avons pas trouvé les coordonnées malgré nos recherches et dans les cas éventuels où les mentions n'auraient pas été spécifiées.

• **Couverture. a** © Pictor International ; **b** © Superstock ; **c** © Vloo ; **d** © Pictor International ; **e** © Pix - Masterfile ; **f** © Vloo ; **g** © NASA - Ciel et Espace ; **h** © Pix - Masterfile ; **i** © Fotogram - Stone - E. Pritchard ; **j** © Fotogram - Stone ; **k** © Superstock.

• **L'Univers et la Terre. Page 1** © Cosmos - NASA - SPL (reprise p. **VI a**) ; **3 a** © Cosmos - SPL ; **b** © National Optical Astronomy Observatories/T ; **c** © Y. Delaye/T ; **5 a** © JPL- NASA/T ; **b, c** © JPL - NASA/T ; **d** © Lick Observatory - University of California/T ; **e** © JPL - NASA ; **6 a, b** © JPL - NASA/T ; **c** © Cosmos - NASA - SPL ; **8** © Cosmos - J. Lodrigus - Photo Researchers ; **9** © IPS - Coll. PPP/T ; **10 a** © National Optical Astronomy Observatories/T ; **b** © Observatoire de Haute-Provence/T ; **c** © Anglo - Australian Telescope Board/T ; **d** © National Optical Astronomy Observatories/T ; **12 a, b** © Anglo - Australian Telescope Board/T ; **c** © Smithsonian F. L. Whipple Observatory/T ; **d** © Cosmos - National Optical Astronomy Observatories - SPL ; **16 a** © National Optical Astronomy Observatories/T ; **b, c** © National Optical Astronomy Observatories/T ; **d** © ESO/T ; **17** © Cosmos - Space Telescope Science Institute - NASA - SPL ; **18** © Ciel et Espace - NASA ; **19** © Cosmos - National Optical Astronomy Observatories - SPL ; **21** © Cosmos - NASA - SPL ; **23 a** © Rapho/T ; **b** © Sygma ; **25 a** © Sygma - A. Nogues ; **b** © Cosmos - Rosenfeld Images LTD - SPL ; **26** © Cosmos - NASA - SPL ; **27** © Explorer - CNES - Dist Spot Image ; **28** © Cosmos - SPL - DLR - ESA ; **32 a** © J.-L. Cheminée/T ; **b** © Rapho - G. Gerster/T ; **33** « World Ocean Floor », auteurs Bruce Heezen and Marie Tharp © Marie Tharp **1977**, reproduced by permission ; **34 a, b, c, d, e, f, g** © N. Bariand/T ; **35 a, b, c, d, e, f, g, h** © Archives Larbor/T ; **37 a** © A. Gaël/T ; **b** © Jacana - J.-P. Champroux ; **c** © Rapho - Lambert/T ; **d** © C. Mével/T ; **38 a** © Altitude - Y. Arthus-Bertrand ; **b** © Cosmos - S. Spann - JB Pictures ; **40 a** © REA - Garcia - Saba ; **b** © Hoa Qui - Krafft - I & V. ; **41 a** © Gamma - B. Incalls - NASA - Liaison ; **b** © Hoa Qui - Krafft - i & V. ; **43** © Explorer - J.-P. Ferrero ; **45 a** © F. Gohier/T ; **b** © Explorer - Noailles/T ; **c** © Magnum - H. Kubota/T ; **46 a** © M. L. Maylin/T ; **b** A. R. Devez - Coll. Archives Larbor ; **47 a** © Rapho - Friedel/T ; **b** © Glaou/T ; **48 a** © Hoa Qui - Huet/T ; **b** © Altitude - Y. Arthus-Bertrand ; **49 a** © Jacana - F. Zvardon ; **b** © Jacana - Lobivia ; **51 a** © Bios - B. Marcon ; **b** © Jacana - T. Walker ; **52 a** © Rapho - R. et S. Michaud ; **b** © Jacana - R. Konig ; **c** © Rapho - E. Luider ; **53** © Explorer - F. Gohier ; **54 a** © Bios - Denis - Huot ; **b** © Explorer - P. Leroux ; **55 a** © Cosmos - NRSC LTD - SPL ; **b** © J.-C. Hayon/T ; **56** © Cosmos - SPL - R. Legeckis ; **57** © Hoa Qui - Liaison Int. - G. Brad Lewis ; **59 a, b** © CNRS - Aéronomie ; **62 a** © Hoa Qui - Liaison Int. ; **b** © Sygma - CMISS ; **63** © Cosmos - NASA - SPL ; **64** © Diaf - B. Belly ; **65** © Cosmos - SPL - K. Kent ; **66** © Sygma - M. Oleniuk ; **67** © Cosmos - SPL - ESA ; **68 a, b** © Cité des Sciences, Paris - Lamoureux/T ; **69 a** © Magnum - E. Lessing ; **b** © Ministère de la Culture - A. Chéné, Centre Camille-Jullian - CNRS ; **70** © Sygma - I. Vimonen ; **71** © Jacana - E. Dragesco ; **72 a** © Fotogram - Stone - N. Fobes ; **b** © The Image Bank - P. Frey ; **73** © F. Ramade ; **74** © Pix - Masterfile ; **75** © F. Ramade ; **76** © Rapho - G. Sioen ; **77** © F. Ramade ; **78** © Cosmos - S. Fraser - SPL ; **79** © Bios - J.-J. Poirault.

• **Le Monde vivant. Page 81** © PHO. N. E. - Deacon - Auscape (reprise p. **VI c**) ; **83** © Gamma - R. ; **85** © Jacana - Kazuo Unno - Orion ; **86** © PHO. N. E. - F. Gohier ; **87** © PHO. N. E. - J.-P. Ferrero - J.-M. Labat ; **88** © Jacana - Varin - Visage/T ; **96** © J.-C. Balouet/T ; **97** © MNHN, Paris - D. Serrette/T ; **98** © Museum d'Histoire naturelle, Le Havre - A. Havard/T ; **99 a, b** © MNHN, Paris - D. Serrette/T ; **101** © Musée de l'Homme, Paris - J. Oster/T ; **102** © Musée de l'Académie des sciences, Saint-Pétersbourg/T ; **120 a** © Bios - Van den Berg ; **b** © Jacana - J.-P. Hervy/T ; **124** © Bios - P. Weimann ; **125 a** © Jacana - F. Gohier/T ; **b** © Jacana - P. Petit/T ; **126 a** © Jacana - B. Tollu/T ; **b** © Jacana - A. Shah ; **127 a** © Jacana - J.-P. Varin/T ; **b** © Jacana - F. Gohier/T ; **128 a** © Bios - D. Heuclin/T ; **b** © PHO. N. E. - J.-M. Labat/T ; **129 a** © Jacana - Ziesler/T ; **b** © Jacana - Varin – Visage/T ; **133** © Gamma - C. Viouiard ; **136** © Cogis - A. Lanceau/T ; **139 a** © Cogis - Varin/T ; **b** © Sunset - G. Lacz/T ; **145** © Cogis - A. Bougrain - Dubourg/T ; **147** © Jacana - Rouxaime/T ; **152** © Visa - M. Ricard/T ; **153** © Jacana - Y. Arthus-Bertrand/T ; **161** © Jacana - R. Volot/T ; **168** © J.-C. Hayon/T ; **169** © Jacana - J.-P. Champroux ; **189** © F. Ramade ; **190** © Bios - Denis - Huot ; **191 a** © Bios - G. Lopez ; **b** © Jacana - Varin - Visage/T ; **c** © Bios - Dani – Jesk.

• **L'Homme et sa santé. Page 193** © Cosmos - M. Kulyk - SPL (reprise p. **VI f**) ; **194 a** © Cosmos - A. Polliack - SPL ; **b** © BSIP - Rateau/T ; **198** © Cosmos - Pr Motta - SPL ; **200 a** © Wegmann (Pr.) - CNRI/T ; **b, c, d** © Révy (J.-C.) - CNRI/T ; **e** © Wegmann (Pr.) - CNRI/T ; **202** © CNRI - A. Pol/T ;**208** © Cosmos - Petit Format - Nestlé - SPL ; **214** © Rapho - G. Uferas ; **221 a** © Cosmos - S. Camazine - Photo Researchers ; **b** © Pol (A.) - CNRI/T ; **c** © Cosmos - M. Kulyk - SPL ; **222** © Gremet (V.) - CNRI/T ; **223 a** © Cosmos - S. Camazine - Photo Researchers ; **b** © BSIP - Boucharlat ; **224** © Diaf - R Rozencwaig/T ; **226** © Cosmos - SPL - Dept. of Clinical Radiology, Salisbury District Hospital ; **229 a** © Cosmos - SPL - NIBSC ; **b** © Sygma - Y. Forestier ; **230** © CNRI. - P. Bories ; **236** © Goivaux - Grison J. - Rapho/T ; **240** © BSIP - Laurent ; **241** © Cosmos - A. Pasieka - SPL ; **252** © Sygma - Wyman.

• **Les Sciences et les Techniques. Page 257** © Cosmos - O. Parker - SPL (reprise p. **VI b**) ; **258** © G. Dagli Orti/T ; **259 a** © RMN/T ; **b** © Giraudon - Lauros/T ; **260 a** E. Tweedy © Archives Larbor ; **b** © G. Dagli Orti/T ; **261** © G. Dagli Orti ; **262** © G. Dagli Orti /T ; **263** © Rapho - E. Bright/T ; **264** © Bodleian Library, Oxford/T ; **265 a** © British Library, Londres/T ; **b** © Artephot - C. Varga/T ; **c** Coll. Archives Larbor/T ; **266** © Lauros - Giraudon/T ; **267 a** © Scala/T ; **b** © Giraudon - Lauros/T ; **268** © Roger-Viollet/T ; **269 a** © Giraudon - Lauros/T ; **b** © Bevilacqua-Ricciarini/T ; **c** © Giraudon - Lauros/T ; **271** © G. Dagli Orti/T ; **272 a** © Cosmos - T. Craddock - SPL ; **b** © Musée national de Stockholm/T; **273 a** © Deutsch Museum, Münich/T ; **b** © Fotogram - Stone - Hulton Getty/T ; **274** © Giraudon - Lauros/T ; **275 a** © Coll. Archives Larbor/T ; **b** © Roger-Viollet/T ; **276 a** © Roger-Viollet/T ; **b** © Photo Josse/T ; **277 a** © Giraudon/T ; **b** © Giraudon - Lauros/T ; **c** © J.-L. Charmet/T ; **278** © G. Dagli Orti ; **279 a** © Fotogram - Stone - Hulton Getty/T ; **b** Coll. Archives Larbor/T ; **280** © Photo Josse/T ; **281 a** © J.-L. Charmet/T ; **b** Coll. Archives Larbor/T ; **282** © J.-L. Charmet/T ; **283 a** © Explorer - Mary Evans/T ; **b** © J.-L. Charmet/T ; **284** Coll. Archives Larbor/T ; **285 a** © J.-L. Charmet/T ; **b** © Science Museum, Londres/T ; **286 a, b** © Image Select - A. Ronan/T ; **287 a** © J.-L. Charmet/T ; **b** © Giraudon - Lauros/T ; **288** Coll. Archives Larbor/T ; **289** Jeanbor © Archives Larbor ; **291 a** © Roger-Viollet/T ; **b** © Keystone - IBA/T ; **292 a** © J.-L. Charmet/T ; **b** Coll. Archives Larbor/T ; **293** © Bildarchiv Preussischer Kulturbesitz, Berlin/T ; **294** © Roger-Viollet/T ; **295 a** Coll. Archives Larbor/T ; **b** © Keystone - IBA/T ; **296 a** © Cosmos - SPL/T ; **b** © L'Illustration - Sygma ; **297 a** Coll. Archives Larbor/T ; **b** © RATP/T ; **298** © Ria - Novosti/T ; **299 a** © Musée de l'Air et de l'Espace, Le Bourget/T ; **b** © Institut Lumière, Lyon ; **300** © AM Fotografi APS/T ; **301 a** © IPS - Coll. PPP/T ; **b** © DR/T ; **302** © Time - Life Picture Agency - M. Bourke White/T ; **303 a** © Associated Press/T ; **b** © Imperial War Museum, Londres/T ; **304** © Haags Gemeentemuseum, La Haye/T ; **305 a** © Imperial War Museum, Londres/T ; **b** © NYT/T ; **306** Coll. Archives Larbor/T ; **307 a** © US Air Force/T ; **b** © IPS - Coll. PPP/T ; **308** © Hughes Aircraft Company/T ; **309 a** © Keystone/T ; **b** © SCOOP - Paris-Match/T ; **c** © Agence Tass/T ; **310 a** © NASA/T ; **b** © Ria - Novosti/T ; **311 a** © SIC « Postes, Télécom et Espace »/T ; **b** © The Image Bank - A. Ernoult ; **312** © Cosmos - G. Sams - SPL ; **313** © Daimler - Benz/T ; **314** © Institut Pasteur/T ; **315** © CCETT - C. Bouville/T ; **316 a** © Eurelios - M. Iwafuji ; **b** © Hoa Qui - Ph. Bourseiller ; **317 a** © CNRS - GPEC - A. Humbert et F. Moulin ; **b** © Ciel et Espace - ESO ; **337 a** © Fotogram - Stone - Hulton Getty/T ; **b** © UPI - Corbis - Sipa Press/T ; **c** © Eurelios - M. Iwafuji ; **338** © Cosmos - P. Aprahamian - SPL ; **339** © CNRS - LMA / V. Hodapp ; **340 a** © DR/T ; **b** © CNRS - CRPE/T ; **345** © Rhône - Poulenc/T ; **349 a** © Cosmos - D. Scharf - SPL/T ; **b** © Explorer - J. Joffre/T ; **350** © CNRS - CRCSPP - Ch. Vidal ; **352 a** © Cosmos - A. Pasieka - SPL ; **b** © Cosmos - J. Bernholc, North Carolina State University / SPL ; **353** © CNRS - CEMES - A. Boudet ; **355** © Eurelios - P. Plailly ; **357 a** © Cosmos - Bagshaw - West Light/T ; **b** © Gamma ; **361** © Médiathèque EDF - M. Morceau/T ; **362** © Jerrican - Bramaz ; **363** © Explorer - Gérard/T ; **364** © Cosmos - J. Mead - SPL ; **373** © Cosmos - D. Parker, 600 Group Fanuc / SPL ; **375** © Sygma - Van Parys Media ; **376** © REA - Maillac ; **378** © Sygma - D. Sauveur ; **379** © Fotogram - Stone - A. Greenway ; **383** © REA - Thuillier ; **384 a** © CERN/T ; **b** © K. Steele - NYS/T ; **c, d** © CERN/T ; **386 a** © Yerkes Observatory/T ; **b** © National Optical Astronomy Observatories/T ; **388** © Cosmos - J. Burgess - SPL ; **389** © Citroën Communication ; **392** © TDF/T ; **397** © Maury ; **399** F. Robineau © Dassault / Aviaplans.

• **L'Histoire du monde. Page 401** © G. Dagli Orti (reprise p. **VI d**) ; **403 a** © Musées du Vatican/T ; **b** © Editions du Tournesol - Xianhua New Agency/T ; **405** © Artephot - R. Percheron/T ; **406 a** © Artephot - C. Varga/T ; **b** © Saint John's College, Cambridge/T ; **407 a** Coll. Archives Larbor/T ; **b** © Artephot - R. Roland/T ; **408** © Saint John's College, Cambridge/T ; **409 a** © Artephot - ADPC/T ; **b** © Explorer - J.-L. Charmet/T ; **411 a** © C. Lénars/T ; **b** © M. Cinello - DR/T ; **412** J.-M. Labat © Archives Larbor ; **413 a** © C. Lénars/T ; **b** © G. Dagli Orti ; **414** © RMN ; **415 a** © Giraudon/T ; **b** © G. Dagli Orti ; **c** © By courtesy of Miss K. Kenyan/T ; **d** © Magnum - E. Lessing ; **416** © Magnum - E. Lessing/T ; **417** © Rapho - J. G. Ross/T ; **418** © G. Dagli Orti ; **419** Coll. Archives Larbor/T ; **420** Scala © Archives Larbor ; **421 a** © J.P. Coureau - Explorer/T ; **b** © G. Dagli Orti ; **422 a** © Giraudon/T ; **b** © Scala/T ; **423** © S. Held/T ; **425 a** © Giraudon - Alinari ; **b** © Giraudon - Lauros/T ; **427 a** © Magnum - E. Lessing/T ; **b, c** © Explorer - S. Fiore/T ; **429 a** © Artephot - Oronoz/T ; **b** © Giraudon/T ; **c** © Rapho - Yamashita ; **430** © G. Dagli Orti/T ; **431** © G. Dagli Orti ; **433 a** © G. Dagli Orti/T ; **b** Coll. Archives Larbor/T ; **434** © Artephot - Candelier - Brumaire/T ; **435 a** © G. Dagli Orti ; **b** Coll. Archives Larbor/T ; **436** Coll. Archives Larbor ; **437** © Holle Bildarchiv, Baden - Baden/T ; **438** © G. Dagli Orti/T ; **439 a** © Burgerbibliothek, Berne/T ; **b** © Rapho - R. et S. Michaud/T ; **c** Coll. Archives Larbor ; **441 a** Coll. Archives Larbor ; **b** © Hoa Qui - Le Monde ; **442** Coll. Archives Larbor ; **443 a** © G. Dagli Orti/T ; **b** Coll. Archives Larbor/T ; **445** Josse © Archives Larbor ; **446** © Giraudon - Bridgeman/T ; **447 a** J.-L. Charmet © Archives Larbor ; **b** © Artephot - J. Martin ; **448** © Giraudon - Lauros/T ; **449** © Diaf - J.-P. Garcin ; **451 a** © Roger-Viollet/T ; **b** Coll. Archives Larbor/T ; **453 a** Josse © Archives Larbor ; **b** © Walker Art Gallery, Liverpool/T ; **455** © L'Aurore/T ; **457** © Moreau - Coll. Archives Larbor/T ; **458** © AKG Paris ; **459** Coll. Archives Larbor ; **460** © AKG Paris ; **461 a** © Keystone ; **b** © Roger-Viollet/T ; **c** © Keystone ; **462** © Magnum - R. Capa ; **463 a** © Imperial War Museum, Londres ; **b** © Imapress - C. P. ; **464** © Rapho - M. Zalewsli ; **465** © L'Illustration - Sygma ; **466** © Gamma - Rey - SAS ; **467 a** © Magnum - P. J. Griffiths ; **b** © Gamma - Neumann ; **c** © Cosmos - NASA - Skyline Features ; **468** © Gamma - P. Piel ; **469 a** © Sygma – Epix ; **b** © Sygma - T. Bergsaker.

• **Les Religions. Page 481** © Hoa Qui - Le Monde (reprise p. **VI e**) ; **482 a** © Giraudon/T ; **b, c** © G. Dagli Orti/T ; **483** © Giraudon/T ; **484** © Giraudon/T ; **485 a** © Scala/T ; **b** © Giraudon - Lauros/T ; **486 a** N. Stournaras © Archives Larbor ; **b** © Magnum - E. Lessing/T ; **487** © Artephot - G. Nimatallah ; **489 a** © Papigny/T ; **b** © Rapho - De Seynes/T ; **c** © Bildarchiv Preussischer Kulturbesitz, Berlin ; **490** © Photo Josse/T ; **491 a** © Scala/T ; **b** © G. Dagli Orti/T ; **c** © Magnum - E. Lessing/T ; **d** © G. Dagli Orti/T ; **492** © G. Dagli Orti/T ; **493** © Coll. Musée Saint-Rémi, Reims - R. Meulle ; **494** © RMN/T © ADAGP, Paris 1999 ; **495** © Atelier Audiovisuel, Paris/T ; **497 a** © B. N. F. Paris ; **b** © Rapho - Starcky/T ; **498** © Rapho - Spiegel/T ; **499 a** © CIRIC - S. Lelu ; **b** © Rapho - Spiegel/T ; **501** © Scala/T ; **502** © Scala/T ; **503 a** © Giraudon - Lauros/T ; **b, c** © Scala/T ; **504 a** © G. Dagli Orti ; **b** © Scala/T ; **c** © Giraudon - Lauros/T ; **505** © Scala/T ; **506** © Giraudon - Lauros/T ; **508 a** © Top - E. Boubat/T ; **b** © R. Tournus/T ; **509 a** © C. Lénars ; **b** © G. Dagli Orti/T ; **510** © Giraudon - Lauros/T ; **511 a** Coll. Archives Larbor/T ; **b** © Giraudon - Alinari/T ; **c** Rol/T ; **d** Coll. Archives Larbor/T ; **e** © Imapress - Karsh/T ; **f** © Keystone/T ; **g** © Magnum - Berry/T ; **h** © CIRIC/T ; **514** © G. Dagli Orti ; **515 a** © Rapho - B. Launois/T ; **b** © Rapho - Silberstein/T ; **c** © Magnum - F. Mayer/T ; **516** © G. Dagli Orti/T ; **517 a** © Photo Josse/T ; **b** © CIRIC/T ; **519 a** © Ansin-Gamma/T ; **b** © Rapho - A. Suau/T ; **520** © Rapho - R. et S. Michaud/T ; **521** © Rapho - P. Koch ; **522** © Magnum - Abbas ; **523** © Rapho - P. Koch/T ; **525** © RMN/T ; **526** © Rapho - R. et S. Michaud/T ; **527 a** © RMN/T ; **b** © J.-L. Nou/T ; **528 a** © Rapho - R. et S. Michaud/T ; **b** © J.-L. Nou/T ; **c** Coll. Archives Larbor/T ; **529 a** © Rapho - R. et S. Michaud ; **b** © Sygma - P.

Habans ; c © Giraudon - Lauros/T ; 530 © S. Held/T ; 531 a © Weisbecker - Explorer/T ; b © P. Koch - Rapho/T ; c © Boutin - Explorer/T ; d © S. Held/T ; 532 a © RMN/T ; b © Gamma - Adamini/T ; c © Hoa Qui - G. Sioen/T ; 534 a © Rapho - G. Gerster/T ; b © S. Held/T ; c © Rapho - R. et S. Michaud/T ; d © Sygma - Atlan/T ; 535 © Rapho - R. et S. Michaud ; 536 a © C. Lénars/T ; b © G. Dagli Orti/T ; 537 a © H. Hinz/T ; b © Musée de l'Homme, Paris - J.-C. Mazur ; 538 a © Artephot - A. Held/T ; b © Rapho - Englebert/T ; 540 a © G. Freund/T ; b © Explorer - P. Tétrel/T ; 541 a, b © Scala/T ; 542 a © The Image Bank - Beebe/T ; b © C. Lénars ; 543 © Sygma - G. Giansanti.

• **Le Monde géopolitique.** Page 545 © Hoa Qui - Zefa (reprise p. VII b) ; 546 a © Top - J. Ducange ; b © Diaf - J.-D. Sudres ; c © REA - Gayard ; d © Hoa Qui - Weisbecker ; 547 a © Sygma - E. Kondakov - R. P. G. ; b © Sygma - W. Goddard ; c © Sygma - P. Le Segretain ; 608 a © Hoa Qui - O. Martel - Icone ; b © Sygma - E. Bouvet ; c © Sygma ; 609 © Sygma - F. Pagani ; 610 a © Diaf - M. Schoenahl/T ; b © Pix - J. Hicks ; c © Hoa Qui - J.-L. Dugast ; d © Arnandie - DR/T ; 659 a © Gamma - P. Rivière ; b © Diaf - Ifa ; 669 a © The Image Bank ; b © Fotogram - Stone - Ed. Pritchard ; c © Fotogram - Stone - S. Cunnigham ; d © Sygma - Valtierra ; 702 a © Sygma - B. Kraft ; b © Sygma - L. Gilbert ; c © Rapho - A. Manoukian ; d © Sygma - ; 748 a © L'Illustration - Sygma ; b © DITE - IPS/T ; 749 © Gamma - Chiasson - Liaison ; 750 a, b, c, d, e © Gamma – Liaison ; f © Gamma - J.-M. Turpin/T ; g © Sygma - A. Nogues ; 753 © Sygma - R. Maiman ; 758 a © Unesco - J.-C. Bernoth/T © Succession Picasso 1999 ; b DRT ; c © Gamma - C. Vioujard ; 759 a © Gamma - Daniels - Photo News ; b © Sygma - L. Gilbert ; 760 © Gamma - Liaison - Richards ; 761 © Keystone/T ; 766 © Sygma - B. Bisson ; 769 © Plantu ; 775 © Sygma - T. Orban ; 780 a © Gad - Borel Boissonnas/T ; b © Gamma - Y. Gellie/T ; 781 a, b © DR/T ; 782 a © Greenpeace - Cox ; b © DR/T ; 783 a © Rapho - Yan/T ; b © Hoa Qui - Icone - O. Martel ; 784 a © Explorer - Fiorepress/T ; b, c Coll. Archives Larbor/T.

• **La Vie économique.** Page 785 © Fotogram - Stone - G. Pease (reprise p. VII c) ; 802 © Magnum - B. Glinn ; 816 © Fotogram - Stone - P. Chesley ; 818 © Hoa Qui - A. Perigot ; 823 © Rapho - M. Setboun ; 824 © Sygma - S. Ruet ; 848 © Rapho – Boireau ; 855 © Explorer - Manix ; 858 © Cosmos - C. Wolinsky ; 862 a © Diaf - R. Mazin ; b © Scope - D. Faure/T ; 863 © Scope/T ; 867 © Sygma - P. Robert ; 870 a © B. Régent/T ; b Coll. Archives Larbor ; 872 Coll. Archives Larbor/T ; 873 Coll. Archives Larbor/T ; 874 Coll. Archives Larbor/T ; 877 © Cedus/T ; 878 © Candi Press - Cedus/T ; 879 © Diaf - A. Le Bot/T ; 883 Coll. Archives Larbor/T ; 886 © Top - C. Fleurente/T ; 889 Coll. Archives Larbor/T ; 894 © Guillard (M.) - Scope/T ; 896 © Nüttgens (R.) - Zefa/T ; 898 b © Barde (J.L.) - Scope ; 901 © Sioen (G.) - CEDRI/T ; 905 a © Marmounier - CEDRI/T ; b © Sudres (J.D.) - Scope/T ; 908 Studio 111 © Archives Larbor/T ; 909 Studio 111 © Archives Larbor/T ; 910 a © REA - Moschetti ; b © Diaf - J.-D. Sudres/T ; 911 Studio 111 © Archives Larbor/T ; 915 © Scope - J. Guillard/T ; 916 © REA - Bellavia ; 917 © INRA - C. Nicolas/T ; 918 © Top - H. A. Segalen ; 923 © Diaf - N. Wheeler ; 929 © Diaf - J.-P. Duchêne ; 933 © The Image Bank - Delisle © Pont de Normandie - CCI Le Havre ; 934 a © The Image Bank - M. Christian - Ernoult Features ; b © Groupe Volkswagen France ; c © Sygma - F. Pitchal ; 935 © AG Weser - H. Engler/T ; 937 © Gamma - G. Merillon ; 940 © The Image Bank - G. Gladstone ; 941 a, b, c, d © La Vie du Rail - Archives/T ; e © La Vie du Rail - Charraud/T ; f © La Vie du Rail - S. Zalkind/T ; g © Sygma - M. Polak ; 943 © Boeing Aircraft/T.

• **L'Homme en société.** Page 945 © Magnum - E. Lessing (reprise p. VII e) ; 947 © Sygma - A. Pizzoli ; 948 a © G. Dagli Orti ; b © C. Lénars ; 949 © RMN – Lewandowski ; 951 © Rapho - J. G. Ross/T ; 955 © Diaf - J.-P. Durand/T ; 957 © Hutchinson Library - Errington/T ; 958 a G. Dagli Orti © Archives Larbor ; b © G. Dagli Orti ; 959 a Coll. Archives Larbor ; b © Weisbecker - Hoa Qui ; 960 a © G. Dagli Orti ; b Coll. Archives Larbor ; 961 © Magnum - E. Lessing ; 962 © AKG Paris ; 964 © G. Dagli Orti ; 965 a © Gemeentemuseum, La Haye/T ; b © Giraudon - Lauros/T ; c © Staatliches Kant Gymnasium, Berlin/T ; 966 a © Halberstadt, Hambourg/T ; b © Edimedia/T ; c © Pinkan et Gehler, Leipzig/T ; 967 © Giraudon - Lauros ; 968 Josse © Archives Larbor/T ; 969 a Coll. Archives Larbor/T ; b © Top ; c © AFP/T ; 971 © DR/T ; 972 © Magnum - M. Riboud ; 973 © G. Dagli Orti ; 974 a © C. Lénars ; b © Sipa Image - Frilet ; 975 a © INRP, Musée national de l'éducation, Rouen ; b © Diaf - A. Even ; 976 a © Diaf - C. Pinheira ; b © The Image Bank - Stuart Dee ; 977 © Sygma - Pitchal ; 978 © Sygma - J. Fincher - Photographers International ; 979 © Gamma - C. Gerretsen ; 980 © J.-L. Charmet ; 981 Coll. Archives Larbor ; 982 © MAXPPP - Reuter - S. Perez ; 985 © Sygma - J.-B. Vernier ; 986 a © Hoa Qui - O. Martel - Icone ; b J.-L. Charmet © Archives Larbor ; 987 © Sygma - A. Gyori ; 988 © Gamma - F. Guenet ; 989 a © Sygma - D. Sauveur ; b © Sygma - Y. Forestier ; 990 © Jerrican - J.-M. Labat ; 991 © Sygma - P. Vauthey ; 993 a © AKG Paris - AP ; b © Vu - J. E. Atwood ; 994 © Cosmos - Popperfoto ; 997 © Jerrican - Laguet ; 998 © Rapho - J.-L. Courtinat ; 999 © Vu - G. Larvor ; 1000 © Magnum - D. Lyon ; 1002 © Vandystadt - G. Vandystadt ; 1003 © REA - C. Dumont ; 1004 © Vu - C. Poveda ; 1005 © Gamma - P. Piel ; 1006 © Fotogram - Stone - M. Rosenfeld ; 1007 © Rapho - R. Doisneau ; 1010 © Photo Josse ; 1011 © ANA - Raghubir Singh ; 1013 a © CIRIC - A. Pinoges ; b © Sygma - Y. Forestier ; 1015 Jeanbor © Archives Larbor ; 1016 © Keystone ; 1017 © Sygma - A. Pizzoli ; 1018 © CIRIC - A. Pinoges ; 1019 © Jerrican - Gaillard ; 1020 a Coll. Archives Larbor - DR/T ; b Coll. Archives Larbor/T ; c © Daily Mirror/T ; 1021 a © IPS - Coll. PPP/T ; b, c © Roger-Viollet/T ; 1022 a © Frankfurter Allgemeine Zeitung/T ; b © Times Newspapers Ltd/T ; c © Libération/T ; 1025 © Kipa - J. Pimentel/T ; 1026 © Altitude - Y. Arthus-Bertrand/T © ADAGP, Paris 1999 ; 1027 © France 2 - J. Pimentel ; 1028 © Sygma - B. Kraft ; 1029 © Eurelios - P. Plailly ; 1030 a © Agence CLM - BBDO/T ; b © Agence Ogilvy et Mather/T ; c © Agence DDB/T ; 1031 a © Giraudon/T © ADAGP, Paris 1999 ; b © Giraudon/T © R. Savignac ; c © DR/T ; d © Kazumi Kurigamai/T ; 1033 a, b, c © Cosmos - Wolf Michael - Visum ; 1035 © REA - Sittler ; 1036 © Diaf - P. Somelet ; 1037 © Willy Maywald - ADAGP, Paris 1999.

• **Les Œuvres artistiques et littéraires.** Page 1041 © Artephot - G. Nimatallah (reprise p. VII a) ; 1042 a © R. Delon/T ; b © J. Vertut/T ; c © Magnum - E. Lessing/T ; d © J. Vertut/T ; e © Musée de l'Homme, Paris/T ; f © DR/T ; g Coll. Archives Larbor/T ; 1043 a © C. Lénars/T ; b © Artephot - Y. Boelle ; c © Giraudon - Lauros/T ; d © Artephot - Ekdotike/T ; e © Artephot - Kersting ; f © J.-D. Lajoux/T ; 1044 a © C. Lénars/T ; b © C. N. M. H., Paris/T ; c © Rapho - G. Gerster/T ; d © RMN/T ; e Coll. Archives Larbor/T ; f © Magnum - E. Lessing/T ; 1045 a © AKG Paris ; b Coll. Archives Larbor/T ; c © RMN ; d © Artephot - M. E. Boucher ; e © Giraudon/T ; f © Giraudon ; g © Giraudon/T ; h © Explorer - Loirat/T ; 1046 a © Giraudon/T ; b © Giraudon - Lauros/T ; c © Rapho - Ross/T ; d © G. Dagli Orti ; e, f © Giraudon/T ; g © Giraudon - Anderson/T ; h © Hirmer Fotoarchiv/T ; 1047 a © S. Held/T ; b © Giraudon - Lauros/T ; c © M. Levassort/T ; d © Giraudon/T ; e © Rapho - Audrain - Samivel/T ; f © Explorer - P. Tétrel/T ; g © S. Held/T ; 1048 a © M. L. Maylin/T ; b © G. Dagli Orti ; c © R. Zuber/T ; d © AKG Paris/T ; e © M. Hayaux du Tilly/T ; 1049 a © Giraudon/T ; b © Artephot - Ekdotike/T ; c © Artephot - R. Percheron/T ; d © Artephot - R. Percheron ; e © Magnum - E. Lessing/T ; f © Giraudon/T.; g © Hassia/T ; h © Pergamon Museum, Berlin/T ; 1050 a Coll. Archives Larbor/T ; b © Giraudon - Alinari/T ; c Coll. Archives Larbor/T ; d © Artephot - R. Percheron/T ; e © C. Lénars/T ; f © Ray Delvert/T ; g © Scala/T ; 1051 a © British Museum, Londres/T ; b © Giraudon/T ; c © D. Darr/T ; d © Giraudon - Lauros/T ; e © Artephot - R. Roland/T ; f © Artephot - Oronoz/T ; g Coll. Archives Larbor/T ; 1052 a © Explorer - A. Thomas/T ; b © A. Pralong/T ; c © Artephot - R. Percheron/T ; d © Explorer - A. Thomas/T ; e © Giraudon - Lauros/T ; f © Stanimirovitch/T ; g © Rapho - Silberstein/T ; 1053 a Coll. Archives Larbor ; b © Rapho - R. et S. Michaud/T ; c © E. Boudot - Lamotte/T ; d © Artephot - Oronoz/T ; e © Rapho - Everts/T ; f © Rapho - R. et S. Michaud ; g © DR/T ; h © Oronoz - Artephot/T ; 1054 a © Giraudon - Lauros/T ; b © R. Gauthier/T ; c © Gamma - T. Campion ; d © M. Mathelin/T ; e © Explorer - Y. Layma ; f © Lorenzo/T ; g © RMN/T ; h © Artephot - Shogakukan/T ; 1055 a © Artephot - Shogakukan/T ; b © Artephot - Zauho Press/T ; c © Artephot - Ogowa/T ; d © Artephot - Shogakukan/T ; e © RMN/T ; f © Ambassade du Japon/T ; g © Ader, Picard, Tajan/T ; 1056 a © Giraudon - Borromeo/T ; b © Giraudon - Lauros/T ; c, d © F. Brunel/T ; e © C. Lénars/T ; f, g © J.-L. Nou/T ; h © Artephot - R. Roland/T ; i © J.-L. Nou/T ; 1057 a Coll. Archives Larbor/T ; b © Magnum - M. Riboud/T ; c © Unesco - Vorontzoff/T ; d © J. Bottin/T ; e © J. Boisselier/T ; f © Giraudon - Lauros/T ; g © Sipa Press - C. Haas/T ; 1058 a © Giraudon/T ; b © C. Lénars/T ; c © Giraudon/T ; d © Musée de l'Homme, Paris/T ; e © Giraudon/T ; f © Explorer - A. Thomas/T ; g © J. Bottin/T ; 1059 a © Musée ethnographique, Munich/T ; b © M. L. Maylin/T ; c © C. Lénars/T ; d © C. Lénars/T ; e © S. Held/T ; f © F. Gohier/T ; g © G. Dagli Orti/T ; h © C. Lénars/T ; 1060 a, b, c © Artephot - A. Held/T ; d © Hoa Qui/T ; e, f © Artephot - A. Held/T ; g © RMN/T ; h © Artephot - A. Held/T ; i © C. Lénars/T ; 1061 a, b © Fleming/T ; c © Musée de l'Homme, Paris/T ; d, e, f, g © C. Lénars ; h © RMN - Lewandowski ; i © C. Lénars/T ; 1062 a, b, c, e, f, g © G. Dagli Orti ; d © Giraudon - Lauros/T ; h © Artephot - A. Held/T ; 1063 a © Artephot - J. Pole ; b © G. Dagli Orti ; c © Artephot - Promophot/T ; d © Artephot - T. Schneiders ; e © Giraudon - Lauros ; f © Artephot - Faillet/T ; g © RMN ; h © G. Dagli Orti ; i © G. Dagli Orti ; 1064 a © Explorer - P. Tétrel/T ; b © Institut Royal du Patrimoine Artistique, Bruxelles/T ; c © Gallimard - UDF/T ; d © S. Chirol ; e © G. Dagli Orti ; f © Artephot - Faillet ; g © Artephot - Brumaire ; h © Artephot - J. Pole ; 1065 a © Scala/T ; b © Artephot - Faillet/T ; c © Artephot - Promophot/T ; d © G. Dagli Orti ; e © Scala/T ; f © Artephot - Oronoz/T ; g © G. Dagli Orti ; h © Explorer - P. Tétrel/T ; i © Victoria and Albert Museum, Londres/T ; 1066 a © Explorer - Salou/T ; b © J. Bernard/T ; c © Artephot - Phédon - Salou/T ; d © Rapho - G. Gerster/T ; e © Artephot - Phédon - Salou/T ; f © C N M H, Paris - J. Feuillie/T ; g © J. Bottin/T ; h Coll. Archives Larbor/T ; 1067 a, b © Scala/T ; c © Artephot - P A F ; d © Rapho - Charbonnier/T ; e © Artephot - R. Roland/T ; f © Explorer - Delu/T ; g © Office du tourisme allemand, Paris/T ; h © Pix - Moes/T ; i © Rapho - Everts/T ; 1068 a © Scala/T ; b © Metropolitan Museum of Arts, New York/T ; c Coll. Archives Larbor ; d © Scala/T ; e © Giraudon/T ; f © Giraudon - Lauros/T ; g © Scala/T ; 1069 a © Artephot - A. Held/T ; b © RMN/T ; c © Giraudon ; d © Scala/T ; e © Giraudon/T ; f © Giraudon - Bridgeman/T ; g © Scala ; 1070 a Coll. Archives Larbor/T ; b © Artephot - G. Nimatallah ; c © Giraudon - Lauros/T ; d © CNMH, Paris/T ; e © Giraudon/T ; f © Scala ; g © Scala/T ; 1071 a © Giraudon - Anderson/T ; b © Scala/T ; c © Artephot - G. Nimatallah/T ; d © Giraudon/T ; e © Giraudon - Brogi/T ; f © Giraudon - Lauros/T ; g © G. Dagli Orti ; h © Giraudon/T ; i © Artephot - Oronoz/T ; 1072 a © M. Garanger/T ; b, c, d, e, f © Scala/T ; g © Giraudon - Anderson/T ; 1073 a, b © Scala/T ; c © Rapho - Berger/T ; d © Rapho - Everts/T ; e © Giraudon/T ; f © Coll. Archives Larbor/T ; g © Scala/T ; h © Scala/T ; 1074 a © The Bridgeman Art Library, Paris ; b, c © Scala/T ; d © RMN ; e © AKG Paris ; f © G. Dagli Orti ; g © Bridgeman - Giraudon ; h © G. Dagli Orti ; 1075 a © G. Dagli Orti ; b © Scala ; c © Giraudon - Lauros/T ; d © Musées du Vatican ; e © National Gallery, Londres/T ; f © Giraudon - Alinari ; g © RMN ; h © Giraudon ; 1076 a © Scala ; b © Scala/T ; c © Artephot - The Bridgeman Art Library ; d © A. Meyer/T ; e © G. Dagli Orti ; f © AKG Paris ; g © G. Dagli Orti ; h © Artephot - Artothek - J. Blauel/T ; i © RMN ; 1077 a © G. Dagli Orti ; b © B. N. F. Paris ; c © A. Meyer/T ; d © Top - H. Champollion ; e © Scala ; f © B. N. F. Paris ; g © Giraudon ; h Coll. Archives Larbor ; 1078 a © Artephot - G. Nimatallah/T ; b, c, d © Scala/T ; e © Artephot - Pubbli Aer Foto/T ; f © Scala/T ; 1079 a © Giraudon/T ; b © Artephot - Kersting/T ; c Coll. Archives Larbor/T ; d © Hoa Qui - W. Buss ; e © J. Bottin/T ; f © Rapho - Everts/T ; g Jeanbor © Archives Larbor ; h © Giraudon - Lauros/T ; i © Pix - Moes/T ; j Coll. Archives Larbor/T ; 1080 a © Scala/T ; b © Scala/T ; c © RMN ; d © Artephot - Artothek - J. Blauel/T ; e © Rijksmuseum, Amsterdam/T ; f © Giraudon - Lauros/T ; g © G. Dagli Orti ; h © Giraudon - Lauros/T ; i © Musées de Strasbourg/T ; 1081 a © Giraudon - Lauros/T ; b © Giraudon/T ; c © RMN ; d © Musée du Prado, Madrid/T ; e © Rijksmuseum, Amsterdam/T ; f © Bildarchiv Preussischer Kulturbesitz, Berlin - J. Anders/T ; g © Giraudon/T ; h © Scala ; 1082 a © Scala/T ; b © Giraudon - Alinari/T ; c © Scala/T ; d © Bulloz/T ; e © Institut Royal du Patrimoine Artistique, Bruxelles/T ; f © Artephot - Fabbri/T ; g © Giraudon - Lauros/T ; h © Automobile Club, Dresde/T ; 1083 a © Rapho - Everts/T ; b © Artephot - Phédon - Salou/T ; c © Giraudon - Lauros/T ; d © Fotogram - Stone - Hulton Getty/T ; e © Giraudon - Lauros/T ; f © Hirmer Verlag, Münich/T ; g © RMN/T ; h, i © Giraudon/T ; j © Giraudon - Lauros/T ; 1084 a, b © RMN - J. Schormans ; c © RMN - Blot - Lewandowski ; d, g © RMN - M. Beck - Coppola ; e © RMN - G. Blot ; f © B. Beaujard/T ; h © Scala ; 1085 a © RMN ; b © Artephot - K. Takase/T ; c © RMN - Arnaudet ; d © S. Chirol ; e © G. Dagli Orti ; f L. Joubert © Archives Larbor ; g © RMN ; h © A. Hornak ; i © Fleming/T ; 1086 a © Artephot - T. Schneiders/T ; b © Rapho - Everts/T ; c © Pix - Bavaria Verlag - Kappelmeier/T ; d © Scala/T ; e © Visa - S. Marmounier/T ; f © Giraudon - J. Martin ; g © Explorer - P. Tétrel/T ; 1087 a M. Garanger © Archives Larbor/T ; b © Giraudon - Lauros/T ; c © Explorer - G. Boutin/T ; d © Giraudon - Lauros/T ; e © G. Dagli Orti ; f © Giraudon - Lauros/T ; g © Rapho - Steffen/T ; h © Yan - J. Dieuzaide/T ; i © Rapho - G. Sioen/T ; 1088 a © Giraudon - Lauros/T ; b © Scala/T ; c, d © Giraudon/T ; e © National Gallery, Londres/T ; f © Scala/T ; g © Giraudon - Alinari ; h Coll. Archives Larbor/T ; 1089 a © Giraudon - Lauros/T ; b © RMN/T ; c © Giraudon - Bridgeman/T ; d © Artephot - G. Nimatallah/T ; e © Giraudon - Lauros/T ; f © Musée Goethe, Francfort-sur-le-Main ; g © National Gallery,

Londres/T ; **h, i** © Giraudon - Lauros/T ; **1090 a** © E. Boudot - Lamotte/T ; **b** © Giraudon - Lauros/T ; **c** © Giraudon - Bridgeman/T ; **d** © Leperre/T ; **e** © Pix - E. Revault/T ; **f** © Chicago Architectural Photo Co/T ; **g** © Bruce Coleman Ltd - D. Goulstant/T ; **h** © Giraudon - Bridgeman/T ; **i** © Artephot - T. Takase/T ; **j** © Actualit/T ; **1091 a** © G. Dagli Orti ; **b** Coll. Archives Larbor ; **c** C. Smith © Archives Larbor ; **d** © RMN - M. Beck - Coppola ; **e** © AKG Paris ; **f** © G. Dagli Orti ; **g** J.-L. Charmet © Archives Larbor ; **1092 a** © Musée Thorvaldsen, Copenhague/T ; **b** Coll. Archives Larbor/T ; **c** © G. Dagli Orti ; **d** © Giraudon/T ; **e** © Giraudon - Lauros/T ; **f** © Giraudon/T ; **g** © Scala/T ; **h** © Institut Royal du Patrimoine Artistique, Bruxelles/T ; **i** © Bulloz/T ; **1093 a** © Giraudon - Lauros/T ; **b** © Artephot - Faillet/T ; **c** © Giraudon - Bridgeman/T ; **d** © Bildarchiv Preussischer Kulturbesitz, Berlin/T ; **e** © Edimedia - Snark/T ; **f** © G. Dagli Orti ; **g** © J. Webb/T ; **1094 a** © G. Dagli Orti ; **b** Josse © Archives Larbor ; **c** © RMN - Arnaudet ; **d** Josse © Archives Larbor ; **e** Coll. Archives Larbor/T ; **f** © Artephot - Faillet ; **g** Josse © Archives Larbor ; **h** Josse © Archives Larbor ; **i** © G. Dagli Orti ; **1095 a** © Giraudon - The Bridgeman Art Library ; **b** © G. Dagli Orti ; **c** © Musée Kröller-Müller, Otterloo/T ; **d** © Artephot - Faillet © ADAGP, Paris 1999 ; **e** L. Joubert © Archives Larbor © ADAGP, Paris 1999 ; **f** © Munch Museet, Oslo © Munch Ellinsen Group / ADAGP, Paris 1999 ; **g** © G. Dagli Orti ; **h** J.-P. Vieil © Archives Larbor ; **i** © Giraudon - Lauros/T ; **1096 a** © RMN ; **b** Jeanbor © Archives Larbor ; **c** © G. Dagli Orti ; **d** © Giraudon © ADAGP, Paris 1999 ; **e** Coll. Archives Larbor ; **f** J.-L. Charmet © Archives Larbor © ADAGP, Paris 1999 ; **g** Jeanbor © Archives Larbor ; **1097 a** Coll. Archives Larbor ; **b** © Roger-Viollet - Boyer ; **c** Coll. Musée d'Orsay - Archives Larbor ; **d** Coll. Archives Larbor ; **e** © RMN - Reversement Orsay ; **f** © The Jacob A. Riis Collection, Museum of the City, New York ; **1098 a** © Top - Réalité/T ; **b** © K. Wiekart/T ; **c** © ADAGP, Paris 1999 ; **d** © Bildarchiv Foto Marburg/T ; **e** DR © FLC - ADAGP, Paris 1999 ; **f** © Ch. Sarramon/T © FLC - ADAGP, Paris 1999 ; **g** © D. Tajan/T © ADAGP, Paris 1999 ; **1099 a** © A. Lehtikuva, Elsinki/T ; **b** © TWA/T ; **c** © Williams Inc. - Université de Pennsylvanie/T ; **d** © K. Tange/T ; **e** © Puig/T ; **f** © DR/T ; **g** © Coll. du Centre G. Pompidou - MNAM, Paris/T ; **h** © Artephot - Arianne © ADAGP, Paris 1999 ; **i** © Archipress - Arcaid - R. Bryant © DR ; **j** © Vandeville Eric – Gamma ; **1100 a** Coll. Archives Larbor/T © ADAGP, Paris 1999 ; **b** © Giraudon - Lauros/T © ADAGP, Paris 1999 ; **c** © Photothèque des Coll. du Centre G. Pompidou, MNAM, Paris/T © ADAGP, Paris 1999 ; **d** © RMN - J. Schormans © ADAGP, Paris 1999 ; **e** © Photothèque des Coll. du Centre G. Pompidou, MNAM, Paris/T © ADAGP, Paris 1999 ; **f** © H. Beville/T © by The Henry Moore Foundation ; **g** © Galerie Maeght/T © ADAGP, Paris 1999 ; **h** © University of Saint Thomas, Art Dpt, Saint - Louis/T © ADAGP, Paris 1999 ; **i** © Edimedia - Arch. Loudmer © ADAGP, Paris 1999 ; **j** J.-C. Mazur © Photothèque de la Documentation générale du Centre G. Pompidou, MNAM, Paris / DR ; **k** © Photothèque des Coll. du Centre G. Pompidou, MNAM, Paris © ADAGP, Paris 1999 ; **1101 a** © Museum of Modern Art, New York/T © Succession Picasso 1999 ; **b** © Giraudon - Lauros/T © ADAGP, Paris 1999 ; **c** A. Rzepka © Photothèque des Coll. du Centre G. Pompidou, MNAM, Paris © DR Wolfgang & Ingeborg Henze & Ketterer, Wichtrach - Bern ; **d** © Philadelphia Museum of Art/T © ADAGP, Paris 1999 ; **e** P. Migeat © Photothèque des Coll. du Centre G. Pompidou, MNAM, Paris - DR ; **f** P. Migeat © Photothèque des Coll. du Centre G. Pompidou, MNAM, Paris © ADAGP, Paris 1999 ; **g** © Artephot - A. Held © ADAGP, Paris 1999 ; **h** © Photothèque des Coll. du Centre G. Pompidou, MNAM, Paris/T © ADAGP, Paris 1999 ; **i** © Artephot - Plassard/T © Succession H. Matisse, 1999 ; **j** © W. Drayer - Kunsthaus, Zürich/T © Mondrian / Holzman Trust / ADAGP, Paris 1999 ; **1102 a** Coll. Archives Larbor/T © ADAGP, Paris 1999 ; **b** © Photothèque des Coll. du Centre G. Pompidou, MNAM, Paris © ADAGP, Paris 1999 ; **c** © Museum of Modern Art, New York/T © ADAGP, Paris 1999 ; **d** © Scala/T © ADAGP, Paris 1999 ; **e** Oronoz © Archives Larbor © Succession Picasso 1999 ; **f** © Whitney Museum of American Art - DR ; **g** © Bridgeman - Giraudon/T ; **1103 a** A. Rzepka © Photothèque des Coll. du Centre G. Pompidou, MNAM, Paris © ADAGP, Paris 1999 ; **b** L. Joubert © Archives Larbor © ADAGP, Paris 1999 ; **c** A. Rzepka © Photothèque des Coll. du Centre G. Pompidou, MNAM, Paris © ADAGP, Paris 1999 ; **d** L. Joubert © Archives Larbor © ADAGP, Paris 1999 ; **e** © Galerie Daniel Templon, Paris/T © ADAGP, Paris 1999 ; **f** © Giraudon - Lauros © ADAGP, Paris 1999 ; **g** © Photothèque des Coll. du Centre G. Pompidou, MNAM, Paris © ADAGP, Paris 1999 ; **h** A. Rzepka © Photothèque des Coll. du Centre G. Pompidou, MNAM, Paris © Georg Baselitz, Derneburg 1999 ; **1104 a** © Philadelphia Museum of Art © ADAGP, Paris 1999 ; **b** © Photothèque des Coll. du Centre G. Pompidou, MNAM, Paris © ADAGP, Paris 1999 ; **c** © A. Morain/T © ADAGP, Paris 1999 ; **d** P. Lemaitre © CNMHS © ADAGP, Paris 1999 ; **e** © Photothèque de la Documentation générale du Centre G. Pompidou, MNAM, Paris/T © ADAGP, Paris 1999 ; **f** © Nationalmuseum, Stockholm/T © ADAGP, Paris 1999 ; **g** © Shuhk Kender/T © Christo et Jeanne-Claude ; **h** © C. Van Assche/T © DR ; **i** © J. Vérame - ADAGP, Paris 1999 ; **1105 a, b** J.-C. Planchet © Photothèque de la Documentation générale du Centre G. Pompidou, MNAM, Paris © DR ; **c** © Photothèque de la Documentation générale du Centre G. Pompidou, MNAM, Paris © DR ; **d** © Photothèque de la Documentation générale du Centre G. Pompidou, MNAM, Paris © Succession Picasso 1999 ; **e** Coll. M. R. Lortet © ADAGP, Paris 1999 ; **f** J.-C. Mazur © Photothèque de la Documentation générale du Centre G. Pompidou, MNAM, Paris © ADAGP, Paris 1999 ; **g** © Apple Computer Inc. ; **h** © G. Dagli Orti © ADAGP, Paris 1999 ; **1106 a** © National Gallery of Art, Washington, Alfred Stieglitz Collection. ; **b** © Paul Strand Archive, Aperture Foundation, Millertone. ; **c** © Coll. du Centre G. Pompidou, MNAM, Paris © Man Ray Trust / ADAGP, Paris 1999 ; **d** © Coll. du Centre G. Pompidou, MNAM, Paris © ADAGP, Paris 1999 ; **e** © Library of Congress, Washington ; **f** E. Atget © Arch. Phot. - CNMHS ; **g** J.-H. Lartigue © Ministère de la Culture, France - AA. J.-H. L. ; **h** Heartfield © Documentation Générale du CGP, MNAM, Paris © ADAGP, Paris 1999 ; **1107 a** © Rapho - R. Doisneau ; **b** © Stedelijk Van Abbemuseum, Eindhoven © ADAGP, Paris 1999 ; **c** © Magnum - H. Cartier-Bresson ; **d** © Rheinisches Bildarchiv, Cologne © Center for Creative Photography, Tucson ; **e** © Magnum - E. Smith ; **f** © Donation A. Kertesz - AFDPP ; **g** © Fotogram - Stone - E. Haas ; **h** Coll. Archives Larbor © J. Batho ; **1108 a** © Moebius - Starwatcher - Casterman ; **b** © Publications G. Ventillard ; **1109 a** © Bibliothèque nationale, Paris/T ; **b** © Disney. Par autorisation spéciale de TWDCF/T ; **c** © Enki Bilal / Humanoïdes Associés ; **d** © Hergé - Moulinsart/T ; **e** © King Features Syndicate/T ; **f** Extrait de « Fable de Venise », H. Pratt © Casterman / Cong sa/T ; **1110 a** © G. Dagli Orti ; **b** © Top - R. Tixador ; **c** © Top - H. Champollion ; **1111 a** © Hoa Qui - C. Boisvieux ; **b** © Top - J. Ducange ; **c** © Top - M. Borgese ; **d** © Rapho - G. Gerster ; **1112 a, b** © Musées du Vatican ; **1114** © Archipress - O. Martin - Gambier © DR ; **1115 a** © Archipress - P. Cook © DR ; **b** © Top - C. Bibollet ; **1116** © Bildarchiv Preussischer Kulturbesitz, Berlin/T ; **1117** © Scala/T ; **1118** © The Bridgeman Art Library, Paris ; **1119** Jeanbor © Archives Larbor ; **1120** Coll. Archives Larbor/T ; **1121** © Giraudon/T ; **1122 a** © Gamma - Lena/T ; **b** © Giraudon/T ; **1123** Coll. Archives Larbor ; **1125** © Giraudon - Lauros/T © ADAGP, Paris 1999 ; **1126** © D. Ramos/T ; **1127** © Presse und Informationsamt des Bundesregierung, Bonn/T ; **1128** © National Gallery / Londres/T ; **1129 a** © British Council - Elliot/T ; **b** © National Portrait Gallery, Londres/T ; **c** © Giraudon - Lauros/T © ADAGP, Paris 1999 ; **1130 a** Coll. Archives Larbor/T ; **b** Josse © Archives Larbor/T ; **c** © Giraudon - Lauros/T ; **1131 a** © BSI/T ; **b** Coll. Archives Larbor/T ; **1132 a** Coll. Archives Larbor/T ; **b** © Ria - Novosti/T ; **1133** Jeanbor © Archives Larbor ; **1134** © Explorer - Mary Evans ; **1135** Coll. R. Nogueira ; **1136** Coll.Archives Larbor/T ; **1137** © Sygma - J. Andanson/T ; **1138 a** © Roger-Viollet - Harlingue/T ; **b** © G. Freund - Agence Nina Bekow/ T ; **1139** © Alpenland, Vienne/T ; **1140** Jeanbor © Archives Photeb ; **1141 a** © Manchete/T ; **b** © Giraudon - Lauros/T ; **1142 a** © Photo Josse/T ; **b** © Giraudon - Lauros/T ; **c** © Scala/T ; **1143** © G. Freund - Agence Nina Bekow/T ; **1144** © Magnum - D. Seymour ; **1146** © Giraudon/T ; **1147 a** © Explorer - FPG International ; **b** © Edimages - IWM/T ; **1148** Coll. Archives Larbor ; **1149 a** Coll. Archives Larbor ; **b** © G. Freund/T. ; **c** © Bulloz/T ; **d** © Gamma - Uzan/T ; **1151** © Explorer - Mary Evans/T ; **1153** © Giraudon - Lauros/T ; **1154** © Centre culturel américain/T ; **1155** Coll. Archives Larbor/T ; **1156 a** © Gyldendal Forlag/T ; **b** © Nationalmuseum, Stockholm/T ; **1157** © Specto - Ph. Coqueux ; **1158 a** © Agence Bernand/T ; **b** © Rigal/T ; **1159 a** © Enguerand - M. Enguerand ; **b** © Editions de l'Arche/T ; **1160 a** © Giraudon - Lauros/T ; **b** © S. Held/T ; **c** © Artephot - Shogakukan/T ; **1161 a** © Rapho - Gamet/T ; **b** © Centre culturel italien, Palerme/T ; **c** © Explorer - Huguier/T ; **d** © N. Treatt/T ; **e** © Hemmett/T ; **1163** © Magnum - M. Franck ; **1165** © Gamma - T. Siga ; **1166 a** © Giraudon/T ; **b** © Germanisches Nationalmuseum, Nuremberg/T ; **1167 a, c** © Coll. Archives Larbor/T ; **b** © Coll. Archives Larbor ; **1168** M. Didier © Archives Larbor ; **1169** © Specto - Ph. Coqueux ; **1170** © Performing Arts Library - C. Barda ; **1171 a** © E. T. Archive, Londres/T ; **b** © Coll. Sirot - Angel/T ;**1172 a** © Specto - Ph. Coqueux ; **b** Coll. Archives Larbor/T ; **c** © Archives photographiques, Paris/T ; **1173 a** © Bisson (L.A.)/T ; **b** © Musikinstrumenten - Museum der Universität Leipzig. Ph. Janos Stekovics ; **1174** Coll. Archives Larbor ; **1175 a** © Musée Mozart, Salzbourg/T ; **b** © Giraudon - Lauros/T ; **c** © Agence Bernand/T ; **1176** Coll. Archives Larbor/T ; **1177** Coll. Archives Larbor/T ; **1178** Coll. Archives Larbor/T ; **1180** © Cl. Martin/T ; **1181 a** © Hoa Qui - M. Renaudeau ; **b** © Enguerand - C. Masson ; **1182** © J.-P. Leloir/T ; **1183** © Rue des Archives - ABC ; **1184** © Magnum - G. Le Querrec ; **1186 a** © Rue des Archives - Tal ; **b** © Rapho - J.-P. Charbonnier - Top ; **1187 a** © Rapho - D. Frasnay ; **b** © Rue des Archives ; **1188 a** © C. Gassian ; **b** © Kipa - LGI ; **1189 a** © Kipa - Sunset ; **b** © Kipa/T ; **1190 a** © J.P. Leloir/T ; **b** © Rue des Archives ; **1191 a** © Sygma - J. Blakesberg ; **b** © C. Gassian ; **1192 a, b** Coll. Archives Larbor/T ; **1193** Gian Carlo Costa © Archives Larbor ; **1194 a** Coll. Archives Larbor ; **b** © Photothèque des Coll. du Centre G. Pompidou, MNAM, Paris © Succession Picasso, 1999. ; **1195** © Enguerand - C. Masson ; **1196 a** © AFP/T ; **b** © Rue des Archives - Everett ; **1197** © Enguerand - M. Enguerand ; **1198** © Enguerand - T. Valès ; **1199 a** © Specto - Ph. Coqueux ; **b** © PPCM - Barbara Morgan - Life Magazine ; **1200 a** © Warner Bros/T ; **b** Coll. J.-L. Passek/T ; **c** Coll. Archives Larbor/T ; **1201 a** © Sygma ; **b** © Sygma - D. Pennington ; **1202 a** R. Coutard - Coll. Christophe L./T ; **b** Coll. Archives Larbor/T ; **1203 a** Coll. Christophe L./T ; **b** Coll. Archives Larbor/T ; **c** Coll. Christophe L. ; **1204 a** MGM - Coll. J.-L. Passek/T ; **b** Coll. Archives Larbor/T ; **c** Les Films du Carrosse. © J.-P. Fizet - Kipa ; **1205 a** © Kipa - Rodrigue ; **b** Coll. Cat's - Kipa ; **1206 a** MGM - Coll. Nogueira/T ; **b** © Kipa ; **1207 a** © Artistes Associés/T ; **b** Coll. Archives Larbor/T ; **c** Coll. J.-L. Passek/T ; **1208 a** © Sunset - Kipa ; **b** Coll. Christophe L./T ; **c** Warner Bros - © Archives Larbor ; **1209 a** Coll. Christophe L./T ; **b** Coll. Archives Larbor/T ; **1210 a** Coll. A. Marinié/T ; **b** Coll. Archives Larbor/T ; **1211 a** © UFA/T ; **b** MGM - Coll. J.-L. Passek/T ; **1212 a** Coll. Archives Larbor/T ; **b** Coll. Cat's - Kipa ; **1213 a** © Kipa ; **b** Coll. Cat's - Kipa ; **1214 a** Coll. Christophe L. ; **b** © Sunset - Kipa ; **1215 a** Coll. Christophe L./T ; **b** © Coll. Christophe L/T ; **c** Coll. Cat's - Kipa © DR.

• **Les Sports, les Jeux et les Loisirs. Page 1217** © Gamma - A. Duclos (reprise p. **VII d**) ; **1218 a** Coll. Archives Larbor/T ; **b** © Gamma - Duclos - Guichard - Gouver/T ; **c** © Gamma - Duclos - Gouver/T ; **d** © Roger-Viollet/T ; **e** © Vandystadt - B. Bade/T ; **1219 a** © Presse - Sports ; **b** © AFP ; **c** © Roger-Viollet/T ; **d** © Presse - Sports/T ; **e** © Presse - Sports/T ; **f** © Presse - Sports - Lecoy ; **1222 a** © Sygma - J. Langevin ; **b** © Presse - Sports/T ; **1225** © Vandystadt - A. Popper - Duomo/T ; **1229 a, b** © Vandystadt - R. Martin ; **1232** © Presse - Sports ; **1233** © Presse - Sports - Popperfoto ; **1234** © Vandystadt - F. Nebinger ; **1235 a** © Presse - Sports/T ; **b** © Vandystadt - Allsport - D. Rogers ; **1237** © Presse - Sports ; **1239** © Vandystadt - L. Zebulon ; **1241** © Vandystadt - Allsport - O. Gruele ; **1242 a, b** © Presse - Sports/T ; **c** © Vandystadt - F. Nebinger ; **d** © Presse - Sports/T ; **1244** © Vandystadt - R. Cheyne/T ; **1248 a** © Vandystadt - Winning/T ; **b** © Presse - Sports - Clément ; **1249 a** © Vandystadt - B. Bade ; **b** © Vandystadt - Winning/T ; **1251 a** © Vandystadt - D'Awang/T ; **b** © Fotogram - Stone/T ; **c** © Vandystadt - Y. Guichaoua/T; **d** © Presse - Sports/T ; **1252 a** © Vandystadt - G. Aschendorf/T ; **b** © Vandystadt - B. Asset/T ; **c** © Keystone/T ; **d** © Presse - Sports/T ; **1253 a** © Gamma - Bakalian/T ; **b** © Roger-Viollet/T ; **c** © Vandystadt - P. Behar/T ; **d** © Roger-Viollet/T ; **1255 a** © Bevilaqua/T ; **b** © Vandystadt - S. Dunn - Allsport ; **c** Meurisse © Coll. Sirot - Angel ; **1256 a** © Vandystadt - F. Nebinger ; **b** © Vandystadt/T ; **1260** © Presse - Sports/T ; **1261** © Fotogram - Stone - J. Stock ; **1263** © Vandystadt - G. Vandystadt/T ; **1264** © Vandystadt - F. Nebinger ; **1265** © Vandystadt - C. Petit - Allsport ; **1266** © Presse - Sports - Legros - Lecoq/T ; **1268** © Vandystadt - Trevor Jones - Allsport ; **1269** © TempSport - Rogers/T ; **1270 a** © Vandystadt - R. Hagan - Allsport ; **b** © Sygma - Ph. Eranian ; **1271** © Pix - P. Sterling ; **1274** © Pix - VCL ; **1275 a** © Vandystadt - B. Asset/T ; **b** © Vandystadt/T ; **c** © Vandystadt - Le Bozec/T ; **1276 a** © Vandystadt - G. Sauvage/T ; **b** © Vandystadt - Auscape/T ; **1277** © Defail/T ; **1278 a** © D. Belden/T ; **b** © Presse - Sports/T ; **c** © Keystone/T ; **d** © S. Chappaz/T ; **1279 a** © Explorer - B. Petitjean/T ; **b** © Explorer - P. Roy/T ; **c** © D. Belden/T ; **1280** © Presse - Sports/T ; **1281 a** © Sygma - D. Despotovic ; **b** © Max Colin - Parisport/T ; **1282 a** © Vandystadt - M. Powell - Allsport ; **b** © Vandystadt - B. Mahé ; **1283** © Gamma - Lance ; **1285 a** © Sygma ; **b** © Rapho - E. Luider ; **1287 a** © Gamma - Kobbeh - Figaro Magazine ; **b** © Sygma - F. Pitchal ; **1289** © J.-L. Charmet/T ; **1290** Coll. Christophe L./T ; **1291** Coll. Archives Larbor/T ; **1292** © G. Dagli Orti/T ; **1294** © G. Dagli Orti ; **1295 a** © P. de Bretagne/T ; **b** © DR/T ; **1297** © Magnum - R. Burri/T ; **1298 a** © Rapho - J.-M. Charles ; **b** © Roger-Viollet/T ; **1299** © Rapho - P. Turnley ; **1300** © REA - J. Leynse ; **1301** Coll. Archives Larbor ; **1302** Coll. Archives Larbor/T ; **1303** © Sygma - B. Annebicque ; **1304** © Scala/T ; **1305** © Hoa Qui - Boisberranger ; **1306** © Sygma - F. Fogel ; **1307** © Diaf - Eurasia Press ; **1308** © Hoa Qui - S. Grandadam ; **1309** © Diaf - A. Le Bot ; **1310** © Jacana - M. Borlandelli ; **1311** © Giraudon - Lauros/T.

N° Projet 10065757 (I) 70 (sabl 80°)
Dépôt légal : octobre 1999
Imprimé en Italie par G. Canale & C. S.p.A. - Borgaro T.se - Turin